E. BÉNÉZIT

DICTIONNAIRE
critique et documentaire
DES PEINTRES SCULPTEURS DESSINATEURS ET GRAVEURS

E. BÉNÉZIT

DICTIONNAIRE
critique et documentaire
DES PEINTRES SCULPTEURS DESSINATEURS ET GRAVEURS

de tous les temps et de tous les pays
par un groupe d'écrivains spécialistes
français et étrangers

•

NOUVELLE ÉDITION
entièrement refondue
sous la direction de Jacques BUSSE

•

TOME 5
EADIE- GENCE

GRÜND
1999

GARANTIE DE L'ÉDITEUR

Malgré tous les soins apportés à sa fabrication,
il est malheureusement possible que cet ouvrage comporte un défaut
d'impression ou de façonnage. Dans ce cas, il vous sera échangé sans frais.
Veuillez à cet effet le rapporter au libraire qui vous l'a vendu ou nous écrire
à l'adresse ci-dessous en nous précisant la nature du défaut constaté.
Dans l'un ou l'autre cas, il sera immédiatement fait droit à votre réclamation.

Éditions Gründ – 60, rue Mazarine – 75006 Paris

Éditions précédentes : 1911-1923, 1948-1955, 1976

ISBN : 2-7000-3010-9 (série classique)
ISBN : 2-7000-3015-X (tome 5)

ISBN : 2-7000-3025-7 (série usage intensif)
ISBN : 2-7000-3030-3 (tome 5)

ISBN : 2-7000-3040-0 (série prestige)
ISBN : 2-7000-3045-1 (tome 5)

Dépôt légal mars 1999

NOTES CONCERNANT LES PRIX

Tous les prix atteints en vente publique par les œuvres des artistes répertoriés dans le Bénézit sont indiqués :

- dans la monnaie du pays où a eu lieu la vente (*cf* abréviations ci-dessous) ;
- dans la monnaie au jour de la vente.

Afin de permettre au lecteur d'évaluer ce que représentent en valeur actualisée les transactions précitées, nous donnons dans le tome 1 :

- un tableau retraçant l'évolution du pouvoir d'achat du franc depuis 1901 (page 8) ;
- un tableau donnant les cours à Paris du dollar et de la livre sterling depuis la même année (page 10).

Ainsi pourra-t-on estimer par un double calcul la valeur d'une transaction effectuée par exemple à Londres en 1937, à New York en 1948, etc., et par une simple lecture à Paris en 1955.

DÉSIGNATION DES MONNAIES SELON LA NORME ISO

ARS	Peso argentin	**HKD**	Dollar de Hong Kong
ATS	Schilling autrichien	**HUF**	Forint (Hongrie)
AUD	Dollar australien	**IEP**	Livre irlandaise
BEF	Franc belge	**ILS**	Shekel (Israël)
BRL	Real (Brésil)	**ITL**	Lire (Italie)
CAD	Dollar canadien	**JPY**	Yen (Japon)
CHF	Franc suisse	**NLG**	Florin ou Gulden (Pays-Bas)
DEM	Deutsche Mark	**PTE**	Escudo (Portugal)
DKK	Couronne danoise	**SEK**	Couronne suédoise
EGP	Livre égyptienne	**SGD**	Dollar de Singapour
ESP	Peseta (Espagne)	**TWD**	Dollar de Taïwan
FRF	Franc français	**USD**	Dollar américain
GBP	Livre sterling	**UYU**	Peso uruguayen
GRD	Drachme (Grèce)	**ZAR**	Rand (Afrique du Sud)

Jusqu'aux années 1970, les prix atteints lors des ventes en Angleterre étaient indiqués indifféremment en livres sterling ou en guinées. Lorsque tel a été le cas, l'abréviation GNS a été conservée.

PRINCIPALES ABRÉVIATIONS UTILISÉES

Rubrique muséographique

Les abréviations correspondent au mot indiqué et à ses accords.

Acad.	Académie
Accad.	Accademia
Assoc.	Association
Bibl.	Bibliothèque
BN	Bibliothèque nationale
Cab.	Cabinet
canton.	cantonal
CNAC	Centre national d'Art contemporain
CNAP	Centre national des Arts plastiques
coll.	collection
comm.	communal
Contemp.	Contemporain, contemporary...
dép.	départemental
d'Hist.	d'Histoire
Fond.	Fondation
FNAC	Fonds national d'Art contemporain
FRAC	Fonds régional d'Art contemporain
Gal.	Galerie, Gallery, Galleria...
hist.	historique
Inst.	Institut, Institute
Internat.	International
Libr.	Library
min.	ministère
Mod.	Moderne, Modern, Moderna, Moderno...
mun.	municipal
Mus.	Musée, Museum
Nac.	Nacional
Nat.	National
Naz.	Nazionale
Pina.	Pinacothèque, Pinacoteca...
prov.	provincial
région.	régional
roy.	royal, royaux

Rubrique des ventes publiques

abréviations des techniques

/	sur
acryl.	acrylique
alu.	aluminium
aquar.	aquarelle
aquat.	aquatinte
attr.	attribution
cart.	carton
coul.	couleur
cr.	crayon
dess.	dessin
esq.	esquisse
fus.	fusain
gche	gouache
gché	gouaché
gchée	gouachée
gchées	gouachées
gches	gouaches
grav.	gravure
h.	huile
h/cart.	huile sur carton
h/pan.	huile sur panneau
h/t	huile sur toile
inox.	inoxydable
isor.	Isorel
lav.	lavis
linograv.	linogravure
litho.	lithographie
mar.	marouflé, marouflée...
miniat.	miniature
pan.	panneau
pap.	papier
past.	pastel
peint.	peinture
photo.	photographie
pb	plomb
pl.	plume
reh.	rehaussé, rehaut, rehauts...
rés.	résine
sculpt.	sculpture
sérig.	sérigraphie
synth.	synthétique
tapiss.	tapisserie
techn.	technique
temp.	tempera
t.	toile
vinyl.	vinylique

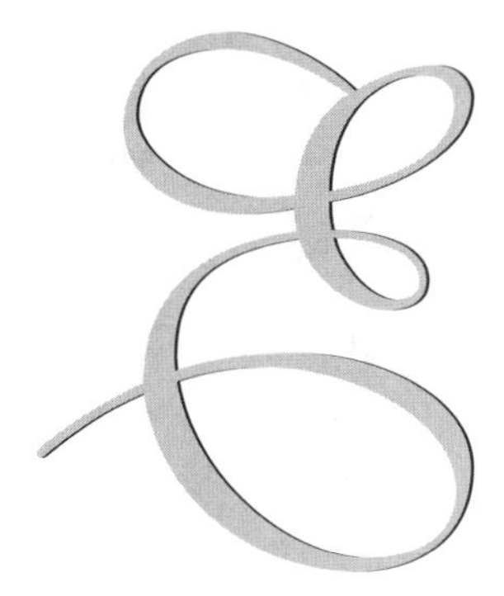

EADIE Agnes S.

Née à Londres. XXe siècle. Britannique.

Miniaturiste.

Elle exposa au Salon des Artistes Français en 1934.

EADIE Robert

Né en 1877. Mort en 1954. XXe siècle. Britannique.

Peintre de paysages, paysages urbains, aquarelliste.

VENTES PUBLIQUES : GLASGOW, 1er oct. 1981 : *View of Largs*, h/pan. (71x91,5) : **GBP 340** – ÉDIMBOURG, 30 août 1988 : *La traversée du pont*, h/t (72x91,5) : **GBP 1 760** – PERTH, 28 août 1989 : *Prince's street depuis l'Académie royale écossaise*, aquar. sur craie noire/pap. (37x55) : **GBP 4 070** – GLASGOW, 11 déc. 1996 : *View of Largs*, h/t (71x92) : **GBP 747**.

EADIE William

XIXe-XXe siècles. Britannique.

Peintre de genre.

Il a exposé fréquemment à Londres, notamment à la Royal Academy, à partir de 1871.

EADIE-REID James

Né dans la seconde moitié du XIXe siècle à Dundee (Écosse). XIXe-XXe siècles. Britannique.

Peintre et dessinateur.

Cet artiste figurait, à Paris, au Salon de la Société Nationale en 1913.

EADWIN

XIIe siècle. Travaillant vers 1150. Britannique.

Miniaturiste.

Moine, il collabora à la décoration d'un Psautier à la Christ Church de Canterbury.

EAGLE Edward

Né vers 1850. Mort le 28 mars 1910 à Dublin. XIXe-XXe siècles. Irlandais.

Peintre de paysages et aquafortiste.

Il envoya plusieurs toiles aux Expositions de l'Académie de Dublin.

EAGLES Edmund

XIXe siècle. Britannique.

Peintre de sujets mythologiques, genre, portraits.

Il exposa fréquemment à la Royal Academy et à Suffolk Street, à Londres, entre 1851 et 1877. Parmi ses œuvres : *L'Enfance de Bacchus* (1851), *la Ciociara* (1858), *Evelyne* (1873), *Gee ! Gee !* (1875).

VENTES PUBLIQUES : LONDRES, 13 déc. 1984 : *Fillette jouant avec des cartes* 1870, h/t (44x48) : **GBP 6 800** – LONDRES, 15 juin 1988 : *Le Déguisement* 1869, h/t (48x37,5) : **GBP 1 980**.

EAKINS Thomas Cowperthwaite

Né le 25 juillet 1844 à Philadelphie. Mort en 1916. XIXe-XXe siècles. Américain.

Peintre de sujets de sport, scènes de genre, portraits, nus, sculpteur.

Son père était professeur de dessin. De 1861 à 1866, il est inscrit au cours de dessin à la Pennsylvania Academy of Art, et en même temps il suit des cours d'anatomie dans une faculté de médecine. Cela explique, probablement, son goût pour les nus dont l'étude lui semble indispensable. Mais à cette époque il se heurte à une pruderie exagérée qui se manifeste, à l'École, dans l'obligation de voiler, sur les études, les visages des modèles qui posaient nus. Poursuivant ses études au Jefferson Medical College, où il assistait et participait à des dissections, il y fit des études de nus. En 1866, il va à Paris, s'inscrit à l'École des Beaux-Arts dans l'atelier de Gérôme où il travaille plus de trois ans. A l'École, sa minutie et son goût pour le dessin l'avantagent, cette institution étant encore dominée par l'art d'Ingres. Après un voyage en Espagne, où il est impressionné par Ribera et Velasquez, il rentre à Philadelphie en 1870. En 1877, il est nommé professeur de dessin à l'Académie des Beaux-Arts de Pennsylvanie. Il souligne alors l'importance de l'étude du nu, tenant à faire poser des modèles. Malheureusement, ses élèves du sexe féminin en sont choquées et le forcent à quitter ce poste. Il devient un peintre isolé qui veut lutter contre cette aversion envers le nu, en peignant des sujets acceptés de tous, où il ne peut faire autrement que d'introduire des nus. C'est le cas pour la *Crucifixion* (1880) où il laisse paraître sa passion pour le corps humain, puis pour *William Rush sculptant l'allégorie du fleuve Schuyltill.* Une exposition rétrospective de ses œuvres eut lieu en 1945 au Carnegie Institute de Pittsburgh.

Sa connaissance en matière d'anatomie lui permit de peindre avec assurance et vérité, comme le montre la *Clinique Gross* (1875) où le Dr Gross apparaît dans la pénombre de l'amphithéâtre, expliquant à ses élèves une opération qu'il pratiquait sur un patient assez crûment éclairé. Ce tableau, par sa réalité glacée choqua ses contemporains, surtout parce qu'il s'agissait de la représentation d'un fait réel qui mettait en scène des gens de leur époque. Cette réalité et cette actualité ont toujours été les principales préoccupations d'Eakins, qui lui ont été précisément reprochées par le public américain.

Il a fait aussi des portraits dans une manière sombre, avec quelques points éclairés, un peu à la façon de Rembrandt qu'il admirait. Il s'attache surtout à rendre le caractère, la psychologie du personnage plus qu'à détailler ses vêtements ou les accessoires qui l'entourent. Ce souci de pénétrer la personne humaine, son être, se retrouve dans ses portraits plus tardifs, dont le *Penseur* (1900), qui n'est autre que son beau-frère, Kenton. Mais c'est surtout dans la peinture de plein air que Eakins donne le meilleur de lui-même. En 1871, il peint *Max Schmitt à l'aviron*, tableau simple en apparence, et très soigneusement composé selon un plan géométrique serré. Il associe une étude théorique de la perspective à l'observation des modèles réels. Et cette association ne nuit pas à l'accent de vérité qui ressort de la plupart de ses tableaux, en particulier, des scènes de chasse comme celle de *Will Schuster et un Noir allant tirer le râle* (1876). Cette œuvre, d'une grande sobriété, avec l'étagement des trois bandes horizontales qui indiquent l'eau, la haie et le ciel, le nombre des personnages réduit à deux, cache une composition stricte et toute une étude des gestes à peine esquissés, donnant ce caractère d'instantanéité qui convient à une scène de chasse. Eakins a également joué avec des couleurs simples opposant, par exemple, le rouge de la chemise du chasseur au blanc de celle du rameur. Cependant, le meilleur de l'art d'Eakins se rencontre dans ses tableaux de plein air, et à ce sujet, on peut penser qu'il a été influencé par l'école de plein air de France, plus que par l'impressionnisme. Il se plaît à saisir le mouvement, l'instantané, que ce soit avec la *Mare* (1882) où il présente ses amis nageant et plongeant, ou *l'attelage de Fairman Roger* (1879), pour lequel il avait réalisé des études en cire pour les chevaux (comme le faisait Degas). Il est également l'auteur de scènes sportives prises dans un moment fugitif.

Peintre de la réalité, voulant refléter l'image de la vie du moment, il peut être considéré comme l'annonciateur de l'« École de la

poubelle » qui naîtra justement à Philadelphie et qui portera jusqu'au milieu du xxe siècle la tradition réaliste américaine.
■ Annie Jolain

Bibliogr. : Lloyd Goodrich : *Thomas Eakins : his life and work*, New York, 1933 – J. O. Prown et B. Rose : *La Peinture américaine*, Skira, Genève, 1969 – John Wilmerding : *Thomas Eakins*, Washington, 1993 – Helen A. Cooper : *Thomas Eakins : The rowing pictures*, Yale University Press, Yale, 1996.

Musées : New York (Metropolitan Mus.) : *May Schmitt à l'aviron – Le Penseur* – Northampton, Mass. (Smith College Mus. of Art) : *Mrs Edith Mahon* – Philadelphie (Jefferson Medical College) : *La Clinique Gross* – Philadelphie (Mus. of Art) : *L'Attelage de Fairman Roger – Crucifixion – William Rush sculptant l'allégorie du fleuve Schuylkill*.

Ventes Publiques : New York, 24 oct. 1946 : *Madame Richard Day* : **USD 600** – New York, 23-25 jan. 1947 : *Maybelle* 1898 : **USD 2 000** – New York, 22 jan. 1966 : *Youth playing pipes*, bronze, bas-relief : **USD 2 500** – New York, 10 déc. 1970 : *Cowboys dans un paysage* : **USD 210 000** – New York, 7 avr. 1971 : *La fileuse* vers 1878 : **USD 120 000** – New York, 23 mai 1974 : *Portrait de Florence Einstein* 1905 : **USD 36 000** – New York, 21 avr. 1978 : *L'Archevêque William Henry Elder* 1903, h/t (168,5x115,5) : **USD 265 000** – New York, 20 avr. 1979 : *Portrait de Florence Einstein* 1905, h/t (61x50,8) : **USD 50 000** – New York, 23 avr. 1981 : *Étude de jeune fille avec un chat, Kathrin*, cr./pap. mar./cart. (35,6X28) : **USD 8 500** – New York, 2-3 juin 1983 : *Portrait du Dr. William Thompson* vers 1907, h/t (172x122,4) : **USD 280 000** ; *Spinning* 1881, aquar. (39,8x27) : **USD 500 000** – New York, 29 mai 1986 : *Portrait du Dr Gilbert Lafayette Parker*, h/t (61x50,8) : **USD 125 000** – New York, 17 nov. 1986 : *Nu allongé* vers 1863-1866, fus./pap. rose (47,6x61) : **USD 52 500** – New York, 28 mai 1987 : *The artiste student-portrait of James Wright* 1890, h/t (107,7x81,3) : **USD 2 200 000** – New York, 24 mai 1989 : *Portrait du professeur William D. Marks*, h/t (193x137,1) : **USD 165 000** – New York, 23 mai 1990 : *John Biglin s'entraînant à l'aviron* 1873, aquar./pap. (42,9x61) : **USD 3 520 000** – New York, 24 mai 1990 : *Portrait d'une femme*, h/t (61,5x50,8) : **USD 19 800** – New York, 29 nov. 1990 : *Prairies à Gloucester dans le New Jersey*, h/pan., étude (26x35,5) : **USD 33 000** – New York, 1er déc. 1994 : *Jeune fille réfléchissant*, h/t (17,8x12,7) : **GBP 34 500** – New York, 25 mai 1995 : *Portrait de Charles Linford, l'artiste*, h/t (121,9x94) : **USD 90 500** – New York, 5 juin 1997 : *La Pose des filets* 1882, aquar./pap. (28,7x42,5) : **USD 1 542 500**.

EAMES Charles

Né en 1907 à Saint Louis (Missouri). Mort le 21 août 1978. xxe siècle. Américain.

Designer, architecte, graphiste.

Un fauteuil dessiné en 1955 et édité dans le monde entier l'a rendu célèbre. Outre cette activité internationale de designer, Eames a expérimenté la sculpture, dont une *Machine à ne rien faire*, de 1955, animée par l'énergie solaire et dont Frank Popper parle dans *Naissance de l'art cinétique*.

EAMES Dickon

Né en 1945 à New York. xxe siècle. Actif en France. Américain.

Sculpteur.

Il vit et travaille en France depuis 1972. Après plusieurs expositions collectives et particulières à l'étranger, il expose régulièrement, depuis 1983, à Paris, à la galerie Jean-Claude Riedel.

Les sculptures de D. Eames, de taille moyenne, de 70 à 80 centimètres de hauteur, composent des fragments de lignes courbes au moyen de tiges métalliques fixées les unes aux autres par des vis et des boulons. C'est un art qui contient certains principes esthétiques du constructivisme : la ligne indique la force et le rythme de l'objet, tandis que le volume est rejeté. Ce qui engendre la curiosité, ce sont ces structures curvilignes, sans finitude autre que celle du matériau, qui balayent doucement l'espace. La couleur dominante du gris évoque un désir de neutralité, d'expérimentation et de provisoire pour ces constructions qui mettent en tension le mouvement et l'équilibre : boules noires ou jaunes circulant dans l'espace, poulies suspendues, hélicoïdes. Toute œuvre d'art, dit-on, possède une structure interne, celles de D. Eames jouent « serré » avec les leurs. ■ C. D.

EANES Gil ou **Eannes**

xve siècle. Actif au Portugal au xve siècle. Éc. flamande.

Sculpteur.

Il travailla en 1465 pour le cloître S. M. de la Victoire à Batalha, puis pour celui de Miraflore, où il entreprit en 1496 avec Diego de la Cruz l'exécution du maître-autel.

EANES Gonçalo

Mort en 1455. xve siècle. Portugais.

Peintre de miniatures.

On le trouve à la cour royale du Portugal.

EANES Joâo. Voir **ANES**

EANES Vasco ou **Eannes**

xve siècle. Portugais.

Peintre de miniatures.

EARDLEY Joan Kathleen Harding

Née en mai 1921 à Warnham (Sussex). Morte le 19 août 1963. xxe siècle. Britannique.

Peintre de figures, intérieurs, paysages, marines.

Elle fit ses études artistiques à Londres, à la Glasgow School of Art, de 1940 à 1943. En 1948, elle devint membre de la Société des Artistes Écossais. Joan Ardley effectua des voyages en France et en Italie, avant de travailler à Glasgow, puis de s'installer dans le village de Catterline, petit port de pêcheurs. Elle fut nommée, en 1955, membre associé de l'Académie Royale d'Écosse, puis en 1963, l'année de sa mort, académicienne. Elle a participé à de nombreuses expositions collectives de la peinture écossaise et anglaise contemporaines. Citons les principales expositions particulières : 1949, à l'École des Beaux-Arts de Glasgow ; 1950, à Aberdeen ; 1955, à Londres ; 1959 et 1961 à Édimbourg ; 1963 à Londres. Elle a peint dans une facture robuste de caractère expressionniste, les personnages de la vie quotidienne populaire, avec une prédilection pour les enfants de la rue, quelques intérieurs ouvriers, et surtout de vastes paysages, brossés dans une matière généreuse, des marines sauvages, proies des vagues et du vent.

Bibliogr. : Catalogue de l'exposition rétrospective, Glasgow, Édimbourg, 1964.

Ventes Publiques : Glasgow, 8 avr. 1982 : *Glasgow children*, gche (10x12) : **GBP 360** – Écosse, 30 août 1983 : *Enfant endormi*, craies de coul. (25,5X29) : **GBP 600** ; *The stove*, h/t (89x41) : **GBP 3 000** – Londres, 26 sep. 1984 : *Shop interior-Jeannie*, gche et encre de Chine (38x25,5) : **GBP 1 650** – Perth, 26 août 1986 : *Summer fields III*, gche (33x40,5) : **GBP 1 200** – South Queensferry, 29 avr. 1987 : *Children playing, Back Street, Glasgow* 1956, h/t (91,5x162,5) : **GBP 43 000** – Londres, 13 mai 1987 : *Jeune garçon avec un chat*, fus. et craies de coul. (51x36) : **GBP 2 400** – Londres, 29 juil. 1988 : *Tête de gamin*, h/cart. (25,7x20,7) : **GBP 825** – Édimbourg, 30 août 1988 : *Filets à saumon II*, h. et collage /cart. (64,5x122,5) : **GBP 9 350** – Édimbourg, 22 nov. 1988 : *Petit garçon attardé*, past./pap. (26,7x21,5) : **GBP 5 500** ; *La mer n° 4*, h. et collage/cart. (111,7x118) : **GBP 9 000** – Perth, 28 août 1989 : *Gamin au tricot bleu*, past. (50x37) : **GBP 14 300** – Édimbourg, 22 nov. 1989 : *La dame au papier peint rouge*, h/t (90,3x90,8) : **GBP 14 300** – Glasgow, 6 fév. 1990 : *Gamin avec un chat*, fus. et craies de coul. (51x36) : **GBP 4 620** – Édimbourg, 26 avr. 1990 : *La mer n° 4*, h. et collage/cart. (111,7x118) : **GBP 7 700** – Perth, 27 août 1990 : *Le câlin de l'enfant*, craies de coul. (27x23) : **GBP 4 950** – Glasgow, 22 nov. 1990 : *Les deux enfants Samson*, past. et aquar. (12x9,5) : **GBP 1 650** – Glasgow, 5 fév. 1991 : *Enfants dans un quartier populaire de Glasgow*, h/t (72x137) : **GBP 55 000** – Perth, 26 août 1991 : *Portrait de Angus Neil*, h/t (76x65) : **GBP 11 000** – Édimbourg, 19 nov. 1992 : *Cow Parsley à Catterline*, h/cart. (85,7x113) : **GBP 7 700** – Édimbourg, 23 mars 1993 : *Un immeuble de Glasgow*, h/t (75x67) : **GBP 11 500** – Édimbourg, 13 mai 1993 : *Le gamin en pull over rouge, assis*, past./pap. glacé (27,3x22,5) : **GBP 3 300** – Glasgow, 1er fév. 1994 : *Campement de bohémiens*, aquar. et gche (16,5x24) : **GBP 2 415** – Perth, 30 août 1994 : *Un cottage*, h/t (25x35,5) : **GBP 4 830** – Glasgow, 14 fév. 1995 : *Un enfant en bleu*, h/cart. (26,5x20,5) : **GBP 1 380** – Perth, 29 août 1995 : *Neige I*, h/t (61x69) : **GBP 7 820** – Édimbourg, 23 mai 1996 : *Une rue du marché en France*, h/t (61x76,2) : **GBP 17 250** – Perth, 26 août 1996 : *Catterline Bay*, h/cart. (29x122) : **GBP 6 325** – Glasgow, 11 déc. 1996 : *Un garçon de Glasgow*, h/t (45,5x30,5) : **GBP 11 500** – Glasgow, 20 fév. 1997 : *Fillette dans une poussette, étude pour les enfants du port de Glasgow*, past./pap. chamois (29,2x15,8) : **GBP 4 830**.

EARHART John Franklin

Né le 12 mars 1853 dans l'Ohio. xixe siècle. Actif à Fernbank. Américain.

Peintre de paysages.

Lauréat du prix de paysage de l'Art Club de Cincinnati (100 $).

EARL George
Mort en 1917. XIXe-XXe siècles. Britannique.
Peintre de scènes de chasse, sujets de sport, animaux, paysages animés, paysages.
Cet artiste exposa fréquemment à Londres, notamment à la Royal Academy, à partir de 1856. Il est peut-être parent avec le paysagiste G. Earl, qui exposait à la Royal Academy en 1840.
Ventes Publiques : Londres, 1er fév. 1908 : *Quittant le pâturage* : **GBP 9** ; *Sur la route de Falkerk Tryst* : **GBP 16** – Londres, 3 avr. 1909 : *Terrier écossais et un rat* : **GBP 4** – Londres, 4 juin 1909 : *Cerfs*, deux tableaux de chasse : **GBP 33** – Londres, 9 fév. 1923 : *Le roquet favori*, vendu avec un autre tableau, de Callow : **GBP 5** – Londres, 11 fév. 1938 : *Day's bag* : **GBP 17** – Londres, 20 juin 1972 : *Portrait d'un gentilhomme à cheval* 1872 : **GBP 280** – Londres, 16 mars 1973 : *Scène de chasse* : **GNS 1 100** – New York, 14 mai 1976 : *A field trial*, h/t (84x137) : **USD 25 000** – Londres, 7 oct. 1981 : *Pur-sang dans un paysage* 1869, h/t (64x89,5) : **GBP 1 600** – New York, 8 juin 1984 : *Jument et poulain dans un paysage*, h/t (43,8x51,1) : **USD 2 000** – Londres, 12 juin 1985 : *On the moors* 1871, h/t (130x100) : **GBP 8 800** – Londres, 23 sep. 1988 : *Retour de la chasse* 1870, h/t (72x102) : **GBP 2 860** – Londres, 22 juin 1990 : *Vers le nord : la gare de King's Cross* 1893, h/t (122,9x213,4) : **GBP 264 000** ; *Vers le sud : la gare de Perth* 1895, h/t (122,9x213,4) : **GBP 308 000** – Londres, 13 mars 1992 : *Briton, un mastiff dans les dépendances d'une propriété* 1873, h/t (101,6x137,2) : **GBP 4 400** – New York, 5 juin 1992 : *Queeny, un jeune carlin*, h/pan. (diam. 27,9) : **USD 11 000** – Perth, 31 août 1993 : *Pointers sur la piste d'une grouse* 1880, h/t (66x91,5) : **GBP 9 430** – Ludlow (Shropshire), 29 sep. 1994 : *Jeune Épagneul*, h/pan. (diam. 33) : **GBP 7 590** – Monaco, 7 oct. 1995 : *Jeune Fille et son chien*, h/t (120x180) : **FRF 300 000** – Londres, 6 nov. 1995 : *Dans les ronces*, h/cart. (diam. 34) : **GBP 7 130** – Londres, 17 oct. 1996 : *Frank, retriever*, h/t (49,5x67,3) : **GBP 1 265**.

EARL Justin
Né en 1959 à Oxford. XXe siècle. Britannique.
Peintre de compositions à personnages. Tendance expressionniste.
Il est diplômé de la Winchester School of Art. Il travaille aux États-Unis en 1980-81, et effectue en 1982 un séjour d'études à la Virginia Commonwealth University à Richmond. Justin Earl vit et travaille à Londres depuis 1982. Il y expose régulièrement ainsi qu'à New York, de même qu'à Paris à la galerie Jean-Claude Riedel en 1988 et 1990.
Sa peinture met en scène des groupes de personnages, par exemple attablés, dont l'artiste exprime avec emphase leur existence. Les vêtements de ces êtres sont, en général, imprimés de motifs de couleurs vives et variées qui modèlent les lignes de leurs corps. Plusieurs histoires courent dans la même scène, obligeant le spectateur à interpréter, repérer les relations entre les acteurs, s'interroger sur la représentation d'un monde de prime abord familier, mais qui, si l'on s'y attarde, provoque irrésistiblement une impression de malaise existentiel. Certains des personnages ont l'air d'être absents, d'autres discrètement enjoués, d'autres, enfin, semblent se cacher. Les hommes ont un aspect gris ou vert sombre avec des têtes grossies ou ridiculement anguleuses, parfois même c'est tout le corps de l'homme qui est éclipsé par celui d'un animal vêtu et coiffé d'un chapeau, assis au milieu des convives. Cette présence ne semble surprendre personne. Est-ce une dérive de l'identité humaine, un mimétisme susurré par la représentation de certains visages, une sorte de symbole du hasard et de l'imprévisibilité de la vie ? Les femmes coquettes et colorées sont tellement présentes qu'elles semblent être les instigatrices de cette drôle de réunion. Les expressions de leurs visages : bouches grossies, traits tirés, front plissé, participent à ce subtil déséquilibre ambiant. ■ C. D.

EARL Maud
Née en 1864. Morte en 1943. XXe siècle. Britannique.
Peintre, dessinateur, animalier.
Élève de son père Georges Earl, elle exposa à la Royal Academy à Londres, de 1884 à 1908, puis au Salon de Paris et dans différentes expositions anglaises et américaines. *The Sportsman's Year* de 1908 contient 12 dessins en couleur de sa main. Elle peignit les chiens préférés de la reine Victoria et du roi Edouard VII.

Ventes Publiques : Londres, 9 fév. 1925 : *Écossais* 1907, vendu avec un autre tableau de Wasley : **GBP 1** – Londres, 23 mars 1928 : *Très loin dans le Nord, fin de l'expédition* : **GBP 1** – Londres, 14 fév. 1936 : *Trois pékinois* 1911 : **GBP 1** – Londres, 14 nov. 1969 : *Trois chiens pékinois* : **GNS 380** – Londres, 26 avr. 1974 : *L'as de cœur* : **GNS 1 400** – Londres, 29 juin 1976 : *Chiens setter dans un paysage*, h/t (44x73,5) : **GBP 750** – Londres, 19 avr. 1978 : *Cavaliers arabes*, quatre toiles (110,5x47) : **GBP 1 500** – Londres, 19 avr. 1979 : *Cavaliers arabes*, quatre toiles (110,5x47) : **GBP 1 500** – Londres, 20 oct. 1981 : *Espagneuls et Labrador à l'orée d'un bois* 1892, h/t (46x66) : **GBP 3 400** – New York, 8 juin 1984 : *Un setter irlandais dans un paysage*, h/t (88,3x106) : **USD 5 000** – Londres, 28 nov. 1986 : *Épagneul dans un paysage* 1910, h/t (46,5x62,3) : **GBP 6 000** – New York, 24 oct. 1989 : *Le vol de petits hérons bleus*, h/cart. (89,5x151,1) : **USD 15 400** – Londres, 3 nov. 1989 : *Michael, un cocker doré* 1920, h/t (76,5x63,5) : **GBP 5 280** – Londres, 14 fév. 1990 : *Luska, un chien de traineau sibérien dans un paysage enneigé*, h/t (77,5x102,2) : **GBP 15 400** – Londres, 15 jan. 1991 : *Deux lévriers l'un flammé et l'autre blanc dans un paysage*, h/t (102,8x129,5) : **GBP 14 850** – New York, 16 oct. 1991 : *Un épagneul rapportant un faisan* ; *Un labrador rapportant un canard* 1924, h/cart., une paire (100,7x67,3) : **USD 13 200** – New York, 5 juin 1992 : *Un terrier* ; *Un épagneul* 1890, h/t, une paire (chaque 40,6x40,6) : **USD 15 400** – New York, 13 oct. 1993 : *Cacatoes* 1936, h/cart. (121,9x91,4) : **USD 3 450** – Londres, 5 nov. 1993 : *La beauté et les bêtes*, h/t (45,7x61) : **GBP 10 350** – New York, 15 fév. 1994 : *Un basset noir et feu* 1890, h/t (61x55,9) : **USD 12 650** – Glasgow, 14 fév. 1995 : *Setters sur la lande*, h/t (50,5x76) : **GBP 7 475** – Londres, 29 mars 1996 : *Pékinois roux et noir avec des fleurs de lotus sur un rivage* 1916, h./fond de soie or/cart. (66x59,7) : **GBP 9 775** – New York, 11 avr. 1997 : *Chiens courants*, h/t (45,7x76,2) : **USD 9 200** ; *Carnards de l'étang de Bostwick*, h/pan., triptyque (123,2x77,5 et 123,2x82,5) : **USD 13 800**.

EARL Ralph. Voir **EARLE Ralph**

EARL Thomas
Né en 1836. Mort en 1885. XIXe siècle. Britannique.
Peintre d'animaux.
Il exposa très fréquemment à Londres, entre 1836 et 1885, à la Royal Academy, à la British Institution et surtout à Suffolk Street.
Ventes Publiques : Londres, 28 avr. 1924 : *Épagneul*, vendu avec *Une bataille imminente* de Fannie Moody : **GBP 21** – Londres, 20 jan. 1981 : *Chatons jouant*, h/t (46x61) : **GBP 360** – Londres, 5 oct. 1984 : *Un terrier*, h/t (diam. 34,9) : **GBP 1 700** – Londres, 22 fév. 1985 : *Terrier with a rabbit* 1859, h/t (54,5x45,7) : **GBP 1 900** – New York, 9 juin 1988 : *J'entends une voix*, h/t (71,1x91,5) : **USD 3 300** – Londres, 14 fév. 1990 : *Tête d'un terrier*, h/t (diam. 31,7) : **GBP 1 100** – Londres, 1er nov. 1990 : *La récompense* 1854, h/t (66x66) : **GBP 4 950** – Londres, 15 jan. 1991 : *Tête d'un terrier des Highlands*, h/cart./pan. (25,3x18,1) : **GBP 935**.

EARL Thomas Percy
XIXe-XXe siècles. Actif de 1900 à 1930. Britannique.
Peintre d'animaux, peintre à la gouache.
Ventes Publiques : Londres, 30 mai 1985 : *Cheval de course avec son jockey*, gche (34x50,5) : **GBP 850** – Londres, 12 juin 1986 : *Ascetic Silver, with the Hon. Aubrey Hastings up in a landscape* 1906, h/t (59,6x76,2) : **GBP 4 500** – Londres, 30 jan. 1991 : *Chevaux au pesage avec leurs jockeys* 1900, gche (38x56) : **GBP 1 980** – New York, 7 juin 1991 : *Enfield monté par son jockey* 1934, h/t (45,7x61) : **USD 7 150** – New York, 5 juin 1992 : *Jason, cheval bai dans un paysage* 1913, h/t (69,2x87) : **USD 7 975** – Londres, 13 nov. 1996 : *Précipitation monté par son jockey*, h/t (63,5x76) : **GBP 4 370**.

EARL William Robert
XIXe siècle. Actif à Londres. Britannique.
Peintre de paysages.
Exposa fréquemment à Londres, entre 1823 et 1867, notamment à la Royal Academy, à la British Institution et à Suffolk Street.

Ventes Publiques : Londres, 16 mai 1929 : *Bois avec lac, et enfants* 1820 : **GBP 16.**

EARLE Augustus
XIXe siècle. Britannique.
Peintre de portraits, paysages, marines, aquarelliste, dessinateur.
Par son amour des voyages, il fut surnommé « le peintre errant ». Il était fils du peintre Ralph Earle. Ami intime de Leslie et de Morse, il travailla avec eux à l'Académie royale en 1813, puis ils se perdirent de vue, car Earle commença très jeune ses pérégrinations. Il visita toutes les côtes de la Méditerranée, passa en Afrique, aux États-Unis, se rendit au Cap de Bonne-Espérance, fit naufrage à Tristan d'Acunha et y demeura six mois dans une hutte, avec les autochtones, jusqu'à ce qu'un navire vînt enfin le tirer de ce lieu sauvage. Après avoir visité la terre de Van Diemen, la Nouvelle Galles du Sud et la Nouvelle-Zélande, il retourna à Sydney, puis alla aux Carolines et s'arrêta à Madras, où il gagna de l'argent comme portraitiste. Mécontent de sa situation, il alla à Pondichéry, où il s'embarqua pour la France et finit par rentrer dans sa terre natale. Il publia une série de vues de la Nouvelle Galles du Sud ; il publia, en 1832, le récit d'un séjour de neuf mois dans la Nouvelle-Zélande, ainsi qu'un journal de son séjour à Tristan d'Acunha. Il fit des envois à l'Académie royale entre 1806 et 1815 et en 1837 et 1839. Citons parmi les œuvres exposées : *Le Jugement de Midas, La Vie sur l'océan, Un bivouac de voyageurs en Australie.*
Ses multiples voyages développèrent chez lui l'amour de la nature.
Ventes Publiques : Londres, 4 mai 1926 : *Vues de la Nouvelle Galles du Sud et de la Nouvelle-Zélande*, dess., série de soixante : **GBP 1 800** - Londres, 22 juin 1967 : *Portrait d'Aranghi Tooker, Nouvelle-Zélande* : **GBP 700** - Londres, 10 juin 1986 : *Vue panoramique de l'île Maurice avec bateaux au large de Port-Louis*, aquar. et cr./3 feuilles jointes (24,2x109,8) : **GBP 8 000.**

EARLE Charles
Né en 1832. Mort le 8 avril 1893 à Londres. XIXe siècle. Britannique.
Peintre de paysages animés, paysages urbains, peintre à la gouache, aquarelliste, dessinateur.
Membre du Royal Institute of Painters in Water-Colours, il exposa à Londres, particulièrement à la Royal Academy et à Suffolk Street, à partir de 1857. Il visita la France.
Ventes Publiques : Londres, 29 jan. 1910 : *Printemps hâtif à Eccles Bourn Gelnn*, aquar. : **GBP 3** - Londres, 5 mars 1910 : *Le moulin*, aquar. : **GBP 8** ; *Scène dans un village*, aquar. : **GBP 10** - Londres, 7 mars 1910 : *Sur les remparts d'Avignon*, aquar. : **GBP 9** - Londres, 17 juin 1910 : *Une ferme près du South Down*, aquar. : **GBP 5** - Londres, 15 mai 1984 : *The Rectory garden*, aquar. reh. de blanc (50,8x35) : **GBP 1 300** - Londres, 10 oct. 1985 : *Une place de marché à Venise*, aquar. reh. de gche (54x39,5) : **GBP 850** - Édimbourg, 22 nov. 1988 : *Le marché aux fruits à Venise*, aquar. et gche (34,3x58,4) : **GBP 800** - Londres, 25 jan. 1989 : *Marché aux fruits à Venise*, aquar. et gche (34x58,5) : **GBP 2 200** - Londres, 14 juin 1991 : *Promenade du soir dans le parc du manoir*, cr. et aquar. avec reh. de blanc (56x34,3) : **GBP 1 980** - Londres, 7 oct. 1992 : *Le marché aux fleurs de Bruxelles*, aquar. (32x48,5) : **GBP 1 650** - Londres, 9 juin 1994 : *Whitby*, aquar. et gche (27x49) : **GBP 977** - Londres, 7 juin 1996 : *Fontaine villa Borghese, Rome*, cr. et aquar. (48,8x74,9) : **GBP 1 265.**

EARLE Cornelia
Née le 25 novembre 1863 à Houtsville (Alabama). XIXe siècle. Américaine.
Peintre et professeur.
Élève de G.-L. Noyes. Cette artiste obtint le premier prix de la Columbia Art Association en 1922.

EARLE Elinor
Né à Philadelphie. XIXe-XXe siècles. Américain.
Peintre.
Fit ses études dans sa ville natale. Prix Mary Smith 1902, médaillé à diverses expositions.

EARLE Eyvind
Né en 1916. XXe siècle. Américain.
Peintre.
Ventes Publiques : Los Angeles, 17 mars 1981 : *Big sur country* 1973, h/t (50,8x45,7) : **USD 1 900** - New York, 7 mai 1996 : *Big sur* 1972, h/rés. synth. (71,2x55,9) : **USD 8 050.**

EARLE J. H.
XIXe siècle. Britannique.
Peintre d'histoire.
Il envoya à la British Institution et à Suffolk Street de 1842 à 1845 plusieurs toiles dont *Scène de Lalla Rok* en 1845.

EARLE James
Né en 1751 à Leicester (Massachusetts). Mort en 1796 à Charleston, il mourut de la fièvre jaune. XVIIIe siècle. Américain.
Peintre de portraits.
Cet artiste était probablement frère de Ralph Earle. Il exposa de 1787 à 1796 à la Royal Academy à Londres.
Ventes Publiques : New York, 22 sep. 1993 : *Frances Hortin et sa sœur*, h/t, une paire (chaque 61,2x51,5) : **USD 9 200.**

EARLE Kate
XIXe siècle. Active à Londres. Britannique.
Peintre de genre.
Elle exposa à Londres à différentes reprises, entre 1887 et 1893.

EARLE Lawrence Carmichael
Né en 1845 à New York. Mort en 1921. XIXe-XXe siècles. Américain.
Peintre de genre, paysages, natures mortes, aquarelliste.
Il étudia à Munich, Florence et Rome. Associé de la National Academy, il fut aussi membre de la Water-Colours Society et membre honoraire de l'Institut de Chicago.
Ventes Publiques : New York, 3 avr. 1903 : *Printemps* : **USD 200** - New York, 10 mars 1906 : *Le Pêcheur* : **USD 170** - Portland, 17 juil. 1982 : *Jeune femme dans un paysage*, aquar. (40,5x30,5) : **USD 900** - New York, 27 jan. 1984 : *Nature morte aux fleurs* 1876, h/t (30,5x25,4) : **USD 2 000** - New York, 10 mars 1993 : *Les marais* 1908, h/t (90,2x124,5) : **USD 6 900** - New York, 21 mai 1996 : *Une porte cochère* 1883, aquar./pap. (71x49,5) : **USD 1 610.**

EARLE Olive
Né le 27 décembre 1888 à Londres. XXe siècle. Britannique.
Peintre de marines.

EARLE Ralph ou **Earl**
Né le 11 mai 1751 à Worcester (Massachusetts). Mort en 1801 à Bolton (Connecticut). XVIIIe siècle. Américain.
Peintre d'histoire, figures, portraits, paysages animés, paysages.
C'était un autodidacte, tout d'abord cordonnier pour devenir enfin juge à la cour suprême du Connecticut. En 1778, il partit pour l'Angleterre et s'installa à Norwich puis à Londres ; il fut admis dans l'atelier de Benjamin West. Il peignit des portraits exposés à la Royal Academy en 1783, 1784 et 1785. Avant son départ en Angleterre, il avait peint l'un de ses plus saisissants portraits : *Roger Sherman* (1775-1777). S'étant marié, il eut plusieurs enfants, ce qui ne l'empêcha pas de rentrer, en 1786, seul dans son pays, abandonnant sa famille. Il peignit : *Les Chutes du Niagara* et les portraits du roi George III, du docteur Dwitg et du président du Yale College. En 1989, il figura à l'exposition *200 ans de peinture américaine. Collection du Musée Wadsworth Atheneum*, présentée à Paris, aux Galeries Lafayette.
Il était à la fois portraitiste et paysagiste, mêlant parfois les deux genres dans des tableaux comme celui qui représentait *Mrs William Moseley et son fils Charles*, dont les figures se détachent sur un fond de vues du Connecticut aussi intéressantes que les portraits eux-mêmes. C'est avec une simplicité archaïsante qu'il traite les modèles, conservant une unité de couleur entre les vêtements de Sherman et le fond. Earle fut l'un des rares artistes à s'intéresser au paysage de l'Amérique, à la fin du XVIIIe siècle. On pense que les quatre *Scènes de la bataille de Lexington* qu'il exécuta en 1775 furent les premières peintures historiques réalisées en Amérique.
Musées : Hartford (Wadsworth Atheneum Mus.) : *Double portrait de Oliver Ellsworth et Abigail Wolcott Ellsworth* 1792.
Ventes Publiques : Londres, 8 nov. 1928 : *Mr James Madison, quatrième président des États-Unis, avec sa femme et ses trois enfants* : **GBP 78** - New York, 12 nov. 1931 : *Le général Gabriel Christie* : **USD 525** - New York, 16 avr. 1936 : *Jeune Fille avec un oiseau* : **USD 525** - Londres, 23 avr. 1941 : *Le Général Andrew Jackson, président des États-Unis, en uniforme* : **GBP 52** - Londres, 6 mars 1942 : *Portrait d'un personnage, avec sa femme et sa famille* : **GBP 31** - Londres, 6 nov. 1959 : *Portrait du colonel George Watton Onslow* : **GBP 630** - New York, 3 fév. 1978 : *Por-*

trait of Mr Loganbank, h/t (92,7x76,8) : **USD 2 100** – New York, 30 jan. 1980 : *Portrait du doctor Seth Bird* 1798, h/t (76,2x61) : **USD 4 000** – New York, 26 oct. 1985 : *Nathaniel Ruggles ; Martha Ruggles, Massachusetts*, h/t, une paire (115x92) : **USD 40 000** – New York, 25 mai 1995 : *Portrait d'un enfant*, h/t (65,4x53,3) : **USD 129 000** – New York, 23 mai 1996 : *Portrait de John Phelps* 1792, h/t (195,6x124,5) : **USD 233 500**.

EARLE Thomas
Né en 1810 à Hull. Mort en 1876 à Londres. xixe siècle. Britannique.
Sculpteur de groupes, statues, bustes.
Il fut élève de la Royal Academy. Il débuta en 1834 et exposa jusqu'en 1873. On cite parmi les œuvres exposées : *Hercule délivrant Hesione du monstre marin* (1840, médaille d'or), *Ophélie* (1848), *La Reine Victoria* (1864), *Statue d'Edouard Ier pour Hull*, *Miranda* (1865).

EARLE Winthrop
Né en 1870 à Yonkers (États-Unis). Mort le 2 mars 1902 à New York. xixe siècle. Américain.
Sculpteur.
Étudia d'abord la sculpture à New York avec Saint-Gaudens, puis alla travailler à Paris avec Rodin et à l'Académie Colarossi. De retour à New York, il fut membre de la Art Students' League.

EARLES Chester
xixe siècle. Actif à Londres. Britannique.
Peintre de portraits.
Exposa fréquemment à Londres entre 1842 et 1863.

EARLEY James Parrington
Né le 27 septembre 1856 à Birmingham. xixe siècle. Travaillant à Washington (États-Unis). Américain.
Peintre.
Après avoir fait ses études à la Royal Academy, à Londres, il alla en Amérique et s'y fit naturaliser en 1882. Médaillé à de nombreuses expositions.

EARLOM Richard
Né en 1743 à Londres. Mort en 1822 à Londres. xviiie-xixe siècles. Britannique.
Graveur.
Élève de Cipriani, il fut, dit-on, le premier qui employa la pointe dans la gravure à la manière noire. Son premier ouvrage fut la gravure des deux cents planches d'après les dessins du *Liber Veritatis* de Claude Lorrain en 1777, qui sont pour la plupart en la possession du roi d'Angleterre.
Earlom est surtout connu pour ses groupes de fleurs d'après Huysum et Van Os. Il fit aussi quelques eaux-fortes. Il signait parfois Poirche (Henry) ; ses ouvrages sont fort recherchés.
Il exposa à la Free Society of Artists en 1762 un *Faune dansant* et en 1767 un dessin d'après Benjamin West *Pyrrhus devant Glaucus*. Parmi ses principales œuvres, on cite *Suzanne et les deux vieillards*, d'après Rembrandt (Musée Kaiser Friedrich à Berlin), *La Sainte Famille*, d'après Guercino, *Le Moulin à eau*, d'après Hobbema, *Le roi George III et sa famille*, d'après J. Zoffany, *Portrait de Lord Heathfield*, d'après Reynolds, *Portrait de Lady Hamilton*, d'après G. Romney, *Tobie et l'Ange*, d'après Salvator Rosa, *Le Dernier Souper*, d'après B. West, *Portrait de G. C. Berkely*, d'après T. Gainsborough.
Selon Grave, qui cite Basan et Lambert, il y aurait eu deux graveurs du nom de Richard Earlom, mais les meilleurs biographes anglais n'ont pas confirmé cette supposition.

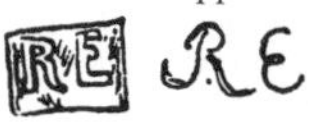

Musées : Londres (Houghton Hall) : *Nature morte, fruits et fleurs*, d'après J. Van Huysum – Saint-Pétersbourg (Ermitage) : *David et Absalon*.
Ventes Publiques : Londres, 13 sep. 1982 : *Tulipes*, mezzotinte coul., d'après Reinagle (47,5x35,5) : **GBP 650** – York (Angleterre), 12 nov. 1991 : *Concert d'oiseaux*, aquat. (42x57) : **GBP 990** – Paris, 25 mars 1994 : *Nature morte de fleurs ; Nature morte de fruits* 1778, grav., une paire (chaque 50,5x39) : **FRF 18 000** – Londres, 13 nov. 1997 : *Une forge* 1773, mezzotinte (4,80x5,90) : **GBP 5 520**.

EARLOM William
Né en 1772 en Angleterre. Mort en 1789. xviiie siècle. Britannique.
Peintre.
Fils de Richard Earlom. Ses grandes dispositions artistiques donnaient les plus belles espérances lorsqu'il mourut à l'âge de dix-sept ans.

EARNSHAW M.
Né dans la seconde moitié du xixe siècle en Angleterre. xixe siècle. Travaillant à Londres. Britannique.
Peintre, pastelliste.
Cet artiste s'est spécialisé dans des compositions associant la flore à de petits animaux ; il a peint aussi des paysages.
Ventes Publiques : Londres, 30 juin 1922 : *Printemps : grive avec une fleur*, past. : **GBP 2** ; *Été, pluvier et grenouilles ; Hiver, corbeaux dans la neige*, deux pastels : **GBP 4**.

EARP G. Van
xixe siècle. Hollandais.
Peintre d'architectures.
Cet artiste paraît de nationalité ou d'origine hollandaise, mais il a surtout vécu en Angleterre. Il exposa de 1871 à 1884 à Suffolk Street. Le Musée de Nottingham conserve de lui une aquarelle.
Ventes Publiques : Londres, 24 fév. 1908 : *Vue de Venise et entrée de cathédrale*, dess. : **GBP 2** – Londres, 1er juin 1909 : *La Conversion de Saül* : **GBP 3**.

EARP Henry
xixe siècle. Britannique.
Peintre de scènes de sport, animaux.
Travaillant à Brighton, il exposa à Londres de 1871 à 1884.
Ventes Publiques : Londres, 8 nov. 1928 : *Jockey à cheval et entraîneur debout près d'un poney* : **GBP 6**.

EARP Henry, Sr.
Né en 1831. Mort en 1914. xixe-xxe siècles. Britannique.
Peintre de paysages, aquarelliste.
Musées : Sydney : *Paysage*.
Ventes Publiques : Londres, 3 avr. 1909 : *Coucher de soleil* : **GBP 1** – Londres, 28 juil. 1909 : *La Tamise à Richmond ; Sur l'Arun* : **GBP 5** ; *Soir près de Chichester ; Paysage avec animaux* : **GBP 3** – Londres, 13 juin 1910 : *Wells Cathedral* : **GBP 1** – Londres, 25 juil. 1983 : *Charrette de bois sur un chemin de forêt ; Paysage boisé*, h/t, une paire (84x66) : **GBP 920** – Londres, 12 mars 1985 : *Worcester cathedral from the river Severn*, h/pan. (25x30) : **GBP 900** – Londres, 25 jan. 1989 : *Bétail se désaltérant*, aquar. (17,5x42) : **GBP 550** – Londres, 25-26 avr. 1990 : *La cathédrale de Salisbury ; Environs de Ballater en Ecosse*, aquar., une paire (chaque 25,5x33) : **GBP 1 650** – Londres, 1er nov. 1990 : *Scène de moisson avec une charrette sur un chemin boisé*, aquar. avec reh. de blanc (55,9x40,7) : **GBP 935** – Londres, 19 déc. 1991 : *Bétail paissant près d'un bois avec un château à l'arrière-plan*, aquar. (25,7x37,7) : **GBP 715**.

EASLING J. C.
xixe siècle. Britannique.
Graveur.
Élève de Turner, avec lequel il collabora souvent. Il grava les portraits du médecin J. Andrews, du général Sir Th. Picton et de l'acteur Dan. Terry. Il exposa de 1825 à 1833 à la Society of British Artists.

EAST Alfred, Sir
Né en 1849 à Kettering. Mort en 1913 à Londres. xixe-xxe siècles. Britannique.
Peintre de genre, paysages animés, paysages, peintre à la gouache, aquarelliste, graveur, dessinateur.
Destiné au commerce, il ne commença ses études artistiques qu'en 1872, à Glasgow, puis vint à Paris où il fut élève de Robert-Fleury et de William Bouguereau. Il retourna ensuite à Glasgow, puis s'établit à Londres. Membre de la Royal Institution et de la Royal Society, il devint membre associé de la Royal Academy en 1899. Il a obtenu une médaille d'or à Paris en 1889 (Exposition Universelle). Alfred East prit part régulièrement aux expositions de la Royal Academy.
Alfred East fut intimement mêlé au mouvement artistique londonien et son action fut considérable dans les groupements artistiques dont il fit partie. Il est un représentant de l'école de paysage anglaise de la fin de siècle. C'est aussi un graveur remarquable. ■ E. B.

ALFRED EAST

Musées : Birmingham : *Hayle, vu de Lelant* – Leeds : *Scène de*

rivière, Algésiras, Espagne – La vallée d'or – Londres (Water-Colours) : Lac Bieva, Japon – Sydney : La Vallée de Cambourne, Berkshire – Vue de la Clyde Helensburgh.
Ventes Publiques : Londres, 15 juin 1908 : *Lambourne Valley* : **GBP 10** – Londres, 10 juin 1909 : *Bergers* : **GBP 67** – Londres, 6 déc. 1909 : *Fryiyama* ; *Rivière rocheuse* : **GBP 8** ; *Soleil couchant* ; *Hayel de Lulant pool* : **GBP 6** – Londres, 18 nov. 1921 : *Clair de lune*, dess. : **GBP 42** – Londres, 27 jan. 1922 : *Le bac*, dess. ; *Un gardien de harem*, dess., ensemble : **GBP 19** – Londres, 17 mars 1922 : *Derniers rayons de soleil* 1885 : **GBP 31** ; *Château de Nemours*, dess. : **GBP 35** – Londres, 21 avr. 1922 : *Le lac silencieux*, dess. : **GBP 15** – Londres, 9 juin 1922 : *Printemps* : **GBP 33** – Londres, 20 juil. 1922 : *Chemin dans la campagne au coucher du soleil* : **GBP 9** ; *Scène orientale*, dess. : **GBP 6** – Londres, 25-26 juil. 1922 : *La Montagne sacrée* 1887 : **GBP 6** – Londres, 27 nov. 1922 : *Hôtel de Ville d'Aix-les-Bains*, dess. : **GBP 19** – Londres, 8 déc. 1922 : *Bords du Costwolds* : **GBP 5** – Londres, 28 mai 1923 : *Près de Cromer*, dess. : **GBP 16** – Londres, 15 fév. 1924 : *Scène forestière dans le Kent* : **GBP 12** – Londres, 28 avr. 1924 : *Bord de lac* : **GBP 5** – Londres, 16 mai 1924 : *Pêcheur à la ligne* : **GBP 18** – Londres, 30 mai 1924 : *Citadelle au Caire* : **GBP 168** – Londres, 19 déc. 1924 : *Près du Mont Blanc*, dess. : **GBP 13** – Londres, 27 fév. 1925 : *Sur les bords du Tage, à Tolède*, dess. : **GBP 4** – Londres, 20 mars 1925 : *Jour gris en Picardie* : **GBP 56** – Londres, 20 avr. 1925 : *Aube* : **GBP 15** – Londres, 18 mai 1925 : *Coin de Normandie*, dess. : **GBP 10** – Londres, 8 juin 1925 : *Le matin, de bonne heure* : **GBP 27** – Londres, 8 mars 1926 : *Pays d'O'Burns*, dess. : **GBP 4** – Londres, 31 mars 1926 : *En Sicile*, dess. : **GBP 18** ; *Lac silencieux*, dess. : **GBP 5** ; *Printemps sur la côte*, dess. : **GBP 5** – Londres, 18 juin 1926 : *Tous les saints de l'Église, Northampton*, dess. : **GBP 7** – Londres, 16 juil. 1926 : *Village japonais* : **GBP 14** ; *Premiers jours d'été* : **GBP 33** ; *Nuit tombante* : **GBP 14** – Londres, 26 juil. 1926 : *La Somme* : **GBP 18** – Londres, 10 déc. 1926 : *La lune sur le château* : **GBP 22** – Londres, 28 mars 1927 : *Vue de Nikko, Japon*, dess. : **GBP 15** – Londres, 1er avr. 1927 : *Dans les champs de blé*, dess. : **GBP 5** – Londres, 22 avr. 1927 : *Pêcheur à la ligne* : **GBP 9** ; *Jour gris en Picardie* : **GBP 27** – Londres, 27 nov. 1927 : *Pêcheur à la ligne*, dess. : **GBP 10** – Londres, 12 mars 1928 : *Le lac*, dess. : **GBP 5** ; *Tansor, dans la vallée de la Nene* : **GBP 10** – Londres, 13 oct. 1930 : *Les Commères du village* : **GBP 5** – Londres, 28 nov. 1930 : *Gai printemps* : **GBP 9** – Londres, 13 juil. 1931 : *Place du marché à Ségovie*, aquar. : **GBP 2** – Londres, 26 nov. 1931 : *Gai printemps* : **GBP 21** – New York, 17-18 mai 1934 : *La clairière* : **USD 90** – Londres, 11 juin 1934 : *Paysanne*, dess. : **GBP 5** – Londres, 2 nov. 1934 : *Bords de la Moor*, vendu avec *Mykonos de Délos* par W. B. Richmont et *Un café à Alger* par Leighton : **GBP 16** – Londres, 30 nov. 1934 : *Paysage en Picardie* : **GBP 10** – Londres, 21-24 fév. 1936 : *Débarquement*, dess. : **GBP 13** – Londres, 8-18 juil. 1940 : *Scène sur la route*, dess. : **GBP 7** – Glasgow, 3 mars 1943 : *Abreuvant les chevaux, scène de ferme* : **GBP 24** – Glasgow, 3 mars 1944 : *Dans les marais* : **GBP 25** – New York, 31 mai 1945 : *Danse dans les bois* : **USD 210** – Londres, 21 mars 1972 : *Paysage* : **GBP 270** – Londres, 16 juil. 1973 : *St Ives Cornwall* : **GBP 550** – Londres, 11 juin 1976 : *Coucher de soleil*, h/t (101,5x127) : **GBP 480** – Londres, 10 mai 1978 : *Paysage d'été, Norfolk*, h/t (49x74,5) : **GBP 1 000** – Sydney, 10 sep. 1979 : *Blackthorn* 1885, h/t (77x64) : **AUD 2 000** – Londres, 8 mai 1981 : *Pêcheurs dans un paysage fluvial boisé*, h/t (66x120,6) : **GBP 3 000** – Londres, 25 mai 1983 : *Marché aux fruits à Venise*, h/t (107x152) : **GBP 2 500** – Londres, 18 avr. 1984 : *The new neighbourhood*, aquar./trait de cr. (54,4x99) : **GBP 420** – Londres, 13 nov. 1985 : *Paysage boisé à l'étang*, aquar. (71x91,5) : **GBP 4 800** – Londres, 12 nov. 1986 : *In the orchard*, h/t (101,5x152) : **GBP 9 500** – Londres, 4 mars 1987 : *Kyoto*, aquar. reh. de gche (35,5x51) : **GBP 1 900** – Londres, 29 juil. 1988 : *Bergers sous un arbre* 1899, h/pan. (23,8x16,2) : **GBP 1 375** – Londres, 2 mars 1989 : *Tintern*, h/t (148,7x120) : **GBP 13 200** – Londres, 21 sep. 1989 : *En Picardie*, h/t (40,1x54,6) : **GBP 1 375** – Londres, 8 mars 1990 : *Paysage doré*, h/t (74x99,1) : **GBP 7 150** – Londres, 7 juin 1990 : *Rue en Afrique du Nord*, h/pan. (38x50,5) : **GBP 2 090** – Londres, 26 sep. 1990 : *Matinée de printemps* 1881, h/t (69x107) : **GBP 11 550** – New York, 21 mai 1991 : *La place du marché au Caire en Egypte*, h/t (69,8x101,4) : **USD 6 050** – Londres, 5 juin 1991 : *Le passage d'un grain sur Streatley* 1885, aquar. (57,5x91) : **GBP 2 420** – Londres, 18 déc. 1991 : *Berger et son troupeau au bord d'une rivière*, h/t (91,5x132) : **GBP 704** – Londres, 13 mars 1992 : *Une route à Marsh Valley*, h/t (43,2x57,8) : **GBP 2 090** – New York, 29 oct. 1992 : *Vue de Kettering*, h/t/rés. synth. (24x3) : **USD 1 760** – Montréal, 23-24 nov. 1993 : *Capel Curig*, h/pan. (17,8x24,8) : **CAD 800** – Londres, 4 nov. 1994 : *Walkton à Kettering*, h/t (55,9x38,1) : **GBP 1 840** – New York, 19 jan. 1995 : *Canotage à l'orée d'un bois*, h/t (45,7x61) : **USD 2 185** – Londres, 6 nov. 1996 : *Printemps au Japon*, h/pan. (24x16,5) : **GBP 4 025** – New York, 26 fév. 1997 : *Scène pastorale*, h/t (122x152,5) : **USD 7 475** – Londres, 5 nov. 1997 : *Village du Gloucestershire*, h/t (101,5x80) : **GBP 3 220**.

EAST Benoît
Né à Québec (Canada). xxe siècle. Canadien.
Peintre. Cubiste.

EAST J. B.
xixe siècle. Britannique.
Peintre de miniatures.
Il exposa à la Royal Academy à Londres de 1818 à 1830.

EAST Mabel
Née à Malvern (Angleterre). xxe siècle. Britannique.
Peintre.
Elle exposa à Paris au Salon des Artistes Français en 1932.

EASTLAKE Caroline H.
xixe siècle. Active à Plymouth. Britannique.
Peintre de fleurs.
Elle exposa, de 1868 à 1873, à Londres et à Plymouth. Le Victoria and Albert Museum conserve d'elle : *Bouquet d'enfant*.

EASTLAKE Charles H.
Né à la fin du xixe siècle à Londres. xxe siècle. Britannique.
Peintre de scènes de genre, paysages.
Il étudia à Anvers et Paris et figura dans plusieurs expositions en Angleterre, notamment à la Royal Academy et au Royal Institute.

EASTLAKE Charles Lock, Sir
Né le 17 novembre 1793 à Plymouth. Mort le 24 décembre 1865 à Pise. xixe siècle. Britannique.
Peintre d'histoire, compositions religieuses, portraits, paysages, architectures, pastelliste, dessinateur.
C'était le fils de George Eastlake, juge-avocat à Plymouth. Il fut un des premiers élèves de Prout, qu'il accompagna dans ses excursions à travers la campagne. A l'âge de quatorze ans, il fut envoyé à l'École de Charterhouse, à Londres. Mais, en 1808, il en sortit pour travailler avec Haydon. En 1814, il visita Paris. En 1815, lors de l'arrivée de Napoléon à Plymouth à bord du *Bellérophon*, Eastlake, qui se trouvait dans sa ville natale, en profita pour étudier l'empereur. Il exécuta ainsi un portrait de Napoléon, debout sur le pont du navire, entouré de ses officiers. Cette œuvre fit sensation et se vendit si cher que le prix obtenu permit au jeune artiste de visiter l'Italie, en 1817, et la Grèce, en 1819. En Grèce, il fut chargé de dessiner les restes de l'architecture hellénique, aidé par Brockedon. Après un séjour de près d'une année, l'artiste rentra dans sa patrie, rappelé par la mort de son père. Il retourna en Italie et y resta quatorze ans. En 1827, il fut nommé associé de la Royal Academy avec *Isidas paraissant dans la bataille, nu, armé du glaive et pris pour un dieu*. Élu académicien en 1830, il rentra définitivement en Angleterre. Président de l'académie en 1850, conservateur de la galerie nationale en 1843, il devint directeur en 1855. Il exposa à partir de 1813 à l'Institut britannique, à la Royal Academy à partir de 1823. Il écrivit plusieurs ouvrages sur l'art.
Plusieurs de ses œuvres représentent les costumes, les coutumes et les usages de la Grèce et de l'Italie moderne.
Musées : Londres (Victoria and Albert Mus.) : *Paysanne romaine – Le Forum – Paysanne italienne et ses enfants* – Londres (Tate Gal.) : *Le Christ pleurant sur Jérusalem – Haidée – La Fuite de la famille Carrara devant le duc de Milan – Le Rêve de Byron – Mrs Charles H. Bellenderker* – Manchester : *Le Christ bénit les petits enfants*.
Ventes Publiques : Londres, 1er mai 1908 : *Paysanne dormant* : **GBP 1** – Londres, 4 déc. 1909 : *Vue des environs de Rome* : **GBP 13** – Londres, 19 jan. 1923 : *Le Christ pleurant sur Jérusalem* : **GBP 22** ; *Scène du « Comus » de Milton* : **GBP 10** – Londres, 26 jan. 1923 : *Portrait du contre-amiral sir T. Byam Martin, en uniforme*, past. ; *Portrait d'Henry Byam Martin, en uniforme d'aspirant de marine*, past., ensemble : **GBP 25** ; *Portrait du contre-amiral sir Thomas Byam Martin en uniforme* 1816, dess. : **GBP 21** – Londres, 28 mai 1923 : *Légende d'Ivanhoé* 1820 : **GBP 12** – Londres, 10 déc. 1923 : *Scène de l'année sainte, pèlerins arrivant en vue de Rome* : **GBP 50** – Londres, 24 juin 1927 : *Grecs en fuite* 1883 : **GBP 8** – Londres, 30 nov. 1928 : *Deux vues du Colosseum* : **GBP 17** – Londres, 16 déc. 1929 : *Le roi Jean signant la Charte le*

15 juin 1215 : **GBP 13** – Londres, 13 oct. 1967 : *Printemps, Été,* deux pendants : **GNS 260** – Londres, 18 juin 1969 : *Le temple de Thésée à Athènes* : **GBP 750** – Londres, 13 oct. 1978 : *A girl of Albano* : **GBP 1 500** – Édimbourg, 30 avr. 1986 : *Vue panoramique de Rome*, h/t (52,1x167,3) : **GBP 4 500** – Londres, 10 avr. 1991 : *Paysage des environs de Naples*, h/pap./t. (23x34,5) : **GBP 1 320** – Londres, 9 nov. 1994 : *Napoléon à bord du Bellerophon*, h/t (59,5x41) : **GBP 13 225**.

EASTLAKE Mary A., née **Bell**

Née au xixe siècle au Canada. xixe siècle. Britannique.

Peintre de paysages.

Femme de Charles H. Eastlake, elle exposa au Salon à Paris, à la Royal Academy à Londres, et en Amérique. Citée, vers 1905-1906, à Boston (U.S.A.). Les galeries d'Art d'Ottawa, de Serbrooke (Canada) et de Wellington (Nouvelle-Zélande) possèdent plusieurs de ses œuvres.

EASTMAN Frank Samuel

Né le 27 avril 1878 à Anerley (Londres). xxe siècle. Britannique.

Peintre, décorateur.

Élève de l'École d'Art de Croydon près de Londres, puis, en 1889, de la Royal Academy. Il obtint en 1902 le prix de la décoration murale. Il exposa régulièrement ensuite à la Royal Academy.

EASTMAN Maud, Mrs

xxe siècle. Travaillant à Londres. Britannique.

Miniaturiste.

EASTMAN Ruth

Née aux États-Unis. xxe siècle. Américaine.

Illustrateur.

Membre de la Society of Illustrators de New York et de l'Artist Guild of the Authors League of America de New York.

EASTMAN Seth

Né en 1808 à Brunswick (Maine). Mort en 1875. xixe siècle. Américain.

Peintre de figures, paysages, aquarelliste, dessinateur.

Il fit ses études à l'Académie Militaire de West Point de 1824 à 1828 et s'initia au dessin topographique. Il servit cinq ans sur le terrain et retourna à West Point comme maître-assistant ; il étudia en 1833 avec Robert W. Weir. En 1841, affecté dans le Minnesota, puis au Texas, il se spécialisa dans la peinture des tribus indiennes et en 1867 le Congrès lui commanda des scènes de la vie des Indiens destinées à être exposées au Capitole.

Privilégiant les paysages à l'huile ou à l'aquarelle, il fut souvent associé à l'École des peintre de l'Hudson.

Ventes Publiques : New York, 5-6 fév. 1932 : *Fort de Snelling au Minnesota* : **USD 165** ; *Vue de Mendota du fort de Snelling* : **USD 65** ; *Fort de Snelling au Minnesota* : **USD 60** – New York, 11-12 fév. 1944 : *Fort de Snelling* : **USD 475** – New York, 9 jan. 1991 : *Caverne sur la Lac Supérieur* ; *Le site de Keokuk sur le Mississippi*, aquar./pap./cart. et cr./pap. (13,3x18,1 et 17,2x25,8) : **USD 9 900** – New York, 3 déc. 1992 : *Vue du Texas au nord de San Antonio* 1849, aquar. et encre/pap. (12,7x19,7) : **USD 5 500**.

EASTMAN William J.

Né le 14 novembre 1888. xxe siècle. Américain.

Peintre.

Premier prix du Penton Medal au Cleveland Museum of Art en 1919. Membre de la Cleveland Society of Artists et de la Cleveland Art Association. Il est également professeur et écrivain.

EASTON A.

xixe siècle. Actif à Londres. Britannique.

Graveur.

Peut-être est-il identique au A. Easto qui signa en 1814 un portrait du général sir Rowland Hill, gravé au pointillé d'après W. Lodder.

EASTON Linwood

Né le 17 mai 1892 à Portland (Oregon). xxe siècle. Américain.

Graveur.

Élève de A.E. Moore et A. Bower. Membre du Salmagundi Club et de la Portland Society of Artists. Il pratique la gravure à l'eau-forte.

EASTON Reginald

Né en 1807. Mort en 1893. xixe siècle. Actif à Londres. Britannique.

Portraitiste et miniaturiste.

Il exposa à la Royal Academy de 1835 à 1887. La National Portrait Gallery de Londres conserve de lui : *Portrait de G-G.-J. Guthrie* (miniature).

EASTROM Marika d'

Née en Suède. xxe siècle. Travaillant à Paris en 1930. Suédoise.

Peintre d'intérieurs et de natures mortes.

EASTWOOD Francis H.

xixe siècle. Britannique.

Peintre de paysages.

Il exposa fréquemment à Londres entre 1875 et 1893.

Ventes Publiques : Londres, 24 oct. 1978 : *A fine step*, h/t (86x130) : **GBP 1 400**.

EASTWOOD Raymond James

Né le 25 mai 1898 à Bridgeport. xxe siècle. Britannique.

Peintre.

Élève de F.V. du Mond, W.S. Kendall et E.C. Taylor. Membre de l'Art Students' League de New York. Il fut aussi professeur.

EATON Charles Harry

Né le 13 décembre 1850 à Akron. Mort le 4 août 1901 à Léonia (New Jersey). xixe siècle. Américain.

Peintre de paysages, paysages d'eau, illustrateur.

Il avait travaillé la peinture en amateur, mais à la mort de son père, ruiné, il s'adonna aux Beaux-Arts pour vivre. Établi à New York, il fut associé de la National Academy of Design et membre de la Water-Colours Society, dont il fut secrétaire pendant quatorze ans. Il obtint une médaille d'argent et d'or à Boston. Il exposa aussi avec succès à Philadelphie et à Buffalo.

Musées : Detroit : *l'Étang aux Nénuphars.*

Ventes Publiques : New York, 13 jan. 1902 : *Les bords de l'étang* : **USD 150** – New York, 24-25-26 fév. 1904 : *Jour d'octobre humide* : **USD 480** – New York, 15 et 16 fév. 1906 : *Rivière Shaiwassée* : **USD 300** – New York, 14 déc. 1933 : *Rivière* : **USD 70** – New York, 4 mars 1937 : *Où les lis d'eau grandissent. Homme dans un bateau traversant un étang* : **USD 90** – New York, 27 jan. 1984 : *Troupeau dans un paysage*, h/t (45,7x61) : **USD 1 800** – New York, 17 déc. 1990 : *Paysage avec des vaches*, h/t (42x61) : **USD 3 080** – New York, 25 sep. 1992 : *Paysage d'automne* 1887, h/cart./cart. (39,4x55,9) : **USD 2 090** – New York, 15 nov. 1993 : *Le long de la rivière*, h/t (68,5x91,5) : **USD 633**.

EATON Charles Warren

Né le 22 février 1857 à Albany. Mort en 1937. xixe-xxe siècles. Américain.

Peintre de genre, paysages.

Il fut élève de la National Academy of Design et de la Art Students' League à New York. Il obtint une mention honorable à l'Exposition Universelle de 1900, et une troisième médaille au Salon de 1906 à Paris. Il obtint aussi un grand nombre de récompenses aux principales expositions américaines. Il a également exposé à Londres à différentes reprises, notamment à la Royal Academy et à Suffolk Street.

Musées : Cincinnati : *Dunes près de Knokke, Belgique* – Washington D. C. (Nat. Gal.) : *Nuages dans le ciel.*

Ventes Publiques : New York, 7 fév. 1901 : *La vallée au soleil couchant* : **USD 375** – New York, 20 fév. 1903 : *Lever de lune* : **USD 105** – New York, 14 et 15 avr. 1904 : *Vieux moulins à vent* : **USD 210** – New York, 8 jan. 1930 : *Ormes et coucher de soleil* : **USD 100** – New York, 29 oct. 1931 : *Coucher de soleil* 1896 : **USD 30** ; *Paysage* : **USD 75** – New York, 16 mars 1934 : *Paysage boisé* : **USD 50** ; *Paysage de la Nouvelle Angleterre* : **USD 25** ; *Après-midi d'hiver* : **USD 60** – New York, 24 oct. 1946 : *Grands pins* : **USD 150** – New York, 16 jan. 1982 : *October tints*, past. (59x50,4) : **USD 650** – New York, 28 jan. 1982 : *Paysage d'automne* 1882, h/t (42x57) : **USD 1 700** – New York, 23 juin 1983 : *La Fonte des neiges*, h/t (76,2x71,1) : **USD 6 500** – New York, 28 sep. 1983 : *Paysage boisé au coucher du soleil*, past. (76,2x51,2) : **USD 800** – New York, 4 déc. 1987 : *Melting snow*, h/t (76,5x71,5) : **USD 13 000** – New York, 26 sep. 1990 : *Paysage d'hiver avec un ruisseau*, h/t (76,2x91,4) : **USD 5 500** – New York, 27 sep. 1990 : *Montagnes enneigées*, past./t. (76x71,5) : **USD 4 950** – New York, 15 mai 1991 : *Pins au crépuscule* 1904, h/t (76,8x92,1) : **USD 2 640** – New York, 21 mai 1991 : *Soleil couchant*, h/t (61x50,8) : **USD 6 050** – New York, 15 avr. 1992 : *Paysage avec une église*, h/t (40,6x55,9) : **USD 1 210** – New York, 12 sep. 1994 : *Paysage boisé à l'aube*, h/t (61x50,8) : **GBP 1 725** – New York, 9 mars 1996 : *Début de printemps*, h/t (61x91,4) : **USD 16 100**.

EATON Dorothy

Née le 5 mai 1893 à East Orange (New Jersey). xxe siècle. Américaine.

Peintre de compositions animées.
Elle fut élève de Kenneth Hayes Miller et appartint à l'Art Students' League de New York.
Ventes Publiques : New York, 4 mars 1987 : *Scène de rue, New York*, h/t (50,8x76,2) : **USD 1 400**.

EATON Elisabeth K.
Née à Boston. XIXe-XXe siècles. Américaine.
Peintre.

EATON Ellen, Miss
Née à Chelsea (Londres). XIXe siècle. Britannique.
Paysagiste.
Exposa régulièrement à la Royal Academy entre 1817 et 1822.

EATON Hugh M.
Né le 25 janvier 1865 à Brooklyn (New York). XIXe siècle. Américain.
Peintre.
Élève de J.-B. Whittaker, Kenyon, Cox et H. Siddons Mowbray. Établi à Brooklyn. On lui doit de nombreuses illustrations d'ouvrages de librairie.

EATON J. B.
XIXe siècle. Actif à Londres. Britannique.
Peintre de genre.
Exposa neuf fois à la Royal Academy, de 1810 à 1821.

EATON Joseph O.
Né en 1829. Mort en 1875 à Yonkers (sur l'Hudson). XIXe siècle. Américain.
Peintre de portraits.
Portraitiste, il travailla à l'huile et à l'aquarelle. On cite parmi ses œuvres exposées : *Vue sur l'Hudson* (paysage), *Lady Godsva* et *Le portrait de l'artiste par lui-même*.

EATON Louise Herreshoff
Née à Providence (Rhode-Island). XXe siècle. Américaine.
Peintre.
Élève de Mary C. Wheeler, Constant, Laurens et Collin, à Paris où elle exposa au Salon des Artistes Français, notamment en 1900. Elle était membre du Providence Water-Club, du North Shore Art Association et de la Gloucester Society of Artists.

EATON Margaret Fernie
Née le 22 avril 1871 à Leanmington (Angleterre). XXe siècle. Britannique.
Peintre, illustrateur.
Élève de J.B. Whitaker à Brooklyn, de l'Art Students' League à New York où elle eut pour maîtres Cox et Mowbray. Membre du New York Water-colour Club et de l'Art Students' League de New York. Elle fit également de l'artisanat d'art.

EATON Maria
Née à Macclesfield (Angleterre). XXe siècle. Britannique.
Graveur.
Elle exposa à Paris au Salon des Artistes Français à partir de 1928.

EATON William Sylvestre
Né le 12 décembre 1861 à Waltham (Massachusetts). XIXe siècle. Américain.
Peintre et graveur à l'eau-forte.
Membre de la Society of Independant Artists, du Salmagundi Club de New York, et du Pen Bruch Club de New York.

EATON Wyatt
Né en 1849 à Phillipsbourg (Canada). Mort en 1896 à Brooklyn. XIXe siècle. Canadien.
Peintre de genre, portraits, nus, paysages, pastelliste, aquarelliste.
Il étudia à l'Académie Nationale, puis fut élève de J. O. Eaton à New York et de Gérôme, à Paris, à partir de 1872 ; il fit aussi des études en Angleterre. Il a exposé au Salon de Paris en 1884.
Musées : Montréal : *La Moisson – Portrait de l'artiste*, deux toiles.
Ventes Publiques : New York, 25 sep. 1980 : *Nu couché dans une forêt*, past., aquar., fus. et cr. (35x45) : **USD 900** – New York, 28 jan. 1982 : *Paysage d'automne* 1882, h/t (42x57) : **USD 1 700** – Toronto, 3 juin 1986 : *Ariane* 1891, h/t (40,6x50,8) : **CAD 1 500**.

EAUBONNE d'
XVIIe siècle. Travaillant durant la seconde moitié du XVIIe siècle. Français.
Enlumineur.
Cet artiste, religieux du monastère de Saint-Ouen, passa une partie de sa vie à orner un énorme Graduel qu'il termina en 1682, et qui se trouve maintenant à Rouen. Les initiales en sont d'une rare beauté.

EAUBONNE Louis Lucien d'
Né en 1834 à Boulogne (Hauts-de-Seine). Mort en 1894 à Paris. XIXe siècle. Français.
Peintre de paysages.
Il fut élève de Corot. Il exposa au Salon de 1868 à 1879. Il peignait également sur faïence.
Musées : Auxerre : *L'Automne*, d'après Poussin.

EAUBONNE Lucien d'
XIXe siècle. Français.
Peintre de compositions religieuses, portraits.
Il envoya au Salon de 1894 à 1900 des tableaux religieux et des portraits, puis exposa aux Indépendants. Il était établi à Chaville.

EBAU Rudolf Hellebaut
Né en 1954 à Gand (Flandre-Orientale). XXe siècle. Belge.
Peintre.
Il fut élève de l'Académie Royale des Beaux-Arts de Gand. Il apprit aussi la technique de restauration des peintures. Il vécut trois ans en Italie. Il expose depuis 1973 dans diverses villes de Belgique, et aussi en Hollande, Allemagne et France.

EBBE Axel
Né en 1868 à Hököpinge (Scanie). Mort en 1941. XIXe siècle. Suédois.
Sculpteur de statues.
Il figura au Salon des Artistes Français et obtint une mention honorable en 1893.
Ventes Publiques : Londres, 17 mai 1991 : *La Jeune Fille sur le rocher* 1920, marbre (H. 78,5) : **GBP 5 720**.

EBBEHRAT. Voir **EBERHART**

EBBELAER Jan ou **Hebbelaer**
XVIIe siècle. Hollandais.
Sculpteur.
Élève de Van Tongeren à La Haye en 1679, a traité surtout des sujets mythologiques. On cite notamment : *Bacchus ; Enlèvement de Proserpine ; Apollon et Daphné* et *Nymphe sur un dauphin*.

EBBESEN T.
XVIIe siècle. Danois.
Sculpteur sur bois.
L'église de Schwenstrup lui doit sa chaire, sculptée en 1688.

EBBESEN Torben
Né en 1945. XXe siècle. Danois.
Sculpteur d'assemblages, technique mixte. Tendance conceptuelle.
Il vit et travaille à Copenhague. Depuis 1982, il participe à de nombreuses expositions collectives, à Copenhague, dans les grandes villes danoises, en Suède, Finlande, Norvège, Islande, en 1990 à la Biennale de Venise, en 1991 à *Questions de sens* au Centre d'Art d'Ivry et au Centre d'Art Contemporain de Corbeil-Essonnes. Depuis 1982 également, il montre ses réalisations dans des expositions personnelles, à Copenhague, Aarhus, Randers, etc.
Ebbesen réalise des objets très dissemblables les uns des autres, tant par l'aspect global que par les matériaux constitutifs. Tantôt il assemble du fer avec du plastique et des haut-parleurs, tantôt de la fleur de soufre sur de la porcelaine, tantôt du fer avec des aimants, etc. La cohérence plastique n'est visiblement pas son propos. Il ne recherche pas non plus une cohérence des idées. Se référant volontiers aux artistes de la Renaissance, tout autant artistes qu'ingénieurs, il passe, naturellement, d'une idée à une autre et ainsi de suite, au gré de leur surgissement, au gré des opportunités qui provoquent leur surgissement, et tente de matérialiser métaphoriquement leur évidence par l'assemblage qui lui paraît alors le plus adéquat à chaque cas nouveau, d'où la réalité assumée de l'apparente discontinuité tant du concept que de l'œuvre plastique. ■ J. B.
Bibliogr. : Poul Erik Töjner, in : Catalogue de l'exposition *Questions de sens – 8 artistes danois*, Centre d'Art Contemp., Corbeil-Essonne et Centre d'Art, Ivry-sur-Seine, 1991.
Musées : Aarhus (Kunstmus.) – Copenhague (Mus. Nat. des Beaux-Arts) – Sorö (Vestsjaellands Kunstmus.).
Ventes Publiques : Copenhague, 14 juin 1994 : *Sans titre* 1987, bronze (H. 96) : **DKK 18 000** – Copenhague, 6 déc. 1994 : *Impromptu n° 2* 1976, peint. et collage (70x50) : **DKK 5 000**.

EBBINGHAUS Karl
Né en 1872 à Hambourg. XXe siècle. Allemand.
Sculpteur de bustes, statues, décorateur.
Ebbinghaus travailla à Munich, où il exposa au Palais de Glace en 1901 et 1905, des bustes et des œuvres miniatures en argent. Il participa à d'autres expositions comme à Dresde en 1904 et à Weimar en 1906. Il exposa de nouveau à Munich, en 1908, avec cette fois des décorations plastiques pour jardins : *Les Quatre Saisons* et *l'Imagination* ainsi que des statues monumentales. En 1910, à Bruxelles avec une statue sur socle : *Femme à Cheval avec corne d'abondance*. Enfin à Berlin en 1912. Il subit fortement l'influence d'Hildebrand et de Volkmann.

EBBIUS N.
Né vers 1597. Mort en 1656. XVIIe siècle. Hollandais.
Peintre de portraits.

EBEL Fritz Carl Werner
Né le 21 avril 1835 à Lauterbach. Mort le 20 décembre 1895 à Düsseldorf. XIXe siècle. Allemand.
Peintre de paysages animés, paysages.
En 1855, il était élève du peintre A. Lucas à Darmstadt. En 1857, il passa sous la direction de J.-W. Schirmer à l'école d'art à Karlsruhe. Il s'établit à Düsseldorf en 1861.

Musées : Brême : *Paysage forestier.*
Ventes Publiques : Cologne, 17 oct. 1969 : *Paysage boisé* : **DEM 3 800** – Cologne, 27 mai 1971 : *Paysage de Hesse* : **DEM 16 000** – Lucerne, 30 juin 1973 : *Paysage boisé* 1891 : **CHF 15 000** – New York, 7 oct. 1977 : *Le Bûcheron* 1868, h/t (83x81) : **USD 3 750** – New York, 28 mai 1980 : *Paysage montagneux* 1864, h/t (35,5x48,5) : **USD 1 400** – Londres, 26 mars 1982 : *Troupeau dans un paysage boisé*, h/t (81x118) : **GBP 2 000** – Londres, 23 fév. 1983 : *Paysage boisé animé de personnages* 1860, h/t (40,5x52,5) : **GBP 2 200** – Londres, 20 mars 1985 : *Enfants dans une clairière* 1868, h/t (139x115,5) : **GBP 3 500** – Amsterdam, 2 nov. 1992 : *Figures dans un char à bœufs dans un bois*, h/t (77x132) : **NLG 34 500** – Munich, 6 déc. 1994 : *Gardiens de troupeaux avec des vaches dans un paysage boisé et fluvial* 1879, h/t (68x46,5) : **DEM 10 925** – Londres, 11 oct. 1995 : *Paysage boisé avec un troupeau de vaches et son gardien* 1875, h/t (87x138,7) : **GBP 7 475**.

EBEL Henry ou **Heinrich**
Né en 1849 à Gimmeldingen (Palatinat). Mort en 1931. XIXe-XXe siècles. Allemand.
Peintre de genre, paysages, compositions murales.
Élève de l'École des Arts Décoratifs de Munich, il exposa à diverses manifestations officielles de Paris, notamment au Salon d'Automne, dont il devint sociétaire en 1928. Une exposition de ses œuvres eut lieu à Strasbourg en 1912.
À partir de 1870, il décora diverses églises d'Alsace et il se spécialisa dans ces compositions décoratives. Ses scènes de genre contrastent, par leurs teintes sombres et leur atmosphère feutrée, avec ses petits paysages d'un graphisme très précis.
Bibliogr. : Gérald Schurr, in : *Les Petits Maîtres de la peinture 1820-1920, valeur de demain*, Les Éditions de l'Amateur, t. II, Paris, 1982.
Musées : Strasbourg : *La Chambre à coucher.*

EBEL Hermann
Né en 1713 à Rüsselsheim. Mort le 1er octobre 1781 à Francfort-sur-le-Main. XVIIIe siècle. Allemand.
Peintre.
Élève pendant 9 ans de J. C. Fiedler, puis de Georg des Marées, avec lequel il voyagea, et dont il compléta certaines œuvres. Il fut aussi peintre de miniatures.

EBEL René
Né le 26 mai 1889 à Paris. XXe siècle. Français.
Sculpteur-céramiste, peintre de cartons de mosaïques.
Exposant, à Paris, du Salon d'Automne depuis 1925, il participa, cette même année, à l'Exposition Internationale des Arts Décoratifs. Il est membre du Comité Français des expositions et de la Société des Arts Appliqués aux Métiers.

EBELEN. Voir aussi **EVELEN**

EBELEN Aelbrecht ou **Ebelyn**
XVIe siècle. Éc. flamande.
Peintre.
Il fut actif à Anvers et à Middelbourg. Peut-être est-il identique au peintre Aelbrecht Ebeling qui fut reçu dans la gilde de La Haye en 1602.

EBELING Aelbrecht
XVIIe siècle. Éc. flamande.
Peintre.
Il était inscrit dans la gilde de Saint-Luc, à La Haye en 1602.

EBELMANN Johann Jacob
XVIIe siècle. Actif en Allemagne vers 1600. Allemand.
Dessinateur.

EBELYN. Voir **EBELEN**

EBEN Franz Ephraïm
Né en 1727. XVIIIe siècle. Actif à Berlin. Allemand.
Sculpteur.
Avec son fils Johann Ephraïm il travailla la pierre, la terre glaise et surtout le bois. Ils étaient surtout connus pour leurs cadres en couleur et leurs horloges.

EBEN Johann Ephraïm
Né en 1748. Mort le 1er octobre 1805. XVIIIe siècle. Allemand.
Sculpteur.
Fils de Frans Ephraïm, avec lequel il travailla à Berlin.

EBEN Johann Georg
Mort en 1710, de la peste. XVIIIe siècle. Actif à Riga. Russe.
Graveur et orfèvre.
Son œuvre comme graveur est peu importante. On cite de lui *Une suite de 6 pièces, Ornements divers, Frises*, etc.

EBEN Johann Michael
Né en mai 1716 à Biebrich. Mort en 1761. XVIIIe siècle. Allemand.
Graveur au burin.
Il a gravé des planches pour les libraires et des portraits.

EBENBERGER Friedrich
Né vers 1620. Mort vers 1690. XVIIe siècle. Actif à Vienne. Autrichien.
Peintre.
Il est probablement le peintre Ebenberger qui travailla entre 1660 et 1670 aux peintures du chœur dans l'église paroissiale d'Hietzing, et en 1681 à celles d'une chapelle du couvent de Klosterneubourg.

EBENHECHT Georg Franz ou **Ebenhoch**
Mort le 21 février 1757. XVIIIe siècle. Actif à Leipzig et Potsdam. Allemand.
Sculpteur et sculpteur sur ivoire.
Cet artiste travailla d'abord à Leipzig, puis à Potsdam près de Berlin où il devint en 1751 membre d'honneur de l'Académie. Il fut le collaborateur de F. G. Adams pour la décoration du parc de Sans-Souci, qui conserve un vase de marbre, deux sphinx jouant avec des amours et quatre groupes mythologiques qu'il exécuta avec plusieurs sculpteurs italiens de l'atelier d'Adams. Il travailla aussi au château, spécialement aux sculptures et peintures de la Salle de marbre. L'Opéra de Berlin lui doit plusieurs statues et décorations. On considère comme son chef-d'œuvre les statues des 12 apôtres pour l'église catholique de Berlin. La bibliothèque municipale de Leipzig possède plusieurs de ses sculptures sur ivoire.

EBENHOCH Wilhelm
Né au XVIIIe siècle à Kastl en Bavière. XVIIIe siècle. Allemand.
Peintre.
L'ancien cloître des Bénédictins de Kastl possède une *Remise des Clés à saint Pierre* signée de son nom.

EBENHOFFER Anton
Né vers 1721 en Souabe. Mort le 11 juillet 1786. XVIIIe siècle. Autrichien.
Peintre.
Élève de l'Académie de Vienne, il travailla également chez le peintre Kessler.

EBER Joseph
XVIIIe siècle. Allemand.

Graveur.
Il sculpta en 1770 une *Vue d'ensemble de Coblence*, d'après J. Eipelt.

ÉBER Sandor
Né le 6 juin 1878 à Rackeresztur (Hongrie). XXe siècle. Hongrois.
Peintre de portraits, compositions religieuses, sujets allégoriques, fresquiste.
Élève de B. Székely à Budapest de 1896 à 1900. Il peignit en 1904 une grande fresque *Allégorie de l'éducation artistique* pour l'École des Maîtres de Baja. En 1909, il obtint l'équivalent hongrois du Prix de Rome. À son retour d'Italie, il peignit pour l'église cistercienne de Baja la fresque : *Les Écoliers d'Émmaüs* et pour l'église de Lanycsok : *Jésus et Sainte Marguerite*, en 1911. Il pratiqua également beaucoup l'art du portrait.

EBERBACH Alice Kinsey
Née le 16 juin 1872 à Philadelphie (Pennsylvanie). XXe siècle. Américaine.
Peintre.
Après avoir travaillé dans sa ville natale avec Robert Henri et Chase, elle vint poursuivre ses études à Paris avec Girardot, Courtois et Bouguereau. Elle fut membre du Plastic Club.

EBERBACH Walther
Né le 1er janvier 1866 à Besigheim en Wurtemberg. XIXe siècle. Allemand.
Sculpteur et ciseleur.
Eberbach se forma à Gmund en Souabe et à Stuttgart, puis à Cologne, Londres, Berlin et Francfort ; il s'établit ensuite comme ciseleur à Strasbourg, où il fut professeur, puis à Heilbronn. Il est l'auteur du monument funéraire Budde à Essen.

EBERENZ J.
XIXe siècle. Actif vers 1804. Tchécoslovaque.
Peintre de miniatures.
Le Musée de Reichenberg possède de lui la reproduction d'un buste d'homme en marbre peinte sur parchemin. Il peignit également des paysages en sépia.

EBERHARD
XIIIe-XIVe siècles. Actif à Klosterneubourg (Basse-Autriche) entre 1291 et 1331. Autrichien.
Peintre verrier.

EBERHARD
XVe siècle. Actif à Ulm vers 1402. Allemand.
Sculpteur sur bois et ébéniste.

EBERHARD
XIXe siècle. Actif à Cologne au début du XIXe siècle. Allemand.
Lithographe.
Il illustra de 5 planches les *Contributions à l'Histoire de la Ville de Cologne* de F. Walgraf ; on connaît également de cet artiste 2 caricatures d'après Michel-Ange, et *La Traite* d'après Zimmermann.

EBERHARD Cogell Pehr. Voir **COGELL Pierre**

EBERHARD Franz
Né le 29 novembre 1767 à Hindelang (Allgau). Mort en 1836 à Munich, du choléra. XVIIIe-XIXe siècles. Allemand.
Peintre d'histoire et sculpteur.
Frère aîné et collaborateur de Konrad Eberhard.

EBERHARD Georg Adam
XVIIe siècle. Actif à Eger. Tchécoslovaque.
Peintre.
On cite de lui une *Adoration des Mages*, de 1668, dans l'église paroissiale de Schweissing près de Mies, le tableau du maître-autel, dans l'église du château de Seeberg, et de bons *Portraits de la famille Lobkowitz* au château de Raudnitz.

EBERHARD Heinrich
Né le 24 février 1884 à Ellwangen. XXe siècle. Allemand.
Peintre de compositions religieuses, figures, paysages, paysages urbains.
Il fut élève de Pötzelberger, de Landenberger et de Hölzel à Stuttgart. Parmi ses œuvres : des paysages peints en 1910 au château de Brenz, deux *Crucifiements* en 1912 et 1914, et une *Sainte Famille* en 1903.
Ses tableaux tendent vers le style monumental.
Ventes Publiques : New York, 10 oct. 1990 : *Soldats* 1912, h/cart. (34,4x43,9) : **USD 4 400** – Munich, 26 mai 1992 : *Le Pont* 1914, h/pap. (24x30) : **DEM 4 600** – Munich, 1er-2 déc. 1992 : *Paysage urbain* 1923, h/pap. (54x65,5) : **DEM 8 280**.

EBERHARD Heinrich Wilhelm
XIXe siècle. Allemand.
Graveur.
Il était actif à Darmstadt, où il exerçait également la profession d'architecte. Il privilégia la gravure à l'eau-forte.

EBERHARD Johann Paul
Né le 25 janvier 1723 à Allona. Mort en 1795. XVIIIe siècle. Allemand.
Graveur et architecte.
Il fut professeur d'architecture à Göttingen, et grava quelques planches des environs de cette ville.

EBERHARD Johann Richard
Né en 1739 à Hindelang (Allgau). Mort en 1813 à Hindelang (Allgau). XVIIIe-XIXe siècles. Allemand.
Ébéniste et sculpteur.
Élève à la fois de l'Académie de Vienne et du sculpteur Franz Sattler chez qui il travailla, il s'établit en 1767 à Hindelang. On lui doit les tabernacles des églises d'Hindelang et de Scheidegg, 4 bustes des pères de l'Église dans l'église paroissiale d'Immenstadt, et de nombreux autres travaux, pour les églises de la région, exécutés avec ses fils Franz et Konrad.

EBERHARD Konrad
Né le 25 novembre 1768 à Hindelang (Allgau). Mort le 12 mars 1859 à Munich. XVIIIe-XIXe siècles. Allemand.
Peintre, sculpteur de sujets religieux, monuments, groupes, statues, bustes, dessinateur.
Il fut tout d'abord l'élève de son père, puis en 1796, du sculpteur de la cour Roman Boos, à Munich. Il continua ses études à Rome, où il se rendit en 1806. En 1816, il devint professeur de sculpture à l'Académie de Munich. Parmi ses peintures, on cite un triptyque *Triomphe du Christianisme* ; *Le Jugement de Pâris* (1819) ; *Descente de Croix* (fresque) ; *Adam et Ève* (1809).
Musées : Munich (Église des Théatins) : *Monument funéraire de la princesse Caroline* – Munich (Glyptothèque) : *La Muse et l'Amour* – Munich (Inst. des Aveugles) : *Quatre statues de saints* – Munich (Parc de Nymphembourg) : *Un Faune et Bacchus* – *Léda et le Cygne* – *Diane et Apollon* – *Endymion* – Munich (Porte de l'Isar) : *Saint Michel et saint Georges* – Ratisbonne (Cathédrale) : *Monuments funéraires des évêques Saeler et Wittmann* – Ratisbonne (Walhalla) : *Buste de P. Vischer* – *Buste de Höwart* – *Buste de Wohlgemuh*.
Ventes Publiques : Munich, 1er-2 déc. 1992 : *Croquis pour Ilias Fries* 1823, mine de pb (28x35) : **DEM 1 955**.

EBERHARD Robert Georges
Né le 18 juin 1884 à Genève. XXe siècle. Suisse.
Sculpteur.
Il fut élève de Mac Neif, Mercié, Carlié, Peter et Rodin. Il fut membre du Salon des Artistes Français et du New Haven Paint and Clay Club. Il fut, aux États-Unis, chef du Département de la Sculpture à l'Université de Yale. Il figura au Salon des Artistes Français et obtint une mention honorable en 1909.
Parmi les œuvres de cet artiste, il faut retenir les plaquettes commémoratives de la guerre de 1914-1918.

EBERHARDT Jacob
Né en 1820. Mort en 1889 à Nuremberg. XIXe siècle. Actif à Munich. Allemand.
Peintre d'histoire et de genre.
Il a exposé à l'Académie Royale de Munich entre 1848 et 1858. On cite de lui *Sophie de Brabant et son fils* et *Le retour dans sa patrie*.

EBERHARDT Johann
Né à Kastl (près de Mayence). XVIIIe siècle. Actif au début du XVIIIe siècle. Allemand.
Sculpteur.

EBERHARDT Sebastien
XVIIe siècle. Actif à Meersbourg sur le lac de Constance. Suisse.
Peintre.
Auteur d'un portrait de l'archevêque Franz Johann de Constance, gravé par J. Sadeler, il travailla quelque temps comme peintre de la cour, à Würzburg. Son tableau, représentant des scènes de l'histoire du monastère de Saint-Gall, fut détruit par les Français en 1799.

EBERHARDT Wilhelm
Né le 6 avril 1875 à Hambourg. XXe siècle. Allemand.

Peintre de compositions murales.
Il suivit les cours de l'École des Arts et Métiers et fut élève de M. Seliger à Berlin. Il fut le collaborateur de R. Bôhland pour les peintures extérieures du pavillon de l'Allemagne à l'Exposition universelle de 1900, à Paris, et celui de H. Vozel pour les peintures murales de l'Hôtel de Ville de Hambourg.

EBERHART
xe-xie siècles. Allemand.
Peintre de miniatures.
Il était diacre. Il est cité dans une nécrologie de Salzbourg comme ayant été écrivain et miniaturiste d'un certain renom.

EBERHART
xe siècle. Suisse.
Peintre de miniatures.
Une miniature représentant un moine qui tend un livre à saint Gall et saint Grégoire, et se trouvant dans un livre religieux ancien à la Bibliothèque de Saint-Gall, est attribuée à ce prieur.

EBERHART ou **Ebbehrat**
Actif à Saint Emmeran à Ratisbonne. Allemand.
Peintre.

EBERHART Serafin
Né le 6 décembre 1844 à Vendels (vallée de l'Inn). xixe siècle. Actif à Innsbruck. Autrichien.
Sculpteur.
Élève de l'Académie de Vienne pour la peinture et la sculpture, puis de J. Ritter von Gasser, il exposa à Innsbruck en 1875 un groupe en plâtre, *les Adieux de Jésus à Marie*. Après un voyage d'un an à Rome et Florence, il revint se fixer à Innsbruck où il exécuta plusieurs monuments funéraires pour les notables de la ville : au cimetière d'Innsbruck, on peut citer les sujets suivants : *Adoration de la Croix par deux anges portant les instruments de la Passion* (Fam. Bandeson), *Tête du Christ en relief* (Fam. Peterlongo), *Mater dolorosa* (Fam. Hauser et Rauch), *Monument du conseiller J. von Ficker, Madone dans l'affliction* (Fam. Nebel), *L'Assomption* (Fam. Köllensberger). Il fit également un grand nombre de sculptures sur bois pour les églises autrichiennes : *L'Immaculée Conception* pour Hötting, *Marie et Bernadette* pour la grotte de Lourdes de l'église Saint-Martin à Altenstadt, *Un Christ en Croix entre Marie et saint Jean* pour le maître-autel de l'église Saint-Nicolas à Innsbruck. On connaît également de lui deux grandes statues en pierre : *Marie avec l'Enfant Jésus et saint Joseph*, dans le cloître de Bindenbourg.

EBERHARTH Augusta
Née le 19 novembre 1856 à Munich. xixe siècle. Allemande.
Peintre de natures mortes.
Elle étudia chez F. Diehl, à Munich, et s'établit à Vienne.

EBERL François Maurice Augustin
Né le 25 juin 1887 à Prague. Mort en octobre 1962. xxe siècle. Depuis 1910, actif, puis naturalisé en France. Tchécoslovaque.
Peintre de compositions à personnages, nus, portraits, dessinateur, aquarelliste. Réaliste.
Eberl, après de nombreux voyages entrecoupés de séjours à Amsterdam s'est finalement installé à Paris en 1911. De 1927 à 1931, il sera l'un des artistes d'une grande galerie du Faubourg Saint-Honoré. Il est entré dans la Résistance pendant la guerre. Il a participé à de nombreuses expositions collectives, étant sociétaire du Salon d'Automne et de celui des Artistes Indépendants. Les expositions particulières ont marqué le parcours créatif de cet artiste : en 1929, avec une grande exposition de ses œuvres organisée par cette galerie du Faubourg saint-Honoré, quelque temps après, une importante exposition de dessins et d'aquarelles rue de Seine. Après la guerre il expose en 1946 rue de la Boétie et en 1954 au Faubourg Saint-Honoré. L'œuvre d'Eberl figure dans de nombreux musées d'Europe. Chevalier de la Légion d'honneur.
Eberl a peint des compositions à personnages, des nus et des portraits. Il s'est particulièrement impliqué dans la représentation de la vie des pauvres, en accord avec un réalisme pictural certain, et du Paris des boîtes de nuit. G.J. Gros écrit d'Eberl : « Artiste de premier plan, il s'affirme surtout comme un peintre de compositions qui vise et atteint à un éloquent réalisme. Son art est sobre, sa couleur bien en pâte, son dessin ferme. Il est expressif, sait ménager les effets. Il est l'un des rares peintres réalistes de l'heure présente avec qui l'on doit compter. »

F Eberl.

Bibliogr. : J. Cathelin et J.Cl. de Chaudun : *Eberl, 1887-1962*, Riss, Paris, 1973.
Ventes Publiques : Paris, 20 avr. 1926 : *Fleurs sur la fenêtre* : **FRF 650** – Paris, 27 déc. 1926 : *Tête de femme* : **FRF 2 000** – Paris, 26 nov. 1927 : *Tête de femme* : **FRF 1 350** – Paris, 27 fév. 1928 : *Buste de femme* : **FRF 2 500** – Paris, 4 juil. 1928 : *Nu, buste* : **FRF 1 080** – Paris, 2 mars 1929 : *Pierreuse* : **FRF 7 000** – Paris, 27 fév. 1930 : *Portrait de femme*, aquar. : **FRF 460** – Paris, 24 mars 1930 : *Buste de jeune fille nue* : **FRF 600** – Paris, 12 avr. 1930 : *Au bal musette* : **FRF 3 500** – Paris, 23 avr. 1931 : *Le modèle* : **FRF 2 400** – Paris, 19 mars 1932 : *Lolita* : **FRF 1 300** – Paris, 29 avr. 1933 : *L'absinthe* : **FRF 1 800** – Paris, 20 juin 1935 : *Buste de femme assise appuyée sur le coude droit* : **FRF 280** – Paris, 21 mars 1938 : *Femme assise vue de trois-quarts* : **FRF 240** – Paris, 23 mars 1938 : *Danseuse* : **FRF 270** – Paris, 28 juin 1939 : *Tête de femme au collier vert* : **FRF 150** – Paris, 12 mars 1941 : *Buste de femme, le sein nu* : **FRF 300** – Paris, 30 nov. 1942 : *Portrait de femme* : **FRF 3 000** – Paris, 15 jan. 1943 : *Buste de femme nue* : **FRF 2 000** – Paris, 2 juin 1943 : *Buste de femme* : **FRF 1 600** – Paris, 5 juin 1944 : *Tête de femme* : **FRF 500** – Paris, oct. 1945-juil. 1946 : *Bal Musette* : **FRF 2 700** – Paris, oct. 1946-juil. 1947 : *Nu couché* : **FRF 11 500** ; *Les deux filles* : **FRF 6 000** – Paris, 1954 : *Jeune femme au collier* : **FRF 27 000** – Paris, 30 mars 1971 : *Nu allongé*, h/t (46X67) : **FRF 1 600** – Paris, 31 mai 1972 : *Fleurs dans un vase*, h/t (41X33) : **FRF 500** – Paris, 13 mars 1974 : *Au café-concert* : **FRF 2 000** – Versailles, 24 oct. 1976 : *Vase de fleurs*, h/t (60x81) : **FRF 3 800** – Paris, 11 déc. 1981 : *L'auberge provençale*, h/t : **FRF 3 000** – Honfleur, 17 juil. 1983 : *Scène de genre à l'accordéoniste*, h/t (73x60) : **FRF 8 500** – Paris, 26 oct. 1987 : *Nu allongé*, h/t (90x113) : **FRF 10 000** – Versailles, 24 sep. 1989 : *Nu couché*, h/t (36,5x61,5) : **FRF 8 500** – Paris, 23 mars 1990 : *Nu étendu*, h/t (38x60) : **FRF 31 000** – Neuilly, 3 fév. 1991 : *Nu allongé*, h/t (44x76) : **FRF 12 000** – Paris, 26 mai 1992 : *La plage* 1954, h/t (73x100) : **FRF 23 000** – Paris, 24 mars 1996 : *Le bouquet de roses*, h/t (46x38) : **FRF 7 600**.

EBERL Georg Anton
Né à Friesberg, en Bavière. xviiie siècle. Allemand.
Sculpteur.
Il travailla à Vienne de 1715 à 1730, en particulier chez Lorenzo Mattieli.

EBERL Sebastian
Né en 1711 à Neumarkt (près de Salzbourg). Mort en février 1770 à Grosskestendorf. xviiie siècle. Autrichien.
Sculpteur.
Il obtint en 1744 le droit de bourgeoisie à Neumarkt. On lui doit des sculptures d'autel pour les églises de Neumarkt et de Grosskestendorf.

EBERLE
xviiie siècle. Actifs au Tyrol. Autrichiens.
Peintres.
Une *Sibylle*, d'après Domenichino, datée de 1783 porte cette signature, qui peut être celle de plusieurs peintres de ce nom qui vivaient au Tyrol à peu près à la même époque.

ÉBERLÉ SAINT LÉGER Abastenia
Née en 1878. Morte en 1942. xxe siècle. Américaine.
Sculpteur de sujets de genre, statuettes mythologiques.
Elle effectua un voyage en Italie en 1907, et surveilla la réalisation de plusieurs de ses sculptures dans une fonderie de Naples. En 1908, elle remporta le prix de la xviie exposition du Club d'Art Féminin de New York avec sa sculpture *Danseuse*, inspirée des artistes telles que Loïe Fuller et Isadora Duncan.
Ventes Publiques : New York, 3 juin 1983 : *Water Carrier*, bronze (H. 27) : **USD 1 200** – New York, 14 mars 1986 : *Sur l'Avenue A* 1914, bronze, patine brun-vert (H. 36,8) : **USD 15 500** – New York, 28 sep. 1989 : *Indiens agenouillés entourant un buffle*, bronze, pot à tabac (H. 17,5) : **USD 3 850** – New York, 16 mars 1990 : *Sur l'avenue A., groupe de deux fillettes*, bronze à patine brun-vert (H. 36,8) : **USD 30 800** – New York, 30 mai 1990 : *Enfant accroupi soufflant des bulles de savon*, bronze à patine noire (H. 13,3) : **USD 3 080** – New York, 14 mars 1991 : *Deux enfants jouant à cache-cache*, bronze à patine brune, une paire de presse-livres (H. 16,5 et 17,2) : **USD 3 850** – New York, 10 mars 1993 : *Bacchanale* 1914, bronze (H. 48,3) : **USD 9 200** – New York, 3 déc. 1993 : *Salomé*, bronze (H. 59,5) : **USD 52 900** – New York, 30 oct. 1996 : *Enfants*, bronze, une paire de serre-livres (H. 16,5) : **USD 4 025**.

EBERLE Adam
Né le 27 mars 1804 à Aix-la-Chapelle. Mort le 18 avril 1832 à Rome. xixe siècle. Allemand.

Peintre d'histoire.
Élève, à l'Académie de Düsseldorf, de Cornelius, qu'il suivit à Munich en 1825. Il le rencontra encore à Rome en 1830. On cite d'Eberle : *L'Inhumation du Christ* ; *Maximilian de Bavière investi de la dignité électorale* ; *Jésus et ses premiers disciples* et *Pierre et Paul sur le chemin de Rome*.

EBERLÉ Adolf
Né le 11 janvier 1843 à Munich. Mort le 24 janvier 1914 à Munich. XIXe-XXe siècles. Allemand.
Peintre de genre, animaux, intérieurs.
Il était fils du peintre animalier Robert Eberle. Il fut élève de l'Académie de Munich et de K. von Piloty. Il obtint une médaille à Vienne, en 1873. Il a exposé à Vienne, à Dresde et à Munich.

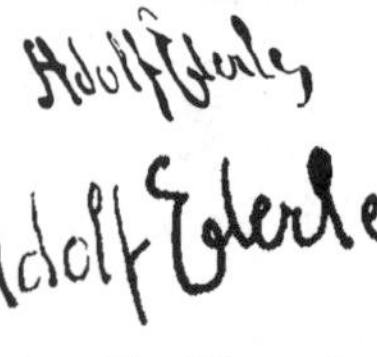

Musées : Hambourg : *La saisie* – Munich : *Provisions de chasse*.
Ventes Publiques : New York, 3 fév. 1904 : *Pastorale* : **USD 150** ; *Tentation* : **USD 100** – New York, 25 nov. 1908 : *Histoire de Pêche* : **USD 77** – New York, 29 jan. 1943 : *Braconniers* 1886 : **USD 340** – New York, 18-20 nov. 1943 : *L'enfant et le mouton* : **USD 825** – Cologne, 17 oct. 1969 : *L'étable* : **DEM 9 500** – Cologne, 27 mai 1971 : *Le basset favori* : **DEM 2 600** – Cologne, 27 juin 1974 : *Troupeau de moutons dans un paysage* 1857 : **DEM 6 000** – Cologne, 14 juin 1976 : *Deux chiens dans un intérieur*, h/pan. (58,5x68) : **DEM 20 000** – Zurich, 26 mai 1978 : *La visite du chasseur*, h/pan. (58,5x70) : **CHF 27 000** – New York, 12 oct. 1979 : *Les chiots*, h/pan. (56,5x51) : **USD 18 000** – New York, 29 mai 1981 : *Compagnons d'étable*, h/pan. (59,7x75,5) : **USD 32 000** – Londres, 20 juin 1984 : *L'heure du déjeuner*, h/t (60x71) : **GBP 14 000** – Londres, 29 nov. 1985 : *L'agneau*, h/pan. (61x78) : **GBP 10 000** – Stockholm, 15 nov. 1989 : *Paysanne et ses deux enfants dans la cuisine nourrissant une chienne et ses chiots*, h/t (60x74) : **SEK 125 000** – New York, 20 fév. 1992 : *Dans le pavillon de chasse*, h/pan. (40,6x48,3) : **USD 29 700** – New York, 27 mai 1992 : *L'agneau nouveau-né*, h/t (48,3x59) : **USD 41 800** – New York, 26 mai 1993 : *Les nouveaux petits chiots*, h/pan. (42,5x52,1) : **USD 40 250** – Munich, 7 déc. 1993 : *Le renardeau*, h/pan. (34,5x46,5) : **DEM 32 200** – Munich, 6 déc. 1994 : *Paysanne et ses enfants dans une grange avec une portée de jeunes chiots*, h/pan. (74x60) : **DEM 69 000** – Londres, 21 nov. 1997 : *Se préparant à aller chasser*, h/pan. (56x68,5) : **GBP 15 525**.

EBERLE Jakob
Né le 21 avril 1720 à Maschau en Bohême. Mort vers 1770 à Maschau en Bohême. XVIIIe siècle. Tchécoslovaque.
Sculpteur.
Élève de Simon Thaler à Prague, il étudia également à Rome, ce qui lui valut, à son retour à Prague, le surnom de « il Romano ». Il sculpta le bois et la pierre.

EBERLE Joseph
Né le 13 février 1839 à Munich. Mort le 7 juin 1903 à Uberlingen (sur le lac de Constance). XIXe siècle. Allemand.
Sculpteur.
Élève de von der Launitz à Francfort, et de Knabl à l'Académie de Munich, il se consacra bientôt à l'art religieux et s'établit à Uberlingen. On peut voir de ses œuvres dans plusieurs églises de Bade (Uberlingen, Heiligenberg, Fribourg, Constance) et à Winterthur.

EBERLE Robert
Né le 22 juillet 1815 à Meersburg (sur le lac de Constance). Mort le 19 septembre 1860 à Eberling (Haute-Bavière). XIXe siècle. Suisse.
Peintre de figures, animaux, paysages animés.
Travailla d'abord avec J.-J. Biedermann à Constance, puis à l'académie de Munich, où il reçut les conseils de Cornelius. Il devint plus tard membre honoraire de l'Académie de cette ville.
Musées : Berne : *Pâturage dans les Alpes bavaroises* – Constance (Mus. de Wessenberg) – Leipzig : *Moutons à l'étable* – Munich : *Un berger avec ses brebis*.
Ventes Publiques : Paris, 3 fév. 1919 : *Bergers et moutons sous un chêne* : **FRF 900** – Londres, 31 jan. 1929 : *Tempête* : **GBP 13** – New York, 7 oct. 1977 : *Troupeau de moutons attaqué par un aigle dans un paysage de haute montagne*, h/t (131,5x110,5) : **USD 3 000** – Londres, 27 nov. 1981 : *Berger et troupeau de moutons dans un paysage boisé*, h/t (45,6x56) : **GBP 5 000** – Paris, 1er mars 1983 : *Vaches au pâturage*, h/pan. (12x16) : **FRF 5 500** – Munich, 10 déc. 1991 : *Berger souabe avec son troupeau*, h/t (90x111) : **DEM 32 200** – Munich, 25 juin 1992 : *Berger souabe avec son troupeau*, h/t (62x79) : **DEM 28 250** – Vienne, 29-30 oct. 1996 : *Troupeau de vaches sur le chemin de l'étable*, h/t (86,2x108) : **ATS 184 000**.

EBERLE Syrius
Né en 1844 à Pfronten (Allgäu). Mort en 1903 à Bozen. XIXe siècle. Allemand.
Sculpteur.
Professeur à l'Académie des Beaux-Arts de Munich, il exécuta d'importants travaux pour Louis II de Bavière.

EBERLEIN ou **Ebirlen, Ebirlyn**
XIVe siècle. Actif à Friesberg. Allemand.
Peintre.

EBERLEIN Andreas
XVIIIe siècle. Actif à Hall. Allemand.
Peintre.
L'Hôtel de Ville de Hall possède de lui des portraits miniatures de Conseillers municipaux.

EBERLEIN Christian Eberhard
Né en 1749 à Walfenbuttel. Mort en 1804 à Göttingen. XVIIIe siècle. Allemand.
Peintre.
Fils de Christian-Nicolas Eberlein.

EBERLEIN Christian Nicolaus
Né en 1720 à Rudolstadt. Mort en 1788 à Salzdahlum. XVIIIe siècle. Allemand.
Peintre d'histoire.
Il a travaillé à Göttingen, Walfenbuttel et Salzdahlum. Il fut nommé, en 1775, inspecteur du Musée de Salzdalhum.

EBERLEIN Ernest
Mort le 28 janvier 1931 à Free Aires (U.S.A.). XXe siècle. Américain.
Peintre de paysages.
Il était l'animateur d'une colonie d'artistes à Berkeley Heights. Auparavant, il avait travaillé à New York.

EBERLEIN Georg
Né le 13 avril 1819 à Linden. Mort en 1884 à Nuremberg. XIXe siècle. Allemand.
Peintre d'architectures et d'histoire, graveur et lithographe.
Élève de K.-A. de Heideloff. Il fut professeur d'architecture gothique à l'École des Arts et Métiers, à Nuremberg.

EBERLEIN Gustav Heinrich
Né le 14 juillet 1847 à Spiekershausen. Mort le 5 février 1926 à Berlin. XIXe-XXe siècles. Allemand.
Peintre, sculpteur de monuments, statues.
Il fut élève de l'École d'Art, à Nuremberg, et du sculpteur Blaser. Après un séjour de quelques années en Italie, il s'établit à Berlin. En 1887, il devint membre honoraire de l'Académie des Beaux-Arts à Berlin. On cite notamment parmi ses œuvres : *Les Hommes de paix en 1870-1871* ; *La Tragédie*. Il figura au Salon de l'Académie de Berlin en 1887 avec une *Joueuse de flûte grecque*, et en 1884 avec *Vénus châtiant l'Amour*, et au Salon de Berlin à partir de 1881 avec de nombreuses œuvres parmi lesquelles : *Mercure et Psyché* (1881) ; *L'Amour bandant son arc* (1888) ; *Nymphe blessée* (1890) ; *Pygmalion et Galathée* (1896) ; *Le Péché originel, Abel* ; *Caïn* ; *Adam et Ève à la fin de leur vie, Ève auprès du corps d'Abel, Goethe contemplant le crâne de Schiller* (1898) ; *Des Anges soulèvent la pierre du tombeau du Christ* ; *L'Ascension* ; *Faune donnant à boire à une nymphe* (1900).
On lui doit également un grand nombre de monuments aux empereurs allemands et aux hommes célèbres, parmi lesquels ceux de l'empereur Guillaume Ier à Elberfeld, Altona, Gera, Geisslingen, Munich, de Frédéric III à Elberfeld, de Bismark à Krefeld et à Berlin, de Wagner à Berlin, de Goethe à Rome.
Musées : Berlin : *Le Tireur d'épines* – Berlin (Mus. Eberlein) – Münden (Mus. Eberlein).
Ventes Publiques : Berlin, 24 oct. 1985 : *Adam et Ève à la fin de leurs jours* 1898, bronze (H. 56) : **DEM 6 000** – Stockholm, 5-6 déc. 1990 : *Nu féminin dansant*, bronze à patine sombre (H. 40,5) : **SEK 3 700**.

EBERLEIN Johann Christian
Né vers 1770 à Göttingen. Mort en 1815 à Göttingen. XVIIIe-XIXe siècles. Allemand.
Paysagiste.
Il était à Rome vers 1811. On cite de lui : *Vue sur l'Aventin.* Il a exposé à l'Académie Royale de Berlin. Le Musée de Munich conserve de lui : *Paysage historique.*

EBERLEIN Johann Michael
XIXe siècle. Actif à Nuremberg. Allemand.
Graveur et aquafortiste.
Il travailla surtout pour la Maison d'Édition Campe à Nuremberg.

EBERLIN
Mort en 1357 à Vienne. XIVe siècle. Autrichien.
Peintre.

EBERLIN Jorg. Voir **ALBRECHT Georg**

EBERLIN L.
XVIIe siècle. Travaillant probablement à Nuremberg. Allemand.
Peintre.
J.-C. Sartorius grava d'après un de ses tableaux le portrait d'un marchand de Nuremberg J. H. Beil.

EBERLIN Peter
XVIe siècle. Actif à Heilbronn. Allemand.
Peintre.
Il peignit des écussons. On sait qu'il contribua à la décoration du nouvel Hôtel de Ville de Heilbronn en 1582.

EBERLING Alfred Rudolfovitch
Né le 3 janvier 1872 à Zierz (Pologne). XXe siècle. Russe.
Peintre de sujets allégoriques, religieux, portraits, paysages.
Élève de I. Répin à l'Académie de Saint-Pétersbourg, il termina néanmoins ses études à Munich avec Lenbach, et en Italie. Il participa à de nombreuses expositions collectives, notamment celle où il exposa un grand tableau allégorique *L'Art ancien et l'Art nouveau,* maintenant à l'École des Beaux-Arts de Kazan. Chaque année, il figura au Salon de Printemps de Saint-Pétersbourg avec des grandes compositions toujours allégoriques, des portraits et des paysages. Il travailla plusieurs fois pour Nicolas II et pour Ferdinand de Bulgarie, et peignit quatorze scènes de la Vie de Jésus pour l'église russe de Constantinople.
MUSÉES : SAN FRANCISCO : *Rêve d'artiste – Paysages italiens* – SARATOF : *Ukrainienne – Portrait de N. M. Galkin-Vraski.*

EBERMAYER Paul
XVIIe siècle. Actif à Nuremberg. Allemand.
Peintre verrier.
Il peignit également à l'aquarelle, en particulier des armoiries.

EBERMAYR Johann Erhard
Né en 1659. Mort en 1692 à Nuremberg. XVIIe siècle. Actif à Nuremberg. Allemand.
Peintre d'histoire.
Élève de Jean Murrer. Travailla à Venise. La plupart de ses tableaux se trouvent à Weissenlfels.

EBERS Emil
Né le 14 décembre 1807 à Breslau. Mort en 1884 à Beuthen (Silésie). XIXe siècle. Allemand.
Peintre de genre, marines, graveur.
Il fut élève de l'Académie de Düsseldorf de 1830 à 1837. Il fit ensuite des voyages d'études avec R. Jordan et K. Ritter, en Hollande et en Normandie. Il s'établit à Breslau, puis à Grolitz et en dernier lieu à Beuthen. Il a exposé à l'Académie Royale de Berlin et à Dresde de 1830 à 1883.
On cite parmi ses œuvres : *La Peur de l'orage ; Naufragés sur un radeau* et *Contrebandiers dans une taverne.*

Ebers

MUSÉES : BERLIN (Gal. Nat) : *Les Contrebandiers* – BRESLAU, nom all. de Wroclaw : *Mutinerie à bord.*
VENTES PUBLIQUES : COLOGNE, 22 mai 1986 : *Le Départ des marins* 1843, h/t (21,5x29,5) : **DEM 1 800.**

EBERS Hermann
Né le 21 juin 1881 à Leipzig. XXe siècle. Allemand.
Peintre de portraits, natures mortes, fleurs.
Fils du célèbre égyptologue et écrivain Georg Ebers, il fut à Munich l'élève de Hackel, de Herterich et de Wilhelm von Zügel. Il a figuré dans de nombreuses expositions à Munich, Leipzig et Brême.
VENTES PUBLIQUES : MUNICH, 5 nov. 1986 : *Sous-bois* 1919, h/t (80x60) : **DEM 2 500.**

EBERSBACH E.
Allemand.
Graveur.
Il grava d'après F. Trevisani un *Joseph en Égypte ;* on lui doit également une vue du cloître d'Einsiedeln.

EBERSBACH H. ou **Eberspach**
XVIIe-XVIIIe siècles. Vivant probablement à Einsiedeln. Suisse.
Graveur.
D'après le Dr Carl Brun, ce graveur, qui est connu par quelques vues d'Einsiedeln, serait le même que JOHANN-HEINRICH EBERSBACH, mentionné de 1693-1711 comme imprimeur de livres du monastère d'Einsiedeln.

EBERSBACH J. D.
XIXe siècle. Actif à Amsterdam. Hollandais.
Peintre et lithographe.
Cité par le *Art Prices Current.* Un de ses tableaux *Luther dans sa bibliothèque d'Erfurt* fut exposé en 1856 à Rostock, et en 1857 à Stettin.
VENTES PUBLIQUES : LONDRES, 27 avr. 1908 : *Jour d'hiver* : **GBP 1.**

EBERSBACH Johann Jacob
Né en 1717 à Augsbourg. Mort en 1754. XVIIIe siècle. Allemand.
Graveur au burin.
Il a gravé 30 planches pour *Masculi Encomia Coelituum.*

EBERSBACH Johann Mathias
XVIIIe siècle. Allemand.
Graveur.
On connaît de lui : *Les Quatre Saisons.*

EBERSBERG Carl Martin
Né en 1824 à Biberach. Mort en 1880 à Gratz. XIXe siècle. Allemand.
Peintre de genre, figures.
On cite de lui : *Une dame à cheval.*
VENTES PUBLIQUES : LUCERNE, 25 mai 1982 : *L'Amazone,* h/t (90,5x81) : **CHF 5 400** – VIENNE, 19 jan. 1983 : *Officier à cheval* 1862, h/t (37x41) : **ATS 28 000.**

EBERSBERGER Max
Né le 22 février 1852 à Nuremberg. XIXe siècle. Allemand.
Peintre.
Il fut à Munich l'élève de Piloty à l'Académie. Peintre de genre et de natures mortes, il décora également des hôtels et restaurants à Munich.

EBERSBERGER Thérèse ou **Théa**
XIXe-XXe siècles. Active à Munich. Allemande.
Peintre de portraits.
Fille de Max E. Elle a surtout peint des miniatures.

EBERSOLD Ludwig Rudolf
Baptisé le 23 octobre 1773. Mort le 24 janvier 1834 à Berne. XVIIIe-XIXe siècles. Actif à Burgdorf. Suisse.
Peintre.
Ebersold exposa des peintures et des dessins (pour la plupart des copies) à Berne entre 1804 et 1830. Il travailla aux services de la poste dans cette ville.

EBERSOLE Mabel Helen
Née le 27 juin 1885 à Keokuk (Iowa). XXe siècle. Américaine.
Peintre.
Élève de Buehr, Obertenfler, Norton et Anisfeld. En 1930, cette artiste obtint le prix du Portrait au Delgado Museum (Nouvelle Orléans).

EBERT Anton
Né le 29 juin 1845 à Mies (Bohême), au château de Kladrau. Mort en 1896. XIXe siècle. Tchécoslovaque.
Peintre de genre, portraits.
Il fut élève de Waldmüller. Il vécut à Vienne. Il a exposé à l'Académie Royale de Vienne et à d'autres expositions entre 1868 et 1888.
MUSÉES : MAYENCE : *Portrait du prince Windischgratz, gouverneur de Mayence* – MOSCOU (Roumianzeff) : *La Mère et ses enfants* – STETTIN : *A la fontaine* – VIENNE : *Portrait de l'artiste par lui-même.*

Ventes Publiques : Londres, 24 fév. 1908 : *Dame de Gênes ; Tête de jeune fille* : **GBP 2** – Londres, 13 déc. 1909 : *Tête de dame viennoise* : **GBP 1** – Londres, 21 juil. 1976 : *La Dentellière* 1895, h/t (77x49) : **GBP 300** – Londres, 24 juin 1981 : *Fête médiévale*, h/t (77x117) : **GBP 2 400** – Vienne, 14 sep. 1983 : *Enfants dans un sous-bois montagneux* 1883, h/pan. (58x41) : **ATS 70 000** – Vienne, 19 mars 1986 : *Le gâteau d'anniversaire*, h/t (80x64) : **ATS 300 000** – New York, 23 fév. 1989 : *L'offrande d'une rose* 1887, h/t (110,5x79) : **USD 7 700** – Paris, 7 mars 1989 : *Bacchante* 1869, h/pan. (56,5x43) : **FRF 6 000** – New York, 16 fév. 1995 : *Portrait de jeune fille*, h/pan. (52,7x41,9) : **USD 9 200** – New York, 26 fév. 1997 : *Absorbée par ses pensées*, h/t (100,3x73,7) : **USD 3 680.**

EBERT Carl

Né le 13 mars 1821 à Stuttgart. Mort le 1er mars 1885 à Munich. xixe siècle. Allemand.

Peintre de paysages animés, paysages, illustrateur.

Élève de Steinkopf à l'École d'art de Stuttgart. Il voyagea en Italie, en Hollande, en France. Il s'établit à Munich dès 1846, où il exposa ainsi qu'à Vienne et à Düsseldorf, de 1858 à 1883. Il devint membre de l'Académie d'Amsterdam et obtint une médaille d'or en 1872 ; une à Munich en 1876.

Il traite des paysages d'hiver, campagnes balayées par le vent, forêts, grottes ; des thèmes par temps d'orage.

Musées : Stuttgart : *Vallée dans la Haute-Bavière – Paysage avec enfants.*

Ventes Publiques : Vienne, 14 mars 1967 : *Chaumière au Chiemsee* : **ATS 22 000** – Vienne, 14 juin 1977 : *Baigneuse dans un sous-bois*, h/t (51x78) : **ATS 320 000** – Munich, 30 nov. 1978 : *Paysage alpestre*, h/pan. (11,5x18,5) : **DEM 9 000** – New York, 28 mai 1981 : *Scène de moisson* 1848, h/t (83x116) : **USD 28 000** – Munich, 20 oct. 1983 : *Scène de moisson au bord du lac de Starnberg*, h/t (84x117) : **DEM 130 000** – Londres, 20 juin 1986 : *La baignade dans un sous-bois*, h/t (91x124,4) : **GBP 28 000** – New York, 1er mars 1990 : *Le vieux moulin*, h/t (61x87,7) : **USD 6 600** – New York, 12 oct. 1994 : *Berger dans un bois*, h/pan. (36,8x32,7) : **USD 4 025.**

EBERT Charles H.

Né le 20 juillet 1873 à Milwaukee (Wisconsin). Mort en 1959. xxe siècle. Américain.

Peintre.

Il fit ses études aux États-Unis : élève de la Cincinnati Art Academy, de l'Art Students' League de New York et, en France, il fut élève de l'Académie Julian à Paris. Il obtint une médaille de bronze à l'Exposition de Buenos Aires en 1910.

Ventes Publiques : New York, 24 avr. 1981 : *Maison sur la colline*, h/t (58,4x73,7) : **USD 2 600** – New York, 25 mai 1989 : *Giverny*, h/t (63,5x76) : **USD 24 200** – New York, 28 sep. 1989 : *La fontaine du village*, h/t (63,5x76,2) : **USD 8 800** – New York, 14 fév. 1990 : *Dans la baie*, h/pan. (30x40,5) : **USD 4 400** – New York, 21 mai 1991 : *Printemps dans le Connecticut*, h/t (68,6x62,8) : **USD 3 850** – New York, 23 sep. 1992 : *La mare d'Ebert*, h/t (91,5x91,5) : **USD 4 950.**

EBERT Chr.

Né au xviiie siècle, originaire de Hilburghausen. xviiie siècle. Allemand.

Peintre.

Il termina dans l'église de Mupperg plusieurs peintures commencées par J. Heinrich Müller.

EBERT Emanuel

xviiie siècle. Actif à Bâle. Suisse.

Dessinateur, graveur et graveur sur bois.

On connaît de lui une gravure sur bois représentant un guerrier du Moyen Age, planche qui servit longtemps comme frontispice pour le calendrier bâlois : *Kriegsbuchlein*. Il exécuta aussi une vue de la ville de Bâle et un arbre généalogique de la famille Burckhardt.

EBERT Johann Sigismund

Mort en 1727. xviiie siècle. Actif à Berlin. Allemand.

Ingénieur et peintre.

EBERT Mary Robert

Née le 8 février 1873 à Titusville (Pennsylvanie). Morte en 1956. xxe siècle. Américaine.

Peintre de paysages.

Elle pratiqua également l'artisanat d'art.

Ventes Publiques : New York, 14 nov. 1991 : *L'île de Mohegan dans le Maine*, h/t (63,5x76,2) : **USD 9 900.**

EBERTS Jean Henri

xviiie siècle. Actif à Paris. Français.

Dessinateur et graveur au burin, amateur.

Il a gravé des sujets de genre.

EBERZ Josef

Né en 1880 à Limbourg. Mort en 1942. xxe siècle. Allemand.

Peintre.

Élève de Halm et Stuck à Münden, il étudia également à Carlsruhe et à Düsseldorf, puis à Stuttgart chez Landenberger et Hölzel. Son œuvre comprend un *Christ et Madeleine* de 1911, une *Pietà* de 1912, un *Chemin de Croix* pour l'église Sainte-Marie à Kaiserlautern daté de 1914, etc.

I. EBERZ. 18

Ventes Publiques : Munich, 11 déc. 1978 : *Maisons en été* 1920, gche (25,8x38,4) : **DEM 2 300** – Munich, 2 juin 1980 : *Jardin tropical*, h/t (60,5x50,5) : **DEM 11 000** – Munich, 30 juin 1982 : *Paysage avec barques de pêche* 1923, aquar. et gche (34x50) : **DEM 1 400** – Cologne, 6 déc. 1983 : *Badende im Wald* 1918, h/t (82x57) : **DEM 22 000** – Munich, 14 juin 1985 : *Vue d'un parc* 1918, aquar. et cr. (49x38) : **DEM 5 000** – Cologne, 29 mai 1987 : *Wildnis* 1918, h/pan. (33,6x26,2) : **DEM 28 000.**

EBHARDT Johann Christian

Originaire de Rochlitz. Mort en 1739 à Dresde. xviiie siècle. Allemand.

Sculpteur.

Il travailla en 1730-31 à l'autel de l'église de Leubnitz près de Dresde avec Johann-Bernhard Reinboth.

EBIHARA Kinosuke

Né en 1904 à Kagoshima. Mort le 19 septembre 1970 en France. xxe siècle. Japonais.

Peintre.

Il fit ses études artistiques à l'École de peinture Kawabata au Japon. Effectua un assez long séjour en Europe, de 1923 à 1934, notamment à Paris, où il connut Foujita. Il participa à plusieurs expositions collectives, celles du Salon d'Automne en 1925 et 1929, et des Indépendants. Une grande exposition rétrospective a été organisée à Tokyo en 1963. En 1935, il devint membre de l'Association des Arts Indépendants. Il reçut à deux reprises, 1950 et 1954, le prix Bunka. En 1960, le prix artistique du Mainichi. Il a fondé en 1951 un Institut d'Art.

Ebihara appartient à cette génération de peintres dont l'ambition ne visait qu'une technique finalement traditionnelle à travers un certain style « école de Paris » de l'entre-deux-guerres.

EBIRLEN. Voir **EBERLEIN**

EBIRLYN. Voir **EBERLEIN**

EBLE Bruno

Né en 1964 à Romilly-sur-Seine (Aube). xxe siècle. Français.

Peintre. Abstrait.

Il fut élève de l'école des beaux-arts de Paris. Il montre ses œuvres dans des expositions collectives : 1993 école des beaux-arts de Paris ; 1994 Salon de Montrouge ; 1995 SIAC (Salon International d'Art Contemporain) à Strasbourg ; 1996 *Peinture ? Peintures !* au CREDAC d'Ivry-sur-Seine et Kunsthihoone de Tallinn (Estonie). Il montre ses œuvres dans des expositions personnelles : 1995 Strasbourg ; 1996 Institut français de Freiburg.

Dans des cadres de plomb, il présente des peintures composées d'une alternance de couleurs chaudes et froides, disposées en polyptyques. Il emprunte ses titres à la mythologie. On cite de lui : *Antigone (mais aussi les lèvres des courtisanes au sang chaud).*

Bibliogr. : Catalogue de l'exposition : *Peinture ? Peintures !*, CREDAC, Ivry-sur-Seine, 1996.

EBLE Théo

Né en 1899 à Bâle. Mort en 1974 à Bâle. xxe siècle. Suisse.

Peintre. Abstrait, tendance constructiviste.

Il fut élève de l'École des Métiers d'Art de Bâle. Il fut ensuite élève de Karl Hofer à l'Académie des Beaux-Arts de Berlin. En 1933, revenu en Suisse, il fonda, avec le peintre et sculpteur Walter Bodmer, le *Groupe 33*, où se réunirent les artistes prospectifs de la ville de Bâle.

Le Musée de Bâle conserve un tableau : *Construction* de 1937, exécuté dans l'esprit constructiviste d'El Lissitsky. Une autre

toile dans ce même musée, propose une abstraction beaucoup plus formaliste.
Bibliogr. : In : *Diction. de la peint. allemande et d'Europe centrale*, Larousse, Paris, 1990.
Musées : Bâle : *Construction.*
Ventes Publiques : Lucerne, 25 mai 1991 : *Il tourne sur lui-même* 1965, h/t (99x99) : **CHF 5 000** – Zurich, 30 nov. 1995 : *Environs de Bruderholz près de Bâle* 1928, h/t (64x83) : **CHF 6 900**.

EBLING Sonia
Née en 1926 à Rio Grande do Sul. xxe siècle. Brésilienne.
Sculpteur, peintre. Abstrait.
Elle a étudié aux Beaux-Arts de Porto Allegre, puis à Rio de Janeiro. Elle a continué son initiation avec Zadkine.
Ses sculptures sont abstraites, faites d'assemblages de structures filiformes.

EBNER Franz Anton
Né vers 1698. Mort le 31 août 1756 à Salzbourg. xviiie siècle. Autrichien.
Peintre.
Peintre de cour, il vécut la plus grande partie de son existence à Salzbourg, sauf un séjour de trois ans à Rome de 1726 à 1729. Les églises de Salzbourg possèdent la plupart de ses œuvres.

EBNER Georg Sebastian
Né en 1776 à Nüremberg. xixe siècle. Allemand.
Peintre de fleurs.

EBNER Ludwig
xixe siècle. Actif au début du xixe siècle. Allemand.
Graveur à l'aquatinte.
Il illustra un certain nombre de livres ; on cite de lui *La Grotte de Neptune à Tivoli*, d'après Gmelin, une *Suite de costumes*, d'après J.-B. Seele.

EBNER Ludwig. Voir **DEAK EBNER Lajos**

EBNER Richard
Mort le 12 février 1911 à Munich. xxe siècle. Actif à Munich. Allemand.
Peintre de genre.
Il a exposé à Stuttgart, à Nuremberg et à Munich de 1881 à 1889. On cite de lui : *Souvenir* et *Au marché.*

EBNER Sil.
xviiie siècle. Actif à Karlsruhe vers 1780. Allemand.
Peintre de miniatures.

EBNETH Lajos d'
Né en 1902 à Szilagyszomlyo. Mort en 1982 à Lima (Pérou). xxe siècle. Depuis 1923 actif en Hollande, et depuis 1949 au Pérou. Hongrois.
Peintre. Abstrait, néo-plasticiste, puis constructiviste.
Il a étudié à l'Académie des Beaux-Arts de Budapest et à l'Académie Supérieure de Franz von Stuck à Munich en 1921. En 1923, il se fixa à La Haye. Il fut alors en contact avec Kurt Schwitters, Vilmos Huszar et les animateurs du groupe *De Stijl*. Il a exposé à Berlin, avec Kurt Schwitters, à la galerie *Der Sturm*. Il pratiquait aussi le graphisme publicitaire et la photographie. Il a collaboré au Bauhaus. Depuis 1949, il s'est installé au Pérou.
Autour de 1925, sa peinture était en accord avec le néo-plasticisme de groupe *De Stijl*, réuni autour de Mondrian et de Van Doesburg. Influencé par la peinture de Moholy-Nagy, il évolua dans le sens du constructivisme, moins sectaire et exclusif que le néo-plasticisme.
Bibliogr. : Catalogue de l'exposition : *Aspects historiques du constructivisme et de l'art concret*, Musée d'Art Moderne de la Ville de Paris, 1977 – Catalogue de l'exposition : *L'Art en Hongrie 1905-1930 – Art et Révolution*, Musée d'Art Moderne et d'Industrie de Saint-Étienne, Musée d'Art Moderne de la Ville de Paris, 1980-1981 – in : *Diction. de la peint. allemande et d'Europe centrale*, Larousse, Paris, 1990.

EBOLITANO Gioanluca Benedetto
xvie siècle. Actif à Naples. Italien.
Peintre.

EBRARD
Français.
Enlumineur.
Il était moine copiste à l'abbaye de Saint-Germain d'Auxerre ; on lui attribue le livre des Homélies, exécuté pour l'empereur Charlemagne.

EBSTEIN Joseph
Né le 12 mai 1881 à Batna (Algérie). xxe siècle. Français.
Sculpteur.
Élève de Barrias et de Coutan. Sociétaire, à Paris, des Artistes Français depuis 1905, il y exposa régulièrement et obtint une mention honorable en 1906. Hors-concours. Chevalier de la Légion d'honneur en 1930.

EBSWORTH Joseph Woodfall
Né le 2 septembre 1824. Mort le 7 juin 1908. xixe siècle. Britannique.
Peintre et dessinateur.
Fils d'un musicien d'Edimbourg, Joseph E., il fut l'élève de Ch. Heath Wilson de W. Allan et D. Scott à Edimbourg. Après avoir été, à Manchester, directeur artistique de l'Institut de lithographie des frères Faulkner, il devint professeur à l'École des Beaux-Arts de Glasgow. Ses œuvres principales furent des eaux-fortes et lithographies pour illustrations d'œuvres du xviie siècle, comme les *Ballades Écossaises.*
Musées : Édimbourg : *Quatre vues d'Edimbourg.*

EBY Charles
xviiie siècle. Actif à Paris en 1781. Français.
Peintre et sculpteur.

EBY Kerr
Né le 19 octobre 1889 à Tokyo (Japon). xxe siècle. Américain.
Peintre, graveur.
Membre de l'Associated National Academy of Design de New York, et de la Chicago Society Etchers. Il obtint le prix de cette dernière organisation, lors de l'Exposition internationale de 1931. Il pratiqua la gravure à l'eau-forte.
Ventes Publiques : New York, 17 mai 1982 : *Study for the great back cloud*, fus. (33x43,2) : **USD 1 100** – Londres, 25 avr. 1984 : *September 13 th 1918*, eau-forte (26,2x40,2) : **GBP 1 000.**

ECALLE Georges Charles
Né le 8 février 1875 à Paris. xxe siècle. Français.
Peintre.
Élève de Dauphin. Sociétaire, à Paris, du Salon des Artistes Français en 1923.

ECCARDT, Miss
xviiie siècle. Britannique.
Peintre de paysages.
C'était probablement la petite-fille de Johann Aegidius Eccardt. Elle figura en 1798 à la Royal Academy avec un *Paysage d'Italie.*

ECCARDT. Voir **ECKARD, ECKARDT, ECKHARD**, etc.

ECCARDT Johann Aegidius ou **John Giles** ou **Eckhardt** ou **Echardt**
Né en Allemagne. Mort en octobre 1779 à Chelsea. xviiie siècle. Allemand.
Peintre de portraits.
Cet artiste vint très jeune en Angleterre, et fut élève de Van Loo vers 1740. Il voyagea en Italie en compagnie de sir Joshua Reynolds et s'établit à Londres. Il trouva des protecteurs tels que Walpole, qui en 1745, se fit peindre par lui ainsi que sa première femme. En 1746, le célèbre homme d'État lui dédiait un poème : *Les Beautés.* Sa collection d'œuvres d'art, qu'il vendit en 1770, était célèbre par sa qualité.
Eccardt peignait avec un soin extrême, et se fit une fort belle réputation comme peintre de portrait.
Musées : Londres (Nat. Portrait Gal.) : *Thomas Gray – Conyers Middleton – Horation Walpole, 4e comte d'Oxford*, trois portraits.
Ventes Publiques : New York, 3 mars 1908 : *Portrait de Lady Maria Walpole* : **USD 130** – Londres, 25 juil. 1924 : *Robert Booth en vêtement marron ; Matthew Booth en vêtement marron et rouge*, ensemble : **GBP 9** – Londres, 7 déc. 1925 : *Jane, lady Musgrave en vêtement marron brodé avec une écharpe rouge garnie d'hermine* 1850 : **GBP 63** – Londres, 11 juin 1926 : *Homme en vêtement marron ; Homme en vêtement marron avec une veste rouge*, ensemble : **GBP 32** – Londres, 5 avr. 1929 : *Homme en costume bleu avec une écharpe rouge ; Dame en noir avec une coiffure blanche*, ensemble : **GBP 22** ; *Portrait de sir Charles Hanbury Williams en vêtement marron avec une ceinture rouge ; Portrait de Thomas Winnington*, ensemble : **GBP 27** – Londres, 7 mars 1930 : *Portrait de sir Robert Walpole avec sa première femme, Catherine Shorter* : **GBP 336** – New York, 12 avr. 1935 : *Lady Catherine Maria Walpole* : **USD 750** – New York, 23 jan. 1936 : *Lady Catherine Maria Walpole* : **USD 500** – Londres, 9 juil. 1986 : *Portrait of Richard Bentley*, h/t (42x32) : **GBP 5 200** – Londres, 14 juil. 1993 : *Portrait de James, 8e Comte de Abercorn,*

en buste, portant un habit à la Van Dyck, h/t (45,5x29,5) : **GBP 8 050.**

ECCLESIA et de la synagogue de..., Maître de l'. Voir **MAÎTRES ANONYMES**

ECCLESTON T.

XIXe siècle. Travaillant en Angleterre. Britannique.

Peintre de paysages et de marines.

Cité par le *Art Prices Current.*

VENTES PUBLIQUES : LONDRES, 3 mai 1909 : *Sur les côtes du Norfolk ; Scène de Rivière* : **GBP 1.**

ECCLINE

XVIIIe siècle. Français.

Peintre.

On ne connaît de cet artiste qu'un tableau, daté de 1773, représentant un Saint, tableau qui se trouve dans l'église de La Gonfrière, près de Bernay (Eure).

ECCLISSI. Voir **ECLISSI**

ECHARD Auguste Daniel Charles

Né vers 1820 à Saint-Lucien (près de Beauvais). XIXe siècle. Français.

Peintre de compositions murales, intérieurs d'églises.

De 1838 à 1844, il exposa régulièrement au Salon de Paris.

Par son réalisme à la flamande et sa manière de filtrer la lumière à travers les vitraux, il est un digne successeur de Peeter Neefs et des autres peintres d'intérieurs d'églises du XVIIe siècle hollandais, genre dans lequel il s'est spécialisé.

BIBLIOGR. : Gérald Schurr, in : *Les Petits Maîtres de la peinture 1820-1920, valeur de demain,* Les Éditions de l'Amateur, t. V, Paris, 1981.

ECHARD Charles. Voir **ESCHARD**

ÉCHARD Charles Marcel

Né le 10 janvier 1915 à Paris. Mort le 2 juillet 1958. XXe siècle. Français.

Peintre de figures, nus, paysages, marines, natures mortes, aquarelliste, dessinateur, graveur, lithographe, illustrateur.

Entré pour ses études à l'École des Beaux-Arts de Paris, il n'y resta pas. Il participa à certaines expositions de groupe, notamment au Salon d'Automne à Paris. Il préféra ensuite exposer seul, toujours à Paris. En 1946, il obtint une bourse de l'État, qui se rendit acquéreur de plusieurs de ses œuvres.

De son travail à l'huile, on cite surtout ses compositions de personnages, ses nus et ses marines. L'écriture en est volontaire et synthétique, en accord avec la couleur posée en aplats francs à peine modulés. Il a produit un grand nombre de dessins et d'aquarelles, plus directs, d'une grande spontanéité d'esquisses. Il a illustré de nombreux ouvrages de luxe, parmi lesquels *Au seuil de la mer* de Jean de la Varende, et *Colette, mon amie* de Francis Carco.

ECHARRI Isabel

Née le 10 février 1929 à Vera de Bidassoa. XXe siècle. Espagnole.

Graveur, sculpteur. Tendance abstrait-matiériste.

Elle a étudié à Nancy de 1950 à 1954, puis à Paris jusqu'en 1957. Sa première exposition à Paris date de 1956. Elle a participé à de nombreux Salons, tels que Comparaisons de 1963 à 1967, de Mai... Ses œuvres sont présentées un peu partout dans le monde, et en 1972-1973 les musées d'Allemagne lui ont organisé une exposition itinérante.

Le travail d'Echarri est assez particulier et tient autant de la gravure que de la sculpture. À partir de pâte à papier coulée, elle réalise soit des estampages aux reliefs fortement accusés, soit de véritables sculptures en papier. Toujours en blanc, ses œuvres montrent un sens très aigu de l'utilisation de la matière.

ECHART Mathias. Voir **ECKARD**

ECHAURI Vicente

Né au XIXe siècle à Saint-Sébastien. XIXe siècle. Espagnol.

Peintre de paysages.

Il débuta en 1881 à la Nationale des Beaux-Arts à Madrid.

ECHAURREN. Voir **MATTA Roberto**

ECHAURREN Pablo

Né en 1941 à Rome. XXe siècle. Italien.

Peintre, dessinateur.

Il vit à Rome. Plusieurs expositions collectives, entre autres : 1970 et 1973 Salon de la Jeune Peinture à Paris ; 1974 *Contemporanea* à Rome ; 1974 *Pittura et Musica* à Lugano (Suisse) ; *9e Biennale de Paris* 1975. Plusieurs expositions personnelles : 1971 Berlin ; 1972 Florence ; 1973 Bâle ; 1974 Philadelphie, Milan, Zürich, Berlin.

Le travail d'Echaurren se développe en une multitude d'images sur une même surface, un rapport espace-temps linéaire formellement puisé dans les signes-dessins des écrits de certains peuples primitifs. « Utiliser de multiples images permet à la peinture d'accepter ses limites naturelles, tout en lui donnant en même temps un sens de la complexité des événements, qui est toujours noté avec une simplicité dérisoire », écrit à son propos Henry Martin.

BIBLIOGR. : In : Catalogue de la *9e Biennale de Paris,* Electra Moniteur, Paris, 1975.

ECHAVE Balthasar ou **Chaves**, appelé aussi **Baltasar de Echave Orio l'Ancien**

Né à Zumaya (Guipuzcoa). XVIe-XVIIe siècles. Espagnol.

Peintre de compositions religieuses.

Il appartint à l'école de Valence. Très jeune, il émigra à Mexico, où il devint l'élève, puis l'époux d'une peintre réputée, Ibia dite La Sumaya, dont quelques œuvres sont conservées dans la cathédrale de Mexico. On cite parmi les œuvres de Balthasar Echave un *Saint Sépulcre, Sainte Anne et la Vierge ; La Rencontre de Marie et d'Elisabeth* et *l'Adoration des Mages.*

MUSÉES : MEXICO (Acad.) – MEXICO (sacristie de l'église de Puebla) : *Le Triomphe de la croix – le Triomphe de Marie.*

ECHAVE Balthasar, appelé aussi **Baltasar de Echave Ibia, le Jeune**

XVIIe siècle. Mexicain.

Peintre.

C'était le fils de Balthasar de Echave l'Ancien.

MUSÉES : MEXICO (Acad.).

ECHAVE Balthasar, appelé aussi **Baltasar de Echave el Mozo**

Né en 1632 à Mexico. XVIIe siècle. Mexicain.

Peintre de compositions religieuses.

Fils de Baltasar de Echave, le Jeune, il fut formé dans son atelier, mais profita de la leçon de peintures de Zurbaran, Pereda, Cano, Murillo, et de peintures flamandes, envoyées alors au Mexique, d'où il tira les éléments de son baroquisme propre.

BIBLIOGR. : Yves Bottineau, in : *Dict. de l'Art et des Artistes,* Hazan, Paris, 1967.

MUSÉES : PUEBLA (cathédrale) : *Le Triomphe de l'Église.*

ECHAVE José

Né en 1921 à Salto. XXe siècle. Uruguayen.

Peintre de compositions murales, décorateur. Tendance expressionniste.

Autodidacte, il a débuté dans sa ville natale. Il se fixa ensuite à Montevideo, où il travailla à une fresque avec Portinari. Sa première exposition particulière a lieu à Salto vers 1945, il exposera en 1954 à Montevideo, en 1956 à Washington.

Il a exécuté des peintures murales et des décors de théâtre. Il est influencé par le vaste courant expressionniste caractéristique de l'évolution de la peinture en Amérique latine.

BIBLIOGR. : In : *Peintres contemporains,* Mazenod, Paris, 1964.

ECHEANDIA Y GAL Julio

XIXe siècle. Actif en Espagne. Espagnol.

Sculpteur.

Il obtint une médaille de bronze à l'Exposition Universelle à Paris de 1900.

ECHEGARAY Martin

Né à Vigo (Galice). XXe siècle. Espagnol.

Peintre.

Il exposa à Paris au Salon d'Automne de 1931 à 1934.

ECHENA José

Né le 1er février 1845 à Fuenterrabia (Guipuzcoa). Mort en 1909 à Rome. XIXe siècle. Espagnol.

Peintre de genre, figures, portraits.

Il a exposé à l'Académie Royale de Munich en 1883. On cite de lui : *A qui la victoire* ? Après avoir travaillé à Madrid, il habita Rome, où il vécut jusqu'à sa mort.

VENTES PUBLIQUES : LONDRES, 13 déc. 1909 : *En route pour le marché* : **GBP 13** – LONDRES, 2 déc. 1927 : *Le Chevalier ; Le Troubadour,* deux panneaux : **GBP 21** – NEW YORK, 28 oct. 1982 : *Le peintre à son chevalet à Biarritz,* h/t (55x105,5) : **USD 18 000** – LONDRES, 9 oct. 1987 : *La favorite du harem en danger,* h/t

(65x104) : **GBP 8 000** – Londres, 22 nov. 1989 : *Les petits ramasseurs de coquillages*, h/pan. (34,5x23) : **GBP 3 520** – Rome, 29 mai 1990 : *Modèle gardant la pose* 1881, aquar. (34x21,5) : **ITL 2 070 000** – Londres, 22 mai 1992 : *Le départ*, h/pan. (12,6x23) : **GBP 1 320** – Londres, 26 mars 1997 : *Femmes d'un harem sur une terrasse donnant sur Le Caire*, h/t (67x109) : **GBP 109 300**.

ÉCHÉRAC Auguste Arthur d'

Né en 1832 à Guéret (Creuse). xixe siècle. Français.

Sculpteur et écrivain d'art.

De 1870 à 1881, il envoya au Salon de Paris des bustes et des médaillons. On cite notamment de lui, le buste de bronze de *Michel Möring*. Il écrivit également, sous le pseudonyme G. Dargenty des ouvrages sur l'Art.

ECHERT Florence

Née à Cincinnati. xxe siècle. Américaine.

Peintre et artisan d'art.

Élève de W. M. Chase. Membre du Women's Art Club de Cincinnati.

ECHEVARRIA Domingo de. Voir **CHAVARITO Dominique**

ECHEVARRIA Y ZURICALDAY Juan José Pedro

Né le 14 avril 1875 à Bilbao (Pays Basque). Mort le 8 juillet 1931 à Madrid. xxe siècle. Espagnol.

Peintre de figures, portraits, paysages, fleurs, natures mortes. Postimpressionniste.

Issu d'une famille d'entrepreneurs sidérurgiques, il fit des études d'ingénieur à Cambridge et, à partir de 1897, en Allemagne, puis en France et en Belgique. Il fut de retour à Bilbao en 1900 pour diriger la fabrique familiale et fonder d'autres affaires. C'est la mort de sa mère, en 1902, qui va bouleverser le cours de sa vie. Traversant une profonde crise existentielle et affective, il abandonna alors les affaires et se consacra à la peinture. Il partit à Paris avec Francisco Iturrino et Paco Durrio, s'installa au n°3 de la rue Alfred Stevens, là, il suivit les cours de l'Académie Julian, se lia d'amitié avec Degas, H. Rousseau, Picasso, Vuillard, Canals, Zuloaga... N'ayant pas de soucis d'ordre pécuniaire – son père continuait de le financer – il pouvait même aider ses amis peintres. Juan Echevarria fut un grand voyageur, il parcourut toute l'Europe en résidant alternativement à Paris et Bilbao. En 1908, il s'installa dans l'immeuble où habita Toulouse-Lautrec, au 123 rue de Caulaincourt, et se maria avec Enriqueta Normand Böer à Londres. Vers 1915, il partit à Grenade peindre des paysages. Une année avant sa mort, en 1931, il fut nommé directeur du Musée d'Art Moderne.

En 1908, il participa à sa première exposition collective en France, au Salon d'Automne à Paris ; en 1913, on lui attribua une salle particulière à l'Exposition internationale de peinture des Écoles d'Albe et de Bilbao ; il figura régulièrement à plusieurs salons régionaux et nationaux, dont celui des Artistes Ibériques en 1925. Il a montré ses œuvres dans des expositions personnelles, notamment vers 1915 à la Société des Artistes Basques, puis, entre autres : 1923, Société Espagnole des Amis des Arts en présence du Roi Alfonso XIII et de la Reine Victoria Eugenia ; 1927, Buenos Aires. Depuis sa mort nombre de rétrospectives ou d'expositions en hommage ont été organisées : 1949, Musée d'Art Moderne de Madrid et à Bilbao ; 1961, Cercle des Beaux-Arts et à la galerie Théo de Madrid ; 1974, importante manifestation patronnée par la Banque de Bilbao.

Peintre de paysages, de figures, de fleurs, de portraits et de natures mortes (bodegones), Juan de Echevarria n'a jamais dévié d'un choix esthétique et formel que l'on peut qualifier de traditionnel, au regard de ce que produisait l'avant-garde espagnole et européenne à la même époque. C'est d'ailleurs cette volonté farouche et individuelle de continuer à peindre hors de toute abstraction réductrice qui caractérise le mieux le travail et la personnalité de cet artiste. Au travers de ses représentations de gitanes et gitans, des rues familières de villes espagnoles, et des portraits, c'est une recherche toujours présente et sereine de l'élément vrai et authentique. Certaines de ses compositions à personnages et de ses scènes de villageois peuvent parfois se rattacher au réalisme d'un Courbet, alors que sa touche, sa méthode de composition et ses couleurs subissent le plus souvent l'influence du postimpressionnisme. Ce sont ses peintures de fleurs, auxquelles l'artiste vouait une véritable passion qui révèlent peut-être le mieux l'art et la sensibilité tout en nuances de ce peintre, le plongeant naïvement dans un univers libre, mêlé de poésie et d'onirisme. Toutes ces fleurs, peintes sans préciosité décorative et en évitant le maniérisme excessif, peuvent être analysées comme des métaphores de sa vie réelle ou idéalisée. Par contre, les portraits sont l'occasion d'un retour à une réalité plus dure, plus profonde. Émanent le plus souvent de ces visages (il exécuta une série de portraits d'intellectuels), et surtout des yeux, les souvenirs plus que les rêves, les sentiments vécus plus que les envies d'un autre âge. ■ C. D.

Bibliogr. : In : *Cien Anos de Pintura en Espana y Portugal, 1830-1930*, Antiqvaria, Madrid, 1988.

Musées : Bilbao (Mus. des Beaux-Arts) : *Montagnard* – *Vase et tapisserie* – *Paysage de Pampliega* – *Fleurs, éventail et livres* – *Gitane de Grenade* – *Ronde de Gitans* – Madrid (Mus. Nat. d'Art Contemp.) : *Autoportrait* – *Montmartre* – *Vase avec marguerites* – *Métisse dénudée* – *Pampliega* – *Fleurs bleues* – *Portrait d'enfant* – *Nature morte* – *Portrait de Unamuno* – *Portrait du sculpteur Paco Durrio* – *Portrait de Azorin* – *Portrait de Iturrino* – *Avila* – *Gitans* – *Portrait de Valle Inclan* – Vitoria (Mus. prov. de Alava) : *Fleurs, livres, estampes et poires vertes*.

Ventes Publiques : Madrid, 26 mai 1987 : *Paysage de Grenade*, h/cart. (46x38) : **ESP 1 200 000**.

ECHEVIN Marius

Né le 31 août 1899 à Toulon (Var). xxe siècle. Français.

Peintre de nus, portraits, paysages, natures mortes.

Il fut révélé par les poètes amis de la Provence. Il travaillait à Toulon.

ECHION. Voir **AETION**

ECHIVARD Albert

Né en 1886 au Mans (Sarthe). xxe siècle. Français.

Peintre de compositions à personnages, verrier.

Élève de Hucher. Il envoya à l'Exposition universelle de 1900, à Paris, un *Enfant aux Chrysanthèmes*, au Salon des Artistes Français, en 1910, *L'Aiglon* et, en 1913, *Léda*.

ECHTELER Josef

Né le 5 janvier 1853 à Legau. Mort le 23 décembre 1908 à Mayence. xixe siècle. Allemand.

Sculpteur.

Vacher dans son enfance, il entra au service d'un sculpteur d'imagerie religieuse à l'âge de 12 ans et fut attiré par l'art d'une façon irrésistible. D'abord élève de l'École des Beaux-Arts de Stuttgart, il alla à Munich, où il eut pour maîtres Widmann et Knabl. Il a sculpté des bustes, des animaux, et surtout des sujets tirés de la mythologie et de la vie du Christ. Echteler est l'auteur du *Monument du général Grant*, en Amérique.

ECHTER Eduard

xixe siècle. Allemand.

Peintre de portraits.

Établi à Dantzig, il envoya en 1842 un portrait de l'empereur François i^er à l'Exposition de l'Académie de Berlin. Il habita à Riga et à Saint-Pétersbourg.

ECHTER Franz Georg

xviie siècle. Actif à Gratz. Autrichien.

Sculpteur.

Il fit en 1688 une statue de *Saint Roch* pour l'église Saint Jean et Saint-Paul à Gratz.

ECHTER Matthias

Né avant 1642 à Weiz (Styrie). xviie siècle. Autrichien.

Peintre, dessinateur et graveur.

Travailla surtout à Gratz, où il fut professeur de Math. von Görz. Pour l'église de Gnas il peignit une *Naissance de la Vierge*. Il grava, d'après son propre dessin un *Hercule maîtrisant Achéloüs* et un *Mercure et Argus*.

ECHTER Michael

Né le 5 mars 1812 à Munich. Mort le 4 février 1879 à Munich. xixe siècle. Allemand.

Peintre de genre, d'histoire et portraitiste.

Élève à l'Académie de Munich. Travailla avec J. Schnorr à l'exécution de tableaux pour la salle de fête à Munich. En 1846, il travailla avec Kaulbach à la décoration du nouveau Musée de Berlin. En 1862, il devint membre honoraire de l'Académie de Munich et à partir de 1868 professeur à l'École des Arts et Métiers dans la même ville. On cite de lui : *Sainte Elisabeth*, les Portraits de Kepler, de Merz et de Steinheil, *Le traité de Pavie* et *Les quatre éléments*.

ECHTER Simon

Mort le 6 septembre 1664 à Gratz. xviie siècle. Actif à Gratz. Autrichien.

Peintre.
Il était peintre d'armoiries ; il contribua également à la décoration de l'église Saint-Gotthard à Gratz.

ECHTERMEIER Carl Friedrich
Né le 27 octobre 1845 à Cassel. Mort le 30 juillet 1910 à Brunswick. XIXe-XXe siècles. Allemand.
Sculpteur.
Encore enfant, il montra un goût si vif pour la sculpture qu'il obtint une subvention de sa ville natale. Il devint élève, puis collaborateur d'Hanel, à Dresde. En 1883, il fut nommé professeur de modelage et de bosse à l'École technique supérieure de Brunswick. On cite de lui *Faune* et *Bacchante*, achetés par la Galerie Nationale de Berlin ; plusieurs groupes colossaux pour le Polytechnicum de Brunswick et 8 figures de marbre pour la Galerie de peinture de Cassel.

ECHTLER Adolf
Né le 5 janvier 1843 à Dantzig. Mort en 1914. XIXe siècle. Allemand.
Peintre de genre, portraits.
Il fit ses études d'art à Venise, à Vienne et à Munich, où Wilhelm Diez dirigea ses études. De 1877 à 1886, il resta à Paris. Il s'établit ensuite à Munich. Il obtint la petite médaille d'or à Berlin en 1874. Il a exposé à l'Académie Royale à Berlin, à Vienne, à Munich et au Salon de Paris de 1869 à 1889.

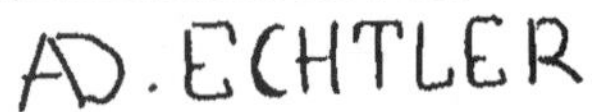

Musées : Altenburg : *Visite de condoléances* – Bautzen : *Enfants cueillant des soleils* – *Sappho* – Dresde : *Ruine d'une famille* – Hambourg (Kunsthalle) : *Les Orphelins* – Leipzig : *Délaissé* – Munich (Pina.) : *Tombé* – Würzburg : *Le mercredi des Cendres*.
Ventes Publiques : New York, 17 jan. 1902 : *Premiers pas* : **USD 340** – New York, 20 mars 1902 : *Jeune pifferaro* : **USD 190** – New York, 15 et 16 fév. 1906 : *Le Pêcheur repentant* : **USD 260** – New York, 18 sep. 1981 : *La promenade*, h/t (31,1x54) : **USD 950** – Londres, 22 juin 1983 : *Chez le cordonnier* 1887, h/pan. (42x31) : **GBP 4 000** – New York, 21 mai 1986 : *Fillette tricotant*, h/t (66x47,6) : **USD 14 000**.

ECHTLER Johann Peter
Né le 21 août 1741 à Steingaden en Bavière. Mort vers 1810 à Berlin. XVIIIe-XIXe siècles. Allemand.
Sculpteur et stucateur.
Élève de Zimmermann à Lamberg-sur-la-Lech, il devint un artiste très apprécié de ses contemporains, et recherché pour la décoration des églises, des châteaux, des hôtels particuliers. Il participa entre autres aux travaux du nouveau château de Potsdam. Mais c'est surtout en Silésie que s'exerça son activité : à Seppau, au château du ministre Schlahendorf, à Breslau, au Palais Hatzfeld et à la résidence épiscopale. Il se spécialisa dans l'imitation du porphyre et du marbre.

ECK Van
Né à Bruxelles. XVIIe siècle. Éc. flamande.
Peintre de fleurs.
Il fut bourgmestre de Bruxelles à la fin du XVIIe siècle.

ECK. Voir aussi **EGG**

ECK Adam ou **Egg**
Né à Eger. Mort en 1664 à Eger. XVIIe siècle. Hongrois.
Sculpteur sur bois.
Fils de Erhard E., et petit-fils du sculpteur sur bois Peter E., il exécuta surtout des autels, pour la chapelle des Franciscains à Eger, et pour celle du château de Seeberg. Le Trésor de l'église paroissiale d'Altötting en Bavière conserve un bas-relief représentant *Saint Georges et le Dragon*.
Musées : Berlin (Arts et Métiers) : *La Passion du Christ*, quatre bas-reliefs.

ECK Daniel
Né le 20 décembre 1807. Mort le 20 juin 1846 à Hirtzbach (près de Mulhouse). XIXe siècle. Actif à Mulhouse. Français.
Peintre.
Frère de Frédéric et de Jacques Eck, il fit ses études à Paris.

ECK David
XVIe siècle. Actif à Würzburg en 1557. Allemand.
Peintre.

ECK Edmund
XVIIIe siècle. Allemand.
Peintre.
Il fut actif à Diessen (Bavière). Il exécuta pour l'ancienne abbaye des Bénédictins d'Andech plusieurs copies d'après Bassano. Voir aussi EGG Edmundus.

ECK Frédéric
Né en 1810 à Mulhouse. Mort en 1860 à Paris. XIXe siècle. Français.
Peintre.
Comme ses frères Daniel et Jacques, il travaillait à Mulhouse. Il fit le portrait de Gaspard Baumgartner et de sa femme, et celui du peintre Georges Zipelius.

ECK Georg Mathaeus ou **Egg**
XVIIe siècle. Actif à la fin du XVIIe siècle. Hongrois.
Sculpteur sur bois.
Klosterneubourg possède de cet artiste deux bas-reliefs en bois de tilleul représentant des scènes de bataille des guerres turques. Il est également l'auteur d'un bas-relief représentant le siège de Bude.

ECK Isaac Van
XVIIIe siècle. Actif au début du XVIIIe siècle. Hollandais.
Graveur.
Il travaillait à Amsterdam. Ayant offensé le bourgmestre de Haze dans la rue, il fut flagellé et emprisonné pendant quinze ans.

ECK Jacques
Né en 1812 à Mulhouse. Mort en 1887. XIXe siècle. Français.
Peintre de portraits.
Le Musée de Mulhouse conserve de lui : *Portrait de M. Pellerin* et *Portrait de M. E. Dollfus*.

ECK Jan Van
Né vers 1615. Mort le 30 septembre 1641 à Rome. XVIIe siècle. Italien.
Peintre.

ECK N. Van
XVIIe siècle. Éc. flamande.
Peintre de fleurs et de fruits.
Selon Weyermann, il était bourgmestre de Bruxelles. Il est cité par Siret à Bruxelles, vers 1690.

ECK Peter
XVIe siècle. Actif à la fin du XVIe siècle. Hongrois.
Sculpteur sur bois.

ECK Walter
Né vers 1895 à Würzburg (Bavière). XXe siècle. Allemand.
Peintre de paysages, figures.
Il a effectué plusieurs voyages d'études en Suisse, Italie, Angleterre et aux États-Unis. Il traite souvent ses paysages par la technique des monotypes. Il vit depuis 1950 à Munich.

ECKARD. Voir aussi **ECKARDT, ECKART, ECKHARD, ECKHARDT**
La plus grande confusion régnant dans l'orthographe de ces noms, surtout parmi les artistes les plus anciens, nous avons mentionné les noms sous leur forme la plus courante dans les diverses familles.

ECKARD
Mort avant 1303. XIIIe siècle. Actif à Cologne. Allemand.
Peintre.

ECKARD
Né au XVIIIe siècle, originaire de Prague. XVIIIe siècle. Tchécoslovaque.
Peintre de portraits.

ECKARD Balthasar
XVIIe siècle. Actif à Sondheim. Allemand.
Sculpteur.
Il exécuta avec son frère Heinrich des fonts baptismaux ornés de bas-reliefs pour l'église de Sondheim en 1606.

ECKARD Georg Ludwig ou **Eckhardt**
Né le 5 janvier 1770 à Hambourg. Mort le 4 juin 1794 à Hambourg. XVIIIe siècle. Allemand.
Peintre de portraits et paysagiste.
Fils de Johann Jacob E., marchand d'objets d'art, il se familiarisa de bonne heure avec la peinture. On connaît de lui trois gravures à l'eau-forte : *Paysage avec 2 paysans, une paysanne et un enfant* ; *Hercule dans l'écurie d'Augias* et *Louise et Marie*, quelques sanguines : *Mise au tombeau*, à la manière de Rembrandt, *Soldats*, d'après Salvator Rosa, *Intérieur d'une forge*.

Musées : Hambourg (Kunsthalle) : *Portrait de l'auteur – Jeune fille endormie – Le Pont du Diable, près de Hambourg*, dess. – *Vue de Blankenese*, dess. – *Paysage avec trois personnages*, aquar. – *Canal avec barques*, aquar.

ECKARD Heinrich. Voir l'article **ECKARD Balthasar**

ECKARD Johann
xive-xve siècles. Allemand.
Peintre.
Fils de Tilman Eckardi. Il fut le premier membre du Conseil élu par la Corporation des peintres de Cologne après la nouvelle Constitution démocratique, en 1396. Il fut de nouveau élu en 1403, en 1407 et en 1413.

ECKARD Mathias ou **Eckart**
xviie siècle. Actif à Schwallungen. Allemand.
Sculpteur.
Il exécuta en 1661 des fonts baptismaux pour l'église de Schwallungen. Il est probablement un descendant de Balthasar ou de Heinrich E.

ECKARDI Tilman
xive siècle. Actif à Cologne. Allemand.
Peintre.

ECKARDSTEIN Hans von, freiherr
Né le 23 décembre 1859 à Prötzel près de Berlin. xixe siècle. Allemand.
Peintre de paysages.
Élève de l'Académie de Berlin et d'Eugène Bracht. Il figura à plusieurs reprises dans les Expositions de Berlin et de Munich. Il peignit surtout des paysages du Brandebourg, mais chercha aussi des sources d'inspiration en Italie, en Amérique, en Norvège et en Orient.

ECKARDT. Voir aussi **ECKARD**

ECKARDT Aloys
Né en 1845 à Lichta (Thuringe). Mort en 1906 à Munich. xixe siècle. Allemand.
Peintre de genre, intérieurs.
Il a exposé à Munich et à l'Académie Royale à Berlin de 1883 à 1889.
On cite de lui : *Une histoire amusante* ; *Chez la marchande de poisson* ; *La Marchande de volailles* ; *Les Petits Citadins et le traîneau cassé* et *La Menuiserie*.
Ventes Publiques : Copenhague, 13 nov. 1985 : *Scène d'intérieur*, h/t (85x100) : **DKK 16 000**.

ECKARDT Andreas Clemens
Né le 28 octobre 1769 à Gerlachsheim. Mort le 13 juin 1808 à Aschaffenburg. xviiie siècle. Allemand.
Sculpteur.

ECKARDT Christian Frederik Emil
Né le 2 juillet 1832 à Copenhague. Mort en 1921. xixe siècle. Danois.
Peintre de paysages animés, marines.
Il suivit les cours de l'Académie de Copenhague de 1846 à 1853. Il entreprit un voyage d'étude en Allemagne et en Italie pour se perfectionner comme peintre de marines. Il revint à Copenhague en 1886 et fut retoucheur de photographie. Il débuta au Salon en 1856 avec sa première marine : *Vue de Venise*. Il a exposé continuellement depuis 1859, soit des marines en pleine mer, soit des vues côtières et de ports ; il fut lauréat du prix Neuhausen en 1863 et en 1871 avec *Pêcheurs cherchant à aborder à terre pendant une tempête* et *Pêcheurs s'embarquant sur un yacht*.
Musées : Copenhague (Assoc. artistique).
Ventes Publiques : Copenhague, 30 juil. 1977 : *Marine* 1873, h/t (122x190) : **DKK 12 500** – Londres, 14 jan. 1981 : *Le port de Gênes* 1874, h/t (30x48) : **GBP 400** – Londres, 28 nov. 1984 : *Plage dans la baie de Naples, animée de personnages* 1856, h/t (40,5x62) : **GBP 5 000** – Copenhague, 20 août 1986 : *Scène de bord de mer* 1865, h/t (90x140) : **DKK 90 000** – Stockholm, 19 avr. 1989 : *Pêcheurs sur une côte*, h/t (38x62) : **SEK 8 200** – Copenhague, 21 fév. 1990 : *Frégate russe dans les eaux d'un fjord près de la côte*, h/t (68x101) : **DKK 22 000** – Copenhague, 6 déc. 1990 : *Marine avec des voiliers en été* 1868, h/t (43x68) : **DKK 8 500** – Copenhague, 6 mars 1991 : *Marine avec des voiliers danois et hollandais*, h/t (39x54) : **DKK 9 500** – Copenhague, 5 mai 1993 : *Pêcheurs napolitains sur la grève* 1881, h/t (36x58) : **DKK 13 000** – Londres, 11 fév. 1994 : *Vaisseaux à voiles au large de Copenhague*, h/t (47,6x62,9) : **GBP 4 025** – Londres, 22 fév. 1995 : *Cattaro au soleil couchant*, h/cart. (20x28) : **GBP 713** – Copenhague, 10-12 sep. 1997 : *Marine* 1876, h/t (49x79) : **DKK 13 000** – Copenhague, 21 mai 1997 : *Marine avec de nombreux voiliers au large par vent vif* 1862 (32x51) : **DKK 19 000**.

ECKARDT Johann Aegidius. Voir **ECCARDT**

ECKARDT Johann Christian ou **Eckard**
Né en 1757 à Laufen. Mort après 1832 à Munich. xviiie-xixe siècles. Allemand.
Graveur.
Il a gravé des portraits et des sujets d'histoire. Il a travaillé à Düsseldorf et à Munich.
Ventes Publiques : Paris, 23 nov. 1927 : *La Vierge et l'Enfant*, cr. bistre et blanc : **FRF 140**.

ECKARDT Johann Kaspar. Voir **ECKHARDT Johann Kaspar**

ECKARDT Johann Paul
xviiie siècle. Actif à Darmstadt. Allemand.
Sculpteur.
Il contribua à la décoration du château de Dianabourg. Il est également l'auteur d'un monument funéraire de son ami, le peintre de cour J. C. Fiedler. Il est probablement le frère de Johann Kaspar Eckard.

ECKARDT Johann Tobias
Né en 1744. Mort en 1819. xviiie-xixe siècles. Actif à Darmstadt. Allemand.
Sculpteur.
Fils du sculpteur Johann Paul Eckardt. Il étudia longtemps à Vienne, Berlin et Mannheim et vint se fixer à Darmstadt, où il travailla chez le Chancelier von Moser et à la cour.

ECKARDT Michael ou **Eckert**
xviiie siècle. Allemand.
Peintre et décorateur.
Probablement le fils de Sebastian Eckardt. L'église de Stadtprozelten possède quelques tableaux d'un Chemin de Croix de sa main. Il travailla également pour l'église paroissiale de son village natal Walldürn, qui lui doit un tableau pour l'autel de Sainte-Anne (1778) et une *Ascension* pour le maître-autel.

ECKARDT Sebastian ou **Eckert**
Né au xviiie siècle, originaire de Walldürn-en-Bade. xviiie siècle. Allemand.
Peintre.

ECKART. Voir aussi **ECKARD**

ECKART Christian
Né en 1959. xxe siècle. Canadien.
Peintre. Abstrait.
Il participe à des expositions collectives, dont : 1986, *Tableaux abstraits*, Nice ; 1990, *La Couleur seule*, Musée d'Art Contemporain de Lyon.
Le travail de Christian Eckart développe une recherche sur la notion d'œuvre d'art (élaboration, usage, conservation) et sur le phénomène de sa sacralisation. Il mène son analyse à partir de l'« objet d'art ». Peintre de monochromes, il prolonge une réflexion sur ce type de présentation, tentant d'en renouveler le genre, d'en « restaurer » l'idée. Eckart expose des moulures d'encadrement fraîchement dorées enserrant tout simplement l'espace ouvert sur le fond du mur. Parfois elles sont découpées et déstructurées, mises en recherche d'un équilibre sur un fond de formica blanc. Parfois encore, elles taillent, au-dedans d'un premier encadrement, défiant de nouveau le quadrilatère plan classique, une ouverture, sorte de « vedute » qui brise la planéité de l'idée de la toile tendue. Si les références contemporaines majeures de l'artiste sont les ouvertures de Barnett Newman, et les *Black Paintings* de Frank Stella, Eckart précise son point de vue : « Il y a deux choses : le cadre, et la surface. Et le cadre, c'est le contexte. C'est pour moi le moyen de décrire, de désigner ce qu'il y a en dehors du cadre : le mur, le musée etc. Je suis beaucoup plus intéressé par ce qu'il y a à l'extérieur du cadre. » Ses travaux de 1989 sont des boîtiers rectangulaires, imposants par la monochromie rouge ou bleue de la surface frontale et par leurs côtés nus en bois naturel. ■ C. D.
Bibliogr. : H. Schütz : *Christian Eckart*, catalogue d'exposition, Galerie Tanit, 1987 – Pierre Sterckx : *Christian Eckart et Allan Mc Collum : avatars actuels du monochrome*, in : *Artstudio* n° 16, Paris, 1990 – in : *Dictionnaire de peinture et de sculpture – L'Art du xxe siècle*, Larousse, Paris, 1991.
Musées : Grenoble (Mus. de Peinture et de Sculpture).

ECKART Hermann Joseph
Mort le 20 mai 1790. XVIIIe siècle. Actif à Hambourg. Allemand.
Peintre.

ECKART Jost
Mort le 22 août 1591. XVIIe siècle. Suisse.
Peintre.
Il travaillait à Lucerne de 1562 à 1575. Il renonça ensuite à sa carrière artistique et devint homme d'État.
Il peignait sur verre.

ECKEL Basilius
XVIIe siècle. Actif à Nuremberg. Allemand.
Peintre, cartographe.

ECKEL Carl
Né le 19 avril 1833 à Kumberg près de Weiz en Styrie. Mort en 1858 à Munich. XIXe siècle. Autrichien.
Peintre de genre.
Il fut l'élève de Tunner à l'Académie de Dessin de Gratz. Un de ses tableaux est conservé dans la Galerie des paysages à Gratz.

ECKEL Konrad
XVe siècle. Actif à Nuremberg. Allemand.
Peintre.

ECKELL Ana
Née en 1947. XXe siècle. Argentine.
Peintre de compositions à personnages. Tendance expressionniste.
Ana Eckell a participé à la Nouvelle Biennale de Paris en 1985. Elle expose personnellement depuis 1978 en Argentine.
Prenant pour référence la nature, elle la reconstruit à l'aide de formes, de figures et de couleurs. Son mode de création provient d'une vision à tendance référentielle, puis d'une seconde vision, sorte d'abstraction de la première et concentrée sur les moyens expressifs, qu'elle considère comme plus spécifiquement poétique. Peinture vive, colorée, parfois rapidement brossée, où se mêlent plusieurs plans et un nombre certain de perspectives.
BIBLIOGR. : *La Nouvelle Biennale de Paris*, catalogue de l'exposition, Electa Moniteur, Paris, 1985.

ECKENBRECHER Karl Paul Themistocles von
Né le 17 novembre 1842 à Athènes. Mort en 1921 à Berlin. XIXe-XXe siècles. Allemand.
Peintre de batailles, scènes de genre, paysages, peintre à la gouache, aquarelliste. Orientaliste.
Il fut élève d'Achenbach à Düsseldorf et débuta à Berlin vers 1866. Il peignit un grand nombre de paysages, au cours des voyages qu'il fit dans toute l'Europe, seul ou en compagnie du prince Sayn-Wittgenstein. Il collabora parfois avec Marc Wolkhardt pour des scènes de batailles, et avec A. Simmler pour des sujets de genre.

T.v.Eckenbrecher T.v.E
T.v.Eckenbrecher
T.v.E

MUSÉES : BERLIN (Gal. Nat.) : *Sur le fjord de Maerö* – BRUNSWICK : *Scierie dans la forêt* – N. BRANDEBOURG : *Cascade en Norvège* – SCHWERIN : *Victoria au lac de Naerö.*
VENTES PUBLIQUES : COLOGNE, 11 mars 1966 : *Fjord en Norvège* : **DEM 4 000** – LOS ANGELES, 22 mai 1972 : *Paysage d'hiver* 1867 : **USD 3 000** – COLOGNE, 12 nov. 1976 : *Paysage de Norvège*, h/t (40,5x51) : **DEM 3 500** – COLOGNE, 18 mars 1977 : *Nature morte aux raisins* 1879, h/cart. (40x57) : **DEM 2 700** – NEW YORK, 13 oct. 1979 : *Vue d'un fjord* 1913, h/t (54,5x32) : **USD 1 500** – LONDRES, 10 juin 1982 : *Vue d'un salon* 1887, aquar. (23,5x31) : **GBP 1 000** – VIENNE, 16 nov. 1983 : *« Im Naeryfjord »* 1902, h/t (80x114) : **ATS 55 000** – LONDRES, 26 nov. 1986 : *Jour d'été à Romsdal* 1894, h/t (112x189,5) : **GBP 9 500** – LONDRES, 16 mars 1989 : *Torrent norvégien le Lofor à Valders* 1905, h/t (110,5x157) : **GBP 7 700** – COLOGNE, 15 juin 1989 : *Paysage de fjord norvégien* 1911, h/cart. (43x62) : **DEM 1 400** – COLOGNE, 20 oct. 1989 : *Fjord norvégien* 1898, h/pan. (35x57,5) : **DEM 4 400** – LONDRES, 30 mars 1990 : *Constantinople avec le Palais Dolmabahçe* 1871, h/t/cart. (24x41) : **GBP 3 300** – BERNE, 12 mai 1990 : *Paysage rocheux norvégien* 1906, aquar. et gche (30x23) : **CHF 1 800** – COLOGNE, 29 juin 1990 : *Cascade en Norvège*, h/t (75x115) : **DEM 5 000** – NEW YORK, 24 oct. 1990 : *Le fjord de Naero*, h/t (61x91,5) : **USD 7 150** – LONDRES, 28 nov. 1990 : *Les neiges éternelles du massif de Romsdal* 1894, h/t (92x138) : **GBP 7 700** – LONDRES, 17 juin 1992 : *Cascades en Norvège* 1904, h/t (50x36) : **GBP 1 210** – LONDRES, 16 juin 1993 : *Le paquebot Oihonna dans les glaces du Spitzberg* 1905, h/t (37,5x55) : **GBP 2 990** – PARIS, 22 mars 1994 : *La mosquée de Besiktas et le Bosphore* 1864, h/t (35,5x52) : **FRF 80 000** – NEW YORK, 20 juil. 1995 : *Dans les glaces du Spitzberg* 1905, h/t (32,4x47) : **USD 2 070** – LONDRES, 15 mars 1996 : *Vue de Constantinople au crépuscule avec la mosquée de Besiktas à l'arrière-plan* 1864, h/t (33,3x51,9) : **GBP 13 800.**

ECKENER Alexander
Né le 21 août 1870 à Flensbourg (Schleswig-Holstein). XXe siècle. Allemand.
Peintre de paysages, intérieurs, graveur, lithographe.
Élève de Herterich, Wagner et Raab à Munich, puis du comte Kalckreuth à Stuttgart, il fut nommé professeur à l'Académie de cette dernière ville. Parmi ses œuvres, on cite, pour les peintures à l'huile : *La Moisson sur le lac de Constance* ; *Tempête sur le marais* ; *Le Château de Gluksbourg* ; *Matin brumeux sur le Neckar* ; *Intérieur frisson* ; *À l'atelier* ; *Paysans de Frise* ; *Chez le laboureur* ; *La Fonderie* ; pour les lithographies : surtout des motifs de la région de Constance.

ECKENFELDER Friedrich
Né le 6 mars 1861 à Berne. Mort en 1938. XIXe siècle. Allemand.
Peintre d'animaux, paysages.
Il étudia surtout à Rottweil chez Hölder et à Munich chez Löfftz ; il s'établit dans cette ville après avoir été l'élève de von Zügel, dont il subit fortement l'influence. Parmi ses œuvres maîtresses, on cite : *Chevaux à la charrue* (1883), *Troupeau de moutons* (1890), *le Repos* (1896), *Chevaux à l'orée d'un bois* (1899), *Le Marché aux chevaux* (1913).
Son sujet principal est le cheval, qu'il place souvent dans un paysage bien étudié.

F. Eckenfelder

VENTES PUBLIQUES : LONDRES, 11 mars 1938 : *Halte en hiver* : **GBP 11** – LONDRES, 2 juin 1939 : *Chevaux se reposant* 1887 : **GBP 11** 6 d. – COLOGNE, 18 nov. 1965 : *La charrette au mulet* : **DEM 5 000** – COLOGNE, 25 oct. 1968 : *Sous-bois* : **DEM 4 400** – LONDRES, 16 oct. 1974 : *Retour des champs* : **GBP 2 900** – COLOGNE, 1er juin 1978 : *Les Chevaux de trait*, h/pan. (26,5x35) : **DEM 12 000** – NEW YORK, 11 fév. 1981 : *Cariole traversant une rivière*, h/t (35x46,5) : **USD 8 000** – LONDRES, 12 oct. 1984 : *Charrette attelée à la porte de la chaumière* 1887, h/t (37x51) : **GBP 11 000** – BERNE, 8 mai 1987 : *Paysan et chevaux de trait dans un champ*, h/t (31x43) : **CHF 12 000** – LONDRES, 23 mars 1988 : *L'écurie*, h/t (36x53) : **GBP 7 150** – NEW YORK, 25 fév. 1988 : *L'attelage de la charrue*, h/t (89,5x129,2) : **USD 13 200** – LONDRES, 16 mars 1994 : *Moutons et chèvres au paturage* 1886, h/t (57x91) : **GBP 5 520.**

ECKENTHALER. Voir aussi **ECKTHALER**

ECKENTHALER Hans
Mort en 1634 à Bischheim. XVIIe siècle. Actif à Strasbourg. Français.
Graveur.

ECKEPUT François
XVIIe siècle. Actif à Gand. Éc. flamande.
Peintre.
Il fut reçu maître en 1618.

ECKER Franz Karl ou **Eckher, Egger**
XVIIIe siècle. Allemand.
Peintre et miniaturiste.

ECKER Johann Anton
Né le 6 mai 1755 à Gratz. Mort en 1820 à Vienne. XVIIIe-XIXe siècles. Autrichien.
Peintre de miniatures, cartographe.
Ancien chirurgien, il abandonna sa clientèle pour se consacrer à la peinture et à la géographie.

ECKERDT Alexander
Né le 6 juillet 1932 à Kosiciach. XXe siècle. Tchécoslovaque.

Peintre.
Il fit ses études d'art à Bratislava, où il expose. Il figurait avec une peinture, *Vieille paysanne en costume*, à l'exposition *50 ans de peinture tchécoslovaque*, organisée pour le cinquantenaire de la République tchécoslovaque.

ECKERLER Carl
XIXe siècle. Actif en Allemagne. Allemand.
Peintre de genre.
Cité par miss Florence Levy.
VENTES PUBLIQUES : NEW YORK, 2 jan. 1907 : *Qui est-ce ?* : **USD 112.**

ECKERLIN Cajo
XIXe siècle. Actif à Lisbonne. Portugais.
Graveur.
Il était fils de Carl August Eckerlin.

ECKERLIN Carl August
Né le 4 avril 1773 à Werningerode près de Nordhausen. Mort en 1843 à Milan. XIXe siècle. Allemand.
Peintre amateur.
Il vécut à Rome, Marseille, Reggio et Milan, où il était interprète pour le gouvernement autrichien. Il figura dans plusieurs Expositions à Milan.

ECKERMANN Karl
Né en 1834 à Weimar. Mort le 29 août 1891 à Göttingen. XIXe siècle. Allemand.
Peintre de figures, paysages, natures mortes, graveur.
Élève de Preller, il étudia également à Bruxelles et à Karlsruhe avant de s'établir à Hanovre. On connaît de lui une œuvre gravée : *Scierie dans la Forêt Noire*.
MUSÉES : WEIMAR (Château d'Ettersburg) : série de natures mortes.
VENTES PUBLIQUES : AMSTERDAM, 16 nov. 1988 : *Bergère et son troupeau dans une clairière ravinée* 1878, h/t (77x103) : **NLG 3 450.**

ECKERSBERG Christoffer Wilhelm ou **Christian Wilhelm**
Né le 2 janvier 1783 à Sundeved (Slesvig). Mort le 22 juillet 1853 à Copenhague. XIXe siècle. Danois.
Peintre d'histoire, compositions religieuses, sujets mythologiques, scènes de genre, portraits, nus, paysages, marines, natures mortes, dessinateur.
Il fut élève d'Abildgard et de Louis David. Pendant son séjour parisien dans l'atelier de David, il ne peignit que des nus, mais, à Rome, il s'essaya au paysage. En 1810, il effectua un voyage en Allemagne, dans la région supérieure du Rhin et en rapporta de nombreux travaux, notamment des dessins. A son retour à Copenhague, il fut nommé, en 1818, professeur à l'Académie des Beaux-Arts.
Eckersberg fut l'initiateur de la peinture classique danoise. Une interprétation sobre sans être sèche, un pinceau qui parfois semble dessiner d'une façon un peu pointue, ne sauraient contrebalancer le mérite de ces excellentes œuvres.
MUSÉES : COPENHAGUE (Gal. roy.) : *Vue de la partie d'une rue, à Paris* 1812 – *Vue d'une partie du Mont Aventin à Rome* 1814 – *L'église de Saint-Jean et Saint-Paul à Rome* 1814 – *Tombeau de Molière à Paris* – *Bertal Thorvaldsen* – *L'Amour avec un papillon* – *Vue d'une partie du jardin de la villa Borghèse* – *Scène dans les Inséparables, de Heiberg* – *Une chasse* – *Un brick sous voile* – *L'arrivée de Thorvaldsen à Copenhague le 17 septembre 1838* – *Italienne* – *Christoffer Hanstein astronome* – *Paysage avec figures, Skjoldncesholm* – *Un conteur grec parmi ses auditeurs* – *Femme endormie* – *L'hôtesse d'Eckersberg à Paris et sa fille* – *Vue de Bonn sur le Rhin* 1810 – *Trois vaisseaux de guerre russes* – *L'entrée à la rade de Copenhague* – *Sept personnes s'appuyant sur un parapet* – *Deux bergers* – *Moïse et les Israélites à la mer Rouge* – *Vue du Tibre* – *Une construction dans la campagne romaine* – *Vue du jardin de la villa Borghèse* – *L'église Sainte-Agnès à Rome* – *Le cloître de Sainte-Marie à Aracœli* – *Portraits du commerçant Nathanson et de sa famille* – *Portrait inachevé de la princesse Wilhelmine* – *Portrait de A.-A. Orsted* – *Vue de Ramberg à Flensborg* – *Vaisseau de ligne russe mouillé dans le Sund* – *Portrait du médecin de la police Rost* – *Sous la falaise de Moen* – *Un vaisseau de guerre danois sans voile* – *Tableau maritime, temps couvert* – *La corvette Galathea dans la mer du Nord* – *Une frégate à bonne brise* – *Vaisseaux sur la rade de Copenhague* – *Vue sur le Pont-Royal à Paris* – *Vue du château de Meudon avec les alentours* – *Deux vaisseaux de ligne russes* – *Une corvette danoise jette l'ancre* – *Une flotte russe dans la rade de Helsingborg* – *Portrait de l'artiste par lui-même* – *Portrait de Rebecca Hyssing* – *La deuxième femme de l'artiste, Julie, née Juel* – *Portrait de Suzanne Juel, la troisième femme de l'artiste* – *La fille de l'artiste Emilie* – *Alcyon sur la plage* – *L'Intérieur du Colisée* – *Étude du jardin zoologique* – *Étude de modèle de l'atelier de David* – *L'actrice Mme Rosing* – *Un matin après la tempête, inachevé* – *Incendie près d'un moulin* – *Le jardin de la villa Albani* – *Une pergola* – *Vue de Ponterotto* – *Vue de Fontana Acetosa* – *Paysages danois* – *Une mère enseignant à lire à sa fille* – *Vue du Château de Kronborg* – COPENHAGUE (Glyptothèque) : *La Fille de Cecrops* – COPENHAGUE (Hirshsprung) : *Portrait d'Anna Maria Magnani* – *La corvette Naïade et la frégate Bellona* – *Panoramas de Rome* – COPENHAGUE (Château de Rosenborg) : *Le Roi Frédéric VI et sa famille* – COPENHAGUE (Thorvalsdsen) : *Femme endormie en robe antique* – OSLO : *Distribution d'aumônes à la porte d'un monastère*.
VENTES PUBLIQUES : COPENHAGUE, 28-29 mai 1963 : *Le voilier Najaden* : **DKK 37 000** – COPENHAGUE, 15 juin 1966 : *Scène de rue à Copenhague*, aquar. et pl. : **DKK 7 100** – COPENHAGUE, 10 déc. 1968 : *Le temple de Frederiksberg*, aquar. : **DKK 8 000** – COPENHAGUE, 19 mars 1969 : *La place Saint-Pierre de Rome* : **DKK 94 000** – COPENHAGUE, 9 fév. 1971 : *Jeune Femme à son miroir* 1808 : **DKK 5 200** – COPENHAGUE, 24 mai 1973 : *Un petit port* 1830 : **DKK 19 000** – COPENHAGUE, 4 sep. 1974 : *Marine* 1825 : **DKK 44 000** – COPENHAGUE, 10 fév. 1976 : *Voilier en mer* 1832, h/t (38x56) : **DKK 25 000** – COPENHAGUE, 27 sep. 1977 : *Voiliers en mer* 1832, h/t (31x46) : **DKK 30 000** – COPENHAGUE, 27 mars 1979 : *Scène de rue* 1809, aquar. et pl. (22x34) : **DKK 26 000** – COPENHAGUE, 27 mars 1979 : *Marins et jeune femme sur les quais* 1848, pl. (23,5x17) : **DKK 8 500** – LONDRES, 27 nov. 1981 : *Joseph et ses frères* 1811, h/t (49,5x61) : **GBP 3 000** – COPENHAGUE, 13 juin 1984 : *Frégates sous la brise* 1824, h/t (diam. 44) : **DKK 300 000** – COPENHAGUE, 16 avr. 1986 : *Frégates danoises* 1846, h/t (60x79) : **DKK 650 000** – COPENHAGUE, 29 oct. 1987 : *Vue du port de Copenhague*, pl. et lav. (16x29) : **DKK 27 000** – LONDRES, 24 juin 1988 : *Le Christ et la femme adultère* 1843, h/t (129,5x114) : **GBP 16 500** – LONDRES, 16 mars 1989 : *Etude de femme* 1812, h/t (81x65) : **GBP 30 800** – COPENHAGUE, 5 avr. 1989 : *Portrait de Louise Lahde* 1827, h/t (32x24) : **DKK 80 000** – COPENHAGUE, 25 oct. 1989 : *Le parc Monceau à Paris* 1811, encre et lav. (22,5x23,5) : **DKK 80 000** – LONDRES, 27-28 mars 1990 : *Personnages sur le chemin de halage le long du Rhin* 1810, h/t (46x58,5) : **GBP 41 800** – LONDRES, 6 juin 1990 : *L'instauration de la monarchie absolue en 1660*, h/t/pan. (23,5x19) : **GBP 2 090** – COPENHAGUE, 1er mai 1991 : *Corvette sur cales dans un chantier de construction navale* 1851, h/t (39x36) : **DKK 290 000** – LONDRES, 17 mai 1991 : *Femmes dans l'entrebaillement d'une porte* 1848, h/t (34,3x26,2) : **GBP 4 950** – COPENHAGUE, 6 mai 1992 : *Trois jeunes femmes entraînant un homme dans un jardin* 1807, h/t (35x28) : **DKK 22 000** – COPENHAGUE, 18 nov. 1992 : *Le Forum romain* 1814, h/t (32x41) : **DKK 1 400 000** – COPENHAGUE, 10 fév. 1993 : *Dames se promenant près d'un pont dans le parc de Frederiksberg*, h/t (32x26) : **DKK 90 000** – COPENHAGUE, 15 nov. 1993 : *Portrait de Bertel Thorvaldsen* 1820, h/t (49,5x40) : **DKK 460 000** – COPENHAGUE, 2 fév. 1994 : *Le port de Dragor* 1830, h/t (27x21,5) : **DKK 220 000** – COPENHAGUE, 7 sep. 1994 : *L'éclipse de soleil* 1851, encre et lav. (25x16) : **DKK 31 000** – COPENHAGUE, 8 fév. 1995 : *Portrait de la reine Marie Sophie Frederikke* 1819, h/t (45x37) : **DKK 48 000** – NEW YORK, 2 avr. 1996 : *Nus masculins néoclassiques* 1824, cr./pap., trois dessins (45,7x32,4 ; 48,3x33,7 ; 44,5x31,8) : **USD 9 200** – COPENHAGUE, 3-5 déc. 1997 : *Chaumière et arbres*, h/t (16x19) : **DKK 30 000.**

ECKERSBERG Erling Carl Wilhelm
Né le 15 septembre 1808 à Copenhague. Mort le 27 novembre 1889 à Copenhague. XIXe siècle. Danois.
Graveur.
Fils de Christoffer Wilhelm Eckersberg, il suivit les cours de l'Académie sous la direction de O. O. Bagge, visita la France et l'Italie et étudia avec Leroux et Müller à Paris, où il a gravé entre autres choses : *Pêcheurs de Hornbœk*. Après avoir été pendant quelque temps élève de Toschi à Parme, il termina son voyage par une visite à Rome et revint à Copenhague en 1838. Il exposa de 1828 à 1840, travailla comme chalcographe à la banque nationale jusqu'en 1871. Au moment de prendre sa retraite, la direction lui alloua une pension de 1200 couronnes par an.

ECKERSBERG Johan Fredrik
Né en 1822 à Drammen. Mort en 1870 à Sandviken (près d'Oslo). XIXe siècle. Norvégien.

Peintre de paysages, dessinateur.
Il fut élève de J. W. Schrimer, à Düsseldorf, de 1846 à 1848. Il se rendit à Madère pour sa santé, puis revint à Düsseldorf en 1854. De retour en Norvège l'année suivante, il vint se fixer à Oslo où il dirigea une école de peinture jusqu'à sa mort.
Ses tableaux se caractérisent par la grande fidélité du dessin.
Musées : Oslo : *Grand motif de paysage*, dess. – *Vue d'une partie de Hvideseid* – *Vue d'une partie de Valle à Saterdalen* – *Site alpestre de la chaîne de montagnes Jötunpjdene* – *Paysage* – Stockholm : *Montagnes norvégiennes*.
Ventes Publiques : Londres, 18 juin 1980 : *Scène champêtre* 1868, h/t (91,5x128,5) : **GBP 5 200** – Londres, 19 nov. 1993 : *Le fjord d'Oslo* 1861, h/t (65x100) : **GBP 8 280**.

ECKERSSEN Heinrich
Né à la fin du XVIe siècle, originaire de Middelbourg en Zélande. XVIe-XVIIe siècles. Hollandais.
Peintre.
Il travailla à Leipzig chez Thomas Lichteinstein et participa avec lui, à la fin de 1597, aux riches décorations du grand orgue de l'église Saint-Nicolas. Ces peintures disparurent malheureusement au cours de modifications apportées à l'église.

ECKERT Georg Maria
Né le 17 septembre 1828 à Heidelberg. Mort le 22 janvier 1903 à Karlsruhe. XIXe siècle. Allemand.
Peintre de paysages, aquarelliste.
Élève de l'Académie de Düsseldorf chez Schirmer, il étudia également à Munich et visita à 50 ans la Bavière, l'Italie et la Suisse ; il s'établit ensuite à Heidelberg, où il fit surtout de la photographie d'art. A partir de 1877, à Karlsruhe, il peignit des aquarelles représentant des paysages du pays de Bade.
Ventes Publiques : Heidelberg, 9 oct. 1992 : *Le Château de Heidelberg le soir*, h/t (50x70) : **DEM 4 200**.

ECKERT Heinrich Gottlieb
Mort en 1817. XVIIIe-XIXe siècles. Actif à Berlin en 1751. Allemand.
Peintre et graveur à l'eau-forte et à l'aquatinte.
Il a gravé des *Portraits* et des *Sujets mythologiques*.

ECKERT Henri Ambros ou **Ambrose**
Né le 16 octobre 1807 à Würzburg. Mort le 10 février 1840 à Munich. XIXe siècle. Allemand.
Peintre de sujets de guerre, batailles, scènes de chasse, paysages animés, marines, paysages portuaires.

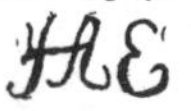

Ventes Publiques : Cologne, 26 mars 1982 : *Village de pêcheurs sur la côte anglaise* 1835, h/t (63,5x83,5) : **DEM 15 000** – Munich, 18 sep. 1985 : *Scène de guerre, Tyrol 1809* 1832, h/t (47x63) : **DEM 8 000** – Heidelberg, 14 oct. 1988 : *Paysage vallonné un jour ensoleillé* 1923, h/t (52x75) : **DEM 1 900** – New York, 17 jan. 1990 : *Voyageurs faisant la pause*, h/pan. (31,1x42,6) : **USD 4 125** – Munich, 7 déc. 1993 : *La Capture de Andreas Hofer* 1828, h/pan. (37,5x46) : **DEM 20 700**.

ECKERT Jakob
Né le 25 novembre 1847 à Mayence. Mort le 23 février 1882 à Munich. XIXe siècle. Allemand.
Sculpteur.
Après avoir travaillé dans une fabrique de meubles à Vienne et à Furth pour la partie décorative, il entra à l'Académie de Munich, puis, comme assistant de Anton Hess à l'École des Arts et Métiers de cette même ville. Il créa des modèles de fontaines et de toutes sortes d'objets d'utilité domestique. Pour le mausolée de Kissingen, il fit un aigle monumental. La meilleure de ses créations fut un petit modèle en cire pour la porte de bronze de la cathédrale de Cologne, auquel il ajouta un bas-relief grandeur nature, *Joseph vendu par ses frères* ; ce projet obtint le premier prix du concours, mais ne fut pas suivi d'exécution, Eckert ne s'étant pas conformé au style prescrit, celui du XIVe siècle, mais ayant adopté celui de la Renaissance.

ECKERT Joachim
XVIIIe siècle. Actif à Fribourg en Silésie. Allemand.
Enlumineur, cartographe.

ECKERT Michael. Voir **ECKARDT Michael**

ECKFORD Jessiejo
Né le 21 novembre 1895 à Dallas (Texas). XXe siècle. Américain.
Peintre.
Il fut élève de Félicie Waldo Hawell. Il fut membre, entre autres, de l'American Federation of Arts et de la Society of Fine Arts du Texas.

ECKH. Voir **ECK** et **HECKE**

ECKHARD. Voir aussi **ECKARD**

ECKHARD Conrad
XVIIe siècle. Actif à la fin du XVIIe siècle. Allemand.
Peintre.
D'après deux de ses œuvres, J. C. Sartorius grava les portraits du pasteur Martin Limburger, et de Régine Magdelena Limburger.

ECKHARD Louis
Né en 1769 à Hambourg. Mort en 1794 à Hambourg. XVIIIe siècle. Allemand.
Peintre et littérateur.

ECKHARDT. Voir aussi **ECKARD**

ECKHARDT Adolf
Né en 1868 à Hambourg. XIXe siècle. Allemand.
Peintre, peintre verrier et graveur.
Il étudia à Hambourg, Karlsruhe, Berlin et à l'Académie Julian à Paris, et fit un voyage en Italie. Il s'occupa surtout de décoration.

ECKHARDT Anton I
Né en 1761. XVIIIe siècle. Actif à Vienne. Autrichien.
Sculpteur.
Fils de Johann Kaspar Eckhardt.

ECKHARDT Anton II
Né le 20 décembre 1783. XIXe siècle. Actif à Vienne. Autrichien.
Sculpteur.
Fils de Lorenz Eckhardt, il fut élève de l'Académie de Vienne de 1797 à 1806.

ECKHARDT Carl Peter
XIXe siècle. Actif à Hanau. Allemand.
Peintre de genre et de portraits.
Élève de Joseph Muxel, il étudia également à l'Académie de Munich et vécut à Düsseldorf.

ECKHARDT Friedrich
Mort le 7 mai 1781. XVIIIe siècle. Actif à Berlin. Allemand.
Portraitiste.
Il était le fils de Modestin. Eckhardt. Il fut nommé professeur de dessin en 1762 à l'Académie de Berlin.

ECKHARDT Friedrich
Né vers 1818. XIXe siècle. Actif à Vienne. Autrichien.
Sculpteur.
Il entra à l'Académie de Vienne en 1834.

ECKHARDT Gabriel
XVIIe siècle. Actif à Fribourg en Saxe. Allemand.
Sculpteur.
Il exécuta en 1609 des fonts baptismaux pour l'église de Penig, ornés de bas-reliefs, d'un Christ et d'un saint Jean-Baptiste.

ECKHARDT Georg
Né vers 1590. Mort en septembre 1637. XVIIe siècle. Allemand.
Sculpteur.
Il exécuta pour l'église de Neuhausen, près de Fribourg en Saxe, un autel qui fut la proie d'un incendie en 1863.

ECKHARDT Gottfried
Né le 9 mars 1865. XIXe siècle. Actif à Düsseldorf. Allemand.
Peintre.
Il étudia à Düsseldorf, puis alla en Italie, en Suisse et en Belgique. Il se consacra surtout au portrait, à la peinture religieuse et historique, et exécuta également des peintures décoratives. La Basilique d'Echternach conserve un autel de sa main.

ECKHARDT J.
XVIIIe siècle. Allemand.
Peintre.
Un tableau en grisaille : *Moines dans un caveau voûté*, porte cette signature.

ECKHARDT Jenny
Née le 4 février 1816 à La Chaux-de-Fonds en Suisse. Morte le 12 décembre 1850 à Cortaillod. XIXe siècle. Suisse.
Peintre.

Élève à Düsseldorf de Karl Sohn, elle s'établit ensuite comme peintre de portraits en Suisse, où elle exposa en 1840. La plus grande partie de ses œuvres se trouve au Musée de la Chaux-de-Fonds.

ECKHARDT Johann
Né en 1795. XIXe siècle. Actif à Vienne. Autrichien.
Sculpteur.
Fils de Anton I Eckhardt, il fut élève de l'Académie de Vienne.

ECKHARDT Johann Kaspar ou **Eckart** ou **Eckardt**
Né en 1712 en Hesse-Darmstadt. Mort le 17 avril 1778. XVIIIe siècle. Autrichien.
Sculpteur.
Il s'établit à Vienne en 1740 et y étudia à l'Académie. Il est probablement le frère de Johann Paul Eckardt.

ECKHARDT John Giles. Voir **ECCARDT**

ECKHARDT Lorenz ou **Eckart** ou **Eckardt**
Né en 1757. Mort après 1822. XVIIIe-XIXe siècles. Actif à Vienne. Autrichien.
Sculpteur.
Fils de Johann Kaspar Eckhardt, il fut élève de l'Académie de Vienne.

ECKHARDT Modestin
Né en 1684 à Kempten (Algäu). Mort en 1768 à Berlin. XVIIIe siècle. Allemand.
Peintre et graveur à la manière noire.
Il a gravé des *Portraits* et des *Planches pour le livre de Campe*.

ECKHARDT Philipp
Né le 16 octobre 1690 à Neubourg en Souabe. Mort le 15 avril 1765 à Ebersberg en Bavière. XVIIIe siècle. Allemand.
Sculpteur sur bois.
Frère lai au Collège des Jésuites de Rottweil. Avec Michel Mayr il sculpta autels, confessionnaux et chaire de l'église des Jésuites à Rottweil, dans le Wurtemberg.

ECKHARDT Rudolf Johann Christian
Né le 2 février 1842 à Francfort-sur-le-Main. Mort le 9 décembre 1897 à Francfort-sur-le-Main. XIXe siècle. Allemand.
Sculpteur.
Élève de Zwerger et de Blaser, il travailla à Berlin aux monuments de Frédéric Guillaume III et Frédéric-Guillaume IV pour la ville de Cologne, et de Frédéric-Guillaume IV pour Sans-Souci. Il travailla à Francfort pour plusieurs monuments publics (Bourse, Opéra, fontaines, etc...).

ECKHARDT Uriel
Né en 1582. Mort le 12 mai 1612. XVIIe siècle. Allemand.
Sculpteur.
Établi à Freiberg en Saxe, il exécuta le tombeau de Caspar von Schönberg et de son épouse dans l'église de Sayda.

ECKHARDT VON ECKHARDSBURG Victor
Né le 28 août 1864 à Rastatt. XIXe siècle. Allemand.
Peintre et aquafortiste.
Élève des Académies de Prague, Vienne, Munich et Karlsruhe. Il figura dans différentes Expositions allemandes et autrichiennes. Il est surtout peintre militaire et peintre de chevaux. Il a peint également des paysages d'Herzégovine.

ECKHER. Voir **ECKER**

ECKHOUT ou **Eckhaut**. Voir **EECKHOUT**

ECKL Vilma
Né en 1892. XXe siècle. Autrichien.
Dessinateur de scènes typiques, paysages, graveur.
Il utilise plus volontiers le pastel pour traduire les scènes de la vie rurale et les paysages. Cette technique lui permet de les aborder d'une manière plus impressionniste, autrement que celle de Steinhart ou de Kubin, de qui il s'inspire.

ECKLER Johann
XVIIIe siècle. Autrichien.
Peintre et graveur.
Il vécut à Rome en 1781 et 1796.

ECKMAN Anthoine ou **Ecman**
XVIIe siècle. Travaillant à Paris vers 1675. Français.
Graveur sur bois.
Frère de Jean Eckman et fils d'Édouard Eckman.

ECKMAN Edouard ou **Ecqman, Egman**
Né vers 1600 à Malines. XVIIe siècle. Éc. flamande.
Graveur sur bois.
Travailla avec Lodewyk Businck, Abraham Bosse et Callot et vécut à Paris.

E E

ECKMAN Jean ou **Ecman**
Né en 1641 à Paris. Mort le 16 juillet 1677 à Paris. XVIIe siècle. Français.
Peintre de miniatures.
Fils d'Édouard Eckman. Le 3 août 1675, il fut reçu académicien sur une peinture en miniature qui représentait le *Parnasse*, et qui ensuite fut offerte par l'Académie au fils de Colbert, le marquis de Seignelay.
VENTES PUBLIQUES : PARIS, 6 mai 1955 : *L'arrivée du Roi au château de Vincennes*, gche : **FRF 140 000**.

ECKMANN Helmut
Mort le 17 mars 1904. XIXe siècle. Actif à Hambourg. Allemand.
Peintre.
Frère de Otto Eckmann Il travailla comme décorateur et comme illustrateur de périodiques.

ECKMANN Otto
Né en 1865 à Hambourg. Mort en 1902 à Badenwieler. XIXe siècle. Allemand.
Peintre de portraits, paysages, décorateur, peintre de cartons de vitraux, cartons de céramiques, illustrateur, graveur. Art nouveau.
Élève à l'École des arts décoratifs de Hambourg, puis à celle de Nuremberg, il entra à l'Académie de Munich en 1885. Il exposa à Munich, à partir de 1890 et fonda en 1894 la *Libre association*, avec Lovis Corinth, Max Slevogt et Wilhelm Trübner. À cette époque, il cessa de peindre. En 1897, il fut nommé professeur à l'École des arts décoratifs de Berlin.
S'il débuta avec des portraits et des paysages, il s'orienta ensuite vers les arts décoratifs, travaillant dans un esprit Art nouveau. Il apprit le tissage à l'école de Scherrebek et exécuta une *Tapisserie aux cinq cygnes*. Il devint créateur de vitraux, meubles, tissus, céramiques, publicités, alphabets et ornements d'imprimerie. Il collabora à plusieurs revues, dont *Pan* et *Jugend*, il fut également illustrateur et travailla pour de nombreuses œuvres de Sudermann et de Hauptmann.
Très représentatif du Jugenstil, son art est décoratif, et montre une grande virtuosité dans les représentations ornementales florales.
BIBLIOGR. : In : *Diction. de la peint. allemande et d'Europe centrale*, coll. Essentiels, Larousse, Paris, 1990.
MUSÉES : HAMBOURG (Mus. für Kunst und Gewerbe) – KREFELD (Kaiser-Wilhelm Mus.).

ECKSTEIN
XVIIIe siècle. Allemand.
Sculpteur.
Il est l'auteur des statues colossales des 4 évangélistes de l'église de Ludwigslust.

ECKSTEIN Anton
Né en 1685 à Prague. Mort le 12 août 1729 à Vienne. XVIIIe siècle. Autrichien.
Peintre.
Il était le frère de Wenzel Eckstein, et probablement de Franz Gregor Eckstein.

ECKSTEIN Carl Alphons
Né le 16 septembre 1840. XIXe siècle. Hollandais.
Lithographe.
Directeur de l'Institut topographique au Ministère de la guerre à La Haye.

ECKSTEIN Franz Gregor Ignaz
Né à la fin du XVIIe siècle à Seydowitz près de Saaz en Bohême. Mort après 1736 à Lemberg. XVIIe-XVIIIe siècles. Tchécoslovaque.
Peintre.
Il étudia à Rome et fit partie en 1700 de l'Académie Saint-Luc, nouvellement fondée à Brünn, où il se fixa. Il exécuta d'abord une série de fresques en Moravie et en Silésie autrichienne. L'église des Jésuites de Lemberg possède de lui une fresque de plafond représentant des scènes de la vie de saint Pierre et plusieurs autres fresques au maître-autel et dans les chapelles. Parmi ses tableaux à l'huile, *l'Assomption* sur un volet du maître-autel de l'église des Jésuites à Brünn est le plus connu.

ECKSTEIN Friedrich
Né en 1787 à Berlin. Mort en 1832 en Amérique. XIXe siècle. Allemand.
Sculpteur.
Probablement fils de Johannes I Eckstein Il fit le buste du général Jackson à Cincinnati en 1820.

ECKSTEIN Georges Paul
XVIIIe-XIXe siècles. Britannique.
Sculpteur.
Probablement fils et élève de Johan I Eckstein. Il travailla à Londres, où il exposa à la Royal Academy de 1777 à 1802.

ECKSTEIN Johann
XVIIe siècle. Actif à Nuremberg à la fin du XVIIe siècle. Allemand.
Graveur.

ECKSTEIN Johann Georg
XVIIIe siècle. Actif à Nuremberg et Berlin. Allemand.
Peintre et modeleur.

ECKSTEIN Johannes I ou **John**
Né à Strelitz en Mecklembourg. Mort vers 1798 ou 1802 à Londres. XVIIIe siècle. Allemand.
Peintre, sculpteur et lithographe.
Il travailla d'abord à Potsdam, puis vint en Angleterre où il passa la plus grande partie de sa vie.
Musées : Berlin : Bas-relief – Londres (Art Gal.) : *John Freeth et son Cercle* – Londres (Nat. Portrait Gal.) : *Portrait de sir William Sidney Smith.*

ECKSTEIN Johannes II ou **John**
XVIIIe siècle. Actif à Potsdam. Allemand.
Modeleur, peintre et graveur.
Il exposa à l'Académie de Berlin en 1786, une statue équestre de Frédéric II en empereur romain, en 1788 des sculptures de terre glaise et en 1791 une peinture *La Famille de Darius devant Alexandre le Grand.* Établi ensuite en Amérique sous le nom de John Eckstein, il fit en 1806, le projet d'une statue de Washington, et en 1809 grava les illustrations des poésies de Freneau.
Ventes Publiques : New York, 16 avr. 1936 : *Richard Webster* : **USD 300.**

ECKSTEIN John
XVIIIe-XIXe siècles. Britannique.
Sculpteur.
Il exposa dix-neuf fois à la Royal Academy de Londres de 1762 à 1802.

ECKSTEIN Karl Gustaf
Né en 1766 à Stockholm. Mort en 1838 à Stockholm. XVIIIe-XIXe siècles. Suédois.
Peintre et graveur.
Élève de Masreliez et membre de l'Académie de Stockholm. Parmi ses œuvres, on cite : *David oint par le Roi – L'Amour conduit au bonheur par la Vertu,* et plusieurs vues de Stockholm.

ECKSTEIN Sebastian
XVIIIe siècle. Actif en Pologne. Polonais.
Peintre.
Il fut chargé par Blasius Krasinski de l'exécution de fresques dans l'église paroissiale de Krasne, au nord de Varsovie. Peut-être est-il aussi le « Frater Ekstein » qui enseigna la peinture au jeune A. Radwanski dans un monastère de Piaristes à Cracovie et qui peignit dans ce même monastère la fresque du maître-autel et celle de la voûte.

ECKSTEIN Wenzel
Né en 1695 à Prague. Mort le 26 janvier 1731 à Vienne. XVIIIe siècle. Autrichien.
Peintre.
Frère de Anton Eckstein.

ECKSTEIN Wilhelm
Né le 28 octobre 1863 à Auerbach. XIXe siècle. Allemand.
Peintre.
Élève des Académies de Düsseldorf et de Berlin. Il exposa en 1896 à Berlin une *Nuit Sainte.*

ECKSTEYN Georg David ou **Eckstein**
XVIIIe siècle. Actif à Nuremberg vers 1721. Allemand.
Graveur.
Il a gravé des portraits.

ECKSTRÖM Carl Emanuel
Né en 1776 en Suède. Mort le 4 décembre 1826 à Copenhague. XIXe siècle. Danois.
Portraitiste.
Élève de l'Académie de Copenhague de 1798 à 1806, il exposa de 1807 à 1817 plusieurs tableaux, surtout des portraits, au château de Charlottenborg.

ECKTHALER Hartmann ou **Eckenthaler**
Mort après 1654. XVIIe siècle. Actif à Francfort-sur-le-Main. Allemand.
Graveur et imprimeur.

ECLISSI Antonio ou **Ecclissi**
XVIIe siècle. Actif à Rome. Italien.
Peintre.
Il travailla pour le pape et le cardinal Francesco Barberini. Pour ce dernier il exécuta des copies à l'aquarelle de fresques et de mosaïques du Moyen Age chrétien.

ECMAN. Voir **ECKMAN**

ECO Umberto
Né en 1932 à Alessandria (Piémont). XXe siècle. Italien.
Artiste. Cinétique.
Il a travaillé avec Bruno Munari. Il définissait lui-même le sens de son action : « Le mouvement des formes, des couleurs et des plans, est le moyen pour obtenir un ensemble changeant ». Si le cinétisme marque le début de ses activités de recherches en tant qu'artiste créateur, il est aujourd'hui beaucoup plus connu en tant que professeur à l'Université de Bologne, pour ses travaux de sémiologie, de théories sur l'art médiévaliste et littéraire, et aussi en tant qu'écrivain à succès : *Le Nom de la Rose.*
Bibliogr. : Frank Popper : *Naissance de l'art cinétique,* Gauthier-Villars, Paris, 1967.

ECOLE Pierre Henri
Né à Argenteuil (Seine-et-Oise). XXe siècle. Français.
Peintre de figures, paysages.
Il fut exposant, à Paris, de la Société Nationale des Beaux-Arts depuis 1935.

ÉCOLE DU PACIFIQUE. Voir **PACIFIQUE, École du**

ÉCOLE DE LA POUBELLE. Voir **ASHCAN SCHOOL**

ECONOMOS Gérard
Né le 17 décembre 1935 à Paris. XXe siècle. Français.
Peintre, illustrateur.
Il a débuté par une formation d'architecte et d'urbaniste. Il a participé à une édition illustrée des prix Nobel de Littérature et a dessiné pour des auteurs comme Kipling, Laxness, Sinclair Lewis et Jean Giono.

ECONOMOS Michael
Né en 1937 à Athènes. XXe siècle. Grec.
Peintre. Tendance cinétique puis hyperréaliste.
Il travaille aux États-Unis. En 1970, il a participé à une exposition au Hudson Museum de New York, intitulée *Light, Motion and Sound Show,* ce qui porte à penser qu'il travaillait dans un genre proche des cinétistes qui se servait du mouvement et de la lumière dans l'art. Toutefois en 1974, il montrait des tableaux hyperréalistes où il décrivait avec minutie des gros plans d'herbe parsemée de menus déchets.

ÉCONOMOU Michel ou **Économon**
Né en 1888 au Pirée. Mort en 1933 à Athènes. XXe siècle. Actif aussi en France. Grec.
Peintre de paysages. Postimpressionniste.
Il fut élève de Constantin Volonakis à l'École des Beaux-Arts d'Athènes. Il fréquenta aussi l'École des Beaux-Arts de Paris, où il séjourna et travailla jusqu'en 1926, ayant des relations d'amitié avec Juan Gris et Foujita. Il a participé à de nombreuses expositions collectives à Athènes, Londres, Paris où, dès 1913, il figurait au Salon de la Société Nationale des Beaux-Arts.
Il est resté tardivement attaché à une facture postimpressionniste. On cite l'atmosphère lumineuse et le caractère poétique de ses paysages.
Musées : Athènes (Pina. Nat.) – Athènes (Pina. mun.) – Rhodes (Gal. d'Art).

ECOUIS Roger d'
XVIe siècle. Actif à Caen. Français.
Peintre et sculpteur.
On sait qu'il fut aussi peintre d'armoiries.

ECREMENT Odon Louis
Né vers la seconde moitié du XIXe siècle à Paris. XIXe siècle. Français.
Peintre de paysages.
Il exposa à Paris au Salon des Indépendants à partir de 1906.

ÉCREVISSE, Maître à l'. Voir **CRABBE Van Espleghem**

EDADES Victorio C.
Né en 1895 à Dagupan. XXe siècle. Philippin.
Peintre de paysages, scènes de genre, compositions murales. Tendance postimpressionniste.
Il s'est formé à l'atelier de la Grande Chaumière à Paris. Puis, il a quitté les Philippines pour les États-Unis où il effectué un séjour de neuf ans, plus particulièrement en Alaska et sur la Côte Ouest. Il a poursuivi ses études d'art et obtint un diplôme d'architecture à l'American School of Fine Arts. En 1928, il revient dans son pays d'origine pour y faire sa première exposition personnelle, depuis il n'a cessé d'exposer. Il fut pendant trente-trois ans directeur du College of Architecture and Fine Arts (U.S.T.). Edades a obtenu de nombreuses récompenses. Il est déclaré en 1976 « Artiste national ».
Il fut très influencé par Cézanne, Gauguin et Matisse. Il est considéré avec Carlos V. Francisco, le muraliste, et Ocampo, le surréaliste, comme l'un des pères de l'art moderne aux Philippines. En 1935, il a exécuté une peinture murale au Capitol Theater.
Musées : Manille (Mus. Nat.).

EDARD Albertine
Née à la Chapelle-Saint-Denis. XIXe siècle. Française.
Peintre de portraits.
Élève de Maxime Lalanne. Elle exposa un dessin au Salon de 1863.

EDDELBÜTTEL Richard
Né le 18 novembre 1856 à Harbourg. XIXe siècle. Allemand.
Peintre et illustrateur.
Il figura en 1884 et en 1888 à l'Exposition de l'Académie de Berlin avec des natures mortes, à partir de 1899 à l'Exposition d'Art avec des dessins d'illustration, et en 1911 à Munich avec deux paysages.

EDDELER
XIVe siècle. Actif à Brunswick. Allemand.
Enlumineur.

EDDELIEN Matthias Heinrich Elias
Né le 22 janvier 1803 à Greifswald (Poméranie). Mort le 24 décembre 1852 à Copenhague, Mort d'une attaque d'apoplexie. XIXe siècle. Danois.
Peintre d'histoire, compositions religieuses, sujets mythologiques, scènes de genre.
Il fut envoyé à Copenhague à l'âge de 16 ans par son père, qui avait déjà travaillé dans cette ville comme charpentier. Tout en étudiant chez le peintre Hambro, Eddelin fréquenta l'Académie à partir de 1821. En 1838, il obtint une bourse. Il partit alors pour Rome où il peignit un grand tableau d'autel : *Jésus-Christ bénit les petits enfants*, pour l'église de Kronborg, et exécuta après son retour le même sujet pour l'église de Maarum. Il a exposé entre 1826 et 1844.
Les œuvres d'Eddelien se distinguent par un dessin pur et par un coloris clair.
Musées : Copenhague : *(Mus. royal) : Jeune Faune* – quatre tableaux.
Ventes Publiques : Copenhague, 6 déc. 1990 : *Scène de l'Odyssée : Ulysse chez Nausicaa*, h/t (150x130) : **DKK 68 000**.

EDDINGTON William Clarke
XIXe siècle. Actif à Worcester. Britannique.
Paysagiste.
Il a exposé entre 1861 et 1885 à la Royal Academy, à Suffolk Street et au Royal Institute.
Musées : Londres (Water-Colours) : *Environs de Dinas, Pays de Galles* – Reading : *Moisson.*
Ventes Publiques : Londres, 27 jan. 1922 : *Dans les champs de houblon* 1864 : **GBP 18**.

EDDIS Eden Upton
Né en 1812. Mort en 1901 à Shalford. XIXe siècle. Britannique.
Peintre de figures, portraits, aquarelliste, dessinateur.
Il fut élève de Sass et des Écoles de l'Académie Royale. D'abord paysagiste, il se lança dans le portrait plus tard, et obtint dans ce genre un grand succès. Ce fut un artiste très fêté et si, vers la fin de sa vie il se retira du monde pour se fixer à Shalford, près de Guildford, c'est qu'il était devenu sourd. Parmi les portraits d'hommes célèbres qu'il exécuta, il faut citer ceux de Sydney Smith, de Theodore Hook et de Macaulay. Il exécuta de remarquables portraits d'enfants, tant à l'huile qu'au crayon.
Musées : Dublin : *Portrait de Lord Heytesbury.*
Ventes Publiques : Londres, 26 jan. 1923 : *Ayah et son enfant* : **GBP 12** – Londres, 26 fév. 1926 : *G. M. Dallas, vice-président des États-Unis, en costume noir* : **GBP 73** – Londres, 12 déc. 1930 : *Charles-Philippe, quatrième comte de Hardwicke, en costume noir et gilet rouge* : **GBP 21** ; *Portrait de l'Honorable Eliot Yorke, âgé, en costume noir, avec un vêtement tricoté, rouge et gris* : **GBP 27** – Londres, 11 juil. 1972 : *Portrait d'une fillette en robe bleue* : **GBP 210** – Londres, 15 mai 1979 : *Seule dans la prairie*, h/t (141x85) : **GBP 5 500** – Londres, 18 jan. 1984 : *Étude d'après nature*, h/t (76x63,5) : **GBP 600** – Londres, 11 juil. 1985 : *Les Enfants de John Peter Fearon* vers 1841, aquar. et cr. (33,5x36) : **GBP 840** – East Dennis (Massachusetts), 31 juil. 1987 : *Portrait de Helen et Eden Powell*, h/t (76,2x63,8) : **GBP 2 000** – New York, 21 mai 1991 : *La Petite Marchande de légumes*, h/t (162,5x101,5) : **USD 5 500** – Londres, 4 juin 1997 : *Study on Albury Heath*, h/t (142x112) : **GBP 9 775**.

EDDROP Th.
XVIIIe siècle. Français.
Peintre de paysages et de genre.
Le Musée de Saint-Omer conserve de lui : *Paysage philosophique, Paysage, Marine.*

EDDY Don
Né en 1944 à Long Beach (Californie). XXe siècle. Américain.
Peintre. Hyperréaliste.
Il a étudié à l'Université de Californie à Santa-Barbara, puis à l'Université d'Hawai à Honolulu. En 1972, il s'installe à New York. Une part importante de la Biennale de Paris en 1971 lui fut consacrée. De nombreuses expositions à succès le mettaient en lumière, tant aux États-Unis qu'en Europe, par exemple la Documenta à Kassel en 1972.
L'hyperréalisme apparaît aux États-Unis à la fin des années soixante, en Californie et à New York. C'est une réaction contre les tendances avant-gardistes, Art Conceptuel, Land Art, Arte Povera, qui abandonnaient la peinture et son support traditionnel. Retour à une technique plus traditionnelle et à une représentation figurative, certes, mais directe et efficace, dans la mesure où l'hyperréalisme a pour but de reproduire la réalité aussi fidèlement que possible avec un sens de la précision proche de la photographie. Cette tendance picturale possède également des racines spécifiquement américaines avec l'Ash-Can School du début du siècle, les Précisionnistes des années vingt et les peintres de l'American Scene (Hopper...). L'hyperréalisme fut d'emblée très populaire, beaucoup plus facile d'accès que la peinture abstraite. Don Eddy fut un des artistes qui émergea de ce mouvement. Il se spécialisa, comme d'ailleurs ses confrères, mais chacun dans des domaines différents et pour des raisons à la fois esthétiques et commerciales, dans la représentation de carrosseries d'automobiles. Travaillant à l'aide de photographies en couleur, comme la plupart des artistes hyperréalistes, Don Eddy donne à ses peintures une tonalité crue, voire froide, proche d'une matérialité idéalisée mais sans âme. Ce qui l'intéressa plus particulièrement, ce fut les surfaces chromées et réfléchissantes de ces voitures, objets du mythe américain, aux couleurs rutilantes et à l'esthétique « léchée ». Doué d'une habilité technique surprenante, il compose sans cesse entre l'illusionnisme et le trompe-l'œil. C'est encore le reflet et tous les mécanismes de déformation optique qu'il met en valeur dans ses séries de tableaux : *Les vitrines*, dans lesquels la réalité des devantures de boutiques est saisie avec le plus de réalisme possible, ainsi que celle reflétée dans les vitres. C'est ce jeu de miroirs et de création d'un nouvel espace pictural et mental qui semble le plus intéressant dans cette peinture, car c'est bien d'un réalisme exacerbé dont il s'agit. Si ces procédés illusionnistes ne sont pas nouveaux, on pense aux peintres primitifs hollandais, ils démontrent avec force que la magie de la représentation du réel étonne toujours et que son mystère est loin d'être épuisé.
■ Christophe Dorny

Bibliogr. : In : *Dictionnaire Universel de la Peinture*, Le Robert, Paris, 1975 – in : *Dictionnaire des Courants Picturaux*, Larousse, Paris, 1990.
Musées : Saint-Étienne : *Sans titre* 1971.
Ventes Publiques : Los Angeles, 10 juin 1976 : *12 : 45 Waiting V* 1969, acryl./t. (137x112) : **USD 4 750** – Londres, 1er juil. 1982 : *Bumper section XXIII : Chevrolet* 1970, h/t (122x86) : **GBP 3 000** – New York, 2 nov. 1984 : *B.M.W. showroom window I* 1971, acryl./t. (167,5x167,5) : **USD 24 000** – New York, 4 nov. 1987 : *Sans titre (Volkswagen)* 1971, acryl./t. (122x167,8) : **USD 30 000** –

New York, 9 nov. 1989 : *« G II »* 1979, acryl./t. (111,8x101,6) : **USD 60 500** – New York, 18 nov. 1992 : *Parking privé IV* 1971, acryl./t. (121,9x167,6) : **USD 14 300** – New York, 14 juin 1995 : *Vitrine de Pontiac II* 1972, acryl./t. (121,3x120,7) : **USD 7 475** – Paris, 20 juin 1997 : *Sans titre* 1971, h/t (167x50,5) : **FRF 38 000** – Lokeren, 11 oct. 1997 : *Bumper section IX : Isla Vista* 1970, h/t (121,5x168) : **BEF 250 000**.

EDDY Henry Stephens
Né le 31 décembre 1878 à Rahway (New-Jersey). xxe siècle. Américain.
Peintre.
Il fut élève de Alphonse Mucha et de George Elmer Browne. Il était membre du Salmagundi Club.

EDDY Isaac
xixe siècle. Britannique.
Graveur.
Pour Merifield et Cochran à Windsor, il grava des illustrations de la Bible.

EDDY James
xixe siècle. Actif à New York et Boston. Américain.
Graveur au pointillé.

EDDY Marvin
Né à Hannibal (Louisville). xixe-xxe siècles. Américain.
Peintre.
Élève de Clarence Boyd et de Hewett Green.

EDE Basil
Né en 1931. xxe siècle. Britannique.
Peintre à la gouache, peintre d'oiseaux, aquarelliste.

BASIL EDE

Ventes Publiques : Perth, 26 août 1991 : *Poule d'eau*, aquar. et gche (18x25) : **GBP 1 100** – Londres, 25 fév. 1992 : *Chardonneret*, aquar. et gche/pap. gris (22,8x29) : **GBP 880** – Londres, 16 mars 1993 : *Mésanges à longue queue*, aquar. et gche (25,7x33) : **GBP 1 725** – Perth, 31 août 1993 : *Hirondelles apportant la becquée à leurs petits dans le nid*, aquar. et gche (34x44) : **GBP 2 070** – Londres, 22 nov. 1995 : *Chouette des neiges* 1968, aquar. (63,5x51) : **GBP 1 380** – Londres, 14 mai 1996 : *Huppes perchées sur une branche de bouleau argenté*, aquar. et reh. de blanc sur pap. gris (40x31,2) : **GBP 2 530** – Londres, 30 sep. 1997 : *Couple de gallinules pourpres* 1996, h/t (61x91,5) : **GBP 3 910**.

EDE Frédéric Charles Vipont
Né le 22 février 1865 à Nottawa (États-Unis). Mort en 1907. xixe siècle. Américain.
Peintre de figures, paysages animés, paysages.
Après avoir commencé ses études en Amérique, il vint à Paris et fut élève de Tony Robert-Fleury et de Bouguereau. On cite parmi ses principales œuvres : *Paysage* (1891), qui obtint un premier prix à Montréal ; *Marlotte*. Il participa à l'Exposition universelle de Chicago en 1893, et obtint une médaille d'honneur au musée de Boston.
Ventes Publiques : New York, 1900-1903 : *Le long du Loing* : **USD 240** ; *Pâturage* : **USD 275** ; *Le Pont de pierre* : **USD 230** – New York, 1904 : *Paysage* : **USD 180** – New York, 1906 : *Berger et son troupeau* : **USD 270** – New York, 8 fév. 1907 : *Bonnières* : **USD 400** – New York, 1908 : *La Rivière Le Ru* : **USD 200** – Londres, 18 jan. 1908 : *Le Ruisseau du Moulin* : **GBP 6** – Londres, 10 jan. 1909 : *Le Printemps* : **GBP 9** – New York, 12-13 et 14 avr. 1909 : *La Vache altérée* : **USD 310** ; *La Vieille ferme* : **USD 380** ; *Ferme au bord de la rivière* : **USD 325** ; *Le Vieux Pont* : **USD 315** – Paris, 16 déc. 1925 : *Moutons au pâturage* : **FRF 405** – Paris, 22 jan. 1927 : *Rivière en automne, homme puisant de l'eau* : **FRF 650** ; *Le lavoir à Ferrières* : **FRF 450** – Paris, 25 mars 1927 : *Les Remous* : **FRF 300** – Paris, 16 nov. 1928 : *La Cagne, près des moulins, en automne* : **FRF 450** – Londres, 30 juin 1972 : *Le petit pêcheur* : **GBP 220** – New York, 12 mai 1978 : *Troupeau au bord d'une rivière*, h/t (82,5x143,5) : **USD 1 600** – New York, 18 sep. 1980 : *Pastorale*, h/t (60,3x73) : **USD 1 100** – Paris, 8 juin 1984 : *La lavandière*, h/t (54x73) : **FRF 9 000** – Londres, 19 mars 1986 : *Cabane au bord d'un ruisseau* 1925, h/t (60x73) : **GBP 3 200** – Amsterdam, 16 nov. 1988 : *Fermes au bord d'un ruisseau en automne*, h/t (56x69) : **NLG 3 795** – Paris, 8 nov. 1989 : *Vaches et poules*, h/t (60x73) : **FRF 12 500** – Montréal, 19 nov. 1991 : *Dame avec une ombrelle* 1888, aquar. (27,2x40,6) : **CAD 700** – New York, 10 juin 1992 : *Maison au bord d'un ruisseau dans un paysage enneigé*, h/t (61x75) : **USD 3 080** – New York, 25 sep. 1992 : *Une courbe de la rivière*, h/t (59,7x81,3) : **USD 3 850** – New York, 31 mars 1993 : *Paysage estival avec un ruisseau*, h/t (38,1x45,7) : **USD 3 565** – Paris, 5 nov. 1993 : *Bergère et son troupeau près d'un pont* 1905, h/t (197x131) : **FRF 10 000** – New York, 28 sep. 1995 : *Paysages bucoliques* 1892, h/t, une paire (47,9x64,1 et 37,8x55,2) : **USD 1 840** – Paris, 17 oct. 1997 : *Paysage à la rivière*, h/t (48x60) : **FRF 10 000**.

EDE Pieter Danielszoon Van
Né vers 1635. xviie siècle. Actif à Amsterdam. Hollandais.
Peintre.

EDEIKIN Ephraïm
Né à Riga. xxe siècle. Letton.
Sculpteur de bustes.
Il vécut probablement en France, où il exposa à Paris, au Salon des Artistes Français, dont il était sociétaire, et où il montra, en 1929, un *Buste du Président Aristide Briand*.

EDEL Alfredo
Né en 1859 à Codogno. Mort le 16 décembre 1912 à Boulogne-sur-Mer (Pas-de-Calais). xixe-xxe siècles. Actif en France. Italien.
Peintre de costumes, aquarelliste, sculpteur.
Il réalisa des figurines et des costumes de théâtre, travaillant pour Coquelin, Sarah Bernhardt, la Comédie Française et Barnum à Paris, pour l'Olympia Theater de Londres et pour la Scala de Milan.
Ventes Publiques : Paris, 14 déc. 1990 : *Études de costumes d'opéra pour le drame sacré de Jules Massenet intitulé « Marie Madeleine »* 1902, ensemble de quinze aquar. : **FRF 15 000**.

EDEL Edmund
Né le 10 septembre 1863 à Stolp. xixe siècle. Allemand.
Peintre, illustrateur, dessinateur et écrivain.
Élève de l'Académie Royale à Munich et de l'Académie Julian à Paris. Il travailla à Berlin, surtout comme peintre et illustrateur pour des revues humoristiques. Comme peintre d'affiches il obtint une assez considérable renommée.

EDEL Florence
xxe siècle. Américaine.
Peintre-miniaturiste.
Elle séjourna en France et fut élève de William Bouguereau et Gabriel Ferrier. Elle débuta à Paris, exposant au Salon des Artistes Français en 1914.

EDEL Johann Samuel
xviie siècle. Actif à Augsbourg et Munich. Allemand.
Graveur.
Il grava des scènes de la Bible et des illustrations pour œuvres pieuses.

EDEL Michel
xvie siècle. Actif à Murnau en Bavière. Allemand.
Sculpteur sur bois.

EDELE Benedikt
Mort en 1867 à Brünn. xixe siècle. Tchécoslovaque.
Sculpteur.
Il fut l'élève de J. E. Ruhl à Cassel. La plupart de ses œuvres se trouvent en Moravie, où il s'établit en 1821. Parmi ses œuvres, on cite *Sainte Madeleine et saint Pierre* (sculptures sur bois), *Madeleine et le Christ* (1842), *la Cène* (haut-relief, à Kunewald), *Deux Anges* (bois sculpté, à Ratschitz). Il travailla également pour les églises de Kaigern, Brüsan et Lissitz.

EDELFELT Albert Gustaf Aristide
Né le 21 juillet 1854 à Helsinki. Mort en 1905 à Borgaen. xixe-xxe siècles. Finlandais.
Peintre de scènes de genre, portraits, paysages, aquarelliste, pastelliste.
Étudiant à l'Association des Beaux Arts d'Helsinki, puis à l'Université, il partit pour Anvers étudier l'histoire de l'art à l'Académie, puis pour Paris à l'École des Beaux-arts en 1874. Il y eut pour professeur Gérome et participa à de nombreuses expositions. Il alla en Russie appelé par Alexandre III pour y faire le portrait de ses enfants. De retour en Finlande en 1889, Edelfelt se mit à la tête du mouvement de protestation contre les modifications apportées à la Constitution finlandaise et fut comme député de la Diète l'un des défenseurs les plus ardents des libertés de sa patrie.
Il prit part au Salon de Paris à partir de 1877, obtenant une troisième médaille en 1880, une deuxième médaille en 1882 et un

grand prix en 1889. Il exposa à la Royal Academy de Londres à partir de 1891. Décoré de la Légion d'honneur en 1887, il fut promu officier en 1889 et commandeur en 1901.
Il s'initia à la peinture de « plein-air » et fut remarqué comme pastelliste et aquarelliste. Toutefois, profondément finnois, il représenta des scènes historiques et réalistes de son pays, toutes réalisées avec une virtuosité technique. Il influença la jeune peinture finlandaise de cette époque. Il fut, avec Akseli Gallen-Kallela, l'un des plus importants artistes finnois du XIXe siècle.
■ M. B. de G.

EDELFET

Bibliogr. : Gérald Schurr, in : *Les Petits Maîtres de la peinture 1820-1920, valeur de demain*, Les Éditions de l'Amateur, t. IV, Paris, 1979.
Musées : Copenhague : *Soirée d'été en Finlande* – Helsinki : *Le duc Karl auprès du lit de mort de Klas Flemming* – *Femme avec une corbeille* – *Le Jardin du Luxembourg* – *La chanson printanière de Dalin* – *Sérénade au bord de la mer*, aquar. – *Femmes devant l'église de Ruo-Kolak* – *Jésus-Christ et Madeleine* – *Dame lisant* – *Dame habillée en noir* – *Jeune fille lisant*, aquar. – *Jeune dame de profil*, aquar. – *Portrait du peintre Aug. Notila* – *Portrait du ministre C.-G. Estlander* – *Au dernier récit* – *Portrait de Mlle Elsa Lindberg* – *Portrait de la cantatrice Aino Ackté* – Luxembourg : *Journée de décembre en Finlande* – *Service divin au bord de la mer* – Mulhouse : *Mi-carême* – Nice : *Convoi d'un enfant en Finlande* – *Service divin* – Paris (Mus. d'Orsay) : *Journée de décembre en Finlande* – *Service divin au bord de la mer* – Saint-Pétersbourg (Mus. Russe) : *Blanchisseuse* – Stockholm : *Portrait de Victor Rydberg, l'écrivain suédois, à l'âge de 63 ans* – *Jésus-Christ baigne les pieds des apôtres*.
Ventes Publiques : Paris, 26-27 mars 1896 : *Soleil de Minuit* : **FRF 200** – New York, 23-24 jan. 1901 : *Effet de soleil* : **USD 230** – Paris, 25 jan. 1926 : *Portrait de jeune fille de profil* : **FRF 2 750** – Paris, 20 avr. 1932 : *Profil de jeune femme* : **FRF 1 320** – Londres, 18 mai 1938 : *Général en uniforme russe* : **GBP 30** – Stockholm, 31 mars 1971 : *Portrait de jeune femme* : **SEK 28 000** – Paris, 27 juin 1977 : *L'Arlésienne*, lav. (35X22) : **FRF 2 700** – New York, 26 jan. 1979 : *La Déclaration*, h/t (50X73) : **FRF 103 000** – Copenhague, 24 avr. 1979 : *Sainte cousant dans un paysage* 1898, gche et past. (45x36,5) : **DKK 21 000** – Lucerne, 2 juin 1981 : *Paysage fluvial boisé animé de personnages*, h/t (85x110) : **CHF 11 500** – Stockholm, 24 avr. 1984 : *Deux jeunes filles*, encre de Chine (18x16) : **SEK 11 000** – Stockholm, 30 oct. 1984 : *Jeune femme assise*, aquar. et cr. (23x25) : **SEK 21 000** – Stockholm, 4 nov. 1986 : *Portrait d'une élégante* 1892, past. (127x100) : **SEK 160 000** – Stockholm, 19 oct. 1987 : *Au revoir*, h/t (56x45) : **SEK 1 900 000** – Londres, 25 mars 1987 : *La buanderie*, cr. reh. de gche blanche (21,5x28,5) : **GBP 3 000** – Londres, 23 mars 1988 : *Vue d'une vallée glacière*, past. (47x57,5) : **GBP 3 300** – Londres, 24 mars 1988 : *Un cavalier* 1892, aquar. reh. de blanc (53x33) : **GBP 20 900** – Londres, 16 mars 1989 : *Un soir d'été dans le port de Borga* 1889, h/t (75x55) : **GBP 121 000** – Londres, 21 nov. 1989 : *Portrait de Madame Vallery-Radot* 1888, h/t (45x31) : **GBP 77 000** – Londres, 27-28 mars 1990 : *Femme et enfant dans un intérieur ensoleillé* 1889, h/t (44x59) : **GBP 170 500** – Stockholm, 16 mai 1990 : *Petite fille lisant*, h/t (41x33) : **SEK 30 000** – Stockholm, 14 nov. 1990 : *Le pilote*, h/t (66x54) : **SEK 350 000** – Paris, 18 déc. 1991 : *Jeune femme au jabot* 1880, h/pan. (46x37,8) : **FRF 125 000** – New York, 22-23 juil. 1993 : *Gentilhomme aidant une dame à passer le gué* 1881, aquar./cart. (58,4x40,6) : **USD 2 415** – New York, 1er nov. 1995 : *En route pour le baptême* 1880, h/t (73,7x100,3) : **USD 409 500**.

EDELINCK Gaspar François, le Jeune
Né vers 1652 à Anvers. Mort le 21 mai 1722 à Paris. XVIIe-XVIIIe siècles. Éc. flamande.
Graveur.
Frère plus jeune de Gérard Edelinck. Il vécut à Paris et s'y maria le 3 août 1684.

EDELINCK Gérard ou **Edelink**
Né le 20 octobre 1640 à Anvers. Mort le 2 avril 1707 à Paris. XVIIe siècle. Éc. flamande.
Graveur.
Bien que Flamand par sa naissance, Edelinck pourrait aisément être rattaché à l'École française. Car s'il fut à Anvers élève de Jasper Huberti et de Cornelis Galle à partir de 1652, puis reçu maître dans la même ville en 1663, ce fut surtout en France qu'il se fit un nom illustre. Appelé à Paris, en 1665, par Colbert, il y travailla sous la direction de Poilly et de Nanteuil ; puis fut nommé graveur de Louis XIV, qui lui donna une pension royale et le logea aux Gobelins. En 1672, il se maria avec Madeleine Reguesson et il n'est pas sans intérêt de noter que les témoins des deux conjoints étaient Ch. Le Brun, Philippe de Champaigne et les deux frères de Gérard Edelinck, Jan et Gaspar. En 1577, il devint membre de l'Académie. Son œuvre de réception était le *Portrait de Philippe de Champaigne*, gravé d'après un autoportrait. Gérard Edelinck fut un des graveurs les plus remarquables du XVIIe siècle. Il se montra un narrateur intéressant. Ce fut lui qui, le premier, substitua les tailles en losange aux tailles carrées et qui donna de la couleur aux gravures en modifiant le travail. Il traita avec un peu plus de réalisme les œuvres qu'il reproduisit en conservant le moelleux, la souplesse de l'art de Nanteuil. Son œuvre comprend plus de 300 pièces.

G. Ed. x.

EDELINCK Jan
Né vers 1643 à Anvers. Mort le 14 mai 1680 à Paris. XVIIe siècle. Éc. flamande.
Graveur et marchand d'art.
Frère de Gérard, élève de Gaspard Huberti à Anvers ; il vint à Paris vers 1665, fut « graveur ordinaire du Roy » et épousa, le 12 octobre 1673, Anna Sauvage.

EDELINCK Loduwyck
XVIe siècle. Actif à Anvers. Éc. flamande.
Peintre.
Élève de Claes Scuelens en 1510, il fut reçu maître en 1515.

EDELINCK Michel Gérard ou **Gérard**, fils
Né le 1er décembre 1679 à Paris. Mort le 25 mai 1728 à Rochefort-sur-Mer. XVIIIe siècle. Français.
Peintre et dessinateur.
Fils de Gérard Edelinck, cet artiste ne doit pas être confondu avec son frère Nicolas Edelinck, également fils du célèbre graveur. Ce Gérard Edelinck fils obtint un poste à Rochefort en 1715 et y fut nommé le 21 janvier 1721, professeur de dessin des Gardes de la marine. Le Musée de La Rochelle conserve de lui un tableau : *Vue de La Rochelle* en 1725.

EDELINCK Nicolas Étienne
Né en 1681 à Paris. Mort le 11 mai 1767 à Paris. XVIIIe siècle. Français.
Graveur.
Fils de Gérard Edelinck ; il séjourna à Venise pendant quelques années. Il fut « graveur du roi ».

EDELINE Emile
Né au XIXe siècle à Anvers. XIXe siècle. Belge.
Peintre.
Ayant étudié sous la conduite de L. Cogniet et de Hébert, il envoya un portrait d'homme, en 1870, au Salon de Paris.

EDELINE Guillaume
Né en 1902 à Namur. XXe siècle. Belge.
Peintre de paysages, de natures mortes et de portraits.
Élève des Académies de Saint-Joss-ten-Noode et de Bruxelles. Sa peinture évoque souvent les souvenirs de ses séjours dans le Nord de la France. Membre de l'Académie Luxembourgeoise.
Bibliogr. : G. Vanwelkenhuyzen : *Guillaume Édeline*, Bruxelles – in : *Diction. biogra. illustré des artistes en Belgique depuis 1830*, Arto, Bruxelles, 1987.
Musées : Bouillon – Ixelles – Liege – Namur – Virton.

ÉDELINE Odette
Née à Elbeuf (Seine-Maritime). XXe siècle. Française.
Peintre de portraits.
Elle exposait à Paris, au Salon de la Société Nationale des Beaux-Arts depuis 1933.
Elle se fit surtout remarquer pour ses portraits d'enfants.

EDELMANN Charles Auguste
Né le 16 août 1879 à Soultz-sous-Forêt, près de Wissembourg (Haut-Rhin). Mort en 1950 à Paris. XXe siècle. Français.
Peintre de compositions animées, scènes de genre, nus, paysages, natures mortes, aquarelliste, dessinateur, illustrateur.
Il fut élève de J.L. Gérome et de Ferdinand Humbert à l'École des Beaux-Arts de Paris. Il exposa à Paris, au Salon des Artistes Français, dont il était sociétaire, ainsi qu'à l'Union des Artistes Alsaciens. À titre personnel, il exposa à Strasbourg et Mulhouse. Peintre de sujets divers, il a souvent traité des scènes de rues.

Ses paysages sont plus tardifs : l'Alsace, la Bretagne à l'île de Bréat, les Landes et la Corrèze, la campagne proche de Paris et l'Isle-d'Adam. Puis, il peignit des intérieurs intimistes, où il aima représenter le nu. Il illustra de nombreux ouvrages littéraires, dont : *Valentine Pacquault* de Gaston Chérau, *Boubouroche* de Georges Courteline, *Nuits de Princes* de Joseph Kessel, *Un cœur vierge* d'Eugène Montfort, *Les nuits chaudes du Cap Français* d'Hugues Rebell, *Éloge de la Danse* de Gustave Welter, divers textes de Balzac, etc. Cet artiste révèle un grand sens du croquis juste et rapide : il traduit avec aisance le geste, l'attitude, le détail anecdotique qui définissent un personnage.

Bibliogr. : Gérald Schurr, in : *Les Petits Maîtres de la peinture 1820-1920, valeur de demain*, Les Éditions de l'Amateur, t. VII, Paris, 1989.

Ventes Publiques : Paris, 2 mars 1929 : *American bar*, aquar. : **FRF 950** ; *Nature morte aux pommes* : **FRF 1 500** – Paris, 27 juin 1929 : *Nu assis* : **FRF 300** – Paris, 20 déc. 1944 : *Nature morte* : **FRF 4 200** – Paris, 8 déc. 1944 : *Coin de jardin* : **FRF 5 000** – Zurich, 3 mai 1965 : *Paysage fluvial* : **CHF 3 800** – Londres, 19 juin 1968 : *Paysage de rivière* : **GBP 300** – Vienne, 2 déc. 1969 : *Paysage fluvial* : **ATS 30 000** – Paris, 8 mars. 1989 : *Pierrot, Arlequin et Colombine au parc* (100x80) : **FRF 15 000** – Calais, 20 oct. 1991 : *Nature morte au vase de fleurs et au livre*, h/pan. (60x92) : **FRF 13 000** – Calais, 5 juil. 1992 : *Vase de fleurs*, h/t (60x50) : **FRF 7 000**.

EDELMANN Heinz

xxe siècle. Allemand.

Créateur d'affiches, illustrateur, graphiste.

En 1994, l'Atria World Trade Center de Grenoble a présenté une importante exposition de réalisations diverses de Heinz Edelmann.

Selon un impératif commun aux graphistes publicitaires, ses sources d'inspiration sont extrêmement diverses et impliquées par les objectifs conjoncturels des commandes. Il n'hésite pas à recourir à des emprunts ou citations prélevés d'artistes de l'époque moderne, dont souvent les surréalistes, qu'il assimile avec humour à sa facture personnelle.

ÉDELMANN Jean

Né le 2 mai 1916 à Pantin (Seine-Saint-Denis). xxe siècle. Français.

Peintre. Abstrait.

Il eut une formation scientifique et est ancien élève de l'École Polytechnique. Toutefois, il se destina à la peinture, exposant à Paris depuis 1953, en tant que sociétaire du Salon d'Automne et participant aussi au Salon Comparaisons. Il montre aussi sa peinture dans des expositions personnelles, notamment à Paris à la Galerie d'Art International en 1986, 1987, 1989 et, conjointement à la même Galerie d'Art International pour les peintures et dessins de 1960 à 1990 et au Paris Art Center pour les peintures récentes, en 1991 et 1993.

Si, dans un premier temps, la peinture d'Édelmann semblait tirer ses sources du cubisme, elle évolua tôt à une abstraction radicale. Que cette abstraction soit issue d'un donné extérieur assimilé, c'est l'impression qu'elle peut communiquer, comme une impression de reconnaissance indéterminée, ce qui apparente la démarche d'Édelmann à celle d'Estève, par exemple. Son monde plastique est très typé, reconnaissable d'emblée : sur des fonds très clairs, à la limite du blanc, sont dispersées des surfaces aux contours très découpés, déchiquetés, peintes en aplats de couleurs suaves ou sombrement sonores jusqu'à quelque noir pur, et des signes graphiques dont la précision aiguë du dessin ravive l'impression d'une identification possible. C'est une peinture légère, comme aquarellée, et, bien que son dessin tienne de la précision du dessin industriel, elle n'appartient en rien à l'abstraction géométrique, tant les accidents de la forme, tout anguleux soient-ils, se livrent à une totale spontanéité inventive. ■ J. B.

Jean Edelmann

Ventes Publiques : Paris, 7 oct. 1991 : *Retard à la gare d'Austerlitz*, acryl./t. (114x162) : **FRF 9 000**.

EDELMANN Joos

xve siècle. Actif à Ulm. Allemand.

Peintre.

EDELMANN Yrjö

Né en 1941. xxe siècle. Suédois.

Peintre de paysages, natures mortes. Trompe-l'œil.

Même s'il traite des sujets divers, le trompe-l'œil, appliqué à des sortes de natures mortes, est sa technique privilégiée, d'autant qu'il la pratique avec brio.

Ventes Publiques : Stockholm, 17 nov. 1981 : *Mr Nobody*, litho. (48x61) : **SEK 3 200** – Stockholm, 14 avr. 1984 : *Fille en jeans verts et arbre* 1976, h/t (75x65) : **SEK 15 500** – Stockholm, 27 mai 1986 : *Composition* 1984, h/t (80x80) : **SEK 36 000** – Stockholm, 6 juin 1988 : *Hommage à James Havard*, h/t (90x80) : **SEK 16 500** – Stockholm, 5-6 déc. 1990 : *Paysage grossier* 1979, h/t (100x100) : **SEK 24 000** – Stockholm, 10-12 mai 1993 : *Papiers variés* 1989, h/t (154x159) : **SEK 28 000** ; *Paquet* 1989, h/t (130x110) : **SEK 28 000** – Stockholm, 30 nov. 1993 : *Paquet au bolduc bleu* 1989, h/t (140x120) : **SEK 38 000**.

EDELWEHR Joh. Konrad

xviie siècle. Actif en Saxe. Allemand.

Sculpteur.

On lui doit la chaire de l'église de Bertsdorf près de Zittau, qu'il exécuta avec le menuisier Christian Bürger.

EDEMA Gérard Van

Né vers 1652 à Amsterdam. Mort vers 1700 à Richmond. xviie siècle. Hollandais.

Peintre de compositions animées, paysages animés, paysages, paysages d'eau.

Il fut élève de A. Van Everdingen ; il alla à Londres en 1670, où il travailla pour le duc de Saint-Albans, le comte d'Exeter, et pour sir Richard Edgcombe, chez qui il demeura longtemps avec Jan Wyck, qui orna souvent ses paysages. Il séjourna aussi en Norvège et à Terre-Neuve.

Il peignit des paysages avec cascades et des scènes d'horreur.

Musées : Londres (Hampton Court) : *Deux paysages*.

Ventes Publiques : Glasgow, 2 nov. 1933 : *Paysage avec personnages* : **GBP 11** ; *Paysage avec personnages et ruines de château* : **GBP 15** – Londres, 24 juil. 1941 : *Paysage avec rivière, personnages, bateaux et maisons* 1680 : **GBP 16** – Londres, 5 déc. 1941 : *Pêcheurs et leur chaumière* 1680 : **GBP 10** – Vienne, 16 mars 1971 : *Paysage fluvial* : **ATS 75 000** – Vienne, 16 mars 1976 : *Paysage escarpé animé de personnages*, h/t (40,5x55,5) : **ATS 60 000** – Londres, 13 avr. 1983 : *Paysage fluvial au pont*, h/t (93x138) : **GBP 2 300** – Londres, 13 fév. 1985 : *Paysage fluvial animé de personnages*, h/t (117x180) : **GBP 6 800** – Londres, 5 juil. 1989 : *Paysage animé avec une rivière rocheuse*, h/t (116,5x91) : **GBP 3 520** – Londres, 23 mars 1990 : *Naufrage sur une côte rocheuse pendant une tempête*, h/t (106,4x167,8) : **GBP 16 500**.

EDEN, pseudonyme de **Borel Raymond C.**

xxe siècle. Depuis 1956 actif en France. Américain.

Peintre de compositions à personnages. Réaliste.

Sa famille, originaire de Talence (Gironde), émigra, après la chute de Napoléon III et l'épidémie de choléra de Bordeaux, dans les pays d'Amérique latine, puis aux États-Unis. En 1949, il fut élève en art de l'Université de Colombia. À New York, il s'initia à la technique de la peinture à l'œuf, et rencontra le peintre brésilien Emiliano Di Cavalcanti, qui l'entraîna vers Rio de Janeiro et São Paulo. À ce moment, il exposa à São Paulo, notamment au Musée d'Art Moderne. Ensuite, au Mexique, il rencontra Diego Rivera, avec lequel il étudia les caractéristiques de la peinture monumentale. Il collabora aussi avec le cinéaste mexicain Herbert Kline. Il eut une activité réduite pendant la guerre de Corée. Fixé en France, à Neuilly-sur-Seine, il mène de front des activités de peintre, ainsi que de journaliste et de cinéaste.

Il montre ses œuvres dans des expositions personnelles internationales. En France, il a exposé à Paris, Galerie Vendôme, en 1990 et 1997, à Bordeaux en 1992.

Il pratique une peinture réaliste, robuste, aux formes et volumes simplifiés, aux couleurs ou contrastes accentués. Ses personnages, saisis dans le quotidien de leurs intérieurs ou dans des paysages, sont modelés par des éclairages tranchés. La circonstance du moment où ils sont situés suffit à en définir le climat affectif, les visages restant imperméables, soit qu'ils partent à la chasse dans des montagnes enneigées, soit qu'ils épient le reflet dans un miroir d'une femme qui se dévêt.

EDEN Denis William

Né le 20 juillet 1878 à Liverpool. xxe siècle. Britannique.

Peintre d'histoire, portraits, illustrateur.

Fils du paysagiste William Eden. Il reçut les conseils du préraphaélite Frederik George Stephens et fut élève de la Saint-John's

Wood Art School et de la Royal Academy à Londres. Il a figuré aux expositions de la Royal Academy à partir de 1900.
Il n'a pas suivi l'exemple de son père et n'aborda pas le paysage en tant que tel. Il fut plutôt sensible aux thèmes plus ambitieux de Stephens et des préraphaélites. Il a traité des sujets symbolistes, tel celui de la fidélité conjugale, illustrant la *Griselda* de Boccace, peut-être à travers la traduction de Chaucer. Pour le Parlement de Londres, il réalisa une composition historique : *Henry VII accordant la Charte à Jean Cabot et à ses trois fils.*
Musées : Liverpool : *Griselda à la gerbe de blé.*
Ventes Publiques : Londres, 30 juin 1922 : *Mets* 1904 : **GBP 3** – Londres, 13 fév. 1991 : *Un pélerin*, h/t (56x51) : **GBP 1 760.**

EDEN Emily
Née en 1797. Morte en 1869. xixe siècle. Britannique.
Dessinatrice et écrivain.
Elle fit les dessins, lithographiés en 1844 par L. C. Dickinson, pour les *Portraits des princes et du peuple hindous.*

EDEN William
xixe siècle. Britannique.
Peintre de paysages.
Il fut père de Denis William EDEN. Il exposa à partir de 1866 à la Royal Academy, à Suffolk Street et à New Water-Colours Society.
Musées : Norwich : *Le Torrent des truites – Champ d'avoine le soir – La Tannerie.*

EDEN William, Sir
Né le 4 mars 1849. xixe siècle. Britannique.
Peintre de paysages, aquarelliste, dessinateur.
Il figura dans de nombreuses Expositions à Londres et Paris. On cite parmi ses œuvres *La Villa d'Este ; Bognor ; Place Cadogan.* Ses paysages ont subi fortement l'influence de Whistler, qui lui intenta un procès à Paris en 1895.
Ventes Publiques : Londres, 26 nov. 1923 : *Ter Taylor Cauz*, dess. : **GBP 10.**

EDENBERGER J. N.
Né au xviiie siècle à Bade-Durlach. xviiie siècle. Hollandais.
Peintre de miniatures.
Il était, en 1773, dans la gilde de La Haye, et y revint en 1776, après avoir été en Angleterre.

EDER Andreas
Né à Wasserburg en Bavière. Mort en 1715 à Vienne. xviiie siècle. Allemand.
Peintre.

EDER Bartholomaus
Né vers 1711 au Tyrol. Mort en 1778. xviiie siècle. Autrichien.
Sculpteur.
Il travailla surtout en Bohême, à Budin et Libochowitz pour les églises et les ponts.

EDER Christian
Né vers 1740 à Vienne. xviiie siècle. Autrichien.
Peintre sur porcelaine.

EDER Georg
xviiie siècle. Actif à Vienne. Autrichien.
Graveur.

ÉDER Gyula
Né le 25 décembre 1875 à Kassa. xxe siècle. Hongrois.
Peintre d'histoire, dessinateur humoriste.
Il fut élève de Wilhelm von Diez et de Gabriel von Hackl à l'Académie des Beaux-Arts de Munich, de Gyula Benczur à Budapest. À Budapest, il a travaillé pour des journaux humoristiques. En peinture, il a traité des thèmes historiques ou allégoriques.
Musées : Budapest : *Bellérophon, Salomé.*

EDER Hans
Né le 19 avril 1883 à Kronstadt (Roumanie). xxe siècle. Roumain.
Peintre de compositions religieuses, de portraits.
Il fut élève de Hugo von Habermann à l'Académie des Beaux-Arts de Munich. Au cours d'un séjour à Paris, il découvrit l'impressionnisme et les peintures de Goya du Louvre. Il fit aussi un voyage à Bruges. Après avoir ouvert un atelier à Munich, il revint se fixer définitivement à Kronstadt en Roumanie. Il figura dans des expositions collectives à Munich et Budapest.
Il fut surtout peintre de portraits : *L'architecte Schuller.* D'entre ses compositions religieuses sont citées : *Crucifixion ; La femme adultère.*

EDER Johann
Né au xviiie siècle à Vienne. xviiie siècle. Autrichien.
Modeleur.

EDER Johann Friedrich
xviie siècle. Actif à Vienne. Autrichien.
Peintre.

EDER Johann Georg
Né au xviiie siècle à Vienne. xviiie siècle. Autrichien.
Peintre.

EDER Josef
Né en 1824 à Vienne. xixe siècle. Autrichien.
Peintre de miniatures et dessinateur d'architectures.
Élève de l'Académie de Vienne. On cite de lui une miniature sur ivoire de la cantatrice Fornani signée : Vienna Gioseppe Eder.

EDER Joseph
Né en 1760 à Vienne. xviiie siècle. Autrichien.
Graveur.

EDER Joseph
xviiie siècle. Actif à Velbourg à la fin du xviiie siècle. Allemand.
Peintre.
Des tableaux de l'ancienne église des Bénédictins à Herrenchiemse, portent sa signature et la date de 1795. Il travailla également à Muttenhofen et Riedenbourg (dans la chapelle catholique du Sacré-Cœur-de-Jésus).

EDER Joseph
Né vers 1750. xviiie siècle. Autrichien.
Graveur.
Il entra à l'Académie de Vienne le 13 avril 1763.

EDER Kaspar
Né en 1744 à Bamberg. Mort le 7 juin 1817 à Bamberg. xviiie-xixe siècles. Allemand.
Dessinateur amateur.
Il dessina des portraits, des miniatures, des paysages. Le Musée de Bamberg possède un dessin à la plume du xixe siècle représentant un *Christ* en croix et portant la signature Joh. Caspar E.

EDER Maria
xixe siècle. Active à Innsbruck et Vienne. Autrichienne.
Peintre.
Elle peignit des miniatures, des portraits et de petits tableaux religieux.

EDER Martin
Né à Mais près de Meran au Tyrol. Autrichien.
Sculpteur.
Il travailla à Mais, à Vienne et Salzbourg pour les églises et établissements religieux.

EDER Mathias
Né à la fin du xviiie siècle à Ybbs. Mort après 1810. xviiie-xixe siècles. Autrichien.
Sculpteur.

EDER Michael
Né en 1766 à Augsbourg. xviiie siècle. Allemand.
Peintre de paysages.
Fut à Augsbourg l'élève de Michael Persalter.

EDER Otto
Né en 1924 à Seeborden-Kärhter. Mort en 1982. xxe siècle. Autrichien.
Sculpteur de figures.
Il fut élève de Fritz Wotruba à Vienne, puis de Walter Ritter à Graz. Sa première exposition personnelle eut lieu à Vienne en 1960. Ensuite, il a exposé seul ou en groupe à Rome, Florence, Zagreb.
Ses sculptures sont figuratives. Toutefois les lignes et les formes en sont très stylisées, épurées, étirées et raidies en hauteur à la façon des totems.
Ventes Publiques : Vienne, 10 déc. 1985 : *Figure*, pierre patinée (H. 72) : **ATS 10 000.**

EDER Peter
xviiie siècle. Actif à Vienne. Autrichien.
Peintre sur porcelaine.
Fils de Christian Eder.

EDER Stephan
xviiie siècle. Actif à Vienne. Autrichien.
Peintre.
Il était le fils d'Andreas Eder.

EDER Y GATTENS Federico Maria
Né à Séville. XIXe siècle. Espagnol.
Peintre de genre, figures, paysages.
Il exposa entre 1858 et 1880 à Séville, Madrid et Bayonne.
MUSÉES : MADRID (Mus. Nat.) : une toile.
VENTES PUBLIQUES : LONDRES, 14 mars 1969 : *Les Matadors* : **GNS 500** – NEW YORK, 28 mai 1982 : *La Traversée de la rivière* 1867, h/t (100,3x158,1) : **USD 2 000** – LONDRES, 15 juin 1994 : *Famille de paysans avec un char à bœufs*, h/pan. (33x25,5) : **GBP 4 025.**

EDERER Carl
Né le 23 avril 1875 à Vienne. XXe siècle. Autrichien.
Peintre de sujets divers, aquarelliste, lithographe.
Il fut élève de l'Académie des Beaux-Arts de Vienne. En 1911, il fut nommé professeur à l'Académie de Düsseldorf, où il se fixa. Il a pratiqué toutes les techniques, dessin, pastel, aquarelle, lithographie, et traité tous les genres, de la peinture religieuse aux animaux.

EDESIA Andrino d'. Voir **ANDREINO da Edesia**

EDGAR G. H.
XVIe siècle. Allemand.
Peintre.
Il peignit un tableau mural représentant le *Pillage du temple de Jérusalem par Héliodore*, en 1554, pour l'église Saint-Pierre à Hambourg.

EDGAR James H.
XIXe siècle. Britannique.
Peintre de genre, portraits.
Il exposa entre 1860 et 1864, à la British Institution et à Suffolk Street à Londres, et travailla à Liverpool.
MUSÉES : VICTORIA : *Portrait de Thomas Weston Milne*.
VENTES PUBLIQUES : LONDRES, 9 déc. 1980 : *Lumière et Ombre* 1863, h/t (91,5x76) : **GBP 840** – LONDRES, 17 déc. 1986 : *La Nuit d'Hallowen* 1864, h/t (81x122) : **GBP 6 200.**

EDGARD-FRANÇOIS
Né en 1926 en Haïti. XXe siècle. Haïtien.
Peintre de paysages animés.
Il a exposé une *Vue de Port-au-Prince* avec les artistes de la jeune école haïtienne, à l'exposition ouverte, en 1946, au Musée d'Art Moderne de Paris par l'Organisation des Nations Unies.

EDGARTH C. B.
Né à Strasbourg. XIXe siècle. Français.
Peintre de genre et de paysages.
Élève de M. Schutzemberger. Il débuta au Salon de 1880.

EDGECOMBE T. L.
XIXe siècle. Actif en Angleterre. Britannique.
Peintre de paysages.
Cité par le *Art Prices Current*.
VENTES PUBLIQUES : LONDRES, 27 mai 1909 : *Scène dans un Village* 1846 : GBP 2.

EDGEL Fanny
Née aux Indes. XXe siècle. Britannique.
Miniaturiste.

EDGÜ Ferit
Né en 1936 à Istanbul. XXe siècle. Actif aussi en France. Turc.
Peintre.
Il fut élève de l'Académie des Beaux-Arts d'Istanbul, puis se fixa à Paris en 1958. Il est aussi écrivain. Il fit sa première exposition en 1962.

EDHOLM Charlton Lawrence
Né le 21 mars 1879 à Omaha. XXe siècle. Américain.
Peintre.
Il fut élève de Ludwig Herterich à l'Académie des Beaux-Arts de Munich. Il était aussi écrivain. Il fut membre de la Hudson Valley Art Association.

ÉDIFICES GOTHIQUES, Maître des. Voir **MAÎTRES ANONYMES**

EDINGER Burchard
XIXe siècle. Actif à Hambourg. Allemand.
Lithographe.
On cite parmi ses meilleures œuvres : *Les Pèlerins à la porte du cloître* d'après Pollak, *Sainte Madeleine* d'après Maes, *Le Bourgmestre Bartels, Jenny Lind, Altona, vu d'un pont, Tourbillons de neige*, d'après Hermann Kaufmann.

EDINGER Johann Gottlob
Mort avant 1850 à Ravensbourg. XIXe siècle. Allemand.
Peintre de miniatures.
Il fut professeur de dessin et maître serrurier.

EDINGTON A.
XIXe siècle. Britannique.
Graveur.
On ne connaît de cet artiste qu'une œuvre à l'aquatinte, *Vue panoramique de Brighton*, d'après un dessin de l'architecte H. Wildes.

ÉDION Henri
Né en 1905 à Vienne. Mort en 1987 à Londres. XXe siècle. Actif en Angleterre. Autrichien.
Peintre. Abstrait-informel.
En fait, il était d'origine française. S'il reçut sa formation en Autriche, apprenant la peinture de portraits dans le style médiéval, il parcourut ensuite le monde, de Vienne à Milan, puis Paris, Montréal, New York, Melbourne, pour finalement se fixer à Londres. Il a participé à des expositions collectives : de 1958 à 1962 à Montréal ; puis, en 1962 à Londres, et surtout en 1981 dans plusieurs villes d'Angleterre. Il a montré des ensembles de peintures dans des expositions personnelles : 1958 New York et Montréal ; 1961 New York ; 1962 Londres ; 1993 exposition posthume, Crane Kalman Gallery, Londres.
BIBLIOGR. : Catalogue de l'exposition *Henri Edion. Vienne 1905 – Londres 1987*, Crane Kalman Gall., Londres, 1993.

EDKINS Michel
XVIIIe siècle. Actif à Bristol. Britannique.
Peintre verrier.
Le British Museum possède une de ses œuvres, un vase blanc en verre à décor d'émail.

EDLE VON PAEPKE. Voir **EICKEN Elisabeth von**

EDLER Anton
XIXe siècle. Actif à Munich. Allemand.
Peintre et lithographe.
Parmi ses œuvres, on cite : *Remise d'une coupe d'or à Max. Joseph Ier, Paysage romain*.

EDLERSHAW John
Né à Sydney. XXe siècle. Australien.
Peintre, aquarelliste.

EDLEWER Johann
XVIIe siècle. Allemand.
Sculpteur.
A Grupenhague en Poméranie il exécuta la chaire de l'église, et à Mützenow un autel en bois sculpté.

EDLIBACH Gerold
Né en 1454 à Zurich. Mort le 28 août 1530. XVe-XVIe siècles. Suisse.
Dessinateur.
Auteur des illustrations d'une *Passion*, achevée en 1498, d'une *Légende de saint Georges* (1474) et d'une « chronique zurichoise », ainsi que des vues des châteaux zurichois, dans un livre d'armoiries à la Bibliothèque de Donaueschingen. Également homme d'État.

EDLICH Stephan
Né en 1944. XXe siècle.
Peintre, technique mixte.
VENTES PUBLIQUES : NEW YORK, 8 nov. 1979 : *Sans titre* 1975, collage/t. et pap./t. (151x100) : **USD 4 000** – NEW YORK, 13 mai 1981 : *Chord suite n° 177 A* 1977, acryl., polymer, jute, fus., cart./t. (61,5x45,5) : **USD 2 500** – NEW YORK, 9 nov. 1983 : *Sans titre « LE »* 1977, collage avec acryl., pap., jute, fus. et craies de coul./t. (213x152,5) : **USD 8 000** – NEW YORK, 23 fév. 1985 : *Sans titre « 5, Fugue VII »* 1980, collage avec acryl., pap., fus. et ficelle/t. (137x91,5) : **USD 4 000** – NEW YORK, 9 mai 1989 : *Sans titre* 1980, acryl., craie et collage de pap./t. (219,6x270,4) : **USD 3 850** – NEW YORK, 21 fév. 1990 : *Sans titre – « J » Bach* 1977, acryl., pap., jute, fus. et past./t. (213,6x155,1) : **USD 4 400** – NEW YORK, 7 mai 1990 : *Orer. 32 Cafe Santos...* 1975, h., pap. d'emballage, ficelle et collage de pap./t. (152x101,6) : **USD 3 080.**

EDLINGER Carl Franz
Né en 1785 à Dresde. Mort en 1823 à Dresde. XIXe siècle. Allemand.
Peintre d'histoire et de portraits et miniaturiste.

EDLINGER Josef ou **Johann Georg** ou **Etlinger**
Né en 1741 à Gratz. Mort en 1819 à Munich. XVIIIe-XIXe siècles. Allemand.

Peintre de portraits.
Élève de Desmarées, il devint peintre de la cour de Munich. Cet artiste dont les œuvres se ressentent de l'influence de Rembrandt, eut plusieurs de ses portraits gravés par Friedrich John, dont le recueil parut en 1821. Il fut surnommé le « Anton Graff de Munich ».
Musées : Augsbourg : *Portrait de l'auteur jeune* – Berlin : *Portrait du comte Freysing* – Darmstadt : *Soldats français* – Graz : *Portrait d'homme* – Munich : *Portrait du comte Rumford – Portrait de l'artiste – Portrait de Barbara Welser femme de l'artiste – Le libraire Strobel et sa famille* – Nuremberg : *A l'orphelinat de Munich – Portrait avec l'Arracheur d'épine.*
Ventes Publiques : Munich, 17 oct. 1984 : *Portrait de Josef von Utzchneider*, h/t (55x42) : **DEM 8 000** – Vienne, 13 fév. 1985 : *Portrait d'un peintre avec sa palette*, h/t (77x61) : **ATS 18 000** – Munich, 7 déc. 1993 : *Portrait d'un jeune homme*, cr./pap. (ovale 51x18,5) : **DEM 1 610**.

EDLINGER Joseph
Né vers 1700 à Salzbourg. Mort le 26 janvier 1745 à Salzbourg. xviiie siècle. Autrichien.
Peintre.

EDLINGER Moritz Johann
Né en 1823 à Dresde. Mort en 1847. xixe siècle. Allemand.
Portraitiste et graveur.
Il était fils de Carl Franz Edlinger.

EDLINGER Xaver
xixe siècle. Allemand.
Peintre de portraits.
Il envoya à l'exposition de 1881 à Stuttgart une série de portraits des membres de la famille Rechberg.

EDME François
xviie siècle. Actif à Auxerre. Français.
Sculpteur.
Il exécuta avec François Lambert le maître-autel de l'église d'Irancy en 1663.

EDMISTON Alice R.
Née à Monroe. xxe siècle. Américaine.
Peintre.
Prix de la Society Fine Arts de Omaha en 1923 ($ 100).

EDMOND Adrienne
xxe siècle. Française.
Miniaturiste, peintre de portraits.
Elle exposa à Paris au Salon des Artistes Français à partir de 1944.

EDMOND-GROS
Né le 16 novembre 1864 à Aubagne (Bouches-du-Rhône). xixe siècle. Français.
Lithographe.
Il exposa à Paris au Salon des Artistes Français à partir de 1896.

EDMONDS E. M.
xixe siècle. Actif à Kendal. Britannique.
Paysagiste.
Exposa à Londres entre 1872 et 1893.

EDMONDS Edith
Née à Wigan (Angleterre). xxe siècle. Française.
Peintre de paysages.
Elle exposa au Salon des Artistes Français en 1938.

EDMONDS G.
xixe siècle. Actif à Londres. Britannique.
Peintre de paysages.
Il exposa à Londres de 1825 à 1836.

EDMONDS John Francis William
Né en 1806 à Hudson (New York). Mort en 1863. xixe siècle. Américain.
Peintre de scènes et paysages animés, scènes de genre, paysages, peintre à la gouache, dessinateur.
Cet artiste fut, pendant une grande partie de sa vie, caissier dans une banque et consacra ses matinées et ses soirées à la peinture. Son premier envoi à l'Académie de New York date de 1836. Puis il exposa successivement, de 1837 à 1844, des paysages et des vues d'Italie.
Ventes Publiques : New York, 17 fév. 1944 : *Stratford-upon-Avon* : **USD 425** – New York, 21 avr. 1978 : *Scène rustique* vers 1856, h/cart. (23,5x33,6) : **USD 7 000** – New York, 23 avr. 1981 : *Paysage à la hutte animé de personnages* vers 1850, h/t (40x54,3) : **USD 7 000** – New York, 28 sep. 1983 : *Just in time*, dess. au lav., gche et cr. (28,5X39,5) : **USD 600** – New York, 7 déc. 1984 : « *Devotion* » 1857, h/t (51,5x60,9) : **USD 45 000** – New York, 24 avr. 1985 : *Paysage à la hutte animé de personnages* vers 1850, h/t (40x53,5) : **USD 14 000** – New York, 1er déc. 1989 : *Face à l'ennemi*, h/t (48,2x40,6) : **USD 17 600** – New York, 3 déc. 1993 : *Les deux punis* 1850, h/t (63,5x76,3) : **USD 57 500**.

EDMONDS-ALT Jean-Paul
Né en 1928 à Etterbeck (Belgique). xxe siècle. Belge.
Sculpteur.
Élève d'O. Jespers à la Cambre. Y devient par la suite professeur, de même qu'à l'Académie de Atermael-Boitsfort. Voyage d'études en Afrique centrale. Il a réalisé plusieurs monuments publics.
Bibliogr. : In : *Dictio. Biogra. illustré des Artistes en Belgique, depuis 1830*, Arto, Bruxelles, 1987.

EDMONDSON William J.
Né en 1868 à Norwalk (Ohio). xixe siècle. Américain.
Peintre.
Élève de l'Académie des Beaux-Arts de Philadelphie et, à Paris, de l'Académie Julian où il reçut les leçons de J. Lefebvre, il fut ensuite l'élève d'Aman-Jean. Membre de l'Académie des Beaux-Arts de Pennsylvanie, de la Société des Artistes de Cleveland. Second Prix Toppan à l'Académie des Beaux-Arts de Pennsylvanie.

EDMONSTON Samuel
Né en 1825 à Édimbourg. xixe siècle. Britannique.
Peintre de genre, paysages, marines, aquarelliste.
Élève de W. Allan et de Thomas Duncan à la Royal Scottish Academy. Il a exposé à la Royal Academy, à Londres, ainsi qu'à la Royal Scottish Academy. On cite également des aquarelles de lui.
Ventes Publiques : Écosse, 1er sep. 1981 : *Coldingham shore, Berckwickshire*, h/t (62x90) : **GBP 1 900** – Chester, 3 mars 1984 : *Le Retour du pêcheur*, h/cart. (41x36) : **GBP 1 400** – Auchterarder (Écosse), 1er sep. 1987 : *Pêcheurs sur la plage*, h/pan. (63,5x96,5) : **GBP 2 200** – South Queensferry, 1er mai 1990 : *Le Retour des bateaux* 1863, h/pan. (63,5x96,5) : **GBP 3 740** – Perth, 26 août 1991 : *Les Charmes de la musique* 1862, h/t (68x58,5) : **GBP 8 580** – Glasgow, 1er fév. 1994 : *Demandant l'heure*, h/pan. (44x36,5) : **GBP 1 495** – Glasgow, 21 août 1996 : *Jeune Bohémienne*, h/t (61x50,8) : **GBP 1 380**.

EDMONSTONE Robert
Né en 1795 à Kelso. Mort en 1834 à Kelso. xixe siècle. Britannique.
Peintre de genre, portraits.
Il étudia à la Royal Academy de Londres. Il y exposa pour la première fois en 1818. Edmonstone fit un voyage sur le continent et résida pendant quelque temps à Rome, où il tomba malade. Rentré dans son pays, il fit des portraits à Londres, de 1824 à 1831, et se rendit pour la deuxième fois en Italie, pour revenir mourir en Angleterre.
Citons parmi les œuvres qu'il exposa : *Enfants italiens jouant aux cartes, Fidèles baisant les chaînes de saint Pierre, Sollicitude maternelle, Les Enfants de sir E. Cust, La Souris blanche*, sa dernière œuvre.
Ventes Publiques : Édimbourg, 30 aout 1988 : *L'Adieu du soldat* 1830, h/t (76,5x95) : **GBP 1 650** – Londres, 3 juin 1992 : *L'Adieu du soldat* 1830, h/t (76x95) : **GBP 1 870**.

EDMUNDS John Francis W. Voir **EDMONDS John Francis William**

EDMUNDS Nellie. Voir **HEPBURN-EDMUNDS**

EDO
xviie siècle. Actif à Jever. Hollandais.
Peintre.
Il travailla en 1619 à la décoration de l'hôtel de ville.

EDO ou **Aedo**
xviie siècle. Actif à Grenade vers 1600. Espagnol.
Peintre.

EDON Anne
Née à Ham (Somme). xxe siècle. Française.
Peintre de genre.
Elle exposa à Paris au Salon des Artistes Français à partir de 1928.

ÉDOU-CHEVRIER Cornélie
Née à Chalon-sur-Saône (Saône-et-Loire). xxe siècle. Française.

Peintre de paysages, natures mortes.
Elle fut élève de Louis Biloul. Elle a exposé à Paris, au Salon des Artistes Français depuis 1931.

EDOUARD Albert Jules
Né le 12 avril 1845 à Caen (Calvados). XIXe siècle. Français.
Peintre d'histoire, scènes de genre.
Ses maîtres furent Cornu, Gérôme, L. Cogniet et E. Delaunay. Il figura à partir de 1868 au Salon de Paris et obtint une médaille de troisième classe en 1882, médaille de deuxième classe 1885, médaille de bronze en 1889. Hors-Concours. On cite parmi ses tableaux : *Don Juan jeté sur le rivage, Méditation, Dante et Virgile sur le lac Glacé.*
Musées : Châlons-sur-Marne : *Caligula et le cordonnier gaulois.*
Ventes Publiques : Paris, 11 fév. 1919 : *Marchande d'oranges en Espagne* : **FRF 111** – San Francisco, 24 juin 1981 : *L'Art et la beauté*, h/t (135x84,5) : **USD 2 600** – Paris, 23 juin 1986 : *L'Apothéose d'Alphonse de Lamartine*, h/t (86x70) : **FRF 15 000** – Paris, 17 nov. 1997 : *La Musique sur la terrasse*, h/t (56x46,5) : **FRF 8 500**.

EDOUARD Jean ou **Odoard, Odard**
XVIe siècle. Actif à Lyon. Français.
Peintre.
Il travailla à la décoration de la ville pour l'entrée du cardinal Hippolyte d'Este, archevêque de Lyon. Il fut désigné sous le nom de « tailleur d'images ».

EDOUARD Philippe. Voir **UDARTE**

EDOUARD Pierre
Né en 1959 à Paris. XXe siècle. Français.
Peintre de figures, de portraits, d'intérieurs, dessinateur. Figuratif, tendance expressionniste.
Il a obtenu le Prix de Dessin du Salon de Montrouge en 1980. En 1983 il eut une exposition personnelle de peintures et dessins à Bruxelles. En 1989, il a montré à Paris une exposition personnelle de peintures et dessins sur deux thèmes : *L'homme à terre* et *Portraits*. Dans le souvenir de Rembrandt et Seurat, totalement indifférent au label de modernité, il travaille essentiellement dans le clair-obscur, d'où il fait apparaître comme des brouillards les formes qui aspirent à l'être. ■ J. B.
Bibliogr. : Pascal Bonafoux : Catalogue de l'exposition *Pierre Edouard*, Gal. Claude Bernard, Paris, 1989 – J.-M. Tasset : *Pierre Edouard : le style des cimes*, Le Figaro, avril 1989.

EDOUARD Richard ou **Edwards**
XVIIe siècle. Actif à Tours. Français.
Sculpteur.
Il se chargea, en 1613, pour le compte de la corporation des « ciergiers et chandeliers » de Tours, d'exécuter deux statues, l'une de saint Louis, l'autre de sainte Geneviève, destinées à la chapelle de Saint-François dans l'église des Cordeliers.

EDOUARD-FOURNIER Paul Joseph Albert
Né au XIXe siècle à Paris. XIXe siècle. Français.
Graveur.

EDOUARD-MAHÉ. Voir **MAHÉ Edouard**

EDOUARDS Boris Vasiliévitch
Né en 1861 à Odessa, d'origine anglaise selon Edwards. XIXe siècle. Russe.
Sculpteur.
Élève de l'Académie de Saint-Pétersbourg, il débuta au Salon de cette même Académie en 1888 avec un *Buste de Pasteur*, et de *La mère du musicien Anton Rubinstein.*
Musées : Saint-Pétersbourg (Mus. Russe) : *La Gloire de Dieu au Ciel.*

EDOUART A.
XIXe siècle. Actif à Londres. Britannique.
Peintre d'animaux.
Exposa à la Royal Academy en 1815 et 1816.

EDOUART Augustin Amant Constant Fidèle
Né en 1789 à Dunkerque. Mort en 1861 à Guisnes (près de Calais). XIXe siècle. Français.
Silhouettiste.
Établi dès 1813 à Londres, il peignit d'abord des animaux puis devint silhouettiste de la famille royale de France. Il est probablement identique à A. Edouart qui exposa à la Royal Academy en 1815 et 1816. Il alla en Écosse, en Irlande, en Amérique. Ce fut l'un des silhouettistes les plus habiles de son temps. Le Victoria and Albert Museum et la National Gallery of Ireland possèdent quelques unes de ses œuvres.
Ventes Publiques : Londres, 20 mai 1927 : *Chambre avec six dames et messieurs* 1838, dess. : **GBP 25**.

EDRIDGE Henri
Né en 1769 à Paddington. Mort en 1821 à Londres. XVIIIe-XIXe siècles. Britannique.
Peintre de portraits, miniatures, aquarelliste, dessinateur.
Bien qu'il ait été l'élève de Pether, le graveur à la manière noire et paysagiste, cet artiste excella surtout dans la miniature, qu'il exécutait à l'encre de Chine et à l'aquarelle. Élu associé de la Royal Academy en 1820, il y exposait depuis 1782. En 1783, entre autres, il y envoya les portraits du *roi George III* et de la *reine Charlotte*. Son dernier envoi date de 1821.
Musées : Dublin : *La plage à Brighton – Vue près Redleaf, Kent* – Édimbourg : *Marine avec personnages* – Londres (Nat. Portraits Gal.) : *Portrait de William Eden, 1er baron de Auckland* – Londres (Victoria and Albert) : *Chenies House, près Brambleyte, Sussex – Rangée d'arbres et chevaux – Meule, Ashford, Kent – Ferme, Buckinghamshire – Environs de Bromley, Kent – Bords de la mer, Brighton – Sir Edward Paget – Bromley Kent – Pont-Neuf, Paris – Pont-Neuf, Paris – Paysage, cottage et figures – Paysage avec soldats – Portrait d'homme et de deux enfants – Portrait de jeune femme – Cottage à Bookham, Surrey – Paysage – Paysage – La place du marché à Rouen – Rue de la Grosse-Horloge à Rouen – Cochons près d'une ferme – Portrait de Thomas Hearne* – Manchester : *King'e Langley-Hertfordshire – Fermes en Surrey – Rivage d'Hastings – Près de Harrow – Église de Wormley Kent – Une ruelle en Surrey, avec ferme et bétail.*
Ventes Publiques : Londres, 13 avr. 1908 : *Sur la Tamise* : **GBP 3** – Londres, 7 déc. 1908 : *La princesse Sophie* : **GBP 27** – Londres, 12 déc. 1908 : *Portrait de Sir William Ballard*, cr. reh. : **GBP 10** – Londres, 11 déc. 1909 : *Portrait de George, comte de Sheffield, et de sa sœur enfant* : **GBP 118** – Londres, 28 fév. 1910 : *Portrait de Sir William Ballard*, cr. reh. : **GBP 3** – Londres, 23 mai 1910 : *Walton Bridge, sur la Tamise* : **GBP 12** – Amsterdam, 22 juin 1910 : *Portrait de femme* : **NLG 470** – Paris, 26 et 27 mai 1919 : *Portrait de femme en buste*, dess. au cr. légèrement reh. d'aquar. : **FRF 1 000** – Paris, 21 avr. 1921 : *Portraits de Thomas Winfield et d'Ursula, femme de J. Winfield*, deux esq. au crayon : **FRF 1 300** – Londres, 27 juin 1924 : *Dame en robe de mousseline blanche assise dans un jardin*, dess. : **GBP 21** ; *Dame en noir, assise près d'un bureau, un château dans le lointain* 1804, dess. : **GBP 21** – Londres, 28 juil. 1924 : *Chasseurs au repos*, dess. : **GBP 14** – Londres, 5 juin 1925 : *Homme en robe, debout sur une terrasse*, dess. : **GBP 7** – Londres, 3 nov. 1926 : *Amiral Duncan*, dess. : **GBP 23** – Londres, 22 nov. 1926 : *La princesse Mary en robe de mousseline blanche debout sur une terrasse* 1802, dess. : **GBP 16** – Londres, 4 juil. 1927 : *Dame assise près d'une fenêtre, faisant de la dentelle*, cr. et coul. : **GBP 6** – Londres, 18 juil. 1927 : *Vue de la terrasse nord du château de Windsor*, dess. : **GBP 5** – Paris, 23 jan. 1928 : *Portraits de fillette et de garçonnet avec leur chien*, dess. aquarellé : **FRF 7 700** – Londres, 22 fév. 1928 : *John, premier comte de Sheffield* ; *Anne, comtesse de Sheffield* 1798, deux dessins en noir et blanc : **GBP 10** ; *Lady Amelia Pelham* 1795 ; *Thomas, comte de Chichester*, dess. : **GBP 11** ; *Trois petits portraits* : **GBP 26** – Londres, 4 avr. 1935 : *Tourneur devant son chevalet, tenant une palette et une brosse*, cr. : **GBP 100** – Londres, 26 avr. 1935 : *Collines de Bromley, Kent* ; *Ruelle dans le Surrey*, deux dess. : **GBP 10** ; *Église de Wormley*, dess. : **GBP 6** – Londres, 7 fév. 1936 : *Portrait de Mary Moser*, cr. et sépia : **GBP 6** – Londres, 25 mai 1939 : *Moulin de Bushey* : **GBP 7** – Londres, 25 avr. 1940 : *Mrs Bridgman Simpson* 1811, dess. : **GBP 5** – Londres, 3 juil. 1940 : *William Pitt* 1801 : **GBP 15** – Londres, 14 nov. 1940 : *La reine Charlotte* 1804 ; *La princesse Mary* ; *La princesse Sophie* 1803 ; *La princesse Élisabeth* ; *La princesse Amélia* 1802 ; *Portrait de femme, debout sur une terrasse*, six dessins : **GBP 40** – Londres, 13 mars 1942 : *Doyen du Collège Magdalen, Oxford*, cr. et aquar. : **GBP 4** – Londres, 31 juil. 1945 : *Jeune homme debout sur une terrasse*, cr. : **GBP 15** – Londres, 20 mars 1979 : *Portrait of Lady Sophia Cust as a little girl* 1817, aquar. et cr. reh. de blanc (35x25,3) : **GBP 750** – Londres, 19 juin 1979 : *Portrait d'un jeune aristocrate* 1796, cr. et lav. (27,3x20) : **GBP 550** – Londres, 27 nov 1981 : *Portrait of Barrington Pope Blanchard, of Osborne House, Isle of Wight* 1811, cr. et lav.avec touches d'aquar./pap. (42,5x29,5) : **GBP 1 600** – Londres, 14 juin 1983 : *Portrait de Miss Morice* 1797, cr. et lav. de brun (22x15,2) : **GBP 1 200** ; *Officier de marine tenant un télescope*, aquar. et cr. reh. de blanc (41x28) : **GBP 700** – Londres, 10 juil. 1986 : *Portrait de deux pêcheurs à la ligne avec leur serviteur*, aquar. et cr. (49,5x60) : **GBP 3 800** –

New York, 11 jan. 1989 : *Portrait du Colonel Drinkwater-Bethune en uniforme, assis tenant un livre et Gibraltar au loin*, cr. et lav. (25,1x18,6) : **USD 1 650** – York (Angleterre), 12 nov. 1991 : *Portrait d'un gentilhomme* 1796, cr. (26x16,5) : **GBP 990** – Londres, 13 juil. 1993 : *Portrait de Mrs Scott et de sa fille Patience* 1795, cr. et lav. (24,1x16,5) : **GBP 1 495**.

EDROP Arthur Norman
Né le 15 mai 1884 à Birmingham. xxe siècle. Actif aux États-Unis. Britannique.
Peintre, illustrateur, graphiste publicitaire.
Il s'établit aux États-Unis, où il fut élève de Whittaker (John Barnard ?) à Boston. Il a collaboré à de nombreux magazines et travaillé pour la publicité.

EDSON Allan Aaron
Mort en 1888. xixe siècle. Canadien.
Peintre de genre, paysages animés, paysages.
Il fut membre de la Royal Canadian Academy. Il a exposé à Paris en 1883 à la Société des Artistes Français, à Londres, en 1886, à la Royal Academy et à Suffolk Street.
Musées : Montréal : *Maison, douce maison* – Montréal (coll. Learmont) : *Paysage avec arbres.*
Ventes Publiques : Londres, 15 juin 1973 : *Paysage boisé* : **GNS 850** – Toronto, 30 oct. 1978 : *Duck Pond on Mount Royal, Montréal* 1880, h/t (40x65) : **CAD 1 750** – Toronto, 1er juin 1982 : *Lac des Isles, Terrebone* 1883, aquar. (24,4x34,4) : **CAD 3 000** – Toronto, 14 mai 1984 : *Cerf au bord d'un ruisseau de montagne* 1872, aquar. (53,8x88,8) : **CAD 2 600** – Toronto, 28 mai 1985 : *Marée basse*, aquar. (25,6x42,5) : **CAD 2 000** – Montréal, 1er mai 1989 : *Un jour de décembre* 1884, h/t (74x58) : **CAD 8 500** – Montréal, 5 nov. 1990 : *Sentier dans la forêt* 1885, aquar. (69x50) : **CAD 3 300** – Montréal, 23-24 nov. 1993 : *Une église derrière les arbres*, h/t (61x40) : **CAD 1 000**.

EDSTROM David
Né le 27 mars 1873 en Smaland. xixe-xxe siècles. Suédois.
Sculpteur de figures, bustes.
Il voyagea en Amérique, puis fut élève de l'Académie des Beaux-Arts de Stockholm. Ensuite, il séjourna à Paris, en Italie, à Londres. Il participa à des expositions collectives à Londres, Florence, Paris.
Musées : Göteborg : *Caliban* – Stockholm : *Tête d'homme* – Stockholm (Gal. Thiel) : *Le Bossu.*

EDTER. Voir **EDER Kaspar**

EDUARDO Jorge
Né en 1936. xxe siècle. Brésilien.
Peintre de paysages urbains, technique mixte.
Ventes Publiques : New York, 18 nov. 1987 : *Lapa* 1986, h/pan. (77,5x91) : **USD 5 000** – New York, 21 nov. 1989 : *Villa Adriana à Venise* 1988, h/rés. synth. (162x67) : **USD 11 000** – New York, 20-21 nov. 1990 : *L'île de Boa Viagen* 1989, h/rés. synth. (59x102,5) : **USD 8 800** – New York, 21 nov. 1995 : *Rio, 5 heures du matin* 1986, h/pan. et construction de bois (107x122) : **USD 10 925**.

EDUART Portugalis. Voir **PORTUGALOIS Eduard**

EDUIN Marie Élisabeth
xviiie siècle. Actif à Paris en 1748. Français.
Sculpteur.

EDVI-ILLÈS Aladar
Né le 25 mai 1870 à Budapest. xixe-xxe siècles. Hongrois.
Peintre de paysages animés, aquarelliste.
Il figura d'abord avec des aquarelles dans les expositions de Budapest, puis exposa à Munich, Dresde, Berlin, Paris, Amsterdam. Il peignait des paysages ruraux : *Paysage à Kiskunsag, Ladmoc sur le Bodrog*, le bétail dans la campagne : *Une vache et son veau.*
Musées : Budapest : *Mars – Rentrée de la moisson.*
Ventes Publiques : Londres, 20 juin 1984 : *Fillette et sa chèvre*, h/cart. (24x36) : **GBP 1 000**.

EDVI-ILLÈS Emma
Née à Budapest. xxe siècle. Active au Vénézuéla, puis aux États-Unis. Hongroise.
Peintre. Polymorphe.
Elle fut élève de l'Académie des Beaux-Arts de Budapest. Elle se maria en 1948 avec le peintre de portraits Georges Edvi-Illès. Ils émigrèrent en Autriche, puis se fixèrent à Caracas. Elle vécut ensuite à Atlanta (Géorgie). En 1992, elle montra un ensemble de ses œuvres à Caracas.
Dans une technique souvent lourde, une imagination naïve, elle peint des compositions très diverses, passant du bouquet de fleurs au paysage symboliste ou à l'abstraction géométrisante.

EDVI-ILLÈS Georges
Né à Budapest. xxe siècle. Actif au Venezuela. Hongrois.
Peintre de portraits.
Il était probablement fils de Aladar Edvi-Illès. Marié avec Emma Edvi-Illès, il émigra d'abord en Autriche, puis définitivement à Caracas, où il fondèrent l'École de Dessin Illès.

EDWARD
xiiie siècle. Britannique.
Peintre.
Peintre de la cour d'Henri III, abbé de Westminster, il travailla pour la chapelle royale à Windsor, pour la Tour de Londres et pour l'abbaye de Westminster.

EDWARD Albert S.
Né en 1852 à Dundee. xixe siècle. Actif à Londres. Britannique.
Paysagiste.
Il exposa à partir de 1876 à la Royal Academy et à Suffolk Street. La Nat. Gal. of Victoria de Melbourne (Australie) conserve de lui : *Vue de Dordrecht.*

EDWARD Berthe
Née à Paris. xixe siècle. Française.
Peintre.
Elle envoya au Salon quelques tableaux, de 1880 à 1882. On cite d'elle : *Fileuses, Roses de Noël.* Elle fut l'élève de M. Delobbe.

EDWARD George. Voir **GEORGE-EDWARD**

EDWARDES Clara
Née à Londres. xxe siècle. Britannique.
Sculpteur.
Elle exposa à Paris au Salon des Artistes Français à partir de 1924.

EDWARDES May de Montravel, Miss
Née à Londres. xxe siècle. Britannique.
Miniaturiste.
Elle exposa à Paris au Salon des Artistes Français à partir de 1926.

EDWARDS Boris. Voir **EDOUARDS Boris**

EDWARDS C. A.
xviiie siècle. Britannique.
Peintre de fleurs.
Cet artiste exposa à la Royal Academy de 1792 à 1797.

EDWARDS E.
xixe siècle. Britannique.
Sculpteur de statues, bustes.
Il exposa à Londres en 1825 un *portrait de femme*, en 1826 *David et Goliath* et une *Psyché*. Il travailla à Islington.

EDWARDS Edward
Né en 1738 à Londres. Mort en 1806. xviiie-xixe siècles. Britannique.
Peintre d'histoire, graveur, illustrateur.
Fils d'un fabricant de chaises, il était employé chez Boydell pour y faire des dessins d'après les anciens maîtres pour les publications et chez un antiquaire pour les mêmes travaux. Il étudia à la galerie du duc de Richmond et à l'Académie de Saint-Martin's Lane. Pour le Shakespeare de Boydell, il peignit un sujet sur *Les Gentilshommes de Vérone*. Il exécuta aussi des arabesques et 52 gravures publiées. En 1778, il fut appelé au poste de professeur de perspectives. De 1766 à 1806, il exposa à la société des artistes incorporés, à la société des artistes libres, à l'Institution britannique et à l'académie royale de 1771 à 1806. Il fut élu associé de l'Académie royale deux ans après. Il a publié un traité de perspectives et un volume d'*Anecdotes de peintres.*
Musées : Londres (Victoria and Albert) : *David Garrick – Castle Eden Durham* – Nottingham : dessin à la sépia.
Ventes Publiques : Londres, 23 fév. 1934 : *Portrait d'Edmond Boyle, comte de Cork* : **GBP 8** – Londres, 18 juin 1947 : *Consécration, Westminster Abbey, sous le patronage et en présence de George IV en 1784* : **GBP 65**.

EDWARDS Edward B.
Né le 8 février 1873 à Columbia (Pennsylvanie). xixe-xxe siècles. Américain.
Peintre, dessinateur, illustrateur.
Il étudia à Paris et à Munich. Il fut membre du Salmagundi Club.

EDWARDS Edwin
Né en 1823 à Framlingham. Mort en 1879 à Londres. XIXe siècle. Britannique.
Peintre de paysages, aquarelliste et graveur.
Destiné au barreau, il ne commença à faire de l'aquarelle qu'après un voyage dans le Tyrol. Ayant rencontré le peintre Legros en 1861, il eut l'idée de faire de la gravure. Il fit plusieurs envois à l'académie royale et à la galerie Dudley. On cite parmi ses meilleures œuvres une série de gravures.
Musées : Melbourne : *Southwold, Suffolk.*
Ventes Publiques : Londres, 30 mars 1908 : *Le Pont de Londres* : GBP 2.

EDWARDS G.
XIXe siècle. Actif à Londres. Britannique.
Peintre.
Exposa à Londres des paysages de 1811 à 1818.

EDWARDS G. H.
XIXe siècle. Actif à Londres. Britannique.
Peintre.
Il exposa des paysages et des vues d'anciennes abbayes de 1837 à 1847. Ne paraît pas identique à George Henry Edwards.

EDWARDS George
Né en 1694 à Strasford (Essex). Mort en 1773 à Plaistow. XVIIIe siècle. Britannique.
Peintre d'animaux, aquarelliste.
Il visita en artiste la Hollande, la Norvège, la Belgique et la France, de 1716 à 1731. En 1733, il fut nommé bibliothécaire du collège de Physique. De 1747 à 1751, il publia une *Histoire naturelle des oiseaux et des animaux rares.*
Ventes Publiques : Londres, 26 juin 1980 : *Geai sur une branche*, aquar. (26,5x22,5) : **GBP 600** – Londres, 22 avr. 1982 : *Chasseur norvégien*, aquar. (28,5x23,5) : **GBP 200** – New York, 21 jan. 1983 : *Oiseau dans un paysage*, aquar. (34,3x45,7) : **USD 2 100.**

EDWARDS George Henry
XIXe siècle. Actif à Londres. Britannique.
Peintre de genre.
Exposa à Londres de 1883 à 1893. Parmi ses œuvres, on cite : *Le Jardin du Sommeil, Phyllis, Le Baigneur.*

EDWARDS George Wharton
Né le 14 mars 1859 ou 1869 à Fair Haven (Connecticut). Mort le 18 janvier 1950 à Greenwich (Connecticut). XIXe-XXe siècles. Américain.
Peintre, aquarelliste, dessinateur, illustrateur.
Il étudia à Anvers et à Paris. Il s'établit à New York. Il participa à des expositions collectives à Boston, y obtenant des médailles de bronze et d'argent, et figura aussi à l'American Water-Colour Society. Il fut aussi écrivain.
Il exécuta une peinture murale à l'École des Cadets de West Point : *Hendrik Hudson.* Il créa des affiches pour la revue *The Century* et des ex-libris. Il fut surtout illustrateur de très nombreux ouvrages, d'entre lesquels certains dont il était également l'auteur : *Belgique ancienne et nouvelle* 1889, *Alsace-Lorraine* 1908, *Bretagne et Bretons* 1910, *Hollande aujourd'hui* 1912 *La forêt des Ardennes* 1914, etc., ainsi que de Hawthorne : *Contes de Tanglewood pour filles et garçons* et d'autres ouvrages littéraires souvent publiés aux éditions Macmillan.
Bibliogr. : In : Marcus Osterwalder : *Diction. des illustrateurs 1800-1914*, Ides et Calendes, Neuchâtel, 1989.
Ventes Publiques : New York, 24 juin 1988 : *Vieux pont et bateaux-lavoirs sur la Seine à Paris*, h/t (60x50) : **USD 3 850** – New York, 30 sep. 1988 : *L'heure du thé* 1904, aquar. et gche/pap. (43,1x58,8) : **USD 3 300** – New York, 28 sep. 1989 : *La dentellière flamande*, gche, past. et cr./pap./cart. (43,8x32,5) : **USD 9 900** – New York, 28 mai 1992 : *L'île de la Cité à Paris*, h. et fus./t. (63,8x48,3) : **USD 12 100** – New York, 26 mai 1993 : *Les jardins du Palais de l'Alcazar de Séville (Espagne)*, h/t (61x50) : **USD 5 750.**

EDWARDS J. C.
XIXe siècle. Britannique.
Peintre de portraits, graveur, illustrateur.
Il présenta à l'Académie de Londres en 1821 une peinture *Petite Fille*, puis se fit connaître à Londres comme graveur illustrateur. Il illustra les œuvres de Shakespeare. Il ne paraît pas identique à John Kelt Edwards.

EDWARDS James
XIXe siècle. Britannique.
Peintre de paysages.
Exposa à Nottingham en 1868. On conserve, de lui, au Musée Victoria and Albert de Londres, une aquarelle, *Robber's mill.*

EDWARDS John
XVIIIe-XIXe siècles. Britannique.
Peintre de fleurs.
Cet artiste était membre de la Society of Artists à Brentford et prit part à ses expositions de 1763 à 1812. Il exposa aussi durant la même période à la Royal Academy.

EDWARDS John Kelt
Né à Blaenau Festiniog (Pays de Galles). XIXe siècle. Britannique.
Peintre de portraits, illustrateur.
Il illustra les œuvres de plusieurs écrivains gallois, et fit le portrait d'hommes d'État anglais comme D. Lloyd George, Sir S. T. Evans, W. Vaugham Morgan, lord Maire de Londres.

EDWARDS Joseph
Né en 1814 à Merthyr Tydvil (Glamorganshire). XIXe siècle. Actif à Londres. Britannique.
Sculpteur.
Cet artiste exposa à la Royal Academy de 1838 à 1878.

EDWARDS Kate F. Lairnoy
Née à Marshallville (Géorgie). XXe siècle. Américaine.
Peintre de portraits.
Elle fut élève de l'Art Institute de Chicago. Elle étudia aussi à Paris sous la direction de Lucien Simon. Elle obtint le premier prix à l'exposition de la Southeastern Fair d'Atlanta en 1916.

EDWARDS Les
Né en 1949 à Londres. XXe siècle. Britannique.
Peintre, illustrateur. Figuration-fantastique.
De 1968 à 1973, il étudie à la Hornsey School of Art.
C'est un illustateur de couverture de livres de science-fiction.
Ventes Publiques : Paris, 14 oct. 1989 : *Tomb world*, h/cart. (42,5x66) : **FRF 30 000.**

EDWARDS Lionel Dalhousie Robertson
Né en 1878. Mort en 1966. XXe siècle. Britannique.
Peintre de scènes de chasse, animaux, paysages animés, peintre à la gouache, aquarelliste, dessinateur.
S'il a dessiné ou aquarellé quelques paysages pour eux-mêmes, il les traitait plus souvent de telle manière qu'ils devenaient le décor de scènes de chasse ou de courses de chevaux. Animalier, il s'était spécialisé dans les chevaux et les chiens.

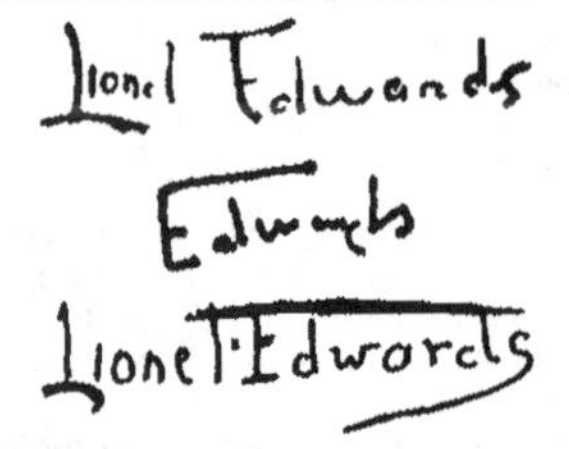

Ventes Publiques : Londres, 30 jan. 1946 : *Lévriers du Norfolk*, dess. : **GBP 24** ; *Lévriers du Norfolk en meute*, dess. : **GBP 52** – Londres, 25 avr. 1969 : *Cavalier*, gche : **GNS 240** – Londres, 12 nov. 1976 : *Chevaux à l'entraînement*, aquar. et cr. (41x55,5) : **GBP 320** ; *Lord Midmay on « Cromwell »* 1947, h/t (38x51,5) : **GBP 1 700** – Londres, 4 mars 1977 : *Scènes de chasse* l'une datée 1961, deux toiles (51x61) : **GBP 2 500** – Londres, 16 mai 1979 : *Le saut de l'obstacle*, aquar. et cr. reh. de gche (25x34,5) : **GBP 2 000** – Londres, 22 oct. 1981 : *Scène de chasse à courre, Dartmoor* 1921, aquar. (34,5x49,5) : **GBP 2 400** – New York, 8 juin 1984 : *Chasseur et meute* 1957, h/t (50,8x61) : **USD 6 000** ; *The Meynell hunt away from Bentley Carr, Staffordshire* 1937, aquar. reh. de blanc (45,7x73,7) : **USD 9 500** – New York, 7 juin 1985 : *Motcombe Vale, the South and West Wilts* 1932, aquar. et gche (51,4x75,9) : **USD 10 000** – Londres, 13 mai 1987 : *The starting gate, Newmarket* 1933, h/t (51x76) : **GBP 44 000** – Londres, 12 juin 1987 : *The New Forest fox hounds* 1912, aquar., gche et cr. (50,8x79) : **GBP 22 000** – Londres, 29 avr. 1988 : *Sans titre*, fus. et aquar. (39,6x25,4) : **GBP 6 600** – New York, 9 juin 1988 : *La vallée de Motcombe* 1932, aquar. et gche/pap. (51,1x74,8) : **USD 11 000** – Londres, 2 mars 1989 : *Bonjour !*, aquar. et gche (33,7x48,7) : **GBP 16 500** ; *Les équipages et la meute de Crawley et de Horsham* 1934, aquar. et gche (47,5x70) : **GBP 41 800** – Londres, 8 mars 1990 : *Matin de chasse*, aquar. et gche (36,9x35) :

GBP 22 000 – LONDRES, 8 nov. 1990 : *Chasse à courre à Ashford Valley* 1949, aquar. et gche (37x52) : **GBP 6 050** – LONDRES, 25 jan. 1991 : *Soirée d'octobre à Glen Garry*, cr., aquar. et gche (33x53,5) : **GBP 1 100** – LONDRES, 2 mai 1991 : *Meute de Cotswold à Snowhill* 1905, cr., aquar. et gche (18x33,5) : **GBP 2 750** – NEW YORK, 4 juin 1993 : *Transport de chevaux de troupe par bateau* 1915, aquar. et gche/pap. (44,5x31,8) : **USD 7 475** – NEW YORK, 15 fév. 1994 : *La meute du colonel Wyndham débusquant un renard* 1930, aquar. et gche/pap., une paire (chaque 34,3x24,8) : **USD 13 800** – NEW YORK, 9 juin 1995 : *Le Grand National de 1960* 1960, h/t (50,8x71,1) : **USD 23 000** – LONDRES, 13 nov. 1996 : *Cheltenham Gold Cup, 1964*, aquar. (40,5x53,5) : **GBP 9 200**.

EDWARDS Maïsic ou **Mia**

Née dans la seconde moitié du XIXe siècle à Sydney. XXe siècle. Australienne.

Peintre de genre, pastelliste.

Elle exposa à Paris au Salon des Artistes Français en 1914.

VENTES PUBLIQUES : LONDRES, 15 mai 1979 : *Une belle histoire*, h/t (94x69) : **GBP 1 000**.

EDWARDS Mary Ellen, Mrs **John Freer,** puis Mrs **John C. Staples**

Née le 6 novembre 1839 à Kingston-upon-Thames. XIXe-XXe siècles. Britannique.

Peintre de genre, illustratrice.

Elle figura dans plusieurs expositions de Londres de 1862 à 1908. Elle illustra surtout des livres et des journaux.

VENTES PUBLIQUES : LONDRES, 21 mars 1990 : *La Réponse*, h/t (71x91,5) : **GBP 5 500** – LONDRES, 5 nov. 1997 : *Le Printemps*, h/t (77x51) : **GBP 6 210**.

EDWARDS Morton. Voir **EDWARDS-MARTON**

EDWARDS R.

XVIIIe siècle. Britannique.

Graveur.

Cité par le *Art Prices Current*.

EDWARDS Richard. Voir **EDOUARD**

EDWARDS Robert

Né le 4 octobre 1879 à Buffalo (New York). XXe siècle. Américain.

Peintre, illustrateur.

En 1910, il devint membre de la Society of Illustrators. Il a illustré : *Le second mari d'Ève, Le Livre de Chansons*.

EDWARDS Samuel Arlent

Né le 12 juillet 1861 dans le Somersetshire. XIXe siècle. Britannique.

Graveur.

Élève de l'École de South Kensington à Londres, il exposa en 1887 à la Royal Academy, puis se fixa en 1890 à New York. Parmi ses œuvres, on cite : *Le Premier Né*, d'après G. Hilyard Swinstead, *Eton vu de la Tamise*, d'après R. Gallon, *Le Christ guérissant les malades*, d'après Gabriel Max.

EDWARDS Sydenham Teast

Né en 1768 à Usk (Monmouth). Mort en 1819 à Chelsea. XVIIIe-XIXe siècles. Britannique.

Peintre d'animaux, fleurs et fruits, aquarelliste, dessinateur, illustrateur.

De 1792 à 1813, il exposa à l'Académie royale. Il publia, en 1800, *Cynographia Britannica* ; en 1812, *La Nouvelle Flore britannique* et fonda, en 1815, le registre botanique. Il exécuta aussi des dessins pour le *Magazine botanique* et le *Magazine du Sportsman*. A la fin de sa vie, il se retira à Brompton.

MUSÉES : LONDRES (Victoria and Albert Mus.) : *Bécassine de Nepaul – Bécasse*.

VENTES PUBLIQUES : PARIS, 30 juin 1932 : *Bergers et animaux*, aquar., une paire : **FRF 280** – MILWAUKEE, 2 nov. 1980 : *Great Titmouse* 1794, aquar. (19,5x27) : **USD 500** – LONDRES, 18 nov. 1987 : *Volatiles dans un paysage* 1811, h/t (74,5x61,5) : **GBP 6 500**.

EDWARDS Thomas

XIXe siècle. Américain.

Lithographe.

EDWARDS W. H.

XVIIIe-XIXe siècles. Actif à Londres. Britannique.

Peintre de fruits.

Exposa à la Royal Academy et à Suffolk Street, de 1793 à 1850.

EDWARDS W. H., Mrs

XIXe siècle. Active à Londres. Britannique.

Peintre.

Elle exposa en 1847 à la Royal Academy et à Suffolk Street. Elle est probablement la femme de W. H. Edwards.

EDWARDS W. Joseph

XIXe siècle. Actif à Londres. Britannique.

Graveur.

EDWARDS William Camden

Né en 1777 dans le Monmouthshire. Mort en 1855 à Bungay (Suffolk). XIXe siècle. Britannique.

Graveur.

Il travailla pour la maison d'Édition Ch. Brightly, et pour des publications archéologiques. Il grava également de nombreux portraits, parmi lesquels ceux de *Hogarth* et de *Reynolds*. On cite également des reproductions de *H. Fuseli*, d'après Th. Lawrence, *D. Sayers*, d'après Opie, *Milton et ses filles*, d'après G. Romney.

EDWARDS William Croxford

XIXe siècle. Britannique.

Peintre de marines, aquarelliste.

Exposa à Londres, notamment à la Royal Academy, à partir de 1871, jusqu'en 1892, et à Suffolk Street.

Actif à Brentford, il peignit surtout des paysages de Cornouailles.

VENTES PUBLIQUES : LONDRES, 13 déc. 1909 : *Remorqueur et bateau pêcheur à Yarmouth*, aquar. : **GBP 2** – LONDRES, 1er mars 1984 : *La plage de Scheveningen*, aquar. reh. de blanc (53x92) : **GBP 900** – LONDRES, 16 juil. 1993 : *Le tri de la pêche ; Près du port*, h/t, une paire (chaque 18x23) : **GBP 2 300**.

EDWARDS-HOROWITZ Fernande. Voir **HOROWITZ-EDWARDS**

EDWARDS-MARTON ou **Morton**

XIXe siècle. Actif à Londres. Britannique.

Sculpteur.

Exposa à la Royal Academy de 1864 à 1870.

EDWARMAY Louis

Né au XIXe siècle à Paris. XIXe siècle. Français.

Peintre et lithographe.

Formé sous la direction de Léon Cogniet, il figura au Salon, de 1839 à 1875. Parmi ses peintures, on cite notamment : *Le Giotto dans l'atelier de Cimabué, Pan et les Nymphes, Le rêve d'une mère*.

EDWELT Bernice

XIXe siècle. Britannique.

Peintre et miniaturiste.

Le Musée de Sydney conserve de lui : *Étude*.

EDWIN David

Né en 1776 à Bath (Angleterre). Mort en 1841 à Philadelphie. XIXe siècle. Américain.

Graveur.

Fils de l'acteur John Edwin, il fut mis en apprentissage chez un graveur. Il se sauva, s'embarqua et atteignit l'Amérique en 1797. Là, il s'attacha à Edward Savage, le portraitiste, et ne tarda pas à se faire connaître comme tel. Après vingt ans de travaux, sa vue baissa et il fut obligé d'avoir recours à toutes sortes d'expédients pour pouvoir vivre.

EDWIN Henry

XIXe siècle. Actif à la fin du XIXe siècle. Britannique.

Silhouettiste.

Il fit des portraits d'hommes célèbres de son temps tels que Salisbury, Tennyson, Gladstone.

EDWIN Salomon

Né le 3 février 1935 à Ocna-Mures. XXe siècle. Depuis 1961 actif en Israël. Roumain.

Peintre de compositions animées, animalier, dessinateur.

Il fut élève de l'Institut d'Arts Plastiques Ion Andreescu de Cluj, dont il fut diplômé en 1957. La même année, il se présenta au concours pour la décoration du Mémorial d'Auschwitz à Jérusalem. Son projet fut sélectionné pour l'exposition permanente dans ce Mémorial. Établi en Israël, il est devenu membre de l'Association des Peintres et Sculpteurs d'Israël. En 1965, il fit un séjour à Paris, suivant des cours d'histoire de l'art à la Sorbonne. Il participe à des expositions collectives en Roumanie, Israël, États-Unis, U.R.R.S., aux Philippines. Il montre aussi ses peintures dans des expositions personnelles nombreuses depuis

1963, surtout en Israël : Jérusalem, Holon, Jaffa, Tel-Aviv, ainsi qu'à Montréal en 1972. Il a une importante activité d'enseignant auprès de diverses instances supérieures. En 1965, il a obtenu le Prix Max Nordau, en 1983 un Prix décerné par le Musée de Tel-Aviv dans le contexte d'une exposition sur le thème de la Bible.
Il débuta en peignant des portraits. Après un bref passage par l'abstraction, il est revenu à la figuration. Il a une pratique picturale traditionnelle dominée, caractérisée par une technique de petites touches aux scintillements de clair-obscur. Il peint des ensembles de choses peu définies, évoquant souvent des sortes de ruines, symboliques de tous les désordres régnant sur le monde, parmi lesquelles gisent des animaux écrasés, brisés, étouffés, porteurs pour leur part du symbole de la vie sans cesse menacée. À proprement parler ce ne sont pas des natures mortes et il n'est pas peintre animalier, choses et bêtes sont là en place du monde des hommes et de la mort qui rôde. ■ J. B.
Bibliogr. : Ionel Jianou et divers, in : *Les artistes roumains en Occident*, American Romanian Academy of Arts and Sciences, Los Angeles, 1986.

EDY John William
xixe siècle. Danois.
Peintre de paysages, graveur.
Il a gravé, principalement à l'aquatinte, des vues de Danemark, Norvège et Suisse.
Ventes Publiques : Londres, 1-8 mai 1924 : *Adelphi, maison Somerset, devant l'édifice du pont de Waterloo*, dess., vendus avec une aquarelle dont l'auteur n'est pas cité : **GBP 36** – Londres, 27 oct. 1982 : *Boydell's picturesque scenery of Norway*, 80 aquatintes colorées : **GBP 2 700**.

ÉDY-LEGRAND, pseudonyme de **Legrand Édouard Léon Louis**
Né le 24 juillet 1892 à Bordeaux (Gironde). Mort en septembre 1970 à Bonnieux (Vaucluse). xxe siècle. Français.
Peintre de compositions à personnages, compositions décoratives, figures, graveur, illustrateur.
Il connut le succès dans les années trente, quarante. La galerie Antinea de Paris organisa encore une exposition de ses œuvres en 1985.
Il conçut de vastes compositions décoratives pour certains grands magasins de Paris, et pour les grands paquebots français de l'époque. Il contribua aussi au renouveau de l'illustration d'ouvrages littéraires, avec, entre autres : *Siegfried et le Limousin* de Jean Giraudoux, *Poèmes en prose* de Pierre Mac-Orlan, *L'île rose* de Charles Vildrac, *L'enfer* du Dante, en tout environ cent-cinquante livres depuis Rabelais, à Anatole France, François Mauriac, André Malraux, Albert Camus.

Edylegrand

Ventes Publiques : New York, 26 mai 1983 : *Quatre Algériens* 1924, aquar. et encre (25x29) : **USD 1 000** – Paris, 21 jan. 1987 : *Partie de campagne*, h/t (81x100) : **FRF 18 500** – Paris, 19 mars 1990 : *Jeune femme assise*, h/t (46x38) : **FRF 10 500** – Paris, 27 avr. 1990 : *Campement au Maroc*, h/cart. (50x65) : **FRF 20 000** – Paris, 22 juin 1990 : *Scène familiale au Maroc*, h/pap. (65x99) : **FRF 18 000** – Paris, 14 nov. 1990 : *Chanteuses chirates dans les jardins du Caïd Telouet*, h/t (100x130) : **FRF 25 000** – Paris, 19 nov. 1991 : *Intérieur à Goulimine*, h/pap. (47,5x53,7) : **FRF 17 500** – Paris, 13 avr. 1992 : *Les cavaliers au campement*, h. et gche/cart. (65x100) : **FRF 34 000** – Paris, 7 déc. 1992 : *La sieste*, gche (33x43,5) : **FRF 10 000** – Paris, 5 avr. 1993 : *Les deux amies* 1945, h/pan. (104x75) : **FRF 62 000** – Paris, 18 juin 1993 : *Jeune Femme étendue*, h/t (50x65) : **FRF 23 000** – Paris, 13 mars 1995 : *Le Cheval rose*, h/pan. (100x130) : **FRF 60 000** – Paris, 17 nov. 1997 : *Scène de rue à Fès* 1939, techn. mixte (63x98) : **FRF 26 000**.

EDZARD Dietz
Né en 1893 à Brême. Mort en 1963. xxe siècle. Allemand.
Peintre de portraits, figures, intérieurs, natures mortes, paysages, graveur.
Il fut élève de Max Beckmann. Il parcourut l'Allemagne, la Hollande et la France, où il se fixa quelque temps en Provence. En 1929, il figura à l'Exposition des Peintres-graveurs Contemporains, au Musée du Jeu de Paume de Paris.
Il a peint quelques portraits féminins. Les figures féminines sont son thème privilégié, jeunes femmes parisiennes, midinettes ou élégantes dames, comédiennes, danseuses, etc. Il a peint aussi de nombreuses natures mortes, souvent de fleurs.
Bibliogr. : G. Meuhram : *D. Edzard*, Bittner, New York, 1948 – Maximilien Gauthier : *D. Edzard*, Les Gémeaux, Paris, 1952 – Claude Roger-Marx : *D. Edzard – Tableaux de 1917 à 1963*, Quatre Chemins, Paris, 1971.
Musées : Grenoble.
Ventes Publiques : Londres, 13 fév. 1936 : *Les deux danseuses* : **GBP 54** – New York, 16 mars 1944 : *Maria Lani* 1928 : **USD 175** – Paris, 21 fév. 1951 : *Vase de fleurs* : **FRF 70 000** – Paris, 16 juin 1953 : *La foire* : **FRF 290 000** – New York, 19 mars 1958 : *Fleurs et mandoline* : **USD 2 200** – Londres, 1er juil. 1959 : *Jeune fille dans un café* : **GBP 520** – Paris, 29 nov. 1962 : *La diseuse* : **FRF 6 500** – Londres, 1er juil. 1964 : *La midinette* : **GBP 830** – New York, 11 fév. 1965 : *Danseuse* : **USD 3 100** – New York, 28 mars 1969 : *Deux jeunes filles au bord d'une rivière* : **USD 5 000** – Los Angeles, 26 fév. 1974 : *Place de la Madeleine* : **USD 6 500** – Los Angeles, 10 juin 1976 : *Femme au boa blanc*, h/t (81,3x60,3) : **USD 3 000** – New York, 28 oct. 1977 : *Le Duo*, h/t (68,5x52) : **USD 2 250** – Los Angeles, 6 nov. 1978 : *Ballerine au bouquet*, h/t (65x81,2) : **USD 3 500** – Londres, 1er déc. 1981 : *Élégante sur la plage*, h/t (50x61) : **GBP 6 000** – New York, 10 oct. 1984 : *La cantatrice en robe blanche*, h/t (93,3x58,5) : **USD 6 000** – Paris, 11 juin 1987 : *L'entrée du bal musette* 1937, h/t (92x60) : **FRF 80 000** – New York, 13 mai 1988 : *Sur la scène* 1934, h/t (61x50,2) : **USD 3 080** – Versailles, 15 mai 1988 : *Jeune femme à la guépière* 1929, h/t (61x46) : **FRF 6 800** – Londres, 19 oct. 1988 : *À l'opéra* 1934, h/t (61,4x50,2) : **GBP 3 520** – Londres, 21 fév. 1989 : *Portrait de Suzanne Eisendieck*, h/t (41x33) : **GBP 3 300** – New York, 9 mai 1989 : *Caprice*, h/t (73x50,8) : **USD 18 700** – Paris, 18 juin 1989 : *Élégante au chapeau*, h/t (66x50) : **FRF 30 000** – Paris, 21 nov. 1989 : *À l'entrée du bal musette*, h/t (92x60) : **FRF 75 000** – Paris, 24 jan. 1990 : *Deux roses d'Apremont pour Mme Kerbley* 1933, h/t (27x22) : **FRF 9 000** – Montréal, 30 avr. 1990 : *Rose rose devant une feuille de musique*, h/pan. (33x14) : **CAD 2 750** – New York, 10 oct. 1990 : *La loge des ballerines* 1945, h/t/cart. (66,7x99,7) : **USD 7 700** – New York, 7 mai 1991 : *L'attente* 1946, h/t (81,2x59,7) : **USD 4 400** – Montréal, 4 juin 1991 : *La petite fille aux roses*, h/t (61x50,2) : **CAD 8 000** – Amsterdam, 2-3 nov. 1992 : *Nature morte de fleurs*, h/cart. (27x21) : **NLG 4 600** – New York, 29 sep. 1993 : *Femme et enfant*, h/t (59,7x73,7) : **USD 6 325** – Londres, 23-24 mars 1994 : *Nu allongé*, h/t (70x92) : **GBP 4 370** – New York, 3 juin 1994 : *Les courses à Longchamp*, h/t (81,3x101,6) : **USD 31 050** – New York, 30 avr. 1996 : *Au balcon*, h/t (73x60) : **USD 7 475** – New York, 12 nov. 1996 : *Bouquet de fête*, h/t (65x54,6) : **USD 6 900** – Londres, 23 oct. 1996 : *Scène de cirque* 1941, h/t (65x50) : **GBP 4 600** – New York, 10 oct. 1996 : *L'élégante au port*, h/t (65,4x81) : **USD 10 925**.

EDZGVERADZE Giya
Né en 1953 à Tbilissi (Géorgie). xxe siècle. Russe.
Peintre, dessinateur. Abstrait-informel, tendance conceptuelle.
Il vit et travaille à Tbilissi. Il fut diplômé de l'Académie des Arts de Géorgie en 1980. En 1986, il fut agréé en tant que membre de l'Union des Artistes Soviétiques.
Dans ses peintures et dessins, son intention est d'opposer graphiquement le subjectif, les traces laissées dans l'inconscient par les évènements, et l'extérieur, l'espace de la réalité, parfois figuré par des objets très schématisés.
Ventes Publiques : Moscou, 7 juil. 1988 : *Le rêve de Jacob* 1987, h/t (200x160) : **GBP 5 500**.

EEBECKEN. Voir **EGGEBECK**

EECHAULT Constant
xixe siècle. Actif vers 1843. Éc. flamande.
Peintre de paysages.
Ventes Publiques : Lokeren, 8 oct. 1988 : *À l'auberge* 1861, h/pan. (37,5x46) : **BEF 190 000**.

EECHAUT Eugène
Né en 1928 à Raismes (Nord, France). xxe siècle. Belge.
Peintre, dessinateur, aquarelliste. Postexpressionniste.
Il fut élève de l'Académie Saint-Gilles de Bruxelles.
Bibliogr. : In : *Diction. biogr. illustré des Artistes en Belgique depuis 1830*, Arto, Bruxelles, 1987.
Musées : Bruxelles (Cab. des Estampes) : dessins – Lexhy : aquarelles.

EECHAUTE Aegidius Van den
Né en 1736 à Astene en Flandre. Mort le 22 juillet 1791 à Gand. xviiie siècle. Éc. flamande.
Peintre.
Il entra en 1763 dans la gilde des peintres.

EECHAUTE Gillis Joanne
XVIIIe siècle. Actif à Gand. Éc. flamande.
Peintre.

EECHOUTE Jacop Van den ou **Eechaute**
Mort en 1498. XVe siècle. Actif à Gand. Éc. flamande.
Sculpteur.
Il exécuta surtout des orgues et travailla pour plusieurs églises des Flandres.

EECHOUTE Karryn Van den
XVe siècle. Actif à Gand à la fin du XVe siècle. Éc. flamande.
Sculpteur.
Il travailla avec Jacoe Van den Epchoute, dont il était le fils naturel.

EECK. Voir aussi **HECKE**

EECK André François Van
XVIIIe siècle. Actif à Paris vers 1700. Français.
Peintre.

EECK Nicolas Van
Né en décembre 1700 à Paris. XVIIIe siècle. Français.
Peintre.
Fils d'André François Van Eeck.

EECKELE Aelbrecht Van ou **Heeckele**
Mort après 1568. XVIe siècle. Actif à Bruges. Éc. flamande.
Peintre.
Fils de Jan Van Eeckele, il fut en 1548 Maître de la Corporation de Bruges.

EECKELE Jan Van ou **Eecke, Heckele**
Mort en 1561. XVIe siècle. Actif à Bruges. Éc. flamande.
Peintre.
Maître à Bruges en 1534, resta dans cette ville jusqu'à sa mort. L'église Saint-Sauveur à Bruges possède une *Mater Dolorosa*, l'église des Sœurs noires un volet de triptyque avec, d'un côté *Saint Nicolas de Tolentino*, de l'autre *Roger de Jonghe, moine augustin.*

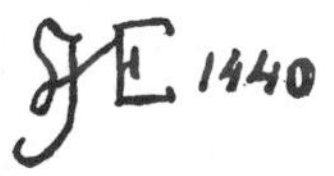

Musées : Tournai : *Légende de saint Bernard.*

EECKEREN Joseph Van
Né en 1895 à Anvers. XXe siècle. Belge.
Peintre de paysages, dessinateur. Naïf.
Il dessine depuis l'enfance et est resté autodidacte en art.
Bibliogr. : In : *Diction. Biogr. Illustré des Artistes en Belgique depuis 1830*, Arto, Bruxelles, 1987.

EECKHOUDT Jean Van den
Né le 15 juillet 1875 à Bruxelles. Mort le 28 septembre 1946 à Bourgeois-Rixensart. XXe siècle. Actif aussi en France. Belge.
Peintre de portraits, figures, paysages, natures mortes, fleurs. Postimpressionniste.
Petit-fils de François Verheyden, neveu et gendre d'Isidore Verheyden, il reçut sa formation dans l'atelier de celui-ci et auprès de Ernest Blanc-Garin, où il se lia d'amitié avec Henri Evenepoel. Lui-même fut plus tard le père du peintre Zoum Walter. Dès 1892, il fut reçu au Salon Triennal de Gand. En 1895, il participa au Salon de la Libre Esthétique. Il fit une exposition d'ensemble à Bruxelles en 1919. En 1922, il fit une exposition à la Galerie Druet de Paris. En 1934 à Bruxelles, une exposition personnelle regroupait près de cent-cinquante œuvres, bilan des années précédentes. La même année, il était abondamment représenté dans le Pavillon de Belgique de la Biennale de Venise. En 1938, il exposa à Luxembourg, avec sa fille Zoum et un ami. Enfin, en 1946, peu après sa mort, s'ouvrit une exposition de l'ensemble de son œuvre, qu'il avait lui-même préparée. Il fut très lié avec Théo Van Rysselberghe, qui lui demanda, en 1926, de terminer la commande d'un ensemble de peintures décoratives. En 1935, il peignit le portrait de *Catherine Gide, fille de madame Van Rysselberghe*. À partir de 1904, il partagea son temps entre la Belgique et Menton. Puis, après un voyage à Venise et en Toscane en 1914, pendant la première guerre mondiale il se fixa à Roquebrune, où il rencontra de nombreux artistes et écrivains, parmi lesquels Matisse et André Gide. Il ne rentra définitivement en Belgique qu'en 1937.

Dans ses premières œuvres, portraits de proches, marines et paysages animés, vers 1892, il se montrait partagé entre un certain réalisme émanant du XIXe siècle et l'impressionnisme, dont il adopta bientôt les couleurs claires et la touche divisée. Il était alors influencé surtout par le « luminisme » de la peinture de son beau-père, Isidore Verheyden. Vers 1909, il se rallia au dessin synthétique, porté aux seules arabesques structurelles des contours, et aux couleurs éclatantes du fauvisme, fondant ce qui a pu être nommé le « fauvisme brabançon ». Ensuite, et suivant en cela l'évolution des Fauves eux-mêmes, il revint à une rigoureuse construction post-cézannienne des volumes et de l'espace, dans des paysages structurés et quelque peu austères et des natures mortes solidement modelées. Son œuvre comporte aussi de nombreux portraits de proches, sa femme, sa fille Zoum, les amis, parfois des portraits de groupe, et quelques portraits de commande. Après son retour définitif en Belgique, les paysages et la lumière, évidemment très différents de ceux de Roquebrune, influèrent sur le climat psychologique de ses œuvres, sans altérer leur solide construction mentale. ■ J. B.
Bibliogr. : P. Lambotte : *Jean Van den Eeckhoudt*, Bruxelles, 1934 - divers, dont André Gide : *Jean Van den Eeckhoudt*, Bruxelles, 1948.
Musées : Anvers : *Autoportrait en gris* - Bruxelles : *Au jardin* 1906 - *Les citrons* 1913 - *Le chapeau mexicain* 1922 - *La dame au chapeau noir* 1926 - *Bois d'oliviers à Gorbio* 1932 - *Portrait de Paul Lambotte* 1933 - *Portrait du sculpteur Louis-Henri Devillez* 1938 - *La Place d'Ohain* 1939 - *Nature morte au sac de farine* 1942 - *Nature morte au rideau gris* 1943 - *Portrait du peintre et de sa femme* 1946 - Gand : *Autoportrait* - *Coin d'atelier* - *Accessoires* - *La femme de l'artiste* - *Figure assise* - Indianapolis : *Femmes et enfants à Menton* - Ixelles : *Sous les orangers* - *Portrait de jeune fille* - *Intérieur* - Liège : *Portrait de François Walter* - *Figure assise* - Luxembourg : *Intérieur au fauteuil* - Mons : *Portrait du peintre Marguerite Putsage* - Stavelot : *Mars* - Uzès : *Portrait du peintre Simon Bussy* - *Portrait de Janie Bussy.*
Ventes Publiques : Londres, 31 oct. 1973 : *Fleurs dans un vase* 1915 : **GBP 220** - Anvers, 19 oct. 1976 : *Maison dans un bois de pins*, h/t (96x79) : **BEF 110 000** - Anvers, 17 oct. 1978 : *Drève*, h/t (70x84) : **BEF 55 000** - Anvers, 29 avr. 1981 : *Nu debout* 1931 (116x73) : **BEF 30 000** - Anvers, 3 avr. 1984 : *Nu* 1931, h/t (116x73) : **BEF 50 000** - Lokeren, 22 fév. 1986 : *Paysage du Midi*, h/t (87x91) : **BEF 130 000** - Lokeren, 5 mars 1988 : *Paysage aux oliviers*, h/t (69,5x84) : **BEF 270 000** - Lokeren, 8 oct. 1988 : *Vase de fleurs* 1944, h/t (75,5x56) : **BEF 140 000** - Amsterdam, 12 déc. 1991 : *Portrait d'un jeune garçon à la rose* 1909, past./pap. (123x78) : **NLG 8 050** - Lokeren, 21 mars 1992 : *Nature morte à la cruche*, h/pap./pan. (69x51) : **BEF 240 000** - Lokeren, 10 oct. 1992 : *La blonde au chapeau noir*, h/t (49x41,5) : **BEF 140 000** - Lokeren, 12 mars 1994 : *La blonde au chapeau noir*, h/t (49x41,5) : **BEF 140 000.**

EECKHOUT Albert Van der ou **Eeckholt**
Né entre 1607 et 1612. Mort vers 1665. XVIIe siècle. Hollandais.
Peintre de scènes de chasse, portraits, animaux, paysages, dessinateur.
Il travailla pour le prince Maurice de Nassau, qu'il suivit au Brésil en 1637, puis pour le prince électeur de Saxe, à partir de 1653, plus tard Jean-Georges II.
Il s'est spécialisé dans l'histoire naturelle et l'ethnographie. Certains de ses tableaux (aujourd'hui disparus) ont servi à la Manufacture des Gobelins pour la célèbre *Tapisserie des Indes* réalisée en 1689-90.
Bibliogr. : In : *Diction. de la peinture flamande et hollandaise*, coll. Essentiels, Larousse, Paris, 1989.
Musées : Copenhague (Mus. Ethnographique) : *Brésiliens et Brésiliennes*, plusieurs tableaux - Cracovie (Bibl. Jagellon) : *Theatrum rerum naturalium Brasilae*, albums d'esquisses.
Ventes Publiques : Londres, 17 nov. 1982 : *Oportunia Vulgaris*, h/t (109x95) : **GBP 17 000** - New York, 12 jan. 1996 : *Nature morte d'un cactus*, h/t (108x93,4) : **USD 332 500.**

EECKHOUT Anthonie Van den
Né en 1656 à Bruxelles ou à Bruges. Mort en 1695 à Lisbonne. XVIIe siècle. Éc. flamande.
Peintre de fleurs et de fruits.
Il travailla longtemps en Italie, avec son beau-frère, L. de Deyster, y revint après un long séjour à Bruges, puis alla à Lisbonne, où il se maria et fut tué par un rival, dans sa voiture, d'un coup de feu.

EECKHOUT Gerbrand Van den
Né le 19 août 1621 à Amsterdam. Enterré à Amsterdam le 29 septembre 1674. XVIIe siècle. Hollandais.
Peintre d'histoire, compositions religieuses, portraits, graveur.
Élève de Rembrandt, de 1635 à 1640, ce fut également son ami. Il fut aussi l'ami de Rogman. Son père, orfèvre à Amsterdam, jouissait probablement d'une certaine fortune, puisqu'on rapporte que c'est à prix d'or que Gerbrand obtint d'être accepté comme élève par Rembrandt. Il débuta par un portrait de son père qui reçut, paraît-il, les plus grands éloges de son maître. Il se tourna très tôt vers la peinture historique, choisissant, à l'exemple de son maître, ses sujets dans l'Écriture Sainte, Ancien et Nouveau Testaments.
Aucun des élèves de Rembrandt n'a mieux que lui, avec une forme très personnelle, suivi la tradition de l'illustre maître. Van Eeckhout, admirable dessinateur, affirme sa maîtrise dans ses moindres croquis. Les formes prennent sous son crayon la souplesse de la vie. Cette puissance d'exécution lui permit de traiter, avec une aisance dégagée de toutes les conventions de l'école, les grands sujets historiques, devant lesquels les meilleurs peintres hollandais hésitèrent ou réussirent mal quelquefois.
Ses œuvres, assez peu connues en France, ont été fort recherchées en Hollande et en Allemagne. Van Eeckhout s'est essayé à l'eau forte, avec *Jeune Homme, presque de profil* et *Portrait de Corneille Tromp*. Il dessina aussi des modèles d'orfèvrerie dont quelques-uns sont signés de son nom traduit : G. du Chesne.

G. V. Eeckhout. fe. A° 1655.

MUSÉES : AMSTERDAM : *La Femme adultère devant le Christ – Chasseurs se reposant avec deux chiens – Le Convive expulsé parce qu'il n'a pas un habit de noce – Baigneurs près d'un rocher* – AMSTERDAM (coll. Six) : *La Femme adultère devant le Christ* – AUGSBOURG : *Circoncision du Christ* – AVIGNON : *Le Calvaire* – BAMBERG : *Méléagre et Atalante* – BAYEUX : *Portrait de Rembrandt* – BERLIN : *Présentation du Christ au temple – Mercure tue Argus – La résurrection de la fille de Jaïre* – BORDEAUX : *Jeune homme jouant de la flûte* – BRÊME : *Booz et Ruth – Samson et Dalila* – BRUNSWICK : *Salomon sacrifie aux faux dieux – Tobie et l'ange – Sophonisbe reçoit le poison – Mère et enfant* – BUDAPEST : *Pomone et Vertumne* – CHERBOURG : *Juif arménien* – COLOGNE : *Esther et Aman devant Assuérus* – COPENHAGUE : *Une dame avec son maître de musique* – COPENHAGUE (coll. Moltke) : *Saint Jérôme – L'Ermite* – DARMSTADT : *Une dame en noir – Un homme en noir* – DRESDE : *Présentation du Christ au temple – Rêve de Jacob* – DUBLIN : *Portrait d'une dame – Esquisse d'une femme courant – Le Christ enseignant au temple – Portrait d'un rabbin juif* – FRANCFORT-SUR-LE-MAIN : *Portrait d'Isaac Commelin* – FRANCFORT-SUR-LE-MAIN (Stadel) : *L'historien Olfert Dapper* – GRENOBLE : *Jan de Witt* – LA HAYE (Mus. roy.) : *L'Adoration des mages – La Fuite en Égypte* – KASSEL : *Abraham reçoit les trois anges* – LEIPZIG : *Hollandaise nettoyant son chien – Le serviteur d'Abraham demande Rébecca* – LILLE : *La continence de Scipion – Portrait d'un jeune garçon – Le denier de César* – LONDRES (Nat. Gal.) : *Les quatre pendants de la gilde des marchands de vin d'Amsterdam* – LONDRES (coll. Statfford House) : *Trois soldats à table* – LONDRES (Lesser) : *Isaac bénit Jacob* – LYON : *Portrait d'un jeune homme* – MILAN (Mus. Bréra) : *Scène biblique* – MOSCOU (Roumiantzeff) : *Juda et Thamar – L'expulsion d'Agar – Tête de vieillard – Laban renvoie Jacob – L'Adoration des mages – Scène biblique* – MUNICH : *Le Christ parmi les docteurs – Abraham renvoie Agar – Isaac bénit Jacob en présence de Rébecca* – OLDENBOURG : *Le Satyre chez le paysan* – PARIS (Louvre) : *Anne et Elcana sacrifient leur fils au Seigneur – Anne présentant à Élie son fils Samuel* – PRAGUE : *Rébecca et Eliézer au puits* – ROME (Gal. Nat.) : *Le Christ à Emmaüs* – ROTTERDAM : *Booz et Ruth* – SAINT-PÉTERSBOURG (Ermitage) : *Sacrifice du roi Jéroboam – Deux officiers – Un savant – Quatre enfants dans un parc – La famille de Darius devant Alexandre – Jacob et Rachel apprennent la mort de Joseph* – SCHLEISHEIM : *Abigaïl devant le roi David* – STOCHKOLM : *Le Satyre chez le paysan – Sacrifice d'Abraham – L'ange et Gédéon* – STOCHKOLM (Cab. du roi) : *Portrait de femme* – VARSOVIE : *Un ange apparaît à Jacob* – VIENNE : *Le songe de Jacob* – VIENNE (Czernin) : *Juda et Thamar – Arrêt de Thamar* – VIENNE (Liechtensetin) : *Un roi à son repas, scène biblique* – VIENNE (coll. Stummer) : *Jeune dame à sa toilette*.
VENTES PUBLIQUES : PARIS, 7 fév. 1898 : *Le retour du marché* : **FRF 50** – PARIS, 22-24 avr. 1901 : *Portrait d'homme* : **FRF 850** ; *La Ferme* : **FRF 1 950** – AMSTERDAM, 22 juin 1910 : *Petit garçon couché* : **NLG 1 025** – PARIS, 8-10 juin 1920 : *L'Adoration des Mages*, encre de Chine : **FRF 950** – PARIS, 18 déc. 1920 : *Portrait d'homme coiffé d'une toque* : **FRF 1 750** – PARIS, 28 fév. 1921 : *Eliézer et Rébecca* : **FRF 5 700** – PARIS, 23 mars 1921 : *Portrait d'un rabbin* : **FRF 420** – LONDRES, 25 nov. 1921 : *Un envoyé de la reine de Saba devant Salomon* : **GBP 7** – LONDRES, 24 fév. 1922 : *Le renvoi d'Agar* : **GBP 7** – LONDRES, 8 et 9 mars 1922 : *Le couronnement du vainqueur* : **GBP 21** – LONDRES, 26 juin 1922 : *L'appel de saint Mathieu* : **GBP 8** – LONDRES, 28 juil. 1922 : *Mercure et Argus* : **GBP 23** – LONDRES, 15 déc. 1922 : *Faiseur de cadres de Rembrandt* : **GBP 10** – LONDRES, 23 fév. 1923 : *Joseph et la femme de Putiphar* : **GBP 73** – PARIS, 4 fév. 1924 : *Portrait d'homme en manteau brun* : **FRF 990** – LONDRES, 27 avr. 1925 : *Isaac bénissant Jacob* : **GBP 8** – LONDRES, 26 juin 1925 : *Le sacrifice d'Isaac* : **GBP 18** – LONDRES, 4 décembre 1925 : *Eliezr amenant Rébecca à Abraham* : **GBP 336** – LONDRES, 8 fév. 1926 : *Ange apparaissant à Abraham* : **GBP 16** – LONDRES, 19 mai 1926 : *Le Philosophe* : **GBP 54** – LONDRES, 25 oct. 1928 : *Esther devant Assuérus* : **GBP 5** – LONDRES, 5 déc. 1928 : *Anges et Tobie trouvant du poisson* : **GBP 16** – LONDRES, 7 juin 1929 : *Portrait d'homme en vêtements noirs et collerette blanche* 1664 : **GBP 99** – PARIS, 26 mai 1933 : *Le corps de garde* : **FRF 1 350** – PARIS, 11 juil. 1941 : *Christ à Gethsémani* : **FRF 7 000** – PARIS, 4 déc. 1941 : *Christ à Gethsémani* : **FRF 5 000** – LONDRES, 5 déc. 1941 : *Parabole du pain et des poissons ; Le Sermon sur la montagne*, deux panneaux : **GBP 42** – LONDRES, 2 oct. 1942 : *Le Christ devant Pilate* : **GBP 52** – LONDRES, 13 juil. 1945 : *Saint Pierre et saint Paul* 1667 : **GBP 378** – LONDRES, 26 juin 1946 : *Le jeune philosophe* : **GBP 110** – LONDRES, 29 nov. 1946 : *Adoration des Mages* : **GBP 399** – LONDRES, 31 jan. 1947 : *Tête d'une femme âgée* : **GBP 47** – PARIS, le 18 nov. 1953 : *Ruth et Booz* : **FRF 150 000** – NEW YORK, 12 oct. 1963 : *Portrait d'un moine* : **USD 1 200** – LONDRES, 17 juil. 1964 : *Jacob* : **GNS 850** – AMSTERDAM, 3 nov. 1965 : *Portrait d'un rabbin* : **NLG 8 000** – LUCERNE, 7 déc. 1965 : *Scène biblique*, aquar. : **CHF 5 000** – AMSTERDAM, 12 mai 1971 : *Joseph racontant ses rêves* : **NLG 8 000** – VIENNE, 21 mars 1972 : *Scène de cabaret* 1673 : **ATS 150 000** – COLOGNE, 22 nov. 1973 : *L'heure de musique* : **DEM 23 000** – LONDRES, 9 mai 1973 : *Groupe de famille* : **GBP 2 200** – COPENHAGUE, 9 nov. 1977 : *Diane chasseresse*, h/pan. (65x50) : **DKK 16 300** – AMSTERDAM, 17 nov. 1980 : *L'arrivée de Rebecca dans la maison d'Isaac*, pl./pap. (16,2x24,3) : **NLG 30 000** – NEW YORK, 18 jan. 1984 : *Un cavalier oriental*, pl. et encre brune (16x13,6) : **USD 7 250** – MONTE-CARLO, 15 juin 1986 : *Isaac et Rebecca près du puits de Lahau-roi* 1665, h/t (129x171) : **FRF 1 700 000** – PARIS, 18 nov. 1987 : *Mercure et Argus* 1672, h/t (41,5x32) : **FRF 80 000** – NEW YORK, 2 juin 1989 : *Ruth et Booz* 1672, h/t (148x167,5) : **USD 88 000** – LONDRES, 24 mai 1991 : *Les six enfants de Altetus Tolling et de Aleid Jansson posant pour une pastorale* 1667, h/t (142,8x170) : **GBP 82 500** – LONDRES, 2 juil. 1991 : *La Circoncision*, encre et lav. (9,5x14,4) : **GBP 4 950** – LONDRES, 1er avr. 1992 : *Ruth et Booz* 1663, h/pan. (34,8x36,3) : **GBP 6 050** – LONDRES, 15 avr. 1992 : *Soldats jouant au tric-trac dans un intérieur* 1651, h/t (43,8x37,8) : **GBP 340 000** – AMSTERDAM, 15 nov. 1994 : *Un homme assis près d'un tonneau, tenant un pichet à la main*, encre et lav./pap. (23,9x16,5) : **NLG 5 750** – NEW YORK, 11 jan. 1995 : *Jeune garçon portant un chapeau, assis, accoudé au dossier de sa chaise le menton dans le creux de la main*, encre et lav./pap. chamois (14x11,5) : **USD 365 500** – PARIS, 4 déc. 1995 : *Le baptême de l'eunuque*, h/pan. (59x82) : **FRF 100 000**.

EECKHOUT Jakob Joseph
Né le 6 février 1793 à Anvers. Mort le 25 décembre 1861 à Paris. XIXe siècle. Éc. flamande.
Peintre d'histoire, scènes de genre, portraits, lithographe.
Il devint directeur de l'Académie de La Haye en 1839. D'abord joaillier, il ne commença à faire de la peinture qu'à l'âge de 28 ans. Il se fixa à Paris. Le Musée de Montpellier conserve sous le nom de Eukhout un tableau qui nous paraît de J. J. Eeckhout.

JJE JJE.

JJ Eeckhout

Musées : Amsterdam : *Mariage de Jacqueline de Bavière avec Jean IV, duc de Brabant* – Anvers : *Portrait de l'artiste* – Bayeux : *Portrait de Luthereau* – Douai : *Laboureur surpris par l'orage* – Ypres : *Jacques-Albert Senove.*

Ventes Publiques : Londres, 23-24 mars 1922 : *Résurrection de Lazare*, dess. : **GBP 3** – Paris, 28-29 nov. 1923 : *La Leçon de lecture* : **FRF 1 080** – Londres, 25 oct. 1928 : *Hassele et Vischer, membres du Conseil d'Alvas, sortant de prison en 1577* : **GBP 21** – Londres, 16 déc. 1935 : *Femme au rouet ; Lecture des nouvelles*, ensemble : **GBP 15** – Londres, 13 nov. 1936 : *Vanniers* : **GBP 6** – Londres, 10 mai 1937 : *Adoration des Mages* : **GBP 30** – Paris, 11 jan. 1943 : *Jeune sculpteur travaillant à la lumière d'une lampe* : **FRF 4 500** – Paris, 4 déc. 1944 : *La Lecture de la Bible* : **FRF 20 000** – Amsterdam, 15 nov. 1976 : *Joyeuse Compagnie sur une terrasse*, h/pan. (22,5x32,5) : **NLG 13 000** – Zurich, 26 mai 1978 : *Le violoniste aveugle*, h/t (55,5x70) : **CHF 26 000** – Londres, 2 avr. 1980 : *Charité*, h/pan. (38x28) : **GBP 320** – Londres, 11 mai 1984 : *Jeune Femme et ses chiens dans un intérieur*, h/pan. (72,5x59) : **GBP 3 000** – Bruxelles, 18 mai 1987 : *Scène de cabaret*, h/pan. (71x100) : **BEF 320 000** – Amsterdam, 5-6 nov. 1991 : *Le Retour du soldat*, h/pan. (25,5x34,5) : **NLG 1 495** – Paris, 16 déc. 1991 : *Portrait de Mr Chesnaye en chasseur* 1845, h/t (146x125) : **FRF 66 000** – New York, 5 juin 1992 : *Portrait de Mr Chesnaye* 1845, h/t (146,1x125,1) : **USD 15 950** – Amsterdam, 2 nov. 1992 : *Jeune femme composant un bouquet dans un vase avec un perroquet près d'elle*, h/pan. (30x23) : **NLG 5 750** – New York, 24 mai 1995 : *Enfants jouant à se déguiser* 1824, h/pan. (54,6x62,9) : **USD 40 250.**

EECKHOUT Victor
Né en 1821 à Anvers. Mort en 1879 à Anvers. xixe siècle. Éc. flamande.
Peintre de genre, sujets typiques, figures, aquarelliste, graveur.
Élève de son père Jakob Joseph Eeckhout, il exposa à plusieurs reprises à Bruxelles et Paris. Il privilégia la gravure à l'eau-forte.

Ventes Publiques : Cologne, 12 nov. 1976 : *Peintre et modèle* 1859, h/t (87,5x70,5) : **DEM 3 500** – Londres, 2 nov. 1979 : *Procession arabe*, h/t (25,4x35,6) : **GBP 1 700** – Londres, 21 oct. 1983 : *Arabes au puits*, h/pan. (25,5x19) : **GBP 1 400** – Londres, 8 fév. 1985 : *Scène de rue, Fez*, h/pan. (28,5x39,4) : **GBP 2 800** – Berne, 26 oct. 1988 : *Chasseur marocain dans un paysage hivernal*, h/t (49,5x37) : **CHF 2 000** – New York, 14 oct. 1993 : *Soldat marocain* 1878, aquar./pap. cartonné (34,9x24,2) : **USD 863.**

EECKMAN Eustachius
Né le 14 octobre 1668 à Gand. Mort le 16 avril 1761 à Saint-Pieters (près de Gand). xviie-xviiie siècles. Éc. flamande.
Sculpteur.
Il fut reçu maître en 1694.

EEDEN Nicolas Van den
Né le 30 septembre 1856 à Gand. Mort en 1918. xixe-xxe siècles. Belge.
Peintre de scènes de genre, portraits, intérieurs d'églises.
Il vécut à Bruxelles et à Namur, où il devint directeur de l'Académie ; il exposa plusieurs fois au Salon à Paris. Ayant débuté comme lithographe, il se tourna ensuite vers la peinture.

Bibliogr. : In : *Dictio. Biogra. illustré des Artistes en Belgique, depuis 1830*, Arto, Bruxelles, 1987.

Musées : Bruxelles : *Rogier sur son lit de mort* – Gand : *Les Vêpres à Sainte-Gudule* – Louvain : *La Criée aux Halles* – Mons : *En prière* – Namur : *La Dame aux Camélias* – Termonde : *A l'Église.*

EEDT Henrich Van der
xviie siècle. Actif à Anvers. Éc. flamande.
Peintre.
Élève d'Adam Van Noort, il fut reçu maître en 1610.

EEDT Nicolaus Van der ou **Heedt**
xviie siècle. Actif à Anvers. Éc. flamande.
Peintre.
Il fut reçu maître en 1651.

EEGBERG H. H.
xviiie siècle. Danois.
Peintre.
Il reçut du roi, de 1747 à 1750, les honoraires pour l'exécution de trente-trois tableaux.

EEGHEM Henri Van ou **Eghem**
xvie siècle. Actif à Malines. Hollandais.
Sculpteur.
En 1550, il reçut 400 florins pour le tombeau de Marguerite d'Autriche, sculpté avec M. Smets.

EEGHEM J. Van
xixe siècle. Actif à Amsterdam. Hollandais.
Peintre de paysages, marchand et collectionneur.

EEGHEM Lievin Van ou **Eghem**
Né avant 1605. Mort le 14 février 1638. xviie siècle. Actif à Malines. Éc. flamande.
Sculpteur et peintre.
Il fut membre de l'Académie Saint-Luc.

EEGYVUDLUK
Né en 1930 à Cape Dorset (Île de Baffin). xxe siècle. Canadien.
Sculpteur, dessinateur.
Il vit et travaille à Cape Dorset. Il est l'un des rares artistes esquimaux nominalement connus.

EEKMAN Nicolas Mathieu
Né en 1889 à Bruxelles. Mort en 1973 à Paris. xxe siècle. Actif aussi en France. Belge.
Peintre de compositions à personnages, nus, portraits, aquarelliste, graveur, lithographe. Tendance surréaliste, puis expressionniste.
Il fut élève de l'Académie de Bruxelles en architecture, qu'il abandonna pour la peinture. Pendant la première guerre mondiale, il vécut en Hollande, où il approfondit les diverses techniques et se spécialisa dans la gravure sur bois. Puis, il se fixa à Paris, participant à des expositions collectives.
Eekman produit des œuvres résolument figuratives. Dans un premier temps, il fut influencé par le surréalisme. Depuis 1960, il a évolué dans une direction expressionniste. Sa manière et son registre sont très typés, du fait qu'il reprend des thèmes de Pieter Brueghel et de Jérôme Bosch, qu'il traite moins vigoureusement, dans des tons bistres, peut-être plus fouillés dans le détail.

Musées : Arnheim – Bâle – Berlin – Bruxelles – Budapest – Chicago – Dordrecht – Dresde – Glasgow – Hambourg – Hanovre – La Haye (Mus. Boymans) – Moscou (Mus. de l'Armée) – Munich – Paris (BN, Cab. des Estampes) – Paris (Mus. de la Ville) – Prague.

Ventes Publiques : Versailles, 11 juin 1965 : *La jeune et la vieille* : **FRF 3 800** – Anvers, 22 oct. 1974 : *Mangeurs de harengs* 1961 : **BEF 32 000** – Versailles, 27 nov. 1977 : *Le dépendu* 1943, h/t (73x92) : **FRF 10 000** – Anvers, 26 oct. 1982 : *Nu entre deux masques*, aquar. (39x27) : **BEF 28 000** – Bruxelles, 15 déc. 1983 : *Les charmeuses d'oiseaux* 1950, h/pan. (50x64) : **BEF 140 000** – Épinal, 16 déc. 1984 : *Orgue de Barbarie* 1929, cr. (81x54) : **FRF 7 800** – Lokeren, 1er juin 1985 : *Le Bénédicité*, aquar. (38x45) : **BEF 46 000** – Bruxelles, 17 déc. 1987 : *Vieux pêcheurs assis au quai* 1953, h/cart. (49x72) : **BEF 200 000** – Paris, 12 avr. 1991 : *Le Passeur*, cr. noir/pap./t. (97x112) : **FRF 18 000** – Paris, 14 fév. 1992 : *Pêche fantastique à Saint Jean-de-Luz*, h/t (33x41) : **FRF 13 000** – Paris, 3 juil. 1992 : *Deux nus aux fruits*, h/isor. (61x50) : **FRF 25 000** – Lokeren, 10 oct. 1992 : *L'adieu*, aquar. et pl. (45x30,5) : **BEF 44 000** – Amsterdam, 9 déc. 1993 : *Composition avec des personnages dans un escalier*, craie noire et cr./pap./cart. (74x54,7) : **NLG 2 875** – Lokeren, 12 mars 1994 : *L'orgue de Barbarie* 1929, craie noire (80x52) : **BEF 65 000** – Amsterdam, 1er juin 1994 : *La femme et la fleur*, h/cart. (45,5x38) : **NLG 4 600** – Lokeren, 20 mai 1995 : *Dans la charrette*, past. et encre (39,5x56) : **BEF 60 000** – Paris, 22 nov. 1995 : *L'Attente*, h/rés. synth. (33x41) : **FRF 5 000** – Amsterdam, 6 déc. 1995 : *Joueur de mandoline sur le port* 1941, h/t (65x81,5) : **NLG 6 900** – Amsterdam, 10 déc. 1996 : *Autoportrait* 1930, h/t (65x54) : **NLG 4 382.**

EELKEMA Eelke Jelles
Né le 8 juillet 1788 à Leeuwarden. Mort le 27 novembre 1839 à Leeuwarden. xixe siècle. Hollandais.
Peintre de paysages, natures mortes, fleurs et fruits, aquarelliste.

Il fut élevé à l'Institut des sourds-muets de Groningue, travailla avec G. de San et vécut à Haarlem en 1819, chez le jardinier M. Van Eeden, après avoir vécu deux ans à Paris et visité la France et la Suisse. Il alla en Angleterre en 1823 et devint aveugle en 1837.
Musées : Amsterdam : Trois toiles – Haarlem (Teyler) : Aquarelle.
Ventes Publiques : Amsterdam, 15 nov. 1976 : *Nature morte aux fruits*, h/pan. (72x58) : **NLG 7 200** – Amsterdam, 30 oct. 1991 : *Nature morte avec des pêches et du raisin sur un entablement*, h/pan. (29,5x35) : **NLG 3 450** – Amsterdam, 22 avr. 1992 : *Nature morte avec une perdrix pendue à une corde et d'autres oiseaux morts sur un entablement*, h/pan. (39x31,5) : **NLG 1 725**.

EELSEN. Voir **VELSEN**

EEM Aert ou **Arnoldus Van der**
XVIIe siècle. Actif à Utrecht. Hollandais.
Peintre.
En 1611, il fut parmi les fondateurs de la nouvelle gilde Lucas, et, en 1627, directeur de l'Hôpital Hiob.

EEM Cornelis Van der
XVIIe siècle. Actif à Utrecht. Hollandais.
Peintre.

EEMANN. Voir **EHEMANN**

EEMANS Marc ou **Marcel**
Né en 1907 à Termonde. XXe siècle. Belge.
Peintre. Abstrait-constructiviste, puis tendance surréaliste.
Il fut élève des Académies de Molenbeek Saint-Jean et de Bruxelles. En 1922, il rencontra Servanckx et participa aux activités du premier groupe constructiviste belge. Il fut aussi poète et historien d'art, auteur de plusieurs ouvrages sur l'art moderne en Belgique.
Ses premières peintures abstraites datent de 1922. Vers 1926, il abandonna l'abstraction, considérant désormais cette période comme une erreur esthétique. Il évolua alors vers un certain surréalisme, un « surréalisme autre », fit partie du premier groupe surréaliste belge. Dans les œuvres de sa période abstraite, il introduisait une dimension spiritualiste, qui se retrouve dans ses peintures à tendance surréaliste. Les œuvres de cette nouvelle période sont difficilement classables, l'appellation de réalisme magique leur convenant peut-être mieux. Leurs accents mystiques les rapprochent des préraphaélites anglais, des romantiques allemands et des symbolistes fin-de-siècle. ■ J. B.
Bibliogr. : In : *Diction. biogr. illustré des Artistes en Belgique depuis 1830*, Arto, Bruxelles, 1987.
Musées : Bruxelles (Cab. des Estampes) – Gand (Mus. d'Art Mod.).
Ventes Publiques : Paris, 29 nov. 1972 : *Aux frontières de l'oiseau* 1928 : **FRF 16 000** – Paris, 26 nov. 1973 : *L'amie tragique* : **FRF 14 000** – Anvers, 20 oct. 1976 : *Nu*, collage (33x26) : **BEF 7 500** – Bruxelles, 21 mai 1981 : *L'interrogatoire* 1928, h/t (46x55) : **BEF 20 000** – Anvers, 3 avr. 1984 : *L'archer* 1928, h/t (73x60) : **BEF 42 000** – Lokeren, 21 mars 1992 : *L'attitude des apparences* 1928, h/t (130x97) : **BEF 260 000**.

EEMONT Adriaen Van
Né vers 1627 à Dordrecht. Mort en 1662 à Dordrecht. XVIIe siècle. Hollandais.
Peintre.
Il peignit des paysages et des oiseaux, et semble avoir été célèbre.
Ventes Publiques : Londres, 30 oct. 1997 : *Le Tombeau des Plantii sur l'Anio, près de Rome, avec des paysans sur un pont*, h/pan. (46,7x65,9) : **GBP 12 650**.

EEMONT Maria, née **Cauer**
Morte en 1667 à Middelbourg. XVIIe siècle. Hollandaise.
Peintre de paysages.
Femme de Adriaen Van Eemont.

EEMST Michiel Van
Mort au XVIIe siècle à Haarlem. XVIIe siècle. Hollandais.
Peintre sur faïence.
Il s'établit à Delft, où il entra à la Gilde des peintres, en 1675.

EEMSTEDE Thierry de ou **Heemstede**, dit **Thierry de Haarlem**
Mort le 3 avril 1542. XVIe siècle. Hollandais.
Miniaturiste.
Moine chartreux de Louvain depuis le 17 janvier 1505 ; il fut aussi calligraphe.

EEPOEL Diane
Née en 1949. XXe siècle. Belge.
Peintre de compositions murales, sérigraphe.
Elle fut élève de l'Académie de La Cambreet de l'Académie de Watermael-Boitsfort.
Elle a réalisé de nombreuses peintures murales en Belgique et au Brésil.
Bibliogr. : In : *Diction. Biogr. Illustré des Artistes en Belgique depuis 1830*, Arto, Bruxelles, 1987.

EERELMAN Otto
Né le 23 mars 1839 à Groningue. Mort en 1926. XIXe siècle. Hollandais.
Peintre d'histoire, scènes de genre, animaux, peintre à la gouache, aquarelliste, dessinateur.
Il fut élève de J.-H. Egenberger. Il vécut à La Haye et à Arnheim.

Musées : Amsterdam : *Entrée de la reine Wilhelmine à Amsterdam en 1898*.
Ventes Publiques : Amsterdam, 17-18 déc. 1946 : *Promenade du matin* : **NLG 1 350** – Amsterdam, 28 nov. 1967 : *Personnages dans un intérieur* : **NLG 18 300** – Amsterdam, 12 mai 1972 : *La Reine Wilhelmine dans un break* : **NLG 8 000** – New York, 9 oct. 1974 : *Fête villageoise* : **USD 6 000** – New York, 14 mai 1976 : *Dogue danois et ses petits*, h/t (90x130) : **USD 9 500** – New York, 12 mai 1978 : *Cavalier et la jeune paysanne* 1880, h/pan. (56,5x40,5) : **USD 4 750** – Amsterdam, 1er oct. 1981 : *Le marché aux chevaux*, aquar. (39x68,5) : **NLG 13 000** – New York, 26 oct. 1983 : *Cheval sellé*, h/t (46x70) : **USD 10 750** – Amsterdam, 19 nov. 1985 : *Chiots*, h/t (46x60) : **NLG 9 000** – Londres, 19 juin 1986 : *Horseguards, Whitehall*, aquar. et gche (73,5x53,2) : **GBP 2 600** – Amsterdam, 3 mai 1988 : *Un chien Barzoï dans un intérieur*, h/pan. (21x31) : **NLG 6 325** – Amsterdam, 16 nov. 1988 : *Un chien de Saint-Hubert*, aquar. et gche/pap. (65x43) : **NLG 4 600** – New York, 25 oct. 1989 : *Un après-midi sur la plage*, aquar. et gche (47x73,6) : **USD 20 900** – Amsterdam, 10 avr. 1990 : *Le compagnon attardé*, encre et aquar. avec reh. de blanc/pap. (35x50) : **NLG 11 500** – Amsterdam, 30 oct. 1990 : *Elégante jeune femme dans un riche traîneau attelé devant le perron enneigé d'une maison*, h/t (60x90) : **NLG 51 750** – Amsterdam, 24 avr. 1991 : *La noce paysanne*, h/t (95,5x140,5) : **NLG 172 500** – Amsterdam, 30 oct. 1991 : *Les plaisirs de l'hiver : élégants citadins regardant les patineurs*, h/t (88x150,5) : **NLG 80 500** – Amsterdam, 2-3 nov. 1992 : *Chiots Saint Bernard*, h/t (43,5x58,5) : **NLG 23 000** – Amsterdam, 19 oct. 1993 : *Course de chevaux*, h/t (53x81) : **NLG 25 300** – Amsterdam, 8 nov. 1994 : *Une amazone*, h/pan. (25x21) : **NLG 7 130** – New York, 9 juin 1995 : *Étude de chevaux gris et bai*, h/t/rés. synth. (73,7x91,4) : **USD 3 737**.

EERENBROECK Gommaer Van ou **Nerenbroeck**
Mort vers 1554. XVIe siècle. Actif à Anvers. Éc. flamande.
Peintre.

EERENBROECK Jan Van
XVIe siècle. Actif à Anvers. Éc. flamande.
Peintre.
Il fut reçu maître en 1505.

EERNSTMAN Tjeerd
Né en 1801 à Leeuwarden. XIXe siècle. Hollandais.
Peintre de genre et de portraits.
Élève de W.-B. Van der Kooi.

EERTVELT Andries Van ou **Aertvelt, Arteveldt, Artvelt, Ertvelt**
Né en 1590 à Anvers. Mort en 1652. XVIIe siècle. Hollandais.
Peintre de batailles, figures, marines.
Il voyagea en Italie, où il résida quelque temps à Gênes. En 1632, Van Dyck peignit son portrait, aujourd'hui à la Galerie d'Augsbourg.
Ses marines sont remarquables. On trouve en lui l'acuité de vision qui fait des Hollandais les plus admirables peintres de la mer. Ses œuvres sont assez rares.
Musées : Bergues : *Bataille de Lépante* – Graz : *Canal en Hollande* – Valenciennes : *Marine* – Vienne (Mus. du Belvédère) : *Marine*.
Ventes Publiques : Londres, 21 mai 1976 : *Bateaux de guerre français bombardant une ville*, h/t (70,5x112) : **GBP 1 300** – Londres, 28 oct. 1977 : *Un jeune physicien dans son laboratoire*, h/t (90x112) : **GBP 6 500** – Londres, 26 mai 1978 : *Bataille navale*,

h/t (147,5x206) : **GBP 3 000** – NEW YORK, 30 mai 1979 : *Bateaux par grosse mer*, h/pan. (46x80) : **USD 8 500** – AMSTERDAM, 14 nov. 1983 : *Bord de mer avec une tour ronde animé de personnages ; Scène de bord de mer*, gche, une paire (19,2x23,5) : **NLG 14 000** – LONDRES, 19 fév. 1986 : *Bateaux au large d'une côte montagneuse* 1630, h/pan. (18,7x36,5) : **GBP 10 000** – PARIS, 26 juin 1989 : *La flotte hollandaise à l'ancre dans un port du Nord ; La bataille de Lépante en 1591*, h/t, deux pendants (119x223,5) : **FRF 2 600 000** – NEW YORK, 10 jan. 1990 : *Bataille navale entre la flotte hollandaise et les pirates barbaresques*, h/t (73x99,1) : **USD 44 000** – AMSTERDAM, 12 juin. 1990 : *Trois-mâts hollandais dans la tempête*, h/pan. (19,8x36,4) : **NLG 48 300** – PARIS, 27 juin 1991 : *Combat naval*, h/pan. (50x81,5) : **FRF 50 000** – AMSTERDAM, 7 mai 1992 : *Vaisseau de guerre dans un port du levant avec les marins déchargeant la cargaison et une bataille navale à l'arrière-plan*, h/pan. (24x60,8) : **NLG 4 600** – MONACO, 2 déc. 1994 : *Bataille navale*, h/pan. (43,5x68) : **FRF 149 850** – LONDRES, 7 déc. 1994 : *Navigation par mer déchaînée*, h/pan. (59,5x116) : **GBP 17 250** – NEW YORK, 12 jan. 1995 : *Retour à Amsterdam de la flotte de la Compagnie des Indes hollandaises*, h/cuivre (43,2x67,3) : **USD 189 500** – LONDRES, 5 avr. 1995 : *Vaisseaux hollandais par mer houleuse*, h/pan. (62,5x107) : **GBP 12 650** – PARIS, 20 juin 1997 : *Marine par tempête*, pan. chêne parqueté (44,5x62) : **FRF 160 000**.

EËTION. Voir **AETION**

EEUWOUTSZOON. Voir **EWOUTSZON**

EFFEL Jean, pseudonyme de **Lejeune François**
Né le 12 février 1908 à Paris. Mort le 11 octobre 1982 à Paris. XXe siècle. Français.
Dessinateur humoriste.
Il commença par des caricatures d'hommes politiques. Il collabora dans les années cinquante au *Figaro Littéraire*. Sans quitter le domaine politique, Marianne commentant les évènements quotidiens, il aimait brocarder les Académies. Puis, avec un scepticisme souriant, le bon Dieu, barbu et bon enfant, devint son interlocuteur privilégié, dialoguant souvent avec Adam et Ève : *La création du monde*. A partir de la guerre de 1939-1945, il ne caricatura plus qu'un seul homme politique : De Gaulle, qu'il nomma de ce fait « L'Unique ». Il a publié environ 17.000 dessins et édité 180 livres.

EFFENBERG Hans
XVIe siècle. Actif à Breslau. Allemand.
Peintre.
Il fut reçu maître en 1507.

EFFENBERGER Hermann
Né le 14 septembre 1842 à Lauban en Silésie. Mort en 1911 à Rome. XIXe-XXe siècles. Allemand.
Portraitiste et peintre d'histoire.
Élève de l'Académie de Dresde, de Schnorr et d'Andreae. Il continua ses études à l'Académie d'Anvers, voyagea en Allemagne et en Italie. Travailla surtout à Leipzig et à Rome. On cite de lui : *Le Berger en prière, Portrait de l'empereur Frédéric III, Jeune fille napolitaine, La Naissance du Christ.*

EFFINGER Léon J.
XXe siècle. Français.
Peintre de paysages animés, natures mortes, fleurs.
VENTES PUBLIQUES : PARIS, 23 déc. 1942 : *Le petit bras de la Seine à Villennes* : **FRF 20 000** – PARIS, 23 juin 1943 : *Le pont* : **FRF 35 100** – PARIS, 10 nov. 1943 : *Vase de fleurs* : **FRF 8 000** – PARIS, 6 déc. 1943 : *Promenade en barque* : **FRF 4 000** – PARIS, 29 juin 1945 : *La tasse de thé* : **FRF 74 500**.

EFFINGER VON WILDEGG Ludwig Rudolf
Né le 25 février 1803 à Berne. Mort le 29 mai 1872 probablement à Berne. XIXe siècle. Suisse.
Peintre et dessinateur.
Effinger séjourna à Paris, en Italie, en Angleterre et à Vienne. Dans cette dernière ville, il fréquenta les ateliers de Ranftl et Ammerling. Il peignit des sujets de genre et d'histoire, exposa entre 1840 et 1850. Il fut le fondateur et directeur de l'union artistique cantonale de Berne en 1854.

EFFLATOUN Inji
Née en 1924 au Caire. XXe siècle. Égyptienne.
Peintre de compositions à personnages, figures, paysages.
Elle est autodidacte en peinture. Depuis 1941, elle participe à des expositions collectives, parmi lesquelles : 1952 et 1968 Biennale de Venise, 1953 Biennale de São Paulo, 1960 et 1965 Biennale de la Méditerranée, 1966 Salon des Artistes Indépendants à Paris, 1967 participation à des groupes à Paris et Rome, etc. Elle montre aussi des ensembles de ses peintures dans des expositions personnelles, nombreuses au Caire depuis 1952, et en 1970 à Dresde, Berlin (alors Est), Varsovie, Moscou. En 1959, elle avait obtenu le Premier Prix de *Paysage Égyptien* décerné par le Ministère de la Culture, en 1965 elle obtint une bourse d'État du même Ministère.
Si elle peint des paysages typiques de son pays, elle est surtout le peintre du peuple égyptien, qu'elle décrit dans une écriture à la fois elliptique, en ce qu'elle simplifie le détail des attitudes ou des visages pour donner plus d'importance aux grandes lignes générales, notamment celles des majestueux mouvements des corps enveloppés dans les longues tuniques, et pourtant richement ornementale, s'attachant aux décors traditionnels des étoffes et des intérieurs. ■ J. B.
BIBLIOGR. : In : Catalogue de l'exposition *Visages de l'art contemporain égyptien*, Musée Galliera, Paris, 1971.
MUSÉES : ALEXANDRIE (Mus. d'Art Mod.) – LE CAIRE (Mus. d'Art Mod.) – DRESDE (Mus. des nouveaux Maîtres) – MOSCOU (Mus. d'Art Oriental) – VARSOVIE (Mus. Nat.).

EFIM. Voir **IEFIME**

ÉFIMOV Ivan
Né en 1878. Mort en 1959. XXe siècle. Russe.
Sculpteur.
Il était représenté avec un *Coq*, symbolisant le Matin, à l'Exposition *L'Art Russe, des Scythes à nos jours*, présentée en 1967-1968 aux Galeries Nationales du Grand-Palais, à Paris.
MUSÉES : MOSCOU (Gal. Tretiakov) : *Le Coq*.

EFRAT Benni
Né en 1936. XXe siècle. Israélien.
Artiste de performances, installations, technique mixte, multimédia. Conceptuel.
Il fut éduqué dans un kibboutz. Il se manifeste par des performances, telle *Ararat Express* effectuée à Lyon au printemps 1987, ainsi que par des expositions, en 1987 également au Musée d'art Israélien Ramat Gan.
Toutes ses manifestations et installations concernent et projettent un avenir du monde et de l'humanité qu'il prévoit sinistre. Ses réalisations se matérialisent sur le mode métaphorique. Par exemple, dans sa performance de Lyon, une caravane de chevaux transportant chacun deux moniteurs de télévision diffusant des images de migrations d'humains et d'animaux, des assauts de vagues et de nuages, doit communiquer par équivalence la panique qui menace de contaminer le comportement de la population planétaire.
VENTES PUBLIQUES : TEL-AVIV, 19 juin 1990 : *Composition* 1966, h/t (54x60) : **USD 1 320**.

EFREMOV Igor
Né en 1946. XXe siècle. Russe.
Peintre de compositions, natures mortes.
Il fit ses études à l'Institut Mukhina. Il participe régulièrement à de nombreuses expositions nationales et internationales. Membre de l'Union des peintres d'Union Soviétique.
Sur des fonds abstraits, il intègre des éléments du quotidien.
VENTES PUBLIQUES : PARIS, 8 déc. 1990 : *Nature morte d'après Claez*, h/t (70x100) : **FRF 5 200**.

EFREMOV Kim. Voir **IEFREMOV**

EFTIMIADI Froso
Né en 1916 à Athènes. XXe siècle. Grec.
Sculpteur, céramiste.
Il a étudié la sculpture et la céramique à Vienne, et reçu les conseils de Marcel Gimond à Paris. Il a exposé à Buenos Aires en 1947, Athènes en 1954 et 1961, Londres en 1955.
Depuis 1955, il a abandonné la terre cuite et travaille le métal. Il a réalisé de grandes pièces décoratives pour les jardins publics d'Athènes.
BIBLIOGR. : A. Provelenghios : *Froso Eftimiadi : sculpture 1955-1960*, Athènes, 1960 – Ionel Jianou : *F. Eftimiadi*, 1977.
VENTES PUBLIQUES : NEW YORK, 27 fév. 1992 : *L'Oiseau* 1960, cuivre (121,9x114,9x35,5) : **USD 2 090**.

EF ZAMBO Istvan
Né en 1950 à Salgotarjanvier. XXe siècle. Hongrois.
Peintre. Nouvelles figurations.
Il fit ses études d'art au Layota Studio. Il est un des membres les

plus connus de la Galerie Art'Eria du mouvement de Szentendre. Il expose également à la Galerie du Studio des Jeunes Artistes. À l'étranger, il a exposé à Hambourg en 1983, à Upsala en 1988.
Il fait une peinture techniquement presque naïve, mais qui semble véhiculer des préoccupations liées aux circonstances tragiques de l'époque.
VENTES PUBLIQUES : PARIS, 14 oct. 1991 : *Paysage rouge* 1991, h/pap. (60x120) : **FRF 8 000**.

EGAIRAM. Voir **MARIAGE Louis François**

EGAN Béatrice
Née à Londres. XXe siècle. Américaine.
Peintre de genre.
Elle reçut sa formation en Angleterre, où elle étudia avec G. Elmes-Browne. Elle exposa aussi à Paris, au Salon des Artistes Français, avec des scènes de genre : *Les Blanchisseuses ; Au clair de lune*, et des scènes campagnardes.

EGAN C.
XIXe siècle. Actif à Londres. Britannique.
Paysagiste.
Exposa à la Royal Academy de 1807 à 1813.

EGAN Éloïse
XXe siècle. Américaine.
Peintre de marines, fleurs.
À partir de 1931, elle exposa à Paris, aux Salons des Artistes Français et d'Automne.
VENTES PUBLIQUES : NEW YORK, 15 mai 1991 : *Pique-nique en été*, h/t (57,8x70,5) : **USD 1 650** – NEW YORK, 4 mai 1993 : *Les quartiers slaves de Charleston en Caroline du Sud*, h/t (64x76,3) : **USD 920**.

EGAN J.
XIXe siècle. Irlandais.
Peintre de paysages, dessinateur.
Ses œuvres furent gravées sur bois. Cet artiste présente des similitudes avec James Egan.

EGAN James
Né en 1799 à Roscommon. Mort en 1842 à Londres. XIXe siècle. Irlandais.
Graveur.
Il fut employé chez S.-W. Reynolds. Son dernier ouvrage, le meilleur qu'il ait produit, représente : *L'Hospitalité anglaise dans le vieux temps*, d'après Cattermole. Il privilégia la manière noire.

EGAN Pierce
Né le 9 décembre 1814 à Londres. Mort le 6 juillet 1880 à Londres. XIXe siècle. Britannique.
Graveur au burin.
Fils de l'écrivain et journaliste Pierce Egan (1772-1849) il exécuta pour celui-ci les illustrations de son œuvre *The Pilgrims of the Thames in search of the National*. Il illustra également ses propres écrits, parmi ceux-ci : *Wat Tyler, Robin Hood, William de Clousdelie*. Il fit aussi le frontispice et les gravures sur bois pour son roman en 2 volumes *Paul Jones*. On cite de lui un portrait à l'eau-forte de l'actrice *Miss Davenport à l'âge de 10 ans*.

EGAN William O'Mulligan
XVIe siècle. Irlandais.
Sculpteur.
Il exécuta de 1581 à 1595 le monument funéraire d'Oliver Plunket et de sa femme à Clonebraney.

EGAÑA Miguel
XXe siècle. Espagnol (?).
Sculpteur d'assemblages, technique mixte. Néo-dadaïste.
En 1989, il a fait une exposition personnelle à la Galerie de Paris. En 1990, le Centre d'Art Contemporain de Thiers, situé au lieu-dit *Le creux de l'enfer*, a montré un ensemble de ses créations. Les assemblages d'Egana ont un fonctionnement typiquement poétique, sur le mode métaphorique : une lampe émet des rayons de soleil où s'embrochent des lunettes de soleil, une pomme de douche aspire les mailles d'un chandail ou bien, pour l'exposition de Thiers illustrant, à sa façon, *L'Âge d'Or* d'Ovide, d'une ruche il fait s'écouler une nappe faite d'écrous d'acier (allusion à la métallurgie locale) soudés les uns aux autres comme des alvéoles de miel. D'autres réalisations véhiculent un sens critique diffus : sur un panneau de signalisation représentant un cerf, sont fichés deux couteaux (toujours pour Thiers), dont les manches sont faits des bois de cerf.
BIBLIOGR. : Stéphane Carrayrou : *Miguel Egana*, in Art Press, Paris, janvier 1990 – Anne Richard : *Miguel Egana*, Opus International n°119, Paris, mai-juin 1990.

EGAS
XIIIe siècle. Espagnol.
Peintre de miniatures.
Dans les archives de la Torre do Tombo à Lisbonne, se trouve un *Commentaire de l'Apocalypse* daté de 1221 et signé par lui.

EGAS, el maestro
XVe-XVIe siècles. Éc. flamande.
Sculpteur.
Il travailla vers 1466-1507 avec son frère Anequin à la cathédrale de Tolède.

EGAS Anequin de, appelé aussi **Jan Van den Eycken**
Né à Bruxelles. Mort vers 1494 à Tolède. XVe siècle. Éc. flamande.
Sculpteur et architecte.
Appelé sur certains documents : « egas cueman ». Il travailla d'abord dans sa patrie, puis à Tolède à partir de 1458. Il y fut architecte en chef de la cathédrale, où il exécuta plusieurs travaux de sculptures. Il exécuta également plusieurs tombeaux.

EGAS Camilo ou **Egaz Camillo**
Né en 1899 à Quito. Mort en 1962. XXe siècle. Équatorien.
Peintre de sujets typiques, figures, peintre muraliste.
Il a probablement séjourné à Paris, exposant en 1925 aux Salons des Artistes Indépendants et d'Automne avec des peintures inspirées de l'Équateur.
À cette époque, la presque totalité des pays latino-américains était fascinée par la dimension, métrique mais surtout esthétique et sociologique, prise par le surgissement de la peinture muraliste au Mexique, dans le sillage de Diego Rivera. Presque tous ces pays s'engagèrent dans la voie. Ce fut parfois comme la contagion d'une mode à laquelle on ne pouvait échapper. En général, l'engagement participait d'une réelle conviction. Si Victor Mideros fut en Équateur le premier en date des muralistes, Egas est considéré comme le meilleur représentant de la peinture muraliste équatorienne. Egas, en ce domaine, ne se référait pas au père-fondateur du muralisme social latino-américain, Diego Rivera, mais au cadet, mexicain aussi, Jose Clemente Orozco. Egas participa, avec le plus jeune Eduardo Kingman, à la décoration du Pavillon Équatorien de la Foire de New York en 1939. ■ J. B.
VENTES PUBLIQUES : PARIS, 27 déc. 1926 : *Personnages mexicains* : **FRF 450** ; *Personnages mexicains* : **FRF 400** ; *Femme mexicaine* : **FRF 320** – NEW YORK, 28 nov. 1984 : *La guerre civile d'Espagne*, h/t (50,8x40,6) : **USD 800**.

EGAS Diego de
XVIe siècle. Espagnol.
Sculpteur.
Il travailla en 1531 à la cathédrale de Tolède.

EGAS Pedro de
XVIe siècle. Actif vers 1533. Espagnol.
Peintre d'histoire.
Probablement frère de Diego de Egas. Il travailla pour la cathédrale de Tolède.

EGASSE Jean Denis Fulgence
Né le 9 octobre 1815 à Paris. Mort le 25 avril 1868 à Paris. XIXe siècle. Français.
Peintre.
Le 5 octobre 1829, il entra à l'École des Beaux-Arts et devint l'élève de Guérin. De 1833 à 1850, il exposa au Salon, notamment des portraits.

EGBERT
Xe siècle. Allemand.
Peintre de miniatures.
Actif de 978 à 993, il fut archevêque de Trèves et mécène. Plusieurs manuscrits de ce temps, ornés de miniatures, portent son nom, sans que l'on puisse dire avec certitude s'il y travailla réellement lui-même.

EGBERT Henry
Né en 1826. Mort le 12 mars 1900 à Brooklyn. XIXe siècle. Américain.
Dessinateur.
Cet artiste fut particulièrement employé par la maison Harpers et Bros, où l'on signale sa présence dès 1844, époque à laquelle il y publia : *Egbert's Drawing books*. Il collabora aussi à un journal : *The Day's Dwrigs*.

EGBERTS Peter
XVIe siècle. Actif à Emden. Allemand.
Peintre.

EGBERTSZON Claes
XVIe siècle. Actif à Utrecht. Hollandais.
Sculpteur sur bois.

EGE Eberhard
Né le 17 août 1868 à Stuttgart. XIXe-XXe siècles. Allemand.
Peintre.
Il étudia à Paris à l'Académie Julian avec Ed. Charlemont et copia les vieux maîtres, surtout le Titien. Il compléta sa formation artistique en voyageant aux Pays-Bas, en Allemagne et en Italie. Il est surtout peintre de paysages, mais aussi peintre de portraits. En 1905 il organisa une exposition collective de ses portraits à Stuttgart et à Dresde. Citons parmi ses œuvres : *Rivage homérique, La Tour du printemps* et des *portraits du roi Guillaume et de la reine Olga de Wurtemberg.*

EGE Franz Sales
XVIe siècle. Actif à Waldsee (Wurtemberg) vers 1580. Allemand.
Dessinateur.
Il était chanoine.

EGEA Y LECAROZ Pablo
Né au XIXe siècle à Estopinana. XIXe siècle. Espagnol.
Peintre de genre.
Participa en 1876 à l'Exposition de Madrid.

EGEA Y MARIN Juan
Né vers 1860 en Murcie. XIXe siècle. Espagnol.
Peintre.
Il exposa à plusieurs reprises au Salon de Madrid.

EGEA Y MARIN Lopez
XIXe siècle. Espagnol.
Portraitiste.

EGEDIUS Halfdan Johnsen
Né le 5 mai 1877 à Drammen. Mort le 2 février 1899 à Oslo. XIXe siècle. Norvégien.
Peintre.
Il montra très jeune des dispositions artistiques. A 8 ans, il étudiait déjà dans une école de peinture. De 1887 à 1890 il était élève de l'École des Arts et Métiers d'Oslo, puis il alla à Copenhague où il fut élève de Chr. Zahrtmann. Il peignit des paysages d'été de l'Est de la Norvège et dessina des illustrations de livres. Il figura aux Expositions d'Oslo de 1894 à 1898. Sa mort à 22 ans fut une perte cruelle pour le nouvel art norvégien. Le Musée d'Oslo et la Galerie de tableaux de Bergen conservent de ses œuvres.

EGELE
XVIIIe siècle. Suisse.
Peintre.
Il vécut un certain temps à Presbourg en Hongrie et y peignit des portraits et des fresques.

EGELGRESSER Heinrich
XVIIe siècle. Allemand.
Sculpteur, et sculpteur sur bois.
Il était le fils du sculpteur de Nuremberg Konrad Osner et fut probablement appelé avec lui en Russie en 1697 par Pierre le Grand.

EGELHOFF. Voir **EGGELHOFF**

EGELI Bjorn P.
Né le 15 novembre 1900 à Oslo. XXe siècle. Actif et naturalisé aux États-Unis. Norvégien.
Peintre, illustrateur.
Il fut élève de Richard Summer Meryman et de Weisz (Olden ?).

EGELL Augustin
Né en 1731 à Mannheim. Mort en 1785 à Munich. XVIIIe siècle. Allemand.
Peintre amateur et architecte.
On connaît de lui un dessin à la plume : *Projet d'un plafond,* et une eau-forte : *La Vierge et l'Enfant.*

EGELL Heinrich
Né en 1759 à Mannheim. Mort au XIXe siècle à Munich. XVIIIe siècle. Allemand.
Peintre.
Fils d'Augustin E., il fut l'élève de son père et de l'École des Beaux-Arts de Munich. Il devint peintre de la cour en 1787. Il fit des tableaux d'histoire et des portraits.

EGELL Paul
Né le 9 avril 1691 à Mannheim. Mort le 10 janvier 1752 à Mannheim. XVIIIe siècle. Allemand.
Sculpteur.
Il fut élève de Balthasar Permoser à Dresde, ou à Vienne, vers 1717. Ses œuvres principales sont les décorations dans le style rococo des jardins et du château du Grand Électeur à Schwetzingen ; à Durlach, un monument funéraire ; à Mannheim, le bas-relief *La Trinité* à la façade de la chapelle du château ; les sculptures des bibliothèques dans la salle de lecture, etc. La cathédrale de Hildesheim conserve, dans la salle des Chevaliers, une tête de Christ sculptée par lui.
Ventes Publiques : Paris, 8 déc. 1924 : *Vase dans un parc,* pl. et lav. : **FRF 200.**

EGELL Peter
XVIIe siècle. Hollandais.
Peintre.
En 1698 il travailla à Ratisbonne.

EGEN Gert Van
Né en Hollande. XVIe siècle. Hollandais.
Sculpteur.
Il vint en Danemark vers 1591 et exécuta un buste de Christian IV en albâtre. A partir de 1594, il travailla au monument du roi Frederik II dans la chapelle de la cathédrale de Roskilde. Après avoir sculpté, en 1600, un médaillon du roi en albâtre, son nom disparaît des comptes officiels. On ignore s'il est retourné en Hollande ou s'il est mort en Danemark.

EGEN Peter
XVIIIe siècle. Actif à Cologne. Allemand.
Peintre.
Il fut admis dans la Corporation en 1721. Il fut payé en 1735 pour des peintures décoratives.

EGENBERGER Johannes Henderikus
Né le 22 avril 1822 à Arnhem. Mort en 1897 à Utrecht. XIXe siècle. Hollandais.
Peintre d'histoire.
Ses peintures sont à Haarlem. On cite de lui notamment : *Kenau Hasselaar sur les remparts de Haarlem,* qu'il exécuta en collaboration avec Wijnveld et qui se trouve au Musée de Haarlem.

EGENMULLER Hans
Originaire de Schaffhaus. XVIe siècle. Actif à Einsiedeln. Suisse.
Sculpteur.
Egenmuller travailla en collaboration avec Augustin Hengkel au chœur de Einsiedeln (1514-1516).

EGENOLFF Christian ou **Eginolphe** ou **Egnolpt**
Né en 1503. XVIe siècle. Actif à Francfort. Allemand.
Graveur sur bois et imprimeur.

EGENSVILLER. Voir **EGGENSCHWYLER**

EGEOF Alexei. Voir **IEJOFF**

EGER Christoph
Né en 1544 à Creglingen. XVIe siècle. Allemand.
Sculpteur.
Il travailla en 1569 au château de Heiligenberg près de Constance et participa à l'exécution du monument funéraire du comte Albrecht de Hohenlohe, dans l'église collégiale de Stuttgart, et dans celle de Tubingen, en 1591, au monument funéraire du duc Louis de Wurtemberg.

EGER Georg Adam
Né en 1727 dans le Wurtemberg. Mort en 1808. XVIIIe siècle. Allemand.
Peintre.
Il était peintre de la cour du Landgrave Louis VIII de Hesse, pour lequel il peignait habituellement des scènes de chasse. Au château de Kranichstein sont conservées quelques œuvres de lui,

parmi lesquelles le *Portrait de l'artiste par lui-même*, et un *Portrait du chambellan Czepricki*. A l'hôtel de ville de Hall dans le Wurtemberg se trouvent de sa main quelques portraits miniatures.
Ventes Publiques : Londres, 27 juin 1939 : *Chasse au cerf à Kranichstein ; Louis VII* : **GBP 18** ; *Chasse au cerf près de Dianaburg* : **GBP 14**.

EGER Hans Jakob
xviie siècle. Allemand.
Peintre.
Bourgeois de Francfort-sur-le-Main en 1637, il s'établit à Mayence en 1664, où il fit les peintures de la Salle du Conseil.

EGEREN. Voir **NEGRE**

EGERHAZI Janos
xviie siècle. Hongrois.
Peintre.
On mentionne parmi ses œuvres les peintures des plafonds des Palais du prince Gabriel Bethlen à Alvinc et à Gyulafehervar.

EGERI. Voir **AEGERI**

EGERMANN Friedrich
Né le 5 mars 1777 à Schluckenau. Mort le 1er janvier 1864 à Haida. xixe siècle. Tchécoslovaque.
Peintre verrier.
Il contribua puissamment à perfectionner la verrerie de Bohême. Le Musée autrichien à Vienne, et le Conservatoire des Arts et Métiers de Reichenberg en Bohême, conservent des modèles de ses œuvres.

EGERMANS
xviiie siècle. Actif à Utrecht au début du xviiie siècle. Éc. flamande.
Peintre.
On connaît de lui quelques portraits de la famille de Marez.

EGERSDÖRFER Andreas
Né le 28 septembre 1866 à Nuremberg. xixe siècle. Allemand.
Peintre de paysages.
D'abord élève de l'École des Arts et Métiers à Munich et de l'Académie de cette ville, il devint professeur d'art à Francfort-sur-le-Main. Il figura à de nombreuses expositions ; en 1890 et 1892 à celle de l'Académie de Berlin ; en 1891 au Salon de Paris ; en 1891 et 1896 à l'Exposition Internationale d'Art de Berlin ; au Palais de Glace de Munich, etc. Ses peintures à l'huile représentent pour la plupart des régions montagneuses d'Allemagne, principalement de Franconie ; il peignit aussi des marines des Pays-Bas et des vues du vieux Francfort. Un grand nombre de ses peintures appartiennent à des collections privées. La Galerie Municipale de Francfort-sur-le-Main conserve un tableau de lui : *Prairies*.

EGERSDÖRFER Konrad
Né le 21 janvier 1868 à Nuremberg. xixe-xxe siècles. Allemand.
Peintre de genre, illustrateur.
Il fut élève de Wilhelm von Diez à l'Académie des Beaux-Arts de Munich. Il figura à l'Exposition de Berlin en 1901, 1903, 1911, à l'Exposition du Palais de Glace de Munich en 1907, 1911. Il fut membre de la Société des Illustrateurs Allemands.
Il fut surtout un illustrateur de livres. En peinture, il traitait aussi des sujets narratifs : *La visite, Opérette*.

EGERTON Daniel Thomas
Né en 1797 en Angleterre. Mort en 1842, Assassiné sur une route mexicaine. xixe siècle. Britannique.
Peintre de paysages, aquarelliste.
Membre de la société des artistes britanniques, il exposa à Londres entre 1824 et 1829 et 1838 et 1840.
Voyageur impénitent, Egerton fut l'un des premiers et sans doute l'un des plus importants artistes à s'installer au Mexique dès 1830 et à y entreprendre une série d'œuvres paysagistes. Après de nombreux dessins et des lithographies décrivant avec réalisme des sites très variés du Mexique, il devait connaître une prédilection particulière pour les paysages de la vallée de Mexico, ainsi que pour les chutes du Niagara.
Bibliogr. : Martin Kiek - *Egerton au Mexique 1830-1842*, Mexico, 1976.
Ventes Publiques : Londres, 17 mai 1974 : *Voyageurs mexicains* : **GNS 1 900** – New York, 5 mai 1981 : *Vue de Xochimilco* 1833, h/t (40,5x50,8) : **USD 40 000** – New York, 29 mai 1984 : *Hacienda of Santa Clara in the valley of Cuantla de Amilpas, Mexico* 1838, h/pap. monté/t. (40,3x50,5) : **USD 15 000** – New York, 22 mai 1986 : *Vista del Ixtacihuatl*, h/t (23x36) : **USD 19 000** – New York, 21 nov. 1988 : *Le ravin du désert* 1838, h/t (34,3x45,4) : **USD 26 400** – New York, 23 nov. 1992 : *Le mont Iztaccihuatl depuis Chalco*, h/cart. (33x41) : **USD 165 000** – New York, 19 mai 1993 : *La route de San Joachin à Tlanapantla près de Mexico* 1833, h/t (40,3x52,9) : **USD 57 500** – New York, 23-24 nov. 1993 : *Près de l'hacienda de Olivar avec le Jacubaya*, aquar./pap./pap. (26x34) : **USD 24 150**.

EGERTON Jane Sophia
xixe siècle. Active à Londres. Britannique.
Portraitiste.
Elle exposa à Londres de 1844 à 1857.

EGERTON M.
xixe siècle. Actif vers 1825. Britannique.
Dessinateur.
Il exécuta plusieurs dessins humoristiques, gravés à l'eau-forte par George Hunt et d'autres artistes ; parmi ces œuvres, on cite : *Ici, là et de l'autre côté de l'eau, Riens aériens, Collindo Furioso, ou Matters to Tatters*.

EGERTON Margaret
Née en 1938 à Londres. xxe siècle. Britannique.
Peintre.
Elle exposa à Paris au Salon des Artistes Français.

EGG. Voir aussi **ECK**

EGG Augustus Léopold
Né en 1816 à Londres. Mort en 1863 à Alger. xixe siècle. Britannique.
Peintre de genre, figures, portraits, illustrateur.
Fils d'un armurier de Piccadilly, il n'adopta la profession de peintre que vers 1834, année où il entra à l'École d'Art de Sass. En 1835, il fut admis comme étudiant à l'Académie royale. Son premier ouvrage important fut *La Victime*, inspirée du *Diable boîteux* de Le Sage, lequel fut exposé à l'Académie des arts de Liverpool. Ensuite, et à partir de 1836, il fit des envois à Londres, tant à la Société des artistes britanniques qu'à l'Institut britannique et à l'Académie royale. A cette dernière, il exposa notamment sept tableaux tirés de Shakespeare. De santé délicate, il séjourna souvent dans des pays aux climats tempérés comme l'Italie, le Sud de la France et plus tard l'Algérie.
On cite parmi ses principaux ouvrages, en 1838 : *Jeune Espagnole*, en 1840 : *Scène de Henri IV*, en 1848 : *La Reine Élisabeth*.
Musées : Leicester : *Scène des deux gentilshommes de Vérone* – Londres (Victoria and Albert Museum) : *Jeune fille – Tête de jeune fille* – Londres (Tate Gal.) : *Béatrice armant Esmond chevalier – Scène du diable boîteux* – Preston : *Jeune fille – La mante d'opéra* – Sheffield : *Scène du Diable boîteux*.
Ventes Publiques : New York, 10-11 avr. 1902 : *Cromwell* : **USD 500** – Londres, 29 avr. 1908 : *Tête de Charles Dickens*, dess. : **GBP 12** – Londres, 24 juin 1908 : *Scène de La Mégère apprivoisée* : **GBP 11** ; *Première entrevue de Pierre le Grand et de la Grande Catherine*, étude pour le grand tableau : **GBP 18** – Londres, 6 mars 1909 : *Le Passé et le Présent*, étude d'arbres : **GBP 18** – Londres, 2 avr. 1910 : *Sujet tiré de W. Scott* : **GBP 3** – Londres, 24 juin 1910 : *S'il vous plaît, monsieur* : **GBP 27** – Londres, 7 juil. 1922 : *La décoration d'Esmond* : **GBP 9** – Londres, 19 juil. 1922 : *La nuit devant Naseby* : **GBP 6** – Londres, 11 déc. 1922 : *Scène de « Le Monastère »* : **GBP 51** – Londres, 20 juin 1924 : *Vie et Mort de Buckingham*, les deux : **GBP 10** ; *La proposition* : **GBP 11** – Londres, 25 nov. 1924 : *Henriette Marie affligée, secourue par le cardinal de Retz* : **GBP 26** – Londres, 24 juin 1927 : *Toast au Roi ; Chambre de la mort*, les deux : **GBP 25** – Londres, 19 déc. 1930 : *Scène de La Mégère apprivoisée* : **GBP 5** – Londres, 7 déc. 1945 : *A l'Opéra* : **GBP 52** – Londres, 26 avr. 1946 : *La reine Élisabeth découvrant qu'elle n'est plus jeune* : **GBP 110** ; *La Lettre* : **GBP 52** – Londres, 4 juin 1947 : *A l'Opéra* : **GBP 32** – Londres, 20 mars 1963 : *Ninetta avec masque* : **GBP 300** – Londres, 10 juin 1966 : *Vie joyeuse à Buckingham ; La mort à Buckingham*, deux pendants : **GNS 850** – Londres, 19 oct. 1971 : *Jeune homme pensif* : **GBP 420** – Londres, 14 juil. 1972 : *Jeune Fille aux fleurs* : **GNS 900** – Londres, 14 mai 1976 : *Catherine et Petrucio* 1860, h/t (39,5x67,3) : **GBP 1 600** – Londres, 6 déc. 1977 : *La vie et la mort de Buckingham*, deux toiles (75x91,5) : **GBP 6 000** – Londres, 27 juin 1978 : *Thou art not false, but thou art fickle*, h/cart. (34,5x28,5) : **GBP 2 000** – Londres, 10 nov. 1981 : *Thou art not false but thou art fickle*, h/cart. (34,5x28,5) : **GBP 500** – Londres, 14 fév. 1986 : *La maison de jeux* 1846, h/pan. (24,1x31,7) : **GBP 850** – Londres, 10 avr. 1991 : *La victime, scène*

tirée du Diable boiteux 1842, h/t (61x75,5) : **GBP 8 250** – Londres, 14 juin 1991 : *Galerie de tableaux, Knowle*, h/t (25,5x31) : **GBP 1 650** – Paris, 18 nov. 1994 : *Portrait de jeune fille debout*, h/pap. (26x18,6) : **FRF 5 000** – Londres, 6 nov. 1995 : *Portrait d'une dame avec une capeline*, h/pan. (27,5x23,5) : **GBP 1 495** – New York, 18-19 juil. 1996 : *Le prisonnier* 1855, h/t (45,7x35,6) : **USD 6 325**.

EGG Edmundus
XVIIIe siècle. Allemand.
Peintre.
Il exécuta dans l'église du pèlerinage Sainte-Marie à Vilgertshofen en Haute Bavière le tableau : *L'Assomption de Marie*. Edmundus Egg est probablement identique à Edmund Eck.

EGG Franz
Né le 20 février 1861 à Fernpass (près de Nassereith, haute vallée de l'Inn). XIXe siècle. Autrichien.
Sculpteur, et sculpteur sur bois.
Il fut élève de l'école de sculpture d'Imst ; il étudia également en Allemagne dans différents ateliers et à l'Académie de Munich. Il s'installa à Innsbruck en 1888. Parmi ses très nombreuses œuvres citons : à Innsbruck, les statues allégoriques de l'escalier du Palais des États ; les armoiries de l'archiduc Eugène à la grille de communion de la chapelle de la cour ; un autel de Marie pour les Ursulines ; des statues d'anges à la chaire de l'église du Cœur-de-Jésus ; à Attinghausen (Suisse) : des statues dans l'église paroissiale ; à Bozen (Italie) l'ornementation d'un autel dans l'église paroissiale ; à Wörgl (Basse Vallée de l'Inn) un maître-autel, etc. On trouve encore de très nombreuses sculptures sur bois de cet artiste en Bohême, en Hongrie, en Saxe. Il était aussi le sculpteur de Chambre du Grand-Duc Ferdinand d'Este.

EGGE Jan Van. Voir **HECKE**

EGGEBECK Maria Eva, née **Briekmann**
Née à Genève. Morte en juin 1714 à Hambourg. XVIIIe siècle. Allemande.
Peintre de portraits.
Elle fut surtout peintre de miniatures ; elle était la femme du chirurgien Frasmus Eggebeck.

EGGEBECK Maria F. ou **Egbeck** ou **Ecbeck**
XVIIIe siècle. Allemande.
Peintre de portraits.
Peut-être identique à Maria Eva Eggebeck. Pour l'organisation de la collection des portraits des Conseillers Municipaux de Hambourg, la plus grande partie du travail lui fut confiée, ainsi qu'à B. Denner.
Musées : Hambourg (Mus. Historique) : *Portrait du maire Andersen*.

EGGEBRECHT Carl Friedrich
Né en 1713 à Dresde. Mort en 1773 à Meissen. XVIIIe siècle. Allemand.
Peintre sur porcelaine.
Les porcelaines de Meissen de ce temps, peintes en bleu, et portant un E. près des épées, proviennent vraisemblablement de sa fabrication.

EGGEBRECHT Carl Friedrich
Né en 1752 à Meissen (Saxe-Anhalt). XVIIIe siècle. Allemand.
Sculpteur et dessinateur de paysages.
Il travailla à Leipzig où il exécuta des statues, des monuments funéraires et des dessins.

EGGEL Emma
Née en 1848 à Michelbach. Morte en 1890 à Michelbach. XIXe siècle. Allemande.
Peintre d'histoire.
Elle étudia pendant dix ans à l'École d'art à Stuttgart. Le Musée de Stuttgart conserve d'elle : *La chasse de Wotan*.

EGGELHOFF Johann Friedrich
Né en 1680 à Augsbourg. Mort en 1731 à Francfort-sur-le-Main. XVIIIe siècle. Allemand.
Graveur.
Il travailla à Francfort à partir de 1712 et grava entre autres œuvres, le portrait de *Pierre le Grand*, d'après Kupetzky, et celui d'*Auguste II de Pologne*.

EGGELING Andreas Carl August
Né le 17 septembre 1862 à Torby (Lolland). Mort le 20 juin 1893 à Copenhague. XIXe siècle. Danois.
Sculpteur décorateur.
Il entra comme sculpteur sur bois à l'Académie des Beaux-Arts, dont il était élève en 1884-1888. Une maladie incurable mit obstacle au développement d'un talent qui promettait beaucoup. Il a fait quelques travaux décoratifs, et fut connu en outre comme sculpteur sur bois. Il mourut à l'hôpital.

EGGELING Herman
Né le 17 août 1884 à New York. XXe siècle. Américain.
Peintre de paysages, illustrateur.
Il fut élève de Frederick Bridgman et de John Sloan.
Outre ses peintures de paysages, il a illustré l'*Encyclopédie des Aliments* d'Artemas Ward.

EGGELING Viking
Né le 12 octobre 1880 à Lund. Mort le 19 mai 1925 à Berlin. XXe siècle. Suédois.
Peintre, cinéaste. Abstrait-géométrique. Groupe Dada.
Il étudia en Suisse et en Italie à Milan, de 1900 à 1908. Il vint à Paris en 1911, où il se lia avec Modigliani. En 1915, il y fit la connaissance de Jean Arp et Kisling, puis, en Suisse vers 1915, de Tristan Tzara qui, en 1916 à Zurich, lui fit connaître Hans Richter, arrivé en Suisse comme blessé de guerre, qui sera le grand ami de sa vie. En 1917, encore à Zurich, il adhéra au groupe Dada zurichois, cette dernière précision pour marquer combien la spécificité des groupes Dada fut différenciée selon la conjoncture historico-géographique de chacun, celui de Suisse, peu touché par la guerre, s'impliquant dans des réflexions et activités d'ordre plastique et littéraire. Tout en restant en retrait du groupe, Eggeling collabora à ses publications.
Quant à sa peinture, il fut essentiellement post-cubiste, à nette tendance abstraite, ce qui l'apparente à Jean Arp. Mais très tôt, sa recherche personnelle s'orienta vers la recherche du développement d'une forme, en l'occurence abstraite-géométrique, dans l'espace, et surtout, par voie de conséquence, dans le temps, notamment dans celui du parcours du regard, recherche qui attestait sa connaissance des objectifs futuristes. En 1919-1920, à un moment où il avait été invité au château de Klein-Koelzig chez les parents de Hans Richter, il réalisa deux rouleaux de figures abstraites, alors qu'il s'initiait aux idéogrammes de l'écriture chinoise et que ses figures en étaient influencées, intitulés *Horizontal-Vertical-Messe* et *Diagonal-Symphonie*. Ces rouleaux, se déroulant horizontalement à la façon des makémonos depuis le côté gauche vers la droite, avaient une hauteur de 50 centimètres et une longueur pouvant atteindre 7 mètres. Ils étaient constitués d'images séquentielles apparaissant l'une après l'autre, chaque nouvelle image présentant une légère transformation de la précédente et ainsi de suite selon le principe du dessin animé image par image. Pour sa part, Hans Richter créait dans le même esprit *Rhythmus 21*. En parallèle de la peinture, Eggeling et Hans Richter se préoccupaient du passage de l'expression graphique du mouvement à son expression cinématographique. À ce titre, Frank Popper, dans *Naissance de l'Art Cinétique*, affirme d'Eggeling qu'il « a utilisé le premier le cinéma pour exprimer le mouvement rythmique des formes pures, trouvant dans les différentes phases de la vie extérieure, une identité fondamentale : le mouvement ». En 1921, à Berlin, alors que Hans Richter dans le même esprit réalisait son *Rhythmus 21*, Eggeling, avec l'aide de sa femme, réalisa ce qu'il appela un « film absolu », à partir du deuxième rouleau et intitulé également *Diagonal-Symphonie*, dont la première présentation publique eut lieu en 1923 à Berlin. José Pierre écrit de lui : « Eggeling représente un cas assez exceptionnel parmi les dadaïstes, car l'aspiration à l'abstraction, qu'il partage avec plusieurs d'entre eux, s'inspire chez lui des lois de la composition musicale et notamment du contrepoint. Personnage anxieux tout entier attaché à l'établissement d'une sorte de nouvelle syntaxe visuelle, il a sacrifié son œuvre à une recherche aussi rigoureuse que celles de Malevitch ou de Mondrian... »
■ Jacques Busse
Bibliogr. : Michel Seuphor : *L'art abstrait, ses origines, ses premiers maîtres*, Maeght, Paris, 1949 – Catalogue de l'exposition *Viking Eggeling*, Nat. Mus., Stockholm, 1950 – José Pierre : *Le Futurisme et le Dadaïsme*, Rencontre, Lausanne, 1966 – in : Catalogue de l'exposition *Dada*, Mus. Nat. d'Art Mod., Paris, 1966-67 – in : *Diction. Univers. de la Peint.*, Le Robert, Paris, 1975.
Ventes Publiques : Paris, 3 juin 1992 : *Paysage* 1916, h/t (82x55) : **FRF 160 000**.

EGGEMEYER M. K.
Née à New Castle (Indiana). XXe siècle. Américaine.

Peintre.
Elle fut élève de la Cincinnati Art Academy. Elle fut membre de plusieurs associations artistiques. Elle remporta plusieurs prix entre 1924 et 1928.

EGGEN Tietsia
Née en 1954. XXe siècle. Hollandaise.
Peintre. Abstrait tendance minimaliste.
Elle fut élève de l'Académie des Beaux-Arts de Maestricht. Elle expose dans de nombreuses villes hollandaises.

EGGENA Gustav
Né le 30 août 1850 à Marbourg. XIXe siècle. Allemand.
Peintre de genre, portraits, dessinateur.
Il s'établit à Munich vers 1873. On cite de lui : *Le Chevalier et le Moine*.
Musées : Bautzen : *La Lettre d'indulgence* – Kassel : *Vue sur le lac d'Ammer* – Mannheim : *Tête de femme, étude*.
Ventes Publiques : Londres, 30 nov. 1977 : *L'Enlèvement* 1881, h/t (53x78,5) : **GBP 600** – Londres, 30 jan. 1981 : *Le Galop*, h/pan. (37,5x28,5) : **GBP 500** – Cologne, 15 oct. 1988 : *La Bienvenue, jeune fille offrant à boire à un cavalier*, h/t (30x40) : **DEM 1 300**.

EGGENFELDER Johann Ernst
XVIIIe siècle. Actif à Glogau. Allemand.
Peintre.
Il appartint à la Corporation des peintres et sculpteurs où il fut mentionné jusqu'en 1737.

EGGENHOFFER Nick
Né en 1897. Mort en 1985. XXe siècle. Américain.
Peintre de scènes typiques, peintre à la gouache, dessinateur.
Il a surtout pratiqué la gouache rehaussée aux crayons de couleurs.
Il peignait les scènes traditionnelles de la vie dans l'Ouest américain d'autrefois.
Ventes Publiques : New York, 30 avr. 1980 : *Buffalo hunt*, pl. et lav./pap. (30,5X43,2) : **USD 2 900** – New York, 17 avr. 1982 : *The bank robber*, pl. et traces de past. (27,3x35,5) : **USD 1 200** – New York, 7 déc. 1984 : *Learning the land*, aquar. et gche/pap. (37,7x27,8) : **USD 800** – New York, 31 mai 1985 : *The scouting party*, gche (38,6x38,5) : **USD 4 600** – New York, 16 mars 1990 : *Gardiens de troupeaux*, gche et cr./cart. (39x51) : **USD 9 350** – New York, 26 sep. 1990 : *Poste de relai de chevaux*, h/cart. (40,6x50,8) : **USD 8 800** – New York, 27 sep. 1990 : *L'attaque d'un convoi de trappeurs*, gche et cr./cart. (38,5x49,5) : **USD 4 400** – New York, 14 mars 1991 : *Les chariots de Santa Fe traversant le Cimarron à gué*, gche et cr./pap. (38,5x50,8) : **USD 3 520** – New York, 15 mai 1991 : *Les armes de l'homme blanc* 1968, gche/cart. (40,6x66) : **USD 6 050** – New York, 15 avr. 1992 : *Guerrier indien sur son cheval*, aquar. et gche/cart. (47x37,5) : **USD 2 200** – New York, 27 mai 1992 : *Les dernières cartouches de Custer*, temp./cart. (55,9x76,8) : **USD 28 600** – New York, 11 mars 1993 : *Le coche* 1981, gche et encre (23,6x38,5) : **USD 2 530** – New York, 31 mars 1994 : *Les rebelles de Rio Grande ; La diligence*, encre et cr., deux dess. (37,5x50,8 et 23,5x35,6) : **USD 1 725**.

EGGENSCHWILER Franz
Né en 1930 à Solothurn. XXe siècle. Suisse.
Sculpteur, technique mixte. Conceptuel.
Il étudia d'abord la peinture sur verre, puis acheva sa formation, de 1951 à 1953, à l'École des Métiers d'Art de Berne, où il vit. Après avoir participé à quelques expositions collectives à Berne, il participa au Salon de Mai de Paris en 1969, En 1970, il exposa avec Juseph Beuys et quelques autres au Kunst Museum de Lucerne, il fut invité à la Documenta V de Kassel en 1972, etc.
Il fut remarqué à partir de 1969, quand l'« Art Pauvre », les expressions conceptuelles causèrent quelques remous dans les avant-gardes internationales. Le travail de Eggenschwiler se partage dans trois directions, celle des « Objets trouvés », que, selon les cas, il présente sans modifications ou au contraire qu'il complète de façon à leur faire exprimer du sens, celle des « Paraphrases de Saucisses » où il réalise des volumes à partir de matériaux très divers en leur conférant la forme et l'aspect de saucisses, celle des « UFOS » (Objets volants non identifiés) dans laquelle il exploite les documents photographiques d'origine américaine attribués aux phénomènes célestes non expliqués. D'une façon générale, les réalisations de Eggenschwiler ont une dimension humoristique, par exemple : *Borne-frontière déplaçable* de 1968-69, et souvent une connotation érotique quand elles paraphrasent la forme du sein féminin ou quand le presque anonyme *Volumen* en ciment de 1969 rappelle les Priapes romains. ■ J. B.
Bibliogr. : Théo Kneubühler, in : *Kunst : 28 Schweizer*, Édit. Gal. Raeber, Lucerne, 1972.
Musées : Lausanne (Mus. canton. des Beaux-Arts) : *Baumeuropa mit Spier* 1988.
Ventes Publiques : Lucerne, 8 juin 1996 : *Reliquaire d'une phalange* 1972, objet en fer, bois, plexiglas et pierre (34,5x12,5x11) : **CHF 2 700**.

EGGENSCHWYLER Urs
Né le 24 janvier 1849 à Subingen. XIXe siècle. Suisse.
Sculpteur et peintre.
Il fréquenta l'école cantonale de Soleure, travailla le dessin sous Taverna, puis plus tard étudia la sculpture chez Pflüger, chez Spiess à Aussersihl, et, sous le Professeur Max Widmann à l'Académie de Munich. Après avoir passé quelque temps employé par le roi Louis II de Bavière, Eggenschwyler se rendit à Zurich, et fournit, entre 1884 et 1886, plusieurs statues pour des corporations de la ville, ainsi qu'un lion en marbre pour le Musée de Saint-Gall. Il se spécialisa dans la représentation d'animaux et pour se perfectionner dans ce genre, acquit une petite ménagerie et fréquenta des propriétaires de cirques et de ménageries pour étudier les habitudes des bêtes exotiques. Il visita Vienne, Berlin, etc., et fournit des statues de lions pour plusieurs villes suisses entre 1898 et 1902. On cite entre autres ceux pour les maisons du Parlement à Berne, et au pont de Stauffach. Il est aussi l'auteur de nombre de tableaux d'animaux.

EGGENSCHWYLER Urs Pankraz
Né le 23 février 1756 à Matzendorf. Mort le 11 octobre 1821 à Soleure. XVIIIe-XIXe siècles. Suisse.
Sculpteur.
Pendant son apprentissage, comme charretier, Eggenschwyler manifesta son goût pour la sculpture et fut chargé d'exécuter des figures sur des carrosses. Il séjourna à Paris où il continua à développer ses aptitudes artistiques, exposa en 1802 à l'Académie et grâce à un premier prix, alla passer sept ans à Rome. Pendant le règne de Napoléon Ier, il sculpta pour le château de Fontainebleau une statue de l'*Amour*. Il acheva la grande statue de *Napoléon*. La chute de celui-ci l'amena à retourner dans son pays. Il entra dans la confrérie de Saint-Luc à Soleure en 1815. Parmi ses œuvres, on cite *Cléobis et Biton* dans une salle de l'hôtel de ville à Soleure, les armoiries de la ville sur la façade est de cet édifice, une *Charité* au portail de l'ancien orphelinat, puis des bustes de Nikolaus von Flüe, Ulrich, Byst, Kosciuszko, ainsi que son dernier ouvrage : *Christ sur la croix*, dans l'église paroissiale à Deitingen.

EGGENSPERGER Karl Adolf
XIXe siècle. Actif à Potsdam. Allemand.
Peintre.
Il fut élève de l'Académie de Berlin où il exposa en 1818, 1824 et 1830 avec des portraits, une *Madone*, une *Nymphe*, etc.

EGGER. Voir aussi **ECKER** et **ÖCKER**

EGGER Balthasar
Né à Winkler en Carinthie. Mort le 15 septembre 1688 à Munich. XVIIe siècle. Autrichien.
Peintre.
Il fut élève du peintre Josef Camerlainder à Lienz et il s'installa à Munich en 1657, mais ce n'est qu'en 1667 qu'il put se faire admettre dans la Corporation de cette ville. En 1668 il acquit le droit de bourgeoisie. En 1682 il travailla à l'installation de l'église des Théatins.

EGGER Eduard
Né le 15 mars 1882. XXe siècle. Suisse.
Peintre.
Il était originaire de Kerns. Il fut élève du Gymnase et de Robert Elmiger à Sarnen. Il étudia aussi chez Karl Georg Kaiser à Stans. Il visita Lucerne et l'Italie, où il poursuivit ses études.

EGGER Ernst
Né le 13 mars 1874 à Soleure. XXe siècle. Suisse.
Peintre de paysages. Postimpressionniste.
Il se forma à Florence et, à Paris, fut l'élève de Matisse.
À l'Exposition de Munich de 1909, il exposa une peinture *Lac Majeur, effet du matin*.

EGGER Franz ou **Öcker**
Né en 1757. Mort en 1781 à Vienne. XVIIIe siècle. Autrichien.
Sculpteur.
Il était fils de Konrad Egger.

EGGER Hanna
Née le 3 mai 1881 à Berne. XXe siècle. Suissesse.
Peintre, graveur.
Elle fut élève de l'École des Arts Industriels de Genève et, à Munich d'Angelo Janck et de l'École de Wilhelm von Debschitz. À Paris, elle fréquenta l'Académie Ranson. Elle figura dans des expositions collectives en Suisse, essentiellement en tant que graveur à l'eau-forte et sur bois.

EGGER Ida
XIXe siècle. Française.
Peintre de fleurs, peintre à la gouache, aquarelliste.
De 1834 à 1838, elle se fit représenter au Salon de Paris.
Ventes Publiques : Monte-Carlo, 8 déc. 1984 : *Deux Roses*, gche (25x19,3) : **FRF 8 000**.

EGGER Jakob
XVIIe siècle. Suisse.
Peintre.
Il travailla au maître-autel de l'église collégiale de Saint-Gall en 1644.

EGGER Jakob
Né vers 1770 à Gossau (Saint-Gall). Mort en 1842 à Vienne. XVIIIe-XIXe siècles. Suisse.
Graveur et miniaturiste.
Egger étudia à Zurich sous Diogg, et entra en 1797 à l'Académie de Vienne. Parmi ses œuvres, on cite : Séries de têtes tirées du *Massacre des Innocents* de Raffaelo, *Livre de dessins*, d'après des dessins de Füger et de Cauzig, *Portrait du prince Karl von Schwarzenberg*, d'après J. Merz.

EGGER Jean
Né en 1897 à Hüttenberg (Carinthie). Mort en 1934. XXe siècle. Autrichien.
Peintre de portraits, paysages.
Il fit un séjour en Sicile, puis à Paris, où il exposa aux Salons de la Société Nationale des Beaux-Arts et des Tuileries de 1925 à 1930.
Ventes Publiques : Vienne, 22 sep. 1971 : *La terre* : **ATS 40 000** – Vienne, 7 juin 1972 : *Portrait du cardinal Merio* : **ATS 25 000** – Vienne, 21 mars 1973 : *Paysage* : **ATS 50 000** – Vienne, 22 sep. 1978 : *L'église de campagne*, h/t (82x66) : **ATS 40 000** – Vienne, 12 nov. 1985 : *La cascade*, h/pan. (38x37) : **ATS 60 000** – Paris, 6 oct. 1993 : *Portrait de jeune femme*, h/t (86x59) : **FRF 45 000**.

EGGER Konrad Wenzel ou **Öcker**
Né en 1708. Mort en 1785 à Vienne. XVIIIe siècle. Autrichien.
Sculpteur.
Élève de l'Académie des Beaux-Arts à Vienne en 1743, il en fut nommé membre en 1757. Il était fils de Simon Egger.

EGGER Nicolaus
XVIIe siècle. Actif à Linz. Autrichien.
Sculpteur.

EGGER Simon ou **Öcker**
Né en 1680 à Terling (Tyrol). Mort le 29 avril 1753. XVIIIe siècle. Autrichien.
Sculpteur.

EGGER Wilhelm
Né à Staad. XVIIIe-XIXe siècles. Suisse.
Dessinateur.
Il reçut des leçons du peintre F.-G.-A. Schöners à Yverdon. Egger, qui s'adonna à l'enseignement, visita l'Italie et produisit surtout des portraits en profil, au crayon noir.

EGGER-LIENZ Albin, pseudonyme de **Trojer Igenuin Albuin**
Né le 29 janvier 1868 à Striebach (près de Lienz, Tyrol). Mort le 4 novembre 1926 à Zwölfmalgreien ou Santa-Justinia (près de Bolzano, Tyrol-du-Sud). XIXe-XXe siècles. Autrichien.
Peintre d'histoire, compositions à personnages, figures. Vériste.
Il fut élève de Gabriel von Hackl et de Wilhelm von Lindenschmit le jeune à l'Académie de Munich, de 1884 à 1893. Il travailla à Linz et se fixa à Vienne de 1899 à 1911, date à laquelle l'empereur s'opposa à sa nomination comme professeur. Il enseigna à l'Académie de Weimar en 1912-1913, s'engagea comme volontaire en 1915. Après la guerre, il retourna définitivement dans son pays natal. Il exposa régulièrement dans les Salons de Berlin, Vienne et Munich.
Vers 1905, il subit l'influence de Hodler. Vers 1910, il évolua dans le sens d'une facture plus nettement expressionniste. Il adopta un dessin simplifié, efficace, pour peindre désormais à grands traits les cycles voués à la vie des gens simples du Tyrol. Ces paysans sont pour lui porteurs des symboles des étapes de la vie. Il avait d'abord retracé leur vie et leurs combats dans un style anecdotique marqué de la tradition de la peinture de genre du XIXe à Munich dans la continuité de Franz von Defregger, style qui chez lui s'affirma et s'affermit donc ensuite. La guerre de 1914-1918 lui inspira un cycle de peintures de dénonciation des désastres et de l'horreur. Les compositions des *Héros* de 1916, des *Soldats inconnus* de 1916, de la *Missa eroïca* de 1918, concilient à la fois une mise en scène très muralement décorative et la brutalité du propos corrosif. En 1918, dans la composition *Final*, il a figuré un insoutenable amas de cadavres. En 1925 à Linz, il exécuta des peintures murales pour la chapelle commémorative de la guerre : *Tempête, Sacrifice des morts, Le ressuscité*, qui restèrent frappées d'interdit jusqu'en 1950. Il peignit des compositions historiques : *Après la conclusion de la paix au Tyrol*, religieuses : *La Sainte Famille*, et, après 1922, surtout des scènes de la vie du peuple tyrolien : le triptyque de *La Terre, Le Bénédicité, Jeune homme soulevant une poutre, Le retour du paysan, La demande, Le déjeuner, Avant le printemps au Tyrol, Le semeur et le diable*, dans une technique vériste, bien que solidement structurée et synthétique. ■ Jacques Busse

Bibliogr. : In : *Diction. de la peint. allemande et d'Europe centrale*, Larousse, Paris, 1990.
Musées : Bruck (Château de Osttiroler Heimatmus.) : *Premiers jours de printemps* – *La Vie* 1915 – Innsbruck : *Résurrection* 1924 – Mannheim : *Les pélerins* – Vienne (Österr. Gal.) : *Vendredi saint* – *La danse macabre de 1809* 1906-1908 – *Le Bénédicité* 1928 – Vienne (Gal. d'Art Mod.) : *La croix* – *Après la conclusion de la paix au Tyrol* – Vienne (Mus. de l'Armée) : *Les soldats inconnus* 1916 – *La Missa eroïca* 1918.
Ventes Publiques : Vienne, 4 déc. 1962 : *La demande* : **ATS 75 000** – Vienne, 18 mars 1964 : *Au soldat inconnu* : **ATS 110 000** – Vienne, 2 déc. 1969 : *Andras Hofer* : **ATS 100 000** – Vienne, 17 mars 1971 : *Le retour du paysan* : **ATS 150 000** – Vienne, 28 mai 1974 : *L'Ave Maria dit après la bataille* : **ATS 70 000** – Vienne, 17 mars 1978 : *Trois moissonneurs*, aquar./cart. (82,5x126,5) : **ATS 650 000** – Vienne, 18 mars 1981 : *Bergraum* 1910-1911, fus., craie noire et past./pap. gris (76,9x64,3) : **ATS 75 000** – Vienne, 31 mars 1984 : *« Weberei »* 1924, h/tempera (53x100) : **ATS 250 000** – Vienne, 11 sep. 1984 : *Esquisse de chaumière*, cr. (17,8x26,9) : **ATS 16 000** – Munich, 5 déc. 1985 : *Pot de fleurs*, h/cart. (70,7x98,5) : **DEM 110 000** – Munich, 13 mai 1987 : *Le moissonneur*, aquar./pap. mar./cart. (51x65) : **DEM 53 000** – Londres, 10 fév. 1988 : *Etude pour une Pietà*, cr. (32x22,5) : **GBP 825** – Londres, 29 nov. 1988 : *Le meneur*, h/t (62,3x56,8) : **GBP 41 800** – Rome, 30 oct. 1990 : *Roses de mai*, h/pan. (49x57) : **ITL 60 000 000** ; *Le déjeuner, deuxième version* 1910, h/pan. (55x80) : **ITL 225 000 000** – Munich, 10 déc. 1992 : *Nature morte de légumes* 1890, h/t (81x110,5) : **DEM 90 400** – Munich, 27 juin 1995 : *Étude de paysan pour la nuit de Noël*, cr./pap. (39,5x26) : **DEM 8 625** ; *Le faucheur*, h/t (71x62,5) : **DEM 193 700**.

EGGERDES Hans ou **Eggers**
XVIe siècle. Allemand.
Peintre.
Il travaillait à Lübeck entre 1561 et 1573.

EGGERDES Heinrich
XVIe siècle. Actif à Brunswick. Allemand.
Peintre.

EGGERDES Joachim
XVIe siècle. Actif à Lübeck en 1533. Allemand.
Sculpteur sur bois.

EGGERS Bartholomaus
Né à Rheineck. XVIIe siècle. Suisse.
Sculpteur de statues.
Il fut élève de Schlüter. Il exécuta en 1686 à Rome une statue en marbre de Charles de Hesse. Il est probablement identique à Bartholomeus Eggers.

EGGERS Bartholomeus
Mort avant 1692 à Amsterdam. XVIIe siècle. Hollandais.

Sculpteur de monuments, groupes, statues.
Vivant à Amsterdam, il est peut-être d'origine allemande ; il fut d'abord élève de Quellinus ; il travailla à partir de 1662, pour le prince électeur de Brandebourg ; il était, en 1665, dans la Camera de La Haye, en 1667 à Amsterdam, en 1669 à La Haye et en 1687 à Berlin.
Parmi ses œuvres principales, on cite : *Une Pallas et quatre dauphins.*
Musées : Amsterdam : *Buste de Jan Munter* – Amsterdam (façade sud de la Bourse) : *Un Mercure* – La Haye (église Saint-Jacques) : *Le Tombeau de l'amiral Wassenaer Van Obdam* – Potsdam (Château roy.) : *Princes de Brandebourg*, onze statues de marbre – *César* – *Constantin* – *Charlemagne* – *Rodolfe de Habsbourg* – six bas-reliefs en marbre – Potsdam (Sans-Souci) : *L'Enlèvement de Proserpine.*

EGGERS Hans
XVIIe siècle. Actif à Hambourg. Allemand.
Peintre verrier.

EGGERS Hans. Voir **EGGERDES**

EGGERS Jakob
XVIIe siècle. Actif à Amsterdam. Hollandais.
Sculpteur.
Frère de Bartholomeus Eggers, il travailla avec lui à Amsterdam en 1674.

EGGERS Johann Carl
Né en 1787 à Neu-Strelitz. Mort en 1863 à Neu-Strelitz. XIXe siècle. Allemand.
Peintre d'histoire, compositions religieuses, portraits.
Il fit ses études d'art chez Matthai à Dresde. Il partit ensuite à Rome, où il se lia avec Cornelius, Overbeck et Philipp Jeit. Il travailla avec Cornelius aux fresques pour le hall du Nouveau Musée à Berlin. Il travailla également à Rome, au Musée Chiaramonti du Vatican et au Palais Caffarelli, et en Allemagne pour les princes de Mecklembourg.
Musées : Berlin (Bellevue) : *Amour agenouillé* – Florence (Acad. Saint-Marc) : *Copie de l'archange saint Michel du Pérugin* – Leipzig : *Sainte Catherine d'Alexandrie* – *Portrait d'Italienne* – *Portrait de Mariane Rehberg.*
Ventes Publiques : Copenhague, 3 avr. 1981 : *Bord de mer* 1885, h/t (85x125) : **DKK 5 500** – Lucerne, 3 juin 1987 : *La Visite* 1853, h/pan. (61,5x53) : **CHF 3 400** – Stockholm, 15 nov. 1989 : *Embarcation au crépuscule*, h/t (66x94) : **SEK 16 500.**

EGGERT Daniel
Né vers 1732 à Dantzig. Mort après 1768. XVIIIe siècle. Allemand.
Sculpteur.
Cet artiste travailla dans plusieurs pays, Russie, Suède, Danemark, Hollande, France et Angleterre. Il exécuta à Londres un groupe de marbre : *Le Sacrifice d'Iphigénie.*

EGGERT Frans Xaver
Né en 1802 à Hochstädt. Mort en 1876 à Munich. XIXe siècle. Allemand.
Peintre verrier.
Il travailla la peinture décorative à Augsbourg et à Munich, puis se consacra à la peinture sur verre, en laquelle il se fit une juste réputation. Il a travaillé aux vitraux de nombreuses églises à Cologne, Munich, Bâle, Constance, Ratisbonne, Baden-Baden.

EGGERT Fridolin
XVIIe-XVIIIe siècles. Actif en Suisse. Suisse.
Peintre.
Ce moine, de l'ordre des Bénédictins, peignit, à ce qu'il semble, exclusivement pour son ordre et les églises de Rabius, de Disenti, de Laax, de Truns, de Ruis et de Neukirch. Son premier tableau connu date de 1682 et fut exécuté pour l'autel de l'église paroissiale à Rabius. On cite ses peintures dans l'église des Bénédictins près Truns, notamment un *Cortège triomphal de la mère de Dieu*, daté de 1687. Son dernier tableau conservé porte la date de 1705.

EGGERT Sigmund
Né le 13 février 1839 à Munich. Mort le 25 août 1896 à Walchstadt. XIXe siècle. Allemand.
Peintre de genre, illustrateur.
Il était le fils de Franz Xaver Eggert. Il a fait des illustrations pour le *Gartenlaube* et *Uber Land und Meer* entre 1880 et 1886. On cite de lui : *L'Art à la campagne* et *Le Paysan et le Renard.*
Ventes Publiques : Londres, 16 oct. 1974 : *Le Botaniste* : **GBP 400** – New York, 11 fév. 1981 : *Das Lebkuchenherz*, h/t (67x78) : **USD 8 500** – New York, 26 mai 1983 : *Grand-père racontant une histoire à ses petits-enfants* 1872, h/t (58,5x73,5) : **USD 10 500** – Chester, 19 avr. 1985 : *Packed up*, h/pan. (27x21) : **GBP 1 700** – New York, 26 mai 1993 : *La jolie servante d'auberge*, h/t/cart. (83,8x68,6) : **USD 6 900** – New York, 24 mai 1995 : *Un visiteur inattendu*, h/t/rés. synth. (71,8x94,6) : **USD 8 050.**

EGGERT Wilhelm
Né le 10 novembre 1886 à Remscheid. XXe siècle. Allemand.
Peintre de compositions à personnages, portraits, nus, sujets divers.
Il fut élève de l'Académie des Beaux-Arts de Karlsruhe. Il fit un court séjour à Paris, puis devint l'élève de Hugo von Habermann à l'Académie de Munich. Il a travaillé en Suisse et en Italie. Il travailla aussi à Cologne où il exposa fréquemment et fut membre de l'Association des Artistes.
Il eut une activité importante de portraitiste et peignit notamment plusieurs autoportraits. Dans son œuvre sont également mentionnés des marines et des sujets divers, tel celui d'une grande peinture *Intérieur d'usine.*

EGGIMANN Hans
Né le 29 septembre 1872 à Berne. XIXe-XXe siècles. Suisse.
Dessinateur, graveur, illustrateur.
De 1891 à 1895, il étudia la peinture, l'architecture et la musique à Dresde. De 1898 à 1901, il compléta son éducation artistique à l'École des Beaux-Arts de Paris. Après un voyage en Italie, il se fixa à Berne. À partir de 1909, il a participé aux expositions collectives suisses et internationales.
Il a produit un grand nombre de dessins, ex-libris, eaux-fortes, illustrations de livres, la plupart sur des sujets satiriques et philosophiques.
Musées : Bâle – Zurich.

EGGINK Johann Leberecht
Né en 1787 en Courlande. Mort en 1867 à Mitau (nom allemand de Ielgava, Lettonie). XIXe siècle. Russe.
Peintre d'histoire.
Élève des Académies de Munich et de Vienne. En 1817, il alla en Italie et ensuite à Saint-Pétersbourg. Il était membre de l'Académie de Saint-Pétersbourg. En 1837, il devint professeur de l'école de dessin à Mitau. On cite de lui : *La bataille de la Néva*, *Vue d'Eboli, près de Paestum*, plusieurs retables et tableaux d'autel et de nombreux portraits. La Galerie de l'Ermitage à Leningrad possède 17 de ses copies miniatures, de maîtres italiens.
Musées : Ielgava, ancien. en all. Mitau : *Victoire d'Alexandre Newsky sur les Suédois en 1240* – *Entrée d'Alexandre Newsky à Pleskau en 1242* – *Ulysse et Nausicaa* – *Romaine devant son miroir* – *Portrait de J. F. von der Recke* – *Portrait de F. von Osten-Sacken* – Saint-Pétersbourg (Acad. des Beaux-Arts) : *Portrait du fabuliste Kryloff* – Saint-Pétersbourg (Ermitage) : *Mise au tombeau*, d'après Raphaël – Saint-Pétersbourg (Mus. Russe) : *Le Baptême de Wladimir Ier en 988.*

EGGINTON Frank J. ou **Eggington**
Né en 1908. Mort en 1990. XXe siècle. Irlandais.
Peintre-aquarelliste de paysages, paysages animés.
Peintre des paysages typiques de l'Éire.
Bibliogr. : Grant M. Waters, in : *Dictionnaire des Artistes britanniques.*
Ventes Publiques : Londres, 3 nov. 1982 : *Connemara ponies near Recess*, aquar. (53x75) : **GBP 300** – Londres, 30 mars 1983 : *Corraun Achill, Co Mayo*, aquar. (52x74) : **GBP 400** – Belfast, 30 mai 1990 : *Le port de Killary, près de Leenane dans le comté de Galway*, aquar. (53,3x75,6) : **GBP 2 200** – Londres, 8 fév. 1991 : *Retour vers la maison d'un cabriolet sur une route d'Irlande*, aquar. (52,1x75) : **GBP 1 320** – Dublin, 26 mai 1993 : *Petit matin à Ballyconneely* 1972, aquar. (72,7x75) : **IEP 1 980** – Montréal, 23-24 nov. 1993 : *Ring of Kerry*, aquar. (53,3x73,6) : **CAD 2 200** – Londres, 2 juin 1995 : *Un lac dans le comté de Galway*, aquar. (53x76) : **GBP 1 495.**

EGGINTON Wycliffe
Né en 1875. XXe siècle. Britannique.
Dessinateur, peintre-aquarelliste de paysages animés. Postimpressionniste.
Il a aussi exposé à Paris, au Salon des Artistes Français dans les années vingt.
Uniquement dessinateur et aquarelliste, il a essentiellement traité les paysages de landes du massif de Dartmoor dans le Devonshire, pâturages d'ovins, et occasionnellement pour les

chevaux et les poneys. Touché par le postimpressionnisme d'époque, il était attentif à traduire l'influence de l'heure de la journée, de la saison, du temps qu'il fait : *le matin..., soirée tranquille..., matinée d'octobre..., temps nuageux..., jour de tempête..., etc.*
Ventes Publiques : Londres, 6 fév. 1923 : *Scène dans la lande avec deux chevaux ; Près du poste du pont, Darthour,* 2 dess., ensemble : **GBP 21** – Londres, 23 juil. 1926 : *Scène dans la lande, Hampsted,* dess. : **GBP 8** – Londres, 31 mars 1943 : *Scène dans un port,* aquar. : **GBP 11** – Londres, 26 nov. 1943 : *Scène familière avec des moutons,* dess. : **GBP 19** – Londres, 10 mai 1946 : *Le matin au Loch Moro,* dess. : **GBP 24** ; *Soirée tranquille, Arisaig,* dess. : **GBP 16** ; *Le soir, étang de Windsor* 1925 ; *Le Loch Macraig, près de Aberfeldy* 1924, deux dess., ensemble : **GBP 37** – Londres, 27 fév. 1985 : *On the Teign marshes,* aquar. (25x35) : **GBP 500** – Londres, 26 sep. 1990 : *La rentrée du troupeau,* aquar. (60x90) : **GBP 1 540** – Dublin, 26 mai 1993 : *Moutons en route pour le pâturage,* aquar. (17,2x23,5) : **IEP 715** – St. Asaph (Angleterre), 2 juin 1994 : *Croisement de routes,* aquar. (35,5x53) : **GBP 1 897** – Londres, 9 mai 1996 : *Vent sur la prairie,* aquar. (53,3x73,7) : **GBP 1 380.**

EGGLESTON Allegra
Née à Slillwater (États-Unis). xixe-xxe siècles. Américaine.
Peintre.
Élève de Charles Lesar et de Wyatt Eaton.

EGGLESTON Benjamin Osro
Né le 22 janvier 1867 à Belvédère. Mort en 1937. xixe-xxe siècles. Américain.
Peintre de paysages, figures.
Il fut élève de Douglas Volk. Il s'établit à Brooklyn, où il fut membre de plusieurs clubs artistiques.
Ventes Publiques : New York, 28-30 jan. 1903 : *Les enfants d'autrefois* : **USD 300** – New York, 3 avr. 1903 : *Le ruisseau* : **USD 130** ; *Feuilles d'automne* : **USD 250** – New York, 30 jan. 1976 : *Le chasseur,* h/t (107x91,5) : **USD 700** – New York, 23 sep. 1981 : *Scène de marché, Paris* 1896, h/t (44,5x38,1) : **USD 4 800** – New York, 15 juin 1984 : *Paysanne dans un champ* 1888, h/t (25,3x31) : **USD 2 000** – New York, 5 déc. 1985 : *Une matinée de juin* 1888, h/t (25,4x30,5) : **USD 3 500** – New York, 24 jan. 1989 : *Le pont de Brooklyn,* h/t (120x95) : **USD 7 700.**

EGGLESTON Edward M.
Né en 1887 dans l'Ohio. xxe siècle. Américain.
Peintre, illustrateur.
Il était membre de plusieurs associations d'artistes, dont la Society of Illustrators.

EGGLI Daniel ou **Egli**
Originaire de Sursee. xvie siècle. Suisse.
Peintre verrier.
Eggli aurait fourni des vitraux armoriaux pour Melchior Entli à Beromünster.

EGGLI Hans Jakob ou **Egli**
xviie siècle. Actif à Aarau. Suisse.
Peintre verrier.
Il fut reçu bourgeois de Berne le 20 juillet 1629.

EGGLI Jakob
Né le 17 février 1812 à Dachsen. Mort à Rheinau. xixe siècle. Suisse.
Peintre à la gouache et lithographe.
Il peignit surtout des paysages à la gouache, voyagea dans l'Allemagne du Sud et habita Dachsen, le château de Laufen et celui de Wyden près Andelfingen.

EGHEM. Voir **EEGHEM**

EGIDIO di Domenico
xive siècle. Actif à Bologne à la fin du xive siècle. Italien.
Sculpteur.
Cet artiste travailla avec Berto di Antonio, Francesco di Guardo et Berto di Giacomo à la Loggia del Carrobio (maintenant Forum des Marchands).

EGIDIO Fiammingo. Voir **VLIETE**

EGIDIO di Onofrio. Voir **ONOFRIO di Gilio**

EGIDIO degli Scalzi
Mort en 1283 à Pérouse. xiiie siècle. Italien.
Peintre miniaturiste.
Il était moine prêcheur.

EGIDIO Teutonico
xve siècle. Actif à Pérouse. Italien.
Enlumineur.
Un *Officium Passionis Jesu Christi* de 1474 porte la signature « Egidius Reuto fecit ».

EGIDIUCCI Cruciano
xviie siècle. Actif au début du xviie siècle. Italien.
Sculpteur et mosaïste.
Le ciborium de l'église Saint-Marie-Majeure à Bettona, ainsi que les fonds baptismaux en mosaïque de l'église Saint-Laurent à Spello sont ses œuvres.

EGIDIUS. Voir aussi **EGIDIO** et **AEGIDIUS**

EGIDIUS Halfdan. Voir **EGEDIUS**

EGIDIUS DE DES Dézsi Egyed
xve siècle. Hongrois.
Peintre.
Il exécuta en 1467 les peintures murales de l'église de Feketegyarmat près d'Arad.

EGIDY Constantin
Graveur.
Cité par Nagler comme ayant gravé deux planches représentant des autels.

EGIDY Emmy von
Née en 1872 à Pirna. xxe siècle. Allemande.
Sculpteur de statuettes, bustes, portraits.
Elle figura en 1904 à la grande Exposition de Dresde.
Elle produisit surtout des statuettes en plâtre coloré, mais aussi des bustes et portraits.

EGINTON E. A.
xixe siècle. Actif à Worcester. Britannique.
Dessinateur et aquafortiste.
Une suite d'eaux-fortes *Notre Village,* portant sa signature parut à Worcester en 1842. Il était probablement fils de l'architecte Harvey Eginton.

EGINTON Francis
Né en 1737. Mort en 1805 à Handsworth. xviiie-xixe siècles. Britannique.
Peintre verrier.
Élève à Handsworth, près Birmingham, il contribua beaucoup au développement de l'art, de 1784 à 1805. On cite parmi ses meilleures œuvres : *La résurrection,* dans les églises de Salisbury et de Lichfield ; *La conversion de saint Paul* à Saint-Paul de Birmingham. Il existe des vitraux de lui dans la cathédrale Saint-Asaph, l'abbaye de Fonthill et le collège Sainte-Madeleine à Oxford.

EGINTON Francis
Né en 1775 à Birmingham. Mort le 20 octobre 1823 à Meertown House (près de Newport, Shropshire). xixe siècle. Britannique.
Graveur.
Fils et élève de John Eginton, il grava au pointillé d'après ses propres dessins les illustrations d'un *Nouveau Guide de Bath.* On cite également de cet artiste 2 vues à l'aquarelle de la *Verrerie de Soho* de Mathiew Bolton, des illustrations pour l'*Exposé historique et topographique de Leominster* de J. Price, pour l'*Aperçu poétique des environs de Birmingham* de James Bisset et pour l'*Histoire et Antiquités du Staffordshire* de Stebbing Shaw.

EGINTON John
xviiie siècle. Travaillant en Angleterre vers 1790. Britannique.
Graveur au pointillé.
Le Blanc cite de lui : *Hébé donne à boire à l'aigle de Jupiter,* d'après W. Hamilton.

EGINTON William Raphael
Mort le 17 septembre 1834 à Perdeswell Cottage (près de Worcester). xixe siècle. Britannique.
Peintre verrier.
Fils du peintre verrier Francis E. il eut une très grande activité, entre autres à Birmingham.

EGIS Boris Issakovitch
Né en 1869 à Odessa. xixe-xxe siècles. Russe.
Peintre de genre, portraits.
Il acquit sa formation artistique à Odessa de 1889 à 1892, puis aux Académies Colarossi et Julian à Paris. Il figura à l'Exposition de l'Académie de Saint-Pétersbourg en 1907.
Il peignait des portraits de femmes et des scènes de genre : *Billet doux.*

EGLAUER Johann Andreas ou **Iglauer**
Né en 1647 à Vienne. Mort le 21 mai 1726 à Vienne. xviie-xviiie siècles. Autrichien.

Sculpteur.
Il fut élève du sculpteur J. Keller dont il épousa la fille en 1691.

EGLAUER Johann Georg
Né au XVIIe siècle à Vienne. XVIIe siècle. Autrichien.
Peintre.
Il était le frère du sculpteur Johann Andreas E. Après un séjour de trois ans en Italie, il travailla au monastère de Krema.

EGLÉE. Voir **ADORNE DE TSCHARNER Louise, Mlle**

EGLÈNE-SURIEUX Blanche
Née à Lyon (Rhône). XXe siècle. Française.
Peintre de paysages et de marines.
Exposante du Salon des Artistes Français à partir de 1935.

EGLETON William Henry
XIXe siècle. Actif à Londres. Britannique.
Graveur.
Il a gravé des planches pour les *Illustrations de paysages des nouvelles de l'auteur de Waverley* pour le *Livre de la Beauté* de J. Heath, pour les *Portraits de l'Aristocratie féminine* de Finden.

EGLEY William ou **Egly**
Né en 1798 à Doncaster. Mort en 1870 à Londres. XIXe siècle. Britannique.
Miniaturiste.
Il trouva le temps, bien qu'employé, de s'occuper de peinture, pour laquelle il montra dès le plus jeune âge de grandes dispositions. En 1824, il envoya à l'Académie royale le *Portrait de Yale, l'acteur*. Il s'adonna dès lors au portrait. Deux ans avant sa mort, il fit le *Portrait de Foeey, le sculpteur*. Son succès consista surtout à peindre les enfants. Il exposa à plusieurs reprises à la Royal Academy, et envoya quelques miniatures à Suffolk Street et à la British Institution.

EGLEY William Maw
Né en 1826. Mort en 1916. XIXe siècle. Britannique.
Peintre d'histoire, scènes de genre.
Fils de William Egley, cet artiste a su mettre l'humour anglais au service de son pinceau. Il exposa à Londres, de 1843 à 1898, à la Royal Academy et à Suffolk Street.
MUSÉES : LONDRES (Victoria and Albert Mus.) : *Florence Dombey*, d'après le roman de Dickens – *Monsieur de Pourceaugnac – Scène du Malade Imaginaire*, deux fois – *Scène du Tartuffe – Scène du Médecin malgré lui.*
VENTES PUBLIQUES : LONDRES, 30 nov. 1907 : *La Danse* : **GBP 4** – LONDRES, 2 avr. 1910 : *Le cardinal de Richelieu dansant devant Anne d'Autriche* : **GBP 21** – LONDRES, 10 déc. 1926 : *Scène de l'École du Scandale, Acte IV, Scène I* 1882 : **GBP 21** – LONDRES, 12 avr. 1934 : *La danse* : **GBP 5** – LONDRES, 6 juin 1935 : *Une nouvelle acquisition* 1889 : **GBP 6** – LONDRES, 12 fév. 1969 : *Jeune fille appuyée à un arbre* : **GBP 2 300** – LONDRES, 5 oct. 1973 : *Pyrame et Thisbé* 1861 : **GNS 2 000** – LONDRES, 27 juin 1978 : *Pyrame et Thisbé* 1861, h/t (44,5x35) : **GBP 5 500** – LONDRES, 24 mars 1981 : *Miranda's first sight of Ferdinand* 1863, h/t (63,5x40,5) : **GBP 1 350** – LONDRES, 17 juin 1987 : *Retour chez soi* 1866, h/t (76x125) : **GBP 5 000** – LONDRES, 4 nov. 1994 : *La Lettre* 1863, h/t (25,4x20,3) : **GBP 5 175** – LONDRES, 6 nov. 1995 : *Myosotis* 1872, h/t (29x24) : **GBP 2 185** – LONDRES, 17 avr. 1996 : *Le Marché aux esclaves*, h/t (70x91) : **GBP 2 760** – LONDRES, 12 mars 1997 : *Le Connaisseur*, h/t (99x75,5) : **GBP 6 900**.

EGLI. Voir aussi **EGGLI**

EGLI David
XVIIIe-XIXe siècles. Actif à Wald (canton de Zurich). Suisse.
Peintre de portraits et d'histoire et dessinateur.
Élève de Joh. Pfenninger.
MUSÉES : ZURICH : *Portrait de femme en costume villageois.*

EGLI Gotthilf
Né en 1896 à Witikon. Mort en 1954 à Zurich. XXe siècle. Suisse.
Peintre de paysages, natures mortes.

EGLI-SCHÄTTI Johannes
Né le 30 mai 1828 à Zurich. Mort le 26 mars 1870 à Zurich. XIXe siècle. Suisse.
Dessinateur et lithographe.
Élève de l'Académie de Munich, il dirigea à Zurich un atelier de lithographie et exécuta, entre autres, les ouvrages suivants : *Album de vues zurichoises*, frontispice avec huit portraits des fondateurs de l'Union Artistique de Zurich, le *Livre des armoiries de la ville et de la noblesse ancienne zurichoise.*

EGLIN Anton
XIXe siècle. Actif à Lucerne. Suisse.
Lithographe.
Il est le frère de Carl Martin Eglin.

EGLIN Bernhard
Né le 15 août 1798 à Lucerne. Mort le 5 septembre 1875. XIXe siècle. Suisse.
Dessinateur-lithographe.
B. Eglin étudia dans l'atelier de lithographie Engelmann à Mulhouse. Après avoir été associé avec son frère Carl Martin, dans un atelier de lithographie, qui fut le premier de ce genre à Lucerne, il s'établit seul en 1826. Parmi ses œuvres, on mentionne des vues lithographiées, et des planches de genre telles que : *La Réprimande, Les Chiens de l'Hospice Saint-Bernard.*

EGLIN Carl Martin
Né le 16 juin 1787 à Lucerne. Mort le 14 ou 18 octobre 1850 à Lucerne. XIXe siècle. Suisse.
Peintre, graveur et lithographe.
D'après Wegler, cet artiste aurait travaillé comme portraitiste et peintre de natures mortes à Munich avant de s'associer avec son frère, à Lucerne. En 1832, Eglin restaura la *Danse de la mort* de von Wyl à Lucerne et copia les fresques de Holbein sur la façade de la maison Dullick à Lucerne.

EGLING George
Mort le 25 octobre 1632. XVIIe siècle. Allemand.
Peintre.
Il fut élève de George Hauer à Breslau. Après avoir présenté une *Crucifixion*, il fut reçu maître en 1624.

EGLINGTON James T.
XIXe siècle. Actif à Liverpool. Britannique.
Peintre d'histoire et de genre.
Il exposa, entre 1847 et 1859, à la Royal Academy, à la British Institution et à Suffolk Street. Le Musée de Liverpool conserve de lui : *Entrée à Londres de Richard III.*
VENTES PUBLIQUES : LONDRES, 2 juil. 1941 : *Riding Liberties of Liverpool* 1834 : **GBP 10**.

EGLINGTON Samuel
XIXe siècle. Actif à Liverpool. Britannique.
Peintre de paysages.
Il exposa à Londres, notamment à la Royal Academy et à la British Institution, de 1833 à 1855. Le Musée de Liverpool conserve de lui *le Vieux Marché au foin.*
VENTES PUBLIQUES : LONDRES, 12 juin 1908 : *Les Émigrants* : **FRF 26** – LONDRES, 22 fév. 1972 : *Jeux d'enfants* : **GBP 460**.

EGLITE Laima
XXe siècle. Russe-Lettone.
Peintre de figures.
Elle fréquenta l'École Rozental de Riga de 1958 à 1965 et poursuivit ses études à l'Académie des Beaux-Arts de Lettonie de 1966 à 1974. Elle fut nommée Membre de l'Union des Artistes. Elle participe à des expositions nationales et internationales : Riga, Finlande, États-Unis, Allemagne.
MUSÉES : MOSCOU (min. de la Culture) – RIGA (Mus. Nat. de Lettonie).
VENTES PUBLIQUES : PARIS, 11 juil. 1990 : *Portrait en noir et blanc* 1990, h/pan. (136x116) : **FRF 4 800**.

ÉGLOFF Anton
Né en 1933 à Wettingen. XXe siècle. Suisse.
Sculpteur d'assemblages, technique mixte. Tendance conceptuelle.
Il vit et travaille à Lucerne. Il fut élève des Écoles des Arts Appliqués de Zurich et Lucerne, puis de l'Académie Nationale des Beaux-Arts de Düsseldorf. Il participe à des expositions collectives, notamment en 1970 à l'exposition *Art d'Aujourd'hui* au Musée Suermondt d'Aix-la-Chapelle. Il montre aussi des expositions personnelles de ses productions à la Galerie Raeber de Lucerne depuis 1968.
Jusqu'en 1968, il créait une sculpture qui développait des variations autour du cube. Depuis 1968, au contraire, il s'est dégagé de toute cohérence formelle, au bénéfice d'une totale liberté d'imagination, d'une totale diversité plastique. On ne sait si l'idée précède la réalisation ou si la rencontre d'un matériau suscite l'idée. En tout cas, bien qu'en général ses œuvres consistent en réalisations concrètement soignées, elles sont avant tout porteuses d'un concept. Il juxtapose et assemble des éléments très hétérogènes, dont le contact insolite provoque et produit du sens.

Bibliogr. : Théo Kneubühler : *Kunst : 28 Schweizer*, Édit. Gal. Raeber, Lucerne, 1972.

EGLOFFSTEIN Julie de, comtesse
Née en 1792 à Hildesheim. Morte en 1869 à Marienroda. XIXe siècle. Allemande.
Portraitiste et peintre de genre.
On cite d'elle : *Portrait de Goethe, Charles-Auguste, grand-duc de Saxe-Weimar, à sa table de travail, Pêcheur napolitain, Portrait de la grande duchesse de Saxe-Weimar, Agar et Ismaël, Jeune fille tressant ses cheveux.*
Musées : Hanovre (Kestner) : *Portrait de Kestner* – Weimar : *Portrait de Goethe.*

EGMAN. Voir **ECKMAN**

EGMONT d', Mlle
XVIIe siècle. Française.
Peintre de miniatures.
Deux œuvres d'elle : *Le Mariage de sainte Catherine* et *Le Christ chez Marthe et Madeleine* se trouvaient, en 1709, dans la Collection des Rois de France.

EGMONT Harmen
XVIIe siècle. Actif à Amsterdam en 1684. Hollandais.
Sculpteur.

EGMONT Jan Van
Né au XVIIIe siècle, originaire d'Amsterdam. XVIIIe siècle. Français.
Peintre.
Il entra dans la Corporation de Leyde en 1763.

EGMONT Justus Van ou **Justus Verus Ab Egmont**
Né le 22 septembre 1601 à Leyde. Mort le 8 janvier 1674 à Anvers. XVIIe siècle. Éc. flamande.
Peintre d'histoire, scènes allégoriques, portraits.
Élève de Kaspar Van den Hœcke, en 1615, à La Haye, il devint, après un voyage en Italie en 1618, celui de Rubens, qui l'envoya à Malines peindre à sa place une *Dernière Cène* pour la cathédrale et pour qui il travailla jusqu'en 1628. Il devint maître et partit avec sa famille pour Paris. Peintre de la cour de Louis XIII et de Louis XIV, il fut un des fondateurs de l'Académie de Peinture à Paris, en 1648 ; il revint à Bruxelles en 1649 et à Anvers avant 1653. Il travailla à des modèles de tapisseries pour le maréchal Daumont, en 1658 ; à l'histoire de César-Auguste, en 1659 ; à celle de Marc-Antoine et Cléopâtre, en 1661. Il fit un grand tableau de la généalogie des comtes d'Egmond et voulait y prendre sa place, bien qu'il fût fils d'un charpentier. Il réunit une merveilleuse collection de tableaux de ses contemporains. Il exposa à Paris, en 1673, le *Portrait de Mme Perceval.*
Juste Van Egmont, peintre belge, fut l'un des principaux fondateurs de l'Académie royale de peinture et d'architecture. Tout en secondant Vouet comme il avait secondé précédemment Rubens, il lutta avec ardeur contre l'Académie de Saint-Luc, qui se prévalait de son privilège pour interdire de peindre et de sculpter à ceux qui n'appartenaient pas à la corporation.
Nous possédons très peu d'œuvres de lui, mais, dans celles qui nous sont parvenues, on peut voir qu'il n'avait rien perdu des qualités flamandes de fraîcheur et de coloris.
Musées : Augsbourg : *Portrait de l'Archiduchesse Anne d'Autriche, reine d'Espagne* – Chantilly (Mus. Condé) : *Portrait du Grand Condé – Même sujet – Portrait de Françoise Angélique de la Mothe-Houdancourt – Portrait* – Londres (Nat. Port. Gal.) : *Portrait de Algernon Sidney* – Malines (Cathédrale) : *Cène, sous le nom de Rubens* – Pommersfelden : *Portrait d'un homme et d'une femme en rouge* – Reims : *L'Amour et l'Espérance* – Schleisheim : *Marie de Médicis* – Vienne : *Philippe II enfant – L'Archiduc Léopold-Guillaume en cuirasse.*
Ventes Publiques : Londres, 26 sep. 1980 : *Portrait de Charlotte, comtesse de Derby*, h/t (109,6x92) : **GBP 450** – Londres, 19 mai 1989 : *Portrait de Philippe, duc d'Anjou enfant*, h/pan. en grisaille (39,3x29,3) : **GBP 6 050** – Londres, 9 déc. 1992 : *Portrait d'une dame tenant des fleurs de jasmin*, h/t (130x98) : **GBP 10 450** – Londres, 4 juil. 1994 : *Scène allégorique*, craie noire et encre (35,1x48,5) : **GBP 3 450** – Londres, 4 juil. 1994 : *Scène allégorique*, craie noire et encre brune avec reh. de blanc (35,1x48,5) : **GBP 3 450.**

EGMONT Konstantyn Van
Baptisé à Anvers le 19 septembre 1624. Mort le 31 janvier 1679 à Paris. XVIIe siècle. Éc. flamande.
Peintre.
Fils naturel de Justus Van Egmont. Il épousa, le 29 novembre 1656, à Paris, Marie-Antoinette des Brières, et fut « peintre ordinaire du Roy et gentilhomme de la chambre Royale ».

EGMONT Pieter Cornelisz Van
Né vers 1615. Mort vers 1664. XVIIe siècle. Éc. flamande.
Peintre de genre, portraits, intérieurs.
Il travailla à Leyde et se fit inscrire à la Corporation des peintres le 12 décembre 1661. On connaît de lui : *Deux Ermites, Portrait avec berceau, Portrait avec rouet.*
Ventes Publiques : Londres, 18 oct. 1989 : *Salle d'étude avec un vieil homme assis à sa table*, h/pan. (29,5x24,5) : **GBP 9 350** – Amsterdam, 22 mai 1990 : *Femme dans une cuisine*, h/pan. (21x18,5) : **NLG 32 200.**

EGMONT Théodore Juste d'
Né en 1639 à Paris. Mort le 25 avril 1672 à Paris. XVIIe siècle. Français.
Peintre.
Peintre ordinaire du roi et huissier du cabinet du duc d'Orléans, cet artiste fit preuve de talent. On a de lui, au Musée de Chartres, le *Portrait de Madame de Normainville.*

EGMONT Willem Van
XVIIIe siècle. Actif à Amsterdam. Éc. flamande.
Peintre.
Il travailla à Leyde et entra dans la Corporation en 1743.

EGNER Hans Michel
XVIe siècle. Actif à Strasbourg. Français.
Sculpteur et sculpteur sur bois.
On suppose qu'il est identique au sculpteur Hans Michel Egner qui, lorsqu'il obtint le droit de bourgeoisie de la ville de Bâle, sculpta, en reconnaissance, une statue en pierre de *Munatius Plancus*, peinte ensuite par J. Nussbaum et érigée dans l'Hôtel de Ville.

EGNER Marie
Née le 25 août 1850 à Radkersbourg (Styrie). Morte en 1940. XIXe-XXe siècles. Autrichienne.
Peintre de paysages, natures mortes, fleurs, peintre à la gouache.
Elle étudia aux Académies de Graz et de Düsseldorf, et fut élève de K. Schindler à Vienne. Elle figura à de nombreuses expositions, d'abord à Vienne en 1882, avec une *Rue de village en Lombardie* ; à Londres à la Royal Academy, à Paris, à Munich et à Düsseldorf. On put voir ses œuvres en 1994 : *Chefs-d'œuvre du Belvédère de Vienne* au musée Marmottan à Paris.
Peintre de plein air, elle fut inspirée par l'École de Barbizon.
Musées : Graz : *Canards dans la mare* – Vienne (Mus. du Belvédère).
Ventes Publiques : Vienne, 13 mars 1971 : *Fleurs* : **ATS 35 000** – Vienne, 6 juin 1972 : *Fleurs* : **ATS 32 000** – Vienne, 4 déc. 1973 : *Prairie en fleurs* : **ATS 50 000** – Vienne, 13 jan. 1976 : *Nature morte*, h/t (55,5x68) : **ATS 28 000** – Vienne, 14 mars 1978 : *Bouquet de fleurs des champs*, techn. mixte (62x47) : **ATS 32 000** – Vienne, 20 mai 1981 : *Paysage alpestre*, aquar. (32x28,5) : **ATS 20 000** – Vienne, 23 mars 1983 : *Aus Hofgastein* vers 1915, gche (28x38) : **ATS 32 000** – Vienne, 14 sep. 1983 : *Matinée d'automne*, h/t (69x52) : **ATS 110 000** – Vienne, 15 oct. 1987 : *Le verger*, aquar. reh. de blanc (60x45) : **ATS 50 000** – Vienne, 9 déc. 1987 : *Bella vista*, h/t (96x68) : **ATS 250 000** – Londres, 22 nov. 1989 : *Figues de barbarie au coin de la terrasse*, h/t (30x40) : **GBP 6 600** – Munich, 23 juin 1997 : *Orchidées*, h/t (55,5x56) : **DEM 21 600.**

EGNOLT Thomas
XVe siècle. Autrichien.
Peintre.
On lui attribue des fresques peintes dans la basilique de Saint-Pierre à Altenbourg en 1440.

EGO Ernest
Né dans la seconde moitié du XIXe siècle à Douai (Nord). XIXe-XXe siècles. Français.
Peintre.
Élève de Chigot père. Une toile de cet artiste figurait au Salon des Artistes Français de 1919.

EGO Nelly
XXe siècle. Française.
Peintre.
Sociétaire du Salon des Artistes Français de Paris, où elle obtint une mention honorable et le Prix Zwiller en 1941.

EGOGNI Ambrogio. Voir **BORGOGNONE Ambrogio di Stefano**

EGORNOFF. Voir aussi **EGOROV**

EGOROFF. Voir aussi **EGOROV**

EGOROV Alexei Yégorovitch ou **Iegorov**
Né vers 1776 dans les steppes des Kalmyles. Mort le 22 (10) septembre 1851 à Saint-Pétersbourg. XIXe siècle. Russe.
Peintre de compositions religieuses, graveur, dessinateur.
Prisonnier des Cosaques à l'âge de six ans, il fut élevé dans une maison d'éducation de Moscou, puis étudia à l'Académie de Saint-Pétersbourg, où il fut l'élève d'Akimoff et d'Ougrioumoff. Il obtint une bourse en 1803 et alla vivre à Rome, où il fit la connaissance de Camuccini et de Canova.
Son influence sur l'art russe fut très grande, car il forma plusieurs générations de peintres, parmi lesquels Bassine, Sawialoff, Briouloff et Chamchine. De très nombreuses églises, à Leningrad, Peterhof, Tsarkoïé-Sélo, Moscou contiennent de ses œuvres. Il exécuta également un grand nombre de dessins et d'eaux fortes.
Musées : Gorki : *Saint Pierre-Saint Paul* – Krasnojarsk : *Portrait d'Alexandre Niewsky* – Moscou (Mus. Roumiantzeff) : *La Sainte Famille – La Vierge et l'Enfant – La Vierge – La mise au Tombeau – La descente du Saint-Esprit – Apparition du Christ à Marie-Madeleine* – Moscou (gal. Tretiakoff) : *Vierge – Suzanne – La Mise au Tombeau – L'enlèvement de la croix – Les évangélistes – L'Archange Michel terrassant le démon – Saint Georges et le serpent – La réconciliation de Joseph et de ses frères – La descente du Saint-Esprit sur les Apôtres – L'Annonciation – L'Ascension de Jésus Christ – « Apaise mon chagrin » – Peintures allégoriques de l'état florissant de la Science et de l'Art – Peinture allégorique de la Paix – Peinture allégorique sur Poltava – La peinture allégorique de l'Inondation à Saint-Pétersbourg en 1824 – Le pape Sylvestre ranime un bœuf – Portrait de l'artiste – Portrait de la princesse E. Golitzyn, « la Princesse Nocturne » – Portrait de Souchanoff, élève du peintre* – Moscou (gal. Tsvietkoff) : *Le supplice du Christ*, projet – *L'Annonciation aux bergers – Joseph et la femme de Putiphar – Portrait de l'artiste* – Saint-Pétersbourg (Mus. Russe) : *Portrait de Bouïalkaia – Saint Simon et l'Enfant Jésus – Sainte Famille – Le supplice du Christ – Portrait de A. R. Tomiloff* – Saint-Pétersbourg (Mus. de l'Acad.) : *Saint Jérôme – Sainte Élisabeth et Saint Jean-Baptiste enfant.*

EGOROV Andrey Simonoviev ou **Semenovich** ou **Simionovitch** ou **Egoroff, Egornoff, Egornov**
Né en 1958, 1860 ou 1861 à Moscou. Mort en 1920 ou 1924. XIXe-XXe siècles. Russe.
Peintre de paysages, de natures mortes, peintre à la gouache, aquarelliste.
Il fut élève de l'Académie de Saint-Pétersbourg et travailla sous la direction d'Akimoff.
Musées : Moscou (Tretiakoff) : *L'Hiver en France* – Saint-Pétersbourg (Mus. Russe) : *Avant la pluie – Pyrénées*, aquarelle – *Matin dans la forêt*, aquarelle – *Soir d'Automne*, aquarelle – *La Fenaison*, aquarelle.
Ventes Publiques : Londres, 6 oct. 1988 : *Vue de Riga sur la mer Baltique*, h/pan. (24x32,5) : **GBP 660** – Londres, 5 oct. 1989 : *Une pause en forêt* 1896, h/t (79,5x61,4) : **GBP 4 400** – Paris, 18 mars 1991 : *Nature morte aux bleuets* 1911, aquar. gchée (23x29) : **FRF 5 300.**

EGRET
XVIIe siècle. Français.
Peintre d'histoire.
Élève de Ch. Parrocel.

EGRET Mathieu
XVIe siècle. Actif à Cambrai. Français.
Sculpteur.
Il travailla, en 1536, au château d'Escaudœuvres, près de Cambrai.

EGRET Pieter ou **Hegret**
Né le 22 septembre 1637. XVIIe siècle. Actif à Malines. Éc. flamande.
Peintre.
Élève de Jean Van Rintel vers 1655. Il fut reçu maître en 1663.

EGRET Theodorus ou **Hegret**
Baptisé le 12 janvier 1640. Mort le 29 juillet 1722 à Malines. XVIIe-XVIIIe siècles. Éc. flamande.
Peintre de paysages.
Élève de Cornélis Beerings en 1652 et maître de Egde Baudouin en 1665. Il travailla pour les églises de Malines, pour le prieuré d'Hanswyk (deux paysages dont le ciel est peint par J.-M. Coxie).

EGRY Jozsef
Né le 15 mars 1883 à Ujlak. Mort le 16 juin 1951 à Badacsnytomaj. XXe siècle. Hongrois.
Peintre de paysages animés, paysages d'eau, peintre à la gouache, pastelliste, dessinateur, illustrateur. Post-impressionniste.
Il étudia d'abord à l'École des Beaux-Arts de Budapest, puis Munich, Vienne en 1904, à l'Académie Julian de Paris en 1905. Il poursuivit ses études à Bruxelles avant de regagner son pays. Revenu à Budapest, il travailla dans l'atelier de Karoly Ferenczy et Paul von Szinyei-Merse de 1906 à 1908. Dès 1903, il exposa ses premières œuvres : *Gargote – Étude* à Budapest. Il participa à des expositions collectives en Hongrie et à l'étranger. Il fit sa première exposition personnelle à Budapest en 1909. En 1948 lui fut décerné le Prix Kossuth. D'abord caricaturiste, il collabora comme illustrateur à diverses revues satiriques.
De 1918 à sa mort, Égry vécut sur les bords du Lac Balaton. L'ambiance de ce paysage a influencé son œuvre. Ses peintures à l'huile, gouaches et pastels se caractérisent par un style très individuel, qui ne rompt toutefois pas avec la tradition post-impressionniste, solidement implantée chez les peintres hongrois de l'époque. Egry peint le lac, les vignobles le long des collines qui l'entourent, le travail des vignerons, les pêcheurs dans leur barque, les travaux des champs. Mais, le vrai thème de ses œuvres, c'est le soleil et l'eau, dont les reflets transfigurent les personnages et le paysage. Une composition fermement construite soutient ce jeu de la lumière sur les choses. L'œuvre de Egry, proclamant l'harmonie de l'homme avec la nature, fut très tôt reconnue. ■ Andres Rac, J. B.
Bibliogr. : Lajos Nemeth : *Moderne ungarische Kunst*, Corvina, Budapest, 1969.
Ventes Publiques : Amsterdam, 27-28 mai 1993 : *Nus sur la Véranda*, h/t (50x61) : **NLG 4 140.**

EGSTEIN. Voir **ECKSTEIN**

EGUCHI Shû
Né en 1932 à Kyôto. XXe siècle. Japonais.
Sculpteur. Abstrait.
Il fut élève de l'École des Beaux-Arts de Tokyo. En 1965, il figura à l'exposition *Nouvelles Peinture et Sculpture Japonaises* au Musée d'Art Moderne de New York, en 1969 à l'exposition *Art du Monde Contemporain* au Musée National d'Art Moderne de Tokyo. En 1972, il reçut un important Prix de Sculpture Moderne à Kôbé.

EGUCHI Sogen
Né en 1919. XXe siècle. Japonais.
Peintre, calligraphe. Abstrait.
Il reçut l'enseignement des éléments de la calligraphie traditionnelle. De 1949 à 1951, il exposa à l'Institut japonais de la Calligraphie, pour lequel la calligraphie est considérée comme un moyen d'expression artistique. Depuis 1952, il est membre de l'École de *Bokuzin-Kai* et collabore aux revues de calligraphie abstraite *Bokubi* et *Bokuzin*. Il participe à de nombreuses expositions de calligraphie japonaise abstraite, à Tokyo, Osaka, etc., ainsi qu'au Musée d'Art Moderne de New York en 1954, à Paris en 1955, au Stedelijk Museum d'Amsterdam, à la Kunsthalle de Bâle, au Musée Cernuschi de Paris en 1956...
Bibliogr. : Michel Seuphor : *La calligraphie japonaise*, Art d'Aujourd'hui, Paris, déc. 1954.

EGUILAZ Rosa
XIXe siècle. Espagnol.
Portraitiste et peintre de genre.
Élève de Jose Parada y Santin.

EGUIS. Voir **EGIS**

EGUSQUIZA BARRENA Rogelio de
Né en 1845 à Santander. Mort en 1913. XIXe-XXe siècles. Espagnol.
Peintre d'histoire, scènes de genre.
Il fut élève de Francisco Mendoza avant d'entrer à l'École des Beaux-Arts de Paris. Il a exposé à Madrid, à Paris et de 1883 à 1887 à Berlin, à Munich et à Hambourg, obtenant une médaille d'argent à l'Exposition Universelle de 1900.
On cite de lui : *Les Fiancés.*

Musées : Arras : panneau décoratif.
Ventes Publiques : Londres, 25 jan. 1908 : *Prête pour le bal* : **GBP 10** – Londres, 3 avr. 1909 : *Le Bal* : **GBP 36** – Londres, 22 avr. 1932 : *Les visiteurs inattendus* : **GBP 6** – New York, 18 oct. 1944 : *Dans son boudoir* : **USD 230** – New York, 14 mai 1969 : *Vue de Venise* : **USD 625** – Londres, 24 nov. 1976 : *Beautés espagnoles*, deux toiles (77x61) : **GBP 2 600** – New York, 11 fév. 1981 : *Concert de famille*, h/t (61,5x86,5) : **USD 30 000** – New York, 25 fév. 1983 : *La lettre d'amour*, h/t (45,7x38,2) : **USD 7 000** – Londres, 9 oct. 1987 : *Rêverie* 1883, h/pan. (91,5x66) : **GBP 10 000** – New York, 24 mai 1988 : *Le concert privé* 1878, h/t (61,5x86,5) : **USD 104 500** – Monaco, 17 juin 1988 : *Jeune femme au bouquet*, h/t (99x69,5) : **FRF 72 150** – Londres, 17 fév. 1989 : *Une belle Espagnole*, h/t (80x65,4) : **GBP 7 700** – New York, 22 mai 1991 : *Des visiteurs inattendus*, h/pan. (64,8x54,6) : **USD 35 750** – Paris, 14 juin 1991 : *Elsa de Lohengren chanteuse à Barcelone en 1908*, h/t (100x81) : **FRF 75 000** – New York, 12 oct. 1994 : *La confidence*, h/pan. (35,6x27,3) : **USD 11 500**.

EGVILLE James T. Hervé d'
Mort en 1880. xixe siècle. Britannique.
Peintre de paysages, aquarelliste, dessinateur.
A Milan, en 1828, il exposa un *Intérieur d'église*. Plus tard à Londres, de 1837 à 1880, il figura aux Expositions de la New Water-Colours Society avec de nombreux paysages ; jusqu'en 1840, il exposa également à la Royal Academy et à la British Institution.
Musées : Londres (Nat. Gal.) : huit œuvres.
Ventes Publiques : Londres, 7 mars 1924 : *Murano sur les lagunes* 1873 ; *Sur la Gudecca*, deux dess. : **GBP 12** – Londres, 30 juil. 1924 : *Vue de Venise* 1848 : **GBP 9** – Londres, 15 juin 1945 : *Bateaux pêchant, au loin les Jardins publics, Venise*, dess. : **GBP 52** – Londres, 23 juin 1981 : *Un village d'Italie* 1879, aquar. (55x90) : **GBP 300**.

EGWEILER Heinrich
xive siècle. Actif à Nuremberg à la fin du xive siècle. Allemand.
Peintre.
Il est peut-être identique à Heinrich von Eichstätt, mentionné en 1363-1370 et sans doute père de Sebald Egweiler.

EGWEILER Hermann
xive-xve siècles. Actif vers 1392-1408. Allemand.
Peintre.

EGWEILER Sebald von Eichstätt
xive-xve siècles. Allemand.
Peintre.
Actif à Nuremberg et mentionné en 1397, en 1400 et en 1408.

EGYED. Voir **EGIDIUS DE DES**

ÉHANNO Jean-Marc
Né le 7 novembre 1942 à Lorient (Morbihan). xxe siècle. Français.
Peintre, pastelliste, dessinateur. Abstrait.
Il passe sa jeunesse en Bretagne, y apprend le métier de décorateur. Parallèlement, il entreprend l'exercice de la peinture, en débutant par une figuration dépouillée. Premières participations à des expositions de 1964 à 1968. En 1971, à Nantes, il expose avec le groupe *Archipel* (Louis Ferrand, Jorj Morin), au Musée des Beaux-Arts et à la Galerie Michel Columb (du nom du sculpteur du tombeau des parents d'Anne de Bretagne, aujourd'hui dans la cathédrale). Après Nantes, il séjourne quatre ans dans le sud-ouest, avant de se fixer près de Paris, où il prépare et obtient une licence d'Arts plastiques. En 1976, il obtint une Bourse d'État à la Création Artistique.
Depuis 1969, il participe à de nombreuses expositions collectives, d'entre lesquelles : de 1971 à 1977 au musée de Nantes *Rencontre d'Octobre* ; de 1974 à 1976 au Musée Ingres de Montauban *Rencontre d'Art en Quercy* ; depuis 1975 à Paris, Salon des Réalités Nouvelles, dont il est devenu membre du comité en 1985 ; 1976 Biennale de Villeneuve-sur-Lot ; 1981 Paris galerie Darial *Petits Formats* ; 1983 Paris galerie Darial *Autour de Véra Pagava et Janikowsky* ; depuis 1986 Paris, des groupes galerie Galarté ; 1987 à Londres *The 2nd International Contemporary Art Fair*, Tel-Aviv *Panorama de l'École Française* ; 1987, 1988 *Stockholm Art Fair* ; 1988, 1990 Saint-Quentin Biennale Internationale du Pastel, dont il fut lauréat en 1988 ; 1992 au Festival de Pierrefonds *Renouveau et Modernité du Pastel*, au Musée de Libourne Sélection du Salon des Réalités Nouvelles ; 1993 Paris, Salon de Mars ; 1994 Saint-Quentin, 4e Biennale Internationale du Pastel ; etc.
Il présente des ensembles de ses œuvres dans des expositions personnelles, dont : 1973, 1979 Nantes, galerie Michel Columb ; 1976 Paris, galerie La Galerie ; 1982 Paris, galerie Darial ; 1987, 1989, 1992 Paris, galerie Galarté ; 1990 Strasbourg, Galerie J. ; 1996 Paris, galerie Alix Lemarchand ;... Ses œuvres sont signées d'un É majuscule incliné. Après une période figurative, où le dessin précis prend une grande place, il évolue à une abstraction géométrique, avec des pastels monochromes noir et blanc. Sans abandonner cette abstraction, il la propose à la nature : fusion du paysage contemplé et d'un schéma intérieur, où, au meilleur moment du travail, une certaine forme d'intériorité poétique est atteinte. Le carré, symbole cosmique, est alors omniprésent. La préoccupation de la lumière, constante chez Éhanno, semble plus grande encore depuis qu'il se consacre exclusivement au pastel gras et au dessin au crayon Conté, à la fin des années quatre-vingt, lors de ses premières expositions à la galerie Galarté : *De la ligne au geste*, puis *Cubes et courbes*. Ses paysages sensibles, cependant inscrits dans une architecture évoquée qui est trés rigoureuse, s'« abstraient » de la simple observation. À partir du cube en perspective, la composition développe en contrepoint des triangles de lumière, des rectangles gris et parfois une faille, en tant que signe symbolique ; quelques rares lignes droites et strictes, horizontales et obliques, déterminent des plans travaillés en pigmentation pointilliste, qui, glissant les uns sur les autres, s'interpénètrent par des effets de transparence. Leur climat poétique trés particulier exprime l'espace par la lumière, aussi bien l'espace vacant de l'atmosphère avec ses caprices météorologiques, brumes légères ou lourdes nuées qui voilent ou occultent le soleil, que les espaces sans limites précises des lointains vers l'horizon, de l'étendue marine à la suite des grèves que frôlent les reflets. Des suites d'œuvres aux tons clairs contrastant avec des suites aux tons sombres, paysages de la nuit aux titres évocateurs : *Petite lumière brune, Carré de nuit marine*, se succèdent et se développent dans des formats souvent petits et carrés, dans un tracé très précis et un lyrisme contenu, auquel le pastel contribue.
Dans cette œuvre, le rôle de la contemplation, liée au tempérament méditatif de Éhanno, à la mémoire des espaces maritimes de son enfance et parfois à la symbolique tantrique, en est le fondement essentiel. ■ J. B.
Bibliogr. : Julien Lanoë : Préface de l'exposition *J.-M. Éhanno. Pastels*, Paris, 1973 – *Pastels monochromes noir et blanc*, Amis de l'Archipel, Nantes, 1973 – Michel Ragon, Marcellin Pleynet, in : *L'Art Abstrait 1970-1987*, Maeght, Paris, 1987 – Henri Raynal : *J.-M. Éhanno*, Dossiers d'Art contemporain, Porte du Sud, Bussy-le-Repos, 1990.
Musées : Nantes (Mus. des Beaux-Arts) : trois œuvres – Paris (FNAC) : trois œuvres – Villeneuve-sur-Lot.

ÉHANNO Maurice
Né le 7 juillet 1924 à Toulindac-Baden (Morbihan). xxe siècle. Français.
Peintre de paysages, marines. Expressionniste.
Il peint depuis 1944, autodidacte de formation en peinture, mais ayant une formation de sculpteur bois et granit. Il participe à des expositions collectives, notamment à Vannes, ainsi qu'à Paris au Salon des Artistes Indépendants en 1963 et ensuite.
Il peint les paysages typiques du Morbihan, de la Bretagne intérieure, des marines. Il a peint aussi en Afrique du Nord. Sa palette est riche de couleurs fortes, bien qu'assombries, qu'il pose en empâtements alourdis comme la glèbe.
Musées : Pont-Aven : *Paysage de Saint-Nolff, souvenir de Verkade* 1982.

EHBISCH Johan Frederik
Né en 1668 à Copenhague. Mort le 6 mai 1748 à Copenhague. xviie-xviiie siècles. Danois.
Sculpteur.
On suppose qu'il était le fils de Hans Ehbish, jardinier de la reine Sofie Amalie, mais on ignore où et comment il fit ses études. Il fut sculpteur royal à partir de 1705 aux appointements de 200 Rdl. (640 couronnes) par an, de la caisse particulière du roi. On le mentionne pour la première fois en 1705, où il moula un *Hercule*, en plomb, pour le jardin de Rosenborg.

EHBISCH Johann Friedrich
Né vers 1765 à Breslau. xviiie siècle. Allemand.
Sculpteur.
Il travailla à Dresde vers 1790 à la décoration de l'église de la Croix, et y acquit le droit de bourgeoisie en 1792.

ÉHEHALT Henri
Né le 13 septembre 1879 à Strasbourg (Bas-Rhin). xxe siècle. Français.
Sculpteur de monuments, médailles.
Il fut élève de Ludwig Schmid-Reutte et Hermann Volz à l'Académie des Beaux-Arts de Karlsruhe.
Il a exécuté de très nombreuses médailles. Il a créé des fontaines et des monuments funéraires dans les localités de Bruchsal, Philippsbourg, Karlsdorf, Ottenheim.

EHEMANN A. ou **Ehmann**
xviiie siècle. Actif à Augsbourg. Allemand.
Graveur.
Il illustra un ouvrage de Kistler paru en 1733 et grava le frontispice d'une œuvre de Benno Wurm parue en 1751. A la Bibliothèque de Stuttgart se trouve un exemplaire du plan de la ville de Weissenau, gravé par lui d'après un dessin de A. Gosner.

EHEMANN Hans
xvie siècle. Actif à Nuremberg. Allemand.
Peintre.
Il obtint le 6 novembre 1512 le droit de bourgeoisie.

EHEMANN Peter
xvie siècle. Actif à Nuremberg. Allemand.
Sculpteur.
On lui attribue une petite statue de *Cléopâtre*, en albâtre, datée de 1532, et portant ses initiales.

EHEMANT Friedrich Joseph ou **Fritz**
Né en 1804 à Francfort-sur-le-Main. Mort en janvier 1842 à Munich. xixe siècle. Allemand.
Paysagiste.
Élève de l'Académie de Düsseldorf dans l'atelier de J.-W. Schirmer. Exposa à l'Académie Royale de Berlin en 1834. On cite de lui : *Quatre vues de Francfort-sur-le-Main.*

EHENBERG Anna Beata. Voir **KLEEN**

EHER. Voir **EGER Hans Jakob**

EHESCHEUH Veit ou **Eschay** ou **Oeschey**
Originaire d'Augsbourg. Mort en 1603 à Munich. xvie siècle. Allemand.
Sculpteur sur marbre et sur bois.
Après un voyage d'étude en Italie, il s'établit, encore jeune, en 1603 à Munich.

EHINGER Elias ou **Ellmiger**
Actif à Augsbourg. Allemand.
Graveur.
Cité par Nagler.

EHINGER Gabriel ou **Ellmiger**
Né en 1652 à Augsbourg. Mort en 1736. xviie-xviiie siècles. Allemand.
Peintre et graveur.

EHINGER Johann Michael
xviie siècle. Actif à Strasbourg. Français.
Sculpteur.
Il travailla à Nordlingen à l'église Saint-Georges et ensuite à la cour de Saxe-Meiningen.

EHINGER Zacharias
xviie siècle. Actif à Augsbourg. Allemand.
Peintre.

EHLE Michael
Né en 1953 à Salinas (Californie). xxe siècle. Américain.
Graveur. Tendance symboliste.
Il vit et travaille à Seattle. Il a figuré, à Paris, en 1995, à l'exposition de la Jeune Gravure Contemporaine parmi les invités des États-Unis.
Sa gravure, nettement symboliste, voire ésotérique, figure des personnages et des animaux dans un rapport souvent conflictuel.

EHLERS Carl
Né le 25 juin 1854 à Altona. xixe siècle. Allemand.
Peintre.
Il étudia aux Académies de Weimar et de Dresde. Il vécut longtemps à Munich et travailla à Hambourg où il fit des tableaux représentant la vieille ville.

EHLERS Karl
Né en 1904 à Hoolenbek (Schleswig-Holstein). xxe siècle. Allemand.
Sculpteur. Expressionniste, puis abstrait.
Il fut élève de l'École des Beaux-Arts d'Essen en 1921 et 1922, puis de l'Académie des Beaux-Arts de Düsseldorf jusqu'en 1928, date à laquelle il fit un séjour à Istanbul. Il a commencé à exposer en 1930 à Düsseldorf, puis très régulièrement en Allemagne. Il participe aussi à des expositions collectives internationales : 1932, 1934 Chicago, de 1953 à 1961 Anvers-Middelheim...
Dans les années trente, sa sculpture était figurative, expressionniste par l'allongement et la stylisation des formes. Dans cet esprit, il a réalisé de nombreux bustes et têtes en bois, vers 1935 sans doute influencés par l'art nègre. Il évolua ensuite vers l'abstraction, tout en gardant des références allusives à la réalité. Dans les années cinquante, il a produit de grands totems d'inspiration primitive, dans lesquels les vides sont mis en évidence. De plus en plus dépouillées, ses sculptures sont presque devenues linéaires en 1955. À partir de 1960, totalement acquis à l'abstraction, Ehlers a poursuivi l'élaboration de ses formes totémiques, soit sous l'aspect de ronde-bosse, soit sous celui de pointes de diamant.

EHLINGER Maurice
Né le 25 septembre 1896 à Champagney (Haute-Saône). Mort en 1981. xxe siècle. Français.
Peintre de nus, portraits.
Il fut élève de François Flameng et Jules Adler. Il exposait régulièrement à Paris, au Salon des Artistes Français, mention honorable 1928, deuxième médaille 1929.

VENTES PUBLIQUES : BERNE, 21 oct. 1983 : *Portrait de jeune fille de face*, h/t (61x50) : **CHF 2 400** – PARIS, 4 déc. 1985 : *Nu allongé de trois-quarts*, h/t (73x92) : **FRF 22 000** – PARIS, 22 fév. 1988 : *Lassitude*, h/t (46x55) : **FRF 11 500** – PARIS, 16 oct. 1988 : *Nu au miroir*, h/t (64x81) : **FRF 7 000** – PARIS, 18 juin 1989 : *Nu blond au sofa rose*, h/t (54x73) : **FRF 9 000** – SAINT-DIÉ, 23 juil. 1989 : *Nu allongé devant un miroir*, h/t (54x81) : **FRF 20 000** – STRASBOURG, 29 nov. 1989 : *Le réveil du modèle*, h/t (54x65) : **FRF 11 500** – PARIS, 24 jan. 1990 : *Nu devant une glace*, h/t (55x46) : **FRF 10 500** – VERSAILLES, 22 avr. 1990 : *Jeune fille au collier de fleurs*, h/t (65x54) : **FRF 14 000** – SCEAUX, 13 déc. 1992 : *Nu au drapé blanc*, h/t (55x65,5) : **FRF 13 000** – PARIS, 13 fév. 1995 : *Femme au panier de cerises*, h/t (73x60) : **FRF 4 000**.

EHMANN. Voir **EHEMANN**

EHMIG Georg
Né en 1892 à Altona. xxe siècle. Allemand.
Peintre de portraits et de paysages.

EHMSEN Heinrich
Né en 1886. Mort en 1964. xxe siècle. Autrichien.
Peintre de scènes animées, aquarelliste.
VENTES PUBLIQUES : LONDRES, 25 mars 1986 : *Cactus* 1936, h/t (78x60,5) : **GBP 6 200** – MUNICH, 8 juin 1988 : *La cabine de bain*, aquar. (47,7x33,4) : **DEM 11 550** – MUNICH, 7 juin 1989 : *Dans la cabine de bain* 1953, aquar. et cr. (49x39) : **DEM 3 300** – LONDRES, 22 fév. 1995 : *Travailleurs des champs*, h/t (80x99) : **GBP 2 300**.

EHNINGER John Whetten
Né en 1827 à New York. Mort en 1889. xixe siècle. Américain.
Peintre de genre, paysages, graveur, dessinateur, illustrateur.
Venu à Paris en 1847, il y fut élève de Couture. Il voyagea à travers l'Europe et, rentré en Amérique, devint membre de la National Academy en 1860. Il a fait beaucoup de dessins et de gravures d'illustration en Angleterre.
VENTES PUBLIQUES : LONDRES, 23 avr. 1937 : *Dixie* ; *J. Massa* 1863, ensemble : **GBP 5** – NEW YORK, 22 oct. 1982 : *Flûte et tambour* 1867, h/t (36,5x30,5) : **USD 13 000** – NEW YORK, 22 mai 1996 : *Flûte et tambour* 1867, h/t (35,5x30,5) : **USD 18 400**.

EHNLE Adrianus-Johannes
Né le 5 février 1819 à La Haye. Mort en 1863 à Haarlem. xixe siècle. Hollandais.
Peintre de portraits et de genre.
Élève de C. Kruseman. Il fut conservateur des gravures du Musée de Teyler, à Haarlem.
MUSÉES : HAMBOURG : *Entrée d'un jeune garçon à l'orphelinat de Haarlem.*

EHÔ, aussi connu sous son nom de moine zen : **Ehô Tokutei**
XVe siècle. Japonais.
Peintre.
Peintre de personnages, spécialiste de peinture à l'encre de l'époque Muromachi.

EHOINSKY Eustache. Voir **CHOINSKI**

EHRBAR-REICHLE Johannes
Né le 16 juin 1863 à Hérisau (canton d'Appenzell). XIXe siècle. Suisse.
Dessinateur.
Il séjourna surtout à Cannes et à Nice, et demeura aussi à Zurzach. Il se fixa à Zurich en 1897.

EHRÉ Jürgen
Né le 23 juillet 1941 à Kassel. XXe siècle. Actif aussi en France. Allemand.
Peintre, graveur, animalier.
Il étudia d'abord la décoration et la scénographie. Puis, de 1963 à 1967, il fut élève de l'École des Beaux-Arts de Paris, où il s'est fixé. Il participe à de nombreuses expositions collectives, parmi lesquelles : 1969 Biennale de Paris, depuis 1970 régulièrement le Salon de Mai et Biennale de l'estampe à Paris également, etc. Il montre ses travaux dans des expositions personnelles : 1969 Zurich et Paris, 1972 Bruxelles, 1975 de nouveau Paris...
Sa peinture se fonde sur une analyse du monde animal, surtout celui du singe, analyse dans laquelle Ehré fait s'affronter l'animal et ses instruments de mesure, dans un climat scénique et pictural qui ne peut pas ne pas évoquer celui de Velickovic.

EHREN Julius von
Né le 23 août 1864 à Altona. XIXe siècle. Allemand.
Peintre de genre, animaux, graveur.
Il étudia à Weimar et travailla à Hambourg, à Copenhague et à Paris. Il figura fréquemment aux expositions de Hambourg et autres villes allemandes : Berlin, Munich, Dresde, Düsseldorf, Weimar.
Musées : Hambourg : *Sur le chemin de l'école – Chambre de paysans – Bac à Finkenwärder – Canards – Roseaux.*
Ventes Publiques : Londres, 2 déc. 1986 : *Schmiede* 1897, h/t (66x82) : **GBP 7 000.**

EHRENBERG Carl Ferdinand von
Né le 27 juillet 1806 à Halle. Mort le 9 avril 1841 à Zurich. XIXe siècle. Allemand.
Peintre de figures, architectures.
Cet architecte exposa à Zurich en 1832 et 1835 des vues architecturales, et un tableau de famille en sépia.

EHRENBERG Carl Gottfried Ferdinand
Né le 6 novembre 1840 à Dannau (près d'Oldenbourg). XIXe siècle. Allemand.
Peintre d'histoire.
Élève de l'Académie de Dresde, il se fixa dans cette ville. Il a exposé à l'Académie Royale à partir de 1876. On cite de lui : *Un matin, Un soir, Combat des Walkyries, L'Eau, l'Air et la Lumière,* allégorie, *Portrait de la Princesse Feodora de Schleswig-Holstein.*

EHRENBERG Paul
Né le 8 août 1876 à Dresde. XXe siècle. Allemand.
Peintre de paysages, figures.
Il fut élève des Académies des Beaux-Arts de Dresde et Munich. Il vécut à Munich, où il exposa à partir de 1906, notamment au Palais de Glaces, détruit depuis.
Il a peint des paysages : *Soir sur le rivage,* notamment en France : *Au port de Honfleur.* Il a peint aussi des figures : *Jeune paysanne, Élèves-peintres, Femme de Dachau.*
Musées : Chemnitz : *Femme de Dachau – Après la pluie.*

EHRENBERG Peter Schubert von
Né en 1668 à Anvers. XVIIe siècle. Allemand.
Peintre.
Fils de Wilhelm Schubert von Ehrenberg, il travailla en Allemagne comme dessinateur et portraitiste.

EHRENBERG Wilhelm von, ou **Wilhelm Schubert von** ou **Hardenberg** ou **Herdenberg**
Baptisé à Anvers le 12 mai 1630. Mort vers 1676 à Anvers. XVIIe siècle. Hollandais.
Peintre d'architectures, intérieurs d'églises.
Certains biographes le croient né en Allemagne en 1637 ; il fut maître à Anvers en 1663, et épousa, le 5 août 1665, Maria Seys, fille du peintre.
Ses tableaux sont ornés par H. Van Minderhout, Gonzales Coques, K.-E. Biset, Jeroom Janssens, etc.

Musées : Anvers : *Caricine devant le roi d'Éthiopie,* figures de H. Van Minderhout – Bergues (Hôtel de Ville) : *Le Sacristain de l'église Saint-Jacques à Anvers* – Bruxelles : *Guillaume Tell tirant la pomme sur la tête de son fils,* figures de C. B. Biset – La Haye : *Architecture du tableau d'atelier de G. Coques* – Oslo : *Tableau d'architecture* – Vienne : *Intérieur d'église.*
Ventes Publiques : Londres, 7 mai 1926 : *Intérieur de l'église Saint-Pierre-de-Rome, vue du grand autel, avec le Cardinal et de nombreux autres personnages* 1665, en collaboration avec Biset : **GBP 68** – Londres, 9 juil. 1926 : *Église des Jésuites, Anvers, intérieur* : **GBP 21** – Londres, 14 juin 1935 : *Intérieur d'église à Anvers avec personnages* 1666 : **GBP 14** – Paris, 11 déc. 1946 : *L'intérieur de l'église des Jésuites à Anvers avec les peintures de Rubens* : **FRF 42 500** – Londres, 6 avr. 1977 : *Nombreux personnages aux abords d'un palais,* h/t (65,5x95) : **GBP 3 200** – Londres, 27 fév. 1981 : *Paysage animé de personnages,* h/t (83,5x138) : **GBP 1 200** – Londres, 25 oct. 1985 : *Intérieur d'église,* h/t (61x50,8) : **GBP 2 200** – New York, 5 avr. 1990 : *Personnages élégants devant une grille ouvragée fermant le chœur d'une église gothique,* h/t (51x61) : **USD 9 900** – Londres, 18 oct. 1995 : *La Libération de saint Pierre* 1663, h/t (62,3x88,3) : **GBP 4 140.**

EHRENCRON Jacob Heinrich
Né le 7 août 1809 à Augustenborg. Mort le 4 mai 1876 à Copenhague. XIXe siècle. Danois.
Peintre de figures, décorateur.
Il entra à l'Académie de Copenhague en 1826. Il étudia d'abord le portrait, puis abandonna cette branche pour se consacrer à la peinture décorative. Il exécuta plusieurs travaux, en partie au théâtre royal, sous la direction de C. F. Christensen, en partie pour son compte aux autres théâtres jusqu'en 1859, où il fut nommé peintre du Casino.
Ventes Publiques : Londres, 20 juin 1980 : *Fillette dansant,* h/t (50,7x41,3) : **GBP 650.**

EHRENFRIED Théophilus
XVIe siècle. Allemand.
Sculpteur.
Il travailla de 1514 à 1525 avec deux autres sculpteurs à des bas-reliefs représentant des scènes bibliques, pour la tribune de l'église d'Annaberg.

EHRENHALT Amaranth-Roslyn
Née à New Jersey. XXe siècle. Depuis 1965 active en France. Américaine.
Peintre, peintre de cartons de tapisseries. Abstrait.
Elle fut élève de l'École d'Art du Musée de Philadelphie, où elle enseigna dans la suite. Elle fut boursière de l'Académie des Beaux-Arts de Pennsylvanie. Elle a voyagé et exposé en France, Espagne, Afrique du Nord, Italie, Belgique, Hollande, Allemagne, Angleterre, Turquie, Grèce, États-Unis. Depuis 1961, elle a fait des expositions avec Glenn Robles, à Rhodes, Istanbul, au Musée d'Art de Downey (Californie), à l'Université d'Albany (New York), en 1969 à Châtillon et Bagneux. À Paris, elle figure régulièrement au Salon des Réalités Nouvelles. Elle expose aussi seule : à Majorque, New York, Paris, Ostende. Créateur de cartons de tapisseries, elle a figuré au Salon d'Automne de Paris dans la section *Magie de la Tapisserie,* ainsi qu'à l'École des Beaux-Arts de Paris et au Musée d'Aubusson dans *Architextures : 40 ans de la tapisserie française.* Elle a été invitée à la Biennale de la Tapisserie de Juan-les-Pins. En 1990, la Ville de Bagneux lui a commandé une décoration murale de 150 m2.
Sonia Delaunay s'est intéressée à son travail. Elle pratique une peinture abstraite souvent rattachée à l'informel, au matiérisme chromatique. Toutefois, elle sait aussi organiser surface, composition et éléments formels à des fins décoratives.
Musées : Paris (Mobilier Nat.) – Paris (BN) – Washington D. C. (Mus. J. Hirshhorn).
Ventes Publiques : Paris, 21 sep. 1989 : *Composition,* h/t (73x60) : **FRF 6 000** – Paris, 28 nov. 1989 : *Novembre* 1988, h/t (61x73) : **FRF 6 000** – Paris, 5 mars 1990 : *What's your name ?* 1988, h/t (80x65) : **FRF 6 000** – Paris, 19 jan. 1992 : *Script,* acryl./pap. (48x38) : **FRF 5 000.**

EHRENORT Pierre
XVIIe siècle. Actif à Rome. Italien.

Sculpteur sur ivoire.
Il travailla pour le pape Alexandre VII.

EHRENPREUSS Carl Didrik, comte
Né le 18 janvier 1692 à Orebro. Mort le 21 septembre 1760 à Stockholm. XVIIIe siècle. Suédois.
Peintre de miniatures amateur.
Il fut conseiller royal et mécène.

EHRENREICH Adam Sandor
Né en 1784 à Pozsony. Mort après 1840. XIXe siècle. Actif à Vienne. Hongrois.
Graveur au burin.
Il a gravé des *Planches pour la Galerie du Belvédère de Vienne*, et des portraits, surtout au pointillé : parmi lesquels : *Justus Hausknecht, Johann Wachter, Henriette, princesse de Nassau*. Il publia également une série de portraits d'hommes célèbres hongrois sous le titre de *Icones Principum, Procerum ac praeter hos illustrium Virorum, Matronarumque Veteris et praesentis aevi, quibus, Hungaria et Transylvania clarent*.

EHRENREICH Johann Benjamin
Né en 1739 à Ludwigsbourg. Mort en 1806 à Hambourg. XVIIIe siècle. Autrichien.
Peintre et graveur à l'eau-forte.
Il a gravé des *Sujets de genre* et des *Portraits*.

EHRENREITER Jakob
Né en 1772 à Vienne. XVIIIe-XIXe siècles. Autrichien.
Peintre sur porcelaine.
Il travailla à la Manufacture Royale de Porcelaine à Vienne à partir de 1798.

EHRENSTETTER
XVIIIe siècle. Actif à Saint-Gall. Suisse.
Peintre.
Il aurait travaillé à la décoration de la cathédrale de Saint-Gall.

EHRENSTRAHL Anna Maria Klocker von
Née en 1666 à Stockholm. Morte le 22 décembre 1729 à Stockholm. XVIIe-XVIIIe siècles. Suédoise.
Peintre.
Fille de David von Ehrenstrahl, et son élève, elle épousa en 1688 le Vice-Président du Tribunal Royal, Johan Wattrang. Elle exécuta surtout des reproductions des œuvres de son père, et peignit aussi des portraits, des œuvres religieuses et allégoriques.
Musées : Château de Drottningholm : *Charles XI en Apollon vainqueur du serpent Python* – Stockholm : *Homme à genoux – Portrait de jeune femme*.

EHRENSTRAHL David Klocker von
Né le 23 septembre 1629 à Hambourg. Mort le 23 octobre 1698 à Stockholm. XVIIe siècle. Allemand.
Peintre d'histoire, scènes allégoriques, portraits.
Élève de Juriaen Jacobsz, en 1648, à Amsterdam, il alla à Rome et y travailla avec Pietro da Cortona. En 1651, il était en Suède ; il y revint après un voyage, en 1654, en Allemagne et en Italie, et fut nommé peintre de la cour en 1661.
Il y exécuta de nombreux portraits de la famille royale, et travailla pour les châteaux et les églises suédoises.
Musées : Château de Drottningholm : *La Vérité, découverte par le Temps, la Sagesse et la Justice – Le Roi Charles XI à cheval* – Château de Gripsholm : *La Foi, l'Espérance et la Charité – Charles XI et sa famille – Le maître fontenier et ses fils* – Helsinki (Athenaeum) : *Portrait de Charles XII à cheval – Portrait du ministre comte Bengt Oxenstierna – Portrait de Charles XI – Charles XI et sa famille – Intérieur d'une chaumière à Nagu – Morannel et Cihanna – Modèle nu – Portrait de la Reine Ulrica Eléonore mère* – Helsinki (coll. Sinebrychaff) : *Charles XII enfant – Portrait du comte Johan Gabriel Stenbock – Portrait de Madame ou Mademoiselle Jennings – Portrait du comte J. J. Hastler* – Lund (Université) : *Portrait de l'amiral Gustaf Otto Stenbock* – Lund (Maison des Étudiants) : *Apothéose de Charles X Gustave* – Narkes Boo : *Portrait d'Abraham Brahe* – Stockholm : *Portrait de Beata de la Gardie – Trois des enfants de Charles XI, le petit Charles XII assis sur un lion – Portrait de l'artiste par lui-même – Allégorie des Beaux-Arts, figures féminines – Nègre avec perroquets et singes – Portrait d'un traiteur en 1652* – Tido : *Portrait de K. G. Oxenstierna* – Upsala (Université) : *Portrait d'Anna von Königsmark – Portrait du maréchal Lorens von der Linde – Portrait du maréchal Erik Dahlberg – Portrait de Charles XI*.
Ventes Publiques : Stockholm, 11-12 avr. 1935 : *Flora* : **SEK 810** – New York, 17 mars 1945 : *Duc Frédéric IV de Schleswig-Holstein-Gottorp* : **USD 310** – Paris, 8 nov. 1950 : *Nature morte au singe et aux oiseaux exotiques* : **FRF 82 000** – Stockholm, 22 avr. 1986 : *La famille royale de Karl XI*, h/t (64x68) : **SEK 106 000** – Stockholm, 19 avr. 1989 : *Vérités éternelles*, h/t (216x180) : **SEK 17 500** – Stockholm, 15 nov. 1989 : *Portrait équestre de Karl XI*, h. (165x154) : **SEK 77 000** – Stockholm, 16 mai 1990 : *Allégorie avec une femme tenant un rameau d'olivier et Cupidon près d'elle avec son carquois*, h/t (105x120) : **SEK 11 000** – Stockholm, 19 mai 1992 : *Allégorie de l'Europe sous les traits d'une jeune femme tenant les attributs du pouvoir*, h/t (81x64) : **SEK 35 000** – Stockholm, 10-12 mai 1993 : *Portrait de la Reine Ulrika Eléonora assise et vêtue d'une robe brune et d'une étole drapée bleue*, h/t (145x120) : **SEK 28 000**.

EHRENSVARD Carl August, comte
Né le 5 mai 1745. Mort le 21 mai 1800 à Orebro. XVIIIe siècle. Suédois.
Dessinateur, illustrateur, caricaturiste.
Il était également amiral et philosophe. Il fut nommé membre d'honneur de l'Académie de Stockholm en 1783.
Il illustra d'une façon originale son ouvrage *Voyage en Italie* par des dessins sur l'art, le peuple, les mœurs et les coutumes. Il fit aussi de nombreuses caricatures.

EHRENTRAUT Julius
Né le 3 avril 1841 à Francfort-sur-Oder. Mort en 1923 à Berlin. XIXe-XXe siècles. Allemand.
Peintre de genre, portraits.
Il fut élève de l'Académie de Berlin et de J. Schrader. Il fit aussi des études d'art en Hollande et à Paris, où Meissonnier l'influença. De retour à Berlin, il fut nommé professeur à l'Académie, en 1888.
On cite parmi ses œuvres : *Le Repos, L'Attente, Question sérieuse, Joueur de Mandoline devant deux paysans, Le Fou malade*.
Musées : Breslau, nom all. de Wroclaw : *Le Joueur de luth* – Stuttgart : *Divertissement musical*.
Ventes Publiques : New York, 1er-2 avr. 1902 : *Le Salut du hallebardier* : **USD 200** – Paris, 26 mai 1954 : *Le buveur tyrolien* : **FRF 30 000** – Stuttgart, 29 sep. 1977 : *Les joyeux convives*, h/pan. (35x27) : **DEM 11 800** – Berne, 30 avr. 1980 : *Berger allumant sa pipe*, h/pan. (21x15) : **CHF 3 200** – Londres, 5 mai 1989 : *Sur la grêve*, h/t (46,5x35,3) : **GBP 6 820** – Cologne, 23 mars 1990 : *Portrait de Gustave Adolf en buste* 1875, h/t (26x21) : **DEM 1 500** – Londres, 28 oct. 1992 : *Un complot*, h/pan. (30x23) : **GBP 2 310**.

EHRENZELLER Daniel
Né en 1765 à Saint-Gall. Mort en 1836. XVIIIe-XIXe siècles. Suisse.
Peintre.
Ehrenzeller abandonna la carrière artistique pour accepter un poste comme secrétaire du gouvernement. Il reçut des leçons de Freudweiler à Zurich, et étudia aussi sous Daniel Hartmann à Saint-Gall, ainsi qu'à Düsseldorf et Francfort.

EHRENZELLER Daniel
Né le 18 décembre 1788 à Saint-Gall. Mort le 28 novembre 1849 à Saint-Gall. XIXe siècle. Suisse.
Peintre et graveur.
Il étudia chez Kuster à Winterthur et à l'école de dessin à Lyon. Un des fondateurs de l'Union artistique de Saint-Gall, il remplit les postes de maître de dessin à l'école des jeunes filles et de professeur au gymnase (lycée) de cette ville. L'artiste s'associa pendant quelque temps à l'atelier lithographique de Gsell à Dornbirn (Vorarlberg). Il fut nommé archiviste de l'Union Artistique de Saint-Gall en 1828, qui conserve des aquarelles, des dessins et des recueils d'esquisses de sa main.

EHRER Johann P.
XVIIIe siècle. Actif à Munich. Allemand.
Peintre de paysages.
Cité par Nagler.

EHRET Georg Dyonis ou **Dyonisius**
Né en 1710 à Erfurt. Mort en 1770 à Chelsea (Londres). XVIIIe siècle. Allemand.
Peintre de natures mortes, fleurs et fruits, peintre à la gouache, aquarelliste, graveur, dessinateur.
Il était le fils d'un jardinier de Heidelberg et destiné au même métier. Ses croquis retinrent l'attention du Margrave et furent publiés dans des revues botaniques de Nuremberg. Installé en Angleterre après 1740, il illustra les traités de botanistes renom-

més de son époque et peignit une collection de botanique pour la duchesse de Portland. Il fut élu membre de la Royal Society en 1757 et de l'Académie Impériale d'Allemagne en 1758.

Ventes Publiques : Londres, 27 mars 1946 : *Tulipes et autres fleurs* 1749, gche : **GBP 30** – Londres, 10 mars 1965 : *Magnolia grandiflora*, aquar. reh. de blanc : **GBP 400** – Londres, 8 juin 1976 : *Fleur* 1764, aquar. et gche (23x15,7) : **GBP 950** – Londres, 20 juin 1978 : *Branche de magnolia en fleurs*, aquar./parchemin mar./cart. (79x56,5) : **GBP 6 500** – Londres, 7 juil. 1981 : *Amaryllis formosissima*, gche (47,5x36,8) : **GBP 1 300** – New York, 1er mars 1984 : *Branches de cornouiller en fleurs* 1761, aquar./parchemin (44,5x33) : **USD 5 000** – New York, 12 jan. 1988 : *Branche de camélia rouge double* 1742, aquar. et gche (53,3x36,8) : **USD 6 600** – Le Touquet, 19 mai 1991 : *Nature morte aux fruits*, gche, une paire (chaque 32x45) : **FRF 35 000** – Londres, 9 avr. 1992 : *Magnolia à grande fleur*, aquar. avec reh./vélin (52,5x37) : **GBP 16 500** – New York, 10 jan. 1996 : *Figues et cerises* 1747, gche/vélin (42,3x31,1) : **USD 9 200** – Londres, 2 juil. 1996 : *Nénuphar blanc* 1763, cr. aquar. et gche/vélin (25,4x17,4) : **GBP 1 265**.

EHRHARD. Voir **ERHARD**

EHRHARDT. Voir aussi **ERHARDT**

EHRHARDT Frieda
Née en 1867 ? Morte en septembre 1904 à Munich. XIXe siècle. Allemande.
Peintre de portraits, natures mortes, fleurs et fruits.

Musées : Munich : *Tête de jeune fille.*

Ventes Publiques : Amsterdam, 5 juin 1990 : *Composition de fruits dans une assiette de verre et de roses dans un vase de cristal*, h/t (74x100,5) : **NLG 6 325**.

EHRHARDT Johann Christoph
XVIIIe siècle. Actif à Volkstedt près de Rudolstadt en 1782. Allemand.
Peintre sur porcelaine.

EHRHARDT Johannes
XVIIe siècle. Danois.
Peintre.
Il est nommé plusieurs fois dans les notes de Christian IV de 1607-1608, comme un peintre résidant à Elseneur. Il semble que la plupart de ses travaux consistaient en copies et en des travaux décoratifs.

EHRHARDT Karl Ludwig Adolf
Né le 21 novembre 1813 à Berlin. Mort le 19 novembre 1899 à Wolfenbüttel. XIXe siècle. Allemand.
Peintre d'histoire.
Il fit ses études à l'Académie de Berlin et à l'Académie de Düsseldorf avec Schadow dès 1832. En 1838, il alla à Dresde et collabora aux tableaux de Bendeman pour le château de Dresde. En 1846, il fut nommé professeur de l'Académie et, en 1880, membre de cet Institut. Son œuvre comprend des tableaux religieux, comme *La Fille de Jephté, La Résurrection, L'Ascension* ; des tableaux de genre comme *Jeune fille dans la forêt* ; des tableaux et fresques historiques, parmi lesquels *La Réconciliation de Louis de Bavière et Frédéric d'Autriche*, des portraits dont ceux de *Ludwig Richter* et de la *Princesse Marguerite de Saxe enfant* ; et de nombreuses illustrations des œuvres poétiques de Dante, du Tasse, de Lessing, Heine et Uhland, comme *Le rêve de Dante, La Lorelei, Emilia Galotti.*

Musées : Dresde : *Portrait de Frédéric Auguste II – Portrait de Ludwig Richter* – Leipzig : *Martin Luther – Portrait de Ludwig Richter* – Zurich : *Séparation de Rinaldo et d'Armide.*

EHRHARDT Paul W.
Né le 21 juin 1872 à Weimar. XIXe-XXe siècles. Allemand.
Peintre de genre, fleurs.
Il fut élève des Académies des Beaux-Arts de Weimar et de Munich. Il a exposé depuis 1906, notamment au Palais des Glaces de Munich et à la grande Exposition d'Art de Berlin (en 1910 ?).
Il a peint des scènes de genre et intimes : *Visite d'anniversaire, Deux amies, Coin d'atelier.*

EHRICH Bruno
Né le 23 mai 1861 à Ratibor en Silésie. XIXe siècle. Actif à Düsseldorf. Allemand.
Peintre.
Il fut élève de E. von Gebhardt et d'A. Schill à l'Académie de Düsseldorf et se consacra à l'art religieux. Il travailla à Berlin avec Wilhelm Doeringer, pour les églises de la Croix et de la Grâce ; à Wittenberg pour l'église du château ; pour la cathédrale de Schleswig, et pour l'église de la Vierge à Trèves. A Wiesbaden, Essen, Dessau, Aix-la-Chapelle, Düsseldorf, plusieurs églises sont ornées de ses fresques et tableaux.

EHRICH H.
XIXe siècle. Actif à Hambourg. Allemand.
Peintre et lithographe.
On connaît de lui un tableau, *Famille d'émigrants*, peint avant 1852.

EHRICHT Ferdinand I ou **Erich**
Né en 1758 à Vienne. Mort le 31 janvier 1804 à Vienne. XVIIIe siècle. Autrichien.
Peintre de portraits et de miniatures.

EHRICHT Ferdinand II ou **Erich**
Né en 1785 à Vienne. XIXe siècle. Autrichien.
Miniaturiste.
Fils de Ferdinand E. Il entra à l'Académie de Vienne en 1801 et figura aux expositions de cette ville en 1822, 1824 et 1825, avec des miniatures copiées d'anciens maîtres comme Rubens et Le Titien.

EHRINGHAUSEN Wilhelm
Né le 28 mars 1868 à Munster. XIXe siècle. Allemand.
Peintre et dessinateur.
Il fut élève d'Huber-Feldkirch et de Knirr à Munich. Il fut tout d'abord peintre de paysages pour se consacrer ensuite au dessin pour reproductions. Ses ex-libris furent particulièrement appréciés.

EHRISMANN Joseph
Né le 2 mars 1880 à Mutzig. XXe siècle. Français.
Peintre de cartons de vitraux.
Il vivait à Strasbourg, où il fut élève de l'École des Arts Décoratifs. Il a travaillé pour plusieurs églises d'Alsace.

EHRKE Eduard
Né le 17 février 1837 à Ludwigslust. XIXe siècle. Allemand.
Peintre de paysages.
Après avoir étudié à Düsseldorf et à Munich, il alla en Angleterre en 1860 et se fixa à Bath en 1876. La Galerie d'Art de Schwerin conserve de lui un paysage.

EHRL Alexius
Né en 1871. Mort le 17 février 1913 à Nuremberg. XIXe-XXe siècles. Allemand.
Sculpteur de bustes, portraits.
Il fit ses études artistiques à Munich, où il séjourna ensuite, exécutant surtout des bustes. Il aurait, avec le professeur Hautmann de Munich, exécuté, après son suicide par noyade en 1886, le masque mortuaire de Louis II de Wittelsbach, roi de Bavière, ce qui est incompatible avec la naissance de Ehrl en 1871. Il se fixa ensuite à Nuremberg, où il exécuta de nombreux portraits sculptés.

EHRLER
XVIIIe siècle. Éc. alsacienne.
Peintre de portraits.

EHRLER Jean Henri
XIXe siècle. Français.
Dessinateur.
Il travailla à Strasbourg et dessina des tableaux architecturaux en couleur. On cite de sa main deux vues du château de Rohan à Strasbourg et un projet de façade du théâtre de Strasbourg.

EHRLER Luise. Voir **MAX-EHRLER Luise**

EHRLICH
Né en Anhalt-Dessau. Mort vers 1780. XVIIIe siècle. Allemand.
Sculpteur.
On connaît de lui à Wörlitz : les deux statues à l'entrée du château, les bas-reliefs du *Monument Dietrich* dans le parc, et à Dessau : une copie du *Gladiateur mourant*, dans le parc, *Les dieux-fleuves, Elbe et Mulde* ainsi que deux *Nymphes* dans le pavillon du jardin d'agrément.

EHRLICH Bianca, née **Alexander-Katz**
Née en 1852 à Ols en Silésie. XIXe siècle. Allemande.
Sculpteur.
Elle séjourna à Paris, Rome et Berlin et exécuta des bustes, entre autres celui du médecin Paul Ehrlich, celui de Max Reger et celui d'une paysanne des Alpes, qui furent exposés à Paris, au Salon des Artistes Indépendants. Elle créa une *Fontaine baroque* dans le style du Bernin.

EHRLICH Carl Gottlob

Né en 1744 à Torgau. Mort en 1799 à Meissen. XVIIIe siècle. Allemand.

Peintre et graveur au burin.

Il a gravé des *Paysages*. Plusieurs de ses œuvres se trouvent dans les Musées de Dresde et de Meissen.

EHRLICH Georg

Né en 1897 à Vienne. Mort en 1966. XXe siècle. Depuis 1939 actif et depuis 1947 naturalisé en Angleterre. Autrichien.

Sculpteur de statues. Classique.

Il fut élève de l'École d'Art et d'Architecture de Vienne. Il a commencé à exposer en 1919 à Vienne. En 1921, il voyagea à Berlin, où il exposa avec le sculpteur Ernst Barlach et le peintre Oskar Kokoschka, tous deux expressionnistes. Il exposa à Paris en 1926, participa à la Biennale de Venise en 1934 et 1936, qui lui consacra une exposition rétrospective en 1958. En 1939, il émigra à Londres. En 1947, il voyagea à New York, où il fit sa première exposition américaine, et revint à Londres en 1949.
Il a surtout travaillé le bronze et sculpté la figure humaine, dans un esprit très classique.

Musées : Anvers – Londres (British Mus.) – Munich – New York (Metropolitan Mus.) – Otterlo (Kröller-Müller Mus.) – Tel-Aviv – Toledo, USA – Vienne (Albertina).

Ventes Publiques : Munich, 29 nov. 1976 : *Les deux sœurs*, bronze patiné (H. 78,5) : **DEM 4 200** – Munich, 27 nov. 1981 : *Enfant couché*, bronze (H. 6,5) : **DEM 2 600** – Londres, 4 nov. 1983 : *The bronze girl* 1958, bronze (H. 88) : **GBP 1 500** – Vienne, 19 mars 1985 : *Chèvre et chevreau*, bronze (16x21,5) : **ATS 14 000** – Londres, 8 oct. 1986 : *Kindertotenlieder Gustav Mahler* 1913, aquar. et cr. (21,5x22,5) : **GBP 2 800** – Londres, 2 déc. 1986 : *Tête de chèvre* vers 1949-50, bronze patine vert foncé (H. 42) : **GBP 500** – Londres, 13 nov. 1987 : *Enfant debout, bronze*, patine noire (H. 109) : **GBP 1 900**.

EHRLICH Moritz

Né le 27 octobre 1862 à Berlin. XIXe siècle. Allemand.

Peintre.

Il étudia à l'Académie de Berlin et y exposa des tableaux de genre, des portraits et des paysages.

EHRLICH Simon Franziskus

Originaire de Silésie. XVIIe siècle. Allemand.

Peintre.

Il est mentionné en 1669 à Mayence.

EHRMAN Hyman M.

Né en 1884 en Russie. XXe siècle. Actif aux États-Unis. Russe.

Peintre, sculpteur.

Il avait commencé ses études artistiques en Russsie, les poursuivit à la Pennsylvania Academy of Fine Arts de Philadelphie. Il devint membre de l'American Artists Professionnal League.

EHRMANN François Émile

Né le 5 septembre 1833 à Strasbourg (Haut-Rhin). Mort en mars 1910 à Paris. XIXe-XXe siècles. Français.

Peintre d'histoire, compositions mythologiques, sujets allégoriques, cartons de tapisseries, aquarelliste, céramiste.

Entré à l'École des Beaux-Arts en 1857, comme élève architecte, il changea de voie trois ans plus tard pour suivre les cours de peinture de Charles Gleyre. Il exposa au Salon de Paris, à partir de 1863, en tant que peintre d'histoire : ses envois se poursuivront jusqu'en 1906 avec de grandes toiles à sujets mythologiques. Il obtint plusieurs médailles de 1865 à 1868. Il fut nommé chevalier de la Légion d'honneur en 1879.
On lui doit une peinture : *Les muses*, au Palais de la Chancellerie de la Légion d'honneur. Il s'adonna au plaisir de la céramique. Il réalisa divers cartons de tapisseries, panneaux de décoration, plafonds, que lui commandèrent, pour orner leurs petits hôtels, plusieurs amateurs parisiens. Ehrmann les conçut dans un style déclamatoire, tandis qu'il montra beaucoup plus de charme et moins d'emphase dans ses tableaux de chevalet.

F.EHRMANN

F.EHRMANN

Bibliogr. : Gérald Schurr, in : *Les Petits Maîtres de la peinture 1820-1920, valeur de demain*, Les Éditions de l'Amateur, t. V, Paris, 1985.

Musées : Le Havre : *Défense de Strasbourg* – Montpellier : *Sujet allégorique* – Mulhouse : *La fontaine de Jouvence* – Neuchâtel : *Sujet allégorique* – Paris (Mus. d'Orsay) : *Ariane abandonnée*, aquar. – Roubaix : *Le manuscrit* – Strasbourg : *Œdipe et le Sphinx*.

Ventes Publiques : Paris, 26 avr. 1944 : *L'Histoire*, aquar. : **FRF 450** – Paris, 3 mai 1988 : *Etude de femme nue*, cr. noir/pap. gris (44,5x25,5) : **FRF 2 000**.

EHRMANN Léonie

Née au XIXe siècle à Metz. XIXe siècle. Française.

Peintre de portraits.

Elle figura au Salon de Paris à partir de 1877. Elle eut pour maître tour à tour Devilly, Chaplin et Barrias.

EHRMANN-LEBEL Madeleine

Née à Paris. XXe siècle. Française.

Peintre de paysages et de fleurs.

Exposante du Salon de la Société Nationale depuis 1934.

EHRMANNS Theodor von, freiherr

Né le 6 mai 1846. XIXe siècle. Autrichien.

Peintre de paysages, aquarelliste.

Après avoir étudié à l'Académie de Vienne avec Zimmermann, puis à Munich et à Copenhague, il figura dans diverses expositions, avec des aquarelles, en Autriche et en Allemagne, ainsi qu'à Venise. Il participa à l'ouvrage *L'Autriche-Hongrie par la parole et par l'image*.

Ventes Publiques : Vienne, 13 jan. 1976 : *Paysage de Pörtschach* 1876, h/t (53x95) : **ATS 18 000** – Vienne, 29 nov. 1977 : *Vue de Gmunden* 1872, h/t (73x100) : **ATS 22 000** – Cologne, 21 mars 1981 : *Berger et troupeau* 1889, aquar. (12x22) : **DEM 1 000** – Vienne, 16 mai 1984 : *Paysage alpestre au printemps*, h/t (51x92,5) : **ATS 50 000**.

EHRMÜLLER Peter

XVIIIe siècle. Actif à Salzbourg. Autrichien.

Peintre.

Il travailla dans plusieurs églises de Salzbourg, où il peignit les 14 tableaux d'un chemin de croix, des scènes de l'Ancien Testament et une *Madone*.

EIA Ferdinando

XVIIe siècle. Italien.

Peintre.

Artiste de la cour de Parme.

EIBE. Voir **EYBE**

EIBELWISSER ou **Eibelweisser**. Voir **EYBELWIESER**

EIBISCH Eugeniusz

Né en 1896 à Lublin. XXe siècle. Actif aussi en France. Polonais.

Peintre de portraits, paysages, natures mortes.

Il fut élève de l'Académie des Beaux-Arts de Cracovie, de 1919 à 1921. De 1922 à 1939, il séjourna à Paris. Il a participé à de nombreuses expositions collectives d'art polonais, en Pologne et à l'étranger, notamment à la Biennale de Venise en 1962. Il fit des expositions personnelles : 1921 Cracovie, 1924 Paris, 1937 Marseille. Il fut lauréat de plusieurs Prix en Pologne, et, en 1960, du Prix National de la Fondation Guggenheim. Il fut nommé professeur à l'Académie des Beaux-Arts de Cracovie, puis à celle de Varsovie.

Bibliogr. : Divers, sous la direction de Bernard Dorival : *Peintres contemporains*, Mazenod, Paris, 1964.

EIBL Ludwig

Né le 14 décembre 1842 à Vienne. Mort en 1918. XIXe-XXe siècles. Autrichien.

Peintre de natures mortes, fleurs et fruits, compositions murales.

Après avoir étudié la sculpture à Vienne et à Paris, il étudia la peinture à Munich. Ses peintures qui furent surtout des natures mortes de fruits et légumes et de gibier, parurent aux expositions internationales de Berlin de 1881 à 1899, ainsi qu'à la Maison des Artistes de Vienne. Il collabora à la décoration de plafond dans la « salle de la chasse » au château d'Herrenchiemsee.

Musées : Berlin (Gal. Nat.) : *Tête de femme*, étude – Munich (cimetière Nord) : *Monument aux Morts*.

Ventes Publiques : Munich, 13 mai 1987 : *Nature morte aux fleurs*, h/t (61x90) : **DEM 15 000**.

EIBNER Friedrich

Né le 25 février 1825 à Hilpolstein. Mort le 18 novembre 1877 à Munich. XIXe siècle. Allemand.

Peintre de paysages animés, architectures.
Il fit des voyages en Allemagne, en France, et de 1860 à 1861 il accompagna le prince Mestschersky en Espagne. Il vécut à Munich. On cite de lui : *Cathédrale de Burgos, Paysages et architectures d'Espagne*.
Ventes Publiques : Londres, 1er août 1935 : *Vue d'une ville, avec personnages* : **GBP 7** – Cologne, 20 oct. 1967 : *La Cathédrale de Regensburg* : **DEM 3 000** – Londres, 17 juil. 1979 : *La Place du marché*, aquar. (36,6x28,4) : **GBP 1 600** – Londres, 15 juil. 1980 : *Seville*, aquar. et cr. (44,2x32,6) : **GBP 300** – Londres, 24 nov. 1983 : *Vue de Munich* 1848, aquar. et cr. (19x26) : **GBP 6 500** – Munich, 14 mars 1985 : *Scène de marché dans la vieille ville de Regensburg* 1849, h/pan. (47,5x36,7) : **DEM 21 000** – Londres, 20 juin 1985 : *Marienplatz, Munich* 1851, aquar. et cr. reh. de blanc et d'or (24,5x30) : **GBP 7 000** – Amsterdam, 24 avr. 1991 : *Nombreux citadins sur la place du marché à Münich* 1849, h/t (31x25) : **NLG 103 500**.

EICH Gustav
xixe siècle. Actif à Berlin. Allemand.
Peintre de genre.
Élève de W. Wach. Il exposa à l'Académie de Berlin de 1842 à 1856.

EICH Johann Friedrich
Né en 1748. Mort en 1807 à Altona. xviiie-xixe siècles. Allemand.
Peintre de portraits.
Originaire du Harz il parcourut deux fois l'Europe et se fixa à Brunswick, où il fit les portraits de P. J. F. Weitsch et du médecin Brückmann, gravé par Chodowiecki, ainsi qu'un portrait du philosophe F. H. Jacobi, gravé par Geyser.

EICH Robert
xixe siècle. Allemand.
Peintre d'architectures.
Travailla à Munich, Düsseldorf et en Italie. Le Musée Roumiantzeff, à Moscou, conserve de lui : *Le temple de Minerve*.

EICHE J. Georg
Né vers 1745. Mort le 23 janvier 1799 à Brunswick. xviiie siècle. Allemand.
Peintre sur porcelaine.
Il travailla d'abord à la Manufacture de porcelaine de Furstenberg puis continua son activité pour la même Manufacture à Brunswick où il se fixa et fut désigné comme « seul peintre de figures ».

EICHEL
xviiie siècle. Actif à Londres. Britannique.
Peintre.
Il exposa à la Free Society en 1770 et 1771. Le British Museum conserve quatre des paysages exposés.

EICHEL
xixe siècle. Actif vers 1850. Polonais.
Peintre de miniatures.
On ne connaît de lui qu'un portrait à l'aquarelle de la *Princesse Catherine Galicyn, née comtesse Soltokub*, qui se trouvait à l'exposition de miniatures de Lemberg en 1912.

EICHEL Emmanuel
Né en 1717. Mort en 1782. xviiie siècle. Actif à Augsbourg. Allemand.
Graveur au burin.
Élève de Herz. Il a gravé des *Saints* et 51 planches pour *La vie humaine*.

EICHELBERGER Robert A.
Mort probablement en 1900. xixe siècle. Américain.
Peintre de genre, paysages, graveur.
Il présenta à l'Exposition Universelle de Paris un tableau : *La Vague*. On cite également de lui *Ressac et brouillards*.
Ventes Publiques : New York, 12 mai 1978 : *Le Garde et la Servante* 1896, h/t (105x90) : **USD 2 500**.

EICHELROTH Mathias
xviiie siècle. Allemand.
Peintre sur faïence.
Après avoir travaillé à la Manufacture de faïence de Dorotheenthal près d'Arnstadt, il dirigea celle de Gera-Untermhaus à partir de 1750.

EICHEN Alexander Georg von, ou **Alexandre Feodrovitch**
Né le 8 avril 1818. Mort le 4 octobre 1846. xixe siècle. Russe.
Peintre.
Il fut élève de Bruloff à l'Académie de Saint-Pétersbourg. On cite de lui un *Saint Jérôme* et *Mercure endormant Argus*.

EICHENS Friedrich Eduard
Né en 1804 à Berlin. Mort le 5 mai 1877 à Berlin. xixe siècle. Allemand.
Peintre de compositions religieuses, portraits, graveur, dessinateur.
Il étudia successivement à Berlin, à Paris avec Forster et Richomme, à Parme avec Paolo Toschi. Il devint membre de l'Académie des Beaux-Arts à Berlin en 1832.
Parmi son œuvre gravé on cite : *Le Christ mort sur les genoux de la Vierge*, d'après Carracci, *Scènes de la Jérusalem Délivrée*, *Vision d'Ezéchiel*, d'après Raphaël, *Sainte Marie-Madeleine*, d'après Domenichino, *L'Adoration des mages*, d'après Raphaël, ainsi que de nombreux portraits.
Ventes Publiques : New York, 26 oct. 1990 : *Un salon avec les artistes de la famille* 1826, craies blanche et noire/pap. (54x72,4) : **USD 20 900**.

EICHENS Philipp Hermann
Né le 13 septembre 1813 à Berlin. Mort le 17 mai 1886 à Paris. xixe siècle. Allemand.
Peintre de genre, portraitiste, lithographe et graveur.
Frère cadet du graveur Eduard Eichens, mort à Paris le 5 mai 1877. Il fit des études à l'Académie de Berlin avec Hensel. En 1835, il étudia spécialement la lithographie à Paris et à Berlin la gravure près de Lüderitz. En 1849, il s'établit à Paris. Membre de l'Académie de Berlin. On cite de lui : *Paris vu de son atelier*, *Brune et blonde*, d'après Dubufe, *Serais-je belle* ? d'après Weisz, *Martyre chrétienne*, d'après Delaroche, *Le page*, d'après Wittich, *La Joconde*, d'après da Vinci, *Vierge à l'Enfant*, d'après Götting, *Le puits qui parle*, d'après Vély.
Ventes Publiques : Paris, 26 fév. 1943 : *Le Public au Salon de 1837*, aquar. : **FRF 1 250**.

EICHER A.
Né vers 1815. xixe siècle. Actif en Suisse. Suisse.
Peintre.
D'après le Docteur Carl Brun, Eicher fut d'abord un peintre errant, un « chemineau » de l'art. Il parcourait les campagnes, peignant les portraits des fermiers qui, pour rémunération, le logeaient et le nourrissaient. Vers la fin de sa vie, il fut nommé maître de dessin à Muri. Il a aussi exécuté quelques tableaux à l'huile pour des églises des villages suisses.

EICHFELD Hermann
Né le 27 février 1845 à Karlsruhe. xixe-xxe siècles. Allemand.
Peintre de paysages.
Élève de l'Académie de Stuttgart et de Wengheim à Munich, il fut nommé en 1912 directeur de la Galerie d'Art de Mannheim. On cite parmi ses œuvres : *Soir d'été, Nuages et arbres, Soleil de mars, Jour sombre, Nuages*.

EICHFELD Sophie
Née le 20 janvier 1856 à Augsbourg. xixe siècle. Allemande.
Peintre.
Elle épousa le peintre Hermann Eichfeld, après avoir étudié à l'École des Arts et Métiers de Munich. Elle peignit des paysages et des natures mortes.

EICHHOLTZ Jacob ou **Eicholtz**
Né en 1776. Mort en 1842. xixe siècle. Américain.
Peintre de portraits.
Ventes Publiques : New York, 18 nov. 1977 : *Portrait de Mrs Belle Simon Cohen* vers 1824 (76,2x63,5) : **USD 2 800** – New York, 17 oct. 1980 : *Mr and Mrs Longenecker* vers 1820, deux h/t (76,2x63,5) : **USD 40 000** – Raleigh (North Carolina), 5 nov. 1985 : *Portrait de femme au châle rouge* ; *Portrait de femme au châle bleu avec fourrure* 1823, deux h/t (77,1x64,2) : **USD 8 000** – New York, 24 jan. 1989 : *Portrait du capitaine Jacob da Costa*, h/t (57,5x44,5) : **USD 2 200** – New York, 15 nov. 1993 : *Portrait de Mrs John Bannister, née Sarah Work*, h/t (73,8x61,5) : **USD 5 175**.

EICHHOLZER Bernhard
Né à Bremgarten. Mort le 5 octobre 1635 à Soleure. xviie siècle. Suisse.
Peintre.
Il fut reçu membre de la confrérie de Saint-Luc à Soleure en 1603, et bourgeois de la ville en 1630. Il aurait aussi vécu quelque temps à l'étranger. Probablement fils de Jakob Eichholzer.

EICHHOLZER Jakob
Mort vers 1602. XVIe siècle. Actif à Bremgarten (Aargau). Suisse.
Peintre.

EICHHOLZER M.
XIXe siècle. Actif à Vienne. Autrichien.
Peintre et lithographe.
Il étudia à l'Académie de Vienne. Comme lithographe il dessina des planches d'après Michel-Ange.

EICHHORN Albert
Né le 7 juillet 1811 à Freienwalde-sur-l'Oder. Mort le 19 octobre 1851 à Potsdam. XIXe siècle. Allemand.
Peintre d'architectures et paysagiste.
Élève d'Ed. Biermann. Il voyagea en Grèce et en Italie. Exposa à l'Académie Royale de Berlin.
VENTES PUBLIQUES : COLOGNE, 8 mai 1969 : *Vue de l'Acropole* : **DEM 3 000.**

EICHHORN Franz Joseph
Né vers 1712 à Düsseldorf. Mort en 1785 à Neuwied. XVIIIe siècle. Allemand.
Peintre.
Il travailla comme peintre de portraits chez Lippold à Francfort-sur-le-Main, puis un certain temps à Mayence et Amsterdam. Il se fixa alors à Neuwied et peignit des tableaux historiques pour le château de cette ville. Ses portraits furent gravés par J. J. Haid, A. Rheinhardt et Bernigeroth.

EICHHORN Hans
Né à Nuremberg. Mort en 1583 à Francfort. XVIe siècle. Allemand.
Peintre et graveur sur bois.
Travailla pour l'Électeur Joachim II.

EICHHORN Jacob
Mort le 3 novembre 1906 à Eisenach. XIXe siècle. Actif à Weimar. Allemand.
Paysagiste et peintre de genre.
Exposa à Berlin et à Munich en 1848 et en 1886.
On cite de lui : *Des poissons, Villages des pêcheurs hollandais.*

EICHHORN Johann Paul
Né au XVIIIe siècle à Schalkau. XVIIIe siècle. Allemand.
Peintre sur porcelaine.
Il travailla à la Manufacture de porcelaine de Rauenstein.

EICHHORN Léo Bernhard
Né en 1872 à Lemberg. XIXe-XXe siècles. Autrichien.
Peintre de scènes de genre.
Il fut élève de Casimir Pochwalski à l'Académie des Beaux-Arts de Vienne. Il exposa aussi à Paris, au Salon des Artistes Français, où il obtint une mention honorable en 1905.
VENTES PUBLIQUES : VIENNE, 6 nov. 1984 : *Die Gedrückten* 1908, h/t (140x225) : **ATS 32 000.**

EICHHORN Maria
Née en 1962 à Bamberg. XXe siècle. Allemande.
Créateur d'installations.
Elle vit et travaille à Berlin, où elle a fait ses études à l'Académie des Beaux-Arts (1984-1990). Elle a obtenu plusieurs bourses et prix, dont le prix George Maciunas en 1992.
Elle participe à diverses expositions collectives en Allemagne, à Berlin, Munich, Münster (1997, *Skulptur. Projekte in Münster 1997*), ainsi qu'à l'étranger, Rome, Vienne, Saint Pétersbourg, Copenhague, Paris (*Qui, quoi, où ?* au Musée d'Art Moderne de La Ville de Paris, 1992). Elle montre ses œuvres dans des expositions personnelles depuis 1986, à Berlin, Cologne, Stuttgart.
Son travail élargit la notion de ready-made, puisant dans l'architecture, le langage.

EICHHORST Franz
Né le 7 septembre 1885 à Berlin. Mort en 1948. XXe siècle. Allemand.
Peintre d'histoire, de portraits.
Outre les portraits, il a peint des scènes de guerre et surtout la vie paysanne du Tyrol.
VENTES PUBLIQUES : COLOGNE, 18 nov. 1982 : *Les tisserands* 1919, h/pan. (91x73) : **DEM 7 500** – LONDRES, 31 mars 1987 : *Kabaret « Zum Siebten Himmel », Berlin* 1913, h/t (85x121) : **GBP 15 000.**

EICHINGER Erwin
Né en 1882. Mort en 1950. XXe siècle. Autrichien.
Peintre de scènes de genre.

VENTES PUBLIQUES : LONDRES, 15 juin 1979 : *Ecclésiastiques dans une bibliothèque*, h/pan. (35,5x57) : **GBP 1 000** – LUCERNE, 6 nov. 1981 : *Portrait d'un paysan en buste*, h/pan. (16x10) : **CHF 1 300** – NEW YORK, 27 mai 1983 : *Un bon verre*, h/cart. (26x20,3) : **USD 950** – MUNICH, 2 juil. 1986 : *Jeune Hollandaise avec sa fillette dans un intérieur*, h/pan. (42x53) : **DEM 6 000** – NEW YORK, 23 fév. 1989 : *Le montant de la dette*, h/pan. (40,6x47) : **USD 11 000** – CHESTER, 20 juil. 1989 : *L'architecte*, h/t (43x32,5) : **GBP 2 310** – LONDRES, 19 juin 1991 : *Retour de la chasse ; Moment paisible*, h/pan., une paire (chaque 20x15) : **GBP 2 860** – LONDRES, 27 oct. 1993 : *Vieillard dégustant un verre de vin*, h/pan., une paire (chaque 25,5x19) : **GBP 1 265** – MUNICH, 6 déc. 1994 : *Un moine sculpteur*, h/pan. (39,5x30,5) : **DEM 3 680.**

EICHINGER Otto
Né en 1922. XXe siècle. Autrichien.
Peintre de genre, figures typiques.
VENTES PUBLIQUES : VIENNE, 17 fév. 1981 : *Moine au verre de vin*, h/isor. (26,5x20) : **ATS 11 000** – SAN FRANCISCO, 6 nov. 1985 : *Rabbin*, h/cart. (27x20) : **USD 1 000** – AMSTERDAM, 23 avr. 1991 : *Portrait d'un rabbin*, h/pan. (27x20) : **NLG 3 450** – NEW YORK, 20 juil. 1994 : *Rabbin*, h/cart. (26,7x20) : **USD 1 380** – NEW YORK, 20 juil. 1995 : *Un érudit devant ses livres*, h/pan. (24,1x29,8) : **USD 9 200.**

EICHLER Antonie
XIXe siècle. Active à Berlin. Allemande.
Peintre.
Elle figura avec des tableaux de genre et des portraits à l'Exposition de l'Académie de Berlin, de 1860 à 1878, à la Société des Femmes Artistes, et à la Grande Exposition d'Art de Berlin. Elle peignit un retable pour l'église protestante d'Oberholzheim dans le Wurtemberg.

EICHLER Balthasar Johann
Enterré à Dresde le 19 janvier 1672. XVIIe siècle. Allemand.
Dessinateur.
Le Cabinet des Gravures sur Cuivre de Dresde conserve de lui un dessin à la plume et une *Vue de Dresde.*

EICHLER Carl Gottfried
XIXe siècle. Actif à Munich à partir de 1818. Allemand.
Graveur.
Cet artiste est probablement le fils de Mathias Gottfried Eichler. Il grava des paysages et des portraits.

EICHLER Ernst Ferdinand
Né le 17 janvier 1850 à Werdau. Mort le 6 décembre 1895 à Zurickau. XIXe siècle. Allemand.
Portraitiste et dessinateur.
Élève à l'Académie de Dresde, dans l'atelier de Jul. Heibner. S'établit à Rome, où il enseigna le dessin à l'Institut Archéologique. On cite de lui : *Portrait de l'artiste.*

EICHLER Gottfried, l'Ancien
Né en 1677 à Lippstadt. Mort en 1757 à Augsbourg. XVIIIe siècle. Allemand.
Peintre de portraits et d'histoire.
Eichler fit de nombreux voyages, en Allemagne, à Vienne, à Rome, où il fut élève de Carlo Maratta. Il mourut pauvre. Il fit un grand nombre de portraits, connus par les reproductions gravées qu'en firent des artistes comme J. J. Haid, G. A. Wolfgang, J. Stenglin, Ch. Engelbrecht, etc.
MUSÉES : AUGSBOURG (Mus. Maximilien) : *Portrait de l'artiste* – GENÈVE (Ariana) : *Portrait du général Jérôme d'Erlach.*

EICHLER Gottfried, le Jeune
Né en 1715. Mort en 1770. XVIIIe siècle. Actif à Augsbourg. Allemand.
Peintre de portraits et graveur.
Fils et élève de Gottfried Eichler l'Ancien. Comme son père, il voyagea pendant plusieurs années ; il s'arrêta à Vienne et à Nuremberg.

EICHLER Hermann
Né en 1842 à Vienne. Mort le 17 septembre 1901 à Vienne. XIXe siècle. Autrichien.
Peintre d'histoire, scènes de genre.
Il fut élève de Chr. Ruben. Il voyagea en Italie et séjourna quelque temps à Rome avant de se fixer à Vienne. Il a exposé dans

cette ville et à Berlin de 1869 à 1879. On cite de lui : *Charles Ier d'Angleterre, Idylle, Pique-nique à la campagne, Le Faune et la Nymphe.*
Musées : Vienne (Gal. des Beaux-Arts) : *Épisode de la guerre des paysans en Allemagne.*
Ventes Publiques : Vienne, 23 juin 1982 : *Vue de Venise*, h/t (100,5x60) : **ATS 12 000** – Londres, 23 fév. 1983 : *Musiciens des rues, près de Rome*, h/t (251x100) : **GBP 600** – Vienne, 19 juin 1985 : *Scène de la guerre de Trente Ans* 1882, h/t (67x126) : **ATS 35 000.**

EICHLER Johann Conrad, appelé aussi **Wollust**
Né en 1668 à Peine. Mort le 1er janvier 1748 à Wolfenbuttel. xviie-xviiie siècles. Allemand.
Peintre de portraits, natures mortes, fleurs et fruits.
Il étudia à Rome et, après un séjour à Nuremberg, il fut nommé peintre de la cour de Brunswick. Il réalisa de nombreux portraits du duc Rodolphe de Brunswick et de sa femme Christiane Louise ; il fit également les portraits d'autres membres de la famille régnante de Brunswick, les ducs Ferdinand Albert II, Auguste Guillaume et Charles I, puis de nombreux autres. On connaît aussi de lui quelques natures mortes.
Musées : Blankenbourg (Château) – Brunswick (Château) : *Portrait du peintre par lui-même* – Herrenhausen (Château) – Luckklum (Château).
Ventes Publiques : Amsterdam, 2 déc. 1987 : *Nature morte aux fruits* 1739, h/t (67x80) : **NLG 34 000.**

EICHLER Joseph Franz Maria
Né en 1724 à Brunswick. Mort en 1783. xviiie siècle. Allemand.
Peintre de portraits, pastelliste.
Fils de J. Conrad Eichler, il fut aussi son élève. Il voyagea en Hollande, en Angleterre, en France et en Italie, et séjourna ensuite à Brunswick et à Hanovre. Il peignit à l'huile et au pastel.
Musées : Ansbach (Château) : deux copies d'après Jan Fyt et M. Hondekœter.
Ventes Publiques : Amsterdam, 12 mai 1992 : *Portrait d'un général* 1749, h/t (114,6x91,6) : **NLG 5 060.**

EICHLER Joseph Ignaz ou **Gioseppe Ignatio**
Né le 25 janvier 1714 à Rome. Mort le 16 mai 1763 à Brunswick. xviiie siècle. Allemand.
Modeleur et sculpteur sur ivoire.
Le Musée de Brunswick possède de cet artiste un bas-relief en cire blanche représentant *Hercule, Omphale et Cupidon* et huit sculptures sur ivoire.

EICHLER Julian
Né le 4 janvier 1712 à Rome. xviiie siècle. Allemand.
Peintre.
Fils de Johann Conrad Eichler. On connaît de lui le portrait d'Anna Sophie Overlach, femme du médecin de la cour J. H. Burckhard, et ceux de l'archiviste J. G. Burckhard et de sa femme.

EICHLER Mathias Gottfried
Né en 1748 à Erlangen. Mort après 1818 à Augsbourg. xviiie-xixe siècles. Allemand.
Graveur.
Élève et fils de Gottfried Eichler le Jeune. Parmi son œuvre gravé, un *Portrait de Gessner*, d'après A. Graff, les illustrations de *L'Heptaméron de Marguerite de Navarre*, d'après Dunker, des *Vues de Livourne, de la maison d'Horace et d'Ancône*, d'après P. Hackert.

EICHLER Otto Erich
Né le 25 septembre 1871 à Königsberg. Mort le 19 juin 1904 à Königsberg. xixe-xxe siècles. Allemand.
Peintre de paysages, figures, animalier, graveur. Post-romantique.
Il fut élève de Max Schmidt et Emil Neide à l'Académie des Beaux-Arts de Königsberg, puis il étudia à l'Académie de Berlin, et enfin fut élève de Heinrich Zügel à Munich, où il se fixa. En 1895, il reçut la médaille d'argent de l'Académie de Munich pour sa peinture *Chevalier en fuite*. Il retourna ensuite en Prusse. Malgré sa mort précoce, il a laissé un grand nombre d'études, esquisses et tableaux. Il grava aussi quelques eaux-fortes, dont on cite *Chevalier aux aguets* et *Clair de lune sur le ruisseau.*
Dans une première période, il se spécialisa dans des études d'animaux. Il peignit aussi quelques figures et fit des esquisses pour des contes : *Mazeppa* et *Le conte des sept cygnes*. De retour en Prusse, il devint paysagiste, peignant la côte des environs de Gross Kuhren où il vivait, ainsi que des études de chevaux et bétail. De cette époque, on cite : *Nuit de clair de lune à Gross Dirckheim* et *Le Zipfeldberg au soleil couchant*. Par ses sujets de chevalerie et par les éclairages, de clair de lune ou du soleil couchant, sous lesquels il recherchait à peindre ses paysages, il se rattache encore à la tradition du paysage romantique allemand.
■ J. B.

EICHLER Reinhold Max
Né le 4 mars 1872 près d'Hubertusbourg (Saxe). Mort en 1947. xixe-xxe siècles. Allemand.
Peintre de compositions allégoriques, paysages animés, paysages, intérieurs, natures mortes, fleurs et fruits, illustrateur.
Il entra à l'Académie des Beaux-Arts de Dresde en 1889. En 1893, il alla à Munich où il fut élève du paysagiste Paul Hoecker. À Munich, il collabora à la revue *Jeunesse* et fit partie du groupe d'illustrateurs qui s'y était formé.
Les compositions allégoriques sont rares dans son œuvre : *Cérès*. On connaît son portrait par lui-même. Il fut essentiellement peintre de paysages, parfois animés. Il se montra toujours sensibles aux variations de la lumière sur le paysage : *Orage au printemps, La Mélancolie de l'automne, Dans le soleil du soir.*
Musées : Berlin (Gal. Nat.) : *Floraison – La Réserve des pommes* – Munich (Brackl) : *Cérès – Les Saisons.*
Ventes Publiques : Heidelberg, 3 mai 1982 : *Pommier en fleurs* 1897, h/t (80x69,5) : **DEM 2 600** – Vienne, 17 mars 1987 : *Baigneuses*, h/t (146x130) : **ATS 140 000.**

EICHLER Theodor Karl
Né le 15 mai 1868 à Oberspaar près de Meissen (Saxe). xixe-xxe siècles. Allemand.
Sculpteur de statuettes de genre, sujets de porcelaine.
Après avoir travaillé à la Manufacture de porcelaine de Meissen, il devint élève de l'École des Arts et Métiers et de l'Académie des Beaux-Arts de Dresde. À partir de 1899, il montra ses œuvres personnelles aux expositions des Beaux-Arts et des arts décoratifs de Dresde, Berlin, Düsseldorf, Hanovre, etc.
Il sculptait des petits sujets de genre : *Petite fille à la toupie, Jeune garçon au panier*. Pour la Manufacture de porcelaine de Meissen, il créa des groupes de personnages, notamment des groupes de danseuses, un des thèmes les plus appréciés de la Manufacture.

EICHLER Wilhelm
xixe siècle. Allemand.
Peintre de paysages.
Il figura aux Expositions de l'Académie de Berlin en 1828 et 1830.

EICHMANN Heinrich
Né en 1915 à Flühli. xxe siècle. Suisse.
Peintre. Abstrait.
Il travaille à Zurich. Il fait partie de l'association *Die Allianz*. Depuis 1944, il participe à des expositions de groupe, à Zurich, à Paris, où il a notamment participé au Salon des Réalités Nouvelles en 1950, avec des peintures d'inspiration constructiviste.
Bibliogr. : Michel Seuphor : *Diction. de la peint. abstraite*, Hazan, Paris, 1957.

EICHMANN K.
xixe siècle. Actif à Berlin. Allemand.
Peintre de paysages.
Cet artiste figura en 1856 et 1860 à l'Exposition de l'Académie de Berlin, et également en 1860 à l'Association des Artistes avec un *Clair de Lune en Thuringe.*

EICHNER E.
xixe siècle. Actif à Rostock. Allemand.
Peintre.
Dans l'église Saint-Nicolas à Rostock se trouve un tableau de lui (*Le Christ devant les Docteurs de la Loi*). Il participa aux décorations de la Pinacothèque de Munich.

EICHORN. Voir **EICHHORN**

EICHRODT Hellmut
Né le 27 février 1872 à Bruchsal. xixe-xxe siècles. Allemand.
Peintre de portraits, figures, compositions murales, illustrateur.
Il fut élève de Léopold de Kalckreuth et de Hans Thoma à l'Académie des Beaux-Arts de Karlsruhe. Il se fixa dans cette ville.
Il eut une activité importante de dessinateur d'illustrations. Il réalisa quelques compositions murales : à Karlsruhe dans

l'église du Christ, ainsi qu'à Pforzheim, à Fribourg, etc. Il peignit aussi quelques natures mortes de fleurs. Il fut surtout peintre de figures de genre : *Femme en costume espagnol, Joueuse de luth, Femme de mauvaise vie, L'attente*, parfois peintre de figures dans un paysage : *Dans le parc*, et peintre de portraits : *Portrait de la femme du peintre, Portraits d'enfants, Portrait du Grand-Duc Frédéric II et de la Grande-Duchesse.*

EICHRODT Otto
Né le 25 juin 1867 à Fribourg. XIXe siècle. Allemand.
Peintre et dessinateur.
Il étudia d'abord à l'Académie de Karlsruhe, puis à Munich et à Paris. Ses principales œuvres sont des portraits, parmi lesquels on cite ceux du chanteur Buffard, de Hellmut Eichrodt, du critique Florian, de l'Empereur Guillaume II. Il fit aussi des natures mortes, des intérieurs, comme ceux du château de Bruchsal, et des paysages de la Forêt Noire. Il fut aussi musicien et dramaturge.

EICHSTAEDT Rudolf
Né le 20 avril 1857 à Berlin. Mort en 1924 ou 1927 à Berlin. XIXe-XXe siècles. Allemand.
Peintre de genre, figures, portraits, intérieurs.
Il fut élève de Geselschaps. En 1887, il obtint le grand prix de l'État pour un voyage d'étude en Italie. Il se fixa à Berlin.
Musées : Kaliningrad, ancien. Königsberg : *Entre Ligny et Belle-Alliance.*
Ventes Publiques : Londres, 30 jan. 1981 : *La Jeune Servante*, h/t (94,6x65,4) : **GBP 750** – Cologne, 29 juin 1984 : *Intérieur rustique*, h/t (85x62) : **DEM 3 000** – Berne, 26 oct. 1988 : *Deux Femmes dans un potager*, h/t (74x95) : **CHF 2 000.**

EICHSTATT Heinrich et **Sebald von**. Voir **EGWEILER**

EICHTHORN Johann Friedrich Wilhelm
XVIIIe siècle. Allemand.
Peintre sur porcelaine.
Il travailla à la Manufacture de porcelaine de Gera en Thuringe.

EICK J. F.
XIXe siècle. Actif à Amsterdam vers 1820. Hollandais.
Peintre de portraits.
De lui, un portrait de Alexandre P. Van den Capellen, gravé en 1791 par R. Vinkeles.

EICK Martin Van. Voir **MARINUS VAN ROEJMERSWAELEN**

EICKELBERG Willem Hendrik
Né en 1845. Mort en 1920 ou 1929. XIXe-XXe siècles. Hollandais.
Peintre de genre, paysages et marines animés, paysages urbains, marines.
Aussi bien pour le monde de la mer ou de la terre, il privilégie les scènes vivement animées.

W. H. Eickelberg.

Ventes Publiques : New York, 31 oct. 1980 : *Pêcheurs sur la plage*, h/t (45,7x65,4) : **USD 2 200** – Cologne, 22 mars 1985 : *Scène de plage, Scheveningen*, h/t (46,5x66) : **DEM 7 500** – Amsterdam, 10 fév. 1988 : *Mère et son enfant sur un sentier de forêt enneigé au crépuscule*, h/t (40x47) : **NLG 3 910** – Amsterdam, 16 nov. 1988 : *Vue de Oude Gracht à Utrecht avec le beffroi*, h/pan. (35x27) : **NLG 6 325** – Amsterdam, 28 fév. 1989 : *Forêt en hiver avec des bûcherons sur leur traîneau*, h/pan. (30x24,5) : **NLG 6 325** – Amsterdam, 2 mai 1990 : *Activités des pêcheurs autour d'un bateau rond à Katwij*, h/pan. (35x25) : **NLG 8 050** – Amsterdam, 14-15 avr. 1992 : *Activité des pêcheurs au retour de la flotte sur une côte française*, h/pan. (25,5x34,5) : **NLG 8 280** – Londres, 16 juin 1993 : *Pêche dans une rivière près d'un moulin*, h/pan. (27x35) : **GBP 2 185** – Amsterdam, 19 oct. 1993 : *Belle journée d'été*, h/t (44x66) : **NLG 9 200** – Amsterdam, 5 nov. 1996 : *Paysage d'hiver*, h/t (66,5x96) : **NLG 3 068.**

EICKEN Elisabeth von, plus tard **Edle von Paepke**
Née le 18 juillet 1862 à Mulheim. XIXe siècle. Allemande.
Peintre de paysages.
Elle fut élève de E. Yon à Paris et travailla à Berlin-Grünewald. A partir de 1894 elle figura dans les expositions de Berlin, Munich, Düsseldorf, Paris. Elle a peint des vues de Grünewald et de la côte de la mer Baltique, des villages de Poméranie, etc.
Musées : Gdansk, ancien. Dantzig : *Derrière les bouleaux* – Hanovre : *Arrière-Automne* – Neubrandenbourg : *Intérieur d'étable* – Rostock : *Paysage de forêt – Même sujet.*
Ventes Publiques : Stockholm, 15 nov. 1988 : *Sous-bois d'une forêt de bouleaux*, h/t (68x100) : **SEK 13 000.**

EICKHOF-REITZENSTEIN Marie von
Née le 1er janvier 1872 à Breslau. XIXe-XXe siècles. Allemande.
Peintre de portraits, natures mortes.
Elle fut élève du portraitiste Gustave Courtois à Paris. Elle figura dans de nombreuses expositions collectives à Berlin, Munich, Paris.

EICKHOFF Gerda
Née à Copenhague. XXe siècle. Danoise.
Peintre.
Elle exposa à Paris au Salon des Indépendants en 1928 et 1929 et au Salon des Tuileries où elle fut invitée.

EICKHOFF Gottfried
Né en 1902. XXe siècle. Danois.
Sculpteur de figures, nus, statuettes.
Il consacre son travail au corps féminin.
Ventes Publiques : Copenhague, 13 oct. 1981 : *Nu debout* 1937, bronze (H. 98) : **DKK 7 000** – Copenhague, 9 mai 1984 : *Jeune fille debout* 1935, bronze (H. 59) : **DKK 9 000** – Copenhague, 24 avr. 1985 : *Jeune fille debout* 1957, bronze (H. 114) : **DKK 60 000** – Copenhague, 20 oct. 1993 : *Femme marchant* 1934, bronze (H. 42) : **DKK 8 000** – Copenhague, 27 avr. 1995 : *Jeune fille debout*, pierre (H. 60) : **DKK 5 200.**

EICKMANN Heinrich
Né le 13 juin 1870 à Nienhausen (près de Lübeck). Mort en janvier 1911 à Berlin. XIXe-XXe siècles. Allemand.
Peintre de compositions religieuses, scènes typiques, paysages, graveur.
Il fut élève des Académies des Beaux-Arts de Berlin et de Munich. À partir de 1897, il participa à diverses expositions collectives, à Berlin, Munich, Düsseldorf.
Il traita des sujets religieux : *Annonciation, Le Christ sous la croix*. Il emprunta aussi ses thèmes à la vie paysanne : *Famille heureuse*. En peinture, il fut paysagiste.

EIDELIMAN Albert
Né en 1915 en Bessarabie. XXe siècle. Depuis 1929 actif en France. Roumain.
Peintre de compositions animées. Naïf.
Encore enfant, il fut coursier dans le commerce de la fourrure. Pendant la guerre de 1939-1945, il fut prisonnier. Puis, travaillant dans le bâtiment, et âgé de quarante-huit ans, il entreprit des études universitaires. À l'âge de cinquante-cinq ans, il obtint une maîtrise d'histoire moderne. Ayant pris sa retraite, il débuta des activités d'artisanat artistique : collages, tapisseries, enfin tableaux à base de paille sauvage. Il expose à Paris, au Salon International de l'Art Naïf.
Il représente volontiers les scènes typiques de la vie quotidienne et des fêtes traditionnelles dans les communautés juives.
Bibliogr. : In : Catalogue du 4e *Salon International de l'Art Naïf*, Paris, 1989.

EIEBAKKE August
Né le 25 avril 1867 à Askim. Mort en 1938. XIXe-XXe siècles. Norvégien.
Peintre de compositions religieuses, portraits, intérieurs, paysages.
Il fut élève de l'École des Arts et Métiers d'Oslo, puis étudia à Copenhague. Il visita la Hollande, la Belgique, l'Italie et séjourna à Paris. Il participa à des expositions collectives à Oslo, Copenhague, Rome, etc.
Il peignit un retable pour l'église de Arendal : *Le Christ bénissant les apôtres.*

August Eiebakke

Musées : Oslo.

EIELSON Jorge
Né le 13 avril 1924 à Lima. XXe siècle. Actif en France. Péruvien.
Peintre, technique mixte. Polymorphe.
D'abord poète, il reçut le Prix National de poésie au Pérou en 1945. Il publiait alors des poèmes dans des revues, auxquelles il donna des dessins en 1946. Il peignit alors ses premiers tableaux.

Il fut d'abord proche, entre 1948 et 1950, de l'abstraction géométrique et de l'art cinétique avec ses *Movils*, qu'il montra dans plusieurs expositions en Europe. Depuis 1949, il a participé à des expositions collectives : à Paris au Salon des Réalités Nouvelles, à Comparaisons et au Salon de Mai en 1967. En 1964 et 1966, il a participé à la Biennale de Venise, en 1971 à celle de Paris. Pendant un temps d'arrêt de la production plastique, il se consacra de nouveau à des articles de critique, au roman, au théâtre.
En 1954, il reprit l'expression plastique. Il réalisa des tableaux en relief, avec du sable, de la terre, du ciment, puis, vers 1962, avec des vêtements froissés, déchirés, brûlés, dans l'esprit des Nouveaux Réalistes, des Affichistes ou encore d'Alberto Burri. Vers 1970, il tendit des cordelettes tressées et nouées sur des surfaces monochromes, analysant et perpétuant les *quipus* de l'écriture ancienne du Pérou. Ensuite, il a exploité sous diverses formes le thème du triangle, toujours dans des systèmes de tension. Il pratique aussi les « envois postaux », son art se situant souvent à la jonction peinture-écriture. ■ J. B.
Ventes Publiques : Rome, 18 mai 1976 : *Quipus 16 BL* 1966-1971, t. blanche nouée (130x95,5x20) : **ITL 550 000** – Paris, 19 jan. 1992 : *Quipus* 1966-71, h/t et relief/pan. (116x73) : **FRF 3 800**.

EIFFE Johann Gottfried
Né le 13 août 1773 à Hambourg. Mort le 13 août 1818 à Cap Haïtien. xviiie-xixe siècles. Allemand.
Peintre.
Après avoir séjourné à Copenhague et Dresde, il se rendit en 1816 à Haïti où le roi nègre Christophe cherchait des artistes. Il exécuta pour lui des tableaux et des travaux de décoration, mais lorsque l'artiste voulut revenir dans sa patrie, le roi le laissa mourir de faim. A l'Exposition Patriotique de Hambourg de 1815 se trouvaient des tableaux de lui, dont : *Avant-poste de la garde-civique en hiver* 1813-14 et un *Paysage de forêt*. On cite aussi parmi ses eaux-fortes : *Trois femmes avec des enfants donnant d'un balcon à manger à des cygnes, Enfant endormi, avec une balle et un cheval de bois, Trois Cosaques aux avant-postes, Cosaque à cheval, Garde civique de Hambourg*. La Kunsthalle de Hambourg conserve de sa main une copie du *Portrait de Ph. O. Runge par lui-même*.

EIFFE Martin Johann Ludwig
Né le 25 août 1842 à Hambourg. Mort le 15 janvier 1893 à Rome. xixe siècle. Allemand.
Sculpteur.
On connaît de lui un buste du poète M. F. Chemnitz.

EIFFEL Albert
Né dans la seconde moitié du xixe siècle à Levallois-Perret (Seine). xixe-xxe siècles. Français.
Peintre de marines.
Élève de Humbert. Il a débuté en 1911 au Salon des Artistes Français.

EIFFLÄNDER Hans J. Voir **EYFFLENDER**

EIGA, de son vrai nom : **Yûshin**
xive siècle. Actif vers 1310. Japonais.
Peintre.
Spécialiste de peintures bouddhiques, il est l'un des premiers représentants de la peinture à l'encre de l'époque Muromachi. On cite parmi ses œuvres le portrait du poète Hitomaro.

EIGEL Istvan
Né en 1922. xxe siècle. Hongrois.
Peintre de compositions murales.
Il fut élève de l'École des Beaux-Arts de Budapest, où il a exposé de 1957 à 1966. Il a également exposé à Athènes.

EIGENHEER Hans
Né en 1937 à Lucerne. xxe siècle. Suisse.
Dessinateur, graveur de compositions animées. Figuration onirique-fantastique.
Il fut élève de l'École des Arts et Métiers de Lucerne, ainsi que de diverses académies privées et écoles de Paris, Florence et Rome. Il vit à Lucerne. Il a figuré à la Biennale des Jeunes Artistes à Paris en 1969.
Ses sujets sont extrêmement divers, ses compositions, qui se présentent plutôt comme des pages de croquis, complexes. L'angoisse, le cauchemar en sont la source. Les thèmes de la mutilation, de l'enfermement reviennent fréquemment.
Bibliogr. : Théo Kneubühler : *Kunst : 28 Schweizer*, Édit. Gal. Raeber, Lucerne, 1972.

EIGLER Franz
xviiie siècle. Actif à Vienne vers 1760. Autrichien.
Peintre de miniatures.

EIGNER Andreas
Né en 1801 à Dieteldorf. Mort en 1870 à Augsbourg. xixe siècle. Allemand.
Peintre de genre.
Il inventa un procédé de conservation pour les tableaux anciens.

EIGNER F.
xviiie siècle. Actif à Prague. Tchécoslovaque.
Sculpteur.
Il exécuta deux autels pour l'église Notre-Dame à Kladrau (Bohême).

EIGNER Ignaz
Né en 1854 à Budapest. xixe siècle. Allemand.
Peintre et lithographe.
Il fut élève de l'Académie de Vienne. On connaît de lui deux portraits lithographiés, celui du bourgmestre Freiherr von Felder et celui de Josef Kanlich, directeur de l'Opéra.

EIGNER-PÜTTNER Pauline
Née le 5 mars 1872 à Schwandorf. xixe-xxe siècles. Allemande.
Peintre de paysages, natures mortes.
Elle fit ses études artistiques à Munich. Elle était la femme du peintre Walther Püttner. À Munich, elle collabora à la revue *Jeunesse*. Elle figura aux expositions collectives de Munich, Berlin, Brême, Mannheim.

EIGOGNI Ambrogio. Voir **BORGOGNONE Ambrogio di Stefano**

EIJBERG André
Né en 1929 à Ixelles. xxe siècle. Belge.
Sculpteur de nus, animalier, dessinateur, aquarelliste.
Il fut élève de l'Institut provincial des Arts et Métiers du Centre de La Louvière.
Ses dessins et aquarelles en technique mixte expriment dynamisme et rythme. En sculpture, il travaille le marbre, l'onyx, le granit, le bronze. Figuratives, ses sculptures de nus féminins et d'animaux sont cependant redevables à l'art abstrait d'une simplification élégante des formes.
Bibliogr. : In : *Diction. biogr. illustré des Artistes en Belgique depuis 1830*, Arto, Bruxelles, 1987.

EIJENBROCK Herman. Voir **HEYENBROCK**

EIJI Hosoda, appelé aussi **Kabane Fouyivara Tokitomi,** puis **Yasabourô, Gô** et **Chôbounsaï**
Mort le 1er août 1829. xixe siècle. Japonais.
Peintre. École Oukiyoë.
Élève de Kano Eisen II, comme peintre. Il se tourna plus tard vers la sculpture sur bois et travailla avec Hokusaï. Ses peintures sont très appréciées au Japon. On cite de lui un *Paysage du Soumigadava*.

EIJOUN
xive siècle. Japonais.
Peintre.
Fils de Tosa Mitsouaki. Il exécuta des planches relatant les miracles de la secte de Youzou Nemboutsou, et qui se trouvent dans le Temple Seiryoji près de Kyoto.

EIKAAS Ludvig
Né en 1920 à Jölster. xxe siècle. Norvégien.
Peintre de natures mortes. Tendance non-figurative.
Il vit à Oslo, où il fut élève de l'École des Beaux-Arts.
Sa peinture tend à la non-figuration, souvent dépouillée, montrant parfois l'influence de Paul Klee. Pierre Courthion en a écrit : « Il a des natures mortes de réelle qualité, à la fois solides et improvisées. »
Musées : Brooklyn – Copenhague – Lugano – Oslo.

EIKAI, de son vrai nom **Satake Aisetsu,** surnom : **Eishi,** nom de pinceau : **Eikai**
Né en 1802. Mort en 1874. xixe siècle. Japonais.
Peintre.
Paysagiste, élève de Tani Bunchô. Il vit à Tokyo.

EIKELENBERG Symon. Voir **EYKELENBERG**

EIKO, de son vrai nom : **Satake Kintarô,** nom de pinceau : **Eikô**
Né en 1835. Mort en 1909. xixe siècle. Japonais.
Peintre.
Peintre de paysages et de personnages, élève de Oki Ichiga et de

Satake Eikai, il est membre de l'Association des Beaux-Arts Japonais.

EIKYÛ, pseudonyme de **Hideo Sugita**

Né en 1911 à Miyazaki (Kyûshu). Mort en 1960. XXe siècle. Japonais.

Peintre, graveur, lithographe. Abstrait, puis surréaliste.

Jusqu'en 1926, on le trouve comme étudiant à l'Université des Beaux-Arts de Tokyo. Il devint alors critique d'art. Vers 1935, il commença à peindre. En 1937, il devint membre de l'Association des Arts Indépendants.

EIKYÛ, de son vrai nom : **Matsuoka Teruo,** nom de pinceau : **Eikyû**

Né en 1881. Mort en 1938. XXe siècle. Japonais.

Peintre de figures.

Il fut élève de Hashimoto Gahô et de Yamana Kangi, il est diplômé de l'Université des Beaux-Arts de Tokyo, dont il devint plus tard professeur. Il fut membre de l'Académie Impériale d'Art et président de l'Académie Nationale de Peinture.

EIL Julius

XIXe siècle. Actif à Berlin. Allemand.

Peintre.

Élève de l'Académie de Berlin, il y exposa ses œuvres de 1830 à 1834 ; parmi elles un *Portrait de femme* et un tableau de genre : *Femme âgée instruisant un jeune garçon.*

EILBRACHT G. F.

Mort en janvier 1854 à La Haye. XIXe siècle. Hollandais.

Lithographe.

EILERS Conrad

Né en 1845. Mort en 1915. XIXe-XXe siècles. Allemand.

Peintre de paysages animés, paysages.

Il a exposé à Berlin et à Munich, où il travaillait, à partir de 1886. On cite de lui : *Le Printemps* et *La Forêt près d'Allach.*

VENTES PUBLIQUES : MUNICH, 13 sep. 1984 : *Paysan sur un chemin à l'orée d'un bois,* h/t (85x62) : **DEM 3 000.**

EILERS Emma

Née à New York (Brooklyn). XIXe-XXe siècles. Américaine.

Sculpteur.

Élève de la Art Students' League dont elle devint membre et de W. M. Chase, professeur.

EILERS Gustav

Né le 28 juillet 1834 à Königsberg. Mort le 27 janvier 1911 à Berlin. XIXe-XXe siècles. Allemand.

Graveur.

Élève du graveur R. Trossin à Königsberg. En 1869, il s'établit à Berlin. Membre de l'Académie de Berlin et professeur. En 1876, il obtint la médaille de deuxième classe à Munich ; en 1878, la grande médaille en or à Bruxelles. En 1887, la seconde médaille d'or à Berlin et la grande médaille d'or à Vienne. On cite de lui : *Vues des rives de la Mer Baltique ; Sainte Cécile,* d'après Rubens ; *Portrait de Guillaume II ; Portrait d'Adolf Menzel.*

EILERSEN Eiler Rasmussen

Né le 1er mars 1827 à Goterby (Svaninge). Mort en avril 1912. XIXe-XXe siècles. Danois.

Peintre de paysages animés, paysages.

Il vint à Copenhague en 1847 pour suivre les cours de l'Académie, mais ses études furent bientôt interrompues par la guerre de 1848-1850, à laquelle il dut participer. Il a pris part aux expositions à partir de 1849 et, en 1858, il obtint la bourse de l'Académie pour deux années pendant lesquelles il visita Paris, le Midi de la France, la Suisse et la Belgique. Reçu membre de l'Académie en 1871, il fut nommé chevalier de Danebrog en 1876.

Parmi ses œuvres : *Paysage d'été* (exposé en 1863), *Vue du parc de Frijsenborg, Jour de printemps dans le Sund* (exposé en 1868).

MUSÉES : COPENHAGUE (Musée royal de peintures) : *Vue du parc de Frijsenborg,* exposé en 1864.

VENTES PUBLIQUES : COPENHAGUE, 25 fév. 1987 : *Personnages sur une route de campagne* 1852, h/t (110x156) : **DKK 33 000** – LONDRES, 5 mai 1989 : *Amalfi depuis le couvent des Capucins* 1880, h/t (65x94) : **GBP 4 400** – LONDRES, 17 mai 1991 : *Sorrente* 1876, h/t (44x65) : **GBP 3 300** – LONDRES, 4 oct. 1991 : *Vue de Capri depuis Sorrente* 1876, h/t (44x65) : **GBP 2 200** – LONDRES, 22 mai 1992 : *Sorrente,* h/t (48x78) : **GBP 2 750** – LONDRES, 25 nov. 1992 : *Paysage fluvial boisé* 1886, h/t (108x143) : **GBP 3 520** – NEW YORK, 15 oct. 1993 : *Paysage de Faaborg avec une ville au fond* 1869, h/t (19x28) : **USD 1 035** – LONDRES, 17 nov. 1995 : *Le Colisée avec une vue du Forum* 1887, h/t (58,5x91,5) : **GBP 8 280** – COPENHAGUE, 8 fév. 1995 : *Maisons dans un paysage de montagnes,* h/t (43x55) : **DKK 4 000** – LONDRES, 15 mars 1996 : *Capri avec le Vésuve au fond,* h/t (56,5x75,2) : **GBP 9 200.**

EILLARTS Joannes, appelé aussi **Frisius** (le Frison)

XVIIe siècle. Actif en Hollande dans la première moitié du XVIIe siècle. Hollandais.

Dessinateur.

EILLARTS Laurens

XVIIe siècle. Actif à Rome. Italien.

Graveur.

Il était le fils de Johannes E. Il grava des planches représentant les empereurs romains.

EILON Éliaku

Né en 1923 à Bruxelles. XXe siècle. Actif en Israël. Belge.

Peintre, dessinateur. Abstrait.

Il fut élève de Marcel Janco au Kibboutzim *Oranin* à Kiriat-Tivon (Haïfa). Fonctionnaire de l'Organisation Mondiale Sioniste, il voyage dans le monde entier et expose au gré de ses déplacements.

Ses peintures s'inspirent de formes végétales exploitées plastiquement dans des accords de couleurs fraîches et toniques.

BIBLIOGR. : In : *Diction. biogr. illustré des Artistes en Belgique depuis 1830,* Arto, Bruxelles, 1987.

EILSHEMIUS Louis Michel George

Né en 1864 à Newark (New Jersey). Mort en 1941 ou 1942. XIXe-XXe siècles. Américain.

Peintre de compositions à personnages, paysages, marines, aquarelliste, dessinateur. Onirique fantastique.

Sa famille était d'origine hollandaise. Il fit de solides études secondaires, puis entra à l'Art Student's League de New York en 1884, et vint à Paris en 1886, où il fut élève de William Bouguereau à l'Académie Julian. En 1908, il rencontra le peintre, post-romantique et pré-expressionniste, Albert Pinkham Ryder, dont l'œuvre l'impressionna profondément. Eilshemius bénéficiait d'une aisance familiale qui le rendait totalement indépendant. Il entreprit de nombreux voyages à travers le monde, et spécialement au Maroc et aux îles Samoa. De ces voyages, et surtout des îles Samoa, il avait rapporté de nombreuses peintures et esquisses, auxquelles il se référa durablement. Toutefois, le paysagiste qu'il était à ses débuts évolua pour une peinture d'imaginations oniriques à tendance fantastique que refusèrent les jurys des lieux d'exposition institutionnels, et donc que le public ignora. Eilshemius s'isola dans ses rêveries toujours plus tragiques. En 1917, le Salon des Artistes Indépendants de Paris, qui fonctionnait sans jury ni récompenses, accueillit ses peintures, qui y furent remarquées, notamment par Marcel Duchamp, qui organisa sa première exposition personnelle en 1920, à la toute nouvelle *Société Anonyme* de New York. Malgré cette reconnaissance, sans doute trop tardive, Eilshemius décida alors de ne plus peindre, ce à quoi il se tint jusqu'à sa mort vingt ans plus tard. Malgré sa solitude, il avait fait partie d'associations artistiques, notamment des Modern Artists of America.

Dans sa première période, à la fin du XIXe siècle, quand ses voyages nombreux ne sollicitaient que le paysagiste en lui, il pratiquait une technique traditionnelle, franche, qui le rapprochait de Winslow Homer, avec quelques touches postimpressionnistes en plus. Dès le début du XXe siècle, et certainement sous l'influence d'Albert Pinkham Ryder, sa technique évolua brutalement à un expressionnisme puissant, d'autant que ses thèmes évoluaient également à un fantastique visionnaire, ce dont un exemple caractéristique et éloquent est le *Hollandais volant,* dans lequel la nature entière, la mer démontée, les récifs menaçants, le ciel en furie, tout semble hurler à la mort contre le vaisseau qui fuit courbé dans la tempête, poursuivi par son double rayonnant et surnaturel. Désormais, il anima ses paysages et marines de femmes nues, ce qui n'aurait rien eu d'extraordinaire s'il n'avait situé leur jeux dans un espace sans pesanteur, ce qui rendait ses compositions trop étranges aux yeux du public. Ces rêveries encore bien innocentes se muèrent ensuite en imaginations fantastiques de scènes tragiques et d'horreur. Aussi, lorsqu'Eilshemius, malgré la consécration tardive, décida de ne plus jamais peindre, peut-on penser qu'il voulut se libérer de ses fantasmes.

■ Jacques Busse

BIBLIOGR. : In : *Diction. Univers. de la Peint.,* Le Robert, Paris, 1975.

MUSÉES : NEW YORK (Mus. of Mod. Art) : *Vent d'après-midi* 1899 – NEW YORK (Whitney Mus.) : *Le Hollandais volant* – WASHINGTON D. C. (Philipps coll.) : *Le pont des pêcheurs.*

Ventes Publiques : New York, 23 avr. 1936 : *Paysage* : **USD 360** – New York, 13 avr. 1944 : *Paysage* : **USD 425** – New York, 28 mars 1946 : *Nymphes après le bain* 1898 : **USD 600** – New York, 9-10 avr. 1947 : *Homme dans un bateau sur le lac de Genève* : **USD 325** ; *Clair de lune* : **USD 200** – New York, 23 mars 1961 : *New York, côté Est* : **USD 850** – New York, 11 mai 1967 : *Scène de plage à Samoa* : **USD 1 500** – New York, 22 oct. 1969 : *Paysage boisé avec rivière*, aquar. : **USD 1 100** – New York, 29 avr. 1976 : *Le pont de chemin de fer*, h/t mar./cart. (29,2x43,5) : **USD 1 800** – New York, 13 oct. 1976 : *Nus à la cascade* 1908, h/cart. (104x66) : **USD 1 100** – New York, 29 jan. 1981 : *The intruder* 1905, h/t (61x96,5) : **USD 3 500** – New York, 20 juin 1985 : *Central Park, New York* 1917, h/cart. (45,7x78,8) : **USD 2 700** – New York, 17 mars 1988 : *Femme au bouquet de fleurs jaunes dans un paysage* 1908, h./Isorel (38x55) : **USD 2 750** – New York, 24 juin 1988 : *Baigneurs dans un paysage*, h/cart. (22,5x22,5) : **USD 1 100** – New York, 24 jan. 1989 : *Nu dans un paysage*, h/pap./rés. synth. (97,5x73,8) : **USD 2 475** – New York, 24 jan. 1990 : *Pêcheurs dans une cabane sur la grève* 1878, aquar. et cr./pap. (24x32,4) : **USD 770** – New York, 14 fév. 1990 : *Les Sirènes* 1909, h/pan. (38,5x56,5) : **USD 5 500** – New York, 15 mai 1991 : *Petit garçon assis sur une barrière*, h/cart. (47,6x36,8) : **USD 3 300** – New York, 25 sep. 1992 : *Littoral ensoleillé*, h/rés. synth. (50,8x76,2) : **USD 1 760** – New York, 31 mars 1993 : *La source* 1901, h/rés. synth. (50,8x37,5) : **USD 1 955** – New York, 12 sep. 1994 : *Rue à la limite de Broadway*, h/cart. (34,9x33,7) : **USD 2 587** – New York, 28 sep. 1995 : *Le Sauvetage*, h/cart. (64,8x87,9) : **USD 2 760** – New York, 30 oct. 1996 : *Éclaircie après l'orage* ; *Les Trois Grâces* ; *Bateau au large* 1919, h/cart., h./masonite et h/pap., trois peintures (38,1x53,3 ; 42,9x31,8 et 20,3x25,4) : **USD 3 450**.

EIMBECK Johann Raphon von ou **Einbeck**. Voir **RAPHON**

EIMER Ernst

Né le 14 juillet 1881 à Gross-Eichen (Hesse). XXe siècle. Allemand.

Peintre, graveur, aquarelliste.

Il fut élève de Friedrich Fehr et de Wilhelm Trübner à l'Académie des Beaux-Arts de Karlsruhe. Il exposa à partir de 1906 à Munich, Berlin, Düsseldorf, Darmstadt. Il était membre de l'Association des Artistes Allemands.

EIMMART

XIXe siècle. Actif à Vienne vers 1850. Autrichien.

Aquafortiste.

On cite de lui un *Portrait de la baronne Felicita Stubenberg*.

EIMMART Christian ou **Eimart**

Né le 22 juillet 1642 à Ratisbonne. XVIIe siècle. Allemand.

Peintre.

Fils de Georg Christoph l'ancien. Il alla très jeune à Rome et s'y fixa. Il peignit des sujets religieux et profanes.

EIMMART Georg Christoph, l'Ancien

Né en 1603 à Königsberg. Mort en 1658 à Ratisbonne. XVIIe siècle. Allemand.

Peintre d'histoire, portraits, paysages, natures mortes, graveur.

EIMMART Georg Christoph, le Jeune

Né en 1638 à Ratisbonne. Mort en 1705 à Nuremberg. XVIIe siècle. Allemand.

Peintre d'histoire, portraitiste, graveur.

Fils et élève de Eimmart l'ancien. Il fut nommé, membre de l'Académie de Nuremberg, puis, astronome, il devint directeur de l'Observatoire de cette ville. Il illustra la *Bible* de Christophe Weigel et le *Mundus Mirabilis* de Johann Zahn.

G. C6.

EIMMART Maria Clara

Née en 1676 à Ratisbonne. Morte en 1707 à Altdorf. XVIIe siècle. Allemande.

Peintre et graveur.

Fille de Eimmart le jeune. Elle épousa un astronome et collabora aux travaux artistiques et scientifiques de son père.

EIMMART Matthaüs

Né le 29 mai 1640 à Ratisbonne. XVIIe siècle. Allemand.

Peintre et graveur.

Fils de Georg Christoph l'ancien. L'Hôtel de Ville de Ratisbonne conserve une grande plaque de pierre gravée par lui.

EINAR-WEGENER. Voir **WEGENER**

EINBECK Georges

Né le 5 janvier 1871 à Golluschütz (Prusse). Mort le 21 janvier 1951 à Lucerne. XIXe-XXe siècles. Actif en Suisse et en France. Allemand.

Peintre de compositions à personnages, figures, paysages, peintre à la gouache, aquarelliste. Postfauviste.

Il était d'une famille aisée et cultivée qui, pendant son enfance, se fixa à Berlin, puis à Dresde, où il fréquenta le lycée puis se destina à une carrière bancaire. Après peu d'années, il renonça à ce métier pour apprendre la technique de la peinture à Munich et à Paris, qu'il étudia surtout dans les musées. En 1906, il abandonna son activité picturale, se rendit pour une longue période en Afrique du Nord, s'arrêtant fréquemment à Paris, pour finalement se fixer dans le Sud de la France, où, âgé de quarante-deux ans, il commença à trouver son mode d'expression personnel. En 1914, il fut surpris par la guerre à Lucerne et resta en Suisse. En 1919, son lieu de naissance étant annexé à la Pologne, il opta pour la nationalité polonaise. À partir de 1920, il prit l'habitude de passer les mois d'hiver à Menton, et retournait au printemps en Suisse, au lac des quatre cantons. Plutôt citoyen du monde, il avait fait la demande de la nationalité suisse, qui ne devait aboutir que peu après sa mort. Il avait figuré aux expositions officielles de Berlin, Dresde, Weimar. À Lucerne, où il avait lié de nombreux contacts avec les personnalités artistiques et culturelles, il exposa souvent au musée de la ville. Après sa mort, la galerie Raeber de Lucerne s'active à faire mieux connaître son œuvre par des expositions et la publication d'une monographie.

Son œuvre, qui ne trouva son caractère original qu'à la veille de la première guerre mondiale, est très conditionné par la peinture française de l'époque, par les sujets comme par la technique. Son dessin est franc, simplifié, synthétique, la couleur est également franche et vive. Dessin en arabesque, couleurs saturées, le rattachent au fauvisme, tandis que ses thèmes, côte méditerranéenne et Provence pour les paysages, personnages typiques de la rue parisienne et femmes de Paris pour les figures et les groupes, renforcent son apparentement à la culture française, dans laquelle il avait d'ailleurs été élevé. ■ Jacques Busse

Bibliogr. : *Georges Einbeck 1871-1951*, Édit. Gal. Raeber, Lucerne, 1976.

Ventes Publiques : Lucerne, 18 nov. 1978 : *Christ et la femme de Samarie* 1921, temp. (92x82) : **CHF 2 400** – Lucerne, 19 mai 1983 : *Vue de Menton* 1926, h/tempera (60x50) : **CHF 3 800** – Zurich, 22 mai 1987 : *Le sermon* 1933, gche/pap. (33,6x50) : **CHF 3 500** – Lucerne, 24 nov. 1990 : *Le mistral* 1909, aquar. et temp./pap. (34x26) : **CHF 1 300** – Lucerne, 23 mai 1992 : *Tête de femme* 1936, temp./cart. (24x18) : **CHF 1 000**.

EINBERGER Andreas

Né le 30 octobre 1878. XXe siècle. Allemand.

Peintre de compositions à personnages, compositions murales, portraits, figures typiques, paysages de montagne, fresquiste, aquarelliste, sculpteur.

Il était d'origine polonaise, fils de paysans. Il vivait à Kramsach près de Schwaz (Tyrol). Il fut d'abord sculpteur sur bois. Puis, il étudia la peinture avec Gabriel von Hackl à Munich et fut élève de Alois Delug à Vienne. Il séjourna ensuite à Rome. En 1911, il présenta à l'Exposition d'Innsbruck : *Portrait d'une femme en blanc*.

À son retour de Rome à Schwaz il peignit « à fresque » des compositions dans le style de Michel-Ange. À l'huile, il peignit des portraits et à l'huile et à l'aquarelle des paysages du Tyrol : *Alpage de haute-montagne, Jour d'automne ensoleillé*.

EINBERGER Josef

Né en 1847 à Brixlegg. Mort le 1er décembre 1905. XIXe siècle. Autrichien.

Sculpteur et sculpteur sur bois.

Il entra en 1871 dans l'atelier du sculpteur Dominikus Trenkwalker à Innsbruck ; après la mort de celui-ci il acheva quelques-unes de ses sculptures sur bois. Il sculpta surtout des crucifix et son œuvre principale est un *Chemin de Croix* dans le cimetière de Mariahilf près d'Innsbruck. On trouve de ses œuvres dans la région d'Innsbruck, dans la Haute vallée de l'Inn et dans le sud du Tyrol.

EINHARDT

XVIe siècle. Actif à Würzburg vers 1515. Allemand.

Peintre.

EINHART Andreas

XVIe siècle. Actif à Würzburg. Allemand.

Sculpteur.

Il fut reçu dans la Corporation Saint-Luc à Würzburg en 1514.

EINÔ. Voir **KANÔ EINÔ**

EINOUT Johannes

XVIe siècle. Actif à Rotterdam vers 1525. Hollandais.

Peintre.

EINSCHLAG Eduard

Né le 28 février 1879 à Leipzig. XXe siècle. Allemand.

Graveur de portraits, figures, peintre.

Il fut élève du graveur Peter Halm à l'Académie de Munich. Il alla aussi étudier à Paris.

Il a gravé des portraits et des « académies » aussi bien dans le style des vieux maîtres que dans celui des contemporains français.

MUSÉES : BERLIN – LEIPZIG – MUNICH.

VENTES PUBLIQUES : MUNICH, 25 nov. 1981 : *Nature morte aux fleurs* 1929, h/t (59,5x48,5) : **DEM 2 600** – NEW YORK, 21 fév. 1985 : *Nu assis dans un intérieur* 1916, past./pap. mar./cart. (54,7x45,6) : **USD 650**.

EINSENLOHR E. G. Voir **EISENLOHR**

EINSLE Anton

Né en 1801 à Vienne. Mort le 10 mars 1871 à Vienne. XIXe siècle. Autrichien.

Peintre de scènes religieuses, portraits.

Élève de l'Académie de sa ville natale, il obtint une grande renommée grâce au haut patronage de la cour et de la noblesse. On cite notamment de lui : *Portrait de François-Joseph Ier*, peint en 1845, *Portrait de Ferdinand Ier*, *L'Archiduchesse Sophie*, *L'Empereur François Ier*, *L'Archiduc Charles sur son lit de mort*, *L'Archiduchesse Hermine*, *L'Archiduchesse Abbesse Marie-Caroline*, *Mélanie Metternich*, *Le Comte Chotek*, *Le Maréchal Radetzky*, *Giacomo Meyerbeer*, *Ermite en prières*, *Saint Jérôme*, *Joueuse de luth*, *Suzanne et les Vieillards*, *Hébé et l'Aigle*. La plupart de ses œuvres appartiennent à des collections privées.

MUSÉES : BUDAPEST : *L'Archiduc Joseph* – *L'Archiduchesse Marie-Dorothée* – BUDAPEST (Gal. des Portraits) : *L'Archiduc Joseph, Électeur Palatin de Hongrie* – BUDAPEST (Mus. des Beaux-Arts) : *L'Évêque Pyrker* – BUDAPEST (Château) : *L'Archiduc Joseph* – MAYENCE : *L'Archiduc Charles d'Autriche* – TRIESTE (Château Miramar) : *François-Joseph Ier à vingt-trois ans* – *Maréchal Radetzky* – *Maréchal Jellacis* – VIENNE : *L'actrice Thérèse Grafenberg* – *Portrait de l'artiste* – VIENNE (Acad. Beaux-Arts) : *Le sculpteur Joseph Klieber* – VIENNE (Hofburg) : *François-Joseph Ier à vingt ans* – *Le même à sa prise de pouvoir* – *Le même en uniforme de maréchal* – *Le même portant l'Ordre de la Toison d'Or* – *L'Amour guettant derrière un rideau*.

VENTES PUBLIQUES : VIENNE, 30 nov. 1976 : *Portrait de jeune femme*, h/t (100x78) : **ATS 40 000** – COLOGNE, 16 juin 1977 : *La Dame aux camélias*, h/t (51x39) : **DEM 3 600** – MONTE-CARLO, 15 juin 1986 : *Portrait de l'archiduc Stéphane Victor d'Autriche* 1847, h/t (256,5x168) : **FRF 70 000** – MUNICH, 27 juin 1995 : *Comtesse Wanda Festetics von Tolna, née Comtesse Raczynska*, h/t (108,5x91) : **DEM 57 500** – VIENNE, 29-30 oct. 1996 : *Jeune femme devant son miroir* 1841, h/t (96x127) : **ATS 850 000**.

EINSLE Joseph

Né en 1794 à Göggingen. Mort après 1850 à Augsbourg. XIXe siècle. Allemand.

Peintre de miniatures.

Il travailla à Augsbourg et à Francfort. Ses œuvres furent exposées à Mannheim, Rotterdam, Munich, Lemberg, Breslau, de 1905 à 1913.

EINSLIE S.

XVIIIe-XIXe siècles. Actif à Londres. Britannique.

Peintre miniaturiste.

De 1785 à 1808, cet artiste envoya des miniatures aux expositions de la Royal Academy.

EINSPINNER Josef

Né le 4 septembre 1861 à Murzzuschlag. XIXe siècle. Autrichien.

Sculpteur.

Après avoir été l'élève d'Hellmer et Zumbusch à l'Académie de Vienne, il travailla à Vienne et exécuta la statue de *l'Empereur François-Joseph Ier*, celle du *Freiherr A. von Dietrichstein*, conservées l'une au Palais de Justice, l'autre à l'Hôtel de Ville de Gratz, puis un *Caïn*, un *Faune*, une *Nymphe* et de nombreux bustes.

EINSTEIN William

Né en 1907 à Saint-Louis (Missouri). Mort en 1972 à Acheux-en-Vimeu (Somme). XXe siècle. Actif en France. Américain.

Peintre, peintre de cartons de vitraux. Polymorphe.

Il fut élève de l'École des Beaux-Arts de Saint-Louis. Il vint en France à l'âge de vingt ans, étudia les maîtres anciens au Louvre, suivit les cours de l'École du Louvre, tout en recevant, en 1927, pour sa propre peinture les conseils de Léger et Ozenfant à l'Académie Moderne, et en étant aussi sensible aux influences de Soutine, Pascin, Friesz. En 1929-1931, il rencontra Mondrian, Duchamp, Arp, Delaunay, Pevsner, Freundlich, Hélion, Calder, adhéra en 1931 au groupe *Abstraction-Création*, figurant dans le premier numéro de la revue. En 1931, avec Hélion, il voyagea en Russie, rencontrant Gabo et Tatlin. Dans la perspective de ses travaux du moment, il suivit les cours de l'Institut d'Optique de Paris pendant deux années. Il revint à New York en 1933, participant à l'organisation d'expositions de peinture, principalement européenne d'avant-garde, pour la galerie d'Alfred Stieglitz *An American Place*. En 1936, il organisa, avec Georgia O'Keeffe, une exposition John Marin au Museum of Modern Art. Pendant son séjour à New York de 1933 à 1938, il montra des expositions de ses propres œuvres, depuis la première en 1937 à la galerie *An American Place*. Il revint en Europe en 1938, où, après avoir servi dans les armées américaines pendant la guerre, il se fixa définitivement. Au lendemain de la guerre, il eut une activité de critique d'art, comme correspondant du New York Herald Tribune en 1946-1947. De 1947 à 1955, installé à Aix-en-Provence, il organisa des expositions, d'ailleurs significatives de sa propre évolution quant à la peinture : Humblot, Rebeyrolle, Balthus, Gruber, Rohner, etc. En 1953, il exposa à l'American Associated Artists à New York. En 1966, il se fixa en Picardie. Depuis son retour à Paris, il y a figuré aux Salons d'Automne et des Artistes Indépendants en 1960, et exposé seul en 1946 et 1954 à la galerie Jeanne Castel, puis en 1955, 1958 Galerie Barbizon, 1959, 1960 Galerie René Drouin, et à New York en 1953. En 1972, la Maison de la Culture d'Amiens organisa une exposition d'ensemble de son œuvre.

Son métier de technicien de la peinture et surtout ses connaissances artistiques sont remarquables. Quant à son œuvre propre, il a traversé des périodes différentes. Autour de 1930, dans le contexte du groupe *Abstraction-Création*, il tendait à une expression abstraite et de recherche optique. Cependant, dès 1932, sa conception de l'homme et de l'humanisme le ramena à la figuration, à laquelle il resta attaché, trouvant ses références narratives et expressives chez les Vénitiens du XVIIIe siècle et chez Corinth et Kokoschka. Toutefois, le travail de conception de la série de vitraux pour l'église historique de Saint-Vulfran d'Abbeville, entrepris et poursuivi depuis 1965, se réfère encore, sans doute pour des raisons de spiritualité, à l'abstraction relative de l'École de Paris. ■ Jacques Busse

BIBLIOGR. : Catalogue de l'exposition *William Einstein*, Mais. de la Cult., Amiens, 1972.

VENTES PUBLIQUES : PARIS, 29 avr. 1997 : *Concrétion 1931 n°1* 1931, h/pan. (33x55) : **FRF 39 000**.

EINWAG Johann Christoph

Mort en 1666 à Venise. XVIIe siècle. Actif à Nuremberg. Allemand.

Peintre.

Il fut élève de Daniel Preisler.

EINZIGMULLER. Voir **ENZING Müller**

EIPELT Joseph

XVIIIe siècle (?). Allemand.

Peintre ou dessinateur.

Une vue générale de Coblentz de sa main fut gravée en 1770 par Joseph Eber.

EIRENE

Antiquité grecque.

Peintre.

On ignore l'époque à laquelle elle vécut. Elle était la fille de Krastinos et peignit pour Eleusis le portrait d'une jeune fille.

EIRI Chokyosai

XVIIIe siècle. Japonais.

Peintre de portraits et figures, graveur.

Dans sa thèse, Lane établit que Chokyosai Eiri ne se confond pas avec Rekisentei Eiri. On ne connaît que peu d'œuvres de cet artiste : de très beaux Okubi-e (portraits de femmes en gros plan) et une série de trois estampes, considérée comme son œuvre maîtresse, représentant chacune le costume de jolies femmes des trois villes d'Osaka, de Kyoto et de Édo.

BIBLIOGR. : Hillier : *Japonese prints and drawings from the Vever*

Collection, Londres, 1976 – Lane : *Images from the floating world*, Fribourg, 1978.
Ventes Publiques : New York, 16 avr. 1988 : *Femmes élégantes en costumes des trois capitales : Osaka, Kyoto, Édo*, série complète des trois estampes (39,2x26,3 et 39,3x26,5 et 38,6x25,7) : **USD 1 540 000**.

EIRI REKISENTEI, de son vrai nom : **Hosoda Eiri,** nom de pinceau : **Meikyûsai**
xviiie siècle. Japonais.
Peintre, graveur.
Il travaillait vers 1790.
Il n'a retenu de l'art d'Eishi que le goût pour les femmes fragiles. Dans ses estampes où il présente des amants, selon le goût érotique japonais, il laisse transparaître une atmosphère assez romantique, qui, d'habitude, est étrangère au style de l'École ukiyo-è à laquelle il appartient.
Ventes Publiques : New York, 16 oct. 1989 : *Le prince Genji accompagné d'une procession de jeunes filles chargées de présents escortant le palanquin Impérial tiré par des bœufs*, estampe oban tate-e, pentatyque (chaque panneau 37x24) : **USD 4 400**.

EISAI Shigekiyo
xixe siècle. Japonais.
Graveur de scènes animées.
Ventes Publiques : New York, 27 mars 1991 : *Vue de la construction de l'éclairage électrique d'une rue de Ginza à Tokyo* 1883, estampe chuban, triptyque (25,6x16,4) : **USD 2 420**.

EISCH Erwin
Né en 1927. xxe siècle. Allemand.
Peintre de figures, dessinateur, peintre sur verre. Figuration libre.
Une double exposition lui a été consacrée en 1988 à Paris, sous le patronage du Goethe Institut, en liaison avec le Musée des Arts Décoratifs.
Quelles que soient les techniques utilisées, il représente grossièrement des personnages féminins ou masculins dans des postures de mouvements. Les peintures sur des verres (à boire) étant montrées au Centre du Verre du Musée des Arts Décoratifs.
Ventes Publiques : New York, 25-26 fév. 1994 : *Sans titre* 1971, verre soufflé (58,4x22,9x11,4) : **USD 2 300**.

EISEL Johann
xviiie siècle. Actif à Prague vers 1729. Tchécoslovaque.
Graveur.
Il a gravé des *Sujets de sainteté*.

EISELE Hans
Né le 2 juillet 1865 à Munich. Mort le 16 juillet 1907 à Munich. xixe siècle. Allemand.
Peintre de portraits et de paysages.
Il s'adonna d'abord à la lithographie, puis devint élève de l'Académie de Munich avec John Herterich et Wilhelm Diez.

EISELE Martin
xvie siècle. Actif à Vienne en 1593. Autrichien.
Peintre.

EISEMANN. Voir **EISENMANN** et **EISMANN**

EISEN. Voir aussi **EYSEN**

EISEN
xviiie siècle. Actif à Cologne en 1707. Allemand.
Graveur.

EISEN, de son vrai nom : **Ikeda Yoshinobu,** surnoms : **Konsei, Zenshirô** et **Teisuke,** noms de pinceau : **Eisen, Keisai, Ippitsuan, Kokushunrô, Hokugô, Mumeiô, Kakô**
Né en 1790. Mort en 1848. xixe siècle. Japonais.
Maître de l'estampe.
Élève de Eizan, il commence par étudier les styles des écoles Kanô et Tosa. On sait qu'entre 1837 et 1842, il aida Hiroshige pour sa grande série *Kiso Kaidô* (Les soixante-neuf étapes de la Grande Route Est-Ouest par la Montagne Centrale). Eisen serait l'auteur de vingt-quatre des soixante-neuf estampes de cet ensemble. Parmi elles, *La Cascade de Nojiri*, montre une opposition entre le torrent, les rochers du premier plan, dessinés très largement, et, dans le lointain, le paysage de montagnes bleuâtres ou grises, avec le Fuji imaginaire, perdu dans les brumes. On pourrait dire que le premier plan est Hokusai et l'arrière-plan, ainsi que les petits personnages suggérés, sont Hiroshige. Ces références pour ce cas particulier situent assez bien l'œuvre d'Eisen dans son ensemble.
Il est connu pour ses estampes de beautés féminines.
Bibliogr. : R. Lane : *L'estampe japonaise*, Somogy, Paris, 1962.
Ventes Publiques : Londres, 16 mai 1988 : *Vue du Mont Asama depuis Urawa*, estampe, n° 4 d'une série de 69 épisodes de la route de Kiso, Oban Yeko-e : **GBP 1 980** ; *Courtisane debout tenant un rouleau de papier*, estampe, Oban Aizuri-e : **GBP 572** – New York, 21 mars 1989 : *Servante de maison de thé portant une soupière sur un plateau en gros plan*, estampe oban tate-e (37,8x24,5) : **USD 4 620**.

EISEN Anton. Voir **EISENHOUT**

EISEN Anton Friedrich
xixe siècle. Actif à Nuremberg. Allemand.
Graveur.
Il est nommé en 1800 et 1806 et semble identique à Anton-Paul Eisen.

EISEN Anton Paul
Né en 1777 à Nuremberg. xixe siècle. Allemand.
Graveur au burin et au pointillé.
Il a gravé des *Sujets d'histoire* et des *Paysages*.

EISEN Charles
xviiie siècle. Actif à Lyon. Français.
Peintre.
Il peignit, en 1766, ou 1767, quatre bas-reliefs dans le vestiaire des Recteurs de l'Aumône générale. Eisen, « établi à Lyon » (sans doute le même artiste), exposa dans cette ville, en 1786, au Salon des Arts : *Crésus montrant ses richesses* ; *Le Sultan se fait amener une de ses femmes*, deux peintures où « des enfants » représentent *L'Enlèvement d'Europe* et *Vénus sur les eaux* ; *Jeux des amours* (deux tableaux) et trois *Dessus de portes en bas-reliefs*. En 1791, il décora la salle d'Audience des Chanoines, comtes de Lyon. C'est sans doute le même artiste qui entra en 1751 à l'Académie de Saint-Luc à Paris.

EISEN Charles Dominique Joseph
Né le 17 août 1720 à Valenciennes. Mort le 4 janvier 1778 à Bruxelles. xviiie siècle. Français.
Peintre de genre, figures, portraits, intérieurs, aquarelliste, graveur, dessinateur, illustrateur.
Fils de François Eisen, il n'eut pas d'autre maître que son père. Venu en France, il s'acquit les bonnes grâces de Mme de Pompadour, dont il était le professeur de dessin. Comme il avait du talent et un esprit enjoué, la marquise n'éprouva pas de difficulté pour le faire admettre à la cour. Il ne tarda pas à devenir peintre et dessinateur du roi et professeur à l'Académie de Saint-Luc. Cependant une malencontreuse hardiesse l'obligea à quitter la France et à se réfugier à Bruxelles. On raconte le fait suivant : un jour la favorite de Louis XV demanda à Eisen d'exécuter le dessin d'un habit d'un goût simple, mais nouveau, car elle désirait donner au roi le plaisir d'un vêtement non encore paru. L'artiste livra le dessin, mais en garda le double, d'après lequel il fit faire un habit pour lui-même. Il se montra à Versailles, ainsi vêtu, le jour même où le roi portait le sien. Mme de Pompadour éprouva une violente colère contre l'artiste ; c'est ce qui engagea celui-ci à disparaître. Il figura aux expositions de Saint-Luc de 1751 à 1774.
Eisen est surtout connu par ses dessins, notamment par ses vignettes des *Contes de La Fontaine* et par ses compositions sur les *Métamorphoses d'Ovide*. Les ouvrages d'Eisen excellent par la grâce et par la variété.

Eisen. CG Eis f.

Musées : Alençon – Bordeaux : *Berger et bergère* – *L'oiseleur* – *Danse au village* – *Repos au village* – Bourg.
Ventes Publiques : Paris, 1767 : *Deux intérieurs de palais avec figures* : **FRF 131** – Paris, 1855 : *Le Bilboquet* : **FRF 490** ; *Concert dans un salon* : **FRF 600** – Paris, 1855 : *Scène d'intérieur de famille, éclairée à la lampe*, dess. au lav. d'encre de Chine et en coul. : **FRF 106** – Paris, 1878 : *La toilette* : **FRF 1 000** ; *La Conversation* : **FRF 1 340** – Paris, 1880 : *Pour les Contes de La Fontaine*, deux dess. à la mine de pb : **FRF 1 679** – Paris, 1885 : *Les Joueurs de dés* : **FRF 2 550** ; *Les mères de famille* : **FRF 2 200** – Paris, 30-31 jan. 1894 : *Les petits savoyards* ; *La Pêche à la ligne*, deux scènes enfantines en pendants : **FRF 375** – Paris, 10-18 fév. 1898 : *Les plaisirs champêtres*, dess. : **FRF 3 050** ; *L'automne*, encre de Chine : **FRF 3 050** ; *Deux culs-de-lampe*, pl. reh.

d'aquar. : **FRF 1 105** ; *La convalescence*, mine de pb : **FRF 290** – PARIS, 1899 : *La jolie charlatane* : **FRF 1 900** ; *Le beau commissaire* : **FRF 1 900** ; *La nuit* : **FRF 1 710** ; *La famille de Choiseul* : **FRF 8 000** ; *La nuit*, dess. : **FRF 1 910** – PARIS, 3-5 mai 1900 : *Jeux d'enfants* : **FRF 880** – PARIS, 28 mai 1900 : *Illustration pour L'Éloge de la Folie*, vingt-sept dess. : **FRF 8 000** ; *Scènes tirées des nouvelles de d'Arnaud*, suite de six dess. : **FRF 2 060** ; *Suite de six culs-de-lampe* : **FRF 1 200** – NEW YORK, 26-28 fév. 1902 : *Les moissonneurs* : **USD 225** ; *Rêverie* : **USD 340** – COLOGNE, 19-29 oct. 1905 : *Portrait de Ch. Eisen* : **FRF 625** – PARIS, 4-6 avr. 1910 : *La Fête des Rois, le roi boit* : **FRF 2 500** – LONDRES, 10 juin 1910 : *Amours*, dessus de porte : **GBP 120** ; *Jeune fille* : **GBP 26** – PARIS, 27 mars 1919 : *Un amour*, sanguine : **FRF 210** – PARIS, 16 et 19 juin 1919 : *Frontispice pour un livre*, pl. et lav. : **FRF 1 100** ; *Titre d'un cahier de romances*, lav. : **FRF 3 800** – PARIS, 15 fév. 1923 : *Amours et jeune femme tenant un brûle-parfums* ; *Amours et la Paix appuyée sur une corne d'abondance*, deux pendants : **FRF 7 600** ; *Amours musiciens* ; *Amours voyageurs*, deux pendants : **FRF 1 700** ; *Amours peintres* ; *Amours jardiniers*, deux pendants : **FRF 2 700** – PARIS, 7 et 8 mai 1923 : *Le Concert d'amateurs*, cr. : **FRF 3 300** ; *La Nymphe et le berger* ; *L'Enlèvement d'Europe*, deux mines de pb : **FRF 5 000** – PARIS, 24 mai 1923 : *Amours oiseleurs* : **FRF 1 020** – PARIS, 2 juin 1923 : *Amours musiciens*, mine de pb : **FRF 75** – PARIS, 7 et 8 nov. 1924 : *L'Entretien galant*, lav. de bistre, reh. : **FRF 700** – LONDRES, 22 mai 1925 : *Le moment du triomphe* : **GBP 52** – PARIS, 8 juin 1925 : *Les Cerises*, lav. d'encre de Chine : **FRF 10 400** – PARIS, 17 et 18 juin 1925 : *Vénus et Vulcain*, pl. et lav. d'encre de Chine : **FRF 4 000** – PARIS, 9 déc. 1926 : *Le galant volé* : **FRF 4 000** – PARIS, 5 mai 1927 : *Amour docteur* : **FRF 2 700** – PARIS, 25 jan. 1929 : *Réunion d'enfants travestis dans un parc* : **FRF 10 600** – PARIS, 9 mars 1929 : *Petits amours charpentiers*, dess. : **FRF 150** – PARIS, 13-15 mai 1929 : *Allégorie sur l'érection d'une statue à Louis XV*, dess. : **FRF 1 650** ; *Vignettes pour illustrations*, trois dess. : **FRF 7 300** ; *Vignette pour « Angola »*, dess. : **FRF 3 100** – PARIS, 26 et 28 déc. 1933 : *L'Abondance* ; *La Peinture*, ensemble : **FRF 5 100** – PARIS, 1er déc. 1934 : *Frontispice*, dess. à la pl., au lav. d'encre de Chine et à l'aquar. : **FRF 400** – PARIS, 12 déc. 1935 : *L'Invention du paratonnerre* : **FRF 385** – PARIS, 17 déc. 1935 : *La dame de charité*, aquar. sur traits de pl. : **FRF 3 000** ; *Allégorie sur l'érection d'une statue à Louis XV*, dess. à la pl. et au lav. d'encre de Chine, légèrement reh. d'aquar. : **FRF 1 000** ; *Vignettes pour illustrations*, trois dess. à la mine de pb sur velin : **FRF 3 900** – PARIS, 14 déc. 1936 : *Le galant repoussé*, mine de pb : **FRF 420** – PARIS, 5 mars 1937 : *Cul-de-lampe à décor d'amours personnifiant les arts et les sciences*, dess. à la pl. reh. d'aquar. : **FRF 900** – PARIS, 12 mai 1937 : *Scène enfantine* : **FRF 1 750** – LONDRES, 22 juil. 1937 : *Frontispice à motifs de médaillons et palmiers*, dess. : **GBP 15** – PARIS, 9 déc. 1938 : *Gardes françaises*, suite de quatre dess. à la mine de pb : **FRF 550** – PARIS, 1er juin 1940 : *La Musique*, pl. et lav. d'encre de Chine : **FRF 685** – PARIS, 13 fév. 1941 : *La partie de dés* : **FRF 52 000** – PARIS, 28 nov. 1941 : *Le Diseur de bonne aventure* ; *Le Repas du chat* ; *Les Cuisiniers*, trois dess., pl. et aquar. : **FRF 3 500** ; *Allégorie relative au règne de Louis XV* 1754, cr. : **FRF 6 400** – PARIS, 16 nov. 1953 : *L'enfant géomètre* : **FRF 66 000** – NEW YORK, 6 avr. 1960 : *Le chien qui danse* : **USD 750** – LONDRES, 16 oct. 1963 : *Jardin avec statue de Cupidon et deux jets d'eau*, aquar. : **GBP 440** – PARIS, 26 mai 1981 : *La Fileuse* ; *Rafraîchissement du moissonneur*, deux dess. à la pl. et lav. gris/ croquis à la mine de pb (18x16,5) : **FRF 4 500** – PARIS, 30 mars 1987 : *La danse de l'ours* ; *La danse du chien*, deux h/t (46x37,5) : **FRF 100 000** – PARIS, 14 déc. 1989 : *Les apprentis alchimistes*, h/t (43x78,5) : **FRF 20 000** – MONACO, 22 juin 1991 : *Une allégorie des arts*, h/t (84,5x134) : **FRF 88 800** – LONDRES, 7 juil. 1992 : *Apollon, Pégase et les Muses*, encre et lav. (18x21,6) : **GBP 1 430** – PARIS, 15 déc. 1993 : *Amours musiciens*, h/pan. de chêne (67x51) : **FRF 30 000** – LONDRES, 18 avr. 1994 : *La tentation amoureuse*, encre et aquar. (37,6x27,1) : **GBP 6 670** – PARIS, 21 mars 1995 : *Scène tirée de la vie de Don Quichotte*, encre de Chine et sépia, plume (16x12) : **FRF 4 500** – PARIS, 17 juil. 1996 : *La Cueillette des cerises*, h/pan. (33,5x26,5) : **FRF 22 000**.

EISEN Christophe Charles
Né le 4 octobre 1744 à Paris. XVIIIe siècle. Français.
Peintre, dessinateur.
Il était le fils de Charles Dominique Eisen. En 1777, il entra à l'Académie de Saint-Luc.

EISEN François
Né vers 1695 à Bruxelles. Mort après 1778 à Bruxelles. XVIIIe siècle. Éc. flamande.
Peintre de scènes mythologiques, compositions religieuses, sujets allégoriques, scènes de genre, scènes d'intérieurs, aquarelliste, graveur, dessinateur.
Il vécut à Valenciennes et y épousa, le 28 juillet 1716, Marie-Marguerite Gainse ; il revint à Bruxelles en 1720, alla à Paris en 1745 et fut membre de l'Académie de Rouen. Il était le père du célèbre peintre et illustrateur Charles Dominique Joseph Eisen.
MUSÉES : ABBEVILLE : *Jeune femme à sa toilette* – DIJON : Deux grisailles avec amours – VALENCIENNES : *Vision de sainte Madeleine* – *Un astronome dans son cabinet* – VIENNE (Liecht.) : *Garçon à boucles blondes, vêtu de rouge* – *Vieillard avec un livre* – *Vieille femme avec une pièce d'or.*
VENTES PUBLIQUES : PARIS, 10-14 et 18 fév. 1898 : *Les jeunes musiciens* : **FRF 520** – PARIS, 3-4 et 5 mai 1900 : *Jeux d'enfants* : **FRF 880** – PARIS, 26 mars 1902 : *La Prudence et la Sagesse* : **FRF 350** – PARIS, 15 mai 1902 : *Jeux d'enfants* : **FRF 730** – PARIS, 29 et 30 nov. 1918 : *La Ravaudeuse* ; *La Cordonnière*, deux toiles : **FRF 4 110** – PARIS, 30 et 31 mai 1919 : *Intérieur de Sérail* : **FRF 1 000** – PARIS, 12 juin 1919 : *Flore et Zéphire* : **FRF 4 200** – PARIS, 20 oct. 1920 : *Les petits oiseleurs*, attr. : **FRF 3 150** – PARIS, 6-8 déc. 1920 : *Les singes amateurs* : **FRF 4 500** – PARIS, 18 déc. 1920 : *Petits amours sous bois* : **FRF 4 000** – PARIS, 23-25 mai 1921 : *Les jeux de l'enfance*, deux pan. : **FRF 5 500** – PARIS, 4 juin 1921 : *L'Abondance* ; *La Peinture*, deux pan. : **FRF 10 000** – PARIS, 16 jan. 1928 : *La leçon de lecture*, École de Fr. E. : **FRF 3 100** – PARIS, 7 et 8 juin 1928 : *Projet de frontispice*, pl. et lav. : **FRF 110** – PARIS, 28 jan. 1929 : *Laissez venir à moi les petits enfants* : **FRF 3 750** – PARIS, 22 et 23 fév. 1929 : *Les jardins de l'Ile d'Amour*, aquar. : **FRF 1 000** ; *Le moulin* ; *Les chaumières*, deux aquar. : **FRF 1 700** – LONDRES, 10 mars 1930 : *Laissez venir à moi les petits enfants* : **GBP 9** – PARIS, 11 mars 1931 : *L'oiseau ranimé* ; *Les Crêpes*, ensemble : **FRF 7 200** – LONDRES, 27 avr. 1934 : *La jeune fille et le singe* 1767 : **GBP 42** – PARIS, 17 mai 1934 : *Déguisements enfantins* ; *La malice enfantine*, ensemble : **FRF 7 600** – PARIS, 3 et 4 déc. 1934 : *La ravaudeuse* : **FRF 9 000** ; *La cordonnière* : **FRF 59 000** – PARIS, 7 déc. 1934 : *La promenade*, dess. à la pl., au lav. de bistre et d'encre de Chine : **FRF 300** – PARIS, 14 mai 1936 : *L'Amour en ribote* ; *Les Dragons de Vénus*, ensemble : **FRF 12 800** – PARIS, 27 mai 1936 : *La main chaude* ; *Le Colin-Maillard*, ensemble : **FRF 5 600** – PARIS, 25 nov. 1936 : *La ravaudeuse* ; *La cordonnière*, pendants : **FRF 9 200** – PARIS, 18 mars 1937 : *La sultane favorite* : **FRF 5 100** – LONDRES, 19 déc. 1941 : *Scène de jardin à la lumière de torches, avec personnages* : **GBP 13** – PARIS, le 12 déc. 1953 : *La famille de Choiseul* : **FRF 462 000** – PARIS, 11 juin 1958 : *Le Sultan amoureux* : **FRF 280 000** – NEW YORK, 18 nov. 1961 : *Pastorale*, gche : **USD 500** – LONDRES, 26 juin 1963 : *L'appât trompeur* ; *L'oiseau envolé*, deux pendants : **GBP 1 600** – PARIS, 9 déc. 1967 : *L'offre galante* ; *La diseuse de bonne aventure* : **FRF 6 000** – PARIS, 9 mars 1972 : *Marie-Thérèse d'Autriche* ; *François III de Lorraine*, deux pendants : **FRF 25 000** – PARIS, 15 mars 1973 : *Le galant entretien* : **FRF 22 000** – NEW YORK, 7 avr. 1989 : *Scènes de taverne, soldats buvant, fumant, et jouant aux cartes*, h/t, une paire (chaque 32,5x44) : **USD 13 200** – NEW YORK, 9 oct. 1991 : *Distractions paysannes dans une taverne*, h/pan. (36,9x52,7) : **USD 3 850** – PARIS, 15 déc. 1992 : *Amours*, h/pan. (17,3x25) : **FRF 4 500** – PARIS, 16 juin 1995 : *Le concert* ; *Le souper* 1762, h/t, une paire (33x24,5) : **FRF 138 000** – PARIS, 16 déc. 1996 : *Diane et Endymion*, h/pan. (31,5x31,5) : **FRF 6 000** – NEW YORK, 17 oct. 1997 : *Intérieur élégant avec des dames conversant* ; *Intérieur élégant avec des personnages buvant du chocolat chaud à table* 1760, h/t, une paire (chaque 31,4x39,4) : **USD 15 525**.

EISEN I et EISEN II. Voir **KANÔ EISEN**

EISEN Ikeda. Voir **EISEN**

EISEN Jacques Philippe
Né le 3 novembre 1747 à Paris. Mort après 1778. XVIIIe siècle. Français.
Peintre et doreur.
Il était fils de Charles Eisen, et travailla à Caen.

EISENBACH Dorothy L.
Née à La Fayette (Indiana). XXe siècle. Américaine.
Peintre.
Professeur de peinture. Elle obtint en 1929 un prix important à l'exposition des Artistes de l'Indiana.

EISENBACH Johann Heinrich
XVIIIe siècle. Actif à Francfort-sur-le-Main. Allemand.
Peintre.

Il était probablement le fils du peintre Johann Remigius Eisenbach.

EISENBACH Johann Remigius
Né à Cromberg-en-Taunus. Mort le 13 avril 1774. XVIIIe siècle. Actif à Francfort-sur-le-Main. Allemand.
Peintre.

EISENBECK H.
XIXe siècle. Allemand.
Peintre de miniatures et peintre de genre.
Le Musée historique de Francfort-sur-le-Main conserve de cet artiste deux tableaux représentant des marchandes de légumes et de gibier.

EISENBERG
XVIIIe siècle. Allemand.
Peintre.
Il décora le plafond de l'église de Stalle, en Prusse, avec des peintures représentant des scènes de l'Histoire Sainte, les Évangélistes et des Anges.

EISENBERG d', baron
XVIIIe siècle. Français.
Dessinateur et écrivain.
Il illustra de ses dessins une partie de l'édition de son propre ouvrage sur l'art de l'équitation *(Description du manège moderne)*, ainsi que son *Antimaquignonnage*.

EISENBERG Johann
XVIIe siècle. Allemand.
Sculpteur sur ivoire.
Originaire de Gotha on suppose qu'il y fut artiste à la Cour, ainsi qu'au château de Cobourg. Ses œuvres sont conservées à Vienne et à Cassel, au Landesmuseum.

EISENBERG Nicolaus ou **Ysenbergk**
Né vers 1420 probablement à Eisenberg en Saxe. Mort après 1482. XVe siècle. Allemand.
Peintre.
Probablement moine franciscain lui-même, il peignit pour le Couvent des Franciscains de Zeitz, et pour l'église de Delitzsch près de Leipzig, qui conserve quelques restes de ses peintures murales. Mais il s'occupa surtout de l'ornementation des cloches.
Musées : Leipzig (Mus. Historique) : *Le Christ en croix entouré de Marie et de saint Jean, de saint Paul et sainte Elisabeth, avec un ecclésiastique – Le Christ en croix entouré de la Vierge et de saint Jean, saint André et sainte Barbara, avec deux donateurs*, deux peint. sur bois à la détrempe.

EISENBERG Sonja
Née en 1930. XXe siècle. Américaine.
Peintre. Abstrait-informel.
D'apparence informelle, sa peinture présente de subtiles variations chromatiques, où les taches (du tachisme ou dripping) se diffusent sur un support de papier au grain très fin, et en imprègnent la texture, « faisant corps » avec ce support. Cette exploitation de l'imprégnation de la couleur par le support est également pratiquée par les artistes de *Support-Surface*.

EISENBERGER Nikolaus Friedrich
Né le 20 octobre 1707. Mort en 1771. XVIIIe siècle. Allemand.
Peintre, dessinateur et graveur à l'eau-forte.
Élève de P. Decker. Il travailla à Nuremberg. On cite de lui : 170 planches pour les *Plantes de Blackwell.*

EISENBLATTER Wilhelm
Né le 5 novembre 1866 à Duisbourg. XIXe siècle. Allemand.
Peintre.
Il fut élève du professeur Lechner au Théâtre Royal de Berlin, et exécuta les peintures décoratives du Théâtre Municipal de Königsberg. Il fut surtout paysagiste et peignit à l'aquarelle et à l'huile des tableaux représentant les environs de Königsberg, des paysages de la Prusse Orientale et de la Mer Baltique.

EISENCHITZ Willy. Voir **EISENSCHITZ**

EISENDIECK Suzanne
Née en 1908 à Dantzig. XXe siècle. Allemande.
Peintre de figures, scènes de genre, paysages, fleurs. Postimpressionniste.
Elle a exposé à Paris, au Salon des Artistes Indépendants autour de 1930. Ses œuvres nombreuses sont proposées sur les places de ventes publiques internationales, et surtout aux États-Unis, où on peut penser qu'elle s'est établie.
Elle est surtout peintre de jeunes femmes, mettant en valeur leurs toilettes, les saisissant dans leurs occupations, chanteuse ou modiste, dans leurs loisirs et divertissements, sur les plages ou bien au spectacle.
Ventes Publiques : Londres, 2 août 1940 : *La modiste* : **GBP 23** – New York, 30 avr. 1943 : *Chez la modiste* : **USD 275** – Paris, 19 mai 1954 : *Le goûter au bord de l'eau* : **FRF 58 000** – New York, 6 mai 1959 : *Mère et enfant* : **USD 850** – New York, 21 nov. 1963 : *À l'Opéra* : **USD 1 400** – New York, 18 mars 1972 : *Le port de Saint-Aubin* : **USD 1 400** – Los Angeles, 11 nov. 1974 : *La loge*, d'après Renoir : **USD 2 000** – New York, 27 fév. 1976 : *14 juillet à Saint-Jean*, h/t (53,5x65,5) : **USD 1 800** – New York, 28 oct. 1977 : *Place de la Concorde*, h/t (47x61,5) : **USD 2 000** – Los Angeles, 6 nov. 1978 : *Ballerines avant l'entrée en scène*, h/t (60x91,5) : **USD 3 700** – New York, 19 jan. 1979 : *Les tonnelles à Jumièges*, h/t (72,4x99,7) : **USD 3 500** – Londres, 3 juil. 1981 : *Jeune fille en gris*, gche (48,2x34,2) : **GBP 650** – New York, 14 nov. 1985 : *Clairière au Bois de Boulogne*, h/t (60x73) : **USD 4 000** – Versailles, 25 oct. 1987 : *L'embouchure de la Canche à marée basse*, h/t (46x55) : **FRF 14 500** – Montréal, 25 avr. 1988 : *Jeune fille au parasol*, h/pan. (29x23) : **CAD 1 900** – Versailles, 15 mai 1988 : *Près de l'étang*, h/t (38x46) : **FRF 13 800** – Los Angeles, 9 juin 1988 : *La chanteuse*, h/t (74x61) : **USD 4 675** – Londres, 21 oct. 1988 : *Roses dans un verre*, h/t (23,8x16,2) : **GBP 572** – Montréal, 17 oct. 1988 : *Bouquet de fleurs à la fenêtre*, h/t (23x35) : **CAD 2 000** – Toronto, 30 nov. 1988 : *La chanteuse*, h/t (35x21) : **CAD 1 650** – Londres, 22 fév. 1989 : *Femme au parapluie*, h/t (54,5x65) : **GBP 4 400** – Montréal, 1er mai 1989 : *Jeune fille tenant des fleurs*, h/t (46x38) : **CAD 3 500** – Montréal, 30 oct. 1989 : *Fillette près du lac*, h/t (56x46) : **CAD 5 500** – New York, 21 fév. 1990 : *Répétition générale*, h/t (73,7x61) : **USD 5 775** – Montréal, 30 avr. 1990 : *La muleta*, h/t (26x46) : **CAD 3 300** – Amsterdam, 13 déc. 1990 : *Couple dans une brasserie*, h/t (56x46) : **NLG 10 925** – New York, 13 fév. 1991 : *Les applaudissements*, h/t (50x61) : **USD 3 300** – New York, 7 mai 1991 : *Le premier bouquet*, h/t (45,7x38) : **USD 2 200** – New York, 5 nov. 1991 : *Les étangs d'Arques*, h/t (37,8x46) : **USD 3 080** – Paris, 27 jan. 1992 : *Roses dans un verre* 1908, h/t (24x16) : **FRF 6 000** – New York, 27 fév. 1992 : *L'été à Juvisy*, h/t (60,3x73) : **USD 3 520** – Calais, 5 avr. 1992 : *Jeune fille dans les fleurs*, h/pap. (21x14) : **FRF 8 000** – Londres, 15 oct. 1992 : *La midinette*, h/t (86x64) : **GBP 2 200** – Amsterdam, 27-28 mai 1993 : *La midinette*, h/t (86x64) : **NLG 10 580** – New York, 14 juin 1995 : *Dimanche aux Sablettes de Menton*, h/t (52,1x66) : **USD 3 737** – New York, 30 avr. 1996 : *Vue sur la rade de Fécamp*, h/t (65x81) : **USD 5 175** – New York, 12 nov. 1996 : *Le Rappel*, h/t (55x46) : **USD 3 680** – Londres, 23 oct. 1996 : *Jeune fille assise*, h/t (61x50) : **GBP 1 725**.

EISENGRABER Félix
Né le 7 mars 1874 à Leipzig. XXe siècle. Allemand.
Peintre de paysages.
Il fut élève de Ludwig Nieper, directeur de l'Académie des Beaux-Arts de Leipzig, puis de Paul Höcker et Ludwig Herterich à l'Académie de Munich. Il participa à des expositions au Palais de Glace de Munich.
On cite certains de ses paysages, toujours particulièrement sensibles aux variations climatiques : *Après la pluie, Jardin d'auberge en automne, Automne au Chiemsee, Minuit dans la neige*, etc.

EISENGREIN Hans. Voir **EISENPREIN**

EISENHOUT Anton ou **Eisenhoit,** ou **Iserenhodt**
Né vers 1554 à Wartbourg. Mort en 1603 à Wartbourg. XVIe siècle. Allemand.
Orfèvre et médailleur.
Il travailla à Rome vers 1580 ; il y exécuta un *Ecce Homo* d'après Zuccaro et y copia une fresque de Sainte-Marie-de-la-Consolation. Dans son œuvre gravé, on cite un *Portrait de Grégoire XIII*, le *Portrait de la duchesse Hedwige de Marbourg*, le *Portrait de l'évêque Theodor von Fürstenberg.*

EISENHUT Ferencz Franz
Né le 26 janvier 1857 à Német Palanka. Mort le 2 juin 1903 à Munich. XIXe siècle. Hongrois.
Peintre de genre, sujets typiques, graveur.
Il fut élève de l'Académie de Munich dans l'atelier de Wilhem Diez. Il voyagea dans le Caucase, en Turquie et en Afrique, en Italie et en France, puis il se fixa à Munich. Il a exposé à Vienne et

à Munich à partir de 1888. Il a exposé à Paris, au Salon de 1895 et à l'Exposition Universelle de 1900.
MUSÉES : BUCAREST : *Scène tunisienne* – BUDAPEST (Mus. des Beaux-Arts) : *Le Rêve* – *Combat de coqs au Caire* – BUDAPEST (Pina.) : *Combat autour du butin* – BUDAPEST (Château roy.) : *Mort de Guli-Baba.*
VENTES PUBLIQUES : LONDRES, 13 déc. 1909 : *Au Harem* : **GBP 21** – LONDRES, 25 juin 1982 : *Le marché d'esclaves* 1888, h/t (136x224) : **GBP 30 000** – LONDRES, 24 juin 1983 : *Les gardes jouant avec un singe* 1888, h/t (59,5x83,8) : **GBP 17 000** – LONDRES, 19 mars 1986 : *Arabes et Maures dans une ruelle* 1887, h/t (71x55) : **GBP 15 000** – NEW YORK, 24 oct. 1989 : *La partie de backgammon* 1886, h/t (74,9x55,3) : **USD 33 000** – LONDRES, 16 juin 1993 : *Marché dans une rue de cité arabe* 1885, h/t (58x42) : **GBP 7 475** – LONDRES, 16 nov. 1994 : *Faubourgs d'une ville arabe* 1891, h/pan. (39x62) : **GBP 11 500** – NEW YORK, 16 fév. 1995 : *La Favorite du pacha,* h/pan. (59,7x39,4) : **USD 107 000.**

EISENHUT Lienhart. Voir **YSENHUT**

EISENHUT Max Ernst
Né en 1899 à Hérisau (canton d'Appenzell). XXe siècle. Suisse.
Peintre de paysages.
Il fut élève de Ernst Würtenberger.

EISENLOHR E. G.
Né le 9 novembre 1872 à Cincinnati (Ohio). XIXe-XXe siècles. Américain.
Peintre de paysages, sujets divers.
Il fut élève de Gustav Schönleber à l'Académie des Beaux-Arts de Karlsruhe. Il devint ensuite professeur en Amérique. Il était aussi conférencier, théoricien de l'art et a écrit plusieurs ouvrages : *Étude et enchantement des Images, Tendances de l'art et leur signification, Les peintres de paysages.* Il était membre de nombreuses associations artistiques, membre d'honneur de la Dallas Art Association. Il a obtenu plusieurs distinctions et, en 1920 le Prix de la Southern States Art League, en 1931 le Premier Prix de Paysage de la Dallas Association.
MUSÉES : DALLAS (Public Art Gal.) : *La sentinelle du Canyon* – LA NOUVELLE ORLÉANS (Delgado Mus.) : *Quand les champs de coton sont bruns* – SAN ANTONIO (Witte emorial Mus.) : *Au commencement de l'année.*

EISENLOHR Louise von ou **von Stupka-Eisenlohr**
Née vers 1860 à Mayence. XIXe siècle. Allemande.
Peintre.
Elle fut élève de Zeleny à Brünn et de Wilhelm Dürr à Munich. Elle peignit surtout des natures mortes dont plusieurs sont conservées au Musée Municipal de Brünn où elle s'était fixée. Elle peignit aussi des chevaux de race.

EISENLOHR-CAMPOFIORITO Hilda
Né à Rio de Janeiro. XXe siècle. Brésilien.
Peintre.

EISENMAN Nicole
Née en 1963 à Verdun (Meuse). XXe siècle. Active aux États-Unis. Française.
Dessinateur.
Elle vit et travaille à New York, où elle expose.
Elle réalise des œuvres sur papier au lavis, évoquant des dessins anciens. Elle met en scène le monde de l'enfance, et sa cruauté, mais aussi les fantasmes des adultes envers cet univers familier et confus.
BIBLIOGR. : Bonnie Clearwater : *Arrêt sur enfance,* Art Press, n° 197, Paris, déc. 1994.

EISENMANGER Georg
XVe siècle. Actif à Munich. Allemand.
Peintre.
Il exécuta, en 1480 et 1482, quelques travaux pour la ville d'Innsbruck.

EISENMANN. Voir aussi **EISMANN**

EISENMANN Andreas
Mort le 27 mars 1701 à Nuremberg. XVIIe siècle. Actif à Nuremberg. Allemand.
Graveur sur cuivre et sur acier.

EISENMANN Georg ou **Eisemann**
XVIIIe siècle. Allemand.
Peintre et graveur.
Il travailla probablement à Nuremberg et exécuta de nombreuses eaux-fortes, dont quatre paysages, avec *Hongrois à cheval, représentant les quatre saisons* ; quatre autres paysages avec ruines et personnages ; quatre paysages, d'après Joh. Ch. Dietzsch ; deux *Vues de la forteresse de Rothenberg.* La Galerie de tableaux de Bamberg conserve trois de ses peintures, des paysages.

EISENMANN Germaine Suzanne
Née le 23 août 1894 à Paris. XXe siècle. Française.
Peintre.
Elle fut élève de Fernand Humbert à l'École des Beaux-Arts de Paris, de 1912 à 1915. En 1921, elle fit la rencontre, au Mont Saint-Michel, de Suzanne Valadon, qui la révéla à elle-même et de laquelle elle s'honorait d'avoir été l'élève de l'amie. Elle exposait à Paris, régulièrement aux Salons d'Automne et des Tuileries.
MUSÉES : GRENOBLE – LA ROCHELLE.

EISENMANN Jakob Andreas
XVIIIe siècle. Actif à Nuremberg. Allemand.
Graveur à la manière noire.

EISENMANN Wolf
Mort en 1616 à Würzburg. XVIIe siècle. Actif à Nuremberg. Allemand.
Peintre.
Il travailla au maître-autel de la cathédrale de Würzburg en 1611 et 1614.

EISENMENGER August
Né le 11 février 1830 à Vienne. Mort en 1907 à Vienne. XIXe siècle. Autrichien.
Peintre d'histoire.
Il commença ses études d'art avec Leop. Schulz ; en 1845, il alla à l'Académie à Vienne, où il obtint le premier prix. Il devint ensuite élève de Rahl et son collaborateur. En 1872, il fut nommé professeur à l'Académie à Vienne. Eisenmenger a fondé à Vienne une école privée de peinture. Il travailla pour plusieurs monuments publics de la ville. Le Musée Historique possède de lui un *Portrait de Johann Strauss.*

EISENMEYER Johann Paul
XIXe siècle. Actif à Vienne vers 1820. Autrichien.
Peintre de portraits.
On cite de lui un portrait du prince *Charles Joseph de Ligne.*

EISENPERGER. Voir **EISENBERGER**

EISENPREIN Hans
XVIe siècle. Autrichien.
Peintre de portraits.
Il devint bourgeois de Vienne en 1518.

EISENSCHER Yaacov
Né en 1896. Mort en 1980. XXe siècle. Israélien.
Peintre de compositions animées, intérieurs, peintre à la gouache. Postcubiste.
Ses compositions sont fermement composées, en fonction des éléments du thème et en fonction de l'ensemble par rapport au format. L'esprit qui préside à cette organisation des formes et de l'espace est en accord avec un post-cubisme d'époque.

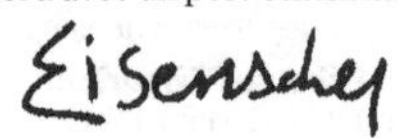

VENTES PUBLIQUES : TEL-AVIV, 16 mai 1982 : *Le marché des esclaves* 1888, h/t (136x224) : **GBP 30 000** – TEL-AVIV, 16 mai 1983 : *Maisons et figure,* h/t (71x71,5) : **ILS 46 000** – TEL-AVIV, 17 juin 1985 : *Paysage,* h/t (38x46) : **ILS 800 000** – TEL-AVIV, 2 jan. 1989 : *Maisons,* h/cart. (31,5x45) : **USD 820** – TEL-AVIV, 3 jan. 1990 : *L'atelier de l'artiste,* h/t (46x61,5) : **USD 1 650** ; *Intérieur,* gche (46x67,5) : **USD 710** – TEL-AVIV, 19 juin 1990 : *Personnages dans un café au bord de la mer* 1944, h/cart. (54x65) : **USD 1 650** – TEL-AVIV, 1er jan. 1991 : *Personnages à l'entrée d'un magasin,* h/t (60,5x73) : **USD 3 520** – TEL-AVIV, 12 juin 1991 : *Perroquets en cage,* h/t (74x100) : **USD 5 280** – TEL-AVIV, 30 juin 1994 : *Parc d'attractions,* h/t (72x91) : **USD 4 140** – TEL-AVIV, 12 jan. 1997 : *Deux sœurs* vers 1956, h/t (135x108) : **USD 13 800** ; *Safed,* h/t (53,5x64) : **USD 2 415.**

EISENSCHITZ Willy
Né le 29 octobre 1889 à Vienne. Mort le 8 juillet 1974 à Paris. XXe siècle. Depuis 1911 actif puis naturalisé en France. Autrichien.
Peintre de sujets divers, paysages, intérieurs, natures mortes, aquarelliste, illustrateur.

Il fut d'abord élève de l'Académie des Beaux-Arts de Vienne. Entre 1911 et 1914, il fut élève de Georges Desvallières, Lucien Simon, du peintre et historien d'art René Ménard, à l'Académie de la Grande-Chaumière à Paris. Il ne retourna pas en Autriche. Il se maria avec le peintre français Claire Bertrand. Lors de la Première Guerre mondiale, il se réfugia en Suisse, où il demeura jusqu'en 1920. Revenu en France, il s'installa avec Claire Bertrand dans la Drôme, à Dieulefit, puis en 1927 à La Valette, près de Toulon. Leur maison devint un centre de réunion pour les artistes de la région toulonnaise. D'origine juive, il passa le temps de l'occupation de la France par les Allemands à se cacher. Après la guerre, il voyagea à la recherche de motifs. Il fit de fréquents séjours en Espagne. En 1959, il fut séduit par le Soudan. De ses voyages, il rapportait notes et esquisses qu'il exploitait ensuite en atelier. Il a partagé les dernières années de sa vie entre Toulon et Paris. Il fit la connaissance de Jean Giono qui préfacera une exposition de ses aquarelles à Londres.
Il était membre, à Paris, de la Société Nationale des Beaux-Arts et du Salon d'Automne et figura aussi au Salon des Tuileries. En 1964, il participa activement à la Biennale des Peintres de Provence à Aix-en-Provence. Il montra aussi ses œuvres dans des expositions personnelles, depuis la première à Paris en 1922, suivie de nombreuses autres. En 1957, le Musée de Toulon a organisé une grande rétrospective de l'ensemble de son œuvre.
Il a illustré plusieurs livres de Jean Giono, ainsi que de Haldous Huxley. Il a peint les paysages des lieux où il a vécu et de ceux qu'il a visités. Les paysages du Midi, de la région de Dieulefit, de la Drôme, de la Provence varoise, dominent dans sa production. Il peignit aussi à Paris, en Savoie et d'après ses voyages en Espagne et au Soudan. ■ J. B.

W. Eisenschitz

Bibliogr. : Gérald Schurr, in : *Les Petits Maîtres de la peinture 1820-1920, valeur de demain,* Les Éditions de l'Amateur, t. II, Paris, 1982.
Musées : Aix-en-Provence (Mus. Granet) – Bristol : *Silhouette dans un jardin* – Grenoble – Londres (British Mus.) : *Chemin de montagne – Le Verdon – Barques sur un canal – Paysage* – Lyon (Mus. Saint-Pierre) : *Intérieur* – Marseille (Mus. Cantini) : *Oliviers* – Narbonne : *Paysage d'Ibiza,* aquar. – Paris (Mus. Nat. d'Art Mod.) : *Vue d'Espagne – Paysage de Dieulefit* – Toulon – Valence.
Ventes Publiques : Paris, 29 oct. 1926 : *Village de la Drôme* : **FRF 1 750** – Paris, 18 avr. 1929 : *Paysage* : **FRF 400** – Paris, 2 mars 1939 : *Neige à Courchevel,* aquar. : **FRF 750** – Paris, 13 juil. 1942 : *Paysage du Midi* : **FRF 1 900** – Zurich, 2 juin 1983 : *Bouquet de fleurs* 1928, h/t (46x55) : **CHF 3 400** – Vienne, 9 déc. 1987 : *Fraga, ville d'Espagne* 1929, h/t (67x81) : **ATS 90 000** – Paris, 20 mars 1988 : *Homme se promenant,* h/t (65x54) : **FRF 10 000** – Paris, 10 avr. 1989 : *Vase de fleurs,* h/t (56x54) : **FRF 17 000** – Paris, 18 juin 1989 : *Le port,* past. (31x43) : **FRF 4 200** – Paris, 22 oct. 1989 : *Les Toits de Provence* 1928, h/t (73x92) : **FRF 73 000** – Versailles, 28 jan. 1990 : *Le Port,* fus. et past. (36x43,5) : **FRF 3 000** – Paris, 11 mars 1990 : *Nu à la fenêtre,* h/t (98x78,5) : **FRF 38 000** – Saint-Dié, 21 avr. 1991 : *Village dans la campagne,* h/t (54x65) : **FRF 15 000** – New York, 7 mai 1991 : *Paysage,* h/t (65,4x80) : **USD 6 050** – Neuilly, 20 oct. 1991 : *La Chapelle provençale,* aquar. (37x51) : **FRF 6 000** – Paris, 11 déc. 1991 : *Le Grand Village* 1927, h/t (81x130) : **FRF 39 000** – Paris, 5 fév. 1992 : *Paysage du midi,* h/t (71x71) : **FRF 14 000** – New York, 10 nov. 1992 : *Les Minimes, La Valette sur Var,* h/t (59,7x72,7) : **USD 4 620** – Amsterdam, 8 déc. 1993 : *Paysage en terrasses,* h/t (81x59) : **NLG 3 450** – Neuilly, 12 déc. 1993 : *Ibiza,* h/t (73x60) : **FRF 18 000** ; *Nature morte au vase de fleurs,* h/pan. (55x55) : **FRF 18 000** – Paris, 29 avr. 1994 : *Paysage montagneux,* h/pan. (55x38) : **FRF 5 200** – Paris, 22 nov. 1994 : *L'Automne en Provence,* h/t (60x73) : **FRF 8 000** – Sarlat, 10 mars 1996 : *La Sieste,* h/t (137x95) : **FRF 38 000** – Paris, 29 nov. 1996 : *Paysage vallonné,* h/t (68x59) : **FRF 5 500** – Paris, 4 avr. 1997 : *Paysage de Provence, effet de pluie,* aquar. (34,5x54) : **FRF 4 000** – Paris, 6 juin 1997 : *En Provence,* h/t (95x154) : **FRF 25 000**.

EISENSCHMIED Johann
Né à Knittelfeld (Styrie). Mort en 1858 à Knittelfeld (Styrie). XIXe siècle. Autrichien.
Peintre.
Il fut élève du peintre Lederwasch et peignit de nombreux retables pour les églises de Styrie.

EISENSTEIN Avi
Né le 21 juillet 1946 à Hifa. XXe siècle. Israélien.
Peintre, dessinateur. Abstrait.
Il fut élève de l'Académie Bézabel de Jérusalem, de 1967 à 1971. Il en est devenu professeur en 1973, au département d'arts graphiques, puis directeur en 1988. Il participe à des expositions collectives, à Tel-Aviv, au Musée de Jérusalem, etc. Il fait quelques expositions personnelles, à Tel-Aviv, et à Paris en 1991.
Souvent en noir, il trace des signes et des tachages.

EISENSTEIN Rosa
Née le 2 octobre 1844 à Vienne. Morte en 1889 en Afrique. XIXe siècle. Autrichienne.
Peintre de genre et de natures mortes.
Élève de Mme O. Wiesinger-Florian et du peintre F. Schilcher, de C. Probst et de R. Huber. Elle a exposé à Berlin et à Vienne à partir de 1886.

EISENTRÄGER Johann Heinrich
Né vers 1730. XVIIIe siècle. Allemand.
Peintre sur porcelaine.
D'abord peintre de paysages à la fabrique de porcelaine de Fürstenberg, puis ensuite peintre de figures. À partir de 1769, il travailla à la Fabrique de Porcelaine de Cassel. Le Musée de Cassel conserve de lui un *Portrait de femme en miniature* sur porcelaine, une *Vue de Mulang à Wilhelmshöhe,* ainsi que les *Portraits des Landgraves Frédéric II et Charles.*

EISENTRÄGER Johann Karl
XVIIIe siècle. Actif à Cassel. Allemand.
Peintre sur porcelaine.
Probablement fils de Johann Heinrich Eisenträger.

EISENZOPF Michel
Né en 1938 à Paris. XXe siècle. Français.
Peintre, graveur de scènes animées.
Il fut élève de l'École Estienne et de l'École des Beaux-Arts de Paris. Il a établi son atelier à Neuville-en-Hez (Oise). Il enseigne le dessin et la gravure à l'Espace Matisse de Creil.
Il participe à des expositions collectives, dont : à Paris, le Salon des Artistes Français, dont il est devenu sociétaire, puis reçut la médaille d'or et la médaille d'honneur, obtint le Prix des Amis des Artistes Français. Il est également sociétaire du Salon d'Automne, et du Salon Pointe et Burin ; il participe au Salon du Trait. Il expose dans de nombreux groupements à Paris, notamment en 1996 *4 Univers, 4 Graveurs Fantastiques* galerie Graphes, et dans des villes de province, recevant diverses distinctions. Il montre souvent des ensembles de ses gravures dans des expositions personnelles, dans plusieurs galeries de Paris : Fondation Taylor, Breheret, Michèle Brouta, ainsi qu'à Lille, Rouen, Senlis, Soissons, etc.
Il pratique les diverses techniques de la gravure et parfois peut les associer. Il est un graveur de compositions complexes, aux décors et personnages multiples, ce qui le fait associer à la tradition de Jacques Callot. Son humour parfois grinçant, sa faconde en général de joyeuse compagnie, son recours non timoré à la couleur, volontiers aux couleurs les plus sonores, le rendent proche de peintres, des diableries de Jérôme Bosch ou des bambochades de Brueghel.

EISER Ferdinand
XVIIe siècle. Actif à Neubourg. Allemand.
Peintre.
Il travailla, de 1611 à 1615, pour l'église collégiale de Neubourg, probablement avec Terzano.

EISER Johann Tobias
Né en 1767 à Prague. Mort à Vienne. XVIIIe siècle. Tchécoslovaque.
Peintre.
Il entra le 13 mai 1783 à l'Académie de Vienne.

EISERMANN Richard
XIXe siècle. Allemand.
Peintre de genre, figures.
Il travaillait à Munich et exposa à Vienne en 1878. On cite de lui : *En revenant du baptême, La Fleur favorite, Tyrolienne, Sur le balcon.*
Ventes Publiques : Londres, 10 juil. 1908 : *Dame du XVIe siècle* : **GBP 17** – Londres, 26 mars 1981 : *La Belle au bois dormant* 1881, h/t (93x132) : **GBP 3 600** – Londres, 17 juin 1994 : *La Belle au bois dormant* 1881, h/t (93x132) : **GBP 7 130**.

EISFELD H.
XVIIe siècle. Allemand.

Peintre.
L'église de Rathebur près d'Anklam en Poméranie possède de cet artiste un *Ecce Homo*, daté de 1699.

EISHI, de son vrai nom : **Hosoda Jibukyô Tokitomi**, noms de pinceau : **Eishi, Chôbun-Sai, Hosoi, Hosoda**
Né en 1756 à Édo (aujourd'hui Tokyo). Mort en 1829, selon d'autres sources en 1815. XVIIIe-XIXe siècles. Japonais.
Maître de l'estampe.
Samurai, issu d'une famille de militaires, il fit partie de la suite personnelle du shôgun. Il abandonna toutes ses fonctions pour se consacrer à son art. Il aurait été disciple d'Utamaro, dont il était le contemporain (1753-1806).
Peintre prolifique, il est considéré comme un des artistes éminents de la dernière décennie du XVIIIe siècle. Maître de l'estampe, il est connu pour ses représentations de beautés féminines à la taille élancée et au visage allongé, avec une certaine expression de noblesse, silhouettes assez inconsistantes baignant dans une atmosphère chromatique froide, caractéristique de cette fin de siècle.
VENTES PUBLIQUES : NEW YORK, 16 avr. 1988 : *Beauté regardant par la fenêtre un tigre sur la rive opposée d'une rivière bordée d'iris*, estampe (38,8x25,5) : **USD 5 500** – LONDRES, 16 juin 1988 : *Moment de détente de trois courtisanes dans le quartier des plaisirs*, estampe dai oban yoko-e (37,7x50,3) : **GBP 22 000** – NEW YORK, 21 mars 1989 : *Trois jeunes femmes sur un radeau attrapant des papillons*, estampe oban tate-e (38,7x24) : **USD 3 300** – NEW YORK, 16 oct. 1989 : *La courtisane Takahashi de Ogiya avec son kamuro*, estampe oban tate-e, série Collection de jeunes beautés (36,9x24,4) : **USD 3 300** – LONDRES, 13 nov. 1989 : *Trois dames sous une vérandah*, estampe oban tate-e (38x25,7) : **GBP 1 430** – LONDRES, 22 mars 1990 : *Deux femmes et un jeune garçon près d'un bac ou fleurit un pêcher*, estampe aiban tate-e (30,8x20,9) : **GBP 1 320** – LONDRES, 6 juin 1990 : *Deux femmes, l'une debout tenant un éventail et l'autre assise*, estampe oban tate-e (37,5x24,6) : **GBP 2 090** – PARIS, 3 juin 1992 : *Réunion de sept jeunes femmes dans un bateau symbolisant les sept dieux du bonheur* 1793, estampe, triptyque (chaque partie 38x25,5) : **FRF 28 000** – PARIS, 16 fév. 1996 : *L'Oiran Someyama accompagnée de ses deux kamuros Hanano et Momiji*, estampe coul. oban tate-e : **FRF 12 500**.

EISHIN. Voir **KANO YASUNOBU** et **KANÔ ISEN**

EISHO CHOKOSAI
Mort en 1800. XVIIIe siècle. Japonais.
Peintre, graveur.
Il travaillait vers 1790.
Ses estampes n'ont pas le raffinement de celles d'Eishi, son maître. Il donne, en contre-partie, un caractère plus humain aux têtes de femmes qu'il présente en gros plan.
VENTES PUBLIQUES : LONDRES, 16 juin 1988 : *Femme tenant un poème et un éventail à l'ombre d'un parasol porté par la servante*, estampe oban-tate-e (38,3x24,6) : **GBP 1 100** – NEW YORK, 21 mars 1989 : *Portrait en gros plan de la courtisane Shizuka de Shizutamaya ajustant ses épingles à cheveux avant un concours de beauté dans le quartier de plaisir*, estampe oban tate-e (39,3x26) : **USD 22 000** – NEW YORK, 16 oct. 1989 : *Portrait okubi-e de la courtisane Eizan de Takeya*, estampe oban tate-e (38x25,8) : **USD 9 350** – LONDRES, 22 mars 1990 : *Femme lisant un poème suivie d'une servante avec une ombrelle et d'une enfant avec un coffret laqué*, estampe oban tate-e (37,1x24,7) : **GBP 990** – NEW YORK, 27 mars 1991 : *Portrait de la courtisane Shizuka tenant une pipe et repoussant une épingle dans ses cheveux*, estampe oban tate-e (38,7x25,9) : **USD 7 150**.

EISHUN
XVe siècle. Actif dans la première moitié du XVe siècle. Japonais.
Peintre.
On sait qu'en 1414, il participe à une vaste entreprise de production xylographique sous la forme de deux longs rouleaux horizontaux : le *Yûzû-nembutsu-engi* (origine et développement de la secte Yûzû). Il y a, de ces rouleaux, des versions antérieures à 1414 ; celle de 1414, qui était conservée au temple Seiryô-ji de Kyoto, a été perdue dans un tremblement de terre en 1923.

EISING Ejnar
Né en 1909 à Copenhague. XXe siècle. Danois.
Peintre de compositions à personnages, compositions murales, peintre de cartons de vitraux. Expressionniste.
Il fut élève de l'Académie Royale des Beaux-Arts de Copenhague. Il a participé à des expositions au Danemark, en Suède, Finlande, France, Allemagne, Suisse.
MUSÉES : MALMÖ.

EISLER
XVIIIe siècle. Actif à Gabel en Bohême. Tchécoslovaque.
Peintre de portraits.
Peut-être identique à J. Thomas Eyselt.

EISLER Gaspar Gottlieb
XVIIIe siècle. Actif à Nuremberg vers 1750. Allemand.
Graveur et médailleur.
On cite de cet artiste le portrait gravé de J. Adam Tresenreuter, ainsi qu'un *Portrait de l'artiste par lui-même* et une planche représentant un *Arabe et deux dromadaires*. Il fut surtout un bon illustrateur.

EISLER Georg
Né en 1928 à Vienne. XXe siècle. Autrichien.
Peintre de compositions à personnages, figures, portraits, nus, intérieurs, paysages urbains, pastelliste, graveur. Expressionniste.
En 1939, à la déclaration de guerre, il se réfugia en Angleterre. Il y étudia la peinture dans différents établissements, et notamment à la Manchester School of Art, de 1944 à 1946. Il avait aussi connu Oskar Kokoschka en 1944, qui exerça sur lui une influence qui s'avéra ensuite durable. En 1946, il se rendit à Vienne, où il suivit les cours de l'expressionniste Herbert Boeckl jusqu'en 1950 à l'Académie des Beaux-Arts. Peu après la guerre, il se lia avec trois artistes attachés doctrinalement à la figuration : le sculpteur et graveur Alfred Hrdlicka, le peintre Martinz (?), le graveur Schönwald (?), avec lesquels il exposera en 1969 sous le sigle révélateur de *Figur*. Il se fixa à Vienne, où il devint membre de la Sécession en 1960 et dont il fut élu président en 1968. On peut remarquer au passage que si la Sécession eut une importance historique en 1900, avec Klimt, Schiele et justement Boeckl, dans les années soixante il n'en restait que la survivance d'une appellation. Eisler a voyagé en Hollande, Angleterre, France.
Dans une première période, il peignit des portraits, des vues des banlieues ouvrières et des zones industrielles. Il fixa ensuite son attention sur la présence humaine. Il est d'ailleurs excellent dessinateur de nus. En peinture, il représentait les personnages dans des intérieurs ou en plein air, puis pour une autre série dans le contexte du jazz et de la danse. Jusqu'à 1957, sa peinture exprimait un climat psychologique d'humanisme intimiste. Après cette date, il étendit son intérêt pour l'homme en tant qu'individu, à l'homme dans la foule des rues, des moyens de transport collectifs. Alors peintre de compositions plus ambitieuses, il se réfère à de grands antécédents historiques, aussi bien les Vénitiens du XVIe siècle Tintoret ou Véronèse, que les romantiques français autour de Delacroix, mais aussi des réalistes, Courbet, Daumier, Hans von Marées, des expressionnistes, Soutine, Gerstl et depuis sa jeunesse Kokoschka. Avec des harmonies sobres de tons rompus et une touche gestuelle passionnelle, il concilie dans cette période la tradition classique et un certain modernisme. ■ Jacques Busse
BIBLIOGR. : In : *Peintres contemporains*, Mazenod, Paris, 1964 – in : *L'art du XXe siècle*, Larousse, Paris, 1991.
MUSÉES : LONDRES (Victoria and Albert Mus.) – VIENNE.
VENTES PUBLIQUES : VIENNE, 18 nov. 1981 : *Le Potager*, h/t (67x97) : **ATS 11 000** – PARIS, 18 mai 1982 : *Le Sommeil*, lav. aquarellé (28x18) : **FRF 2 800** – VIENNE, 15 nov. 1983 : *Grosse Metro* 1968, h/t (150x130) : **ATS 28 000** – VIENNE, 18 mars 1986 : *Scène de rue* 1969, h/t (45x65) : **ATS 14 000** – VIENNE, 25 juin 1986 : *Deux femmes* 1978, past. (46x62) : **ATS 25 000**.

EISLER Jeremias ou **Eissler**
Né le 15 juin 1641. Mort le 18 mars 1702. XVIIe siècle. Actif à Nuremberg. Allemand.
Sculpteur.
Il participa à l'exécution de l'œuvre de son maître Georg Schweigger, une *Fontaine* pour le grand marché de Nuremberg. Il termina le travail après la mort de celui-ci.

EISLER Maria ou **Eissler**
XVIIe siècle. Active à Nuremberg vers 1694. Allemande.
Peintre de miniatures.
Elle peignit des portraits, des oiseaux, des fleurs. Elle était la femme de Jeremias Eisler.

EISLER Stephan ou **Eysler**
XVe siècle. Actif à Nuremberg en 1490. Allemand.
Peintre.

EISMAN-SEMENOWSKY. Voir **SEMENOWSKY Eisman**

EISMANN Carlo, de son vrai nom : **Brisighella**
Né vers 1630 à Venise. Mort après 1718. XVIIe-XVIIIe siècles. Italien.
Peintre et écrivain d'art.
Parent du peintre Carlo Bononi, il fut élève de Lodovico Lana, ainsi que de Johann Anton Eismann dont il devint le fils adoptif. Il vécut successivement à Ferrare, dont il a décrit les richesses artistiques, et à Vérone. Il a peint des paysages, des marines et des batailles. Le Musée de Dresde conserve de lui quatre *Combat de cavaliers.*

EISMANN Johann Anton ou **Eisemann** ou **Leismann**
Né en 1604 à Salzbourg. Mort en 1698 à Venise. XVIIe siècle. Allemand.
Peintre d'histoire, batailles, paysages animés, paysages.
Salvator Rosa fut son maître favori et il en subit l'influence.
Musées : Augsbourg : *Paysage de ruines* – Bamberg : *Port de mer* – Dresde : *Ruines*, deux œuvres – Shleisheim : *Ruine* – Vienne : *Combat.*
Ventes Publiques : Milan, 27 avr. 1978 : *Marine*, h/t (118x164) : **ITL 3 600 000** – Rome, 28 avr. 1981 : *Paysages fluviaux animés de personnages*, deux h/t (85x115) : **ITL 15 000 000** – Londres, 4 avr. 1984 : *Paysage à la cascade*, h/t (110x202) : **GBP 6 500** – Londres, 10 juil. 1987 : *Carriole et paysans dans un paysage*, h/t (98x151) : **GBP 7 000** – Rome, 19 nov. 1990 : *Une crique avec une tour et des voyageurs et une frégate amarrée au large*, h/t (35x50) : **ITL 11 500 000** – Londres, 11 déc. 1992 : *Combat entres Turcs et Chrétiens*, h/t, une paire (chaque 45,2x63,7) : **GBP 9 900.**

EISNER Franz
XIXe siècle. Actif à Vienne. Autrichien.
Graveur.
Il fut élève de l'école de gravure de l'Académie de Vienne et travailla dans cette ville. Il était le frère de Joseph II Eisner.

EISNER Joseph I ou **Eissner**
Né le 10 juillet 1756. Mort le 20 avril 1837. XVIIIe-XIXe siècles. Autrichien.
Dessinateur.
Il entra à l'École de gravure de l'Académie de Vienne en 1768. Il est aussi mentionné à l'École d'Architecture en 1772.

EISNER Joseph II ou **Eissner**
Né le 15 octobre 1788 à Vienne. Mort le 2 mai 1861 à Vienne. XIXe siècle. Autrichien.
Graveur, dessinateur, illustrateur.
Il fut élève de l'Académie de Vienne avec Maurer, Schmutzer et Leybold et devint, en 1822, professeur de dessin de l'École Militaire de Vienne-Neustadt. Il grava d'après Raphaël, Le Corrège, Giordano, etc. On cite parmi ses œuvres : *Le Christ mourant prie pour ses ennemis*, d'après Füger ; *La Vierge en prières*, d'après Sassoferrato ; *La Vierge à la chaise*, d'après Raphaël ; *Sainte Famille*, d'après A. del Sarto ; *La Mort de César, Le Jugement de Pâris*, d'après Füger ; *Prométhée au Caucase*, d'après Abel. Il fit aussi de petites vignettes et l'illustration de *l'Histoire Naturelle* de Müller, d'après les dessins de Lumnitz.

EISNER Rose
Née le 12 avril 1883 à Myslowitz (Haute-Silésie). XXe siècle. Allemande.
Peintre de portraits, paysages.
Elle étudia à Breslau, Munich, fut élève de Jean-Paul Laurens à l'Académie Julian à Paris. Après avoir vécu un temps à Breslau, elle se fixa à Berlin en 1912.

EISS Alois
Mort le 11 septembre 1874 à Vienne. XIXe siècle. Autrichien.
Peintre d'histoire.
Il peignit un *Bon Samaritain*, une *Sainte Élisabeth* et un *Saint Martin* pour le couvent de Göttweig près de Krems.

EISSEL Peter ou **Eisselburg**. Voir **ISSELBURG**

EISSEMANN. Voir **EISENMANN** et **EISMANN**

EISSENHARDT Johannes Kaspar
Né le 8 novembre 1824 à Francfort-sur-le-Main. Mort le 11 octobre 1896 à Francfort-sur-le-Main. XIXe siècle. Allemand.
Peintre et graveur.
Il étudia à Francfort-sur-le-Main à l'Institut Städel avec Schaeffer. On cite parmi ses premières œuvres : *Le Jugement de Salomon*, d'après Steinle ; *L'Italie*, d'après Veit ; *Chœur de jeunes garçons.* Il fit à Darmstadt des projets pour papier-monnaie et à Saint-Pétersbourg, il exécuta une série de portraits gravés de la tsarine Maria Féodorovna, de la reine Olga de Grèce, de Pouchkine. Il fut toutefois exclusivement graveur de reproductions. On cite encore parmi ses différentes œuvres : *Vues de Francfort*, d'après Ch. G. Schütz le Vieux et A. Burger ; *Vierge avec anges portant des flambeaux*, d'après Botticelli ; *Réfectoire*, d'après G. Van Muyden. Il exécuta, d'après les dessins de Schwind, les illustrations pour *le Grand Duc Charles* de Duller, d'après J. B. Scholl, quelques vignettes pour les Poèmes allemands par la parole et l'image et deux portraits pour *Art et Artistes à Francfort*, de Gwinner.

EISSFELDT Hermann
Né le 2 janvier 1875 à Schladen (Harz). XXe siècle. Allemand.
Peintre de genre, portraits.
Il fut élève de l'Académie Julian à Paris, et de Heinrich Zügel et Karl von Marr à l'Académie des Beaux-Arts de Munich, ville où il exposa fréquemment dans la suite, notamment au Palais de Glace où il débuta en 1901.
Son premier envoi exposé fut un *Autoportrait.* Il peignit ensuite d'autres portraits, mais traita surtout des scènes de genre familières : *Pêcheurs raccommodant leurs filets, Promenade en voiture, Récolte des pommes de terre, Le livre de contes*, etc.

EISSL Therese von, née **Oberndorfer**
Née en 1792 à Vienne-Neustadt. XIXe siècle. Autrichienne.
Peintre.
Elle habita Vienne, Gratz et Dresde où elle copia de nombreux tableaux célèbres. Elle figura à quelques expositions de Gratz, à partir de 1828, avec des tableaux d'histoire.

EISSLER. Voir **EISLER**

EISSNER Joseph I et **II**. Voir **EISNER**

EISUI ICHIRAKUTEI
Né vers 1790. Mort en 1823. XIXe siècle. Japonais.
Maître de l'estampe.
Élève de Hosoda Eishi, il gravait des têtes de courtisanes, accusant une influence de Utamaro (1753-1806), dont la stylisation empêche de dire qu'il faisait des portraits. Ces évocations n'en sont que plus subjectives et poétiques.
Ventes Publiques : New York, 16 oct. 1989 : *Portrait okubi-e de la courtisane Komurasaki de Tamaya*, estampe oban tate-e, de la série Beautés comparées aux cinq saisons (38,3x25,4) : **USD 6 050.**

EITAKU, de son vrai nom : **Kobayashi Tokusen,** surnom : **Hidejirô,** noms de pinceau : **Sensai** et **Eitaku**
Né en 1843. Mort en 1890. XIXe siècle. Japonais.
Peintre.
Peintre de personnages et de sujets historiques, il suit d'abord les enseignements de l'école Kanô, pour trouver, par la suite, son propre style. Il vécut à Tokyo.

EITEL A.
XIXe siècle. Actif à Düsseldorf vers 1864. Allemand.
Graveur.
Il grava quelques planches d'après Fra Angelico, F. Overbeck et Holthausen. On connaît également de lui une *Marie Immaculée* d'après von Felsburg.

EITEL Jacques, pseudonyme de **Eitelwein**
Né le 15 août 1926 à Paris. XXe siècle. Français.
Peintre de paysages, marines.
Il fut élève d'abord de l'École Boulle, puis d'Eugène Narbonne à l'École des Beaux-Arts de Paris. Il participe à plusieurs des Salons annuels parisiens, Jeune Peinture dont il fut membre du comité, d'Automne, des Artistes Français, des Artistes Indépendants, de la Société Nationale des Beaux-Arts, Comparaisons, Grands et Jeunes d'Aujourd'hui, Salon de Mai, ainsi qu'à des expositions collectives. Il montre aussi ses peintures dans des expositions personnelles, à Paris : 1957, 1959, 1962, 1986, 1992, ainsi qu'à Mulhouse, Nantes..., à Londres : 1959, 1972, 1979, très nombreuses à New York depuis 1964, ainsi qu'à Chicago, Beverly Hills, Palm Beach...
Il peint des paysages de végétation luxuriante et de nombreuses vues marines, qu'il traite dans un esprit de synthèse des formes et dans une technique picturale légère, comme aquarellée.
Ventes Publiques : Paris, 6 fév. 1991 : *Le village de Cotignac*, h/t (73x64) : **FRF 4 000** – Paris, 20 mai 1992 : *Le village de Cotignac*, h/t (73x93) : **FRF 7 000.**

EITNER Wilhelm Heinrich Ernst
Né le 30 août 1867 à Hambourg. Mort en 1955. XIXe-XXe siècles. Allemand.

Peintre de genre, portraits, paysages, graveur.
Il fut élève de Schönleber à l'Académie de Karlsruhe et de Vriendt à l'Académie d'Anvers. Il exposa à plusieurs reprises en Allemagne, à Paris et à Rome.
Musées : Hambourg : *Printemps : le peintre et sa famille – Vallée de l'Alster – Automne à Billwärder – Portrait de Gustav Falke* – Lübeck : *Le Soir de la vie.*
Ventes Publiques : Hambourg, 9 juin 1983 : *Paysage d'automne* 1926, h/t (80x100) : **DEM 6 800** – Hambourg, 7 déc. 1985 : *Scène de bord de mer,* h/t (70,5x80) : **DEM 3 200** – Munich, 26 oct. 1988 : *Enfants sur une balançoire,* h/t (90x70) : **DEM 22 000** – Munich, 7 juin 1989 : *Rue de village,* h/cart. (50,5x69) : **DEM 13 200.**

EITOKU. Voir **KANÔ EITOKU**

EIXARCH Bartolomé de
XIVe siècle. Espagnol.
Peintre.
Il travailla pour la cathédrale de Valence en 1395.

EIXARCH Juan ou **de Xarch**
XIVe siècle. Espagnol.
Peintre.
Il peignit des fresques dans la cathédrale de Valence en 1393. Paraît identique à Bartolomé, ou bien son parent.

EIZAN, de son vrai nom : **Kikugawa** ou **Kikukawa Toshinobu,** surnom : **Mangorô,** nom de pinceau : **Chôkusai**
Né en 1787. Mort en 1867. XIXe siècle. Japonais.
Peintre.
Élève de Hokukei, il travaille plus tard avec l'un des grands maîtres de l'estampe : Toyokuni, à Edo (actuelle Tokyo).
Il est spécialiste de beautés féminines et de portraits d'acteurs.
Ventes Publiques : Paris, 14 déc. 1987 : *L'oiran Orinos debout dénoue son obi. Sa kamuro est accroupie près d'un hibachi,* estampe Oban tate-e, de la série des Douze Heures des maisons vertes : **FRF 3 600** – Londres, 9 Nov. 1988 : *Buste de la courtisane Shinohara de Tsuruya lisant une lettre,* estampe oban tate-e (35,8x23,3) : **GBP 1 100** – New York, 21 mars 1989 : *Geisha montant un escalier avec sa boîte d'atours,* estampe oban tate-e (39,1x26,3) : **USD 4 180** – Londres, 22 mars 1990 : *La courtisane Nagadayu d'Okamotoya accompagnée de deux kamuro,* estampe oban tate-e (35,1x24,8) : **GBP 418** – New York, 15 juin 1990 : *Portrait en pied d'une jeune beauté avec un parapluie,* estampe oban tate-e (35,5x25,8) : **USD 1 320** – New York, 16 oct. 1990 : *Prostituée lisant une lettre d'amour,* encre et pigments/soie, kakemono (30,3x53,9) : **USD 18 700** – New York, 26 mars 1991 : *Beauté,* encre et pigments/soie, kakémono (101x37,5) : **USD 38 500** – Paris, 16 fév. 1996 : *Tryptique représentant la promenade de jeunes femmes à la fleuraison des pommiers,* estampe en coul. oban tate-e : **FRF 4 800.**

EJBISZ Eugène
Né à Lublin. XXe siècle. Polonais.
Peintre.
A exposé au Salon d'Automne en 1925.

EJSMOND Franz von
Né en 1859 à Krogulowa (gouvernement de Radom). XIXe siècle. Polonais.
Peintre de genre, natures mortes.
Il fut élève de W. Gerson à Varsovie. Il termina son éducation artistique à l'Académie de Munich. Il présenta des œuvres à partir de 1880 aux expositions de Cracovie, de Berlin et de Vienne. À son retour à Varsovie, il peignit des tableaux de genre qui furent exposés à Varsovie, Cracovie et Lemberg.
Il peignit des scènes de la vie quotidienne du peuple polonais.
Musées : Varsovie.
Ventes Publiques : Londres, 20 mars 1985 : *Nature morte aux roses,* h/t mar./cart. (98x68) : **GBP 3 200.**

EK Sandor
Né en 1902. XXe siècle. Actif aussi en Allemagne. Hongrois.
Peintre, graveur de compositions animées, créateur d'affiches. Réaliste-socialiste.
En 1919, il fut élève de l'Atelier-École de l'Art Prolétarien de Budapest, et s'engagea dans la voie du réalisme-socialiste, destiné à exalter la classe prolétarienne et les bienfaits du socialisme révolutionnaire. Après la chute de la République des Conseils de Béla Kun en 1919, il émigra en Allemagne et, sous le pseudonyme de Alex KEIL, il exécuta des affiches et des gravures révolutionnaires. En 1944, il revint en Hongrie, où il refit de la peinture figurative réaliste.

EKAKU Hakuin. Voir **HAKUIN**

EKEARNY
XIXe siècle. Britannique.
Graveur.
Cité par Nagler.

EKEGARDH Hans
Né le 17 janvier 1881 à Kristianstad. Mort le 14 mai 1962 à Paris. XXe siècle. Depuis 1902 actif en France. Suédois.
Peintre de figures, portraits, nus, paysages, paysages urbains, fleurs.
Il montre de bonne heure un penchant très vif pour la musique et le dessin. À quinze ans, il entre à l'Académie de Musique de Stockholm pour y acquérir, pendant dix ans, une formation de violoniste. À Paris de 1901 à 1906, il poursuit son éducation musicale et, parallèlement à ses tournées, commence à peindre. Il demande conseil à Matisse qu'il admire pour ses grands aplats de couleurs et les audaces chromatiques. Entretenant de bonnes relations, Ekegardh récupère l'atelier du maître, au couvent du Sacré Cœur, en 1909. Pourtant il ne devient pas son élève, mais fréquente l'Académie de la Grande Chaumière.
En 1909, il expose pour la première fois au Salon d'Automne, dont il devient membre du jury en 1929, et au Salon des Indépendants. Marié, en 1910, à Marguerite Lemaire, peintre sous le pseudonyme de Guy-Lemm, il expose avec elle dans les mêmes Salons, notamment au Salon des Tuileries à partir de 1923. Il montre ses toiles dans des expositions personnelles en France, à Paris à partir de 1913, mais aussi en Suède, à Stockholm en 1922 et 1930, à Ystad 1952, à Malmö, à Kristianstad en 1951. En 1968, le Musée Bernadotte à Pau lui consacre une exposition rétrospective.
Lors de son arrivée en France, Hans Ekegardh admire avant tout Rubens et Fragonard. Il ne tarde pas à subir l'influence des impressionnistes, surtout celles d'Alfred Sisley et de Renoir. Sa technique de pinceau nerveuse cherche à capter l'air où vibre le jeu de la lumière. Amoureux de Paris, il peint à diverses heures de la journée la Place de la Concorde et les quais de la Seine. Autre thème de prédilection, celui des trois Grâces, qui revient constamment au fil des années. Mêlé étroitement à tous les groupes de l'art vivant, il se laisse captiver par le colorisme d'Othon Friesz et par la concision classique d'André Derain. Sa façon de peindre devient plus large, ses nus et ses portraits plus construits et plus fermes. Sa gamme de couleurs témoigne d'une recherche d'harmonie sans violence. Le nu est pour Ekegardh l'occasion de mettre en scène une idée de perfection mystérieuse non exempte de sensualité. Il peint la femme dans son intimité comme si la plupart du temps elle ne posait pas.

■ Krank Claustrat, A. P.

Musées : Besançon (Mus. des Beaux-Arts) : *Place de la Concorde* 1939 – *Femme endormie* – Kristianstad : *Nymphe* – Malmö : *Fontenay-le-Château* 1915 – *Vue de Longchamp* 1916 – *Vue de Paris vers la Tour Eiffel* 1921 – Nantes (Mus. des Beaux-Arts) : *Nu dans un intérieur* – Paris (Mus. Nat. d'art Mod.) : *Nu assis* – Paris (Mus. d'art Mod. de la Ville de Paris) : *Place de la Concorde* – Paris (Mus. Carnavalet) : *Place de la Concorde* – Paris (Inst. Tessin, Centre culturel suédois) : *Portrait de l'artiste – Portrait de jeune fille avec natte* 1924 – *Les trois Grâces* 1924 – *La femme de l'artiste* 1924 – *Portrait d'homme âgé – Femme en blanc assise – Place de la Concorde – L'atelier de l'artiste, rue Compans – Anémones* – Pau (Mus. des Beaux-Arts) : *Au bord de la Seine, le pont des Arts – Nu couché* – Stockholm (Mod. Mus.) : *La femme de l'artiste* vers 1920 – *Les quais de la Seine, le pont des Arts et l'Île de la Cité* vers 1930 – Tours (Mus. des Beaux-Arts) : *Place de la Concorde – Sur les quais* – Västeras : *Châlon-sur-Saône* – Ystad : *Notre-Dame de Paris.*
Ventes Publiques : Paris, 16 mars 1925 : *Bruges* : **FRF 105** – Paris, 27 avr. 1929 : *Le tub* : **FRF 300** – Stockholm, 24 avr. 1947 : *Les trois Grâces* : **SEK 725** – Paris, 13 mai 1981 : *Femme dans un paysage,* h/cart. (50x61) : **FRF 2 350** – Paris, 6 avr. 1984 : *Place de la Concorde,* isor. (50x65) : **FRF 8 900** – Paris, 7 juil. 1987 : *Au champ de courses,* h/pan. (46x61) : **FRF 4 000** – Paris, 10 fév. 1988 : *Arbres et maisons,* h/pan. (27x35) : **FRF 3 200** – Paris, 20 fév. 1989 : *Femme au sofa,* h/t (65x81) : **FRF 14 200** – Versailles, 29 oct. 1989 : *Les maisons se reflétant dans le canal* 1946, encre de Chine (13x20) : **FRF 36 000** – Bruxelles, 27 mars 1990 : *Village,* h/pan. (32x40) : **BEF 40 000** – Stockholm, 14 juin 1990 : *Nature morte avec un bouquet dans un vase,* h/pan. (60x49) : **SEK 6 500** – Paris, 3 avr. 1992 : *Panorama d'une ville en bordure de forêt,* h/t (53,5x64,5) : **FRF 9 000** – Paris, 24 jan. 1996 : *Le sommeil* 1936, h/pan. (66x92) : **FRF 13 800.**

EKELAND Arne
Né en 1908 à Eidsvoll. XXe siècle. Norvégien.
Peintre de compositions à personnages. Expressionniste, réaliste-socialiste.
Il fut élève d'Axel Revold à l'Académie des Beaux-Arts d'Oslo, en 1928. Il fit de nombreux voyages d'étude : 1932 en Allemagne où il subit l'influence des expressionnistes d'Europe-Centrale, 1935 en Italie et France où il fut sensible aux artistes de la Renaissance italienne ainsi qu'aux surréalistes, 1947 aux États-Unis, 1948 en Russie soviétique.
À partir de 1930, il a conféré à ses peintures un contenu de revendication sociale et politique, dans l'esprit des artistes allemands de la « Neue Sachlichkeit » autour de Georges Grosz et Otto Dix, mais dans un style marqué déjà d'influences diverses et évolutives, l'art primitif, les expressionnistes allemands, le surréalisme, le cubo-expressionnisme de Picasso. Depuis 1935, il a peint de grandes compositions dont le contenu s'organise autour d'allégories symboliques, parfois très énigmatiques. Dans cette période, peut-être la plus dense dans l'ensemble de son œuvre, il a usé de deux registres colorés très différents : tantôt des tons fondus dans des accords presque monochromes, tantôt inversement des heurts dissonants de couleurs violentes. Dans des paysages désolés ou dans des cités oppressantes, des personnages hâves se débattent dans des scènes de révolte, allusives à des évènements précis ou seulement imaginaires. D'autres peintures de cette même période expriment au contraire des sentiments paisibles et rêveurs. À la suite de son voyage de 1948 en Russie, il revint à une figuration mieux en accord avec les préceptes ou consignes, du réalisme-socialiste. Enfin, après 1960 environ, il est revenu à son registre et aux thèmes expressionnistes qui caractérisent la part la plus personnelle et aboutie de son œuvre. ■ Jacques Busse
Bibliogr. : In : *Peintres contemporains*, Mazenod, Paris, 1964 – in : *Diction. Univers. de la Peint.*, Le Robert, Paris, 1975 – in : *L'art du XXe siècle*, Larousse, Paris, 1991.
Musées : Bergen – Gothenburg – Oslo (Nouvelle Gal.) : *Les derniers coups de feu* 1940 – *En dehors de l'usine* – en tout 17 peintures et nombreux dessins – Stockholm.
Ventes Publiques : Londres, 25 mars 1987 : *Medviter* 1939, h/t (64,5x74,5) : **GBP 5 500**.

EKELS Jan, l'Ancien
Né le 21 novembre 1724 à Amsterdam. Mort le 22 novembre 1781 à Amsterdam. XVIIIe siècle. Hollandais.
Peintre de paysages animés, paysages urbains.
Élève de Dirck Dalens le jeune, il fut aussi restaurateur de tableaux.

I. E k e l s . f

Musées : Amsterdam : *Vue du Dam d'Amsterdam* – Avignon : *Vue d'Amsterdam* – Bruxelles : *Vue de ville* – Douai : *Vue d'Amsterdam*.
Ventes Publiques : Paris, 18 juin 1937 : *Les maisons au bord du canal* : **FRF 585** – Paris, 20 mars 1942 : *Vue d'Amsterdam* : **FRF 27 000** – Paris, 28 mai 1954 : *Vue du Dam à Amsterdam* : **FRF 260 000** – Londres, 1er mars 1972 : *Vue d'une petite ville* : **GBP 850** – Amsterdam, 26 avr. 1976 : *Vue d'Amsterdam* 1776, h/t (48x57) : **NLG 68 000** – Londres, 24 avr. 1981 : *Vue d'une ville, peut-être Delft* 1753, h/t (38x48,2) : **GBP 4 000** – Londres, 5 juil. 1991 : *Rue d'une ville hollandaise avec un marchand ambulant vendant des fruits à une servante*, h/t (54,6x45,4) : **GBP 4 180** – Amsterdam, 17 nov. 1994 : *Vue de Ijsselstein avec l'Hôtel de Ville*, h/t (38x48,8) : **NLG 25 300** – Amsterdam, 9 mai 1995 : *Amsterdam, Herengracht* 1764, h/t (43x54) : **NLG 16 520** – New York, 5 oct. 1995 : *Vue de la Tour de la Monnaie à Amsterdam* 1764, h/pan. (26,7x33,8) : **USD 9 200** – New York, 15 mai 1996 : *Personnages se promenant le long du Singel près de Leidse Poort avec Amsterdam au fond*, h/t (34,3x43,2) : **USD 4 600** – Amsterdam, 11 nov. 1997 : *Amsterdam, la Trippenhuis et Saint-Antoine*, h/pan. (35x46) : **NLG 22 420**.

EKELS Jan, le Jeune
Né le 2 juin 1759 à Amsterdam. Mort le 4 juin 1793. XVIIIe siècle. Hollandais.
Peintre de genre, paysages.
Son père, Jan Ekels l'ancien, fut également son maître. Il travailla à Paris, voyagea sur le Rhin en 1783, puis vécut à Amsterdam.

I. Ekels. f
Ao 1784

Musées : Amsterdam : *Un écrivain vu de dos* – Francfort-sur-le-Main (Stadel) : *Jeune homme dessinant* – *Paysan allumant sa pipe*.
Ventes Publiques : Londres, 28 juin 1929 : *L'Hôtel de Ville ; Le Binnenhof à La Haye*, ensemble : **GBP 24** – Londres, 14 fév. 1941 : *Place dans une ville hollandaise* : **GBP 6** – Londres, 12 fév. 1942 : *Vue d'une ville hollandaise, peut-être Haarlem* : **GBP 13** – Londres, 8 mars 1944 : *Place de Haarlem avec personnages* : **GBP 36** – Londres, 20 déc. 1944 : *Vue en Hollande* : **GBP 31** – Londres, 5 déc. 1969 : *Jeune femme lisant une lettre* : **GNS 700** – Londres, 10 avr. 1970 : *Vue de l'église Saint-Pierre, Leyden* : **GNS 1 300** – Amsterdam, 26 avr. 1976 : *Vue d'Amsterdam*, h/pan. (43,5x56,5) : **NLG 58 000** – New York, 16 juin 1977 : *La Place du village animée de nombreux personnages*, h/pan. (40x48,5) : **USD 7 000** – Londres, 18 oct. 1989 : *Moine pèlerin agenouillé sur les marches d'une église*, h/pan. (36,5x28) : **GBP 1 430** – Amsterdam, 16 nov. 1994 : *Récital familial*, h/t (74,5x87) : **NLG 4 140**.

EKELUND Poul ou **Paul**
Né en 1920. Mort en 1976. XXe siècle. Danois.
Peintre de paysages.
Il a surtout peint des paysages champêtres, souvent dans la plénitude de l'été ou des moissons. Il a peint quelques figures.
Ventes Publiques : Copenhague, 28 avr. 1976 : *Paysage* 1971, h/t (46x73) : **DKK 4 500** – Copenhague, 8 avr. 1981 : *Paysage d'été* 1963, h/t (54x73) : **DKK 4 800** – Copenhague, 25 fév. 1987 : *Paysage*, h/t (50x70) : **DKK 13 000** – Copenhague, 4 mai 1988 : *Champ de blés dorés* (51x66) : **DKK 5 000** – Göteborg, 18 oct. 1988 : *Paysage*, h/t (60x48) : **SEK 3 400** – Copenhague, 10 mai 1989 : *Modèle en vert*, h/t (66x56) : **DKK 4 500** – Copenhague, 20 sep. 1989 : *Paysage champêtre*, h/t (53x65) : **DKK 5 000** – Copenhague, 22 nov. 1989 : *Les champs*, h/t (50x67) : **DKK 5 500** – Copenhague, 30 mai 1990 : *Paysage à l'époque de la moisson*, h/t (63x75) : **DKK 7 900** – Copenhague, 13-14 fév. 1991 : *La moisson* 1963, h/t (63x75) : **DKK 7 000** – Copenhague, 1er avr. 1992 : *Paysage champêtre*, h/rés. synth. (25x45) : **DKK 3 000** – Copenhague, 20 oct. 1993 : *Paysage estival*, h/t (60x70) : **DKK 5 200** – Copenhague, 19 oct. 1994 : *La mer avec un navire* 1963, h/t (46x71) : **DKK 5 500** – Copenhague, 26 avr. 1995 : *Voilier près de la grève*, h/t (65x100) : **DKK 10 000** – Copenhague, 16 avr. 1997 : *Enfant assis* 1955, h/t (67x57) : **DKK 5 000** – Copenhague, 12-14 nov. 1997 : *Paysage*, h/t (50x55) : **DKK 5 000**.

EKEMANN-ALESSON Lorenz ou **Echemann-Alleson**
Né en 1791 en Suède. Mort en 1828 à Stuttgart. XIXe siècle. Suédois.
Peintre et lithographe.
Après avoir étudié et exercé son art à Vienne, Munich et Augsbourg, il fut appelé par le roi de Wurtemberg au poste de professeur et directeur du nouvel Institut lithographique de Stuttgart. Il exécuta des animaux et des paysages avec animaux, mais fit surtout des paysages et des vues d'architectures d'après Adam, P. Hess et Wagenbauer. Ses meilleures estampes sont : *Une scène forestière*, d'après Waterloo, et un *Paysage*, d'après Wynants.

EKENAES Jahn
Né le 28 septembre 1847 à Oslo. Mort en 1920. XIXe-XXe siècles. Norvégien.
Peintre de genre, figures, paysages animés, aquarelliste, dessinateur.
Travailla en Norvège, à Copenhague et à Munich en 1892.
Musées : Munich : *Pêcheurs de truites*.
Ventes Publiques : Londres, 9 fév. 1923 : *Tête de matelot* : **GBP 4** – Londres, 18 mai 1925 : *Le radeau* 1885 ; *Scène de lac avec pêcheurs*, ensemble : **GBP 32** – Londres, 10 jan. 1968 : *Jeux d'enfants* : **GBP 390** – New York, 14 mai 1976 : *La lessive sur une rivière gelée* 1892, h/t (66x106) : **USD 7 500** – New York, 19 avr. 1977 : *Bord de mer*, h/t (48,5x83) : **USD 1 700** – Londres, 27 nov. 1980 : *Pêcheurs sur un radeau* 1892, aquar. (26,5x48) : **GBP 1 050** – Copenhague, 23 mars 1983 : *Pêcheurs dans une barque*, h/t (45x74) : **DKK 33 000** – Londres, 7 oct. 1987 : *Pêcheurs sur un radeau*, h/t (64x93) : **GBP 6 200** – Londres, 23 mars 1988 : *Pêcheurs de rivière sur un radeau* 1892, aquar. (26,5x48,5) : **GBP 2 200** – New York, 23 mai 1990 : *La lessive un jour d'hiver* 1892, h/t (66x106) : **USD 22 000** – Londres, 28 nov. 1990 : *Famille de pêcheurs se déplaçant en barque* 1895, h/t (58x104) : **GBP 17 600** – Londres, 17 juin 1992 : *Prêt pour la pêche* 1887, h/t (27x18) : **GBP 3 850** – Londres, 11 fév. 1994 : *Famille de pêcheurs dans une barque sur un lac* 1909, h/t (59,1x106,8) : **GBP 6 325** – New York, 17 jan. 1996 : *La Belle Prise* 1892, aquar./pap./cart.

(26,7x49,5) : **USD 2 300** – Londres, 31 oct. 1996 : *La Pause des pêcheurs*, h/t (27,5x22) : **GBP 3 335** – New York, 23 oct. 1997 : *Attrapant un poisson en rivière* 1892, h/t (134,6x248,9) : **GBP 79 500**.

EKGORST Wassili Iefimovitch
Né en 1831. xixe siècle. Russe.
Peintre.
Il étudia à l'Académie de Saint-Pétersbourg, où il exposa des paysages à partir de 1867. Il figura également à Philadelphie en 1876. Quelques-uns de ses paysages sont reproduits dans un album d'autographes publié en 1870 à Saint-Pétersbourg.
Musées : Moscou (Tretiakoff) : *Vue des environs de Saint-Pétersbourg*.

EKIERT Jan
Né le 10 décembre 1907 à Kombornia. xxe siècle. Actif en France. Polonais.
Peintre. Abstrait-paysagiste.
À son arrivée en France en 1945, il a repris le chemin de l'École des Beaux-Arts de Paris, dans l'atelier d'Eugène Narbonne, fréquentant également l'Académie privée d'André Lhote. Il a participé à Paris aux Salons d'Automne et de la Société Nationale des Beaux-Arts, jusqu'en 1957.
Sa peinture est passée d'une figuration structurée en plans découpés, issue de l'enseignement de Lhote, faisant référence aux symboles et mythes religieux, à un dépouillement de touches parsemées, participant d'une sorte d'impressionnisme abstrait.
Ventes Publiques : Paris, 1er juin 1988 : *Au crépuscule* vers 1960, h/cart. (38x46) : **FRF 6 000** ; *Composition jaune*, h/t (27x41) : **FRF 2 000** – Paris, 16 oct. 1988 : *Les oliviers* 1960, h/t (73x92) : **FRF 5 500** – Paris, 24 mars 1996 : *Jeune fille à la mandoline*, h/t (61x50) : **FRF 5 000**.

EKIESER
xviie siècle.
Graveur au burin.
Cité par Nagler. Il a travaillé pour l'*Art de la Chevalerie* et pour l'*Architecture romane* de Johann Jacobi.

EKIMOFF. Voir **IEKIMOFF**

EKKEHARD
Mort le 23 avril 990 à Mayence. xe siècle. Actif à Saint-Gall. Suisse.
Moine, peintre.
Il fut le professeur de la duchesse Hedwige de Souabe à Hohentwiel, et aurait été l'auteur des décorations sur l'arc de triomphe dans l'église du monastère de Saint-Gall.

EKMAN Carl Anders
Né en 1833. Mort en 1855 à Düsseldorf. xixe siècle. Finlandais.
Peintre.
Il était le neveu de Robert Wilhelm Ekman.
Musées : Helsinki : *Intérieur paysan à Nagu – Morannal et Oihonna*, projet.

EKMAN Emil
Né en 1880. Mort en 1951. xxe siècle. Suédois.
Peintre de marines.
Il a surtout peint, plus que la mer pour elle-même, des flotilles de bateaux de pêche. Il aimait mettre en valeur les éclairages de l'aube ou du crépuscule.
Ventes Publiques : Göteborg, 5 avr. 1979 : *Marine*, h/t (82x130) : **SEK 5 100** – Stockholm, 8 avr. 1981 : *Marine*, h/t (78x125) : **SEK 9 800** – Stockholm, 20 avr. 1983 : *Marine*, h/t (81x133) : **SEK 10 200** – Copenhague, 18 nov. 1987 : *Barques de pêche sur la plage*, h/t (81x130) : **DKK 14 500** – Londres, 23 mars 1988 : *Pêcheurs sur un lac au crépuscule*, h/t (67x98) : **GBP 5 500** – Stockholm, 15 nov. 1988 : *Barque de pêcheurs dans un archipel le matin*, h/t (66x111) : **SEK 19 000** – Stockholm, 19 avr. 1989 : *Flotille de pêche au soleil levant*, h/t (67x89) : **SEK 27 000** – Göteborg, 18 mai 1989 : *Marine avec des pêcheurs* 1931, h/t (70x92) : **SEK 22 500** – Stockholm, 15 nov. 1989 : *Marine avec une flottille de bateaux de pêche au soleil levant* 1927, h/t (75x130) : **SEK 23 000** – Stockholm, 16 mai 1990 : *La pêche au large de Skagen*, h/t (68x127) : **SEK 36 000** – Stockholm, 14 nov. 1990 : *Barques de pêche par une journée ensoleillée* 1935, h/t (77x98) : **SEK 16 000** – Stockholm, 29 mai 1991 : *Marine avec un navire en flammes et le canot de sauvetage au premier plan* 1942, h/t (127x202) : **SEK 7 000**.

EKMAN Nicolas
Né le 9 août 1889 à Bruxelles (Belgique). xxe siècle. Hollandais.
Peintre de compositions à personnages, figures, graveur, dessinateur. Postimpressionniste.
Il exposait à Paris, au Salon des Artistes Indépendants. Il gravait sur bois et à la pointe-sèche.
On cite ses bois gravés : *Danse de mort, Éclopés, La foule, Séparation*.
Musées : Amsterdam – Berlin – Glasgow – La Haye – Moscou – Munich – Rotterdam.

EKMAN Robert Wilhelm
Né en 1808 à Nystad. Mort en 1873 à Abo. xixe siècle. Finlandais.
Peintre de compositions religieuses, genre, portraits, paysages animés, intérieurs.
Après avoir travaillé à l'Académie de Stockholm avec Sandberg, il voyagea beaucoup, particulièrement en Italie ; il fut à Paris élève de P. Delaroche.
Ses tableaux représentent le plus souvent des scènes de la vie norvégienne.
Musées : Abo : *Femme lisant* – Helsinki : *Villageois au repos – Famille de mendiants sur la route – Paysage avec enfants villageois – Le matin avant l'examen – Greta Haapasaio jouant de la flûte – Marie-Madeleine au tombeau de Jésus-Christ – Scène de tireurs d'élans – Auberge italienne – La résurrection de Lazare*.
Ventes Publiques : Lucerne, 2 juin 1981 : *Femme et enfant dans un intérieur* 1843, h/t (45x34,5) : **CHF 6 000**.

EKPHANTOS I
viie-vi^e siècles avant J.-C. Antiquité grecque.
Peintre, sculpteur.
Originaire de l'île de Milo, il est l'auteur d'une inscription sur une colonne de marbre qui parvint de l'île de Milo à Venise, en 1755 et se trouve actuellement au Musée de Berlin. Sa qualité de peintre n'est pas attestée de façon définitive.

EKPHANTOS II, de CORINTHE
viie siècle avant J.-C. Antiquité grecque.
Peintre.
Selon Pline, c'est lui qui aurait eu le premier l'idée d'employer la brique pilée pour la peinture.

EKSTEIN, frater. Voir **ECKSTEIN Sebastian**

EKSTROM Marika d'
Née à Niklasdam (Suède). xxe siècle. Suédoise.
Peintre.
Cette artiste a exposé à Paris au Salon d'Automne.

EKSTRÖM Per
Né en 1844 dans l'île de Öland. Mort en 1935 dans l'île de Öland. xixe-xxe siècles. Suédois.
Peintre de paysages. Entre postromantisme et impressionnisme.
Il commença à exposer vers 1865. Il fit partie de la bohème de Stockholm et, à ce titre, figure sous le nom de Sellén dans le roman de Strindberg *La chambre rouge*. Il vint en France en 1875, fit partie des « Suédois de Paris » et aussi des « Suédois de Barbizon ». Puis, il séjourna pendant cinq ans en Normandie. Enfin, il passa encore trois années à Paris, avant de regagner la Suède en 1889. Il vécut et travailla aussi en Hollande.
Il a peint des paysages de France et de Suède que différencient leurs climats respectifs. Partageant le réalisme postromantique des peintres de Barbizon, peintre de plein-air il s'est montré parfois sensible à l'impressionnisme, et partagea leur souci de rendre compte des moments de la journée et des saisons, particulièrement attentif à la course du soleil : *Étincellement du soleil sur la mer, Le soleil s'abaisse derrière la bruyère*. ■ J. B.

P. Ekström

Musées : Göteborg : *Paysages* – Helsinki : *Paysage d'été – Paysage d'automne* – Oslo : *Au bord de la Seine – Matinée brumeuse* – Stockholm : *Le soleil s'abaisse derrière la bruyère – Motif de Öland – Dans les montagnes – Étincellement du soleil sur la mer*.
Ventes Publiques : Stockholm, 7-9 nov. 1934 : *Paysage d'été en France* : **SEK 1 650** – Stockholm, 31 jan. 1947 : *Polders en Hollande* : **SEK 2 600** – Stockholm, 3 avr. 1968 : *Paysage* : **SEK 6 600** – Stockholm, 8 nov. 1972 : *Bord de mer* : **SEK 9 800** – Göteborg, 8 nov. 1973 : *Paysage boisé* : **SEK 11 600** – Göteborg, 24 mars 1976 : *Paysage à la rivière* 1905, h/t (55x80) : **SEK 16 000** – Stockholm, 20 avr. 1977 : *Sous-bois* 1897, h/t (139,5x107,5) :

SEK 20 000 – Göteborg, 5 avr. 1979 : *Paysage à la chaumière*, h/t (67x104) : **SEK 14 000** – Stockholm, 8 avr. 1981 : *Paysage fluvial boisé*, h/t (139x96) : **SEK 17 500** – Stockholm, 30 oct. 1984 : *Paysage marécageux* 1902, h/t (97x148) : **SEK 37 000** – Stockholm, 4 nov. 1986 : *Paysage de Normandie en été* 1882, h/t (53x80) : **SEK 36 000** – Londres, 24 mars 1988 : *Coucher de soleil à Öland*, h/t (80,7x110,3) : **GBP 11 550** – Stockholm, 27 avr. 1988 : *Reflets de soleil sur la mer avec des îlots et un arbre*, h/t (69x109) : **SEK 91 000** – Stockholm, 15 nov. 1988 : *Prairie au bord de la rivière avec des maisons à l'arrière-plan*, h. (49x79) : **SEK 95 000** – Londres, 16 mars 1989 : *Le Palais royal et le Parlement de Stockholm en hiver*, h/t (86,3x126,3) : **GBP 14 300** – Stockholm, 19 avr. 1989 : *Paysage hollandais avec une ferme au bord d'un canal au crépuscule*, h/t (65x100) : **SEK 83 000** – Stockholm, 15 nov. 1989 : *Lever de soleil au travers des arbres*, h. (100x72) : **SEK 650 000** – Londres, 27-28 mars 1990 : *Les marécages*, h/t (122x70,5) : **GBP 22 000** – Stockholm, 16 mai 1990 : *Le canal de Karlberg à Stockholm*, h/t (92x71) : **SEK 250 000** – Stockholm, 14 nov. 1990 : *Paysage fluvial boisé en été*, h/t (100x72) : **SEK 125 000** – Stockholm, 29 mai 1991 : *Lever de soleil au travers des peupliers*, h/t (100x72) : **SEK 350 000** – Stockholm, 30 nov. 1993 : *Marée basse, littoral rocheux au crépuscule*, h/t (81x117) : **SEK 50 000**.

EKSTUBE
Suédois.
Graveur.
Il est cité par Nagler comme ayant gravé plusieurs portraits.

EKVALL Emma ou **Ekwall**
Née le 18 janvier 1838 à Säby (Smaland). Morte en 1925. XIXe-XXe siècles. Suédoise.
Peintre de genre, figures, portraits, intérieurs, natures mortes.
Élève de l'Académie de Stockholm, elle fut la première femme qui reçut la médaille Royale de cette Académie. Elle était la sœur de Knut Ekvall.
Ses tableaux de genre représentent des scènes domestiques ou des enfants.
Musées : Stockholm (Acad.) : un portrait.
Ventes Publiques : Stockholm, 22 avr. 1981 : *Nature morte aux fruits*, h/pan. (23x34) : **SEK 5 000** – Stockholm, 14 nov. 1984 : *Fillette assise dans un intérieur*, h/t (35x27) : **SEK 20 000** – Stockholm, 20 oct. 1987 : *Jeune fille dans la cuisine*, h/t (50x30) : **SEK 52 000**.

EKVALL Knut ou **Ekwall**
Né le 3 avril 1843 à Säby. Mort le 16 avril 1912 à Jönköping. XIXe-XXe siècles. Suédois.
Peintre de genre, dessinateur, illustrateur.
Il étudia à l'Académie de Stockholm. Il s'établit en Allemagne, à Berlin, et fit des illustrations. Sous l'influence de Knaus, il se voua à la peinture de genre. Il s'installa en 1889 à Rommanö en Suède. Il exposa à Berlin à partir de 1873.
On cite de lui : *Avant le bain, L'Accord final, Neige d'avril, Le Vieux Couple, Bienvenue, Dix minutes d'arrêt.*

Knut Ekvall

Musées : Stockholm : *La Mère et l'Enfant.*
Ventes Publiques : Cologne, 18 mars 1977 : *La Promenade en barque* 1877, h/t (85x67) : **DEM 4 400** – Göteborg, 8 nov. 1978 : *Portrait de jeune fille*, h/t (206x113) : **SEK 9 700** – New York, 28 mai 1981 : *Soirée familiale*, h/pan. (71x58,5) : **USD 19 000** – New York, 19 oct. 1984 : *Les émigrants*, h/t (114,3x152,4) : **USD 35 000** – Londres, 28 nov. 1986 : *Une famille heureuse*, h/pan. (80x100,3) : **GBP 12 000** – Stockholm, 20 oct. 1987 : *Portrait de femme*, past., de forme ovale (48x38) : **SEK 10 000** – Stockholm, 15 nov. 1988 : *Vieil homme lisant accoudé à une table avec une petite fille près de lui*, h. (26x17,5) : **SEK 25 000** – New York, 25 oct. 1989 : *La leçon de lecture*, h/pan. (75,5x60,2) : **USD 44 000** – Londres, 29 mars 1990 : *Au restaurant de la gare de Varsovie* 1873, h/t (111,8x149,8) : **GBP 33 000** – Stockholm, 19 mai 1992 : *Barque sur un canal avec des maisons rouges, près de Uddevalla*, h/pan. (46x62) : **SEK 12 500**.

EL. Voir **Elle**

EL ADAOUI Said
Né en 1938 à Alexandrie. Mort vers 1970. XXe siècle. Égyptien.
Peintre. Abstrait.
Il fut élève de la Faculté des Beaux-Arts d'Alexandrie, dont il devint suite professeur. Il participe à de nombreuses expositions collectives, dont la Biennale d'Alexandrie. Plusieurs expositions personnelles. Ses compositions abstraites s'inspirent, en motifs et en couleurs, de la tradition ornementale locale.
Musées : Alexandrie (Mus. des Beaux-Arts) – Le Caire (Mus. d'Art Mod.).

ELAGABALE ou **Héliogabale**
Né en 204 en Syrie. Mort en 222 à Rome. IIIe siècle. Antiquité romaine.
Peintre amateur.
On attribue à cet empereur un portrait de lui-même en prêtre syrien du Dieu Elagabale.

ELAND John Shenton
Né le 4 mars 1872 à Market Harborough. XIXe-XXe siècles. Britannique.
Peintre de portraits, aquarelliste, lithographe, illustrateur.
Il fut élève de la Royal Academy de Londres. Il étudia aussi à Paris. Il exposa à Londres, à la Royal Academy à partir de 1896. Il a peint les portraits de personnalités de l'aristocratie anglaise de son temps. Il réalisa aussi des illustrations de livres d'enfants.

ELAND Leonardus Joseph
Né en 1884. Mort en 1952. XXe siècle. Hollandais.
Peintre de paysages, paysages animés, figures typiques.
Il accomplit la majeure partie de sa carrière en Indonésie, dont il a peint les aspects typiques.
Ventes Publiques : Amsterdam, 10 fév. 1988 : *Femme indonésienne revenant du marché*, h/t (30x40) : **NLG 2 070** – Amsterdam, 30 août 1988 : *Paysage indonésien avec des voyageurs sur un chemin escarpé près des fermes*, h/t (100x90) : **NLG 1 150** – Amsterdam, 19 sep. 1989 : *Le port de Tandjongbriok avec des vaisseaux amarrés*, h/t (39x59) : **NLG 2 300** – Amsterdam, 11 sep. 1990 : *Travailleurs d'une scierie en Indonésie*, h/t (60,5x90,5) : **NLG 2 990** – Amsterdam, 18 fév. 1992 : *Vue des sawas en Indonésie*, h/pan. (60,5x97) : **NLG 4 025** – Amsterdam, 11 avr. 1995 : *Le paquebot « Op ten noort » de la compagnie maritine royale dans le port de Singapour*, h/t (73,5x108,5) : **NLG 4 248** – Amsterdam, 7 nov. 1995 : *Paysage montagneux avec de nombreux travailleurs à Sawa (Sumatra)*, h/t (60x80) : **NLG 6 136**.

ELANDT Hendrik ou **Eland**
Enterré à Amsterdam le 21 septembre 1705. XVIIIe siècle. Hollandais.
Dessinateur et graveur.
Parent de Cornelis Elandts, il vécut à Amsterdam.

ELANDTS Cornelis ou **Elands** ou **Elandt**
Mort après 1666. XVIIe siècle. Actif à La Haye à partir de 1660. Éc. flamande.
Peintre, dessinateur et aquafortiste.

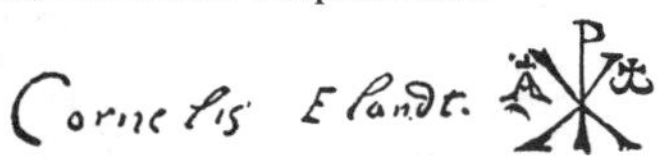

Musées : La Haye : *Vue de Scheveningen en 1570*, copie d'un vieux tableau – *Plan de La Haye en 1570*, idem.

ELANSBERGHE Willem Van
XVIIIe siècle. Actif à Leyde de 1703 à 1726. Hollandais.
Peintre.

ELASIPPOS
Ve siècle avant J.-C. Vivait vraisemblablement avant 450 av. J.-C. Antiquité grecque.
Peintre.
Cet artiste, dont on ne connait pas l'origine, fut l'un des premiers peintres grecs à utiliser la cire pour la peinture.

ELAUTER Georges. Voir **SEMIGINOWSKI Jersy**

ELB Carl
Né le 6 avril 1817 à Dresde. Mort en 1881 à Dresde. XIXe siècle. Allemand.
Peintre de genre et de portraits.
Il étudia à l'Académie de Dresde et à Düsseldorf. Il se fixa à Dresde et y exposa presque chaque année des portraits. Parmi ses tableaux de genre, on cite *Jeune vigneronne de la région du Rhin, Jeune fille à sa toilette.*
Musées : Dresde : *Portrait de l'acteur Maurice Devrient.*

EL BACHA Amine
Né en 1932 à Beyrouth. xxe siècle. Libanais.
Peintre de compositions à personnages, figures, paysages, natures mortes, dessinateur.
Il fut élève de l'ALBA, l'Académie Libanaise des Beaux-Arts, de 1954 à 1957, puis, à Paris, d'Henri Goetz. Il fit des séjours en France, aux Pays-Bas, en Italie, Espagne.
Il participe à de nombreuses expositions collectives, parmi lesquelles : Biennales de Paris 1959, d'Alexandrie 1962, à Paris le Salon des Réalités Nouvelles de 1966 à 1985, le Salon annuel du Musée Sursock à Beyrouth, etc. Il fait aussi des expositions personnelles, depuis 1950, à Beyrouth, au Koweit, en Espagne, à Amman, Paris, etc. Diverses distinctions lui ont été attribuées.
Ses thèmes sont extrêmement divers, compositions à personnages : *La diseuse de bonne aventure* 1958, portraits : *Portrait du peintre Jean Khalifé dans un café de Beyrouth* 1958, paysages ruraux : *Paysage en bleu et vert* 1981, paysages urbains : *Le Hammam al Jamal* 1970, intérieurs : *Intérieur d'une maison à Mazra'a, Beyrouth* 1984, natures mortes : *Fruits en quatre volets* 1985. Sa facture a changé au cours des ans. Il apparaît clairement qu'il a acquis une aisance qui s'est manifestée pleinement dans les peintures des années quatre-vingt. Fraîcheur, apparente facilité, amour-humour du regard sur les choses, bonheur de peindre, font le charme de la nature morte des *Fruits en quatre volets*. ■ J. B.
Bibliogr. : In : Catalogue de l'exposition *Liban – Le regard du peintre*, Institut du monde arabe, Paris, 1989.
Musées : Beyrouth (Mus. Sursock) : Peintures 1962-1985.

EL BAHR Sarwat
Né en 1944. xxe siècle. Égyptien.
Peintre. Tendance abstraite.
Il participe à des expositions collectives en Égypte. En 1971, il a figuré à l'exposition *Visages de l'art contemporain égyptien* au Musée Galliera de Paris.
Dans sa peinture, il assemble formes géométriques abstraites et rappels de la réalité extérieure.
Bibliogr. : In : Catalogue de l'exposition : *Visages de l'art contemporain égyptien*, Musée Galliera, Paris, 1971.

ELBANO Mendez Osuna
Né en 1918 à Tovar (Merida). xxe siècle. Vénézuélien.
Peintre.
Il fut élève de l'École d'Arts Plastiques de Caracas. Il a exposé en 1948 au Centre américano-vénézuélien de Paris.

ELBAZ André
Né le 26 avril 1934 à El Jadida. xxe siècle. Actif aussi en France. Marocain.
Peintre, dessinateur, lithographe. Expressionniste, puis tendance abstraite.
Il fut élève de l'École d'Art Graphique de Rabat, en même temps qu'il suivait une formation théâtrale. Il commença la peinture en 1955. Il vint à Paris en 1957. En 1960, il y étudia la lithographie à l'École des Beaux-Arts. À Paris, il exposa au Salon d'Hiver en 1959, au Salon de la Jeune Peinture en 1960, il figura aussi au Salon des Surindépendants, au Salon de l'École Française, à la Biennale des Jeunes Artistes en 1961, 1963, 1965, 1967, 1973. Dans la même année 1961, il exposa au Balhol College d'Oxford. Depuis 1959, il a participé de nombreuses expositions collectives internationales, notamment : à la Galerie Nationale de Tunis : *Six peintres marocains à Paris*.
Après une longue période d'œuvres d'inspiration expressionniste, représentant des personnages ou des foules grouillantes en mouvement dans des espaces indistincts, il subit l'influence de l'abstraction. Au long de sa carrière, il a réalisé des suites de dessins, accompagnés de lithographies, sur les thèmes : *Les égouts, Cartographie, Errance, Les Augures, Le retour de l'oiseau, Trapézistes, Icares, Dénombrement, Confrontation, Le silence imposé*.

EL BAZ Mohamed
xxe siècle.
Créateur d'installations, multimédia.
Il a participé en 1995 à la Biennale *Africus* de Johannesburg. Il a exposé en 1993 au Centre d'Art contemporain de Meymac, au musée de Villeneuve d'Ascq, en 1994 à la galerie Laage-Salomon à Paris.
Il mêle photographies, vidéo et assemblages d'objets.
Bibliogr. : Véronique Pittolo : *Mohamed El Baz*, Beaux-Arts, no 130, Paris, janv. 1995.
Musées : Paris (FNAC).

EL BEKRI Abdelmajid
Né le 8 novembre 1942 à Gabès. xxe siècle. Tunisien.
Peintre, dessinateur. Traditionnel, abstrait-ornemental.
Il fit plusieurs voyages d'études artistiques en France, Hollande, Italie, Russie. Il participe depuis 1973 à de nombreuses expositions collectives, par exemple : Biennales de l'Union Arabe à Damas, Bagdad, Rabat, Biennales du Koweit, d'Alexandrie, 1982 ve Triennale Internationale d'Art Contemporain de New-Delhi, etc. Il montre aussi ses œuvres dans des expositions personnelles : 1964 Tunis, 1978 Linz et Salzbourg, 1981 Tunis et Vienne (Autriche), 1984 et 1986 Tunis...
Il reste totalement attaché à l'art traditionnel islamique, tel qu'il constitue le décor abstrait de l'architecture et du cadre de vie, tout en l'enrichissant des infinies combinatoires que génère son imagination personnelle. C'est un art de grand raffinement, qui constitue la preuve matérielle qu'on peut concilier l'héritage avec l'entreprise, la tradition avec l'invention et la modernité. ■ J. B.

ELBERTS Hendrick
xviie siècle. Actif à Amsterdam de 1660 à 1679. Hollandais.
Peintre.

ELBERTS Jan
xvie siècle. Actif à Hoorn en 1532. Hollandais.
Peintre.

ELBFAS Jakob Henrik
Né en Livonie. Mort en 1664 à Stockholm. xviie siècle. Suédois.
Portraitiste.
Il fut peintre à la cour de Suède et fit les portraits de nombreuses personnalités du temps, telles que Gustave Adolphe II, Marie Eléonore, Axel Oxenstierna.

ELBING Christian
xviiie siècle. Actif à Oels en 1789. Allemand.
Peintre.

ELBING Hans Jacob
xviie siècle. Actif à Ratisbonne vers 1641. Allemand.
Peintre.

ELBING Josef
xviiie siècle. Actif à Landshut. Allemand.
Peintre.
Le Musée National de Munich possède un *Portrait d'une femme de la bourgeoisie*, signé de cet artiste et daté de 1760.

ELBO José
Né le 26 mars 1804 à Ubeda. Mort avant 1846. xixe siècle. Espagnol.
Peintre et dessinateur.
Originaire d'une famille très peu fortunée, il apprit seul le dessin et la peinture. Venu très jeune à Madrid, il fut protégé par José Aparicio et par Cean Bermudez. Il obtint du roi Fernand VII une pension pour Rome. On cite de lui : *La plaza de toros de Madrid, Un contrebandier, Femme au bain, Léda*. Il était représenté à la fameuse exposition du « Liceo », qui, en 1846, rendit pour la première fois un hommage tardif à Goya, mal compris jusqu'alors.
Ventes Publiques : Londres, 10 mars 1965 : *Les picadors ; Taureaux traversant une rivière*, deux toiles : **GBP 500**.

ELBON
xviiie siècle. Britannique.
Graveur.

ELBRUCHT Jan Van der ou **Hans** ou **Elburcht**, appelé aussi **Jan Van Elsborch** ou **Cleen-Hansken** (Petit Jean)
xvie siècle. Éc. flamande.
Peintre.
Membre de la gilde d'Anvers, en 1535, maître de Hameken der Kunderen en 1540, de Melsen Salebos en 1551. Il peignit dans l'église Notre-Dame d'Anvers, une *Pêche de saint Pierre* pour l'autel des pêcheurs. Il fut reçu à la gilde Saint-Luc d'Anvers en 1536.
Ventes Publiques : Paris, 1858 : *Marine*, dess. à la pl. lavé en coul. : **FRF 6** – Bruxelles, 10 mars 1964 : *La pêche miraculeuse* : **BEF 240 000**.

ELBURG Hansje Van ou **Elburgh** ou **Elburch** ou **Elburcht**, dit **Hanskin**
Né en 1500 à Elburg. Mort en 1571 à Anvers. xvie siècle. Éc. flamande.
Peintre d'histoire.

Il collabora aux tableaux de Frans Floris. Il est probablement identique à Jan Elbrucht.

ELCANO
XVIIIe siècle. Actif en Allemagne. Italien.
Graveur sur métal.
Il travailla en 1733 à Munster en Westphalie au Monastère des Frères de la Pitié ; il grava une plaque d'argent aux armes du Grand-Électeur pour la pose de la première pierre de ce Monastère.

ELCAREATA Bernardo
XVIIe siècle. Actif à Saint-Domingue. Espagnol.
Sculpteur.
Élève de Pedro Arbulo Marguvete. Il exécuta les statues d'un retable à S. Pedro de Vergara : *La Vierge, saint Michel, saint Pierre et saint Dominique*.

EL CÉTOUHI Abbas
Né en 1940 au Caire. XXe siècle. Égyptien.
Peintre de compositions à personnages. Expressionniste.
Il est diplômé de l'Institut Supérieur Pédagogique Artistique, dont il fut également répétiteur. Il prend part à de nombreuses expositions collectives, dont, au Musée Galliera de Paris en 1971 : *Visages de l'art contemporain égyptien*.
Il peint des groupes de personnages aux expressions intenses qu'il situe parfois dans le contexte d'évènements dramatiques actuels.
Bibliogr. : In : Catalogue de l'exposition : *Visages de l'art contemporain égyptien*, Musée Galliera, Paris, 1971.

ELD George
Né en 1791 à Coventry. Mort le 22 mai 1862 à Coventry. XIXe siècle. Britannique.
Aquafortiste amateur.
Il exécuta quelques reproductions d'anciens monuments de Coventry.

EL DAWAKHLI Abdel Hamid
Né en 1940. XXe siècle. Égyptien.
Peintre, sculpteur, céramiste. Expressionniste.
Il fut élève de l'Institut Supérieur d'Enseignement Artistique du Caire. Il fut diplômé professeur de sculpture à l'Académie San Fernando de Madrid, et maître céramiste-potier de l'École Centrale de Madrid. Il a été nommé professeur à l'Institut Supérieur d'Enseignement Artistique du Caire. Il expose depuis 1961, dans de nombreux pays, Paris, Londres, Espagne. En 1965, il reçut le Premier Prix de Sculpture de la Biennale d'Alexandrie. En 1967, il reçut le Premier Prix de Céramique à la Biennale internationale d'Ibiza (Espagne).
Bibliogr. : In : Catalogue de l'exposition : *Visages de l'art contemporain égyptien*, Musée Galliera, Paris, 1971.

ELDEN Toomas Van
XVIIIe siècle. Actif à La Haye en 1720. Hollandais.
Peintre.

ELDER Arthur John
Né le 28 mars 1874 à Londres. XXe siècle. Britannique.
Peintre, graveur, décorateur.
Il fut élève de Walter Sickert à la Royal Academy de Londres, de Théodore Roussel, Charles Huard, David Muirhead, James Pryde. Il fut membre du Chelsea Art Club et du Junior Art Workers Guild de Londres. À Londres, il fut médaillé en 1901 à l'exposition du Crystal Palace.

ELDER Charles
Né en 1821. Mort en 1851 à Londres. XIXe siècle. Britannique.
Peintre d'histoire.
Il exposa à la Royal Academy, de 1845 jusqu'à sa mort. Parmi ses envois figurent : en 1845, *Sapho* ; en 1847, *La mort de Marc Antoine* ; en 1848, *Célia et Rosalinde* et *Ruth* ; en 1850, *Jaël*.

ELDER William
XVIIe siècle. Écossais vivant à Londres vers 1680. Britannique.
Graveur.
Employé chez un libraire, il exécuta quelques portraits, parmi lesquels figurent : *Son portrait par lui-même* ; *Sir Theodore de Mayerne* le physicien ; l'astrologue *George Parker* ; le théologien *J. Pearson* ; l'archevêque de Canterbury *W. Sancroft* ; l'amiral *Lord Edward Russel*, etc.

ELDEROGLU Abidin
Né en 1901 à Denizli. XXe siècle. Turc.
Peintre. Abstrait, Lettres et signes.
Il a étudié à Istanbul jusqu'en 1926. Il vint à Paris, où il fut élève d'Albert Laurens, puis, en 1930, d'André Lhote. Il retourna alors se fixer à Ankara.
Sa peinture tient à la fois de l'abstraction et de la calligraphie, évoquant le style décoratif traditionnel turc, où s'entremêlent des signes et traits curvilignes en forme de S.

ELDH Carl Johan
Né en 1873 à Film. Mort en 1955. XIXe-XXe siècles. Suédois.
Sculpteur de monuments, statues, bustes, bas-reliefs. Réaliste-allégorique.
Il était à Paris en 1898 et 1899. Il y fut élève d'Antoine Injalbert. Il travailla aussi à l'Académie Colarossi et bénéficié des conseils de Rodin. À Paris encore, il a participé au Salon des Artistes Français, ayant obtenu une mention honorable à l'occasion de l'Exposition Universelle de 1900, une médaille de troisième classe en 1902. En 1929, il y a participé à l'Exposition de l'Art Suédois, au Musée du Jeu de Paume. En 1956, il a présenté un *Buste du Roi de Suède* à l'exposition de sculpture du Musée Rodin. Il fut fait membre de l'Académie des Beaux-Arts de Stockholm.
On cite son *Buste d'Auguste Strindberg* de 1903, et encore : *Éva* bronze ; *Daggkapa, statue de femme* marbre ; *Jeune-fille lisan* ; *Résurrection* bas-relief d'autel ; *Buste d'Oscar II* ; *Buste d'Olof Rudbeck*. Il fut un portraitiste officiel, traitant ses sujets avec un réalisme très classique. Il traita aussi quelques thèmes allégoriques : *Innocence* marbre ; *Le soir*.
Musées : Copenhague (Glyptothèque) : *Soucis maternels*, marbre – Göteborg : *Gunnar Wennerberg*, statuette – Stockholm : *Auguste Strindberg*, buste monumental – *Jeune femme*, statuette en pied – *Jeunesse*, bronze – Stockholm (Mus. Nordique) : *Bas-relief*, granit – Upsal : *La mère*, bronze.
Ventes Publiques : Stockholm, 24 avr. 1980 : *Nu debout*, bronze (H. 87) : **SEK 16 000** – Stockholm, 26 avr. 1982 : *Innocence*, bronze (H. 45) : **SEK 13 000** – Stockholm, 26 avr. 1983 : *Danseuse*, bronze (H. 190) : **SEK 130 000** – Honfleur, 9 avr. 1985 : *Nu assis* 1905, marbre blanc (H. 140) : **SEK 20 000** – Stockholm, 13 nov. 1986 : *Jeune fille assise*, bronze patiné (H. 25) : **SEK 26 000** – Stockholm, 21 oct. 1987 : *Jeune fille assise*, bronze patiné (H. 25) : **SEK 30 000** – Londres, 23 mars 1988 : *Buste d'Auguste Strindberg*, plâtre (H 12) : **GBP 715** – Stockholm, 6 juin 1988 : *Femme debout*, bronze (H. 55) : **SEK 15 500** – Stockholm, 15 nov. 1988 : *Jeunesse*, bronze (H. 11) : **SEK 14 000** – Londres, 16 mars 1989 : *Innocence*, bronze (H. 87) : **GBP 15 400** – Stockholm, 19 avr. 1989 : *Couple d'amants nus*, bronze (H. 20) : **SEK 22 000** – Stockholm, 5-6 déc. 1990 : *Dans la ruelle* 1907, bronze à patine verte (H. 28) : **SEK 25 000** – Stockholm, 30 mai 1991 : *Nymphe*, bronze à patine verte, cire perdue (H. 29,5) : **SEK 16 000**.

ELDNER Valentin. Voir **ELNER**

ELDRED LEMUEL C. D.
Né en 1848. Mort en 1921. XIXe-XXe siècles. Américain.
Peintre de paysages, marines, graveur.
Cet artiste exposa à New York de 1889 à 1892. Parmi les œuvres exposées se trouvaient surtout des marines.
Ventes Publiques : Chicago, 4 juin 1981 : *Paysage du New Hampshire* 1878, h/t (66x117) : **USD 1 200** – East Dennis (Massachusetts), 30 juil. 1987 : *Voiliers en mer*, h/t (40,5x66) : **USD 3 700**.

ELEAU Léon
Né vers 1738. Mort le 4 juillet 1794. XVIIIe siècle. Actif à Paris. Français.
Sculpteur.

ELÉAZAR ou **Eléazard**
XVIIIe siècle. Français.
Peintre.
Il exécuta vers 1760 un tableau d'autel pour l'église de Bény-Bocage (Calvados).

ELECTUS, Frère, de son vrai nom **Zwinner**
XVIIe siècle. Actif à Prague. Tchécoslovaque.
Dessinateur.
Ses dessins représentent les lieux saints de Palestine. Ils furent gravés sur cuivre par D. Wussin.

ÉLEKFY Jenö
Né en 1895. XXe siècle. Hongrois.
Peintre, aquarelliste, graphiste.
Il fut élève de l'École des Beaux-Arts de Budapest. Il fut ensuite professeur, notamment de 1940 à 1946, pour l'aquarelle à l'École

des Beaux-Arts de Budapest. Il a montré ses peintures dans des expositions personnelles en 1930 et 1955.
Bibliogr. : In *Hongrie 68*, Pannonia, Budapest, 1968.
Musées : Budapest (Gal. Nat. Hongroise) : aquarelles.

ELEMENTO Nathalie
Née en 1965 à Saint-Nazaire (Loire-Atlantique). xxe siècle. Française.
Artiste d'installations.
Elle fut élève de l'école des beaux-arts de Paris, puis, en 1991, de l'Institut des hautes études en arts plastiques. En 1988, elle abandonne la peinture pour la sculpture. En 1989, elle obtint une bourse du Fiacre de même qu'en 1992. En 1990, elle résida en Grande-Bretagne, dans le cadre de l'échange européen Erasmus. En 1994, elle fut pensionnaire de la Villa Médicis à Rome. Elle vit et travaille à Paris.
Elle participe à des expositions collectives, notamment au Salon de la Jeune Peinture à Paris et de Montrouge, à la FIAC (Foire Internationale d'Art Contemporain) à Paris, en 1997 à la Biennale d'Art contemporain de Lyon. Elle montre ses œuvres dans des expositions personnelles : 1993 galerie du Forum Saint-Eustache à Paris ; 1994 galerie nationale du Jeu de Paume à Paris, Villa Médicis de Rome et centre d'art contemporain de Stockholm ; 1995 Ho-Am Museum de Séoul, galerie Météo et Le Monde de l'art à Paris ; 1996 galerie Nathalie Obadia à Paris et Centre d'Art Contemporain de Vassivière en Limousin.
Son travail, en cire et plomb principalement, se composent d'installations, de structures, puzzles, dont chaque pièce est vendue séparément, portes, boîtes, projecteurs. Il obéit à la volonté de créer un lieu autonome, où la « partie n'a rien à voir avec le tout », où la séparation permet la recréation.
Bibliogr. : Catalogue de l'exposition *Nathalie Elemento – Tu vois le tableau*, Galerie nationale du Jeu de Paume, Paris, 1994 – Carole Boulbès : *Nathalie Elemento enfant de Saturne*, Art Press, n ° 216, Paris, sept. 1996.
Musées : Paris (FNAC) : *Au secours, ma bosse* 1994.

ELEMOSINA. Voir au prénom

ELEN Mia
xxe siècle. Français.
Peintre.
Il fut sociétaire du Salon d'Automne de Paris en 1919, membre du jury en 1921.

ELEN Philip West
xixe siècle. Britannique.
Peintre de paysages.
Cet artiste compte parmi les plus féconds paysagistes anglais ; de 1838, date de son début, à 1872 qui marque son dernier envoi, il n'exposa pas moins de 240 ouvrages, particulièrement à la Royal Academy et à Suffolk Street à Londres.
Ventes Publiques : Londres, 29 mars 1983 : *On the Surrey hills near Dorking* 1855, h/t (53,5x81) : **GBP 550**.

ELENA Giuseppe
Né en 1801. Mort en 1867. xixe siècle. Italien.
Peintre de portraits, paysages, graveur.
En 1828 il fit le portrait lithographié de Canning. Parmi ses autres œuvres lithographiées on cite des *Scènes des Croisades*, une série de planches de *Costumes historiques* et *les Costumes populaires en Lombardie*. Comme peintre il figura aux expositions de l'Académie de Milan avec des paysages et avec le *Portrait du virtuose flûtiste Picchi*.
Ventes Publiques : Milan, 12 déc. 1985 : *L'Église San Lorenzo à Milan* 1833, h/t (75x98) : **ITL 44 000 000**.

ELENETTI Antonio
Né en 1696 à Vérone. Mort le 14 juin 1767 à Vérone. xviiie siècle. Italien.
Peintre.
Élève de S. Brentana et membre de l'Académie de Vérone, il exécuta des tableaux religieux dont certains sont encore conservés : *Saint Antoine* pour l'église de la Toussaint, maintenant à Santa Maria della Scala ; *Madone avec saint Gaëtan* dans la sacristie de Saint-Nicolas ; *Madone avec les Saints* pour Saint-Ferme Majeur ; *les Apôtres* dans l'église des Saints-Apôtres et un *retable avec saint Roch et saint Sébastien* dans l'église Saint-Paul.

ELERS Hans
xvie siècle. Actif à Lunebourg. Allemand.
Sculpteur sur bois.
Il travailla de 1576 à 1580 pour l'église Notre-Dame de Lunebourg.

ELERS J. G.
xviiie siècle. Allemand.
Graveur de paysages.
Légiste et graveur, il travailla à Ratisbonne à la fin du xviiie siècle. Il grava cinq paysages d'après J. G. Kraer.

ÉLESKIEWICZ Stanislas
Né le 29 février 1900 à Varsovie. Mort en 1963 en France. xxe siècle. Depuis 1920 actif en France. Polonais.
Peintre de figures, paysages, paysages animés, peintre de cartons de vitraux, de mosaïques. Expressionniste.
Il fut élève de l'Académie des Beaux-Arts de Varsovie et de l'École des Beaux-Arts d'Athènes. Il a voyagé en Perse, Grèce, Italie. À Paris, compatriote de Soutine, il connut brièvement Modigliani.
Il a réalisé des vitraux, des mosaïques, des verres gravés. Il se fit connaître dans le Paris des artistes de l'entre-deux-guerres par sa force lyrique. Expressionniste, il a mêlé dans une même atmosphère le tragique, le grotesque, la nostalgie et la poésie. Il a été quelque peu oublié après la Seconde Guerre mondiale.

S Eleskiewicz

Ventes Publiques : Paris, 27 avr. 1932 : *Village la nuit* : **FRF 87** – Paris, 29 juin 1945 : *Recto : Le penseur ; Verso : même sujet*, mine-de-plomb, étude : **FRF 7 850** – Paris, 24 fév. 1947 : *Les chemineaux* : **FRF 4 200** ; *Élégante* : **FRF 1 000** – Paris, 30 avr. 1947 : *Le rendez-vous* : **FRF 2 100** – Paris, 18 juin 1991 : *Homme attablé*, h/cart. (50,5x65) : **FRF 3 800** – Paris, 10 fév. 1993 : *Scène de parc*, h/cart. (38x46) : **FRF 4 800** – Paris, 6 nov. 1995 : *Allégorie*, h/pan. (58x78,5) : **FRF 10 000**.

ELESLEY Arthur
xixe-xxe siècles. Actif en Angleterre. Britannique.
Peintre.
Cité par Florence Levy.
Ventes Publiques : New York, 18-19 et 20 avr. 1906 : *Vieux amis* : **USD 450**.

ELEUSINIOS
i^er siècle. Actif à Athènes. Antiquité grecque.
Sculpteur.
Il est seulement connu par sa signature sur un fragment de statue de femme dont les restes furent trouvés à Olympie.

ELEUTER Georges ou **Elauter**. Voir **SEMIGINOWSKI Jersy**

ELEUTHÈRE DU PRET
xve siècle. Éc. flamande.
Enlumineur.
Élève de Jacques Daret, en 1436 et maître à Tournai en 1438.

ÉLEUTHÉRIADE Micaéla
Née à Bucarest. xxe siècle. Roumaine.
Peintre de sujets divers.
Elle a exposé à Paris, aux Salons d'Automne et des Artistes Indépendants.
La critique nationale l'a louée pour ses qualités d'intimisme discret, simple et sincère.

ELEUTHERIADIS Stephan
Né le 26 septembre 1922 à Mangalia. xxe siècle. Depuis 1951 actif au Brésil. Roumain.
Peintre. Polymorphe.
Il est architecte, diplômé de la Faculté d'architecture de Bucarest en 1948. En peinture, il est autodidacte de formation, ayant toutefois bénéficié des conseils d'amis peintres roumains. Il avait participé à une exposition collective à Bucarest en 1947. Toutefois, c'est depuis son installation au Brésil, où il exerce brillamment son activité d'architecte qu'il se manifeste aussi en tant que peintre, tant dans des expositions de groupe que dans des expositions individuelles, d'entre lesquelles : 1956, 1962, 1965, 1969, 1972, et ensuite à Rio de Janeiro, 1986 São Paulo...
En peinture, il a traversé plusieurs périodes et manières : du réalisme-socialiste à une figuration plus construite, puis à une période abstraite, pour revenir aux paysages de Mangalia sa ville natale, enfin à des compositions de personnages.
Bibliogr. : Ionel Jianou, in : *Les artistes roumains en Occident*, American Romanian Academy of Arts and Sciences, Los Angeles, 1986.

ELEUTHEROS ou **Eloitheros**
Mort à la fin du vi^e ou au début du ve siècle av. J.-C., originaire d'Athènes. vi^e siècle avant J.-C. Antiquité grecque.

Sculpteur.
Il est connu seulement par la signature portée à un fragment de la base d'une statue trouvée dans les ruines de l'Acropole.

ELEWRES Josef
XVIIe siècle. Polonais.
Peintre.
Il était peintre de la cour du roi Jean III Sobieski.

ELEWYT François Van
XVIIIe siècle. Actif à Malines. Éc. flamande.
Sculpteur.
Il participa avec M. Van de Voord et Th. Verhaegens à l'exécution de sculptures dans des églises de Malines, dont les stalles de l'église Saint-Jean.

ELEWYT Jan Van
Mort en septembre 1744 à Malines. XVIIIe siècle. Actif à Malines en 1702. Éc. flamande.
Sculpteur.
Il exécuta le maître-autel et deux petits autels dans l'église du Cloître de Bethléem à Malines.

ELEY Mary
XIXe siècle. Active à Londres. Britannique.
Peintre de genre.
Elle exposa à Londres de 1874 à 1897, notamment à la Royal Academy et à Suffolk Street.
Ventes Publiques : New York, 23 jan. 1903 : *Enfants et petits chiens* : **USD 700**.

ELEZADI Miguel ou **Lezalde, Lezaldi** ou **Hizaldi**
Né à Elizondo (province de Navarre). Mort le 3 février 1622 à Valladolid. XVIIe siècle. Espagnol.
Sculpteur.
Cet artiste était le fils d'un familier du Saint-Office ; il épousa, en 1621, dans l'église de San Idefonso, Damiana Fernandez, fille de son maître Gregorio Fernandez, et mourut peu après, la laissant veuve à quatorze ans et trois mois.

ELFEN, les frères
XVIIe siècle. Actifs à Hildesheim. Allemands.
Sculpteurs sur bois.
Ils étaient frères lais au Cloître Saint-Michel. Ils exécutèrent le maître-autel représentant la Passion de l'église Saint-Michel qui fut transporté à la cathédrale de Hildesheim, puis un volet d'autel pour l'église Saint-Paul, avec des scènes de la vie de Marie, conservé dans la Galerie Cumberland du Musée provincial de Hanovre.

ELFEN Alfred, Mme
Née le 15 août 1833 à Anvers. XIXe siècle. Belge.
Aquafortiste.

ELFEN Fria
Né en 1934 à Vienne. XXe siècle. Autrichien.
Peintre de collages. Abstrait.
Il fut élève de l'Académie des Beaux-Arts de Vienne, vers 1958.

ELFERDING
XVIIIe siècle. Actif à Saint-Pétersbourg. Russe.
Peintre.
Il travailla aux décorations des salles de réception, du Palais d'Hiver, avec les Italiens Fontebasso Barozzi et Urbani.

ELFERT Theodor
Né le 1er mai 1868 à Berlin. XIXe siècle. Allemand.
Peintre.
Élève d'Eugen Bracht à l'Académie de Berlin il figura à la Grande Exposition d'Art de Berlin en 1891, avec une aquarelle *Vue d'Heringsdorf*, puis à partir de 1893 avec des paysages des environs de Berlin et des bords de la mer, et avec des tableaux de genre. Il présenta aussi un tableau d'histoire *Moïse et Aaron exigent du Pharaon le départ des Juifs de l'Égypte*. Comme Membre de l'Association des illustrateurs allemands, ses dessins à la plume parurent fréquemment à la Grande Exposition d'Art de Berlin.

ELFERT Willy
Né le 20 juin 1870 à Berlin. XIXe-XXe siècles. Allemand.
Peintre de paysages, illustrateur.
Il fut élève de l'École des Beaux-Arts de Berlin, de 1890 à 1894. En 1901, il figura à la grande exposition de Berlin avec *Matinée d'hiver*. Après 1903, il continua d'y envoyer des paysages. Il était membre de l'Association des Illustrateurs Allemands.

ELFORD William, Sir
Né en 1747 à Bickham (Devonshire). Mort en 1837 à Totnès. XVIIIe-XIXe siècles. Britannique.
Paysagiste amateur.
À partir de 1784, il envoya des paysages à la Royal Academy. Windsor Castle en possède un de lui. En 1800, il fut fait baronnet. Le British Museum, possède de lui deux dessins représentant des ruines.

EL GAZZAR Abdel Hadi
Né en 1925. Mort en 1966. XXe siècle. Égyptien.
Peintre, aquarelliste. Tendance fantastique, surréaliste.
Il fut élève de la Faculté des Beaux-Arts du Caire. Il poursuivit sa formation en Italie. Il fut professeur à la Faculté de sa formation. Il a souvent exposé en Égypte et à l'étranger.
En Égypte, il est considéré comme en ayant été un des premiers artistes surréalistes. Son dessin peut être assimilé à l'écriture automatique des surréalistes. Ses peintures et aquarelles représentent des imaginations de villes ou de mondes fantastiques, de constructions spatiales plus abstraites, de machines infernales.
Bibliogr. : In : Catalogue de l'exposition : *Visages de l'art contemporain égyptien*, Musée Galliera, Paris, 1971.
Musées : Alexandrie (Mus. d'Art Mod.) – Le Caire (Mus. d'Art Mod.).

ELGER. Voir **ELLIGER**

ELGERSMA Michiel
Né à Bolsward. Mort en 1764 à Amsterdam. XVIIIe siècle. Hollandais.
Graveur.
Élève de Bern. Picart et maître de J. Greenvood. Son œuvre gravé comprend : *Paysages arcadiens*, d'après J. Van Huysum ; *Paysages héroïques*, d'après J. Van Huysum ; *Jeremias de Decker*, peut-être d'après Rembrandt ; *Vieille femme assise devant une table*, deux *Paysages*, d'après L. F. Dubourg.

ELGESTRON Ossian
Né en 1883. XXe siècle. Suédois.
Peintre de genre.
Il fut élève de l'École des Beaux-Arts de Stockholm, poursuivit sa formation à Copenhague, puis avec Christian Krohg à Paris. En 1929, il figurait à l'Exposition d'Art Suédois au Musée du Jeu de Paume à Paris, avec des scènes de genre : *Expéditions de Wikings, Le déluge, Légende laponne*.

ELGGER Franz von
Né le 1er août 1794 ou 1795 à Rheinfelden. Mort le 4 novembre 1858 à Lucerne. XIXe siècle. Suisse.
Peintre et dessinateur.
À côté de sa grande activité dans la carrière militaire, Elgger s'adonna à la peinture et au dessin, exposa en 1842, et 1844, et laissa quelques portraits, parmi lesquels on cite ceux du *Dr Suidter*, de *S. Hirzel*, ainsi qu'un tableau de genre militaire.

ELGHELO Philippe
XVIIe siècle. Français.
Peintre.
Cité en 1657 comme faisant partie de la Maison du Roi.

EL GLAOUI Hassan
Né en 1924 à Marrakech. XXe siècle. Marocain.
Peintre de compositions à personnages et animalier.
Il fait partie de ceux des peintres de cette génération qui sont restés fidèles à la figuration. Dans son cas, il perpétue dans une écriture nerveuse, très exclusivement la forte tradition nationale liée aux cavalcades guerrières de naguère encore, au monde du cheval de combat et des cavaliers intrépides.
Bibliogr. : Khalil M'rabet : *Peinture et identité – L'expérience marocaine*, L'harmattan, Rabat, après 1986.
Ventes Publiques : Douai, 29 mars 1987 : *Les cavaliers*, gche (64x48) : **FRF 4 200** – Paris, 6 mai 1988 : *Fantasia*, gche (49x62) : **FRF 3 600** – Paris, 19 nov. 1991 : *Couple à cheval*, gche (49x64) : **FRF 3 500**.

ELGOOD George Samuel
Né le 26 février 1851 à Leicester. Mort en 1934. XIXe-XXe siècles. Britannique.
Peintre de genre, paysages.
Il exposa à partir de 1872 à Suffolk Street et continuellement à la Fine Arts Society. Il appartenait au Royal Institute.

George S. Elgood

Musées : Leicester : *Église Sainte-Marie – Le Château de Leisces-*

ter – SYDNEY : *Les Treillis – De la Terrasse – Les Jardins de Jew Orley*.
VENTES PUBLIQUES : NEW YORK, 12-13 mars 1903 : *Vieille maison anglaise* : **USD 225** – LONDRES, 24 mai 1910 : *Preston Cottage près de Stratford-sur-Avon*, aquar. : **GBP 9** ; *Chrysanthèmes*, aquar. : **GBP 5** – LONDRES, 3 avr. 1922 : *Abbaye de Bolton* 1899, dess. : **GBP 2** – LONDRES, 21 avr. 1922 : *Venise, le canal Giardino Eden* ; *La Pergola* 1898, deux dess. : **GBP 9** – LONDRES, 9 juin 1922 : *Pâquerettes de la Saint-Michel au manoir de Tangley* 1897, dess. : **GBP 4** – LONDRES, 1er mars 1984 : *La Terrasse de Berkeley Castle, Gloucestershire* 1887, aquar./trait de cr. (30,5x50) : **GBP 1 400** – LONDRES, 16 oct. 1986 : *Un jardin surplombant le Dôme de Florence* 1901, aquar. reh. de gche (23x35,5) : **GBP 3 100** – LONDRES, 25 jan. 1988 : *Une promenade sur la terrasse* 1887, aquar. (42x34) : **GBP 3 080** – LONDRES, 25 jan. 1989 : *Jardin d'agrément* 1911, aquar. (25,5x18,5) : **GBP 1 540** – CHESTER, 20 juil. 1989 : *Le printemps dans le jardin de Roundscliffe* 1907, h/t (25,5x16,5) : **GBP 2 420** – LONDRES, 31 jan. 1990 : *« Brymton d'Evercy House » dans le Sommerset*, aquar. (47x36) : **GBP 4 840** – LONDRES, 25-26 avr. 1990 : *Statues de Flore et de Pomone à la Villa Aison à Nice* 1912, aquar. (36x27) : **GBP 3 630** – LONDRES, 1er nov. 1990 : *Le temple de Castor et Pollux à Girgenti*, aquar. (24,8x35,6) : **GBP 605** – LONDRES, 14 juin 1991 : *Compton Wynyates dans le Warwickshire* 1890, cr. et aquar. (36,2x53,4) : **GBP 12 100** – LONDRES, 25 mars 1994 : *L'allée des roses à Myndhurst* 1891, cr. et aquar. (22,8x35,3) : **GBP 1 150** – LONDRES, 10 mars 1995 : *La bordure de fleurs mélangées à Penshurst* 1882, cr. et aquar. (42x35) : **GBP 2 070**.

ELHAFEN Ignaz ou **Oelhafen, Helhafen, Eulhofer**
Né en 1658, originaire d'Allemagne du Sud. Mort en 1715. XVIIe siècle. Allemand.
Sculpteur.
Après avoir séjourné longtemps à Rome il se fixa à Vienne, puis alla à Düsseldorf où il fut appelé par l'Électeur Johann Wilhelm. Il s'inspire principalement de l'Histoire ancienne : *Combats, Enlèvement des Sabines*, et de la Mythologie : *Le Jugement de Pâris*. Cet artiste a exécuté aussi des sculptures sur bois dans le même esprit que ses sculptures sur ivoire.
MUSÉES : BRUNSWICK (Mus. ducal) : sculptures sur bois – DRESDE (Grünes Gewölbe) : sculptures sur bois – FRANCFORT-SUR-LE-MAIN – KARLSRUHE – MUNICH (Mus. Nat. bavarois) : sculptures sur ivoire – VIENNE : sculptures sur ivoire – VIENNE (Mus. Nat.) : sculptures sur bois.
VENTES PUBLIQUES : LONDRES, 22 avr. 1982 : *Jupiter, Antiope et Cupidon*, ivoire (15,7x12,5) : **GBP 15 000**.

EL-HAJJ Fatima
Née en 1953 à Wardanieh. XXe siècle. Libanaise.
Peintre de compositions à personnages, paysages animés. Néo-fauve.
Elle fut élève de l'Institut des Beaux-Arts de l'université Libanaise en 1974. De 1980 à 1983, elle fut élève de l'Académie des Beaux-Arts de Léningrad (aujourd'hui Saint-Pétersbourg), puis elle fréquenta l'École des Arts Décoratifs de Paris. Elle est devenue la femme du peintre Ali Chams, né comme elle à Wardanieh. Elle participe à des expositions de groupe : 1982 à l'UNESCO à Paris, 1988 Londres. En 1984, elle reçut le Prix Picasso du Centre Culturel Espagnol de Beyrouth, qui lui valut une exposition personnelle au Centre en 1985, année où elle reçut le prix Picasso International à Madrid.
Elle fait une peinture très libre de dessin, haute en matières et en couleurs. Son dessin est synthétique, il va à l'essentiel et l'exprime fortement, sans détails superflus. Les matières pigmentaires, de couleurs franches comme dans le fauvisme, se diversifient depuis des touches seulement frottées à des empâtements énergiques. La perte d'un enfant mort-né lui a inspiré une série de peintures autour de ce malheur : *Chant solitaire* de 1987, une silhouette vert-cru de femme assise sur la plage, un corps de petit enfant jaune-orange sur les genoux, autour et derrière le sable blanc giclé du tube, une cabine violet et rouge, un parasol ocre à rayures noires, à l'horizon la ligne bleu-dur de la mer, audessus le ciel brossé de blanc et bleu et un nuage violet-violent. La mort sous le soleil, le Liban. ■ J. B.
BIBLIOGR. : Catalogue de l'exposition *Liban – Le regard des peintres, 200 ans de peinture libanaise*, Institut du monde arabe, Paris, 1989.

EL HANI Noureddine
Né le 5 octobre 1954 à Tunis. XXe siècle. Tunisien.
Peintre. Occidental, tendance abstraite.
En 1977, il termina ses études à l'Institut technologique d'Art, d'Architecture et d'Urbanisme de Tunis. En 1980, il obtint un doctorat de 3e cycle d'esthétique à la Sorbonne de Paris. En 1981-1982, il effectua un séjour à la Cité des Arts de Paris. Il participe à des expositions collectives en Tunisie, au Maroc, en France. Il montre ses peintures dans des expositions personnelles : 1979, 1984 à Tunis, 1983 à Sousse. En 1983 également, il exposa à deux à Tunis avec la femme peintre marocaine Chaïbia. Il peint à l'acrylique. Peut-être peut-on citer avec prudence Paul Klee pour situer sa propre écriture picturale, graphique, aiguë, elliptique entre réalité et abstraction et volontiers humoristique.

ELHARAR-LEMBERG Sylvia ou **Elharrar**
Née en 1950 à Casablanca. XXe siècle. Active en France. Marocaine.
Peintre, sculpteur d'assemblages, dessinatrice, illustratrice.
Elle fit ses études à l'École des Beaux-Arts de Paris, ainsi qu'au State Art Teachers Training College de Tel-Aviv. Depuis 1974, elle participe à des expositions collectives en France : notamment en 1981 au Salon de la Jeune Peinture-Jeune Expression à Vincennes, au Salon de Montrouge (1983-1984-1986), au Salon de la Jeune Peinture à Paris (1991), ainsi qu'en Belgique, Italie, Israël, aux États-Unis... Elle montre ses œuvres dans des expositions personnelles dès 1976 en France et à l'étranger, notamment à Paris à la galerie Lélia Mordoch en 1991 et 1993. En 1991, elle a reçu le Premier Prix de la Wiso.
Elle réalise des dessins et des peintures, qui jouent des effets de transparence et d'effacement, très souvent à partir du schéma carré du tétragramme, dont les signes abstraits peuvent évoquer de mystérieuses civilisations disparues. Elle crée aussi des assemblages, qui invitent au décodage : elle bâtit des grilles mystérieuses, mettant en regard de tiges de fer, des étiquettes, des plaques photographiques. Elle réalise également des livres d'artiste.
BIBLIOGR. : In : Catalogue du Salon de Montrouge, 1990 – Daniel Sibony : Catalogue de l'exposition *Sylvia Elharar-Lemberg*, gal. Lélia Mordoch, Paris, 1991-92 – Daniel Sibony : *Elharar-Lemberg*, Art Press, no 166, Paris, fév. 1992.
VENTES PUBLIQUES : PARIS, 17 juin 1991 : *Tetragramme* 1989, acryl. et encre/pap./vélin d'Arches (76x56) : **FRF 5 000**.

EL HUSSEINI BAYAZID Joumana
Née en 1932 à Jérusalem. XXe siècle. Active au Liban et en France. Palestinienne.
Peintre de compositions à personnages. Tendance naïve.
En 1948, elle arriva avec sa famille au Liban. Elle fit des études de sciences politiques. En peinture elle est autodidacte de formation, ayant peu fréquenté le Département Beaux-Arts de la Faculté, et n'ayant fait qu'un court séjour d'étude à Paris. Mariée très jeune, peignant sur la table de la salle-à-manger entourée de ses enfants, elle signait alors de son nom de femme Joumana Bayazid. Séparée de son mari, elle vit et travaille à Paris. Elle participe à quantité d'expositions collectives, notamment le Salon annuel du Musée Sursock de Beyrouth de 1960 à 1967, à des Biennales : 1969 d'Alexandrie, 1973 de Koweit, 1974 Bagdad, 1979 Venise, à l'exposition itinérante du Smithsonian Institute de Washington de 1971 à 1973, et aussi depuis 1965 à Londres, Tokyo, Genève, Moscou, Madrid, Varsovie, Vienne... Elle a présenté des expositions personnelles en 1970 à Koweit, 1971 Bonn et Stuttgart, 1972 Beyrouth...
Ses peintures racontent, dans des harmonies colorées discrètes, et avec humour et le charme de la naïveté, les petits évènements de la vie quotidienne de ses personnages, par exemple et en toute simplicité de la vie quotidienne de Fatima, la fille du prophète Mahomet. ■ J. B.
BIBLIOGR. : Catalogue de l'exposition *Liban – Le regard des peintres*, Institut du Monde Arabe, Paris, 1989.

ELI Adolf
Né en 1821 à Brunswick. Mort en 1889. XIXe siècle. Allemand.
Peintre sur porcelaine.
Peintre de la cour. Le château de la Résidence à Brunswick conserve un service de table orné de ses peintures. Il était le frère de Christel Eli.

ELI Christel ou **Johann Heinrich Christian**
Né en 1800. Mort en 1881. XIXe siècle. Allemand.
Peintre de natures mortes, fleurs et fruits.
Peintre de la cour, il était chargé des peintures décoratives à la

Manufacture de porcelaine de Fürstenberg et aimait peindre des insectes et des fleurs directement d'après nature. Il fit également des peintures à l'huile, à l'aquarelle, à la gouache.
Musées : Brunswick.
Ventes Publiques : Londres, 24 juin 1987 : *Nature morte aux fleurs sur un entablement*, h/t (97x77,5) : **GBP 13 000**.

ELI Philippe Joseph
Né à Arras. xixe siècle. Français.
Lithographe.
Élève de Hersent. Il envoya au Salon de Paris, en 1869, le portrait de *Mathieu Dombasle*.

ELIA. Voir aussi au prénom

ELIA. Voir aussi **GAGGINI**

ELIA Beniamino d'
Né en 1825 à Naples. Mort en 1907 à Naples. xixe siècle. Italien.
Peintre.
Il étudia à l'Académie de Naples avec D. Morelli. Il présenta à l'Exposition du Musée de Naples en 1848 un *Saint Mathieu avec l'Ange* et en 1851 deux tableaux de genre. En 1855 il exposa *Chrétiens dans les Catacombes* et peignit pour la marquise Capelli une *Madone du Magnificat*.

ELIA Edoardo d'
xixe siècle. Italien.
Sculpteur.
Artiste Piémontais, qui sait donner à ses œuvres une empreinte de bonhomie toute sympathique ; il a exposé avec beaucoup de succès un buste en marbre : *Euterpe* (Milan, 1881) ; ses autres ouvrages, tels que : *Tranquillité capricieuse, Première bourrasque, Tête de Garibaldi, L'aumône*, furent exposés dans plusieurs villes d'Italie, notamment à Turin, en 1880 et en 1883.

ELIA Edouard Pierre Joseph ou **Elias**
Né à Bruxelles. xixe siècle. Belge.
Peintre.
Il obtint une mention honorable au Salon des Artistes Français en 1882.

ÉLIA L. G. T. D'
Né en 1944 à Capri. xxe siècle. Italien.
Peintre de figures. Expressionniste.
Il ne reçut aucune formation artistique. Il voyage depuis l'âge de seize ans.
Sa peinture est nettement expressionniste, traitant le corps humain avec des déformations un peu morbides.

ÉLIA Michel
Né le 11 novembre 1903 à Paris. xxe siècle. Français.
Sculpteur de figures. Traditionnel.
Il exposait régulièrement à Paris, au Salon des Artistes Français de 1929 à 1941, en étant devenu sociétaire en 1932.
Il travaille surtout le marbre, dans un esprit classique.
Ventes Publiques : New York, 16 avr. 1969 : *Méditation n° 1*, marbre : **USD 1 700**.

ÉLIACHEFF Geneviève
Née le 24 septembre 1910 à Bordeaux (Gironde). xxe siècle. Française.
Peintre de paysages urbains, scènes typiques. Naïf.
Elle a beaucoup voyagé.
Elle peint des scènes champêtres et des villes qu'elle situe avec naïveté dans des décors et une atmosphère d'époque 1900.

ELIAERTS Jean François ou **Jan Frans**
Né le 1er janvier 1761 à Deurne (Flandres). Mort le 17 mai 1848 à Anvers. xviiie-xixe siècles. Belge.
Peintre de genre, natures mortes, fleurs et fruits.
Naturalisé français, il fut professeur à l'Institution de la Légion d'honneur. Il exposa au Salon de Paris, de 1810 à 1848. Sa spécialité était les fruits et les fleurs. On mentionne aussi de lui une toile de genre : *L'Amour aux aguets dans un buisson de roses*.
Cet artiste doit être classé parmi les imitateurs de Jan Van Huysum.

J.F. Eliaerts

Musées : Anvers : *Fleurs* – Gand : *Nature morte*.
Ventes Publiques : Paris, 22 mai 1897 : *Fleurs et fruits sur une console de marbre* : **FRF 500** – Paris, 28 fév. 1919 : *Bouquet de fleurs dans un vase en terre cuite* : **FRF 2 220** – Paris, 20 juin 1961 : *Fruits* : **FRF 5 000** – Paris, 12 mars 1976 : *Fleurs sur un entablement*, h/t (46x37) : **FRF 13 000** – Lucerne, 7 nov. 1982 : *Nature morte aux fleurs*, h/bois (46x35,5) : **CHF 8 800** – Roubaix, 27 fév. 1983 : *Vase de fleurs et nid sur un entablement*, h/pan. (43x33) : **FRF 29 000** – Londres, 11 déc. 1987 : *Fleurs sur un entablement* 1790, h/t (64x52) : **GBP 20 000** – Rome, 23 mai 1989 : *Fruits à côté d'une composition florale dans un vase sur fond de paysage*, h/t (99x77) : **ITL 13 500 000** – Amsterdam, 10 nov. 1992 : *Grande composition florale avec des roses, une tulipe, des pivoines, une couronne impériale dans un vase de terre cuite sur un entablement*, h/t (40,5x32,8) : **NLG 32 200** – Paris, 28 juin 1993 : *Bouquet de fleurs posé sur un entablement*, h/t (87x67,5) : **FRF 125 000** – Orléans, 30 sep. 1993 : *Composition d'iris, roses trémières, roses et diverses fleurs dans une corbeille sur un entablement de marbre* 1826, h/t (83x68,5) : **FRF 520 000** – Paris, 13 mars 1995 : *Fleurs dans un vase posé sur un entablement*, h/t (46x38) : **FRF 74 000** – Paris, 13 déc. 1996 : *Vase de fleurs sur un entablement*, h/pan. (35x28) : **FRF 72 000** – New York, 4 oct. 1996 : *Une couronne impériale avec roses, tulipes, coquelicots, une jacinthe et autres fleurs dans un vase en terracotta sur un entablement de pierre* 1832, h/t (74x56) : **USD 68 500**.

ELIAN Catherine
Née en 1937 à Galatzi. xxe siècle. Depuis 1965 active en France. Roumaine.
Peintre, peintre de décorations murales, de cartons de vitraux. Polymorphe, puis abstrait.
En 1961, elle fut diplômée de l'Institut d'Arts Plastiques Grigorescu de Bucarest. Depuis 1956, elle a participé à des expositions collectives en Roumanie, Italie, et en France à Paris aux Salons des Surindépendants, d'Automne et des Artistes Indépendants. Elle a obtenu diverses distinctions, notamment en 1967 une bourse de l'UNESCO pour la Cité des Arts de Paris. Elle est établie en Haute-Savoie, où elle exécute des commandes de décorations pour des édifices de la région, y participant à des expositions collectives locales.
Dans sa période roumaine, elle fut astreinte aux impératifs du réalisme-socialiste. À son arrivée en France, elle fut un moment tentée par l'expression surréaliste. Elle se libéra ensuite de l'image dans une période abstraite-géométrique, puis s'épanouit dans l'abstraction-lyrique, où elle fait joyeusement éclater des symphonies de couleurs enserrées dans un réseau de cernes sombres. ■ J. B.
Bibliogr. : Ionel Jianou, in : *Les artistes roumains en Occident*, American Romanian Academy of Arts and Sciences, Los Angeles, 1986.

ELIAS
xive siècle. Actif à Lübeck de 1305 à 1307. Allemand.
Peintre.

ELIAS Alfred
xixe siècle. Britannique.
Peintre d'animaux, paysages animés.
Il exposa à Londres, notamment à la Royal Academy, à partir de 1875. Il obtint une médaille de bronze à l'Exposition Universelle de 1889. Il travailla à Tunbridge.
Ventes Publiques : Vienne, 13 sep. 1966 : *Deux chevaux s'abreuvant dans une rivière* : **ATS 25 000** – Londres, 16 mai 1986 : *Chevaux au pâturage*, h/t (76x122) : **GBP 1 100** – Versailles, 18 mars 1990 : *Poneys dans les champs*, h/t (82x117) : **FRF 11 000**.

ELIAS Annette
xixe siècle. Active à Londres. Britannique.
Paysagiste et graveur.
Exposa à partir de 1881 à la Royal Academy, à Suffolk Street et la Grosvenor Gallery. Elle fut membre de la Society of Ladies Artists.

ELIAS Edouard Pierre Joseph. Voir **ELIA**

ELIAS Emily
xixe siècle. Britannique.
Peintre de genre, portraits, paysages, natures mortes, dessinatrice.
Elle exposa en 1882, 1889 et 1890 au Salon à Paris ; en 1884 à la Royal Academy de Londres. Elle était la femme d'Alfred Elias.
Ventes Publiques : Londres, 4 mars 1980 : *La Liseuse*, h/t (112x79) : **GBP 800** – Londres, 23 avr. 1986 : *Portrait de fillette en robe blanche*, h/t (128x95) : **GBP 450**.

ÉLIAS Étienne, pseudonyme de **Michiels Étienne**
Né en 1932 ou 1936 à Ostende. xxe siècle. Belge.
Peintre, dessinateur. Abstrait-lyrique, puis tendance Pop'art.

Il fut élève de l'Académie des Beaux-Arts de Gand. Il obtint le Prix Deleu d'art graphique en 1959, le Prix de la Jeune Peinture Belge en 1965 et d'autres Prix en 1968 et 1969. Sa première exposition eut lieu en 1960 à Gand. Depuis, il expose régulièrement en Belgique, à Amsterdam en 1968, São Paulo en 1971, etc.
Dans une première période, sa peinture, gestuelle, se rattachait à l'abstraction-lyrique internationale. Il revint ensuite à la figuration, dans la mouvance du Pop'art des années soixante.

Bibliogr. : In : *Diction. biogr. illustré des Artistes en Belgique depuis 1830*, Arto, Bruxelles, 1987.
Musées : Groningen – Ostende – Rotterdam – Utrecht.
Ventes Publiques : Anvers, 6 avr. 1976 : *Derrière un petit rideau* 1965, h/t (122x102) : **BEF 36 000** – Anvers, 25 oct. 1977 : *Un homme*, h/t (120x100) : **BEF 40 000** – Anvers, 27 avr. 1981 : *Nature morte*, h/t (80x100) : **BEF 24 000** – Anvers, 27 oct. 1987 : *La Famille du notaire* 1967, h/t (150x140) : **BEF 200 000** – Lokeren, 5 mars 1988 : *La Cueillette des pommes*, h/t (110x100) : **BEF 110 000** – Lokeren, 21 mars 1992 : *Couple*, h/t (95x80) : **BEF 36 000** – Lokeren, 10 oct. 1992 : *La Pêche* 1989, h/t (80x70) : **BEF 33 000** – Lokeren, 15 mai 1993 : *Autoportrait et portrait de Titane au XXe siècle*, h/t, une paire (chaque 70x55) : **BEF 75 000** – Amsterdam, 8 déc. 1994 : *Le Désespoir*, h/pan. (55x45) : **NLG 4 600** – Amsterdam, 31 mai 1995 : *Le Prophète* 1988, h/t (80x70) : **NLG 3 540** – Lokeren, 7 oct. 1995 : *Jet-foil*, h/t (150x120) : **BEF 90 000** – Amsterdam, 5 juin 1996 : *Conversation avec Lucas*, h/t (80x70) : **NLG 4 600** – Amsterdam, 10 déc. 1996 : *La Montagne rouge* 1980, h/t (70x55) : **NLG 4 382** – Lokeren, 6 déc. 1997 : *Mère et fille*, h/t (100x120) : **BEF 50 000**.

ELIAS F.
Mort en 1846 à Stuttgart. XIXe siècle. Actif à Stuttgart. Allemand.
Lithographe.
Ses lithographies illustrèrent son propre ouvrage *Introduction au dessin de figures*, sous la direction du peintre F. Seubert, ainsi que l'ouvrage de Fr. Gross *Dix paraboles de Jésus*, et *Décorations nouvelles* de A. Rieman. On cite également une planche lithographiée *La Maîtresse du Titien*, d'après Le Titien.

ELIAS H. J.
Né vers 1865 à Amsterdam. Mort à Blaricum. XIXe siècle. Hollandais.
Peintre de paysages.
Il fut élève de J. Portaels à l'Académie de Bruxelles et présenta à l'Exposition Universelle de Paris en 1900 un *Paysage d'automne*. Il travailla à Blaricum.

ELIAS Isack ou **Elyas**
XVIIe siècle. Actif au début du XVIIe siècle. Hollandais.
Peintre de genre.

Musées : Amsterdam : *Réunion joyeuse.*

ELIAS Levin
XVIIIe siècle. Danois.
Peintre.
Il reçut en 1759 deux médailles d'argent de l'Académie de Copenhague. Le Musée de cette ville conserve de lui un *Portrait de jeune fille* peint en 1767.

ELIAS Mathieu ou **Elyas** ou **Elie, Elye**
Né en 1658 à Peene (près de Cassel). Mort le 22 avril 1741 à Dunkerque. XVIIe-XVIIIe siècles. Français.
Peintre, peut-être sculpteur.
Élève de Philippe de Corbehem, il fut directeur de l'Académie de Saint-Luc à Paris. Un Elye Matthieu était actif à Paris en 1684. Les ouvrages de cet artiste se trouvent en assez grand nombre à Dunkerque, à Menin, à Ypres. On cite de lui, à l'église des Capucins, à Menin : *Saint Félix ressuscitant un mort* ; à l'église des Carmélites, à Ypres : *Moïse frappant le rocher* ; *La résurrection de Lazare*. Aux églises de Dunkerque, on remarque en particulier : *L'ange qui apparaît à saint Joseph endormi* ; *La multiplication des pains* ; *Ange gardien conduisant un enfant* ; *Saint Louis partant pour la Terre Sainte* ; *L'offrande d'Élie* ; à l'église Saint-Jean-Baptiste : *La ville de Dunkerque personnifiée implore la Sainte Trinité* ; *Distribution du pain et du vin aux serviteurs d'Abraham* ; *Tottla, roi des Visigoths, visitant saint Benoît* ; *Les enfants d'Israël recueillant la manne* ; *Le festin de Balthazar* ; *Saint Urinoc distribuant du pain*.
Musées : Bergues : *Autoportrait – Saint Pierre – Judith et Holopherne* – Dunkerque : *Le sacrifice d'Abraham – Vue du bassin militaire et de l'arrière-port de Dunkerque en 1709* – Paris (Louvre) : *Les fils de Scèva, exorcistes juifs, battus par le démon* – Vienne (Albertina) : Deux dessins.

ELIAS Nicolaes ou **Claes** ou **Eliasz**. Voir **PICKENOY**

ELIAS Ramon
XIXe siècle. Espagnol.
Sculpteur.
Exposa à Barcelone en 1870.

ELIAS Y BRACONS Feliu
Né le 9 octobre 1878 à Barcelone (Catalogne). Mort en 1948. XXe siècle. Espagnol.
Peintre de figures, intérieurs, dessinateur humoriste.
Il fut élève de l'École des Beaux-Arts de Barcelone et vint étudier à Paris. Il participa à des expositions collectives, notamment l'Exposition Internationale d'Art de Barcelone en 1910, où il obtint une mention honorable, les expositions des Beaux-Arts de Barcelone en 1918, 1919, 1921, l'Exposition Internationale de 1929, l'Exposition de Printemps de 1936. Il fut fait chevalier de la Légion d'Honneur en France et membre du Cercle Artistique de Saint-Luc en Espagne.
Il publia des dessins dans des hebdomadaires et revues, comme, en France : *Paris Journal, Paris Midi*, et *L'Assiette au Beurre*, en Espagne : *La Campana de Gracias, Mirador*, etc. Ses dessins d'humour procèdent d'un trait stylisé, elliptique et efficace, d'un maniérisme nettement marqué de l'époque 1930 « Art Déco ». Certaines de ses peintures se rattachent au courant des Nabis et de la Revue Blanche, très composées par aplats simplifiés, d'autres ont opté pour un réalisme à tendance photographique proche de la Nouvelle Objectivité d'Otto Dix. ■ J. B.
Bibliogr. : In : *Cent ans de peinture en Espagne et au Portugal 1830-1930*, Antiquaria, Madrid, 1988.
Musées : Barcelone (Mus. d'Art Mod.).

ÉLIAS BURGOS Francisco
Né au XIXe siècle à Madrid. XIXe siècle. Espagnol.
Sculpteur.
Fils du sculpteur Elias Vallejo. Il fut nommé membre de l'Académie de San Fernando en 1840. On connaît de lui un buste de son père, des bas-reliefs : *Priam aux pieds d'Achille, Mort d'Epaminondas*, et un groupe *Le meurtre d'Abel*.

ELIAS VALLEJO Francisco
Né en 1783 à Soto de Cameres. Mort le 22 septembre 1858 à Madrid. XIXe siècle. Espagnol.
Sculpteur.
Élève de l'Académie Royale de San Fernando. En 1818, il devint directeur de la section de sculpture de cette Académie. On cite de lui de nombreux bustes des principaux personnages de la cour d'Espagne. Il exécuta un *Hercule enfant* pour la Fontaine d'Hercule à Aranjuez, et de nombreux groupes pour les monuments publics de Madrid.

ELIASBERG Paul
Né en 1907 à Munich. Mort le 1er octobre 1983 à Hambourg. XXe siècle. Actif aussi en France. Allemand.
Peintre, graveur.
Ses parents étaient russes. Il passa son enfance à Munich et vint à Paris en 1926, donc âgé de dix-neuf ans. Il y fréquenta l'Académie Ranson et se lia d'amitié avec Roger Bissière qui y enseignait depuis 1925. Il y participa à de nombreuses expositions collectives, dont les Salons des Surindépendants et de Mai. Sa première exposition personnelle eut lieu aussi à Paris en 1934. En 1962, le Musée de Munich lui organisa une vaste exposition d'ensemble de son œuvre. À partir de 1966, il enseigna à l'École des Beaux-Arts de Francfort-sur-le-Main.
Dans son livre *L'Estampe*, E. Rouir cite Eliasberg, donnant un aperçu de l'esprit général de l'œuvre : « Il crée un monde mouvant et monumental par un jeu habile de verticales plus ou moins soutenues : *Notre-Dame in Nebel* » (Notre-Dame dans la brume).
Ventes Publiques : Munich, 5 juin 1981 : *La plage des amoureux* 1973, pl./pap. (37X48,5) : **DEM 2 200** – Heidelberg, 12-13 oct. 1985 : *Paysage de fantaisie* 1976, h. et craie noire/t. (60x40) : **DEM 2 700** ; *Saint-Étienne-du-Mont* vers 1975, aquar. et pl. (37,8x45,7) : **DEM 1 900** – Munich, 26 mai 1992 : *Leukadia* 1976, encre brune (36x50,5) : **DEM 2 645**.

ELIASOPH Paula
Née le 26 octobre 1895 à New York. XXe siècle. Américaine.
Peintre, aquarelliste, graveur, illustrateur.
Elle fut élève du Pratt Institute et de l'American Students' League de New York. Elle y devint membre de l'American Water Color Society et de l'American Students' League. Elle gravait à l'eau-forte.

ELIASZ. Voir aussi **ELIAS**

ELIASZ Wladyslaw
XIXe siècle. Polonais.
Sculpteur.
À Cracovie de 1871 à 1885 il exposa des sculptures religieuses et des bustes.
Musées : Cracovie (Lubomirski) : *Buste du prince Lubomirski* – Rapperswill : Huit bustes des rois de Pologne.

ELIASZ-RADZIKOWSKI Walery
Né le 13 septembre 1840 à Cracovie. Mort le 23 mars 1905 à Cracovie. XIXe siècle. Polonais.
Peintre, enlumineur et écrivain.
Il étudia d'abord à l'Académie de Cracovie avec L. Luszczkiewicz, puis à Munich avec H. Anschütz, M. von Schwind et Franz Adam. Après un voyage en Allemagne il séjourna à Paris, Florence et Vienne et se fixa en 1868 à Cracovie où il peignit une série de tableaux représentant des scènes de l'histoire de Pologne. Parmi ceux-ci on cite *La Défense de Cracovie contre les Suédois, L'entrée de Sobieski dans Vienne libérée, La mort de Zolkiewski, Camp d'insurgés en juin 1863*. Il peignit également des paysages et des tableaux de genre. Comme écrivain il rédigea des ouvrages d'histoire de la civilisation qu'il illustra ainsi que son œuvre *Esquisses de mon voyage dans les montagnes du Tatra*. Les Musées de Cracovie, Lemberg, Posen et Rapperswill conservent des tableaux de sa main.
Musées : Rapperswill (Mus. Polonais) : *La mère de Jagellons.*

ELICHE Jean Baptiste
Né le 21 février 1866 à Morières (Vaucluse). XIXe-XXe siècles. Français.
Peintre de paysages.
Élève de J. Lefebvre et T. Robert-Fleury. Il n'exposa pas au Salon des Artistes Français avant 1910.

ELICHINGER Antoni
Originaire de Bade. XVIe siècle. Travaillant à Bâle en 1519. Suisse.
Peintre.
Il fut aide de Hans Dyg.

ELIE, veuve
Née à Paris. XIXe siècle. Française.
Peintre de portraits.
Élève de Greuze. Elle figura à différentes reprises au Salon de Paris, de 1814 à 1824.

ELIE Joseph
XVIIIe siècle. Actif à Paris à partir de 1748. Français.
Peintre et sculpteur.

ELIE Louis
Né à Niort (Deux-Sèvres). XXe siècle. Français.
Peintre de genre.
Il exposa à Paris au Salon des Indépendants à partir de 1935.

ÉLIE, pseudonyme de **Vignes Jacques**
Né en 1929. XXe siècle. Français.
Peintre, pastelliste.
En 1994, la galerie Katia Granoff d'Honfleur a présenté un ensemble de ses pastels à l'huile.
Ses peintures prennent corps à partir d'une réalité très transposée. Les effets de matière en constituent la saveur visuelle, presque gustative.

ÉLIE DE BEAUMONT
Née le 18 mars 1871 à Montluçon (Allier). XIXe-XXe siècles. Française.
Peintre-miniaturiste.
Elle a commencé à exposer à Paris en 1910, au Salon des Artistes Français.

ELIGIO da Capua
XVIe siècle. Actif à Montevergine vers 1545. Italien.
Sculpteur sur ivoire et orfèvre.
Il était moine.

ÉLIM Franck, pseudonyme de **la Morinière Élie de**
XXe siècle. Français.
Peintre de sujets de sport, animalier.
Il fut membre de la Société des Peintres et Sculpteurs de Chevaux. Il a exposé à la Section Artistique du Concours Hippique. Il a surtout peint tout ce qui tourne autour du monde du cheval, des courses et des gens de cheval. Il faisait aussi ce qu'on pourrait appeler des « portraits » de chevaux (célèbres). On cite de lui : *Le Prix de Diane* de 1928, *Le Prix du Jockey-Club, L'arrivée.*

Ventes Publiques : Paris, 26 nov. 1981 : *Maestro II, portrait de cheval* 1938, h/t (38x46) : **FRF 2 800** – New York, 24 fév. 1983 : *L'arrivée de la course* 1929, h/t (65,5x81) : **USD 3 000** – Paris, 16 juin 1987 : *Vittel : le dernier tournant* 1921, h/pan. (26x35) : **FRF 4 000** – Paris, 14 juin 1988 : *Cheval de course et son jockey*, h/t (65x81) : **FRF 9 000** – Paris, 17 juin 1988 : *Deauville, Prix de la Reine Mathilde* 1920, h/t (38x54,5) : **FRF 10 000** – Versailles, 5 mars 1989 : *Belfonds dans sa stalle*, h/t (65x81) : **FRF 3 500** – Versailles, 19 nov. 1989 : *Le Prix de la Reine Mathilde à Deauville en 1920*, h/t (38x55) : **FRF 28 000** – Paris, 10 déc. 1990 : *L'arrivée de la Reine sur le champ de course d'Ascot* 1949, h/pan. (48,5x60) : **FRF 10 000** – Paris, 22 mai 1992 : *Prince chevalier à Longchamp* 1946, h/t (46x55) : **FRF 6 000** – Paris, 18 juin 1993 : *Le Pacha, Chantilly* 1941, h/t (73x94) : **FRF 45 000** – Londres, 24-25 mars 1993 : *Le quatorze juillet*, h/t (54x65) : **GBP 3 220** – Londres, 11 fév. 1994 : *Match de polo* 1914, aquar. et gche/pap. brun (77,8x49,5) : **GBP 2 530.**

ELIN Johan Christiaan
Né en 1733 à Berlin, de parents hollandais. XVIIIe siècle. Actif à Leyde. Hollandais.
Peintre de miniatures et aquafortiste.
Il commença ses études à Berlin avec J. Harper et vint en Hollande à seize ans ; il se fixa à Utrecht, puis à Leyde. On cite de lui une gravure à l'eau-forte : *Femme âgée enfilant une aiguille sous la lampe*. Le portrait du médecin de Leyde *A. Balthazaar* fut gravé d'après lui par B. de Bakker. On connaît encore de sa main trois portraits d'homme sur ivoire, d'après des portraits du XVIIe siècle.

ELINA Odette
XXe siècle. Française.
Peintre de portraits et de fleurs.
Elle fut membre du Salon des Artistes Français et de l'Union des Femmes Peintres et Sculpteurs, à Paris.

ELINGA. Voir **JANSSENS Pieter Elinga**

ELINK STERK J. C.
XIXe siècle. Actif vers 1850. Hollandais.
Lithographe.
Il travailla d'après les Hollandais du XVIIe siècle comme F. Bol, P. Van Laar, G. Meton et il fit la lithographie d'une vingtaine de portraits, la plupart d'après ses propres dessins.

ELION Jacques
Né le 20 mai 1842 à Amsterdam. Mort le 22 février 1893 à Amsterdam. XIXe siècle. Hollandais.
Dessinateur, graveur et aquafortiste.
Élève de l'Académie d'Amsterdam, il fit des projets pour des sculptures décoratives et grava des monnaies et des médailles.

ELIOT Gabriel
Né à Paris. XIXe siècle. Français.
Peintre pastelliste.
Il étudia dans l'atelier de Léger Chérelle. Il envoya au Salon, de 1872 à 1880, des pastels représentant des sujets de genre et des natures mortes.

ELIOT Harry. Voir **ELIOTT**

ELIOT Jeanne
Née le 22 mars 1861 à Paris. XIXe siècle. Française.
Peintre.
Sociétaire des Artistes Français depuis 1892, elle figura au Salon de cette société. Elle était la sœur de Maurice Eliot, et fut son élève.
Ventes Publiques : Paris, 23 avr. 1937 : *Rue de village au soleil*, past. : FRF 30.

ÉLIOT Maurice
Né en 1864 à Paris. Mort en 1945 à Épinay (près de Paris). XIXe-XXe siècles. Français.
Peintre de genre, paysages, pastelliste, dessinateur, graveur, illustrateur.

Dès l'âge de seize ans, il devint l'élève d'Émile Bin, qui tint un atelier à Montmartre, où il rencontra Signac et Henri Rivière. Il entra à l'École des Beaux-Arts, puis suivit successivement les cours d'Adolphe Yvon, et de Cabanel. En 1883, il fut reçu professeur aux Écoles de la Ville de Paris. Nommé en 1901 à l'École Polytechnique, il enseigna près de quarante ans le pastel et le dessin. Il fut promu chevalier de la Légion d'honneur en 1908. Éliot exposa au Salon des Artistes Français de Paris. Il remporta de nombreuses distinctions, dont une bourse de voyage en 1888, à cette occasion il partit à la découverte de l'Europe du Sud, et une deuxième médaille en 1937. La même année, il devint membre du conseil d'Administration de cette société. Membre fondateur du Salon d'Automne, il fut membre du jury en 1923. À partir de 1881, il participa chaque année à plusieurs manifestations artistiques à Paris et en province. En 1888, le Musée de Brunoy (Essonne) lui consacra une exposition rétrospective.
Peintre des petits bonheurs quotidiens, son œuvre est la projection parfaite de sa personnalité, mûrement réfléchie, comme si l'artiste, face au motif, avait voulu maîtriser son émotion première. Il composa des lithographies, illustrant Michelet, Victor Hugo, Jean Richepin, Maupassant.

Maurice Eliot 88

Bibliogr. : Gérald Schurr, in : *Les Petits Maîtres de la peinture 1820-1920, valeur de demain*, Les Éditions de l'Amateur, t. VII, Paris, 1989.
Musées : Abbeville : *Scène d'intérieur* – Auxerre : *La Chanson de l'Eau* – Bâle : *Jeune femme à table* – Béziers : *Heures du crépuscule* – Lille : *Enterrement d'une jeune fille à la campagne* – Morlaix (Mus. des Jacobins) : *Une journée de baptême* vers 1890 – Nîmes : *Heures du crépuscule* – Quimper : *Les Faucheurs* – Reims : *Jeune paysanne*, past. – Saint-Brieuc : *Le Faucheur* – Sedan : *Le jour des prix* – Soissons : *Dans l'herbe en Normandie* – Strasbourg : *La vie des champs*.
Ventes Publiques : Paris, 9-10 mai 1900 : *Jeudi d'été* : **FRF 350** ; *Étretat* : **FRF 460** – Paris, 22 déc. 1909 : *Paysage de la côte d'Azur*, past. : **FRF 47** – Paris, 27 fév. 1919 : *Femme assise*, étude au crayon : **FRF 22** – Paris, 8 mars 1919 : *Étude de femme en pied*, past. : **FRF 65** – Paris, 6 mai 1929 : *Paysages*, deux past. : **FRF 420** ; *Fleurs*, past. : **FRF 7 500** – Paris, 23 avr. 1937 : *Pâturages dans le Jura*, past. : **FRF 50** – Tokyo, 15 fév. 1980 : *Le Souper*, litho. (36,4x32,6) : **JPY 150 000** – Londres, 5 oct. 1990 : *Sur la barrière* 1887, h/t (50,5x66,7) : **GBP 3 080** – New York, 17 jan. 1996 : *Jeunes filles au parc* 1901, h/t (73,7x60) : **USD 2 300**.

ELIOTT Harry, pseudonyme de **Hermet Charles Edmond**
Né le 14 juin 1882 à Paris. Mort le 25 mai 1959 à Villez-sous-Bailleul (Eure). xxe siècle. Français.
Dessinateur, illustrateur, lithographe.
Il était fils d'un imprimeur-lithographe à Paris. Influencé par l'école anglaise d'illustrateurs, il prit un pseudonyme britannique.
Il se consacra à l'illustration de livres, revues, et exécuta de nombreuses estampes en lithographie et zincographie. Il traita des scènes de chasse, golf, billard, des scènes d'intérieur, des marines, etc.
Ventes Publiques : Paris, 19 déc. 1988 : *La diligence* ; *Devant la cheminée*, deux aquar. (chaque 24x18) : **FRF 7 100**.

ELIOTT-LOCKHART Katharine Clare
Née au xxe siècle à Camberley (Angleterre). xxe siècle. Britannique.
Peintre.
Élève de Fouqueray ; exposant du Salon des Artistes Français.

ELISABETH, princesse
Née en 1770 à Londres. Morte en 1840 à Francfort. xviiie-xixe siècles. Britannique.
Peintre.
Troisième fille de George III, elle épousa, en 1818, Frédéric-Guillaume, grand-duc de Hesse-Hombourg, et fut, sa vie durant, très attachée aux arts. On publia quelques-unes de ses œuvres : *La naissance et le triomphe de Cupidon*, en 1796, et *Le pouvoir et les progrès du génie*, en 1806.

ELISABETH Maria E. Amalia
Née le 5 mai 1784. Morte le 1er juin 1849 à Paris. xixe siècle. Allemande.
Graveur.
Fille du duc Guillaume de Palatinat et femme de Louis Alex. Berthier, prince de Wagram, elle grava des paysages, dont un d'après A. Waterloo et signé : Elisabeth 1805.

ELISABETH Maria Josepha, archiduchesse d'Autriche
Née le 13 août 1743. Morte le 23 septembre 1808. xviiie siècle. Autrichienne.
Dessinateur et graveur à l'eau-forte amateur.
On lui doit un *Paysage avec une femme portant un enfant sur son dos*, eau-forte et une *Sainte Famille* en miniature, signée et datée de 1789. Elle fut nommée membre d'honneur de l'Académie de Vienne en 1789. Elle mourut abbesse à Innsbruck.

ÉLISABETH de Belgique, reine
Née en 1876 à Passenhofen. Morte en 1965 à Laeken. xxe siècle. Belge.
Peintre, sculpteur.
Elle était autodidacte de formation artistique. Elle fut membre de l'Académie Royale de Belgique.
Bibliogr. : In : *Diction. biogr. illustré des Artistes en Belgique depuis 1830*, Arto, Bruxelles, 1987.
Musées : Anvers-Middelheim.

ELISABETH CHRISTINE de Prusse, reine
Née le 8 novembre 1715. Morte le 13 janvier 1797. xviiie siècle. Allemande.
Graveur.
On connaît d'elle une *Vue de village avec deux paysans*, gravure à l'eau-forte d'après A. Bloemaert. Elle était la fille de Ferdinand-Albert, duc de Brunswick.

ELISAERT. Voir **LISAERT**

ELISEUS ou **Heliseus**
xvie siècle. Actif à Berne. Suisse.
Peintre.
Il est mentionné entre 1512-1527, comme l'auteur de plusieurs peintures pour la ville de Berne, et fut le père du peintre verrier Mathys Walther.

ELIZAERT. Voir **LISAERT**

ÉLIZAGA, pseudonyme de **Élissague Hélène**
Née le 3 mars 1896. Morte le 25 septembre 1981 à Saint-Jean-de-Luz (Pyrénées-Atlantiques). xxe siècle. Française.
Peintre de genre, portraits, paysages, fleurs, restaurateur.
Elle fut d'abord violoniste. En 1915, elle fut élève de Henry Du Sorbier de La Tourrasse, qu'elle épousa. À partir de 1922, à Paris, elle fréquenta les Académies Julian, de la Grande-Chaumière et l'Atelier d'Art Sacré de Maurice Denis et Georges Desvallières. Entre 1930 et 1947, elle exposa collectivement et individuellement essentiellement dans le pays basque.
Elle a surtout traité des scènes animées et paysages du pays basque. Ses vingt-cinq dernières années furent consacrées, avec son mari, à la restauration de tableaux.
Musées : Bayonne (Mus. Basque) : *Joueurs de pelote : les frères Arayet, champions de France* – *Trois joueurs de chistera, sur fond de montagne* – *Ahetze*.

ELK Ger Van, pour **Gerard Pieter Van**
Né en 1941 à Amsterdam. xxe siècle. Actif aussi aux États-Unis. Hollandais.
Créateur d'environnements, assemblages, peintre de techniques mixtes. Conceptuel.
Il fut élève de l'Institut des Arts Appliqués d'Amsterdam de 1959 à 1961. Il fut aussi étudiant en histoire de l'art à l'Immaculate Heart College de Los Angeles de 1961 à 1963, puis à l'Université d'État de Groningen en 1965 et 1966. En 1972, il est devenu professeur aux *Ateliers 63* à Haarlem. À partir de ce moment, il a exposé régulièrement, notamment à la galerie *Art and Project* d'Amsterdam. Il a participé à la Documenta de Kassel en 1972, 1977, 1982. Il représentait la Hollande à la Biennale de Venise de 1980. Il figure à l'exposition *Art – Pays-Bas – xxe siècle – Du concept à l'image*, à l'ARC, Musée d'Art Moderne de la Ville de Paris en 1994. En 1980-81, le Musée d'Art Moderne de Paris et le Musée Boymans Van Beuningen de Rotterdam ont organisé une exposition rétrospective de son œuvre. Il présente des expositions personnelles de ses réalisations : depuis 1990 à la galerie Durand-Dessert de Paris, en 1996 au centre d'art contemporain de Quimper et au Kröller Müller Museum d'Otterlo. Il vit et travaille souvent à Los Angeles, et voyage en Italie, en Angleterre et en France où il séjourne en Sologne.

À partir de 1965, le travail de création de Van Elk a consisté, dans la mouvance conceptuelle internationale, à traduire une idée initiale par le choix et l'articulation appropriés de divers matériaux. Cette création s'est en général manifestée par séries. Dans une première période, il a mis en œuvre et en opposition des matériaux et situations en fonction de leur incompatibilité, dans des installations-environnements : un plancher recouvert de moquette en-dessous d'une colonne de pierre à l'Arsenal d'Amalfi en 1968, une tenture coupant un escalier « Installation séparant les marches » en 1969. Il a ensuite pris ses distances d'avec les installations n'ayant d'autre but que la manifestation d'un concept de contradiction, au demeurant souvent élémentaire. Dans la suite de son travail, Van Elk centrera sa réflexion d'une part sur l'être de la peinture (et du peintre) par rapport à la réalité, et d'autre part sur les trois formes historiquement archétypales de la peinture, toujours par rapport à la réalité : la nature morte, le paysage, le portrait. Après 1970, il utilisera très souvent le média de la photographie, dans une première série pour recomposer des peintures contemporaines, mettant ainsi en cause la réalité de la peinture, la réalité de la photographie et la réalité de la réalité. Cette mise en cause de la réalité et de la réalité de la perception sera poursuivie à partir de photographies de presse ou encore par l'application d'une image photographique sur un support déformable. En 1974 avec la série des *Adieu*, en 1975 avec celle des *Paysages symétriques*, Van Elk utilise la peinture pour modifier des photographies ou reproductions, dans le même but de mettre en évidence les ambiguïtés de la représentation. Dans les *Paysages symétriques*, selon divers processus, il double le paysage, soit en faisant la peinture d'un paysage déjà peint, soit en peignant un paysage à l'intérieur d'un autre paysage préalablement peint. De même que le doublement symétrique d'une image, cette mise à distance, en perspective, d'une représentation, correspond à une stratégie fréquente dans l'activité mentale et créatrice de Van Elk. Après 1980, encore par le moyen de la peinture sur photographies, sur les surfaces planes et dans les encadrements traditionnels, il réalisa des séries fondées sur l'interprétation de la peinture traditionnelle, de la nature morte avec la série des *Fleurs* en 1982, avec la série sur le portrait hollandais du XVIIe siècle *Les Maîtres du style occidental* en 1987, avec la série des *Vanités* en 1988. La série des peintures de fleurs est constituée au moyen de taches et giclures bariolées de peintures laquées projetées sur un support photographique peu identifiable, le résultat ayant exactement l'aspect de peintures informelles des années cinquante. Dans la série des portraits, c'est souvent le sien-propre qui se substitue aux personnages de l'image photographique d'origine, parfois tenant le rôle et l'identité de plusieurs personnages à la fois, situations qui peuvent ressortir soit à l'humour soit à l'angoisse. Ces effets de symétrie, de doublement de l'image, sont fréquents dans le déroulement de ses périodes et séries, métaphoriques du doublement ambigu de la réalité par son image, ambiguïté permanente au cœur de sa démarche générale. Son utilisation de la photographie consiste généralement en ce qu'il prend les photographies des objets et de lui-même qu'il retouche ensuite plus ou moins habilement en peinture, ce maquillage niant en la falsifiant la prétendue véracité photographique.
L'attitude de l'artiste envers son œuvre n'est pas toujours évidente, d'autant qu'il crée, assemble, au gré des rencontres et trouvailles fortuites. Dans la peinture du musée de Grenoble : *Portrait du Rouge, du Jaune et du Bleu* de 1987, Van Elk a, par une oblique, divisé la toile en deux parties égales, la moitié du haut est monochrome ou vierge, la moitié du bas est constituée d'une photographie (de la réalité ou d'une peinture classique ?) dont on ne perçoit plus dans l'angle aigu supérieur droit qu'un petit visage de profil, tout le reste de la surface étant recouvert d'une sorte de composition informelle de tons sombres et neutres à l'exception, sur la ligne de séparation des deux moitiés, de trois moitiés de taches rouge, jaune et bleue. Dans cet exemple, on peut décripter une partie du processus mental de Van Elk, qui interroge, interprète, intervertit les codes de la représentation et des moyens et matériaux de cette représentation : à partir d'une toile à peindre traditionnelle, dont il oppose déjà la partie vierge – qui est le lieu-même, l'espace de la peinture à venir – à la partie traitée, il oppose dans cette partie traitée l'image de la réalité – ou de la réalité peinte ou photographiée – à l'image d'une peinture informelle, qui est opposée elle-même à ce qui est finalement l'image ultime et véritable de cette confrontation multiple : le *Portrait du Rouge, du Jaune et du Bleu*. Le *Paysage saignant* de 1991 est constitué de plusieurs toiles sur châssis traditionnelles de très grandes dimensions et égales, assemblées parallèlement, dont on ne voit que l'envers, qui écrasent entre elles par des vis et boulons de serrage une grande quantité de peintures de petits formats, représentant peut-être des paysages, débordant de façon anarchique hors des grands formats, qui les compriment par ces boulonnages entre les châssis d'où sortent (saignent) des coulées de couleurs bleue, verte, noire, blanche. De toute façon, la diversité de ses entreprises, des assemblages qui en résultent, de leurs propos, joyeux, humoristiques ou grinçants, et de leurs emprunts à toutes les modernités, rend l'art de Ger Van Elk insaisissable dans sa globalité et évidemment indéfinissable dans sa multiplicité, multiplicité des aspects de son œuvre et de ses motivations qui explique, au moins en partie, la fréquente opacité des commentaires et exégèses qu'il suscite.

■ Jacques Busse

Bibliogr. : Divers : Catalogue de l'exposition *Ger Van Elk*, Mus. d'Art Mod. de la Ville, ARC, Paris, 1980 – Bernard Blistène : *G.V.E. ou l'envers est contre tout*, et : *Entretien avec Ger van Elk*, Artistes n° 8, mars-avril 1982 – *Entretien avec Ger van Elk*, Lettres françaises, Paris, sept. 1990 – Jacinto Lageira : *Ger van Elk : un art contre nature*, in : Artstudio, n° 18, Paris, automne 1990 – in : *L'art du XXe siècle*, Larousse, Paris, 1991 – in : *Dictionnaire de l'Art Moderne et Contemporain*, Hazan, Paris, 1992 – in : Catalogue de l'exposition *Art – Pays-Bas – XXe siècle. Du concept à l'image*, Musée d'Art Moderne de la Ville de Paris, 1994.

Musées : Amsterdam (Stedelijk Mus.) : *Apparatus Scalas dividens* 1969 – *Sandwich sous pression* 1990 – Chamalières (FRAC Auvergne) : *Sculpture de camping historique* 1990 – Grenoble (Mus. de Peinture et de Sculpture) : *Portrait of Red, Yellow and Blue* 1987 – Haarlem (Frans Hals Mus.) : *Sculpture Roquebrune* 1979 – New York (Mus. of Mod. Art) : *L'Adieu III* 1974 – Rotterdam (Boymans Van Beuningen Mus.) : *À propos de la réalité de G. Morandi* 1971 – *Bouquet dans le style de Haarlem* 1982 – *Les Maîtres du style occidental* 1987.

Ventes Publiques : New York, 5 mai 1987 : *La Tempesta* 1975, gche/photos coul./plaques de zinc, diptyque (239x108) : **USD 20 000** – New York, 8 mai 1990 : *Vue du lac Kinsel* 1986, polyuréthane/photo. (137,2x304,8x26,2) : **USD 33 000** – Amsterdam, 23 mai 1991 : *Sculpture entre deux nez* 1981, h. et collage photo./pap. (140x200) : **NLG 25 300** – New York, 8 oct. 1992 : *Étude pour Honda Gothic* 1986, cibachrome dans un cadre de l'artiste (102,2x65,4) : **USD 3 300** – New York, 10 nov. 1993 : *Le Retour de Jkr. Six* 1986, h./photo. coul./pan. d'aggloméré encadré par l'artiste (214,6x130,8x9) : **USD 6 900** – Amsterdam, 10 déc. 1996 : *Coins hollandais III* 1978, émail/photo. coul./construction alu. (99,7x295,5x33) : **NLG 18 451** – Amsterdam, 2-3 juin 1997 : *Sept porte-paroles cubistes* 1979, acryl. cr. et aquar./pap. (74x156) : **NLG 8 260**.

EL KAMEL Rafik

Né le 4 juin 1944 à Tunis. XXe siècle. Tunisien.

Peintre. Style occidental, abstrait.

De 1962 à 1967, il fut élève de l'École des Beaux-Arts de Tunis. En 1968-1969, il séjourna à la Cité des Arts de Paris, étant élève de Despierre à l'École des Arts Décoratifs de Paris, où il l'a remplacé pendant une absence de deux années, après qu'il ait obtenu son diplôme en 1970. Il fut ensuite nommé professeur à l'École des Beaux-Arts de Tunis. Il participe à des expositions collectives : à partir de 1966 aux expositions annuelles de l'École de Tunis, en 1970 au Salon de Mai de Paris, de 1974 à 1981 aux expositions du groupe *Irtissem* à Tunis, en 1977 à la Biennale des Jeunes artistes de Paris, etc. En 1984, il obtint le Premier Prix de la Ville de Tunis et le Premier Prix de l'Exposition annuelle d'Art Contemporain à Tunis.
Il peint à l'acrylique sur toile. Ses compositions sont faites à la façon des collages abstraits, comme s'il confectionnait d'abord le collage qu'il reproduisait ensuite en peinture. Ses assemblages sont d'une grande élégance d'écriture et de colorations sobres, non dénués de tics d'époque : chiffres, flèches, mentions rayées.

Musées : Tunis.

ELKAN Benno

Né le 2 décembre 1877 à Dortmund (Rhénanie-Westphalie). Mort en 1960. XXe siècle. Allemand.

Sculpteur de monuments, bustes, médailleur, peintre, dessinateur de portraits.

Il étudia d'abord la peinture à Munich avec Walter Thor et Johann Caspar Herterich, alors directeur de l'Académie des

Beaux-Arts, puis avec Nicolas Gysis. Il travailla ensuite avec Friedrich Fehr à l'Académie de Karlsruhe en 1901 et 1902. Ce fut à ce moment qu'il s'initia à la sculpture. Il séjourna alors pendant trois ans à Paris, recevant les conseils d'Albert Bartholomé, l'auteur du Monument aux Morts du Cimetière du Père-Lachaise. Ensuite, il fit aussi un séjour à Rome. Revenu en Allemagne, il se fixa à Alsbach.
Il a continué à peindre et dessiner des portraits. En sculpture, il a réalisé des portraits en médailles et en bustes, dont ceux de : *Ludwig von Bar, Carl Einstein, Lotte Herbst, G. L. Meyer, Pascin*. Il a produit de nombreux monuments funéraires avec sculptures, souvent sur des thèmes allégoriques, dont ceux du Cimetière de l'Est de Dortmund : *Larmes d'adieu, Résurrection, Perséphone* bronze, *Nostalgie, Marche funèbre, La chanson qui s'éteint*, ainsi que d'autres monuments : *Adieu* à Heidelberg, *Pyramide avec bas-reliefs* à Cologne, et encore à Karlsruhe, Aix-la-Chapelle, Cologne, Mayence. ■ J. B.
Musées : Berlin – Brême – Cologne – Copenhague – Dortmund – Dresde – Haag – Hanovre – Hildesheim – Karlsruhe – Magdebourg – Mannheim : *Buste de Trübner* – Munich – Rome.
Ventes Publiques : Londres, 17 oct. 1980 : *La grande Menorah*, bronze (H. 66) : **GBP 1 700** – Los Angeles, 9 juin 1988 : *Le joueur de pipeau*, bronze (H. 58,5) : **USD 2 750** – Zurich, 18 oct. 1990 : *Jérémie* 1957, bronze : **CHF 1 800**.

ELKAN David Levy
Né en 1808 à Cologne. Mort en 1865 à Cologne. XIXe siècle. Allemand.
Peintre et lithographe.
Élève de l'Académie de Düsseldorf. On cite de lui : *Le Reichstag de l'empereur Maximilien Ier*, qui se trouve au Musée de Cologne.

ELKAN Ernst Joseph
XVIIIe siècle. Actif à Berlin vers 1798. Allemand.
Peintre de miniatures.

ELKAN Hugo Siegmund
Né le 28 décembre 1868 à Francfort-sur-le-Main. Mort le 9 avril 1904 à Francfort-sur-le-Main. XIXe siècle. Allemand.
Peintre de portraits et aquafortiste.
Il étudia aux Écoles des Arts et Métiers de Karlsruhe et de Munich et fut élève de P. Höcker à l'Académie de Munich. Il travailla à Francfort et à Londres où il peignit des portraits. On connaît de lui des ex-libris et une planche : *Lecture*.

ELKEN E.
XIXe siècle. Britannique.
Peintre.
Ventes Publiques : New York, 30 et 31 oct. 1929 : *Ware Hare* : **USD 110**.

ELL Bernhard
Originaire de Schweinfurth. XVIe siècle. Allemand.
Sculpteur.
Il exécuta dans l'église de Schleusingen le monument funéraire de style italien du comte Georges Ernest de Henneberg.

ELL Elis., peut-être **Elisabeth**
XVe siècle. Actif à Nuremberg. Allemand.
Peintre et sculpteur sur bois.
Il est à supposer qu'elle était la femme de l'artiste Martin.

ELLE Edouard
Né en 1854 à Bruxelles. Mort en juillet 1911 à Wépion. XIXe-XXe siècles. Belge.
Peintre de genre, marines, aquarelliste.
Associé à la Société Nationale des Beaux-Arts, il figura aux Salons de cette institution. Il exposa au Salon de la Société des Beaux-Arts en 1910 et 1911.
Ventes Publiques : Lokeren, 20 mai 1995 : *Voiliers près d'une plage*, aquar. (44x64) : **BEF 44 000**.

ELLE Ferdinand ou **Helle**, dit **Ferdinand**
Né vers 1580 probablement à Malines. Mort entre 1637 et 1640 à Paris. XVIIe siècle. Éc. flamande.
Peintre de portraits.
Il alla jeune à Paris, fut peintre ordinaire du Roi Louis XIII, et peut-être le maître de Nicolas Poussin ; en 1609, il fit, pour 400 livres un grand tableau des prévôts des marchands, des échevins, des procurateurs et des greffiers. Il ne fut pas membre de l'Académie, puisqu'elle ne fut fondée qu'en 1648. Il fut célèbre en son temps, mais aucune de ses œuvres ne nous est parvenue. On lui attribue toutefois le *Portrait d'Henri de Lorraine*, marquis de Mouy, qui se trouve au Musée de Reims. Comme il était surtout connu par son prénom de Ferdinand, ses fils, Louis et Pierre Elle, joignirent ce prénom à leur nom de famille.

ELLE Louis, l'Ancien, dit **Ferdinand**
Né en 1612 à Paris. Mort le 12 décembre 1689 à Paris. XVIIe siècle. Français.
Peintre de portraits et graveur.
Fils de Ferdinand ELLE. L'un des douze fondateurs de l'Académie, en 1648 ; il fut nommé, en 1657, professeur. Comme il était protestant, il fut exclu, le 10 octobre 1681. Ayant abjuré, il fut réintégré le 26 janvier 1686. En 1673, cet artiste envoya au Salon quelques portraits. Il continua dans ses portraits la tradition flamande archaïsante de Pourbus, l'assouplissant parfois par des emprunts à l'école de Van Dyck. Il correspond exactement à ce portrait français du XVIIe siècle, qui, en dehors de quelques artistes de premier plan, ne se caractérise par aucune particularité.

Elle.

Musées : Bordeaux : *Portrait de femme* – Paris (Louvre) : *Portrait de Thomas Regnaudin* – Reims : *Saint Luc* – *Portrait présumé de François d'Épinay*.
Ventes Publiques : Paris, le 13 mai 1904 : *Portrait de Marie de Rabutin-Chantal, marquise de Sévigné* : **FRF 3 200** ; *Portrait de Mme de Sévigné* : **FRF 2 700** – Paris, 12 mars 1923 : *Portrait d'une princesse* : **FRF 320** – Paris, 8 juin 1925 : *Portrait de jeune femme*, École de L. E. : **FRF 510** – Paris, 25 fév. 1942 : *Portrait de Mlle de Lude*, sans indication permettant de savoir s'il s'agit de Elle l'ancien ou de son fils : **FRF 8 500**.

ELLE Louis, le Jeune ou **Ferdinand**
Né en 1648 à Paris. Mort le 5 septembre 1717 à Rennes. XVIIe-XVIIIe siècles. Français.
Peintre de compositions religieuses, portraits.
Fils de Louis Elle l'ancien. Le 28 juin 1681, il fut reçu académicien avec un *Portrait du miniaturiste Samuel Bernard*, et en fut exclu la même année avec son père, tous deux appartenant à la religion réformée ; il ne put être réintégré qu'après son abjuration, le 30 mars 1686.
Musées : Londres : *Portrait de Thomas Burnet* – Paris (Louvre) : *Portrait de Samuel Bernard* – Paris (École des Beaux-Arts) : *Portrait de Regnaudin* – Rennes : *Présentation de la Vierge au temple* – Rennes (Église Notre-Dame) : *Un fils de Scéva, possédé du démon*.
Ventes Publiques : Paris, 13 mai 1904 : *Portrait présumé de la marquise de Sablé* : **FRF 3 600** – Paris, 17 juin 1985 : *Dame de qualité en buste*, h/t, de forme ovale (73x58) : **FRF 12 000**.

ELLE Pierre, dit **Ferdinand**
Né en 1609 à Paris. Mort le 4 septembre 1665 à Reims. XVIIe siècle. Français.
Peintre de portraits.
On sait qu'il fut élève de son père Ferdinand Elle.

ELLE Pieter Van
XVe siècle. Éc. flamande.
Peintre.
D'après Siret, il travailla au banquet de Lille en 1453.

ELLEBRANS Joachim
XVIe siècle. Actif à Gand en 1526. Éc. flamande.
Peintre.

ELLEBY William A.
XIXe siècle. Actif à Ashbourne. Britannique.
Paysagiste.
Exposa fréquemment à la Royal Academy à partir de 1888.

ELLENBARCH Joachim
XVIe siècle. Actif à Lunebourg. Allemand.
Sculpteur sur bois.
Il travailla avec Hans Elers.

ELLENDORF Hans
Originaire de Zofingen. XVe siècle. Actif à Füssen en 1488. Suisse.
Peintre.

ELLENRIEDER Maria ou **Anna Maria**
Née le 20 mars 1791 à Constance. Morte le 5 juin 1863 à Constance. XIXe siècle. Suisse.
Peintre d'histoire, compositions religieuses, portraits, graveur, dessinateur.

Cette artiste peignit à Zurich entre 1816 et 1822. Elle étudia avec le miniaturiste J. Einsle, puis à l'Académie de Munich, et passa aussi quatre ans d'études à Rome. En 1829 elle fut nommée peintre à la cour de la grande duchesse de Bade. Elle reçut une médaille d'or à Karlsruhe en 1827.

MUSÉES : CONSTANCE : *Madone entre deux anges – Tête de Christ – Jeune garçon priant – Fillette devant un livre de prières – Enlèvement de Lydie – Deux anges – Portrait du Freiherr von Wessenberg – La Vierge, l'Enfant Jésus et saint Nicolas – Décoration d'autel*, projet – *Études – Aquarelles* – CONSTANCE (Rosengarten) : *Portrait de l'artiste – Ses parents – Portrait de la Grande Duchesse Louise* – DONAUESCHINGEN (Furstenberg) : *Vierge à l'Enfant* – HANOVRE : *Portrait de l'artiste* – KARLSRUHE : *Portrait de l'artiste – La Vierge au Buisson – Pierre et Tabitha* – ZURICH (Kunsthaus) : *Caspar Fries* – ZURICH (coll. Société d'art) : études et esquisses.

VENTES PUBLIQUES : PARIS, 13-14 avr. 1942 : *Portrait de jeune fille* : **FRF 1 700** – ZURICH, 18 nov. 1981 : *Portrait de fillette*, craies noire et coul./trait de cr./pap. (37,5X29,5) : **CHF 3 300** – AMSTERDAM, 10 avr. 1990 : *Contemplation* 1847, cr. et encre/pap. (12,4x8,8) : **NLG 2 530** – MUNICH, 1er-2 déc. 1992 : *Wir Huldigen dem heiligen und Ehrwürdigen* 1836, h/t (31x36) : **DEM 9 200** – MUNICH, 7 déc. 1993 : *Sainte Cécile*, craie noire/pap. (47,5x36) : **DEM 1 495**.

ELLENRIEDER Rudolph
Né en 1781 à Ulm. XIXe siècle. Allemand.
Graveur au burin et sur bois.
On cite de lui des vues et des sujets de genre.

ELLÉOUËT Aube ou **Breton-Elléouët**
Née le 20 décembre 1935 à Paris. XXe siècle. Française.
Peintre de collages. Surréaliste.
Fille d'André Breton, elle vécut de 1940 à 1946 aux États-Unis, dont l'année 1944 au Mexique. De 1946 jusqu'à la mort de son père en 1966, elle vécut à Paris. À partir de 1966, elle se fixa définitivement à Saché. En 1972, elle créa ses premiers collages.
Elle participe à des expositions collectives ou bien fait des expositions personnelles depuis 1974, notamment participe à plusieurs expositions surréalistes en Allemagne, Angleterre, France, entre 1977 et 1981, à *International Exhibition of Women's Posters* à Los Angeles en 1984, à l'exposition *Autour d'André Breton* à la galerie Artcurial de Paris en 1987, aux expositions surréalistes de Milan, Francfort et au Canada en 1989, à l'exposition *Autour d'André Breton* à Saint-Cirq-la-Popie (Lot) en 1991, etc. Ses expositions individuelles principales furent : 1974 Salle Jean Vilar à Tours, 1977 et 1978 galerie Le Triskèle à Paris, 1991 à Villeneuve-Loubet, 1993 à Azay-le-Rideau, 1994 au Centre Culturel Ernest Renan de Tréguier, 1995 à Fougères, 1997 à Azay-le-Rideau et Saint-Malo, 1998 à Saint-Pierre-des-Corps.
La technique de collage qu'elle pratique est inspirée des collages de Max Ernst, à partir de documents de toutes provenances, découpés, puis assemblés, produisant des créatures, des décors et des situations déroutants, d'autant plus que, provenant de documents sans rapports les uns avec les autres, les éléments constitutifs du collage final sont à des échelles de grandeur très différentes, certains en couleur, d'autres en noir et blanc. Michel Leiris en a écrit : « Le charme propre aux collages d'Aube Elléouët tient à ce qu'ils n'ont plus l'air de collages, tant les rencontres d'éléments hétéroclites y apparaissent naturelles. »
■ J. B.

VENTES PUBLIQUES : PARIS, 20 mai 1994 : *Du côté de chez Swan* 1978, collage (35x26) : **FRF 6 000**.

ELLER, pseudonyme de **Roudier Lucien**
Né le 2 janvier 1894 à Marseille (Bouches-du-Rhône). XXe siècle. Français.
Peintre, dessinateur.
Il a illustré *Marseille sur le vif*. Il a figuré au Salon des Humoristes.

VENTES PUBLIQUES : PARIS, 19 déc. 1944 : *Don Quichotte* : **FRF 3 000** ; *Danseuse en robe jaune* : **FRF 3 100** ; *Dancing* : **FRF 2 500** – PARIS, 3 juin 1987 : *Vision au harem*, aquar. (29x42) : **FRF 4 000** – PARIS, 5 juil. 1989 : *Jeune femme nue sur canapé*, peint./t. (23x32) : **FRF 3 700** – PARIS, 8 nov. 1989 : *Les deux amies au café*, h/t (46x55) : **FRF 8 000**.

ELLERBROCK
XVIIe siècle. Allemand.
Peintre.
Cité par Siret. Plusieurs peintres portant ce nom vécurent à Hambourg aux XVIIe et XVIIIe siècles.

ELLERBROCK Hinrich
Né avant 1600. Mort en 1651. XVIIe siècle. Actif à Hambourg. Allemand.
Peintre.
Il fut reçu maître en 1620. On cite de lui un lavis, représentant un mendiant infirme, daté de 1608.

ELLERBY Thomas
XIXe siècle. Actif à Londres. Britannique.
Peintre de genre et de figures.
Exposa à Londres, notamment à la Royal Academy et à Suffolk Street, de 1821 à 1857.

ELLERHUSEN Florence Cooney
Née au Canada. XXe siècle. Active aux États-Unis. Canadienne.
Peintre.
Elle a étudié aux États-Unis, où elle s'est fixée. Elle fut membre des Allied Artists of America et de la National Association of Women Painters and Sculptors. Elle a également enseigné.

ELLERHUSEN Ulric Henry
Né le 7 avril 1879 en Allemagne. XXe siècle. Actif aux États-Unis. Allemand.
Sculpteur.
Cet artiste qui vint aux États-Unis dès l'âge de quinze ans, fut élève de l'Art Institute of Chicago. Il reçut aussi les leçons de Karl Bitter. Membre de nombreuses associations artistiques, professeur, il a obtenu le premier prix pour la médaille de la Saint Louis Art League ainsi qu'une médaille d'honneur pour la sculpture, de l'Architectural League de New York, en 1929.
Parmi ses œuvres les plus connues : *Monument pour la Paix – La Table de Communion* de Saint-Grégoire-le-Grand à New York – *La Marche de la Religion* (fronton sud de la chapelle de l'Université de Chicago).

ELLEROHT Andreas
XVIIIe siècle. Actif à Lübeck. Allemand.
Sculpteur.
En 1725 il travailla aux sculptures sur bois de l'orgue de l'église Saint-Pierre.

ELLEROHT Herman Andreas
XVIIIe siècle. Actif à Lübeck. Allemand.
Sculpteur sur bois.
Sans doute identique à Andreas. Il travailla aux sculptures des stalles de l'église Sainte-Marie.

ELLERT Nikolai Ludwigovitch
Né en 1845. Mort en 1901. XIXe siècle. Actif à Moscou. Russe.
Peintre.
Tout d'abord peintre des décorations de la scène de l'Opéra Impérial de Moscou, ce n'est qu'en 1880 qu'il étudia à l'Académie de cette ville et s'adonna à la peinture de paysages et d'animaux.

MUSÉES : MOSCOU (gal. Tretiakoff) : *Troupeau de chevaux – Avant l'orage* – MOSCOU (gal. Tsvietkoff) : *Le Soir*, sépia.

ELLERTON Frances
Né à York. XXe siècle. Britannique.
Peintre de genre.
En 1934 il exposait au Salon de la Société Nationale : *Poil de carotte* et *Olivia*.

ELLERTSON Homer E.
Né le 23 décembre 1892 à River Falls (Wisconsin). XXe siècle. Américain.
Peintre, illustrateur.
Membre de la Scandinavian-American Society of Artists.

MUSÉES : WASHINGTON D. C. (Philipp Memorial Gal. de Washington) : *The Encore – The Ebro*.

ELLICOTT Henry Jackson A.
Né en 1848 près d'Ellicott. Mort le 11 février 1901 à Washington, subitement. XIXe siècle. Américain.
Sculpteur.
Il commença ses études à Washington, puis alla se perfectionner à New York à la National Academy of Design. On cite de lui la statue équestre du général Hancock à Washington et celle du général Mac Clelan à Philadelphie, considérées comme ses meilleurs ouvrages.

ELLIEUL Christian d'
XIXe siècle.
Peintre ou dessinateur.

Il est seulement connu par une lithographie faite en 1823 d'après son *Portrait de Léon XII* par une main inconnue. Cité comme graveur par Nagler.

ELLIGER Antoni
Né en 1701 à Amsterdam. Enterré à Ede op de Veluwe le 5 juin 1781. XVIIIe siècle. Hollandais.
Peintre de portraits et d'histoire.
Élève de son père Ottmar Elliger II, il vécut à Amsterdam, épousa, en 1724, Christina Houbraken, vécut vers 1766 à Haarlem et eut pour élèves Juriaan Andrienssen et Jan Gérard Waldorp.
VENTES PUBLIQUES : COLOGNE, 25 août 1862 : *Paysan ivre et endormi* : **FRF 34**.

ELLIGER Christiana Maria, épouse **Sam**
Née en 1732 à Amsterdam. XVIIIe siècle. Hollandaise.
Peintre.
Elle était fille d'Antoni Elliger.

ELLIGER Ottmar ou **Ottomars**, l'Ancien
Né le 8 septembre 1633 à Gothenbourg (ou à Copenhague). Mort en 1679, enterré à Berlin le 31 décembre 1679. XVIIe siècle. Suédois.
Peintre de figures, natures mortes, fleurs et fruits.
Il fut élève de Daniel Seghers à Anvers ; il vécut à Amsterdam vers 1660, y épousa le 12 mars 1660, Teuntje Van Walscappel ; il vivait à Hambourg en 1666 et à Berlin en 1670, où il fut peintre de la cour du prince électeur Guillaume-Frédéric, avec une pension de 400 thalers.
Les œuvres de cet artiste se trouvent en majeure partie en Allemagne ; elles sont très estimées.

MUSÉES : AMSTERDAM : *Fleurs et raisins* – BÂLE : *Hamadryade* – BERLIN (ancien Cab. Impérial) : *Couronne de fleurs entourant le portrait de la princesse Dorothée de Holstein, seconde femme du grand prince électeur* – Six natures mortes – DRESDE : *Fleurs et fruits – Fleurs et fruits avec un ruban bleu* – FRANCFORT-SUR-LE-MAIN (Stadel) : *Papillons et autres insectes sur une table de marbre* – HAMBOURG : *Fleurs – Jeune femme au jardin – Portrait du théologien J. Hellwig* – HAMBOURG (Kunsthalle) : *Saint Georges*, copie d'après Raphaël – SCHWERIN : *Deux guirlandes de fruits* – SIBIU : *Petit déjeuner* – STOCKHOLM (coll. Ekman) : *Groupe de cinq femmes au bain* – STOCKHOLM (coll. Stuart) : *Fruits*.
VENTES PUBLIQUES : AMSTERDAM, 17 avr. 1708 : *La Floraison de l'Art* : **FRF 125** – PARIS, 1888 : *Nature morte* : **FRF 250** – PARIS, 5 juin 1921 : *Fruits, épis d'orge ; Libellules et papillons* : **FRF 530** – LONDRES, 24 mars 1922 : *Homard avec fruits, verres à vin et autres objets sur une table de marbre* 1665 : **GBP 63** – PARIS, 24 juin 1929 : *Amours volants et portant des fleurs*, dess. : **FRF 430** – PARIS, 23 fév. 1951 : *Fleurs et lézards*, deux pendants : **FRF 143 000** – LUCERNE, 29 nov. 1968 : *Nature morte* : **CHF 18 000** – STOCKHOLM, 26-28 mars 1969 : *Nature morte aux fleurs* : **SEK 51 000** – LONDRES, 2 déc. 1977 : *Nature morte aux fleurs*, h/t (47x30,5) : **GBP 7 500** – LONDRES, 13 déc. 1985 : *Nature morte aux fruits, verre de vin et nautile* 1667, h/pan. (66x54) : **GBP 65 000** – LONDRES, 15 déc. 1989 : *Salomé présentant la tête de saint Jean Baptiste à Hérodias* 1660, h/pan. (47x62,3) : **GBP 7 700** – AMSTERDAM, 13 nov. 1995 : *Iris, tulipes, anémones, roses, myosotis, boutons d'or, boules de neige et autres fleurs dans un vase de verre avec des papillons et une orange sur un entablement*, h/t (73,4x60,3) : **NLG 69 000**.

ELLIGER Ottmar, le Jeune
Né le 19 février 1666 à Hambourg. Mort le 19 février 1735 à Saint-Pétersbourg. XVIIe-XVIIIe siècles. Allemand.
Peintre d'histoire, compositions mythologiques, sujets allégoriques, natures mortes, fleurs et fruits.
Son père, Ottmar l'ancien, fut son premier maître ; il travailla ensuite avec Michiel de Musscher à Amsterdam, en 1679, et avec Gérard de Lairesse en 1686 ; il travailla à Mayence, en 1716 ou 1717, pour le prince électeur, aux tableaux d'*Alexandre à son lit de mort* et du *Mariage de Pélée et Thétis*.

MUSÉES : BORDEAUX : *Allégorie* – GŒTTINGUE (Université) : *Le Christ mort et des anges*, copie d'après Van Dyck – HAMBOURG : *Mort de Sophonisbe – Le festin de Cléopâtre* – KASSEL : *Le festin de Cléopâtre – La danse de Salomé* – TSARKOIE-SÉLO : *Didon sur le bûcher* – VIENNE : *Femme à une fenêtre*.
VENTES PUBLIQUES : AMSTERDAM, 17 avr. 1708 : *Une Allégorie sur l'Hôtel de Ville* : **FRF 145** – PARIS, 1755 : *Marc-Antoine et Cléopâtre ; La mort de Cléopâtre*, deux pendants : **FRF 225** – PARIS, 1875 : *Sujets de la vie de Jésus-Christ*, douze dessins à la plume et encre de Chine : **FRF 15** – PARIS, 28 fév. 1919 : *Festin antique* : **FRF 160** – PARIS, 24 mai 1923 : *Jeune femme et son page nègre*, sans indication permettant de savoir s'il s'agit d'Ottmar E. le jeune ou d'Ottmar E. l'ancien : **FRF 500** – COLOGNE, 17 nov. 1966 : *Vulcain surprenant Vénus et Mars* : **DEM 26 000** – LONDRES, 29 mars 1968 : *Pêcher dans une urne* : **GNS 380** – NEW YORK, 8 jan. 1981 : *Nature morte aux fleurs et aux fruits*, h/t (65x78) : **USD 10 000** – PARIS, 16 mars 1990 : *L'enlèvement d'Elie*, encre de Chine avec reh. de blanc sur croquis au cr. (14x20,5) : **FRF 4 000** – NEW YORK, 12 jan. 1995 : *Aeneas et son fils Ascanius rendant visite à Didon*, h/t (62,2x51,4) : **USD 29 900** – PARIS, 12 déc. 1995 : *Achille découvert parmi les filles de Lycomède ; Salomé dansant devant Hérode*, h/t, une paire (chaque 55x68) : **FRF 120 000**.

ELLING Jacobus
XVIIIe siècle. Actif à Middelbourg. Hollandais.
Peintre.
Il entra à l'Académie Saint-Luc en 1764.

ELLINGER, abbé de Tegernsee ou **Werner, Werinher, Wernher**
Mort en 1056. XIe siècle. Allemand.
Enlumineur et copiste.
D'abord simple religieux au couvent de Tegernsee, il en devint ensuite abbé et encouragea ses moines à cultiver l'art de la calligraphie et l'enluminure. On connaît de lui les miniatures des quatre Évangélistes, ainsi qu'une peinture représentant Jésus-Christ donnant la main au Pape, laquelle se trouve dans un manuscrit daté de 1017. Un Évangile écrit par lui est conservé à la Bibliothèque Royale de Munich ; il décora une *Vie de la Vierge*, conservée à la Bibliothèque Royale de Berlin ; on le croit également l'auteur des reproductions d'animaux qui ornent une Histoire Naturelle de Pline.

ELLINGER, Dr
XIXe siècle. Actif à Wieden. Polonais.
Peintre de portraits, aquarelliste.
A l'Exposition de miniatures de Lemberg de 1912 se trouvait un portrait à l'aquarelle de *M. T. Nartowski* fait par cet artiste.

ELLINGER Gaspar
Mort en 1621 ou 1622 à Kassa. XVIIe siècle. Hongrois.
Peintre.
Il acquit le droit de bourgeoisie à Kassa en 1616.

ELLINKHUYSEN M. J.
XVIIIe siècle. Actif en 1783.
Graveur sur verre.
Le Musée de Rotterdam conserve de lui : *Portrait équestre du prince Peter Petrovitch de Russie*.

ELLIOT. Voir aussi **ELLIOTT**

ELLIOT Bert
Mort en 1931 à New York. XIXe-XXe siècles. Américain.
Peintre.
Il passa sa jeunesse au Japon. Il fut membre du *No Jury Group of Artists* de Chicago.
MUSÉES : CHICAGO (Inst. d'Art).

ELLIOT Edward
Né en 1850. Mort en 1916. XIXe-XXe siècles. Britannique.
Peintre de compositions à personnages, paysages.
Il exposa fréquemment à Londres, à partir de 1879, notamment à la Royal Academy et à Suffolk Street. Il travaillait à Wymondham.
VENTES PUBLIQUES : LONDRES, 4 nov. 1994 : *Le Marché aux harengs à Lowestoft* 1901, h/t (104,1x183,5) : **GBP 5 175**.

ELLIOT Rebecca
XIXe siècle. Active à Londres. Britannique.
Peintre de genre, fleurs et aquarelliste.
Elle exposa des fleurs à Suffolk Street en 1878.
VENTES PUBLIQUES : LONDRES, 13 déc. 1909 : *Oscar et Sandy*, aquar. : **GBP 2**.

ELLIOT Ric
Né en 1933. XXe siècle. Australien.

Peintre de paysages.
Ventes Publiques : Sydney, 28 juin 1981 : *Mosman Bay*, h/cart. (32x50) : **AUD 700** – Sydney, 20 mars 1989 : *Village dans l'île*, h/cart. (45x86) : **AUD 1 100** – Sydney, 26 mars 1990 : *Début de sécheresse à Cowra*, h/cart. (45x60) : **AUD 1 500** – Sydney, 2 juil. 1990 : *Ferme fortifiée de Windsor*, h/cart. (30x44) : **AUD 900** – Sydney, 2 déc. 1991 : *Sur la crête lumineuse*, h/cart. (30x40) : **AUD 950**.

ELLIOT Robert James, capitaine
Mort le 30 avril 1849 à Pentonville (Londres). XIXe siècle. Britannique.
Peintre de marines.
Prout et Stanfields publièrent en 1830 de nombreux dessins exécutés d'après les œuvres que fit cet artiste durant ses longs voyages, de 1784 à 1789. De 1784 à 1789, il fit plusieurs envois à la Royal Academy ; en 1786 : *Vue de la ville de Québec* ; en 1788 : *Un feu à Kensington (Jamaïque)*.

ELLIOT William ou **Elliott**
Né en 1727 à Londres. Mort en 1766 à Londres. XVIIIe siècle. Britannique.
Peintre de paysages, graveur, graveur de reproductions.
Il grava plusieurs paysages. Les meilleurs sont ceux qu'il exécuta d'après les peintures des frères Smith de Chichester.

ELLIOTT Aileen Mary Edith
Née à Southampton (Angleterre). XXe siècle. Britannique.
Aquarelliste.
Elle travailla avec E. T. Jones et exposa, à Paris, des aquarelles au Salon des Artistes Français à partir de 1930.

ELLIOTT Charles Loring
Né en 1812 à Auburn (New York). Mort en 1868 à Albany. XIXe siècle. Américain.
Peintre de portraits.
D'abord clerc à Syracuse où il employait tous ses loisirs à dessiner et à peindre, il se rendit à New York en 1834 où il devint élève de Trumbull. Il résida pendant dix ans sur la côte ouest des États-Unis avant de se fixer à New York même. Il envoya le *Portrait de Fletcher Harper* à l'Exposition de Paris en 1867. Il peignit, dit-on, plus de 700 portraits de personnages de marque et n'exécuta qu'un seul paysage, *La Source du lac Skancatells*. Il fit les portraits de Fitz-Halleck Greene, le poète, de James Feenimore Cooper, de Watthew Vassar, des peintres Cluirch et Durand, du gouverneur Morgan, ainsi que d'autres ouvrages d'un genre fort différent, *Don Quichotte* et *Falstaff*. Ses portraits sont remarquables de ressemblance.
Ventes Publiques : New York, 23 mars 1979 : *Portrait d'homme*, h/t (63,5x53) : **USD 1 700**.

ELLIOTT Edith
Née à Kippax (Angleterre). XXe siècle. Britannique.
Aquarelliste.

ELLIOTT Elizabeth Shippen. Voir **GREEN**

ELLIOTT Hannah
Née le 29 septembre 1876 à Atlanta (Georgie). XXe siècle. Américaine.
Peintre de miniatures, illustrateur.
Cette artiste étudia aux États-Unis et en Europe. En 1921, elle obtint le troisième prix de miniature à Charleston. Elle fut également professeur.

ELLIOTT James ou **Elliot**
XIXe siècle. Britannique.
Peintre de genre, paysages.
Il figura à la Royal Academy et à Suffolk Street à Londres de 1848 à 1873.
Ventes Publiques : Londres, 6 fév. 1985 : *Retour des champs*, h/t (28,5x25,5) : **GBP 1 300**.

ELLIOTT James ou **Elliot**
XIXe siècle. Britannique.
Peintre de paysages.
Il travailla à Manchester et figura de 1882 à 1897 aux expositions de Londres, surtout à la Royal Academy, avec des paysages du Pays de Galles.

ELLIOTT John
Né le 22 avril 1858 en Angleterre. Mort en 1925. XIXe-XXe siècles. Américain.
Peintre de sujets allégoriques, figures, portraits, compositions murales, aquarelliste, dessinateur.
Il étudia au British Museum à Londres, à l'Académie Julian à Paris où il fut élève de Carolus-Duran, puis travailla avec José Villegas à Rome. Il visita l'Égypte et la Grèce et se fixa ensuite en Amérique.
On cite parmi ses portraits ceux du roi Humbert Ier d'Italie, de Lord Alva, de Lord Winchester, de Lady Cromer, du général Wanchope, du duc Cambridge.
Musées : Boston (Old State House) : *Portrait de Mrs Julia Ward Howe* – Boston (Librairie publique) : *Le Triomphe du temps*, peintures du plafond de la salle des enfants – Chicago (maison de Mrs Potter-Palmer) : *La Vendange*, peintures des murs et du plafond – New York (Metropolitan Mus.) – Washington D. C. (Mus. Nat.) : *Diane sur les flots*, tableau mural.
Ventes Publiques : Londres, 6 fév. 1980 : *Le voilier de Cook, The resolution dans le Pacifique*, aquar. et pl. (24,5x40,5) : **GBP 2 200** – New York, 14 mars 1996 : *Putti vendangeurs*, h/t (88,9x210,2) : **USD 13 800**.

ELLIOTT Robinson ou **Elliot**
Né en 1814. Mort en 1894. XIXe siècle. Britannique.
Peintre de genre, paysages animés.
Musées : Sunderland : *À l'école*.
Ventes Publiques : Amsterdam, 30 oct. 1991 : *Paysage boisé avec un enfant jouant sur le rivage rocheux d'une rivière et avec un paysan et sa vache* 1884, h/t (50,5x76) : **NLG 1 840**.

ELLIOTT Ronnie ou **Elliot**
Né en 1916 à New York. XXe siècle. Américain.
Peintre. Polymorphe.
Il a exposé personnellement à Paris en 1948 et 1952, puis aux États-Unis, à New York.
Il fut d'abord influencé par l'impressionnisme cézanien, puis en 1937, par les surréalistes. Il évolua vers l'abstraction de Kandinsky et Mondrian, et, depuis 1945, son œuvre est strictement abstraite, s'apparentant, dans sa manière des années soixante-dix, au luminisme de Monet.
Bibliogr. : In : *Diction. de la peinture abstraite*, Hazan, Paris, 1957.

ELLIOTT William, capitaine ou **Elliot**
Mort le 21 juillet 1792 à Leeds. XVIIIe siècle. Britannique.
Peintre de sujets militaires, marines animées.
Il était actif de 1784 à 1791.
Il a surtout peint, avec la précision requise, des épisodes de combats maritimes historiques, mais aussi des vues de ports, surtout du port de guerre de Portsmouth.
Musées : Londres (Hampton Court) : un tableau 1790 – *Le Rapt d'Andromède* – Porto : *Combat entre deux navires*.
Ventes Publiques : Londres, 13 déc. 1972 : *Bateaux au large de Portsmouth*, deux pendants : **GBP 8 000** – Londres, 4 avr. 1973 : *Bateaux de guerre dans le port de Portsmouth* : **GBP 2 600** – Londres, 14 juil. 1976 : *Bateaux de guerre dans le port de Portsmouth*, h/t (66x112) : **GBP 2 400** – Londres, 14 juil. 1976 : *Bateaux de pêche dans le port de Portsmouth*, h/t (66x112) : **GBP 2 400** – Londres, 2 déc. 1977 : *Vue du port de Portsmouth*, h/t (85x138,5) : **GBP 1 700** – Londres, 27 juin 1980 : *La bataille navale des Saints 12 avr. 1782*, h/t (153,6x263,6) : **GBP 4 800** – Londres, 11 avr. 1980 : *Bateaux de guerre anglais en mer*, h/t (42,5x68) : **GBP 3 500** – Londres, 16 nov. 1983 : *Bateaux et flotte au large de Portsmouth*, h/t, une paire (58x89,5) : **GBP 10 500** – Londres, 15 juil. 1987 : *Lord Howe's flagship The Queen Charlotte after the battle of the glorious first of june 1794*, h/t (126x152) : **GBP 7 500** – Londres, 12 juil. 1990 : *La bataille des Saints : le « Ville de Paris » abaissant ses couleurs devant le « Barfleur » de la flotte royale dans les Indes occidentales en 1782*, h/t (92,7x138,5) : **GBP 15 400** – Londres, 11 juil. 1990 : *La flotte royale couvrant la retraite des frégates « Druid » et « Eurydice » au large de Guernesey*, h/t, une paire (chaque 58,5x88,5) : **GBP 33 000** – New York, 7 juin 1991 : *Bâtiment de guerre dans le port de Portsmouth*, h/t (87,9x141) : **USD 33 000** – Londres, 18 nov. 1992 : *Vaisseau de guerre et autres bâtiments anglais dans le port de Portsmouth*, h/t (85x138) : **GBP 18 150** – Londres, 11 mai 1994 : *Le vaisseau Boyne en flammes et d'autres embarcations au large des côtes à Spithead*, h/t (59x89) : **GBP 6 900** – Londres, 13 juil. 1994 : *Le port de Portsmouth* 1794, h/t (59x89) : **GBP 9 775** – Londres, 6 nov. 1995 : *Le vice-amiral sir Allen Gardner sur son bâtiment tirant une salve*, h/t (61x91,5) : **GBP 22 425** – Londres, 3 avr. 1996 : *Les canons de Southsea Castle avec le vaisseau « Queen » de 98 feux au premier plan et la flotte de la Manche à Spithead à distance* 1795, h/t (59x89) : **USD 23 000** – New York, 11 avr. 1997 : *L'Amiral Sir Samuel Hood sur le « Barfleur », 98 canons* 1790, h/t (92,7x137,2) : **USD 33 350**.

ELLIS Alice Blanche
XIXe siècle. Britannique.
Peintre.
Elle figura à Suffolk Street et à la Royal Academy entre 1876 et 1883.

ELLIS Arthur
Né en 1856 à Holloway. Mort en 1918. XIXe-XXe siècles. Britannique.
Peintre de genre, paysages.
Il exposa huit fois à la Royal Academy à Londres, de 1874 à 1892.
Ventes Publiques : Londres, 26 sep. 1984 : *Scène de moisson*, h/t (92x137,8) : **GBP 1 100** – Londres, 2 juin 1989 : *Jeune femme pensive*, h/t (61x51) : **GBP 1 320**.

ELLIS C. Wynn
XIXe-XXe siècles. Britannique.
Peintre de genre, portraits.
De 1882 à 1908, il exposa à la Royal Academy, à la New Water-Colours Society et figura dans de nombreuses autres expositions de Londres.

ELLIS Clyde Garfield
Né le 25 décembre 1879 à Humboldt (Kansas). XXe siècle. Américain.
Peintre.
Artisan d'art et professeur. Il reçut le premier prix de l'Oklahoma State Fair.

ELLIS Edith Kate
Née dans le comté de Stafford. XXe siècle. Britannique.
Peintre.
Elle exposa à Paris au Salon des Artistes Français à partir de 1929.

ELLIS Edmond Lewis
Né le 30 octobre 1872 à Omaha (Nebraska). XIXe-XXe siècles. Américain.
Peintre, graveur, décorateur.
Il était également architecte. Il a décoré des intérieurs d'édifices publics notamment l'église épiscopale protestante de Fordham et pour des particuliers. Il gravait à l'eau-forte.

ELLIS Edwin
Né en 1841 à Nottingham. Mort le 19 avril 1895. XIXe siècle. Britannique.
Peintre de paysages, marines, dessinateur.
Il fut employé comme dessinateur dans une manufacture de dentelles. Vers vingt ans, il tourna ses études vers l'art. Après avoir profité des leçons d'Henry Dawson, il se rendit en France. En 1893, il exposa 84 de ses tableaux au Musée d'Art de Nottingham, notamment : *En plein été*.
Il se fit surtout connaître par ses marines.
Musées : Blackburn : *Côte galloise* – Glasgow : *Sur la côte de l'Angleterre* – Leicester : *L'anniversaire du capitaine* – Londres (Victoria and Albert) : *Tynemouth, côtes du Northumberland* – Manchester : *Le port au pied de la colline* – Melbourne : *Matin d'été, Galles du Nord* – Nottingham : *Après trois jours de tempête* – Sheffield : *Loin du rivage*.
Ventes Publiques : Londres, Bart : *Flotte de pêche près de Yarmouth* : **GBP 46** – New York, 7-8 avr. 1904 : *Paysage d'automne* : **USD 110** – Londres, 30 nov. 1907 : *Arundel Park* : **GBP 3** – New York, 8 avr. 1908 : *Paysage anglais* : **USD 150** – Londres, 24 avr. 1909 : *Marine* : **GBP 18** ; *The Strid* : **GBP 14** ; *Marine, clair de lune* : **GBP 25** ; *Sur le Port* : **GBP 24** ; *Le Retour du troupeau* : **GBP 17** – Londres, 18 déc. 1909 : *Baigneurs* : **GBP 17** ; *Les côtes de l'île* : **GBP 18** ; *Bateau pêcheur sortant de Whitby harbour* : **GBP 18** 18 d. – Londres, 1er fév. 1910 : *Lever de soleil à Hasting* : **GBP 6** – Londres, 9 avr. 1910 : *Naufrage* : **GBP 7** – Londres, 17 juin 1910 : *Baiting Crab-pot, Flamborough head* : **GBP 82** – Londres, 27 jan. 1922 : *Sur le Yare* : **GBP 21** – Londres, 19 mai 1922 : *Un naufrage sur la côte du Yorkshire* ; *Rochers*, deux dessins : **GBP 9** – Londres, 9 juin 1922 : *Cours d'eau dans la lande* : **GBP 2** – Londres, 10 juil. 1922 : *Jetée* : **GBP 21** – Londres, 9 mars 1923 : *Gros temps* ; *Cap de Tynemouth*, deux dessins : **GBP 12** – Londres, 20 juil. 1923 : *Charroi de tourbe*, dess. : **GBP 16** – Londres, 23 juil. 1923 : *Après la tempête* : **GBP 15** – Londres, 15 oct. 1976 : *Pêcheurs sur la plage*, h/t (63,5x127) : **GBP 240** – Londres, 11 avr. 1980 : *L'embouchure de la Conway*, h/t (91,5x183) : **GBP 720** – Londres, 28 juil. 1987 : *Voiliers au large de la côte*, h/t (50,8x91,4) : **GBP 750** – Londres, 22 sep. 1988 : *Sur le quai*, h/t (46x84) : **GBP 1 045** – Londres, 25 jan. 1989 : *La remontée des casiers à crabes au cap Flambro*, aquar. et gche (34x54) : **GBP 1 650** – Londres, 31 mai 1989 : *Gamin avec ses pièges à homards dans une barque, ramant vers la plage*, h/t (46x85) : **GBP 1 430** – Londres, 9 fév. 1990 : *La préparation des filets*, h/t (45,8x81,3) : **GBP 2 200** – Londres, 18 oct. 1990 : *La pêche aux crabes à Sands End Yorkshire*, h/t (42x61) : **GBP 935** – Londres, 7 oct. 1992 : *Gorleston à Yarmouth*, h/t (59x85) : **GBP 1 320** – New York, 14 oct. 1993 : *La Sentinelle*, h/t (92,7x184,2) : **USD 8 050**.

ELLIS Edwin John
Né en 1841. Mort en 1895. XIXe siècle. Actif à Londres. Britannique.
Peintre.
Il figura de 1870 à 1888 dans plusieurs expositions de Londres avec des tableaux de genre.

ELLIS Edwin M.
XIXe siècle. Américain.
Graveur.
Il grava surtout des portraits et des paysages. Il était établi en 1844 à Philadelphie.

ELLIS Elisabeth
XVIIIe siècle. Britannique.
Dessinatrice et aquafortiste.
Femme ou sœur de l'aquafortiste William Ellis, elle travailla avec lui. On peut lire sa propre signature sur les eaux-fortes du *Voyageur Solitaire*, d'après James Pie. Leur signature commune est inscrite sur *Paysans dansant*, d'après Nik Berchem, sur 32 planches d'aquatinte, d'après J. Gardnors, *Vues sur le Rhin*, et sur un *Portrait d'Elisabeth d'York*, femme d'Henri VII d'Angleterre.

ELLIS Eveline Corbould, Mrs. Voir **CORBOULD-ELLIS**

ELLIS Fremont F.
Né le 2 octobre 1897 à Virginia City (Montana). Mort en 1985. XXe siècle. Américain.
Peintre, graveur.
Élève de l'American Students' League de New York. Membre du California Art Club et du Santa Fe Art Club. Il fut également professeur. Il gravait à l'eau-forte.
Ventes Publiques : San Francisco, 3 oct. 1981 : *Le chariot devant le moulin*, h/t (56x76) : **USD 5 000** – New York, 23 jan. 1984 : *Indienne avec son enfant*, isor. (63,5x76,2) : **USD 3 500** – New York, 30 mai 1990 : *La porte bleue*, h/t (63,5x50,8) : **USD 3 630** – New York, 27 sep. 1990 : *Peupliers et sapins* 1926, h/t (76,5x101,5) : **USD 8 800** – New York, 14 nov. 1991 : *Les lacs aux castors au printemps* 1963, h/t (76,5x64) : **USD 4 620** – New York, 22 sep. 1993 : *Le ranch de San Sebastian à Santa Fe*, h/t (76,4x101,8) : **USD 14 950** – New York, 23 mai 1996 : *Paysage du Nouveau Mexique*, h/t (71,1x91,4) : **USD 9 200** – New York, 27 sep. 1996 : *Village indien, Red River Canyon, près de Taos, Nouveau Mexique*, h/t (76,2x101,6) : **USD 46 000**.

ELLIS George B.
XIXe siècle. Américain.
Graveur au burin.
Cité par Nagler.

ELLIS Harriet
Née le 4 avril 1886 à Springfield (Massachusetts). XXe siècle. Américaine.
Peintre, dessinateur.
Élève de Hawthorne, Mabel Welch, Johonnot, A. Jones, Cecilia Beaux et du Pratt Institute à Brooklyn. Elle fut membre du N. A. Women Painters and Sculptors, du Springfield A. L. et du Springfield A. C.

ELLIS Harvey
Né en 1852 à Rochester. Mort le 2 janvier 1904 à Syracuse (New York). XIXe siècle. Américain.
Peintre et sculpteur.
Élève d'Edwin White à la National Academy of Design, membre du New York Water-Colours Club et Président de The Rochester Society of Arts and Crafts.

ELLIS John
Né à Dublin. Mort après 1812 à Dublin. XIXe siècle. Irlandais.
Peintre de paysages, décorateur de théâtres.
Il entra à l'École des Beaux-Arts de Dublin en 1766 ; il y exposa peu après une marine à l'huile, un lavis et un dessin de paysage.

Il peignit des décorations de scènes de théâtre. Ayant ouvert dans sa propre maison à Dublin un Musée il y exposa son tableau *Alexandria*. À la Society of Artist de cette ville il exposa de nouveau en 1809 et 1812 une marine et des dessins au crayon.

ELLIS Joseph Bailey
Né le 24 mai 1890 à North Scituate (Massachusetts). XXe siècle. Américain.
Sculpteur.
Il fut élève de A. H. Munsell, Bela Pratt, Peter et, à Paris, d'Injalbert. Il fut membre du Copley S. Boston architectural Club de la Pittsburgh Art Association et du Salmagundi Club.

ELLIS Joseph F.
Né vers 1783. Mort en 1848 à Richmond (Surrey). XIXe siècle. Britannique.
Peintre de paysages, marines.
Venu à Londres en 1818, cet artiste n'exposa que quelques peintures à l'Académie Royale et à l'Institut britannique.
Il imita fort habilement les œuvres de Canaletto, si habilement même que certaines d'entre elles furent prises pour des œuvres originales du maître vénitien.
Ventes Publiques : Londres, 24 nov. 1922 : *Hôtel de Ville de Bruxelles* ; *Vue de Rouen*, ensemble : **GBP 10** – Londres, 19 juil. 1972 : *The Royal Exchange, London* : **GBP 1 500** – Los Angeles, 23 juin 1980 : *The Royal Yacht Royal Sovereign*, h/t (73,5x104) : **USD 3 000** – Londres, 27 juil. 1984 : *Scène de canal, Amsterdam*, h/t (71,7x92,1) : **GBP 3 800** – Londres, 17 juil. 1992 : *Le bassin Saint-Marc pendant le carnaval de Venise*, h/t (86,4x110,8) : **GBP 8 250** – Londres, 16 juil. 1993 : *Le port d'Anvers*, h/t (64x76,5) : **GBP 4 600**.

ELLIS Marian
Né en Angleterre. XXe siècle. Britannique.
Graveur.
Il débuta en 1925.

ELLIS Paul-H.
XIXe siècle. Britannique.
Peintre de scènes typiques, paysages, aquarelliste.
Ce peintre travaillait à Handsworth et exposa à Suffolk Street, à la Royal Academy et autres expositions de Londres de 1883 à 1891.
Ventes Publiques : Londres, 19 jan. 1968 : *Vue de Jérusalem* : **GNS 280** – Londres, 13 sep. 1977 : *Vue de l'Acropole, Athènes*, h/t (75x100) : **GBP 1 300** – Londres, 24 mars 1981 : *Lane scene, Arborfield Berkshire*, h/t (51x76) : **GBP 1 450** – Londres, 7 oct. 1983 : *Arabes et chameaux dans le désert*, h/t (55,9x81,2) : **GBP 950** – New York, 17 jan. 1996 : *La vue vers Jérusalem* ; *Au marché* 1900, aquar., une paire (chaque 48,3x64,8) : **USD 4 887**.

ELLIS Ralph
Né à Arundel (Angleterre). XXe siècle. Britannique.
Peintre de genre.
Ventes Publiques : Londres, 3 fév. 1982 : *El Rio*, h/t (68,5x89) : **GBP 20**.

ELLIS S.
XIXe siècle. Canadien.
Peintre de portraits, dessinateur.
Il travaillait à Toronto (Canada). Il exécuta vers 1850 des dessins pour les portraits sur médailles des généraux Winfield Scott et Zacchary Taylor, des présidents Fillmore, Pierce, Buchanan, Lincoln, et de Cornelius Vanderbilt.

ELLIS Stephen
Né en 1951 à High Point (Californie du Nord). XXe siècle. Américain.
Peintre. Abstrait.
Il vit et travaille à New York.
Il participe à des expositions collectives : 1991, *Conceptual Abstraction*, Sidney Janis Gallery, New York ; 1991, *New Generations : New York*, Carnegie Mellon University et Art Gallery de Pittsburgh ; 1996, *Nuevas Abstracciones*, Centro d'arte contemporaneo Reina Sofia, Madrid ; 1997, *Abstraction/Abstractions. Géométries provisoires*, Musée d'Art Moderne, Saint-Étienne. Il montre ses œuvres dans des expositions personnelles : 1986, 1987, galerie Allfred Kren, Cologne ; 1993, 1996, galerie Nathalie Obadia, Paris ; 1996, Emmerich Gallery, New York.
Représentatif de la nouvelle génération de peintres abstraits américains, Stephen Ellis interroge une des sources de l'abstraction, celle issue de l'image figurée. Cette dernière, que l'on peut qualifier de synthétique, est traversée par des évocations cinématographiques, architecturales et musicales, le Jazz en particulier, et servie par des couleurs qui en reflètent la teneur. Elle se perçoit derrière un système de grille et une texture souvent floue évoquant un déplacement horizontal, un mouvement, un rythme. ■ C. D.
Bibliogr. : Maia Damianovic : *La Peinture au risque du dilemme*, Art Press, n° 211, Paris, mars 1996 – in : *Abstraction/Abstractions. Géométries provisoires*, Musée d'Art Moderne, Saint-Étienne, 1997.
Ventes Publiques : New York, 24 fév. 1993 : *Trois panneaux* 1990, h. et alkyd/t. (137,2x366) : **USD 4 400**.

ELLIS Tristam ou **Tristram James**
Né en 1844 à Great Malvern. Mort en 1922. XIXe-XXe siècles. Britannique.
Peintre de paysages, marines, aquarelliste, dessinateur.
Associé de la Royal Society of Painter Etchers, il exposa fréquemment à Londres de 1868 à 1893.
Ventes Publiques : Londres, 11 déc. 1922 : *La Corne d'Or, Constantinople* : **GBP 4** – Londres, 8 nov. 1984 : *Vue du Santorin, Grèce* 1903, aquar./trait de cr. (24x52) : **GBP 1 000** – Londres, 19 juin 1986 : *Barques au large de la Corne d'Or à Constantinople*, aquar. et cr. (53,3x99,1) : **GBP 4 500** – Londres, 14 nov. 1988 : *Panorama du Kremlin de Moscou vu de la rivière* 1899, aquar. (34x71) : **GBP 1 760** – Londres, 29 oct. 1991 : *Cintra au Portugal*, cr. et aquar. (35,7x52,8) : **GBP 880** – Londres, 12 juin 1992 : *Jérusalem* 1905, cr. et aquar. (34,3x70,2) : **GBP 3 850** – New York, 14 oct. 1993 : *Le port de Tanger* 1894, aquar./pap. (24,2x52,7) : **USD 2 530** – Londres, 11 mai 1994 : *Paysage du Spitzberg* 1894, aquar. (35x71) : **GBP 1 127** – Londres, 14 juin 1996 : *Embarcations sur la Corne d'Or à Constantinople* 1887, cr. et aquar./pap. (32,4x51) : **GBP 6 325** – Londres, 22 nov. 1996 : *Constantinople* 1889, cr. et aquar./pap. (22,6x51,7) : **GBP 1 840**.

ELLIS William
Né en 1747 à Londres. Mort en 1810. XVIIIe-XIXe siècles. Britannique.
Paysagiste graveur.
Élève de William Woollett, il exécuta plusieurs planches en collaboration avec son ancien maître. Il fit plusieurs gravures, la plupart des paysages, d'après les dessins de Paul Sandby et de Thomas Hearne. Il publia, en 1800, quatre *Batailles du Nil* à l'eau-forte, d'après William Anderson. Le Musée Victoria and Albert, à Londres conserve de lui : *Prieuré de Blythburgh, Suffolk*.

ELLIS William
Né en 1824. Mort en juillet 1882 à Sheffield. XIXe siècle. Britannique.
Sculpteur.
Il fut élève d'Alfred Stevens à Londres et membre de la Société des Artistes de Sheffield. L'hôpital de cette ville conserve de lui un buste en marbre du poète James Montgomery.

ELLIS William H.
XIXe siècle. Actif à Philadelphie. Américain.
Graveur.
Cet artiste grava surtout des paysages.

ELLISSITZKY ou **el Lissitzky**. Voir **LISSITZKY El**

ELLIUR Geoffroy
Né au XIXe siècle à Angers. XIXe siècle. Français.
Peintre.
Élève de Princeteau. De 1880 à 1882, il envoya au Salon quelques aquarelles d'un genre gracieux.

ELLIVAL Charles Edouard Xavier
Né au XIXe siècle à Boulogne-Billancourt (Hauts-de-Seine). XIXe siècle. Français.
Peintre.
On cite notamment de lui : Salon 1878 : *Madame attend sa voiture* ; Salon 1879 : *La petite imprudente* ; Salon 1880 : *Le matin, fantaisie*. Il eut pour maîtres Troyon, Jacque et Mols.
Ventes Publiques : Paris, 17 nov. 1922 : *Un coin d'atelier* : **FRF 190**.

ELLMER Peter
Né en 1785 à Haimhausen (Haute-Bavière). Mort en 1873 à Freising. XIXe siècle. Allemand.
Peintre décorateur, dessinateur et lithographe.
On connaît de lui une série de lithographies d'après les fresques historiques du jardin royal à Munich, ainsi que quatre lithographies représentant des musiciens en postures grotesques.

ELLMIGER. Voir **EHINGER Elias** et **Gabriel**

ELLMINGER Ignaz

Né le 14 juin 1843 à Währing (près de Vienne). Mort le 2 février 1894 à Vienne. XIXe siècle. Autrichien.

Peintre de genre.

Élève de l'Académie de Vienne, il s'établit dans cette ville. Il y exposa à partir de 1880. On cite de lui : *La Foire à Langenois, En mars, Retour du pâturage.*

Ventes Publiques : Vienne, 14 mars 1967 : *Rue de village* : **ATS 28 000** – Vienne, 16 mars 1976 : *Troupeau de moutons* 1868, h/t (39x80) : **ATS 25 000** – Vienne, 19 avr. 1977 : *Bœufs attelés sur la route du village*, h/pan. (26x39,5) : **ATS 18 000** – Liverpool, 3 juil. 1980 : *Enfants dans une carriole*, h/t (50,8x90) : **GBP 550** – Londres, 24 juin 1987 : *Le départ pour les champs*, h/t (50x81) : **GBP 4 000** – Londres, 4 oct. 1989 : *Devant la taverne* 1889, h/pan. (37x58) : **GBP 4 400**.

ELLSON John

XIXe siècle. Actif à Londres. Britannique.

Peintre d'animaux.

Il exposa de 1833 à 1852 à la British Institution et à Suffolk Street.

ELLUIN François Rolland

Né le 5 mai 1745 à Abbeville. Mort vers 1810 à Abbeville. XVIIIe-XIXe siècles. Français.

Graveur.

Élève et parent de J. F. Beauvarlet, chez qui il habita. Il grava d'après Boucher, Le Tellier, Greuze, Dugourc, Charlier. Son œuvre le plus important semble être les vignettes qu'il exécuta pour la littérature du temps.

ELLYS John

Né en 1701. Mort en 1757 à Londres. XVIIIe siècle. Britannique.

Peintre de portraits.

Il fut élève de Thornhill et de Schmutz. Il fut le successeur de Van der Banck. En 1755, il faisait partie du comité chargé de la fondation d'une Académie.

Ventes Publiques : Londres, 19 nov. 1986 : *Portrait de Charles, 1er Lord Whitworth, avec son neveu*, h/t (117,5x160) : **GBP 3 000** – Londres, 15 nov. 1989 : *Portrait de Mrs Hester Booth, la danseuse en costume d'Arlequin*, h/t (122x89) : **GBP 72 600**.

EL MEKKI Hatem

Né en 1918 à Djakarta (Indonésie). XXe siècle. Actif aussi en France. Tunisien.

Peintre, illustrateur, dessinateur. Expressionniste, tendance « art-brut ».

Né en Indonésie, il arriva à Tunis en 1924 et exposa au Salon tunisien dès 1934. En 1938, il bénéficia d'une bourse de voyage d'étude artistique pour Paris. Il y collabora à l'hebdomadaire *Marianne*. En 1939, il rentra à Tunis, où il fit une première exposition personnelle. En 1947, il revint à Paris, collabora comme illustrateur à *Combat* – *Carrefour* – *La Gazette des Lettres*. En 1951, il revint se fixer à Tunis. En 1958, il a réalisé deux films de dessin animé sur la décolonisation pour la télévision allemande. Il est caricaturiste au journal *L'action*, il réalise de nombreuses affiches, a créé une série de timbres-poste. Il a montré sa peinture depuis 1944 dans des expositions personnelles, à Tunis, à Paris, au Caire, à Pékin, en Allemagne, etc.

Il a une pratique picturale volontairement sommaire. Sans doute marqué par Dubuffet, il crée des personnages rudimentaires, dont l'expressivité justifie les déformations. Aussi bien dans son dessin apparemment fruste que dans la technique réduite au minimum, se révèle la fausse naïveté d'un adepte volontaire et conscient de l'« art-brut ». ■ J. B.

Bibliogr. : J. Goujon : *Hatim El Mekki ou la tentation du péché*, Tunis, 1980 – in : Catalogue de l'exposition *Art Contemporain Tunisien*, Théâtre du Rond-Point, Paris, 1986.

ELMEN Ludwig

XIXe siècle. Actif à Augsbourg vers 1800. Allemand.

Graveur.

On ne connaît de lui qu'une aquatinte, *Cosaques*, « dessinée d'après nature et gravée par Ludwig Elmen à Augsbourg ».

ELMER Edwin Romanzo

Né en 1850 à Ashfield (Massachusetts). Mort en 1923 à Ashfield. XIXe-XXe siècles. Américain.

Peintre de scènes à personnages, portraits, fleurs et fruits, dessinateur.

Après une enfance campagnarde, il s'occupa de machines agricoles. Comme il était alors de tradition aux États-Unis, les gens lui commandaient des portraits de circonstance, mais la photographie gagnait du terrain et les commandes de portraits se raréfiaient. Il éprouva le besoin d'affermir son métier, jusque-là purement instinctif, et il suivit les cours de l'Académie nationale de dessin, à New York, pendant une année.

Il peignit des scènes à personnages, dans une technique minutieuse, qui fait de lui un des représentants de la tardive école primitive américaine.

Bibliogr. : Oto Bihalji-Merin : *Les Peintres Naïfs*, Delpire, Paris, s. d.

Ventes Publiques : New York, 28 sep. 1989 : *Magnolias blancs dans un pichet de verre*, h/t (43,5x39) : **USD 7 700**.

ELMER Pierre

Né le 30 mai 1881 à Bourbon-Lancy (Saône-et-Loire). XXe siècle. Français.

Peintre de paysages.

Il a été invité, à Paris, au Salon des Tuileries à partir de 1924.

ELMER Stephen

Né en 1714 ou 1717. Mort en 1796 à Farnham (Surrey). XVIIIe siècle. Britannique.

Peintre d'animaux, paysages animés, natures mortes.

Dès l'année de son premier envoi, en 1772, il fut élu associé de l'Académie royale de Londres.

Ses œuvres se distinguent par une grande finesse d'exécution, mais une notable partie fut détruite dans l'incendie de Gerrard Street à Soho.

Musées : Londres (Victoria and Albert Mus.) : *Nature morte*.

Ventes Publiques : New York, 24 mars 1905 : *Le chat du poète Gray* : **USD 140** – Londres, 27 juil. 1923 : *Gibier mort* : **GBP 3** – Londres, 20 nov. 1968 : *Faisans dans un paysage boisé* : **GBP 550** – Londres, 23 mars 1977 : *Perdrix dans un paysage*, h/t (70x90) : **GBP 1 200** – Londres, 27 juin 1980 : *Perdrix dans un paysage*, h/t (53,3x74,9) : **GBP 1 100** – Stockholm, 20 avr. 1983 : *Oiseau de proie attaquant une perdrix*, h/t (67,5x57) : **USD 6 000** – New York, 6 juin 1985 : *Lièvre assis dans un paysage*, h/t (70x89,5) : **USD 27 000** – New York, 9 juin 1988 : *Vanneaux avec leurs petits*, h/pan. (54x48) : **USD 8 800** – Glasgow, 6 fév. 1990 : *Tétras*, h/t (20x25) : **GBP 660** – Londres, 16 mai 1990 : *Une bécasse*, h/t (93x102,2) : **GBP 2 420** – Stockholm, 14 nov. 1990 : *Chat jouant avec des plumes de gibier*, h/t (60x67) : **SEK 35 000** – Londres, 12 avr. 1991 : *Une couvée de perdrix dans un vaste paysage*, h/t (28,5x46) : **GBP 4 620** – Stockholm, 29 mai 1991 : *Nature morte aux oiseaux morts*, h/t (76x64) : **SEK 14 000** – Londres, 25 fév. 1992 : *Coqs de bruyère dans un paysage rocheux*, h/t (61,7x74,9) : **GBP 4 400** – Londres, 7 oct. 1992 : *Tableau de chasse dans un paysage*, h/t (109x140) : **GBP 2 860** – Londres, 10 nov. 1993 : *Grouse dans un paysage*, h/t (73x90) : **GBP 4 025** – New York, 11 avr. 1997 : *Rapace avec sa proie*, h/t (69,8x59,7) : **USD 9 200**.

ELMER William

XVIIIe siècle. Britannique.

Peintre de natures mortes, fleurs et fruits.

Son père, Stephen Elmer, fut aussi son maître. Il travailla surtout à Dublin et dans d'autres villes d'Irlande. Il exposa à la Royal Academy et à la Society of Artists, de 1778 à 1799.

Comme son père, qu'il aida probablement, il réussit fort bien la nature morte.

Ventes Publiques : Londres, 9 fév. 1990 : *Nature morte avec un melon, des pommes et du raisin*, h/cart. (17,5x45,5) : **GBP 2 420**.

ELMERICH Charles Édouard

Né en 1813 à Besançon (Doubs). Mort en 1889 à Paris. XIXe siècle. Français.

Peintre de sujets allégoriques, compositions animées, scènes de genre, paysages urbains, paysages, sculpteur, graveur, dessinateur.

Il fut élève d'Horace Vernet. D'abord dessinateur chez un fabricant d'armes à Klingenthal (All.), il vint se fixer à Paris et suivit les cours de l'Académie Suisse. Il aborda la sculpture en 1849. Il exposa au Salon de Paris en 1837 et continua à y figurer jusqu'en 1882. Il fut nommé membre influent de la Commission des Monuments Historiques, étant chargé de la restauration de la cathédrale Notre-Dame sous la direction de Viollet-le-Duc.

Il peignit principalement des thèmes très romantiques, des concerts, des effets de nuit. Parmi ses tableaux on mentionne notamment : *Concert religieux ; Le prisonnier ; Vendanges d'Alsace ; Chactas et Atala après l'orage ; Lesueur chez les moines*. De ses œuvres sculptées, on cite : *Guillaume Tell et son fils ; Par un souffle, elle craint de hâter son réveil*, groupe en

marbre ; *Jeune fille portant des fruits*, groupe en bronze. Elmerich eut également une activité de graveur, travaillant notamment pour *Le Magasin pittoresque*.
Bibliogr. : Gérald Schurr, in : *Les Petits Maîtres de la peinture 1820-1920, valeur de demain*, Les Éditions de l'Amateur, t. IV, Paris, 1979.
Musées : Besançon : *La mère et l'enfant* – Douai : *Famille d'exilés* – Saintes : *Après la bataille*.
Ventes Publiques : Paris, 16 oct. 1985 : *Jeux d'enfants* 1865, h/pan. (37x47) : **FRF 6 400** – Londres, 26 fév. 1988 : *Le cirque ambulant*, h/t (82x59,7) : **GBP 2 750** – Paris, 9 déc. 1988 : *Vendanges en Alsace*, h/t (15x18) : **FRF 8 000**.

ELMES James
Né en 1782 à Londres. Mort le 2 avril 1862 à Greenwich. xixe siècle. Britannique.
Peintre et architecte.
Il fut élève de G. Gibson et de la Royal Academy où il reçut une médaille en 1805. Il envoya à l'Exposition de la Royal Academy de 1801 à 1842 des dessins d'architecture et des tableaux comme *La Mort de Pline l'Ancien*. Il fit les dessins illustrant l'œuvre d'Aikin sur Saint-Paul de Londres. Il fut réputé par ses écrits sur les beaux-arts et rédigea *Les Annales des beaux-arts*, première revue d'art anglaise, *L'Art et les Artistes*, et un *Dictionnaire biographique des beaux-arts*.

ELMES William
xviiie siècle. Actif à Londres. Britannique.
Peintre et graveur.
On connaît de lui un tableau : *La Tour de Hooke et le port de Waterford* exposé à la Royal Academy en 1797, deux caricatures de Napoléon gravées sur cuivre d'après ses propres dessins intitulées : *La Discipline de Blücher* et *John Bull portant le nez de Bony à la meule*. Il est probablement aussi le graveur Elmes qui apporta sa contribution à l'œuvre de R. J. Thornton *Le Temple de Flore*, avec une planche à l'aquatinte : *Le Cyclamen de Perse*.

ELMIGER Franz Jakob
Né en 1882 à Ermensee. Mort en 1934. xxe siècle. Suisse.
Peintre de scènes typiques.
Ce peintre fut représenté en 1905 à l'Exposition de Munich par la toile : *Attelage de chevaux blancs*. Il est conservé sans plus de détails deux toiles de lui : *Vache aux champs* – *Le Soir, bœuf à la charrue*.
Ventes Publiques : Berne, 6 mai 1981 : *Femme au châle* 1903, h/t (34x28) : **CHF 1 300** – Lucerne, 7 nov. 1985 : *Village enneigé*, h/t (61x84,5) : **CHF 6 000**.

ELMIGER Robert
Né le 10 décembre 1868 à Ermensee (canton de Lucerne). xixe-xxe siècles. Suisse.
Aquarelliste et dessinateur d'architectures.
Élève de l'École des Arts industriels, à Lucerne. Maître de dessin à l'École Cantonale, à Sarnen et, depuis 1900 à l'École des arts industriels à Lucerne. Elmiger exposa des aquarelles à la société Turnus.

ELMO Serafino
D'origine napolitaine. xviiie siècle. Travaillant à Lecce. Italien.
Peintre.
Il fut élève de Paolo de Matteis.

ELMORE Alfred
Né le 18 juin 1815 à Clonakelty (comté de Cork). Mort le 24 janvier 1881 à Kensington. xixe siècle. Britannique.
Peintre d'histoire, scènes de genre.
Fils d'un sergent retraité, il partit pour Londres avec ses parents vers l'âge de douze ans, et commença dès lors à dessiner au British Museum, d'après les statues antiques. Il entra aux Écoles de la Royal Academy en 1832 et y exposa sa première peinture deux ans après. Il visita Paris, Munich, Venise, Bologne et Florence, puis se fixa pendant deux ans à Rome. De retour en Angleterre, en 1844, il y exposa : *Rienzi dans le Forum*. Son tableau *L'Origine de la querelle des Guelfes et des Gibelins à Florence*, le fit nommer associé de la Royal Academy, en 1846 ; il en devint membre en 1857.
Cet artiste excella surtout dans les sujets historiques ; son chef-d'œuvre dans ce genre représente *Les Tuileries, le 20 juin 1792*. Parmi ses principaux ouvrages figurent : *Le Martyre de saint Thomas Becket* (1840), *Le roi Robert de Naples sur son lit de mort* (1848), *Marie-Antoinette au Temple* (1861), *Après l'expulsion* (1873).
Musées : Édimbourg : *Le Sonnet* – Preston : *Supplication* – Rochdale : *Charles Quint au monastère de Yuste* – Sydney : *Léonore*.
Ventes Publiques : Londres, 23 avr. 1875 : *Katherine and Petrucchio* : **FRF 13 125** – Londres, 28 mai 1883 : *Charles Quint à Saint-Just* : **FRF 35 465** – Londres, 3 avr. 1898 : *Christophe Colomb, à Porto Santo* : **FRF 4 850** – Londres, 2 déc. 1907 : *Ruth* : **GBP 5** ; *Contemplation* : **GBP 2** – Londres, 11 avr. 1908 : *La Toilette* : **GBP 9** – Londres, 1er mai 1908 : *Grinding the Mill* : **GBP 13** – Londres, 25 avr. 1910 : *Charles V au monastère de Saint-Just* : **GBP 36** – Londres, 11 et 14 nov. 1921 : *Roméo et Juliette* : **GBP 28** – Londres, 9 juin 1922 : *Une scène de la vie de Dante* 1858 : **GBP 18** – Londres, 20 juil. 1979 : *Lenore* 1871, h/t (107x162,6) : **GBP 1 200** – Londres, 23 juin 1981 : *Loving thougts*, h/t (35,5x43) : **GBP 2 600** – Londres, 1er juin 1984 : *An Eastern bath*, h/t (110,5x59) : **GBP 7 500** – Londres, 30 sep. 1987 : *Peace 1651* 1861, h/t (104x65) : **GBP 5 500** – New York, 21 mai 1991 : *Retour au foyer*, h/t (61x73,6) : **USD 6 050** – Londres, 12 nov. 1992 : *Marchand d'oranges kabyle dans une rue d'Alger* 1869, h/t (56x43) : **GBP 5 500** – Londres, 13 nov. 1992 : *Lucrèce Borgia* 1863, h/t (88,9x58,4) : **GBP 17 600** – Londres, 5 nov. 1993 : *La Demande en mariage* 1860, h/t (91,5x76,2) : **GBP 13 800** – Londres, 6 nov. 1995 : *Lenore* 1871, h/t (107x162,5) : **GBP 8 625**.

ELMORE Elisabeth
Née le 7 août 1874 à Clinton (Wisconsin). xxe siècle. Américaine.
Peintre de marines, portraits, graveur.
Elle fut élève de W. M. Chase, C. Miclatz, G. de Forest Brush. Cette artiste a aussi étudié le portrait en Italie. Elle est membre de nombreuses associations artistiques. Premier prix du portrait en 1919 ; premier prix d'eau-forte en 1919 du Catherine Lorillard Wolje Club.

ELMORE Richard
xixe siècle. Britannique.
Peintre de genre, paysages.
Il a exposé entre 1852 à 1885 à la Royal Academy et à Suffolk Street.
Musées : Cardiff : *Twickenham*.
Ventes Publiques : Londres, 12 juin 1985 : *Windsor Castle* 1883, h/t (50x75) : **GBP 1 250** – Amsterdam, 9 nov. 1993 : *Le Guignol* 1876, h/t (56x76) : **NLG 2 760**.

ELMOVIST Hugo
Né en 1862 à Carlshamm. Mort en 1930. xixe siècle. Suédois.
Sculpteur de statues, bustes.
Il était élève de l'Académie de Stockholm et obtint le Prix de Rome qui lui permit un voyage en Italie et en France.
On cite parmi ses œuvres : *L'arrivée du printemps* ; *La Vieillesse* ; *Caïn* (bronze) ; *Gamin* ; *Ève* (bronze) ; *Un naturaliste enfant*.
Musées : Stockholm : *Gryning, fille de l'artiste* – *L'Aube*, marbre – Stockholm (Mus. Nordique) : *Ragnar Loodbrock le Viking*.
Ventes Publiques : Stockholm, 27 oct. 1981 : *Jeune Fille assise*, bronze (H. 23,5) : **SEK 4 000** – Stockholm, 13 nov. 1986 : *Nu assis*, bronze patine verte (H. 23,5) : **SEK 7 000**.

ELMQUIST-WICHMANN Erna
Née le 23 juillet 1869 à Hambourg. xxe siècle. Allemande.
Peintre de portraits, natures mortes, aquarelliste, pastelliste.
Fille du professeur E. H. Wichmann, elle épousa Hogo Elmquist qu'elle connut à Paris. Elle figura dans de nombreuses expositions en Italie, en France, en Allemagne et en Suède, lors desquelles elle exposait des portraits et des natures mortes, des aquarelles et des pastels.

ELMSTETER Jakob
xvie siècle. Actif à Nuremberg en 1514. Allemand.
Peintre.

EL NAGDI Omar
Né en 1931. xxe siècle. Égyptien.
Peintre, graveur. Abstrait, lettres et signes.
Il fut élève de la Faculté des Arts Appliqués du Caire, dont il devint ensuite professeur. Il étudia aussi la peinture à la section libre de l'École des Beaux-Arts. Il poursuivit sa formation dans diverses Académies de Venise, Ravenne, ainsi qu'à l'Institut Raskin de Londres. Il participe à des expositions collectives, nationales et internationales, dont : 1968 Biennale de Venise. Il montre son travail dans plusieurs expositions personnelles à l'étranger, notamment à Paris.

Ses peintures et gravures abstraites s'inspirent de l'écriture arabe et des motifs décoratifs architecturaux grecs. Leur sobriété n'altère en rien leur élégance.
Bibliogr. : In : Catalogue de l'exposition : *Visages de l'art contemporain égyptien*, Musée Galliéra, Paris, 1971.
Musées : Alexandrie (Mus. d'Art Mod.) – Le Caire (Mus. d'Art Mod.).

ELNER Christoph
Mort en 1597. xvie siècle. Actif à Breslau. Allemand.
Peintre.
Il fut reçu maître en 1571. Fils du peintre Ernst Elner.

ELNER Ernst
Baptisé le 26 septembre 1578. xvie siècle. Actif à Breslau. Allemand.
Peintre.
Il était le fils de Christoph Elner et fut son élève.

ELNER Ernst
Mort en 1561. xvie siècle. Actif à Breslau. Allemand.
Peintre.
Il fut reçu maître en 1537 et obtint en 1538 le droit de bourgeoisie.

ELNER Valentin ou **Eldner**
xvie siècle. Allemand.
Peintre.
En 1510 il fut reçu maître. En 1518 il fut maître de la gilde de Freiberg. Grand partisan de Luther il était en relations avec Lucas Cranach dont il fut probablement l'élève, mais ses œuvres ne sont pas connues.

ELO
Né dans la seconde moitié du xixe siècle à Copenhague. xixe siècle. Danois.
Sculpteur.
Il exposa au Salon de la Société Nationale en 1913.

ELOFF Paul
Né dans la seconde moitié du xixe siècle à Prétoria (Afrique du Sud). xixe siècle. Britannique.
Sculpteur.
Cet artiste exposa pour la première fois au Salon des Artistes Français en 1912.

ELOISINIOS
i^er siècle. Actif à la fin du i^er siècle. Antiquité grecque.
Sculpteur.

ELOLA Y CAJAL Julian
Né au xixe siècle à Saragosse. xixe siècle. Espagnol.
Peintre.
Il fut surtout peintre de décors.

ELORDUY Pedro de
xviie siècle. Espagnol.
Sculpteur.
Il travailla après Joanes de Azaldegui pour l'église paroissiale de Renteria (Pays Basque).

ELORRIAGA Ramon
Né entre 1825 et 1830 à Bilbao. xixe siècle. Espagnol.
Peintre d'histoire.
Il exposa en 1858 à Madrid : *La mort d'Abel*. Il a, depuis, participé aux Expositions de Barcelone et de Madrid.

ELORY Paul Hippolyte
Né le 25 juin 1818 à Dôle (Jura). Mort à Paris. xixe siècle. Français.
Peintre.
Élève de Delaroche. Le Musée de Dôle possède de cet artiste *deux portraits d'hommes*.

ELOSEGUI Ruben
Né en 1925 à La Plata. xxe siècle. Argentin.
Sculpteur.
Il est attaché à l'École de Sculpture des Beaux-Arts de La Plata. Il sculpte ensuite des compositions abstraites expressionnistes.

ELOUIS Jean Pierre Henri
Né le 20 janvier 1755 à Caen (Calvados). Mort le 23 décembre 1840 à Caen. xviiie-xixe siècles. Français.
Peintre de portraits.
Formé par Bernard Restout, il figura avec quelques portraits au Salon, en 1810 et 1819. Il fut conservateur du Musée de Caen. Il exposa également à Londres, où il resta de 1785 à 1787.
Musées : Caen : *Portrait d'un vieillard – Portrait de sa femme*.
Ventes Publiques : Paris, 11 déc. 1996 : *Portrait du baron de Cheux en tenue de capitaine* 1824, h/t (73,5x60) : **FRF 20 500**.

ELOUT Franchoys ou **Eloutsz** ou **Eloudt** ou **Elaudts**
Né le 5 octobre 1597. Mort en 1661 ou 1641. xviie siècle. Hollandais.
Peintre de natures mortes.
Il travaillait à Haarlem. À l'Exposition de 1894 à Utrecht fut présentée une *Nature morte*, représentant deux verres, deux citrons et des dattes, datée de 1628, et signée des initiales de artiste.
Ventes Publiques : New York, 21 jan. 1982 : *Nature morte aux citrons et olives sur un plat d'étain*, h/pan. (29x43) : **USD 30 000** – Paris, 20 nov. 1985 : *Nature morte avec verre de vin, pièce d'orfèvrerie et grappes de raisins*, h/bois (47x81,5) : **FRF 160 000** – Monaco, 17 juin 1989 : *Nature morte aux olives, huîtres et Roemer*, h/pan. (39x59,5) : **FRF 244 200** – Paris, 8 déc. 1989 : *Nature morte au jambon avec pièce d'orfèverie et röhmer* (47x80,3) : **FRF 90 000** – Londres, 21 avr. 1993 : *Nature morte d'un jambon dans un plat avec des verres et des fruits sur une table drapée*, h/pan. (51,6x83,7) : **GBP 9 775**.

ELOY Maryse
Née le 16 décembre 1930 à Rouen (Seine-Maritime). xxe siècle. Française.
Peintre. Abstrait.
Elle a fréquenté l'atelier de Brianchon à l'École des Beaux-Arts de Paris de 1949 à 1955, et, en même temps, l'Académie A. Lhote, en 1950 et 1951. Elle expose, à Paris, au Salon Comparaisons, aux Grands et Jeunes d'Aujourd'hui, et, depuis 1970, au Salon des Réalités Nouvelles.
Sa peinture a d'abord été assez proche d'une abstraction informelle, puis a évolué vers des formes plus géométriques où la répétition de lignes identiques et le jeu des couleurs introduisent un certain dynamisme.

ELOY DE JESUS PEREIRA Mario
Né le 15 mars 1900 à Lisbonne. Mort le 10 septembre 1951 à Lisbonne. xxe siècle. Portugais.
Peintre. Expressionniste.
Autodidacte, il choisit d'abord le métier d'acteur. Il s'orienta ensuite vers la peinture, poursuivant sa formation d'artiste à l'École des Beaux-Arts de Lisbonne en 1923. En 1928, on le retrouva au Syndicat de la Presse à Lisbonne. Au cours des années trente, il entra dans un établissement spécialisé, où il mourut prématurément en 1951.
Il a exposé en mars 1924 au Salon de l'Illustration Portugaise, plus tard à Paris et à Berlin, notamment en 1931, ville dans laquelle il a séjourné. Depuis, ses peintures ont été présentées dans de nombreuses expositions tant au Portugal qu'à l'étranger, telles que la Biennale de Venise, celle de São Paulo (1950, 1953), et lors d'une exposition de peinture portugaise en 1955. En 1958, eut lieu une très importante rétrospective de son œuvre.
L'expressionnisme, celui d'Hoffer en particulier, et le formalisme de la couleur, caractérisent son œuvre qui est surtout connue pour ses autoportraits. Eloy fait partie de façon déterminante des artistes portugais contemporains. ■ C. D.
Bibliogr. : In : *Cien Anos de Pintura en Espana y Portugal, 1830-1930*, Antiqvaria, Madrid, 1988 – in : *Dictionnaire de la peinture espagnole et portugaise*, Larousse, Paris, 1989.
Musées : Lisbonne (Mus. Nat. d'Art Contemp.) : *Autoportrait et le poète*.

ELPHINSTONE Archibald H.
xixe-xxe siècles. Britannique.
Peintre.
Il travailla à Londres, où il fut élève de la Slade School of Art. Il peignit des marines et des paysages qu'il présenta dans différentes Expositions de Londres, à la Royal Academy à partir de 1894, à la Society of British Artists à partir de 1905.

EL RAWWAS Mohammad
Né en 1951 à Beyrouth. xxe siècle. Libanais.
Peintre de portraits, peintre de collages, technique mixte, graveur.
Il fut élève de l'Institut des Beaux-Arts de l'Université Libanaise de 1971 à 1975, puis il étudia à la Slade School of Fine Art, à Londres, de 1979 à 1981. Il vit à Beyrouth, où il est secrétaire de l'Association des artistes, peintres et sculpteurs libanais.
Il prit part à diverses expositions collectives, parmi lesquelles : 1980 Centre Culturel Irakien à Londres ; 1981, 1982, 1983 exposi-

tion *Contemporary Arab Graphics*, de la galerie Graffiti, à Londres ; 1982, 1984, 1986 Biennale Internationale de gravure de Frederikstad en Norvège ; 1983, 4e Foire Internationale de gravure du Musée des Arts de San Francisco ; 1984, 1985 Biennale internationale de gravure de Bradford, en Angleterre ; 1985, exposition internationale de gravure de Kanagawa, au Japon ; 1985, 1986, Biennale internationale de Cabo Frio, au Brésil ; 1989 *Liban – Le Regard des peintres – 200 ans de peinture libanaise*, à l'Institut du monde arabe de Paris. Il montra également ses œuvres dans une exposition personnelle, organisée à la Galerie Rencontre à Beyrouth, en 1979. Il obtint une mention honorable au Centre Culturel Irakien à Londres, en 1980 ; le troisième prix de la première Exposition d'Art Arabe Contemporain en Tunisie ; un prix d'honneur à la Biennale de Cabo Frio.
Peintre et graveur, il réalisa de nombreux collages composés de coupures de journaux, ayant trait à l'histoire du Liban. Parmi ses œuvres, on mentionne : *Autoportrait au chat – Une lettre – La mariée et la tempête – Relativement inconnu.*
Bibliogr. : In : Catalogue de l'exposition *Liban – Le regard des peintres, 200 ans de peinture libanaise*, Institut du monde Arabe, Paris, 1989.

EL RAZZAZ Moustapha
Né en 1942 au Caire. xxe siècle. Égyptien.
Peintre de compositions animées. Tendance fantastique.
Il fut élève de l'Institut Supérieur de l'Enseignement des Arts du Caire en 1965. Il obtint de nombreux prix et fut répétiteur à cet Institut. Il participe à de nombreuses expositions collectives en Égypte, ainsi qu'en Amérique latine en 1963, à la Biennale de Venise en 1966, à l'Exposition Internationale de Montréal en 1967, à Bruxelles et Paris en 1968, etc.
Ses peintures se présentent comme des collages surréalistes, recopiés en peinture, dont les éléments sont représentés à des échelles différentes. Elles sont constituées d'accumulations de fragments de paysages, de bâtiments et symboles islamiques, d'animaux et de personnages, dont l'ensemble illustre une idée, comme la *Terre de Paix* qui figurait à l'exposition citée en référence bibliographique. L'esprit général de ces compositions les rattache au domaine du fantastique, mais dans une tonalité de fraîcheur naïve. ■ J. B.
Bibliogr. : In : Catalogue de l'exposition : *Visages de l'art contemporain égyptien*, Musée Galliéra, Paris, 1971.
Musées : Le Caire (Mus. d'Art Mod.).

ELSACKERE Claes Van
xve siècle. Actif à Anvers. Éc. flamande.
Peintre.
Il fut reçu maître en 1486.

ELSAESSER Christian
Né le 29 octobre 1861 à Bauschlott près de Pforzheim. xixe siècle. Allemand.
Sculpteur.
Il étudia à l'Académie de Karlsruhe avec H. Volz et à Paris à l'Académie Julian. On cite parmi ses œuvres *Buste de L. Eichrodt* ; *Six grands reliefs décoratifs représentant l'histoire de Mannheim* ; *Le monument funéraire du chef d'orchestre Langer à Mannheim* ; *Le Fils perdu* ; *Audifax*, bronze et *Buste du poète Alb. Geiger.*

ELSASSER
xviie siècle. Actif à Möckmühl (Wurtemberg). Allemand.
Peintre amateur.
Il exécuta en 1659 pour l'Hôtel de Ville de Weinsberg une *Fidélité féminine.*

ELSASSER Friedrich August
Né le 24 juillet 1810 à Berlin. Mort le 1er septembre 1845 à Rome. xixe siècle. Allemand.
Peintre de paysages, peintre d'architectures.
Il fut élève de l'Académie de Berlin avec Hummel et Blechen. En 1832, il continua ses études en Italie. Il devint membre de l'Académie de Berlin en 1841.
Musées : Berlin (Gal. Nat.) : *Cloître d'un Couvent à Berlin* – Copenhague (Glyptothèque) : *Saint Pierre à Pâques – La Chapelle Palatine à Palerme* – Copenhague (Thorwaldsen) : *Le théâtre de Taormine* – Gdansk, ancien. Dantzig : *Rome vue du Palais Royal.*
Ventes Publiques : Berlin, 15 fév. 1898 : *Cloître gris à Berlin* : **FRF 568** ; *Paysage italien* : **FRF 562** ; *Cloître gris près de Subbiaco* : **FRF 419** ; *Paysage, études* : **FRF 256** ; *Palerme* : **FRF 525** – Zurich, 21 nov. 1986 : *Intérieur de Saint-Pierre de Rome*, h/pap. mar./t. (26,5x20,5) : **CHF 1 800** – New York, 13 oct. 1993 : *Une trouée dans la végétation tropicale dans un paysage montagneux*, h/t (120x174,6) : **USD 4 025.**

ELSASSER Joachim Friedrich
xviiie siècle. Actif à Meissen. Allemand.
Graveur et modeleur.

ELSASSER Julius Albert
Né en 1814 à Berlin. Mort le 25 décembre 1859 à Rome. xixe siècle. Allemand.
Peintre de paysages.
Frère cadet de Friedrich-August Elsasser. Élève de l'Académie de Berlin. Vécut surtout en Italie. On cite de lui : *Paysage italien* ; *La via Appia* ; *Les ruines du Forum au clair de lune.*

ELSASSER Sigmund
Mort en 1587 à Innsbruck. xvie siècle. Autrichien.
Peintre.
Il fut peintre à la cour de l'archiduc Ferdinand.

EL SAYED Sabri
Né en 1933 au Caire. xxe siècle. Égyptien.
Peintre. Abstrait, décoratif.
Il est diplômé de la Faculté des Arts décoratifs du Caire, dont il est devenu professeur. Il participe à des expositions collectives et montre ses réalisations dans de nombreuses expositions personnelles au Caire. Il a reçu de nombreux Prix pour les Arts appliqués.
Par le procédé du Batik et de ses réserves à la cire, il crée des compositions richement décoratives, dont l'abstraction des motifs constitutifs suggère comme des floraisons indéterminées.
Bibliogr. : In : Catalogue de l'exposition : *Visages de l'art contemporain égyptien*, Musée Galliéra, Paris, 1971.
Musées : Alexandrie (Mus. d'Art Mod.) – Le Caire (Mus. d'Art Mod.).

ELSBORCH Jan Van. Voir **ELBRUCHT Jan Van der**

ELSCHOET. Voir **ELSHOECHT**

ELSDORF Michel
Né en 1952 à Liège. xxe siècle. Belge.
Sculpteur. Tendance fantastique.
Il fut élève de l'Académie des Beaux-Arts de Liège.
Bibliogr. : In : *Diction. biogra. illustré des artistes en Belgique, depuis 1830*, Arto, Bruxelles, 1987.
Musées : Liège (Cab. des Estampes).

ELSE Peeter Van
xvie siècle. Actif à Anvers. Éc. flamande.
Peintre.
Il fut l'élève de Jeronimus Scuelens en 1513. Appelé aussi Peerken Van Winckele.

EL SEGUEINI Gamal
Né en 1917 au Caire. xxe siècle. Égyptien.
Sculpteur. Tendance abstraite.
Il fut élève de la Faculté des Beaux-Arts du Caire, poursuivit ses études à Paris, puis à l'Académie des Beaux-Arts de Rome. Il devint professeur dans la Faculté de sa formation. Il participait à de nombreuses expositions collectives locales et internationales et montra ses créations dans de nombreuses expositions personnelles.
Son style est très personnalisé. Dans leur configuration globale, ses sculptures, souvent des fontes de bronze, participent de l'abstraction, une abstraction aux volumes pleins, curvilignes, dans l'esprit d'Henry Moore, tandis que, dans le détail, elles recèlent des éléments figuratifs discrets qui leur confèrent une dimension signifiante supplémentaire, telles les pièces montrées dans l'exposition citée en référence bibliographique : *Maternité ; Notre terre.*
Bibliogr. : In : Catalogue de l'exposition : *Visages de l'art contemporain égyptien*, Musée Galliéra, Paris, 1971.
Musées : Alexandrie (Mus. des Beaux-Arts) – Le Caire (Mus. d'Art Mod.).

ELSELAIRE Vautier Van
xve siècle. Actif à Ypres. Éc. flamande.
Peintre.
Siret dit que cet artiste travailla aux entremets de Bruges en 1468.

ELSEN Alfred
Né le 16 novembre 1850 à Anvers. Mort en 1914 à Anvers. xixe-xxe siècles. Belge.

Peintre de paysages, graveur. Réaliste.
Il fut élève de Lamorinière, Dugardin et Beaufaux. Il s'est fait un nom comme aquafortiste.
Il débuta vers 1874, au Salon des Artistes Français, à Paris, avec une toile ayant pour titre : *Automne*, qui fut une révélation. Il a exposé à Gand, Bruxelles, Londres, Anvers, Liège et à Paris ses gravures au Salon des Artistes Français.

A Elsen

Bibliogr. : In : *Dictio. biogra. illustré des artistes en Belgique, depuis 1830*, Arto, Bruxelles, 1987.
Musées : Anvers : *Soleil – Sous-bois* – Liège.
Ventes Publiques : Lokeren, 8 oct. 1994 : *L'approche de l'orage*, h/t (125x95) : **BEF 120 000** – Lokeren, 9 déc. 1995 : *L'approche de l'orage*, h/t (125x95) : **BEF 140 000**.

ELSEN Barthélemy Van
Baptisé le 28 septembre 1622. Mort après 1676. xviie siècle. Éc. flamande.
Peintre de miniatures et sculpteur.
Il était fils de Gauthier Van Elsen.

ELSEN Gauthier Van
Mort le 3 septembre 1664 à Malines. xviie siècle. Éc. flamande.
Peintre.

ELSEN Theodore Van
Né en 1896 à Java (Indonésie). xxe siècle. Français.
Peintre, graveur, dessinateur, illustrateur.
Il travaille à Paris au xxe siècle. Il exposa au Salon des Humoristes.

ELSENER Jeanne
Née à Paris. xxe siècle. Française.
Peintre de miniatures, pastelliste.
Elle fut élève de R. Colin et Comtois. À Paris, elle fut sociétaire des Artistes Français et du Salon d'Hiver. Elle obtint une médaille d'Argent en 1938.

ELSEVIER Arnout
Né en 1580, ou selon quelques biographes à Douai vers 1575. Mort après 1646. xviie siècle. Éc. flamande.
Peintre de paysages.
Il se maria à Leyde le 9 février 1607 et se remaria le 22 octobre 1626. En 1643, il vécut à Rotterdam et en 1646 entra dans la gilde de Dordrecht.

ELSEVIER Johannes
Mort en 1687. xviie siècle. Actif à Delft. Hollandais.
Peintre.
Fils de Louwys Elsevier, il fut reçu membre de la Gilde de Saint-Luc à Delft le 20 décembre 1675.

ELSEVIER Louwys Aernouts
Né en 1617 à Leyde. Mort en 1675 à Delft. xviie siècle. Hollandais.
Peintre de paysages animés.
En 1635, dans la gilde de Delft. C'est sans doute le descendant de Arnout Elsevier.

L'Elsevier. 1647

Musées : Dessau (Fond. Sainte-Amélie) : *Paysage avec chasse au canard* – Stockholm (coll. Fraenkel) : *Paysage avec canards sauvages*.
Ventes Publiques : Amsterdam, 14 nov. 1995 : *Canards près d'un piège au bord d'une rivière*, h/pan. (57x82) : **NLG 21 240**.

ELSHEIMER Adam, dit aussi **Adam de Francfort,** ou **Adamo Tedesco**
Né en 1574 ou 1578 à Francfort-sur-le-Main (Hesse). Mort en décembre 1610 ou 1620 à Rome. xvie-xviie siècles. Allemand.
Peintre d'histoire, compositions religieuses, scènes allégoriques, paysages, graveur.
Son père, tailleur, le confia au peintre Philippe Uffenbach. Il quitta l'Allemagne très jeune pour se rendre en Italie, se fixant définitivement à Rome en 1600 après avoir séjourné à Venise. On l'a appelé le peintre romain de l'Allemagne. Il avait fait la connaissance de peintres hollandais, notamment de Pierre Latsman et de Jacob Pinas, les futurs maîtres de Rembrandt ; il rencontra également Henri Goudt, comte paladin, gentilhomme amateur d'art. Très épris de la peinture d'Elsheimer, celui-ci l'encouragea et entreprit même de graver un certain nombre de ses œuvres. Il appartint à l'Académie de Saint-Luc. Parmi les quelques élèves qu'il a laissés, on peut citer Jakob-Enest Thomann de Hagelstein, lequel, sans atteindre à la finesse et à la dextérité de son maître, réussit pourtant à imiter sa manière, au point d'embarrasser les amateurs même avisés. Parmi ses disciples plus indépendants, auxquels il fournit du moins un premier champ d'étude, figurent David Teniers l'Ancien et Pieter J. Van Laar.
Transplanté à Rome, l'artiste allemand resta longtemps fidèle à l'art de son pays, demeurant grave et attaché au caractère, à l'époque où le mouvement, la grâce, et même la frivolité faisaient l'objet de la recherche de tous. Ce ne fut qu'assez tardivement qu'Elsheimer acquit dans son style une élégance plus marquée. On a considéré ses tableaux comme de véritables miniatures à l'huile. La vérité des lumières et la transparence des ombres en ont été fort goûtées, ainsi que l'éclat voilé du brillant des ciels. Il a recherché à l'extrême certains effets, entre autres celui qui résulte de l'opposition de lumières différentes. La *Fuite en Égypte*, par exemple, réunit sur la même toile la lumière de la lune pleine, la lueur blanchissante de la voie lactée et des dernières étoiles, l'éclat d'un feu de branchages allumé par des pâtres, la flamme de la torche tenue par saint Joseph, sans parler de l'effet résultant de la réflexion de la lune dans l'eau. Le peintre dessinait rarement d'après nature ; sa mémoire très puissante et exercée sans cesse conservait dans tous leurs détails les paysages qu'il avait observés et étudiés pendant de longues heures. Graveur à l'eau-forte également, il a exécuté quelques paysages d'un goût très délicat, devenus très rares d'ailleurs.
Elsheimer n'a pas rencontré en France l'appréciation dont il a joui auprès de ses contemporains ; sa place demeure sans doute honorable, celle d'un maître connu et même reconnu, mais sans autre mérite spécial. Pourtant, ses paysages lumineux, d'une touche légère mais d'une composition rigoureuse, eurent une influence certaine sur Claude Gellée qui, il est vrai, passa également la plus grande partie de sa vie en Italie. Il fut beaucoup plus estimé en Italie, non seulement de son temps, mais également par la suite, peut-être par le contraste même que sa lenteur laborieuse offrait avec l'aisance et la facilité propres au génie italien.

Æ.Æ.

Bibliogr. : N. Drost : *Adam Elsheimer und sein Kreis*, Potsdam, 1935 – Marcel Brion : *La peinture allemande*, Tisné, Paris, 1959.
Musées : Bâle : *Allégorie* – Bergame (Carrara) : *Saint Jérôme – Paysage* – Berlin (Kaiser-Friedrich-Museum) : *Paysage avec saint Jean-Baptiste – Mercure et Argus – La Mort d'Argus – Saint Christophe – Petit autel avec scène de la vie de Marie – La Nymphe au bain – Saint Martin et le mendiant – Paysage de forêt* – Bordeaux : *Saint Jérôme au désert* – Brunswick : *Aurore* – Cambridge : *Le Royaume de Vénus* – Dresde : *Judith – Philémon et Baucis* – Dunkerque : *Moïse sauvé des eaux* – La Fère : *Le Bon Samaritain* – Florence (Offices) : *Paysage avec Mercure et les Nymphes – Cinq petits saints – Paysage – Cinq petites figures d'apôtres et d'autres saints – Paysage avec un berger – Portrait de l'artiste* – Francfort-sur-le-Main : *Le sacrifice – L'éducation de Bacchus – Saint Paul à Lystra* – Francfort-sur-le-Main (Stadel) : *dessins* – Kassel : *Paysage avec Mercure et Argus – Rencontre de Moïse et d'Aaron* – Leipzig : *Le Bon Samaritain* – Londres (Nat. Gal.) : *Le Martyre de saint Laurent – Tobie et l'ange – Naufrage de saint Paul – Baptême du Christ* – Madrid (Prado) : *Cérès à la recherche de sa fille* – Montpellier : *Saint Laurent* – Moscou (Roumiantzeff) : *Tobie et l'ange* – Munich : *La chasse au bonheur – Femme riche enlevée d'un cortège par Hermès – L'incendie de Troie – Fuite en Égypte – Saint Jean-Baptiste prêchant – Martyre de saint Laurent – Paysage et bétail* – Nancy : *Le Bon Samaritain* – Nantes : *La Fuite en Égypte* – Naples : *L'enlèvement de Ganymède – Ariane abandonnée – Thésée et Ariane – Le mythe d'Icare* – Nuremberg : *Rencontre de Moïse et de Jethro* – Paris (Louvre) : *La fuite en Égypte – Le Bon Samaritain* – Saint-Pétersbourg (Ermitage) : *La Forêt – L'apôtre Paul sur l'île de Malte* – Semur-en-Auxois : *Sainte Madeleine au désert* – Stockholm : *Bergers* – Venise (Gal. Nat.) : *Saint Pierre renie Jésus* – Venise (Beaux-Arts) : *Saint Pierre renie Jésus* – Vienne (Czernin) : *L'Ânier – Paysage – Naissance du Christ* – Weimar : *Décollation de saint Jean-Baptiste*.

Ventes Publiques : Paris, 6-9 mars 1872 : *Le Bon Samaritain* : **FRF 1 400** – Paris, 10-12 mai 1900 : *Un groupe de personnages* : **FRF 360** – Londres, 27 mai 1908 : *Paysage classique*, dess. : **GBP 21** – Londres, 25 nov. 1921 : *Christ crucifié* : **GBP 15** – Londres, 31 mai 1922 : *Lazare* : **GBP 4** – Londres, 25 et 26 juil. 1922 : *Fuite en Égypte* : **GBP 5** – Paris, 22-24 fév. 1923 : *La Halte au bord du lac* : **FRF 280** – Londres, 6 avr. 1923 : *Le Martyre de saint Sébastien* : **GBP 12** – Paris, 16 mai 1923 : *Philémon et Baucis*, dess. : **FRF 65** – Londres, 25 juin 1923 : *Le mauvais riche et Lazare* : **GBP 7** – Paris, 4 fév. 1924 : *Le Jugement dernier*, École d'A. E. : **FRF 550** – Paris, 9 fév. 1924 : *Paysage avec personnages*, sépia : **FRF 130** – Paris, 25 fév. 1924 : *Paysage avec personnages*, pl. : **FRF 380** – Paris, 12 mars 1927 : *Paysage boisé animé de figures*, attr. : **FRF 2 000** – Paris, 17 et 18 mars 1927 : *Portion du temple de Salomon*, pl. et lav. : **FRF 340** – Paris, 25 nov. 1927 : *Paysage animé de figures tirées de l'histoire de Tobie*, attr. : **FRF 2 020** – Paris, 4 avr. 1928 : *Tobie et l'Ange* : **FRF 1 750** – Paris, 8 fév. 1934 : *L'Adoration des bergers*, attr. : **FRF 2 200** – Paris, 14 avr. 1937 : *L'enfance de Bacchus*, École d'A. E. : **FRF 1 510** – Paris, 8 déc. 1938 : *Feuille d'études*, pl. traces de lav. : **FRF 4 000** – Paris, 28 oct. 1942 : *La Naissance de la Vierge*, attr. : **FRF 4 000** – Londres, 27 juin 1958 : *Saint Pierre délivré de prison* : **GBP 1 470** – Cologne, 8 nov. 1961 : *Tobie avec l'Ange* : **DEM 3 800** – Londres, 28 nov. 1962 : *Paysage montagneux* : **GBP 1 600** – Londres, 25 juin 1971 : *La découverte de la croix* : **GNS 36 000** – Londres, 30 nov. 1973 : *Tobias et l'Archange Raphaël* : **GNS 15 000** – Munich, 25 nov. 1976 : *Tobie et l'Ange*, eau-forte : **DEM 1 900** – Londres, 25 mars 1977 : *Tobie et l'Archange Raphaël*, h/cuivre (11,4x17,8) : **GBP 15 000** – Londres, 21 juin 1978 : *Le rêve de Jacob* vers 1598-1600, h./ cuivre (19x26) : **GBP 33 000** – Londres, 10 avr. 1981 : *Sainte Hélène interrogeant le Juif*, h/cart. (15x15,8) : **GBP 110 000** – Berne, 22 juin 1984 : *Tobie avec le poisson*, eau-forte : **CHF 4 800** – New York, 13 jan. 1994 : *La fuite en Égypte*, h/cuivre argenté (9,8x7,6) : **USD 365 500**.

ELSHEIMER Johann

Né en 1593 à Francfort-sur-le-Main (Hesse). Mort avant 1636. XVIIe siècle. Allemand.

Peintre d'histoire.

Frère d'Adam Elsheimer. L'Hôtel de Ville de Francfort possède de lui une *Mort de Virginie* peinte en 1632.

ELSHIN Jacob Alexandrovitch

Né le 30 décembre 1891 à Saint-Pétersbourg. XXe siècle. Actif puis naturalisé aux États-Unis. Russe.

Peintre, décorateur de théâtre, illustrateur.

Il fut élève de Zenin, Roussanoff, Andriev et Dmitrieff. Il fut membre de la Seattle A. I. et de la Seattle A. G. Cet artiste fut connu pour ses évocations de ruines antiques, ses compositions pour le *Théâtre russe de miniatures*, et son ballet de la *Danse macabre* au Metropolitan Théâtre de Seattle.

ELSHOECHT Jean

Né au XVIIIe siècle à Bruxelles. XVIIIe siècle. Éc. flamande.

Sculpteur et peintre.

Vécut à Lille à partir de 1762. On lui attribue *Enfants jouant avec une chèvre*, peinture qui se trouve au Musée de Dunkerque.

ELSHOECHT Jean Jacques Marie Carl Vital

Né le 10 mai 1797 à Dunkerque. Mort le 27 février 1856 à Paris. XIXe siècle. Français.

Sculpteur.

Fils de Jean-Louis Elshoecht, cet artiste de talent commença par étudier dans l'atelier de son père. Venu à Paris, il se plaça sous la direction de Bosio et débuta au Salon en 1824. Il fut médaillé de troisième classe la même année et de deuxième classe en 1827. Ses œuvres les plus remarquables sont à Paris : les *Deux Anges* du maître-autel et les *Séraphins de la chaire* pour l'église de Notre-Dame-de-Lorette, un *Triton* et une *Néréide* pour les fontaines de la place de la Concorde, *La Navigation marchande* pour un des frontons du Louvre, *Le Génie de l'Asie* groupe pour le nouveau Louvre, les bustes d'*Horace* et de *Quintilien* pour le Collège de France, le buste d'*Alfieri Sostegno* pour l'ambassade d'Italie, le buste en marbre de l'*Abbé Suger* et le buste de *Claude Gelée* au ministère de l'Intérieur, le buste en marbre du professeur *Laromiguière* pour la Faculté des Lettres, le buste de *Mirabeau* pour la bibliothèque Sainte-Geneviève, *La Reine Mathilde* statue en marbre pour le jardin du Luxembourg ; ainsi que : *Le Bon Pasteur* et *Les Quatre Évangélistes* pour l'église de Tourcoing, *L'Histoire et la Justice* pour la façade de l'Hôtel de Ville de Laon, l'*Immaculée Conception* pour l'église de Saint-Ouen à Rouen, le buste de *Louis-Philippe* à Dunkerque, le buste en marbre de *Soufflot* et celui de *Rondelet*, pour la ville de Lyon.

Musées : Amiens : *Buste en marbre de Napoléon Ier* – Dieppe : *Napoléon Ier* – *Charlotte Corday* – *Andrieux* – Douai : *Le lieutenant-général Delcambre*, plâtre – Dunkerque : *Buste du contre-amiral Lhermite* – *L'Amour et Psyché* – *Thoré* – *Modèle de fontaine* – *Fratello Mio* – *Prisalia Helvetia* – *Paul Geruzez Andrieux* – *Notre-Dame-des-Anges* – *Statue de Jean Bart* – *Médaillon en plâtre* – *Grawez* – *Sarah* – *Claude Lorrain* – Lyon : *Soufflot*, marbre – *Rondelet* – Marseille : *Espercieux* – Sémur : *Napoléon Ier* – Versailles : *Boulay* – *Charles, duc de Berry* – *Henri de Lorraine, duc de Mayence*.

ELSHOECHT Jean Louis

Né le 24 mars 1760 à Bergues. Mort le 18 juillet 1841 à Dunkerque. XVIIIe-XIXe siècles. Français.

Peintre et sculpteur.

Fils de Jean Elshoecht et père de Jean-Jacques Elshoecht. Il fut élève de Bosio. On lui doit les retables des églises Saint-Eloi et Saint-Jean-Baptiste à Dunkerque. Le Musée de cette ville conserve son *Buste* par lui-même et trois *Portraits*. Le Musée de Saint-Omer possède : *Portrait de M. Pohier*.

ELSHOLTZ Ludwig

Né le 2 juin 1805 à Berlin. Mort le 3 février 1850 à Berlin. XIXe siècle. Allemand.

Peintre de genre et de batailles.

Élève de l'Académie de Berlin, puis de Franz Krüger. Vécut à Berlin. On cite de lui : *Le Barbier* et *La Bataille de Leipzig*. Il a exposé à l'Académie Royale, de 1828 à 1844.

Musées : Berlin (Gal. Nat.) : *Début de Combat*.

Ventes Publiques : New York, 29 mai 1981 : *Temps de paix* 1844, h/t (30,5x40) : **USD 3 500** – Londres, 18 fév. 1983 : *Greeting the cavalry* 1840, h/t (47x59,7) : **GBP 2 600**.

ELSINGA Johannes. Voir **ELZINGA**

ELSKAMP Max

Né en 1862 à Anvers. Mort en 1931 à Anvers. XIXe-XXe siècles. Belge.

Graveur, illustrateur.

Fils d'artistes, ami de Henri Van de Velde, d'abord écrivain, il illustra certains de ses ouvrages de gravures, notamment : *L'Alphabet de Notre-Dame la Vierge* – *Enluminures*, 1898.

Bibliogr. : *Dictionnaire des illustrateurs 1800-1914*, Ides et Calendes, Neuchâtel, 1989.

ELSLANDT Peeter

XVIe-XVIIe siècles. Actif à Anvers. Éc. flamande.

Peintre.

Élève de Adam Van Noort, il fut reçu maître en 1607.

ELSLEY Arthur John

Né en 1861. Mort en 1919. XIXe-XXe siècles. Britannique.

Peintre de genre, figures, animaux.

Cet artiste s'établit à Saint-John's Wood, près de Londres. Il exposa à Londres à la Royal Academy à dater de 1878. Son tableau, envoyé à l'Exposition de 1908 : *Première lettre d'amour*, fut très remarqué.

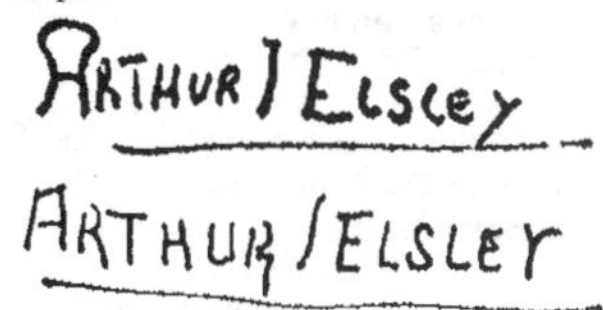

Ventes Publiques : Londres, 9 déc. 1907 : *Molly* : **GBP 3** – New York, 8-10 jan. 1908 : *Vieux Amis* : **USD 300** – New York, 25-26 mars 1909 : *Vieux amis* : **USD 265** – Londres, 10 juil. 1922 : *La Balançoire* 1892 : **GBP 30** – Londres, 12 mars 1923 : *Sympathie* : **GBP 30** – New York, 13 oct. 1978 : *Enfants cueillant des pommes* 1919, h/t (95,3x68,5) : **USD 15 000** – Los Angeles, 12 mars 1979 : *Deux enfants sur un âne sur la plage* 1896, h/t (77,5x106,7) : **USD 7 500** – Londres, 20 oct. 1981 : *Surprised* 1899, h/t (122x91) : **GBP 3 700** – Londres, 15 mars 1983 : *Springtime* 1911, h/t (94x120) : **GBP 13 500** – Londres, 18 déc. 1985 : *Never mind !* 1907, h/t (117x87) : **GBP 26 500** – Londres, 23 sep. 1988 : *Rencontre dans un parc* 1907, h/t (107x142) : **GBP 68 200** – New York, 23 mai 1990 : *Le ruban bleu* 1909, h/t (88,3x62,8) : **USD 104 500** – Londres, 25 oct. 1991 : *Promenade sur le dos du grand frère* 1900, h/t (91,4x71,2) : **GPB 22 000** – New York, 19 fév.

1992 : *Bonne nuit* 1911, h/t (99,3x72,3) : **USD 176 000** – New York, 30 oct. 1992 : *Joie de l'été* 1915, h/t (79,5x109,2) : **USD 77 000** – Londres, 13 nov. 1992 : *Pris sur le fait* 1894, h/t (81,3x61) : **GBP 17 600** – Londres, 8-9 juin 1993 : *À la niche !* 1895, h/t (87,5x62) : **GBP 34 500** – New York, 12 oct. 1994 : *Une paire mal assortie* 1915, h/t (109,2x78,7) : **USD 107 000** – Londres, 6 nov. 1995 : *Il n'y a pas de place pour toi !*, h/t (72x112) : **GBP 82 900** – Londres, 27 mars 1996 : *La meute poursuivant un renard au travers de la salle de classe* 1898, h/t (102x89) : **GBP 41 100** – New York, 12 avr. 1996 : *Une tasse de thé*, h/t (97,2x67,9) : **USD 156 500** – Londres, 8 nov. 1996 : *Récréation* 1894, h/t (101,6x73,7) : **GBP 23 000** – New York, 24 oct. 1996 : *Partez, Monsieur !* 1891, h/t (72,4x61,6) : **USD 85 000** – Londres, 12 mars 1997 : *Je suis plus grand !* 1892, h/t (82,5x62,5) : **GBP 91 100**.

ELSMER
xvie siècle. Actif à Anvers. Éc. flamande.
Sculpteur.
Fils de Wouter Van der Elsmer. Il fut reçu maître en 1559.

ELSMER Wouter Van der ou **Elsmetere**
Originaire de Diest. Mort après 1586. xvie siècle. Éc. flamande.
Sculpteur.
En 1533, dans la gilde d'Anvers, dont il devint doyen en 1563.

ELSNER. Voir **ELSSNER**

ELSONN Michaïl Ivanovitch
Né en 1816 à Saint-Pétersbourg. Mort en 1857. xixe siècle. Russe.
Peintre.
Élève de Worokieff à l'Académie de Saint-Pétersbourg. Il peignit surtout des paysages.

EL SOUTOUHI Mahmoud
Né le 26 juin 1940 à Kafr el Sheikh. xxe siècle. Égyptien.
Peintre.
Il expose en Égypte depuis 1932, et participe à des expositions de groupe à Beyrouth en 1969, à Paris en 1971 et à Moscou en 1972. Sa peinture semble très influencée par les dernières œuvres de Picasso.

ELSSNER Jacob ou **Elzner, Eisner**
Mort en 1517 à Nuremberg. xvie siècle. Travaillant à Nuremberg. Allemand.
Enlumineur.
Il fut un peintre héraldique de grand renom, et l'on dit que personne ne l'égala dans la reproduction des bijoux ou attributs d'or. On lui attribue les deux livres de chœur exécutés entre 1507 et 1510 et conservés dans la sacristie de l'église Saint-Lorenz à Nuremberg, ainsi qu'un Missel daté de 1573. On cite aussi ses portraits, minutieux jusqu'à la sécheresse, où toute la psychologie est concentrée dans le regard.
Musées : Berlin : *Portrait de femme* – Dresde : *L'homme aux trois flèches* – Munich : *Portrait de Konrad Imhof* – Nuremberg : *Portrait de Jorg Ketzler* – *Portrait de Jeune homme*.

ELST. Voir aussi **HELST** et **VERELST**

ELST Hieronymus Van der
xvie siècle. Actif en 1595. Allemand.
Peintre.
Artiste inconnu, dont un dessin à la plume, *Bacchus et Cérès*, était, en 1889, dans la vente Klinkosch.

ELST Johannes Van
Né en 1883. Mort en 1952. xxe siècle. Hollandais.
Peintre de genre, compositions animées.
Ventes Publiques : Montréal, 23-24 nov. 1993 : *Un marché au poisson en Hollande*, h/t (40,6x61) : **CAD 2 900**.

ELST Ludovicus Van der
Mort vers 1690. xviie siècle. Actif à Anvers. Éc. flamande.
Peintre.
Il était membre de la gilde d'Anvers vers 1673. Il semble bien qu'il s'agisse de Lodewyck Van der Helst.

ELSTER Gottfried Rudolf
Né le 5 avril 1820 à Helmstedt. Mort le 11 mars 1872 à Berlin. xixe siècle. Allemand.
Peintre d'histoire.
Élève de l'Académie de Berlin. Il a également travaillé à Düsseldorf, avec Sohn et à Munich avec Kaulbach. Il peignit pour le château de Schwerin des *Scènes des légendes allemandes* et pour la chapelle du château de Berlin *Moïse* et *Jérémie*.

ELSTER Gottlieb
Né le 8 octobre 1867 à Greene. xixe siècle. Allemand.
Sculpteur.
Élève de l'Académie de Munich en 1888-1889. Parmi ses œuvres, on cite : les statues de *Kleist*, Frédéric II et de La reine Louise, et de nombreux monuments aux morts et monuments funéraires.
Musées : Berlin (Gal. Nat.) : *Buste de femme ou Ave Maria* – Brunswick : *Eros* – *La Joie* – *Le Héros*.

ELSTER Johann Christian
Né le 16 avril 1792 à Hedwigsbourg (près de Wolfenbüttel). Mort le 9 mai 1854 à Helmstedt. xixe siècle. Allemand.
Dessinateur de portraits.
On lui doit une série de portraits, parmi lesquels ceux du chancelier Münsinger et des ducs Jules et Henri-Jules de Brunswick. Ce fut avant tout un théologien.

ELSTER Toni
Née en 1862 à Brême. xixe siècle. Allemande.
Peintre et graveur.
En vue de sa formation artistique, elle fit de nombreux séjours à Munich et des voyages d'étude en Écosse. En 1900, elle exposa trois eaux-fortes au Palais de Glace à Munich et y figura ensuite presque chaque année, ainsi qu'aux expositions de Berlin et Düsseldorf avec des tableaux à l'huile, des paysages de forêts et des vues de ports en hiver.

ELSTERMANN von
xixe siècle. Actif à Breslau vers 1835. Allemand.
Peintre de miniatures.

ELSTOW William. Voir **MARSHALL William Elsob**

ELSTRACKE Renold ou **Reginold** ou **Elstrack**
Né en 1571 à Londres. Mort après 1625. xvie-xviie siècles. Britannique.
Graveur.
Ses œuvres ne représentent guère que des portraits que l'on recherche plutôt à cause de leur rareté et de leur exactitude historique qu'à cause de leur valeur artistique. Elstracke travailla souvent pour les libraires : il grava la couverture de plusieurs portraits contenus dans la *Baziologia* de Hollande, un livre de rois, où se trouvent les effigies de tous les souverains anglais depuis la conquête jusqu'à nos jours.

ELSTRAETEN Peeter Van der
xviie siècle. Actif à Anvers en 1660. Éc. flamande.
Peintre.
Élève de Jan Van den Hecke (ou van Eck).

ELSTRATE
xviie siècle. Actif à Anvers. Éc. flamande.
Peintre.
Frans Van den Steen grava, d'après un de ses tableaux, une *Vierge à l'Enfant*. Peut-être est-il identique à Peeter Van der Elstraeten.

ELSTRÖM Harry
Né en 1906 à Berlin. xxe siècle. Belge.
Sculpteur, médailleur. Tendance expressionniste.
Il étudie à l'Académie des Beaux-Arts de Bruxelles, à celle de Dresde, et à la British Academy de Rome. Il est professeur de l'Université de Louvain.
Bibliogr. : In : *Dictio. biogra. illustré des artistes en Belgique, depuis 1830*, Arto, Bruxelles, 1987.
Musées : Anvers – Bruxelles – Gand – La Haye – Koekelberg (Basilique) – Paris.
Ventes Publiques : Lokeren, 16 fév. 1980 : *Deux chevaux*, bronze (H. 37) : **BEF 45 000**.

ELTEN. Voir **KRUSEMAN Van Elten**

ELTON Samuel Averill
Né le 20 août 1827 à Newnham. Mort le 15 juin 1886 à Londres. xixe siècle. Britannique.
Peintre de paysages.
Professeur à la School of Art, à Darlington. Exposa de 1860 à 1864 à la Royal Academy et à Suffolk Street.
Musées : Londres (Water-Colours) : *Vue de la rivière Tees* – *Vieux moulin sur l'Eden, Westmoreland*.

EL TRANSITO, Maître d'. Voir **MAÎTRES ANONYMES**

ELTZ Johann Friedrich von
Né en 1632. Mort en 1686 à Mayence. xviie siècle. Allemand.
Graveur à la manière noire.
Il fut un des premiers artistes ayant gravé à la manière noire. On cite de lui des portraits et quelques planches d'après A. Dürer.

ELTZE Erich
Né le 18 juillet 1865 à Luxembourg. XIXe siècle. Luxembourgeois.
Peintre.
Il fut élève de l'Académie de Berlin et présenta ses œuvres à la Grande Exposition de Berlin ainsi qu'au Palais de Glace à Munich et à Düsseldorf. Il peignit surtout des scènes d'intérieur sous la lampe, comme *Travailleurs ; Attente ; la Lecture ; l'Heure du thé.*

ELTZNER Adolph
XIXe siècle. Actif à Hambourg vers 1850. Allemand.
Dessinateur.
Il fit, en 1849, le dessin d'une gravure sur bois : *Hambourg à vol d'oiseau.*

ELUER Erneszt
XVIe siècle. Roumain.
Peintre.
Il fut célèbre de son temps par son tableau *Adam et Ève au Paradis.*

ELVE-MEROVITCH Jeanne
Née à Paris. XXe siècle. Française.
Peintre de genre, aquarelliste.
Membre de l'Union des Femmes Peintres et Sculpteurs.

ELVEN J. P.
XVIIIe siècle. Actif à Londres à la fin du XVIIIe siècle. Britannique.
Peintre.
Il figura à la Royal Academy de 1788 à 1791.

ELVEN J. P.
XIXe siècle. Actif à Londres au début du XIXe siècle. Britannique.
Graveur.
Peut-être est-il identique au peintre du même nom. De lui, un *Portrait de Hugh Clark* de 1820.

ELVEN Tetar Van. Voir **TETAR Van Elven**

ELVERY J.
XVIIIe siècle. Actif à Londres. Britannique.
Peintre de portraits.
Ce peintre exposa à la Free Society en 1762.

ELVIRE-JAN. Voir **JAN Elvire**

EL WECHAHI Abdul-Hadi
Né en 1936 à Almansora. XXe siècle. Égyptien.
Sculpteur.
Il a exposé au salon du Caire de 1959 à 1966, a participé à la Biennale de Paris en 1965 et expose également à Moscou. Il enseigne à la Faculté des Beaux-Arts d'Alexandrie. Il a été récompensé de nombreux prix en Égypte pour ses sculptures.
Musées : Alexandrie – Le Caire – Ibiza.

ELWELL Frederick W.
Né le 29 juin 1870 à Beverley (Yorshire). Mort le 3 janvier 1958 à Beverley. XXe siècle. Britannique.
Peintre de genre, portraits, paysages, natures mortes.
Il a d'abord fait ses études à Lincoln, puis, en 1887 a remporté une bourse qui lui permis de partir quatre ans à l'Académie d'Anvers. Après un retour à Londres et à Beverley, il repart à Paris où il fréquente l'Académie Julian. Vivant à cette époque à Paris, il expose de 1894 à 1909 au Salon des Artistes Français, ainsi qu'à la Royal Academy de Londres. Il est de retour à Londres et à Beverly vers 1903. Associé à la Royal Academy en 1931, il en devient membre en 1938. Il fit également partie de la Royal Society of Portrait Painters.
Musées : Londres (Tate Gal.).
Ventes Publiques : Londres, 10 nov. 1981 : *Refuge dans mon atelier* 1915, h/t (131x162,5) : **GBP 7 200** – Londres, 2 mars 1984 : *A polisher'shop*, h/t (100,3x75) : **GBP 3 500** – Londres, 22 juil. 1986 : *L'amateur d'art*, h/t (63,5x76) : **GBP 1 300** – Londres, 6 nov. 1996 : *La Nouvelle Acquisition* 1921, h/t (102x127) : **GBP 56 500**.

ELWELL D. Jerome
Né en 1847 à Gloucester. Mort en 1912 à Naples. XIXe-XXe siècles. Américain.
Peintre de paysages, illustrateur.
Ventes Publiques : New York, 9 jan. 1902 : *Essex-River* : **USD 120** – New York, 23 juin 1983 : *Carthage* 1879, h/pap. (31,8x24,1) : **USD 1 500** – San Francisco, 27 fév. 1986 : *Carthage* 1879, h/pap. (32x24) : **USD 2 000**.

ELWELL Frank Edwin
Né le 15 juin 1858 à Concord (États-Unis). Mort en 1922. XIXe siècle. Américain.
Sculpteur, critique d'art.
Après avoir travaillé avec D. C. French à New York, il vint compléter ses études à l'École des Beaux-Arts à Paris et avec Falguière. Médaillé à de nombreuses expositions. On lui doit la première statue érigée en Europe par un artiste américain. Elwell a cherché à faire revivre la sculpture égyptienne dans les temps modernes. Conservateur de la sculpture ancienne et moderne au Metropolitan Museum of Art de New York, il donna des conférences et publia des ouvrages sur l'art.
Musées : Chicago (Art. Inst.) : *Diane et un lion* – New York (Metrop.) : *Aqua Viva.*
Ventes Publiques : New York, 26 sep. 1996 : *La Jeune Cléopâtre*, marbre, relief (34,3x55,2) : **USD 9 775**.

ELWELL James
XIXe siècle. Actif à Beverley (Yorkshire). Britannique.
Sculpteur sur bois.
Père de Frederick W. Elwell. Il fut également maire.

ELWELL John H.
Né le 10 mars 1878 à Marblehead (Massachusetts). XXe siècle. Américain.
Graveur, dessinateur.
Il fut élève de V. L. George, R. Carpenter et de l'Everning Art School de Boston. Il fut membre du Boston Art Club. Il gravait à l'eau-forte.

ELWELL Robert Farrington
Né en 1874. Mort en 1962. XIXe-XXe siècles. Américain.
Sculpteur, peintre de sujets typiques.
Il s'est souvent consacré aux thèmes typiques de l'Ouest américain, du côté des Indiens et du côté des Cow-boys.
Ventes Publiques : New York, 29 avr. 1976 : *Chasseur dans un paysage*, h/t (75,5x38) : **USD 1 000** – Londres, 22 oct. 1976 : *The sunfisher*, bronze (H. 45,7) : **GBP 1 100** – Los Angeles, 23 juin 1981 : *Chef indien à cheval*, h/t (96,5x76) : **USD 1 600** – Londres, 21 mars 1985 : *Indien dans son canoë*, bronze patine brune (H. 49,5) : **GBP 500** – New York, 3 déc. 1996 : *Cow-boy sur un cheval sauvage* 1911, bronze (H. 45,7) : **USD 2 530**.

ELWELL William S.
Né en 1810. Mort le 12 septembre 1881 à Springfield. XIXe siècle. Américain.
Peintre.
Il fut surtout peintre de portraits.

ELWES Cecilia Noel
Née à Dumdum (Indes). XXe siècle. Britannique.
Aquarelliste.
Elle exposa au Salon des Artistes Français depuis 1935.

ELWES Simon
Né en 1902 à Rugby (Angleterre). XXe siècle. Britannique.
Peintre de portraits, fleurs.
On cite ses portraits aristocratiques, notamment celui de la *Comtesse de Choiseul* et de *The Honorable miss Taffy Rodd*, exposés au Salon des Artistes Français en 1928 et 1934.
Ventes Publiques : New York, 5 juin 1978 : *Vase de fleurs* 1960, h/t (100,4x74,3) : **USD 1 300**.

ELWIN Blaise
Né au XVIIIe siècle à Abbeville. XVIIIe siècle. Français.
Graveur au burin.
Élève de Beauvarlet. Il a gravé des sujets de genre.

ELWIN Emma
XIXe siècle. Active à Düsseldorf et Londres à la fin du XIXe siècle. Britannique.
Peintre.
Elle exposa à Düsseldorf de 1873 à 1877 des scènes de genre et en 1879 à la Royal Academy à Londres.

ELWOOD J.
XVIIIe-XIXe siècles. Britannique.
Dessinateur caricaturiste.

ELWYN John
Né en 1916 à Newcastle. XXe siècle. Britannique.
Peintre de scènes de genre.
Il a fréquenté le Royal College of Art et a exposé à la Royal Academy, au New English Art Club et au Royal College of Art. D'inspiration romantique, c'est un des rares peintres de genre gallois.

Musées : Glasgow.
Ventes Publiques : Londres, 25 jan. 1991 : *La teinture de la laine*, h/t (51x76) : **GBP 880.**

ELYAS ou **Elye**. Voir **ELIAS**

EL ZEIN Danielle
Née le 21 novembre 1941 à Avignon (Vaucluse). xxe siècle. Française.
Peintre, dessinateur, aquarelliste.
Fille du peintre Michel Rodde, elle fait ses études à l'École des Métiers d'Art, section arts graphiques, à Paris. Elle participe à plusieurs expositions collectives, entre autres : Salon d'Automne, dont elle devient sociétaire en 1981, Salon d'Issy-les-Moulineaux en 1984, Salon de Bagneux en 1986. Elle obtient le prix de l'aquarelle en 1985 au Salon de la Celle-Saint-Cloud.

ELZEN Staf Van
Né en 1915 à Deurne. xxe siècle. Belge.
Peintre. Expressionniste.
Il fut élève de l'Académie et de l'Institut Supérieur des Beaux-Arts d'Anvers. Il fut ensuite directeur de l'Académie de Kontich.
Bibliogr. : In : *Diction. biogr. illustré des artistes en Belgique depuis 1830*, Arto, Bruxelles, 1987.

ELZER Hendrik Jakob
Né en 1808 à Amsterdam. Mort en 1866. xixe siècle. Hollandais.
Peintre de marines.
Il fut élève de H.-S. Ten Cate.
Ventes Publiques : Amsterdam, 5-6 nov. 1991 : *Navigation dans l'estuaire*, h/pan. (25x32,5) : **NLG 6 440.**

ELZEVIER. Voir **ELSEVIER**

ELZEVIR Ludwig
xviie siècle. Hollandais.
Peintre de compositions religieuses, graveur, dessinateur.
Il a gravé principalement à la manière noire. Il travaillait en Hollande. Il s'agit peut-être du même artiste que le peintre Louwys Aernouts Elsevier.

ELZINGA Johan ou **Johannes** ou **Elsinga**
Né en 1893. Mort en 1969. xxe siècle. Hollandais.
Peintre de paysages animés, marines.
Ventes Publiques : Amsterdam, 28 fév. 1989 : *Friesland en hiver pendant une course de patinage* 1956, h/cart. (24x34) : **NLG 3 220** – Amsterdam, 14-15 avr. 1992 : *Promenade dans le parc de Saint-Cloud* 1931, h/t/cart. (22,5x32) : **NLG 1 840** – Amsterdam, 9 nov. 1993 : *Sur un lac des Frisons* 1934, h/t (30x40) : **NLG 1 840** – Amsterdam, 14 sep. 1993 : *Barques de pêche toutes voiles dehors* 1948, h/t (30,5x40,5) : **NLG 1 610** – Amsterdam, 14 juin 1994 : *Veere* 1935, h/pap./cart. (25x32) : **NLG 3 220** – Amsterdam, 16 avr. 1996 : *Jour de marché* 1946, h/t (63x50) : **NLG 3 304** – Amsterdam, 19-20 fév. 1997 : *Chevaux* 1946, h/cart. (23,5x32) : **NLG 2 998.**

ELZINGRE Edouard
Né à Neuchâtel. xxe siècle. Suisse.
Peintre de compositions à personnages, paysages, dessinateur.
Il a exposé à Paris des scènes de cirque.
Ventes Publiques : Genève, 14 oct. 1982 : *Bosquet d'arbres en automne*, h/t (65x54) : **CHF 650.**

ELZNER Jacob. Voir **ELSSNER**

EMANUEL. Voir **MANUEL-DEUTSCH Hans R.**

EMANUEL Frank Lewis
Né le 15 septembre 1865 à Londres. Mort le 7 mai 1948 à Londres. xixe-xxe siècles. Britannique.
Peintre, aquarelliste, graveur, illustrateur.
Il a d'abord étudié à la Slade School avec Legros, puis avec Bouguereau à l'Académie Julian à Paris. Il a publié des articles d'art et des dessins topographiques dans *Architectural Review*, et au *Manchester Guardian*. Il a voyagé en Europe, en Afrique du sud et à Ceylan. C'est également l'auteur des *Illustrations de Montmartre*. Entre 1918 et 1930, il a enseigné la gravure à Central School.
Il exposa à partir de 1881 à la Royal Academy et, à partir de 1886, dans les Salons de Paris. En 1912, est présentée une exposition d'aquarelles.
Parmi ses œuvres : *Petit village normand – Village du Dorset – L'Italie en Angleterre.*
Musées : Londres (Tate Gal.) : *Intérieur à Kesington.*
Ventes Publiques : Londres, 3 fév. 1982 : *The basement lunch time* 1912, h/t (63,5x79) : **GBP 1 050** – Londres, 12 juin 1986 : *Vue de Concarneau*, h/cart. (31x39,5) : **GBP 800.**

EMANUELI Giovanni
Né en 1816 à Brescia. Mort le 18 décembre 1894 à Milan. xixe siècle. Italien.
Sculpteur.
Après avoir étudié à l'Académie Brera à Milan, il sculpta à l'âge de 14 ans un *Buste de l'empereur François Ier d'Autriche*. Il fit également celui de *Napoléon Ier* et celui de *Radetzky*. Il exposa à Vienne, Munich et Paris. Parmi ses œuvres, on cite le *Monument funéraire de l'évêque Ferrari* dans la cathédrale de Brescia, deux statues pour la cathédrale de Milan et les statues du maître-autel dans l'église Saint-Charles à Brescia.

EMAUS Gerhardus de Micault
Né le 27 février 1789 à Dordrecht. Mort le 25 novembre 1863 à Gouda. xixe siècle. Hollandais.
Dessinateur, graveur et peintre amateur.
Élève de Bagelaer et Janson. Un graveur sur verre, A. Emaus, travaillait en 1775.

EMBDE August von der
Né le 2 décembre 1780 à Kassel. Mort le 10 août 1862 à Kassel. xixe siècle. Allemand.
Peintre de genre, portraits.
Il fit ses études à l'Académie de Cassel et les compléta à Dresde, Düsseldorf, Munich et Vienne.
Musées : Brunswick : *Enfants, au ruisseau* – Gotha (Château) : *La princesse Wilhelmine Caroline de Hesse* – Kassel : *Portrait de l'artiste par lui-même* – Nantes (Mus. Dobrée) : *Portrait de Louise Brentano*, sépia.
Ventes Publiques : Cologne, 5 mai 1966 : *Printemps* : **DEM 4 600** – Vienne, 5 sep. 1982 : *Les Vêpres* 1862, h/t (41x48) : **ATS 10 000** – Vienne, 20 mai 1987 : *Jeune Paysanne dans un paysage* 1834, h/t (98x78) : **ATS 130 000** – Munich, 6 déc. 1994 : *Jeune Fille à une fenêtre* 1845, h/t (49x40) : **DEM 18 400.**

EMBDE Caroline von der ou **Klauhold**
Née le 31 janvier 1812 à Kassel. xixe siècle. Allemande.
Peintre de genre.
Fille et élève d'August von der Embde. Vécut à Brême. Elle a exposé à Munich, à Dresde et à Cologne, de 1854 à 1860.

EMBDE Ernestine Emilie von der
Née le 10 décembre 1816 à Kassel. Morte le 14 mai 1904 à Kassel. xixe siècle. Allemande.
Portraitiste et peintre de genre.
Fille et élève d'August von der Embde. Vécut à Cassel. Elle a exposé à Cologne, à Dresde, de 1861 à 1872.

EMBDEN J. Ger. Van
Hollandais.
Peintre de portraits.
Ce peintre est cité par Siret.

EMBHARDT Endris
xve-xvie siècles. Actif à Crailsheim. Allemand.
Sculpteur.
Peut-être est-il identique à Andreas Einhart.

EMBIL Miguel
Né au xixe siècle à La Havane. xixe siècle. Cubain.
Sculpteur.
Figura au Salon des Artistes Français où il obtint une mention honorable en 1898. Médaille d'argent à l'Exposition Universelle de 1900.

EMBLEMA Salvatore
Né en 1929 à Terzigno. xxe siècle. Italien.
Peintre technique mixte. Tendance abstraite.
Ventes Publiques : Milan, 10 mars 1986 : *Sans titre* 1982, h/t (82x70) : **ITL 2 100 000** – Rome, 15 nov. 1988 : *Sans titre* 1965, techn. mixte/t. (180x200) : **ITL 2 400 000** – Rome, 17 avr. 1989 : *Sans titre* 1969, h/t (200x180) : **ITL 2 000 000** – Rome, 3 déc. 1991 : *Fleurs abstraites* 1985, h/t (150x150) : **ITL 2 000 000.**

EMBRECHTS Jan
Mort vers 1677. xviie siècle. Actif à Anvers. Éc. flamande.
Sculpteur.

EMBRECHTS Marten
xvie siècle. Actif à Anvers. Éc. flamande.
Peintre.
Il fut reçu maître en 1579.

EMBREE Margaret Train
Née à New York. XXe siècle. Américaine.
Peintre de portraits.
Exposant du Salon de la Société Nationale depuis 1925. On cite ses portraits d'enfants.

EMBRY Georges
Né dans la seconde moitié du XIXe siècle à Paris. XIXe siècle. Français.
Sculpteur.
Il obtint une mention honorable au Salon des Artistes Français en 1897.

EMDEN Harry
XIXe siècle. Actif à Düsseldorf et Berlin, dans la seconde moitié du XIXe siècle. Allemand.
Peintre.
Ce peintre de genre fut souvent représenté à la fin du XIXe siècle, à différents Salons de Peinture berlinois.

EMDEN Hermann
Né vers 1811 à Francfort-sur-le-Main. XIXe siècle. Actif à Francfort-sur-le-Main. Allemand.
Graveur et lithographe.
Élève de l'Institut Städel, il est surtout connu pour ses nombreuses vues de Francfort.

EM Do Quang. Voir **DO QUANG EM**

EME André
Né le 18 septembre 1931 à Paris. XXe siècle. Français.
Peintre. Abstrait.
Il a figuré, à Paris, au Salon des Surindépendants en 1968 et au Salon des Artistes Indépendants la même année.
Sa peinture abstraite évoque des agrandissements de cellules.

EMEDEN Nathan
XXe siècle. Nigérian.
Sculpteur de masques.
Il crée des masques portés lors des cérémonies Ekpeye au Nigéria. Ses œuvres aux multiples couleurs vives, utilisent plusieurs matériaux : bois, laine, plumes. À côté des motifs classiques, il ajoute des éléments qui viennent de cultures étrangères. Il travaille en collaboration avec le « Chief » Mark Unya.
Bibliogr. : Catalogue de l'Exposition : *Magiciens de la terre*, Centre Georges Pompidou et la Grande Halle La Villette, Paris, 1989.

EMEFOWICZ Auguste
Né à Lwow (Galicie). XXe siècle. Polonais.
Peintre de scènes de genre.
Il fut exposant, à Paris, de la Société Nationale des Beaux-Arts en 1928. Il fut certainement parent de Feuerring-Emefowicz Maximilien.

EMELE Wilhelm
Né en 1830 à Buchen. Mort en 1905 à Fribourg. XIXe siècle. Allemand.
Peintre de batailles.
Il fut élève de Feodor Dietz, à Munich. Il compléta ses études à Anvers et à Paris. Il s'établit à Munich en 1860, puis à Vienne, enfin à Berlin en 1887. En 1878, il obtint à Vienne une médaille. Il exposa à Munich, à Vienne, à Dresde et à Berlin à l'Académie Royale, de 1873 à 1889.
On cite de lui : *L'Officier blessé ; Devant Dijon, Combat à Heidelberg au Pont du Neckar ; La Bataille de Belfort ; Lenore ; L'Inspection du major du jour.*

W Emélé

Musées : Donaueschingen : *Bataille de Stockach* – Karlsruhe : Scènes de combat – Lubeck : *Scène de Bataille* – Munich (Nouvelle Pina.) : *Cavaliers suédois sortant de Rothenbourg.*
Ventes Publiques : Londres, 19 juin 1981 : *Chasseur et chevaux devant un pavillon de chasse* 1861, h/t (46x68) : **GBP 6 000** – New York, 10 juin 1983 : *Awaiting the departure* 1861, h/t (45,7x68) : **USD 13 000.**

EMELIUS. Voir **EMMEL Johann Sigmund**

EMELRAAD ou **Emelraet**. Voir **IMMENRAET**

EMENS Homer F.
XIXe-XXe siècles. Américain.
Peintre.
Il résida à New York et fut membre de la Société des Artistes Américains.

EMEREE Bula Iyone
Né le 7 août 1899 à Wichita (Kansas). XXe siècle. Américain.
Peintre.
Il fut élève de F. B. A. Linton et de J. Arpa. Il fut titulaire des Trois Rubans Bleus de la Kendall Country Fair à Boerne (Texas) en 1926 et 1927. Il fut également professeur. Parmi ses œuvres : *Sur la Rivière San Antonio – Blue Bonnets.*

EMERIC Auguste
XIXe siècle. Français.
Peintre de marines, de paysages, et aquarelliste.
Il exposa au Salon, de 1833 à 1844, des vues de la Côte d'Azur.

EMERIC Honorine, née **Bouvret**
Née en 1814 à Melun. XIXe siècle. Française.
Peintre de portraits, fleurs et fruits, peintre à la gouache, aquarelliste.
Elle figura au Salon de Paris, de 1843 à 1880.
Elle travaillait aussi sur porcelaine, représentant presque toujours des fleurs ou des fruits. On cite d'elle notamment un *Portrait de jeune fille*, miniature sur vélin.
Ventes Publiques : Paris, 24 mars 1947 : *Portrait de jeune fille dans une couronne de violettes* 1869, aquar. sur vélin : **FRF 710** – Londres, 16 juin 1978 : *Panier de fruits sur un entablement*, h/t (42x52) : **GBP 1 600.**

EMERIC Jules Théodore
Né à Paris. XIXe siècle. Français.
Peintre de fruits.
Il étudia à Aix et eut pour maîtres les Clériam, père et fils, et Grobon. En 1865, il envoya au Salon : *Oranges et raisins*, et en 1867 : *Pêches et raisins dans une coupe de granit.*
Ventes Publiques : Paris, 22 juin 1942 : *Les Monnaies du Pape* : **FRF 3 500.**

ÉMERIC, pseudonyme de **Vagh-Weinmann Émeric**
Né le 25 décembre 1919 à Budapest (Hongrie). XXe siècle. Depuis 1924 actif, puis naturalisé en France. Hongrois.
Peintre de paysages, natures mortes, fleurs.
Arrivé en France à l'âge de cinq ans, né dans une famille de peintres, il s'est destiné à la peinture très vite. Installé à Paris en 1945, il y expose régulièrement à partir de 1948, aux Salons des Artistes Français, et Comparaisons. En 1959, un voyage à New York l'impressionne, et il peint beaucoup cette ville où il expose très régulièrement. Il expose également dans le Midi de la France, aux États-Unis et au Japon. En 1971, il s'installe en Provence à La Colle-sur-Loup.
Il a choisi dès le début les thèmes qui lui seront familiers : les paysages et les bouquets de fleurs. Il continue de peindre en Provence les paysages de la région en larges touches nerveuses et colorées. Emeric ne se soucie pas de la construction mais essaye de faire sentir la fugacité du paysage. ■ J. B.

EMERIC

Ventes Publiques : Versailles, 4 avr. 1976 : *Nature morte aux fruits et au vase de fleurs*, h/t (92x65) : **FRF 3 500** – Versailles, 17 mai 1981 : *Maisonnettes dans les arbres* 1953, h/t (81x65) : **FRF 2 000** – Versailles, 18 nov. 1984 : *Pont sur la rivière près du château*, h/pan. (59,5x83,5) : **FRF 4 500** – Paris, 22 jan. 1990 : *Paysage toulousain*, h/pan. (35,5x46) : **FRF 4 600** – Paris, 8 avr. 1993 : *Conflans* 1960, h/t (73x92) : **FRF 6 500** – Bordeaux, 29 avr. 1993 : *Cargo à Manhattan*, h/t (60x81) : **FRF 27 000.**

EMERIC-TAMAGNON Auguste Jean Joseph. Voir **TAMAGNON Jean Joseph Auguste Emeric de**

EMERICH Erwin
Né le 1er février 1876 à Strasbourg (Bas-Rhin). XXe siècle. Français.
Peintre de portraits.
Musées : Constance : *Comte Ferdinand de Zeppelin* – Strasbourg : *Portrait de Schraut.*

EMERICH Johann
Mort le 11 février 1606 à Goeritz. XVIe siècle. Tchécoslovaque.
Peintre et sculpteur.

EMERICI Janos
XVIe siècle. Actif à Bartfa en 1521. Hongrois.
Peintre.

EMERICQ Henri
XVIIe siècle. Actif à Paris. Français.
Sculpteur.
Agréé de l'Académie Royale en 1681 pour une statue en terre cuite de *Saint André*.

EMERIT-DOVGANIUK Ecaterina, Mme
Née à Cetalea Alba (Roumanie). XXe siècle. Roumaine.
Peintre.
Élève de Selmy. Cette artiste a exposé *Soir de réveillon* et une nature morte au Salon des Artistes Français (1932-1933).

EMERSON Arthur Welster
Né le 5 décembre 1885 à Honolulu (Hawaï). XXe siècle. Américain.
Peintre, graveur, illustrateur.
Il fut élève de J. C. Johansen et de l'American Students' League de New York. Il gravait à l'eau-forte.

EMERSON Edith
Née à Oxford (Ohio). XXe siècle. Américaine.
Peintre.
Élève de l'Art Institute de Chicago, de la Pennsylvania Academy of the Fine Arts, de Cecilia Beaux et de Violet Dakley. Cette artiste a illustré *Asie dans le siècle* ; elle a prononcé de nombreuses conférences sur l'art.

Edith
Emerson

EMERSON Robert Jackson
Né en 1878. Mort en 1944. XXe siècle. Britannique.
Sculpteur.
Il fut élève de l'École d'Art de Leicester, il obtint une médaille d'or du concours national en 1905 pour un bas-relief. Il exposa ensuite à la Royal Academy à Londres.
Musées : Leicester (Mus. Muni.) : *Portrait d'un jeune garçon*, bas-relief en bronze.
Ventes Publiques : Londres, 2 oct. 1985 : *Automne* 1905, bronze, patine brune (H. 49,5) : **GBP 500**.

EMERSON Sybill Davis
Née le 4 avril 1892 à Worcester (Massachusetts). XXe siècle. Américaine.
Peintre de scènes typiques, décorateur.
Connue pour son *Sacre du printemps*, exposé à Paris en 1928. Elle obtint le premier prix de dessin à la San Francisco Art Association en 1924. Elle se spécialisa dans les scènes familières ou populaires : *La Chauffeuse – La Petite Fille du concierge*.

EMERSON W. C.
XIXe-XXe siècles. Actif à Chicago. Américain.
Peintre.
Cet artiste se forma sans maître. Il a obtenu le prix de l'Englewood Club.

EMERSON William
XIXe siècle. Britannique.
Peintre de figures.
Exposa vingt-huit fois à la Royal Academy à Londres de 1817 à 1843.

EMERSON William, Sir
Né en 1843. XIXe-XXe siècles. Actif à Londres. Britannique.
Paysagiste et architecte.
Exposa de nombreux paysages à la Royal Academy entre 1870 et 1911. Beaucoup d'entre eux représentent des paysages indiens.

EMERT Friedrich
XVIIIe siècle. Actif à Graz. Allemand.
Peintre.
Il fit en 1759 un portrait de la religieuse *Micheline Plassing en extase*, et en 1769 un portrait de cette même religieuse sur son lit de mort.

EMERT Maximilian
XVIIIe siècle. Actif à Munich. Allemand.
Graveur.
Il fut nommé graveur de la cour en 1762.

EMERTON James H.
Né en 1847. Mort en 1930 à Boston. XIXe-XXe siècles. Américain.
Illustrateur.
Membre de la Copley Society, depuis 1894, il a illustré des ouvrages sur la zoologie.

EMERY
XVIIe siècle. Français.
Peintre.
Il fut, à Lyon, maître de métier pour les peintres, en 1697.

EMERY Augustin
XVIe siècle. Français.
Sculpteur.
Il fit, en 1542 et pour le compte de la confrérie de Saint-Roch, différents travaux dans l'église Saint-Pierre d'Épernon, près de Chartres.

EMERY Betsy Eugénie, née **Veillon**
Née en 1838 à Aigle. XIXe siècle. Suisse.
Lithographe.
Mme Emery fut, depuis 1878, maîtresse de dessin à l'École supérieure des jeunes filles de Lausanne.

EMERY Charles
XVIIe siècle. Français.
Sculpteur.
Il travailla au dôme des Invalides en 1691.

EMERY Édouard
XVIIIe siècle. Actif à Paris en 1751. Français.
Peintre et sculpteur.

EMERY Georges
Né à Paris. XIXe siècle. Français.
Peintre.
Figura au Salon des Artistes Français où il obtint une mention honorable en 1897.

EMERY John
Né le 22 décembre 1777 à Sunderland (Durham). Mort le 25 juillet 1822 à Londres. XIXe siècle. Britannique.
Peintre et acteur.
Il figura de 1801 à 1817 à la Royal Academy avec des paysages, des portraits et des marines.

EMERY Martin
XVIIIe siècle. Actif à Paris en 1737. Français.
Peintre et sculpteur.

ÉMERY-MOENS Juliette
Née vers 1900. Morte le 3 octobre 1990 à Uccle (Brabant). XXe siècle. Belge.
Peintre de figures, paysages.
Elle peignait surtout des visages de jeunes filles, des paysages méditerranéens, des scènes intimistes.

EMES Johann
XVIIe siècle. Actif à Kitzingen. Allemand.
Sculpteur.
Il exécuta de 1685 à 1689 deux autels pour l'église de Dimbach.

EMES John
Mort avant le 22 mars 1810. XVIIIe-XIXe siècles. Britannique.
Peintre de paysages, aquarelliste, graveur.
Il grava, d'après Jefferey : *La destruction des batteries espagnoles devant Gibraltar*. On le trouve exposant à la Royal Academy en 1790 et 1791.
Musées : Londres (Victoria and Albert Mus.) : *Parc de Greenwich*, aquarelle – Manchester : *Vue dans le Cumberland*.
Ventes Publiques : Londres, 16 fév. 1922 : *Parc de Wynnstay*, aquar. : **GBP 10** – Londres, 11 nov. 1982 : *Iver Church, Middlesex*, aquar. (21x32) : **GBP 450**.

EMES Julius
XVIIe siècle. Actif en Franconie. Allemand.
Sculpteur.
Il travailla pour les églises d'Aschach et de Münnerstadt de 1611 à 1615.

EMFOS Bartolomé
Né vers 1280 à Bruges. Mort à Barcelone. XIVe siècle. Actif en Espagne. Éc. flamande.
Peintre.
Il travaillait à Barcelone de 1309 à 1331.

EMFOS Bartolomeu
D'origine flamande. XIVe siècle. Espagnol.
Peintre.
Il travaillait, comme son père Bartolomé Emfos, à Barcelone.

EMIG Georg
Né en 1892 à Altona (Hambourg). xxe siècle. Allemand.
Peintre de portraits, paysages.

EMI Kinuko
Née en 1923 dans la région de Hyogo. xxe siècle. Japonaise.
Peintre.
Elle fut, de 1945 à 1949, élève de l'Institut de Peinture Occidentale. Elle devint membre du Salon Bijutsu-Kyokai. Elle effectua de nombreux voyages en Europe et en Amérique entre 1953 et 1955.
Elle a figuré à l'Exposition Internationale de la Fondation Carnegie de Pittsburgh en 1958, et à la Biennale de Venise en 1962.

ÉMILE, pseudonyme d'**Émile Clément**
Né le 27 septembre 1943 à Orange (Vaucluse). xxe siècle. Français.
Peintre.
Sa peinture se rattache à l'art naïf. Ses descriptions de paysages offrent des perspectives très « spontanées ».

EMILI Giovanni
Né à la fin du xve siècle à Modène. xvie siècle. Italien.
Peintre.
Il fut élève de F. Francia.

EMILI Giovanni
Né vers 1770 à Florence. xviiie siècle. Italien.
Graveur de sujets religieux.
Il fut élève de R. Morghen. Il exécuta une copie de la *Sainte Famille* de Raphaël. Il est probablement identique au sculpteur Giovanni Emily.

EMILIAN Céline
Née dans la seconde moitié du xixe siècle à Paris. xxe siècle. Française.
Sculpteur de bustes.
Elle fut élève de Bourdelle. Exposa, à Paris, au Salon des Artistes Français à partir de 1930. Elle est connue pour ses bustes de son maître Bourdelle, du compositeur Vincent d'Indy et du pianiste Cortot.

EMILIANI Troilo
xvie siècle. Actif à Aquila. Italien.
Peintre.
Il aida Giovanni da Udine à la décoration des Loges du Vatican. Il exécuta également une *Transfiguration* pour la Confrérie Saint-Sixte à Aquila.

EMILIE de Hohenlohe-Ingelfingen, princesse. Voir **HOHENLOHE-INGELFINGEN**

EMILUS
vie siècle avant J.-C. Vivant en 550 avant Jésus-Christ. Antiquité grecque.
Sculpteur.
Élève de Dipène et de Scyllis, il faisait des travaux en or et en ivoire. Dans le temple de Junon, à Olympie, il exécuta un groupe des *Heures* assises sur des trônes.

EMILY Giovanni
xixe siècle. Espagnol.
Graveur.
Il travailla en Espagne. Il a gravé au burin un portrait d'après Seff. Casabona. Probablement est-il identique au graveur Giovanni Emili.

EMINGER Helene
Née en 1858 à Prague. xixe siècle. Tchécoslovaque.
Peintre.
Élève de K. Javureck à Prague, de Dürr à Munich, et de l'Académie Colarossi à Paris. Elle peignit surtout des portraits au pastel.

ÉMIOT Paul Pierre
Né en 1887 à Marseille (Bouches-du-Rhône). xxe siècle. Français.
Peintre de paysages, marines.
Il fut sociétaire, à Paris, du Salon des Artistes Français en 1931.
Ventes Publiques : Paris, oct. 1944-juil. 1945 : *Vieilles Maisons* : **FRF 800** ; *Bateau amarré* : **FRF 600** – Paris, oct. 1945-juil. 1946 : *La Voile rouge* : **FRF 15 800** – Paris, 21 fév. 1986 : *Paysages méditerranéens* 1927, deux h/t : **FRF 12 000** – Paris, 24 fév. 1988 : *Cap-Brun au couchant* (61x50) : **FRF 2 500** – Paris, 19 mars 1990 : *Calanques aux environs de Cassis*, h/t (73x92) : **FRF 10 500** – Paris, 31 jan. 1997 : *Les Voiles rouges*, h/t (73x100) : **FRF 7 000**.

EMIR SHAHI ou **Ak-Melik**
Né à la fin du xive siècle à Sebzevar. Mort en 1453. xive-xve siècles. Éc. persane.
Calligraphe, enlumineur et miniaturiste.

EMLER Bonaventura
Né le 19 octobre 1831 à Vienne. Mort le 20 avril 1862 à Rome ou à Vienne. xixe siècle. Autrichien.
Peintre de batailles.
Cet artiste, qui travailla à l'Académie de Vienne, est surtout connu par ses illustrations de la *Divine comédie* de Dante.

EMMANOUILOVA Vasca
Née en Bulgarie. xxe siècle. Bulgare.
Sculpteur.
Élève d'I. Lazarov, a aussi subi l'influence de Marco Marcov. Elle vécut un an à Paris.

EMMANUEL. Voir aussi **MANUEL**

EMMANUEL, Frère Emmanuel Tzan
Né probablement à Retimo. Mort à Corfou. xviie siècle. Grec.
Peintre. Byzantin.
On sait peu de choses de la vie de cet artiste, identifié par Siret. La signature du tableau de la Galerie Nationale de Londres : *Saint Côme et saint Damien recevant la bénédiction divine* apprend que l'auteur était prêtre de Tzane. Peut-être est-ce le même Emmanuel, dont parle Lanzi, qui vivait à Venise au xviie siècle et fit une peinture en 1660 ? Prêtre à Venise, il a peint surtout des sujets religieux, dans le style italo-byzantin dont il est le meilleur représentant. On voit de ses œuvres dans des églises de Venise et Corfou.
Musées : Athènes – Berlin – Londres (Nat. Gal.) : *Saint Côme et Saint Damien recevant la bénédiction divine* – Saint-Pétersbourg.

EMMANUEL C. J.
Né à Turin (Italie). xxe siècle. Français.
Peintre de genre.
On cite de cet artiste *La Dame en noir* exposée au Salon des Artistes Français de 1929.

EMMANUEL Gratiant
Né au Dorat (Haute-Vienne). xxe siècle. Français.
Peintre de paysages, aquarelliste.
Il exposa à Paris au Salon des Artistes Français en 1938.

EMMANUEL le Calligraphe
Né en 1908 à Guingamp (Côtes d'Armor). Mort en 1965 à Guingamp. xxe siècle. Français.
Peintre.
Autodidacte, il ne commença à peindre qu'en 1958. Les surréalistes s'intéressèrent à ses productions graphiques, ressortissant aux techniques automatiques.
Bibliogr. : José Pierre : *Le Surréalisme*, in : *Histoire générale de la peinture*, t. XXI, Rencontre, Lausanne, 1966.

EMMANUELLO da Como, fra
Né en 1586 à Côme, selon Orlandi. Mort en 1662 à Rome. xviie siècle. Italien.
Peintre de fresques.
Ce moine de l'ordre des Franciscains, quitta son pays natal et se rendit à Messine, où il habita en étudiant la peinture sous la direction de Silla. Son style subit une amélioration considérable grâce aux conseils de ce maître et à son zèle personnel. Une *Cène*, exécutée avec tous les défauts de la décadence de l'école milanaise, représente sa première manière. Dans l'église, sa *Pietà entourée de saints* est d'un style pur, noble et simple. On cite aussi ses fresques dans la bibliothèque du couvent irlandais de Saint-Isidore, à Rome.

EMMANUELLO Tedesco d'Augusta, pseudonyme **d'E. Amberger**
xvie siècle. Italien.
Peintre.
Il était élève du Titien et travailla quelques années dans son atelier. Peut-être était-il le fils de Christoph Amberger.

EMMEL
Mort à la fin du xviie à Lübeck, ou au début du xviiie siècle. xviie-xviiie siècles. Allemand.
Peintre.
Il était le seul fils de Johann Sigmund Emmel.

EMMEL Johann Sigmund ou **Immel** ou **Emelius**
Né vers 1623. Mort après 1682. xviie siècle. Actif à Dantzig. Allemand.
Peintre de portraits.
Ses portraits de personnages notables de Dantzig furent gravés par Johann Bensheimer.

EMMENEGGER Hans

Né le 19 août 1866 à Küssnacht. Mort en 1940 à Lucerne. XIXe-XXe siècles. Actif aussi en France. Suisse.

Peintre de paysages, natures mortes, graveur.

Il commença sa longue éducation artistique à l'École des Arts Industriels de Lucerne. En 1884, il vint à Paris, s'inscrivit à l'Académie Julian, et reçut les conseils de Gustave Boulanger, Jules Lefebvre. Puis, à l'École des Beaux-Arts de Paris, il fut élève de Gérome. Il passa quelques mois à l'École Préparatoire de l'Académie de Munich dans le cours de Karl Raupp. Ce fut vers 1895-96 qu'il apprit la gravure à Munich, où il travailla aussi dans l'atelier de Bernhard Buttersack. Revenu à Paris, il reçut les conseils de Benjamin-Constant, Lucien Doucet. Il visita Alger. Vers 1909, il s'installa à Emmenbrücke.

Il exposa en Suisse, mais aussi régulièrement à Paris, au Salon d'Automne, dont il fut nommé sociétaire en 1919, et membre du jury en 1920.

Paysagiste, il était particulièrement attentif à la diversité des ciels et au passage des nuages.

Bibliogr. : Gérald Schurr, in : *Les Petits Maîtres de la peinture 1820-1920, valeur de demain*, Les Éditions de l'Amateur, t. VI, Paris, 1985.

Ventes Publiques : Lucerne, 3 juin 1987 : *Paysage de Bavière* 1896, h/t (65x81) : **CHF 2 000** – Lucerne, 30 sep. 1988 : *Nuages dans un ciel ensoleillé*, h/t (40x49,5) : **CHF 2 900** – Lucerne, 3 déc. 1988 : *Le gros nuage* 1903, h/t (55x73,5) : **CHF 4 600** – Lucerne, 24 nov. 1990 : *Nature morte* 1911, h/t (24x37) : **CHF 5 000** – Lucerne, 23 mai 1992 : *Le vol d'un oiseau* 1918, h/t (25x33) : **CHF 2 800** – Lucerne, 21 nov. 1992 : *Tour dans un paysage d'automne* 1898, h/t (51x67,5) : **CHF 1 700** – Lucerne, 26 nov. 1994 : *Nature morte aux pommes*, h/t (26x36) : **CHF 6 000**.

EMMER Suzanne

Née vers 1880. Morte vers 1965. XXe siècle. Française.

Peintre de paysages.

Le sculpteur M. Bodart fut son gendre.

EMMERECHTS Jacobus Josephus

XVIIIe siècle. Actif à Anvers. Éc. flamande.

Peintre.

Il fut reçu maître en 1755 et devint Doyen de l'Académie Saint-Luc en 1760.

EMMERIK D.

XVIIe siècle. Hollandais.

Peintre.

On ne connaît de cet artiste qu'un portrait du *Prédicateur G. H. Petri*, gravé d'après un de ses tableaux.

EMMERIK Govert Van

Né en 1808 à Dordrecht. Mort le 24 novembre 1882 à Hambourg. XIXe siècle. Hollandais.

Peintre de marines.

Il fut élève à Dordrecht de Hofmann et Schotel.

Ventes Publiques : Amsterdam, 19 oct. 1976 : *Bateaux par forte mer*, h/t (69,5x88) : **NLG 6 200** – Amsterdam, 31 oct. 1977 : *Rue sous la neige*, h/t (56x71,5) : **NLG 7 200** – Zurich, 15 mai 1981 : *Scène de port au clair de lune*, h/pan. (34x43) : **CHF 2 400** – Amsterdam, 15 mai 1984 : *Forte mer*, h/t (56,5x72) : **NLG 4 200** – Paris, 3 juil. 1987 : *Long-courrier hollandais avec barque et yacht au large d'une côte, au second plan, vapeur à aubes*, h/t (56x71) : **FRF 35 000** – Amsterdam, 3 mai 1988 : *Steamer entrant au port avec un bateau de pêche, par mauvais temps* 1849, h/t (58x73) : **NLG 6 900** – Amsterdam, 2 mai 1990 : *Une barque et des voiliers s'approchant d'un trois-mâts sous un ciel nuageux*, h/t (58x73,5) : **NLG 8 625** – Amsterdam, 5 juin 1990 : *Un navire marchand et une barque s'approchant d'un deux-mâts par mer houleuse*, h/t (57,5x73,5) : **NLG 3 220** – Amsterdam, 24 avr. 1991 : *Sauvetage* 1851, h/t (66x87) : **NLG 5 175** – Amsterdam, 28 oct. 1992 : *Marins dans un canot de sauvetage se dirigeant vers un deux-mâts en détresse* 1844, h/t (89x115) : **NLG 2 760** – Amsterdam, 21 avr. 1993 : *Vaisseaux à voiles au large de la côte avec un village au lointain*, h/pan. (23,5x30) : **NLG 8 050** – Amsterdam, 19 avr. 1994 : *Navigation dans la tempête* 1855, h/t (57x73) : **NLG 12 650** – Londres, 22 fév. 1995 : *Navigation dans un estuaire hollandais* 1849, h/cart. (56x72) : **GBP 3 105** – Amsterdam, 5 nov. 1996 : *Vue sur le Gouvernementshuis avec différents bateaux au premier plan, Curaçao* 1856 (71x90) : **NLG 4 956**.

EMMERSON Henry Hetherington

Né en 1831. Mort le 28 août 1895. XIXe siècle. Britannique.

Peintre de genre.

Il travaillait à Chester. Il exposa à la Royal Academy entre 1851 et 1893.

Musées : York, Angleterre : *Les Critiques*.

Ventes Publiques : Los Angeles, 21 sep. 1976 : *Le Petit Chaperon rouge*, h/t (76x53) : **USD 650** – Londres, 9 juin 1981 : *La jeune pêcheuse*, h/t (168x91) : **GBP 340** – Madrid, 21 oct. 1986 : *Trois générations* 1881, h/t (122x182) : **ESP 1 300 000** – Londres, 23 sep. 1988 : *Jeune Fille avec des coquelicots et un carlin* 1883, h/pan. (61x23,5) : **GBP 5 500** – Londres, 27 sep. 1989 : *Ma jolie dame*, h/t (105x74) : **GBP 1 430**.

EMMES Thomas

XVIIIe siècle. Américain.

Graveur.

Il grava le portrait de Increase Mather pour son livre *L'Espoir Saint*, paru à Boston en 1701.

EMMET Ellen G.

Née le 4 mars 1876 à San Francisco (Californie). Morte en 1941. XXe siècle. Américaine.

Peintre de portraits.

Elle obtint une médaille d'argent à l'Exposition de Saint Louis en 1904.

Musées : New York (Met. Mus.) : *Deux portraits*.

Ventes Publiques : Boston (Mass.), 2 mai 1980 : *Portrait of Eleanor Peabody*, h/t (86,4x68,6) : **USD 2 800**.

EMMET Rosina. Voir **SHERWOOD**

EMMETT Lydia Field

Née en 1866 à New Rochelle. Morte en 1952. XIXe-XXe siècles. Américaine.

Peintre de portraits, pastelliste, illustratrice.

Elle fut élève de Chase, Mowbray, Cox et Reid, à New York, et, à Paris, de W. Bouguereau, R. Collin, T.-R. Fleury et Mac Monnies. Elle fut membre de l'Associate National Academy of Design de New York en 1909. Médaille de bronze à l'Exposition d'Atlanta en 1895, elle eut la médaille d'argent à l'Exposition de Saint-Louis en 1904.

Ventes Publiques : Portland, 28 sep. 1985 : *Portrait d'enfant*, past. (52x44,5) : **USD 3 500** – New York, 28 mai 1987 : *Portrait de Miss Ginnie and Polly*, h/t (127x101,6) : **USD 16 500** – New York, 24 juin 1988 : *Deux sœurs* 1897, past./t. (55x60) : **USD 5 500** – Londres, 1er nov. 1990 : *Portrait d'un jeune garçon assis dans un fauteuil*, h/t (157,5x106,5) : **GBP 11 000**.

EMMETT Philipp

XVIe-XVIIe siècles. Actif à Londres à la fin du XVIe siècle ou au début du XVIIe. Britannique.

Sculpteur.

Il fut sculpteur de la couronne.

EMMETT William I

XVIIe siècle. Actif à Londres. Britannique.

Sculpteur.

Neveu de Philipp Emmett, il précéda Grinling Gibbons dans ses fonctions de « sculpteur de la Couronne ».

EMMETT William II

XVIIIe siècle. Actif vers 1710. Britannique.

Graveur et architecte.

Parmi les œuvres qu'il exécuta, on remarque surtout, exécutées dans un style clair et précis, une grande *Vue intérieure de la cathédrale Saint-Paul*, et deux vues extérieures de la même église.

EMMINGER Eberhard

Né le 16 octobre 1808 à Biberach. Mort le 27 novembre 1885 à Biberach. XIXe siècle. Allemand.

Lithographe et peintre de paysages.

Après avoir travaillé chez le peintre J. B. Pflug, à Biberach, il publia à l'âge de seize ans un album de douze planches, *L'Album du Lac de Constance*. Il apprit la lithographie chez Lorenz Ekeman Allesson. Son ouvrage, *La Pierre précieuse*, grande planche d'après Steinkopf, lui valut une bourse qui lui permit un voyage en Italie ; il se rendit aussi à Vienne et en Styrie. D'un second voyage en Italie, il rapporta de nouveau une quantité de dessins représentant des vues de Rome. Parmi ses autres œuvres on cite *La Campagne de Napoléon en Russie*, ouvrage de 100 planches, dont Faber du Faur avait dessiné les originaux ; un autre ouvrage sur la Palestine avec une grande vue de Jérusalem pour Steinkopf, et deux planches *Matinée de dimanche* et *Le Petit Pâtre*, de Uhland, d'après J. Moztet.

EMMINGER Konstantin

Né après 1808 à Biberach. XIXe siècle. Actif à Biberach. Allemand.

Peintre de paysages.
Il était le frère de Eberhard Emminger, et mourut avant lui.

EMMONS Chansonetta Stanley, Mrs
Née le 30 décembre 1858 à Kingfield (Minnesota). XIXe siècle. Américaine.
Miniaturiste et artisan d'art.

EMMONS Dvothy Stanley
Née le 14 juin 1891 à Roxbrury (Massachusetts). XXe siècle. Américaine.
Peintre, graveur.
Elle gravait à l'eau-forte.
Ventes Publiques : East Dennis (Massachusetts), 31 juil. 1987 : *Later afternoon, Rockport*, h/t (61x61) : **USD 2 400**.

EMMS John
Né le 21 avril 1843 à Blowfield. Mort le 1er novembre 1912 à Lyndhurst. XIXe-XXe siècles. Britannique.
Peintre de genre, scènes de chasse, animaux, graveur.
Exposa fréquemment à Londres de 1866 à 1889, particulièrement à la Royal Academy et à Suffolk Street.

J. Emms

Ventes Publiques : Londres, 27 avr. 1908 : *Duodrop et Skilful* : **GBP 5** – Londres, 21 mars 1910 : *Prêt pour la chasse* : **GBP 19** ; *The Kill* : **GBP 19** – Paris, 27 sep. 1946 : *Deux levrettes et un lapin* : **FRF 5 100** – Londres, 22 nov. 1968 : *Le Cheval Spéculation* : **GNS 420** – Londres, 13 juin 1969 : *Retour à la terre* : **GNS 650** – Londres, 7 mai 1971 : *Chiens rêvant à la chasse* : **GNS 1 200** – Londres, 28 nov. 1972 : *Groupe d'épagneuls* : **GBP 1 300** – Écosse, 31 août 1973 : *Épagneuls* : **GBP 1 000** – New York, 12 jan. 1974 : *Scène de ferme* : **USD 1 900** – Londres, 19 mai 1978 : *La Meute* 1899, h/t (76,2x106) : **GBP 3 200** – Londres, 2 fév. 1979 : *Le Jeune Garde-chasse*, h/t (89,5x69,2) : **GBP 1 300** – Londres, 10 déc. 1981 : *A foxhound and two terriers*, h/t (53,5x45,8) : **GBP 2 200** – New York, 8 juin 1984 : *Gone to water* 1899, h/t (91,4x152,4) : **USD 6 000** – New York, 6 juin 1986 : *Chiens de chasse près d'un pont* 1881, h/t (129,5x91,4) : **USD 38 000** – New York, 4 juin 1987 : *Après la chasse* 1907, h/t (101,5x155) : **USD 67 500** – Londres, 25 mars 1988 : *The gamekeeper* 1897, h/t (73,6x150) : **GBP 13 000** – Londres, 3 juin 1988 : *Un furet et sa proie*, h/t (30,5x40,4) : **GBP 550** – Londres, 23 sep. 1988 : *Cheval avec une selle d'amazone et un épagneul* 1880, h/t (53x71,5) : **GBP 3 740** – Perth, 28 août 1989 : *Propriétaire terrien à la saison de la chasse* 1895, h/t (94x79) : **GBP 8 250** – Londres, 27 sep. 1989 : *Le Passage de la clôture*, h/t (71x114) : **GBP 14 850** – Londres, 13 déc. 1989 : *La Meute et les cavaliers au galop*, h/t (77x115) : **GBP 9 350** – Londres, 14 fév. 1990 : *Épagneuls Clumbers en fin de journée*, h/t (91,4x60,9) : **GBP 22 825** – Londres, 15 jan. 1991 : *Colley à poil dru*, h/t (43,2x68,9) : **GBP 1 100** ; *Chiens de meute dans leur chenil après la chasse*, h/t (101,5x127) : **GBP 28 600** – Londres, 5 juin 1991 : *En attendant la maîtresse* 1889, h/t (52x70) : **GBP 2 530** – New York, 7 juin 1991 : *En attendant le maître* 1897, h/t (71,1x91,4) : **USD 27 500** – Londres, 16 juil. 1991 : *Shot et ses compagnons, trois setters irlandais roux et blanc* 1876, h/t (38,1x55,9) : **GBP 4 180** – New York, 5 juin 1992 : *Lairg, terrier à poil dur*, h/t (40,6x50,8) : **USD 5 500** – Montréal, 1er déc. 1992 : *Fitz* 1895, h/t (50,8x68,5) : **CAD 3 800** – New York, 4 juin 1993 : *Deux colleys surveillant la plaine*, h/t (59,7x51,4) : **USD 4 025** – Londres, 11 juin 1993 : *Relations distantes* 1895, h/t (71,1x112,1) : **GBP 18 400** – Londres, 25 mars 1994 : *Dans l'attente de la maîtresse* 1881, h/t (52,3x71,4) : **GBP 5 290** – New York, 3 juin 1994 : *En compagnie des amis* 1896, h/t (111,1x145,4) : **USD 10 350** – New York, 9 juin 1995 : *Dans l'attente du maître* 1897, h/t (71,1x91,4) : **USD 23 000** – Perth, 29 août 1995 : *Les Joies de la vie de plein air*, h/t, série de trois scènes (31x65) : **GBP 9 775** – Londres, 27 mars 1996 : *Chiens surveillant l'entrée d'un terrier* 1882, h/t (127x94) : **GBP 63 100** – Londres, 5 sep. 1996 : *Oies dans une cour de ferme*, h/t (25,5x30,5) : **GBP 1 955** ; *Poneys au bord d'une rivière* 1894, h/t (40,7x54) : **GBP 2 760** – New York, 11 avr. 1997 : *Arab maid, hunter bai avec deux chiens courants, Prompter et Bashful* 1905, h/t (45,7x61) : **USD 11 500** ; *Zulu* 1895, h/t (30,5x35,6) : **USD 6 325** ; *La Meute de New Forest* 1896, h/t (76,2x109,2) : **USD 55 200**.

EMMY Ludwig
Né à Feldkirch (Autriche). XXe siècle. Autrichien.
Peintre de genre.
Élève de V. Lehar. Cet artiste, qui travailla au Lichtenstein, exposait *Fenêtre en hiver* au Salon des Artistes Français de 1934.

EMOND Marie
XVIIIe siècle. Actif à Paris en 1770. Français.
Peintre.

EMOND Martin
Né en 1895. Mort en 1965. XXe siècle. Suédois.
Peintre de genre, paysages, architectures.
Ventes Publiques : Malmö, 2 mai 1977 : *Église de Vérone*, h/t (57x75) : **SEK 5 500** – Stockholm, 16 nov. 1985 : *Les poissonniers* 1942, h/pan. (89x120) : **SEK 7 600** – Stockholm, 6 juin 1988 : *Arbre fruitier fleuri*, h. (74x108) : **SEK 7 000** – Göteborg, 18 mai 1989 : *L'église de Sireköpinge*, h/t (45x60) : **SEK 7 700** – Stockholm, 6 déc. 1989 : *L'hiver en ville*, h/pan. (60x90) : **SEK 12 000**.

EMOND Pierre
Né en 1738 au Québec. Mort en 1808. XVIIIe siècle. Canadien.
Sculpteur.
Artisan autant que sculpteur, il a transformé en chapelle une des chambres du séminaire de Québec et il a sans doute sculpté une *Immaculée Conception* et un *Saint Joseph* qui en proviennent.

EMONGENDRE François
XVIIe siècle. Actif à Rome. Français.
Peintre.
On sait qu'il exécuta une copie de *l'Assemblée des Dieux* de Raphaël.

EMONT Adriaen Van. Voir **EEMONT**

EMORY Hopper
Né le 8 mai 1881 à Baltimore (Maryland). XXe siècle. Américain.
Peintre, illustrateur.
Il gravait à l'eau-forte. Il fut membre du Baltimore Charcoal.

EMOSAKU, de son vrai nom : **Yamada Emosaku**
Originaire de Nagasaki. XVIIe siècle. Japonais.
Peintre de sujets religieux.
Il était actif au début du XVIIe siècle. Peintre au service du seigneur Matsukura, il aurait étudié la peinture occidentale avec un missionnaire européen à Nagasaki. Arrêté par le gouvernement shôgunal dans la fameuse rébellion de Shimabara, en 1637-1638, il aurait par la suite vécu à Edo (actuelle Tokyo) jusqu'à sa mort. C'est sans doute l'un des premiers peintres japonais à avoir abordé, dans ses œuvres, des sujets chrétiens.

EMPAIN Joseph Jules
Né à Ath (Belgique). XXe siècle. Belge.
Peintre de portraits.
Élève de Portaels. Exposant du Salon des Artistes Français en 1934.

EMPERAIRE Achille
Né en 1829 à Aix-en-Provence. Mort en 1898. XIXe siècle. Français.
Peintre de nus, dessinateur.
Il fut l'un des modèles favoris de Cézanne et poursuivit en même temps une carrière de peintre. Il fut élève de Thomas Couture à Paris.
Admirateur inconditionnel du Titien, il ne sut s'ouvrir sur les techniques plus récentes. On trouve dans ses dessins de nus la plénitude des formes que l'on admire chez Renoir et Maillol. Ne parvenant pas toutefois à imposer un style personnel, il restera à peu près inconnu.
Bibliogr. : G. Schurr : *1820-1920, les petits maîtres de la peinture, valeur de demain*, Paris, les éditions de la Gazette, 1969 – J. Rewald : *Recherches sur l'Impressionnisme*, New York, 1985 – J. Reward : *Cézanne : Biographie*, New York, 1986.
Ventes Publiques : New York, 9 mai 1994 : *Femme nue assise*, sanguine/pap. (15,9x12,1) : **USD 3 105**.

EMPGIN Christian
XIVe siècle. Actif à Cologne de 1353 à 1380. Allemand.
Peintre.

EMPHINGER Franz
XIXe siècle. Actif à Gratz de 1860 à 1870. Autrichien.
Peintre et lithographe.
Il grava un grand nombre de paysages et de portraits.

EMPI Maurice
Né en 1932. XXe siècle. Français.
Peintre de paysages animés, marines, natures mortes, pastelliste, peintre à la gouache. Expressionniste.

En 1995, la Galerie 26 de Paris a montré une exposition personnelle de ses peintures.
Il peint des sujets divers, scènes nocturnes, de cafés, etc. toutefois on trouve dans l'ensemble de sa production la constante des sujets hippiques.

Ventes Publiques : Paris, 15 oct. 1987 : *L'arrivée des courses*, h/t (46x55) : **FRF 5 200** – Versailles, 17 avr. 1988 : *Paris, Notre-Dame et la Seine*, past. gras (35x32,5) : **FRF 2 600** – Paris, 8 juin 1988 : *Le vase noir*, h/t (61x46) : **FRF 6 000** – Calais, 3 juil. 1988 : *Le grand prix*, h/t (38x47) : **FRF 8 800** – Versailles, 25 sep. 1988 : *Nature morte au violon*, gche (48,5x63) : **FRF 2 800** – Paris, 18 nov. 1988 : *Le port*, h/t (45x55) : **FRF 5 500** – La Varenne-Saint-Hilaire, 21 mai 1989 : *Le paddock*, gche (48x63) : **FRF 8 000** – Le Touquet, 12 nov. 1989 : *Le paddock* 1961, h/t (46x65) : **FRF 13 000** – Paris, 24 jan. 1990 : *Paddock*, gche (47x62) : **FRF 6 000** – Reims, 26 avr. 1992 : *La place Clichy à Paris*, gche (49x64) : **FRF 6 000** – New York, 23 fév. 1994 : *Aux courses*, gche/pap. (50x65,5) : **USD 1 610** – Paris, 10 avr. 1996 : *Le champ de course*, h/t (73,5x100) : **FRF 7 300**.

EMPIS Catherine Edmée, Mme, née **Davesiès de Pontès**
Née en 1796 à Paris. Morte le 23 janvier 1879 à Bellevue. XIXe siècle. Française.
Peintre.
D'autres sources la font vivre de 1707 à 1774. Instruite par Watelet, elle commença à figurer au Salon en 1831, fut médaillée de deuxième classe, et continua à envoyer des ouvrages jusqu'en 1875 : des vues, des paysages et quelques tableaux d'histoire. Parmi ces derniers, on cite : *Marie de Médicis, se promenant sur les étangs de la forêt de Compiègne, pendant sa captivité, en 1631*. On a d'elle, au Musée d'Orléans : *Route de Clermont à Royat*, et au Palais de Compiègne : *Une forêt* et une *Vue du Tréport*.
Ventes Publiques : Paris, 21 fév. 1924 : *Vue prise sur la côte normande* : **FRF 90**.

EMPOLI, d'. Voir aux prénoms qui précèdent

EMPOLI Jacopo Chimenti da. Voir **CHIMENTI Jacopo**

EMPORIO Benedetto
XVIe siècle. Actif à Venise vers 1550. Grec.
Peintre.
L'iconostase de Saint-Georges-des-Grecs à Venise possède de cet artiste plusieurs tableaux, dont une *Cène*.

EMPTAGE Arthur
Né à New York. XXe siècle. Américain.
Peintre.
Exposant du Salon de la Société Nationale en 1933.

EMRICH C.
XVIIIe siècle. Allemand.
Peintre sur émail.
Le Musée de Munich possède de cet artiste deux petits portraits en miniature, du duc de Marlborough et de sa femme, datés de 1701.

EMRICH Harvey
Né le 9 octobre 1884 à Indianapolis (Indiana). XXe siècle. Américain.
Peintre.

EMSIO Giovanni Demostene ou **Eneci**
XVIe-XVIIe siècles. Actif à Rome de 1589 à 1601. Hollandais.
Peintre.
Membre de l'Académie Saint-Luc en 1594. On sait qu'il exécuta une *Crucifixion* pour un médecin de Saint-Paul-de-Varax (Ain) en 1589.

EMSLIE Alfred Edward
Né en 1848. Mort en 1918. XIXe-XXe siècles. Britannique.
Peintre de genre, portraits, aquarelliste.
Associé de la Royal Water-Colours Society, il travailla à Londres et exposa, à partir de 1867, à la Royal Academy, à Suffolk Street, à la Old Water-Colours Society, à la New Water-Colours Society et à Grosvenor Gallery. Il obtint une médaille de bronze à l'Exposition Universelle de Paris en 1889. Parmi les œuvres exposées, on cite : *La Mère et le Fils* ; *L'Arrivée des bateaux* ; *Enseignement obligatoire* ; *Le Japon et ses habitants*.
Musées : Londres (Corporation of London Art Gal.) : *Portrait de William Lawrence* – Manchester : *Portrait d'Henry Dunckley*.
Ventes Publiques : Londres, 23 avr. 1910 : *Mère et Enfant*, aquar. : **GBP 5** – Londres, 20 nov. 1973 : *Marins réparant une avarie* : **GBP 1 500** – Tokyo, 15 fév. 1980 : *Les deux sœurs* 1890, h/t (78,1x109,8) : **JPY 800 000** – Londres, 4 nov. 1983 : *Portrait de jeune fille*, h/t (40,5x30) : **GBP 850** – New York, 20 mai 1986 : *Chums* 1890, h/t (116,8x137,2) : **USD 3 400** – Londres, 26 sep. 1990 : *Théâtre de guignol*, h/t (56x76) : **GBP 1 980** – Londres, 12 mai 1993 : *La laitière* 1882, h/t (38x54,5) : **GBP 1 840** – Londres, 6 nov. 1995 : *La petite gardeuse d'oies* 1881, h/t (46x30,5) : **GBP 8 625**.

EMSLIE John
Né le 12 juillet 1813. Mort le 8 juin 1875. XIXe siècle. Actif à Londres. Britannique.
Graveur.
Élève de Th. Harwood. Il grava surtout des cartes géographiques, et des illustrations de livres.

EMSLIE John Philipp
Né le 21 mai 1839. Mort le 24 septembre 1913. XIXe-XXe siècles. Actif à Londres. Britannique.
Peintre de genre et graveur.
Fils de John Emslie, il exposa à partir de 1869 à la Royal Academy, à Suffolk Street et à Grosvenor Gallery. Le Victoria and Albert Museum conserve de lui un dessin, *La Taverne de Sir Paul Pindar*.

EMSLIE Rosalie M.
Née en 1891. XIXe-XXe siècles. Britannique.
Peintre de genre, figures, portraits, paysages animés.
Elle travailla à Londres, où elle exposa à la Royal Academy, à la New Water-Colours Society et au Salon de la Société Nationale de 1888 à 1912, avec des scènes de genre et des portraits. Elle avait épousé Alfred Edward Emslie. Elle peignit souvent des miniatures.
Ventes Publiques : Munich, 22 mai 1978 : *Jeune Fille dans un paysage*, h/t (40x29,5) : **GBP 160**.

EMSLIE W. R.
XIXe siècle. Actif à Londres. Britannique.
Graveur.
Frère de John Philipps Emslie, il contribua avec lui à l'illustration du journal *L'Architecte*.

EMSTER Tyman Van der, dit **Botterkull**
Hollandais.
Peintre.

EMTHUSEN Pieter Van
Originaire de Nimègue. Hollandais.
Sculpteur.
Il travailla à Hanovre et Herrenhausen.

EMY Henry
XIXe siècle. Actif à Paris. Français.
Dessinateur et lithographe.
Il illustra de nombreux ouvrages, parmi lesquels les *Contes de Boccace* ; *La grande ville, nouveau tableau de Paris* ; *Les Français peints par eux-mêmes* ; *Paris l'Été* ; *Folies théâtrales* ; *Choses du Jour*.

EMY Joséphine
XIXe siècle. Français.
Peintre.
Exposa quelques portraits au Salon de Paris, en 1847 et 1848.

ENARD Fernand
Né à Croissy-Beaubourg (Seine-et-Marne). XXe siècle. Français.
Peintre de paysages.
Il exposa à Paris au Salon des Artistes Français en 1938.

ENARD Raymond
Né à Létricourt (Meurthe-et-Moselle). XXe siècle. Français.
Peintre.
Il fut élève de P. Renouard et L. Roger. Il exposa, à Paris, au Salon des Artistes Français ; il y a été représenté par des vues d'églises, des paysages de Savoie.

ENARD René
Né en 1926 au Mans (Sarthe). XXe siècle. Français.
Peintre. Abstrait-néo-plasticiste.
Venu à Paris, en 1944, il fut élève de l'École des Beaux-Arts, puis travailla dans les Académies d'André Lhote et de Fernand

Léger. Il subit surtout l'influence de Herbin, à partir de 1950. Il figura, à Paris, au Salon des Réalités Nouvelles de 1952 à 1957. Il fit une exposition particulière à Paris en 1952.
Bibliogr. : Michel Seuphor : *Dict. de la peinture abstraite*, Hazan, Paris, 1957.

ENAUD Zoé
Née à Paris. XIXe siècle. Française.
Sculpteur.
Élève de M. A. Charpentier. Elle exposa un médaillon en 1880, et un bas-relief en 1882.

ENAULT Alix Louise, Mme
Née à Paris. Morte en 1913 à Paris. XXe siècle. Française.
Peintre de genre.
Elle étudia avec A. Tissier et F. Willems. En 1876, elle débuta au Salon avec : *L'invocation de la mariée*. Sociétaire des Artistes Français depuis 1885, elle obtint une mention honorable en 1887 et une médaille de bronze à l'Exposition Universelle de 1889.

Alix Enault

Ventes Publiques : Paris, 1883 : *L'Étude* : **FRF 330** ; *Rêverie* : **FRF 460** ; *La première prière* : **FRF 810** ; *Fleur de terre* : **FRF 1 300** ; *La visite à la convalescente* : **FRF 610** ; *Peine de cœur* : **FRF 780** – Paris, 1884 : *A la fontaine* : **FRF 115** ; *La Guirlande* : **FRF 260** – Paris, 1891 : *Le Matin* : **FRF 52.**

ENAULT François
Né à Varenguebecq (Manche). Mort le 24 novembre 1918 à Paris. XXe siècle. Français.
Peintre de compositions à personnages.
Il exposait au Salon d'Automne où figura encore au lendemain de sa mort, en 1919 : *Moisson à Épinay-sur-Orge*.
Ventes Publiques : Paris, 27 fév. 1996 : *Retour à la ferme*, h/t (46x60) : **FRF 4 100.**

ENAULT Gilles
XVIIIe siècle. Actif à Caen. Français.
Peintre.
Il travailla de 1724 à 1735 pour l'église Saint-Gilles à Caen, et probablement aussi à Vire en 1691.

ENAULT Napoléon
XIXe siècle. Français.
Peintre.
En 1865, il figura au Salon de Paris avec deux portraits. Il avait été l'élève de L. Cogniet.

ENCHAURREN. Voir **MATTA**

ENCHUS Jan Nicolas. Voir **NICOLAS Jan**

ENCINAS Alejo de
XVIe siècle. Travaillant à Valladolid en 1532. Espagnol.
Peintre.
A cette date, il peignit un important retable sur la commande que lui en fit Alonzo de Argüello ; c'était un peintre estimé. Il semble avoir travaillé pour la cathédrale de Tolède en 1564.

ENCKE Erdmann
Né en 1843 à Berlin. Mort en 1896 à Neu-Babelsberg. XIXe siècle. Allemand.
Sculpteur.
Élève de A. Wolff et de l'Académie de Berlin, il se rattache par sa technique à l'École de Rauch. On cite de lui, entre autres œuvres, une *Statue de Frédéric le Grand*, à l'Arsenal de Berlin, et la *Statue du Grand Électeur*, à l'Hôtel de Ville de Berlin. On lui doit également le sarcophage de Guillaume Ier et de l'impératrice Augusta, au Mausolée de Charlottenbourg, et de nombreux monuments à Goethe, Luther, Lessing.
Musées : Berlin (Gal. Nat.) : *La Princesse Elisabeth instruisant son fils Joachim.*

ENCKE Fedor
Né le 13 novembre 1851 à Berlin. XIXe siècle. Allemand.
Peintre de genre, portraits.
Frère de Erdmann Encke, il fut élève du professeur Karl Gussow. Il compléta ses études à Rome et à Paris, et se fixa à Berlin. En 1887, il obtint une mention honorable de l'Académie de Berlin. Il a exposé à Berlin et Dresde à partir de 1887.
On cite de lui : *Dolce farniente ; Portrait de Robert Hausmann ; Au Ghetto de Rome ; Portrait de Fritz Werner.*
Musées : New York (Brooklyn Inst.) : *Portrait du Général J.-B. Woodword.*
Ventes Publiques : New York, 23 fév. 1989 : *Deux sœurs* 1877, h/t (146,8x86,6) : **USD 10 450** – Munich, 29 nov. 1989 : *Portrait de Martha Liebermann* 1888, h/t (128x89) : **DEM 5 500.**

ENCKELL Knut Magnus
Né le 9 novembre 1870 à Frederickshamn (ou Fredrickshamm). Mort en 1925. XXe siècle. Finlandais.
Peintre de compositions à personnages, paysages, portraits, peintre de cartons de vitraux.
Il obtint une médaille d'argent à l'Exposition universelle de 1900. Parmi ses œuvres connues : *Gethsémani* (1921) – *La Résurrection des morts* (1907 Église de Tommersfors) – *Diane et Endymion* (1921). Il réalisa les vitraux de l'église de Björneborg.
Sa peinture frise parfois l'art monumental. Son style se caractérise toutefois par la simplicité, la qualité de son dessin et le maniement des couleurs.
Bibliogr. : In : *Dictionnaire universel de la peinture*, Le Robert, Paris, 1975.
Musées : Helsinki : *L'Annonciation*, copie d'après Léonard de Vinci – *L'expulsion du Paradis*, copie d'après Masaccio – *Le concert – Imagination* – Saint-Pétersbourg : *Le pilote.*
Ventes Publiques : Paris, 22 juin 1945 : *Portrait de Suzanne Després* 1915 : **FRF 1 000.**

ENCKELL M.
XXe siècle. Français.
Peintre.
Il fut sociétaire du Salon d'Automne de Paris en 1919 et membre du jury en 1920.

END Christof
XVIIe siècle. Allemand.
Peintre de plantes.

ENDARA CROW Gonzalo
Né en 1936. XXe siècle. Équatorien.
Peintre de scènes animées.
Ventes Publiques : New York, 19 nov. 1987 : *Town with the smell of everything* 1987, h/t (80x120,6) : **USD 13 000** – New York, 17 mai 1988 : *Ici, ils vivront toujours* 1987, acryl./t. (120x80) : **USD 14 300** – New York, 21 nov. 1988 : *Ainsi apparurent-ils*, acryl./t. (100x140) : **USD 13 200** ; *Pour cette raison ils seront connus* 1987, acryl./t. (80x120) : **USD 9 900** – New York, 20 nov. 1989 : *Sans titre* 1988, acryl./t. (80x90) : **USD 11 000** – New York, 21 nov. 1989 : *Célébration dans les Andes* 1988, acryl./t. (80x90) : **USD 13 200** – New York, 2 mai 1990 : *En vérité ils sont de là* 1988, acryl./t. (80x120) : **USD 18 700** – New York, 20-21 nov. 1990 : *Sans titre* 1987, acryl./t. (80x90) : **USD 24 200** – New York, 20 nov. 1991 : *Avec la splendeur de l'aurore* 1987, acryl./t. (80,3x90,2) : **USD 18 700** – New York, 18-19 mai 1992 : *Sans titre* 1988, acryl./t. (80x120) : **USD 14 300** – New York, 21 nov. 1995 : *Il sortit dans la nuit* 1994, acryl./t. (69,2x98,7) : **USD 5 175.**

ENDE. Voir aussi **ENDEN** et **EYNDE**

ENDE Andreas ou **Endte**
Né à Troppau en Silésie. Mort le 28 juillet 1737 à Vienne. XVIIIe siècle. Actif à Vienne. Autrichien.
Sculpteur.

ENDE Anton I ou **Endte**
Mort en 1715 à Bruck. XVIIIe siècle. Actif à Vienne. Autrichien.
Sculpteur.

ENDE Anton II ou **Endte**
XVIIIe siècle. Actif à Vienne. Autrichien.
Sculpteur.
Il était le fils de Ferdinand Ende, et fut inscrit à l'Académie de Vienne en 1737.

ENDE Anton III ou **Endte**
Né en 1731. Mort le 7 février 1782. XVIIIe siècle. Actif à Vienne. Autrichien.
Sculpteur.
Il était le second fils de Franz Ende.

ENDE Carl Theodor ou **Am Ende**
Né en 1752. Mort le 11 juillet 1788. XVIIIe siècle. Actif à Buzlau. Allemand.
Sculpteur.

ENDE Edgar
Né en 1901 à Altona (Hambourg). Mort en 1965 à Munich (Bavière). XXe siècle. Allemand.

Peintre de compositions à personnages, dessinateur, peintre à la gouache. Surréaliste.
Il a étudié à l'Académie des Beaux-Arts de Hambourg et, dès 1921, fait sa première exposition à Berlin. Sous le régime nazi, sa peinture fut assimilée à l'ensemble de « l'art dégénéré », et il lui fut interdit de peindre et de se manifester. En 1988, une exposition rétrospective de son œuvre a circulé dans les musées ou lieux institutionnels de Munich, Hambourg, Mannheim, Wuppertal.
Bien qu'ayant travaillé en solitaire, on le rattache au mouvement surréaliste. Marcel Brion dit de lui que : « pénétré d'une poésie rêveuse et mélancolique, il décrit un monde de désolation, après le passage des grandes catastrophes ». Certains esprits attentifs aux rencontres verbales auraient pu relever que son nom signifie en allemand la « fin ». Ses agrégats d'humains angoissés, atterrés, peuvent rappeler ceux des naufragés du *Radeau de la Méduse*.

E ENDE

Bibliogr. : José Pierre : *Le Surréalisme*, in : *Histoire générale de la peinture*, t. XXI, Rencontre, Lausanne, 1966 – divers : Catalogue de l'exposition circulante *Edgar Ende*, Weitbrecht, Stuttgart, 1988.
Ventes Publiques : Munich, 28 mai 1973 : *La peur des montagnes* : **DEM 4 500** – Munich, 26 nov. 1979 : *Trois voyageurs* 1933, h/t (70x90) : **DEM 4 000** – Munich, 27 nov. 1980 : *Composition* 1951, gche (49,5x65) : **DEM 3 000** – Hambourg, 4 déc. 1986 : *Couple et chien dans un paysage* 1925, h/t (41x54) : **DEM 10 000** – Munich, 3 juin 1987 : *Die Rosse des Helios* 1964, gche (51x64) : **DEM 4 800** – Munich, 26 oct. 1988 : *Jour de la Résurrection* 1931, h/t (71x91) : **DEM 24 200** – Londres, 28 juin 1989 : *L'éruption* 1933, h/t (70,5x91) : **GBP 14 300.**

ENDE Felix von, freiherr
Né le 4 avril 1856 à Breslau. XIXe siècle. Allemand.
Peintre de genre, paysages.
Il fut élève des Académies de Düsseldorf et de Munich. Il se fixa à Munich. Il a exposé à Berlin, Munich et Dresde, à partir de 1886.
On cite de lui : *Un matin de printemps* ; *Rêverie* ; *Avant la Messe* ; *Automne* ; *Dans le cloître*.
Ventes Publiques : Londres, 15 juin 1979 : *L'Amoureux*, h/t (66x99,1) : **GBP 2 000** – Londres, 26 nov. 1980 : *Le Galant Entretien*, h/t (66x99) : **GBP 4 600.**

ENDE Ferdinand ou **Endte**
Né en 1681. Mort le 20 novembre 1731. XVIIIe siècle. Actif à Vienne. Autrichien.
Sculpteur.

ENDE Franz ou **Endte**
Né en 1701 à Balwitz en Silésie. Mort le 29 octobre 1768 à Vienne. XVIIIe siècle. Actif à Vienne. Autrichien.
Sculpteur.

ENDE Hans ou **Hans Am**
Né le 31 décembre 1864 à Trèves (Rhénanie-Westphalie). Mort en 1918. XIXe-XXe siècles. Allemand.
Peintre de paysages, graveur.
En 1884, il fréquenta l'Académie de Munich. Il apprit la gravure chez Raab. En 1886, il fit de la peinture sous la direction de Ferdinand Keller à Karlsruhe. En 1887, il retourna à Munich et s'établit l'année suivante, avec Mackensen et Modersohn, à Worpswede. Il fit partie de l'exposition *Les Artistes de Worpswede (1889-1935)* organisée par le Musée Départemental du Prieuré (Saint-Germain-en-Laye) en 1991.
Les paysages d'Ende sont de facture lourde et grasse.
Musées : Brême : *Bois de Bouleaux* – Brunswick : *Marais* – Chemnitz : *Paysage* – Mannheim : *Mois de mai* – Munich : *Matin d'automne* – Weimar : *Première neige*.
Ventes Publiques : Brême, 3 juin 1978 : *Paysage d'automne*, h/t (61x89) : **DEM 18 000** – Brême, 28 mars 1981 : *Paysage au ciel nuageux*, h/t (69,5x90) : **DEM 44 000** – Cologne, 7 déc. 1984 : *Paysage orageux*, h/cart. (45x63) : **DEM 17 000** – Brême, 20 avr. 1985 : *Paysage aux bouleaux*, h/cart. (48x36) : **DEM 24 000.**

ENDE Jan Van den
XVIIIe siècle. Hollandais.
Peintre de portraits, paysages, paysages portuaires, dessinateur.
Il fut élève de l'Académie « Van de Teycken-Const ». Ce peintre fit, en 1791, le portrait à l'huile d'une Mme Alewijn.

ENDE Johann ou **Endte**
Né en 1730. Mort le 5 septembre 1797. XVIIIe siècle. Actif à Vienne. Autrichien.
Sculpteur.
Fils de Franz Ende, il entra à l'Académie de Vienne en 1749.

ENDE Johann Georg
XVIIe siècle. Actif à Berlin vers 1690. Allemand.
Peintre de portraits.

ENDE Johann Georg ou **Endte**
Né vers 1680. XVIIIe siècle. Actif à Vienne. Autrichien.
Sculpteur.

ENDE Johann Georg
XVIIIe siècle. Actif à Neustadt en 1707. Autrichien.
Sculpteur sur bois.
Il est probablement identique au sculpteur du même nom, né vers 1680.

ENDE Joseph ou **Endte**
Né vers 1755. Mort le 14 juin 1799. XVIIIe siècle. Actif à Vienne. Autrichien.
Sculpteur.

ENDE Simon ou **Endte**
Né en 1745. Mort le 19 juillet 1790. XVIIIe siècle. Actif à Vienne. Autrichien.
Sculpteur.
Il était le plus jeune fils de Franz Ende.

ENDECE Giovanni Antonio
XVIe siècle. Actif à Naples en 1531. Italien.
Peintre.
Il travailla avec Giovanni Paolo de Lupo pour une église de Naples.

ENDELL Fritz
Né le 2 novembre 1873 à Sttetin (Szczecin en Pologne). XXe siècle. Allemand.
Graveur, illustrateur.
Il était le fils de Karl Friedrich Endell. Il vint à Munich en 1895 et dessina sous la direction de différents artistes dont Lenbach. En 1898, il entra aux Académies Colarossi et Julian à Paris, puis il travailla à Stuttgart de 1902 à 1907, comme élève de l'École des Beaux-Arts avec Max Weber et comme élève de la Chambre des Maîtres avec Kalckreuth et Hölzel. Il illustra des livres pour les éditeurs Grote à Berlin, et Voigtlander à Leipzig, ainsi que pour *Par terre et par mer*. On cite encore un *Livre pour enfants* et une série de gravures *Mort et Consolation*. Il fut aussi écrivain.
De par son style « en volutes », il joua un rôle important dans l'époque *Jugendstill*, préparant paradoxalement le voie du Bauhaus. Il gravait sur bois et à l'eau-forte. ■ J. B.

ENDEN. Voir aussi **ENDE** et **EYNDEN**

ENDEN Josua Van den
Né vers 1584. Mort après 1634 probablement à Amsterdam. XVIIe siècle. Hollandais.
Graveur.

ENDEN Martinus Van den I ou **Eyden**
XVIIe siècle. Actif à Anvers. Éc. flamande.
Graveur et éditeur.
Dans la gilde à Anvers en 1630.

M. V. E.

ENDEN Martinus Van den II ou **Eyden**
Mort vers 1674. XVIIe siècle. Actif à Anvers. Éc. flamande.
Graveur et éditeur.
Fils de Martinus I Van den Enden, cet artiste grava en 1669 un portrait en pied du roi Charles II d'Espagne enfant ; on connaît également quinze *Scènes de la vie de Saint Ignace de Loyola* signées de son nom.

ENDER Axel Hjalmar
Né le 14 septembre 1853 à Asker (près d'Oslo). Mort en 1920. XIXe siècle. Norvégien.
Peintre de compositions religieuses, scènes de genre, paysages animés, sculpteur de statues.
Il fut élève de l'École des Beaux-Arts et de l'École des Arts et Métiers de Christiania, ainsi que de l'École de peinture de J. F. Eckersberg. Il étudia aussi à l'Académie de Stockholm, grâce à l'appui du roi, et enfin à Munich. Il exposa à Oslo, à l'Association des Artistes, de 1872 à 1889. Il fit des tableaux religieux dont un retable pour l'église de Molde.

Il s'inspire pour ses peintures de genre de sujets nationaux.
Musées : Oslo (place P. W. Tordenskjold) : *P. W. Tordenskjold*, statue – Oslo (Mus. des Arts) : une statuette – Oslo (Gal. de Bergen) : un tableau.
Ventes Publiques : Londres, 19 jan. 1923 : *Le baiser volé* : **GBP 10** – Londres, 22 nov. 1978 : *La Lettre d'amour*, h/t (40,5x34) : **GBP 1 400** – Copenhague, 2 nov. 1982 : *Jeune paysanne dans un champ*, h/t (65x46) : **DKK 30 000** – Brême, 22 oct. 1983 : *Scène rustique dans un paysage montagneux de Norvège*, h/t (44,5x67) : **DEM 11 200** – Londres, 7 fév. 1986 : *La partie de luge*, h/t (66x45) : **GBP 6 000** – Londres, 24 mars 1988 : *Le fenaison*, h/t (85x58) : **GBP 7 700** ; *Partie de Chasse*, h/t (73x53) : **GBP 11 550** – Stockholm, 29 avr. 1988 : *Vue depuis le Geiranger*, h/t (35x52) : **SEK 15 500** – New York, 23 fév. 1989 : *La luge*, h/pan. (28,8x22,7) : **USD 24 200** – Londres, 16 mars 1989 : *En haut de la montagne* 1911, h/t (127x94) : **GBP 10 450** – Londres, 17 mai 1991 : *La partie de chasse* 1911, h/t (73x53) : **GBP 3 080** – Londres, 22 mai 1992 : *Promenade dans les Fjords*, h/t/pan. (60,4x40) : **GBP 2 640** – Londres, 17 juin 1992 : *Ski en Norvège*, h/t (54x86) : **GBP 8 250** – Stockholm, 10-12 mai 1993 : *Paysage d'hiver avec des skieurs et un lac entouré de montagnes au fond*, h/t (50x65) : **SEK 51 000** – Londres, 15 nov. 1995 : *Luges sur la neige en Norvège*, h/t (54x78) : **GBP 9 200**.

ENDER Boris
Né en 1893. Mort en 1960. xxe siècle. Russe.
Peintre, peintre de collages. Postcubiste, tendance abstraite.
Il étudia dans l'atelier de Matiushin et travailla avec le groupe *Zorved* (Voir-Savoir), auquel appartenaient également trois autres membres de la famille Ender, Maria, Xénia et Luri. De 1923 à 1926 il fit des recherches à l'INKHUK (Institut de culture artistique), mis en place après la Révolution d'Octobre et animé par les artistes d'avant-garde de l'époque, constructivistes et expressionnistes, dans la section dirigée par Matiushin, développant avec celui-ci une étude de la couleur : la théorie de « la vision supérieure », qu'ils projetaient d'analyser dans un ouvrage collectif de plusieurs volumes, et qui fut finalement rédigé par Matiushin.
Des membres de la famille Ender, Boris et Xénia se distinguèrent particulièrement par l'application de leurs réflexions sur la couleur dans des collages qui peuvent présager de ceux que Matisse réalisa dans ses dernières années.
Ventes Publiques : Munich, 27 nov. 1980 : *Nature morte (Odessa)* 1927, aquar. (22x28,5) : **DEM 4 400**.

ENDER Caspar
Mort en juin 1615. xviie siècle. Actif à Gorlitz. Allemand.
Peintre.

ENDER Eduard
Né le 3 mars 1822 à Rome. Mort le 28 décembre 1883 à Londres. xixe siècle. Autrichien.
Peintre d'histoire, scènes de genre, portraits, intérieurs, natures mortes, aquarelliste, dessinateur.
Il fut élève à l'Académie des Beaux-Arts à Vienne, puis sous la direction de son père, le professeur Johann Ender. Il finit ses études à Paris. Ensuite il retourna à Vienne où il devint président du cercle d'artistes L'Union. Il travailla à Vienne, à Paris et à Londres.

Edouard Ender

Musées : Tours : *Nature morte* – Vienne : *Scène d'intérieur* – *Portrait de l'artiste*.
Ventes Publiques : Vienne, 19 sep. 1972 : *La Conversation galante* : **ATS 55 000** – New York, 11 fév. 1981 : *La Favorite* 1851, h/pan. (39,5x31) : **USD 7 000** – Vienne, 12 sep. 1984 : *L'Actrice Julie Rettig en robe de dentelle* 1844, aquar. et cr. (24x18) : **ATS 14 000** – New York, 22 mai 1985 : *La Favorite du Pacha* 1851, h/pan. (39,5x31) : **USD 14 000** – Londres, 15 fév. 1991 : *L'Héritage* 1851, h/pan. (55,3x44,4) : **GBP 3 850** – Londres, 9 oct. 1996 : *Portrait d'une femme assise* 1853, h/t, de forme ovale (142,9x111,4) : **GBP 19 550**.

ENDER Johann Nepomuk
Né le 4 novembre 1793 à Vienne. Mort le 16 mars 1854 à Vienne. xixe siècle. Autrichien.
Peintre d'histoire, compositions religieuses, portraits, aquarelliste.
Frère jumeau de Thomas Ender. En 1829, il fut nommé professeur de l'Académie de sa ville natale.
Il est connu avant tout pour ses peintures à l'huile et ses aquarelles.
Musées : Budapest : *Civilisation hongroise* – Vienne (Acad.) : *Portrait du prince Metternich* – Vienne (Dobersberg) : *Portrait de la comtesse Wallmoden* – *Portrait de l'archiduc Charles et de sa famille* – Vienne (Esterhazy) : *Marc-Aurèle sur son lit de mort* – Vienne (Gal.) : *Une Madone avec l'Enfant Jésus*.
Ventes Publiques : Vienne, 28 mai 1963 : *Portrait de Charlotte-Johanne, duchesse Kinsky* : **ATS 20 000** – Vienne, 20 sep. 1977 : *L'Impératrice Maria Ludovika, née Princesse de Modène*, h/pan. (24x18,5) : **ATS 45 000** – Londres, 30 mars 1982 : *Portrait de Herr Tain* 1822, aquar. et cr. (19x15,4) : **GBP 3 800** – Vienne, 23 fév. 1989 : *Portrait de la duchesse Auersperg*, h/pan. (52,9x41,9) : **ATS 341 000** – Amsterdam, 19 oct. 1993 : *Portrait d'une élégante jeune femme vêtue d'une robe de soie blanche et d'un chapeau à rubans bleus*, h./ivoire (14,5x10) : **NLG 2 530** – Londres, 11 avr. 1995 : *Les deux sœurs* 1846, h/t (120,5x90) : **GBP 4 025**.

ENDER Luri
Né en 1898. Mort en 1963. xxe siècle. Russe.
Peintre. Postcubiste, tendance abstraite.
Il étudia dans l'atelier de Matiushin et travailla avec le groupe *Zorved* (Voir-Savoir), auquel appartenaient également trois autres membres de la famille Ender, Maria, Xénia et Boris. De 1923 à 1926, il fit des recherches à l'INKHUK (Institut de culture artistique), mis en place après la Révolution d'Octobre et animé par les artistes d'avant-garde de l'époque, constructivistes et expressionnistes, dans la section dirigée par Matiushin, développant avec celui-ci une étude de la couleur : la théorie de « la vision supérieure », qu'ils projetaient d'analyser dans un ouvrage de plusieurs volumes, finalement rédigé par Matiushin.

ENDER Maria
Née en 1897. Morte en 1943. xxe siècle. Russe.
Peintre. Postcubiste, tendance abstraite.
Elle étudia dans l'atelier de Matiushin et travailla avec le groupe *Zorved* (Voir-Savoir), auquel appartenaient également trois autres membres de la famille Ender, Xénia, Boris et Luri. De 1923 à 1926 elle fit des recherches à l'INKHUK (Institut de culture artistique), mis en place après la Révolution d'Octobre et animé par les artistes d'avant-garde de l'époque, constructivistes et expressionnistes, dans la section dirigée par Matiushin, développant avec celui-ci une étude de la couleur : la théorie de « la vision supérieure », qu'ils projetaient d'analyser dans un ouvrage de plusieurs volumes, finalement rédigé par Matiushin.

ENDER Thomas
Né le 4 novembre 1793 à Vienne. Mort le 28 septembre 1875 à Vienne. xixe siècle. Autrichien.
Peintre de paysages, aquarelliste, graveur, dessinateur.
Frère jumeau de Johann-Nepomuk E. Dès l'âge de douze ans, il travailla à l'Académie de Vienne, où il remporta le grand prix de peinture en 1816. En 1836, il fut nommé membre et plus tard professeur de paysages à l'Académie. Grâce à l'appui de l'archiduc Jean et du prince de Metternich, il accompagna, en 1817, une expédition scientifique envoyée au Brésil par l'Autriche, ce qui lui fournit l'occasion de faire d'amples provisions d'études. Il en rapporta sept cents dessins.
Musées : Berlin (Gal. Nat.) : *Chapelle italienne au milieu des bois* – Vienne : Aquarelles, dessins – Vienne (Acad.) : *Vue de Rio de Janeiro* – Vienne (Kunstverein) : *Vue d'Amalfi* – Vienne (Persenberg) : *Vue du château de Persenberg*.
Ventes Publiques : Paris, 1823 : *Vue du château de Guttenstein*, gche : **FRF 35** ; *Vue du château de Stüxenstein*, pl. et pinceau coul. : **FRF 12** ; *Vue de Misenbach*, gche : **FRF 27** ; *Vue de Guttenstein*, dess. gche : **FRF 35** – Paris, 8 déc. 1924 : *Paysage d'Italie avec ruines*, gche : **FRF 160** – Paris, 25 nov. 1946 : *Paysage*, aquar. : **FRF 900** – Lucerne, 7 déc. 1963 : *Vue de Nussdorf-bei-Wein* : **CHF 3 600** – Vienne, 12 mars 1974 : *La Malle-poste dans un paysage du Tyrol* : **ATS 70 000** – Vienne, 3 déc. 1974 : *Paysage du Tyrol*, aquar. : **ATS 38 000** – Vienne, 15 mars 1977 : *Vue d'un village*, aquar. (18x26) : **ATS 50 000** – Vienne, 14 mars 1978 : *Vue du Grossglockner*, h/t (40,5x56) : **ATS 250 000** – Vienne, 19 sep. 1978 : *Paysage alpestre*, aquar. (34x50) : **ATS 25 000** – Munich, 30 mai 1979 : *Vue d'une ville du Tyrol*, aquar. (26,5x47,5) : **DEM 4 600** – Vienne, 17 mars 1980 : *Vue d'un village de montagne*, aquar. (28x42,5) : **ATS 55 000** – New York, 23 fév. 1983 : *Hallstadt près d'Ischl, Autriche* 1831, aquar. et cr. (33x21,6) : **USD 3 400** – Vienne, 21 mars 1985 : *Chèvres dans un paysage*

montagneux, aquar. (25,5x37) : **ATS 38 000** – VIENNE, 20 mai 1987 : *Bad Gastein* 1838, h/t (78x58) : **ATS 320 000** – VIENNE, 15 oct. 1987 : *Vue de Pallanza au bord du lac Majeur*, aquar. (37x56,8) : **ATS 60 000** – LONDRES, 26 fév. 1988 : *Déchargement de bateaux sur la côte napolitaine avec le Vésuve au fond*, h/t (39x55) : **GBP 4 400** – PARIS, 3 avr. 1988 : *Vue de la Marcellina ; Vue du Palais Papal de Castelgondolfo*, deux aquar. (16x22,5 et 20,2x25,5) : **FRF 8 500** – VIENNE, 23 fév. 1989 : *Le pont de la Madeleine près de Lucca*, aquar./pap. (11x17,5) : **ATS 60 500** – PARIS, 7 mars 1989 : *Amalfi vue d'une grotte*, aquar. (29x37) : **FRF 50 000** – LONDRES, 19 juin 1991 : *Personnages dans la galerie des Offices à Florence*, aquar. (16,5x23) : **GBP 2 200** – MUNICH, 10 déc. 1992 : *La Vallée de Lauterbrunnen avec la Jungfrau au fond*, cr. et aquar./pap. (33,1x48,4) : **DEM 7 910** – NEW YORK, 20 jan. 1993 : *Vue de Mellau*, aquar./pap. (54,6x34,9) : **USD 8 338** – MUNICH, 22 juin 1993 : *Halte près d'une chapelle sur un chemin rocheux menant à un village*, h/t (79x66) : **DEM 17 250** – MUNICH, 7 déc. 1993 : *Florence vue de San Miniato*, aquar. et encre/pap. (21,5x35) : **DEM 14 950** – LONDRES, 16 nov. 1994 : *Vue d'une forteresse en Europe de l'Est ; Panorama tyrolien*, aquar., une paire (chaque 95x15) : **GBP 3 450** – VIENNE, 29-30 oct. 1996 : *Sorrente*, h/t (75x106) : **ATS 993 000** – MUNICH, 25 juin 1996 : *Vue sur les ruines du Rauhenstein*, aquar./pap. (21x32) : **DEM 9 600** ; *Panorama de Vienne*, aquar./pap. (20,5x32) : **DEM 19 200** – MUNICH, 23 juin 1997 : *Vue de la résidence de Son Altesse Impériale Johann à Wildbad Gastein*, aquar. et encre de Chine/pap. (19x29) : **DEM 33 600**.

ENDER Xénia Vladimirovna ou **Ksenia**

Née en 1895 à Saint-Pétersbourg. Morte en 1955 à Léningrad (Saint-Pétersbourg). XXe siècle. Russe.

Peintre. Postcubiste, tendance abstraite.

Elle fut élève de l'Académie *Svamag* de Pétrograd en 1922 puis étudia dans l'atelier de Matiushin et travailla avec le groupe *Zorved* (Voir-Savoir) auquel appartenaient également son frère Boris ainsi que deux autres membres de la famille Ender, Maria et Luri. De 1923 à 1926 elle fit des recherches à l'INKHUK (Institut de culture artistique), mis en place après la Révolution d'Octobre et animé par les artistes d'avant-garde de l'époque, constructivistes et expressionnistes, dans la section dirigée par Matiushin, développant avec celui-ci, Boris, Maria et Luri Ender, une étude de la couleur : la théorie de « la vision supérieure », qu'ils projetaient d'analyser dans un ouvrage collectif de plusieurs volumes, et qui fut finalement rédigé par Matiushin. En 1923, elle participa à l'exposition *Les Artistes peintres de Petrograd de toutes tendances*, puis devint membre de la section de Léningrad (toujours la même ville : Saint-Pétersbourg, Pétrograd, puis Léningrad). En 1924, elle fit partie de la sélection russe à la XIVe Biennale de Venise.

Son activité artistique était donc reconnue par les instances officielles, bien que se rattachant à un courant issu du cubisme, et plus particulièrement de l'orphisme de Delaunay. Des membres de la famille Ender, Boris et Xénia se distinguèrent particulièrement par l'application de leurs réflexions sur la couleur dans des collages qui peuvent présager de ceux que Matisse réalisa dans ses dernières années. ■ J. B., C. D.

VENTES PUBLIQUES : MOSCOU, 7 juil. 1988 : *Sans titre*, aquar./pap. (22x30,5) : **GBP 4 950** – LONDRES, 6 avr. 1989 : *Composition*, collage (25x35,4) : **GBP 11 000** – LONDRES, 23 mai 1990 : *Composition*, h/pap. (53,5x47,5) : **GBP 16 500**.

ENDERBY Samuel G.

XIXe-XXe siècles. Britannique.

Peintre.

Il travailla à Londres où il figura de 1886 à 1908 à la Royal Academy avec des portraits et des scènes de genre.

ENDERLE Anton

XVIIIe siècle. Actif à Günsbourg (Bavière). Allemand.

Peintre d'histoire.

On cite de lui les peintures du plafond de l'église Notre-Dame à Günzbourg, les fresques de l'église paroissiale de Tapfheim (Bavière), celle de l'Église du Pèlerinage de Mindelaltheim, ainsi que les peintures de l'église paroissiale de Waldkirch.

ENDERLE Johann Baptist

Né le 15 juin 1725 à Soflingen-Ulm. Mort en 1798 à Donauworth (Souabe). XVIIIe siècle. Allemand.

Peintre de compositions religieuses, peintre de compositions murales, dessinateur.

Il était le cousin d'Anton Enderle. Parmi ses tableaux d'autel peints sur toile on cite ceux de Welden et de l'église des Capucins à Donauwörth.

Il fut un artiste très productif et a exécuté dans de nombreuses églises de Souabe des peintures de plafond et des peintures murales, influencées de Tiepolo.

MUSÉES : HERBERTSHOFEN (église) – HOHENSTADT (église) : *Chemin de croix* – HOHENSTADT (coll. de l'Altertumverein) : quatorze dessins – KETTERSCHWANG (église) – KIRCHDORF (église) – MAYENCE (église Saint-Ignace) : *Scènes de la vie de saint Ignace* – OBERNDORF (église des Augustins) : *Naissance du Christ* – *Crucifixion* – *Prophètes* – *Apôtres* – *Saints* – SCHEPPACH (église du Pèlerinage de Tous-les-Saints) – SCHWABMÜHLHAUSEN (église).

VENTES PUBLIQUES : LONDRES, 11 déc. 1992 : *Le Baptême du Christ*, h/t (39,7x25,5) : **GBP 2 420**.

ENDERLEIN Ewald Max Karl

Né le 9 mai 1872 à Leipzig (Saxe). XXe siècle. Allemand.

Peintre, lithographe, illustrateur.

Il fut élève de l'Académie de Dresde, figura à partir de 1904 dans de nombreuses expositions à Dresde, Düsseldorf et Leipzig. Pour les éditeurs Schreiber-Esslingen, il illustra un livre d'images *Géants et Nains*.

MUSÉES : DRESDE : *Paysage* – DRESDE (Kunstgenossenschaft) : *Prairie*.

ENDERLEIN Jacob

Originaire d'Isny en Souabe. XVIIe siècle. Allemand.

Graveur.

Son nom est inscrit sur des dessins gravés représentant des vues de monuments dans le livre *Roma Regina Mundi*.

ENDERLEIN Peter

XVIIe siècle. Actif en 1650 à Nuremberg. Éc. bavaroise.

Sculpteur.

ENDERLIN Joseph Louis ou **Louis Joseph**

Né en 1851 à Aesch (près de Bâle), de parents français. XIXe siècle. Français.

Sculpteur de statues.

Élève de Jouffroy et de Roubaud Le Jeune, il figura au Salon de Paris en 1878, 1879 et 1880. A cette dernière exposition, on vit de lui : *Joueur de billes*, statue en plâtre. Il obtint une médaille de troisième classe en 1880, de deuxième classe en 1888, et une médaille d'or en 1889 à l'Exposition universelle. Il fut fait chevalier de la Légion d'honneur en 1902.

MUSÉES : AMIENS : *Jeanne*, terre cuite – LYON : *Buste de Meissonier*, plâtre – LYON (Préfecture) : *Buste de Meissonier*, marbre – MULHOUSE : *Buste d'Engel-Dollfus*, plâtre – PARIS (Arts et Métiers) : *Buste d'Engel-Dollfus*, marbre – PARIS (Hôtel de Ville) : *La Musique*, haut-relief – REIMS : *Joueurs de billes*, marbre – TROYES : *Odile*, terre cuite.

VENTES PUBLIQUES : LONDRES, 13 avr. 1983 : *Le Lanceur de pierres*, plâtre (H. avec socle : 188) : **GBP 600**.

ENDERS Caspar ou **Anders**

XVIIe-XVIIIe siècles. Actif à Breslau, entre 1690 et 1735. Allemand.

Peintre.

ENDERS Frank ou **Franz**

Né à Milwaukee. XIXe-XXe siècles. Américain.

Peintre de compositions mythologiques.

Il fut élève à Munich des professeurs A. Gable et W. Linden Schmidt. Il s'installa à Milwaukee.

VENTES PUBLIQUES : DETROIT, 17 mai 1981 : *Eros et Psyché*, h/t, d'après Bouguereau (157x81,5) : **USD 1 300**.

ENDERS Jean-Joseph

Né le 22 août 1862 à Besançon (Doubs). Mort en 1930 à Paris. XIXe-XXe siècles. Français.

Peintre de genre, portraits, paysages, natures mortes.

Ce fut l'élève d'Édouard Baille et de Fernand Cormon à l'école des Beaux-Arts de Paris. Il exposa au Salon des Artistes Français de Paris, dont il était sociétaire depuis 1891. Il y obtint une mention honorable en 1890, une médaille de troisième classe en 1893, ainsi qu'en 1898, et il reçut la médaille d'argent à l'Exposition Universelle de 1900.

Il est l'auteur d'un *Ange gardien*, conservé à l'hôpital de Besançon. Il connaît l'art d'entourer ses personnages d'un flou artistique, en brossant des scènes d'intimité dans la lumière tamisée.

MUSÉES : GRAY : *À l'aube* – *L'église de Beuré* – *Saint François*.

VENTES PUBLIQUES : PARIS, 24 mars 1924 : *La Seine près de Paris* : **FRF 65** – PARIS, 3 fév. 1928 : *Bonjour Mimi* : **FRF 410** ; *Un coin de parc au Champs-de-Mars en automne* : **FRF 210** – PARIS, 4 nov. 1943 : *Bords de rivière* : **FRF 60** – VERSAILLES, 25 avr. 1982 :

Femme rousse, h/t (65x46) : **FRF 3 200** – NEW YORK, 23-24 mai 1996 : *Nature morte aux vases et miroir*, h/t/pan. (96,5x129,5) : **USD 6 325**.

ENDERS Nicolaus
XVIIIe siècle. Hollandais.
Peintre.
Il fut membre de la gilde de Haarlem en 1748.

ENDFELDER Johann
Né en 1791 à Schwaz (Tyrol). Mort en 1864. XIXe siècle. Autrichien.
Peintre.
Il fut élève du Père Bénédictin Eberhard von Zobel, au Monastère de Vriecht près de Schwaz. Une fresque de lui *Résurrection du Christ et le vice vaincu* se trouve dans l'église de Thaur près de Hall ; on trouve d'autres fresques de sa main dans l'église paroissiale d'Alpach, à Oberau, à Santens, à Tux.

ENDHOVEN Willem Van
XVIe siècle. Actif à Anvers. Éc. flamande.
Sculpteur.
Il fut reçu maître en 1517.

ENDINE Francesco
XVe siècle. Actif à Brescia en 1465. Italien.
Peintre.

ENDINE Giorgio
XVe siècle. Actif à Brescia en 1465. Italien.
Peintre.

ENDLER Friedrich Gottfried
Né en 1763 à Lüben. Mort après 1830 à Breslau. XVIIIe-XIXe siècles. Allemand.
Graveur au burin.
Cité par Nagler, il a gravé des vues et des portraits.

ENDLICH Philippus
Né en 1700 à Amsterdam. XVIIIe siècle. Hollandais.
Dessinateur et graveur.
Élève de Bernard Picart. Son œuvre comporte un certain nombre de portraits.

ENDLINGER Johann
Né en 1733 à Brünn. Mort le 3 février 1789 à Vienne. XVIIIe siècle. Allemand.
Peintre et aquafortiste.
Il fut tout d'abord élève de Daniel Gran à Brünn, ensuite de Joseph Rotter à l'Académie de Vienne, puis il travailla pour le peintre Bachmayer à Vienne. Il séjourna de longues années à Rome. Il fit des tableaux à l'huile, et des sanguines à sujets historiques. Parmi ses eaux-fortes, on cite *Marie avec l'Enfant Jésus sur le bras et le petit Saint Jean* ; *l'Adoration des Bergers* ; *Marie avec son fils mort au pied de la Croix, soutenue par un ange* ; *Jupiter et Léda* ; *Enfant avec un chat*.
VENTES PUBLIQUES : PARIS, 1823 : *La Vierge donnant le sein à l'Enfant Jésus*, dess. à la pl. lavé au bistre : **FRF 2**.

ENDNER Gustave Georg
Né en 1754 à Nuremberg. Mort en 1824 à Gohlis (près de Leipzig). XVIIIe-XIXe siècles. Allemand.
Graveur au burin.
Il a gravé des *Portraits* et des *Vues*.

ENDŒUS ou **Endoios**
VIe siècle avant J.-C. Athénien, vivant en 516 avant Jésus-Christ. Antiquité grecque.
Sculpteur.
Il fit une Minerve assise, érigée sur l'acropole d'Athènes, des Grâces et des Heures en marbre blanc, à Erythres, en Ionie ; dans cette même ville, une énorme statue en bois de Minerve Poliade et une autre de la même déesse, en Arcadie, à Aléa. Auguste enleva cette statue et la plaça à Rome. Le nom d'Endœus fut retrouvé sur une base en marbre, découverte sur l'Hymette, gravé en caractères attiques de la plus ancienne forme.

ENDOFSKY
Né au XVIIIe siècle à Königsberg. XVIIIe siècle. Allemand.
Sculpteur sur bois.

ENDOGOUROFF Ivan Ivanovitch
Né en 1861 à Cronstadt. Mort en 1898. XIXe siècle. Russe.
Peintre de figures, paysages.
Il obtint une médaille d'argent à l'Exposition Universelle de 1889. Parmi ses œuvres on cite : *Le Dégel* ; *Automne en Crimée* ; *L'Hiver en Corse* ; *Crépuscule d'hiver* ; *Après l'orage*.
MUSÉES : MOSCOU (Mus. Tretiakoff) : *À la mer* – SAINT-PÉTERSBOURG (Mus. Russe) : *La Rade de Ialta* – *Le Début du printemps* – *Clair de lune à Ajaccio*.
VENTES PUBLIQUES : NEW YORK, 24 mai 1984 : *Jeune Garçon au bord d'un étang*, h/cart. (21,5x15,2) : **USD 1 000**.

ENDOGOUROFF Sergeï Ivanovitch
Né en 1864 en Russie. Mort en 1894. XIXe siècle. Russe.
Peintre de paysages.
MUSÉES : MOSCOU (Tretiakoff) : *Vue de la mer de Norvège*, aquar. – MOSCOU (Tviekoff) : *Meerbusen* – SAINT-PÉTERSBOURG (Mus. Russe) : *Le bord d'un ruisseau*, aquar. – *Sur la Duna* – *L'étang* – *Forêts*.

ENDORFFER Hans
XVe siècle. Actif à Salzbourg en 1478. Autrichien.
Peintre.

ENDO Toshikatsu
Né en 1950. XXe siècle. Japonais.
Sculpteur. Tendance arte povera.
Il participe à de multiples expositions de groupe depuis 1974, principalement au Japon, mais aussi : 1986, Documenta VIII, Kassel ; 1987, New York ; 1988, 1990, Biennale de Venise ; 1990, Foire Internationale d'Art Contemporain, Paris, présenté par la galerie Gutharc Ballin. Endo réalise aussi de nombreuses expositions personnelles à Tokyo, Osaka, également : 1990, Paris ; 1990, Oslo ; 1992, Dublin ; 1992, Londres.
Endo exécute des sculptures à base de bois, de goudron, de terre, de feu et d'eau. À la Documenta VIII, il a présenté une sculpture *Epitath*, formée de morceaux de bois apparentés à de larges poutres rassemblées et superposées en alternance par groupes de six, formant un parallélépipède rectangle (185x185x150). Le bois apparaît comme ayant été travaillé par le feu et recouvert de goudron. Les lignes et la texture de la matière, à partir de laquelle ces poutres ont été extraites, sont visibles sur les côtés longs et aux extrémités, ces dernières laissant apercevoir une fraction de l'arrondi des couches annuelles (anneaux d'âge). À la Biennale de Venise en 1990, il a exposé une sorte de tumulus, à base de bois et de terre, travaillé avec du goudron, du feu et soumis à l'érosion de l'air. La paroi est également travaillée avec soin. Ces œuvres dégagent une impression de sobriété qui invite au silence. La présence physique de l'objet, le caractère élémentaire des matériaux employés, l'empirisme vivant de ces expériences en plein air, rappellent avec originalité l'esprit de certaines des réalisations de l'« art pauvre ». ■ C. D.
VENTES PUBLIQUES : LONDRES, 23 juin 1997 : *To cercle* 1991, cr. et fus./pap. (189x138) : **GBP 4 000**.

ENDOUT Francon de. Voir **FRANCON de Kempe**

ENDRES. Voir aussi **ANDRES**

ENDRES
XVe siècle. Actif à Ansbach de 1468 à 1499. Éc. bavaroise.
Peintre.

ENDRES
XVIIIe siècle. Actif à Obermünster. Allemand.
Sculpteur sur bois.
Il exécuta en 1778 une chaire pour l'église de Geisling près de Ratisbonne.

ENDRES Bernhard
Né en 1805 à Owingen (Bade). Mort le 8 décembre 1874 à Munich. XIXe siècle. Allemand.
Peintre de genre et d'histoire.
Élève de Marie Ellenrieder à Constance et de l'Académie à Munich où il vint en 1826. Il a exposé à Munich entre 1829 et 1858. On cite de lui : *Marie avec l'Enfant Jésus* ; *Sainte Cécile* ; *Portrait de Jules II*, d'après Raphaël.
MUSÉES : DONAUESCHINGEN : *Sainte Catherine*.

ENDRES Ch. E.
XIXe siècle. Actif à Paris. Français.
Peintre.
Sociétaire des Artistes Français depuis 1903, il figura au Salon de cette Société.

ENDRES Jakob
XVIIe siècle. Actif à Munich en 1671. Allemand.
Peintre.

ENDRES Johann
Né à Neumarkt (Palatinat). XVIIIe siècle. Travaillait à Neumarkt vers 1750. Allemand.

Peintre.
L'église Sainte-Anne à Neumarkt et l'église Saint-Guy à Grossolfalterbach possèdent de lui des fresques de plafond.

ENDRÈS Louis-Joseph
Né en 1896 à Cincinnati (Ohio). Mort en 1989. xxe siècle. Actif au Maroc. Américain.
Peintre de portraits, sujets orientaux.
Ce peintre, d'origine américaine, fit de nombreux voyages, notamment au Maghreb entre 1926 et 1930, s'installant à Rabat en 1931. Il quitta le Maroc en 1962 pour Rome, puis pour Lausanne en 1963.
Membre de la Société Coloniale des Artistes Français et de la Société des Peintres Orientalistes Français, il participa à l'exposition artistique de l'Afrique Française à Paris en 1935. Ses œuvres sont également montrées dans des expositions personnelles au Maroc, en Algérie, en Europe, à New York et Cincinnati.
Peintre orientaliste, il présente des scènes de la vie quotidienne en Afrique du Nord.

Ventes Publiques : Paris, 22 juin 1990 : *Fontaine, Marrakech*, h/t (63x64) : **FRF 8 200** – Paris, 11 déc. 1991 : *L'homme bleu*, h/t (86x76) : **FRF 9 200** ; *Matin aux Oudaïas*, h/t (76x86) : **FRF 10 000** – Paris, 22 juin 1992 : *Zobeida*, h/t (64x48) : **FRF 7 800** ; *Pastorale* 1946, h/t (100x150) : **FRF 31 000** – Paris, 7 déc. 1992 : *Pélerin pour Moulay Brahim*, h/t (86x76) : **FRF 7 500** – Paris, 5 avr. 1993 : *Odalisque aux babouches vertes*, h/pan. (90x130) : **FRF 20 000** – Paris, 21 juin 1993 : *Les bons compagnons*, h/t (76x84) : **FRF 8 200** ; *Homme bleu au soufflet*, h/t (84x76) : **FRF 6 000**.

ENDREY Sander
Né en 1869 à Nagyvarad. xxe siècle. Hongrois.
Peintre de portraits.
Il étudia d'abord avec Szamossy et travailla à Budapest où il fit son premier portrait du poète Vajda. Après avoir étudié à Paris avec J.P. Laurens et Benjamin-Constant, il se fixa à Budapest où il peignit de nombreux portraits, ceux du Cardinal L. Schlauch, de l'orientaliste Vambéry, du politicien K. Tisza. Il exposa plusieurs fois au Palais de Glace de Munich.

ENDRISS Friedrich Meyer ou **Endrisz**
Né au milieu du xvie siècle à Buchau (Wurtemberg). xvie siècle. Allemand.
Peintre de portraits.
Il fit en 1600 le portrait de la comtesse Friedrich zu Fürstenberg.

ENDTE. Voir **ENDE**

ENDTER Jakob
Mort le 17 août 1714 à Nuremberg. xviiie siècle. Actif à Nuremberg. Allemand.
Peintre.
Il fut surtout peintre de portraits.

ENDTERLEIN Jacob. Voir **ENDERLEIN**

ENEA. Voir aussi **PISANELLO, STEENVOORDEN Jacob Van** et **VICO Enea**

ENEA Giuseppe
Né en 1863 à Palerme. xixe siècle. Italien.
Peintre de sujets allégoriques, pastelliste.
Il fut élève de Cavallaro et Covoni. Il exécuta les peintures du foyer et de la Grande Rotonde du Grand Théâtre de Palerme.
Musées : Rome (Gal. Nat.) : *Bas-relief flamand*, past. – Trieste (Revoltella) : *La Musique*, past.
Ventes Publiques : Londres, 22 nov. 1990 : *Chérubins en Arcadie* 1901, past., étude pour une frise (89x228,9) : **GBP 3 080**.

ENECI Giovanni Demostene. Voir **EMSIO**

ÉNÉLINA Madeleine
Née à Paris. xxe siècle. Française.
Peintre de paysages.
Élève de J. Lévy et A. Guillemet. Exposant du Salon des Artistes Français.

ENESCO Andrée
Née à Paris. xxe siècle. Roumaine.
Peintre de genre et de portraits.
Exposant du Salon des Artistes Français en 1921.

ENFANTIN
xviiie siècle. Français.
Peintre miniaturiste.
On croit qu'il devait être le père d'Augustin Enfantin. Il fut élève de Bertin. A l'Exposition de la Jeunesse, il figura, en 1787, 1788 et 1789, par des portraits en miniature.
Ventes Publiques : Paris, 27 avr. 1910 : *Portrait d'homme*, miniature : **FRF 325** – Paris, 27-29 mai 1929 : *Portrait d'homme en habit noir*, miniature : **FRF 1 900** – Paris, 8 avr. 1954 : *Femme en robe noire, un châle transparent sur les épaules*, miniature ovale : **FRF 30 000**.

ENFANTIN Augustin
Né le 29 août 1793 à Belleville. Mort le 16 octobre 1827 à Naples. xixe siècle. Français.
Peintre et graveur.
Cet artiste envoya au Salon de Paris, l'année même de sa mort, des vues et des études dessinées d'après nature.
Musées : Bourges : *Vue du port de Velletri* – Cherbourg : *Vue de la Madonna di Puzzano à Castellamare dans le royaume de Naples* – Montpellier : aquarelles – Paris (Carnavalet) : *L'Église Saint-Pierre de Montmartre* – Le Puy-en-Velay : *Arbres dans la forêt de Fontainebleau*, études – Rouen : *Paysage* – *Homme terrassant un animal.*
Ventes Publiques : Paris, 13 mai 1927 : *Sous-bois en forêt de Fontainebleau* : **FRF 1 050**.

ENFANTIN Barthélemy Prosper, dit **le Père Enfantin**
Né le 8 février 1796 à Paris. Mort le 31 août 1864 à Paris. xixe siècle. Français.
Peintre d'architectures et dessinateur.
Peut-être était-il frère de Augustin Enfantin. Le Musée de Narbonne conserve de lui trois dessins à la sépia.

ENFANTS MAL ÉLEVÉS, Maître des. Voir **MAÎTRES ANONYMES**

ENFERMA-GOUTIL Germaine Antoinette Nicole d'
Née le 16 mai 1890 à Paris. xxe siècle. Française.
Peintre.
Elle fut élève de Humbert et de mademoiselle Minier. Elle exposa régulièrement au Salon des Artistes Français, à Paris, dont elle devint sociétaire. Elle obtint une mention honorable en 1922.

ENFIELD Henry
Né en 1849 à Londres. xixe siècle. Britannique.
Peintre de paysages.
Il travaillait à Nottingham. Il exposa neuf fois à la Royal Academy de 1872 à 1893, et souvent à Berlin, Düsseldorf et Munich.
Musées : Gdansk, ancien. Dantzig : *La Maas en hiver* – Nottingham : *Le Fjord de Naero.*
Ventes Publiques : Los Angeles, 23 juin 1980 : *Bord de mer*, h/t (73,7x117) : **USD 1 200**.

ENGALIÈRE Marius
Né le 9 août 1824 à Marseille (Bouches-du-Rhône). Mort le 16 mars 1857 à Paris. xixe siècle. Français.
Peintre.
Il eut pour maître Auguste Aubert. Il voyagea beaucoup, travailla à Marseille sur des projets d'aménagement du quartier du Pharo, s'installa à Toulouse, et visita l'Andalousie, où il peignit de nombreux paysages. Il figura au Salon, de 1853 à 1857, avec des vues, notamment d'Espagne.
Il compta au nombre des principaux artistes de ce qu'on nomma l'École de Marseille du xixe siècle.

Musées : Carcassonne : *Rue à Murcie* – *Rue à Malaga* – Marseille : *Vue de Grenade* – Narbonne : *Environs d'Elché* – Toulouse : *Vue de Monaco.*
Ventes Publiques : Paris, 6 mai 1981 : *La Fête en Espagne*, h/t (91x145,5) : **FRF 17 000** – Paris, 23 nov. 1990 : *Vue de Grenade avec voiture de voyageurs au premier plan*, h/t (67x105) : **FRF 28 000** – Paris, 16 déc. 1992 : *Vue de Grenade avec voiture de voyageurs au premier plan*, h/t (67x107) : **FRF 27 000**.

ENGAMMARE Édouard
Né dans la seconde moitié du xixe siècle à Dieppe (Seine-Maritime). xxe siècle. Français.

Peintre de marines.
Exposant, à Paris, du Salon des Artistes Indépendants de 1921 à 1931.

ENGBERG Gabriel Karl
Né le 24 mars 1872 à Tammersfors. XIXe-XXe siècles. Finlandais.
Paysagiste.
Il obtint une mention honorable à l'Exposition Universelle de 1900.
MUSÉES : HELSINKI : *Paysage de Méditerranée.*

ENGE August
Né en 1797 à Konigsberg. XIXe siècle. Allemand.
Peintre et lithographe.
Élève de l'Académie de Vienne. Parmi ses œuvres, on cite une *Sainte Cécile* et une gouache : *Jeune femme assise sur un sofa*, datée de 1834.

ENGEBRECHTSZ. Voir **ENGELBERTSZ**

ENGEL Adolf Karel Maximilian
Né le 24 décembre 1801 à Courtrai. Mort le 24 août 1833, par suicide. XIXe siècle. Éc. flamande.
Peintre de paysages.
Élève de P. J. de Noter, à Gand. Le Musée d'Amsterdam conserve de lui un *Paysage avec bétail.*

ENGEL André
Né le 4 mai 1880 à Bâle. XXe siècle. Actif en France. Suisse.
Peintre de paysages, aquarelliste.
À Bâle, il fut élève de Hans Sandreuter, à Carlsruhe du professeur M. Läuger et à Paris de Luc-Olivier Merson et P. Vignal. Après des voyages en Italie, au Japon et aux Indes, il exposa ses paysages de préférence à l'aquarelle, à Paris, au Salon de la Société Nationale des Beaux-Arts dont il fut sociétaire à partir de 1933. D'origine alsacienne, la Société des Artistes Alsaciens à Strasbourg organisa, en 1921, une exposition de ses œuvres.
VENTES PUBLIQUES : PARIS, 24 mai 1944 : *Environs de Bénodet* 1910, aquar. : **FRF 300**.

ENGEL Andrée Irène
Née le 22 avril 1906 à Saint-Civran (Indre). XXe siècle. Française.
Graveur sur bois.
Elle exposa à Paris au Salon des Artistes Français en 1928.

ENGEL Erich Otto
Né le 29 septembre 1866 à Alt-Mahlisch (près de Francfort-sur-l'Oder). Mort peut-être en 1949. XIXe-XXe siècles. Allemand.
Peintre de figures, animaux, paysages.
On doit faire état de similitudes avec Otto Heinrich Engel. Établi à Dachau, il exposa à Berlin et Munich à partir de 1899.
Il aurait été surtout peintre animalier.
MUSÉES : AIX-LA-CHAPELLE : *Canards.*
VENTES PUBLIQUES : COLOGNE, 20 mars 1981 : *Jeune Paysanne*, past. (47,5x37) : **DEM 3 300** – NEW YORK, 15 oct. 1993 : *Une cour ombragée*, h/t (61x73,7) : **USD 2 990**.

ENGEL Frederik
Né en 1872. Mort en 1958. XIXe-XXe siècles. Hollandais.
Peintre animalier, de paysages animés.
VENTES PUBLIQUES : LONDRES, 26 avr. 1979 : *Troupeau au pâturage*, h/t (30,5x44,4) : **GBP 800** – AMSTERDAM, 21 avr. 1993 : *Yearlings près de la clôture d'une prairie*, h/t (50,5x70) : **NLG 4 025** – AMSTERDAM, 14 sep. 1993 : *Vaches dans une prairie* 1915, h/t (35x50,5) : **NLG 2 070** – ÉDIMBOURG, 9 juin 1994 : *Bovins dans un paysage hollandais*, h/t (33x45,7) : **GBP 1 092** – AMSTERDAM, 9 nov. 1994 : *Vaches dans une prairie* 1916, h/t (49x74) : **NLG 3 680**.

ENGEL Fritz ou **Friedrich**
Né le 7 septembre 1877 à Eisenach (Thuringe). XXe siècle. Allemand.
Sculpteur de bustes, portraits.
Il fut élève de Kugel à l'École des Arts et Métiers à Dresde et de Brausewetter à Berlin. Il fit le portrait de la princesse Hélène de Waldeck-Pymont. Il séjourna quelque temps à Zurich, où il modela, d'après des photographies, les bustes de Gottfried Keller et de C. F. Meyer.

ENGEL Harry
Né en 1901 en Roumanie. XXe siècle. Américain.
Peintre.
Il fut élève de Maurice Denis à Paris. Il obtient le Prix Edward Hines au Hoosier Salon de 1931 pour une nature morte.

ENGEL J.
XIXe siècle. Britannique.
Sculpteur.
Il exposa huit fois à la Royal Academy, de 1840 à 1847.

ENGEL Johann Carl
Né au début du XVIIIe siècle à Zittau. Mort à Hambourg. XVIIIe siècle. Allemand.
Peintre de paysages, médailleur.
Il peignit surtout des paysages.

ENGEL Johann Carl Ludwig
Né en 1778 à Berlin. Mort en 1840 à Helsingfors. XIXe siècle. Allemand.
Peintre de paysages, paysages urbains, aquarelliste.
Il travailla à Reval, Saint-Pétersbourg et Helsingfors.
MUSÉES : HELSINKI (Athenaeum) : *Vue d'Helsingfors*, aquar.

ENGEL Johann Friedrich, puis **John Fred**
Né en 1844 à Bernkastel. Mort en 1921. XIXe-XXe siècles. Américain.
Peintre de genre, figures.
Il fut élève du peintre François et de l'Académie de Munich. Il partit ensuite pour l'Amérique. Il exposa à Munich et à Dresde de 1879 à 1884. On cite de lui : *Notre grand'mère ; La Félicitation ; Le Mariage ; Matin sur le lac ; Promenade en forêt.*
VENTES PUBLIQUES : NEW YORK, 10 oct. 1973 : *Mère lisant un conte à ses enfants* : **USD 2 100** – NEW YORK, 13 oct. 1976 : *Le Toast* 1879, h/pan. (15x11,5) : **USD 550** – LONDRES, 26 nov. 1982 : *La Fille du pêcheur*, h/t (71,1x54,5) : **GBP 1 000** – VIENNE, 20 mars 1985 : *Pusteblume*, h/pan. (32x24) : **ATS 60 000** – NEW YORK, 19 juil. 1990 : *Jeune Bavarois*, h/pan. (25,4x17,8) : **USD 2 090**.

ENGEL Johanna
Née à la fin du XIXe siècle à Leipzig. XIXe-XXe siècles. Allemande.
Peintre de genre, portraits.
Elle fut élève de Gölz à Berlin. Elle exposa des portraits, et aussi des scènes de genre à Berlin, Munich, Paris et Prague.
VENTES PUBLIQUES : LONDRES, 5 oct. 1990 : *Les Saisons* 1910, h/t, ensemble de trois panneaux (210,2x105,4) : **GBP 3 080**.

ENGEL Johannes I
Né vers 1619. Mort en 1678. XVIIe siècle. Actif à Amsterdam. Hollandais.
Peintre.

ENGEL Johannes II
Né vers 1661. XVIIe siècle. Actif à Amsterdam. Hollandais.
Peintre.
Probablement fils du peintre du même nom né vers 1619.

ENGEL Johannes
Né le 15 janvier 1876 à Rüsdorf (Lorraine). XXe siècle. Français.
Peintre de compositions religieuses, cartons de mosaïques.
Après avoir étudié à l'École des Arts et Métiers de Strasbourg, il entra à l'École de Peinture de l'Académie de Munich avec Otto Seitz et M. Feurstein. Il alla à Rome et se consacra à la peinture religieuse. Plusieurs églises de Lorraine conservent de ses œuvres, à Metz, Stieringen-Wendel, Mandern. À Strasbourg, une mosaïque d'Engel se trouve au-dessus de l'entrée principale de l'orphelinat Saint-Joseph.
MUSÉES : METZ : *Visage de jeune fille – Paysage.*

ENGEL José Louis ou **Engel-Garry**
Né le 13 août 1873 à Joinville-le-Pont (Val-de-Marne). XXe siècle. Français.
Peintre de sujets divers.
Il fut élève de Roll. Il figure pour la première fois au Salon des Indépendants en 1890, à Paris, exposant ensuite au Salon des Artistes Français, puis à celui de la Société Nationale des Beaux-Arts où il présentera des portraits, des paysages, des marines et des toiles de genre. Parmi ses œuvres on cite : *L'Anarchiste – La Normandie – Soir dans les ruines – Les Joueurs – Les Petits Mendiants – Nocturnes – Louisette.*
MUSÉES : LAEKEN : *La prière*, triptyque.

ENGEL Jozsef
Né en 1815 à Satoralja-Ujhely. Mort en 1891 à Budapest. XIXe siècle. Hongrois.
Sculpteur.
Auteur de la statue d'Etienne Széchenyi, à Budapest. Médaille de bronze à Paris, à l'Exposition Universelle de 1889. Il exposa à Londres, à la Royal Academy, en 1888.

MUSÉES : BUDAPEST : *Buste du roi Matthias – Buste de Marie-Thérèse.*

ENGEL Karl, pseudonyme de **Engel von den Rabenau**
Né en 1817 à Londorf. Mort le 31 mars 1870 à Rodelheim (Francfort-sur-le-Main). XIXe siècle. Allemand.
Peintre de genre, paysages, intérieurs, aquarelliste, dessinateur.
Il fut élève des Académies de Düsseldorf, avec Hildebrand, et de Munich. Il s'établit d'abord à Francfort, ensuite, en 1842, à Rodelheim, où il vécut intimement avec le sculpteur J.-B. Scholl dans la même maison.
MUSÉES : DARMSTADT : *Atelier de sculpture* – FRANCFORT-SUR-LE-MAIN (Stadel) : *Paysans de Hesse endimanchés.*
VENTES PUBLIQUES : LONDRES, 5 juin 1968 : *Paysage d'hiver avec patineurs* : **GBP 360** – MUNICH, 6 déc. 1994 : *Vue de l'église Saint-Leonhard à Francfort-sur-le-Main*, encre et aquar./pap. (19x25) : **DEM 10 350.**

ENGEL Otto Heinrich
Né le 27 décembre 1866 à Erbach. Mort peut-être en 1949. XIXe-XXe siècles. Allemand.
Peintre de figures, paysages, marines, paysages d'eau, graveur.
On doit faire état de similitudes avec Erich Otto Engel. De 1886 à 1890, il fut élève de Otto Brausewetter et Paul Meyerheim à l'Académie des Beaux-Arts de Berlin ; en 1890 et 1891, il travailla à Karlsruhe ; en 1891 et 1892, il fut élève de Paul Hoecker à l'Académie de Munich. Il fit des voyages d'étude en Italie et s'établit ensuite à Berlin.

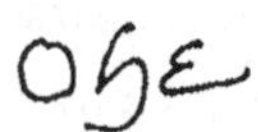

MUSÉES : BERLIN : *Fillette de la Frise – Dunes* – KALININGRAD, ancien. Königsberg : *Rayonnement de la mer – Lumières en mer.*
VENTES PUBLIQUES : NEW YORK, 4 mai 1979 : *Au bord de l'eau, au crépuscule* 1893, h/t (150x189) : **USD 3 100.**

ENGEL Richard Drun
Né le 25 décembre 1889 à Washington (district de Columbia). XXe siècle. Américain.
Peintre.
Il étudia à Paris. Il fut également un écrivain. Membre de la Society of Washington Artists.

ENGEL Sam
XVIIe-XVIIIe siècles. Hollandais.
Dessinateur.
On connaît de cet artiste plusieurs dessins au crayon : *La Fuite en Égypte ; Homme ; Femme et Enfant ; L'Ermite dans sa grotte.*

ENGEL Werner
Né en 1880 à Thoune. Mort en 1941. XXe siècle. Suisse.
Peintre, graveur.
Il gravait à l'eau-forte. Le Musée de Berne conserve de lui une toile représentant les bords de l'Aar à Thoune.
MUSÉES : BERNE – SOLEURE : plusieurs œuvres.
VENTES PUBLIQUES : LUCERNE, 30 sep. 1988 : *Vue d'un village sur le Lac Majeure* 1932, aquar./pap. (26,5x19) : **CHF 480.**

ENGEL Willem
XVe siècle. Actif à Leyde en 1464. Hollandais.
Peintre.
Il peignit en 1464 un *Portrait de Charles le Téméraire.*

ENGEL DE SALM Henri
Né le 12 juillet 1913 à Fontenay-aux-Roses (Hauts-de-Seine). XXe siècle. Français.
Peintre.
Il est sociétaire, à Paris, du Salon des Indépendants et du Salon des Artistes Français. Il fut élève d'Othon Friesz, dont il a subi l'influence, ainsi que celle de Dunoyer de Segonzac.

ENGEL-GARRY José Louis. Voir **ENGEL José Louis**

ENGEL-PAK Ernest ou **Engel-Rozier**
Né en 1885 à Spa (Liège). Mort en 1965 à Valabre-les-Gardanne (Bouches-du-Rhône). XXe siècle. Actif aussi en France. Belge.
Peintre, lithographe. Tendance expressionniste, puis expressionniste-abstrait. Groupe Abstraction-Création.
Autodidacte, il eut une jeunesse mouvementée, partagée en de nombreux séjours et voyages à l'étranger, en France, en Allemagne et en Hollande où il exerce divers métiers. Il a également peint sous le nom de Engel-Rozier, vers 1920. En 1924, il s'installe à Paris et y fait une première exposition en 1926. Il fut l'ami de Torres-Garcia, qu'il rencontre en 1928, d'Hélion et de Marcel Duchamp. En 1934, il s'installe dans le Midi (Provence). Après la guerre, il figura dans des expositions collectives d'artistes abstraits, notamment au Salon des Réalités Nouvelles, entre 1947 et 1956. Il exposa personnellement plusieurs fois en Espagne, en France, en Hollande et Belgique. Une rétrospective de son œuvre eut lieu en 1966 à Aix-en-Provence. Il fut, à partir de 1954, conservateur du château du Roi René à Tarascon. Il a illustré de lithographies en couleur un recueil : *Objets des mots et des images*, de Paul Éluard (1947).
À l'époque de son installation à Paris, ses œuvres s'apparentent à l'expressionnisme, puis, jusqu'en 1932, évoluent vers un certain surréalisme. En 1928, Torrès-Garcia l'oriente vers une non-figuration colorée de surréalisme. À partir de 1932, il pratique un tachisme avant la lettre et adhère à *Abstraction-Création.* Michel Seuphor donne cette description de sa peinture : « Taches biomorphiques de couleurs vives se détachant sur un fond monochrome ». ■ J. B.

ENGEL-PAK

BIBLIOGR. : In : *Diction. biogr. illustré des artistes en Belgique, depuis 1830*, Arto, Bruxelles, 1987.
MUSÉES : BRUXELLES (Mus. d'Art Mod.) – BRUXELLES (Mus. roy. des Beaux-Arts) : *Mélanie – Foule illusoire – Fleur originelle* – GRENOBLE – LIÈGE (Mus. d'Art Wallon).
VENTES PUBLIQUES : AUBAGNE, 3 juin 1984 : *Composition*, h/pan. (100x70) : **FRF 6 800** – DOUAI, 23 fév. 1989 : *Composition* 1930, h/pan. (64,5x45,5) : **FRF 7 000** – DOUAI, 23 avr. 1989 : *Formes*, gche et aquar. (37,5x55) : **FRF 6 500** – DOUAI, 2 juil. 1989 : *Composition*, fus. (21x26) : **FRF 4 000** – DOUAI, 3 déc. 1989 : *Composition* 1961, h/pap. (24x36) : **FRF 8 500** – DOUAI, 1er avr. 1990 : *Composition* 1956, h/isor. (40x24,5) : **FRF 6 500** – PARIS, 6 oct. 1990 : *Composition* 1937, h/cart. (54x39) : **FRF 15 000** – CALAIS, 20 oct. 1991 : *Jeunes femmes au bord du chemin* 1926, h/pan. (33x22) : **FRF 4 000** – PARIS, 5 fév. 1992 : *Composition*, techn. mixte/pap./t. (49,5x60) : **FRF 6 500.**

ENGEL-PRASOLO
XVIIIe siècle. Actif au début du XVIIIe siècle. Russe.
Sculpteur sur bois.
Appelé à Saint-Pétersbourg par Pierre-le-Grand, cet artiste y travailla dans les premières années du XVIIIe siècle. Le Musée de l'Ermitage y conserve plusieurs de ses dessins.

ENGEL-ROZIER Ernest. Voir **ENGEL-PAK**

ENGELANDER. Voir **ENGELLOHNER Lorenz Joseph**

ENGELANDTS Samuel
XVIe siècle. Actif à Anvers. Éc. flamande.
Peintre.
Il fut reçu maître en 1581.

ENGELBACH Florence
Née le 9 juin 1872 à Jerez de la Frontera. Morte le 27 février 1951 à Londres. XXe siècle. Britannique.
Peintre de portraits, fleurs, paysages.
Née de parents anglais, elle a étudié à la Slade School de Londres puis à Paris. En 1901, elle commence par exposer à la Royal Academy, sous son nom de jeune fille : Neumengen. L'année suivante, elle se marie avec C.R.F. Engelbach. Après une interruption de vingt ans, elle reprend la peinture en 1930 et expose de nouveau à la Royal Academy et dans les Salons parisiens.
D'abord peintre de portraits, elle s'est ensuite spécialisée dans la peinture de fleurs et parfois les paysages.
MUSÉES : LONDRES (Tate Gal.) : *Roses.*

ENGELBACH Georg
Né le 28 février 1817 à Biedenkopf. XIXe siècle. Allemand.
Peintre, portraitiste, dessinateur et lithographe.
On cite de lui : *Portrait de Guillaume Ier, empereur d'Allemagne ; Portrait de Richard Wagner*, et, parmi son œuvre gravé : *Le Géographe C. Riller*, d'après C. Begas, *Le Théologien Dr. A. Twesten*, d'après Schramm.

ENGELBACH Jacques
Né au Havre (Seine-Maritime). XXe siècle. Français.
Peintre.
Exposant, à Paris, du Salon d'Automne et du Salon des Artistes Indépendants depuis 1923.

ENGELBERCH Franz
XVIIIe siècle. Actif à Varsovie en 1754. Polonais.
Peintre.

ENGELBERS
XIIe siècle. Actif à Liège. Éc. flamande.
Moine miniaturiste.

ENGELBERT Gaspard Antoni
XVIIe siècle. Actif à Anvers à la fin du XVIIe siècle. Éc. flamande.
Enlumineur.
Il était sans doute fils d'Ignatius Engelbert.

ENGELBERT Guillielmus
XVIIe siècle. Actif à Anvers à la fin du XVIIe siècle. Éc. flamande.
Enlumineur.
Probablement fils d'Ignatius et frère de Gaspard Antoni Engelbert.

ENGELBERT Ignatius ou **Engelberts**
XVIIe siècle. Actif à Anvers. Éc. flamande.
Enlumineur.

ENGELBERT Jan
Hollandais.
Peintre de paysages.
Cité par Siret.

ENGELBERTS Albert Carel Fredrich
Né en 1830 à Gendringen (Gueldre). Mort le 16 mai 1854 à Cleef. XIXe siècle. Hollandais.
Peintre de paysages.
Fils de Engelbert Michael Engelbert, élève de B.-C. Koekkoek, de J.-B. Klombeeck et de Willem Roelofs.

ENGELBERTS Engelbert Michael
Né le 17 décembre 1773 à Hoorn. Mort le 7 décembre 1843 à Gendringen. XVIIIe-XIXe siècles. Actif à Amsterdam. Hollandais.
Peintre de paysages et marchand d'objets d'art.
Fils de Engelbertus Matthias Engelberts. Il peignit des vues de villes et des paysages d'hiver.

ENGELBERTS Engelbertus Matthias
Né le 3 décembre 1731 à Noordlaren. Mort le 26 mars 1807 à Hoorn. XVIIIe siècle. Hollandais.
Dessinateur et graveur amateur.

ENGELBERTS Jacob Meynoud
Né le 3 juillet 1798. XIXe siècle. Hollandais.
Peintre.
Fils de Engelbert Michael Engelberts. Il alla aux Indes et en rapporta des dessins et peintures.

ENGELBERTS Willem Jodocus Mattheus
Né le 21 janvier 1809 à Amsterdam. Mort le 9 mai 1887 à Aalst. XIXe siècle. Hollandais.
Peintre de genre, graveur.
Fils d'Engelbert Michael Engelberts, il fut élève de F. de Brakelaer à Anvers. Il exerça les fonctions de conservateur du musée d'Amsterdam de 1850 à 1875.
Musées : Amsterdam.
Ventes Publiques : Londres, 17 mai 1923 : *Chaumière de pêcheurs en Hollande* 1878 : **GBP 2** – Amsterdam, 19 sep. 1989 : *Deux fillettes offrant une pomme à une dame âgée* 1854, h/pan. (29x22) : **NLG 1 840**.

ENGELBERTSZ Cornelis ou **Engelbrechtsen, Engebrechtsz**, dit aussi **Enghelbrecht l'Ancien**
Né probablement en 1468 à Leyde. Mort probablement en 1533 à Leyde. XVe-XVIe siècles. Hollandais.
Peintre d'histoire, compositions religieuses.
En 1499, il fit partie de la garde bourgeoise de Leyde ; il eut pour élèves Lucas Van Leiden et Aartgen Van Leiden ; pour fils, Pieter Cornelisz, Cornelis Cornelisz et Lucas Cornelisz de Kok. En 1492, un Cornelis de Hollandere, signalé dans la gilde d'Anvers, ne semble pas pouvoir être identifié avec C. Engelbertsz. De même, certains biographes ont prétendu à tort qu'il avait été non le maître, mais l'élève de Lucas de Leyde.
Par l'intermédiaire de Colin de Coter, il connut la peinture de Rogier Van der Weyden, mais il fut davantage attiré par un art décoratif et lumineux de type italien.

Musées : Aix-la-Chapelle (Suermondt) : *Saint Jean-Baptiste et Marie-Madeleine – La descente de croix* – Amsterdam : *Le Christ en croix entouré de Marie et de saints – Le Christ prêchant dans la maison de Lazare – Le Christ prenant congé de Marie – Le Calvaire*, triptyque – Anvers : *Saint Léonard délivrant les prisonniers (recto) et Saint Georges (verso) ; Transport du cadavre de saint Hubert (recto) et Saint Hubert (verso)*, deux volets – *Le Christ cloué à la croix* – Berlin (Kaiser Friedrich) : *Le Couronnement d'épines – La vocation de saint Mathieu* – Bruxelles : *Portraits de Dirk Ottens et de sa femme* – Budapest : *Sainte Cécile et Valérius*, médaillon – *L'agneau mystique – L'Adoration des mages*, peint. à l'œuf, signalé par Van Mander – *Portrait d'un couple* – Dresde : *La tentation de saint Antoine*, médaillon – Gand : *Descente de croix* – Leyde : *Crucifixion ; Le Sacrifice d'Abraham et Le Serpent d'Airain (recto des volets) ; Ecce Homo et Le Christ insulté (verso des volets)*, triptyque – *Descente de croix ; Sainte Cécile, Marie-Madeleine et la donatrice, Jacques le Jeune, saint Grégoire et le donateur (recto et verso des volets)*, triptyque avec autour 6 petites grisailles – Londres (Nat. Gal.) : *Marie et l'Enfant dans un paysage* – Munich (Anc. Pina.) : *Descente de croix – Constantin et sainte Hélène* – Nuremberg : *Portrait d'homme* – Paris (Louvre) : *Martyre de saint Jean l'Évangéliste* – Schwerin : *Résurrection ; Les trois Marie au tombeau et Le Christ apparaît à Marie-Madeleine en jardinier (recto des volets) ; Sainte Anne, Marie et Saint Jean-Baptiste (verso des volets)*, triptyque avec grisailles – Stockholm : *Le Christ sur la croix* – Utrecht (Mus. Épiscopal) : *Christ sanglant apparaît à Marie – Crucifixion ; Résurrection et Le Christ portant la croix (volets)*, triptyque – Vienne : *Histoire de Naaman, le capitaine Syrien.*
Ventes Publiques : Paris, 19 sep. 1892 : *Abraham et Melchisedech* : **FRF 1 600** – Paris, 21 avr. 1910 : *Le Christ en croix* : **FRF 2 280** – Paris, 15 mars 1924 : *La Loi de Moïse ; Une Famille dans un parc*, deux pendants. École de C. E. : **FRF 9 000** – Paris, 6 fév. 1942 : *Le Calvaire*, École de C. E. : **FRF 92 000** – Paris, 19 mars 1947 : *Le Calvaire*, pl. et reh. de blanc gouaché, Attr. : **FRF 41 000** – Londres, 28 nov. 1962 : *La Vierge et l'Enfant et sainte Anne* : **GBP 9 500** – Londres, 9 avr. 1965 : *L'Adoration des Rois Mages* : **GNS 1 600** – Londres, 12 juin 1968 : *L'Adoration des Mages (panneau central) ; Sainte Ursule (panneau de droite) ; Saint Bartholomé (panneau de gauche) ; Saint Pierre et Saint Paul (verso des panneaux latéraux)*, triptyque : **GBP 5 000** – Londres, 12 déc. 1973 : *Descente de croix* : **GBP 34 000** – Amsterdam, 9 juin 1976 : *La Nativité*, h/pan. (32,5x23) : **NLG 36 000** – Amsterdam, 23 avr. 1979 : *L'Escaut inférieur*, h/t (60x70) : **BEF 10 000** – Lille, 14 mars 1981 : *Prélat de l'église ; Le Golgotha ; Saint Michel*, triptyque (94x23) : **FRF 260 000** – New York, 7 nov. 1984 : *Vierge à l'Enfant et autres personnages*, h/pan. (25x22,5) : **USD 9 500** – Amsterdam, 17 nov. 1993 : *Christ en croix entouré de la Vierge Marie, de Marie Madeleine et des saints et saintes Jean, Pierre, Augustin, Laurent, Barbe, Cécile et Catherine*, h/pan. (20,5x28,5) : **NLG 87 400**.

ENGELBERTSZ Lucas Cornelisz Engelbertsz de Kok ou **Engelbrechtsen, Enghelbrecht**, dit aussi **Kunst**
Né en 1493 ou 1495 à Leyde. Mort probablement en 1552. XVIe siècle. Hollandais.
Peintre d'histoire, portraits.
Fils de Cornelis Engelbertsz l'Ancien, il fut l'élève de son père. La tradition rapporte que n'ayant pas de quoi subvenir aux besoins de sa famille, il se fit cuisinier. Il partit pour l'Angleterre et fut bien accueilli par Henri VIII. Il travailla aussi peut-être à Ferrare et fit de nombreux séjours à Bruges. On l'identifie parfois avec Luca Cornelis ou Luca d'Olanda qui, sous la direction d'Hercule II, travailla à la Manufacture des Gobelins. Probablement à tort, d'anciens biographes lui attribuent les gravures signées L.-K., que d'autres croient être de Ludwig Krug de Nuremberg.

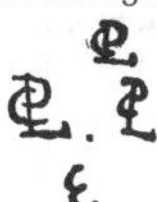

Musées : Hampton Court : *La Femme adultère – Portrait d'Anglais – Marguerite d'Autriche.*
Ventes Publiques : Londres, 20 avr. 1923 : *Marguerite d'Autriche* : **GBP 126**.

ENGELBERTSZ Pieter Cornelisz ou **Enghelbrecht**, appelé aussi **Kunst**
Né en 1490 à Leyde. XVIe siècle. Hollandais.

Peintre d'histoire, peintre de cartons de vitraux, dessinateur.
Fils aîné de Cornelis l'Ancien, il fut ami de Lucas de Leyde. Il peignit les armes de Leyde. En 1523, le directeur du cloître de Marienpoel lui acheta un petit vitrail.
Musées : Paris (Louvre) : un vitrail.
Ventes Publiques : Amsterdam, 18 avr. 1977 : *Saint Augustin dans un paysage* 1532, pl. : **NLG 11 000** – Londres, 8 déc. 1981 : *L'Exécution de saint Jean Baptiste*, pl. et encre noire (29,8x21,2) : **GBP 3 000** – Amsterdam, 25 avr. 1983 : *Allégorie de la Géométrie*, pl. et encre noire sur traits de pierre noire (23,9x16,8) : **NLG 3 800** – Monte-Carlo, 8 déc. 1984 : *L'entrée dans l'auberge du pèlerin fourvoyé par le diable* 1530, h/pan. (56x43,5) : **FRF 140 000** – Londres, 2 juil. 1991 : *Les Sept Actes de miséricorde : la Rançon des prisonniers* 1532, craie noire et encre (22,8x16,9) : **GBP 30 800.**

ENGELBERTUS
XIIIe siècle. Actif à Francfort-sur-le-Main de 1220 à 1230. Allemand.
Sculpteur.
Il travailla au tympan du portail nord de l'église Saint-Léonard.

ENGELBERTUS
XIIIe siècle. Actif à Cologne en 1220. Allemand.
Peintre.
Probablement identique au suivant, sculpteur.

ENGELBRECHT Christian ou **Enghelbrecht**
Né en 1672 à Augsbourg. Mort en 1735 à Augsbourg. XVIIe-XVIIIe siècles. Allemand.
Graveur.
Il fit des planches pour l'*Histoire de l'Architecture* par J. Hernahrd (1721), illustra une partie des *Métamorphoses d'Ovide*, d'après des dessins de Sandart et exécuta de nombreux portraits. Il était le frère de Martin Engelbrecht.

ENGELBRECHT Ignaz
XVIIIe siècle. Actif à Vienne vers 1793. Autrichien.
Sculpteur.

ENGELBRECHT Johann
XVIIIe siècle. Actif à Vienne. Autrichien.
Sculpteur.

ENGELBRECHT Josef
XVIIIe siècle. Actif à Vienne en 1768. Autrichien.
Sculpteur.
Il était le fils de Johann Engelbrecht.

ENGELBRECHT Karl
Né au XIXe siècle à Stettin. XIXe siècle. Allemand.
Peintre de genre.
Cet artiste travaillait à Rome de 1857 à 1863. Il exposa au Salon de l'Académie de Berlin en 1874.

ENGELBRECHT Martin ou **Enghelbrecht**
Né en 1684 à Augsbourg. Mort en 1756 à Augsbourg. XVIIIe siècle. Allemand.
Graveur.
Frère de Christian Engelbrecht, il illustra comme lui de nombreuses œuvres. On cite parmi celles-ci : *La Guerre de succession espagnole*, et *Les Architectes princiers*, de P. Decker. Il exécuta également 92 *Vues de Venise*.

ENGELBRECHT Paul Friedrich
Né en 1719. Mort en 1776. XVIIIe siècle. Actif à Augsbourg. Allemand.
Peintre.
Fils de Friedrich Engelbrecht. Il était membre de l'Académie d'Augsbourg en 1770.

ENGELBRECHTEN Alma von
Née le 25 avril 1857 à Hameln. XIXe siècle. Allemande.
Peintre de portraits.
Élève de Jakobides et Roth à Munich, de Bouguereau et Lasar à Paris. Elle s'établit à Hildesheim. Elle peignit surtout des portraits, mais également des scènes de genre et des paysages.

ENGELEN Antoine François Louis Van
Né en 1856 à Lierre (Anvers). Mort en 1940 à Anvers. XIXe-XXe siècles. Belge.
Peintre d'histoire, portraits, paysages, paysages urbains, scènes de genre.
Il fut élève de Verlat, de l'Académie de Lierre, ainsi que de celle d'Anvers. Il fut membre du groupe *Als Ik Kan*, (comme je peux) et membre fondateur du groupe *De XIII* en 1891. Il voyagea beaucoup.

Louis van Engelen
XX 1890.

Bibliogr. : In : *Diction. biogr. Illustré des artistes en Belgique depuis 1830*, Arto, Bruxelles, 1987.
Musées : Anvers : *Émigrants belges – Panorama de la ville d'Anvers*.
Ventes Publiques : Aatsleaard (Belgique), 13 oct. 1987 : *Le château de Cleydael* 1889, h/t (68x88) : **BEF 180 000** – Lokeren, 23 mai 1992 : *Paysage méridional*, h/pan. (25,5x36,5) : **BEF 36 000** – Londres, 17 nov. 1993 : *La victoire de Jules César sur les Flamands*, h/t (114x145) : **GBP 4 830.**

ENGELEN Cornelis Van
XVIIe siècle. Actif à Anvers. Éc. flamande.
Peintre.
Élève d'Adriaen Van Utrecht en 1641, il fut reçu maître en 1646.

ENGELEN Peter Van
Baptisé le 13 mars 1664. Mort le 21 juillet 1711. XVIIe-XVIIIe siècles. Actif à Anvers. Éc. flamande.
Peintre et marchand de tableaux.
Fils de Cornelis Van Engelen et élève de son oncle Kasper de Witte. Il épousa, le 9 novembre 1687, Franciska Bruynel et eut neuf enfants.
Musées : Anvers : *Marché au poisson – Kermesse au village* – Mayence : *Foire*.

ENGELEN Piet Van
Né le 12 mai 1863 à Lierre (Anvers). Mort en 1924 à Anvers. XIXe-XXe siècles. Belge.
Peintre de scènes de genre, portraits, intérieurs, animalier.
Il fut élève de Prosper Drion à l'Académie des Beaux-Arts de Liège, de Charles Verlat à l'Académie d'Anvers. En 1886, il fut membre du groupe *Als ik kan* (Comme je peux). En 1897, il devint professeur à l'Académie d'Anvers.
En 1894, il collabora avec Robert Mols à un diorama consacré au Congo, alors belge.

Piet van Engelen 1902

Bibliogr. : In : *Diction. biogr. illustré des artistes en Belgique depuis 1830*, Arto, Bruxelles, 1987.
Musées : Anvers : *Bataille de coqs* – Liège : *Volailles*.
Ventes Publiques : Bruxelles, 25 fév. 1981 : *Canards*, h/t (47x56) : **BEF 17 000** – Londres, 21 mars 1984 : *Perdrix dans un sous-bois*, h/t (74x93,5) : **GBP 1 500** – New York, 4 juin 1987 : *Épagneul dans un paysage* 1898, h/t (157,5x200,5) : **USD 8 000** – Amsterdam, 20 avr. 1993 : *Chien rapportant un faisan*, h/t (83,5x66) : **NLG 3 450** – Lokeren, 4 déc. 1993 : *Canards près d'une mare*, h/t (83x106) : **BEF 240 000** – Lokeren, 11 mars 1995 : *Poule et coq*, h/t (67x54) : **BEF 44 000.**

ENGELEN René
Né en 1897 à Anvers. Mort en 1971 à Anvers. XXe siècle. Belge.
Peintre de marines, paysages.
Il fut élève de l'Académie d'Anvers. Il fut membre-fondateur du groupe *Antwerpse haven-en Scheldeschilders* en 1965. La Province d'Anvers a acquis de ses œuvres.
Bibliogr. : In : *Dictio. biogra. illustré des artistes en Belgique, depuis 1830*, Arto, Bruxelles, 1987.
Musées : Anvers.
Ventes Publiques : Lokeren, 9 oct. 1993 : *Tournesols*, h/t (60x50) : **BEF 60 000** – Lokeren, 12 mars 1994 : *Anvers*, h/t (120x140) : **BEF 48 000.**

ENGELES. Voir **ENGELS Peter**

ENGELFRID Hans
XVIIe siècle. Actif à Rottweil en 1628. Allemand.
Sculpteur.

ENGELHARD. Voir aussi **ENGELHARDT, ENGELHART** et **ENGLHART** ; chez les plus anciens des artistes de ce nom, l'orthographe varie entre ces diverses formes

ENGELHARD
XVe siècle. Allemand.
Peintre et sculpteur.
Travailla au monastère de Reichenbach (Palatinat).

ENGELHARD Andreas
XVIIe siècle. Actif de 1657 à 1698 à Nuremberg. Allemand.
Graveur sur bois et modeleur.

ENGELHARD Christoph
XVIIe siècle. Actif à Cologne. Allemand.
Peintre.

ENGELHARD F.
XIXe siècle. Actif en Alsace. Français.
Dessinateur et lithographe.
Il illustra l'ouvrage de J. Rothmüller : *Vues pittoresques de l'Alsace* en 1839.

ENGELHARD Friedrich Wilhelm
Né le 9 septembre 1813 à Grünhagen. Mort le 22 juin 1902 à Hanovre. XIXe siècle. Allemand.
Peintre, sculpteur sur ivoire.
Élève de Thorwaldsen et de Bissen à Copenhague et de Schwanthaler à Munich. Travailla à Paris, Londres, Munich, Rome, Hambourg et Hanovre. Le Musée de Brême conserve de lui : *Lorelei.*

ENGELHARD Gottlob
Né le 18 décembre 1812 à Kassel. Mort le 13 avril 1876 à Munster. XIXe siècle. Allemand.
Peintre et architecte.
Fils d'architecte, il fut élève de l'Académie de Kassel, puis voyagea en Italie, d'où il rapporta des études de paysages.

ENGELHARD Hans
XVe siècle. Allemand.
Peintre.
Il était actif à Nuremberg en 1469.

ENGELHARD Hans
XVIe siècle. Il était actif à Nuremberg en 1535. Allemand.
Enlumineur.

ENGELHARD Hans
Mort en 1595 à Nuremberg. XVIe siècle. Allemand.
Enlumineur.
Possiblement identique au précédent.

ENGELHARD Hans Baptista
XVIIe siècle. Actif à Nuremberg de 1643 à 1690. Allemand.
Graveur sur bois et modeleur.

ENGELHARD Johann
Mort le 29 janvier 1665. XVIIe siècle. Actif à Nuremberg. Allemand.
Graveur sur bois et modeleur.

ENGELHARD Johann Anton Friedrich
Né le 13 mai 1821 à Murten. Mort le 3 mars 1870 à Murten. XIXe siècle. Suisse.
Peintre de portraits, dessinateur, illustrateur.
Engelhard peignit des portraits et fournit des illustrations pour un livre écrit par son père. Il travailla à Berne, Biel, et Fribourg.

ENGELHARD Josef
Né le 23 juin 1859 à Aschaffenburg. XIXe siècle. Allemand.
Sculpteur.
Il étudia à Nuremberg, Munich et Berlin, et s'établit à Munich, où il exposa de 1890 à 1896.

ENGELHARD Karl
Originaire de Speyer. XVIIIe siècle. Actif à Rome en 1776. Allemand.
Peintre.

ENGELHARD Roland
Né le 18 avril 1868 à Hanovre. XIXe siècle. Allemand.
Sculpteur.
Il était le fils de Friedrüch Wilhelm Engelhard. Il étudia à l'Académie de Berlin avec Otto Lessing et à l'École des Arts et Métiers de Vienne. Fixé à Hanovre, il exécuta de nombreux bustes et monuments funéraires. En 1896 et 1901, il figura à la Grande Exposition de Berlin avec des portraits en relief.

ENGELHARD Veit Jakob
Né en 1643. Mort le 20 mai 1668. XVIIe siècle. Actif à Nuremberg. Allemand.
Modeleur et graveur sur bois.

ENGELHARD Wilhelm
Né en 1645 à Nuremberg. Mort en 1667 à Nuremberg. XVIIe siècle. Allemand.
Modeleur et graveur sur bois.

ENGELHARDT. Voir aussi **ENGELHARD**

ENGELHARDT Anton
Né vers 1737. Mort le 30 mai 1807. XVIIIe siècle. Actif à Glatz. Allemand.
Peintre.

ENGELHARDT Daniel Friedrich
Né à Augsbourg. Mort en 1828 à Augsbourg. XIXe siècle. Allemand.
Peintre de paysages et de miniatures, et écrivain d'art.
Il étudia d'abord la peinture de miniatures avec C. Hoyer, ensuite les paysages avec Hofman à Cologne et fut élève de Mannskirch. On cite parmi ses tableaux : *Col d'Ollon* ; *Capo di Lago* ; *Lac de Brienz* ; et plusieurs vues des Vosges.

ENGELHARDT Georg ou **Georges**
Né en 1823 à Mulhausen (Thuringe). Mort le 21 août 1883 à Charlottenbourg. XIXe siècle. Allemand.
Peintre de paysages, aquarelliste.
Il fut élève d'Ed. Biermann à Berlin. Il vécut à Charlottenbourg et à Berlin. Il a exposé surtout à Dresde et à Berlin de 1857 à 1883. On cite de lui : *Paysage du Harz* ; *Après-midi d'hiver.*
Musées : Berlin : 54 aquarelles et dessins à la plume – Schwerin : *Ruisseau de montagne* – Stettin : *Chutes de l'Ilse* – *Paysage de forêt.*
Ventes Publiques : Cologne, 25 juin 1976 : *Paysage alpestre*, h/t (67x97) : **DEM 5 000** – New York, 13 mai 1978 : *Paysage alpestre*, h/t (70x96,5) : **USD 5 000** – New York, 11 fév. 1981 : *Lac alpestre*, h/t (70x99) : **USD 3 000** – New York, 24 fév. 1983 : *Paysage alpestre*, h/t mar./isor. (69x100) : **USD 1 400** – Amsterdam, 5-6 nov. 1991 : *Paysage montagneux avec des voyageurs*, h/t (62x95) : **NLG 5 750** – New York, 28 mai 1992 : *Torrent de montagne*, h/t (68,6x97,8) : **USD 6 600**.

ENGELHARDT Georg Hermann
Né le 3 juin 1855 à Berlin. XIXe siècle. Allemand.
Peintre de paysages.
Il était fils de Georg Engelhardt. En 1884, il se fixa à Berlin. Il débuta en 1878 et exposa régulièrement à Berlin, Dresde et Düsseldorf.
Ventes Publiques : New York, 13 oct. 1978 : *Paysage alpestre*, h/t (70x96,5) : **USD 3 250** – Munich, 26 juin 1985 : *Maison sous les arbres*, h/t (53x42,5) : **DEM 2 800**.

ENGELHARDT Hans Jacob
XVIIe siècle. Actif à Strasbourg en 1620. Français.
Peintre.
Il peignit en 1620 dans l'église Saint-Pierre *Les Évangélistes* et des *Anges* dans la partie supérieure du jubé.

ENGELHARDT Hermann
Né le 28 juin 1874 à Berlin. XXe siècle. Allemand.
Sculpteur de groupes, statues, décorateur.
Il fut élève de l'Académie de Berlin. Il se fixa dans cette ville après avoir séjourné à Rome et Florence. Il a figuré aux expositions de Munich et de Berlin depuis 1906, ainsi qu'aux expositions organisées par l'Association des Artistes de Darmstadt, notamment celle de 1910 avec : *Amour*, un groupe de bois sculpté.
De nombreux monuments, églises, maisons de commerce, maisons particulières s'ornent de ses décorations plastiques. Parmi ses sculptures de figures, il est à noter : *David* et *Esclave.*
Musées : Berlin (Banque de Darmstadt) – Breslau, nom all. de Wroclaw (Direction des chemins de fer) – Stolp (Chambre de Commerce) – Tangermünde (Hôtel de Ville).

ENGELHARDT Hermann von, freiherr
Né le 1er mars 1853 à Wurken (Livonie). XIXe siècle. Allemand.
Peintre de genre.
Cet artiste commença ses études à Düsseldorf et les continua à Munich avec Löfftz, Wagner et Lindenschmidt. Il exposa au Palais de Glace à Munich en 1888 des tableaux de genre : *Nostalgie* ; *Oublié* ; *Les Sœurs* ; *Consolation.*
Musées : Munich (Gal. Knorr) : *A l'atelier* – *Café chantant*, past. – Riga : *Religieuse en prière.*

ENGELHARDT Maja Lisa
XXe siècle. Autrichienne.

Peintre de genre, pastelliste.
Elle obtint une médaille de bronze à l'Exposition universelle de 1900 à Paris.

ENGELHART. Voir aussi **ENGELHARD**

ENGELHART
XVIe siècle. Actif à Landshut. Allemand.
Peintre de portraits.
Il fit le portrait du duc Guillaume V de Bavière.

ENGELHART Andreas
XVIIIe siècle. Actif à Schneeberg en Saxe vers 1700. Allemand.
Peintre.
Il exécuta les portraits des Princes Électeurs Jean-Georges Ier, II et IV et de Frédéric Auguste Ier. Pour le tombeau du bourgmestre P. Blumberg, il fit une peinture représentant *Le Christ vainqueur de la Mort et du Démon.*

ENGELHART Catherine Caroline Cathinka, plus tard Mrs **Amyot**
Née le 6 février 1845 à Copenhague. XIXe siècle. Danoise.
Peintre de genre, portraits, peintre à la gouache, aquarelliste.
Élève de Carl Bögh en 1865 et 1866, elle partit en 1867 pour Bruxelles et pour Düsseldorf, où elle travailla sept ans sous la direction de Vautier et de Sohn. Elle a exposé à Düsseldorf et à Copenhague des tableaux de genre et des portraits ; plusieurs de ses œuvres ont été acquises à l'étranger. En 1875, elle partit pour Oslo, et de là pour Stockholm, où elle exécuta deux *Portraits de Charles XIV*, destinés au roi Oscar II. Elle épousa le 16 mai 1878 le médecin anglais Thomas H. Amyot, et à partir de 1882, habita avec son mari et exposa à la Royal Academy à Londres. Elle a également écrit et dessiné pour des feuilles hebdomadaires allemandes.

Amyot

MUSÉES : COPENHAGUE (Assoc. artistique) : *Pas de roses sans épines* 1874.
VENTES PUBLIQUES : LONDRES, 14 mars 1980 : *Un garnement*, h/t (91,4x68,6) : **GBP 280** – NEW YORK, 23 mai 1985 : *Dimanche à Tivoli* 1913, aquar. et gche (49x62,3) : **USD 9 000** – NEW YORK, 24 mai 1995 : *La Soirée parisienne*, h/pan. (45,7x33) : **USD 20 700**.

ENGELHART Hans Heinrich
Né en 1557 à Zurich. Mort en 1612 à Zurich. XVIe-XVIIe siècles. Suisse.
Peintre verrier.
On cite parmi ses œuvres les armoiries de la famille Grebel de Zurich et un vitrail en un seul morceau représentant *Le Christ en croix avec Marie et saint Jean.*

ENGELHART Johann
Né en 1585. Mort en 1640 à Wilna. XVIIe siècle. Polonais.
Graveur.
On connaît de lui un portrait gravé d'*Andreas Bobola.*

ENGELHART Johann Andreas
Né en 1801 à Nuremberg. Mort en 1858 à Nuremberg. XIXe siècle. Allemand.
Peintre.
Il fut élève de l'École des Beaux-Arts de Nuremberg où il exposa en 1830 : *Portrait* et *Joueurs de cartes dans une auberge, Jeunes garçons avec des œufs de Pâques* ; en 1833 : *Jeune garçon en vêtement macédonien* ; en 1840 : *Atelier d'Artiste.* On cite encore : *Pour le nouvel an*, 1825, *Scènes du Renard (Reinecke).* Il a également exécuté quelques eaux-fortes, dont la planche *Le Testament.* De lui, le Musée Municipal de Nuremberg possède : trois séries de tableaux à l'huile, chacune sous un cadre, les *Poésies de Grübel en images, La Femme tendre* d'après la poésie de Grübel. *La Chute de Phaéton*, d'après la poésie de Weikert.

ENGELHART Josef ou **Engelhardt, Englehardt**
Né le 19 août 1864 à Vienne. Mort en 1941. XIXe siècle. Autrichien.
Peintre de genre, portraits, paysages, aquarelliste, peintre de techniques mixtes, sculpteur, dessinateur.
Il fut élève de l'Académie de Munich dans l'atelier de Löfftz, puis vécut à Vienne. Il exposa à Munich et à Berlin à partir de 1888. Il obtint une médaille de bronze à l'Exposition universelle de 1900 à Paris. On cite de lui : *Portraits de femme ; Le Pélerin ; Au soleil ; Le Vent ; Portrait de L. Speidl ; Portrait du bourgmestre Lueger sur son lit de mort.*

MUSÉES : VIENNE : *Le Bal – Chez le chanteur – Vue de ma fenêtre.*
VENTES PUBLIQUES : NEW YORK, 4-5 mars 1909 : *Dans les montagnes de Bavière* : **USD 265** – VIENNE, 9 mai 1980 : *Les Dernières Nouvelles* 1892, techn. mixte (57,5x72) : **ATS 25 000** – VIENNE, 12 nov. 1985 : *Tête de femme* vers 1902, marbre blanc (H. 32) : **ATS 50 000** – VIENNE, 24 juin 1986 : *Dr Seipel* 1925, fus. et reh. de blanc (46x60,5) : **ATS 20 000** – VIENNE, 19 mai 1987 : *Portrait de femme* 1935, h/pan. (102x73) : **ATS 30 000** – ENGHIEN-LES-BAINS, 25 oct. 1987 : *Homme assis*, cr. gras et aquar. (22x45) : **FRF 35 000** – LONDRES, 19 nov. 1993 : *Moments d'oisiveté*, h/t (81,8x294,6) : **GBP 5 750**.

ENGELHART Josef
Né le 2 septembre 1880 à Munich (Bavière). Mort le 14 août 1910 à Wittemberg (Saxe-Anhalt). XXe siècle. Allemand.
Peintre de portraits, paysages, graveur, lithographe.
Après avoir voyagé en Italie il entra à l'Académie de Munich et travailla comme dessinateur à Berlin, Leipzig et Altona.
Il exécuta en même temps quelques tableaux, dont un portrait de lui-même avec sa femme, des paysages, puis des eaux-fortes, des lithographies, des projets pour d'ex-libris.
VENTES PUBLIQUES : VIENNE, 18 mars 1981 : *Femme à la cigarette*, fus. et sanguine reh. de blanc/pap. verdâtre (60X41,5) : **ATS 15 000** – LONDRES, 8 oct.1986 : *Tête de femme* vers 1902, marbre blanc (H. 32) : **GBP 3 500**.

ENGELHART Sebastian
Mort vers 1750. XVIIIe siècle. Actif à Munich. Allemand.
Peintre de portraits et peintre d'histoire.
MUSÉES : FRANCFORT-SUR-LE-MAIN (Mus. historique) : *Christ en croix* – MUNICH (Mus. Nat.) : *Portrait de l'empereur Joseph Ier – Portrait de l'empereur Charles VI et de sa femme.*

ENGELHORN Caspar
Mort le 11 juin 1721. XVIIIe siècle. Allemand.
Peintre.
On le trouve à la Manufacture de faïence de Dorotheenthal, près d'Arnstadt.

ENGELHORN Robert
Né le 28 décembre 1856 à Mannheim. XIXe siècle. Allemand.
Peintre de portraits, de paysages et de genre.
Il étudia à l'Académie de Karlsruhe avec Hildebrandt, puis à Paris avec Lefèvre. Après avoir vécu un certain temps à Munich il se fixa à Baden-Baden où il fonda l'Association libre des Artistes de Baden, ainsi que les Expositions d'art de cette ville.

ENGELINUS Natalis de
XVIe siècle. Actif à Gratz en 1557. Autrichien.
Peintre.

ENGELKE Karl Martin
Né le 22 juin 1852 à Tilsit. XIXe siècle. Allemand.
Sculpteur.
Après avoir étudié à Dresde dans l'atelier de J. Schilling, puis à Vienne, il se fixa à Dresde où il exécuta de nombreuses œuvres, dont des bas-reliefs : *Mise au tombeau, Résurrection du Christ ; Mort d'une chrétienne et son entrée au ciel*, pour le cimetière de Dresde-Lobtaü. On cite de lui des sculptures allégoriques : *La Poésie ; la Religion et l'Histoire ; La Foi ; l'Espérance et la Charité ; les Trois Grâces ; les Trois Parques.* Il fit aussi des portraits et des bustes. Pour sa ville natale, Tilsit, il fit le monument du poète Max von Schenkendorf.
MUSÉES : LUBECK : *Buste du Compositeur Carl Grammann*, marbre – PRAGUE (Rudolphinum) : *Statue de Phidias.*

ENGELLENDER
XVIe siècle. Actif à Munich en 1587. Allemand.
Peintre.

ENGELLOHNER Lorenz Joseph ou **Englaner, Englatner**
Né vers 1710 à Vienne. XVIIIe siècle. Autrichien.
Peintre.
Il était élève de l'Académie de Vienne en 1736.

ENGELMAN Adriaan
Né en 1937 à Rotterdam. XXe siècle. Hollandais.
Sculpteur.
Il a participé à la Biennale d'Anvers en 1971.

ENGELMAN Martin
Né en 1924. XXe siècle. Depuis 1948 actif en France. Hollandais.
Peintre. Tendance expressionniste.

Il a participé à de nombreuses expositions collectives, parmi lesquelles : Salon de Mai : 1961, 1967, 1968 ; Salon Comparaisons : 1962, 1963, 1964, etc. Il a été sélectionné pour la Documenta de Kassel et pour le prix Marzotto en 1964. Il a également réalisé des expositions particulières : à Paris en 1960, au Minneapolis Institute of Arts et à Arnhem en 1963 ; à Amsterdam et à l'Institut Néerlandais de Paris en 1964.
Sa peinture montre une nette influence du groupe *Cobra*. Son expressionnisme est toutefois caractérisé par une technique picturale moins exacerbée que celle des peintres du groupe, et qui emprunte quelque peu de la méticulosité des surréalistes. Il n'est pas resté insensible non plus aux possibilités narratives du mouvement pop art des années soixante. ■ J. B.
Musées : Amsterdam (Stedelijk Mus) – Haarlem (Frans Hals Mus.) – La Haye (min. des Beaux-Arts) – New York (Mus. of Mod. Art) – Rotterdam (Boymans-Van-Beuningen Mus.).
Ventes Publiques : Paris, 26 jan. 1990 : *Conversation* 1960, techn. mixte (49x64) : **FRF 11 000** – Rome, 9 déc. 1991 : *Défense de fumer* 1969, h/t (115x95) : **ITL 1 955 000**.

ENGELMANN Burkhard
Né en 1944 en Pologne. xxe siècle. Depuis 1965 actif en France. Polonais.
Peintre. Surréaliste.
Il a passé son enfance en Allemagne de l'Est qu'il a par la suite quittée. Il s'installe à Paris en 1965. Il expose depuis 1968 à Paris, puis à Amsterdam et Londres.
Sa peinture est très influencée par celle de Brauner, et il peint des êtres assez monstrueux aux yeux et membres multiples.

ENGELMANN Daniel
Né vers 1800 probablement à Berlin. Mort en 1870. xixe siècle. Allemand.
Peintre, dessinateur et peintre verrier.
Il exécuta d'après les projets de Kaulbach les fresques de la Résidence de Munich, et celles de l'ancienne Pinacothèque d'après les projets de Zimmermann. Il figura à l'Exposition de l'Académie de Berlin de 1844 à 1862 avec des esquisses de vitraux en couleur pour les cathédrales de Bâle et d'Aix-la-Chapelle. Il reproduisit en lithographie la fresque du plafond de l'église évangélique de Munich.
Musées : Schwerin : *Madone dans un paysage.*

ENGELMANN Eduard Wilhelm
Né le 7 février 1825 à Leipzig. Mort le 2 avril 1853 à Leipzig. xixe siècle. Allemand.
Graveur sur bois.
Élève de J. Allanson et de W. A. Nicholls. Il travailla surtout d'après Ludwig Richter.

ENGELMANN Ernst Julius
Né en 1820 à Gossnitz. Mort en 1902 à Munich. xixe siècle. Actif à Munich. Allemand.
Peintre de paysages.
Il a exposé à Brême en 1880. On cite de lui : *Moulin au Tyrol* ; *Soir à Munich* ; *Le château de Leustetten.*

ENGELMANN Franz
Né en 1771. Mort le 22 avril 1808. xviiie siècle. Actif à Vienne. Autrichien.
Graveur.
Fils de Wenzel Engelmann.

ENGELMANN Godefroy I
Né le 17 août 1788 à Mulhouse. Mort le 25 avril 1839 à Mulhouse. xixe siècle. Français.
Dessinateur lithographe et peintre de miniatures.
Un des introducteurs de la lithographie en France. Engelmann lui apporta des perfectionnements en améliorant les encres, les crayons et différents procédés. Il est l'inventeur du cadre à repérer. Au Salon, il obtint une médaille de deuxième classe. Il fut l'élève de Regnault. On doit à Engelmann un manuel de lithographie.

ENGELMANN Godefroy II
Né en 1814. Mort en 1897. xixe siècle. Français.
Lithographe.
Il fut avec son père Godefroy Engelmann l'inventeur de la chromo-lithographie.

ENGELMANN Hans
Originaire de Lobau. Mort en 1620. xviie siècle. Allemand.
Peintre.
Il travailla en 1620 à l'église Saint-Pierre et Saint-Paul à Görlitz.

ENGELMANN Johann
Né en 1767. Mort le 31 août 1805. xviiie siècle. Actif à Vienne. Autrichien.
Graveur.

ENGELMANN Johann Wenzel ou **Wenzel**
Né en 1713 à Langenau (près de Leipa). Mort le 15 novembre 1762 à Vienne. xviiie siècle. Autrichien.
Graveur.
Élève de l'Académie de Vienne. Père du graveur Wenzel Engelmann.

ENGELMANN Joseph
Né vers 1708. xviiie siècle. Autrichien.
Graveur.
De l'Université de Vienne.

ENGELMANN Richard
Né le 5 décembre 1868 à Bayreuth (Bavière). xixe-xxe siècles. Allemand.
Sculpteur.
Il étudia à Munich, Florence, Paris, puis se fixa à Berlin.
Musées : Weimar : *Femme allongée.*

ENGELMANN Wenzel
Né en 1748 à Vienne. Mort le 9 février 1803 à Vienne. xviiie siècle. Autrichien.
Graveur.
Fils du graveur Johann Wenzel Engelmann.

ENGELMULLER Ferdinand
Né le 22 décembre 1867 à Prague. xixe-xxe siècles. Tchécoslovaque.
Peintre de paysages, graveur, pastelliste.
Il étudia à l'Académie de Prague avec Marak et ensuite à Munich et Rome. Il exposa des paysages à l'huile et au pastel à Vienne, Prague, Munich, Berlin, Hambourg, et reçut la médaille d'or à l'Exposition universelle à Paris en 1900. Il publia en 1904, cinquante reproductions de ses tableaux en noir et en couleur sous le titre *Tonalités et Contes*, et en 1905, les *Chansons du Soir*, huit tableaux au pastel sur les poésies de V. Halek. Parmi ses eaux-fortes : *Impressions de la patrie* et *Impressions de l'étranger*.
Musées : Prague (Gal. Mod.) – Prague (Rudolphinum) – Vienne (Gal. Mod.) : *Paysages de Bohême*, 16 esquisses pour le cycle de ce nom.
Ventes Publiques : Paris, 9 déc. 1986 : *Vue de Prague*, h/t (90x168) : **FRF 23 500**.

ENGELRAAM Laurens ou **Engelraeve**
xviie siècle. Actif à La Haye. Hollandais.
Graveur d'art et graveur sur verre.
Un des fondateurs de la Pictura, en 1656. Un Louweris Ingenraem fut « fynschilder » dans la gilde de Middelbourg, en 1655.

ENGELRAMS. Voir **INGELRAMS**

ENGELS A. Gabriel
xviie siècle. Allemand.
Peintre.
Probablement fils de Gabriel Engels. On ne connaît de ce peintre qu'un *Portrait de A. Hutel*, daté de 1662.

ENGELS Alexander
Mort le 25 juillet 1857 à Cologne. xixe siècle. Actif à Cologne. Allemand.
Graveur et dessinateur.
Il exécuta un portrait du pape Pie IX. On connaît également une vue de Cologne qu'il grava d'après son propre dessin, et un portrait de l'archevêque de Cologne qui fut gravé par William Engels.

ENGELS Bartholomeus
Mort après 1702. xviie-xviiie siècles. Hollandais.
Peintre de paysages animés.
Il appartenait à la gilde de Haarlem en 1656. On connaît une de ses œuvres : *Un maréchal-ferrant dans une grotte en Italie.*
Ventes Publiques : Londres, 17 déc. 1981 : *Paysage d'Italie animé de personnages*, h/pan. (51,3x78,6) : **GBP 2 800**.

ENGELS F.
xviiie siècle. Actif à Malines. Éc. flamande.
Peintre de paysages.

ENGELS Gabriel
Né le 24 août 1592 à Hambourg. Mort le 30 août 1654 à Hambourg. xviie siècle. Allemand.
Peintre.

Cet artiste voyagea en Angleterre, en France et en Italie. Sa dernière œuvre, qui est datée de 1630, *Le Temple de Salomon* et représente la parabole du Pharisien et du Publicain se trouvait dans l'église Sainte-Catherine de Hambourg. D'autres œuvres de lui à Hambourg ont disparu. On trouve souvent dans des catalogues de ventes aux enchères la mention de ses tableaux. Il ressort de certains documents qu'il aurait travaillé à Gottorp pour les ducs de Silésie Frédéric III et Christian Albert.

ENGELS Jan Baptiste
XVIIIe siècle. Actif à Malines en 1750. Éc. flamande.
Peintre d'histoire.
Un Johannes Engel, peintre, né en 1619, mort le 5 septembre 1678, et un Johannes Engel, peintre, né en 1661, vécurent à Amsterdam.

ENGELS Joseph François ou **Ingels**
Né le 9 mars 1757 à Gand. Mort le 13 décembre 1842 à Gand. XVIIIe-XIXe siècles. Éc. flamande.
Sculpteur.
Élève de Charles Van Poucke. Il exécuta un buste de saint Maurice pour l'église de Nevele en 1808.

ENGELS M.
XVIIe siècle. Actif en 1652. Hollandais.
Peintre.

ENGELS Michel
Né en 1851 à Luxembourg. Mort en 1901 à Luxembourg. XIXe siècle. Luxembourgeois.
Peintre d'histoire, de compositions religieuses, paysages, paysages urbains, aquarelliste. Postromantique.
Il fut élève de Jean-Baptiste Fresez, et poursuivit ses études à Munich. Il fut professeur de dessin à l'Athénée de Luxembourg. En 1893, il fut co-fondateur du Cercle Artistique, et président de 1899 à sa mort.
Sa manière est qualifiée de méticuleuse.
Bibliogr. : In : Catalogue de l'exposition *150 ans d'art luxembourgeois*, Mus. Nat. d'Hist. et d'Art, Luxembourg, 1989.
Musées : Luxembourg (Mus. Nat. d'Hist. et d'Art) : *Allégorie du Feierwon*, aquar. – *Les Ruines du château de Bourscheid* 1886, aquar. – *La Ville de Luxembourg* 1898.

ENGELS Peter
Né le 21 septembre 1631 à Hambourg. Mort en 1692 à Moscou. XVIIe siècle. Allemand.
Peintre.
Fils de Gabriel Engels, il travailla à Copenhague, en Italie et à Moscou. Il exécuta pour le Kremlin une suite de peintures représentant des scènes de la Bible.

ENGELS Pieter
Né en 1938 à Rosmalen. XXe siècle. Hollandais.
Peintre, sculpteur. Pop art.
Il a étudié à la Kononklijk Académie et à la Rijks Académie d'Amsterdam. Il a participé à de nombreuses expositions, dont certaines importantes : Exposition Internationale à Montréal en 1967, Biennale de Paris la même année et Documenta à Kassel en 1968.
Il a activement participé à l'élaboration du pop art dans les années soixante, présentant plus des assemblages d'objets, souvent des vêtements, que véritablement des peintures. Un côté net, aseptisé, est assez sensible chez Engels, usant des vinyles brillants, des surfaces lisses lamifiées et des chromes. Il décrit et en même temps s'approprie (terme essentiel dans toute la démarche de ces peintres des années soixante) un monde extérieur contemporain, en magnifiant ou même en dénonçant le clinquant. On a pu parler à son propos d'art objectif, car effectivement c'est bien l'objet qui en est le thème et la raison. ■ J. B.
Musées : Amsterdam – Eindhoven – Groningen – La Haye.
Ventes Publiques : Amsterdam, 5 juin 1984 : *Prototype 63*, alu. (200x100) : **NLG 6 200** – Amsterdam, 22 mai 1990 : *Toile mal construite*, plaque de cuivre et objet de plastique sur t. dans un cadre de bois (115x210) : **NLG 4 140** – Amsterdam, 19 mai 1992 : *Paramarche Shoes (chaussures pour marcher en arrière)*, boîte blanche contenant deux chaussures montées sur des sabots de vaches avec une brosse à côté (35x50x50) : **NLG 2 530**.

ENGELS Rémi
XVIIIe siècle. Actif à Malines. Éc. flamande.
Peintre.
Il exécuta en 1736 une statue de la Vierge pour la grande porte du vieux Palais.

ENGELS Robert
Né le 9 mars 1866 à Solingen (Ruhr). Mort en 1926. XIXe-XXe siècles. Allemand.
Peintre de sujets divers, illustrateur.
Il fut élève de l'Académie de Düsseldorf, puis, après un séjour à Paris et à Londres, élève de l'École de Peinture de Fehr à Vienne. Il travailla un certain temps à Düsseldorf et se fixa définitivement à Munich où il devint professeur à l'École des Arts et Métiers en 1910 et collabora à la revue *Jeunesse*.
Parmi ses illustrations les plus connues il y a celles de *Tristan et Iseult*, celles des *Ballades du Baron de Münchhausen*, les dessins de paysages pour les *Poésies d'Annette de Droste*, et les dessins en couleurs de livres de contes par exemple *Rübezahl*, pour l'éditeur J. Scholz à Mayence. En ce qui concerne ses productions de peinture, il présenta, en 1894, à l'Exposition de Düsseldorf, une *Jeune fille tricotant*, et à d'autres expositions en Allemagne : *Tableau de Famille* (1906), et *Jour d'Été* (1907). Il fut aussi peintre-verrier et exécuta des peintures sur verre pour la salle des mariages de l'Hôtel-de-Ville de Remscheid, et des tableaux sur verre pour l'église Saint-Jean à Breslau : *Les Noces de Cana* et *La Résurrection de Lazare*.
Ventes Publiques : New York, 1er mars 1984 : *Femme allant au marché* 1907, h/t (101x90,1) : **USD 2 000** – Munich, 1er juin 1987 : *St Michael i. Eppan* vers 1905, h/t : **DEM 1 800**.

ENGELS Wilhelm
XIXe siècle. Actif de 1824 à 1840. Allemand.
Graveur.
D'abord à Bonn, il se fixa ensuite à Cologne. Il grava d'après Alexandre Engels un *Portrait de Clément Auguste*, archevêque de Cologne, d'après W. Hollar une *Vue de Düren*, d'après son propre dessin un portrait de l'archevêque *Ferdinand Auguste*.

ENGELSBERG Léon
Né en 1908. XXe siècle. Israélien.
Peintre de paysages, aquarelliste. Tendance expressionniste.
Dans des pâtes lourdes, posées fébrilement, il peint les paysages israéliens selon une vision tourmentée qui rappelle celle de Soutine.
Ventes Publiques : Tel-Aviv, 4 mai 1980 : *Jérusalem*, h/t (73x81) : **ILS 105 000** – Tel-Aviv, 15 mai 1982 : *Paysage*, h/t (64x72) : **ILS 35 000** – Tel-Aviv, 1er juin 1987 : *Paysage*, h/t (64,5x93,5) : **USD 4 260** – Tel-Aviv, 3 jan. 1990 : *Paysage*, aquar. (49x69) : **USD 3 300** – Tel-Aviv, 1er jan. 1991 : *Collines de Judée*, h/t (55,5x76) : **USD 8 800** – Tel-Aviv, 12 juin 1991 : *Les environs de Jérusalem*, h/t (60,5x98) : **USD 7 700** – Tel-Aviv, 6 jan. 1992 : *Cyprès dans les environs de Jérusalem*, h/t (49x37,5) : **USD 2 860** – Tel-Aviv, 14 jan. 1996 : *Vue de la vieille ville depuis un intérieur*, h/t (42,5x51,5) : **USD 9 200**.

ENGELSBERGER-DRIOLI Trude
Né en 1920 à Salzbourg. XXe siècle. Autrichien.
Peintre.
Il a étudié à l'Académie de Vienne jusqu'en 1939. Il pratique une figuration faite de douceur, et parfois à la limite de la mièvrerie, assez stylisée. Il vit et expose à Salzbourg.

ENGELSCHALK Caspar
XVIIe siècle. Actif à Munich en 1665. Allemand.
Peintre.
Membre de la gilde de Munich.

ENGELSCHALL Georg Heinrich
Mort en 1714 à Nuremberg. XVIIIe siècle. Allemand.
Peintre et portraitiste.
Le portrait qu'il fit de J. C. Baumann fut gravé par J. von Montalegre.

ENGELSCHALL Joseph Friedrich
Né le 16 décembre 1739 à Marbourg. Mort le 18 mars 1797 à Marbourg. XVIIIe siècle. Allemand.
Peintre amateur.
Professeur de dessin et de philosophie à l'Université de Marbourg il peignit des portraits au pastel et des paysages à l'aquarelle. Geyser, Westermayr, J. L. Stahl gravèrent d'après lui une série de vues de la Hesse et d'autres sujets.

ENGELSMAN Jan Maertensz
Mort en avril 1654 à Alkmaar. XVIIe siècle. Hollandais.
Peintre verrier.
Maître de Josef Oosterfries. Il exécuta pour l'église Saint-Laurent à Alkmaar un *Siège de la ville par les Espagnols en 1573*.

ENGELSTED Malthe Odin
Né le 8 août 1852 à Nivaagaard. Mort en 1930. XIXe-XXe siècles. Danois.
Peintre de compositions religieuses, scènes de genre.
Il vint avec ses parents à Copenhague, où il devint bachelier en 1870. Mais il quitta bientôt ses études pour entrer à l'Académie des Beaux-Arts. Il débuta au Salon de 1879. Engelsted a fait, en 1881 et 1883, quelques petits voyages à l'étranger. Son tableau : *Scène de la vie enfantine*, lui valut le prix Neuhausen en 1883. Boursier de l'Académie en 1887-1888, il séjourna longtemps en Italie et en Grèce. Ses œuvres furent très remarquées.
Parallèlement à ses tableaux de genre, qui se distinguent par une verve fine et animée, il commença à peindre en 1884 des tableaux religieux, qui révèlent un sentiment vigoureux, et il a traité de cette manière de nombreux sujets, s'inspirant surtout de l'Ancien Testament.
Musées : Stockholm : *Abraham sur la montagne*.
Ventes Publiques : Copenhague, 16 sep. 1987 : *Orphée* 1914, h/t (200x248) : **DKK 50 000** – Londres, 23 mars 1988 : *Les Églantines* 1897 (42x86) : **GBP 4 400** – Londres, 16 fév. 1990 : *La partie de bridge* 1891, h/t (56,2x76,8) : **GBP 4 400** – Londres, 27-28 mars 1990 : *Jeune garçon ratissant la paille*, h/t (93x68) : **GBP 6 820**.

ENGELSÜSS Martin
XVe siècle. Actif à Strasbourg en 1454. Français.
Peintre.

ENGELSZ Cornelis. Voir **VERSPRONCK C. E.**

ENGELUND Svend
XXe siècle. Danois.
Peintre de paysages.
Essentiellement peintre de paysages ruraux, fasciné par les vastes étendues des champs à perte de vue, il les observe au long des saisons.
Ventes Publiques : Copenhague, 28 avr. 1976 : *Markfelter* 1954, h/t (67x134) : **DKK 15 700** – Copenhague, 8 mars 1977 : *Paysage d'hiver*, h/t (64x95) : **DKK 14 400** – Copenhague, 8 avr. 1981 : *Paysage* 1945, h/t (74x100) : **DKK 9 000** – Copenhague, 9 mai 1984 : *Paysage* 1942, h/t (60x74) : **DKK 9 000** – Copenhague, 26 fév. 1986 : *Fenêtre et paysage* 1978, h/t (100x100) : **DKK 29 000** – Copenhague, 2 mars 1988 : *Les champs et bâtiments agricoles* (49x60) : **DKK 20 000** – Copenhague, 4 mai 1988 : *Les Champs* (25x36) : **DKK 7 500** – Copenhague, 10 mai 1989 : *Paysage d'hiver* 1985, h/t (40x60) : **DKK 14 000** – Copenhague, 21-22 mars 1990 : *Paysage campagnard avec une ferme* 1942, h/t (75x96) : **DKK 18 000** – Copenhague, 9 mai 1990 : *Les champs* 1961, h/t (89x130) : **DKK 48 000** – Copenhague, 30 mai 1991 : *Les Signes du printemps* 1962, h/t (73x100) : **DKK 16 000** – Copenhague, 4 mars 1992 : *L'Étendue des champs* 1967, h/rés. synth. (27x34) : **DKK 7 000** – Copenhague, 1er avr. 1992 : *Le Damier des champs* 1974, h/t (73x116) : **DKK 18 000** – Copenhague, 21 avr. 1993 : *Les Limites des champs* 1968, h/t (90x120) : **DKK 20 000** – Copenhague, 17 avr. 1996 : *Paysage champêtre* 1960, h/rés. synth. (39x47) : **DKK 12 000** – Copenhague, 29 jan. 1997 : *Champs en hiver* 1950, h/t (57x80) : **DKK 16 500** ; *Paysage champêtre avec cour de ferme* 1942, h/t (71x90) : **DKK 13 500**.

ENGER Erling
Né en 1899 à Faberg (Lillehammer). XXe siècle. Norvégien.
Peintre de paysages.
Il accomplit ses études de garde forestier, avant de commencer à peindre, à l'âge de trente ans. Il fut élève de Revold. Il effectua plusieurs voyages : 1933 en Allemagne, 1937 à Paris, 1947 en Europe du centre et du sud.
Il subit tout d'abord l'influence de l'expressionnisme allemand qu'il tempéra, à partir de 1940, d'un humour très particulier. Il peint surtout des paysages, et l'on cite ses dons de coloriste.
Bibliogr. : In : *Peintres contemporains*, Mazenod, Paris, 1964.
Musées : Bergsen – Copenhague – Göteborg – Oslo – Reykjavik.

ENGERLEN Paul Sebastian
Originaire d'Augsbourg. XVIIIe siècle. Allemand.
Sculpteur.
Il travaillait à Munich vers 1770.

ENGERT Erasmus von, ritter
Né en 1796 à Vienne. Mort le 14 avril 1871 à Vienne. XIXe siècle. Autrichien.
Peintre d'histoire, scènes de genre, portraits, restaurateur.
Après avoir travaillé à l'Académie de Vienne, de 1809 à 1823, il passa quelque temps en Italie. De retour en Autriche, il s'adonna surtout à la restauration de tableaux, mais exécuta aussi, outre de fort bonnes copies des grands maîtres, quelques portraits et peintures d'histoire. Il fut professeur de dessin à l'Académie des ingénieurs de Vienne, puis à partir de 1840, conservateur et restaurateur à la Galerie impériale du Belvédère, dont il devint directeur en 1857.
Ses œuvres, parfois teintées de sentimentalisme, tendent vers un art plus réaliste qui s'oppose au romantisme.
Bibliogr. : In : *Diction. de la peint. allemande et d'Europe centrale*, coll. Essentiels, Larousse, Paris, 1990.
Musées : Berlin (Staat. Mus.) : *Jardin dans la banlieue viennoise* 1828 – Vienne (Österr. Gal.) : *Intérieur sous la lampe – Ave Maria* 1829.

ENGERT Johann Georg
XVIIIe siècle. Actif à Hambourg-Altona. Allemand.
Sculpteur.
Il fit des sculptures sur bois pour l'église de la Trinité à Altona vers 1745, et également pour l'église Saint-Michel à Hambourg. Il était marié à E. M. Maschmann, peintre qui l'aidait à colorier ou dorer ses sculptures.

ENGERTH Eduard von, ritter
Né le 13 mai 1818 à Pless. Mort le 28 juillet 1897 à Semmering. XIXe siècle. Allemand.
Peintre d'histoire, compositions religieuses, portraits, architectures.
Élève de l'Académie des Beaux-Arts à Vienne dans l'atelier de Kupelwieser et Führich. Fit ensuite des voyages en France, en Angleterre et en Italie. En 1854, il devint directeur de l'Académie à Prague ; en 1865, professeur de l'Académie des Beaux-Arts à Vienne. En 1867, président d'un cercle d'artistes à Vienne, et en 1871, directeur de la Galerie Impériale de peinture.
Musées : Vienne : *Prise du fils de Manfred, par les cavaliers du duc d'Anjou – Douze cartons pour l'escalier du salon impérial de l'Opéra de Vienne – Sept cartons pour le salon impérial de l'Opéra – Dix cartons pour les peintures murales du salon impérial – Entrée du Christ à Jérusalem – L'Ange éveille saint Joseph pour la fuite – Saint Jean de Népomuck – Job – Saint Anne et la Vierge Marie – Le Comte Rodolphe de Habsbourg à la chasse*.
Ventes Publiques : Vienne, 29-30 oct. 1996 : *Le Jeune Maître et son chien* 1849, h/t (79,2x63,2) : **ATS 253 000**.

ENGERTH Karl ou **Joseph**
Né en Allemagne. Mort en 1830 ou 1831 à Lemberg. XIXe siècle. Allemand.
Peintre de genre, portraits, paysages, décorateur de théâtre.
Peintre de la cour du duc Anhalt-Köthen, il était à Lemberg en 1823. Un tableau signé Karl Engerth *Camp de voleurs la nuit* fut exposé à Lemberg en 1837. Il lui est attribué.

ENGERTH Wilhelm
Né vers 1818. Mort le 1er janvier 1884 à Budapest. XIXe siècle. Hongrois.
Dessinateur et lithographe.
Professeur de dessin à l'École Polytechnique de Budapest, c'est lui qui fit le projet de la page ornementale de l'album dédié en 1857 par les artistes hongrois à l'empereur François-Joseph. Il lithographia d'après K. Göbel : *Camp de hussards*, d'après Liezen Mayer : *La Reine Marie et sa mère au tombeau de Louis Ier*, et d'après le tableau de K. Marko : *La récolte*.

ENGESMET A. Van
XIXe siècle. Actif vers 1815. Hollandais.
Aquafortiste et copiste.
On cite parmi ses œuvres : *Le goût* ; *La Femme à la croix* ; *Paysan fumant* ; *Tête de vieillard*.

ENGGELGRAEFF Françoys
XVIIe siècle. Actif à Anvers. Éc. flamande.
Peintre.
Il fut reçu maître en 1602.

ENGHEBERT Jacobus
XVe siècle. Actif à Haarlem. Hollandais.
Peintre.
Siret le cite comme élève de Philippot Truffin.

ENGHELRAMS. Voir **INGELRAMS**

ENGHELS J.
XVIIe siècle. Britannique.
Graveur.
De lui un portrait, daté de 1667, de la comtesse Barbara de Cleveland, d'après P. Lévy.

ENGHERAN Jan
XVe siècle. Éc. flamande.
Peintre.
Cité par Siret. Il travailla aux entremets de Bruges, en 1467.

ENGHIEN, d'. Voir au prénom

ENGISCH J. H.
XVIIIe siècle. Actif à Dill, près de Simmern, en 1714. Allemand.
Peintre.

ENGL Hugo
Né le 17 novembre 1852 à Lienz. Mort en 1926. XIXe siècle. Autrichien.
Peintre de genre, portraits, illustrateur.
Il travailla à Munich. Il a exposé à Vienne, à Brême et à Munich à partir de 1877. On cite de lui : *Retour de la chasse.*
Ventes Publiques : Munich, 17 oct. 1984 : *Bei der Sennerin*, h/pan. (65,5x91) : **DEM 36 000** – Hambourg, 5 juin 1985 : *Portrait de vieillard* 1877, h/t (28,5x21) : **DEM 3 000** – Amsterdam, 14 sep. 1993 : *Les Aveux de la servante*, h/t/cart. (47x33) : **NLG 5 520**.

ENGL J. G.
XVIIIe siècle. Actif à la fin du XVIIIe siècle. Allemand.
Peintre de miniatures.

ENGL Josef B.
Né en 1867. Mort le 25 août 1907 à Munich. XIXe siècle. Allemand.
Sculpteur et dessinateur.
Il contribua à l'illustration du *Simplicissimus* à Munich. On connaît également de lui des dessins représentant des vues de la ville.

ENGLAND Florence
Née à Newquay (Angleterre). XXe siècle. Britannique.
Aquarelliste.

ENGLANDER Louis
Né à Paris. XXe siècle. Français.
Peintre.
Il exposa à Paris au Salon des Indépendants en 1927.

ENGLANER ou **Englatner**. Voir **ENGELLOHNER Lorenz Joseph**

ENGLE Harry Léon
Né en 1870 à Richmond (Indiana). XXe siècle. Américain.
Peintre de paysages.
Il fut élève de l'Art Institute of Chicago. Il obtient le prix du Palette and Chisel Club en 1917 ; une médaille d'or en 1923 ; le prix de Nature morte au Hoosier Salon en 1931. Engle a notamment peint : *Old Lyme Road* et *Lauriers.*
Ventes Publiques : Los Angeles, 6 nov. 1978 : *Paysage* 1915, h/t (61x68,5) : **USD 1 600**.

ENGLEBERT Pierre
XVIe siècle. Actif à Fontainebleau en 1570. Français.
Peintre.

ENGLEBERT Serge
Né en 1951 à Fraipont. XXe siècle. Belge.
Dessinateur, animalier, graveur.
Il fut élève de l'Académie Royale de Liège, où il devient professeur. Il dessine délicatement différentes espèces animales : oiseaux, insectes, poissons...
Bibliogr. : In : *Dictio. biogra. illustré des artistes en Belgique, depuis 1830*, Arto, Bruxelles, 1987.
Musées : Liège (Cab. des Estampes).

ENGLEFIELD Arthur
Né en 1855 à Clapham (Londres). XIXe siècle. Britannique.
Peintre de portraits et de genre.
Élève du Royal College of Art à Londres, il en sortit médaillé. Il figura à la Royal Academy de 1892 à 1904.

ENGLEFIELD Henry Charles, Sir
Né en 1752. Mort le 21 mars 1822 à Londres. XVIIIe-XIXe siècles. Britannique.
Peintre amateur et archéologue.
Il exposa en 1787, 1788 et 1789 des paysages à la Royal Academy.

ENGLEHEART Francis
Né en 1775 à Londres. Mort en 1849 à Londres. XIXe siècle. Britannique.
Graveur.
Frère de George Engleheart, le miniaturiste, il fit ses études comme apprenti de Joseph Collyer et comme aide de James Heath. Il grava quelques dessins de Smirke pour *Don Quichotte* et plusieurs planches pour différentes publications. Il fit aussi : *La fille unique* ; d'après Sir David Wilkies, *Le château* ; d'après Cook, *Cupidon et les Nymphes* ; d'après W. Hilton, *La Sainte Famille* ; d'après Fra Bartolommeo.

ENGLEHEART George
Né en 1752 à Kew. Mort en 1829 à Blackheath. XVIIIe-XIXe siècles. Britannique.
Peintre de portraits, miniatures, dessinateur.
Frère de Francis Engleheart, il commença par travailler dans l'atelier de George Barret, qu'il quitta peu de temps après pour devenir l'élève de Sir Joshua Reynolds. Il copia en miniature beaucoup d'œuvres de ce maître. Engleheart fut extrêmement fécond, et produisit, de 1775 à 1813, plus de mille portraits des personnages notables de son époque. Une grande quantité fut exposée à l'Académie royale. En 1813, après avoir acquis une belle fortune, il quitta Hertford Street, Mayfair, pour se fixer dans sa maison de campagne à Bedfont. Plus tard, il se retira à Blackheath, chez son fils. La plupart de ses œuvres appartiennent à des collections privées.
Engleheart a laissé un livre contenant le nom de chaque personne dont il fit le portrait. Ses miniatures, d'une très grande beauté, sont très estimées.
Musées : Londres (coll. Wallace) : *Portrait de jeune femme.*
Ventes Publiques : Londres, 27-28 juin 1922 : *Sir Henry Bate-Dudley debout dans un paysage sous un arbre*, pierre noire et lav. : **GBP 15** – Londres, 30 nov.-1er déc. 1923 : *Portrait de femme*, miniature, attr. : **FRF 2 320** – Londres, 3 déc. 1925 : *Portrait de jeune femme*, miniature sur boîte : **FRF 1 500** – Londres, 27 et 28 mai 1927 : *Portrait d'un officier anglais*, miniature : **FRF 1 300** ; *Portrait de jeune femme*, miniature : **FRF 5 000** – Londres, 12 juin 1929 : *Homme en habit brun*, miniature : **FRF 1 000** – Londres, 22 mars 1945 : *Femme en robe blanche avec ceinture bleue*, attr. : **FRF 6 500** ; *Femme en robe blanche*, miniature, attr. : **FRF 6 500** – Londres, 7 oct. 1992 : *Portrait de Elizabeth, Lady Fraser*, h/pan. (41x32,5) : **GBP 770**.

ENGLEHEART Henry
Né en 1801 à Londres. Mort en 1885. XIXe siècle. Britannique.
Peintre, aquarelliste.
Cet habile artiste exécuta un grand nombre de dessins d'architecture d'après les cathédrales étrangères. Ses œuvres sont très finement composées et peuvent se comparer à celles des plus habiles graveurs. Il était le fils de Georg Engleheart.

ENGLEHEART John Cox Dillman
Né en 1783. Mort en 1862 à Tunbridge Wells. XIXe siècle. Britannique.
Peintre et miniaturiste.
Neveu et élève de George Engleheart et artiste très populaire. Parmi les portraits qu'il exécuta, certains sont d'une grande beauté. John Engleheart exposa très fréquemment à la Royal Academy et à plusieurs autres Salons. Sa santé l'obligea, à l'âge de 44 ans, à passer plusieurs années en Italie. De retour en Angleterre, il ne produisit plus guère et mourut à Tunbridge Wells.

ENGLEHEART Jonathan
XIXe siècle. Actif à Londres. Britannique.
Graveur.
De cet artiste, fils et élève de Francis Engleheart, on ne connaît que deux petites gravures d'après Abraham Cooper, *Cerf* et *Saint Bernard.*

ENGLEHEART Thomas
Né en 1745. Mort en 1786. XVIIIe siècle. Britannique.
Dessinateur et sculpteur.
Frère de Francis Engleheart, le graveur, il exécuta, pour Josiash Wedgwood, en collaboration avec Flaxman, des dessins au crayon, remarquables par la finesse de leurs détails. Il est connu à cause des œuvres en cire qu'il exposa plusieurs fois à la Royal Academy. Ses deux neveux, Timothy et Jonathan, furent graveurs.

ENGLEHEART Timothy Stansfeld
Né en 1803 à Londres. Mort en 1879 à Londres. XIXe siècle. Britannique.
Graveur.
Fils de Francis Engleheart. Il grava plusieurs planches pour différentes publications.

ENGLEHERD Melchior
XVIe siècle. Actif à Londres en 1549. Britannique.
Peintre.

ENGLER
Mort en 1878. XIXe siècle. Français.
Peintre.
Le Musée de Clamecy possède de cet artiste deux intérieurs de ferme.

ENGLER Friedrich Georg
Né le 30 juillet 1877 à Loschwitz (près de Dresde). Mort le 24 février 1905. XIXe siècle. Allemand.
Peintre de portraits.
Il entra à l'Académie de Dresde en 1898 et étudia avec L. Pohle et G. Kuehl. Parmi ses œuvres on connaît seulement son *Portrait par lui-même* et celui d'un compagnon d'études.

ENGLER P. J.
XVIIIe siècle. Allemand.
Graveur.
Le Musée de Francfort-sur-le-Main possède une œuvre de cet artiste.

ENGLER Simon
XVIIe siècle. Actif à Breslau en 1638. Allemand.
Peintre.

ENGLEY Alice D. Voir **BEEK**

ENGLHART. Voir aussi **ENGELHARD**

ENGLHART Caspar
Mort avant 1675. XVIIe siècle. Actif à Munich. Allemand.
Peintre.
Il était maître dans la Corporation de Munich vers 1650.

ENGLHART Johann Narziss
Mort en 1694. XVIIe siècle. Allemand.
Peintre.
Fils et élève de Caspar Englhart. Reçu maître de la Corporation des Peintres de Munich en 1675.

ENGLISCH Pangratz
XVIe siècle. Actif à Strasbourg. Français.
Peintre.

ENGLISH Frank F.
Né en 1854. Mort en 1922. XIXe-XXe siècles. Américain.
Peintre à la gouache de scènes animées, figures typiques, paysages, aquarelliste, dessinateur.
Ventes Publiques : New York, 24 sep. 1981 : *By the lock*, aquar. (49,5x72,4) : **USD 750** – Portland, 22 sep. 1984 : *Bûcheron dans un paysage d'hiver*, aquar. (37x29,2) : **USD 1 800** – New York, 15 mars 1986 : *Le laboureur*, aquar. reh. de gche (39x58) : **USD 750** – New York, 22 sep. 1987 : *Scène de ferme*, h/t (61,5x92) : **USD 6 300** – New York, 24 jan. 1989 : *Attelage de chevaux sur une route longeant un ruisseau*, aquar. et gche (44,8x70,4) : **USD 1 430** – New York, 16 mars 1990 : *Le crépuscule*, aquar. et encre de Chine/cart. (61x101,5) : **USD 3 300** – New York, 21 mai 1991 : *L'aube*, aquar./pap./cart. (76,2x50,2) : **USD 1 870** – New York, 10 juin 1992 : *Une halte le long du chemin*, aquar./pap./cart. (53,3x77,1) : **USD 1 870** – New York, 2 déc. 1992 : *Retour à la maison*, aquar./pap. (39,1x79,6) : **USD 3 850** – New York, 28 nov. 1995 : *Automne à la ferme*, aquar. et cr./pap. (27x59) : **USD 1 150**.

ENGLISH Harold
Né à Omaha (Nebraska). XXe siècle. Américain.
Peintre de paysages, nus.
Exposant, à Paris, du Salon des Artistes Indépendants de 1925 à 1931.
Ventes Publiques : Paris, 29 oct. 1926 : *Traghetto* : **FRF 2 600**.

ENGLISH J. J.
XIXe-XXe siècles. Actif à Philadelphie. Américain.
Peintre.
Il fut Médaille d'or de peinture en 1902.

ENGLISH Joe
Né en 1882 à Bruges (Flandre-Occidentale). Mort en 1918 à Vinkem. XXe siècle. Belge.
Peintre, graveur, illustrateur.
Il fut élève de l'Académie Royale des Beaux-Arts de Bruges et de celle de J. Devriendt. Il obtint le prix de Rome et le prix Godecharle (1907). Il illustra notamment *Gudrun* d'A. Rodenbach. Il milita pour le nationalisme flamand.
Bibliogr. : In : *Dictio. biogra. illustré des artistes en Belgique, depuis 1830*, Arto, Bruxelles, 1987.
Musées : Dixmude (Tour de l'Yser).

ENGLISH Josias
Né vers 1630. Mort en 1718 à Mortlake. XVIIe-XVIIIe siècles. Britannique.
Graveur.
On cite particulièrement de cet artiste : une gravure d'après Fleyn, représentant un homme à mi-corps ; une eau forte : *Le Christ et les disciples d'Emmaüs*, d'après Le Titien et plusieurs autres, en 1654, ayant pour sujet : *Les dieux et demi-dieux*.

ENGLISH Mabel, Mrs, née **Bacon Plimpton**
Née le 18 février 1861 à Hartford (États-Unis). XIXe siècle. Américaine.
Peintre.
Élève à New York de W. M. Chase, D. W. Tryon, Bruce Crane et Ch. N. Flagg.

ENGLUND Lars
Né en 1933 à Stockholm. XXe siècle. Suédois.
Sculpteur. Abstrait-géométrique.
Il a étudié à Stockholm, en 1950 et 1951, avec W. Rjerke-Petersen, puis, en 1952, à Paris avec F. Léger. Il figurait, en 1971, à Paris à une exposition de groupe avec huit jeunes artistes suédois.
Peintre abstrait géométrique, il est un des représentants de la tendance constructiviste, dans ses perspectives les plus collectives d'intégration architecturale.
Musées : Stockholm.
Ventes Publiques : Stockholm, 5-6 déc. 1990 : *Mobile*, tôle laquée (H. 58) : **SEK 16 000** – Stockholm, 30 mai 1991 : *Mobile*, acier noirci (H. 82, l. 50) : **SEK 18 500** – Stockholm, 19 mai 1992 : *Mobile suspendu* 1987, acier noirci (H. 73, l. 50) : **SEK 12 500**.

ENGMAN Harald
Né en 1903. Mort en 1968. XXe siècle. Suédois.
Peintre de figures, scènes animées.

HARALD ENGMAN

Ventes Publiques : Copenhague, 22 jan. 1980 : *Dansk folkeferie* 1940, h/t (100x151) : **DKK 20 000** – Copenhague, 14 mai 1985 : *Les temps difficiles* 1940, h/t (50x34) : **DKK 10 000** – Londres, 28 mars 1990 : *Nightclub de Harlem* 1930, h/t (152x200) : **GBP 10 450** – Copenhague, 16 mai 1994 : *Le grand rond-point* 1938, h/t (96x115) : **DKK 70 000** – Copenhague, 17 mai 1995 : *Le fils* 1943, h/t (35x29) : **DKK 11 000**.

ENGMAN Klas
Né à Hornefors. XXe siècle. Suédois.
Peintre.
Il fit sa première exposition à Umea (Suède), puis, au Musée de Tessin, à Paris, à Stockholm, à Helsinki, et à travers tous les pays scandinaves. Il obtient pour sa peinture, en 1973-1974, une récompense nationale de l'État belge.
Bibliogr. : In : *Art Guide International, 1976 Bicentennial Issue*, 1976.
Musées : Stockholm (Gal. Nat.).

ENGONOPOULOS Nicos ou **Nikos**
Né en 1910 à Athènes. Mort en 1985. XXe siècle. Grec.
Peintre, peintre de décors de théâtre, illustrateur, poète.
Il passe son enfance à Constantinople. Après un séjour sans réel intérêt à Paris, il fut élève, de 1932 à 1938, de l'École des Beaux-Arts d'Athènes. Il fut d'une manière générale influencé par les surréalistes. En 1943, il est chargé du cours d'histoire de l'art à l'École Polytechnique d'Athènes. Depuis 1967, il est professeur de peinture à la section d'architecture de l'Université Technique Nationale d'Athènes. Il a publié plusieurs recueils de poèmes surréalistes. Il a brossé de nombreux décors de théâtre, exécuté des costumes et s'est également attaché à l'illustration de livres. Il a décoré l'Église orthodoxe de New York d'icônes exécutées dans le style byzantin.
Il expose à Athènes ses premières peintures d'inspiration surréaliste en 1939. Il participe aux principales expositions d'art grec contemporain. En 1956, le pavillon grec de la Biennale de Venise lui fut entièrement consacré.
Son œuvre peinte, met en œuvre l'inépuisable fond de la mythologie, de l'histoire de la Grèce antique, de la vie populaire et du folklore et utilise la technique picturale des icônes byzantines.
■ J. B.
Bibliogr. : In : *Peintres contemporains*, Mazenod, Paris, 1964 – in : *Dictionnaire universel de la peinture*, Le Robert, Paris, 1975.

VENTES PUBLIQUES : LONDRES, 26 mars 1997 : *Venise* 1958, h/t (54x44) : GBP 21 850.

ENGORANS LE BEHENGNON
XIIIe siècle. Actif à Liège. Éc. flamande.
Sculpteur.
Il travailla en 1279 à la cathédrale de Liège.

ENGRAMELLE Marie Dominique Joseph
Né le 24 mars 1727 à Neudonchel. Mort en 1780 ou 1781 à Paris. XVIIIe siècle. Français.
Peintre, dessinateur, graveur, musicien.
Cet artiste appartenait à la communauté des Petits-Augustins de la reine Marguerite. Il était également mécanicien. Il figura au Salon de la Correspondance en 1779.

ENGRAND Félicie
Née en 1889 à Marseille (Bouches-du-Rhône). XXe siècle. Française.
Peintre de paysages, fleurs.
Elle fut sociétaire, à Paris, du Salon des Artistes Français, où elle débuta ses expositions d'œuvres.

ENGRAND Georges
Né le 5 octobre 1852 à Aire (Pas-de-Calais). XIXe siècle. Français.
Sculpteur.
En 1878, il envoya au Salon : *Arion*, groupe en plâtre. Il fut médaillé de troisième classe en 1898 ; il avait obtenu une médaille de bronze à l'Exposition Universelle de 1889. Sociétaire des Artistes Français depuis 1890. On cite, de ses œuvres, le buste en bronze de *Hayem* ; *Idylle* ; *La Douleur* ; *La Vague* ; *Arion*.
MUSÉES : ARRAS : *Adam de la Halle*, plâtre – CONSTANTINE (Théâtre) : *La Danse Mauresque* – ORANGE (Théâtre) : *Molière*, marbre.

ENGRANT Louis Anne
XVIIIe siècle. Actif à Paris en 1773. Français.
Sculpteur.
Parent de Louis-Antoine Engrant.

ENGRANT Louis Antoine
Né vers 1720. Mort en 1793 à Paris. XVIIIe siècle. Français.
Sculpteur.

ENGRANT Pierre
XVIIIe siècle. Actif à Paris en 1784. Français.
Peintre et sculpteur.

ENGST Johann
XVIIIe siècle. Actif vers 1740.
Graveur.

ENGSTFELD Albert
Né le 25 août 1876 à Düsseldorf (Rhénanie-Westphalie). XXe siècle. Allemand.
Peintre de paysages, natures mortes, intérieurs d'églises.
Il fut élève de l'Académie de Düsseldorf, et étudia avec P. Jansen et A. Kampf. Il se fixa à Bruges mais exposa régulièrement dans sa ville natale, ainsi qu'à Berlin, Munich et Dresde.
Il est surtout connu pour ses intérieurs d'églises.
MUSÉES : SAVANNAH : *Intérieur de l'église Saint-Anne à Sluis, Hollande*.

ENGSTLER Peter
XVIIIe siècle. Actif à Aub vers 1750. Allemand.
Peintre.
Dans l'église de l'Assomption à Aub, près d'Ochsenfurt en Bavière se trouvent une fresque de plafond signée de cet artiste, ainsi que des médaillons aux coins de ce plafond, représentant des prophètes, l'enfance du Christ, et des scènes de la vie de Marie, datés de 1752.

ENGSTRÖM Albert
Né en 1869. Mort en 1940. XIXe-XXe siècles. Suédois.
Dessinateur humoriste.
Après des études à l'Université d'Upsal, Albert Engström eut pour maître le peintre suédois Karl Larsson. Ce dernier était devenu un très bon caricaturiste, dès l'année 1885 où l'on peut faire remonter le début de la caricature suédoise. Grieg avait alors quarante-deux ans, Ibsen cinquante-sept, Larsson trente-deux. Le rayonnement de ces hommes, bien qu'en des domaines très différents, ne fut certainement pas sans influence sur le talent d'Albert Engström. Il avait alors seize ans et il raconta plus tard avec complaisance ses farces d'écolier : la caricature n'est-elle pas aussi un genre de farce ? Dès l'âge de vingt-cinq ans, il exerçait sa verve satirique dans le journal amusant *Sundags Visse*, de 1894 à 1896. À vingt-huit ans, 1897, il fonda un périodique *Le Strix*, qui peut être appelé son journal, puisque sa plume et son crayon l'alimentèrent presque exclusivement. Il eut d'emblée autant de succès auprès de la classe cultivée qu'auprès de l'homme de la rue. C'est qu'il réunissait ces deux qualités maîtresses du caricaturiste d'actualité : la fine clairvoyance, pour apercevoir les ridicules et les tares de ses contemporains, le courage pour les fustiger. En outre, il semble avoir eu cette conscience et cet amour du travail bien fait, également présent chez cet autre caricaturiste, son contemporain français, Caran d'Ache. La ligne nette et sobre que celui-ci obtenait au prix de nombreux croquis a en effet son équivalent dans l'effet inattendu, mais suggestif obtenu par Engström à l'aide de noir et de blanc. Son *Pasteur suédois dégustant un verre de genièvre* ne comporte, outre un grand noir, que quelques fins traits pour la main et le visage. Un *Portrait de l'artiste par lui-même*, l'oiseau de Minerve sur l'épaule, est plus encore le résultat d'une opposition de noirs et de blancs. C'est encore plus net avec ses deux petites vieilles – il ne faisait grâce à personne – dans *Retour d'une réunion piétiste cheminant dans la neige à la lisière d'un bois*. *Le Noble et le Bourgeois*, où le gilet du premier est obtenu sans le moindre trait, par réserve du papier blanc, ironise l'élégance sottement suffisante du bourgeois, bouffi de satisfaction, que trahissent grotesquement des poignets exagérément pileux, émergeant de manchettes à boutons jumelés. La *Servante de château*, désignant d'un doigt sale, brutalement en pleine peinture « le père et la mère du seigneur », nous peint la servilité respectueuse des petites gens. L'alcoolisme et l'ivrognerie furent des sujets fréquents de son crayon truculent, moralisateur sans y toucher : *Castigat ridenda mores. complet* est la légende d'un poivrot désespérément agrippé à un bec de gaz. *À nous deux*, celle d'un autre, en bottines, mais sans veste, assis sur un lit ouvert, une bouteille à la main. *La Banlieue de Stockholm* a pris sur le vif deux types et un paysage ; deux palissades, deux pignons bas, le tout copieusement enneigé, un peu de noir et beaucoup de blanc, avec au premier plan, deux pauvres diables, un homme et une femme sans âge en conversation. *L'Interrogatoire* nous présente, nullement ridiculisé, mais finement observé, un juge d'instruction qui semble peiner à se faire comprendre d'une terrible brute devant sa table. Très différent de technique : *Une Forte Note*, traite, à la manière d'une gravure sur bois, d'un chanteur ambulant, son orgue et son chien. Une énorme tache noire, deux fois grosse comme la tête, n'est autre que la bouche de l'homme, monstrueusement ouverte, identifiable sans que l'invraisemblance nous choque, par une demi-douzaine de dents dissymétriques. Une légende latine surmonte le dessin : « musica vulgivaga musicus posit », que l'on pourrait traduire par « musique ambulante mais musicien posé ». L'homme a en effet le pied droit posé sur la queue du chien dont le hurlement accompagne la « forte note ». Ces quelques exemples suffiront à montrer que, comme l'a écrit l'un de ses compatriotes, Albert Engström a dessiné, à la lettre, toute la Suède.
VENTES PUBLIQUES : GÖTEBORG, 3 nov. 1982 : *La liseuse* 1890, h/t (45x30) : **SEK 9 500** – STOCKHOLM, 20 fév. 1989 : *La leçon de géographie*, encre de Chine (19x27) : **SEK 3 700** – STOCKHOLM, 14 nov. 1990 : *Skeppar Mattson assis devant un tableau de navire à voiles*, past. (57x70) : **SEK 25 000**.

ENGSTRÖM Leander Tord ou **Leander-Engström Tord**
Né en 1886 à Ytterhogdal (Norrland). Mort en 1927. XXe siècle. Suédois.
Peintre de scènes typiques, paysages.
Il fut élève à l'École de l'Association des Artistes de Stockholm (1907-1908). Il travaille ensuite, à Paris, dans l'atelier de Pierre Matisse. Ses références artistiques nouvelles sont Gauguin et Van Gogh. Il rejoint la Suède, mais revient à Paris, en 1912, et découvre Cézanne. De 1920 à 1922, il effectue un séjour en Italie. Sa peinture, évolutive dans la technique, au gré des rencontres picturales françaises et italiennes, aura toujours été un hommage à la nature de la Suède : Laponie, îles Lofoten et Norrland. Parmi ses œuvres connues : *Le Chasseur de canards* (1918) ; *Le Naufrage* (1927).
BIBLIOGR. : In : *Dictionnaire universel de la peinture*, Le Robert, Paris, 1975.
VENTES PUBLIQUES : GÖTEBORG, 26 mars 1974 : *Nu au miroir* : **SEK 9 500** – GÖTEBORG, 24 mars 1976 : *Vue d'un fjord*, h/t (80x110) : **SEK 14 000** – MALMÖ, 2 mai 1977 : *Paysage d'été* 1909,

h/t (72x60) : **SEK 12 200** – STOCKHOLM, 22 avr. 1981 : *Intérieur*, h/pan. (96x65) : **SEK 18 000** – STOCKHOLM, 22 avr. 1981 : *Paysage* 1913, h/pan. (82x120) : **SEK 7 200** – STOCKHOLM, 26-27 avr. 1983 : *Vue de Viareggio* 1922, h/t (92x105) : **SEK 98 000** ; *Renne dans un paysage*, gche (60x71) : **SEK 41 000** – STOCKHOLM, 27 mai 1986 : *Paysage*, h/t (59x48) : **SEK 92 000** – STOCKHOLM, 5-6 déc. 1990 : *Maison sur la falaise*, h/t (80x64) : **SEK 65 000** – STOCKHOLM, 5 sep. 1992 : *Enfant et grand'mère*, h/pan. (45x32) : **SEK 40 000** – STOCKHOLM, 30 nov. 1993 : *Nu féminin* 1927, h/pan. (22x12) : **SEK 12 000**.

ENGSTRÖM Wage
Né en 1923 à Arkolma. XXe siècle. Suédois.
Peintre.
Il fit ses études à l'Académie Libre de Stockholm, de 1947 à 1949. Il a réalisé des expositions à Stockholm en 1953 et 1955, à Paris, en 1955.

ENGSTROM Wilhelm Oscar
Né en 1830. Mort le 25 janvier 1877 à Düsseldorf. XIXe siècle. Allemand.
Peintre animalier.
MUSÉES : STOCKHOLM : *Le Bonjour*.

ENGUERRAND
Né en 1926. XXe siècle. Français.
Peintre, sculpteur. Surréaliste, puis abstrait.
Il a suivi diverses formations techniques et scientifiques avant de s'orienter vers l'art. Il participa à des expositions à partir de 1987, notamment à Paris et à Genève.
Vers 1948, il fait des dessins influencés par le surréalisme, puis il découvre l'œuvre de Calder et s'oriente vers la création de mobiles. Ses sculptures sont généralement faites de pièces métalliques, lestées afin de leur assurer un mouvement d'oscillation et de rotation, ce qui les rend mobiles après une impulsion donnée par la main, jusqu'à l'arrêt complet au bout d'un certain temps.

ENGUIMEUTZ
Originaire du Languedoc. XIIIe siècle. Actif à Montpellier. Français.
Sculpteur et architecte.
Il faisait partie de la Corporation des architectes de 1250 à 1265.

ENHOLTZ Walter
Né le 17 avril 1875 à Kreuzlinguen. XXe siècle. Suisse.
Peintre de paysages, aquarelliste.
Il fut élève de l'École des Beaux-Arts de Genève, et travailla de 1897 à 1901 dans différentes villes d'Allemagne. Il vécut pendant longtemps à Bâle. Il exposa à partir de 1907, réalisant des paysages à l'aquarelle et des peintures à l'huile.
MUSÉES : BÂLE (Assoc. des Artistes de Bâle) – ZURICH (Kunsthaus).

ENHORMING Karl
Né en 1745 en Södermanland. Mort en 1821 à Stockholm. XVIIIe-XIXe siècles. Suédois.
Sculpteur et graveur en médailles.
MUSÉES : STOCKHOLM : *Portrait du médecin Karl-Fred. v. Schulzenheim, la tête – Buste du conseiller des mines, le baron Sam-Gust. Hermelin.*

ENHUBER Karl von
Né le 16 décembre 1811 à Hof. Mort le 6 juillet 1867 à Munich. XIXe siècle. Allemand.
Peintre de genre, intérieurs.
Il entra à l'Académie de Munich en 1832, dont il devint membre honoraire en 1858. Il exposa à Munich en 1835.
MUSÉES : BERLIN : *Gardes du château de Munich* – DARMSTADT : *Jour de jugement à Starnberg* – LEIPZIG : *Six tableaux de la vie populaire allemande* – MUNICH : *Le découpeur d'images – Grand-père et petit-fils – Atelier de cordonnier* – SCHLEISSHEIM : *Contes du Riès* – STRASBOURG : *L'ouvrier fatigué*.
VENTES PUBLIQUES : PARIS, 24 mai 1944 : *Le Divertissement improvisé* : **FRF 1 500** – COLOGNE, 15 juin 1973 : *Deux Jeunes Garçons dans un jardin* : **DEM 18 000** – NEW YORK, 30 oct. 1980 : *Enfants à la grappe de raisins* 1858, h/pan. (42,5x30,5) : **USD 14 000** – MUNICH, 24 nov. 1983 : *Der Schwimmlustige* 1857, h/t (49x43) : **DEM 25 000** – LUCERNE, 3 juin 1987 : *Tricoteuse dans un intérieur*, h/t (24,5x21,5) : **CHF 18 000** – STOCKHOLM, 15 nov. 1989 : *Vieil homme triant des champignons devant un refuge de montagne*, h/t (48x40) : **SEK 26 000**.

EN-I ou **Hôgen En-I**
XIIIe siècle. Actif à la fin du XIIIe siècle. Japonais.
Peintre.
Ce peintre est connu par une œuvre tout à fait capitale dans l'histoire de la peinture japonaise : le *Ippen Shonin e-den* (Les Pèlerinages du moine Ippen). Fondateur de la branche Jishû de la secte amidiste de la Terre Pure, le moine Ippen (1239-1289) parcourt tout le Japon pour répandre sa foi et prêcher le salut par l'invocation du nom du Bouddha Amida. Peu de temps après sa mort, Shôgai, son disciple favori, écrit l'histoire de sa vie et le peintre En-i l'illustre en quarante-huit scènes montées en douze rouleaux. Contrairement à l'habitude de l'époque, cette œuvre est soigneusement réalisée sur soie et non sur papier. Elle relatesi en détails les pérégrinations du moine que l'on a l'impression de le suivre nous-mêmes à travers les sites célèbres ou les temples importants de chaque province. A voir la grande concordance des paysages et bâtiments représentés avec ceux qui subsistent toujours, il semble vraisemblable que le peintre a été lui-même compagnon d'Ippen, et qu'il a dessiné ces scènes « in situ », pour les utiliser ensuite pour son travail final. Ces rouleaux exécutés dix ans après la mort du moine, c'est-à-dire en 1299, restent fidèles au style *yamato-e* de l'époque, mais sont déjà influencés par la peinture chinoise de la dynastie Song (960-1279), notamment dans la division très nette des différents plans. Non seulement les aspects divers de la nature japonaise y sont évoqués, mais aussi un tableau complet des mœurs de l'époque : nobles, guerriers, commerçants, paysans, mendiants, vagabonds sont saisis avec une telle richesse de détails que cet ensemble de peintures devient le vrai miroir de la société nippone du Moyen Age.
MUSÉES : KYOTO (Temple Kankikô-ji) : *Ippen Shônin e-den (Les pèlerinages du moine Ippen)* daté 1299, couleurs sur soie, une partie de la série de douze rouleaux en longueur, au registre des Trésors Nationaux – TOKYO (Nat. Mus.) : *Ippen Shônin e-den (Les pèlerinages du moine Ippen)* daté 1299, couleurs sur soie, l'autre partie de la série sus-nommée.

ENICHIBÔ JÔNIN
XIIIe siècle. Actif dans la première moitié du XIIIe siècle à Kyoto. Japonais.
Moine-peintre.
Le début de l'époque Kamakura (fin XIIe siècle – début XIIIe siècle) est une période déchirée du point de vue religieux. Plusieurs mouvements novateurs animent le bouddhisme et la peinture est appelée à jouer un grand rôle pour la propagation des doctrines neuves, sous la forme de rouleaux enluminés qui expliquent aux fidèles l'origine de telle ou telle secte et la vie de son vénérable fondateur. Chaque monastère a ainsi un groupe d'artistes qui lui est attaché. L'un des temples les plus remarquables, à ce point de vue, est le Kôzan-ji de Kyoto, rétabli en 1206 par le moine Myôe Shônin (1173-1232) de la secte Kegon. Parmi les trésors de ce temple, figure une série de six rouleaux horizontaux : *Kegonshû-soshi-e-den* ou *Kegon-engi* (l'Histoire de la secte Kegon). Le traitement par lignes souples, dont l'accent reste naturel, et l'emploi de couleurs peu épaisses qui laissent transparaître le mouvement du dessin sont très caractéristiques d'un style nouveau influencé sans doute par la peinture chinoise de la dynastie Song (960-1279). On attribue cette œuvre à l'artiste préféré de Myôe : Enichibô Jônin à qui l'on doit aussi plusieurs portraits dont l'un subsiste au Kôzan-ji. Il s'agit d'un long rouleau vertical, dessiné à l'encre de Chine et rehaussé de couleurs, représentant le moine Myôe en méditation solitaire dans la montagne. Si des éléments chinois sont présents dans cette dernière peinture, on y retrouve néanmoins le sentiment japonais devant la nature et c'est un exemple typique de l'art réaliste et empreint d'humanité de cette époque.
MUSÉES : KYOTO (Temple Kôzan-ji) : *Kegonshû-soshi-e-den* première moitié du XIIIe siècle, coul. sur pap., rouleau en longueur, attribution – *Portrait du moine Myôe en méditation* première moitié du XIIIe siècle, encre et coul. sur pap., rouleau en hauteur, au Registre des Trésors Nationaux.

ENIODAS Armand Clément Philippe
Né à Ostende. XXe siècle. Belge.
Peintre.
Il exposa au Salon des Artistes Français, à Paris.

ENJOLRAS Delphin
Né le 13 mai 1857 à Coucouron (Ardèche). Mort en 1945. XIXe-XXe siècles. Français.
Peintre de genre, figures, nus, intérieurs, peintre à la gouache, aquarelliste, pastelliste.
Il fut élève de l'aquarelliste Gaston Gérard aux écoles de dessin

de la Ville de Paris. Il exposait à Paris, au Salon des Artistes Français, dont il était sociétaire depuis 1901.
Il eut une production très abondante, notamment en aquarelles et pastels. Il s'était fait une spécialité de peintures de jeunes femmes, souvent à leurs occupations quotidiennes, souvent à leur toilette.

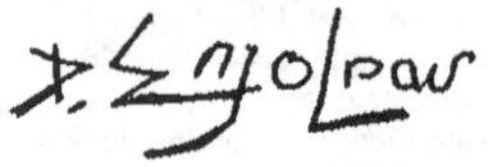

Musées : Avignon : *La Provinciale* – Le Puy-en-Velay : *Le Donjon de Polignac.*
Ventes Publiques : Paris, 18 jan. 1924 : *Jeune femme se faisant les cartes* : **FRF 270** – Paris, 27 juin 1924 : *Le Miroir,* past. : **FRF 260** – Paris, 8 avr. 1932 : *Retour de bal,* past. : **FRF 550** – Paris, 14 mai 1943 : *Femme à sa poudreuse* : **FRF 3 500** – Paris, 10 nov. 1976 : *Surprise,* h/t (73x54) : **FRF 4 700** – Londres, 20 avr. 1978 : *Jeune femme dans son boudoir,* h/t (53x35,5) : **GBP 1 100** – Londres, 14 fév. 1979 : *Le Repos du modèle,* h/t (53x72,5) : **GBP 1 350** – Barbizon, 1er nov. 1981 : *Jeune Femme en déshabillé à sa coiffeuse,* past. (54x37) : **FRF 33 500** – Enghien-les-Bains, 24 mars 1984 : *Jeunes filles près du bassin,* past. (91x64) : **FRF 40 000** – Londres, 20 juin 1984 : *Jeune femme à sa coiffeuse,* h/t (71,5x53) : **GBP 3 200** – Angers, 7 déc. 1985 : *Jeune femme rêvant,* past. (73x55) : **FRF 81 000** – Londres, 25 mars 1987 : *Nu couché sur une peau d'ours,* h/t (60x91,5) : **GBP 17 000** – Paris, 15 juin 1987 : *Le parfum de la rose,* past. (52x72) : **FRF 100 000** – Neuilly, 25 nov. 1987 : *Jeune femme à sa coiffeuse,* past. (54x37) : **FRF 35 200** – Saint-Dié, 14 fév. 1988 : *Danaë* 1857, h/t (38x56) : **FRF 44 500** – Neuilly, 9 mars 1988 : *La Jeune Femme dans son intérieur,* past. (57x38) : **FRF 36 000** – Londres, 23 mars 1988 : *Nu féminin sur un lit,* past. (114x115) : **GBP 8 800** – Paris, 6 mai 1988 : *Ballerine,* h/t (55x38) : **FRF 40 000** – La Varenne-Saint-Hilaire, 23 oct. 1988 : *Jeune femme à sa coiffeuse,* past. (71x52) : **FRF 63 500** – Calais, 13 nov. 1988 : *Jeune femme à sa toilette,* past. (72x54) : **FRF 60 000** – Paris, 23 jan. 1989 : *Jeune femme à la lettre,* past. (75x59) : **FRF 90 000** – Londres, 5 mai 1989 : *Beauté printanière,* past. (73x54) : **GBP 4 400** – Paris, 18 juin 1989 : *Femme au biscuit,* gche (52x71) : **FRF 14 000** – Paris, 22 oct. 1989 : *La lecture sous la lampe,* past. (73x54) : **FRF 95 000** – Paris, 8 nov. 1989 : *La lettre,* past. (72x52) : **FRF 65 000** – Versailles, 19 nov. 1989 : *Élégante à la robe jaune,* past./t. (73x60) : **FRF 54 000** – Paris, 23 nov. 1989 : *Femme dans son boudoir,* h/t (73x54) : **FRF 75 000** – Londres, 24 nov. 1989 : *Retour tardif,* h/t (73,5x54,5) : **GBP 5 500** – Calais, 10 déc. 1989 : *Le soir sur la terrasse,* h/t (46x55) : **FRF 120 000** – Paris, 4 mai 1990 : *La Belle orientale,* past. (65x54,5) : **FRF 60 000** – Versailles, 7 juin 1990 : *Jeunes femmes sur la terrasse devant la mer,* h/t (60,5x73) : **FRF 100 000** – Monaco, 15 juin 1990 : *La Liseuse,* past. (54x37) : **FRF 33 300** – New York, 19 juil. 1990 : *Le Soir au jardin,* h/rés. synth. (73,7x54,9) : **USD 2 860** – Reims, 21 avr. 1991 : *Femme nue allongée respirant une rose,* past. (54x73) : **FRF 48 000** – New York, 21 mai 1991 : *Le Thé au coucher du soleil,* h/t (61x73) : **USD 11 000** – Paris, 18 déc. 1991 : *Les bibelots,* past. (51,5x36,5) : **FRF 10 000** – Lokeren, 23 mai 1992 : *Jeune femme,* past. (44x36) : **BEF 75 000** – Paris, 9 juil. 1992 : *Femme allongée,* past. (58,5x71) : **FRF 33 000** – Londres, 12 fév. 1993 : *La Lettre,* past./pap. (73x54) : **GBP 4 950** – New York, 26 mai 1993 : *Le boudoir,* h/t (73x54) : **USD 16 100** – Paris, 23 juin 1993 : *Devant la cheminée,* h/t (diam. 59) : **FRF 45 000** – New York, 13 oct. 1993 : *Le Boudoir,* past./pap. (62,2x90,2) : **USD 23 000** – Londres, 27 oct. 1993 : *Jeune Fille à la branche de mimosa,* past. (71x52) : **GBP 2 645** – Reims, 6 fév. 1994 : *Sur la terrasse au bord du lac,* h/t (60,5x73,5) : **FRF 84 000** – Londres, 17 juin 1994 : *Près du feu,* h/t (diam. 60,3) : **GBP 7 130** – Calais, 3 juil. 1994 : *Nu entouré de fleurs,* past./t. (60x73) : **FRF 21 000** – New York, 16 fév. 1995 : *Jeune femme dans un intérieur,* past./pap. (71,1x52,7) : **USD 11 500** – Mâcon, 11 juin 1995 : *Soirée sur la terrasse,* h/t (73x61) : **FRF 68 500** – Chaumont, 17 sep. 1995 : *Femme à la rose,* past./pap./t. (54x73) : **FRF 20 000** – Londres, 17 nov. 1995 : *La Chaussure,* h/t (68x48,5) : **GBP 8 280** – Londres, 12 juin 1996 : *Nu aux roses,* h/t (60x91,5) : **GBP 13 800** – Calais, 7 juil. 1996 : *Nu assis,* h/pan. (22x16) : **FRF 18 000** – Londres, 20 nov. 1996 : *Nu au bord d'une piscine parsemé de roses,* h/t (53x72) : **GBP 14 375** – Calais, 15 déc. 1996 : *Jeune Femme et gerbe de roses,* past. (72x59) : **FRF 25 000** – Paris, 30 oct. 1996 : *Jeune femme assoupie,* past. avec reh. de gche (36x27) : **FRF 40 000** – New York, 23 mai 1997 : *Dîner au bord du lac,* h/t (59,7x72,4) : **USD 23 000** – Paris, 18 juin 1997 : *Jeune femme en déshabillé à la lampe,* past. (54x36,5) : **FRF 32 000** – Londres, 21 nov. 1997 : *Dans le boudoir,* h/t (73x54,6) : **GBP 6 325** – Chaumont, 29 nov. 1997 : *Femme près d'un foyer,* h/t (55x38) : **FRF 12 500** – New York, 23 oct. 1997 : *La Lecture près de la lampe,* h/t (73x54) : **USD 24 150**.

ENJU, appelé aussi **Kobori Masakazu, Sakusuke, Go Soho** et **Kohoan**
Né en 1579 à Koborimoura (province d'Omi). Mort le 12 mars 1647 à Fujimi (près de Kyoto). XVIIe siècle. Japonais.
Peintre, calligraphe poète et architecte paysagiste.
Élève de Taniju. Fondateur de l'École d'Enju, à laquelle il donna son nom.

ENKACHÔSÔ. Voir **NANKO**

ENKAI
IXe siècle. Actif dans la seconde moitié du IXe siècle. Japonais.
Sculpteur.
Jusqu'à cette époque, les grandes figures en bois sont taillées selon la technique *ichiboku,* c'est-à-dire dans une seule pièce de bois. A ces sculptures monolithiques, succèdent, au cours du IXe siècle, des pièces faites de plusieurs blocs de bois distincts et taillés séparément puis assemblés. Ce procédé, dit *yosegi,* c'est-à-dire par pièces assemblées, est celui qu'emploie Enkai pour la fameuse statue assise du Prince Shôtoku (572-622) qui lui est attribuée. L'aspect d'enfant, le modelage du visage et des mains sont d'un grand réalisme dû, vraisemblablement, à cette méthode nouvelle.
Musées : Nara (Temple du Hôryû-ji) : *Statue assise du Prince Shôtoku* datée 1069.

ENKINGER Michael
XVIe siècle. Actif à Dantzig. Allemand.
Sculpteur et ingénieur.

ENKU
Né vers 1620 dans la préfecture de Gifu. Mort en 1696 au temple Miróku-dera dans la préfecture de Gifu. XVIIe siècle. Japonais.
Moine sculpteur.
Le lieu de naissance et la vie de ce moine du bouddhisme ésotérique Tendai, nous sont très mal connus. Moine errant, on sait qu'il vit loin d'un clergé hiérarchisé et extrêmement puissant et qu'il parcourt le pays en sculptant à la demande populaire : ses œuvres sont en fait des sortes de prières. Son œuvre immense (il aurait sculpté au moins cent vingt mille pièces) se place un peu à part de la sculpture bouddhique traditionnelle de l'époque. Il reprend plutôt la coutume des moines errants de la période Heian (IXe siècle-XIIe siècle) qui travaillaient à la demande des villageois. Sa production abondante est animée d'une foi profonde ; il travaille très vite, à la serpe et au couteau, en tenant compte des veines du bois pour rester encore plus proche de la nature. De ces constructions massives émane une indéniable sérénité. Ses œuvres sont répandues dans de nombreux temples, plus particulièrement dans les régions de Mino et de Hida (province de Gifu) où il a beaucoup séjourné, mais aussi dans l'île septentrionale de Hokkaido où on le retrouve entre 1665 et 1669 et dans bien d'autres provinces. Mais, il est souvent difficile de les localiser car elles ne sont pas signées.

ENNDERSCHIN Wilhelm ou **Andschiz**
XVIIe siècle. Actif à Krems. Autrichien.
Peintre.

ENNEKING John Joseph
Né le 4 octobre 1841. Mort en 1916. XIXe-XXe siècles. Américain.
Peintre de portraits, paysages, natures mortes, pastelliste.
Après avoir travaillé à Cincinnati et à Boston, il vint à Paris où il fut élève de Bonnat et de Daubigny, de 1872 à 1874, puis de Lear à Munich. Il revint ensuite à Boston où il exposa au Boston Art Club. Il fut médaillé à de nombreuses expositions. Il travailla aussi à Minster dans l'Ohio.
Musées : Boston (Art Club) : *Journée de nuages* – Worcester : *Coucher de soleil.*
Ventes Publiques : New York, 9 jan. 1902 : *Bateaux à Venise* : **USD 45** – Boston, 1903 : *Afterglow* : **USD 1 050** ; *Novembre* : **USD 400** ; *Soir de novembre* : **USD 1 500** – Boston, 21-22 jan. 1909 : *Paysage au crépuscule* : **USD 100** – Hyannis (Massachusetts), 7 août 1973 : *Paysage d'automne* : **USD 1 200** – New York, 12 mai 1974 : *L'Église du village* : **USD 1 600** – New York, 20 avr. 1979 : *Paysage d'automne,* h/t (51,5x61,6) : **USD 2 800** –

New York, 7 avr. 1982 : *Pêches et framboises* 1865, past. (25,5x20,7) : **USD 900** – New York, 27 jan. 1983 : *Nature morte aux pêches et aux raisins*, past. (41,3x31,1) : **USD 800** – Portland, 7 avr. 1984 : *Portrait de Grace, la fille de l'artiste*, h/t (56x76,2) : **USD 22 000** – New York, 4 déc. 1987 : *Fishing Pier* 1886, h/t (46,2x61,3) : **USD 42 000** – New York, 26 mai 1988 : *Coucher de soleil en Automne*, h/t (153x172,7) : **USD 39 600** – New York, 30 sep. 1988 : *Le Vieux Moulin rouge*, h/cart. (25,5x35,5) : **USD 8 800** – New York, 1er déc. 1988 : *Printemps* 1888, h/t (55,9x76,2) : **USD 16 500** – New York, 25 mai 1989 : *Paysage d'automne* 1897, h/t (76,2x55,2) : **USD 19 800** – New York, 1er déc. 1989 : *L'Été sur un lac* 1888, h/t (45,7x61) : **USD 33 000** – New York, 31 mai 1990 : *Soleil couchant* 1877, h/pan. (27,9x22,8) : **USD 3 300** – New York, 30 nov. 1990 : *Lumière du soir* 1891, h/t (107x159) : **USD 33 000** – New York, 17 déc. 1990 : *Barques à voiles à Venise*, h/t (36,9x55,9) : **USD 5 775** – New York, 26 sep. 1991 : *Arbres fleuris au printemps* 1905, h/t (45,7x61) : **USD 11 000** – New York, 6 déc. 1991 : *Poires*, h/t (30,5x45,8) : **USD 35 200** – New York, 28 mai 1992 : *Après-midi d'été* 1895, h/t (55,8x86,4) : **USD 30 800** – New York, 4 déc. 1992 : *Fleurs de jardin* 1897, h/t (76,6x56,2) : **USD 66 000** – New York, 1er déc. 1994 : *Chemin sablonneux*, h/t (63,5x76,2) : **USD 47 150** – New York, 25 mai 1995 : *Prairies fleuries* 1897, h/t (55,9x76,2) : **USD 35 650** – New York, 22 mai 1996 : *Forêt au soleil couchant*, h/t (99,1x127) : **USD 10 925** – New York, 25 mars 1997 : *Paysage d'hiver ; Étude bucolique* 1899, h/pan. et h/t, une paire (25,4x35,9 et 40,6x35,9) : **USD 3 162**.

ENNEKING Joseph Eliot

Né à Hyde Park (Massachusetts). xxe siècle. Américain.

Peintre.

Il est membre du Boston Art Club, du Salmagundi Club et de la Connecticut Academy of Fine Arts.

Ventes Publiques : New York, 14 fév. 1990 : *Port*, h/cart. (25,5x30,5) : **USD 3 300**.

ENNELARD Henri

xive siècle. Éc. flamande.

Peintre.

Travailla au château d'Hesdin de 1300 à 1306.

ENNEMOND, le peintre. Voir **EVRARD Ennemond**

ENNEVIÈRES Cécile d'

Née à Comines (Nord). xxe siècle. Française.

Sculpteur.

Élève de E.-J. de Bremaeker. Cette artiste a exposé des bustes au Salon des Artistes Français à partir de 1929.

ENNICH Johann Georg

xviie siècle. Actif à Nuremberg en 1697. Allemand.

Enlumineur.

ENNION Eric Arnold Roberts

Né en 1900. Mort en 1981. xxe siècle. Britannique.

Peintre-aquarelliste animalier d'oiseaux.

Ventes Publiques : Londres, 25 fév. 1992 : *Perdrix rouges sur la lande*, aquar. avec reh. de blanc/pap. gris (27,3x34,2) : **GBP 1 815** – Londres, 16 mars 1993 : *Canards*, aquar. avec reh. de blanc/pap. gris (27,3x35,2) : **GBP 483** – Londres, 22 nov. 1995 : *Un héron et des foulques noires* 1936, aquar. (33,5x48,5) : **GBP 1 495**.

ENNIS Jacob

Né vers 1728. Mort en 1771 dans le comté de Wicklow. xviiie siècle. Irlandais.

Peintre d'histoire et de portraits.

Après avoir étudié avec Robert West à Dublin, il se rendit en Italie. De retour en Irlande, il devint professeur de l'École d'Art de Dublin, et mourut d'une chute de cheval.

ENO Henry C.

xixe siècle. Actif à New York vers 1885. Américain.

Aquafortiste.

On connaît de cet artiste des ex-libris et des paysages.

ENOCH François

xviie siècle. Actif à Paris en 1678. Français.

Peintre.

ENOCK Arthur Henry

xixe siècle. Britannique.

Peintre de paysages, aquarelliste.

Il travaillait à Birmingham et exposa à Londres à la New Water-Colours Society à partir de 1882.

Ventes Publiques : Londres, 27 avr. 1908 : *Dans la vallée de Clywd*, aquar. : **GBP 3** – Nottingham, 17 déc. 1981 : *Scène de moisson* 1877, h/t (29,5x29,5) : **GBP 360** – Londres, 15 déc. 1983 : *H.M.S. Entreprise in Dartmouth harbour*, aquar. (40x59,5) : **GBP 1 100** – Londres, 30 jan. 1991 : *Totnes sur la Dart au crépuscule*, aquar. (51x75) : **GBP 1 430** – Londres, 13 nov. 1992 : *Les environs de Teignmouth*, aquar. (73,3x49,5) : **GBP 1 430**.

ENOKIDO Maki

Né en 1938 à Tokyo. xxe siècle. Japonais.

Graveur. Abstrait, tendance surréaliste.

Il est diplômé en 1960 de la section Beaux-Arts de l'École Bunka-Gakuin à Tokyo. Il a participé à plusieurs manifestations internationales de gravures, telles que : l'Exposition de la Gravure Contemporaine du Japon à Genève en 1966 ; la cinquième Biennale Internationale de Gravure à Tokyo en 1966 ; l'Exposition Internationale de Gravure de Vancouver en 1967 ; la troisième Japan Art Festival Association en 1968.

ENOTRIO Pugliese

Né en 1920 à Buenos Aires. Mort en 1989 à Rome. xxe siècle. Actif en Italie. Argentin.

Peintre de paysages.

Il a surtout travaillé en Calabre.

Ventes Publiques : Rome, 29 mars 1976 : *Barques*, h/pan. (50x70) : **ITL 480 000** – Rome, 12 juin 1986 : *Ischia*, h/t (85x65) : **ITL 1 300 000** – Rome, 15 nov. 1988 : *Vue d'un village*, h/pan. (50x60) : **ITL 1 300 000** – Rome, 10 avr. 1990 : *Ulivo à Rosarno*, h/pan. (70x60) : **ITL 2 000 000** – Rome, 30 oct. 1990 : *Paysage de Calabre*, h/pan. (60x50) : **ITL 1 700 000** – Rome, 25 mars 1993 : *Paysage de Calabre*, h/t (50x70) : **ITL 1 700 000** – Rome, 30 nov. 1993 : *Paysage calabrais*, h/cart. (51x70) : **ITL 2 530 000** – Rome, 19 avr. 1994 : *Maison à Ischia*, h/pan. (60x70) : **ITL 2 530 000** – Rome, 28 mars 1995 : *Paysage calabrais* 1971, h/pan. (50x70) : **ITL 2 760 000**.

ENRICH ou **Henrique**

xve siècle. Espagnol.

Peintre.

Il travailla à la cour de Charles III de Navarre à Tafalla, vers 1400.

ENRICH Juan ou **Henrich**

Né en 1743 ou 1744 à Barcelone. Mort vers 1795 ou 1796 à Barcelone. xviiie siècle. Espagnol.

Sculpteur.

Il étudia à Barcelone et à Rome et fut nommé le 1er décembre 1782 membre d'honneur de l'Académie de San Fernando pour un bas-relief en terre cuite. Il exécuta à Barcelone un grand nombre de statues, de bas-reliefs historiques, des bustes, des monuments funéraires. Différentes églises de Barcelone et de ses environs possèdent de sa main des statues de saints, par exemple celles des Apôtres de la façade de l'église du Monastère de Monserrat.

ENRICO. Voir aussi au prénom

ENRICO

xiiie siècle. Italien.

Peintre de miniatures.

Il était actif à Pise en 1238. Peut être identique à Enrico da Pisa.

ENRICO

xve siècle. Italien.

Peintre.

Il était actif à Venise en 1444. Peut-être est-il identique au peintre Henrico de Alemania, libéré de prison à Venise en 1462.

ENRICO Antonio d', dit **il Tanzio**. Voir **TANZIO da Varallo**

ENRICO Giovanni d'

Né à Valsesia. Mort en 1644 à Montrigone (près de Borgosesia). xviie siècle. Italien.

Sculpteur et architecte.

À l'église de Varallo se trouvent des groupes sculptés et des statues de la main de cet artiste, ainsi qu'à l'église paroissiale d'Alagna (Valsesia) et sur le Calvaire de Crea (Monferrato). Il était le frère de Melchiorre d'Enrico et de Tanzio da Varallo.

ENRICO Melchiorre d'

xvie-xviie siècles. Italien.

Peintre de compositions religieuses, peintre à fresque.

Frère de Giovanni d'Enricoet de Tanzio da Varallo. Il était actif à Valsesia à la fin du xvie siècle. Il peignit les fresques de la façade de l'église de Riva Valdobbia et celles du Sacro Monte de Varallo le *Christ dans le désert*, le *Christ du Mont des Oliviers*, *Arrestation de Jésus*.

ENRICO da Cernusco
XVe siècle. Italien.
Sculpteur.
Il travaillait de 1483 à 1492 à la cathédrale de Milan.

ENRICO Fiammingo ou **Malinis**. Voir **ARRIGO Fiammingo**

ENRICO da Milano ou **Arichus Jacobini**
XVe siècle. Italien.
Peintre.
Fils du peintre Jacobino de Papazzoni. Il était actif à Brescia de 1438 à 1459.

ENRICO da Pisa
XIIIe siècle. Italien.
Peintre de miniatures.
Il appartenait à l'ordre de Saint-François.

ENRICO de Spededo
XVe siècle. Italien.
Peintre.
Il travailla pour le pape Martin V.

ENRICO di Tedice
XIIIe siècle. Italien.
Peintre.
Il était actif à Pise, où il peignit pour l'église Saint-Martin un crucifix avec les scènes de la Passion.

ENRIGHT Maginel, née **Wright**
Née le 19 juin 1877 à Weymouth (États-Unis). XIXe-XXe siècles. Américaine.
Peintre.
Elle fut la femme de M. Walter J. Enright. Elle a fait ses études dans sa ville natale.

ENRIGHT Walter J.
Né le 3 juillet 1879 à Chicago (Illinois). XXe siècle. Américain.
Peintre.
Il a fait ses études aux Écoles d'Art de Chicago.

ENRILE Y FLOREZ DE GUTIERREZ Emilia
XIXe siècle. Active à Cadix. Espagnole.
Peintre.
Élève de l'Académie de Cadix, cette artiste exécuta des portraits, des tableaux de genre et des peintures religieuses. Parmi ses œuvres, on cite *Une Fête Andalouse* et *La Vierge des Douleurs*.

ENRIQUE. Voir aussi **ANRIQUE, ENRICH** et **HENRI**

ENRIQUE
Mort en 1284. XIIIe siècle. Espagnol.
Sculpteur sur bois et sur ivoire.
Il serait le fils ou petit-fils du roi Alphonse X de Castille et créateur d'une statuette de Madone en bois et ivoire que posséderait encore le Monastère des Clarisses à Allariz (Galice).

ENRIQUE
Mort peu avant 1492 à Tolède. XVe siècle. Actif à Tolède. Espagnol.
Peintre sur verre.
Il est peut-être identique au « maestro Henrique » qui exécuta des vitraux pour les cathédrales de Séville et de Tolède.

ENRIQUE ou **Anrique**
Né vers 1539 en Flandre. XVIe siècle. Actif en Espagne. Espagnol.
Peintre.
Il était Bourgeois de Valladolid en 1567.

ENRIQUE Barros Fernandez
Né à Bilbao (Pays basque). XXe siècle. Espagnol.
Sculpteur.
Il fut élève, à Paris, de J. Boucher. En 1929, il exposait *Premier amour* au Salon des Artistes Français, à Paris.

ENRIQUE Juan
XVIe siècle. Actif à Séville en 1534. Espagnol.
Peintre.
Il fit probablement la décoration des grandes orgues de la cathédrale en 1537. Probablement identique à Juan Anriquez.

ENRIQUEZ Carlos
Né en 1901 à Santa-Clara (Cuba). Mort en 1957. XXe siècle. Cubain.
Peintre de compositions animées. Naïf, tendance fantastique.
Il étudia à l'École Supérieure de Cuba en 1920, puis, envoyé par sa famille aux États-Unis pour devenir ingénieur, renonçant à cette carrière, il s'inscrivit à l'Académie des Beaux-Arts de Pennsylvanie, qu'il quitta prématurément pour retourner à Cuba. En 1930, il alla en Europe où il resta quatre ans, étudiant surtout en Espagne la peinture du Greco, de Zurbaran, Velasquez et Goya.
Il participa à des expositions collectives : entre 1923 et 1925 régulièrement à l'Association des Peintres et Sculpteurs à La Havane, 1992 *Lam and his contemporaies* au Studio Museum de Harlem. Il montra ses œuvres dans des expositions personnelles : dans les années trente à Madrid et Oviedo, 1934 au Lyceum de La Havane, exposition qui provoqua un scandale et fut fermée au public.
À partir de 1937, sa peinture s'imprégna de l'atmosphère tropicale proprement cubaine. Qu'il peigne des coupeurs de cannes à sucre du quotidien haïtien ou des cavalcades de chevaux échappés de l'enfer, il s'exprime dans un étrange amalgame de naïveté et de fantastique.

MUSÉES : NEW YORK (Mus. of Mod. Art) – SAN FRANCISCO (Mus. of Art).
VENTES PUBLIQUES : NEW YORK, 9 juil. 1980 : *Danseuses* 1948, aquar., gche et encre de Chine (45x32,7) : **USD 850** – NEW YORK, 30 mai 1984 : *Sans titre* vers 1948, encre/pap. mar./cart. (22,2x32,7) : **USD 1 500** – NEW YORK, 28 nov. 1984 : *Eva*, h/t mar./cart. (124,5x89) : **USD 16 000** – NEW YORK, 29 nov. 1984 : *Jinete*, gche (50x38) : **USD 4 000** – NEW YORK, 21 mai 1986 : *Chevaux sauvages* 1955, aquar. et pl. (39,7x49,8) : **USD 1 800** ; *Deux Prostituées* 1944, h/t (67x56,5) : **USD 5 000** – NEW YORK, 21 nov. 1988 : *Les Coupeurs de canne à sucre*, h/t (76x60,5) : **USD 4 400** – PARIS, 21 juin 1989 : *Tête de cheval*, h/t (43,5x39,5) : **FRF 27 000** – NEW YORK, 2 mai 1990 : *L'acajou du jardin* 1946, h/t (51x41) : **USD 6 050** – NEW YORK, 15 mai 1991 : *Chevaux*, h/t (79x63,5) : **USD 9 900** – NEW YORK, 19-20 mai 1992 : *Nu* 1949, h/t (61x50,8) : **USD 18 700** – NEW YORK, 25 nov. 1992 : *Chevaux* 1955, aquar., gche et encre/pap. (39,5x50) : **USD 3 300** – NEW YORK, 18 mai 1993 : *La petite fille au poisson* 1947, h/t (63,5x46,3) : **USD 11 500** – NEW YORK, 18 mai 1994 : *Odile* 1945, h/t (79,1x63,5) : **USD 25 300** – NEW YORK, 14-15 mai 1996 : *Le Rapt* 1937, h/t (107x93) : **USD 107 000** – NEW YORK, 28 mai 1997 : *Femmes nues*, lav. d'encre/pap., une paire (chaque 23,8x19) : **USD 5 175**.

ENRIQUEZ César
Né en 1918 à Puerto Cabello. XXe siècle. Vénézuélien.
Peintre.
Élève de l'École des Beaux-Arts de Caracas, il fut professeur à la classe enfantine de cette même école.

ENRIQUEZ Flamenco
XVIe siècle. Travaillant à Valladolid. Espagnol.
Peintre.
Cet artiste était un de ceux qui travaillèrent le plus souvent avec Juan de Juni, qui en faisait grand cas ; il l'eut longtemps dans sa maison à titre d'ami et c'est chez lui qu'il mourut, à peine âgé de 20 ans.

ENRIQUEZ Francisco
XVIIIe siècle. Actif à Grenade vers 1700. Espagnol.
Peintre.
Il travailla pour le couvent de Saint-Bernard.

ENRIQUEZ Nicolas
Né peut-être à Guadalajara. Mort après 1780. XVIIIe siècle. Mexicain.
Peintre de compositions religieuses.
Actif à Mexico de 1730 à 1768, il est répertorié aussi à Guadalajara. Il réalisa à Mexico des scènes de la Passion en huit tableaux en 1768.
MUSÉES : BRESLAU, nom all. de Wroclaw : *Vierge*, 1770 – GUADALAJARA (Mus. de l'École des Arts Plastiques) – GUADALAJARA (Mus. Nat. d'Hist.).
VENTES PUBLIQUES : PARIS, 30 nov. 1981 : *L'Adoration des Mages* 1744, h/cart. (105x84) : **FRF 9 200** – NEW YORK, 17 mai 1994 : *Vierge de Guadalupe* 1777, h/t (82,2x60,3) : **USD 101 500** – NEW YORK, 18 mai 1995 : *L'Immaculée* 1746, h/t (59,7x41) : **USD 11 500**.

ENRIQUEZ Rafael
Né aux Philippines. XIXe siècle. Espagnol.

Peintre de genre.
Ventes Publiques : Paris, 19 juin 1989 : *Scène espagnole* 1884, h/t (54x44) : **FRF 24 000.**

ENRIQUEZ Y FERRER Francisco
Né le 30 juillet 1811 à Grenade. XIXe siècle. Espagnol.
Peintre et architecte.
Fils de Francisco Enriquez y Garcia, il fut surtout architecte.

ENRIQUEZ Y FERRER Maria Carmen
Née au XIXe siècle à Grenade. XIXe siècle. Espagnole.
Peintre de genre et portraitiste.
Fille de Francisco Enriquez y Garcia.

ENRIQUEZ Y FERRER Soledad
XIXe siècle. Espagnole.
Peintre de genre, portraitiste et paysagiste.
Fille et élève de Francisco Enriquez y Garcia. Elle exposa à Grenade et à Madrid à partir de 1835. Le Musée du Prado conserve d'elle plusieurs tableaux.
Ventes Publiques : Paris, 4 jan. 1897 : *Le chien savant* : **FRF 155** ; *Le Saltimbanque* : **FRF 160.**

ENRIQUEZ Y GARCIA Francisco
XIXe siècle. Espagnol.
Portraitiste.
Il fut directeur de l'Académie des Beaux-Arts de Grenade.

ENROTH Érik
Né en 1917 à Tampere. XXe siècle. Finlandais.
Peintre, fresquiste.
Il commença par peindre des sujets industriels, observés dans sa ville natale, le plus grand centre industriel de Finlande : chantiers, stades, voies de chemin de fer, etc. De ses séjours en Espagne, il a rapporté des sujets inspirés par la tauromachie. Par la suite, il effectue un voyage aux États-Unis. Plusieurs fresques lui ont été commandées. Il obtint en 1950 le prix d'État. La forme et la couleur sont également violentes. Son dessin est heurté, y dominent le bleu, le rouge et le noir.
Bibliogr. : In : *Peintres contemporains*, Mazenod, Paris, 1964.

ENS Caspar
XVIIe siècle. Actif vers 1680. Danois.
Graveur et éditeur.
Il est cité par Nagler. Il a gravé des planches pour la *Chronique de Frédéric II.*

ENS Giovanni
XVIIIe siècle. Italien.
Peintre.
Dans l'église Saint-Marc de Milan se trouvent deux fresques : *Naissance et mort de saint Nicolas de Tolentino* qui sont l'œuvre de cet artiste, ainsi que les tableaux représentant les *Saints A. et Ch. Borromée* de la salle du Conseil du Palais de la Ragione.

ENS Johann. Voir **HEINTZ Johann**

ENS Johann Karl
XVIIIe siècle. Actif à Limbach en 1791. Allemand.
Peintre sur porcelaine.

ENS Karl
Né le 14 avril 1802 à Lauscha en Thuringe. Mort le 12 novembre 1865 à Lauscha en Thuringe. XIXe siècle. Allemand.
Peintre sur porcelaine, lithographe et dessinateur.
Ses lithographies représentent des scènes de la vie des chasseurs, des charbonniers et des bergers des forêts de Thuringe, comme aussi ses peintures à l'huile. Il dirigea la Manufacture de porcelaine Ens et Greiner à Lauscha.

ENS L.
XIXe siècle. Actif à Hambourg. Allemand.
Lithographe.
Il grava des portraits et des scènes de genre. Il travailla surtout pour les Établissements Charles Fuchs.

ENSCHEDÉ Adriana Maria
Née le 29 septembre 1864 à Haarlem. XIXe siècle. Hollandaise.
Peintre de fleurs.

ENSCHEDÉ Catharina Jacoba Abrahamina
Née le 7 juin 1828 à Haarlem. Morte le 24 octobre 1883 à Bloemendael. XIXe siècle. Hollandaise.
Peintre.
Le Musée Municipal de Haarlem conserve d'elle le *Portrait d'Aletta Hanemans.*

ENSCHEDÉ Christina Gérarda
Née le 10 décembre 1791 à Haarlem. Morte le 6 mars 1873 à Haarlem. XIXe siècle. Hollandaise.
Peintre de natures mortes, fleurs et fruits, aquarelliste, dessinatrice.

CEnschedé
1829

Musées : Haarlem : *Fruits* – Haarlem (Mus. Teyler) : *Fleurs*, deux aquarelles.
Ventes Publiques : Amsterdam, 9 nov. 1993 : *Nature morte de fleurs et de fruits sur un entablement de marbre* 1832, h/t (36,5x31) : **NLG 12 650.**

ENSCHEDE Jan
XVIIIe siècle. Hollandais.
Sculpteur.
Il fut membre de l'Académie Saint-Luc à Haarlem en 1729.

ENSCHEDÉ Sandrina Christina Elisabeth. Voir **TROYEN Sandrina Christina Elisabeth Van**

ENSFELDER Eugène
Né le 7 octobre 1836 à Strasbourg. Mort le 11 mai 1876 à Strasbourg. XIXe siècle. Français.
Peintre et dessinateur.
En 1869 et 1870, il exposa au Salon de Paris, des dessins à la plume, parmi lesquels : *Le Prêche*. Le Musée de Mulhouse possède deux dessins de sa main.

ENSING Jan
XIXe siècle. Actif à Groningue vers 1850. Hollandais.
Lithographe.
On connaît 8 portraits de sa main.

ENSIO. Voir **EMSIO Giovanni**

ENSLEN G. Christian
XVIIIe siècle. Actif à Strasbourg. Français.
Peintre.
Il était le frère de Johann Carl Enslen qu'il accompagnait dans ses voyages en aérostat. En 1784, il dessina une *Vue de Strasbourg* avec le départ d'une Montgolfière. A l'Exposition Alsacienne de portraits anciens de 1910 à Strasbourg se trouvait un portrait de femme de sa main.

ENSLEN Johann Karl
Né en 1759 à Stuttgart. Mort en 1848 à Dresde. XVIIIe-XIXe siècles. Allemand.
Peintre de paysages, panoramas.
Physicien, il fut un des inventeurs des panoramas en Allemagne.
Musées : Dresde : *Panorama de la nouvelle ville de Dresde, de la tour du château.*

ENSLEN Karl Georg
Né en 1792 à Vienne. Mort le 17 avril 1866 à Lille. XIXe siècle. Autrichien.
Peintre de paysages, graveur.
C'était le fils de Johann Karl Enslen. Après avoir étudié à l'Académie de Berlin, il voyagea en Italie, en Suède, en Norvège et au Danemark. Il a réalisé de nombreuses lithographies.
Ses panoramas témoignent d'une grande connaissance du dessin et de la perspective.
Musées : Berlin – Dresde – Gdansk, ancien. Dantzig – Leipzig : *Vue de la place Auguste à Leipzig en 1851* – Lille : *La baie de Naples*, aquarelle – Lübeck – Munich – Naples – Pompéi – Rome – Stockholm.
Ventes Publiques : Copenhague, 7 nov. 1984 : *San Giorgio Maggiore, Venise* 1855, gche (16x25) : **DKK 22 000.**

ENSOM William
Né en 1796. Mort en 1832 à Wandsworth (près de Londres). XIXe siècle. Britannique.
Graveur.
Il exécuta plusieurs planches pour différentes Annales dont les meilleures sont celles de George IV et de Lady Wallscourt d'après sir Thomas Lawrence, composées pour le *Bijou*. On cite parmi ses autres œuvres : *Le Christ bénissant le pain*, d'après Carlo Ducci, *Saint Jean dans le désert*, d'après Carlo Cignani, *Le Christ apparaît à Marie-Madeleine*, d'après le Titien, *La marquise de Salisbury*, également d'après Sir Th. Lawrence.

ENSOR James Sidney
Né le 13 avril 1860 à Ostende, d'un père d'origine anglaise et

d'une mère flamande : Maria Catharina Haegheman. Mort le 19 novembre 1949 à Ostende. XIXe-XXe siècles. Belge.
Peintre de compositions à personnages, figures, portraits, paysages, natures mortes, aquarelliste, pastelliste, graveur. Expressionniste.

Ses parents tenaient un commerce assez insolite de « Souvenirs d'Ostende » : coffrets de coquillages, vases d'un Extrême-Orient de pacotille, bateaux dans des bouteilles, masques et accessoires de Carnaval. Très jeune, il dessinait et peignait et, ensuite, ses parents ne contrarièrent pas sa vocation. De 1873 à 1875, il fut élevé au Collège Notre-Dame et reçut dans le même temps ses premiers conseils artistiques de la part de deux peintres locaux : Dubar (Ed. ou R.J.G. ?) et Van Cuyck (Michel ?). En 1877, âgé de dix-sept ans, il quitta Ostende – pour la seule longue absence de toute sa longue vie. Pendant trois ans, de 1877 à 1879, il fut élève de l'Académie des Beaux-Arts de Bruxelles, où il était le condisciple de Fernand Khnopff, que sa plume n'épargna pas beaucoup plus tard. Il y suivit les conseils du directeur Jan Portaels, mais dessinant surtout d'après Hals, Rembrandt, Goya, et Turner, Daumier, Manet. En 1879, revenu à Ostende, il installa son atelier au quatrième étage de la maison de ses parents, sous les combles. Ce sera là qu'il réalisera ensuite la presque totalité de son œuvre. Lors de son séjour à Bruxelles, il avait noué quelques relations, notamment avec Ernest Rousseau, professeur de physique et recteur de l'Université de Bruxelles, sa femme Mariette, Pierre le fils et Blanche la nièce, la famille Rousseau l'ayant introduit auprès de personnalités bruxelloises. D'Ostende, il entretint ces amitiés et relations, qui le tenaient au courant des activités artistiques et intellectuelles. En 1881, Félicien Rops le fit admettre à la Société Artistique *La Chrysalide*, où il exposa pour la première fois. L'année suivante, il eut deux peintures acceptées au Salon de Paris. En cette même année 1882, il devint membre du groupe *Essor*, participant au Salon du groupe, ainsi qu'à celui du *Cercle Artistique et Littéraire*, tandis que sa *Mangeuse d'huîtres* fut refusée au Salon d'Anvers, et qu'elle sera d'ailleurs de nouveau refusée l'année suivante, en 1883, mais cette fois par le groupe *Essor*. Aussi, en 1883, dix-sept peintres, dont Ensor, et trois sculpteurs se désolidarisèrent du groupe *Essor* pour former, à l'initiative d'Octave Maus, le *Groupe des XX*. La première exposition du nouveau groupe eut lieu à Bruxelles en 1884, puis annuellement, les membres du groupe invitant de nombreux artistes étrangers. Les manifestations annuelles du groupe furent longtemps à peu près la seule occasion pour Ensor de montrer ses peintures, encore que même là il rencontrât de l'incompréhension au sein du groupe. C'était l'époque de son changement radical de manière. En 1884, tout son envoi au Salon de Bruxelles fut refusé. Pire : en 1888 et en 1890, le *Groupe des XX*, dont il était l'un des co-fondateurs, écarta ses peintures de son exposition annuelle. Ce fut aussi dans cette même période de l'évolution fondamentale de sa peinture qu'il commença, en 1886, à graver à la pointe sèche et à l'eau-forte, son œuvre gravé accompagnant désormais ses peintures comme un récapitulatif en réduction.

Seul un petit groupe d'intellectuels s'intéressait à sa peinture : Demolder, Verhaeren, Maeterlinck. En 1891, il était en relations suivies avec le groupe de *La Libre Esthétique*, mais, malgré l'estime que lui portait le groupe et un premier article élogieux publié par Demolder en 1892, Ensor fut pris d'un violent accès de découragement et tenta de vendre la totalité de ses peintures pour 8.500 francs. Aucun acquéreur ne se présenta. Pourtant, en 1894, lors de sa première exposition personnelle organisée par le même Demolder dans une galerie de Bruxelles, le Musée des Beaux-Arts lui acheta *Le lampiste*, il est vrai que c'était encore une peinture sombre de 1880. Le Musée de Liège refusait dans le même temps la *Mangeuse d'huîtres*, première toile claire de 1882, qui avait déjà connu bien des avatars. À partir de 1895, lassé, le désir l'ayant quitté, il ne peignit plus qu'épisodiquement, désintéressé même de ses fantasmes, de ses rêveries et diableries, ayant jusqu'à perdu le goût de peindre la mer, qu'il avait toujours, avec la lumière, chargée à son endroit à la fois d'une valeur plastique particulière et de significations symboliques supérieures : « Mer miraculeuse d'Ostende, mer formée d'opales et de perles, mer vierge que j'aime. Hélas ! les gadouements caverneux de la peinture osent salir vos faces divines et maculer vos robes tissées d'iris et lamées de satin blanc. » En décembre 1898, la revue parisienne *La Plume* lui organisa une exposition dans ses locaux et lui consacrait un numéro spécial, avec des textes de Camille Lemonnier, Edmond Picard, Émile Verhaeren, Maurice Maeterlinck, entre autres. En 1899 eut lieu une exposition d'ensemble de son œuvre au Palais des Beaux-Arts de Bruxelles. En 1900, Ensor eut la révélation de l'art nègre (il était en avance sur Derain et Picasso), lors d'une exposition au Palais de Tervueren. Il en fut troublé, mais ne les apprécia pas : « Je condamne sans rémission le masque mal venu des enfers d'Afrique, d'Asie, d'Océanie... Foin des traits et des attraits du fétiche négroïde ou gorillé. » Ces masques ne pouvaient pourtant le laisser indifférent, même si leur destination magique les différait des masques dérisoires de sa propre kermesse, ils avaient en commun d'être l'apparence éphémère du visage humain, dont la réalité la plus durable est la tête de mort. En 1901, il fut associé à la fondation de la *Libre Académie de Belgique*. En 1908, Émile Verhaeren lui consacra une monographie. Jusqu'en 1933, il continua à peindre, à un rythme très ralenti, répétant sans verve les thèmes anciens. Il poursuivait aussi son œuvre gravé. Mais, le plus souvent, il préférait s'asseoir devant son harmonium, où il composait, car il était aussi un authentique musicien. Il passa l'année 1911 à écrire le livret, composer la musique, dessiner ou lithographier les costumes et les décors d'un ballet pour marionnettes *La gamme d'amour*, qui sera représenté à Bruxelles en 1920. Ou bien encore, il commentait publiquement de sarcasmes goguenards les honneurs qui lui échouaient trop tard ou encore consignait ses souvenirs et surtout ses considérations narquoises sur le monde et les gens, notamment sur quelques-uns de ses contemporains artistes, dans une langue superbe où l'on peut voir l'annonce du délire célinien. Son ancien condisciple des Beaux-Arts de Bruxelles, Ferdinand Khnopff, ne fut pas épargné, par exemple : « ... grisailleur tenace surgavé de banalités spleenétiques. Retardataire Jocondé, extra-suranné, M. Khnopff demeure avant tout chantre incontesté des sphinges énigmatiques aux dessous insondables... » Dans le même temps que sa verve picturale s'épuisait, sa renommée croissait. On le « découvrait », notamment les deux collectionneurs Emma Lambotte et François Franck, qui firent beaucoup pour faire connaître son œuvre. Alors qu'en 1900 encore, il figurait à l'Exposition Universelle de Paris presque anonymement, sans gloire, recevant une dérisoire médaille de bronze (de troisième classe), dans les décennies suivantes lui furent consacrées de plus en plus d'études – confère la notice bibliographique. En 1926, un ensemble de son œuvre fut présenté au Pavillon de la Belgique à la Biennale de Venise. En 1929, la totalité de son œuvre fut réunie au Palais des Beaux-Arts de Bruxelles pour son exposition inaugurale. En 1930, le roi Albert 1er le créa baron. En 1932, il fut exposé au Musée du Jeu de Paume et en 1939 de nouveau Paris organisa une exposition importante, la National Gallery de Londres en 1946, puis, posthumement, le Musée d'Art Moderne de Paris en 1954, le Palais des Beaux-Arts de Bruxelles en 1958. Consacrant son importance internationale, l'exposition *Les sources du XXe siècle*, organisée par le Conseil de l'Europe au Musée National d'Art Moderne de Paris, en 1960-1961, comprenait plusieurs de ses grandes peintures. En 1983, les musées de Zurich et d'Anvers lui consacrèrent une exposition rétrospective. En 1990, Paris encore organisa une importante exposition d'ensemble de son œuvre au Musée du Petit-Palais, mais le choix contestable des peintures faussa quelque peu l'impression que les visiteurs en retirèrent : trop de peintures sombres du début, carence concernant les œuvres maîtresses de l'apogée, les œuvres mineures tardives tendant à un art naïf.

En une évolution parallèle à celle d'Edvard Munch, autre grand précurseur de l'expressionnisme moderne, Ensor a créé l'essentiel de son œuvre avant 1900, alors qu'il ne mourra qu'en 1949, âgé de près de quatre-vingt-dix ans. En période d'activité, il bénéficia, si l'on peut dire, d'une rare méconnaissance, et quand vint le temps des honneurs, il était trop tard, l'amertume avait tari son goût de peindre. L'isolement de son mode de vie ne dut pas faciliter la promotion de son œuvre. Bien qu'il ait vécu jusqu'à sa mort avec Augusta Boogaerts, qu'il appelait « la sirène », il ne l'épousa jamais. On dit qu'il plaisait aux femmes, il ne leur en savait guère gré : « sexe trompeur, sans foi ni loi, gouffre d'hypocrisie, bouclier de malice, bête griffue à suçoirs, aux canines carnassières, oie à tête de linotte, girouette grinçant à tous les vents mauvais, masque constant et sourire sans fin ». Après ses trois années aux Beaux-Arts de Bruxelles, il ne quitta plus ensuite Ostende que pour de rares et brefs voyages en Hollande, à Londres et à Paris. Il ne se détacha d'autant moins de ses souvenirs d'enfance qu'il habita longtemps la maison familiale, ayant conservé le fonds, même après que le commerce en eut cessé après la mort des parents, et vivant au milieu de la pacotille

touchante, tout en feignant de n'y pas prêter attention, ce que dénie tout son œuvre.
À propos de ses premiers dessins et peintures, de nombreuses influences ou correspondances ont été évoquées : Turner, Manet, Daumier, Degas, Renoir. Cependant, il s'y révélait déjà doué d'un talent personnel, comme en témoignent *La femme au nez retroussé* ou le *Portrait du peintre au chevalet*. De cette époque, c'est-à-dire à partir de la « période sombre » de 1879 environ, la plupart des peintures se rattachent encore au vérisme du XIXe siècle ou plus spécialement à la veine réaliste-expressionniste flamande : *Les lampes* ou *Le lampiste* de 1880, *La coloriste* ou *Le rameur* de 1883, tandis que certaines autres accusent les influences des tendances parisiennes : *Le salon bourgeois* de 1881. *L'après-midi à Ostende* de 1881, et surtout *La mangeuse d'huîtres* de 1882, considérée comme étant sa première peinture claire, opèrent la synthèse entre les deux manières antérieures ou contemporaines. La lumière en est encore assourdie, mais la couleur frémit déjà en éclats qui percent la pénombre, comme dans son *Autoportrait au chapeau fleuri* de 1883. C'était l'époque précise où il passait d'une peinture intimiste encore traditionnellement flamande dans ses éclairages tempérés à sa nouvelle manière, claire et colorée. Ce fut aussi l'époque où il se heurta à l'incompréhension de ses proches-mêmes. Il en écrira : « Les vieux réalistes crachaient sur tout... Je me suis confié au Pays solitaire de Narquoisie, où règne le masque tout de violence, de lumière et d'éclat. » Dans ses peintures de jeunesse de l'époque sombre, il traitait tous les thèmes traditionnels : portraits, intérieurs, paysages, natures mortes. À partir de 1883, s'il traita encore ces différents thèmes, ce fut dans une toute autre optique et, en outre, apparut alors cette veine fantastique qui allait dominer sa production et lui conférer sa spécificité. Techniquement, Ensor allait désormais pratiquer une sorte de postimpressionnisme-expressionniste. De l'impressionnisme, il gardait les vives couleurs, employées à leur maximum d'intensité (saturation + luminosité), il lui devait aussi sa touche divisée, juxtaposant les couleurs vives pour en obtenir le mélange optique. Mais, cette technique impressionniste, il la détournait de sa destination originelle : capture de la lumière pour elle-même, négation de la réalité des choses sans cesse mouvantes au gré des éclairages, pure délectation esthétique devant le spectacle de la nature détachée de toute considération morale ou psychologique. Il la mettait au service de la mise en images signifiantes de tout ce qui remuait sa propre sensibilité, ses pensées personnelles, ses obsessions. Son œuvre se partagea désormais selon trois thèmes : les paysages, soit de la ville même et du port d'Ostende, soit plus souvent des plages et surtout de marines émouvantes, les natures mortes, qu'on peut dire sereines et somptueuses, de poissons comme la célèbre *Raie* de 1892 ou bien de coquillages diaprés, de masques bariolés et d'autres objets prélevés du bric-à-brac du magasin familial, et, qui font peut-être trop négliger paysages et natures mortes, les scènes fantastiques, les carnavals ou les colloques de squelettes, mises en scène dans lesquelles il faisait « figurer » parfois son propre portrait. Quant à la technique de nouveau, il faut remarquer que, lorsqu'il peint paysages ou natures mortes, Ensor pratique une peinture extrêmement claire, presque blanche, aveuglante, aux tonalités irisées, à l'imitation de l'intérieur des coquillages du commerce familial, tandis que, lorsqu'il peint les scènes fantastiques, les couleurs sont le plus souvent exacerbées, agressives, se heurtant entre elles, quand bien même situées toujours sur un fond très clair. Dans un œuvre si multiple, on pourrait dire en simplifiant, que paysages, marines et natures mortes en constituent la part heureuse, et les masques et squelettes la part sarcastique, les quelques autoportraits apparaissant indifféremment dans l'un ou l'autre de ces aspects.
On a beaucoup supputé sur la signification profonde de toutes ces scènes de carnaval, ces cortèges de masques grimaçants ou hilares, ces rencontres de démons se donnant des airs d'humains ou d'humains déguisés en démons, comme dans *Les tribulations de saint Antoine* de 1887, ces tractations entre squelettes, tels les *Squelettes se chauffant autour d'un poêle* de 1889. En général, les commentaires en déduisent, non sans raison, de la part d'Ensor un regard ironique, voire désabusé, sur la comédie humaine, et la conscience claire de ce que rien de cette comédie ne compte, confronté à la mort. La réalisation de *L'Entrée du Christ à Bruxelles* fut précédée, en 1885-86, de six grandes études au fusain, les *Auréoles du Christ ou les sensibilités de la lumière*, dont la peinture finale fut le développement de la troisième auréole : *Vive et Rayonnante Entrée à Jérusalem*. Dans sa peinture majeure, qu'incompréhensiblement la Belgique a laissée partir dans la collection Paul Getty de Los Angeles, *L'entrée du Christ à Bruxelles*, toile de deux mètres soixante sur quatre, qu'il peignit en 1888, il apparaît non douteux qu'il a voulu montrer ce qui se passerait si le Christ revenait parmi les hommes du monde moderne. Il pense savoir exactement ce qu'il en serait, lui, James Ensor, qui s'est si souvent, en tant que peintre ignoré de la foule, crucifié par confrères et critiques, identifié au Christ, ignoré de la foule puis renié par ses disciples : le Christ s'avance, frêle, presque nu et monté sur un pauvre âne, perdu dans la foule, dont l'imbécillité grossière est figurée par le fait que tous les visages sont remplacés par des masques aux expressions figées, grotesques ou hilares, l'acclame dans la confusion la plus totale : « Vive Jésus ! Roi de Bruxelles ! », en même temps que : « Vive la Sociale ! » Les « fanfares doctrinaires » excitent l'ardeur de ce cortège de clowns délirants, de guignols manipulés. Les bleus, les rouges, les verts et les jaunes, distribués à profusion, amplifient l'agitation saccadée des badauds qui défilent, même si le jaune-de-chrome, couleur peu solide à la lumière, du cuivre des fanfares est aujourd'hui passé et verdi. C'est la kermesse, c'est la folie, et l'on comprend que si l'un des leurs s'écriait soudain : « À mort ! », la même foule, aliénée, manipulée, mettrait le Christ à mort, le recrucifierait avec le même enthousiasme. En cette célébration démoniaque de la bêtise humaine, où dans ses défilés de monstres, « où grouille toute la gent dure et molle vomie par la mer », il met une bonne part de fête, Ensor se situe dans la lignée flamande des Pieter Brueghel et Jérôme Bosch, dans la tradition flamande de la kermesse. La vision de Ensor n'est pas uniquement désespérée et dénonciatrice, il y a aussi un énorme rire dans ses kermesses, où soudards et ribaudes côtoient la mort comme une complice. Dans de nombreux cas, Ensor en se représentant sous leurs traits ou aspects, se fait le complice des masques, des squelettes, de la mort, qu'en tant que fatale il vaut mieux tutoyer. On ne peut non plus omettre que pour lui, le masque n'est pas forcément lié à la caricature : « Le masque me dit fraîcheur de tons, expression suraiguë, décor somptueux, grands gestes inattendus, mouvements désordonnés, exquise turbulence. »
Dans l'ensemble de son œuvre gravé, qui comporte 138 numéros, plus deux suites de lithographies : 31 pour les *Scènes de la vie du Christ* de 1921, et 22 pour la *Gamme d'amour* de 1929, on retrouve les thèmes des peintures : *La cathédrale, Le bal fantastique, La kermesse au moulin, La mort poursuivant les humains, Le Roi Peste, L'assassinat, La bataille des éperons d'or, Squelettes se disputant un pendu, La raie, Le Coq mort, L'intrigue*, et, bien sûr : *L'entrée du Christ à Bruxelles* qu'il grava dix ans après avoir peint la toile, ajoutant encore aux banderoles d'origine celles des *Belges insensibles*, des *Vivisecteurs*, des *Charcutiers de Jérusalem*, et jusqu'à l'affiche de la publicité de la *Colman's Mustard*, ceci pour bien fixer à quel niveau se situerait ce retour du fils de Dieu sur terre pour les hommes de la fin du XIXe siècle. Outre les gravures et lithographies, Ensor accumulait croquis spontanés, dessins préparatoires et aquarelles.
En 1888 donc, il peignit *L'entrée du Christ à Bruxelles*. Depuis deux années, il avait déjà réalisé le tiers de son œuvre gravé, il était au summum de son génie. Il avait apporté à l'histoire de la peinture quelque chose de neuf et d'important, mais personne ne s'en rendait bien compte : quand il avait commencé à trouver son expression personnelle en 1883, Van Gogh n'avait même pas encore peint *Les mangeurs de pommes de terre* et Gauguin remettait tout juste sa démission à sa banque. Lorsque l'incompréhension générale eut raison de sa volonté et eut lassé son désir, il continua à peindre, la conviction usée, sur les thèmes anciens, avec parfois encore les éclairs du *Foudroiement des anges rebelles*, de *L'intrigue*, des *Squelettes se disputant un pendu*. Il poursuivait cependant son œuvre gravé, reprenant les sujets des peintures antérieures ou bien traitant souvent le thème du Christ. Ce fut aussi pendant ces longues années qu'il coloria à la main certains tirages de ses gravures. De 1885 à 1895, dans les mêmes années que Edvard Munch et Van Gogh, et avec la même brièveté, Ensor a jeté une des bases importantes de l'expressionnisme moderne. Paul Klee ne s'y trompa pas qui lui adressa de ses propres gravures en témoignage d'admiration, ni Emil Nolde qui vint lui rendre visite en 1911 ; les peintres de Laethem-Saint-Martin, autour de Permeke et des De Smet, le considéraient comme leur précurseur, les Hollandais Toorop et Sluyters en furent impressionnés, et jusqu'à Pierre Alechinsky qui peignit, en 1956, un *Hommage à James Ensor*, écho dans le temps de Cobra à *L'entrée du Christ à Bruxelles* de

1888. Se survivant pendant plus d'un demi-siècle, n'en finissant plus de finir, Ensor connut l'amère plaisanterie de lire plusieurs articles nécrologiques à lui consacrés, des journaux ayant annoncé sa mort en 1943. Il avait auparavant pris la précaution de tirer lui-même la conclusion de son œuvre, grinçant d'humour macabre, dans lequel l'homme n'a guère d'autre consistance que celle d'un squelette drapé dans un déguisement de cardinal : « Vers le Pays de Narquoiserie et des inquiétudes palpitantes, j'ai mené voiles battantes une barque pavoisée de flammes adjectivées d'encre. » ■ Jacques Busse

Bibliogr. : E. Demolder : *James Ensor*, Bruxelles, 1892 – Pol De Mont : *De schilder en etser James Ensor*, in : *De Vlaamsche School*, Anvers, 1895 – E. Demolder : *James Ensor*, Paris, 1898 – E. Verhaeren, M. Maeterlinck, C. Lemonnier, E. Picard, O. Uzanne, et divers : *Numéro spécial consacré à James Ensor*, La Plume, Paris, 1999 – V. Pica : *James Ensor*, Bergame, 1902 – E. Verhaeren : *James Ensor*, Bruxelles, 1908 – H. von Garvensburg : *James Ensor, Maler, Radierer, Komponist*, Hanovre, 1913 – James Ensor : *Les écrits de...*, avec 36 croquis de l'auteur, Bruxelles, 1921 – G. Le Roy : *James Ensor*, Bruxelles, Paris, 1922 – F. Cuypers : *James Ensor, l'homme et l'œuvre*, Paris, 1925 – P. Fierens : *James Ensor*, Paris, 1929 – A. de Ridder : *James Ensor*, Paris, 1930 – Roger Avermaete : *James Ensor*, Ministère de l'Éducation et Édit. Le siècle, Anvers, 1947 – Albert Croquez : *James Ensor, catalogue de l'œuvre gravé*, 1951 – Paul Haesaerts : *James Ensor*, Bruxelles, 1957 – Armand Lanoux : *Le rendez-vous de Bruges*, Paris, 1958 – H. De France : *James Ensor, Essai de bibliographie commentée*, Bruxelles, 1960 – Isy Brachot II : *Ensor dans les collections privées*, Gal. Isy Brachot, Bruxelles, 1965 – Paul Haesaerts et R. H. Marijnissen, in : *L'Art flamand de Ensor à Permeke*, Anvers, 1970 – James Ensor : *Mes écrits*, Édit. Nat. Liège, 1974 – in : *Diction. Univers. de la Peint.*, Le Robert, Paris, 1975 – Isy Brachot III et Xavier Tricot : *James Ensor dans les collections privées II*, Bruxelles 1985, Paris 1986 – Xavier Tricot : *Catalogue raisonné de l'œuvre peint de James Ensor*, 1987 – Xavier Tricot : *Métaphores et métamorphoses de James Ensor*, in : Artstudio, N° 18, Paris, 1990 – in : *L'art du xxe siècle*, Larousse, Paris, 1991 – Francine Claire Legrand : *La Mort et le charme – Un autre Ensor*, Fonds Mercator et Albin Michel, Anvers, Paris, 1994 – Catalogue de l'exposition : *L'Œuvre gravée d'Ensor*, Kunstmuseum, Bâle, musées de la ville de Strasbourg, 1996.

Musées : Amsterdam (Stedelijk Mus.) : *Carnaval* 1888 – Anvers (Mus. des Beaux-Arts) : *La femme au nez retroussé* 1879 – *La dame à l'éventail* 1880 – *Portrait de Willy Finch* 1880 – *Le salon bourgeois* 1881 – *L'après-midi à Ostende* 1881 – *La Mangeuse d'huîtres* 1882 – *Le rameur* 1883 – *L'entrée du Christ à Bruxelles* 1888, prêt temporaire, cédé depuis à la collection Paul Getty – *Le foudroiement des anges rebelles* 1889 – *L'étonnement du masque Wouse* 1889 – *L'intrigue* 1890 – *Musique, rue de Flandre* 1891 – *Masques se disputant un pendu* 1891 – *Les cuirassiers à Waterloo* 1891 – *L'homme de douleur* 1891 – *Fleurs et légumes* 1896 – *Le squelette peintre* 1896 – Bruxelles (Mus. roy. d'Art Mod.) : *Le lampiste* 1880 – *Portrait du père d'Ensor* 1881 – *La dame en bleu* 1881 – *Les masques intrigués* 1883 – *Le carnaval sur la plage* 1887 – *Masques se disputant un hareng-saur* 1891 – *Masques singuliers* 1892 – *La raie* 1892 – Florence (Mus. des Offices) : *Portrait du peintre au chevalet* 1879 – Fort Worth, Texas (Kimbell Art Mus.) : *Squelettes voulant se chauffer* 1889 – Gand (Mus. des Beaux-Arts) : *Personnages* 1880 – *Vive et Rayonnante Entrée à Jérusalem* 1885-86, fus. – Liège (Mus. des Beaux-Arts) : *Les masques et la mort* 1897 – Maastricht (Mus. Bonnefanten) : *Masques* – Malibu-Los Angeles (Paul Getty Mus.) : *L'entrée du Christ à Bruxelles* 1888 – Munich (Nouvelle Pina.) : *Attributs d'atelier* 1889 – New York (Mus. of Mod. Art) : *Les tribulations de saint Antoine* 1887 – Ostende (Mus. Ensor) : *Ensor au chapeau fleuri* 1883 – *Le Christ apaisant la tempête* 1891 – *Les pochards* – *Pouilleux se chauffant* – *Viandes* – Otterlo (Mus. Kröller-Müller) : *Nature morte au pichet bleu* 1890 – *Le Pierrot triste* 1890 – *Le combat* 1896 – *La vengeance de Hop-Frog* 1896 – *Fleurs* 1909 – *Nature morte avec un chou* 1921 – Paris (Mus. Nat. d'Orsay) : *La dame en détresse* 1882 – Tel-Aviv (Mus. des Beaux-Arts) : *Le peintre et son modèle à la plage* 1895 – Zurich (Kunsthaus) : *Étoffes et éventail* 1885 – *Le grand juge (masques)* 1898, dépôt – *La mer à Ostende* 1920 – *Carnaval en Flandre* vers 1920.

Ventes Publiques : Paris, 16 juin 1955 : *Fleurs dans un vase* : **FRF 455 000** – Paris, 19 mars 1958 : *Les Masques républicains* : **FRF 750 000** – Bruxelles, 10 juin 1960 : *Temps de pluie*, h/cart. : **BEF 34 000** – Stuttgart, 3-4 mai 1962 : *Infâmes vivisecteurs, avec autoportrait* : **DEM 32 000** – Londres, 24 avr. 1963 : *La Gamme d'amour, décor pour mon ballet Flirt de marionnettes* : **GBP 3 000** – Milan, 25 nov. 1965 : *Souvenirs, avec autoportrait* : **ITL 7 500 000** – Anvers, 22 avr. 1969 : *Paysage* : **BEF 440 000** – New York, 28 oct. 1970 : *Vase de fleurs et Figurines* : **USD 105 000** – Paris, 29 mai 1972 : *Les Soudards pénitents* 1893 : **FRF 250 000** – Anvers, 10 oct. 1972 : *Les Joueurs* : **BEF 2 500 000** – Anvers, 2 avr. 1974 : *Assiette, masque et coquillages*, past. : **BEF 500 000** – Zurich, 8 nov. 1974 : *Le Jardin d'amour* : **CHF 340 000** – Anvers, 9 avr. 1976 : *Le grand bassin* 1888, eau-forte : **BEF 85 000** – New York, 20 oct. 1976 : *Mariage de masques* 1910, h/t (50,5x61) : **USD 35 000** – Breda, 27 avr. 1977 : *La cathédrale* 1886, eau-forte : **NLG 5 400** – Munich, 23 mai 1977 : *Monsieur de Phocas* 1915, past. (48x62) : **DEM 46 000** – Anvers, 18 avr. 1978 : *Le modèle dans des dunes* 1882, h/t (36x45) : **BEF 950 000** – Anvers, 19 oct. 1978 : *La cathédrale*, eau-forte : **BEF 95 000** – Londres, 28 juin 1978 : *Éventail décoré de clowns et Pierrots*, aquar./soie (diam. 53) : **GBP 600** – Bruxelles, 13 juin 1979 : *L'assassinat* 1888, eau-forte : **BEF 40 000** – Londres, 5 juil 1979 : *Le Peintre et les Sept Pêchés Capitaux* 1924, cr. de coul. (19x11,5) : **GBP 2 000** – Londres, 30 juin 1981 : *Nature morte à la bouilloire et à l'éventail* 1888, cr. noir et mine de pb/pap. (22,5x19) : **GBP 10 000** – Londres, 24 mars 1983 : *Paysage* vers 1910, past./soie (33x47) : **GBP 4 000** – Zurich, 6 juin 1984 : *Personnages dans les montagnes* 1878, fus., reh. de blanc (51,5x39) : **CHF 34 000** – New York, 8 nov. 1984 : *L'entrée du Christ à Bruxelles* 1898, eau-forte (24,7x35,7) : **USD 4 000** – Londres, 3 déc. 1984 : *Masques regardant un nègre bateleur*, h/t (115x96) : **GBP 70 000** – Londres, 24 juin 1985 : *Walkürenritt* vers 1888, gche et cr. (20,3x28,5) : **GBP 25 000** – Londres, 2 déc. 1986 : *Vieille femme et masques*, cr. coul. (17,5x12) : **GBP 5 500** – New York, 11 mai 1987 : *Le désespoir de Pierrot* 1892, h/t (144,5x194,5) : **USD 480 000** – Londres, 1er juil. 1987 : *Le Crucifié* 1900, past./pap. mar./pan. (86x65) : **GBP 24 000** – Lokeren, 5 mars 1988 : *Les peupliers*, eau-forte/pp Japon (15x5x23,3) : **BEF 60 000** – Paris, 20 mai 1988 : *Le bal fantastique* 1889, eau-forte : **FRF 4 500** – Lokeren, 28 mai 1988 : *Lièvre et corbeau* 1883, h/t (80x100) : **BEF 6 500 000** – Lokeren, 8 oct. 1988 : *Peste dessous, peste dessus, peste partout* 1904, eau-forte (19,2x29,1) : **BEF 150 000** – Paris, 20 nov. 1988 : *Scène de rue*, fus., double face (18,5x23,5) : **FRF 50 000** – Paris, 9 avr. 1989 : *L'ivrogne*, dess. au fus. (72x58) : **FRF 400 000** – New York, 9 mai 1989 : *Les infâmes vivisecteurs* 1927, h/t (61x78,7) : **USD 264 000** – Amsterdam, 24 mai 1989 : *Faire des grimaces* 1889, cr./pap. (21x17) : **NLG 41 400** – Londres, 19 oct. 1989 : *Marine*, h/t (54x81) : **GBP 29 700** ; *Rotondités*, h/t (50,8x60,9) : **GBP 77 000** – Amsterdam, 13 déc. 1989 : *Autoportrait* 1937, h/cart. (18,5x17) : **NLG 36 800** – New York, 26 fév. 1990 : *Nature morte aux fruits*, h/pan. (21x27) : **USD 60 500** – Bruxelles, 7 oct. 1991 : *Variation sur une Adoration des bergers*, eau-forte en coul. : **BEF 130 000** – Londres, 3 déc. 1991 : *Rayons de palette*, h/t (60,3x50,2) : **GBP 51 700** – Amsterdam, 12 déc. 1991 : *L'homme au foulard* 1881, fus./pap. (74x56) : **NLG 31 050** – Lokeren, 21 mars 1992 : *Vue d'une ville*, eau-forte coloriée (20,8x14,7) : **BEF 180 000** – Londres, 29 juin 1992 : *Les bains à Ostende* 1890, h., cr. noir et coul./pan. (37,5x45,5) : **GBP 126 500** – Milan, 9 nov. 1992 : *Musique à Ostende* 1890, eau-forte (11,8x7,8) : **ITL 2 000 000** – Londres, 24-25 mars 1993 : *Le coin de table*, fus., cr. et encre de Chine (22x35) : **GBP 20 125** – New York, 13 mai 1993 : *Coquillage et tanagra*, craies de coul. et cr./pap./cart. (47x63,5) : **USD 13 800** – Lokeren, 15 mai 1993 : *Paysage*, h/t (30,5x42) : **BEF 700 000** – Paris, 11 juin 1993 : *Le grand bassin à Ostende* 1888, eau-forte (17,9x23,8) : **FRF 9 000** – Londres, 21 juin 1993 : *La mangeuse d'huîtres* 1882, h/t (142x108) : **GBP 276 500** – Londres, 30 nov.

1993 : *La Dormeuse*, craie noire/pap. (22,5x17) : **GBP 5 750** – PARIS, 3 déc. 1993 : *La kermesse au moulin* 1889, eau-forte en noir reh. de cr. de coul. (13,5x17,4) : **FRF 15 500** – LOKEREN, 12 mars 1994 : *La cathédrale* 1898, eau-forte (24,5x18,9) : **BEF 190 000** – AMSTERDAM, 31 mai 1994 : *Nature morte avec des roses blanches et roses dans un vase de Chine et autres chinoiseries sur une table drapée*, h/t (50x40) : **NLG 138 000** – PARIS, 3 juin 1994 : *L'entrée du Christ à Bruxelles* 1898, eau-forte et pointe sèche (24,7x35,2) : **FRF 49 000** – LOKEREN, 8 oct. 1994 : *Portrait de l'artiste ; Études diverses*, craies coul. (20x24) : **BEF 1 400 000** – NEW YORK, 14 juin 1995 : *Masques et pointes*, cr. de coul./pap. (21x17,1) : **USD 6 900** – LONDRES, 25 oct. 1995 : *L'estacade à Ostende*, h/t (32,5x40,5) : **GBP 26 450** – LOKEREN, 9 déc. 1995 : *La Vieille Horloge* 1941, h/pan. (21,7x16) : **BEF 550 000** – LONDRES, 20 mars 1996 : *Coquillages et plantes marines* 1932, h/t (50,5x61) : **GBP 51 000** – LOKEREN, 9 mars 1996 : *Jardin d'amour* 1888, eau-forte coloriée à la main/pap. Japon (11,7x8) : **BEF 180 000** – LONDRES, 3 déc. 1996 : *La Dame au brise-lames* 1880, h/t (32x24) : **GBP 31 050** – AMSTERDAM, 10 déc. 1996 : *Le Tambour-major* vers 1925-1929, h/t (51,5x72) : **NLG 438 246** – AMSTERDAM, 4 déc. 1996 : *Gilles et Sauvage* 1891, h. et cr./pan. (12x16) : **GBP 33 350** – AMSTERDAM, 17-18 déc. 1996 : *L'Annonciation* vers 1912, h/t (61x71,1) : **NLG 147 500** – LOKEREN, 18 mai 1996 : *Le Chasseur* 1888, eau-forte (11,8x15,8) : **BEF 400 000** – LOKEREN, 7 déc. 1996 : *Coquillages et chinoiseries*, h/pan. (26,5x36,5) : **BEF 1 200 000** – AMSTERDAM, 2-3 juin 1997 : *Japonaiserie* 1876, h/cart. (26x32,5) : **NLG 165 200** – PARIS, 13 mai 1997 : *Les Braconniers* 1882, h/t (115x165) : **FRF 1 600 000** – LONDRES, 23 juin 1997 : *Nature morte au homard et au crabe* 1890, h/t (61x74,5) : **GBP 210 500**.

ENSTAD Ola

Née en 1942 à Oslo. XXe siècle. Norvégienne.

Artiste, créatrice d'installations.

Elle participe à des expositions collectives, notamment : 1985, Nouvelle Biennale de Paris. Ola Enstad réalise des expositions personnelles en Norvège : 1973, 1983, galerie Kunstnersorbondet, Oslo ; 1976, Tromso ; 1978, Stavanger ; 1988, Oslo.

Ce qu'elle exposa à la Nouvelle Biennale de Paris en 1985 fut inspiré par l'état de tension Est-Ouest, et plus particulièrement par la situation géographique de la Norvège dans ce climat politique. Le monde des profondeurs intéressant l'artiste, sa recherche s'est portée à cette époque sur « la culture de l'homme-grenouille », instrument de prédilection, dans cette région, de la guerre secrète et... froide. Un des ensembles présentés, *Le Corps des hommes-grenouilles*, était composé d'une vingtaine d'hommes-grenouilles en polyester, d'une hauteur de vingt-cinq centimètres chacun, alignés en position militaire de repos, palmés, en combinaison, et leur masque enfilé. Impression non innocente, où le jeu d'ombre et de lumière sculpte des espaces d'immatérialité autour de ces hommes à l'aspect anonyme. L'ensemble s'affichant non sans un certain humour : « Je fais paraître l'homme-grenouille grand et petit, chantant en chœur et communiant dans la bonne comme dans la mauvaise fortune. Il est torturé sous Ponce-Pilate, il est desséché, mis en bière et enterré... On peut se demander comment cela se terminera... J'attends que les bulles remontent à la surface. » (Ola Enstad). ■ C. D.

BIBLIOGR. : In : *Nouvelle Biennale de Paris, 1985*, catalogue de l'exposition, Electa Moniteur, Paris, 1985.

ENTLICHER Adalbert

Né le 27 décembre 1761 à Senftenberg. Mort le 25 avril 1806 à Bezdiekow (près de Politz). XVIIIe siècle. Allemand.

Peintre.

Il peignit surtout des tableaux religieux et des portraits. Il entra en religion en 1795 chez les Bénédictins de Brewnow.

ENTOCHUS

Ier siècle. Antiquité romaine.

Sculpteur.

Pline l'indique comme auteur des statues de Jupiter et de l'Océan, qui figuraient dans les maisons d'Asinus Pollion.

ENTRALA Y LAMOY José

Né au XIXe siècle à Manille. XIXe siècle. Espagnol.

Paysagiste.

Élève à Madrid de Carlos de Haes. Il exposa à Madrid en 1880 plusieurs paysages dont *Paysage hollandais* et *la Côte des Asturies*.

ENTRAYGUES Charles Bertrand d'

Né le 14 juillet 1851 à Brives. XIXe siècle. Français.

Peintre de genre, paysages.

Élève de Pils, il débuta au Salon de Paris, en 1876, avec *L'Embarras du choix* et obtint une mention honorable en 1899. Il devint sociétaire des Artistes Français en 1904.

VENTES PUBLIQUES : PARIS, 9 mars 1897 : *Le chien ami* : **FRF 46** ; *L'Invasion* : **FRF 42** – PARIS, 14 avr. 1923 : *La Petite Laveuse* : **FRF 105** ; *Enfants jouant dans une rue* : **FRF 135** – PARIS, 18 jan. 1924 : *Le goûter* : **FRF 330** ; *Enfants jouant à la procession* : **FRF 200** – LONDRES, 4 avr. 1930 : *Le pique-nique* 1887 : **GBP 5** – LONDRES, 17 juin 1932 : *Le tambour brisé* 1883 : **GBP 14** – LONDRES, 21 déc. 1933 : *Le tambour brisé* 1883 : **GBP 13** – PARIS, 10 oct. 1946 : *Enfant jouant* : **FRF 4 200** – NEW YORK, 14 mai 1976 : *Le Château de cartes ; Le cornet de papier* 1985, h/t, une paire (45x31) : **USD 2 100** – NEW YORK, 18 sep. 1981 : *Famille de paysans dans un intérieur* 1883, h/t (89x106,8) : **USD 850** – NEW YORK, 27 fév. 1986 : *La nichée* 1887, h/t (33x41) : **USD 6 000** – NEW YORK, 28 fév. 1990 : *La Table des enfants* 1882, h/t (98,5x132,7) : **USD 77 000** – LONDRES, 20 mars 1992 : *Combat d'artillerie*, h/t (38,1x55,9) : **GBP 8 250** – LONDRES, 25 nov. 1992 : *Le nouveau jouet* 1883, h/t (30,5x39) : **GBP 5 500** – LONDRES, 27 oct. 1993 : *Réunion de famille* 1886, h/t (21x27,5) : **GBP 2 070** – PARIS, 6 mars 1996 : *Ramoneur, marmiton et poulbots sur les fortifs*, h/t (69x92) : **FRF 43 500**.

ENTRES Guido

Né le 4 octobre 1846 à Munich. Mort le 2 juin 1909. XIXe siècle. Allemand.

Sculpteur.

Il était le fils de Joseph Otto Entres dont il fut l'élève, et celui de l'Académie de Munich. Il exécuta de petites sculptures puis la statue de l'astronome J. von Lamont au cimetière de Munich-Bogenhausen. Il dirigea la restauration de l'église Saint-Jacques à Munich.

ENTRES Joseph Otto

Né le 13 mars 1804 à Fürth. Mort le 14 mai 1870 à Munich. XIXe siècle. Allemand.

Sculpteur.

A l'âge de 15 ans, il exécutait déjà des sculptures sur bois et pierre. En 1820, il entra à l'Académie de Munich où il fut élève de K. Eberhard. On mentionne parmi ses œuvres un *Christ* monumental, un *Godefroy de Bouillon à cheval en vue de Jérusalem*, des monuments funéraires, des sculptures, sur bois dans le style du Moyen Age pour des églises, comme *La Cène* dans la cathédrale de Munich, et une statuette de Madone, au-dessus de la crypte du Chapitre ; et les battants de porte du portail principal de l'église Saint-Pierre. Dans son atelier de Munich de nombreux aides exécutèrent sous sa direction des autels, crucifix, statues de saints. Il assembla une remarquable collection de sculptures du Moyen Age.

ENTRESQUE, d'. Voir au prénom

ENTRINGER Gallienus

XVIe siècle. Actif à Fribourg-en-Brisgau en 1565. Suisse.

Peintre.

ENTRINGER Hans Ulrich

XVIe siècle. Actif à Strasbourg en 1530. Français.

Peintre.

ENTZ Marian W.

Née à New York. XIXe-XXe siècles. Américaine.

Peintre et miniaturiste.

Établie à New York y a fait ses études avec H. Siddons Mowbray, Lucia F. Fuller et Theodora Troyer.

ENTZELBERGER. Voir **ENZISBERGER Martin**

ENTZINGER Johann

XVIIe siècle. Actif dans le Bade à la fin du XVIIe siècle. Allemand.

Graveur.

Il était aussi armurier.

ENU Henri

Né en 1944. XXe siècle. Français.

Artiste.

En 1968, Enu abandonne la peinture de chevalet. Il poursuit une réflexion sur l'histoire de l'art, des formes et de la matière en particulier avec l'utilisation de l'objet « journal » considéré dans sa texture et dans ses différentes étapes de fabrication. Il collabore à l'Agence Art+. Plusieurs expositions personnelles depuis 1975, notamment à Paris, Milan, Rio de Janeiro.

BIBLIOGR. : In : *Parapluie une résistance culturelle 1968-1978*,

Éditions Alternatives et Parallèles, Paris, 1978 – *Cantini 84*, catalogue de l'exposition, Mus. Cantini, Marseille, 1984.
Musées : Marseille (Mus. Cantini) : *Manifeste 1979*.

ENUM Johan I ou **von Enem**
Mort avant 1594. xvie siècle. Actif à Flensbourg. Danois.
Peintre.

ENUM Johan II ou **von Enem**
Né au xviie siècle à Flensbourg. xvie siècle. Danois.
Peintre.
Fils de Johan I Enum. Il a peint, en 1607, pour l'église de Nyborg, un tableau avec les portraits du bourgmestre Peter Jensen Schiffer et de sa femme. La même année, il a exécuté deux autres portraits de Mads Lerke et de Sidsel Knudsdatter.
Musées : Copenhague : *Miniature*.

ENZ. Voir **HEINZ Joseph,** le Jeune

ENZENBERG
Né le 31 mai 1818 à Vienne. xixe siècle. Autrichien.
Peintre de miniatures.
Il figura à l'Exposition de Miniatures à Vienne en 1905 avec un *Portrait de Jeune homme*.

ENZENSBERGER Johann Baptist
Né en 1733 à Sonthofen. Mort en 1773 à Augsbourg. xviiie siècle. Allemand.
Peintre et graveur au burin.
Il a gravé des sujets de genre et des sujets religieux.

ENZINAS. Voir **ENCINAS Alejo de**

ENZING-MÜLLER Johann Michael
Né en 1804 à Nuremberg. Mort en 1855 en Amérique. xixe siècle. Allemand.
Graveur au burin.
Il a gravé des sujets religieux, lorsqu'il était encore en Allemagne, où il fut l'élève de P. Walther et A. Reindel. En Amérique, il grava surtout des portraits.

ENZINGER Anton
Né vers 1683. Mort le 14 mai 1768. xviiie siècle. Actif à Salzbourg. Autrichien.
Peintre.
Il peignit de petits tableaux de chasse de style néerlandais. Le Musée de Salzbourg, le Musée Ferdinand à Innsbruck et le Musée National à Munich possèdent les plus remarquables.

ENZINGER Hans
Né en 1889. Mort en 1972. xxe siècle. Autrichien.
Peintre de compositions animées, paysages urbains, aquarelliste, technique mixte.
Il a peint de très nombreuses vues de Vienne.
Ventes Publiques : Vienne, 19 juin 1979 : *Vue de Vienne*, aquar. (38x55) : **ATS 32 000** – Vienne, 13 juin 1980 : *Le repos des chasseurs*, techn. mixte (8x8) : **ATS 22 000** – Vienne, 18 nov. 1981 : *La gare de Vienne*, aquar. (29x46,5) : **ATS 12 000** – Vienne, 16 mars 1982 : *Vue de Vienne* 1918, aquar. (50x67) : **ATS 10 000** – Vienne, 13 sep. 1983 : *Carriole dans la cour d'une ferme*, techn. mixte/pan. (9x10) : **ATS 22 000** – Vienne, 10 sep. 1985 : *Jour de marché* 1939, h/pan. (12,5x17) : **ATS 35 000** – Vienne, 10 déc. 1985 : *La promenade en traîneau*, gche (8,7x10) : **ATS 25 000**.

ENZINGER Johann
xviiie siècle. Actif à Prague. Tchécoslovaque.
Sculpteur.

ENZISBERGER Martin ou **Enzelberger**
xve-xvie siècles. Autrichien.
Peintre.
Il travailla pour le duc Sigismond à la cour d'Innsbruck en 1493.

ENZO. Voir **HEINTZ Johann** et **HEINZ Joseph,** le Jeune

EONNET DE CHAUDENAY Lucile
Née à Rambouillet (Yvelines). xxe siècle. Française.
Peintre de portraits.
Élève de R. Pougheon ; exposant du Salon des Artistes Français depuis 1934.

EOTTES Hans. Voir **EWOUTSZ**

EPAGATHOS
Né au début du 1er siècle après J.-C. à Athènes. i^er siècle. Antiquité grecque.
Sculpteur.
Fils d'Aristodemos. Sa signature figure sur un socle qui supportait la statue d'un certain Tiberius Claudius Novius.

EPAGATUS
vi^e siècle avant J.-C. Antiquité grecque.
Sculpteur.
Son nom fut trouvé, gravé en caractères archaïques, sur des rochers de l'île Théra, une des Cyclades.

EPAPHRAS. Voir **APHRODISIOS II**

EPARS Axelle
Née le 27 juin 1916 à Genève. xxe siècle. Suissesse.
Sculpteur. Abstrait.
Après avoir étudié, à l'Académie Julian, elle fut l'élève de Kokoschka à Sion. Elle a ensuite fréquenté l'Art Students' League. Elle a exposé, à Paris, au Salon d'Automne en 1960.
Ses sculptures sont abstraites et sont construites par assemblages de formes simples qui tendent néanmoins vers un élan lyrique.
Ventes Publiques : Paris, 11 fév. 1987 : *Profils*, patine brune, bronze (H. 60) : **FRF 9 000**.

EPEIOS
xiiie siècle avant J.-C. Vivait vers 1270 avant Jésus-Christ. Antiquité grecque.
Sculpteur et architecte.
Fils de Panopeus, il serait, au dire de Pausanias, l'auteur du fameux cheval de Troie et d'un Mercure, dans le temple d'Apollon Lycien, à Argos.

EPHOROS d'Éphèse
ive siècle avant J.-C. Antiquité grecque.
Peintre.
Maître d'Apelle et de Pamphile.

EPHREM ou **Ephraim**
xiie siècle. Éc. byzantine.
Peintre.
Selon une inscription grecque qui se trouve dans le chœur de l'église de la Nativité à Béthléem ce peintre y aurait exécuté en 1169 les magnifiques mosaïques pour l'Empereur Manuel Komnenos. Dans le chœur : ses peintures : *l'Entrée à Jérusalem*, *l'Incrédulité de Thomas*, *l'Ascension* sont encore conservées.

EPHRUSSI DE BAUER Gisela
xxe siècle. Française.
Peintre.
Elle exposa à Paris au Salon des Tuileries.

EPICHARMOS
i^er siècle. Actif à Solesap. Antiquité grecque.
Sculpteur.
Son nom et celui d'Epicharme de Rhodes, son fils, fut découvert sur une base trouvée en 1841 à Rhodes, qui devait supporter une statue de sacrificateur.

EPICKMAN Refik
Né en 1901. xxe siècle. Turc.
Peintre.
Il fut l'un des fondateurs de l'Association des Peintres et Sculpteurs Indépendants. Peintre figuratif, il recompose la réalité en fonction des règles stylistiques.

EPIÉCES
ve siècle avant J.-C. Antiquité grecque.
Sculpteur.
Il participa à l'ornementation du temple de Minerve Poliade, sur l'acropole d'Athènes.

EPIGONOS
iiie siècle avant J.-C. Travaillant à Pergame à la fin du iiie siècle avant J.-C. Antiquité grecque.
Sculpteur.
Il fut l'un des fondateurs de cet art colossal qu'est l'art pergaménien, au moment où Attale i^er voulait immortaliser ses victoires sur les Galates et autres peuples voisins. La sculpture était un moyen de propagande très prisé par la dynastie pergaménienne et Epigonos a su créer des ensembles qui répondaient au souci de l'époque, en particulier, à celui du réalisme. Il semble que le portrait de *Philitairos* puisse être qualifié de réaliste, étant donné ses traits brutaux et rudes (bien que ce ne soit pas toujours une preuve suffisante). *Le Gaulois mourant*, qui faisait partie du groupe des Galates, montre une volonté de rendre avec réalisme l'agonie d'un homme vaincu. Une autre scène qui, cette fois, mène au pathétique, plus tard recherche principale de l'art pergaménien, représente un Gaulois, qui, après avoir soustrait sa femme aux mains de l'ennemi en la tuant, se supprime égale-

ment. Ce groupe montre aussi l'aisance avec laquelle Epigonos met en scène des personnages qui prennent possession de l'espace avec grand naturel.
Bibliogr. : R. Martin, in : *Dictionnaire de l'art et des artistes*, Hazan, Paris, 1967.

EPIKRATES
IIe siècle avant J.-C. Antiquité grecque.
Sculpteur.
Sa signature est inscrite sur la base d'une statue trouvée dans le sanctuaire des Muses à Knidos, ville d'Asie Mineure. Près de cette base fut également trouvée la moitié inférieure d'une sculpture de vêtement féminin appartenant probablement à la dite statue.

EPIKTÉTOS I
VIe siècle avant J.-C. Antiquité grecque.
Peintre de vases.
Peintre, Epiktétos a également signé en tant que potier. 525-520 est approximativement l'époque où les peintres de vases passent d'une décoration sur fond rouge et figures noires à un fond noir et figures rouges. Naturellement, ce changement ne s'est pas fait brusquement et certains artistes ont gardé l'ancienne méthode, tandis que d'autres, plus hardis, ont su véritablement créer un nouveau style. Epiktétos a parfois utilisé les deux techniques sur un même vase : l'une à l'extérieur et l'autre à l'intérieur : mais à la différence de Kléophradès (aussi appelé Epiktétos II), son contemporain, il n'a pas su tirer toutes les conséquences de l'adoption de la figure rouge. On pourrait dire qu'Epiktétos n'a effectué qu'une sorte de négatif de la figure noire : les incisions blanches qui indiquent les détails à l'intérieur des figures noires sont remplacées par des traits noirs qui conservent la raideur des incisions.
L'art d'Epiktétos n'a pas tellement gagné en liberté, comme il aurait dû le faire en adoptant la figure rouge. Il continue à employer des rehauts rouge pourpre et blancs. Malgré une certaine raideur, l'œuvre d'Epiktétos montre une sobriété et une sûreté du trait. Ses compositions équilibrées et simples s'adaptent particulièrement aux fonds de coupe et de plats qu'il affectionne et qui lui permettent de mettre en scène, le plus souvent, un seul personnage comme *l'Archer en habit oriental* (British Museum) ou *l'Éphèbe chevauchant un coq* (Castle Ashby). Il traite des sujets du cycle dionysiaque, des guerriers, des éphèbes. Il était l'un des meilleurs représentants d'un style dit sévère.
Bibliogr. : Robertson : *La peinture grecque*, Skira, Genève, 1959 – Arias Hirmer : *Le vase grec*, Flammarion, Paris, 1962.

EPIKTETOS II. Voir **KLEOPHRADÈS, peintre de**

EPINAT Fleury
Né le 22 août 1764 à Montbrizon. Mort le 7 juin 1830 à Pierre-Scise. XVIIIe-XIXe siècles. Français.
Peintre d'histoire et de paysages.
Ayant accompagné son maître David à Rome, cet artiste passa quinze ans en Italie. A son retour en France, en 1800, il abandonna la peinture d'histoire qu'il avait traitée jusqu'alors pour se livrer d'une façon toute spéciale au paysage historique. Au Salon de 1822, il envoya : *Destruction de la ville d'Herculanum par les laves du Vésuve*. Protégé par le riche amateur d'art lord Ailesbury, Epinat parcourut l'Angleterre et l'Écosse. Il commença son fameux tableau de la *Dame du lac*, en présence des sites décrits par Walter Scott.
Musées : Lyon : *La fraîche matinée – Le quartier de Saint-Jean – Le vieux pont au Change*, aquar. – Montpellier : *Deux vues de Florence*, sépia.
Ventes Publiques : Londres, 26 nov. 1973 : *Vue de Lyon*, aquar. et pl. : **GNS 500**.

EPINAY Marie d'
Née au XIXe siècle à Rome. XIXe-XXe siècles. Française.
Peintre de fleurs, scènes de genre, portraitiste, illustrateur.
Élève de Prosper d'Épinay, elle a exposé à plusieurs reprises au Salon de Paris. Elle a également beaucoup peint et dessiné pour l'illustration.
Parmi ses œuvres : *Inquiétude* (1908) – *Bon conseil* (1909) – *Azalées* (pastel) et *Portrait de l'artiste* (1910), et, parmi les portraits, celui de la *Comtesse de Bourbon-Chalus* et de sa sœur *Madame de La Villesboisnet*.
Ventes Publiques : New York, 29 mai 1981 : *Bal masqué*, h/pan. (45,7x33) : **USD 1 000**.

EPINAY Prosper Charles Adrien d'
Né en 1836 aux Pamplemousses (Île Maurice). Mort en 1914. XIXe siècle. Français.
Sculpteur de statues, bustes, dessinateur, caricaturiste.
Fils du politicien Adrien d'Epinay, il fut élève de Dantan jeune à Paris et d'Amici à Rome. On cite de lui des bustes de l'impératrice, la statue de son père à l'île Maurice, *Ceinture dorée, Saint Jean dans le désert*, bronze, *Sarah Bernhardt, Henri Regnault, Fortuny*. Il figura au Salon des Humoristes en 1909.
Il exécuta également un grand nombre de portraits caricatures.
Musées : Copenhague (Glyptothèque) : *Arria*, terre cuite – New York (Metropolitan Mus.) : *Saphô*, marbre – Saint-Pétersbourg (Anitchkoff) : *Le Réveil*, marbre.
Ventes Publiques : Paris, 10 mai 1900 : *La ceinture dorée*, sculpt. : **FRF 2 400** – Paris, 10 déc. 1980 : *Hannibal jeune*, bronze (H. 130) : **FRF 115 000** – Paris, 9 déc. 1987 : *Buste représentant une jeune fille en Flore* 1865, marbre blanc (H. 75) : **FRF 7 500** – Paris, 14 juin 1993 : *Jeune femme se coiffant* 1876, marbre (H. 112) : **FRF 210 000** – New York, 26 mai 1994 : *Tête de Méduse*, terre cuite (H. 41,3) : **USD 24 150** – New York, 19 jan. 1995 : *Portrait*, relief de bronze (diam. 39,4) : **USD 3 450**.

ÉPINE. Voir **LÉPINE**

EPINETTE Marie
Née à Rouen (Seine-Maritime). XIXe siècle. Française.
Peintre de portraits, pastelliste.
Elle fut élève de Mlles Keller et A. Dubos. Elle débuta au Salon en 1875.
Elle peigneit également sur faïence.
Ventes Publiques : Paris, 27 fév. 1984 : *Portrait de Marie Bachkirtseff*, past. (67x45) : **FRF 7 200**.

EPISCOPIO Bernardino
XVIe siècle. Actif au début du XVIe siècle à Casteldurante. Italien.
Peintre sur majolique.

EPISCOPIO Giuseppe
XVIe siècle. Italien.
Peintre.
Élève de Raphaël.

EPISCOPIO Giustino, dit **de Salvolini** ou **Lavolini**
Mort en 1609 à Casteldurante. XVIe siècle. Actif à Casteldurante. Italien.
Peintre d'histoire.
Fils de Bernardino Episcopio et élève de Luzio Dolce. Il travailla quelque temps à Rome. Parmi ses œuvres on cite, à Castel Durante un retable dans l'église Sainte-Claire, le tableau du maître autel, *Les Rois Mages*, à Saint-François. Il fut aussi peintre sur majolique.

EPISCOPIUS Johannes, de son vrai nom : **Jan de Bisschop**
Né vers 1628 à Amsterdam. Mort le 6 novembre 1671, ou en 1686 à La Haye selon d'autres sources. XVIIe siècle. Hollandais.
Dessinateur, aquafortiste.
On suppose qu'après ses études de droit à Leyde – il était avocat – il fit un séjour en Italie comme le prouve un grand nombre de copies de tableaux italiens dont il est fait mention dans d'anciens catalogues de ventes aux enchères. Il semble avoir été en relations d'amitié avec C. Huygen l'Ancien. Les dessins de cet artiste sont en partie des reproductions de paysages italiens et hollandais et en partie des copies d'après l'antique et d'après des artistes contemporains. Ces copies se trouvent dans presque tous les Cabinets d'estampes : Londres (British Museum), Amsterdam, Berlin, Haarlem, Vienne (Albertina).

Musées : Londres (British Museum) – Amsterdam – Berlin – Haarlem – Vienne (Gal. Albertina).
Ventes Publiques : Paris, 1773 : *La résurrection de Lazare*, dess., d'après Zucchero : **FRF 168** ; *Deux enfants jouant*, dess., d'après Van Dyck : **FRF 39** – Paris, 1847 : *Départ de Charles II de Scheveningue*, dess. : **FRF 1 186**,50 – Paris, 1858 : *Vue sur la ville et Valkenof, à Breda*, dess. : **FRF 18** ; *Saint Christophe passant à gué*

une rivière, dess. lavé de bistre : **FRF 130** – PARIS, 7 déc. 1858 : *Résurrection de Lazare*, dess. au bistre : **FRF 19** ; *Palais du cardinal Grimaldi*, dess. au bistre : **FRF 10** – PARIS, 21 et 22 fév. 1919 : *La puissance de l'amour*, sépia : **FRF 40** – PARIS, 26 fév. 1923 : *Le Chemin creux* ; *Le Marché*, deux pl. et sépia : **FRF 355** – PARIS, 10 juin 1925 : *Le Temps coule les ailes à l'Amour*, sépia : **FRF 210** – PARIS, 18 nov. 1926 : *Ruines d'un temple de Vesta en Italie*, pl. et lav. de bistre : **FRF 60** – AMSTERDAM, 29 oct 1979 : *Vue de Catwyck*, pl. et lav. (9,7x14,8) : **NLG 8 200** – LONDRES, 9 déc. 1980 : *Fête villageoise*, pl. et lav., craie noire (34,3x52,1) : **GBP 650** – AMSTERDAM, 22 nov. 1982 : *Scène de bord de mer*, pl. et lav. (9,7x15,3) : **NLG 19 000** – AMSTERDAM, 30 nov. 1987 : *Études de chevaux*, pl. et lav., craie rouge (8,7x11,1) : **NLG 7 500** – NEW YORK, 11 jan. 1989 : *Barques échouées chargées de barriques*, encre (9,3x15,1) : **USD 3 300** – PARIS, 28 sep. 1989 : *Le lavement des pieds*, h/t (39x60,4) : **FRF 75 000** – LONDRES, 2 juil. 1991 : *Cavalier romain sur un cheval cabré*, craie noire et encre (18,6x19,2) : **GBP 4 620** – AMSTERDAM, 25 nov. 1991 : *Le mur d'Aurélien et la pyramide de Cestius à Rome*, craies rouge et noire et lav. brun (9,5x15,4) : **NLG 5 750** – AMSTERDAM, 25 nov. 1992 : *Barques amarrées et chargées de barriques*, encre et lav. (91x151) : **NLG 6 325** – AMSTERDAM, 17 nov. 1993 : *Le temple de Vesta à Rome*, encre (12x20,7) : **NLG 34 500** – NEW YORK, 10 jan. 1995 : *Joueurs de fifre et de tambour*, encre et lav. (30,5x17,6) : **USD 10 925** – LONDRES, 3 juil. 1995 : *Vue de Rome vers les jardins Farnese avec l'Arc de Titus à gauche* (9,3x15,6) : **GBP 3 220** – AMSTERDAM, 15 nov. 1995 : *Vue de maisons à Deyl avec un paysan conduisant ses vaches au travers du village* 1650, encre et lav. (9x15,7) : **NLG 51 920** – LONDRES, 16-17 avr. 1997 : *Le Christ lavant les pieds des apôtres*, pl. et encre brune et lav. sur craie noire (27,4x31,5) : **GBP 575**.

EPISTEMON

VIe siècle avant J.-C. Antiquité grecque.

Sculpteur.

Fils d'Hippostratos, on a reconstitué selon la vraisemblance les deux premières lettres manquantes de son nom, qui figurait sur la base d'une statue trouvée aux environs du Cap Sounion.

EPLER Heinrich Karl

Né le 5 août 1846 à Königsberg. Mort le 30 avril 1905 à Dresde. XIXe siècle. Allemand.

Sculpteur.

Il étudia dans l'atelier de J. Schilling à Dresde, et y reçut une médaille d'argent pour un buste d'homme et un *Ulysse*. Fixé définitivement à Dresde il y orna de ses œuvres un grand nombre de monuments publics : le Théâtre Royal, le Palais des États, le Bâtiment de l'Académie. Une des productions les plus importantes de cet artiste est le groupe *Deux Mères*, scène du Déluge qui fut acheté par la ville de Dresde. Parmi ses monuments funéraires on cite celui du général von Gœben au cimetière de Coblentz : une *Victoire qui tresse une couronne de lauriers*, dont la copie en plâtre est conservée dans les Musées municipaux de Cobourg et de Dresde. Il exécuta également des statuettes de genre en marbre, dont : *Glaneuse*, *Enfant jouant*, *Joueurs de boules*, sculpture en bronze.

EPOSIUS. Voir **JOHANNES**

EPP Konrad

XVIIe siècle. Actif à Nuremberg en 1629. Allemand.

Peintre et enlumineur.

EPP Peter

Mort après 1813. XIXe siècle. Actif à Heidelberg et Mannheim. Allemand.

Peintre.

Il était peintre de miniatures, il copia également un grand nombre d'œuvres de maîtres.

EPP Rudolf

Né en juin 1834 à Eberbach. Mort le 8 août 1910 à Munich. XIXe-XXe siècles. Allemand.

Peintre de genre, figures, portraits.

Il fut élève de l'École d'art à Karlsruhe et du peintre d'histoire Descoudres. En 1865, il alla à Munich.

MUSÉES : BRÊME : *Foi maternelle* – COLOGNE : *Femme de la Forêt Noire* – GRAZ : *Enfant endormi*.

VENTES PUBLIQUES : NEW YORK, 28 mars 1901 : *Dimanche matin* : **USD 475** – NEW YORK, 1905 : *Jeune Italienne* : **USD 110** – NEW YORK, 22 mars 1907 : *Le Déjeuner* : **USD 165** – NEW YORK, 4-5 mars 1909 : *L'anniversaire de Grand'maman* : **USD 205** – NEW YORK, 13-14 fév. 1930 : *Playmates* : **USD 50** – BERLIN, 25 mars 1965 : *Jeune Tyrolienne tricotant* : **DEM 3 000** – MUNICH, 16-18 mars 1966 : *Le peintre et la jeune paysanne* : **DEM 6 300** – NEW YORK, 2 avr. 1976 : *Portrait d'une petite fille*, h/t (49x38,5) : **USD 2 800** – NEW YORK, 28 avr. 1977 : *Grand-mère et petits-enfants* 1877, h/t (114x91,5) : **USD 13 000** – MUNICH, 21 sep. 1978 : *Flirt avec la soubrette*, h./P (44x32) : **DEM 4 000** – NEW YORK, 30 juin 1981 : *Femme à sa toilette*, h/pan. (48x35) : **USD 2 900** – COLOGNE, 24 juin 1983 : *Portrait d'une jeune Tyrolienne*, h/cart. (34,5x26) : **DEM 13 000** – NEW YORK, 19 oct. 1984 : *Le petit déjeuner de bébé*, h/t (80x61,5) : **USD 7 750** – NEW YORK, 29 oct. 1986 : *Une agréable conversation* 1887, h/t (82,5x107,4) : **USD 27 000** – LONDRES, 24 juin 1988 : *Le bébé endormi*, h/t (35,9x41,3) : **GBP 6 820** – NEW YORK, 25 mai 1988 : *Femme à la guitare*, h/t (22,2x17,1) : **USD 6 050** – NEW YORK, 23 fév. 1989 : *Jeune femme à la mantille*, h/pan. (27x21,3) : **USD 6 050** – NEW YORK, 24 mai 1989 : *Faire manger la plus petite*, h/t (78,7x64,8) : **USD 30 800** – NEW YORK, 17 jan. 1990 : *Couple de Tyroliens*, h/pan. (13x9,7) : **USD 3 850** – NEW YORK, 23 oct. 1990 : *Portrait d'une jeune paysanne*, h/pan. (29,2x22,2) : **USD 12 650** – NEW YORK, 28 fév. 1991 : *Une poignée d'herbe pour l'agneau*, h/t (96,5x66,7) : **USD 16 500** – NEW YORK, 22 mai 1991 : *L'intrus* 1897, h/t (81,3x61) : **USD 26 400** – NEW YORK, 28 mai 1992 : *La provende des poules*, h/t (85,7x67,3) : **USD 16 500** – NEW YORK, 13 oct. 1993 : *La récolte du houblon* 1870, h/t/cart. (91,4x121,9) : **USD 63 000** – NEW YORK, 12 oct. 1994 : *Le papillon* 1877, h/t/cart. (83,8x60,3) : **USD 34 500** – LONDRES, 17 mars 1995 : *La jatte de lait*, h/t (46,3x37,7) : **GBP 10 350** – MUNICH, 27 juin 1995 : *Portrait de fillette*, h/t (41x32) : **DEM 8 625** – NEW YORK, 23-24 mai 1996 : *Les Canetons*, h/t (109,2x83,8) : **USD 32 200**.

EPP William Harold

Né en 1930 à Glenbush. XXe siècle. Canadien.

Sculpteur.

Il a étudié à l'Université de Saskatchewan avec Élie Bornstein. Il a subi assez fortement l'influence de Rodin, puis de Giacometti et de Moore, avant d'épurer des formes jusqu'à n'en conserver que des éléments primaires, troncs de cylindre par exemple, qu'il assemble en sculptures monumentales.

EPPAN

XVIIIe siècle. Allemand.

Sculpteur.

Il travaillait à Potsdam au Nouveau Palais en 1775.

EPPELE Gérard

Né en 1929 à Cherbourg (Manche). XXe siècle. Français.

Peintre.

Il expose depuis 1960 à Vence, puis à Paris, également en Suisse et en Suède. Ses peintures laissent une large place au graphisme enchevêtré et évoquent à la fois un monde sarcastique et dérisoire.

VENTES PUBLIQUES : PARIS, 4 juil. 1991 : *Visage effrayé* 1971, h/pap./t. (102x75) : **FRF 8 500** – PARIS, 17 jan. 1994 : *La photocouleur* 1971, h/t (130x81) : **FRF 6 500**.

EPPELIN Karl

Né en 1816 à Staffelstein. Mort en 1885 à Wiesbaden. XIXe siècle. Allemand.

Peintre.

MUSÉES : WIESBADEN : *Portrait de Bodenstedt*.

EPPENHOFF Lorenz

XVIIe siècle. Actif à Berlin vers 1685. Hollandais.

Peintre de portraits sur émail.

Il exécuta des portraits du prince électeur et de la princesse.

EPPENS Hans

Né à Bâle. XXe siècle. Suisse.

Peintre.

Exposant, à Paris, du Salon d'Automne depuis 1928. Il a également exposé au Kunsthalle de Bâle des tableaux religieux très remarquables.

EPPENSTEINER John Joseph

Né le 14 février 1893 à Saint Louis (Missouri). XXe siècle. Américain.

Peintre, illustrateur.
Il fut élève de la Saint Louis School of Fine Arts. Il obtient de nombreux prix : premier prix de paysage en 1923, premier prix de peinture moderne de la Saint Louis Artists Guild en 1928, premier prix de paysage en 1930.

EPPER Ignaz
Né en 1892 à Saint-Gall. Mort en 1969 à Ascona. XXe siècle. Suisse.
Peintre de scènes animées, figures typiques, portraits, paysages, paysages urbains, natures mortes, aquarelliste, dessinateur.
VENTES PUBLIQUES : BERNE, 6 mai 1976 : *Saint Sébastien (recto) ; La Ville (verso)*, h/t (100x70) : **CHF 3 800** – ZURICH, 30 mai 1979 : *Portrait d'homme*, h/t (65x49,5) : **CHF 4 800** – ZURICH, 17 mai 1980 : *Paysage au crépuscule*, craies de coul./pap. (28,6X33,1) : **CHF 1 700** – BERNE, 20 juin 1984 : *Scène de nuit, trois hommes et un cheval au clair de lune* vers 1923, fus. (38,5x53,5) : **CHF 3 300** – ZURICH, 9 nov. 1984 : *Les Toréadors* 1931, h/t (51,5x61) : **CHF 5 000** – BERNE, 23 oct. 1985 : *Scène de bordel* 1917-1918, fus. (36,5x48) : **CHF 5 500** – ZURICH, 6 juin 1986 : *Nature morte*, h/t (60x71) : **CHF 9 500** – ZURICH, 12 juin 1987 : *Vue de Locarno*, aquar. (30,8x43,4) : **CHF 1 500** – LUCERNE, 30 sep. 1988 : *Presso près d'Ascona* 1937, aquar. et encre de Chine (22x36) : **CHF 1 250** – BERNE, 26 oct. 1988 : *Coin de rue de Paris avec un bec de gaz*, craie de coul. (29x37) : **CHF 3 900** – ZURICH, 18 oct. 1990 : *Port*, cr. de coul. (27,7x32,5) : **CHF 2 200** – LUCERNE, 25 mai 1991 : *Les Manèges de la fête foraine*, fus./pap. (26x19) : **CHF 3 650** – ZURICH, 13 oct. 1993 : *La gare* 1920, fus. (29x37) : **CHF 3 600** – ZURICH, 24 nov. 1993 : *Boulevard* 1924, craie grasse/pap. (50x42) : **CHF 4 600** – ZURICH, 30 nov. 1995 : *Fête foraine*, fus./pap. (25x19) : **CHF 4 600** – ZURICH, 26 mars 1996 : *Le Tunnel*, h/t (45x35,3) : **CHF 64 000** – ZURICH, 14 avr. 1997 : *Autoportrait*, fus./pap. (49,5x50) : **CHF 8 625**.

EPPI Giambono
XVe siècle. Actif à Borgo San Donnino près de Parme en 1490. Italien.
Peintre.

EPPI Giovanni, dit **Giannotto**
XVIe siècle. Actif à Borgo San Donnino en 1519. Italien.
Peintre.
Il était le fils de Giambono Eppi.

EPPI Giovanni Battista
Né en 1552. Mort après 1608. XVIe siècle. Actif à Borgo San Donnino. Italien.
Peintre.
Fils de Pier Angelo Eppi. Il exécuta des armoiries pour la commune en 1618.

EPPI Pier Angelo
Né en 1513. Mort en 1583 à Borgo San Donnino. XVIe siècle. Italien.
Peintre.
Fils de Giovanni Eppi.

EPPINGHOFEN A. von
XIXe siècle. Actif à la fin du XIXe siècle. Allemand.
Peintre d'animaux.
La Galerie du château de Gotha possède de cet artiste un *Sanglier en hiver.*

EPPLE
XIXe siècle. Allemand.
Peintre de portraits.
Il exposa de 1823 à 1839 à Karlsruhe.

EPPLE Emil
Né le 6 mars 1877 à Stuttgart (Bade-Wurtemberg). XXe siècle. Allemand.
Sculpteur de figures mythologiques.
Il fut élève de A. Donndorf à l'Académie des Beaux-Arts de Stuttgart et de W. Ruemann à l'Académie de Munich. Il séjourna à Berlin, Londres et Rome et exposa en 1900 au Palais de Glace de Munich.
Parmi ses nombreuses œuvres : *Orphée* (bronze) – *Buste de R. Guthmann* – *Romaine* (Tête en bronze) – *Bacchus au repos* – *Diane endormie* – *Anadyomène à genoux sur une tortue* (marbre blanc et vert) – *Prométhée assis* (bronze) – *Diane au cerf* (bronze).
VENTES PUBLIQUES : NEW YORK, 24 oct. 1990 : *Orphée*, bronze à patine brun-doré (H. 69,2) : **USD 2 750**.

EPPLE Wilhelm
XVIIIe siècle. Allemand.
Peintre de compositions religieuses.
Il était actif à la fin du XVIIIe siècle. L'église de Marienberg près d'Altötting possède de cet artiste deux tableaux d'autel.

EPPS E.
Né en 1842 à Londres. XIXe siècle. Britannique.
Peintre de genre, paysages.
Élève d'Alma Tadema. Il a exposé à Londres de 1874 à 1880 à Suffolk Street.
MUSÉES : LA HAYE (Mus. Mesdag) : *Hall de Townsendhouse.*

EPPS Jessie Katharine
Née dans la seconde moitié du XIXe siècle à Londres. XIXe-XXe siècles. Britannique.
Miniaturiste.
Elle exposa à Paris au Salon des Artistes Français en 1914.

EPPS Nellie. Voir **GOSSE Nellie**

EPRÉMESNIL Jacques Louis Raoul
Né à Paris. XIXe siècle. Français.
Peintre de fleurs et aquarelliste.
Élève de M. Lambotte. Il débuta au Salon, en 1879.

EPRON
Née le 26 mai 1876 à Rochefort-sur-Mer (Charente-Maritime). XXe siècle. Française.
Aquarelliste.
Cette artiste débuta, à Paris, au Salon des Artistes Français de 1908.

EPSENROD Dietrich ou **Ipsenrod**
XVe siècle. Allemand.
Peintre et verrier.
Il travailla pour la ville de Hambourg de 1463 à 1470.

EPSTEIN Elisabeth. Voir **EPSTEIN-HEFTER**

EPSTEIN Hans
XVIe siècle. Actif à Francfort-sur-le-Main en 1536. Allemand.
Peintre.

EPSTEIN Henri
Né le 20 juin 1892 à Lodz (Pologne). Déporté en Allemagne en juin 1944, disparu à cette date. XXe siècle. Actif en France. Polonais.
Peintre de paysages, paysages urbains, natures mortes, fleurs et fruits, peintre à la gouache, aquarelliste, pastelliste, illustrateur.
Après des études à Munich, il vint à Paris en 1911 ou 1912. Il suivit les cours d'une académie libre de Montparnasse et vécut dans la cité artistique de la Ruche où il se lia avec Modigliani, Soutine et Krémègne. Il demeura à Paris durant l'Occupation, et fut arrêté en février 1944, puis déporté quelques mois plus tard. Il a exposé, à Paris, au Salon des Artistes Indépendants, au Salon d'Automne, et des Tuileries.
Paysagiste et peintre de natures mortes, il a aussi réalisé quelques portraits. Il a également illustré : *Vagabondages* de Gustave Coquiot et *Les Rois du maquis* de P. Bernardi. ■ J. B.

H. Epstein

VENTES PUBLIQUES : PARIS, 29 déc. 1927 : *Paysage* : **FRF 225** – PARIS, 29 juin 1928 : *Bouquets et Fruits* : **FRF 280** – PARIS, 21 nov. 1928 : *La maison close* : **FRF 170** – PARIS, 3 mai 1930 : *Dancing*, aquar. : **FRF 30** – PARIS, 7 juil. 1932 : *Fleurs et Fruits* : **FRF 45** – PARIS, 10 nov. 1933 : *Village dans la montagne en Auvergne* : **FRF 180** ; *Filles et marins*, aquar. : **FRF 110** – PARIS, 12 avr. 1935 : *Village en Bretagne près de la mer* : **FRF 40** – PARIS, 2 déc. 1938 : *Bateaux de pêche* : **FRF 30** – PARIS, 30 juin 1941 : *Paysage* : **FRF 330** – PARIS, 22 juil. 1942 : *Le Village* : **FRF 1 100** – PARIS, 24 fév. 1947 : *Meudon* : **FRF 1 500** – PARIS, 4 avr. 1974 : *Baigneuses sur la plage* : **FRF 14 000** – VERSAILLES, 24 oct. 1976 : *Le Village*, h/t (56x46) : **FRF 10 000** – BERNE, 27 avr. 1978 : *Paysage de Provence*, h/t (50x62) : **CHF 3 500** – VERSAILLES, 8 nov. 1981 : *Village du Pays Basque* 1931, h/t (73x100,5) : **FRF 9 600** – GENÈVE, 25 nov. 1983 : *Village au bord de la mer*, aquar. et cr. (39x57) : **CHF 1 400** – VERSAILLES, 18 mars 1984 : *Maisons dans les arbres*, h/t (37,5x45,5) : **FRF 6 800** – PARIS, 11 déc. 1985 : *Paysage*, h/t (54x65) : **FRF 20 000** – LONDRES, 12 juin 1987 : *Study of Kathleen*, aquar. et cr. (45x58,5) : **GBP 1 900** – PARIS, 30 nov. 1987 : *paysage breton*, h/t (51x65) : **FRF 8 100** – PARIS, 20 mars 1988 : *Paysage aux toits rouges*, h. (50x65) : **FRF 19 000** ; *Le Moulin à eau* 1934, h/t (45x53) : **FRF 13 000** ; *Le Port à marée basse* 1930, h/t (50x65) : **FRF 22 500** – PARIS, 21 avr. 1988 : *Filles dans un bar*, aquar. gchée (48x50) : **FRF 3 200** – PARIS, 29 avr. 1988 : *Port*, aquar. (40x50) : **FRF 5 600** – PARIS, 4 mai 1988 : *La Partie de campagne*, h/t (60x73) : **FRF 15 600** – TEL-AVIV, 26 mai 1988 : *Deux femmes près d'une rivière* 1931, h/t (54x65) : **USD 4 950** – PARIS, 1er juin 1988 : *Le Petit Port*, aquar. et pl. (39x50) : **FRF 2 800** – PARIS, 20 juin 1988 : *Le Départ à la pêche*, h/t (53x65) : **FRF 12 000** – PARIS, 23 juin 1988 : *Scène paysanne*, h/t (65x81) : **FRF 7 600** – VERSAILLES, 6 nov. 1988 : *Port en Bretagne*, aquar. (38,5x48,5) : **FRF 3 900** – PARIS, 16 déc. 1988 : *Le Vacher*, h/t (60x81) : **FRF 6 500** – PARIS, 12 fév. 1989 : *Le Port*, aquar. (40x50) : **FRF 12 000** – LONDRES, 24 mai 1989 : *Village de pêcheurs*, h/t (46,5x61) : **GBP 5 720** – TEL-AVIV, 30 mai 1989 : *Rue de village* 1934, h/t (38x61,5) : **USD 8 800** – PARIS, 22 juin 1989 : *Paysage aux arbres*, aquar. (38x45) : **FRF 4 200** – PARIS, 8 avr. 1990 : *Le Jeune Marin*, h/t (81x54) : **FRF 50 000** – PARIS, 11 mai 1990 : *Les Tournesols*, h/t (65x54) : **FRF 22 000** – TEL-AVIV, 31 mai 1990 : *Promenade dans le parc*, h/t (46x65) : **USD 9 350** – TEL-AVIV, 19 juin 1990 : *Lac, Bateaux et personnages*, gche (45,5x59) : **USD 1 430** – NEW YORK, 10 oct. 1990 : *Homme avec un chapeau*, h/t (61x46,1) : **USD 3 630** – VERSAILLES, 21 oct. 1990 : *Péniches à quai près d'un pont*, h/t (50x65) : **FRF 23 000** – PARIS, 25 mars 1991 : *Paysage*, h/t (65x81) : **FRF 25 000** – PARIS, 17 avr. 1991 : *Le Village* 1917, h/t (46x61) : **FRF 36 000** – NEUILLY, 23 fév. 1992 : *Les Thoniers*, aquar. (37x46) : **FRF 6 800** – PARIS, 17 mai 1992 : *Scène de plage*, h/t (54x73) : **FRF 16 000** – LE TOUQUET, 8 juin 1992 : *Port breton* 1930, h/t (55x65) : **FRF 18 000** – NEW YORK, 12 juin 1992 : *Bords de la Drouette*, h/t (46,4x61) : **USD 1 980** – TEL-AVIV, 20 oct. 1992 : *Vase de fleurs*, h/t (65x54) : **USD 6 050** – NEW YORK, 10 nov. 1992 : *Nature morte* 1930, h/t (61x73) : **USD 1 870** – NEW YORK, 23 fév. 1994 : *Portrait de femme*, h/t (65,5x50) : **USD 1 380** – PARIS, 27 mars 1994 : *Scène pastorale*, h/t (130x162) : **FRF 53 000** – PARIS, 26 mars 1995 : *Les Abords du village*, h/t (54,5x65) : **FRF 12 000** – PARIS, 15 mai 1996 : *Bord de rivière*, h/t (50x61) : **FRF 12 000** – CALAIS, 15 déc. 1996 : *Le Jardin* 1912, h/t (46x61) : **FRF 15 000** – PARIS, 20 jan. 1997 : *Retour de pêche à Concarneau*, h/t (97x130) : **FRF 41 000** – PARIS, 16 mars 1997 : *Paris, le quai d'Anjou et l'île Saint-Louis*, h/t (54x65) : **FRF 23 000** – PARIS, 25 juin 1997 : *Paysage à la rivière*, h/t (46x55) : **FRF 14 500** – PARIS, 17 oct. 1997 : *Rivière au pied du village*, h/t (50x73) : **FRF 16 000**.

EPSTEIN Jacob, Sir

Né en 1880 à New York, de parents russo-polonais. Mort le 19 août 1959 à Londres. XXe siècle. Britannique.

Sculpteur de statues, figures religieuses, portraits, animalier, monuments, peintre à la gouache, dessinateur, aquarelliste. Tendance expressionniste. Groupe vorticiste.

Il commença ses études à New York, vint à Paris, où il s'inscrivit à l'École Nationale des Beaux-Arts en 1902. Il y rencontra Rodin. En 1905, il se fixa à Londres, et devint par la suite sujet britannique. Docteur *Honoris Causa* des universités d'Aberdeen et d'Oxford, il est anobli en 1954. Son ouvrage intitulé *Let there be Sculpture* (Londres, 1940) est une autobiographie où il exprime ses opinions sur l'art et sa vie d'artiste.

Epstein a été le promoteur d'une nouvelle approche de la sculpture suivant le procédé de la sculpture dite « directe », c'est à dire sans modèle ou maquette détaillée, en respectant et faisant vivre la matière, en lui gardant sa texture et sa couleur, en faisant émerger du bloc de pierre la force physique de la forme. C'est en 1907, qu'il eut la commande, pour le siège de la British Medical Association (Londres) de dix-huit statues qui furent considérées comme scandaleuses dans l'Angleterre de cette époque. Epstein heurta le goût du public, sans doute par l'aspect massif et la violence contenue de son art, proche de l'expressionnisme. En 1911, il eut la commande du tombeau d'Oscar Wilde, pour le cimetière du Père-Lachaise, à Paris. En 1912, il rencontra avec intérêt, à Paris, Brancusi et Modigliani, dont les démarches et méthodes créatives, proches de la sienne étaient néanmoins plus élaborées. Dans les années de l'avant-guerre, il participa aux activités du mouvement vorticiste, animé par le peintre et écrivain Wyndham Lewis et le poète américain Ezra Pound. Jacob Epstein, avec ces derniers, et aussi en compagnie de Christopher Nevinson, William Roberts, Edward Wadsworth, et du sculpteur Gaudier-Brzeska, fonda le *Rebel Art Center*. Les buts modernistes du vorticisme, dont le manifeste est publié en 1915 dans la revue *Blast*, n'étaient pas sans rapport avec le machinisme des futuristes italiens. *La Foreuse*, de 1913, est une des œuvres de cette période. Il prit ensuite ses distances d'avec le mouvement vorticiste, ainsi qu'envers tous autres mouvements, ne suivant que sa voie propre. Néanmoins, il fut un des fondateurs du *London Group*, plus organisme d'exposition que mouvement esthétique. Parmi ses œuvres les plus importantes : *Rima* (1925) – *La Visitation*, bronze monumental (1926) – *Genesis* (1931) – *Ecce Homo* (1935) – *Adam* (1935) – *Lucifer*, bronze monumental (1945) – *Lazare* (1949) – *Christ en majesté*, bronze monumental pour la cathédrale de Llandaff (1957) – *Vierge à l'enfant*, bronze monumental pour Cavendish Square à Londres – *Monument aux morts de la classe ouvrière*, Trade Union Congress Building, Londres (1958) – *Saint Michael*, bronze monumental pour la nouvelle cathédrale de Coventry (1962). Il a en outre sculpté de très nombreux portraits de personnalités de son époque, parmi lesquels : *Einstein, Bernard Shaw, Joseph Conrad, Somerset Maugham, le Pandhit Nehru*, le chanteur *Paul Robson*, etc.

Bien que s'étant assez tôt désintéressé des mouvements artistiques contemporains, dans ses grands modelages, comme dans ses sculptures en taille directe, il a conservé la brutalité expressionniste des sculptures nègres qu'il avait appris à connaître lors de son séjour parisien. Epstein est un de ceux qui ont posé les jalons de la sculpture anglaise moderne repris et continués par d'autres artistes tels que Barbara Hepworth et Henry Moore.

■ J. B., C. D.

Epstein

BIBLIOGR. : L. B. Powel : *Jacob Epstein*, Chapman and Hall, Londres, 1937 – R. Buckle : *Jacob Epstein, Sculptor*, The World Publishing Company, Cleveland, New York, 1937 – in : *Les Muses*, t. VII, Grange Batelière, Paris, 1972 – E. Silber : *The Sculpture of Epstein*, 1986, Oxford – in : *Dictionnaire de peinture et de sculpture – l'Art du XXe siècle*, Larousse, Paris, 1991.

MUSÉES : CHICAGO (Art Inst.) : *Meum* – JOHANNESBURG (Mun. Art Gal.) : *Portrait de Mrs Evoy*, marbre – LONDRES (Contemp. Art Soc.) : *Buste de Mrs Lamb*, bronze – LONDRES (Tate Gal.) : *Nan* – *La Visitation* – *Doves* – LONDRES (Imperial War Mus.) : *L'Amiral Fischer*.

VENTES PUBLIQUES : NEW YORK, 13 mai 1961 : *Modèle nu*, cr. : **USD 375** – NEW YORK, 11 déc. 1963 : *Tête de Sir Winston Churchill*, tiré à dix exemplaires : **USD 21 000** – LONDRES, 30 oct. 1970 : *Albert Einstein*, bronze à patine verte : **GNS 6 800** – LONDRES, 14 mars 1973 : *Roses*, aquar. : **GBP 600** – LONDRES, 19 juin 1974 : *Albert Einstein*, bronze à patine verte : **GBP 3 800** – LONDRES, 17 mars 1976 : *Roses*, aquar. (56x43) : **GBP 320** – LONDRES, 30 avr. 1976 : *Tête du maréchal Smuts*, bronze (H. 51) : **GBP 2 000** – LONDRES, 16 mars 1977 : *Eve Dervich* 1919, bronze (H. 46) : **GBP 850** – NEW YORK, 16 mars 1978 : *Autoportrait avec barbe* 1918, bronze (H. 29) : **USD 1 500** – LONDRES, 2 mars 1979 : *Dr. Chaïm Weizmann* 1933, bronze (H. 47) : **GBP 8 000** – LONDRES, 11 nov. 1981 : *Pivoines*, gche (43x56,5) : **GBP 920** – LONDRES, 4 mars 1983 : *Les tournesols*, gche (56x43) : **GBP 1 200** – LONDRES, 21 sep. 1983 : *Fillette et chaton*, cr. (57x44) : **GBP 1 200** – LONDRES, 9 nov. 1984 : *Portrait de Sir Winston Churchill* 1946, bronze (H. 30) : **GBP 8 000** – LONDRES, 7 juin 1985 : *Nu couché*, aquar. et cr. (56,6x42,5) : **GBP 1 500** – LONDRES, 13 nov. 1985 : *Pola Nerenska* 1937, bronze (H. 48) : **GBP 2 000** – LONDRES, 13 juin 1986 : *Winston Churchill* 1945, bronze, patines brune et verte (H. 30,5) : **GBP 13 000** – LONDRES, 14 oct. 1987 : *First portrait of Kathleen* 1921, bronze (H. 46) : **GBP 9 000** – NEW YORK, 18 fév. 1988 : *Sheila*, bronze (H. 35,5) : **USD 5 720** – LONDRES, 3 et 4 mars 1988 : *5e portrait de Léda*, bronze à patine dorée (H. 24,6) : **GBP 4 620** ; *Betty Peters*, aquar. et cr. (55x42,5) : **GBP 3 520** – NEW YORK, 13 mai 1988 : *Autoportrait avec une barbe*, bronze à patine brune (H. 38) : **USD 3 850** – LONDRES, 9 juin 1988 : *Anthony*, bronze (H. 28,8) : **GBP 3 300** – NEW YORK, 9 mai 1989 : *Bébé tendant les bras* 1949, bronze (H. 24) : **USD 8 580** – LONDRES, 9 juin 1989 : *Cinquième portrait de Leda faisant la moue*, bronze (H. 24,2) : **GBP 10 450** – LONDRES, 10 nov. 1989 : *Fleurs d'été*, gche (43,3x55,9) : **GBP 6 600** – NEW YORK, 21 fév. 1990 : *Portrait de Judith* 1951, bronze à patine dorée (H.22,9) : **USD 6 600** – LONDRES, 9 mars 1990 : *Dahlias* 1926, gche (60,5x43,9) : **GBP 7 150** – LONDRES, 24 mai 1990 : *Maquette pour la Vierge à l'Enfant*, fil de pb et bronze (H. 35) : **GBP 18 700** – LONDRES, 8 juin 1990 : *Portrait d'Albert Epstein*, bronze (H. 43) : **GBP 12 100** – LONDRES, 20 sep. 1990 : *Roses et fleurs d'été*, gche (56x42,5) : **GBP 4 620** – NEW YORK, 10 oct. 1990 : *La main gauche de l'artiste*, bronze (H. 19,1) : **USD 5 225** – LONDRES, 9 nov. 1990 : *Bébé endormi*, bronze cire perdue patine noire (H. 14) : **GBP 6 600** - New York, 13 fév. 1991 : *Judith Lade*, bronze patine or (H. 19) : **USD 4 400** - Londres, 8 mars 1991 : *Hélène* 1919, bronze patine verte (H. 60) : **GBP 19 800** - Lucerne, 25 mai 1991 : *Deux têtes*, cr. (34x28) : **CHF 1 700** - Londres, 7 juin 1991 : *Second portrait de Deirdre avec une chemise*, bronze patine brune (H. 56) : **GBP 11 000** - Tel-Aviv, 26 sep. 1991 : *Betty Peters, nu allongé*, bronze (L. 60) : **USD 12 100** - New York, 5 nov. 1991 : *Tête de petite fille*, bronze patine verte (H. 22,9) : **USD 4 400** - Londres, 14 mai 1992 : *Boutons d'or* 1936, gche (44,5x57) : **GBP 4 400** - Londres, 11 juin 1992 : *Second portrait de George Bernard Shaw*, bronze patine noire (43x24,5) : **GBP 15 400** - New York, 8 oct. 1992 : *Second portrait de Lilian Shelley*, bronze patine brune (H. 71) : **USD 7 700** - Londres, 6 nov. 1992 : *Dahlias*, gche (44,5x56) : **GBP 4 070** - New York, 10 nov. 1992 : *Nu allongé*, aquar. et cr./pap. (44,4x57,2) : **USD 2 860** - Londres, 26 mars 1993 : *Bébé endormi*, bronze (H. 16) : **GBP 6 325** - Tel-Aviv, 14 avr. 1993 : *Moïse et les Israélites*, aquar. (57x44) : **USD 4 600** - New York, 2 nov. 1993 : *L'Ange de l'Annonciation*, bronze (H. 158) : **USD 9 775** - Tel-Aviv, 25 sep. 1994 : *Buste de Chaïm Weizmann* 1933, bronze (H. 46,3) : **USD 9 200** - New York, 14 juin 1995 : *Sunita*, bronze (H.59,7) : **USD 5 175** - Tel-Aviv, 14 avr. 1996 : *Roses dans un vase*, aquar./pap./cart. (58x45) : **USD 5 750** - Tel-Aviv, 7 oct. 1996 : *Portrait de Jackie*, bronze (H. 35) : **USD 4 025** - New York, 10 oct. 1996 : *Tabitha*, bronze patine brune (H. 16,5) : **USD 3 450**.

EPSTEIN Jehudo

Né en juillet 1870 à Slonzk (Gouvernement de Minsk, Russie), de parents juifs polonais. Mort le 16 novembre 1945. xxe siècle. Depuis 1920 environ actif en Autriche, depuis 1935 en Afrique du Sud. Polonais.

Peintre de sujets divers.

Il étudia à l'École de Dessin de Vilna, puis à Vienne, à l'Académie Impériale des Beaux-Arts. Il y devint professeur en 1923. Il obtint une bourse de voyage en Italie de la fondation Michaël Beersch, pour son tableau *Saül et David*. Il a été deux fois parmi les lauréats du Prix de Rome. Durant la Première Guerre, il fut un des artistes officiels de l'armée autrichienne. Il s'établit en Afrique du Sud en 1935.

Il peignit des scènes de la vie du peuple en Italie, particulièrement à Venise et aussi des portraits et des paysages italiens. Parmi ses œuvres : *Enterrement dans les lagunes ; Chanson des lagunes ; Le Mauvais Chemin ; Préparatifs de fête*.

Ventes Publiques : Vienne, 17 sep. 1974 : *Le repos dans les champs* : **ATS 70 000** - Vienne, 2 nov. 1976 : *David jouant de la harpe devant le roi Saül* vers 1896, h/t (126x235) : **ATS 38 000** - Londres, 22 nov. 1978 : *La sortie de la synagogue*, h/t (70,5x56) : **GBP 2 000** - New York, 17 fév. 1982 : *Le vieux mendiant du ghetto*, aquar. et cr. (30x19,8) : **USD 650** - Vienne, 4 déc. 1984 : *Vue d'Austerlitz le soir*, h/t (35x64) : **ATS 32 000** - Londres, 29 oct. 1987 : *Johannesburg from the goldmines* 1938, h/t (62,2x102,2) : **GBP 3 000** - Paris, 14 avr. 1991 : *Canal à Venise la nuit* 1912, h/pan. (64x77) : **FRF 10 000** - Londres, 17 mai 1991 : *Le récital* 1922, h/t (75x109) : **GBP 3 300** - Londres, 19 juin 1992 : *La partie d'échecs* 1892, h/t (53,5x56,5) : **GBP 20 350**.

EPSTEIN John

Né en 1937 à Sutton (Surrey). xxe siècle. Britannique.

Peintre. Abstrait-minimaliste.

Il a fait ses études à la Central School of Arts and Crafts, de 1957 à 1960. Sa peinture est limitée au monochrome, qu'il traite sur des toiles souvent trapézoïdales, se rattachant notamment à un courant qui veut affirmer la surface peinte en tant que telle, et qu'on nomme art concret ou plus généralement minimal art.

EPSTEIN-HEFTER Élisabeth

Née en 1879 à Gitomir. Morte en 1956 à Genève. xxe siècle. Suissesse.

Peintre de paysages, natures mortes, fleurs. Cubiste.

Elle fut l'un des rares exposants de la première exposition du groupe *Le Cavalier bleu*, qui eut lieu à Munich, en décembre 1911.

Ventes Publiques : Munich, 27 nov. 1981 : *Nature morte aux fleurs* 1939, h/t (41x33) : **DEM 4 800** - Berne, 12 mai 1990 : *Paysage* 1918, h/pan. (36x43) : **CHF 950** - Zurich, 3 avr. 1996 : *Composition cubique* 1919, h/t (37,7x33,1) : **CHF 1 700**.

EPURE Serban

Né le 18 février 1940 à Bucarest. xxe siècle. Actif aux États-Unis. Roumain.

Peintre, décorateur, peintre de cartons de mosaïques. Abstrait.

Il fait ses études à l'École Polytechnique de Bucarest, section électronique et télécommunications, de 1956 à 1961. Autodidacte en peinture, il abandonne son métier d'électronicien pour se consacrer exclusivement à la peinture. Epure a participé à de nombreuses expositions de groupe en Roumanie, en France (Biennale des Jeunes à Paris en 1971, 1973 ; Festival Sygma de Bordeaux en 1973), aux États-Unis, en Grande-Bretagne, en Italie, en République fédérale d'Allemagne, en Israël, au Liban... Il réalise sa première exposition personnelle en 1967 à Bucarest, puis plusieurs aux États-Unis. Il a exécuté en Roumanie une mosaïque monumentale de 60 mètres carrés (*Turnu-Magurele*), des costumes pour des ballets d'avant-garde.

L'un des problèmes, qu'Epure traite, est celui de la prise en compte de l'invention technique dans la création artistique. Ayant recours à l'ordinateur, Epure introduit dans ses créations des formes développant des principes cybernétiques associés à une signification métaphysique : « Mon idéal artistique, dit-il, est d'exprimer la pureté de la lumière, l'aspiration incessante de la matière vers une purification et une illumination. »

Bibliogr. : Ionel Jianou, Gabriela Carp, Ana Maria Covrig, Lionel Scantéyé : *Les Artistes roumains en Occident*, American Romanian Academy of Arts and Sciences, Los Angeles, 1986.

Musées : New York.

EPZENAET Hans ou **Epsenaet** ou **Epsenroet**

xvie siècle. Actif à Lunebourg. Allemand.

Peintre.

La ville de Lunebourg le chargea de la décoration d'une salle de l'Hôtel de Ville.

EQUENNEZ Antoine Joseph

xviiie siècle. Éc. flamande.

Peintre d'histoire, portraits.

Il travaillait à Tournai en 1759.

Ventes Publiques : Londres, 8 avr. 1987 : *Le prince Charles de Lorraine présidant les festivités à l'occasion de son Jubilé d'Argent* 1769, h/t (115x170,5) : **GBP 16 000**.

EQUENNEZ Denis Joseph

xviiie siècle. Actif à Tournai. Éc. flamande.

Peintre.

Frère de Jean Baptiste Joseph Equennez. Il fut reçu maître en même temps que lui le 10 octobre 1787.

EQUENNEZ Hippolyte François Joseph

Né en 1772. Mort en 1854. xviiie-xixe siècles. Éc. flamande.

Peintre d'animaux.

Cité par Siret, actif à Tournai. Il peignit des animaux et des natures mortes. Le Musée de Tournai possède quelques-unes de ses œuvres.

EQUENNEZ Jacques Joseph

xviiie siècle. Actif à Tournai en 1770. Éc. flamande.

Peintre.

EQUENNEZ Jean Baptiste Joseph

xviiie siècle. Actif à Tournai en 1787. Éc. flamande.

Peintre.

Frère de Denis Joseph Equennez. Il fut reçu maître à Tournai le même jour que son frère, le 10 octobre 1787.

EQUENNEZ Michel Joseph

xviiie siècle. Actif à Tournai en 1734. Éc. flamande.

Peintre.

EQUER Didier

Né le 8 janvier 1946 à Paris. xxe siècle. Français.

Peintre, décorateur.

Entre 1963 et 1967, il poursuit ses études à l'École Nationale des Beaux-Arts. Il a participé à plusieurs expositions collectives, entre autres à Paris : Salon des Indépendants, Salon de la Peinture à l'Eau, Salon des Artistes Français..., et réalisé des expositions personnelles également à Paris en 1985 et 1986. Parallèlement à son activité picturale, il conçoit des décors pour le théâtre et la télévision.

EQUIPO CRONICA, groupe de trois puis de deux artistes ayant travaillé collectivement et signant ainsi leurs tableaux, fondé vers 1964-1965 à Valence. SOLBES Rafael né en 1940 à Valence et mort en 1981. VALDÈS Manuel ou Manolo né en 1942 à Valence. TOLEDO Juan né en 1940 à Valence

xxe siècle. Espagnols.

Peintres de compositions à personnages, peintres à la gouache, sculpteurs. Figuration narrative.

L'Équipo Cronica fut composé à l'origine de Rafael Solbes,

Manolo Valdès, tous deux anciens élèves de l'École des Beaux-Arts de Valence, et de Juan Toledo. Ils présentent certaines œuvres collectives en 1965 au XVIe Salon de la Jeune Peinture à Paris. Juan Toledo quitte en 1966 le groupe qui continuera d'exister à deux jusqu'en 1981, date de la mort de Rafael Solbes. Le cas d'Équipo Cronica est si particulier que le nom qu'il s'est choisi a réussi à occulter quasi totalement la personnalité de ses membres et que rien dans leur production ne laisse supposer qu'il s'agit d'un travail collectif.
Le groupe a participé à de nombreuses expositions collectives dont : 1965 Salon de la Jeune Peinture, Paris ; 1967 *Le Monde en question*, France ; 1968 *Art Vivant*, Fondation Maeght, Saint-Paul-de-Vence ; 1971 *Hommage à Joan Miro*, Barcelone ; 1971 Salon de Mai, Paris ; 1973 *La Peinture espagnole contemporaine*, Rotterdam ; 1973 VIIIe Biennale de Paris ; 1976 Biennale de Venise ; 1977 *Mythologies quotidiennes*, Musée d'Art Moderne de la Ville, Paris ; 1988 *Le Siècle de Picasso*, Musée d'Art Moderne de la Ville, Paris ; ainsi qu'à d'autres expositions à caractère social et politique telles que : *Art et Politique* en Allemagne (Karlsruhe, Francfort, Bâle), *Espagne, avant-garde artistique et réalité sociale 1936-1976* en Italie et en Espagne.
Ils ont exposé ensemble « à titre personnel » à plusieurs reprises : 1968 Valence ; 1971 Cologne ; 1972, 1976 galerie Juana Mordo, Madrid ; 1973 galerie Stadler, Paris ; 1974 Musée d'Art Moderne de la Ville de Paris puis exposition itinérante ; 1977 galerie Karl Flinker, Paris ; 1978 galerie Maeght, Barcelone.
Le groupe a travaillé par séries. Pastichant les œuvres célèbres de la peinture espagnole de Velasquez, Goya et Picasso ou internationale comme Mondrian, Léger et Lichtenstein (1967-1970), avec, entre autres : *Récupération, Guernica, Autopsie d'un atelier* ; insistant sur culture et répression (1971-1972), avec, notamment : *Police et Culture* et *Série noire* ; élaborant une réflexion sur la peinture (1973-1976), avec : *L'Affiche, Ateliers et Peintres, Subversion des signes* et *Le Mur*. Les dernières séries (1978-1981) ont été : *Paysages urbains* et *Chronique de transition et voyages*.
Équipo Cronica est issu du groupe *Cronica de la Realidad*, la branche valencienne du groupe *Estampa Popular*. Ces groupes, en particulier Équipo Cronica, mettaient globalement en cause la société de consommation et anticipaient le nouveau rôle de l'art dans celle-ci, par la prise en compte de la production artistique non seulement en terme de valeur marchande, mais aussi comme « objet de culture » (de masse ?). En tentant de redéfinir les cadres de l'action artistique, Équipo Cronica va déployer une contestation sociale et politique dans un pays traditionaliste, encore marqué par l'histoire de son glorieux passé (politique et artistique), mais reclus et arrimé par la force à un idéal paternaliste puissant. Il tente donc de redonner à la culture sa vocation de contre-pouvoir, en désacralisant son fonds et ses attributs, trop longtemps monopolisés au service de l'idéologie dominante et conservatrice, afin de redonner à la représentation sa fonction dynamique et libertaire. Sur le plan artistique l'avant-garde est alors dominée par la puissance agonisante d'une abstraction dite informelle devenue conformiste et trop individualiste. Équipo Cronica la contrera, mais y puisera, en les dépassant, certains de ses acquis formels. D'autre part il maniera surtout avec ironie et originalité les détournements des images par le jeu des découpages et des transpositions. Dans cet esprit leurs œuvres mêlent l'imagerie des affiches de propagande politique, les représentations des grands maîtres de l'histoire de l'art, le quotidien des scènes de genre, les personnages de bandes dessinées... Ils introduisent Franco dans le *Guernica* de Picasso, des soldats chez les Ménines de Vélasquez ou re-situent ces dernières dans une salle de séjour moderne. Dans le *Banquet*, une interprétation du tableau *Repas de saint Hughes* de Zurbaran, à la place des moines, sont figurés des hommes politiques prêts à manger. Équipo Cronica s'interroge plus particulièrement sur le mouvement dialectique de la création dans le champ de l'histoire de l'art. Dans leur toile *Peintre et Paysage*, qui est une transposition de la *Parabole des aveugles* de Peter Brueghel, un des personnages qui « regarde » le ciel devient un peintre avec sa palette et son chevalet. En 1972, le groupe réalise dans un esprit similaire des sculptures dont une série qui fut exposée au Musée d'Art Moderne de la Ville de Paris en 1974 et qui symbolisait « le peintre » : toutes les statues – un peintre et sa palette – étaient peintes à la manière des maîtres, depuis la Renaissance jusqu'à Mondrian, de Braque au pop art. Sur le plan formel, les rajouts et découpages, les détournements et les pastiches obéissent tout au long du parcours créatif du groupe à une certaine organisation : géométrisation des formes de la modernité par rapport à celles de âges historiques, prise de possession de l'espace souvent par des lignes, traits ou figures qui balayent de manière répétitive, le premier ou le second plan, et, enfin, planéité des couleurs, souvent froides. L'art d'Équipo Cronica est plutôt lié à la « figuration narrative », en raison de sa préoccupation discursive et dénonciatrice. Le groupe fut présent aux expositions organisées par Gérald Gassiot-Talabot (notamment *Mythologies quotidiennes*), et qui assurèrent un temps la cohésion de cette peinture. L'autre grand mouvement, déjà fortement présent, le pop art anglo-saxon, était lui davantage occupé par sa relation à l'objet. Par le style, Équipo Cronica le côtoie parfois, mais sans s'y assimiler. Historiquement et sociologiquement daté, le travail de ces trois, puis deux peintres peut, avec recul, être aussi interprété, et au-delà du pop art, comme une sérieuse critique de la représentation – par créations d'images à partir d'autres images (citations) – parallèlement à celle plus radicale que développe l'art conceptuel à la même époque à New York. Évoluant dans des registres différents, il est parfois possible de mettre à jour des correspondances, certes relatives, entre certaines des toiles d'Équipo Cronica contenant des signes linguistiques et les réalisations typiquement conceptuelles. Il s'agit néanmoins, pour Rafael Solbes et Manolo Valdès d'une critique ironique, figurative, iconographique, où en premier lieu c'est le signifié qui est pris en compte plus que sa structure porteuse. ■ Christophe Dorny

EQUIPO CRÓNICA

BIBLIOGR. : Gérald Gassiot-Talabot, Juan Manuel Bonet : *De la narration de combat à l'ironie sur l'art*, Chroniques de l'Art Vivant, Paris, fév. 1971 – *Équipo Cronica*, Éditions Gustavo Gili, Barcelone, 1972 – Cat. *Équipo Cronica*, Saint-Étienne, Maison de la Culture, Rennes, Maison de la Culture, Pau, Mus., 1974-1975 – *La Trame*, catalogue de l'exposition, galerie Karl Flinker, Paris, 1977 – in : *Écritures dans la peinture*, t. I, Centre National des Arts Plastiques, Villa Arson, Nice, 1984 – *Equipo Cronica*, cat. IVAM, Centre Julio Gonzales, Valence, 1989 – in : *Dictionnaire des courants Picturaux*, Larousse, Coll. Essentiels, Paris, 1990 – R.T.B. in : *Groupes, mouvements, tendances de l'art contemporain depuis 1945*, École Nationale Supérieure des Beaux-Arts, Paris, 1990 – in : *Dictionnaire de peinture et de sculpture – l'Art du XXe siècle*, Larousse, Paris, 1991.
MUSÉES : ALICANTE (Mus. Muni. Casa de la Asegurada) – ALTAVA (Mus. des Beaux-Arts) – BARCELONE (Fund. Caixa de Pensions) – BILBAO (Mus. des Beaux-Arts) – CASTELLON DE LA PLANA (Mus. Salvador Allende) – ESTOCOLMO (Mod. Mus.) – GRENOBLE (Mus. de Peinture) – HAMBOURG (Kunsthalle) – MADRID (Centre d'Art Reina Sofia) – MADRID (Fond. March) – MADRID (Mus. d'Art Contemp.) – MARSEILLE (Mus. Cantini) : *Tache noire sur fond noire* 1972 – PARIS (Mus. Nat. Art Mod.) : *Hommage à Maïakovski* 1976 – PARIS (FNAC) – STOCKHOLM (Mod. Mus.) – VALENCE (IVAM-Centre Julio Gonzalez).
VENTES PUBLIQUES : PARIS, 24 mars 1988 : *Sculpture en bois numéroté 1/12* (H. 32) : **FRF 11 000** – MADRID, 25 avr. 1991 : *L'expressionnisme dans la rue* 1971, acryl./t. (200x200) : **ESP 8 400 000** – PARIS, 16 avr. 1992 : *Rupture n°1* 1974, acryl./t./pan., série « Sur le langage D 11 » (163x126) : **FRF 115 000** – PARIS, 23 oct. 1992 : *Autoportrait* 1979, h/t (110x93) : **FRF 100 000** – LONDRES, 23 oct. 1997 : *L'Escalier* 1978, gche, past. et cr./pap. (106x78,2) : **GBP 11 500**.

EQUIPO REALIDAD, groupe fondé en 1966 à Valence, constitué de deux artistes ayant travaillé ensemble et signant ainsi leurs tableaux : BALLESTER Jorge né en 1941 à Valence, CARDELLS Juan né en 1948 à Valence
XXe siècle. Espagnols.
Peintres.

Le groupe participa à de nombreuses expositions collectives et personnelles, dont : 1967 Salon Latino-Américain de Gravure à La Havane, *Le Monde en question* à Paris ; 1971 *Hommage à Juan Miro* à Séville ; 1972 *Art Actuel de Valence* au Musée d'Art Contemporain de Séville, exposition itinérante de la peinture espagnole, Biennale de Valence ; 1973, 1974, 1977 Galerie Punto à Valence. Il obtint le premier prix à la Biennale internationale à Ibiza, aux Îles Baléares, en 1972.
Le groupe, issu de la branche valencienne du groupe *Estampa Popular*, et se rapprochant ainsi d'*Equipo Cronica* travailla par séries, pastichant dans la série intitulée « Portrait du portrait, du

portrait d'un etc... », les œuvres célèbres de la peinture espagnole et internationale, dont Goya et Léonard de Vinci ; il est une contestation sociale et politique dans un pays traditionaliste. Dans cet esprit leurs œuvres mêlent l'imagerie des grandes toiles de l'histoire de l'art et le quotidien dans *Prouesse de guerre*.
Bibliogr. : In : *Catalogue National d'Art Contemporain*, Éditions d'art Iberico 2000, Barcelone, 1990.
Musées : Ibiza (Mus. d'Art Contemp.) – Madrid (Mus. d'Art Contemp.) – Montevideo (Mus. Nat. d'Art Mod.) – Rotterdam (Mus. Boymans Van Benningen) – Séville (Mus. d'Art Contemp.) – Valence (Mus. des Beaux-Arts) – Villafames (Mus. d'Art Contemp.).

ERACLIUS
x^e^-xie siècles. Actif à Rome. Éc. romaine.
Peintre d'histoire.
Siret le dit auteur d'un traité de peinture et de sculpture, en prose et en vers, intitulé : *De Artibus Romanorum*.

ERAN Lise
xxe siècle. Française.
Peintre et décorateur.
Ed. Joseph cite ses émaux sur cuivre exposés au Salon d'Automne, dont elle est sociétaire, ainsi que de la Société Nationale ; invitée aux Tuileries en 1939.

ERARD
xviiie siècle. Français.
Peintre d'histoire, sujets allégoriques.
On lui doit un tableau représentant le lancement de la première montgolfière.

ERARD Charles ou **Errard**, dit **Erard de Bressuire**
Né en 1606 à Nantes. Mort le 25 mai 1689 à Rome. xviie siècle. Français.
Peintre d'histoire, scènes mythologiques, peintre de cartons de tapisseries, peintre de décorations murales, graveur, dessinateur.
Il fut l'élève de son père. A 18 ans, il suivit celui-ci à Rome, où il fit de sérieuses études. A son retour à Paris, le roi lui accorda une pension pour aller se perfectionner à Rome. Ils arrivèrent dans la Ville sainte le 18 octobre 1627. Errard dessina les monuments, les statues, les ornements, étudiant l'architecture en même temps que la peinture. « Il fit, dit Guillet de Saint-Georges, plus de dessins à lui seul que six autres n'auraient pu faire, y observant toujours une extrême propreté et une grande exactitude. Aussi, on le regardait à Rome comme un des plus forts dessinateurs de toutes les écoles. » Son séjour à Rome dura 16 ans. On lui doit les copies ou le montage des principaux chefs-d'œuvre antiques qu'il envoya à Paris, entre autres les bas-reliefs de la colonne Trajane et l'Alexandre colossal de la place Monte-Cavallo à Rome. Poussin parle de lui avec estime et considération. Le 20 février 1643, le roi lui donnait par lettre patente le titre de l'un de ses peintres et architectes ordinaires, avec logement au Louvre et 1200 livres de gages par an. M. des Noyers le reçut dans son château de Dangu où il peignit une galerie et des cartons pour des tapisseries. Sa renommée et son influence grandirent. Il fut recherché par la cour et par les particuliers. Il décora au Louvre les appartements de Mazarin, ceux d'Anne d'Autriche, orna le petit château de Versailles, celui de Saint-Germain, etc. Noël Coypel, encore tout jeune, traduisait avec succès en peinture ses compositions. Il fut l'un des premiers membres de l'Académie de peinture, fondée en 1648. Il proposa à Colbert la création de l'Académie de France à Rome, projet qui était depuis longtemps à l'étude. Colbert accepta et Errard partit comme premier directeur en mars 1666 avec douze élèves. Il revint en France, en 1673, se maria en 1675 avec Marguerite Catherine Goy, fille de Charles Goy, peintre ordinaire du roi. Il repartit à la fin de l'année 1675 pour reprendre la direction de l'Académie qu'il conserva jusqu'au 11 septembre 1683. Il sut inspirer une grande confiance à Colbert qui le consultait pour des achats de marbres antiques. En 1671, une médaille fut frappée en son honneur. Le Musée des Médailles à la Monnaie de Paris en possède un exemplaire. En 1683, il se démit de ses fonctions de directeur de l'Académie. Il collabora avec M. de Chambray à la traduction de Palladio, au *Parallèle de l'architecture antique avec la moderne* et à la traduction du *Traité de peinture* de Léonard de Vinci (1666). On a aussi de lui un recueil de vases antiques.
Musées : Rennes : *La Prudence et la Vérité* – Rome (Villa Médicis) : buste en plâtre – Rome (église Saint-Louis-des-Français) : un médaillon de 1671.
Ventes Publiques : New York, 12 jan. 1995 : *Minerve assise sur le côté d'un cartouche avec les emblèmes des arts et couronnée par un putto*, craie noire et encre avec reh. de blanc/pap. brun (24,3x19,2) : **USD 4 370**.

ERARD Charles, l'Ancien ou **Errard**
Né en 1570. Mort vers 1635. xvie-xviie siècles. Actif à Bressuire. Français.
Peintre d'histoire, portraitiste, graveur et architecte.
Peintre du roi, travaillait pour Marie de Médicis, il participa à la décoration du Luxembourg en 1621. Père d'Erard de Bressuire. Louis XIII le nomma, en 1615, commissaire architecte des fortifications des villes et places fortes de Bretagne. Il peignit pour la Chambre des Comptes de Nantes en 1622 un portrait de Louis XIII à cheval. La cathédrale de Nantes possède de lui un *Christ remettant les clefs à saint Pierre*. On cite encore de lui un *Portrait du duc de Montbazon*.

ERARD Jacques
Originaire de Bressuire. xvie siècle. Français.
Maître-sculpteur et tailleur de pierres.
Il était vraisemblablement parent de Charles Erard. Il travailla à Niort et en 1594 à Fontenay.

ERARD Paul ou **Errard**
Né en 1609. Mort le 2 avril 1679. xviie siècle. Français.
Peintre et graveur.
Fils de Charles Erard. On lui attribue une eau-forte représentant une chienne dans un paysage de montagnes.

ÉRARD de la Chaux des Breuleux Pacifique
xviiie siècle. Suisse.
Dessinateur, architecte.
Frère de l'ordre des Prémontrés. D'après ses plans fut construite l'église de l'Abbaye de Bellelay (évêché de Bâle).

ERARTS Arthur
Né le 8 septembre 1879 à Hasselt (Limbourg). Mort le 15 janvier 1939 à Hasselt. xxe siècle. Belge.
Peintre de paysages.
Devenu orphelin à onze ans, il commencera à peindre l'année suivante. À l'âge de dix-huit ans, il entra à l'école du peintre Crespin, puis suivit les cours de l'Académie de Bruxelles. Une fois ses études terminées, il retourna à Hasselt. Il expose à de nombreuses reprises personnellement, entre autres, à Bruxelles, Liège, Anvers, Bruges, Gand, Hasselt, Maastricht...
Toute sa vie, il a peint la nature et particulièrement sa Campine natale, qui fut sa seule source d'inspiration et son seul lieu d'activité. Ainsi que l'écrivait à sa mort un critique d'art local : « Chaque toile est un hymne fervent à la beauté de cette contrée si aride et cependant si attachante. » Parmi ses peintures : *Marécages à Bockryck – Fin de jour – Hêtres en automne*.
Musées : Hasselt – Hasselt (Hôtel de Ville).

ERASMA Daniele
Mort avant 1457. xve siècle. Actif probablement à Udine. Éc. vénitienne.
Peintre.

ÉRASME Didier ou **Desiderius Erasmus**
Né le 28 octobre 1466 à Rotterdam. Mort le 12 juillet 1536 à Bâle. xve-xvie siècles. Hollandais.
Théologien, humaniste et peintre amateur.
Sa mère était fille d'un médecin de Gudda. Son père, Gérard, n'était que fiancé à celle-ci lorsqu'il quitta Gudda, pour échapper à des dissensions de famille. Il se réfugia à Rome, où ses parents lui annoncèrent faussement la mort de sa fiancée. Il entra dans les Ordres. Lié par ses vœux et ne pouvant plus épouser la mère, il se consacra à l'éducation de l'enfant. À neuf ans, Érasme alla commencer ses études à Deventer. Devenu orphelin de père et de mère, ses tuteurs lui firent prendre l'habit de chanoine régulier dans le monastère de Stein, près de Gudda ; il avait alors dix-sept ans. Parallèlement à ses études, il s'initia à la peinture. Il existait autrefois à Delft un crucifix peint par Érasme, sur lequel il avait apposé cette inscription : *Ne méprisez pas ce tableau ; Érasme l'a peint lorsqu'il était dans sa retraite de Stein*. Ultérieurement, il obtint la dispense de ses vœux, accordée par le pape Jules II. Holbein fut l'ami d'Érasme : en 1515, il composa les figures de l'*Éloge de la Folie*. Ce sont des dessins fait en marge, sur l'exemplaire du Musée de Bâle. Parmi les dessins, l'un représente un étudiant à table, buvant et serrant de l'autre bras sa maîtresse, assise à côté de lui. Or Érasme, par manière de plaisanterie, avait écrit sous l'image le nom : *Holbein*. Par la suite,

Holbein exécuta trois portraits d'Érasme, le dernier en 1530. Holbein exécuta les dessins de l'*Éloge de la Folie* en 1515, c'est-à-dire à l'âge de dix-huit ans ; Érasme en avait alors quarante-neuf. Lors du dernier portrait d'Érasme, celui-ci avait soixante-quatre ans ; c'était par conséquent six ans avant sa mort. Holbein était âgé de trente-trois ans. La *Danse Macabre*, dont la première édition, celle de Lyon, date de 1538, soit de vingt-trois ans plus tard, est l'œuvre d'un homme de quarante et un ans, en pleine possession de ses moyens ; pourtant, il est impossible de méconnaître la parenté qui existe entre ces dessins et ceux de l'Éloge. L'œuvre d'Holbein exprimerait peut-être un esprit qui, pour une part, procéderait de l'influence qu'eut sur lui celui d'Érasme. ■ E. C. Bénézit, J. B.

ERASME-THEAULT
XIXe siècle. Français.
Peintre de portraits.
En 1808, 1810 et 1812, cet artiste, élève de Ducq, envoya des portraits au Salon de Paris.

ERASMUS
XVe siècle. Actif à Brunswick. Allemand.
Peintre.

ERASMUS
XVe siècle. Actif à Brunico, province de Bolzano. Italien.
Peintre.

ERASMUS
XVe siècle. Actif à Passau. Allemand.
Peintre.

ERASMUS
Né en 1531. Mort en 1601. XVIe siècle. Actif à Kronstadt (Roumanie). Roumain.
Sculpteur sur bois.

ERASMUS ou **Erazm**
Originaire de Lezajsk en Galicie. XVIIe siècle. Polonais.
Peintre.
Il peignit avant 1642 un retable d'autel représentant l'Annonciation pour l'église des Bernardins de Lezajsk.

ERASMUS ou **Erazym**
XIVe siècle. Actif à Prague. Tchécoslovaque.
Peintre.

ERASMUS Georg Cristoph
Enterré le 13 octobre 1701. XVIIIe siècle. Actif à Nuremberg. Allemand.
Peintre.

ERASMUS Johann Georg
Né le 19 septembre 1659 à Nuremberg. Mort le 24 mars 1710 à Nuremberg. XVIIe-XVIIIe siècles. Allemand.
Dessinateur, graveur.
La Bibliothèque Municipale de Nuremberg conserve de cet artiste également mathématicien des dessins en couleur de 1677. D'après ses dessins fut gravé par L. C. Glotsch un *Arc de Triomphe en l'honneur de Joseph Ier*. Il fit lui-même une eau-forte représentant la *Fontaine Bromig*, place Maximilien à Nuremberg.

ERASMUS Nel
Née en 1928 à Bethal (Transvaal), d'origine hollandaise. XXe siècle. Sud-Africaine.
Peintre.
Elle vit dans sa région de naissance. Elle suivit les cours des Beaux-Arts de l'Université du Witwatersrand, puis exerça diverses activités. En 1953, elle voyagea à Londres, puis à Paris, où elle suivit, jusqu'en 1955, les cours de l'École Nationale des Beaux-Arts et ceux de l'Académie Ranson. Elle a participé à plusieurs expositions collectives, notamment, à Paris, au Salon des Réalités Nouvelles.
BIBLIOGR. : Michel Seuphor : *Dictionnaire de la peinture abstraite*, Hazan, Paris, 1957.

ERASO Manuel
Né à Saragosse. Mort à Burgos. XIXe siècle. Espagnol.
Peintre d'histoire.
Il fut directeur de l'École des Beaux-Arts de Burgos.
MUSÉES : MADRID (Acad. de Saint-Fernand) : *Joseph en prison – Echo et Narcisse*, deux copies d'après B. Luti.

ERASO Y PRADOS Modesto
Né au XIXe siècle à Grenade. XIXe siècle. Espagnol.
Peintre d'histoire.
Élève de Enrique Nieto.

ERASSI Michel Spiridonovitch
Né en 1823 en Russie. Mort en 1898 à Berlin. XIXe siècle. Russe.
Peintre de paysages.
MUSÉES : MOSCOU (Roumiantzeff) : *Le lac des Quatre-Cantons – Paysage* – deux œuvres – MOSCOU (Gal. Tretiakov) : *Reichenbach, Suisse* – MOSCOU (Gal. Tsvietkoff) : *Marine* – deux œuvres – SAINT-PÉTERSBOURG (Mus. Russe) : *Vue du Lac Léman près de Chambéry – Vue des environs de Viborg en Finlande – La Suisse – Paysage d'hiver – Portrait de Bobyleff.*

ERAT-OUDET Marie Augustine Clémentine, Mme
Née à Paris. XIXe siècle. Française.
Peintre et miniaturiste.
Élève de Delacroix. Elle figura au Salon de Paris en 1850 et 1877, par une étude et une miniature.

ERATON
Ier siècle avant J.-C (?). Antiquité romaine.
Sculpteur.
Actif du temps de l'Empire romain. Un fragment de statue portant sa signature se trouvait autrefois à la Villa Albani. Peut-être est-il identique à A. Sextius Eraton, sculpteur grec qui est connu par une statue de femme trouvée à Olympie. Cet Eraton travailla au Ier siècle après J.-C., probablement au temps des Empereurs Flaviens.

ERAZM ou **Erazym**. Voir **ERASMUS**

ERB Franz Josef
XVIIIe siècle. Actif à Ravensbourg (Wurtemberg). Allemand.
Sculpteur sur bois.
Il exécuta les autels de plusieurs églises du Wurtemberg.

ERB Léo
Né le 21 janvier 1928 à Saint-Ingbert (Sarre). XXe siècle. Actif en France. Allemand.
Peintre. Abstrait-lyrique puis cinétique.
Il fit ses études à Kaiserlautern, et à l'École des Arts Décoratifs de Sarrebruck. Il vit à Mennecy près de Paris. Il fut l'un des cofondateurs du *Nouveau Groupe Sarrois*, avec lequel il exposa, ainsi qu'avec le *Groupe Zéro*. En 1968, il a participé, à Kaiserslautern, à l'exposition *Plastique du présent*. Il figure également dans diverses expositions d'art cinétique.
Après une période où, par les moyens de la peinture traditionnelle, ses recherches se sont orientées vers une abstraction gestuelle, depuis 1967, il utilise les moyens de l'art cinétique. Il est intéressé par la joie du mouvement des masses dans l'espace, puis s'est attaché à observer, expérimenter et mettre en évidence l'effet du mouvement sur les couleurs pures, qu'elles soient dans ses œuvres matérialisées dans des cercles ou des anneaux, dont les modifications dans l'espace et le temps sont, non seulement riches d'informations visuelles, mais encore génératrices peut-être de façon inattendue, d'évocations de quantité de phénomènes naturels fascinants.

ERBA Carlo
Né en 1884 à Milan. Mort en 1917 à Ortigara. XXe siècle. Italien.
Peintre de figures, nus, portraits, natures mortes, fleurs, aquarelliste, pastelliste, dessinateur.
VENTES PUBLIQUES : ROME, 1er mars 1983 : *La signora con la mantella* 1913-1914, past. (27,5x21) : **ITL 2 000 000** – ROME, 5 mai 1983 : *Le pêcheur* 1914, cr. (26,5x36,5) : **ITL 1 600 000** – ROME, 3 déc. 1985 : *Portrait futuriste* 1913-1914, cr. (32,5x23,5) : **ITL 3 500 000** – ROME, 18 mars 1986 : *Fillette en rouge* vers 1915, aquar. (27x12) : **ITL 950 000** – ROME, 20 mai 1986 : *Fillette aux fleurs* 1914-1915, h/t (75x45) : **ITL 26 000 000** – ROME, 7 avr. 1988 : *Modèle assis*, cr. /pap. : **ITL. 3 200 000** ; *Nature morte au vase de fleurs*, h/t (51x47) : **ITL 13 000 000** – MONACO, 21 avr. 1990 : *Vue d'une rivière à l'aube*, h/t (59x89) : **FRF 72 150** – ROME, 9 avr. 1991 : *Étude de nu* 1913, cr./pap. (30,6x23,8) : **ITL 3 600 000** – ROME, 13 mai 1991 : *Nocturne* 1908, fus./pap. (22x25,5) : **ITL 8 625 000**.

ERBA Jacopo
Mort en 1632. XVIIe siècle. Actif à Crémone. Italien.
Peintre.

ERBAIS Jérôme d'. Voir **DERBAIS**

ERBASAN
XVIe siècle. Actif à Valence. Espagnol.

Peintre.
On connut de lui, signée de sa main une série de 10 tableaux représentant des *Scènes de la vie de Jésus*.

ERBAUGH Ralph Waldo
Né le 29 juin 1885 à Miami (Floride). XXe siècle. Américain.
Peintre.
Il fut membre de la Society of Independant Artists.

ERBE Carl
XVIIe siècle. Allemand.
Peintre.
Peintre de l'évêché à Breslau.

ERBE Julius
XIXe siècle. Actif à Berlin. Allemand.
Peintre de paysages.
Il figura de 1866 à 1870 aux Expositions de l'Académie de Berlin et aux Expositions des Artistes de Berlin et de Vienne. En 1873 il exposa à Breslau.
Ventes Publiques : New York, 1-3 mai 1930 : *Paysage décoratif* : **USD 70.**

ERBE Robert
Né en 1844 à Gera. Mort en 1903 près de Dresde. XIXe siècle. Allemand.
Peintre d'animaux, aquarelliste, dessinateur.
Il travailla à Oberlössnitz, près de Dresde. On cite de lui : *Le Renard dans l'embarras, Jeunes Poulets, Famille de poules en liberté.*
Musées : Berlin (Gal. Nat.) : plusieurs aquarelles et crayons.
Ventes Publiques : Munich, 25 nov. 1976 : *La Basse-cour* 1890, aquar. (21,5x25,5) : **DEM 1 500** – Hambourg, 10 juin 1982 : *La Basse-cour*, aquar. (29x25,5) : **DEM 1 200.**

ERBEN Roman
Né en 1940 en Tchécoslovaquie. XXe siècle. Tchécoslovaque.
Peintre. Surréaliste.
Il vit à Prague où il participe au courant surréaliste international et expose dans cette ville, ainsi qu'à Rome et Paris.

ERBEN Ulrich
Né en 1940 à Düsseldorf (Rhénanie-Westphalie). XXe siècle. Allemand.
Peintre, peintre de collages. Abstrait minimaliste.
Il fait ses études à l'Académie de Hambourg, puis en Italie où il suit des cours à Urbino, à Venise (fresque, peinture), enfin retourne en Allemagne, à Munich et Berlin. Il est nommé, en 1980, professeur à l'Académie de Düsseldorf. Il expose à Amsterdam, Francfort, Düsseldorf, Turin, Kiel (Kunsthalle 1981), Mannheim (Kunsthalle 1984).
Le début de ses recherches en peinture se fait à partir de la représentation du paysage et de la ville. Puis, s'intéressant à la matière picturale, son travail s'oriente (1968) vers une nouvelle abstraction, à la fois minimale et concrète, issue du fameux *Carré blanc sur fond noir* de Malevitch. À partir de 1977, Erben réalise des collages sur le même thème, employant des textures variées. La série des *Extérieurs* date de 1978, série dans laquelle le peintre joue sur les effets de brosse et sur les pointes des figures triangulaires. Depuis ces dernières années (1983), il insiste plus fortement sur les couleurs.
Bibliogr. : In : *Dictionnaire de la peinture allemande et d'Europe centrale*, Coll. Essentiels, Larousse, Paris, 1990 – in : *Dictionnaire de peinture et de sculpture – l'Art du XXe siècle*, Larousse, Paris, 1991.

ERBIL Devrim
Né en 1937 à Usak. XXe siècle. Turc.
Peintre.
Après avoir étudié à l'Académie des Beaux-Arts d'Istanbul, il a fondé en 1963 le *Groupe Bleu* qui était en Turquie un des ralliements de la peinture contemporaine. Il a participé à la Biennale de Paris et à celle de Venise. Il expose à Istanbul et Ankara.

ERBISMEHL Johann Georg
XVIIIe siècle. Actif à Nuremberg. Allemand.
Peintre et dessinateur.

ERBSLÖH Adolf
Né le 27 mai 1881 à New York. Mort en 1947 à Irschenhausen. XXe siècle. Allemand.
Peintre de nus, paysages. Expressionniste.
Revenant des États-Unis avec sa famille, il s'installe à Barmen en 1888. Il se forma à l'Académie de Karlsruhe, où il fut élève de Schurth et Schmidt-Reutte. Puis, s'étant fixé à Munich en 1904, il fut élève du professeur L. Herterich. En 1909, il fut l'un des cofondateurs de *La Nouvelle Association Artistique* (*Die Neue Künstlervereinigung*), avec Kandinsky qui en fut le Président. À cette époque, il est picturalement plus proche de Jawlensky. Il suivit ensuite Kandinsky dans le groupe du *Cavalier Bleu* (*Der Blaue Reiter*). Il fut mobilisé, de 1916 à 1918, puis fit un voyage en Amérique du Sud en 1926. Grand collectionneur, il posséda un *Saint-Séverin* de Delaunay, toile qui fut présentée à la première exposition du *Blaue Reiter*. Une grande exposition rétrospective eut lieu en 1967 au Kunstmuseum de Wuppertal.
Ni *La Nouvelle Association*, ni *Le Cavalier Bleu*, ne prétendaient représenter une esthétique définie, mais seulement rassembler l'ensemble des recherches du moment. Pour sa part, Erbslöh se rattache sans équivoque au courant expressionniste allemand, auquel appartenait aussi Kandinsky avant de devenir l'un des créateurs de l'abstraction. Parmi ses œuvres les plus connues : *Le Voile violet – Nu étendu dans la forêt* ; de même que les peintures qui le représentaient à l'exposition *Le Fauvisme français et les débuts de l'expressionnisme allemand*, à Paris et Munich en 1966 : *Nu à la Jarretière* (1909) qui est une belle construction pure et dure – *Tennis* (1910) – *Paysage de Haute Bavière, près de Brannenburg* (1911) – *Coucher de soleil sur Brannenburg* (1911). Ce sont des peintures dont l'appartenance à l'expressionnisme allemand ne cache pas ce qu'elles doivent au fauvisme.

a. Erbslöh. 16

Bibliogr. : In : *Dictionnaire de la peinture allemande et d'Europe centrale*, Coll. Essentiels, Larousse, Paris, 1990 – in : *Dictionnaire universel de la peinture*, Le Robert, Paris, 1975.
Musées : Brême (Kunsthalle) : *Chemin de fer aérien* 1912 – Elberfeld (Mus. Verein) : *Paysage de montagne* – Karlsruhe (Staatl. Kunsthalle) : *Montagnes de Haute-Bavière, près de Bannenburg* – Munich (Bayerische Staatsgemäldesammlungen) : *Nu à la jarretière.*
Ventes Publiques : Cologne, 4 déc. 1981 : *Baigneuses dans un parc* 1930, h/pan. (70x80) : **DEM 10 000** – Munich, 29 juin 1983 : *Le vieux moulin à Positano* 1923, cr. (30x25,5) : **DEM 1 500** ; *Deux baigneuses* 1930, h/cart. (70x80) : **DEM 9 500** – Munich, 14 juin 1985 : *L'école de couture* 1907, h/t (68x50) : **DEM 21 000** – Cologne, 27 mars 1987 : *Vue d'un parc*, h/cart. (46x38) : **DEM 22 000** – Munich, 26 oct. 1988 : *Pont*, h/t (40,5x51) : **DEM 37 400** – Cologne, 20 oct. 1989 : *Nu féminin assis*, h/pap. (32x21) : **DEM 3 800.**

ERBSMEHL Joh. Gottlieb
Né en 1708. Mort en 1741. XVIIIe siècle. Allemand.
Peintre sur porcelaine.
Il entra à la Manufacture de porcelaine de Meissen en 1722, comme peintre de paysages et de figures, et y resta jusqu'à sa mort.

ERCEVILLE Hélène d'
Née dans la seconde moitié du XIXe siècle en Pologne. XIXe siècle. Polonaise.
Peintre.
En 1921, elle présentait deux paysages d'Italie à l'Exposition des Artistes Polonais organisée par le Salon de la Société Nationale.

ERCEVILLE Wenceslas d', comte
Né le 27 octobre 1888 au Château de Pasynki (région de Podolie en Pologne). Mort en 1966. XXe siècle. Actif en France. Polonais.
Peintre de sujets divers.
Il fit des études à l'Académie des Beaux-Arts de Cracovie, et des voyages en Italie, France, Belgique et Pays-Bas. Cet artiste travailla à Paris. Officier de Polonia Restituta.
Il figura à des expositions collectives, parmi lesquelles : Salon des Tuileries, Paris, dont il fut l'un des fondateurs ; Salon des Artistes Indépendants dont il fut sociétaire ; 1921 *Exposition des Artistes Polonais* avec un portrait de lui-même, organisée par la Société Nationale des Beaux-Arts, Paris ; 1925 Exposition internationale des arts décoratifs, Paris, où il fut membre du jury et représenta officiellement la Pologne ; à plusieurs reprises aux Salons du Nu et du Portrait à la galerie Bernheim à Paris. Il réalisa également de nombreuses expositions particulières, ses premières dès 1912, puis à Paris en 1926 et 1964, à Amsterdam en 1927 et 1931, à Varsovie, Poznan...
M. E Lacombe : « Parti du cubisme, il aboutit à une expression

figurative très pure, mais extrêmement vivante, caractérisée par une véritable passion pour la lumière et la matière (objets, fleurs, visages). »
Musées : Le Havre (Mus. des Beaux-Arts) – Paris.

ERCHELLES
xixe siècle. Actif à Prague vers 1837. Tchécoslovaque.
Peintre portraitiste et dessinateur.

ERCHOV Youri
Né en 1927 à Leningrad. xxe siècle. Russe.
Peintre de compositions à personnages, paysages.
Il fréquenta l'École des Beaux-Arts de Leningrad. Il est membre de l'Association des Peintres de Leningrad. Il expose régulièrement depuis 1960.
Ses tableaux fortement réalistes à ses débuts ont évolué. Le descriptif fait place à une vision plus personnelle qui privilégie les rapports entre les formes et les couleurs.
Musées : Moscou (Gal. Tretiakov).
Ventes Publiques : Paris, 29 nov. 1990 : *Au marché* 1953, h/t (73x105) : **FRF 7 500**.

ERCK Jakob
xvie siècle. Actif à Berne vers 1523-1527. Suisse (?).
Verrier.
Il aurait exécuté des vitraux pour Vechingen. Brun le croirait identique avec un Hans Jakob Erck de cette époque, prévôt en 1530 à Biberstein, en 1538 à Landshut.

ERCKHOUT Jacob Joseph
Né en 1793 à Anvers. Mort en 1861 à Paris. xixe siècle. Éc. flamande.
Orfèvre, sculpteur et peintre de genre.
Certains biographes désignent sous ce nom tronqué Jakob Joseph Eeckout (voir ce nom).

ERCOLANETTI Ercolano di Francesco
Né en 1615. Mort le 3 juin 1687 à Pérouse. xviie siècle. Italien.
Paysagiste.
Il peignit d'après Orsini quatre paysages pour Saint-Grégoire-de-la-Sagesse à Pérouse.
Musées : Pérouse (Pina.) : *Paysage*.

ERCOLANI Giovanni
xviie siècle. Actif à Rome. Italien.
Peintre.

ERCOLANI Vincenzo ou **Hercolani**
xviie siècle. Actif à Fano au début du xviie siècle. Italien.
Peintre.

ERCOLANO di Gabriele
xvie siècle. Actif à Pérouse. Italien.
Sculpteur sur bois.

ERCOLANO di maestro Benedetto da Mugnano
Italien.
Miniaturiste ou enlumineur.
Il travailla au livre de chœur de la cathédrale de Pérouse.

ERCOLANO di maestro Pietro da Mugnano
xve siècle. Italien.
Peintre.
Il fut trésorier de la Corporation de Pérouse en 1478, il est à rapprocher de Benedetto di maestro Pietro da Mugnano, dont il pourrait être un frère.

ERCOLE, d'. Voir aussi au prénom

ERCOLE ou **Erculle**
xve siècle. Italien.
Peintre.
Il peignit en 1479 les armoiries de la commune de Fano.

ERCOLE
xve siècle. Italien.
Peintre de miniatures.

ERCOLE
xvie siècle. Actif à Parme. Italien.
Sculpteur sur bois.
Peut-être est-il identique à un peintre verrier du même nom qui peignit les armoiries de la ville pour les fenêtres de la salle du Conseil de Parme.

ERCOLE Giovanni Battista
Né à Plaisance. Mort le 5 décembre 1811 à Plaisance. xixe siècle. Italien.
Peintre et architecte.

ERCOLE da Bologna, dit **Herculin Bolonais**
xve siècle. Actif à Bologne vers 1450. Italien.
Peintre d'histoire.
Il travailla aussi à Rome, où l'on cite des fresques de lui.

ERCOLE di Cento. Voir **AVIATI**

ERCOLE da Fermo. Voir **SIDERIO da Fermo**

ERCOLE da Ferrara. Voir **ROBERTI Ercole Grandi d'Antonio de**

ERCOLE di Segon
xve siècle. Actif à Modène. Italien.
Peintre.

ERCOLE di Tomaso. Voir **RICCIO Ercole**

ERCOLESE
xvie siècle. Italien.
Peintre et doreur.

ERCOLI Alcide Carlo
xixe siècle. Italien.
Portraitiste.
Exposa 11 fois à la Royal Academy de 1857 à 1866.

ERCOLINO. Voir **GRAZIANI Ercole I, l'aîné**

ERCOLINO Bolognese ou **Ercolino di Guido**. Voir **MARIA Ercole de**

ERCOLINO del Gessi. Voir **RUGGIERI Ercole**

ERCUMENT-KALMIK
Né en 1908 à Istanbul. xxe siècle. Turc.
Peintre de figures, peintre de décorations murales.
Il est resté à l'écart des principaux groupements turcs, *Groupe D* et *Indépendants*. En 1946, il présentait : *Portrait de jeune fille sur un balcon ensoleillé* à l'Exposition internationale d'art moderne ouverte, à Paris, au Musée d'Art Moderne par l'Organisation des Nations-Unies.

ERDEI Viktor
Né le 16 octobre 1879 à Budapest. xxe siècle. Hongrois.
Dessinateur.
Il étudia à Nagybanya en Hongrie et exposa à Budapest, en 1899, une série de dessins au fusain, puis en 1907 il fit une exposition collective de ses œuvres. On cite de lui une série de lithographies intitulée *Eros immaterialis*.

ERDELL Paulus
xviiie siècle. Allemand.
Peintre.
Il était en 1781 maître de la gilde de Munich.

ERDENBORCH Michael Van ou **Arenborgh**
xviie siècle. Éc. flamande.
Sculpteur.
Il fut reçu maître à Anvers en 1645.

ERDENBORG Jakob Van
xviie siècle. Actif vers 1640-1650. Hollandais.
Peintre et dessinateur.
Il peignit des tableaux d'histoire et des paysages avec personnages mythologiques.

ERDINGER. Voir **ERTINGER**

ERDMANN Axel
Né le 2 juillet 1873 à Stockholm. Mort en 1954. xxe siècle. Suédois.
Peintre de paysages urbains, dessinateur.
Il étudia à l'École de l'Association des Artistes à Stockholm et figura à l'Exposition de cette Société, de 1897 à 1910. Il devint directeur de l'École de Dessin et de Peinture à Göteborg.
Ses tableaux sont inspirés de sujets et impressions de Stockholm.
Musées : Göteborg – Stockholm : Plusieurs œuvres.
Ventes Publiques : Stockholm, 15 nov. 1988 : *Marchande de poissons à Stockholm* 1902, h. (42x36) : **SEK 31 000** – Stockholm, 14 juin 1990 : *Torghandel sur Kornhambstorg un matin d'été depuis Stockholm*, h/pan. (31x49) : **SEK 9 200**.

ERDMANN Heinrich Eduard Moritz
Né le 15 avril 1845 à Arnebourg. xixe siècle. Allemand.
Peintre de paysages, graveur.
Il fut élève de l'Académie de Berlin et de Hermann Eschke. Il voyagea en Allemagne, en Italie, en Asie Mineure et en Espagne.

On cite de lui : *Clair de lune, La Villa Adriana près de Tivoli, Paysage biblique avec Marie au Tombeau*, et quelques eaux-fortes, vues d'Italie et paysages.
Musées : Halle : *La Lisière de la forêt.*
Ventes Publiques : New York, 27 mai 1982 : *Paysage d'été*, h/t (50x68,5) : **USD 3 600** – Hanovre, 22 sep. 1984 : *Vieux moulin dans un paysage montagneux*, h/t (35,5x47,5) : **DEM 3 500** – Rome, 9 juin 1992 : *Vue de Capri*, h/t (39x55) : **ITL 8 500 000**.

ERDMANN Jakob
XVIIIe siècle. Danois.
Peintre.

ERDMANN Johann Fr.
Mort le 15 juillet 1777. XVIIIe siècle. Actif à Dorotheenthal, près d'Arnstadt. Allemand.
Peintre sur faïence.

ERDMANN Ludwig
Né en 1820 à Bödecke (près de Paderborn). XIXe siècle. Allemand.
Peintre de genre et de portraits.
Élève de l'Académie de Düsseldorf. On cite de lui : *L'artiste satisfait.*

ERDMANN Otto
Né en 1834 à Leipzig. Mort en 1905 à Düsseldorf. XIXe siècle. Allemand.
Peintre de genre, figures.
Il fit ses études à l'Académie de Leipzig et les continua à Dresde et à Munich. En 1858, il s'établit à Düsseldorf.
Musées : Cologne : *Partie d'échecs – Portrait de femme – Artiste à la Cour* – Düsseldorf : *Une fiction attrayante* – Leipzig : *Jeu de colin-maillard.*
Ventes Publiques : New York, 10 fév. 1903 : *Est-ce pour moi ?* : **USD 150** – New York, 14 juin 1973 : *Les Joueurs d'échecs* : **USD 2 500** – Londres, 16 oct. 1974 : *Le Jeune Galant* : **GBP 1 300** – Londres, 10 fév. 1978 : *La Lecture du testament* 1886, h/t (97,7x125,7) : **GBP 6 000** – New York, 28 mai 1981 : *Le billet doux* 1873, h/t (92x73) : **USD 6 000** – Zurich, 9 nov. 1984 : *Le Concert de violoncelle*, h/t (102x76) : **CHF 12 000** – Londres, 27 nov. 1985 : *Le récital* 1881, h/t (120x150) : **GBP 9 500** – Cologne, 15 oct. 1988 : *Soubrette et valet servant le dîner en habits du 18e siècle*, h/pan. (69x48) : **DEM 2 000** – New York, 27 mai 1992 : *Les Excuses* 1869, h/t (62,2x51,4) : **USD 5 280** – New York, 28 mai 1992 : *Les vœux du garçon d'honneur* 1883, h/t (92,1x120,7) : **USD 20 900** – New York, 12 fév. 1997 : *La Lecture du testament* 1886, h/t (100,3x127) : **USD 40 250**.

ERDMANN Richard Frederich
Né le 12 février 1894 à Chilicothe (Ohio). XXe siècle. Américain.
Peintre.

ERDMANNSDORFER A.
XIXe siècle. Actif à Munich. Allemand.
Peintre de miniatures.
A l'Exposition de l'Altertumsverein de Mannheim en 1909 on pouvait voir deux portraits peints par cet artiste : celui du *Roi Maximilien II de Bavière* et celui de la *Reine Marie de Bavière.*

ERDÖSSY Béla
Né le 6 avril 1871 à Ekel. XXe siècle. Hongrois.
Peintre, graveur, dessinateur.
Il fut professeur de dessin à l'Académie de Budapest. Ses principales œuvres furent des eaux-fortes. Une de ses productions intitulée *Paysage*, reçut en 1912 le prix de Dessin à Budapest. Un tableau de lui *Entrée d'un vieux parc* se trouve dans une collection privée.

ERDT Hans Rudi
Né en 1883 à Benediktbeuren. Mort en 1918. XXe siècle. Allemand.
Peintre.
Il a étudié à Munich. À Berlin, avant 1914, il fut l'un des plus importants représentants de la « Sachplakat » (affiche-objet), à l'image et au graphisme simplifiés.
Bibliogr. : In : *Dictionnaire de la peinture allemande et d'Europe centrale*, Coll. Essentiels, Larousse, Paris, 1990.
Ventes Publiques : New York, 13 mars 1982 : *Problem cigarettes*, litho. (65x49) : **SEK 1 150**.

ERDTELT Alois
Né le 5 novembre 1851 à Herzogswalde (Silésie). Mort le 18 janvier 1911 à Munich. XIXe-XXe siècles. Allemand.
Peintre de genre, figures, portraits.
Il fut élève de Steffecks à Berlin et de l'Académie de Munich dans l'atelier de Wilhelm Diez. Il se fixa à Munich. En 1885, il obtint une médaille de troisième classe à Anvers et une médaille d'or à Berlin en 1886, avant de recevoir en 1900 la médaille d'argent à l'Exposition Universelle de Paris en 1900. Il exposa à l'Académie Royale de Berlin et à Dresde à partir de 1881.
Musées : Kaliningrad, ancien. Königsberg : *Portrait d'une jeune fille* – Munich : *Tête de fillette – Portrait de l'artiste.*
Ventes Publiques : Lucerne, 21-27 nov. 1961 : *Mère et Enfant* : **CHF 4 900** – Munich, 15 sep. 1983 : *Portrait de l'oncle de l'artiste* 1879, h/t (49x40,5) : **DEM 2 800** – Vienne, 19 juin 1985 : *Fillette à la coiffe de dentelle* 1899, h/pan. (24x18) : **ATS 100 000** – Londres, 12 fév. 1986 : *Le Jeune Jardinier*, h/pan. (40,5x31) : **GBP 6 000** – Munich, 10 déc. 1991 : *Portrait de femme*, h/t (47x37,5) : **DEM 6 325**.

ERDTMAN Élias
Né le 22 octobre 1862 à Linköping. Mort en 1945. XIXe-XXe siècles. Suédois.
Peintre de paysages, marines.
Il exposa à Paris, à l'occasion de l'Exposition universelle de 1900, obtenant une mention honorable.
Ventes Publiques : Stockholm, 11 avr. 1984 : *Paysage d'été*, h/t (75x117) : **SEK 8 300** – Stockholm, 17 avr. 1985 : *Paysage d'été* 1886, h/t (39x23) : **SEK 7 000** – Stockholm, 15 nov. 1988 : *Paysage de montagne dans le nord*, h. (26x38) : **SEK 11 000** – Stockholm, 22 mai 1989 : *Panorama de Kalmarsund, l'été depuis Öland*, h/t (73x60) : **SEK 10 000** – Stockholm, 14 nov. 1990 : *Marine ensoleillée*, h/t (52x112) : **SEK 15 000** – Stockholm, 29 mai 1991 : *Remise à bateaux au bord d'un lac*, h/t (87x113) : **SEK 9 200** – Stockholm, 19 mai 1992 : *Maison rouge dans des bosquets fleuris en été*, h/pan. (33x44) : **SEK 8 700**.

EREDI Benedetto
Né en 1750 à Ravenne. Mort en 1812. XVIIIe-XIXe siècles. Italien.
Graveur.
Il grava, en collaboration avec J.-B. Cecchi, neuf planches du monument du Dante avec son portrait. Il exécuta aussi les portraits de *Luca Cambiaso*, peintre génois et de *Federigo Zucchero*, d'après ses propres dessins ; enfin, d'après Raphaël, la *Transfiguration* ; d'après Luca Giordono, *la Mort de Lucrèce Borgia.*

EREIN Philippe Van
XIVe siècle. Éc. flamande.
Sculpteur.
Il travailla de 1384 à 1390 à Dijon avec J. de Marville au tombeau de Philippe le Hardi.

ÉRÉMENKO Vladislav
Né en 1941 dans la région de Krasnodar. XXe siècle. Russe.
Peintre de compositions à personnages, paysages animés, figures. Postcézannien.
Il étudia à la Faculté d'Art Graphique de l'Institut Pédagogique de Krasnodar et en sortit diplômé en 1964. Il effectua trois ans de stage à Moscou. Il fut Membre de l'Union des Peintres d'U.R.S.S. à partir de 1975. Il vit et travaille à Orenbourg depuis 1979.
Il prend ses thèmes dans les spectacles de la vie quotidienne et les traite selon la technique des plans et des volumes traduits en lumière et en ombre par la couleur, telle que l'initia Cézanne à l'époque des *Baigneuses.*
Ventes Publiques : Paris, 25 nov. 1991 : *Hommage à Chagall*, h/t (100x90) : **FRF 16 000** – Paris, 11 déc. 1991 : *La fabrication du caviar*, h/pan. (49x45) : **FRF 3 500** – Paris, 16 fév. 1992 : *Le berger à cheval*, h/t (110x119) : **FRF 9 000**.

EREMITA. Voir aussi **SWANEVELT Herman Van**

EREMITI Jacopo
XVIIe siècle. Italien.
Peintre d'histoire et de paysages.

ERENBROECK. Voir **EERENBROECK**

EREVANTZI David, pseudonyme de **Babaïan David**
Né en 1940 à Erevan. XXe siècle. Depuis 1971 actif en France. Arménien.
Peintre, sculpteur et dessinateur. Inspiration populaire.
Il fit son apprentissage en orfèvrerie et céramique dans sa ville natale. Après 1965 il prit part avec succès aux expositions pansoviétiques et du bloc de l'Est, et reçut de nombreuses commandes pour décorer Erevan. Il exposa ensuite ses œuvres dans d'autres pays en Europe, et au Japon, et s'établit en France en 1971.

Dès ses années d'étudiant, il a cherché à renouveler le vieil art de l'orfèvrerie, traditionnel en Arménie, en même temps qu'il pratiquait la céramique, la peinture et le dessin. Son œuvre de sculpteur comprend des sculptures monumentales en pierre, des compositions en céramique à destination décorative, de petits reliefs et médailles en métal, etc. Il puise son inspiration dans la nature, dans l'histoire de son pays natal ainsi que dans l'art du haut Moyen Age arménien.

ERF Nelly Van der
XXe siècle. Active au Brésil. Hollandaise.
Peintre de sujets militaires.
Pendant la Seconde Guerre mondiale, elle servit dans les armées alliées, en Italie et en Égypte. Elle peignit des tableaux de guerre : *Monte Cassino – Monte Castello – Monteze*, etc., qui se trouvent parfois signés du nom de *V. Zagloba*. Ses œuvres récentes sont signées de son propre nom.

ERFMANN Ferdinand
Né en 1901 à Rotterdam. Mort en 1968. XXe siècle. Hollandais.
Peintre de genre, figures, paysages. Postimpressionniste.
Il fit ses études à la Rijksacademie d'Amsterdam. Lors d'un voyage en Indonésie il peignit des paysages dans le style impressionniste alors qu'il est reconnu en Hollande pour ses peintures dans le style « Magique-réaliste ».
Bibliogr. : Lambert Tegenbosch : *Ferdinand Erfmann*, Amsterdam, 1973.
Ventes Publiques : Amsterdam, 11 mai 1982 : *Acrobate faisant la quête*, h/t (60,5x50,5) : **NLG 4 200** – Amsterdam, 15 mars 1983 : *Dans la cabine d'essayage* 1943, h/t (94x64,5) : **NLG 7 800** – Amsterdam, 19 avr. 1984 : *Femmes à la fenêtre* 1940, h/t (51x40) : **NLG 4 200** – Amsterdam, 18 mars 1985 : *Les acrobates* 1959, h/t (59x79) : **NLG 4 800** – Amsterdam, 19 mai 1992 : *La loge de théâtre* 1956, h/t (40x51) : **NLG 7 475** – Amsterdam, 21 mai 1992 : *Acrobates au sol* 1950, h/t (70x50) : **NLG 8 625** – Amsterdam, 10 déc. 1992 : *Composition I* 1933, h/t (60,5x49) : **NLG 5 750** – Amsterdam, 27-28 mai 1993 : *Oasis* 1940, h/pan. (23,5x33,5) : **NLG 1 035** – Amsterdam, 8 déc. 1994 : *Fête populaire*, h/t (60x40) : **NLG 13 225.**

ERGGELET Alfred von, baron
Mort en mai 1871 à Naples. XIXe siècle. Autrichien.
Peintre de paysages et d'animaux.
Il exposa à Vienne en 1865, à la Société des Artistes, quelques tableaux représentant des chiens. On mentionne aussi de lui une *Vue de rivage après la tempête*.

ERGO Engelbert
XVIIe siècle. Éc. flamande.
Peintre de compositions religieuses.
Il fut reçu maître à Anvers en 1676.
Ventes Publiques : New York, 9 juin 1983 : *Noé rassemblant les animaux*, h/t (89x127) : **USD 13 000.**

ERGO Jacob
XVIIIe siècle. Éc. flamande.
Peintre.
Probablement fils d'Engelbert Ergo, il fut reçu maître à Anvers en 1676-77.

ERGO Jacques
XVIIe siècle. Français.
Sculpteur.
Il est mentionné comme « Marbrier du Roy » à Paris de 1692 à 1698.

ERGO Ronald
Né en 1936 à Watervliet. XXe siècle. Belge.
Peintre, dessinateur.
Autodidacte. Il a effectué de nombreux voyages (Israël, Égypte, Espagne, Italie...). Il traite de thèmes éternels, dont l'amour, la femme et la mort.
Bibliogr. : In : *Dictio. biogra. illustré des artistes en Belgique, depuis 1830*, Arto, Bruxelles, 1987.
Musées : Anvers (Archives) – Bruxelles (Cab. des Estampes) – Le Caire.

ERGOTHING Michel
XVIIe siècle. Français.
Peintre.
Les tableaux de l'autel ancien de l'église de Kaisersberg en Alsace représentant *l'Annonciation* et *la légende de la Sainte Croix* sont de la main de cet artiste.

ERGOTIMOS
VIe siècle avant J.-C. Actif dans la première moitié du VIe siècle avant Jésus-Christ. Antiquité grecque.
Potier.
Est surtout connu pour avoir fait, avec le peintre Clitias, le fameux *Vase François* du musée de Florence. (Voir article Clitias).

ERHARD. Voir aussi **ERHARDT** et **ERHART** ; chez les plus anciens des artistes de ce nom l'orthographe varie entre ces diverses formes

ERHARD
XVe siècle. Actif à Vienne en 1454. Autrichien.
Peintre.
Peut être identique à Erhart, peintre à Vienne-Neustadt.

ERHARD
XVIe siècle. Actif à Augsbourg au début du XVIe siècle. Allemand.
Peintre.

ERHARD
Originaire d'Isny (Wurtemberg). XVe siècle. Allemand.
Peintre.
Il est mentionné comme étant bourgeois de Ravensbourg en 1400.

ERHARD, de son vrai nom : **Erhard Schieble**
Né en 1821 à Forchhelm. Mort en 1880 à Paris. XIXe siècle. Naturalisé en France depuis 1870. Allemand.
Graveur, cartographe.
Il collabora à plusieurs publications géographiques.

ERHARD Andreas
Né à Berne (?). Mort en 1725 à Madiswil. XVIIIe siècle. Suisse.
Dessinateur, peintre.
Il travailla pour le numismate C. Patin, pour lequel il dessina des médailles ; il fut pasteur à Berne, et vécut aussi à Büren et Seeberg.

ERHARD Johann Christoph
Né le 21 février 1795 à Nuremberg. Mort le 20 janvier 1822 à Rome. XIXe siècle. Allemand.
Peintre de genre, paysages, graveur, dessinateur.
Il fut élève de l'École de dessin à Nuremberg dans les ateliers de Zwinger et du graveur Ambr. Gabler.
Musées : Berlin (Gal. Nat.) – Dresde (Cab. des Estampes) – Nuremberg (Mus. germanique) – Nuremberg (coll. mun.) : *Bagages escortés par des cosaques*.
Ventes Publiques : Munich, 27 nov. 1980 : *Portraits, dont un portrait de Erhard* ; *Paysages* 1811-1817, eaux-fortes, série de 39 : **DEM 9 500.**

ERHARD Johann Wolfgang
Originaire de Schwandorf dans le Palatinat. XVIIe siècle. Allemand.
Peintre.

ERHARD Tobias
Né le 22 février 1569 à Winterthur (Zurich). Mort le 6 décembre 1611 à Winterthur, de la peste. XVIe-XVIIe siècles. Suisse.
Peintre sur verre.
Quatre vitraux lui furent attribués à la collection Vincent à Constance. Ils étaient signés : T. *E.* et *E.* et datés 1610-1608-1607.

ERHARDT. Voir aussi **ERARD**

ERHARDT
XVIe siècle. Actif à Salzbourg. Autrichien.
Peintre.

ERHARDT Christian ou **Erhard** ou **Erhart**
Né en 1730. Mort vers 1805. XVIIIe siècle. Actif à Augsbourg. Allemand.
Peintre.
Il fut élève de J. G. Bergmüller et fut surtout peintre de fresques. Parmi ses travaux à Augsbourg on cite la fresque de la salle des conférences de la Bibliothèque Municipale et celles du plafond de Saint-Pierre ; on cite également les peintures du plafond et du maître-autel de l'église paroissiale de Kottingwörth. Cet artiste fut aussi dessinateur et travailla pour l'éditeur J.-J. Haid ; il fit les esquisses de l'œuvre *L'homme dans ses différents états et fonctions*.

ERHARDT Christoff
Né au XVIIe siècle, originaire de Reinsdorf (Saxe). XVIIe siècle. Allemand.
Peintre.

ERHARDT Georg Friedrich
Né en 1825 à Winterbach. Mort le 20 septembre 1881 à Stuttgart. XIXe siècle. Allemand.
Peintre de portraits.
Il fut élève de l'Académie de Munich de 1848 à 1849. En 1876, il devint peintre de la cour du Wurtemberg. On cite de lui : *L'Italienne* et *Portrait du roi Frédéric*.
Ventes Publiques : New York, 16 juil. 1992 : *Portrait d'un jeune officier*, h/t (48,3x335,6) : **USD 990**.

ERHARDT Karl Friedrich Eduard
Né en 1799 à Graudenz. Mort en 1832 à Mersebourg. XIXe siècle. Allemand.
Peintre d'histoire.
Élève des Académies de Dresde et de Berlin. En 1826, il fut envoyé par l'État en Italie. Il s'établit ensuite à Mersebourg. On cite de lui : *Groupe d'enfants, Vénus et l'Amour, L'enfant à l'écureuil, Hébé, Moïse faisant jaillir de l'eau d'un rocher*.

ERHARDT Wilhelm ou **Erhart**
Né le 8 mai 1815 à Leitmeritz en Bohême. Mort le 12 août 1890. XIXe siècle. Tchécoslovaque.
Peintre de paysages.
Il étudia à l'Académie de Vienne avec Emler et Mössmer.
Les paysages des Alpes furent le sujet de la plupart de ses œuvres.
Ventes Publiques : Versailles, 9 déc. 1990 : *Baie méditerranéenne*, h/t (74x100) : **FRF 8 000**.

ERHARDT-STEINBACH. Voir **STEINBACH Erhardt**

ERHARDY Josef
Né le 21 mai 1928 à Welch (Virginie). XXe siècle. Depuis 1952 actif en France. Américain.
Sculpteur de monuments, figures, nus.
Il a étudié à Washington, Florence et Rome. Il expose depuis 1962 en France. Il a figuré en 1967 et 1969 au Salon de Mai, à Paris. Il participe également au Salon de la Jeune Sculpture.
Son travail vise à créer des formes, encore figuratives, mais qui tendent à s'épurer pour rejoindre un univers issu de Arp, qu'il traite en polychromie. À Cergy-Pontoise, il a réalisé une sculpture monumentale *Le retour du marché*.
Ventes Publiques : Paris, 31 jan. 1993 : *Le repos* 1975, bronze (19x28x18) : **FRF 10 000** – Paris, 22 nov. 1995 : *Couple*, deux sculpt. en bronze (H. 21,5, l. 20,5) : **FRF 13 000**.

ERHART. Voir aussi **ERHARD**

ERHART
XIVe siècle. Actif à Nuremberg entre 1360 et 1380. Allemand.
Peintre.

ERHART
XVe siècle. Actif à Vienne-Neustadt. Autrichien.
Peintre.

ERHART
XVe siècle. Allemand.
Peintre.
Il est mentionné au début de 1460 à Nuremberg et en 1474 à Bâle.

ERHART
Né au XVIe siècle, originaire d'Ochsenfurt. XVIe siècle. Allemand.
Peintre.
Il peignit en 1516 des blasons pour l'église de Frickenhausen (Franconie).

ERHART Bernhard
XVIe siècle. Actif à Ulm. Allemand.
Sculpteur.
Il participa à l'exécution de 13 statues créées par son père Michel Ehrart et destinées au Mont des Oliviers d'Ulm.

ERHART Gregor
Né à Ulm. Mort avant 1540. XVIe siècle. Allemand.
Sculpteur.
Il était probablement le fils ou le frère de Michael Erhart. De 1502 à 1504 il exécuta avec Holbein l'Ancien et Adolf Dauher le maître autel de l'église du monastère du Kaisheim ; il participa à des travaux à l'église Saint-Maurice d'Augsbourg et en 1509 il prit part à l'exécution du monument en pierre de l'empereur Maximilien pour Saint-Ulric. Un grand nombre d'autres travaux lui sont attribués à Augsbourg et dans d'autres villes. On lui attribue la statue en bois de Marie-Madeleine, surnommée *La belle Allemande*, conservée au Louvre. Les deux Erhart se situent, par leurs œuvres, à la charnière de l'époque du gothique tardif et du début de la Renaissance.

ERHART Michael
XVe-XVIe siècles. Allemand.
Sculpteur et sculpteur sur bois.
Il est mentionné à Ulm pour ses travaux à la cathédrale. Il travailla aussi à l'église de Saint-Ulric à Augsbourg et à Hall. Avec Holbein l'Ancien il exécuta un autel pour le monastère de Weingarten (1493).

ERHART Michel
XVIIe siècle. Actif à Strasbourg. Français.
Peintre.

ERHART Paulus
XVIe siècle. Allemand.
Sculpteur sur bois.
Il fut reçu maître à Augsbourg vers 1550, sous le nom de Mair, qui était le nom de sa mère. Gregor Erhart était probablement son père ou son beau-père.

ERHETMAYGER Johann ou **Erletmayger**
XVIIIe siècle. Actif à Prague. Tchécoslovaque.
Peintre.

ERI
Né vers 852. Mort le 20 janvier 936. IXe-Xe siècles. Japonais.
Peintre.
Grand-prêtre du Tôji à Kyoto. Il exécuta les portraits des douze patriarches de la secte de Shingon à Gomadô. On lui attribuait également un portrait de la divinité Emma à Tôji, mais celui-ci doit appartenir à une époque postérieure.

ERIBERTUS
IXe siècle. Italien.
Peintre.
Son nom est mentionné dans les archives de Vérone.

ERIC W. Dominique Adolphe
Né à Uccle (Bruxelles). XXe siècle. Belge.
Peintre de figures, compositions à personnages, décorateur de théâtre.
Cet artiste exposant, à Paris, du Salon des Artistes Indépendant, a notamment peint des scènes de théâtre.

ERICELLO Francesco di Agostino
Originaire de Milan. XVIIe siècle. Italien.
Peintre.
Il travailla pour Crescenzio Crescenzi, puis pour les Cesarini.

ERICH. Voir aussi **EHRICHT**

ERICH August
Originaire de Saxe. XVIIe siècle. Allemand.
Peintre de portraits.
Il travailla à Kassel sous les Électeurs Maurice et Guillaume V. Van Heyden grava d'après lui : *La Famille du Landgrave Maurice* et *Elisabeth de Hesse* ; *Mérian : Le Cortège funèbre du Landgrave Maurice de Hesse* et le *portrait en pied de J. Albert de Meklembourg*. Un *Portrait de famille* de cet artiste se trouvait à l'Exposition des Beaux-Arts de Gotha en 1908.

ERICH Franz Heinrich
XVIIe siècle. Actif à Anvers. Éc. flamande.
Peintre.
Il épousa le 4 mai 1699 la veuve du graveur Ph. J. Mayer à Vienne.

ERICHSEN Helle Vibeke
Née en 1940 à Copenhague. XXe siècle. Danoise.
Peintre de figures, compositions à personnages. Tendance expressionniste.
Elle s'est formée à l'Académie des Beaux-Arts de Copenhague.
Elle commence à exposer en 1962, puis en Bulgarie, au Danemark, en Finlande, en France (en 1991 Galerie Galise Petersen), en Hongrie, en Norvège, et en Suède.
Elle peint des compositions dans un style expressionniste qui semblent se référer à celles des artistes allemands tels que O. Dix. Dans des tonalités ocres, bleues ou rouges, elle met en scène des personnages aux regards hagards semblant subir le poids diffus de la « vie ». De ces images, se dessinent des dialogues par aphorismes et des jeux de vérités usés créant une atmosphère de finitude. ■ C. D.
Musées : Aalborg – Abenraa – Copenhague – Copenhague

(FNAC) – COPENHAGUE (Fond. pour la Culture) – HELSINGBORG – KASTRUP – MALMÖ – NORKÖBING – RANDERS – SKIVE – TONDER – TRONDHEIM – ULEABORG.

ERICHSEN Johan Tuscher
Né à Viborg. Mort probablement en 1728 à Meelby. XVIIIe siècle. Danois.
Graveur.
Étudiant en théologie, il cultivait en même temps l'art de la gravure. Il fut employé à l'exécution des estampes de *Jacobaei Museum Regium*.

ERICHSEN Nelly, Miss
XIXe siècle. Britannique.
Peintre de genre, figures.
Elle travailla à Tooting et exposa onze fois à la Royal Academy de 1882 à 1893.
VENTES PUBLIQUES : LONDRES, 19 mai 1982 : *Retour chez soi*, h/t (122x183) : **GBP 6 200** – LONDRES, 13 nov. 1985 : *La Laitière*, h/t (99x124) : **GBP 1 500**.

ERICHSEN Thorvald ou **Ericksen**
Né le 18 juillet 1868 à Trondhjem. Mort en 1939 à Oslo. XIXe-XXe siècles. Norvégien.
Peintre de paysages et de figures.
Il étudia à l'École des Beaux-Arts et des Arts et Métiers, et parallèlement à l'École de Peinture de K. Bergslien à Oslo, puis chez Chr. Zahrtmann à Copenhague. Il séjourna plusieurs fois en Italie et aussi à Paris où il fut élève de Cormon. Il exposa à Oslo, Copenhague, Göteborg, Cologne, etc.
Cézanne eut sur lui une grande influence. Erichsen fut d'abord un peintre de paysages et de figures et c'est surtout Monet qui l'a influencé ; comme lui, il a peint des séries de toiles sur un même thème, sous des éclairages différents. Cependant, il ne dissout pas les contours des objets représentés sous l'effet de la lumière qui, finalement, donne plutôt un caractère réaliste à ses tableaux.
VENTES PUBLIQUES : COPENHAGUE, 25 nov. 1981 : *Terracina* 1902, h/t (41x43) : **DKK 16 000** – LONDRES, 27-28 mars 1990 : *Fleurs sur une table* 1927, h/t (60x73,5) : **GBP 34 100** – LONDRES, 29 mars 1990 : *Paysage lacustre boisé*, h/t (61x73,6) : **GBP 44 000** – NEW YORK, 23 oct. 1990 : *Paysage à Stoa* 1919, h/t (64,1x80) : **USD 19 800** – LONDRES, 17 mai 1991 : *Paysage lacustre boisé* 1910, h/t (90,5x101) : **GBP 22 000** – LONDRES, 19 juin 1991 : *Un village en automne* 1939, h/t (60x72) : **GBP 15 400** – LONDRES, 22 mai 1992 : *Paysage lacustre boisé*, h/t (60,4x73) : **GBP 17 600**.

ERICHSEN Virgilius ou **Eriksen**
Né le 2 septembre 1722 à Nuremberg. Mort le 23 mai 1782 à Nuremberg. XVIIIe siècle. Danois.
Peintre d'histoire, portraits, pastelliste.
Élève de J.-S. Wahl, il exécuta en 1755 deux portraits sur émail du roi. A Saint-Pétersbourg, où il devint peintre à la cour de Catherine II, il fit plusieurs portraits de cette souveraine. De retour à Copenhague en 1772, il fut nommé la même année peintre de la cour avec des gages de 960 couronnes. Il reçut en 1778 le titre de conseiller d'État. Deux portraits de la reine douairière et du prince héritier, qu'il exposait en 1778, furent très remarqués. Un certain nombre de portraits de personnalités royales et nobles, qui ont été peints par Erichsen se trouvent dans diverses familles du pays. Il a peint aussi des tableaux historiques, mais ce fut surtout comme portraitiste qu'il eut du succès.
MUSÉES : BERLIN (Château roy.) : *Portrait de Catherine II sur son trône* – COPENHAGUE (Mus. roy.) : *Portrait du Juliane-Marie de Danemark* – COPENHAGUE (Amalienborg) : *Catherine II sur son trône*, réplique – COPENHAGUE (château de Rosenborg) – FREDENSBORG : *Portrait de Catherine II sur son trône*, réplique – HILLERD (Frederiksborg) : *Portrait de Spengler – Portrait de Catherine II sur son trône*, réplique – MOSCOU (Gal. Roumiantzeff) : *Famille de paysans de la Volga*, past. – SAINT-PÉTERSBOURG (Palais d'Hiver) : *Catherine II, profil dans un miroir – Catherine II en pelisse de fourrure* – SAINT-PÉTERSBOURG (Gat. China) : *Paul Ier Petrovitch enfant en officier – Le comte Grigory à cheval – Le comte Alexei Orloff à cheval* – TSARKOÏÉ-SÉLO : *Portrait de la Tsarine Elisabeth Petrovna*.
VENTES PUBLIQUES : COPENHAGUE, 19 mars 1969 : *Catherine II de Russie* : **DKK 22 000** – LONDRES, 12 déc. 1984 : *Portrait de la comtesse Mette Pauline Schack, née Rosenorn*, h/t (71x56) : **GBP 8 000** – COPENHAGUE, 18 nov. 1987 : *Portrait du prince héritier Frederik*, h/t, de forme ovale (64x51) : **DKK 38 000**.

ERICKSON Carl, surnommé **Eric**
Mort en 1958. XXe siècle. Suédois.
Dessinateur, illustrateur.
Carl Erickson, connu sous le pseudonyme de « Eric », travaillait pour des magazines de mode tels que *Vogue* et *Harper's Bazaar* dans les années 1940-1950.
VENTES PUBLIQUES : LONDRES, 25 oct. 1995 : *Portrait de Boris Kochno* 1947, cr. noir/pap. (58x44) : **GBP 1 380**.

ERICSON Anna Maria. Voir **GARDELL-ERICSON**

ERICSON David
Né le 15 avril 1870 à Motala. Mort en 1946. XXe siècle. Actif aux États-Unis. Suédois.
Peintre, illustrateur.
Il a commencé ses études à la Art Students' League de New York avec Chase et Mowbray. Il les poursuivit d'abord auprès de Whistler puis, en France, à Paris, avec Colin. Il séjourna à plusieurs reprises à Étaples (France). Il exposa pour la première fois, en France, à Paris, au Salon des Artistes Français en 1900. Il retourna s'établir aux États-Unis, à New York, puis à Duluth dans le Minnesota. Il fut professeur à la Fine Arts Academy de Buffalo. Il fut médaillé lors de plusieurs expositions.
BIBLIOGR. : *Dictionnaire des illustrateurs 1800-1914*, Ides et Calendes, Neuchâtel, 1989.
VENTES PUBLIQUES : NEW YORK, 21 sep. 1984 : *Le Val de Grâce, Paris* 1925, h/t (65,4x50,5) : **USD 700** – NEW YORK, 15 fév. 1994 : *Carnaval à Venise*, h/t (81,3x81,3) : **USD 7 475** – NEW YORK, 21 mai 1996 : *Le moulin Tidal à Ploumanach en Bretagne au clair de lune* 1925, h/t (60x60) : **USD 2 530**.

ERICSON Johan Erik
Né le 17 octobre 1849 à Karlskrona. Mort en 1925. XIXe-XXe siècles. Suédois.
Peintre de paysages animés, paysages, marines, aquarelliste.
Il étudia à Stockholm et à Paris et se fixa à Göteborg. Il a peint des paysages – à l'huile et à l'aquarelle – du Nord de la France et de la côte suédoise et exposa à Paris au Salon des Artistes Français, ainsi qu'à Berlin et à Munich.

Joh. Ericson

MUSÉES : GÖTEBORG (Mus. Nat.) – STOCKHOLM (Mus. Nat.).
VENTES PUBLIQUES : PARIS, 20 déc. 1946 : *Odalisque dans un harem* : **FRF 27 000** – PARIS, 31 jan. 1947 : *Marine* : **FRF 6 100** – COLOGNE, 12 nov. 1976 : *Paysage de Normandie* 1879, h/t (43,5x72) : **DEM 5 000** – GÖTEBORG, 9 nov. 1977 : *La Route* 1889, h/t (63x77) : **SEK 16 500** – GÖTEBORG, 5 avr. 1978 : *Paysage de printemps* 1919, h/t (60x93) : **SEK 12 000** – STOCKHOLM, 26 avr. 1982 : *Le verger en fleurs* 1882, h/t (66x103) : **SEK 36 000** – STOCKHOLM, 24 avr. 1984 : *Bord de mer, Marstrand* 1886, h/t (69x98) : **SEK 57 000** – STOCKHOLM, 4 nov. 1986 : *Homme assis et son chien dans un champ* 1878, h/t (28x47) : **SEK 85 000** – STOCKHOLM, 20 oct. 1987 : *Paysage d'été* 1911, h/t (84x129) : **SEK 58 000** – LONDRES, 23 mars 1988 : *La promenade, haut Meudon*, h/pan. (54,7x44,7) : **GBP 7 920** – GÖTEBORG, 18 mai 1989 : *Côte rocheuse animée avec un voilier au large*, h/t (54x82) : **SEK 67 000** – STOCKHOLM, 16 mai 1990 : *Soleil couchant sur la mer*, h/pan. (31x39) : **SEK 19 500** – STOCKHOLM, 14 nov. 1990 : *Voilier sur la mer aux environs de Marstrand*, h/t (60x80) : **SEK 30 000** – STOCKHOLM, 28 oct. 1991 : *Paysage de la côte occidentale* 1917, h/t (37x57) : **SEK 10 500** – STOCKHOLM, 5 sep. 1992 : *Village de pêcheurs* 1917, h/t (65x100) : **SEK 27 000**.

ERICSON Leif
Né en 1927 à Göteborg. XXe siècle. Suédois.
Peintre, peintre de compositions murales. Groupe 54.
Il a étudié à l'École des Beaux-Arts de Göteborg, sous la direction d'Ende Nemes, de 1950 à 1955. Il a effectué des voyages d'études en Europe.
Il a participé à des expositions de groupe à Lübeck et Bochum en 1955, à Amsterdam en 1956, à Édimbourg en 1956, et Milan en 1959. Il fait partie, parmi les artistes de l'ouest de la Suède, de ceux qui se sont groupés sous le sigle du *Groupe 54*. À ce titre, il figurait à l'exposition *Aspect de la jeune peinture suédoise*, à Paris, en 1962. Il a également réalisé des expositions personnelles, notamment à Göteborg, en 1960. En 1961, il a exécuté une peinture murale au Stade de Nya Ullevi (Göteborg).
MUSÉES : STOCKHOLM (Mus. Nat.).

ERICSON Nathalie
Née en Russie. XXe siècle. Russe.

Peintre de paysages.
Elle exposa à Paris au Salon des Indépendants à partir de 1937.

ERICSON Suzanne
Née à Savannah (Georgie). xxe siècle. Active en France. Américaine.
Peintre.
Cette artiste qui a étudié et vécu à Paris a exposé des scènes de genre inspirées de la vie maritime bretonne, à Paris, au Salon de la Société Nationale des Beaux-Arts et au Salon d'Automne.

ERICSON-MOLARD Ida
Née le 13 février 1853 à Stockholm. xixe siècle. Suédoise.
Sculpteur.
Elle fut élève de l'Académie de Stockholm puis s'établit à Paris.

ERICSSON Henry
Né le 6 février 1898 à Saint-Michel (Finlande). xxe siècle. Finlandais.
Peintre, architecte décorateur.
En 1925, il fut le décorateur de la Salle de Finlande à l'Exposition internationale des arts décoratifs de 1925, à Paris. Dans la même ville, il a en outre exposé au Salon d'Automne. Ed. Joseph a remarqué plusieurs de ses toiles.
Musées : Abo (Mus. de la Cathédrale) : *La Frégate – Église du Christ.*

ERICSSON Johan Edward
Né en 1836 à Göteborg. Mort en 1871 à Stockholm. xixe siècle. Suédois.
Sculpteur et médailleur.
Musées : Göteborg : *Portrait de Sven Renström*, médaillon – Stockholm : *Joueurs à « cligne-musette » – Jeune mère jouant avec son enfant*, groupe en plâtre.

ERIGONOS
iiie siècle avant J.-C. Antiquité romaine.
Peintre.
Actif en 236 ans avant Jésus-Christ. Pline dit qu'il devint peintre après avoir été broyeur de couleurs chez Néalcès.

ERIK XIV, roi de Suède
Né en 1533. Mort en 1577. xvie siècle. Suédois.
Peintre.
Siret dit qu'on lui attribue, par tradition, une miniature à l'Université d'Uppsala et deux portraits au Musée de Stockholm.

ERIKE
xive siècle. Actif vers 1350. Allemand.
Sculpteur.
Sculpta un portail à Worms.

ERIKSEN Edward
Né le 10 mars 1870 à Copenhague. xxe siècle. Danois.
Sculpteur.
Il étudia à l'École des Beaux-Arts de Copenhague. Il reçut une médaille d'or pour sa sculpture *Méditation*. Il reçut également une bourse de voyage et séjourna un certain temps en Italie. Il est l'auteur de *La Petite Sirène*, un bronze sur la promenade Langelinie à Copenhague.

ERIKSEN Lars Martin
Né le 18 octobre 1869 à Christiania (aujourd'hui Oslo). xixe-xxe siècles. Norvégien.
Peintre de paysages.
Il étudia à l'École des Arts et Métiers de Christiana et chez Chr. Zahrtmann à Copenhague. Il voyagea à Berlin, Dresde et Munich, puis en Hollande et à Paris. Il figura à partir de 1898 à l'Exposition de Christiania et, en 1904, à l'Exposition norvégienne de Stockholm.
Ses peintures représentent surtout des paysages norvégiens.
Musées : Oslo (Chat. roy.) – Trondjem (Gal.).

ERIKSEN Thorvald et **Virgilius**. Voir **ERICHSEN**

ERIKSON Gosta
Né en 1908. xxe siècle. Suédois.
Peintre, sculpteur. Abstrait.
Il a vécu et travaillé à Stockholm. Il a réalisé plusieurs expositions dont : *Stockholm d'Aujourd'hui, Couleur et Forme* à Brunswick. Il a aussi exposé à Paris (Salon des Réalités Nouvelles de 1952 à 1955), Hambourg, Francfort, Biarritz, New York...
Ses compositions, de nature abstraite, furent constituées souvent d'éléments rythmiques, courbes concentriques ou éléments angulaires.
Bibliogr. : In : *Art Guide International, American Bicentennial Issue 1776-1976*, t. IX 1976.

ERIKSON Hans
Originaire de Strengnäs. xvie siècle. Suédois.
Peintre.
On lui attribue les peintures qui ornent la chambre du grand duc Charles à l'étage inférieur du château de Gripsholm sur le lac de Malar.

ERIKSSON Aja
xxe siècle. Suédoise.
Sculpteur.
Elle a participé, en 1976, à Borlänge, à l'exposition *L'Art dans la rue* qui réunissaient divers sculpteurs contemporains suédois. Elle utilise dans ses œuvres le textile.

ERIKSSON Christian
Né en 1858 à Arvika. Mort en 1935. xixe-xxe siècles. Suédois.
Sculpteur, dessinateur.
Élève à Paris de Falguière. Obtint une troisième médaille en 1888 et deux médailles d'or en 1889 et 1900 (Exposition Universelle). Sculpteur de talent, il a exécuté en Suède de nombreuses décorations. Il exécuta pour le théâtre dramatique de Stockholm deux grands reliefs de grès : *La Procession de Dionysos* et *La Commedia dell'arte*. Il exposa à plusieurs reprises à Paris, Munich et Venise.
Musées : Béziers : *Charmeuse*, terre cuite – Chicago : *Linné*, bas-relief, plâtre – Copenhague (Mus. des Arts) : *Jeune Bretonne*, faïence – *Le Jeu*, bronze – Göteborg : *Colin-Maillard*, vase, bronze – *Jeune Lapon*, bois sculpté – Helsinki : *Thuuri*, statuette – Saltsjobaden : *La Jeunesse qui danse*, bronze – *Patineurs*, bronze – Stockholm (Mus. Nat.) : *Miracle*, vase, bronze – *Linné*, bas-relief, marbre – *Jeune Bretonne*, bronze – *Thuuri*, bronze – Stockholm (Théâtre roy.) : *Jenny Lind*, marbre.
Ventes Publiques : Stockholm, 26 avr. 1982 : *Jeune fille*, bronze (H. 17) : **SEK 3 800** – Stockholm, 9 nov. 1984 : *Lapon assis* 1909, bronze (H. 21) : **SEK 18 000** – Stockholm, 16 avr. 1986 : *Lapon assis* 1909, bronze patiné (H. 20) : **SEK 23 000** – Stockholm, 10 déc. 1986 : *Bord de mer*, aquar. et cr. (28x100) : **SEK 20 000** – Stockholm, 21 oct. 1987 : *Diane*, bronze patiné (H. 37) : **SEK 46 000** – Stockholm, 19 avr. 1989 : *Elof* 1901, bronze (H. 20) : **SEK 11 000** – Stockholm, 14 juin 1990 : *Elof, nu de gamin debout* 1901, bronze à patine brune (H. 20) : **SEK 8 500** – Stockholm, 10-12 mai 1993 : *Forgeron*, bronze (H. 21) : **SEK 13 000**.

ERIKSSON Liss
Né en 1919 à Stockholm. xxe siècle. Suédois.
Sculpteur. Expressionniste.
Fils du sculpteur Christian Eriksson, il a étudié à l'École des Beaux-Arts de Stockholm, de 1939 à 1941.
Sa sculpture est expressionniste, parfois à la limite de l'abstraction sans pour autant perdre jamais contact avec l'organisme vivant. Sa description de l'homme se distingue par une grande tendresse, chaleur, fermeté et force intérieure. Il réalise des pièces monumentales en pierre, bronze ou bois.
Musées : Oslo – Stockholm.
Ventes Publiques : Stockholm, 26 nov. 1982 : *Jeune fille assise*, bronze (H. 29,5) : **SEK 4 400** – Stockholm, 18 nov. 1984 : *Nu debout* 1955, bronze patiné (H. 33) : **SEK 10 700** – Stockholm, 6 déc. 1989 : *Modèle couché*, bronze à patine brune (H. 9,5) : **SEK 4 000** – Stockholm, 5-6 déc. 1990 : *Ciss III – tête*, bronze cire perdue à patine brune (H. 36) : **SEK 12 000**.

ERILLOS
ve siècle avant J.-C. Actif dans la seconde moitié du ve siècle avant Jésus-Christ. Antiquité grecque.
Peintre et peut-être sculpteur.
Peut-être faut-il identifier ce peintre d'époque archaïque avec un sculpteur contemporain du même nom.

ERIMEL Noël, anagramme de **Lémire**. Voir ce nom

ERIMONDO, fra
xie siècle. Actif à Civitella Casanova. Italien.
Peintre de miniatures.

ERISMANN Friedrich Johann
Né le 22 octobre 1911 à Gerzensee. xxe siècle. Suisse.
Peintre de paysages, fleurs, portraits.
Il étudia, en 1936-1937, à l'École des Métiers de Berne, puis à partir de 1937, à Francfort-sur-le-Main, ainsi qu'à Paris.
Techniquement, il pratique la peinture au couteau à peindre ou spatule. Jusqu'en 1950, il peint surtout des paysages de la Suisse, d'entre lesquels de nombreux motifs de montagnes dans les Alpes, mais aussi des tableaux de fleurs et des portraits sur

commande. En 1951, apparaissent en Italie des paysages côtiers, des marines et des vues de villes. En 1952-1954, au cours de séjours annuels à Paris, il peint des vues de la Seine. Durant l'année 1956 il poursuit des études à Munich.
Bibliogr. : In : *Künstler Lexicon des Schweiz en XX. Jahrhundert.*

ERISMANN Vincenz
xvie siècle. Actif à Zofingen. Suisse.
Peintre verrier.
Il est mentionné en 1577 comme auteur de vitraux pour Olten.

ERISTOFF-KAZAK Marie, princesse
Née à Saint-Pétersbourg. xixe-xxe siècles. Active en France. Russe.
Peintre de portraits, paysages, pastelliste.
Élève du Hongrois Mihaly von Zichy, peintre d'histoire renommé à la Cour des Tzars, elle le suivit jusqu'à Paris, où elle demeura toute sa vie. Depuis 1894, elle exposa régulièrement au Salon des Beaux-Arts de Paris, dont elle était sociétaire.
Elle réalisa, entre deux voyages en Orient et en Italie, les portraits de la société slave, en général au pastel, parmi lesquels : *Portrait de la Comtesse Apraxin – Portrait de Constantinesco – Portrait de la princesse Woronzoff – Portrait du prince Georges de Serbie.* Longtemps l'amie du comédien Paul Mounet, elle en laisse un portrait qu'André de Lorde, son beau-fils, a légué au Théâtre-Français à Paris. Parmi ses tableaux, on mentionne encore : *Sous le soleil de l'Orient – Venise – Le Lac Majeur – Le lac de Côme.*
Bibliogr. : Gérald Schurr, in : *Les Petits Maîtres de la peinture 1820-1920, valeur de demain,* Les Éditions de l'Amateur, t. II, Paris, 1982.
Ventes Publiques : New York, 22-23 juil. 1993 : *Portrait du peintre américain Frank Holman,* h/t (222,3x129,5) : **USD 5 750.**

ERITZIANE Jean
Né dans la seconde moitié du xixe siècle à Smyrne (Turquie). xxe siècle. Français.
Peintre, pastelliste.
Il fut élève de Bonnat. Il fut engagé volontaire au 2e régiment étranger en 1914. Deux fois blessé. Il a figuré en 1919 à l'Exposition des artistes mobilisés. Connu pour son portrait de Felia Litvinne.

ERIXSON Sven Leonard
Né en 1899 à Tumba ou Botkyrka (près de Stockholm). Mort en 1970 à Saltsjöbaden. xxe siècle. Suédois.
Peintre de sujets divers, compositions murales, cartons de tapisseries, décorateur.
Erixson débute comme peintre en bâtiment. Il fut, entre 1922 et 1923, élève de l'Académie des Beaux-Arts de Stockholm. Ses études achevées, il fut, jusqu'en 1928, assistant du peintre décorateur Filip Maanson. Il fit ensuite des voyages en Europe : Italie et France notamment. Il eut la révélation des expressionnistes (Kokoschka, Nolde et Soutine) et des paysages méridionaux. De retour en Suède, il adhère au groupe des *Neuf Jeunes,* qui s'oppose à la peinture traditionnelle. Il s'associera, en 1930, au groupe *Färg Och Form* (*Couleur et Forme*). En 1940, il a réalisé des décorations murales, notamment : une fresque pour le cimetière forestier de Stockholm, une autre grande fresque *Liv-Död-Liv* (*Vie-mort-vie*) ; entre 1938-1940, une fresque dans la Chapelle de la Sainte-Croix au « Skogskyrkogarden » (Cimetière de la forêt) à Stockholm. En 1935, il conçoit une grande tapisserie pour la salle de concert de Göteborg : *Mélodies sur la place du marché.* Il a également réalisé des décors de théâtre pour des auteurs tels que Lorca, Shakespeare, et pour l'opéra *Aniara* de Blomdahl. Il fut professeur à l'Académie des Beaux-Arts de Stockholm, de 1943 à 1953. Il a participé à de nombreuses expositions d'art suédois, à Bruxelles en 1935, Paris en 1937, New York en 1939, à la Biennale de Venise en 1950. Une exposition rétrospective de son œuvre eut lieu à Stockholm en 1961.
Son œuvre est très variée : vie des ouvriers des villes, paysages désertiques du Nord, ports animés de la côte Sud, scènes de vie de famille... ■ J. B.
Bibliogr. : In : *Peintres contemporains,* Mazenod, Paris, 1964 – in : *Dictionnaire de peinture et de sculpture – l'Art du xxe s.,* Larousse, Paris, 1991.
Musées : Copenhague – Göteborg – Oslo – Stockholm.
Ventes Publiques : Stockholm, 3 avr. 1968 : *La maison jaune* : **SEK 7 000** – Stockholm, 19 avr. 1972 : *Bord de mer,* Cannes : **SEK 14 000** – Göteborg, 26 mars 1974 : *Paysage d'été* : **SEK 11 200** – Göteborg, 31 mars 1977 : *L'alchimiste,* h/t (27x38) : **SEK 10 000** – Copenhague, 17 mai 1978 : *Vue de Stockholm,* h/t (100x81) : **DKK 35 000** – Göteborg, 8 mai 1980 : *Composition* 1954, gche (45x63) : **SEK 4 400** – Stockholm, 23 avr. 1983 : *Un parc à Venise* 1930, gche (32x40,5) : **SEK 8 200** – Stockholm, 29 nov. 1983 : *Vue d'un parc* 1928, h/t (59x63) : **SEK 75 000** – Stockholm, 27 mai 1986 : *Parc de bord de mer, Pesaro* 1924, aquar. (43x56) : **SEK 18 000** – Stockholm, 9 déc. 1986 : *Nuit d'été* : **SEK 51 000** – Stockholm, 6 juin 1988 : *Paysage boisé avec des personnages,* h. (37x45) : **SEK 25 000** – Stockholm, 22 mai 1989 : *Enfants sur un chemin boisé au soleil rouge du soir,* h/pan. (55x46) : **SEK 100 000** – Stockholm, 6 déc. 1989 : *Paysage nordique avec une habitation,* h/t (57x69) : **SEK 100 000** – Stockholm, 14 juin 1990 : *Terrain de jeu dans un paysage* 1950, h/pan. (33x47) : **SEK 29 000** – Stockholm, 5-6 déc. 1990 : *Paysage avec un chemin passant entre les maisons,* h/t (73x92) : **SEK 44 000** – Stockholm, 21 mai 1992 : *Le funiculaire de Katarina à Stockholm,* h/t (100x81) : **SEK 190 000** – Stockholm, 30 nov. 1993 : *Panorama de Forsmobron* 1937, h/t (63x80) : **SEK 34 000.**

ERKE Jakob Ludolf
Né en 1796 à Dorpat. Mort le 2 novembre 1845 à Saint-Pétersbourg. xixe siècle. Russe.
Graveur.

ERKELENS Anthonie
xviie siècle. Actif à La Haye vers 1665. Hollandais.
Peintre de paysages et dessinateur.
Le Musée Fodor à Amsterdam possède des dessins de cet artiste parfois dénommé Abraham Erkeles.

ERKELENS Pieter Van
xviiie siècle. Actif à Middelbourg vers 1767. Hollandais.
Peintre.
On lui doit des paysages et des marines. Il travailla semble-t-il également à Bruxelles.

ERKELES Abraham. Voir **ERKELENS Anthonie**

ERKENBERT
xiie siècle. Actif à Bosan. Allemand.
Peintre de miniatures.
Ce moine illustra un manuscrit de *La Cité de Dieu,* de Saint-Augustin.

ERL Max
Né en 1845 à Vienne. xixe siècle. Autrichien.
Peintre.
Fils du chanteur d'opéra Josef Erl. Il étudia à l'Académie de Vienne avec Wurzinger. On connaît de lui un portrait de son père.

ERLACH Anna Elisabetha von
Née le 17 janvier 1856 à Berne. Morte le 17 novembre 1906 à Berne. xixe siècle. Suisse.
Peintre de genre et de portraits.
Cette artiste commença ses études artistiques à l'École de dessin de Bâle, puis les compléta à partir de 1876 à Karlsruhe, à Berlin, à Düsseldorf, à Paris (avec Carolus Duran et Henner) et en Italie. Elle exposa à Paris et au Turnus en Suisse. On conserve au Musée de Berne les œuvres suivantes : *Étude d'un nègre ; Étude de moine ; Deux fillettes sur un fauteuil ; Enfant avec cruche ; Tête de jeune fille dans l'ombre ; Nature morte, melons, tomates et cruche.*

ERLACH Gertrud von
Née le 29 décembre 1861 à La Tour de Peilz (canton de Vaud). xixe-xxe siècles. Suisse.
Peintre.
Elle était la sœur et l'élève d'Anna Elisabetha von Erlach. Elle fut d'abord peintre et dessinatrice amateur, puis ensuite professionnelle et exposa régulièrement à partir de 1908 des pastels et des tableaux à l'huile aux Expositions suisses.

ERLACH VON HINDELBANK Ada von
Née le 29 septembre 1853 à Zurich. Morte le 11 octobre 1907 à Strasbourg. xixe-xxe siècles. Suisse.
Peintre de portraits et de genre.
Élève du professeur Karl Gussow à Berlin, et de Henner et Carolus-Duran à Paris, elle exposa à Berne, à Genève, au Turnus et à Paris depuis 1888. Elle habitait Strasbourg vers 1903. Le Musée de Berne possède un tableau d'elle : *Étude après l'école.*

ERLACH VON HINDELBANK Sophie Maria von, née **von May**
Née le 5 octobre 1829 à Berne. Morte le 31 décembre 1911 à Strasbourg. xixe-xxe siècles. Suisse.

Peintre de portraits et aquarelliste.
Sophie von Erlach étudia avec F. Dietler dans sa ville natale, visita Berlin et son Musée, et travailla quelque temps au service de la princesse Louise de Prusse (grande duchesse de Bade). Elle exposa à Zurich et habitait vers 1902 à Vienne.

ERLACHER Andreas
XVIIIe siècle. Actif à Passau en 1732. Allemand.
Sculpteur.

ERLACHER Sebastian
Né en 1609 à Tegernsee. Mort le 18 août 1649. XVIIe siècle. Allemand.
Sculpteur.
Cet artiste bavarois s'établit à Graz en 1632.

ERLAND
XVIIe siècle. Actif à Saint-Pétersbourg. Russe.
Peintre et peut-être sculpteur.
Il semble que ce soit le même artiste qui exécuta des peintures en 1753 pour le palais de Peterhof et en 1767 des sculptures pour le château d'Oranienbaum.

ERLANGER Philipp Jakob
Né le 3 mars 1870 à Francfort-sur-le-Main (Hesse). XXe siècle. Allemand.
Peintre, sculpteur.
Il étudia à l'Institut Städel, à Francfort, avec Hassel-Horst, puis à Munich et Carlsruhe avec Weisshaupt et Zügel. Il se fixa à Breslau en 1899 et fit quelques voyages d'études à Paris et en Italie. Il exposa ses œuvres à Berlin, Düsseldorf et Munich.
Ventes Publiques : New York, 1er mars 1980 : *Deux chevaux de trait*, bronze (H. 34,3) : **USD 750**.

ERLANGER Rodolphe François d'
Né le 7 juin 1872 à Boulogne-sur-Seine (Hauts-de-Seine). Mort vers 1932. XXe siècle. Français.
Peintre de sujets typiques, portraits. Orientaliste.
Fils du banquier baron d'Erlanger, il étudia à l'Académie Julian avec Jules Lefebvre et Tony Robert-Fleury. De nombreux voyages en Afrique du Nord lui firent connaître intimement la population musulmane de Tunis, d'Alger et celle d'Égypte. Il devint ainsi peintre de l'Orient. Il débuta au Salon des Artistes Français à Paris, avec *Vieux philosophe*.
Parmi ses œuvres d'Orient les plus connues : *Portrait d'Omar Baccouche – Un jeune arabe en tenue de chasse – Les Deux Amis – Jeune chef abyssin – La Favorite*, et parmi ses autres œuvres : les portraits de la *Baronne Rodolphe d'Erlanger*, ceux des musiciens *Galeotti* et *Lucien Delafond*, celui de la *Marquise de Rochegude* et du *Curé de Pessis-Piquet*.
Musées : Paris (Mus. du Petit-Palais).
Ventes Publiques : Paris, 22 juin 1992 : *Sidi bou Saïd en Tunisie* 1913, h/pan., une paire (chaque 12x18) : **FRF 10 000** – Paris, 5 avr. 1993 : *Porteuses d'eau et enfants*, h/t (56x35) : **FRF 28 000**.

ERLANT
XVIIIe siècle. Actif à Saint-Pétersbourg. Russe.
Sculpteur sur bois.

ERLER Erich. Voir **ERLER-SAMADEN**

ERLER Franz Anton
Originaire d'Ottobeuren. XVIIIe siècle. Allemand.
Peintre.
Il exécuta en Bavière des peintures religieuses.

ERLER Franz Chr.
Né le 5 octobre 1829 à Kitzbühel. Mort le 6 janvier 1911 à Vienne. XIXe-XXe siècles. Autrichien.
Sculpteur.
Il travailla pour la cathédrale Saint-Étienne, pour l'Arsenal et l'Hôtel de Ville. Le cloître de Mayerling, l'église paroissiale de Giesshübel, près de Mödling, l'église collégiale de Klosterneuenbourg possèdent de ses œuvres.

ERLER Fritz
Né le 15 décembre 1868 à Frankenstein (Silésie). Mort le 11 juillet 1940 à Munich (Bavière). XXe siècle. Allemand.
Peintre, dessinateur, illustrateur, décorateur.
Fritz Erler, une des figures les plus intéressantes parmi les peintres décorateurs de l'école allemande, après avoir été élevé au collège Strehlen, commença ses études artistiques à l'École des Beaux-Arts de Breslau (atelier de Bräuer), où il s'appliqua à dessiner le nu, tout en continuant à travailler chez lui avec une ardeur inépuisable. Il compléta ses études artistiques par des voyages en Italie et dans le nord de l'Allemagne. Après un court séjour à Berlin, il revint à Breslau et s'adonna à l'étude de l'anatomie, de la perspective et du plein air. Puis, il passa à Munich, puisant une inspiration puissante dans la contemplation des œuvres des vieux maîtres conservées à la Pinacothèque. En 1892, Erler se rendit à Paris et entra à l'Académie Julian. Il y restera jusqu'en 1894, recevant les conseils de Ferrier. De cette époque date la série des portraits de la famille Rose : *Les Patineurs – Soirée d'Automne* et *Danseuse avec guitare*. Pendant sa résidence en France, il voyagea sur les côtes normandes et bretonnes et en rapporta de nombreuses études qui lui servirent plus tard dans ses peintures, telles que sa grande composition : *Lotos* (une réminiscence de l'Odyssée), exposée au Champ-de-Mars en 1893, et une *Baie de Morgat*. Vers cette année se révélèrent déjà des tendances marquées pour l'art décoratif et, en 1895, il exposa une œuvre intitulée *Le Prince et les pirates*, une des dernières créations de son activité à Paris. Depuis 1893, Erler s'affranchit entièrement de toute influence et manifesta un tempérament de peintre décorateur au style très pur. Il faut louer particulièrement chez lui la richesse du coloris, la superbe vigueur de la composition et la subtilité artistique. Parmi ses plus importants travaux, outre les tableaux déjà mentionnés : *Salas y Gomez* (1894) ; *Berceuse de Sirène* (1893). Les décorations de la Villa Neisser à Breslau, celle du Casino de Wiesbaden, et dans le restaurant Trabach à Berlin : un triptyque représentant une interprétation de la *Peste* (exposée à Munich 1899) – *Le Jeune Hagen avec les enfants du roi – Portrait d'une dame – Journée grise* (1902-1903) – *Danseuse – Solitude – L'Escrimeur – Les Étrangers – Mère – Saint Georges – Solstice* (triptyque) – *Noé – La Diane moderne – La Vague – La Nature – Impression d'Automne – La Fontaine – Études de paysans*. Il réalisa des décorations dans un bâtiment du gouvernement à Pankow. En 1908, il fit des peintures décoratives pour une fête de carnaval de la Nouvelle Union de Munich. Il exécuta aussi des portraits de Richard Strauss, Gustave Mahler, Pablo de Sarasate, Gerhart Hauptmann, du prince de Hatzfeld, du professeur Neisser, de son frère Erich Erler-Samaden, et ceux de sa femme et d'autres dames.
Il exposa ses peintures au Champ-de-Mars en 1893. Il fut un des membres fondateurs de la revue *Jugend* éditée à Munich (il composa notamment la page de titre), et un membre du groupe munichois *Scholle*. Il fit nombre d'ex-libris. Il a illustré le livre *Ingwelde* de M. Schiling.
Ses peintures font ressortir l'influence des Nabis et d'Albert Besnard. Il joua un rôle important dans la création du *Jugendstil*, équivalent munichois du *Modern Style* anglais et du Style Métro français.

Erler

Bibliogr. : *Dictionnaire des illustrateurs 1800-1914*, Ides et Calendes, Neuchâtel, 1989.
Musées : Leipzig : *Le Solstice*, triptyque.
Ventes Publiques : Munich, 26 nov. 1976 : *Fleurs au bord du lac*, h/t (70x90) : **DEM 2 600** – Munich, 25 nov. 1981 : *Der Morgen* vers 1905, cr. de coul./pap. (44x20) : **DEM 9 500** – Londres, 28 nov. 1984 : *Ophélie* 1893, h/pan. (66x66) : **GBP 5 200** – Munich, 26 mai 1992 : *Nu masculin*, craie bleue (49,5x27) : **DEM 2 070**.

ERLER Georg Oskar
Né le 15 octobre 1871 à Dresde (Saxe). Mort en 1951 à Auring. XXe siècle. Allemand.
Graveur de scènes de genre, dessinateur, peintre, lithographe.
Il étudia à l'École des Arts et Métiers de Dresde et à l'Académie Royale avec Hugo Bürkner et G. Kuehl. Ses eaux-fortes *Méditation des mineurs devant la fosse* et *Entre les heures de travail* lui valurent une médaille d'or et une bourse de voyage de deux ans pour Rome. Après son séjour dans cette ville et un certain temps passé à Paris et Munich, il se fixa définitivement à Dresde. Parmi ses œuvres connues : *Quai du Louvre – La Récolte des pommes de terre – Femme avec une chèvre – Retour – Glaneuses – Portrait du Roi Georges de Saxe*. On mentionne aussi une série de dessins en couleur et vingt vues de Dresde en lithographie.

ERLER Josef
Né le 9 février 1804 à Brixen (Tyrol). Mort le 31 mars 1844 à Innsbruck. XIXe siècle. Autrichien.
Peintre.
Il étudia le dessin à Brixen avec Josef Tauber et resta onze ans à l'Académie de Vienne. Il peignit des portraits, des tableaux

d'histoire, des paysages. Parmi ses œuvres on mentionne : dans l'église de Zinggen près de Brixen, une *Sainte Trinité*, des *Anges*, une *Assomption* et des *Scènes de la Vie de Marie*.
Musées : Brixen (Mus. Diocésain) : *Études de têtes* – Innsbruck (Ferdinandeum Mus.) : *Portrait de Ph. Jacob Fallmerayer*.

ERLER Margarethe
XIXe-XXe siècles. Active à Berlin. Allemande.
Peintre.
Elle exposa régulièrement à Berlin. Les Musées de Crefeld, de Magdebourg et de Stuttgart possèdent des œuvres de cette artiste.

ERLER-SAMADEN Erich
Né le 16 décembre 1870 à Frankenstein. Mort en 1946 à Icking. XIXe-XXe siècles. Allemand.
Peintre de paysages.
Frère de Fritz Erler, il travaillait à Samaden et Breslau. Parmi ses œuvres : *Déguisement de paysans – La Porte bleue – Jardin d'une vielle dame – Source dans la prairie – Soirée de mai*.
Musées : Aix-la-Chapelle (Suermondt) : *Terre Sauvage* – Breslau, nom all. de Wroclaw : *Solitude* – Leipzig : *Midi* – Munich (Nouv. Pina.) : *L'annonce du Printemps*.
Ventes Publiques : Munich, 25 nov. 1977 : *Skieur en haute montagne* vers 1905, h/t (96,5x130) : **DEM 3 800** – Zurich, 7 nov. 1981 : *Paysage montagneux*, h/t (95x95) : **CHF 4 000** – Munich, 26 nov. 1984 : *Paysage de l'Engadine*, h/t (70x80) : **DEM 3 500** – Munich, 5 juin 1986 : *Paysage de l'Engadine au printemps*, h/t (122x120) : **DEM 4 000** – Amsterdam, 16 nov. 1988 : *Lac de montagne*, h/t (70,5x80) : **NLG 3 910** – Cologne, 23 mars 1990 : *Début de printemps*, h/t (80x70) : **DEM 5 500**.

ERLETMAYGER Johann. Voir **ERHETMAYGER**

ERLEWYN Jan Van
XVIIe siècle. Actif à Anvers en 1650. Éc. flamande.
Peintre.

ERLIKH Vladimir
Né en 1924 à Odessa. XXe siècle. Russe.
Peintre de paysages animés.
De 1946 à 1950, il étudia à l'École des Beaux-Arts de Dnepropetrovsk. Membre de l'Union des Peintres de l'Ukraine en 1963.
Ventes Publiques : Paris, 13 mars 1992 : *Sur la plage*, h/t (90x220) : **FRF 9 000** – Paris, 17 juin 1992 : *Au parc*, h/t (38x65) : **FRF 4 200**.

ERLINGER Franz. Voir **ERTINGER**

ERLINGER Georg
Né à Augsbourg. Mort en 1542 à Bamberg. XVIe siècle. Allemand.
Peintre et graveur sur bois.
Il travaillait à Augsbourg en 1516 et se fixa à Bamberg en 1519. Il fut surtout connu comme astronome.

ERLINGER Johannes
XVe siècle. Actif à Augsbourg. Allemand.
Écrivain et peut-être peintre de miniatures.
Il semble avoir illustré plusieurs chroniques.

ERLUIN
IXe siècle. Actif à Tours. Français.
Miniaturiste.
Il illustra des livres religieux.

ERMA Thomas
Né en 1939 à Tartu (Estonie). Mort en 1964 à Paris. XXe siècle. Actif et naturalisé aux États-Unis, puis actif en France. Estonien.
Peintre. Abstrait.
La première exposition d'Erma eut lieu à Paris en 1959, de nouveau à Paris en 1962, à Londres en 1963. Il a participé une fois au Salon Comparaisons à Paris.
Mort à vingt-cinq ans, ce peintre n'aura pas eu le temps de s'affirmer. Néanmoins, son apport à une certaine abstraction est loin d'être négligeable. La peinture d'Erma se définissait par la conjugaison du « dripping » et du collage. En effet ses peintures étaient recomposées à partir de fragments peints, dans un esprit proche d'un lyrisme gestuel, déchirés ou découpés en bandes verticales, puis assemblés dans un ordre différents. Cette construction, née d'une déconstruction initiale, était en quelque sorte une manière pour Erma de rentrer en possession du geste spontané, de l'assimiler et de le contrôler. Loin de laisser au hasard cette éventuelle construction, Erma semblait privilégier un certain type de formes, apparemment animées de forces centrifuges, qui, laissant le centre de la toile vierge, plaçaient le discours à la périphérie. Que ce soit dans ses grands cercles concentriques, ses bandes verticales ou ses toiles où seuls les bords extrêmes sont occupés, la forme, le dessin semblent fuir le centre, comme si le lieu d'action échappait à la toile. Rétrospectivement, le travail d'Erma annonce curieusement, avec les tics formels de l'époque, une certaine forme d'analyse de la peinture, courante depuis 1970, où la déconstruction est une constante de cette analyse.
Musées : New York (Guggenheim Mus.) – Paris (Mus. d'Art Mod.).

ERMANNO
XVIe siècle. Actif à Rome en 1536. Italien.
Peintre.

ERMANNO Giovanni
XVIIe siècle (?). Italien.
Peintre d'histoire.
Il est cité par Siret.

ERMATINGER Andreas
Mort entre 1576 et 1580. XVIe siècle. Actif à Schaffhouse. Suisse.
Peintre verrier.
Également homme d'État.

ERMATINGER Hans Ulrich
XVIe-XVIIe siècles. Actif à Schaffhouse entre 1588 et 1614. Suisse.
Peintre sur verre.
D'après le Dr Brun, il aurait été cité en 1588 comme le plus jeune « maître » du métier.

ERMELS Georg Paul
XVIIe siècle. Allemand.
Peintre de paysages animés, graveur.
Actif à Nuremberg en 1697, il était le fils de Johann Franciscus, qui fut son maître.
Ventes Publiques : Londres, 17 avr. 1991 : *Paysages arcadiens animés avec des ruines classiques*, h/pan., une paire (chaque 35,5x36) : **GBP 22 000**.

ERMELS J. H.
XVIIIe siècle. Allemand.
Graveur à l'eau-forte.
Il a gravé d'après Franç. Boucher.

ERMELS Johann Franciscus
Né en 1621 ou 1641 près de Cologne. Mort le 3 décembre 1693 à Nuremberg. XVIIe siècle. Allemand.
Peintre d'histoire, compositions religieuses, portraits, paysages, natures mortes, graveur.
Élève de Johann Hulsman à Cologne et de Jan Both en Hollande, il vécut à Nuremberg à partir de 1660.
Il débuta comme graveur, puis comme portraitiste et ne pratiqua la peinture historique et religieuse qu'après son arrivée à Nuremberg. Il est, entre autres, l'auteur de la *Résurrection* du retable Muffel, peint pour l'église Saint-Sébald à Nuremberg en 1663. Ses paysages prennent un caractère classique inspiré à la fois de l'art flamand et de l'art italien ; ils sont souvent animés de ruines, de figures campagnardes, sous un ciel nuageux.

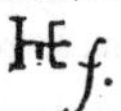

Bibliogr. : In : *Diction. de la peint. allemande et d'Europe centrale*, coll. Essentiels, Larousse, Paris, 1990.
Musées : Francfort-sur-le-Main : *Deux Paysages – Nature morte* – Milan (Gal. Brera) : *Bois* – Munich (Alte Pina.) – Vienne : *Paysage avec mausolée*.
Ventes Publiques : New York, 24 mars 1905 : *Paysage italien* : **USD 150** – New York, 12 oct. 1989 : *Personnages parmi des ruines classiques dans un paysage montagneux* 1688, h/t (45x58,8) : **USD 9 900**.

ERMELTRAUT Franz Anton
Né à Heidelberg. XVIIIe siècle. Allemand.
Peintre.
Il travailla à Würzburg où il décora de fresques l'église dominicaine.

ERMELTRAUT Johann Georg
Né en 1697 à Salzungen. XVIIIe siècle. Allemand.

Peintre.
Il travailla à Würzburg.

ERMENALDUS
XIIe siècle. Travaillant dans le nord de la France vers 1100. Français.
Miniaturiste.
La bibliothèque d'Avranches possède une œuvre de cet artiste.

ERMENEV Ivan
Né en 1746. Mort en 1790. XVIIIe siècle. Russe.
Peintre.
Etait représenté à l'exposition *L'Art russe des Scythes à nos jours*, au Grand Palais de Paris, en 1967-1968, avec une aquarelle, conservée au Musée Russe de Leningrad : *Le vieux mendiant et l'enfant.*

ERMENGEM Frans
Né en 1893 à Wetteren. XXe siècle. Actif aussi en Espagne. Belge.
Peintre, graveur, illustrateur.
Élève de J. Delvin à Gand. Il travaille en Espagne et sur le littoral belge. Il illustre des textes de Baudelaire et de Ch. Van Lerberghe.

Bibliogr. : In : *Dictio. biogra. illustré des artistes en Belgique, depuis 1830*, Arto, Bruxelles, 1987.
Musées : Termonde.
Ventes Publiques : Bruxelles, 6 mai 1986 : *Nu assis* vers 1921, h/t (125x130) : **BEF 55 000.**

ERMER C.
XIXe siècle. Actif à Weimar en 1811. Allemand.
Graveur à l'aquatinte.
Il a gravé *Guillaume Tell*, d'après Kaatz.

ERMILOV Vassily
Né en 1894 à Charko ou Kharkov (Ukraine). Mort en 1968 à Charko ou Kharkov. XXe siècle. Russe.
Peintre, lithographe, affichiste. Cubo-futuriste, puis constructiviste.
De 1905 à 1909, il étudie dans l'Atelier d'étude des métiers artistiques de la peinture décorative ; de 1910 à 1911 à l'École de Dessin et de Peinture de la Ville et dans des ateliers privés à Kharkov ; en 1912, il entre à l'Institut de Peinture, de Sculpture et d'Architecture de Moscou, puis à l'atelier de I. Machkov et P. Kontchalovski. En 1914, il reçoit le titre de « maître de la peinture décorative ». En 1918, il entre en contact avec les cercles futuristes de Kharkov. En 1922, il enseigne à l'Institut Technique d'Art de Kharkov.
Il participe à des expositions collectives : 1913, XVIe exposition de la Société des Artistes de Kharkov, en 1914 à la XVIIe, en 1927 à la première exposition de l'Association des Artistes Soviétiques d'Ukraine (ARMOU).
Ermilov fut un des représentants majeurs du mouvement d'avant-garde en Ukraine. De 1913 à 1916, il fut influencé par les principes du néoprimitivisme (Larionov, Gontcharova), du cubo-futurisme et du suprématisme (Malevitch). À partir de 1917, il fut l'un des tenants du système constructiviste (Pevsner, Gabo), et d'une de ses tendances, le productivisme (Tatlin) assignant à l'art la création d'objets directement utilitaires pour le peuple et dénonçant tout déviationnisme vers l'art « pur » ou autonome. Au cours des années vingt, il pratiqua l'agit-prop mural, s'intéressa également à l'architecture, au graphisme, à la mise en page, et à l'affiche. À partir de 1922, il enseigna l'« art, l'urbanisme et la typographie » à Kharkov. Il participa au pavillon de l'U.R.S.S. à Cologne en 1928. Ermilov n'est pas seulement un exécutant talentueux des principes directeurs du constructivisme, il a su innover en marge des règles de ce mouvement révolutionnaire. Dans ses recherches personnelles, les couleurs et la facture des matériaux qu'il a choisis tels que le bois et le métal, donnent à ses « constructions », et c'est là sa véritable originalité, un aspect presque intimiste. ■ C. D.
Bibliogr. : V. Polichtchouk : *Vassili Ermilov*, Kharkov, 1931 – B. Foguel : *Vassili Ermilov*, Moscou, 1975 – in : *Paris-Moscou, 1900-1930*, catalogue de l'exposition, Centre Georges Pompidou, Paris, 1979 – Andrei Nakov : *l'Avant-garde russe*, Hazan, Paris, 1984 – C. Lodder : *Russian Constructivism*, New Haven-Londres, 1985 – Gérard Conio : *Le Constructivisme russe*, 2 v., l'Age d'Homme, 1987 – *Russian Twentieth Century and Avant-Garde Art*, catalogue de ventes publiques, Sotheby's, Londres, 23 mai 1990.
Ventes Publiques : Londres, 29 mars 1973 : *La Fenêtre*, h., métal et sable : **GBP 5 000** – Londres, 30 juin 1983 : *Composition abstraite* vers 1922, techn. mixte/pan. (55,2x40) : **GBP 3 000** – Londres, 26 mars 1985 : *Composition constructiviste* 1924, bois, métal et tissu/cart. sablé, construction (77,6x77,5) : **GBP 80 000** – Londres, 2 avr. 1987 : *Projet d'une salle de repos* vers 1920-25, gche, cr. et collage (100x70) : **GBP 23 500** – Londres, 1er déc. 1987 : *Boîte d'allumettes* 1922, bois, relief peint./pan. (46,4x37,5) : **GBP 19 000** – Londres, 18 avr. 1988 : *Fleurs*, h/pan. (52x42) : **GBP 5 500** – Londres, 6 avr. 1989 : *Construction* 1923, relief en bois peint (45x34,5) : **GBP 68 200** ; *Composition constructiviste* 1924, bois, métal et tissu sur cart. sablé (77,5x77,5) : **GBP 137 500.**

ERMINGER Christian
Mort en 1787. XVIIIe siècle. Actif à Vienne. Autrichien.
Peintre sur émail.

ERMINGER Christian August
Né à Dresde. XVIIIe siècle. Allemand.
Peintre sur émail et sur porcelaine.
Sans doute identique au précédent.

ERMINGER Johann Adam
XVIIIe siècle. Actif à Vienne en 1752. Autrichien.
Peintre.

ERMINGER Josef
Né en 1776 à Vienne. XIXe siècle. Autrichien.
Peintre.

ERMINI Ludwig
XIXe siècle. Actif à Vienne. Autrichien.
Graveur et miniaturiste.

ERMINI Pietro
XIXe siècle. Actif à Florence vers 1800. Italien.
Dessinateur et peintre de miniatures.
On cite de cet artiste un *Portrait de la princesse Grimaldi*, daté de 1804 et celui du *grand duc de Toscane Léopold II.*

ERMISCH Conrad
Né en 1855 à Aschersleben. Mort le 29 octobre 1886 à Dresde. XIXe siècle. Allemand.
Peintre de genre et d'histoire.
Élève à l'Institut Städel à Francfort, de Steinle. Vécut ensuite à Munich et à Weimar. S'établit à Dresde en 1877. On cite de lui : *Une danse macabre.*

ERMOLAEV Boris ou **Ermolaïev**
Né en 1903 à Saint-Pétersbourg. XXe siècle. Russe.
Peintre, lithographe.
Il était représenté à l'Exposition du Grand Palais de Paris, en 1967-1968 *L'Art russe, des Scythes à nos jours*, avec une lithographie : *Vers le père*, d'un style illustratif et moralisateur, conservée au Musée Pouchkine de Moscou.
Musées : Moscou (Mus. Pouchkine) : *Vers le père.*

ERMOLAO
XIVe siècle. Actif à Venise en 1327. Italien.
Peintre.

ERNAULT Suzanne
Née à Pussay (Essonne). XXe siècle. Française.
Aquarelliste.

ERNECKE Hermann
Né vers 1817 à Berlin. Mort le 12 juin 1894. XIXe siècle. Allemand.
Peintre de portraits.
Travailla à Berlin. On cite de lui : *Portrait d'un garçon, Portrait de l'artiste, Portrait de l'empereur Frédéric III.*

ERNEST Jeanne
Née à Paris. XXe siècle. Française.
Peintre.
Élève de Biloul et L. Simon. Mention honorable en 1926.

ERNEST John
Né en 1922 à Philadelphie (Pennsylvanie). XXe siècle. Actif en Angleterre. Américain.
Peintre, sculpteur.
Il a effectué ses études en Pennsylvanie jusqu'en 1942, puis il a vécu à New York jusqu'en 1946. Il est ensuite parti trois ans en

Suède, avant de venir en France et en Angleterre en 1951. Il a étudié la sculpture à la Saint-Martin's School of Art jusqu'en 1956. Nombreuses expositions internationales, notamment celle du Stedelijk Museum d'Amsterdam en 1962, intitulée *Experiment in Constructie*.
D'abord peintre de tendance expressionniste avant de se tourner vers l'abstraction. Il sera ensuite influencé par les écrits de l'artiste américain Charles Biederman de 1952 à 1956. Ses compositions abstraites sont simples (horizontales et verticales) et faites à partir de matériaux simples mais usinés. L'œuvre de John Ernest trouve ses références et ses continuations dans celle de Piet Mondrian, Jean Gorin et d'Antony Hill.
Bibliogr. : In : *Dictionnaire de la peinture anglaise et américaine*, Coll. Essentiels, Larousse, Paris, 1991.

ERNEST T.
xxe siècle. Français.
Peintre. Conceptuel-contestataire.
La galerie Gabrielle Maubrie de Paris lui a consacré une exposition personnelle en 1992.
Son point de départ est de caricaturer la modernité aussi bien chez les artistes que dans le public. Il peint des toiles « nulles » et toutes semblables : des sortes de damiers de carrés bleus, rouges, jaunes. Il les expose présentées n'importe comment, accompagnées de textes commentant ironiquement la nullité de l'affaire. D'autre part, il agrandit des dessins humoristiques quelconques, dont le thème comporte une peinture, qu'il remplace par sa propre peinture stéréotypée et accompagne d'une légende auto-critique : « J'étais l'élève favorite d'Ernest T. », dit la femme qui présente sa peinture à un amateur. Le propos peut sembler dérisoire. Ce qui l'est moins, et on en voit d'autres, c'est que le marché est très capable de s'incorporer cette production qui le brocarde.
Bibliogr. : Jean-Yves Jouannais : *Ernest T.*, in : *Art Press*, Paris, mars 1992.
Musées : Marseille (FRAC Alpes-Côtes d'Azur) : *Boîte n° 2* 1988 – 14 peintures – Paris (FNAC) : *Chambre pour une jeune fille peintre* 1990.

ERNEST Yvonne
xxe siècle. Française.
Peintre.
Elle fut élève de Biloul et Humbert. Elle exposa au Salon des Artistes Français de Paris, obtenant une mention honorable en 1926.

ERNESTI Jordan
xviiie siècle. Allemand.
Peintre.
Il décora l'abbaye de à Gandersheim qui venait d'être reconstruite vers 1730.

ERNESTINE de Nassau Hadamar, princesse
Morte en 1668. xviie siècle. Allemande.
Peintre amateur.
Fille du prince Johann III de Nassau Siegen, elle laissa au château de Raudnitz (Bohême) une importante série de portraits.

ERNESTO
xxe siècle. Actif en France. Portugais.
Peintre.
Il a exposé en 1983 au Salon des Indépendants à Paris et présente ses œuvres dans des galeries aux États-Unis, notamment à San Francisco (1986 et 1987) et New York. À Paris, il a montré ses œuvres, en 1987 et 1988, dans deux night-clubs très à la mode *Le Palace* et *Les Bains*. Il a également exposé à Singapour, Miami et Lisbonne.
Ernesto pratique un art figuratif et expressionniste, vivant, parfois à la limite de l'abstraction. Jouant dans les couleurs ocres, sa ligne de dessin, fougueuse, figure des personnages, le plus souvent féminins, qui expriment dans les situations imaginées de rencontre ou d'attente des moments de désirs et de sensualité charnelle.
Ventes Publiques : Paris, 13 avr. 1988 : *Rendez-vous*, acryl./t. (146x114) : **FRF 7 500** ; *Séchoir*, acryl./t. (146x114) : **FRF 8 000** – Paris, 12 fév. 1989 : *Le bar à Harlem*, acryl./t. (146x114) : **FRF 10 000** – Paris, 27 juin 1994 : *La phrase, réverbère*, h/t (162x97) : **FRF 30 000** – Paris, 30 nov. 1995 : *Le thé aux chats*, h/t (162x130) : **FRF 40 000**.

ERNESTO ou **Ernestus**
xie siècle. Actif vers 1095. Éc. flamande.
Miniaturiste.
Moine de l'abbaye de Stavelot (Belgique). A peint la Bible romane conservée au British Museum.

ERNI Hans
Né en 1909 à Lucerne. xxe siècle. Depuis 1953 actif aussi en France. Suisse.
Peintre, graveur, lithographe, céramiste, sculpteur, illustrateur, décorateur, peintre de compositions murales, de cartons de mosaïques et écrivain. Polymorphe : abstrait, tendance surréaliste. Groupe Abstraction-Création.
Fils d'un mécanicien, il fut d'abord dessinateur technique dans un cabinet d'architecte. Ensuite, il fut élève de l'École des Arts et Métiers de Lucerne en 1927 et 1928 ; élève également de l'Académie Julian, à Paris, en 1928 et 1929 ; élève encore de l'École des Arts Appliqués de Berlin, en 1929 et 1930. Au cours de nombreux séjours à Paris, il eut des contacts avec Arp, Mondrian, Brancusi, Calder, Kandinsky, Moore, etc. Erni fut aussi influencé fortement par l'œuvre de Picasso, comme par celle de Braque. Il adhéra au groupe *Abstraction-Création* en 1934. Il fut également membre fondateur de l'association *Allianz* en 1937. Il continua de voyager en Europe et, à partir de 1950, découvrit l'Afrique. Il participa à de nombreuses expositions de groupe, en Europe : *Thèse Antithèse Synthèse* au Kunstmuseum de Lucerne en 1935, et aux États-Unis. Il réalisa également de multiples expositions personnelles, depuis sa première à Bâle en 1935. Il y eut, entre autres : Lucerne (rétrospective) en 1944, Winterthur en 1945, Rotterdam en 1946, Genève en 1948, Chicago en 1951. Vivant à Zurich, il possède aussi un atelier à Paris depuis 1953.
Il eut une activité débordante, d'une part avec la réalisation de ses compositions murales : *Les Trois Grâces lucernoises*, pour la gare de Lucerne (1935) – *La Vierge Marie et l'Enfant*, 1935, Hirchenplatz, Lucerne – *Composition abstraite*, pour la Triennale de Milan (1936) – *Composition*, pour l'Exposition Nationale Suisse (1939), dans laquelle il formule sa synthèse « Abstraction-réalisme » – *Creative Energy*, Londres (1946) – *Les Conquêtes de l'homme*, Musée d'Ethnographie, Neuchâtel (1954) – *Dédale et Icare*, pour la Compagnie *Swissair* à Bombay en 1957. On lui doit d'autre part une quantité de lithographies, d'innombrables illustrations, des affiches publicitaires ou politiques : *La Guerre atomique, non* 1954 ; *Assemblée Mondiale de la Paix* 1955, et dans un autre domaine des céramiques. Il a réalisé, en 1956, les décors et les costumes pour la représentation en plein air de *Prométhée* d'Eschyle. Il a aussi écrit, et fait des conférences.
Cet artiste se situant aux limites de l'abstrait et du figuratif a été qualifié par le critique genevois Hélène Cingria de « maître de l'espace ». Son énorme production embrasse tous les genres et toutes les techniques. On ressent dans certaines de ces œuvres une influence pleinement avouée des recherches surréalistes. Sa propension à démarquer tous les grands maîtres est compensée par sa prodigieuse habileté manuelle. Claude Roy dit de lui : « Il célèbre l'homme et la femme vivants (...). Il dit la révolte, le refus de tout ce qui met en péril les réalités déjà conquises de ce royaume terrestre des hommes, et les promesses déjà précises de son empire général. Il dit l'amour et la légèreté heureuse, le labeur et la pesanteur sagace, les femmes belles et les enfants qui rient, les bêtes soumises et nobles, les montagnes conquises et les torrents domptés, le ciel peuplé et la terre étreinte à bras-le-corps de l'homme. L'homme si faible, si démuni, si admirable ».
■ J. B.

Erni

Bibliogr. : Gasser M. : *Erni, an Artist in the Service of the Community*, in *Graphis*, N° 9-10, Zurich, 1945 – Claude Roy : *Hans Erni*, Genève, 1955 – Ch. Rosner : *L'Œuvre graphique de H. Erni, intégration de l'art et des techniques*, Genève, 1957 – P.F. Schneeberger : *Hans Erni*, Genève, 1961 – W. Rüegg : *Peintures en relief de H. Erni*, Genève, 1963 – in : *Les Muses*, t. VII, Grange Batelière, Paris, 1972 – in : *Dictionnaire universel de la peinture*, Le Robert, Paris, 1975 – *Abstraction-Création 1931-1936*, catalogue de l'exposition, Musée d'Art Moderne de la Ville de Paris, 1978 – in : *Dictionnaire de la peinture allemande et d'Europe centrale*, Collect. Essentiels, Larousse, Paris, 1990.
Musées : Neuchâtel (Mus. d'Ethnographie) : *Mensch und Maschine* 1954.
Ventes Publiques : Genève, 18 nov. 1961 : *Nu de dos* : **CHF 4 800** – Lucerne, 24 juin 1966 : *Le Coq*, temp. et gche : **CHF 2 500** – New York, 18 sep. 1968 : *Nu assis*, temp./t. :

USD 2 100 – Genève, 8 nov. 1969 : *Les Chevaux*, gche : **CHF 16 000** – Lucerne, 24 nov. 1972 : *L'Artiste dans son atelier*, temp. : **CHF 8 500** – Genève, 8 juin 1974 : *Le Couple*, gche : **CHF 5 000** – Berne, 21 oct. 1976 : *Les Deux Amis*, temp., encre de Chine et fus. (101x87,5) : **CHF 8 000** – New York, 14-15 déc. 1976 : *Le Vent* 1958, h/t (66,5x71,5) : **USD 1 300** – Zurich, 23 nov. 1977 : *Couple nu* 1957, gche et temp. (39,5x38,5) : **CHF 6 000** – Hambourg, 2 juin 1978 : *The Fabians* 1959, gche (33,6x39) : **DEM 2 300** – Zurich, 22 nov. 1978 : *Couple couché* 1952 (64x83) : **CHF 24 000** – Zurich, 30 mai 1979 : *Le Philosophe* 1960, temp. (65x62) : **CHF 22 000** – Zurich, 3 nov. 1979 : *Mère et enfant* 1962, h. et temp./t. (98x82) : **CHF 28 000** – Zurich, 30 oct. 1980 : *Chevaux* 1956, pl. et lav./pap. (48x67) : **CHF 4 800** – Zurich, 27 jan. 1982 : *Mère et enfant*, litho. (95x72) : **CHF 900** – Zurich, 18 mai 1984 : *Berger et taureau* 1963, encre (61,5x89) : **CHF 5 500** – Zurich, 7 juin 1984 : *Taureau couché* 1961, h/cart. (45x75) : **CHF 16 000** – Zurich, 9 nov. 1984 : *Le philosophe* 1960, temp./t. (65x62) : **CHF 26 000** – Munich, 29 oct. 1985 : *Couple d'amoureux* 1965, stylos feutre en noir et brun (32x45) : **DEM 5 800** – Zurich, 5 juin 1986 : *Couple d'amoureux* 1956, temp./t. (52x63) : **CHF 32 000** – New York, 7 oct. 1987 : *La nageuse* 1959, h/t (56x102,9) : **USD 15 000** – Zurich, 12 juin 1987 : *Trois figures* 1962, dess. à l'encre de Chine gchée (52x74) : **CHF 6 000** – Lucerne, 30 sep. 1988 : *Un couple* 1959, aquar. (37,5x28,5) : **CHF 3 600** – Rome, 17 avr. 1989 : *Nu féminin*, détrempe/t. (129,5x46,5) : **ITL 20 000 000** – Paris, 23 nov. 1989 : *Mort et Paix*, h/t (182x185) : **FRF 60 000** – New York, 21 fév. 1990 : *Berger endormi près d'un rocher* 1948, h/t (46,8x61,6) : **USD 14 300** – Zurich, 22 juin 1990 : *Couple* 1970, temp. (37x28) : **CHF 4 400** – Paris, 7 déc. 1990 : *Le coq*, lav. d'encre de Chine (20x30) : **FRF 4 500** – Le Touquet, 19 mai 1991 : *Couple jouant* 1967, h/t (48x53) : **FRF 78 000** – Lucerne, 25 mai 1991 : *Danseur des ballets russes*, aquar. (25x18) : **CHF 1 300** – Zurich, 24 juin 1993 : *Cheval*, techn. mixte/pap./cart. (50,5x38,5) : **CHF 2 000** ; *Femme allongée* 1958, h/t (30x63) : **CHF 5 000** – New York, 2 nov. 1993 : *Farandole* 1953, encre, lav. et craies de coul./pap. gris (50,2x69,2) : **USD 1 610** – Lucerne, 20 nov. 1993 : *Bacchus* 1962, aquar./pap. Arches (53x38) : **CHF 3 000** ; *Fille assise dans des coussins blancs* 1973, temp. et encre/pap. (40,5x30) : **CHF 6 500** – Calais, 11 déc. 1994 : *Tout doit reluire*, h/t (34x60) : **FRF 27 000** – Zurich, 12 nov. 1996 : *Jeune Fille avec trois chevaux* 1970, aquar. et encre de Chine (32x45,5) : **CHF 2 600** – Zurich, 8 avr. 1997 : *Couple* 1950, sanguine (47x31,5) : **CHF 1 500** – Zurich, 4 juin 1997 : *Mère et Enfant* 1967, temp. et h/t (97x66) : **CHF 17 250**.

ERNI Simone
Née en 1946. xxe siècle. Suissesse.
Peintre de nus, animalier, scènes typiques, dessinateur, graveur, lithographe.
Elle est la fille des artistes Hans Erni et Gertrude Erni-Bohnert. Elle bénéficie du privilège de rencontrer de nombreux compositeurs et artistes. Du temps de ses études à l'École Normale, elle entreprend de nombreux voyages à travers l'Europe. Elle poursuit encore des études à l'École des Beaux-Arts de Genève, et fait un voyage d'études à Venise. En 1980, elle s'installe pendant deux ans à Palm Springs (Californie). De retour en Suisse, elle se fixe à Lugano, puis dans sa ville natale de Lucerne où, parallèlement à son activité créatrice, elle ouvre la Galerie 37.
Ses premières présentations personnelles d'œuvres datent des années soixante-dix. Elle expose à Lucerne, Berne, Monte Carlo...

ERNOTTE Jacques
Né en 1897 à Bruxelles. Mort en 1964. xxe siècle. Belge.
Peintre.
Exposant, à Paris, du Salon d'Automne en 1928.

ERNOU François
xviie siècle. Actif à Angers. Français.
Peintre.
On lui doit un portrait d'*Antoine Arnauld*.

ERNOU Jean, l'Ancien
Mort le 23 avril 1692. xviie siècle. Actif à Angers. Français.
Peintre.
Il exécuta un portrait de l'évêque d'Angers *Henri Arnauld*.

ERNOU Jean, le Jeune
Né vers 1664 à Angers. Mort le 19 avril 1701. xviie siècle. Français.
Peintre.
Il était le fils de Jean l'Ancien et frère de Pierre E.

ERNOU Pierre, dit **le Chevalier Ernou**
Né le 23 mars 1665 à Angers. xviie siècle. Français.
Peintre.
Originaire de l'Anjou, peintre de portraits et de tableaux religieux, il séjourna longtemps à Lyon, où on le trouve en 1720 et 1739. Le Musée d'Orléans conserve de lui un *Portrait d'homme*.

ERNOUL-DELF. Voir **DELF Ernoul**

ERNOULET
xve siècle. Actif à Rouen. Français.
Sculpteur en bois.
Sous la direction de Philippot Viart, il travailla aux stalles de la cathédrale de Rouen, en 1460.

ERNST
xviiie siècle. Actif à Oels. Allemand.
Peintre.

ERNST Adolphe Dionysius
Né en 1748 à Dresde. xviiie siècle. Allemand.
Graveur.
Il grava d'après Boucher et Annibal Carrache.

ERNST Alfred von
Né le 20 août 1799 à Berne. Mort le 3 janvier 1850 à Berne. xixe siècle. Suisse.
Peintre de paysages.
Ernst, qui était officier, ne semble avoir reçu aucune instruction artistique. Il exposa à partir de 1836, à Zurich et à Berne. Il peignit en amateur, surtout d'après la manière de Bonstetten.
Musées : Berne : *Le Glacier de Rosenlavi*.
Ventes Publiques : Milan, 17 déc. 1992 : *Vue de Pozzuoli* 1840, h/t (60x90) : **ITL 18 000 000**.

ERNST Amélie, née **Lévy**
Née en 1834 à Mutzig (Alsace). xixe siècle. Française.
Peintre, sculpteur.
Le Musée de Nice conserve d'elle : *M. Ernst* et *La main du violoniste*. Elle fut aussi actrice. Elle exposa ses peintures aux Artistes Français à partir de 1887.

ERNST August
xviiie siècle. Actif en Thuringe au début du xviiie siècle. Allemand.
Peintre sur faïence.

ERNST Emil von
xixe siècle. Actif à Düsseldorf. Allemand.
Paysagiste.
On cite de lui : *Moulin près de Bingen*.

ERNST Hans
xve siècle. Actif à Strasbourg vers 1466. Français.
Peintre.

ERNST Helge
Née en 1916. Morte en 1990. xxe siècle. Danoise.
Peintre de natures mortes. Postcubiste.
Elle montre un talent très délicat, de dessinateur rigoureux et de coloriste subtil, employé dans une formulation postcubiste très tardive, dans la lignée de Jacques Villon.

Ventes Publiques : Copenhague, 6 mai 1987 : *Nature morte* 1975, h/t (81x54) : **DKK 22 000** – Copenhague, 30 nov. 1988 : *Composition*, h/t (165x69) : **DKK 5 000** – Copenhague, 10 mai 1989 : *Nature morte*, h/t (56x84) : **DKK 20 000** – Copenhague, 21-22 mars 1990 : *Oranges* 1975, h/t (38x55) : **DKK 9 000** – Copenhague, 30 mai 1990 : *Image de Noël* 1968, h/t (100x65) : **DKK 8 000** – Copenhague, 13-14 fév. 1991 : *Nature morte* 1985, h/t (73x100) : **DKK 33 000** – Copenhague, 4 déc. 1991 : *Le tête grecque*, h/t (61x46) : **DKK 18 000** – Copenhague, 4 mars 1992 : *Nature morte* 1987, h/t (60x70) : **DKK 17 000** – Copenhague, 2-3 déc. 1992 : *Nature morte en jaune* 1988, h/t (60x81) : **DKK 15 500** – Copenhague, 10 mars 1993 : *La tête grecque* 1975, h/t (73x100) : **DKK 18 000** – Copenhague, 1er déc. 1993 : *Nature morte aux récipients* 1988, h/t (100x81) : **DKK 28 000** – Copenhague, 2 mars 1994 : *Atelier* 1988, h/t (114x162) : **DKK 23 000** – Copenhague, 8-9 mars 1995 : *Nature morte* 1983, h/t (73x100) : **DKK 17 000** – Copenhague, 12 mars 1996 : *Par la fenêtre*, h/t (100x90) : **DKK 18 000**.

ERNST J. G.
xviiie siècle. Allemand.

Peintre de portraits.
Peut-être faut-il l'identifier avec Jordan Ernesti.

ERNST Jakob
Né à Windsheim. XVIe-XVIIe siècles. Allemand.
Sculpteur.
Il s'établit à Nuremberg.

ERNST Jimmy
Né en 1920 à Brühl (près de Cologne). XXe siècle. Actif aux États-Unis. Allemand.
Peintre. Abstrait.
Il est le fils de Max Ernst. Étudiant à Cologne, puis à l'École des Arts Appliqués d'Altona, il fit ensuite un apprentissage d'imprimeur-typographe. Il émigra aux États-Unis en 1938, et ne commença à peindre qu'en 1940. Il enseigne depuis 1951 au Brooklyn College. Il obtient une bourse de la Fondation Guggenheim en 1961, année où il fut envoyé en mission en U.R.S.S. par le Département d'État. Il s'est installé à Rowayton (Connecticut).
Il figure dans de nombreuses expositions de groupe, notamment à la Biennale de Venise en 1956 ; à *Abstract Painting and Sculpture in America* au Musée d'Art Moderne de New York en 1951 ; à *Younger American Painters*, au Musée Salomon R. Guggenheim à New York en 1954. Il a réalisé des expositions personnelles : sa première en 1941, puis régulièrement à partir de 1951 à New York.
Ses peintures sont abstraites, d'une composition linéaire franche et claire. ■ J. B.
Bibliogr. : In : *Peintres contemporains*, Mazenod, Paris, 1964.
Musées : New York (Mus. Solomon R. Guggenheim) : *Solitude* 1954.
Ventes Publiques : New York, 24 sep. 1981 : *Idea sequence* 1963, aquar., pl., gche et past. (45,7x83,8) : **USD 550** – New York, 23 mars 1984 : *Nebula 1* 1954, pinceau, encre noire et gche (54x37,3) : **USD 950** – New York, 7 déc. 1984 : *Ancient evidence* 1955, h/t (87x104,7) : **USD 1 500** – New York, 6 déc. 1985 : *Southwestern image* 1958, aquar. et gche/pap. (56,5x77,5) : **USD 1 900** – New York, 4 déc. 1987 : *Hommage à Edgar Varese* 1965, h/t (127x165,7) : **USD 22 000** – New York, 24 jan. 1990 : *Abstrait* 1951, aquar., gche et encre/pap. (50,1x37,7) : **USD 1 430** – New York, 14 fév. 1990 : *Icône urbaine* 1971, gche/pap. (44,4x53) : **USD 1 760** – New York, 12 juin 1991 : *Quasars II* 1967, assemblage de techn. mixte (62,2x62,2) : **USD 1 100** – New York, 10 juin 1992 : *Le petit déjeuner* 1960, h/t (30,5x22,8) : **USD 1 430** – New York, 12 juin 1992 : *Trente jours* 1965, encre/cart. (76,2x101,6) : **USD 3 850** – New York, 2 déc. 1992 : *Abstraction en gris* 1951, gche/pap. (58,4x43,2) : **USD 2 860** – New York, 15 nov. 1993 : *S.R.O. n° 4* 1959, h/pan. (9,5x15,1) : **USD 978** – New York, 24 fév. 1994 : *Sans titre* 1968, aquar. et gche/pap. (45,7x54,6) : **USD 3 450** – New York, 10 oct. 1996 : *Biomorphic shapes* 1941, gche/pap. (22,5x30,2) : **USD 5 462**.

ERNST Joseph
Né en 1746 à Vienne. Mort le 7 juin 1796 à Vienne. XVIIIe siècle. Autrichien.
Peintre.

ERNST Joseph
Né en 1785 à Vienne. XIXe siècle. Autrichien.
Peintre.

ERNST Joseph Anton
Né le 7 mars 1816 à Schollang. Mort le 20 juillet 1893 à Schollang. XIXe siècle. Allemand.
Sculpteur.
Il travailla avec son frère Michael en particulier à Passau.

ERNST Julius
Né le 4 septembre 1830 à Winterthur. Mort le 27 août 1861 à Munich. XIXe siècle. Suisse.
Graveur sur cuivre.
Élève de Diethelm Stäbli au gymnase de sa ville natale, puis à l'Académie de Munich. Il exposa au Turnus à Zurich en 1853, et mourut au début d'une carrière brillante.

ERNST Karl Mathias
Né le 24 février 1758 à Mannheim. Mort en 1830 à Mannheim. XVIIIe-XIXe siècles. Allemand.
Peintre dessinateur et graveur.
Il fut élève de F. A. Leydensdorff et de Verschaffelt et grava d'après les maîtres entre autres Rubens et Coypel. Par la suite il exécuta nombre de portraits comme ceux de la *Duchesse de Wurtemberg* et du *Général Pichegru*.

ERNST Léopold
Né le 14 octobre 1808 à Vienne. Mort le 17 octobre 1862 à Vienne. XIXe siècle. Autrichien.
Peintre d'architectures, intérieurs d'églises.
Il fut élève de l'Académie des Beaux-Arts à Vienne et travailla surtout dans cette ville. En 1848, il devint membre de l'Académie viennoise.
Musées : Vienne : *Intérieur d'une vieille église italienne.*
Ventes Publiques : Lucerne, 25 mai 1982 : *Vue de Venise*, h/t (32x33) : **CHF 750**.

ERNST Martha Christina von
Née en 1774 à Berne. Morte le 5 juin 1854 à Biel. XVIIIe-XIXe siècles. Suisse.
Peintre à la gouache et dessinateur.
Elle aida le peintre F.-N. Kœnig à Unterseen et exposa à Berne en 1804. On cite son portrait par elle-même.

ERNST Martin
XVe siècle. Actif à Strasbourg. Français.
Peintre.

ERNST Max
Né le 2 avril 1891 à Brühl (près de Cologne). Mort le 1er avril 1976 à Paris. XXe siècle. Depuis 1922 actif en France, de 1941 à 1949 actif et depuis 1948 naturalisé aux États-Unis, et depuis 1958 naturalisé en France. Allemand.
Peintre, peintre de collages, graveur, illustrateur, sculpteur. Dadaïste, surréaliste.
Il était fils d'un instituteur dans une école pour sourds-muets, qui suivait en même temps sa vocation de peintre amateur et passionné. Il a dit de sa mère qu'elle possédait « le sens de l'humour et des contes de fées », pastichant certainement les vers de Goethe concernant sa propre mère, de laquelle il tenait : « ... die frohe Natur – Und Lust zu fabulieren ». À l'exemple du père, il dessina très jeune. La mort de sa sœur, en 1897, éveilla dans sa conscience d'enfant des sentiments de destruction et de néant. Ses propres maladies infantiles et la fièvre lui firent découvrir les phénomènes d'hallucinations. En 1906, la mort de sa perruche rose coïncidant avec la naissance d'une sœur fut à l'origine de son identification de l'humain, et de lui-même, à l'oiseau, dont un spécimen, *Loplop, supérieur des oiseaux*, figurera dans des peintures. Jusqu'en 1911, il fit d'abord des études de philosophie, puis de psychiatrie et d'histoire de l'art à la Faculté des Lettres de Bonn, jusqu'en 1912. Le contact avec des exemples d'art psychopathologique le troubla. Il commença à peindre sans maître. Il admirait Goya, Van Gogh, Gauguin, Matisse, Kandinsky, lisait les Romantiques allemands, Nietzsche et Freud. Ce fut en 1911 qu'il entra en relation bientôt amicales avec August Macke, qui lui fit connaître les groupes munichois de la *Brücke* et du *Blaue Reiter*. Il fit alors quelques linogravures dans l'esprit de ceux de la *Brücke*. Il devint membre du groupe *Jeune Rhénanie*, animé par Macke. En 1912 il vit l'exposition des futuristes à Cologne. En 1913 aussi, chez August Macke, il rencontra Apollinaire et Delaunay. Il fit également son premier voyage à Paris. Pendant la guerre, où il fut mobilisé, « la rage au cœur » d'y sacrifier « sa vie magnifique », jusqu'à la fin, il en éprouva l'horreur qui lui communiqua les réactions nihilistes qui le prédisposaient à l'action dadaïste militante. Il put cependant ne pas rompre totalement avec la peinture et il adhéra, en 1916, au groupe *Der Sturm*. Après la guerre, en 1919, avec Arp revenu à Cologne et le fils d'un banquier qui prit le pseudonyme de Bargeld (Argent comptant), il fondèrent le groupe Dada de Cologne *Centrale W/3*, dont l'activité fut brève mais virulente, à nette tendance politique : une exposition autour d'un urinoir public, avec une statue du maréchal Hindenburg maculée de peinture rouge et transpercée de clous, publication d'un journal extrémiste *Der Ventilator*, puis du *Bulletin D*, puis de l'unique numéro de la revue Dada *Die Schammade*. Ernst participa à la grande Foire Dada de Berlin en 1920 ; une nouvelle exposition Dada *Dada Vorfrühling* (Pré-printemps Dada) à la brasserie Winter (Hiver) de Cologne fut fermée par la police. Ernst se fixa à Paris en 1922, après un séjour de deux étés dans le Tyrol avec Tzara et Arp. Habitant avec Éluard à Saint-Brice, avec lequel il s'était lié s'étant aperçu que leurs régiments s'étaient fait face pendant la guerre, il participait aux activités de ceux qui, groupés autour de la revue *Littérature*, allaient bientôt constituer le groupe surréaliste, qu'il représenta, dans une peinture de 1922 *Au rendez-vous des amis*, en compagnie de Raphaël, de Dostoïevsky et de Chirico, composition dont l'esprit n'était pas sans analogie avec *L'île des morts* d'Arnold Böcklin, qui fut souvent considéré

comme l'un des précurseurs du surréalisme. En 1924, Ernst fit un voyage en Extrême-Orient. À ce moment, la position d'André Breton était nette : il s'agissait de substituer à ce qu'il qualifiait soudain péremptoirement de mystifications négatrices (de Dada), des propositions positives. Quelles propositions ? Essentiellement le recours aux puissances créatrices du hasard et de l'inconscient, qu'il avait découvertes au cours de ses débuts d'études médicales, ayant eu la curiosité des travaux de Freud, mais qu'il eut souvent tendance à amalgamer avec les parapsychologies et spiritualismes les plus douteux, et jusqu'à l'astrologie. Max Ernst, pour sa part, resta beaucoup plus fidèlement dans la ligne de Dada, insaisissable, échappant à tout et surtout aux définitions. Cependant, il participa à la première exposition du surréalisme, à Paris en 1925. Collant plus à l'esprit du surréalisme qu'à sa lettre, Max Ernst multipliait ses activités. En 1926, collaborant avec Miro aux décors de *Roméo et Juliette* pour les Ballets Russes, il s'attira les foudres du grand prêtre et sévère censeur du surréalisme, pour « s'être prêté à une compromission avec les puissances de l'argent ». Après avoir participé à l'Exposition Internationale du Surréalisme en 1938, il se sépara du groupe et acheta une maison à Saint-Martin-d'Ardèche, qu'il décora de sculptures et de reliefs muraux, et où il vécut avec Léonora Carrington. En 1937-1939, il réalisa les décors pour *Ubu enchaîné* d'Alfred Jarry, au Théâtre des Champs-Élysées. À la déclaration de guerre, il fut interné, en 1939-1940, en tant qu'Allemand, au Camp des Milles, dans le Sud de la France, d'où il fut libéré à la suite d'une pétition lancée par Éluard et put partir pour les États-Unis, où il resta jusqu'en 1949, y prenant la nationalité américaine. Il arriva à New York le 14 juillet 1941, où il retrouva André Breton et Marcel Duchamp, avec lesquels il fonda la revue surréaliste *VVV*, participant de nouveau aux publications et expositions surréalistes. Avec une jeune femme peintre des plus douées, Dorothéa Tanning, qui devint sa quatrième épouse en 1946, il s'installa à Sédona dans l'Arizona. Il revint en Europe en 1953, s'installa, à partir de 1955, à Huismes près de Chinon en Touraine, puis à Seillans dans le Var, puis revint définitivement à Paris. Après que lui eut été attribué le Grand Prix de Venise en 1954, cette fois-ci, il fut exclu par André Breton du groupe surréaliste pour l'avoir accepté, comme si un Prix de peinture était beaucoup plus ridicule qu'un brevet de Surréalisme. En 1959 lui était attribué le Prix National des Arts.

Ernst participa à des expositions collectives. En 1911, certaines sources mentionnent deux expositions à Bonn et Cologne, mais il semble y avoir confusion avec 1913 ; en 1913, il participa, avec des peintures expressionnistes, au premier Herbst Salon (Salon d'Automne) allemand, organisé à Berlin par la revue *Der Sturm* (La Tempête), où il se trouvait en compagnie de Chagall, Delaunay, Kandinsky, Klee, Macke et autres. La même année, avec les jeunes expressionnistes de Rhénanie, il exposa à Bonn et Cologne. En 1914, à l'occasion de l'exposition du Werkbund (Groupe de Création) à Bonn, il fit la connaissance de Hans Arp, qui lui fit lire Rimbaud, et avec lequel il restera intimement lié. En 1916, quelques-unes de ses peintures furent exposées au groupe *Der Sturm*. Après la guerre, en 1920, il participa à la grande Foire Dada de Berlin. Il participa à la première exposition du surréalisme, à Paris en 1925, à la Galerie Pierre (Loeb). En 1931, il participa à l'exposition du Musée d'Art Moderne de New York *Fantastic Art, Dada, Surrealism*. Dans une toute autre acception, sa peinture *La Belle Jardinière* de 1923, fut exposée par les nazis à Munich en 1937, dans le contexte de l'exposition de « L'Art Dégénéré ». En 1938, il participa à l'Exposition Internationale du Surréalisme. À son arrivée à New York, il participa de nouveau aux expositions surréalistes.

Ses peintures et autres travaux firent surtout l'objet de nombreuses expositions personnelles. En 1921, André Breton organisa et préfaça une exposition personnelle des collages de Max Ernst à la galerie *Au sans Pareil* de Paris. En 1931 eut lieu sa première exposition à New York, puis en 1936, avec quarante-huit peintures. Bien accueilli à son arrivée à New York, les expositions qu'il y fit de ses œuvres ne rencontrèrent que peu d'écho. En 1947, d'autres sources donnent 1945, Paul Éluard avait organisé en hommage une exposition rétrospective de ses œuvres à la galerie Denise René de Paris, où il revint se fixer en 1949. En 1950, une exposition rétrospective à la galerie René Drouin fut un échec. En 1951 fut organisée une grande rétrospective dans les ruines du château de l'archevêque de Cologne à Brühl, son village natal. En 1959, le Musée National d'Art Moderne de Paris lui consacrait une grande exposition rétrospective, puis le Museum of Modern Art de New York en 1961, la Tate Gallery de Londres et le Wallraf Richartz Museum de Cologne en 1962, le Kunsthaus de Zurich en 1963, le Jewish Museum de New York en 1966, le Moderna Museet de Stockholm en 1969, le Stedelijk Museum d'Amsterdam et le Wurttembergischer Kunstverein de Stuttgart en 1970, Paris de nouveau au Musée de l'Orangerie en 1971 à l'occasion de son quatre-vingtième anniversaire, cette exposition ayant ensuite circulé dans de nombreuses villes d'Allemagne et de France, New York au Musée Guggenheim en 1975, Paris au Grand-Palais en 1976, Londres à la Tate Gallery en 1990, Paris au Musée National d'Art Moderne en 1991-1992 pour la commémoration du centième anniversaire de sa naissance. En 1997, le Musée de Libourne a présenté l'exposition *Max Ernst – Estampes et Livres illustrés : 1919-1975*.

Si, comme la plupart des auteurs l'ont fait, il est tenté ici d'établir une chronologie dans l'œuvre de Max Ernst, il apparaîtra bientôt évident que les périodes et l'esprit qui en anime les activités, se chevauchent et s'entrecroisent, en parfait accord avec sa volonté de rester disponible pour toutes les sollicitations de l'instant. À la veille et au début de la Première Guerre mondiale, période qui peut être considérée comme celle des premières influences, ses premières peintures, sur des thèmes rhénans de forêts et d'architectures gothiques, étaient influencées par les expressionnistes de la *Brücke* et du *Blaue Reiter*, d'entre lesquels il connaissait August Macke. Des influences cubistes et futuristes s'y manifestaient aussi. Au lendemain de la guerre, en 1919, certains mentionnent qu'il subit l'influence de Picasso et d'Archipenko. Celle de Chirico, qu'il découvrit dans la revue *Valori Plastici*, se traduisit ouvertement dans le recueil de huit lithographies *Fiat modes pereat ars*, dans lesquelles des mannequins évoluent dans des décors de places publiques.

Une deuxième période peut englober la participation à Dada et les premiers collages. Lors des débuts de la période Dada, avec Arp, ils réalisèrent ensemble les *Fatagagas* (fabrication de tableaux garantis gazométriques), collages qui préfigurent les procédés d'écriture automatique que pratiqueront les surréalistes. L'idée du collage lui était venue comme il le raconte : « En 1919, me trouvant par un temps de pluie dans une ville au bord du Rhin, je fus frappé par l'obsession qu'exerçaient, sur mon regard irrité, les pages d'un catalogue illustré... J'y trouvais réunis des éléments de figuration tellement distants que l'absurdité même de cet assemblage provoqua en moi une intensification subite des facultés visionnaires... Il suffisait alors d'ajouter sur ces pages de catalogue, en peignant ou en dessinant, et pour cela en ne faisant que reproduire *ce qui se voyait en moi*, une couleur, un crayonnage... pour obtenir une image fidèle et fixe de mon hallucination, pour transformer en drames révélant mes plus secrets *désirs* ce qui auparavant n'était que de banales pages de publicité. » D'emblée, le procédé du collage chez Max Ernst se distingue radicalement des collages cubistes. Chez les cubistes, le collage correspondait exclusivement à des objectifs plastiques, alors que chez Ernst le collage est d'abord un moyen d'expression, la recherche de significations nouvelles où tous les hasards de circonstances ont la possibilité d'intervenir. Ses collages résultent de deux procédés légèrement différents : ou bien Ernst complète, par le dessin ou la peinture, une image préexistante, gravure de catalogue ou toute autre illustration ou bien il juxtapose, dans la plus grande liberté, des fragments découpés à partir d'images prélevées de différentes sources, catalogues de vente par correspondance, encyclopédies techniques, illustrations de Jules Verne, photographies, et que rien ne destinait à se trouver associées. Ce furent ces premiers collages, dont il tira, à deux ou trois exemplaires, des agrandissements photographiques, qui avaient la propriété de gommer les traces de l'opération du collage préliminaire, expédiés de Cologne à Paris, qui furent accueillis par Breton et le groupe comme une révélation. De 1920 date le collage nommé communément *L'Avionne meurtrière*, machine volante à bras de femme. Ce fut à partir de ces collages qu'Ernst illustra, en 1921, *Répétitions* d'Éluard, et *Les Malheurs des Immortels*, proses poétiques qu'il écrivit lui-même en collaboration avec Éluard en 1922. Pendant la période Dada, Max Ernst avait réalisé des objets en trois dimensions, composés d'éléments hétéroclites dérisoirement assemblés, qui sont presque tous perdus.

La période suivante peut être attribuée à sa participation au surréalisme. Depuis 1921, il avait entrepris de réaliser des peintures dans l'esprit de ses collages, les « collages peints à la main » : *Oedipus Rex*, *L'Éléphant Célèbes*, *Sainte Cécile*, et jusqu'à la *Pietà ou la Révolution la nuit* de 1923, considérée comme étant la première peinture de l'histoire du surréalisme, antérieure d'ailleurs d'un an au manifeste de Breton, en même temps que pour Ernst la dernière production de sa période Dada : un homme moustachu, vêtu bourgeoisement, porte un adolescent qui semble flotter dans l'espace, et regarde la silhouette, dessinée sur un mur, d'un vieil homme blessé à la tête. Peu avant 1924, il pratiqua une peinture en relief, en y mêlant plâtre ou liège : *Oiseaux roses*. En 1924, dans *Deux enfants menacés par un rossignol*, il introduisit des éléments réels : un bouton de sonnette, une petite barrière. En 1925, cet inépuisable investigateur de l'inédit trouva le procédé du « frottage », qui consiste à frotter avec une mine de plomb des feuilles de papier placées sur toutes les surfaces rugueuses qui se présentent : d'abord les lames de parquet qui avaient obsédé son regard, dont les empreintes ainsi piégées, puis complétées de la façon dont Vinci préconisait d'interpréter les taches d'humidité sur les murs, donnent des paysages mystérieux peuplés de créatures étranges, puis sur des feuilles d'arbres, cannelures de chaises, toile de sac effilochée, etc. Mais, au fait, n'avait-il pas là, adulte, redécouvert quelque chose que tous les enfants connaissent ? Il déclara lui-même : « Mon œuvre est à la fois une sorte de rappel à l'enfantillage et le désir de créer un univers pictural à la mesure de la situation tragique de l'homme d'aujourd'hui. » De l'emploi de ces procédés sont résultés : l'*Histoire Naturelle* publiée en 1926 par Jeanne Bucher, les *Rêveries Surréalistes*, et les peintures où il reportait le procédé du frottage sur des toiles, d'entre lesquelles la *Vision provoquée par l'aspect nocturne de la Porte Saint-Martin*, et la série des *Villes* de 1927. En 1927, il avait exposé aussi des *Objets trouvés*, en général simples cailloux choisis pour la perfection non élaborée de leur forme, exposés afin d'attirer l'attention sur l'existence fréquente d'une beauté plastique qui ne soit pas due à une création artistique. Comme, à tous les moments de sa vie et de sa pensée créatrice, Max Ernst se livrait à plusieurs activités à la fois, ce fut aussi un moment de création picturale intense, dans laquelle il développa la plupart des thèmes majeurs de sa symbolique personnelle : les thèmes concernant un univers figé : forêts, végétaux et fleurs fossilisés, villes désertées, mer morte sous un ciel aux astres muets, et les thèmes dynamiques du vent, du feu, de l'amour et celui de l'oiseau, avec lequel il entretenait une relation privilégiée. En 1929, avec *L'Intérieur de la vue*, il établit une relation métaphorique entre l'œil, l'œuf et l'oiseau, qui se répercutera au long de son œuvre, l'oiseau y figurant la possibilité de liberté, liberté dont il fit la seule règle de sa création à tous vents. À la suite des frottages, il commença la publication de ses « Romans-Collages » : *La Femme 100 Têtes* 1929, où règne *Loplop, le supérieur des oiseaux*, que Breton décréta « par excellence, le livre d'images de ce temps », puis *Rêve d'une Petite Fille qui voulut entrer au Carmel* 1930, *Loplop présente* 1932, *Une Semaine de Bonté ou les Sept Éléments capitaux* 1934, roman muet sans commentaires marginaux. Par la technique du collage, associée à des frottages, grattages, décalques, il rapproche de façon incongrue des illustrations innocentes et naïves, prélevées d'ouvrages d'aventures, de romans sentimentaux, de traités techniques, obtenant de leurs juxtapositions inattendues des effets surprenants, où le monstrueux, l'anticléricalisme et l'érotique se tempèrent ou se renforcent, d'humour.

Dans une nouvelle période, coïncidant à peu près avec son éloignement du groupe surréaliste et de ses impératifs institutionnels, de nouveaux thèmes vont se développer et se matérialiser surtout dans la technique retrouvée de la peinture. En 1933, il peignit *La Foresta inbalsamata*, où commence à s'épanouir en force le thème de la forêt, abordé ici ou là précédemment. En 1934, il grava des hommes-oiseaux et des nymphes-grenouilles sur des galets polis, créatures qu'on trouve bientôt peuplant les forêts mystérieuses de ses peintures. À la suite d'un séjour en Suisse, en 1934-35, avec Alberto Giacometti, il réalisa ses premières sculptures *La Belle Allemande, Oiseau-tête*. Il crée aussi de grandes figures symboliques : *Œdipe, Les Asperges de la Lune*. À partir de 1934-1936, ses créations se dégagent du procédé du collage. Il revint aux moyens traditionnels du dessin et de la peinture pour représenter formellement ses imaginations intérieures. Comme à toutes les époques de son œuvre, son cheminement est difficile à suivre, tant il se faisait une règle de négliger toute progression rationnelle, pour rester perpétuellement à l'écoute de ses sollicitations les plus secrètes, ayant résolu une fois pour toutes d'accepter sans conditions l'irrationalité de la psychologie des profondeurs, se montrant en cela le plus intransigeant des surréalistes. De là le manque de lien logique entre ses œuvres, qui, toutes, pour lui, devaient répondre à l'impératif d'être d'abord des expérimentations subies, et non des créations concertées. Des peintures de cette époque, considérée comme l'une des plus fécondes, sont le plus souvent citées : celles autour du thème de *La Nymphe Écho, Les Jardins gobe-avions* de 1934-1935, ceux-ci sans doute inspirés à Ernst par les événements mondiaux et sa tenace hantise de la guerre, avec son inquiétude d'être inscrit sur les listes noires de nazis, car il était alors encore allemand, la *Fête de la faim* de 1935 encore dédicacée à André Breton, les *Villes entières* de 1936, dites aussi *Les Murailles de Chine*, et encore les *Jungles*, qui donnaient un prolongement aux surprises dues à la technique du frottage, par l'application de la « décalcomanie sans objet » inventée par Oscar Dominguez, consistant à créer des images à partir de taches écrasées, tout en présageant les paysages fantastiques de la période américaine, angoissantes accumulations de végétations tentaculaires, animées de présences indistinctes.

De l'époque américaine datent les œuvres qui constituent d'abord la suite de la série des *Jungles* : de 1940-1941 : *Le Triomphe de l'Amour, Le Miroir volé ; L'Europe après la pluie* de 1940-1942, inspirée de la tragédie de la guerre ; *Napoléon dans le désert* de 1941 ; *Le Surréalisme et la peinture* de 1942 ; de 1944 : *L'Œil du Silence, La Nuit Rhénane*, ainsi que la série des *Décalcomanies* qui ne sera publiée qu'en 1953. Une fois installé, avec Dorothéa Tanning, dans l'Arizona, il dressa devant le désert un groupe de très grands personnages totémiques en ciment et le monumental *Capricorne* de 1948. Il réalisa également une série de personnages, ensuite coulés en bronze, parmi lesquels : *Un ami inquiet* et *Le Roi jouant aux échecs avec sa Reine*. En collaboration avec Paul Éluard, il illustra les huit *Poèmes visibles : À l'intérieur de la vue*. Quant à la peinture, depuis l'utilisation des frottages et autres décalcomanies, Ernst se disait « spectateur, assistant à la naissance de ses propres tableaux ». Des peintures de cette époque : *Peinture pour un Jeune Peuple, Vox Angelica* de 1943, *L'Œil du Silence* de 1944, *Euclide* de 1945, *Dessin sur Nature* de 1947, Frank Elgar écrit qu'elles « nous reportaient au temps immémorial des fossiles, des alluvions, des flores pourrissantes, des monstrueuses genèses », et Jacques Lassaigne les décrit comme « un étrange chaos de formes, qui se présente comme une sorte de raccourci de l'évolution cosmique : des madrépores et d'étranges minéraux, des plantes se muant en insectes, des yeux humains et des mufles de bêtes apparaissant à la surface de silhouettes pétrifiées... Une des meilleures réussites du Surréalisme, dans son exploration des mondes inconnus nés du rêve et de l'imagination. » Il convient de noter qu'en Arizona, Ernst s'était trouvé au cœur de paysages de falaises gigantesques, de roches rouges aux formes torturées, en accord avec ceux qu'il avait créés auparavant dans ses peintures.

Avec son retour des États-Unis commence une nouvelle période, qui peut être considérée comme la dernière. Entre toutes les techniques expérimentées ou inventées par Max Ernst, la peinture ne lui a jamais été qu'un moyen d'expression parmi les autres existants ou à découvrir. Dans sa seconde période française, c'est à ses œuvres ressortissant à la sculpture qu'il a réservé ses imaginations encore issues de l'esprit Dada ou du surréalisme : *Êtes-vous Niniche ?*, assemblage d'objets trouvés, dont deux jougs de bœufs, *Le Génie de la Bastille* de 1960, monument élevé à quelque gloire effacée avec sa dédicace, *Les Âmes sœurs* de 1962. Lorsqu'il fut installé en Touraine, il fit exécuter par un tailleur de pierre quelques sculptures monumentales, notamment le groupe du *Corps enseignant pour une École de Tueurs* de 1967. Au contraire, les peintures de cette dernière période rompaient assez radicalement avec l'ensemble de son œuvre. On ne peut pas dire pourtant que leur inspiration soit infidèle aux principes du surréalisme. Comme l'écrit Maurice Raynal, il compte toujours « sur la spontanéité du hasard pour la révélation d'éléments jamais associés et qui contribuent au dépaysement systématique qu'exige la doctrine surréaliste », ce à quoi Maurice Raynal ajoute « quitte pour lui à leur donner la forme personnelle de ses intentions et de ses visions ». Et, en effet, dans ces dernières œuvres, la part de l'élaboration consciente, le souci de la forme picturale, prennent plus d'importance. Ce n'est plus le hasard de l'imagination qui commande la forme, mais, à l'inverse, les hasards du geste qui révèlent l'idée poétique, ainsi de cet envol de touches légères de blanc posées au couteau sur un fond bleu qui impose en conclusion le titre *Enseigne pour une École de Mouettes*. À cet ensemble appartiennent *Le Cri de la mouette* 1953, *Ophélie* 1953-55, *Le cavalier polonais* 1954, *Le Vingtième Siècle* 1955, *Rayons cosmiques* 1960-62, *Le Mariage du Ciel et de la Terre*

1962. Dans cette même époque, on retrouve souvent en peinture, pour exemples dans l'*action painting* ou chez Henri Michaux, ce report de l'intervention du hasard et de l'inconscient depuis le niveau préalable de la conception psychique à celui du geste manuel, la matérialisation existentielle précédant l'imagination mentale.
Après 1960, Max Ernst pratiqua de nouveaux assemblages et collages, assemblant objets collectés et éléments peints, souvent comme distraitement. Sans jamais avoir triché avec lui-même, ce qui revient à dire : en n'ayant jamais cessé de tricher avec une réalité toujours niée, n'ayant suivi que sa fantaisie au jour le jour et jusqu'aux extrêmes, ne s'étant jamais soucié d'attirer l'attention sur les apparentes extravagances qui étaient son quotidien, Max Ernst a suivi son chemin plus qu'il ne l'a tracé, au bout duquel il a rencontré, fortuitement, et parce que ce qu'il disait depuis si longtemps commençait à être entendu, la consécration publique. Pourquoi l'aurait-il refusée par artifice, dès lors qu'il ne pouvait plus que la subir, amusé. Ses dernières peintures matérialisent des images d'origine plus formelle que mentale, plus plastique qu'intellectuelle, en même temps que les hallucinations d'autrefois ont fait place à des inventions légères, aériennes, où s'exprime la découverte nouvelle d'une paix intérieure, gagnée au bout du long chemin parcouru par ce seigneur mince et de haute taille, au profil d'oiseau à l'œil clair, venu des forêts germaniques jusqu'au Val de Loire. ■ Jacques Busse

Bibliogr. : Jacques Lassaigne, in : *Diction. de la Peint. Mod.*, Hazan, Paris, 1954 – Patrick Waldberg : *Max Ernst*, J. J. Pauvert, Paris, 1958 – Aragon, Bataille, Bousquet, Breton, Crevel, Éluard, Tzara : *Max Ernst*, Gonthier-Seghers, Paris, 1960 – Alain Bosquet : *Max Ernst, Œuvre sculpté, 1913-1961*, Le Point Cardinal, Paris, 1961 – J. Hugues : *Max Ernst, Écrits et Œuvre gravé*, Le Point Cardinal, Paris, 1963-1964 – José Pierre : *Le Futurisme et le Dadaïsme* et *Le Surréalisme*, in : *Hist. Génér. de la Peint.*, tomes 20 et 21, Rencontre, Lausanne, 1966 – Frank Elgar, in : *Diction. de l'Art et des Artistes*, Hazan, Paris, 1967 – Herta Wescher, in : *Nouveau diction. de la Sculpt. Mod.*, Hazan, Paris, 1970 – Max Ernst : *Écritures*, Paris, 1970 – C. Sala : *Max Ernst et la démarche onirique*, Paris, 1970 – divers : Catalogue de l'exposition *Max Ernst*, Musée de l'Orangerie, Paris, 1971 – Gilbert Lascault : *Sur la planète Max Ernst*, Maeght, Paris, – in : *Diction. Univers. de la Peint.*, Le Robert, Paris, 1975 – Werner Spies et divers : Catalogue de l'exposition *Max Ernst*, Mus. Nat. d'Art Mod., Paris, 1991 – Ludger Derenthal, Jürgen Pech : *Max Ernst*, NEF/Casterman, Paris, 1992 – Max Ernst, Jürgen Pech : *Max Ernst Sculpture*, Charta, Milan, 1996.

Musées : Amsterdam (Stedelijk Mus.) : *La Horde* 1927 – Bâle (Mus. des Beaux-Arts) : *La Grande Forêt* 1927 – Bonn (Collections de la Ville) : *Forêt-Arêtes* 1926 – Cologne (Mus. Ludwig) : *Au rendez-vous des amis* 1922 – Cologne (Wallraf-Richartz Mus.) : *Chant du criquet sur la lune* 1953 – Grenoble (Mus. des Beaux-Arts) : *La Forêt* – Hartford (Wadsworth Atheneum) : *L'Europe après la pluie* 1940-41 – Houston (The Menil coll.) : *Le Fleuve Amour* 1925, frottage – *La Femme 100 têtes ouvre sa manche auguste* 1929, collage – Londres (Tate Gal.) : *L'Éléphant Célèbes* 1921 – *Et les Hommes n'en sauront rien* 1923 – Madrid (Mus. Thyssen-Bornemisza) : *Arbre célibataire et arbres conjugaux* 1940 – Manchester (Art Gal.) : *Ville* 1937 – Marseille (Mus. Cantini) : *Monument aux oiseaux* 1927 – *La fête à Seillans* 1964 – Montréal (Mus. d'Art Contemp.) : *Jeune fille en forme de fleur* 1957, bronze – New Haven (Société Anonyme) : *Paris rêve* 1924-25 – New York (Mus. of Mod. Art) : *Ici tout flotte fatagaga* 1920, en collaboration avec Arp – *C'est le chapeau qui fait l'homme ou le style c'est le tailleur* 1920 – *Grelots-graminées* 1921 – *Vieillard, Femme et Fleur* 1923-1924 – *Deux Enfants sont menacés par un Rossignol* 1924 – *Asperges de la Lune* 1935, sculpt. – *La Nymphe Écho* 1936 – *Napoléon dans le désert* 1941 – New York (Solomon R. Guggenheim Mus.) : *Un ami inquiet* 1944 – Paris (Mus. Nat. d'Art Mod.) : *Ubu Imperator* 1923 – *Fleurs de coquillages* 1929 – *Capricorne* 1945-1967, sculpt. – *Après le sommeil* 1958 – Saint Louis (Washington University Art coll.) : *L'œil du Silence* 1944 – Tel-Aviv : *La Planète affolée* 1942 – Venise (Peggy Guggenheim coll.) : *Jardin Gobe-avions* 1936 – Zurich (Kunsthaus) : *La Ville entière* 1935-36.

Ventes Publiques : Paris, 29 déc. 1944 : *Deux personnages* : **FRF 1 800** – Paris, 15 juin 1945 : *Compo-Abstraction* 1925 : **FRF 9 000** – Paris, 28 jan. 1949 : *Composition* : **FRF 34 000** – Paris, 21 juin 1954 : *Composition* : **FRF 52 000** – Paris, 11 déc. 1957 : *Oiseau en cage*, craie : **FRF 260 000** – Paris, 5 mars 1958 : *Ciel bleu aux Colombes*, h/t : **FRF 380 000** – Paris, 16 juin 1959 : *Composition*, h/t : **FRF 3 300 000** – New York, 11 nov. 1959 : *Sea Forms*, h/t : **USD 4 500** – Stuttgart, 20 nov. 1959 : *Du verre*, frottage au cr. : **DEM 3 400** – Londres, 6 juil. 1960 : *Ville-Arêtes*, h/t : **GBP 850** – New York, 26 avr. 1961 : *Le Surréalisme et la Peinture*, past. : **USD 4 000** – Stuttgart, 3-4 mai 1962 : *Oiseaux et Océan (recto)* ; *Arizona (verso)* : **DEM 152 000** – Berne, 10 mai 1963 : *Barbares marchant vers l'Ouest*, gche : **CHF 15 500** – Londres, 1er juil. 1964 : *La Parisienne*, bronze : **GBP 1 800** – New York, 13 oct. 1965 : *La tortue de mer*, bronze patiné noir : **USD 5 000** – Londres, 3 déc. 1965 : *Personnages dont un sans tête*, h. et sable/t. : **GNS 11 000** – Genève, 17 juin 1966 : *Fleurs-Coquillages*, gche : **CHF 21 000** – Milan, 27 avr. 1967 : *Personnages* : **ITL 22 000 000** – Genève, 28 juin 1968 : *Composition au cheval* : **CHF 117 000** – New York, 16 avr. 1969 : *Êtes-vous Niniche ?*, bronze patiné : **USD 8 000** – New York, 26 fév. 1970 : *Êtes-vous Niniche ?*, bronze patiné : **USD 9 000** – Londres, 1er déc. 1971 : *La règle du jeu* : **GBP 19 000** – Paris, 1er déc. 1972 : *Le monde est une fable* : **FRF 200 000** – Paris, 8 avr. 1973 : *Chute de l'Ange* 1923 : **FRF 557 000** – Londres, 4-5 déc. 1973 : *Arizona, frise N° 2*, relief bronze : **GNS 9 500** ; *Le Toréador* : **GBP 90 000** – Paris, 19 juin 1974 : *Le Monde est une Fable* : **FRF 400 000** – Hambourg, 3 juin 1976 : *La forêt est une planche* 1925, frottage (16,7x15,4) : **DEM 12 000** – Milan, 8 juin 1976 : *La belle allemande, Paris* 1934-1935, bronze (H. 58) : **ITL 5 500 000** – Berne, 9 juin 1976 : *Danseuses*, litho. : **CHF 4 100** – Londres, 29 nov. 1976 : *Rêve d'une jeune fille d'un lac* 1940, h/t (65x82) : **GBP 88 000** – Berne, 8 juin 1977 : *Correspondances dangereuses* 1947, pointe-sèche, tirée à 70 ex : **CHF 8 200** – Londres, 28 juin 1977 : *Tête* 1951, techn. mixte/pap. mar./t. (32,5x25,5) : **GBP 5 200** – Berne, 7 juin 1978 : *Danseuses* 1950, litho. : **CHF 4 200** – New York, 1er nov. 1978 : *Gypsy Rose Lee* 1943, h/t (45x59,6) : **USD 110 000** – Zurich, 23 nov. 1978 : *La Reine, le Fou et le Cheval* 1952 (H. 12) : **CHF 9 000** – Londres, 5 déc. 1978 : *Fleurs vers 1927-28*, temp./pap. (24x35) : **GBP 10 000** – Zurich, 30 mai 1979 : *Beatles* 1969, agrandissement photo. colorié sur t. (113x78) : **CHF 14 000** – New York, 5 nov. 1979 : *Evangéline* 1927, h. et plâtre/t. (62x49) : **USD 35 000** – New York, 6 nov. 1979 : *Un ami empressé* 1957, bronze (H. 66,5) : **USD 60 000** – New York, 6 nov 1979 : *Maternité-étude pour « Le surréalisme et la peinture »* 1942, dess. oscillatoire à la pl. (63x49) : **USD 36 000** – New York, 5 nov. 1981 : *Loplop presents* 1930, cr. et frottage/pap. (31,1X22,7) : **USD 11 500** – Londres, 23 mars 1983 : *Poire* 1925, aquar. cr. et frottage (28x18) : **GBP 18 000** – Londres, 8 déc. 1983 : *Les îles du bout du monde* 1955, eau-forte et aquat. en noir et vert (36,8x54,7) : **GBP 1 200** – Londres, 27 mars 1984 : *Monument aux oiseaux* 1927, h/t (162x130) : **GBP 190 000** – Londres, 5 déc. 1984 : *Les fausses positions* 1925, cr. et frottage (43,5X27,5) : **GBP 10 000** – Cologne, 7 déc. 1984 : *Oiseau Janus* 1974, bronze (H. 43) : **DEM 22 000** – New York, 14 mai 1985 : *Capricorne*, bronze (250x208x153) : **USD 875 000** – Londres, 25 juin 1986 : *Loplop présente une fleur* 1931, aquar., gche, frottage cr. et collage (48,9x64,7) : **GBP 29 000** – Londres, 2 déc. 1986 : *Vision provoquée par l'aspect nocturne de la Porte Saint-Martin* 1927, h/t (65x81) : **GBP 240 000** – Paris, 15 déc. 1986 : *Portraits de Paul Éluard et Gala*, dess. et frottage à la mine de pb (24,5x17) : **FRF 40 000** – Paris, 7-8 déc. 1987 : *Gulf stream et soleil*, frottage (25,5x42) : **FRF 70 000** – New York, 18 fév. 1988 : *L'égyptienne*, médaillon d'or (8,3x7) : **USD 3 300** ; *Monsieur New Look*, statuette d'argent (H. 29,5) : **USD 19 800** – Paris, 19 mars 1988 : *Les chiens ont soif*, grav. /pap. Japon (37x22) : **FRF 4 000** ; *Dent prompte* 1969, litho. en coul. /pap. Japon : **FRF 3 500** – Paris, 22 mars 1988 : *Coquillage* 1928, h/t (65x80) : **FRF 930 000** – New York, 12 mai 1988 : *Lune II*, h/t (65,7x80) : **USD 297 000** – Paris, 2 juin 1988 : *La Feuille* 1963, h. collage et branches de feuilles vertes en plastique collées (65x54) : **FRF 347 000** – Paris, 22 juin 1988 : *Forêt pétrifiée* 1927, h/t et grattage (80x99) : **FRF 4 000 000** – Londres, 28 juin 1988 : *Chéri Bibi*, bronze (H. 33,5) : **GBP 4 950** – Londres, 29 juin 1988 : *Triangles* 1928, h/t (19x24) : **GBP 42 900** – New York, 6 oct. 1988 : *Chéri Bibi*, bronze (H. 33) : **USD 6 600** – Paris, 28 oct. 1988 : *Chéri Bibi*, bronze à patine noire (H. 33,5) :

FRF 35 000 ; *Sans titre*, frottage de peint. et cr. gras/t. (34,5x28,5) : **FRF 190 000** – PARIS, 20 nov. 1988 : *Stark vergrösserter Gefrierschnitt...* 1920-1921, grav. reh. d'importants dess. et aquar. (9x10,5) : **FRF 500 000** ; *Plantation boophile d'outremer hyperboréenne* 1921, grav. reh. d'importants dess. et aquar. (9,5x13) : **FRF 540 000** ; *Deux jeunes filles nues* 1925, h/t (74x55) : **FRF 5 400 000** – PARIS, 24 nov. 1988 : *Le cavalier polonais* 1954, h/t (116x89) : **FRF 46 000 000** – MILAN, 14 déc. 1988 : *Le Gulf Stream* 1927, h/pan. (33x41) : **ITL 85 000 000** – LONDRES, 3 avr. 1989 : *Forêt grise*, h/t (80x100) : **GBP 792 000** – PARIS, 9 avr. 1989 : *Fleurs stylisées* 1929, h/t (92x72) : **FRF 4 800 000** – NEW YORK, 3 mai 1989 : *Le Grand Ignorant*, techn. mixte avec une litho. originale mar. sur le volet central, paravent à trois volets (186x166) : **USD 155 400** – NEW YORK, 11 mai 1989 : *Dormeuse* 1955, h/t (46,3x55,2) : **USD 258 500** – MILAN, 6 juin 1989 : *Green Halloween* 1959, h/t (64x55) : **ITL 275 000 000** – PARIS, 12 juin 1989 : *Lune en cage*, techn. mixte (53x44) : **FRF 450 000** – PARIS, 21 juin 1989 : *Sans titre* vers 1935, h/pap. (22,5x31) : **FRF 935 000** – MILAN, 7 nov. 1989 : *L'esquimeau endormi* 1948, h/t (71x61) : **ITL 570 000 000** – NEW YORK, 15 nov. 1989 : *La Découverte de l'or ou du miel* 1946, h/t (35,6x51) : **USD 297 000** – PARIS, 24 nov. 1989 : *Les Mariés du vent* 1930, h/t (92x73) : **FRF 5 400 000** – LONDRES, 28 nov. 1989 : *Femmes traversant une rivière en criant* 1927, h/t (81x60) : **GBP 638 000** – PARIS, 13 déc. 1989 : *Fleurs et coquillages*, gche (23x31) : **FRF 700 000** – SAINT-GERMAIN-EN-LAYE, 4 fév. 1990 : *Objet mobile recommandé aux familles* 1970, sculpt. bois (H. 98) : **FRF 165 000** – NEW YORK, 26 fév. 1990 : *Trois personnages* 1952, bronze à patine brun-doré (H. 12, L. 25,7) : **USD 16 500** – PARIS, 27 mars 1990 : *Poussière* 1965, t. (73x92) : **FRF 1 500 000** – PARIS, 29 mars 1990 : *Une personnalité toujours nouvelle toujours différente* 1934, collage d'illustrations découpées (9,5x30) : **FRF 330 000** – NEW YORK, 16 mai 1990 : *Soleil du désert*, h/rés. synth. (18,4x85,7) : **USD 77 000** – PARIS, 16 juin 1990 : *Le Grand Ignorant*, cercle de cart. découpé et peint. en bleu dans lequel s'inscrit un autre cercle peint. en jaune/contreplaqué noir, paravent de trois panneaux : **FRF 180 000** – LONDRES, 17 oct. 1990 : *Janus*, bronze (H. 43,5) : **GBP 13 200** – DOUAI, 11 nov. 1990 : *L'Étagère de l'objet trouvé*, h./pavatex (25x35) : **FRF 446 000** – NEW YORK, 13 nov. 1990 : *Le Cimetière des oiseaux* 1927, h/t (100,4x80,7) : **USD 962 500** – NEW YORK, 15 nov. 1990 : *La Plus Belle* 1967, bronze à patine brune (H. 182,8) : **USD 308 000** – PARIS, 28 nov. 1990 : *Nautile, coquillage sur fond vert* vers 1928, h/t (avec cadre 39,5x44) : **FRF 1 030 000** – PARIS, 7 déc. 1990 : *Sans titre* vers 1940, gche et cr./pap. : **FRF 82 000** – NEW YORK, 8 mai 1991 : *La Mare aux grenouilles* 1956, h/t (60x73) : **USD 330 000** – LONDRES, 24 juin 1991 : *Vol nuptial* 1931, h/t (81x65) : **GBP 231 000** – LONDRES, 25 juin 1991 : *Forêt et Soleil* 1927, h/t (81x100) : **GBP 528 000** – HEIDELBERG, 12 oct. 1991 : *Étoile de mer* 1950, litho. en coul./Arches (42,6x26,7) : **DEM 5 100** – PARIS, 17 nov. 1991 : *La horde* 1927, h/t (41,5x33) : **FRF 2 100 000** – LONDRES, 4 déc. 1991 : *Deux assistants*, bronze (H. 36, diam. de la base 40) : **GBP 30 800** – PARIS, 23 mars 1992 : *Le grand ignorant*, h., bois, collage et litho., paravent à trois feuilles (183x164) : **FRF 30 000** – LUGANO, 28 mars 1992 : *Une minute de silence* 1964, h. et collage/pan. (41x33) : **CHF 110 000** – NEW YORK, 9 mai 1992 : *Le roi, la reine et le fou*, bronze cire perdue (L. 30) : **USD 8 250** – NEW YORK, 12 mai 1992 : *Le mardi la lune s'endimanche* 1964, h/t (72,7x59,7) : **USD 220 000** – LOKEREN, 23 mai 1992 : *L'animal qui danse sur la tête de mon ami*, frottage (21x14) : **BEF 300 000** – PARIS, 24 mai 1992 : *Paysage tropical*, h/pap. (15x6) : **FRF 250 000** – LONDRES, 1er juil. 1992 : *Fleurs*, h/t, dans un cadre de l'artiste (27x22) : **GBP 50 600** – NEW YORK, 10 nov. 1992 : *Le roi manœuvrant la reine*, bronze (H. 97,8) : **USD 1 210 000** – NEW YORK, 12 nov. 1992 : *Demain* 1959, h. et collage/pan. (33x23,8) : **USD 99 000** – PARIS, 24 nov. 1992 : *Les cyprès à Aix-en-Pprovence* 1939, h/cart. (40x30,5) : **FRF 660 000** – LONDRES, 30 nov. 1992 : *Carte postale idéale*, h/t (28x61) : **GBP 66 000** – MONACO, 6 déc. 1992 : *Oiseaux dans la forêt*, gche/pap./t. (30x22,3) : **FRF 577 200** – LONDRES, 1er déc. 1992 : *Forêt et soleil*, h/pap./cart. (24x32) : **GBP 115 500** – MUNICH, 1er-2 déc. 1992 : *Ethernité* 1971, eau-forte (30x18,5) : **DEM 2 415** – NEW YORK, 12 mai 1993 : *Table mise*, bronze à patine brune (30x54,5x54,5) : **USD 167 500** – MILAN, 20 mai 1993 : *Personnage*, past. (45,5x36) : **ITL 22 000 000** – PARIS, 21 juin 1993 : *Remous*, h/t (66x55) : **FRF 745 000** – NEW YORK, 3 nov. 1993 : *Paysage en ferraille...* 1921, gche encre et cr./pap. imprimé/t. (77,8x67,9) : **USD 706 500** – LONDRES, 29 nov. 1993 : *Coquilles-fleurs* 1929, h/t (113x89) : **GBP 331 500** – LOKEREN, 12 mars 1994 : *La Saint-Charlemagne*, litho. triptyque : **BEF 60 000** – PARIS, 20 mai 1994 : *Sans titre*, grav. (20x15) : **FRF 10 200** – PARIS, 1er juin 1994 : *La Tortue*, marbre noir original (31x27) : **FRF 110 000** – LONDRES, 29 juin 1994 : *Mon Ami Pierrot à Seillans* 1974, bronze (H. 51) : **GBP 43 300** – PARIS, 17 nov. 1994 : *La Fuite* 1940, h/t (94x73) : **FRF 1 380 000** – ZURICH, 7 avr. 1995 : *Masque aux yeux ronds*, bronze (76x33) : **CHF 55 000** – LOKEREN, 20 mai 1995 : *Fontaine d'Amboise, la Tortue*, marbre noir (H. 31, l. 20,5) : **BEF 160 000** – MILAN, 26 oct. 1995 : *Géométrie* 1966, collage et techn. mixte/contre-plaqué (50x42) : **ITL 46 000 000** – NEW YORK, 8 nov. 1995 : *Vénus vue depuis la Terre* 1962, h/t (45,8x37,5) : **USD 112 500** – PARIS, 21 nov. 1995 : *Composition aux oiseaux*, h/pan. (41x27) : **FRF 600 000** – LONDRES, 27 nov. 1995 : *Forêt, soleil, oiseaux* 1927, h/t (79x99) : **GBP 463 500** – PARIS, 13 déc. 1995 : *Portrait d'André Breton* 1926, cr. noir (36x26) : **FRF 100 000** – PARIS, 8 mars 1996 : *Mon Ami Pierrot*, bronze (H. 50) : **FRF 303 000** – NEW YORK, 2 mai 1996 : *La Fuite* 1940, h/t (94x73) : **USD 453 500** – PARIS, 7 juin 1996 : *Affiche pour Surprise du hasard* 1971, litho. trois coul. (38x36,5) : **FRF 4 700** – LONDRES, 24 juin 1996 : *Le Cimetière des oiseaux* 1927, h/t (100x81) : **GBP 364 500** – NEW YORK, 13 nov. 1996 : *Cheri Bibi* 1973, bronze patine noire, une paire (H. 33,3) : **USD 13 800** – LONDRES, 3 déc. 1996 : *Les Fausses Positions, histoire naturelle* 1925, frottage et cr./pap. mar./cart. (48x26,5) : **GBP 17 250** – PARIS, 9 déc. 1996 : *Personnage* vers 1955-1960, fus. et h/pap./t. (24,2x19) : **FRF 142 000** – NEW YORK, 10 oct. 1996 : *Roi, reine et fou*, bronze (H. 14 et L. 29,9) : **USD 9 200** – LOKEREN, 8 mars 1997 : *Judith, porte ouverte sur la forêt* 1961, h/t/pan. (31,5x22,5) : **BEF 500 000** – TEL-AVIV, 23 oct. 1997 : *Monsieur, Madame* 1960, argent/boîtes en bois (H. 24 et 18) : **USD 33 350** – NEW YORK, 14 mai 1997 : *Deux jeunes filles nues* 1925, h/t (74x55) : **USD 464 500** – AMSTERDAM, 4 juin 1997 : *Janus* 1973-1975, bronze (H. 45) : **NLG 71 498** – PARIS, 18 juin 1997 : *Composition au soleil*, h/pan. (14x9,5) : **FRF 100 000** – PARIS, 19 juin 1997 : *Grand masque ovale* 1959, or 23 carats ciselé repoussé, sculpture (28x18,5) : **FRF 75 000** – PARIS, 20 juin 1997 : *Rêve d'une petite fille qui voulut rentrer au carmel* 1930, collage (14,3x17,3) : **FRF 125 000** – LONDRES, 24 juin 1997 : *Loplop présente une fleur – figure anthropomorphe et fleur coquillage* vers 1930, h. et collage/t. (100x81) : **GBP 309 500** – LONDRES, 25 juin 1997 : *Autant rêver d'ouvrir les portes de la mer*, h./plâtre/t. (43x164) : **GBP 78 500**.

ERNST Michael

Mort en 1850. XIXe siècle. Actif à Schöllang. Allemand.

Sculpteur.

Il était le frère d'un Joseph Anton Ernst.

ERNST Otto

Né le 25 novembre 1884 à Kölliken. XXe siècle. Suisse.

Peintre, graveur.

Il fit ses études à Florence et à Paris où il fut élève de Grasset à l'Académie de la Grande Chaumière.

ERNST Otto von

Né le 10 juillet 1853 à Thorn. XIXe siècle. Allemand.

Peintre de scènes de chasse, paysages.

Il travaillait à Düsseldorf. On cite de lui : *Rendez-vous pour la chasse au renard.*

VENTES PUBLIQUES : COLOGNE, 18 mars 1989 : *Paysage boisé près de Langenfeld* 1881, h/pap. : **DEM 1 100**.

ERNST Rudolf

Né le 14 février 1854 à Vienne. Mort en 1932 à Paris. XIXe-XXe siècles. Actif et naturalisé en France. Autrichien.

Peintre de genre, sujets typiques, portraits, peintre à la gouache, céramiste. Orientaliste.

Il entra dès 1869 à l'Académie de Vienne, où il fut élève d'Auguste Eisenmenger et d'Anselme Feuerbach. Il poursuivit ses études à Rome. En 1874 et 1875, il parcourut l'Italie du Nord au Sud, voyagea aux États-Unis, en Espagne, au Maroc et se fixa à Paris en 1876.

Ernst exposa à Vienne et à Munich à partir de 1875 et à Paris, à l'Exposition Universelle de 1889, où il obtint une médaille de bronze et une mention honorable en 1900. Plusieurs de ses tableaux furent exposés à diverses reprises lors des manifestations annuelles de la Société des Amis des Arts de Nantes.

Il reçut la commande du retable de l'église des Favorites à Vienne. Il eut des commandes de personnalités officielles, en Turquie mais aussi en France, dont celles du maréchal de MacMahon et du duc de Castries. Jusqu'en 1884, il fit surtout des portraits et des scènes de genre – enfants charmants et mousquetaires – presque toujours de petites dimensions. Mais à partir de 1885, il ne peignit presque plus que des tableaux orientalistes, à décors marocains, turcs ou hispano-mauresques. Après un voyage qu'il effectua à Constantinople vers 1890, il s'intéressa à la décoration des carreaux en faïence, technique qu'il avait apprise du céramiste et verrier parisien Léon Fargue. Vers 1900, il réalisa plusieurs tableaux de temples hindous, tels *L'Étang sacré* et *Le Temple souterrain*. Ernst égale son compatriote Ludwig Deutsch dans son habileté à peindre les détails.

R.Ernst.

Bibliogr. : Gérald Schurr, in : *Les Petits Maîtres de la peinture 1820-1920, valeur de demain*, Les Éditions de l'Amateur, t. III, Paris, 1976 – Lynne Thornton, in : *Les Orientalistes, peintres voyageurs*, ACR Édition, Paris, 1993.

Musées : Montréal : *À l'étude*.

Ventes Publiques : Londres, 30 nov. 1905 : *La Lumière du Harem* : **GBP 15** – New York, 7 mai 1909 : *La moisson des Roses* : **USD 300** – Paris, 7 avr. 1921 : *Le Tombeau de Mehemed* : **FRF 800** – Londres, 8 déc. 1922 : *Travailleurs du cuivre* : **GBP 60** – Paris, 24-26 avr. 1929 : *Le marchand de tapis* : **FRF 2 300** – New York, 8 jan. 1930 : *Retour de chasse* : **USD 225** – Paris, 12-13 avr. 1943 : *Scène de harem* : **FRF 1 600** – Paris, 26 fév. 1947 : *Scène orientale, la marchande* : **FRF 11 800** – Paris, 24 mai 1976 : *La Moisson des roses*, h/t (72x92) : **FRF 20 000** – Paris, 29 nov. 1976 : *Musulmanes dans un intérieur mauresque*, h/pan. (92x73) : **FRF 12 800** – Londres, 3 nov. 1977 : *L'Arrivée du maître de maison*, h/pan. (71x90) : **GBP 6 000** – New York, 12 oct. 1978 : *La Chasse au tigre*, h/pan. (81x100,3) : **USD 26 000** – Londres, 2 nov. 1979 : *Salomé et les tigres*, h/pan. (70,5x90,8) : **GBP 7 000** – Paris, 7 mai 1980 : *Devant la mosquée*, gche (33x26) : **FRF 15 500** – Bolton, 18 nov. 1982 : *Le fumeur de narguilé*, aquar. (31x46,5) : **USD 3 800** – New York, 24 fév. 1983 : *Musiciens ambulants chez un sultan*, h/pan. (93x72) : **USD 63 000** – Londres, 29 nov. 1984 : *Arabe pensif*, aquar./trait de cr. (54x38) : **GBP 8 500** – Londres, 20 mars 1985 : *La Marchande de fruits*, h/pan. (100x74,5) : **GBP 15 000** – Vichy, 15 nov. 1987 : *Lecture de la lettre*, aquar. : **FRF 65 000** – Paris, 11 mars 1988 : *Marchand arabe devant sa porte*, h/pan. (80x63) : **FRF 365 000** – Paris, 17 juin 1988 : *La Princesse à la rose*, h/pan. (53x65) : **FRF 520 000** – La Varenne-Saint-Hilaire, 23 oct. 1988 : *Dans le Palais*, h/pan. (44,5x37,5) : **FRF 125 000** – New York, 23 mai 1989 : *Le Hammam*, h/pan. (49x61) : **USD 132 000** – Londres, 21 juin 1989 : *A la mosquée*, h/pan. (34x25,5) : **GBP 8 800** – New York, 24 oct. 1989 : *A l'Alhambra* 1888, h/pan. (61,3x49,2) : **USD 93 500** – Paris, 8 déc. 1989 : *La Toilette*, aquar. (26,5x21) : **FRF 62 000** – Londres, 30 mars 1990 : *Le Hammam*, h/t (64,7x53,4) : **GBP 35 200** – Paris, 6 avr. 1990 : *Le gardien du sérail*, aq.et gche (52x32) : **FRF 85 000** – Paris, 27 avr. 1990 : *La récolte des roses*, h/pan. (81x64) : **FRF 350 000** – Paris, 22 juin 1990 : *La lecture du Coran*, aquar. (40x27) : **FRF 52 000** – Londres, 5 oct. 1990 : *Etude d'un tigre*, h/pan. (27,9x36,2) : **GBP 4 950** – Londres, 28 nov. 1990 : *Le garde*, h/pan. (50x61,5) : **GBP 12 650** – Paris, 8 avr. 1991 : *Le guérisseur*, aquar. (49x32,5) : **FRF 12 000** – New York, 22 mai 1991 : *La prière du soir*, h/pan. (81,3x63,5) : **USD 52 250** – Paris, 11 déc. 1991 : *Portrait de Nubien*, h/pan. (35x20,5) : **FRF 11 500** – New York, 28 mai 1992 : *Le garde nubien*, h/pan. (58,4x48,3) : **USD 55 000** – Paris, 2 juin 1992 : *Le musicien et le héron*, h/pan. (42x61) : **FRF 86 000** – Londres, 19 juin 1992 : *La récolte des roses*, h/pan. (71,7x91,5) : **GBP 50 600** – New York, 29 oct. 1992 : *Le mendiant*, h/pan. (45,1x36,8) : **USD 19 800** – New York, 30 oct. 1992 : *L'étude du Coran*, h/pan. (41x24,8) : **USD 24 200** – Paris, 7 déc. 1992 : *La favorite*, h/pan. (93x71,5) : **FRF 410 000** – Paris, 21 juin 1993 : *Musiciens ambulants chez un sultan*, cr. aquar. bistre et gche/pap. cartonné (56x42) : **FRF 45 000** – New York, 13 oct. 1993 : *L'allumeur de lustres de la mosquée* 1885, h/pan. (61x48,9) : **USD 34 500** – Paris, 8 nov. 1993 : *La cueillette des roses*, h/pan. (61x49) : **FRF 510 000** – Londres, 19 nov. 1993 : *Intérieur d'un palais arabe*, h/pan. (65x53,5) : **GBP 78 500** – New York, 16 fév. 1994 : *Après la prière*, h/pan. (81,3x63,5) : **USD 96 000** – Paris, 22 mars 1994 : *La Cueillette des roses*, fus., aquar. et gche (39x30) : **FRF 45 000** – Compiègne, 30 avr. 1994 : *Intérieur de mosquée*, h/pan. (41x32) : **FRF 230 000** – Paris, 5 déc. 1994 : *Le Kief*, h/pan. (38x46) : **FRF 400 000** – New York, 24 mai 1995 : *Dans le harem*, h/pan. (58,4x73) : **USD 85 000** – Londres, 15 mars 1996 : *Le Fumeur de narguilé*, h/pan. (55,2x45,7) : **GBP 80 700** – New York, 23-24 mai 1996 : *La Favorite*, h/pan. (61x49,5) : **USD 109 750** – Londres, 20 nov. 1996 : *Homme devant l'entrée d'un temple hindou*, aquar. (47,5x31) : **GBP 6 900** – New York, 9 déc. 1996 : *Avant la chasse*, h/pan. (71,5x92) : **FRF 84 000** ; *La Lecture*, h/t/pan. (21,5x26,5) : **FRF 55 000** – Paris, 17 nov. 1997 : *L'Imam et la colonne de lumière*, h/pan. (35x27) : **FRF 95 000** – Londres, 21 mars 1997 : *Dans le jardin du harem*, h/pan. (55x45) : **GBP 41 100** – Londres, 13 juin 1997 : *Le Bain turc*, h/pan. (84,1x103,8) : **GBP 103 800** – Paris, 5 juin 1997 : *Nu aux fleurs*, h/pan. (44,5x23) : **FRF 24 000**.

ERNSTING Daniel Albert

Né vers 1750. Mort le 4 janvier 1820. XVIIIe-XIXe siècles. Actif à Brême. Allemand.

Dessinateur et graveur.

Il fut élève de Kollenheger à Göttingen.

EROFEEV Vassili

Né en 1937 à Pokrouskoïe (région de Koursk). XXe siècle. Russe.

Peintre de paysages, portraits.

Il fit ses études à l'École des Arts de Koursk. Il fut nommé Artiste du Peuple d'U.R.S.S. et membre de l'Union des Artistes d'U.R.S.S.

Sa peinture est parfaitement conforme, en esprit et en technique, aux directives de propagande et académiques des instances de l'époque.

Ventes Publiques : Paris, 29 nov. 1990 : *La femme au fichu*, h/t/rés. synth. (55x31) : **FRF 5 000**.

EROL Turan

Né au XXe siècle en Turquie. XXe siècle. Turc.

Peintre, graveur. Abstrait-paysagiste.

Il se forme à l'Académie des Beaux-Arts d'Istanbul. Il complète sa formation par l'étude de la gravure avec Friedlaender. Il a exposé plusieurs fois à Ankara. Il obtient, en 1961, le prix National de peinture en Turquie. Sa peinture se rattache au paysagisme abstrait.

EROLI Erulo

Né le 31 août 1854. Mort en 1916. XIXe siècle. Italien.

Peintre d'histoire, scènes de genre.

Il travailla à Rome, et exposa à Dresde et à Munich en 1887 et 1889. On cite de lui : *Un ange*.

Ventes Publiques : Rome, 24 mars 1992 : *Mousquetaires dans une auberge*, h/pan. (14x10,5) : **ITL 1 725 000** – New York, 24 mai 1995 : *Le Rêve de la femme de Pilate, Claudia Procula*, h/t (201,9x250,2) : **USD 79 500**.

ERÖS Gabor

Mort le 30 janvier 1815. XIXe siècle. Hongrois.

Graveur.

Il fit ses études à Debreczen. On cite de lui : *Anacréon*.

EROS d'Athènes

IIe siècle. Antiquité grecque.

Sculpteur.

On a retrouvé à Olympie une signature de cet artiste.

EROUKMANOFF Marc. Voir **MARC-EROUKMANOFF**

ERPE Johannes Van

XVe siècle. Actif à Gand. Éc. flamande.

Peintre de miniatures.

ERPIKUM, pseudonyme de **Vuilleminot Léon**

Né vers 1835 à Besançon (Doubs). XIXe siècle. Français.

Peintre de scènes de genre, nus, portraits, paysages, lithographe.

Il fut élève d'Hippolyte Flandrin. Il exposa, de 1859 à 1880, au Salon de Paris.

On cite de lui : *L'hésitation* – *Le réveil de Monsieur Bébé* – *Andromède* – *La dormeuse*. On lui doit aussi des séries de lithographies.

Bibliogr. : Gérald Schurr, in : *Les Petits Maîtres de la peinture 1820-1920, valeur de demain*, Les Éditions de l'Amateur, t. III, Paris, 1976.

Musées : Pontoise : *Femme blonde couchée*.

Ventes Publiques : Paris, 4-5-6 avr. 1900 : *Avant le bain* : **FRF 520** – Paris, 20-21 avr. 1904 : *Nymphe près d'une fontaine* : **FRF 105** – Paris, 15-16 juin 1942 : *Femme et Amours* : **FRF 2 000** – Paris, 12 mai 1944 : *Jeune femme au ruban bleu* : **FRF 1 500** – Paris, 15 mars 1976 : *Baigneuse*, h/t (33x24) : **FRF 1 400** – Paris, 2 avr. 1982 : *Femme au ruban bleu* 1905, h/bois (27x21,7) : **FRF 3 000** – Londres, 19 mars 1986 : *Nu couché dans un paysage* 1889, h/t (81x167) : **GBP 4 000**.

ERRANI Charles

Né au XIXe siècle à Versailles (Yvelines). XIXe siècle. Français.

Peintre miniaturiste.
De 1834 à 1838, il envoya au Salon de jolies miniatures.
VENTES PUBLIQUES : PARIS, 7 et 8 juin 1927 : *Portrait de jeune femme brune*, miniat. : **FRF 420**.

ERRANI L.
XIXe siècle. Actif en Italie.
Graveur au burin.
Il a gravé des planches pour l'*Imp. e Reale Galleria Pitti.*

ERRANTE Giuseppe
Né le 19 mars 1760 à Trapini. Mort le 16 février 1821 à Rome. XVIIIe-XIXe siècles. Italien.
Peintre de scènes de genre, portraits.
Il étudia à Palerme et à Rome et fut employé à Naples, au Palais Caserta. Ses opinions politiques l'obligèrent à s'établir d'abord à Milan, puis à Rome, en 1810. Cet artiste réussit surtout dans le portrait bien qu'il ait exécuté aussi des tableaux de genre.

ERRAR Johann ou **Errard**
XVIIe siècle. Actif à Liège vers 1670. Éc. flamande.
Graveur.
Il a gravé des paysages d'après Waterloo.

ERRARD Charles. Voir **ERARD**

ERRARD Gérard Léonard ou **Hérard**
Né en 1630. Mort le 8 novembre 1675. XVIIe siècle. Actif à Liège. Éc. flamande.
Sculpteur et médailleur.
Travailla à Paris avec Varin. Membre de l'Académie royale en 1670, il sculpta plusieurs groupes pour les jardins de Versailles.

ERRARD Jacques. Voir **ERARD**

ERRARD Paul. Voir **ERARD**

ERRAZURIS José Thomas
Né à Santiago du Chili. XIXe siècle. Chilien.
Peintre de genre.
Il figura au Salon des Artistes Français où il obtint une mention honorable en 1888.
VENTES PUBLIQUES : PARIS, 1er juil. 1981 : *Enfant au bord de la mer*, h/t (65x67,5) : **FRF 7 000**.

ERREGOUTS. Voir **HERREGOUTS**

ERREIP-DESVALLIÈRES Jean
Né à Paris. XXe siècle. Français.
Peintre de portraits, compositions religieuses.
Il fut élève de M. Desvallières. Il expose, à Paris, au Salon d'Automne à partir de 1931. Il obtient en 1940 une bourse de voyage d'études, du Salon des Artistes Français.

ERRENS Adolphe Pieter Herman Jacob Van Weezel
Né le 8 juillet 1866 à La Haye. XIXe siècle. Hollandais.
Peintre et graveur.
Il fit ses études à La Haye puis exposa en Hollande, en Belgique et en Allemagne.

ERRI Agnolo
XVe siècle. Actif à Modène dans la seconde moitié du XVe siècle. Italien.
Peintre.
Il était le frère de Bartolommeo. Le Musée de Padoue conserve de lui une *Vierge*.

ERRI Annibale di Francesco di Giorgio
XVIe siècle. Actif à Bologne vers 1500. Italien.
Peintre.

ERRI Bartolommeo
XVe siècle. Italien.
Peintre de compositions religieuses.
Il travailla pour le prince Borso d'Este ; il décora la cathédrale et l'église Saint-Dominique à Modène.
MUSÉES : STRASBOURG : *Vierge*.
VENTES PUBLIQUES : NEW YORK, 20 jan. 1983 : *Le Banquet d'Hérode*, temp./pan. (30x51) : **USD 45 000**.

ERRI Bartolommeo di Gemignano
Né à Modène. XIVe-XVe siècles. Italien.
Peintre.
En 1410 il était à Bologne.

ERRI Benedetto
XVe siècle. Actif à Modène. Italien.
Peintre.
Il travailla pour l'Oratoire de l'Ospedale della Morte à Modène. Il fut le père de Pellegrino.

ERRI Camillo
Né vers 1557 à Modène. XVIe siècle. Italien.
Peintre.
Ce peintre est connu par un tableau conservé dans la Galerie de Modène, signé de lui et daté de 1577. Il représente : *La Prédication de saint Jean Baptiste.*

ERRI Giorgio
XVe siècle. Actif à Modène vers 1400. Italien.
Peintre.
Il était fils de Bartolommeo di Gemignano.

ERRI Ippolita
Morte en 1661 à Modène. XVIIe siècle. Italienne.
Peintre.
Elle était nonne.

ERRI Pellegrino
Mort en 1497 à Modène. XVe siècle. Italien.
Peintre.
Il était fils de Benedetto.

ERRI Pietro
XVe siècle. Actif à Modène. Italien.
Peintre.
Il travailla avec Benedetto.

ERRICO Antonio d'. Voir **TANZIO da Varallo**

ERRICO Giovan Angelo de
XVIe siècle. Actif à Naples en 1577. Italien.
Sculpteur.
Il sculpta un tombeau pour la cathédrale de Naples.

ERRO, pseudonyme de **Gudmundsson Gudmundur** et ancien pseudonyme : **Ferro**
Né le 19 juillet 1932 à Olafsvik (Islande). XXe siècle. Depuis 1958 actif aussi en France et aux Îles Baléares. Islandais.
Peintre de compositions animées, aquarelliste, technique mixte, collages, graveur, dessinateur. Figuration narrative ou nouvelles figurations.
« J'avais douze ans, quand j'ai commencé à peindre, et j'étais tout seul à la campagne », raconte Erro. Guidé par cette passion créatrice, il fréquenta entre 1949 et 1952, l'Académie d'Art de Reykjavik et celle d'Oslo. En 1951, il obtint le diplôme de professeur d'art. Cette période d'apprentissage lui permet de s'initier au travail de la fresque et de la gravure. À partir de 1953, il part pour une série de voyages d'études en Espagne, Allemagne, France et en Italie en 1954. Entre 1955 et 1958, il suit les cours de l'Académie d'Art de Florence et s'initie à la technique de la mosaïque à Ravenne. C'est de cette époque que datent ses premières expositions à Florence et Milan. En 1958 Erro s'installe à Paris, partageant son temps avec l'Islande. En 1962, il réalisa un happening sur *La Catastrophe* avec Jean-Jacques Lebel, à la galerie Raymond Cordier. La même année il publia son premier *Mécanifest*, et réalisa un film : *Mécamorphoses*. En 1963, il publia le deuxième *Mécanifest*, et alla à New York à l'occasion d'une exposition personnelle. En 1964, il entreprit le film *Grimaces*. En 1964, il voyagea en Russie et de nouveau à New York. En 1966, il réalisa le film *Stars*. De 1966 à 1971, il voyagea plusieurs fois à New York et deux fois en Russie, puis en 1967 à Cuba. Il découvrit pour la première fois la Thaïlande en 1972. Il ne cessera de voyager à travers le monde. Il réalise ses aquarelles à Formentera, près d'Ibiza. Il a effectué en 1991 une donation à son pays de plus de deux mille œuvres (peintures, dessins, gravures et collages).
Erro participe à de nombreuses expositions collectives, depuis celle de 1961 au Salon des Surindépendants à Paris ; 1961, Salon de Mai, Paris, dont il devient par la suite membre du Comité ; de 1963 à 1966, Salon Comparaisons, Paris ; 1964, *Exposition surréaliste de Paris* ; de 1965 à 1967, Salon de la Jeune Peinture, Paris ; 1965, *La Figuration narrative dans l'art contemporain*, exposition organisée par G. Gassiot-Talabot ; 1967, *Le Monde en question* ; 1961, 1963, 1965, Biennale de Paris ; 1954, Biennale de Tokyo ; 1964, Biennale de São Paulo ; 1985, avec *Maggy et les Malouines, Beyrouth, La Pologne, Brejnev de Russie, Le Pétrole 1980*, Nouvelle Biennale de Paris ; 1986, Biennale de Venise ; 1991, *Rencontres – Cinquante ans de collages*, exposition organisée par Françoise Monin, galerie Claudine Lustman, Paris ; etc.
Les expositions personnelles se sont succédées depuis 1955 tant en France qu'à l'étranger. Outre celles déjà citées, il expose à la galerie Beaubourg à Paris en 1976, 1977, 1979, à la galerie Gertrude Stein à New York, à la galerie Maeght à Zurich en 1981. De

même que : 1981, rétrospective itinérante circulant dans plusieurs villes scandinaves : Lund, Bergen, Helsinki et Copenhague ; 1985, *Paysages 1959/1985*, Musée d'Art Moderne de la Ville de Paris ; 1986, Abbaye de Montmajour ; 1991, la Réunion ; 1991, 1998, galerie Montenay, Paris ; 1994, Palais des Congrès de Paris.
Erro lui-même a commencé par classer ses œuvres en séries. Jusqu'au milieu des années soixante-dix, on trouve parmi la cinquantaine répertoriée : *Les Carcasses* (1955-1957), *Trans-Agressions* (1958-1959), *Les Vestiaires masqués* (1959-1962), *Mécamake-up* (1960), *Les Usines* et *Moteurs* (1961-1962), *Sex-trémités* et *Maternités* (1963-1964), *Déphysionimies* (1965-1966), *Dépeintures* (1966), *The monsters* (1968), *American Intérieurs* (1970), etc. Si le contenu formel et la trame signifiante de ses toiles se sont bien évidemment modifiés au fil des années, la technique qu'utilise Erro n'a pas fondamentalement varié. Il réalise tout d'abord un premier modèle de peinture à venir, en assemblant une grande quantité de documents découpés de catalogues, de revues périodiques du monde entier, de dépliants publicitaires, de bandes dessinées, dans lesquels sont représentés des affiches politiques, des reproductions de tableaux, des paysages urbains, des personnages célèbres ou inconnus, des personnages dessinés de science-fiction. Il place les images selon leur taille, procède à des superpositions, structure son espace. « Le collage c'est la partie la plus excitante de mon travail, la plus libre : c'est presque une écriture automatique. C'est là que je trouve des solutions formelles pour saturer l'espace », dit-il. Une fois la composition aboutie à maturité, Erro la redessine alors entièrement sur toile, puis la peint. Il s'agit donc de copies de collages, ce qui lui permet une certaine liberté d'interprétation et donne, en outre, de l'unité à l'ensemble. L'univers d'Erro est cosmopolite à souhait. On aperçoit une maoïste marchant sur la place San Marco, Kennedy discourant au milieu d'enfants chinois, des cosmonautes se déshabillant devant les femmes du *Bain turc* d'Ingres, un avion atterrissant au-dessus d'un couple de femmes hindoues dénudées, plus récemment des grouillements de personnages de bandes dessinées, des réalisations plus architecturées dans lesquelles la perspective joue un grand rôle, composées de motifs les plus divers et colorés. Cet assemblage iconographique qui réutilise les informations imagées des médias requiert la participation entière du spectateur dans leur décryptage. Les représentations de figures, d'objets ou de paysages, avant même leur exploitation picturale sont significatives par elles-mêmes de leur histoire passée ou présente, puis de leur existence en tant qu'objets ou faits de connaissance, le plus souvent mondialement connus grâce aux supports des médias. Cette consécration visuelle nous fait associer ces figures aux nombreux concepts de type collectif ou personnel qui les enserrent. Enfin, regardées dans la nouvelle unité de la toile d'Erro, elles se revivifient dans les contrastes les plus déstabilisants. Formellement, le peintre procède à une élimination du support des images (papier de journaux, de magazines, d'affiches, de photos), mais pas de l'image, il conserve en général par le biais de l'illusionnisme, leur apparence originelle. Bien souvent il les colorie, utilisant toujours des couleurs vives, pures et posées en aplat. Erro : « Je peins très vite. J'utilise la technique rapide de la fresque que j'ai apprise en Italie. Il faut terminer l'image avant que la peinture ne soit sèche ». L'appréciation d'une peinture d'Erro nous entraîne dans un travail de repérage. Le confort insatisfait de notre œil parcourt cette figuration qui nous atteint et nous questionne. Plus qu'un kaléidoscope d'images, les peintures d'Erro agissent aussi comme une histoire des idées où se mêlent à travers le temps : la science, la religion, la peinture ancienne du Moyen Âge, celle de la civilisation industrielle, le sacré, le profane, la Chine, l'Italie, la littérature, les « comics », l'érotisme multiculturel lié à l'image de la femme... La peinture d'Erro fait partie de ce mouvement pictural, qui, au milieu des années soixante, a voulu revigorer la forme expressive face à une abstraction impérialiste et réductrice. Ainsi, cette nouvelle figuration ou, selon les termes de Gassiot-Talabot, La « figuration narrative », réunirent des artistes de sensibilités diverses, qui renouvelèrent la figuration en y incluant une réalité temporelle, signe, comme l'écrit Suzanne Pagé, d'une volonté de prise en charge de « l'ensemble de la situation de l'Homme dans sa dimension sensible, idéologique, culturelle et sociale ». Même si Erro dénie tout sens politique défini à ses assemblages, il est impossible de ne pas y déceler la revendication du droit de connaître, de chercher et d'interpeller. Est-ce comme l'écrit J. Busse « une dénonciation de la civilisation moderne, dispensatrice de destruction, d'avilissement, de mort, à travers l'illustration de tous les problèmes contemporains vrais ou inventés : racisme, écologie, guerre, pollution » ou, selon Alain Jouffroy, « les créations d'un homme ouvert à toutes les cultures, à tous les mondes et à tous les anti-mondes... Une peinture conçue pour relancer le plaisir de vivre, l'humour et la liberté totale d'esprit au sein des contradictions de nos sociétés » ? Les deux sans doute. ■ Christophe Dorny, J. B.

Bibliogr. : Gilbert Brownstone : *Erro*, Bibliopus, Paris, 1972 – José Pierre : *Le Pop Art, dictionnaire de poche*, Éditions Fernand Hazan, Paris, 1975 – Pierre Tilman : *Erro*, Éditions Galilée, Paris, 1976 – *Erro*, Éditions Christian Bourgois, Paris, 1979 – *Erro catalogue général*, Éditions Pre-Arte, Milan, 1976 – Alain Jouffroy : *Célébration des collages d'Erro*, préface de l'exposition *Erro-Collages-1957-1980*, galerie Le Dessin, Burrus-Montenay, Paris, 1981 – Jean-Jacques Lebel : *Erro 1974-1986 – Catalogue Général*, Hazan, Paris, 1986 – Maïten Bouisset : *Erro, pêcheur d'images* in : *Beaux-Arts*, Paris, 1991 – Marc Auge : *Erro, peintre mythique*, Paris, 1994.

Musées : Antibes (Mus. Picasso) – Berlin (Nat. Gal.) – Berne (Kunst Mus.) – Châteauroux (Mus. Bertrand) – Danemark (Luisiana Mus.) – Dunkerque – Grenoble – La Havane (Mus. Nat.) – Jérusalem (Betzalel Mus.) – Lille (Hôtel de Ville) – Marseille (Mus. Cantini) – Montpellier (FRAC) – Munich (Stadtische Gal. im Lenbachlaus) – New York (Mus. of Mod. Art) – Nîmes (Donation Lintas, Mus.) – Paris (Mus. d'Art Mod. de la Ville) – Paris (Mus. Nat. d'Art Mod.) – Paris (BN) – Paris (FNAC) – Paris (Mus. des deux Guerres mondiales) – Paris (Cité des Sciences et de l'Industrie) – Randes (Kunstmuseum) – Reykjavik (Mus. mun.) – Saint-Étienne – Saint-Paul-de-Vence (Fond. Maeght) – Stockholm (Mod. Mus.) – Tel-Aviv (Mus. d'Art Mod.) – Tokyo (Hara Mus.) – Utrecht (Mus. Hedendaags) – Washington D. C. (Mus. Nat. de l'Air et de l'Espace).

Ventes Publiques : Paris, 21 déc. 1981 : *Freud* 1979, h/t (195x130) : **FRF 11 500** – Paris, 5 déc. 1983 : *The experts* 1959, h/t (200x130) : **FRF 32 000** – Paris, 4 déc. 1986 : *Washington*, acryl./t. (200x300) : **FRF 57 000** – Paris, 8 fév. 1988 : *This one for fury*, h/t (100,5x65) : **FRF 11 000** – Paris, 24 avr. 1988 : *Hommage au carnaval, série Léger* 1974, h/t (195x130) : **FRF 40 000** – Paris, 1er juin 1988 : *En Assyrie* 1978, collage (27x28) : **FRF 1 600** ; *Portrait* 1969, collage (28x23) : **FRF 1 300** – Paris, 17 juin 1988 : *Kokoschka et Grosz* 1968, acryl./t. (102,5x64) : **FRF 18 000** – Paris, 27 juin 1988 : *Picasso/Grosz, série Ecce Homo*, h/t (64x102) : **FRF 9 500** ; *Les visiteurs du musée* 1959, acryl./t. (160x200) : **FRF 42 000** – Paris, 26 oct. 1988 : *Van Gogh* 1986, h/t (33x46,5) : **FRF 7 000** – Paris, 20 nov. 1988 : *Who needs you* 1972-1974, h/t (130x89) : **FRF 35 000** – Paris, 12 fév. 1989 : *La Grande Nue* 1979, acryl./t. (100x80) : **FRF 67 000** – Paris, 29 sep. 1989 : *Sans titre* 1958, aquar. et encre (49x35) : **FRF 5 000** – Paris, 6 avr. 1989 : *Les Grands Fauves* 1966, h/t (200x100) : **FRF 126 000** – Paris, 13 avr. 1989 : *Gabrielle d'Estrées et les Cosmonautes* 1980, acryl./t. (100x89) : **FRF 60 000** – Pékin, 6 mai 1989 : *La poignée de main* 1974, collage et techn. mixte/pap. (21x22.2) : **FRF 29 920** – Paris, 12 juin 1989 : *Composition avec moteur, squelette et Mona Lisa* 1959, acryl./t. (160x200) : **FRF 70 000** – Paris, 29 sep. 1989 : *Sans titre* 1958, aquar. et encre (49x35) : **FRF 5 000** – Paris, 9 oct. 1989 : *The speed of Michel Angelo*, acryl./t. (162x130) : **FRF 155 000** – Paris, 14 oct. 1989 : *L'enlèvement des Sabines*, h. et acryl./t. (98x150) : **FRF 131 000** – Paris, 8 nov. 1989 : *Avion, fauves et femme nue* 1968, collage (30x62) : **FRF 20 000** – Paris, 13 déc. 1989 : *Animaux fantastiques* 1961, encre de Chine et cr. de coul. (49,5x32) : **FRF 23 500** ; *Welcome Johnny* 1977, h/t (102x66) : **FRF 72 000** – Paris, 26 jan. 1990 : *La place Denfert Rochereau* 1973, collage (14,5x11,5) : **FRF 9 000** – Paris, 18 fév. 1990 : *A travers l'Atlantique* 1970, acryl./t. (195x150) : **FRF 350 000** – Paris, 15 fév. 1990 : *The fall* 1975, acryl./t. (195x130) : **FRF 310 000** – Paris, 30 mars 1990 : *Peinture chinoise*, h/t (97x58) : **FRF 110 000** – Paris, 3 mai 1990 : *Hôtel des rognons* 1959, h/t (200x102) : **FRF 125 000** – Paris, 30 mai 1990 : *It's cutting me* 1989, h/t (197x130) : **FRF 200 000** – Paris, 29 oct. 1990 : *All power* 1974, h/t (195x130) : **FRF 180 000** – Paris, 2 juin 1991 : *Appétit Kandinsky* 1963, acryl./t. (86x75) : **FRF 51 000** – Lokeren, 21 mars 1992 : *Chaque balle doit faire mouche*, h/t (200x160) : **BEF 330 000** – Paris, 14 mai 1992 : *Hommage à Fernand Léger* 1990, acryl./t. (195x130) : **FRF 98 000** – Paris, 10 juin 1993 : *Dalaï-lama* 1964, h/t (73x80) : **FRF 22 000** – Paris, 21 mars 1994 : *Kafka, série portrait* 1975, acryl./t. (162x97) : **FRF 42 000** – Milan, 15 mars 1994 : *Sans titre* 1968, acryl./t. (19x24,5) : **ITL 1 150 000** – New York, 5 mai 1994 : *Travailleurs* *dans une cuisine* 1974, h/t (91,4x97,8) : **USD 6 900** – PARIS, 29-30 juin 1995 : *La Bicyclette* 1975, acryl./t. (162,5x97) : **FRF 26 000** – AMSTERDAM, 6 déc. 1995 : *Cobra en provo* 1966, h/t (127x100) : **NLG 9 200** – PARIS, 11 avr. 1996 : *Hommage à Léger, Pinocchio fabriquant sa femme* 1983, peint./t. (195x97) : **FRF 35 000** – PARIS, 3 juin 1996 : *Le Viêtnam* 1969, h/t (97x60) : **FRF 19 500** – PARIS, 1er juil. 1996 : *Série the Space Painting, Gravity* 1976, acryl./t. (116x89) : **FRF 18 000** – PARIS, 16 déc. 1996 : *Sans titre* 1986, acryl./t. (99X79) : **FRF 19 000** ; *Réserve de 199 personnalités* 1961, h/t (50x100) : **FRF 16 500** – PARIS, 19 mars 1997 : *Sans titre* 1986-1987, acryl./t. (34x47) : **FRF 9 500** – PARIS, 28 avr. 1997 : *Etiopia* 1970, acryl./t. (89x130) : **FRF 21 500** – PARIS, 26 mai 1997 : *Hommage à Van Gogh* 1985, acryl./t. (33x46) : **FRF 9 000** – PARIS, 5 juin 1997 : *Série Suchard Bankgok Thaïlande* 1974, acryl./t. (97x44) : **FRF 12 500** – PARIS, 19 oct. 1997 : *Human bloom-slaughtered animal* 1953, h/t (64x125) : **FRF 16 000** – PARIS, 23 nov. 1997 : *Tarzan* 1980, acryl./t. (127,5x66,5) : **FRF 25 000**.

ERRO-RAUTA
XIXe siècle. Actif à Saint-Pétersbourg. Russe.
Peintre.
Ce nom n'est qu'un pseudonyme.

ERSINGER Michaël
XVIe siècle. Actif à Straubing en 1583. Allemand.
Peintre.

ERSKINE Harrold Perry
Né le 5 juin 1879 à Racine (Wisconsin). XXe siècle. Américain.
Sculpteur de bustes, monuments.
Il fut élève à Paris, de l'École Nationale des Beaux-Arts, et aux États-Unis, de Sherry E. Fry. On cite de cet artiste, outre ses bustes, le monument commémoratif de la guerre, au Saint Anthony Club à New York.
MUSÉES : NEW YORK (American Mus. of Nat. History).

ERTAN Simona
Née le 27 novembre 1923 à Bucarest. XXe siècle. Depuis 1940 active en Argentine et depuis 1961 en France. Roumaine.
Peintre de paysages, figures, dessinateur de collages, cartons de vitraux. Fauve, expressionniste, puis abstrait-néo-constructiviste, puis tendance symboliste.
Elle suit des cours de dessin, de peinture et de gravure en linoléum à Bucarest de 1934 à 1940. À la fin de l'année 1940, elle et sa famille, partent pour l'Argentine et s'installent à Buenos Aires. Là, tout en continuant sa peinture, elle suit des cours d'esthétique et de céramique. En 1950, la rencontre avec le *Guernica* de Picasso, alors aux États-Unis, fut un des plus grands chocs de sa vie. En 1952, elle effectue un voyage en Europe et notamment à Paris, où elle prend contact avec la peinture d'avant-garde abstraite. La même année, elle devient membre du groupe abstrait argentin *Arte Nuevo*. Elle participe à la revue *Ver y Estimar*. Entre 1955 et 1959, elle pratique la céramique. S. Ertan s'installe à Paris le 27 avril 1961.
Elle montre ses œuvres dans de nombreuses expositions collectives : 1959, *Peintres et sculpteurs argentins en France*, Maison de l'Amérique, Paris ; 1960, Salon de Mai, Barcelone ; 1961, *Structures*, galerie Denise René, Paris ; 1962, Musée de Leverkusen et celui de Céret ; 1963, *Gruppe 62*, Munich ; 1964, *50 ans de collage de Picasso à nos jours*, Musée de Saint-Étienne ; 1963 à 1967, Salon des Réalités Nouvelles, Paris ; 1964 à 1966 et en 1982, Salon de l'Art Sacré, Paris ; 1965, 1966, Salon des Surindépendants, Paris ; 1969, *Les Maîtres contemporains du vitrail*, Palais de Chaillot, Paris ; 1973, Salon des Femmes-Peintres, Paris ; 1982, Salon Comparaisons, Paris ; 1983, *Sainte-Thérèse d'Avila dans l'art contemporain* ; 1983, Salon Grands et Jeunes d'Aujourd'hui, Paris. Elle montre ses œuvres dans des expositions particulières : 1962, 1964, 1970 (rétrospective de dix années de travail à la Maison de l'Argentine) et 1982, Paris ; 1964, Essen ; 1977, Bruxelles et Madrid ; 1988, galerie du Centre culturel Arturo Lopez, Neuilly ; 1993, galerie Étienne de Causans, Paris.
Jusqu'en 1950, S. Ertan oscille entre l'expressionnisme et le fauvisme. C'est son voyage en Europe qui la mène sur la voie de l'art abstrait. « J'optais pour le mouvement constructiviste », dit-elle, « En sortant de l'abstraction géométrique, après avoir commencé en 1967 à introduire des éléments narratifs, mon monde s'achemine vers une certaine figuration qui puise ses racines loin en arrière ». Cette figuration est aujourd'hui de nature allégorique. Les objets et les constructions architecturales sont autant de prétextes à des évocations nostalgiques où règnent les souvenirs et les exigences du sacré. L'exposition des peintures inspirées de l'Inde, en 1993, ajoutaient à son registre habituel une note exotique très ornementale et colorée, d'accent matisséen. ■ C. D.

S. Ertan

BIBLIOGR. : Ionel Jianou : *Les Artistes roumains en Occident*, American Romanian Academy of Arts and Science, Los Angeles, 1986.
MUSÉES : BUENOS AIRES (Mus. d'Art Contemp.) – BUENOS AIRES (Inst. d'Art Contemp.).

ERTÉ, pseudonyme de **Tirtoff Romain de,** ou **Tirtov**
Né en 1892 à Saint-Pétersbourg. Mort le 21 avril 1990 à Paris. XXe siècle. Depuis 1910 actif en France. Russe.
Peintre à la gouache, peintre de décors de théâtre, sculpteur, dessinateur. Art déco.
Ce fils d'un amiral de la marine impériale fut élève de Ilya Répine à Saint-Pétersbourg. Il vint à Paris dès l'âge de dix-huit ans, semble avoir fréquenté l'Académie Julian, et entra aux Beaux-Arts dans l'atelier de J.-P. Laurens. Il commença sa carrière en 1913 chez le grand couturier Paul Poiret. À partir de la même année 1913, il créa les costumes de scène de Mata-Hari, Mistinguett, Gaby Deslys. En 1914, il collabore à la *Gazette du bon ton* et à *Vogue*. Dès 1915, commença sa collaboration au *Harper's Bazaar*, qui dura vingt-deux années. Célèbre aux États-Unis, il y créa les costumes pour les *Scandals* de George White. Il devint l'une des vedettes du style Art déco des années vingt, qu'il contribua à créer, son activité s'étant étendue au décor d'intérieur, au mobilier, au bijou et à l'illustration bibliophilique. Ses arabesques, volutes et autres sinuosités débridées ont fait les spectacles des Folies-Bergères de 1921 à 1929, du Casino de Paris, du Bal Tabarin. En 1925, il part travailler à Hollywood pour les cinéastes Cecil B. De Mille et King Vidor. Il créa des décors de films : *Ziegfield Folies*, de théâtre : *La Princesse lointaine* d'Edmond Rostand. En 1947, il composait encore les décors des *Mamelles de Tirésias* pour l'Opéra Comique de Paris, et en 1969 ceux du spectacle de Zizi Jeanmaire au Casino de Paris. Il préparait ses décors et costumes par des gouaches, souvent exposées à la galerie Proscenium de la rue de Seine à Paris, qui lui consacra une exposition personnelle en 1971. Le Centre culturel de Boulogne-Billancourt exposa ses créations en 1986. Une rétrospective de son activité eut lieu après sa mort dans une galerie à Paris.
Il a su s'inspirer des avant-gardes de son temps et les adapter à l'art décoratif dans des compositions, de mode notamment, en aplats, un dessin linéaire, des effets de symétrie ou au contraire de dissymétrie, des motifs géométriques. Il a inventé les « costumes collectifs » dont chaque costume individuel devient élément d'un autre ensemble lorsque les porteurs se rejoignent, et aussi les « costumes-objets ». Le renouveau d'intérêt qu'a suscité, vers 1970, tout ce qui a touché l'art et la mode des années vingt, explique l'attention que l'on a portée de nouveau à Erté, à tel point que Roland Barthes lui a consacré un livre. On trouve dans les créations diverses de cet éternel dandy cette sophistication, cet exotisme, et cette invention, qui ont caractérisé la Belle Époque et les Années Folles. Même si historiquement, les grandes révolutions artistiques n'avaient que peu à voir avec cet univers mondain, on y saisit mieux à quel point cette période fut brillante et trépidante. ■ J. B.

ERTE

BIBLIOGR. : N. Amaya : *Costumes de théâtre par Erté*, in : Art et Industrie, Paris, nov. 1926 – Charles Spencer : *Erté*, Londres, 1970 – in : *L'Art du XXe Siècle*, Larousse, Paris, 1991.
MUSÉES : NEW YORK (Metropolitan Mus.) : collection importante.
VENTES PUBLIQUES : PARIS, 18 juin 1974 : *Robes pour Paul Poiret*, 40 dess. et aquar. : **FRF 30 000** – MUNICH, 29 nov. 1976 : *Le baromètre*, gche, décor (17,5x24,5) : **DEM 3 000** – NEW YORK, 2 avr. 1981 : *La tentation* 1918, pl. et lav./pap. (30,2X21) : **USD 1 800** – LONDRES, 26 oct. 1983 : *Projet de décor pour le film Paris* 1925, gche et or (32x40) : **GBP 3 400** – PARIS, 26 nov. 1984 : *La rose au pollen de diamants*, gche (33x24) : **FRF 24 000** – NEW YORK, 13 juin 1985 : *Victoire* 1980, bronze doré et émaillé (H. 48,3) : **USD 13 000** – NEW YORK, 19 mars 1986 : *Princesse Eristov-Kazak, portrait d'Erté avec Misha* vers 1915, h/t (131x97) : **USD 14 000** – PARIS, 4 nov. 1987 : *Roof Garden à Manhattan Mary* 1927, gche

(30x21) : **FRF 66 000** - Paris, 13 déc. 1987 : *Robe à volants et panache*, gche (36x26) : **FRF 13 000** - Paris, 22 avr. 1988 : *Le gay Paris ou Ève* 1972, aquar. et reh. d'or (36,5x27) : **FRF 12 500** - Paris, 24 mars 1988 : *Lucky Doll, fer à cheval* 1926, gche (39x29) : **FRF 26 000** - Londres, 18 mai 1988 : *projet de décor pour Métal*, encre de Chine (39x28,5) : **GBP 1 760** - Paris, 10 juin 1988 : *Comte hindou* 1922, h/pap. (30x47,5) : **FRF 24 000** - Paris, 22 juin 1988 : *Conte hindou* 1922, gche avec reh. dorés sur fond noir (32x49) : **FRF 25 000** - Londres, 8 sep. 1988 : *L'Harmonie : Croquis de robe et manteau pour Harper's Bazaar*, gche/pap. (29,2x23,5) : **GBP 2 860** - Paris, 14 déc. 1988 : *L'Afrique Noire, projet de costume pour Odette Pascaud*, gche (37x27) : **FRF 9 000** - Zurich, 25 oct. 1989 : *La tigresse*, gche (37,4x27,4) : **CHF 4 600** - Paris, 21 nov. 1989 : *La danseuse*, gche, de forme circulaire sur fond or (36x25) : **FRF 175 000** - New York, 21 fév. 1990 : *Femme-tigresse* 1970, gche/pap. (35,6x27,3) : **USD 5 500** - Sceaux, 11 mars 1990 : *Projet de costume* 1922, aquar. (30x40) : **FRF 80 000** - Amsterdam, 10 avr. 1990 : *Projet de costume*, gche/pap. (33x24,5) : **NLG 5 290** - Sceaux, 10 juin 1990 : *Costume pour Gaby Deslop* 1915, gche (40x30) : **FRF 85 000** - Paris, 13 déc. 1991 : *Femme à l'éventail*, gche (31x22,7) : **FRF 4 000** - Paris, 13 mai 1992 : *Lucrèce Borgia*, gche/pap. (38x28) : **FRF 56 500** - New York, 26 fév. 1993 : *Projet de couvertue pour Harper's Bazaar* 1919, gche/cart. (40x29,2) : **USD 35 650** - Londres, 24-25 mars 1993 : *Projet de costume pour une sultane dans La femme et le diable*, gche et peint. argent (26,2x31) : **GBP 4 370** - New York, 29 sep. 1993 : *Projet de costume de Zizi Jeanmaire dans Stormy Weather* 1974, gche et peint. argent/pap. (37,5x27,9) : **USD 2 645** - Milan, 12 oct. 1993 : *Le mariage* 1986, bronze (42,5x36x14,5) : **ITL 11 500 000** - Paris, 23 mars 1994 : *L'Amour enchaîné* 1985, bronze à patine multicolore (H. 54) : **FRF 9 000** - Paris, 7 juin 1995 : *Le Mannequin d'été, série les Fleurs du couturier*, aquar. (31x21) : **FRF 5 200** - New York, 14 juin 1995 : *Robe du soir, Henri Bendel*, aquar. et gche/pap. (24,1x15,9) : **USD 3 737** - Milan, 23 mai 1996 : *Pluie d'étoiles*, temp./pap. (37,5x26) : **ITL 5 750 000** - Paris, 7 juin 1996 : *Projet de rideau de théâtre*, gche et encre de Chine/pap. cartonné (15,6x19,7) : **FRF 4 500** - Paris, 17 déc. 1996 : *Projet de costume*, pl., encre de Chine, aquar. et reh. dorés (32x21,5) : **FRF 12 000** - New York, 10 oct. 1996 : *Projet de costume pour les Folies Bergère*, gche et peint. argent/pap. : **USD 6 900** - Londres, 19 déc. 1996 : *Au réveil du passé, le livre persan* 1927, gche et encre reh. de peint. dorée/cr. (25,5x40,7) : **GBP 2 300** - Paris, 9 oct. 1997 : *Étude de costume*, gche (36x25,5) : **FRF 7 500**.

ERTEBOUT Henri ou **Hertebout**
XVIIe siècle. Éc. flamande.
Peintre de paysages.
Il fut brillant élève de David Teniers le Jeune. Cité dans un document de 1771. Siret mentionne cet artiste deux fois avec les mêmes renseignements à la lettre E et à la lettre H.

ERTEL Johann Georg
Né vers 1687 à Jauer. Mort le 7 décembre 1747. XVIIIe siècle. Allemand.
Sculpteur.

ERTINGER Franz
Né en 1640 à Colmar ou à Weil (Souabe). Mort vers 1710 à Paris. XVIIe-XVIIIe siècles. Français.
Dessinateur et graveur.
En 1667, il était à Paris, graveur du roi. Il alla aussi à Rome et vécut longtemps à Anvers. On cite de lui des feuillets pour *Châteaux des nobles de Brabant ; Tombeau du comte von Lalaing et de sa femme ; Tombeau d'Engebert Ier de Nassau, de son oncle Jean et de sa femme, à Bréda* ; quatre feuillets d'après Van der Meulen ; huit feuillets sur l'*Histoire d'Achille*, d'après des tapisseries de Rubens. Il a beaucoup gravé d'après Lafage.

ERTINGER Franz Ferdinand
Né le 18 août 1669 à Immenstadt. XVIIe siècle. Allemand.
Sculpteur.
La bibliothèque de Munich possède un *Journal de voyage* de cet artiste.

ERTINGER Johann
XVIIIe siècle. Actif à Vienne en 1713. Autrichien.
Sculpteur.

ERTINGER Johann Daniel
XVIIIe siècle. Actif à Nuremberg au début du XVIIIe siècle. Allemand.
Graveur.

ERTINGER Joseph
Né en 1731 à Vienne. Mort le 3 septembre 1788 à Vienne. XVIIIe siècle. Autrichien.
Sculpteur.
Il était fils de Wenzel.

ERTINGER Philipp Jacob
Né en 1670 à Kempten. Mort le 12 novembre 1748 à Vienne. XVIIe-XVIIIe siècles. Autrichien.
Sculpteur.

ERTINGER Wenzel
XVIIIe siècle. Actif à Vienne dans la première moitié du XVIIIe siècle. Autrichien.
Sculpteur.

ERTL Johann
Né le 10 février 1845 à Schwaz (Tyrol). Mort le 26 juin 1906 à Schwaz. XIXe siècle. Autrichien.
Peintre.
Il fit ses études à Innsbruck et travailla surtout dans cette ville et à Schwaz particulièrement pour les édifices religieux.

ERTL Marie
Née le 6 septembre 1837 à Sternberg. XIXe siècle. Autrichienne.
Peintre de genre, paysages, natures mortes.
Elle vécut à Vienne, et y exposa.
Ventes Publiques : Vienne, 29 nov. 1977 : *Un dimanche à Gauting*, h/t (46x63) : **ATS 70 000**.

ERTLE Sebastian
Né vers 1570 à Uberlingen (Bade). XVIe siècle. Allemand.
Sculpteur.
Il fut élève de Hans Moringk et travailla à Magdebourg. Il participa en particulier à la décoration de la cathédrale de cette ville.

ERTREYK Edouard Van
Né à Oosterhout. Mort après 1847. XIXe siècle. Hollandais.
Peintre d'histoire et de genre.
Élève de N. de Keyser à Anvers. Visita la France et l'Italie.

ERTVELT Andries Van. Voir **EERTVELT**

ERTZ Edward Frederick
Né le 1er mars 1862 à Chicago. Mort en 1954. XIXe-XXe siècles. Actif en France et Angleterre. Américain.
Peintre de paysages animés, aquarelliste, graveur.
Il fit ses études artistiques à Paris sous la direction de Jules Lefebvre.
Il participait à des expositions collectives dans des villes de la province française, y remportant des distinctions. À Paris, il participa aux expositions du groupe des *Cinquante* à la galerie Georges Petit. Il fut professeur d'aquarelle à l'Académie Delécluse. Plus tard, il s'établit en Angleterre, à Slapton, et il devint membre de la Society of British Artists de Londres.
Il semble avoir surtout été apprécié, en gravure, pour ses pointes-sèches, aquatintes, vernis mous et, en peinture, pour ses vues champêtres dans des paysages animés de personnages ou de bétail.
Ventes Publiques : New York, 20 mars 1987 : *Paysage d'été*, h/t (36x46) : **USD 3 500** - New York, 14 fév. 1990 : *Moutons dans un enclos*, h/t (51x61) : **USD 1 320** - Londres, 11 juin 1993 : *Petit garçon dans une prairie* 1893, h/cart. (35,6x24,7) : **GBP 1 092**.

ERTZ Ethel Margaret, née **Horsfall**
Née le 19 janvier 1871. XIXe-XXe siècles. Britannique.
Peintre de portraits, miniatures, aquarelliste.
Elle était la femme du peintre Edward Frederick.

ERVENE
Xe siècle. Britannique.
Enlumineur et calligraphe.
On lui attribue, outre la copie, l'exécution des initiales et ornements du fameux manuscrit conservé au British Museum sous le titre : *Évangiles latins du roi Canut*.

ERVEST Jacob. Voir **THOMANN von Hagelstein Jacob Ernst**

ERWEIN Johann
XVIe siècle. Actif à Cologne en 1533. Allemand.
Peintre.

ERWIN DE STEINBACH
Né en 1244 à Steinbach. Mort en 1318 à Strasbourg. XIIIe-XIVe siècles. Allemand.

Sculpteur et architecte.
Il fut chargé, vers 1275, de dessiner et de diriger les travaux de la décoration intérieure de la cathédrale de Strasbourg. Ses deux fils, Jean et Winhing, plutôt architectes que sculpteurs, continuèrent ce travail après sa mort. Tous trois furent enterrés dans la cathédrale de Strasbourg.

ERXLEBEN August
Originaire de Bade. XIXe siècle. Allemand.
Peintre.
Il fit ses études à Munich.

ERXLEBEN J.
XIXe siècle. Actif vers 1830. Hollandais.
Lithographe.
Il exécuta les portraits de nombre de grands personnages hollandais et allemands.

ERXLEBEN Otto
XIXe siècle. Actif à Munich vers 1860. Allemand.
Peintre.
Peut-être faut-il identifier cet artiste avec August.

ÉRYCHEV Nicolaï
Né en 1936. XXe siècle. Russe.
Peintre de compositions animées.
Il sortit diplômé de l'École d'Art de Moscou en 1962. Membre de l'Union des Peintres d'U.R.S.S. depuis 1965. Il vit et travaille à Orenbourg.

ERZINGER Lili
Née en 1908 à Zurich. XXe siècle. Suissesse.
Peintre, graphiste. Abstrait.
Elle fit ses études en Suisse et à Paris, avec Lhote, Bissière et Léger. Entre 1936 et 1937, elle bénéficia également des conseils de Séverini et de Arp. Après avoir enseigné quelque temps la peinture aux États-Unis, elle décide de se fixer à Neuchâtel. Lili Erzinger a participé, de 1947 à 1955, à Paris, au Salon des Réalités Nouvelles.
Ses compositions abstraites avaient la précision d'exercices graphiques.
Bibliogr. : M. Seuphor : *Dictionnaire de la peinture abstraite*, Hazan, Paris, 1957.

ES Jacob Fopsen Van, ou **Jakob Foppeus Van** ou **Essen** ou **Esch**
Né vers 1596 à Anvers. Enterré à Anvers le 11 mars 1666. XVIIe siècle. Éc. flamande.
Peintre de natures mortes.
Maître à Anvers en 1617. Épousa Joanna Claessens ; eut pour élèves Jacob Gilles en 1621, Jan Van Thiemen en 1623. Il entra dans la gilde de Saint-Luc en 1646. Il collabora parfois avec Jordaens.
Peintre de natures mortes descriptives, il présente des tables garnies de raisins, citrons, huîtres. Il fait preuve, dans ce genre, de sobriété, de rigueur de composition, mais aussi de sensualité ; il n'hésite pas à faire vibrer des verts et jaunes stridents.

IV·ES.

Musées : Anvers : *Nature morte* – Arras : *Fromages et desserts* – *Plats d'huîtres* – Augsbourg : *Poissons de mer* – Besançon : *Nature morte aux coings* – Bruxelles : *Huîtres* – Francfort-sur-le-Main : *Banc de cuisine avec des poissons* – Genève : *Poissons et homards* – *Nature morte* – Glasgow : *Gibier et fruits* – Lille : *Nature morte* – Madrid (Prado) : *Citrons, huîtres et vin* – *Huîtres, vin et fruits* – *Pommes et œillets* – Nancy : *Crabes, crevettes, citron* – Oxford : *Huîtres et olives* – Prague : *Fruits* – Stockholm : *Table de petit déjeuner* – Vienne (Belvédère) : *Deux marchés aux poissons* – Vienne (Liechtenstein) : *Table de petit déjeuner* – *Fruits* – *Restes d'un repas*.
Ventes Publiques : Londres, 30 mars 1908 : *Nature morte* : **GBP 11** – Paris, 17 avr. 1920 : *Huîtres, un couteau, un verre de vin sur une table* : **FRF 530** – Paris, 28 juin 1934 : *Le plat de crevettes* : **FRF 5 100** – Londres, 9 mai 1940 : *Fleurs* : **GBP 6** – Paris, 16 oct. 1940 : *Huîtres et cruche* : **FRF 2 500** – Paris, le 8 déc. 1948 : *Nature morte* : **FRF 190 000** – Paris, 4 déc. 1954 : *Nature morte aux crevettes* : **FRF 500 000** – Paris, 3 déc. 1959 : *Nature morte à l'œillet* : **FRF 1 350 000** – Londres, 27 juin 1962 : *Nature morte aux fruits* : **GBP 1 000** – Londres, 1er mai 1964 : *Le panier aux fleurs*, pan. sur cuivre : **GNS 1 000** – Londres, 1er juil. 1966 : *Nature morte à l'artichaut, fruits et cruche*, h/cuivre : **GNS 1 300** – Londres, 11 juin 1969 : *Nature morte* : **GBP 6 200** – Cologne, 26 mai 1971 : *Nature morte aux fruits* : **DEM 24 000** – Londres, 6 déc. 1972 : *Nature morte* : **GBP 15 000** – Londres, 21 mars 1973 : *Nature morte aux fruits et aux fleurs* : **GBP 2 800** – Londres, 21 mai 1976 : *Panier de fruits*, h/pan. (64,7x86,3) : **GBP 4 500** – Zurich, 25 nov. 1977 : *Nature morte aux fleurs*, h. (49,5x37) : **CHF 40 000** – Londres, 1er déc. 1978 : *Nature morte*, h/pan. (45x72,5) : **GBP 6 500** – New York, 9 jan. 1981 : *Bol de fraises et autres fruits*, h/pan. (24x38) : **USD 32 000** – Londres, 11 déc. 1984 : *Nature morte aux huîtres*, h/pan. (51,5x73) : **GBP 24 000** – New York, 3 juin 1987 : *Panier de fleurs, mûres et prunes sur un entablement*, h/pan. transposé/t. (61x87,7) : **USD 70 000** – Londres, 8 juil. 1988 : *Nature morte avec une coupe de porcelaine chinoise remplie de fruits et grappe de raisin, framboises et maïs sur un entablement*, h/t (49x64) : **GBP 99 000** – New York, 21 oct. 1988 : *Nature morte avec des crustacés et des fruits dans de la vaisselle sur un entablement*, h/pan. (54x99,6) : **USD 66 000** – Londres, 11 avr. 1990 : *Nature morte avec un verre de vin, des pêches, un saladier de fraises et un papillon*, h/cuivre (27,5x35,5) : **GBP 99 000** – Paris, 16 mai 1990 : *Nature morte au homard et crustacés sur un entablement de pierre*, h/t (34,5x30,5) : **FRF 81 000** – New York, 31 mai 1991 : *Nature morte assiette avec des crevettes et une boule de pain entamée, un bol d'olives un verre de venise et un verre gobelet sur une table*, h/cuivre (32,2x40) : **USD 77 000** – Amsterdam, 10 nov. 1992 : *Raisin dans une corbeille près d'un biscuit, d'un épis de maïs et de pain dans une assiette d'étain sur une table*, h/t (49x79) : **NLG 50 600** – New York, 14 jan. 1994 : *Nature morte de raisin, poire et pêches sur un grand plat d'étain avec des noisettes et un insecte sur une table*, h/cuivre (36,2x48,9) : **USD 43 125** – Paris, 31 jan. 1994 : *Nature morte au citron*, h/t (50,5x75,5) : **FRF 175 000** – Paris, 29 mars 1994 : *Nature morte aux pêches, raisin et noix sur un entablement*, h/pan. (25,5x34,5) : **FRF 170 000** – Paris, 9 déc. 1996 : *Nature morte à la corbeille de raisins, miches de pain et épis de maïs sur un entablement*, h/pan. transposé/t. (49x79,5) : **FRF 290 000** – New York, 30 jan. 1997 : *Nature morte de fruits, de feuilles, de fraises, un œillet dans des coupes wanli avec d'autres fruits et un épis de maïs sur une table*, h/t (49,5x62,9) : **USD 68 500**.

ES Niclaes Van
Né avant 1617. XVIIe siècle. Éc. flamande.
Peintre.
Maître en 1648. Fils de Jacob.

ESAIAS
XVIe siècle. Actif à Mayence en 1550. Allemand.
Peintre.

ESAKI Yoshiro
Né à Tokyo. XXe siècle. Japonais.
Peintre de paysages, paysages urbains.
Il fut élève de Pougheon. En 1928, il exposait un paysage au Salon d'Automne et, en 1929, *Banlieue parisienne* au Salon des Artistes Français.

ESBENS Émile Étienne
Né le 5 août 1821 à Bordeaux (Gironde). XIXe siècle. Français.
Peintre de figures, de natures mortes et de portraits.
Musées : Bayonne : *Gitanos d'Alcala de Jenarez* – Cambrai : *La fille aux oiseaux* – Orléans : *Deux natures mortes*.
Ventes Publiques : New York, 15 et 16 fév. 1906 : *A la porte du Palais* : **USD 65** ; *La Garde du Palais* : **USD 85** – Paris, 27 mars 1931 : *En faction* : **FRF 155** – Londres, 21 mars 1997 : *Le Paresseux*, h/pan. (39,5x30) : **GBP 6 670**.

ESBJÖRNSSON Torsten
Né en 1925. XXe siècle. Suédois.
Peintre. Abstrait-géométrique.
Il fit ses études à l'Académie des Beaux-Arts de Copenhague et à Paris. Il Effectua des voyages d'études aux États-Unis. Il a exposé en Suède, au Danemark, en Finlande, aux États-Unis et en France à Paris, à la galerie *30* en 1986.
Sa peinture est composée de lignes géométriques ordonnées parfois en prisme.

ESBRARD
XIXe siècle. Actif à Paris au début du XIXe siècle. Français.
Graveur à l'aquatinte.
On cite de lui les *Portraits de Poniatowski* et d'*Eugène de Beauharnais*.

ESBRAT Raymond Noël
Né en 1809 à Paris. Mort en 1856 à Paris. XIXe siècle. Français.
Peintre de paysages animés, paysages.

Il fit son éducation en fréquentant les ateliers de Guillon, de Lethière et de Watelet. Il débuta au Salon en 1831, obtint une médaille de troisième classe en 1844 et une médaille de deuxième classe en 1847.
Dans ses tableaux, il reproduisit, suivant la formule classique, des motifs pris dans les environs de Compiègne, de Fontainebleau, et principalement en Suisse et en Auvergne.
Musées : Chartres : *Paysage avec animaux* – Chaumont : *Bords de la Seine* – Orléans : *La ferme du Coudray* – *Château de la source, près d'Orléans* – *Deux paysages* – Roanne : *Vue du parc de Saint-Cloud* – Versailles (Trianon) : *Une chaumière dans le Nivernais*.
Ventes Publiques : Londres, 18 jan. 1980 : *Paysage boisé*, h/t (92,6x68,6) : **GBP 1 000** – Berne, 26 oct. 1988 : *Bétail au pré dans un paysage côtier*, h/t (70x92) : **CHF 4 500**.

ESBREF UREN
Né en 1907 à Istanbul. XXe siècle. Turc.
Peintre de natures mortes, fleurs.
Cet artiste paraît identique à UREN Esref. En 1946, il figurait à l'Exposition internationale d'Art Moderne ouverte à Paris, au Musée d'Art Moderne, par l'Organisation des Nations Unies.

ESBROECK Égide ou **Édouard Van**
Né le 27 avril 1869 à Londerzeel (Brabant). Mort en 1949 à Schaerbeek (Bruxelles). XIXe-XXe siècles. Belge.
Peintre de compositions religieuses, scènes de genre, portraits, peintre de compositions murales.
Il fut élève à l'Académie des Beaux-Arts de Bruxelles de Jean-François Portaels, Joseph Van Severdonck, prix de Rome en 1892, prix Godecharle en 1894.
Il pratiqua surtout l'art mural, notamment à Schaerbeek avec la décoration de l'église Sainte-Marie et des scènes bibliques à l'église Saint-Servais.
Bibliogr. : In : *Diction. biogr. illustré des artistes en Belgique depuis 1830*, Arto, Bruxelles, 1987.
Ventes Publiques : Lokeren, 9 déc. 1995 : *Le Potager*, h/t (37x65) : **BEF 185 000**.

ESBROECK Pol Van
Né en 1912 à Londerzeel. XXe siècle. Belge.
Sculpteur de statues, monuments.
Probablement fils d'Égide. Il fut élève de Ernest Wynants à l'Académie des Beaux-Arts d'Anvers. Il obtint le prix Godecharle en 1933.
Bibliogr. : In : *Diction. biogr. illustré des artistes en Belgique depuis 1830*, Arto, Bruxelles, 1987.
Musées : Anvers – Anvers (Maison de Rubens) – Anvers (Maison Internat. des Marins) – Essen – Hoogstraten – Tongres.
Ventes Publiques : Anvers, 26 avr. 1983 : *Nu debout*, bois (H. 120) : **BEF 28 000**.

ESBROT Jean ou **Asbrout**
XVIIe siècle. Actif à Avignon dans la seconde moitié du XVIIe siècle. Français.
Peintre.

ESBROT Pierre
Mort vers 1595. XVIe siècle. Vivant à Avignon en 1545. Français.
Peintre d'histoire et de portraits.
On croit qu'il fut anobli vers 1556.

ESBROT Pierre Joseph de ou **Asborout**
XVIIe siècle. Actif à Avignon vers 1693. Français.
Peintre.

ESCACENA Juan
Mort le 3 janvier 1814 à Séville. XIXe siècle. Espagnol.
Peintre d'histoire.
Il était père de Escacena y Daza.

ESCACENA Y DAZA José Maria
Né vers 1800 à Séville. Mort en 1858 à Séville. XIXe siècle. Espagnol.
Peintre de portraits, de genre et de natures mortes.
Élève de l'École des Beaux-Arts de Séville. Il devint directeur de cette école en 1829.
Ventes Publiques : Londres, 23 avr. 1910 : *Portrait de Sir John Macpherson Brackenbury* : **GBP 19**.

ESCADA Guillermo. Voir **SCADA**

ESCADA José
Né en 1934 à Lisbonne. Mort le 22 août 1980 à Lisbonne. XXe siècle. Depuis 1959 actif en France. Portugais.
Peintre. Abstrait.
Il a effectué ses études à l'École des Beaux-Arts de Lisbonne dont il sort diplômé. Il fut membre du groupe *KWY*. Il se fixa à Paris, où il a participé à diverses expositions collectives, de même qu'en Hollande, Italie, Allemagne. Il a voyagé plusieurs fois en Europe, notamment à Munich.
Escada a peint des compositions aux formes élégantes en silhouettes et arabesques. Également actif dans l'art sacré contemporain.
Bibliogr. : In : *Peintres contemporains*, Mazenod, Paris, 1964.

ESCALANTE Antonio de
Né vers 1502. XVIe siècle. Travaillant à Valladolid en 1548. Espagnol.
Sculpteur.
Fut témoin dans un procès soutenu par Berruguete en 1553.

ESCALANTE Juan Antonio de Frias y
Né en 1630 à Cordoue. Mort en 1670 à Madrid. XVIIe siècle. Espagnol.
Peintre.
C'est à Madrid, que cet artiste devint l'élève de Francisco Ricci ou Rizi qui était peintre du roi et lui facilita l'accès du palais pour copier divers tableaux. Escalante étudia avec ferveur les méthodes du Tintoret et du Titien qui furent ses guides ; c'est ce qui explique que, dans certains tableaux d'Escalante, on croit reconnaître le style, le coloris, le dessin et la composition du Tintoret. De même que dans son *Christ* qui se trouve dans l'église du Saint-Esprit, au couvent des prêtres mineurs de Madrid, on retrouve les couleurs du Titien. Il n'avait pas atteint l'âge de vingt-quatre ans, qu'il était chargé par les Carmes-chaussés de Madrid, de peindre les tableaux représentant la *Vie de saint Gérard*. Cette œuvre le fit connaître à la cour, où il eut beaucoup de crédit et d'honneur. Nous retrouvons Escalante, avec Carreno et Ricci, préparer le monument de le semaine-sainte de Tolède. Dans ce même couvent des Carmes de Madrid, on signale un tableau d'Escalante, qui est peut-être son plus bel ouvrage : *La Rédemption du captif*, Escalante s'y est peint lui-même parmi les captifs. Et les dix-huit tableaux qui sont dans le réfectoire, sont tous de la main de cet artiste, sauf celui du *Passage de la mer Rouge* qui est de Jean Montero de Rossas. A l'église de N.-D. de la Merci à Madrid, on admire aussi quelques belles toiles d'Escalante, ainsi qu'à la paroisse Saint-Michel, une *Sainte Catherine, vierge et martyre*, qui rappelle la palette du Tintoret.

Musées : Budapest (Simu) : *La Conception Immaculée de la Vierge* – Madrid (Prado) : *La prudente Abigaïl* – *Triomphe de la foi sur les sens* – *Sainte Famille* – *Saint Jean et l'Enfant Jésus assis* – Saint-Pétersbourg (Ermitage) : *Saint Joseph avec l'Enfant Jésus*.
Ventes Publiques : Paris, 12 mars 1919 : *Le chemin du calvaire* : **FRF 100** – Paris, 28 mars 1919 : *Le chemin du calvaire* : **FRF 50** – Londres, 23 nov. 1962 : *La Vierge apparaissant à saint Pierre* : **GNS 1 000**.

ESCALAS Juan
XVIIIe siècle. Actif à Palma de Majorque en 1791. Espagnol.
Sculpteur.

ESCALERA Pio
Né vers 1850. XIXe siècle. Espagnol.
Peintre de paysages et illustrateur.
Il débuta vers 1880. Chevalier du Christ de Portugal.

ESCALIER Marguerite
Née au XIXe siècle à Dijon (Côte-d'Or). XIXe siècle. Française.
Peintre de genre et de portraits.
Élève d'Éléonore Escallier. Elle exposa au Salon dès 1873, le plus souvent des dessins.

ESCALIER Nicolas Félix
Né en 1843 à Paris. XIXe siècle. Français.
Peintre de genre, portraits, paysages.
Il fut élève d'André et de Delaunay à l'École des Beaux-Arts. Il fit d'abord de l'architecture, puis, à partir de 1873, se consacra à la peinture. Il exposa assez régulièrement au Salon et obtint deux mentions honorables en 1876 et 1878, une médaille de deuxième classe en 1884. Il fut décoré de la Légion d'honneur en 1900. Il était sociétaire des Artistes Français.

Escalier s'est surtout fait un nom par ses panneaux décoratifs harmonieusement traités.
VENTES PUBLIQUES : LONDRES, 30 nov. 1908 : *Le Rialto, Venise* : **GBP 48** – LONDRES, 7 oct. 1987 : *Le Pont du Rialto, Venise* 1881, h/t (56x100) : **GBP 4 500**.

ESCALLIER Éléonore, née **Légerot**
Née en 1827 à Poligny (Jura). Morte en juin 1888 à Sèvres. XIXe siècle. Française.
Peintre de fleurs et de fruits.
Cette artiste, élève de Ziégler, se distingua dans la peinture des fleurs. Elle figura à Paris au Salon de 1857 à 1880. On voit d'elle au Musée de Dijon : *Pêches et raisins*, à celui de Saint-Étienne : *Vase de fleurs*, enfin, au Musée d'Art Moderne : *Chrysanthèmes*.

ESCALPERO Miguel
Né vers 1831. Mort en septembre 1867 à Paris. XIXe siècle. Espagnol.
Peintre.
On cite de lui : *La Défense de Saragosse*.

ESCAMAING Jacques d'
Né à Tournai. XIVe siècle. Éc. flamande.
Sculpteur.
Il travailla à Lille et à Tournai. Peut-être identique à Jean d'Escamaing.

ESCAMAING Jean d'
Né à Tournai. XIVe siècle. Éc. flamande.
Sculpteur.
Il décora la porte Saint-Sauveur à Lille vers 1350. Peut-être identique à Jacques d'Escamaing.

ESCAMEZ Julio
Né en 1930. XXe siècle. Chilien.
Peintre de compositions murales.
Il fut le collaborateur de Gregorio de La Fuente, avec lequel il travailla à Concepcion, mais aussi individuellement à l'Hôtel-de-Ville de Chillan.
BIBLIOGR. : Damian Bayon, Roberto Pontual, in : *La Peinture de l'Amérique latine au XXe siècle*, Mengès, Paris, 1990.

ESCAMILLA Marcos de
XVIe siècle. Actif à Séville en 1575. Espagnol.
Peintre.

ESCARDO Valentin
XIXe siècle. Actif en Catalogne vers 1880. Espagnol.
Sculpteur.

ESCASSUT Anna
Née le 26 octobre 1878 à Paris. XXe siècle. Française.
Peintre de paysages, fleurs.
Elle fut élève de Montézin et Adler. Elle a exposé des paysages et des fleurs, à Paris, au Salon des Artistes Français. Elle obtint une mention honorable en 1935 et une médaille en 1938.

ESCBRAYAT Étienne Victor, orthographe erronée pour **Exbrayat**. Voir **EXBRAYAT**

ESCENDI Franz Aloisius
XVIIIe siècle. Actif à Landeshut en 1799. Allemand.
Peintre.

ESCH von. Voir **ABESCH**

ESCH Anna Barbara von. Voir **ABESCH Anna Barbara**

ESCH Hans Peter von. Voir **ABESCH Pierre Antoine**

ESCH Joan Petrus von. Voir **ABESCH Jean-Pierre**

ESCH Mathilde
Née le 18 janvier 1820 à Klattau. XIXe siècle. Tchécoslovaque.
Peintre de genre.
Élève de Waldmuller à Vienne. Elle travailla ensuite à Düsseldorf, puis à Paris.

ESCH Thomas Thomasz Van
XVIIe siècle. Actif à Delft en 1640. Hollandais.
Peintre.

ESCHAPASSE René
Né à Nantes (Loire-Atlantique). XXe siècle. Français.
Peintre de paysages, scènes typiques, compositions mythologiques.
Cet artiste qui a vécu en Bretagne a exposé des paysages locaux, des scènes de pardons ainsi que des portraits, et un *Jugement de Pâris*, à Paris, au Salon des Artistes Français, dont il devint sociétaire. Il obtint une deuxième médaille en 1941.

ESCHARD Aimé
Né à Saint-Denis (Seine-Saint-Denis). XXe siècle. Français.
Peintre de fleurs.
Exposant depuis 1922, et finalement sociétaire, à Paris, du Salon des Artistes Français.

ESCHARD Charles ou **Échard**
Né en 1748 à Caen (Calvados). Mort en 1810. XVIIIe-XIXe siècles. Français.
Peintre de scènes de genre, animaux, paysages, peintre à la gouache, aquarelliste, graveur, dessinateur.
Élève de Descamps à Rouen, il fut en 1782 agréé par l'Académie de Paris, mais, n'ayant pas présenté son œuvre d'admission, il fut rayé en 1783. Il visita la Hollande et la Savoie, dont il envoya des paysages en 1791 et 1798 au Salon.
MUSÉES : ALENÇON : *Paysage* – GDANSK, ancien. Dantzig : *Paysage* – GRENOBLE : dessins à la plume – ROUEN : trois paysages.
VENTES PUBLIQUES : PARIS, 7-8 mai 1923 : *Feuille de quatre études d'un jeune savoyard*, sanguine : **FRF 650** – PARIS, 2 juin 1923 : *Paysages montagneux avec rivière et personnage*, deux dessins à la pierre d'Italie : **FRF 350** – PARIS, 6 déc. 1923 : *Le violoneux*, sanguine : **FRF 1 600** – PARIS, 20 mars 1924 : *Ruines dans un site montagneux*, pl. et lav. : **FRF 1 000** ; *Paysan hollandais*, pierre noire : **FRF 200** – PARIS, 20 et 21 juin 1924 : *Un gueux*, encre de Chine : **FRF 55** ; *Un paysan*, pl. : **FRF 50** – PARIS, 20 et 21 avr. 1925 : *Charrette de paysan*, cr. : **FRF 115** – PARIS, 25 avr. 1927 : *Place de village*, cr. et lav. : **FRF 320** ; *La ferme couverte de chaume*, cr. et lav. : **FRF 350** ; *Cour de ferme*, pierre noire reh. : **FRF 230** – PARIS, 23 nov. 1927 : *Le galant villageois, scène d'intérieur hollandais*, aquar. : **FRF 900** – PARIS, 21 et 22 mai 1928 : *Le troupeau à l'ombre*, cr. : **FRF 300** – PARIS, 10 déc. 1943 : *Le Pâturage* ; *Le Vallon*, deux gouaches formant pendants : **FRF 8 800** – PARIS, 25 nov. 1946 : *Un gueux*, pl. : **FRF 1 150** – PARIS, 2 déc. 1946 : *Bustes de gueux*, quatre dessins à la plume : **FRF 750** – NEW YORK, 16 juin 1977 : *Pêcheurs sur la plage*, h/t (71x95) : **USD 6 750** – PARIS, 16 mars 1990 : *Conversations dans une ruelle de village*, pierre noire et lav. gris (23,3x27,6) : **FRF 3 600** – PARIS, 22 nov. 1991 : *Les chênes*, sanguine et cr. noir (16x23,5) : **FRF 5 800** – PARIS, 4 juil. 1995 : *Étude d'homme vu de dos*, cr. noir et sanguine (22x19,5) : **FRF 6 000**.

ESCHAY Veit ou **Oeschey**. Voir **EHESCHEUH**

ESCHBACH Louis
Né à Lons-le-Saunier. XIXe siècle. Français.
Peintre de portraits.
Figura au Salon de Paris, de 1835 à 1839.

ESCHBACH Paul André Jean ou **Eschback, Eschbart**
Né en 1881 à Paris. Mort le 10 août 1961 à Paris. XXe siècle. Français.
Peintre de genre, portraits, paysages, marines, intérieurs, fleurs.
Il fut élève de Jean-Paul Laurens et de Pharaon Abdon Leon de Winter. Il exposa régulièrement, à Paris, au Salon des Artistes Français, dont il devint finalement sociétaire. Il obtint en 1907 une médaille de troisième classe, et une médaille d'or en 1920. Il enseigna à l'Académie Julian, de 1912 à 1938. Plusieurs musées de provinces conservent de ses œuvres.
Après 1920, il délaissa les scènes d'intérieur et de genre, auxquelles il s'était consacré. Il peignit alors de nombreux portraits et se fit connaître comme paysagiste. On cite ses marines et ses effets de neige.

Eschbach. P.

VENTES PUBLIQUES : NEW YORK, 12 fév. 1909 : *Mousquetaire* : **USD 140** – SCEAUX, 8 déc. 1985 : *Étang de nuit* 1912, h/t (93x150) : **FRF 4 500** – CALAIS, 8 nov. 1987 : *Jeté de pivoines et jardinière en faïence*, h/t (50x61) : **FRF 7 000** – PARIS, 21 avr. 1988 : *Barques de pêche au port*, h/t (50x61) : **FRF 5 500** – PARIS, 27 avr. 1989 : *Paysage enneigé*, h/t (54x65) : **FRF 7 000** – LA ROCHELLE, 17 mars 1990 : *Le départ des bateaux de pêche*, h/t (65x92) : **FRF 22 000** – PARIS, 6 fév. 1991 : *Église sous la neige*, h/t (53x45) : **FRF 7 000** – PARIS, 4 mars 1991 : *Honfleur, la sortie du port à marée basse*, h/t (50,5x62) : **FRF 8 100**.

ESCHEMANN Jean Bernard
Né au XIXe siècle à Paris. XIXe-XXe siècles. Français.
Peintre, dessinateur de scènes de genre, compositions mythologiques.

Il fut élève de Jules Lefebvre et de Tony Robert-Fleury. Il exposa régulièrement, à Paris, au Salon des Artistes Français dont il devint sociétaire en 1903. Il y figura jusqu'en 1927.
Ventes Publiques : New York, 18 avr. 1928 : *Hylas entraîné par les nymphes* : **FRF 220** – Paris, 18 fév. 1977 : *Bacchus ivre*, h/t (33X41) : **FRF 1 300** – Londres, 23 fév. 1983 : *La Tentation* 1900, h/t (203x157,5) : **GBP 1 500**.

ESCHENBACH Johann
XVIIIe siècle. Actif à Mayence dans la seconde moitié du XVIIIe siècle. Allemand.
Sculpteur.
Il travaillait en 1771 pour la cathédrale de Mayence.

ESCHENBACH Paul
Né le 3 janvier 1867 à New York. XXe siècle. Américain.
Peintre.
Après avoir commencé ses études à l'Art Students' League, à New York, il alla travailler avec Frank Duveneck à Cincinnati. Il obtint le Premier Prix de l'Art Club de cette Ville en 1903.

ESCHENBRENNER Émilie Louise
Née le 11 mai 1880 à Lyon (Rhône). XXe siècle. Française.
Peintre de portraits.
Elle fut élève de E. Renard. Elle exposa pendant un certain temps, à Paris, au Salon des Artistes Français.

ESCHENBURG Marianne von
Née le 18 avril 1856 à Vienne. XIXe siècle. Autrichienne.
Peintre.
Elle fut élève de son oncle Karl von Blaas et peignit surtout des portraits.

ESCHER Albert von
Né le 20 mai 1839 à Zurich. Mort le 16 mai 1905 à Genève. XIXe siècle. Suisse.
Peintre de sujets militaires, aquarelliste, dessinateur.
Ce peintre, qui était officier, doit ses connaissances du costume militaire de son pays à ses études étendues aux archives et aux documents intéressant la vie militaire de la Suisse.
Citons parmi ses œuvres mentionnées par le Dr Brun : *Les Régiments suisses aux services de l'étranger* (200 aquarelles), *La Suisse militaire du XVIIIe siècle* (160 aquarelles.), *La Suisse militaire du XIXe siècle* (530 aquarelles.).
Ventes Publiques : Zurich, 24 nov. 1993 : *Le général Jakob Christoph Ziegler de Zurich commandant les 30 et 31e régiments suisses*, cr. et aquar./pap. (29x42) : **CHF 7 475**.

ESCHER Gertrud
Née le 23 mai 1875 à Zurich. XXe siècle. Suissesse.
Peintre, graveur de paysages.
Elle fut élève de Gattiker et exposa, à partir de 1900, surtout des paysages gravés.
Ventes Publiques : Zurich, 6 juin 1980 : *Nature morte*, h/t (40,5x48) : **CHF 2 000**.

ESCHER Gottschalk
XVIIIe siècle. Actif à Lübeck vers 1700. Allemand.
Peintre.
Il travailla pour l'église Saint-Pierre de Lübeck.

ESCHER Hans Kaspar
Né le 10 août 1775 à Zurich. Mort le 29 août 1859 à Zurich. XIXe siècle. Suisse.
Graveur sur cuivre et architecte.
On conserve de lui dans la collection de l'Association artistique de Zurich plusieurs gravures de chevaux et un dessin.

ESCHER Martin Friedrich
Né le 12 avril 1772 à Lyon (Rhône). Mort le 4 février 1814 à Zurich. XVIIIe-XIXe siècles. Français.
Peintre et graveur amateur.
Escher travaillait à Nîmes et peignit dans la manière de Gessner. Il grava des paysages et signa tantôt de son nom et tantôt de son monogramme.

ESCHER Maurits Cornelis
Né en 1898 à Leeuwarden. Mort en 1972. XXe siècle. Hollandais.
Peintre, dessinateur, graveur de paysages, paysages urbains, architectures, intérieurs, figures. Figuration-fantastique.
Né dans une famille d'« artistes » (selon une déclaration qu'il nous fit), il commença par faire des études d'ingénieur à l'Université Technique de Delft, tout en étudiant à l'École d'Architecture et des Arts Décoratifs de Haarlem. Grand voyageur, il résida en Italie, de 1923 à 1935, et revint se fixer en Hollande en 1937. Appréciée largement dans de nombreux pays, l'œuvre du hollandais Escher ne fut réellement connue et goûtée en France qu'à partir de 1972 (malgré quelques articles qui avaient, avant cette date, révélé son art au public de langue française).
Les gravures d'Escher suscitent toujours l'enthousiasme de nombreux amateurs : scientifiques, mathématiciens ou fervents de l'art fantastique. Il convient de diviser l'œuvre d'Escher en deux périodes distinctes. Sa période latine est marquée par la représentation de paysages réinventés, de formes végétales et animales d'un intense réalisme fantastique, de perspectives curieuses. À partir de 1937 – année charnière – il exécute de nombreuses gravures (en noir et en couleur) dans lesquelles sa virtuosité technique alliée à une manière unique de jouer avec la perspective ouvre les portes d'un monde clos, halluciné, nous plonge au cœur de citadelles du vertige, dont la vision serait fréquemment source de délectation morbide...si nous ne savions qu'Escher veut souvent nous prouver que la nature a horreur du vide. C'est dire que parfois ce que nous prenons pour des images d'un autre monde doit être regardé comme une série de combinaisons de quelque jeu savant dont le meneur seul connaît les règles. Escher excella à créer des structures fermées définitivement sur elles-mêmes, à imager d'extraordinaires imbrications de figures (oiseaux blancs et noirs, oiseaux et poissons, lézards et personnages humains évoluant sur des plans faussement parallèles). Le mystère Escher est cette recherche constante de la quatrième dimension : « Dans un monde tridimensionnel, montrer simultanément l'avant et l'arrière est une impossibilité ». Signalons enfin qu'en dehors de ses gravures, Escher dessina des timbres-poste et réalisa une peinture murale, *Métamorphose*, pour un bureau de poste de La Haye.
■ Pierre-André Touttain, C. D.

Bibliogr. : Pierre Chapelot : *Une découverte : le visionnaire Escher*, Paris, Revue *Planète*, n° 8, 1963 – Albert Flocon : *À la frontière de l'art graphique et des mathématiques : Maurits Cornelis Escher*, Paris, in : Revue *Jardin des Arts*, n° 131, 1965 – J.L. Locher, C.H.A. Broos, M.C. Escher, G.W. Locher, H.S.M. Coxeter : *Le Monde de M.C. Escher*, comprend le catalogue de son œuvre, Paris, Éditions du Chêne, 1972 – Catalogue de l'exposition *Escher*, Paris, Institut néerlandais, 1973.
Musées : La Haye (Mus. mun. de La Haye).
Ventes Publiques : Amsterdam, 25 mai 1976 : *Day and night*, bois gravé (39,3x67,8) : **NLG 7 500** – Amsterdam, 26 avr. 1977 : *Métamorphoses II* 1939-1940, grav. sur bois, sur Japon (28x17) : **NLG 6 200** – New York, 3 mai 1978 : *Convex and Concave* 1955 : **USD 2 000** – Los Angeles, 24 sep. 1979 : *Trois sphères II* 1946, litho. (26,1x46,9) : **USD 16 500** – Los Angeles, 22 sep. 1980 : *Étude entre Saint-Pierre et la Chapelle Sixtine* vers 1936, cr. noir et blanc et craie brune (33x24) : **USD 5 500** – New York, 16 fév. 1982 : *Bond of union* 1956, litho. (26x33) : **USD 3 000** – New York, 2 mai 1984 : *Hand with reflecting sphere* 1935, litho. (31,8x21,6) : **USD 20 500** – New York, 16 nov. 1985 : *Day and Night* 1938, grav./bois en noir et gris verdâtre/Japon mince (39,3x67,8) : **USD 11 000** – New York, 15 mai 1986 : *Main à la sphère* 1936, litho. (31,8x21,3) : **USD 17 000** – New York, 13 nov. 1987 : *Day and night* 1938, grav./bois en noir et gris verdâtre/Japon mince (39,3x67,8) : **USD 16 000** – Zurich, 16 oct. 1991 : *Rencontres* 1944, litho. (38,7x49,5) : **CHF 6 500** – Amsterdam, 30 mai 1995 : *Trois sphères* 1945, bois gravé (28x17) : **NLG 6 500**.

ESCHER Rudolf
Né en 1662 à Zurich. Mort en 1721 à Zurich. XVIIe-XVIIIe siècles. Suisse.
Peintre amateur.
Rudolf Escher, qui fit une carrière d'homme politique, peignit surtout des portraits. Ceux du bourgmestre, J. Heinrich Escher (qui, d'après Brun, serait probablement son père), et de L. Engeler furent gravés plus tard par J. Bodmer.

ESCHER vom Luchs Heinrich
Né en 1799 à Zurich. Mort en 1844 à Zurich. XIXe siècle. Suisse.

Peintre de paysages, graveur, décorateur.
Escher est représenté dans les collections d'estampes de l'Association artistique de Zurich et à l'Institution polytechnique fédérale par des planches, d'après Gessner. Il exposa en 1826 à Zurich.

ESCHER W.
Mort le 13 juin 1871 à Berlin. XIXe siècle. Allemand.
Peintre de scènes de genre, portraits, peintre sur porcelaine.
En 1850, il travaillait à Vienne. On lui doit des portraits et des sujets de genre.

ESCHER zum Adlerberg Konrad
Né en 1756 à Zurich. Mort en 1813 à Zurich. XVIIIe-XIXe siècles. Suisse.
Peintre de paysages, peintre à la gouache, dessinateur, graveur.
K. Escher exposa en 1803 et peignit dans la manière de Gessner. Il est représenté dans la collection de l'Association artistique de Zurich par deux gravures et des paysages. Contrairement à ce que dit Siret, Konrad et Martin Friedrich Escher sont deux artistes distincts.

ESCHER-SCHULTHEISS
XIXe siècle. Active à Zurich au début du XIXe siècle. Suisse.
Peintre amateur.
Elle exposa des vues suisses à l'aquarelle à Zurich (1802) et fut élève de Huber.

ESCHERICH Catharina
XIXe siècle. Actif à Vienne au début du XIXe siècle. Autrichien.
Peintre de portraits.
On cite son *Portrait de l'archiduc Charles d'Autriche.*

ESCHERICH F.
Née le 20 mars 1888 à Davenport (Iowa). XXe siècle. Américaine.
Peintre.

ESCHINI Angelo Maria d'
Morte en 1678 à Modène. XVIIe siècle. Italienne.
Peintre et graveur.
On connaît de cette artiste plusieurs excellentes gravures de la *Vierge.*

ESCHKE Oskar
Né le 28 mai 1851 à Berlin. Mort en avril 1892 à Chicago. XIXe siècle. Allemand.
Peintre de paysages, marines.
Fils et élève de Wilhelm Benjamin Hermann Eschke à Berlin. En 1875, il prit part à une expédition en Chine.
Ventes Publiques : Cologne, 23 mars 1990 : *Le Rivage d'Abendrot,* h/t (56x86) : **DEM 4 000.**

ESCHKE Richard Hermann
Né le 1er septembre 1859 à Berlin. Mort en 1944. XIXe-XXe siècles. Allemand.
Peintre de genre, scènes animées, paysages animés, marines.
Fils et élève de Wilhelm Benjamin Hermann Eschke à Berlin. À partir de 1883, il exposa à Munich et Berlin.
Ventes Publiques : Vienne, 13 juin 1978 : *Le Marché aux poissons,* h/t (55x81,5) : **ATS 28 000** – Amsterdam, 5-6 nov. 1991 : *Chèvres dans un paysage montagneux,* h/t (90,5x110,5) : **NLG 1 610** – Londres, 18 mars 1992 : *Le jeune joueur de pipeau* 1901, h/t (61x77,5) : **GBP 2 200** – Amsterdam, 2 nov. 1992 : *Le Petit Chaperon rouge,* h/t (73x111) : **NLG 10 350** – Copenhague, 17 mai 1995 : *Marine avec la côte russe et un port au fond au soleil couchant,* h/t (79x130) : **DKK 15 000.**

ESCHKE Wilhelm Benjamin Hermann
Né le 6 mai 1823 à Berlin. Mort le 15 janvier 1900 à Berlin. XIXe siècle. Allemand.
Peintre de paysages animés, paysages, marines.
Il fut élève du peintre de marines W. Krause à Berlin et de Le Poittevin à Paris. Il voyagea en Angleterre, en Belgique, en Hollande et en France. Il se fixa à Berlin, où il fut médaillé en 1879.
Musées : Melbourne : *Freshwa ter Bay, île de Wight* – Sydney : *Lever de soleil, île de Wight.*
Ventes Publiques : Londres, 16 fév. 1979 : *Bord de mer, Ostende,* h/t (71,7x109,8) : **GBP 1 100** – Londres, 27 oct. 1993 : *Paysage animé* 1874, h/t (78x135) : **GBP 4 830.**

ESCHLBAUER Johann
XVIIIe siècle. Actif à Salzbourg. Autrichien.
Sculpteur sur bois.
Il travailla pour l'église Saint-Sébastien vers 1750.

ESCHLINSPERG Konrad
XVIe siècle. Actif à Isny vers 1502. Allemand.
Sculpteur.

ESCHLINSPERG Melchior
XVIe siècle. Actif à Munich vers 1500. Allemand.
Peintre.
Il était frère de Konrad.

ESCHMANN
XIVe siècle. Actif à Bâle vers 1357. Suisse.
Sculpteur.

ESCHOLIER Claude
XXe siècle. Français.
Peintre de fleurs, nus.
Il exposa à Paris au Salon des Indépendants à partir de 1928.

ESCHOLIER Marie
Née le 13 mai 1856 à Bordeaux (Gironde). XIXe siècle. Française.
Peintre et sculpteur.
Élève de Barrias. Sociétaire du Salon des Artistes Français, où elle débuta en 1882.

ESCHOT Jacques
XVIe-XVIIe siècles. Actif à Anvers. Éc. flamande.
Peintre.
Il était en 1582 élève de Frans Miröi, en 1610 il travaillait pour la cathédrale d'Anvers.

ESCHWEGE Elmar ou **Esmar von**
Né le 22 août 1856 à Brunswick. XIXe siècle. Allemand.
Peintre d'histoire, scènes de genre.
Il fut élève de l'Académie de Dresde et travailla avec Ferdinand Pauwels. Il se fixa à Blaswitz près de Dresde, et exposa à l'Académie Royale de Dresde et à Berlin à partir de 1884.
Musées : Breslau, nom all. de Wroclaw : *Major comte von Schmettow à la bataille de Thionville.*
Ventes Publiques : Londres, 18 fév. 1970 : *Guillaume II et l'impératrice dans une calèche* : **GBP 3 000** – Londres, 12 mai 1972 : *Guillaume II se rendant au château de Potsdam* : **GNS 1 900** – Amsterdam, 17 nov. 1981 : *Le roi Frederick II et la princesse Victoria dans un carosse à Potsdam,* h/t (93,5x160) : **NLG 70 000** – New York, 1er mars 1984 : *Friedrich II et la Princesse Victoria se rendant à Potsdam,* h/t (95,2x162,5) : **USD 45 000.**

ESCHWEGE Lucette
Née à Marnes-la-Coquette (Seine-et-Oise). XXe siècle. Française.
Peintre de paysages.
Elle exposa à Paris au Salon d'Automne en 1931.

ESCLAIBES Noémie d'
Née à Cambrai (Nord). XXe siècle. Française.
Aquarelliste.
On a vu ses paysages d'Ile-de-France et de Provence au Salon de l'Union des Femmes Peintres et Sculpteurs à Paris.

ESCOBAR Alonso de
XVIIe siècle. Actif à Séville à la fin du XVIIe siècle. Espagnol.
Peintre d'histoire.
Il était disciple de Murillo.

ESCOBAR Antonio de
XVIe siècle. Actif à Séville en 1503. Espagnol.
Peintre.

ESCOBAR Blas
XVIIe siècle. Actif à Séville. Espagnol.
Sculpteur.
En 1651, le 12 avril, il livra une croix neuve en bois de poirier.

ESCOBAR Corlos Lugo
Né en 1894 à Caracas. XXe siècle. Actif aux États-Unis. Vénézuélien.
Peintre, sculpteur.
Il débuta sa formation à l'École des Beaux-Arts de Caracas. Il réalise des expositions et devient professeur à l'École des Arts Plastiques et Appliqués de sa ville natale. Il vient travailler par la suite à New York, où il continue d'exposer.

ESCOBAR Jose de
XVIIe siècle. Espagnol.
Sculpteur.
Il fut *maistre mayor* dans la corporation, en 1694, à Séville.

ESCOBAR Juan de
XVIe siècle. Travaillant à Séville vers 1534. Espagnol.
Sculpteur.

ESCOBAR Marisol
Née en 1930 à Paris, de parents vénézuéliens. XXe siècle. Depuis 1950 active aux États-Unis. Franco-Vénézuélienne.
Sculpteur de figures, groupes.
Née à Paris de parents vénézuéliens, elle passa sa jeunesse à voyager entre Paris, Caracas et les États-Unis. En 1949 elle commença ses études à l'École des Beaux Arts de Paris, l'année suivante elle partit pour New York où elle fut élève de l'Art Students' League, de la New School for Social Research et de l'Atelier de Hans Hoffman pendant quatre ans. Installée aux États-Unis, elle y a rencontré le succès et figuré dans d'importantes expositions à New York, Washington, etc.
Dans un premier temps, elle fut cataloguée Pop' Art, mais rapidement elle trouva son style propre. Ses premiers travaux se rapportaient aux traditions mexicaines et colombiennes, créant des sculptures ludiques. Progressivement la satire sociale et politique apparut dans ses sculptures.
Ventes Publiques : New York, 3 mai 1989 : *Sans titre* 1960, Plâtre peint. et acier (28x25,5x17,8) : **USD 6 050** – New York, 18 mai 1994 : *Figures*, bronze (H. 56,2) : **USD 11 500**.

ESCOBAR Pedro de
XVIe siècle. Actif à Séville. Espagnol.
Sculpteur.
Élève de son beau-frère, Alfon Martin dont il se sépara en 1508.

ESCOBEDO Helen
Née en 1936 à Mexico. XXe siècle. Mexicaine.
Sculpteur. Tendance abstraite.
Elle a d'abord étudié à Mexico, avant d'aller compléter sa formation au Royal College of Arts de Londres. Elle a participé en 1971 à la Biennale de Sculpture d'Anvers.
De tendance abstraite vers 1966, ses sculptures ou fresques modelées, découpées et peintes, évoquent parfois, dans leur construction en masses fortes et vives, la manière de Le Corbusier.

ESCOBEDO Y BOSCH Simon
Né au XIXe siècle à Barcelone. XIXe siècle. Espagnol.
Peintre de genre.
Élève de l'École des Beaux-Arts de Barcelone. Mention honorable à Madrid en 1864.

ESCOBEDO-LAZO Eberto
Né en 1919 à Cuba. XXe siècle. Cubain.
Peintre de paysages.
En 1937, il fut élève de l'École Nationale San Alejandro de La Havane. Il a subi l'influence de Fidelio Ponce de Leon.
Ventes Publiques : New York, 19-20 mai 1992 : *Paysage cubain* 1954, h/t (61x76,8) : **USD 4 950** – New York, 25 nov. 1992 : *Paysage cubain* 1951, h/t (92x107) : **USD 7 150**.

ESCOCHOIS Sandre
XVe siècle. Actif à Bruges en 1468. Éc. flamande.
Peintre.

ESCOFFEY Abraham Isaac Jakob
Né le 26 février 1763. Mort le 8 avril 1834. XVIIIe-XIXe siècles. Actif à Genève. Suisse.
Peintre sur émail.

ESCOFFEY Jean Jacques
XVIIIe siècle. Actif à Genève. Suisse.
Peintre sur émail.
Il fut le père d'Abraham.

ESCOFFIER Giorgio
D'origine savoyarde. XVIIe siècle. Travaillant à Rome au début du XVIIe siècle. Français.
Peintre.

ESCOFFIER Poncet, dit **Poncet l'Imagier**
XVe-XVIe siècles. Vivait à Lyon. Français.
Sculpteur et architecte.
Sous la direction du peintre Jean Perréal, il prit part aux apprêts des fêtes données par Lyon pour les entrées d'Anne de Bretagne, en 1494, de Louis XII, en 1499, et du cardinal d'Ambroise, légat de France, en 1501.

ESCOLA Salvador
Né vers 1850. XIXe siècle. Espagnol.
Peintre.
On lui doit entre autres des scènes de genre.

ESCOLIER Marie. Voir **ESCHOLIER**

ESCORIAL Y MARTINEZ José
Né au XIXe siècle à Madrid. XIXe siècle. Espagnol.
Peintre d'histoire et portraitiste.
Élève de Antonio Perez Rubio.

ESCOSURA Ignacio Leon y. Voir **LEON Y ESCOSURA Ignacio**

ESCOT Bernardin ou **Estoc**
XIVe siècle. Actif à Avignon vers 1345. Français.
Peintre.
Il travailla à la décoration au Palais des Papes.

ESCOT Charles
Né le 16 avril 1834 à Gaillac (Tarn). Mort le 5 mai 1902 à Gaillac (Tarn). XIXe siècle. Français.
Peintre de portraits et pastelliste.
D'abord élève de Prévost, il entra ensuite à l'Académie des Beaux-Arts à Toulouse. La spécialité de cet artiste fut le portrait, et il figura au Salon de Paris de 1869 à 1881. Le Musée de Versailles possède de lui le *Portrait de Mlle D'Epinay*, celui de *J.-J. Rousseau* au pastel, et le Musée de Tourcoing, le *Portrait de l'abbé Hubert*.

ESCOULA Jean
Né le 26 octobre 1851 à Bagnères-de-Bigorre (Hautes-Pyrénées). Mort en août 1911 à Paris. XIXe-XXe siècles. Français.
Sculpteur.
Il débuta au Salon de Paris de 1876. Sociétaire des Artistes Français depuis 1885. Médaille de troisième classe 1881, de deuxième classe, 1882, médaille d'or aux Expositions Universelles de 1889 et de 1900. Hors Concours. Officier de la Légion d'honneur. Son maître fut Gautherin. On voit, de cet artiste, au Musée de Nancy : *Angélique*, et à celui de Valenciennes : *La Douleur*, à Châlons-sur-Marne on conserve : *Jeunes baigneuses*.

ESCOULA-MAROT Jean Marie
Né à Bagnères-de-Bigorre (Hautes-Pyrénées). XIXe siècle. Français.
Sculpteur.
Paraît identique à Jean Escoula, à moins qu'il ne fut son élève. Il exposa pour la première fois à Paris en 1889.
Musées : Nice : *Le Tailleur de pierre*.

ESCRIBANO Bartolomé
XVIIIe siècle. Espagnol.
Graveur.
Il fut élève de P. Irala.

ESCRIBANO Francisco de Paula
Né au XIXe siècle à Séville. XIXe siècle. Espagnol.
Peintre d'histoire.
Élève de l'École des Beaux-Arts de Séville. Il a exposé dans cette ville ainsi qu'à Cadix et à Madrid, entre 1858 et 1878.

ESCRIBANO Y PAUL Maria del Pilar
Née à Séville. XIXe siècle. Espagnole.
Peintre.
Elle peignit des sujets historiques et religieux.

ESCRIBE Ivan Marie Laurent
Né à Briatexte (Tarn). XXe siècle. Français.
Peintre.
Il fut élève de P.A. Laurens, Aubry et L. Roger. Exposant, à Paris, du Salon des Artistes Français depuis 1934.

ESCRIVAN d', Mme
XIXe siècle. Active à Paris. Française.
Peintre et graveur.
Sociétaire des Artistes Français depuis 1907, elle figura au Salon de cette Société.

ESCROYS Domingo
D'origine française. XVIIIe siècle. Français.
Peintre.
Il travailla pour la cour d'Espagne à la fin du XVIIIe siècle.

ESCUDÉ Y BARTOLI José
Né le 24 février 1863 à Reus. XIXe siècle. Espagnol.
Peintre.
Il fut élève de Simon Gomez à Barcelone.

ESCUDER DE MARCILLA Gaspard
Né à la fin du XXe siècle à Barcelone (Catalogne). XXe siècle. Espagnol.

Peintre de miniatures, portraits.
Il a exposé des miniatures, à Paris, au Salon des Artistes Français de 1928 à 1933.

ESCUDERO François Xavier
Né à Huesca (Aragon). XXe siècle. Espagnol.
Graveur en médailles.
Il a exposé des plaquettes en plâtre et en bronze, à Paris, au Salon des Artistes Français de 1928 à 1933.

ESCUDERO Maria Pastora
Née au XIXe siècle. XIXe siècle. Espagnole.
Peintre d'histoire.
Elle exposa à Séville en 1858 et 1868.

ESCUDERO Y ESPRONCEDA José
XIXe siècle. Espagnol.
Peintre.
Il s'établit au Mexique.

ESCUDERO LOZANO Francisco Xavier
Né au XIXe siècle à Huesca (Espagne). XIXe siècle. Espagnol.
Sculpteur.
Figura au Salon des Artistes Français ; il obtint une mention honorable en 1897, et à l'Exposition Universelle de 1900 une médaille de bronze.

ESCUDIÉ Roger
Né le 16 mai 1920 à Carcassonne (Aude). XXe siècle. Français.
Peintre de marines, de paysages. Tendance expressionniste.
Depuis 1950, il participe, à Paris, à des expositions collectives : le Salon des Artistes Indépendants, le Salon Comparaison, le Salon de la Nationale des Beaux-Arts où, en 1965 il a obtenu le prix Marret pour un de ses paysages, le Salon de la Marine et le Salon des Terres Latines. L'État et la Ville de Paris ont fait l'acquisition de certaines de ses œuvres.
VENTES PUBLIQUES : SAINT-JEAN-CAP-FERRAT, 16 mars 1993 : *Marée basse*, h/t (99x130) : **FRF 7 500**.

ESCUDIER Charles Jean Auguste
Né le 20 avril 1848 à Paris. XIXe siècle. Français.
Peintre de genre, portraits.
Élève de Giacometti et de Pils, il envoya des portraits au Salon à partir de 1869.
VENTES PUBLIQUES : PARIS, 12 mars 1919 : *Le Déjeuner* : **FRF 100** – PARIS, 23 déc. 1935 : *Femmes de pêcheurs* : **FRF 140** – NEW YORK, 17 fév. 1993 : *Enfants pêchant*, h/t (65,1x99,7) : **USD 14 950** – LONDRES, 31 oct. 1996 : *Jeunes Japonaises taquinant un perroquet* 1871, h/t (120x76) : **GBP 6 900**.

ESCUYER Jules
Né en 1798 à Compiègne. Mort en janvier 1870 à Manosque. XIXe siècle. Français.
Peintre de paysages.
Exposa des paysages au Salon de 1835 à 1865.

ESCUYER Pierre
Né le 30 août 1749 à Genève. Mort le 1er juillet 1834 à Genève. XVIIIe-XIXe siècles. Suisse.
Graveur.

ESDALL William
Mort en mars 1795 à Dublin. XVIIIe siècle. Irlandais.
Graveur.
Il illustra des livres et des journaux.

ESDERS Madeleine
Née le 29 mai 1891 à Paris. XXe siècle. Française.
Sculpteur.
Cette artiste débuta, à Paris, au Salon des Artistes Français en 1921.

ESEGRENIO
XIVe siècle. Actif à Venise. Italien.
Peintre d'histoire.
Cité par Siret.

ESEL Hans
XVe siècle. Actif à Bâle en 1494. Suisse.
Peintre de cartes.

ESENGREN Philipp
XVIe siècle. Actif à Venise à la fin du XVIe siècle. Italien.
Peintre et graveur.

ESHERICK Whardon
Né le 15 juillet 1887 à Philadelphie (Pennsylvanie). XXe siècle. Américain.
Peintre, sculpteur, graveur sur bois et dessinateur.

ESHINSÔZU. Voir **GENSHIN**

ESHRICK Whardon
Né le 15 juillet 1887 à Philadelphie (Pennsylvanie). XXe siècle. Américain.
Peintre, sculpteur, graveur sur bois, dessinateur.

ESINGER Adèle
Née en 1846 à Salzbourg. XIXe siècle. Autrichienne.
Peintre de paysages et de genre.
Elle fut élève de Gude et de Hansch.

ESKENA Edrik ou **Ekenas**
Mort en 1677. XVIIe siècle. Actif à Paris. Français.
Peintre de miniatures.
Il fut vers 1636, peintre de Gaston d'Orléans.

ESKENAZI Roger
Né le 18 avril 1923 à Sarcelles (Val-d'Oise). XXe siècle. Français.
Peintre. Expressionniste-abstrait.
Il fut élève de l'École du Louvre, puis, en 1941, des Ateliers d'André Lhote et de Fernand Léger. Il reçut des encouragements d'Édouard Pignon et André Masson. Il participa à de nombreuses expositions collectives, à Paris : Salon des Moins de Trente Ans, Salon d'Automne de la Libération en 1944, premier Salon de Mai en 1945 et à d'autres reprises, Salon Comparaisons dans le groupe *Réalité Seconde*, régulièrement Salon des Réalités Nouvelles, en 1963 *L'École de Paris*, ainsi qu'à des groupes en province et à l'étranger. Sa première exposition personnelle eut lieu à Limoges en 1943, suivie de nombreuses autres, jusqu'à : 1972 Maison de la Culture de Saint-Étienne, 1976 Maison de la Culture de Créteil, 1977 Maison de la Culture d'Amiens et Musée des Beaux-Arts de Caen, 1983 Musée des Beaux-Arts de Nantes, 1985 Centre d'Art Contemporain de Rouen, 1989 Centre Culturel Français de Luxembourg et Théâtre Romain Rolland de Villejuif, 1992, 1994 à L'Île-Adam, etc.
Il pratiqua de bonne heure, une peinture apparemment abstraite, aux modulations colorées et rythmiques caractéristiques, toutefois observée à partir de la nature et du monde extérieur. Ce regard préalable sur la réalité d'où naît l'émotion, est revendiqué par Eskenazi au point qu'il indique lui-même les thèmes qui l'ont conduit : talus, forêts, coupeurs de lavande, troupeaux, chiens, marchés, abattoirs, bûcherons, chorégraphies de Merce Cunningham, et jusqu'à, parfois, les grands sujets qui l'animent pour peindre ce qu'autrefois on nommait les tableaux d'histoire : 1963 *Hommage à Delacroix*, 1964 *L'invasion*, 1981 *L'arrivée des Espagnols*, 1982 *Grande progression de la rage*. Dans l'ensemble de son œuvre, et en-deça de son unité d'appartenance à l'abstraction lyrique, on peut discerner quelques variantes stylistiques : à partir de 1948 les formes sont très définies en juxtaposition d'aplats colorés, après 1953 les formes s'interpénètrent, passent d'une couleur à l'autre, créant lumière et espace, enfin, parvenu à sa pleine maturité, Eskenazi a adopté une technique de fluidité transparente, comme aquarellée, appliquée à une gamme de couleurs éclatantes et lumineuses, que dynamise le dessin qui les sous-tend, se développant en volutes qui suggèrent, selon lui-même se référant toujours à la reconnaissance primordiale : « des territoires que je voudrais identifier, où l'on pourrait s'y reconnaître, où l'on pourrait exister. » ■ J. B.
BIBLIOGR. : Catalogue de l'exposition *Roger Eskenazi*, Musée des Beaux-Arts de Caen, 1977 – Catalogue de l'exposition *Roger Eskenazi*, Musée des Beaux-Arts de Nantes, 1983 – in : Catalogue de l'exposition *Réalité Seconde*, Mus. de l'Art Contemp., Chamalières, 1986 – Pierre Brisset : *Roger Eskenazi*, in : L'Œil, Paris, mai 1991.

ESKENS Martin
Mort avant le 16 novembre 1569 à Malines. XVIe siècle. Éc. flamande.
Peintre.

ESKESEN Odgar Erik Frode
Né le 21 avril 1863 à Rudme (près de Svendborg). XIXe siècle. Danois.
Paysagiste.
Partit en 1881 pour Copenhague où il exerça sa profession. Quelques essais qu'il montra à G. S. Kröyer furent approuvés et encouragés, et en 1887, il fut admis comme élève de l'École d'étude des artistes, qu'il fréquenta pendant trois ans. Il débuta au Salon de Paris en 1891, et depuis ce temps, il a exposé une série de paysages, en partie à Charlottenbourg, en partie à des

Expositions particulières. La plus importante de ces œuvres est *Vue de Dybböl*. Eskesen a peint en 1894 un portrait de grandeur nature du *Lieutenant-colonel Dalgas* (offert à l'Université populaire de Askov).

ESKEY William A.
Né le 21 août 1891 à Sisterville (Virginie). XXe siècle. Américain.
Graveur à l'eau-forte.

ESKILSSON Per ou **Peter**
Né en 1820 à Billeberga Socken. Mort le 29 janvier 1872 à Bremö. XIXe siècle. Suédois.
Peintre de genre, figures.
Après avoir été sous-officier d'artillerie, puis teneur de livres, il put, grâce à l'aide d'un ami, se rendre, en 1853, à Düsseldorf, où il étudia avec Tidemand. En 1859, on le retrouve à Stockholm en qualité de photographe. En 1866, il devint membre de l'Académie.
Il se manifesta avec des peintures humoristiques de la vie populaire suédoise.
Ventes Publiques : Malmö, 2 mai 1977 : *Le Fumeur de pipe* 1856, h/t (48x38) : **SEK 10 000** – Stockholm, 22 avr. 1981 : *Vieillard coupant les cheveux d'un enfant dans une cour* 1858, h/t (31x27) : **SEK 19 000** – Stockholm, 30 oct. 1984 : *Vieille femme avec un homme dans un intérieur*, h/t (52x50) : **SEK 41 000** – Stockholm, 4 nov. 1986 : *La fin du repas*, h/t (25x34) : **SEK 35 000** – Göteborg, 1er oct. 1988 : *Le travail du jardinier*, h/t (21x19) : **SEK 11 500** – Stockholm, 15 nov. 1988 : *Gröna Lund*, h. (26x36) : **SEK 38 000** – Stockholm, 16 mai 1990 : *Dégustation de punch devant l'auberge*, h/t (26x36) : **SEK 26 000** – Londres, 17 mai 1991 : *Le portrait*, h/t, une paire (36x45,5) : **GBP 2 200** – Stockholm, 19 mai 1992 : *La Nappe blanche* 1867, h/t (28x23) : **SEK 8 500.**

ESKRICH Pierre, dit **Cruche, Vase** ou **du Vase** ou **Krug**
Né vers 1530 probablement à Paris. Mort après 1590. XVIe siècle. Français.
Peintre, dessinateur, brodeur.
Il était fils de Jacob originaire de Fribourg-en-Brisgau, et graveur qui travaillait à Paris dans le premier quart du XVIe siècle, et dont le véritable nom paraît être Krug (en allemand « cruche »), d'où par corruption ou traduction, « Eskrich », « Cruche », « Vase ». Pierre Eskrich serait venu à Lyon vers 1548. En 1552, on le trouve à Genève ; il obtient, en 1552, le droit d'y résider, et, en 1560, le droit de bourgeoisie. En 1562, il y vit dans l'indigence et sollicite des secours ; en 1564, il fait un plan ou vue de Genève pour l'amiral de Coligny et vient travailler, pendant un mois, à Lyon, sur la demande du Consulat et à l'occasion de la venue du roi à « certains portraictz et modelles ». En 1565, il s'établit définitivement à Lyon, s'intitule, en 1572 « peinctre et bourdeur (brodeur) de Mgr de Mandelot, gouverneur pour le roy à Lyon » et peint, en 1574, le bateau qui doit porter Henri III revenant de Pologne. Il vivait encore à Lyon en 1590. Son œuvre n'est connu que par quelques gravures sur bois signées d'une des formes de son nom : *La terre promise* (de Chanaan), carte avec cartouche et figures signée : *« Faciebat Petrus Eskricheus. Lugduni 1566 »*, publiée, avec les deux pièces qui suivent dans la Sainte Bible de Barth. Honorati, Lyon, 1585 ; *La terre de Chanaan départie aux douze tribus d'Israël, « Faciebat Petrus Eskrichius, 1566 » – La marche des Israélites dans le désert, « P. Eskricheus inventor » – Plan de la ville... et Faux-bourgs de Paris*, signé « *Cruche* », copie d'un plan anonyme daté de 1551, dans Premier livre des figures... des villes de B. Arnouller, 1552, *Monument de bois devant servir de bûcher pour les funérailles d'un empereur, signé « Cruche » in*, dans Funérailles... et manière d'ensevelir des Romains, de C. Guichard, Lyon, J. de Tournes, 1581. On sait encore, par des pièces d'archives, que Eskrich est l'auteur des seize planches de la *Mappemonde nouvelle papistique*, parue à Genève en 1566. D'après ces pièces et par comparaison, on a attribué à Eskrich une série d'estampes, et notamment, avec beaucoup de vraisemblance, les encadrements signés P.V. (Pierre Vase) dans *Emblemata A. Alciali* et *Heures en François et Latin*, imprimés à Lyon, en 1549, par Maci Bonhomme pour G. Bovlile et autres ouvrages. Il paraît établi que P. Eskrich est le même artiste que l'anonyme dit le Maître P. V. et que le prétendu Jean Monni (voir ce nom). Les gravures sur bois citées plus haut, très différentes de style et d'exécution, ne sont certainement pas de la même main, et, bien qu'Eskrich soit qualifié « tailleur d'histoires », il ne paraît pas prouvé qu'il ait gravé ; il a probablement dessiné et signé, comme dessinateur, les pièces qui portent son nom. On peut dire qu'à Genève et à Lyon il travailla pour l'illustration, qu'il dessinait avec correction, souplesse et naturel, et qu'il fut un artiste de second rang, manquant de personnalité et d'élégance et imitant intelligemment les maîtres contemporains.

ESKRIDGE Robert Lee
Né à Philipsburgh. XXe siècle. Américain.
Peintre.
Il exposa à Paris au Salon des Artistes Français à partir de 1925.

ESLOY
XVIIe siècle. Français.
Sculpteur sur bois.
Il travailla à la décoration des appartements de Versailles et de Trianon, de 1684 à 1689.

ESMAN Herman Jean
XIXe siècle. Hollandais.
Peintre.
Fils de Johannes Esman.

ESMAN Johannes
Né le 13 décembre 1793 à Hilversum. XIXe siècle. Hollandais.
Peintre de natures mortes.
Élève de son père, H. Esman, et père d'Herman Jean Esman.

ESMANN Noels Erik
Né à Copenhague. XXe siècle. Danois.
Peintre.
Il exposa à Paris au Salon d'Automne en 1931.

ESMEIN Maurice Marcel Marie
Né en 1888. Mort le 4 février 1918 au Mont-Saint-Nom, au champ d'honneur. XIXe-XXe siècles. Français.
Peintre de scènes de genre, portraits, paysages, natures mortes, aquarelliste. Cubiste.
Étudiant en médecine, il changea rapidement de voie, influencé par son ami d'enfance : le peintre graveur Jean Buhot. Il commença par exécuter en 1908 et 1910 des croquis de voyages à travers la Belgique et la Hollande. Dès 1912, il s'installa dans un atelier du XVe arrondissement, rue des Usines.
Esmein exposa en 1914 au Salon des Indépendants de Paris. Plusieurs de ses tableaux furent exposés à Paris, en 1919, à l'Exposition d'œuvres d'artistes morts pour la Patrie, qui se tenait au Salon d'Automne.
Il peignit principalement des portraits, des paysages, des natures mortes et des scènes de cirque, où il montra une grande maîtrise dans l'organisation cubiste de ses compositions. Esmein s'exprima également par l'aquarelle. Il rédigea de nombreuses notes manuscrites sur l'art.
Bibliogr. : Gérald Schurr, in : *Les Petits Maîtres de la peinture 1820-1920, valeur de demain*, Les Éditions de l'Amateur, t. IV, Paris, 1979.

ESMENARD Inès d'
Née au XIXe siècle à Paris. XIXe siècle. Française.
Peintre de genre et de portraits.
Cette artiste étudia sous la conduite de Colson, de Franque et de Hollier. Elle figura au Salon de Paris, de 1814, à 1851, notamment avec des portraits. En 1819, elle obtint une médaille de deuxième classe.
Ventes Publiques : Paris, 22 et 23 déc. 1924 : *Jeune fille blonde en buste* : **FRF 430.**

ESMÉNARD Nathalie d'
Née à Paris. XIXe siècle. Française.
Peintre de scènes de genre, fleurs.
Élève de Redouté. Mlle d'Esménard exposa au Salon de Paris entre 1822 et 1834.

ESMERALDO Servulo
Né le 27 février 1929 à Crato. XXe siècle. Brésilien.
Peintre, graveur. Cinétique.
Arrivé en France en 1957, il fréquente l'atelier de Friedlaender. En plus d'une gravure, souvent réalisée par estampillage, où seul un relief vient briser la monochromie de la planche de papier, Esmeraldo fabrique de curieux objets qui s'animent au contact de la main. Sortes de boîtes en plastique transparent, à l'intérieur desquelles sont collés de minuscules carrés de papier fixés à un petit fil, qui au passage de la main sur la boîte, s'animent au gré de l'électricité statique créée par ce simple frottement. Participant aux expositions d'art cinétique, le travail de Esmeraldo se distingue par sa grande simplicité de conception et d'exécution, son côté « naturel », qui, dans le contexte de l'art cinétique dans son ensemble, lui donne incontestablement un caractère poé-

tique attachant. Il retourne vivre au Brésil vers le milieu des années soixante-dix.
Ventes Publiques : New York, 22 mai 1986 : *Sans titre*, acier verni (120,2x19,2) : **USD 1 500**.

ESMOND Diane
Née à Londres. xxe siècle. Française.
Peintre de figures.
Élève de Mac Avoy ; exposant du Salon des Artistes Français en 1935.

ESNAULT Maurice
Né dans la seconde moitié du xixe siècle à Marolles-les-Bruaux (Sarthe). xixe-xxe siècles. Français.
Peintre de paysages, paysages urbains, fleurs.
Ventes Publiques : Paris, 19 mai 1930 : *Paysage à Pontoise* : **FRF 1 000** – Paris, 19 fév. 1932 : *Les coquelicots* : **FRF 500**.

ESNEE-PERRIN Marthe, Mme
Née en 1845 à Paris. xixe siècle. Française.
Peintre de paysages.
Élève de Mlle Dautel et de Ségé. Elle envoya au Salon de Paris, de 1870 à 1880. On cite d'elle : *La vallée du vieux Moulin*, *Le sentier du minaret à Esnoh*, *La porte du jardin*.

ESNEUX Henri d'
Mort en 1598 à Liège. xvie siècle. Éc. flamande.
Peintre.
Il fut élève de Lambert Laubart et travaillait déjà vers 1550.

ESNEUX Joseph Thomas d'
xviiie siècle. Actif à Liège vers 1750. Éc. flamande.
Sculpteur.
Il fut élève de Panhay de Rendeux.

ESNOAL
xxe siècle. Français.
Peintre.
On cite ses envois au Salon des Peintres de Montagne.

ESNOT Claude
xvie siècle. Actif à Paris en 1586. Français.
Peintre.

ESNOUL Paul
Né en 1882 à Rennes (Ile-et-Vilaine). Mort en 1960. xxe siècle. Français.
Peintre de paysages, marines.
Issu d'une famille d'origine malouine depuis le xve siècle, il ne se consacre véritablement à la peinture qu'à partir de 1930. Il participa à de multiples expositions collectives à Paris et en province (Rouen, Boulogne-sur-Mer, Lyon, Lille, Lorient, Quimper). Exposa plusieurs fois au Salon des Indépendants et au Salon d'Hiver des Peintres de Montagne. Il devint sociétaire des Artistes Français.
Sa peinture sur panneau reflète bien les passions de cet homme amoureux de la nature et en premier lieu de la Bretagne : avec ses îles, ses villages de pêcheurs habités par les divinités des contes et légendes celtes, ses ventes à la criée, la vie dangereuse et rude des hommes qui vivent le « Grand Métier », ses côtes découpées, hachées par la force bleue et salée de la mer et les turpitudes désespérées du vent. Autre source d'exaltation, la montagne : celle des vallées encaissées et des villages en surplomb, des sommets où la pierre est éclaircie par les rayons d'un « feu » enneigé naturel.
Bibliogr. : In : *La Gazette*, Paris, jan. 1990.
Musées : Colombes – Falaise – Paris (Mus. de la Ville) – Rennes.

ESPADA Manuel
xviiie-xixe siècles. Actif à Saragosse. Espagnol.
Sculpteur.
Il était élève en 1797 de l'Académie Saint-Louis de Saragosse.

ESPAGNAT Georges d'
Né le 14 août 1870 à Paris. Mort en 1950. xxe siècle. Français.
Peintre de figures, nus, scènes de genre, natures mortes, compositions religieuses, compositions murales, dessinateur, illustrateur, graveur. Postimpressionniste, symboliste.
Personnalité nettement tranchée, G. d'Espagnat, dès le début de sa carrière, eut le souci constant d'affirmer son originalité. Ses études à l'École des Arts Décoratifs de Paris furent courtes. Il préféra acquérir de suite son indépendance, en suivant les cours des académies libres de Montparnasse. Vers 1900, il entra en contact avec des artistes tels que Maurice Denis, Bonnard et Vuillard. Sa collaboration avec Maurice Denis est à l'origine d'un renouveau de l'art sacré en France. Il fut, en 1903, un des fondateurs du Salon d'Automne. En 1934, il est nommé professeur chef d'atelier à l'École des Beaux-Arts de Paris. Il a illustré, de Rémy de Gourmont : *Oraisons mauvaises* (1896), *Les Saintes du paradis*, (1898), *Simone* (1907), *Sixtine* (1922) ; d'Alphonse Daudet : *L'Immortel* (1930) ; d'André Gide, *La Symphonie pastorale* ; de Francis Jammes, *Clairières dans le ciel* (1948).
Il participa à divers salons annuels parisiens, des Indépendants, de la Société Nationale des Beaux-Arts (1893) d'Automne (de 1903 à 1949 sauf circonstances particulières), de la Libre Esthétique de Bruxelles (1899, 1901), de la Sécession de Berlin (1904) et exposa au premier Salon de la Société de la Gravure sur bois. Parmi les autres expositions collectives, on peut mentionner : 1912, *Centenaire de l'art français*, Saint-Pétersbourg ; 1916, Kunstverein, Wintherthur ; 1918, 1926, galerie M. Bernheim, Paris ; 1930, *Art français contemporain*, Tokyo.
Il a montré ses œuvres dans des expositions particulières, dont : 1898, 1900, 1903, 1906, 1908, 1911, galerie Durand-Ruel, Paris ; 1902, galerie Durand-Ruel, New York ; 1922, 1923, 1926, Galerie Druet, Paris ; 1944, galerie Sagot-le-Garrec & M. Cordier. Parmi les expositions posthumes : 1951, rétrospective au Salon d'Automne à Paris ; 1987, Musée des Beaux-Arts et de la Dentelle ; 1996, Musée de Marly-le-Roi, Louveciennes.
Il appartint au groupe d'artistes qui firent le succès du *Courrier Français*. Les dessins qu'il y publia témoignent d'une grande force d'expression et certains d'entre eux se rapprochent de la conception des grands maîtres de la Renaissance. Il publia également dans *L'Image*. Il a souvent campé des nus heureux dans le paysage, rappelant que, s'il s'était tenu à l'écart des Fauves, il en avait retenu la liberté de la couleur et de l'arabesque. Il a réalisé de nombreux portraits, dont ceux d'Albert André, André Barbier, Victor Boucher, Déodat de Séverac, Albert Marque, André Marty, Albert Roussel, etc. Il a aussi réalisé des décorations murales : un mur pour le Palais de la Découverte (1937), le plafond de la salle de Victor Hugo au Palais du Luxembourg (1939), un panneau décoratif pour le Palais de Justice de Toulouse (1941) et des décorations intérieures pour des particuliers.
Il a également peint des paysages d'inspiration impressionniste, cherchant à atteindre une certaine sobriété, une intimité, tant dans la composition – simple, deux ou trois personnages esquissés, des vastes espaces – que dans le choix des couleurs, et leur traitement selon une touche particulière, vaporeuse qui marque son style. Finalement artiste aux confluents des tendances impressionnistes et fauves, Georges d'Espagnat a développé une œuvre, qui, à tendance décorative n'en n'est pas moins le fruit d'un esprit libre et honnête. ■ revu par C. D.

Bibliogr. : Durand-Ruel : *Georges d'Espagnat, 1870-1950*, Durand-Ruel, Paris, 1962 – in : *Dictionnaire universel de la peinture*, Le Robert, Paris, 1975 – *Dictionnaire des illustrateurs 1800-1914*, Ides et Calendes, Neuchâtel, 1989.
Musées : Albi (Mus. Henri de Toulouse-Lautrec) – Bagnols-sur-Cèze (Mus. Léon Alègre) – Boston (Mus. of Fine Arts) – Bruxelles (Mus. roy. des Beaux-Arts) – Ceret (Mus. d'Art Mod.) – Chicago (Art Inst.) – Douai (Mus. de Douai) – Genève (Petit Palais) – Le Havre (Mus. des Beaux-Arts) – Indianapolis (Mus. of Art) – Metz (Mus. d'Art et d'Hist.) – Morlaix – Moscou (Mus. Pouchkine) – Nancy (Mus. des Beaux-Arts) – Nantes (Mus. des Beaux-Arts) : *Nu s'habillant* – New York (Metropolitan Mus.) – Nice (Mus. Massenet et Chéret) – Paris (Mus. d'Art Mod.) : *Baigneuses* – Paris (Mus. d'Orsay) – Paris (Mus. du Théâtre Nat. de l'Opéra) – Rouen (Mus. des Beaux-Arts et de la Céramique) – Saint-Étienne (Mus. d'Art et d'Industrie) – Saint-Tropez (Mus. de l'Annonciade) – Santa Barbara (Mus. of Art) – Sète (Mus. Paul Valey) – Tokyo (Mus. Nat. d'Art Occidental) – Toledo (Mus. of Art).
Ventes Publiques : Paris, 6 mars 1900 : *La lecture* : **FRF 480** – Paris, 15 mai 1901 : *Le Goûter* : **FRF 1 080** – Paris, 31 mai 1906 : *Paysage du Midi* : **FRF 500** – Paris, 22 mai 1907 : *Enfants dans un jardin* : **FRF 1 500** – Paris, 6 juin 1921 : *Barque de pêche en pleine*

mer : **FRF 380** – PARIS, 11 mai 1925 : *Jeune femme au bonnet tricolore* : **FRF 1 000** – PARIS, 21 dec. 1925 : *Nature morte* : **FRF 1 050** ; *Jeune fille à sa toilette* : **FRF 1 010** – PARIS, 21 jan. 1928 : *Nature morte de fleurs et fruits* : **FRF 1 350** – PARIS, 4 juil. 1928 : *Nu couché* : **FRF 3 000** – PARIS, 2 mars 1929 : *Jeune fille lisant* : **FRF 2 200** – PARIS, 26 avr. 1929 : *Femme mettant ses bas* : **FRF 2 650** – NEW YORK, 10 avr. 1930 : *Course à la voile (Mansfield Ferry)* : **USD 220** – PARIS, 12 avr. 1936 : *Jeune fille à la flûte* : **FRF 1 000** – PARIS, 18 mars 1938 : *Buste de jeune femme*, past. : **FRF 250** – PARIS, 30 oct. 1940 : *Nu aux fleurs* : **FRF 500** – PARIS, 2 avr. 1941 : *Vase de fleurs et pommes* : **FRF 2 750** – PARIS, 30 juin 1941 : *L'enfant au ballon* : **FRF 305** – PARIS, 1er avr. 1942 : *La fillette en rose* : **FRF 1 400** – PARIS, 10 juin 1942 : *Les quais* : **FRF 2 700** – PARIS, 6 mai 1943 : *Nu à la chemise bleue* : **FRF 19 000** – PARIS, 15 déc. 1943 : *Liseuse au divan* : **FRF 21 000** – PARIS, 31 jan. 1944 : *Le Parc Monceau* : **FRF 10 000** – PARIS, 3 mai 1944 : *Concarneau*, aquar. : **FRF 2 400** – PARIS, 24 jan. 1945 : *Le modèle* : **FRF 9 100** – PARIS, 5 mars 1945 : *La loge*, dess. : **FRF 2 700** – PARIS, 9 avr. 1945 : *Fillette assise au bord d'un lac* : **FRF 10 000** – PARIS, oct. 1945-juil. 1946 : *À la Salle Pleyel* : **FRF 14 500** – PARIS, 18 nov. 1946 : *Nature morte* : **FRF 12 500** – PARIS, 24 fév. 1947 : *Nature morte à la pendule* : **FRF 7 000** – PARIS, 24 mars 1947 : *Port de pêche, Barque au sec*, aquar. : **FRF 6 200** – PARIS, 19 mars 1958 : *Les voiliers* : **FRF 160 000** – NEW YORK, 25 jan. 1961 : *Fruits* : **USD 1 100** – GENÈVE, 27 nov. 1965 : *Femme et enfant au bord de la mer* : **CHF 19 000** – PARIS, 28 mai 1969 : *Femmes au bord de l'eau* : **FRF 43 000** – VERSAILLES, 26 nov. 1972 : *Portrait de Thadée Nathanson* : **FRF 60 000** – PARIS, 5 juin 1974 : *Fleurs dans un vase* : **FRF 113 000** – VERSAILLES, 2 juin 1976 : *Les baigneuses*, h/t (130,5x162) : **FRF 19 000** – ROUEN, 21 juin 1977 : *Les bateaux de pêche*, aquar. (24x31) : **FRF 5 000** – PARIS, 7 mai 1980 : *Jeune fille, le buste découvert*, dess. aux trois cr./pap. (55X42) : **FRF 5 100** – PARIS, 14 nov. 1984 : *La plage*, h/t (43x61) : **FRF 175 000** ; *Le port de la Rochelle*, pl., cr. et aquar. (22,5X29,5) : **FRF 6 200** – PARIS, 14 déc. 1984 : *Jeune femme au chandail rouge*, aquar. (17x20,5) : **FRF 4 800** – PARIS, 11 déc. 1985 : *Mère et enfant au jardin*, aquar. (23x26) : **FRF 4 500** – LA VARENNE-SAINT-HILAIRE, 20 juin 1987 : *Après-midi au jardin*, h./t (65x110) : **FRF 280 000** – ARGENTEUIL, 20 nov. 1987 : *Portrait de jeune fille*, h/t (56x46) : **FRF 80 000** – NEW YORK, 18 fév. 1988 : *Deux jeunes filles au bord de la mer*, h/t (89x100) : **USD 27 500** – PARIS, 14 mars 1988 : *Anémone au guéridon*, h/t (55x46) : **FRF 47 500** – PARIS, 22 juin 1988 : *Retour de pêche* 1905, h/t (65x81) : **FRF 275 000** – PARIS, 23 juin 1988 : *Jeune femme assise à la robe à carreaux*, h/t (40,5x33) : **FRF 20 000** ; *Voiliers en mer*, aquar. (16,5x22) : **FRF 18 500** – NEW YORK, 6 oct. 1988 : *Nature morte aux fleurs*, h/t (92,7x73,6) : **USD 35 200** – LONDRES, 21 oct. 1988 : *Les deux enfants*, h/t (33,5x53) : **GBP 4 180** – PARIS, 14 déc. 1988 : *Jeune fille au bain*, h/t (100x65) : **FRF 180 000** – PARIS, 21 déc. 1988 : *Jeune fille au bouquet de fleurs*, h/t (81x73) : **FRF 94 000** – NEW YORK, 16 fév. 1989 : *Nature morte aux fleurs et fruits*, h/t (55,2x46,3) : **USD 28 600** – LONDRES, 22 fév. 1989 : *Bouquet de fleurs*, h/t (61,5x50) : **GBP 14 850** – PARIS, 22 mars 1989 : *Femme à sa toilette*, h/t (92x73.5) : **FRF 460 000** – PARIS, 9 avr. 1989 : *La séance de peinture dans un parc*, h/t (73x93) : **FRF 650 000** – PARIS, 13 avr. 1989 : *Femmes sous un arbre*, h/t (50x61) : **FRF 88 000** – MONACO, 3 mai 1989 : *Nu se coiffant*, h/t (130x86) : **FRF 366 300** ; *Mademoiselle Jeanne, modiste*, h/t (116,5x73,5) : **FRF 777 000** – NEW YORK, 11 mai 1989 : *Paysage à Cagnes*, h/t (65,4x80,7) : **USD 77 000** – LE TOUQUET, 14 mai 1989 : *Nu en buste*, h/t (47x38) : **FRF 72 000** – PARIS, 11 oct. 1989 : *La capeline, portrait de jeune fille*, h/t (100x80) : **FRF 540 000** – NEW YORK, 18 oct. 1989 : *Femme faisant une réussite*, h/t (60x73) : **USD 110 000** – NEW YORK, 15 nov. 1989 : *Les femmes au perroquet* 1903, h/t (162,5x130,8) : **USD 198 000** – PARIS, 22 nov. 1989 : *Vases de fleurs*, h/t (65x54) : **FRF 170 000** – CALAIS, 10 déc. 1989 : *Le chat blanc*, h/t (74x93) : **FRF 350 000** – NEW YORK, 26 fév. 1990 : *Deux vases de fleurs*, h/toile de jute (73,3x92,4) : **USD 60 500** – PARIS, 3 avr. 1990 : *Un port*, aquar. (23x30) : **FRF 35 500** – LONDRES, 4 avr. 1990 : *Marée à Aubergeville*, h/t (70,5x92) : **GBP 38 500** – PARIS, 26 avr. 1990 : *Sur la plage*, h/t (33x41) : **FRF 90 000** – NEW YORK, 18 mai 1990 : *Enfants jouant*, h/t, triptyque (panneau central 144,8x44,4, chaque panneau latéral 119,4x44,4) : **USD 132 000** – PARIS, 30 mai 1990 : *Jeunes filles aux paniers*, h/t (100x81) : **FRF 435 000** – LONDRES, 26 juin 1990 : *Bouquet de fleurs*, h/t (73x60) : **GBP 57 200** – NEW YORK, 2 oct. 1990 : *Enfants dans un parc* 1899, h/t (81,6x100) : **USD 154 000** – LE TOUQUET, 11 nov. 1990 : *Jeune femme à sa toilette*, h/t (92x73) : **FRF 410 000** – NEW YORK, 15 fév. 1991 : *Jacinthes et bouquet*, h/t (81,3x65,4) : **USD 27 500** – NEW YORK, 25 fév. 1992 : *Maison à Saint-Véran*, h/t (60,3x73,6) : **USD 33 000** – NEW YORK, 23-25 fév. 1993 : *Vase de fleurs*, h/t (81x65,1) : **USD 19 550** – PARIS, 6 avr. 1993 : *Nature morte au bouquet de fleurs*, h/pan. (41x32) : **FRF 29 000** – NEW YORK, 13 mai 1993 : *Vue de Triel au printemps*, h/t (59,7x73) : **USD 21 850** – CALAIS, 4 juil. 1993 : *L'Après-midi dans le jardin*, aquar. (17x22) : **FRF 13 500** – LONDRES, 13 oct. 1993 : *Cagnes vu de Saint-Véran*, h/t (60x73) : **GBP 9 200** – DEAUVILLE, 13 nov. 1993 : *Baigneuse*, h/t (61x100) : **FRF 191 000** – NEW YORK, 12 mai 1994 : *Promenade au bord de la mer*, h/t (38,1x55,2) : **USD 61 900** – PARIS, 15 juin 1994 : *Femmes et enfants jouant dans un jardin*, h/t (330x142) : **FRF 380 000** – LONDRES, 29 juin 1994 : *Jacinthes et Bouquet*, h/t (81,3x65,4) : **GBP 14 375** – LE TOUQUET, 21 mai 1995 : *Printemps en Provence*, h/t (152x162) : **FRF 112 000** – NEW YORK, 9 nov. 1995 : *La Lecture au jardin* 1898, h/t (141x106,7) : **USD 54 625** – PARIS, 13 juin 1996 : *Pêcheurs en mer* vers 1905, h/t (60x73) : **FRF 130 000** – NEW YORK, 12 nov. 1996 : *Bouquet de fleurs*, h/t (73x60) : **USD 9 200** – LONDRES, 3 déc. 1996 : *Les Pêcheurs à la ligne*, h/t (97x130) : **GBP 47 700** – PARIS, 8 déc. 1996 : *Femme et enfants sous les arbres*, h/t (81x100) : **FRF 190 000** – NEW YORK, 9 oct. 1996 : *Lecture dans le jardin*, h/t (73,7x92,1) : **USD 51 750** ; *Vase de fleurs et livres sur une table*, h/t (61x49,5) : **USD 25 300** – TEL-AVIV, 26 avr. 1997 : *Vase de fleurs*, h/t (46x38,2) : **USD 6 900** – PARIS, 12 mars 1997 : *Fillette assise* vers 1908, h/t (73x54) : **FFR 130 000** – PARIS, 5 juin 1997 : *Baigneuse*, h/t (195x130) : **FRF 150 000** – PARIS, 6 juin 1997 : *Fruits, bouteille, assiette*, h/t (38x46) : **FRF 16 000** – LONDRES, 25 juin 1997 : *Le Hamac* 1906, h/t (65,5x54) : **GBP 17 250**.

ESPALARGUCS Pedro ou **Espalargues**

XVe siècle. Espagnol.

Peintre de compositions religieuses.

Actif à Molins de Rey et à Lerida à la fin du XVe siècle.

On connait cet artiste grâce à une inscription figurant sur un retable dont une partie est à l'Hispanic Society de New York et l'autre dans la collection Johnson du Musée de Philadelphie.

BIBLIOGR. : C.R. Post, in : *Histoire de la peinture espagnole*, 1938.

MUSÉES : NEW YORK (Hispanic Society) – PHILADELPHIE (Mus., coll. Johnson).

VENTES PUBLIQUES : PARIS, 31 mars 1995 : *L'Annonciation*, temp./pan. à fond or (143x75) : **FRF 110 000** – AMSTERDAM, 10 nov. 1997 : *La Crucifixion*, h/pan. (103,8x81,8) : **NLG 40 362** – PARIS, 13 juin 1997 : *Saint Michel et saint Nicaise* ; *Saint Fabien et saint Sébastien*, pan., une paire (47x54) : **FRF 20 000**.

ESPALIU Pepe

Né en 1955 à Cordoue (Andalousie). XXe siècle. Actif aussi en France. Espagnol.

Peintre, dessinateur, sculpteur, créateur d'installations. Tendance surréaliste.

Il vit à Séville et Paris. Il a participé à plusieurs expositions collectives, dont : 1986, *Nouvelles tendances dans l'art espagnol*, Brompton gallery, Londres ; 1986, *4 artistes de Séville*, Amsterdam ; 1987, *Dynamiques et interrogations*, ARC (Art Recherche Confrontation au Musée d'Art Contemporain de la Ville), Paris ; 1988, *Invitational*, Curt Marcus Gallery, New York ; 1989, *Promises, promises*, Serpentine Gallery, Londres ; 1990, Biennale de Venise. Il a également réalisé des expositions personnelles : 1989, Amsterdam et New York ; 1990, Madrid. Il travaille parfois en collaboration avec Guillermo Paneque. Tous deux ont commencé par fonder une revue, *Figura*, dans laquelle ils affirmaient leurs convictions, leurs choix et leur attitude critique vis à vis d'une certaine politique artistique jugée par trop « mercantile ».

Les mots, les concepts, les signes, la matière, dans la réalisation des œuvres de Espaliu, sont utilisés de manière expressive pour se concentrer et former le « corpus » d'un corps insaisissable. Ce corps, qui peut être l'objet de tant de souffrance, de tourments, de blessures, n'est que peu figuré dans les œuvres de l'artiste. Traversant les éternelles contradictions entre le corps et l'âme, la matière et l'esprit, le périssable et l'éternel, la beauté formelle et spirituelle, ses installations renvoient à des références privées, incontrôlables, intimes. Objets : pièces de cuir, cordages munis de poignées, cloches, palanquins ; formes ovales, ondulantes ; représentations figuratives : têtes, lignes de corps courbées. Tous ces signes fonctionnent par analogies au corps, qui est – c'est l'idée force de Espaliu – métaphore de tout système. Atteint du sida, ses œuvres, vers 1992, traitent plus directement de la mort, sous forme de prise de conscience expressive. Œuvres dans lesquelles l'image du corps semble avoir fait place à l'intuition ou, plus globalement, à l'esprit. ■ C. D.

Bibliogr. : Juan-Vicente Aliaga : *Pepe Espaliu, le corps insaisissable*, in : *Art Press* n° 150, Paris, septembre 1990.

ESPALTER Y RULL Joaquim
Né le 30 novembre 1809 à Sitges (près de Barcelone). Mort le 3 janvier 1880 à Madrid. xixe siècle. Espagnol.
Peintre d'histoire, compositions religieuses, portraits.
Il fut élève à Paris du baron Gros. En 1843, il fut reçu membre de l'Académie des Beaux-Arts de San Fernando, puis devint professeur à l'École supérieure de peinture et sculpture. Il voyagea en Italie et en Allemagne. Il exposa assez régulièrement aux Salons de Madrid. Il a participé aux Expositions Universelles de Paris en 1855 et 1867. Il fut fait Grand-Croix de l'ordre d'Isabelle la Catholique.
Il fut avec Clavé l'un des fondateurs et animateurs du groupe des Nazaréens de Barcelone.
Musées : Madrid (Gal. Mod.) : *Moïse porté au ciel – Samson brandissant la mâchoire d'âne – Saint Jean Baptiste*.
Ventes Publiques : Madrid, 24 jan. 1991 : *Portrait de Manuel et Matilde Alvarez Amoros* 1853, h/t (140x80) : **ESP 1 680 000**.

ESPANADA Esteban
Né en 1626 à Altura. xviie siècle. Espagnol.
Peintre.
Il travailla et vécut à Valence.

E Espanada.

ESPANOL Gregorio
Né à Cisneros (Léon). xvie-xviie siècles. Espagnol.
Sculpteur sur bois.
Il travaillait en 1606 pour la cathédrale de Saint-Jacques de Compostelle.

ESPARBÈS Jean d'
Né en 1898 à Verneuil-sur-Seine (Yvelines). Mort en 1968 à Verneuil-sur-Seine. xxe siècle. Français.
Peintre de scènes de genre.
Fils de l'écrivain auteur de la *Légende de l'aigle* et conservateur des peintures du Palais de Fontainebleau. Il a régulièrement exposé, à Paris, au Salon d'Automne, dont il devint sociétaire. Cet artiste est l'un des chefs d'une école de Montmartre. Animateur des fêtes de la vieille Butte, il s'est plu à l'évocation de scènes populaires ou légendaires.
Ventes Publiques : Paris, 2 juil. 1926 : *Les chevaux de bois* : **FRF 260** – Paris, 16 mars 1929 : *L'homme aux démons* : **FRF 1 000** – Paris, 6 avr. 1936 : *La noce à Robinson* : **FRF 60** – Paris, 15 mars 1945 : *Jeune femme et masque* : **FRF 7 100** – Genève, 8 juin 1972 : *Le théâtre* : **FRF 2 750** – Versailles, 4 avr. 1976 : *Miroir à deux faces* 1927-1928, h/t (116x88,5) : **FRF 3 000** – Paris, 29 juin 1981 : *L'arlequin guitariste*, h/t (35x55) : **FRF 10 500** – Paris, 16 déc. 1983 : *Dernière kermesse*, h/t (81x100) : **FRF 8 100** – Paris, 23 juin 1987 : *Inspiration de la Muse*, h/t (60x73) : **FRF 22 000** – Paris, 16 mai 1988 : *l'enfant vers sa destinée*, h/t (48x54) : **FRF 8 000** – Paris, 30 mai 1988 : *La procession*, h/t (65x54) : **FRF 10 000** – Paris, 22 nov. 1988 : *Rue animée sous la pluie*, h/t (61x50) : **FRF 9 000** – Paris, 22 jan. 1990 : *Maternité à la poupée*, h/t (55x45) : **FRF 14 000** – Paris, 6 oct. 1990 : *Le repas de mariage*, h/t (46x55) : **FRF 8 000** – Reims, 21 avr. 1991 : *Le décorateur de masques*, h/t (61x50) : **FRF 20 500** – Paris, 4 mars 1992 : *Le joueur d'échecs*, h/t (65,5x54) : **FRF 10 000** – Paris, 24 mars 1995 : *Le couple musicien*, h/t (73x60) : **FRF 6 500**.

ESPARBES Louis
Né le 5 mars 1827 à Toulouse (Haute-Garonne). xixe siècle. Français.
Sculpteur.
En 1870, il envoya au Salon de Paris un buste bas-relief allégorique.

ESPARZA ABAD Lino
Né le 2 août 1842 à Valence. Mort en avril 1889 à Valence. xixe siècle. Espagnol.
Sculpteur.
Élève de l'Académie des Beaux-Arts de Valence. Il a fait de nombreux bustes de personnages connus.

ESPAYARTE Rodrigo de
xvie siècle. Actif à Tolède vers 1500. Espagnol.
Sculpteur.
Il travailla au Retable de *Saint-Ildefons* à la cathédrale de Tolède.

ESPEJO Antonio de
xviiie siècle. Actif à Séville en 1741. Espagnol.
Peintre.

ESPÉJO Jean
xxe siècle. Français.
Peintre de scènes animées. Naïf.
Ventes Publiques : Paris, 23 oct. 1987 : *L'arrivée de l'autocar*, h/t (27x22) : **FRF 8 000** – Paris, 6 mai 1988 : *Le marchand de cochons*, h/t (27x22) : **FRF 8 200** – Paris, 12 juin 1988 : *Les boxeurs*, h/t (22x27) : **FRF 5 000** – Versailles, 23 oct. 1988 : *L'épicier*, h/t (22x27) : **FRF 7 600** – Versailles, 6 nov. 1988 : *La glissade*, h/t (27x22) : **FRF 8 500** – Versailles, 11 jan. 1989 : *Jeu de quilles*, h/t (27x22) : **FRF 8 000** – Strasbourg, 29 nov. 1989 : *Le matin en hiver*, h/t (22x27) : **FRF 11 000** – Neuilly, 12 déc. 1993 : *La pétanque*, h/t (60x81) : **FRF 10 200**.

ESPEJO SAAVEDRA Y AGUILAR Isidro
Né le 15 mai 1788 à Cordoue. Mort le 2 avril 1876 à Cordoue. xixe siècle. Espagnol.
Peintre et orfèvre.
Élève de Diego Monroy. Il travailla en particulier pour l'église San Jago à Cordoue.

ESPELOSIN Édouard F. d'
Né le 2 avril 1863 à Tours (Indre-et-Loire). xixe siècle. Français.
Peintre.
Sociétaire des Artistes Français depuis 1902, il figura au Salon de cette société à partir de 1897.

ESPEN C. F. Van
Né à Hérent (près de Louvain). xixe siècle. Belge.
Peintre paysagiste et animalier.
Travailla depuis 1836.

ESPEN Félix Van
Né en 1928 à Frasnes-lez-Couvin. xxe siècle. Belge.
Peintre de compositions religieuses, compositions murales, cartons de vitraux.
Il a été élève de l'Académie des Beaux-Arts de Namur et de l'Institut Supérieur de La Cambre. Il fut membre fondateur des groupes *Axe 59* et *Axe 66*. Il vit et travaille à Saint-Servais Namur.
Bibliogr. : In : *Diction. biogr. illustré des artistes en Belgique depuis 1830*, Arto, Bruxelles, 1987.

ESPENAN-CRESSON Marguerite
Née en 1867 à Agen (Lot-et-Garonne). xixe siècle. Française.
Peintre.
Élève de Barrias, cette artiste débuta au Salon des Artistes Français de 1889. Les plus réussis de ses pastels peuvent évoquer ceux de Degas.

ESPERANDEU Roger
xve siècle. Actif à Valence en 1419. Espagnol.
Peintre.

ESPERCIEUX Jean Joseph
Né le 22 juillet 1757 à Marseille (Bouches-du-Rhône). Mort le 6 mai 1840 à Paris. xviiie-xixe siècles. Français.
Sculpteur.
Ce brillant artiste n'eut aucun maître. Il se plaisait à dire, cependant, qu'il était l'élève de ceux qui lui avaient donné de bons conseils. Il envoya au Salon de Paris, de 1793 à 1836. Il exécuta pour la maison du roi : *Philoctète en proie à ses douleurs*, statue en marbre. On lui doit aussi, pour la cour du palais de Versailles, la statue de *Louis XVI*. De ses autres œuvres, on cite : *La Paix*, statue commandée par l'État, *Buste du cardinal Maury*, *L'Envie expirant sur le tombeau de Racine*, marbre, *Buste de Lemercier, de l'Académie française*, marbre.
Musées : Avignon : *Femme grecque se disposant à entrer dans le bain* – Compiègne : *Philoctète* – Marseille : *Philoctète blessé – Jeune baigneur – Nymphe sortant du bain* – Paris (Louvre) : *La Victoire et la Paix* – Versailles : *Sulkowski, aide de camp du général Bonaparte – François Roussel, général de division*.

ESPERLANC Thierry
Né à Delft. Mort vers 1455 à Dijon (Côte-d'Or). xve siècle. Français.
Peintre verrier.
Il travailla pour les ducs de Bourgogne Jean sans Peur et Philippe le Bon.

ESPERLING Joseph ou **Esperlin, Esper**
Né en 1707 à Ingoldingen, près de Biberach. Mort probablement en 1775 à Beromünster. xviiie siècle. Suisse.

Peintre d'histoire, compositions religieuses, portraits, animaux, architectures, fresquiste, dessinateur.
Esperling travailla pour des particuliers et les églises de Bâle et ses environs. Il habitait Beromünster vers 1774.
La signature « Joseph Esper » dont il se servit pour plusieurs peintures à Soleure causa plus tard la division de son nom.
Musées : Soleure (Cathédrale de Saint-Urs et Vikter) : peintures et fresques – *Quatre Sacrifices bibliques.*
Ventes Publiques : Vienne, 17 sep. 1968 : *Jeune Fille à la corbeille de fleurs* : **ATS 50 000** – Berne, 28 mai 1985 : *La Fuite en Égypte*, h/t (66,5x90) : **CHF 14 000** – Berne, 30 avr. 1988 : *Roses, œillets et lis dans un vase à l'antique*, h/t : **CHF 11 000** – Lyon, 9 oct. 1990 : *L'Adoration des Mages ; l'Adoration des bergers*, h/t, une paire (60x42) : **FRF 225 000** – Zurich, 14 avr. 1997 : *Portrait de jeunne fille* 1761, h/t (107x86) : **CHF 10 925**.

ESPERSTEDT August Wilhelm
Né en 1814. xixe siècle. Actif à Berlin. Allemand.
Peintre d'histoire et de genre.
Élève de Wach. Il exposa à Berlin à partir de 1834.

ESPI Francisco
xviie siècle. Actif à Valence en 1608. Espagnol.
Peintre.
Il travailla pour la cathédrale.

ESPIE Yvonne
Née à Saint-Maur-des-Fossés (Seine). xxe siècle. Française.
Peintre.
Élève de Humbert et R. Renard. Cette artiste débuta au Salon des Artistes Français de 1923.

ESPILIT Jean-Louis
Né le 9 novembre 1943 à Ginestas (Aude). xxe siècle. Français.
Peintre, peintre de collages, graveur. Abstrait.
Il vit et travaille à Paris. Il a obtenu le prix Félix Fénéon en 1978 et le prix Lubian de peinture en 1980.
Il montre ses œuvres dans des expositions personnelles, parmi lesquelles : 1974, galerie Forum, Paris ; 1976, galerie Philippe Frégnac, Paris ; 1979, 1982, 1984, 1986, Nieuwe Weg Gallery, Doorn (Pays-Bas) ; 1988, galerie Olivier Nouvellet, Paris ; 1989, 1990, 1992, galerie Climats, Paris.
Jean-Louis Espilit compose des œuvres par agencement de formes non géométriques, découpées, dans le cas des collages, dans du papier lithographié. Son abstraction est sensible, tout en finesse.
Musées : Brive-la-Gaillarde (Mus. des Beaux-Arts) – Paris (Mus. d'Art Mod. de la Ville) – Paris (Fond. Nat. d'Art Contemp.).

ESPINA
xvie siècle. Actif à Grenade au milieu du xvie siècle. Espagnol.
Sculpteur sur bois.
Il collabora avec Diego de Siloe à la décoration de la cathédrale.

ESPINA Y CAPO Juan
Né en 1848 à Madrid. Mort le 15 décembre 1933 à Madrid. xixe-xxe siècles. Espagnol.
Peintre de paysages, marines, graveur. Postromantique.
Il abandonna prématurément ses études secondaires pour l'apprentissage du dessin et de la peinture. À l'âge de quinze ans, il effectua un voyage à Paris, à la recherche des tendances picturales de l'époque. Il retourna à Madrid et entre dans l'atelier du peintre d'origine belge, Carlos de Haes, qui lui enseigna la peinture, la sculpture et la gravure. En 1872, il obtint une bourse pour aller étudier à Rome, y resta trois ans, en profita pour retourner à Paris quelque temps avant de se fixer définitivement à Madrid. Il fut membre et finalement Premier secrétaire (1928) de l'Association des Peintres et Sculpteurs de Madrid, a été également le promoteur du premier Salon d'Automne de Madrid.
Entre 1876 et 1932, il a participé à presque toutes les Expositions Nationales de Madrid. Il fut en outre le délégué de l'Espagne aux Expositions internationales de Berlin (1886), de Vienne (1892) et de Chicago (1893), représenta son pays aux Expositions de Suède, et de Norvège en 1890. En 1920, un hommage spécial lui a été organisé pour son dévouement qu'il a apporté pour la reconnaissance des artistes en général.
Il obtint en 1881 une troisième médaille à Madrid, en 1884 et 1895 une médaille de seconde classe, en 1885 un Diplôme de première classe à l'occasion de l'exposition de l'Association des Écrivains et Artistes. Il n'a jamais abandonné la gravure à l'eau-forte. Il reçut pour ce mode d'expression des distinctions, dont une première médaille en 1926.
Il mènera toute sa vie de durs combats politiques et parfois violents pour la cause populaire. Engagement que l'on ne retrouve pas dans sa peinture, sorte d'oasis de détachement et de calme. Les peintures et les gravures d'Espina y Capo ont pour unique sujet le paysage, d'Espagne le plus souvent. C'est avec une prédilection et une certaine dextérité pour le dessin et les lignes que l'artiste a exécuté nombre de ses œuvres. Elles se rattachent aux paysages de Constable et à leur esprit romantique. L'artiste est proche des éléments de la nature, arbres, chemins, feuilles... souvent accompagnés de ciels nuageux et parfois du sentiment d'une inaccessibilité à l'être humain. Ses peintures les plus souvent citées : *Campagne de Torrelodones ; Le dernier reflet ; Nuages d'été.* ■ C. D.
Bibliogr. : In : *Cien anos de pintura en Espana y Portugal, 1830-1930*, Antiqvaria, Madrid, 1988.
Musées : Madrid (Gal. Mod.) : *Souvenir de Bretagne – Effet de lumière à Madrid – Après la tempête – Paysage.*
Ventes Publiques : Madrid, 20 déc. 1976 : *Crépuscule*, h/t (129x95) : **ESP 105 000** – Madrid, 26 mai 1987 : *Maison au pied de la montagne*, h/t (59x37,5) : **ESP 225 000**.

ESPINABETE Felipe
xviiie siècle. Actif à Valladolid. Espagnol.
Sculpteur sur bois.

ESPINADAL Pedro
xviie siècle. Actif à Valladolid. Espagnol.
Sculpteur.

ESPINAL Gregorio de
Mort en 1746 à Séville. xviiie siècle. Français.
Peintre.
Il fut le père de Juan.

ESPINAL Isidro
Né vers 1700 à San Juan de la Plana. xviiie siècle. Espagnol.
Sculpteur.
Il travailla dans la région de Tarragone.

ESPINAL Juan de
Né en 1714 à Séville. Mort le 8 décembre 1783 à Séville. xviiie siècle. Espagnol.
Peintre de compositions religieuses, sujets allégoriques, fresquiste.
Après avoir été pendant quelque temps l'élève de son père Gregorio Espinal, il entra dans l'école de Domingo Martinez, dont il épousa la fille. Cean Bermudes et d'autres amateurs d'art ayant fondé une Académie des *Tres Nobles Artes* à Séville, il en fut nommé directeur. Ce même Cean Bermudez nous dit qu'Espinal possédait plus de talent qu'aucun autre de ses contemporains et qu'il aurait été le meilleur peintre de Séville après l'époque de Murillo, si son incurable paresse ne l'avait empêché de mettre à profit de tels dons. Ayant visité Madrid à la fin de sa vie, il s'aperçut avec tristesse qu'il avait gaspillé son existence.
Pourtant son œuvre est plutôt abondante. Il est notamment l'auteur de vingt-six toiles représentant *Les scènes de la vie de saint Jérôme*, peintes, entre 1770 et 1780, pour le monastère de San Geronimo de Buenavista, dont la plupart sont conservées au musée de Séville. Entre 1770 et 1780, il a également décoré à la détrempe la coupole de l'escalier du palais archiépiscopal, d'une architecture en trompe-l'œil ; tandis qu'il a fait une quinzaine de peintures pour l'escalier. Il est aussi l'auteur de quelques fresques dans l'église du collège de San Salvador.
Parti d'un art proche de celui de Murillo, il montre ensuite l'influence de Valdés Leal, avant de s'orienter vers une sensibilité au rococo.

J de Espinal.

Bibliogr. : In : *Dictionnaire de la peinture espagnole et portugaise du Moyen-Âge à nos jours*, coll. Essentiels, Larousse, Paris, 1989.
Musées : Madrid (Acad. S. Fernando) : *Allégorie de la peinture sévillane* – Séville : *Scène de la vie de saint Jérôme.*

ESPINASSE B.
xviiie siècle. Actif à la fin du xviiie siècle. Français.
Dessinateur.
J. B. Simonet grava d'après lui *Les premiers martyrs de la Liberté.*

ESPINASSE Jean-Claude
Né le 12 avril 1943 à Montpellier (Hérault). xxe siècle. Français.

Peintre de compositions animées, portraits, nus, paysages, sérigraphe, illustrateur. Expressionniste.
De 1959 à 1961, il fut élève de Camille Descossy et Georges Dezeuze à l'École des Beaux-Arts de Montpellier. Il participe à des expositions collectives dans sa région, en Provence et Côte d'Azur, obtenant distinctions et Prix. Il montre des ensembles d'œuvres dans des expositions personnelles, depuis 1960, notamment à Montpellier, Béziers.
Il pratique une technique large, nourrie, dans un registre coloré puissant. Il traite volontiers des thèmes spécifiques de sa région : vendanges, rugby, etc.

ESPINASSE Léon
Né vers 1870 à Paris. XXe siècle. Français.
Peintre de natures mortes.
Il fut élève de Jules Lefebvre et de Benjamin Constant. Il débuta à Paris, au Salon des Artistes Français de 1896.
Il montra son attrait pour les natures mortes, peintes essentiellement sur des fonds neutres, sans détails superflus.

ESPINASSE Raymond
Né le 8 septembre 1897 à Toulouse (Haute-Garonne). Mort en 1985. XXe siècle. Français.
Peintre.
Professeur à l'École des Beaux-Arts de Toulouse. Il expose, à Paris, aux Salons des Indépendants, d'Automne et des Tuileries.
Musées : Cholet – Grenoble – Perpignan – Toulouse.
Ventes Publiques : Toulouse, 15 déc. 1982 : *Route de Méreuil*, h/t (46x61) : **FRF 6 000** – Toulouse, 13 juin 1985 : *Desnoyer peignant dans son atelier avec Suza* 1952, h/t (91x63) : **FRF 9 000** – Paris, 26 fév. 1992 : *Cactus sur la fenêtre*, h/t (61x50) : **FRF 3 200**.

ESPINASSY Auguste Alexandre d'
Né à Trévoux (Ain). XIXe siècle. Français.
Peintre.
Élève de Regnault. Il se fixa à Paris où il exposa, de 1842 à 1853, quatre toiles représentant des batailles du premier Empire, dont deux peintes en collaboration avec Jung. On cite de lui au Musée de Versailles : *Combat de Marchiennes* et *Combat d'Arlon*.

ESPINAVETE. Voir **ESPINABETE**

ESPINDOLA Humberto
Né en 1943. XXe siècle. Brésilien.
Peintre, créateur d'installations.
Le nom de cet artiste est attaché au courant pictural brésilien dérivé du *tropicalisme*, qui domina la scène artistique de 1967 à 1969, avec également la *Nouvelle Objectivité* (exposition en 1967 sous ce titre au Musée d'Art Moderne de Rio de Janeiro). Le *tropicalisme* n'est pas seulement vivace dans la peinture à thème, figurative, mais également dans la musique (Caetano Veloso, Gilberto Gil) et le cinéma.
Humberto Espindola travailla dans le Mato Grosso, et réalisa dans cette région sa série *Bovinocultura*. D'abord bi-dimensionnelle, sa peinture annexera la troisième dimension pour enfin aboutir à des installations monumentales.
Bibliogr. : Damian Bayon et Roberto Pontual : *La Peinture de l'Amérique latine au XXe siècle*, Mengès, Paris, 1990.

ESPINE DE LA FRENIÈRE Jean Baptiste François
Baptisé à Saint-Malo le 15 janvier 1727. Mort le 16 janvier 1799 à Genève. XVIIIe siècle. Français.
Peintre sur émail.
Ce peintre se réfugia à Genève pour des raisons religieuses et devint bourgeois de la ville en 1766.

ESPINELVAS, Maître de. Voir **MAÎTRES ANONYMES**

ESPINET Caroline, Mme
Née à Lyon (Rhône). XIXe siècle. Française.
Peintre.
Élève de Coroller et de H. Lazerges, et fixée à Lorient, elle a exposé à Paris, de 1875 à 1887, des marines de Bretagne et d'Algérie.

ESPINO Martin de
XVIe siècle. Travaillant à Séville en 1534. Espagnol.
Sculpteur.

ESPINOLA Manuel
Né en 1921 à Lavalleja. XXe siècle. Uruguayen.
Peintre à la gouache.
Il vit et travaille à Montevideo. Il montre ses œuvres dans des expositions collectives, dont : Biennale de Mexico en 1958 ; Biennale de São Paulo en 1957, 1959 et 1961 ; Buenos Aires en 1960 ; première Biennale de Cordoba (Argentine) en 1962.

ESPINOS Benito
Né le 23 mars 1748 à Valence. Mort le 23 mars 1818 à Valence. XVIIIe-XIXe siècles. Espagnol.
Peintre de fleurs, décorateur, graveur.
Fils de Jose Espinos. Étant spécialiste de dessins de fleurs et d'ornements pour la soie, il fut nommé, en 1784, directeur de l'*Escuela de Flores y Ornatos* à l'Académie royale de San Carlos à Valence.
Ses fleurs aux coloris vifs se détachent, le plus souvent, sur des fonds sombres, dans des compositions très élégantes.
Bibliogr. : In : *Dictionnaire de la peinture espagnole et portugaise du Moyen-Âge à nos jours*, coll. Essentiels, Larousse, Paris, 1989.
Musées : Barcelone (Real Acad. Catalana de Bellas Artes de Sant Jordi) : *Ramo de azahar* – Madrid (Prado) : *Fleurs* – Madrid (Escurial) – Valence.
Ventes Publiques : Londres, 20 avr. 1988 : *Nature morte dans une niche de pierre*, h/t (47x62) : **GBP 29 700** – Monaco, 2 déc. 1989 : *Vase de fleurs* 1789, h/pan. (73x47) : **FRF 466 200** – Londres, 5 avr. 1995 : *Nature morte de fleurs avec un bas-relief de pierre sur une table*, h/pan. (57,5x74) : **GBP 42 200**.

ESPINOS José
Né le 5 janvier 1721 à Valence. Mort en 1784 à Valence. XVIIIe siècle. Espagnol.
Peintre et graveur.
Il étudia sous Luis Martinez et Evaristo Munoz, et peignit pour le couvent des Servites du Pied de la Sainte Croix, à Valence, les tableaux représentant : *Notre Dame des Sept Douleurs et les fondateurs de l'ordre*. A sa mort, il laissa une collection choisie de gravures, de dessins et de livres. Comme graveur, il exécuta plusieurs estampes, représentant des saints.

ESPINOSA
XVIe siècle. Espagnol.
Peintre.
Figure sur le registre de paiement des artistes, à Valladolid en 1532.

ESPINOSA
XVIe siècle. Espagnol.
Peintre.
Il travailla à Séville, probablement avec Fernando Gomez, peintre, vers 1534.

ESPINOSA
XVIe siècle. Espagnol.
Peintre.
Il était actif à Séville en 1571.

ESPINOSA Alonso
XVIe siècle. Espagnol.
Peintre d'histoire.
Il vivait à Burgos au commencement du XVIe siècle. Il travaillait le plus souvent en collaboration avec son frère Andres. Tous deux, avec l'aide de Cristobal de Herrera, décorèrent de peintures la chapelle de Notre-Dame, dans la cathédrale de Palencia.

ESPINOSA Andres de
XVIe siècle. Espagnol.
Peintre d'histoire.
Il vivait à Burgos au commencement du XVIe siècle. Son frère Alonso et lui travaillèrent le plus souvent en collaboration. Ils se firent aider par Cristobal de Herrera, pour la décoration de la chapelle de Notre-Dame dans la cathédrale de Palencia.

ESPINOSA Carlos
XVIIIe siècle. Espagnol.
Peintre de portraits.
Il était pensionnaire de l'Académie d'Espagne à Rome en 1784 et copia un *Autoportrait* de Mengs.
Ventes Publiques : New York, 7 juin 1978 : *Portrait d'un jeune avocat* 1791, h/t (96x72,5) : **USD 3 100**.

ESPINOSA Francisco
XVIe siècle. Espagnol.
Peintre d'histoire et peintre verrier.
Il travailla à l'Escurial, sous le règne de Philippe II, et pour la cathédrale de Burgos.

ESPINOSA Jeronimo de
Né en 1724 à Dona Mencia. Mort en 1791 à Cordoue. XVIIIe siècle. Espagnol.
Peintre.
Il mourut dominicain au couvent Saint-Pablo de Cordoue et

décora de peintures religieuses plusieurs monuments de cette ville.

ESPINOSA Jeronimo Jacinto de

Né le 7 mai 1600 à Cocentaina (Valence). Mort le 7 mai 1680 à Valence. XVIIe siècle. Espagnol.

Peintre de compositions religieuses, portraits.

Son père, Jeronimo Rodriguez de Espinosa, peintre d'histoire, fut son premier maître. Il devint ensuite élève de Nicolas Borras et de François Ribalta. Il étudia à l'Académie hispano-italienne de Valence que dirigeait Vincent Joanes. On suppose qu'il étudia en Italie à l'École de Bologne, qu'il imita d'ailleurs assez favorablement. Il n'avait que vingt-cinq ans lorsqu'il peignit le célèbre *Christ* de Rescate, du couvent de Sainte-Thérèse. En 1638, les carmes chaussés de cette ville lui commandèrent quelques grands tableaux, qui consacrèrent ses œuvres, et les placèrent au même degré que celles des plus célèbres maîtres de l'École lombarde. Sa *Madeleine* et *La Mort de saint Louis Beltran*, et d'autres encore, ornent les églises de la ville de Valence.

Son dessin hardi, ses clairs-obscurs, ont une grande force, ses figures des expressions gracieuses. Les couleurs terre qu'il employait, réveillées de rouges, ses effets luministes, en font le continuateur de son maître Ribalta. Le fait qu'il se soit spécialisé dans les portraits de moines le fit parfois nommer le « Zurbaran de Valence ».

Musées : Alpuento (église) – Budapest : *Saint Sébastien* – Madrid (Prado) : *Marie-Madeleine en oraison* – *Christ à la colonne* – *Saint Jean et l'agneau* – Moncade (église) – Morella (église) – Puig (église) – Saint-Pétersbourg : *Fuite en Égypte* – Segorbe (église) – Teruel (église) – Valence : *Sainte Famille*.

Ventes Publiques : New York, 15 jan. 1987 : *Vision mystique de saint Bernard de Clairvaux*, h/t (118x91) : **USD 12 000** – New York, 10 jan. 1990 : *Portrait de Godfroy de Bouillon, portant un habit rouge, un poitrail d'armure et une chasuble armoriée*, h/t (156,2x116,2) : **USD 20 900** – Madrid, 18 mai 1993 : *Le Martyre de saint Pierre de Vérone*, h/t (198x103) : **ESP 4 000 000**.

ESPINOSA Jeronimo Rodriguez de

Né en 1562 à Valladolid. Mort vers 1638 à Valence. XVIe-XVIIe siècles. Espagnol.

Peintre.

Après avoir étudié à Valladolid, il se fixa dans le royaume de Valence, à Cocentayna, où il se maria, le 30 mai 1596, avec Aldonze Lleo, dont il eut un fils, qui devint le peintre Hyacinthe-Jérôme de Espinosa. Jérôme Rodriguez s'établit ensuite à Valence, où il exerça ses talents de peintre d'histoire et il ne tarda pas à acquérir un certain mérite. En collaboration avec le peintre Jayme Ferol, il peignit les tableaux du maître-autel de l'église Saint-Jean-Baptiste de la ville de Muro ; le notaire, Don André Cister, possédait à Cocentayna, une partie de ce maître-autel, représentant les saints Laurent, Hippolyte, Sébastien et Roch.

ESPINOSA José Garcia

Né le 6 octobre 1922 à Callosa de Ségura (Alicante). XXe siècle. Depuis 1951 actif au Brésil. Espagnol.

Peintre de sujets religieux, portraits, figures, groupes, paysages, natures mortes, sculpteur, graveur. Tendance fantastique.

En 1937, sa famille se fixa à Murcie, en raison de la guerre civile. En 1943, il fut élève de l'École des Arts et Métiers de Murcie. En 1948, il exposa pour la première fois à la IVe Exposition régionale des artistes de Murcie.

En 1951, il partit pour le Brésil et se fixa à Rio de Janeiro, donnant des cours de peinture et de gravure. En 1957, il revint en Espagne pour suivre des cours de restauration de peinture et sculpture à l'École des Beaux-Arts de San-Fernando à Madrid. En 1969, il est retourné à Rio de Janeiro, où il poursuit sa carrière de peintre.

Il peint dans une technique à l'ancienne aux contours estompés. Ses sujets sont le plus souvent chargés de symboles, dont l'expression recourt à des effets proches du fantastique.

Bibliogr. : Mario Margutti : *El Realismo magico de J.G. Espinosa*, Edit. Gavea, Rio de Janeiro, 1993.

ESPINOSA Juan Bautista de

XVIe siècle. Espagnol.

Peintre de natures mortes.

Il était actif à Tolède.

Ventes Publiques : Londres, 9 avr. 1990 : *Nature morte avec des pièces d'orfèvrerie, des couverts, des faïences, etc.* 1624, h/t (99x119,5) : **GBP 605 000** – Londres, 8 juil. 1992 : *Nature morte de raisins avec d'autres fruits et une cruche sur un entablement* 1676, h/t (67,5x68) : **GBP 143 000**.

ESPINOSA Juan de

XVIIe siècle. Espagnol.

Peintre.

Les registres de comptabilité de 1603 à Valladolid, établissent que cet artiste reçut par l'entremise de Vicencio Carducho, le paiement des peintures qu'il avait faites sur des coffres de bois, avec Jusepe de Porras et Ambrosio de Caro.

ESPINOSA Juan de

Mort à Puente de la Reyna (Navarre). XVIIe siècle. Espagnol.

Peintre de sujets religieux.

Cet artiste exécuta, en 1653, vingt-quatre *Scènes de la vie de saint Millan*, pour le monastère de Saint-Millan de la Cogolla. Lui-même n'en finit complètement que douze. Le frère Juan Rizi acheva son œuvre après sa mort.

ESPINOSA Juan de

XVIIe-XVIIIe siècles. Espagnol.

Peintre de natures mortes de fruits.

Il était actif à la fin du XVIIe et au début du XVIIIe siècle.

Musées : Madrid (Prado) : *deux œuvres*.

ESPINOSA Manuel

Né en 1912 à Buenos Aires. XXe siècle. Argentin.

Peintre. Surréaliste, puis abstrait-géométrique, tendance art-optique.

Il fut élève de l'École des Beaux-Arts de Buenos Aires. Il fut, en 1945, l'un des fondateurs avec Tomas Maldonado de l'*Association Arte Concreto-Invencion*. Il expose, depuis 1959, tant en Argentine (Musée d'Art Moderne de Buenos Aires) qu'en Europe. En 1967, on le trouve au Salon Comparaisons à Paris. Après une courte période surréaliste, il s'oriente vers l'abstraction-géométrique. Il exploite dans ses peintures le couple transparence-opacité en superposant des formes géométriques de positions différentes, leur donnant mouvement et dynamisme. Effets d'optique et valeurs visuelles sont les deux axes de la recherche picturale de Manuel Espinoza. Comme chez beaucoup de ses contemporains peintres de la géométrie, on observe aussi une recherche de l'impression du volume spatial à trois dimensions.

Bibliogr. : Damian Bayon, in : Catalogue de l'exposition : *Projection et dynamisme : six peintres argentins*, Mus. d'Art Moderne de la ville de Paris, Paris, 1973 – in : *Dictionnaire universel de la peinture*, Le Robert, Paris, 1975.

Ventes Publiques : Paris, 24 fév. 1982 : *Couple martiniquais*, h/pan. (27,5x19,5) : **FRF 4 300**.

ESPINOSA Matias

XVIe siècle. Espagnol.

Peintre.

Il fut occupé à l'exécution d'une œuvre de Rabuyate, avec Antonio de Avila, en 1545 à Valladolid.

ESPINOSA Miguel de

Né probablement à Saragosse. XVIe siècle. Espagnol.

Peintre.

Il fut invité par les Pères Bénédictins à venir décorer le monastère de Saint-Millan de la Cogolla. Parmi les ouvrages exécutés aux frais de la communauté : *Les Noces de Cana* et *La Multiplication des pains et des poissons*.

ESPINOSA Miguel de

Né vers 1513 à Palencia. XVIe siècle. Espagnol.

Sculpteur.

Cet artiste fit partie de ceux qui travaillaient avec Juan de Juni, et son nom figure dans un procès qui divisa Juan de Juni et Giralte en 1546. Il travaillait encore à Valladolid vers 1548.

ESPINOSA Miguel Jeronimo

XVIIe siècle. Espagnol.

Peintre de sujets religieux.

Fils de Jeronimo Jacinto de Espinosa, il était actif en Aragon.

Ventes Publiques : Londres, 19 fév. 1910 : *La Vierge et l'Enfant Jésus* : **GBP 18** ; *Saint Pierre* : **GBP 30**.

ESPINOSA Vicente

XVIe siècle. Espagnol.

Sculpteur.
Actif à Madrid, en 1569 il était à Ségovie.

ESPINOSA DE CASTRO Jacinto
Né en 1633 à Valence. XVIIe siècle. Espagnol.
Sculpteur.
Il était fils de Jeronimo Jacinto de Espinosa.

ESPINOSA DE LOS MONTEROS Antonio
Né en 1732 à Murcie. XVIIIe siècle. Espagnol.
Graveur.
Il travailla à Madrid et à Segovie.

ESPINOSA-PACEDA Romano
Né à San-Matéo (Pérou). XXe siècle. Péruvien.
Sculpteur.
Il fut élève de A. Boucher. Cet artiste a exposé, à Paris, au Salon des Artistes Français des œuvres inspirées de la préhistoire et de la vie indienne.

ESPINOSA-VIALE Lia C. M. de
XXe siècle. Français.
Peintre.
Il fut sociétaire du Salon de la Société Nationale des Beaux-Arts à Paris.

ESPINOUZE Henri, pseudonyme : **Espinoza**
Né le 21 mars 1915 à Perpignan (Pyrénées-Orientales). Mort en 1982 à Vichy (Allier). XXe siècle. Français.
Peintre de compositions à personnages, portraits, paysages, animalier, natures mortes, dessinateur, illustrateur.
Il fut élève de l'atelier privé de l'affichiste Paul Colin, place Malesherbes. Il a participé à des expositions de groupe, notamment : 1938 Paris, *Exposition Internationale Surréaliste*, Galerie des Beaux-Arts. En 1940, sa présence est avérée par une photo au château du Bel-Air à Marseille, avec les surréalistes en partance pour les États-Unis ; il ne semble pas avoir fait le voyage. Après la guerre, il vivait rue Mazarine avec Youki Desnos, jusqu'à la mort de celle-ci. Il semble qu'il soit ensuite reparti pour Perpignan. Jusqu'en 1938, il signait Espinoza, sans prénom. Dans la suite, son activité artistique n'apparaît plus.
Avant la guerre de 1939-1945, il fréquentait le groupe surréaliste, ayant figuré dans diverses publications, dont *Le Minotaure*. Lors de l'exposition de 1938, il était l'auteur d'un des mannequins de la *Rue Surréaliste*. Il a participé à l'illustration de : *Les Chants de Maldoror*, du Comte de Lautréamont, pour les éditions G.L.M. Il a illustré, ou participé à l'illustration de : *Un Cahier sur le Rêve*, texte d'André Breton, et *Méridiens encyclopédiques*, de R. Masset. ■ J. B.
BIBLIOGR. : Luc Monod, in : *Manuel de l'amateur de Livres Illustrés Modernes 1875-1975*, Ides et Calendes, Neuchâtel, 1992.
VENTES PUBLIQUES : PARIS, 8 dec. 1987 : *Promenade en forêt* 1959, h/t (115x81) : **FRF 7 000**.

ESPINOZA. Voir **ESPINOUZE Henri**

ESPLEGHEM Frans Crabbe Van. Voir **CRABBE Van Espleghem**

ESPLENS John et **Charles**
XVIIIe siècle. Actifs à Edimbourg vers 1740. Britanniques.
Graveurs.
On sait qu'ils gravèrent le *Portrait de l'Orfèvre Heriot* par Scougal.

ESPONS-MORALÈS Albert d'
Né à Paris. XXe siècle. Français.
Peintre de paysages.
Élève de Cormon. Exposant du Salon de la Société Nationale des Beaux-Arts de Paris, il a peint en Italie et en Espagne.

ESPOSITO Diego
Né en 1940 à Térame (Abruzzes). XXe siècle. Actif aussi aux États-Unis. Italien.
Peintre.
Il a étudié à Naples, jusqu'en 1964. De 1968 à 1971, il vit à New York, et depuis 1972, partage son temps entre Rome et New York. Il expose depuis 1969 aux États-Unis et en Italie.
Il a une attitude à la fois artisanale dans ses gestes, et de réflexion devant la toile, la travaillant par pliages et découpages, mettant ainsi en relief son processus de création.

ESPOSITO Gaetano
Né en 1858 à Salerne. Mort le 8 avril 1911 à Sala Consilina. XIXe-XXe siècles. Italien.
Peintre d'histoire, portraits, peintre à la gouache, aquarelliste, dessinateur.
Il exposa à partir de 1877 à Naples et à Turin.
VENTES PUBLIQUES : MILAN, 12 juin 1973 : *Scugnizzo* : **ITL 800 000** – MILAN, 25 mai 1978 : *La porteuse d'eau*, h/t (104x45) : **ITL 2 000 000** – MILAN, 19 mars 1981 : *Le rocher*, past. (25x19) : **ITL 500 000** – NEW YORK, 27 mai 1983 : *Vue du canal de Suez avec bateaux amarrés* 1901, gche (23,2x44,8) : **USD 850** – NEW YORK, 24 mai 1984 : *In chiesa*, h/t (109x173) : **USD 14 000** – MILAN, 7 nov. 1985 : *Élégante à l'éventail*, aquar. (61x45) : **ITL 3 300 000** – ROME, 13 mai 1986 : *La Jeune Pêcheuse* 1889, h/t (160x95) : **ITL 38 000 000** – ROME, 14 déc. 1988 : *Autoportrait* 1927, h/pan. (16x10) : **ITL 1 700 000** – NEW YORK, 25 oct. 1989 : *Jeune Paysanne avec un cheval*, h/t (102,2x55,8) : **USD 28 600** – ROME, 14 déc. 1989 : *Buste de jeune fille*, h/t (48x28) : **ITL 2 070 000** – BERNE, 12 mai 1990 : *Littoral rocheux*, temp. et craie (31,5x33,5) : **CHF 3 000** – ROME, 29 mai 1990 : *Puttino* 1886, h/t (22x29) : **ITL 7 475 000** – MILAN, 30 mai 1990 : *Le Palais Donn'Anna à Naples*, h/t (24x39,5) : **ITL 13 000 000** – LONDRES, 17 juil. 1992 : *Bateau de croisière en Méditerranée*, aquar. et gche (33,7x49,5) : **GBP 770** – AMSTERDAM, 3 nov. 1992 : *Barques de pêche dans la baie de Naples*, h/t (48x28) : **NLG 3 220** – ROME, 29-30 nov. 1993 : *Marin* 1904, aquar./pap. (56x39) : **ITL 4 714 000** – ROME, 6 déc. 1994 : *Doux Repos*, h/t (50x78) : **ITL 21 213 000** – MILAN, 29 mars 1995 : *Petits paysans à la fontaine*, h/t (50x33) : **ITL 15 525 000** – ROME, 23 mai 1996 : *Jeune Fille du peuple*, h/t/pap. (52x31) : **ITL 14 375 000**.

ESPOSITO Salvatore
Né en 1937 à Gallipolo. XXe siècle. Italien.
Peintre.
Il arrive à Milan en 1960, puis vient à Paris en 1964. Il participe à des expositions collectives depuis 1963.
Sa peinture est abstraite, en *all over*, recouvrant la totalité de la surface de la toile de petits signes, de petites lignes, qui évoquent parfois l'univers de Tobey, mais qui surtout participent de cette remise en question générale de la peinture, qui, en s'imposant avant tout comme surface, et non plus comme langage et évocation d'un « quelque chose » qui la transcende, devient son propre sujet.

ESPOSITO-FARÈSE Aimé
Né en 1932 à Bône (Algérie). XXe siècle. Français.
Peintre, illustrateur. Polymorphe, tendance abstraite.
Il fit des études approfondies, à dominante théologique, mais complétées par une dimension esthétique, qui le menèrent à devenir pasteur, sans renoncer à sa vocation artistique. En 1957, le sujet de sa thèse était : *Peinture Contemporaine et Art Sacré*. De 1975 à 1979 il enseigna à l'Université de Paris-Nord : *Sémiologie de l'Image, Philosophie de l'Art*. De 1979 à 1981, il voyagea et travailla à reconstituer la technique et la transparence de la peinture à l'encaustique, telle qu'elle était pratiquée à Pompéi. A partir de 1982, il s'est fixé à Paris.
Depuis 1952, il expose à Paris, soit dans des groupes, notamment : 1955, 1956, 1959, sélectionné pour le Prix de la Jeune Peinture ; régulièrement au Salon des Artistes Indépendants. Il montre ses œuvres dans des expositions personnelles, parmi lesquelles : 1952 à 1963, Montpellier ; 1960, 1963, 1964, 1968, Marseille ; 1966, 1986, 1992, Paris ; 1988, 1989, 1990, Tokyo ; etc. En outre, en 1974, 1975, 1976, il a conduit trois actions artistiques collectives en haute montagne, réalisant des peintures monumentales avec la participation de la population locale, et en 1979, 1980, 1981, il a récidivé sur les rives de l'Étang de Berre à Martigues. En 1991, il a illustré *Requiem-Océan* de Tristan Cabral.
Si, comme dans la plupart des cas, ses travaux de débutant furent figuratifs, et bien qu'ayant tôt opté pour un langage pictural abstrait, dans certaines opportunités, comme lors des actions monumentales collectives, il recourt sans complexe à des éléments figuratifs. De la part de ce peintre-pasteur, il n'y a rien d'étonnant à trouver sa peinture du côté de l'abstraction spiritualiste qu'ont illustrée Bertholle, Manessier, Le Moal. En 1972, François Mathey écrivait de sa peinture : « Le critique d'art parlera d'abstraction lyrique ; j'y vois bien plutôt la figuration de l'émerveillement réel où la méditation s'abîme. » Souvent fut associée au vitrail cette peinture structurée en sombre par de hautes verticales et légères obliques, rythmées de courtes horizontales ou par un cercle sécant, grille à travers laquelle éclatent claires et sonores la lumière et les couleurs. En Esposito-Farese le pasteur sait commenter le peintre : « La peinture n'est pas l'ex-

pression affirmée d'un monde déjà connu mais plutôt la recherche d'un monde voilé qu'elle pressent. Les œuvres ne sont que les traces d'une espérance qui n'a pas abouti, d'où la nécessité de les dépasser... » ■ J. B.

ESPOUY Hector Jean Baptiste
Né le 8 mai 1854 à Sables Adour. XIXe siècle. Français.
Peintre et architecte.
Professeur à l'École des Beaux-Arts de Paris, à partir de 1895. Il exposa au Salon dès 1880 des paysages et des vues de monuments.

ESPOUY Jean d'
Né le 30 novembre 1891 à Paris. Mort en 1921 à Paris. XXe siècle. Français.
Peintre.
Il fut élève de Harpignies. Il a débuté tout jeune, exposant, à Paris, pour la première fois au Salon des Artistes Français en 1910.

ESPOY Angel
Né en 1879. Mort en 1963. XXe siècle. Américain.
Peintre de paysages, marines.
VENTES PUBLIQUES : LOS ANGELES, 9 fév. 1982 : *Mer démontée*, h/t (71x101,5) : **USD 600** – NEW YORK, 28 sep. 1989 : *Printemps dans les montagnes*, h/t (63,5x76,2) : **USD 3 080** – LOS ANGELES-SAN FRANCISCO, 12 juil. 1990 : *Pin parasol sur la dune*, h/t (51x61) : **USD 1 210** – NEW YORK, 20 mars 1996 : *L'oasis* 1948, h/t (71,1x96,5) : **USD 2 070**.

ESPRIT Anne Marie
Née à Lyon (Rhône). XIXe-XXe siècles. Française.
Peintre.
Élève de Miciol et Tollet. Elle expose à Lyon, depuis 1889, des portraits, des fleurs, des figures, des tableaux d'histoire et de genre (peintures et quelques aquarelles). A citer : *L'Automne* panneau décoratif (1895) – *Élie reprochant à Jézabel le massacre des prophètes* (1896), *Le fil de la vie* (1900), *Légende de la mort de sainte Odile* (1901, première médaille), *Petites sœurs* (1908). Sa signature est : « A. M. Esprit ».

ESPRIT Raymonde
Née à Valence (Drôme). XXe siècle. Française.
Peintre.
Élève de Biloul et Humbert. Sociétaire du Salon des Artistes Français.

ESQUARTE Pablo
XVIIe siècle. Actif dans la seconde moitié du XVIIe siècle. Espagnol.
Peintre.
Après avoir étudié à Valence, il se rendit à Venise où il devint l'élève du Titien. Ce fut surtout un excellent portraitiste. Le duc de Villa Hermosa le chargea aussi de décorer son palais et sa maison de campagne.

ESQUIVEL Antonio Maria
Né le 8 mars 1806 à Séville. Mort le 9 avril 1857 à Madrid. XIXe siècle. Espagnol.
Peintre d'histoire, sujets religieux, compositions à personnages, portraits.
Élève de José Gutierrez. Il vint à Madrid vers 1832 et fut reçu membre de l'Académie de San Fernando. Ce fut un artiste très fécond. Il a peint surtout des portraits et des toiles d'histoire religieuse dans lesquelles se révèle une imitation assez servile de Murillo ; ce fut néanmoins un peintre de talent et un des artistes les plus célèbres de l'École espagnole du XIXe siècle.
Sa vie fut plus romantique que son œuvre. Alors qu'il était âgé de deux ans, son père fut tué à la bataille de Bailen. Lui-même, après une enfance misérable, alla à la guerre, âgé de dix-sept ans, assistant au siège de Cadix et à la défense du Trocadéro. S'étant fait connaître en peignant des scènes de la vie andalouse, il fut l'un des fondateurs du Liceo artistico y literario, foyer du mouvement romantique à Madrid. Une maladie lui fit perdre la vue. Il tenta deux fois de se suicider, en se jetant dans le Guadalquivir. Un mouvement de solidarité lui avait redonné courage, lorsqu'il recouvra la vue, se consacrant par la suite à la peinture de portraits.
MUSÉES : MADRID (Gal. d'art Mod.) : *Groupe de poètes contemporains* 1900 – *Le Sauveur, Enfant expirant dans la foi chrétienne.*
VENTES PUBLIQUES : PARIS, 25 mai 1927 : *Œuvres les plus célèbres de Murillo*, douze toiles d'après Murillo : **FRF 2 400** – PARIS, 24 fév. 1928 : *Œuvres les plus célèbres de Murillo*, douze toiles d'après Murillo : **FRF 1 500** – BARCELONE, 26 mai 1983 : *Suzanne et les vieillards*, h/t (63x84) : **ESP 220 000** – LONDRES, 7 oct. 1987 : *Portrait d'une élégante amazone* 1848, h/t (208,5x147) : **GBP 5 800**.

ESQUIVEL Carlos Maria
Né vers 1830 à Séville. Mort le 20 juillet 1867 à Madrid. XIXe siècle. Espagnol.
Peintre d'histoire et portraitiste.
Fils et élève de Antonio Maria Esquivel, il travailla également à Paris sous la direction de Léon Cogniet. Il fut nommé, en 1857, professeur à l'Académie de San Fernando. Il exposa à Madrid entre 1845 et 1867. Le Musée du Prado conserve de lui quelques portraits de la série des rois d'Espagne.

ESQUIVEL Diego de
XVIIe siècle. Actif à Séville en 1618. Espagnol.
Peintre.
Il travailla à la décoration de l'Alcazar et de la cathédrale.

ESQUIVEL Francisco de
XVIe siècle. Actif à Séville au milieu du XVIe siècle. Espagnol.
Peintre.

ESQUIVEL Jacques
XVIe siècle. Actif à Séville vers 1594. Espagnol.
Peintre.

ESQUIVEL Joaquin
XVIIIe siècle. Mexicain.
Peintre de compositions religieuses.
Actif à Mexico à la fin du XVIIIe siècle. Il décora l'église Loreto à Mexico de *Scènes tirées de la vie d'Ignace de Loyola*.
VENTES PUBLIQUES : AMSTERDAM, 12 juin 1990 : *Saint Jérôme pénitent* 1739, h/cuivre (38,8x30) : **NLG 1 725**.

ESQUIVEL Miguel de
Mort le 11 septembre 1621 à Séville. XVIIe siècle. Espagnol.
Peintre.
Il fut le père de Lucas.

ESQUIVEL Vicente
Né au XIXe siècle à Séville. XIXe siècle. Espagnol.
Sculpteur, peintre de genre, portraits.
Second fils d'Antonio Maria Esquivel. Il fut nommé, en 1867, professeur de dessin à l'École des Beaux-Arts de Madrid. Il a peint surtout des portraits.
VENTES PUBLIQUES : LONDRES, 9 déc. 1907 : *La Visite de l'Abbé* : **GBP 16** – LONDRES, 15 juin 1979 : *Les préparatifs du toréador*, h/pan. (48,8x66) : **GBP 3 500**.

ESQUIVEL DE SOTOMAYOR Manuel
Né en 1777 à Madrid. Mort en 1842 à Madrid. XIXe siècle. Espagnol.
Graveur.
Élève du graveur au burin Montaner. Il obtint, en 1796, le prix de gravure à l'Académie de San Fernando. Il travailla à Paris et en Italie où il fut pensionné par le roi Charles IV et fut reçu académicien en 1829. Son œuvre assez peu considérable comprend surtout des portraits. Il a gravé d'après Raphaël, Le Titien, Mengs et Velasquez.

ESQUIVEL PELAYO Lucas de
XVIIe siècle. Actif à Séville. Espagnol.
Peintre.
17850 pesetas furent payés à cet artiste pour : « *Ses peintures, caisses et inventions* destinées aux chars de la fête Dieu, le 20 mai 1622 ».

ESS Hans
XVIe siècle. Actif à Nuremberg à la fin du XVIe siècle. Allemand.
Peintre verrier.

ESSAOULENKO Evguéni
Né en 1944 à Krasnodar. XXe siècle. Actif aux États-Unis. Russe.
Peintre, technique mixte.
Il fut élève de l'École des Beaux-Arts de Moscou et de l'Institut Moukhina. Il participe à des expositions collectives depuis 1974. Il émigra en France en 1979 et se fixa aux États-Unis.

ESSCHE Jean
XVIe siècle. Actif à Malines en 1566. Éc. flamande.
Peintre.

ESSCHE Maurice Van
Né en 1906 à Anvers. Mort en 1977 à Thonon-les-Bains

(Haute-Savoie). XXe siècle. Actif aussi en Afrique du Sud. Belge.
Peintre de figures, paysages, natures mortes, dessinateur, lithographe.
Il fut élève de l'Académie des Beaux-Arts de Bruxelles et travailla avec Henri Matisse à Nice. Il fut envoyé au Congo, alors belge, en 1939. Empêché de rentrer en Belgique, occupée, en 1940, il se fixa en Afrique du Sud, où il fut chargé de cours à l'École d'Art du Witwatersrand Technical College à Johannesbourg, puis professeur et directeur de l'École d'Art Michaelis à Capetown. Ses figures et personnages sont inspirés par l'Afrique.
Bibliogr. : In : *Diction. biogr. illustré des artistes en Belgique depuis 1830*, Arto, Bruxelles, 1987.
Ventes Publiques : Johannesburg, 17 mars 1976 : *Congo women*, h/t (59x71,5) : **ZAR 1 450** – Johannesburg, 21 juin 1983 : *Femmes congolaises dans un village*, h/cart. (21,5x44) : **ZAR 1 000**.

ESSEGERN Arendt
Mort en 1681 à Hambourg. XVIIe siècle. Allemand.
Peintre.

ESSEGERN Hinrich
Mort en 1668 à Hambourg. XVIIe siècle. Allemand.
Peintre.

ESSEGERN Johan
Mort en 1691 à Hambourg. XVIIe siècle. Allemand.
Peintre.

ESSEGERN Johan Matthes
Mort en 1759 à Hambourg. XVIIIe siècle. Allemand.
Peintre.

ESSEGERN Kurt
XVIIe siècle. Actif à Lübeck vers 1660. Allemand.
Peintre.
Il travailla dans cette ville pour l'église Sainte-Marie.

ESSEGERN Matthes
Mort en 1732 à Hambourg. XVIIIe siècle. Allemand.
Peintre.

ESSELENS Jacob
Né en 1626 à Amsterdam. Enterré à Amsterdam le 15 janvier 1687. XVIIe siècle. Éc. flamande.
Peintre de paysages, graveur, dessinateur.
Peintre de l'École de Rembrandt, il alla probablement en Italie, voyagea beaucoup et épousa, le 20 avril 1668, Janneken Jans, dont il eut deux enfants ; il fut également marchand.
Graveur, il a réalisé : *Homme et femme assis devant une cabane avec un enfant* et *Groupe d'arbres avec un berger et des brebis*.
Il est surtout connu pour ses scènes de plage, dont la composition se rapproche de la manière de Simon de Vlieger et Adriaen Van de Velde.

J. E. J. Esselens.

Bibliogr. : L. Bol : *Die Holländische Marinemalerei des 17. Jarhunderts*, Brunswick, 1973.
Musées : Amsterdam : *Paysage – Vue d'une plage* – Brunswick : *Paysage montagneux avec satyres et ruines* – Copenhague : *Pêcheur cachant leur charge* – Glasgow : *Rendez-vous après la chasse* – Leipzig : *Vue de Haarlem* – Lille : *Plage hollandaise* – Rotterdam : *Château au bord de l'eau*.
Ventes Publiques : Paris, 8 fév. 1904 : *Plage à marée basse* : **FRF 650** – Paris, 7 mars 1923 : *Une Plage* : **FRF 2 600** – Paris, 4 juil. 1929 : *Rivière dans un paysage montagneux*, pl. : **FRF 400** – Paris, 8 déc. 1938 : *Le Départ pour la promenade*, pierre noire et pl., reh. de lav. : **FRF 750**; *Voiliers au port*, lav. de bistre : **FRF 1 500** – Paris, 25 mai 1949 : *Pêcheurs à marée basse* : **FRF 310 000** – Paris, 5 avr. 1965 : *Vue d'une plage* : **FRF 15 500** – Londres, 25 nov. 1966 : *Scène de plage près de Scheveningen* : **GNS 5 200** – Londres, 25 nov. 1970 : *Bord de mer animé de nombreux personnages* : **GBP 5 400** – Amsterdam, 30 mai 1978 : *Élégante compagnie pêchant au bord d'une rivière*, h/t (43,5x52) : **NLG 16 000** – Monte-Carlo, 26 oct. 1981 : *Marine par temps calme*, h/t (62x85) : **FRF 115 000** – Londres, 11 mars 1983 : *Les repos des cavaliers dans un paysage boisé*, h/t (59x71,8) : **GBP 4 500** – Paris, 5 mars 1986 : *Pêcheurs sur la plage*, h/t (46x66,5) : **FRF 72 000** – Paris, 16 mars 1990 : *Vue d'un château dans un paysage boisé*, pl. et lav. (15,4x20,6) : **FRF 25 000** – Monaco, 14 juin 1996 : *Plage avec bateaux et pêcheurs conversant*, h/t (100,5x128,5) : **FRF 198 900** – New York, 13 nov. 1997 : *Paysage avec un chasseur et son chien près d'un arbre couché* ; *Paysage italien avec une lavandière*, h/t (77,5x77,5) : **USD 4 830**.

ESSEN Cornelis Van
XVIIIe siècle. Hollandais.
Peintre de batailles, scènes de genre, paysages, graveur.
Actif entre 1736 et 1757 à Amsterdam.
Musées : Stockholm : *Combat de cavalerie devant les ruines d'un château*.
Ventes Publiques : Cologne, 6 juin 1973 : *Voyageurs devant une auberge* : **DEM 13 000** – Londres, 26 mai 1978 : *Cavaliers et paysans devant une auberge*, h/t (25x27) : **USD 3 400** – Londres, 29 oct. 1980 : *Voyageurs devant une auberge*, h/pan. (37,5x52) : **GBP 3 600** – Londres, 18 déc. 1987 : *La halte à l'auberge*, deux h/t (49,5x62,2) : **GBP 11 000** – Londres, 15 déc. 1989 : *Voyageurs devant une auberge*, h/t (71x98,5) : **GBP 7 700** – Londres, 26 oct. 1990 : *Palefreniers soignant les chevaux de relais derrière l'auberge*, h/t (81,9x100,7) : **GBP 4 400** – Londres, 3 juil. 1991 : *Paysans et cavaliers devant une auberge*, h/t (58,5x73,5) : **GBP 4 620** – Amsterdam, 6 mai 1993 : *Voyageurs devant une auberge*, h/pan. (19,8x23) : **NLG 9 200** – New York, 5 oct. 1995 : *Paysans dansant devant une auberge*, h/t (68x57) : **USD 4 600** – New York, 2 oct. 1996 : *Voyageurs achetant des chevaux devant une auberge dans un paysage de montagne*, h/pan. (25,1x31,5) : **USD 1 265**.

ESSEN F. H. A.
XVIIIe siècle. Allemand.
Peintre.
Romsted grava d'après lui un portrait du théologien *T. Pfanner*.

ESSEN François Van
XVIIe siècle. Actif à Anvers en 1612. Éc. flamande.
Peintre.

ESSEN Hans Van
Né avant 1590 à Anvers. Mort après 1642 probablement à Amsterdam. XVIIe siècle. Éc. flamande.
Peintre de natures mortes.
Peut-être parent de Jacob Van Essen ; il était élève de Hack à Anvers en 1601, et dans la gilde en 1609. Il se maria deux fois, en 1619 et en 1636.

HVESSEN.

ESSEN Hans von. Voir aussi **LADENSPELDER Johann**

ESSEN Jan Van
XVIIe siècle. Éc. flamande.
Peintre de paysages animés, paysages, aquarelliste.
Actif à Anvers en 1660.
Ventes Publiques : New York, 25 fév. 1987 : *Canards au bord d'une rivière boisée*, aquar. et gche sur traits de craie noire (26x39) : **USD 1 300** – Amsterdam, 5-6 nov. 1991 : *Promenade le long d'un canal* 1900, h/t (67x102) : **NLG 5 750**.

ESSEN Johannes Cornelis Van
Né le 25 janvier 1854 à Amsterdam. Mort en 1936. XIXe-XXe siècles. Hollandais.
Peintre de scènes de genre, animaux, paysages.
Élève de Petrus Franciscus Greive. Il fut aussi influencé par Maris et par Swan.
Musées : Amsterdam : *Marabout* – Haarlem : *Peinture* – La Haye (comm.) : *Héron* – La Haye (Mesdag) : *Dans les dunes de Bergen* – Munich : *Paysage de Hollande*.
Ventes Publiques : Londres, 30 avr. 1909 : *Corn Sheaves* : **GBP 11** – Londres, 13 mai 1909 : *Vieilles chaumières* : **GBP 37** – Londres, 15 juil. 1910 : *La Route du village* : **GBP 10** – Londres, 9 juin 1922 : *Moutons dans les dunes* : **GBP 5** – Amsterdam, 27 avr. 1976 : *Paysage d'été*, h/pan. (22x31) : **NLG 3 400** – New York, 15 juin 1977 : *Chasseurs et voyageurs devant une auberge*, h/t (82x67,5) : **USD 4 200** – Londres, 9 oct. 1987 : *Paysage fluvial avec vue d'un village* 1890, h/t (78,8x99) : **GBP 4 000** – Amsterdam, 30 août 1988 : *Les labours* 1902, h/t (81x101) : **NLG 1 035** – Londres, 21 juin 1989 : *La partie de patinage*, h/t (60x92) : **GBP 11 550** – Amsterdam, 2 mai 1990 : *Observation d'une pie* 1880, h/t (66x51) : **NLG 3 220** – Amsterdam, 11 sep. 1990 : *Troupeau de moutons dans un paysage de dunes*, h/t (56,5x90) : **NLG 2 300** – Amsterdam, 19 avr. 1994 : *Cygnes*, h/t (59x59) : **NLG 9 200** – Amsterdam, 11 avr. 1995 : *Volailles dans un jardin* 1910, h/t (99x135) : **NLG 11 800** – Amsterdam, 18 juin 1996 : *Question brûlante* 1910, h/pan. (23,5x31,5) : **NLG 2 760**.

ESSENHECK J. Van
Né en 1627 à Rotterdam. Mort en 1678. XVIIe siècle. Hollandais.

Peintre.
On connaît peu de chose sur la vie de cet artiste.

ESSER Anton
Originaire d'Innsbruck. XVIIe-XVIIIe siècles. Autrichien.
Peintre de portraits.
En 1712 il travaillait à Vienne.

ESSER Max
Né le 16 mai 1885 à Bath. XXe siècle. Allemand.
Sculpteur.
Il fut élève de A. Gaul.
Musées : Berlin (Mus. mun.).

ESSER Theodor
Né le 30 juillet 1868 à Bonn. XIXe siècle. Allemand.
Peintre.
Il fut à Karlsruhe élève de Ferdinand Keller. On lui doit des paysages et des intérieurs fortement influencés par l'École impressionniste française.

ESSER V.P.
Né en 1914 à Baarn. XXe siècle. Hollandais.
Sculpteur de bustes, portraits, monuments. Tendance expressionniste.
Il a été l'élève de Bronner à l'Académie d'Amsterdam, puis, en Yougoslavie, a travaillé avec Ivan Mestrovic et Krsinic. Depuis 1946, il est professeur à l'Académie d'Amsterdam.
Sa sculpture est figurative et nettement expressionniste. Il semble avoir été très influencé par l'œuvre de Rodin. Il a réalisé de nombreux monuments : Troelotrea à La Haye, et des monuments de guerre à Ede et Hilversum. Il a également exécuté des portraits, des figurines et gravé des monnaies.

ESSERS Bernard
XXe siècle. Français.
Illustrateur.
R. Mahé et Ed. Joseph citent ses illustrations pour une édition de luxe des *Stances* de J. Moréas.

ESSESTEYN Adriaen Van, appelé **den Lossen**
XVIIe siècle. Actif à Rome en 1647. Hollandais.
Peintre.
On connaît de cet artiste quelques portraits.

ESSEX John
XVe siècle. Britannique.
Sculpteur.
Il travailla au tombeau du comte de Warwick Richard Beauchamp.

ESSEX Richard Hamilton
Né en 1802. Mort le 22 février 1855 à Bow. XIXe siècle. Britannique.
Peintre de paysages, aquarelliste.
Il exposa à l'Académie royale et devint associé de la société des aquarellistes en 1823, où il exposa jusqu'en 1836.
Ventes Publiques : Londres, 13 mars 1986 : *Clarence terrace, Regent's Park, London* 1832, aquar. et traits de cr. (19x27) : **GBP 1 700.**

ESSEX Thomas R.
XIXe siècle. Actif à Londres. Britannique.
Sculpteur.
Il expose, à partir de 1888, à la Royal Academy. Le Musée de Bristol conserve de lui le *Buste de Christopher James Thomas.*

ESSEX William
Né en 1784. Mort le 29 décembre 1869 à Brighton. XIXe siècle. Britannique.
Peintre.
Cet artiste copia admirablement sur émail des paysages et des sujets de genre des maîtres anciens et modernes. Ce n'est que vers la fin de sa vie qu'il exécuta quelques miniatures d'après nature. En 1839, il fut nommé peintre miniaturiste de la Reine, et exposa à l'Académie royale, de 1818 à 1862.

ESSEX William B.
Né en 1822. Mort le 19 janvier 1852 à Birmingham. XIXe siècle. Britannique.
Peintre de portraits.
Cet artiste, fils de William Essex, le miniaturiste de la Reine, exécuta quelques portraits. Il était protégé par la famille royale d'Angleterre. Il exposa des miniatures à la Royal Academy à partir de 1840.

ESSIG George Emerick
Né le 2 septembre 1838 à Philadelphie. XIXe siècle. Américain.
Peintre de paysages, marines.
Élève d'Edward Moran. Vivant à Atlantic City, il s'est fait une réputation comme paysagiste.
Ventes Publiques : New York, 5 avr. 1984 : *Les glaces arctiques* 1877, h/t (50,8x125,3) : **USD 1 600** – New York, 2 déc. 1992 : *voilier échoué*, h/t (28,5x44,4) : **USD 1 100.**

ESSINGS Dirk
XVIIe siècle. Actif à Alkmaar en 1624. Hollandais.
Peintre.

ESSINGS Jan
Mort en mai 1645 à Alkmaar. XVIIe siècle. Hollandais.
Peintre.

ESSLINGER Anna Barbara, plus tard Mme **G. Amberger**
Née le 6 avril 1792 à Glattfelden. Morte le 9 janvier 1868 à Bâle. XIXe siècle. Suisse.
Dessinateur.
Cette artiste fut professeur de dessin à une École supérieure de jeunes filles à Zurich. Élève du graveur M. Pfenninger. Elle habitait Solingen où naquit probablement son second fils le peintre Gustav Adol-Amberger. Après 1844, elle se fixa à Bâle. Sœur de Johann-Martin Esslinger, le graveur.

ESSLINGER Johann Friedrich
Né en 1686. Mort le 10 mai 1738. XVIIIe siècle. Autrichien.
Sculpteur.
Il vécut surtout à Vienne.

ESSLINGER Johann Martin
Né en mars 1793 à Glattfelden. Mort le 9 février 1841 à Zurich. XIXe siècle. Suisse.
Graveur et peintre.
Il apprit le dessin chez G. C. Oberkogler et la gravure chez J.-H. Lips, avant de se rendre à Stuttgart. A Paris, il reçut des conseils du professeur Fr. Müller (1813). Depuis sa douzième année jusqu'en 1819, Esslinger exposa fréquemment à Zurich. Entre autres, il fournit des illustrations pour des romans, pour la publication *Alpenrosen* et d'autres feuilles zurichoises et bernoises. Le portrait de *Konrad Escher von der Linth,* peint par lui, se trouve à la Bibliothèque Centrale de Zurich.

ESSLINGER-SCHULTHEISS David
Né en 1779 à Zurich. Mort en 1828 à Zurich. XIXe siècle. Suisse.
Peintre.
Également commerçant. On cite de lui trois dessins dans un livre officiel de l'Association artistique de Zurich.

ESSOC Marie
Née le 15 avril 1867 à Paris. XIXe siècle. Française.
Peintre.
Sociétaire des Artistes Français depuis 1891 ; elle figura au Salon de cette société.

ESSON REID Tomas
Né en 1963 à La Havane. XXe siècle. Cubain.
Peintre.
Il peint « le sexuel et le dramatique (...), combiné avec des éléments essentiellement sensuels, anthropomorphiques, zoomorphique et phytobiologiques ». Ces animaux peu identifiables proches de l'homme pour certains sont une manière de dénoncer les préjugés sexuels de front et sans maniérisme érotique.
Bibliogr. : In : *Revue Noire,* Fondation pour la coopération culturelle C.E.E/A.C.P., Paris, n°6, Automne 1992.

ESSWURM Johannes
XVIe siècle. Actif à Würzburg en 1515. Allemand.
Peintre de miniatures.
Il était bénédictin.

ESTABROOK Florence C., Mrs
Née à Lowell (Massachusetts). XXe siècle. Américaine.
Peintre.
Élève de la School of the Museum of Fine Art de Boston.

ESTACE Guillemin
XIVe siècle. Actif à Poitiers en 1385. Français.
Sculpteur sur bois.
Il travailla au château des ducs de Berry.

ESTACHON Louis Antoine
Né le 15 juillet 1819 à la Tour-d'Aigues (Vaucluse). Mort le 15 mai 1857 à Marseille (Bouches-du-Rhône). XIXe siècle. Français.
Peintre de paysages, natures mortes.

Élève de Camille. Il figura au Salon de Paris, de 1847 à 1885, avec des paysages et des natures mortes.
VENTES PUBLIQUES : NEW YORK, 14 oct. 1978 : *Nature morte aux fleurs* 1852, h/t (53,5x43,5) : **USD 5 000**.

ESTACHY Françoise Élisabeth
Née à Lamotte-Beuvron (Loir-et-Cher). XXe siècle. Française.
Peintre de paysages, compositions à personnages, figures, sculpteur, dessinateur, illustrateur.
Elle fut élève de l'École d'Art et de Publicité et de l'École Nationale des Beaux-Arts de Paris, dans l'atelier de lithographie de Hubey. Elle a effectué un important travail d'illustration de livres pour enfants : *De quoi encore* de C. Aveline ; *Esmeralda, Le roi errant* de A. Dubois-Millot ; *Enfantines* de F. Marc ; *Carafet-le-sage* de P. Dacquin ; *Dans le pré* de M. Soleillant. Elle a aussi composé des pages publicitaires pour les magazines : *Femina* et *Vogue*, et a illustré *Quai aux fleurs* de C. Salvy.
VENTES PUBLIQUES : PARIS, 10 juil. 1983 : *Les chasses de Gaston Phoebus, comte de Foix*, h/pan. (89x129) : **FRF 8 000**.

ESTAKIO Pavel Alexandrovitch
XIXe siècle. Russe.
Peintre.
Il fut élève de l'Académie de Saint-Pétersbourg vers 1860.

ESTALL William Charles
Né en 1857 à Londres. Mort en 1897. XIXe siècle. Britannique.
Peintre animalier, paysages, aquarelliste, pastelliste.
Exposa fréquemment à Londres, à la Royal Academy et particulièrement à Suffolk Street, à partir de 1874.
VENTES PUBLIQUES : LONDRES, 21 nov. 1908 : *Moulin à vent*, past. : **GBP 1** ; *Le Troupeau* ; *La Ferme*, aquar. : **GBP 2** – LONDRES, 24 mai 1909 : *La Lande* : **GBP 15** ; *Matin d'automne* : **GBP 7** – LONDRES, 3 avr. 1922 : *Le troupeau, moment de la nourriture* : **GBP 16** – LONDRES, 6 avr. 1923 : *Berger et son troupeau*, dess. : **GBP 19** ; *Le troupeau, coucher de soleil* : **GBP 10** ; *Trois vaches* : **GBP 5** – LONDRES, 22 juin 1923 : *En gardant le troupeau* : **GBP 32** – LONDRES, 1er avr. 1980 : *La mare aux canards*, h/t (48x75) : **GBP 420** – LONDRES, 27 jan. 1986 : *Bergère et son troupeau*, h/t (58,5x68,5) : **GBP 2 100**.

ESTANSAN Raymond
XVIIe siècle. Français.
Sculpteur.
Il sculpta un autel en 1663 pour l'église Sainte-Croix de Bordeaux.

ESTAQUE Claude Henry
XVIIIe siècle. Actif à Paris en 1786. Français.
Peintre ou sculpteur.

ESTAQUE Jean
Né en 1945 à Girons (Ariège). XXe siècle. Français.
Peintre, sculpteur de figures. Populiste.
Autodidacte, il travaille aujourd'hui dans la Creuse. Il débute la sculpture en 1970. Il expose collectivement et de façon régulière, entre autres en 1989, à Montauban au Musée Ingres, et au Centre culturel de Boulogne-sur-Seine dans le cadre d'une exposition intitulée *Délire de livres*. Il réalise des expositions personnelles, dont : 1988, Musée de l'Évêché de Limoges ; 1989, Centre Jacques Prévert à Aix-sur-Vienne.
Les débuts du travail de sculpteur Jean Estaque furent fortement imprégnés de l'art roman. Cette dimension du sacré, on la retrouve sous une forme « païenne », dans ses petites sculptures polychromes ultérieures. Ici des statuettes en bois sculpté que l'on pourrait rapprocher des totems, là des têtes stylisées, à l'allure primitive, surmontant une boîte, elle-même dans une autre boîte. Partout, les représentations suggérées ou incisées d'un peuple d'adorateurs serpentant autour de ces créations rituelles. Il pourrait s'agir autant de réminiscences de têtes d'idoles primitives aux couleurs pures et claires que de nouvelles divinités contemporaines narguant nos faiblesses d'humanoïdes. ■ C. D.
BIBLIOGR. : Jean Marie Chevrier : *Jean Estaque*, in : *Artension*, Rouen, 1991.

ESTCOURT T. H. S. Bucknall
XIXe siècle. Britannique.
Dessinateur.
On lui doit une série de *Vues de l'Alhambra*.

ESTE Alessandro d'
Né en 1787 à Rome. Mort le 8 décembre 1826 à Rome. XIXe siècle. Italien.
Sculpteur.
Il était fils d'Antonio et il fut son élève en même temps que celui de Canova.

ESTE Antonio d'
Né en 1754 à Venise. Mort le 13 septembre 1837 à Rome. XVIIIe-XIXe siècles. Italien.
Sculpteur de bustes, figures, portraits.
Père d'Alessandro, il fut l'élève et le collaborateur de Canova. Il fut longtemps directeur du Musée du Vatican.
VENTES PUBLIQUES : LONDRES, 8 juil. 1981 : *Buste de sir John Francis Edward d'Acton*, marbre (H. 69) : **GBP 1 300**.

ESTE Florence
Née à Cincinnati (Ohio). XIXe-XXe siècles. Américaine.
Peintre de paysages.
Travailla d'abord à Philadelphie, puis vint à Paris étudier avec Nozal. Exposant du Salon de la Société Nationale des Beaux-Arts depuis 1913.

ESTEBA Berenguer
XIVe siècle. Actif en Catalogne vers 1316. Espagnol.
Peintre.

ESTEBAN
XVIe siècle. Actif à Tolède en 1539. Espagnol.
Sculpteur.
Il travaillait alors pour la cathédrale.

ESTEBAN
XVIIe siècle. Actif en Aragon au début du XVIIe siècle. Espagnol.
Sculpteur.

ESTEBAN Alfonso
XIIIe siècle. Actif à Valladolid. Espagnol.
Peintre.
On attribue à Alfonso et à Rodrigo Esteban les peintures murales exécutées par ordre de Don Sanche IV, roi de Castille, dans la chapelle de Santa Barbara de la cathédrale de Burgos, en 1293.

ESTEBAN Carlos
Né le 15 mai 1938 à Buenos Aires. XXe siècle. Depuis 1970 actif en France. Argentin.
Peintre. Tendance hyperréaliste, puis tendance symboliste.
D'abord actif à Buenos Aires, où il a eu plusieurs expositions personnelles (galerie Lirolay, 1965-68), il s'installe à Paris en 1970. Sa peinture, à cette époque, est assez proche de l'hyperréalisme, bien que la réalité décrite soit souvent détournée. Il expose en 1972 et 1973 au Salon de la Jeune Peinture, en 1973 et 1974 au Salon Grands et Jeunes d'Aujourd'hui, en 1974 au Salon Comparaison. Il a eu depuis des expositions collectives et personnelles en France et à l'étranger.
Après s'être dégagé de l'hyperréalisme, il a tenté des expériences sur des techniques telles que le collage, le froissage ; puis il s'est tourné vers une peinture plus simple dans ses techniques et plus ambitieuse dans ses buts. Dans un ton général ocre et terre de Sienne évoluent des figures mi-réalistes, mi-naïves qui empruntent à la littérature, à la musique, aux mythes ancestraux, à l'imaginaire collectif. Esteban représente des danses tribales, des paysages grandioses et mystérieux, des déesses-mères qui sont pour nous autant d'expériences mythiques et mystiques.

ESTEBAN Celestino
XXe siècle. Travaille à Paris. Espagnol.
Céramiste.
A exposé *Amphore de Cordoue* au Pavillon de Sèvres de l'Exposition Universelle de 1937. On cite ses jarres indiennes, ses vases et plateaux hispano-mauresques.

ESTEBAN Felix
Né à Grenade. XIXe siècle. Espagnol.
Peintre.
Il exposa à Madrid à partir de 1866.

ESTEBAN Geronimo
XVIe siècle. Actif à Valence en 1584. Espagnol.
Sculpteur.

ESTEBAN Jorge
XVIe siècle. Actif à Séville en 1574. Espagnol.
Peintre.
Il travailla pour la cathédrale.

ESTEBAN Juan
XVe siècle. Actif à Valence. Espagnol.

Peintre.
Il exécutait en 1432 des peintures pour la cathédrale de Valence.

ESTEBAN Juan
XVIe siècle. Actif à Madrid. Espagnol.
Sculpteur.
Il fut le collaborateur de Jérôme Trezo.

ESTEBAN Juan
XVIIe siècle. Actif probablement à Jaen vers 1666. Espagnol.
Peintre d'histoire et de portraits.
Il travailla pour la cathédrale de Baeza et pour l'église de l'hospice de Baeza.

J Esteban.

ESTEBAN Juan, dit **le Licencié**
XVIIe siècle. Actif probablement à Madrid. Espagnol.
Prêtre et peintre d'histoire, de perspectives et de paysages.
Il travailla surtout vers 1650.

ESTEBAN Lydia
Née en 1932. XXe siècle. Espagnole.
Céramiste.
Élève de son père, Celestino Esteban.

ESTEBAN Paquita
Née en 1929. XXe siècle. Espagnole.
Céramiste.
Élève de son père Celestino Esteban.

ESTEBAN Pedro
XVIIe siècle. Actif à Valladolid en 1616. Espagnol.
Peintre.

ESTEBAN Rodrigo
XIIIe siècle. Espagnol.
Peintre.
On ne connaît aucun ouvrage de cet artiste qui fut peintre de Sancho IV le Brave, roi de Castille. Son existence est révélée par le livre de comptes de l'époque se trouvant à la Bibliothèque royale de Madrid. Il était frère d'Alfonso.

ESTEBAN FERNANDO Hermenegildo
Né le 13 avril 1851 à Maella (Saragosse). Mort en 1945 à Rome. XIXe-XXe siècles. Actif en Italie. Espagnol.
Peintre de paysages. Tendance impressionniste.
Il fit des études de droit, tout en s'initiant à la peinture. Il abandonna très vite la carrière de juriste à Madrid pour s'inscrire à l'École des Aquarellistes et à l'École des Beaux-Arts San Fernando où professait le maître Carlos de Haes. En 1882, il obtint une bourse pour aller travailler à l'Académie des Beaux-Arts de Rome. Il s'installa à Rome à la fin de son séjour d'études et devint, en 1887, secrétaire de l'Académie, poste qu'il occupa jusqu'à sa retraite en 1933. Il revint à Madrid pour une année (1934), puis fut de retour à Rome jusqu'en 1945.
Il participa, avant d'émigrer en Italie, aux Expositions Nationales des Beaux-Arts de Madrid en 1876, 1878 et 1881 ; d'Italie, à celles de 1884, 1890, 1892, 1906, 1912 et 1915 ; il exposa aussi à Paris, Berlin et Munich ; deux expositions rétrospectives furent organisées en 1934 pour son retour à Madrid : la première au Cercle des Beaux-Arts de Madrid, la seconde intitulée *Le Héros de Saragosse* au Salon de la même ville. Il obtint durant sa carrière artistique plusieurs distinctions et fut membre des Académies royales des Beaux-Arts de San Fernando et de Saragosse.
Il a surtout peint des paysages d'Espagne et d'Italie (Rome et Venise). Sa touche impressionniste est encore imprégnée d'un certain clacissisme. ■ C. D.
Bibliogr. : In : *Cien anos de pintura en Espana y Portugal 1830-1930*, Antiqvaria, Madrid, 1988.
Musées : Malaga – Saragosse.

ESTEBAN Y LOZANO José
Né au XIXe siècle à Madrid. XIXe siècle. Espagnol.
Sculpteur et médailleur.
Élève de José Piquer. Il débuta aux Expositions de Madrid en 1862. Il était frère de Victor Esteban y Lozano.

ESTEBAN Y LOZANO Victor
Né au XIXe siècle à Madrid. XIXe siècle. Espagnol.
Peintre d'histoire, scènes de genre, portraits.
Frère du sculpteur José Esteban y Lozano. Élève de l'Académie de San Fernando. Il exposa à Madrid, entre 1856 et 1866, des tableaux d'histoire, des portraits et des scènes de genre.

ESTEBAN Y VINCENTE Enrique
Né au XIXe siècle à Salamanque. XIXe siècle. Espagnol.
Peintre.
Élève de l'École de peinture de Madrid. Il débuta en 1866. Il a peint des tableaux de genre et des toiles d'histoire. La Galerie moderne de Madrid conserve de lui : *La première balle.*

ESTEBANEZ Isidro
Né à Madrid. XIXe siècle. Espagnol.
Sculpteur sur bois.
Il se spécialisa dans les sujets religieux.

ESTÈBE Jean-Marie
Né le 18 février 1929 à Paris. XXe siècle. Français.
Graveur de paysages, paysages animés, dessinateur.
Il fut élève de Bersier, Georg et Jaudon. Puis en 1960, il devint professeur de gravure et de dessin à l'École des Beaux-Arts de Grenoble. Il est, depuis 1960, membre titulaire des Peintres Graveurs Français.
Il travaille surtout dans ses gravures les effets de lumière, en représentant des paysages où les objets, les arbres et les personnages, n'ont fonction que d'ombres. La lumière, elle seule rendant l'atmosphère, la profondeur des plans et la réalité des objets.
Bibliogr. : In : *Les Peintres-Graveurs Français, 80e anniversaire*, Paris, 1968.
Musées : Amsterdam – Paris (Mus. du Louvre) – Poitiers.

ESTEL
Français.
Graveur à l'aquatinte et au pointillé.

ESTENSE Baldassare ou **Estensis**. Voir **BALDASSARE Estense**

ESTEPHAN Youssef
XVIIIe-XIXe siècles. Actif vers 1800. Libanais.
Peintre de portraits.
On ne sait s'il était prêtre ou laïc. On connait de lui le *Portrait de l'évêque Mikhayil Fadel II*, peint en 1819.
Le portrait cité est d'une composition et d'une facture traditionnelles et timides. Les vêtements et attributs sacerdotaux en font l'ornement.
Bibliogr. : In : Catalogue de l'exposition *Liban – Le regard des peintres – 200 ans de peinture libanaise*, Institut du Monde Arabe, Paris, 1989.

ESTERAS Juan
Né le 26 novembre 1747 à Puebla de Majorque. XVIIIe siècle. Espagnol.
Peintre et sculpteur.

ESTERBAUER Balthasar
Né au début du XVIIIe siècle en Franconie. XVIIIe siècle. Allemand.
Sculpteur.
Il semble qu'il travailla à Würzburg.

ESTERLE Max von, chevalier
Né le 16 octobre 1870 à Cortina. XXe siècle. Autrichien.
Peintre, lithographe.
Il vécut à Innsbruck, après avoir fait ses études à Munich, à Paris et à Vienne.

ESTERNOD Marcel d'
Né à Genève. XXe siècle. Suisse.
Peintre de paysages.
Il fut élève de l'École des Beaux-Arts de Genève. Il a exposé, à Paris, au Salon des Artistes Français et au Salon des Artistes Indépendants, depuis 1929, des paysages de Suisse, de Provence et de Tunisie.

ESTERREICH
XIXe siècle. Actif au début du XIXe siècle. Russe.
Portraitiste.
Peut-être s'agit-il de l'un des ŒSTERREICH. Le Musée russe de Saint-Pétersbourg conserve de lui deux portraits.

ESTES Richard
Né en 1936 à Evanston (Illinois). XXe siècle. Américain.
Peintre. Hyperréaliste.
Il a étudié à l'Art Institute de Chicago, puis à New York où il vit depuis 1968. Il a participé à la Documenta de Kassel en 1972, puis à de nombreuses autres expositions collectives, dont celles de 1974 et 1975, en Europe, qui confrontaient l'hyper-réalisme américain avec les réalistes européens.

C'est vers 1970 que l'hyper-réalisme, auquel il a largement participé, a commencé à faire l'objet d'expositions et a retenu l'attention du public. Rivalisant dans l'exactitude des détails et dans la description abrupte de la réalité, à partir de photographies préalables, les œuvres hyper-réalistes, et les toiles de Richard Estes en particulier, ont d'abord séduit et surpris par leur maîtrise de la technique. Néanmoins, les toiles d'Estes se démarquent la plupart du temps d'une réalité telle qu'on la conçoit par une subtile utilisation des reflets. Il aborde principalement les thèmes de la vie des villes, le métro, les rues, les automobiles, les magasins, mais d'où est bannie toute présence humaine. Dans les cas des devantures et des étalages, il prête une extrême attention aux reflets, reflets de la rue dans la vitrine, où se perçoit même la vitrine d'en face, dans laquelle se reflète la vitrine peinte, etc., mêlant intimement la réalité décrite et son image. Le succès rencontré par ce genre de peinture a fait se poser des questions sur les réelles motivations d'une telle peinture. Questions directement abordées lors de la Documenta de 1972 à Kassel, qui a introduit et consacré en Europe, l'hyper-réalisme américain comme mouvement d'avant-garde. Une des raisons qui distinguent l'hyper-réalisme de son modèle photographique, est que, contrairement à la photo dont seul un plan est net et les autres flous, l'artiste hyper-réaliste peut rendre toutes les parties nettes, comme par une mise au point généralisée. D'autre part, dans le cas de Estes, il peint par petites touches, préservant ainsi quelque sensibilité picturale. Dans l'inflation provoquée par le succès de ce réalisme photographique, Estes a certainement une place de premier plan, avec Close, Don Eddy, Morley ou Mac Lean. ■ J. B.

Musées : Budapest (Mus. Ludwig) : *Rappaports Pharmacy* 1976 – Cologne (Mus. Ludwig) : *Foodshop* 1967.

Ventes Publiques : Los Angeles, 15 mai 1972 : *Femmes dans les rues de New York* : **USD 5 000** – Londres, 4 déc. 1974 : *Teleflorist* : **GBP 21 000** ; *Paysages urbains*, suite de 8 sérig. (35,5x51,5) : **GBP 2 200** – New York, 14 déc. 1976 : *Pizza restaurant* 1969, aquar. et gche (25x30,5) : **USD 3 600** – New York, 10 fév. 1977 : *Sans titre* 1974, sérig. en coul. (85x119) : **USD 2 600** – New York, 12 mai 1977 : *Storefront reflections Miami* 1969, h/t (89,5x111,1) : **USD 16 000** – New York, 23 mai 1978 : *Columbus Avenue* 1975, acryl./cart. (32x53) : **USD 10 000** – New York, 8 nov. 1979 : *Corner window* 1974, gche (40,7x49,5) : **USD 13 500** – New York, 18 mai 1979 : *Forty-sixth street* 1968, h/t (40,5x61) : **USD 28 000** – New York, 14 nov. 1979 : *Urban landscape : Grant's* 1972, sérig. en coul. (38x50,5) : **USD 1 400** – New York, 19 nov. 1981 : *Le pont* 1974, gche (40,5x42,5) : **USD 14 000** – New York, 5 mai 1983 : *Qualicraft shoes* 1974, sérig. coul. (84,6x119,3) : **USD 3 750** – New York, 1er nov. 1984 : *Donohue's* 1967, isor. (122,5x76,2) : **USD 65 000** – New York, 4 nov. 1987 : *Bus reflections* 1972, h/t (101x132,2) : **USD 440 000** – New York, 4 mai 1988 : *Cadillac*, h/t (101,3x127) : **USD 38 500** – New York, 10 nov. 1988 : *Food*, aquar./pap. (30x36,6) : **USD 16 500** – New York, 2 mai 1989 : *Holland Hotel* 1984, h/t (114,3x181,5) : **USD 539 000** – New York, 9 nov. 1989 : *U-ban* 1980, acryl./cart. (35,5x50,8) : **USD 93 500** – New York, 18 nov. 1992 : *Éclairage de vitrine* 1968, h/rés. synth. (121,9x76,2) : **USD 27 500** – New York, 10 nov. 1993 : *Chez Nedick* 1970, h/t (121,9x167,6) : **USD 464 500** – New York, 4 mai 1994 : *Portes-tambours* 1968, h/rés. synth. (76,5x121,9) : **USD 184 000** – New York, 2 nov. 1994 : *Téléfleuriste* 1974, h/t (91,4x132,1) : **USD 211 500** – New York, 2 mai 1995 : *L'embarquement pour Cythère II* 1989, h/tissu (91,4x185,4) : **USD 217 000** – New York, 5 mai 1996 : *Cathédrale de Salzbourg* 1982, sérig. coul. (50,6x37) : **USD 747** – New York, 9 nov. 1996 : *Paysages urbains III* ; *Manhattan* ; *Cafeteria* ; *Vatican* ; *Métro* ; *Intérieur de bus* ; *Restaurant de la Tour Eiffel* ; *Images* ; *Lakewood Mall* 1981, litho. coul. (chaque 35x50,5) : **USD 7 475** – New York, 20 nov. 1996 : *American Express en centre ville* 1979, h/t (61x91,5) : **USD 123 500**.

ESTEVAN Hermengildo. Voir **ESTABAN FERNANDO Hermenegildo**

ESTEVE Antonio
xixe siècle. Actif à Tolède vers 1800. Espagnol.
Peintre d'histoire.
Il a décoré diverses églises de Tolède et l'Université de cette ville.

ESTEVE Bautista
xviie siècle. Actif à Valence vers 1600. Espagnol.
Peintre.

ESTEVE Francisco
Né en 1682 à Valence. Mort en 1766 à Valence. xviiie siècle. Espagnol.
Sculpteur.
Élève du peintre Conchillos et du sculpteur Cuevas. Il travailla beaucoup à Ibiza durant les troubles politiques de l'Espagne, puis revint à Valence où il a exécuté de nombreuses statues pour diverses églises.

ESTEVE Gabriel
Né à Valence (Espagne). xxe siècle. Français.
Peintre de figures.
Il exposa au Salon des Artistes Français, à Paris, en 1936.

ESTEVE Jacinto
Né en 1766 à Liria. Mort à Valence. xviiie siècle. Espagnol.
Peintre d'histoire.
Le Musée provincial de Valence conserve de lui : *Le roi Alphonse V recevant le cardinal de Fox.*

ESTEVE Jacques. Voir **ESTHOM Jacques**

ESTEVE Jaime
xve siècle. Actif à Valence en 1415. Espagnol.
Sculpteur.
Il travailla à la décoration de la façade de la cathédrale de Valence.

ESTEVE José
xvie siècle. Actif à Valence. Espagnol.
Sculpteur.
En 1572 il travaillait pour l'église de Bocairente.

ESTEVE Luciano
xviiie siècle. Actif à Valence. Espagnol.
Sculpteur.
Il exécuta plusieurs statues pour la façade de la cathédrale.

ESTÈVE Maurice
Né le 2 mai 1904 à Culan (Cher). xxe siècle. Français.
Peintre de sujets de sport, scènes de genre, figures, paysages urbains, natures mortes, peintre à la gouache, aquarelliste, pastelliste, peintre de collages, cartons de tapisseries, cartons de vitraux, lithographe, dessinateur. Réalité poétique puis non figuratif.
Estève passe son enfance dans sa ville natale de Culan auprès de ses grands-parents. La campagne et plus généralement la nature seront toujours pour lui sources de richesses intérieures. Sa grand-mère, figure exceptionnelle de son enfance, sera la première à l'encourager et défendre sa passion. C'est en 1913 qu'il va rejoindre ses parents à Paris. Il est le fils d'un père cordonnier et d'une mère modéliste. Dans la capitale, ville où il se sent rapidement à l'aise, il visite le Musée du Louvre de sa propre initiative selon certains biographes, en « badaud », le plus naturellement rectifie-t-il. Courbet, Delacroix, Chardin, Le Tintoret, Paolo Ucello et sa *Bataille de San Romano* impressionnent le jeune Estève. Il le dira plus tard : « J'ai tout appris en regardant la peinture. C'était la vie qui m'apparaissait ». En 1914, il retourne à Culan pour les vacances d'été, mais la guerre lui impose d'y rester quatre autres années. Il y poursuivra sa scolarité. C'est en 1915, qu'il commence à peindre, et, à la vue de ses dons précoces évidents, sa mère l'encourage à acquérir une formation artistique. C'est ainsi qu'après la guerre, il s'installe à Paris et suit les cours du soir de dessin de la ville. Il gagne sa vie en étant typographe, puis, effectue un apprentissage dans un atelier de dessin de mobilier. En 1919, il peint sur motif, depuis le balcon de l'appartement familial le *Boulevard de Belleville* dans un style classique. Cette même année, il découvre Cézanne. Période également de conflit avec son père, que son intérêt pour la peinture et sa volonté de la pratiquer, déconcertent, « brûlant le jour ce que son fils esquissait la nuit », rapporte Monique Prudhomme-Estève. Quoi qu'il en soit, on retrouve Estève dirigeant pendant une année un atelier de dessin de châles et de tissus à Barcelone. Séjour captivant pour ce jeune homme qui découvre un autre climat, une autre vie. Son goût de peindre, nous apprend-on, s'arrête net. Il manque de peu de s'embarquer avec des marins, rencontrés à Barcelone. Séjour qu'il met aussi à profit pour se familiariser avec l'art roman catalan. Il revient à Paris en 1924. Près des peintres, qu'il admire, sa passion est de nouveau irriguée. C'est à cette époque qu'il fréquente l'atelier libre de l'Académie Colarossi à Montparnasse. Il subit pendant un temps l'influence du surréalisme, autour des années 1927 et 1928. Il prend part, en 1929, à sa première exposition de groupe au Salon des Surindépendants. L'année suivante, il réalise sa première exposition personnelle à la galerie Yvangot à Paris. Elle ne rencontre aucun succès. Il s'installe dans un atelier Porte de Vanves. Tout

en pratiquant la peinture, Estève est attiré par le cinéma et la mise en scène. En 1936, la guerre civile en Espagne le marque, au point de traverser une brève période expressionniste, au cours de laquelle il peint *Les Sœurs de Barcelone*. En 1939, il s'installe rue Lepic à Montmartre. Sa période de mobilisation s'achève en août 1940. Toujours admiratif de l'œuvre de Cézanne, Estève peint un *Hommage* à ce peintre en 1942. Il conclut également un contrat d'exclusivité avec la galerie Louis Carré à Paris. À partir de 1952, il s'initie à la lithographie en couleur à l'atelier Clot, puis en 1954 à l'atelier Desjobert, enfin à partir de 1955 à l'atelier Fernand Mourlot. En 1955, il change une nouvelle fois de domicile, pour s'installer dans le sixième arrondissement de Paris, et décide de passer chaque été à travailler, à Culan, principalement l'aquarelle, le fusain et le collage. Pierre Francastel rédige la première monographie du peintre en 1956, pour les Éditions Galanis. Estève conçoit les vitraux de l'église de Berlincourt (Jura suisse) en 1957. Il exécute ses premiers cartons de tapisseries en 1963, et réalise ses premiers collages en 1965. Il reçoit en 1970 le Grand Prix national des Arts. Le 4 août 1982, des amis du peintre fondent une Association afin d'aider Estève à trouver un lieu susceptible d'accueillir et de présenter une donation importante de ses œuvres qu'il souhaite effectuer. C'est le 2 juillet 1985, qu'est signé l'acte de la Donation Estève, la Ville de Bourges s'engageant, avec le concours des Monuments Historiques et la Direction des Musées de France, à présenter l'ensemble de la donation (59 huiles sur toile, 34 dessins, 20 aquarelles, 10 collages et 2 tapisseries) dans l'Hôtel des Échevins, restauré pour la circonstance, et appelé à devenir le Musée Estève.

Il a participé à partir des années trente à de nombreuses expositions collectives : de 1929 à 1938, Salon des Surindépendants, Paris ; 1937, collabore avec Robert et Sonia Delaunay à la décoration des pavillons de l'Aviation et des Chemins de Fer pour l'Exposition universelle de Paris ; entre 1941 et 1944, Salon d'Automne, Paris ; 1941, il participe à l'importante exposition des *Jeunes peintres de tradition française* ; 1943, *Cinq peintres d'aujourd'hui*, en compagnie de Beaudin, Borès, Gischia et Pignon ; entre 1946 et 1961, Salon des Tuileries, Paris ; exposition itinérante : *Bazaine, Estève, Lapicque*, Stedelijk Museum d'Amsterdam et au Staten Museum for Kunst de Copenhague ; 1949, *La Nouvelle Peinture française*, Musée de l'État de Luxembourg ; 1949, *Peinture française 1938-1948*, National Museum de Stockholm ; 1950, *Advancing French Art*, New York ; 1950, *Peinture et sculpture française 1938-1948*, Berlin ; entre 1950 et 1955, Salon de Mai, Paris ; 1951, *L'École de Paris 1900-1950*, Royal Academy of Art, Londres ; 1951, *Peintres parisiens de la deuxième génération*, Kunsthalle, Bâle ; 1952, *Tendances actuelles de l'École de Paris*, Kunsthalle, Bâle ; 1953, *Onze peintres de Paris*, Stedelijk Museum, Amsterdam ; 1954, Biennale de Venise ; 1955, Carnegie Institute de Pittsburgh ; 1957, *Pérennité de l'art français*, Musée de l'Athénée, Genève ; 1959, Documenta II de Kassel ; 1967, Exposition universelle, Montréal ; 1981, Paris, *Paris 1937-1957*, Centre Georges Pompidou, Musée National d'Art Moderne.

Sa première rétrospective est organisée par la galerie Louis Carré en 1948, où furent exposés trente tableaux peints de 1935 à 1947. Il expose personnellement régulièrement à Paris, Copenhague, Stockholm, Genève... En 1961, une importante rétrospective est présentée à Bâle, Düsseldorf, Copenhague et Oslo. Estève expose par la suite des collages, des aquarelles, des dessins et des lithographies. Il faut attendre 1977, pour une exposition de peintures récentes à la galerie Claude Bernard ; puis : 1981, rétrospective, Musée Cantini de Marseille, au Musée de l'État de Luxembourg et au Musée de Metz ; 1983, *Proposition pour une Rétrospective* à la Maison de la culture de Bourges ; 1984, *Hommage à Estève* organisé au Salon d'Automne à Paris ; 1986, rétrospective, Réunion des Musées Nationaux au Grand Palais à Paris, elle se poursuivit à Oslo et à Tübingen ; depuis, nombreuses expositions particulières d'œuvres sur papier (galerie Claude Bernard, galerie Tendances, galerie du Luxembourg) ; 1990, exposition de ses dernières peintures (1982-1990), et 1994, exposition de ses aquarelles à la galerie Louis Carré, Paris ; 1998 *Estève insolite. Œuvres inédites*.

L'œuvre d'Estève s'analyse généralement en deux larges périodes : une première que l'on peut qualifier de « figurative » et qui s'achève formellement en 1948 par son exposition à la galerie Louis Carré, une seconde qui, groupant les œuvres de la maturité, nous donne l'occasion d'un voyage plus entier dans son univers. Chevauchant ces deux pôles créatifs : une évolution guidée par les recherches et le doute, progressive et finalement assez courte dans le temps. Et si les termes de « figuratif » et d'« abstrait » sont l'occasion d'une interminable controverse, il n'en reste pas moins que certains éléments de représentation et de réflexion permettent de s'approcher d'une vision plus abstraite, dans le sens de « non figurative » ou de s'éloigner d'une réalité figurative conventionnelle.

La période de formation de l'artiste est peut-être la moins connue, mais elle se révèle indispensable pour bien comprendre sa démarche d'ensemble. Estève se reconnaît sans difficulté dans certains peintres anciens, tels que Piero de la Francesca, Fouquet, en souvenir duquel il exécute un *Hommage* (collection du poète André Frénaud). Plus tard, son intérêt se portera vers Poussin. Parmi les modernes, il est attiré par Van Gogh, et surtout Cézanne, il dit de lui : « Quand je pense à lui, je ne pense pas à ses sujets mais à sa peinture, de la peinture pure, qui m'étonne encore aujourd'hui ». Dans les années trente, il se nourrit de certains principes picturaux du cubisme et de Léger : pour une construction simple et le maniement de couleurs disposées en aplat et utilisées par effets de contraste. Illustrant ces préoccupations, Estève peint alors des natures mortes ou des personnages assis ou debout. C'est l'époque des *Jongleurs* et de la *Joueuse de diabolo*. Jusqu'en 1935, il continue ses recherches, par la ligne qu'il utilise dans sa capacité à suggérer, et par la couleur qu'il « sépare du dessin » selon l'expression de Joseph-Émile Muller. Les objets détachés sont alors inscrits dans un espace qui les distingue moins nettement du fond. L'espace illusionniste classique laisse progressivement la place à un espace « pictural ». Cependant, la peinture d'Estève d'avant-guerre et d'après-guerre répond toujours à ce désir d'analyser la réalité : il s'interroge sur les fonctions des objets, leur représentation par une forme simplifiée, leur relation entre eux et à leur environnement dans une composition soignée et pensée, certainement structurée. Il peint énormément de natures mortes dans lesquelles nombre d'objets : chaises, tables, tasses, cafetières... sont personnalisés, existent dans leur environnement. Ses paysages (1943-1944), par contre, sont formellement annonciateurs d'une peinture abstraite. Durant toute cette période, Estève à fait jouer à la couleur un rôle tout à fait original : elle agit sur la forme, ce qui n'est pas révolutionnaire à cette époque, mais elle est surtout mémoire d'une réalité. Il rehausse les teintes, elles se chargent, deviennent éclatantes, créant des plans contrastés entre eux, mais modulés et nuancés. On a pu parler du lyrisme de ces coloris. De cette couleur, il est nécessaire d'insister sur les influences de Bonnard, sa dernière période en particulier, et de Matisse, même si, chez ce dernier, la couleur parfois dissout les objets. De toutes ces admirations qui ont nourri et enrichi la vision de l'artiste, Jacques Busse conclut qu'« Estève se déclare du côté de la forme, plus que de l'expression, de la pérennité plus que de l'instant, de la transcendance plus que de l'émotion, bref ! un classique par opposition à un baroque ».

Jusque-là, rien ne l'avait fondamentalement distingué de l'ensemble des meilleurs peintres de l'École de Paris ou de ceux que l'on disait de la Réalité Poétique. Par contre, les peintures telles que : *Peintre à l'atelier* (1948) ou *Le Pêcheur de perles* (1949) et son tableau charnière *Hommage à Fouquet* (1952) car totalement non figuratif, dévoilent ce que signifie la peinture pure pour Estève dans laquelle les moyens picturaux eux-mêmes constituent d'une certaine manière la réalité du tableau. Composées de formes en couleurs, dont l'assemblage les unes aux autres se déploie, s'alimente, se dresse, s'étire, se frôle suivant en cela une logique calculée et maîtrisée, la surface de la toile est éclairée par des aplats mêlant avec nuance toutes les variétés de rouges, d'orangés, de couleurs chaudes et de verts. L'évolution de cette peinture se modèle à la lumière du rythme et de l'énergie. Dans les années cinquante, c'est à une ordonnance à tendance géométrique, mais lâche, que répond l'organisation formelle et chromatique de ses tableaux. Les contours des surfaces colorées sont tranchés, parfois cernés, les pans de couleurs majoritairement laissés en aplats. Néanmoins, l'agencement de la surface est minutieusement travaillé, créant à chaque point de focalisation visuelle un instant de clarté « couleurs-formes ». À ce type de composition, succèdent dans les années soixante, des œuvres aux formes plus déliées, irrégulières, plus légères. L'idée d'intégration de la structure domine celles d'accumulation et de stratification. Les différentes surfaces colorées sont associées aux effets de nuances, la touche réapparaît, le peintre se laisse apercevoir. Estève aborde de face sa recherche sur la matérialité. Recherche qu'il continue, avec ses peintures (1982-1990), dans lesquelles cette matière devient plus mince, plus claire. Une perspective presque aérienne allume le feu de ces couleurs vives et chaudes. Les structures, toujours en équilibre, créent et filtrent un espace presque sans pesanteur. L'évolution de la peinture d'Estève est certaine mais non linéaire. Périodiquement, l'artiste a besoin de retrouver des terres déjà explorées, un exercice, comme son *Hommage à Stephenson* (1978), une toile au graphisme géométrique et aux aplats francs. Estève est un artiste qui travaille lentement, plusieurs années peuvent séparer le premier coup de pinceau du dernier, tout en exécutant plusieurs toiles simultanément. Cette conception de la création par adjonctions ou recommencements n'est pas pour simplifier le processus créateur du peintre, mais l'équilibre recherché est atteint, et seuls la matière et son agencement traduisent cet état de sérénité toute classique. L'artiste ne pose pas sa touche selon un préalable établi d'avance, l'artisan-peintre agit sous le regard de l'artiste-critique à la croisée du « hasard » et de la « surprise ». Pierre Francastel qui aimait tant la peinture d'Estève décrit avec vraisemblance les mécanismes de la poétique de l'artiste : « Les formes, désormais, ne constituent plus un double de l'univers usuel, maniable pour tous ; mais un monde autonome, soumis du reste aux lois communes de la vie des sens et de l'esprit... Il s'agit pour Estève de fabriquer des objets figuratifs d'un type nouveau ». C'est bien ce qui est caractéristique de l'évolution de son mode de création : il s'est orienté vers l'abstraction, à partir de la substance réelle, et non pas en fonction d'éléments formels qui se suffiraient à eux-mêmes. Il le confirme lui-même : au terme abstrait, il répond : « Non. Quand ça ne va pas, quand ma peinture ne me parle pas, qu'elle ne me rappelle rien, qu'elle n'est pas moteur d'imagination picturale, alors là, c'est une peinture abstraite. Avec le temps et un travail incessant de peinture, j'ai pris conscience que la vie pouvait être dans une forme et que pour l'identifier et reconnaître qu'elle était là, il fallait qu'il y ait une matière sensible, des formes ou des rapports de couleurs qui rappellent ce qui, dans mon inconscient, est lié à la vie, à ce que je sens et ressens. Et cette sensation me paraît la seule réalité et la réelle réalité ».

La peinture à l'huile n'est pas le seul moyen d'expression de l'artiste, l'aquarelle, le dessin et le collage constituent des créations à part entière, déterminées par leur qualité propre. Il utilise également des couleurs vives, dans ses aquarelles, mais tire parti de la détrempe en obtenant des surfaces transparentes à fonds clairs, plus souples et aux nuances très subtiles. Alors que toute figuration traditionnelle est absente de ses peintures à l'huile, Estève en conserve certaines réminiscences dans ses dessins, lithographies et ses papiers collés. Dans ses dessins, il utilise plus volontiers le fusain. Il explore avec une certaine solennité les formes blanches, noires, grises et les différents tons s'y accordant, utilisant avec soin les différents grains du papier. Formes à la fois solides et presque transparentes, la sobriété de la technique n'exclut nullement une richesse formelle. Les fusains d'Estève révèlent peut-être le mieux le désir presque irrésistible de sentir la matière. Éminent coloriste, il rehausse de temps à autre ses fusains de certaines couleurs au crayon, et manie le noir et blanc avec un sens de la forme plus architecturé que dans ses peintures à l'huile. Les collages sont d'inspiration et de conception différentes : utilisant des morceaux de papier de journaux ou de papier de différentes textures, Estève parfois les peint en cherchant à obtenir des tons délavés, puis les colle et les assemble auprès d'autres couleurs. L'ensemble témoigne d'une liberté d'action plus grande et moins réfléchie, plus impulsive. Si Estève s'est appliqué, progressivement, aux moyens de la ligne et de la couleur, à finalement modeler des structures apparemment abstraites, il est un élément de la composition pour lequel il a, plus que tout autre, laissé du champ à l'investigation, c'est l'espace. En effet, s'il a détruit en douceur la représentation aujourd'hui traditionnelle de l'espace, issue de la Renaissance, il en a gardé le fondement sensible et intellectuel : le rapport au monde. Il l'a modifiée, l'a orientée, vers de nouvelles approches, vers des réalités à significations métaphoriques mais toujours liées au corps et à sa perception de la profondeur. Si la profondeur conventionnelle semble souffrir de ces formes à l'aspect compact, si la distance ou l'écart entre certains ensembles, en butant sur les pans de couleurs, semble déjouer notre regard, la profondeur du visible reste un enjeu majeur de ce procès pictural. C'est une nouvelle perspective que nous propose Estève, à nous de la découvrir. « Ce que je cherche, c'est amener à la lumière ce que je n'ai pas encore vu », conclut-il.

■ Christophe Dorny

Estève

Bibliogr. : Jean Lescure : *Estève ou les chemins silencieux de la réalité*, Louis Carré, Paris, 1945 – René Huyghe : *Les Contemporains*, Tisné, Paris, 1949 – Pierre Francastel : *Estève*, Galanis, Paris, 1956 – Bernard Dorival : *Les Peintres du XXe siècle*, Tisné, Paris, 1957 – Elgar Franck : *Estève, dessins*. Éditions Galanis, Paris, 1960 – Joseph-Émile Muller : *Estève*, Éditions Fernand Hazan, Coll. Peintres d'aujourd'hui, Paris, 1961 – in : *Dictionnaire des Artistes contemporains*, Libraires Associés, Paris, 1964 – Pierre Francastel, in : *Peintres contemporains*, Mazenod, Paris, 1964 – in : *Dictionnaire de l'art et des artistes*, Hazan, Paris, 1967 – M. Ragon et M. Seuphor : *L'Art abstrait*, t. III, Paris, 1973 – Gualtieri di san Lazzaro : *Hommage à Maurice Estève*, Éditions Société Internationale d'Art du XXe s. Paris, 1975 – *Maurice Estève*, in : *Zodiaque*, n° 120, Éditions Zodiaque, La-Pierre-qui-Vire, 1979 – S. Acatos : *Conversation avec Maurice Estève*, Construire, Zurich, avril 1982 – J. Leymarie : *L'Aquarelle*, Genève, 1984 – D.Dobbels : *Maurice Estève*, Libération, Paris, 16 déc. 1985 – Jean Leymarie, Yves Peyré : Catalogue de la *Rétrospective Estève*, présentée au Grand Palais, Éditions de la Réunion des Musées Nationaux, Paris, 1986 – Monique Prudhomme-Estève, Hans Moestrup et introduction de Dora Vallier : *Estève, Catalogue de l'œuvre gravé*, Éditions Forgalet Cordelia, Copenhague, 1986 – L. Vézin : *Aquarelles d'Estève*, Beaux-Arts Magazine, Paris, janv. 1986 – J. E. Muller : catalogue de l'exposition : *Estève, œuvres sur papier 1965-1985*, galerie du Luxembourg, Luxembourg, 1990 – *Estève*, catalogue du Musée Estève, texte de Monique Prudhomme Estève, Musées de la ville de Bourges, Bourges, 1990 – Robert Maillard et Monique Prudhomme Estève : *Catalogue raisonné de l'œuvre peint*, Ides et Calendes, Neuchâtel, 1995.

Musées : Bourges (Mus. Estève) – Marseille (Mus. Cantini) : *Javeleuses* 1978 – Paris (Mus. Nat. d'Art Mod.).

Ventes Publiques : Paris, 29 juin 1955 : *Les Boxeurs* : **FRF 70 000** – Paris, 27 mai 1959 : *composition*, aquar. : **FRF 260 000** – Milan, 21 et 23 nov. 1962 : *Nature morte au panier à salade* : **ITL 5 200 000** – Genève, 25 mai 1963 : *L'Ancien* : **CHF 62 000** – Copenhague, 9 mai 1967 : *Composition*, aquar. : **DKK 15 100** – Hambourg, 6 juin 1969 : *Composition*, aquar. : **DEM 6 800** – Versailles, 31 mai 1972 : *Composition orange, bleue et rouge*, aquar. : **FRF 18 500** – Londres, 29 sep. 1972 : *Enlèvement* : **GBP 6 600** – Paris, 24 nov. 1973 : *Composition*, aquar. : **FRF 22 000** – Versailles, 11 juin 1974 : *Composition*, aquar. : **FRF 37 500** – Versailles, 8 nov. 1974 : *Le masque* : **FRF 39 000** – Londres, 6 avr. 1976 : *Bouteille de vins, pommes, citrons et pots sur une table* 1938, h/t (38x55) : **GBP 4 500** – Berne, 9 juin 1976 : *Composition abstraite* 1970, aquar. (40,3x49,7) : **CHF 21 000** – Londres, 30 juin 1977 : *Paysage* 1952, h/t (19x27) : **GBP 2 000** – New York, 16 mars 1978 : *Nature morte* 1938, h/t (31x50) : **USD 6 500** – Paris, 12 déc. 1979 : *Le peintre* 1937, h/t (116x81) : **FRF 43 000** – Paris, 10 juin 1980 : *L'Amateur de poissons* 1945, fus. et cr. bleu/pap. (31,5X39) : **FRF 29 000** – Hambourg, 12 juin 1981 : *Composition* 1960, fus. et cr. coul./pap. (14x19) : **DEM 3 200** – Paris, 13 juin 1983 : *L'Amateur de poissons* 1945, fus. et cr. bleu (31,5x39) : **FRF 33 000** – Londres, 26 juin 1984 : *Composition, n°981-1* 1967, aquar./pap. (52,5x69,5) : **GBP 4 800** – Londres, 6 déc. 1984 : *Le Bosquet* 1948, h/t (39,6x31,7) : **GBP 9 000** – Paris, 23 juin 1986 : *Le Téméraire* 1952, h/t (116x89) : **FRF 630 000** – Versailles, 23 mars 1986 : *Composition* 1964, fus., cr. bleu et encre de coul. (33x50) : **FRF 73 500** – Paris, 10 avr. 1987 : *Composition 1962 Aquarelle 730* 1962, aquar. (61x48) : **FRF 140 000** – Paris, 21 oct. 1987 : *Composition* 1955, fus. et cr. de coul. (25x31,5) : **FRF 44 000** – Danemark, 2 mars 1988 : *Nature morte au pichet* (46x61) : **DKK 320 000** – Londres, 30 juin 1988 : *Table rouge aux fruits* 1943, h/t (73,8x92) : **GBP 55 000** ; *L'Arbre au rivage* 1949, h/t (65x91,5) : **GBP 99 000** – Paris, 28 oct. 1988 : *Arbre à cloches* 1965, aquar. et collage (37x27) : **FRF 135 000** – Paris, 16 nov. 1988 : *Bodableu, tapisserie* 1970 (245x180) : **FRF 108 000** – Paris, 21 nov. 1988 : *Biporelli* 1982, h/t (92x73) : **FRF 450 000** – Copenhague, 30 nov. 1988 : *Composition* 1963, aquar. (25x33) : **DKK 115 000** – Paris, 21 juin 1989 : *Composition* 1951, aquar./pap. (65x50) : **FRF 252 000** – Londres, 29 juin 1989 : *Brouclé* 1973, h/t (65x81) : **GBP 77 000** –

Paris, 8 oct. 1989 : *L'Éclipse* 1950, h/t (19x24) : **FRF 200 000** – Copenhague, 22 nov. 1989 : *Scène érotique* 1933, aquar. (28x38) : **DKK 75 000** – Paris, 22 nov. 1989 : *Les Pommiers* 1943, h/t (54x65) : **FRF 540 000** – Paris, 25 mars 1990 : *Bord de rivière* 1918, aquar. et gche (24x31) : **FRF 48 000** ; *Joueur de pipo* 1931, h/t (60x23) : **FRF 95 000** ; *Le Tisserand* 1948, h/t (80x65) : **FRF 1 470 000** ; *Blois* 1953, h/t (92x73) : **FRF 950 000** ; *Composition* 1961, gche (57x43) : **FRF 420 000** ; *Bula* 1970, h/t (Diam. 65) : **FRF 1 700 000** ; *Noirbel* 1957, h/t (80x100) : **FRF 2 000 000** – Londres, 5 avr. 1990 : *Trigourec* 1972, h/t (146x97) : **GBP 297 000** – Paris, 18 juin 1990 : *Debredinoire III* 1971, collage (66x52) : **FRF 200 000** – Paris, 21 juin 1990 : *Maternité*, mine de pb (16x12,5) : **FRF 50 000** – Londres, 18 oct. 1990 : *Sans titre* 1952, aquar./pap. (41,3x31) : **GBP 24 200** – Paris, 16 déc. 1990 : *Le Bouquet mécanique* 1974, h/t (50,5x61) : **FRF 400 000** – Paris, 2 juin 1991 : *Lumière sur la fenêtre* 1942, h/t (73x60) : **FRF 290 000** – Londres, 27 juin 1991 : *Tricornu* 1959, h/t (46x38) : **GBP 37 400** – Paris, 12 oct. 1991 : *Blois* 1953, h/t (92x73) : **FRF 420 000** – Zurich, 16 oct. 1991 : *Matinailles* 1956, litho. coul. (67x51,5) : **CHF 4 200** – Copenhague, 4 déc. 1991 : *Composition* 1963, aquar. (25x33) : **DKK 90 000** – Paris, 6 déc. 1991 : *Cinétruc* 1970, past. gras et fus. (52x49,5) : **FRF 95 000** – Honfleur, 19 avr. 1992 : *Boulogne* 1957, h/t (66x92) : **FRF 850 000** – Copenhague, 20 mai 1992 : *Composition* 1968, aquar. (52x37) : **DKK 125 000** – Londres, 15 oct. 1992 : *Criquet marin* 1983, h/t (73x100) : **GBP 49 500** – Londres, 3 déc. 1992 : *Vermuse* 1958, h/t (100x81) : **GBP 79 200** – Copenhague, 10 mars 1993 : *La Maison haute* 1944, h/t (61x50) : **DKK 200 000** – Paris, 3 juin 1993 : *Nohant Vicq* 1954, h/t (60,5x40,5) : **FRF 350 000** – New York, 3 nov. 1993 : *1020-A* 1970, aquar. et gche/pap. (63,2x49,5) : **USD 23 000** – Londres, 2 déc. 1993 : *Vermuse* 1958, h/t (100x81) : **GBP 80 700** – Versailles, 27 mars 1994 : *Composition*, acryl./pap. (51x43,5) : **FRF 123 000** – Paris, 22 juin 1994 : *Le Tisserand* 1948, h/t (81x65) : **FRF 422 000** – Copenhague, 21 sep. 1994 : *Pêcheurs de perles* 1950, h/t (55x65) : **DKK 280 000** – Paris, 2 juin 1995 : *Sans titre* 1967, aquar./pap. (49x32) : **FRF 90 000** – Zurich, 23 juin 1995 : *Les tiges noires* 1948, h/t (33x24) : **CHF 20 000** – Londres, 30 nov. 1995 : *L'Arbre au rivage* 1949, h/t (65x91,5) : **GBP 40 000** – Paris, 13 déc. 1995 : *Trouvère, paysage* 1954, h/t (116x81) : **FRF 630 000** – Copenhague, 12 mars 1996 : *Composition* 1961, craie grasse (22x17) : **DKK 64 000** – Paris, 24 mai 1996 : *Parentis* 1955, h/t (116x89) : **FRF 620 000** – Paris, 13 juin 1996 : *Lajoupée* 1973, litho. (64,7x50,3) : **FRF 11 000** – Paris, 5 oct. 1996 : *Composition* 1964, aquar./pap. (49x62) : **FRF 145 000** – Paris, 13 déc. 1996 : *Composition* 1975, past. et fus./pap. (41,5x32,5) : **FRF 22 000** – Londres, 6 déc. 1996 : *Sans titre* 1962, aquar./pap. (64x49,5) : **GBP 8 280** – Londres, 6 déc. 1996 : *Nu au chevron* 1974, aquar. et cr./pap. (46,7x35,5) : **GBP 11 500** – Paris, 24 mars 1997 : *Bank Street* 1967, litho. coul. (65,5x46) : **FRF 4 500** – Paris, 28 avr. 1997 : *Composition* 1959, past. /pap. (48x63,5) : **FRF 70 000** – Londres, 23 oct. 1997 : *Les Causes noires* 1954, h/t (60,5x50) : **GBP 51 000**.

ESTEVE Miguel

xvie siècle. Actif à Valence vers 1520. Espagnol.

Peintre.

ESTÈVE Rafael. Voir **ESTÈVE Y VILLELA**

ESTEVE Rémy

Né le 17 mai 1917 au Havre (Seine-Maritime). xxe siècle. Français.

Peintre.

Autodidacte, sa peinture est non figurative.

R. ESTÈVE

ESTEVE Y BONET José

Né le 22 février 1741 à Valence. Mort le 17 août 1802 à Valence. xviiie siècle. Espagnol.

Sculpteur.

Élève d'Ignacio Vergara et de Francisco Esteve. Reçu académicien en 1772. Il y fut successivement professeur, vice-directeur et directeur général. En 1782 il fut nommé sculpteur honoraire du roi. Ce fut un artiste très fécond, mais d'un talent assez peu personnel. Il fut l'un des derniers à faire une sculpture polychrome de tradition baroque. On connaît, de lui, *L'Immaculée* de la cathédrale de Valence et celle de l'église de Santiago à Orihuela.

ESTEVE Y BOTTEY Francisco

Né le 19 janvier 1884 à San Martin de Provensals (Barcelone). Mort le 4 juillet 1959 à San Martin de Provensals. xxe siècle. Espagnol.

Peintre de paysages, paysages urbains, marines, graveur et écrivain.

Il fit ses études à l'École Supérieure des Beaux-Arts de San Fernando. Profitant de l'octroi de deux bourses d'études, il voyage en France, en Italie, en Belgique et en Suisse. À son retour, en 1941, il devient professeur auxiliaire de l'École supérieure des Beaux-Arts de San Fernando. Professeur de dessin en 1923, à l'École des Arts et Métiers de Madrid. Il participa à diverses expositions collectives et personnelles. Obtint plusieurs distinctions, dont une première médaille en 1920, une autre en 1929. Il fut également un spécialiste de la gravure et écrivit plusieurs livres à ce sujet.

Bibliogr. : In : *Cien anos de pintura en Espana y Portugal 1830-1930*, Antiqvaria, Madrid, 1988.

ESTEVE Y MARQUES Agustin

Né le 12 mai 1753 à Valence. Mort vers 1809 ou vers 1820 peut-être à Madrid. xviiie siècle. Espagnol.

Peintre de portraits.

Il fit ses études à Valence et à Madrid. Il fut employé comme copiste de Goya, dont il avait assimilé la manière, sans toutefois en avoir la force. Il fut nommé peintre de la Chambre et académicien à l'Académie Saint-Charles de Valence.

Ses portraits, peints dans une manière personnelle, ont des qualités de délicatesse et de charme, notamment pour les portraits d'enfants.

Bibliogr. : In : *Dictionnaire de la peinture espagnole et portugaise du Moyen-Âge à nos jours*, coll. Essentiels, Larousse, Paris, 1989.

Musées : Madrid (Prado) : *Don Moriano San Juan y Pineda* – *Dona Joaquina Tellez-Giron* – Valence : *Duchesse d'Albe* 1738.

Ventes Publiques : New York, 18 nov. 1961 : *Portrait de femme* : **USD 5 000** – New York, 6 juin 1985 : *Portrait du comte de Torrejon avec son fils*, h/t (204,5x127) : **USD 33 000** – New York, 7 avr. 1989 : *Portrait d'un petit garçon avec son chien*, h/t (90x70) : **USD 77 000**.

ESTEVE Y ROMERO Antonio

Mort le 1er juillet 1859 à Valence. xixe siècle. Espagnol.

Sculpteur.

Fils de José Esteve y Villela. Il fut directeur de l'Académie de San Carlos à Valence. On trouve des œuvres de cet artiste à Bilbao, Burgos, Madrid Pampelune et Valence.

ESTEVE Y VILLELA José

Né en 1766 à Valence. xviiie siècle. Espagnol.

Sculpteur.

Fils de José Esteve y Bonet. Il fut membre de l'Académie de San Carlos à Valence.

ESTEVE Y VILLELA Rafael

Né le 1er juillet 1772 à Valence. Mort le 1er octobre 1847 à Madrid. xviiie-xixe siècles. Espagnol.

Graveur.

Fils et élève du sculpteur José Esteve y Villela. Il travailla également à l'Académie de San Carlos à Valence, puis vint à Madrid où il fut pensionnaire de l'Académie de San Fernando. Il se consacra dès lors à peu près exclusivement à la gravure au burin. Il habita Paris entre 1802 et 1815. Revenu en Espagne à cette date il commença à reproduire par la gravure les œuvres des maîtres espagnols. Son *Frappement du rocher*, d'après Murillo, lui valut la médaille d'or du Salon de Paris en 1839. Il fut nommé directeur de l'Académie de San Carlos à Valence, membre de l'Académie de San Fernando à Madrid et décoré de l'ordre de Charles III. On lui doit également de nombreux portraits et des illustrations pour une édition de *Don Quichotte*. Ce fut un très remarquable graveur, dont les estampes sont assez recherchées. Il était l'ami de Goya.

ESTEVÉNARD Georges. Voir **LA SEIGNE**

ESTEVES David

xviie siècle. Actif à Copenhague. Danois.

Peintre.

Il fut élève de Jacques d'Agar.

ESTHOM Jacques, pseudonyme de **Estève Jacques**

Né en 1945. xxe siècle. Français.

Peintre, sculpteur.

Il a étudié à l'École des Beaux-Arts d'Amiens et à celle de Paris. Ses sculptures sont très influencées par les œuvres de Giacometti et de Germaine Richier.

ESTIENNE Auguste
Né le 28 juin 1794 à Paris. Mort en 1865. XIXe siècle. Français.
Peintre d'histoire et de genre.
Entré à l'École des Beaux-Arts le 16 janvier 1817, il se forma sous la direction de Gros. Au Salon, ses œuvres reçurent un accueil honorable, de 1831 à 1861. On cite de lui : *Psyché abandonnée par l'Amour, Le départ de Rome, Enfant de chœur buvant un reste de vin contenu dans une burette, Le rendez-vous à la fontaine, Fanchon la vielleuse.*

ESTIENNE Christiane d'
Née le 24 décembre 1915 à Pau (Pyrénées-Atlantiques). XXe siècle. Française.
Sculpteur-céramiste, peintre de cartons de mosaïques. Abstrait.
Elle a été l'élève d'Adam et de Lesbounit. Expose depuis 1960, à Paris, notamment au Salon des Artistes Indépendants et au Salon Comparaisons. D'abord céramiste, elle a tourné et modelé des figures et des pièces décoratives d'accent populaire. Elle a dirigé un atelier de jeunes artisans. Elle a ensuite orienté son travail vers des sculptures ou mosaïques monumentales. Ses sculptures, non figuratives, sont en métal et jouent sur les effets de morsures de l'acide sur cette matière où naissent taches, formes et matières.

ESTIENNE Clarisse, Mme
Née à Londres. XXe siècle. Française.
Peintre de portraits.
Élève de H. Estienne. Exposant du Salon des Artistes Français en 1932.

ESTIENNE Félicie d'
Née à Orléans (Loiret). XXe siècle. Française.
Peintre d'intérieurs.
Elle exposa à Paris au Salon des Artistes Français en 1929.

ESTIENNE Henry d'
Né le 1er août 1872 à Conques (Aude). Mort le 11 mars 1949 à Paris. XIXe-XXe siècles. Français.
Peintre de genre, paysages, pastelliste. Orientaliste.
Il fut élève de J.L. Gérome et Joseph Paul Blanc. Il exposait à Paris, au Salon des Artistes Français, où il obtint une mention honorable en 1897, dont il devint sociétaire depuis 1899, 1900 médaille de bronze et bourse de voyage pour l'Exposition Universelle, 1903 médaille de troisième classe et Prix Marie Bashkirtseff, 1904 médaille de deuxième classe.
En 1908, son pastel *Jeune fille arabe apportant le café*, fut reproduit dans les ouvrages de Valérie Nicollier *Der offene Bruch* édité par l'Institut français de Munich, et, en 1993, dans celui de Lynne Thornton *La femme dans la peinture orientaliste*, aux éditions A.C.R. Éditon à Paris.
Ventes Publiques : Londres, 11-14 nov. 1921 : *Les Préparatifs du repas* : **GBP 27** – Paris, 11 fév. 1942 : *Jeune fille écrivant une lettre*, past. : **FRF 390** ; *Le château de Tracy* : **FRF 750** ; *Paysage avec canal en Turquie* : **FRF 380** – Paris, 16 mars 1983 : *La liseuse dans l'atelier*, h/t (65x53) : **FRF 7 000** – Londres, 21 mars 1986 : *La bonne mère*, h/t (58,4x97) : **GBP 1 000** – Paris, 11 déc. 1995 : *Jeune fille arabe apportant le café*, past. (64x45) : **FRF 45 000.**

ESTIENNE Nicolas, dit **le Brun**
XVIIIe siècle. Actif à Paris en 1735. Français.
Sculpteur.

ESTIENNE DES SALLES. Voir **DES SALLES**

ESTIET Nicolas
XVIIe siècle. Actif à Paris en 1606. Français.
Peintre ou sculpteur.

ESTIEU Renée
Née au Château de Conflans (Yvelines). XXe siècle. Française.
Peintre de fleurs, fruits, paysages.
Elle exposa, à Paris, au Salon des Artistes Français de 1932 à 1938.

ESTIEVENART Renée
Née à La Madeleine-les-Lille (Nord). XXe siècle. Française.
Peintre.
Élève de Chanleur et Z. de Winter.

ESTIÉVENART DARE. Voir **DARE**

ESTIGNARD Albert
Né à Vaivre (Haute-Saône). XIXe siècle. Français.
Peintre de paysages animés.
Élève de Jeanneney. Il figura au Salon de Paris avec des paysages, de 1870 à 1877.
Ventes Publiques : Lucerne, 2 juin 1981 : *Paysans et bœufs dans un paysage* 1871, h/t (70,5x110,5) : **CHF 1 500.**

ESTIOT Nicolas
XVIIe siècle. Actif à Paris vers 1610. Français.
Peintre ou sculpteur.

ESTIVAL Germaine
Née à Brassac-les-mines (Puy-de-Dôme). XXe siècle. Française.
Peintre de paysages, portraits, compositions à personnages.
Elle fut exposant, depuis 1928, du salon des Artistes Indépendants à Paris.
Ventes Publiques : Paris, 22 juin 1945 : *Portrait de femme* : **FRF 70.**

ESTIVAL Jeanne
Née à Charenton (Val-de-Marne). XXe siècle. Française.
Pastelliste.
Exposant, à Paris, du Salon de l'Union des Femmes Peintres et Sculpteurs depuis 1929.

ESTKO
XVIIIe siècle. Actif à Vilna. Polonais.
Peintre.
Il était peintre de la cour du duc Charles Radzivill. Il fit à fresque le plafond du château de Radzivill.

ESTLER Georg Gustav
Né le 3 mars 1860 à Meissen (Saxe-Anhalt). Mort en 1954 à Dresde. XIXe siècle. Allemand.
Peintre de paysages animés, paysages.
Élève de l'Académie de Dresde et de P. Mohn, Jul. Hübner et Fr. Preller. En 1883 il obtint une bourse de voyage. S'établit à Dresde après son retour d'Italie.
Exposa à Dresde en 1887. On cite de lui : *Paysage de Capri.*
Ventes Publiques : Cologne, 15 juin 1973 : *Berger et troupeau dans un paysage* : **DEM 4 000** – Copenhague, 12 juin 1985 : *Vue de Cirkowitz*, h/t (33x47) : **DKK 6 000** – Heidelberg, 12 oct. 1991 : *Enfants cueillant des fleurs à Capri* ; *Enfants sur la plage de Capri*, aquar., une paire (chaque 19x14) : **DEM 1 700.**

ESTLER Richard
Né le 28 septembre 1873 à Dresde. XIXe-XXe siècles. Allemand.
Peintre, dessinateur, décorateur.
Il fut d'abord peintre décorateur à Berlin et accepta plus tard une chaire de dessin à l'Académie d'Hanau-am-Main.

ESTOCHOIS Alexandre
XVe siècle. Éc. flamande.
Peintre.
Cité par Siret.

ESTOPINA Cosme et **Pedro**, les frères
XVe siècle. Espagnols.
Peintres.
Ces deux frères travaillaient en 1432 pour la cathédrale de Valence. Peut-être étaient-ils les fils du peintre Jaime Stopinyia.

ESTOPINAN Roberto
Né en 1920 à La Havane. XXe siècle. Cubain.
Sculpteur.
Il fut élève de Juan José Sicre, à l'Académie San Alejandro. Il voyage ensuite au Mexique, au Portugal, aux États-Unis, en France et en Italie, se libérant de la tradition apprise et adoptant le fer soudé. Revenu à La Havane, il y expose régulièrement. En 1956, il reçut le Premier Prix National de Sculpture. Il crée des formes, peut-être reliées aux sculptures totémiques des civilisations primitives, hérissées de pointes et de piquants.
Bibliogr. : M.R. Gonzalez, in : *Nouveau diction. de la sculpture moderne*, Hazan, Paris, 1970.
Ventes Publiques : New York, 13 mai 1983 : *Les prisonniers* 1965, encre/pap. (40,6X53,4) : **USD 650.**

ESTOPPEY David
Né le 14 juillet 1862 à Genève. Mort en 1952 à Genève. XIXe-XXe siècles. Suisse.
Peintre de paysages, dessinateur, illustrateur, lithographe.
Il fonda un atelier à Genève qui comptait Alberto Giacometti parmi ses élèves.
Il exposa à Paris, au Salon des Indépendants de 1892, parmi les œuvres des disciples de Seurat. Il figura à l'Exposition Universelle de 1900, où il obtint une mention honorable.

Il illustra des ouvrages de luxe à tirage limité et il collabora au journal *Le Sapajou* où il dessina des caricatures politiques. Le peintre montra, dans ses paysages de la banlieue parisienne ou ses petites vues du Paris nocturne, une sensibilité de coloriste aiguë.
Musées : Genève (Mus. Rath) : *Paysage de novembre – Paysage de la Gruyère* – Genève (Mus. d'Art et d'Hist) : *Les bouleaux* – Lausanne (Mus. canton.) – Vevey.
Ventes Publiques : Genève, 1er nov. 1984 : *Paysage aux champs de blé*, h/t (72x98,5) : **CHF 2 000**.

ESTOPPEY Léonie
Née le 13 octobre 1852 à Payerne. xixe siècle. Suisse.
Peintre.
Elle exposa à Genève en 1896.

ESTORACH Antonio. Voir **CASANOVA Y ESTORACH Antonio**

ESTORGES Jean
xviie siècle. Français.
Peintre et graveur.
On connaît de lui une estampe : *Le Christ au jardin des Oliviers.*

ESTORNELL Francisco Javier
Né vers 1802. Mort le 31 janvier 1854 à Valence. xixe siècle. Espagnol.
Graveur et médailleur.

ESTORSÈME Jean d'
xvie siècle. Actif à Zamora (Espagne) en 1515. Français.
Sculpteur.

ESTOUILLY O. d'
xixe siècle. Français.
Peintre.
On mentionne de cet artiste au Salon de 1834 : *Vue de Cefala* et au Salon de 1836 : *Juments avec leurs poulains, dans une prairie.*

ESTOURE Salhadin d'
xve siècle. Actif à Bruges en 1468. Éc. flamande.
Peintre ou sculpteur.

ESTOURNEAU Jacques Mathieu
Né en 1486 à La Flèche (Sarthe). xvie siècle. Français.
Sculpteur et architecte.
Françoise de Vendôme, duchesse d'Alençon, qui goûtait beaucoup son talent, se l'attacha. Elle lui fit faire, à Vendôme, en 1537, le tombeau de Charles de Bourbon, dit le Magnanime, son époux. Pour elle, il construisit, en 1540, le château seigneurial de Châteauneuf-sur-Cher.

ESTRADA Anton de
xve-xvie siècles. Actif à Séville aux xve et xvie siècle. Espagnol.
Peintre.
Un document le concernant porte la date de 1505.

ESTRADA Ignacio de
Né le 21 mars 1724 à Badajoz. Mort le 19 décembre 1790 à Badajoz. xviiie siècle. Espagnol.
Peintre et sculpteur.
Élève de son père Manuel de Estrada, et collaborateur de son frère Juan auquel il fournissait les dessins des tableaux qui se trouvent pour la plupart dans les églises de Valence. Il exécuta aussi quelques œuvres de sculpture.

ESTRADA José
xviiie siècle. Actif à Huesca en 1759. Espagnol.
Graveur.

ESTRADA José Maria
Né à Valence. Mort en 1873 à Madrid. xixe siècle. Espagnol.
Peintre de genre et portraitiste.
Élève à Madrid de l'Académie Royale de San Fernando. Il a exposé à Madrid à partir de 1860. Le Musée de Fomento possède de lui deux toiles.

ESTRADA Juan Antonio de
Mort le 28 novembre 1647 à Valladolid. xviie siècle. Espagnol.
Sculpteur.

ESTRADA Juan de
Né le 30 août 1717 à Badajoz. Mort le 28 juillet 1792 à Badajoz. xviiie siècle. Espagnol.
Peintre.
Élève de son père Manuel de Estrada, il reçut pendant trois ans des leçons de Pablo Pernicharo à Madrid. Les églises de Valence possèdent de cet artiste de nombreuses peintures dont les dessins furent fournis par son frère Ignacio, avec lequel il collabora presque toujours. La tradition rapporte que les deux frères montrèrent un grand dévouement pour leur père aveugle.

ESTRADA Manuel de
xviie-xviiie siècles. Actif à Badajoz. Espagnol.
Peintre.
Il fut le père de Juan et d'Ignacio.

ESTRADA Pablo de
xviie siècle. Actif à Madrid en 1679. Espagnol.
Sculpteur.
Il travailla aux cérémonies du mariage du roi Charles II.

ESTRADA Pedro de
Né vers 1750 à Saragosse. Mort à Saragosse. xviiie siècle. Espagnol.
Sculpteur.
Il fut élève de Juan de Mena et travailla à Madrid.

ESTRADE Christian
Né au xxe siècle. xxe siècle. Français.
Peintre. Abstrait.
Ses compositions sont peu colorées et inspirées par la musique. Un jeu d'écriture automatique sur fonds de peinture abstraite lui autorise un certain lyrisme qui prolonge l'atmosphère musicale du point de départ.

ESTRADE Léonie
Née à Dax (Landes). xxe siècle. Française.
Peintre de nus.
Elle exposa à Paris au Salon de l'Union des Femmes Peintres et Sculpteurs à partir de 1929.

ESTRADERE Antonio
Né en 1911 à Barcelone. xxe siècle. Espagnol.
Peintre. Tendance réaliste.
Nombreuses expositions en Espagne, en France et en Italie.
Son travail est issu de la veine réaliste, avec un réel intérêt pour les couleurs.

ESTRANY Guillermo
Mort vers 1393 à Valence. xive siècle. Espagnol.
Peintre.

ESTRANY Y ROS Rafael
Né le 14 octobre 1884 à Mataro (Catalogne). Mort le 11 janvier 1958 à Barcelone (Catalogne). xxe siècle. Espagnol.
Peintre de figures, paysages, paysages urbains, compositions religieuses, dessinateur, aquarelliste, graveur.
Il étudia à l'Académie Baixas de Barcelone et plus tard à l'Académie Julian de Paris. Il séjourna un temps en Belgique, où il subit l'influence de James Ensor et apprit la technique de la gravure. Il travailla dans des pays différents, dont ceux d'Amérique centrale et d'Amérique latine. Fin 1910, il fut nommé professeur de l'École des Arts et Métiers de Mataro.
Il a participé à diverses expositions collectives : 1913, (gravures), Salon de Parès, Barcelone ; 1915, Exposition Nationale de Madrid ; 1916, Exposition du Panama. Son œuvre gravé fut exposé à plusieurs reprises : 1916, 1920, 1922 et 1924 à Barcelone ; ses aquarelles en 1934 ; ses peintures en 1942, 1943, 1944, et 1945. Il reçut une médaille de troisième classe en 1915, une médaille d'or à Panama en 1916, une autre de bronze à Mexico la même année.
Très bon technicien de la gravure, il maîtrisa parfaitement les lois de la composition et du clair-obscur. Dans ses peintures, il rechercha une harmonie couleur-lumière. Il a exécuté parfois des scènes religieuses, notamment de la Maternité. Ses personnages sont en général des représentations exécutées dans un esprit intimiste. Parmi ses œuvres les plus connues : *Vue de Cadaqués* et *Les Sept Paroles du Rédempteur.* ■ C. D.
Bibliogr. : In : *Cien anos de pintura en Espana y Portugal 1830-1930*, Antiqvaria, Madrid, 1988.
Ventes Publiques : Barcelone, 28 mai 1987 : *Enfants jouant*, aquar. et gche (65,5x81) : **ESP 85 000**.

ESTRÉES Nicolas d'
xvie siècle. Français.
Sculpteur.
Il travailla à la façade de l'Hôtel de Ville de Compiègne, de 1505 à 1508, et y fit six statues ; sur la cheminée de la grande salle de ce monument, il sculpta un écusson aux armes de France.

ESTRÉES Thérèse d'
Née le 20 juillet 1874 au Château de Ravenel (Vosges). xixe-xxe siècles. Française.

Peintre de scènes de genre, graveur.
Elle fut élève de Sain, Boutigny et Fournier. Cette artiste débuta, à Paris, au Salon des Artistes Français de 1909. Ed. Joseph cite ses scènes de chasse. Elle pratiqua aussi la gravure au burin.

ESTREICHER Dominik
Né en 1750 à Iglan. Mort le 12 mars 1809 à Cracovie. XVIIIe siècle. Polonais.
Peintre.
Il fit ses études en Italie, où il resta dix ans. En 1778, il s'établit à Cracovie. Invité par le roi de Pologne Stanislas-Auguste à venir à sa cour, il se rendit à Varsovie, et fit les portraits des membres de la famille royale. Il vécut dans la capitale polonaise jusqu'en 1781. En 1782, il revint à Cracovie comme professeur de l'Académie des Beaux-Arts. Il fit aussi de grands tableaux d'histoire, de sujets religieux et quelques tableaux de genre. On trouve ses œuvres dans les églises de Cracovie.

ESTREL Auguste
Né à Paris. XXe siècle. Français.
Peintre de scènes de genre.
Il fut exposant, à Paris, du Salon d'Automne et du Salon des Indépendants depuis 1923.
Ventes Publiques : Calais, 24 mars 1996 : *Fermette en Bretagne*, h/t (50x61) : **FRF 4 000**.

ESTREMBERC Jacques de
XVe siècle. Actif à Avignon vers 1452. Français.
Peintre.
Il était sans doute d'origine allemande ou suisse.

ESTRICKE Vincent Van
XVIe siècle. Actif à Bruges vers 1503. Éc. flamande.
Peintre.

ESTRUCH Jose
Né en février 1838 à San Juan de Enova (province de Valence). XIXe siècle. Espagnol.
Peintre d'histoire et portraitiste.
Élève, à l'Académie de San Carlos à Valence, de Francisco Martinez. Il travailla beaucoup en Italie.

ESTRUCH Juan
Né vers 1820 à Barcelone. XIXe siècle. Espagnol.
Graveur.
Fils et élève du graveur Domingo Estruch y Jordan. Il a surtout fait de la gravure sur acier et a exécuté d'assez nombreux portraits.

ESTRUCH Y JORDAN Domingo
Né en 1796 à Muro. Mort le 16 juillet 1851 à Madrid. XIXe siècle. Espagnol.
Graveur.
Élève de son oncle Francisco Jordan. Il se fixa d'abord à Barcelone, puis à Madrid. Il a laissé d'assez belles estampes, gravant surtout au burin et à la pointe sèche.

ESTURMES Hernando de ou **Sturmes**
Né à Zierikzee (île de Showeven). XVIe siècle. Actif à Séville en 1539. Éc. flamande.
Peintre de compositions religieuses.
Cet artiste peignit pour un retable destiné au comte de Urena les personnages et sujets suivants : saint Jérôme, saint Grégoire, saint Augustin, saint Ambroise, l'Incarnation de Jésus-Christ et sa naissance. Pour un autre retable, destiné à l'hôpital de San Bartolomé, il peignit *la Vierge et quatre anges l'entourant* ; *Jésus-Christ une couronne à la main* ; *Saint Bartholomé avec un démon enchaîné* ; *Saint André et sa croix* ; *Notre-Dame de l'Annonciation* ; *Un ange* ; *Dieu le père et quatre évangélistes*. Il peignit encore l'*Adoration des Rois Mages avec la Vierge et l'enfant* ; *Un ermite* ; *L'Apôtre saint Jacques* et divers autres saints.

ESZABO. Voir **CRESSWELL Elizabeth**

ETAMPES, Maître d'. Voir **MAÎTRES ANONYMES**

ETANCOP Enrique
XIVe siècle. Actif à Valence vers 1376. Espagnol.
Peintre verrier.
Il travailla pour la cathédrale de Valence.

ETARD
XIXe siècle. Actif vers 1800. Français.
Peintre sur porcelaine.
Spécialiste de figures, il travaillait pour la Manufacture de Sèvres.

ETCHELLS Frederick
Né le 14 septembre 1886 à Newcastle. Mort en 1973. XXe siècle. Britannique.
Peintre. Tendance cubo-futuriste.
Entre 1908 et 1911, il étudia au Royal College of Art, puis, de 1911 à 1914, vint à Paris où il s'intéressa aux mouvements Fauve et cubiste. Plusieurs participations à des expositions collectives, notamment à la *Second Post-Impressionist Exhibition* en 1912, et à la *Post-Impressionist and Futurist Exhibition* en 1913. Il a fait partie des artistes groupés autour de Wyndam Lewis, dans le mouvement dit « vorticiste », dont l'activité se situa pendant les années 1914 et 1915, et dont les idées étaient proches du futurisme italien. Peu après la guerre de 1914-1918, il a abandonné la peinture pour l'architecture et a d'ailleurs traduit en anglais plusieurs ouvrages de Le Corbusier.
Musées : Londres (Tate Gal.) : *The Fair* – *The Big Girl* – *Still-life*.
Ventes Publiques : New York, 19 mai 1983 : *Figure, homme courant* 1911-1919, aquar. et cr. (29,1x22,5) : **USD 38 000** – Londres, 9 mars 1984 : *Portrait de jeune fille* vers 1912, h/t (50,8x40,5) : **GBP 4 500** – Londres, 18 avr. 1984 : *Village méditerranéen* 1923, cr. et lav. de coul. (30,5X47) : **GBP 900** – Londres, 13 mai 1987 : *Porthleven*, aquar. et pl. (33x47) : **GBP 3 200** – Londres, 9 juin 1989 : *Portrait de jeune femme*, h/t (50,8x40,7) : **GBP 13 200** – Londres, 7 nov. 1991 : *Composition cellulaire* 1920, h/pan. (26x34) : **GBP 1 980** – Londres, 6 nov. 1992 : *Porthleven* 1922, encre, aquar. et gche (34x47) : **GBP 6 600**.

ETCHETO Jean François Marie
Né le 9 mars 1853 à Madrid. Mort le 10 novembre 1889 à Paris. XIXe siècle. Espagnol.
Sculpteur.
Il débuta au Salon de 1881 avec une statue de *François Villon* ; deux ans plus tard, l'État lui commandait une statue de *Démocrite*.

ETCHEVERRY Diego
Né le 20 mars 1933 à Casablanca (Maroc). XXe siècle. Français.
Peintre.
Il fut élève de l'École des Beaux-Arts de Nancy, puis de Paris.
Il participe à des expositions de groupes : à Aix-les-Bains en 1957, à Casablanca en 1958, à Rome en 1960, à Nancy en 1961. Il participe, en outre, aux Salons des Surindépendants et Comparaisons, depuis 1960. Sa première exposition personnelle date de 1956, elle a eu lieu à la Maison des Beaux-Arts. Il réalise des reliefs, constitués de plusieurs couches de papier blanc découpé, déchiré, arraché, gratté, etc. Il a participé à de nombreuses mises en scène d'opéras et ballets.

ETCHEVERRY Hubert Denis
Né le 21 septembre 1867 à Bayonne (Pyrénées-Atlantiques). Mort le 3 avril 1952 à Bayonne. XIXe-XXe siècles. Français.
Peintre d'histoire, compositions religieuses, portraits, scènes de genre, fleurs, dessinateur.
Il fut élève de Bonnat, de Zo et d'Albert Maignan. Il fut second au Grand Prix de Rome en 1892 pour la toile *Philémon et Baucis*. Il a exposé régulièrement, à Paris, au Salon des Artistes Français, dont il est devenu sociétaire. Il obtint une troisième médaille en 1895, une deuxième médaille en 1899, une médaille d'argent en 1900 ; hors-concours... Décoré de la Légion d'honneur en 1906. À ses débuts, il s'adonna à la peinture d'histoire, mais ne tarda pas à s'orienter vers le portrait et les tableaux de genre. Il remporta un grand succès avec *Vertige*, en 1903, qui lui valut une réputation très considérable. Dessinateur adroit, coloriste assez heureux, Etcheverry reste un bon peintre de son époque.
■ M. B. de G., C. D.

D. Etcheverry

Musées : Bayonne : *Philémon et Baucis* – *Saint Patrice convertissant deux nobles irlandaises* – Toulouse : *Les Nounous* – Troyes (Mus) : *Saint Michel conduisant une âme au ciel*.
Ventes Publiques : Los Angeles, 5 oct. 1981 : *Le marché de Grenade*, h/t (50x65) : **USD 2 000** – Londres, 28 nov. 1986 : *Portrait présumé d'Anna de Noailles*, h/t, de forme ovale (198x160) : **GBP 25 000** – Paris, 17 juin 1988 : *Fleurs dans un vase*, h/t, deux pendants (chaque 41x33) : **FRF 8 500** – Monaco, 17 juin 1988 : *Vase de roses*, h/pan. (35x27) : **FRF 6 660** – New York, 22 mai 1990 : *Le centre d'attraction*, h/t (220x125) : **USD 30 800** – New York, 21 mai 1991 : *Soucis dans un vase*, h/t (41,3x33) : **USD 1 650** – New York, 16 juil. 1992 : *Hors concours* 1886, h/pan. (21,6x15,2) : **USD 2 860** – Paris, 5 nov. 1993 : *Marché de Ségovie* 1902, h/t (42x66) : **FRF 9 000**.

ETEROVIC Josko
Né le 6 juillet 1943 à Split. XXe siècle. Actif en France. Yougoslave.
Peintre. Abstrait.
Il a étudié à Rijeka, et est arrivé en France en 1969. En 1970, il y faisait sa première exposition particulière, suivie d'une seconde en 1973. Sa peinture est abstraite et exploite les possibilités expressives de la couleur, à partir d'un schéma de bandes verticales, la facture entretenant l'imprécision de certaines limites. Sa peinture se situe bien dans un courant abstrait, souvent américain, proche à la fois de Newman, et du Hard Edge.

ETÈVE Aline Marie
Née le 11 novembre 1898 à Moulins-la-Marche (Orne). XXe siècle. Française.
Peintre, graveur, aquarelliste.
Cette artiste a débuté, à Paris, au Salon des Artistes Français de 1920.
Ventes Publiques : Paris, 24 avr. 1942 : *En Hollande*, aquar. : **FRF 180.**

ETEVE Félix Raoul
Né à Montmorillon (Vienne). XXe siècle. Français.
Peintre de paysages.
Il exposa régulièrement, à Paris, au Salon des Artistes Français, dont il devint sociétaire. Hors-concours. Il obtint une deuxième médaille à l'Exposition de 1937, et le prix Corot en 1938.

ÉTEX Antoine
Né le 20 mars 1808 à Paris. Mort le 14 juillet 1888 à Chaville (Hauts-de-Seine). XIXe siècle. Français.
Peintre de sujets typiques, sculpteur, graveur, architecte. Orientaliste.
Il s'inscrivit à l'École des Beaux-Arts de Paris où il fut élève de Pradier et de Dupaty pour la sculpture, d'Ingres pour la peinture, puis de Duban pour l'architecture. Il remporta en 1829 le Second Prix de Rome de sculpture, et alla vivre deux ans en Italie. Durant l'été 1832, Étex passa trois semaines à Alger, séjour pendant lequel il exécuta le meilleur de son œuvre peinte, par ses ébauches et croquis. À partir de 1870, il s'installa à Nice. Il exposa à Paris, au Salon de 1833, obtenant une première médaille. Il fut décoré de la Légion d'honneur en 1841.
Il raconte son séjour fructueux à Alger dans ses *Souvenirs d'un artiste*. Étex a laissé une œuvre considérable, mais ce n'est pas en tant que peintre qu'il atteignit la célébrité, malgré sa très grande peinture *La Gloire des États-Unis*, de 1853, pour le City Hall de New York, mais comme sculpteur, son travail étant très fécond. On lui doit, entre autres travaux, deux des reliefs de l'Arc de Triomphe de l'Étoile à Paris, le *Tombeau de Géricault* ; le *Monument d'Ingres* ; le *Monument du général Lecourbe* ; le *Monument de Vauban*, aux Invalides ; la *Statue de Charlemagne*, au Sénat ; la *Statue de François Ier*, à Cognac ; le *Tombeau de Brizeux*, à Nantes ; le *Monument de Garibaldi*, à Nice (achevé par Deloye). Il exécuta de nombreuses esquisses et maquettes pour la glorification des grands hommes de la région de Nice. Son œuvre fut fort apprécié de ses contemporains. Il lui a été depuis reproché de manquer de sentiment et d'émotion.
Musées : Caen : *Nizza* – Lyon (Mus. des Beaux-Arts) : *Caïn et sa famille* – *Mort d'un homme de génie incompris*, peint. – Metz : *Mme Amable Tastu* – Montauban : *Politien faisant l'éducation des trois Médicis*, peint. – Nantes : *Héro* – Nice : *Garibaldi* – *Masséna* – Semur-en-Auxois : *M. de Franqueville* – *Léon de Montbéliard* – Toul : *Médaillon de Dornès* – *Modèle du tombeau de Géricault* – *Bustes de Félix Liouville, de Chanzy et de P.-J. Proudhon* – Versailles : *Blanche de Castille* – *Maréchal de Lescun* – Versailles (Mus. Lambinet) : *Olympia*.

ETEX Louis Jules
Né le 20 septembre 1810 à Paris. Mort le 7 juillet 1889 à Paris. XIXe siècle. Français.
Peintre d'histoire, sujets religieux, scènes de genre, portraits, aquarelliste, dessinateur.
Frère d'Antoine ; il entra à l'École des Beaux-Arts le 30 septembre 1826 ; il eut pour professeurs Lethière et Ingres.
Il débuta au Salon de 1833 et obtint une médaille de deuxième classe la même année. Il continua à envoyer au Salon jusqu'en 1876.
On cite de cet artiste : *Adam et Ève, Femmes des frontières du royaume de Naples, Portrait de Berryer, Portrait de Descamps, Portrait de Legentil, Le religieux et le philosophe, Le chemin perdu, Diligence en route pendant l'orage, Une vestale se laissant entraîner hors du temple*.
Musées : Soissons : *Sainte Geneviève* – Versailles : *Portrait de Henri Ier, duc de Montmorency* – *Portrait du chancelier de France, Brulart, marquis de Sillery*.
Ventes Publiques : Paris, 16 déc. 1925 : *En route pour le marché, environs de Beauvais* : **FRF 620** – Paris, 2 et 3 juin 1926 : *Portrait du lieutenant Dubosq, des Gardes du corps* : **FRF 400** – Paris, 9 fév. 1927 : *Scène biblique*, aquar. : **FRF 100** – Paris, 7 mai 1943 : *Femmes de pêcheurs assistant à un sinistre* : **FRF 1 600** – Paris, 16 avr. 1945 : *Jupiter et Léda*, deux peintures formant diptyque : **FRF 1 050** – Paris, 29 jan. 1947 : *Buste d'enfant*, mine de pb : **FRF 250** – Paris, 22 oct. 1986 : *Le forgeron, L'écrivain*, deux h/t (174x83) : **FRF 9 000.**

ETGENS Johann Georg
Né en 1693 à Brno. Mort le 21 janvier 1757 à Brno. XVIIIe siècle. Tchécoslovaque.
Peintre.
Après avoir vécu à Rome il travailla pour différentes églises comme celles de Welebrad et Iglau.

ETHENARD Y ABARCA Francisco Antonio
Né vers 1650 à Madrid. Mort vers 1701 à Madrid. XVIIe siècle. Espagnol.
Peintre et graveur.
Fils d'un Allemand, il servit sous Charles II dans les gardes du corps allemand jusqu'en 1701. A partir de cette date, il s'adonna complètement aux arts, qu'il avait jusqu'alors cultivés en amateur. Il publia en 1676 une *Philosophie de la guerre*, qu'il illustra de nombreuses gravures.

ETHERINGTON Edward
XIXe siècle. Actif à Paris vers 1860. Britannique.
Graveur sur bois.
Il fut l'ami et le disciple de Gustave Doré.

ETHERINGTON Lilian
XIXe-XXe siècles. Active à Londres. Britannique.
Peintre.
Elle exposa des scènes de genre à Suffolk Street Gallery et à la Royal Academy entre 1885 et 1901.

ETHIOU Adèle
XIXe siècle. Active à Paris. Française.
Peintre de portraits et graveur.
Elle grava le *Bélisaire* de J. L. David.

ETHLE Clemens
XVIIe siècle. Actif à Weilheim vers 1600. Allemand.
Sculpteur sur bois.

ETHLER Josef
Né en 1796 à Brno. Mort le 8 novembre 1880 à Brno. XIXe siècle. Tchécoslovaque.
Peintre de paysages.
On lui doit aussi nombre d'aquarelles et de dessins.

ETHOFER Theodor Josef
Né le 29 décembre 1849 à Vienne. Mort en 1915. XIXe siècle. Autrichien.
Peintre de genre, portraits.
Il travailla longtemps en Italie.
Musées : Graz : *Koffee Tomaselli*, projet d'affiche.
Ventes Publiques : Londres, 3 avr. 1909 : *La Raccommodeuse de parapluies* : **GBP 4** – Paris, 4 déc. 1933 : *Études de femmes*, suite de trois aquarelles : **FRF 70** – Munich, 15 mars 1984 : *Maison paysanne près de Frascati* 1874, h/pan. (49x32) : **DEM 8 000.**

ETHUIN Anne
XXe siècle. Française.
Peintre de collages. Tendance surréaliste.
Ni collages, ni peintures, mais les deux à la fois, les œuvres d'Ethuin sont construites à partir d'images quotidiennes découpées dans des revues, qu'elle surcharge d'une écriture noire et or. Glissant des formes animales aux formes végétales et humaines, ses toiles, de tendance surréaliste, offrent un aspect fantastique.

ETIENNE
Xe-XIe siècles. Italien.
Peintre.
Travailla à Saint-Elie de Népi.

ETIENNE
Originaire de Montpellier. XIVe siècle. Travaillant à Avignon en 1365. Français.
Peintre.

ETIENNE
XVe siècle. Français.
Peintre.
Il travailla pour la cathédrale de Troyes, notamment en 1421.

ETIENNE
XVIe siècle. Français.
Peintre.
Il vivait à Lyon en 1516 et 1533, et travaillait, en 1516, pour une entrée. Plusieurs peintres établis à Lyon (entre 1342 et 1568) ne sont connus que sous ce prénom.

ÉTIENNE
Né en 1952. XXe siècle. Français.
Sculpteur de sujets allégoriques.
En 1992, la galerie Prazan-Fitoussi de Paris a montré un ensemble de ses œuvres.
Il travaille surtout le bronze patiné. Ses sculptures représentent souvent des visages. Leur expression et quelques attributs de l'ordre du symbole forment sens. Dans la diversité des émotions, elles peuvent signifier aussi bien la tendresse que la douleur.
Ventes Publiques : Paris, 1er fév. 1988 : *Magnificat, hommage à Monteverdi*, bronze poli et patiné (31x31,5x21,5) : **FRF 17 000** – Paris, 3 oct. 1988 : *Coup de foudre* 1986, bronze poli et patiné (35x35x16) : **FRF 18 000** – Paris, 30 jan. 1989 : *La Fécondité*, bronze poli et à patines polychromes (71x27x24) : **FRF 34 000** – Paris, 22 mai 1989 : *Violoncelle baroque*, bronze (55x12x37) : **FRF 23 000** – Paris, 5 fév. 1990 : *Le Poète*, bronze poli (20x26x8) : **FRF 15 000** – Paris, 13 mai 1996 : *Le Poète*, bronze poli (20x26x8) : **FRF 13 000**.

ETIENNE David
Né à Saint-Machet. XVIe siècle. Suisse.
Peintre sur émail.
En 1556 il travaillait à Genève.

ÉTIENNE Francis Paul, dit **Paolo**
Né le 23 février 1874 à Dôle (Jura). Mort le 24 décembre 1960 à Neuilly-sur-Seine. XXe siècle. Français.
Peintre, graveur.
Il fut élève de Biloul et Adler. Il fut sociétaire, à Paris, du Salon des Artistes Français. On lui doit, selon Ed. Joseph, des reconstitutions (en collaboration) de planches du XVIIIe siècle.
Ventes Publiques : Londres, 25 nov. 1992 : *Femmes arabes dans un harem* 1912, h/t (69x106) : **GBP 10 450**.

ETIENNE Gillot
XVe siècle. Actif à Tournai vers 1480. Éc. flamande.
Peintre.

ETIENNE Henri
XXe siècle. Français.
Sculpteur animalier.
Il fut membre du Salon des Tuileries depuis 1929.

ETIENNE Jean
XVIe siècle. Français.
Sculpteur et architecte.
Il fut chargé, en 1541, de faire le retable de la chapelle du Saint-Esprit, pour l'église de Vence (Alpes-Maritimes).

ETIENNE Jules Auguste
XXe siècle. Français.
Peintre de paysages.
Exposant du Salon des Artistes Français en 1923.

ÉTIENNE Marie Thérèse
Née le 24 avril 1945 à Lyon (Rhône). XXe siècle. Française.
Peintre de cartons de mosaïques.
Elle a été l'élève à Paris de Bertholle et Chapelain-Midy, puis a appris la technique de la mosaïque à Ravenne avec Licata. Elle participe au Salon d'Automne, à Paris, depuis 1968. Elle réalise surtout des mosaïques figuratives.

ETIENNE Marius
XIXe siècle. Français.
Peintre de paysages.
Ventes Publiques : Paris, 30 jan. 1899 : *Panorama* : **FRF 98**.

ETIENNE Pierre, dit **le Brun**
XVIIIe siècle. Actif à Paris en 1767. Français.
Sculpteur.

ETIENNE René Ernest
Né au XIXe siècle à Paris. XIXe siècle. Français.
Peintre de genre, paysages.
Élève de Jules Lefebvre, Gabriel Ferrier et C. Berlon. Sociétaire des Artistes Français depuis 1899. Il figura au Salon de cette société. Mention honorable en 1899, médaille de bronze à l'Exposition Universelle de 1900.
Ventes Publiques : Lucerne, 20 mai 1980 : *Paysage d'été, Paysage d'hiver*, deux peint./bois (26,5x47,5) : **CHF 5 000**.

ETIENNE d'Auxerre
XIIIe siècle. Actif à Paris en 1292. Français.
Peintre.
Il travailla pour le comte de Bourgogne Mahaut d'Artois, puis pour le roi de France Philippe le Bel.

ETIENNE de Bar
Mort le 29 décembre 1163. XIIe siècle. Français.
Sculpteur ce compositions religieuses.
Architecte et évêque de Metz, il fut aussi connu comme sculpteur. Cet artiste décora le chœur du maître-autel de sa cathédrale et restaura les églises Saint-Pierre-aux-Images et Notre-Dame-la-Ronde.

ETIENNE de Francheville
XVe siècle. Français.
Peintre.
Il travailla à Toul et on le retrouve à la cour du duc René II de Lorraine vers 1495.

ETIENNE-MARTIN, pseudonyme de **Martin, Étienne**
Né le 4 février 1913 à Loriol (Drôme). Mort le 21 mars 1995 à Paris. XXe siècle. Français.
Sculpteur de bustes, statues, intégrations architecturales, dessinateur. Tendance abstraite.
Lycéen à Valence, il a été par la suite, à seize ans, élève de l'école des Beaux-Arts de Lyon, de 1930 à 1933. Il fit la rencontre de l'écrivain amateur d'art Marcel Michaud. Il monta à Paris, où il fut élève de Malfray et de Maillol, à l'Académie Ranson (1933 à 1939). Il se lia alors avec le sculpteur Stahly et les peintres Le Moal, Bertholle et Manessier, dans la structure du groupe lyonnais *Témoignage* que fonde, à Lyon, Marcel Michaud. Mobilisé en 1939, il fut prisonnier. Libéré en 1942, il s'installa d'abord à Oppède (communauté animée par l'architecte Bernard Zehrfuss), puis à Dieulefit (Drôme), auprès de Pierre-Henri Roché, écrivain (futur auteur de *Jules et Jim*) et collectionneur, puis de 1944 et 1947, à Mortagne (Orne), auprès de Manessier, dont la calme spiritualité l'impressionne. Il revient à Paris en 1947. Il fit la connaissance du critique d'art Michel Tapié, de Brancusi, d'Henri Michaux, de Dubuffet et de Gurdjieff. Il fut professeur, chef d'atelier de sculpture monumentale, à l'école Nationale des Beaux-Arts à Paris à partir de 1967, jusqu'en 1983. Il a été de nombreuses fois récompensé : 1948, prix Blumenthal ; 1949, prix de la Jeune Sculpture, Paris ; 1966, Grand Prix de la Biennale de Venise ; 1967, Grand Prix National des Arts. Il est élu en 1971 à l'Institut.
Il a participé à de nombreuses expositions de groupe, en particulier celles du Salon de Mai, au Comité duquel il a appartenu. Il fut invité à la Documenta de Kassel en 1963. Sa première exposition particulière, en France, date de 1960, elle a lieu à la galerie Breteau à Paris, puis, entre autres : 1962-1963, rétrospective à la Kunsthalle de Berne organisée par le Suisse Harald Szeemann ; 1963-1964, rétrospective Stedelijk Museum d'Amsterdam ; 1963-1964, rétrospective au Van Abbemuseum d'Eindhoven ; 1965, rétrospective au Palais des Beaux-Arts de Bruxelles ; 1966, Musée d'Art et d'Industrie de Saint-Étienne ; 1972, Musée Rodin à Paris et Documenta V de Kassel ; depuis 1977 régulièrement à la galerie Artcurial à Paris, notamment ensemble de ses sculptures sur bois en 1984 ; 1984, Musée National d'Art Moderne de Paris avec l'ensemble des *Demeures* ; 1988, sculptures à la Chapelle de la Salpêtrière, à Paris, manifestation organisée par Harald Szeemann ; 1991, rétrospective au Musée de l'Abbaye Sainte-Croix aux Sables d'Olonnes. Depuis sa mort : 1996, Fondation de Coubertin à Saint-Rémy-les-Chevreuses ; 1997, Musée des Beaux-Arts à Clermont-Ferrand.
À l'époque où il vint à Paris, il cherchait encore, volontiers perméable à diverses influences. Il s'intéressa aussi bien au baroquisme du Bernin, au surréalisme, à l'abstraction. Il avait choisi la sculpture « parce que la sculpture est quelque chose que l'on peut attraper à bras-le-corps, embrasser, autour de laquelle on peut tourner, à l'intérieur de laquelle on peut évoluer, à l'intérieur de laquelle on peut éventuellement pénétrer ». Il travaillait le bois avec prédilection (il assemblait des objets constitués de bois et de ficelles), réalisant ses premières recherches sur le thème de *La Nuit*, passant indifféremment de la forme figurative à l'abstraction, en refusant le faux problème. De cette première

période, on cite : *Idole peinte* (1934), en forme d'escalier ; *Abécédaire* (1934), forme nettement abstraite ; *Femme assise* (1935) ; la première *Nuit* (1935), massive et hiératique, peut-être en référence aux *Nuits* de Gérard de Nerval ou influencée par le choc de sa rencontre avec Marcel Duchamp. À propos de ce dernier, il déclarait : « Pour moi Duchamp a été une étoile (...). J'étais très impressionné par l'énigme qu'il me posait. Car ses tableaux, et le *Grand Verre* en est un magnifique exemple, sont une constante énigme ». Il réalisa également à cette époque *Le Nœud* (1938), articulation de formes abstraites. Après sa libération, il sculpta chez Pierre-Henri Roché une nouvelle *Nuit*, puis auprès de Manessier : des *Pietà* (1944), d'intention expressionniste ; le *Grand Couple* (1946) ; le *Dragon* (1947) ; *Paysage* (1947). En 1956, il avait donné un prolongement à la série des *Couples*, avec le *Couple rouge*. De 1948 à 1956, avec, en particulier, le *Booz* de 1953, il avait continué de développer le thème des *Nuits*, dont il confia qu'elles « sont la nostalgie d'une chose précise, d'une rencontre très étonnante ». En 1963, il sculpta *Le Cri*, souche d'arbre, comme il en utilisa souvent, retaillée et présentée les racines dressées en l'air.

En 1948, il réalisa des sculptures en étoffes, les *Passementeries*, qui trouveront leur aboutissement avec le *Manteau* (1962) qui constituera la *Demeure n°5*. En effet, à partir de 1954, il commença la série des *Demeures*, l'épine dorsale de son œuvre. Il y en a une vingtaine. Qu'elles soient fortifiées de longues pointes, comme celle de 1959, articulées en trois parties, comme celle de 1960, comportant un escalier tournant intérieur, comme celle de 1961, elles ont un point commun : elles sont habitables ou mieux pénétrables, ce sont des sculptures que l'on « vit » de l'intérieur, non objets extérieurs pour le regard, mais creux matriciels, réceptacles, refuges pour l'être entier. Ces *Demeures* furent d'abord conçues et réalisées en plâtre, plus rarement en bois pour celles de petites dimensions et de proportions relatives et symboliques, seule la *N°5* étant en étoffes. En 1966, c'est la Galerie Michel-Couturier qui fait couler ses sculptures en bronze : elles deviennent transportables et vendables. Cependant, fondues en bronze, leur nature et leur esprit s'en trouvent quelque peu déviés, « Ça devient comme des rhinocéros. Ça ne me déplaît pas », commenta-t-il. En 1967, il fit paraître *Abécédaire et autres lieux*, sorte de catalogue de son œuvre, minutieusement présenté par ses soins, commentaire autobiographique de ses œuvres, mais dont il a négligemment oublié de laisser la clef. On comprend toutefois que chacune de ses sculptures se situe dans une pièce de la maison de son enfance, à Loriol : le bureau de son père, le grand escalier central, le grenier : « J'ai eu un grand déchirement à me défaire de la maison de mon enfance... C'est peut-être pour ça que j'ai fait toutes mes sculptures, dans le souvenir de la maison de l'enfance... Les *Demeures* sont venues de ce que après l'expérience de la guerre, j'ai eu envie d'expérimenter une histoire que je ne connaissais pas et qui était en moi... On peut dire que c'est une psychanalyse. Ou du Narcissisme... J'ai dit le plus de choses possible, de la manière la plus digne possible ». Avec Étienne-Martin, sous le couvert d'une formulation symbolique, ésotérique, la confidence se fait pudique. Le docteur Paul Racamier écrit : « La maison ne représente pas seulement un symbole de la mère, de la femme en général, mais peut-être un symbole de soi-même, c'est-à-dire que le sujet se représente par sa propre maison ou par une maison qui est en lui ». En 1962, il réalisa la *Demeure n°5*, sous la forme d'un énorme manteau fait de lourdes étoffes et de pesantes passementeries inventées, monstrueuse chasuble pour célébration de rites des profondeurs, « Une maison, on l'enfile comme un manteau ».

Le thème des *Demeures* s'est continué jusqu'à la *Maison n°10*, qu'il exposa en 1968, pour l'inauguration du Centre National d'Art Contemporain à Paris. Cette *Maison n°10* est plus qu'une *Demeure*, elle est une tentative de somme de tout son œuvre, et en particulier des quelques thèmes autour desquels il s'articule : « *La Maison n°10* est une suite de *Demeures*. Ses figures découlent du caractère général de chaque maison, maisons qui composent la structure des *Demeures*. Sa dimension est donnée par la possibilité de déambulation à l'intérieur de cet ensemble... Ce petit édifice est formé de la rencontre de quatre figures : deux (Nuit et Couple) enlacent la tour et le visage... La déambulation consiste en un couloir qui part de la nuit et du couple et passe sous la plate-forme-terrasse, au pied de la tour-escalier... Nous devenons l'axe de la nuit, l'axe du couple, l'axe du visage, et sur cette plate-forme, berceau et matrice, assis sur cette grande tête, nous écoutons notre *aventure d'homme* ». D'autres *Demeures* suivirent : *Terrasse de la terre et de l'air* de 1973-1984, *Fil du temps* de 1978.

Les dessins d'Étienne-Martin apparaissent avec la publication de ses écrits. Ce sont des plans de l'espace intérieur des *Demeures*, des schémas simples, composés de trois couleurs, de chiffres et de lettres, organisant l'espace, le distribuant en compartiments (la *Chambre des oiseaux*, *Chambre des livres*, *Porte au cœur*, *Escalier sombre*, etc.). Continuant son travail sur bois, ses dernières réalisations prolongent la série des *Racines*, en accentuant leur côté anatomique et sensuel, basé sur une symbolique sexuelle. Il a également construit une nouvelle *Demeure* à Bois-Orcan dans un château fortifié du XVe siècle, utilisant les pièces, le parc et les plans d'eau pour installer ses différentes sculptures. À plusieurs reprises, Étienne-Martin a été sollicité pour réaliser des œuvres intégrées à l'architecture : vitraux de l'église de Baccarat, Pavillon du Vatican à l'Exposition Internationale de Bruxelles en 1958, projets pour la cathédrale d'Alger, un mur d'une centaine de mètres de long pour une usine électrique près de Fontainebleau qu'il réalisa par un empilement de cubes identiques (1966), une ultime *Demeure* (1995) pour le parvis de la nouvelle Bibliothèque nationale à Paris (Bercy).

On est étonné de retrouver cet énigmatique personnage barbu, secret, ancien disciple de Gurdjieff, ressemblant à Rodin, vêtu en compagnon charpentier, dans la maturité d'une carrière obstinée et peu publique, couvert des honneurs les plus officiels. L'un de nombreux paradoxes de ce personnage intemporel, dont le baroquisme de l'œuvre se nourrit aux sources historiques bien définies du Bernin, de Rodin et du surréalisme, qui se tint à l'écart de toute recherche d'originalité, est qu'il a exercé une forte influence sur l'évolution la plus récente de l'expression plastique, ayant présagé, avec les *Demeures*, les notions les plus rebattues, en 1970, d'œuvre totale et d'« environnement ». Le baroquisme même de ses formes exacerbées, la gratuité de ses constructions pour rien, pour la contemplation, a rallié un important courant en réaction contre une longue vogue de l'art fonctionnel. On peut supposer l'anachronique personnage de la rue du Pot-de-Fer, indifférent à la consécration de l'actualité, seulement occupé à édifier, pièce à pièce, son patient monument à la mémoire de l'immémorial, qu'il définit comme « ce fruit, cette porte, cette serrure, ce ventre, en un mot ce passage, ce tombeau, ce lit clos ». ■ Jacques Busse, C. D.

Bibliogr. : Michel Tapié : *Un art autre*, Girand, Paris, 1952 – Michel Seuphor : *La Sculpture de ce siècle*, Griffon, Neuchâtel, 1959 – Pierre Restany : *Étienne-Martin*, Planète n° 18, Paris, 1962 – Étienne-Martin : *Abécédaire et autres lieux*, Éditions Claude Givaudan, Genève, 1967 – Michel Ragon : *Vingt-cinq ans d'Art Vivant*, Castermann, Paris, 1969 – Denys Chevalier in : *Nouveau dictionnaire de la sculpture moderne*, Hazan, Paris, 1970 – Michel Ragon : *Étienne-Martin*, Éditions La Connaissance, Bruxelles, 1970 – Étienne-Martin : *Le Mur Miroir*, Poème de Dominique Le Buhan, Éditions Area, Paris, 1982 – Dominique Le Buhan : *Les Demeures-Mémoires d'Étienne-Martin*, Éditions Herscher, Coll. Format/Art, Paris 1982 – *Étienne-Martin, les Demeures*, catalogue de l'exposition, Musée National d'Art Moderne, Paris, 1984 – H. Szeemann, G. Breerette : Catalogue de l'exposition *Étienne-Martin*, Chapelle Saint-Louis de la Salpêtrière, Paris, 1988, appareil documentaire – Jacques-Louis Binet : *Étienne-Martin*, in : *Beaux-Arts*, Paris, 1991 – J.-Ch. Ammann, D. le Buhan, M. Ragon et H. Szeemann : *Étienne-Martin*, Adam Biro, Paris, 1991 – Béatrice Salmon : *Catalogue raisonné de l'œuvre d'Étienne-Martin*, en cours, Édit. Berggruen, Paris, et Givaudan, Genève – *Entretien avec Étienne-Martin*, in : *Libération*, Paris, 25 août 1992.

Musées : Amiens (Mais. de la culture) : *La Demeure IV – Lanleff* – Amsterdam (Stedelijk Mus.) : *L'Homme au Bernin* – Bruxelles (Mus. roy. des Beaux-Arts de Belgique) : *La Nuit Ouvrante* – Chicago (Art Inst.) : *La Demeure IV* – Grenoble : *La Nuit Ouvrante* – Le Havre – New York (Mus. of Mod. Art.) – New York (Solomon R. Guggenheim) : *L'Anémone* – Otterlo (Rijksmuseum Kröller Müller) : *La Demeure III* – Paris (Mus. Nat. d'Art Mod.) : *Alma – Nuit Ouvrante* 1945-1955 – *Les Trois Passementries* – *Abécédaire – Le Manteau ou Demeure N°5* – *Le Mur-Miroir* 1979 – Paris (Mus. d'Art Mod. de la Ville) : *La Tour des ombres* – *Le Grand couple* – Sables d'Olonne (Mus. des) – Saint-Étienne (Mus d'Art Mod.) : *Le Couple* – Vienne (Mus. des 20 Jahrhunderts) : *Le Grand Couple*.

Ventes Publiques : Paris, 9 juin 1977 : *Le Canard*, bronze (H. 44, L. 34) : **FRF 19 000** – Paris, 20 mars 1979 : *Le Vaincu*, bronze patiné (H. 46) : **FRF 5 800** – Paris, 23 oct. 1981 : *Le Nœud* 1937, bronze (53x53x45) : **FRF 17 000** – Paris, 6 juin 1985 : *La mandoline*, bronze, patine foncée (88x25,5x13,5) : **FRF 29 000** – Paris, 6 déc. 1986 : *Couple goudron* 1955, bronze patine brune (H. 45) : **FRF 80 000** – New York, 6 oct. 1988 : *Tête aux mains*, bronze (H. 59,5) : **USD 17 600** – Londres, 26 oct. 1989 : *Tête d'Alma* 1956, bronze à la cire perdue (H. 20) : **GBP 6 600** – Londres, 22 fév. 1990 : *Le Nœud* 1955, bronze (47x43x46) : **GBP 33 000** – Paris, 21 mai 1990 : *Nuit Nina* 1951, bronze (136x80x80) : **FRF 1 000 000** – Paris, 9 avr. 1991 : *Demeure IV*, bronze (320x140) : **FRF 1 550 000** – Paris, 23 nov. 1994 : *Étude pour le Prisonnier politique inconnu* 1952, bronze (H. 51) : **FRF 50 000** – Paris, 15 déc. 1994 : *Couple Goudron*, bronze (45x110x40) : **FRF 185 000** – Paris, 29 nov. 1996 : *Le Bec* 1964, bronze patine noire (66x150x64) : **FRF 121 000**.

ETIENNERET
Né à Cusset (Allier). xxe siècle. Français.
Peintre.
Cet artiste a exposé, depuis 1928, à Paris, au Salon d'Automne et au Salon des Tuileries.

ETIENNERET Christophe
Né à New York. xxe siècle. Américain.
Peintre de genre.

ETIGNY Annick d'
Née à Reims (Marne). xxe siècle. Française.
Peintre de portraits.
Élève de Bompart et P.-A. Laurens. Exposant du Salon des Artistes Français.

ETLINGER Georg
Actif à Bamberg. Allemand.
Graveur sur bois.
On cite de lui un portrait gravé de Bishop Blaize. Comparer avec EDLINGER (Josef Georg).

ETNIER Stephen
Né en 1903 à York (Pennsylvanie). xxe siècle. Américain.
Peintre de paysages. Tendance réaliste.
D'abord élève de l'Académie des Beaux-Arts de Pennsylvanie, il fut ensuite l'élève de Rockwelle Kent et de John Carol. Peintre paysagiste, il décrit dans un style réaliste, mais qui, parfois, évoque Albert Marquet, les paysages des États-Unis.
Musées : Boston – Dallas – Los Angeles – New York (Metropolitan Mus.).
Ventes Publiques : Portland, 7 avr. 1984 : *July 4* 1934, h/t (63,5x76,2) : **USD 950** – New York, 31 mars 1993 : *Scène de port en Nouvelle Angleterre*, h/t (76,2x101,6) : **USD 3 220**.

ÉTOILE, Maître à l'. Voir **STAR Dirck Van**

ETROG Sorel
Né en 1933 à Iassy (Roumanie). xxe siècle. Depuis 1963 actif au Canada. Roumain.
Sculpteur, décorateur, illustrateur. Abstrait.
Il commence ses études artistiques en 1945. En 1950, il quitte définitivement la Roumanie pour Israël, où il suit les cours de l'Institut de Peinture et de Sculpture de Tel-Aviv. Il obtient, en 1958, une bourse d'études pour aller travailler à l'Institut d'Art du Musée de Brooklyn, puis, ouvre un atelier de sculpture à New York. Il s'établit finalement en 1963 à Toronto (Canada). Sculpteur, il réalise également des illustrations pour des livres d'Eugène Ionesco, Samuel Beckett, Claude Aveline et publie *Dream Chamber (Joyce and Dada Circus)* avec John Cage en 1978, *Charnières* avec une préface de Marshall Mc Luhan en 1983, le *Cerf-volant* en 1984. Il crée les décors et les costumes pour la pièce de théâtre *The Celtic Hero*. Une partie de ses œuvres se trouvent en plein air sur des places publiques.
Il participe à la Biennale de Venise, en tant que représentant du Canada, en 1966. Sa première exposition en Israël, date de 1958. Elle sera suivie de beaucoup d'autres : en Israël, mais aussi au Canada, aux États-Unis, en Italie, en Suisse, en France (Centre culturel Canadien, en 1978).
Les sculptures d'Etrog mettent en tension des assemblages de formes géométriques, telles que le cube, le cylindre, la courbe, l'angle droit... Ce sont des compositions de nature organique, dont les éléments s'imbriquent de manière à exulter de ces masses et volumes – qui restent pour Etrog interprétatives de l'homme – les forces des poussées contraires. ■ C. D.
Bibliogr. : Ionel Jianou, Gabriela Carp, Ana Maria Covrig, Lionel Scantéyé : *Les Artistes roumains en Occident*, American Romanian Academy of Arts and Sciences, Los Angeles, 1986.
Musées : Alberta – Chicago (Ravinia Park) – Los Angeles (Mus. du Conté) – Otterlo (Mus. Kröller-Müller) – Tel-Aviv – Toronto – Washington D. C. (Hirshorn Mus. and Sculpture Garden).
Ventes Publiques : New York, 6 juin 1974 : *Vague*, bronze : **USD 3 200** – New York, 21 oct. 1977 : *Étreinte*, patine brune et verte, bronze (H. 101,5) : **USD 2 250** – New York, 28 mars 1979 : *Leitzan*, patine brune, bronze (H. 65) : **USD 3 600** – Los Angeles, 23 juin 1980 : *Les survivants ne sont pas toujours des héros* 1965-1967, bronze (H. 185,5) : **USD 10 500** – Londres, 8 nov. 1984 : *Ceremonial figure* 1962-1964, bronze (H. 165,5) : **USD 9 500** – New York, 27 fév. 1985 : *Albq* vers 1972, bronze patine brun foncé (H. 141) : **USD 6 000** – New York, 13 fév. 1986 : *Homage to Kodaly, bronze*, patines vert pâle et noir (H. 152) : **USD 14 000** – New York, 5 nov. 1987 : *Study for Jester* 1962-64, bronze (H. 57,2) : **USD 4 000** – New York, 3 mai 1988 : *L'animateur*, bronze (H. 94) : **USD 9 900** – New York, 8 oct. 1988 : *Croisé*, feuille de bronze (H. 109,7) : **USD 13 200** – New York, 3 mai 1989 : *Reine III* 1967, bronze (base 119,5) : **USD 35 750** – New York, 12 nov. 1991 : *Sans titre ou Bacarole*, bronze (55,9x45,7x12,7) : **USD 5 280** – New York, 25-26 fév. 1992 : *Antitête* 1976, bronze (44,5x57,2) : **USD 5 500** – New York, 30 juin 1993 : *Sans titre*, bronze (H. 20,3) : **USD 2 070** – New York, 23 fév. 1994 : *Tête à double clé I*, bronze (24x17,5x10) : **USD 2 300** – New York, 14 juin 1995 : *Souvenir de guerre*, bronze (H. 24,4) : **USD 3 450** – Amsterdam, 6 déc. 1995 : *Composition*, bronze (H. 45) : **NLG 5 520**.

ETSCHMANN Andreas
Originaire du Tyrol. Mort le 2 juillet 1708 à Obermachtal. xviie siècle. Autrichien.
Sculpteur.
Il décora entre autres l'église de cette ville.

ETSCHMANN Paul
xviie siècle. Actif à Wiblingen à la fin du xviie siècle. Allemand.
Peintre.
Il décora dans cette ville le couvent des Bénédictins.

ETTEBEEK Jean Van
xve siècle. Actif à Louvain en 1450. Éc. flamande.
Sculpteur.

ETTEL Georg
Né le 21 septembre 1861 à Wirsitz. xixe siècle. Allemand.
Graveur.
Il grava de nombreuses planches d'après les maîtres du passé.

ETTEN Ferdinand von
Né le 14 mai 1595 à Anvers. xviie siècle. Éc. flamande.
Graveur.
On cite de lui : *Un couronnement d'épines*.

ETTERAC Marcelle
Née à Paris. xxe siècle. Française.
Peintre de fleurs.
Elle exposa à Paris au Salon des Indépendants de 1925 à 1931.

ETTERBEKE Antoine
xve siècle. Actif à Anvers en 1488. Éc. flamande.
Sculpteur.

ETTERBEKE Servais
xve siècle. Actif à Anvers en 1488. Éc. flamande.
Sculpteur.

ETTING E. P.
xxe siècle. Français.
Peintre de portraits.
Il exposa à Paris au Salon des Tuileries en 1930.

ETTINGER Josef Carl
Né en 1805 à Munich. Mort en 1860 à Munich. xixe siècle. Allemand.
Peintre de paysages.
Élève de Köbell et de Wagenbauer.

ETTL Alex J.
Né le 12 décembre 1898 à Fort Lee (New Jersey). xxe siècle. Américain.
Sculpteur de monuments.
Il fut élève de son père, John Ettl. On lui doit divers monuments.

ETTL Georg
Né en 1940 en Bavière. xxe siècle. Allemand.

Peintre, peintre de compositions murales, auteur d'installations, dessinateur.
Il montre ses œuvres dans des expositions personnelles, dont : 1995, galerie J.-F. Dumont, Bordeaux ; 1996, château d'Angers puis château d'Oiron.
Ce peintre travaille à partir d'une multiplicité de sources historiques et iconographiques : la chute de Babylone, le détail d'une fresque de Pompéi, la tapisserie de l'Apocalypse d'Angers, des chevaux détourés, les signes de la modernité, etc., qu'il interprète librement. Entre théorie de l'art et ironie, il cherche, après bien d'autres, et comme beaucoup d'autres, à en éprouver leur part de vérité.

ETTL John
Né le 1er août 1872 à Budapest (Hongrie). XXe siècle. Actif et naturalisé aux États-Unis. Hongrois.
Sculpteur de monuments, figures.
Cet artiste étudia à Budapest et à Vienne avant de s'établir aux États-Unis. On citera parmi ses œuvres capitales : le monument à la mémoire du *Président Abraham Lincoln* à l'Arsenal de New York ; *Le Monument commémoratif de la Guerre mondiale* à East Ruthenford dans le New Jersey ; une sculpture ornant la place de la justice à Berne, en Suisse.

ETTLE Franz
Né le 24 janvier 1847 à Biberach. XIXe siècle. Suisse.
Sculpteur.
Ettle remplaça Franz Bosinger comme maître de sculpture et de dessin à Interlaken, où il travailla jusqu'en 1876. Il exposa aussi à Berne où il habita jusqu'en 1881.

ETTLIN Joseph
Né le 19 mars 1826 à Sarnen. Mort le 23 juin 1870 à Sachseln. XIXe siècle. Suisse.
Peintre.
Cet artiste reçut des leçons de Schlatt, à Lucerne, puis fréquenta plus tard l'académie d'art à Rome. Il visita également Milan. Après 1850 on le voit fixé définitivement à Sarnen.

ETTLIN Joseph Maria
Né en 1791 à Kernsen. Mort le 1er novembre 1874 probablement à Sarnen ou à Kerns. XIXe siècle. Suisse.
Sculpteur.
Ettlin étudia chez le sculpteur Abart. Il travailla pour les églises, notamment à Sarnen, au cloître Engelberg et d'autres villes suisses, et forma deux élèves : Nikolaus Ettlin (probablement un parent) et Kuster.

ETTLIN Nikolaus, l'Ancien
Né le 3 mars 1830 à Kerns. XIXe siècle. Suisse.
Sculpteur.
Nikolaus Ettlin étudia chez le sculpteur Joseph-Maria Ettlin à qui il servit d'apprenti, puis à l'École de dessin à Bâle. Pendant son séjour à Rome, où il entra dans la Garde du pape, il continua ses études artistiques et dès son retour en Suisse, remplit les fonctions de maître de dessin à Sachseln et à Kerns. Il exécuta de nombreux ouvrages pour des églises et des chapelles.

ETTLIN Nikolaus, le Jeune
Né le 4 avril 1869 à Kerns. XIXe siècle. Suisse.
Dessinateur et sculpteur sur bois et tailleur de pierres.
Fils de Nikolaus Ettlin l'Ancien, il travailla à Paris et à Fribourg, et remplit le poste de maître de dessin à l'École des arts et Métiers à Kerns. Son père lui enseigna le dessin, qu'il apprit également à Karlsruhe.

ETTLIN P. Lukas
Né en 1864 à Sarnen. XIXe siècle. Suisse.
Dessinateur, peintre et calligraphe.
Au cloître de la Conception, à Engelberg, ce moine reçut des leçons de P. Emanuel Wagner. En 1886, il partit pour l'Amérique du Nord où il entra dans un cloître de son ordre et ne revint en Europe que vers 1892. On lui attribue les peintures dans l'église du cloître à Engelberg.

ETTLIN Simon
Né le 9 janvier 1818 à Sarnen. Mort le 7 mai 1871 probablement à Sarnen. XIXe siècle. Suisse.
Dessinateur, peintre.
Il fut élève de P. Leodegar Kretz, du cloître Muri. Tout en continuant sa carrière de médecin et d'architecte, Simon Ettlin remplit pendant vingt-cinq ans (d'après Brun) les fonctions de professeur de dessin au collège de Sarnen. On cite de lui une œuvre au Collège de sa ville natale. Il laissa aussi des dessins aquarellés et au lavis.

ETTLINGER Salomon
Né à Paris. XXe siècle. Français.
Sculpteur.
Il fut élève de Levasseur. Il fut, à Paris, un des sociétaires du Salon des Artistes Français. Il obtint une mention honorable en 1932.

ETTORE d'Alba
XVe siècle. Lombard, actif à la fin du XVe siècle. Italien.
Sculpteur.
Était parmi les artistes qui ont collaboré à l'ornementation de la façade de la Chartreuse de Pavie.

ETTORI Giambattista
XVIIIe siècle. Actif à Ferrare vers 1780. Italien.
Peintre.
Il exécuta une fresque pour le château de Ferrare.

ETTY William
Né le 10 mars 1787 à York. Mort le 13 novembre 1849 à York. XIXe siècle. Britannique.
Peintre de scènes mythologiques, genre, nus, figures, aquarelliste.
W. Etty était fils d'un meunier. À l'âge de onze ans il fut envoyé en apprentissage chez un imprimeur à Hull, il y resta sept années ; son plus grand désir était de devenir peintre et il profitait de toutes les occasions que lui laissait son dur apprentissage, pour dessiner et peindre. En 1806, il alla à Londres chez un de ses oncles, il travailla avec ardeur pour être admis à suivre les cours de l'Académie Royale. Ayant dessiné le groupe de *Cupidon et Psyché* dans le magasin d'un italien, nommé Gianelli, il montra son travail à Opie, lequel le présenta à Fuseli. Il entra à l'Académie Royale en 1807, la même semaine que Collins, le paysagiste, grâce à la générosité de son oncle. Il choisit sir Thomas Lawrence pour maître. Mais ce portraitiste à la mode était si absorbé par ses occupations qu'il laissa son élève à sa propre initiation et à faire des copies de ses portraits. De l'atelier de Lawrence, il alla à l'Institut britannique où il copia les maîtres anciens. Après un travail acharné, il acquit certaines qualités de son maître, c'est un exemple de la persévérance qui attend longtemps sa récompense. Peu favorisé dans l'attribution des médailles de l'Académie, les ouvrages qu'il envoyait à l'Exposition étaient rejetés année après année, il ne se découragea pourtant pas et le succès vint couronner ses efforts. En 1811 *Sapho* le premier de ses ouvrages exposé fut acheté par l'Institut britannique pour 25 guinées, *Télémaque sauvant Antiope* fut acquis par l'Académie Royale. À partir de ce moment ses ouvrages obtiennent un grand succès ; il a alors trente trois ans. En 1816, accompagné de son frère, il visita Paris et Florence ; son séjour ne dura que trois mois. En 1820, il expose *Pandore couronnée par les saisons. L'arrivée de Cléopâtre en Cilicie*, son succès va croissant, c'est alors qu'il décide de voir les ouvrages des grandes écoles italiennes, mais c'est seulement en 1822 qu'il visite Rome, Naples, Florence et Venise, il y resta dix-huit mois, séduit par les chefs-d'œuvre dont il était entouré, Rubens, Titien, qui comblaient son goût pour l'expression de la sensualité du corps féminin, et c'est à contrecœur qu'il revint en Angleterre rapportant une cinquantaine de peintures. En 1824, il est élu membre-associé de l'Académie Royale. En 1825, il peignit *Une femme plaidant pour le vaincu, Le jugement de Pâris*. Un triptyque *Judith*... histoire de la délivrance d'Israël : *Benaïa tuant les deux hommes les plus forts de Moab*. En 1828, il fut nommé académicien, et comme on lui faisait remarquer que désormais il ne convenait plus qu'il suivît les cours de l'après-midi, comme il avait coutume de le faire, il répondit « qu'il préférait abandonner l'honneur d'être académicien à celui de continuer à s'instruire ». Il résida à Londres jusqu'en 1848, puis retourna dans sa ville natale dans cette ville.
Dans son autobiographie, Etty nous apprend que son but avait toujours été de donner par sa peinture quelque grande leçon de morale. On doit inscrire à l'actif de ce maître anglais son influence dans la formation des peintres romantiques français du début du XIXe siècle. Eugène Delacroix, qui ne craignait pas de faire de nombreux emprunts à Bonington, ne peut avoir été indifférent à l'art si nouveau de William Etty. Sa pâte, onctueuse et richement colorée, soulignée par un dessin vigoureux allant jusqu'au trait cernant les formes, était une audace inconnue à ce moment. Elle tranchait si complètement sur les productions des élèves de David que des artistes tels que Delacroix, à la recherche de moyens inédits d'expression, ne pouvaient qu'en être fortement impressionnés. Pour s'en convaincre, il suffit de

confronter à certaines œuvres du début du peintre des *Croisés à Constantinople*, le nu de la femme, donné au Louvre par Madame Fantin-Latour. On y retrouve, sinon une parenté, du moins une source certaine de procédés communs. Par le truchement de Delacroix, cette manière de peindre (couleur et pâte) se prolonge assez loin dans l'École Française ; il serait curieux de retrouver, par cette filière, l'origine de certains aspects de notre peinture contemporaine la plus avancée : celle d'un Courbet ; voire de Cézanne. Nous voulons parler ici, de la richesse et de l'abondance de la matière chez ces derniers. Il est juste de classer William Etty parmi les maîtres d'un plan supérieur dans l'École anglaise, de ne pas rechercher s'il est plus ou moins correct, mais bien au contraire de le créditer de la contribution très importante d'un art personnel à l'art universel.

Musées : Aberdeen : *Somnolence* – Dublin : *Le duo* – Édimbourg : *Benaïa tuant deux Moabites – Le Combat – Judith et Holopherne – Même sujet – Même sujet* – Glasgow : *Les Trois Grâces – Christ apparaissant à Madeleine* – Leicester : *Homme dans une armure persane* – Liverpool : *Baigneuses surprises par un cygne* – Londres (Nat. Portrait Gal.) : *Portrait de l'artiste* – Londres (Victoria and Albert) : *Femme nue assise* – Montréal (Art Assoc.) : *Bivouac de Cupidon* – Montréal (Learmont) : *Amour triomphant* – New York (Metropolitan) : *Les Grâces* – Nottingham : *L'affligé – Étude, figure – La tête d'un juif* – Paris (Louvre) : *Ève* – Preston : *Cupidon dans une coquille – Scène biblique* – Sheffield : *Étude pour une tête de Christ* – Sunderland : *Aaron le grand-prêtre.*

Ventes Publiques : New York, 23 jan. 1903 : *La Toilette* : **USD 300** – New York, 1906 : *Lady Ellenborough* : **USD 275** – Londres, 8 fév. 1908 : *Le Monde avant le Déluge* : **GBP 241** – Londres, 23 mars 1908 : *Le Combat* : **GBP 14** ; *Étude de femme* : **GBP 7** ; *La Reine des Amazones* : **GBP 2** ; *L'Amour et Psyché* : **GBP 9** – Londres, 30 mars 1908 : *La Nymphe de la fontaine* : **GBP 9** – Londres, 4 mai 1908 : *Bohémienne* : **GBP 2** – Londres, 8 mai 1908 : *Cave-Dwellers* : **GBP 27** – Londres, 3 juin 1908 : *Pandore couronnée par les saisons* : **GBP 10** ; *Modèle lisant* : **GBP 14** – Londres, 20 juin 1908 : *Jeune fille écrivant* : **GBP 18** – Londres, 20 fév. 1909 : *Étude de femme* : **GBP 27** – New York, 11-12 mars 1909 : *L'Étoile du soir* : **USD 320** ; *Le Corsaire* : **USD 310** – Londres, 22 mars 1909 : *Veuves et Amours* : **GBP 16** – Londres, 28 juil. 1909 : *Le Printemps* : **GBP 39** – Londres, 19 mars 1910 : *Nymphes dansant* : **GBP 23** – Paris, 30 nov.-1er-2 déc. 1920 : *Odalisque*, aquar. : **FRF 550** – Paris, 4 déc. 1920 : *Les Trois Grâces* : **FRF 4 300** – Paris, 27 jan. 1921 : *Les jeunes baigneurs* : **FRF 180** – Paris, 27 jan. 1921 : *Baigneuse vue de dos* : **FRF 1 575** ; *Vestale* : **FRF 1 000** – Paris, 23 fév. 1921 : *Jeune fille en buste*, attr. : **FRF 210** – Londres, 27 jan. 1922 : *Études pour Ariane ; Sujet à genoux*, les deux : **GBP 3** – Londres, 17 mars 1922 : *Le modèle*, esquisse : **GBP 7** – Londres, 24 mars 1922 : *Nymphe des bois endormie* : **GBP 21** – Londres, 3 avr. 1922 : *Nature morte : un faisan, des fruits et un vase de fleurs* : **GBP 23** ; *Homme, les bras ouverts et Homme tenant une lance* : **GBP 2** ; *Homme assis sur un rocher ; Homme avec des cymbales* : **GBP 1** – Londres, 21 avr. 1922 : *Un modèle endormi* : **GBP 4** – Londres, 9 juin 1922 : *Le Jugement de Pâris*, étude : **GBP 2** ; *Femme nue assise* : **GBP 6** – Londres, 26 juin 1922 : *Baigneuse* : **GBP 3** – Londres, 7 juil. 1922 : *Diane et Endymion* 1839 : **GBP 346** – Londres, 24 juil. 1922 : *Un modèle endormi ; Scène sur le rivage avec personnages* : **GBP 9** – Londres, 19 jan. 1923 : *Le Combat, la miséricorde intercédant pour le vaincu* : **GBP 5** ; *Innocence* : **GBP 54** – Londres, 23 mars 1923 : *Le modèle* : **GBP 3** – Londres, 11 mai 1923 : *Cupidon et Psyché* : **GBP 52** – Londres, 15 juin 1923 : *Aurore et Zéphyr* : **GBP 252** – Londres, 25 juin 1923 : *Modèle* : **GBP 8** – Paris, 17-18 juin 1924 : *Ariane abandonnée* : **FRF 950** – Paris, 14 et 15 déc. 1925 : *Le miroir de la nymphe* : **FRF 1 250** – Paris, 20-21 avr. 1932 : *Jeune femme nue, vue de dos*, attr. : **FRF 490** – Paris, 8 avr. 1935 : *Portrait de jeune femme*, attr. : **FRF 600** – Paris, 26 mai 1937 : *Étude de femme nue, les bras levés*, pierre noire sanguine et reh. de blanc, attr. : **FRF 155** – Paris, 8 juin 1937 : *La rêveuse* : **FRF 1 400** – Paris, 24 mars 1941 : *Femme et Amour courant*, attr. : **FRF 480** – Paris, 29 jan. 1943 : *Femme nue* : **FRF 26 000** – Paris, 12 mars 1943 : *La Femme au chapeau rose*, attr. : **FRF 4 000** – Paris, 20 déc. 1944 : *Vénus couchée*, attr. : **FRF 45 000** – Paris, 21 nov. 1949 : *Portrait de jeune femme en robe blanche* : **FRF 60 000** – Londres, 22 avr. 1959 : *L'âge d'Or* : **GBP 250** – Londres, 13 avr. 1960 : *Le baigneur* : **GBP 100** – Londres, 19 avr. 1961 : *Le modèle aux cheveux noirs*, carton : **GBP 250** – New York, 10 mai 1961 : *Trois lutteurs* : **USD 550** – Londres, 14 mars 1962 : *Nature morte* : **GBP 700** – Londres, 20 nov. 1964 : *Leda*, d'après Michel Ange : **GNS 3 500** – Londres, 22 nov. 1967 : *L'enlèvement de Proserpine* : **GBP 2 500** – Londres, 10 juil. 1973 : *Vénus et Cupidon* : **GBP 7 000** – Londres, 15 oct. 1976 : *Vénus et Cupidon*, h/cart. (59x42) : **GBP 1 100** – Londres, 29 juil. 1977 : *Étude de nu* 1837, h/cart. (38x33) : **GBP 700** – New York, 12 mai 1978 : *Les Hespérides*, gche et craie/t. (87,5x175) : **USD 1 800** – Londres, 18 mars 1980 : *Étude de femme à la poitrine dénudée*, craies noire et blanche/pap. (49,5X30,5) : **GBP 500** – Londres, 26 nov. 1982 : *To Arms, to Arms, Ye Brave !*, h/t (78,7x111,7) : **GBP 5 000** – Londres, 5 juil. 1984 : *Homme nu couché*, h/cart. (43x51) : **GBP 6 500** – Londres, 24 juil. 1984 : *Nu couché*, cr. reh. de blanc/pap. brun (50,4X30,6) : **GBP 950** – Londres, 11 mars 1987 : *Ariane*, h/pan. (70x52) : **GBP 10 000** – Londres, 29 jan. 1988 : *Cupidon*, h/cart. (49,5x39,4) : **GBP 715** – Londres, 26 mai 1989 : *Étude de nu féminin*, h/cart. (47x38) : **GBP 825** – New York, 17 jan. 1990 : *Flore*, h/pan. (77x57,2) : **USD 2 200** – New York, 28 fév. 1990 : *Le joueur de luth*, h/pan. (40,6x45,1) : **USD 19 800** – Londres, 20 avr. 1990 : *Portrait d'un jeune Indien en buste vêtu d'un gilet brodé rouge, d'une cravate blanche et d'un turban*, h/t (45,5x35,5) : **GBP 15 400** – Londres, 26 sep. 1990 : *Nu masculin*, cr. (38x26) : **GBP 990** – Londres, 1er mars 1991 : *Femme dénudée et allongée au clair de lune*, h/t (45,7x58,4) : **GBP 1 430** – Londres, 10 avr. 1991 : *Portrait de Rebecca Singleton et d'Elizabeth sa sœur, visages et épaules*, h/pan. (65x53) : **GBP 4 400** – New York, 23 mai 1991 : *Académie d'un nu masculin*, h./cart. (63,5x48,2) : **USD 8 800** – Londres, 10 avr. 1992 : *Les baigneuses*, h/t (60,9x50,8) : **GBP 1 980** – New York, 27 mai 1993 : *Ariane*, h/cart./rés. synth. (50,2x65,8) : **USD 9 200** – Londres, 13 avr. 1994 : *Psyché avec Cupidon et Vénus*, h/t (41,5x52) : **GBP 5 750** – Londres, 5 juin 1996 : *Guerre et Paix*, h/t, d'après Rubens (77x64) : **GBP 2 300** – Londres, 9 oct. 1996 : *Étude d'après modèle*, h/pan. (22x21) : **GBP 1 955** – Londres, 9 juil. 1997 : *Études d'un Arabe*, h/t (76x64) : **GBP 13 800** – Londres, 12 nov. 1997 : *Lady Godiva*, h/pan. (69x49) : **GBP 4 600**.

ETZLER Martin

Né vers 1635. Mort le 31 octobre 1709. XVIIe siècle. Actif à Breslau. Allemand.

Peintre.

EUANDROS

Ier siècle avant J.-C. Actif à Athènes. Antiquité grecque.

Sculpteur.

Affranchi par M. Avianius Evander il rencontra Cicéron en 51 avant Jésus-Christ. On sait qu'il exécuta à cette époque des statues de bacchantes et un Ares. Marc Antoine l'appela à Alexandrie d'où il fut envoyé à Rome comme prisonnier de guerre et il travailla désormais dans cette dernière ville.

EUANTHES

Antiquité grecque.

Peintre.

Il décora à Pelusion (près de Port-Saïd) le temple de Zeus Kasios.

EUBELEN Anne-Marie

Née en 1886 à Stavelot. Morte en 1968 à Liège. XXe siècle. Belge.

Peintre, graveur, aquarelliste. Postimpressionniste.

Elle travailla sur la côte belge et à Liège.

Bibliogr. : In : *Diction. biogr. illustré des artistes en Belgique depuis 1830*, Arto, Bruxelles, 1987.

EUBERLOT Dominique

Née à Ploermel (Morbihan). XXe siècle. Française.

Peintre de paysages et de portraits.

Elle exposa au Salon des Indépendants à partir de 1925.

EUBERT Noël

XVIIIe siècle. Actif à Paris en 1767. Français.

Peintre et sculpteur.

EUBIOS

Ve siècle avant J.-C. Actif à Thèbes vers le Ve siècle avant Jésus-Christ. Antiquité grecque.

Sculpteur.

Il exécuta en collaboration avec son compatriote Xenocritos une statue d'Hercule Promachos.

EUBULIDES I

IIIe siècle avant J.-C. Actif à Tanagra vers le IIIe siècle avant Jésus-Christ. Antiquité grecque.

Sculpteur.

On a retrouvé sa signature sur le socle d'une statue.

EUBULIDES II

IIe siècle avant J.-C. Antiquité grecque.

Sculpteur.
Du dème athénien de Cropidaï. Il fit, avec son père Eucheir, plusieurs statues colossales qui figuraient, à Athènes, dans le Céramique intérieur.

EUBULIDES III
IIe siècle avant J.-C. Actif à Athènes. Antiquité grecque.
Sculpteur.
Fils d'Eucheir et petit-fils d'Eubulidès II, il était, comme ce dernier, membre du dème athénien de Cropidaï. On a retrouvé à Athènes des socles de statues portant sa signature. Il exécuta entre autres avec son père la statue d'une prêtresse d'Athena. Pausanias cite son nom.

EUBULIDES IV
Originaire du Pirée. Ier siècle. Antiquité grecque.
Sculpteur.
Il exécuta, semble-t-il, une statue représentant l'empereur romain Claude.

EUBULOS I
Antiquité grecque.
Sculpteur.
On ne connaît cet artiste que par une citation de Pline l'Ancien.

EUBULOS II
Ier siècle. Antiquité grecque.
Sculpteur.
On a retrouvé aux Propylées un socle signé de ce nom.

EUCADMOS
Ve siècle avant J.-C. Vivant en 450 avant Jésus-Christ. Antiquité grecque.
Sculpteur.
Il serait, au dire de Pausanias, le maître d'Androsthène.

EUCAS Pedro
XVIe siècle. Actif à Valence en 1569. Espagnol.
Peintre.

EUCHEIR I
Né vers le VIIe siècle avant J.-C. à Corinthe. VIIe siècle avant J.-C. Antiquité grecque.
Sculpteur et peintre.
Il aurait accompagné, selon Pline l'Ancien, Damaratos en Etrurie. Céramiste, il faut sans doute l'identifier avec l'artiste qui fut selon Aristote l'inventeur de la peinture en Grèce.

EUCHEIR II
IIe siècle avant J.-C. Actif à Athènes. Antiquité grecque.
Sculpteur.
On ne sait s'il fut le père ou le fils d'Eubulides II. Pausanias cite son nom. Peut-être s'agit-il de plusieurs sculpteurs qui portèrent le même nom. On a retrouvé des socles de statues portant ce nom à Athènes, et à Mégarée.

EUCHEIROS
VIe siècle avant J.-C. Actif à Corinthe. Antiquité grecque.
Sculpteur.
Il fut élève des spartiates Chartas et Syagras et le maître de Clearchos de Rhegion qui fut lui-même maître de Pythagore.

EUCLIDES
IVe siècle avant J.-C. Athénien, vivant en 376 avant Jésus-Christ. Antiquité grecque.
Sculpteur.
Il fit un *Bacchus* pour la ville de Bura, en Achaïe.

EUDE Édouard Charles
Né au XIXe siècle à Offranville (Seine-Maritime). XIXe siècle. Français.
Sculpteur sur ivoire.
De 1877 à 1881, il figura au Salon de Paris. On cite de lui : *Le sacre de Charles VII*, bas-relief en ivoire et *Bianca-Capella*, bas-relief en ivoire.

EUDE Jean Louis Adolphe
Né en 1818 à Arès (Gironde). Mort le 8 avril 1889 à Paris. XIXe siècle. Français.
Sculpteur.
Eude se forma sous la direction de David d'Angers. Il fut médaillé de troisième classe en 1859 et de première classe en 1877. Au Salon de Paris, il exposa régulièrement à partir de 1847, toujours avec succès. Eude, en effet, se montre, dans tous ses ouvrages, avec de belles qualités de forme et de grâce. On lui doit le buste en marbre du *Maréchal Soult*, pour la colonne de la Grande Armée, à Boulogne ; *Omphale*, statue en marbre, dans la cour du Louvre ; Le buste en marbre de *Mozart*, pour le Conservatoire de Musique ; *La Fermeté*, statue pour le Tribunal de Commerce. De ses autres productions, on cite : *La Vierge au rosaire*, bas-relief en marbre ; *L'écho de la flûte*, statue en marbre ; *Tossulus, petit-maître de la décadence romaine*, statue en marbre ; *Retour de chasse*, statue en marbre.
Musées : Amiens : *Buste en marbre de Jean Goujon* – Bordeaux : *L'écho de la flûte* – Saintes : *Palissy debout – Palissy assis sur un tabouret – Palissy assis sur un four.*

EUDEMOS
VIe siècle avant J.-C. Actif en Ionie. Antiquité grecque.
Sculpteur.
Le British Museum possède une statue décapitée signée du nom de cet artiste, qui fut retrouvée dans les environs de Milet.

EUDES
XIIIe siècle. Actif vers 1292. Français.
Miniaturiste et calligraphe.

EUDES Eugène Jules
Né dans la seconde moitié du XIXe siècle à Choisy-le-Roi (Val-de-Marne). XIXe-XXe siècles. Français.
Aquarelliste.
L'un de ces trop nombreux artistes dont on ne sait plus rien après la date tragique de 1914.

EUDES DE GUIMARD Louise
Née le 9 mai 1827 à Argentan (Orne). XIXe siècle. Française.
Peintre de genre, paysages.
Élève de L. Cogniet. À partir de 1847 jusqu'en 1880 elle figura au Salon. L'État lui acheta : *Le lac*.
Ventes Publiques : Paris, 18 mars 1994 : *Mélancolie*, h/t (55x46) : **FRF 7 000**.

EUDES DE MONTREUIL
Né vers 1220. Mort en 1289. XIIIe siècle. Français.
Sculpteur et architecte.
Il est surtout connu comme architecte de saint Louis, pour lequel il travailla à maintes églises de Paris et qu'il accompagna en Palestine. Comme sculpteur, on sait qu'il exécuta, dans l'église des Cordeliers, un bas-relief pour son propre tombeau.

EUDIDACTOS
IIIe siècle avant J.-C. Actif à Athènes. Antiquité grecque.
Sculpteur.
On a retrouvé de lui dans les ruines de l'Acropole un fragment de statue signé de ce nom.

EUDIER Pierre
XVIe siècle. Actif vers 1560. Français.
Peintre verrier.
Travaillait en 1560 à l'Abbaye de Fécamp.

EUDOROS
Antiquité grecque.
Sculpteur.
Au dire de Pline, il orna de ses statues plusieurs théâtres. On ne connaît ni sa patrie, ni son époque.

EUDOXE
Ve siècle avant J.-C. Antiquité grecque.
Sculpteur.
Originaire du bourg athénien d'Alopécé, il prit part à l'ornementation du temple de Minerve Poliade sur l'Acropole d'Athènes.

EUELPISTUS Lucius Canidius, dit **Genareius**
Vivant à Rome. Antiquité romaine.
Sculpteur.
Il faisait de petites figures de génies en or, en argent et en ivoire.

EUENOR
Ve siècle avant J.-C. Actif à Ephèse. Grec.
Peintre.
Il appartint selon Pline au groupe des premiers peintres grecs.

EUENORI
VIe siècle avant J.-C. Antiquité grecque.
Sculpteur.
On a retrouvé ce nom sur plusieurs socles de statue.

EUERTZ Hans. Voir **EWOUTSZ**

EUGEN Napoléon Nicholas Bern, prince de Suède
Né le 1er août 1865 au Château de Drottningholm (près de Stockholm). Mort le 17 août 1947 à Waldemarsudde. XIXe-XXe siècles. Suédois.

Peintre de paysages, peintre à la gouache, peintre de compositions murales. Postromantique, symboliste.
Eugen Napoléon Nicholas Bern, le plus jeune des quatre fils du Roi Oscar II et de la Reine Sophie. Il travailla la peinture à Uppsala, avec von Gegerfelt, puis à Paris (1887-1889) avec Bonnat, Puvis de Chavannes et Gervex. Effectuant régulièrement des séjours prolongés en France et en Italie, il a néanmoins exercé son activité artistique en Suède. Il travailla surtout à Tyresö et à Waldemarsudde, près de Stockholm. Il trouvait aussi dans les forêts de l'ouest de la Suède la force vitale qu'il considérait comme « la source de l'identité nordique ». Il fit legs de sa propriété de Waldemarsudde (devenue musée public), ainsi que de la collection d'art qu'il y avait installée, le tout à l'État Suédois. Il participa à l'Exposition Universelle de Paris en 1900, avec *Le Château de Stockholm, la nuit*, puis à de nombreuses autres, dont celle organisée à Londres, puis au Musée du Petit-Palais à Paris et enfin à Düsseldorf, et intitulée *Lumières du Nord* en 1987.
Son œuvre, exclusivement faite de paysages, reflète principalement l'influence de Klinger, Böcklin et Friedrich. Il eut une vision « symboliste » du paysage suédois, avec des formes simplifiées presque jusqu'à l'abstraction, une composition lyrique et des coloris dramatiques. Il a surtout aimé rendre les atmosphères poétiques du paysage suédois, les silences rêveurs des nuits claires ainsi que les journées ensoleillées de l'été. Le trait décoratif de son art s'est accusé très tôt par le dégagement de l'architecture du paysage. *Le printemps, Le vieux château, Le nuage, L'eau silencieuse, Nuit d'été*, et *Le paquebot blanc* sont les peintures à l'huile les mieux connues de l'artiste. Son talent d'artiste décorateur s'est manifesté en plusieurs vastes peintures murales, dont la plupart sont exécutées « a fresco ». La plus vaste et la plus connue, *La ville près de l'eau* est visible à l'Hôtel de Ville de Stockholm. Il s'est fait remarquer également comme peintre de gouaches. ■ Gustav Lindgren, J. B.
Bibliogr. : In : *Dictionnaire universel de la peinture*, Le Robert, Paris, 1975.
Musées : Bruxelles (Mus. roy. des Beaux-Arts) : *Pentes* – Göteborg (Mus. des Beaux-Arts) : *La Forêt – Le Nuage*, réplique – Helsinki (Ateneum) : *L'Église de Tyresö* – Kopenham (Mus. roy. des Beaux-Arts) : *Le Paquebot blanc* – Oslo (Gal. Nat.) : *Le Lac* – Paris (Mus. d'Orsay) : *Le Vieux Château*, réplique – Stockholm (Mus. Nat.) : *Nuit d'été – L'Eau silencieuse – L'Aurore* – Stockholm (Waldemarsudde) : *Le Printemps – Le Vieux Château – Le Nuage – Le Moulin à vent – La Villa bleue – Paquebot éclairé* – Stockholm (Gal. Thiel) : *Nuage de nuit* – Stockholm (Acad. roy. des Beaux-Arts) : *Paysage d'été*.
Ventes Publiques : Stockholm, 8 nov. 1972 : *Paysage* : **SEK 11 400** – Stockholm, 30 oct. 1979 : *Vue d'un petit port* 1937, h/pan. (32x40) : **SEK 25 500** – Stockholm, 26 oct. 1982 : *Paysage d'été* 1929, gche (28x45) : **SEK 15 500** – Stockholm, 16 mai 1984 : *Paysage* 1938, aquar. (28x45) : **SEK 21 500** – Stockholm, 30 oct. 1984 : *Vue de Bergen* 1924, h/t (89x78) : **SEK 70 000** – Stockholm, 20 oct. 1987 : *Paysage aux champs de blé*, h/t (55x110) : **SEK 260 000** – Stockholm, 15 nov. 1988 : *A Friisens Park* 1926, h. (46x38) : **SEK 30 000** – Stockholm, 15 nov. 1989 : *La route de Vadstena en été* 1929, h. (41x64) : **SEK 65 000** – New York, 23 oct. 1990 : *Vue du parc de Dala Manor* 1915, aquar. et gche/pap. (31,8x57,2) : **USD 8 800** – Stockholm, 30 nov. 1993 : *Paysage estival avec une maison rouge et des chênes au premier plan*, h/t (55x75) : **SEK 33 000**.

EUGEN Nöelle Van, pseudonyme de **Noëlle Van Oldenbaneveldstaat**
Née en 1960. xxe siècle. Depuis 1981 jusqu'en 1987 active en France. Hollandaise.
Peintre. Groupe Art-Cloche.
Elle vit et travaille à Amsterdam. Elle a appartenu, dans les années quatre-vingt, au groupe Art-Cloche à Paris qui était un lieu d'échanges et de pratiques artistiques en marge des structures institutionnelles.
Bibliogr. : In : *Art Cloche. Éléments pour une rétrospective. Squatt artistique*, catalogue de ventes publiques, Me Pierre Cornette de Saint-Cyr, lundi 30 janvier 1989, Paris.

EUGENE. Voir **ALLARD Jean Pierre**

EUGENE G.
xixe siècle. Français.
Peintre de portraits, paysages.
En 1827 et 1837, il envoya des paysages au Salon de Paris. C'est sans doute le même artiste dont le Musée de Bordeaux possède une *Tête de femme*.
Musées : Bordeaux : *Tête de femme*.

EUGENIKOS Manuel
xive siècle. Actif dans la seconde moitié du xive siècle. Éc. byzantine.
Peintre.
Il montre un art élégant et précis dans l'exécution des fresques de l'église de Tzalendjikhe en Géorgie.

EUGRAMMOS
viie siècle avant J.-C. Actifs à Corinthe en 660 avant Jésus-Christ. Antiquité grecque.
Sculpteurs.
D'après Pline et Pausanias, ils abandonnèrent Corinthe quand la dynastie des Bacchiades en fut chassée, suivirent le Père de Tarquin l'Ancien, Démacrote, et se fixèrent en Italie.

EUKADMOS
ive siècle avant J.-C. Antiquité grecque.
Sculpteur.
Selon Pausanias il aurait été le maître d'Androsthènes d'Athènes.

EUKHOUT J. J.
xixe siècle. Français.
Peintre.
Le Musée de Montpellier conserve sous ce nom le *Portrait de l'acteur Lafeuillade dans le rôle de Masaniello* (Probablement de J.-J. Eeckhout.).

EUKLEIDES
ive siècle. Actif à Athènes vers 373 ap. J.-C. Antiquité grecque.
Sculpteur.
Il exécuta des statues de marbre pour les temples d'Achaia et de Bura.

EUKLES
ive siècle avant J.-C. Antiquité grecque.
Sculpteur.
Pline assure qu'il fut le contemporain de Lysippe.

EULBERG Veronica Appollonia
Née le 20 août 1905 à Portland (Oregon). xxe siècle. Américaine.
Peintre.
Elle fut élève de Émil Jacques. Elle est membre de l'Oregon Artists Society.

EULENBURG Felix
Né le 13 juillet 1881 à Greifswald. Mort en 1909. xixe-xxe siècles. Allemand.
Peintre de scènes de genre, animalier.
Il fit ses études à Düsseldorf et à Berlin.

EULENBURG Olga de, comtesse
Née le 1er juin 1848 à Rastenburg. xixe siècle. Allemande.
Peintre d'histoire.
Elle fut à Dresde élève de Rops et à Paris de Girot.

EULER
xviiie siècle. Actif à Brieg vers 1767. Allemand.
Peintre.

EULER Carl
Né le 9 mars 1815 à Cassel. xixe siècle. Allemand.
Peintre d'animaux, paysages, lithographe.
On lui doit surtout des peintures d'animaux.
Ventes Publiques : Munich, 29 mai 1980 : *Paysage au clair de lune* 1860, h/t (65x76) : **DEM 2 600**.

EULER Eduard
Né le 19 août 1867 à Düsseldorf. xixe-xxe siècles. Allemand.
Peintre de paysages, paysages urbains, lithographe.
Il fit ses études à Düsseldorf puis à Carlsruhe. Schönleber l'influença profondément. Dans ses lithographies, il représenta surtout des vues de villes et de campagnes.
Ventes Publiques : Cologne, 20 oct. 1989 : *Verger dans le sud du Tyrol* 1911, h/t (70x100) : **DEM 1 100**.

EULER Emil Ludwig
Né le 15 mai 1878 à Wiesbaden (Hesse). xxe siècle. Allemand.
Graveur, peintre de portraits.
On lui doit surtout des portraits gravés.

EULER Henri Jean Albert
Né le 21 avril 1814 à Rolle. Mort le 29 juin 1866 à Lausanne. xixe siècle. Suisse.

Peintre et dessinateur.
Il exposa au Salon, à Paris, en 1848 : *Poste de Pandours, sur les monts d'Herzégovine, Mariniers dalmates, Filles de Zara, Bergers esclavons.* Il fit ses études à Munich avant de s'établir à Paris.

EULER Johann Heinz
Né en 1720. Mort en 1750. XVIIIe siècle. Actif à Bâle. Suisse.
Peintre.
Il entra dans la confrérie des peintres de Bâle en 1746. Le Dr Brun le croit auteur d'une série de portraits qui rappelleraient l'école de Johann Rudolph Huber.

EULER Margaret J.
Née en Angleterre. XXe siècle. Britannique.
Peintre.
Cette artiste qui réside dans le Kent exposait *Lest we Forget* au Salon des Artistes Français de 1934.

EULER Pierre-Nicolas
Né le 12 janvier 1846 à Lyon (Rhône). Mort vers 1913. XIXe-XXe siècles. Français.
Peintre de natures mortes, fleurs et fruits.
Élève à l'École des Beaux-Arts de Lyon, il suivit, de 1860 à 1865, des cours dans la classe de fleurs de Jean-Marie Reignier. Il ouvrit un cabinet de dessin dans la capitale vers 1876.
À partir de 1875, il exposa au Salon de Lyon et obtint une première médaille en 1895. Cette même année, il commença à exposer au Salon de Paris, et il remporta la médaille en 1904.
Il réalisa des peintures (et quelques fusains rehaussés) de fleurs et de fruits. Ses toiles furent d'abord jugées « théâtrales », sa lumière « tapageuse ». Puis la critique devint plus favorable, louant son originalité, sa maîtrise dans l'art de distribuer les effets de lumière et de marier ses couleurs.
Bibliogr. : Gérald Schurr, in : *Les Petits Maîtres de la peinture 1820-1920, valeur de demain,* Les Éditions de l'Amateur, t. VI, Paris, 1985.
Musées : Angers – Clermont-Ferrand – Lyon (Mus. des Beaux-Arts) : *La Saison des violettes* – Montpellier.

EULHOFER Ignaz. Voir **ELHAFEN**

EULICH Carl Friedrich
XVIIIe siècle. Actif à Brieg, en 1715. Allemand.
Peintre de paysages.

EULISSE Vincenzo
Né en 1936 à Venise. XXe siècle. Italien.
Peintre. Tendance surréaliste.
Autodidacte, il expose régulièrement en Italie depuis 1959, à Venise, Milan, et aussi, en 1960, à Bruxelles. En 1970, il expose à Varsovie. Il vit à Venise.
Juxtaposant en des scènes « allusives » parfois proches d'un certain surréalisme, des éléments figuratifs hétérogènes, il crée un monde qui a reçu conjointement l'influence du pop art et du nouveau réalisme, dans son recours à la figuration, et des libertés acquises par le mouvement Dada et le surréalisme.

EULRY André
Né en 1930 en Champagne. XXe siècle. Français.
Peintre, peintre verrier. Abstrait.
Il fut élève de l'Académie de la Grande Chaumière, en 1947 et 1948. Il a vécu à Bastia où il a peint, de 1952 à 1955.
Sa peinture est abstraite, et déploie une écriture faite de petits signes, une calligraphie gestuelle ou automatique.

EUMARES ou **Eumaros**
VIe siècle avant J.-C. Actif à Athènes vers 540 av. J.-C. Antiquité grecque.
Peintre.
Il semble avoir introduit dans ses peintures une teinte de clair-obscur. Ce fut lui qui le premier établit une différence entre la forme masculine et la forme féminine, donnant une coloration foncée à la chair des hommes et blanche à celle des femmes. Selon Pline, il n'aurait pas craint de donner à ses figures toutes les poses possibles.

EUMELOS
Ve siècle avant J.-C. Antiquité grecque.
Sculpteur.
Originaire du bourg athénien de Scambonides, il prit part à l'ornementation du Temple de Minerve Poliade, sur l'Acropole d'Athènes.

EUMELOS
IIIe siècle. Actif vers 220 après Jésus-Christ. Antiquité grecque.
Peintre.
Philistrate affirme qu'il exécuta une *Hélène* pour le Forum de Rome.

EUMNESTOS
Antiquité grecque.
Sculpteur.
Du dème athénien de Païania vivant au siècle d'Auguste. Il fit la statue du roi de Thrace Cotys IV, fils de Rhescuporis.

EUMOLPUS Quintus Considius
Antiquité romaine.
Sculpteur.
Ce sculpteur grec fut affranchi de la famille Considia. Une inscription de la villa Strozzi, à Florence, le qualifie *faber eborarius,* sculpteur d'ivoire.

EUMYTHIS
VIe siècle avant J.-C. Antiquité grecque.
Sculpteur.
On a retrouvé le nom de cet artiste sur un socle de statue découvert près de Sellasie au Péloponèse.

EUN Robert
XVIe siècle. Actif à Rouen. Français.
Sculpteur.
Il travailla dans le grand cimetière Saint-Maclou, à Rouen, en 1527.

EUNA Pedro d'
XVe siècle. Actif à Barcelone. Espagnol.
Peintre.
Il était originaire du Roussillon.

EUNOS
IIIe-IIe siècles avant J.-C. Actif à Épidaure. Antiquité grecque.
Sculpteur.
Ce nom a été retrouvé sur des socles à Épidaure.

EUNOSTIDES
VIe siècle avant J.-C. Actif à Athènes vers 500 av. J.-C. Antiquité grecque.
Sculpteur.
On a retrouvé son nom sur un socle de statue.

EUPALINOS
IIIe siècle avant J.-C. Actif à Mégare. Antiquité grecque.
Sculpteur.
Il travailla à Athènes. N'a rien à voir avec le célèbre architecte du VIe siècle.

EUPHILETOS
VIe siècle avant J.-C. Antiquité grecque.
Peintre.
Il travailla peut-être à Eleusis.

EUPHOROS
Ve siècle avant J.-C. Antiquité grecque.
Sculpteur.

EUPHRANOR, dit **l'Isthmien**
Né dans l'isthme de Corinthe. IVe siècle avant J.-C. Vivant de 375 à 335 avant Jésus-Christ. Antiquité grecque.
Peintre et sculpteur.
Il étudia à l'École de peinture d'Aristeides, et résida à Athènes, où se trouvent ses chefs-d'œuvre de sculpture. Sur un côté du porche du Céramique de cette ville, on voit les douze dieux ; sur l'autre côté : Thésée et d'autres figures. Au même endroit existait aussi une peinture représentant : *La bataille de Mantinée entre la cavalerie athénienne et béotienne,* où l'on distinguait les portraits de Gryllus, le fils de Xénophon, et d'Epaminondas. Euphranor exécuta des œuvres remarquables en marbre et en métal. Ses héros ont un grand air de dignité et sont hautement prisés par Pline. Il était réputé pour rendre avec vérité les émotions humaines. On cite de lui, les statues de *Pâris, Héraklès, Héphaïstos, Dionysos,* ainsi que *Philippe* et *Alexandre.* Mais aucune de ses œuvres ne nous est parvenue.

EUPHRON
Originaire de Paros. Ve siècle avant J.-C. Antiquité grecque.
Sculpteur.
On a retrouvé plusieurs socles de statues signés de ce nom, dont deux à l'Acropole d'Athènes.

EUPHRONIOS
VIe-Ve siècles avant J.-C. Travaillant entre 510 et 490 avant Jésus-Christ. Antiquité grecque.

Peintre potier et potier.
Il créait des formes de vases et les décorait, mais il lui arrivait également de faire le travail de potier sans faire celui de peintre, laissant ce soin à d'autres artistes, comme Onesimos, Pistoxenos ou Panaitios. C'est plutôt vers la fin de sa vie qu'il semble avoir abandonné son métier de décorateur de vases pour se consacrer à la création de nouvelles formes de coupes, en particulier. Il aimait décorer les formes amples : cratères à volutes et en calice, mais aussi coupes. Ses thèmes sont des scènes du cycle d'Héraclès, de Dionysos et ses satyres ; il n'hésite pas non plus à répondre à la demande de ses clients qui lui commandent des scènes de banquets. L'art d'Euphronios, de style sévère, est fait d'équilibre, de puissance et de vie. Le cratère du Louvre, à figures rouges, qui présente la *Lutte d'Héraclès contre Antée*, répond à ces trois qualités. Les deux héros s'affrontent dans un corps à corps où les formes s'équilibrent suivant des lignes obliques qui déterminent une composition pyramidale ; la puissance est donnée par un effet de raccourci des jambes d'Héraclès, replié sur lui-même pour mieux anéantir le géant ; des traits réalistes marquent le visage douloureux d'Antée, la bouche entrouverte. Ses cheveux et sa barbe hirsutes sont en même temps le symbole de sa défaite et de sa monstruosité. Euphronios essaie également de rendre la musculature avec vérité, sans toutefois négliger son effet décoratif. Cette préoccupation de l'analyse détaillée du corps humain se retrouve chez les sculpteurs de la même époque, il suffit de comparer les reliefs du Trésor des Athéniens à Delphes, aux peintures d'Euphronios. Une scène d'*Amazonomachie* sur un cratère à volutes (Arezzo) présente beaucoup d'analogie avec la scène précédente : même souci de raccourci, détails musculaires identiques. Une coupe de Berlin, attribuée à Euphronios, montre son goût de l'observation juste et sa volonté de rendre avec mesure les expressions psychologiques. Au fond de cette coupe, *Achille soigne le bras de Patrocle*, d'où il a extrait une flèche. Euphronios a rendu avec soin les détails des costumes et de l'anatomie des héros. L'artiste recherche la difficulté en présentant Patrocle assis, de face, une jambe repliée et l'autre tendue sur le côté, venant caler la composition, toujours plus délicate lorsqu'il s'agit d'une coupe. Le visage de Patrocle montre une souffrance contenue, la bouche entrouverte. Euphronios était, déjà en son temps, considéré comme un maître difficile à égaler. A travers son art équilibré, il n'hésite pas à faire des essais de raccourcis savants, et recherche à rendre l'anatomie, en particulier la musculature, avec vérité, sans négliger l'aspect décoratif de l'ensemble. Il suggère, toujours avec mesure, les émotions, souffrances et autres sentiments des sujets.
■ A. J.

EUPOMPOS
ve siècle avant J.-C. Actif à Sicyone vers 400 avant Jésus-Christ. Antiquité grecque.
Peintre d'histoire.
Fondateur de l'École sicyonienne, contemporain de Zeuxis, Timanthe et Porrhasius.

EUPREPES
Actif en Phrygie au temps de l'empire romain. Antiquité grecque.
Sculpteur.
Il exécuta à Rhodes une statue de P. Aelius Agestratos.

EURICH August
XIXe siècle. Actif à Berlin. Allemand.
Peintre de miniatures.

EURICH Richard
Né le 4 mars 1903 à Bradford (Yorkshire). Mort en 1992. XXe siècle. Britannique.
Peintre de paysages, marines, dessinateur.
De 1920 à 1924, il a étudié au Bradford College, puis jusqu'en 1926, à la Slade School. Pendant la Seconde Guerre mondiale, il fut nommé artiste officiel de guerre de l'Amirauté. Il devient membre du New English Art Club en 1943. Il est également membre de la Royal Academy. Il enseigne depuis 1949.
En 1929, il a commencé à exposer ses dessins, et ses peintures en 1933. Il expose au New English Art Club à partir de 1927. En 1946, il a exposé *Un coin de la côte du Hampshire*, à l'Exposition internationale organisée par l'UNESCO, au Musée d'Art Moderne de la Ville de Paris.

R. Eurich 1948

MUSÉES : LONDRES (Tate Gal.) – MANCHESTER – NEW YORK (Mus. d'Art Mod.).
VENTES PUBLIQUES : LONDRES, 13 mars 1981 : *La plage de Dunkerque, mai 1940*, h/cart. (28x50,3) : **GBP 900** – LONDRES, 9 nov. 1984 : *Fawley beach* 1939, h/t (63,5x76,2) : **GBP 2 200** – LONDRES, 6 mars 1987 : *Barques sur la plage* 1938, h/t (39,5x49,5) : **GBP 2 800** – LONDRES, 12 mai 1989 : *Enfants sur la plage* 1984, h/cart. (30x60) : **GBP 1 980** – LONDRES, 21 sep. 1989 : *En mer* 1984, h/cart. (31,1x59,7) : **GBP 1 210** – LONDRES, 3 mai 1990 : *La danse de l'épée en Ombrie du nord* 1973, h/cart. (29x60,5) : **GBP 3 520** – LONDRES, 6 nov. 1992 : *Paysage du Dorset* 1937, h/t (51x61) : **GBP 3 740**.

EURIPIDES
Né en 480 avant J.-C. Mort vers 405 avant J.-C. ve siècle avant J.-C. Antiquité grecque.
Peintre.
Dans sa jeunesse, le grand auteur tragique aurait pratiqué la peinture.

EUSEBI Luis
XIXe siècle. Actif à Madrid. Espagnol.
Peintre de portraits et miniaturiste.
Après avoir séjourné en Angleterre il fut nommé à son retour à Madrid conservateur du Musée du Prado.

EUSEBIO Ferrari. Voir **FERRARI**

EUSEBIO da San Giorgio
XVe-XVIe siècles. Italien.
Peintre de compositions religieuses, compositions murales.
Bien qu'on ne soit pas sans renseignements sur la vie de Eusebio di San Giorgio, on ignore la date exacte de sa naissance ainsi que celle de sa mort. On estime cependant qu'on peut placer la première vers 1478, la seconde, aux alentours de 1550. Il reçut les leçons du Pérugin en même temps que Giannicola Manni, son ami de jeunesse. On trouve dans le registre des peintres du quartier Sant'Angelo de Pérouse, avec celui de Pinturicchio, le nom de Eusepius Jacobi Christofori auquel Vasari ajoute celui de San Giorgio. En 1501, il fut chargé, avec Fiorenzo di Lorenzo de peindre les bannières des trompettes de Pérouse. Peu après, Pinturicchio le prit avec lui, ainsi que plusieurs autres jeunes peintres, pour décorer la sacristie du Dôme de Sienne ; par un acte notarié daté de 1506, Pinturicchio reconnaît devoir à Eusebio la somme de cent ducats d'or. En 1507, il peignait, dans le cloître de San Damiano, près d'Assise, deux fresques dont l'une porte l'inscription Eusebius Perusinus pinxit MDVII. L'une est une *Annonciation*, assez mal conservée : la Vierge, à genoux, un livre à la main, a le visage en partie détruit : l'ange, portant un lis et rappelant celui de *La Salutation Angélique* de Raphaël au Vatican, est aujourd'hui assez dégradé. La seconde fresque, très détériorée également, représente *Saint François d'Assise recevant les stigmates* en présence du frère Rufino, son compagnon, à quelque distance dans le paysage. Le Christ est ailé, comme celui de Giotto, dont il ne diffère que parce qu'il est crucifié. Le paysage de curieux rochers qui veut être visiblement celui de l'Alverne, est beaucoup plus abrupt que celui de Giotto. Vasari attribue à Eusebio l'*Adoration des Mages* de la chapelle de l'Epiphanie de Sant'Agostino, aujourd'hui au Musée de Pérouse. En l'absence cependant de preuve décisive, les avis sont partagés. Les uns, signalant la grâce toute raphaëlesque des quatre anges musiciens y voient une œuvre digne de Sanzio, d'autres y trouvent les caractères des peintures de Pinturicchio, dont Eusebio fut l'élève. Une date inachevée MDV... ne peut être que 1505, 1506, 1507 ou 1508 ; les deux lettres qui suivent. S. I. sont difficiles à interpréter. Il est bien peu probable, que la première soit l'initiale de Sanzio. Quant à lire Sinibaldo Ibi, il faudrait admettre qu'il fût terminé par ce contemporain d'Eusebio. On sait qu'Eusebio et son ami Giannicolo achevaient volontiers les peintures l'un de l'autre par grande amitié. Néanmoins la signature constituerait une sorte de faux et il n'est pas dit que Ibi, élève également, il est vrai, du Pérugin, mais assez médiocre, fût lié d'amitié avec Eusebio. La *Madone* de Mantelica une Vierge avec l'Enfant, un petit saint Jean et 4 saints, est signée 1512 Eusebio di Sco Giorgio Perusianus pinxit, avec le monogramme du peintre. Comme on y peut relever une possible imitation de Raphaël, on pourrait tirer argument de son authenticité pour se ranger à l'opinion de Vasari concernant l'*Adoration des Mages*. Cette Madone est le dernier des tableaux que nous possédions d'Eusebio. Il est peu vraisemblable cependant qu'il ait cessé de manier le pinceau après 1512. En effet, nous savons qu'il vivait encore

en 1527 et il aimait son art avec passion, dit Pascoli ; d'autre part, il était, paraît-il, père de nombreux enfants qu'il avait peine à nourrir et à élever. Il aurait survécu dix ans à son ami Giannicola, ce qui placerait sa mort vers 1550.
Ventes Publiques : Lucerne, 13 juin 1970 : *Le Christ sur le Mont des Oliviers* : **CHF 33 000** – Milan, 21 avr. 1986 : *La Vierge et l'Enfant avec saint Jean*, h/pan., de forme ronde (diam. 68) : **ITL 31 500 000**.

EUSTACE, Frère
XVe siècle. Travaillant à Lille. Éc. flamande.
Enlumineur.
Il copia et orna d'enluminures un livre d'Heures destiné à l'évêque de Bethléem ; il y peignit également six figures de saints. Peut-être le même que le frère Eustache qui travaillait pour le duc de Bourgogne en 1428.

EUSTACHE
Originaire de Lisbourg. XIIIe-XIVe siècles. Éc. flamande.
Peintre.
Il travailla au château de Hesdin.

EUSTACHE
XVe siècle. Actif à Louvain. Éc. flamande.
Sculpteur.
Il travailla pour l'église Saint-Pierre.

EUSTACHE
XVe siècle. Actif à Rome. Italien.
Sculpteur sur bois.
Sous la conduite de Philippot Viart, il collabora à l'ornementation des stalles du chœur de la cathédrale de Rome, en 1459.

EUSTACHE André
Né à la Coucourde (Drôme). XXe siècle. Français.
Peintre de paysages.
Il fut exposant, à Paris, du Salon des Artistes Indépendants de 1925 à 1931.

EUSTACHE Charles François
Né le 6 décembre 1820 à Paris. Mort le 24 avril 1870 à Cherbourg (Manche). XIXe siècle. Français.
Peintre de sujets typiques, paysages, paysages d'eau, marines, pastelliste, dessinateur. Orientaliste.
Élève de Prosper Marilhat qu'il accompagna en Orient, il se lia d'une longue amitié avec Eugène Fromentin. Eustache voyagea en Italie et en Égypte. Il s'établit définitivement à Cherbourg, vers 1857. Son œuvre fut longtemps méconnue car une petite fortune personnelle lui permit de négliger le côté commercial de son métier.
Il exposa au Salon de Paris.
On cite de lui : *Ruines du temple d'Ermonthis, Haute-Égypte* 1849 ; *Le soir, souvenir des bords du Nil – Ruines de Grèce* 1851 ; *Intérieur de l'usine de Fourchambault* 1852. Il réalisa de nombreuses vues, au fusain ou au pastel, de la campagne Normande ou des bords de la Manche. On lui doit une lithographie des *Ruines du Temple de Louqsor, dans les plaines de Thèbes*, exécutée d'après l'un de ses dessins sur nature.
Bibliogr. : Gérald Schurr, in : *Les Petits Maîtres de la peinture 1820-1920, valeur de demain*, Les Éditions de l'Amateur, t. IV, Paris, 1979.
Ventes Publiques : Paris, 27 sep. 1990 : *Mer agitée*, past. (56x103) : **FRF 5 000** ; *Plage*, h/pan. (21,5x41,5) : **FRF 7 000** ; *Vue de La Hague*, h/pan. (28x43,5) : **FRF 6 200**.

EUSTACHE Claude
XVIIe siècle. Actif à Nantes. Français.
Peintre.
Peut-être est-ce cet artiste qui en 1657 travaillait à Paris comme peintre de la Maison du Roi.

EUSTACHE Georgette
Née le 16 juillet 1874 à Fontenay-aux-Roses (Seine-Maritime). XXe siècle. Française.
Sculpteur.
Elle fut élève de Sicard. Cette artiste débuta au Salon des Artistes Français de 1924, à Paris.

EUSTACHE Nicolas
XVIIIe siècle. Actif à Paris en 1772. Français.
Peintre et sculpteur.

EUSTACHE Robert
XIXe siècle. Espagnol.
Peintre de genre, scènes typiques, intérieurs. Orientaliste.
Fils de Charles Francois Eustache, qu'il accompagna dans ses voyages.
Ventes Publiques : Paris, 27 sep. 1990 : *Le cuisinier noir et la servante*, h/t (64x90) : **FRF 27 000** ; *Intérieur d'atelier au Caire* 1889, h/t (64x80) : **FRF 10 500**.

EUSTACHE Sylla
Né le 1er décembre 1856 à Paris. XIXe-XXe siècles. Français.
Sculpteur-médailleur de portraits.
Il fut d'abord ouvrier graveur ; puis élève d'Émile Laporte et de Gabriel Guay à l'atelier Lequein. Sociétaire des Artistes Français depuis 1891.
On cite de lui : *Portrait de mon fils*, médaille (1893) et *Portraits des enfants de M. Loustau* (1894). On lui doit aussi des médaillons et médailles (*Portraits du chien Tony* (1897), étude, *Médaille du Souvenir Français*).

EUSTACHE DE LIÈGE
XVIe siècle. Éc. flamande.
Sculpteur.
Auteur du maître autel de l'église d'Erckelenz, en 1547.

EUSTACHE-LORSAY. Voir **LORSA Louis Alexandre Eustache**

EUSTACHI
XVIe siècle. Actif à Gratz en 1539. Autrichien.
Peintre.

EUSTACHIO, fra
Né en 1473 à Florence. Mort le 25 septembre 1555 à Florence. XVe-XVIe siècles. Italien.
Miniaturiste.
Il était moine au monastère de Saint-Marc à Florence ; il avait pris l'habit à Villa Gondi lorsque Savonarolo en était vicaire général, au temps de la peste de Florence. Vers 1502, il commença à orner de miniatures un *Antiphonaire des Saints*, pour les moines du couvent du Saint-Esprit à Sienne ; il restaura et enrichit en même temps plusieurs manuscrits de leur sacristie. Parmi ses œuvres, on cite un Psautier, daté de 1505 (au couvent de Saint-Marc, à Florence). Un graduel, commencé en 1518, un Antiphonaire allant de l'Avent à la veille de la Nativité et un autre Antiphonaire faisant maintenant partie de la collection de la cathédrale de Florence. Il travailla, en outre, aux livres du chœur de la cathédrale de Florence et de Santa Maria della Quercia, à Viterbe.

EUSTACHIO da Udine Celebrino
XVIe siècle. Actif à Venise. Italien.
Graveur sur bois et éditeur.

EUSTACHIUS
Mort le 25 août 1779 à Prague. XVIIIe siècle. Tchécoslovaque.
Peintre.
De l'ordre des Carmes, on connaît une peinture de cet artiste datée de 1764.

EUSTATHIOS
XIe siècle. Actif en Italie du Sud. Italien.
Peintre.
On connaît des fresques signées de cet artiste dans la région d'Otrante.

EUSTON Jacob Howard
Né le 4 octobre 1892 à Lebanon (Philadelphie). XXe siècle. Américain.
Peintre.
Membre de l'Illinois Academy of fine Arts.

EUTÉLIDAS
VIe siècle avant J.-C. Argien, vivant en 516 avant Jésus-Christ. Antiquité grecque.
Sculpteur.
Il fit, avec Chrysothémis, les statues de deux vainqueurs des jeux olympiques, Démarate et son fils Théopompe.

EUTHYKARTIDES
VIIe siècle avant J.-C. Antiquité grecque.
Sculpteur.
À Délos a été retrouvé un socle de statue signé de ce nom.

EUTHYKHRATES I ou **Euthykrates**
IVe siècle avant J.-C. Antiquité grecque.
Sculpteur de statues.
Actif à Sicyone en 312 avant Jésus-Christ. Fils et élève de

Lysippe et frère de Bédas et de Daïppe. Son style était sévère. Il a exécuté des statues de chasseurs et de guerriers et une statue d'Alexandre le Grand.

EUTHYKHRATES II ou **Euthykrates**
IIe siècle avant J.-C. Antiquité grecque.
Sculpteur.
Il travailla sans doute à Rhodes où on a retrouvé des socles portant son nom.

EUTHYKLES
VIe siècle avant J.-C. Actif à Athènes. Antiquité grecque.
Sculpteur.
C'est sur l'Acropole qu'on a retrouvé un socle de statue signé de ce nom.

EUTHYMIDES
VIe siècle avant J.-C. Actif entre 520 et 500 avant Jésus-Christ. Antiquité grecque.
Peintre potier.
Contemporain de Phintias, avec lequel il a quelques points communs dans la variété des vases qu'il décore et la conception plastique du corps humain ; Euthymidès est surtout connu pour être le rival d'Euphronios, comme le prouve sa remarque inscrite sur un vase : « *comme* (ne le fit) *jamais Euphronios* ». Cette fierté un peu candide prouve la gloire d'Euphronios (voir l'article sur cet artiste), mais aussi la rivalité entre les artistes qui ne travaillent pas sans avoir regardé ce que font les autres, essayant de les dépasser. Euthymidès, qui décore ses vases en figures rouges, aime traiter les sujets de palestre, des départs de guerriers et aussi quelques scènes mythologiques, surtout celles relatives à la vie de Thésée qui tend à devenir, à cette époque, le héros attique, opposé à Héraclès, héros dorien et péloponésien. Les nus d'Euthymidès, assez trapus, montrent son sens du volume, son désir de donner à l'anatomie à la fois une valeur réaliste et décorative. Ces préoccupations tendraient à prouver que Polias, dont il dit parfois être le fils, était un sculpteur. Peut-être moins génial qu'Euphronios, il sait habilement souligner les beaux nus par des draperies.

EUTROPUS
Antiquité romaine.
Sculpteur.
Sculpteur chrétien, il a réalisé des sarcophages. Une pierre tombale trouvée à Rome, dans le cimetière de Sainte-Hélène, le représente au milieu de ses travaux.

EUTYCHES
Antiquité grecque.
Sculpteur.
On a retrouvé à Mirina une terre cuite représentant un Hérakles signée de ce nom.

EUTYCHIDES I
IVe siècle avant J.-C. Actif à Sicyone en 318 avant Jésus-Christ. Antiquité grecque.
Sculpteur.
Élève de Lysippe, il est connu pour avoir sculpté en bronze doré le groupe de la *Fortune* et du fleuve *Oronte* à Antioche. Il a surtout créé le type de la Fortune couronnée de remparts qui symbolise, en général, la Ville, et a été bien des fois reprise. Il est aussi l'auteur d'*Eurotas* qu'admirait Pline en raison de son caractère de fluidité.

EUTYCHIDES II
IIe siècle avant J.-C. Actif à Athènes. Antiquité grecque.
Sculpteur.
Son nom a été déchiffré sur des socles de statues à l'Acropole.

EUTYCHIDES III
IIe-Ier siècles avant J.-C. Actif à Delos. Antiquité grecque.
Sculpteur.

EUTYCHIDES IV
Né à Milet. Actif sous l'Empire romain. Antiquité grecque.
Sculpteur.
Son père s'appelait Zoïlos.

EUTYCHOS
Ier siècle. Actif à Rome après Jésus-Christ. Antiquité romaine.
Peintre de portraits.

EUVERLANDER Klaas Lourisz
Né vers 1600 à Jisp. XVIIe siècle. Hollandais.
Sculpteur.
Il voyagea en France et en Italie.

EUWOUTSONE Jan
Né à Emerik. XVIe siècle. Hollandais.
Graveur sur bois et en taille-douce, imprimeur.
Vécut à Amsterdam.

EUXEINIDAS
Ve-IVe siècles avant J.-C. Thébain, actif vers 400 ou 380 avant Jésus-Christ. Antiquité grecque.
Peintre.
On ne connaît pas de détails sur cet artiste, sauf qu'il fut le maître d'Aristeides.

EUXENOS
Antiquité grecque.
Sculpteur.
On a retrouvé le socle d'une statue de cet artiste, d'époque hellénistique, dans l'île de Telos.

EUZET Jean Marie
Né le 26 avril 1905 à Sète (Hérault). Mort en 1980. XXe siècle. Français.
Peintre, peintre de cartons de tapisseries. Abstrait néo-plasticiste, musicaliste.
Il fait ses études artistiques à l'École Nationale d'Art Décoratif de Limoges. En 1948, il devient professeur dans cette même École où il enseigna toutes les disciplines. Il a participé à plusieurs expositions de groupe : aux Salons des Réalités Nouvelles, des Indépendants, et Comparaisons. Il a également figuré à des expositions de groupe à Amsterdam, Prague, Vienne et La Haye. En 1925, il se tourne vers le cubisme et le néo-plasticisme. Sa rencontre avec Louis Baudron, membre du groupe Musicaliste et celle de Valensi lui font adopter les conceptions musicalistes. Valensi avait organisé des salles musicalistes dans les Salons Comparaisons. Entre 1949 et 1956, il présentait dans les différents Salons des compositions abstraites, où la courbe domine, non sans allusions à un support figuratif. La Manufacture Nationale d'Aubusson a tissé d'après ses cartons : *Le Port, La Ville, Trois Mouvements d'une suite florale, Nocturne d'été*.
Ventes Publiques : Paris, 4 juil. 1997 : *Radiologie*, h/t (195x115) : **FRF 30 000**.

EUZET Juliette
Née au XXe siècle à Limoges (Haute-Vienne). XXe siècle. Française.
Peintre, céramiste, émailleur. Musicaliste.
Femme de Jean-Marie Euzet, ancienne élève des Arts Décoratifs de Limoges, elle a contribué avec son mari à renouveler l'« art du feu ». Elle travaille selon les conceptions musicalistes.

EVANCE Hans. Voir **EWOUTSZ**

EVANGELISTA
Originaire de Sutri. XVe siècle. Italien.
Peintre.
Il travailla à Rome.

EVANGELISTA
XVe siècle. Actif à Padoue en 1461. Italien.
Peintre.

EVANGELISTA, fra
Né à Reggio. Mort vers 1495 à Ferrare. XVe siècle. Italien.
Miniaturiste et écrivain.
Il illustra des livres rituels pour la cathédrale de Ferrare en collaboration avec Jacobo Filippo d'Argenta. Travailla pour le marquis Borso d'Este.

EVANGELISTA Francesco Paolo
Né en 1837 à Penne. XIXe siècle. Italien.
Sculpteur.
Il fit ses études à Naples et à Florence. À partir de 1877 il exposa des sujets allégoriques et des figures de genre à Naples et à Rome.

EVANGELISTA Roberto
XXe siècle. Brésilien.
Créateur d'installations.
Il a participé en 1996 à la XXIII Biennale de São Paulo.

EVANGELISTA DAL FERRO. Voir **FERRO**

EVANGELISTA da Milano
XVIe siècle. Actif à Gênes en 1544. Italien.
Peintre.

EVANGELISTA di Niccolo Saraceni
XVe siècle. Actif à Orvieto vers 1470. Italien.
Peintre.
Il était prêtre et il travailla pour la cathédrale d'Orvieto.

EVANGELISTA di Pian di Meleto
Né vers 1458 à Pian di Meleto. Mort le 18 janvier 1549 à Urbino. XVe-XVIe siècles. Italien.
Peintre.
Il fut élève de Giovanni Santis. En 1500 il exécuta en collaboration avec Raphaël un *Couronnement de Saint-Nicolas*, pour l'église Saint-Agostino à Citta di Castello. Par la suite il travailla sans doute avec Timoteo Viti.

EVANGELISTI Agostino
Originaire de Ripatransone. XVIIe siècle. Italien.
Sculpteur sur bois.
Il fut le père de Giovanni et travailla avec lui à la cathédrale de Ferrare.

EVANGELISTI Benedetto
XVIIe siècle. Actif à Arcevia en 1668. Italien.
Peintre.

EVANGELISTI Filippo
Né vers 1684 à Rome. Mort le 16 mars 1761 à Rome. XVIIIe siècle. Italien.
Peintre d'histoire.
Valet de chambre du cardinal Corradini, il ne dut sa célébrité, pendant quelques années, qu'à la protection de son maître et surtout à sa collaboration avec Benefial. Il fut élève de Luti.

EVANGELISTI Giovanni Basilio
Né à Ripatransone. XVIIe siècle. Italien.
Sculpteur sur bois.
Fils d'Agostino, il travailla pour les cathédrales de Ferrare et de Ripatransone.

EVANO Yvonne
Née à Saint-Brieuc (Côtes-d'Armor). XXe siècle. Française.
Peintre de genre.
Élève de M. Léon Félix.

EVANS
XVIIIe siècle. Français.
Peintre de paysages.
On sait que cet artiste distingué fut attaché à la Manufacture de Sèvres.

EVANS
Né en 1890 à Londres. XXe siècle. Britannique.
Peintre. Naïf.
Autodidacte, il est vendeur au marché Caledonian de Londres. Des œuvres telles que *L'Omnibus*, l'ont fait classer parmi les artistes naïfs de Grande-Bretagne.

EVANS Benjamin Beale
Mort vers 1824. XIXe siècle. Britannique.
Graveur.
Il grava des scènes de genre et des séries de portraits, dont celui de *Deila* (de la collection de Boydell).

EVANS Bernard Walter
Né en 1843 ou 1848 à Birmingham. Mort en 1922. XIXe-XXe siècles. Britannique.
Peintre de paysages, aquarelliste.
Élève de Samuel Lines, à Birmingham. Il se fixa à Londres en 1869 et exposa, à partir de 1871, à la Royal Academy, à Suffolk Street et à la New Water-Colours Society. En 1880, il devint membre de la Royal Society of British Artists et en 1887 il fut élu au Royal Institut of Painters in Water-Colours. Il obtint en France une mention honorable à l'Exposition Universelle de 1900.
Musées : Londres (Victoria and Albert Mus.) : *Vieille maison à Hendon – Environs de Barmouth – Clair de lune – Cannock Chase, Staffordshire – Grasse de la Croix de Gardes – Cannes vu du Cannet – Leaving Pasture* – Melbourne : *Coucher du soleil – Cannock-Chase* – Sydney : Deux aquarelles.
Ventes Publiques : New York, 12 et 13 mars 1903 : *Le retour à la maison*, aquar. : **USD 80** ; *Dans la plaine*, aquar. : **USD 55** – Londres, 7 déc. 1907 : *Église de Colwich*, aquar. : **GBP 19** ; *Près de Cannon Chase*, aquar. : **GBP 10** – Londres, 21 nov. 1908 : *Cannock Chase* : **GBP 4** – Londres, 16 juin 1922 : *Tours de Barden*, dess. : **GBP 46** – Londres, 7 juil. 1922 : *Cabra, près de Grasse* : **GBP 44** – Londres, 23 avr. 1923 : *Ville d'eaux* : **GBP 21** – Londres, 19 fév. 1981 : *Bolton Abbey, Yorkshire*, aquar. (40,5x76) : **GBP 480** – Londres, 29 avr. 1986 : *Vue de Harrogate*, aquar. (37,2x72,5) : **GBP 650** – Londres, 12 mai 1993 : *Antibes depuis le Cap d'Antibes (Alpes maritimes)*, aquar. et gche (39,4x74,5) : **GBP 2 127**.

EVANS Bob
Né en 1947 à Cardiff. XXe siècle. Britannique.
Peintre, dessinateur.
Il fait ses études entre 1964 et 1971 au Cardiff College of Art, au Chelsea School of Art, et au Hornsey College of Art.
Plusieurs expositions collectives depuis 1968, notamment la *9e Biennale de Paris* en 1975. Prenant comme source la photographie, puis prolongeant son étude par des dessins préliminaires, l'artiste élabore petit à petit une forme picturale qui acquiert de ce fait une histoire autonome.
Bibliogr. : In : Catalogue de la *9e Biennale de Paris*, 1975.

EVANS David
Né en 1793 à Montgomeryshire. Mort le 17 novembre 1861 à Shrewsbury. XIXe siècle. Britannique.
Peintre verrier.
Il fut élève de J. Betton à Shrewsbury.

EVANS Donald
Né en 1945. Mort en 1977. XXe siècle. Américain.
Peintre-aquarelliste.
Ventes Publiques : New York, 11 nov. 1986 : *Sabot* 1977, aquar./pap./feuille de philatélie (29,3x20,4) : **USD 8 000** – New York, 10 oct. 1990 : *Poire de Archterduk* 1972, aquar./pap. (15,2x10,1) : **USD 4 125** – New York, 1er mai 1991 : *Song-ting* 1975, quatre aquar./pap. plié comme dans un album philatélique (29,5x51,4) : **USD 6 600** – Amsterdam, 22 mai 1991 : *La Flore de Jantar*, aquar./pap. philatélique, timbres-poste (20,8x18,4) : **NLG 18 400** – Amsterdam, 10 déc. 1996 : *Joisas* vers 1975, aquar./pap., dix timbres (21x7) : **NLG 6 342**.

EVANS Edmund
Né le 23 février 1826 à Londres. Mort le 21 août 1905 dans l'île de Wight. XIXe siècle. Britannique.
Graveur.
Il fut élève d'Ebenezer Landells. Il collabora à différents journaux comme l'*Illustrated London News* et illustra des livres tels que la *Chronicle of England* de J. E. Doyle.

EVANS Edmund William
Né le 14 janvier 1858. XIXe siècle. Britannique.
Graveur.
Exposa huit fois à la Royal Academy, de 1879 à 1893.

EVANS Edwin
Né à Lehi (Utah). XIXe-XXe siècles. Américain.
Peintre.
Élève, à Paris, de l'Académie Julian et de J.-P. Laurens, Jules Lefebvre et Benjamin-Constant.

EVANS Étienne
Né en 1793 à Paris. XIXe siècle. Français.
Peintre sur porcelaine.
Il travailla ainsi que son fils également peintre pour la Manufacture de Sèvres.

EVANS F.
XVIIIe siècle. Britannique.
Graveur.
Le British Museum possède un portrait signé de ce nom.

EVANS Frederic Macnamara
XIXe-XXe siècles. Britannique.
Peintre de genre, aquarelliste.
Actif à Londres entre 1886 et 1928. Il exposa pour la première fois à la Royal Academy en 1891.
Ventes Publiques : Londres, 17 oct. 1984 : *Home hairdressing*, aquar. (37,5x26,7) : **GBP 2 200** – Londres, 16 oct. 1986 : *Pêcheur racontant une histoire*, aquar./pap. mar./cart. (51x76) : **GBP 1 800** – Londres, 6 nov. 1996 : *Le Conteur*, aquar. (65x81,5) : **GBP 2 760** – Montréal, 18 juin 1996 : *Un récit de pêcheur*, aquar. (66x83,8) : **CAD 1 800**.

EVANS G.
XIXe siècle. Britannique.
Portraitiste.
Il travailla à Londres, où il exposa vers 1842, à la Royal Academy. Le Musée de Salford conserve de lui : *Portrait de R. P. Livingstone*.

EVANS Garth
Né en 1934 dans le Cheshire. XXe siècle. Britannique.
Sculpteur d'environnements. Abstrait-géométrique.
Il a étudié à la Slade School. Il réalise des environnements géométriques.

EVANS George
Mort avant 1770. XVIIIe siècle. Britannique.
Peintre de portraits.
Il exposa à Londres des portraits et des décorations.

EVANS George
Né en 1763. Mort le 18 avril 1819 à Shrewsbury. XVIIIe-XIXe siècles. Britannique.
Peintre de paysages et dessinateur.
Il exposa en 1795 à la Royal Academy de Londres, des paysages du pays de Galles.

EVANS George H.
Né à Graton (Michigan). XXe siècle. Américain.
Peintre.
Exposant du Salon des Artistes Français depuis 1924.

EVANS Grace French
Née à Davenport (Iowa). XXe siècle. Américaine.
Peintre.
Elle fut élève de H. More et de K. H. Miller. Membre de l'American Federation of Arts.

EVANS J.
XVIIIe siècle. Actif à Liverpool vers 1760. Britannique.
Graveur.
On cite de cet artiste quelques ex-libris.

EVANS J.
XIXe siècle. Actif à Londres vers 1800. Britannique.
Graveur.
Il fut élève de Charles Knight.

EVANS Jessie Benton
Née le 24 mars 1866 à Akeroy (Ohio). XIXe siècle. Américaine.
Peintre et graveur à l'eau-forte.
Élève de l'Art Institute of Chicago et de Zanetti Zilla, à Venise. Membre de la Chicago Society of Artists.

EVANS Joé
Né le 29 octobre 1857 à New York. Mort le 22 avril 1898 à New York. XIXe siècle. Américain.
Peintre de paysages.
Après avoir étudié à la National Academy of design et à la Student's League, il partit pour Paris en 1877 et pendant trois ans fut élève de Gérome à l'École des Beaux-Arts. De retour en Amérique, il devint secrétaire de la Société of American Artists et prit part à ses expositions.

EVANS John
XIXe siècle. Actif à Londres. Britannique.
Paysagiste.
Exposa fréquemment à Londres, de 1849 à 1891.

EVANS John William
Né le 27 mars 1855 à Brooklyn. XIXe siècle. Américain.
Graveur sur bois.
Élève de P. R. B. Peterson. Médaille de bronze, Buffalo 1901 et Saint Louis 1904.

EVANS Margaret
Née à Youngstowy (Ohio). XXe siècle. Américaine.
Peintre.
Élève de l'Art Students' League de New York. Directeur du Butler Art Institute.

EVANS Merlyn
Né le 31 mars 1910 à Cardiff. Mort en 1973. XXe siècle. Britannique.
Peintre, sculpteur, graveur. Abstrait puis surréaliste.
Il fut élève de l'École des Beaux-Arts de Glasgow, de l'Académie Royale d'Art de Londres. Il continua ses études à Paris, Berlin, Copenhague et en Italie. De 1934 à 1936, il résida à Paris et apprit la gravure dans l'atelier de S.W. Hayter. Il partit ensuite en Afrique du Sud où il s'installa jusqu'en 1942, y faisant d'ailleurs sa première exposition personnelle à Durban en 1939. Revenu en Angleterre pendant la guerre, il servit en Afrique du Nord, en Syrie et en Italie et, à son retour, s'installa à Londres où il fait sa première exposition en 1949. Il fut membre à partir de 1952 du *London Group*. Il enseigna à la Central School of Art and Craft. Il a participé à de nombreuses expositions collectives : Exposition internationale du Surréalisme de Londres en 1936, Biennale de São Paulo en 1953 et 1961, Documenta de Kassel en 1959, Biennale de Venise en 1960. Il a réalisé également des expositions personnelles à Londres. Il a été proche de l'art abstrait très vite, vers 1930, influencé d'abord par le vorticisme de Wyndham Lewis, puis par d'autres abstraits. Pourtant son art a ensuite évolué vers le surréalisme. ■ J. B.

Musées : Londres (Tate Gal.) : *Souvenir de Suez.*
Ventes Publiques : Londres, 13 déc. 1967 : *Figure debout* : **GBP 280** – Londres, 26 sep. 1985 : *Paysage* 1952, aquar. et pl. (19x25,5) : **GBP 500** – Londres, 3 mai 1990 : *Abstraction* 1958, h/t (127x100,5) : **GBP 1 540** – Londres, 24 mai 1990 : *Deux personnages* 1950, h/t (46x41) : **GBP 3 300** – Londres, 7 juin 1991 : *Deux personnages* 1950, h/t (46x41) : **GBP 1 430** – Londres, 25 nov. 1993 : *Le conflit* 1949, h/t (101,5x127) : **GBP 3 450** – Londres, 26 oct. 1994 : *Grand intérieur* 1952, h/t (101,5x127) : **GBP 7 475.**

EVANS Richard
Né en 1784 à Hereford. Mort en 1871 à Southampton. XIXe siècle. Britannique.
Peintre de portraits, fresquiste, copiste.
Cet artiste fut employé pendant quelque temps par Sir Thomas Lawrence, pour faire les fonds et les draperies de ses tableaux. Les copies des arabesques de Raphaël qui se trouvent au Victoria and Albert Museum ainsi que les portraits de Sir Thomas Lawrence, d'après Lawrence, de lord Thurlow, d'après Lawrence, et de Thomas Taylor furent également exécutés par lui. Evans résida pendant de longues années à Rome, s'exerçant à la fresque et à la copie des grands maîtres tout en faisant quelques portraits originaux.
Musées : Londres (Victoria and Albert Mus.) : *Ganymède donnant à manger à l'aigle de Jupiter*, aquar., imitation d'une fresque romaine – Londres (Nat. Portrait Gal.) : *Harriet Martineau* 1834 – *Thomas Taylor.*
Ventes Publiques : Londres, 17 mars 1978 : *Portrait de Henry Christophe, Roi de Haïti*, h/t (85x65) : **GBP 7 000** – Londres, 8 mai 1985 : *Portrait of Admiral Sir Thomas Masterman Hardy*, h/t (127x102) : **GBP 2 600.**

EVANS Rudolph
Né le 11 février 1878 à Washington D. C. (district de Columbia). Mort en 1960. XXe siècle. Américain.
Sculpteur de bustes, statues.
Il fut élève de Falguière et de Rodin. Il reçut des distinctions : troisième médaille au Salon des Artistes Français en 1914, à Paris ; médaille d'or Watrous de la National Academy of design en 1919. On lui doit un *Général Bolivar* (Marbre) au Bureau American Republics à Washington et une statue de *James Pierce*, à New York.
Musées : New York (Metropolitan Mus.) : *L'Heure dorée.*
Ventes Publiques : New York, 1er mars 1980 : *Figure ailée chevauchant un dauphin*, bronze (H. 43,8) : **USD 1 100** – New York, 7 oct. 1997 : *L'Instant précieux* vers 1913-1914, marbre (H. 168,7) : **USD 13 800.**

EVANS Samuel
Né à Flintshire. Mort vers 1835 à Droxford. XIXe siècle. Britannique.
Peintre de paysages.
Professeur de dessin au collège d'Eton, il fut le père de William Evans dit Evans of Eton.

EVANS Samuel T. G.
Né en 1829 à Eton. Mort le 1er novembre 1904 à Eton. XIXe siècle. Britannique.
Peintre de genre, aquarelliste.
Fils de William Evans, dit Evans of Eton. Il était membre de la Society of Painters in Water-Colours et pendant longtemps, professeur de dessin à Eton College. Exposait à la Royal Academy, de 1854 à 1893.
Musées : Dublin : *Maison près d'un lac.*
Ventes Publiques : Perth, 13 avr. 1981 : *Un torrent des Highlands*, h/t (59,5x89) : **GBP 340** – Londres, 21 juil. 1987 : *The falls of Glen Tilt*, aquar. reh. de blanc (51,4x68) : **GBP 650.**

EVANS Sarah
Née en 1870 à Brussels (Canada). XIXe siècle. Vivant à Chicago. Canadienne.
Peintre.

EVANS Sophie Wilhelmine
XVIIIe siècle. Hollandaise.
Graveur.
Active probablement à Rotterdam, elle travailla de 1791 à 1828 et fut élève de Nath. de Salieth.

EVANS Wilfred Muir
XIXe-XXe siècles. Actif à Londres. Britannique.
Peintre.
Il exposa des paysages à la Royal Academy.

EVANS William, dit **Evans of Bristol**
Né en 1809 à Bristol. Mort le 18 décembre 1858 à Londres. XIXe siècle. Britannique.
Peintre de paysages, aquarelliste.
Il habita pendant de longues années dans un endroit isolé au nord du Pays de Galles et trouva d'admirables sujets de peinture de la montagne sauvage dans laquelle il excelle. En 1845, il devint membre de la société des aquarellistes. Après 1852, il séjourna longtemps en Italie.
Ventes Publiques : Londres, 21 juil. 1987 : *The falls of the Machno, North Wales* 1848, aquar. et cr. (23,1x32,5) : **GBP 450** – Londres, 25 jan. 1989 : *Cour de ferme à Frant dans le Sussex*, aquar. et gche (25,5x35,5) : **GBP 572** – Londres, 25-26 avr. 1990 : *Un personnage près d'un ancien moulin à eau* 1847, aquar. et gche (36,5x43) : **GBP 495**.

EVANS William, dit **Evans of Eton**
Né le 4 décembre 1798 à Eton. Mort le 31 décembre 1877 à Eton. XIXe siècle. Britannique.
Peintre de paysages, aquarelliste.
En 1818, il succéda à son père comme professeur de dessin au collège d'Eton. Nommé associé en 1823, membre en 1830 de la société des aquarellistes, il continua à y exposer jusqu'en 1875.
Musées : Blackburn : *L'Abbaye de Bolton* – Londres (Victoria and Albert) : *Moulin à Droxford* – *La maison du garde*.
Ventes Publiques : Londres, 20 déc. 1909 : *Vue du Pays de Galles ; La Passe de Glencoe*, aquar. : **GBP 2** – Londres, 29 jan. 1910 : *Près de Slourbridge*, aquar. : **GBP 7** – Londres, 7 mars 1910 : *Lac Tyrolien*, aquar. : **GBP 2** – Londres, 4 avr. 1910 : *Côtes d'Italie*, aquar. : **GBP 2** – Londres, 23 juin 1972 : *Eton High Street* : **GNS 6 000** – Londres, 19 nov. 1981 : *La Tamise à Windsor, Berkshire*, aquar. (54x75) : **GBP 2 100** – Londres, 10 mai 1983 : *Windsor from the river*, aquar. et cr. reh. de blanc (29,5x42) : **GBP 700** – Londres, 24 mars 1987 : *Romney Lock, near Windsor*, aquar. et cr. reh. de blanc (31,1x48) : **GBP 3 000** – Londres, 9 avr. 1992 : *Gamins se baignant dans un ruisseau avec le château de Windsor au fond*, aquar. et gche (42x66,5) : **GBP 2 640**.

EVANS William
XIXe siècle. Actif à Londres au début du XIXe siècle. Britannique.
Dessinateur et graveur.
Il fit des dessins pour les publications de Cadell et de Boydell et collabora avec Benjamin Smith. Il grava, en 1822, quelques planches pour *Les spécimens de sculpture ancienne de la société des Dilettanti* et dessina pour *La galerie des portraits contemporains* de Cadell.

EVANS William E.
XIXe-XXe siècles. Britannique.
Peintre de genre.
Il exposa à la Royal Academy de Londres à partir de 1889.
Ventes Publiques : Londres, 1er oct. 1986 : *The skipping rope*, h/t (76x51) : **GBP 2 000**.

EVANS DE SCOTT
Né en 1847 à Boston. Mort le 4 juillet 1898, lors du naufrage de la Bourgogne. XIXe siècle. Américain.
Peintre de genre, portraits, natures mortes.
Après avoir travaillé à Cleveland vers 1874, il vint à Paris, en 1877, et fut élève de Bouguereau. Revenu à Cleveland, il fut nommé professeur à l'Académie des Beaux Arts. Cet artiste trouva la mort tandis qu'il se rendait à Paris pour peindre un plafond qui lui avait été commandé.
Ventes Publiques : New York, 15 mars 1906 : *Les Fainéants*, dess. : **USD 100** – Londres, 19 déc. 1908 : *Tenby* 1865, dess. : **GBP 5** – Londres, 16 mars 1979 : *A serious question* 1896, h/t (60,3x50,2) : **GBP 900** – New York, 29 jan. 1981 : *A serious question* 1896, h/t (61x50,8) : **USD 2 500** – New York, 21 sep. 1984 : *Trompe-l'œil : « Leave message »*, h/t (30,7x25,5) : **USD 24 000** – New York, 4 déc. 1986 : *Pistol and Ace*, h/t (30,5x25,4) : **USD 21 000** – New York, 25 mai 1989 : *Nature morte d'oranges et de raisin* 1891, h/t (25,5x30,5) : **USD 19 800** – New York, 12 mars 1992 : *L'artiste et son modèle* 1891, h/t (50,8x40,4) : **USD 6 600** – New York, 14 sep. 1995 : *« Goody two shoes »*, h/t (30,5x25,4) : **USD 12 650** – New York, 14 mars 1996 : *Le connaisseur* 1887, h/t (109,9x61) : **USD 29 900**.

EVARD André
Né le 1er juin 1876 à Renan. Mort en 1972 à Renan. XXe siècle. Suisse.
Peintre. Tendance abstrait-constructiviste. Groupe Die Allianz.
Travaillant à la Chaux-de-Fonds, il fut membre fondateur du groupe *Die Allianz*. Il a exposé, à Paris, au Salon d'Automne et au Salon des Artistes Indépendants à partir de 1924.
Entre 1919 et 1939, il pratiqua une peinture d'abord cubiste, puis abstraite, assez proche du constructivisme.
Ventes Publiques : Munich, 29 juin 1983 : *Espaces et temps* 1923, h/t (35x24) : **DEM 10 500**.

EVARD Enéa
XIXe siècle. Russe.
Peintre.
On connaît de lui un *Portrait* d'*Edvard Grieg*.

EVARD René
Né à Bienne. XXe siècle. Actif en France. Suisse.
Peintre de paysages animés.
Il expose, à Paris, depuis 1934, au Salon des Artistes Français des vues du Nord, où il s'est fixé à Béthune.

EVE George William
Né le 4 juillet 1855 à Londres. XIXe siècle. Britannique.
Graveur.
Il fut, à partir de 1903, membre de la Royal Society of Painters Etchers. On lui doit de nombreux ex-libris.

EVE Jean
XVIe siècle. Actif à Caen à la fin du XVIe siècle. Français.
Peintre.

ÈVE Jean
Né en 1900 à Somain (Nord). Mort en 1968 à Louveciennes (Yvelines). XXe siècle. Français.
Peintre de paysages, paysages urbains, fleurs, cartons de tapisseries. Naïf.
Fils de mineur, autodidacte parvenu à une parfaite culture esthétique, Ève se révéla aquarelliste dès l'âge de sept ans. À quinze ans il osait aborder l'huile. À l'école d'apprentissage de Thiers (Puy-de-Dôme), il peignait pour se distraire du labeur mécanique. Tour à tour élève de l'École coloniale du Havre, soldat (engagé volontaire dans les Saphis, 1918), cheminot, pointeau de fonderie, dessinateur industriel, douanier, il peint toujours. En 1924, l'exposition *Courbet* est pour lui une révélation. On le remarque quand il commence à peindre l'Île-de-France et la banlieue de Paris. Il fut encouragé par Kisling et le groupe de *l'Art Vivant*, ce qui lui permit de faire une première exposition particulière, à Paris, en 1930. Il exécuta aussi des cartons de tapisseries pour les Manufactures de Beauvais et des Gobelins. Il conserva néanmoins sagement son emploi dans l'administration de l'octroi, comme Henri Rousseau. Après avoir participé à l'exposition des *Maîtres de la Réalité Populaire*, à Paris et Zurich, en 1937, il figura dans de nombreuses expositions, en France, en Angleterre et aux États-Unis. Il exposa régulièrement, à Paris, au Salon des Indépendants et au Salon d'Automne, dont il était sociétaire. Il fut lauréat du Prix de l'Île-de-France en 1952. Bernard Dorival dit de lui : « La banlieue est son thème de choix, ainsi que les églises et les cathédrales, qu'il traite avec un sens poétique très vif, dans une ressemblance presque photographique ». ■ J. B.

Jean Ève

Bibliogr. : Bernard Dorival : *Les Peintres du XXe siècle*, Tisné, Paris, 1957.
Musées : Alger – Grenoble – New York (Mus. d'Art Mod.) – Paris (Mus. d'Art Mod.) – Turin.
Ventes Publiques : Paris, 5 juin 1944 : *Paysage sur Limazy près de Mantes* 1930 : **FRF 3 000** – Paris, 24 mars 1947 : *Le restaurant au bord de l'eau « Au Petit Poucet »* : **FRF 13 000** – Paris, 14 juin 1957 : *Les coteaux Baudemont avec le Hameau de Mauverand* :

FRF 210 000 – New York, 16 fév. 1961 : *Château sur l'Epte (Eure)* : **USD 725** – Tokyo, 30 oct. 1969 : *Paysage de neige* : **JPY 340 000** – Paris, 13 juin 1974 : *L'automne aux coteaux Baudemont près de Bray-Lû (Val-d'Oise)* : **FRF 13 000** – Londres, 20 oct. 1976 : *Une ferme en hiver, Doubs* 1963, h/t (32x45) : **GBP 340** – New York, 18 oct. 1979 : *Scène de moisson, Epte-sur-Eure* 1947, h/t (54x72,4) : **USD 2 100** – Paris, 27 juin 1983 : *Menton, vue du port avec le Greyhound*, h/t (54x65) : **FRF 18 500** – Paris, 11 juin 1987 : *Vue sur les célestins de Jimay* 1930, h/t (50x73) : **FRF 30 000** – Paris, 29 juin 1988 : *Bouquet de fleurs des champs*, h/t (73x54,5) : **FRF 20 000** – Le Touquet, 12 nov. 1989 : *Village sous la neige*, h/pan. (19x24) : **FRF 21 000** – Paris, 26 avr. 1990 : *Moisson sur la route d'Aveny (Eure)* 1952, h/t (46x55) : **FRF 40 000** – Paris, 15 avr. 1991 : *Arbres en fleurs au printemps*, h/t (33x46) : **FRF 28 000** – Paris, 26 juin 1991 : *L'allée de platanes* 1931, h/t (55x46) : **FRF 38 000** – New York, 24 fév. 1994 : *Vue de Paris* 1959, h/t (41,3x27,3) : **USD 3 910** – Calais, 3 juil. 1994 : *Le Marronnier en fleurs* 1951, h/t (46x33) : **FRF 25 000** – New York, 14 juin 1995 : *Nature morte aux huîtres*, h/t (45,7x64,8) : **USD 4 887** – Paris, 12 juil. 1995 : *Neige, le village de Berthenonville*, h/t (54x73) : **FRF 52 000** – Paris, 28 oct. 1996 : *La Cathédrale de Mantes* 1930, h/t (38x55) : **FRF 25 500** – Paris, 23 fév. 1997 : *Paysage à l'étang*, h/t (50x73) : **FRF 50 000**.

ÉVEILLARD Georges
Né à Nantes (Loire-Atlantique). xxe siècle. Français.
Peintre.
Il exposait, à Paris, au Salon des Artistes Français, à partir de celui de 1919, où il figurait dans la section spéciale consacrée aux Artistes Mobilisés.

EVELDT Christian
xviiie-xixe siècles. Allemand.
Peintre.
Il travailla au château de Dyk près de Grevenbroich.

EVELEN Hans Van
xviie siècle. Actif à Amsterdam vers 1650. Hollandais.
Peintre.

EVELYN John
Né le 31 octobre 1620 à Wotton (Surrey). Mort le 27 février 1706 à Londres. xviie siècle. Britannique.
Graveur amateur.
En 1649, il grava à Paris cinq petites planches traitant de son voyage de Rome à Naples. Cet artiste grava aussi une vue de sa propriété à Wotton et une vue de Putney. Il est également l'auteur de *Sculptura*, une des premières publications anglaises ayant la sculpture pour sujet, et qui parut en 1662.

EVEN André
Né le 16 mai 1918 à Pont-Aven (Finistère). xxe siècle. Français.
Peintre, peintre de compositions murales, cartons de tapisseries à sujets religieux. Tendance naïve.
Il fait ses études dans l'atelier Souverbie, à l'École Nationale des Beaux-Arts de Paris, puis entre Chez Maurice Denis. Il a surtout exécuté des peintures murales dans les églises de Névez (1950), Concarneau (1951), Rocleng-sur-Geer près de Liège (1955).
Marqué par l'École de Pont-Aven, il simplifie les plans colorés, donnant un art tantôt pseudo-naïf, tantôt décoratif, qui se réalise plus pleinement dans ses tapisseries.

Musées : Brest – Pont-Aven – Tourcoing – Vatican.
Ventes Publiques : Brest, 18 déc. 1983 : *Les champs jaunes*, h/t (38x56) : **FRF 7 800** – Brest, 17 mai 1987 : *Paysage aux champs bleus*, h/t (50x65) : **FRF 10 800** – Paris, 4 avr. 1989 : *Vue de Chartres*, h/pap. (61x46) : **FRF 4 000** – Sceaux, 11 mars 1990 : *Le vallon jaune*, h/t (24x35) : **FRF 3 800** – Paris, 6 fév. 1991 : *Village en Bretagne*, h/pap. mar./t. (54x73) : **FRF 4 200**.

EVEN Jean
Né au xixe siècle à Dinan (Côtes-d'Armor). xixe siècle. Français.
Peintre de genre, natures mortes, aquarelliste.
Figura au Salon de Paris, de 1872 à 1880, avec des natures mortes et des sujets de genre familiers, à l'aquarelle.

EVEN Jean
Né le 14 juillet 1910 à Paris. Mort le 6 janvier 1986. xxe siècle. Français.
Peintre de paysages animés, figures, aquarelliste, lithographe, créateur d'affiches. Postimpressionniste.
En 1932, il entra à l'Ecole des Beaux-Arts de Paris, dans les ateliers de Devambez et Charles Guérin. Dès 1935 il exposa au Salon des Artistes Français, obtenant une médaille d'argent la même année, ensuite différentes distinctions, une médaille d'or en 1939. En 1936, il avait remporté le prix de la Casa Velasquez, dont il profita à Fez au Maroc, en raison de la guerre civile espagnole. De retour à Paris, il prit son poste de professeur de dessin de la Ville de Paris. Il a exposé dans différents Salons annuels : des Indépendants, d'Automne, de l'Imagerie, de la Marine, etc. Dans les années quarante, il exécuta de très nombreuses commandes d'affiches touristiques, notamment pour Air France, l'Office du tourisme marocain, Evian, etc. Dans la même destination touristique, il a également eu l'occasion de réaliser des décorations murales. À partir de 1959, il exposa annuellement au Salon des Peintres Témoins de leur Temps. En 1968, il est élu membre du jury du Salon d'Automne, en 1980 membre du Comité de ce même Salon. Durant toutes ces années il a beaucoup voyagé, Corse, Maroc, Italie, Espagne ; il a fait depuis 1938 de très nombreuses expositions personnelles à Paris, en province, à l'étranger, aux États-Unis, etc. ; et surtout beaucoup séjourné et travaillé en Bretagne, au Faou, à partir de 1938 également. En 1986, le Musée de la Marine lui consacrait une vaste exposition rétrospective, suivie d'un *Hommage* au Salon d'Automne, puis en 1987 au Salon de la Société Nationale des Beaux-Arts, en 1988 au Salon du Dessin et de la Peinture à l'Eau.
Il a peint des portraits et figures, mais surtout dans son entourage. Ses thèmes de prédilection furent les marines portuaires, les plages aussi, les chasses à courre en forêt, les chevaux en général. Très tôt, il possédait la technique qui caractérisera tout son œuvre : une touche postimpressionniste très « enlevée » au service d'une lumière imperturbablement solaire. ■ J. B.

Bibliogr. : Roger Ikor : *Jean Even*, Rosay, Vincennes, 1985 – divers : Catalogue de l'exposition rétrospective *Jean Even*, Crédit Mutuel de Bretagne, 1988.
Musées : Casablanca – Paris (Mus. Nat. d'Art Mod.) – Paris (Mus. d'Art Mod. de la Ville de Paris) – Rabat.
Ventes Publiques : Versailles, 23 nov. 1986 : *Bateaux pavoisés à Porto del Selva*, aquar. gchée (49x64) : **FRF 5 500** – Versailles, 21 fév. 1988 : *Voiliers dans le port de Saint-Tropez*, h/t (65x81) : **FRF 9 000** – Paris, 14 déc. 1988 : *La jeune lectrice*, h/t (55x46) : **FRF 10 000** – Paris, 16 oct. 1996 : *La Table au soleil*, h/t (90x106) : **FRF 20 500**.

EVENEPOEL Henri Jacques Édouard
Né le 4 octobre 1872 à Nice (Alpes-Maritimes). Mort le 27 décembre 1899 à Paris. xixe siècle. Belge.
Peintre de scènes de genre, figures, portraits, paysages, paysages urbains, pastelliste, dessinateur, lithographe.
Il reçut le premier enseignement de son art à l'Académie de Bruxelles, dans l'atelier de Blanc Gorin, puis surtout à Paris, d'abord chez Galland, à partir de 1892, et ensuite chez Gustave Moreau, qui suscita l'éclosion de talents tels que Rouault ou Matisse. À la fin de sa vie, il séjourna en Algérie, où il tentait de refaire sa santé. De retour à Paris, et s'apprêtant à revenir en Belgique, il mourut brusquement d'hémorragie.
Evenepoel excella à peindre de grandes figures en pied, bien situées dans leur décor. On connaît de lui quelques scènes enfantines, et il rapporta quelques compositions violemment colorées d'Algérie. Mais, c'est sur ces personnages, de la verve de cet *Espagnol à Paris*, qu'il faut le juger. La toile est solidement charpentée, le métier sobre rappelle celui de Manet. D'ailleurs, on pourrait aisément pousser plus loin la comparaison avec celui-ci. Evenepoel aussi, se désintéressa de tout sentiment surajouté à la beauté des lignes, à la solidité de la forme, et à l'harmonie des couleurs. Tous deux étaient des peintres, et ne se voulaient rien d'autre.

Bibliogr. : In : *Diction. de la peinture flamande et hollandaise*, coll. Essentiels, Larousse, Paris, 1989.

Musées : Anvers – Bruxelles (Mus. des Beaux-Arts) : *Portrait du peintre Paul Baignières – Homme en rouge – Henriette au grand chapeau* – Francfort-sur-le-Main (Städel. Inst.) : *Café d'Harcourt* – Gand : *L'Espagnol à Paris* – Ixelles : *Noyé du pont des Arts* – Liège : *Promenade du dimanche* – Paris (Mus. d'Orsay) : *Portrait de Milcendeau.*
Ventes Publiques : Bruxelles, 30 mai 1967 : *Avenue de la Motte-Piquet* : **BEF 60 000** – Amsterdam, 10 déc. 1968 : *Les brodeuses* : **NLG 9 000** – Anvers, 22 avr. 1969 : *Sophie en robe rouge* : **BEF 900 000** – Anvers, 3 avr. 1973 : *La femme au pompon rose,* past. : **BEF 1 500 000** – Bruxelles, 24 mars 1976 : *Apparition du Christ,* h/t (35x24) : **BEF 38 000** – Bruxelles, 23 mars 1977 : *Le mendiant arabe* 1897, h/t (82x54) : **BEF 100 000** – Londres, 4 avr. 1978 : *Projet d'affiche pour un marchand d'estampes,* gche, craie de coul. et pl. (20x14) : **GBP 800** – Amsterdam, 24 fév. 1981 : *Le cas de Monsieur Valdemar,* craie noire/pap. (17,5X29) : **NLG 2 000** – Bruxelles, 23 mars 1983 : *Jeune femme au chapeau de paille,* h/t (55x46) : **BEF 950 000** – New York, 10 oct. 1984 : *Au square* 1897, litho. en coul. (33,2x23,2) : **USD 1 500** – Bruxelles, 8 mai 1985 : *Petit duo, Henriette et Sophie* 1897, h/t (32x41) : **BEF 900 000** – Londres, 25 mars 1987 : *Aux Folies-Bergère,* past. (34x44,5) : **GBP 43 000** – Lokeren, 8 oct. 1988 : *Homme assis et debout vu de dos,* deux dess. à la craie noire (chaque 20x12,8) : **BEF 36 000** ; *Promenade,* craie noire (17x12,5) : **BEF 19 000** ; *Coin de mon atelier de Paris,* craie noire (20x13) : **BEF 22 000** – Bruxelles, 12 juin 1990 : *Promenade,* h/pan. (25x22) : **BEF 220 000** – Lokeren, 10 oct. 1992 : *Charles en Arabe* 1898, h/t (73x50) : **BEF 5 000 000** – Paris, 2 avr. 1993 : *Femme à l'ombrelle et sa petite fille,* litho. en coul. (33x23) : **FRF 5 500** – Lokeren, 15 mai 1993 : *Paysage d'Algérie, Petits sapins* 1898, h/pan. (22x35) : **BEF 320 000** – Lokeren, 28 mai 1994 : *Petit cimetière arabe à Blidah,* h/t (27x40,5) : **BEF 650 000** – Paris, 26 fév. 1996 : *Au square* 1897, litho. : **FRF 7 800.**

ÉVENO Édouard Jules
Né le 11 septembre 1884 à Saint-Aubin-du-Cormier (Ille-et-Vilaine). xxe siècle. Français.
Peintre animalier.
Il travaille à Rouen au xxe siècle.

EVENS
xixe siècle. Actif à Munster au début du xixe siècle. Allemand.
Peintre.
Il peignit vers 1800 un *Martyre de saint Lambert* pour l'église Saint-Lambert de Münster.

EVENS Otto Frederik Theobald
Né le 16 février 1826 à Copenhague. Mort le 21 novembre 1895 à Copenhague. xixe siècle. Danois.
Sculpteur de groupes.
Fils d'un fondeur en cuivre, il apprit d'abord le métier de son père, en même temps qu'il suivait les cours professionnels de l'Académie (1839). Mais après s'être rendu compte de sa vocation artistique, il entra dans la véritable école d'art de l'Académie. Il fut bientôt admis chez H. V. Bissen, dans l'atelier duquel il travailla plusieurs années. Lauréat du prix Neuhausen en 1857 pour son groupe : *Amour maternel,* il reçut en 1858 la bourse de l'Académie. Il séjourna pendant trois ans à Rome, d'où il revint en 1865 après avoir reçu le legs Ancher.
Il a exécuté pour l'exposition une statue d'Eckersberg (1865, à la salle des fêtes de l'Académie). Plus tard, ses deux statues de Saxo et de Grundtvig eurent beaucoup de succès. Evens fut nommé membre de l'Académie en 1871.
Musées : Copenhague : *Un valet qui abreuve son cheval – Tycho-Brahé – Jeune garçon sur le point de prendre un bain – Un pêcheur enseignant à un garçon à jouer de la flûte.*
Ventes Publiques : Londres, 8 nov. 1984 : *Bacchus portant un jeune satyre* vers 1850, bronze (H. 131) : **GBP 3 100.**

EVERAARDS N.
Éc. flamande.
Portraitiste et miniaturiste.
Cité par Siret.

EVERAERT Clemens Augustinus
xviiie siècle. Actif à Anvers au début du xviiie siècle. Éc. flamande.
Peintre.

EVERAERT M. X.
xixe siècle. Actif à Louvain vers 1850. Éc. flamande.
Peintre.
Il exécuta en 1855 une peinture pour l'abbaye de Vlierbeck.

EVERAERTS D.
xixe siècle. Actif vers 1845. Éc. flamande.
Peintre de paysages et d'animaux.
Il est cité par Siret.

EVERAERTS Joannes
xviie siècle. Actif à Anvers vers 1697. Éc. flamande.
Graveur.

EVERAERTS Johann
Mort vers 1766 à Cologne. xviiie siècle. Hollandais.
Graveur.
Il grava des sujets religieux.

EVERAERTSONE Lambrecht
xvie siècle. Actif à Anvers au début du xvie siècle. Éc. flamande.
Peintre.

EVERARD
xie siècle. Actif en 1068 à Parme.
Peintre.
Il était prêtre.

EVERARD
xvie siècle. Actif à Saint-Omer. Éc. flamande.
Peintre d'histoire.
Sanderus cite une seule œuvre de ce peintre : *La Flagellation,* retable de l'église Saint-Bertin, à Poperinghe.

EVERARD Ruth
Née à Natal. xxe siècle. Britannique.
Peintre de paysages.

EVERARD von Monster
xve siècle. Actif à Kalkar en 1493. Allemand.
Sculpteur.
Devait travailler avec les ARNOLD, sculpteurs de Calcar, du xive au xvie siècle.

EVERARDI Angiolo, dit **Fiaminghino**
Né en 1647 à Brescia. Mort en 1678 à Brescia. xviie siècle. Italien.
Peintre.
D'origine flamande, il fut élève de Jan Van Hert. Il travailla pour l'église Saint-Jean-l'Évangéliste à Brescia.
Ventes Publiques : Milan, 16 déc. 1971 : *Paysage fluvial avec pêcheurs* : **ITL 1 500 000.**

EVERARDO
xie siècle. Actif à Parme vers 1068. Italien.
Peintre.

EVERART Marthe
Née le 20 novembre 1874 à Paris. xixe siècle. Française.
Peintre.
Elle exposa à Paris au Salon des Artistes Français à partir de 1905.

EVERASI A.
xvie siècle. Actif sans doute à la fin du xvie siècle. Italien.
Peintre.
Le Musée d'Ajaccio conserve de lui : *L'Annonciation.*

EVERBAG Frans
Né le 25 octobre 1877 à Amsterdam. xxe siècle. Hollandais.
Peintre de natures mortes, graveur.
On lui doit de nombreuses planches d'après Hals ou Rembrandt.
Ventes Publiques : Amsterdam, 27 avr. 1976 : *Nature morte aux roses* 1934, h/pan. (24,7x31,5) : **NLG 1 350** – Amsterdam, 18 mars 1985 : *Nature morte* 1945, h/t (58,5x68,5) : **NLG 1 650.**

EVERBROECK Carl Albert
xviie siècle. Actif à Anvers en 1695. Éc. flamande.
Sculpteur.

EVERBROECK Ferdinandus
xviie siècle. Actif à Gand en 1676. Éc. flamande.
Sculpteur.

EVERBROECK Frans Van
xviie siècle. Éc. flamande.
Peintre de fleurs et fruits.
Actif à Anvers dans la seconde moitié du xviie siècle.
Ventes Publiques : New York, 8 jan. 1981 : *Nature morte aux fleurs et aux fruits,* h/t (69x104) : **USD 16 000** – Monaco, 17 juin 1989 : *Grappes de raisin,* h/t (82x55) : **FRF 111 000.**

EVERBROOT Corneille
xviie siècle. Actif à Bruxelles en 1610. Belge.

Peintre.
Il fut élève de de Crayer.

EVERDING Hans
XIXe siècle. Actif à Cassel. Allemand.
Sculpteur.
Il obtint une médaille de bronze à l'Exposition Universelle de 1900 et l'année précédente, le grand prix de l'Académie de Berlin.

EVERDING Wilhelm
Né le 18 juillet 1863 à Brême. XIXe siècle. Allemand.
Sculpteur.
Il fut l'élève et le collaborateur de Robert Dorer, puis professeur de sculpture à Brême à partir de 1894 où il exécuta plusieurs monuments et de nombreux tombeaux.

EVERDINGEN Adriaen ou **Adrianus Van**
Né le 22 juin 1832 à Utrecht. Mort vers 1910 ou 1919 à Utrecht. XIXe-XXe siècles. Hollandais.
Peintre de paysages animés, paysages, aquafortiste.
Élève de J.-W. Bilders.

A.v. Everdingen

Musées : Utrecht : *Paysage.*
Ventes Publiques : Amsterdam, 16 nov. 1988 : *Un bon coin de pêche, avec un pêcheur au bord d'une rivière herbeuse et un moulin au loin,* h/t (59x52) : **NLG 7 475** – Amsterdam, 30 oct. 1990 : *Vaches dans un pré à l'aube,* h/pan. (32,5x42,5) : **NLG 3 910** – Amsterdam, 17 sep. 1991 : *Paysage fluvial boisé avec un pêcheur à la ligne et des vaches* 1868, h/t : **NLG 4 370** – Amsterdam, 14-15 avr. 1992 : *La péniche de foin,* h/t (76x111,5) : **NLG 20 125** – Amsterdam, 21 avr. 1994 : *Paysage fluvial avec une ferme et des paysans dans une barque,* h/pan. (36,5x58) : **NLG 6 900.**

EVERDINGEN Albert ou **Allaert** ou **Allart Van**
Baptisé à Alkmaar le 18 juin 1621. Enterré à Amsterdam le 8 novembre 1675. XVIIe siècle. Hollandais.
Peintre d'histoire, portraits, paysages animés, paysages, aquarelliste, dessinateur, aquafortiste.
Le premier maître d'Albert (ou Allart) Van Everdingen fut le paysagiste Roland Savery ; mais, Savery étant mort, il devint à dix-huit ans élève de Pierre Molyn l'Ancien, peintre, graveur, paysagiste de talent. On peut retrouver dans les œuvres d'Everdingen l'influence de chacun de ces maîtres : les sites sauvages, rocs éboulés, torrents impétueux de Savery, les campagnes paisibles et reposantes de Molyn. On sait très peu de chose de la vie d'Everdingen. Ses marines peintes ou gravées donnent l'impression de choses vues et font supposer qu'il voyagea sur mer. On raconte du reste qu'il fit naufrage dans la Baltique, sur les côtes de Norvège et que, durant le temps qu'on réparait le navire, il parcourut le pays, accumulant dessins et croquis dont il tira plus tard un parti judicieux pour animer et varier ses paysages et ses marines. Au retour, il se serait arrêté en Danemark dont le roi Frédéric IV lui commanda les grands tableaux qui ornent le palais de Christiansborg à Copenhague. Très pieux, il fut élu diacre de l'Église Réformée. Il laissa deux fils, peintres tous deux.
Ses tableaux sont assez rares et le plus souvent sur bois. On a donné de cette rareté une explication : son nom aurait été effacé et remplacé par celui de son contemporain Jacques Ruysdaël, les tableaux de celui-ci se vendant plus cher. Le Louvre n'en possède qu'un, un *Paysage* signé *A. V. Everdingen.* Il est assez curieux que les musées d'Anvers et de Bruxelles ne possèdent aucun tableau d'Everdingen. S'il n'en est point non plus à Londres, il y en avait un à Hampton-Court, résidence du cardinal Wolsey, un autre à Saint-Pétersbourg. On a signalé dans différentes ventes : une *Vue du Tyrol,* une *Chute d'eau,* une *Cascade,* un *Site de Norvège,* un *Village au bord d'un fleuve* (vue d'orage).
Plus peut-être qu'à ses peintures, Everdingen doit sa renommée à ses eaux-fortes. On connaît de lui deux suites d'estampes. La première, composée de 103 paysages, tous décrits par Adam Bartsch, n'est pas très rare. Il n'en est pas de même de la seconde, composée de 56 pièces (ou 57). Elles sont décrites dans un manuscrit de Mariette, relié avec le cahier des épreuves d'Everdingen qui lui ont appartenu et que possède le Cabinet des Estampes de Paris. Elles représentent les aventures de Reinecke (der fustige Reinecke, ou Reinecke-Fuchs), si célèbres en Allemagne, analogues à celles de notre Roman de Renart. Elles étaient vraisemblablement destinées à illustrer une édition de cette satire qui n'a jamais paru. Il existe deux éditions de cette suite.

Av. Everdingen 1647 A:VAN:EVERDINGEN AVE

Musées : Amiens : *Paysage de Norvège* – Amsterdam : *Vue de Norvège* – Amsterdam (Mus. Van den Boop) : *Colline boisée* – Avignon : *Marine – Tempête* – Bordeaux : Esquisse d'un paysage – Brême : *Paysage suédois* – Breslau, nom all. de Wroclaw : *Paysage montagneux en Norvège* – Caen : *Paysage du nord* – Carcassonne : *Marine* – Chantilly : *Tempête par un temps de neige* – Cologne : *Paysage boisé – Paysage norvégien* – Constance : *Paysage* – Dresde (Gal.) : *Paysage* – Florence (Gal.) : *Grande chute d'eau* – Francfort-sur-le-Main : *Le Moulin – Tempête – Paysage norvégien – Cascade en Norvège* – Graz : *Rivages norvégiens* – Haarlem : *Vue de la ville de Haarlem* – Hambourg : *Paysage norvégien – Cascade en Norvège – Paysage* – Hanovre : *Paysage montagneux – Même sujet* – Kaliningrad, ancien. Königsberg : *Un ravin avec des lions* – Leipzig : *Paysage du Nord* – Lille : *Paysage* – Londres (coll. Wallace) : *Paysage avec cascade* – Londres (Gal. Nat.) : *Paysage avec moulin à eau* – Lyon : *Paysage* – Mayence : *Paysage, forêt* – Munich (Pina.) : *Paysage – Tempête – Chute d'eau* – Nancy : *La cascade* – Paris (Mus. du Louvre) : *Paysage* deux œuvres – Rotterdam (Mus. Boymans) : *Paysage suédois* – Strasbourg : *Lac dans la montagne – Paysage montagneux* – Stuttgart : *Paysage avec ruisseau et château* – Valenciennes : *Paysage* – Vienne (Mus. Czernin) : *Paysage avec cascade – Paysage avec cascade.*
Ventes Publiques : Paris, en 1832 : *Chute d'eau dans un torrent* : **FRF 5 210** – Paris, 30 avr. 1895 : *Vue prise en Norvège* : **FRF 2 200** ; *Everdingen et Albert Cuyp ; Le prince d'Orange au siège de Breda* : **FRF 11 000** – Londres, 16 mars 1908 : *Rivière rocheuse* : **GBP 11** – Londres, 27 mai 1908 : *Paysage,* aquar. : **GBP 13** – Londres, 17 juin 1908 : *Rivière* : **GBP 35** – Londres, 20 fév. 1909 : *Rivière* : **GBP 16** – Londres, 27 juin 1909 : *Cavaliers à la porte d'une auberge* : **GBP 19** – Amsterdam, 22 juin 1910 : *Petit paysage* : **NLG 250** – Londres, 8 juil. 1910 : *Rivière dans la montagne* : **GBP 39** – Paris, 3 mars 1919 : *Le moulin à vent* : **FRF 3 600** – Paris, 3 juin 1920 : *Le Torrent* : **FRF 1 700** – Paris, 20 oct. 1920 : *Paysage montagneux avec chute d'eau,* attr. : **FRF 450** – Paris, 28 fév. 1921 : *La Cascade,* attr. : **FRF 3 020** – Paris, 13 juin 1921 : *Le Torrent* : **FRF 1 310** – Londres, 25 nov. 1921 : *Paysage montagneux avec personnages, chèvres et moutons* : **GBP 31** – Londres, 3 fév. 1922 : *Cascade rocheuse* : **GBP 5** – Londres, 26 juin 1922 : *Paysage d'hiver avec bâtiments, personnages et arbres couchés* : **GBP 10** – Londres, 25-26 juil. 1922 : *Cascade, entourée de rochers et d'arbres parmi lesquels se trouvent des huttes* : **GBP 4** – Londres, 16 avr. 1923 : *Paysage avec bâtiments de ferme et un cavalier traversant un pont* : **GBP 18** – Paris, 6 juil. 1928 : *Paysage norvégien* : **FRF 820** – Paris, 9 mars 1929 : *Vue d'un port,* attr. : **FRF 600** – Paris, 12 mai 1937 : *Le Torrent,* attr. : **FRF 2 050** ; *Flotille traversant des récifs,* attr. : **FRF 3 100** – Paris, 8 déc. 1938 : *Marine : mer houleuse,* lav. de bistre : **FRF 1 000** – Paris, 4 déc. 1941 : *Le Torrent,* École d'A. v. E. : **FRF 5 500** – Paris, 4 juin 1947 : *La Cascade dans les montagnes,* pl. et lav., attr. : **FRF 950** – Paris, 5 déc. 1951 : *L'orage* : **FRF 480 000** – Londres, 8 juil. 1959 : *Le Pavillon de chasse royal* : **GBP 320** – Londres, 17 mai 1961 : *Un estuaire avec bateaux de pêche* : **GBP 350** – Londres, 26 juin 1964 : *Paysage avec une chute d'eau et personnages sur un promontoire escarpé* : **GNS 750** – Paris, 31 mars 1966 : *Une cascade* : **FRF 14 000** – Londres, 7 juil. 1966 : *Paysage fluvial avec pêcheurs,* aquar. : **GBP 800** – Versailles, 8 juin 1967 : *Marine* : **FRF 16 000** – Amsterdam, 10 nov. 1970 : *Paysage escarpé* : **NLG 18 000** – Londres, 21 mars 1973 : *Vue d'un fjord norvégien* : **GBP 15 000** – Londres, 19 juil. 1974 : *Paysage fluvial au moulin* : **GNS 2 000** – Londres, 19 mai 1976 : *Paysage fluvial,* h/t (76x115) : **GBP 1 200** – Amsterdam, 21 mars 1977 : *Deux personnages dessinant près d'un ruisseau de montagne* (14,5x22,3) : **NLG 26 000** – Amsterdam, 30 oct. 1979 : *Cabanes près d'un torrent,* h/t (65,5x62) : **NLG 6 400** – Amsterdam, 17 nov. 1980 : *Personnages sur une rivière gelée,* pl. et lav./pap. (4,7X8,4) : **NLG 6 800** – New York, 17 juin 1982 : *Voiliers par forte mer,* h/pan. (42,5x59) : **USD 5 250** – New York, 7 nov. 1984 : *Paysage montagneux à la cascade,* h/pan. (45,5x64,5) : **USD 8 000** – Amsterdam, 26 nov. 1984 : *Vue d'une forêt avec une cascade,* pl. et lav./trait de craie noire (43,5X55,8) : **NLG 95 000** – Monte-

CARLO, 6 déc. 1987 : *Vue d'un estuaire en Hollande*, h/t (94x131,5) : **FRF 254 000** – NEW YORK, 14 jan. 1988 : *Paysage de montagne boisé avec des personnages et des animaux*, h/pan. (47x62,5) : **USD 19 800** – AMSTERDAM, 14 nov. 1988 : *Paysage avec des paysans*, lav. (10,3x10,1) : **NLG 2 300** – NEW YORK, 11 jan. 1989 : *Paysage montagneux avec des personnages sur un promontoire et une église au premier plan*, encres et aquar. (10,7x14,4) : **USD 5 720** – STOCKHOLM, 16 mai 1990 : *Personnages dans un paysage*, h/pan. (20x27) : **SEK 12 500** – AMSTERDAM, 14 nov. 1990 : *Paysage montagneux avec des personnages près d'un torrent*, h/t (89x71,5) : **NLG 13 225** – AMSTERDAM, 13 nov. 1990 : *Moulin au bord d'un torrent avec un clocher au fond*, h/pan. (37,8x33) : **NLG 25 300** – LONDRES, 3 juil. 1991 : *Paysage du nord avec un ruisseau*, h/pan. (40,6x52,8) : **GBP 7 700** – LONDRES, 15 avr. 1992 : *Voyageurs dans un paysage montagneux*, h/pan. (38,5x32) : **GBP 7 200** – NEW YORK, 22 mai 1992 : *Vaste paysage avec un château sur une falaise surplombant une cascade et un moulin à eau avec un manoir et un village à distance*, h/t (105,4x161,3) : **USD 159 500** – AMSTERDAM, 10 nov. 1992 : *Paysage scandinave avec un paysan et des bergers sur un chemin près d'un moulin à eau*, h/t (110,5x94) : **NLG 20 700** – AMSTERDAM, 16 nov. 1993 : *Paysage estival avec des pêcheurs*, craie noire et lav., une paire (chaque 4,9x8,4) : **NLG 51 750** – NEW YORK, 11 jan. 1994 : *Paysage hivernal avec un troupeau de cochons et son gardien et un laboureur avec une église et un moulin à l'arrière-plan*, craie noire, encre et lav. (10x9) : **USD 4 600** – PARIS, 28 oct. 1994 : *Train de flottage sur une rivière près d'un moulin*, aquar. et lav. sur un dess. au cr. (18x29,5) : **FRF 170 000** – AMSTERDAM, 12 nov. 1996 : *Barques de pêche sur une rivière dans un paysage d'été*, cr., encre brune et lav./craie noire (50x84) : **NLG 5 900** – RUMBEKE, 20-23 mai 1997 : *Paysan et moutons dans un paysage de Scandinavie*, h/t (110,5x94) : **BEF 233 060**.

EVERDINGEN Cesar Boetius Van
Né vers 1617 à Alkmaar. Enterré le 13 octobre 1678 à Alkmaar. XVIIe siècle. Hollandais.
Peintre de compositions religieuses, sujets mythologiques, scènes de genre, portraits.
Il est le frère d'Allart Van Everdingen. Il fut élève de Jan Van Bronckhorst à Utrecht. En 1632, il entra dans la gilde d'Utrecht, et, en 1651, dans celle de Haarlem, après avoir épousé à Alkmaar Helena van Oosthorn. En 1661, il s'installa à Amsterdam. Il eut pour élèves : Hendrik Graan, Van Hoorn, Adr. Wauneuhuysen, Ad. Dekker et Jan Teunisz Blankhof.
Il peignit des portraits de qualité, on cite notamment *Les Régents* 1634, à Alkmaar. En 1644, il travailla aux orgues de Saint-Laurent à Alkmaar ; en 1648, et 1650 à la salle d'Orange de la maison Huis Ten Bosch, près de La Haye, où il réalisa ce que l'on considère comme son œuvre majeure : *Pégase et les Muses*, dont les figures entourant le cheval, ont de l'élégance dans une composition aérée sur fond de feuillage, que complètent des instruments de musique. En Hollande, Cesar Van Everdingen fut le continuateur de l'académisme inspiré de l'Antiquité.
BIBLIOGR. : In : *Diction. de la peinture flamande et hollandaise*, coll. Essentiels, Larousse, Paris, 1989.
MUSÉES : AMSTERDAM (Rijksmuseum) : *Willem J. Baert, bourgmestre d'Alkmaar – Lysbeth Van Kessel femme de W. J. Baert – Couple d'amoureux dans un parc – Pan et Syrinx* – DOUAI : *La couturière d'Anvers* – DRESDE : *Bacchus et deux nymphes dans une grotte* – HAARLEM : *Daphné poursuivie par Apollon – L'Amour et Vénus – Femme avec une corbeille de fleurs* – LA HAYE : *Diogène cherchant un homme* – LEYDE : *Portrait d'homme – Anna Bloem* – ROUEN (Mus. des Beaux-Arts) : *Joueuse de cistre* – STOCKHOLM : *Jupiter et Sémélé* – STRASBOURG : *Socrate, deux femmes et Alcibiade*.
VENTES PUBLIQUES : LONDRES, 31 mai 1922 : *Dame en manteau brun* : **GBP 44** – LUCERNE, 29 nov. 1969 : *Pomone* : **CHF 130 000** – NEW YORK, 30 mai 1979 : *Christ bénissant les enfants*, h/pan. (76,5x127) : **USD 25 000** – LONDRES, 11 déc. 1987 : *Portrait de femme à la grande collerette*, h/pan. (71,5x60) : **GBP 13 000** – NEW YORK, 11 jan. 1989 : *Jeune garçon faisant des bulles de savon*, h/t (71x56) : **USD 8 800** – NEW YORK, 1er juin 1989 : *L'Enlèvement d'Europe*, h/t (151,1x118,1) : **USD 286 000** – NEW YORK, 15 mai 1996 : *Portrait d'un jeune homme en habit noir et chemise blanche debout de trois quarts devant un rideau drapé vert*, h/t (100,3x86,3) : **USD 6 900** – LONDRES, 13 déc. 1996 : *Portrait d'Elizabeth Cromwell*, h/t (101,9x83,3) : **GBP 18 400**.

EVERDINGEN Cornelis Van
Né le 16 février 1646 à Haarlem. XVIIe siècle. Hollandais.
Dessinateur.
Fils de Allart Van Everdingen. Marié à Amsterdam, le 16 juin 1684. Il dessina, en 1670, le titre de son drame : *De Slag in Vlaanderen*.

EVERDINGEN Jan Van
Mort en 1656 à Alkmar. XVIIe siècle. Hollandais.
Peintre de natures mortes.
Frère aîné d'Allart Van Everdingen, déjà notaire en 1639 ; il se maria le 3 août 1642 et entra dans la gilde d'Alkmar en 1644. Il était avocat.

EVERDINGEN Pieter Van
Né après 1651 à Amsterdam. Mort après 1715. XVIIe-XVIIIe siècles. Hollandais.
Peintre.
Il était fils de Allart E.
VENTES PUBLIQUES : PARIS, 23 mai 1928 : *Le pont à l'entrée du village*, lav. d'encre de Chine : **FRF 560**.

EVERDT Mathias
XVIIe siècle. Actif à Riga en 1683. Polonais.
Peintre de portraits.

EVERDYCK Mattheus Van
XVIIe siècle. Actif à Anvers en 1613. Éc. flamande.
Graveur.

EVERE Jan Van
XVe siècle. Actif à Bruxelles dans la première moitié du XVe siècle. Éc. flamande.
Sculpteur.
Auteur de l'autel en marbre blanc, polychromé par Roger Van der Weyden, en 1439, pour l'église des Récollets, à Bruxelles.

EVEREN Gillis
Mort vers 1513. XVIe siècle. Actif à Anvers. Éc. flamande.
Peintre.
Maître à Anvers en 1477. Un Gillis Van Everen, peintre de Bruxelles, peignit, en 1465, un tableau pour le maître-autel de l'église de Brecht. Un Adriaen Tack est mentionné en 1513 comme élève de Gillis Van Everen. On cite de lui *Le Cadavre du Christ sur les genoux de Marie*, signé *Aegid Van Everen* (autrefois à Nuremberg) et aujourd'hui disparu.

EVERETT Bruce
Né en 1942 en Californie. XXe siècle. Américain.
Peintre. Hyperréaliste.
Ses toiles sont caractéristiques et dépeignent, considérablement agrandis, des détails d'objets d'ameublement : poignées de portes, portemanteaux, douilles électriques, interrupteurs... Curieusement c'est à l'hyper-réalisme, vers 1970, qu'il doit son succès, alors que l'esprit de ses toiles est proche du pop art. Les toiles d'Everett sont peintes avec un souci constant d'exactitude photographique, et une bonne maîtrise technique.

EVERETT Élisabeth
Née au XXe siècle à Toledo (Ohio). XXe siècle. Américaine.
Peintre, sculpteur, graveur à l'eau-forte.
Elle fut élève de Walter Isaacs et du Ratt Institute. Prix Sweepstake en 1926. Premier Prix de la Western Washington Fair en 1927 et 1928.

EVERETT Herbert Edward
Né à Worcester. XIXe-XXe siècles. Vivant à Philadelphie. Américain.
Sculpteur.
Élève du Museum of fine Arts de Boston et de l'Académie Julian à Paris. Professeur.

EVERETT Joseph Alma Freestone
Né le 7 janvier 1884 à Salt Lake city (Utah). XXe siècle. Américain.
Peintre, graveur à l'eau-forte.

EVERETT Léna, Mrs, née **Mills**
Née à Rhode Island (New York). XIXe-XXe siècles. Américaine.
Peintre et pastelliste.
Élève de l'Académie Julian à Paris. De retour à New York, s'est fait une réputation comme portraitiste au pastel.

EVERETT Louise
Née le 9 avril 1899 à Des Moines (Iowa). XXe siècle. Américaine.
Peintre, sculpteur.
Elle fut élève de diverses académies des États-Unis, de l'Académie Julian, à Paris, et de l'École des Beaux-Arts de Fontaine-

bleau (1925). Médaille d'argent pour la sculpture à la Parc Southwest Exposition en 1928.

EVERETT Mary, Mrs **H. G. Everett**
Née en 1876 à Nifflinburg (Pennsylvania). xxe siècle. Américaine.
Peintre.

EVERETT Raymond
Né le 10 août 1885 à Englishtown (New Jersey). xxe siècle. Américain.
Peintre, sculpteur.
Il fut professeur de dessin et de peinture à l'Université du Texas.

EVEREYNDE Dirk
xviie siècle. Actif à Londres vers 1670. Hollandais.
Peintre.

EVERGHEM Jan Van, appelé aussi **Jan Van der Eecke**
xve siècle. Actif à Bruxelles. Éc. flamande.
Sculpteur.
En 1463, il entreprit, avec Godemaer de Boschere, la construction d'une tour de l'hôpital, à Oudenaarde.

EVERGOOD Philipp
Né le 26 octobre 1901 à New York. Mort le 11 mars 1973 à Bridgewater. xxe siècle. Américain.
Peintre de compositions religieuses, compositions animées, compositions murales, graveur, dessinateur. Expressionniste, puis tendance symboliste et surréaliste.
Né Blashki, ses parents changèrent légalement de nom en 1914. Il fit ses études en Angleterre, à Eton (1915-1919) et Cambridge (1919). Il décida en 1921 de devenir un artiste, quittant alors Cambridge pour devenir élève en sculpture de Havard Thomas à la Slade School of Art de Londres. En 1923, de retour à New York, il fut élève en peinture de George Luks et de William von Schlegell à l'Art Students' League. Durant cette même année il s'initia à la gravure. De 1924 à 1926, il fréquenta, à Paris, l'atelier d'André Lhote et l'Académie Julian sous la direction de Jean-Paul Laurens. En 1925, il fit un séjour d'étude à la British Academy de Rome et peignit plusieurs semaines dans le sud de la France. En 1930, il étudia la gravure avec Stanley Hayter, gagnant sa vie en tant que charpentier et « sparring partner » pour boxeurs professionnels. Il revint définitivement aux États-Unis en 1931. Evergood a enseigné dans plusieurs universités américaines : New York, Iowa, Minnesota. De 1934 à 1937, il fut chargé de la direction de la section de peinture de chevalet du Programme Fédéral d'Aide aux Artistes (Works of Art Project du Federal Art Project). Il fut membre du American Artists Congress, président de l'Artists Union, de l'American Society of painters, Sculptors and Gravers, etc.
Il a participé à certaines expositions collectives, notamment durant son séjour parisien, au Salon d'Automne en 1925 et, aux États-Unis, à la seconde Biennale du Whitney Museum en 1934, à New York. Sa première exposition personnelle eut lieu, en 1927, aux Dudensing Galleries, à New York. D'autres suivront principalement à New York : en 1929, 1933, 1935, Montross Gallery, New York ; 1936, Denver Art Museum, Denver ; régulièrement de 1938 à 1961, A.C.A Gallery, New York ; 1955, Duluth, rétrospective à la University of Minnesota ; 1960, Whitney Museum de New York. Il a obtenu de nombreuses distinctions, notamment : 1945, une mention honorable au Prix Carnegie de Pittsburgh ; 1946, le second prix du concours Franklin D. Roosevelt ; 1946, la récompense Alexander Shilling Purchase ; 1949, second prix du Carnegie Institute ; 1955, le premier prix au Baltimore Museum of Art.
Après une période où il a traité des sujets bibliques, il s'est souvent inspiré dans sa peinture, des éléments dramatiques de la vie contemporaine. L'exemple le plus complet de cette période reste la composition *Tragédie américaine* (1936 ou 1937), terrible répression d'une manifestation par la police, ainsi que *Don't cry Mother* (1938-1944) qui dénonce la pauvreté ou *Street Corner* (1936) qui met en scène un rassemblement hétéroclite d'habitants et travailleurs d'un quartier. Son style doit beaucoup à l'expressionniste allemand Max Beckmann, cependant dans une manière plus narrative. Il portera ensuite son intérêt vers des images tout à la fois symbolistes, surréalistes et allégoriques : *Sunny side of the Street* (1950), *Happy Entrance* (1951), *Nu au violon* (1957), mais parfois académiques. Evergood développe dans sa peinture une figuration à caractère onirique tout à fait troublante et forte. Toute perspective réaliste est absente de ses compositions, les personnages sont plus grands que nature et les expressions des visages exacerbées. Quant à la narration, elle ne cesse de circuler autour de l'image. Il fut aussi peintre de compositions murales : *The Story of Richmond Hill*, réalisée pour la Bibliothèque publique à Richmond Hill, New York, en 1937 ; *Gottom from Field to Mill*, pour la poste de Jackson, Georgie, en 1938.
Regardée et appréciée aujourd'hui, la peinture d'Evergood est intéressante à plusieurs titres et n'est finalement pas si éloignée des compositions d'une certaine « figuration libre » actuelle.
■ Christophe Dorny

Philip Evergood

Bibliogr. : John I. H. Baur : *Philipp Evergood*, Harry N. Abrams, New York, 1975 - in : *Dictionnaire universel de la peinture*, Le Robert, Paris, 1975 - in : *L'Art du xxe siècle*, Larousse, Paris, 1991.
Musées : New York (Whitney Mus.) : *Le Nouveau Lazare - The Strike* 1937 - New York (Mus. of Mod. Art) : *Don't cry Mother* 1938-1944 - Washington D. C. (Corcoran Gal.) : *Sunny Side of the Street* 1950.
Ventes Publiques : New York, 18 fév. 1960 : *Cornets de glace* : **USD 825** - New York, 9 oct. 1963 : *Promeneurs dans un parc* : **USD 2 750** - New York, 27 jan. 1965 : *Les Alpinistes* : **USD 1 250** - New York, 8 déc. 1971 : *Germinal, hommage à Zola* : **USD 3 000** - New York, 12 déc. 1974 : *Autoportrait* : **USD 1 300** - New York, 21 avr. 1977 : *La cour de Nabuchodonosor, Babylone*, deux aquar. et cr. (43,5x56 et 33,5x46,3) : **USD 3 100** - New York, 20 avr. 1979 : *David and the wife of Uriah, the Hittite* vers 1955, h/t (81,3x54) : **USD 10 500** - New York, 19 juin 1981 : *Fillette aux tournesols*, lav. d'encre et fus. reh. de blanc/pap. (57,1X39,3) : **USD 1 600** - New York, 23 juin 1983 : *Slaves bringing the vessels to the treasure house* 1927, aquar. et cr. (37,5x45) : **USD 1 100** - New York, 23 mars 1984 : *American beauty*, h/t (88,8x63,2) : **USD 11 000** ; *Sampling cotton* 1945, pinceau et encre noire et gche (60,3X47,8) : **USD 850** - New York, 30 sep. 1985 : *Hommes et machines*, aquar. et cr./pap. (100,5x76,2) : **USD 2 000** - New York, 3 déc. 1987 : *The bride (New york Suzana)*, h/t (94x80) : **USD 35 000** - New York, 17 mars 1988 : *Le Chalet de Jerry Purtie* 1935, gche/pap. (34,3x50) : **USD 16 500** - New York, 24 jan. 1990 : *Le pub près des quais*, gche/pap. (33x41,2) : **USD 3 850** - New York, 14 fév. 1990 : *Nu*, cr./pap. (46,2x35,5) : **USD 715** - New York, 16 mars 1990 : *Racolage* 1960, h/t (45,8x71,2) : **USD 9 350** - New York, 30 mai 1990 : *Hésitation*, h/t (50,8x45,5) : **USD 6 050** - New York, 26 sep. 1990 : *Quel temps va-t-il faire ?*, h/t (88,9x63,5) : **USD 15 400** - New York, 17 déc. 1990 : *Nu féminin* 1963, gche/pap. (74,3x53,3) : **USD 5 500** - New York, 18 déc. 1991 : *Paysage de l'ouest* 1947, h/rés. synth. (27,3x31,1) : **USD 1 650** - New York, 25 sep. 1992 : *L'équipe victorieuse* 1959, h/t. cartonnée (53,3x45,7) : **USD 8 250** - New York, 31 mars 1993 : *Trois personnages mythologiques*, cr. et aquar./pap. (56,5x41,3) : **USD 3 565** - New York, 25 mai 1994 : *La voie de garage* 1936, h/t (91,4x68,6) : **USD 63 000** - New York, 20 mars 1996 : *Avenir touchant*, h/pan. (73,7x53,3) : **USD 5 750** - New York, 27 sep. 1996 : *Nature morte avec une cruche et des fruits*, h/t (77,5x64,7) : **USD 9 200** - New York, 25 mars 1997 : *Jeune américain* 1949, h/t (71,1x56,2) : **USD 6 325**.

EVERHART Adélaïde
Née aux États-Unis. xxe siècle. Américaine.
Peintre et illustrateur.

EVERINGTON Everel Alice
Née en Angleterre. xxe siècle. Britannique.
Peintre.

EVERITT Allen Edward
Né en 1824 à Birmingham. Mort le 11 juin 1882. xixe siècle. Britannique.
Aquarelliste, dessinateur, décorateur.
Élève de David Cox, il se spécialisa dans la décoration de maisons de campagne dans les Midlands. Archéologue habile, il exécuta pour cet art de fort bons dessins à l'aquarelle tant en Angleterre que sur le continent ; de 1858 à 1882, il fut membre honoraire de la Société royale des artistes de Birmingham.
Ventes Publiques : Londres, 17 nov. 1995 : *Boiseries de chêne à l'intérieur d'une galerie* 1844, cr. et aquar. (28,8x43,5) : **GBP 575**.

EVERITT Edward
xixe siècle. Actif à Birmingham. Britannique.

Peintre.
Il exposa à Londres à partir de 1819.

EVERS Anton Clemens Albrecht
Né en 1802 à Moritzberg. Mort le 1er février 1848 à Hanovre. XIXe siècle. Allemand.
Peintre de portraits et de genre.
Élève de l'Académie de Dresde jusqu'en 1829. Travailla ensuite à Munich et à Hanovre.
VENTES PUBLIQUES : VIENNE, 4 déc. 1973 : *La Famille heureuse* : **ATS 50 000**.

EVERS Gerrit
XVIIIe siècle. Actif sans doute à Schaffhouse. Allemand.
Peintre en faïence.
Le Musée de Cluny à Paris possède un plat décoré par cet artiste.

EVERS Hans
Né le 13 juin 1872 à Hanovre. XIXe-XXe siècles. Allemand.
Peintre.
À Carlsruhe, il fut élève de Kaulbach avant de s'établir à Munich vers 1895.

EVERS Ivar Elis
Né en 1866 en Suède. XIXe siècle. Vivant à New York. Américain.
Peintre.
Élève de Napoléon Caesar, Joseph de Camp et J.-H. Twactman pour la peinture. Cet artiste occupe une situation importante comme architecte et ingénieur. Il obtint le premier prix à la Lenox Art Academy en 1906. Membre du groupement des Sécessionnistes Américains.

EVERS J.
XIXe siècle. Actif à Berlin à la fin du XIXe siècle. Allemand.
Peintre de paysages.

EVERS John
Né le 17 avril 1797 à New Town (Long Island). Mort en 1884. XIXe siècle. Américain.
Peintre de paysages.
Il travailla à New York.

EVERS Tonnies, l'Ancien
XVIe siècle. Actif à Lübeck à la fin du XVIe siècle. Allemand.
Sculpteur sur bois.

EVERS Tonnies, le Jeune
Mort vers 1613 à Lübeck. XVIIe siècle. Allemand.
Sculpteur sur bois.
Il travailla comme son père pour les églises de Lübeck.

EVERSDYCK Cornelis Willemsz
Né à Goes. Mort probablement avant 1644. XVIIe siècle. Hollandais.
Peintre de genre.
Membre de la Confrérie « La Noble arquebuse » en 1613, il alla à Anvers en 1619 et revint à Goes en 1635. Catholique, il offrit l'asile de son grenier à ses coreligionnaires pour y célébrer leurs cérémonies pieuses.

MUSÉES : ROTTERDAM : *Arquebusiers de Goes – Arquebusiers – Arquebusiers*.
VENTES PUBLIQUES : NEW YORK, 9 jan. 1981 : *La marchande de volailles*, h/t (122x169) : **USD 12 000** – LONDRES, 5 juil. 1991 : *Chat surveillant des pièces de gibier sur une table drapée*, h/t (162,9x206,6) : **GBP 13 750**.

EVERSDYCK David
XVIIe siècle. Actif à Amsterdam vers 1659. Hollandais.
Peintre.
Il fut élève de J. Backer.

EVERSDYCK Willem
Né à Goes. Enterré à Middelbourg le 14 mars 1671. XVIIe siècle. Hollandais.
Peintre.
Élève de son père, Corn. Will. Eversdyck, puis de Cornelis de Vos à Anvers en 1633, il vécut à Middelbourg depuis 1652 et épousa, le 15 juin 1653, à Goes, Blasina Van Ossewaarde.

MUSÉES : AMSTERDAM : *Cornelis Fransz Eversdyck, mathématicien – Nicolas Blancardus, philologue – Maria Eversdyck, femme du mathématicien* – ROTTERDAM : *Douze membres des arquebusiers de Goes*.
VENTES PUBLIQUES : PARIS, 5 déc. 1892 : *Portrait d'homme* : **FRF 300**.

EVERSEN Adrianus
Né le 13 janvier 1818 à Amsterdam. Mort en 1897. XIXe siècle. Hollandais.
Peintre de compositions animées, paysages animés, paysages urbains, architectures, aquarelliste, dessinateur.
Il fut l'élève de Cornelis de Kruyff.
VENTES PUBLIQUES : LONDRES, 2 déc. 1907 : *Vue d'une ville hollandaise* : **GBP 13** – LONDRES, 6 avr. 1923 : *Vue dans une ville hollandaise l'hiver* : **GBP 19** – PARIS, 18 juin 1930 : *L'Église* : **FRF 330** ; *Petite ville en hiver* : **FRF 330** ; *Vue de ville, au fond une église* : **FRF 450** – AMSTERDAM, 8 fév. 1966 : *Vue d'Amsterdam* : **NLG 10 200** – LONDRES, 4 juin 1969 : *Scène de rue à Amsterdam* : **GBP 1 800** – AMSTERDAM, 23 nov. 1971 : *Scène de rue* : **NLG 24 000** – LONDRES, 12 mai 1972 : *Scène de rue* : **GNS 5 500** – LONDRES, 4 mai 1973 : *Scène de marché à Amsterdam* : **GNS 6 500** – LONDRES, 15 mars 1974 : *Scène de rue* : **GNS 4 800** – AMSTERDAM, 15 nov. 1976 : *Scène de rue, Edam* 1881, h/t (56x46) : **NLG 36 000** – LONDRES, 11 fév. 1977 : *Scène de rue en hiver à Amsterdam* (32x27) : **GBP 3 200** – COLOGNE, 1er juin 1978 : *Vue d'une petite ville de Hollande*, h/pan. (24x28) : **DEM 11 000** – LONDRES, 5 oct. 1979 : *Scène de rue, Amsterdam*, h/t (52x43,1) : **USD 1 600** – NEW YORK, 28 mai 1981 : *Scène de rue en hiver*, h/t (66x51) : **USD 18 000** – NEW YORK, 29 fév. 1984 : *Scène de rue dans une petite ville de Hollande*, h/t (69x53,5) : **USD 13 000** – LONDRES, 9 oct. 1987 : *Scène de rue en Hollande*, h/pan. (61,6x81) : **GBP 20 000** – NEW YORK, 25 fév. 1988 : *Une rue d'Amsterdam*, h/t (56,5x69,8) : **USD 28 600** – AMSTERDAM, 10 fév. 1988 : *Pêcheurs à la ligne dans une barque sur une rivière*, h/pan. (22x28) : **NLG 6 325** – AMSTERDAM, 16 nov. 1988 : *Villageois au marché derrière l'église* 1854, h/t (47,5x40) : **NLG 32 200** – LONDRES, 5 mai 1989 : *Rue d'Amsterdam*, h/pan. (23,5x17) : **GBP 3 300** – LONDRES, 22 nov. 1989 : *Scène de rue animée*, h/pan. (56x74) : **GBP 26 400** – LONDRES, 14 fév. 1990 : *Personnages sur un pont enjambant un canal*, h/pan. (20,5x27,5) : **GBP 7 150** – AMSTERDAM, 2 mai 1990 : *L'hiver dans une rue de Delft avec l'ancienne église au fond*, h/t (70x60) : **NLG 126 500** – NEW YORK, 23 mai 1990 : *Un village en hiver* 1978, h/pan. (35,2x43,6) : **USD 18 700** – AMSTERDAM, 6 nov. 1990 : *Marché dans une ville hollandaise*, h/pan. (27x21) : **NLG 15 525** – LONDRES, 22 nov. 1990 : *Rue animé*, h/pan. (25,4x21) : **GBP 2 200** – AMSTERDAM, 5-6 fév. 1991 : *Citadins flânant dans une rue de la ville avec une église au fond*, h/t (42,5x35,5) : **NLG 32 200** – NEW YORK, 28 fév. 1991 : *Rue de village*, h/t (32,4x42) : **USD 20 900** – AMSTERDAM, 24 avr. 1991 : *Rue d'une ville hollandaise animée* 1858, h/pan. (43x55) : **NLG 80 500** – NEW YORK, 22 mai 1991 : *Rue de village hollandais en hiver*, h/t (66x51,1) : **USD 30 800** – MONTRÉAL, 4 juin 1991 : *Vue d'un bourg hollandais*, h/pan. (43,8x35,5) : **CAD 16 500** – AMSTERDAM, 5-6 nov. 1991 : *Place de village animée*, h/pan. (27,5x37,5) : **NLG 20 700** – AMSTERDAM, 30 oct. 1991 : *Citadins derrière l'église d'un village*, h/pan. (16x12,5) : **NLG 8 050** – AMSTERDAM, 22 avr. 1992 : *Paysage fluvial boisé avec des pêcheurs dans une barque près d'un château*, h/pan. (23x28,5) : **NLG 5 175** – AMSTERDAM, 28 oct. 1992 : *Nombreux passants au bord d'un canal dans une ville hollandaise* 1858, h/t (43,5x51,5) : **NLG 59 800** – AMSTERDAM, 2-3 nov. 1992 : *Scène de ville hollandaise* 1862, h/t (42,5x58) : **NLG 55 200** – NEW YORK, 12 oct. 1993 : *Rue longeant un canal avec de nombreux passants*, h/t (71,4x60,3) : **USD 51 750** – AMSTERDAM, 9 nov. 1993 : *Villageois dans une rue de Ransdorp*, h/t (44,5x61) : **NLG 57 500** – NEW YORK, 12 oct. 1994 : *Rue commerçante d'Amsterdam*, h/t : **USD 107 000** – LONDRES, 18 nov. 1994 : *Rue d'une ville hollandaise avec des personnages*, h/pan. (31,8x41) : **GBP 25 300** – AMSTERDAM, 3 sep. 1996 : *Vue d'une ville avec des bateaux sur un canal*, cr., brosse, encre brune et aquar./pap. (10x13) : **NLG 1 729** – AMSTERDAM, 5 nov. 1996 : *Ville hollandaise en hiver*, h/t (44,5x36) : **NLG 42 480** – AMSTERDAM, 19-20 fév. 1997 : *Ouvriers s'attardant devant l'église*, h/pan. (16x13) : **NLG 9 225** – LONDRES, 19 nov. 1997 : *Binnen Singel, Amersfoort* 1883, h/pan. (26,5x36,5) : **GBP 17 250** – NEW YORK, 23 oct. 1997 : *Rue hollandaise animée*, h/t (43,8x37,5) : **USD 31 050**.

EVERSEN Engelbertsz. Voir **EVERARDI Angiolo**

EVERSEN Johannes ou **Jan Hendrik** ou **Everson**
Né en 1906. XXe siècle. Hollandais.
Peintre de natures mortes.

Ventes Publiques : Amsterdam, 5 nov. 1981 : *Nature morte* 1947, h/pan. (30,5x45,5) : **NLG 2 000** – Londres, 11 juil. 1983 : *Nature morte au livre d'école* 1959, h/t (52x61,5) : **GBP 700** – Amsterdam, 28 fév. 1989 : *Nature morte avec des œufs et une cruche*, h/pan. (23x33) : **NLG 3 680** – Amsterdam, 5 juin 1990 : *Nature morte avec un pichet d'étain, un verre de vin, du pain et du fromage sur un entablement* 1956, h/t (41x51) : **NLG 4 025** – Amsterdam, 21 avr. 1993 : *Nature morte avec un roemer, un plat d'étain, une cruche et des pêches sur une table* 1947, h/pan. (31x50) : **NLG 8 625** – Amsterdam, 21 avr. 1994 : *Nature morte de cerises dans un plat d'étain* 1962, h/t (40,5x61) : **NLG 18 400** – St. Asaph (Angleterre), 2 juin 1994 : *Nature morte* 1962, h/t (49,5x61) : **GBP 3 910** – Amsterdam, 7 nov. 1995 : *Nature morte avec du raisin dans une coupe de verre* 1953, h/pan. (40x30) : **NLG 8 850**.

EVERSHED Arthur, Dr
Né le 18 janvier 1836 à Billinghurst. XIXe siècle. Britannique.
Peintre et graveur.
Associé de la Royal Society of Painters Etchers. Il exposa à Londres, notamment à la Royal Academy, de 1855 à 1892, particulièrement des paysages.

EVERSLEY Frederick John
Né en 1941 à Brooklyn (New York). XXe siècle. Américain.
Sculpteur. Tendance abstrait-minimaliste.
Il a d'abord fait des études scientifiques au Carnegie Institute of Technology et possède une formation d'ingénieur. Ceci a sans doute influencé son travail dans l'emploi qu'il fait des matières plastiques. Il expose depuis 1970 à New York, Chicago, San Francisco. En 1970, il a également participé à une exposition collective : *Art and Technology* au Musée de Los Angeles. Il utilise le métacrilate de méthyle dans des structures simples, d'esprit minimaliste, où néanmoins le rôle interne de la couleur est très important, couleurs somptueuses qui rendent ses sculptures très décoratives.

EVERSON A. Voir **EVERSEN Adrianus**

EVERSON Jan H. Voir **EVERSEN Johannes** ou **Jan Hendrik**

EVERT Van Amersfoort ou **Evrard Van Amersfoort**
XVIe siècle. Actif à Amsterdam. Hollandais.
Peintre.
Il était en 1570 élève de Frans Floris.

EVERTSZ Dirck
XVIIe siècle. Actif à Rotterdam en 1614. Hollandais.
Peintre.

EVERTSZ Harmen
XVIIe siècle. Actif à Delft en 1636. Hollandais.
Peintre.

EVERTSZ Herman
XVIIe siècle. Actif à Arnhem vers 1612. Hollandais.
Peintre verrier.
Cité par Siret.

EVERTSZ Jan
XVIIe siècle. Actif à Amsterdam vers 1660. Hollandais.
Peintre.
On sait qu'il se maria deux fois.

EVERWIN
XIIIe siècle. Actif à Soest en 1231. Allemand.
Peintre.
Il aurait exécuté des décorations murales pour la chapelle Saint-Nicolas de cette ville.

EVERWINUS
XIIe-XIIIe siècles. Actif à Prague. Tchécoslovaque.
Miniaturiste.
Il illustra un manuscrit de la *Cité de Dieu* de Saint-Augustin.

EVERY George H.
Né le 28 août 1837 à Londres. Mort en 1910. XIXe-XXe siècles. Britannique.
Graveur.
Exposa fréquemment à la Royal Academy à Londres à partir de 1864.

EVES Reginald Grenville
Né le 24 mai 1876 à Londres. Mort le 13 juin 1941 à Middleton-in-Teesdale (Durham). XXe siècle. Britannique.
Peintre de portraits.
Après ses études à la Slade School, de 1891 à 1895, il s'installe dans le Yorkshire, et peint particulièrement à Holwisk. En 1900, il retourne à Londres et y commence une carrière de portraitiste. Dès 1901, il expose à la Royal Academy, dont il devient membre en 1939. Il expose également à Paris au Salon des Artistes Français. Il est devenu le portraitiste attitré des milieux les plus divers, personnages de la haute société londonienne ou acteurs parisiens, et réalise de nombreux portraits de célébrités. En 1940, il est nommé artiste officiel de guerre, mais meurt l'année suivante.
Musées : Londres (Tate Gal.) : *Thomas Hardy – Max Beerbohm*.
Ventes Publiques : Londres, 8 juin 1984 : *Portrait of Thomas Hardy, O.M.* 1923-1924, h/t (50,8x40,6) : **GBP 1 000** – Londres, 6 fév. 1985 : *Portrait of Miss Severn*, h/t (51x40,5) : **GBP 460** – Londres, 12 mai 1993 : *Portrait d'une lady* 1912, h/t (127x102) : **GBP 1 207**.

EVESHAM Epiphanius
XVIIe siècle. Actif à Londres. Britannique.
Sculpteur.
Il fut élève de Vlamen Steevens.

ÉVETTE Christophe. Voir **BOCAL**

EVIHARA Kinosouké
Né à Tokyo. XXe siècle. Japonais.
Peintre.

EVOLA Giulio ou **Julius**
Né le 19 mai 1898 à Rome. Mort en 1974. XXe siècle. Italien.
Peintre, graveur sur bois. Futuriste puis dadaïste.
Évola fit partie, successivement du mouvement futuriste et du mouvement dadaïste, alors que nombre de futuristes acquiesçaient, après la guerre, aux vues mussoliniennes. En 1918, il prit contact avec Tristan Tzara et le groupe *Dada* de Zurich. Il publia dans la collection *Dada*, mais publiés à Rome, deux recueils : *Arte Astratta* (1920), et *La Parole obscure du paysage intérieur* (1921). Il fit des expositions de ses œuvres à Zurich, Berlin, Stockholm et Paris, entre 1918 et 1921. En 1920-1921, il collabora à la revue *Dada* : *Bleue* de Mantoue, et à la revue futuriste *Noi*, dirigée par Prampolini. En 1921, il participa encore au Salon *Dada*, à Paris, après avoir organisé une exposition *Dada*, à Rome, puis il abandonna définitivement toute activité picturale, pour se consacrer à la philosophie des civilisations et à l'orientalisme. Ses derniers ouvrages, selon le Dictionnaire Universel de la Peinture (Le Robert, Paris, 1976), aboutissent à restaurer le racisme, sous couleur de « tradition ».
Sa première période, 1915-1918, qu'il dit d'« idéalisme sensoriel », comporte des œuvres dont les titres indiquent clairement leur appartenance aux soucis du futurisme, monde moderne, notion du temps, dynamisme : *Five O'clock Tea* (1917), *Forge, étude de bruits* (1918), toutes deux conservées au Musée d'Art Moderne de Brescia. Dans sa seconde période, 1918-1920, ses œuvres constituent un lien entre le futurisme et le dadaïsme. En effet, la série des *Paysages intérieurs* correspond encore à l'expression des « états d'âme », préconisée par Boccioni, tandis que son activité intellectuelle s'inscrit dans le mouvement *Dada*.
■ J. B.
Bibliogr. : José Pierre : *Le Futurisme et le dadaïsme*, in : *Hist. générale de la peinture*, t. XX, Rencontre, Lausanne, 1966 – Catalogue de l'Exposition : *Dada*, Mus. National d'Art Moderne, Paris, 1966-67 – in : *Diction. universel de la peinture*, t. II, Le Robert, Paris, 1975.
Musées : Brescia (Mus. d'Art Mod.) : *Five O'clock Tea – Forge, étude de bruits*.
Ventes Publiques : Rome, 25 nov. 1986 : *Tendances de l'idéalisme sensoriel* 1918, h/t (28x47) : **ITL 9 000 000** – Londres, 21 oct. 1987 : *Composition N° 3* 1919, pl. (43,7x32) : **GBP 1 200**.

EVRARD
XIVe siècle. Actif à Paris. Français.
Peintre.
Cet artiste fut employé à des travaux royaux en 1329.

EVRARD
Originaire du Hennegau. XIVe siècle. Éc. flamande.
Peintre.
Il travailla à Paris en 1375.

EVRARD Adèle
Née en 1792 à Ath-en-Hennegau. Morte le 22 juillet 1889 à Ath-en-Hennegau. XIXe siècle. Éc. flamande.
Peintre de fleurs et fruits.
Élève de Ducorrou. Ses peintures sont à Amsterdam et à Bruxelles.

Ventes Publiques : New York, 24 mai 1985 : *Nature morte aux fleurs et aux fruits*, h/pan. (56,5x75,3) : **USD 22 000.**

EVRARD André
Né en 1936 à La Chaux-de-Fonds. xxe siècle. Suisse.
Peintre, graveur, illustrateur.
Il fut élève de l'École d'Art de la Chaux-de-Fonds, et effectue un séjour d'un an à Paris. Il expose en Suisse, Allemagne et Autriche. Il participe à différents Salons, notamment, en 1969, au Salon des Réalités Nouvelles, à Paris. En 1970, il figure à l'Exposition Graphique internationale à Catana (Italie). Il a obtenu plusieurs récompenses, dont le Premier Prix Choquet 1971, à Paris. Evrard a aussi illustré des poèmes de Baudelaire, Rimbaud et Paul Éluard.
Musées : Bâle – Brême (Kunsthalle) – Bruxelles (Bibl. roy.) – Chaux-de-Fonds – Genève (Cab. des Estampes) – Karlsruhe (Staatliche Kunsthalle) – Neuchâtel – Vevey – Zurich.

EVRARD André Charles Eugène
Né le 26 août 1896 à Vincennes (Val-de-Marne). xxe siècle. Français.
Décorateur.
Élève de l'École Germain-Pilon ; exposant du Salon d'Automne où il présenta des ensembles mobiliers.

EVRARD Ennemond, dit **Ennemond le Peintre**
xive siècle. Actif à Lyon à la fin du xive siècle. Français.
Peintre.

EVRARD Eugène
Né le 24 juillet 1835 à Paris. xixe siècle. Français.
Peintre.
Élève de J. Noël. En 1869, il envoya au Salon : *L'aiguière de Mme la duchesse de Berry*, et, en 1870, une *Nature morte*.

EVRARD Guillaume
Né vers 1710 à Tilleur (près de Liège). Mort le 10 juillet 1793 à Tilleur. xviiie siècle. Éc. flamande.
Sculpteur et graveur.
Son père se prénommait Gilles. Il travailla à Liège dans l'atelier de Rendeux, puis à Rome dans celui de J. B. Maini. En 1744, il était de retour à Liège et travailla dès lors pour les églises de la région. La cathédrale de cette ville possède les monuments du prince évêque Georges-Louis de Bergh, de Jean Théodore de Bavière et de Charles d'Oultremont.

EVRARD Gustave Grégoire
Né au xixe siècle à Magimont (Ardennes). xixe siècle. Français.
Sculpteur.
De 1851 à 1868, il se fit représenter au Salon de Paris. On lui doit les bustes de Collé et de Désaugiers, au théâtre du Vaudeville. Il avait été élève de Bosio.

EVRARD Henri
Né vers 1850. Mort en 1887. xixe siècle. Belge.
Peintre.
Il fut professeur à l'Académie de Bruxelles. Le Musée de l'Armée à Bruxelles, possède une œuvre de cet artiste.

EVRARD Jacques ou **Perpète** ou **Everard, Everards, Eurard**
Né le 23 octobre 1662 à Dinant. Mort en 1727 à Gravenhage. xviie-xviiie siècles. Éc. flamande.
Peintre de miniatures et de portraits.
En 1708, dans la confrérie de La Haye ; travailla en Espagne et à Vienne. Ses œuvres figurèrent dans les collections du gouverneur des Pays-Bas et du prince Charles de Lorraine.
Ventes Publiques : Paris, 2 avr. 1897 : *Enfance de Bacchus*, miniat. : **FRF 761.**

EVRARD Jean, l'Ancien, dit **de Larche**
xive siècle. Français.
Peintre d'armoiries.
Actif à Lyon à la fin du xive siècle.

EVRARD Jean, le Jeune
Mort vers 1440. xive-xve siècles. Français.
Peintre d'armoiries, copiste.
Actif à Lyon, il fut peintre d'armoiries et copiste.

EVRARD Jean III
xvie siècle. Français.
Peintre.
Actif à Lyon en 1548.

EVRARD Jean Marie
Né le 16 avril 1776 à Chauny. Mort en novembre 1860 à Paris. xixe siècle. Français.
Peintre d'histoire et de portraits.
Élève de Regnault. Il figura au Salon de Paris, de 1810 à 1836, notamment avec des portraits. Cet artiste exécuta pour l'église de Chauny, une *Immaculée Conception*, et un *Sacré-Cœur* pour l'église de Compiègne.
Ventes Publiques : Paris, 18 déc. 1946 : *Jeune homme en costume noir et gilet blanc devant un rideau jaune* ; *Jeune homme en costume foncé et gilet blanc*, deux miniatures : **FRF 8 400** – Paris, 27 mars 1947 : *Paysage boisé* : **FRF 1 200.**

EVRARD Jehan
Français.
Peintre.
Travailla au château de Compiègne.

EVRARD Louis Eugène
Né le 9 février 1901 à Dunkerque (Nord). xxe siècle. Français.
Peintre de paysages, portraits. Traditionnel.
Il a étudié à l'Académie Julian avec Laurens de 1931 à 1936. Il a exposé à plusieurs reprises, à Paris, au Salon des Artistes Français, à celui de la Société Nationale des Beaux-Arts et au Salon d'Automne.
Il peint avec prédilection des intérieurs et des scènes de la mer. Surtout paysagiste, il a également fait quelques portraits. Sa manière figurative est tout à fait traditionnelle.

ÉVRARD Paula
Née en 1878 à Charleroi. Morte en 1927 à Montigny-sur-Sambre. xxe siècle. Belge.
Peintre de paysages, fleurs.
Elle fut élève de Herman Richir et Jean Delville à l'Académie des Beaux-Arts de Bruxelles.
Elle peignait des compositions solidement composées dans des harmonies riches et chaleureuses.
Bibliogr. : In : *Diction. biogr. illustré des artistes en Belgique depuis 1830*, Arto, Bruxelles, 1987.

EVRARD Pierre I
Mort vers 1455. xve siècle. Actif à Lyon. Français.
Peintre.

EVRARD Pierre II, dit **de Larche**
xve siècle. Actif à Lyon en 1470. Français.
Peintre.

EVRARD Pierre III
xvie siècle. Actif à Lyon. Français.
Peintre verrier.
Les recteurs de l'Aumône générale le chargèrent, en 1557 ou 1558, de restaurer la grande verrière de Sainte-Catherine.

EVRARD Pierre François
Né à Paris. xxe siècle. Français.
Peintre.
Il expose à Paris au Salon d'Automne depuis 1926.

EVRARD René Hippolyte
Né au Havre (Seine-Maritime). xxe siècle. Français.
Sculpteur.
Il exposa à Paris au Salon des Artistes Français à partir de 1924.

EVRARD Victor
Né le 4 octobre 1807 à Aire. xixe siècle. Français.
Sculpteur.
Élève de Dantan aîné, il figura au Salon de 1838 à 1877. On cite de lui : *Jeune faune enivrant une bacchante*, groupe en bronze ; *Saint Antoine anachorète*, statuette en bronze ; *Homère*, statuette en bronze ; *Le Christ*, bronze argenté.

EVRARD Van Amersfoort. Voir **EVERT Van Amersfoort**

EVRARD D'ESPINQUES
xve siècle. Actif dans la région de Cologne. Allemand.
Peintre de miniatures.
Il se rendit à Paris vers 1430 et entra au service de Jean d'Armagnac, duc de Nemours. Il copia et illustra différents manuscrits pour des seigneurs de la cour de France.

EVRARD D'ORLÉANS
Né vers 1270. xiiie-xive siècles. Actif à Paris. Français.
Peintre, sculpteur et architecte.
Il porta le titre de *peintre du Roi* mais travailla surtout pour différents seigneurs de la cour de France comme la comtesse de Bourgogne Mahaut d'Artois. Il travailla entre autres pour l'Hôtel d'Artois à Paris et pour l'église de l'Abbaye de Maubuisson près de Pontoise. Peut-être mourut-il en 1357.

EVRIER T.
xviiie siècle. Actif à Paris. Français.

Dessinateur.
Il collabora à l'édition illustrée de la *Description de Paris* par Piganiol de la Force.

EVRY Jules d'
Né en 1820 à Paris. XIXe siècle. Français.
Peintre.
Cet artiste débuta au Salon en 1842 et y envoya, de ses ouvrages jusqu'en 1852, des vues et des paysages. Le Musée de Laval, dont d'Evry fut conservateur à partir de 1854, possède de lui une *Vue des Alpes*.

EWALD Alois
Né le 2 juin 1845 à Vienne. Mort le 18 juillet 1889 à Innsbruck. XIXe siècle. Autrichien.
Peintre d'architectures, paysagiste et dessinateur.
Élève de l'Académie des Beaux-Arts à Vienne et ensuite professeur de dessin au Tyrol. Travailla surtout à Innsbruck.
Musées : Vienne : *Les ruines de Taufer en Tyrol.*

EWALD Arnold Ferdinand
Né vers 1810 à Berlin. XIXe siècle. Allemand.
Peintre d'histoire et de genre.
Exposa à Munich en 1854. On cite de lui : *Elisabeth d'Angleterre.*

EWALD Clara, née **Philippson**
Née le 22 octobre 1859 à Düsseldorf. XIXe siècle. Allemande.
Peintre.
Élève de Bouguereau. Elle exposa à Berlin des portraits et des tableaux de genre.

EWALD Ernst Deodat Paul Ferdinand
Né le 17 mars 1836. Mort le 30 décembre 1904. XIXe siècle. Actif à Berlin. Allemand.
Peintre d'histoire.
Élève de Steffeck, puis de Couture entre 1856 et 1863. Il alla travailler en Italie. Revenu en Allemagne, il devint directeur de l'École des Beaux-Arts à Berlin.

EWALD Louis
Né le 19 décembre 1891 à Minneapolis (Minnesota). XXe siècle. Américain.
Peintre, peintre de compositions murales, sujets religieux.
On lui doit des peintures murales, une *Annonciation* et une *Visitation* avec d'autres œuvres pour diverses églises.

EWALD Pierre Albert
Né le 5 juin 1880 à Paris. XXe siècle. Français.
Peintre de paysages.
Il exposa, à Paris, à partir de 1910, au Salon des Artistes Français, et au Salon d'Automne.

EWALD Reinhold
Né à la fin du XIXe siècle. XIXe-XXe siècles. Allemand.
Peintre d'intérieurs, nus, portraits, paysages.
Il a toujours voyagé, pour peindre et pour visiter des musées, à Paris, Florence, Naples, Venise etc. Son art est volontairement intemporel, sauf de rares expériences non figuratives, autour des années vingt. Bien qu'exposant très peu, il fut souvent cité à cette époque. Il s'installa à Hanau près de Francfort.
Wilhelm Hausenstein loue l'ampleur générale de son œuvre, allant du noir et blanc à la composition la plus embrasée de couleurs, de la reproduction de la nature à la transposition fantastique. Il peint des intérieurs, des nus féminins, des portraits, des paysages. Derrière l'apparence réaliste, transparaît une réalité autre et féerique, plus que surréaliste. Les choses qu'il peint sont elles-mêmes, innocemment, mais aussi autre chose, comme dans les contes de fées. Son inappartenance aux problèmes plastiques de son temps, en a fait un artiste très isolé. ■ J. B.
Bibliogr. : Dieter Hoffmann : *Trois oubliés*, in : *Chroniques de l'art vivant*, Paris, nov. 1970.
Ventes Publiques : Cologne, 17 mai 1980 : *Jeune femme assise*, h/pan. (75x60) : **DEM 3 000**.

EWART W.
XIXe siècle. Actif à Londres. Britannique.
Peintre.
Il exposa à la Royal Academy en 1846 un portrait du peintre William Russell.

EWBANK Johnn Wilson
Né vers 1799 à Gateshead (Durham). Mort le 28 novembre 1847 à Édimbourg. XIXe siècle. Britannique.
Peintre d'histoire, paysages, marines.
Destiné à la prêtrise, il fut envoyé au collège d'Ushaw, mais il ne tarda pas à changer de vocation et à entrer dans l'atelier d'un peintre de Newcastle. De là, il se rendit à Édimbourg avec Coulson, décorateur fort habile ; enfin il reçut une autre partie de son instruction d'Alexandre Nasmyth.
Ewbank fut, en 1826, un des membres fondateurs de l'Académie royale écossaise et produisit dès lors quelques œuvres d'une très grande envergure, telles que *Georges IV au château d'Édimbourg, L'entrée d'Alexandre le Grand à Babylone, Annibal traversant les Alpes*, etc. Ses marines et ses baies sont d'une grande beauté ; on a rarement égalé la limpidité de ses ciels. Tombé dans le besoin et même dans la pauvreté à cause de son intempérance, il vécut pendant douze ans dans le Sunderland plongé dans une profonde misère.
Musées : Édimbourg : *Canal et bateaux* – Sunderland : *Matin calme.*
Ventes Publiques : New York, 10 et 11 avr. 1902 : *Château de Windsor* : **USD 220** – Londres, 29 fév. 1908 : *Montagnes d'Écosse* : **GBP 8** ; *Rivière* ; *Marine* : **GBP 7** ; *Deux vues d'Écosse*, dess. : **GBP 1** – Londres, 10 juil. 1908 : *Kilchun Castle* : **GBP 5** – Londres, 6 juil. 1983 : *Richmond, Yorkshire*, h/t (75x113) : **GBP 2 400** – Londres, 18 oct. 1989 : *Paysage avec Ayr au lointain*, h/t (100x125) : **GBP 2 860** – Perth, 26 août 1991 : *Le soir sur le loch Tay dans les Highlands d'Écosse*, h/t (51x68,5) : **GBP 1 430** – Perth, 31 août 1993 : *Le Palais de Linlithgow où naquit Mary d'Écosse au soleil levant* ; *Moulin à eau au pied de Ben Ledi dans les Highlands*, h/cart. (chaque 18x25) : **GBP 1 495** – Perth, 29 août 1995 : *Monastère cistercien près de Athol* ; *Lock Tay, avec le Ben Lawers à distance*, h/pan., une paire (chaque 18,5x27) : **GBP 1 380**.

EWBANK Thomas John
XIXe siècle. Britannique.
Peintre de genre.
Actif à Liverpool de 1826 à 1862, il exposa à Londres à partir de 1860.
Ventes Publiques : Londres, 26 mai 1989 : *Un moment de tendresse*, h/t (71x89) : **GBP 2 420**.

EWEL Otto
Né le 21 février 1871 à Trutenau (Prusse-Orientale). XXe siècle. Allemand.
Peintre.
Il fit ses études à Königsberg et à Dresde. C'est surtout à Königsberg qu'il travailla par la suite.

EWEN Paterson
Né le 7 avril 1925 à Montréal. XXe siècle. Canadien.
Peintre. Figuratif puis abstrait.
Engagé dans l'armée à l'âge de dix-huit ans, il part faire la guerre en Europe, de 1943 à 1946. De retour à Montréal, il commence ses études d'art, science et géologie avant d'être élève à l'École des Beaux-Arts de cette même ville, entre 1948 et 1950. En 1949, il épouse la danseuse Françoise Sullivan. L'année suivante, il travaille dans une fabrique de chapeaux tout en continuant à peindre. En 1965, il partage un atelier avec Molinari et Tousignant. Devenu très dépressif à partir de 1966, au moment de sa séparation d'avec sa femme, il entre en traitement à l'hôpital, puis en 1968, déménage à London (Ontario), où il enseigne à partir de 1969, avec une interruption d'un an, durant laquelle il vit à Toronto.
Dès 1950, il participe au Spring show et à l'exposition des « Rebelles » de Montréal. Il montre, pour la première fois, ses peintures abstraites au Musée des Beaux-Arts de Montréal en 1955, puis en 1957, 1960, 1961. De 1956 à 1960, il est présent aux expositions de l'Association des Artistes non figuratifs, toujours à Montréal. Il expose avec les Peintres Canadiens Modernes à New York en 1956-58-59 ; il est également à la Biennale d'aquarelle au Musée de Brooklyn de New York en 1959 et participe à l'exposition de la Peinture canadienne moderne à Spolete en 1962. Il est invité à la Biennale des Peintres canadiens à Ottawa en 1968 et à celle de Venise en 1982. Ses expositions personnelles se sont régulièrement déroulées à Montréal de 1950 à 1966. Il a exposé à New York en 1956 et en 1958, tandis qu'une rétrospective lui a été consacrée en 1968 à Toronto et à London (Ontario) en 1970.
Après des débuts figuratifs expressionnistes, il s'oriente vers une abstraction et, dans les années cinquante, son travail montre une sorte de fusion entre les méthodes automatistes et sa tradition figurative. Peu à peu, les éléments figuratifs disparaissent en faveur de la liberté du geste. Il peint alors une série

de peintures abstraites sous le nom de *Lifestream* qui évoquent des paysages ou des couches géologiques. Au début des années soixante, il est intéressé par l'œuvre de Capogrossi, par les travaux des indiens et les costumes de danse de Jean Paul Mousseau, et peint des compositions basées sur des successions de bandes horizontales irrégulières dont le contraste des couleurs donne la notion d'espace et de mouvement. Peu à peu, il laisse prédominer le noir avec sa série des *Blackout* et *Alert*. Vers 1965, au moment où il travaille dans le même atelier que Molinari et Tousignant, il est intéressé par le constructivisme, s'oriente vers les monochromes, puis produit des œuvres dites *hard edge*. Peu après, vers 1966-67, il travaille sur des toiles divisées en plusieurs parties, comportant chacune une variation d'un thème linéaire simple, ce sont les *Diagrams of multiple Personality*, suivis des *close-up*, présentant une partie de la série précédente. À la fin des années soixante, alors qu'il est en pleine période de dépression, il remet tout en question, y compris son art, pense à de nouvelles techniques, délaisse la toile classique pour le bois, ce qui lui permet d'ajouter des éléments cloués. Il revient aussi à une certaine figuration, étant intéressé par les phénomènes naturels, comme la pluie, les orages, les éclairs, les phénomènes astronomiques comme les galaxies, les éclipses, etc. Ce sont les *Taces through space, Rain Triptych*, et autres *Phenomascapes* jusqu'à sa *Grande vague, Hommage à Hokusai* (1976). ■ Annie Pagès

Bibliogr. : Catalogue de l'exposition *Paterson Ewen, recents works*, Art Gallery, Vancouver, 1987 - Philip Monk : *Paterson Ewen, Paintings 1971-1987, « Phenomena »*, Art Galery, Ontario, 1987 - Matthew Teitelbaum : *Paterson Ewen : The Montreal years*, Mendel Art Galery, Saskatoon, 1988.

Musées : Hamilton (Art Gal.) : *Alerte n° 28* 1961 - Londres (Reg. Art Gal.) : *Montréal Ouest* 1950 - *La Pluie sur l'eau* 1974 - *Nuage orageux comme un générateur I* - Montréal (Mus. des Beaux-Arts) : *Sans titre* 1956 - *Nuit d'été* 1958 - *Éruption solaire* 1980 - Montréal (Mus. d'Art Contemp.) : *Sans titre* 1956 - *Courant de vie* 1959 - *Courant d'été* 1962 - *Sans titre* 1962 - *Sans titre n° 35* 1962 - *The star* 1962 - *Sans titre* 1963 - *Diagrama of the multiple personnality n° 1* 1966 - *Trace d'étoile* 1973 - Ottawa (Nat. Gal. of Canada) : *Galaxie NGC 253* 1973 - *Homme bandé* 1973 - *L'Arc-en-ciel* 1973 - *Gibbous moon* 1980 - Quebec : *Sans titre* 1962 - Toronto (Art Gal. of Ontario) : *Nuages sur l'eau* 1979 - *Pierres roulant dans le courant du torrent* 1971 - *Lumières du Nord* 1973 - *Voyage sur le littoral* 1974 - *Nuages sur l'eau* 1979 - *La Lune sur Tobermory* 1981 - Vancouver (Art Gal.) : *Nuit d'orage* 1973 - *Portrait de Vincent* 1974 - Windsor (Art Gal.) : *La Grande vague : Hommage à Hokusaï* 1974 - Winnipeg (Art Gal.) : *Iceberg* 1974.

Ventes Publiques : Montréal, 20 oct. 1987 : *Sans titre* 1957, h/t (50x61) : **CAD 5 800** - Montréal, 25 avr. 1988 : *Alerte*, h/t (71x76) : **CAD 4 200** - Montréal, 17 oct. 1988 : *Crépuscule carré*, h/t (91x117) : **CAD 11 000.**

EWERBECK Ernst

Né le 6 juillet 1872 à Aix-la-Chapelle (Rhénanie-Westphalie). XXe siècle. Allemand.

Peintre de paysages, illustrateur.

Il fut élève de l'Académie de Munich, il peignit plus tard des paysages et collabora à des périodiques bavarois.

EWERS Heindrich

Né en 1817 à Wismar. Mort le 13 mars 1885 à Düsseldorf. XIXe siècle. Allemand.

Peintre de genre, intérieurs, portraits.

Élève de l'Académie de Düsseldorf. Il a débuté à Berlin vers 1866.

Ventes Publiques : New York, 30 juin 1981 : *Scène d'intérieur*, h/t (79x68,5) : **USD 3 100.**

EWERT Lukas

XVIe siècle. Actif à Dantzig. Allemand.

Peintre.

EWERT Per John Tage

Né en 1869. Mort en 1894 à Paris. XIXe siècle. Suédois.

Peintre de portraits, paysages.

À Paris il fut élève de J. P. Laurens et Benjamin Constant. Actif à Göteborg en 1869. Il exposa au Salon à partir de 1893.

Musées : Göteborg : *Paysage d'hiver.*

Ventes Publiques : Stockholm, 20 oct. 1987 : *Nonne assise au bord d'une allée ensoleillée* 1893, h/t (59x44) : **SEK 86 000** - Stockholm, 29 mai 1991 : *Paysage du midi de la France en été*, h/t (43x61) : **SEK 12 500.**

EWING Georges Edwin

Né en 1828 à Birmingham. Mort le 26 avril 1884 à New York. XIXe siècle. Britannique.

Sculpteur.

Il exposa, de 1862 à 1877, à la Royal Academy à Londres. Le Musée de Liverpool possède de cet artiste les bustes du *Dr Norman Mac Lead* et de *James Newlands*.

EWING Hugh

Né à Glasgow (Écosse). XXe siècle. Britannique.

Peintre aquarelliste.

EWING James A.

Né en 1843 à Carlisle. Mort en 1900 à Glasgow. XIXe siècle. Britannique.

Sculpteur.

Il était le frère et fut le collaborateur de George Edwin.

Musées : Glasgow : *Buste de Sir Michaël Connal.*

EWING William

XIXe siècle. Actif à Rome dans la première moitié du XIXe siècle. Britannique.

Sculpteur.

À partir de 1822 il exposa à la Royal Academy de Londres.

EWOUTSZ Hans ou **Eworth, Eottes, Euertz, Huett, Evance**

Né en 1515 à Anvers. Mort en 1573. XVIe siècle. Flamand.

Peintre de sujets allégoriques, portraits, dessinateur, décorateur.

Il travailla d'abord à Anvers, où il fut maître à la gilde de Saint-Luc en 1540, puis il émigra en Angleterre vers 1543 et gagna dans ce pays une assez grande réputation comme portraitiste. On connaît peu de choses de son existence, son activité en Angleterre se situe entre 1545 et 1574, et il fut protégé par la Cour à partir de 1554 ; à cette occasion, il influença l'œuvre du miniaturiste anglais Nicholas Hilliard. On identifie ses tableaux grâce au monogramme HE.

Il dessina des costumes et des décors de fête. On cite de lui les portraits d'*Edward Shelley*, de *Sir John Luttrell*, du *Captain t. Wyndham*. Dans les portraits de sa main qui nous sont parvenus, on trouve des réminiscences des styles de Holbein, dans les meilleurs des cas, et de Scorel et Metsys. Souvent, le maniérisme de l'allégorie frôle le douteux, ainsi *La Reine Elizabeth triomphant de Junon, de Minerve et de Vénus*, nous donne une version inattendue du jugement de Pâris. Ses portraits gagnent en raison inverse des allégories et des accessoires qui les encombrent, et, dans ces cas, peuvent rivaliser avec ceux d'Antonio Moro, qui avait la faveur de la Cour.

Musées : Londres (Courtauld Inst.) : *Sir John Luttrell* - Londres (Hampton Court) : *La Reine Elizabeth triomphant de Junon, de Minerve et de Vénus* - Ottawa (Nat. Gal. of Canada) : *Portrait de Lady Dacre* - Winsdor (Mus. du Château) : *La reine Elizabeth triomphant de Junon, de Minerve et de Vénus.*

Ventes Publiques : Londres, 3 fév. 1922 : *Dame en habit noir à manches blanches brodées, une chaîne d'or autour du cou et tenant des gants et un livre* : **GBP 39** - Londres, 2 mars 1923 : *Charles Brandon, premier duc de Suffolk en habit noir à manches brodées avec un collet de fourrure et une cape noire* : **GBP 1 050** - New York, 16 nov. 1935 : *An english Court Lady* : **USD 1 400** - Londres, 2 juil. 1958 : *Portrait* : **GBP 1 000** - Londres, 15 juil. 1960 : *Portrait d'homme* : **GBP 231** - Londres, 25 juin 1965 : *Portrait of Queen Elizabeth the First* : **GNS 750** - Londres, 7 juil. 1967 : *Portrait de Joan Wakeman* : **GNS 12 000** - Londres, 5 juil. 1984 : *Portrait of Margaret Clifford, Lady Strange, later the Countess of Derby* 1560, h/t (97x61) : **GBP 68 000** - Lokeren, 22 fév. 1986 : *Épisode de la vie de Moïse*, h/pan. (128x178) : **BEF 850 000.**

EWOUTSZON Jan

XVIe siècle. Actif à Amsterdam vers 1536. Hollandais.

Graveur sur bois.

EWYNS Thomas

Né en 1620 à Amsterdam. XVIIe siècle. Hollandais.

Peintre.

Il mourut sans doute en 1687.

EXBRAYAT Étienne Victor

Né le 12 mai 1879 à Saint-Étienne (Loire). Mort au champ d'honneur durant la Première Guerre mondiale (1914-1918). XIXe-XXe siècles. Français.

Sculpteur.

Il exposa régulièrement, à Paris, au Salon des Artistes Français, dont il devint sociétaire en 1905. Il obtint une mention honorable en 1904, et une troisième médaille en 1911.

EXEKESTOS
IVe siècle. Actif dans la seconde moitié du IVe siècle ap. J.-C. Antiquité grecque.
Sculpteur.
Son nom figure sur le socle d'une statue de Minerve Poliade qu'on trouva, en 1837, au nord du Parthénon.

EXEKIAS
VIe siècle avant J.-C. Travaillant entre 550 et 520 avant Jésus-Christ. Antiquité grecque.
Potier et peintre.
Il a peut-être travaillé avec le potier Amasis, donnant une ampleur toute particulière aux amphores qu'il a décorées. Il est l'un des maîtres de la figure noire qui sait le mieux donner un sentiment de gravité même à des scènes de la vie quotidienne. Il est vrai qu'il met en scène des divinités et des héros. La mythologie lui fournit de nombreux thèmes, parmi lesquels il marque une préférence pour l'histoire de Dionysos et de son cortège. Il choisit avec beaucoup d'originalité des sujets peu traités habituellement, et se plaît à donner une intensité dramatique à des scènes apparemment sans importance, mais dont les sous-entendus permettent de les élever à un niveau héroïque. Ainsi, sur une amphore conservée au musée du Vatican, il a peint les Dioscures qui rentrent chez eux, accueillis par leurs parents. Cette brève visite est pleine d'émotion, pourtant nous assistons à une scène familière simple, puisque Pollux, par exemple, joue avec le chien de la maison qui bondit sur lui. Les chevaux des deux héros ont la majesté des chevaux archaïques de l'Acropole d'Athènes. Une fois encore, nous discernons une espèce de coïncidence entre la peinture et la sculpture. Sur la même amphore, mais sur le côté opposé, Exekias a présenté Ajax et Achille jouant aux dés, scène anodine en apparence, dont la tension excessive nous fait revenir à leur préoccupation principale : la guerre de Troie, et fait pressentir le drame qui frappera Ajax à la suite de la mort d'Achille. Malgré la profusion des détails ornementaux sur les vêtements des héros, l'ensemble de la scène, réduite à deux personnages, est d'une extrême rigueur. Exekias se montre le peintre des thèmes neufs et des modes de présentation très originaux. Sur la coupe du musée de Munich, représentant à l'intérieur Dionysos sur son bateau, il a peint, sous les anses, des scènes de guerre. Un guerrier mort, allongé sous l'anse de la coupe, vient d'être tué par un petit groupe d'hommes placés debout à droite de l'anse, tandis que de l'autre côté, ses compatriotes le tirent vers eux. La plus grande partie de la composition, sur la face externe de la coupe, est occupée par des yeux prophilactiques, assez terrifiants dans leur schématisme. La décoration intérieure de cette coupe est aussi étonnante qu'harmonieuse : Dionysos vogue sur son bateau à voile noire dont le mât se termine en vigne chargée de lourdes grappes de raisins. Toute la composition est définie par la forme circulaire du fond de coupe : la vigne étend ses sarments et fruits en épousant la forme générale, tandis que des dauphins prennent le relais en figurant ainsi la mer, sans qu'aucune indication de vagues ne vienne la préciser. Tout semble lié, on ne distingue pas la mer du ciel, comme c'est bien souvent le cas en pleine mer. Ainsi, par une évocation figurée, Exekias fait subtilement sentir la réalité plutôt abstraite. Exekias mêle réalisme et fable, il introduit des détails vus, comme la voile gonflée par le vent, dans un ensemble qui paraît irréel. C'est aussi la première fois que le dieu prend si peu de place, on le voit à peine, allongé au fond de son bateau. Exekias rend avec clarté les scènes les plus inattendues, il utilise avec assurance les formes de vases les plus amples. Si son art fait largement emploi des détails gravés, ceux-ci ne nuisent pas à l'ensemble de la composition et ne tombent jamais dans le maniérisme. Et, surtout, il donne une intensité dramatique à des scènes qui traduisent l'état d'âme fugitif des personnages. ■ A. J.

EXEL Jean Van
XIXe siècle. Actif à Anvers. Éc. flamande.
Sculpteur.
Il fut élève de G. Geefs.

EXILIOUS John G.
XIXe siècle. Actif à Philadelphie. Américain.
Graveur.
On cite de lui : une vue de l'hôpital de Pennsylvanie.

EXIMENO Joaquin, l'Ancien
Né vers 1645 à Valence. XVIIe siècle. Espagnol.
Peintre.
Il fut élève de J. J. Espinosa.

EXIMENO Joaquin, le Jeune
Né en 1674 à Valence. Mort en 1754. XVIIe-XVIIIe siècles. Espagnol.
Peintre.
Il était le fils et fut l'élève de Joaquin E. l'ancien. Il exécuta des natures mortes et peignit avec beaucoup d'exactitude des poissons, des oiseaux, des fleurs et des fruits. On a classé ses œuvres avec celles de son père qui portait le même nom que lui. Leurs peintures se ressemblent d'une façon frappante et furent fort estimées des amateurs du temps. L'église Notre-Dame du Pilier à Valence en possède quatre.

EXLEY James Robert Granville
Né le 16 mai 1878 à Great Horton (Bradford). XXe siècle. Britannique.
Graveur.
Il fut élève de Frank Short. Il exposa à partir de 1906 à la Royal Academy et à la Royal Society of Painters Etchers.

EXNER Adolph Sophus Aage
Né le 4 juillet 1870 à Christianshaven. Mort en 1951. XXe siècle. Danois.
Peintre de scènes typiques, intérieurs.
Fils de J. J. Exner, il fut élève de l'Académie en 1885-1892. Il débuta au Salon en 1892 avec *Un atelier*, représentant l'atelier de son père. Il exposait en 1892 quelques *Intérieurs* et, en 1894, *Le Sonneur dans la tour*, l'occasion de représenter un coucher de soleil.
VENTES PUBLIQUES : LONDRES, 6 oct. 1989 : *À l'auberge* 1910, h/t (79x103,5) : **GBP 3 300**.

EXNER Johan Julius
Né le 30 novembre 1825 à Copenhague. Mort le 15 novembre 1910 à Copenhague. XIXe-XXe siècles. Danois.
Peintre de genre.
Fils d'un musicien bohémien, qui avait immigré tout jeune en Danemark, et qui était employé comme hautboïste au régiment royal de Copenhague, il fit montre d'un goût prononcé pour le dessin et la peinture. Il fut mis en apprentissage chez un peintre, et fréquenta l'Académie à partir de 1839. J. L. Lund s'aperçut de ses aptitudes artistiques, et le fit dispenser du temps qui restait de son apprentissage. Exner fit, sous la direction de Lund et d'Eckersberg, des études de peinture d'histoire.
Il débuta au Salon en 1844 avec un *Portrait de dame*. Un gentilhomme généreux lui vint en aide, en lui fournissant un atelier gratuit et en lui faisant une commande importante : *Les filles de Mark Stig* (exposé en 1851). L'une des meilleures œuvres de l'artiste fut : *Portrait d'une femme âgée*, dont le Musée royal fit l'acquisition. Puis, il exposa : *Visite chez grand-père* (1853), qui lui valut une médaille de l'exposition (se trouve au Musée Royal de peintures). Depuis ce temps, il a exposé annuellement des tableaux de mœurs, soit d'Amager, soit de Sjelland ou de Dalécarlie (en Suède).

Exner

MUSÉES : COPENHAGUE : *Une femme d'Amager compte son argent – Visite chez le grand-père, le dimanche – Festin chez un paysan à Amager – Fête rustique dans la contrée des bruyères en Jutland – Les joueurs de cartes – Le petit convalescent – Un vieil homme cachette une lettre – Une dépêche.*
VENTES PUBLIQUES : COPENHAGUE, 19 nov. 1957 : *Intérieur* : **DKK 11 400** – COPENHAGUE, 4 avr. 1960 : *Intérieur avec cinq filles* : **DKK 10 100** – COPENHAGUE, 23 mai 1962 : *Fillette écrivant une lettre* : **DKK 24 000** – COPENHAGUE, 21 fév. 1963 : *La sieste interrompue* : **DKK 35 000** – COPENHAGUE, 16 mai 1968 : *Jeune fille lisant* : **DKK 25 000** – COPENHAGUE, 5 nov. 1969 : *Intérieur de cuisine* : **DKK 24 000** – COPENHAGUE, 23 mars 1971 : *Réjouissances villageoises* : **DKK 30 000** – COPENHAGUE, 23 fév. 1972 : *Le jeune fumeur* : **DKK 16 200** – COPENHAGUE, 12 juin 1974 : *Femme et enfant dans un jardin* : **DKK 40 000** – COPENHAGUE, 25 fév. 1976 : *Enfants à la porte d'une église* 1867, h/t (55x42) : **DKK 26 000** – COPENHAGUE, 29 nov. 1978 : *Scène champêtre* 1845, h/t (31x37) : **DKK 23 000** – COPENHAGUE, 20 fév. 1979 : *Vieux couple dans un intérieur* 1887, h/t (81x69) : **DKK 34 000** – COPENHAGUE, 8 déc. 1981 : *La famille heureuse* 1867, h/t (37x47) : **DKK 48 000** – COPENHAGUE, 2 oct. 1984 : *Le repos de midi* 1877, h/t (62x52) : **DKK 82 000** – COPENHAGUE, 12 août 1985 : *Marins et paysans dans un intérieur rustique* 1884, h/t (91x135) : **DKK 170 000** – COPENHAGUE, 25 oct. 1989 : *Couple d'amoureux dans une grange*

1862, h/t (31x26) : **DKK 20 000** – Copenhague, 6 mars 1991 : *Taquineries pendant la sieste*, h/t (31x37) : **DKK 26 000** – Copenhague, 1er mai 1991 : *Enfants jouant dans une cour de ferme* 1877, h/t (28x37) : **DKK 11 000** – Copenhague, 28 août 1991 : *Fillette tenant un chaton et le faisant jouer avec un brin de paille* 1895, h/t (22x31) : **DKK 19 000** – Copenhague, 6 mai 1992 : *Mère et ses enfants près d'une porte-fenêtre* 1873, h/t (71x65) : **DKK 37 000** – Copenhague, 18 nov. 1992 : *En attendant les invités* 1880, h/t (37x53) : **DKK 26 000** – Copenhague, 10 fév. 1993 : *Mère Lydum lisant la bible*, h/t (25x28) : **DKK 8 500** – Copenhague, 7 sep. 1994 : *Répétition des chants pour la fête* 1906, h/t (30x38) : **DKK 30 000** – Copenhague, 16 nov. 1994 : *Jeune valet allumant son cigare à une chandelle* 1893, h/t (46x41) : **DKK 21 000**.

EXPERTON Jean François

Né en 1814 au Puy-en-Velay (Haute-Loire). Mort en 1863 à Paris. xixe siècle. Français.

Sculpteur.

Élève de David d'Angers. Le Musée du Puy possède de cet artiste les œuvres suivantes qui ont figuré à divers salons : *Buste d'Antoinette Sennetère, Buste de l'évêque du Puy, Buste du baron de Saint-Vidal, Buste et statuette du cardinal de Polignac, Bustes du maréchal de Vaux* et *du sculpteur Julien, La Foire*, statuette, et deux bas-reliefs. ■ Gautheron

EXPORT Valie

Née en 1940 à Linz. xxe siècle. Autrichienne.

Sculpteur, artiste multimédia, créateur de performances.

Elle participe à des expositions collectives depuis 1968, surtout à des festivals de films « underground » ou d'avant-garde, mais aussi : 1974, Institut d'Art Contemporain, Philadelphie ; 1975, Festival International des Femmes ; Museum des 20. Jahrhunderts, Vienne ; 1975, *9e Biennale de Paris* en 1975 ; 1996, *L'Art au corps. Le corps exposé de Man Ray à nos jours*, Musée d'Art Contemporain, Marseille ; 1997, Biennale d'Art contemporain, Lyon. Elle montre ses œuvres dans des expositions personnelles, dont : 1997, Museum Moderner Kunst, Vienne.

Elle a fait partie de l'« actionnisme viennois ». Son approche politique de l'art dénonce les mécanismes de domination et en particulier celui de l'ordre patriarcal en mettant en scène son propre corps. « J'essaye de montrer par mes œuvres que l'homme fait l'expérience de la réalité au moyen de structures de références préconditionnées (référence à l'espace, au temps, systèmes de morale, etc.) et que d'autre part la réalité peut être classifiée d'après ces systèmes de références. C'est pourquoi je m'occupe surtout du concept crucial de ces structures de références : l'identité ». Valie Export a réalisé de nombreux films (*Mann & Frau & Animal*), vidéos (*Body actions, Raumsehen und Hören*) et a théorisé ses idées dans quelques essais.

Bibliogr. : Catalogue de la *9e Biennale de Paris*, Paris, 1975.

Musées : Graz (Landesmuseum Johanneum) – Vienne (Mus. des 20. Jahrhunderts).

EXSHAW Charles

Né au début du xviiie siècle à Dublin. Mort en 1771. xviiie siècle. Irlandais.

Peintre d'histoire et graveur.

Ses gravures qui ne sont pas sans mérite sont le plus souvent des imitations des œuvres de Rembrandt. Il étudia à Rome, à Amsterdam et probablement à Paris et ne vint à Londres que vers 1758. Il grava les portraits de la famille Van Loo. On cite de cet artiste : *Christ et ses disciples sur un bateau pendant la tempête* d'après Rembrandt ; *Buste de vieillard à grande barbe et cheveux courts*, d'après Rembrandt ; *Joseph accusé par la femme de Putiphar*, d'après Rembrandt ; *Jeune fille avec une corbeille de cerises et deux garçons*, d'après Rubens ; *Les enfants de Van Loo*, d'après Van Loo.

EXTER Alexandra ou **Ekster**, née **Grigorievitch**

Née en 1882 ou 1884 à Bielostok (Kiev). Morte en 1949 à Fontenay-aux-Roses (Hauts-de-Seine). xxe siècle. Depuis 1924 active en France. Russe.

Peintre, peintre de décors de théâtre. Cubiste, futuriste puis abstrait-constructiviste.

Élève de l'École des Beaux-Arts de Kiev, elle expose pour la première fois dans le groupe *La Rose Bleue* à Moscou en 1907. L'année suivante, elle organise à Kiev l'une des premières expositions de l'avant-garde russe *Zveno* où sont rassemblés Baranov-Rossiné, les frères Burliuk, Larionov, Gontcharova et Lentulov. Entre 1903 et 1914, elle voyage beaucoup entre Paris, Rome, Gênes et Florence. À partir de 1908, elle passe de longues périodes à Paris où elle est admise dans le cercle cubiste. En 1908 aussi, elle se maria avec son cousin Nikolaï Eugenovitch Exter, riche avocat. Elle rencontre Picasso, Apollinaire, Max Jacob, tombe sous l'influence de Léger puis de ses amis Sonia et Robert Delaunay. En 1912, elle peint une série de *Visions de villes* qui incite Apollinaire à inventer un nouveau terme pour qualifier ce cubisme tendant à l'abstraction, pratiqué, entre autres, par Robert Delaunay, Kupka : « le cubisme orphique ». Entre 1910 et 1914, revenant périodiquement en Russie avec des photos des dernières innovations picturales parisiennes, elle établit un lien entre la France et la Russie. Avant la guerre de 1914, elle rejoint un peu tous les groupes d'avant-garde, dont l'*Union des Jeunes* à Saint-Pétersbourg, le groupe du *Valet de carreau* à Moscou, fondé en 1910 par Larionov, le *Groupe de la Section d'or* à Paris, auquel participent Archipenko, Survage, Baranoff-Rossiné. Elle découvre également le Futurisme italien, surtout à travers le peintre et écrivain Ardengo Soffici avec lequel elle partage un atelier à partir de 1914 et participe à Rome à l'*Exposition Internationale Futuriste*. Ayant assimilé la leçon des Cubistes et des Futuristes, elle prend part à l'exposition le *Tramway V* à Saint-Pétersbourg en 1915, avec Malevitch, Tatlin, Popova, Kliun, etc. En 1975, une galerie de New York montra un ensemble de ses œuvres, en 1991 à Rovereto fut organisée l'exposition *Alexandra Exter et le Théâtre de Chambre*.

Il faut mentionner le rôle primordial d'Alexandra Exter dans l'histoire du théâtre russe. Il n'est pas exagéré de dire qu'elle est l'initiatrice de la plupart des innovations en matière de décors et de costumes dans les années vingt en Russie. Ces nouveautés ont pu être largement diffusées grâce à l'enseignement qu'elle a dispensé avec acharnement à Kiev, Odessa, Moscou et, après 1924, à Paris. Dans son œuvre théâtrale, elle montre un intérêt particulier pour le mouvement des formes dans l'espace en relation avec le mouvement des acteurs sur la scène. Avec Taïrov, directeur du *Théâtre de chambre de Moscou*, elle élabore une formule théâtrale synthétique où costumes, décors et acteurs constituent une unité vivante et dynamique. La plupart de ses projets de costumes, ceux de *Salomé* (1917) ou de *Roméo et Juliette* (1921), sont des exemples de sa conception cubo-futuriste du mouvement rotatif des formes et des plans. Cette expérience se trouve développée dans certaines de ses peintures, notamment celles exposées à la Biennale de Venise en 1924.

En 1921, elle s'est engagée dans le Constructivisme, c'est la raison pour laquelle elle est représentée à l'exposition *5 x 5 = 25*, organisée par Rodchenko. Elle quitte la Russie en 1924 et s'installe à Paris où elle commence à enseigner dans l'atelier de Léger et continue à travailler pour le théâtre. En 1930, elle s'affirme dans la voie du constructivisme en participant, avec une illustration, au premier numéro de la revue *Cercle et Carré*, animée par Michel Seuphor. Cependant, il semble qu'elle ait terminé ses jours à Fontenay-aux-Roses, dans un semi-oubli.

Son œuvre est une synthèse entre le Cubisme, par sa décomposition des formes, le Futurisme, par la dynamique de ses compositions et le Constructivisme, par l'agencement de ses formes géométriques colorées. Ses couleurs franches sont parfois pondérées par des touches de blanc qui viennent donner des effets de volumes ou de creux à l'ensemble. ■ A. P., M. M

A Exter

Bibliogr. : E. Weiss : *Russische Avant-garde 1910-1930*, Collection Ludwig, Cologne, paru à Munich en 1986.

Ventes Publiques : Londres, 12 avr. 1972 : *Composition suprématiste*, gche : **GBP 2 800** – Londres, 4 juil. 1974 : *Composition abstraite*, gche : **GBP 2 200** ; *Nu cubiste* vers 1914 : **GBP 1 600** – New York, 27 mai 1976 : *Décor de théâtre*, gche et collage (17,8x22) : **USD 750** – New York, 15 déc. 1977 : *Décor de théâtre* vers 1923, aquar. et cr. (51,3x54) : **USD 3 000** ; *Marionnette : habit de rigueur*, bois, cart., plastique et tissus (H. 54,6) : **USD 8 000** – New York, 3 nov. 1978 : *Personnage* vers 1924-25, gche (48,2x22) : **USD 1 800** – New York, 6 déc. 1979 : *Tarantella* vers 1920-21, aquar., gche et cr. (13x13,3) : **USD 1 400** – Londres, 29 oct. 1981 : *Projet de costume dans Le Cirque*, gche et cr. (38x49,2) : **GBP 1 500** – Londres, 28 juin 1983 : *Vision dynamique d'une ville* vers 1921, cr. et gche blanche/pap. (45X50) : **GBP 4 500** – New York, 17 mai 1984 : *Projet de décor* 1925, gche/trait de cr. (48,2x35,3) : **USD 7 500** – Londres, 13 fév. 1986 : *La ville*, h. et gche (44x30) : **GBP 1 800** – Londres, 2 avr. 1987 : *Scène* *de café* 1925, aquar. pl. et cr. (63,5x42) : **GBP 10 000** – VARENNE-SAINT-HILAIRE, 6 déc. 1987 : *Nature morte et voilier* 1925, gche/cart. (63x48) : **FRF 31 000** – LONDRES, 6 oct. 1988 : *Croquis de costume : Le chasseur*, gche/pap. (46,4x30,2) : **GBP 3 960** ; *Cheval fringuant*, h/t (32x39,5) : **GBP 6 600** – LONDRES, 6 avr. 1989 : *Composition, Gênes* 1912, h/t (115,5x86,5) : **GBP 759 000** – LONDRES, 5 oct. 1989 : *Les ponts de Paris* 1912, h/t (95x153,5) : **GBP 330 000** – VERSAILLES, 29 oct. 1989 : *Femme à la cape*, gche (29x21,5) : **FRF 5 000** – NEW YORK, 21 fév. 1990 : *Croquis de décors de théâtre : Don Juan et la mort ; Don Juan en enfer*, gche au pochoir, une paire (chaque 33,1x50) : **USD 2 860** – LONDRES, 4 avr. 1990 : *Roméo et Juliette, projet de costumes*, h., gche et peint. or/cart. (48x35) : **GBP 143 000** – LONDRES, 5 avr. 1990 : *Composition de couleurs dynamiques* (148x82) : **GBP 506 000** – LONDRES, 23 mai 1990 : *Le château*, h/t (46x73) : **GBP 15 400** – LUGANO, 28 mars 1992 : *Projet de costume pour « Roméo et Juliette »* 1920, cr. et temp./pap. (57,5x43,5) : **CHF 38 000** – NEW YORK, 12 juin 1992 : *Projets de décors pour « Le marchand de Venise » et « Chapiteau de cirque »*, gche au pochoir/pap. (33x40 et 33x50,2) : **USD 1 320** – BOULOGNE-SUR-SEINE, 20 mars 1994 : *Le concert*, h/t (60x81) : **FRF 168 500** – NEW YORK, 9 juin 1994 : *Paysage et architectures*, h/t, projet de décor (61,9x73) : **USD 8 050** – LONDRES, 29 juin 1994 : *Châteaux sous la mer* 1928, h/t (90,2x111,1) : **GBP 11 500** – PARIS, 26 juin 1995 : *Projet de costume pour Salomé d'O. Wilde*, gche vernie (46x31) : **FRF 16 000** – LONDRES, 14 déc. 1995 : *Projet de costume pour « Roméo et Juliette »*, gche avec reh. d'or (50x48) : **GBP 25 300** – LONDRES, 11-12 juin 1997 : *Étude de personnage*, h/t (53,5x45) : **GBP 4 025**.

EXTER Friedrich
Né le 6 mars 1820 à Theresienfeld. Mort le 27 juin 1860 à Vienne. XIXe siècle. Allemand.
Paysagiste et graveur sur bois.
Élève du graveur Höfe à Vienne et de C. Braun à Munich. Il fut l'initiateur de procédés originaux de gravure en couleur.

EXTER Julius
Né le 20 septembre 1863 à Ludwigshafen sur le Rhin. XIXe siècle. Allemand.
Peintre de genre et sculpteur.
Il commença ses études à l'école d'art de Nuremberg de 1881 à 1887, puis à l'Académie de Munich. Il travailla ensuite pendant deux ans dans l'atelier d'Alexandre de Wagner. Il a exposé à Munich à partir de 1888-1889. Médaille de bronze à l'Exposition Universelle de 1900.
MUSÉES : BRÊME : *La jeune Judith* – *Deux hommes* – BUCAREST : *Petite fille endormie* – MUNICH : *Vendredi Saint.*

EYB Gustav A.
Né le 13 octobre 1863 à Wangen (près de Stuttgart). XIXe siècle. Allemand.
Graveur sur bois et peintre.
Il fut élève de l'Académie de Stuttgart.

EYB Johann Paul von
XVIIe siècle. Actif à Nuremberg. Allemand.
Graveur amateur.

EYBE Caspar
XVIIe siècle. Actif au Schleswig vers 1650. Allemand.
Sculpteur sur bois.

EYBE Claus
Mort en 1697 à Schleswig. XVIIe siècle. Allemand.
Sculpteur.
Il travaillait en 1656 pour un couvent à Preetz ; par la suite il exécutait vers 1666 un autel pour la cathédrale de Schleswig.

EYBE Karl Gottfried
Né le 17 décembre 1813 à Hambourg. Mort le 17 février 1893 à Blankenese. XIXe siècle. Allemand.
Peintre d'histoire, genre, portraits.
Élève de l'Académie de Düsseldorf dans les ateliers de K. Sohn et Schadow. Il fit des voyages en Allemagne et en Italie. Il a exposé à Cologne, à Munich en 1854 et 1861. On cite de lui : *Le Printemps.* Le Musée de Hambourg conserve de lui : *Enfants se baignant.*

EYBEL Adolf
Né le 24 février 1808 à Berlin. Mort le 12 octobre 1882 à Berlin. XIXe siècle. Allemand.
Peintre d'histoire, de genre et de portraits.
Élève de l'Académie de Berlin. En 1835, il entra dans l'atelier de Kolbe et dans la même année chez Delaroche à Paris. En 1850, il devint professeur de l'Académie à Berlin. En 1845, membre, et en 1854, sénateur de l'Académie. En 1848, il obtint la petite médaille en or à Berlin. On cite de lui : *Enfants musiciens.*

EYBELWIESER Hans Jacob
Originaire de Vienne. Mort le 17 mars 1694 à Breslau. XVIIe siècle. Allemand.
Peintre.
On sait qu'il exécuta une *Crucifixion.* Il fut le père de Johann Jacob.

EYBELWIESER Johann Jacob
Né vers 1667 à Vienne. Mort vers 1744 à Breslau. XVIIe-XVIIIe siècles. Allemand.
Peintre.
Époux de la veuve du compositeur B. J. Lehmann, il fut élève de M. L. L. Willmanns. K. Ertl grava d'après un dessin de cet artiste le frontispice de l'ouvrage de Lesage de Richée « Cabinet der Lauten » paru vers 1695.

EYBEN H. L.
XVIIIe siècle. Allemand.
Peintre.
Bernigeroth grava d'après cet artiste un portrait du théologien J. J. Bertram.

EYBENSTOCK
XVe siècle. Autrichien.
Sculpteur de monuments.
Travaillant à Salzbourg, il exécuta plusieurs tombeaux.

EYBL Franz
Né le 1er avril 1806 à Vienne. Mort le 29 avril 1880 à Vienne. XIXe siècle. Autrichien.
Peintre de genre, portraits, aquarelliste.
Il étudia à l'Académie de sa ville natale et en devint membre en 1843.
MUSÉES : VIENNE (Gal. du Belvédère) : *Une vieille paysanne autrichienne quittant l'église* 1847 – *Un vieux mendiant dans un paysage montagneux* 1856 – *Autoportrait et portrait du docteur Gross.*
VENTES PUBLIQUES : VIENNE, 18 sep. 1962 : *Paysanne de Hallstatt au panier de fraises* : **ATS 130 000** – VIENNE, 20 jan. 1981 : *Portrait d'homme*, h/t (68x56) : **ATS 22 000** – MUNICH, 15 sep. 1983 : *Portrait d'un officier autrichien*, h/t (80x63) : **DEM 10 000** – VIENNE, 23 fév. 1989 : *La promesse* 1856, h/pan. (49x41) : **ATS 1 320 000** – PARIS, 5 avr. 1990 : *Portrait de jeune homme*, h/t (54,5x44) : **FRF 30 000** – LONDRES, 20 mai 1993 : *Portrait d'Anton Diabelli assis* 1842, aquar. avec reh. de blanc/pap. (20,7x17,1) : **GBP 6 830**.

EYCHART Paul
Né à Ségura (Ariège). XXe siècle. Français.
Peintre.
Sociétaire, à Paris, du Salon des Artistes Français. En 1938, il est récompensé par le prix Deldebat de Gonzalva.

EYCHART Pierre
Né en 1943. XXe siècle. Français.
Peintre de compositions à personnages, figures, nus, portraits, intérieurs animés, paysages, paysages d'eau, paysages urbains animés, natures mortes, graveur. Postimpressionniste.
Il fut élève de Chapelain-Midy à l'École des Beaux-Arts de Paris. Il remporta le Prix de la Casa Vélasquez, séjournant à Madrid de 1969 à 1971. Il participe à des expositions collectives à Paris : le Salon d'Automne, où il obtint le Prix des jeunes peintres en 1967, devenant sociétaire en 1973, membre du jury en 1981, membre du comité en 1984 ; le Salon des Artistes Français, dont il obtint le Prix des jeunes peintres en 1968, la médaille d'or en 1970 ; les Salons Comparaisons et du Dessin et de la Peinture à l'eau où il fut invité en 1973. Il fut sélectionné pour les expositions des Salons d'Automne et des Artistes Français à Moscou et Léningrad, à Varsovie, à Téhéran, etc. Il montre des ensembles de peintures dans des expositions personnelles, dont : 1968 à Tokyo ; 1970 Londres et Paris ; 1971 Melbourne ; 1976 Tokyo de nouveau ; 1978, 1980 Paris, et 1982, 1985 galerie Bernheim-jeune à Paris ; 1988 au Musée de Draguignan ; 1991 avec un Hommage au Salon d'Automne. Il fut lauréat du Prix Rainier III de Monaco en 1972, du Prix Othon Friesz en 1973, de divers autres Prix, notamment de l'Institut de France.
Au sujet de la peinture, il ne se pose pas de questions de théorie, il ne se pose que des questions de pratique, à moins que ce ne

soient les questions de pratique qui s'imposent à lui. L'exercice de la peinture procède pour lui de la délectation. Il ne s'interroge donc pas sur la transcendance de l'acte de peindre, mais sur l'immanence de pérenniser sa délectation en peinture. Il s'est donc constitué la technique picturale qui lui permet au mieux d'épier les sensations qui fondent son émotion. Sa technique de petites touches juxtaposées, superposées, enchevêtrées, bien sûr interprétée à partir des impressionnistes, se prête à capter les sensations ; son sens de la multiplicité des harmonies colorées possibles lui permet d'orienter ses sensations jusqu'à atteindre à l'émotion. Les peintures d'Eychart, dans la diversité multiple de leurs thèmes, témoignent avant tout de son émerveillement devant tout ce qu'il choisit de peindre, et de son plaisir à le peindre. Pourtant, c'est en dépassant le plaisir du choix du thème par le plaisir de le peindre, qu'il parvient à en capter, nouveau selon l'incitation opportune, le pur climat poétique.

Bibliogr. : J.-P. Clerval : Présentation de l'exposition *Pierre Eychart*, Musée de Draguignan, 1988 – J.-P. Siméon : *Pierre Eychart ou La réalité en face*, Imprimerie P. J. Mathan, Boulogne-Billancourt, 1992.

Musées : Clermont-Ferrand (Mus. Bargoin).

Ventes Publiques : Paris, 26 mars 1990 : *Bord de Seine*, h/t (60x73) : **FRF 7 500** – Paris, 8 déc. 1994 : *Le Loing, matin d'été* 1987, h/t (100x100) : **FRF 7 600**.

EYCHENNE Gaston

Né en 1873. Mort le 13 mai 1902 à Saint-Germain-en-Laye (Yvelines). XIXe-XXe siècles. Français.

Peintre, sculpteur.

Il exposa, à Paris, au Salon des Artistes Français en 1902.

EYCHUISE Jean de

XIVe siècle. Actif à Gand. Éc. flamande.

Peintre verrier.

Il exécuta des vitraux pour la chapelle du château de Ninove.

EYCK Artus Van der

Originaire de Malines. XVIIe siècle. Éc. flamande.

Peintre.

Il se maria à Amsterdam en 1646.

EYCK Barthélémy d', dit **Maître de l'Annonciation d'Aix**

XVe siècle. Français.

Peintre de compositions religieuses.

La dernière en date des identifications du « Maître de l'Annonciation d'Aix » donne un Barthélémy d'Eyck, dont le nom indiquerait une origine flamande, et qui aurait été un enlumineur du Roi René. Il serait donc l'auteur de *L'Annonciation à Marie*, provenant de la cathédrale Saint-Sauveur, actuellement à l'église Sainte-Marie-Madeleine, à Aix-en-Provence. Certains auteurs l'identifient avec le Maître du Cœur d'Amour épris, appelé aussi Maître du Roi René. Un *Christ en croix*, inspiré de la tradition siennoise, acquis par le Louvre en 1993, était auparavant attribué à Enguerrand Quarton, puis fut identifié comme œuvre de Barthélémy d'Eyck.

Le panneau central de *L'Annonciation à Marie* se trouve encore dans l'église ; mais celui de droite avec le prophète Jérémie a été transféré au Musée de Bruxelles, et une partie du panneau de gauche avec Isaïe est passée au Musée Boymans à Rotterdam, tandis que la nature morte appartient au Rijksmuseum d'Amsterdam et est en dépôt au Louvre. Ce démembrement fâcheux ne permet pas de voir l'ensemble extérieur des volets, qui une fois fermés, montrent *l'Apparition du Christ à Madeleine*. Cette œuvre a posé et pose encore bien des problèmes d'identification. Il semble que ce triptyque ait été exécuté conformément aux dernières volontés d'un drapier, Pierre Courty ou Corpici, dont le testament date du 9 décembre 1442 et la mort, de 1449. Il est logique de croire que cette *Annonciation* fut peinte entre ces deux dates. L'Annonciation elle-même se déroule à l'intérieur d'une église gothique, ce qui fait penser aux compositions flamandes, et en particulier à Van Eyck ou au Maître de Flémalle, sans pour autant leur attribuer l'œuvre. Toutefois, Tolnay a proposé de la donner à un artiste dans la suite du Maître de Flémalle. Les lourdes draperies, les ors, la nature morte du premier plan avec les fleurs dans un vase, évoquent tout l'art flamand du XVe siècle. Mais l'influence bourguignonne n'en existe pas moins et les sculptures intégrées à l'architecture ne sont pas sans rappeler l'œuvre de Sluter à Champmol. Autre fait curieux, le lutrin reproduit un dessin des frères Limbourg. De cet ensemble de remarques, l'attribution de Liebreich vient tout naturellement, puisqu'il voit en l'auteur de *l'Annonciation* un Flamand inspiré de Sluter et Van Eyck. Le type des plis cassés des draperies fait penser à Conrad Witz dont l'art présente quelque analogie avec l'art du Midi. Enfin, le peintre de ce triptyque est un coloriste raffiné qui affectionne les gris et les mauves, comme bien des artistes provençaux. C'est pourquoi l'idée d'Hulin de Loo qui croit à un artiste flamand, en contact avec Conrad Witz, avant d'aller dans le Midi, n'est pas absurde non plus. En définitive, le Maître de l'Annonciation d'Aix est un peintre qui a assimilé l'art flamand, il a pu connaître, sûrement indirectement le style de Witz, et est entré en contact avec l'art bourguignon, tout en connaissant l'art provençal. Sur ces données stylistiques simples et complexes à la fois, viennent se greffer des observations iconographiques qui ont sans doute leur intérêt, mais peuvent nous entraîner dans un véritable roman. Il est toutefois curieux de voir un minuscule petit Enfant Jésus se loger dans le rayon lumineux qui va de Dieu le Père à la Vierge, mais il est bien plus étrange que l'auteur de ce panneau ait peint un singe extrêmement petit au sommet du lutrin placé devant la Vierge. Si le premier détail s'est rencontré chez le Maître de Flemalle qui l'a déjà utilisé pour interpréter l'incarnation, le second, accompagné de diverses représentations démoniaques, peut faire penser que l'artiste était suffisamment sûr de lui et bien protégé pour se permettre de telles originalités, dignes des inventions du roi René, par exemple. Il est possible que le peintre appartienne à l'entourage de ce roi qui, par ailleurs, était ami des arts, et peut-être peintre lui-même. Ceci pourrait faire pencher en faveur de la thèse de J. Boyer qui a proposé en 1948 l'identification à Jean Chapus, peintre ayant travaillé à Avignon et Aix pour le roi René ; mais l'auteur a lui-même abandonné cette idée. Bien que la filiation semble plus difficile, Lionello Venturi attribue cette œuvre à Colantonio, dont on dit qu'il apprit certaines expériences picturales du roi René. Enfin vient la comparaison faite entre *l'Annonciation* et les vitraux de la chapelle Saint-Mitre dans la cathédrale d'Aix, commandés à Guillaume Dombet. Une certaine similitude de style a fait pencher J. Boyer pour une attribution de *l'Annonciation* à G. Dombet. À la suite de cette proposition sont venues des contre-propositions de toutes sortes. En 1963, A. Chatelet préfère voir en l'auteur du triptyque, un collaborateur de G. Dombet, Arnolet de Gatz, son gendre, tandis que Charles Sterling prouve que cet Arnolet était mort avant 1442, ce qui ne coïncide plus avec la commande. Enfin, si beaucoup pensent que tout est de la même main, C. Sterling avance que le peintre verrier serait plus jeune que l'auteur de *l'Annonciation*, et il aurait peint l'extérieur des volets. Il propose alors Aubry Dombet, fils et collaborateur de Guillaume. Aucune de ces thèses n'est prouvée absolument, elles laissent le champ libre à toute autre découverte et proposition. Puisqu'il existe, ce problème a au moins le mérite de montrer combien, au XVe siècle, il y eut un brassage d'influences entre les ateliers flamands, provençaux, italiens et bourguignons. ■ A. J.

Bibliogr. : A. Liebreich : *L'Annonciation d'Aix-en-Provence*, Gazette des Beaux-Arts, février 1938 – J. Boyer : *Le Maître d'Aix enfin identifié*, Connaissance des Arts n° 72, février 1958 – J. Lassaigne : *Le XVe siècle, de Van Eyck à Botticelli*, Skira, Genève, 1955 – M. Herold, in : *Dictionnaire de l'Art et des Artistes*, Hazan, Paris, 1967.

Musées : Aix-en-Provence (Égl. St-Sauveur) : *L'Annonciation* – Amsterdam (Rijksmuseum) : *Livres dans une niche* – Bruxelles : *Portrait de Jérémie* – Florence (Offices) : *Portrait de Lucrèce Panciatichi* – Paris (Mus. du Louvre) : *Le Christ en croix* – Rotterdam (Mus. Boymans) : *Le Prophète Isaïe*.

EYCK Carel Van

XVIIIe siècle. Actif à Anvers vers 1710. Éc. flamande.

Peintre.

EYCK Charles Hubertus

Né en 1897 à Meersen (Limbourg). Mort en 1983. XXe siècle. Hollandais.

Peintre de paysages, paysages urbains, portraits, compositions murales, cartons de vitraux.

Au cours de ses voyages, il fixa ses impressions, et exposa, en particulier à Paris au salon des Tuileries de 1930 où il fut invité, une série de paysages de la banlieue parisienne. On cite également ses paysages de son Limbourg natal et ses portraits. Eyck a contribué avec ses vitraux à la renaissance de l'art religieux en Hollande.

Bibliogr. : In : *Diction. universel de la peinture*, Le Robert, Paris, 1975.

Ventes Publiques : Amsterdam, 28 sep. 1987 : *Maisons en*

France 1933, h/t (80x98,5) : **NLG 2 800** – AMSTERDAM, 11 sep. 1990 : *Paysage enneigé*, h/t (65x54) : **NLG 5 175** – AMSTERDAM, 10 déc. 1992 : *Azalée* 1941, h/t (55x45) : **NLG 2 875** – AMSTERDAM, 27-28 mai 1993 : *Boulevard à Paris* 1969, h/t (100x110) : **NLG 6 325** – AMSTERDAM, 7 déc. 1994 : *Boulevard de Paris* 1944, h/t (94,5x100) : **NLG 12 650** – AMSTERDAM, 30 mai 1995 : *L'Église de Clamart* 1929, h/t (60x72) : **NLG 9 375** – AMSTERDAM, 10 déc. 1996 : *Paysage* 1973, h/t (81x90) : **NLG 10 378** – AMSTERDAM, 19-20 fév. 1997 : *Nature morte aux bouteilles*, h/pan. (49x49) : **NLG 4 612**.

EYCK Huber Van

Mort sans doute le 18 septembre 1426 à Gand. XVe siècle. Éc. flamande.

Peintre de compositions religieuses.

Voir la notice EYCK Jan Van ou Jean.

EYCK Jacques Van

Né en 1601 à Anvers. Mort en 1648. XVIIe siècle. Éc. flamande.

Peintre.

Il exécuta des portraits, des tableaux illustrant des scènes mythologiques ou bibliques.

EYCK Jan

XVIIe siècle. Actif à Anvers. Éc. flamande.

Peintre.

Il fut élève de Jan Blanchaert.

EYCK Jan Karel Van

Baptisé à Anvers le 12 mai 1649. XVIIe siècle. Éc. flamande.

Peintre.

Frère de Nicolas II, élève de Jan Erasmus Quellinus en 1669. Il partit pour un voyage sans laisser de traces de son passage nulle part.

EYCK Jan Van ou **Jean**

Né vers 1390. Mort le 9 juillet 1441 à Bruges. XVe siècle. Éc. flamande.

Peintre de compositions religieuses, portraits, miniaturiste.

Le cas Van Eyck est particulièrement épineux, il a soulevé et soulève encore des passions. Les archives donnent peu de renseignements sur Hubert qui serait peintre et frère aîné de Jean. Rien n'est clair, étant donné que cet Hubert est désigné sous différentes orthographes et que Jan avait un frère, dont l'existence est prouvée, et dont le nom est Lambert. Y a-t-il eu confusion entre ces deux noms ? Avant d'essayer de donner l'état de la question, nous tenons à préciser que nous exposerons un aperçu de la plupart des thèses, en renvoyant à leurs auteurs, et si nous montrons une préférence pour l'une des solutions, nous ne la considérons pas comme définitive, puisque tous nouveaux travaux peuvent venir changer des idées préconçues qui paraîtraient alors bien démodées et ridicules. Rien n'est absolu, dans ce domaine encore moins qu'ailleurs. Cependant, les thèses les plus récentes et les plus documentées attireront davantage notre attention dans la mesure où elles ne paraissent pas fantaisistes. On peut se demander comment a pu s'établir une telle confusion.

La question de l'existence d'Hubert s'est posée en 1822, lorsque Waagen a fait enlever la peinture qui recouvrait le cadre du polyptyque de Saint-Bavon, découvrant le fameux quatrain qui fait mention du peintre Hubert Van Eyck. Comme on n'avait pas trouvé d'œuvres signées du nom d'Hubert, il a fallu faire de nombreuses suppositions, fondées sur des études et des faits plus ou moins sûrs, pour retrouver trace de ses peintures. Toutes les œuvres attribuées à Jan Van Eyck et non signées ni datées ont alors fait l'objet de doutes. De plus, même parmi les tableaux signés et datés de Jan, se glissent des erreurs dues en partie au fait que Jan aurait commencé à signer ses œuvres à partir de 1432, revenant parfois en arrière et faisant des erreurs. Pour cette raison, il devient difficile de déterminer les œuvres de jeunesse de Jan et de les comparer à des peintures qui pourraient être attribuées à Hubert. Les inscriptions nombreuses sur les tableaux des Van Eyck, qui devraient être des renseignements précieux, deviennent sujets de querelles parce qu'elles sont incomplètes ou imprécises ou très abîmées. En conséquence, les interprétations peuvent être variées, d'autant qu'elles ne sont pas toujours données avec la plus stricte objectivité, mais servent plutôt à défendre une thèse ou une autre. Pour prouver l'existence du peintre Hubert, on a eu recours également aux documents d'archives et à d'autres pièces dont suit une analyse succincte. On a trouvé une dalle mutilée qui proviendrait du tombeau d'Hubert, qui porte la date de sa mort : 1426. On s'est aperçu que cette inscription devait être une copie du XVIe siècle, ce qui ne veut pas dire qu'elle ne soit la reproduction exacte de l'originale. Les partisans de l'existence d'Hubert insistent beaucoup sur les documents d'archives pourtant bien fragiles : en 1424, un meester Luberecht fournit deux esquisses au Magistrat de Gand ; on retrouve, en 1424, et 1426, un Lubrecht Van Heycke ; en 1426, des héritiers paient des droits pour sortir des meubles qui avaient appartenu à Hubrecht den Scildere. Comment savoir s'il s'agit vraiment de Hubert, frère de Jan ; et de plus, ces documents, sauf le premier, ne prouvent pas qu'il était peintre. La preuve principale est l'inscription latine en vers hexamétriques qui constituent le quatrain très effacé et presque illisible du retable de St-Bavon et que nous reproduisons ici :

Hubertus... Eyck. major quo nemo repertus
incepit. pondusque. Johannes arte secundus
... ecit. Judoci Vijd prece fretus
VersV seXta MaI Vos CoLLocat aCta tUerI

Les traductions ne sont pas toujours semblables selon la manière dont on complète les lettres manquantes. Cependant, voici ce que nous pouvons en retenir : Hubert, peintre supérieur à ses prédécesseurs, a commencé le retable ; Jan l'a terminé sous l'instigation du donateur Josse Vydt, et l'a présenté le 6 mai 1432. Mais l'authenticité de ce quatrain est également mise en doute. Un examen microchimique de 1951, révèle que cette inscription est faite sur une feuille d'argent qui a été substituée à la feuille d'or qui paraît partout ailleurs sur le cadre du retable. Le style des lettres du quatrain moins soignées que celles de la main de Jan Van Eyck, et l'usage peu courant au XVe siècle de cette forme de chronogramme, davantage utilisé au XVIe siècle, tend à prouver que cette inscription a été refaite au XVIe siècle. Le second point litigieux vient de ce qualificatif de peintre supérieur attribué à Hubert : si nous supposons que l'inscription a effectivement existé, il paraît logique de penser qu'elle a été écrite par Jan, et en conséquence, comme l'écrit Hulin de Loo, ce serait une formule de modestie du cadet envers l'aîné. S'il s'agit de quelqu'un d'autre qui relate la renommée véritable de ce peintre, on se demande, comme le souligne R. Genaille, pourquoi Hubert, qui soit-disant était un grand peintre, n'a pas été choisi par les ducs Jean de Bavière et Philippe le Bon pour être peintre de leur cour, plutôt que d'appeler Jan qui aurait été moins renommé ? En conséquence, certains ont déduit de toutes ces contradictions, que le quatrain était faux, mais alors, qui l'aurait inventé ? Certains pensent que ce serait l'idée d'érudits gantois du XVIe siècle, qui auraient inventé, pour la gloire de leur ville, un frère Hubert, aîné de Jan et meilleur peintre que lui. Ceci a entraîné E. Renders à nier l'existence même d'Hubert. Il est sans doute raisonnable de suivre Panofsky et d'accepter l'existence de Hubert et sa participation au retable de Saint-Bavon, mais alors, il s'en suit toute une polémique pour prouver le ou les morceaux peints par Hubert. Nous n'entrerons pas dans les détails de ces attributions trop arbitraires et qui mènent parfois à des aberrations, d'autant que le tableau a été maintes fois remanié. Que ce maître Hubert existe, c'est tout à fait probable, mais que nous n'ayons aucune œuvre de lui, en dehors de sa participation au retable de l'*Agneau mystique*, c'est tout de même gênant. Pour cette raison, certains critiques, dont Durant Gréville, lui ont attribué toute une série de tableaux, autrefois donnés à Jan. Mais la qualité de ces œuvres est tellement proche de celles signées et datées par Jan lui-même, qu'il est difficile de suivre ces auteurs. Le problème n'en reste pas moins entier, surtout en ce qui concerne l'*Agneau mystique*. D'autres peintures sont parfois attribuées plus raisonnablement à Hubert : *Les Trois Marie au Sépulcre* du musée Boymans, *l'Annonciation Friedsam* (New York) en sont des exemples. Si la première œuvre est généralement admise comme étant de la main de Hubert (par Hulin de Loo, Panofsky, Beenken, Baldass), Tolnay la considère comme une copie d'un tableau de Hubert. Son caractère archaïque et le paysage assez confus, d'une perspective incertaine, font penser à Chatelet qu'il s'agit bien d'une peinture de Hubert. *L'Annonciation Friedsam*, œuvre publiée par Panofsky comme étant de Hubert, serait, selon Beeken une copie de Petrus Christus. La composition reste encore proche d'une miniature avec une vision de l'espace assez symbolique. D'une façon générale, des œuvres pour lesquelles on décèle quelque archaïsme par rapport aux œuvres maîtresses de Jan, sont données à Hubert, ou sont datées de la jeunesse de Jan ou encore sont considérées comme des copies plus ou moins tardives des peintures de l'un ou l'autre des deux Van Eyck, ou, enfin, sont attribuées à un autre maître inconnu. Ces controverses ne sont pas étonnantes si l'on songe que la première œuvre datée et signée des Van Eyck est le retable de Saint-Bavon qui apparaît comme un chef-d'œuvre, aboutissement, sans doute, d'autres recherches faites peut-être par Hubert, mais aussi par Jan. Or, avant 1432, aucune œuvre n'est donnée avec certitude à Jan.

Nous pouvons situer aux environs de 1390 la date de naissance de Jan, mais le lieu reste incertain ; on le dit né à Maaseik, selon la tradition du XVIe siècle, dans le Limbourg, ou dans la Gueldre. Entre 1390 et 1418, il semble avoir séjourné à Liège où il serait entré au service de Jean de Bavière, alors dans cette ville. Trois documents attestent la présence de l'artiste du 24 octobre 1422 au 11 septembre 1424, à La Haye où il travaillerait encore pour Jean de Bavière, dont la cour s'était installée à La Haye. En 1425, le 19 mai, Jan est à Bruges, au service de Philippe III, duc de Bourgogne qui l'engage comme peintre et « valet de chambre », et lui verse un salaire de 100 livres parisis par an. Cette distinction ne peut s'expliquer que dans la mesure où Jan était déjà connu et apprécié à travers des tableaux que nous avons beaucoup de difficultés à déterminer, parmi lesquels on peut citer les panneaux de New York, la *Crucifixion entre la Vierge et saint Jean* (Berlin) et la *Vierge dans une église* (Berlin). Mais la datation entre 1420 et 1425, et l'attribution de ces dernières œuvres sont déduites, le plus souvent, de la datation et de l'attribution des *Heures de Turin*, qui ont soulevé bien des contestations. Pour mieux comprendre le problème des *Heures de Turin*, il est prudent de reprendre leur historique. En 1524, Summonte, dans une lettre écrite à M. A. Michiel cite le grand Johannes qui « exerça d'abord l'art d'enluminer, ou art de la miniature comme nous l'appelons aujourd'hui ». Cet indice permet de penser que Jan, avant d'atteindre le niveau des œuvres postérieures, se serait essayé tout naturellement à une technique très répandue à son époque. En 1902, P. Durrieu publie une série de feuilles enluminées de la bibliothèque nationale de Turin – d'où le nom des *Heures de Turin* – dont certaines semblent eyckiennes. Elles viennent d'un Livre d'Heures ayant appartenu à Jean, duc de Berry, vers 1400 et achevé plus tard. En 1904, ces miniatures sont détruites dans un incendie. Hulin de Loo, en 1911, retrouve à Milan d'autres miniatures ayant appartenu à ce livre – d'où le nom des *Heures de Milan-Turin* – de type eyckien, pour certaines. L'étude de ces miniatures a permis aux critiques de les dater et de les attribuer de façon différente. Hulin de Loo, Beeken et Winkler les datent entre 1415 et 1417 et les attribuent à Hubert ; Dvorak, suivi de Baldass et Tolnay propose une date postérieure de vingt ans, donc vers 1435-1437, et Dvorak les donne à un peintre hollandais qui pourrait être Ouwater. Panofsky redonne les Heures à Jan, comme étant des œuvres de jeunesse. L'une des miniatures présente des *Chevaliers sur la plage*, parmi lesquels on reconnaît le duc de Bavière, sans savoir s'il s'agit de Guillaume, mort en 1417 ou de Jean, mort en 1425 et pour lequel Jan Van Eyck aurait travaillé à La Haye entre 1422 et 1424, il aurait été susceptible d'avoir alors exécuté quelques-unes des *Heures de Turin*. Ces divergences peuvent, sans doute, s'expliquer par la différence de style entre les miniatures qui ne sont probablement pas de la même main. À travers les deux publications (de Turin et de Milan), on peut distinguer, avec Chatelet, quatre groupes de miniatures : les préeyckiennes, celles de la main de Van Eyck (soit Hubert, soit Jan, soit l'un et l'autre), celles d'influence eyckienne et celles qui sont postérieures aux Van Eyck. Chatelet donne cinq des miniatures attribuées aux Van Eyck, à Jan, et deux, à un maître H, proche disciple de Jan. Il semble que les miniatures présentant *Saint Julien et sainte Marthe dans la barque, Les Chevaliers sur la plage, La Naissance de saint Jean-Baptiste* et *La Messe des Morts*, puissent être attribuées à Jan, étant donnée la place du paysage indiqué avec aisance pour les deux premières et la prise de possession de l'espace dans les scènes d'intérieur des deux autres, même si dans l'ensemble les détails sont encore tributaires du canon de l'art gothique international. C'est un jugement que l'on peut porter de manière identique, à la *Vierge dans une église* (de Berlin), aux panneaux de New York et à la *Crucifixion* de Berlin. Pour cette raison, entre autres, ces œuvres sont liées aux *Heures de Turin*, et la solution adoptée pour l'attribution des Heures entraîne presque automatiquement une solution semblable pour ces trois autres œuvres.

Mais revenons à la biographie de Jan que nous avons laissé en 1425, année où il va de Bruges à Lille. L'année suivante, commencent les missions secrètes que lui confie le duc de Bourgogne. Jan part en Aragon pour essayer de préparer le mariage de son maître. Cependant, le 18 octobre 1427, le jour de la saint Luc, il se trouve à Tournai où il aurait rencontré Campin (Maître de Flémalle). De cette rencontre possible, Tolnay déduit une théorie épineuse qui donne l'invention des nouveautés picturales, attribuées jusqu'alors aux Van Eyck, à Campin. Cependant, le Maître de Flémalle n'est pas sans montrer plus tard, son admiration pour van Eyck en introduisant des motifs, tel le miroir convexe, pris dans la peinture de Jan. En 1428, Jan est envoyé en nouvelle mission auprès du roi du Portugal pour lui demander la main de sa fille Isabelle pour le duc de Bourgogne. Il est parti essentiellement pour faire le portrait de cette princesse, épousée le 7 janvier 1430. Malheureusement, les deux portraits qu'il avait peints sont perdus. Durant l'année que Van Eyck a passée au Portugal, il a sûrement peint ; on cite un *Saint Georges*, mentionné en Espagne, et une *Belle Portugaloise*. Jan rentre à Bruges en 1430, va à Hesdin, appelé par le duc Philippe et revient à Bruges où il aurait eu l'occasion de voir le cardinal Nicola Albergati dont on connaît un portrait (à Berlin) peint, mais aussi un dessin. Le dessin, qui peut être de Jan comme la peinture, rend avec plus de vigueur et de vérité cet homme, identifié sans certitude au cardinal.

Enfin, arrive 1432, le 6 mai et la présentation du polyptyque de *l'Agneau mystique* qui devait prendre place à Saint-Bavon. Nous ne revenons pas sur les problèmes soulevés par son attribution, pour regarder l'œuvre immense, déjà par ses dimensions. Il comprend vingt panneaux qui ont demandé forcément plusieurs années de travail, non seulement sur le tableau lui-même mais sur d'autres œuvres préparatoires. Le retable prend le caractère d'une somme. Le thème général est la Rédemption des pécheurs par le sacrifice du Christ. Le principal écueil d'une telle œuvre est le manque d'unité, surtout s'il s'agit de morceaux peints par deux artistes ; or l'ensemble présente une unité assez étonnante. Le retable fermé montre la composition la plus homogène : à la *Sibylle d'Érythrée* correspond celle de *Cumes*, tandis qu'à la figure de *Zaccharie* correspond celle de *Michée*, tous deux sous un arc en plein cintre. Une *Annonciation* relie quatre panneaux avec, aux extrémités, *l'Ange* et la *Vierge*, tandis que les deux panneaux centraux montrent un paysage vu au travers d'une baie géminée et une nature morte en trompe-l'œil qui révèlent déjà la virtuosité du peintre. En bas, dans des niches aux arcs trilobés, se groupent symétriquement les deux *Saints Jean* en grisaille, simulant des statues, et aux extrémités, *Le donateur et sa femme*, agenouillés. Malgré quelques incohérences dans la continuité de la pièce où se place l'Annonciation, l'ensemble est parfaitement homogène. Le modelé, le rendu des matières, le poids des plis des vêtements, la vérité de la nature morte, les détails du paysage, le caractère réaliste des portraits des donateurs, le brio des couleurs, à côté des grisailles, donnent le sentiment d'un art nouveau. Il y a rupture avec la peinture antérieure, précieuse, ornementale et plate, qui prend, ici, du volume, de la couleur et rend la sensation de l'espace. Toutes ces nouveautés éclatent dans les figures *d'Adam et Ève*, peintes à l'intérieur du retable, dont le réalisme prend un caractère fantastique, presque surnaturel que nous retrouvons toujours dans les tableaux de Jan. Au centre, dans la partie inférieure, *l'Agneau mystique* qui a retenu l'attention des critiques, est un prodige de mise en scène où le paysage prend un caractère unificateur mais définit surtout un espace nouveau, aéré, qui n'exclut pas la minutie des détails, des descriptions de villes, arbres et fleurs de toutes espèces. Il est bien probable que tout n'est pas de la main de Jan, le caractère hiératique du *Christ en gloire*, présenté comme Dieu, au registre supérieur, entouré de *Saint Jean et de la Vierge*, peut faire pencher pour une attribution à Hubert. De qui sont les *Anges chanteurs et musiciens* dont les brocarts sont si richement rendus ? Un fait est certain, le volet inférieur gauche représentant les *Juges intègres* est une copie de l'original volé en 1934. Néanmoins, l'ensemble montre une force créatrice qui engage la peinture vers une voie nouvelle. À côté de cette œuvre religieuse magistrale, Jan Van Eyck peint plus volontiers des tableaux de petit format, et le 10 octobre 1432, il date et signe un portrait présumé de *Gilles Binchois* (Londres) qui porte une inscription grecque : Thymoteos, qui entraîne toute une polémique pour savoir ce que signifie cette inscription (cf. Panofsky, Münzel). Mais ce portrait n'atteint pas encore la qualité de *l'Homme au turban* que Jan a signé et daté le 21 octobre 1433. Naturellement, cette œuvre pose aussi un problème iconographique : selon E. Durand-Gréville, ce serait un autoportrait (le peintre avait alors 47 ans et il en paraît bien davantage), Panofsky néanmoins reprend cette idée en remarquant que l'homme tourne son regard vers le spectateur, ce qui tendrait à prouver que le peintre aurait posé en se regardant dans un miroir. Il ajoute que le fait d'avoir présenté le personnage sans mains, est une autre preuve en faveur de la thèse de l'autoportrait. Tout cela est bien fragile, et le portrait de *Jan de Leeuw* a un regard semblable tourné vers le spectateur. Cependant, ces considérations ont peu d'importance, et de savoir l'identité de *l'Homme au turban* est peu de chose à côté de la qualité picturale du portrait. Tout est mis en œuvre pour faire ressortir le visage et surtout le regard de cet homme dont la carnation claire est obtenue par des effets de glacis translucides. La lumière a pris possession de ce visage entouré de couleurs sombres et denses qui sont là pour le mettre en valeur, que ce soit le marron du manteau ou le rouge du turban. Presque d'une façon irréelle, Van Eyck a transmis la vie intérieure de cet homme. Ainsi, peu à peu, nous découvrons la nouveauté de la peinture de Jan qui donne volume et intensité à ce qu'il peint, en faisant entrer dans ses tableaux lumière et espace, accusés par un choix de couleurs saturées et éclatantes. C'est de 1434 que date les *Époux Arnolfini* dont le thème est nouveau par son intimité. Ces deux époux dans leur chambre, qui semblent s'engager pour la vie, ont la gravité qui convient au sérieux de leur engagement. La composition stable, les symboles iconographiques, le choix des couleurs, la lumière à la fois douce et brillante, tout concourt à donner à la scène une intensité grave mais aussi vivante. La composition s'appuie sur des verticales contrebalancées par des obliques qui s'opposent et s'équilibrent. Le symbolisme de ce tableau, si riche en détails minutieux, faisant admirer la technique de Jan, a fait l'objet de nombreuses études et de plusieurs interprétations plus ou moins fantaisistes. On peut souligner, au passage, le danger d'extrapolations de certains auteurs qui ont donné libre cours à leur imagination et ont forgé de véritables romans à propos d'un tableau comme celui-là. Cependant, il est certain que Van Eyck n'a rien laissé au hasard, et des détails comme l'unique bougie allumée dans le lustre de la chambre des Arnolfini, n'est pas une fantaisie, mais bien un symbole de la foi dans laquelle ces deux époux se sont unis. Mariage, fidélité, foi, sont symbolisés par tous les objets que Jan a pris soin de placer dans cet intérieur. On a beaucoup admiré la virtuosité avec laquelle il a rendu le reflet du miroir qui ouvre le tableau vers l'extérieur et fait voir la présence de deux visiteurs, peut-être les témoins (dont un serait le peintre lui-même), au-delà de la composition. Ainsi, Van Eyck montre avec quelle maîtrise il a conquis la troisième dimension qu'il suggère très habilement. Cependant, devant une telle réussite, on est tenté de dire une perfection, on sent bien que le qualificatif de réaliste ne convient pas, il n'est pas assez fort et trop terre-à-terre. La peinture de Jan, par sa lumière qui affirme les volumes, crée l'espace et donne une réalité plus idéale que concrète, définit un monde spirituel très profond, même dans des sujets qui pourraient être des scènes de genre. Van Eyck nous met en communication avec quelque chose qui se situe au-delà de la réalité perceptible, particulièrement dans ses sujets religieux qui prennent souvent la forme d'une scène d'intimité, ainsi les nombreuses Saintes Conversations, comme la *Vierge d'Autun* (ou du Chancelier Rolin) ou *La Vierge au chancelier Van der Paele*. La première pose des problèmes de datation : selon les auteurs, elle date soit de 1422-1425, soit de 1435-1436 ; des questions se posent également sur l'identité de l'homme agenouillé devant la Vierge : depuis fort longtemps on le nommait *Rolin*, mais certains en sont arrivés à douter de cette identité. Peu importent ces querelles, pour qui veut apprécier la qualité de cette œuvre. Là aussi, Van Eyck a enveloppé les sujets de lumière, rendu avec richesse le brocart du vêtement du chancelier, et donné tout son poids au lourd manteau rouge de la Vierge. La scène est empreinte d'une sérénité quasi surnaturelle, accentuée par la vue vers l'infini qui s'ouvre face au spectateur. Tout conduit vers l'infini, d'abord le carrelage de la pièce où se trouvent les deux protagonistes, puis la rivière qui serpente dans la ville et va s'enfoncer dans la montagne. Jan décrit, une nouvelle fois avec minutie, tous les détails de l'architecture de la pièce, mais surtout du paysage urbain au lointain, où sont perceptibles des personnages minuscules qui animent cette ville inconnue et sans doute imaginaire.

Cette facilité à rendre l'infiniment petit a fasciné bien des critiques et des peintres, surtout des Italiens comme Vasari qui, émerveillé, a conclu que Jan Van Eyck avait inventé la peinture à l'huile, lui permettant de donner une telle transparence et un moelleux à ses couleurs et de peindre avec une telle précision les détails. Alexandre Ziloty a démontré, dans « La découverte de Jan Van Eyck et l'évolution des procédés de la peinture à l'huile » (1947), que la peinture à l'huile existait bien antérieurement à Van Eyck. Par contre, sa découverte originale a été le moyen de diluer avec des huiles essentielles, ces couleurs à l'huile, jusqu'alors d'un maniement pâteux et malaisé qui les rendait inaptes au rendu des détails. D'où, chez Jan et chez de nombreux peintres à son exemple, soudain, à cette époque, un véritable délire d'accumulation de détails. Ainsi, grâce à ce procédé de peinture à l'huile appliquée sur une préparation blanche faite de plâtre et de colle animale, sur un support en bois, la couleur accueille la lumière, l'absorbe sans l'éteindre et la renvoie vive et généreuse. La peinture de Jan Van Eyck associe beauté du ton, fermeté de l'analyse, suggestion de l'espace, et transparence du milieu. Toutes ces qualités se retrouvent dans la *Vierge au chanoine van der Paele* (1436), où l'on remarque la somptuosité des brocarts de *Saint Donatien*, les reflets savants de l'armure de *Saint Georges* et la qualité des portraits des saints et du chanoine. À travers ces œuvres, Van Eyck atteint un sommet, il est en pleine possession de ses moyens. À cette époque, entre 1434 et 1436, Jan se marie avec Marguerite, dont il fait un portrait, en 1439, il a son premier fils dont le duc de Bourgogne est le parrain, il voit son salaire augmenté de 100 à 360 livres, malgré les réticences de la Cour des Comptes de Lille, et enfin, il est encore envoyé en mission secrète par le duc Philippe. *La Sainte Barbe* d'Anvers, datée de 1437 et signée, est considérée par certains comme non achevée parce que seulement dessinée en brun à la pointe du pinceau, sur un panneau de chêne recouvert d'une couche de plâtre. La technique employée et les détails si précis de la vue extérieure de l'église placée derrière la Vierge, donnent un exemple si achevé de l'architecture du XVe siècle, que l'œuvre semble être terminée. Par contre, lorsque Van Eyck meurt, il laisse inachevée la *Vierge au prévôt van Maelbeke* (ou Vierge d'Ypres) qui a été par la suite coloriée. En 1441, Jan est enterré dans l'enceinte de l'église Saint-Donatien, mais le 21 mars 1442, son frère Lambert demande l'autorisation d'exhumer le corps de Jan et de l'ensevelir dans l'église même, ce qui fut accepté. On pouvait accorder une telle faveur à un peintre aussi génial.

Van Eyck eut une influence considérable et multiple, il a renouvelé la peinture européenne au XVe siècle, l'engageant dans la voie de la peinture moderne. Cette influence s'est exercée différemment suivant le degré d'évolution de la peinture dans chaque pays et suivant la sensibilité spécifique de chacun d'eux. Naturellement, les Flamands ont profité à la fois de l'esprit et de la technique qui caractérisent l'œuvre de van Eyck, non sans lui faire subir une évolution déjà sensible chez Rogier Van der Weyden. La France était pauvre en peinture de chevalet, nous pourrions dire qu'elle est née grâce à van Eyck. L'Espagne et l'Allemagne ont surtout retenu l'intensité intérieure et l'esprit de gravité que les Espagnols ont dramatisés, et que les Allemands ont teintés de fantastique. Mais, le pays le plus impressionné fut l'Italie, dont les peintres admiraient le brio de la technique eyckienne. Ce sont essentiellement les réussites des reflets, les rendus de l'infiniment petit ou des étoffes précieuses et brillantes qui ont retenu leur attention. À cette époque, ce sont les Italiens qui font le voyage vers les Flandres pour voir cette peinture nouvelle si différente de la leur, et qu'ils tentent ensuite d'imiter, reprenant des détails caractéristiques, telles les carafes transparentes, les armures renvoyant des reflets de ville minuscule, et bien d'autres prouesses techniques. Mais la principale leçon que les peintres italiens, et surtout les vénitiens, ont par la suite développée de manière différente, c'est la lumière. Ainsi, chacun avec sa propre sensibilité – nationale, pourrait-on dire – a pris, dans la peinture de Van Eyck, ce qu'il était capable de mieux comprendre et, en conséquence, de mieux développer ensuite avec originalité.

■ Annie Jolain

Bibliogr. : E. Durand-Gréville : *Les Arts Anciens en Flandre*, 1905 – W. H. Weale : *Hubert and John Van Eyck, their life and work*, 1908, Londres, New York – E. Renders : *Hubert van Eyck...*, Paris, 1933 – Ch. Tolnay : *Le Maître de Flémalle et les frères van Eyck*, Bruxelles, 1939 – E. Renders : *Jean van Eyck et le polyptyque, deux problèmes résolus*, Bruxelles, 1950 – P. B. Coremans : *L'Agneau mystique au laboratoire*, « *Les Primitifs Flamands* », série III, t. II, Anvers, 1953 – O. Pächt : *A new book on the van Eycks*, Burlington magazine, 1953 – E. Panofsky : *Early netherlandish painting ; its origins and character*, Cambridge, E. U., 1953 – A. Chatelet : *Les Enluminures eyckiennes des manuscrits de Turin et de Milan-Turin*, Revue des Arts, 1956-57 – H. Focillon : *Art d'Occident*, Le Moyen Age Gothique, Paris, 1965 –

A. Chatelet et G. T. Faggin : *Tout l'œuvre peint des frères van Eyck*, Flammarion, 1969.

Musées : Anvers (Mus. roy. des Beaux-Arts) : *Sainte Barbe – La Vierge à la fontaine* – Berlin (Staatliche Museen) : *La Crucifixion avec la Vierge et saint Jean – La Vierge dans une église – Portrait de Badouin de Lannoy* – Bruges (Mus. comm. des Beaux-Arts) : *La Vierge au chanoine Van der Paele – Marguerite Van Eyck* – Dresde : Triptyque – Francfort-sur-le-Main : *La Vierge de Lucques* – Gand (Cathédrale Saint-Bavon) : Polyptyque – Londres (Nat. Gal.) : *Portrait des époux Arnolfini – Portrait présumé de Gilles Binchois – Portrait de l'homme au turban* – Lugano : *L'Annonciation Thyssen* – Melbourne (Nat. Gal. of Victoria) : *La Vierge et l'Enfant – Vierge d'Ince Hall* – New York (Metropolitan Mus.) : *L'Annonciation, La Crucifixion – Le Jugement dernier* – Paris (Mus. des Arts Décoratifs) : *Fragment d'architecture* – Paris (Mus. du Louvre) : *La Vierge d'Autun – La Vierge au chancelier Rolin* – Rotterdam (Mus. Boymans van Beuningen) : *Les Trois Marie au sépulcre* – Turin : *Les Heures* – Vienne (Kunsthistorisches Mus.) : *Portrait dit du cardinal Nicola Albergati – Portrait de Jan de Keeuw* – Warwick Castle : *La Vierge au prévôt van Maelbeke (La Vierge d'Ypres)* – Washington D. C. (Nat. Gal. of Art) : *L'Annonciation*.

Ventes Publiques : Paris, 25 juin 1892 : *Volet de triptyque* : **FRF 88 400** – Londres, 2 juil. 1958 : *Christ bénissant* : **GBP 2 800** – Londres, 16 mars 1966 : *Saint Georges terrassant le dragon*, attribué à Hubert Van Eyck : **GBP 220 000**.

EYCK Johannes Van

Né en 1580 à Ijsselmonde. Mort en 1660 à Anvers. XVIIe siècle. Hollandais.

Peintre de portraits, paysages, natures mortes.

Cet artiste né en Hollande parcourut l'Europe et vécut longtemps à Rome. Au début de sa vie il se spécialisa dans les natures mortes et n'exécuta que plus tard des paysages et des portraits.

Ventes Publiques : Amsterdam, 20 juin 1989 : *Vanitas avec des livres, un violon appuyé sur un crâne, un pistolet et d'autres objets sur un entablement drapé*, h/pan. (69,3x101) : **NLG 36 800**.

EYCK Kasper ou **Caspar Van**

Baptisé à Anvers le 6 février 1613. Mort en 1673 à Bruxelles. XVIIe siècle. Éc. flamande.

Peintre d'histoire, sujets religieux, scènes de genre, marines.

Frère de Nicolas Ier, élève d'Andries Van Eertveld en 1625, maître à Anvers en 1633, il mena, après la mort de ses parents (1656), une vie si déréglée, qu'il fut mis sous la tutelle de son frère le prêtre Hendrik Van der Eyck.

Musées : La Fère : *Marine* – Madrid (Prado) : *Galères et bateaux devant un château – Bataille navale entre chrétiens et turcs – Bateaux de guerre en haute mer*.

Ventes Publiques : Londres, 28 mars 1923 : *La Madone et l'Enfant Sauveur, au-dessus deux anges tenant une couronne* : **GBP 152** – New York, 7 avr. 1989 : *Paysage avec un cheval chez le maréchal-ferrant entourés de personnages devant une maison*, h/t (39,5x45,5) : **USD 7 150** – Londres, 17 avr. 1996 : *Bataille navale en Méditerranée*, h/t (110,2x150,6) : **GBP 8 280** – Amsterdam, 11 nov. 1997 : *Combat naval entre turcs et chrétiens*, h/t/pan., une paire (67,8x85,5 et 68,4x85,4) : **NLG 9 225**.

EYCK Lambert Van

XVe siècle. Éc. flamande.

Peintre.

Frère d'Hubert et Jean Van Eyck. On discuta souvent s'il fut aussi peintre, mais cela paraît certain d'après un document de 1430-1431. Il s'occupa de faire transporter le corps de son frère Jean, enterré dans le cimetière, dans l'église même.

EYCK Marguerite Van

XVe siècle. Éc. flamande.

Miniaturiste.

Peut-être sœur des Van Eyck, elle ne se maria pas et se fit religieuse. Son existence même a été mise en doute et aucune des œuvres attribuées à elle ne le sont avec certitude. Otto Seeck voit en elle le Maître de Flémalle (Jacques Daret). Le Musée de Lille conserve une *Sainte Famille* attribuée à cette artiste.

EYCK Mathias Van der

Né vers 1710. XVIIIe siècle. Actif à Leyde. Hollandais.

Peintre de portraits.

Signalé à Leyde en 1737. Il fut membre de la gilde. Le Musée Lakenhal, à Leyde, conserve de lui un groupe : *Paul de Rieu, sa femme et leurs trois enfants*.

EYCK Nicolaas Van I

Baptisé à Anvers le 9 février 1617. Mort en 1679 à Anvers. XVIIe siècle. Éc. flamande.

Peintre de compositions à personnages, portraits.

Élève de Theodor Rombouts en 1633, il épousa Dymphana Heyman le 15 novembre 1643, fut capitaine de la garde le 20 décembre 1658 et eut pour élèves Michel Mylaer en 1641, Peter Hofman en 1656. Ses fils, Nicolas et Carel, furent peintres. Il représenta souvent des scènes de la vie militaire.

Musées : Anvers (Hôtel de Ville) : *Revue de la garnison* – Lille : *Portrait d'un cavalier* – Malines : Deux tableaux représentant des épisodes de la prise de Malines par les Gueux – Naples : *Danse de paysans* – Turin : *Soldats traversant une rivière* – Vienne : *Soldats dans un village*.

Ventes Publiques : Paris, 1932 : *Scène de bataille* : **FRF 800** – Vienne, 17 mars 1964 : *La bataille de Calloo en 1638* : **ATS 30 000**.

EYCK Nicolaas Van II

Né le 5 avril 1646 à Anvers. Mort en avril 1692 à Anvers. XVIIe siècle. Éc. flamande.

Peintre.

Élève de son père Nicolas Ier, capitaine de la garde en 1669, maître à Anvers en 1671, il épousa Catharina Van Essen le 5 juin 1672.

EYCKELBEEK Nicasius Jansz Van

XVIIe siècle. Actif à Utrecht. Hollandais.

Sculpteur.

EYCKEN Alphonse Van der

Né à Bruxelles. XIXe siècle. Belge.

Peintre de genre.

Le Musée de Douai conserve de lui : *Chasseurs au repos*.

EYCKEN Charles Van den ou **der**, l'Ancien

Né en 1809 à Aerschoten ou à Alost. Mort en 1891 à Louvain. XIXe siècle. Belge.

Peintre de scènes de genre, paysages.

Fils du peintre de décorations : Frans Van den (ou der) Eycken, il étudia en Hollande puis à l'Académie de Louvain. Il voyagea en Allemagne, en Hollande, dans les Ardennes, puis se fixa définitivement à Louvain, où il réalisa quelques toiles, auxquelles Charles Verboeckhoven apporta parfois sa collaboration.

Il s'est spécialisé dans les paysages d'hiver aux effets très accusés d'ombre et de lumière.

Ch. Van den Eycken

Musées : Kaliningrad, ancien. Königsberg : *Paysage d'hiver*.

Ventes Publiques : Londres, 20 oct. 1978 : *Paysage boisé à la cascade*, h/t (43x36) : **GBP 1 200** – Londres, 20 juin 1979 : *Charrette tirée par des chiens*, h/pan. (25,5x33,5) : **GBP 900** – Cologne, 21 mai 1981 : *Les joies du patinage*, h/pan. (34,5x46,5) : **DEM 18 000** – Bruxelles, 15 déc. 1983 : *Paysage d'hiver avec patineurs* 1840, bois (38x47) : **BEF 260 000** – New York, 28 oct. 1987 : *Chatons jouant* 1900, h/t (54,3x66,7) : **USD 17 000** – Paris, 10 avr. 1989 : *Histoire d'os* 1882, h/t (60x80) : **FRF 24 000** – Bruxelles, 27 mars 1990 : *Scène galante dans un paysage* 1835, h/pan. (38x48) : **BEF 60 000** – New York, 30 oct. 1992 : *Sur le chemin de la ferme* 1847, h/pan. (42,9x59) : **USD 8 800** – Amsterdam, 16 avr. 1996 : *Personnages avec du bétail sur un chemin boisé*, h/pan. (33,5x48) : **NLG 8 260**.

EYCKEN Charles Van den ou **der**, le Jeune, pseudonyme : **Duchêne Charles**

Né en 1859 à Bruxelles. Mort en 1923. XIXe-XXe siècles. Belge.

Peintre de scènes de genre, portraits, animaux.

Il fut élève de son père Charles l'ancien, et l'Académie Royale de Bruxelles, puis l'Académie de Louvain. Il fut membre du groupe de *L'Essor*. Il figura aussi à Paris, au Salon des Artistes Français, mention honorable en 1895.

Il s'est totalement spécialisé dans les scènes de genre ayant les chiens pour protagonistes d'épisodes divers. Il a signé parfois ses œuvres Charles Duchêne.

Bibliogr. : In : *Diction. biogr. illustré des artistes en Belgique, depuis 1830*, Arto, Bruxelles, 1987.

Musées : Anvers.

Ventes Publiques : New York, 28 mai 1981 : *Chatte et chatons* 1892, h/t (66,5x54,5) : **USD 5 000** – New York, 25 fév. 1988 : *La charrette du laitier* 1888, h/pan. (27,3x34,9) : **USD 3 300** – New

YORK, 25 oct. 1989 : *Deux contre un*, h/t (66x54,6) : **USD 9 900** – NEW YORK, 28 fév. 1990 : *Portrait de famille* 1890, h/t (34,3x45,7) : **USD 14 300** – NEW YORK, 1er mars 1990 : *Compagnons de jeux* 1892, h/t (63,5x96,5) : **USD 52 800** – COLOGNE, 29 juin 1990 : *Deux chiens et des outils dans une charrette*, h/bois (18,5x25) : **DEM 2 500** – LONDRES, 15 jan. 1991 : *Chatons jouant avec une corbeille à ouvrage* 1905, h/t (34,7x45,2) : **GBP 4 840** – LONDRES, 16 juil. 1991 : *Chiens de cirque* 1890, h/t (43,3x45,7) : **GBP 6 600** – AMSTERDAM, 5-6 nov. 1991 : *La gamelle des chiens* 1886, h/t (37x53,5) : **NLG 4 830** – NEW YORK, 19 fév. 1992 : *L'intrus* 1904, h/t (67,9x100,3) : **USD 9 350** – NEW YORK, 27 mai 1992 : *Chatons dans la corbeille à couture* 1909, h/t (35x45,7) : **USD 9 900** – AMSTERDAM, 9 nov. 1993 : *Une charrette à chien* 1879, h/t (44,5x32,5) : **NLG 4 140** – STOCKHOLM, 30 nov. 1993 : *Deux chiens volant du gâteau sur une table* 1881, h/t (61x86) : **SEK 82 000** – LOKEREN, 8 oct. 1994 : *Charrette à chien* 1880, h/pan. (28x22) : **BEF 95 000** – LOKEREN, 11 mars 1995 : *Oh ! ce que les femmes coûtent !*, h/pan. (24x17,5) : **BEF 65 000** – LONDRES, 11 avr. 1995 : *Sottises* 1905, h/t (33x44) : **GBP 5 175** – AMSTERDAM, 7 nov. 1995 : *Chiens* 1875, h/pan. (17,5x25) : **NLG 4 720** – AMSTERDAM, 27 oct. 1997 : *Dans le boudoir*, h/t (79x59) : **NLG 42 480**.

EYCKEN Frans Van den ou **der**
XVIIIe-XIXe siècles. Belge.
Peintre de compositions murales, décorateur.
Père et maître de Charles Van den ou der, l'ancien, il fut peintre de décorations dans la région de Louvain.

EYCKEN Henri Van der
XVe siècle. Actif à Louvain au milieu du XVe siècle. Éc. flamande.
Sculpteur.
Il travailla d'après des dessins d'Hubert Stuerbouts.

EYCKEN Jan Van den. Voir **EGAS Anequin de**

EYCKEN Jean Baptiste Van
Né le 16 septembre 1809 à Bruxelles. Mort le 19 décembre 1853. XIXe siècle. Belge.
Peintre d'histoire, scènes de genre.
Élève de Navez et poète, il voyagea en France, en Suisse, en Italie et en Allemagne ; sa femme Julie-Anne-Marie Noel, née le 19 août 1812, fut peintre. Un peintre du même nom que lui mourut à Bruxelles en 1861.
MUSÉES : AMSTERDAM : *Pour en faire un maître* – BRUXELLES : *Le Parmesan surpris dans son atelier par les soldats de Charles Quint* – *Déposition de la Croix* – LIÈGE : *Le Christ au tombeau*.
VENTES PUBLIQUES : LONDRES, 13 juin 1910 : *Pigeon* ; *Volailles*, deux pendants : **GBP 1** – LONDRES, 24 mars 1982 : *Paysans au bord d'une rivière*, h/pan. (36x31) : **GBP 800** – COLOGNE, 29 juin 1990 : *Femme offrant à boire à deux vagabonds*, h/t (37x32) : **DEM 4 500** – AMSTERDAM, 18 juin 1996 : *Famille buvant du café dans un intérieur*, h/pan. (52,5x46) : **NLG 1 955**.

EYCKEN Julie Anne Marie Van, née **Noël**
Née en 1812. XIXe siècle. Active à Bruxelles. Belge.
Peintre d'histoire.
Elle était la femme de Jean-Baptiste.

EYCKEN Robert Van der. Voir **VANDEREYCKEN Robert**

EYCKENS Jakob
XVIIe siècle. Éc. flamande.
Sculpteur.
Maître à Anvers en 1607.

EYCKENS Karel ou **Ykens**
Né en 1719 à Bruxelles. Mort le 1er mai 1753. XVIIIe siècle. Éc. flamande.
Peintre d'histoire.
Il fut élève de Pieter Snayers ; maître à Anvers en 1745. Il travailla au couvent de Beggnerden.

EYCKENS Pieter Abrahamsz. Voir **YKENS**

EYCKENWACK Gérard Claesz
Mort le 13 février 1557 à Haarlem. XVIe siècle. Hollandais.
Sculpteur.

EYCKERMANS Lode
Né en 1919 à Anvers. XXe siècle. Belge.
Sculpteur.
Il fut élève de l'Institut Supérieur d'Anvers. Il est directeur de l'Académie de Malines. Il a reçu plusieurs prix dont celui de la Ville d'Anvers en 1936 et celui de Rome en 1944. Il a réalisé des monuments à Wilrijk, Willebroek, Mechelen, Barvaux ; à l'étranger à Bonn, Vienne, Helsinki, Milan, Zagreb et Denver.
BIBLIOGR. : In : *Diction. biogra. illustré des artistes en Belgique depuis 1830*, Arto, Bruxelles, 1987.
VENTES PUBLIQUES : LOKEREN, 28 mai 1988 : *Torse* 1972, bronze (H. 118) : **BEF 260 000**.

EYCKMANS Johannes
Né en 1749 à Bréda. Mort en 1815 à Anvers. XVIIIe-XIXe siècles. Éc. flamande.
Sculpteur.
Il fut l'élève de Walter Pompe. Il exécuta des sculptures de genre et illustra des sujets religieux.

EYDEN Jeremias Van der
Né à Bruxelles. Mort en 1697 en Angleterre. XVIIe siècle. Éc. flamande.
Peintre.
Élève de Hanneman il fut par la suite le collaborateur de Sir Peter Lely pour qui il exécutait nombre d'accessoires dans ses portraits. Il travailla aussi pour les comtes Rutland et Gainsbourough, et pour lord Sherard.

EYDOUX Denis Charles
Né à Carpentras (Vaucluse). XXe siècle. Français.
Graveur.
Il exposa à Paris au Salon des Artistes Français à partir de 1930.

EYDOUX Leone
XIXe siècle. Actif à Turin. Italien.
Peintre d'histoire et de genre.
En 1853, il était encore élève de l'Académie de Turin.

EYENBERGER J. G.
XIXe siècle. Français.
Peintre de genre.
Le Musée de Bordeaux conserve de lui : *Après déjeuner*.

EYERSCHÖTTEL Johann Christof
Né en 1674. Mort vers 1732. XVIIe-XVIIIe siècles. Actif à Husum. Allemand.
Peintre de portraits.
Il exécuta pour l'église de Kœting une peinture d'autel en 1712. Il était fils de Johann.

EYERWERYEN Alexander Van
XVIIe siècle. Actif à Anvers vers 1622. Éc. flamande.
Peintre.

EYFFLENDER Hans
XVe-XVIe siècles. Actif à Leipzig. Allemand.
Peintre et sculpteur sur bois.
À partir de 1517, il s'établit à Dresde et travailla pour les différentes églises de la ville. Sans doute faut-il l'identifier avec le peintre dresdois *Meister Hans dem Maler*.

EYGELSHOVEN Léon
Né le 11 avril 1882. Mort le 5 juin 1967. XXe siècle. Belge.
Peintre.
BIBLIOGR. : In : *Diction. biographique illustré des artistes en Belgique depuis 1830*, Arto, Bruxelles, 1987.

EYGEN Kaspar
Originaire de Brixen. XVIIIe siècle. Autrichien.
Sculpteur.
Il travailla à Eichstädt puis à Bruxelles.

EYK Abraham Van der
XVIIe-XVIIIe siècles. Hollandais.
Peintre de portraits et de genre.
Travailla à Leyde entre 1709 et 1725. Il fut élève de Minje et imitateur de Willem von Mieris. Le Musée Meerman à La Haye possède une peinture de cet artiste.
VENTES PUBLIQUES : PARIS, 13 juin 1997 : *Portrait d'homme en armure*, pan. en chêne (36x29) : **FRF 50 000**.

EYK Jan Van
Né en 1927 à Helmond (Brabant). XXe siècle. Hollandais.
Peintre. Abstrait.
Il a participé, en 1960, à une exposition d'art hollandais à Charleroi. Il expose dans différents musées hollandais, en particulier à Eindhoven en 1964.
Abstraite, sa peinture se rapproche de ce que l'on nomme le nuagisme, en ce sens que les gestes amples sur la toile tracent de larges volutes qui ne sont pas sans rappeler un ciel nuageux.

EYKELENBERG Symon ou **Eikelenberg**
Né en 1663 à Alkmaar. Mort le 23 novembre 1738. XVIIe-XVIIIe siècles. Hollandais.

Peintre de paysages.
En 1702, dans la gilde d'Alkmaar. Il était antiquaire.

EYKEN Carel
XVIIe siècle. Actif vers 1692. Éc. flamande.
Peintre de sujets religieux.
Le Musée de Breslau conserve de lui : *La Sainte Famille*.

EYKEN Jan Van
XIXe siècle. Actif vers 1842. Éc. flamande.
Peintre d'histoire.
Il est cité par Siret.

EYKEN Moritz Van
Né le 25 octobre 1865 à Elberfeld. XIXe siècle. Allemand.
Peintre et graveur.
Élève de l'Académie de Berlin. Il peignit par la suite des portraits, des paysages, des peintures inspirées de sujets bibliques.

EYKENS Franciscus. Voir **IJKENS Frans**

EYKENS Pierre, l'Ancien
Né en 1599 à Anvers. Mort en 1649 à Malines. XVIIe siècle. Éc. flamande.
Peintre d'histoire.
Directeur de l'Académie d'Anvers en 1649. Le Musée d'Orléans conserve de lui un sujet mythologique.

EYLE Van Lübbeke
XVIe siècle. Actif à Lüneburg en 1502. Allemand.
Peintre.

EYLENBERGER Marten
XVIe siècle. Actif à Breslau en 1519. Allemand.
Sculpteur sur bois.

EYLES B.
XIXe siècle. Actif vers 1850. Britannique.
Graveur.
Il exécuta des portraits gravés.

EYLES Charles
XIXe siècle. Actif à Londres. Britannique.
Paysagiste.
Expose à la Royal Academy de 1881 à 1891.

EYMAEL
XIXe siècle. Actif vers le milieu du XIXe siècle. Hollandais.
Lithographe.
On cite de lui des portraits d'officiers.

EYMAR Joseph
XIXe siècle. Actif à Paris au début du XIXe siècle. Français.
Graveur.
Au Salon de 1822 il exposa une série de vignettes d'après Devéria.

EYMAR Louis Charles
Né en 1882 à Montpellier. Mort en 1944 à Montpellier. XXe siècle. Français.
Peintre, aquarelliste, peintre au lavis.
Greffier à la Justice de Paix, il s'adonna à l'aquarelle, prenant pour sujets des portraits de jeunes filles et des paysages. Œuvres dans les musées de Sète et Montpellier.

EYMARD Édouard
Né le 25 mai 1924 à Montbrison (Loire). XXe siècle. Français.
Peintre. Abstrait-paysagiste.
Il a d'abord étudié à l'École des Beaux-Arts de Saint-Étienne, puis à Paris, à la Grande Chaumière dans l'atelier de Mac-Avoy. Il expose surtout dans la région lyonnaise où il vit, a participé de 1958 à 1964 au Salon Comparaisons. Il expose également au Salon du Sud-Est.
Sa peinture est abstraite, mais évoque néanmoins des paysages imaginaires. Parallèlement à sa peinture, il s'intéresse à l'art mural et a mis au point une technique d'émaux sur acier.
Musées : Épinal (Mus. départ. des Vosges) : *Où les vents se battent* 1958.

EYMARD DE LANCHATRE. Voir **DAVID DE MAYRENA**

EYMER Anton Julius Christoph
Né le 29 avril 1884 à Francfort-sur-le-Main (Hesse). XXe siècle. Allemand.
Peintre de paysages.
Il fut élève de J. Becker.
Ventes Publiques : Amsterdam, 20 oct. 1981 : *Vue d'une ville de Hollande*, h/pan. (37x46,7) : **NLG 4 400**.

EYMER Arnoldus Johannes ou **Eijmer**
Né le 17 juin 1803 à Amsterdam. Mort le 21 janvier 1863 à Haarlem. XIXe siècle. Hollandais.
Peintre de paysages animés, paysages.
Le Musée de Haarlem possède cinq peintures de cet artiste qui voyagea longuement à travers l'Allemagne.
Musées : Haarlem.
Ventes Publiques : Amsterdam, 15 nov. 1976 : *Paysage fluvial* 1850, h/t (63,5x85,5) : **NLG 15 000** – New York, 29 mai 1981 : *Ville au bord d'une rivière*, h/pan. (32,5x43,8) : **USD 3 200** – Amsterdam, 15 mai 1984 : *Paysage* 1832, h/t (89,5x109) : **NLG 5 000** – Amsterdam, 25 avr. 1990 : *Paysage estival boisé avec des ramasseurs de fagots* 1838, h/t (63x78) : **NLG 6 900** – Amsterdam, 2 mai 1990 : *Paysage boisé avec des pêcheurs près d'un moulin à eau et une paysanne et son enfant sur le chemin*, h/t (65x88) : **NLG 10 925** – Amsterdam, 6 nov. 1990 : *Paysage d'hiver avec des barques amarrées et des personnages avec un traîneau sur la glace* 1850, h/t (63x84) : **NLG 32 200** – Amsterdam, 20 avr. 1993 : *Nombreuse compagnie au restaurant « Kraantje Lek »* 1840, h/t (29.39,5) : **NLG 10 350**.

EYMERLING Entres
XVIe siècle. Actif à Würzburg vers 1554. Allemand.
Peintre.

EYMIEU Léon Bernard
Né à Saillans (Drôme). XIXe-XXe siècles. Français.
Peintre de paysages.
Élève de Sauvageot et de Roullet. Il exposa au Salon à Paris, de 1870 à 1906, des paysages.
Ventes Publiques : Copenhague, 12 avr. 1983 : *Bord de mer* 1882, h/t (46x37) : **DKK 10 000**.

EYMONNET Jean
Né le 11 octobre 1815 à Commette (Isère). XIXe siècle. Français.
Peintre de sujets religieux, scènes de genre, portraits.
Élève de Bonnefond à l'École des Beaux-Arts de Lyon, il a exposé, à Paris et à Lyon, depuis 1865, des portraits, et quelques tableaux de genre : *Un artiste en herbe* (Lyon, 1866), *Petite fille à la fontaine* (Lyon, 1868).
Ventes Publiques : Paris, 20 nov. 1942 : *La Joueuse de harpe* : **FRF 2 600** – Paris, 26 nov. 1992 : *Les quatre sœurs*, h/t (81,5x65) : **FRF 3 500** – Paris, 25 juin 1993 : *Sainte Cécile*, h/t (55x46) : **FRF 3 800**.

EYNARD Henry André
Né en 1904 à Paris. XXe siècle. Français.
Graveur.
Il fut élève de Cormon et P. Laurens. Il expose, à Paris, au Salon d'Automne et aux Artistes Français en 1931.

EYNARD Louis
Né en 1881 à Lyon (Rhône). Mort en 1941. XXe siècle. Français.
Peintre d'intérieurs, scènes typiques, dessinateur.
Il fut élève de l'École des Beaux-Arts de Lyon. Il a principalement participé aux différents Salons de Peinture de la Société lyonnaise des Beaux-Arts à Lyon de 1919 à 1935. Médaillé en 1920. Acquisition d'œuvres par la Ville de Lyon en 1919.
Musées : Lyon (Mus. Saint-Pierre).

EYNARD CHATELAIN Charles
Né en 1807 à Genève. Mort en 1876. XIXe siècle. Suisse.
Peintre amateur.
Fils de Suzanne Elisabeth, il exécuta quelques portraits.

EYNARD CHATELAIN Suzanne Elisabeth
Née en 1775 à Amsterdam. Morte le 24 mars 1844 à Genève. XIXe siècle. Suisse.
Peintre de compositions religieuses, paysages.
Elle fut élève de la Rives et de Vanières.

EYNARD LULLIN Anne Charlotte Adélaide
Née le 26 mai 1793 à Genève. Morte le 30 octobre 1868 à Genève. XIXe siècle. Suisse.
Sculpteur amateur.
Elle exécuta quelques bustes.

EYNARD-MERCIER Marguerite
Née le 10 juin 1876 à Dormans (Marne). Morte le 4 novembre 1955 à Toulon (Var). XXe siècle. Française.
Peintre.
Elle fut élève de Courtois. Cette artiste débuta, à Paris, au Salon des Artistes Français en 1914. Elle obtint une mention honorable.

EYNDE Augustus Josephus Antonius Van den
Né le 8 octobre 1822 à Malines. Mort le 20 avril 1861 à Malines. XIXe siècle. Éc. flamande.
Dessinateur et lithographe.
À Gand il fut élève de Goetgebuer. Il fut plus tard professeur à l'Institut des Arts de Malines.

EYNDE Hubrecht Van den
Mort en 1661 à Anvers. XVIIe siècle. Éc. flamande.
Sculpteur.
Il fut le père de Norbert et Sebastian. En 1629, il reçut la commande d'un autel en marbre pour l'église Notre-Dame, à Termonde. Il travailla en outre, pour différentes églises d'Anvers.

EYNDE Jan Van den
XVIe siècle. Actif à Malines. Éc. flamande.
Peintre verrier.
Il fit un vitrail représentant Philippe II, en 1590, dans l'église Saint-Jean de Malines. Un peintre du même nom fut exécuté à Malines, le 6 août 1568.

EYNDE Jan Van den
XVIIIe siècle. Actif à Anvers au début du XVIIIe siècle. Éc. flamande.
Enlumineur.

EYNDE Norbert I Van den
XVIIe siècle. Éc. flamande.
Sculpteur.
Il était fils de Hubrecht. Il travailla pour la chapelle Saint-Georges et l'église Saint-Nicolas à Anvers dans la seconde moitié du XVIIe siècle.

EYNDE Norbert II Van den
XVIIe siècle. Actif à Anvers dans la seconde moitié du XVIIe siècle. Éc. flamande.
Sculpteur.

EYNDE Petrus Van den
Mort en 1849. XIXe siècle. Actif à Haarlem. Hollandais.
Dessinateur et lithographe.
On connaît de cet artiste douze portraits lithographiés.

EYNDE Pieter Van den
XVIe siècle. Actif à Middelbourg. Allemand.
Peintre.
En 1533 on sait qu'il vendit une *Vue de Middelbourg*.

EYNDE Sebastian Van den
XVIIe siècle. Actif à Anvers. Éc. flamande.
Sculpteur.
Il était fils de Hubrecht.

EYNDE Steven Van
XVIe siècle. Actif à Anvers en 1560. Éc. flamande.
Peintre.

EYNDEN Frans Van
Né en 1694 à Nimègue. Mort en 1742. XVIIIe siècle. Hollandais.
Peintre de paysages.
Élève de Bomborgh et de Elias à Nimègue. Il aida ce dernier dans ses tableaux de cheminée et ses plafonds des appartements de Rotterdam. Il écrivit un livre sur la peinture sur verre. Il était oncle de Jacobus le Jeune.
Ventes Publiques : Londres, 12 mai 1910 : *Adonis et ses chiens* : **GBP 1.**

EYNDEN Hubertus Van den
Mort en 1661 à Anvers. XVIIe siècle. Éc. flamande.
Sculpteur.
Maître en 1620, il fit, en 1629, le maître-autel de Dendermonde ; travailla pour l'infante Isabelle-Claire-Eugénie, pour le duc d'Arenberg et pour Rubens. On cite de lui : *Saint-Gédéon* (cathédrale d'Anvers) – *Autel de marbre de la chapelle Sainte-Madeleine* (Église Saint-Jacques, Anvers).

EYNDEN Jacobus Van, l'Ancien
XVIIIe siècle. Hollandais.
Peintre.
Il fut le père et le maître de Jacobus le Jeune, à Nimègue.

EYNDEN Jacobus Van, le Jeune
Né le 23 décembre 1733 à Nimègue. Mort en 1824 à Nimègue. XVIIIe-XIXe siècles. Hollandais.
Peintre d'animaux, paysages, natures mortes, aquarelliste.
Ventes Publiques : Amsterdam, 14 nov. 1983 : *Branche de prunier*, aquar. et gche/trait de craie noire (37,6x27) : **NLG 6 500.**

EYNDEN Jan Van den
XVIIe siècle. Actif vers 1626. Éc. flamande.
Peintre d'histoire.
Siret cite de lui une peinture murale dans l'église Notre-Dame à Saint-Trond, un *Jugement dernier*, signée *Joes Van der Eynden*.

EYNDEN Pieter Tielmansz Van
XVIIe siècle. Actif à Vlaerdingen vers 1617. Hollandais.
Peintre.

EYNDEN Roeland Van
Né en 1747 à Nimègue. Mort le 28 août 1819 à Dordrecht. XVIIIe-XIXe siècles. Hollandais.
Peintre, dessinateur et graveur.
Frère de Jacobus Van Eynden. Il fut aussi biographe d'art.

EYNGBERT
XVIe siècle. Actif à Gouda en 1552. Hollandais.
Peintre.

EYNHOUDTS Remoldus ou **Rombout**
Né le 1er octobre 1613 à Anvers (ou à Malines). Mort en 1679 ou 1680. XVIIe siècle. Éc. flamande.
Peintre et graveur.
Élève de Adam Van Noort, il travailla dans l'atelier de Rubens et fut maître à Anvers en 1636.

EYRAUD Marguerite
Née à Paris. XXe siècle. Française.
Peintre.
Elle exposa des scènes de danses à Paris au Salon des Indépendants à partir de 1937.

EYRE Edward
XVIIIe siècle. Britannique.
Peintre de genre, paysages, aquarelliste.
Exposa quinze fois à la Royal Academy de Londres, entre 1771 et 1786.
Ventes Publiques : Londres, 18 juin 1980 : *La foire au sanglier*, aquar. cr. et pl. (36,5x51,5) : **GBP 380.**

EYRE James
Né en 1802 à Derby. Mort peut-être en 1829. XIXe siècle. Britannique.
Peintre de paysages.
Il fut l'élève de Creswick et de De Wint.

EYRE John
Mort en 1927. XIXe-XXe siècles. Britannique.
Peintre de compositions religieuses, scènes de genre, aquarelliste.
Exposa huit fois à la Royal Academy de Londres, entre 1877 et 1893.
Ventes Publiques : Londres, 9 mai 1984 : *Chelsea pensioners*, aquar. reh. de blanc (25,3x36) : **GBP 650.**

EYRE Louisa
Née le 16 janvier 1872. XIXe-XXe siècles. Américaine.
Peintre.
Elle fut élève d'Augustus Saint-Gaudens. Elle résida à Philadelphie.

EYRE Wilson
XIXe-XXe siècles. Actif à Philadelphie. Américain.
Peintre.
Médaille d'argent à Saint Louis, 1904.

EYRES John W.
XIXe siècle. Actif à Walton-on Thames. Britannique.
Peintre de paysages et de fleurs.
Exposa fréquemment à Londres, notamment à la Royal Academy, à partir de 1887.
Ventes Publiques : Londres, 5 fév. 1910 : *Vase de chrysanthèmes* : **GBP 3.**

EYRICH Emil
Mort le 1er février 1897 à Berlin. XIXe siècle. Allemand.
Peintre et dessinateur.
On lui doit des peintures historiques.

EYRIES Gustave
Né au XIXe siècle à Troyes. XIXe siècle. Français.
Peintre de portraits.
En 1846 et 1851, il figura au Salon. Le Musée de Troyes possède de lui le *Portrait de Paillot de Montabert*.

EYROLLES Paul
Né à Neuilly (Haut-de-Seine). XXe siècle. Français.
Peintre.
Il exposa à partir de 1920 des paysages et des fleurs au Salon d'Automne à Paris.

EYRSCHÖTTEL Christof
Né à Nuremberg. XVIIe siècle. Allemand.
Peintre.
Il fut le père de Johann.

EYRSCHÖTTEL Johann
Né en 1640. Mort en 1702. XVIIe siècle. Allemand.
Peintre.
Fils de Christof et sans doute originaire de Nuremberg il vécut surtout à Husum et travailla beaucoup pour la duchesse Maria Elisabeth. Il exécuta un retable pour l'église de Bau, près de Flensburg.

EYS Christoffel Van
XVIIe siècle. Actif à Anvers en 1650. Éc. flamande.
Peintre.

EYSDEN Robert Van
Né le 22 avril 1810 à Rotterdam. Mort en octobre 1890 à Apeldoorn. XIXe siècle. Hollandais.
Peintre de genre et de portraits et lithographe.
Élève de G. de Meyer ; en 1828, de F. de Braekelaer à Anvers. Le Musée de Rotterdam conserve de lui le portrait de *Jean Hofman*.

EYSELT J. Thomas
XVIIIe siècle. Actif à Gabel. Tchécoslovaque.
Peintre.
Il exécuta en 1739 un *Saint Bernard de Clairvaux* pour le couvent de Marienthal, près de Zittau.

EYSEN Barend Van
Mort vers 1702 à Haarlem. XVIIe siècle. Hollandais.
Peintre de natures mortes, sculpteur.
Ventes Publiques : Paris, 17 déc. 1984 : *Nature morte aux livres, instruments de musique et coquillages*, h/t (95x118) : **FRF 145 000.**

EYSEN Johann Jacob
XVIIe siècle. Actif à Vienne. Autrichien.
Peintre.
Le prince Karl Eusèbe de Liechtenstein acheta en 1665 à cet artiste dix peintures.

EYSEN Louis
Né le 24 novembre 1843 à Manchester, de parents allemands. Mort le 2 juillet 1899 à Munich. XIXe siècle. Allemand.
Peintre de portraits, paysages.
Élève de l'Institut de Francfort, puis de Bonnat et de Schalderer à Paris. De 1870 à 1876, il habita Francfort puis voyagea en Italie et se fixa ensuite à Meran.
Ses paysages dénotent l'influence du réalisme des Courbet et Millet.
Musées : Berlin : *Portrait de la mère de l'artiste* – *Prairie* – Francfort-sur-le-Main : *Châtaigniers* – Kassel : *Paysage montagneux*.
Ventes Publiques : Lucerne, 30 mai 1979 : *Parc de fleurs*, h/t (38x55) : **CHF 11 000** – Heidelberg, 11-12 avr. 1997 : *Vue sur un massif de montagnes caché sous les nuages* 1894, h/t (29,2x19,7) : **DEM 17 000.**

EYSENBERG. Voir **EISENBERG**

EYSENPLOSER Andreas
XVe siècle. Actif à Nuremberg dans la première moitié du XVe siècle. Allemand.
Peintre.
Peut-être faut-il l'identifier avec Andres von Prewsen.

EYSER Johann Tobias. Voir **EISER**

EYSERMANS Gasper
XVIIe siècle. Actif à Anvers à la fin du XVIIe siècle. Éc. flamande.
Enlumineur.

EYSERT Eberhard
Né le 30 novembre 1860 à Lobositz. XIXe siècle. Autrichien.
Peintre d'histoire.
Il fut élève de l'Académie de Vienne et travailla à Leitmeritz.

EYSKENS Félix
Né en 1882 à Anvers. Mort en 1968. XXe siècle. Belge.
Peintre de paysages.
Il travaille un temps à Paris et séjourne ensuite à Londres. Élève de F. Sabatté. Il revient en Belgique en 1919. Il a peint les paysages de la région d'Anvers. Son travail fut influencé par Claus et Baertsoen. Figura fréquemment, à Paris, au Salon des Artistes Français. Mention honorable en 1909.
Bibliogr. : In : *Diction. biogra. illustré des artistes en Belgique depuis 1830*, Arto, Bruxelles, 1987.
Ventes Publiques : Bruxelles, 29 sep. 1982 : *Matin d'octobre*, h/t (97x180) : **BEF 34 000** – Bruxelles, 12 juin 1990 : *Drève ensoleillée animée*, h/t (80x60) : **BEF 50 000** – Amsterdam, 17 sep. 1991 : *Vue d'Anvers en hiver* 1912, h/t (114x146) : **NLG 7 475.**

EYSLER. Voir **EISLER**

EYSSENHARDT Friedrich Albert
Né vers 1801 à Berlin. Mort le 25 août 1832 à Berlin. XIXe siècle. Allemand.
Peintre de paysages.
Il fut élève de l'Académie de Berlin.

EYSSENHARDT Mathilde, née **Arnemann**
Née à Hambourg. XIXe-XXe siècles. Allemande.
Peintre.
Elle exposa à Hambourg et à Berlin.

EYSSERIC Joseph
Né le 20 novembre 1860 à Carpentras (Vaucluse). Mort le 3 juillet 1932 à Carpentras. XIXe-XXe siècles. Français.
Peintre de paysages, marines, aquarelliste, dessinateur.
Il fut l'élève des deux frères Laurens, Jules et Jean Bonaventure.
Il parcourut l'Europe et le Proche-Orient en 1890, puis les Indes, le Japon, le Mexique et les terres ignorées du Bandama en Côte-d'Ivoire, et en Russie, tenant une sorte de carnet de bord en croquis et dessins.
Il exposa régulièrement, à partir de 1887, au Salon des Artistes Français de Paris, dont il était sociétaire. Il envoya au Salon de 1895 : *Remparts de Pékin* ; à celui de 1896, *L'Himalaya* et *Soleil de minuit en Norvège*. Il obtint une mention honorable en 1902.
Son œuvre témoigne surtout de sa soif d'exploration puisqu'il réalisa plus de cinq mille aquarelles et dessins, notamment des marines, dont il fit don au Musée Duplessis de sa ville natale. Il publia également une géographie scolaire, en trois volumes, illustrée des documents rapportés de ses nombreux voyages.
Bibliogr. : Gérald Schurr, in : *Les Petits Maîtres de la peinture 1820-1920, valeur de demain*, Les Éditions de l'Amateur, t. VI, Paris, 1986.
Musées : Avignon : *Baie de la Recherche, au Spitzberg*, past. – Carpentras (Mus. Duplessis) : *Marabout à Sfax* 1905-1910, et donation importante.

EYTH Heinrich
Né le 8 juillet 1851 à Schiltach. XIXe siècle. Allemand.
Peintre et graveur.
Il fut professeur de dessin à Karlsruhe. On lui doit les illustrations de l'ouvrage de von Oechelhaüser *Führer durch das Heidelberger Schloss*.

EYTH Karl
Né le 30 janvier 1856 à Schiltach. XIXe siècle. Allemand.
Peintre.
On lui doit des décorations et des illustrations de livres.

EYTH Max von
Né le 6 mai 1836 à Kirchheim. Mort le 25 août 1906 à Ulm. XIXe siècle. Allemand.
Peintre et dessinateur amateur.
Ingénieur et écrivain, il exécuta des peintures et des dessins pour illustrer ses œuvres.

EYTINGE Sol.
Né en 1833. Mort le 25 mars 1905 à Bayonne (États-Unis). XIXe siècle. Américain.
Peintre de genre.
Il acquit une grande réputation grâce à celles de ses œuvres qui parurent pendant la guerre de Sécession. Eytinge fut l'ami de Charles Dickens.

EYÛB HÛNHÂR
XVIIe siècle. Chinois.
Peintre de miniatures.
Il peignait à la cour du Grand Mongol.

EYUBOGLU Bedri Rahmi
Né en 1913 à Trazon. XXe siècle. Turc.
Peintre, décorateur, peintre de décorations murales, poète.

Il a étudié la peinture à Istanbul et à l'Académie Lhote à Paris. Il expose en Turquie, à Bucarest (1937) et à New York. Il a réalisé de nombreuses décorations murales en Turquie.

EYUBOGLUEREN Eren ou **Eyuboglu**

Née en 1913 à Jassy. XXe siècle. Turque.

Peintre.

Elle a étudié à l'École des Beaux-Arts d'Istanbul et à l'Académie André Lhote à Paris. Femme de Bedri Rahmi Eyuboglu, elle vivait en Turquie. Sa première exposition date de 1933, et elle figurait, en 1946, à l'Exposition d'art turc au Musée Cernuschi, à Paris. Elle expose également à Édimbourg, Hambourg et Milan. Sa peinture est vivement colorée.

EYVEAU Pietro

XIXe siècle. Actif à Chieri. Italien.

Peintre de genre.

Il exposa à Venise et à Turin.

EYWIG Jonas

XVIIe siècle. Actif à Pirna. Allemand.

Peintre.

Il exécuta un retable pour l'église de Shönfeld, près de Dresde en 1658.

EYZERE Dierick

Originaire de Zwolle. XVIe siècle. Actif à Anvers. Éc. flamande.

Peintre.

EZDORF Christian Friedrich

Né le 7 janvier 1807 à Pösneck. Mort en mai 1858 à Würzburg. XIXe siècle. Allemand.

Peintre de paysages animés, paysages, marines, graveur.

Frère cadet de Johann-Christian-Michael Ezdorf. Fit ses études à Munich. S'établit à Kissingen en 1852. On cite de lui : *Paysage d'automne*. Il grava de nombreuses œuvres de son frère.

Ventes Publiques : Göteborg, 7 nov. 1984 : *Voilier au large du Cap de Bonne-Espérance*, h/t (103x150) : **SEK 10 500** – Munich, 18 sep. 1985 : *Paysage fluvial* 1830, h/t (60x86) : **DEM 8 500** – New York, 16 oct. 1991 : *Personnages dans un paysage à l'approche de l'orage* 1831, h/t (101x137,8) : **USD 8 250** – Vienne, 29-30 oct. 1996 : *Paysage boisé* 1837 (68,5x81,3) : **ATS 63 250**.

EZDORF Johann Christian Michael

Né le 28 février 1801 à Pösnek. Mort le 18 décembre 1851 à Munich. XIXe siècle. Allemand.

Paysagiste.

Élève de l'Académie de Munich. En 1821, fit un voyage d'étude à Hambourg, à Copenhague, en Islande et en Angleterre. Il fut peintre de la cour et membre de l'Académie de Stockholm. Frère de Christian Friedrich Ezdorf.

Musées : Leipzig : *Ile Magerae* – Munich : *Paysage suédois* – Stockholm : *Chasse au lièvre* – *Paysage du Nord* – Stuttgart : *Paysage norvégien*.

EZEKIEL E. Abraham

Né en 1757 à Exeter. Mort en décembre 1806 à Exeter. XVIIIe siècle. Britannique.

Graveur et peintre de miniatures.

On lui doit un grand nombre de portraits et des ex-libris.

EZEKIEL Moses Jakob

Né le 28 octobre 1844 à Richmond. XIXe siècle. Américain.

Sculpteur.

Venu en Europe en 1869, il fut élève, à l'Académie de Berlin, d'Albert Wolf. Il a exposé en Europe, à Berlin, à Rome et, en Amérique, à New York et à Cincinnati. On cite parmi ses meilleures œuvres : *Les Martyrs, Consolation, Pan et l'Amour*.

EZOCKI

XVIIIe siècle. Polonais.

Peintre.

Cet artiste exécuta un portrait du roi Stanislas Auguste Poniatowski.

EZPELETA

Né à Alagon. Mort vers le milieu du XVIe siècle à Saragosse, à l'âge de soixante ans. XVIe siècle. Espagnol.

Peintre.

Cet artiste se fit remarquer par l'habileté avec laquelle il sut peindre les miniatures. On en voit la preuve notamment pour les livres de chœur de la cathédrale de Saragosse.

EZQUERRA Domingo

XVIIe siècle. Actif à Madrid. Espagnol.

Peintre de portraits.

Il fut élève de Carreno.

EZQUERRA Geronimo Antonio de

XVIIIe siècle. Espagnol.

Peintre de scènes mythologiques, compositions religieuses.

Élève d'Antonio Palonimo, il exécuta une série de saints pour l'église de San Felipe de Neri à Madrid, et des œuvres variées pour le Palais de Buenretiro. Le Musée de Madrid possède de lui un tableau représentant : *Neptune avec les Tritons et les Néréides*.

EZZAT Laïla

Née en 1935 au Caire. XXe siècle. Égyptienne.

Peintre. Abstrait.

Elle est de formation autodidacte. Elle expose depuis 1970, principalement en France, et notamment dans le contexte de la galerie Suzanne de Coninck.

Elle crée des formes nuageuses, évanescentes.

Bibliogr. : In : Catalogue de l'exposition *Visages de l'art contemporain égyptien*, Musée Galliera, Paris, 1971.

Musées : Le Caire (Mus. d'Art Mod.).

Maîtres anonymes connus par un monogramme ou des initiales commençant par E

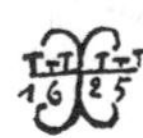

E.
XVIe siècle.
Monogramme d'un peintre et graveur.

E.
XVIe siècle. Allemand.
Monogramme d'un graveur au burin.
Actif vers 1546. On cite de lui : *Le Seigneur et la dame à genoux devant le Christ.*

E. Josep Antonio
XVIIIe siècle. Espagnol (?).
Peintre d'histoire, compositions à personnages.
Apparemment anonyme connu par la seule initiale de son patronyme et deux prénoms signant la peinture ayant fait l'objet de la vente des 19-20 mai 1992 à New York. Cette peinture de groupe présente des signes de demi-amateurisme ou bien de simplicité presque naïve.
Ventes Publiques : New York, 19-20 mai 1992 : *Dévotion de Don Phelipe Antonio de el Valle* 1741, h/t (222,3x321,3) : **USD 68 750.**

E. A.
Monogramme d'un peintre.

E. A.
XVIe siècle. Allemand.
Monogramme d'un graveur sur bois.
Actif au XVIe siècle. On cite de lui : *Femme tenant un écusson d'armes.*

E. B.
Allemand.
Monogramme d'un graveur au burin.
Il travaillait en Allemagne. On a de cet artiste, qui rappelle la facture de Sadeler, une estampe : *Le Repos en Égypte.*

E. C.
XVIe siècle. Italien.
Monogramme d'un graveur au burin.
Actif vers 1516. On cite de lui trois modèles de gaines de couteaux.

E. D. C. F.
XVIIIe siècle. Français.
Monogramme d'un graveur.
Actif à Paris. Brulliot mentionne de lui : *Renaud et Armide,* d'après N. Cochin.

E. H. S.
Monogramme d'un graveur.

E. L. L. A.
XVIe siècle. Éc. flamande.
Marque d'un graveur.
Actif à Liège vers 1577. Il était religieux aux Augustins de Liège.

E. R. K.
Allemand.
Monogramme d'un graveur.
Il est connu pour une copie en contre partie de l'estampe d'Albrecht Dürer : *L'Éducation de la Vierge.*

E. S.
XVe siècle. Allemand.
Monogramme d'un graveur.
On cite de lui une *Vierge en prière,* datée de 1467, extrêmement rare.

E. S., Maître aux initiales, dit aussi **Maître de 1466**
XVe siècle. Suisse.
Graveur au burin, dessinateur, orfèvre.

Il n'aurait vécu que de 1420 à 1468. Il a renouvelé, par les dons qu'il a révélés dans la composition, les thèmes traditionnels de l'Annonciation, de la Visitation et de la Nativité, et il traite des scènes profanes aussi bien que les sujets religieux. Une liste chronologique de ses œuvres se trouve dans le tome 2 du Catalogue critique de Lehr. On pense qu'il est originaire de la région du Lac de Constance. Il est tenu pour le créateur de la gravure sur cuivre. On connaît plus de trois cents estampes de sa main. Sa technique laisse penser qu'il reçut une formation d'orfèvre. Le trait est élégant, les sujets, profanes et sacrés, très divers. Son influence s'étendit sur l'Allemagne, les Pays-Bas, l'Italie, la France, l'Espagne. On ne connaît pas de peintures qui puissent lui être attribuées. L'hypothèse selon laquelle Schongauer aurait été son élève, est aujourd'hui abandonnée.

Ventes Publiques : Berne, 8 juin 1977 : *L'évangéliste Jean*, grav./cuivre : **CHF 32 000**.

E. T. B.
XVIe siècle. Allemand.
Monogramme d'un graveur au burin.

Actif de 1541 à 1564. On cite de lui : *Maximilien II, empereur d'Allemagne ; Sigismund das liber Baro in Herberstain ; L'abbé Paul de Temeswar ; Ubermann ; Armoiries de l'évêque de Passau.*

E. V. H.
XVIe siècle. Allemand.
Monogramme d'un graveur.

Actif vers le milieu du XVIe siècle. On cite de lui une petite gravure : *Superbia*.

E. V. H.
XVIIe siècle. Probablement Hollandais.
Monogramme d'un peintre.

Musées : Bucarest (Mus. Simu) : paysage.

E. V. T.
XVIe siècle. Français.
Monogramme d'un graveur à l'eau-forte.

Actif dans la première moitié du XVIe siècle. Cet artiste, qui appartient à l'École de Fontainebleau, est connu pour deux suites d'académies d'hommes (12 pièces en tout).

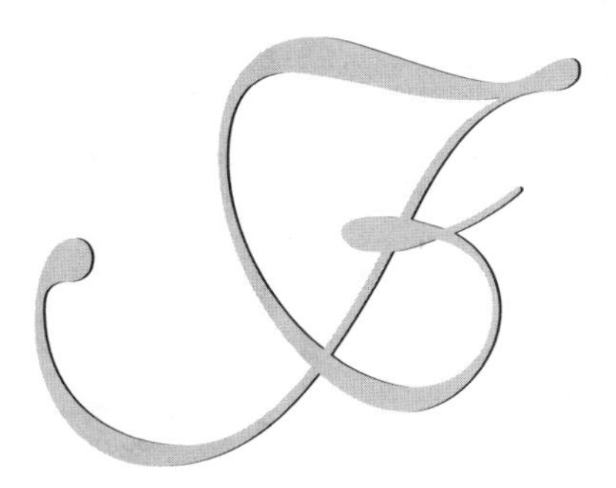

FABA Girolamo
XVIe siècle. Actif en Calabre. Italien.
Peintre, graveur sur bois.

FABARIUS Friedrich Wilhelm
Né le 25 janvier 1815 à Mülheim. Mort le 31 décembre 1900 à Düsseldorf. XIXe siècle. Allemand.
Peintre de paysages, marines.

Élève de A. von Wille, à Düsseldorf. Il a exposé à l'Académie Royale de Berlin de 1868 à 1870. On cite de lui : *Vue de la Plage* et *Marine*.

Ventes Publiques : Cologne, 21 oct. 1977 : *La plage de Scheveningen* 1871, h/t (62x93) : **DEM 4 000**.

FABBI Alberto
Né en 1858 à Bologne. Mort en 1906. XIXe siècle. Italien.
Peintre de genre, figures, aquarelliste.

Il était le frère aîné de Fabio Fabbi.

Ventes Publiques : Paris, 9 juin 1993 : *Deux Orientales faisant des bulles de savon*, aquar. (40x24) : **FRF 10 500** – Paris, 17 déc. 1993 : *L'averse*, aquar. (41x28,5) : **FRF 4 200** – Londres, 14 juin 1995 : *Danseuse*, h/t (190x84,5) : **GBP 9 775**.

FABBI Fabio
Né en 1861 à Bologne. Mort en 1946 à Casalecchio di Reno (près de Florence, Toscane). XIXe-XXe siècles. Italien.
Peintre de compositions religieuses, scènes de genre, sujets typiques, portraits, aquarelliste, pastelliste, dessinateur. Orientaliste.

Il étudia la peinture et la sculpture à l'Académie des Beaux-Arts de Florence, dans l'atelier d'Augusto Rivalta, obtenant plusieurs prix dans les deux disciplines, au début des années 1880. Puis, il voyagea à Paris, à Munich et en Egypte. De retour en Italie, il se consacra à la seule peinture.

Il prit part à diverses expositions à Monaco ; à Turin, à partir de 1884, où il reçut un prix en 1899 ; à Florence, en 1888 ; ainsi qu'à Milan. Il fut professeur à l'Académie des Beaux-Arts de Florence, en 1893 ; membre de l'Académie des Beaux-Arts de Bologne, en 1894. Il fut promu chevalier de la Couronne d'Italie, en 1898.

Fabio Fabbi réalisa quelques tableaux religieux mais il peignit surtout des thèmes islamiques : odalisques, marchés d'esclaves, bazars orientaux et femmes dans les harems. Il réalisa également des dessins de médailles. La manière de traiter ses tableaux varie selon la technique employée : au pastel, les formes et le mouvement sont seulement suggérés par quelques traits ; tandis que ses huiles sur ivoire sont d'une facture plus franche. Il choisit l'aquarelle pour illustrer des nouvelles éditions de l'*Énéide*, de l'*Iliade* et de l'*Odyssée*. Parmi ses œuvres, on mentionne : *Les sept péchés capitaux – Madone de l'épi – La vente d'une esclave – Marché aux esclaves – Au harem – Mammina ! – Une Terrasse en Alexandrie – Femme arabe – Vieux musulman – La danse – Femmes sur une terrasse.*

F Fabbi

Bibliogr. : Caroline Juler, in : *Les Orientalistes de l'École Italienne*, ACR Édition, Paris, 1994.

Ventes Publiques : Londres, 9-10 avr. 1946 : *Marché d'esclaves en Orient* : **GBP 62** – Florence, 7 juin 1976 : *Cortège nuptial*, h/t (66x81) : **ITL 380 000** – New York, 15 déc. 1978 : *Les Favorites*, h/t (59,5x80) : **USD 6 000** – Londres, 1er oct. 1980 : *La Danse des sept voiles*, h/t (67x99) : **GBP 2 800** – Londres, 17 mars 1983 : *Au harem ; L'Enlèvement du harem*, deux aquar. (44x28) : **GBP 1 200** – New York, 25 mai 1984 : *L'Enlèvement*, h/t (70,8x40,3) : **USD 11 000** – New York, 15 fév. 1985 : *La Marchande d'oranges*, aquar. (63,5x45,7) : **USD 2 200** – Londres, 24 juin 1987 : *Le Marchand d'esclaves*, h/t (210x99,5) : **GBP 8 000** – New York, 25 fév. 1988 : *Femmes et un marchand de tapis*, aquar., gche et encre (41,6x26) : **USD 2 860** – Londres, 26 fév. 1988 : *Le Marchand d'esclaves*, h/t (118x84) : **GBP 6 050** – New York, 25 mai 1988 : *Pour la petite*, h/t mar./cart. (132,1x93,3) : **USD 3 520** – Londres, 5 mai 1989 : *Jeunes Danseuses arabes*, h/t (70,2x40,4) : **GBP 2 750** – New York, 23 mai 1989 : *Le Marché aux esclaves* 1910, h/t (85,5x60) : **USD 13 200** – Londres, 22 nov. 1989 : *Dans le patio du harem*, h/t (59x77,5) : **GBP 13 200** – Milan, 6 déc. 1989 : *Danseuses orientales dans un bazar*, h/t (30x21) : **ITL 5 000 000** – Londres, 22 juin 1990 : *Le Marché aux esclaves*, h/t (209,6x99,4) : **GBP 14 300** – New York, 23 oct. 1990 : *Cortège de mariage*, h/t (61x90,2) : **USD 16 500** – Milan, 7 nov. 1991 : *Harem*, h/t (100x65,5) : **ITL 10 000 000** – Londres, 29 nov. 1991 : *Dans le harem*, h/t (72,4x110,5) : **GBP 15 950** – Rome, 14 nov. 1991 : *Odalisques dans un harem*, h/t (60x79) : **ITL 17 250 000** – New York, 20 fév. 1992 : *Danseuses de harem*, h/t (73x105,4) : **USD 18 150** – Bologne, 8-9 juin 1992 : *La Patée des pigeons*, aquar. (32,5x25) : **ITL 1 840 000** – Londres, 19 juin 1992 : *L'Esclave romaine*, h/t (91,5x91,5) : **GBP 8 800** – Paris, 8 nov. 1993 : *Le marché aux esclaves*, h/t (69x39) : **FRF 100 000** – New York, 19 jan. 1994 : *Danseuse orientale et musiciens*, h/t (47x68,6) : **USD 10 925** – Londres, 18 mars 1994 : *La Danseuse*, h/t (99,8x65,1) : **GBP 28 750** – New York, 12 oct. 1994 : *Le Marché aux esclaves*, h/t (100,3x55,9) : **USD 37 375** – Paris, 6 nov. 1995 : *Trois Jeunes Femmes sur une terrasse*, aquar. (44x29) : **FRF 55 000** – Paris, 18-19 mars 1996 : *Mariage au Caire*, h/t (67x118) : **FRF 290 000** – New York, 23-24 mai 1996 : *Le Marchand d'étoffes*, h/t (69,2x38,7) : **USD 21 275** – Milan, 23 oct. 1996 : *Odalisque*, aquar./cart. (45x30) : **ITL 3 495 000** – Londres, 21 nov. 1996 : *Danseuses orientales sur une terrasse*, h/t (71,7x91,5) : **GBP 24 150** – Paris, 17 nov. 1997 : *Les Marchandes d'oranges*, aquar. (46x32) : **FRF 20 000** – New York, 23 oct. 1997 : *Jeunes femmes du harem*, h/t (82,6x97,8) : **USD 57 500**.

FABBIANI Juan Vicente
Né le 15 juin 1910 à Caracas. XXe siècle. Vénézuélien.
Peintre.

Il fut élève de Marcos Castillo à l'Académie des Beaux-Arts de Caracas. Professeur à l'École d'Arts Plastiques. Il a envoyé *Nature morte à la guitare* à l'Exposition ouverte à Paris, en 1946, par l'Organisation des Nations Unies.

FABBRI Agenor, appelé par erreur **Fabri Agenore**
Né en 1911 à Barba. XXe siècle. Italien.
Sculpteur, céramiste de figures.

Il fut élève de l'École des Arts et Métiers de Pistoïa, puis de l'Académie des Beaux-Arts de Florence où il travailla l'art de la terre cuite. À partir de 1935, il fut ouvrier modéliste dans un atelier de céramique de Albisola (Ligurie), puis fut mobilisé jusqu'à la fin de la guerre.

Il participe avec succès en 1937 à l'exposition *Nazionale* de Naples. En 1952, à la Biennale de Venise, une salle particulière lui fut consacrée. Il fut également présent aux Biennales d'Anvers-Middelheim et de São Paulo. Nombreuses participations à des expositions de sculpture italienne contemporaine, en Europe et aux États-Unis.

Il fut influencé à ses débuts par le constructivisme futuriste de Marino Marini : *La Bataille* (1945) ; *Femme du peuple* (1946) ; *Pas de danse* (1947). L'usage de la terre cuite, de 1950 à 1955, l'orienta vers un certain expressionnisme. Le travail de cette époque se rattache également à l'œuvre du grand céramiste italien Arturo Martini. Il crée des animaux monstrueux, des insectes géants, hérissés de membres menaçants. Puis revenu à la fonte du bronze, ses créatures inventées se sont rapprochées de la morphologie de l'homme (la série de *L'Homme d'Hiroshima*, 1957, 1959, 1961) sans cesser d'être inquiétantes. « Toute la sculpture de Fabbri est un cri à l'état brut, cri latent, omniprésent, obsédant. Un hurlement continu, que nul bâillon ne peut étouffer, jaillit de cette humanité écorchée vive et que quelques bronzes résument en un répertoire de situations types et de postures significatives », écrit G. Gassiot-Talabot. *Le Cri* ; *Le Monstre de la guerre* ; *Hommage à Fontana* ; *La femme blessée*, la série des *Pietà* expriment la souffrance de l'être humain liée à sa condition humaine, mais également au mal qu'il fait subir à son prochain. De cette main prisonnière d'une cage d'épines ou de ces figures hurlantes, une même cicatrice lamine avec force le membre ou le bas du torse jusqu'à la tête. Cette fente tendue exacerbe la douleur ressentie dans la chair. La matière, support symbolique du travail de Fabbri tente d'éclater sous la pression, du cri, de l'acte dramatique, de l'idée pure.

■ J. B., C. D.

Bibliogr. : Giovanni Carandente, in : *Nouveau Diction. de la sculpture moderne*, Hazan, Paris, 1970 – Gérald Gassiot-Talabot : *Fabbri*, in : *Opus*, Paris, avr. 1972.

Ventes Publiques : Milan, 21 déc. 1982 : *L'homme atomisé* 1958, bronze soudé (H. 97) : **ITL 3 000 000** – Milan, 24 oct. 1983 : *Il monstro della guerra* 1967, bronze (83x46x23) : **ITL 5 500 000** – Milan, 18 déc. 1984 : *Personnages*, gche/pap. mar./t. (50x35) : **ITL 1 200 000** – Milan, 12 nov. 1985 : *Deux figures*, fer (H. 41) : **ITL 2 200 000** – Milan, 11 mars 1986 : *Cheval* 1948, terre cuite, polychrome (30x55) : **ITL 9 500 000** – New York, 6 oct. 1987 : *Danseuse* 1958, bronze, patine brune (H. 29,2) : **USD 800** – Milan, 7 nov. 1989 : *forme* 1959, matériaux multiples/pan. peint. (96x86) : **ITL 29 000 000** – Milan, 27 mars 1990 : *Sans titre*, bois brûlé (122x54,5x26) : **ITL 21 000 000** – Milan, 27 sep. 1990 : *Composition*, bois/feuilles de laiton (48x42x5) : **ITL 2 200 000** – Rome, 3 déc. 1990 : *Composition* 1952, pan. de bois sculpté (97x97x3) : **ITL 29 900 000** – Rome, 25 mars 1993 : *Sans titre*, plat de céramique polychrome (diam. 51) : **ITL 2 200 000** – Lokeren, 12 mars 1994 : *Composition*, bronze (H. 26, l. 63) : **BEF 30 000** – Milan, 24 juin 1994 : *Personnage*, bronze (H. 36,5) : **ITL 3 680 000** – Milan, 22 juin 1995 : *Personnage* 1962, bronze (60x49x12) : **ITL 11 500 000** – Milan, 28 mai 1996 : *Sans titre*, bronze (H. 63) : **ITL 3 450 000**.

FABBRI Ercole
Né à Faenza. XIXe siècle. Italien.
Peintre sur majolique.
Il travailla à Berlin, en particulier pour le prince Henri de Prusse.

FABBRI Giovanni
Mort en 1777 à Bologne. XVIIIe siècle. Italien.
Graveur.
On cite de cet artiste des illustrations et des copies d'après Le Guide et les Carrache.

FABBRICA Francesco
XVIIe siècle. Italien.
Peintre.
Il exécuta vers 1680 une *Sainte Anne* pour l'église Santa Maria del Paradisio de Milan.

FABBRICOTTI Annibale
Né à Carrare (Toscane). XXe siècle. Italien.
Sculpteur.
Il fut élève de Biggi Alessandro, et exposait au Salon de Paris en 1922.

FABBRINI Cesare di Vinci
Né à Peretola. Mort le 17 janvier 1593. XVIe siècle. Italien.
Peintre.
Il vécut à Florence où il fut l'élève puis le collaborateur de Vasari.

FABBRINI E.
XIXe siècle. Actif en Italie. Italien.
Graveur au burin.
Il illustra des ouvrages de d'Azeglio et de Bardi.

FABBRINI Gaetano
Né à Florence. XIXe siècle. Actif en Irlande. Italien.
Peintre.
Il vécut en Irlande où il gagna une certaine notoriété comme portraitiste.

FABBRINI Giuseppe
Né en 1740 à Florence. XVIIIe siècle. Italien.
Peintre.
Il exécuta en 1792 un *Saint Donato* pour la cathédrale d'Arezzo. On cite également ses portraits.

FABBRO Giovanni Battista di Giacomo
XVIe siècle. Actif à Bologne en 1529. Italien.
Peintre.

FABBRO Pippo del
XVIe siècle. Actif à Florence au début du XVIe siècle. Italien.
Sculpteur.
Il fut un des disciples de Jacopo Sansovino.

FABBRONI Atto
XVIIe siècle. Actif à Pistoia en 1654. Italien.
Sculpteur.
On sait qu'il exécuta un Crucifix pour l'église Saint-Vitale à Pistoia.

FABBRUCCI Aristide
Né à Florence. XIXe siècle. Italien.
Sculpteur.
Exposa à la Royal Academy à Londres de 1880 à 1885.

Ventes Publiques : Londres, 11 juin 1987 : *Deux Putti* vers 1870, bronze patine brune (h. 81) : **GBP 800**.

FABBRUCCI Francesco
Né vers 1687 à Cortona. Mort en 1767 à Cortona. XVIIIe siècle. Italien.
Sculpteur.

FABBRUCCI Luigi
Né en 1829 à Florence. Mort en 1893 à Londres. XIXe siècle. Italien.
Sculpteur.
Figura au Salon des Artistes Français, où il obtint une mention honorable en 1863. On le trouve aussi exposant à la Royal Academy, à Londres de 1872 à 1884. Le Musée de Dijon possède de cet artiste un buste du général Delaborde.

FABELTHIER
XXe siècle. Français.
Peintre.

Ventes Publiques : Paris, 30 mai 1935 : *Composition* : **FRF 400**.

FABER
XVIIIe siècle. Allemand.
Sculpteur.
Il était moine et travailla pour l'église d'Utterweiler vers 1700.

FABER
XIXe siècle. Allemand.
Miniaturiste.
Il travailla vers 1837 ; cité par Siret.

FABER Christoffer
Né le 18 septembre 1800. Mort le 20 novembre 1869. XIXe siècle. Danois.
Peintre.
Élève et collaborateur de J. L. Lund. Il peignit des paysages et des peintures d'inspiration religieuse.

FABER Conrad, dit **de Creuznach,** ou **Kreuznach**
Né peut-être vers 1500 à Creuznach. Mort vers 1553 à Francfort-sur-le-Main. XVIe siècle. Allemand.
Peintre de portraits, paysages, dessinateur.
On le considéra comme un dessinateur de plans topographiques jusqu'au jour où on l'identifia comme l'auteur des nombreux et excellents portraits des membres de la famille de Holzhaus, ainsi que des principales familles de Francfort, peints sur bois et signés du monogramme : *C.v.C.* Dès cette découverte, à partir de 1909, on a pu reconstituer à peu près sa carrière : il apparaît à Francfort, vers 1523, peut-être en provenance de Mayence, où il aurait été en contact avec Grünewald. À Francfort, on le trouve encore compagnon en 1526, dans l'atelier de Conrad Fyoll. En 1537, il y contracte un second mariage.
Dans les fonds de paysages de ses tableaux, on croit reconnaître l'influence d'Altdorfer et des peintres de l'École du Danube. Il peint aussi l'entourage du cardinal Albert de Brandebourg. C'est en 1551, qu'il dessina la grande gravure sur bois, représentant le *Siège de Francfort*, où l'on trouve une image fidèle de la ville à cette époque.

Bibliogr. : Pierre du Colombier, in : *Hist. de l'Art et des Artistes*, Hazan, Paris, 1967.
Musées : Berlin – Bruxelles – Dessau – Dublin – Francfort-sur-le-Main – Munich – Strasbourg.
Ventes Publiques : Londres, 11 mai 1934 : *Elizabeth Breun, femme de Ulrich von Hynsberg* : **GBP 577** ; *Ulrich von Hynsberg* : **GBP 504** – Londres, 8-18 juil. 1940 : *Jeune homme* : **GBP 115** – New York, 14-16 jan. 1943 : *Margaret Schottin* : **USD 700** – New York, 26 nov. 1943 : *Margaret Schottin* : **USD 1 050** – Londres, 1er avr. 1966 : *Portrait d'homme* : **GNS 7 000** – New York, 7 juin 1978 : *Portrait de Johann Reys ; Portrait de sa femme Anna Uffstendern*, deux h/pan. (51x35,5) : **USD 100 000** – New York, 17 jan. 1985 : *Portrait de Dorothea von Stalenburg* 1533, h/pan. (50,5x35) : **USD 45 000** – New York, 11 jan. 1989 : *Portrait de Dorothea von Stalenburg, âgée de 26 ans* 1533, h/pan. (50,5x35) : **USD 82 500**.

FABER Cornelis
Né vers 1594. XVIIe siècle. Hollandais.
Peintre.
Il vécut à Séville et à Amsterdam.

FABER Daniel
XVIIe siècle. Actif à Paris vers 1619. Français.
Peintre.

FABER Daniel
XVIIIe siècle. Travaillant sans doute en Saxe. Allemand.
Peintre de portraits.
On a retrouvé dans cette région plusieurs œuvres signées de cet artiste.

FABER Franz
XVIIIe siècle. Actif à Arco (Tyrol). Autrichien.
Sculpteur.
On l'a parfois identifié à tort avec Johann Faber.

FABER Friedrich Theodor
Né le 4 juin 1782 à Bruxelles. Mort le 13 avril 1844 à Bruxelles. XIXe siècle. Belge.
Peintre et graveur à l'eau-forte.
Après avoir reçu des leçons de son père, Friedrich Faber alla étudier à Anvers sous la direction d'Omeganck. S'étant établi à Bruxelles, il abandonna plus tard la peinture à l'huile pour se consacrer à la direction d'une fabrique de porcelaine, à laquelle il donna aussi le concours de son talent de peintre. Comme graveur, on cite de lui une centaine de planches de paysages et d'animaux, d'après ses propres dessins ou d'après les œuvres d'Omeganck, De Roy, et Van Assche. Le Musée de Bruxelles conserve de lui : *Le Repas de l'ouvrier*.
Ventes Publiques : Lucerne, 22 juin 1968 : *Enfant jouant du violon ; Le vieil homme et l'enfant*, deux pendants : **CHF 4 500**.

FABER Gabriel
Né en 1560 à Lyon. Mort en 1637. XVIe-XVIIe siècles. Français.
Graveur amateur.
Le Blanc cite de lui une gravure au burin : *Arbeer religionis graphice cupri incisa, dicato Carolo Barberino* (sic).

FABER Gottlob
Né en 1812 à Schwäbisch-Gmünd. Mort en 1884 à Rome. XIXe siècle. Allemand.
Peintre.
Il était fils de la miniaturiste Josepha Faber et travailla à Munich.

FABER J.
XVIIe siècle. Actif à Bamberg en 1661. Allemand.
Dessinateur.

FABER J. G.
XIXe siècle. Actif en Allemagne. Allemand.
Graveur au burin.
On cite de lui : *Wolgang Dillis*, d'après Kellerhoven.

FABER Jakob
XVIe siècle. Actif à Bâle, à Lyon et à Paris. Suisse.
Graveur sur bois.
Il fut l'un des premiers graveurs de Holbein et son collaborateur jusqu'au voyage de celui-ci en Angleterre. En France où il séjourna et illustra plusieurs ouvrages religieux il fut connu sous le nom de Jacques Lefèvre.

FABER Jean
Né à Berehem. Mort en 1674, enterré dans l'église des Dominicains, à Anvers. XVIIe siècle. Éc. flamande.
Peintre de paysages.
Il était membre de l'Académie Saint-Luc.

FABER Johan
XVIIIe siècle. Actif à La Haye en 1754. Hollandais.
Peintre de paysages, de portraits et de miniatures.
Peut-être doit-on l'identifier avec John Faber le Jeune.

FABER Johann
XVIIIe siècle. Actif au Tyrol vers 1750. Autrichien.
Sculpteur.
Il travailla pour la cathédrale de Brixen.
Ventes Publiques : New York, 26 fév. 1997 : *Paysans préparant des fruits dans un intérieur ; Paysans plumant des oiseaux dans un intérieur*, h/pan., une paire (31,2x38,7) : **USD 8 050**.

FABER Johann Joachim
Né le 12 avril 1778 à Hambourg. Mort le 2 août 1846. XIXe siècle. Allemand.
Peintre, graveur.
Élève à Hambourg de Waagen. Il a exposé à Leipzig en 1841. Il passa plusieurs années à Dresde et à Prague avant de retourner à Hambourg où il pratiqua beaucoup la peinture d'histoire.
Musées : Berlin : *Couvent de Capucins, près de Naples* – Hambourg : *Plusieurs paysages d'Italie* – Karlsruhe : *Vue des environs de Sorrente*.
Ventes Publiques : Londres, 13 oct. 1967 : *Vue de Dresde* : **GNS 450**.

FABER Johann Ludwig
XVIIe siècle. Actif à Nuremberg. Allemand.
Peintre verrier.
Le Musée Albert et Victoria, à Londres, possède une œuvre attribuée avec beaucoup de vraisemblance à cet artiste et signée *J. L. F.*

FABER Johann Theodor Eusebius
Né le 28 octobre 1772 à Gottleuba près de Pirna. Mort le 2 septembre 1852 à Dresde. XVIIIe-XIXe siècles. Allemand.
Peintre de genre, paysages.
Élève de Klengel. Membre de l'Académie de Dresde. Vécut à Dresde. On cite de lui : *Paysage au clair de la lune*.
Ventes Publiques : Londres, 22 jan. 1965 : *Vue de Dresde* : **GNS 500** – Cologne, 12 nov. 1976 : *Vue de Dresde*, h/t (94x134) : **DEM 18 000** – Londres, 21 oct. 1984 : *Ville d'Italie dans un paysage fluvial boisé* 1817, h/t (44,5x61) : **GBP 4 000** – Amsterdam, 29 nov. 1988 : *L'importateur de tabac dans son officine avec deux employés* 1760, h/t (84,8x99,2) : **NLG 89 700**.

FABER Johannes, l'Ancien
XVIe siècle. Allemand.
Sans doute graveur.
Il fut le père de Johannes Faber le Jeune. Sans doute graveur, il travailla à Leipzig.

FABER Johannes, le Jeune
XVIe-XVIIe siècles. Allemand.
Peintre, graveur.
Actif à Leipzig, il exécuta des illustrations pour l'éditeur Henning Gross. Il était fils de Johannes l'Ancien.

FABER John, l'Ancien
Né vers 1660 à La Haye. Mort en 1721 à Bristol. XVIIe-XVIIIe siècles. Actif aussi en Angleterre. Hollandais.
Dessinateur de portraits, graveur.
Cet artiste est considéré comme un des premiers graveurs ayant usé du procédé dit à la manière noire. Après s'être fait une réputation dans son pays par ses portraits dessinés sur parchemin, il vint à Londres, vers 1687, et n'y fut pas moins apprécié comme dessinateur et graveur. On cite notamment de lui vingt-cinq portraits des fondateurs des Universités d'Oxford et de Cambridge.
Ventes Publiques : Londres, 27 et 28 juin 1922 : *Le lieutenant-amiral Van Holland* 1696, pl. : **GBP 10** – Londres, 16 juil. 1928 : *François Ier d'Autriche*, dess. : **GBP 29** – Londres, 28 fév. 1945 : *Charles Ier ; James Francis Edward Stuart ; William III en armure*, trois dess. : **GBP 20**.

FABER John, le Jeune
Né vers 1684 à La Haye. Mort le 2 mai 1756 à Londres. XVIIIe siècle. Actif aussi en Angleterre. Hollandais.
Dessinateur, graveur.
Fils et élève de John Faber l'Ancien ; travailla aussi avec Jan Vander Bank. Il se fit une rapide réputation comme graveur à la manière noire par la franchise et la liberté de son style. Peter Lely et Kneller le patronnèrent. On cite de lui 165 planches, dont certaines sont fort recherchées.

FABER John
Mort en 1906 à New York. XIXe siècle. Américain.
Peintre, aquarelliste.
Il était membre du New Water-Colours Club de New York.

FABER Josef David
Né à Hall (Tyrol). XVIIe siècle. Autrichien.
Peintre.
Il travailla entre autres à Schannis, Rottenburg et Spaichingen.

FABER Josepha, née **Knoll**
Née en 1781 à Gmünd. Morte en 1847. XIXe siècle. Allemande.
Peintre de miniatures.
Elle était l'épouse de Karl Faber et fut la mère de Gottlob.

FABER Jürgen
XVIIe-XVIIIe siècles. Actif à Hambourg. Allemand.
Peintre.
Il exécuta en 1709 un *Portrait du pasteur J. F. Meyer*.

FABER Karl
XVIIIe-XIXe siècles. Actif à Gmünd. Allemand.
Peintre.
On lui doit des portraits en miniature.

FABER Karl Gottfried Traugott
Né le 10 novembre 1786 à Dresde. Mort le 25 juillet 1863 à Dresde. XIXe siècle. Allemand.
Peintre de genre, paysages, graveur, lithographe.
Élève de Klengel. En juillet 1820 membre de l'Académie de Dresde. On cite de lui : *Soirée d'automne* et *Une cascade*.
Ventes Publiques : Londres, 14 mars 1969 : *Vue de Dresde* : **GNS 650** – Londres, 20 mai 1993 : *Vue de Dresde*, h/t (50,5x74,6) : **GBP 47 700**.

FABER Leopold
Né vers 1760 à Salzbourg. XVIIIe siècle. Autrichien.
Peintre et dessinateur.

FABER Ludwig E.
Né le 21 octobre 1855 à Philadelphie. Mort en 1913. XIXe-XXe siècles. Américain.
Peintre de paysages, aquarelliste, aquafortiste.
Élève de Benjamin-Constant, T. Robert-Fleury et Jules Lefebvre, ainsi que de l'Académie de Munich. Vivant à Philadelphie, il était président de la Philadelphia Society of Artists, membre du New York Water-Colours Club.
Ventes Publiques : New York, 7 nov. 1980 : *Paysage du Chili*, h/t (38,3x48,5) : **USD 1 150**.

FABER Martin
Né en 1587 à Emden. Mort en 1648 à Emden. XVIIe siècle. Éc. flamande.
Peintre et graveur.
Élève de Finsonius à Bruges. Il travailla entre 1611 et 1629. Il fut également architecte.

FABER Mauritius
XVIIIe siècle. Actif à Prüm au milieu du XVIIIe siècle. Allemand.
Peintre.
Il décora un couvent de cette ville.

FABER Pierre
Né à Lyon. XVIIe siècle. Français.
Graveur au burin.
Cet artiste, mal connu, qui signait : *Petrus Faber* et dont le nom était peut-être Fabre, travaillait à Lyon dans le premier quart du XVIIe siècle et grava au burin une série de planches pour des ouvrages imprimés à Lyon en 1621-1624. On connaît de lui : Frontispice pour *Opus de Triplici virtute Theologica*, du jésuite Fr. Suarez, Lyon, 1621, *Portrait de Louis XIII* (*Petrus Faber fecit Lugduni*), deux planches (feux d'artifices), dont l'une signée *P. F.*, dans *Réception du très chrestien monarque Loys XIII... par les chanoines et comtes de Lyon*, Lyon, J. Roussin, 1623, un frontispice (signé *Petrus Faber Lugd. fecit sculp.*) et quatre planches dont une signée *Petrus Lugdunensis sculp.*, dans *Le Soleil du Signe du Lyon*, Lyon, J. Julliérus, 1623, et *L'entrée du Roy et de la Reyne en sa ville de Lyon*, même imprimeur, 1624, ainsi qu'un *Portrait du cardinal Maurice de Savoie*.

FABER Sebastian
Originaire de Nuremberg. XVIIe siècle. Allemand.
Peintre.
C'est lui qui décora sans doute vers 1675 le couvent de Zwettl.

FABER Theodor
XVIIe siècle. Actif au milieu du XVIIe siècle. Hollandais.
Peintre.
On lui doit plusieurs portraits.

FABER Thomas
Mort vers 1590. XVIe siècle. Allemand.
Peintre.
Il travailla pour l'église Saint-Nicolas de Laub.

FABER DU FAUR Christian Wilhelm von
Né le 18 août 1780 à Stuttgart. Mort le 6 février 1857 à Stuttgart. XIXe siècle. Allemand.
Peintre d'histoire, scènes de genre.
Lieutenant de la Grande Armée (et plus tard général dans l'armée wurtemburgeoise), il fit la campagne de Russie et peignit beaucoup de tableaux relatifs à cette guerre.
Musées : Munich : *Capturé* – Trieste (Mus. Revoltella) : *Le retour de la campagne de Russie*.

FABER DU FAUR Hans von
Né le 21 novembre 1863 à Stuttgart. Mort en 1949. XIXe-XXe siècles. Allemand.
Peintre de genre, portraits, aquarelliste.
Fils de Otto il servit comme son grand-père dans l'armée et fut officier de uhlans. Il vécut quelques années à Paris où il travailla dans l'atelier de Whistler et où il exposa à partir de 1894 dans différents salons.

Ventes Publiques : Hambourg, 11 juin 1981 : *Cavaliers dans un paysage* 1912, aquar. (18,9x24,2) : **DEM 2 600** – Londres, 21 mars 1984 : *La promenade du matin* 1920, h/pap. (69,5x95,5) : **GBP 6 500** – Londres, 22 mars 1984 : *Cavaliers* 1914, aquar. (28,5x42,5) : **GBP 2 000** – Londres, 5 déc. 1986 : *Cavaliers dans un parc* 1915, aquar./pap. (18x22,5) : **GBP 6 200** – Cologne, 9 déc. 1986 : *Le départ de la course au bord de la mer*, h/cart. (70x100) : **DEM 64 000** – Munich, 7 juin 1989 : *Course de chevaux sur la plage*, aquar. gche et encre (20,5x24) : **DEM 7 150**.

FABER DU FAUR Otto von
Né le 3 juin 1828 à Ludwigsbourg près de Stuttgart. Mort le 10 août 1901 à Munich. XIXe siècle. Allemand.
Peintre d'histoire, batailles, scènes de genre, aquarelliste.
Fils du général Christian Wilhelm von Faber du Faur, connu aussi comme dessinateur de scènes de guerre. Il fut soldat comme son père et ne quitta l'armée qu'en 1867. Il fit ses études sous Yvon à Paris et sous Piloty à Munich, où il s'établit. Il a exposé à Vienne, à Berlin et à Munich à partir de 1869.
Musées : Stuttgart : *Deux épisodes de la bataille de Champigny*.
Ventes Publiques : Paris, 7 mars 1921 : *Le cortège du Sultan* : **FRF 550** – Paris, 16 et 17 oct. 1922 : *Marché arabe* : **FRF 110** ; *Arabes à cheval dans un paysage marocain* : **FRF 200** – Munich, 27 mai 1978 : *Camp de guerriers arabes*, gche (15x36) : **DEM 1 900** – Munich, 26 nov. 1981 : *Le convoi des prisonniers*, h/t (61x89) : **DEM 15 000** – Munich, 29 nov. 1984 : *La retraite de Russie* 1869, h/t (96x148) : **DEM 29 000** – Munich, 13 juin 1985 : *Cavaliers au repos*, aquar. (11x15) : **DEM 1 500** – Londres, 17 mars 1989 : *Napoléon salué par les hussards*, aquar. (12x36,5) : **GBP 880** – New York, 16 fév. 1994 : *Le retour des vainqueurs*, h/t (98,1x276,9) : **USD 28 750** – Munich, 6 déc. 1994 : *Scène de la guerre franco-allemande* 1874, h/t (74x123) : **DEM 9 200**.

FABERE Jean
XVe-XVIe siècles. Français.
Sculpteur sur bois.
Il travaillait en 1506 pour la cathédrale d'Amiens.

FABERT-GALLOIS Edmond
Originaire de Grenoble. XVIIIe siècle. Français.
Peintre.
De 1764 à 1780 il travailla à Nantes.

FABI Cristoforo
XVIe siècle. Actif à Parme. Italien.
Sculpteur sur bois.
Il était fils de Matteo Fabi.

FABI Francesco ou **Facci**
Originaire de Soave. Mort en 1621. XVIIe siècle. Italien.
Peintre.
Il exécuta en 1619 une *Vierge* pour l'église Sainte-Anastasie à Vérone.

FABI Matteo
Né vers 1500 à Parme. XVIe siècle. Italien.
Sculpteur sur bois.
Il travailla pour l'église Saint-Jean l'Évangéliste à Parme, et fut également architecte.

FABI-ALTINI Francesco
Né le 15 septembre 1830 à Fabriano. Mort en mars 1906 à San Mariano. XIXe siècle. Italien.
Sculpteur.
Il fit ses études à Rome où il fut l'élève de Tadolini. On cite de lui une *Statue monumentale de saint Romualdo* à Fabriano et le *Tombeau du cardinal Bianchi* à l'église San Gregorio Magno, à Rome.

FABIAEN Adriaen
Mort en décembre 1545. XVIe siècle. Actif à Bruges. Éc. flamande.
Peintre et miniaturiste.
Il était fils d'un peintre, Jean Fabiaen, qui est sans doute le même que Jan Fabiaen. En 1519, il fut reçu maître à Bruges, puis en 1536 fit partie de la gilde Saint-Luc comme miniaturiste. Sa femme également miniaturiste, était membre de la gilde en 1538.

FABIAEN Donaes
Mort en 1521 à Bruges. XVIe siècle. Éc. flamande.
Peintre.
Il était fils de Jan.

FABIAEN Jan
Mort en 1520. XVIe siècle. Actif à Bruges. Éc. flamande.
Peintre.
Maître à Bruges en 1469. Il eut de nombreux élèves. Il fut le père d'Adriaen et de Donaes.

FABIAEN Ruberecht
XVIe siècle. Actif à Bruges vers 1560. Éc. flamande.
Peintre.

FABIAN
XVIe siècle. Actif à Zurich au début du XVIe siècle. Suisse.
Peintre.

FABIAN
XVIIIe siècle. Britannique.
Peintre de miniatures.
En 1762 il exposait à la Society of Artist de Londres.

FABIAN Gottfried
Né en 1905 à Dresde. XXe siècle. Allemand.
Peintre. Abstrait-tachiste.
Après des études à l'Université de Leipzig, il a fréquenté l'Académie de Dresde. Il a exposé souvent, à Amsterdam, Vienne, Paris, Berne, Rome et Londres.
Tenant de l'abstraction, il a produit des toiles tachistes, où les giclures, coulées, parfois appliquées dans un esprit proche du travail de Sam Francis, envahissent la surface peinte, totalement ou en partie, moment d'action et non mise en scène d'un espace.

FABIAN Hans
Originaire de Glatz. XVe-XVIe siècles. Allemand.
Peintre.
Il était fils de Jacobus.

FABIAN Henri Adolphe Paulin
Né à Étampes (Essonne). XXe siècle. Français.
Peintre.
Il exposa à Paris au Salon des Indépendants à partir de 1925.

FABIAN Jacobus
Originaire de Glatz. XVe siècle. Allemand.
Peintre.

FABIAN Johannes
Mort le 15 février 1558 à Glatz. XVIe siècle. Allemand.
Peintre.
Sans doute faut-il l'identifier avec un Hans Fabian qui était en 1513 élève de Niclas von Lemberg à Breslau.

FABIAN Lydia Dunham
Née le 12 mai 1867 à Charlotte (Michigan). XIXe siècle. Américaine.
Peintre.

FABIAN Max
Né le 3 mars 1873 à Berlin. XXe siècle. Allemand.
Peintre de genre, portraits.
Il fut élève de l'Académie des Beaux-Arts de Berlin.

MUSÉES : DESSAU : *L'étudiant* – GDANSK, ancien. Dantzig : *Salles de bains.*

FABIAN DE CASTRO. Voir **CASTRO Fabian de**

FABIANI Domenico
Italien.
Peintre.
On a cru lire sa signature sur une peinture représentant le Christ et la Samaritaine et conservée dans les environs de Leningrad.

FABIANI Federico
XIXe siècle. Actif à Gênes en 1835. Italien.
Sculpteur.
Élève d'Isola et de Varni. Il se fit connaître par une œuvre illustrant le *Combat de Palestro*. Il exécuta nombre de monuments funéraires.

FABIANO Fabien, pseudonyme de **Coup de Fréjac Jules**
Né en 1883. Mort en juin 1962. XXe siècle. Français.
Aquarelliste, pastelliste, dessinateur de figures, nus, illustrateur.
Il était d'origine bretonne, voyagea beaucoup. Il collabora à de nombreuses parutions françaises et étrangères : *Life – Elegante Welt – La Nation – Le Rire*, et surtout *La Vie Parisienne*. Pendant cinquante ans, il dessina la femme, qualifié alors par André Thérive de « peintre sérieux de frivolités ».
VENTES PUBLIQUES : PARIS, 16-17 mai 1939 : *Le passage de l'express* : **FRF 380** ; *Hésitation* : **FRF 400** – PARIS, 10 nov. 1943 : *L'aviatrice*, dess. à la pl. : **FRF 100** – PARIS, 19 mars 1945 : *Nu assis de dos*, past. : **FRF 1 400** – VERSAILLES, 16 oct. 1988 : *Jeune femme brune en buste*, past. (63x48,5) : **FRF 5 100** – PARIS, 21 nov. 1988 : *Le carrosse d'or*, sanguine (56x45) : **FRF 1 300** – PARIS, 12 fév. 1991 : *Femmes au bain* 1928, h/pan. (41,5x33,5) : **FRF 4 000** – PARIS, 7 avr. 1995 : *Paris* 1936, affiche entoilée (160x240) : **FRF 6 000**.

FABIANO di Giovanni
XVIe siècle. Actif à Pérouse au début du XVIe siècle. Italien.
Peintre et sculpteur.

FABIANO da Urbino
Né à Urbin. XVIe siècle. Italien.
Peintre.
Membre de l'ordre de Saint-Dominique. Il exécuta une série de peintures, qui subsistent à Cancelli, près de Fabriano.

FABIANSOHN Heinrich
Né près de Wesenberg. XIXe siècle. Russe.
Peintre.
Il travailla surtout à Saint-Pétersbourg où il exécuta des peintures d'animaux et des peintures religieuses.

FABIARIO Giovanni Pietro
Né en 1585 à Udine. Mort vers 1660. XVIIe siècle. Italien.
Peintre.
Il exécuta pour la cathédrale d'Aquilée un retable représentant la Vierge entourée de saints dans un paysage.

FABIEN Cécile
XVIIIe siècle. Active à Paris en 1751. Française.
Peintre.

FABIEN Henri
Né à Ottawa. XIXe siècle. Actif dans la seconde moitié du XIXe siècle. Canadien.
Peintre de portraits.
Élève de Gérome et Dijonnet ; exposant du Salon des Artistes Français.

FABIEN Louis, pseudonyme de **Pouilloux**
Né le 18 janvier 1924 à L'Isle-Jourdain (Vienne). XXe siècle. Français.
Peintre de compositions à personnages, paysages, graveur. Réaliste.
Il est autodidacte en art. Il a été invité à la première Biennale des Jeunes Artistes à Paris en 1959 et y reçut le Prix de Peinture. Il figure ou a figuré, dans de nombreux Salons annuels de Paris : d'Automne, de la Jeune Peinture, de Mai, Comparaisons, des Peintres Témoins de leur Temps. Il participe à des expositions collectives thématiques ayant le renouveau du réalisme pour objectif, depuis les années soixante, où son nom fut souvent associé à celui de Paul Rebeyrolle. Il présente aussi ses peintures dans des expositions personnelles à Paris, notamment en 1974 avec des paysages de Saint-Tropez, Lausanne et New York.

Il vit dans le Midi. Toujours fidèle à la réalité, dans une technique au pointillisme élégant, il essaie surtout de saisir des instants colorés et souvent charmants.

fabien

Ventes Publiques : New York, 17 juil. 1981 : *Nu aux iris violets* (100x73) : **USD 600** – Zurich, 8 nov. 1985 : *Nu allongé au soleil*, h/t (50x100) : **CHF 5 500** – Paris, 16 juin 1987 : *Rue à Montmartre*, h/t (55x46) : **FRF 2 100** – New York, 10 nov. 1992 : *Monte-Carlo le jour* 1976, h/t (73,5x100) : **USD 1 870** – New York, 22 fév. 1993 : *Monté-Carlo la nuit* 1977, h/t (73x100) : **USD 1 650**.

FABIEN de FLESCHIÈRES. Voir **FLESCHIÈRES**

FABIENNE, pseudonyme de **Pan Fabienne**
Née à Paris. xxe siècle. Active au Venezuela. Française.
Peintre de paysages, sculpteur. Postimpressionniste.
Elle a fréquenté l'Académie de la Grande Chaumière à Paris, où elle a exposé au Salon des Artistes Indépendants en 1939. Depuis 1971, elle expose de nouveau à Paris, notamment au Salon des Artistes Français et en expositions personnelles. Elle s'est fixée au Venezuela et participe à des expositions en Amérique Latine. Elle y montre aussi ses productions dans des expositions personnelles. Elle sculpte aussi et réalise des bijoux.
Son installation au Venezuela a été déterminante sur sa peinture. Peintre d'une réalité poétisée, elle rend l'âpreté de son pays d'adoption, tout en se référant à la leçon impressionniste.

FABIJANSKI ou **Fabijanski**. Voir **FABJANSKI**

FABIO Pio
Originaire d'Udine. xviie siècle. Italien.
Peintre.
Il étudia à Rome et devint en 1678 membre de l'Académie Saint-Luc. Il retourna ensuite dans sa ville natale où il peignit plusieurs tableaux d'autel. *Voir aussi PAOLINI Pio.*

FABIO da Borgo San Sepolcro
xve siècle. Italien.
Sculpteur sur bois.
Il était actif à Milan en 1471.

FABIO di Gentile di Andrea
xve siècle. Actif à San Ginesio en 1442. Italien.
Peintre.
Il exécuta un retable dans le genre de Crivelli.

FABISCH Joseph Hugues
Né le 19 mars 1812 à Aix. Mort le 7 septembre 1886. xixe siècle. Français.
Sculpteur.
C'est à l'École des Beaux-Arts de sa ville natale que Fabisch fit toute son éducation artistique. De 1846 à 1878, il figura au Salon de Paris. On cite de ses œuvres : *Marie-Madeleine* (statue en marbre), *Béatrix* (statue en marbre). Le 28 février 1860, il fut nommé professeur à l'École des Beaux-Arts, à Lyon. L'année suivante, il fut médaillé de deuxième classe.
Musées : Aix : *La fille de Jephté* – Lyon : *Buste d'Hippolyte Flandrin – Buste du professeur Ozanam – Buste de l'archéologue Artaud – Béatrix – Buste de Jean-Jacques de Boissieu.*

FABISCH Philippe
Né le 12 août 1845 à Lyon. Mort le 14 juin 1881 à Lyon. xixe siècle. Français.
Sculpteur.
Fils et élève de Joseph Fabisch. Il travailla également avec Dumont. Le Musée du Havre conserve de lui *Rébecca*. Il débuta au Salon de Paris en 1868.

FABIUS Caius, pseudonyme : **Pictor**
ive siècle avant J.-C. Vivant environ 300 ans avant J.C. Antiquité romaine.
Peintre.
On pense que le titre de Pictor (le peintre) lui fut donné comme un surnom ridicule parce que Fabius, descendant de l'illustre famille de Fabii, fut censé déroger en s'adonnant à la peinture. Il fut le premier peintre romain que l'on cite et décora en 304 avant Jésus-Christ le Temple de la Salute à Rome, probablement avec la représentation de la bataille que Bibulus remporta sur les Samnites. Ces peintures furent conservées jusqu'au règne de l'empereur Claude, époque où le feu détruisit le Temple. Il n'est pas probable que cet artiste ait été très célèbre de son temps, car Pline qui devait connaître ses œuvres ne nous en parle en aucun endroit. Il s'écoula un intervalle de cent cinquante ans entre Fabius et le second peintre romain qui se fit un nom.

FABIUS Jan
Né en 1820. Mort en 1889. xixe siècle. Hollandais.
Peintre de genre.
Ventes Publiques : Dordrecht, 14 juin 1972 : *Enfants jouant dans une ruelle* : **NLG 6 400** – Amsterdam, 14-15 avr. 1992 : *Enfants près d'un puits à Heiloo*, h/t (47,5x57,5) : **NLG 4 600** – Amsterdam, 9 nov. 1994 : *Un étudiant dans un intérieur* 1868, h/pan. (55x66) : **NLG 1 610**.

FABJANSKI Erasmus Rudolf ou **Fabijanski**
Né en 1829 à Zytomierz (Ukraine). Mort en 1891 à Cracovie. xixe siècle. Russe.
Peintre.
Après des études de médecine, il se rendit à Saint-Pétersbourg où il s'intéressa à la peinture. Pendant la guerre de 1870, il combattit en France dans la Légion étrangère.
Musées : Lwow (Mus.) : plusieurs paysages.

FABJANSKI Stanislaw Poraj
Né en 1865 à Paris. xixe-xxe siècles. Polonais.
Peintre de genre, personnages, paysages, peintre à la gouache, aquarelliste.
Fils du peintre Erasmus Fabjanski. Il vécut à Cracovie. Il rapporta des paysages de ses nombreux voyages à travers l'Europe. Son œuvre porte témoignage de la vie des Juifs en Pologne avant la Seconde Guerre mondiale. On cite *After the Pogrom*, réalisé en 1910.
Bibliogr. : In : *Encyclopaedia Judaïca*, Jérusalem, 1918.
Ventes Publiques : Tel-Aviv, 26 avr. 1997 : *Vue de la vieille cité de Cracovie* 1917, gche et aquar./pan. (39x49,3) : **USD 9 200**.

FABRA Alberto
Né le 2 février 1920 à Buenos Aires. xxe siècle. Depuis 1946 actif en France. Argentin.
Peintre, graveur, dessinateur, peintre de cartons de mosaïques. Art optique.
Après ses études à Barcelone, il obtint une bourse de voyage pour Paris en 1946 et s'y est fixé. Depuis 1943, il y participe à de nombreuses expositions collectives, notamment : 1947 Salon des Surindépendants, depuis 1948 Salons de Mai et des Réalités Nouvelles, 1969 *Artistes Latino-Américains* au Musée d'Art Moderne de Paris, depuis 1971 Salon Grands et Jeunes d'Aujourd'hui, depuis 1974 Salon Comparaisons, etc. Il a montré également des expositions personnelles de ses réalisations, à Barcelone, Paris, Lausanne, Genève, Luxembourg, Worms, Düsseldorf, Milan, Bergame, etc.
Il travaille résolument dans l'esprit de l'art optique (Op'art). Ses figures géométriques proposent un déroulement optique très lent d'un plan à un autre, par un jeu subtil de dégradés de couleurs et de valeurs.
Ventes Publiques : Versailles, 22 avr. 1990 : *Jeune femme à la cruche* 1964, h/t (100x81) : **FRF 9 800**.

FABRA Marie-Helène
Née en 1961. xxe siècle. Française.
Peintre.
Diplômée de l'École du Louvre et de l'École nationale des Beaux-Arts de Paris. Elle a participé à différentes expositions collectives : 1986, Novembre à Vitry ; 1988, Salon de la Jeune peinture, Paris ; 1990, Salon des Réalités Nouvelles, Paris ; 1990, Salon de Mai, Paris ; 1998, *Les saisons*, galerie Éric Dupont, Paris. Elle montre ses œuvres dans des expositions personnelles, dont : 1990, Centre culturel Claude Monet, Sainte Adresse (Le Havre).
Elle peint des vues urbaines, entre périphériques et villes nouvelles – son univers entre son domicile et son atelier. Sa peinture se démarque de cette propension consistant à segmenter la réalité en petites unités. Peintes à partir de clichés photographiques, ou reconstituées mentalement, ces toiles évoluent dans une gamme chromatique de teintes chaudes rose-rouge-orange rappelant un peu la palette d'un Klee. On se laisse gagner par une volonté expressive – onirique ? – de transformer une réalité architecturale impersonnelle, la banlieue, et tout ce qu'elle représente, en une énergie autre. Les éléments irréductibles du paysage participent pleinement à cette transfiguration en des compositions charpentées en unités presque abstraites, ici le toit métallique en longueur d'un train, là la géométrie implacable d'une tour divisant l'espace de la toile pour mieux briser la profondeur du paysage. ■ C. D.

Ventes Publiques : Paris, 21 mars 1992 : *Les lapins*, techn. mixte/t. à drap (114x146) : **FRF 3 000**.

FABRE

Né à Montpellier. Mort en 1390. XIVe siècle. Français.

Peintre verrier.

Siret le cite comme ayant travaillé aux églises de Montpellier.

FABRE Abel

Né au XIXe siècle à Blagnac. XIXe siècle. Français.

Sculpteur.

Figura au Salon des Artistes Français, où il obtint une mention honorable en 1897.

FABRE Auguste Victor

Né en 1882 à Montpellier (Hérault). Mort en 1939 à Paris. XXe siècle. Français.

Peintre, décorateur.

Il exposait régulièrement à Paris, au Salon d'Automne depuis 1919 et dont il était sociétaire, y montrant aussi bien des peintures que des maquettes de décorations. Il figura aussi au Salon des Artistes Indépendants en 1925.

Ventes Publiques : New York, 26 mai 1992 : *Femmes élégantes admirant une colombe*, h/t (61x76,2) : **USD 1 980**.

FABRE Charles

XIXe siècle. Français.

Peintre d'histoire et portraitiste.

De 1836 à 1842, il figura au Salon de Paris avec des portraits. Parmi ses autres œuvres, on cite : *Charles Quint au monastère de Saint-Just*.

FABRE François Xavier, ou **Fr. Saverio**, baron

Né le 1er avril 1766 à Montpellier (Hérault). Mort le 16 mars 1837 à Montpellier. XVIIIe-XIXe siècles. Actif aussi en Italie. Français.

Peintre d'histoire, compositions religieuses, sujets mythologiques, portraits, paysages, graveur.

Fabre se montra, dès son enfance, doué pour les arts. En 1781, tout jeune encore, il fit un envoi à l'Exposition de Montpellier, et son premier maître dans sa ville natale, Coustou, le recommanda à Vien et à David, dans les ateliers desquels il continua ses études. En 1787, il remporta le premier grand prix de Rome avec *Nabuchodonosor faisant tuer les enfants de Sédécias sous les yeux de leur père*.

Pensionnaire du roi, à Rome, Fabre envoya au Salon de 1791 la *Mort d'Abel* et continua à se perfectionner jusqu'en 1793. Après avoir passé un an à Naples, il alla se fixer à Florence où il devint professeur de l'École des Beaux-Arts. C'est à Florence qu'il exécuta la plus grande partie de ses travaux, dont sa *Madeleine pénitente*, la *Sixième églogue de Virgile*, le *Jugement de Pâris* et quelques autres toiles figurèrent aux expositions de Paris et aux Salons. S'étant lié avec Alfieri, le poète italien, il fit la connaissance de la comtesse d'Albany qu'il épousa après la mort de son ami. Celle-ci, par son testament du 29 janvier 1824, institua Fabre son légataire universel, lui laissant ainsi ses immenses et riches collections que l'on admire aujourd'hui au Musée de Montpellier. De retour dans son pays natal où il se fixa, dès lors, Fabre continua ses travaux artistiques, exposa en 1827 au Salon *Œdipe enfant*, fut nommé chevalier de la Légion d'honneur, et créé baron par Charles X.

F. X. Fabre. Flor.

Bibliogr. : L. Pellicer – *Le peintre François-Xavier Fabre, 1766-1837*, Paris IV-Sorbonne, 1982.

Musées : Cracovie : *Portrait de Skotniky et de Mme Skotnika* – Florence : *Portrait de la comtesse d'Albany* – *Portrait de Victor Alfieri* – Florence (Gal. d'Art Mod.) : *Portrait d'Antonio Santarelli* – Lyon : *Mort d'Abel* – Madrid : *Bois d'Etrurie* – Montauban : *Paysage* – Montpellier : *Saül, agité par ses remords, croit voir l'ombre du grand-prêtre Abimélech, qu'il a fait périr* – *La mort de Narcisse* – *Portrait d'Antonio Canova* – *Abel expirant* – *Sainte Famille* – *Œdipe et Antigone* – *Saint Jérôme en oraison* – *Saint Sébastien* – *Soldat romain au repos* – *Portrait de lady Charlemont en Psyché* – *Portrait de Francesco Fornacciari, ermite* – *Le Chien danois de la comtesse d'Albany* – *Deux portraits de Vittorio Alfieri* – *Portrait de la comtesse d'Albany* – *Portrait de Louis XVIII* – *Portrait de J. Fabre, père de l'artiste* – *Portrait de l'artiste*, deux œuvres – *Portrait de H. Fabre, frère de l'artiste* – *Portrait de Gache* – *La Prédication de saint Jean dans le désert* – *La Mise au tombeau* – Nantes : *Portrait en pied du maréchal, duc de Feltre* – Narbonne : Étude – *Saint Jérôme* – Paris (Mus. du Louvre) : *Neoptolème et Ulysse enlèvent à Philoctète les flèches d'Hercule* – Versailles : *Portrait de Jacques Coiny, graveur*.

Ventes Publiques : Londres, 20 mai 1927 : *Elizabeth Fabbiola Mascagni* : **GBP 420** – Londres, 3 juil. 1935 : *Quatre sujets rustiques et scènes de parc* : **GBP 65** – Paris, 18 juin 1973 : *Portrait en buste d'une jeune femme* 1814 : **FRF 12 700** – Londres, 23 juin 1978 : *Portrait d'une fillette*, h/t (75x63,5) : **GBP 750** – Londres, 25 jan. 1980 : *Portrait présumé de Luisa Paolina Angelica Cosway*, h/t (74,9x63,4) : **GBP 700** – Londres, 21 juin 1984 : *Portrait of Henry Richard Fox, 3rd Lord Holland* 1795, h/t (104x82) : **GBP 7 000** – Monte-Carlo, 3 avr. 1987 : *Portrait présumé de l'intendant Delanoy, avec une vue de Florence dans le lointain* 1809, h/t (115x82) : **FRF 400 000** – Paris, 3 mai 1988 : *Perspective sur un monastère*, pl. et lav. (20,5x29,7) : **FRF 8 500** – Londres, 14 nov. 1990 : *Portrait de John Henry Petty, comte de Wycombe et plus tard Marquis de Lansdowne* 1795, h/t, de forme ovale (73x60,5) : **GBP 25 300** – Londres, 13 déc. 1991 : *La Madone della Sedia* 1794, h/t, d'après Raphaël (74x74) : **GBP 8 800** – Londres, 15 avr. 1992 : *Portrait de Jeanne-Robertine, Marquise d'Orvilliers en buste, avec un fichu de dentelle noué et un bandeau rouge dans les cheveux*, h/t, ovale (74x61,6) : **GBP 6 000** – Monaco, 4 déc. 1993 : *Portrait de Don Luigi Grimaldi, Prince de Santa-Cruce, marquis de pietro Vajrana, de Monaco et Gênes, appuyé sur la tombe de sa fiancée Fanny, marquise de Grimaldi* ; *Portrait posthume de la marquise Fanny Grimaldi, née Baronne von Bürkenwald sur le point de rejoindre son premier mari, le Marquis Giovanni Battista Grimaldi dans sa tombe*, h/t, une paire (80x50) : **FRF 888 000** – Londres, 6 juil. 1994 : *Vue de Florence depuis la rive nord de l'Arno vers l'est* 1813, h/t (95,9x134,6) : **GBP 309 500** – Londres, 19 nov. 1997 : *Clementina Incontri, Marquise de Prié* 1803, h/t (66x50) : **GBP 166 500**.

FABRE Gérard

Né en 1955 à Marseille (Bouches-du-Rhône). XXe siècle. Français.

Sculpteur. Abstrait-lyrique.

Il fut élève de l'École des Beaux-Arts de Marseille-Luminy. Il participe à des expositions collectives depuis 1978, notamment à Marseille, ainsi que dans des villes du Midi : 1979 Auch *Le papier*, 1980 Arles Musée Réattu *Papier, papier*, Paris Musée des Arts Décoratifs *Les métiers de l'art*, 1982 Marseille Galeries de la Vieille Charité *La jeune peinture à Marseille*, et Musée Cantini *Du cubisme à nos jours*, Paris Salon de Mai, etc. Il montre aussi ses travaux dans des expositions personnelles à Marseille, Nantes, Nancy. Après avoir effectué un travail de type conceptuel, et borgésien, sur le et autour du livre, puis un autre avec des sortes de murs en papier mâché, il semble avoir trouvé son langage plastique, à partir de 1984, dans la création de sculptures, qui semblent des dessins dans l'espace, constituées de matériaux diversifiés, barres de fer, tôles, bois peints, etc.

Bibliogr. : In : Catalogue de l'exposition *Cantini 84*, Mus. Cantini, Marseille, 1984.

Musées : Marseille (Mus. Cantini) : *Mur 02* 1981 – *Rebondissement* 1986.

FABRE Gilles

Né le 7 octobre 1933 à Blâmont (Meurthe-et-Moselle). XXe siècle. Français.

Peintre de paysages, fleurs, intérieurs, portraits. Réaliste.

Il fut élève de l'École des Beaux-Arts de Nancy, puis de l'École des Arts Décoratifs de Paris. Il dut d'abord travailler dans un bureau d'études d'architecture. Il expose à Paris, au Salon des Artistes Français depuis 1957, dont il est sociétaire depuis 1958, et au Salon de la Société Nationale des Beaux-Arts. Il montre aussi ses peintures dans des expositions personnelles, dont la première eut lieu en 1956 à la Maison des Jeunes et de la Culture de Saint-Cloud, la première à Paris en 1967, une autre à Nancy en 1969, puis de nombreuses à Tokyo, Osaka, Yokohama, Kobe, Londres, Bruxelles, au Koweit, à Ceylan, Moscou, Leningrad, etc. Il a obtenu de nombreuses distinctions. Il est chevalier de l'ordre des Arts et Lettres et de l'ordre national du Mérite.

Il a peint une série de paysages de Paris. Il est revenu vivre en Lorraine, à Repaix, où il peint tous les aspects de ses paysages. Toutefois, il entreprend des voyages d'étude pratiquement chaque année, d'où il rapporte croquis et esquisses. Il pratique une peinture saine et sincère, en deçà de l'impressionnisme dans la lignée des réalistes du XIXe siècle.

Bibliogr. : Divers catalogues d'expositions *Gilles Fabre* in : *L'officiel des arts*, Édit. du Chevalet, Paris, 1988.

Ventes Publiques : Versailles, 11 jan. 1989 : *Neiges lorraines*, h/t (73x92) : **FRF 5 000**.

FABRE J.
XVIIIe siècle. Travaillant en Suisse dans la seconde moitié du XVIIIe siècle. Français.
Miniaturiste.
A collaboré à l'illustration d'un livre de famille des Zurlauben, aujourd'hui chez les von Schuhmacher à Lucerne.

FABRE Jan
Né en 1958. XXe siècle. Belge.
Dessinateur, créateur d'installations, de performances.
Chorégraphe et danseur, il est également plasticien. Il a participé, en 1994, à l'exposition *Comme rien d'autre que des rencontres* au Mukha d'Anvers, en 1995 à l'exposition *Nature mutante* à Auch. Il montre ses œuvres dans des expositions personnelles, dont : 1995, galerie der Statt, Stuttgart.
Parallèlement aux feuilles de papier, il utilise aussi comme support, pour ses dessins, du bois, du satin, et même des « constructions ». Il intègre parfois des insectes morts, créant ainsi un certain malaise, comme dans *Mur de la montée des anges* de 1994, cette robe composée de cinq mille insectes sacrés d'origine asiatique. Il fait régner cependant un climat poétique, presque fantastique, laissant libre cours à l'inconscient et l'imagination. Ses installations ressemblent à un laboratoire, dans lequel animaux et êtres humains, représentants de la réalité, cohabitent, mais se heurtent à l'artificialité de l'encre. Il réalise aussi des photographies.
Bibliogr. : In : *Artforum*, vol. XXX, n°1, New York, sept. 1992.
Musées : Metz (FRAC Lorraine) : *The grave of the unknown computer* 1993.
Ventes Publiques : Lokeren, 23 mai 1992 : *Je voudrais que tu t'habilles...*, stylo-bille et craie (28x20,8) : **BEF 33 000** – Lokeren, 4 déc. 1993 : *Feuilles tourbillonnant dans le vent* 1989, stylo-bille et collage (210x150) : **BEF 360 000** – Lokeren, 12 mars 1994 : *Épées* 1987, stylo-bille et collage (213x153) : **BEF 300 000** – Amsterdam, 2-3 juin 1997 : *Sabre* 1987, pointe bille/pap. (214x149) : **NLG 13 570**.

FABRE Jean
XVIIe siècle. Français.
Peintre.
Il est peut-être le même que Jean Fabre de Brioude. Il vivait au Puy-en-Velay (Haute-Loire) en 1652-1683.

FABRE Jean
Né à Brioude (Haute-Loire). XVIIe siècle. Vivant à Brioude en 1639. Français.
Peintre.

FABRE Louis André
Né le 18 septembre 1750 à Genève. Mort le 15 février 1814 à La Chaux-de-Fonds. XVIIIe-XIXe siècles. Suisse.
Peintre de miniatures.
Élève de P. L. Bouvier. On connaît de lui des miniatures sur émail.

FABRE Madeleine
XXe siècle. Française.
Sculpteur animalier.
Elle fut invitée aux Tuileries en 1930.

FABRE Pierre. Voir aussi **FABER Pierre**

FABRE Renée
Née à Saint-Palais (Basses-Pyrénées). XXe siècle. Française.
Peintre.
Elle exposa d'abord en 1931 aux Artistes Français puis figure depuis à la Nationale, avec des paysages et des fleurs.

FABRE Véra, Mme **Couve de Murville**
Née le 15 février 1912 à Paris. XXe siècle. Française.
Peintre de natures mortes, graveur.
Elle expose à Paris et Genève. Elle grave selon la technique du vernis mou.
Elle représente des natures mortes, en insistant sur le contour des formes. Sa manière rappelle les natures mortes de Morandi.

FABRE d'ÉGLANTINE Philippe François Nazaire
Né le 28 décembre 1755 à Carcassonne. Mort le 5 avril 1794 à Paris, guillotiné. XVIIIe siècle. Français.
Peintre de portraits, pastelliste.
Il exécuta quelques portraits au pastel. Ce fut aussi un poète et un homme politique.

FABRE d'OLIVET Julie, Mlle
XIXe siècle. Française.
Peintre de genre et de portraits.
Élève de Mme Haudebourt. De 1838 à 1848, elle figura au Salon de Paris avec : *Mère et sœur, La veille de la première communion, Retour d'Olivia, Les protestants des Cévennes.*

FABRE-BONIFAY, Mme **Joseph**
Née en 1874 à Marseille (Bouches-du-Rhône). XXe siècle. Française.
Peintre.
Elle exposait à Paris, au Salon des Artistes Français, dont elle était sociétaire depuis 1903.

FABRE PARIS Antonio
Né en 1891 à Barcelone (Catalogne). Mort en 1948. XXe siècle. Espagnol.
Peintre de paysages, portraits, compositions animées, dessinateur.
Il fut élève de l'École des Beaux-Arts de Barcelone. Il poursuivit sa formation en Italie. Il participa aux expositions de Barcelone, exposa à Paris au Salon des Artistes Français, ainsi qu'à Londres. À l'Exposition Nationale des Beaux-Arts de Madrid en 1924, il obtint une troisième médaille. Il fut aussi restaurateur de tableaux.
Il pratiquait une peinture très grasse, aux formes simplifiées.
Bibliogr. : In : *Cent ans de Peinture en Espagne et Portugal, 1830-1930*, Antiquaria, Madrid, 1988.

FABREGAT Joaquin
Né en 1748 à Torreblanca. Mort sans doute le 3 janvier 1807 à Madrid. XVIIIe siècle. Espagnol.
Graveur.
Élève de l'Académie de San Carlos à Valence. Il grava d'après Lucas Giordano.

FABREGAT Juan
Né à Barcelone (Catalogne). XXe siècle. Espagnol.
Peintre de nus.
Il étudia à Paris, où il fut élève de Jules Adler et exposa au Salon des Artistes Français en 1929.

FABRÈGE, pseudonyme de **Fourestier Jacques**
Né le 5 mai 1896 à Béziers (Hérault). XXe siècle. Français.
Peintre, aquarelliste, graveur, illustrateur. Postimpressionniste.
Il fut élève de l'École des Beaux-Arts de Paris, reçut les conseils de Maurice Denis et Édouard Vuillard. Il a également travaillé avec Bonnard à Cannes. Il expose et participe au Salon des Artistes Français à Paris.
Ventes Publiques : Paris, 10 juil. 1984 : *La Touraine*, h/t mar./isor. (112x72) : **FRF 7 500**.

FABREGUETTES François Jean
Né le 20 novembre 1801 à Privat (Hérault). XIXe siècle. Français.
Peintre.
Entré à l'École des Beaux-Arts le 21 août 1819, il devint l'élève de Girodet. Au Salon de Paris, il exposa de 1833 à 1850. On cite de lui : *Papillons de France* ; *Raisin du Midi* ; *Perdrix attachées à une fenêtre* ; *Un lièvre accroché* ; *Une bonne jouant avec un chat.*

FABRES Y COSTA Antonio Maria
Né en 1854 à Gracia (Catalogne). Mort en 1938 à Rome. XIXe-XXe siècles. Espagnol.
Peintre de genre, aquarelliste, illustrateur, sculpteur. Académique.
Il fut élève de l'Ecole d'Art de Barcelone. Très admiratif de l'œuvre de Mariano Fortuny y Carbo, avec une bourse de la Municipalité il vint à Rome en 1874, peu après la mort de celui-ci. Il participa aux Expositions de Vienne et de Munich, y obtenant des Médailles d'or. A Paris, où il séjourna à partir de 1894 et au moment de l'Exposition Universelle de 1900, il y obtint une Médaille d'argent. Il y fit la rencontre du sculpteur mexicain Jésus Contreras, alors Inspecteur Général des Beaux-Arts, qui l'incita à venir professer dans son pays, où il resta de 1902 à 1907. Il retourna en 1908 à Rome. Il participa à de nombreuses expositions collectives et personnelles à Barcelone, Madrid, Rome, Londres, Paris, Mexico, etc., obtenant de nouvelles distinctions.
Il imita l'art de Fortuny, aussi bien dans sa technique conventionnelle que dans ses sujets typiques ou orientaux : scènes de

genre, coquetteries, galanteries, tentant de rappeler, non sans mièvrerie supplémentaire, le style de l'époque rococo.
■ M. M., J. B.

BIBLIOGR. : Caroline Juler, in : *Les Orientalistes de l'École Italienne*, ACR Édition, Paris, 1994.

VENTES PUBLIQUES : PARIS, 18 mai 1897 : *Jeune Espagnole* : **FRF 8 370** – PARIS, 18 mai 1897 : *Jeune Espagnole* : **FRF 8 370** – NEW YORK, 4-5 fév. 1904 : *Le nouveau bijou* : **USD 675** – NEW YORK, 12 mars 1908 : *Le café de la Sultane* : **USD 460** – NEW YORK, 7-10 nov. 1945 : *Un Jeu de Bols* : **USD 220** – LONDRES, 24 nov. 1976 : *La sentinelle et son prisonnier* 1894, h/t (91x69) : **GBP 4 000** – NEW YORK, 25 oct. 1977 : *La Lecture du Coran*, aquar. (99,5x65,5) : **USD 1 600** – LONDRES, 10 fév. 1977 : *Cavalier buvant*, h/t (95,3x59,7) : **GBP 1 600** – NEW YORK, 31 oct. 1980 : *Le garde*, aquar. (98,4x66) : **USD 7 000** – NEW YORK, 23 fév. 1983 : *Le marchand de bijoux au harem* 1883, aquar. et cr. (97,2x66,7) : **USD 4 000** – LONDRES, 24 juin 1984 : *Le prisonnier* 1894, h/t (90x69,2) : **GBP 25 000** – NEW YORK, 13 fév. 1985 : *La visite chez l'antiquaire*, aquar. (54x75) : **USD 8 000** – NEW YORK, 21 mai 1987 : *Le repos de Pasha*, h/t (85x146) : **USD 67 500** – PARIS, 7 mars 1988 : *Le gardien du sérail*, h/t (162x83) : **FRF 165 000** – LONDRES, 23 nov. 1988 : *La collation du picador*, h/t (38x28) : **GBP 3 080** – PARIS, 17 mars 1989 : *L'Embuscade*, aquar./pap. (100x80) : **FRF 90 000** – NEW YORK, 23 mai 1989 : *Le jeune charmeur de serpent*, h/pan. (45,7x55,2) : **USD 29 700** – LONDRES, 22 nov. 1989 : *Le millionnaire*, h/t (165x222) : **GBP 4 180** – LONDRES, 15 fév. 1990 : *Un oriental*, h/t (55,3x40,6) : **GBP 4 180** – NEW YORK, 19 fév. 1992 : *Hallebardier*, h/pan. (65,6x40) : **USD 13 200** – LONDRES, 29 mai 1992 : *Au bord de la rivière*, h/t (76x55) : **GBP 3 300** – LONDRES, 17 nov. 1993 : *Tireurs arabes*, aquar. (75x59) : **GBP 3 910** – PARIS, 11 déc. 1995 : *La favorite*, h/pan. (25,3x41,3) : **FRF 110 000** – LONDRES, 15 mars 1996 : *Dans le harem*, cr. et aquar./pap. (53,4x37) : **GBP 7 475**.

FABRI A. E.
XXe siècle.
Peintre de genre.
Cité par miss Florence Levy.
VENTES PUBLIQUES : NEW YORK, 12 et 13 mars 1903 : *Intérieur Japonais* : **USD 160** – NEW YORK, avr. 1903 : *La Favorite du harem* : **USD 425**.

FABRI Aloisio
Né en 1778 à Rome. Mort en 1835 à Rome. XIXe siècle. Italien.
Graveur.
Artiste fécond, il exécuta un fort grand nombre d'œuvres parmi lesquelles les quatre planches d'après les fresques de Raphaël au Vatican : *Constantin offrant Rome au Pape* ; *Le vœu de Léon III* ; *Le couronnement de Charlemagne* et *La victoire de Charlemagne sur les Sarrasins*. Il convient aussi de citer onze planches faites d'après les peintures de Michel-Ange dans la chapelle Sixtine, planches qui font suite à celles commencées par Cunego. D'après Andrea del Sarto, Fabri grava : *Les Mages*. Cet artiste est cité par Le Blanc, d'après Vallardi, sous le prénom de Luigi.

FABRI Antonio
XVIIIe siècle. Actif à Bologne vers 1782. Italien.
Peintre.
Il fut élève de J. A. Calvi.

FABRI Giovanni Battista di
XVIIe siècle. Actif à Bologne en 1618. Italien.
Peintre.

FABRI Giulio
XVIe siècle. Actif à Ferrare en 1586. Italien.
Peintre.

FABRI Jean
XVe siècle. Actif à Limoges. Français.
Miniaturiste et calligraphe.
Sans doute faut-il l'identifier avec le peintre Jean Faure dit l'Écrivain.

FABRI Joannes
Originaire des environs d'Anvers. Mort le 8 décembre 1874 à Anvers. XIXe siècle. Éc. flamande.
Peintre de paysages.

FABRI Johann
Né à la fin du XVIe siècle à Mayence. XVIe-XVIIe siècles. Allemand.
Sculpteur.
Il travailla à Würzburg.

FABRI Luigi. Voir **FABRI Aloisio**

FABRI Pietro
Né à San Giovanni-in-Persiceto. XVIIIe siècle. Italien.
Peintre d'histoire, scènes de genre.
Actif vers 1770, il fut élève de Vittorio Bigari. Ses œuvres principales se trouvent à Bologne.
VENTES PUBLIQUES : LONDRES, 17 déc. 1982 : *Un couple élégant pêchant « alla lampara »* 1777, h/t (52,7x64,8) : **GBP 6 000**.

FABRI Pietro
XVIIIe siècle. Italien.
Peintre de compositions religieuses.
Il travailla pour l'église Santa Maria della Carita à Mantoue.

FABRI Ralph
Né le 23 avril 1894 à Budapest. XXe siècle. Hongrois.
Peintre, graveur.
Il fut élève de l'Académie Royale des Beaux-Arts de Budapest. Il gravait à l'eau-forte.

FABRI Rémi
XVIIe siècle. Actif à Marseille en 1631. Français.
Peintre.

FABRI Robrecht Jan
Né en 1839 à Anvers. XIXe siècle. Français.
Sculpteur.
Premier prix de Rome. Le Musée d'Anvers conserve de lui : *Le Vin* (marbre).

FABRI Vincenza
XVIIe siècle. Active à Bologne vers 1680. Italienne.
Peintre.
Elle fut élève d'E. Sirani.

FABRI-CANTI Noëlle
Née le 25 mai 1916 à Tarbes (Hautes-Pyrénées). XXe siècle. Française.
Sculpteur, mosaïste, céramiste, peintre de cartons de vitraux.
Elle est également musicienne. Elle fut élève de l'École des Beaux-Arts de Paris de 1939 à 1946 et reçut les conseils de Charles Despiau. Elle a participé à plusieurs reprises aux Salons parisiens : des Artistes Français, des Artistes Indépendants, d'Automne, d'Art Sacré. De 1942 à 1963, elle a montré des ensembles de ses œuvres dans des expositions personnelles, à Paris, en province et en Suisse.
Elle a réalisé de nombreuses commandes de mosaïques et vitraux pour des chapelles et pour plusieurs mairies : Marseille, Valence, Le Mans, Clermont-Ferrand. Elle a souvent sculpté des *Vierges à l'enfant*, dans un esprit figuratif et classique.

FABRI-CONTI José
Né en 1920 à Nice (Alpes-Maritimes). XXe siècle. Français.
Peintre de paysages animés, sujets divers.
Il expose régulièrement à Paris, au Salon des Artistes Français, dont il est sociétaire, 1941 Prix Jean Geoffroy, 1942 deuxième médaille et Prix James Bertrand, 1943 une bourse de voyage.
VENTES PUBLIQUES : LUCERNE, 30 sep. 1988 : *Port de Bastia*, h/t (53x81) : **CHF 2 200** – BERNE, 26 oct. 1988 : *La marchande de fleurs*, h/pan. (80x53) : **CHF 2 400**.

FABRIANO, da. Voir au prénom

FABRIANO de Bocco
XIVe siècle. Travaillant à Fabriano en 1306. Italienne.
Peintre.
D'après Lanzi, cette artiste peignit une fresque dans l'église Santa Maria Maddelena.

FABRICE Ilka Freiin von, pseudonyme : **Carl Freibach**
Née en 1846 à Dresde. Morte en 1907 à Florence. XIXe siècle. Allemande.
Peintre de genre, portraits.
Elle exposa à Munich sous le pseudonyme Carl Freibach.

FABRICIO
XVIe siècle. Espagnol.
Peintre d'histoire.
Cité par Siret.

FABRICIUS Johann Christian
Né le 7 janvier 1748 à Tondern. Mort le 3 mars 1808 à Kiel. XVIIIe siècle. Allemand.
Peintre.
C'est sans doute le même qui dans la deuxième moitié du XVIIIe siècle s'installa à Dantzig et fit le portrait du grand-duc Paul de Russie. Voir Fabritius (Johann Jakob).

FABRICIUS Karl
XVIIe siècle. Allemand.
Peintre.
On cite de cet artiste, actif à la cour de l'évêque Ferdinand de Furstenberg, une *Vue de Paderborn*, qui appartient aujourd'hui à la faculté de Théologie de cette ville.

FABRICIUS Richard
Né le 23 février 1863 à Berlin. XIXe siècle. Allemand.
Peintre.
Il fit ses études à l'Académie de Berlin, voyagea en Italie puis vécut à Dresde. On cite de lui *Ève, l'Apôtre saint Paul*, à l'église de Moritzburg-Eisenberg.

FABRICOTTI Mazzia
Née à Florence. XXe siècle. Italienne.
Céramiste.
Mention honorable au Salon des Artistes Français de 1931.

FABRIKANT
Née au XXe siècle. XXe siècle. Française.
Peintre.
Premier second Grand Prix de Rome en 1945.

FABRIS
XVIIe siècle. Actif à Mähren en 1606. Allemand.
Sculpteur.

FABRIS Antonio
Né le 24 novembre 1792 à Udine. Mort le 8 février 1865 à Venise. XIXe siècle. Italien.
Sculpteur et médailleur.
Le Musée d'Udine possède de lui un *Canova* et l'Académie de Venise quatre statuettes en terre cuite.

FABRIS Carlo Alvise
Mort le 6 novembre 1803 à Venise. XVIIIe siècle. Italien.
Peintre.
Il fut élève de Longhi l'Ancien et de Giuseppe Angeli. Il exécuta en 1793 un *Martyre de sainte Sophie* pour la cathédrale de Lendinara.

FABRIS Domenico
Né le 8 juin 1817 à Osoppo près d'Udine. Mort en août 1893 à Turin. XIXe siècle. Italien.
Peintre dessinateur et graveur.
Fils d'Antonio. Il décora plusieurs palais d'Udine et illustra une édition de la *Divine Comédie*, parue à Florence en 1841.

FABRIS Giovanni
Né à Bessica. Mort en 1842 à Londres. XIXe siècle. Italien.
Graveur.
Il fut élève d'A. Suntach.

FABRIS Giuseppe
Né le 19 août 1790 à Nove di Bassano (Vénétie). Mort le 22 août 1860 à Rome. XIXe siècle. Italien.
Sculpteur.
Pensionnaire de sa province à Rome, il y fut admis comme membre de l'Académie Saint-Luc après l'apparition de son *Milon de Crotone*. On cite encore de lui divers monuments. Il fut nommé membre correspondant de l'Institut de France en 1846.

FABRIS Jacino ou **Aiacino**
XIVe siècle. Actif à Cividale d'Aquilée au milieu du XIVe siècle. Italien.
Peintre.

FABRIS Jacopo
Né en 1689 à Venise. Mort en 1761 à Copenhague. XVIIIe siècle. Italien.
Peintre de paysages urbains, architectures.
Il s'est spécialisé dans les vues très recherchées de Rome et de Venise. À partir des mêmes thèmes, et surtout des ruines romaines exploitées en tant que « fabriques », il a composé des « Capriccios », intégrant certains éléments réels dans des compositions imaginaires.
Ventes Publiques : Copenhague, 3 nov. 1981 : *Capriccio avec vues de l'Arc de Titus et l'Arc de Constantin*, h/t (97x130) : **DKK 44 000** – Rome, 15 mars 1984 : *Bords du Tibre et château Saint-Ange*, h/t (51x139) : **ITL 6 500 000** – Milan, 4 nov. 1986 : *Vue du Grand Canal et de la Riva degli Schiavoni*, h/t (75x126) : **ITL 36 000 000** – Rome, 8 mai 1990 : *Vue du Tibre et du Château Saint Ange*, h/t (76x92) : **ITL 82 000 000** – Londres, 3 juil. 1991 : *Vue du Forum romain*, h/t (71x99) : **GBP 24 200** – Milan, 29 nov. 1994 : *Vue de l'entrée de Cannaregio avec l'église Saint-Jérémie*, h/t (67,5x80) : **ITL 43 700 000**.

FABRIS Pietro
XVIIIe siècle. Italien.
Peintre de genre, paysages.
Actif à Naples de 1754 à 1804. Il exposa en 1768 à la Free Society de Londres. Robertson grava d'après une de ses peintures *Les ruines du Palais de la reine Jeanne II de Naples*.
Ventes Publiques : Londres, 31 jan. 1930 : *Rome vue du Tibre et Scène de rivière* : **GBP 48** – Londres, 8 déc. 1930 : *Deux Vues de la baie de Naples* : **GBP 14** – Paris, 15 mai 1942 : *Pêcheurs de crabes* 1778 : **FRF 4 000** – Londres, 5 fév. 1947 : *Deux Scènes sur une côte napolitaine* 1773 : **GBP 75** – Londres, 24 mars 1976 : *Vue de Naples* 1778, h/t (91x153) : **GBP 6 500** – Londres, 6 avr. 1977 : *Vues de Naples*, h/t, deux pendants (62x130) : **GBP 15 000** – New York, 21 jan. 1982 : *Kermesse villageoise* 1773, h/t (129,5x183) : **USD 23 000** – Londres, 4 avr. 1984 : *Vue de Naples*, h/t (54,5x101) : **GBP 18 000** – Londres, 12 déc. 1986 : *Vue de Rome avec l'Arco degli Argentari et l'Arco di Jano*, h/t (71x107,3) : **GBP 10 000** – Marseille, 30 sep. 1989 : *Scène animée devant un arc de triomphe*, h/t (64x74) : **FRF 120 000** – New York, 11 jan. 1989 : *Les temples de Paestum vus du sud-est*, aquar. et gche (27,9x58,8) : **USD 26 400** – Rome, 14 déc. 1989 : *Femme du bourg de Chiaja*, temp. (21,5x15,5) : **ITL 3 680 000** – Londres, 9 avr. 1990 : *Vues animées de Palerme : La place de la cathédrale et la place Vigliena*, h/t, une paire (chaque 65,2x87) : **GBP 253 000** – Rome, 23 avr. 1991 : *Paysage avec l'arc de Trajan et des personnages*, h/t (63x76,5) : **ITL 31 000 000** – Londres, 24 mai 1991 : *Personnages et attelages sur la promenade longeant la baie de Naples avec Santa Lucia et Castel dell'Ovo*, h/t (41,7x76,3) : **GBP 53 900** – Monaco, 21 juin 1991 : *Les danseurs de tarentelle ; Repas de chasse dans un paysage*, h/pap./t., une paire (chaque 39x44) : **FRF 166 500** – Londres, 13 déc. 1991 : *Panorama du Golfe de Pozzuoli avec la ville, la baie, le cap Miseno, Procida et Ischia depuis le monastère de Caùaldolesi* 1776, h/t (103,5x207) : **GBP 88 000** – New York, 16 jan. 1992 : *Vaste paysage avec des paysans dansant sur la plage de Posillipo et la barque du passeur accostant, une maison sur un rocher surplombant la baie de Naples et le Vésuve au fond* 1777, h/t (104,2x157,1) : **USD 495 000** – New York, 21 mai 1992 : *Tarentella à Posillipo : Napolitains grillant des poissons et mangeant des coquillages devant une auberge* 1772, h/t (128x180,3) : **USD 242 000** – New York, 14 jan. 1994 : *Paysans sur la grève avec le Vésuve au fond depuis Posillipo ; Paysans sur le rivage avec la baie de Pozzuoli* 1773, h/t, une paire (44,5x68,6) : **USD 343 500** – Paris, 11 avr. 1995 : *Vue de Baia et Temple de Diane*, une paire (40x77) : **FRF 200 000** – New York, 12 jan. 1996 : *Le temple d'Héra à Paestum avec une paysanne et son enfant au premier plan et d'autres personnages*, h/t (56,6x90,5) : **USD 46 000** – New York, 22 mai 1997 : *Le Jeu de la civetta*, h/t, une paire (87x123,8) : **USD 112 500**.

FABRIS Placido
Né le 26 août 1802 à Pieve d'Alpago. Mort le 7 décembre 1859 à Venise. XIXe siècle. Italien.
Peintre de portraits et d'histoire.
Il fut élève de l'Académie des Beaux-Arts de Venise.
Musées : Venise (Gal. roy.) : *Portrait du capitaine Gaspard Graghetta – Épisode de Jean Bernard – La Madone, Jésus, saint Jean et Zacharie – Les parents de l'auteur – L'enlèvement d'Europe – La Vierge, l'Enfant, saint Antoine de Padoue et sainte Catherine – Antoine Canova – Amour et Psyché – Vierge avec l'Enfant* – Venise (Beaux-Arts) : Onze peintures à la salle des peintres hollandais.

FABRIS Toni
Né en 1915 à Bassano del Grappa. XXe siècle. Italien.
Sculpteur. Abstrait.
Il fut élève de l'Académie Brera à Milan. Il participe à des expositions collectives depuis 1950, notamment en Italie, Hollande, à l'exposition des *Galeries-pilotes du monde* au Musée Cantonal de Lausanne en 1963. Il montre aussi ses réalisations dans des expositions personnelles, dont Milan 1962.
Ses œuvres sont abstraites, construites selon une conception de l'espace et des vides issue du cubisme. Il fait aussi des films consacrés à la sculpture cinétique. Il a créé une sculpture monumentale dans une école de Milan.

FABRITIUS Bernard, ou **Bernaert** ou **Barent** ou **Fabricius**
Né en 1624. Mort en 1673. XVIIe siècle. Éc. flamande.
Peintre d'histoire, sujets mythologiques, compositions religieuses, portraits, dessinateur.
Il travailla entre 1650 et 1672. Il fut probablement élève de Rem-

brandt et vécut peut-être également à Amsterdam où il continua l'œuvre de son frère Carel, peignant notamment des scènes bibliques.

MUSÉES : AMSTERDAM : *Portrait de Willem Van der Helm, architecte de Leyde, avec sa femme et son enfant* – ARRAS : *Les trois anges chez Abraham* – BERGAME (Acad. Carrara) : *Le satyre et le paysan* – BUDAPEST : *Portrait d'homme* – COPENHAGUE : *Présentation de Jésus au temple* – DRESDE : *Portrait d'une jeune femme* – KASSEL : *Mercure et Argus* – LONDRES (Gal. Nat.) : *L'adoration des bergers* – *La nativité de saint Jean* – MUNICH : *Portrait d'un jeune homme* – STOCKHOLM : *Famille à table* – *Chimiste dans son laboratoire* – VIENNE (Gal. Harrach) : *Tête de vieillard* – deux œuvres.
VENTES PUBLIQUES : PARIS, 27 fév. 1896 : *La Pythonisse* : **FRF 3 000** – PARIS, 14 oct. 1896 : *Portrait d'un militaire* : **FRF 650** – NEW YORK, 12 et 13 mars 1903 : *Le Philosophe* : **USD 150** – LONDRES, 3 fév. 1922 : *Moine méditant* : **GBP 5** – LONDRES, 24 fév. 1922 : *Le Christ devant Pilate* : **GBP 84** – LONDRES, 26 juin 1922 : *Paysage avec Vénus et Adonis* : **GBP 445** – PARIS, 27 nov. 1922 : *David avant le combat*, École de B. F. : **FRF 950** – LONDRES, 11 mai 1923 : *Le duo* : **GBP 57** – LONDRES, 8 juin 1923 : *Jeune fille assise* : **GBP 29** – LONDRES, 4 juil. 1924 : *Jeune garçon tenant une pie morte* : **GBP 42** – LONDRES, 19 et 20 mai 1926 : *Vieillard au manteau brun* : **GBP 13** – LONDRES, 5 juil. 1926 : *Paysan et sa femme assis sous un arbre* : **GBP 30** – LONDRES, 19 mars 1928 : *Le départ du fils prodigue* : **GBP 105** – LONDRES, 29 juin 1928 : *Moïse écrivant le Pentateuque* 1656 : **GBP 44** – LONDRES, 1er fév. 1929 : *Jeune garçon en habit de soie noire* 1657 : **GBP 210** – LONDRES, 28 juin 1929 : *L'adoration des bergers* : **GBP 105** – LONDRES, 29 nov. 1929 : *Tobie et l'Ange au ruisseau* : **GBP 42** – LONDRES, 16 juin 1930 : *Vieillard appointant une plume* : **GBP 204** – NEW YORK, 11 déc. 1930 : *La famille du Dr Tulp* : **USD 6 000** – LONDRES, 6 fév. 1931 : *Deux enfants sur une terrasse* : **GBP 37** – GENÈVE, 27 oct. 1934 : *Vieillard lisant* : **CHF 8 100** – LONDRES, 28 fév. 1936 : *Balthasar tenant une coupe* : **GBP 11** – LONDRES, 10-14 juil. 1936 : *Joseph racontant ses rêves*, dess. pl. et bistre : **GBP 21** – LONDRES, 28 oct. 1936 : *Saint Pierre en prison* : **GBP 190** – LONDRES, 18 déc. 1936 : *Un Nègre* : **GBP 25** – LONDRES, 23 juin 1937 : *Elie et Samuel* : **GBP 2 900** – PARIS, 16 déc. 1942 : *La femme adultère*, peint. en grisaille : **FRF 16 000** – LONDRES, 4 mars 1943 : *Homme à la longue chevelure* : **GBP 31** – PARIS, le 25 mai 1949 : *L'ânesse de Balaam* : **FRF 125 000** – LONDRES, 29 juin 1962 : *Hippocrate visitant Démocrite à Abdera* : **GNS 380** – LONDRES, 24 juin 1964 : *La Circoncision* : **GBP 650** – AMSTERDAM, 27 sep. 1966 : *Saint Mathieu* : **NLG 5 400** – NEW YORK, 22 oct. 1970 : *Le Christ et la femme adultère* : **USD 25 000** – LONDRES, 29 mars 1974 : *Le prophète Élie et la veuve de Zarephtah* : **GNS 1 900** – LONDRES, 9 avr. 1981 : *Jeune fille à une fenêtre plumant un oiseau*, pl. et lav./pap. (17,2x14,7) : **GBP 7 500** – STOCKHOLM, 19 mai 1992 : *Judas Iscariote recevant les trente deniers d'argent des mains du grand prêtre*, h/t (101x150) : **SEK 25 000**.

FABRITIUS Carel

Né en 1622 à Midden-Beemster. Mort le 12 octobre 1654 à Delft. XVIIe siècle. Hollandais.

Peintre de sujets mythologiques, compositions religieuses, scènes de genre, portraits.

Cet artiste a souvent été confondu avec son frère Bernard Fabritius. Il périt avec toute sa famille ainsi que les œuvres se trouvant dans son atelier, par suite de l'explosion du magasin à poudre de Delft. Il fut élève de Rembrandt et l'influence du maître se fait largement sentir dans ses œuvres de jeunesse.
Ses ouvrages sont assez rares. Il produisit d'ailleurs fort peu et la plupart de ses tableaux sont aujourd'hui disparus. On cite de lui : *Le Chardonneret* et le *Portrait d'Abraham de Hotte*. Devant le peu d'œuvres de Carel Fabritius qui nous sont parvenues, on est en droit de s'étonner que la mémoire de l'histoire de l'art l'ait retenu. La cause en est multiple : d'une part, avoir été l'élève de Rembrandt n'est pas courant et attire l'attention, d'autre part, avoir été le maître de Vermeer de Delft n'est pas non plus pour laisser indifférent, enfin et surtout une des rares œuvres de lui qui nous soient parvenues : *Le Chardonneret*, a gagné la faveur du public, certains attribuant de façon pessimiste cette faveur au seul fait de l'exactitude du « rendu » de cette peinture. Cette prérogative attire l'attention sur ce que le même phénomène frappe justement l'œuvre entier de Vermeer. Il n'est pas possible que le jugement commun se soit fixé précisément sur Vermeer ou sur *Le Chardonneret* de Fabritius, uniquement à cause de l'exacte ressemblance, car, enfin, il y a bien d'autres exemples excellents de cette ressemblance photographique, et l'on ne peut pas s'empêcher de penser que l'élection populaire de ces œuvres est due à une perception « sauvage », instinctive, non contrôlée, de la qualité psychologique, et même de la justesse de l'observation de la lumière, qui caractérisent ces peintures, en osant à peine évoquer la possibilité de la perception, à ce même niveau souvent bêtement ignoré, de l'adéquation de la technique à son objet, de la justesse de l'emploi des moyens de la peinture à décrire le prétexte à une émotion.
En résumé, son métier participait d'abord du potentiel expressionniste de Rembrandt, et préfigurait l'objectivisme, très « nouveau roman », qui allait constituer le mystère de l'apparence des peintures de son élève Vermeer de Delft. Contrairement aux opinions méprisantes, ce que les « gens » perçoivent du *Chardonneret*, ce n'est pas la précision dans la reproduction, mais l'émotion dans la discrétion. L'équivoque dans le prétendu divorce entre compréhension du public et création de l'artiste, n'est toujours pas dissipée, depuis le XVIIe siècle en tout cas.

MUSÉES : AMSTERDAM : *Décapitation de Jean Baptiste* – BERLIN (Mus. Nat.) : *Étude d'un homme en prière*, attribué – LA HAYE : *Le chardonneret* – LONDRES : *Vue de Delft* 1652 – *Homme avec cape de fourrure et cuirasse* – MUNICH : *Portrait d'un jeune homme* – ROTTERDAM (Mus. Boymans) : *Portrait d'homme* – SCHWERIN : *La Sentinelle* – VARSOVIE : *Résurrection de Lazare*.
VENTES PUBLIQUES : PARIS, 5 oct. 1890 : *L'âne de Balaam* : **FRF 420** ; *Le Chardonneret* : **FRF 5 500** – PARIS, 25 juin 1892 : *Abraham* : **FRF 5 070** – PARIS, 27 fév. 1896 : *Le Chardonneret* : **FRF 6 200** – NEW YORK, 7 et 8 avr. 1904 : *L'avocat* : **USD 160** – NEW YORK, 9 et 10 avr. 1908 : *L'Alchimiste* : **USD 200** – LONDRES, 23 juil. 1909 : *Tête de vieillard* : **GBP 78** – LONDRES, 18 juil. 1910 : *Le satyre et le paysan* : **GBP 31** – LONDRES, 14 déc. 1923 : *Vieillard en prière* : **GBP 19** – PARIS, 13 nov. 1924 : *Portrait d'homme*, École de C. F. : **FRF 400** – LONDRES, 12 déc. 1924 : *Jeune homme* : **GBP 6 615** – LONDRES, 6 mai 1925 : *Ruth et Noemi* : **GBP 830** – PARIS, 7 juil. 1926 : *Tête d'homme*, attr. : **FRF 3 000** – LONDRES, 22 mars 1934 : *Tobie et l'Ange* : **GBP 36** – GENÈVE, 25 mai 1935 : *Femme lisant* : **CHF 5 450** – LONDRES, 16 déc. 1938 : *Vieille femme lisant un livre* : **GBP 29** – LONDRES, 26 avr. 1939 : *Saül et David* : **GBP 95** – LONDRES, 19 juin 1942 : *Un homme vêtu et coiffé de noir* : **GBP 94** – PARIS, 25 nov. 1946 : *Portrait présumé de Rembrandt*, attr. : **FRF 6 200** – AMSTERDAM, 17 et 18 déc. 1946 : *Portrait d'une femme âgée* : **NLG 675** – PARIS, 7 déc. 1950 : *Le retour de l'enfant prodigue* : **FRF 400 000** – LONDRES, 24 juin 1959 : *Double portrait d'enfants* : **GBP 3 400** – LONDRES, 1er avr. 1960 : *Portrait de Rembrandt* : **GBP 14 700** – LONDRES, 29 nov. 1961 : *Jeune femme à la coiffure orientale* : **GBP 5 000** – LONDRES, 3 juil. 1963 : *Portrait d'une jeune femme* : **GBP 3 400** – LONDRES, 1er avr. 1966 : *Portrait d'un jeune homme* : **GNS 3 600** – LONDRES, 30 nov. 1973 : *Portrait d'homme* 1650 : **GNS 13 000** – LONDRES, 25 mars 1977 : *Portrait d'homme* 1650, h/pan., à vue de forme ovale (29,2x23) : **GBP 6 500** – MONTE-CARLO, 22 juin 1985 : *Mercure et Argus*, h/t (73,5x104) : **FRF 7 200 000**.

FABRITIUS Carl Ferdinand

Né en 1637 à Varsovie. Mort le 21 janvier 1673 à Vienne. XVIIe siècle. Autrichien.

Peintre de paysages.

Il fut élève à Vienne de J. L. Kegl puis peintre de l'empereur Léopold Ier.

FABRITIUS Chillian

Mort en 1633 à Dresde. XVIIe siècle. Allemand.

Peintre et graveur à l'eau-forte.

On cite de lui : *Une Sainte famille* et des sujets de chasse. Le Musée de Mayence conserve de lui un *Paysage avec fleuve*.
VENTES PUBLIQUES : LONDRES, 19 nov. 1926 : *Sainte Cécile*, dess. : **GBP 12**.

FABRITIUS Gaaf Meynertsz

Mort en octobre 1666. XVIIe siècle. Hollandais.

Graveur et orfèvre.

En 1640, dans la gilde de Haarlem.

FABRITIUS Georg

XVIe siècle. Travaillant sans doute en Bohême. Tchécoslovaque.

Peintre de miniatures.
Il exécuta deux miniatures datées de 1585.

FABRITIUS Jean
XVIIe siècle. Hollandais.
Peintre de paysages.
Le Musée de La Fère conserve de lui : *Fleurs et Fruits.*
Ventes Publiques : Bruxelles, 21 sep. 1968 : *Paysage avec ruines* : **BEF 40 000.**

FABRITIUS Johann Jakob
XVIIIe siècle. Actif à Dantzig. Allemand.
Peintre de portraits.
On cite de lui un portrait du Syndic Gottfried Lengnich. Voir aussi Fabricius (Johann Christian).

FABRITIUS Josef
Né en 1746 à Buchlovitz. Mort le 18 octobre 1799 à Vienne. XVIIIe siècle. Autrichien.
Peintre.

FABRITIUS de TENGNAGEL Frederik Michael Ernst
Né le 2 janvier 1781 à Fühnen. Mort le 27 mai 1849. XIXe siècle. Danois.
Peintre de paysages animés.
Il fut élève de J. P. Möller et peignit surtout des paysages de neige.
Musées : Copenhague.
Ventes Publiques : New York, 13 fév. 1985 : *Paysage d'hiver au coucher du soleil* 1837, h/pan. (58,5x83,8) : **USD 7 750** – Copenhague, 8 fév. 1995 : *Paysage d'hiver avec un dolmen au premier plan survolé d'oiseaux* 1841, h/acajou (24x37 : **DKK 8 000** – Londres, 12 juin 1996 : *Le Dolmen en hiver* ; *Le Dolmen en été* 1841, h/pan., une paire (24x27 et 27x38) : **GBP 5 750.**

FABRIZI Fabrizio
XVIe siècle. Actif à Saint-Angelo vers 1500. Italien.
Peintre.
On lui doit plusieurs décorations à la fresque.

FABRIZIO Andrea ou **Parmigiano** ou **da Parma** ou **Fabrizio Parmigiano**. Voir **PARMIGIANO**

FABRIZIO da Capua
XVIe siècle. Actif à Naples. Italien.
Sculpteur.

FABRIZIO Veneziano
XVIe siècle. Actif à Venise. Italien.
Peintre.
Selon Vasari, il exécuta une fresque à l'église Santa Maria Sobenigo.

FABRIZZI Anton Maria
Né en 1504 à Pérouse. Mort en 1649 à Pérouse. XVIe-XVIIe siècles. Italien.
Peintre.
Fort jeune, il vint à Rome et fut, d'après Pascoli, élève d'Annibal Carrache jusqu'à l'âge de 15 ans. On ne lui connaît pas d'autre maître.

FABRO Jean
XVIe siècle. Français.
Sculpteur et architecte.
Gendre de Jean Gaildé. Il travailla, de 1515 à 1517, au jubé de l'église Sainte-Madeleine, de Troyes.

FABRO Luciano
Né en 1936 à Turin. XXe siècle. Italien.
Sculpteur d'installations d'environnements, artiste de performances. Arte povera.
Il vit et travaille à Milan. Il participe à des expositions collectives internationales, notamment : 1971 Biennale des Jeunes Artistes à Paris, 1972 Documenta de Kassel, 1985 Nouvelle Biennale de Paris, etc. Ses réalisations sont présentées dans des expositions personnelles à Turin, Milan, Anvers, Galerie Sparta de Chagny, Rome, Bâle, Cologne, Brescia, New York, etc., dont de nombreuses dans des lieux institutionnels et certaines en rétrospectives : 1981 au Folkwang mus. d'Essen, 1982 au Musée Boymans Van Beuningen de Rotterdam, 1984 à la Pinacothèque de Ravenne, 1987 au *Fruitmarket* d'Édimbourg, au Musée d'Art Moderne de la Ville de Paris (ARC), et au *Nouveau Musée* de Villeurbanne, 1988 au Palais des Beaux-Arts de Bruxelles,, au Kunstverein de Munich, 1989 au Musée de Rivoli à Turin, 1990 à la Fondation Miro de Barcelone, 1991 au Kunstmuseum de Lucerne et Musée d'Art Moderne de San Francisco, 1996 centre Georges Pompidou à Paris, etc.

Les réalisations de Fabro au long de sa carrière peuvent sembler totalement disparates, ce à quoi il répond que la cohérence des aspects entre toutes les parties d'une œuvre ne lui paraît pas nécessaire, que la cohérence profonde lui est donnée par l'identité-même de l'artiste. Sous leurs aspects les plus divers, ce qui relie ses réalisations est leur appartenance au courant de l'« arte povera », appartenance d'autant plus commode et licite que les utilisateurs du concept initié par Germano Celant en 1957, n'ont jamais pu s'entendre sur sa véritable acception. Cette appartenance possible ne doit cependant pas occulter, d'entre les manifestations les plus diverses de Fabro, celles qui ressortissent à la performance, par exemple entre d'autres nombreuses, celle du *Cubo specchiatto* de 1967-75, dans laquelle un participant est à l'intérieur d'un cube formé de miroirs double-face, celui-ci se voyant réfléchi à l'infini, tandis que les spectateurs extérieurs ne se voient qu'en un seul reflet. La version la plus répandue associe le concept d'art pauvre à l'utilisation de matériaux « pauvres », inusités, ce qui ne conviendrait guère au cas de Fabro, dont de nombreuses œuvres consistent en blocs de marbre de tailles considérables ou comportent des parties en bronze, en or, etc. Une autre version s'appuie sur le fait que les matériaux utilisés ne soient pas modifiés, ouvragés, ce qui ne conviendrait qu'à certaines, la plupart, au contraire, étant soit réalisées avec soin : *Lo Spirato* de 1968-73, soit présentées avec recherche : *Edera* de 1969. À ce titre du luxe et de l'éventuelle beauté de certaines de ses réalisations, *Lo Spirato* réclame une description sommaire : à la suite d'un travail photographique, Fabro s'est fait recouvrir d'une sorte de linceul, s'est ensuite fait mouler, ce qui a permis de réaliser ce « gisant » en plâtre, puis l'a fait répliquer en marbre. Une autre version attribuerait le qualificatif de pauvre à un art spontané, intuitif, agissant dans l'espace de la vie-même et non dans l'espace artificiel de l'art, ce qui qualifie en effet la totalité des interventions de Fabro. Lui-même revendique l'appartenance de son art à l'art pauvre en ce qu'il recherche la « nudité », le « déshabillé » de ses créations. Il s'en explique : « Quand je réalise une œuvre, mon ambition est de faire une chose extrêmement complexe, rendue d'une manière extrêmement simple. Mais dans cette simplicité doit se voir la complexité. » Il entend que l'intervention de l'artiste, échappe au domaine de la représentation, mais soit avant tout une entreprise, un acte de connaissance, de compréhension, autant pour l'artiste lui-même que pour les spectateurs à venir. Il n'en reste pas moins que cette interrogation de notre environnement naturel, de l'objet nu qui renvoie le sujet regardeur à lui-même, il y procède par des actions apparemment disparates, d'ailleurs témoignant de sa richesse imaginative, et sur un mode métaphorique dont le sens n'est pas toujours évident. Chacune de ses œuvres exige un travail d'analyse à chaque fois nouveau, différent, difficile, qui s'apparente parfois à la glose. Cette exigence cognitive que l'artiste s'impose à lui-même, et qu'il impose du même geste au spectateur, est sans doute le véritable objectif de son activité créatrice, ce qui, une fois de plus, relie l'art pauvre au courant plus globalisant de l'art conceptuel. ■ Jacques Busse

Bibliogr. : J. Sanna : *Fabro*, Essegi, Ravenne, 1983 – Luciano Fabro : *Fabro, Travaux – Entretiens, 1963-1986*, Art Édition, Paris, 1987, important appareil documentaire – Jacinto Lageira : *Luciano Fabro : le miroir des sens ou quelques « tautologies » sur l'expérience artistique*, Artstudio, Paris, été 1989 – Margit Rowell : *Luciano Fabre, questions d'identité*, entretien avec Luciano Fabro, Art Press, Paris, fév. 1991 – Catalogue de l'exposition : *Luciano Fabro*, coll. *Contemporains – Monographie*, Centre Georges Pompidou, Paris, 1996.
Musées : Amsterdam (Stedelijk Mus.) – Arnhem (Mus. Kröller-Müller) : *La double face du ciel* 1986, marbre – Maastricht (Mus. Bonnefanten) : *Pavement* 1967-1988, zinc d'imprimerie – Nantes (Mus. des Beaux-Arts) – Paris (Mus. Nat. d'Art Mod.) : *Pied* 1968-69 – *Infinito* 1989, marbre – Paris (FNAC) : *Sisyphe* 1994 – Rochechouart (Mus. départ. d'Art Contemp.) : *Habitat delle erbe* 1980 – San Francisco (Mus. d'Art Mod.) : *Déméter* 1987, pierre.
Ventes Publiques : Milan, 10 déc. 1985 : *Vetro di Murano et seta naturale* 1972, verre de Murano (H. 264) : **ITL 36 000 000** – New York, 5 mai 1993 : *Éphèse* 1986, marbre et filins d'acier (350,5x96,5x38) : **USD 74 000.**

FABROL Yehan
XVIe siècle. Actif à Toulouse en 1520. Français.
Peintre de miniatures et de cartes.

FABRON Luigi
Né le 26 octobre 1855 à Turin. Mort le 24 septembre 1905 à Pozzuoli. XIXe siècle. Italien.

Peintre de genre, figures, portraits, aquarelliste.
Il fut à Naples l'élève du sculpteur Lista, puis de Domenico Morelli. À Paris où il vécut plusieurs années il exposa des portraits au Salon, de 1877 à 1879.
Ventes Publiques : New York, 10 fév. 1903 : *Soldat turc* : **USD 120** – Rome, 13 mai 1986 : *Odalisque*, aquar. (17x18) : **ITL 1 500 000** – Amsterdam, 30 oct. 1991 : *Bergers espagnols bavardant*, h/pan. (33x20,5) : **NLG 3 450** – Amsterdam, 22 avr. 1992 : *Fenaison* 1877, h/pan. (31x24) : **NLG 3 450**.

FABRY Élisée ou **Élysée**
Né en 1882 à Liège. xxe siècle. Belge.
Peintre de paysages.
Il fut élève de Richard Heintz. Il a peint des paysages typiques, voire anecdotiques, des Ardennes belges.
Bibliogr. : In : *Diction. Biogr. Illustré des Artistes en Belgique depuis 1830*, Arto, Bruxelles, 1987.
Ventes Publiques : Bruxelles, 25 fév. 1981 : *Coin de village ardennais*, h/t (65x80) : **BEF 8 500** – Paris, 3 fév. 1988 : *Village de Targnon* 1924, h/t (92x117) : **FRF 3 900**.

FABRY Émile Bartelemy
Né le 30 décembre 1865 à Verviers. Mort en 1966 à Woluwe-Saint-Pierre. xixe-xxe siècles. Belge.
Peintre de compositions à personnages, compositions murales. Symboliste.
Il fut élève de Jean François Portaels à l'Académie des Beaux-Arts de Bruxelles, où il fut nommé professeur à partir de 1900. Il fut l'un des fondateurs, avec Jean Delville, du Cercle *Pour l'Art*. Il exposait au Salon de *L'Art Idéaliste* de Bruxelles, et au Salon de *La Rose-Croix* à Paris. Il fut nommé membre de l'Académie Royale de Belgique.
En accord avec bon nombre de peintres belges de sa génération, il était profondément influencé par la poésie symboliste, en honneur chez les écrivains belges (Maeterlinck), et par les peintres William Blake, Füssli, Hodler. Dans la génération suivante, à cette adhésion au symbolisme succédera en Belgique une participation active au courant surréaliste, aussi bien chez les littéraires que chez les plasticiens. Symbolisme, puis surréalisme semblent trouver un climat propice dans l'inconscient flamand, contrebalancé par une égale aptitude à l'expressionnisme, quand les deux ne se rejoignent pas comme ce fut le cas de James Ensor.
Techniquement, comme d'autres artistes du courant symboliste, Émile Fabry pratiquait une sorte de postimpressionnisme pointilliste : Puvis de Chavannes, Henri-Martin, Maurice Denis. Il a réalisé de très nombreuses décorations murales : Maison Communale de Saint-Josse, Palais Provincial du Brabant, Musée de l'Afrique Centrale de Tervueren, Théâtre de la Monnaie de Bruxelles, Hôtels Communaux de Laeken et Saint-Gilles à Bruxelles, une partie des peintures du Palais du Cinquantenaire de Bruxelles. Il fut appelé à Cardiff pour la décoration de l'University College. Ses compositions sont rigoureusement construites selon les tracés directeurs classiques (Blake), équilibre symétrique des masses et de la lumière des deux parties latérales par rapport au thème central, espacement des plans en profondeur, etc., par exemple pour : *Les Parques*. Le dessin et le modelé sont volontaires, robustes (Hodler). L'éclairage privilégie l'action (Füssli). Ses nus, fréquents dans la mythologie et l'allégorie, sont puissamment campés, d'une anatomie et d'une musculature développées et dynamiques, d'un modelé en clair-obscur rembranesque. Dans la première partie de sa vie, il a peint des allégories des forces de l'ombre pesant sur une humanité souffrante, en accord avec les Pelléas et Mélisande de Maeterlinck. Ensuite, ses thèmes et ses harmonies colorées se sont épanouies dans l'éclat de la lumière à l'occasion de nouvelles allégories de caractère solaire, où les poètes charment les faunes. Dans ses nombreuses compositions monumentales, son sens rigoureux de la composition rythmée s'est encore conforté de l'exemple rubénien. ■ Jacques Busse
Bibliogr. : In : *Diction. Biogr. Illustré des Artistes en Belgique depuis 1830*, Arto, Bruxelles, 1987.
Musées : Anvers – Bruxelles (Mus. roy. des Beaux-Arts) : *La Fiancée* – Ixelles.
Ventes Publiques : Londres, 12 nov. 1970 : *Les âges de la vie* : **GBP 900** – Paris, 4 avr 1979 : *Désespoir* 1892, sanguine (39,5x31,5) : **FRF 5 600** – Londres, 15 juin 1982 : *The journey* 1893, h/t (131x210) : **GBP 13 000** – Londres, 27 mars 1984 : *Portrait de Miss Shakerley* 1918, past. et cr. (42x33) : **GBP 650** – Anvers, 3 avr. 1984 : *Sujet mythologique*, h/t mar./cart. (104x58) : **BEF 32 000** – Londres, 8 fév. 1985 : *Tentation* 1912, h/t (125x97) : **GBP 1 200** – Londres, 25 nov. 1987 : *L'appel de la mer* 1915, past. (61x80,5) : **GBP 12 000** – Londres, 27 juin 1988 : *Le poète* 1915, past./pap. (54,5x19,7) : **GBP 18 700** – Londres, 22 nov. 1989 : *Faune jouant du pipeau*, h/t (132x116) : **GBP 7 150** – Lokeren, 21 mars 1992 : *Attente*, h/t (120x200) : **BEF 300 000** – Lokeren, 28 mai 1994 : *Le penseur*, h/cart. (61x41) : **BEF 50 000** – New York, 20 juil. 1995 : *La gaine*, h/t (78,1x123,2) : **USD 9 200**.

FABRY François Gabriel
Né le 25 janvier 1759 à Gex (Ain). Mort le 29 septembre 1841 à Genève. xviiie-xixe siècles. Français.
Peintre et graveur.
On cite de lui en particulier une suite de gravures d'après Van Dyck.

FABRY Françoise
Née en 1939 à Wavre. xxe siècle. Belge.
Peintre d'intérieurs, paysages, paysages urbains, natures mortes, aquarelliste, illustrateur. Postcubiste.
De 1953 à 1958, elle fréquenta l'académie privée de Marcel Hastir *L'Atelier*. De 1955 à 1961, elle fut élève de l'École des Arts Décoratifs et de l'Académie des Beaux-Arts de Bruxelles, tout en se perfectionnant, entre 1959 et 1962, à l'Académie de la Grande Chaumière à Paris. En 1972-1973, elle travailla encore dans l'atelier de Edward Rizkallah. Elle participe à des expositions collectives, nombreuses en Belgique, et aussi : 1979, 1980, 1981 Paris, Salon des Femmes Peintres et Sculpteurs ; 1979 Salon *Sud 92* à Issy-les-Moulineaux ; 1979 encore et 1981, Paris Salon d'Automne ; etc. Elle a obtenu diverses distinctions dans des concours régionaux. Elle expose individuellement : 1960 Wavre ; 1961 Knokke-le-Zoute ; 1978 Bruxelles, galerie d'Egmont ; 1979 Paris ; 1980 Saint-Paul-de-Vence, Musée Municipal ; 1981 Namur et Nice ; 1982 Bruxelles, galerie Présences ; 1982 Québec, Maison de la Francité ; etc.
Son dessin au trait net et structuré est tempéré par des accords colorés discrets. Dans l'ensemble de son œuvre très peu de figures, seulement à l'état d'esquisses, mais deux volets principaux associent leurs différences : les aquarelles, se référant à Turner, légères, aériennes ou fluides, se réservent les étendues, les ciels, le vent, la mer, les eaux, le désert, la lumière. Les peintures à l'huile, certes post cubistes, mais peut-être mieux post cézanniennes, s'attaquent au contraire au construit, aux villages escarpés, aux ruelles et aux clochers, à la terrasse des cafés sous les parasols, aux parapluies sous l'averse, aux flancs des montagnes érodées ; tout y dit le Midi. Les natures mortes ne constituent pas un volet à part, elles participent aussi du construit ; plus synthétisées et frôlant l'abstraction, elles rappellent la pureté de lignes des compositions de Ben Nicholson. Unissant la diversité des deux techniques et des deux séries de thèmes, un même sens de la lumière, précise les strates horizontales des aquarelles et des fractures verticales des huiles, tout en tamisant les couleurs que le soleil écrase. Toujours le Midi, à l'inverse des sensibilités vulgaires qui croient y voir des couleurs hurlantes.
■ J. B.
Bibliogr. : Philippe Cruysmans : *Françoise Fabry, poète de la lumière*, Éditeurs d'Art Associés, Bruxelles, 1981 – in : *Diction. Biogr. Illustré des Artistes en Belgique depuis 1830*, Arto, Bruxelles, 1987.

FABRY Médy
Née à Wasseige (Belgique). xxe siècle. Belge.
Peintre.
Elle exposa à Paris au Salon des Indépendants en 1935.

FABRY Pierre
xviiie siècle. Actif à Paris dans la première moitié du xviiie siècle. Français.
Sculpteur.

FABRY Suzanne
Née en 1904 à Bruxelles. Morte en 1985. xxe siècle. Belge.
Peintre, dessinatrice, créatrice de costumes de théâtre.
Elle fut élève d'Isidore de Rudder, de Jean Delville, de Constant Montald à l'Académie des Beaux-Arts de Bruxelles.
Elle a surtout créé des nombreux costumes pour le Théâtre de La Monnaie de Bruxelles.
Bibliogr. : In : *Diction. Biogr. Illustré des Artistes en Belgique depuis 1830*, Arto, Bruxelles, 1987.
Ventes Publiques : Paris, 6 oct. 1986 : *Les deux amies* 1948, h/t (150x140) : **FRF 9 000** – Lokeren, 11 mars 1995 : *Le retour* 1936, h/t (80x116) : **BEF 38 000**.

FABRY Thomas
Né vers 1810 à Cologne. XIXe siècle. Allemand.
Peintre de portraits.
Il exécuta une lithographie représentant *La princesse Blanche d'Amalfi*.

FABULLUS. Voir **AMULUS**

FABVRE Jacques Jean Édouard
Mort en 1840 à Paris. XIXe siècle. Français.
Peintre.
A partir de 1819 et jusqu'à 1840, il exposa, notamment des vues. De ses tableaux, on cite : *Vue du château de Cognac, Vue prise sur le chemin de Malabry, Vue prise près du Plessis-Piquet*.

FACCENDA Francesco
Né vers 1750 à Pérouse. Mort le 5 août 1820 à Rome. XVIIIe-XIXe siècles. Italien.
Graveur.
Il exécuta les emblèmes et planches de l'édition du journal de Cesare Ripa : *L'iconologia*.

FACCHETTI Domenico
XVIIe siècle. Actif à Rome et à Bologne au milieu du XVIIe siècle. Italien.
Sculpteur et architecte.
Il travailla pour l'église Saint-Paul de Bologne.

FACCHETTI Pietro
Né en 1535 à Mantoue. Mort le 27 février 1619 à Rome. XVIe-XVIIe siècles. Italien.
Peintre et graveur.
Élève de Girolamo et Ippolito Costa. Il visita Rome sous le pontificat de Grégoire XIII et y mourut. Il s'essaya d'abord aux tableaux d'histoire, non sans quelques succès, mais ne tarda cependant pas à abandonner ce genre pour s'adonner au portrait. On admira tellement les portraits qu'il fit de quelques membres de la noblesse qu'il y eut peu de personnes de qualité qui ne se firent pas peindre par lui. Graveur à ses heures, il fit surtout deux planches remarquables par la pureté de leur dessin. L'une représente : *La Sainte Famille*, d'après Raphaël, et l'autre : *Le Christ portant la croix*.

FACCHINETTI Carlo ou **Fachinetti**
Né en 1870. XIXe-XXe siècles. Italien.
Peintre de compositions à personnages, figures, paysages.
Il a souvent représenté et magnifié le spectacle tendre et émouvant de la maternité.
VENTES PUBLIQUES : CHESTER, 7 oct. 1984 : *Amour maternel*, h/t (73,5x60) : **GBP 1 250** – LONDRES, 19 juin 1991 : *La fierté d'une jeune mère*, h/t (69x49) : **GBP 4 400** – NEW YORK, 18 fév. 1993 : *Une famille heureuse*, h/t (89,5x71) : **USD 13 750** – NEW YORK, 17 fév. 1993 : *Maternité*, h/t (78,7x57,2) : **USD 9 488** – MILAN, 8 juin 1994 : *Paysage lacustre animé* 1898, h/cart. (18x24) : **ITL 1 495 000**.

FACCHINETTI Giuseppe
Né à Ferrare. Mort le 11 février 1777 à Ferrare. XVIIIe siècle. Italien.
Peintre.
Il fut un des meilleurs élèves de A.-F. Ferrari. Il réussit aussi bien dans les peintures d'histoire que dans celles qui ont la perspective ou l'architecture pour sujet. L'église Sainte-Catherine de Sienne, à Ferrare et d'autres églises des environs possèdent les œuvres de cet artiste.

FACCHINETTI Giuseppe
XVIIIe siècle. Actif à Vienne en 1702. Italien.
Peintre.

FACCHINETTI Nicola Antonio ou **Fachinetti**
Né en 1824. Mort en 1900. XIXe siècle. Italien.
Peintre de portraits, paysages, dessinateur.
VENTES PUBLIQUES : LONDRES, 12 nov. 1974 : *La baie de Rio de Janeiro* : **GBP 1 500** – SÃO PAULO, 26 juin 1981 : *Portrait de fillette* 1888, h/cart. (55x36) : **BRL 250 000** – RIO DE JANEIRO, 8 oct. 1984 : *Casa Grande da Fazenda March* 1900, h/t (12x37) : **BRL 7 000 000** – RIO DE JANEIRO, 17 juin 1985 : *Praia das Flexas* 1877, h/pan. (20x35) : **BRL 135 000 000** – RIO DE JANEIRO, 31 juil. 1986 : *Vue de Rio de Janeiro*, h/pan. (26x40) : **BRL 684 000** – PARIS, 4 déc. 1992 : *Vue de Moro Queimadu au Brésil*, pl., de forme ovale (22x30) : **FRF 10 000**.

FACCHINETTI Pietro
Né à Venise. XVIIe siècle. Italien.
Peintre.
Établi en France ; il y peignit le *Portrait de Louis XIV*.

FACCI Francesco. Voir **FABI Francesco**

FACCI-NEGRATTI Francesco
Né le 30 décembre 1810 à Bassano. Mort le 27 mai 1839. XIXe siècle. Italien.
Peintre.
Il travailla pour différentes églises à Gallio, Fozza, Villarasso Casoni.
MUSÉES : BASSANO : *Portrait de G. Peninetti*.

FACCINI Bartolommeo
Né en 1532 à Ferrare. Mort le 22 juillet 1577. XVIe siècle. Italien.
Peintre.
Il peignit des portraits et des tableaux d'architectures dans le style de Girolamo da Carpi. Il se tua en tombant d'un échafaudage. Le Musée de Lille possède un tableau que l'on attribue à cet artiste ; il a pour sujet : *Le martyre de sainte Agnès*.

FACCINI Girolamo
Né en 1547. Mort avant 1616. XVIe-XVIIe siècles. Actif à Ferrare. Italien.
Peintre.
Frère de Bartolommeo qu'il aida souvent dans ses travaux, car il exécutait à son exemple des sujets d'architectures et des ornements. Il fut l'élève de J. Carpi.

FACCINI Pietro ou **Facini**
Né en 1560 ou 1562 à Bologne. Mort en 1602 à Bologne. XVIe siècle. Italien.
Peintre de compositions religieuses, figures, dessinateur, graveur.
Cet artiste ne cultiva la peinture qu'à un âge assez avancé. Il est raconté qu'il avait l'habitude de visiter souvent et par simple curiosité l'atelier d'Annibal Carrache. Un des élèves du grand peintre ayant fait de Faccini une caricature, ce dernier saisit un morceau de charbon et sans aucune instruction préalable esquissa un portrait satirique de celui qui l'avait ridiculisé. Ce portrait était si bien fait que Carrache le premier le persuada de se mettre à travailler les arts, offrant de les lui enseigner. Il se mit aussitôt à l'œuvre et fit de rapides progrès. Au sujet d'une plaisanterie de peu d'importance, il se fâcha avec son maître qu'il paya d'ingratitude en ouvrant à Bologne une école rivale qui eut pendant quelque temps un très grand succès. Mais on ne tarda pas à s'apercevoir de l'incorrection de son dessin. Ses têtes sont cependant vigoureusement exécutées et sa carnation est admirable, ressemblant à celle du Tintoretto.
Il a essayé de faire une synthèse entre des éléments empruntés à Barocci et aux Carrache. Citons parmi ses nombreuses œuvres : *Saint Jérôme, Le mariage mystique de sainte Catherine, La Sainte Famille*, etc.

MUSÉES : FLORENCE (Gal. roy.) : *Autoportrait*.
VENTES PUBLIQUES : LONDRES, 1er juil. 1980 : *La vision de saint François d'Assise*, eau-forte et burin (34,3x24,8) : **GBP 260** – LONDRES, 1er déc. 1983 : *Vierge à l'Enfant*, lav. gris (15,9x12,3) : **GBP 1 500** – LONDRES, 5 déc. 1985 : *La vision de saint François* vers 1590, eau-forte/pap. (34x24,9) : **GBP 1 400** – NEW YORK, 13 jan. 1987 : *Étude d'homme vu de dos*, craie noire/pap. beige (35,5x21,2) : **USD 16 000** – PARIS, 4 mars 1988 : *Christ aux outrages*, pierre noire et reh. de blanc/pap. beige (40,8x25) : **FRF 39 000** – NEW YORK, 12 oct. 1989 : *Saint Jérôme dans le désert*, h/cuivre (47x35) : **USD 71 500** – NEW YORK, 12 jan. 1990 : *Nu masculin debout s'enroulant dans une draperie avec le bras droit levé et la tête tournée vers la droite*, craie rouge (41,4x26,7) : **USD 29 700** – NEW YORK, 13 jan. 1993 : *La résurrection de Lazare*, craie noire et encre brune et lav. brun (26,5x19,7) : **USD 3 080** – NEW YORK, 14 jan. 1993 : *Saint Jérôme dans le désert*, h/cuivre (46,7x34,5) : **USD 33 000** – MILAN, 31 mai 1994 : *Étude de figure*, pl. et lav. rose aquarellé (18,5x10) : **ITL 1 035 000** – LONDRES, 12 déc. 1996 : *Un groupe de saints à la prière*, pl. et encre brune et lav. brun (19,6x10,4) : **GBP 1 552**.

FACCIOLI Giovanni
Né le 12 octobre 1729 à Vérone. Mort le 26 mars 1809 à Vérone. XVIIIe siècle. Italien.

Peintre.
Il fut élève de Michelange Prunati à Vérone avant de s'établir à Venise. Il travailla pour plusieurs églises de ces villes, de Tiezzo, de Taglio della Mira et de Grisolara.

FACCIOLI Girolamo
Mort en 1573. XVIe siècle. Actif à Bologne. Italien.
Orfèvre et graveur.

FACCIOLI Giuseppe
Né vers 1629. Mort en 1709. XVIIe siècle. Actif à Bologne. Italien.
Graveur.
On cite de lui : *Une sainte famille.*

FACCIOLI Raffaele
Né le 23 décembre 1846 à Bologne. Mort en 1916. XIXe siècle. Italien.
Peintre de genre.
Élève de l'Institut d'art de Venturoli. Professeur de l'Académie d'art de Bologne. Il a exposé à Vienne et à Munich entre 1873-1883. Il obtint une mention honorable à l'Exposition Universelle de 1900. On cite de lui : *Rencontre agréable dans le parc.*
Ventes Publiques : Milan, 11 déc. 1986 : *Triste Voyage*, h/t (42x31,5) : **ITL 5 000 000** – Milan, 29 oct. 1992 : *Rue de village un jour de fête* 1880, h/pan. (13,5x23) : **ITL 2 400 000** – Milan, 18 déc. 1996 : *Promenade dominicale* 1880, h/pan. (13,5x23) : **ITL 2 446 000.**

FACCIOLI Silvio
XIXe siècle. Actif à Bologne. Italien.
Peintre d'histoire.
Le Musée de Bologne possède de lui : *Le Serment des Pazzi.*

FACCIOLI-LICATA Orsola. Voir **LICATA-FACCIOLI**

FACE Giuseppe La. Voir **LA FACE**

FACE Jean
XVIe siècle. Actif à Paris en 1597. Français.
Peintre.

FACEWICZ Ludwik
XIXe siècle. Polonais.
Peintre.
On connaît de cet artiste, un portrait à l'aquarelle.

FACHAI Michele de
XVIe siècle. Actif à Vérone. Italien.
Peintre.

FA CHANG. Voir **MU QI**

FACHARD Robert
Né le 25 juin 1921 à Paris. XXe siècle. Français.
Sculpteur de monuments. Abstrait.
De 1941 à 1946, il fut élève de l'École des Beaux-Arts de Toulouse, puis de l'Académie de la Grande Chaumière à Paris. Il eut aussi l'occasion de recevoir les conseils d'Henri Laurens en 1950. En 1950 également, il fonda à Toulouse le groupe d'art abstrait *Présence*, qui se manifesta pendant trois années de suite au Palais des Beaux-Arts de la Ville. En 1953, il fit un séjour en Grèce. Fachard exécuta dans la région plusieurs bas-reliefs et sculptures monumentaux en 1956 à Toulouse même, en 1958 à Lourdes. En une occasion, en 1956, il collabora avec Jean Arp. En 1961, il réalisa une sculpture pour Lille, en 1962 pour Valenciennes, 1963 pour Aubervilliers, 1964 pour Liévin et de nouveau Toulouse, 1965 Béthune et Reims, 1966 Aubenas, 1967 Arras et Stenay, 1968 de nouveau Reims et Aubenas ainsi que Privas, etc.
Il participe à des expositins collectives à Paris : depuis 1954 Salon de la Jeune Sculpture et depuis 1959 Salon des Réalités Nouvelles, dont il fut élu membre du comité en 1964, 1962 *Exposition Internationale du Petit Bronze.* Il figure aussi dans des expositions très nombreuses en province et internationales : en Hollande au Gemeentemuseum d'Arnhem *De Rodin à nos jours* en 1963, à Bruxelles, au Brésil, en Angleterre, etc. Il montre en outre ses œuvres dans des expositions personnelles depuis la première à Toulouse en 1954, notamment au Musée des Beaux-Arts de Verviers en 1962, à Bruxelles et Londres en 1963, Paris en 1967, 1969, 1979, 1982, à Toulouse de nouveau en 1968, Maison de la Culture de Nevers 1976, etc.
Dans une expression progressivement plus abstraite, il a utilisé les matériaux les plus variés, réalisant à un moment des sculptures qu'il dit « bivalentes », mettant en œuvre, de façon très différente de celle des sculptures chryséléphantines, deux matériaux qui s'opposent : marbre et bronze ou bien lave volcanique et métal découpé. Il a réalisé aussi, à partir de 1958, des sculptures en pierre polychromes. Outre la perfection des techniques utilisées, ce qui caractérise l'abstraction maintenant classique des œuvres de Fachard, est le rôle qu'il y attribue aux vides qui créent la sensation de l'espace au cœur du volume. ■ J. B.
Bibliogr. : In : *Nouveau diction. de la Sculpt. Mod.*, Hazan, Paris, 1970.
Musées : Paris (Mus. Nat. d'Art Mod.) – Toulouse (Mus. des Augustins).
Ventes Publiques : Paris, 6 déc. 1986 : *J – 67* 1967, laiton soudé et patiné (H. 26, Long. 27) : **FRF 7 000.**

FACHE
XVIIIe siècle. Actif à Paris à la fin du XVIIIe siècle. Français.
Peintre miniaturiste.

FACHE René
Né le 23 novembre 1816 à Douai. Mort en mars 1891 à Valenciennes. XIXe siècle. Français.
Sculpteur.
Professeur à l'Académie de Valenciennes, il avait été l'élève de David d'Angers et de Th. Bra. Il envoya au Salon de Paris, en 1874, le buste en bronze du général de division Lhériller et trois médaillons en bronze représentant des figures de particuliers. Ses principaux ouvrages sont à l'église Saint-Pierre à Douai ; un groupe en marbre (monument élevé à la mémoire de *M. Duforest de Lewarde*, fondateur des écoles chrétiennes de la ville), au transept de la chapelle Saint-Joseph ; un groupe représentant *Saint Joseph portant l'enfant Jésus et deux anges de chaque côté*, dans la chapelle du Sacré-Cœur ; *Notre-Seigneur Jésus-Christ entouré de deux anges*, à l'église d'Anzin ; les statues en pierre de *saint Éloi* et de *sainte Barbe*. A Cambrai, dans l'église Saint-Géry, il exécuta les sculptures de la chaire. Pour l'Hôtel de Ville de Valenciennes, il sculpta six cariatides en pierre. Dans l'église de Notre-Dame du Saint-Cordon, il fit le maître-autel : deux bas-reliefs sous la table représentant des scènes de la Passion. Pour la chapelle des Pères Maristes, il exécuta le maître-autel en pierre, un bas-relief sous la table représentant la *Mise au tombeau*, au retable au-dessus du tabernacle, la statue de l'*Immaculée Conception*, dans les niches, huit anges, au pinacle de l'autel, deux statuettes : *Saint Jean-Baptiste et sainte Élisabeth.* A Arras, dans la chapelle des dames du Saint-Sacrement, une statue en pierre *(Ange portant le Saint Sacrement)* et dans celle des Dames Ursulines à l'autel de l'Immaculée Conception, une statue de la *Vierge* et quatorze statues de saintes. Au château de Ruitz, près Béthune, dans la chapelle : *Notre-Dame des Victoires, Saint Louis, roi de France, Sainte Germaine*, statues en pierre. Au château de Bruyolle (Belgique), un bénitier en marbre : l'*Ange de la prière écrasant le malin esprit.* A l'Hôtel de Ville et au Palais de Justice de la commune de Marcoing : *Quatre cariatides.* René Fache a produit encore un grand nombre de bustes.
Musées : Douai : *Jean de Bologne – Malotau de Guerne – Docteur Taranget – Louis-Michel Huré – La ville de Douai distribuant des récompenses.*

FACHERIS Agostino, dit **Agostino da Caversegno**
Né en 1500. Mort vers 1552. XVIe siècle. Actif à Bergame. Italien.
Peintre.
Le Tasse nous parle de cet artiste dans ses *Vies des peintres bergamasques.* Il nous y raconte que l'église de la Trinité à Bargo Sant' Antonio possède de lui un tableau daté de 1528, représentant : *Saint Antoine avec deux anges.* Il fut l'élève de Lorenzo Lotto. Berenson lui attribue une *Vierge avec saint Roch* (au Musée d'Innsbruck).

FACHET Paul René
Né le 19 janvier 1885 à Tours (Indre-et-Loire). XXe siècle. Français.
Peintre de paysages.
Il fut élève d'Ernest Laurent. Dans les années vingt, il a peint des paysages des bords de Loire.

FACHINETTI Carlo. Voir **FACCHINETTI Carlo**

FACHINETTI Nicola Antonio. Voir **FACCHINETTI Nicola Antonio**

FACHNLEIN Jules
Né dans la seconde moitié du XIXe siècle à Mulhouse (Alsace). XIXe siècle. Français.
Peintre.
Élève de Henner et Gérome. Il débuta au Salon des Artistes Français en 1895.

FACHNLEIN Louis
Né dans la seconde moitié du XIXe siècle à Mulhouse (Alsace). XIXe siècle. Français.
Peintre.
Exposant du Salon des Artistes Français ; mention honorable en 1898.

FACIPONTE
XVIIe siècle. Actif en Sicile. Italien.
Peintre.
Il fut élève de Pietro Novelli.

FACIS Ange de
XVe siècle. Actif vers 1477. Italien.
Peintre d'histoire.
Siret le cite comme ayant fait six sujets religieux dans un seul cadre.

FACITOLO Pietro
Né à Bari. XIIIe siècle. Italien.
Sculpteur.
Il travailla en Apulie.

FACIUS Angelica
Née le 14 octobre 1806 à Weimar. Morte le 17 avril 1887 à Weimar. XIXe siècle. Allemande.
Médailleur et sculpteur.
On cite parmi les œuvres de cette artiste plusieurs *Portraits de Goethe* et un *Buste du grand-duc Karl Friedrich*.

FACIUS Georg Siegmund et **Johann Gottlieb**, les frères
Nés vers 1750 à Ratisbonne. Morts après 1802. XVIIIe siècle. Actifs aussi en Angleterre. Allemands.
Dessinateurs et graveurs.
La biographie de ces deux frères ayant vécu d'une vie absolument semblable et ayant toujours travaillé ensemble est tellement unie qu'il n'est guère possible de trouver sur Georg un détail qui ne s'applique pas également à Johann. Ils étudièrent tous deux à Bruxelles où leur père était consul russe. Afin de travailler pour l'Alderman Boydell, ils se rendirent à Londres en 1776 et y exécutèrent un grand nombre de planches. Les impressions de leurs eaux-fortes sont tantôt noires, tantôt brunes ou colorées. Parmi leurs meilleures œuvres figurent : *Benjamin West et sa famille*, d'après West, 1777, *Hector et Pâris*, d'après Angelica Kaufmann, *Abraham conversant avec les trois anges*, d'après Murillo. Il convient de remarquer cependant que Georg Siegmund Facius exposa des miniatures à la Royal Academy, de 1785 à 1788.

FACKERE Jef Van De. Voir **VANDEFACKERE Jef**

FACKERT Oscar William
Né le 29 juillet 1891 à Jersey City (New Jersey). XXe siècle. Américain.
Peintre, illustrateur.
Il fut élève de Frederick Clark Gottwald. Il obtine le Premier Prix de la Nothern Indiana Exhibition en 1923 et 1925.

FACKLER Johann Joseph
Né en 1698 à Salzbourg. Mort le 18 novembre 1745 à Salzbourg. XVIIIe siècle. Allemand.
Peintre.
La ville natale de cet artiste possède un *Saint Rupert* qui se trouve dans l'église Saint-Pierre.

FACONNET Marie Anne Eugénie. Voir **COLLOT Marie Anne**

FACONTI Dionigi
Né à Bergame. Mort en 1865 à Turin. XIXe siècle. Italien.
Peintre d'histoire.
Professeur à l'Académie de Turin. On cite de lui : *Werther*.

FACQ Gustave
Né en 1902 à Tournai. XXe siècle. Belge.
Peintre de paysages.
Il fut élève de l'Académie des Beaux-Arts de Tournai, et de Herman Richir à l'Académie de Bruxelles.
Bibliogr. : In : *Diction. Biogr. Illustré des Artistes en Belgique depuis 1830*, Arto, Bruxelles, 1987.
Musées : Tournai.

FACTOR Nicolas, saint
Né le 29 juin 1520 à Valence. Mort le 23 décembre 1583 à Valence. XVIe siècle. Espagnol.
Peintre.
Cet artiste consacra la première partie de sa vie à l'étude et se distingua aussi bien comme poète que comme peintre. En 1537, il se fit Franciscain et entra dans le monastère de Sainte-Marie de Jésus, où il exécuta un grand nombre de ses peintures parmi lesquelles on remarquait surtout *Saint Michel triomphant du démon*. On ne connaît actuellement aucune de ses œuvres : Cean Bermudez nous apprend que le dessin en était excellent, mais qu'elles manquaient de couleur. Il peignit beaucoup de vierges et enlumina plusieurs missels. Parmi les nombreux saints produits par l'Espagne, Factor fut le seul artiste qui fut canonisé.

FACUNDUS
XIe siècle. Espagnol.
Enlumineur.
La Bibliothèque Nationale de Madrid possède des miniatures de cet artiste.

FACUOL dalle Palme Giovanni Domenico di Antonio
XVIIe siècle. Actif dans la première moitié du XVIIe siècle. Espagnol.
Miniaturiste.
La plupart des miniatures et ornements d'une matricule de la confrérie Saint-Nicolas, à Venise, furent exécutés par lui vers 1636.

FADA Annibale
XVIe siècle. Actif à Rimini vers 1590. Italien.
Peintre.
La cathédrale de Rimini possède une *Vierge* de cet artiste.

FADDA Cosimo
Né en 1858 à Cagliari (Sardaigne). XIXe siècle. Italien.
Sculpteur.
L'hôpital de Cagliari possède des œuvres de cet artiste.

FADEGON Jean Melchior
Né le 31 octobre 1871 à Amsterdam. XIXe-XXe siècles. Actif et depuis 1906 naturalisé en France. Hollandais.
Sculpteur, médailleur.
Il a surtout vécu à Paris, où il fut élève des sculpteurs Ferdinand Leenhoff et (Gabriel ?) Thomas.

FADEIEFF Grigori Fadeïevitch
Né en 1752. Mort le 20 mars 1778. XVIIIe siècle. Actif à Moscou. Russe.
Graveur.

FADEIEFF Ivan
XVIIIe siècle. Actif à Moscou. Russe.
Graveur.

FADEIEFF Stephan
XVIIIe siècle. Actif à Moscou. Russe.
Graveur.
En 1764, il était élève de l'Académie de Moscou.

FADEIEFF Varlaami
XVIIe-XVIIIe siècles. Actif à Moscou. Russe.
Dessinateur et graveur.

FADEL Makaroff
Né en 1910 à Hamate. Mort en 1945 à Hamate. XXe siècle. Libanais.
Peintre de portraits.
Il se fixa à Beyrouth, où il rencontra le peintre César Gemayel. Il séjourna en Italie, où il fut élève de Carlo Siviero à l'Institut des Beaux-Arts de Rome. À son retour au Liban, il fut nommé assistant de César Gemayel à l'Académie Libanaise des Beaux-Arts. On connait de lui le *Portrait de l'archevêque Elia Saliby*, peint vers 1940. La composition est traditionnelle, presque frontale, la technique est habile, franche et énergique.
Bibliogr. : In : Catalogue de l'exposition *Liban – Le regard des peintres – 200 ans de peinture libanaise*, Institut du Monde Arabe, Paris, 1989.

FADELLO Pietro
XVIe siècle. Italien.
Peintre.
Il travailla pour l'église San Giovanni Ilarione, près de Vérone. Il y exécuta en 1515 un tableau représentant une *Vierge et quatre saints*.

FADER Fernando
Né en 1882. Mort en 1935. XXe siècle. Argentin.
Peintre de paysages animés.
D'origine provinciale, il ne fut pas touché par le courant internationaliste et consacra son œuvre au régionalisme.

Ventes Publiques : New York, 27 nov. 1984 : *Les feuilles mortes*, h/t (96,5x117,4) : **USD 30 000** – Montevideo, 30 juin 1987 : *Fin du jour*, h/pan. (55x70) : **UYU 3 094 000** – New York, 8 mai 1991 : *Une dame regardant une scène de labours* 1903, h/t (130x90) : **USD 28 600** – New York, 20 nov. 1991 : *Après la pluie* 1906, h/t (40x60) : **USD 22 000**.

FADIER Denis
Né le 21 février 1949 à Boulogne-sur-Seine (Hauts-de-Seine). XXe siècle. Français.
Peintre de compositions animées.
Exposant au Salon de Mai et au Salon des Grands et Jeunes, il y a présenté des toiles de tendance fantastique, teintée de surréalisme.
Ventes Publiques : Paris, 13 juin 1990 : *Composition aux visages*, h/t (100x100) : **FRF 27 000**.

FADIGA Domenico
Né à Vérone. XVIIIe-XIXe siècles. Italien.
Sculpteur.
Fils de Giuseppe. Il fut, à Rome, élève de Canova. Il travailla à la décoration du tombeau de Callemberg à Padoue, et exécuta le grand autel de l'église San Giovanni Novo à Venise.

FADIGA Giuseppe
Né à Venise. XVIIIe siècle. Italien.
Sculpteur.
Il fut le père de Domenico.

FADINE Igor
Né en 1939 à Leningrad. XXe siècle. Russe.
Peintre de paysages animés. Postimpressionniste.
Il fréquenta l'École des Arts de Leningrad puis l'Académie des Beaux-Arts. Il est Membre de l'union des Peintres d'U.R.S.S.
Peintre de paysages typiques, il traduit avec sensibilité les effets de soleil sur la neige.
Ventes Publiques : Paris, 18 fév. 1991 : *Attelage près de la Volga* 1963, h/t (74x92) : **FRF 7 800** – Paris, 26 avr. 1991 : *L'hiver à Tcherniavino*, h/t (42,5x66,2) : **FRF 3 500** – Paris, 29 mai 1991 : *Brumes matinales*, h/t (60,5x120,5) : **FRF 6 000** – Paris, 9 déc. 1991 : *Dans les pissenlits* 1975, h/t (100x117) : **FRF 6 000** – Paris, 17 juin 1992 : *Le lac le matin*, h/t (60x119) : **FRF 6 500** – Paris, 5 nov. 1992 : *Rencontre dans un parc*, h/t (54x47) : **FRF 4 000**.

FADINI Giovanni Maria
Né en 1513 près de Brescia. XVIe siècle. Italien.
Peintre.
Il travailla à Novare.

FADINI Lorenzo
Né à Orzi Nuovi près de Brescia. XVIe siècle. Italien.
Peintre.
Il était frère de Giovanni Maria et travailla avec lui à Novare.

FADRUSZ Janos ou **Fadswisz**
Né le 2 septembre 1858 à Pozsony. Mort le 26 octobre 1903 à Budapest. XIXe siècle. Hongrois.
Sculpteur.
Ce très remarquable artiste, auteur du *Monument de Marie-Thérèse*, à Presbourg, fut longtemps inconnu en France. Mais ses envois à l'Exposition Universelle de Paris en 1900 : *Christ en croix* et *Matthias Corvin* furent unanimement admirés et lui valurent le Grand Prix de sculpture.

FADY-CAJANI Louis E.
Né le 6 avril 1869 à Paris. XIXe-XXe siècles. Français.
Sculpteur.
Il exposait à Paris, au Salon des Artistes Français, dont il était sociétaire depuis 1903.

FAEBER Anton
XVIIe siècle. Actif à Halberstadt vers 1620. Allemand.
Peintre verrier.

FAECX Nicolaes
XVIIe siècle. Actif à Anvers en 1625. Éc. flamande.
Peintre.

FAED James, l'Ancien
Né le 4 avril 1821 à Burley Mill (Kirkcudbrightshire). Mort le 24 septembre 1911 à Edimbourg. XIXe-XXe siècles. Britannique.
Peintre de scènes de genre, paysages, graveur.
Frère de John et Thomas Faed, il s'est surtout fait connaître comme graveur. Il a gravé des tableaux de ses frères et certains de Sir Francis Grant. Il a exposé à partir de 1855 à la Royal Academy et à la Royal Scottish Academy.
Ventes Publiques : New York, 21 mai 1987 : *Paysage aux chaumières*, h/t (56x76) : **USD 3 000** – Édimbourg, 9 juin 1994 : *Le Trou du plongeur*, h/t (43,2x56) : **GBP 4 025** – Édimbourg, 15 mai 1997 : *Barholm Tower, Gatehouse-of-Fleet, Wigtonshire* 1871, h/pan. (45,8x35,5) : **GBP 2 530**.

FAED James, le Jeune
Né en 1856 ou 1857. Mort en 1920. XIXe-XXe siècles. Britannique.
Peintre de paysages, paysages d'eau, peintre à la gouache, aquarelliste.
Il était le fils de James Faed l'Ancien, le neveu de John et Thomas. Il travaillait à Édimbourg et à Londres. Il exposa à la Royal Academy de Londres à partir de 1900.
Ventes Publiques : Écosse, 29 août 1978 : *Paysage de printemps* 1885, h/t (25x34,5) : **GBP 1 200** – Écosse, 28 août 1984 : *L'Orée du bois* 1881, h/t (56x76) : **GBP 1 200** – Londres, 26 avr. 1988 : *Bosquets*, h/cart. (12,5x11,5) : **GBP 1 540** – Édimbourg, 30 août 1988 : *Ruisseau rocailleux à Laggan* 1899, h/t (25,5x41) : **GBP 1 870** – Perth, 28 août 1989 : *Bruyère dans les Highlands* 1900, h/t (18x25) : **GBP 3 740** – South Queensferry (Écosse), 1er mai 1990 : *Un torrent courant dans un vallon* 1910, h/t (41x61) : **GBP 2 750** – Perth, 27 août 1990 : *Novembre*, h/t (55,5x76) : **GBP 3 080** – Glasgow, 22 nov. 1990 : *Invercomrie Burn dans le Perthshire* 1908, h/t (35,6x53,3) : **GBP 2 090** – York (Angleterre), 12 nov. 1991 : *Galloway* 1902, h/pan. (18x25) : **GBP 660** – Glasgow, 4 déc. 1991 : *La Porte du jardin*, h/cart. (25,5x21) : **GBP 825** – Édimbourg, 28 avr. 1992 : *Sur les pentes d'une colline* 1901, h/pan. (16x24) : **GBP 770** – Glasgow, 1er fév. 1994 : *Sur le vieux pont de Cramond* 1878, aquar. et gche (36,5x45,5) : **GBP 977** – Glasgow, 16 avr. 1996 : *Début du printemps à Cramond* 1885, h/t (27x36,5) : **GBP 2 760**.

FAED John
Né en 1820 à Burley Mill (Kirkcudbrightshire). Mort le 22 octobre 1902 à Burley Mill. XIXe siècle. Britannique.
Peintre d'histoire, sujets religieux, scènes de genre, portraits, miniatures.
Son père, homme de grande valeur, était à la fois fermier, meunier et ingénieur ; quatre de ses enfants furent des artistes distingués. John s'instruisit pour ainsi dire lui-même et fit de la miniature à partir de l'âge de douze ans jusqu'en 1841, époque à laquelle il se rendit à Edimbourg, où il obtint beaucoup de succès. Il entra alors dans les classes d'art de l'Académie Trustee et travailla avec Sir William Allan la peinture à l'huile à laquelle il s'adonna presque complètement. Il fut élu associé de l'Académie Royale Écossaise en 1847 et académicien en 1857. Il y exposait depuis 1841. En 1862, il se rendit à Londres où il habita jusqu'en 1880, faisant des envois réguliers à l'Académie Royale.
Citons parmi ses œuvres principales : *Olivia et Viola*, *Catherine Leyton*, *Le Rêve d'un poète*, etc. Il tira souvent ses sujets de la Bible, de Shakespeare et surtout de l'histoire de la chanson et de la poésie écossaise.

Faed

Musées : Édimbourg : *Les Épreuves d'Annie* – Glasgow : *Rendez-vous* – *Mort de Burd Ellen* – Londres (Victoria et Albert Mus.) : *La Grande Salle à Haddon.*
Ventes Publiques : Londres, 1er mai 1908 : *Haddon Hall au temps jadis* 1868 : **GBP 21** – Londres, 25 juin 1908 : *La Bohémienne* : **GBP 8** – Londres, 21 avr. 1910 : *Le Raid de Ruthven* : **GBP 52** – Londres, 17 juin 1910 : *Tum O'Shanter* : **GBP 110** – Londres, 21 juil. 1922 : *L'esclave* : **GBP 26** – Londres, 8 déc. 1922 : *Les rivaux* : **GBP 44** – Londres, 29 juin 1923 : *Catherine Seton et Roland Graene* : **GBP 50** – Londres, 21 déc. 1923 : *Le client assoiffé* : **GBP 25** – Londres, 5 juin 1924 : *Quand le « Kye » vint à la maison* : **GBP 8** – Londres, 26 nov. 1926 : *La Jeunesse et la Vieillesse* 1867 : **GBP 21** – Londres, 18 juil. 1927 : *Bonnie Scotland* 1871 : **GBP 28** – Londres, 2 déc. 1927 : *Darby et Joan* : **GBP 105** – Glasgow, 4 juin 1936 : *Shakespeare et ses amis* : **GBP 15** ; *Walter Scott et ses amis* : **GBP 37** – Londres, 30 et 31 juil. 1936 : *Darby et Joan* : **GBP 10** – Londres, 23 oct. 1942 : *L'esclave* : **GBP 36** – Londres, 27 juin 1945 : *L'expédition de Ruthven* : **GBP 48** – Londres, 29 juin 1945 : *Le vieux jardinier et sa petite fille* : **GBP 57** – Glasgow, 2 mai 1947 : *Jeune dame* : **GBP 26** – Londres, 29 mai 1964 : *Jeune femme en robe blanche assise sous un arbre* : **GNS 270** – Glasgow, 25 août 1972 : *A Royal Scottish Justiciary* : **GBP 480** – Glasgow, 30 nov. 1976 : *Le Harpiste*, h/cart.

(44,5x60) : **GBP 600** – Londres, 21 oct. 1977 : *Paysage vu à travers un arc* 1885, h/t (104x76) : **GBP 950** – New York, 28 mai 1981 : *Oliver Goldsmith travaillant* 1877, h/t (109x82,5) : **USD 7 000** – New York, 11 avr. 1984 : *Portrait of George Washington on a grey charger*, h/t (141x101,5) : **USD 43 000** – Auchtererder, 1er sep. 1987 : *Evangeline : the parting of Evangeline and Gabriel* 1869, h/t (58,5x43) : **GBP 8 000** – Édimbourg, 30 août 1988 : *Qu'arrivera-t-il après ?*, h/cart. (46x54,5) : **GBP 1 980** – Édimbourg, 22 nov. 1989 : *Le Raid de Ruthven*, h/t (50,8x68,6) : **GBP 4 950** – Londres, 11 juin 1993 : *Le Marchandage* 1981, h/t (71x91,5) : **GBP 1 955** – Londres, 4 nov. 1994 : *Shakespeare et ses amis à la taverne Mermaid* 1850, h/cart./pan. (38,1x46,7) : **GBP 7 475** – Glasgow, 16 avr. 1996 : *John Wesley et la servante* 1874, h/t/cart. (75,5x63) : **GBP 1 725** – New York, 31 jan. 1997 : *Portrait de Georges Washington passant les troupes en revue à Trenton*, h/t (142x105,5) : **USD 662 000** – New York, 26 fév. 1997 : *Famille dans un intérieur*, h/t (91,5x120) : **USD 27 600**.

FAED John Francis
Né vers 1860 à Londres. xixe siècle. Britannique.
Peintre.
Il exposa à la Royal Academy dès 1883. C'était le fils de Thomas.

FAED Thomas
Né le 8 juin 1826 à Burley Hill (Kirkcudbrightshire). Mort le 27 août 1900 à Londres. xixe siècle. Britannique.
Peintre de scènes de genre, animaux, portraits, paysages, peintre à la gouache, aquarelliste.
Il commença fort jeune à cultiver les arts sous la direction de son frère aîné John. Celui-ci, à la mort de leur père, fit venir Thomas auprès de lui à Edimbourg. Thomas entra à l'école d'art âgé de quinze ans et y eut Orchardson comme compagnon. Il s'adonna particulièrement à la représentation des scènes caractéristiques de la vie du paysan écossais. Nommé associé de l'Académie écossaise à l'âge de vingt-trois ans, mais mécontent du peu de succès qu'il avait obtenu jusqu'alors, il se rendit à Londres en 1852 ; il y exposa régulièrement à l'Académie Royale et y resta jusqu'à sa mort. Élu associé de l'Académie Royale en 1859 et membre en 1864, il fut obligé de donner sa démission en 1893, car sa vue commençait à baisser. Elle lui fit bientôt complètement défaut. Il fut aveugle pendant les sept dernières années de sa vie.
La Galerie Tate possède celui de ses tableaux qui peut être considéré comme son chef-d'œuvre : *Torts des deux côtés* et dans lequel ressortent les qualités éminentes de l'artiste : la vigueur, la vérité et l'exactitude. Parmi ses autres œuvres : *Le temps de la Guerre, De la main à la bouche, Du levant au couchant* ne sont pas moins remarquables.
Musées : Aberdeen : *Portraits* – Blackburn : *La robe de soie* – Glasgow : *Violettes et Primevères – Vénus et l'Amour – Brigands espagnols* – Hambourg : *Rayon de soleil – La fleur de Dumblanc* – Leicester : *A la fortune du pot* – Liverpool : *Les enfants endormis* – Londres (Victoria and Albert Mus.) : *Un ravin – Scène de rivière et montagnes – Navire dans une crique – Scène de rivière, soleil couchant – Environs de Melrose – Scène de rivière, clair de lune* – Londres (British Art) : *Le Pauvre et l'Ami du pauvre* – Londres (Tate Gal.) : *La Robe de soie – Torts réciproques – Une jeune mère en Écosse* – Melbourne : *L'Enfant sans mère* – Montréal (Art Assoc.) : *Dimanche dans les forêts vierges* – Salford : *Un cheval fugitif* – Sheffield : *Jeu aux dames – Robert Burns et Highland Mary – Auld Robin Gray* – Sunderland : *Pourquoi ai-je quitté mon hameau – Avec le poids de bien des ans.*
Ventes Publiques : Londres, 6 mai 1899 : *Le Berceau* : **FRF 5 500** – Londres, 9 déc. 1907 : *Famille de Bohémiens* : **GBP 14** ; *Dans le champ de blé* : **GBP 6** – Londres, 15 fév.1908 : *Retour du marché* 1881 : **GBP 78** – Londres, 3 avr. 1909 : *L'arrivée de Daddy* : **GBP 26** – Londres, 24 mai 1909 : *Scène de la Jolie Fille de Perth* : **GBP 47** – Londres, 24 juin 1909 : *Elle seule* 1869 : **GBP 199** – Londres, 12 fév. 1910 : *La Laitière* : **GBP 26** – Londres, 27 mai 1910 : *Son seul couple* : **GBP 294** – Londres, 27 avr. 1923 : *Un page de Burns* : **GBP 351** – Londres, 20 juil. 1923 : *Fruit-Girl* : **GBP 10** – Londres, 23 nov. 1923 : *Nora Creina* : **GBP 27** – Londres, 28 jan. 1924 : *Le Bienvenu* : **GBP 141** – Londres, 20 juin 1924 : *En lisant les journaux* : **GBP 67** – Londres, 23 juin 1924 : *Une jeune mère* : **GBP 73** – Londres, 14 nov. 1924 : *Leçon sur la Bible* : **GBP 23** – Londres, 15 mai 1925 : *Sur la côte d'Arran* : **GBP 162** ; *En revenant du travail* : **GBP 25** – Londres, 1er déc. 1925 : *Donald Mc. Tavish* : **GBP 22** – Londres, 30 avr.-3 mai 1926 : *Seulement elle-même* : **GBP 52** – Londres, 3 mai 1926 : *L'Auditeur* : **GBP 13** – Londres, 17 juin 1926 : *Deux enfants dans une basse-cour* 1872, aquar. : **GBP 40** – Londres, 18 juin 1926 : *La Fille du pêcheur* : **GBP 39** – Londres, 18 juil. 1927 : *La Reine du Kirn* : **GBP 21** – Londres, 30 nov. 1928 : *Une pêcheuse* : **GBP 29** – Londres, 19 avr. 1929 : *La Rose rouge* : **GBP 23** – Londres, 10 mai 1929 : *Seulement elle-même* : **GBP 31** – Londres, 16 mai 1929 : *De la main à la bouche* 1879, h/t : **GBP 622** ; *Au jour le jour* : **GBP 65** – Londres, 24 mai 1935 : *En lisant la Bible* : **GBP 81** – Londres, 3 juil. 1942 : *Heureux tant que dure le jour* : **GBP 54** – Londres, 16 avr. 1943 : *La Leçon de lecture* : **GBP 78** – Glasgow, 3 mars 1944 : *Petit bohémien* : **GBP 19** – New York, 18-19 avr. 1945 : *Repos près de l'escalier* 1869 : **USD 400** – Londres, 30 jan. 1946 : *Wee Auntie Jeanie* 1887 : **GBP 60** – Londres, 22 fév. 1946 : *Dame de haute condition* : **GBP 52** – Londres, 3 juil.1964 : *Sophia et Olivia* : **GNS 520** – Londres, 11 juil. 1969 : *Portrait de Mary Allan* : **GNS 600** – Écosse, 30 août 1974 : *L'École du village* : **GBP 3 800** – Londres, 14 juin 1977 : *La Laitière*, h/t (50x34) : **GBP 800** – Écosse, 29 août 1978 : *Première dispute familiale* 1857, aquar. et reh. de gche (79x109) : **GBP 2 500** – Écosse, 31 août 1982 : *Le Galant Entretien*, aquar. (58,5x43) : **GBP 550** – Glasgow, 7 juil. 1984 : *De la main à la bouche* 1879, h/t : **GBP 26 000** – Londres, 26 juil. 1985 : *Forgiven-God be praised !* 1874, h/t (129,5x170,2) : **GBP 7 000** – Glasgow, 4 fév. 1987 : *Seeing them off*, aquar. et cr. reh. de gche (16,5x24) : **GBP 1 500** – Londres, 25 jan. 1988 : *Illustration pour les Joyeux Mendiants de Robert Burns*, aquar. (20x28) : **GBP 418** – Londres, 25 mars 1988 : *Le malheur s'abat sur une famille* 1857, h/pan. (89x122) : **GBP 93 500** – Édimbourg, 30 août 1988 : *La Chaleur du foyer et les Sans-logis*, h/pan. (35,5x51) : **GBP 15 950** – Toronto, 30 nov. 1988 : *La Toilette matinale* 1874, h/t (81x56) : **CAD 18 500** – Perth, 28 août 1989 : *Fille de pêcheur* 1866, h/cart. (17,5x11,5) : **GBP 1 540** – Stockholm, 15 nov. 1989 : *Le Rêve : jeune fille endormie sur une chaise dans un intérieur*, h/pan. (17,5x25,5) : **SEK 39 000** – Londres, 30 mars 1990 : *La Halte à l'auberge* 1870, h/t (50,7x68,8) : **GBP 7 150** – South Queensferry (Écosse), 1er mai 1990 : *L'Oiseau familier* 1873, h/t (53,5x43) : **GBP 3 080** – Glasgow, 5 fév. 1991 : *Solitude* 1868, h/t (51x35,5) : **GBP 10 450** – Édimbourg, 2 mai 1991 : *Mère et enfant cueillant des fruits sauvages*, h/t (30,5x40,5) : **GBP 3 300** – Londres, 5 juin 1991 : *Sans-logis dans une maison accueillante*, h/pan. (36x51) : **GBP 9 900** – Perth, 26 août 1991 : *La Proposition* 1866, h/t (62x43) : **GBP 6 050** – Glasgow, 4 déc. 1991 : *La Laitière*, h/t (51x35,5) : **GBP 4 400** – Londres, 12 juin 1992 : *Une famille heureuse hébergeant des miséreux* 1856, h/t (66x96,5) : **GBP 27 500** – New York, 29 oct.1992 : *La Moisson* 1881, h/t (59,7x40) : **USD 6 600** – Londres, 13 nov. 1992 : *Un petit différent* 1867, h/t (80x55,3) : **GBP 2 530** – New York, 15 fév. 1994 : *Heureux toute la journée* 1872, h/t (68,9x92,7) : **USD 29 900** – Glasgow, 16 avr. 1996 : *La Jolie Laitière*, h/t (66,5x46,5) : **GBP 8 050** – Perth, 26 août 1996 : *La Rose sauvage* 1870, h/t (75,5x51,5) : **GBP 6 325**.

FAEDDERHOLDT Ludvig Dominico Francisco
Né en 1809 à Copenhague. Mort le 2 avril 1830 à Copenhague. xixe siècle. Danois.
Peintre.
Il fut élève de J. L. Lund.

FAEGERPLAN Axel Johan
Né en 1788 à Westgothland. Mort le 17 juillet 1865 à Stockholm. xixe siècle. Suédois.
Peintre.
Élève de l'Académie de Stockholm, il exécuta plus tard un portrait du roi Gustave Adolphe IV enfant.

FAEHNLEIN Louis
Né au xixe siècle à Mulhouse. xixe siècle. Français.
Peintre.
Figura au Salon des Artistes Français, où il obtint une mention honorable en 1898.

FAELBEL Franz Josef
xviiie siècle. Actif à Vienne au début du xviiie siècle. Autrichien.
Peintre.

FAEN. Voir **FAL Guillaem de**

FAENZA, da. Voir aux prénoms qui précèdent

FAENZA Giovanni Battista da. Voir **BERTUCCI**

FAENZA Marco Antonio da. Voir **ROCCHETTI**

FAENZA Vinzenzo, il. Voir **VALDRE**

FAENZONI Ferrau. Voir **FANZONI**

FAES Jurg Jacobsz
XVIIe siècle. Actif à La Haye 1616. Hollandais.
Graveur.
Il exécuta sans doute un plan de La Haye.

FAES Pieter
Né le 14 juillet 1750 à Meir. Mort le 22 décembre 1814 à Anvers. XVIIIe-XIXe siècles. Éc. flamande.
Peintre de natures mortes, fleurs et fruits.
Il a travaillé dans la manière de Van Huysum.
Musées : Anvers (Mus. Ridder Smit Van Gelder) – Bruges – Bruxelles (Mus. des Beaux-Arts) – Durham (Barnard Castle-Bowes Mus.) – Gand (Mus. des Beaux-Arts) – Turnhout (Mus. Taxandria) – Vienne (Kunst. Mus.).
Ventes Publiques : Londres, 30 juil. 1924 : *Fleurs dans un vase sur une dalle de marbre* 1790 : **GBP 73** – Londres, 3 déc. 1926 : *Fleurs dans un vase et fruits sur une dalle de marbre* : **GBP 178** – Londres, 29 mai 1931 : *Chambre à coucher* : **GBP 15** – Londres, 24 mai 1935 : *Fleurs dans un vase de bronze* : **GBP 99** – Londres, 12 avr. 1937 : *Fleurs dans un vase en verre* : **GBP 10** – Paris, 23 mars 1963 : *Le vase de cristal* : **FRF 12 300** – Bruxelles, 5-7 mai 1965 : *Fleurs et fruits* : **BEF 120 000** – Paris, 7 juin 1968 : *Vase de fleurs* : **FRF 32 000** – Bruxelles, 12 déc. 1972 : *Vase de fleurs* : **BEF 200 000** – Paris, 6 avr. 1976 : *Fleurs posées sur un entablement* 1796 ; *Fruits posés sur un entablement*, deux h/pan. (26,5x37,5) : **FRF 24 000** – Paris, 10 juil. 1984 : *Bouquet de fleurs à la grappe de raisin, posés sur un entablement*, h/t (66x50,5) : **FRF 140 000** – Monte-Carlo, 6 déc. 1987 : *Bouquet de fleurs* 1789, h/pan. (33x27) : **FRF 350 000** – Monaco, 2 déc. 1989 : *Composition florale sur un entablement de marbre* 1795, h/pan. (55,5x41,5) : **FRF 832 500** – Monaco, 19 juin 1994 : *Roses, tulipe et autres fleurs dans un vase de verre sur un rebord*, h/t (33x27,5) : **FRF 75 480** – Londres, 6 juil. 1994 : *Nature morte de fleurs dans une urne de terre cuite avec un nid et des oisillons sur un entablement* 1793, h/pan. (67,3x49,4) : **GBP 36 700** – Londres, 3-4 déc. 1997 : *Nature morte avec des roses, une tulipe, des pivoines, des jonquilles, des hortensias, des jacinthes et autres fleurs dans un vase, le tout sur un entablement de marbre avec des insectes ; Nature morte avec des roses, des pivoines, des jonquilles, des tulipes et autres fleurs dans un vase, le tout sur un entablement de marbre avec un nid d'oiseau et des insectes* 1789, h/t, une paire (chaque 72,3x56,2) : **GBP 133 500**.

FAES Pieter Van der. Voir **LELY Peter**

FAES Raymond
Né en 1905 à Anvers. XXe siècle. Belge.
Peintre de portraits, natures mortes, fleurs, dessinateur.
Il fut élève de Jean de Graef, Joseph Posenaer à l'Académie des Beaux-Arts d'Anvers, et d'Albert Ciamberlani à l'Institut Supérieur.
Il produit une peinture de suggestion, toutefois renforcée par quelques couleurs fortes.
Bibliogr. : In : *Diction. Biogr. Illustré des Artistes en Belgique depuis 1830*, Arto, Bruxelles, 1987.

FAESCH Johann Ludwig Wernhard
Né vers 1738 à Bâle. Mort le 20 mai 1778 à Paris. XVIIIe siècle. Suisse.
Dessinateur et peintre de miniatures.
Il travailla surtout à Londres et à Paris.

FAESCH Sebastian
XVIIIe siècle. Actif à Bâle au milieu du XVIIIe siècle. Suisse.
Dessinateur.

FAESI-GESSNER Johann Konrad
Né en 1796 à Zurich. Mort en 1870 à Zurich. XIXe siècle. Suisse.
Peintre.
Cet artiste amateur peignit des portraits, des scènes de genre et des tableaux de fleurs. Certainement apparenté aux Gessner de Zurich.

FAESTER Hans Julius
Né le 24 août 1856 à Nyborg. XIXe siècle. Danois.
Peintre de genre, intérieurs.
Il exposa au château de Charlottenborg de 1882 à 1888.
Ventes Publiques : Copenhague, 14 nov. 1986 : *Scène d'intérieur* 1887, h/t (61x49) : **DKK 8 000**.

FAETI Giorgio
XVIIe siècle. Actif à Castel Durante. Italien.
Peintre sur majolique.
On connaît de lui une *Sainte Famille*.

FAGALO Guillem
XIVe siècle. Actif à Perpignan en 1337. Espagnol.
Peintre.
Il était frère de Pere.

FAGALO Pere
XIVe siècle. Actif à Perpignan en 1337. Espagnol.
Peintre.
Originaire d'Espagne il travaillait avec son frère Guillem.

FAGAN Betty Maude
Morte en 1932. XIXe-XXe siècles. Française.
Peintre de genre.
Ventes Publiques : Londres, 31 mars 1981 : *Snip, snip*, h/t (96x74) : **GBP 480** – New York, 29 oct. 1992 : *Le lustre de cristal*, h/t (102,8x73,7) : **USD 2 090** – Londres, 13 nov. 1992 : *La première coupe de cheveux*, h/t (96,5x73,7) : **GBP 11 000**.

FAGAN James
Né en 1864 à New York. Mort à New York. XIXe-XXe siècles. Américain.
Peintre de portraits.
On lui doit aussi quelques gravures de genre.
Ventes Publiques : New York, 10 mars 1905 : *Tête idéale* : **USD 155**.

FAGAN Louis Alexander
Né le 7 février 1845 à Naples. Mort le 8 janvier 1903 à Florence. XIXe siècle. Britannique.
Aquarelliste, dessinateur et critique d'art.
On a de cet artiste amateur des aquarelles et des dessins excellents. Il fut sous-directeur de la collection des gravures au British Museum. On le connaît surtout pour ses ouvrages sur l'art de Michel-Ange, du Corrège et de plusieurs artistes modernes ; il a laissé une vie de son intime ami Panizzi. Louis Fagan tient une place considérable dans l'histoire de l'art en Angleterre. Diplomate distingué, il occupa des fonctions officielles en Italie, au Venezuela, en Suède, en France sans négliger de poursuivre ses études artistiques, et, lorsque, plus tard, il abandonna la « Carrière » pour entrer dans l'administration du British Museum, il utilisa ses nombreuses relations pour le bien de ses fonctions nouvelles. Ce grand établissement artistique lui doit beaucoup.
Ventes Publiques : Londres, 1er juin 1945 : *Anne Marie Fagan* : **GBP 52** ; *Portrait de l'artiste* : **GBP 47**.

FAGAN Robert
Né vers 1745 à Cork. Mort le 26 août 1816 à Rome. XVIIIe-XIXe siècles. Britannique.
Peintre de portraits.
Cet artiste, également diplomate, résida pendant quelque temps à Rome. Exposa des portraits à la Royal Academy, de 1793 à 1816.
Ventes Publiques : Londres, 18 mars 1981 : *Portrait of Anna Maria Ferri, the artist's wife*, h/t (72x60) : **GBP 18 500** – Londres, 10 avr. 1991 : *Portrait de Anna Maria Ferri, la première femme de l'artiste, vêtue d'une robe jaune et d'une étole orange bordée de fourrure*, h/t (73,5x61) : **GBP 26 400**.

FAGAN William B.
Né en 1860 à Londres. XIXe siècle. Britannique.
Sculpteur.
Il fut élève de Dalou et de W. S. Frith. Il exposa à la Royal Academy à partir de 1886.

FAGARD Hugues
XVIe siècle. Actif à Arras en 1552. Français.
Peintre.

FAGARD Virginie
Née le 29 décembre 1829 à Paris. XIXe siècle. Française.
Peintre.
Élève de Mlle Dautel. Elle exposa au Salon, de 1848 à 1866, des portraits et quelques études.

FAGE Jean-Marie
Né en 1925 à L'Isle-sur-la-Sorgue (Vaucluse). XXe siècle. Français.
Peintre, technique mixte, peintre à la gouache, lithographe, sculpteur. Abstrait et polymorphe.
En 1947-1948, il travailla avec le groupe du *Candelié* d'Avignon. Entre 1946 et 1952, il fréquenta aussi l'Atelier André Lhote à Paris. En 1948, il fit la connaissance de Georges Braque chez René Char. À Paris, il fut très proche de Ferdinand Desnos qu'il

voyait dans son atelier de la rue Claude-Bernard. En Provence, il rencontra régulièrement Auguste Chabaud à Graveson près de Maillane, jusqu'à sa mort en 1955. Dans la suite, il connut Louis Latapie en Avignon. À L'Isle-sur-la-Sorgue, une amitié de quarante ans le lia à Marcel Melot. Depuis 1961, il expose, en groupe ou seul, à L'Isle-sur-la-Sorgue, Avignon, Salon-de-Provence, Privas, Mulhouse, Aix-en-Provence, Calais en 1992, et Paris, où René Char préfaça sa première exposition personnelle à la Galerie Arlette Chabaud en 1963. Depuis, il eut encore deux expositions à la galerie *Peinture fraîche* en 1984 et 1986, une à la galerie Hansma en 1992. Depuis les années quatre-vingt, il illustre plusieurs poètes, d'entre lesquels Eugène Guillevic et, en 1990, Jacques Kober qui lui a consacré le texte *Un pigment d'horizon*. En 1990, il a réalisé une sculpture monumentale en Avignon pour les bâtiments de *La vie Sociale*.
Depuis avant 1980, Fage est un peintre abstrait. Toutefois, en 1985, est apparue, rompant radicalement la continuité abstraite, une série de groupes de nus, ses variations personnelles sur le thème traditionnel des poseuses ou des baigneuses. Il est vrai que ces quelques peintures figuratives dans l'ensemble de son œuvre, bénéficient ostensiblement de la rigueur de ses constructions abstraites. Il est vrai en contrepartie que ses peintures abstraites ne cherchent pas à occulter l'éventuel regard préalable sur le monde extérieur qui les a suscitées : *Vol bleu, Vol brisé* de 1979 ou *Le château de Lacoste* de 1989, *La fenêtre* de 1991. Ces peintures-ci, qui entretiennent une « correspondance » baudelairienne avec la réalité, sont d'une sensation et d'une facture plutôt spontanées, hors de tout systématisme, chaque sujet impliquant sa propre stratégie. Inversement, celles des peintures qui se veulent plus purement constructions plastiques : *Ouverture, Équilibre* de 1991, sont conçues et réalisées selon des règles rigoureuses, les lignes fermes délimitant des surfaces nettes, selon une orthogonalité relative, non exclusive d'imagination dans les combinatoires de formes, ni de sensualité dans le traitement des textures et des couleurs. Cité par Jacques Kober, Jean-Marie Fage assume lui-même, et comme allant de soi, son balancement entre représentation et abstraction : « La couleur en soi donne une forme, que ce soit une silhouette ou rien. »
■ Jacques Busse

Bibliogr. : René Char : Présentation de l'exposition *J-M Fage*, gal. Arlette Chabaud, Paris, 1963 – Jacques Kober : *Un pigment d'horizon*, Édit. Gal. Annie Lagier, L'Isle-sur-la-Sorgue, 1990.

FAGE Nicolas Raymond de La. Voir **LA FAGE**

FAGEL Léon
Né le 30 janvier 1851 à Valenciennes (Nord). Mort en mars 1913 à Paris. XIXe-XXe siècles. Français.
Sculpteur.
Formé par Cavelier, il eut en 1875, le second grand prix de Rome sur : *Homère chantant ses poésies dans une ville de la Grèce*, bas-relief. Il remporta le premier grand prix en 1879 sur : *Tobie rendant la vue à son père*. En 1882, il fut médaillé de troisième classe et de deuxième classe en 1883. De Rome il envoya un bas-relief en plâtre : *Le poète mourant*. Fagel fut chargé de l'exécution en bronze de la statue de *Dupleix*, érigée sur la place d'armes de Landrecies (Nord). Médaille d'or aux États-Unis de 1889 et de 1900.
Musées : Copenhague (Glyptothèque Ny Carlsberg) : *Carpeaux* – Nantes : *Le greffeur* – Valenciennes : *Buste de Chevreul – La première offrande d'Abel – Le soldat de Wattignies*.

FAGER H. de
XVIIIe siècle. Actif à Xanten en 1762. Allemand.
Peintre.
Il existe une peinture signée de cet artiste à l'église Saint-Victor à Xanten.

FAGERBERBERG Carl Vilhelm
Né en 1878. XXe siècle. Suédois.
Sculpteur.
Il fit ses études à Stockholm. Il exposa aussi à Paris à partir de 1906.

FAGERBERG C. H.
Né en 1796. Mort le 25 mars 1831. XIXe siècle. Suédois.
Peintre de miniatures.

FAGERLIN Ferdinand Julius
Né le 5 février 1825 à Stockholm. Mort le 19 mars 1907 à Düsseldorf. XIXe siècle. Suédois.
Peintre de genre.
Élève de Carl Sohn. Il travailla dans le goût et à la manière de R. Jordans et de H. Ritter. Avant de se consacrer exclusivement à l'art, Fagerlin était militaire. Comme peintre, il étudia à l'Académie de Stockholm, puis à Düsseldorf, et enfin à Paris sous la direction de Couture. Il fut nommé, en 1865, membre de l'Académie de Stockholm.
À plusieurs reprises, il a visité la Hollande pour y étudier la mer, et, de fait, presque tous ses tableaux ont pour objet des scènes maritimes des côtes hollandaises. Il nous a donné de ce pays des images naïves et caractéristiques de la vie des pêcheurs et des marins. Tous sont pris sur le vif, sont d'un coloris clair et profond, d'une bonhomie joviale et cependant pénétrés d'une gravité sérieuse et bien sentie. Son œuvre capitale est *La Déclaration d'Amour*.
Musées : Düsseldorf : *Viens, Hans – Le galant timide – Jalousie – Étude d'intérieur* – Leipzig : *Jeune pêcheuse* – Oslo : *Les ennemis de la vie célibataire* – Stockholm : *Bonne femme – Deux intérieurs hollandais – Petits pêcheurs fumant – Jalousie – La guérison*.
Ventes Publiques : Londres, 18 juin 1928 : *Sans espoir* 1876 : **GBP 120** – Londres, 2 mars 1934 : *La première fumée* : **GBP 157** – Londres, 25 oct. 1940 : *Le crépuscule de la vie* : **GBP 27** – Londres, 8 nov. 1946 : *Jeune musicien* : **GBP 1 260** – Londres, 21 fév. 1947 : *Mélodie d'autres jours* : **GBP 987** – Londres, 7 mars 1947 : *Lettre d'amour* : **GBP 714** ; *Vieillard bourrant sa pipe* : **GBP 231** ; *L'enfant au petit accordéon* : **GBP 31** – Lucerne, 1er déc. 1956 : *Maison du pêcheur* : **CHF 13 600** – Stockholm, 26 oct. 1960 : *Intérieur avec une armoire-lit à droite* : **SEK 1 000** – Göteborg, 1er nov. 1972 : *La lecture de la lettre* : **SEK 13 000** – Göteborg, 28 mars 1974 : *Scène d'intérieur* : **SEK 9 300** – Göteborg, 5 avr. 1978 : *La lecture de la lettre*, h/t (62x56) : **SEK 34 500** – Stockholm, 11 nov. 1981 : *Jeune fille à son miroir* 1871, h/t (46x65) : **SEK 46 000** – Cologne, 26 oct. 1984 : *La déclaration d'amour* 1866, h/t (80x100) : **DEM 85 000** – Stockholm, 29 oct. 1985 : *Scène d'intérieur rustique* 1895, h/t (79x99) : **SEK 135 000** – Stockholm, 15 nov. 1988 : *Famille de pêcheur dans son intérieur*, h. (74x99) : **SEK 200 000** – Londres, 16 mars 1989 : *La déclaration* 1881, h/t (56,5x50) : **GBP 11 000** – Stockholm, 15 nov. 1989 : *Scène familiale dans une maison de pêcheur* 1871, h. (74x99) : **SEK 175 000**.

FAGERPLAN Axel Johan
Né en 1788 en Vestergöttland. Mort en 1865 à Stockholm. XIXe siècle. Suédois.
Peintre d'histoire, scènes de genre, natures mortes, fruits.
Ventes Publiques : Stockholm, 30 nov. 1993 : *Paysans buvant dans une auberge*, h/t, d'après un maître hollandais (39x44) : **SEK 12 500**.

FAGES Arthur R.
Né le 11 mai 1902 à Toulouse (Haute-Garonne). XXe siècle. Français.
Peintre de portraits, natures mortes, marines, peintre de compositions murales. Réalité poétique.
Ayant fait des études de mathématiques, il se forma seul à la peinture, puis, en 1927, fréquenta l'Académie Julian dans l'Atelier de Paul-Albert Laurens, y rencontrant Jules Cavaillès. Il a participé à Paris à des expositions collectives, d'entre lesquelles : Salon des Artistes Français depuis 1924, sociétaire en 1925, Salon d'Automne depuis 1929, sociétaire depuis 1939, Salon des Tuileries depuis 1932, occasionnellement Salon des Artistes Indépendants. En 1937, il exposa à Paris avec Cavaillès et Limouse. Il montrait aussi ses peintures dans des expositions personnelles, à Toulouse en 1925, 1928, 1941, Paris en 1931, 1948, Cannes 1941. Il fit de nombreux voyages, en Espagne, Portugal, Italie, Autriche, Hongrie. Il fut fait chevalier de la Légion d'Honneur en 1949.
Ses admirations ont toujours été vouées à Bonnard, Matisse et Dufy. À ce titre il peut être considéré comme l'un des peintres de la « réalité poétique ». Il a peint de nombreuses marines à Collioure, Argelès, Port-Vendres. Ses portraits du couturier Paul Poiret en 1942 et de Pierre Bonnard en 1943, sont deux fortes œuvres, d'une touche large et synthétique. Il a peint des compositions murales pour la Chambre de Commerce de Toulouse et pour l'École des Officiers d'Administration de Montpellier. En 1950, il a peint des décorations pour le paquebot *Maréchal Joffre* et pour l'École Polytechnique de Paris.
Bibliogr. : Maximilien Gauthier : *Arthur Fages*, Les Gémeaux, Paris, 1951.

FAGES Guy
Né en 1948 à Cavaillon (Vaucluse). XXe siècle. Français.
Sculpteur de statuettes. Tendance abstraite.

Il s'enseigna au vu d'œuvres de Carpeaux, Rodin et Volti. Jeune, il s'attaqua au modelage et à la taille directe de la pierre. Dans la suite, il travaille plus souvent le bronze, pour lequel il exploite des patines diversifiées, bleu, rouge sombre, vert jade. Il part de la nature, mais l'interprète librement, désireux de traduire la vie et le mouvement, parfois proche d'une certaine abstraction.

FAGET-BERNARD Georges
Né en 1944. XXe siècle. Français.
Peintre de sujets divers.
Il fréquenta la School of Art de l'Académie de Londres pendant un séjour. Il participe à des expositions collectives diverses.
Ventes Publiques : Paris, 31 oct. 1990 : *La piste du temps*, h/t (130x97) : **FRF 15 000**.

FAGG KENNETH S.
Né le 2 mai 1901 à Chicago. XXe siècle. Américain.
Peintre, graveur, illustrateur.
Il fut élève de Joseph Pennel, (Frank ou Frederick) Du Mond, Frederick Bridgman, Daniel Garber, Édouard Vysekal. Il fut membre de l'Art Student's League de New York.

FAGGI Alféo
Né le 11 septembre 1885 à Florence. XXe siècle. Actif aux États-Unis. Italien.
Sculpteur de bustes, statues, monuments.
Il a sculpté une *Pietà*, monument commémoratif de la guerre de 1914-1918 pour l'église Saint-Thomas à Chicago et d'autres œuvres religieuses.

FAGIVOLI Girolamo
Mort en 1573. XVIe siècle. Italien.
Graveur, orfèvre et médailleur.
Il travaillait à Bologne vers 1560 et publia différentes gravures d'après le Corrège, Cecchino de Salviati et Francesco Mazzuola.

FAGLI Vicenzo
XVIIe siècle. Italien.
Peintre.
Il travaillait à Florence en 1642 au cloître de Sainte-Marie-des-Anges pour une chapelle appartenant maintenant à l'Hôpital de Sainte Marie-Nouvelle.

FAGNANI Giuseppe
Né en 1819 à Naples. Mort en 1873 à New York. XIXe siècle. Italien.
Peintre de portraits.
Élève de l'Académie de peinture de Naples où il fut pensionné par la reine Isabelle. Il voyagea ensuite successivement en Autriche, en France, en Espagne, en Turquie et en Amérique. Au cours de ces voyages, il peignit les portraits des personnages les plus illustres. On cite de lui ceux de la *Duchesse de Montpensier*, de *Garibaldi*, du *Sultan Abd-el-Aziz*, de l'*Archiduc Charles*.
Musées : Florence (Mus. des Offices) : *Portrait du peintre par lui-même* – Londres (Nat. Port. Gal.) : *Portrait de Bulwer* – New York (Metropolitan Mus.) : *Les neuf Muses*.
Ventes Publiques : Paris, 15 juin 1984 : *Portrait de la princesse Mathilde* 1858, h/t (117x89,5) : **FRF 4 500**.

FAGNANI Nina
Née à New York. XIXe siècle. Américaine.
Peintre miniaturiste.
Exposa des miniatures à la Royal Academy, en 1892.

FAGNIEZ François Xavier
Né en 1936 à Salies-de-Béarn (Pyrénées-Atlantiques). XXe siècle. Français.
Peintre, peintre de cartons de mosaïques. Abstrait-paysagiste.
En 1954, il fut reçu aux Écoles des Beaux-Arts et des Métiers d'Art à Paris. Un accident pulmonaire retarda à 1956 son entrée à l'École des Métiers d'Art. De 1956 à 1959, il fréquenta divers ateliers, dont celui d'André Lhote. En 1963, il fut sélectionné pour le Prix Fénéon.
Il participe à des expositions collectives à Paris : depuis 1970 Salon d'Automne, 1972, 1973 Salon Grands et Jeunes d'Aujourd'hui, depuis 1986 Salon des Réalités Nouvelles.
Il montre ses œuvres dans de très nombreuses expositions personnelles depuis 1968, notamment : en Suisse, au Danemark, à Saigon, en Belgique, au Luxembourg, à Toulouse, Troyes, Bordeaux, Lyon, en Hollande, en 1988 *Fagniez, 20 ans de peinture* au Musée de Mont-de-Marsan, en 1991 invité par le 44e Festival à la Galerie de la Prévôté d'Aix-en-Provence, etc., et à Paris : en 1969, 1976, 1977, et depuis 1979 très régulièrement à la Galerie Bellint, notamment en 1995, 1997.
Les premières peintures de Fagniez datent de la fin des années cinquante. Depuis ce temps son parcours est remarquablement cohérent. Outre ses admirations pour les peintres de l'histoire de l'art découverts souvent au hasard de voyages, s'il avait déjà porté attention à son usage personnel sur l'œuvre de Cézanne, en tant que premier jalon de la modernité, sur Bonnard pour la délectation, ce fut à partir de Bazaine qu'il élabora sa propre expression plastique. Les premières peintures se situent en effet parfaitement dans le contexte de l'école de Paris de l'immédiat après-guerre, quand les Bazaine, Manessier et autres se donnèrent pour objectif de concilier la saveur de la réalité avec la rigueur de l'abstraction. Fagniez vient exactement de là, de cette attitude explicite. Il n'est jamais tenté de nier l'origine sensible de ses peintures, qu'au contraire il revendique par leurs titres : *Sous-bois nocturne, Fête dans le port, Chasse au faisan*. Dans ces premières œuvres, entre 1957 et 1960, même la technique, par petites touches de couleurs juxtaposées entre les lignes de force du dessin, est apparentée à la manière de ses aînés. À partir de 1967 environ, il s'est libéré du côté légèrement systématique de cette écriture, et d'autant plus libéré que ses voyages dans des paysages très différents, de la Bretagne à l'Espagne ou encore au Vietnam, sont devenus la source, à chaque voyage renouvelée, à la fois de son regard et de sa création d'images (imagination). Tout ce qu'il prélève, ce qu'il « abstrait » du spectacle regardé, lui propose des rythmes, des gammes colorées, des saveurs différentes. Et toujours, revenu chez lui, se retrouve l'étape, la halte, devant sa même fenêtre qu'obture en partie le cerisier d'en face. Ainsi alternent les temps sonores et dissemblables des peintures de voyages et les temps paisibles et répétés des peintures des retours. Toutefois, au long de cette organisation scandée des voyages et des retours, la cohérence de son expression plastique, le thème de sa basse continue, subit et manifeste, en plus des variations d'origines climatiques, une seconde variation d'origine personnelle : si le contact avec la réalité sensible reste revendiqué : *Pluvieux, Corse, L'eau*, l'aspect matériel de cette réalité est de plus en plus souvent écarté pour n'en prélever que l'essentiel, les rythmes purs, les couleurs, les matières, les saveurs. Ainsi Fagniez balance-t-il sans cesse d'un paysagisme abstrait à une abstraction gustative.
■ Jacques Busse
Bibliogr. : Jean-Marie Dunoyer : *Fagniez*, Le Sphinx, Paris, 1979 – Jean-Marie Le Sidaner : *Fagniez*, La Différence, Paris, 1985 – Claude Michel Cluny : *Fagniez*, La Différence, Paris, 1988 – Catalogue de l'exposition *Fagniez*, Gal. P. J. Meurisse, Toulouse, 1989.
Musées : Hawaï – Luxembourg : Deux peintures – Melun – Miami – Mont-de-Marsan – Roquebrune – Saint-Omer – Saint-Ouen-l'Aumône.
Ventes Publiques : Paris, 27 oct. 1985 : *Tower, New York*, h/t (92x60) : **FRF 5 100** – Paris, 29 jan. 1988 : *Sans titre* 1970-71, h/t (81x130) : **FRF 17 200** – Paris, 13 déc. 1991 : *Oiselle* 1989, temp./pap. (118x74) : **FRF 18 000** – Paris, 5 fév. 1992 : *Théâtre d'extérieur* 1987, h/t (92x73) : **FRF 7 500**.

FAGNION Jules
Né au XIXe siècle à Paris. XIXe siècle. Français.
Graveur.
Débuta au Salon en 1861. Élève de C. Thompson.

FAGO Nicola ou **Niclaes**
XVIIe siècle. Actif à Anvers en 1600. Éc. flamande.
Sculpteur.
Maître de la Corporation Saint-Luc à Anvers en 1595.

FAGOT Alphonse
XVIIIe siècle. Actif à Paris en 1785. Français.
Peintre ou sculpteur.

FAGOT Nicolas
XVIe siècle. Actif à Troyes en 1519. Français.
Peintre verrier.

FAGOT Nicolas
XVIe siècle. Français.
Peintre.
Fils du peintre verrier du même nom. Il travailla de 1547 à 1558 pour les églises de Troyes.

FAGOT Nicolas ou **Fanyau**
XVIIe siècle. Français.
Sculpteur.

Il exécuta trois statues en pierre pour la façade de l'Hôtel de Ville, de Nantes, de 1605 à 1608 : *La Foi, l'Espérance et la Charité.*

FAGUE Paul
XVIIIe siècle. Français.
Émailleur.
Il se fixa à Berne en 1758 où on le trouve encore jusqu'en 1763.

FAGUET Adrienne
XIXe siècle. Française.
Peintre de paysages.
Elle figura au Salon de 1827 à 1846, par des paysages. On cite d'elle notamment : *Un site du Dauphiné ; Moulin de Gasny, près de Vernon ; Vue de Normandie ; Vue prise au bord de l'Epte à Gommecour ; Ruines du château de Coucy ; Vue prise à la Roche-Guyon.*

FAGUNDES Guiomar
Née le 31 octobre 1896 à São Paulo. XXe siècle. Brésilienne.
Peintre de sujets allégoriques, genre, nus, fleurs.
Elle a participé à de nombreuses expositions collectives en Amérique latine. À Paris, elle a exposé deux nus au Salon de la Société Nationale des Beaux-Arts en 1929. Elle a peint des scènes de genre ou des allégories : *La reine de Saba, Jeunesse,* des fleurs : *Roses blanches.*
Musées : Montevideo : plusieurs peintures.

FAHAD Mosaad
Né en 1945. XXe siècle. Koweitien.
Peintre. Figuratif.
Il participe à des expositions collectives.

FAHEY Alfred
XIXe siècle. Travaillant en Angleterre. Britannique.
Peintre d'histoire.
Ventes Publiques : Londres, 19 juil. 1909 : *La Découverte de la Croix* : GBP 7.

FAHEY Edward Henry
Né en 1844 à Brompton. Mort en 1907. XIXe-XXe siècles. Britannique.
Peintre de genre, paysages, marines, aquarelliste, dessinateur.
Fils de James Fahey. Il fit ses études d'art à South Kensington, à la Royal Academy, et aux écoles italiennes. En 1872, il devint membre de la Royal Institution, et, en 1875, membre de la Royal Academy. Il a exposé à Paris en 1878.
Musées : Melbourne : *Brouillard de mer sur Oulton Broad Norfolk – La Ferme* – Salford : *Il n'est pire eau que l'eau qui dort* – Sydney : *Le ruisseau du teinturier,* aquar.
Ventes Publiques : Londres, 23 juil. 1923 : *Coucher de soleil,* dess. : **GBP 10** – Londres, 29 fév. 1984 : *Vue d'un port,* h/t (127x101,5) : **GBP 850.**

FAHEY James
Né le 16 avril 1804 à Paddington. Mort le 19 décembre 1885 à Londres. XIXe siècle. Britannique.
Peintre de portraits, scènes de genre, paysages, aquarelliste, dessinateur, graveur.
Il étudia pendant quelque temps la gravure avec son oncle Swaine, puis il alla à Munich et à Paris où il fit des dessins pour l'art chirurgical.
Après avoir exposé en 1825 un portrait à l'Académie, il s'adonna à l'aquarelle. En compagnie de quelques membres importants de l'ancienne association des aquarellistes, il fonda *La New Water-Colours Society* actuelle dont il fut secrétaire pendant plus de quarante ans.
Musées : Londres (British Mus.) : Aquarelle.
Ventes Publiques : Londres, 14 nov. 1924 : *Loch Lomond, île de Macfarlane,* dess. : **GBP 5** – W. Édimbourg, 30 avr. 1985 : *The lawnmarket, Edinburgh,* aquar. reh. de gche (49x65) : **GBP 700** – Londres, 25 jan. 1989 : *Le retour des moissonneurs* 1859, aquar. et gche (52x85) : **GBP 4 400.**

FAHL F.
XIXe siècle. Actif à Liegnitz vers 1830. Allemand.
Peintre et miniaturiste.

FAHLBERG Arthur
Né le 25 décembre 1874 à Mersebourg. XXe siècle. Allemand.
Peintre de compositions religieuses, compositions murales, illustrateur.
Il fut élève de l'École des Arts et Métiers de Berlin. Il débuta comme illustrateur. Il fut ensuite surtout peintre de décorations murales religieuses, d'entre lesquelles : l'église évangélique de la Garnison à Berlin, la chapelle du château de Plön (Holstein), la fresque *Laissez venir à moi les petits enfants* dans la Maison d'Éducation de Quedlimbourg (Saxe).

FAHLCRANTZ Axel Erik Valerius
Né en 1851 à Stockholm. Mort en 1925. XIXe-XXe siècles. Suédois.
Peintre de paysages.
Exposa à Munich en 1909.
Musées : Göteborg : *La Motala* – Stockholm : *Journée d'orage – Clair de lune.*
Ventes Publiques : Stockholm, 29 oct. 1985 : *Jour d'été* 1892, h/t (74x111) : **SEK 59 000** – Stockholm, 19 avr. 1989 : *Paysage d'été avec des reflets de soleil sur un ruisseau bordé de buissons,* h/t (25x40) : **SEK 6 000** – Stockholm, 15 nov. 1989 : *Trolldom, paysage lacustre,* h/t (65x99) : **SEK 7 000** – Stockholm, 13 avr. 1992 : *Norrström et le château par une nuit d'été,* h/t (95x199) : **SEK 4 000.**

FAHLCRANTZ Axel Magnus
Né en 1780 à Stora Tuna. Mort le 7 octobre 1854 à Stockholm. XIXe siècle. Suédois.
Sculpteur.
Frère de Carl Johan Fahlcrantz, et élève de P. Ljung, il fut nommé membre de l'Académie en 1834.

FAHLCRANTZ Carl Johan
Né en 1774 à Stora Tuna (Dalécarlie). Mort en 1861 à Stockholm. XVIIIe-XIXe siècles. Suédois.
Peintre de paysages.
Élève de Brussel et Limnell, il peignit des paysages norvégiens. Parmi ses meilleures œuvres, on cite : *La légende de Frithiof,* et la *Vue du château de Kalmar au clair de lune.*
Ce fut un paysagiste très intéressant et plein de sentiment romantique. Ses pénombres et ses clairs de lune sont surtout d'un effet remarquable.
Musées : Helsinki : *Paysage forestier avec bétail* – Oslo : *Site forestier du Nord* – Stockholm : *Vue du château de Kalmar au clair de lune – Paysage* – deux œuvres.
Ventes Publiques : Stockholm, 25-27 sep. 1935 : *Paysage* : **SEK 1 185** – Stockholm, 27 oct. 1981 : *Paysage d'été,* h/t (37x54) : **SEK 6 600** – Stockholm, 24 avr. 1984 : *Vue panoramique de Pau* 1836, h/t (60x86) : **SEK 28 000** – Stockholm, 17 avr. 1985 : *Paysage boisé au torrent,* h/t (92x127) : **SEK 35 500** – Londres, 24 mars 1988 : *Moulin à eau dans un paysage boisé* 1811, h/t (49,8x69,8) : **GBP 935** – Stockholm, 15 nov. 1988 : *Moulins près de Waldemar* 1836, h. (26x36) : **SEK 50 000** – Stockholm, 19 avr. 1989 : *Paysage avec les ruines de Saint-Olof,* h/t (25x36) : **SEK 6 500** – Stockholm, 14 nov. 1990 : *Panorama de Sparreholm* 1837, h/t (90x117) : **SEK 47 000** – Londres, 22 nov. 1990 : *Moulin à vent au bord de la mer* 1836, h/t (27,5x37,5) : **GBP 825** – Londres, 19 juin 1991 : *Paysage boisé surplombant une rivière,* h/t (86x115,5) : **GBP 3 850** – Stockholm, 19 mai 1992 : *Paysage boisé et montagneux dans le sud,* h/t (25x32) : **SEK 9 000.**

FAHLCRANTZ Karl Robert
Né en 1778. Mort en 1833 à Stockholm. XIXe siècle. Actif à Wermdon près de Stockholm. Suédois.
Miniaturiste et graveur.
Le Musée de Stockholm conserve de lui un *Portrait de Charles XIII.*

FAHLEN Charles
Né en 1939 à San Francisco (Californie). XXe siècle. Américain.
Graveur. Abstrait.
Il fit ses études à Los Angeles, puis fut élève de la Slade School de Londres. Depuis 1967, il est professeur à Philadelphie. Il participe à des expositions collectives aux États-Unis, en Angleterre, au Danemark.

FAHLGREN Karl August ou **Carl**
Né le 8 mars 1819 à Norrtalje. Mort le 2 mai 1905 à Stockholm. XIXe siècle. Suédois.
Peintre de paysages.
Il étudia quelque temps à l'Académie de Stockholm et peignit des paysages de la région de Stockholm.
Ventes Publiques : Stockholm, 27 oct. 1981 : *Bord de mer* 1872, h/t (48x65) : **SEK 6 100** – Stockholm, 26 avr. 1984 : *Paysage* 1864, h/t (27x37) : **SEK 4 500** – Stockholm, 9 avr. 1985 : *Paysage d'été* 1866, h/t (80x119) : **SEK 18 500** – Stockholm, 15 nov. 1988 : *Paysage de forêt avec des constructions* 1861, h. (27x37) : **SEK 8 500** – Stockholm, 19 avr. 1989 : *Forêt de montagne avec un chalet et*

un cours d'eau 1883, h/pan. (24x35) : **SEK 7 700** – Stockholm, 15 nov. 1989 : *Paysage lacustre avec un voilier* 1897, h. (35x55) : **SEK 7 500**.

FAHLSTRÖM Öyvind ou **Övind**

Né en 1928 à São Paulo (Brésil). Mort en 1976 à Stockholm. xxe siècle. Actif aussi aux États-Unis. Suédois.

Peintre de compositions animées. Figuration narrative.

Sa famille, père suédois, mère norvégienne, se fixa à Stockholm en 1939. Lui-même ne prit la nationalité suédoise qu'en 1947. Il étudia successivement l'histoire de l'art et l'archéologie, de 1949 à 1952. Il eut d'abord une activité littéraire, théâtre, poésie, journalisme, critique, publiant en 1953 à Stockholm un *Manifeste pour une poésie concrète*. En 1952, il s'était formé seul à la peinture, à Florence. En 1955, il projeta la réalisation de trois grandes peintures, n'en exécutant que deux. De 1955 à 1960, il s'intéressa à l'art précolombien, aux bandes dessinées, à la peinture de Matta, à la musique de Stockhausen et aux activités diverses de John Cage. Dès 1957, sa peinture s'orienta vers des assemblages composites. En 1961, il s'installa à New York, partageant son temps avec Stockholm. Il a participé à des expositions collectives : 1959 avec le groupe *Phases* à Pittsburgh, et Biennale de São Paulo y obtenant une mention, 1960 exposition du surréalisme à New York, 1961 à la deuxième Biennale des Jeunes Artistes à Paris, 1962 *12 Peintres Suédois* aux États-Unis, et à New York exposition du *Nouveau Réalisme*, 1964 Paris *Mythologies Quotidiennes*, 1965 Paris *La Figuration Narrative* organisée par G. Gassiot-Talabot, etc. Il montrait aussi ses peintures au cours d'expositions personnelles : Florence 1953, Paris 1959, 1962, etc., dans des rétrospectives : 1979 au Musée d'Art Moderne de Stockholm, 1980 Musée National d'Art Moderne de Paris, 1982 Guggenheim Museum de New York, 1990 galerie Beaudoin-Lebon de Paris qui présentait trois de ses œuvres maîtresses, 1995 Centre culturel suédois à Paris.

Il semble, d'après certaines sources, qu'il peignit peu de temps dans l'esprit de l'expressionnisme abstrait, alors dominant, avec des signes répétés en séries. Dès 1957, sur des fonds encore informels, il développa des « figures-signes » sur un mode narratif. Puis les fonds informels furent remplacés par des dessins, souvent des prélèvements de bandes dessinées. Dans les « peintures variables », certains éléments de la composition sont des figures découpées dans du métal et que le spectateur est invité à déplacer sur le fond aimanté. À partir de son installation à New York, il réalisa des happenings, performances, films, pièces radiophoniques. Menant son activité picturale simultanément, il évolua, à partir de 1962, franchement dans le sens du pop art, revendiquant l'utilisation des pouvoirs de l'image signifiante. Ses amis étaient alors Andy Warhol, Jasper Johns, Peter Saül. Ses peintures ayant figuré à Paris à *La Figuration Narrative* de 1965, étaient de celles qui s'inspiraient des bandes-dessinées, dont certains éléments pouvaient être déplacés au gré du spectateur. Dans des compositions accumulatives, issues du principe du collage, comme celles de Erro, il utilisa l'imagerie figurative populaire, héros de bandes dessinées, de science-fiction, mais aussi, caricaturés, personnages de la politique internationale, soit peints sur le support vertical, soit découpés et disposés en installations sur un plateau horizontal, à des fins militantes, antimilitaristes, politiques, sociales, des textes dans des « bulles » précisant le message que brouille souvent la profusion, hors de toute échelle, de tout espace cohérent, des informations en images : *La guerre froide* de 1963-1965, *La dernière mission du Docteur Schweitzer* de 1964-1966. Ses installations, « peintures variables », pouvaient prendre des dimensions, métriques et techniques, étonnantes, ainsi de celle *Le petit général*, dont les nombreux figurants, Che Guevara, le président Johnson, des animaux, etc., flottent sur un bassin de six mètres de long. En 1966, il donna une dimension nouvelle ou tout au moins supplémentaire, à ses compositions, qui devinrent des *do-it-yourself*, compositions à compléter soi-même. Par là, Fahlström, conférait à ses compositions, mettant « en scène » des événements du moment ou bien fictifs, des possibilités pratiquement infinies, le spectateur, devenant co-auteur, disposant de toute latitude pour intervenir, à partir des données de l'événement, sur son développement ultérieur. Dans ces jeux, dont il fait un microcosme de notre univers, Fahlström conserve le rôle du démiurge, du créateur d'un monde dont il détermine les règles morales, rôle moralisateur qui fut toujours au centre de ses préoccupations et de ses réalisations, mais délègue au spectateur co-auteur le droit au libre arbitre. ■ Jacques Busse

Bibliogr. : In : *Peintres Contemporains*, Mazenod, Paris, 1964 – Gérald Gassiot-Talabot, in : *Depuis 45*, La Connaissance, Bruxelles, 1970 – in : *Diction. Univers. de la Peint.*, Le Robert, Paris, 1975 – José Pierre, in : *Diction. illustré du Pop'art*, Eyre Methune Ltd, Londres, 1977 – divers : Catalogue de l'exposition rétrospective *Öyvind Fahlström*, Mus. Nat. d'Art Mod., Centre Beaubourg, Paris, 1980 – Anne Dagbert : *Öyvind Fahlström*, Art Press, Paris, mars 1990 – Françoise Bataillon : *La conscience planétaire de Fahlström*, Beaux-Arts, Paris, mars 1990.

Musées : Cologne (Wallraf-Richartz Mus.) : *Roulette, Peinture-jeu* 1966 – Paris (Mus. Nat. d'Art Mod.) : *Planetarium* 1963 – Stockholm (Mus. d'Art Mod.) : *Ade Ledic Nander II* 1955-57.

Ventes Publiques : Munich, 29 nov. 1976 : *Column n° 2 (Picasso 90)*, gche (59x48,5) : **DEM 5 700** – Stockholm, 26 nov. 1981 : *Composition*, encre de Chine/pap. (44x53) : **SEK 14 000** – Londres, 20 mai 1987 : *Orage-cadre* 1960, techn. mixte/pap. (49x64,5) : **GBP 9 800** – Londres, 29 juin 1989 : *Suggestions pour la guerre froide* 1965, détrempe et encre/cart. (64,8x90,2) : **GBP 48 400** – Londres, 22 fév. 1990 : *Le néant tonne encore*, peint. à l'eau/cuivre (28x49,5) : **GBP 26 400** – Londres, 5 avr. 1990 : *Colonne n° 1 (Wonderbread)* 1972, acryl. et encre de Chine (59x48) : **GBP 50 600** – Stockholm, 5-6 déc. 1990 : *Orage-cadre*, techn. mixte (49x64,5) : **SEK 375 000** – Londres, 2 juil. 1992 : *Sitting...six mois plus tard* 1963, h., gche et collage avec des aimants, des fils de nylon, des perles, et du fil de fer/t./métal (55,9x116) : **GBP 40 700** – Londres, 3 déc. 1992 : *Colonne n° 1 (Wonderbread)* 1972, acryl. et encre de Chine/pap. (59x48) : **GBP 20 900** – Stockholm, 10-12 mai 1993 : *Le rendez-vous*, h/t (30x42) : **SEK 54 000** – New York, 10 oct. 1996 : *Study for life span n^o3, Marilyn Monroe* 1968, temp./pap./pan. (36,8x45,7) : **USD 2 530**.

FAHNE Halvor ou **Farden, Fanc**

xviiie siècle. Actif près de Drammen vers 1700. Norvégien.

Sculpteur sur bois.

Fils de paysans. Ses enfants furent aussi sculpteurs sur bois.

Musées : Copenhague (Rosenborg) : *Bustes d'un paysan et de sa femme*, présumé de l'auteur.

FAHNENSCHMIDT

xixe siècle. Actif vers 1839. Allemand.

Peintre de genre.

Élève de Dœege.

FAHNESTOCK Wallace Weir

Né le 15 janvier 1877 à Hanisburg (Pennsylvanie). xxe siècle. Américain.

Peintre.

Ventes Publiques : New York, 17 oct. 1980 : *Paysage du Nouveau-Mexique*, h/t (64,2x76,2) : **USD 3 250** – New York, 29 jan. 1981 : *Scène champêtre dans le New Jersey*, h/t (101,6x152,4) : **USD 3 000**.

FAHR-EL-NISSA-ZEID. Voir **ZEID Fahr-El-Nissa**

FAHRBACH Carl Ludwig

Né le 10 décembre 1835 à Heidelberg. Mort le 26 janvier 1902 à Düsseldorf. xixe siècle. Allemand.

Peintre de paysages, aquarelliste, aquafortiste.

Fit ses études avec J. W. Schirmer à Düsseldorf et continua ses études à Munich. En 1877 il obtint la médaille en argent. Il a exposé à Munich, à Vienne et à l'Académie Royale de Berlin, 1873-1888.

On cite de lui : *Paysage boisé, Cascade en Bavière, Le château d'Heidelberg* (aquarelle), *La rivière aux truites, Le château d'Eberstein*.

Musées : Düsseldorf : *Lever de lune dans la Forêt Noire* – Düsseldorf (Malkasten) : *Les ruines d'Heidelberg dans la neige* – Karlsruhe : *Forêt d'Heidelberg*.

Ventes Publiques : Lucerne, 17 nov. 1976 : *Paysage boisé*, h/t (110x94,5) : **CHF 9 000** – Londres, 18 mars 1977 : *La clairière* 1896, h/t (84x114) : **DEM 2 600** – Zurich, 26 mai 1978 : *Paysage boisé*, h/t (112x84,5) : **CHF 8 000** – New York, 11 fév. 1981 : *Cerf dans une clairière*, h/t (114x86,5) : **USD 6 500** – Berne, 21 oct. 1984 : *Paysage d'hiver* 1893, h/t (103x60) : **CHF 2 200** – Londres, 10 oct. 1986 : *Troupeau dans un paysage boisé*, h/t (113,5x86,5) : **GBP 4 000** – Heidelberg, 9 oct. 1992 : *Forêt épaisse*, h/cart. (47,4x38) : **DEM 2 500** – Munich, 6 déc. 1994 : *Soir d'automne dans un bois de hêtres*, h/t (84x112) : **DEM 3 450** – Heidelberg, 11-12 avr. 1997 : *Forêt avec vue sur la Vallée du Neckar*, h/cart. (48,5x60) : **DEM 4 000**.

FAHRENHOLTZ Georg

Né en 1758 à Copenhague. Mort en 1816. xviiie-xixe siècles. Danois.

Graveur.
Il grava surtout des vignettes et planches satiriques, qui lui valurent des ennuis avec la censure.

FAHRENHOLZ J. H.
XVIIIe siècle. Actif à Bockenem (Hanovre). Allemand.
Sculpteur.
On connaît de lui à Bültum un autel, un crucifix d'autel et un pupitre.

FAHRENKROG Ludwig Karl Wilhelm
Né le 20 octobre 1867 à Rendsburg. XIXe-XXe siècles. Allemand.
Peintre de compositions à personnages, compositions religieuses, portraits, figures, paysages, peintre de compositions murales, illustrateur, sculpteur.
Il fut élève de Hugo Vogel et de Anton Alexander von Werner à l'Académie des Beaux-Arts de Berlin, où il reçut de nombreux Prix. En 1893, il reçut le Grand Prix National. En 1908, il fonda une Association religieuse. En 1913, il fut nommé professeur à l'École des Arts et Métiers de Barmen, où il résida ensuite.
Il a surtout peint des compositions religieuses, dans lesquelles il introduisait ses « visions intérieures ». Il a peint des compositions murales dans les églises de Lüdenscheid, Gevelsberg, Herdecke, Langerfeld. À l'École de filles de Barmen, il a peint *Les jours dorés de l'enfance*.
MUSÉES : KIEL.

FAHRENSCHON Franz von
Né en 1726 à Komotau (Bohême allemande à l'époque). Mort en 1796 à Prague. XVIIIe siècle. Tchécoslovaque.
Peintre de portraits.
Il vécut à Prague où il peignit vers 1778 un portrait de la famille comtale Pachta. On lui attribue un portrait représentant l'impératrice Marie-Thérèse entourée de sa famille, portrait qui se trouvait à l'Exposition Marie-Thérèse à Vienne en 1888, ainsi que les peintures de la cathédrale d'Erlau en Hongrie.

FAHRENSCHON Joh. Nepomuk
XIXe siècle. Allemand.
Peintre d'histoire et de genre.
Il étudia à l'Académie de Munich, fut membre de l'Association des Artistes de cette ville aux expositions de laquelle il figura de 1843 à 1852 avec des tableaux religieux. Il fit aussi des portraits de genre et des dessins. On connaît de lui un *Portrait du conseiller privé Schlichting* qui fut lithographié par Blanz.

FAHRENSCHON Paul Friedrich
XVIIIe siècle. Actif à Prague. Tchécoslovaque.
Peintre.
Peut-être est-il le père du portraitiste Franz von Fahrenschon qui aurait continué ses travaux.

FAHRINGER Karl
Né le 25 décembre 1874 à Vienne-Neustadt. Mort en 1952. XXe siècle. Autrichien.
Peintre portraits, animalier, paysages, aquarelliste.
Il fut élève d'August Eisenmenger à l'Académie des Beaux-Arts de Vienne, et de Karl von Marr à Munich. Il visita l'Italie, la France, l'Égypte et le Monténégro. Il exposa souvent à Munich, Berlin, Dresde et Rome.
Il fut surtout peintre d'animaux exotiques : *Tigre et serpent* – *Flamants* – *Jeunes lions au bord de l'eau.* On mentionne aussi ses esquisses, aquarelles de l'Orient et quelques portraits, dont celui de son épouse.

CFahringeh

VENTES PUBLIQUES : VIENNE, 11 fév. 1976 : *Paysage au moulin*, h/cart. (34x41) : **ATS 28 000** – VIENNE, 17 sep. 1976 : *Le perroquet*, gche (35x27) : **ATS 10 000** – VIENNE, 23 sep. 1977 : *Le port de Rotterdam*, h/cart. (32x38) : **ATS 22 000** – VIENNE, 16 juin 1978 : *Le port*, aquar. et gche (30x41,5) : **ATS 14 000** – VIENNE, 14 mars 1980 : *Le Pirée* 1942, h/t (51x64) : **ATS 55 000** – VIENNE, 22 mars 1984 : *Carriole dans un paysage enneigé*, h/t (33x71) : **ATS 80 000** – VIENNE, 10 avr. 1984 : *Marché au bétail*, aquar. (23x33) : **ATS 16 000** – VIENNE, 4 déc. 1984 : *Étude de tigres* 1925, craie, pinceau et lav. d'encre de Chine (42x32) : **ATS 11 000** – VIENNE, 10 déc. 1985 : *Troupeau au pâturage*, h/t (85x99) : **ATS 90 000** – VIENNE, 17 mars 1987 : *Marché aux cochons en Hollande*, gche (46x66) : **ATS 45 000** – AMSTERDAM, 18 fév. 1992 : *Marché aux bestiaux à Hoorn* 1949, h/t (41x55) : **NLG 9 775** – AMSTERDAM, 19 oct. 1993 : *Marché aux bestiaux à Hoorn* 1949, h/t (41x55) : **NLG 6 325** – MONTRÉAL, 23-24 nov. 1993 : *Le marché aux bestiaux* 1938, techn. mixte (36,2x46,2) : **CAD 1 700** ; *Le marché de Hoorn en Hollande* 1932, techn. mixte (45x55,8) : **CAD 2 400**.

FAHRLANDER Franz
Né en 1793 à Ettenheim en Brisgau. XIXe siècle. Allemand.
Peintre de miniatures.
Entré à l'Académie de Vienne en 1814 il reçut en 1820 un prix pour son tableau *Pan et Apollon* et figura en 1822 à l'Exposition de cette Académie avec des portraits miniatures. On cite de lui un portrait de *La Grande duchesse Sophie d'Autriche* qui parut aux expositions de miniatures de Troppau en 1905 et de Berlin en 1906, et celui de *La Comtesse Friederike Monzynska*.

FAHRMANN P.
XVIIIe siècle. Actif à Hambourg. Allemand.
Dessinateur.
La Kunsthalle de Hambourg possède de sa main six planches de dessins et plans à l'aquarelle pour un hôpital.

FAHRNBAUER J. G.
Né le 1er mars 1841 à Vienne. XIXe siècle. Autrichien.
Lithographe et aquafortiste.
On cite de lui des eaux-fortes d'après des objets du Trésor de la Résidence à Vienne et un certain nombre de lithographies d'après des pièces de la collection d'armes du Musée de l'Armée.

FAHRNI Otto
Né le 15 septembre 1856. Mort en 1887 au Dürrenast (près de Thoune). XIXe siècle. Actif à Eriz (canton de Berne). Suisse.
Paysagiste.
Fahrni exposa à Biel en 1880. Il habita à Thoune, à Iseltwald, et se fixa définitivement au Dürrenast, près de Thoune.

FAÏBISSOVITCH Semion ou **Simyon** ou **Simon, Nathanovitch**
Né en 1947 ou 1949 à Moscou. XXe siècle. Russe.
Peintre de compositions à personnages. Réaliste-photographique.
Il photographie d'abord, avec des cadrages insolites et subjectifs, les sujets qu'il souhaite traiter, en prenant souvent le risque de photographier des scènes dénonçant les carences économiques ou sociales du régime, par exemple les queues devant les magasins d'alimentation, la cohue dans le métro, la médiocrité des scènes de plage au bord de la Mer Noire. Ensuite, il les projette par diapositives et les recopie minutieusement, jusqu'à reproduire le jaunissement des photos initiales, introduisant dans le tableau une atmosphère mobide, correspondant, selon lui, à sa vision du monde.
BIBLIOGR. : Divers : *L'art au pays des soviets, 1963-1988*, Les Cahiers du Mus. Nat. d'Art Mod., et : Olga Makhroff : *Les Dossiers des Cahiers*, Mus. Nat. d'Art Mod., Paris, hiver 1988.

FAICHTMAIR. Voir **FEICHTMAYR**

FAIDHERBE. Voir **FAYDHERBE**

FAIDIDE Jean
Né à Chalon-sur-Saône (Saône-et-Loire). XXe siècle. Français.
Peintre de genre.
Il exposa à Paris au Salon des Indépendants à partir de 1940.

FAÏF Garry
Né le 12 juin 1942 à Tbilissi (Géorgie). XXe siècle. Depuis 1973 actif et depuis 1979 naturalisé en France. Géorgien.
Sculpteur. Néo-constructiviste.
D'abord formé à l'Institut d'architecture de Moscou, il s'intéresse particulièrement au suprématisme et au constructivisme. En 1966-67, il fonde avec Koleitchouk et Rikounoff le groupe cinétiste-constructiviste MIR (mot qui signifie en russe la paix ou le monde). En 1973, il quitte l'URSS et s'installe à Paris. Il y étudie à l'Ecole des Beaux-Arts et à l'Unité Pédagogique d'Architecture de Vincennes. Il participe à des expositions collectives à partir de 1976, en France, Allemagne, Autriche, Suisse, Italie, États-Unis, Canada, Japon, et notamment au Salon de la Jeune Sculpture, Salon de Mai, des Réalités Nouvelles, Grands et Jeunes d'Aujourd'hui. Sa première exposition personnelle a eu lieu en 1981 à la galerie Est-Ouest de Tokyo. De nombreux projets d'architectures ont été réalisés en Russie, France, Japon, Allemagne.
Les assemblages démontables de Faïf sont des négations de la forme, des aspirations à échapper aux lois de la gravitation, même s'ils obéissent bien plus à un esprit géométrique qu'à l'es-

prit ludique des mobiles de Calder. La plupart des œuvres sont intitulées *Le Monde*, ce qui traduit bien la vocation à l'universalité que leur prête l'artiste : il veut avant tout qu'elles puissent accéder à une vie autonome dans le cosmos, par le dynamisme des formes et les jeux de lumière et de couleurs sur les plans, les tubes, les cables. Il se réclame du suprématisme, avec des constructions spatiales, abstraites, orthogonales, colorées, plutôt apparentées au constructivisme, dont la définition est plus large que celle du suprématisme. ■ A. G.
Bibliogr. : In : Jianou, Xuriguera, Lardera : *La Sculpture moderne en France depuis 1950*, Arted Editions d'Art, 1982.

FAÏF Simone
Née le 8 février 1942 à Paris. xxe siècle. Française.
Peintre. Néoconstructiviste.
Diplômée des Arts Appliqués et de l'école Boulle, elle exerce d'abord la profession d'architecte d'intérieur-plasticien. C'est dans le cadre de cette activité qu'elle passe trois ans, de 1970 à 1973, en U.R.S.S. En 1973, elle s'installe à Paris avec son mari, Garry Faïf, artiste lui aussi, et se consacre dès lors uniquement à la peinture. Elle participe à des expositions de groupe dans des galeries et des salons : Femmes Peintres et Sculpteurs en 1979, 1981, 1988 ; Jeune Peinture en 1979, 1980, 1982 ; Figuration Critique depuis 1979 ; Salon de Mai en 1981, 1989, 1990... Elle a eu également des expositions personnelles, en particulier à la Galerie Grambilher à Paris (1986-90).
Elle pratique une figuration ludique et enjouée, disposant des silhouettes, des éléments symboliques et des fragments de textes sur des trames abstraites. Elle qualifie elle-même son inspiration comme « iconographique et constructiviste ».

FAIG Frances Wiley, Mrs
xxe siècle. Américaine.
Peintre de décorations murales.
Elle a peint la décoration de la Bibliothèque Technique de l'Université de Cincinnati.

FAIGNART Mathis
xvie siècle. Actif à Tournai. Éc. flamande.
Sculpteur.

FAIJA Guglielmo
xixe siècle. Français.
Peintre et miniaturiste.
Il exposa au Salon de Paris de 1831 à 1837. On cite de lui : les portraits du *comte Rod. d'Aponi* et de *M. Massinimo*, en costume de cour hongrois, *Le mariage mystique de sainte Catherine*, d'après le Corrège, *La Joconde*, d'après L. de Vinci.

FAILER Peter, appelé en religion **Frère Fidelis**
Né le 28 mai 1870 à Jungnau (Hohenzollern). xixe-xxe siècles. Allemand.
Sculpteur de statues, sujets religieux.
Il était frère-lai de l'abbaye des Bénédictins de Beuron. Il fut élève de Baptiste Franz Xaver Marmon à Sigmaringen et de Peter (Desiderius en religion) Lenz à l'École des Beaux-Arts de Beuron.
Les monastères des Bénédictins de Beuron, St-Gabriel-Prag et de Monte-Cassino conservaient de ses œuvres, avec celles de son maître Desiderius Lenz.

FAILLE Carl Arthur
Né le 17 février 1883 à Detroit (Michigan). xxe siècle. Américain.
Peintre, graveur.
Il gravait à l'eau-forte.

FAILLON Pierre
xvie siècle. Français.
Peintre et peintre verrier.
Il travailla à Lyon pour l'Aumône Générale et fut chargé par la ville en 1533 de travaux de décoration pour l'entrée de la Reine.

FAILLOT Edme Nicolas
Né le 5 août 1810 à Auxerre. Mort le 9 juin 1849 à Paris. xixe siècle. Français.
Sculpteur.
En 1838, il débuta au Salon, à Paris, et fut médaillé en 1843. On mentionne parmi ses œuvres : *Scène du déluge* (groupe en plâtre), *Le signal du sabbat* (groupe en plâtre).
Musées : Auxerre : *Saint Jérôme*, plâtre – *Combat d'un gladiateur et d'un lion*, plâtre – *Statue de Fourier*, bronze – Dijon : *Le sculpteur V. Couchery*, plâtre, médaillon.
Ventes Publiques : New York, 13 mars 1984 : *L'Amérique*, bronze (H. 47) : **USD 1 200**.

FAILLY Oscar de, baron
xixe siècle. Actif à Paris. Français.
Peintre de paysages.
Exposa au Salon en 1857 et 1859.

FAIN Giulio
Né en 1933 à San Vito al Tegliamento. xxe siècle. Italien.
Peintre. Abstrait-géométrique.
Il participe à des expositions collectives, aussi à Paris, par exemple au Salon Grands et Jeunes d'Aujourd'hui. Il peint des « architectures chromatiques ».

FAIN Pierre
xvie siècle. Actif à Rouen. Français.
Sculpteur et architecte.
De 1501 à 1507, il travailla au palais archiépiscopal de Rouen et au manoir abbatial de Saint-Ouen. Il fut appelé, en 1508, à Gaillon par le cardinal d'Amboise et s'y occupa, avec d'autres maîtres d'œuvre, de la construction de la chapelle haute du château. En 1509, il fit, en pierre de Vernon, le portique de la cour, qui est aujourd'hui à l'École des Beaux-Arts, à Paris. On lui devait encore deux fenêtres et une lucarne pour le grand corps de bâtiment, à Gaillon.

FAIN Yvonne
Née en 1910 à Malines. xxe siècle. Belge.
Sculpteur de portraits.
Elle fut élève d'un certain sculpteur Jacobs (Constant ?) et du peintre Lambert Lemmens à l'Académie des Beaux-Arts de Saint-Josse-ten-Noode.
Bibliogr. : In : *Diction. Biogr. Illustré des Artistes en Belgique depuis 1830*, Arto, Bruxelles, 1987.
Musées : Schaerbeek.

FAINA Giuseppina, née **Anselmi**
Née à Turin. Morte le 8 mars 1872 à Florence. xixe siècle. Italienne.
Peintre.
Élève de Giambattista Biscarra à l'Académie de Turin, elle continua ses études à Rome où elle fit des tableaux pour églises et des portraits. En 1842 à Turin elle présenta un tableau *Trois enfants se balançant*, qui fut reproduit en lithographie.

FAINA Lorenzo
xixe siècle. Italien.
Peintre.
Cet artiste travailla pour le cloître Saint-Dominique et les églises Santa Maria di Colle et San Filippo Neri à Pérouse.

FAINA Lorenzo del
xvie siècle. Italien.
Peintre.
Il travailla en 1505 pour la Salle du Grand Conseil au Palais de la Seigneurie à Florence.

FAINARDI Riccardo
Né en 1865 à Collecchio (Parme). Mort en 1969 à Gaiano-Taro (Parme). xixe-xxe siècles. Italien.
Peintre de paysages, marines, portraits.
Il fut élève de Guido Carmignani à l'Académie des Beaux-Arts de Parme, qui conserve plusieurs de ses œuvres.
Musées : Parme (Gal. des Beaux-Arts) : *Vue de l'église de Fornovo del Taro*.

FAINMEL Charles
Né à Varsovie (Pologne). xxe siècle. Naturalisé au Canada. Polonais.
Sculpteur.
Il exposait un *Nu* au Salon des Indépendants de 1932.

FAINO Alfred
Né à Bergame. xxe siècle. Italien.
Sculpteur.
Il exposa à Paris au Salon des Artistes Français.

FAIR Hannah
xviiie-xixe siècles. Américaine.
Peintre de portraits, aquarelliste.
Peut-être identique à FAIRFIELD Hannah.
Ventes Publiques : New York, 26 oct. 1985 : *George Washington* 1796, aquar. et pl. (17,7x23) : **USD 4 500**.

FAIR Robert
Né en 1847 en Irlande. Mort en mai 1907 à Philadelphie. xixe siècle. Américain.
Peintre.

Il vint s'établir à New York en 1876, puis quelques années plus tard, se fixa à Philadelphie et y prit une place marquante. Plusieurs de ses œuvres sont conservées dans les musées régionaux.

FAIRAM. Voir **FAYRAM**

FAIRBAIRN Hilda

Née à Henley-on-Thames (Oxfordshire). XIXe-XXe siècles. Britannique.

Peintre de figures, portraits, fleurs, pastelliste, aquarelliste.

Elle étudia à la Herkomer School of Art de Bushey et un certain temps à Paris. Elle vécut et travailla à Londres. Active de 1893 à 1903. Elle présenta, en 1896, un tableau *La petite Sirène* à la Royal Academy et y a figuré quelquefois depuis, surtout avec des portraits d'enfants au pastel et à l'aquarelle.

Ventes Publiques : Londres, 6 oct. 1980 : *Love the pedlar* 1903, h/t (65x38) : **GBP 1 800** – Londres, 17 juin 1987 : *The Cagrants* 1908, h/t (127x76) : **GBP 2 000** – Londres, 29 mars 1996 : *Ces jolis enfants, main dans la main, s'en vont errant,* h/t (1277x96,5) : **GBP 10 580** – Londres, 9 oct. 1996 : *Jacinthe sauvage,* h/t (51x35,5) : **GBP 10 120.**

FAIRBAIRN Thomas

Né en 1820. Mort en 1884. XIXe siècle. Britannique.

Peintre de paysages, aquarelliste.

Il travailla à Hamilton et exposa ses aquarelles à la Suffolk Street Gallery de 1865 à 1877.

Ventes Publiques : Perth, 26 août 1986 : *Hamilton Palace,* h/t (38x61) : **GBP 1 100.**

FAIRBANKS Avard Tennyson

Né le 2 mars 1897 à Provo (Utah). XXe siècle. Américain.

Sculpteur de monuments, statues.

Il fut élève de l'Art Student's League de New York, puis d'Injalbert à l'École des Beaux-Arts de Paris. Il fut membre de la National Sculpture Society et de l'American Federation of Arts.

Il a exécuté de nombreuses sculptures pour des monuments publics et privés, entre autres : la porte du tabernacle de la cathédrale de Eugene (Oregon), et une fontaine dans la même ville.

FAIRBANKS Frank P.

Né en 1875 à Boston (Massachusetts). XXe siècle. Américain.

Peintre de compositions murales.

Il fut surtout architecte. Il fit ses études artistiques à Boston. Entre autres distinctions, il reçut la bourse de voyage Page du Boston Museum of Fine Arts. En 1922, il fut professeur à l'École américaine de Rome. Il fut membre de plusieurs sociétés d'architectes et de peintres-fresquistes.

FAIRBANKS J. Léo

XIXe-XXe siècles. Actif à la fin du XIXe et au début du XXe siècle. Américain.

Peintre et graveur.

Il fut élève de l'Académie Julian à Paris. Membre de nombreuses associations artistiques, surtout en Oregon. Il a décoré de nombreux temples. A l'Oregon State College, où il a réalisé la décoration de la Library Building, il est chef du département artistique et de l'architecture murale.

FAIRBANKS John B.

Né en décembre 1855 à Payson (Utah). XIXe siècle. Américain.

Peintre et professeur.

Il acheva ses études artistiques à Paris. Membre de nombreuses sociétés artistiques. Il obtint de très nombreuses récompenses depuis 1899, et entre autres des prix de marines et de paysages.

FAIRCHILD Charles Willard

Né en novembre 1886 à Marinette (Wisconsin). XXe siècle. Américain.

Illustrateur.

Il fut élève de la Chicago Academy of Fine Arts. Il fut membre de la Society of Illustrators.

FAIRCHILD Louis

Né en 1800 à Farmington (Connecticut). XIXe siècle. Américain.

Graveur et aquafortiste.

Il fut élève de A. Willard à New Haven. Il grava surtout des paysages et peignit aussi quelques miniatures.

FAIRCHILD Mary Louise, puis **Macmonnies,** puis **Low**

Née le 11 août 1858 à New-Haven (Connecticut). Morte en 1946. XIXe-XXe siècles. Depuis 1885 à 1909 active en France. Américaine.

Peintre de scènes animées, intérieurs, figures, nus, portraits, paysages, fleurs, miniaturiste. Impressionniste.

Elle fut élève de l'École des Beaux-Arts de Saint-Louis. Elle y obtint une bourse, qui lui permit de s'installer, dès 1885, à Paris, s'inscrivant à l'Académie Julian comme élève de Jules Lefebvre et William Bouguereau, puis, en 1888, au cours de Carolus Duran, section portraits. Elle loua, dès 1888, un grand atelier à Montparnasse, épousant le sculpteur américain Frederick MacMonnies. De 1890 à 1908, elle s'installa à Giverny, bientôt dans un grand manoir, *Le Moutier,* entouré de jardins en terrasse, de vergers et d'ateliers, site qui va devenir un véritable centre d'art pour des dizaines d'artistes américains. En 1908, Mary Low divorça d'avec F. Macmonnies, quitta définitivement la France, épousa Will Low, peintre académique, se consacrant, dès lors, presque exclusivement au portrait.

Elle participa au Salon des Artistes Français de Paris à partir de 1886, y obtenant une médaille de bronze en 1900, à l'occasion de l'Exposition Universelle. Elle figura à l'Exposition Universelle de Chicago, en 1893, y présentant, pour le Pavillon de la Femme, son unique peinture murale. Il s'agissait d'une commande partagée en deux, sa propre composition, *La Femme primitive,* faisait pendant à la seconde, *La Femme moderne,* commandée à Mary Cassatt. En France, elle obtint distinctions et médailles à Rouen, Marseille, Saint-Brieuc. Aux États-Unis, elle devint associée de la National Academy en 1906.

C'est essentiellement dans l'univers du Moutier, que l'artiste trouva de l'inspiration pour ses peintures. Elle éclaircit sa palette, au contact de l'impressionnisme, multipliant les nus au soleil, les représentations intimistes de ses filles au jardin familial, un univers idyllique qu'elle retrace dans des toiles de grand format où la touche est systématiquement petite, empâtée, tandis que ses petits formats sont traités avec une touche très diluée. Cette facture large qui ne paraît pas dans l'autre volet de son activité, la miniature, qui montre, comme il se doit, un grand souci du détail et de la précision. ■ S. D., J. B.

Bibliogr. : Gérald Schurr, in : *Les Petits Maîtres de la peinture 1820-1920, valeur de demain,* Les Éditions de l'Amateur, t. VII, Paris, 1989 – William H. Gerdts, D. Scott Atkinson, Carole L. Shelby, Jochen Wierich : *Impressions de toujours – Les peintres américains en France 1865-1915,* Mus. Américain de Giverny, Terra Foundation for the Arts, Evanston, 1992.

Musées : Giverny (Mus. Américain Terra Foundation for the Arts) : *Dans la nursery* 1897-98 – *C'est la fête à Bébé* 1897-98 – Rouen (Mus. des Beaux-Arts) : *Roses et lys* – Vernon (Mus. Alphonse-Georges-Poulain) : *Un coin de parc sous la neige (le jardin de l'artiste à Giverny)* avant 1904.

Ventes Publiques : New York, 4 déc. 1987 : *La Seine à Paris en Automne,* h/t (76,5x104,6) : **USD 5 500** – New York, 4 mai 1993 : *L'Aube à Gloucester* 1925, h/cart. (60,3x45,1) : **USD 1 380** – New York, 13 sep. 1995 : *Le Jardin de Giverny,* h/t (75,6x141) : **USD 11 500.**

FAIRCHILD May

Née à Boston (Massachusetts). XXe siècle. Américaine.

Peintre de portraits, miniaturiste.

Elle fut élève de l'Art School de Boston et de l'American Student's League de New York, dont elle devint membre, ainsi que de plusieurs autres sociétés.

FAIRCLOUGH Bernard

Né à Manchester. XXe siècle. Britannique.

Peintre de paysages.

Il fut membre du *Manchester Group,* fondé en 1946, et dont la première exposition eut lieu à Londres en 1948, à laquelle il participa avec deux paysages, dont *Porte de grange.*

FAIRFIELD Charles

Né vers 1759. Mort en 1804 à Brompton. XVIIIe siècle. Britannique.

Peintre de paysages, copiste.

Cet artiste est surtout connu par ses excellentes copies des artistes hollandais.

Ventes Publiques : Amsterdam, 7 mai 1996 : *Capriccio d'une côte méditerranéenne et du Chateau Saint Ange, avec des marchands, des pêcheurs et des lavandières* 1799, h/pan. (27,8x37,9) : **NLG 5 750.**

FAIRFIELD Hannah

XIXe siècle. Américaine.

Peintre de portraits.
Peut-être identique à FAIR Hannah.
Ventes Publiques : New York, 26 oct. 1985 : *Ellen Nichols Tracy and Lucy Adams Tracy* vers 1839, h/t (89x76) : **USD 42 500.**

FAIRHOLT Frederick William
Né en 1818 à Londres. Mort en 1866 à Londres. xixe siècle. Britannique.
Dessinateur et écrivain.
Cet artiste, d'origine prussienne, fut, après quelques essais de peu d'importance, employé par Charles Knight à l'illustration de différents ouvrages. Il contribua, dès sa fondation, au *Journal d'Art* tant comme auteur que comme artiste. Il écrivit plusieurs ouvrages sur les mœurs et le costume anglais, dont il légua une partie à la Société des Antiquités.

FAIRLAND Thomas
Né en 1804 à Londres. Mort en 1852. xixe siècle. Britannique.
Graveur et lithographe.
Élève de Fuseli à l'Académie, il remporta une médaille d'argent pour un dessin d'après l'antique, puis devint élève de Charles Heath. Il se rendit très populaire en reproduisant les œuvres de Landseer et de Hunt et fut honoré jusqu'à sa mort de la faveur de la reine.

FAIRLAND W.
xixe siècle. Actif à Londres. Britannique.
Graveur.
Exposa à Suffolk Street en 1828.

FAIRLESS Thomas Ker
Né vers 1825 à Hexham. Mort en 1853 à Hexham. xixe siècle. Britannique.
Peintre de paysages.
Après avoir étudié la gravure sur bois avec Nicholson, il vint à Londres et y exposa à l'Académie royale de 1848 à 1853.
Ventes Publiques : Munich, 29 juin 1982 : *Voiliers au large de la côte* 1848, h/t (41x62,5) : **DEM 4 500.**

FAIRMAN David
Né en 1782. Mort en 1815 à Philadelphie. xixe siècle. Actif à Philadelphie. Américain.
Graveur.
Frère de Gideon et Richard Fairman. On ne connaît aucune de ses œuvres.

FAIRMAN Frances C.
Née en 1836. Morte en 1923. xixe-xxe siècles. Britannique.
Peintre animalier.
Elle figura depuis 1865 dans de nombreuses expositions de Londres avec des tableaux à l'huile et à l'aquarelle représentant surtout des chiens. La reine d'Angleterre la chargea en 1910 de faire le portrait de ses quatre chiens favoris.
Ventes Publiques : Londres, 30 sep. 1987 : *Maru, Hisa, Fifi and Yum-Yum* 1894, h/t (71x91,5) : **GBP 5 700** – Londres, 15 jan. 1991 : *Portée de jeunes épagneuls*, cr. et aquar. (35,6x50,8) : **GBP 660** – New York, 16 juil. 1992 : *Impudence* 1893, cr. et aquar./pap. (50,2x36,8) : **USD 880** – Londres, 25 mars 1994 : *Un terrier nain anglais et un Affenpincher* 1903, h/t (60,9x50,8) : **GBP 4 600** – Londres, 14 juin 1996 : *Jaffa* 1974, h/t (81,6x114,5) : **GBP 21 850.**

FAIRMAN Gideon
Né le 26 juin 1774 à Newtown (Connecticut). Mort le 18 avril 1827 à Philadelphie. xviiie-xixe siècles. Actif à Philadelphie. Américain.
Graveur.
Il étudia d'abord à Albany, s'installa ensuite à Philadelphie, puis travailla à Londres avec Heath, et, de retour à Philadelphie, avec Cephas G. Childs.

FAIRMAN James
Né en 1826 à Glasgow. Mort le 12 mars 1904 à Chicago. xixe siècle. Américain.
Peintre d'histoire, scènes de genre, paysages.
Fils d'un officier suédois, il vint à New York à la mort de celui-ci et entra à l'Académie de dessin où il fut élève de Fred. Agate. Il s'adonna à la peinture et obtint en 1867 un prix pour son *Androscoggin Valley*. Il séjourna longtemps en Europe, à Düsseldorf, Paris et Londres. À son retour en Amérique il se fixa à Chicago.
Parmi ses œuvres on cite : *Stratford-sur-Avon, Pleasant River Valley (Maine, États-Unis), Château de Carnarvon (Galles du Nord).*
Ventes Publiques : New York, 18 nov. 1976 : *Paysage du Maine* 1866, h/t (68,5x122,5) : **USD 1 100** – New York, 29 jan. 1981 : *Le Mont des Oliviers au crépuscule* 1875, h/t (81,3x114,3) : **USD 1 400** – New York, 20 sep. 1984 : *Le naufrage au crépuscule*, h/t (26x36) : **USD 550** – New York, 4 déc. 1987 : *Hudson river*, h/t (79,5x132,7) : **USD 11 000** – Glasgow, 22 nov. 1990 : *L'entrée de Bonnie Prince Charles à Edimbourg le matin du 17 septembre 1745* 1883, h/t (81,9x115,5) : **GBP 8 250** – New York, 17 déc. 1990 : *Paysage fluvial animé avec un temple classique* 1877, h/t (81,4x114,3) : **USD 3 850** – New York, 28 mai 1992 : *Ciel d'orage au-dessus de Echo Lake dans les Montagnes blanches*, h/t (80,7x114) : **USD 15 400** – New York, 11 mars 1993 : *Les monts Madison et Adams près de Gorham dans le New Hampshire* 1870, h/t (50x91,2) : **USD 27 600** – New York, 14 sep. 1995 : *Vue de Jérusalem*, h/t (81,3x114,3) : **USD 13 800** – Londres, 9 oct. 1996 : *Sale gosse* 1820, h/t (40x33) : **GBP 1 265.**

FAIRMAN Richard
Né en 1788. Mort en 1821 à Philadelphie. xixe siècle. Actif à Philadelphie. Américain.
Graveur.
Frère de Gideon Fairman, il travailla avec lui.

FAIRWEATHER Ian
Né le 29 septembre 1891 à Bridge of Allan (Écosse). Mort en 1974. xxe siècle. Actif aussi en Australie. Britannique.
Peintre, peintre à la gouache. Tendance abstraite.
Il a d'abord étudié l'agriculture et la sylviculture. Lors de la guerre de 1914-1918, il fut fait prisonnier en Allemagne. Revenu en Angleterre, tout en exerçant sa profession de forestier, il suivit par intermittence les cours de la Slade School de Londres. Pendant deux années, il vécut seul dans une île, réserve naturelle. Vers 1933, il a voyagé à Bali, Pékin, aux Philippines, en Inde et en Australie. Après la Seconde Guerre mondiale, il repartit à l'aventure sur un radeau, vers Timor, une des îles de la Sonde (Indonésie). Enfin, il retourna en Australie, où il semble qu'il se fixa durablement.
Cet authentique aventurier était aussi véritablement peintre. Il rapportait les peintures de ses voyages. Son art, toujours à la limite de l'abstraction, est constitué d'une synthèse des courants occidentaux du début du siècle, du cubisme à l'abstraction, et des calligraphies extrême-orientales. ■ J. B.
Bibliogr. : Divers, in : *Australie Créatrice, 200 ans d'Art 1788-1988*, Art Gall. Board of South Australia, 1988.
Musées : Canberra (Australian Nat. Gal.) : *Monastère* 1961 – Londres (Tate Gal.).
Ventes Publiques : Sydney, 1er oct. 1974 : *Figures*, gche : **AUD 3 800** – Sydney, 6 oct. 1976 : *Mère et enfant* 1970, h/t (98x75) : **AUD 2 300** – Melbourne, 19 juin 1978 : *Quatre figures*, gche (59x49,5) : **AUD 2 800** – Sydney, 10 sep. 1979 : *Personnages dans un monastère*, gche (24,5x34,5) : **AUD 1 400** – Londres, 15 mars 1985 : *Figure*, pl. et lav./pap. beige (22,8x17,8) : **GBP 1 300** – Melbourne, 26 juil. 1987 : *Figures*, gche (35,5x22) : **AUD 10 000** ; *Trois têtes II*, h/cart. (81x70) : **AUD 44 000** – Sydney, 2 déc. 1991 : *La famille*, h/cart. (35x46) : **AUD 2 750** – Melbourne, 20-21 août 1996 : *Trois Têtes II*, média mixtes/cart./pan. (80x69,5) : **AUD 55 200.**

FAÏS Van DYCK Corsy De
Né à Helmond (Pays-Bas). xxe siècle. Hollandais.
Peintre de sujets religieux, compositions à personnages, sculpteur, décorateur.
Il a exposé en 1936 au Salon de la Société Nationale des Beaux-Arts de nombreuses œuvres d'entre lesquelles on peut citer un panneau décoratif intitulé *Et... Salomon dans toute sa gloire n'a pas été vêtu comme l'un d'eux.*

FAISCHE Joseph
xviie siècle. Actif à Paris. Français.
Sculpteur.

FAISTAUER Anton
Né en 1887 à Saint-Martin-sur-Lofer (Salzbourg). Mort en 1930 à Vienne. xxe siècle. Autrichien.
Peintre de compositions à personnages, portraits, nus, paysages, natures mortes, fleurs, compositions murales.
Il fut élève de l'École des Beaux-Arts de Vienne, de 1906 à 1909. Il fut un des co-fondateurs, avec Egon Schiele entre autres, du *Nouveau Groupe d'Art*. Installé à Salzbourg en 1919, il fonda *La Nouvelle Association des Artistes Wassermann*. Il écrivit ensuite, mais qui ne fut publié qu'en 1934, *Nouvelle peinture en Autriche*. Il se fixa à Vienne en 1926. Outre ses participations aux groupes,

il eut des expositions personnelles : à Vienne en 1909, et en 1911 avec Kokoschka.
Il fut l'un des artistes qui inscrivirent leur œuvre à la fois contre l'académisme, mais aussi contre la Sécession, à laquelle, tout en en reconnaissant le rôle historique, ils reprochaient son évolution vers les arts décoratifs. Dans une technique de touches grasses, il construisait la forme par la couleur. À partir de 1920 environ, le dessin assuma la construction, la couleur se faisant plus légère. En 1922-23, il peignit les fresques sur la vie de Marie pour l'église paroissiale de Morzg, près de Salzbourg, en 1926 les fresques à sujets symboliques du Foyer du Festival, déposées par les nazis en 1939, puis rétablies en 1956. ■ J. B.

a faistauer 1926

Bibliogr. : In : *L'Art du xxe Siècle*, Larousse, Paris, 1991.
Musées : Vienne (Gal. Autrichienne) : *Nu sur le sofa rouge* 1913 – *Portrait d'Hugo von Hofmannstahl* 1928 – *Paysage salzbourgeois* 1929.
Ventes Publiques : Vienne, 24 mars 1965 : *Vase de fleurs* : **ATS 22 000** – Vienne, 18 sep. 1968 : *Nature morte* : **ATS 35 000** – Vienne, 28 mai 1974 : *Bouquet de fleurs* : **ATS 80 000** – Vienne, 3 déc. 1976 : *Portrait de femme* 1927, h/t (103x75) : **ATS 45 000** – Vienne, 17 mars 1978 : *Vue de Salzbourg* 1922, h/t (57x92,8) : **ATS 180 000** – Vienne, 12 nov. 1980 : *Portrait de jeune femme* 1920, craie brune (46,5x35) : **ATS 25 000** – Berne, 23 juin 1982 : *Portrait de Idschi, la femme de l'artiste* 1916, past. (46,4x30,8) : **CHF 3 000** – Berne, 20 juin 1984 : *Étude pour La naissance de la Vierge* 1925, sanguine (48x34) : **CHF 3 300** ; *Portrait de la femme de l'artiste* 1916, past. (46,4x30,8) : **CHF 10 000** – Vienne, 4 déc. 1984 : *Johannes Faistauer en vert*, h/t mar./cart. (27,5x27) : **ATS 60 000** – Vienne, 22 sep. 1987 : *Jeune femme mettant ses chaussures* 1918, past. (45x29) : **ATS 40 000** – Munich, 3 déc. 1996 : *Barbu à la pipe, le beau-père de l'artiste* 1918, h/bois (75x56) : **DEM 189 600**.

FAISTENAUER Andreas. Voir **FEISTENAUER**

FAISTENAUER Hans
Originaire de Berchtesgaden. xviie siècle. Allemand.
Peintre.
Peut-être est-il le père d'Andreas Feistenauer et est-il identique à Johann Faistenauer.

FAISTENAUER Johann
xviie siècle. Actif à Seeon (Bavière). Allemand.
Dessinateur.
Peut-être est-il identique à Hans Faistenauer. On mentionne de lui des dessins représentant des vues du Monastère de Seeon, joints à une chronique manuscrite de l'abbé Honorat Kolb.

FAISTENBERGER Andreas I
Né en 1588 à Hall (Tyrol). Enterré le 13 février 1652 à Kitzbühel. xviie siècle. Autrichien.
Peintre.
Bourgeois de Kitzbühel en 1620. Il épousa Barbara Hüber, à Salzbourg. Imitateur des maniéristes italiens et flamands, on lui attribue quelques peintures à l'huile, parmi lesquelles une copie du *Jugement de Salomon*, d'après Rubens, que conserve l'Hôtel de Ville de Kitzbühel. Probablement le fils d'un Balthasar Faistenberger, stucateur à Hall.

FAISTENBERGER Andreas II
Né en 1647 à Kitzbühel. Mort le 8 décembre 1736 à Munich. xviie-xviiie siècles. Allemand.
Sculpteur.
Fils de Benedikt I, il fut son élève. Il alla en Italie puis se fixa à Munich en 1674. Artiste très productif, il sculpta la pierre, le marbre, le bois, l'ivoire et exécuta des crucifix, des statues de Madones et de saints. Il érigea de nombreux autels à Munich et dans d'autres villes. A Munich se trouvent ses principales œuvres : dans l'église des Théatins : *Christ au tombeau*, *Le sacrifice d'Abraham*, *Descente de Croix*, et, dans l'église du Saint-Esprit, les statues de *Saint Gabriel* et de *Saint Raphaël* ; dans la chapelle de la Passion, un *Ecce Homo*. Il fut le maître d'Egid Quirin Asam.

FAISTENBERGER Anton
Né en 1663 à Salzbourg. Mort en 1708 à Vienne. xviie siècle. Autrichien.
Peintre de paysages, aquafortiste.
Fils de Wilhelm Faistenberger, il n'eut comme maître qu'un artiste inconnu nommé Bouritzsch qui habitait Salzbourg ou Passau. L'occasion lui fournit le moyen d'étudier quelques-unes des œuvres de Gaspard Poussin d'après lesquelles il se forma et devint un excellent paysagiste.
L'empereur d'Autriche le fit venir à Vienne et l'employa pendant plusieurs années. Les Galeries impériales et Liechtenstein de cette ville possèdent ses meilleures œuvres. A Dresde et à Weimar, on voit aussi de lui quelques paysages. Hans Graf et Van Bredael l'aidèrent dans l'exécution des personnages qu'il ne savait pas très bien représenter.
Ventes Publiques : Vienne, 18 mars 1969 : *L'abreuvoir dans la campagne romaine* : **ATS 40 000** – Lucerne, 19 juin 1972 : *Paysage fluvial* : **CHF 30 000** – Vienne, 22 juin 1976 : *Pêcheurs au bord d'un torrent de montagne*, h/métal (24,5x36,5) : **ATS 120 000** – Lucerne, 19 nov. 1977 : *Paysage fluvial*, h/t (95x135) : **CHF 31 000** – Lucerne, 6 nov. 1986 : *Village de montagne avec un pont animé de personnages*, h/t (95x135) : **CHF 22 000**.

FAISTENBERGER Benedikt I
Né en 1621 à Kitzbühel. Enterré à Kitzbühel en 1693. xviie siècle. Autrichien.
Sculpteur.
Fils d'Andreas I. Il érigea un maître-autel dans l'église paroissiale Saint-André ; on lui attribue aussi celui de l'église paroissiale d'Oberndorf, près de Kitzbühel, ainsi que l'autel avec huit statues et le crucifix de l'église Saint-André à Saint-Jean (Tyrol) ; il s'inspira des préceptes de Palladio.

FAISTENBERGER Benedikt II
Né le 12 mars 1653 à Kitzbühel. Mort en 1708. xviie siècle. Autrichien.
Sculpteur.
Fils de Benedikt I Faistenberger. Il vécut à Prague.

FAISTENBERGER Dominikus
Né en 1651 à Kitzbühel. Enterré à Munich le 1er mars 1722. xviie-xviiie siècles. Allemand.
Peintre.
Fils de Benedikt I Faistenberger. Il obtint le droit de bourgeoisie à Munich en 1685 et fut reçu Maître de la Gilde en 1686. On connaît de lui quelques peintures décoratives à l'église des Théatins.

FAISTENBERGER Erasmus
Né le 9 septembre 1666 à Kitzbühel. Mort en 1718 à Kitzbühel. xviie-xviiie siècles. Autrichien.
Sculpteur.
On mentionne de sa main le portrait d'Ignaz I Faistenberger.

FAISTENBERGER Franz
Né vers 1710 à Kitzbühel. Mort en 1786 à Salzbourg. xviiie siècle. Autrichien.
Peintre.
Il fut l'élève de ses frères aînés et étudia ensuite à Munich. Il travailla à Salzbourg et fit des tableaux religieux et des retables.

FAISTENBERGER Georg I
Baptisé le 24 juillet 1656 à Kitzbühel. Mort vers 1711 ou 1730. xviiie siècle. Autrichien.
Sculpteur.
Fils de Benedikt I Faistenberger. On lui attribue les statues de *Saint-Pierre* et *Saint Paul* de l'église paroissiale de Saint-Jean (Tyrol).

FAISTENBERGER Georg II
Né en 1707 probablement à Kitzbühel. Mort vers 1766. xviiie siècle. Autrichien.
Peintre.
Il fut l'élève de son père, Ignaz I et de son frère Simon Benedikt Faistenberger. Il vécut à Weissenkirchen, près de Krems en Autriche.

FAISTENBERGER Ignaz I
Baptisé le 9 septembre 1667. Enterré à Kitzbühel le 10 mai 1718. xviie-xviiie siècles. Autrichien.
Peintre.
Fils de Benedikt I Faistenberger, il peignit des portraits et des fresques dont la *Flagellation du Christ* et le *Couronnement d'épines* qui étaient autrefois chez les Capucins à Kitzbühel. Une ferme aux environs de Kitzbühel conserve de lui le portrait d'un *Sebastian Jäger* dont une copie, de la main de l'artiste, se trouve au Musée de l'Association pour l'art local, à Kufstein.

FAISTENBERGER Ignaz II
Né en 1692 à Kitzbühel. XVIIIe siècle. Autrichien.
Peintre.
Il travailla à Kitzbühel comme portraitiste, mais devint aveugle. Il était fils d'Ignaz I Faistenberger.

FAISTENBERGER Johann
Né en 1709 à Kitzbühel. Mort en 1770. XVIIIe siècle. Autrichien.
Peintre.
Il était fils d'Ignaz I Faistenberger. Il peignit des paysages, des bergers, un apôtre Paul. Il était aussi géomètre et fit une carte de Berchtesgaden. Peut-être est-il identique à Johann Georg Faistenberger.

FAISTENBERGER Johann Georg
XVIIIe siècle. Autrichien.
Peintre.
Il exécuta des peintures décoratives, fresques, peintures murales. Des travaux de lui sont mentionnés à Hohenbrunn et Trinstein-sur-le-Danube (Basse-Autriche). Peut-être est-il identique à Johann Faistenberger.

FAISTENBERGER Joseph Franz
Né en 1675 probablement à Salzbourg. Mort le 30 août 1724 probablement à Salzbourg. XVIIe-XVIIIe siècles. Autrichien.
Peintre.
Élève et frère d'Anton Faistenberger qu'il assista dans quelques-uns de ses ouvrages. On trouve de ses tableaux à l'abbaye de Saint-Florian, en Autriche. La Galerie de Vienne possède de lui deux paysages.
Musées : Breslau, nom all. de Wroclaw : *Paysage – Rivière du Sud* – deux œuvres – Graz : *Paysage* – Vienne : Deux paysages.

FAISTENBERGER Paul
Né le 16 septembre 1654 à Kitzbühel. Mort en 1707. XVIIe siècle. Autrichien.
Peintre.
Il était fils de Benedikt I Faistenberger.

FAISTENBERGER Sebastian
XVIIe siècle. Actif à Kitzbühel. Autrichien.
Peintre et sculpteur.
Il était le plus jeune fils de Benedikt I Faistenberger. Peut-être est-il identique à un Sebastian Faistenberger qui devint bourgeois de Rattenberg et mourut dans cette ville.

FAISTENBERGER Simon Benedikt
Baptisé le 27 octobre 1695 à Kitzbühel. Mort le 22 avril 1759 à Kitzbühel. XVIIIe siècle. Autrichien.
Peintre.
Fils d'Ignaz I Faistenberger, il fut tout d'abord élève de son père. Il étudia ensuite à Munich avec J. Anton Gumpp et J. M. Rottmayr. Il exécuta des fresques dans un grand nombre d'églises du Tyrol, mais beaucoup ont disparu. Les plus importantes sont les fresques de l'église paroissiale de Saint-Jean, de Reit, d'Oberndorf ; les peintures de plafond de l'église Notre-Dame à Kitzbühel ; les tableaux du chœur à Rattenberg. Trois de ses tableaux à l'huile sont conservés par le Ferdinandeum à Innsbruck ; d'autres se trouvent dans le Musée de l'Association pour l'art local à Kufstein ainsi que dans les églises et chapelles de Kitzbühel et ses environs. Le Ferdinandeum à Innsbruck conserve aussi plus de 30 planches de dessins de cet artiste ; ce sont des projets pour tableaux de plafonds et pour retables.

FAISTENBERGER Wilhelm
Né en 1623 à Kitzbühel. Mort probablement vers 1690 à Salzbourg. XVIIe siècle. Autrichien.
Peintre.
Fils d'Andreas I. A Salzbourg, où il s'était fixé, il exécuta des tableaux d'autels et des portraits. On cite de lui un portrait de l'*Archevêque Maximilien*, dans le réfectoire de Saint-Pierre.

FAITDIEU Charles Joseph
XVIIIe siècle. Actif à Paris en 1764. Français.
Peintre.

FAITDIEU Pierre Philmen. Voir **FILMENT-FAITDIEU Pierre Germain**

FAITHFULL Leila
Née à Woolton (Angleterre). XXe siècle. Britannique.
Peintre de genre.
Elle exposa au Salon des Artistes Français en 1933.

FAITHORNE William, l'Ancien
Né en 1616 à Londres. Mort en 1691 à Londres. XVIIe siècle. Britannique.
Graveur, pastelliste.
Jusqu'au commencement de la guerre civile, il fut l'élève de Robert Peake, peintre et marchand d'estampes qui fut fait chevalier par Charles Ier et qui prit les armes pour le roi, entraînant avec lui son élève. Lors de la prise de Bassing House, Faithorne fut fait prisonnier et enfermé pendant quelque temps à Aldersgate. Il profita de sa captivité pour exercer son art et grava parmi d'autres planches : *Villiers, duc de Buckingham*. Relâché à la condition de quitter l'Angleterre, il se rendit en France où il reçut les conseils de Robert Nanteuil. Après 1650, on lui permit de rentrer dans sa patrie ; il s'établit alors comme graveur et marchand d'estampes italiennes, anglaises et hollandaises, et continua à graver et à faire des dessins au crayon, délaissant sa première manière pour adopter la méthode française. Cet artiste excella surtout dans le portrait. On cite parmi ses nombreuses œuvres : *Lady Paston*, d'après Van Dyck (1649), *William Sanderson*, d'après Joust (1658), *John Kersey*, d'après le même, *Henry Cary, comte de Monmouth*. Il signait de son nom ou *F. F.*

Musées : Cambridge (Sidney Sussex College) : *Oliver Cromwell*, past. – Londres (British Mus.) : *Sir Orlando Bridgman*, dess. – *Sir Edmund King*, past. – *John Ray*, past. – *Caxton*, encre de Chine – Oxford (Ashmolian Mus.) : *John Aubrey*, cr.

FAITHORNE William, le Jeune
Né en 1656 à Londres. Mort vers 1710. XVIIe-XVIIIe siècles. Britannique.
Peintre.
Il fut l'élève de son père le grand Faithorne et exécuta surtout des portraits gravés à la manière noire. Il se serait fait certainement un nom si la paresse ne l'avait fait tomber dans la misère. Parmi ses meilleurs portraits figurent : *Mary, princesse d'Orange* ; d'après Hanneman, *La reine Anne* ; *Sophie, femme de l'Électeur de Hanovre* ; *Charles XII de Suède*, d'après Ehrenstrahl.

FAIVE Annette Suzanne, Mme **Fontanarosa**
Née le 22 février 1911 à Paris. Morte le 12 novembre 1988 à Paris. XXe siècle. Française.
Peintre de sujets divers, aquarelliste, pastelliste, sculpteur.
Ayant toujours habité Paris, elle a été diplômée du Collège Technique des Arts Appliqués pour Jeunes filles, Centre Élisa Lemonnier, où elle enseigna ensuite pendant plusieurs années. Elle entra à l'École des Beaux-Arts dans l'atelier Lucien Simon, où elle obtint plusieurs prix, et où elle connut Lucien Fontanarosa, avec qui elle se maria, donnant ensuite naissance à trois enfants qui devinrent des musiciens réputés. Elle fit un séjour au Maroc en 1936, un séjour en Italie de 1937 à 1939. En 1985, elle fonda à Paris l'Association Lucien Fontanarosa. Elle fut professeur à l'Union Centrale des Arts Décoratifs, de 1961 à 1971.
Elle exposait au Salon de la Société Nationale des Beaux-Arts, dont elle devint sociétaire, mais également, très régulièrement de 1976 à 1987, dans divers Salons et galeries en France. Une rétrospective lui a été consacrée à la Fondation Taylor à Paris en 1994.
Elle ne partagea ni la technique, ni les thèmes, ni le climat psychologique des peintures de Fontanarosa. Ses paysages, très spontanément brossés, situés sous des éclairages angoissants de contre-jour ou de clair-obscur, ressortissent à un sentiment néoromantique qui rappelle celui des lavis de Victor Hugo.

FAIVRE. Voir aussi **FAVRE**

FAIVRE Abel, pour **Jules Abel**
Né le 30 mars 1867 à Lyon (Rhône). Mort en août 1945. XIXe-XXe siècles. Français.
Peintre de genre, portraits, figures, nus, intérieurs, natures mortes de fruits, aquarelliste, pastelliste, dessinateur humoriste, illustrateur.
Il fut élève de Jean-Baptiste Poncet à l'École des Beaux-Arts de Lyon, où il entra en 1886, puis de Benjamin-Constant et Jules Lefebvre à celle de Paris. Il reçut aussi les conseils de Renoir. Il a participé régulièrement au Salon de Lyon, notamment en 1899 avec *Retour de Wagram*, recevant la médaille du Salon en 1897, et au Salon de Paris depuis 1892, notamment en 1898 avec *Rêveuse*, en 1899 avec *La Vierge aux enfants*, en 1901 avec *La Femme à l'éventail*, en 1906 avec *L'Enfant au livre*, en 1907 avec *Portrait de Maurice Donnay*, y ayant obtenu une médaille de troisième classe 1894, une mention honorable pour l'Exposition universelle de 1900, la Légion d'Honneur en 1906.

Quand bien même ses portraits féminins ont de la grâce, l'illustrateur a survécu au peintre. Son dessin, qui oppose les blancs qu'il sertit aux aplats de noir, est directement efficace, volontaire et méchant. Il a donné de très nombreuses caricatures aux périodiques de l'époque : *L'Assiette au beurre* ; *La Baïonnette* ; *Candide* ; *L'Écho de Paris* ; *Figaro* ; *Gazette du bon ton* ; *Le Journal* ; *Le Rire*. Il a surtout pris pour cible le monde de la médecine, et la bourgeoisie, et, dans la bourgeoisie, la bourgeoise d'âge mûr, au facies à la fois bestial et libidineux. ■ J. B.

Musées : Lyon (Mus. des Beaux-Arts) : *Portrait de jeune fille* – *La femme en bleu* – Paris (Mus. d'Orsay) : *La femme à l'éventail* 1901.

Ventes Publiques : Paris, 21 nov. 1901 : *Femmes nues* : **FRF 200** – Paris, 6 nov. 1924 : *Jeune femme à la guirlande* : **FRF 500** ; *Nu* : **FRF 1 750** ; *Portrait de jeune femme*, past. : **FRF 24 000** – Paris, 11 déc. 1925 : *La tasse de lait* : **FRF 5 100** – Paris, 29 juin 1927 : *La dame aux roses* : **FRF 2 000** – Paris, 5 mai 1928 : *Jeune femme à la rose*, past. : **FRF 2 300** – Paris, 7 déc. 1931 : *Jeune fille*, dess. aux 3 cr. : **FRF 360** – Paris, 12 avr. 1935 : *Bacchante moderne* : **FRF 1 380** – Paris, 20 mars 1942 : *L'essayage chez la modiste* ; *Le Galant incroyable*, h/t, une paire : **FRF 3 000** – Paris, 22 juil. 1942 : *L'Ignoble Satyre*, reh. de lav. : **FRF 220** – Paris, 3 mars 1943 : *Atelier d'artiste*, aquar. : **FRF 600** – Paris, 21 avr. 1943 : *Jeune femme assise*, dess. aux cr. de coul. : **FRF 1 200** – Paris, 29 juin 1945 : *Nature morte* : **FRF 600** – Paris, 12 mars 1973 : *Vierge aux enfants* 1894 : **FRF 8 200** – Enghien-les-Bains, 14 juin 1981 : *Nu en chemise dans un paysage*, h/t (86x54) : **FRF 13 100** – Paris, 5 mars 1984 : *La tireuse de cartes et la demi-mondaine*, h/t (100x210) : **FRF 25 500** – Paris, 17 juin 1985 : *Paysage au lac*, h/t (38,5x46,5) : **FRF 11 000** – Paris, 6 mai 1988 : *Modèle au fauteuil*, techn. mixte (28x20) : **FRF 3 000** – Paris, 21 nov. 1988 : *Portrait de jeune femme*, h/t (27x22) : **FRF 6 500** – Paris, 22 nov. 1988 : *Portrait d'enfant à la collerette*, past. (46x38) : **FRF 20 000** – Versailles, 18 déc. 1988 : *Jeune femme nue dans un paysage* 1920, h/t (41x32) : **FRF 10 200** – Paris, 1er fév. 1989 : *Femme au chien*, past. (74x56) : **FRF 10 000** – Paris, 21 nov. 1989 : *Portrait d'enfant à la collerette*, past. (46x38) : **FRF 20 000** – Paris, 9 juil. 1992 : *Portrait de femme au turban rouge*, past. (80x64) : **FRF 5 000** – Paris, 25 mars 1994 : *Traites de Pactes*, encre de Chine (21x17,5) : **FRF 10 000** – Calais, 25 juin 1995 : *Portrait de jeune fille*, h/t (46x38) : **FRF 4 500** – Paris, 19 déc. 1997 : *Jeune femme se penchant*, h/pan., de forme ovale (37x28,5) : **FRF 3 800**.

FAIVRE Antoine Jean Étienne, dit **Tony**

Né le 24 mai 1830 à Besançon. Mort en 1905 à Paris. XIXe siècle. Français.

Peintre de genre, portraits, compositions décoratives, aquarelliste.

A partir de 1848, il exposa au Salon de Paris. En 1864 il fut médaillé. Il exécuta de nombreux portraits de particuliers. Parmi ceux-ci on cite celui de *Nessim-Bey*. Excellent aquarelliste, il exécuta de jolis éventails et de charmants panneaux décoratifs.

Musées : Besançon : *Pomone et Flore*, projet de plafond.

Ventes Publiques : Paris, 19 mars 1928 : *L'hallali*, aquar. : **FRF 125** – Londres, 25 fév. 1929 : *Le Miroir* : **GBP 19** – Paris, 2 et 3 juil. 1929 : *La bassinoire* : **FRF 1 200** – Londres, 19 fév. 1934 : *La Toilette* : **GBP 5** – Paris, 12 mars 1941 : *Jeune femme en robe bleue, un œillet rouge dans les cheveux* : **FRF 120** – Londres, 21 fév. 1945 : *Jeune femme se lavant les mains* 1873 : **GBP 34** – Londres, 21 mars 1984 : *Bonne sœur et enfants dans un intérieur* 1888, h/t (63x52) : **GBP 1 800** – New York, 22 mai 1986 : *Portrait de Nessim-Bey, campagne d'Asie* 1855, h/t (150x119,5) : **USD 45 000** – Londres, 18 mars 1992 : *Le jeune serviteur* 1865, h/t (153x120) : **GBP 7 480**.

FAIVRE Benoît. Voir **FAIVRE François**

FAIVRE Claude

XIXe siècle. Français.

Graveur à l'eau-forte.

Il fut élève de Boulanger, Courtry et Jules Lefebvre.

Musées : Dieppe : *La Maison de campagne*, eau-forte, d'après Peter de Hooch.

FAIVRE Claude

Né le 14 novembre 1943 à Paris. XXe siècle. Français.

Sculpteur, peintre, graveur, illustrateur, sculpteur d'installations. Abstrait.

À Paris, il fut élève de l'École des Arts Appliqués, de l'École Normale Supérieure de l'Enseignement Technique, de l'École des Beaux-Arts. En 1979, il fut lauréat d'une bourse de recherche. Il vit et travaille à Clamart et à la Roche-Posay. Il est professeur à l'École des Beaux-Arts d'Orléans.

Il participe à des expositions collectives nombreuses, dont : 1973 à 1978 Paris, Salon de Mai ; 1978 Paris, Salon Grands et Jeunes d'Aujourd'hui ; 1983 Paris, *Livres d'art et d'artistes*, galerie N.R.A. ; 1997 Paris, *Livres gravés*, librairie Nicaise ; etc. Il produit surtout ses travaux dans des expositions individuelles, dont quelques-unes : 1979 Paris, *Ventes et Sentes*, galerie N.R.A. ; 1981 Dijon, gravures et dessins ; 1984 Lyon, sculptures et dessins ; 1986 Bibliothèque de Beaune, livres gravés ; 1990 Poitiers, sculptures ; 1993 Canberra, gravures, Institute of Art ; 1995 Dijon, *Ouvertures et Portes de toile* ; etc.

FAIVRE Claude Léonard

XVIIIe siècle. Actif à Besançon. Français.

Sculpteur sur bois et architecte.

Il travailla pour l'abbaye de Bellevaux et l'église de Baume-les-Dames.

FAIVRE Ferdinand

Né le 8 octobre 1860 à Marseille (Bouches-du-Rhône). XIXe siècle. Français.

Sculpteur.

Élève de Cavelier. Figura au Salon des Artistes Français. Mention honorable en 1889, médaille de troisième classe 1892, bourse de voyage la même année, médaille de deuxième classe 1899 et une médaille de bronze à l'Exposition Universelle de 1900.

Musées : Sète : *Fontaine décorative*.

Ventes Publiques : New York, 21 sep. 1981 : *Jean*, bronze (H. 133,5) : **USD 7 500**.

FAIVRE François, parfois **Benoît**

Né vers 1830 à Dôle (Jura). XIXe siècle. Français.

Peintre de scènes de genre.

Il fut élève de Thomas Couture. Il débuta au Salon de Paris, en 1850, avec *N'oubliez pas le pauvre aveugle*, puis il y envoya régulièrement ses toiles, d'entre lesquelles : *Le poète dans sa mansarde* en 1852, *La réprimande* en 1855.

Faivre peignit surtout des scènes de genre, dans des thèmes qui se ressentent de la sensiblerie de l'époque. Il évite les excès de pathétisme en installant ses personnages au coin du feu : il utilise des tons neutres, et sait rester sobre dans l'expression.

Bibliogr. : Gérald Schurr, in : *Les Petits Maîtres de la peinture 1820-1920, valeur de demain*, Les Éditions de l'Amateur, t. V, Paris, 1981.

FAIVRE Jean Alexis

Né vers 1710 à Besançon. XVIIIe siècle. Français.

Sculpteur sur bois.

Fils du sculpteur sur bois Jean Baptiste Faivre, il exécuta en 1778 des sculptures dans la sacristie de Saint-Jean à Besançon, d'après les projets de Cl. J. A. Bertrand.

FAIVRE Jean Baptiste

XVIIIe siècle. Actif à Besançon. Français.

Sculpteur sur bois.

Il exécuta en 1743 des sculptures sur bois dans une chapelle de la cathédrale de Besançon.

FAIVRE Léon Maxime

Né le 6 janvier 1856 à Paris. Mort en 1914. XIXe-XXe siècles. Français.

Peintre d'histoire, sujets allégoriques, scènes de genre, paysages, natures mortes. Symboliste.

Il fut élève de Gustave Boulanger et de Gérome à l'École des Beaux-Arts de Paris. Il exposa au Salon de Paris, de 1877 à 1881, puis Salon des Artistes Français, dont il devint sociétaire en 1886. Il obtint une mention honorable en 1879, une médaille de troisième classe en 1884, une médaille de bronze à l'Exposition Universelle de 1889, une médaille d'argent à celle de 1900.

Musées : Lisieux : *Les Femmes de la Révolution* – *Dernière victoire* – Paris (Mus. d'Orsay) : *Les deux mères*.

Ventes Publiques : Paris, 3-4 mai 1923 : *À la Viole d'amour* : **FRF 260** ; *Nature morte de chasse* : **FRF 1 100** – Grenoble, 9 mai 1977 : *Rue animée à Dax*, h/pan. (27x18) : **FRF 1 500** – Paris, 8 juin 1982 : *Jeune femme au manchon* 1897, h/pan. (28x18,7) : **FRF 14 000** – Zurich, 30 nov. 1984 : *Promeneurs sur la plage*, h/cart. (29,5x46) : **CHF 10 000** – Zurich, 21 nov. 1986 : *Scènes de bord de mer*, deux h/cart. (10,3x27 et 10,8x24,5) : **CHF 11 000**.

FAIVRE Paul Émile Denis

Né le 1er mars 1821 à Metz. Mort le 29 janvier 1868 à Metz. XIXe siècle. Français.

Peintre.

Cet artiste figura au Salon de Paris de 1855 à 1866.
Musées : Metz : *Fruits et fleurs – Un vautour s'abattant sur une cigogne – Fleurs* – Nancy : *Gibier mort – Fruits et faïence.*
Ventes Publiques : Paris, 14 oct. 1946 : *Nature morte de chasse* : **FRF 1 100.**

FAIVRE Tony. Voir **FAIVRE Antoine Jean Etienne,** dit **Tony**

FAIVRE-DUFFER Louis Stanislas
Né en 1818 à Nancy (Meurthe-et-Moselle). Mort en 1897. xixe siècle. Français.
Peintre de sujets religieux, scènes de genre, portraits, animaux, compositions murales, aquarelliste, pastelliste, miniaturiste, lithographe. Réaliste, tendance symboliste.
Il fut élève de Claude Bonnefond et de Victor Orsel à l'École des Beaux-Arts de Lyon de 1832 à 1834, puis il entra à l'École des Beaux-Arts de Paris, où il accumula les récompenses. Il fit le voyage de Rome. Il débuta au Salon de Lyon en 1836, en présentant *L'enfant prodigue*. Il exposa au Salon de Paris, dès 1847, avec *Femme italienne avec son Enfant* et une *Tête de femme* ; à l'Exposition Universelle de 1855, avec *Le printemps*, pastel. Parmi ses œuvres exposées à Paris : *Pèlerinage* 1863 ; *Les suites d'une faute* 1865 ; *Isabelle et le vase de basilic* 1879 ; *Mater dolorosa* 1881 ; *Putiphar* 1894 ; *Hérodiade, Les Baigneuses*, aquarelles 1896. Il obtint une médaille de troisième classe en 1851, et un rappel de médaille en 1861.
Faivre-Duffer peignit des scènes de genre, des animaux, mais il consacra une bonne part de son œuvre à la décoration murale religieuse. Il reçut diverses commandes : à partir de 1873, les peintures décoratives du château d'Anet, en Eure-et-Loire. On le chargea, ainsi que d'autres anciens élèves de Victor Orsel, de poursuivre les peintures de la chapelle de l'Eucharistie à Notre-Dame-de-Lorette, à Paris. Dans la suite, en 1885, il effectua des décorations au château de Coyolles, dans l'Aisne ; en 1895, un carton pour les mosaïques ornant à Marseille le tympan de Notre-Dame-de-la-Garde. Il exécuta de nombreuses lithographies d'après V. Orsel. Très réaliste dans ses détails, Faivre-Duffer utilise des teintes acides, il évite ainsi que sa peinture religieuse tombe dans une certaine fadeur. Spécialiste du portrait mondain, destiné aux salons du Second Empire, il réalisa des centaines de portraits de la bourgeoisie lyonnaise. Traitant ce genre de diverses manières : huile, aquarelle, pastel ou cire, parfois même en miniature, il est habile à flatter les traits de ses modèles, en respectant toutefois la ressemblance.

L FAIVRE-DUFFER

Bibliogr. : Gérald Schurr, in : *Les Petits Maîtres de la peinture 1820-1920, valeur de demain*, Les Éditions de l'Amateur, t. VII, Paris, 1989.
Musées : Lyon : *Pèlerinage à la Madone – Étude de femme nue* – Nancy : *Paysanne italienne et son enfant.*
Ventes Publiques : Zurich, 9 nov. 1984 : *Jeune femme à l'ombrelle rouge*, h/t (70x50) : **CHF 3 200.**

FAIVRE-VALLÉE Euphémie, Mme
xxe siècle. Française.
Peintre miniaturiste.
Elle exposa à Paris au Salon des Artistes Français à partir de 1922.

FAIX Andras
xixe siècle. Hongrois.
Peintre d'histoire et peintre de portraits.
Il séjourna à Temesvar (Hongrie) et y peignit le *Baptême de saint Étienne, roi de Hongrie*. Ce tableau fut exposé dans la cathédrale.

FAIZAN Jenny von
xixe siècle. Active vers 1800. Allemande.
Peintre de miniatures.
On lui attribue une miniature sur ivoire représentant *L'Électrice Wilhelmine Caroline de Hesse.*

FAIZANT Jacques
Né en 1918 à Laroquebrou (Cantal). xxe siècle. Français.
Dessinateur humoriste.
Ses premiers dessins datent de 1945. Ses premiers dessins politiques paraissent en 1959 dans *Paris Press*. Il donne quotidiennement un dessin pour le *Figaro* depuis la fin des années soixante. Il a également collaboré au *Point*, de même qu'à *Jour de France, Paris Match, France-Dimanche, Samedi soir, La Vie Catholique.*
Ventes Publiques : Paris, 13 nov. 1986 : *Pour ce que tu fais de tes vieux jouets*, aquar. (29x23) : **FRF 4 000** – Paris, 27 nov. 1993 : *Faudrait trouver une île déserte avec plein de filles et de bistrots gratuits* 1982, encre noire et coul./pap., illustration pour Jour de France (20,5x26,5) : **FRF 5 500.**

FAJANS Maximilian
Né le 5 mai 1827 à Sieradz (près de Kalischle). Mort le 26 juillet 1890 à Targowko (près de Varsovie). xixe siècle. Polonais.
Dessinateur et lithographe.
Élève de l'Académie de Varsovie il alla en 1849 à Paris où il travailla dans l'atelier d'Ary Scheffer ; il étudia la lithographie chez Émile Lasalle et la chromolithographie à l'institut Lemercier. De retour à Varsovie, il publia des *Portraits polonais*, effigies de personnalités réputées, lithographies en noir, et dans *Fleurs et Poésies*, des chromolithographies.

FAJARDO Alonso
xviie siècle. Espagnol.
Peintre.
Établi à Séville en 1646. Il était le frère de Juan et Nicolas Fajardo.

FAJARDO Carlos
Né en 1941. xxe siècle. Brésilien.
Peintre, dessinateur.
Il fut l'un des membres fondateurs, à São Paulo vers 1965, du groupe *Rex*, inspiré par Wesley Duke Lee, dont l'activité s'exerçait autour d'une galerie et d'un journal, à l'écart du circuit traditionnel. Il participa à l'effervescence qui caractérisa cette époque de l'art brésilien, qui devait tourner les contraintes et censures du régime dictatorial. Vers 1975, il participa à un mouvement puissant de retour au dessin, en tant que moyen efficace d'emprise et de critique de la réalité proche et menaçante.
Bibliogr. : D. Boyon, R. Pontual : *La peinture de l'Amérique latine au xxe siècle*, Mengès, Paris, 1990.

FAJARDO Juan Antonio
xviie siècle. Actif à Séville. Espagnol.
Peintre.

FAJARDO Nicolas
xviie siècle. Actif à Séville. Espagnol.
Peintre.
Frère de Juan et Alonso Fajardo.

FAJEN Gebert
xviie siècle. Allemand.
Peintre.
Il travailla pour l'église Sainte-Marie à Lübeck.

FAJFROWSKA Sylvie
Née en 1959. xxe siècle. Française.
Peintre. Abstrait.
Elle vit et travaille à Paris. Elle a été en résidence à la Villa Arson à Nice en 1994.
Elle participe à des expositions collectives, parmi lesquelles : 1992, 1993, Salon de Montrouge ; 1992, galerie Eric Dupont, Toulouse ; 1994, *Vraiment peintres*, galerie Zürcher ; 1995, galerie Regards, Paris ; 1997, Foire internationale d'art contemporain, galerie Eric Dupont, Paris.
Elle montre ses œuvres dans expositions personnelles : 1993, galerie Regards, Paris ; 1994, Maison d'art contemporain, Chailloux ; 1994, galerie Eric Dupont, Toulouse ; 1996, galerie Jordan-Devarieux, Paris ; 1997, galerie Eric Dupont, Paris ; 1997, Espace d'art contemporain C. Lambert, Juvisy-sur-Orge.
Ses peintures sont constituées de signes, non pas géométriques mais très graphiques, diversifiés et répartis sur la surface du support selon des systèmes combinatoires, les couleurs étant elles aussi porteuses de symboles. Il lui arrive également de réaliser quelques portraits qui possèdent, comme l'ensemble de son travail, cette mise à distance consciente entre la réalité et les « formes-couleurs » se constituent en entité autonome.
Bibliogr. : Eric de Chassey : *L'objet de la peinture*, catalogue d'exposition, Espace d'art contemporain C. Lambert, Juvisy-sur-Orge, 1997.

FA JO-CHÊN. Voir **FA RUOZHEN**

FAJOL Pierre
Né le 26 avril 1920 à Bordeaux (Gironde). xxe siècle. Français.
Peintre de compositions à personnages, figures, portraits, paysages.
Il s'est formé en autodidacte, ayant toutefois suivi les cours libres à l'École des Beaux-Arts de Bordeaux, de 1935 à 1938. Après la

guerre de 1939-1945 où il s'engagea et qu'il termina dans la deuxième D.B. de Leclerc, il participe à des expositions collectives et montre ses œuvres dans des expositions personnelles : au Maroc de 1945 à 1963, en Algérie de 1963 à 1965, en Corse de 1965 à 1969, sur la Côte d'Azur en 1969-1970, à Paris, notamment au Salon d'Automne, entre 1970 et 1975, à Bordeaux et Arcachon depuis 1975, ainsi que dans de nombreux pays d'Amérique. Il a obtenu plusieurs distinctions.
Il peint selon des techniques très différentes, des compositions dans lesquelles les personnages semblent participer à des cérémonials mystérieux, parfois mystiques, et des figures souvent énigmatiques.

FAJON Rose Jeanne, Mme, née **Boquet**
Née en 1798 à Marseille. XIXe siècle. Française.
Peintre.
Élève de M. et Mme Hersent. Elle figura au Salon de Paris en 1833 et 1834 par des portraits et des fleurs, à l'aquarelle.

FA JO-TCHEN. Voir **FA RUOZHEN**

FAKITS Erno
Né le 30 janvier 1883 à Budapest. XXe siècle. Hongrois.
Sculpteur de monuments.
Il fut élève de l'École des Arts et Métiers de Budapest. Il alla ensuite à Vienne. Il exécuta le *Monument commémoratif des Héros de Branyiszko* à Szepesvaralja.

FAL Guillaem de ou **Faen**
Originaire de Liège. XVIIe siècle. Éc. flamande.
Peintre.
Il habita à Amsterdam et s'y maria.
Ventes Publiques : Londres, 19 fév. 1937 : *Groupe familial* : **GBP 8.**

FALAIZE Richard
Né à Paris. XVIe siècle. Français.
Sculpteur sur bois.
Il fit les cinquante-quatre stalles sculptées de l'église collégiale Saint-Martin de Champeaux, dans le canton de Mormant (Seine-et-Marne) en 1522.

FALAMPIN Jean Baptiste Louis
XVIIIe siècle. Actif à Paris en 1769. Français.
Peintre et sculpteur.

FALANDER Ida Amanda Maria
Née le 6 septembre 1842 à Stockholm. XIXe siècle. Suédoise.
Graveur sur bois.
Élève de E. Skill à l'Académie de Stockholm. Elle exécuta des gravures sur bois dont un grand nombre pour *Le Ny Illustrerad Tidning*. En 1878 elle travailla à Londres pour *The Graphic*.

FALANGE Enrico ou **Falangè**
D'origine flamande ou allemande. XVIIe siècle.
Peintre de sujets allégoriques.
Il travailla à Venise, en 1650, en particulier pour l'oratoire de l'église Saint-Barthélemy.
Ventes Publiques : New York, 5 avr. 1990 : *Allégorie de Minerve avec le Temps* 1641, h/t (113x85,5) : **USD 1 650.**

FALASSO Silvestro
XVIIe siècle. Actif à Rome. Italien.
Peintre.

FALAT Julian
Né le 30 juillet 1853 en Galicie. XIXe siècle. Autrichien.
Peintre de genre, paysages, aquarelliste, peintre à la gouache, dessinateur.
Il fut élève de Jos. Brandt à Munich, habita Zurich, Cracovie et Berlin. Fut professeur et directeur de l'Académie de Cracovie. Parmi ses tableaux on mentionne surtout : *Partie sous bois près de Munich, Mercredi des Cendres dans une église de la Haute-Italie*. Il est aussi l'auteur d'une série de vingt-huit aquarelles et dessins dont : *Retour de l'empereur Guillaume II d'une chasse à l'ours*. Son tableau : *À la chasse aux ours en Russie*, conservé au Musée de Berlin, a obtenu une médaille d'argent à l'Exposition Universelle de 1900.
Musées : Berlin : *À la chasse aux ours en Russie*.
Ventes Publiques : New York, 24 sep. 1969 : *Scène de chasse* : **USD 2 000** – New York, 2 avr. 1976 : *Paysage de neige*, gche et aquar. (54x113) : **USD 1 600** – New York, 25 mai 1984 : *La mariée polonaise* 1888, aquar. et gche (74x57,1) : **USD 7 000** – Vienne, 12 sep. 1984 : *Soleil d'hiver* 1906, h/t (77x200) : **ATS 130 000.**

FALBE Joachim Martin
Né en 1709 à Berlin. Mort en 1782 à Berlin. XVIIIe siècle. Allemand.
Peintre et graveur.
Élève de J. Harper et de A. Pesne. On cite parmi ses gravures des planches représentant des figures. *L'Adoration des bergers*, d'après Rembrandt, *La Présentation au temple*, d'après C. W. Dietrier, *Le Philosophe dans son cabinet, L'enfant en lisière, Le Vieillard avec le livre d'heures.*

Ventes Publiques : Londres, 30 nov. 1907 : *Petits pêcheurs sur la grève* : **GBP 1.**

FÄLBEL Franz Joseph
Mort vers 1760. XVIIIe siècle. Actif à Vienne. Autrichien.
Peintre.

FALBESONER Joseph
Né en 1769 à Nassereith (Tyrol). Mort en 1849 à Nassereith. XVIIIe-XIXe siècles. Autrichien.
Sculpteur sur bois et architecte.
Après avoir fait des travaux de décoration au Monastère d'Einsiedeln (Suisse), il travailla chez le sculpteur Franz Speicher à Freisingen où il exécuta 18 statues des Électeurs bavarois. Les églises du Tyrol possèdent un grand nombre de ses œuvres : autels, tabernacles, crucifix.

FALC Nora
Née à la fin du XIXe siècle à Moscou. XIXe-XXe siècles. Russe.
Peintre.
Elle exposa au Salon d'Automne vers 1920.

FALCAZ Alphonse Auguste
Né le 19 avril 1813 à Paris. XIXe siècle. Français.
Peintre.
Élève de L. Cogniet, il entra à l'École des Beaux-Arts le 2 octobre 1837. Il exposa au Salon de 1840 à 1846. On mentionne de lui : *Portrait de Mlle Anaïs Aubert, Les saintes femmes au tombeau de Jésus-Christ, Jésus-Christ crucifié.*

FALCH Georg Friedrich
Né en 1694. Mort en 1723. XVIIIe siècle. Allemand.
Peintre.
Il travailla avec son père Georg Ulrich Falch à la décoration du château de Wathausen, près de Biberach.

FALCH Georg Ulrich
Né en 1655. Mort en 1735. XVIIe-XVIIIe siècles. Actif à Biberach (Wurtemberg). Allemand.
Peintre.
Il travailla à la décoration du château de Wathausen, près de Biberach.

FALCH Johann ou **Falk**
Né en 1687. Mort en 1727. XVIIIe siècle. Allemand.
Peintre d'animaux.
Imitateur de W. Hamilton, ce peintre travaillait à Augsbourg. L'Ermitage à Saint-Pétersbourg conserve de lui deux tableaux : *Insectes* et *Reptiles*.

FALCHETTI Alberto
Né en 1878 à Caluso. Mort en 1951. XXe siècle. Actif aussi en France. Italien.
Peintre de paysages, paysages de montagne.
Il vivait et travaillait à Turin. Il a figuré aux expositions de Venise, en 1898 et 1911 à celles de Turin, en 1909 et 1913 à celles du Palais de Glace de Munich, en 1914 au Salon des Artistes Français de Paris.
Il travailla longtemps en France et a surtout peint des paysages de haute montagne.

A Falchetti

Musées : Paris (Mus. d'Orsay) : *Ouragan dans la montagne*.
Ventes Publiques : Rome, 13 mai 1986 : *Paysans dans un paysage* 1908, h/t (147x234) : **ITL 14 000 000** – Rome, 12 déc. 1989 : *Paturages de montagnes*, h/t (74x128) : **ITL 11 000 000** – Milan, 14 juin 1995 : *Coucher de soleil sur Pizzo di Sciora*, h/t (60x100) : **ITL 6 325 000** – Milan, 18 déc. 1996 : *Nature morte aux fruits* 1898, h/t (29,5x57) : **ITL 6 058 000.**

FALCHETTI Giuseppe
Né en 1843 à Caluso. XIXe siècle. Italien.
Peintre de paysages animés, natures mortes.

Il exposa une *Nature morte* à Turin en 1898. La Galerie d'Art et le Palais Royal de Turin possèdent de ses œuvres.
Ventes Publiques : Londres, 23 juil. 1976 : *Nature morte* 1878, h/t (54,5x35,5) : **GBP 300** – Los Angeles, 22 juin 1981 : *Nature morte aux fruits* 1878, h/t (80x59) : **USD 1 700** – Rome, 26 oct. 1984 : *Paysanne dans un paysage fluvial, Ramasseuse de fagots dans un paysage*, 2 h/t (70x100) : **ITL 7 000 000** – Rome, 16 déc. 1987 : *Nature morte au panier de pommes ; Nature morte aux grappes de raisins*, deux h/t (68x45) : **ITL 9 000 000** – Milan, 6 déc. 1989 : *Le haut Canavese*, h/pan. (27,5x40) : **ITL 3 600 000** – Monaco, 21 avr. 1990 : *Nature morte au raisin et au maïs*, h/t (70x46) : **FRF 22 200** – Milan, 17 déc. 1992 : *Grappes de raisin*, h/t (60x40) : **ITL 5 700 000**.

FALCHI Ange
Né le 26 octobre 1913 à Vence (Alpes-Maritimes). xxe siècle. Français.
Peintre, sculpteur, peintre à la gouache, pastelliste, lithographe. Abstrait-lyrique.
Élève de l'École des Arts Décoratifs de Nice, il fut diplômé en arts plastiques et licencié en histoire de l'art. Il a bénéficié en 1958 d'une bourse d'étude qui lui permit de visiter l'Italie et ses monuments et musées, en 1959 d'une bourse d'étude pour l'Espagne. Il participe à de nombreuses expositions collectives et montre peintures et sculptures dans des expositions individuelles, depuis 1955 : à Nice, Paris, Rennes, Poitiers, São Paulo, Brasilia, Bahia (Salvador), Rio de Janeiro, etc. À l'occasion de plusieurs travaux importants au Brésil, il fut professeur d'art à l'Alliance Française de Brasilia.
Il associe, dans sa peinture, des plages lisses de couleurs franches, à de larges empâtements, créant des plans en profondeur et des rythmes variés en surface. En sculpture, en 1961, il participa à un concours international à Paris pour la création d'un monument destiné à représenter la présence française à Brasilia. Lauréat, sa sculpture *Solarius* 16 mètres de hauteur et 10 tonnes, fut érigée en 1967, après avoir été présentée publiquement à Nice, où elle fut construite. Ensuite, le gouvernement de Brasilia lui commanda un monument en hommage à Don Bosco : *O, Proféta*, 5 mètres de hauteur, 1 tonne, puis : *Mercure* pour le collège La Salle toujours à Brasilia, 9 mètres de hauteur, 3 tonnes. Dans ses sculptures, bien qu'il exploite des techniques différentes, lourdes fondes ou sortes de grillages arachnéens, la constante qui les relie entre elles, et avec ses peintures, c'est une rythmique quasi gestuelle, un don de légèreté aérienne. ■ J. B.
Bibliogr. : Catalogue de la vente *Ange Falchi*, Drouot, Paris, 1er mars 1988.
Ventes Publiques : Paris, 12 juil. 1990 : *Composition*, h/t (81x54) : **FRF 39 000** – Paris, 22 nov. 1990 : *Composition*, h/t (53x64) : **FRF 12 100**.

FALCHI Ettore
Né en 1913 à Rome. xxe siècle. Depuis 1935 actif aussi en France. Italien.
Peintre, peintre de compositions murales. Abstrait.
Il se fit d'abord connaître comme athlète de music-hall. Il commença à peindre en 1939, fréquentant les Académies libres. Il participa à des expositions collectives à Paris : Salon des Réalités Nouvelles à partir de 1949, assez régulièrement Salon de Mai, Comparaisons depuis 1961. Il a exposé à New York en 1947, Paris 1948, Copenhague 1950, Lausanne 1954. En 1960, lui fut décerné le Grand Prix de l'U.F.I.B., à l'exposition *Quelques peintres italiens établis à Paris*.
Ses premières œuvres abstraites datent de 1946-47. Il met en œuvre, dans des peintures qui ressortissent au classicisme de l'abstraction, des matériaux diversifiés, qui tendent parfois jusqu'au relief. En 1963, il réalisa des compositions murales à Legnano.
Bibliogr. : Michel Seuphor : *Diction. de la peint. abstraite*, Hazan, Paris, 1957.

FALCHINI Giovanni
Né en 1790 à Montorio al Vomano (Abruzzes). Mort à San Benedetto del Tronto. xixe siècle. Italien.
Peintre sur émail et dessinateur de portraits.
On mentionne parmi ses œuvres une copie de la *Transfiguration*, d'après Raphaël.

FALCIANI Paolo
Né vers 1780 à Sarno. Mort le 18 février 1872 à Naples. xixe siècle. Italien.
Peintre.
Il fut professeur à l'Institut des Beaux-Arts de Naples.

FALCIATORE Filippo
Né en 1718 à Naples. Mort en 1768 à Naples. xviiie siècle. Italien.
Peintre d'histoire, compositions religieuses, scènes de genre, fresquiste.
D'abord élève de Paolo de Matteis, puis de D. A. Vaccaro.
Parmi ses œuvres on cite des fresques dans les Palais des Ducs de Monteleone et de Brunasso à Naples, celle de la Sacristie de l'église del Carmine, *Le Sacrifice d'Élie*, et son tableau *La Vierge entre saint Sébastien, saint Charles Borromée et sainte Amélie*. Il peignit aussi de petits tableaux d'histoire et de genre. Une *Révolte à Naples* fut exposée en 1877.
Musées : Linz (Gal.) : *Moïse sauvé des eaux*.
Ventes Publiques : Milan, 30 nov. 1982 : *Étude de personnages*, pl. (30,5x25,3) : **ITL 1 600 000** – Milan, 21 mai 1991 : *Concert paysans ; Concert mondain*, h/t, une paire de forme ovale (chaque 60,5x43) : **ITL 192 100 000** – New York, 17 jan. 1992 : *Personnages élégants, dansant, se promenant dans un jardin, bavardant*, h/t/cart., ensemble de quatre panneaux ovales (chaque 64,1x48,9) : **USD 165 000** – Rome, 21 nov. 1995 : *L'Annonciation*, h/cuivre (34x27) : **ITL 24 748 000** – Londres, 3-4 déc. 1997 : *Hommes élégamment habillés assis à l'extérieur d'une auberge*, h/t (76x101,7) : **GBP 52 100**.

FALCIERI Biagio
Né en 1628 à Brentonico. Mort en 1703 à Vérone. xviie siècle. Italien.
Peintre et graveur.
Il travailla à Vérone sous Locatelli et à Venise sous Pietro Liberi. On connaît une seule gravure de cet artiste : *Saint Jérôme dans le désert*. Parmi ses peintures, on cite dans la chapelle des Dominicains à Vérone un grand tableau : *Le Concile de Trente*, dans la partie supérieure duquel il représenta *Saint Thomas triomphant des hérétiques*.

FALCINI Bettina, née **Battista Hartmann**
Née en 1805 à Lucerne. xixe siècle. Suisse.
Dessinatrice.
Auteur d'une *Idylle* (dans une collection de M. Karl Mahler à Lucerne). L'association artistique de cette ville possède aussi un dessin exécuté en 1822.

FALCINI Domenico
xvie siècle. Actif à Sienne à la fin du xvie siècle. Italien.
Graveur.
Il grava sur bois différentes œuvres de Raphaël et d'autres maîtres. Il travailla aussi sur métal. Une seule de ses planches est signée *D.F.F.* ; toutes les autres portent son monogramme.

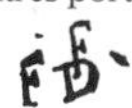

FALCINI Louis
Né à Buenos Aires. xxe siècle. Brésilien.
Sculpteur.
Il fut sociétaire de la Nationale.

FALCK Bernard
xviie siècle. Actif à Sarrebruck. Allemand.
Sculpteur.
Il exécuta en 1611 pour l'église de Bitche un grand crucifix et une croix pour le jubé.

FALCK Jeremias. Voir **FALK**

FALCK Martin
xvie siècle. Allemand.
Dessinateur.
Il illustra de dessins à la plume une partie d'un manuscrit du monastère d'Etenheim. Ce manuscrit est conservé par la Bibliothèque régionale de Karlsruhe.

FALCK Steffen
xviie siècle. Actif à Pforzheim. Allemand.
Sculpteur.

FALCKE Tobias ou **Falke**
xixe siècle. Actif à Nuremberg. Allemand.
Graveur.
On connaît de ce sidérographe une reproduction de *La Foi, l'Espérance et la Charité*, de H. M. Hess, signée *T. Falke* ; un *Portrait du duc Alexandre Frédéric Christian d'Anhalt-Bernbourg*, signé *Falke*, un *Portrait de la Tsarine Alexandra Feodorovna*, un *Portrait du prince Paskevitch-Erivanski* et de nombreux portraits de nobles russes et polonais.

FALCKEISEN Theodor ou **Falkeisen**
Né en 1765 à Bâle. Mort en 1814 à Bâle. XVIIIe-XIXe siècles. Suisse.
Dessinateur et graveur au burin.
Élève de Holzhall, de Mechel et de Ch. Guttenberg. On cite parmi ses gravures : *Étude d'arbre, Le Cauchemar,* d'après H. Fussli, *La Mort du général Wolf,* d'après Benj. West, gravure exécutée pendant le séjour que Falckeisen fit à Londres.

F 1787.

FALCKENBURG. Voir **VALKENBORCH** et **VALKENBURG**

FALCKENER Johann ou **Falckner**
Né au début du XVIIIe siècle à Augsbourg. XVIIIe siècle. Allemand.
Peintre.
Frère de Polycarp Falckener, cet artiste travailla avec lui à l'Académie de Vienne.

FALCKENER Polycarp
Né au début du XVIIIe siècle à Augsbourg ou à Bude. XVIIIe siècle. Allemand.
Peintre.
Élève de l'Académie de Vienne en 1728, peut-être aussi de Peter Strude.

FALCO Angelo
Né en 1600 à Naples. Mort en 1665. XVIIe siècle. Italien.
Peintre et graveur à l'eau-forte.
Une eau-forte rustique et grossière porte le nom de cet artiste. Elle représente l'histoire d'Apollon et Daphné. Bien que le dessin en soit fort incorrect et d'un style quelconque, il semble cependant qu'il ait été exécuté par un peintre. Il fut élève de Guis Ribera. Sa signature se trouve également sur trois autres eaux-fortes : *Sirènes, naïades et tritons, Tombeau d'un Savant, Combat d'hommes nus.* Il a été souvent confondu avec Aniello Falcone, en particulier par Nagler.

FALCO Carlo de
Né le 26 novembre 1798 à Naples. Mort le 15 octobre 1882 à Pagani (province de Salerne). XIXe siècle. Italien.
Peintre de portraits.
Il fut tout d'abord l'élève de son père Filippo de Falco, puis d'Angelini à l'Institut des Beaux-Arts de Naples. Un *portrait de la reine Isabelle de Bourbon* qu'il exposa en 1826 lui valut d'être nommé peintre de la Cour. Il fit encore les portraits de *François Ier*, des princes royaux et de *Marie-Christine de Savoie,* puis de diverses personnalités : *Le ministre marquis Tanucci, Général Clary, Capitaine d'Andrea, Le poète Giulio Genoino.*

FALCO Félix
Né au XVIIe siècle à Valence. XVIIe siècle. Italien.
Peintre de genre.
Élève d'Espinosa. Ses œuvres sont à Valence.

FALCO Filippo de
Né en 1852 à Naples. Mort en 1891. XIXe siècle. Italien.
Peintre de genre, paysages.
Travailla d'abord à l'Académie de Naples. Ses études terminées, il se consacra à la peinture de genre et au paysage. Il exposa à Naples, en 1877 : *Lac au crépuscule,* dont la lumière diffuse et les reflets vagues méritèrent les éloges de la critique. En 1883, il envoya à Rome : *À la campagne,* à Turin, la même année : *Luisa,* à Venise, en 1887 : *Le Journal de partout.*
Ventes Publiques : Rome, 31 mai 1990 : *Femme dans un jardin,* h/t (27x42) : **ITL 4 000 000** – Rome, 4 déc. 1990 : *Place de la mairie à Naples,* h/pan. (30x37,5) : **ITL 3 000 000**.

FALCO Giuseppe de
XIXe siècle. Italien.
Peintre miniaturiste.
Napolitain, il fut auteur de la *Madone des Grâces,* exposée à Naples en 1877, et de deux *Portraits,* exposés à Turin en 1884.

FALCO Juan. Voir **CONCHILLOS Y FALCO**

FALCO Nicola de
Mort le 8 octobre 1700. XVIIe siècle. Italien.
Peintre.
Il entra dans la gilde de Naples en 1683.

FALCÓ Nicolas, l'Ancien
XVIe siècle. Espagnol.
Peintre.
En 1502, il travailla au maître-autel du Monastère Sainte-Claire et Sainte-Isabelle de Valence ; il est mentionné comme ayant participé aux travaux du chapitre de la cathédrale et exécuté une *Na. Senora de la Sapientia* pour la chapelle de l'Université. Il a souvent terminé les œuvres du Maître de Perea. On lui attribue les peintures représentant des *Scènes de la vie de Marie,* au Musée de Valence.

FALCÓ Nicolas, le Jeune
XVIe siècle. Espagnol.
Peintre.
Fils d'Onofre Falcó, il devint son successeur comme peintre du Royaume de Valence, le 9 mars 1560.

FALCÓ Onofre
XVIe siècle. Espagnol.
Peintre.
Il devint en 1556 le successeur de Juan Cardona, comme peintre du Royaume de Valence.

FALCO Paolo di
XVIIIe siècle. Actif à Naples. Italien.
Prêtre, peintre.
Élève de Solimena. Il peignit des fresques, pour les églises de Naples et environs, et un grand nombre de tableaux. À l'occasion de l'entrée de Charles III de Bourbon à Naples, il exposa un tableau allégorique à la gloire du Prince.

FALCO Pietro
Originaire de Savoie. Mort en 1616 à Rome. XVIIe siècle. Italien.
Peintre.

FALCON Bartolomé
XVe siècle. Actif à Séville. Espagnol.
Peintre.

FALCON Carlos, Frère
Espagnol.
Peintre.
Moine franciscain, il travailla au monastère d'Aranzazu en Guipuzcoa.

FALCON Nicola
Originaire de Venise. XVe siècle. Italien.
Peintre.
Il était en 1441 membre de la Gilde de Padoue.

FALCON DE CIMIER, Mme, née **Laporte**
XIXe siècle. Active à Paris. Française.
Peintre.
Sociétaire des Artistes Français depuis 1888.

FALCONE Andrea
Né vers 1630 à Naples. Mort vers 1675 à Naples. XVIIe siècle. Italien.
Sculpteur.
Petit-neveu du peintre Aniello Falcone, il fut d'abord élève de Fansago, puis il étudia à Rome. Parmi ses œuvres on cite à Naples des statues de marbre : *La Madone, La Charité et La Miséricorde* au Mont de la Miséricorde, et à Saint-Paul Majeur, quatre statues en marbre : *La Prudence, La Tempérance, La Mansuétude* et *La Justice.* Il contribua avec d'autres artistes à la création d'une branche artistique qui fut une spécialité de Naples au XVIIIe siècle : celle des statues de crèches.

FALCONE Aniello ou **Angelo**, dit **l'Oracolo delle Battaglie**
Né en 1607 à Naples (Campanie). Mort en 1656 à Naples. XVIIe siècle. Italien.
Peintre d'histoire, compositions religieuses, sujets allégoriques, scènes de genre, batailles, paysages, fresquiste, graveur, dessinateur.
Il est le fils de Vincenzo Falcone. Il fut élève de Giuseppe Ribera, nommé Spagnoletto. Capitaine de la Compagnie de la mort lors de la révolte de Masaniello, il se réfugia en France à la mort de ce dernier et fut accueilli par le ministre Colbert. Falcone s'acquit une excellente réputation et une brillante fortune. Il fut le fondateur à Naples d'une grande école de peinture et un des maîtres du préromantique Salvator Rosa. C'est en France que se trouvent la plupart de ses œuvres, qui sont fort rares et très estimées.
Il se distingua particulièrement dans la représentation des batailles et escarmouches de cavalerie. Ses meilleures œuvres se placent après celles du Bourguignon. Il réalisa aussi de nom-

breuses compositions religieuses, telles que : le *Repos pendant la fuite en Égypte*, pour la cathédrale de Naples ; l'*Aumône de sainte Lucie* ; *Vierge à l'Enfant*. On cite encore de lui des fresques pour l'église de San Paolo Maggiore et pour celle du Gesu Nuovo. Comme graveur, il exécuta une vingtaine de planches parmi lesquelles : *Apollon et Mars*, d'après Parmigiano, *L'Adoration des Mages*, d'après Raphaël, *Saint Georges et le dragon*. Du Caravage, il avait retenu la représentation des scènes sacrées ou historiques, transcrites dans la réalité quotidienne, rendant ainsi la leçon du Christianisme par exemple, aux humbles qui en avaient été dépossédés. Son caravagisme toutefois, est tempéré par l'influence plus familière des peintres romains de « bambochades ». Marqué par le Caravage, connaissant les œuvres italiennes de Velasquez, il marqua profondément l'école napolitaine et eut une influence directe sur Bernardo Cavallino.

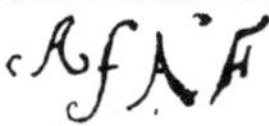

Bibliogr. : In : *Diction. de la peinture italienne*, coll. Essentiels, Larousse, Paris, 1989.
Musées : Bourges : *Martyre de sainte Barbe* – Madrid (Mus. du Prado) : *Combat entre Turcs et Chrétiens* – *Soldats romains entrant au cirque* – *Concert* – Naples (Gal. de Capodimonte) : *Le repos pendant la fuite en Égypte* – *Aumône de sainte Lucie* – *Scène de bataille*, deux œuvres – *Études d'une tête de David et d'un enfant*, dess. – Saint-Marin : *Bataille*, deux œuvres – Stockholm.
Ventes Publiques : Milan, 11 mai 1966 : *Sainte Lucie* : **ITL 6 200 000** – Londres, 3 déc. 1969 : *Scène de bataille* : **GBP 5 800** – Milan, 17 déc. 1971 : *Scène de bataille* : **ITL 6 500 000** – Vienne, 12 mars 1974 : *Amazones combattant* : **ATS 50 000** – Londres, 7 juil. 1981 : *Paysage avec arbres et roue à eau*, sanguine/pap. (15,9x21,7) : **GBP 1 800** – New York, 6 juin 1984 : *Armée attaquant une ville*, h/t (102x155) : **USD 23 000** – Londres, 4 juil. 1984 : *Le serpent d'airain*, sanguine et lav. (20,1x26,6) : **GBP 1 700** – Londres, 22 mai 1985 : *La Vierge et l'Enfant*, h/t (55x42) : **GBP 5 800** – Londres, 26 juin 1985 : *Saint Georges et le dragon*, eau-forte (15,5x25,2) : **GBP 750** – Londres, 8 déc. 1987 : *Paysage avec arbres et une roue à eau*, sanguine (15,9x21,7) : **GBP 1 800** – Monaco, 16 juin 1989 : *Scènes de bataille*, h/t, deux pendants (chaque 103x143) : **FRF 377 400** – Amelia, 18 mai 1990 : *Josué faisant disparaître le soleil pendant la bataille de Gabaon*, h/t (63x75,5) : **ITL 30 000 000** – New York, 10 oct. 1991 : *Scène de bataille*, h/t, toile ronde et toile carrée (150,5x150,5) : **USD 77 000** – New York, 17 jan. 1992 : *Cléopâtre fuyant la bataille d'Actium*, h/t (87,6x113) : **USD 27 500** – Milan, 3 déc. 1992 : *Scène de bataille*, h/t (77x93) : **ITL 60 000 000** – Rome, 22 nov. 1994 : *La bataille de Ponte Milvio*, h/t (126x154) : **ITL 86 250 000** – Rome, 9 mai 1995 : *La bataille de Clavijo*, h/t (127x153) : **ITL 89 700 000** – Londres, 2 juil. 1996 : *Une bataille*, craie noire, encre et lav. (12,8x25,2) : **GBP 1 610**.

FALCONE Bernardo
Né au XVIIe siècle, originaire de Lugano. XVIIe siècle. Suisse.
Sculpteur et fondeur.
On mentionne un grand nombre de ses œuvres à Venise : les statues de *La Vierge* et de *Saint Dominique* au-dessus du maître-autel, dans l'église Saint-Jean et Saint-Paul ; les statues de *Saint Théodore et quatre anges* à la façade de l'école de Saint-Théodore ; quatre statues de bronze dans l'église des Frari. A Padoue, l'église Sainte-Justine possède également quelques-unes de ses œuvres.

FALCONE Giovanni ou **Falconi**
XVe siècle. Actif dans la première moitié du XVe siècle. Italien.
Miniaturiste.
Il fut employé, vers 1434, par Nicolo III, prince d'Este. Un manuscrit des *Commentaires de César* se trouvant dans la Bibliothèque Estense à Modène est orné de 14 miniatures de sa main.

FALCONE Nicola
XVIIe siècle. Actif à Naples. Italien.
Peintre.
Parent d'Aniello Falcone. Il était aussi architecte et créa la façade de Sainte-Marie-Madeleine à Naples.

FALCONE Pietro
Mort vers 1656, de la peste. XVIIe siècle. Italien.
Peintre.
Actif à Naples, il était apparenté à Aniello Falcone.

FALCONE Silvio
Né au XVIe siècle, originaire de Magliano en Sabine. XVIe siècle. Italien.
Sculpteur.
Il travailla avec Michel-Ange.

FALCONE Tommaso dal
XVIe siècle. Italien.
Sculpteur.
En 1542, il participa à Bologne aux travaux de construction de l'église et du couvent de Saint-Dominique.

FALCONE Vincenzo
Mort en 1648. XVIIe siècle. Actif à Naples. Italien.
Peintre et doreur.

FALCONER. Voir aussi **FALKONER**

FALCONER John M.
Né le 22 mai 1820 à Edimbourg. Mort le 12 mars 1903 à New York. XIXe siècle. Actif aux États-Unis. Britannique.
Peintre d'architectures, aquarelliste, graveur.
Il vint aux États-Unis et fut élève de la National Academy of Design à New York. Il voyagea beaucoup en Europe et se plut à reproduire dans ses tableaux un grand nombre de monuments historiques de l'ancien et du nouveau continent. On lui doit aussi des aquarelles, des peintures sur porcelaine, des émaux et des eaux-fortes. Fut membre de la American Water-Colours Society.
Ventes Publiques : San Francisco, 21 juin 1984 : *Washington's home, Newburgh, New York*, h/cart. (21x31) : **USD 1 800** – New York, 3 déc. 1996 : *La Maison de William Penn, Philadelphie* 1864, aquar. et pap./pap./cart. (43,8x59,7) : **USD 4 600**.

FALCONET Étienne Maurice
Né le 1er décembre 1716 à Paris. Mort le 24 janvier 1791 à Paris. XVIIIe siècle. Français.
Sculpteur de groupes, statues, dessinateur.
Falconet peut être considéré comme un des maîtres de la sculpture française au XVIIIe siècle, tout au moins de la sculpture classique. Élève de Lemoyne, il fut connu assez vite, ainsi que l'atteste la date à laquelle il fut agréé à l'Académie (29 août 1744), mais il ne débuta au Salon qu'en 1745 avec une esquisse en plâtre : *Milon de Crotone dévoré par un lion*, sujet qu'il reproduisit dix ans plus tard, en 1755, en marbre, comme morceau de réception à l'Académie. Entre ces deux dates il exposa surtout des modèles classiques et des allégories tels que : *Le Génie de la sculpture*, *La Science*, *La Musique*, *Les quatre saisons*. Le succès qu'obtint son *Milon de Crotone* fut confirmé par son *Pygmalion aux pieds de sa statue*, qui est une de ses œuvres les meilleures, une de celles surtout en lesquelles il a su mettre le plus de charme délicat et la plus grande part de personnalité.
Il avait connu Mme d'Étiolles, la future Mme de Pompadour, pour qui il exécuta, dès 1751, le groupe *La Musique*, destiné à son château de Bellevue (aujourd'hui au Louvre), qui la représente dans le rôle d'Eglé, qu'elle avait interprété devant le roi. Mme de Pompadour lui conserva sa faveur et lui commanda d'autres ouvrages, entre autres *L'Amour menaçant*, de 1757. Elle lui demanda de diriger l'atelier de sculpture de la Manufacture de Sèvres, qu'elle avait fondée dans le bas de son parc. Jusqu'en 1766, Falconet fournit une centaine de modèles, originaux ou d'après Boucher, pour cette production de « biscuits », prisée de toute une époque. Diderot vit un insurpassable chef-d'œuvre dans son groupe de *Pygmalion et Galathée*, de 1763, mais on sait qu'en peinture, il avait le goût commun.
Parmi ses autres statues, il faut citer : *Le Christ agonisant* (Église Saint-Roch), *La Baigneuse*, *L'Amour menaçant*, *La douce mélancolie*. La vogue dont il jouissait, assez méritée d'ailleurs, lui valut d'être nommé, successivement adjoint à professeur le 5 juillet 1755, professeur le 7 mars 1761, adjoint à recteur le 26 avril 1783. Entre temps, en 1766, Catherine II de Russie l'appela à Saint-Pétersbourg pour exécuter la statue colossale de Pierre le Grand. Mais l'Impératrice récompensa assez chichement le sculpteur français qui quitta la Russie en 1778 ou en 1781 pour revenir à Paris. Mais se sentant très las, et constatant, d'autre part, l'évolution du goût qui s'était produite pendant son absence, il décida de renoncer à la sculpture et consacra le reste de sa vie à la rédaction de nombreux ouvrages artistiques.
Falconet fut indiscutablement un grand artiste, un sculpteur d'une extrême habileté, bien servi par une science approfondie du dessin.
Musées : Angers : *Buste du médecin Camille Falconet*, marbre –

BAGNOLS : *La Baigneuse* – BAYONNE (Mus. Bonnat) : *La Peinture*, terre cuite, statuette – BERLIN : *Des amours et un bouc* – *Danseuse*, bronze – CHÂLONS-SUR-MARNE : *La Baigneuse* – FRANCFORT-SUR-LE-MAIN (Liebieghaus) : *Jeune fille*, bronze doré – LIBOURNE : *Allégorie* – LYON : *Buste du médecin Camille Falconet*, marbre – PARIS (Mus. du Louvre) : *Masque d'homme*, terre cuite – *Flore*, marbre, statuette assise – *La Musique*, marbre – *Baigneuse*, marbre, statuette – *L'Amour menaçant*, marbre – *Milon de Crotone*, marbre, groupe – PARIS (Mus. Jacquemart-André) : *La Gloire de Catherine II*, marbre – LA ROCHELLE : *Une Baigneuse* – *La Frileuse* – SAINT-PÉTERSBOURG (Mus. de l'Ermitage) : *Pygmalion*, marbre, groupe – SENS : *Baigneuse*.

VENTES PUBLIQUES : PARIS, 21 et 22 fév. 1919 : *Premier projet pour la statue de Pierre-le-Grand*, sépia : **FRF 150** – PARIS, 8-10 juin 1920 : *Projet de groupe*, sanguine : **FRF 520** – PARIS, 1er-2 déc. 1932 : *L'Amour prie Vénus de lui rendre son carquois*, terre cuite, groupe : **FRF 67 000** ; *Vénus corrigeant l'Amour*, marbre blanc, groupe : **FRF 210 000** ; *Jeune Femme*, marbre blanc, statuette : **FRF 60 000** – PARIS, 10 déc. 1964 : *Vénus allaitant l'Amour*, terre cuite : **FRF 14 000** – PARIS, 14 juin 1983 : *Académie d'homme*, sanguine (34,5x37,5) : **FRF 7 500** – GENÈVE, 24 nov. 1985 : *Académie d'homme vu de dos*, cr. noir et reh. de blanc/pap. gris (58x42) : **CHF 6 500** – PARIS, 28 juin 1988 : *Amour puni* 1760, marbre blanc (H. 48) : **FRF 15 500** – LOKEREN, 10 oct. 1992 : *La baigneuse*, bronze à patine brune (H. 81, l. 25) : **BEF 80 000** – PARIS, 12 juil. 1993 : *La chasse* ; *La pêche* 1788, pierre, une paire (190x195 et 190x180) : **FRF 800 000** – LOKEREN, 9 déc. 1995 : *Baigneuse*, bronze (H. 51,5) : **BEF 50 000**.

FALCONET György. Voir **FALKONER**

FALCONET Jean François
XVIIIe siècle. Actif à Paris. Français.
Sculpteur.
Il devint le 23 septembre 1742 membre de l'Académie Saint-Luc.

FALCONET Marie Anne, Mme. Voir **COLLOT**

FALCONET Pierre Étienne
Né en 1741. Mort le 25 juin 1791 à Paris. XVIIIe siècle. Actif aussi en Angleterre. Français.
Peintre de portraits.
Fils d'Étienne Maurice Falconet, il ne survécut à son père que de quelques mois. C'est en Angleterre qu'il étudia la peinture sous la direction de Reynolds et ne tarda pas à devenir un des portraitistes les plus réputés de la métropole anglaise. Il fut membre de la Incorporated society of Artists en 1766 ; il envoya, de 1767 à 1773, un grand nombre de portraits aux expositions de cette association. Figura aussi à la Royal Academy. On cite aussi de lui quelques compositions historiques. Il revint en France vers 1778 et son retour paraît avoir coïncidé avec celui de son père. Il paraît également probable qu'il n'épousa Marie Anne Collot qu'après ce retour.

VENTES PUBLIQUES : PARIS, 8-9 déc. 1919 : *Jeune Femme assise sur un socle de pierre*, cr. : **FRF 380** – PARIS, 18 nov. 1920 : *Miss Harriel Parrot* : **FRF 10 900** – PARIS, 15 déc. 1922 : *Jeune Femme assise sur un socle de pierre*, cr. reh. de blanc : **FRF 280** – NEW YORK, 20 nov. 1931 : *Enfant jouant avec des cartes* : **USD 275** – PARIS, 22 fév. 1934 : *Étude d'une statue de femme drapée, de profil vers la gauche, et de deux enfants*, sanguine, Attr. : **FRF 120** – LONDRES, 10 déc. 1943 : *Une femme* : **GBP 357** – PARIS, 26 mars 1974 : *Portrait de Miss Nanette Thellusson* : **FRF 25 000** – PARIS, 25 juin 1996 : *Portrait de Miss Nanette Thelluson* 1768, h/t (71x66) : **FRF 200 000** – LONDRES, 2 juil. 1996 : *Autoportrait* 1764, mine de pb et craie noire/pap. apprêté (10,9x9,4) : **GBP 2 300**.

FALCONET Pierre François
XVIIIe siècle. Actif à Paris. Français.
Sculpteur.

FALCONETTI Angelo
Mort avant 1572. XVIe siècle. Italien.
Peintre et aquafortiste.
On suppose qu'il vécut et travailla dans le Trentin. On cite de lui les fresques d'un tabernacle conservées dans l'église Saint-Roch à Rovereto ; des eaux-fortes : *Le petit Tobie et l'Archange*, *Apollon et Daphné*, *Judas et Thamar*.

FALCONETTI Antonio I
XVe siècle. Italien.
Peintre.
Demi-frère du peintre Stefano de Vérone. Il vécut probablement à Beverara.

FALCONETTI Antonio II
Né vers 1531. XVIe siècle. Actif à Vérone. Italien.
Peintre.
Il se maria plusieurs fois et épousa la peintre Margherita Marangoni.

FALCONETTI Bartholus. Voir **BARTHOLUS**

FALCONETTI Giambattista
Né vers 1574. Mort avant 1625. XVIe-XVIIe siècles. Italien.
Peintre.
Il vécut à Beverara et décora quelques pièces du canonicat de Saint-Laurent. Aucune de ses œuvres n'a été conservée.

FALCONETTI Jacopo
Né vers 1447. XVe siècle. Italien.
Peintre.
Il vécut à Beverara.

FALCONETTI Jacopo
XVIIe siècle. Actif à Beverara vers 1600. Italien.
Peintre.
Il était le fils de Giambattista Falconetti et aida son père aux travaux de décoration du canonicat de Saint-Laurent.

FALCONETTI Margherita, née **Marangoni**
Née vers 1539. Morte avant 1600. XVIe siècle. Italienne.
Peintre.
Elle était la femme d'Antonio II Falconetti, qu'elle aida dans son travail.

FALCONETTI Ottaviano
Né vers 1508. XVIe siècle. Actif à Vérone. Italien.
Peintre et décorateur.
Il s'agit sans doute du fils Gian Maria Falconetto. Il exécuta de nombreux stucs.

FALCONETTI Provolo
Né vers 1502. XVIe siècle. Actif à Beverara. Italien.
Peintre, décorateur et faïencier.

FALCONETTI Stefano
Né vers 1582. XVIIe siècle. Actif à Beverara. Italien.
Peintre.

FALCONETTI Tomaso
XVIe siècle. Actif à Vérone. Italien.
Peintre.
Il travailla à Vérone et dans le Trentin.

FALCONETTO Gian Antonio
Né vers 1470 à Vérone. Mort à Roveredo. XVe siècle. Italien.
Peintre.
Élève de son père Jacopo Falconetto qui était neveu de Stefano de Vérone ; il excella dans la peinture des fruits et des animaux. Vérone et ses environs possèdent plusieurs de ses œuvres.

FALCONETTO Gian Maria ou **Giovanni Maria**
Né vers 1458 ou 1468 à Vérone. Mort en 1534 à Padoue. XVe-XVIe siècles. Italien.
Peintre de compositions religieuses, sujets allégoriques, compositions décoratives, fresquiste, dessinateur, architecte.
Frère de Gian Antonio, il reçut comme celui-ci les leçons de leur père Jacopo Falconetto. Il consacra la première partie de sa vie à la peinture et s'adonna ensuite à l'architecture. Il entra au service d'Alvise Cornaro, à Padoue, où sont la plupart de ses œuvres d'architecture.
Successeur de Liberale et imitateur de Melozzo da Forli, il décora plusieurs églises de Vérone. Excellent architecte, il sut donner à ses peintures des effets de perspective remarquables, en particulier dans la décoration qu'il fit de la coupole de la chapelle de San Biagio de San Mazzaro e Celso. Son chef-d'œuvre est les allégories religieuses exécutées de 1509 à 1516 dans l'église de Saint-Pierre-Martyr, à Vérone. Il nous reste de ses fresques, fort bonnes d'ailleurs, une *Vierge à l'Enfant entre saint Augustin et saint Joseph*, peinte en 1523 à San Giuseppe de Vérone, *Une Annonciation* à San Zeno de Vérone.

MUSÉES : BERLIN : *L'Assomption* – VÉRONE (Pina.) : *Auguste et la Sibylle*.

VENTES PUBLIQUES : MONACO, 2 juil. 1993 : *La tentation du Christ dans le désert*, encre brune (16,1x23,3) : **FRF 11 100**.

FALCONI. Voir aussi **FALCONE**

FALCONI Bernardo di Nello di Giovanni, ou **Vanni**
XIVe siècle. Actif à la fin du XIVe siècle. Italien.

Peintre.
Étudia dans l'atelier d'Andrea Orcagna, à Pise, où il travailla et peignit, pour la cathédrale de cette ville, une série de retables. Supino lui attribue les fresques du Campo Santo à Pise et deux tableaux de Saints (au Musée municipal de cette ville).

FALCONI Giovanni. Voir **FALCONE**

FALCONNIER Léon
Né le 10 mars 1811 à Ancy-le-Franc (Yonne). Mort en 1876. XIXe siècle. Français.
Peintre, pastelliste, sculpteur.
Après un court apprentissage à l'atelier de Michel Picquenot à Caen, il entra à l'École des Beaux-Arts de Paris. Il s'inscrivit, à partir de 1837, aux cours de peinture de Michel Drolling, tout en suivant l'enseignement de la sculpture chez Étienne Ramey puis chez Augustin Dumont. Il exposa au Salon de Paris, de 1841 à 1874, obtenant une médaille de troisième classe, en 1851.
Falconnier participa à la décoration de l'église de la Madeleine, à Paris, puis de l'Arc de Triomphe de l'Étoile. Il exécuta quelques toiles, en témoigne son *Saint-Sébastien* mais c'est surtout en tant que sculpteur qu'il fit carrière. On cite de lui : *La Vierge* dite *Stella Salutis – Mucius Scoevola – Jésus chassant les vendeurs du temple – La paix dans la force* et des statues et groupes en marbre, tels que : *Caïn maudit – Jeune Bourguignonne.*
Bibliogr. : Gérald Schurr, in : *Les Petits Maîtres de la peinture 1820-1920, valeur de demain*, Les Éditions de l'Amateur, t. VI, Paris, 1985.
Musées : Auxerre : *Caïn maudit*, marbre – *Affranchissement des esclaves d'Amérique par le président Lincoln.*

FALCOU Jacques
Né le 9 mai 1912 à Neuilly-sur-Seine (Hauts-de-Seine). Mort le 26 mars 1975 à Paris. XXe siècle. Français.
Peintre de portraits, figures, paysages, marines, natures mortes, fleurs, peintre à la gouache, lithographe, illustrateur. Postcézannien.
Il était le fils de Raphaël Falcou. Il fut élève de Lucien Simon à l'École des Beaux-Arts de Paris. De 1934 à 1942, il fut professeur de dessin des écoles de la Ville de Paris. En 1937, il fut sélectionné parmi les logistes pour le Prix de Rome. Il revint du conflit de 1939-1945 avec la croix de guerre et la médaille de la Résistance. Il a figuré dans des expositions collectives en province, à l'étranger, et à Paris : Salon des Artistes Français depuis 1932, sociétaire, médailles d'argent 1937 (Exposition Internationale) et 1938. Il a figuré aussi aux Salons de la Société Nationale des Beaux-Arts et d'Automne dont il fut sociétaire. Il obtint aussi divers Prix, dont le Prix Roux décerné par l'Institut. Il a montré ses travaux au cours d'expositions personnelles : à Paris 1943, 1968, dans plusieurs villes des États-Unis et de Suisse. Illustrateur, il a collaboré aux encyclopédies de l'éditeur Jean Grassin : 1970 *Les Moulins*, 1971 *La Lune*, 1972 *Le Pays natal*, 1973 *Le Bonheur.*
Techniquement, il peignait par juxtaposition de touches grasses et sensuelles, en général de deux tons légèrement différents, l'un faisant le ton local généralisé, l'autre tantôt clair et chaud pour la lumière sur les choses, tantôt foncé et froid pour les ombres. Comme de nombreux peintres de sa génération, d'une part il a traité les divers sujets traditionnels, d'autre part, passant outre à l'influence tardive de l'impressionnisme, ce fut à Cézanne qu'il se référa, avec toutefois quelques incursions, surtout dans les natures mortes, du côté du cubisme apaisé de Georges Braque.
■ J. B.
Bibliogr. : René Barotte : *Falcou*, Édit. de la Revue Mod., Paris, 1981.
Ventes Publiques : Cannes, 29 jan. 1981 : *Les Martigues*, h/t (50x63) : **FRF 2 400.**

FALCOU Pierre Jean
Né à Paris. XXe siècle. Français.
Peintre de paysages.
Il exposait à Paris, au Salon des Artistes Indépendants depuis 1925.
Il peignit surtout des paysages de Bretagne.

FALCOU Raphaël
Né en 1862 à Paris. Mort en 1949. XIXe-XXe siècles. Français.
Peintre de paysages.
Père de Jacques Falcou. Il exposait à Paris, au Salon de la Société Nationale des Beaux-Arts depuis 1921. Il fut Directeur des Beaux-Arts et Commissaire des Fêtes de la Ville de Paris.

FALCOYANO Alesi J., Mlle
Née au XIXe siècle à Bucarest. XIXe siècle. Roumaine.
Peintre de portraits, graveur.
Figura à l'Exposition Universelle de 1900, où elle obtint une mention honorable.
Ventes Publiques : Paris, 7 avr. 1987 : *Portrait de trois enfants* 1896, h/t (54x81) : **FRF 14 000.**

FALCOZ Alphonse Auguste
Né le 19 avril 1813 à Paris. XIXe siècle. Français.
Peintre d'histoire et portraitiste.
Élève de l'École des Beaux-Arts (1837) et de L. Cogniet, il débuta au Salon en 1840, et y exposa jusqu'en 1846 des portraits et des tableaux religieux.

FALDA Giovanni Battista ou **Falti Johan Baptist**
Né en 1648 à Valduggia. Mort en 1678 à Rome. XVIIe siècle. Italien.
Dessinateur d'architectures, graveur, architecte.
On ignore qui fut son maître, mais son style ressemble beaucoup à celui d'Israël Silvestre. On le trouve à Rome de 1669 à 1678. Cette ville possède de lui plusieurs dessins et gravures de ses églises, jardins, fontaines et édifices publics, exécutés avec une science très grande de la perspective et ornés de personnages.
Ventes Publiques : Londres, 18 juin 1982 : *Nuova pianta et alzata della citta di Roma* 1676, suite de douze eaux fortes et burins (39,5x51,3) : **GBP 950.**

FALDI Arturo
Né le 27 juillet 1856 à Florence. Mort le 30 mai 1911 à Florence. XIXe-XXe siècles. Italien.
Peintre d'histoire, scènes de genre, intérieurs, fleurs.
Il commença par exposer des tableaux d'histoire à Milan, à Florence, à Monaco et au Salon de Paris en 1881. Ensuite il abandonna la peinture historique pour la peinture d'intérieurs. Médaille de bronze aux Expositions Universelles de 1889 et de 1900.
On cite parmi ses œuvres : *Joseph vendu par ses frères* (1873), *Atirte et Sésostris* (1879), *Au Jardin* (1882), *Sur la montagne* (1888), *L'Attente* (1896), *Temps de pluie, Jalousie.*
Musées : Rome (Gal. Nat.) : *Que Dieu les accompagne – L'hiver en Toscane* – Turin (Mus. Civique) : *Lune de miel.*
Ventes Publiques : Milan, 6 nov. 1980 : *Calore domestico*, h/t (42x31) : **ITL 4 600 000** – Rome, 1er déc. 1982 : *La tentation*, h/t (50,5x60) : **ITL 2 200 000** – Londres, 24 juin 1987 : *Personnages sur une terrasse surplombant les collines de Toscane*, h/t (69x87,5) : **GBP 10 500** – Milan, 7 nov. 1991 : *Fleurs de champs*, h/t (63,5x45,5) : **ITL 20 500 000** – New York, 15 oct. 1993 : *Alimenter un feu* 1895, h/t (234,3x208,2) : **USD 19 550** – Londres, 16 mars 1994 : *Artite et Sesostris* 1879, h/t (116,5x86) : **GBP 8 050.**

FALDONI Antonio Giovanni
Né vers 1690 à Asolo. Mort vers 1770. XVIIIe siècle. Italien.
Peintre et graveur.
Il étudia le paysage avec Antonio Luciani. Ses peintures sont peu connues. S'étant appliqué à la gravure, il imita le style de Gilles Sadler pour prendre ensuite celui de Mellan, dans lequel il réussit fort bien. Il exécuta une série de portraits des Doges de Venise et des procurateurs de Saint-Marc.

A.F.

FALENS Carel Van
Baptisé à Anvers le 24 novembre 1683. Mort le 27 mai 1733 à Paris. XVIIe-XVIIIe siècles. Éc. flamande.
Peintre de genre, scènes de chasse, paysages animés.
Élève de Constantin Francken depuis 1697. En 1703 il vint à Paris, où il épousa, le 16 juillet 1716, la fille du sculpteur Sébastian Slodtz. Il devint membre de l'Académie de Paris le 29 novembre 1726. Il signe *C. F. F.*

c. vanfalens

Musées : Courtrai : *Halte de cavaliers* – Dresde : *Départ pour la chasse* – La Fère : *La chasse au cerf – Le retour de la chasse* – Glasgow : *Le départ* – Goettingue : *Scène de pillage* – Lübeck : *Marché aux légumes* – Montpellier : *Halte de cavaliers* – Moscou (Gal. Roumiantzeff) : *Le repos pendant la chasse – Retour de chasse* – Naples (Filangieri) : *Vénus et l'Amour* – Nice : *Le départ* – Paris (Mus. du Louvre) : *Rendez-vous de chasse – Halte de chasseurs* – Le Puy-en-Velay : *Le départ pour la chasse* – Rouen : *Fauconnier* – Saint-Pétersbourg (Mus. de l'Ermitage) : *Départ pour la chasse – Chasse au faucon* – Stuttgart : *Combat de cavaliers.*

Ventes Publiques : Paris, 8 mai 1900 : *Départ pour la chasse au faucon* : **FRF 175** – Paris, 29 juin 1905 : *Départ pour la chasse au faucon* : **FRF 2 000** – Londres, 27 nov. 1909 : *Cavalier arrêté ; Bouvier et Bestiaux* : **GBP 2** – Londres, 21 fév. 1910 : *Chasseur au faucon faisant halte* : **GBP 17** – Paris, 17 nov. 1919 : *Halte de chasse*, attr. : **FRF 700** – Paris, 8 nov. 1922 : *Paysage avec cavalier*, attr. : **FRF 380** – Paris, 7 mars 1923 : *La Halte à l'Auberge* : **FRF 820** – Paris, 9-10 mars 1923 : *La chasse au cerf*, pl. : **FRF 85** – Paris, 15 mars 1923 : *Halte de chasse*, École de C. Van F. : **FRF 1 500** – Londres, 5 juil. 1926 : *Paysage en hiver*, dess. : **GBP 10** – Londres, 20 juil. 1927 : *Groupe de chasseurs devant une auberge* : **GBP 52** – Paris, 27-28 déc. 1927 : *L'aumône du cavalier*, attr. : **FRF 2 510** – Paris, 17 fév. 1928 : *Scène de patinage ; La Halte parmi les ruines*, ensemble : **FRF 3 200** – Paris, 1er juin 1928 : *Le départ*, attr. : **FRF 1 250** – Paris, 24 nov. 1928 : *Cavaliers et personnages à la fontaine*, École de C. van F. : **FRF 480** – Londres, 27 juin 1930 : *Départ pour la chasse ; Partie de chasse*, ensemble : **GBP 35** – Londres, 22 déc. 1936 : *Cavaliers* : **GBP 8** – Paris, 25 nov. 1937 : *La Chasse au cerf ; La Halte à l'auberge*, deux dess. à la sépia, reh. de pierre blanche, deux pendants : **FRF 310** – Londres, 1er avr. 1938 : *Chasse au faucon* : **GBP 8** – Londres, 6 mai 1938 : *Scène de rivière* : **GBP 8** – Paris, 1er juil. 1938 : *Le Passage du gué* : **FRF 190** – Londres, 28 avr. 1939 : *Sporting Party* 1730 : **GBP 9** – Londres, 31 mai 1940 : *Deux cavaliers* : **GBP 10** – Londres, 9 oct. 1941 : *Cavaliers* : **GBP 6** – Londres, 7 juil. 1943 : *Engagement de cavalerie*, deux peintures : **GBP 21** – Paris, 25 nov. 1946 : *Le coup de l'étrier*, pl. et lavis, attr. : **FRF 3 250** – Paris, 10 juin 1954 : *Scènes de chasse au faucon*, deux pendants : **FRF 166 000** – Paris, 11 déc. 1961 : *Le départ pour la chasse ; La chasse à courre*, deux pendants : **FRF 5 200** – Cologne, 21 oct. 1966 : *Cavaliers dans un paysage boisé* : **DEM 3 500** – New York, 21 mars 1969 : *Campement militaire* : **USD 2 000** – Paris, 9 nov. 1970 : *Le marché aux chevaux* : **FRF 23 500** – Paris, 16 juin 1972 : *Le retour de la chasse* : **FRF 9 100** – Londres, 9 fév. 1973 : *Le rendez-vous de chasse* : **GNS 3 000** – Londres, 7 juil. 1976 : *Fauconnier sur un cheval blanc*, h/pan. (36x62,5) : **GBP 3 800** – Versailles, 27 mars 1977 : *Le départ pour la chasse*, h/t (61x76) : **FRF 12 500** – Amsterdam, 2 juin 1981 : *Cavaliers et paysans dans un paysage*, h/pan. (27x35) : **NLG 15 000** – Amsterdam, 15 mai 1984 : *Scène de chasse*, h/pan. (29,5x37,5) : **NLG 30 000** – Paris, 11 juil. 1985 : *Halte de cavaliers*, h/cuivre (26,5x31,5) : **FRF 52 000** – Paris, 4 déc. 1987 : *Départ pour la chasse*, h/t (52,5x69) : **FRF 20 000** – Londres, 8 juil. 1988 : *Chasseurs faisant halte près d'une fontaine et de ruines dans un vaste paysage*, h/t (33,5x43) : **GBP 5 500** – Troyes, 19 nov. 1989 : *Cavaliers, retour de chasse au faucon*, h/t (16x21) : **FRF 20 500** – New York, 16 jan. 1992 : *Vaste paysage avec des chasseurs se restaurant sous un tente et des voyageurs sur un chemin au fond*, h/cuivre (36,8x48,3) : **USD 13 200** – Paris, 11 déc. 1992 : *Le manège de chevaux*, h/pan. (35,5x45,5) : **FRF 20 000** – New York, 14 jan. 1994 : *Cavaliers faisant une pause après la chasse*, h/t (65,1x53) : **USD 13 800** – Paris, 16 mars 1994 : *Le départ pour la chasse au faucon*, h/pan. de chêne (49x64,5) : **FRF 135 000** – Paris, 13 déc. 1995 : *Le Retour de la chasse*, h/t (54x65) : **FRF 60 000** – New York, 16 mai 1996 : *Le Retour des chasseurs*, h/t (53x62,9) : **USD 25 300** – Ickworth, 12 juin 1996 : *Le Départ*, h/t (50x60) : **GBP 13 800** – Londres, 3-4 déc. 1997 : *Chasse au faucon avec d'élégants personnages à cheval dans un vaste paysage*, h/pan., une paire (chaque 32,5x46) : **GBP 17 250**.

FALERI Domenico
Né en 1595. Mort en 1640. XVIIe siècle. Italien.
Peintre.
L'église de l'Hôpital Monagnese de Sienne possède de lui un tableau : *La Nativité*. D'autres peintures se trouvent dans un Prieuré bénédictin du voisinage.

FALÉRO Luis Riccardo
Né en 1851 à Grenade. Mort en 1896 à Londres. XIXe siècle. Espagnol.
Peintre de figures, nus, scènes de genre, aquarelliste.
Il débuta dans la marine espagnole, étudia à Paris, puis se rendit à Londres dans cette ville.
Très versé dans l'astronomie, il exécuta surtout des sujets s'y rapportant. *Le mariage d'une comète, Doubles étoiles, Le rêve de Faust*. Il fit également de nombreuses études de nus féminins.

Musées : New York (Metropolitan Mus.) : *Étoiles jumelles*, aquar.
Ventes Publiques : Paris, 9 mars 1891 : *Biblis* : **FRF 600** ; *Vin de Tokay* : **FRF 1 500** – Paris, 27 avr. 1897 : *La Charmeuse de serpents* : **FRF 205** – Paris, 30 juin 1904 : *Bohémienne* : **FRF 620** – New York, 22 et 23 avr. 1907 : *Musique* : **USD 110** – New York, 1-3 avr. 1908 : *La Bague de fiançailles* : **USD 180** – Paris, 3-4 mai 1923 : *Une Gitane* : **FRF 500** – Paris, 6 mai 1925 : *La Sérénade* : **FRF 250** – Londres, 9 juil. 1928 : *La Nymphe marine* : **GBP 14** – Londres, 13 fév. 1931 : *La Favorite* : **GBP 15** – Versailles, 15 mai 1977 : *Le charmeur de serpents*, h/t (56x41) : **USD 4 250** – Londres, 18 juin 1980 : *Portrait de madame M. G. Spinelli Falero*, h/t (83x64) : **GBP 400** – New York, 25 mai 1984 : *La poseuse* 1879, h/t (160,7x85,1) : **USD 11 000** – New York, 26 fév. 1986 : *L'offrande* 1892, h/t (73,5x38,7) : **USD 12 000** – Londres, 15 fév. 1990 : *Moment d'oisiveté* 1896, h/t, une paire (chaque 40,5x20,3) : **GBP 4 400** – New York, 23 mai 1990 : *Nu féminin sculptant le marbre* 1892, h/t (105,5x167,6) : **USD 20 900** – Londres, 30 nov. 1990 : *La coquette* 1879, h/t (160,7x83,8) : **GBP 14 300** – New York, 27 mai 1993 : *La danse des ménestrels*, h/t (35x69,8) : **USD 9 200**.

FALET Eugène
Né à Paris. XXe siècle. Français.
Peintre.
Il exposa à Paris au Salon de la Société Nationale des Beaux-Arts.

FALETRO Joannis. Voir **FALIER Giovanni**

FALEZZA Giuseppe
XIXe siècle. Actif à Vérone vers 1850. Italien.
Peintre de natures mortes.
C'était un ecclésiastique.

FALGANI Guasparre
Né au début du XVIIe siècle à Florence. XVIIe siècle. Italien.
Paysagiste.
Élève de Valerio Marucelli. Ses œuvres se trouvent dispersées dans les musées et galeries italiennes.

FALGAS
Né à Rodez. XVIIIe-XIXe siècles. Actif à la fin du XVIIIe siècle ou au début du XIXe siècle. Français.
Sculpteur, peintre et lithographe.
Cet artiste local, qui fut d'abord barbier, puis surveillant du musée, fut un des premiers adeptes de la lithographie. Le Musée de Rodez conserve de lui quelques gravures et de remarquables cadres sculptés.

FALGER Anton
Né en 1791 à Elbigenalp (Tyrol). XIXe siècle. Autrichien.
Dessinateur, aquafortiste et lithographe.
Il travailla vers 1820 à Munich et à Weimar et grava et lithographia des cartes, des vignettes, des paysages, des scènes de genre. On cite de lui ses copies des gravures de Callot.

FALGUIÈRE Henriette
Née le 19 janvier 1888 à Suresnes (Hauts-de-Seine). Morte le 8 octobre 1956 à Paris. XXe siècle. Française.
Peintre, pastelliste.
Elle fut élève de Jules Lefebvre et de Tony Robert-Fleury à Paris. Elle y débuta en 1908, au Salon des Artistes Français.

FALGUIÈRE Jean Alexandre Joseph
Né le 7 septembre 1831 à Toulouse (Haute-Garonne). Mort en 1900 à Paris. XIXe siècle. Français.
Sculpteur de monuments, groupes, statues, bustes, peintre de compositions religieuses, scènes de genre, dessinateur. Réaliste.
Il fut élève de Jouffroy à l'École des Beaux-Arts de Paris. Il débuta au Salon de Paris en 1857. En 1859, il obtint le Prix de Rome. Il était encore à Rome, lorsqu'il envoya en 1864 le *Vainqueur au combat de coqs*, qui lui valut sa première récompense au Salon, suivie, trois ans plus tard, d'une nouvelle médaille pour sa statue de *Tarcisius martyr*. Cette même année il obtenait une première médaille à l'Exposition Universelle de Paris (1867) et, en 1868, la médaille d'honneur du Salon, avec une réplique en marbre de son *Tarcisius*. Les récompenses officielles ne lui firent pas défaut, non plus que les commandes. Professeur à l'École des Beaux-Arts de Paris, il fut nommé chevalier de la Légion d'honneur en 1870, il fut promu officier en 1878.
Il avait débuté dans la carrière artistique par l'étude des classiques et l'influence de cette éducation se fait sentir dans ses pre-

mières œuvres, notamment dans le *Thésée enfant* du Salon de 1857 et dans le groupe de son Prix de Rome : *Mezence blessé, sauvé par Lausus.* Au cours des années suivantes, Falguière affirma ses tendances à l'art réaliste avec assez de vigueur pour que quelques critiques lui reprochent un manque de distinction. Parmi ses œuvres, les meilleures de cette partie de sa carrière : *La danseuse égyptienne* (1872), la *Statue de Pierre Corneille, Le cardinal Lavigerie, La femme au paon, La Statue de La Rochejaquelin, Une Ève* et de nombreux monuments. En 1878, il fut chargé de l'exécution du *Triomphe de la République*, qui fut mis en place, en 1881, au sommet de l'Arc de Triomphe de l'Étoile, puis déposé en 1886, du *Monument de Courbet*, de la *Statue de La Fayette*.
Falguière fut aussi un peintre de talent. Dans ses tableaux on retrouve sa technique vigoureuse servie par un coloris assez éclatant. Parmi ses meilleures toiles : *Éventail et poignard, Les lutteurs, Caïn et Abel.* Falguière peut être considéré comme un des créateurs du réalisme en sculpture dans l'école française du XIXe siècle. ■ M. Boucheny de Grandval, J. B.

A Falguière

Musées : Amiens : *Gambetta* – Angers : *Le sphynx* – Anvers : *La décollation de saint Jean Baptiste*, peint. – Berlin : *Jeune Centaure* – Bucarest : *Diane Chasseresse* – Copenhague (Glyptothèque) : *Buste de Paul Dubois* – Grenoble : *Quadrige de la Victoire*, modèle en cire – Paris (Art Mod.) : *Les nains*, peint. – *Éventail et poignard*, peint. – *Tarcisius, martyr*, marbre – Paris (Mus. du Louvre) : *La générale baronne Daumesnil*, marbre, buste – *Un vainqueur au combat de coqs*, bronze – Paris (Mus. d'Orsay) : *Lutteurs* – Paris (coll. de la Comédie-Française) : *Pierre Corneille*, marbre – Paris (Mus. Victor Hugo) : *Victor Hugo sur son lit de mort*, dess. – Toul : *Diane* – *Le jeune martyr* – Toulouse : *La Suisse accueillant l'armée française*, plâtre.
Ventes Publiques : Paris, 24 nov. 1922 : *Portrait de jeune fille*, past. : **FRF 110** – Paris, 4 mai 1923 : *Portrait de femme* : **FRF 115** – Paris, 1er déc. 1923 : *La lutte*, pl. : **FRF 38** ; *Portrait de jeune homme*, fus. : **FRF 100** ; *Vieillard* : **FRF 60** – Paris, 9 fév. 1924 : *Jeune homme en buste*, cr., reh. : **FRF 55** ; *Étude*, sanguine : **FRF 100** – Paris, 1er juil. 1932 : *La Cigale*, bronze argenté : **FRF 250** – Paris, 26 jan. 1941 : *Étude de nu*, dess. à la pl. : **FRF 250** – Paris, 18 et 19 avr. 1945 : *Nu étendu* : **FRF 2 700** – Paris, 19 mai 1947 : *Jeune fille assise, les mains croisées*, past. : **FRF 1 100** – New York, 4 avr. 1968 : *Diane*, bronze patiné : **USD 1 600** – Versailles, 3 déc. 1978 : *Visage de jeune femme*, terre cuite (H. 43) : **FRF 4 500** – Londres, 14 mai 1980 : *Diane*, bronze (H. 41,5) : **GBP 420** – Paris, 1er mars 1982 : *Cléo de Mérode*, bronze (H. 39) : **FRF 4 800** – New York, 25 mai 1984 : *Étude de centaure et satyre*, craie noire/pap. bleu (31,7x28,8) : **USD 4 500** – Paris, 9 nov. 1984 : *Diane chasseresse*, bronze (H. 104) : **FRF 17 000** – New York, 30 mars 1985 : *Junon avec un paon*, bronze patine brun foncé (H. 76,2) : **USD 1 700** – Paris, 2 juin 1986 : *La force accoudée au rocher*, marbre blanc (H. 57,5) : **FRF 15 000** – Paris, 9 mars 1987 : *Diane chasseresse*, bronze patiné (H. 86,5) : **FRF 19 900** – New York, 24 mai 1989 : *Pégase conduisant le poète dans la région des rêves*, bronze (H. 73) : **USD 6 050** – Londres, 21 nov. 1989 : *Phryné*, bronze à patine brune (H. 83) : **GBP 9 900** – New York, 24 oct. 1990 : *Buste d'Honoré de Balzac*, bronze à patine brun-doré (H. 39,4) : **USD 6 600** ; *Diane chasseresse debout*, bronze patiné (H. 174,6) : **USD 49 500** – New York, 27 mai 1992 : *Diane*, bronze (H. 46,4) : **USD 3 300** – Paris, 22 mars 1994 : *Jeune femme au piano*, terre cuite, bas-relief (29x16,5) : **FRF 17 000** – Le Touquet, 22 mai 1994 : *Mignon à la mandoline*, bronze (88) : **FRF 14 000** – New York, 26 mai 1994 : *Diane*, bronze (H. 175,3) : **USD 46 000** – New York, 1er nov. 1995 : *Égyptienne* 1867, bronze (H. 64,1) : **USD 18 400** – Paris, 15 déc. 1995 : *La liseuse*, marbre blanc (H. 78, l. 72, prof. 35) : **FRF 37 000**.

FALI Giuseppe
Né vers 1697. Mort en 1772. XVIIIe siècle. Actif à Brescia. Italien.
Peintre.
Élève de G. G. del Sole. A Brescia se trouvent à Sainte-Marie-des-Miracles un *Noli me tangere* et une *Descente de Croix*, de sa main.

FALIER Clément
XXe siècle. Français.
Peintre.
Ventes Publiques : Paris, 4 mars 1893 : *L'Aurore* : **FRF 220**.

FALIER Giovanni, appelé aussi **Faletro Joannis**
XVIe siècle. Italien.
Médailleur et graveur.
On connaît de lui deux médailles : celle du presbytérien Marcus, et celle d'Andrea Gritti, procurateur de l'église Saint-Marc, à Venise. Il est probablement le Giovanni Faller, graveur d'ornements et de grotesques, cité par Florent Le Comte.

FALIES Jean Pierre Victor
Né le 12 janvier 1849 à Montpellier (Hérault). Mort le 18 mars 1901 à Montpellier. XIXe siècle. Français.
Peintre de genre et de paysages.
Le Musée de Montpellier conserve de lui : *Paysage* et *La roulotte*.
Ventes Publiques : Paris, 27 jan. 1943 : *Village du Midi* : **FRF 2 200**.

FALIGUM J.
XVIIIe siècle. Autrichien.
Graveur.
Il grava en 1723 une vue de l'église du Calvaire à Graz.

FALILEIEFF Vadim Dmitriévitch
Né le 13 janvier 1879 à Pensa. Mort en 1948. XXe siècle. Russe.
Graveur, dessinateur de paysages, portraits, copiste.
Il fut élève de l'École de Dessin de Pensa, puis des ateliers de l'École des Arts et Métiers de la princesse Tanicheff à Saint-Pétersbourg, puis de l'Académie des Beaux-Arts de la même ville. Vers 1907, il vint à Berlin, Munich et Paris. Ses admirations culturelles furent très diverses, il fut sensible aux œuvres de Gauguin, Van Gogh, Cézanne, Matisse.
On cite de lui une série de paysages de la Volga, gravés en couleurs sur bois. D'autre part, il a reproduit, en gravure, le *Portrait d'Inghirami* d'après Raphaël, et le *Miracle de saint Marc* d'après le Tintoret.
Musées : Moscou (Mus. Roumiantzeff) : l'œuvre presque complet.

FALILELA Antonio Raffaele
XVIIe siècle. Italien.
Sculpteur sur bois.
Il exécuta en 1628 des sculptures ornementales dans la sacristie de l'église de Gravedona, sur le lac de Côme.

FALIP Charles Antoine Étienne
Né au XIXe siècle à Perpignan. XIXe siècle. Français.
Peintre.
En 1878 et 1879, il exposa au Salon de Paris quelques dessins à la plume : *Vaches au pâturage, Le retour à la maison abandonnée, Hiver à Auderghen.*

FALIZE André
Né le 21 mai 1872 à Montereau (Seine-et-Marne). XIXe-XXe siècles. Français.
Sculpteur-orfèvre.
Il fut lauréat du concours des Ouvriers d'Art.
Entre autres travaux, il a conçu et réalisé : les épées d'honneur décernées aux maréchaux de France, après la guerre de 1914-1918, le bâton du maréchal Lyautey, la couronne de la reine de Roumanie, une couronne de lauriers pour le président grec Vénizelos, la pièce d'orfèvrerie constituant l'*Hommage de la France au Soldat Inconnu des États-Unis*.

FALIZE Pierre
Né en 1876. Mort en 1953. XIXe-XXe siècles. Français.
Peintre de paysages, sculpteur, émailleur, dessinateur, illustrateur.
Il étudia à l'École des Beaux-Arts de Paris. Il exposa au Salon de la Société Nationale des Beaux-Arts, dont il fut sociétaire.
Il réalisa des gouaches, des sépias et des dessins rehaussés. Il s'orienta très vite vers la sculpture décorative, il créa des formes ornementales pour la maison d'orfèvrerie qui appartient à sa famille. Ses bronzes sont réalisés dans un goût qui fut jugé « Belle Époque », en particulier son trophée, réalisé en 1913, destiné à la Société des Sauveteurs bretons. Il développa un style tout autre dans ses œuvres peintes, ayant un goût prononcé pour l'illustration, en témoignent ses affiches : *Prunier livre vite et bien* – *Le sport et l'avenir*, ses caricatures de comédiens, ses croquis de paysages animés tracés dans les villages bretons, sont exécutés avec un style dépouillé, une sûreté du trait incisif et rapide.

Bibliogr. : Gérald Schurr, in : *Les Petits Maîtres de la peinture 1820-1920, valeur de demain,* Les Éditions de l'Amateur, t. V, Paris, 1981.

FALIZE Robert
Né à Paris. xxe siècle. Français.
Peintre.
Il exposa à Paris au Salon des Artistes Français en 1932.

FALK. Voir aussi **FALCK**

FALK Gathie
Née en 1928 à Alexander (Manitoba). xxe siècle. Canadienne.
Sculpteur et peintre multimédia.
Elle fit ses études à l'Université de la Colombie Britannique.
Au début des années soixante, ses peintures sont abstraites. Vers 1964, elle étudie la poterie et la céramique, crée des sculptures utilisant des objets de son environnement : chemises, chaussures, fruits... En 1974, elle réalise *Herd n°1,* installation constituée de 24 chevaux découpés dans du bois et peints à l'huile. À la suite de photos prises dans son jardin, elle revient en 1978 à la peinture avec les *Borders series* et *Lawn in three parts* : un triptyque dont la partie gauche est uniquement peinte en vert, le milieu est également vert, mais parsemé de quelques petites fleurs qui semblent le prolongement de la bordure de fleurs qui occupe toute la partie droite. Exécuté à petites touches, dans une manière postimpressionniste, ce triptyque n'est exceptionnel que par sa mise en page. En 1978-79, elle peint diverses séries, dont les *Night skies,* variations sur une couleur, essentiellement le bleu nuit, scandé de petites étoiles, les *Pieces of water,* compositions abstraites, variant du bleu cobalt au rose perle et citron vert. La suite des *Cement sidewalks* sont des vues de bouts de trottoirs animés de feuilles ou d'une ombre. En conclusion de ses diverses séries, Gathie Falk peint une grande composition : *The beautiful British Columbia thermal blankets,* constituée de neuf carrés montrant des vues de fleurs, de bordures de trottoirs, réminiscences des tableaux précédents et entourés d'une bordure verte. Les plantes restent l'un de ses thèmes favoris, elle assimile l'observation de la croissance des plantes au déroulement d'une pièce de théâtre, c'est la raison pour laquelle elle a intitulé l'une de ses séries : *Theater in B/W and colour* (1983), où elle oppose la version en noir et blanc à celle en couleur du thème floral. ■ Annie Pagès

Bibliogr. : Catalogue de l'exposition : *Paintings 1978-1984,* Art Gallery of Greter Victoria, 1985.

Musées : Ottawa (Nat. Gal. of Canada) – Stratford (Rothman's Art Gal.) – Toronto (Art Gal. of Ontario) – Vancouver (Art Gal.) – Victoria (Art Gal. of Greter Victoria).

FALK Hans
Né en 1918 à Zurich. xxe siècle. Suisse.
Peintre, peintre à la gouache, peintre de collages, technique mixte.

Ventes Publiques : Zurich, 7 nov. 1982 : *Stromboli* 1962, gche (20,7x27,3) : **CHF 1 000** – Zurich, 21-22 juin 1985 : *Nature morte* vers 1960, h/cart. (28x38,5) : **CHF 5 000** ; *Cornwall* 1959, gche, fus., arrachage (57,5x70) : **CHF 6 000** – Lucerne, 23 mai 1992 : *Concert de violons,* craies coul. et fus. (22x16,5) : **CHF 1 350** – Zurich, 9 juin 1993 : *Stromboli 46,* projections et h/pap. (75x103) : **CHF 9 775** – Zurich, 24 nov. 1993 : *Le Mur aux fossiles* 1960, h/t (94x132) : **CHF 13 800** – Zurich, 26 mars 1996 : *Le Nouveau Dancing clinquant* 1971, acryl. et collage/t. (153x200) : **CHF 19 000** – Zurich, 12 nov. 1996 : *Stromboli* 1965, techn. mixte/pap. (75x104,5) : **CHF 10 000** – Zurich, 14 avr. 1997 : *Mauerkreisel* 1960, h/t (94x132) : **CHF 9 200**.

FALK Jeremias ou **Falck**
Né en 1909 ou 1610 ou 1619 à Dantzig. Enterré à Dantzig le 7 février 1677. xviie siècle. Polonais.
Peintre de sujets mythologiques, portraits, dessinateur, graveur.
Il fit ses études à Paris avec Chauveau, ensuite il se rendit en Hollande où il travailla plusieurs années. Revenant en Pologne, il fit les portraits du roi. Il fut invité aussi à la cour suédoise et à la cour danoise, où il fut nommé dessinateur et graveur de la cour royale.

Ventes Publiques : Munich, 29 juin 1982 : *Vénus,* pl. (39x26) : **DEM 1 000**.

FALK Johann. Voir **FALCH**

FALK Karl
xixe siècle. Actif à Saint-Fiden. Suisse.
Lithographe.
Falk exposa à Saint-Gall vers 1828-1829, un portrait lithographié, et une *Sainte Famille* (aquarelle).

FALK Lars Erik
Né en 1922. xxe siècle. Suédois.
Sculpteur. Néoconstructiviste.
Il participe à des expositions collectives depuis 1942 environ. Depuis, il a participé à la 9e manifestation suédoise de *L'Art dans la Rue* en 1976, à l'exposition *Art Construit – Tendances actuelles en France et en Suède* qui eut lieu à la Galerie 30 de Paris (au 30 de la rue Rambuteau, jouxtant Beaubourg), puis à l'Institut Français de Stockholm en 1987, etc. Sa première exposition personnelle eut lieu en Suède en 1952.
Il exploite différents matériaux, le plus souvent métalliques, dans des sculptures qu'il qualifie de « modulaires ». Il les conçoit monumentales et dans la perspective d'intégrations à l'architecture. Elles sont constituées souvent d'éléments géométriques, simples et répétitifs. Les éléments indiquent la dynamique générale de l'œuvre, leur répétition en crée le rythme intérieur. ■ J. B.

Musées : Stockholm (Mus. d'Art Mod.).

Ventes Publiques : Stockholm, 14 juin 1990 : *Composition* 1955, gche grise et jaune sur fond noir de cart. (43,8x20,5) : **SEK 24 000** – Stockholm, 30 mai 1991 : *Composition,* métal peint. en noir et rouge (H. 55,5) : **SEK 24 000** – Stockholm, 19 mai 1992 : *Sculpture-Module pour couleur 24,* métal laqué noir (H. 49) : **SEK 10 000**.

FALK Robert Rafailovitch
Né en 1886 à Moscou. Mort en 1958. xxe siècle. Actif aussi en France. Russe.
Peintre de portraits, paysages, natures mortes. Postcézannien.
Avant de se destiner à la peinture, il avait étudié la musique. Il fut élève, à Moscou, de Constantin Youon et Ilja Machkov, puis de Constantin Korovine et Valentin Sérov au Collège des Arts, d'où il fut exclu, avec quelques amis, pour non-conformisme. En 1909, Falk fut l'un des membres fondateurs, avec Aristarkh Lentoulov, Machkov et Piotr Konchalovski, du groupe du *Valet de Carreau,* qui fut révélé au public par une exposition en 1912. En 1917, il prit part à la création du groupe du *Monde de l'Art.* Dans le groupe du *Valet de Carreau,* il connut Larionov, Nathalia Gontcharova, Malévitch et d'autres. De 1918 à 1928, il fut professeur de peinture et membre du Collège Pan-Russe des Arts Plastiques. Il était chargé d'organiser le travail artistique sur de nouvelles bases sociales. Il eut une exposition personnelle en 1924 à la Galerie Tretiakov. En 1928, il fut nommé doyen de la Faculté de Peinture. Il séjourna à Paris de 1928 environ à 1937, pendant lequel il participa en 1928 au Salon d'Automne, en 1929 au Salon des Artistes Indépendants et à un groupe de la galerie Zack. Il continua de figurer dans ces Salons jusqu'en 1931 et participa aussi au Salon des Tuileries. De retour à Moscou en 1937, il y vécut jusqu'en 1944, puis fut évacué à Samarkand. Ne peignant pas dans la ligne du « réalisme socialiste », il a dû travailler plus ou moins dans la clandestinité. En 1962, une de ses peintures figurait à Moscou à l'exposition du *Manège,* avec d'autres peintres non-conformistes. Ce fut lors de cette exposition que Krouchtchev prit violemment parti contre l'art non-académique et fit fermer l'exposition. En 1967 à Paris, il figura à l'exposition *Des Scythes à nos jours.*
Korovine l'initia à la technique, alors nouvelle, de l'impressionnisme, qui marqua de nombreuses œuvres de sa jeunesse. De lui-même, Falk découvrit Van Gogh et surtout Cézanne qui l'influença à un tel point que lui, Machkov et Lentoulov, lorsqu'ils exposaient avec le groupe du *Valet de Carreau,* étaient connus sous l'appellation des « Cézanniens ». Malgré sa présence active dans le groupe du *Valet de Carreau,* Falk ne suivit pas la voie de l'abstraction et sa peinture se maintint dans l'esprit général de l'expressionnisme d'Europe Centrale, intégrant toutefois dans son postcézannisme quelques acquis du cubisme. Lors de son retour à Moscou, de sa production « parisienne », il ne rapporta que les œuvres « optimistes », après avoir détruit presque toutes celles à caractère « mélancolique », craignant qu'elles ne soient mal perçues dans la Russie stalinienne. Dans cette période

sinistre, à maints égards, il dut se consacrer au décor de théâtre, notamment pour les théâtres Kamerni et Mossoviet. Dans ses dernières années, il créa les décors du *Nékrassov* de Sartre pour sa représentation à Moscou. Bien que peu engagée, la peinture de Falk sut préserver, dans cette époque régressive, quelques caractères de modernité. ■ J. B.

Bibliogr. : In : *Diction. Univers. de la Peint.*, Le Robert, Paris, 1975 – Robert Falk : *Lettres et souvenirs*, Sovetski Khudojnik, Moscou, 1981.

Musées : Moscou (Gal. Tretiakov) : *Paysage de Kosy, en Crimée – Portrait de Midhad Refatov* 1915 – *La femme en blanc* 1923.

Ventes Publiques : Londres, 29 mars 1973 : *Bouquet de fleurs* : **GBP 650** – Bruxelles, 15 mars 1978 : *Paysage*, h/t (100x94) : **BEF 100 000** – Londres, 23 fév. 1984 : *Vue d'une ville*, h/t (54x81) : **GBP 520** – Londres, 6 oct. 1988 : *La maison dans la forêt*, h/t (53x81) : **GBP 6 600** – Londres, 6 avr. 1989 : *Un jeune homme indou*, h/t (99x71) : **GBP 11 550** – Londres, 5 oct. 1989 : *Pain* 1932, h/t (64,1x80) : **GBP 5 500** – Paris, 19 juin 1991 : *Monastère de Zagorsk* 1957, h/cart. (49x56) : **FRF 11 000** – Paris, 31 oct. 1991 : *Les immeubles*, h/t (91x75) : **FRF 17 000** – Londres, 15 juin 1995 : *Nature morte de pommes et de raisin*, h/t (64x79,5) : **GBP 7 820** – Londres, 14 déc. 1995 : *Notre-Dame de Paris*, h/t (72,5x89,5) : **GBP 11 500** – Londres, 17 juil. 1996 : *Nature morte aux fruits et à la bouteille de vin*, h/t (63x65) : **GBP 6 900** – Londres, 19 déc. 1996 : *Le village*, h/t (29,3x43) : **GBP 7 130** – Londres, 11-12 juin 1997 : *Paysage avec un village et une lavandière*, h/t (42,5x68) : **GBP 4 370**.

FALKA Samuel
Né le 4 mai 1766 à Fogaras. Mort le 20 janvier 1826 à Bude. xviiie-xixe siècles. Hongrois.
Graveur.
On cite de lui des planches pour l'*Histoire de Hongrie*, de Engel.

FALKÉ Pierre
Né le 24 mai 1884 à Paris. Mort en juin 1947 à Coutevroult (Seine-et-Marne). xxe siècle. Français.
Peintre, aquarelliste, graveur, illustrateur.
Dans sa prime jeunesse, il voyagea en Australie et aux Indes, en rapportant un sens aigu de la couleur et de l'exotisme. Il a exposé à l'ancien Salon de l'Araignée. Il a donné aux journaux illustrés des études des coutumes et mœurs paysannes. Il a illustré des ouvrages très divers, d'entre lesquels : *Aventures d'Arthur Gordon Pym* d'Edgar Poe, *Le Pot au Noir* de Chadourne, *Poil de Carotte* de Jules Renard, *Robinson Crusoé* de Daniel de Foe, etc. Il publia quelques uns de ses nombreux croquis pris dans ses voyages, eaux-fortes et aquarelles.

FALKE Tobias. Voir **FALCKE**

FALKEISEN Johann Jakob
Né en 1804 à Bâle. Mort le 15 février 1883 à Bâle. xixe siècle. Suisse.
Graveur et peintre de paysages.
Après avoir étudié à Paris, Falkeisen se rendit à Milan, où il travailla sous la direction de Migliara et de Chérubin jusqu'en 1838. Vers 1843, il s'établit comme commerçant en Asie Mineure et revint en Suisse quelques années plus tard et occupa le poste de conservateur au Musée de Bâle. Le Musée de Bâle conserve sa *Vue sur le Bosphore*.

FALKEISEN Theodor. Voir **FALCKEISEN**

FALKENBERG Christian Friedrich von
Né vers 1675 à Copenhague. Mort le 8 juillet 1745 à Dantzig. xviiie siècle. Allemand.
Peintre d'histoire.
Il fut élève d'Andreas Stech à Dantzig. On cite de lui : *Cyrus et la reine des Amazones* et 10 dessins d'après la Passion, peut-être d'après Dürer.

FALKENBERG George Richard
Né le 14 mars 1850 à Berlin. xixe siècle. Allemand.
Peintre de sujets religieux, scènes de genre, portraits.
Travailla à Munich. Il a exposé à Munich et à Vienne en 1888-1889.
On cite de lui *Ave Maria, Portrait du prince Ludwig de Bavière*. La Kunstshaus de Zurich possède de lui deux scènes de genre.

Ventes Publiques : Londres, 24 juin 1988 : *Dans le jardin* 1892, h/t (140x87,5) : **GBP 12 100** – Londres, 27 oct. 1993 : *Les ramasseurs de coquillages* 1888, h/t (87x136) : **GBP 4 370**.

FALKENBERG Richard
Né le 20 septembre 1875 à Elberfeld. xxe siècle. Allemand.
Peintre de paysages, marines, intérieurs.
Il fut élève de l'Académie des Beaux-Arts de Düsseldorf. À partir de 1904, il a figuré aux expositions collectives de Düsseldorf et de Berlin.
Paysagiste, il s'est montré sensible aux climats propres aux saisons, aux moments de la journée, au temps qu'il faisait : *Matin de Mars, Clair de lune*.

FALKENBURG. Voir **VALKENBORCH** et **VALKENBURG**

FALKENER Erhart
Originaire de Abensberg en Bavière. xve-xvie siècles. Allemand.
Sculpteur sur bois.
Il exécuta en 1496 les stalles du chœur de l'église paroissiale de Bechtolsheim (Oppenheim) et celles de l'église de Kiedrich (Rheingau) en 1510.

FALKENSTEIN Claire
Née en 1909 à Coos Bay (Oregon). xxe siècle. Depuis 1950 active aussi en France. Américaine.
Sculpteur. Abstrait.
Après une licence de lettres, elle enseigna quelque temps, au Mills College d'Oakland et à la California School of Fine Art de San Francisco, avant de s'essayer à la peinture, puis, à partir de 1942, de se consacrer à la sculpture. Elle vit et travaille à New York. Depuis 1950, elle s'est fixée à Paris, faisant des séjours en Belgique, Allemagne, Espagne, Italie où elle installa un atelier à Rome en 1954, puis, après 1959, travaillant de nouveau surtout à New York. Avant 1950, elle avait exposé dans les villes de la Californie. À Paris, elle a participé au Salon des Réalités Nouvelles, en 1950 et 1952. Elle a participé à d'autres expositions collectives : à Paris encore au Salon de la Jeune Sculpture. Elle a montré ses travaux dans des expositions personnelles nombreuses : Museum of Art de San Francisco, Art Institute de Chicago, ainsi que dans des galeries privées, galerie Stadler à Paris, et galeries de San Francisco, New York, Londres, Berlin, Rome, Milan, etc.
Elle débuta par des études relativement classiques, surtout des portraits, dans le bois et la pierre, puis les matières plastiques et le bronze. À partir de 1948, ayant évolué à l'abstraction, elle adopta le métal comme matériau principal, acier, fer, cuivre, argent et bronze, et le verre fondu à haute température. Elle a acquis une grande maîtrise dans la soudure de métaux différents. Depuis ce moment, elle a collaboré avec de nombreux architectes de la région de San Francisco. Lors de sa période parisienne, après 1955, elle a réalisé de nombreuses commandes de sculptures monumentales : un portail pour *Santa Marinella*, demeure de la princesse Pignatelli près de Rome, une grille pour la Fondation Peggy Guggenheim à Venise, et autres. Dans des œuvres d'une abstraction encore classique, elle utilisa le bois. Ensuite, elle a trouvé son style propre dans le travail du fer ou des autres métaux forgés. Dans les entrelacs de barres de métal, tordues, soudées, comme nouées, elle enserre des verres de couleurs ou tous autres objets qu'élit sa fantaisie. On dirait des sortes de grands insectes emportant des pierreries entre leurs pattes effilées. ■ Jacques Busse

Bibliogr. : Kenneth B. Sawyer, in : *Diction. de la sculpt. mod.*, Hazan, Paris, 1960 – Catalogue de l'exposition *1er Salon des Galeries pilotes*, Mus. cantonal, Lausanne, 1963 – in : Encyclopédie *Les Muses*, Grange Batelière, Paris, 1972.

Musées : Marseille (Mus. Cantini) : *Le couple* 1956.

Ventes Publiques : Los Angeles, 9 fév. 1982 : *Fusion*, verre et cuivre (12x15) : **USD 500**.

FALKINI
Probablement d'origine italienne. xixe siècle.
Peintre.
Musées : Saratov (Radichtcheff) : *Paysage d'hiver* – deux œuvres.

FALKMAN Severin Gabriel
Né le 25 avril 1831 à Stockholm. Mort le 9 juillet 1889 à Helsingfors. xixe siècle. Actif aussi en Italie. Suédois.
Peintre.
Il fut élève de Couture à Paris et séjourna ensuite à Rome pen-

dant plusieurs années. Il fit des tableaux de genre historiques et des tableaux dont les sujets sont tirés de la vie du peuple romain. La Galerie d'Helsinki conserve quelques-uns de ceux-ci.

FALKNER Anne L.
Née à Dorset. XXe siècle. Britannique.
Peintre de scènes typiques, paysages.
Elle a aussi exposé à Paris, au Salon d'Automne depuis 1921. Elle a surtout peint des scènes de la vie des paysans à la campagne.

FALKNER Harold
XXe siècle. Britannique.
Dessinateur et architecte.
Il exposa en 1900 et en 1902 à la Royal Academy à Londres des dessins de maisons d'habitation créées par lui dans les environs de Farnham (Surrey).

FALKNER Johann Friedrich
Né le 20 décembre 1828 à Nuremberg. Mort le 29 décembre 1866 à Munich. XIXe siècle. Allemand.
Dessinateur, graveur et aquafortiste.
Élève de F. Geissler. Il travailla à Munich et à Venise. On connaît de lui une série de dessins avec des vues de Nuremberg, ainsi que des gravures d'après R. von Alt, J. C. Erhard, L. Kachel.

FALKONER Anna Elisabetha
Née le 23 octobre 1714. Morte le 26 septembre 1790. XVIIIe siècle. Hongroise.
Peintre.
Elle était la fille de György Falkoner et devint religieuse de l'ordre des Clarisses sous le nom de Sophia. Elle orna l'ancienne église de son ordre avec des fresques et des tableaux d'autel. Elle peignit aussi des images de saints et orna l'album de la *Fraternité* du Monastère des Clarisses avec des aquarelles que conservent les Archives Nationales de Budapest.

FALKONER Ferencz
Né en 1736. Mort le 20 avril 1792. XVIIIe siècle. Hongrois.
Peintre.
Fils de Polycarp Falkoner il étudia probablement avec son grand-père György. Il laissa des fresques dont une se trouve à l'église de la Garnison à Budapest et une autre à l'église paroissiale de Budapest. Une collection privée de Budapest conserve, parmi ses tableaux à l'huile : *Une Crucifixion, Un portrait du peintre par lui-même, Un portrait de sa femme Barbara.*
Musées : Budapest (Mus. Nat.) : *Joseph interprétant des songes.*

FALKONER György ou **Falconer** ou **Falconet**
Né en 1646. Mort le 14 février 1741. XVIIe-XVIIIe siècles. Hongrois.
Peintre.
Probablement d'origine écossaise il fut élevé à Vienne où il étudia avec Guido Cagnacci et se fixa à Budapest. On connaît de lui une *Vierge,* tableau votif conservé dans l'église paroissiale de Budapest et une *Sainte Anne avec Marie enfant et saint Joachim* qui parvint à l'église paroissiale de Vizivaros, quartier de Budapest. On connaît aussi de lui un *Saint Jean-Baptiste, Un Saint Paul, Une Salutation Angélique,* et une *Notre-Dame du Perpétuel Secours.*

FALKONER Henrik Josef, appelé en religion **Julianus**
Né le 2 février 1708. XVIIIe siècle. Hongrois.
Peintre.
Membre de l'ordre des Carmes. Il participa aux peintures décoratives de l'ancienne église des Carmes à Bude. Il était fils de György Falkoner.

FALKONER Jozsef Ferencz
Baptisé le 22 mars 1765. Mort le 23 octobre 1808. XVIIIe siècle. Hongrois.
Peintre.
Fils de Ferencz Falkoner. Il fut l'élève de son père. En 1797, il peignit les fresques du sanctuaire de l'église paroissiale Sainte-Christine à Budapest. Le tableau d'autel, un *Saint Joseph* lui est aussi attribué.

FALKONER Polycarp
Né le 26 janvier 1706. Mort le 18 janvier 1739. XVIIIe siècle. Hongrois.
Peintre.
Il était le fils aîné de György Falkoner et fut son élève.

FALL Obéye
Né le 11 septembre 1962 à Saint-Louis (Sénégal). XXe siècle. Sénégalais.
Peintre, artiste plasticien. Tendance abstraite.
Après avoir fait un stage de modelage dans la section sculpture à l'École Nationale des Beaux-Arts de Dakar en 1978 et un stage de peinture dans l'atelier de recherche d'arts plastiques de Pierre Lods en 1985, il a fait ses études picturales de 1986 à 1988, dans la même École.
À partir de 1982, il a participé à plusieurs expositions collectives, notamment à Dakar, à l'exposition *Littérature, art et architecture de l'Islam* en 1991, mais aussi à Oslo, à la *Semaine historique du peuple noir* en 1993.
Ses recherches, qui l'ont conduit à écrire un essai sur la statuaire négro-africaine, lui ont permis de faire évoluer son art vers une abstraction, où la ligne verticale brisée en bas ou en haut traduit la conception de son « espace-temps » tout en déterminant des formes concaves ou convexes, toujours en rapport avec la statuaire de l'Afrique noire. Cette ligne se rapproche symboliquement du concept de la représentation du serpent chez les Banzonyis. Dans cette ethnie du Zaïre, le serpent a tendance à muer à l'approche de la saison des pluies pour annoncer l'avènement d'une bonne saison, et est vénéré comme un dieu dont la représentation zoomorphique fait l'objet de rituels agraires. À la suite d'une recherche sur le langage héraldique incurvé ou représenté sur la statuaire et les sanctuaires de la société africaine, il a utilisé l'animal comme signe de la communication qui rapproche l'homme, l'animal, le minéral et la nature. C'est ce qu'il exprime avec *Totem,* où sa représentation zoomorphique fait référence à l'art ethnique, dont la base prend source en Afrique et dans les îles Caraïbes, comme forme d'expression et de communication, qui évoque le rapport entre l'homme et son milieu. ■ A. P.

FALLANI Giuseppe
Né en 1859 à Rome. XIXe siècle. Italien.
Sculpteur et décorateur.
Élève d'Ettore Ferrari et d'Ercole Rosa, il reçut un prix de Rome pour une statue de *Saint Sébastien,* et exécuta surtout des sculptures pour les églises ; il décora la Pinacothèque du Vatican, et les églises du Rosaire et de Sainte-Hélène, ainsi que quelques palais.

FALLARO Jacopo
XVIe siècle. Italien.
Peintre d'histoire.
Cet artiste fut contemporain du Titien. D'après Vasari, l'église des Jésuites de Venise, possède de lui une peinture exécutée sur la porte de l'orgue, représentant : *Giovanni Colombini recevant du pape l'habit de l'ordre.*

FALLENBÖCK Alfred
Né le 17 juin 1849 à Vienne. XIXe siècle. Autrichien.
Peintre.
Frère de Richard Fallenböck, il fut également l'élève de Canon ; il étudia également avec Engerth.

FALLENBÖCK Richard
Né le 15 août 1859 à Vienne. Mort le 21 décembre 1891 à Paris. XIXe siècle. Autrichien.
Peintre de fleurs et décorateur.
Il étudia à Vienne et obtint en 1889 une bourse pour un séjour à Paris où il s'intéressa à l'emploi de la peinture des fleurs dans l'industrie. Jusqu'à sa mort il figura régulièrement à l'Exposition du Conservatoire des Arts et Métiers de Vienne.

FALLENTER Franz ou **Falleter**
Né à Lucerne. Mort en 1612 à Lucerne. XVIe-XVIIe siècles. Suisse.
Peintre verrier.
Parmi ses œuvres citées par Brun, il convient de signaler, conservés au Musée historique de Lucerne, un vitrail représentant *Le Jugement de Salomon* (daté de 1598) et un vitrail : *Armoiries de Sonnenberg et Zurgilgen.* On mentionne aussi 33 ouvrages de lui exécutés pour la plupart avec la collaboration de ses aides, et dispersés dans les collections à Bâle, Zurich et Mayence. Il est l'auteur des miniatures dans l'ouvrage *Romreise,* de Rudolf Pfyfer, paru en 1592.

FALLENTER Jost
Né en 1586 à Lucerne. XVIIe siècle. Suisse.
Peintre verrier.
D'après Pfyffer, il aurait exécuté des vitraux d'une grande valeur artistique. Il était le fils de Franz Fallenter.

FALLER Emily
Née à New York, de parents français. XIXe siècle. Française.

Peintre de genre.
Exposa régulièrement au Salon, à partir de 1874, des portraits, des aquarelles, des dessins, des peintures sur porcelaine. Elle était la fille et l'élève de Louis Clément Faller.

FALLER Félix
Originaire de Lenzkirch (Bade). XIXe siècle. Allemand.
Peintre.
Ses dessins de la *Forêt Noire* sont conservés à Lenzkirch.

FALLER Giovanni. Voir **FALIER**

FALLER Karl
Né le 8 mai 1875 à Meggen. Mort le 30 novembre 1908 à Paris. XIXe-XXe siècles. Suisse.
Sculpteur de sujets de genre, sujets religieux.
Il commença ses études à l'École des Arts Industriels de Lucerne, et les compléta à l'Académie des Beaux-Arts de Munich, ainsi qu'à Paris. Il exposa à l'Académie des Beaux-Arts de Munich en 1899, recevant une médaille d'argent, au Salon des Artistes Français de Paris en 1900 pour l'Exposition Universelle.
Il n'eut qu'une très courte carrière. Il a souvent créé des sculptures sur des thèmes bibliques : *Christ en croix* pour le chœur de l'église franciscaine de Lucerne, *Adam et Ève* qu'il exposa à Paris en 1900, *Le fils prodigue*. Il a aussi traité des sujets de genre : *Une pauvre femme*.
Musées : Berne : *Houilleur – Coup de grisou* – Genève : *Sans logis* – Lucerne : *Adam*.

FALLER Louis Clément
Né le 1er juin 1819 à Habsheim (Haut-Rhin). Mort le 27 février 1901 à Paris. XIXe siècle. Actif aussi aux États-Unis. Français.
Peintre de scènes de genre, portraits, paysages, aquarelliste, dessinateur.
Il s'échappa du collège des Jésuites à Fribourg, en Suisse, pour suivre des études artistiques à Paris. Il entra dans l'atelier de Paul Delaroche, en 1838, puis celui d'Eugène Delacroix. Entre-temps, Faller s'était mêlé au mouvement fouriériste et après les événements qui suivirent la Révolution de 1848, il partit pour les États-Unis. Il ouvrit un atelier à Saint Louis puis à New York, qu'il diriga pendant six ans. En 1858, il regagna son Alsace natale, s'établit à Ribeauville, et vint, en 1863, s'installer à Orsay, dans la vallée de Chevreuse. Il exposa au Salon à Paris, où ses envois ne furent remarqués que par quelques amis et compatriotes.
Ses biographes font allusion à son caractère difficile, solitaire, dû à son refus des compromissions sur le plan artistique et dans la vie quotidienne, une misanthropie qui ne se reflète guère dans le caractère léger, clair et avenant de ses paysages, pâturages, intérieurs de ferme et portraits.

C Faller C Faller

Musées : Mulhouse : *Vallée de Chevreuse – Les Bergers* – Strasbourg : *Maison de paysans*.
Ventes Publiques : Paris, 5 déc. 1923 : *La Provende des poules*, fus./pap. : **FRF 150** – Paris, 17-18 juin 1928 : *Portrait de fillette* : **FRF 110** – Paris, 29 jan. 1931 : *L'Enfant et le Crapaud*, dess. : **FRF 40** – Paris, 4 déc. 1941 : *Homme barbu, Étude de fauve*, deux dess. au cr. : **FRF 110** – Paris, 17 déc. 1943 : *La Maison au bord de l'eau*, aquar./pap. : **FRF 210** – Paris, 3 mai 1945 : *Les gardeuses de vaches* : **FRF 420** – Paris, oct. 1945-juil. 1946 : *Jeune fille assise sous un arbre* : **FRF 1 200** – Paris, 8 nov. 1980 : *L'Orée de la forêt*, h/t (32x22) : **FRF 650** – Paris, 22 jan. 1988 : *Le crépuscule*, pierre noire, estompe et reh. de blanc/pap. jaune (25,5x37) : **FRF 3 500** – New York, 26 mai 1992 : *Paysage fluvial en France* 1879, h/t (23,5x33) : **USD 1 320** – Paris, 18 nov. 1994 : *Les nuages*, h/t (83x107) : **FRF 20 000**.

FALLEUR, famille d'artistes
D'origine allemande. XVIIe-XVIIIe siècles. Actifs à Liège et Namur. Éc. flamande.
Peintres verriers.

FALLIGAN Henri
XVIIe siècle. Éc. flamande.
Peintre.
Il fut reçu maître à Tournai le 20 avril 1701.

FALLOISE Jean François
XIXe siècle. Actif à Paris vers 1820. Français.
Graveur.

FALLOISE Joseph
Né le 22 octobre 1812 à Liège. Mort le 17 janvier 1886 à Liège. XIXe siècle. Belge.
Graveur sur acier et ciseleur.
Il étudia à l'Académie de Liège, puis à Paris ; ses œuvres représentent des paysages et des animaux.
Musées : Liège (Mus. d'Armes) : *Ornementation d'armes*.

FALLON Melchior
XVIe siècle. Français.
Peintre d'architectures.
Le Musée de Cambrai conserve de lui une *Vue générale de l'ancienne église Saint-Géry en 1543*, peinte à l'huile en 1543.

FALLORIUS Simon Peter
XVIIe siècle. Hongrois.
Dessinateur.
Curé de Csejthe, il dessina la vieille église de cette ville.

FALLOT Nicolas. Voir **FALOT**

FALLOT Pierre
Né à Paris. XXe siècle. Français.
Peintre.
Exposa des scènes espagnoles aux Indépendants et au Salon d'Automne vers 1927.

FALLOT Robert
Né à Paris. XXe siècle. Français.
Peintre de paysages.
Il exposa au Salon des Artistes Français, à Paris, depuis 1928.

FALLOURS Samuel
XVIIIe siècle. Hollandais.
Peintre et graveur.
Il fut surtout actif aux Îles Moluques. Il peignit des insectes, des coquillages, des poissons et publia ces travaux en reproductions gravées sous le titre *Curiosités naturelles*.

FALLS Charles Buckles
Né le 10 décembre 1874 à Fort Wayne (Indiana). Mort le 15 avril 1960 à Falls Village. XXe siècle. Américain.
Illustrateur, peintre de décorations murales, décors de théâtre, affiches, graveur.
Il était membre de la Society of Illustrators et de la National Society of Mural Painters, et obtint de nombreuses distinctions. Il débuta tôt comme dessinateur au *Chicago Tribune*. En 1923, il écrivit et illustra l'album pour enfants *ABC Book*. Il illustra des ouvrages littéraires, d'entre lesquels : 1928 *Lorsque Jésus naquit* de Bowie, 1943 *Vastes Horizons* de Lucas, *La fenêtre de l'Est* de Bert Leston Taylor, *Deux histoires médicales* de Stevenson, etc.
Bibliogr. : Marcus Osterwalder, in : *Diction. des illustrateurs, 1800-1914*, Ides et Calendes, Neuchâtel, 1989.

FALLS Clinton De Witt
Né en 1864 à New York. XIXe siècle. Américain.
Peintre et illustrateur.
Elève de Walter Satterlee, il traita souvent des sujets militaires et des illustrations comiques.

FALLSTEDT Ingel
Né en 1848 à Copenhague. Mort en 1899 à Stockholm. XIXe siècle. Danois.
Sculpteur.
Élève de l'Académie de Stockholm, il étudia ensuite à Munich et à Paris.
Musées : Göteborg : *Buste de G. von Rosen – Buste du Roi Oscar II*, marbre – *Buste du comte A. Ehrensvärd – Buste de J. Dickson – Copie du bas-relief de Donatello au Bargello à Florence*, marbre – Helsinki : *Buste de A. von Becker* – Stockholm (Acad. des Arts) : *Buste de G. Cederstrom* – Stockholm (Mus. Nat.) : *Buste de H. Salmon*, bronze – *Buste de A. von Becker*, bronze – *Buste de G. von Rosen*, bronze – *Buste du baron J. Nordenfalk*, marbre – *Buste de la princesse Louise de Danemark*.

FALMAGNE Louis
Né en 1829 à Namur. Mort en 1871 à Bruxelles. XIXe siècle. Belge.
Graveur.
Élève de Calamatta. Il grava d'après les œuvres de peintres français et wallons. Le British Museum possède sept de ses œuvres.

FALOCCO Niccolo
Né à Oratino. XVIIIe siècle. Actif vers 1740. Italien.
Peintre.
Il fut élève de Francesco Solimena dont il copia les œuvres avec succès.

FALOPPI Cesare de
XVe siècle. Actif à Bologne en 1441. Italien.

Peintre.
Il était le fils de Giovanni di Pietro de' Faloppi.

FALOPPI Giovanni di Pietro de' ou **de'Faloppi**
Né à Modène. xve siècle. Travaillant à Bologne de 1428 à 1441. Italien.
Peintre.
Dans l'église Saint-François de Bologne il exécuta une fresque représentant *La naissance de saint Jean Baptiste*. Peut-être est-il identique à Giovanni da Modena.

FALOT J.
xviiie siècle. Français.
Peintre de genre et peintre sur porcelaine.
Travaillait en 1770 pour la Manufacture de Sèvres et pour le service de Louis XV. La Wallace Collection de Londres conserve de lui plusieurs œuvres, et le château royal à Stockholm un *Service* auquel il travailla.

FALOT Nicolas
xvie-xviie siècles. Actif entre 1576 et 1627 à Paris. Français.
Peintre d'histoire.
Tous détails sur sa vie et son œuvre sont inconnus.

FALSA Farid
Né le 11 avril 1940 à Tlemcen (Algérie). xxe siècle. Depuis 1963 actif en Espagne. Algérien.
Peintre, aquarelliste de paysages et de figures. Tendance symboliste.
Quelques expositions particulières à Salamenque, Malaga et Valladolid. Cet artiste travaille surtout des paysages aquarellés en larges touches sombres.
Musées : Ayllon (Mus. d'Art Contemp.) – Grenade (Mus. des Beaux-Arts).

FALSARESI
xviie siècle. Italien.
Peintre.
Dans l'église paroissiale Saint-Martino à Cellone à Pontignano se trouve de lui un petit tableau d'autel représentant saint Romuald.

FALSEN Marie Bolette Wilhelmine, dite **Mimi**
Née le 29 mai 1861 à Bergen. xixe-xxe siècles. Norvégienne.
Peintre.
Elle vint en 1888 à Paris et fut élève de Courtois, Collin, Dagnan-Bouveret et Puvis de Chavannes, puis elle étudia à Stockholm avec Richard Berg et Zorn. Après avoir voyagé en Italie elle se fixa à Christiania en 1906, où elle avait figuré régulièrement à partir de 1891 à l'Exposition annuelle. Parmi ses œuvres on cite : *Il était une fois, Le plus gros chagrin* (mère et enfant). Elle exposa à Copenhague, à l'Exposition Universelle de Chicago en 1893, à l'Exposition norvégienne de Brighton en 1913, puis à Bergen.

FALTER Marcel
Né le 17 avril 1866 à Dieuze (Moselle). xxe siècle. Français.
Peintre animalier.
Il ne débuta qu'en 1923, à Paris au Salon d'Automne. Dans la suite, il exposa au Salon des Artistes Indépendants.
Il s'est toujours consacré à dépeindre les animaux, du bœuf égorgé aux scènes de cirque.
Ventes Publiques : Versailles, 29 oct. 1989 : *L'écuyère*, h/t (65x81) : **FRF 14 500** ; *Le cirque*, h/t (92x73) : **FRF 23 000** – Paris, 22 mars 1990 : *L'Ecuyère*, h/t (64,5x80,5) : **FRF 19 000** – Versailles, 21 oct. 1990 : *Vaches et paysan*, h/t (65x80,5) : **FRF 4 000** – Versailles, 25 nov. 1990 : *Les bœufs* 1949, h/t (73x100) : **FRF 8 000**.

FALTI Johan Baptist. Voir **FALDA Giovanni Battista**

FALTIN Margarete
Née le 3 octobre 1865 près d'Aue (Saxe). xixe-xxe siècles. Allemande.
Peintre.
Elle fut élève de H. Herterich à Munich et étudia à Dresde chez F. Kops et A. Pepino. Elle peignit des intérieurs à l'aquarelle et aussi des paysages à l'huile et à l'aquarelle, dont on cite : *Allée de Pilnitz en automne, Sur le Canal*. Elle fit aussi des essais de lithographies, comme *le Ruisseau*. Cette artiste exposa à partir de 1901 à la grande Exposition de Dresde.

FALTZ Raimund ou **Falz**
Né le 4 juillet 1658 à Stockholm. Mort le 21 mai 1713 à Berlin. xviie-xviiie siècles. Suédois.
Médailleur, modeleur, sculpteur sur ivoire et peintre de miniatures.
Après avoir étudié l'orfèvrerie et séjourné à Copenhague et à Augsbourg il vint à Paris où il travailla la gravure en creux avec Ch. Chéron, puis il se fixa à Berlin où il exécuta un grand nombre de médailles de personnages historiques : *Frédéric I et sa femme, Charles XII de Suède, Louis XIV, l'Électeur Georges Auguste de Hanovre* ; puis aussi des portraits-médaillons sur ivoire et des portraits miniatures. Le Musée Kaiser Friedrich à Berlin conserve de lui des médaillons de cire qui furent probablement des modèles pour ses médailles.

FALUS Élek
Né en 1883 à Oroshaza. xxe siècle. Hongrois.
Dessinateur, illustrateur.
Il vécut quelques années à Londres, où il travailla à des illustrations de livres. Il se fixa à Budapest, exécutant également des illustrations pour des livres et des revues. Il a illustré les poésies de Josef Kiss *Levelek hullasa*.

FALUSE Aert Van den
Originaire de Louvain. xve siècle. Éc. flamande.
Peintre.
Il est mentionné en 1468 comme ayant participé aux décorations pour la célébration du mariage de Charles le Hardi de Bourgogne à Bruges.

FALVARD Maurice Gabriel
Né le 30 décembre 1899 à La Ferté-Macé (Orne). xxe siècle. Français.
Peintre de paysages, paysages animés, marines, illustrateur.
Il exposait à Paris, au Salon des Artistes Indépendants depuis 1929. Il a obtenu le Prix Gustave Doré en 1927 et 1928.
Il a illustré les *Nouvelles lettres à Françoise* de Marcel Prévost. Il a peint des paysages de mer animés : *Ramasseuses de coques*, des paysages de caractère : *Nuits d'apparitions*.

FALVAT Julien
Né à Torun. xxe siècle. Polonais.
Peintre de figures, portraits, paysages, aquarelliste.
Il exposait aussi à Paris, au Salon de la Société Nationale des Beaux-Arts, dont il était sociétaire. En 1921, cette Société organisa une Exposition d'Artistes Polonais, à laquelle il participa avec des figures : *Portrait de l'artiste, Montagnard* (aquarelle), des paysages urbains : *Cour du château de Dembuo, Cracovie, Vieille église de campagne* (aquarelle), un paysage animé : *Chasse à l'ours* (aquarelle).

FALVEY Thomas
xixe siècle. Actif à Cork. Irlandais.
Peintre.
En 1832 il figura à la Royal Hibernian Academy avec deux portraits. On mentionne de lui également *Jeunes garçons se baignant* et *L'Institution de l'Ordre de saint Francis*.

FALYD Raimund ou **Falyt**
xviiie siècle. Actif à Milan. Italien.
Sculpteur.
Il acquit le 18 septembre 1722 le droit de bourgeoisie à Prague ; il est mentionné toutefois à Vienne en 1729.

FALZAGALLONI Stefano, dit **Stefano di Ferrara**
Né avant 1430 à Ferrare. Mort le 17 janvier 1500 à Padoue. xve siècle. Italien.
Peintre d'histoire.
Falzagalloni, dit Stefano di Ferrara, est cité par Vasari comme un ami intime de Mantegna. Il exécuta des commandes assez importantes dont il reste malheureusement très peu de chose. Plusieurs de ses œuvres ont été mises, croit-on, sous le nom de Bellin dont il a quelque peu la manière. On sait qu'il fut chargé de décorer la chapelle de l'Arca, dans l'église Saint-Antoine de Padoue. Cette décoration est qualifiée de chef-d'œuvre par Vasari ; elle fut exécutée avant 1445, car elle est citée à cette date par Michel de Savonarole, mais fut couverte au xvie siècle par la série de bas-reliefs qu'on voit aujourd'hui, représentant les miracles de saint Antoine de Padoue. Dans la même église, il peignit sur un pilier une Vierge connue sous le nom de *Madonna del pilastre*. On sait qu'il mourut le 17 janvier 1500, parce qu'on trouve à cette date, dans le livre de comptes de l'Archiconfrérie de la Mort, à Padoue, la mention de six torches « pour accompagner le corps de Stefano Falzagalloni à l'église Saint-Apollinaire ». Le Musée Brera à Milan possède un tableau, *la Vierge avec l'Enfant assis sur un trône décoré de bas-reliefs avec une sainte de chaque coté* ; plus bas, *Saint Augustin* et *Saint Bonaventure*, sur bois (2 mètres 48 sur 3 mètres 19 de haut).

FALZONI Giulio
Né en 1900 à Marmirolo. XXe siècle. Italien.
Peintre de scènes animées, figures typiques, intérieurs, paysages, paysages urbains, architectures, aquarelliste.

VENTES PUBLIQUES : MILAN, 7 nov. 1985 : *Tower Bridge, Londres*, aquar. (50x70) : **ITL 1 400 000** – MILAN, 16 déc. 1987 : *Il Palio di Siena* 1954, h/t (70x100) : **ITL 3 000 000** – MILAN, 12 déc. 1991 : *Intérieur du restaurant Carminati à Milan ; Salle de bal du restaurant Carminati à Milan*, aquar./pap., une paire (chaque 50x70) : **ITL 3 900 000** – MILAN, 16 juin 1992 : *Gitans* 1959, aquar./cart. (49,5x70) : **ITL 1 600 000** – LUGANO, 8 mai 1993 : *La Fête de Sant'Ambrogio* 1913, aquar./pap. (51x70) : **CHF 5 000** – MILAN, 10 déc. 1996 : *Le Vieux Milan, Piazza Vetra*, aquar./cart. (50x70) : **ITL 2 330 000**.

FAMARS Charles Alexandre François Joseph Le Hardy de. Voir **LE HARDY de Famars**

FAMARS TESTAS Willem de
Né le 30 août 1834 à Utrecht. Mort le 24 mars 1896 près d'Arnhem. XIXe siècle. Hollandais.
Peintre de paysages animés, paysages, illustrateur, aquafortiste.
Il fut élève de J. E. J. Van den Berg.
MUSÉES : AMSTERDAM : *Intérieur d'une maison du Caire* – UTRECHT : *Rue à Jérusalem*.
VENTES PUBLIQUES : LONDRES, 5 oct. 1983 : *Famille de nomades*, h/t (60,5x140) : **GBP 1 800** – AMSTERDAM, 15 avr. 1985 : *Scène de rue arabe* 1861, h/pan. (54,2x42,7) : **NLG 11 500** – LONDRES, 6 oct. 1989 : *Une rue d'une ville arabe*, h/t (80x57) : **GBP 5 280** – AMSTERDAM, 10 avr. 1990 : *Vue d'une ville arabe* 1865, aquar. et gche/pap. (12,4x17,6) : **NLG 2 990** – AMSTERDAM, 5-6 nov. 1991 : *Rue d'une ville orientale* 1865, aquar. (12x17) : **NLG 3 450** – AMSTERDAM, 30 oct. 1996 : *Le Défilé à Petra* 1868, h/t (83x58,2) : **NLG 12 685** – AMSTERDAM, 19-20 fév. 1997 : *Arabe sellant un cheval*, h/t (15x19) : **NLG 7 495**.

FAMBRINI Ferdinando
XVIIIe siècle. Actif à Lucques. Italien.
Graveur au burin.
On cite de lui : Planche pour : *Raccolta delle piu belle citta e Porto di Livorno, Vue de la ville de Pise*, 4 planches.

FAMCHON Alphonse Adolphe Onésime
Né le 10 mars 1821 à Boulogne-sur-Mer. XIXe siècle. Français.
Peintre.
Il eut pour maître Gobert. De 1864 à 1880, il exposa au Salon de Paris des natures mortes, des fleurs, des fruits et des gibiers.

FAMEI Giovanni Maria
XVIe siècle. Actif à Reggio (Émilie). Italien.
Peintre.

FAMEL Marie, Mme
Née le 27 janvier 1874 à Paris. XIXe-XXe siècles. Française.
Peintre émailleur.
Sociétaire des Artistes Français depuis 1906. Elle figura au Salon de cette société.

FAMELLA Pietro
XVe siècle. Italien.
Peintre.
Il peignit des armoiries dans l'Abbaye Sainte-Flore et Sainte-Lucile d'Arezzo.

FAMIBUS Magno de, fra
XVe siècle. Italien.
Peintre.
Il exécuta avec Johann Lanfelder en 1479 un retable pour l'Abbaye du Saint-Esprit à Solmena.

FAMIN Auguste Pierre
Né en 1776. Mort en 1859. XIXe siècle. Français.
Sculpteur de statues, bustes, aquarelliste.
Il fit son éducation dans l'atelier de David d'Angers. De 1842 à 1852, il figura au Salon, à Paris.
On cite de lui : *Pandore* (statue en plâtre), *Joueur de billes* (statue en marbre), *Médaillon du général Thouvenel* (marbre), *Buste du docteur Fornari* (marbre), *Amazone blessée* (plâtre), *Jacques Callot* (buste en marbre, au ministère de l'Intérieur).
MUSÉES : CHARTRES : *Noël Parfait*, buste.
VENTES PUBLIQUES : PARIS, 18 nov. 1994 : *La Villa médicis*, aquar. (14,4x21,5) : **FRF 13 000**.

FAMIN Charles Victor
Né en 1809 à Paris. XIXe siècle. Français.
Peintre et architecte.

FAMIN Pierre
Né en 1890 en Algérie. Mort en mars 1988 à Marseille (Bouches-du-Rhône). XXe siècle. Français.
Peintre, peintre à la gouache, dessinateur.
Il ne quitta l'Algérie que peu avant 1980. Il dirigea une galerie, *Le minaret*, qui fut le pôle culturel et artistique d'Alger entre 1925 et 1955, fréquenté par Camus, Cocteau, Le Corbusier, Jean Sénac, Jean de Maisonseul. Ce fut lui qui guida Marquet dans sa traversée du Sahara.

FAMINIUS
XVIe siècle. Français.
Peintre.
Une *Vue de Marseille* de sa main est conservée aux Archives de cette ville.

FAMINS François ou **Jamins**
XVIe siècle. Actif à Melun. Français.
Peintre.

FAMOL
XVIIIe siècle. Tchécoslovaque.
Peintre.
Au Trésor de Prague furent mentionnées de sa main deux têtes de philosophes : *Héraclite* et *Démocrite*.

FAMPA
XVIIIe siècle. Actif à Naples. Italien.
Peintre.
Il est mentionné comme ayant participé à la décoration du Palais Gravina, avec Mario Gioffredo.

FAMULUS. Voir **AMULUS**

FAN AN-JEN ou **Fan An-Jên**. Voir **FAN ANREN**

FAN ANREN ou **Fan An-Jen** ou **Fan An-Jên** ou **Fan Ngan-Jen**, dit **Fan Laizi**
Né à Qiantang (province du Zhejiang). XIIIe siècle. Chinois.
Peintre.
Spécialiste de représentations de poissons, il est membre de l'Académie Impériale de peinture, vers 1253-1258.
MUSÉES : BOSTON (Mus. of fine arts) : *Deux carpes sautant dans les vagues*, attribution.

FAN AN-YEN. Voir **FAN ANREN**

FANAR Simon
XVIIe siècle. Vivant à Bruyères (Aisne). Français.
Sculpteur.
Pour un maître peintre de Laon, nommé Pierre Le Long, il fit, en 1624, deux statues en noyer représentant *Notre-Dame* et *Saint Jean*.

FANARD Jehan ou **Fanart**. Voir **FAVART**

FANART Clément Alphonse Antonin ou **Fanard**
Né le 18 janvier 1831 à Besançon (Doubs). Mort le 2 septembre 1903 à Besançon. XIXe siècle. Français.
Peintre de scènes de genre, paysages, lithographe.
Il suivit les cours de peinture de François Diday à Genève. S'étant fixé à Paris, il exposa au Salon, de 1847 à 1879, obtenant une mention honorable au Salon de 1861.
Il s'inscrit dans la lignée de l'École de 1830, mais, plus que Barbizon, ce sont les paysages accidentés de la Savoie, du Jura, de la Franche-Comté qui lui inspirent ses effets de lumière. On mentionne de lui : *Forêt de chênes en Savoie – Coup de soleil avant l'orage – Crépuscule dans la plaine des Rocailles – La moisson dans le Jura – Nanette allant aux champs – Une moisson en Franche-Comté – Un ruisseau dans les vallons du Jura – Les bords du Doubs, à Beaume*.
BIBLIOGR. : Gérald Schurr, in : *Les Petits Maîtres de la peinture 1820-1920, valeur de demain*, Les Éditions de l'Amateur, t. III, Paris, 1976.
MUSÉES : BESANÇON : *Un soir sur les bords de l'Ognon – La moisson – Le pâturage*.
VENTES PUBLIQUES : PARIS, 12 fév. 1923 : *Arbres au bord d'un étang*, h/t : **FRF 80** – ENGHIEN-LES-BAINS, 14 juin 1981 : *Pêcheurs auprès du moulin, en montagne* 1854, h/t (70,5x97) : **FRF 8 600** –

BERNE, 21 oct. 1984 : *Paysanne au puits*, h/cart. (44x69) : **CHF 6 500**.

FANCATI
Né vers 1700, d'origine italienne. XVIIIe siècle. Britannique.
Dessinateur.
Il travailla en Angleterre. On cite de lui des dessins à la plume, copies des *portraits du roi Jacques II et de la reine Marie*, d'après Kneller.

FANCÉ
XVIIe siècle. Actif au Portugal. Français.
Sculpteur.
Il exécuta les statues de *Saint Pierre* et *Saint Paul* aux deux côtés d'un portail de l'église Sainte-Marie-de-Lorette à Lisbonne, église qui fut détruite par un tremblement de terre en 1755.

FANCELLI
XVIIe siècle. Travaillant à Valladolid. Espagnol.
Sculpteur et peintre.
Il jouit en Espagne d'une très grande popularité et compta parmi les nobles paladins de la beauté artistique qui ont si magnifiquement illustré la Renaissance espagnole, mais son génie et ses efforts furent impuissants à arrêter l'art de son pays sur le penchant rapide de la décadence. La morbidesse, l'exagération du modèle, la recherche de la grâce firent composer ses contemporains et ses successeurs avec les rigueurs de la ligne. La convention se substitua à la réalité, le joli au beau, le maniéré au grand. La force, la hardiesse, la noblesse un peu austère et hautaine qui constituaient l'essence même de l'art castillan s'effondrèrent et, avec ces qualités, le mouvement, la relation entre l'être et le vêtement, disparurent. On étudia sur mannequin au lieu d'étudier sur le modèle et toute expression sincère de la vie s'évanouit pour céder la place au factice et à l'irréel.
La majeure partie des œuvres de Fancelli relèvent de l'ordre religieux ; il travailla beaucoup avec le sculpteur Vilmereate dit Vemereado et connut à Valladolid, Valentin Diaz, qui l'aima et le soutint. 1605 est la date la plus reculée à laquelle nous le trouvions. C'est lui qui sculpta le retable principal de l'église Saint-Michel de Valladolid, réédifiée par ordre du roi. Ce retable n'est pas dans l'église Saint-Michel qui existe actuellement et qui n'est autre que l'ancienne église Saint-Ignace dont on a changé le nom. En 1621, il fit un groupe de la Sainte Famille, pour l'église San Lorenzo, que Diaz peignit lui-même et peu après deux retables pour le couvent de la Conception à Vittoria ; en 1624, un autre retable pour les Franciscains déchaussés, et, en 1629, le retable majeur de la cathédrale de Valladolid. Une de ses plus belles œuvres consiste dans un Christ pour l'église San Benito, qui se trouve aujourd'hui au Musée de Valladolid. Un très beau portrait de cet artiste existe au même Musée.

FANCELLI Antonio
Né en 1606. Mort en 1646. XVIIe siècle. Italien.
Sculpteur.
Il travailla à Sienne où il sculpta des autels à la cathédrale et commença le superbe autel de Saint-François qui fut achevé par Dionisio Mazzuoli.

FANCELLI Bartolo
Né probablement à Mantoue. XVIe siècle. Italien.
Peintre.
Il est mentionné comme étant un élève du Pérugin et on connaît de lui une copie d'un tableau de celui-ci.

FANCELLI Carlo I
Né vers 1566, originaire de Settignano. Mort le 7 octobre 1640. XVIe-XVIIe siècles. Italien.
Sculpteur.
Il travailla à Rome pour le Vatican, pour diverses églises et pour le Quirinal.

FANCELLI Carlo II
Né en 1661. Mort le 19 avril 1698. XVIIe siècle. Italien.
Sculpteur.
Fils de Francesco II Fancelli.

FANCELLI Chiarissimo
Né à Settignano. Mort le 23 mai 1632 à Florence. XVIIe siècle. Italien.
Sculpteur.
Parmi ses œuvres on cite les statues de *Sainte Madeleine* et *Sainte Christine* pour la cathédrale de Pise et trois bustes de marbre du *Grand Duc Cosimo II* à Florence. Il exécuta pour la reine Marie de Médicis, quatre statues allégoriques. On mentionne aussi de lui une statue de *Vulcain* pour les Jardins Boboli.

FANCELLI Cosimo
Né en 1620 à Rome. Mort le 3 avril 1688 à Rome. XVIIe siècle. Italien.
Sculpteur.
Fils de Carlo I Fancelli. Il fut élève de Bernini et se lia avec Pietro da Cortona aux travaux duquel il participa jusqu'à la mort de celui-ci. Les églises Saint-Pierre, sous la direction de Bernini, celles de Saint-Martin et Saint-Luc avec Cortona, Sainte-Marie de la Paix, Saint-Charles du Corso, Sainte Maria de la Via Lata, La Chiesa Nuova, Saint-Nicolas de Tolentino possèdent de nombreuses ornementations et statues de ces artistes. Cosimo Fancelli créa des modèles d'anges pour la chapelle du pape, le tombeau du cardinal Widmann à Saint-Marc et une série de statues pour la cathédrale Saint-Luc. En collaboration avec Ferrata il créa *L'Ange au visage saint* du Pont Saint-Ange, la statue du tombeau de Clément IX à Sainte-Marie Majeure ; les deux bustes des cardinaux Altieri à Santa Maria sopra Minerva, et de nombreuses autres statues, bustes et bas-reliefs.

FANCELLI Francesco I
XVIIe siècle. Italien.
Sculpteur.
Il participa à la construction de l'église Saint-Pierre à Florence, et fut à Rome membre de l'Académie Saint-Luc.

FANCELLI Francesco II
Né le 23 janvier 1624 à Rome. Mort le 14 mai 1681. XVIIe siècle. Italien.
Sculpteur.
Fils de Carlo I Fancelli. Il exécuta des travaux de décoration au Palais et au Casino Borghèse à Rome, à la Villa Mondragone à Frascati et, pour le cardinal Borghèse, à l'église de Monteporzio Catone. Il travailla également à Sainte-Marie-Majeure et à l'église Sainte-Marthe à Rome.

FANCELLI Francesco III
Né vers 1691. Mort le 19 septembre 1750. XVIIIe siècle. Italien.
Sculpteur.
Fils de Giacomo Fancelli.

FANCELLI Giacomo, appelé aussi **Fiorentino**
Mort le 15 décembre 1614. XVIIe siècle. Italien.
Sculpteur.

FANCELLI Giacomo
Né le 25 juillet 1658. Mort le 25 novembre 1738. XVIIe-XVIIIe siècles. Italien.
Sculpteur.
Fils de Francesco II Fancelli.

FANCELLI Giacomo Antonio
Né en 1619 à Rome. Mort en 1671 à Rome. XVIIe siècle. Italien.
Sculpteur.
Il était le fils de Carlo I. Il fut élève du Bernin. Il travailla pour lui à la statue du *Nil* pour la place Navonna à Rome, et à la basilique Saint-Pierre.

FANCELLI Giovanni di Paolo, ou **Giovanni di Stocco** ou **Fancegli**
Mort le 1er juillet 1586. XVIe siècle. Actif à Florence. Italien.
Sculpteur et orfèvre.
Il était membre de l'Académie de dessin et élève de B. Bandinelli ; il participa aux travaux de sculpture de celui-ci pour une fontaine des Jardins Boboli. Sous la direction de Vasari il exécuta une statue de la Religion, une fontaine, des satyres, et des travaux de décoration pour les fêtes du mariage de François de Médicis avec Jeanne d'Autriche. A Pise, il exécuta, d'après les projets de Vasari, des travaux de sculpture pour l'église des Chevaliers de Saint-Étienne.

FANCELLI Giuseppe
XVIIIe siècle. Italien.
Dessinateur d'architectures.
G. de Pian grava d'après lui deux vues du Palais des Doges à Venise.

FANCELLI Giuseppe
XIXe siècle. Actif à Bologne. Italien.
Peintre.
Il étudia à Venise. On mentionne de lui des fresques sur des tombeaux à la Chartreuse de Bologne.

FANCELLI Luca
Né en 1430 à Florence. Mort en 1495 à Florence. XVe siècle. Italien.

Sculpteur, architecte et ingénieur.
Il travailla surtout à Mantoue où il fut architecte de la cour de Ludovic de Gonzague. Parmi ses œuvres de sculpture il n'est mentionné que le relief d'une cheminée provenant du château de Gonzague à Revere et conservé par le Musée de Mantoue.

FANCELLI Pandolfo
Né à Mantoue. Mort en juillet 1526 à Pise, de la peste. XVIe siècle. Italien.
Sculpteur.
Il est probablement identique à un Pandolfo Fiorentino qui en 1521 travailla à Carrara avec B. Ordonez. En 1523 il exécuta à la cathédrale de Pise des travaux de décoration.

FANCELLI Petronio
Né en 1734. Mort en 1800. XVIIIe siècle. Italien.
Peintre d'ornements.
Il fut élève de Mauro Tesi et membre de l'Académie de Bologne où il travailla. On mentionne de lui des peintures dans les Palais Bianchi et Scarselli et dans les églises Saint-Isaïe, Saint-Marin et Saint-Antoine ainsi que des fresques décoratives dans la Villa Bentivoglio à Pontecchio.

FANCELLI Pietro
Né en 1764 à Bologne. Mort en 1850. XVIIIe-XIXe siècles. Italien.
Peintre d'histoire et décorateur.
On cite de lui des travaux dans les églises de Bologne.
Ventes Publiques : Milan, 17 déc. 1987 : *Découverte d'un monument antique*, pl. et encre brune/traces de cr. (51,2x64,5) : **ITL 1 800 000**.

FANCELLI Tomaso
Originaire de Prato. XVe-XVIe siècles. Italien.
Peintre.
Il était membre de l'Académie Saint-Luc à Rome.

FANCELLI di Alessandro Domenico ou **Domenico Alejandro**
Né en 1469 à Settignano, d'origine italienne. Mort en 1519 à Saragosse. XVe-XVIe siècles. Espagnol.
Sculpteur.
Une des plus belles œuvres de la sculpture castillane, c'est le monument funèbre du cardinal de Cisneros. On sait aujourd'hui qu'il est l'œuvre de deux artistes dont l'un était d'origine italienne, Fancelli, et l'autre un Castillan, Bartolomé Ordones. Divers documents montrent ces deux grands artistes comme étant aussi les auteurs du mausolée de Ferdinand et d'Isabelle la Catholique et de celui de Philippe le Beau et de Jeanne la Folle, tous deux placés dans la chapelle royale de la cathédrale de Grenade. Un Danois, du nom de J. Gayer, et le docteur allemand Juris ont essayé de démontrer que ces chefs-d'œuvre n'avaient rien de commun avec le sculpteur espagnol Ordones. Cette question longtemps en litige a fini par être tranchée au moyen d'un document dont il faut citer la conclusion. L'évêque d'Avila et le recteur du collège de San Ildefonso de Alcala chargèrent, en 1518, « Bartolomé Ordonez de Burgos d'édifier un monument funèbre à la mémoire du cardinal de Cisneros, spécifiant qu'il devait être plus parfait que le double tombeau des rois catholiques de la chapelle royale de Grenade, attendu que leur auteur, ayant acquis de l'expérience, devait, à cause de cela, faire une œuvre plus parfaite ». Fancelli étant mort en 1519, Bartolomé Ordonez fut donc en réalité le sculpteur du tombeau de Cisneros, tout au moins l'acheva-t-il seul ; et lorsque Biguerny fut chargé de l'examiner, il déclara que son auteur avait tenu l'engagement de se surpasser qu'on lui avait imposé. Fancelli a introduit le style de la Renaissance italienne dans la sculpture espagnole, travaillant lui-même dans la tradition de Donatello et de Michel-Ange. Certains des tombeaux qu'il exécuta dans son atelier de Gênes, furent ensuite expédiés en Espagne : celui de l'archevêque don Diego Hurtado de Mendoza (1508-1510), celui du prince Jean (1513), à Saint Thomas d'Avila, celui des Rois Catholiques (1517), dans la chapelle royale de la cathédrale de Grenade. Il fournit aussi les fonts baptismaux des cathédrales de Valence et Tolède.

FAN CHANG-SHOU. Voir **FAN ZHANGSHOU**

FANCHER Luis
Né le 25 décembre 1884 à Minneapolis (États-Unis). XXe siècle. Actif à New York. Américain.
Peintre.
Élève de Mowbray, Henri, W.-A. Clark, Kenyon Cox.

FAN CH'I. Voir **FAN QI**

FAN CHI. Voir **FAN JI**

FAN CHING-WÊN. Voir **FAN JINGWEN**

FAN CH'IOUNG ou **Fan Ch'iung**. Voir **FAN QIONG**

FANCIULLACCI Giovanni
Italien.
Miniaturiste.
Le Musée Rath, à Genève, conserve de lui un *Portrait de Rubens*, d'après l'artiste lui-même, *La Fornarina* et un *Portrait de Raphaël*, d'après Raphaël.

FANCIULLI Felice
XVIIe siècle. Italien.
Sculpteur.
Il exécuta en 1618 un relief en marbre pour la cathédrale d'Orvieto.

FANCK Ferdinand. Voir **FENAK**

FANCONY Pascal
Né le 26 février 1949 à Lemé (Aisne). XXe siècle. Français.
Artiste créateur d'environnements.
Il fut élève de plusieurs Écoles des Beaux-Arts : Aix-en-Provence, Nice, Reims et Saint-Étienne. Il a été invité à participer à la Biennale des Jeunes Artistes de Paris en 1971. Il a participé à quelques manifestations d'arts plastiques dans les rues, en 1972 à La Rochelle, en 1973 à Saint-Étienne.
Son travail concerne l'espace et l'environnement, dont il prend possession en l'occupant. Utilisant surtout de longs rubans sergés multicolores, il fabrique avec ce matériau de larges rideaux, qui, pendus et flottant, barrent l'espace pénétrable.

FANCOURT E.
XIXe siècle. Britannique.
Peintre.
Il exposa en 1820 et 1821 à la Royal Academy à Londres des portraits de femme. Le British Museum conserve le portrait du missionnaire Joseph Wolff, reproduit à la manière noire par H. Meyer, d'après une de ses œuvres.

FANDA J.
Originaire de Silésie. XIXe siècle. Allemand.
Sculpteur.
Il étudia chez Rauch à Berlin et présenta à Londres en 1851 à l'Exposition de l'Industrie une statuette en bois de *Shakespeare*.

FANDEN Halvor ou **Fane**. Voir **FAHNE**

FANE
XVIIIe siècle. Actif à Staines près de Londres. Britannique.
Peintre de miniatures.
Il exposa un portrait à la Royal Academy à Londres en 1776.

FANELLI Francesco
XVIIe siècle. Italien.
Sculpteur de groupes, statues, dessinateur, fondeur.
Il travailla à Gênes, en Angleterre et à Paris. Dans l'église Saint-Luc de Gênes se trouve de sa main un *Christ mort*, sculpture sur bois, et dans l'église Sainte-Marie de la Neige, deux petits anges de bronze au maître-autel. En 1610 il se rendit en Angleterre où il travailla à Richmond pour le prince Henry de Galles et exécuta surtout des vases de bronze, de marbre et d'ivoire. Il gagna les faveurs de Charles Ier et reçut le titre de sculpteur du roi d'Angleterre. On cite de lui une statuette de *Pygmalion* en ivoire, 18 statuettes florentines en bronze, le buste en bronze du *Prince Charles de Galles* signée et datée de 1640 ; toute une série de statuettes de bronze, un *Saint Georges*, un *Centaure*. On trouve en Angleterre de nombreuses œuvres de cet artiste : à l'Abbaye de Westminster le buste de *Lady Cottington* en cuivre doré ; dans la cathédrale de Gloucester les sculptures en marbre d'un monument funéraire ; au château d'Hampton Court une fontaine de bronze. Il paraît avoir quitté l'Angleterre pour venir à Paris où on mentionne d'après ses dessins une série de gravures de fontaines ainsi qu'une autre série intitulée *Fontaines et jets d'eau d'après les plus beaux lieux d'Italie*, et aussi des *Dessins de grottes*.
Ventes Publiques : Londres, 22 mars 1966 : *Cheval bondissant*, bronze : **GBP 750** – Londres, 17 avr. 1969 : *Chien attaquant une biche*, bronze : **GBP 820** – Londres, 8 juil. 1981 : *St Georges et le dragon ; Turc chassant le lion*, deux bronzes (18,5x23,5) : **GBP 6 500** – Londres, 13 avr. 1983 : *Un cheval*, bronze (H. 15,5) : **GBP 2 000** – Londres, 20 avr. 1988 : *Cheval à l'arrêt ; Cheval au pas*, bronze, deux statuettes (H. 16) : **GBP 16 500**.

FANELLI Francesco
Né en 1863 à Livourne. Mort en 1924 à Torre del lago. XIXe-XXe siècles. Italien.

Peintre de sujets religieux, scènes typiques, paysages animés. Orientaliste.
Il fut élève de Norfini à l'Académie de Lucques, puis de Fattori à Florence.
Il exposa, en 1896, à Florence, trois toiles : *Branches mortes – Marais – L'appel* ; en 1898, à Turin ; en 1900, à Milan, avec *Les Laveuses*.
L'œuvre orientaliste de Fanelli montre un charme et une sérénité rendus par une facture délicate, une précision du détail, des couleurs lumineuses et limpides et un goût des contrastes entre un premier plan sombre et un arrière-plan très éclairé.
Bibliogr. : Gérald Schurr, in : *Les Petits Maîtres de la peinture 1820-1920, valeur de demain*, Les Éditions de l'Amateur, t. VI, Paris, 1985.
Musées : Clermont-Ferrand : *Éliézer et Rébecca*.
Ventes Publiques : Rome, 1er déc. 1982 : *Portrait de Giuseppe Bandi*, h/t (77x44) : **ITL 800 000** – Milan, 19 oct. 1989 : *Paysage lacustre*, h/t (201x170,5) : **ITL 15 000 000** – Milan, 6 déc. 1989 : *Voiles au vent*, h/t (190x117) : **ITL 12 000 000** – Milan, 21 nov. 1990 : *Jeune fille ramassant du bois*, h/t (66x41) : **ITL 2 400 000** – Rome, 11 déc. 1990 : *Paysage lacustre*, h/pan. (23x32) : **ITL 2 300 000**.

FANELLI Pier Simon
Né à Ancône. Mort en 1703 à Recanati. XVIIe siècle. Italien.
Peintre d'histoire.
Élève de G. Peruzzini. On trouve beaucoup de ses œuvres dans les Marches.

FANELLI Virgilio
Né vers 1600 à Florence. Mort en 1678 à Tolède. XVIIe siècle. Italien.
Orfèvre et sculpteur.
Fut chargé par l'ambassadeur d'Espagne, à Gênes, d'une commande pour le Panthéon de l'Escurial. L'accueil que l'artiste reçut en Espagne le décida à s'y fixer. On cite de lui : *La statue d'argent de saint Ferdinand, Le trône de la Vierge du sanctuaire*, à Tolède, un *Christ* à Casarubias. Il était probablement le fils de Francesco Fanelli.

FANELLI-SEMAH Louis Joseph
Né le 28 mai 1804 à Toulon. Mort en 1875. XIXe siècle. Français.
Peintre d'histoire, compositions religieuses, scènes de genre, portraits.
Le 19 novembre 1825, il entra à l'École des Beaux-Arts et se forma sous la direction de Gros. En 1844, il fut médaillé de troisième classe. Parmi les œuvres de cet artiste, on cite : *Brigands napolitains ; Un commandant visitant des postes avancés ; Henri IV pardonnant aux vaincus après la bataille d'Ivry ; Portrait de M. Dupin, en costume de procureur général de la cour de cassation ; Le Christ au jardin des Oliviers ; L'éducation de la Vierge ; La Sainte Famille au lys ; Les trois Marie au tombeau de Jésus ; Le Christ pleuré par les anges ; La prière de Judith ; La fête de grand-père.*
Musées : Toulon : *Levée du siège de Toulon, par le duc de Savoie en 1707* – Versailles : *François-Louis de Bourbon, prince de Conti – Thomas Corneille*.
Ventes Publiques : Paris, 23 avr. 1993 : *La courtisane* 1831, h/t (46x38) : **FRF 11 500**.

FANET Anne-Marie, Mme **Vieillard**
Née le 22 mai 1866 à Caen (Calvados). XIXe-XXe siècles. Française.
Peintre de genre.
Elle fut élève de Jean-Paul Laurens et de Benjamin-Constant. Elle exposait régulièrement à Paris, au Salon des Artistes Français, dont elle était sociétaire depuis 1905.

FANFANI Enrico
XIXe siècle. Italien.
Peintre d'histoire, scènes de genre.
Il travaillait en Italie.
Musées : Florence (Gal. Antique et Mod.) : *Scènes de la révolution du 27 avril 1859 à Florence – L'obole de la veuve – Le poète Milton aveugle*.
Ventes Publiques : New York, 25 oct. 1984 : *La visite au monastère*, h/t (123,1x92) : **USD 2 000** – New York, 16 fév. 1995 : *Porteuses d'eau*, h/t, une paire (chaque 54,6x91,4) : **USD 17 250** – Paris, 15 déc. 1995 : *Bédouine près d'un puits*, h/t (70x50) : **FRF 40 000**.

FANFANI Paolo
Né le 12 juin 1823 à Florence. XIXe siècle. Italien.
Sculpteur sur bois.
Il fut à l'Académie de Florence l'élève de Luigi Sani. Il créa le grand lustre en bois et fer de la salle du trône du Palais Pitti. Il sculpta des meubles, des autels, des candélabres et travailla pour l'étranger. A Florence et Rome furent exposées quelques-unes de ses œuvres : cadre pour le portrait du comte Francesco Larderel (maintenant à Livourne, Palais Larderel), crucifix, lustres.

FANFOJA
XVIe siècle. Italien.
Peintre d'histoire.
Élève de Léonard de Vinci.

FANGARETTI Francesco
XVIIIe siècle. Italien.
Peintre.
Il peignit des fresques dans l'église Santa Caterina à Formello à Naples.

FANG BI ou **Fang Pi**, surnom : **Huanshan**
XVIe siècle. Actif pendant l'ère Jiajing (1522-1566). Chinois.
Peintre.
Ce peintre de la dynastie Ming, n'est pas mentionné dans les Annales.

FANG Bingshan
Né en 1940. XXe siècle. Chinois.
Peintre de paysages. Style occidental.
Il obtint en 1986 le diplôme de l'Académie de Peinture de Nankin. Il est en même temps peintre et professeur à l'Académie de Nankin. Ses œuvres figurent dans de nombreuses expositions et sont largement reproduites.
Ventes Publiques : Hong Kong, 30 avr. 1996 : *Matin de printemps* 1995, h/t (106x78,1) : **HKD 46 000**.

FANG CHE-CHOU. Voir **FANG SHISHU**

FANG CHI. Voir **FANG JI**

FANG CH'IEN. Voir **FANG QIAN**

FANG CHIN-SHIH. Voir **FANG JINSHI**

FANG CHÜN-JUI. Voir **FANG JUNRUI**

FANG CHÜN-PI. Voir **FANG JUNBI**

FANG CHUXIONG
Né en 1925. XXe siècle. Chinois.
Peintre d'animaux, fleurs, calligraphe. Traditionnel.
Il a été professeur à l'Institut des Beaux-Arts de Guangzhou. Il a figuré à Paris, à l'exposition *Peintres traditionnels de la République Populaire chinoise* en 1980.

FANG CONGYI ou **Fang Ts'ong-I** ou **Fang Ts'ung-I**, surnom : **Wuyu,** noms de pinceau : **Fanghu, Jinmen Yuke, Bumang Doaren**
Né à Guixi (province du Jiangxi). XIVe siècle. Actif dans la seconde moitié du XIVe siècle. Chinois.
Peintre.
Moine taoïste au temple Shangqing, dans sa province natale, il est connu comme paysagiste, pour son style spontané et éclaboussé et son exécution rapide avec un pinceau chargé d'encre. Il suggère avec subtilité les paysages brumeux. Très estimé à son époque, son style rappelle celui du grand paysagiste Gao Kegong (vers 1245-1310), tandis que son travail de pinceau évoque celui des Deux Mi (Mi Fu 1051-1107 et Mi Youren 1086-1165). Dans ses paysages, les montagnes rugueuses s'élèvent avec puissance au-dessus des vallées comme autant de masses vivantes ; les pins tourmentés amplifient cette impression de violence et des points vigoureux accentuent ce mouvement général. La distribution des taches de brouillard fait penser à Fan Kuan (mi-Xe siècle) et Li Tang (vers 1050-1130).
Musées : Osaka (Mus. mun.) : *Grand soleil sur la cascade à l'automne* – Pékin (Palais Impérial) : *Monts dans le brouillard et les nuages, voyageur suivi d'un serviteur portant un luth* signé et daté 1378, signé, poèmes de quatre contemporains, colophon de Dan Shao daté 1385 – *Montagnes dans les nuages* 1365, signé – Shanghai : *Dans les profondeurs des montagnes nuageuses* daté 1392 par le colophon, encre sur pap., rouleau en hauteur – Taipei (Nat. Palace Mus.) : *Sur un bateau à Huishan – Montagnes immortelles et bois lumineux* 1364, encre et coul. sur pap., rouleau en hauteur, signé, œuvre exécutée pour un ami taoïste de l'artiste.

FANG DAYOU ou **Fang Ta-Yeou** ou **Fang Ta-Yu**, surnom : **Oyu,** noms de pinceau : **Yanlan** et **Yunsheng**

Né en 1596 à Wucheng (province du Zhejiang). Mort en 1677. XVIIe siècle. Chinois.
Peintre.
Gouverneur de la province du Shandong au début de la dynastie Qing (1644-1911). Il peint des paysages dans le style de Dong Yuan (Xe siècle).

FANGER Simon ou **Fangert**
XVIIe siècle. Hollandais.
Peintre.
Il fut reçu maître à Delft le 16 octobre 1647.

FANGER Wolfgang
XVIIe siècle. Actif à Sarmen. Suisse.
Peintre et sculpteur.
Cet artiste, cité dans le Dictionnaire du Dr Brun, aurait exécuté six tableaux de saints et des travaux d'autel pour l'église de Giswil (Unterwalden).

FANG GUOQI ou **Fang Kouo-K'i** ou **Fang Kuo-Ch'i**, surnom : **Nangong**
Originaire de Kunshan, province du Jiangsu. XVIIe siècle. Actif au début de la dynastie Qing (1644-1911). Chinois.
Peintre.
Il peint des bambous dans le style de Xia Chang (1388-1470).

FANG HENGXIAN ou **Fang Heng-Hien** ou **Fang Hêng-Hsien**
XVIIe siècle. Actif au début de la dynastie Qing (1644-1911). Chinois.
Peintre.
Collaborateur du peintre paysagiste Chang Xun (mi-XVIIe siècle).

FANG HIAO-JOU. Voir **FANG XIAORU**

FANG HSIAO-JU. Voir **FANG XIAORU**

FANG HSÜN. Voir **FANG XUN**

FANG I-CHIH. Voir **FANG YIZHI**

FANG I-TCHE. Voir **FANG YIZHI**

FANG JEN-TING. Voir **FANG RENDING**

FANG JI ou **Fang Chi** ou **Fang Tsi**, surnom : **Juchuan,** nom de pinceau : **Xiyuan**
XVIIIe siècle. Actif dans la seconde moitié du XVIIIe siècle. Chinois.
Peintre.
On sait qu'il fait un voyage au Japon en 1772.
Musées : Londres (British Mus.) : *Deux pies dans un prunier*, signé – *Album de paysages*.

FANG JINSHI ou **Fang Chin-Shih** ou **Fang Kin-Che**
XVIIe siècle. Actif probablement à la fin de la dynastie Ming (dans la seconde moitié du XVIIe siècle). Chinois.
Peintre.

FANG JUNBI ou **Fang Chün-Pi** ou **Fang Kiun-Pi** ou **Fan Tchunpi**
Née en 1898 dans la province du Fujian. Morte en 1986. XXe siècle. Active aussi en France. Chinoise.
Peintre de portraits, paysages. Traditionnel.
Elle vint en France, encore enfant, et fit ses études à Paris et Bordeaux. De 1924 à 1928, elle retourna en Chine. En 1927, 1928, 1929, elle exposa à Paris, aux Salons des Tuileries et de la Société Nationale des Beaux-Arts.
Ventes Publiques : Hong Kong, 17 nov. 1988 : *Portrait de Zhao Shao'ang*, encre et pigments/pap. (86x55) : **HKD 82 500** ; *Paysage d'automne*, encre et pigments/pap., kakemono (120x59) : **HKD 33 000**.

FANG JUNRUI ou **Fang Chün-Jui** ou **Fang Kiun-Jouei**
Originaire de Wujin, province du Jiangsu. XIVe siècle. Actif au début du XIVe siècle. Chinois.
Peintre.
Spécialiste d'herbes et d'insectes dans le style du moine Juning.

FANG K'IEN. Voir **FANG QIAN**

FANG KIN-CHE. Voir **FANG JINSHI**

FANG KIUN-JOUEI. Voir **FANG JUNRUI**

FANG KIUN-PI. Voir **FANG JUNBI**

FANG KOUO-K'I. Voir **FANG GUOQI**

FANG KUO-CH'I. Voir **FANG GUOQI**

FANG NANYUN ou **Fang Nan-Yün**
XVIIe siècle. Actif vers la fin du XVIIe siècle. Chinois.
Peintre.
On connaît de ce peintre, qui n'est pas mentionné dans les biographies de peintres, une peinture en forme d'éventail : *Homme dans un bosquet près d'une rivière*, qui est signée et datée 1697.

FANG PI. Voir **FANG BI**

FANG QIAN ou **Fang Ch'ien** ou **Fang K'ien**, surnoms : **Yuqian** et **Xixian**
XVIIe siècle. Actif à Xiexian (province du Anhui) au début de la dynastie Qing (1644-1911). Chinois.
Peintre.
Spécialiste de paysages et de fleurs.

FANG RENDING ou **Fang Jen-Ting**
Né en 1903 à Canton. XXe siècle. Actif aussi aux États-Unis. Chinois.
Peintre.
Il fut élève de Gao Jianfu. Après un séjour au Japon de 1929 à 1935, il partit pour les États-Unis en 1939, où il figura à la *Golden Gate Exhibition* de San Francisco.
Ventes Publiques : Hong Kong, 29 avr. 1996 : *Chèvre mangeant des feuilles*, *kakémono*, encre et pigments/pap. (165x74) : **HKD 34 500**.

FANG SHISHU ou **Fang Che-Chou** ou **Fang Shih-Shu**, surnom : **Dunyuan,** noms de pinceau : **Huanshan** et **Xiaoshi Daoren**
Né en 1692 à Xiexian (province du Anhui). Mort en 1751. XVIIIe siècle. Chinois.
Peintre de paysages.
Élève de Huang Ding (1660-1730), il fait surtout des paysages.
Musées : Berlin : *Album de douze paysages d'après les Maîtres anciens* signé et daté 1733 – Kansas City (Nelson Gal. of Art) : *Montagnes d'été avant la pluie*, d'après Mi Youren, signé avec un poème daté 1738 – Taipei (Nat. Palace Mus.) : *Deux feuilles d'un album de paysages*, d'après les Maîtres Yuan, signées.
Ventes Publiques : New York, 4 déc. 1989 : *Maison isolée près d'un clair ruisseau*, encre/pap., kakémono (125,5x61) : **USD 11 000** – New York, 1er juin 1993 : *Album de paysages* 1747, encre et pigments/pap. et encre/pap., huit feuilles (chaque 48,3x32,4) : **USD 79 500**.

FANG SIUN. Voir **FANG XUN**

FANG TA-YEOU. Voir **FANG DAYOU**

FANG TA-YU. Voir **FANG DAYOU**

FANG TSI. Voir **FANG JI**

FANG TSONG. Voir **FANG ZONG**

FANG TS'ONG-I. Voir **FANG CONGYI**

FANG TSUNG. Voir **FANG ZONG**

FANG TS'UNG-I. Voir **FANG CONGYI**

FANG WANYI ou **Fang Wan-I**, nom de pinceau : **Bolian Jushi**
Née en 1732 à Xiexian (province du Anhui). Morte après 1784. XVIIIe siècle. Chinoise.
Peintre.
Femme du peintre Luo Ping, elle est connue comme femme de lettres, poète et peintre spécialiste de fleurs de prunier, d'orchidées, de bambous et de paysages.

FANG XIAORU ou **Fang Hiao-Jou** ou **Fang Hsiao-Ju**, surnoms : **Xizhi** et **Xigu,** souvent appelé **Maître Zhengxue**
Né en 1357 à Ninghai (province du Zhejiang). Mort en 1402. XIVe siècle. Chinois.
Peintre.
Peintre, lettré et haut fonctionnaire, il meurt exécuté sur l'ordre de l'empereur Ming Yongle (règne 1402-1425).

FANG XUN ou **Fang Hsün** ou **Fang Siun**, surnom : **Landi,** noms de pinceau : **Lanshi, Changqing,** etc.
Né en 1736 à Shimen (province du Zhejiang). Mort en 1799. XVIIIe siècle. Chinois.
Peintre d'oiseaux, paysages, fleurs.
Très doué, Fang Xun est connu à la fois comme poète, calligraphe et peintre de paysages, de fleurs et d'oiseaux. Caractère indépendant et fier, il se tient toujours à l'écart de la vie publique et se voue uniquement aux arts. Il est l'auteur d'un traité sur la peinture, le *Shanjingju Hualun*, dont les défauts sont communs à la plupart des ouvrages de l'époque : discontinuité, éparpillement des propos, redites, banalités, absence de synthèse. On y

trouve néanmoins des opinions personnelles d'un intérêt certain : l'auteur s'y oppose aux règles fixes et aux formules toutes faites, il y souligne la nécessité d'une création neuve et personnelle qui ne se limite pas aux modèles des anciens, il y réagit contre les préjugés et les rivalités d'écoles.
Bibliogr. : P. Ryckmans : *Propos sur la peinture de Shitao*, Bruxelles, 1970.
Musées : Kyoto (Nat. Mus.) : *Jeunes bambous, chrysanthèmes et rochers* – Pékin (Mus. du Palais) : *Jardin de lettré au bord d'une rivière* daté 1801.
Ventes Publiques : New York, 31 mai 1994 : *Fleurs*, encre/soie, album de 12 feuilles (24,4x19,4) : **USD 3 450** – New York, 21 mars 1995 : *Fleurs des quatre saisons*, encre et pigments/soie, quatre kakémonos (chaque 149,2x38,4) : **USD 2 875**.

FANG XUN ou **Fang Hsun**
Née en 1954 à Xinzhu (Taiwan). xxe siècle. Chinoise.
Peintre de compositions.
Elle fut diplômée du Centre de journalisme de l'Université Culturelle de Taipei en 1978, avant d'aborder sa carrière artistique. En 1986, elle commence à participer à des expositions et en 1991 une exposition personnelle lui est dédiée au Centre d'Art Yate de Taizhong.
Ses peintures pittoresques s'attachent à reproduire, avec un certain réalisme, des scènes du quotidien.
Ventes Publiques : Hong Kong, 30 mars 1992 : *Porte* 1989, h/t (76x51) : **HKD 20 900**.

FANGYA ou **Fang-Yai** ou **Fang Yeh**
xive siècle. Chinois.
Peintre.
On ne connaît ce peintre que par les inscriptions figurant sur ses œuvres. On sait qu'il est moine dans la seconde partie du xive siècle au temple Chongyu de Suzhou et qu'il est lié d'amitié avec le peintre Ni Zan (1301-1374). Il peint surtout des arbres, des bambous et des rochers dans le style du poète et peintre Su Dongpo. Dans ses bambous, il ne recherche pas la complexité et atteint un naturel profond : pour les branches et les tiges il utilise un pinceau chargé d'encre, tandis que les feuilles sont exécutées à l'encre diluée qui varie du clair au foncé.
Musées : Taipei (Nat. Palace Mus.) : *Frêles bambous dans les rocailles*, sceau de l'artiste, poème et colophon de Ma Zhi datés 1382 – *Bambou à l'encre*, rouleau en hauteur, encre sur pap., inscription.

FANG YIZHI ou **Fang I-Chih** ou **Fang I-Tche**, surnom : **Changgong,** noms de pinceau : **Luqi, Zhike** et **Mizhi**
Originaire de Tongcheng, province du Anhui. xviie siècle. Actif vers le milieu du xviie siècle. Chinois.
Peintre.
On sait que Fang Yizhi est reçu à l'examen de « lettré présenté » (jinshi) en 1640, à la capitale. A la chute de la dynastie Ming en 1644, il devient moine sous le nom de Hongzhi, surnom Wuke, nom de pinceau Yaodi. Il fait des paysages dans le style des grands Maîtres Yuan.
Musées : Pékin (Mus. du Palais) : *Homme à dos d'âne passant près d'un arbre Wutong*, encre sur papier, signé du nom monastique Hongzhi.

FANG YONG ou **Fang Yung**
Né le 26 décembre 1900 à Chengdu (province du Sichuan). xxe siècle. Actif en France. Chinois.
Peintre de paysages, peintre sur laque. Occidental.
Dès sa jeunesse, il fut initié à la peinture traditionnelle chinoise. Arrivé en France en 1919, il continua de peindre, mais, en autodidacte il se forma à la peinture occidentale, tout en conservant, dans le décor de ses laques, des éléments chinois. Il exposa rarement. En 1948, il devint membre de l'Association des Artistes Chinois en France.
Ses peintures sont souvent imprégnées d'un romantisme dans le style de Corot. Dans ses meilleures œuvres, il fait preuve de vigueur et de fraîcheur dans la pratique de sa nouvelle conception de la peinture, ce qui alors était encore rare chez les artistes chinois.
Bibliogr. : M. Sullivan : *Chinese Art in the XXth century*, Londres, 1959.

FANG Zhaolin ou **Fang Zhaoling**
Né en 1914. xxe siècle. Chinois.
Peintre de paysages animés. Traditionnel.
Avec les techniques traditionnelles, il peint les sujets traditionnels : vues typiques animées de personnages. Son dessin est cependant plus elliptique, plus gestuel, comme si la tradition graphique avait été revue par Dufy. Traitant le paysage par des gris teintés délicatement, il réserve les couleurs vives pour les petits personnages comiquement anecdotiques.
Ventes Publiques : Hong Kong, 17 nov. 1988 : *Paysage animé* 1983, encre et pigments/pap. (67,5x69) : **HKD 396 000** – Hong Kong, 18 mai 1989 : *Huang Shan* 1986, kakémono encre et pigments/pap. (98,8x68,5) : **HKD 528 000** – Hong Kong, 15 nov. 1989 : *Caverne habitée* 1986, kakémono, encre et pigments/pap. (68x48) : **HKD 110 000** – Hong Kong, 15 nov. 1990 : *Beautés de la nature* 1989, kakémono, encre et pigments/pap. (177x96) : **HKD 770 000** – Hong Kong, 2 mai 1991 : *L'année de la paix universelle* 1986, encre et pigments/pap. (112,7x96) : **HKD 594 000** – Hong Kong, 31 oct. 1991 : *Voyageurs admirant une cascade* 1988, kakémono, encre et pigments/pap. (177x96,2) : **HKD 605 000** – Hong Kong, 30 avr. 1992 : *L'escalier jusqu'au sommet de la colline* 1986, encre et pigments/pap., kakémono (136x68) : **HKD 660 000** – Hong Kong, 29 oct. 1992 : *Peinture dans une grotte, kakémono*, encre et pigments/pap. (130,5x79,5) : **HKD 616 000** – Hong Kong, 4 mai 1995 : *Atmosphère glacée*, encre et pigments/pap. (96,5x72,4) : **HKD 230 000** – Hong Kong, 28 avr. 1997 : *Peinture (diptyque calligraphique)* 1996, encre et pigments/pap. et encre/pap., deux pièces (69,2x58,1 et 126x27,9) : **HKD 230 000**.

FANG ZONG ou **Fang Tsong** ou **Fang Tsung**, surnom : **Huangshan,** noms de pinceau : **Shidian** et **Youhuang**
xviiie siècle. Chinois.
Peintre.
Paysagiste, élève de Zhang Zongcang (1686-1756). Il fut peintre de la cour, sous le règne de l'empereur Qing Qianlong (1736-1796).

FAN HIUE-I. Voir **FAN XUEYI**

FAN HSUEH-I. Voir **FAN XUEYI**

FANIA Giuseppe
Né au xviiie siècle à Foggia (Apulie). xviiie siècle. Italien.
Peintre de théâtres.
Il travailla surtout pour le théâtre Saint-Charles à Naples.

FANIEL Stéphane Axel Jean
Né le 30 avril 1909 à Paris. Mort en juin ou juillet 1978 à Paris. xxe siècle. Français.
Peintre. Abstrait-informel.
D'une famille d'antiquaires et orfèvres, d'origine hollandaise, il en conserva le goût et la connaissance des domaines de l'art les plus étendus et divers. À l'École des Beaux-Arts de Paris, il fut élève de Lucien Simon. Dès 1928, il exposa un portrait au Salon des Artistes Français de Paris. Puis, il figura au Salon d'Automne et fut invité au Salon des Tuileries. Il participa à d'autres expositions collectives. En 1992-1993, la galerie de l'Échaudé à Paris a sélectionné de ses peintures dans l'exposition *Francis Ponge et les artistes*. Il montra aussi ses œuvres à l'occasion d'expositions personnelles, à Paris en 1954, 1956, 1960. Menant parallèlement des recherches de formes, notamment dans le domaine de l'orfèvrerie, il fut, en 1951, avec Jean Prouvé, Charlotte Perriand et Fernand Léger, organisateur de la section française de la Triennale de Milan, où ses propres travaux furent primés. Il est l'auteur d'ouvrages sur l'histoire des styles français, le Musée du Louvre, etc. Il collabora également à de nombreuses revues artistiques et littéraires.
Après des débuts figuratifs traditionnels, il fut influencé par le courant alors prégnant du postcubisme, influence qu'il manifestait surtout dans des natures mortes, élégamment construites et déjà recherchées dans l'exploitation de matières riches et sensuelles. Il évolua ensuite définitivement à une peinture informelle et tachiste. ■ J. B.

FANIEST Pierre
Né le 7 juillet 1926 à Frignicourt (Marne). xxe siècle. Français.
Peintre, peintre de décors de théâtre. Abstrait, tendance Lettres et Signes.
Il fut élève de l'atelier de Fernand Léger, de 1946 à 1950. Il participe à des expositions collectives et a montré ses peintures dans des expositions personnelles, depuis la première à Biot en 1953, puis à Paris, Lyon, Saint-Paul-de-Vence.
Il couvre sa toile de signes colorés, proches des hiéroglyphes, dans une sorte de tachisme lyrique créant un espace poétique.

FANISCH
xviiie siècle. Travaillant vers 1793. Français.

Peintre.
Le Musée de Coutances conserve de lui le *Portrait du capitaine de vaisseau Lhermitte.*

FANJANS Jaume
XIVe siècle. Actif à Perpignan. Français.
Peintre.

FAN JI ou **Fan Chi** ou **Fan Ki**
XIXe siècle. Actif dans la première moitié du XIXe siècle. Chinois.
Peintre.
Excellent connaisseur, Fan Ji n'a pas d'égal pour expertiser les antiquités. Peintre, il vend des peintures au coin des rues pour subvenir aux besoins de sa vieille mère. Il est aussi l'auteur d'un traité sur la peinture : *le Guoyunlu Hualun*, ouvrage assez court, comprenant trois rubriques (théorie du paysage, théorie des fleurs et des plantes et théorie des personnages) qui regroupent une mosaïque de propos discontinus, sobres et justes, sans grande originalité mais pas sans intérêt.
Bibliogr. : P. Ryckmans : *Propos sur la peinture de Shitao*, Bruxelles, 1970.

FAN JINGWEN ou **Fan Ching-Wên** ou **Fan King-Wen**, surnom : **Mengzhang,** noms de pinceau : **Zhigong** et **Siren**
Né en 1587 à Suzhou. Mort en 1644. XVIIe siècle. Chinois.
Peintre.
Poète et haut fonctionnaire, il n'est pas mentionné dans les biographies de peintres. On connaît de lui : *Cinq pins*, signé et daté 1639, et une feuille d'album : *Homme tirant une péniche*, d'après Fang Congyi, daté 1642.

FAN K'I. Voir **FAN QI**

FAN KI. Voir **FAN JI**

FAN KING-WEN. Voir **FAN JINGWEN**

FAN K'IONG. Voir **FAN QIONG**

FAN K'OUAN. Voir **FAN KUAN**

FAN KUAN ou **Fan K'ouan** ou **Fan K'uan**, de son vrai nom : **Fan Zhongzheng,** nom de pinceau : **Zhongli**
Né vers le milieu du Xe siècle, originaire de Huayuan (actuelle Yaoxian) dans la province du Shânxi. Xe-XIe siècles. Vivant encore vers 1025. Chinois.
Peintre de paysages.
La biographie de ce paysagiste de Chine du Nord est à peine connue. Il semble qu'il n'exerce aucune charge officielle et qu'après une jeunesse vagabonde il se soit retiré dans le massif du mont Hua pour se livrer à la pratique du taoïsme et à la contemplation de la nature. On retrouve dans son œuvre la grandeur austère des montagnes du Shânxi. Cette œuvre représente, de fait, le point culminant et sans doute le plus sublime de toute l'histoire du paysage chinois.
Après avoir travaillé pendant quelques années dans le style de son illustre prédécesseur Li Cheng et à la suite d'une brusque révélation intérieure, il décide de modifier son propre style : « La méthode de mon prédécesseur a consisté en une approche immédiate de ce qui se trouve dans la nature. Or moi, je suis en train de prendre des leçons d'un homme ; vouloir les trouver dans les choses elles-mêmes serait mieux. Mais mieux encore serait de les demander à mon propre cœur. » Les critiques qui lui sont contemporains lui attribuent, comme à Li Cheng, un pouvoir de création proche de celui de la nature et le seul paysage authentique qui nous soit parvenu : *Voyageurs dans les gorges d'un torrent*, dont la signature a été découverte en 1958, est là pour le confirmer. « Historiquement, cette œuvre représente un jalon décisif, marquant le premier (et le plus complet) épanouissement du paysage envisagé tant comme expérience spirituelle que comme création plastique. » (P. Ryckmans). L'artiste est parvenu à ce niveau suprême où la création picturale se développe selon les mêmes lois et avec le même souffle que la création universelle : rochers, arbres, torrent, montagnes ne sont pas la simple image d'un paysage donné mais sont eux-mêmes des réalités microcosmiques parallèles aux éléments du macrocosme. L'homme intervient à peine dans cet univers monumental : partie intégrante d'un Tout, il n'est pas écrasé, il y est immergé. Techniquement, toutes les ressources de l'encre et du pinceau sont mises à contribution : chaque ligne semble possédée d'une tension interne, les contours puissants sont animés d'accents irréguliers dont les traits hachurés et les innombrables petits traits parallèles offrent de subtiles valeurs tonales. Ces coups de pinceau appartiennent au genre « rides en gouttes de pluie » dont la densité force la conviction tactile, et traduit la spontanéité de la nature elle-même. Cette composition simple et sereine, majestueuse et austère est restée inégalée. En outre, toutes les autres œuvres liées au nom de Fan Kuan sont, jusqu'à plus ample informé, des attributions.
Bibliogr. : J. Cahill : *La peinture chinoise*, Genève, 1960 – P. Ryckmans, in : *Encyclopaedia Universalis*, vol. IV.
Musées : Boston (Mus. of Fine Arts) : *Temple dans les collines enneigées*, feuille d'album en forme d'éventail, coul. légères sur soie, attribution – *Palais dans les montagnes enneigées*, rouleau en hauteur, encre et coul. légères sur soie, attribution – New York (Metropolitan Mus.) : *Temple dans la montagne*, rouleau en hauteur copie tardive – Taipei (Nat. Palace Mus.) : *Voyageurs dans les gorges d'un torrent*, encre et coul. légères sur soie, rouleau en hauteur, plusieurs sceaux impériaux, sur la monture inscription de Dong Qichang (1555-1636), la signature en bas à droite a été découverte en 1958 – *Muletiers s'approchant d'un ruisseau au pied de montagnes escarpées*, poème de l'empereur Qianlong (1736-1796), colophons de Wang Shimin et Song Junye, attribution – *Temple isolé dans les collines enneigées*, rouleau en hauteur, inscriptions de Wang De et Dong Qichang, attribution – *Assis au bord d'un ruisseau au pied de montagnes dans les nuages*, rouleau en hauteur, inscriptions des dynasties Yuan, Ming et Qing, attribution – *Bois et cascades à l'automne* vers 1050, rouleau en hauteur, attribution, sans doute de l'école de Li Tang – Washington D. C. (Freer Gal. of Art) : *Clairs sommets du Mont Hua*, rouleau en hauteur, attribution.

FAN LI, appelé aussi **Zongsi**
Originaire de Changshu, province du Jiangsu. XVe siècle. Chinois.
Peintre.
Travaille dans le style de Ma Yuan (vers 1325-1365).

FANLONG ou **Fang-Lung**, surnom : **Maozong,** nom de pinceau : **Wuzhu**
Né à Wuxing (province du Zhejiang). XIIe siècle. Actif dans la première moitié du XIIe siècle. Chinois.
Peintre.
Fan Long, disciple de Li Gonglin (1040-1165), est l'un des grands peintres lettrés du XIIe siècle. Il est connu pour son style *bai miao* (dessin à l'encre avec des contours très fins) dont l'origine remonte à Wu Daozi (actif vers 720-760). Moine bouddhiste chan (zen), il est spécialiste de portraits d'ahrats, les disciples du Bouddha. On lui attribue un long rouleau de portraits d'ahrats représentés, comme le veut la tradition, sous les traits de vieillards solitaires dans un paysage. Les personnages sont traités de manière fluide et délicate ; le paysage est moins précis, par moment tout en égratignures dues à un pinceau à demi sec. Ce trait dénote un goût contrastant avec celui de l'Académie Impériale où règne une élégante et solide tradition graphique. Ce rouleau est l'un des rares exemples de peinture chan du XIIe siècle.
Musées : Washington D. C. (Freer Gal. of Art) : *Ahrats dans les forêts et traversant la mer* 1279-1368 ou plus tardif, encre sur pap., rouleau en longueur, attribution, probablement de la dynastie Yuan.

FAN-LUNG. Voir **FANLONG**

FANNER Alice Maud, Mrs **Taite**
Née en 1865 dans le Surrey. Morte en 1930. XIXe-XXe siècles. Britannique.
Peintre de paysages, marines.
Elle fut à la Slade School à Londres élève des professeurs Brown, Wilson Steer et Henry Tonks. Elle étudia un certain temps à Paris. Membre du New English Art Club à Londres elle y exposa ses paysages et ses marines, ainsi qu'à la Royal Academy et à l'Institut Carnegie à Pittsburg (États-Unis).
Musées : Brighton : *Le Châtaignier* – Dudley : *Le Bassin des jardins du Luxembourg – Temps d'orage dans le Solent.*
Ventes Publiques : Londres, 13 fév. 1931 : *L'Abreuvoir* : **GBP 6** – Londres, 6 déc. 1935 : *Le brouillard se levant dans la vallée de la Crouch* : **GBP 10** – Londres, 9 juin 1981 : *Paysage de printemps*, h/t (39x49) : **GBP 220** – Londres, 20 juin 1984 : *Le jardin du Luxembourg, Paris*, h/t mar./pan. (21x29) : **GBP 500.**

FANNER Henry George
XIXe siècle. Actif à Londres. Britannique.
Portraitiste et aquarelliste.
Il a exposé en 1854 à la Royal Academy et à Suffolk Street. Le musée de Glasgow conserve de lui : *Portrait d'un enfant.*

VENTES PUBLIQUES : LONDRES, 25 juin 1909 : *Beauté espagnole* 1865, aquar. : **GBP 2**.

FAN NGAN-JEN. Voir **FAN ANREN**

FANNIATCHO Fanny Louise Bennet. Voir **BENNETT-NIATCHO Fanny Louise**

FANNIÈRE Auguste François
Né le 24 novembre 1818 à Longwy. Mort le 29 novembre 1900 à Paris. XIXe siècle. Français.
Sculpteur et orfèvre.
Entré à l'École des Beaux-Arts le 2 octobre 1838, il devint l'élève de Drolling. Il figura au Salon de Paris de 1841 à 1876, notamment avec des médaillons et des bustes. Son frère, François-Joseph-Louis, l'aida surtout dans son travail d'orfèvre.

FANNING Nettie B.
Née le 12 mars 1863 à Delhi (États-Unis). XIXe siècle. Vivant à Norwich (États-Unis). Américaine.
Peintre, illustrateur.
Elle fut élève de l'École de dessin de Norwich et de celle de Boston. Elle fut également professeur.
VENTES PUBLIQUES : LONDRES, 20 mars 1963 : *Maisons en bordure d'une rivière* : **GBP 380**.

FANNING Ralph
Né le 29 novembre 1889 à New York. XXe siècle. Américain.
Peintre.
Diplômé de la Cornell University et de l'Université d'Illinois. Il était aussi architecte, écrivain et il fut professeur d'histoire de l'art à l'Ohio State University. Il était membre de nombreuses sociétés artistiques.

FANNING William Sanders
Né le 10 mai 1887 à Detroit (Michigan). XXe siècle. Américain.
Peintre.
Il était aussi architecte. Après ses études artistiques aux États-Unis, il vint les achever à Paris dans l'atelier d'Othon Friesz. Il était membre de la Detroit Society of Independant Artists.

FANO, da. Voir **MORGANTI** et au prénom

FANO Giovanni
XVIIe siècle. Actif à Vienne. Autrichien.
Peintre.
On le mentionne à Rome en 1606-07.

FANO Lodovico
XVIIe siècle. Italien.
Peintre.
On connaît de ce moine un tableau daté de 1631 représentant *Saint François et saint Antoine* à San Fermo Maggiore à Vérone.

FANO Tesandra
Née à Venise. XXe siècle. Française.
Miniaturiste.
Elle exposa au Salon des Artistes Français, à Paris.

FANOLI Michele
Né vers 1807 à Cittadella. Mort en 1876 à Milan. XIXe siècle. Italien.
Lithographe et graveur.
Après avoir étudié à l'Académie de Venise et sous Cicognara, il se rendit en France où il habita Paris pendant de longues années. Le gouvernement italien le rappela en 1860 pour fonder une école de lithographie à Milan ; il mourut dans cette ville dans la pauvreté, léguant à l'Académie de Venise une collection de gravures. Parmi ses reproductions figurent : *Orphée*, d'après Jalabert, *Les Saintes Femmes au tombeau, Le Christ avec saint Pierre et saint Jean*, d'après Landelle, *Les Willis*, d'après Gendron, *Les deux Foscari*, d'après Grigoletti.

FAN QI ou **Fan Ch'i** ou **Fan K'i**, noms de pinceau : **Huigong** et **Xiagong**
Né en 1616 à Jiangning (Nankin). Mort vers 1695. XVIIe siècle. Chinois.
Peintre de paysages.
Fan Qi est considéré comme l'un des « Huit Maîtres de Nankin », le second en importance après Gang Xian (vers 1620-1689). (Sur l'École de Nankin, voir Cheng Zhengkui). C'est aussi l'un des maîtres de la dynastie Qing à avoir été découvert récemment. Sa vie est mal connue ; il naît puis il vit de sa peinture dans la région de Nankin.
Comme beaucoup d'artistes professionnels, il travaille dans des styles variés, notamment dans celui de Zhao Mengfu (1254-1322). Il est aussi réceptif aux idées nouvelles et certaines de ses œuvres prouvent même qu'il a quelques connaissances de la peinture occidentale. En effet, durant les deux dernières décennies du XVIe siècle, le jésuite Matteo Ricci est à Nankin où il a apporté des gravures et des peintures que les artistes et lettrés chinois ont pu voir. On décèle l'influence occidentale dès cette époque dans les œuvres chinoises, influences d'idées, de conceptions, de motifs étrangers à la Chine ou de l'usage fait de la ligne et de la couleur et de la représentation du soleil et de la pluie : de là naît un nouvel intérêt pour le clair-obscur. Les paysages de Fan Qi se ressentent de tous ces mouvements d'idées.
MUSÉES : BERLIN : *Vue du fleuve*, rouleau en longueur, sceaux du peintre – COLOGNE (Mus. für Ostasiatische Kunst) : *Lettré s'appuyant sur un arbre près d'un ruisseau* signé et daté 1659, peint. sur éventail, coul. légères sur pap. tacheté d'or – PÉKIN (Mus. du Palais) : *Village de pêcheurs, personnages sur la rive et dans les bateaux* daté 1669, rouleau en longueur – SHANGHAI : *Promenade dans la montagne au printemps*, coul. sur pap. tacheté d'or.
VENTES PUBLIQUES : NEW YORK, 29 nov. 1993 : *Album de paysages* 1657, encre et pigments/soie, huit feuilles (chaque 32,1x21,9) : **USD 31 050**.

FAN QIONG ou **Fan Ch'ioung** ou **Fan Ch'iung** ou **Fan K'iong**
IXe siècle. Actif au milieu du IXe siècle à Changdu (province du Sichuan). Chinois.
Peintre.
Grand peintre de sujets religieux, il exécute beaucoup de peintures murales après la restauration du bouddhisme en Chine en 850. Ses traits, disait-on, étaient comme des fils de fer.
MUSÉES : TAIPEI (Nat. Palace Mus.) : *Guanyin aux mille bras assise sur un trône en forme de lotus*, couleur sur soie, d'après l'inscription, attribuée au peintre, œuvre exécutée le premier mois de 850, au temple Shengxing de Chengdu – Un collophon, attribution.

FANSAGA Carlo ou **Fanzago**
Mort en Espagne. XVIIe siècle. Italien.
Sculpteur.
Il était le fils de Cosimo Fansago et travailla avec lui. On cite parmi ses œuvres individuelles les sculptures de la *Fontaine Fonseca* et le bas-relief du *Christ mort* au maître-autel de Sainte-Marie-des-Anges-aux-Croix à Naples.

FANSAGA Cosimo ou **Fanzago**
Né en 1591 à Clusone près de Bergame. Mort en 1678 à Naples. XVIIe siècle. Italien.
Peintre, sculpteur et architecte.
Élève de Pietro Bernini à Rome, il travailla surtout à Naples où il érigea une grande quantité d'édifices d'un baroquisme tempéré. Dans plusieurs d'entre eux il plaça des statues et exécuta des peintures de sa propre composition. Par exemple le *Saint François* de Sainte-Marie-des-Anges, l'*Immaculée Conception* de la chapelle du Palais-Royal.

FANSHAW Catherine Maria
Née vers 1775 à Londres. Morte vers 1834. XIXe siècle. Britannique.
Graveur, aquafortiste et poète.
Elle grava avec beaucoup d'adresse quelques planches d'histoire et de genre, comme *Le Jeu d'échecs*. Le British Museum à Londres possède d'elle une collection d'eaux-fortes et de dessins.

FANSHAW Penelope
Morte en avril 1833. XIXe siècle. Britannique.
Aquafortiste amateur.
Sœur aînée de Catherine Fanshaw, elle s'essaya elle-même à la gravure, sans grand succès. On lui doit une *Vue de l'église de Chipstead (Surrey)*.

FANSHAW S. R.
Né en 1814. Mort en 1888. XIXe siècle. Américain.
Peintre.
Il était depuis 1841 membre de l'Académie Nationale de dessin à New York.

FANSHAWE Irène
XXe siècle. Danoise.
Peintre et illustratrice.
Elle a illustré les Contes d'Andersen et les a montrés à Paris en 1973.

FANTACCHIOTTI Cesare
Né en décembre 1844 à Florence. Mort en 1922. XIXe-XXe siècles. Italien.

Sculpteur.
Fils et élève d'Odoardo Fantacchiotti, il fut un artiste extrêmement productif et son œuvre est très divers et étendu. On cite tout d'abord parmi ses statuettes et groupes : *L'Épine, La Bergère, la Gardeuse de chèvres, Le Matin.* Il fit de nombreux bustes de personnalités de toutes les nations, dont celui de *Victor-Emmanuel* ; des groupes : *Bacchantes, Roméo et Juliette* ; un groupe pour une fontaine à Kansas City ; des statues : *Méditation, Jeune fille s'éveillant* ; le Monument funéraire de son père à Miniato près de Florence ; on ajoute ses travaux à la façade de la cathédrale de Florence ; les bustes de *Dante* et de *Léonard de Vinci.* Il exposa à Florence, Turin, Venise, à la Royal Academy à Londres et à Berlin.
Musées : Rome (Gal. Nat.) : *Savonarole – Molière.*

FANTACCHIOTTI Odoardo
Né en 1809 à Rome. Mort en 1877 à Florence. XIXe siècle. Italien.
Sculpteur.
Cet artiste se fit une réputation rapide qui lui valut son admission dans plusieurs Académies. Sa statue de *Boccace*, le monument du graveur Raphaël Morghen, à l'église Sainte-Croix à Florence, celui de Mme Spence, à Fiesole, l'*Ange de la Prière*, dans l'église de Cincinnati (États-Unis) sont classés parmi ses chefs-d'œuvre.
Musées : Turin (Art Mod.) : *Ève.*

FANTACCINI Carlo
XVIIIe siècle. Actif à Rome. Italien.
Peintre.
Il fut élève de B. Lamberti et d'A. Amorosi. On cite parmi ses œuvres une *Vierge du Gonfalonier* pour une église de la Marche italienne, une *Sainte Lucie*, pour une église du Portugal, et un *Saint Pierre et saint Paul* pour une église de Corse.

FANTAGUZZI Giovanni ou **Fantagucci**, dit **il Pittor Paniza**
Originaire de Faenza. Mort en 1663. XVIIe siècle. Italien.
Peintre d'architectures.

FANTAGUZZI Giuseppe
XIXe siècle. Actif à Modène vers 1800. Italien.
Peintre et dessinateur.
La cathédrale de Modène possède de sa main un *Saint Éloi et sainte Lucie*, et l'église Saint-Charles une *Sainte Rosalie dans le désert.* Il fit les dessins de quelques gravures pour B. Eredi, d'après des tableaux des églises de Modène.

FANTAGUZZI Pietro
Originaire de Faenza. XVIIe siècle. Italien.
Peintre.
Tout d'abord peintre il entra ensuite dans les Ordres et fut Curé de Felisio. Il était en correspondance avec le Père Orlandi qui publia l'*Abécédaire de la Peinture.* Il était fils de Giovanni Fantaguzzi.

FANTAGUZZI Savino I ou **Fantagucci**
Mort en 1629. XVIIe siècle. Actif à Faenza. Italien.
Peintre.
Frère de Giovanni Fantaguzzi.

FANTAGUZZI Savino II ou **Fantagucci**
Mort en 1709. XVIIe siècle. Actif à Faenza. Italien.
Graveur, peintre d'architectures et orfèvre.
Fils de Giovanni Fantaguzzi. Il peignit des églises des palais dans plusieurs villes d'Italie, dont Faenza et Florence et fit compléter ses tableaux d'architectures par des peintres de figures comme le peintre français C. de Bock, et G. Néri de Bologne. Avec C. de Bock il peignit en 1678 une fresque de plafond avec *la Vierge et des Anges* à la Porta Imolese à Faenza.

FANTASIA Antonio
XVIIIe siècle. Italien.
Sculpteur.
Il exécuta sous Clément XI une des statues de Saints des colonnades de la place Saint-Pierre à Rome.

FANTASIA Giovanni
Originaire de Lucques en Toscane. XVe siècle. Italien.
Sculpteur.
Dans l'église Santa-Maria in Cosmedin à Naples, se trouve une porte de marbre avec des décorations de sculptures qu'il exécuta en 1482, avec Bernardino di Martino.

FANTASIA Giovanni. Voir aussi **CIAMBELLA di Francesco Giovanni**

FANTASTICI Bernardino
XVIIIe siècle. Italien.
Peintre.
Plusieurs églises de la Province de Sienne possèdent des tableaux de saints de sa main : une *Vierge avec saint Michel et saint Sébastien* dans l'église San Magno à Simignano ; une *Vierge avec saint Antoine de Padoue* dans l'église Saint-Pierre à Gallena ; une *Décollation de saint Jean-Baptiste* dans l'église Sainte-Catherine à Pienza.

FANTASTICI Giuseppe
XVIIIe siècle. Actif à Sienne. Italien.
Peintre.
L'église Saint-Michel-Archange à Ponte a Tressa, possède de cet artiste deux tableaux datés de 1764.

FANTASTICO, Il. Voir **AVANZARANI Francesco**

FANTAUZZO Carmelo
Né à Barrafranca (Sicile). XXe siècle. Italien.
Sculpteur.

FAN TCHANG-CHEOU. Voir **FAN ZHANGSHOU**

FAN TCHUNPI. Voir **FANG JUNBI**

FANTEINE Johann Christian
XVIIIe siècle. Autrichien.
Peintre de miniatures.
Il est mentionné à Graz en 1752.

FANTEL Sophie
XIXe siècle. Active à Paris. Française.
Portraitiste.
Exposa au Salon en 1836 et 1838.

FANTELLI Domenico
XVIIIe siècle. Actif à Rome. Italien.
Peintre.
En 1778 il exposa à Londres, à la Free Society une *Vénus* dans le style du Titien.

FANTETTI Cesare
Né vers 1660 à Florence. XVIIe siècle. Italien.
Dessinateur et graveur.
Cet artiste résida fréquemment à Rome où il grava plusieurs planches d'après ses propres dessins et ceux d'autres maîtres. En collaboration avec Pietro Aquila, il grava d'après les peintures de Raphaël au Vatican. Il fit aussi d'après Franc. Rosa : *Agrippine devant les cendres de son mari, Latone insultée par Niobé*, d'après Annibal Carrache, *La mort de sainte Anne*, d'après Andrea Sacchi.

FANTI Ercole Gaetano
Né en 1687 à Bologne. Mort en 1759 à Vienne. XVIIIe siècle. Italien.
Peintre.
Élève de M. A. Chiarini. Il débuta par des peintures décoratives puis il se rendit à Vienne où il fut nommé surintendant de la Galerie Liechtenstein.
Musées : Florence (Mus. des Offices) : *Portrait du peintre par lui-même.*

FANTI Erminio
Né le 16 janvier 1821 à Parme. Mort le 2 octobre 1888. XIXe siècle. Italien.
Peintre de paysages.
Il fut élève de l'Académie des Beaux-Arts de Parme et séjourna de 1856 à 1860 à Rome. De retour dans sa ville natale, où il fut nommé professeur à l'Académie, il peignit pour la duchesse de Parme et pour le duc Charles III différents paysages : celui du *Village de Bagnone*, des *Châteaux de Berceto* et de *Malgrate.*
Musées : Parme (Gal.) : *Vue de l'Enza et du château de Montechiarugolo.*
Ventes Publiques : Milan, 28 oct. 1986 : *La vieille ville*, h/cart. (44x56) : **ITL 850 000.**

FANTI Girolamo
Né le 21 avril 1818 à Parme. Mort en 1860. XIXe siècle. Italien.
Graveur et dessinateur.
Il travailla avec Paolo Toschi pour ses fresques du Corrège à Parme. Il grava pour la *Galerie Pitti* de Bardi, et exécuta avec Raimondi et Toschi des copies à l'aquarelle d'après le Corrège que conserve la Galerie Nationale de Parme.

FANTI Lucio
Né le 20 novembre 1945 à Bologne. XXe siècle. Actif aussi en France. Italien.

Peintre de compositions animées, décorateur de théâtre. Réaliste.

Il expose en Italie et depuis 1968 en France. En France, il a participé au Salon de la Jeune Peinture au Musée d'Art Moderne de la Ville de Paris, notamment en 1968 à la *Salle rouge pour le Viet-Nam*.

Les thèmes de ses peintures, figuratives et d'aspect réaliste, semblent avoir été marqués par le séjour d'un an et demi qu'il fit en U.R.S.S dans un camp de pionniers. Il utilisait les photos de magazines russes qui « optimisaient » les bienfaits du régime, pour réaliser, selon sa propre sensibilité critique et politique, des montages, dans lesquels il raillait la société bourgeoise. L'on connaît aussi ses peintures de labyrinthes d'apparence si fragile baignées d'ombre et de lumière.

Ventes Publiques : Paris, 25 oct. 1982 : *Poeti ufficiale* 1976, acryl. (200x200) : **FRF 13 500**.

FANTI Pietro Santi

XVIIe siècle. Actif à Rome. Italien.

Peintre.

Curé de Saint-Siméon et maître de cérémonies du pape, il peignit pour le maître-autel de l'église de sa propre paroisse une copie de *La Circoncision du Christ* de Ventura Salimbeni. Pietro Aquila grava d'après lui un *Pèlerinage à l'église Saint-Pierre*, et F. Aquila, un *Saint Venance*.

FANTI Settimio

Né en 1852 à Parme. XIXe siècle. Italien.

Peintre.

La Galerie de Parme conserve de lui deux tableaux d'architectures. Il était le fils et l'élève d'Erminio Fanti.

FANTI Vinzenz Anton Joseph

Né en 1719 à Vienne. Mort en 1776 à Vienne. XVIIIe siècle. Italien.

Peintre de portraits.

Après avoir étudié avec Altomonte, il se rendit à Rome et à Turin, puis en 1744, à Vienne, il succéda à son père, Ercole Gaetano Fanti, comme surintendant de la Galerie Liechtenstein.

FANTIN-LATOUR François Victor

Né le 7 mars 1803 à Luxembourg. Mort le 25 juin 1886 à Paris. XIXe siècle. Français.

Peintre de paysages.

Oncle de Henri Fantin-Latour et frère de Théodore Fantin-Latour, il exposa au Salon de Grenoble. Il était représenté à l'exposition : *L'école de la nature en Dauphiné au XIXe siècle*, au Musée de Grenoble en 1982.

Ses vues de la région de l'Isère ont surtout un intérêt historique et anecdotique.

Musées : Grenoble : *Vue de la Porte de France – L'Isère et le quartier Saint-Laurent – Ruines à Champ – L'Isère, le vieux pont de pierre et le Rabot*.

FANTIN-LATOUR Ignace Henri Jean Théodore

Né le 14 janvier 1836 à Grenoble. Mort le 25 août 1904 à Buré (Orne). XIXe siècle. Français.

Peintre d'histoire, scènes mythologiques, compositions religieuses, sujets allégoriques, scènes de genre, portraits, nus, marines, intérieurs, natures mortes, fleurs et fruits, pastelliste, graveur, lithographe, dessinateur.

Fils du peintre Théodore Fantin-Latour, cet artiste travailla d'abord sous la direction de son père, puis avec Lecoq de Boisbaudran et Courbet. Il entra à l'École des Beaux-Arts le 6 octobre 1854 et débuta au Salon en 1861. Dès ses premiers essais, on admira ses qualités de dessinateur et de coloriste, son souci du charme et de l'idéal. Il s'était lié avec Manet, dès 1857, l'ayant rencontré au Louvre ; puis, en 1862, Manet le représenta dans *La Musique au Jardin des Tuileries*. Il connut aussi Whistler, durant son séjour à Paris. En 1859, avec Manet et Whistler, entre autres, il fut refusé au Salon. A la suite de ce refus, il fit partie du groupe qui exposa chez Bonvin, et qui se réunissait au Café Guerbois, groupe de camarades qu'il représenta dans *Un atelier aux Batignolles*. Bien qu'ayant été accepté au Salon de 1861, il fit partie du premier Salon des Refusés, en 1863. Ce ne fut qu'en 1870 qu'il obtint sa première récompense avec : *Un atelier aux Batignolles* ; en 1878, pour deux portraits il obtint une seconde médaille et fut décoré de la Légion d'honneur en 1879.

Fantin-Latour fut un des peintres les plus délicats de la seconde moitié du XIXe siècle. Ce fut un artiste dont la technique est toute de douceur et de lumière diffuse. Ses portraits sont des merveilles de grâce et il se dégage de ses vues d'atelier une belle impression d'intimité. Parmi ses meilleurs tableaux on peut citer : *La Lecture, L'Hommage à Delacroix, Le Toast* (1865). Fantin-Latour s'est d'ailleurs essayé dans les genres les plus différents et a traité avec autant de maîtrise le portrait, le tableau de genre, les fleurs et les compositions allégoriques. Ce fut aussi un pastelliste de premier ordre et un lithographe de grand talent. Contemporain des impressionnistes, il fut leur ami, partageant leurs luttes, et pourtant ne fut pas un impressionniste, mais bien plutôt le continuateur discret de Delacroix. C'est en peignant les portraits de *Baudelaire, Rimbaud, Delacroix, Manet, Monet, Renoir, Zola, Whistler*, qu'il manifesta ses sympathies et ses admirations. Lui-même est difficile à situer. Passent les modes, même les plus constructives et les moins discutables, auxquelles il ne participa pas, son œuvre demeure. Ce cas, de la fin du XIXe siècle, évoque, au XXe, celui de Bonnard. Tous deux se sont voulus hors compétition, seulement peintres, et acceptant la condition que la seule qualité de leur œuvre les fasse juger indépendamment de leur position historique dans l'évolution des moyens d'expression plastique de leur époque. Appartenant encore au romantisme, il peignait des visions d'êtres éthérés dansant dans une nature imaginée, préférant l'exercice de son imagination dans l'atelier à l'observation de la nature. L'histoire de l'art l'a surtout retenu pour l'incomparable témoignage iconographique que constituent les nombreux portraits qu'il peignait de ses amis peintres et poètes. Le goût des amateurs, comme ce fut plus tard le cas pour Redon, l'a surtout retenu pour les très nombreux tableaux de fleurs, qui lui furent achetés très tôt, et qui constituent presque exclusivement sa production entre 1864 et 1896. Dans toutes ses œuvres, fées, portraits, scènes intimes ou fleurs, on retrouve les mêmes qualités de toucher, une carnation de la matière picturale qui traduit à la fois la réalité sensible de ce qu'il peint et une certaine qualité intimiste de l'équilibre entre la lumière et l'ombre. S'il n'a pas ménagé les témoignages de ses admirations pour les artistes les plus novateurs de son temps, il s'est réservé le droit pour lui-même, d'être fidèle à sa propre nature, toute de discrétion et de modestie.

Fantin 58

Fantin

Fantin

Bibliogr. : Madame Fantin-Latour : *Catalogue de l'Œuvre complet de Fantin-Latour*, 1911 – Edward Lucie-Smith : *Henri Fantin-Latour*, New York, 1977.

Musées : Alençon : *Étude de nature morte* – Amiens (Mus. de Picardie) : *Figures sous bois* – Anvers : *Étude pour un portrait* – Berlin : *Portrait de l'artiste – Sa femme* – Bruxelles : *La leçon de dessin* – Douai : *Raisins* – Florence : *Portrait de l'artiste* – Grenoble (Mus. des Beaux-Arts) : *Portrait de la mère de l'artiste – Portrait de l'artiste à 23 ans – L'Anniversaire – Tentation* – Londres (Art Gal.) : *Étude de roses* – Londres (Nat. Gal.) : *Portrait de Mr. et Mrs Edwards* 1875 – Melbourne : *Pétunias – Dahlias* – Montréal (Mus. des Beaux-Arts) : *La féerie* 1863 – Nancy : *Odalisque* – Paris (Mus. du Louvre) : *Le coin de table – Portrait de Verlaine – Portrait de Rimbaud* – Paris (coll. Moreau-Nélaton) : *Narcisses et tulipes – Hommage à Delacroix – Étude de nu* – Paris (Mus. d'Art Mod.) : *Portrait de Madame Fantin-Latour – L'atelier aux Batignolles – La nuit – L'or du Rhin – Portrait de l'artiste – Autour du piano – Portrait de M. Adolphe Julien – Portrait de Mlle Charlotte Dubourg – Œillets* – Paris (Mus. des Beaux-Arts de la Ville) : *Faust – La Tentation de saint Antoine* – Reims : *Le Jugement de Pâris*.

Ventes Publiques : Paris, 1er mai 1899 : *Andromède* : **FRF 2 950** – Paris, 6 mars 1900 : *La Voilette* : **FRF 13 000** ; *Ariane abandonnée* : **FRF 5 300** – Paris, 24 mars 1900 : *L'atelier de Manel* : **FRF 900** – Paris, 10 mai 1900 : *Nymphe* : **FRF 3 150** – Paris, 14 mai 1900 : *Baigneuse* : **FRF 3 090** – Paris, 11 mai 1901 : *La toilette des Nymphes*, peinture : **FRF 9 000** – Paris, 2 mai 1905 : *La danse d'Almée*, peinture : **FRF 21 300** – Londres, 1er fév. 1908 : *Bouquet varié*, peint. : **GBP 304** – Londres, 23 mars 1908 : *Portrait de la sœur de l'artiste*, peint. : **GBP 105** – Londres, 30 mars 1908 :

Fleurs de printemps, peint. : **GBP 40** – Londres, 12 mai 1908 : *Dahlias dans un vase ; Raisins et pêches*, peintures : **GBP 420** – Londres, 3 juin 1910 : *Roses dans un verre* 1886 : **GBP 346** – Paris, oct. 1918-juil. 1919 : *Étude de femme* : **FRF 1 550** ; *Des roses* : **FRF 6 900** ; *La toilette des Nymphes*, peinture : **FRF 22 800** ; *Apothéose de Berlioz*, peinture : **FRF 4 000** ; *Danse d'Almée* : **FRF 6 000** ; *Fleurs* : **FRF 7 250** ; *Poires, pommes et fleurs* : **FRF 34 000** ; *Oranges, fraises et fleurs* : **FRF 36 500** – Paris, 7 déc. 1922 : *Féérie* : **FRF 49 200** – Londres, 8 déc. 1922 : *Fleurs de pommier* : **GBP 157** – Londres, 9 mars 1923 : *Le Modèle* : **GBP 31** – Paris, 20 mars 1923 : *Une Pêche* : **FRF 3 100** ; *La Tentation de Saint Antoine* : **FRF 2 600** – Londres, 6 avr. 1923 : *Nature morte* : **GBP 567** – Londres, 27 avr. 1923 : *Fleurs dans un bol de verre* : **GBP 472** – Paris, 11 mai 1923 : *Nymphe lutinée par un amour* : **FRF 41 000** – Paris, 25 mai 1923 : *La Tentation de Saint Hilarion* : **FRF 46 500** ; *Le Bain* : **FRF 19 500** – Londres, 1er juin 1923 : *Narcisses dans un verre* : **GBP 162** ; *Le Jugement de Pâris* : **GBP 94** ; *Deux ondines* : **GBP 462** – Londres, 22 juin 1923 : *Roses* : **GBP 336** ; *Fleurs printanières dans un verre* : **GBP 309** – Londres, 23 nov. 1923 : *Une Idylle* : **GBP 882** ; *Roses dans un vase de verre* : **GBP 1 008** – Londres, 9 mai 1924 : *La table garnie* 1866 : **GBP 2 305** ; *Roses* : **GBP 997** ; *Fleurs variées* : **GBP 472** ; *Roses* 1891 : **GBP 2 310** – Paris, 28 nov. 1924 : *Nature morte : Corbeille de raisins et pommes* : **FRF 27 500** – Londres, 24 avr. 1925 : *Roses dans un vase en verre* : **GBP 75** ; *Bouquets de roses* 1883 : **GBP 630** ; *Roses dans un bol en verre* 1883 : **GBP 1 123** – Londres, 4 mai 1925 : *Fleurs dans un bocal en verre* : **GBP 131** – Paris, 5 et 6 juin 1925 : *Les Baigneuses*, cr. : **FRF 970** – Paris, 23 juin 1925 : *Nature morte à l'orange et au citron* : **FRF 5 750** – Londres, 8 juil. 1925 : *Roses blanches et roses rouges* 1883 : **GBP 265** – Paris, 9-10 nov. 1925 : *Esquisse* : **FRF 900** – Paris, 3 déc. 1925 : *La toilette de Vénus* : **FRF 26 000** ; *Vénus embrassée par l'Amour* : **FRF 25 500** – Londres, 18 déc. 1925 : *Dahlias dans un bol* : **GBP 913** – Paris, 1er-3 juin 1927 : *Tentation de Saint Antoine* : **FRF 4 000** ; *Roses dans un verre* : **FRF 29 000** – Paris, 17-18 juin 1927 : *Portrait de femme* : **FRF 4 100** – Paris, 29 juin 1927 : *La Bergère*, past. : **FRF 1 500** ; *La Bouquetière*, past. : **FRF 1 500** – Paris, 29 et 30 juin 1927 : *Béatrice et Bénédict*, past. : **FRF 19 500** ; *Baigneuse* : **FRF 48 100** – Londres, 28 juil. 1927 : *Fleurs dans un vase* 1878 : **GBP 320** ; *Fleurs variées dans un vase* 1877 : **GBP 260** – Londres, 2 déc. 1927 : *Narcisses dans un verre* : **GBP 81** – Paris, 3 déc. 1927 : *Allégorie* : **FRF 32 000** ; *Œillets blancs dans un verre* : **FRF 30 100** ; *Baigneuse* : **FRF 17 600** ; *Fruits* : **FRF 20 000** ; *Fruits* : **FRF 25 000** – Paris, 16-17 mars 1928 : *Évocation de Kundry*, cr. noir : **FRF 650** – Paris, 5 mai 1928 : *Les Trois Grâces*, mine de pb : **FRF 650** – Paris, 14 mai 1928 : *La Valkyrie* : **FRF 850** – Paris, 31 mai 1928 : *Baigneuse*, cr. Conté : **FRF 3 750** ; *Études de nu*, deux dess. : **FRF 1 400** ; *Portrait de Fantin par lui-même*, lav. : **FRF 3 050** ; *Album de 53 feuillets*, contenant 92 croquis : **FRF 19 100** – Londres, 19 avr. 1929 : *Nature morte* : **GBP 1 627** ; *L'Aurore ; une nymphe* : **GBP 651** – Londres, 10 mai 1929 : *Roses dans un panier* : **GBP 1 522** ; *Le Bain* : **GBP 252** – Paris, 24 mai 1929 : *La Toilette* : **FRF 5 200** – Londres, 21 juin 1929 : *Madame L. Cassini* : **GBP 152** – Paris, 26 juin 1929 : *Baigneuse* : **FRF 85 000** – Londres, 26 juil. 1929 : *Roses et plat de fraises* : **GBP 73** ; *Dahlias et autres fleurs dans un vase en verre* : **GBP 483** – Londres, 6 déc. 1929 : *Glaïeuls et Roses* : **GBP 1 522** – Londres, 6 déc. 1929 : *Fleurs dans un bol* : **GBP 882** – Paris, 2-3 juin 1932 : *Les Troyens à Carthage* : **FRF 45 000** ; *Nature morte* : **FRF 27 100** – Londres, 17 juin 1932 : *Roses jaunes dans un vase en verre* : **GBP 52** – Londres, 26 juil. 1932 : *Le découragement de l'artiste*, pierre noire : **GBP 6** ; *Fleurs* : **GBP 73** – Paris, 15 déc. 1932 : *Paysage à Bure* : **FRF 1 000** ; *La brodeuse* : **FRF 35 000** – Paris, 16 déc. 1933 : *Roses-thé dans un vase* : **FRF 61 100** – Paris, 19-20 fév. 1934 : *Roses dans un vase en verre* : **FRF 28 000** – Paris, 26 fév. 1934 : *La Source* : **FRF 14 500** – New York, 7 nov. 1935 : *Vase de fleurs* : **USD 550** ; *Toilette de Vénus* : **USD 2 300** ; *Reine de la Nuit* : **USD 350** – Londres, 9 juil. 1936 : *Chrysanthèmes*, dess. : **GBP 180** – Londres, 30 oct.-2 nov. 1936 : *Fleurs et fruits* : **GBP 1 155** – Paris, 23 nov. 1936 : *La Renommée*, pierre noire : **FRF 450** ; *Nymphe couchée dans les bois*, pierre noire : **FRF 325** ; *Études d'académies de femmes*, pierre noire, deux dessins dans le même cadre : **FRF 510** ; *Les Fleurs du jardin* : **FRF 30 000** – Paris, 17 juin 1938 : *La lyre brisée : Hommage à Victor Hugo*, fus. : **FRF 2 100** ; *Baigneuses*, fus. : **FRF 2 350** ; *Le jeune Fitz-James* : **FRF 10 800** ; *Les Roses* : **FRF 41 000** ; *Les Œillets* : **FRF 44 000** ; *Nature morte* : **FRF 27 200** – Londres, 15 juil. 1938 : *Dahlias dans un vase en verre* : **GBP 241** – Londres, 28 juil. 1938 : *Narcisses sur un plat* : **GBP 18** – Londres, 2 déc. 1938 : *Giroflées et fleurs de cerisier* : **GBP 294** – Paris, 15 déc. 1941 : *Roses* 1890 : **FRF 205 000** ; *La Renommée* : **FRF 55 000** – Paris, 9 fév. 1942 : *Bouquet champêtre* : **FRF 246 000** – Londres, 12 fév. 1942 : *Nature morte*, attr. : **GBP 8** – Paris, 12 mars 1942 : *Bouquet de fleurs*, past. : **FRF 3 100** – Paris, 20 mai 1942 : *Après le bain* : **FRF 106 000** – Paris, 15 et 16 juin 1942 : *Le Repas en musique* : **FRF 81 100** – Paris, 22 juin 1942 : *Vase de fleurs*, past. : **FRF 2 000** – Paris, 24 juin 1942 : *Hommage à Victor Hugo* : **FRF 25 000** ; *Trois Baigneuses* : **FRF 41 000** – Paris, 13 juil. 1942 : *Femme à l'écharpe rose* : **FRF 35 000** – Londres, 18 sep. 1942 : *Fleurs* : **GBP 178** – Londres, 21 oct. 1942 : *Fleurs* : **GBP 33** – Paris, 20 nov. 1942 : *Feuille d'études de nus*, mine de pb : **FRF 6 000** – Paris, 23 déc. 1942 : *Étude de nus*, mine de pb : **FRF 4 000** ; *Balthazar*, cr. : **FRF 2 500** ; *Baigneuse assise* : **FRF 38 000** – Paris, 25-26 jan. 1943 : *Composition* : **FRF 90 000** – Paris, 24 fév. 1943 : *Copie d'après Giorgione* : **FRF 60 000** – New York, 25 fév. 1943 : *Zinnias* : **USD 5 100** – Glasgow, 3 mars 1943 : *Femme au chat* : **GBP 19** – Londres, 14 avr. 1943 : *Branche de lilas* : **GBP 22** – New York, 29 avr. 1943 : *Vase de fleurs* : **USD 2 000** – New York, 14 oct. 1943 : *Fleurs* : **USD 450** – Paris, 10 nov. 1943 : *L'Apparition* : **FRF 3 000** – Paris, 31 jan. 1944 : *Jonquilles et capucines* 1881 : **FRF 345 000** – Paris, 20 mars 1944 : *Baigneuse* : **FRF 52 000** ; *Faune entraînant une nymphe* : **FRF 6 000** – New York, 30 mars 1944 : *Ariane*, cr. noir : **USD 60** ; *Chuchotements de Cupidon* : **USD 400** ; *Œillets* : **USD 950** – Londres, 14 avr. 1944 : *Le Rêve* : **GBP 63** – Paris, 24 mai 1944 : *Hommage à Berlioz* 1886, cr. noir : **FRF 12 000** – New York, 22 nov. 1944 : *Calypso* : **USD 1 100** – Paris, 23 avr. 1945 : *Baigneuse drapée au bord de la rivière* : **FRF 38 500** – New York, 4 mai 1945 : *Andromède* : **USD 160** – Londres, 6 juin 1945 : *Tentation de Saint Antoine* : **GBP 125** – Paris, 15 juin 1945 : *Études pour les Filles du Rhin*, cr. noir : **FRF 2 000** – Paris, oct. 1945-juil. 1946 : *Roses blanches dans une flûte à champagne* : **FRF 355 000** ; *Roses* : **FRF 405 000** ; *Jeune femme nue* : **FRF 201 000** ; *Baigneuse assise demi-nue au bord de la rivière* : **FRF 195 000** ; *Copie d'après Rubens* : **FRF 19 500** ; *Copie d'après un maître ancien* : **FRF 14 800** ; *Copie d'après Titien* : **FRF 13 000** – New York, 18-19 fév. 1946 : *Sara la baigneuse*, dess. : **USD 70** – Londres, 31 mai 1946 : *Vénus et Cupidon* : **GBP 35** ; *Deux nymphes des bois* : **GBP 39** – Amsterdam, 26 nov.-2 déc. 1946 : *Roses blanches* : **NLG 3 700** ; *Nymphe* : **NLG 775** – Paris, 16 déc. 1946 : *Tête de l'Homme au gant*, copie d'après Titien : **FRF 15 000** ; *Copie d'après Rubens* : **FRF 21 000** ; *Nus féminins*, six études : **FRF 2 850** – Londres, 29 jan. 1947 : *Femme nue* : **GBP 35** – Paris, 24 fév. 1947 : *Femmes nues*, dess. : **FRF 3 600** – New York, 9-10 avr. 1947 : *Charité*, cr. noir : **USD 70** – Paris, 30 juin 1947 : *Baigneuses* : **FRF 43 500** ; *Rêverie* : **FRF 190 000** ; *Ondine*, past. : **FRF 26 000** – Amsterdam, 1er-4 juil. 1947 : *Épisode de la Valkyrie* : **NLG 220** – Londres, 2 juil. 1947 : *Brindille de lilas* : **GBP 78** – Londres, 28 nov. 1956 : *Roses* : **GBP 6 500** – Londres, 1er déc. 1957 : *Œillets* : **GBP 3 360** – New York, 15 jan. 1958 : *Nature morte* : **USD 1 800** – Londres, 3 déc. 1958 : *La Nuit*, past./t. : **GBP 480** ; *Portrait de Madame Fantin-Latour* : **GBP 1 200** – Versailles, 16 mars 1959 : *Spirée dans un vase* : **FRF 3 800 000** – Paris, 18 mars 1959 : *Spirée sans vase* : **FRF 3 800 000** – Paris, 20 mars 1959 : *Lys du Japon dans un vase* : **FRF 3 220 000** ; *Gerbe de narcisses* : **FRF 2 600 000** – Londres, 1er juil. 1959 : *Deux ondines* : **GBP 720** ; *Nature morte avec un pot d'azalées blanches* : **GBP 15 000** – New York, 9 déc. 1959 : *Nature morte aux roses* : **USD 11 000** – Paris, 29 mars 1960 : *L'Aurore* : **FRF 6 000** – Londres, 23 nov. 1960 : *Roses blanches et jaunes dans un verre* : **GBP 5 000** – Londres, 28 juin 1961 : *Pieds d'alouette dans un gros vase en cristal* : **GBP 21 000** – Londres, 6 déc. 1961 : *Pivoines* : **GBP 12 500** – Londres, 11 juin 1963 : *Branche de rhododendrons* : **GBP 18 800** – New York, 19 mai 1966 : *Bouquet de fleurs* : **USD 77 500** – Londres, 26 avr. 1967 : *Toutes les roses du jardin* : **GBP 23 000** – Londres, 3 juil. 1968 : *Vase de pivoines* : **GBP 54 000** – Londres, 6 juil. 1971 : *Fruits* : **GNS 5 000** – Londres, 28 juin 1972 : *Roses blanches et roses* : **GBP 34 000** – Paris, 4 déc. 1972 : *Fleurs et grappes de raisins* 1875 : **FRF 205 000** – Londres, 3 avr. 1974 : *Vase de fleurs* : **GBP 31 000** – Paris, 5 juin 1974 : *Hommage à Vénus* : **FRF 32 000** ; *Hommage à R. Schumann, H. Berlioz, R. Wagner et Brahms*, dess. : **FRF 8 000** – Londres, 1er juil. 1974 : *Roses dans un verre à pied* : **GNS 35 000** – Londres, 6 avr. 1976 : *Fleurs de printemps* 1869, h/t (40x33) : **GBP 22 000** – Londres, 27 juin 1977 : *Renoncules et Narcisses* 1880, h/t (34x30,5) : **GBP 22 000** – Londres, 6 déc. 1978 : *Les Œillets* 1887, h/t (42,5x35) : **GBP 55 000**

– New York, 17 mai 1979 : *Vision* 1876, past./pap. (43,5x29,2) : **USD 6 750** – Paris, 1er fév. 1980 : *Autoportrait*, cr. gras (22x19) : **FRF 8 600** – New York, 16 nov. 1983 : *La leçon de dessin* 1879, pl./pap. mar./cart. (14x16,3) : **USD 18 000** – Berne, 20 juin 1984 : *Bouquet de roses* 1879, litho. : **CHF 21 000** – New York, 15 nov. 1984 : *Géraniums* 1888, h/t (44x36,2) : **USD 150 000** – Londres, 29 juin 1987 : *Roses blanches, chrysanthèmes dans un vase, pêches et raisins sur une table à la nappe blanche* 1876, h/t (61x73) : **GBP 1 300 000** – Paris, 10 déc. 1987 : *Désespoir du peintre*, cr. noir verni (23,5x23) : **FRF 42 000** – Londres, 29 mars 1988 : *Pivoines blanches et roses et Narcisses* 1878, h/t (47,5x44,5) : **GBP 374 000** – New York, 11 mai 1988 : *Roses dans un vase* 1892, h/t (41,2x36,2) : **USD 385 000** – New York, 24 mai 1988 : *Danaé* 1898, h/t (27x35,3) : **USD 46 750** – Paris, 8 juin 1988 : *Allégorie à la muse* 1869, pap. mar./t. (32,5x24,3) : **FRF 25 000** – Londres, 28 juin 1988 : *Marine, effet du matin*, h/t (15,9x22,9) : **GBP 9 900** ; *Narcisses blancs dans un vase opalin* 1875, h/t (50,5x47) : **GBP 198 000** ; *Fleurs-Œillets* 1872, h/t (38x27,5) : **GBP 88 000** – Londres, 29 nov. 1988 : *Roses roses* 1886, h/t (40x35) : **GBP 297 000** – Londres, 4 avr. 1989 : *Roses Aimé-Viebert* 1890, h/t (44,5x48) : **GBP 484 000** – Paris, 8 avr. 1989 : *Femme au chat* 1876, h/t (32x26,4) : **FRF 490 000** – New York, 9 mai 1989 : *Asters et Fruits sur une table* 1868, h/t (56,5x55) : **USD 1 870 000** ; *Pieds d'alouette* 1888, h/t (72,5x61) : **USD 1 100 000** – Londres, 27 juin 1989 : *Nature morte de fleurs et fruits* 1872, h/t (39x28) : **GBP 132 000** – New York, 18 oct. 1989 : *Zinnias* 1891, h/t (50x59) : **USD 1 430 000** – New York, 24 oct. 1989 : *Le Repos de la Sainte Famille* 1896, h/t (34,3x34,3) : **USD 27 500** – New York, 14 nov. 1989 : *Bouquet de fleurs* 1894, h/t (47,3x62,5) : **USD 990 000** – Monaco, 3 déc. 1989 : *Le printemps* 1896, h/t (44,7x54) : **FRF 777 000** – Paris, 30 mars 1990 : *Fleurs diverses* 1902, h/t (34,3x40) : **FRF 2 250 000** – Londres, 3 avr. 1990 : *Anémones et Renoncules* 1890, h/t (44x36) : **GBP 220 000** – Paris, 3 mai 1990 : *Femme au miroir*, h/t (55x65) : **FRF 700 000** – New York, 23 mai 1990 : *Ondine*, h/cart./t. (30,8x44,5) : **USD 71 500** – Londres, 25 juin 1990 : *Bouquet de roses dans un verre* 1881, h/t (41,3x32) : **GBP 297 000** – Cannes, 26 fév. 1991 : *Andromède* 1904, h/t (81x65) : **FRF 450 000** – New York, 14 fév. 1991 : *Fleurs de cyclamen*, h/t (20,2x15,2) : **USD 30 800** – New York, 7 mai 1991 : *Œillets d'Inde* 1893, h/t (46,2x49,7) : **USD 374 000** – Paris, 20 juin 1991 : *La Tentation de saint Antoine*, h/t (62,5x76) : **FRF 600 000** – Londres, 24 juin 1991 : *Bouquet de fleurs avec des pensées* 1883, h/t (26x30,5) : **GBP 82 500** – New York, 6 nov. 1991 : *Fleurs et Fruits* 1868, h/t (55,5x54,5) : **USD 1 540 000** – Londres, 3 déc. 1991 : *Roses et mimosa* 1873, h/pan. (27x18,6) : **GBP 121 000** – New York, 12 mai 1992 : *Bouquet de fleurs diverses* 1881, h/t (50,2x61,9) : **USD 990 000** – Monaco, 18-19 juin 1992 : *Le Repos de la Sainte Famille*, fus. (44x31,3) : **FRF 44 400** – Londres, 29 juin 1992 : *Roses dans un panier sur une table* 1876, h/t (43,7x44,5) : **GBP 165 000** – New York, 10 nov. 1992 : *Vase de dahlias*, h/t (50,2x62,9) : **USD 1 100 000** – Paris, 31 mars 1993 : *Études de femmes nues*, pierre noire/pap. (12x22) : **FRF 3 500** – Londres, 22 juin 1993 : *Nature morte* 1872, h/t (42x32,5) : **GBP 144 500** – New York, 15 fév. 1994 : *Diane* 1871, h/pan. (24,8x21,6) : **USD 18 400** – Amsterdam, 19 avr. 1994 : *La Cène* 1853, h/t (27x37) : **NLG 11 500** – New York, 11 mai 1994 : *Fécondité* 1877, h/t (58,4x52,1) : **USD 965 000** – Paris, 15 nov. 1994 : *Jeune femme au chat* 1876, h/t (32x26) : **FRF 135 000** – Londres, 28 nov. 1994 : *Roses dans un panier sur une table* 1876, h/t (43,7x44,5) : **GBP 232 500** – New York, 24 mai 1995 : *La Danse d'Almée*, h/t (62,2x76,2) : **USD 123 500** – Londres, 28 nov. 1995 : *Dahlias* 1896, h/t (599x74) : **GBP 881 500** – Paris, 13 déc. 1995 : *Roses*, h/t (27x40) : **FRF 440 000** – New York, 1er mai 1996 : *Fleurs, gros bouquet avec trois pivoines* 1879, h/t (41,6x33,5) : **USD 266 500** – New York, 13 nov. 1996 : *Portrait de l'artiste* 1860, h/t (35,6x28,9) : **USD 87 750** – Paris, 22 nov. 1996 : *Baigneuse*, mine de pb (13x8) : **FRF 28 000** – Londres, 3 déc. 1996 : *Vase de pivoines* 1902, h/t (41x37) : **GBP 199 500** – Londres, 19 mars 1997 : *Portrait de Fantin* 1865, h/t (37x33) : **GBP 29 900** – Paris, 24 mars 1997 : *Le Jugement de Pâris* vers 1894, h/t (42,5x34) : **FRF 72 000** – Londres, 11 juin 1997 : *Le Jugement de Pâris*, h/t (42x34) : **GBP 10 350** – Paris, 17 juin 1997 : *L'Anniversaire* vers 1876, past./pap. (62x50) : **FRF 400 000** – Londres, 21 nov. 1997 : *Rêve* 1871, h/pap./t. (30,5x22,9) : **GBP 10 350** – New York, 23 oct. 1997 : *Solitude* 1884, h/t (24,8x44,5) : **USD 17 250**.

FANTIN-LATOUR Théodore

Né en 1805 à Metz (Moselle). Mort en 1872 à Paris. XIXe siècle. Français.

Peintre de sujets religieux, scènes de genre, portraits, pastelliste.

Il travailla d'abord à Grenoble, où il s'établit jusqu'à son départ pour Paris, en 1841. Il exposa quelques ouvrages au Salon de Paris, de 1842 à 1866. Sa dernière œuvre exposée fut un *Christ en croix*.

Il fit un grand nombre de portraits, notamment au pastel, et sut leur donner beaucoup de charme.

Musées : Grenoble : *Portrait de la fille aînée de l'artiste enfant.*

Ventes Publiques : Paris, 11-13 juin 1923 : *Jeune fille à la fontaine* ; *La Jeune Bouquetière*, past., une paire : **FRF 1 000** – Paris, 18 juin 1923 : *Portrait de jeune femme en costume oriental*, past. : **FRF 255** – Monaco, 16 juin 1989 : *Portrait d'une fillette en buste tenant dans ses bras son épagneul King-Charles*, past./pap. (54,5x46,5) : **FRF 133 200** – Grandville, 15 juil. 1990 : *Nymphe sur la balançoire*, h/t (46x35) : **FRF 500 000** – Cannes, 27 avr. 1991 : *Baigneuse*, h/t (42x34) : **FRF 210 000**.

FANTIN-LATOUR Victoria, Mme, née **Dubourg**

Née le 1er décembre 1840 à Paris. Morte en 1926. XIXe-XXe siècles. Française.

Peintre de genre, natures mortes, fleurs et fruits.

Envoya au Salon de Paris, à partir de 1869 des tableaux représentant des natures mortes, des fleurs et des fruits. Elle était la femme de Henri Fantin-Latour.

V Dubourg

Musées : Alençon : *L'atelier de Fantin-Latour à Buré* – Château-Thierry : *Fleurs* – Grenoble : *Nature morte* – Paris (Mus. d'Art Mod.) : *Coin de table.*

Ventes Publiques : Londres, 9 fév. 1923 : *Pêches dans un panier*, dess. : **GBP 9** – Paris, 18 juin 1924 : *Œillets dans un verre* : **FRF 950** – Paris, 19 jan. 1925 : *La jeune fille à l'oiseau* : **FRF 680** – Londres, 19 juin 1925 : *Roses dans un vase* : **GBP 15** ; *Fleurs de pommier* : **GBP 8** – Londres, 25 juin 1937 : *Fleurs dans un vase* : **GBP 50** – Londres, 6 mai 1969 : *Nature morte aux fleurs* : **GNS 1 200** – Monte-Carlo, 21 juin 1987 : *Panier de fleurs*, h/t (40,5x56,5) : **FRF 70 000** – Amsterdam, 16 nov. 1988 : *Nature morte avec des pêches dans des paniers d'osier et des fleurs de seringa sur une table* 1874, h/t (44,5x50) : **NLG 43 700** – Londres, 21 fév. 1989 : *Panier de fleurs*, h/t (28,5x43) : **GBP 19 800** – New York, 23 fév. 1989 : *Nature morte de fleurs blanches, prunes et pêches sur une table*, h/t (39,7x46,3) : **USD 49 500** – New York, 25 oct. 1989 : *Nature morte d'une pomme à côté d'une assiette de raisin sur un entablement*, h/t (17x36) : **USD 22 000** – Paris, 1er juil. 1992 : *Le panier de roses*, h/t (30x41) : **FRF 49 000** – New York, 12 oct. 1994 : *Vase de roses*, h/t (35,6x17,8) : **USD 4 025** – Paris, 26 juin 1995 : *Fleurs*, h/t (25x31) : **FRF 53 000** – Londres, 23 juin 1997 : *Panier de fleurs*, h/t (52x63) : **GBP 69 700**.

FANTINANTI Francesco

Originaire de Rome. XVe siècle. Italien.

Peintre.

Il est mentionné comme ayant travaillé à Cesena et Ferrare en 1490.

FANTINI Bonifazio

Originaire de Reggio dans la province d'Émilie. XVIIe siècle. Italien.

Peintre.

Il peignit en 1617 la façade et le portique de la Justice à Corregio. Il est probablement identique au « Bonifacio Pittore » qui peignit les *Quatre Évangélistes* à la Coupole de la cathédrale de Reggio.

FANTINI Matteo

Originaire de Murano. XVIIIe-XIXe siècles. Italien.

Peintre verrier.

Il travailla à Venise où il exécuta des gravures sur cristal et des peintures sur verre et émail.

FANTINO

XVe siècle. Italien.

Peintre.

Il décora avec d'autres artistes de Vérone et de Pise quelques salles du Castel Vecchio et du Palazzo Pubblico à Vérone pour l'entrée du duc Fr. Carrara.

FANTINO da Bevagna ou **Fantini Mevanatis**. Voir **SPACCA Ascensidonio**

FANTITTO Cesare

XVIIe siècle. Actif à Aquila. Italien.

Peintre et graveur.

Il exécuta pour le Palazzo del Commune d'Aquila des fresques représentant des papes et des cardinaux.

FANTO Leonhard
Né le 8 septembre 1874 à Vienne. XIXe-XXe siècles. Actif aussi en Allemagne. Autrichien.
Peintre de figures et figures typiques, dessinateur, graveur, aquarelliste, peintre de décors de théâtre.
Il fut élève de l'Académie des Beaux-Arts de Vienne et de l'Académie Julian à Paris. Il séjourna aussi à Rome. Après avoir travaillé à Vienne, il fut appelé au théâtre de Dresde, où il acquit une haute réputation pour ses mises en scène. En 1904, il peignit à l'aquarelle une série d'uniformes historiques pour l'empereur d'Allemagne et pour le prince régent Léopold. Il peignit aussi des types du peuple magyar et du peuple de Galicie. À partir de 1909, il exécuta des gravures en couleur sur bois, représentant les types de Dalmatie, et une gravure représentant *Grete Wesenthal dansant la Rhapsodie de Liszt.*
MUSÉES : VIENNE (Mus. Histor.) : *Portrait de Eduard Bauernfeld.*

FANTON Joseph L.
XIXe siècle. Travaillant dans le Val-d'Oise. Français.
Peintre.
Sociétaire des Artistes Français depuis 1890, il figura au Salon de cette société.

FANTON Madeleine
Née dans la seconde moitié du XIXe siècle. XIXe siècle. Française.
Graveur sur bois.
Élève de J. Breton. Sociétaire du Salon des Artistes Français.

FANTON-LEKEU Henri Ferdinand
Né en 1791 à Liège. Mort en 1858 à Liège. XIXe siècle. Éc. flamande.
Peintre de paysages.
Élève de Hennequin, Viroux et Verbocken. Ce fut un artiste sérieux et bien qu'il ne possédât pas une personnalité très tranchée, ses œuvres sont recommandables. Lekeu était le nom de sa femme.
MUSÉES : LIÈGE (Ansembourg) : *Les ruines de la cathédrale Saint-Lambert à Liège*, sépia au lav. – *Intérieur d'auberge – Rive d'un fleuve – Promeneur avec un chien – Paysage près d'un pont.*

FANTONE Francesco da Norcia
XVIe siècle. Actif au début du XVIe siècle. Italien.
Peintre.
La Galerie Brera, à Milan, conserve de lui : *La Vierge, l'Enfant Jésus et plusieurs saints.*

FANTONI Andrea I
Né le 24 juin 1628. XVIIe siècle. Actif à Rovetta. Italien.
Sculpteur.
Fils de Donato Fantoni.

FANTONI Andrea II
Né le 15 novembre 1633. Mort le 6 juin 1683. XVIIe siècle. Actif à Rovetta. Italien.
Sculpteur.
Il était le fils de Giovanni Fantoni.

FANTONI Andrea III
Né le 28 octobre 1635. XVIIe siècle. Actif à Rovetta. Italien.
Sculpteur.
Fils de Giovanni Fantoni.

FANTONI Andrea
Né le 25 août 1659 à Rovetta (près de Bergame). Mort le 25 juillet 1734 à Rovetta. XVIIe-XVIIIe siècles. Italien.
Sculpteur, graveur et sculpteur sur bois et sur ivoire.
Fils de Grazioso I et élève de Pietro Rame, artiste allemand fixé à Brescia, il est le membre le plus important de la famille de sculpteurs Fantoni. Ses œuvres principales se trouvent à Alzano Maggiore près de Bergame, dans l'église Saint-Martin où il exécuta le mobilier complet d'une sacristie : riches armoires, prie-Dieu, décoré de bas-reliefs représentant des scènes de l'Ancien et du Nouveau Testament. Il fut aidé dans son travail par ses quatre frères, Donato, Giovanni Antonio, Giambettino et Giovanni. Dans la Chapelle du Rosaire de la même église il exécuta une sculpture d'ange en marbre et un bas-relief *(Naissance de Marie).* On cite encore une chaire en bois pour l'église paroissiale d'Ardesio ; à l'église Saint-Michel à Alzano une statue de marbre de *Marie Immaculée* ; à l'église Sainte-Marie-Majeure à Bergame un confessionnal ainsi que les bas-reliefs de *Notre-Dame des Sept Douleurs* et deux statues d'anges ; dans l'église Saint-Alexandre-de-la-Croix, le bas-relief de *la Cène* à l'autel de l'Annonciation. Comme autres œuvres réputées de Fantoni on cite ses crucifix sculptés sur ivoire, dont un se trouve à l'Académie Carrara à Bergame. Il a fait de nombreux projets architecturaux pour des églises.

FANTONI Bertulio ou **Bertulino**
XVe siècle. Actif à Rovetta. Italien.
Sculpteur sur bois.
Il est le premier représentant connu de la famille Fantoni.

FANTONI Donato I
XVIe siècle. Actif à Rovetta. Italien.
Sculpteur.
Il est mentionné comme ayant travaillé de 1562 à 1580.

FANTONI Donato II
Né le 24 août 1594. XVIIe siècle. Actif à Rovetta. Italien.
Sculpteur.

FANTONI Donato III
Né le 9 décembre 1661. Mort le 16 mars 1683. XVIIe siècle. Actif à Rovetta. Italien.
Sculpteur.
Fils de Donato II Fantoni.

FANTONI Donato Andrea
Né le 20 août 1746 à Rovetta. Mort le 31 août 1817. XVIIIe-XIXe siècles. Italien.
Sculpteur.
Fils de Grazioso III Fantoni, il fut le dernier membre actif de la famille de sculpteurs Fantoni. On connaît de ses œuvres seulement un autel à Castione.

FANTONI Francesca
Morte vers 1772. XVIIIe siècle. Italienne.
Peintre.
Élève et nièce de Giovanni Guiseppe del Sole, elle étudia plus tard avec Cavazzoni.

FANTONI Francesco Donato
Né le 14 juin 1726. Mort le 22 février 1787. XVIIIe siècle. Actif à Rovetta. Italien.
Sculpteur.
Il travailla avec son cousin Grazioso III Fantoni à Alzano Maggiore à l'église Saint-Martin, et pour un grand nombre d'autres églises. Il était le fils de Giambettino Fantoni.

FANTONI Giacomo ou **Jacopo**. Voir **COLONNA Giacomo**

FANTONI Giambettino
Né le 26 novembre 1672. Mort le 20 juillet 1750. XVIIe-XVIIIe siècles. Actif à Rovetta. Italien.
Sculpteur.
Fils de Grazioso I Fantoni. Il travailla avec ses frères.

FANTONI Giovanni
Né le 24 décembre 1674. Mort le 15 mai 1745. XVIIe-XVIIIe siècles. Actif à Rovetta. Italien.
Sculpteur.
Fils de Grazioso I Fantoni, il fut le collaborateur d'Andrea III et de ses autres frères.

FANTONI Giovanni Antonio I
Né le 12 janvier 1669. Mort le 7 avril 1748. XVIIe-XVIIIe siècles. Actif à Rovetta. Italien.
Sculpteur.
Fils de Grazioso I Fantoni, il travailla avec son frère Andrea III.

FANTONI Giovanni Antonio II
Né le 29 octobre 1641. XVIIe siècle. Actif à Rovetta. Italien.
Sculpteur.

FANTONI Giuseppe
Originaire du Frioul (Tyrol). XIXe siècle. Autrichien.
Peintre.
Il décora en 1805 la coupole et l'abside de la cathédrale de Gemone.

FANTONI Giuseppe Grazioso
Né le 20 février 1731. Mort le 17 février 1781. XVIIIe siècle. Actif à Rovetta. Italien.
Sculpteur.
Fils de Giambettino Fantoni.

FANTONI Grazioso I
Né le 28 novembre 1630. Mort le 5 avril 1693. XVIIe siècle. Actif à Rovetta. Italien.

Sculpteur sur bois.
Fils de Donato II Fantoni. Il exécuta dans une sacristie de l'église Saint-Martin à Alzano Maggiore une série d'armoires avec des sculptures décoratives, des groupes et des bas-reliefs ; dans l'église paroissiale de Castione il décora la tribune de l'orgue en 1683.

FANTONI Grazioso II
Né le 11 juin 1638. XVIIe siècle. Actif à Rovetta. Italien.
Sculpteur.

FANTONI Grazioso III
Né le 30 avril 1713. Mort le 21 mars 1798. XVIIIe siècle. Italien.
Sculpteur de sujets religieux, bas-reliefs.
Père de Donato Andrea. Il exécuta avec son cousin Francesco Donato Fantoni les bas-reliefs en marbre de la chaire de l'église Saint-Martin à Alzano Maggiore. Ils travaillèrent ensemble pour l'église paroissiale d'Adro et pour les églises de Salô, Vezza, Vilminore Grumello, Angolo.

FANTONI Luigi Andrea
Né le 30 juillet 1759 à Rovetta. Mort le 22 décembre 1788. XVIIIe siècle. Italien.
Sculpteur.
Il fut élève du sculpteur milanais G. Franchi et travailla avec lui au monument funéraire du comte Firmian à Milan. Comme travail individuel de cet artiste on cite un bas-relief de marbre *(Histoire de Jephté)* pour le cimetière de Milan. Il était le fils de Francesco Donato Fantoni.

FANTONI Peter
XXe siècle. Britannique.
Peintre, et aquarelliste de paysages.
Pendant son adolescence, il part de Londres sur un bateau en direction de l'Amérique Latine, et pour un voyage qui finalement durera 10 ans. Il y étudiera l'art à la Hoffman School of Art à Buenos Aires. De retour à Londres il y exposera régulièrement. Les années d'après guerre le conduiront à renoncer à la peinture, mais depuis les années soixante il vit à nouveau de ses « pinceaux ». Las Palmas, Venise et Florence sont ses lieux de prédilection pour la peinture.

FANTONI Pietro
Originaire de Gemone. XIXe siècle. Italien.
Sculpteur.
Il modela les bustes en plâtre du *Roi Ferdinand II de Naples et de sa femme Marie Christine*, qui sont conservés au Musée du Château de Versailles.

FANTONI Venturino di Giovanni
Originaire de Bergame. XVIe siècle. Italien.
Sculpteur.
Il travailla à Venise où, avec ses fils Giovanni, Bernardo et Giacomo il exécuta les sept sculptures de marbre qui ornent le maître-autel de l'église Saint-Roch.

FANTOZZI Francesco, dit **il Parma**
Né au XVIIe siècle probablement à Parme. XVIIe siècle. Italien.
Peintre.
Il fut élève de Fr. Costanzo Catanio à Ferrare où il travailla ; il peignit pour l'église Saint-Nicolas un *Christ portant sa croix* ; pour les orgues de Saint-Étienne une *Annonciation* ; pour la façade de l'église Saint-Michel un *Archange Saint-Michel*. On cite de lui aussi les fresques de l'Oratoire de la Pénitence.

FAN TSEU-MIN. Voir **FAN ZIMIN**

FANTUZZI Antonio. Voir **ANTONIO da Trento**

FANTUZZI Eliano
Né en 1909 à Vérone. XXe siècle. Italien.
Peintre de scènes et paysages animés.

FANTUZZI

Ventes Publiques : Rome, 2 déc. 1980 : *Les quais de la gare* 1947, h/t (40x50) : **ITL 800 000** – Rome, 12 juin 1986 : *La fioraia*, h/t (80,5x65,5) : **ITL 800 000** – Rome, 7 avr. 1988 : *Versailles* 1940, h/t (70x60) : **ITL 3 200 000** – Milan, 20 mars 1989 : *Les matous* 1967, h/t (60x50,5) : **GBP 800 000** – Rome, 17 avr. 1989 : *Rue de Rome* 1946, h/t (50x40) : **ITL 2 200 000** – Rome, 28 nov. 1989 : *Pêcheurs n°1* 1954, h/t (50x100) : **ITL 1 700 000** – Rome, 10 avr. 1990 : *À l'hippodrome*, h/t (50x70) : **ITL 1 200 000** – Milan, 27 sep. 1990 : *Vue de Venise*, h/t (60x90) : **ITL 950 000** – Rome, 3 juin 1993 : *Au café* 1980, h/t (80x80) : **ITL 2 000 000** – Rome, 30 nov. 1993 : *Au marché* 1984, h/t (50x40) : **ITL 1 380 000** – Rome, 28 mars 1995 : *Partie de football* 1953, h/t (70x100) : **ITL 5 060 000**.

FANTY-LESCURE Emma
Née à La Rochelle (Charente-Maritime). Morte en 1935. XIXe-XXe siècles. Française.
Peintre de genre, de fleurs, de décors d'éventails, peintre à la gouache.
Elle fut élève d'Eugène Claude. Elle exposa au Salon de Paris, à partir de 1876, médaille de troisième classe en 1900 à l'occasion de l'Exposition Universelle.
Ventes Publiques : Paris, 2-3 juin 1926 : *Les roses* : **FRF 200** ; *Le panier de pensées* : **FRF 120**.

FANTY-LESCURE Gaston
Né à Paris. Mort en juillet 1914 à Paris. XIXe-XXe siècles. Français.
Peintre de genre, scènes et figures typiques.
Il fut élève de Fernand Cormon. Il exposait à Paris, au Salon des Artistes Français, dont il était sociétaire depuis 1903, mention honorable 1905, médaille de troisième classe 1910.
Musées : Castres : *En Trégor* – *L'imagier* – Château-Thierry : *La femme aux prunes* – Oran : *Les laveuses* – Soissons : *Une dentellière normande*.

FAN TZU-MIN. Voir **FAN ZIMIN**

FAN XUEYI ou **Fan Hiue-I** ou **Fan Hsüeh-I**
XVIIIe siècle. Chinois.
Peintre.
Spécialiste de fleurs dans le style de Yun Shouping (1633-1690), on lui doit aussi quelques portraits.

FANYAU Nicolas. Voir **FAGOT**

FAN YUN ou **Fan Yün**, surnom : **Qingruo**
XVIIe siècle. Chinois.
Peintre.
Fils du peintre Fan Qi.

FANZAGO. Voir **FANSAGA**

FANZELLI
Né à Bologne. XIXe siècle. Italien.
Peintre d'histoire.
Siret cite de lui une fresque représentant : *Alexandre dans Babylone*.

FANZELT. Voir **PFANDZELT**

FAN ZENG ou **Fan Tseng**
Né en 1938. XXe siècle. Chinois.
Peintre de scènes animées. Traditionnel.
Ventes Publiques : New York, 2 juin 1988 : *Zhong Kui*, encre/pap., kakémono (135,3x67,3) : **USD 2 420** – Hong Kong, 18 mai 1989 : *Le vieil homme aux singes*, encre et pigments/pap. (44,5x52) : **HKD 46 200** – Hong Kong, 15 nov. 1989 : *Demandant son chemin sous un pin* 1975, kakémono, encre et pigments/pap. (177,5x95,1) : **HKD 93 500** – New York, 6 déc. 1989 : *Coq* 1979, kakémono, encre et pigments/pap. (83,8x49,5) : **USD 2 750** – New York, 16 juin 1993 : *L'illumination de Lu Dongbin* 1979, encre et pigments/pap. (139,1x246,4) : **USD 25 300**.

FANZERES Evany
Née en 1940 à Rio de Janeiro. XXe siècle. Brésilienne.
Peintre, sculpteur, technique mixte. Abstrait.
En 1957 et 1958, elle fut étudiante en histoire de l'art, dessin, architecture à l'Institut des Beaux-Arts de Rio de Janeiro. En 1961, elle séjourna en Grande-Bretagne. Elle voyagea ensuite en Allemagne, où, à Düsseldorf en 1964, elle fit la connaissance de Joseph Beuys. Elle passa ensuite à Paris, et, vers 1970-71, voyagea en Europe.
Sa peinture est orientée sur un graphisme du signe, qu'elle transpose dans un espace pluridimensionnel. D'autre part, elle exécute des volumes en matériaux flexibles, tissus plastiques remplis de mousse ou encore travaille le ciment appliqué sur des structures entoilées.

FAN ZHANGSHOU ou **Fan Chang-Shou** ou **Fan Tchang-Cheou**
VIIe siècle. Chinois.
Peintre.
Officier et peintre, c'est un élève de Zheng Sengyu (actif 500-550) ; il peint des scènes de la vie campagnarde et des animaux domestiques.

FAN ZIMIN ou **Fan Tzu-Min** ou **Fan Tseu-Min**
XIIIe siècle. Chinois.

Peintre.
Moine taoiste, il fut peu connu comme peintre.
Musées : Chicago (Art Inst.) : *Bœufs dans l'herbage*, rouleau en longueur, encre sur pap., signé, colophon.

FANZONI Ferrau ou **Faenzoni** ou **Fenzoni**
Né en 1562 à Faenza. Mort en 1645 à Faenza. XVIe-XVIIe siècles. Italien.
Peintre de compositions religieuses, fresquiste.
D'après l'abbé Titi, il étudia à Rome avec le chevalier Vanni et exécuta dans cette ville des fresques. Selon les œuvres conservées à Ravenne, on peut croire que Fanzoni étudia dans l'atelier de Lodovico Carracci. D'un caractère envieux, il assassina le jeune peintre Monzoni de Faenza, qui montrait de belles dispositions.
Musées : Faenza (Pina.) : *L'étang de Bethesda* – *La Descente de croix* – *La Mort de la Vierge* – *Le Christ portant la croix* – Faenza (église des Dominicains) : *La Descente de croix* – Faenza (confrérie Saint-Jean) : *Probatica* – Rome (Saint-Jean de Latran) : fresques – Rome (Scala Santa) : fresques – Rome (église Sainte-Marie Majeure) : fresques.
Ventes Publiques : Londres, 22 mai 1928 : *Le Serpent d'airain de la Scala Santa, à Rome*, sanguine, étude : **GBP 7** – Munich, 27 nov. 1980 : *Vierge à l'Enfant*, sanguine/pap. (27x19) : **DEM 2 700** – New York, 3 juin 1981 : *Martyre de Saint Sébastien*, pl. et gche blanche/pap. bleu (30,2x21,9) : **USD 2 400** – Paris, 17 nov. 1983 : *Ange en pied mesurant un globe*, pierre noire et reh. de blanc/pap. gris-vert (31x19) : **FRF 24 000** – Rome, 20 mars 1986 : *La conversion de saint Paul*, h/t (160x116) : **ITL 16 000 000** – Londres, 6 juil. 1987 : *Saint Simon assis*, craie noire reh. de blanc/pap. bleu (30,7x21,8) : **GBP 2 800** – Monaco, 2 déc. 1989 : *La Mise au tombeau*, h/t (79x88,5) : **FRF 61 050** – Monaco, 20 juin 1992 : *Saint Jean l'Évangéliste*, craie rouge, projet pour un pendentif d'arche (21,1x16,9) : **FRF 57 720** – Londres, 6 juil. 1992 : *La Déposition*, encre avec reh. de blanc/pap. beige (40,3x29,6) : **GBP 55 000** – New York, 7 oct. 1994 : *Assomption de la Vierge*, h/cuivre (50,2x28,9) : **USD 8 050**.

FAR SI Georges. Voir **FARSI**

FARABOLLINI Elvidio
Né le 21 juillet 1930 à Treia. Mort le 1er juillet 1971 à Treia. XXe siècle. Italien.
Graveur de figures, nus, paysages, paysages urbains. Symboliste.
Il a fréquenté l'Institut d'art d'Urbin et l'Académie des Beaux-Arts de rome.
Il a figuré dans des expositions collectives, parmi lesquelles : 1950, Milan ; 1952, Galerie Nationale d'Art Moderne ; 1962, 1963, 1964, 1965, Exposition internationale, Maratea ; 1964, 1965, 1966, Biennale de la gravure, Tarente ; 1970, Exposition internationale d'art graphique, Arezzo ; 1996, Ire Biennale d'œuvres sur papier, Tolentino. Il a montré ses œuvres dans des expositions personnelles, dont : 1965, Arco, Macerata ; 1965, Studio Margutta 13, Rome ; 1965, Padoue ; 1966, University of Washington ; 1968, Cagliari ; 1968, Macerata ; 1969, Bologne. Son œuvre a fait l'objet de plusieurs expositions rétrospectives, notamment : 1990, église de S. Paolo à Macerata et Église S. Filippo à Treia.
Dans ses eaux-fortes en noir et blanc, traditionnelles dans leur facture, où le trait est d'abord mis en valeur, s'affirme volontiers une figuration à l'accent symboliste, autour de l'offrande et la communion des âmes.
Bibliogr. : V. Volpini, G. Binni, C. Melloni : *Elvidio Farabollini*, catalogue d'exposition, Église de S. Paolo, Macerata et Église S. Filippo, Treia – in : *Quatro incisori marchigiani del novecento. Vitalini, Mainini, Pace, Farabollini*, Ire Biennale d'œuvres sur papier, Tolentino, 1996.

FARAFONTIEFF
XVIIIe siècle. Russe.
Peintre.
Il s'agit peut-être de Jacob Gerassimovitch Farafontieff. Un portrait du baron A. Ivanovitch Tcherkassoff, signé de sa main et daté de 1771, fut présenté à l'Exposition de portraits de Saint-Pétersbourg en 1870.

FARAFONTIEFF Jacob Gerassimovitch
Né le 20 octobre 1758 à Peterhof. Mort le 6 juin 1798 à Saint-Pétersbourg. XVIIIe siècle. Russe.
Peintre.
Fils d'un jardinier de la Cour, il fut élève de l'Académie Impériale de Saint-Pétersbourg. Il reçut pour son tableau *Bataille du Dniester*, en 1789, une médaille, puis, plus tard, une bourse de voyage qui lui permit un séjour de quatre ans à Paris où il étudia à l'atelier du peintre d'architectures A. de Machy. Dans la collection de l'Académie de Saint-Pétersbourg se trouvait un tableau de cet artiste représentant une vue pittoresque de la cage d'escalier du Palais de l'Académie de Saint-Pétersbourg, avec des personnages en costumes Louis XVI.

FARAFONTIEFF Michaïl Jacovlevitch
XVIIIe siècle. Russe.
Sculpteur.
Fils de Jacob Gerassimovitch, il fut élève de l'École de sculpture à Saint-Pétersbourg et reçut plusieurs récompenses pour ses études d'après nature et ses compositions d'après l'histoire russe.

FARAFONTOFF Fedor Timofeievitch
Né le 8 février 1770 à Saint-Pétersbourg. XVIIIe siècle. Russe.
Peintre et illustrateur.
Il fut élève de l'École des Beaux-Arts de l'Académie de Saint-Pétersbourg où il reçut plusieurs médailles, dont une médaille d'or pour son tableau *Justinien et Bélisaire*. Quelques-uns de ses dessins ont été gravés.

FARAGO Géza
Né en 1877 à Budapest. Mort en 1928. XIXe-XXe siècles. Hongrois.
Peintre, dessinateur, décorateur et créateur de costumes de théâtre.
Il fut d'abord dessinateur sur tissus, dans une fabrique de cotonnades, puis il vint à Paris, où il fit son apprentissage de peintre, de dessinateur et de décorateur dans plusieurs ateliers, notamment à l'Académie Colarossi. En 1905, il reçut à Budapest le Prix Harkanyi. En 1910, il organisa une exposition individuelle de ses œuvres au Salon Nemzeti, à Budapest.
Il se spécialisa dans les projets de costumes et travailla dans ce domaine pour les théâtres de Vienne et de Budapest. Ses projets de décors, ses costumes, sont traités par un graphisme souple, des arabesques raffinées et des lignes ornementales stylisées ; ce style fleuri qui marque ses affiches, et l'ensemble de sa production, est né de son admiration attentive pour Mucha, avec qui il était lié.

FARAGO Jozsef
Né probablement en 1822 à Ujbanya. XIXe siècle. Hongrois.
Sculpteur.
Il travailla à Budapest avec le sculpteur Ferenczy, puis à Esztergom à la construction de la basilique de cette ville avec Casagrande. En 1840, il figura à l'Exposition de Budapest avec une *Arménie*. Il séjourna à Vienne et à Munich où il exécuta une sculpture, *Le Génie de la Hongrie*. De retour à Ujbanya il créa pour cette ville une *Sainte Trinité avec saint Étienne, sainte Hélène, saint Ladislas et la Vierge*.

FARAGO Jozsef
Né en 1866 à Esztergom. Mort le 2 septembre 1906 à Berlin. XIXe siècle. Hongrois.
Peintre de genre, nus, dessinateur, caricaturiste, illustrateur.
Il étudia à Munich chez Hollosy, puis à l'Académie. En 1889, il alla à Paris d'où il envoya à Budapest son premier tableau *Leçon difficile*. De retour dans cette ville, il dessina surtout des caricatures qui parurent dans les revues humoristiques et qui le firent engager par le *Puck* de New York. Après un séjour en Amérique, il revint dans sa patrie, où il travailla régulièrement pour les journaux humoristiques de Budapest *Borsszem Janko* et *Kakas Marton*.
Ventes Publiques : Vienne, 23 juin 1982 : *Nu regardant au loin*, h/t (78x57) : **ATS 10 000**.

FARAGUET H., Mme
XIXe siècle. Active à Sèvres. Française.
Peintre sur porcelaine.
Le Musée de Dieppe conserve de cette artiste un vase peint, porcelaine de Sèvres.

FARAGUET Marie
Née le 16 septembre 1872 à Dijon (Côte-d'Or). XIXe-XXe siècles. Française.
Peintre.
Elle exposait à Paris, depuis 1899 au Salon des Artistes Français.

FARAILL Gabriel Emmanuel
Né en 1838 à Saint-Marsal. Mort en 1892 à Paris. XIXe siècle. Français.

Sculpteur.
Ses maîtres furent Oliva et Farochon. De 1866 à 1882 il figura au Salon de Paris, notamment avec des bustes et des médaillons de particuliers. On cite de lui : *Jeune Romain*, buste en marbre ; *Le réveil du pâtre*, statue en plâtre ; *Graziella*, buste en marbre ; *Jeune fille*, statue en marbre ; *Jeune flûtiste*, statue en bronze ; *Misère*, groupe en plâtre ; *La jeune fille à l'escargot* ; *Buste du docteur Companyo* ; *Buste d'Antoine Guiraud* ; *Buste de la mère de l'artiste*. La majeure partie de ces œuvres citées sont au Musée de Perpignan.

FARALICQ Laurence, Mme. Voir **DELOBEL-FARALICQ**

FARALICQ-MÉRY Renée
Née le 27 avril 1877 à Sens (Yonne). Morte le 1er juin 1925 à Paris. XXe siècle. Française.
Peintre, miniaturiste.
Elle exposa à Paris, au Salon des Artistes Français de 1906 jusqu'à sa mort.

FARAMA Constantin
Né en Roumanie. XXe siècle. Roumain.
Sculpteur.
Exposa au Salon d'Automne de Paris dès 1929.

FARAONI G.
XIXe siècle. Italien.
Sculpteur.
Le Musée du Puy conserve de lui : *France debout*.

FARASIO Stefano
Né vers 1450, originaire de Parme. XVe-XVIe siècles. Italien.
Peintre de miniatures.
On le mentionne en 1496, en 1500 et en 1511 à Parme comme ayant exécuté différents travaux de décoration pour la cathédrale et la ville.

FARASYN Edgard
Né le 11 août 1858 à Anvers. Mort en 1938. XIXe-XXe siècles. Belge.
Peintre de genre, intérieurs, paysages, marines, peintre de compositions murales, aquarelliste, graveur.
Il fut élève de l'Académie des Beaux-Arts d'Anvers, dont il devint ensuite professeur. Il fut l'un des membres-fondateurs du groupe *De XIII*, et membre du groupe *Wees Uzelf*. Il exposa aussi à Paris et obtint une médaille de bronze à l'Exposition Universelle de 1889.
Il a peint des sujets très divers, avec une prédilection pour les scènes typiques de la vie quotidienne des paysans et des pêcheurs. Il a exécuté des décorations murales à l'Hôtel-de-Ville d'Anvers.

Edg. Farasyn
ANTWERPEN

Edg-Farasyn

Edg. F.

BIBLIOGR. : In : *Diction. Biogr. Illustré des Artistes en Belgique depuis 1830*, Arto, Bruxelles, 1987.
MUSÉES : ANVERS : *La minque au poisson à Anvers en 1882* – *Le marché d'Étaples*, aquar. – *La visite du médecin* – BERLIN : *La veuve* – BRUXELLES : *Naufrage* – COURTRAI : *La pêche aux coquillages* – NAMUR : *Le bateau du père*.
VENTES PUBLIQUES : LONDRES, 10 juil. 1908 : *La cruche cassée* : **GBP 17** – PARIS, 7 nov. 1946 : *Intérieur paysan* : **FRF 650** – LOKEREN, 13 mars 1976 : *Les ramasseurs de moules*, h/t (128x200) : **BEF 120 000** – NEW YORK, 14 oct. 1978 : *Fillette et perroquet* 1879, h/t (139,5x80) : **USD 5 000** – NEW YORK, 24 fév. 1987 : *La fille de l'artiste avec son chien*, h/t (144,2x109,8) : **USD 21 000** – PARIS, 11 avr. 1989 : *Femme de pêcheur*, h/t (120x80) : **FRF 20 000** – BRUXELLES, 27 mars 1990 : *Enfant et fleurs*, h/t (50x70) : **BEF 160 000** – AMSTERDAM, 24 avr. 1991 : *Le jeune héros*, h/t (83x100,5) : **NLG 13 800** – AMSTERDAM, 14-15 avr. 1992 : *En allant à l'église*, h/t (87x135) : **NLG 4 370** – LOKEREN, 5 déc. 1992 : *Veere au clair de lune*, h/t (60x80) : **BEF 25 000** – AMSTERDAM, 19 oct. 1993 : *Barques à marée basse*, h/pan. (23,5x32) : **NLG 2 070** – LOKEREN, 10 déc. 1994 : *Barques de pêche au clair de lune*, h/t (38x55) : **BEF 48 000** – AMSTERDAM, 30 oct. 1996 : *Les Repriseuses de filets dans les dunes*, h/t (13,5x18) : **NLG 16 144**.

FARASYN L.
Né en 1822. Mort en septembre 1899 à Anvers. XIXe siècle. Belge.
Peintre.

FARAUT Charles
Né dans les Alpes-Maritimes. XXe siècle. Français.
Peintre.
Il exposa à Paris au Salon des Indépendants.

FARB Adrian ou **Adrienne**
Née en 1956 à Chicago (Illinois). XXe siècle. Depuis 1980 environ active en France et en Grande-Bretagne. Américaine.
Peintre, dessinateur, peintre à la gouache. Abstrait-paysagiste.
Elle participe à des expositions collectives : 1985 *La voie abstraite* à Paris ; 1992 Salon Découvertes à Paris présentée par la Galerie Zurcher ; 1997 « Le 19 » centre régional d'art contemporain de Montbéliard. Elle montre régulièrement ses peintures dans des expositions personnelles à Paris, Galerie Zurcher.
À partir de l'étude passionnée des coloristes français, Fragonard, Delacroix, Monet, Matisse, et s'inspirant des grands jardins publics parisiens ou bien d'impressions reçues en Turquie et en Égypte, dessinant par la couleur, Adrian Farb s'est engagée dans la voie du paysagisme-abstrait dans des séries aux titres explicites : *Tuileries, Luxembourg*. Dans de grands formats, elle enchevêtre des traces multiplement colorées, en général verticales, qui recréent les impressions qu'elle a mémorisées sur place.

FARBA Isaac
Né le 23 décembre 1914 à Varsovie. XXe siècle. Depuis 1964 actif en France, naturalisé en Israël. Polonais.
Peintre de compositions à personnages, figures. Tendance symboliste.
Après avoir étudié la peinture en Pologne, il fut élève de l'Académie de la Grande Chaumière à Paris, où il fit de fréquents séjours à partir de 1938, s'y fixant durablement en 1964. Il y expose fréquemment depuis 1954, ainsi qu'à Rome, New York, Tel-Aviv. Esprit mystique, également écrivain, le thème central de sa peinture est l'homme, sa nature, son origine, son destin : *L'homme cet inconnu, L'homme et la matière*, dont il décrit la condition avec des moyens discrets et une maîtrise de la forme, dans un esprit biblique, orienté vers un symbolisme à tendance expressionniste.

FARCAS Johannes de ou **Farius**
XVIIe siècle. Éc. flamande.
Peintre.
Il fut reçu membre de la gilde à Anvers en 1622-23.

FARCHINI
XIXe siècle. Italien.
Peintre.
Il travailla en Allemagne avec Cremonini.

FARCY Alphonse
Né en 1817 à Rouen (Seine-Maritime). XIXe siècle. Français.
Peintre de portraits.
Il figura au Salon de Paris en 1845 et 1848. On cite de lui un portrait du pape Pie IX.

FARCY Andry
Né le 18 mai 1882 à Charleville (Marne). Mort le 5 juillet 1950 à Grenoble (Isère). XXe siècle. Français.
Dessinateur de caricatures, affiches publicitaires.
Il fut élève, à Paris, de l'École des Arts Décoratifs et de l'École des Beaux-Arts. Andry Farcy, qui fut conservateur du Musée de Grenoble, de 1919 à 1950, et, grâce à ses relations personnelles, y fit entrer l'art moderne, était aussi un dessinateur talentueux. Très attaché au Dauphiné, il publia de nombreuses caricatures dans le *Petit Dauphinois*. Parmi ses affiches publicitaires, celle du *Père Lustucru* fut célèbre. Il créa aussi des affiches pour les expositions de peinture du musée. Il était représenté, en 1980, avec un *Autoportrait*, à l'exposition *150 ans de peinture dauphinoise* au Château de la Condamine à Corenc (Isère).
MUSÉES : GRENOBLE.

FARCY Victor Marius
Né le 30 mai 1858 à Poilly-sur-Serein (Yonne). Mort le 12 avril 1942 à Boulogne-Billancourt (Hauts-de-Seine). XIXe-XXe siècles. Français.
Peintre de paysages, natures mortes.
Il fut élève de Fernand Sabatté. Il exposait à Paris, au Salon des Artistes Français.
Il a peint des paysages, de sa région natale, également de Bretagne, s'attachant aux églises, aux fontaines, etc. Ses natures mortes sont composées autour d'objets typiques, statues anciennes ou exotiques.

FARDEL Alice Andrée
Née le 11 février 1890 à Mons (Nièvre). XXe siècle. Française.
Peintre.
Elle exposait à Paris, au Salon des Artistes Français depuis 1922.

FARDEL Robert
Né à Besançon (Doubs). Mort le 14 mars 1931 à Paris. XXe siècle. Français.
Peintre de paysages.
Il exposait à Paris, au Salon de la Société Nationale des Beaux-Arts et au Salon d'Hiver dont il était sociétaire.

FARDELLA Giacomo
XVIIe siècle. Italien.
Peintre de natures mortes de fruits et légumes.
Ventes Publiques : Rome, 12 oct. 1978 : *Nature morte*, h/t (71x92) : **ITL 4 400 000** – Milan, 20 mai 1982 : *Nature morte aux fruits*, h/t (50x67) : **ITL 10 000 000** – Milan, 12 déc. 1988 : *Nature morte avec des fruits, salades, champignons et des poissons ; Nature morte aux melons, poires, pommes, amandes et champignons*, h/t (chaque 80x100) : **ITL 100 000 000** – Milan, 4 avr. 1989 : *Nature morte avec divers fruits d'été, un épis de maïs et un torchon sur une marche de pierre*, h/t (72x161) : **ITL 46 000 000** – Rome, 21 nov. 1989 : *Nature morte avec des fruits, des champignons et une courge*, h/t (72x161) : **ITL 56 000 000**.

FARDELLA Giuseppe ou **D. Joseph**
XVIIe siècle. Italien.
Peintre de genre.
Actif vers 1680. Peut-être est-il identique à Giacomo Farelli, actif à la fin du XVIIe siècle.
Musées : Mulhouse : *Scène de marché*.

FARÉ Paul
XXe siècle. Français.
Peintre.
Ventes Publiques : Paris, 5 nov. 1923 : *Les Petits maraudeurs* : **FRF 155**.

FARELLE Lilian
Née le 17 janvier 1918 à Londres. XXe siècle. Active aussi en France. Britannique.
Peintre, aquarelliste. Tendance abstraite.
Elle se forma dans les Académies libres de Paris, où elle expose aux Salons des Femmes Peintres et Sculpteurs, et de la Société Nationale des Beaux-Arts. Elle a participé aussi à la Biennale de Trouville.
Après une période figurative, elle s'en détacha peu à peu, attirée par l'abstraction, lui permettant des évocations plus libres, dynamiques, dans une manière proche de l'abstraction française de l'après-guerre autour de Bazaine.
Musées : Trouville : Une aquarelle.

FARELLI Giacomo
Né en 1624 à Rome. Mort en 1706 à Naples. XVIIe siècle. Italien.
Peintre d'histoire, compositions religieuses, portraitiste.
Il commença par adopter le style d'Andrea Vaccaro, son premier maître, mais il imita avec plus de succès les œuvres de Guido. L'église Sainte-Marie-Majeure à Naples possède de cet artiste : *La Chute des Anges* et *L'Ascension*, et beaucoup d'églises de la ville possèdent de ses œuvres.
Ventes Publiques : Paris, 24 juin 1929 : *Moïse faisant tomber la manne céleste*, pl. : **FRF 180** – Rome, 13 avr. 1989 : *Saint Jean décapité*, h/t (45x65) : **ITL 3 000 000** – Monaco, 2 déc. 1989 : *Saint Sébastien allongé*, h/t (89x119) : **FRF 66 600** – Londres, 9 déc. 1994 : *Samson et Dalila*, h/t (91,5x113,9) : **GBP 5 980** – Londres, 31 oct. 1997 : *Madeleine pénitente*, h/t (121,7x171) : **GBP 5 520**.

FARENHOLZ. Voir **FAHRENHOLZ**

FARENSCHON Franz von. Voir **FAHRENSCHON**

FARÈSE Esposito. Voir **ESPOSITO-FARESE Aimé**

FARESLITZ Aegidius
XVIIIe siècle. Allemand.
Sculpteur.
Peintre de la cour à Munich.

FAREY Hélène ou **Farey-Nivelt**
Née en 1909 à Alger. XXe siècle. Française.
Peintre de figures typiques, portraits, paysages, marines, natures mortes.
Elle peint depuis 1930, et arriva à Paris en 1937. Elle devint l'épouse du peintre Roger Nivelt en 1941. Depuis 1949, Roger Nivelt et elle-même ont acquis une maison à Saint-Vinnemer (Yonne), et, outre leurs nombreux voyages, ont travaillé dans la région. Elle participe depuis 1938 aux Salons annuels parisiens : de la Société Nationale des Beaux-Arts, des Artistes Français, d'Automne, des Artistes Indépendants, etc. Elle a obtenu plusieurs Distinctions et Prix : de l'Académie des Beaux-Arts, de la Fondation Taylor, etc., et des bourses de voyages : 1946 pour la Tunisie, 1952 le Maroc, 1956 l'Égypte. Depuis 1945, elle montre des ensembles de ses peintures dans des expositions personnelles à Paris, ainsi qu'en Afrique du Nord, à Copenhague et New York. En 1994, la ville de Tonnerre a organisé une exposition rétrospective de ses peintures de 1930 à 1993. Elle a bénéficié d'acquisitions de l'État et de la Ville de Paris.
Avant tout paysagiste, ses voyages lui procurent des thèmes et des atmosphères nouveaux : en France : Drôme ou Bretagne, hors de France : Espagne, Italie avec Venise, Grèce ; et, au proche Orient : Tunisie, Maroc, Égypte. Pourtant, et surtout en Tunisie, elle s'est intéressée aux scènes de la vie indigène et aux figures typiques. Léon-Paul Fargue a louangé sa vision du Sud-Tunisien. Elle maîtrise un dessin synthétique qui va à l'essentiel, une technique sûre, un registre souvent haut en couleurs, qu'elle sait tempérer selon les thèmes.
Musées : Arras : *Le port de Volendam, Hollande* 1957 – Noyers-sur-Serein : Ensemble de peintures d'Espagne, Tunisie, portraits et autoportraits – Paris (Fonds Nat.) – Paris (Fonds de la Ville) – Tonnerre (Mus. de l'Hôtel-Dieu) : *Orage à Saint-Vinnemer*.

FARFA, pseudonyme de **Tommasini Vittorio**
Né en 1881 à Trieste. Mort en 1964 à San Remo. XXe siècle. Italien.
Peintre, peintre de collages, technique mixte, céramiste. Futuriste.
Après des débuts discrets, il rencontra les Futuristes lors de la soirée du 12 janvier 1910 à Trieste. Il se lia durablement avec Marinetti en 1919, commençant alors la partie de son œuvre proprement futuriste, participant aux activités du groupe de Turin, animé par Fillia, puis se fixant à Savone. En 1929, il exposa ses premières céramiques futuristes, participant désormais aux principales manifestations du groupe jusqu'en 1934. Oublié, il fut redécouvert après la Seconde Guerre mondiale par Enrico Baj et par Asger Jorn qui séjournait souvent en Italie.
Il a réalisé aussi de nombreux collages, dont on cite souvent sa *Cartopittura*, collage de papiers de couleurs.
Bibliogr. : José Pierre : *Le Futurisme et le Dadaïsme*, in : *Hre Générale de la Peint.*, tome 20, Rencontre, Lausanne, 1966.
Ventes Publiques : Rome, 20 avr. 1982 : *Portrait de Carra*, fus. (28x20) : **ITL 500 000** – Rome, 25 nov. 1986 : *L'Homme au chapeau gris* vers 1935, cr. (29,5x22) : **ITL 2 000 000** – Rome, 24 nov. 1987 : *Autoportrait*, mine de pb (28x22) : **ITL 2 000 000** – Milan, 14 déc. 1988 : *Le Massacre des cœurs*, techn. mixte/pap. journal (45x58,5) : **ITL 2 200 000** – Milan, 27 mars 1990 : *Domino 3* 1933, temp. et collage/cart. (63x78) : **ITL 5 700 000** – Milan, 12 juin 1990 : *Joie familiale ou le Couple heureux de mascarade* 1953, collage/cart. (27,5x31) : **ITL 3 600 000** – Milan, 20 mai 1996 : *Girotondo, nell'asilo*, collage et temp./pap. (29x24) : **ITL 9 200 000**.

FARFALLA Gioseffo
XVIe siècle. Actif à Rome. Italien.
Peintre.

FARFAN Juan
XVe siècle. Espagnol.
Peintre.
Cité à Séville en 1489.

FARFANICO
Originaire de Milan probablement. XVIIe siècle. Italien.
Peintre.
Il exécuta avec G. B. Crespi les fresques d'une chapelle à Varallo.

FARFUSOLA Bartolomeo
Né à Vérone. XVIIe siècle. Actif en 1640. Italien.
Peintre d'histoire.
L'église Sainte-Ursule de Vérone possède un tableau représentant la patronne de l'église. D'autres églises de Vérone ont aussi des œuvres de cet artiste.

FARFUSOLA Giulio
Né vers 1565. XVIe siècle. Actif à Vérone. Italien.
Peintre.

FARGAUDIE Yvonne Camille Marie
Née à Paris. XXe siècle. Française.
Aquarelliste.
Sociétaire de l'Union des Femmes Peintres et Sculpteurs.

FARGE Henri
Né en janvier 1884 à Paris. XXe siècle. Français.
Peintre de compositions animées, scènes de genre, graveur, illustrateur.
Il a acquis sa formation pendant cinq années à Venise et à Rome. Il exposait à Paris, au Salon de la Société Nationale des Beaux-Arts, et au Salon des Artistes Français, où il obtint une médaille d'argent en 1966. Il a illustré des textes de Claude Farrère et de Pierre Loti.
Il faisait preuve dans sa peinture d'un don très vif d'observation, décrivant des scènes pittoresques, témoignage des époques et des lieux qui les avaient inspirées : le Deauville de 1925, Paris en 1930, l'Année Sainte à Rome en 1950, etc. Il a aussi beaucoup peint les music-halls, les Salons de Peinture, les vues de Paris et de Venise, et, d'une manière générale, les foules.
VENTES PUBLIQUES : PARIS, 12 mars 1969 : *Réunion publique* : **FRF 4 000** – PARIS, 18 juin 1984 : *Fric-frac*, h/pan. (53x64) : **FRF 5 000**.

FARGE Pierre
Né en Corrèze. XXe siècle. Français.
Peintre de paysages urbains, aquarelliste.
Il exposait à Paris, au Salon des Artistes Indépendants, puis à celui des Tuileries en 1930.
S'il s'est spécialisé dans les paysages typiques et touristiques de Paris, il a aussi peint des vues de Venise, de Bruges, et plus rarement de sa Corrèze natale.
VENTES PUBLIQUES : PARIS, 16 jan. 1928 : *Église Saint-Séverin* : **FRF 125** – PARIS, 4 mai 1928 : *La Place du Tertre* : **FRF 410** – PARIS, 24 fév. 1936 : *Barques de pêche dans le port à Venise*, aquar. : **FRF 45** – PARIS, 14 mai 1943 : *Paris, église Saint-Nicolas-des-Champs* 1929 : **FRF 1 350** – PARIS, 2 déc. 1946 : *La Place de la Concorde* : **FRF 2 000** – PARIS, 23 avr. 1947 : *Place du Tertre* : **FRF 10 500** – VERSAILLES, 17 nov. 1985 : *Montmartre, rue Saint-Vincent*, h/t (73x92) : **FRF 4 200** – PARIS, 22 mars 1988 : *L'église Saint-Nicolas-des-Champs à Paris* 1929, h/t (73x100) : **FRF 4 500** – VERSAILLES, 25 sep. 1988 : *Village de Corrèze*, h/t (81x65) : **FRF 5 000** – PARIS, 11 juil. 1989 : *Le Palais de Justice*, h/t (106x100) : **FRF 7 500** – VERSAILLES, 21 oct. 1990 : *Paris – la place du Tertre*, h/cart. (51x62) : **FRF 7 100**.

FARGE Yves
Né le 18 août 1899 à Salon (Bouches-du-Rhône). Mort en 1953 à Moscou. XXe siècle. Français.
Peintre.
Il fut un homme politique connu. Il avait été élève de l'École des Beaux-Arts de Marseille. Il voyagea en Afrique du Nord.
MUSÉES : RABAT (Résidence de France).

FARGEAU Raymond
XVIIIe siècle. Actif à Paris en 1748. Français.
Sculpteur.

FARGEAU Raymond. Voir aussi **NORBLIN Eugène**

FARGELL F.
XVIIIe siècle.
Aquafortiste.
On mentionne de lui une planche signée et datée de 1766 représentant *Trois soldats portant un cadavre au bûcher.*

FARGEOT Ferdinand
Né le 17 septembre 1880 à Lyon (Rhône). Mort en 1957. XXe siècle. Français.
Peintre de genre, de paysages, pastelliste, illustrateur.
Il fut élève de l'École des Arts Décoratifs de Paris, où il exposa au Salon des Artistes Français, dont il devint sociétaire et hors-concours. Il a également figuré au Salon d'Automne et dans de nombreuses expositions collectives à l'étranger. Il a illustré des romans de Paul de Kock et réalisé un panneau décoratif pour le paquebot *Île-de-France*. Il fut chargé de mission aux armées en 1914-1918. Il fut fait chevalier de la Légion d'Honneur.
VENTES PUBLIQUES : PARIS, 20 jan. 1988 : *Fillette au fauteuil*, past. (25,5x24) : **FRF 5 200** – PARIS, 14 mars 1994 : *La lecture*, past. (37x26) : **FRF 4 200** – PARIS, 21 mars 1994 : *Crinoline et haut-de-forme* 1920, h/t (60x60) : **FRF 6 000**.

FARGIS Alexandre
Né au XIXe siècle à Périgueux. XIXe siècle. Français.
Peintre d'architectures et dessinateur.
Il fut professeur de dessin au lycée de Périgueux. Le Musée de cette ville conserve de lui : *Ruines romaines*.

FARGUE. Voir aussi **LA FARGUE**

FARGUE Claire
Née en Russie. XXe siècle. Active en France. Russe.
Peintre.
Elle exposait à Paris, d'abord au Salon d'Automne de 1921, puis au Salon des Tuileries.

FARGUE Léon-Paul
Né le 4 mars 1878 à Paris. Mort en 1947 à Paris. XXe siècle. Français.
Peintre amateur.
Léon-Paul Fargue était fils d'un céramiste. Se destina-t-il sérieusement à la peinture, avant de devenir le poète de *Tancrède* et de *Pour la Musique* ? Il a confié qu'il eut au lycée « pas mal de prix de dessin ». On connaît, du temps de sa jeunesse, des peintures sensibles. Il a dit n'être « jamais arrêté par une difficulté matérielle », finissant par « se croire quelque chose », jusqu'à ce que, visitant le Salon des Artistes Indépendants, où étaient exposés « cette année-là, Cézanne, Van Gogh, Gauguin, Lautrec, Seurat », alors, il « lâcha tout ». Tout au plus a-t-il peint ou dessiné depuis « dans le sentiment désolant qu'il était trop tard ». Sa femme se fit connaître comme peintre sous le pseudonyme de Chériane. Pour le manuscrit du *Paris sentimental ou le Roman de nos vingt ans* de Paul Fort, Fargue dessina au lavis une couverture (vignette collée sur toile verte), représentant la Seine et Notre-Dame. Cette image, signée *P. F.* a été faussement attribuée à Paul Fort, par similitude des initiales.
■ D'après A. Salmon

FARHAT Amar, pour **Ammar**
Né le 5 janvier 1911 à Béjà. Mort le 21 mars 1987 à Tunis. XXe siècle. Tunisien.
Peintre de scènes typiques, figures, natures mortes. Style occidental.
Autodidacte de formation, ce fut sans doute par imitation de peintures vues ici ou là qu'il acquit un savoir-faire occidental. Empruntées peut-être à Braque, dans les visages de ses personnages on trouve des traces de « faces-profils » (contour du profil souligné dans le visage vu de face). Il exposa pour la première fois au Salon Tunisien en 1937, où il continua de figurer jusqu'en 1979. Il participa aussi aux expositions de groupe de l'École de Tunis. Sa première exposition personnelle eut lieu en 1940 à Tunis. En 1949, il fut sélectionné pour le Prix de la Jeune Peinture à Paris. En 1956-57, il voyagea en Suède. En 1981, il participa au Salon de La Marsa. En 1982 et 1983, il eut trois nouvelles expositions personnelles à Tunis, dont une au Théâtre Romain de Carthage.
Son dessin est très simplifié, il dessine surtout en cernant les contours. Il sait tempérer la couleur, avec une prédilection méditerranéenne pour les couleurs du soleil, de la chaleur, jaunes, orangés, ocres et bruns. L'économie de ses moyens peut le faire rapprocher de la simplicité rustique d'un Mathieu Verdilhan. Il campe habilement ses personnages dans les attitudes de l'action en cours. En conteur sobre, il porte un regard affectueux sur les humbles, dont il traduit la noblesse. Il peut parfois atteindre à une vision épique, voire fantastique, toutefois il peint avant tout les petits métiers de la vie quotidienne traditionnelle : portefaix, porteurs d'eau, de pain, de jarres. De façon inattendue, il traite aussi des sujets très actuels : une jeune baigneuse en maillot deux-pièces sensuellement allongée sur le sable, devant la mer où s'affairent d'autres baigneurs. Il aime peindre de belles jeunes femmes dans leurs occupations familières, se penche aussi affectueusement sur les populations noires. Les natures mortes sont rares dans son œuvre. Amar Farhat s'est essentiellement intéressé avec un humour tendre aux classes popu-

laires. Il est considéré comme un des peintres les plus importants de Tunisie. ■ J. B.

Bibliogr. : Catalogue de l'exposition : *Lumières tunisiennes*, Pavillon des Arts, Paris, 1995.

Musées : Tunis (Mus. d'Art Mod.) : *Sidi Bou Saïd* 1946.

Ventes Publiques : Paris, 21 avr. 1996 : *Préparation du poisson* 1944, h/t (73x60) : **FRF 102 000** – Paris, 9 déc. 1996 : *Musiciens*, h/pan. (41,5x35,5) : **FRF 83 000** – Paris, 17 nov. 1997 : *Les Naïades* 1948, h/t (68x49) : **FRF 40 000** – Paris, 10-11 juin 1997 : *Mariée tunisienne* 1941, h/t (62x53) : **FRF 70 000**.

FARHAT Sedigheh
Née en 1946 à Lahijan. XXe siècle. Iranienne.
Peintre.
Elle obtint le diplôme de l'École des Beaux-Arts de Téhéran en 1971 et enseigna le dessin dans un lycée de la ville. Elle vint à Paris en 1974 et s'inscrivit à l'Université de Paris I Sorbonne et obtint en 1976 une maîtrise d'esthétique. Elle suivit les cours de l'École supérieure des Beaux-Arts de Paris, et en 1979, diplômée, repartit pour l'Iran et occupa un poste d'enseignante à l'École des Beaux-Arts de Téhéran.

FARHI Jean-Claude
Né en 1940 à Paris. XXe siècle. Français.
Peintre, sculpteur. Art optique.
Après avoir voyagé en Amérique latine, en Espagne, en Algérie et dans les pays scandinaves, il se fixa à Nice, en 1958, et y fréquenta l'École des Arts Décoratifs. En 1964, avec des peintures sur le thème de la machine, il reçut le Prix de la Jeune Peinture Méditerranéenne. À Paris, il a figuré à la Biennale des Jeunes Artistes, et aux Salons : Grands et Jeunes d'Aujourd'hui en 1966, Comparaisons 1967, au groupe *L'Âge du Jazz* au Musée Galliéra 1968, Jeune Sculpture 1968, Salon de Mai 1969, etc.
À partir de 1968, il abandonna la peinture pour la sculpture, utilisant aussitôt les matériaux plastiques de couleurs, qu'il faisait adhérer entre eux, les introduisant souvent en évolution dans des assemblages d'éléments mécaniques chromés. Alors encore d'aspect baroque, exposées à Paris en 1968 sous le titre générique de *Chromplexes*, ces sculptures renvoyaient à la mythologie de la technologie et de la machine. Peu après, Farhi a réduit de plus en plus le volume extérieur de ses sculptures à des formes géométriques basiques, parallélépipèdes, cônes, troncs de cônes, cylindres, etc., réalisées en méthacrylate de méthyle, mettant en évidence à l'intérieur des assemblages de strates de couleurs différentes, les effets de transparences et les sections d'interférences. En général fabriquées en usine selon les plans précis qu'il fournissait, elles atteignent à une grande perfection technique. Ces sculptures aux volumes simples sont en fait des sculptures internes, où ce qui est proposé au regard est à l'intérieur. Après 1970, Farhi a repris un travail en deux dimensions, avec une série d'anthropométries colorées, dont il a fait un album sérigraphié. ■ J. B.

Ventes Publiques : Paris, 23 avr. 1980 : *Rayons de couleurs* 1969, bloc de Plexiglas : **FRF 2 000** – Paris, 6 juin 1985 : *Traits de lumière* 1969, cube en Plexiglas (29,5x36,5) : **FRF 8 500** – Paris, 12 fév. 1989 : *Colonne multicolore* 1979, sculpt. en Plexiglas (H 63) : **FRF 4 000** – Paris, 21 sep. 1989 : *Colonne* 1981, sculpt. : **FRF 6 500**.

FARIA
XVIIIe siècle. Portugais.
Sculpteur.
Il fut un imitateur d'Antonio Ferreira et sculpta comme lui des terres cuites.

FARIA Cavalheiro
XVIIIe siècle. Portugais.
Graveur.
Il grava d'après Raczynski un *Saint Antoine prêchant aux poissons*. Il aurait fait aussi des dessins à la plume.

FARIA Estrela
Né le 9 octobre 1910 à Evora. XXe siècle. Portugais.
Peintre, illustrateur, décorateur.
Après des premières études artistiques au Portugal, il vint à l'École des Beaux-Arts de Paris en 1939. En 1948, après la guerre, il obtint de nouveau une bourse du gouvernement portugais pour poursuivre ses études à Paris.
Il figure à de nombreuses expositions tant en France qu'au Portugal, et remporte diverses récompenses : une médaille d'or à l'Exposition internationale de 1937, et différents prix pour des vitrines.
Il a exécuté des illustrations pour des magazines portugais et brésiliens. On lui doit également des décors pour les ballets portugais *Verde Gaie*.

Musées : Lisbonne (Mus. Mun.) – Lisbonne (Mus. d'Art Contemp.).

FARIA Isodoro de
Né au XVIe siècle à Francosa. XVIe siècle. Espagnol.
Peintre.
On connaît de lui un *Saint Pierre* entouré de « délicats » enjolivements dans l'église Saint-Pierre de Francosa.

FARIA Luisa de
XVIIe siècle. Active à la fin du XVIIe siècle. Portugaise.
Peintre.
Fille de l'écrivain Emmanuel de Faria y Sousa, elle a peint le portrait de son père qui fut gravé en 1733 pour le livre *Portrait de Manoel de Faria y Sousa*.

FARIA Severino de
XVIIIe-XIXe siècles. Portugais.
Graveur.
D'après Nagler, il grava un portrait de Camoëns.

FARIA Silvestre de
Mort vers 1800. XVIIIe siècle. Portugais.
Sculpteur.
Il est probablement identique au sculpteur Silvestre de Faria Lobo qui exécuta vers 1758, avec Manoel Alves, un groupe de marbre : *Hérauts ailés sur des chevaux ailés*, dans un jardin du Château de Queluz. Il fit aussi des ornements sculptés sur bois.

FARIGOULE Antoine
Mort vers 1678 au Puy-en-Velay. XVIIe siècle. Français.
Peintre.

FARINA Achille
Né en 1804 à Faenza. Mort en 1879 à Faenza. XIXe siècle. Italien.
Peintre.
Il fut d'abord peintre d'histoire et de portraits et fit les décorations de la chapelle de l'Immaculée Conception à Faenza, puis il s'adonna à la céramique et fonda une entreprise qui occupa d'excellents artistes et dont les productions furent présentées aux expositions de Londres, Paris et Vienne.

FARINA Baldassare
XVIIe siècle. Italien.
Peintre.
Il exécuta avec M. Coda des décorations à l'église Saint-Jean-le-Majeur, à Naples, pour la *Congrégation du Crucifix*.

FARINA Fabbrizio
XVIIe siècle. Italien.
Sculpteur.
Il sculpta le porphyre et exécuta un buste du *Grand Duc Cosimo II*.

FARINA Isidoro
Né en 1857 à Naples. Mort en 1898. XIXe siècle. Italien.
Peintre de genre, marines.
Il travailla à Milan et figura, en 1885, à l'Exposition de la Brera avec trois Marines et, en 1886, avec un *Sic vos non vobis* et *Flirt* ; à Venise, en 1887, il figura avec *Un Montagnard* et *Joueurs de violon*.

Ventes Publiques : Milan, 29 mai 1986 : *Le petit mendiant et la violoniste*, h/t (80x40) : **ITL 9 000 000** – New York, 25 oct. 1989 : *L'ombrelle rouge*, h/t (93,4x62,5) : **USD 17 600**.

FARINA Pasquale
Né le 2 novembre 1864 à Naples. XIXe siècle. Actif aussi en Argentine. Italien.
Peintre.
Il étudia à l'Académie des Beaux-Arts de Naples. Puis dirigea une manufacture de céramiques et une classe de sculpture près de Naples. Comme professeur de dessin et perspective, il émigre en Argentine. En Amérique, il est membre de très nombreuses associations artistiques. Le National Museum de Buenos Aires conserve de ses œuvres.

FARINA Pietro Francesco
XVIIe siècle. Actif à la fin du XVIIe siècle. Italien.

Peintre ornemaniste.
Élève des frères Roli. Il décora le palais de Karlsruhe et plusieurs églises de Bologne.

FARINA Ubaldo, fra
XVIIIe siècle. Italien.
Moine et sculpteur.
Il exécuta à Bologne, en 1716, deux *Bustes d'Évangélistes* en terre, pour le chœur de l'église San-Giovanni-in-Monte.

FARINATI Giambattista, dit **Battista da Verona** (d'après Vasari), et par erreur **Battista Zelotti** et **Battista Fontana** (d'après d'autres)
Né en 1526 à Vérone. Mort en 1578 à Mantoue. XVIe siècle. Italien.
Peintre de fresques.
D'après les uns, il fut élève de son oncle Paolo Farinati ; d'après les autres, d'Antonio Badile. Compagnon et ami de Paul Véronèse, il collabora avec ce dernier à plusieurs œuvres très importantes dans les édifices publics de Venise et dans la Villa Soranzi à Castelfranco. Vasari le place parmi les disciples du Titien. Il se fait surtout remarquer comme peintre de fresques. Parmi ses œuvres, on voit à la cathédrale de Vicence : *La conversion de saint Paul* et *La Pêche miraculeuse* ; à Venise, les peintures du plafond de la Salle du Conseil des Dix, au Palais des Doges.
Bibliogr. : Meloncelli, K. Brugnolo : *Battista Zelotti. Catalogue raisonné*, Milan, 1992.
Musées : Bergame (Gal. Lochis) : *Sainte Famille* – Berlin (Kaiser Friedrich Mus.) : *Sainte Famille* – Dresde : *Vénus et Adonis* – Florence : *Offices* – Graz : *L'annonciation* – Rome (Gal. Borghèse) : *Le Christ en croix* – Rome (Gal. Doria Pamphili) : *Descente de croix* – Stuttgart : *Allégorie de la Richesse et de la Pauvreté* – Venise (Acad.) : *Pietà* – Vérone (Mus. Civ.) : *Portrait d'un inconnu* – Vienne (Mus. d'Art. hist.) : *Pietà* – *Portrait d'une femme et d'un enfant.*
Ventes Publiques : Londres, 4 juil. 1924 : *Marc Antonio Barbaro* : **GBP 25** – Londres, 11 déc 1979 : *Étude de femme assise*, craie noire, pl. et lav. reh. de blanc (23,5x13,7) : **GBP 1 100**.

FARINATI Giovanni Battista I ou **Farinato**
XVIe siècle. Actif à Vérone. Italien.
Peintre.
Cité en 1529.

FARINATI Giovanni Battista II ou **Farinato**
Né en 1570. Mort après 1605. XVIe siècle. Actif à Vérone. Italien.
Peintre.
Il était le fils et fut probablement l'élève de Paolo Farinati.

FARINATI Orazio ou **Farinato**
Né en 1559. Mort après 1616. XVIe-XVIIe siècles. Actif à Vérone. Italien.
Peintre d'histoire et graveur.
Fils et disciple de Paolo Farinati, cet artiste donnait de grandes espérances et avait même fourni les preuves d'une habileté peu commune lorsqu'il mourut. Saint Paul de Vérone possède de lui : *La descente de croix* (copie d'une œuvre de son père) ; Santa Maria del Paradiso : *Saint Jacques*, 1607 ; Saint Étienne : *La descente du Saint-Esprit*, son chef-d'œuvre. Il grava d'après les dessins de son père quelques planches. On les confond souvent avec les œuvres de ce dernier, à cause de la similitude de leur signature.
Musées : Vérone : *Saint Barthélémy guérit un possédé.*

FARINATI Paolo ou **Farinato**
Né en 1524 à Vérone. Mort en 1606. XVIe siècle. Italien.
Peintre de sujets mythologiques, compositions religieuses, sujets allégoriques, figures, portraits, dessinateur, graveur, architecte.
Descendant de la famille florentine Farinata degli Uberti, ou Urbiti, qui avait pris une grande part à la querelle des Guelfes et des Gibelins, et fils de Giovanni Battista I ; il fut élève de Niccolo Giolfino et d'A. Badile, mais il étudia aussi les œuvres du Parmigiano, du Titien, de Giorgione, et de Giulio Romano. Il travaillait encore à 79 ans.
Ses dessins sont fort estimés. Selon Mariette, grand collectionneur de dessins, Farinati est un « praticien qui invente aisément, ses compositions sont dans le style de Paul Véronèse, mais il n'a ni la légèreté, ni les grâces dont les dessins de ce dernier sont remplis. Il mérite cependant d'avoir place dans le rang des dessinateurs ». Il peignit avec beaucoup de vérité. On remarque souvent, dans un coin de ses tableaux, un limaçon dont il avait fait sa devise. Ses tableaux sont dispersés en Italie et à l'étranger. On connaît de lui plusieurs gravures d'un style libre et hardi. D'après ses propres dessins, il exécuta : *Saint Jean* (1567), *Marie-Madeleine assise avec un livre et un crucifix, Des anges portant les instruments de la Passion, Vénus et Cupidon.*

Musées : Bergame (Carrara) : *Adoration des bergers* – Berlin : *Présentation de Jésus au temple* – Bourges : *Moïse recevant les tables de la loi* – Dresde : *Présentation de Jésus au temple* – Grenoble : *Descente de croix* – La Haye (Mauritshuis) : *Adoration des Mages* – Montauban : *Saint Jean* – Moscou (Gal. Roumiantzeff) : *Saint Jean* – Prague (Rudolphinum) : *L'expiation de Marie-Madeleine* – Rouen : *L'adoration des mages* – Saint-Pétersbourg : *Adoration des Mages* – Vérone : *Le Tombeau du Christ, gardé par deux anges* – *Le Christ montré au peuple* – deux œuvres – *Saint Barthélémy, saint Jérôme et sainte Anne* – *Trinité* – *La Vierge avec des saints et les donateurs* – *Le mariage de sainte Catherine* – *L'adoration des mages* – Vienne : *Saint Sébastien* – *Saint Jean Baptiste* – *Adam et Ève après leur expulsion du Paradis* – *Lucrèce se donnant la mort* – *Hercule et Déjanire* – *Vénus et Adonis* – *Mariage mystique de sainte Catherine* – *La résurrection du Christ* – *Le sacrement de David* – *Le corps du Christ.*
Ventes Publiques : Paris, 22 déc. 1923 : *Marie-Madeleine*, pl. et sépia : **FRF 370** – Londres, 28 nov. 1945 : *Homme à cheval*, dess. : **GBP 44** – Londres, 16 oct. 1946 : *Martyre de saint*, dess. : **GBP 50** – Londres, 15 avr. 1980 : *L'Adoration des bergers* 1589, pl. et lav. reh. de blanc/pap. gris (41,8x34,3) : **GBP 1 200** – Londres, 25 mars 1982 : *Guerrier debout (Mars ?)*, encre et lav. reh. (29,3x13,4) : **GBP 1 250** – New York, 16 jan. 1985 : *Athena et esquisse d'une niche*, lav. bleu reh. de blanc et pl. (21,1x20) : **USD 2 500** – Milan, 21 avr. 1986 : *Saint Jérôme*, h/t (97x69) : **ITL 3 500 000** – Monte-Carlo, 20 juin 1987 : *Le triomphe de Galatée*, pl., encre brune et lav. reh. de blanc/pap. lavé ocre (41,5x28,7) : **FRF 170 000** – Milan, 27 mars 1990 : *Le Christ soutenu par Saint Jean Baptiste et Saint François à sa descente de croix*, h./pierre de touche (58x29) : **ITL 12 000 000** – New York, 8 jan. 1991 : *Le Christ mort soutenu par des putti*, encre et lav. avec reh. de blanc (42,5x35,5) : **USD 72 600** – New York, 11 jan. 1991 : *La forge de Vulcain*, h/cuivre (33x44,1) : **USD 121 000** – Londres, 23 avr. 1993 : *Portrait de l'artiste*, h/pan. (20,3x14,6) : **GBP 9 200** – New York, 10 jan. 1995 : *Le jugement de Pâris*, encre et lav. avec reh. de blanc (40,7x27,9) : **USD 7 762** – Londres, 3 juil. 1996 : *Allégorie de l'Amour*, encre et lav./pap. bleu (16x26) : **GBP 6 325**.

FARINATI Vittoria ou **Farinato**
Née en 1565. XVIe siècle. Active à Vérone. Italienne.
Peintre.
Fille de Paolo Farinati, elle fut probablement son élève. Elle travailla surtout comme copiste.

FARINELLO S. di
XVIIe siècle.
Peintre.
Ce peintre n'est connu que par trois tableaux : *Jupiter et Semélé, Bacchante dansant, Bacchante au repos*, qui parurent dans une vente aux enchères à Berlin en 1913. Peut-être est-il identique à un peintre, Foi di Farinello, dont quelques sujets mythologiques furent mentionnés dans les anciennes collections des châteaux de Sagan et Hohenzollern-Hechingen.

FARINGTON George
Né en 1752 à Warrington. Mort en 1788 à Moorshedabad. XVIIIe siècle. Britannique.
Peintre d'histoire, portraits.
Fils du recteur de sa ville natale, il travailla avec West et obtint en 1780 une médaille d'or à la Royal Academy pour sa toile de *Macbeth*. Farington se rendit ensuite aux Indes Occidentales, où il mourut prématurément.
Ventes Publiques : Londres, 18 nov. 1987 : *Portrait de Richard Atherton Farington, frère de l'artiste*, h/t (73x61,5) : **GBP 4 500**.

FARINGTON Joseph
Né en 1747 à Leigh. Mort le 30 décembre 1821 près de Manchester. XVIIIe-XIXe siècles. Britannique.
Peintre de paysages animés, paysages, aquarelliste, dessinateur.
Frère aîné de George Farington ; il fut l'élève de Richard Wilson et fut élu en 1785 membre de la Royal Academy, où il exposa de 1778 à 1813 et où il eut beaucoup d'influence. En 1794, il publia soixante-seize vues de la Tamise. Ses œuvres ont été gravées par Byrne, Pouncey, Medland et autres.

Musées : Londres (Victoria and Albert Mus.) : *Lac et montagnes - Le vieux manoir - Paysage - Paysans coupant du bois - Le Lady Oak, Shropshire* - Londres (British Mus.) : *Paysage avec cavaliers - L'Hôtel de Ville de King's Lynn.*
Ventes Publiques : Londres, 30 nov. 1923 : *Une vue dans les Highlands*, dess. : **GBP 8** ; *Paysage gallois*, dess. : **GBP 11** - Paris, 6 déc. 1924 : *Vue du pont de Londres ; Vue du pont de Westminster*, deux pendants : **FRF 3 800** - Londres, 7 déc. 1925 : *Saint Paul vu du pont de Blackfriars*, dess. : **GBP 15** - Londres, 5 mars 1926 : *Londres et la Tamise*, dess. : **GBP 4** - Londres, 15 avr. 1929 : *Vue d'Oxford* : **GBP 29** - Londres, 16 mars 1934 : *A Bewdley*, dess. : **GBP 7** - Londres, 20 juil. 1934 : *Château de Carnavon* : **GBP 18** - Londres, 10 juin 1936 : *La partie supérieure du loch Gair*, aquar. : **GBP 5** - Londres, 11 juil. 1938 : *Londres*, dess. : **GBP 10** - Londres, 10 mai 1939 : *Une vue dans le Cumberland* : **GBP 8** - Londres, 25 mai 1939 : *Bridgnorth* : **GBP 50** - Londres, 24 juin 1960 : *Vue d'une inondation à Valenciennes*, aquar. : **GBP 231** - Londres, 24 nov. 1972 : *Le château de Caernarvon* : **GNS 800** - Londres, 31 mars 1976 : *Vue de Lancaster*, h/t (47x63) : **GBP 260** - Londres, 25 sep. 1980 : *Basildon church and Friary Mount* 1792, cr. et lav./pap. (21x30,5) : **GBP 450** - Londres, 21 nov. 1984 : *View of Blenheim Palace from across the lake* 1792, pl. et lav./trait de cr. (31x47,5) : **GBP 800** - Londres, 17 juil. 1987 : *Roslyn Castle*, h/t (102,3x128,3) : **GBP 6 000** - Londres, 28 fév. 1990 : *La chapelle de Malvern*, h/t (39x50) : **GBP 2 750** - Londres, 20 avr. 1990 : *Vaste paysage italien rocheux avec les ruines d'un château près d'une cascade et des personnages au premier plan*, h/t (96,5x122) : **GBP 8 800** - Londres, 31 oct. 1990 : *Paysage avec le château de Lincoln et la tour de Lucy depuis l'ouest*, h/t (60,5x72) : **GBP 5 940**.

FARINOS Carmelo
Né au XIXe siècle à Valence. XIXe siècle. Espagnol.
Sculpteur.
On cite de lui : *Buste d'esclave, Une gitane, La surprise.*

FARINOS Y TORTOSA Felipe
Né en 1826 à Valence. Mort en 1888 à Valence. XIXe siècle. Espagnol.
Sculpteur.
Élève de l'Académie de San Carlos de Valence et du sculpteur Antonio Marzo. Il travailla pour la cathédrale de Valence et pour les églises de Hellin et d'Orihuela en Murcie.

FARIS Benjamin H.
Né le 21 juillet 1862 à Cincinnati. XIXe siècle. Américain.
Peintre.
Il fut élève de la Cincinnati Academy et membre du Cincinnati Art Club.

FARIUS Johannes de. Voir **FARCAS**

FARJAS Jean-Claude
Né le 31 mai 1924 à Paris. XXe siècle. Français.
Peintre de paysages animés. Tendance fantastique.
Il fit des études supérieures d'ethnologie et d'anthropologie à la Faculté des Sciences de Paris. Il est ensuite engagé volontaire dans la 1re Armée française en septembre 1944. Après la Libération, il débuta une carrière de journaliste à *Arts-Spectacles, Paris-Match, Paris-Presse*, puis fut producteur d'émissions-radio à l'Office de Radio et Télévision Française (ORTF). En 1961, il devint responsable de l'Information et directeur du Centre de Presse du Gouvernement Monégasque. Il avait commencé à peindre en 1957, mais ne s'y consacra totalement qu'à partir des années soixante-dix, s'étant décidé à quitter ses occupations antérieures. En 1996, il a été fait chevalier de la Légion d'honneur.
Il participe à de nombreuses expositions collectives, notamment à Paris où il est sociétaire des Salons des Artistes Français, de la Société Nationale des Beaux-Arts, et d'Automne dont il est membre du Conseil d'administration et secrétaire général depuis 1990.
Il montre aussi ses peintures dans des expositions personnelles, depuis la première à Paris en 1961, nombreuses ensuite en province, dont, par exemple, en 1997 au Musée de la Marine de Seine de Caudebec-en-Caux, ainsi qu'à Bruxelles, Amsterdam, Tokyo, etc. Le Salon d'Automne lui a consacré un hommage en 1990.
Farjas, bon technicien, exécute une peinture fine, précise, à la croisée des chemins figuratif, surréaliste et naïf. Il peint surtout des paysages animés. Il affectionne les petits formats. Relativement classiques à ses débuts, ses peintures évoluent dans le sens d'un onirisme d'inspiration très personnelle : des paysages imaginaires et colorés, souvent entrecoupés de crêtes et de falaises, dans lesquels sont éparpillés quantité d'animaux familiers ou exotiques. ■ C. D.

FARJAT Benoît
Né en 1646 à Lyon. Mort au début du XVIIIe siècle. XVIIe siècle. Actif en Italie. Français.
Graveur au burin.
Élève de Guill. Château, il suivit son maître en Italie où il se fixa et épousa la fille du paysagiste G.-Fr. Grimaldi, dit le Bolognèse. Il a gravé des sujets religieux ou mythologiques et des portraits, d'après les Carrache, l'Albane, P. de Cortone, et autres maîtres italiens, et des frontispices pour thèses. Ses principales pièces sont *La Communion de saint Jérôme* (d'après D. Zampieri), *Le mariage de sainte Catherine, Portrait du cardinal Cibo*, d'après C. Maratta, 1688.

FARJAT Severino de
XIXe siècle. Actif au début du XIXe siècle. Portugais.
Graveur au burin.
Le Blanc cite de lui : *Le Portrait de Camoëns.*

FARJEON Elliott Emmanuel
Né à New York. XIXe-XXe siècles. Américain.
Peintre de portraits.
Il fit ses études artistiques à New York et à Paris avec Bouguereau et Bonnat et fut membre de la Pittsburgh Art Association.

FARJON Eugène
Né à Ambert (Puy-de-Dôme). XXe siècle. Français.
Sculpteur.
Exposant du Salon des Artistes Français.

FARJON Jean François
Né au XIXe siècle à Naples, de parents français. XIXe siècle. Français.
Peintre.
De 1864 à 1880, il envoya des paysages au Salon de Paris. On cite de lui : *Effet de soleil couchant après la pluie ; Verger en Normandie ; Chemin creux dans les Trembleaux ; Intérieur de forêt ; Le retour du berger ; Soleil couchant dans la forêt de Fontainebleau.*

FARKAS Aladar
Né en 1909. XXe siècle. Hongrois.
Sculpteur de monuments, figures.
Il fut élève de l'École de Dessin Technique, probablement de Budapest. De 1937 à 1939, il travailla à Paris. De retour en Hongrie, en 1940, il fut membre de la Direction des artistes socialistes. Une exposition rétrospective eut lieu au Musée Ernst en 1960. Il obtint le prix Munkacsy.
Il a sculpté des monuments commémoratifs et des œuvres consacrées aux guerres coréenne et vietnamienne.
Bibliogr. : In : *Hongrie 68*, Pannonia, Budapest, 1968.

FARKAS Étienne ou **Istvan**
Né en 1887 à Budapest. Mort en 1944. XXe siècle. Actif aussi en France. Hongrois.
Peintre, illustrateur.
Cet artiste de grande classe ne put accomplir tout son destin, il fut assassiné par les nazis au cours de la Seconde Guerre mondiale. Il a vécu longtemps à Paris, où il exposa au Salon des Tuileries. Il était étroitement mêlé aux milieux littéraires. Il a composé une suite de gouaches (éditées) accompagnées de proses lyriques d'un des préfaciers, le poète André Salmon.
On distingue deux périodes dans son œuvre : la première période, que l'on peut dire parisienne, qui date de son séjour à Paris, de 1925 à 1932, dans laquelle on discerne l'influence du cubisme ; la seconde, influencée par Vaszary, dans laquelle il peignit des compositions à personnages, d'un profond sentiment tragique.
Bibliogr. : Lajos Nemeth : *Moderne ungarische Kunst*, Corvina, Budapest, 1969.
Ventes Publiques : Londres, 3 juil. 1987 : *Sur la terrasse, Pimeno* 1935, aquar. et cr. (29x25,5) : **GBP 450**.

FARKAS Istvan
XVIIIe siècle. Hongrois.
Graveur.
Il grava le frontispice de *M. T. Ciceronis Epistolarum..., Debrecini* 1767.

FARKAS Jozsef ou **de Frakasfalva**
XIXe-XXe siècles. Hongrois.
Peintre de portraits, graveur, illustrateur.

Il travailla d'abord à Pest, puis à Presbourg. On connaît de lui un portrait de l'écrivain *Janos Nagy-Vathy*, un portrait de *Mihaly Kenderessy*, *Le Génie*, gravure-frontispice, et autres illustrations pour des œuvres religieuses.
Ventes Publiques : Paris, 30 jan. 1995 : *Femme au chapeau fleuri* 1932, h/t (81x54) : **FRF 25 000**.

FARKASHAZY Nicolas
Né à Budapest. XXe siècle. Hongrois.
Peintre.
Il exposa à Paris au Salon des Indépendants en 1932.

FARKHONDEH Reza
XXe siècle.
Peintre. Tendance hyperréaliste.
Elle a participé en 1994 à la FIAC (Foire Internationale d'Art Contemporain) à Paris. Elle montre ses œuvres dans des expositions personnelles à Paris, notamment en 1995, galerie Philippe Rizzo.
Elle s'est attachée à représenter avec minutie des jouets pour enfants, clowns, camions, aux couleurs vives.

FARL Hermann
XVIIe siècle. Allemand.
Sculpteur sur bois.
Il est mentionné dans les documents de la Gilde comme ayant travaillé à Rheine en Westphalie, de 1656 à 1669.

FARLEIGH John
Né le 16 juin 1900. XXe siècle. Britannique.
Peintre, graveur, aquarelliste.
Il étudia à la Central School of Arts and Crafts. Il exposa au *London Group*, et fut membre associé de la Royal Society of Painters.

FARLET Georges
Né le 10 février 1860 à Paris. XIXe siècle. Français.
Graveur sur bois.
Sociétaire des Artistes Français depuis 1884. Mention honorable en 1886.

FARLEY Richard Blossom
Né le 24 octobre 1875 à Poultney (États-Unis). XXe siècle. Américain.
Peintre de portraits.
Il fut élève de Whistler, Chase et Cecilia Beaux. Il obtint une bourse de voyage en 1889. L'année précédente lui fut décerné le prix Charles Toppen. Il résida à Trenton.
Ventes Publiques : New York, 22 sep. 1987 : *Bord de mer* 1928, h/t (45x49,5) : **USD 3 000**.

FARLINGER James Schackleton
Né le 8 juillet 1881 à Buffalo (État de New York). XXe siècle. Américain.
Peintre.

FARLOW Harry
Né le 11 avril 1882 à Chicago (Illinois). XXe siècle. Américain.
Peintre de portraits.
Élève de Duvench, Benson et Tarbell, membre du Salmagundi Club.
Ventes Publiques : Bolton, 20 nov. 1984 : *Portrait of a lady*, h/t (153x71,2) : **USD 2 200**.

FARMBERGER Georg
XIXe siècle. Autrichien.
Peintre sur porcelaine.
Il était peintre de fleurs à la Manufacture de porcelaine de Vienne vers 1822.

FARMER Alexandre, Mrs
XIXe siècle. Britannique.
Peintre de genre.
Elle travailla à Porchester, Hampshire. Exposa à la Royal Academy et à d'autres expositions entre 1855-1867.
Musées : Londres (British Art) : *Heure d'anxiété – Chacun sait où le bât le blesse.*

FARMER Brigitta Moran
Née à Lyons (New York). XXe siècle. Américaine.
Miniaturiste.
Élève de l'Université de Syracuse et, à Paris, de l'Académie de la Grande Chaumière. Membre de l'American Federation of Arts.

FARMER Emily
Née vers 1826. Morte le 8 mai 1905 à Porchester. XIXe siècle. Britannique.
Peintre de genre, aquarelliste, miniaturiste.
Fille de John Biker Farmer. En 1847 elle exposa à la Royal Academy et en 1854 elle fut élue membre du Royal Institute. De 1854 à 1905, elle exposa régulièrement au Royal Institute.
Musées : Londres (Victoria and Albert Mus.) : *Déjeuner de Kitty.*
Ventes Publiques : Paris, 2 nov. 1992 : *Jeune danseuse*, h/t (55x38) : **FRF 12 000** – Londres, 8-9 juin 1993 : *Cueillette de fleurs dans le jardin*, aquar. (26,5x18) : **GBP 2 070**.

FARMER John
Né en Australie. XIXe-XXe siècles. Australien.
Peintre.
Il exposa ses œuvres, à Paris, au Salon des Artistes Français à partir de 1924.
Ventes Publiques : New York, 19 juil. 1990 : *La dame en rose devant son miroir* 1934, h/t (33,7x41,3) : **USD 2 200**.

FARMILOE Edith, née **Parnell**
XIXe siècle. Active à Londres. Britannique.
Dessinatrice.
Femme d'un pasteur dans un quartier pauvre de Londres, elle observa les enfants livrés à eux-mêmes dans la rue et en fit le sujet de ses esquisses. Celles-ci parurent dans *Little Folks* en novembre 1895. Pour le *Child's Pictorial*, elle écrivit quelques impressions d'un voyage en France et les illustra. On cite d'elle aussi quelques livres pour enfants, comme *Tag, Ragand Bobtail* et *All the world over.*

FARN J.
XVIIIe siècle. Actif à Newington Butts (Surrey). Britannique.
Graveur et peintre.
Il exécuta pour l'*European Magazine* des portraits gravés à la manière noire, dont celui du politicien, *W. Burton Conyngham*, d'après G. Stuart ; de l'actrice *Mrs Susanna Maria Cibber*, d'après J. Giles Eccardt ; de l'écrivain *Sir Herbert Croft* ; du botaniste *Th. Martyn* et de l'ecclésiastique *J. Towers*, ces derniers d'après S. Drummond.

FARNBOROUGH Amelia ou **Long**, née **Hume**, baroness
Née en 1762 à Wormley. Morte en 1837 à Bromley Hill. XVIIIe-XIXe siècles. Britannique.
Aquarelliste.
Amateur très habile, elle exposa un grand nombre d'œuvres à la Royal Academy.
Musées : Hanovre : *Paysage près de Bromley Hill* – Londres (British Mus.) : Même sujet.

FARNDON Walter
Né le 13 mars 1876 en Angleterre. Mort en 1964. XXe siècle. Britannique.
Peintre, dessinateur.
Venu jeune en Amérique, il fut élève de la National Academy of Design à New York.

Ventes Publiques : New York, 21 nov. 1945 : *Plage de Port Washington* : **USD 120** – New York, 21 avr. 1977 : *Paysage au phare*, h/t (76,2x91,5) : **USD 2 000** – New York, 30 sep. 1988 : *Une anse tranquille*, h/t (66x81,5) : **USD 3 850** – New York, 15 mai 1991 : *Maison près d'un pont de pierre en hiver*, h/cart. (50,8x61) : **USD 2 090** – New York, 28 nov. 1995 : *Près du port*, h/t (76,2x92,1) : **USD 6 612** – New York, 7 oct. 1997 : *Village sur les falaises*, h./masonite (45,7x35,5) : **USD 16 100**.

FARNERIUS. Voir **FURNERIUS**

FARNET Claude
Originaire de Salins dans le Jura. XVe siècle. Français.
Peintre.
En 1489 il travaillait chez Jean Changenet, à Avignon.

FARNETI Stefano
Né en 1855 à Pise. XIXe siècle. Actif à Naples. Italien.
Peintre.
Associé au Salon de la Nationale des Beaux-Arts. Prit part, en 1900, au concours Alinari avec son tableau : *Mère avec son enfant.*

FARNETZ I.
Peintre de paysages.
Cité par miss Florence Levy.
Ventes Publiques : New York, 23 jan. 1903 : *Sur la rivière* : **USD 225**.

FARNHAM Sally James

Née en 1876. Morte en 1943. xxe siècle. Américaine.

Sculpteur de figures, animalier.

Elle est autodidacte de formation pour la sculpture, tout en ayant reçu les conseils de Frédéric Remington, le peintre et sculpteur animalier de l'Ouest américain.

Elle est aussi bien connue pour ses portraits, voire portraits équestres, que pour ses sculptures d'animaux.

Bibliogr. : P.J. Broder, in : *Les Bronzes de l'Ouest américain*, New York, 1974.

Ventes Publiques : New York, 29 sep. 1977 : *Mounted policeman*, bronze patiné (H. 30) : **USD 1 200** – New York, 24 avr. 1981 : *The feather dance*, bronze (H. 33,3) : **USD 1 900** – New York, 1er oct. 1987 : *Nymphe*, bronze patine vert foncé (H. 35,3) : **USD 1 200** – New York, 12 mars 1992 : *Deux éléphants*, bronze (H. 19,7) : **USD 2 860** – New York, 28 mai 1992 : *Will Rogers sur son cheval*, bronze (H. 54,6) : **USD 13 200** – New York, 12 sep. 1994 : *Police montée*, bronze (H. 30,5) : **USD 2 300**.

FARNSWORTH Jerry

Né le 31 décembre 1895 à Dalton. xxe siècle. Américain.

Peintre.

Des œuvres de cet artiste sont conservées au Delgado Museum et à la Pennsylvania Academy of Fine Arts.

Ventes Publiques : Bolton, 26 nov. 1985 : *Portrait de jeune fille*, h/t (94x76,2) : **USD 1 600** – New York, 31 mai 1990 : *Un duo*, h/t (96,5x71,1) : **USD 660** – New York, 26 sep. 1990 : *Le chapeau printanier*, h/t (50,8x41,9) : **USD 5 500** – New York, 17 déc. 1990 : *Une enfant pensive* 1944, h/t (61x50,8) : **USD 1 650** – New York, 12 sep. 1994 : *Duo*, h/t (97,2x71,8) : **USD 1 380**.

FARNUM Suzanne

Née le 29 mai 1898 à Maeseych (Belgique). xxe siècle. Belge.

Sculpteur.

Elle a signé des bustes, surtout en Belgique, notamment celui de la princesse Joséphine-Charlotte et les fonts baptismaux pour une église du Connecticut. Elle obtient le prix des Beaux-Arts en 1927, puis le prix de l'Académie de Rome en 1928.

FARNY Émilienne

Née en 1938 à Neuchâtel. xxe siècle. Depuis 1964 active en France. Suissesse.

Peintre de paysages urbains animés.

Elle a montré un ensemble de ses peintures au Centre culturel suisse de Paris en 1992.

Travaillant à Paris, elle dépeint les rues, avec leurs palissades d'affiches publicitaires, les chantiers de travaux, avec leurs grandes grues qui se découpent sur le ciel, dans une technique très précisément dessinée à la règle, aux couleurs méticuleusement appliquées. Les passants se dissimulent derrière des lunettes noires ou bien ne se montrent que de dos. Tout est net et glacé. Ce serait une peinture de constat, si la réalité était telle.

FARNY Henry F.

Né en 1847 à Ribeauvillé (Haut-Rhin). Mort en 1916. xixe-xxe siècles. Américain.

Peintre de compositions animées, scènes de genre, portraits, aquarelliste, peintre à la gouache, illustrateur.

A étudié à Munich. Sa famille française émigra et s'installa dans l'ouest de la Pennsylvanie. La mère de l'artiste soignait souvent des membres d'une tribu Onandaigua voisine qui fascinait l'enfant. Plus tard, installé à Cincinnati il conservera cet intérêt pour la culture indienne et peignit souvent des Indiens de l'Amérique du Nord.

Médaille de bronze à l'Exposition Universelle de Paris en 1889, il fut membre du Jury de l'Exposition de Chicago en 1893.

De 1865 à 1893, il réalisa un grand nombre d'illustrations pour Harper's Weekly et d'autres périodiques. À partir de 1893 il peindra davantage huiles et gouaches et progressivement, gagnant en notoriété, s'y consacrera complètement.

FARNY 1900

H F Farny

Musées : Cincinnati : *Apaches renégats* – *L'hôte silencieux* – Oklahoma City (Nat. Cowboy Hall of Fame and Western Heritage Center) : *L'aube d'un jour nouveau* 1907.

Ventes Publiques : Paris, 11-13 juin 1923 : *Tête de jeune péruvienne*, aquar. : **FRF 160** – New York, 19 et 20 jan. 1945 : *Antre de serpents à sonnettes*, aquar. : **USD 2 300** – New York, 24 oct. 1968 : *Un Indien, un fusil à la main*, aquar. et gche : **USD 8 250** – New York, 22 oct. 1969 : *Village indien*, gche : **USD 10 000** – New York, 27 oct. 1971 : *Indiens à cheval dans un paysage de neige* : **USD 34 000** – New York, 19 oct. 1972 : *Indien dans un paysage de neige*, gche : **USD 31 000** – New York, 21 avr. 1977 : *In luck* 1913, gche/pap. (25x20,3) : **USD 28 000** – New York, 21 avr. 1978 : *Indiens à cheval traversant une montagne enneigée* 1907, h/t (71,8x46,4) : **USD 195 000** – New York, 25 avr. 1980 : *Camp indien*, pl. sur pap. mar./cart. (12,7x22,8) : **USD 7 000** – New York, 29 jan. 1981 : *The Drowsy Member from Tennessee*, pl. reh. de blanc/pap. (19x30,5) : **USD 4 750** – New York, 8 déc. 1983 : *Good bye*, pl. (24,1x36,2) : **USD 5 000** ; *On the move* 1901, gche/pap. monté/cart. (29,9x46,4) : **USD 200 000** – New York, 8 déc. 1984 : *After the hunt* 1904, h/t mar./cart. (35x17,8) : **USD 70 000** – San Francisco, 28 fév. 1985 : *Indian with his family* 1908, gche/pap. (36x25,5) : **USD 90 000** – New York, 29 mai 1986 : *Portrait of a brave* 1895, gche/pap. mar./cart. (24,8x17,8) : **USD 38 000** – New York, 25 avr. 1988 : *Troupeau de bisons paissant au crépuscule* 1913, gche/pap. (11,6x42) : **USD 28 600** – New York, 24 mai 1989 : *La montagne d'obsidienne dans la région de Yellowstone* 1897, gche/pap. (59x43,7) : **USD 203 500** – New York, 31 mai 1990 : *Portrait d'homme* 1907, h/t/cart. (22,8x15,5) : **USD 4 950** – New York, 6 déc. 1991 : *Campement indien* 1892, gche/pap. (21,5x36,2) : **USD 148 500** – New York, 27 mai 1992 : *Campement indien au clair de lune* 1911, gche/pap. dess. (24,8x15,9) : **USD 55 000** – New York, 28 mai 1992 : *Caravane franchissant un col enneigé* 1910, h/t (41x61) : **USD 165 000** – New York, 3 déc. 1992 : *Le sioux Ukchekehaskan Minneconjue*, aquar./cart. (24,1x15,9) : **USD 16 500** – New York, 27 mai 1993 : *Guerrier indien avec une carabine*, encre/pap. (38,7x23,5) : **USD 14 950** – New York, 2 déc. 1993 : *Badinage* 1890, gche/pap. (22,9x15,2) : **USD 57 500** – New York, 23 mai 1996 : *La peinture des poteries* 1880, gche/pap. (34,9x51,1) : **USD 123 500** – New York, 26 sep. 1996 : *Après la chasse* 1906, gche/pan. (26,7x19,7) : **USD 51 750** – New York, 5 juin 1997 : *Danger* 1902, h/t (56,5x101,6) : **USD 629 500**.

FAROCHON Jean Baptiste Eugène

Né le 10 mars 1812 à Paris. Mort le 1er juillet 1871 à Paris. xixe siècle. Français.

Sculpteur et graveur en médailles.

Farochon est surtout connu comme graveur en médailles, branche artistique pour laquelle il obtint le prix de Rome en 1835. Mais il eut aussi une certaine valeur comme statuaire. On lui doit des statues au Palais de Justice de Châlons-sur-Marne, le *Saint Jean-Baptiste* de l'église Saint-Vincent-de-Paul à Paris et un grand nombre de bustes d'hommes célèbres.

Musées : Louvre : *Buste de J.-B. Rousseau*, marbre – *Vue du Vatican*, aquar. – *Ingres*, bronze, médaillon – *Corot*, bronze, médaillon.

FAROUX Charles

Né le 24 ou 25 décembre 1861 à Compiègne (Oise). Mort le 22 mai 1946 à Magny-en-Vexin (Yvelines). xixe-xxe siècles. Français.

Peintre de paysages animés, paysages urbains, dessinateur, aquarelliste, pastelliste. Postimpressionniste.

Il était d'une très ancienne famille compiégnoise. Il exerça, comme son père, la profession de cordier. Lors de son service militaire, entre 1881 et 1886, il rencontra Jean-François Millet à Paris, et Eugène Boudin à Eu ou plus exactement sur la plage du Tréport. Retourné à Paris en 1897, il y connut Luc-Olivier Merson et collabora avec lui à l'exécution des décors de théâtre de l'Opéra-Comique. Revenu se fixer à Pontoise en 1899, peignant dans les environs d'Auvers-sur-Oise, il y rencontra Harpignies. Avec le docteur Gachet, il fut membre de la *Société Française Artistique*. Entre les deux guerres mondiales, il a exposé à Paris, au Salon des Artistes Indépendants. À partir de 1942, il se fixa à Magny-en-Vexin. Il ne quitta l'Île-de-France que pour un voyage dans le Dauphiné. En 1975-1976, le Musée Vivenel de Compiègne lui a consacré une exposition rétrospective sous le titre de *Impressions au fil de l'Oise*.

S'il a un peu œuvré à Paris, dans le Dauphiné, il a été le peintre fidèle des paysages de la vallée de l'Oise, de Noyon à Conflans, et de l'Île-de-France, avant que l'industrialisation ne les ait défigurés. Il a peint aussi bien les rives de l'Oise, avec les péniches, les barques, ses pêcheurs et ses promeneurs, que les rues et les bâtiments de l'intérieur des villes et villages qui la bordent. Dans sa technique et le sentiment qui l'anime, on retrouve mêlées les influences des romantiques de Barbizon et des impressionnistes qui souvent aussi étaient venus traiter ses motifs de prédilection.

■ J. B.

Bibliogr. : Divers : catalogue de l'exposition *Impressions au fil de l'Oise, par Charles Faroux*, Musée Vivenel, Compiègne, 1975-1976.

Musées : Beauvais – Compiègne – Grenoble.

FARQUHAR Lizzi. Voir **VIVIAN**

FARQUHARSON David

Né en 1839 ou 1840 à Perth. Mort le 12 juillet 1907 à Birnam. XIXe siècle. Britannique.

Peintre de paysages animés, paysages.

En 1879 il fut élu membre de la Royal Scottish Academy. En 1882 il vint à Londres, ensuite il s'établit à Sennem Cove, Penzance. En 1904 il exposa à la Royal Academy et en 1905 il fut élu membre de la Royal Academy.

David Farquharson

Musées : Glasgow : *Vue d'Arran de la côte d'Ayrshire – Sur le fleuve Achray* – Londres (Nat. Gal.) : *Dans le brouillard – Le Bois de Birnam* – Melbourne (Nat. Gal. of Victoria) : *Dundee vue de Harecraigs.*

Ventes Publiques : Londres, 7 déc. 1907 : *Invermark Castle* : **GBP 52** – Londres, 14 mars 1908 : *Glen Falloch* : **GBP 31** ; *Dunkeld* : **GBP 29** – Londres, 4 avr. 1908 : *Rive de la Dee* : **GBP 59** ; *Embouchure de la Moray* : **GBP 44** – Londres, 11 avr. 1908 : *La Fenaison dans les Landales* : **GBP 110** – Londres, 6 fév. 1909 : *Chemin montueux près de Castletown* : **GBP 36** ; *Matin de mai* 1903 : **GBP 39** ; *Le champ d'Orge* ; *The Pilchard Season* 1907 : **GBP 86** ; *Le Champ de haricots* : **GBP 39** ; *La Jument brune* : **GBP 60** ; *Nouvelles de la guerre* : **GBP 63** ; *Ardlui, Loch Lomond* 1901 : **GBP 148** ; *Le soir* 1906 : **GBP 115** – Londres, 10 juin 1909 : *Rapides sur la Spey* : **GBP 63** – Londres, 29 jan. 1910 : *Coucher de soleil sur les collines* 1905 : **GBP 89** – Londres, 23 avr. 1910 : *Aberdelfy* : **GBP 94** – Londres, 24 nov. 1922 : *Dans les collines vers Abenfoyle* : **GBP 53** – Londres, 27 avr. 1923 : *Berwick an Tweed* : **GBP 37** ; *Pont Grudie* : **GBP 34** – Londres, 21 déc. 1923 : *Dans les marais* : **GBP 22** – Londres, 28 jan. 1924 : *Soirée à Stirling* : **GBP 8** – Londres, 21 mars 1924 : *Château de Kilchum* : **GBP 31** – Londres, 25 avr. 1924 : *Chemin de Cornish* : **GBP 18** – Londres, 2 mai 1924 : *Au bord de la Dee* : **GBP 50** – Londres, 28 nov. 1924 : *Ombre et soleil* : **GBP 52** – Londres, 19 déc. 1924 : *Guddling* : **GBP 32** – Londres, 17 avr. 1925 : *Fenaison* : **GBP 52** – Londres, 20 avr. 1925 : *Banlieue ouest* : **GBP 23** – Londres, 28 mai 1925 : *Soir d'été* : **GBP 22** – Londres, 28 mai 1926 : *Pleine lune* : **GBP 105** – Londres, 28 et 29 juil. 1926 : *Pâturages ombreux* : **GBP 13** – Londres, 10 déc. 1926 : *Les marais de Achrais, l'hiver* : **GBP 12** ; *Le temps de la moisson à Galloway* : **GBP 22** – Londres, 11 fév. 1927 : *Eventide* : **GBP 23** – Londres, 1er et 2 juin 1927 : *Jour d'automne sur la Tummel* : **GBP 32** ; *Des Highlanders de Argyll* : **GBP 15** – Londres, 9 juil. 1928 : *Mousse de Tourbe à Galloway* : **GBP 57** – Londres, 26 oct. 1928 : *Jour de moisson* ; *Sur la rive d'Allanwater*, ensemble : **GBP 35** – Édimbourg, 27 oct. 1928 : *Bord de la rivière* : **GBP 18** – Londres, 3 déc. 1928 : *Pâturages fleuris* : **GBP 15** – Édimbourg, 15 déc. 1928 : *Matin d'hiver* : **GBP 12** – Édimbourg, 23 mars 1929 : *Forêt de Drummond* : **GBP 15** ; *La Clyde* : **GBP 14** – Londres, 16 mai 1929 : *La queue de la jument grise* : **GBP 11** – Édimbourg, 13 juil. 1929 : *Port d'Aberdeen* : **GBP 14** – Édimbourg, 8 mars 1930 : *Dalmellington* : **GBP 18** – Édimbourg, 29 nov. 1930 : *Près de Gonda* : **GBP 5** – Édimbourg, 29 nov. 1930 : *A doonfort* : **GBP 18** – Édimbourg, 25 avr. 1931 : *Bateau de marché hollandais* : **GBP 7** ; *Automne dans le Perthshire* : **GBP 24** – Édimbourg, 5 mars 1932 : *Crique de Sennen* : **GBP 17** – Londres, 12 mars 1932 : *Ruisseau à truites des Highlands* : **GBP 11** – Édimbourg, 28 oct. 1933 : *Sur la Tummel* : **GBP 11** ; *« Wayside » en été* : **GBP 9** – Glasgow, 25 oct. 1934 : *Montagne et loch* : **GBP 20** – Londres, 8 mars 1935 : *Un triste jour d'hiver* : **GBP 43** – Londres, 26 avr. 1935 : *Bateaux de harengs* : **GBP 13** – Glasgow, 10 mai 1935 : *La rivière Un* : **GBP 14** – Londres, 6 mars 1936 : *Cap Cornouailles* : **GBP 9** ; *Lowlands écossais* : **GBP 22** ; *Clairière dans le bois de Birhan* : **GBP 23** ; *Le col de Killicronkies* : **GBP 14** ; *Près du loch* : **GBP 8** – Glasgow, 4 juin 1936 : *Jour de brise* : **GBP 16** – Édimbourg, 28 nov. 1936 : *Entrée de Gleneagles* : **GBP 6** – Londres, 11 déc. 1936 : *Brûlant de mauvaises herbes* : **GBP 6** – Londres, 12 fév. 1937 : *Newport-sur-Tay* : **GBP 14** – Glasgow, 1er oct. 1943 : *Au temps de la moisson* : **GBP 40** – Londres, 14 jan. 1944 : *Route accidentée* : **GBP 30** – Londres, 30 juin 1944 : *En route pour les lieux de pêche* : **GBP 44** – Glasgow, 4 sep. 1946 : *Champ de moisson* : **GBP 51** – Glasgow, 2 juil. 1947 : *Muirtown* : **GBP 19** ; *Hommes de rebut* : **GBP 19** – Londres, 22 mai 1973 : *Sennen Cove, Cornwall* 1897 : **GBP 650** – Glasgow, 30 nov. 1976 : *The entrance to Gleneagles* 1878, h/t (27x37,5) : **GBP 800** – Auchterarder (Écosse), 30 août 1977 : *Le retour des pêcheurs* 1901, h/t (44x75) : **GBP 720** – Glasgow, 9 avr. 1981 : *Les pêcheurs de harengs quittant Dee* 1888, h/t (55x90) : **GBP 11 000** – Glasgow, 19 avr. 1984 : *« Among the withies »* 1894-1895, h/t (86,3x138,4) : **GBP 11 000** – Auchterarder (Écosse), 1er sep. 1987 : *Gathering in the reeds* 1873-1885, h/t (53x89) : **GBP 10 000** – Édimbourg, 30 août 1988 : *Berwick sur Tweed*, h/cart. (20x35) : **GBP 2 860** – Perth, 29 août 1989 : *Travaux des champs dans le Midlothian* 1906, h/t (153x102) : **GBP 5 500** – Londres, 3 nov. 1989 : *Clair de lune sur une marée de printemps* 1904, h/t (165x244) : **GBP 8 800** – Glasgow, 6 fév. 1990 : *Champ de fèves*, h/t (82x136) : **GBP 8 800** – Perth, 27 août 1990 : *Le Ratissage des champs* 1883, h/t (31x51) : **GBP 4 400** – Paris, 16 nov. 1990 : *Paysage de neige*, h/pan. (20,5x31,5) : **FRF 10 000** – Glasgow, 22 nov. 1990 : *Brise du matin à Dordrecht* 1889, h/t (101,6x182,8) : **GBP 9 900** – South Queensferry (Écosse), 23 avr. 1991 : *Hoddum Castle sur la rivière Annan* 1889, h/t (41x61) : **GBP 2 640** – Londres, 14 juin 1991 : *La Seine vue de Saint-Cloud* 1883, aquar. (21,6x33,7) : **GBP 495** – Perth, 26 août 1991 : *Dans la région de Glenlyon* 1881, h/t (61x97) : **GBP 5 500** – New York, 16 juil. 1992 : *La baie de Canty au soleil levant* 1883, h/pan. (21x34,9) : **USD 2 200** – Londres, 3 fév. 1993 : *Le Casseur de pierres* 1879, h/cart. (31x20,5) : **GBP 517** – Glasgow, 1er fév. 1994 : *Soleil d'automne sur la Tweed près de Melrose*, h/t (51x76) : **GBP 4 830** – Édimbourg, 9 juin 1994 : *L'Entraînement d'après dîner* 1894, h/t (50,8x76,2) : **GBP 7 475** – Perth, 30 août 1994 : *Au pied de Ben Lomond* 1887, h/t (42x62) : **GBP 8 050** – Glasgow, 14 fév. 1995 : *Après-midi d'été près de Blaigowrie* 1878, h/t (25,5x35,5) : **GBP 4 830** – Perth, 26 août 1996 : *La Rivière Spey en octobre* 1901, h/t (46x76) : **GBP 8 625** – Londres, 5 sep. 1996 : *Troupeau paissant dans une prairie ensoleillée* 1886-1887, h/t (76,2x127) : **GBP 11 500** – Glasgow, 11 déc. 1996 : *Les Semailles* 1878, h/t (23x33,5) : **GBP 2 645** – Londres, 14 mars 1997 : *Vaches broutant dans une prairie*, h/t (74x127,3) : **GBP 19 550**.

FARQUHARSON Joseph

Né en mai 1846 à Edimbourg. Mort en 1935. XIXe-XXe siècles. Britannique.

Peintre de genre, sujets typiques, portraits, paysages.

Fit ses études à la Board of Manufacture School à Édimbourg avec Peter Graham et avec Carolus-Duran à Paris.

Il a exposé en 1859 à la Royal Scottish Academy, à la Royal Academy de 1886 à 1893 et à la Royal Institution en 1896. En 1900 il fut élu membre de la Royal Academy.

En 1877 il remporta un vif succès avec *The joyless Winter day* et fut considéré comme un peintre de la « neige et des moutons » dans les années 1880. Désireux d'échapper à cette classification, il partit pour le continent et fréquenta l'atelier de Carolus-Duran à Paris de 1880 à 1884. Il commença à peindre des compositions animées. Pendant l'hiver 1885-86 il effectua un voyage en Égypte et peignit des scènes de la vie du Caire.

Ses compositions furent comparées à celles de Frederick Goodall et du français Gérome.

J. Farquharson

Musées : Aberdeen : *Portrait de l'auteur* – Leeds : *Coucher de soleil* – Liverpool : *L'aurore* – Londres (Nat. Gal.) : *Jour d'hiver sans joie.*

Ventes Publiques : Londres, 7 déc. 1907 : *Soleil calme et doux* : **GBP 141** – Londres, 18 jan. 1908 : *Rôdeur* : **GBP 23** – Londres, 21 nov. 1908 : *Effet de neige* : **GBP 26** – Londres, 10 juin 1909 : *Hiver* : **GBP 682** – Londres, 3 juin 1910 : *La Forêt de Birse* : **GBP 81** – Londres, 12 mars 1923 : *Retour du troupeau* : **GBP 126** – Londres, 11 mai 1923 : *Vers les quartiers d'hiver* : **GBP 326** ; *A travers le brouillard et la pluie* : **GBP 230** – Londres, 20 juil. 1923 : *Nuit d'hiver* : **GBP 131** – Londres, 7 mars 1924 : *Vers la maison* : **GBP 157** – Londres, 25 avr. 1924 : *Coin de mon jardin* : **GBP 22** – Londres, 13 juin 1924 : *Loch Ailort* : **GBP 126** – Londres, 20 juin 1924 : *Bass Rock* : **GBP 31** – Londres, 19 déc. 1924 : *Pêche au saumon sur la Dee* : **GBP 68** – Londres, 27 fév. 1925 : *Au Caire* :

GBP 42 – Londres, 15 mai 1925 : *Marché égyptien* : **GBP 24** – Londres, 22 jan. 1926 : *Lever de la lune sur la mer* : **GBP 19** – Londres, 19 fév. 1926 : *Vers la maison* : **GBP 16** – Londres, 19 avr. 1926 : *Soir de printemps* : **GBP 10** – Londres, 13 déc. 1926 : *Dans les Highlands* : **GBP 16** – Londres, 11 fév. 1927 : *Un ferry sur le Nil* : **GBP 31** – Londres, 28 mars 1927 : *Soir* : **GBP 57** – Londres, 30 mars 1927 : *Paysage de côte rocheuse au clair de lune* : **GBP 12** – Londres, 13 mai 1927 : *Moutons dans la neige* : **GBP 194** – Londres, 16 mai 1927 : *Vers la maison* : **GBP 13** – Londres, 22 juin 1928 : *Moutons dans la neige* : **GBP 136** – Londres, 30 juil. 1928 : *Renard dans la neige* : **GBP 27** – Édimbourg, 20 avr. 1929 : *Tempête de neige* : **GBP 42** – Londres, 26 juil. 1929 : *Coucher de soleil dans les Highlands* : **GBP 94** – Londres, 25 avr. 1930 : *Tempête de neige* : **GBP 12** – Londres, 7 juil. 1930 : *Cours d'eau des Highlands* : **GBP 17** – Londres, 25 juil. 1930 : *Entrée d'un bain turc* : **GBP 8** – Londres, 2 mars 1932 : *La fin du bois ; Quittant les collines*, ensemble : **GBP 84** – Philadelphie, 30 et 31 mars 1932 : *Saule près d'un ruisseau* : **USD 27,50** – Londres, 12 mai 1932 : *L'heure de la prière* : **GBP 6** – Glasgow, 2 nov. 1933 : *Coup d'œil sur le loch Etion* : **GBP 22** – Londres, 17 nov. 1933 : *Dans le Glen Derry* : **GBP 7** – Londres, 2 juil. 1934 : *Iona* : **GBP 6** – Londres, 11 juil. 1934 : *Paysage d'hiver* : **GBP 35** ; *Pêche au saumon sur la Dee* : **GBP 4** – Londres, 16 déc. 1935 : *Pâturages changeants* : **GBP 39** – Londres, 14 fév. 1936 : *Le château de Thintel* : **GBP 8** – Londres, 1er mai 1936 : *Masses aveuglantes ; Dans les bois*, ensemble : **GBP 25** – Londres, 25 mai 1936 : *Loch des Highlands* : **GBP 9** – Glasgow, 4 juin 1936 : *Au Caire* : **GBP 29** – Londres, 8 mars 1937 : *Paysage d'un loch des Highlands* : **GBP 75** – Londres, 19 juil. 1937 : *Moutons* : **GBP 31** – Londres, 17 déc. 1937 : *Vers la maison* : **GBP 15** – Londres, 11 fév. 1938 : *Prêt pour la promenade à cheval* : **GBP 5** – Londres, 25 mars 1938 : *Jour d'hiver se raccourcissant* : **GBP 15** – Londres, 15 juil. 1938 : *Totaig, loch Duigh* : **GBP 39** – Londres, 2 déc. 1938 : *L'hiver vient clore l'année variée* : **GBP 50** ; *Soleil et ombre* : **GBP 71** – Londres, 18 sep. 1942 : *Quand au soir scintille le brouillard* : **GBP 52** – Londres, 25 juil. 1945 : *A travers l'air calme et glacé* : **GBP 115** – Glasgow, 5 sep. 1945 : *L'air était chargé de neige* : **GBP 80** – Londres, 21 nov. 1945 : *Quand le soir l'ouest étincelle* : **GBP 44** – Londres, 27 sep. 1946 : *Moutons dans la neige* : **GBP 65** – Londres, 7 fév. 1947 : *Jour d'hiver* : **GBP 42** – Londres, 28 juil. 1972 : *Paysage de neige* : **GNS 2 000** – Londres, 26 juil. 1974 : *Paysage d'hiver* : **GNS 2 500** – New York, 7 oct. 1977 : *Moutons dans un paysage*, h/t (92x72) : **USD 2 500** – Chester, 31 juil. 1981 : *Homeward thro' the glistening snow*, h/t (100,5x152,5) : **GBP 10 500** – Écosse, 28 août 1984 : *Evening at Finzean*, h/t (107x150) : **GBP 14 000** – Perth, 27 août 1985 : *Highland raiders* 1900, h/t (101x152) : **GBP 16 500** – Londres, 26 mars 1988 : *Coucher de soleil dans les Highlands*, h/t (66x102) : **GBP 4 180** – Édimbourg, 22 nov. 1988 : *Un coin de mon jardin*, h/t (78,8x55,2) : **GBP 10 000** – Glasgow, 7 fév. 1989 : *Un sentier enneigé*, h/t (51x76) : **GBP 37 400** – Londres, 2 juin 1989 : *Le jardin de l'artiste*, h/t (46,5x30,5) : **GBP 3 850** – Perth, 28 août 1989 : *La route de Loch Maree*, h/t (61x91,5) : **GBP 9 350** – Montréal, 30 oct. 1989 : *Paysage d'hiver* 1910, h/t (51x76) : **CAD 4 400** – Édimbourg, 22 nov. 1989 : *La transhumance* 1874, h/t (61x121,9) : **GBP 24 200** – Glasgow, 6 fév. 1990 : *Moutons dans un paysage enneigé*, h/t (51x76) : **GBP 20 900** – Perth, 27 août 1990 : *Moutons dans la neige*, h/t (50x75) : **GBP 48 400** – Glasgow, 22 nov. 1990 : *Triste journée d'hiver*, h/t (61x106,7) : **GBP 17 600** – Glasgow, 5 fév. 1991 : *Marché égyptien*, h/t (46x72) : **GBP 5 720** – Londres, 8 fév. 1991 : *Un coin de jardin*, h/t (46x30,5) : **GBP 3 850** – South Queensferry (Écosse), 23 avr. 1991 : *Un coin du jardin de Finzean*, h/t (49x35,5) : **GBP 6 050** – Édimbourg, 2 mai 1991 : *Troupeau de moutons dans un chemin creux enneigé*, h/t (48,9x43,2) : **GBP 4 400** – Perth, 26 août 1991 : *Douce lumière du soir*, h/t (40,5x30,5) : **GBP 9 900** – Perth, 1er sep. 1992 : *Le sentier enneigé*, h/t (30,5x46) : **GBP 6 160** – Londres, 13 nov. 1992 : *Jeune cerf et ramasseur de fagots dans un sentier forestier* 1900, h/t (153x111,8) : **GBP 15 400** – Édimbourg, 13 mai 1993 : *La première neige de l'hiver*, h/t (50,8x76,2) : **GBP 8 800** – New York, 26 mai 1993 : *Les parterres fleuris de chrysanthèmes*, h/t (50,8x61) : **USD 25 300** – Londres, 3 nov. 1993 : *Au Caire : les transbordeurs de l'île de Gazirie à Boulach, le port du Caire*, h/t (112x198) : **GBP 27 600** – Perth, 30 août 1994 : *Vers les quartiers d'hiver*, h/t (101,5x153,5) : **GBP 49 900** – Glasgow, 14 fév. 1995 : *Une triste journée d'hiver*, h/t (51x91,5) : **GBP 14 950** – Perth, 29 août 1995 : *Fin de journée glaciale*, h/t (51x76) : **GBP 45 500** – Londres, 29 mars 1996 : *Quand arrive le gel à la tombée du soir*, h/t (100,3x137,1) : **GBP 109 300** – Perth, 26 août 1996 : *Moutons sur un chemin enneigé*, h/t (76x101,5) : **GBP 35 600** – Édimbourg, 27 nov. 1996 : *Jours d'été, Peter Hill, Finzean, près de Banchory*, h/t (94x152,3) : **GBP 73 000** – Londres, 15 avr. 1997 : *Après-midi d'hiver à Finzean*, h/t (91,5x71) : **GBP 38 900** – Édimbourg, 15 mai 1997 : *Letterfearn on Loch Duich, Kintail*, h/t (76x101,5) : **GBP 7 475**.

FARQUIN Ernest
Né au xixe siècle au Châtelet (Seine-et-Marne). xixe siècle. Français.
Peintre.
En 1865 il exposa au Salon : *Vue du moulin de Maisons-Laffitte*, et en 1866 : *La ferme de l'île Laborde, à Maisons-Laffitte.*

FARR A. F.
xixe siècle. Allemand.
Lithographe.
Peut-être est-il le fils de Daniel Farr. On connaît de lui trois vues d'Uberlingen.

FARR Daniel
Né le 2 février 1782 à Ulm. xixe siècle. Allemand.
Lithographe.
Élève de Senefelder. Il fonda le premier institut de lithographie à Ulm et exécuta une série de portraits, dont celui du roi de Wurtemberg, du Dr. F. Palm. On cite de lui aussi une *Capitulation d'Ulm en 1805* et *Pose de la première pierre du pont Ludwig Wilhelm à Ulm en 1829.*

FARRA Mario Dal ou **Dal-Farra**
Né le 6 octobre 1937 à Thorigny-sur-Marne (Seine-et-Marne). xxe siècle. Français.
Peintre de compositions à personnages, paysages animés, paysages, fleurs. Postimpressionniste.
Il est autodidacte en peinture. Il peint de façon continue depuis 1980. Il a commencé à exposer en 1982 à Chelles. Il participe à des expositions collectives dans de nombreuses villes de province. À Paris, il expose aux Salons des Indépendants dont il est sociétaire depuis 1981, de la Société Nationale des Beaux-Arts dont il est sociétaire depuis 1987. Il montre des ensembles d'œuvres dans des expositions personnelles dans la périphérie parisienne, en 1986 et 1989 à la galerie L'Atelier à Paris, dans des villes de province où il a obtenu diverses distinctions, et à l'étranger, Barcelone, Bruxelles, etc.

FARRADESCHE Paul
Né au xixe siècle au Raincy (Seine-Saint-Denis). xixe siècle. Français.
Aquafortiste.
Élève de Charles Delaye. Sociétaire des Artistes Français depuis 1903. Figura au Salon de cette société.

FARRAR Charles Brooke
Né à Bedford. xxe siècle. Britannique.
Peintre de paysages.
Il a exposé au Salon des Indépendants de Paris en 1927 et 1928.

FARRAR Frances
Né le 25 octobre 1855 à Etmira (États-Unis). xixe siècle. Actif à Chicago. Américain.
Peintre de portraits et professeur.

FARRAR Frederica E. W.
xxe siècle. Britannique.
Miniaturiste.

FARRE Antoine
Né à Barcelone (Catalogne). xxe siècle. Espagnol.
Peintre d'intérieurs.
Il exposa à Paris au Salon des Artistes Français à partir de 1924.

FARRÉ Henry
Né le 13 juillet 1871 à Foix (Ariège). xxe siècle. Français.
Peintre de scènes de genre, paysages.
Il fut élève de Thirion, de Cormon et de Paul Sain. Depuis 1898, il fut, à Paris, sociétaire du Salon des Artistes Français. Il obtint une médaille de troisième classe en 1907. Ses œuvres les plus connues : *La Plage à Trouville – L'Après-midi d'un faune.*
Ventes Publiques : Paris, 8 juin 1931 : *Paysage aux environs de Foix* : **FRF 32** ; *Vieux Pont à Foix* : **FRF 90** – New York, 11 avr. 1981 : *Le Fokker abattu* 1916, h/t (70x99) : **USD 1 750** – Londres, 19 mars 1986 : *Nymphes dans la forêt* 1909, h/t (179,5x229) : **GBP 7 500** – Versailles, 8 juil. 1990 : *Personnages en barque sur l'étang* 1919, h/t (54x73) : **FRF 19 000**.

FARRÉ Jean
xvie siècle. Actif vers 1550. Français.

Peintre.
Il travailla avec B. Salomon au Réfectoire du Monastère des Augustins à Lyon.

FARREL Malachi. Voir **FARRELL**

FARRELL Catherine Levin
XXe siècle. Active à Philadelphie. Américaine.
Peintre et graveur.

FARRELL Francis
Mort en janvier 1785 à Dublin. XVIIIe siècle. Actif à Dublin. Irlandais.
Peintre de portraits.
J. Wilson grava d'après lui, en 1771, le *Portrait de Louisa Williams*.

FARRELL James
Né en 1821. Mort le 20 novembre 1891. XIXe siècle. Actif à Dublin. Irlandais.
Sculpteur.
Fils et élève de Terence Farrell, il s'occupa de la décoration des églises de sa patrie ; une *Annonciation* de sa main se trouve dans l'église Saint-François-Xavier à Dublin ; un *Sacré-Cœur* dans le Couvent de Sion Hill, à Blackrock ; une *Notre-Dame-du-Refuge* et un *Christ au Temple* dans l'église de Rathmines. Il figura à l'Hibernian Academy en 1846 avec deux bustes et à l'Exposition de Dublin de 1853 avec *Le chasseur au repos*. *Le Retour de la colombe favorite* reçut un prix de la Royal Irish Art Union.

FARRELL John
Né en 1829. Mort en 1901. XIXe siècle. Actif à Dublin. Irlandais.
Sculpteur.
Fils de Terence Farrell et élève de la Royal Dublin Society, il exposa à la Royal Academy à Londres et la Royal Hibernian. On cite parmi ses œuvres : *Doux sommeil de l'heureuse enfance*, *Judith*.

FARRELL Joseph
Né en 1823. Mort en 1904. XIXe siècle. Actif à Dublin. Irlandais.
Sculpteur.
Fils de Terence Farrell. Il fit de nombreux travaux pour les églises. Son œuvre, *La Sainte Vierge*, fut fréquemment reproduite. Il exposa, de 1839 à 1896, à la Royal Hibernian Academy. Parmi ses sculptures de genre, on cite : *Un barde*, *Regards vers la mer*, *Sauvé du naufrage*.

FARRELL Malachi
Né en 1970 à Dublin. XXe siècle. Actif en France. Irlandais.
Sculpteur, auteur d'assemblages, créateur d'installations.
Il fut élève de la Rijskakadelie d'Amsterdam de 1994 à 1995, de l'école des beaux-arts de Rouen de 1987 à 1992 puis de l'institut supérieur des hautes études de Paris, où il eut pour professeur Buren, en 1993.
Il participe à des expositions collectives : 1992 galerie de l'école des beaux-arts de Rouen ; 1993 centre d'art de Kerguéhennec ; 1994 musée d'art moderne de la ville à Paris ; 1994, 1995 Rijskakademie d'Amsterdam ; 1995 Le Magasin à Grenoble ; 1996 Wiener Secession de Vienne, Capc de Bordeaux ; 1997 musée du Luxembourg de Paris. Il montre ses œuvres dans des expositions personnelles : 1996 Utrecht ; 1997 Caisse des dépôts et consignations et galerie Anne de Villepoix à Paris.
Son travail s'inscrit dans une dimension sociale et politique, traitant de l'écologie, de la société de consommation, de l'exclusion, de l'intolérance, de la militarisation, à partir de moyens empruntés à la société du spectacle, mouvement, sons et lumières, le tout programmé par ordinateur. Il réalise des machines infernales, des robots d'une grande complexité animés par la technologie qui évoquent le travail de Tinguely. Ses machines confrontées à la nature, qui mêlent artisanat et hautes technologies, ses robots articulés qui s'électrifient, se muent en arbre, dansent en chantant la gigue irlandaise, ses masques grotesques de héros de bandes dessinées, utilisent et montrent la violence, les hystéries collectives, mettent en scène la dureté quotidienne du monde contemporain, avec un regard implacable. Dans une veine morbide, il invite le spectateur à vivre des aventures improbables, à dimension socio-politique en regard du conflit qui règne en Irlande notamment, ou de la violence qui entoure les matchs de football.
Bibliogr. : Jean Max Colard : *Malachi Farrell, ses patates, ses robots, ses machines*, Beaux-Arts, n° 156, mai 1997 – Jean-Yves Jouannais : *Malachi Farrell*, in : *Art Press*, n° 225, Paris, juin 1997.
Musées : Paris (FNAC) : *Ça n'avait pas à être comme ça (un million de façon de mourir, choisis-en une)*.

FARRELL Michael
Né en 1834. Mort en 1855. XIXe siècle. Irlandais.
Sculpteur.
Fils de Terence Farrell, il participa avec son frère Thomas à l'exécution d'une statue allégorique : *Prudence*, à l'église de Marlborough Street, à Dublin.

FARRELL Michael
Né en 1940 à Kells (Comté de Meath). XXe siècle. Irlandais.
Peintre.
Il a étudié à la Saint-Martin's School of Art de Londres. Son œuvre a été montrée en Irlande, Angleterre, France, Belgique, États-Unis, Italie et Yougoslavie. Il a participé à l'*Exposition d'art contemporain Irlandais* à Paris en 1973. Il a eu plusieurs expositions personnelles à Londres, Paris, Munich et Dublin. Il a reçu le prix Carroll à plusieurs reprises en 1964, 1965, 1967 et 1968.
Sa peinture est en fait l'assemblage de quelques formes, soigneusement découpées, évoquant presque toujours un jet d'eau ou une matière composée qui gicle, en bois peint, pouvant même déborder perpendiculairement sur le sol. ■ J. B.
Bibliogr. : In : *Art irlandais actuel*, catalogue de l'exposition, Musée d'Art Moderne de la Ville de Paris, 1973.
Musées : Belfast (Ulster Mus.) – Dublin (Trinity College) – Dublin (Hugh Lane Municipal Gal. of Mod. Art) – Paris (Mus. Nat. d'Art Mod.).

FARRELL Terence
Né en 1798 à Creve (Longford). Mort le 19 mars 1876 à Dublin. XIXe siècle. Irlandais.
Sculpteur.
Élève d'Edward et John Smyth, puis de Thomas Kirk à Dublin ; il sculpta des bustes, surtout des bustes miniatures, et des statues ; on cite de lui la statue monumentale de *Sir Lorry Cole*, qui se trouve à Enniskillen ; il exécuta aussi des œuvres pour les églises, telles que le monument funéraire Tomlinson dans la cathédrale Saint-Patrick, à Dublin, et celui de la femme de son bienfaiteur le comte de Grey, dans l'église de Flitton (Bedfordshire). Il figura, à partir de 1826, à l'Hibernian Academy.
Ventes Publiques : Milan, 26 nov. 1968 : *Femme et enfants en prières dans une église* : **ITL 3 400 000**.

FARRELL Thomas
Né en 1827 à Dublin. Mort le 2 juillet 1900 à Redesdale. XIXe siècle. Irlandais.
Sculpteur.
Fils de Terence Farrell et élève de Panormo à la Royal Dublin Society School, il reçut, en 1843, 1844 et 1846, des prix de la Royal Irish Art Union pour ses groupes : *Jeunes garçons avec un chien*, *Jeunes garçons avec une chèvre*, *Nisus et Euryale* et *Jeune baigneur surpris*. Il figura à la Royal Academy avec *Le petit favori* et une statue de *Lord O'Hagan* et figura fréquemment à la Royal Hibernian Academy. Après un séjour en Italie, il exécuta, à Dublin, de nombreuses œuvres, parmi lesquelles la statue de *Lord Ardiloun*, du cardinal *Cullen* dans l'église de Marlborough Street, de l'archevêque *Whateley*, du capitaine *Mc Neill Boyd* dans la cathédrale.

FARRELL William
XIXe-XXe siècles. Actif à Dublin. Irlandais.
Sculpteur.
Il est le fils de Terence Farrell.

FARREN Robert
Né le 5 mars 1832 à Cambridge. XIXe siècle. Britannique.
Peintre de compositions à personnages, scènes de genre, figures, aquarelliste, graveur.
Exposa à Londres, de 1868 à 1880, notamment à la Royal Academy et à Suffolk Street.
Musées : Cambridge (Fitz William) : *Le Professeur Adam Sedgwich*.
Ventes Publiques : Londres, 28 sep. 1976 : *Les moissonneurs* 1877, h/t (99x132) : **GBP 300** – Londres, 24 mai 1984 : *Cymbeline, Acte II, Scene II* 1872, aquar. reh. de gche (61x91) : **GBP 550**.

FARRER Henry
Né le 23 mars 1843 à Londres. Mort le 24 février 1903 à Brooklyn. XIXe siècle. Américain.
Peintre de paysages, aquarelliste, graveur.

Il émigra aux États Unis en 1861 et se fit une place parmi les artistes du Nouveau Monde. Il appartint à de nombreux groupements artistiques, notamment à la Royal Society of Painters-Etchers de Londres, au Club de Gravure de New York qu'il présida plus tard.
Il exposa à l'Académie Nationale de Design de 1867 à 1881.
Ventes Publiques : New York, 3 fév. 1904 : *Les Feuilles mortes* : **USD 105** – New York, 24 sep. 1981 : *Paysage d'été au crépuscule*, aquar. (28,6x43,8) : **USD 1 300** – New York, 28 sept 1983 : *Clearing skies*, aquar. (38x51,8) : **USD 2 800** – New York, 30 sep. 1985 : *A southern harbor* 1881, aquar. (70x105) : **USD 5 000** – New York, 20 mars 1987 : *Paysage au coucher du soleil* 1901, aquar. (22,9x35,2) : **USD 6 000** – New York, 17 mars 1988 : *Silhouette dans un paysage*, aquar./pap. (30x43) : **USD 2 090** – New York, 25 mai 1989 : *Deux oiseaux morts suspendus à un clou* 1867, aquar. et encre/pap. (24,8x19,4) : **USD 18 700** – New York, 28 sep. 1989 : *Dernières lueurs du soleil couchant* 1899, aquar./pap./cart. (63,5x93) : **USD 17 600** – New York, 24 jan. 1990 : *Crépuscule* 1892, aquar./pap./cart. (20,9x33,6) : **USD 2 420** – New York, 28 mai 1992 : *Crépuscule sur le port de New York* 1880, aquar. et cr./pap./pap. (63,5x95,4) : **USD 20 900** – New York, 3 déc. 1992 : *Lumière du couchant* 1900, aquar./pap. (46,4x64,1) : **USD 8 250** – New York, 10 mars 1993 : *Fin d'un jour gris* 1887, aquar./pap. (61x92,7) : **USD 14 950** – New York, 28 nov. 1995 : *Temps couvert*, aquar./pap. (41,9x62,8) : **USD 2 875** – New York, 3 déc. 1996 : *Chaumière en bord de mer* 1880, aquar. et cr./cart. (42x68,5) : **USD 3 680**.

FARRER Henry
Né à Londres. XIXe siècle. Britannique.
Peintre de portraits.
Peut-être est-il le fils de T. Farrer. J. Egan grava d'après lui *L'acteur Denvil dans le rôle de Manfred*. Il exposa, en 1865, le portrait de sa femme sur ivoire et son propre portrait sur papier.

FARRER Julia
XXe siècle. Britannique.
Peintre. Abstrait.
En 1995, elle a participé, à Paris, à la FIAC (Foire Internationale d'Art Contemporain) par la galerie Graham-Dixon de Londres. Elle réalise des œuvres abstraites, à tendance géométrique, dominées par la ligne et des tons pastels.

FARRER Nicholas
Né en 1750 à Sunderland. Mort en 1805. XVIIIe siècle. Britannique.
Portraitiste.
Ami de Reynolds et de Northcote, il fut l'élève de Pine. Bien que ses portraits ne soient pas des copies de Reynolds, ils ressemblent à ceux de ce maître au point de lui avoir été attribués. Il exécuta les portraits du duc de Richmond et de sa famille.

FARRER T.
XIXe siècle. Actif à Londres. Britannique.
Peintre de miniatures.
De 1805 à 1820 il exposa des portraits à la Royal Academy, dont un de *l'actrice Miss O'Neill dans le rôle de Juliette*.

FARRER Thomas Charles
Né le 16 septembre 1839 à Londres. Mort le 16 juin 1891 à Londres. XIXe siècle. Britannique.
Peintre de paysages.
Frère de Henry Farrer. Il exerça son art d'abord à New York et fut un des premiers membres de la American Society of Painters in Water-Colours. Dès 1871, la presse artistique le classait parmi les bons peintres du Nouveau Monde. Il vint à Londres en 1872 et depuis lors prit part aux principales expositions de la métropole anglaise, notamment à celles de la Royal Academy et de Suffolk Street.
Ventes Publiques : Londres, 25 jan. 1908 : *Le Champ de blé* : **GBP 4** – Londres, 10 juin 1910 : *Château Royal de Windsor* : **GBP 37** – Londres, 20 jan. 1928 : *Château royal de Windsor* : **GBP 28** – New York, 7 juin 1979 : *Autoportrait avec violon* 1859, cr. et reh. de blanc (25,2x19,8) : **USD 2 200** – Londres, 3 juin 1988 : *Les bouleaux de Burnham* 1874-76, h/t (91,5x122) : **GBP 1 210**.

FARRERAS RICART Francisco
Né en 1927 à Barcelone. XXe siècle. Espagnol.
Peintre, peintre de collages, cartons de vitraux, compositions murales. Abstrait.
Il fit son apprentissage artistique à Madrid avec Stolz et Vasquez Diaz. Il a exécuté des décorations murales. Il vit et travaille à Madrid.
Il a participé à la Biennale de Venise en 1954, 1958, 1960, et à beaucoup d'autres expositions collectives. Depuis 1952, il expose en Espagne, aux États-Unis, au Mexique, au Canada, et en Grande-Bretagne.
Après avoir subi l'influence de Picasso, il évolua vers l'abstraction, d'abord géométrique, puis, à partir de 1958, lyrique, faisant intervenir des effets de matière et des grattages.
Bibliogr. : In : *Peintres contemporains*, Mazenod, Paris, 1964 – in : *Catalogo Nacional de Arte Contemporaneo, 1990-1991*, Iberico 2000, Barcelone, 1991.
Musées : Alicante (Mus. de l'Art du XXe s.) – Atlanta (The High Mus. of Art) – Bilbao (Mus. des Beaux-Arts) – Brooklyn – Caracas (Fond. Eugenio Mendoza Acosta) – La Chaux-de-Fonds – Cuenca (Mus. de l'Art Abstrait Espagnol) – Downey (Mus. of Art) – Estocolmo (Mod. Mus.) – Grenade (Fond. Rodriguez Acosta) – La Haye (Haags Gemeentemuseum) – Helsinki (Atheneum Mus.) – Honolulu (Acad. of Arts) – Lanzarote (Mus del Castillo de San José) – Londres (Tate Gal.) – Madrid (Centre de Arte Reina de Sofia) – Madrid (Mus. d'Art Contemp.) – Madrid (Fond. Juan March) – Madrid (Fond. R. Areces) – Montréal (Mus. d'Art Contemp.) – New York (Mus. d'Art Mod.) – New York (Salomon Guggenheim Mus.) – Oklahoma City (Oklahoma Art Center) – Paris (Mus. Nat. d'Art Mod.) – Pittsburgh (Carnegie Inst. Mus. of Art) – Santander (Mus. de Pamames) – Ségovia (Mus. de Pedraza) – Séville (Mus. d'Art Contemp.) – Sofia (Gal. Nat.) – Tenerife (Fonds d'Art) – Tokyo (Mus. Nat. d'Art Mod.) – Vienne (Mus. des XX Jahrhunderts) – Villafames (Mus. d'Art Contemp.) – Vitoria (Mus. d'Art Mod.) – Winterthur.
Ventes Publiques : Madrid, 24 fév. 1984 : *Composition* 1965, collage (114x114) : **ESP 275 000** – Madrid, 27 fév. 1985 : *Num. 145* 1961, collage/pan. (120x100) : **ESP 391 000** – Madrid, 28 nov. 1991 : *Collage 421* 1970, acryl./pap./pan. (200x140) : **ESP 1 792 000**.

FARRET
XVIIIe siècle. Actif à Amsterdam. Hollandais.
Dessinateur.
Cet artiste illustra une traduction d'Homère parue de 1712 à 1716 à Amsterdam. Il est sans doute identique à Coenraad Farret.

FARRET Coenraad
Né à Dordrecht. XVIIIe siècle. Hollandais.
Peintre.
Reçu bourgeois d'Amsterdam le 10 février 1724. Le Musée de Haarlem conserve de lui les portraits d'*Aletta-Henrietta, d'Hendrick* et de *Willem Meulenaer*.

FARREY Pierre Francis
XXe siècle. Francais.
Peintre de paysages, portraits.
Il exposa régulièrement, à Paris, au Salon des Tuileries, à partir de 1924.
Ventes Publiques : Paris, 20 mars 1923 : *Jeune Femme* : **FRF 180** – Paris, 9 avr. 1927 : *Saint-Tropez* : **FRF 110** – Paris, 16 fév. 1929 : *Colline* : **FRF 800** – Paris, 30 mai 1945 : *Saint-Tropez* : **FRF 400** – Enghien-les-Bains, 26 juin 1984 : *Les hommes à Saint-Tropez*, h/t (173x138) : **FRF 22 000**.

FARRIER Charlotte
XIXe siècle. Actif à Londres. Britannique.
Peintre de portraits.
Exposa à Londres, de 1826 à 1875, à la Royal Academy et à Suffolk Street.

FARRIER Robert
Né en 1796 à Chelsea (Londres). Mort en 1879 à Chelsea. XIXe siècle. Britannique.
Peintre de genre, miniaturiste.
Cet artiste fit des miniatures et des tableaux de genre. Il exposa pour la première fois à l'Académie après 1818 et figurait encore au catalogue de 1872.
Musées : Londres (Nat. Gal.) : *Le départ* – *L'élève récalcitrant*.
Ventes Publiques : Londres, 21 nov. 1908 : *La Diseuse de bonne aventure et Intérieur Hollandais de Meyerbeem* 1850 : **GBP 1** – Londres, 25 jan. 1924 : *Travail et repos* : **GBP 10** – Londres, 28 juin 1937 : *La fête de Saint Valentin* : **GBP 6** – Londres, 5 déc. 1941 : *Qui servira la Reine !* : **GBP 19** – Londres, 18 mars 1980 : *The pursuit of knowledge under difficulties*, h/pan. (51x44) : **GBP 1 200** – Londres, 14 mars 1990 : *Le réveil brutal* ; *Le marché de village*, h/t, une paire (chaque 49,5x59,5) : **GBP 12 100** – Londres, 3 juin 1992 : *Le lapin apprivoisé*, h/t (56x51) : **GBP 1 870** – Londres, 8-9

juin 1993 : *Le colporteur*, h/pan. (53x46) : **GBP 2 645** – LONDRES, 20 juil. 1994 : *Symphonie pastorale*, h/t (50,5x61) : **GBP 1 380** – LONDRES, 29 mars 1995 : *Prêts pour la guerre « Si vis pacem, para bellum »*, h/pan. (58x62) : **GBP 4 600**.

FARRIER T.
XXe siècle. Français.
Peintre d'animaux.
VENTES PUBLIQUES : LONDRES, 5 juin 1924 : *Lapins favoris* : **GBP 6** – LONDRES, 2 juin 1989 : *Les lapins apprivoisés*, h/t (56x50,5) : **GBP 3 300**.

FARRIGOLA Y FERNANDO Isidoro
Né à Sans. XIXe siècle. Espagnol.
Peintre de genre.
Élève de l'École des Beaux-Arts de Barcelone.

FARRINGTON Richard ou **Ffarrington**
XVIIe siècle. Hollandais.
Peintre paysagiste.
Il travailla à Dordrecht de 1648 à 1670. Des descendants de cet artiste sont connus en Angleterre comme peintres.

FARRINUSA ZIED
Né en 1904 à Istanbul. XXe siècle. Turc.
Peintre.
Il paraît s'agir de la princesse FAHR-EL-NISSA-ZEID. Le présent artiste fut élève à l'École des Beaux-Arts d'Istanbul et a pris part aux expositions officielles d'Ankara, puis, en 1946, présenta deux toiles, dont une vue de la *Corne d'Or*, à l'Exposition internationale d'art moderne, ouverte à Paris, au Musée d'Art Moderne, par l'Organisation des Nations Unies. Toutes ces données sont compatibles avec la vie et la carrière de Fahr-El-Nissa-Zeid, avant qu'elle ne fût élève de Bissière et protégée de Breton.

FARRIOL Guillermo
XVe siècle. Actif à Valence. Espagnol.
Peintre.

FARRO Judith
Née en 1947. XXe siècle. Française.
Peintre. Abstrait-lyrique.
Elle a exposé à Paris, au Salon des Réalités Nouvelles en 1986 et 1988.

FARROUK el KALMAK ou **Farroug Beg**
XVIIe siècle. Indien.
Peintre de miniatures.
Il travailla à la Cour de l'empereur Akbar le Grand aux Indes. Des œuvres signées de lui se trouvent au Louvre, à la Bibliothèque du British Museum, et au « Akbar-Nâmeh », au Victoria and Albert Museum, à Londres.

FARROUKH Moustafa ou **Moustapha**
Né en 1901 à Beyrouth. Mort le 16 février 1957 à Beyrouth. XXe siècle. Libanais.
Peintre de paysages, portraits, aquarelliste.
De 1924 à 1927, il fit ses études à l'Académie Royale des Arts Décoratifs, à Rome, où il fut élève de Coromaldi et Calcagnadoro. De 1930 à 1932, il séjourna à Paris, où il reçut les conseils de Bompard et Paul Chabasse, président de l'Association des Artistes Français. De 1935 à 1954, il fut professeur à l'Université américaine de Beyrouth. Il est l'auteur de quatre livres sur l'art qui ont paru en langue arabe. Il a exposé dans plusieurs groupements libanais, ainsi qu'en Italie, à New York, et à Paris, notamment au Salon des Artistes Français en 1930 avec *Café Turc*, et en 1931 avec *Mon Professeur*. Il obtint, en 1955, à Beyrouth, le premier prix du Président de la République libanaise, au Salon du Printemps. Il fut décoré de l'ordre libanais du Mérite et de l'ordre national du Cèdre.
Farroukh a joué un rôle important dans l'introduction de l'art occidental au Liban. Ses paysages très colorés dénotent une influence postimpressionniste. Il a souvent peint le village typique libanais, avec ses habitants et ses coutumes. Ses portraits, très nombreux, sont caractéristiques en ce qu'ils tentent de révéler « l'expression intérieure » des individus, souvent captée dans le regard. ■ J. B.
BIBLIOGR. : In : Catalogue de l'exposition *Liban – Le Regard des peintres – 200 ans de peinture libanaise*, Institut du Monde Arabe, Paris, 1989.
VENTES PUBLIQUES : PARIS, 5 avr. 1993 : *Portrait de Chibli Bek El-Mallât*, dess. à la pl. (17x10,5) : **FRF 10 000**.

FARROW William Mc K.
Né le 13 avril 1885 à Dayton (Ohio). XXe siècle. Américain.
Peintre, graveur.
Il fut élève de l'Art Institute de Chicago. Il a obtenu de nombreux prix à différents concours et expositions.

FARRUGIA Giovanni
Né en 1810. XIXe siècle. Actif à Malte. Italien.
Graveur.
Élève de Longhi. Il grava *la Vierge à l'œillet* de Raphaël.

FARSCHIK Sargis
XIe siècle (?). Éc. byzantine.
Peintre.
Une fresque de l'église du Sauveur construite en 1036 à Ani, en Arménie, porte une signature qui est probablement la sienne.

FARSHCHIAN Mahmoud
Né en 1929 à Ispahan. XXe siècle. Iranien.
Peintre de miniatures.
Il a étudié avec d'autres miniaturistes d'Iran, puis a voyagé en Europe. Dans un style précis il décrit le folklore des légendes du Moyen-Orient.

FAR SI Georges
Né le 15 février 1866 à Paris. XIXe-XXe siècles. Français.
Peintre.
Il fut élève de Cormon et Bompard. À partir de 1921, il exposa au Salon des Artistes Français, dont il devint sociétaire, puis hors concours en 1927. Il avait obtenu la médaille d'or en 1926. Chevalier de la Légion d'honneur en 1928.

FARTOUSSOF Victor Dormidontovitch
XIXe siècle. Russe.
Peintre.
Il fut élève de l'École des Beaux-Arts de Moscou, puis de l'Académie de Saint-Pétersbourg où il fut plusieurs fois diplômé. Il figura de 1869 à 1874 aux expositions de l'Académie, surtout avec des tableaux religieux, parmi lesquels on cite une *Vierge* et une *Descente du Saint-Esprit sur les Apôtres* pour l'église Sainte-Sophie à Moscou.

FARUFFINI Federico
Né en 1831 à Sesto San Giovanni, près de Milan (Lombardie). Mort en 1869 à Pérouse (Ombrie). XIXe siècle. Italien.
Peintre d'histoire, compositions religieuses, sujets allégoriques, scènes de genre, portraits, aquarelliste.
Il étudia à Pavie, à Venise, à Milan, ainsi qu'à Rome. Il se lia d'amitié avec Giovanni Carnovali et fut le condisciple de Tranquillo Cremona. Il obtint une médaille en 1866.
Il réalisa des tableaux d'autel et des sujets historiques d'une conception originale, on cite notamment : la *Prière de saint Dominique*, pour la chartreuse de Pavie ; la *Gondole du Titien*. Sa toile de *Machiavel et Borgia*, qu'il reproduisit par la suite en gravure, obtint un vif succès.
BIBLIOGR. : In : *Diction. de la peinture italienne*, coll. Essentiels, Larousse, Paris, 1989.
MUSÉES : MILAN (Gal. d'Art Mod.) : *Sordello – Gondole du Titien* – PAVIE (Gal. Malaspina) : *Machiavel et Borgia* – ROME (Gal. Nat.) : *Le sacrifice au Nil*.
VENTES PUBLIQUES : MILAN, 17 oct. 1972 : *Garçons sur un toit* : **ITL 2 800 000** – MILAN, 21 avr. 1984 : *Le poison des Borgia*, h/t (24x32,5) : **ITL 5 000 000** – MILAN, 18 déc. 1986 : *Idylle à Venise*, h/t (79,3x147) : **ITL 27 000 000** – ROME, 25 avr. 1988 : *Le nain de Philippe II*, h/pan. (16x24) : **ITL 3 000 000** – ROME, 14 déc. 1989 : *Le page*, aquar. (30,7x20,7) : **ITL 3 680 000** – MILAN, 8 mars 1990 : *Personnage féminin vêtu de vert*, h/t (35x24,5) : **ITL 12 000 000** – ROME, 11 déc. 1990 : *Page jouant du luth* 1856, h/cart./t. (34,5x23,5) : **ITL 7 475 000** – ROME, 13 déc. 1995 : *Costume oriental*, h/t (36,5x27,5) : **ITL 34 500 000**.

FA RUOZHEN ou **Fa Jo-Chên** ou **Fa Jo-Tchen**, surnom : **Hanru,** noms de pinceau : **Huangshan** et **Huangshi**
Né en 1613 à Jiaozhou (province du Shandong). Mort en 1696. XVIIe siècle. Chinois.
Peintre de paysages.
Reçu à l'examen de « lettré présenté » (jinshi) en 1646, Fa Ruozhen rentre à l'Académie Hanlin. Il devient plus tard « Docteur des Cinq Classiques » puis lieutenant-gouverneur de la région Fujian-Anhui. Il est connu comme poète et comme peintre paysagiste, appartenant à l'École de Nankin et au groupe des paysagistes individualistes (sur l'École de Nankin, voir Cheng Zhengkui). Les paysages des individualistes du XVIIe siècle sont souvent sombres et d'une assise incertaine, ce qui est peut-être dû au choc reçu par les artistes lors de la conquête mandchoue (avène-

ment de la dynastie Qing en 1644) et à leur sentiment d'aliénation par rapport à un nouvel ordre social. Cela ne se retrouve pas seulement chez les moines et les reclus mais aussi chez certains hauts fonctionnaires de l'administration mandchoue tel que Fa Ruozhen.
Son rouleau conservé à Stockholm est une création étonnante et déroutante qui n'a pas son égal dans la peinture chinoise. Toute la surface de ce rouleau représentant un paysage est remplie de rochers et d'arbres ; les clairs-obscurs accentués donnent de la convexité aux masses rocheuses. Il nous semble être témoins d'une terrible convulsion de la nature, ou d'une hallucination de l'artiste. En effet, ce dernier n'a pas l'air d'être en plein contrôle de ses matériaux ni d'avoir la clarté et la profondeur d'un artiste majeur. C'est néanmoins l'un des peintres très intéressants de cette époque.
Musées : Kyoto (Yûrinkan) : *Grand paysage,* signé – Liaoning (Province Mus.) : *Paysage* 1689, coul. légères sur pap., daté d'après le colophon – Stockholm (Ostasiatiska Mus.) : *Nuages et brouillards dans les montagnes* – Tokyo (Nat. Mus.) : *Paysage d'automne à Huangshan.*
Ventes Publiques : New York, 31 mai 1990 : *Poèmes en écriture courante,* encre/pap., makemono (31x274,3) : **USD 11 000** – New York, 21 mars 1995 : *Paysage d'automne,* encre et pigments/ pap., kakemono (79,4x38,4) : **USD 2 875** – New York, 22 sep. 1997 : *Paysage,* encre/pap., kakemono (119,4x58,4) : **USD 23 000.**

FARVEZE François
Né le 19 février 1912 à Esperaza (Aude). xxe siècle. Français.
Peintre, sculpteur, peintre de cartons de tapisseries.
Il fut élève de Gleizes. Il a vécu longtemps, jusqu'en 1959, en Afrique, où il a exposé à partir de 1951. Il rentre ensuite à Paris pendant deux ans, puis s'installe dans le Midi. Il travaille avec des architectes et réalise, à ce titre, des sculptures et des tapisseries.

FARZAT Sakher Abdulrahman
Né le 6 janvier 1943 en Syrie. xxe siècle. Actif aussi en France. Syrien.
Peintre. Abstrait.
Il obtient le diplôme de la Faculté des Beaux Arts de Damas en 1965. Membre fondateur de l'Association des Beaux-Arts de Damas, membre fondateur également de l'Association des Artistes Arabes. En 1976, il est boursier au Brésil.
Il participe, depuis 1961, à la plupart des expositions officielles. Il est régulièrement chargé de la décoration de plusieurs pavillons de la Foire internationale de Damas. Farzat participe à de nombreuses manifestations collectives, dont : 1961, 1972-1975, Exposition d'Automne (Syrie) ; 1971, Biennale d'Alexandrie ; 1971, 1975, Biennale de Sao Paolo ; 1972, Exposition de la Ligue arabe, (Chypre) ; 1973, 1975, Biennale arabe de Koweit ; 1975-1977, Exposition officielle des artistes syriens ; 1976, Exposition d'art syrien ; 1978, exposition *Art arabe actuel,* Espace Cardin, à Paris ; figure régulièrement au Salon des Réalités Nouvelles. Il a réalisé des expositions personnelles : 1972, 1973, 1974, galerie Urnina (Damas) ; 1974, galerie du Carlton (Beyrouth) ; 1978, exposition rétrospective en Syrie ; 1987, Cité internationale des Arts, Paris.
Farzat exécute une peinture par déploiement de petites touches dans des teintes ocres-jaunes et brunes. Jouant sur la lumière et la simulation du mouvement, l'artiste semble décomposer et recomposer une forme générale faite de signes graphiques, s'apparentant à un prisme et pouvant presque se « lire ». ■ C. D.
Musées : Al-Dawha (Mus. Nat. de l'État) – Damas – Damas (coll. du min. de la Culture) – Damas (coll. du min. des Affaires Étrangères) – Paris (min. de la Culture) – Tunis (Mus. d'Art Mod.).

FASANINO Emile Dominique
Né le 10 juillet 1851 à Sostogno (Piémont). Mort le 15 janvier 1910 à Genève. xixe-xxe siècles. Suisse.
Sculpteur et stucateur.
Il fut élève de l'École des Arts et Métiers de Genève et, après un voyage d'étude en France et en Italie, il s'installa à Genève où il exécuta des travaux de décorations pour divers édifices, ainsi qu'à Lausanne et à Berne. Le Conservatoire des Arts et Métiers de Genève possède les modèles de quelques-unes de ses sculptures.

FASANO Antonio
Originaire de Mantoue. xvie siècle. Italien.
Sculpteur.
Il exécuta à Bologne en 1563, avec G. Andrea della Porta et A. Riva, les sculptures de marbre de la Fontaine du Géant, d'après les projets de Laureti.

FASANO Clara
Née à Castellaneta (Italie). xxe siècle. Américaine.
Sculpteur de portraits, bustes, monuments.
D'Italie, elle rejoignit avec sa famille les États-Unis à l'âge de trois ans. Elle étudia à la Cooper Union Art Institute, à l'Art Students League (New York City), à Rome avec le professeur Arturo Dazzi et, à Paris, aux Académies Julian et Colarossi. Elle enseigna la sculpture dans diverses institutions éducatives de New York, dont la School of industrial and Fines Arts, le Manhattanville College of the Sacred Heart, etc.
Clara Fasano a participé à de nombreuses reprises à des expositions collectives, notamment : Biennale de Rome, Salon d'Automne à Paris, dans divers musées des États-Unis, tels que le Whitney Museum of Art et le Metropolitan Museum à New York, la Pennsylvania Academy of Fine Arts et l'Art Alliance à Philadelphie, l'Art Institute de Chicago, et au Musée de Cleveland. Elle a également exposé à l'étranger individuellement.
Elle a sculpté des portraits de personnalités comme Tito Schipa (ténor au Metropolitan Opera), Luigi Pirandello, le Général Battley..., réalisé aussi des sculptures pour des bâtiments administratifs (la Poste de Middleport, Ohio) ou éducatifs (la Richmond High School, Staten Island, New York ; la Technical High School de Brooklyn, New York, etc.). ■ C. D.
Bibliogr. : Dr. Jacques Schnier : *Sculpture in Modern America,* Berkeley University Press, Californie – C. Ludwig Brumme : *Contemporary American Sculpture,* Crown Publishers, New York.
Musées : New York (Metropolitan Mus.) – Norfolk (Khouri Memorial coll.) – Purchase (Manhattanville College) – Syracuse – Washington D. C. (Smith sonian Institution).

FASANO Lorenzo
xviiie siècle. Actif à Naples. Italien.
Peintre.
Il devint membre de la Gilde en 1728.

FASANO Michelangelo
xviiie siècle. Actif à Naples. Italien.
Peintre.
En 1758-1760 il exécuta avec Bonito et Langlois les projets d'une tapisserie représentant l'histoire de Don Quichotte.

FASANO Thomas, dit l'**Abate Fasano**
Mort vers 1716. xviiie siècle. Italien.
Peintre d'histoire.
Élève de Luca Giordano.

FASANOTTI Gaetano
Né en 1831 à Milan. Mort le 7 février 1882 à Milan. xixe siècle. Italien.
Peintre d'histoire, paysages, marines, aquarelliste.
Il fut élève de G. Renica et devint professeur à l'Académie Brera. À partir de 1850, il figura aux expositions de Milan.
Parmi ses œuvres on cite : *Molino* et des paysages du lac de Côme.
Musées : Milan (Poldi-Pezzoli) : *Paysage,* aquar.
Ventes Publiques : Milan, 28 oct. 1976 : *Le fauconnier* 1879, h/t (44,5x75) : **ITL 900 000** – New York, 30 sep. 1982 : *Pêcheur dans un paysage fluvial* 1893, aquar. et cr. (31,8x50,1) : **USD 1 100** – Milan, 21 avr. 1984 : *Marine,* h/t (39,5x65,5) : **ITL 2 000 000** – Milan, 4 juin 1985 : *Épisode de la guerre de 1859,* aquar. (7,8x23) : **ITL 650 000** – Milan, 10 déc. 1987 : *Vue de Belgirate* 1882, h/t (41x85,5) : **ITL 8 000 000** – Londres, 29 avr. 1988 : *Paysage alpin* (25x37) : **GBP 1210** – Milan, 14 mars 1989 : *Cabanes de pêcheurs au bord du lac,* h/t (46x74,5) : **ITL 7 000 000** – Londres, 22 juin 1990 : *Le golfe de Palerme,* h/t (100,5x142,2) : **GBP 12 650** – Rome, 11 déc. 1990 : *Paysage,* h/t (22x47) : **ITL 2 990 000** – Milan, 6 juin 1991 : *Retour des champs* 1876, h/t (39,5x66,5) : **ITL 5 200 000** – Milan, 19 mars 1992 : *Volla à Brianza,* h/cart. (24,5x37,5) : **ITL 5 000 000** – Milan, 29 oct. 1992 : *Paysage lombard* 1876, h/t (39,5x66,5) : **ITL 11 500 000** – Milan, 19 déc. 1995 : *Pêcheurs sur un lac de Lombardie,* h/t (38,5x59,5) : **ITL 10 350 000.**

FASCE Gianfranco
Né en 1927 à Gênes (Ligurie). xxe siècle. Italien.
Peintre et sculpteur. Abstrait-lyrique.
Il fait ses études au Lycée artistique et à l'Académie des Beaux-Arts de Gênes. Il expose depuis 1947, notamment à la Biennale de Venise, en 1958 et 1962 ; à la Quadriennale de Rome en 1959.

C'est en 1950, qu'il obtient un prix de peinture à Gênes, et un prix de sculpture à Rome.
En 1953, il adhéra au groupe *Concrétiste* de Gênes, puis évolua vers l'art informel lyrique.
Bibliogr. : In : *Peintres contemporains*, Mazenod, Paris, 1964.
Ventes Publiques : Milan, 18 juin 1987 : *Paysage* 1956, h/t (50x73) : **ITL 1 600 000** – Milan, 1er déc. 1987 : *Paysage* 1954, gche (35x47,5) : **ITL 600 000** – Milan, 24 mars 1988 : *ville*, h/t (33x55) : **ITL 1 700 000.**

FASCH Johann Ludwig
Né vers 1750 à Bâle. Mort en 1778 à Paris. XVIIIe siècle. Suisse.
Portraitiste.
Fasch travailla à Bâle, en Angleterre et à Paris, et se serait adonné surtout au portrait médaillon à l'aquarelle en miniature sur parchemin. Il exécuta à Paris nombre de portraits d'actrices célèbres.

FASCINA Ignazio. Voir **FASSINA**

FASEL Georg Wilhelm
XIXe siècle. Actif à Karlsruhe. Allemand.
Peintre d'histoire.
Il a exposé à Vienne en 1836. On cite de lui : *La Sainte Famille, L'Apothéose de Goethe, Jeune Romaine, Wallenstein.*

FASI-GESSNER Johann Konrad
Né en 1796 à Zurich. Mort en 1870 à Zurich. XIXe siècle. Suisse.
Dessinateur et peintre de fleurs.
Sans doute descendant des GESSNER de Zurich. Fäsi exposa depuis 1811 à Zurich. Plusieurs de ses portraits, dessinés pour la plupart au crayon, ont été gravés par J. Brodtmann.

FASINI Alexandre, pseudonyme d'**Alexandre Fainsilberg**
Né en 1892 à Kiev. Mort en 1942 à Auschwitz. XXe siècle. Actif à partir de 1922 en France. Russe-Ukrainien.
Peintre.
Il étudia à l'Académie des Beaux-Arts d'Odessa, auprès du peintre impressionniste Kostandi, et s'installa à Paris en 1922. En 1926, à Paris, il expose au Salon d'Automne, puis en 1927 aux Indépendants, il est invité la même année, toujours à Paris, au Salon des Tuileries. Également photographe, ses clichés sont présentés à l'Exposition Internationale de Paris en 1937. Pendant deux ans il est exposé à la Galerie Vavin aux côtés de Picasso, Lurçat et Papazoff.
La peinture de Fasini est surtout marquée par un désir d'expériences nouvelles qui lui donne une place à part chez les peintres de l'École de Paris. Ses personnages évoluent dans des lieux étranges rappelant l'atmosphère de la peinture surréaliste.
Ventes Publiques : Paris, 19 nov. 1932 : *Nature morte* : **FRF 85** – Paris, 5 nov. 1937 : *Maisons et Tunnel* : **FRF 150** – Paris, 27 fév. 1976 : *Composition abstraite* 1929, h/t (33x55) : **FRF 1 450** – Versailles, 5 oct. 1980 : *Composition* 1930, h/t (53,5x73) : **FRF 3 000** – Zurich, 13 mai 1984 : *L'entrée du parc*, h/t (55x46) : **CHF 3 600** – Paris, 28 juin 1985 : *Personnages*, deux h/t (46x55 et 46x61) : **FRF 8 500** – Versailles, 17 avr. 1988 : *L'entrée du parc*, h/t (46x55) : **FRF 2 000** – Paris, 4 juil. 1991 : *Homme près d'un bateau* 1934, h/t (37,5x45,5) : **FRF 7 800** – Paris, 17 mai 1992 : *Sur le pont d'un bateau* vers 1920, h/t (38x46) : **FRF 7 000** – Paris, 27 juin 1994 : *Composition* 1929, h/t (46x55) : **FRF 7 500** ; *Personnages* 1930, h/t (54x73) : **FRF 19 000** – Paris, 20 déc. 1995 : *Personnage et bateau*, h/t (65x92) : **FRF 22 000** – Paris, 19 juin 1996 : *Composition n° 3* 1929, h/t (60x92) : **FRF 22 000** – Paris, 23 juin 1997 : *Les Architectes* 1930, h/t (33x55) : **FRF 20 000.**

FASMER Dankert Peters
XVIIIe siècle. Danois.
Sculpteur.
Il est mentionné comme ayant exécuté, en 1763, un buste de marbre du roi Frédéric V de Danemark.

FASOLA C.
XIXe-XXe siècles.
Peintre.
Ventes Publiques : Paris, 18 mars 1929 : *Le dôme de Milan ; Une rue à Milan par la neige*, deux toiles : **FRF 240** ; *L'Adige à Vérone, effet de nuit* : **FRF 140.**

FASOLATO Agostino
XVIIIe siècle. Actif à Padoue. Italien.
Sculpteur.
En 1753, il exécuta des bas-reliefs dans le chœur de l'église Saint-Antoine et au Palais Papafava un groupe de 60 statues sculptées dans un seul morceau de marbre : *La Chute des anges.*

FASOLATO Giovanni
Mort le 6 mai 1729 à Padoue. XVIIIe siècle. Italien.
Sculpteur.
Il travailla à Rovigo et exécuta le maître-autel en marbre de l'église Saint-Antoine, avec le tabernacle et deux statues d'anges, et pour l'église Saint-François l'autel de Saint-Antoine avec quatre colonnes de marbre rouge de Vérone.

FASOLD
Originaire de Saalfeld. XVIIIe siècle. Allemand.
Peintre.
Il peignit vers 1775 des scènes de *l'Apocalypse* et *Le rêve de Jacob* au plafond de la nef de l'église de Graba, près de Saalfeld.

FASOLD Johann
Originaire de Radeberg. Mort vers 1620 à Dresde. XVIIe siècle. Allemand.
Peintre.
Il travailla pour les Électeurs de Saxe, Christian II et Jean-Georges Ier, et fut nommé peintre de la Cour. On cite ses portraits de Jean-Georges et de son épouse. On trouve à Dresde quelques-unes de ses œuvres parmi lesquelles les peintures de la chaire dans l'église Sainte-Sophie.

FASOLO Bernardino ou **Fazoli**
XVIe siècle. Vivait à Pavie en 1518. Italien.
Peintre d'histoire et de portraits.
Il fut, en 1520, membre du Conseil de la gilde de Gênes. Élève de son père, Lorenzo Fasolo, et de Léonard de Vinci. A fait beaucoup de sujets mythologiques.

FASOLA-DA PAVIA.

Musées : Berlin : *Sainte Famille* – Fontainebleau : *La Vierge et l'Enfant Jésus* 1518, signé – Paris (Louvre) : *La Vierge et l'Enfant.*

FASOLO Giovanni Antonio
Né vers 1530 à Vicence. Mort en 1572 à Vicence. XVIe siècle. Italien.
Peintre d'histoire, sujets religieux, portraits, compositions décoratives, fresquiste.
Après avoir étudié avec Battista Zelotti, il fut attiré par la réputation de Paul Véronèse et entra dans son atelier où il ne tarda pas à devenir un très bon peintre d'histoire.
À la préfecture de Padri Servi se trouvent, de lui, les trois peintures suivantes : *Mucius Scaevola devant Porsenna, Horatius défendant le Pont, Marcus Curtius.* On voit aussi de cet artiste, dans l'église de la même ville, une très belle *Epiphanie.* Il avait collaboré avec Véronèse, pour le plafond de San Sebastiano, à Venise. Il décora plusieurs des constructions de Palladio à Vicence, parmi lesquelles : le théâtre olympique (1552-1562). On cite ses fresques pour la villa Colleoni, à Thiene.
Musées : Dresde : *Portrait d'une Vénitienne* – Venise (Gal. dell'Accademia) : *La piscine* – Vicence (Pina.) : *Vierge à l'Enfant avec sainte Rose.*
Ventes Publiques : Londres, 5 juil. 1991 : *Petite fille adorant Jésus sur les genoux de la Vierge avec un paysage à l'arrière plan*, h/t (96,5x82,5) : **GBP 29 700.**

FASOLO Lorenzo da Pavia ou **Fazoli**
Né en 1463 à Pavie. Mort en 1518 à Gênes. XVe-XVIe siècles. Italien.
Peintre.
Il se rendit de bonne heure à Gênes et fut au nombre des artistes employés en 1490 par Ludovic Sforza à la décoration du Palais Porta Giovia à Milan. En 1502, il collabore aux fresques du Dôme de Gênes et de l'église des Carmes. L'année suivante, il peint le retable de *Saint Sébastien* et de *Saint Roch* pour l'église de Vigarrego et la *Vie de Jésus* (aujourd'hui au Louvre) pour l'église Saint Jacques de Savone. Le Louvre possède également de lui : *La famille de la Vierge*, datée de 1513, mais son chef-d'œuvre se trouve au couvent de Chiavari. C'est une *Descente de Croix* datée de 1508.
Ventes Publiques : Paris, 25 mars 1965 : *Nativité* : **FRF 9 000.**

FASOLO Pietro ou **Fasoli**
XVe siècle. Actif à Reggio (Emilie). Italien.
Peintre.

FASOLO Raffaelo ou **Fazoli** ou **Fasoli**
XVIe siècle. Actif à Pavie. Italien.

Peintre.
Frère de Bernardino Fasolo ; on connaît de lui une porte de tabernacle peinte pour une chapelle de l'église Saint-Augustin.

FASONI Anthoni
XVIe siècle. Actif à Nuremberg de 1538 à 1555. Allemand.
Sculpteur.

FASQUET Marguerite Claude
XVIIIe siècle. Active à Paris en 1753. Française.
Peintre et sculpteur.

FASSAUER Johann Adam
XIXe siècle. Français.
Peintre d'animaux, de genre et graveur.
Il est probablement le fils de J. A. Fassauer, peintre à Leipzig. Il peignit dans le style des Hollandais du XVIIe siècle, de préférence des volailles, groupes de poules, canards, dindons, et aussi des bêtes à cornes et des moutons. Il peignit également des scènes humoristiques avec des mendiants et des paysans.
Ventes Publiques : Paris, 14 jan. 1902 : *Coqs* : **FRF 200**.

FASSBENDER Joseph
Né en 1903 à Cologne (Rhénanie-Westphalie). Mort en 1974. XXe siècle. Allemand.
Peintre, peintre de cartons de tapisseries, compositions murales. Abstrait-paysagiste.
Il n'étudia la peinture que de 1926 à 1929, dans l'atelier de Richard Seewald, à l'École des Beaux-Arts de Cologne. Il fit des séjours d'études en Italie et à Munich. Sous le régime nazi, ses peintures furent confisquées. Après avoir été mobilisé et fait prisonnier, il devint un des fondateurs des *Réunions du Jeudi*, à Bornheim, près de Bonn, où les artistes allemands reprenaient position dans les courants contemporains. En 1949, il fut aussi l'un des fondateurs du groupe *Zen*. Il avait été nommé professeur à l'École des Beaux-Arts de Hambourg, et en 1955, il fut nommé directeur de la section des arts graphiques, à l'École des Beaux-Arts de Krefeld. Il a enseigné depuis 1958 à l'Académie de Düsseldorf. Il participa aux expositions d'art allemand, et fut représenté à la *Documenta I* de Kassel en 1955. On vit de ses œuvres à l'exposition d'*Art allemand non figuratif*, en 1955, au Cercle Volney de Paris. Il a reçu le prix de la Villa Romana en 1929 ; en 1957 le Grand Prix des Arts de Cologne ; en 1960 le Grand Prix des Arts de Nordheim-Westfalen, et le deuxième prix Marzotto. Il a réalisé des peintures et des tapisseries monumentales, notamment à Cologne.
Sa peinture ressortit au paysagisme abstrait et fait appel à des emprunts allusifs à la réalité extérieure, dans une gamme colorée riche dans les tons sombres et profonds. Il accompagne volontiers ses peintures de titres dont l'humour poétique évoque volontairement ceux de P. Klee. Sa très grande peinture murale *Les Signes du Zodiaque* (1954), pour le Lycée Ernst Moritz Arndt, à Bonn, illustre bien son œuvre. ■ J. B.
Bibliogr. : G. Augst : *Josef Fassbender*, Recklinghausen, 1961 – Dr. Franz Roh, in : *Peintres contemporains*, Mazenod, Paris, 1964.
Musées : Amsterdam (Stedeljik Mus.) – Bonn – Cologne – Duisburg – Duren – Düsseldorf – Hagen – Krefeld – Stuttgart – Wuppertal.
Ventes Publiques : Cologne, 17 mai 1980 : *Aventure de Robinson Crusoë* 1947, monotype et aquar. (42x55,8) : **DEM 1 600** – Cologne, 4 juin 1983 : *Der Stein* 1953, techn. mixte (65x90) : **DEM 3 200** – Cologne, 6 déc. 1984 : *Noir sur ocre* 1954, h/cart. (67x96) : **DEM 3 200** – Cologne, 29 mai 1987 : *Serious cake* 1953, temp./pap. (65x97) : **DEM 5 400** – Londres, 30 juin 1988 : *Portrait jaune* 1957, h/pap. (61x86,5) : **GBP 4 400**.

FASSBENDER P. J.
XIXe siècle. Actif à Cologne. Allemand.
Lithographe.
Élève de Lévy Elkan. On connaît de lui une planche d'après E. Bourel : *Les portes de l'entrée principale de Sainte-Marie du Capitole de Cologne.*

FASSBIND Anton
XVIIIe siècle. Actif à Schwyz vers la fin du XVIIIe siècle. Suisse.
Graveur sur cuivre.
Une gravure de lui, représentant : *Gessler et Werner Stauffacher*, parut à Lucerne en 1790.

FASSBINDER Andreas
Né à Duisdorf (près de Bonn). Mort le 7 septembre 1713 à Munich. XVIIIe siècle. Allemand.
Sculpteur.
Après avoir étudié à Duisdorf et voyagé à travers l'Allemagne il s'établit à Munich où il fut reçu Maître de la Gilde et bourgeois en 1697. On cite, parmi ses œuvres, à Munich : un *Adieu du Christ à Marie*, une *Crucifixion*, un *Ecce Homo*, *Le Christ tombant avec sa Croix*, et différents ornements décoratifs : chapiteaux, feuillages, têtes d'anges.

FASSBINDER Wilhelm
Né le 20 avril 1858 à Cologne. XIXe siècle. Allemand.
Sculpteur.
Il fut d'abord l'élève de son beau-père, le sculpteur J. Nothen à Cologne. Ses nombreuses œuvres se trouvent sur les places publiques et les cimetières de Rhénanie, mais surtout à Cologne. On cite les monuments aux morts de Euskirchen, Bernkastel, Arzfeld ; les monuments à l'empereur Guillaume Ier à Altenkirchen et Heinsberg ; les fontaines Guillaume II à Dortmund et Daun ; la fontaine Bismark à Dortmund-Dorstfeld. Cologne possède le buste du maire Becker et la stèle du Prof. Bardenheuer, et Meiningen, le monument de l'acteur L. Teller.

FASSET Truman Edmund
Né le 9 mai 1885 à Elmira (État de New York). XXe siècle. Américain.
Peintre.
Il fut élève de la Boston School, de Richard Miller et L. Simon. Membre du Salmagundi Club.
Ventes Publiques : New York, 26 avr. 1988 : *La danseuse espagnole*, h/t (105x81,3) : **USD 14 300**.

FASSETT C. Adèle ou **Adeline**, Mrs
Née en 1831 à Owasko (États-Unis). Morte le 4 janvier 1898 à Washington. XIXe siècle. Américaine.
Peintre d'histoire et de portraits.
Après avoir étudié l'aquarelle à New York avec J. B. Wandesforde, elle vint travailler à Paris avec Castiglione, La Tour et Mathieu et passa deux années dans cette ville et à Rome. Elle alla ensuite s'établir à Chicago vers 1855 et y exerça son art pendant vingt ans. En 1875, vint à Washington et y exécuta un grand nombre de portraits de personnages officiels. Elle prit part à la décoration du Capitole et y exécuta une importante composition : *La Commission électorale*, comprenant plus de deux cents figures grandeur nature. On cite aussi de la même artiste un portrait du Président Garfield.

FASSETTI Giovanni Battista
Né en 1686 à Reggio. Mort après 1772. XVIIIe siècle. Italien.
Peintre.
Il entra comme apprenti broyeur de couleurs dans l'atelier de Giuseppo Dallamano et ne commença à peindre que vers 18 ans, d'après Siret, 28 ans. Il étudia alors avec Francesco Bibiena et devint un des meilleurs peintres décorateurs de son temps.

FASSHAMB
XVIIIe siècle. Tchécoslovaque.
Sculpteur.
Il est mentionné en 1768 pour des travaux de sculpture à Teltsch en Moravie.

FASSIANOS Alexandre ou **Aleco**
Né en 1935 à Athènes. XXe siècle. Depuis 1962 actif en France. Grec.
Peintre de compositions animées, figures, nus, peintre à la gouache, peintre de décors de théâtre, graveur, lithographe, illustrateur.
On ne pouvait être plus grec, son grand-père était pope d'une église au pied de l'Acropole, « un vrai pope orthodoxe, avec un grand chapeau noir, une barbe et de très longs cheveux et une soutane noire ». Il fut élève de Moralis à l'École des Beaux-Arts d'Athènes de 1954 à 1960. Au Musée National, il s'est nourri de culture antique. Avec une bourse française, il vint apprendre la lithographie à l'École des Beaux-Arts de Paris. En 1961, il montra ses œuvres à Athènes. Il vint se fixer en 1962 à Paris. Il a exposé, depuis, régulièrement à Paris, d'abord dans les galeries Fachetti et Iolas, à Athènes, Tokyo, Milan, Stockholm, Londres. Il était représenté aux Biennales de São Paulo en 1971, de Venise en 1972. En 1985, le château de Chenonceau a présenté une rétrospective de son œuvre. La ville d'Athènes projette de lui consacrer un musée. Chaque année, il réalise des décors pour le Festival d'Épidaure.
Le style de Fassianos est très caractéristique, un trait ample et ferme qui cerne les contours, des couleurs franches : bleu, rouge, jaune. Ses personnages, modernes Ulysse ou Calypso,

recréent une mythologie familière, cheveux au vent, sur des vélos, cigarette aux lèvres, âme et mémoire grecques retrouvées dans le folklore de la modernité, lumière des rues d'Athènes et liberté de vie des peuples méditerranéens. En dehors des courants et des mutations de l'art, la peinture de Fassianos n'en est pas moins intéressante, dégageant un climat de poésie tendre et une vision très attachante des choses et des gens. Comme dans les vases à décor antiques, sur des fonds unis, souvent du rouge de la terre cuite, se détachent les silhouettes des personnages sur lesquels jouent de subtiles effets de blancs et argents que vient éclairer, ça et là, une touche vive. Souvent, il inverse le procédé : sur des fonds clairs se découpent les figures en contre-jour, son trait, économe et ferme, fixant le rare détail signifiant l'athlète musclé égaré des arènes ou le corps du nu bleu devant la fenêtre aveuglante. ■ Jacques Busse

Bibliogr. : In : *L'Art du XXe Siècle*, Larousse, Paris, 1991.

Ventes Publiques : Paris, 9 juin 1976 : *Personnage* 1970, h/t (41x33) : **FRF 3 500** – Paris, 31 mai 1978 : *Personnages* 1969, h/t (180x90) : **FRF 7 000** – Paris, 23 oct. 1981 : *Deux personnages*, h/t (80x60) : **FRF 4 000** – Paris, 23 mai 1984 : *L'homme et la ville* 1969, h/t (218x120) : **FRF 27 000** – Paris, 17 avr. 1985 : *Les cyclistes* 1972, gche (65x51,5) : **FRF 4 000** – Paris, 9 déc. 1985 : *Apollon* 1968, feuilles d'or/t. (150x150) : **FRF 41 000** – Paris, 8 fév. 1988 : *La rencontre*, peint. mixte /pan. (42x86) : **FRF 10 800** – Paris, 11 avr. 1988 : *Après la pluie*, gche/t. (35x21) : **FRF 5 500** – Paris, 20 mars 1988 : *Le verre renversé* 1985, gche/pap./t. (146x97) : **FRF 35 000** – Paris, 23 mars 1988 : *Le bain*, h/t (130x119) : **FRF 20 000** – Paris, 5 mai 1988 : *Fruits différents* 1980, acryl./t. (60x70) : **FRF 11 000** – Paris, 29 sep. 1989 : *Jeune Grec*, gche (90x63) : **FRF 52 000** – Paris, 20 nov. 1989 : *Jeune Grec au chapeau* 1967, h. et peint. or/t. (31x37) : **FRF 33 000** – Paris, 15 fév. 1990 : *La lampe ne le racontera pas* 1972, h. et feuille d'argent/bois (80x61) : **FRF 60 000** – La Varenne-Saint-Hilaire, 20 mai 1990 : *Le couple* 1973, h/t (89x116) : **FRF 70 000** – Paris, 10 fév. 1991 : *Le couple cycliste rouge* 1968, gche/pap./t. (116x76) : **FRF 51 000** – Paris, 16 fév. 1992 : *Ma maison pour l'éternité* 1968, h/t (146x114) : **FRF 50 000** – Paris, 15 juin 1992 : *Le cycliste bleu* 1968, h/t (150x150) : **FRF 105 000** – Paris, 23 juin 1993 : *Le grand joueur* 1971, h/t (162x114) : **FRF 75 000** – Paris, 7 oct. 1995 : *L'homme dans la ville*, acryl./t. (44x32,5) : **FRF 19 000** – Paris, 12 déc. 1995 : *Athéna* 1979, h/t (120x120) : **FRF 94 600** – Paris, 28 mars 1996 : *Panorama poétique de 1975*, h/t (80x100) : **FRF 91 000** – Paris, 13 juin 1996 : *Mon Cher Fumeur* 1971, feuilles d'or et h/t (100x81) : **FRF 75 000** – Calais, 7 juil. 1996 : *Cavalier*, techn. mixte (54x44) : **FRF 15 000** – Paris, 30 sep. 1996 : *Nu bleu au foulard et à la colombe*, cr. coul./pap. (63x49) ; *Le Fumeur à la palme*, past. et cr. coul./pap. (64x49) : **FRF 19 000** – Paris, 16 déc. 1996 : *L'Homme à la bicyclette*, gche/pap. (37x29) : **FRF 9 000** ; *Le Couple* 1977, h/t (110x154) : **FRF 74 000** – Paris, 28 avr. 1997 : *Personnages aux oiseaux*, h/t (58,5x44) : **FRF 26 000**.

FASSIN Adolphe Ferdinand
Né le 14 juillet 1828 à Seny (près de Liège). Mort en 1900 près de Bruxelles. XIXe siècle. Belge.
Sculpteur.
Prit part à l'Exposition de Philadelphie en 1876 et y obtint une médaille.

FASSIN Nicolas Henri Joseph de
Né en 1728 à Liège. Mort en 1811 à Liège. XVIIIe-XIXe siècles. Éc. flamande.
Peintre d'animaux, paysages animés.
Après avoir servi dans l'armée française, il se consacra à la peinture à l'âge de 34 ans. Il fut élève de l'Académie d'Anvers. Il voyagea en Italie et en Suisse et résida longtemps à Genève. Il travailla pour l'empereur de Russie, puis revint se fixer à Liège.
Musées : Budapest : *Bergers* – Genève : *Paysage et animaux* – Liège : *Paysage avec bestiaux*.
Ventes Publiques : Paris, 17 fév. 1928 : *Le passage du gué* : **FRF 2 150** – Amsterdam, 30 nov. 1981 : *Bergère et troupeau dans un paysage*, h/t (84x111) : **NLG 10 000** – Londres, 9 déc. 1994 : *Paysage italien avec des paysans se reposant auprès de ruines classiques*, h/t (98,2x134,2) : **GBP 19 550**.

FASSIN Victor Charles Alexandre
Né en 1826 à Liège. Mort en 1906 à Liège. XIXe siècle. Belge.
Peintre d'histoire.
Le Musée de Liège conserve de lui : *Le bon Samaritain*.

FASSINA Ignazio ou **Fascina**
Mort vers 1767. XVIIIe siècle. Actif à Carmagnota. Italien.
Peintre.
Membre de la Congrégation des pères Philippins, il peignit pour l'église de l'Ordre de Saint-Philippe, à Carmagnola, une *Trinité* et d'autres tableaux d'autel, ainsi qu'une *Sainte Anne* pour l'église de Mondovi.

FASSLER Johann
XVIIe siècle. Autrichien.
Peintre.
Il acquit le droit de bourgeoisie à Vienne en 1724.

FASSNACHT Joseph
Né le 11 juin 1873 à Mittelstreu. XIXe-XXe siècles. Allemand.
Sculpteur de statues, sujets religieux, allégoriques, monuments.
Après avoir travaillé à Wurzbourg, chez un sculpteur sur bois, il étudia à l'Académie de Munich où il fut élève d'Éberlé et Schmitt. Il reçut le Prix de Rome, avec une bourse de voyage en Italie. Il se fixa ensuite à Munich.
Parmi ses œuvres connues : *Bonheur maternel* – *Sainte Barbe*, patronne des artilleurs – un buste du *Prince Léopold de Bavière* – Les monuments aux morts d'Altmannstein et Heidenheim – le groupe de la *Crucifixion* de l'église Sainte-Élisabeth à Nuremberg – une statue de femme, *Épanouissement* – un *Jeune Bacchus* (ces deux statues en marbre) – *Jeune épervier* (bronze) – *La Mère du Sauveur* – *Ecce Agnus Dei*.

FASSNAUER
XVIIe siècle. Actif à Vienne. Autrichien.
Peintre, graveur et ingénieur.

FASTO Cristofaro
XVe siècle. Actif à Naples. Italien.
Peintre.
Peut-être est-il identique à Cristofaro Fusco qui est mentionné en 1487 pour un dessin : *Grenade et Siège de Malaga*.

FASTOWITCH Wladimir de
Né à Theodosie (Russie). XXe siècle. Russe.
Peintre de genre.
Il exposa à Paris au Salon des Indépendants de 1937 à 1939.

FASUOLO Giovanni Antonio. Voir **FASOLO**

FATATTI Antonio
Né vers 1640 à Rome. XVIIe siècle. Italien.
Peintre.

FA TCH'ANG. Voir **MUQI**

FATEEVA Irina Anatolievna
Née en 1908 à Kiev. Morte en 1978 ou 1981. XXe siècle. Russe.
Peintre de compositions animées, figures. Polymorphe.
Elle fut élève de Petrov-Vodkine et diplômée de l'Académie russe des Beaux-Arts en 1937. Elle participe depuis les années 1930 à des expositions tant dans son pays qu'à l'étranger.
Ses expériences avant-gardistes furent interrompues en 1940 par son incarcération. Ensuite, elle pratiqua une peinture savante, mais de conception traditionnelle, traitant même des sujets en accord avec les thèmes du réalisme socialiste.
Ventes Publiques : Paris, 15 déc. 1989 : *Donbass, la fête*, h/t (49x70) : **FRF 21 000** – Paris, 14 mai 1990 : *Les préparatifs de la fête* 1963, gche/pap. (39x52) : **FRF 6 500**.

FATH René Maurice
Né le 22 novembre 1850 à Paris. Mort en 1922. XIXe-XXe siècles. Français.
Peintre de scènes de genre, portraits, paysages animés, paysages.
Il fut élève d'Alexandre Cabanel et de Camille Bernier. Il débuta, dès 1870, au Salon de Paris, puis Salon des Artistes Français, y figurant régulièrement jusqu'en 1921, il en fut sociétaire en 1883. Il obtint de nombreuses récompenses : mention honorable en 1887, mention honorable à l'Exposition Universelle de 1889, Prix Raigecourt-Goyon en 1891, médaille de troisième classe en 1894, médaille de deuxième classe en 1897, médaille de bronze à l'Exposition Universelle de 1900. Il fut fait chevalier de la Légion d'honneur en 1906.
Ses sous-bois et ses scènes de parcs, brossés dans son atelier de Maisons-Laffitte, de composition solide et de matière riche, ont été vite appréciés par le public du Salon. On lui doit aussi quelques portraits académiques et des scènes de genre.
Bibliogr. : Gérald Schurr, in : *Les Petits Maîtres de la peinture 1820-1920, valeur de demain*, Les Éditions de l'Amateur, t. IV, Paris, 1979.

Musées : Amiens : *Le ruisseau gelé* – *Le Hallier* – *Entrée du bois* – Autun : *Sous-bois en avril* – Calais : *L'étang fleuri* – Draguignan : *Une gorge dans la forêt de Fontainebleau* – *La Mare aux canes* – Limoges : *La clairière* – Montpellier : *La mare aux canes* – *Forêt de Saint-Germain-en-Laye* – *Matinée de septembre*.

Ventes Publiques : New York, 13 mai 1904 : *Lac dans la forêt*, h/t : **USD 250** – Paris, 24 nov. 1922 : *Bords de rivière*, h/t : **FRF 210** – Paris, 19 nov. 1924 : *Sous bois*, h/t : **FRF 100** – Paris, 24 jan. 1947 : *Paysage*, h/t : **FRF 1 300** – Paris, 17 fév. 1947 : *La Seine à Maisons-Laffitte*, h/t : **FRF 250** – Londres, 24 juin 1987 : *Bords de Seine*, h/t (70x97) : **GBP 2 600**.

FATH Richard

Né en 1900 à Paris. Mort en 1952. xxe siècle. Français.

Sculpteur animalier, médailleur, peintre, graveur.

De 1922 à 1926, il fut élève de Jean Boucher à l'École des Beaux-Arts de Paris et camarade de Paul Belmondo. Il débuta vraiment vers 1925, exposa au Salon des Artistes Français, où il obtint une mention honorable en 1932. En 1927, 1928, il figurait au Salon des Indépendants.

Très détaché des tendances de son époque, son caractère le rapprochait de la nature, il fut très tôt attiré par les animaux ; il créa plusieurs milliers d'œuvres dispersées dans le monde, dont plus de cent portraits de chiens de races, qui constituent une collection unique.

Ventes Publiques : New York, 4 juin 1993 : *Deux lévriers*, bronze (H. 30,5 x L. 71,1) : **USD 2 300** – Paris, 8 nov. 1995 : *Trotteur*, bronze (H. 21) : **FRF 12 000**.

FATHWINTER, pseudonyme de **Winter Franz Alfred Theophil**

Né en 1906 à Mainz-Castel. Mort en 1974. xxe siècle. Allemand.

Peintre. Abstrait.

Ouvrier d'usine, il se forma seul à la peinture. De 1926 à 1928, il effectua des voyages en Belgique, en Hollande et en Pologne. Il fit sa première exposition en 1931 qui fut aussitôt suivie de son interdiction par le régime nazi. Fixé à Krefeld, à partir de 1945, il participa à de nombreuses expositions, notamment à Munich, Cologne, Hanovre et Wuppertal. Grâce à une bourse du gouvernement français, il fit un séjour à Paris, au cours duquel il figura au Salon des Réalités Nouvelles, en 1954 et 1955, avec des œuvres répondant à une abstraction classique, mais néanmoins assez libre et tendant à un minimum de lyrisme gestuel.

Bibliogr. : Michel Seuphor, in : *Dictionnaire de la peinture abstraite*, Hazan, Paris, 1957.

Ventes Publiques : Cologne, 27 nov. 1987 : *In-formation « Yarthe »* 1965, techn. mixte/pan. (70x100) : **DEM 2 900**.

FATI, pseudonyme de **Ipaktchi Fatemeh**

Née le 21 novembre 1952. xxe siècle. Active en France. Iranienne.

Peintre. Tendance cubiste.

Elle fut élève de l'École des arts Décoratifs de Téhéran, puis de 1980 à 1983, de celle des Beaux-Arts de Paris, où elle eut pour professeur Yankel.

Elle participe à des expositions collectives depuis 1982 à Paris notamment : salons des Indépendants (1987), des Artistes Français (1988), Comparaisons (1988, 1992), d'Automne (1989). Elle montre ses œuvres dans des expositions personnelles à Paris.

Elle travaille la couleur par aplats, décomposant les plans, à la manière cubiste. Ses œuvres, sortes de puzzles dans lesquels s'inscrivent des formes familières, tendent néanmoins vers l'abstraction.

FATIGATI Andrea

Né près de Brescia, originaire de Chiari. xviiie siècle. Italien.

Peintre.

Il exécuta le retable de l'ancienne église San Girolamo à Brescia, représentant *Saint Jérôme et le Prophète Élie*.

FATIN Édouard

xviie siècle. Actif à Paris en 1675. Français.

Peintre.

FATIN Jean Antoine

Né le 19 septembre 1824 à Lyon (Rhône). xixe siècle. Français.

Dessinateur.

Élève de l'École des Beaux-Arts de Lyon (1839-1842), il exposa à Lyon, de 1840 à 1847-1848, des paysages à la plume (vues de la ville et des environs). Il a peint des fleurs à la gouache.

FATIO Antonin. Voir **MOREL FATIO Antoine**

FATJO Y BARTRA Angel

Né à Reus. Mort en 1889 à Barcelone. xixe siècle. Espagnol.

Graveur.

Élève de l'École des Beaux-Arts de Barcelone ; il grava les illustrations d'une édition de luxe du *Don Quichotte* de Cervantès, et les illustrations d'un guide de la ville de Barcelone, *Barcelone antique et moderne* ainsi que de nombreuses planches religieuses comme la *Vierge de Monserrat*.

FATOU Julien

xviiie siècle. Français.

Graveur.

Une gravure au pointillé en couleur, représentant la peintre *Maria Cosway*, fut exécutée par cet artiste d'après un dessin de Richard Cosway, lui-même inspiré d'un portrait de l'artiste par elle-même.

FATOURE Pierre, pseudonyme : **G. Giovanne**

Mort en 1629 à Malte. xviie siècle. Français.

Dessinateur et graveur.

Actif à Paris au début du xviie siècle, il aurait travaillé avec un certain G. Giovanne, mais, d'après Le Blanc, ces deux artistes n'en feraient qu'un seul. On cite de lui des *Allégories* et des *Sujets religieux*.

FATRET A.

xxe siècle. Français.

Peintre.

Ventes Publiques : New York, 11 mars 1943 : *Peintre de toiles turques* : **USD 120**.

FATT Johann Peter

xviiie siècle. Actif à Riga et Mitau. Russe.

Peintre de portraits.

Son ouvrage, *Le portrait d'un Inconnu*, daté de 1791, fut mentionné dans le catalogue d'une collection privée de Riga.

FATTORE, il. Voir **PENNI Giovanni Francesco**

FATTORETTO Giovanni Battista

xviiie siècle. Actif à Venise. Italien.

Sculpteur et architecte.

Il travailla en 1715 à la façade de l'église des Jésuites, à Venise.

FATTORI Giovanni

Né le 25 octobre 1825 à Livourne. Mort le 30 août 1908 à Florence. xixe siècle. Italien.

Peintre d'histoire, sujets militaires, scènes de genre, figures, portraits, animaux, pastelliste, aquarelliste, graveur. Groupe des Macchiaioli.

L'Impressionnisme ne connut que peu de répercussions dans l'Italie du xixe siècle. La place occupée en France par les impressionnistes, le fut, en Italie, par les « macchiaioli » (tachistes, de « macchia » : tache). On considère Giovanni Fattori comme le principal représentant de ce mouvement. C'est à Florence, dont le Salon avait pour l'Italie du xixe siècle à peu près l'importance du Salon de Paris pour la France, que se manifestèrent d'abord les macchiaioli. C'est à l'occasion de l'exposition de Florence de 1862, qu'un critique leur appliqua par dérision l'appellation de tachistes, qu'ils s'approprièrent, comme ce fut aussi le cas pour les impressionnistes, les fauves et les cubistes. Plus qu'une doctrine esthétique, le macchiaiolisme fut la manifestation d'un mouvement social. C'est peut-être la raison pour laquelle, tout en l'admirant, les macchiaioli ne se rallièrent pas à l'impressionnisme, dont l'esthétisme pur ne leur paraissait pas convenir à l'expression de leurs convictions politiques et sociales. Presque tous d'origine populaire, ils avaient le souci de dire la vie et le travail du petit peuple italien, accédant avec difficulté, après un long passé de fastes, à l'âge de l'industrialisation, et de dire le combat de ce peuple pour son affranchissement social. Ils étaient tous nés entre 1825 et 1838. Quelques-uns avaient participé à la révolution manquée de 1848. Tous se retrouvèrent dans la guerre de libération de 1859. Lionello Venturi en dit à peu près que cet élan qui les mène à défendre la liberté et une nouvelle valorisation de l'homme, se traduit dans leurs œuvres par la traduction d'un monde intime, concret et accessible. Telemaco Signorini, qui fut l'un de ces tachistes, analyse leur attitude esthétique par rapport à la conjoncture historico-sociale : « Après la révolution de 1848... des jeunes en nombre considérable, s'émancipent de tout enseignement académique. Ils veulent pour seul maître la nature telle qu'elle se montre, nue enfin, et libérée de toute vision scolaire ». Entre la révolution manquée de 1848 et le Salon de Florence de 1862, c'est au Café

Michel-Ange que les jeunes peintres se réunissaient pour confronter leurs opinions au sujet de Filippo Lippi et Carpaccio qu'ils admiraient, mais aussi de Delacroix, les peintres de l'École de Barbizon qu'ils pouvaient voir dans la collection Demidoff, près de Florence. En 1855, l'un d'entre eux, De Tivoli, fait un voyage à Paris, au cours duquel il connaît Decamps et Troyon. La même année, Vincenzo Cabianca peint un cochon noir sur un mur blanc, œuvre que l'on considère comme le premier essai de la technique de la tache, que le critique Vittorio Imbriani a définie comme : « un portrait de la première impression lointaine d'un objet ou d'une scène... Si ce premier accord fondamental et harmonique vient à manquer, l'exécution et le fini d'un tableau, aussi parfaits soient-ils, ne réussiront jamais à émouvoir... tandis que la tache nue et seule, sans aucune détermination des objets, est très capable de susciter un sentiment ». Comme on le voit à travers ces définitions, les principes des macchiaioli sont très proches de ceux des impressionnistes, desquels ils se séparaient toutefois par le souci d'une construction quasi classique du tableau. En outre, la tache constituait la marquetterie de leurs sensations, sans rechercher, comme chez les impressionnistes, à créer une « couleur-lumière-espace ». Autour de l'Impressionnisme, c'est de Gauguin qu'ils se rapprochent le plus.

Giovanni Fattori, d'humble origine et de modeste culture, n'aimait pas à se mettre en avant, et ne prit que tardivement la première place parmi les macchiaioli. Il avait commencé à peindre sans conseil, dans sa ville natale, puis vint à Florence, en 1846, où il travailla pendant une année dans l'atelier de Giuseppe Bezzuoli, avant de s'inscrire à l'Académie. Il prit dès lors l'habitude de noter toutes ses observations en d'innombrables croquis, sur des carnets qui ne le quittaient pas, et dont on retrouvera plus tard la trace dans ses eaux-fortes. Il participa à la révolution, et ne revint à Florence qu'en 1850, prenant part aux discussions du Café Michel-Ange. Conscient de la modestie de sa culture, il se lie surtout avec Giovanni Costa de qui il apprécie le jugement. En 1869, Fattori fut nommé professeur à l'Académie de Florence, où il obtint, en 1886, le cours de perfectionnement. En 1875, il fit un court séjour à Paris, où il fut intéressé par les impressionnistes, sans que sa propre conception de l'art en fût modifiée. Il exposa à Munich ; à Vienne et à Philadelphie, où il obtint des médailles ; à Paris, où il reçut une mention en 1889, une médaille d'or en 1900 (Exposition Universelle).

Il n'adhère pas spontanément au macchiaiolisme, et reste longtemps fidèle à une conception traditionnelle de la composition et du sujet, tentant une synthèse équilibrée entre le plein-airisme et le grand sujet, qui l'apparente plutôt à Manet qu'aux impressionnistes. Ainsi peint-il, en taches vives mais néanmoins composées : *Soldats français, Une patrouille le long de la mer*, vers 1860, et aussi des sujets plus ambitieux : *Marie Stuart au camp de Crookstone* (1861), *Le camp italien après la bataille de Magenta*, œuvre avec laquelle il remporta, en 1862, le concours gouvernemental. À ces compositions concertées, où Fattori voyait ses chefs-d'œuvre, la critique moderne a préféré ses œuvres plus spontanées : *La rotonde de Palmieri* (1866), *Femme à l'ombrelle* (1866), *Diego Martelli à Castiglioncello, Dame en plein air, Le casseur de pierres*, des paysages de la campagne florentine, puis de la campagne romaine, entre 1873 et 1880, et les paysages de la Maremme toscane, entre 1880 et 1895.

Avec Fattori, c'est le représentant le plus marquant des macchiaioli que l'on juge, et l'on ne peut empêcher ce jugement de s'opérer par rapport aux impressionnistes contemporains.

■ J. B.

G Fattore

Musées : Florence (Offices) : *Le camp italien à la bataille de Magenta – Portrait de l'artiste par lui-même* – Livourne : *L'attaco alla Madonna della Scoperta* – Milan (Brera) : *Le prince Amédée blessé à Custozza* – Naples (Saint-Martin) : *La bataille de Custozza* – Prato : *Filippo Brunelleschi – Bataille de Custozza – Épisode de la bataille de Magenta – Marie Stuart – Saint Jean-Baptiste blâmant Hérode* – Rome (Gal. Nat.) : *Le macchiajole – Le carré du 49e régiment à Custozza* – Trieste (Revoltella) : *Bivouac.*

Ventes Publiques : Paris, 19 mars 1945 : *Chevaux au pré* : **FRF 2 500** – Le Caire, 14-23 mars 1947 : *La charge* : **EGP 25 500** – Paris, 19 juin 1950 : *Gardien de chevaux* : **FRF 200 000** – Londres, 2 juin 1964 : *Scène de guerre et animaux* : **GBP 400** – Milan, 3 mars 1966 : *Étude pour « l'Indifférent »* : **ITL 1 400 000** – Milan, 10 mai 1967 : *Cheval agonisant sur une plage*, past. : **ITL 1 000 000** – Milan, 8 nov. 1967 : *Paysage champêtre* : **ITL 2 400 000** – Milan, 26 nov. 1968 : *Le soldat et la paysanne* : **ITL 6 500 000** – Milan, 11 nov. 1969 : *Carabinier à cheval* : **ITL 8 000 000** – Milan, 10 nov. 1970 : *Cavaliers* : **ITL 14 000 000** – Milan, 16 nov. 1972 : *Le lancier* : **ITL 5 500 000** – Milan, 28 mai 1974 : *Les grandes manœuvres*, past. et fus. : **ITL 36 000 000** – Milan, 14 nov. 1974 : *L'attaque* : **ITL 7 500 000** – Rome, 27 fév. 1976 : *Bord de mer*, h/pan. (13x22) : **ITL 13 000 000** – Londres, 1er juil. 1977 : *Paysan avec deux bœufs*, aquar. et pl. (32x40) : **GBP 1 100** – Milan, 26 mai 1977 : *Le cavalier*, h/t (24x21) : **ITL 11 500 000** – Milan, 25 mai 1978 : *Campement militaire*, aquar. (33,5x22,5) : **ITL 3 600 000** – Milan, 12 mars 1980 : *Scène de bataille*, cr./pap. (25x36,7) : **ITL 2 000 000** – Milan, 12 déc. 1983 : *Un âne*, eau-forte (19x26,5) : **ITL 1 300 000** – Milan, 23 mars 1984 : *Idylle*, h/t (106x53) : **ITL 180 000 000** – Milan, 13 déc. 1984 : *L'artillerie en campagne*, past./pap. mar./t. (46,5x136,5) : **ITL 100 000 000** – Milan, 18 mars 1986 : *Pêcheurs à Antignano près de Livorno*, h/t (45x98) : **ITL 200 000 000** – Londres, 27 mars 1987 : *Campement militaire* 1898, aquar. et pl. (45x35) : **GBP 36 000** – Milan, 23 mars 1988 : *Bateaux à vapeur dans le port de Livourne*, h./pan (13,5x23) : **ITL 19 000** – Rome, 14 déc. 1988 : *Forêt*, aquar./pap. (30x22) : **ITL 6 200 000** – Milan, 14 juin 1989 : *La halte des lanciers* 1898, h/t (41x89) : **ITL 520 000 000** – Rome, 25 avr. 1989 : *h/t* (32x25) : **ITL 40 000 000** – Milan, 8 mars 1990 : *Maison parmi les arbres* 1900, h/pan. (13x23) : **ITL 60 000 000** – Monaco, 21 avr. 1990 : *Aux champs*, encre et aquar. (29x38,5) : **FRF 139 860** – Rome, 29 mai 1990 : *Fantassins dans un paysage* 1865, h/pan. (8,5x13) : **ITL 23 000 000** – Rome, 31 mai 1990 : *Charge de cavalerie*, h/t (50x100) : **ITL 350 000 000** – Milan, 18 oct. 1990 : *Bâtiments dans le port de Livourne*, h/pan. (19x32,5) : **ITL 130 000 000** – Milan, 5 déc. 1990 : *Vue de Castiglioncello*, aquar./pap. (12x38) : **ITL 46 000 000** – Milan, 12 mars 1991 : *Manœuvres d'artillerie*, h/t (30,5x59,5) : **ITL 350 000 000** – Milan, 6 juin 1991 : *Marine livournaise*, h/pan. (13,5x23,5) : **ITL 22 000 000** – Milan, 7 nov. 1991 : *Étude de soldats* 1860, cr./pap. (8x12,5) : **ITL 1 500 000** – Rome, 14 nov. 1991 : *Portrait d'un homme au fume-cigarette*, eau-forte (15,5x10,5) : **ITL 2 185 000** – Paris, 2 déc. 1991 : *Train d'artillerie*, h/cart. (30,5x40,5) : **FRF 80 000** – Milan, 12 déc. 1991 : *Chevaux dans une prairie*, eau-forte (44,5x63) : **ITL 5 500 000** – Milan, 19 mars 1992 : *Pêcheurs à Antignano près de Livourne*, h/t (44x95) : **ITL 305 000 000** – Milan, 16 mars 1993 : *L'Appel après la charge* 1895, h/t (82x196) : **ITL 600 000 000** – Lugano, 8 mai 1993 : *Halte d'un régiment de cavalerie*, h/t (82,5x142,5) : **CHF 530 000** – Milan, 22 mars 1994 : *Un homme dans le bois*, h/t (45x97) : **ITL 460 000 000** – Londres, 15 juin 1994 : *La halte des lanciers*, h/t (39x28) : **GBP 205 000** – New York, 12 oct. 1994 : *Manœuvre de cavalerie*, cr. et h/pan. (17,1x25,4) : **USD 57 500** – Milan, 14 juin 1995 : *Paysannes près d'un rivage de la mer*, aquar./pap. (27,5x34,5) : **ITL 46 000 000** – Milan, 25 oct. 1995 : *Jeune femme blonde de profil*, h/pan. (50,5x33) : **ITL 120 750 000** – Londres, 14 juin 1996 : *En sentinelle*, h/pan. (16,5x25,3) : **GBP 35 600** – Rome, 28 nov. 1996 : *Vue du Montenegro* 1880-1885, h/pan. (9,5x18) : **ITL 21 000 000** – Milan, 18 déc. 1996 : *Portrait de femme*, h/t (53x41) : **ITL 38 445 000** – Milan, 25 mars 1997 : *L'Arno en crue*, h/pan. (18,5x32) : **ITL 36 115 000** – Londres, 13 juin 1997 : *Patrouille de lanciers* vers 1880-1885, h/t (27,3x60) : **GBP 100 500**.

FATTORI Giovanni Battista

Mort en 1778. XVIIIe siècle. Actif à Trente. Italien.

Sculpteur et sculpteur sur bois.

Dans la cathédrale de Trente se trouvent, de la main de cet artiste, deux statues d'anges en marbre, et un *Christ au Mont des Oliviers*, sculpté sur bois.

FATTORI Giuseppe

Né en 1818. Mort le 20 décembre 1888. XIXe siècle. Actif à Florence. Italien.

Peintre.

Il était Professeur à l'Académie de Florence. On connaît de lui un tableau : *Filippo Brunelleschi*, dans la Galerie Antique et Moderne à Florence.

FATTORINI Eliseo Tuderte

Originaire de Todi. XIXe siècle. Italien.

Peintre de compositions religieuses, copiste.

Il fut élève de Silvestro Valeri à Pérouse. Il copia, pour la « Arundel Society », *La Résurrection* de Piero della Francesca et des fresques de la Chapelle Sixtine.

Ventes Publiques : Amsterdam, 28 oct. 1992 : *Vierge à l'Enfant d'après Fra Angelico* 1877, h/pan., haut de forme ogivale (77x46,5) : **NLG 5 175** – Amsterdam, 9 nov. 1993 : *L'Adoration* 1842, h/pan. (69x40) : **NLG 2 185**.

FATTORINI Eugène Justin
Né au XIXe siècle à Paris. XIXe siècle. Français.
Graveur au burin.
Élève de Lamotte et de Patricot. Sociétaire des Artistes Français depuis 1899. Mention honorable en 1897 et la même récompense à l'Exposition Universelle de 1900.
Ventes Publiques : Londres, 15 juil. 1910 : *La Halte* 1882 : **GBP 4**.

FATTORUSO Giuseppe
XVIIe siècle. Actif à Naples. Italien.
Peintre.
Toutes ses œuvres ont disparu. On cite de lui un *Saint Pierre* pour l'église de Saint-Janvier-hors-les-murs, et des fresques dans les églises del Carmine Maggiore et San Diego.

FAU André
Né le 13 novembre 1896 aux Lilas (Hauts-de-Seine). XXe siècle. Français.
Peintre.
Il a été l'élève de Gabriel Ferrier à l'École des Beaux-Arts de Paris. Il a exposé dans les principaux salons parisiens. Il fut d'abord influencé par un certain post-cubisme, puis son style a peu à peu tendu vers un classicisme mesuré.
Ventes Publiques : Paris, 24 juin 1986 : *Le couple*, faïence, paire de trophées (H. 50) : **FRF 6 000**.

FAU Joseph Pierre
Né au XIXe siècle à Gibraltar, de parents français. XIXe siècle. Français.
Peintre.
Élève de Decamps. Il débuta au Salon à Paris, en 1831 *(Naufrage d'un brick)* et exposa en 1835 : *Vue de Flandre*, en 1875 : *Objets persans*, en 1876 : *Faïences du XVIe siècle*, et en 1877 : *Objets d'Orient, Un étalage de bric-à-brac*.
Ventes Publiques : Paris, 19 avr. 1926 : *Un petit port* : **FRF 200**.

FAUBERT Jean
Né en 1942. XXe siècle. Français.
Peintre de genre, intérieurs.
Il vit et travaille dans la région de Toulouse. C'est vers 1975 qu'il s'est consacré à la peinture.
Ventes Publiques : Paris, 26 oct. 1990 : *Scène d'intérieur*, h/pan. (65x21,5) : **FRF 2 500** ; *Le fumeur à la palette*, h/pan. et collage (92,5x65) : **FRF 2 400** – Paris, 26 mai 1997 : *Fumeur de cigare*, h/t (46x33) : **FRF 5 000**.

FAUBERT Pierre
Mort en 1681 à Paris. XVIIe siècle. Français.
Peintre.

FAUCAS Georges ou **Focus**
Né en 1641 à Châteaudun. Mort en 1708 à Paris. XVIIe siècle. Français.
Peintre et aquafortiste.
Membre de l'Académie Royale en 1675. Il était surtout paysagiste.
Ventes Publiques : Paris, 25 avr. 1997 : *La Sainte Famille et Saint Jean-Baptiste*, pl. et encre noire, lav. brun et reh. de blanc (33,2x47,3) : **FRF 16 500**.

FAUCCI Carlo
Né en 1729 à Florence. Mort vers 1784 à Florence. XVIIIe siècle. Italien.
Graveur.
Élève de Carlo Gregori, il grava avec habileté des portraits et des sujets d'histoire. Après avoir fourni quelques planches pour la collection de la galerie du marquis Gerini, il visita l'Angleterre où il travailla pour Boydell. Parmi ses œuvres figurent : *La Naissance de la Vierge*, d'après Pietro da Cortona, *Le Martyre de Saint André*, d'après Carlo Dolci, *Sujet Bachique*, d'après Rubens, *Madone et l'Enfant*, d'après Guido Reni.

FAUCCI Raimondo
XVIIIe siècle. Italien.
Graveur.
Neveu de Carlo Faucci, il assista son oncle dans la plupart de ses œuvres.

FAUCHÉ Jacques
Né en 1927 dans l'Ariège. XXe siècle. Français.
Peintre d'intérieurs. Abstrait puis figuratif.
Il fit ses études à l'École des Beaux-Arts de Toulouse dans l'atelier de Raoul Bergougnan, puis fut professeur dans cette même institution. Il montre ses œuvres dans des expositions personnelles : 1995-1996 galerie Sollertis à Toulouse.
Après des œuvres abstraites, il revient à des œuvres figuratives léchées (notamment série des *Fenêtres*), dans lesquelles il poursuit ses recherches sur l'aspect formel de la couleur.
Bibliogr. : In : *Vingt-cinq ans d'acquisitions, 1959-1984*, catalogue de l'exposition, Musée d'Art et d'Histoire de Narbonne, 1984 – Laurence Cabidoche : *Jacques Fauché*, Art Press, n° 211, Paris, mars 1996.
Musées : Narbonne (Mus. d'Art et d'Hist.).

FAUCHÉ Léon
Né en 1868 à Briey (Meurthe-et-Moselle). XIXe-XXe siècles. Français.
Peintre de sujets divers.
Il fut tout d'abord élève de l'École des Beaux-Arts de Nancy, puis à Paris d'Aimé Morot et Chartran. Avec Anquetin, Toulouse-Lautrec et Dethomas, qui étaient des camarades d'atelier, il exposa au Salon des Indépendants. Il exposa également au Salon de la Société Nationale des Beaux-Arts. En 1901, il organisa avec Anquetin, au Pavillon des Arts Décoratifs, le Salon des Refusés, et fonda avec Armand Point, l'Association *L'Atelier*. À partir de 1906, il figura au Salon de la Société Nationale des Beaux-Arts avec des portraits, des intérieurs, des natures mortes. Auparavant il avait déjà exposé des paysages, des natures mortes et des scènes de genre paysannes.
Ventes Publiques : Paris, 14 mai 1943 : *Nature morte* : **FRF 100** – Alençon, 27 sep. 1987 : *La bourse*, h/pap. calque mar./pan. (41x41) : **FRF 5 500** – Paris, 16 déc. 1987 : *Le port de Honfleur* 1868, lav. d'encre brune et reh. de gche (38x38) : **FRF 2 500** – Paris, 17 fév. 1988 : *Scène de rue* 1868, h/cart. (33x41) : **FRF 7 500**.

FAUCHER Denis
Né vers 1480 à Arles. Mort en 1562 au cloître de Lérins. XVIe siècle. Français.
Miniaturiste.
Il illustra ses propres ouvrages d'histoire.

FAUCHER Guillaume
Né en 1827 à Paris. XIXe siècle. Français.
Sculpteur et médailleur.
Il eut pour maîtres Dumont et Meusnier. Au Salon, il exposa de 1868 à 1870, notamment des portraits médaillons de particuliers.

FAUCHER Jean Charles
Né en 1907 à Montréal. XXe siècle. Canadien.
Peintre.
Musées : Québec (Mus. de la Province) : *Cour d'école*.

FAUCHER Jules
Français.
Dessinateur.
Le Musée de Bourges possède un dessin de cet artiste.

FAUCHER Lisa, Mme, née **Quitrel**
Née au XIXe siècle à Rouen. XIXe siècle. Française.
Peintre et pastelliste.
Elle envoya au Salon de Paris, de 1866 à 1870, des vues et quelques portraits. Elle avait été l'élève de Lazerges, de Perret et de Mme O'Connell.

FAUCHER Pierre
Né en 1960 à Paris. XXe siècle. Français.
Peintre, technique mixte.
Il fut, en 1988, lauréat de la Villa Medicis hors les murs, et effectua un séjour à Naples ; en 1989, il fut lauréat de la Villa Medicis et partit pour un séjour à Rome.
Il participe, depuis 1981, à plusieurs expositions collectives : 1981, Centre culturel, Villeparisis ; 1982, *Atelier 81-82*, ARC, Musée d'Art Moderne de la Ville de Paris ; 1982, *Terre*, Centre Georges Pompidou ; 1983, *Perspective 83 Art Bassel*, galerie Yvon Lambert ; 1985, 2e Biennale d'Art Contemporain de Tours ; 1986, 1987, Salon de Montrouge.
Il réalise des expositions personnelles, entre autres : 1982, Espace Avant-Première Paris ; 1984, 1986, galerie Arlogos, Nantes ; 1986, 1989, Foire internationale d'Art Contemporain, Paris, Grand Palais, présenté par la galerie Lucien Durand ; 1988, Institut Français de Cologne ; 1995, galerie Maeght à Paris. Pierre Faucher a notamment réalisé une série de peintures sur la

bataille du Mont Cassin en 1944 (Italie, Frosinone). Un hommage rendu aux victimes, en premier lieu ces soldats anonymes de la guerre, en une sobre dénonciation de cette perte de l'identité humaine, que l'uniforme et ses appareillages (casques) tentent d'indifférencier, de masquer, mais qui restent comme des témoignages fantomatiques de l'horreur. ■ C. D.

Bibliogr. : In : *Acquisitions 1989*, Fonds National d'Art Contemporain, Paris, 1989.

Musées : Paris (FNAC).

Ventes Publiques : Paris, 8 oct. 1989 : *Matériel*, h/t (100x100) : **FRF 11 000**.

FAUCHERY Augustine, Mme
Née en 1803 à Paris. xixe siècle. Française.
Peintre et lithographe.
Élève de Regnault. On cite parmi ses ouvrages : *La Mort d'Hippolyte, Sapho méditant, la veille de sa mort*.

FAUCHERY Jean Claude Auguste
Né le 2 avril 1798 à Paris. Mort le 15 avril 1843 à Paris. xixe siècle. Français.
Peintre et graveur.
Entré à l'École des Beaux-Arts en 1813, il devint l'élève de Regnault et de Guérin. Il fut médaillé de deuxième classe en 1831. De 1827 à 1834, il figura au Salon de Paris. On a de lui, au Musée de Narbonne, *La Joconde*, d'après Léonard de Vinci.

FAUCHET Charlotte. Voir **TOTY**

FAUCHET Raymond
Né le 8 janvier 1896 à Bruyères-le-Châtel (Essonne). xxe siècle. Français.
Peintre.
Ce peintre, d'accent moderne et d'inspiration classique, très française, a exposé, à Paris, au Salon des Tuileries. Il s'est ensuite consacré aux belles-lettres.

Ventes Publiques : Paris, 3 mai 1928 : *Nu assis*, dess. : **FRF 100**.

FAUCHET René
xxe siècle. Français.
Peintre.

Ventes Publiques : Paris, 4 juin 1926 : *Coin de banlieue* : **FRF 140**.

FAUCHEUR
xviiie siècle. Actif à Paris. Français.
Sculpteur.

FAUCHEUR Arthur
Mort en 1904. xixe siècle. Français.
Peintre.
Sociétaire des Artistes Français, il figura au Salon de cette société.

FAUCHEUR Jean
xxe siècle. Français.
Peintre de figures, portraits, sculpteur de bustes.
Il montre ses œuvres dans des expositions personnelles, à Paris.

Ventes Publiques : Paris, 25 juin 1986 : *Chute libre*, acryl./t. (176x120) : **FRF 6 000**.

FAUCHEUR Léonie Eugénie
Née le 7 avril 1873 à Paris. xixe-xxe siècles. Française.
Peintre.
Elle fut élève de Rivoire. Elle débuta en 1908, à Paris, au Salon des Artistes Français.

Ventes Publiques : Paris, 14 déc. 1942 : *Vase de Tulipes*, aquar. : **FRF 140**.

FAUCHEUR Yves
xxe siècle. Français.
Peintre. Abstrait-géométrique.
Il exerce son métier à Paris. Il a été l'élève de Fernand Léger en 1948 et a subi fortement son influence.
Ses tableaux sont figuratifs, construits en larges aplats, aux formes simplifiées et souvent assez géométriques. L'ensemble est monumental, solide, vivement coloré, et donne un caractère vigoureux à son œuvre.

FAUCHIER Herminie. Voir **GUDIN**

FAUCHIER Joseph François
xviiie siècle. Actif à Nantes. Français.
Peintre sur faïence.

FAUCHIER Laurent ou **Léon**
Né le 11 mars 1643 à Aix-en-Provence. Mort le 25 mars 1672 à Aix-en-Provence. xviie siècle. Français.
Peintre et graveur.
Fauchier était le fils d'un orfèvre. Il excella dans le portrait. Son mérite est d'autant plus grand qu'il atteignit à la perfection de son art par lui-même sans le secours d'aucun maître. Il étudia et copia les portraits de Finsonius, il dessina d'après l'antique et d'après les estampes de Raphaël et de l'école de Carrache. Le cardinal, duc de Vendôme, gouverneur de Provence, l'ayant emmené à Paris, le présenta à Mignard, qui le prit sous sa protection et le fit travailler à la plupart des tableaux qu'il peignait. Fauchier, doué d'un esprit observateur, avait parfaitement compris les exagérations et les défauts de ses professeurs, en particulier le maniérisme de Mignard. Malgré les offres brillantes qu'on lui fit, il refusa de se produire à la cour et resta fidèle à la Provence. Pierre Puget lui fit donner des leçons à son fils François. Fauchier mourut à 29 ans, victime d'un excès de travail, pendant qu'il peignait pour la cinquième fois Madame de Forbin, connue sous le nom de la *Belle du Canet*. Fauchier, bien que mort à la fleur de l'âge, a exécuté de nombreux ouvrages. Il faut citer parmi eux un *Conseiller au Parlement d'Aix*, le *Guitariste*, le *portrait de Mme de Grignan*.

Bibliogr. : Catalogue de l'exposition : *Les Peintres de la Réalité en France au xviie siècle*, Mus. de l'Orangerie, Paris, 1934.

Musées : Bruxelles (Mus. des Beaux-Arts) : *Portrait de jeune homme* – Chartres : *Portrait présumé de la princesse Farnèse* – Marseille : *Portrait de femme* – *Portrait d'un abbé* – Montpellier : *Portrait d'homme* – Nantes : *Portrait d'une dame* – *Portrait d'homme* – *Portrait d'adolescent* – *Portrait d'homme* – Orléans (Mus. Fourché) : *Portrait présumé du prince Mario Piccolomini* – Toulon : *Portrait d'un magistrat*.

Ventes Publiques : Paris, le 13 mai 1904 : *Adhémar de Monteil, comte de Grignan* ; *Françoise-Marguerite de Sévigné*, les deux : **FRF 3 850**.

FAUCHIER N. ou **Fouchier**
Né au xviiie siècle à Berg-op-Zoom. xviiie siècle. Hollandais.
Peintre d'histoire.
Cet artiste faisait preuve d'un remarquable talent et réussit tous les genres. Malheureusement, l'extravagance de son caractère lui fit le plus grand tort ; il mourut noyé.

FAUCHIER Robert ou **Fouchier**
Né en 1358 à Melun. xive siècle. Français.
Sculpteur et architecte.
Le duc Jean de Berry le chargea, en 1383, de conduire les travaux du palais de Poitiers, en remplacement de Guy de Dammartin. A son retour à Melun, il recueillit la dignité de maître des œuvres de la ville. Le roi Charles VI lui confia, en 1403, la restauration de son château.

FAUCHIER Serge
Né à Perpignan (Pyrénées-Orientales). xxe siècle. Français.
Peintre. Abstrait.
Il a exposé collectivement à plusieurs reprises, notamment au Salon de Montrouge (Paris) en 1992. Aussi personnellement depuis 1984 : Perpignan, Bordeaux ; 1985 Institut Français de Barcelone ; 1988 galerie Jacques Girard, à Toulouse ; 1988 Prieuré de Serrabona, à Île-sur-Tête ; 1988 galerie Regards, à Paris ; 1995 galerie Jean Fournier à Paris.
Une peinture apparemment dans la continuation de celle des Newman et Rothko, mais avec une problématique de type : « Comment faire une peinture avec la couleur, presque rien que la couleur, et une peinture qui échappe à la monochromie comme à la répétition d'une modulation unique ? », écrit à son propos l'historien et critique d'art Philippe Dagen.

Bibliogr. : Philippe Dagen : *Serge Fauchier, peintre « américain »*, in : *Art Press*, Paris, 1988.

FAUCHON Hippolyte Auguste
Né au xixe siècle à Paris. xixe siècle. Français.
Peintre et graveur.
Élève d'Ettebert et de A. Morot. Débuta au Salon de 1877. Sociétaire des Artistes Français depuis 1885. Médaille de troisième classe en 1888, médaille de troisième classe en 1892, Mention honorable à l'Exposition Universelle de 1900. Il a fait des lithographies, d'après Ribot, Berton, Fortuny.

FAUCHOT-BAILLION Juliette
Née dans la seconde moitié du xixe siècle à Paris. xixe siècle. Française.
Peintre.

FAUCIGNY
xviiie siècle. Actif à Londres. Britannique.

Peintre de miniatures.
Il exposa cinq portraits à la Royal Academy en 1797.

FAUCK François Raymond
Né au début du XXe siècle à Lille (Nord). XXe siècle. Français.
Peintre.
Il fut élève de Sabatté et Simon, et sociétaire, à Paris, du Salon des Artistes Français.
VENTES PUBLIQUES : PARIS, oct. 1945-juil. 1946 : *Le Canal* : **FRF 5 000.**

FAUCON Claude
XVIIe siècle. Français.
Sculpteur sur bois.
Il entreprit en 1647 la décoration de l'autel des Ursulines à Beaucaire avec un bas-relief représentant *L'Annonciation.*

FAUCON Édith
Née le 24 mai 1919 à Carentan (Manche). XXe siècle. Française.
Peintre.
Exposant, à Paris, au Salon des Artistes Français, elle obtient, en 1942, le prix Th. Ralli ; en 1943 une mention, et le prix Valérie Havard.

FAUCON Jacques
XVIIIe siècle. Actif à Paris en 1763. Français.
Peintre.

FAUCON Jean Claude
Né en 1939 à Berchem-Sainte-Agathe. XXe siècle. Belge.
Peintre, sculpteur. Abstrait-géométrique.
Il fut élève de l'Académie de Bruxelles. Il est professeur à l'Académie de Molenbeek. Il obtient le prix de la S.H. Hirshorn Foundation, aux États-Unis.
BIBLIOGR. : In : *Dictionnaire biographique illustré des artistes en Belgique, depuis 1830,* Arto, Bruxelles, 1987.

FAUCON Jules André
Né le 30 novembre 1870 à Lyon (Rhône). XIXe-XXe siècles. Français.
Peintre de natures mortes, figures, intérieurs.
Il fut élève de l'École des Beaux-Arts de Lyon, où il entra en 1887. Il expose à Lyon depuis 1896. Il a obtenu en 1904 une troisième médaille avec *Les Crêpes et grenades et raisins.*

FAUCON Marie Célestine, Mme **Pigault**
Née en 1811 à Honfleur (Calvados). Morte en 1859. XIXe siècle. Française.
Peintre de genre.
MUSÉES : CAEN : *Jeune femme à sa toilette – La Veilleuse.*
VENTES PUBLIQUES : NEW YORK, 2 déc. 1986 : *Paysage d'été à l'étang,* h/pan. parqueté (25,3x40,5) : **USD 2 300.**

FAUCONNET Alexis
XVIIIe siècle. Actif à Lyon. Français.
Sculpteur.

FAUCONNET Augustin
Né en 1701 à Liévremont (Doubs). Mort en 1770 à Goux. XVIIIe siècle. Français.
Sculpteur sur bois.
Il exécuta divers travaux dans des églises du Doubs et du Jura. Dans le Doubs, à Bannans, des autels et fonts-baptismaux ; à Goux-lez-Usier le maître-autel, les boiseries du chœur, la chaire, le lutrin ; à Lisine le maître-autel, la chaire et les fonts-baptismaux ; dans le Jura, à Mignovillars, des boiseries et des autels.

FAUCONNET Guy Pierre
Né en 1882 à Paris. Mort en 1920 à Paris. XXe siècle. Français.
Peintre, dessinateur, décorateur, graveur.
L'art français fondait de grands espoirs sur cet artiste contemporain de La Fresnaye et de Dunoyer de Segonzac.
Peintre de nus délicats aux tons légers. Dessinateur savant, subtil, Fauconnet fut aussi décorateur, il exécuta pour le théâtre des costumes et des masques.

g. fauconnet

g. fauconnet

G. P. FAUCONNET

MUSÉES : LUXEMBOURG (Mus. du Grand-Duché).
VENTES PUBLIQUES : PARIS, 18 nov. 1927 : *Chat noir et blanc* : **FRF 1 250** – MONTE-CARLO, 9 oct. 1977 : *Le berger endormi,* h/t (97x130) : **FRF 12 000** – LONDRES, 27 juin 1988 : *Le berger endormi,* h/t (96x130) : **GBP 10 450.**

FAUCONNIER
XIXe siècle. Actif à Paris. Français.
Graveur et lithographe.
On connaît de lui six planches : *L'Éléphant du Roi de Siam* et une lithographie *Chanteurs tyroliens.*

FAUCONNIER Berthe. Voir **FAUCONNIER-CLERGET**

FAUCONNIER Édouard
XIXe siècle. Actif vers 1842. Éc. flamande.
Peintre d'histoire et de portraits.
Siret cite une *Judith* de cet artiste.

FAUCONNIER Émile Eugène
Né en 1857 à Paris. XIXe siècle. Français.
Peintre de genre.
Élève de Cormon. Sociétaire des Artistes Français depuis 1894. Mention honorable en 1894, même récompense à l'Exposition Universelle de 1900, médaille de troisième classe en 1903. Le Lycée Michelet possède de lui *Le Martyre de saint Nicaise et de sainte Eutrope.*

FAUCONNIER Johannes
XVe siècle. Actif à Lille. Français.
Peintre.
Il travailla en 1453 aux préparatifs d'un banquet en l'honneur de Philippe le Bon.

FAUCONNIER Laurence, Mme
Morte après 1567. XVIe siècle. Vivant à Bourges. Française.
Peintre verrier.
Elle épousa l'échevin Pragneau en 1528. On cite de cette artiste le beau vitrail de la chapelle fondée par elle dans l'église Saint-Bonnet de Bourges, et des *Scènes de la Vie de la Vierge* dans l'église d'Écouen.

FAUCONNIER-CLERGET Berthe
Née le 13 février 1882 à Paris. XXe siècle. Française.
Peintre de miniatures.
Elle a débuté, à Paris, au Salon des Artistes Français en 1901, dont elle devint sociétaire en 1903.

FAUCQ Jean
Né en 1900 à Bruxelles. XXe siècle. Belge.
Peintre. Naïf.
Il ne peint que depuis 1960. Autodidacte, il fut cafetier.
BIBLIOGR. : In : *Dictionnaire biographique illustré des artistes en Belgique, depuis 1830,* Arto, Bruxelles, 1987.

FAUDACQ Louis Marie
Né en 1840 à Givet (Ardennes). Mort en 1914 à Paimpol (Côtes-d'Armor). XIXe-XXe siècles. Français.
Peintre de paysages, marines, aquarelliste, graveur, dessinateur, illustrateur.
Il fut élève d'Alfred Foullongne. Entré dans l'administration, comme commis des douanes, il concilia ses fonctions douanières et sa passion pour l'aquarelle. Il exposa au Salon de Paris, dès 1878.
Il peignit les sites marins du Goëlo et du Trégor. Il collabora au magazine *L'Illustration* en 1875, au journal *Le Yacht* de 1885 à 1894, à la revue *Le Salon* en 1880, où un grand nombre de ses dessins furent reproduits.
BIBLIOGR. : Gérald Schurr, in : *Les Petits Maîtres de la peinture 1820-1920, valeur de demain,* Les Éditions de l'Amateur, t. V, Paris, 1981.

FAUDOT Bernard
Né à Flogny (Yonne). XXe siècle. Français.
Sculpteur.
Exposant, à Paris, au Salon des Artistes Français depuis 1921.

FAUDRAN Jean Baptiste
Né vers 1630 à Lambesc. Mort vers 1694 à Marseille. XVIIe siècle. Français.
Peintre d'histoire, compositions religieuses.
Cet artiste était un gentilhomme, issu de la noble maison des Faudran de Lambex. Il était doué d'un talent naturel pour la

peinture. Ses contemporains firent de lui un assez grand éloge. Nous ne sommes pas à même d'en apprécier la justesse, car les œuvres de Faudran n'existent plus ou ne sont pas connues. Peut-être s'agit-il de Jean Baptiste de Faudran né en 1611 et mort en 1669, dont on a vendu *L'adoration des mages*, à Paris en 1982.
Ventes Publiques : Paris, 5 mars 1982 : *L'adoration des mages*, h/t (92x113) : **FRF 330 000.**

FAUE Maryn
xvie siècle. Actif à Bruges. Éc. flamande.
Peintre.

FAUERHOLDT Viggo ou **Faurholt**
Né en 1832 à Copenhague. Mort le 7 août 1883 à Düsseldorf. xixe siècle. Danois.
Peintre de marines.
Élève de l'Académie de Copenhague, il exposa des marines au Château de Charlottenborg de 1854 à 1867 ; il obtint une bourse et fit un voyage en Allemagne et se fixa à Düsseldorf.
Musées : Stockholm : *Sur la plage.*
Ventes Publiques : Copenhague, 10 fév. 1976 : *Paysage d'été*, h/t (42x63) : **DKK 3 100** – Cologne, 20 mars 1981 : *Bord de mer avec personnages et barques*, h/t (42x62) : **DEM 4 000** – Copenhague, 7 nov. 1984 : *Pêcheurs sur la plage de Gudhjem* 1860, h/t (51x78) : **DKK 28 000.**

FAUGERON Adolphe
Né le 6 janvier 1866. xixe-xxe siècles. Français.
Peintre de paysages, paysages urbains.
Il exposa régulièrement, à Paris, au Salon dont il devint sociétaire en 1883 (Salon des Artistes Français). Il obtint une mention honorable en 1907, et une médaille de troisième classe au Salon de 1911.

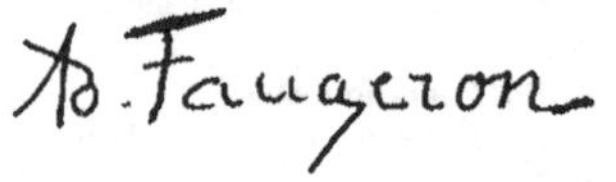

Ventes Publiques : Paris, 17 mai 1987 : *Nu, les bras levés*, h/t (98x55) : **FRF 6 100** – Troyes, 24 jan. 1988 : *Les poupées*, h/t (73x100) : **FRF 28 000** – New York, 25 oct. 1989 : *Naiade*, h/t (146x96,5) : **USD 9 900.**

FAUGINET Jacques Auguste
Né le 22 avril 1809 à Paris. Mort en 1847 à Paris. xixe siècle. Français.
Sculpteur de bustes, statues, animaux.
Élève de Gatteaux, il exposa au Salon, à partir de 1831, des bustes, des statues, des statuettes, des groupes, des animaux, etc. ; médaille de troisième classe en 1838. La Collection de la Comédie-Française possède de cet artiste un buste en marbre de *Marivaux.*
Ventes Publiques : Londres, 14 mai 1980 : *Étalon*, bronze (H. 19,5) : **GBP 400** – Paris, 8 déc. 1987 : *Gentilhomme à cheval*, bronze à patine brune (54x50) : **FRF 15 000** – New York, 3 juin 1994 : *Cheval* 1836, bronze (H. 33,7, L. 34,9) : **USD 8 625.**

FAUGUET Richard
Né en 1963 à La Châtre (Indre). xxe siècle. Français.
Artiste, dessinateur, créateur d'assemblages.
Richard Fauguet vit et travaille à Châteauroux. Il participe à des expositions collectives : 1988, *Ateliers*, au Centre de création contemporaine de Tours ; 1997, *Coïncidences, Coïncidences* à la Fondation Cartier à Paris ; 1997, *Transit - 60 artistes nés après 60 - Œuvres du Fonds national d'Art contemporain*, École des Beaux-Arts, Paris.
Il montre ses œuvres dans des expositions individuelles, entre autres : 1987, Centre d'art contemporain, Châteauroux ; 1989, 1991, 1994, galerie Jean-François Dumont, Bordeaux ; 1990, Espace Artpool, Lauret ; 1993, Frac Limousin, Limoges ; 1994, *Aquarelle = Jus de fille*, le Creux de l'Enfer, Thiers ; 1995, galerie du Progrès, Lauret ; 1995, Espace Jules Verne, Bretigny-sur-Orge ; 1996, Centre d'art contemporain, Vassivière-en-Limousin ; 1997, galerie Art : Concept, Paris.
Son travail est avant tout marqué par l'humour, une certaine dérision face au traditionnel de la « création ». Il dessine des sous-vêtements féminins sur des lasagnes crues, des portraits exécutés au chalumeau sur des draps, réalise des assemblages d'entonnoirs et de dentelle, et des robots à l'aide de protège-cheminées. Les références de l'artiste sont multiples : biographiques, cinématographiques, publicitaires et picturales.
■ C. D.

Bibliogr. : In : *Acquisitions, 1989*, Fonds National d'Art Contemporain, Paris, 1989 – Dolène Ainardi : *Top 50*, in : *Art Press*, n° 157, Paris, 1991 – *Richard Fauguet*, catalogue de l'exposition, Espace Jules Verne, Bretigny-sur-Orge, 1995 – Frédéric Paul : *Richard Fauguet - un hippocampe dans les étangs de la Brenne*, in : *Art Press* n° 203, Pairs, juin 1995.
Musées : Angoulême (FRAC Poitou-Charente) : *Sans titre* 1992, deux dessins – Bordeaux (FRAC Aquitaine) : *Sans Titre* 1995 – Marseille (FRAC Alpes-Côtes d'Azur) : *Molécule de chien* 1993 – Paris (FNAC).

FAUJAERT S.
Probablement d'origine hollandaise. xviie siècle.
Peintre de portraits.
On connaît de lui un tableau représentant le sénateur de Riga, *Johann Kocken* (mort en 1656), avec sa famille, au pied de la Croix. Ce tableau se trouve dans la cathédrale de Riga.

FAUKEMBERGHE Bauduin de. Voir **BAUDUIN de Faukemberghe**

FAULCHEUR Michel
xviie siècle. Actif à Paris en 1611. Français.
Peintre ou sculpteur.

FAULCON Louise Adèle, Mme, plus tard Mme **Aug. Gemin**, née **Guichard**
Née en 1817 à Crémieu (Isère). Morte en mars 1897 à Crémieu. xixe siècle. Française.
Peintre.
Élève de Lessore, elle exposa à Lyon, depuis 1878, des tableaux de fleurs et de natures mortes ; à Paris, en 1877, *Roses de Noël.* Elle a laissé des dessins d'un beau style représentant des paysages et des vues de Crémieu, où elle vécut et connut Ravier. Elle est représentée au Musée de Grenoble par une toile : *Chardons et immortelles.*

FAULE Adolphe
Né au xixe siècle à Paris. xixe siècle. Français.
Graveur sur bois.
Élève d'Émile Lemaire. Sociétaire des Artistes Français depuis 1904. Mention honorable en 1894.

FAULER
xviie siècle. Tchécoslovaque.
Sculpteur.
A sculpté en pierre avec le sculpteur Gatschke d'Eibenschitz une *Crucifixion* à Trubau en Moravie.

FAULEY Albert
Né le 20 mai 1858 à Fulton-ham. xixe siècle. Américain.
Peintre.
Élève, à Paris, de Boulanger, B. Constant et Blanc.

FAULHABER Urban
Né le 26 mai 1711. Mort le 17 mai 1780. xviiie siècle. Actif à Schömberg (Wurtemberg). Allemand.
Sculpteur.
Il installa et décora les autels, les stalles et la chaire de l'église de Schörzingen, et les autels de l'église de Palmbuhl, près de Schömberg. Des dessins d'autels de sa main se trouvent dans les archives de la cure de Schömberg.

FAULKNER Barry
Né le 12 juillet 1881 à Keene (New Hampshire). xxe siècle. Américain.
Peintre, peintre de compositions murales.
Il fut élève de l'Université de Harvard, puis étudia la peinture, à New York, à la Art Students' League, ensuite à Rome, à l'Académie Américaine. Il fut également élève d'Abbott H. Tayer et Georges de Forest Brush. Il exécuta pour la maison de Ms E. H. Harriman à Arden (New York) une peinture murale qui lui valut la médaille d'or de l'Architectural League de New York en 1914.

FAULKNER Benjamin Rawlinson
Né en 1787 à Manchester. Mort en 1849 à Londres. xixe siècle. Britannique.
Peintre de portraits.
Il étudia pendant quelque temps à Londres et commença à exposer à la Royal Academy en 1821. Sa clientèle la plus importante se trouvait surtout à Manchester. Parmi ses portraits, il exécuta ceux de *John Dalton* (1841) et de *John Nic. Culloch.*
Musées : Édimbourg (Nat. Port. Gal.) : *Portrait de l'amiral John Ross* – Londres (India Office) : *Portrait du général W. Nott* – Salford (Peel Park) : *Portrait du maire de Manchester, W. Nield.*

Ventes Publiques : Londres, 27 nov. 1936 : *Portrait de femme* : **GBP 29** – Londres, 10 avr. 1992 : *Portrait de Louisa, Comtesse de Kintore, debout, vêtue d'une robe de satin blanc avec une guitare à ses pieds*, h/t (240,3x147,3) : **GBP 7 920**.

FAULKNER Florence
Née à Londres. XXe siècle. Britannique.
Miniaturiste.
Elle exposa à Paris au Salon des Artistes Français à partir de 1925.

FAULKNER Frank
XXe siècle. Britannique.
Peintre, technique mixte.
Ventes Publiques : Londres, 2 déc. 1980 : *Sans titre* 1977, techn. mixte (158x114) : **GBP 1 000** – New York, 11 nov. 1986 : *Narcissus* 1981, acryl./t. (182x183) : **USD 7 000** – New York, 10 oct. 1990 : *Sans titre* 1979, acryl./t. (164,1x104,7) : **USD 3 300** – New York, 30 juin 1993 : *Ariane* 1983, techn. mixte/t. (182,9x182,9) : **USD 3 450** – New York, 7 mai 1996 : *Miroir* 1978, acryl./pap./t. d'emballage (152,4x182,9) : **USD 1 840** – New York, 10 oct. 1996 : *Sans titre* 1978, techn. mixte/pan. (182,3x151,8) : **USD 2 070**.

FAULKNER Herbert W.
Né le 8 octobre 1860 à Stamford (États-Unis). XIXe siècle. Actif à Paris. Américain.
Peintre et illustrateur.
Commença ses études à New York avec Carroll Beckwith. Travailla ensuite à Paris avec R. Collin. Peint particulièrement des sujets vénitiens.
Musées : Dallas (Art Assoc.) : *La cuisine du gondolier* – Indianapolis : *L'Église Saint-Georges, à Venise au coucher du soleil* – Minneapolis : *Règlement de compte* – Saint-Louis : *Palais sur le Grand-Canal*.

FAULKNER John
Né en 1803 ou 1830. Mort en 1888. XIXe siècle. Irlandais.
Peintre d'animaux, paysages animés, paysages, marines, peintre à la gouache, aquarelliste, dessinateur.
Actif à Dublin, membre de la Royal Hibernian Academy. Expose un tableau : *Daims*, à la Royal Academy, à Londres, en 1865.
Il peut y avoir confusion entre les deux John Faulkner, notamment en ce qui concerne les ventes publiques.
Ventes Publiques : Londres, 15 juil. 1910 : *L'Avon près de Leamington*, aquar. : **GBP 4** – Londres, 19 déc. 1978 : *Paysage* 1878, aquar. et reh. de blanc (65,5x118) : **GBP 1 600** – New York, 7 jan. 1981 : *On Lough Corrib, County Galway*, aquar. et cr. (22,5x48,9) : **USD 2 600** – Londres, 24 mai 1984 : *Near Rickmansworth, Hertfordshire*, aquar. reh. de gche (47x98) : **GBP 1 500** – Londres, 30 mai 1985 : *Une ferme aux environs de Donegal* 1875, aquar. et cr. reh. de gche (64,5x89,5) : **GBP 2 200** – Londres, 22 fév. 1985 : *Pêcheurs ramenant les filets* 1869, h/t (64,8x89) : **GBP 2 800** – Londres, 25 jan. 1988 : *Le chemin de Little Flaunden dans la vallée des collines*, aquar. (47,5x98,5) : **GBP 2 640** – Rome, 25 avr. 1988 : *Sharmbrook Bed*, aquar./pap. (47x98) : **ITL 1 800 000** – Londres, 25 jan. 1989 : *La vieille église de Rickmansworth*, aquar. (47x98) : **GBP 2 200** ; *Partie de chasse dans les Moors*, aquar. et gche (77,5x133) : **GBP 2 860** – Londres, 15 juin 1990 : *L'approche de l'orage* 1885, h/t (106,7x180) : **GBP 10 450** – Perth, 27 août 1990 : *La chasse à la grouse*, aquar. avec reh. de blanc (77x132) : **GBP 3 850** – Dublin, 12 déc. 1990 : *La poterne du château de Rathfarnham*, h/t (45,9x65,5) : **IEP 2 000** – Londres, 8 fév. 1991 : *Maisons de Cambus o'May dans l'Aberdeenshire* 1878, cr. et aquar. (43,3x77) : **GBP 1 650** – Londres, 12 mai 1993 : *Pinner dans le Middlesex*, aquar. (46x98) : **GBP 1 495** – Dublin, 26 mai 1993 : *Falaises à Blacksod Bay*, aquar. avec reh. de blanc (66,7x117,5) : **IEP 3 520** – New York, 28 mai 1993 : *Brise du matin*, aquar./pap. (57,2x100,3) : **USD 1 150** – Perth, 30 août 1994 : *Ballater depuis le Glen de Muick* ; *La Dee près de Cambus o'May* 1879, aquar. avec reh. de blanc, une paire (chaque 43,5x76) : **GBP 4 945**.

FAULKNER John
Né vers 1830. Mort en 1894. XIXe siècle. Irlandais ou Britannique.
Peintre de paysages.
Il a exposé entre 1884-1890 à la Royal Academy et à Suffolk Street. Peut-être est-il identique à l'autre John Faulkner.
Musées : Manchester : *Lac Cheil – Slievemore, île Achill* – Sheffield : *Au large du cap Slear*.
Ventes Publiques : New York, 11 avr. 1984 : *Paysage au lac animé de personnages* 1889, h/t (66x102,5) : **USD 3 000** – New York, 9 mars 1996 : *Au large du port de Horoth près de Dublin*, aquar./pap. (49,5x92,8) : **USD 2 530** – Londres, 6 nov. 1996 : *Vue d'Harrow Hill, Middlesex*, aquar. avec reh. de gche (43x72) : **GBP 1 150** – Glasgow, 11 déc. 1996 : *Loch Sheil, Argyllshire*, aquar. reh. de blanc (62x102,5) : **GBP 1 035**.

FAULKNER Joshua Wilson
Né à Manchester. Mort après 1820. XIXe siècle. Britannique.
Portraitiste.
Frère de Benjamin Faulkner, il passa la plus grande partie de sa vie dans sa ville natale. Il exposa à l'Institution de Liverpool et quelquefois à la Royal Academy de 1809 à 1820.
Ventes Publiques : Londres, 20 déc. 1940 : *Simplicité* : **GBP 262**.

FAULKNER Mary
XIXe siècle. Active à Londres. Britannique.
Peintre.
Elle était probablement la fille de B. R. Faulkner. Elle figura de 1838 à 1842 à la Royal Academy et à la British Institution avec des portraits, des études de têtes et des tableaux de genre.

FAULKNER Robert
XIXe siècle. Britannique.
Peintre de portraits.
Il était probablement le fils de Benjamin Rawlinson Faulkner. Il exposa à la Royal Academy et à la Suffolk Street Gallery de 1847 à 1849.

FAULL Emma
Née en 1956. XXe siècle. Britannique.
Peintre d'animaux, aquarelliste, dessinatrice.
Ventes Publiques : Londres, 15 mars 1994 : *Aigle doré* 1991, encre et aquar. (119,4x88,2) : **GBP 2 530** – Londres, 14 mai 1996 : *Aigles dorés*, cr., encre et aquar. avec reh. de blanc (130,7x100,3) : **GBP 3 680** – Londres, 30 sep. 1997 : *Perdrix au milieu de coquelicots*, cr., pl. et encre et aquar. (96,5x81,2) : **GBP 2 875**.

FAULQUE Louise
XIXe siècle. Actif à Paris. Français.
Peintre.
Sociétaire des Artistes Français depuis 1888 ; figura au Salon de cette société.

FAULSTICH Johannes
XVe siècle. Actif à Saint-Gall à la fin du XVe siècle. Suisse.
Peintre et miniaturiste.
Décora en 1496 des livres de chœur conservés dans l'église paroissiale de Bischofzell, aujourd'hui à la Bibliothèque Nationale de Paris.

FAULTE Michel
XVIIe siècle. Actif à Paris. Français.
Peintre et graveur.
Il a gravé des *Portraits*, des *Sujets religieux* et des *Sujets d'histoire*.

FAULX Henri
Né au XVIIe siècle à Dijon. XVIIe siècle. Français.
Peintre.
Cité par de Marolles.

FAUNER Josef
Né en 1756 à Vienne. XVIIIe siècle. Autrichien.
Peintre.
Il fut élève de l'Académie de Vienne et peintre de la Manufacture de porcelaine.

FAUQUER Jean Baptiste
XVIIe siècle. Actif à Paris. Français.
Sculpteur.

FAUQUET Édith
Née au début du XXe siècle à Paris. XXe siècle. Française.
Peintre.
Elle fut élève de Sabbaté, elle expose depuis 1934, à Paris, au Salon des Artistes Français, où elle obtient le prix Th. Ralli en 1936, et une seconde médaille en 1937, ainsi que le prix Paul Liot en 1937, et enfin une bourse de voyage en 1938.

FAUQUET Firmin B.
Mort en 1902. XIXe siècle. Actif à Paris. Français.
Graveur.
Sociétaire des Artistes Français, il figura au Salon de ce groupement.

FAUQUET Louise, Mme, née **Saint-Edme**
Née au XIXe siècle à Milan, de parents français. XIXe siècle. Française.
Peintre.
Elle envoya au Salon de Paris, de 1847 à 1852, des portraits en miniature et au pastel.

FAUQUET Pierre
XVIIIe siècle. Actif à Paris en 1723. Français.
Peintre.

FAUQUEZ J. B.
Né en 1778 à Valenciennes. Mort en 1843 à Tournai. XIXe siècle. Français.
Peintre d'histoire et d'animaux.
Cet artiste légua ses collections à la ville de Tournai.

FAUQUIGNON
XIXe siècle. Français.
Graveur sur bois.
Il fit les illustrations d'œuvres comme *Les Français peints par eux-mêmes, Physiologie du fumeur*, etc.

FAURAY Antoine de, le chevalier. Voir **FAVRAY**

FAURE. Voir aussi **FAVRE**

FAURE A., Mme, née **Octavie Delorme**
Née vers 1810 à Bordeaux. XIXe siècle. Française.
Peintre et pastelliste.
De 1835 à 1857, elle envoya quelques ouvrages au Salon de Paris, notamment des portraits d'anonymes. On cite d'elle : *Une sorcière des montagnes d'Écosse.*

FAURE Aimée
Née le 9 mars 1880 à Saint-Étienne (Loire). XXe siècle. Française.
Peintre, peintre de miniatures.
Probablement belle-sœur d'Anne Faure, née Fuarez. Elle a exposé, à Paris, au Salon des Artistes Français de 1919 à 1956, en fut sociétaire. Elle a obtenu une médaille d'argent en 1936, et une médaille d'or en 1949. Elle a peint surtout des miniatures.

FAURE Alphonse
Né à Toulouse (Haute-Garonne). XIXe-XXe siècles. Français.
Peintre de figures, graveur.
Sociétaire des Artistes Français depuis 1905. Mention honorable en 1902.
Ventes Publiques : Versailles, 22 juin 1980 : *Danseuse dans sa loge* 1913, h/t (54,5x46) : **FRF 3 200**.

FAURE Amandus
Né en 1874 à Hambourg. Mort en 1931 à Stuttgart (Bade-Wurtemberg). XXe siècle. Allemand.
Peintre de genre, graveur.
Musées : Bucarest (Mus. fondé par Athanase Simu) : *Dans un cirque* – Stuttgart : *L'Arène Goldoni – La Porta romana – Fleurs* – Venise (Gal. Internat.) : *Cake Walk.*
Ventes Publiques : Portland, 6 nov. 1981 : *Nature morte* 1917, h/cart. (72x46) : **DEM 5 000** – Cologne, 26 oct. 1984 : *Scène de cirque* 1909, h/cart. (70x90) : **DEM 4 500** – Brême, 7 nov. 1987 : *Le bain turc* 1919, h/cart. (30,5x41,5) : **DEM 5 200** – Munich, 10 déc. 1991 : *Dans la roulotte* 1913, h/t (150x190) : **DEM 46 000**.

FAURE André Baptiste
Né le 19 janvier 1806 à Montélimar (Drôme). XIXe siècle. Français.
Peintre.
Entré à l'École des Beaux-Arts le 13 octobre 1829, il figura au Salon par des portraits de particuliers de 1847 à 1850, dont plusieurs au pastel.

FAURE Angelica
Née au Puy (Haute-Loire). XXe siècle. Française.
Sculpteur.

FAURE Anne, née **Fuarez**
Née le 21 mai 1878 à Saint-Étienne (Loire). XXe siècle. Française.
Peintre.
Elle fut élève de Fernand Humbert. Elle a exposé régulièrement à Paris, au Salon des Artistes Français depuis 1909 jusqu'en 1956, sous son nom de jeune fille Fuarez jusqu'en 1913, sous le nom de Faure ensuite.

FAURE Antoine. Voir **FAVRE**

FAURE Antoine Ferdinand
Né au XIXe siècle à Marseille. XIXe siècle. Français.
Statuaire.
Il fut élève à l'École des Beaux-Arts de Marseille et de Cavelier à l'École des Beaux-Arts de Paris. Débuta au Salon de 1882. Ses œuvres principales sont : *Portrait de Mlle. B. et de Mme Clovis Hugues* (1882-83), *Jeune mère et son enfant, Enfance de Bacchus* (1889), *Derniers Jeux* (1892). Troisième médaille et bourse de voyage, *Jeunesse* (1893), bronze, *Primevère*, marbre, portrait en pied de *Jean Ehrard* (1895), buste marbre (1896), *Psyché* (1897). Il fut employé à la restauration des sculptures de la Cour d'honneur du Palais de Versailles (1888). On cite encore : *L'Amour Pêcheur* (Brasserie du Pêcheur à Strasbourg), 1890, travaux de sculpture du nouveau Musée des antiquités égyptiennes (Le Caire, 1897).

FAURE Elisabeth
Née en 1906 à Ferryville (Tunisie). Morte en 1964. XXe siècle. Française.
Peintre de paysages, fleurs.
Elle fut élève de Lucien Simon. Elle exposa depuis 1933 au Salon des Artistes Français, à Paris. Elle y obtint une seconde médaille en 1935, et surtout le prix national la même année.
Elle a peint des paysages de Bretagne, d'Auvergne et d'Afrique vers 1930. Elle a aussi peint des fleurs aux touches et aux couleurs délicates. Ne paraît pas identique à Élisabeth Dodel-Faure.
Bibliogr. : Lynne Thornton – *Les Africanistes, peintres voyageurs*, A.C.R. Ed., Paris, 1990.
Ventes Publiques : Paris, 27 avr. 1990 : *Boutique à Moroni, Grande Comore*, aquar. et gche (32,5x50,5) : **FRF 7 500** – Paris, 22 juin 1990 : *Un coin de Foulpointe, Madagascar*, aquar. et gche (30,5x46) : **FRF 6 000** – New York, 15 nov. 1990 : *Les anémones* 1955, h. et sable /t. (85x56) : **USD 88 000** – Paris, 22 juin 1992 : *Village d'Imerina à Madagascar*, h/t (65,5x81) : **FRF 10 000**.

FAURE Émilia
Née le 16 novembre 1924 à Lomme (Nord). XXe siècle. Française.
Peintre. Abstrait-lyrique.
Elle participe, à Paris, au Salon des Réalités Nouvelles de 1961 à 1967, et au Salon Comparaisons de 1960 à 1963. Sa peinture se rattache à l'abstraction lyrique.

FAURE Emmanuel
XIXe siècle. Français.
Dessinateur.
Le Musée de Dieppe conserve de lui une *Tête de Beethoven.*

FAURE Eugène
Né en 1822 à Seyssinet (Isère). Mort en 1879 à Bourg-Saint-Andéol (Ardèche). XIXe siècle. Français.
Peintre de genre, portraits, paysages.
Il commença par étudier la sculpture dans l'atelier de David d'Angers, puis dans celui de Rude. Mais ensuite, il s'orienta vers la peinture et participa au Salon de Paris de 1847 à 1879, obtenant une médaille en 1864. Il était représenté à l'exposition : *Le portrait en Dauphiné au XIXe siècle*, à la Fondation Hébert d'Uckermann à La Tronche, en 1981.
De ses voyages en Italie, il apporta de nombreux paysages. Certaines de ses scènes de genre présentent des tableaux de chasse, mais aussi des sujets plus romantiques, tels : *Les rêves de la jeunesse – L'éducation de l'Amour – La confidence.* Il semble avoir préféré peindre les portraits de ses amis, et plus encore, des femmes qu'il présentait dans des allégories marquées par le temps. Citons : *Ève – Vénus – Chloé – Italienne.*
Musées : Grenoble : *Les premiers jours de l'amour – Ève – Une négresse – La source – Portrait de Jean Alexis Achard – Portrait de Théodore Ravanat – Autoportrait – En montagne* 1846.
Ventes Publiques : Grenoble, 18 fév. 1980 : *Le torrent dans la forêt*, h/t (33x24) : **FRF 2 000** – Londres, 6 oct. 1989 : *La bouquetière*, h/t (199,5x99) : **GBP 15 400** – Londres, 19 juin 1992 : *Idylle des bois*, h/t (218,5x122) : **GBP 11 000**.

FAURE Francis
Né en 1951. XXe siècle. Français.
Peintre, dessinateur.
Il fait ses études à l'Académie de Port-Royal. Il travaille à Paris. Depuis 1980, il expose souvent dans son atelier, et en 1991 à la galerie Lamaignère Saint-Germain. Il édite par ailleurs des estampes.
Des trous d'eau en spirales, « ...des ondes sous-marines, des paysages oniriques envahis de végétaux, de motifs tribaux africains ou encore ces volcans aux vomissements pointillistes. Serpentins, confettis multicolores pour la féerie présente dans ses peintures », écrit à son propos Alain Pizerra.

Ventes Publiques : Paris, 11 oct. 1989 : *Sans titre,* acryl./t. (130x97) : **FRF 10 500.**

FAURE Gabrielle

Née à Lumbin (Isère). xxe siècle. Française.

Peintre, graveur, illustrateur.

Elle a travaillé avec Maurice Denis, K. X. Roussel et P. Vers. Elle fut sociétaire du Salon de la Société Nationale des Beaux-Arts à Paris, ainsi qu'exposant du Salon des Tuileries.

Ventes Publiques : Paris, 8 mai 1936 : *L'après-midi au jardin* : **FRF 35** – Paris, 23 juin 1943 : *L'heure du thé* : **FRF 1 000.**

FAURE Georges

Né le 14 octobre 1946. xxe siècle. Français.

Sculpteur, peintre de cartons de vitraux, décorateur, designer.

Il a étudié aux Beaux-Arts de Lyon, et de Paris.

Il sculpte le bois, utilise le métal soudé, le bronze, la résine béton. Son travail insiste sur l'aspect décoratif de sa fonction.

FAURE Germain Christophe

Né en 1884 à Marseille (Bouches-du-Rhône). xxe siècle. Français.

Aquarelliste, dessinateur d'architectures.

Il entre à l'école des Beaux Arts d'Architecture de Paris avec la promotion 1902. Il obtint le diplôme d'architecture en 1909.

Bibliogr. : E. Delaire, in : *Les architectes élèves de l'école des Beaux-Arts de Paris,* 1907.

Ventes Publiques : Paris, 5 avr. 1991 : *Projet de façade pour un Hôtel-de-Ville,* dess. aquar. (46,5x76,5) : **FRF 22 000.**

FAURE Hélène

Née au xixe siècle à Montbrison (Loire). xixe-xxe siècles. Française.

Peintre de miniatures.

Elle fut élève de Mme Pelletier-Dupont, Debillemont-Chardon et F. Humbert. Elle figura à plusieurs reprises, à Paris, au Salon des Artistes Français, et obtint une mention honorable en 1910.

FAURE Jean. Voir aussi **FAVRE**

FAURE Jean, dit **l'Écrivain**

xve siècle. Français.

Peintre.

Il travaillait en 1484 au château de Limoges. Peut-être est-il identique au miniaturiste Jean Fabri.

FAURE Jean

Né au xvie siècle à Grenoble. xvie siècle. Français.

Peintre.

Signataire d'un acte public, retenu en 1535.

FAURE Jean

xixe siècle. Actif à Rome vers 1820. Français.

Peintre.

Le Cabinet des estampes du British Museum à Londres conserve quelques-uns de ses dessins.

FAURE Jean François

Né en 1750 à Toulouse. Mort en 1824 à Toulouse. xviiie-xixe siècles. Français.

Peintre.

Élève de Despax. Il était membre de l'Académie Royale de peinture. On voit au Musée de Toulouse des œuvres de cet artiste.

FAURE Jean Victor Louis

Né en 1786 à Berlin, de parents français. Mort en 1879 à Paris. xixe siècle. Français.

Peintre.

Il fut l'élève de J.-V. Bertin. De 1814 à 1834, il figura au Salon de Paris par des paysages.

Musées : Saint-Omer (Mus.) : *Vue du torrent de la Mourg.*

FAURE Joanny

Né en 1832 à Saint-Étienne (Loire). Mort en 1906 à Saint-Étienne. xixe siècle. Français.

Peintre.

Élève de Gleyre, Soulary et Gérôme. Professeur à l'École municipale des Beaux-Arts de Saint-Étienne, il fut un peintre de portraits et de paysages au talent très idéaliste et très poétique. On lui doit de nombreux paysages au fusain.

FAURÉ Léon

Né en 1819 à Toulouse (Haute-Garonne). Mort en 1887 à Paris. xixe siècle. Français.

Peintre d'histoire, scènes de genre, portraits.

Il eut pour maître Eugène Delacroix et figura au Salon de Paris de 1857 à 1876.

On cite de ses œuvres : *L'Offrande, Cabaret à Subiacco, Le plain-chant, Jean Huss devant l'empereur Sigismond, Le dernier baiser, Abraham recevant les trois voyageurs, Philippe le Bon donnant à sa maîtresse le collier de la Toison d'Or, Le filleul du Cardinal.*

Musées : Béziers : *Retour du jeune Tobie* – Toulouse : *Jean Huss devant l'empereur Sigismond – Portrait de F. Mailhol – Intérieur de cabaret romain.*

Ventes Publiques : Paris, 1er mars 1984 : *La sortie de l'Opéra,* h/t (53x73) : **FRF 6 500.**

FAURE Mathieu. Voir **FAVRE**

FAURE Paul Émile

Né le 2 août 1898 à Rabastens (Tarn). xxe siècle. Français.

Peintre.

Exposant du Salon des Indépendants à Paris.

FAURE Pierre

xve siècle. Travaillant vers le milieu du xve siècle. Français.

Copiste.

Un manuscrit intitulé *Boccacio de Casibus,* et daté de 1458, a été écrit par lui. Les miniatures de cet ouvrage très connu ont été longtemps attribuées à Jean Fouquet, mais il est évident qu'elles ont été exécutées par des artistes différents, ses élèves probablement. Les meilleures seules sont peut-être de sa main (d'après de Laborde).

FAURE Pierre

Né vers 1932. xxe siècle. Français.

Peintre d'intérieurs, natures mortes, technique mixte, peintre à la gouache, pastelliste, dessinateur. Intimiste.

Après une exposition personnelle en 1964, l'École des Beaux-Arts de Paris a montré un ensemble de ses peintures en 1995. Depuis 1970, il est professeur dans cette École.

Dans une technique discrète et raffinée, il traite avec sensibilité les thèmes les plus quotidiens, les détails les plus insignifiants : dans des espaces intérieurs anonymes, dans des pénombres tamisées, une chaise ou un tabouret, un balai, le radiateur, un crabe insolite.

FAURE Thierry

Né en 1944 à Nevers (Nièvre). xxe siècle. Français.

Peintre-aquarelliste de scènes animées, animalier.

Il poursuit une carrière de professionnel de l'équitation. Il participe à des expositions collectives régionales et, surtout, produit ses aquarelles à l'occasion de compétitions hippiques.

Il s'est spécialisé dans la représentation de scènes hippiques, soit dans des compétitions sportives, soit dans des reconstitutions historiques.

FAURE Urbain

xxe siècle. Français.

Peintre.

Cet artiste peignit à Sanary (Var) aux environs de 1920. Voyageur, il a été conservateur du Musée de Tananarive. Il exposa, à Paris, au Salon d'Automne.

Il tenta curieusement d'appliquer de sérieuses connaissances plastiques à l'art dit des « naïfs ».

FAURE Victor Amédée

Né le 5 février 1801 à Paris. Mort en 1878 à Paris. xixe siècle. Français.

Peintre d'histoire, portraits, dessinateur, lithographe.

Entré à l'École des Beaux-Arts de Paris, en 1824, il y eut pour professeur Hersent. Il exposa au Salon de Paris, de 1831 à 1864, obtenant une médaille de deuxième classe, en 1833.

Il consacra une grande part de son œuvre au portrait d'apparat, il peignit ainsi tous les membres de la famille d'Orléans.

Musées : Versailles (Mus. du château) : *Portrait d'Antoine-Philippe d'Orléans, duc de Montpensier – Portrait de Louis-Charles d'Orléans, comte de Beaujolais – Portrait de Napoléon Bonaparte, général en chef de l'armée d'Italie – Portrait d'Édouard-Auguste, duc de Kent – Le duc d'Orléans et le duc de Chartres rentrant au Palais-Royal – Portrait d'Antoine-Philippe d'Orléans, duc de Montpensier, en costume d'adjudant général – Bataille de Johannisberg, le 30 août 1762 – Le duc de Nemours dans la tranchée au siège de la citadelle d'Anvers.*

Ventes Publiques : Paris, 10 mars 1971 : *Portrait de S.A.R. Louis Charles d'Orléans, Comte de Beaujolais,* h/t : **FRF 14 500** – Paris, 18 fév. 1977 : *Journées des Barricades en 1830, deux feuillets,* mine de pb/pap. (30x20) : **FRF 500** – Paris, 29 avr. 1994 : *Le duc d'Orléans et le duc de Chartres à la tête du premier régiment de Hussards rentrant au Palais Royal* 1830, h/cart. (25,5x18,5) : **FRF 15 000.**

FAURE de BROUSSÉ Vincent Désiré
Né à Paris. XIXe siècle. Français.
Sculpteur de figures, bustes.
Élève de Salmson. Il envoya au Salon en 1876 : *Patricienne florentine du XVIe siècle*, buste en marbre ; en 1877 : *Une demoiselle florentine du XVIe siècle*, buste en bronze ; en 1878 : *Nyssia*, statuette en marbre, *Une damoiselle florentine*, statuette en marbre.
Ventes Publiques : Londres, 14 oct. 1976 : *Jeune fille assise*, marbre blanc (H. 91,5) : **GBP 880** – Barcelone, 23 avr. 1980 : *Pan*, bronze (H. 59) : **ESP 60 000** – Londres, 10 nov. 1983 : *Marie-Antoinette* vers 1880, bronze (H. 55) : **GBP 550** – New York, 19 jan. 1994 : *Buste d'une dame noble portant une couronne* 1878, bronze (H. 67,3) : **USD 3 450**.

FAURE-BEAULIEU Émile
Né au XIXe siècle à Nevers (Nièvre). XIXe siècle. Français.
Peintre.
A partir de 1864, il figura au Salon de Paris. On cite de lui : *Une ferme aux environs de New York, Un chemin creux du Berry, Masures américaines, à New-Jersey, Le pont Vert, à Vaux-de-Cernay, en automne*.

FAURE-DELCOURT Henri
XIXe siècle. Actif à Lille. Français.
Peintre amateur et aquafortiste.
Élève de Corot, il grava à l'eau-forte douze planches d'après les tableaux de celui-ci : *Les trois Faneuses, La Scarpe près d'Arras*, etc.

FAURE-DUJARRIC Louis Lucien
Né en 1872 à Paris. XIXe-XXe siècles. Français.
Peintre.
Il fut élève de Moyaux et Bonnat. Il est le fils de Lucien Faure-Dujarric.

FAURE-VINCENT Julien
Né à Cervière (Hautes-Alpes). XXe siècle. Français.
Sculpteur.
Élève de Niclausse. Exposant, à Paris, du Salon des Artistes Indépendants. Il obtint une mention honorable en 1936, pour *L'Appel*, statue en plâtre.

FAURET Jean Joseph Léon
Né le 25 décembre 1863 à Mugron (Landes). Mort le 12 avril 1955 à Neuilly-sur-Seine. XIXe-XXe siècles. Français.
Peintre de genre, paysages urbains.
Élève de A. Dupuy à l'École des Beaux-Arts de Bordeaux et de J.-P. Laurens, Benjamin Constant et Gabriel Ferrier à l'Académie Julian. Sociétaire des Artistes Français depuis 1897. Médaille de troisième classe en 1896.

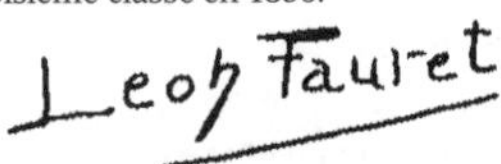

Musées : Bordeaux : *Épave sainte*.
Ventes Publiques : Paris, 11 juil. 1989 : *La Place de l'Étoile*, h/t (73x54) : **FRF 19 000** – Paris, 20 nov. 1989 : *Le salon automobile*, h/t (54x73) : **FRF 30 000** – Amsterdam, 24 avr. 1991 : *Un vieux couple assis ; Une proclamation*, grisaille, une paire (35x27) : **NLG 2 070** – Londres, 22 nov. 1996 : *Un goûter au Petit Trianon* 1898, h/t (94x132,2) : **GBP 5 520**.

FAURETI Francesco Jacopo ou **Faureto**. Voir **FAVRETO**

FAURHOLT Viggo. Voir **FAUERHOLDT**

FAURON Émile César
Né au XIXe siècle à Lormes (Nièvre). XIXe siècle. Français.
Peintre.
Au Salon de Paris il envoya en 1859 : *Le retour du lavoir* ; en 1864 : *Le Christ en croix* ; en 1868 : *Vieille Morvandelle tricotant, Paysage du Morvan*. Il fut l'élève de Paul Delaroche.

FAURON M., Mlle
XIXe siècle. Française.
Peintre.
Elle exposa des portraits au Salon de Paris en 1894 et 1895.

FAUSSIG Aurelia
Née à Budapest. XXe siècle. Hongroise.
Peintre et décorateur.

FAUST Carl
Né le 30 octobre 1874 à Reyershausen (près de Göttingen). XXe siècle. Allemand.
Peintre de scènes de genre, portraits.
D'abord peintre décoratif, il étudia à l'Académie de Düsseldorf où il fut élève de Peter Janssen, Claus Myer et H. Lauenstein. Œuvres connues : *Pour le bon pain*, des portraits de la société berlinoise, et le portrait du *Cardinal Archevêque de Cologne von Hartmann*.

FAUST Heinrich
XVIIe siècle. Suisse.
Peintre de figures.
Actif à Bâle à la fin du XVIIe siècle, il fut admis dans la confrérie des peintres à Bâle en 1678.
Ventes Publiques : Londres, 11 oct. 1985 : *Fillette cueillant des fleurs*, h/t (21,5x16) : **GBP 1 100**.

FAUST Heinrich
Né le 6 octobre 1843 à Reinsdorf. Mort le 4 janvier 1891 à Kassel. XIXe siècle. Allemand.
Paysagiste, peintre de genre et portraitiste.
Élève de l'Académie de kassel et d'Anvers avec Van Lerius. Après un long séjour en Italie, il s'établit à kassel. Le Musée de cette ville conserve de lui : *Paysage d'automne*.

FAUST Joseph
Né le 28 juin 1868 à Toulon (Var). XIXe siècle. Français.
Peintre.
Élève de L. Bonnat et Maignan. Sociétaire du Salon des Artistes Français.

FAUST Matthaus
XVIIe siècle. Suisse.
Peintre.
Fut reçu dans la confrérie des peintres de Bâle en 1686.

FAUST Otmar S., ou **Othmar**
Né le 10 octobre 1876 à Jarmeritz (Moravie). XXe siècle. Tchéque.
Peintre de paysages.
Il étudia à l'Académie de Vienne. On cite parmi ses œuvres : *Sur le lac de Genève – Dans la forêt viennoise – La Chaire de Luther à Iéna*.

FAUST Sebastian
XVIIe siècle. Actif à Bâle à la fin du XVIIe siècle. Suisse.
Peintre décorateur.
Il fut admis dans la confrérie de peintres à Bâle en 1679.

FAUSTA VITTORIA Nicoletti Mengarini
Né à Rome. XXe siècle. Italien.
Sculpteur.
En 1921 il exposait au Salon des Artistes Français : *Danseuse* (bronze) et *Petit garçon* (buste, bronze).

FAUSTIN, de son vrai nom : **Faustin Betbeder**
Né en 1847 à Soissons (Aisne). XIXe-XXe siècles. Actif en Grande-Bretagne. Français.
Dessinateur et caricaturiste.
La guerre de 1870 surprit ce spirituel artiste à l'École des Beaux-Arts à Paris et en fit momentanément un caricaturiste. Un dessin contre Napoléon III : *L'habit ne fait pas le moine* obtint un succès immense et rapporta 12 000 fr. à son auteur ; il fut suivi d'une série d'amusantes gravures populaires traitées d'un crayon alerte et puissant. Faustin étant allé à Londres, collabora au *London Figaro*, se maria et fonda un établissement d'impressions en couleurs, que ses qualités artistiques placèrent au premier rang, tout à côté des productions de Chéret. Faustin a produit en outre, un certain nombre de tableaux qui ont obtenu une vogue mondiale, notamment *La Prière, Notre Père...*, et *Le Couronnement du roi George V* et de charmants pastels. Il fournit aussi de nombreux costumes pour l'Alhambra, le Lyceum et l'Opéra-Comique de Londres. Le Musée de Rochefort conserve de lui un portrait du *Docteur P.-A. Lesson*, bienfaiteur de Rochefort.
Ventes Publiques : Paris, 14 déc. 1925 : *Fleurs ; Fruits*, past., une paire : **FRF 100**.

FAUSTIN Obes
Né en 1959. XXe siècle. Haïtien.
Peintre de genre.
Ses œuvres sont assez rares, toutefois sa renommée s'établit au Canada et aux États-Unis.
Ventes Publiques : Paris, 14 déc. 1992 : *Demande de Dambalha* 1988, h/t (35,5x25,5) : **FRF 4 000**.

FAUSTIN-BESSON. Voir **BESSON Faustin**

FAUSTINA James
Né en 1876 à Dyerburg (États-Unis). XXe siècle. Américain.
Peintre, illustrateur.

FAUSTINETTI Giacomo
XVIᵉ siècle. Actif à Brescia. Italien.
Sculpteur.
Il exécuta, selon la tradition, le monument funéraire de Marc Antonio Martinengo della Pallata, mort en 1526, d'après les projets de Stefano Lamberti, pour San Cristo à Brescia. Ce monument se trouve dans le Musée de Brescia.

FAUSTINI Modesto
Né en 1839 à Brescia. Mort en 1893 à Rome. XIXᵉ siècle. Italien.
Peintre de genre, aquarelliste.
Musées : Rome (Gal. Nat. d'Art Mod.) : Études – Trieste (Mus. Revoltella) : *Caresses du matin – Visite inopinée.*
Ventes Publiques : New York, 15 et 16 avr. 1909 : *Fête matrimoniale à Pompéi* : **USD 325** – Londres, 4 mai 1928 : *Yeghen Var* : **GBP 19** – East Dennis (Massachusetts), 14 août 1980 : *Idylle à Pompéi,* h/pan. (102x75) : **USD 4 500** – Milan, 21 déc. 1993 : *Scène galante,* aquar./pap. (38x56) : **ITL 1 840 000.**

FAUSTINO
XVIᵉ siècle. Actif à Pérouse. Italien.
Peintre.
Il était moine et travailla en 1590 et 1591 pour les églises San Gualtiero et San Pietro à Pérouse.

FAUSTINO-LAFETAT Maurice
XXᵉ siècle. Français.
Peintre. Post-cubiste.
L'œuvre de Faustino-Lafetat est tout imprégnée des leçons du néo-cubisme d'André Lhote et de Jacques Villon et fortement structurée. Moins structurée que celle de ses aînés, elle se distingue par la vivacité des plans colorés.
Bibliogr. : In : Catalogue de vente, Paris, 8 avr. 1991.
Musées : Paris (FNAC) : *La Casba,* h/t.
Ventes Publiques : Paris, 8 avr. 1991 : *Istanbul,* h/t (88x115) : **FRF 7 800.**

FAUSTNER Leonhard
Né le 16 février 1815 à Munich. Mort le 1ᵉʳ avril 1884 à Munich. XIXᵉ siècle. Allemand.
Peintre d'architectures et paysagiste.
Élève de l'Académie de Munich et de Hinmiller. Après la mort de celui-ci, Faustner fut chargé de la direction d'une école de peinture sur verre. Le Musée de Munich conserve de lui : *Dans l'église de Notre-Dame, à Munich.*

FAUSTNER Luitpold
Né le 10 juillet 1845 à Munich. XIXᵉ siècle. Allemand.
Peintre de genre, paysages.
Fils de Leonhard Faustner. Élève de l'Académie de Munich où il subit surtout l'influence de C. von Piloty. Voyagea avec lui en Italie. Sous la direction de Jules Lange il fit du paysage.
Il a exposé à Munich en 1881. On cite de lui : *Après le déjeuner, Dans la forêt.*
Ventes Publiques : New York, 12 mai 1978 : *vue du Dachstein* 1915, h/t (92,5x71) : **USD 2 900** – Vienne, 19 mai 1981 : *Paysage alpestre* 1915, h/t (93x71) : **ATS 80 000.**

FAUSTO Cadorro
Né à Rio de Janeiro. XXᵉ siècle. Brésilien.
Peintre.
Il exposa deux portraits au Salon de la Société Nationale des Beaux-Arts de Paris en 1932.

FAUT Ernest
Né en 1879 à Gand (Flandres). Mort en 1961 à Louvain (Brabant). XXᵉ siècle. Belge.
Peintre de sujets religieux, nus, intérieurs d'églises.
Bibliogr. : In : *Diction. biogra. illustré des artistes en Belgique, depuis 1830,* Arto, Bruxelles, 1987.
Musées : Louvain.
Ventes Publiques : Lokeren, 10 déc. 1994 : *Nu,* h/pan. (35x35) : **BEF 36 000** – Lokeren, 11 mars 1995 : *Le béguinage,* h/t (70x60) : **BEF 26 000.**

FAUT Kuntz
XVIᵉ siècle. Actif à Würzburg. Allemand.
Peintre.

FAUT Peter
XVIᵉ siècle. Actif à Würzburg. Allemand.
Peintre.
Frère de Kuntz Faut.

FAUTEPEAU de LA CARTE Arthur de, vicomte
XIXᵉ siècle. Actif à Montmorillon (Vienne). Français.
Sculpteur.
Figura au Salon de 1878 et 1879 avec deux bustes de femmes.

FAUTEREL Pierrequin
XVIᵉ siècle. Actif à Nancy. Français.
Peintre.
Il travailla au tombeau de René II dans l'église des Cordeliers de 1509 à 1511.

FAUTEUX André
Né en 1946 à Toronto. XXᵉ siècle. Canadien.
Sculpteur. Abstrait.
Il a commencé à travailler le métal au début des années soixante-dix. Ses premières œuvres étaient composées de peu d'éléments géométriques simples : triangles, rectangles, cercles, strictement disposés selon des axes verticaux et horizontaux. Puis, au milieu des années soixante-dix, ses formes sont devenues plus complexes et la rigidité de ses axes s'est assouplie, changeant et variant les points de vue. Il a surtout été influencé par le sculpteur Anthony Caro et le peintre Kenneth Noland.

FAUTIER Jean
XVIIIᵉ siècle. Actif à Bordeaux. Français.
Peintre.
A l'occasion de l'entrée de la Reine d'Espagne à Bordeaux en 1722, il exécuta des peintures pour des arcs de triomphe. Peut-être est-il identique au peintre d'ornement Fautier qui est mentionné sur une liste de paiements des Menus Plaisirs.

FAUTRAS Albert
Né le 25 juillet 1832 à Tours. XIXᵉ siècle. Français.
Sculpteur.
Élève de Préault. Il exposa au Salon de Paris à partir de 1864.

FAUTRIER Jean
Né le 16 mai 1898 à Paris. Mort le 21 juillet 1964 à Chatenay-Malabry (Hauts-de-Seine). XXᵉ siècle. Français.
Peintre de nus, paysages, natures mortes, fleurs, peintre à la gouache, aquarelliste, pastelliste, sculpteur, graveur, lithographe, dessinateur, illustrateur. Expressionniste, puis abstrait-informel.
Il naquit à Paris, de parents béarnais. À la suite de la mort de son père, sa mère l'emmena à Londres, quand il avait dix ans. À quatorze ans, il fut admis comme élève à la Royal Academy, où il fut élève de Sickert, puis suivit les cours de la Slade School. Il commença d'exposer des peintures vers sa quinzième année. En 1917, il fut rappelé en France pour y être mobilisé. Dans la guerre, il fut gazé et blessé. À la fin de la guerre, il se fixa à Paris, peignant quelques peintures satyriques vers 1920 : *La Promenade du dimanche,* et où il commença à montrer ses œuvres à partir de 1923, déjà très suivi par les marchands, en particulier Jeanne Castel depuis 1921, Paul Guillaume, quelques autres, et connaissant un succès notable, en 1927, avec les peintures de la période dite « noire ». Dans ces années vingt, il participait à quelques expositions collectives, notamment à Paris, depuis 1922 au Salon d'Automne où il montra en 1927 le *Sanglier écorché,* en 1929 un *Christ en croix,* au Salon des Tuileries depuis 1924. En 1928, la galerie Georges Bernheim lui consacra une exposition personnelle, mais comportant surtout des toiles claires et des sujets moins sévères, nus, natures mortes, paysages, fleurs. Le succès l'ayant délaissé dans les années trente, d'autant que l'économie nationale connaissait une crise grave, il partit travailler dans les Alpes, de 1935 à 1939, dans l'hôtellerie et comme moniteur de ski, interrompant son activité picturale qu'il ne reprit que pendant la guerre suivante. En 1939, la Galerie de la *Nouvelle Revue Française* montra encore une exposition de la suite de lithographies projetée pour *L'Enfer* de Dante, et de natures mortes et bouquets. Juste au lendemain de la Seconde Guerre mondiale, en 1945, la galerie Drouin à Paris montra dans une exposition, préfacée par André Malraux et restée historique, l'ensemble des peintures intitulées *Otages.* De 1949 à 1954, Fautrier mit au point, d'une part un procédé de reproduction de peintures en épaisseurs, d'autre part un procédé, qui découlait du premier, d'*Originaux multiples,* par lequel les artistes avaient la possibilité de produire une œuvre en de nombreux exemplaires, signés et numérotés, ce qui en rendait le prix abordable à un public beaucoup plus élargi. Il ne fut alors pas suivi, alors que cette préoccupation du multiple, qui concerne la sociologie de la diffusion de l'art a pris une importance considé-

rable à partir des années soixante. En 1955, fut exposée, à Paris et New York, la série des *Objets*, avec une préface de Jean Paulhan. En 1956 eut lieu l'exposition des *Nus*, préfacée par Francis Ponge. En 1957, il exposait à la Galerie Rive Droite de Paris la série des *Partisans*, avec laquelle, en écho aux *Otages* de 1945, il commémorait avec ses moyens de peintre, le massacre des insurgés de Budapest, lors de la reprise en main de la Hongie par Staline, tandis que la Galerie André Schoeller montrait un ensemble d'œuvres antérieures. En 1957 aussi, eut lieu une exposition d'ensemble de son œuvre à New York. En 1960 lui fut décerné le Grand Prix de Peinture de la Biennale de Venise, en 1961 celui de la Biennale de Tokyo. En 1964, le Musée d'Art Moderne de la Ville de Paris lui consacra une première exposition rétrospective, que la maladie l'empêcha de voir. En 1980, une exposition rétrospective importante fut montrée à Cologne. En 1985-1986, le Musée de Calais montra l'exposition *Fautrier 1925*, les Musées d'Amsterdam et de Zurich *Fautrier 1925-1935*. En 1987, sans raison déclarée, le Centre Beaubourg annula l'exposition rétrospective qui était programmée, puis une offre de donation venue d'un collectionneur allemand fut écartée par les instance culturelles nationales. Ce fut le Musée d'Art Moderne de la Ville de Paris qui organisa l'exposition rétrospective de 1989.

Fautrier a beaucoup dessiné, surtout des nus au trait, à différentes périodes, dessiné au pastel, peint à l'aquarelle. Il avait commencé à graver depuis 1923, mais ce fut à partir de 1940 qu'il produisit d'assez nombreuses eaux-fortes, surtout de nouveau des nus. Il eut aussi une activité d'illustrateur, en 1928, il réalisa, à la demande de Malraux pour les Éditions Gallimard, une suite de lithographies pour une édition de *L'Enfer* de Dante, qui ne fut pas publiée, et exposées seulement en 1939. De Georges Bataille, il illustra deux textes érotiques : *Madame Edwarda* et *L'Alleluiah* (Blaizot, Paris, 1947), de Robert Ganzo *Orénoque*, d'André Frénaud *La Femme de ma vie*. Au dire de Malraux, Fautrier aurait aussi beaucoup sculpté, mais ces œuvres demeurèrent longtemps cachées, sans qu'il ait rien fait pour les montrer, surtout réapparues lors de l'exposition rétrospective de 1989. Il a sculpté une vingtaine de petites sculptures, issues d'influences diverses, de Maillol à Henri Laurens, de 1927 à 1929, puis entre 1935 et 1943. On connaît une grande *Tête tragique*, en cuivre, datée de 1943, et dont la moitié du visage est arrachée, meurtrissure qui se retrouvera dans les peintures des *Otages*.

Les biographes insistent toujours sur ce que Fautrier a connu deux carrières et deux succès. Fautrier lui-même a largement encouragé cette façon de voir, considérant avec le plus grand mépris ses œuvres de la première période. Un parti-pris aussi tranché doit inciter au doute. Certes, outre les peintures de la période noire, il avait produit aussi des sujets plus faciles, mais on a appris à aller voir plus profond derrière les attitudes outrées. Le Fautrier de quarante-cinq ans ne peut pas renier complètement celui de vingt-sept qu'il a été. À ce reniement radical, on peut avancer deux raisons : le désir d'effacer une période de son œuvre qui lui parut dans la suite porter une ombre sur sa position d'inventeur d'un nouveau langage plastique ou bien, au contraire ou aussi, la volonté d'inhiber une certaine tendresse conservée pour ces œuvres, produites plus spontanément, d'une certaine façon plus purement. À un examen plus attentif, il apparaît que ce conflit intérieur n'est pas fondé : les œuvres de la première époque, non seulement ne sont pas en contradiction avec celles de la seconde, mais bien plutôt les préparent et les contiennent déjà en puissance. De toute façon, Fautrier n'était pas quelqu'un qui se livrait, bien au contraire. Dans la demeure romantique où il passa la fin de sa vie, dans un climat ambigu à la fois familial et érotique, à qui s'étonnait de ne voir ni atelier ni matériel de peinture, il répondait qu'il faisait comme les chats qui enfouissent leurs excréments. En effet, quand il avait fini de travailler sur n'importe quel coin de table, il dissimulait matériel et œuvres en cours dans les placards. Comme il avait la même attitude en ce qui concernait sa vie, les biographes ont fort à faire.

On connaît mal les œuvres de cette première époque et leur enchaînement. Il semble qu'il peignit d'abord des nus, aux formes floues et déjà suggérées, plus que par le dessin, par la carnation d'une pâte picturale sensuelle aux irisations troubles. Ces nus, avec des portraits et des natures mortes, s'inscrivaient dans une réaction anti-cubiste conduite par Derain. Dans le même moment, il traitait, à la sanguine et à l'aquarelle, des sujets plus légers, scènes de maisons closes. De nombreux voyages, de 1921 à 1928, Tyrol, Bretagne, les Causses, Port-Cros, souvent les Alpes et Chamonix, lui fournirent des thèmes paysagés, notamment de lacs et de glaciers en 1925-1926, de Port-Cros en 1928. Dans la série des *Glaciers*, il donnait une équivalence des amoncellements de blocs de glace, non par le dessin, mais par la matière-même des empâtements de blancs. Ensuite se placent sans doute la série des *Peaux de lapins* et les *Gibiers* de toutes sortes, tués ou écorchés, des sangliers, une *Tête de mouton écorchée*, œuvres dont la dette envers Soutine est évidente et dont on trouvera le prolongement chez Paul Rebeyrolle, qui faisaient déjà de Fautrier l'un des rares expressionnistes français. La seule qualité qu'il reconnaissait cependant lui-même à ces œuvres anciennes, était qu'elles ne devaient rien au cubisme, dont les séquelles qui constituèrent une bonne part de la peinture française de l'entre-deux-guerres lui semblaient le comble de l'abomination dans la facilité et la vulgarité. Progressivement, sur les mêmes thèmes, gibiers morts principalement, sa manière s'assombrit jusqu'aux bruns les plus sombres et aux bleus de nuit. Cet assombrissement extrême de sa palette explique peut-être aussi en partie la désaffection du public à cette époque. Peu avant 1929, il peignit deux versions d'un *Christ en croix*, rappelant un peu le *Christ jaune* de Gauguin, avec lesquelles il posait radicalement le problème de la planéité de la peinture, excluant pour la première fois peut-être toute profondeur et tout volume illusionnistes, un Christ d'une facture totalement primitive, tout plat et jaune, sur une croix sommairement orthogonale, cerné d'un noir d'orage. Lors de l'exposition de 1939 à la *Nouvelle Revue Française*, il montra surtout des grands *Bouquets* dans des bleus sourds, des *Grappes de raisins* peintes dans une matière épaisse et émaillée. Ce fut à partir de 1930-1932 que Fautrier abandonna la technique de la peinture à l'huile sur toile, qu'il pratiqua pastel et tempéra, et qu'il commença d'élaborer une nouvelle technique, qui caractérisera toute sa deuxième époque : il utilisait le papier comme support de la peinture, l'ensemble étant ultérieurement marouflé sur une toile plus solide. La matière de la peinture était constituée, sur des préparations en général sombres, d'empâtements considérables de papiers accumulés et de grosses épaisseurs de blanc faites de pastel en poudre, le tout étant agglutiné par la colle. Sur ces épaisseurs, d'abord écrasées, triturées, modelées à la spatule, griffées, il appliquait après séchage des glacis légers de tons délicats, puis concluait par quelque sigle, en idéogramme d'une partie pour le tout, qui précisait, permettait d'identifier le thème propre à chaque œuvre. On comprend d'autant moins la détestation de Fautrier pour ses peintures d'avant 1939, que certains *Nus*, certaines *Peaux de lapins* ou *Tête de mouton écorchée* ou encore certains *Glaciers*, ont déjà la simplicité synthétique de la forme, et l'expressivité par la qualité de la matière qu'on retrouvera dans les *Otages* qui ouvriront sa seconde période, à un tel point que lui-même inséra parfois des peintures anciennes dans des expositions ultérieures.

Ce fut à partir des *Otages* de Fautrier, des premières *Hautes Pâtes* de Dubuffet, et des tachages de Wols, que Michel Tapié énonça la catégorie de l'*Art Informel*. Il y était fondé. Il est évident que la démarche de Fautrier qui le faisait constituer la forme avant d'en connaître le sens, apportait dans la peinture quelque chose de tout à fait neuf, si l'on excepte le conseil du Vinci de dessiner d'après les taches d'humidité des murs, et quelques expérimentations surréalistes de création automatique. Fautrier pourtant détestait cet art informel dans sa descendance. Contrairement à toute la production qui se référait de lui, à chacune de ses œuvres Fautrier attribuait, fût-ce à la fin, un sens très précis. Le créateur de l'art informel n'était pas, et ne se voulait absolument pas, abstrait. Même dans sa période informelle, on peut continuer à le considérer comme un expressionniste. Si, dans sa production de l'entre-deux-guerres, il s'était déjà montré attiré par le morbide, sanglier éventré, tête sanguinolente de mouton égorgé, pendant la Seconde Guerre mondiale, quand il recommença à peindre, son attirance pour le sang, la volupté et la mort s'allia étrangement, comme chez l'écrivain Georges Bataille, avec une horreur profonde du crime, des massacres, de la guerre, d'où n'est cependant pas absente une perception érotique de la mort violente. Il peignit alors la longue série des *Otages*, où Malraux voyait « des hiéroglyphes de la souffrance », et que décrit Michel Ragon : « Chaque tableau était peint de la même manière. Sur un fond vert d'eau, une flaque de blanc épais s'étalait. Un coup de pinceau indiquait la forme du visage. C'était tout, mais un peintre, en trouvant son sujet avait trouvé son style... Les modèles des *Otages*, ce sont ces

otages fusillés, aux visages déformés par la torture, troués par les balles, ces visages qui ne sont plus qu'une plaie boueuse et rose. » À la suite, Fautrier peignit les *Nus*. Ses *Nus*, malgré l'intention de dérision impliquée dans leurs titres : *Pour mes mains, Ses beaux yeux, Dodue, Guili-guili*, ne sont pas si différents de ses torturés précédents. Les formes en sont peut-être plus pleines, plus charnues que dans les *Otages*, l'érotisme y est l'instrument d'une interrogation sur la souffrance et la mort. Ce fut surtout en 1954 que Fautrier peignit la série des *Objets*, mais, quand il les exposa à Paris et New York, une des peintures datait de 1942, une de 1945, quelques-unes de 1946 à 1949, et surtout une datait de 1928, nouvelle indication de ce que sa production ancienne n'était pas sans rapport avec sa nouvelle manière. Les objets en question étaient n'importe quoi : une vieille boîte de conserve, un sac en papier froissé, un cageot. D'ailleurs, en peinture de Fautrier, ces différents objets peuvent aussi bien être perçus comme des *Otages* ou des *Nus*. Il semble que le rôle qui leur est dévolu, soit principalement de témoigner contre l'abstraction dont on voulait lui faire endosser la paternité en même temps que celle de l'informel. Il faut bien reconnaître pourtant que l'« insignifiance » même de ces objets tendait à prouver l'inutilité de leur identification, quand ils ne fixent pas même l'esprit sur une lecture précise qui les distingueraient des autres thèmes. Prolongeant la rare veine paysagée des très anciens *Paysages de Port-Cros*, des *Glaciers* de la fin de la première période, certaines des œuvres peintes autour de 1955, sont intitulées *Arbres, Paysages, Forêts*. L'importance à accorder au motif « paysage » est du même ordre que celle concernant les *Objets*.
De quoi lui servaient ces supports verbaux ? Partait-il du mot et de son image ou bien plutôt le mot ne venait-il que pour nommer l'image une fois advenue ? Quel qu'en soit le titre, une peinture de Fautrier, avant d'être une tête écrasée, un nu, une vieille boîte de conserve ou un arbre, est avant tout un Fautrier, c'est-à-dire en final une image de lui-même. Fautrier s'est apparemment préoccupé à plusieurs reprises de la souffrance des hommes. Il ne faut peut-être pas donner une trop grande dimension moralisatrice à cette compassion. Là où elles frappaient, la mort violente, la torture, le concernaient, non tant dans sa perception réelle de l'injustice et du crime, que par la fascination qu'elles exerçaient sur un des esprits les plus authentiquement érotiques de ce temps, pour qui l'anéantissement dans l'amour est inséparable de la mort, et les raffinements de la torture indissolubles de ceux de la chair. ■ Jacques Busse

Bibliogr. : André Malraux : *Les Otages de Fautrier*, Gal. René Drouin, Paris, 1945 – Jean Paulhan : *Fautrier l'enragé*, Blaizot, Paris, 1949 – Jean Paulhan : *Les Objets de Fautrier*, Gal. Rive Droite, Paris, 1955 – Michel Tapié : *Fautrier paints a picture*, Art News, New York, déc. 1955 – Francis Ponge : *Paroles à propos des Nus de Fautrier*, Gal. Rive Droite, Paris, 1956 – Michel Ragon : *Fautrier*, Musée de Poche, Paris, 1957 – Jean Paulhan : *Éloge de l'Art informel*, Paris, 1959-61 – André Verdet : article *Fautrier*, in : *Peintres contemporains*, Mazenod, Paris, 1964 – Pierre Restany : *Fautrier*, Hazan, Paris – *Catalogue raisonné de l'œuvre gravé de Fautrier*, Cabinet des Estampes, Genève, 1986 – divers : Catalogue de l'exposition *Fautrier*, Mus. d'Art Mod. de la Ville, Paris, 1989 – Geneviève Breerette : *Fautrier, tragique et dandy*, in : Le Monde, Paris, 11 juin 1989 – Jean-Paul et Isabelle Ledeur : *Jean Fautrier : Monographie-Catalogue*, en préparation.

Musées : Grenoble – New York (Mus. of Mod. Art) – Paris (Mus. Nat. d'Art Mod.) : *Christ en croix* avant 1929 – *Le Grand Torse* 1927-1929, sculpt. – *Grande Tête tragique* 1942, sculpt. – Paris (Mus. d'Art Mod. de la Ville) : *Le grand sanglier noir* 1926 – *La jolie fille* 1927 – *Le Buste aux seins* 1927-1929, sculpt. – *Les Yeux* 1940, plâtre – *Divertissement* 1960 – une importante donation – Rome (Mus. du Vatican) : *Christ en croix* vers 1929 – Sceaux (Mus. de l'Île-de-France) : *Ensemble d'otages*.

Ventes Publiques : Paris, 6 juin 1929 : *Tête* : **FRF 620** – Paris, 5 déc. 1940 : *Fleurs* : **FRF 330** – Paris, 24 nov. 1941 : *Nature morte* : **FRF 1 500** – Paris, 28 jan. 1942 : *Les pintadeaux* : **FRF 3 300** – Paris, 22 fév. 1943 : *Le compotier de fruits* : **FRF 2 800** – Paris, 2 juil. 1943 : *Les deux canards* : **FRF 6 200** – Paris, 5 fév. 1945 : *Portrait d'Odette* : **FRF 12 600** ; *Le lièvre* : **FRF 11 000** ; *Les iris* : **FRF 6 900** – Paris, 24 avr. 1947 : *Le bouquet*, past. : **FRF 8 500** – Paris, 15 déc. 1958 : *Petit objet précieux* 1956 : **FRF 380 000** – New York, 30 nov. 1960 : *Abstraction*, aquar. et gche : **USD 525** – Versailles, 3 déc. 1961 : *Composition*, gche : **FRF 5 500** – Stuttgart, 3-4 mai 1962 : *Traits colorés II* : **DEM 32 000** – Genève, 27 nov. 1965 : *Composition* : **CHF 52 000** – New York, 24 mars 1966 : *Mujeres*, h. et plâtre/t. : **USD 5 000** – Paris, 8 juin 1966 : *Nu, bras levé*, bronze patine verte : **FRF 10 800** – Londres, 29 nov. 1967 : *Algues* : **GBP 2 000** – Genève, 7 nov. 1969 : *Fleurs* : **CHF 83 000** – Paris, 19 mars 1971 : *Le verre à pied* : **FRF 67 000** – Paris, 26 fév. 1973 : *La Jolie Fille* 1944 : **FRF 130 000** – Milan, 10 juin 1974 : *Composition*, gche : **ITL 4 400 000** – Milan, 29 oct. 1974 : *Enchevêtrements* : **ITL 33 000 000** – Paris, 31 mars 1976 : *Nature morte aux fleurs et aux fruits*, h/t (81x100) : **FRF 27 000** – Paris, 4 mai 1976 : *Nu aux bras levés*, bronze (H. 50) : **FRF 13 000** – Versailles, 17 mars 1977 : *L'Homme à la cigarette* 1926, h/t (41x33) : **FRF 8 000** – Milan, 24 nov. 1977 : *Variations* 1960, temp. et aquar./cart. (50,5x65) : **ITL 2 600 000** – Paris, 12 déc 1979 : *La famille aux lampions* 1925, fus., pl. et aquar. (24x30) : **FRF 4 800** – Paris, 14 déc. 1981 : *Le Modèle* 1977, sanguine/pap. (101x70) : **FRF 33 000** – Milan, 15 nov. 1984 : *Nu*, pl. (26x20) : **ITL 2 600 000** ; *Composition*, litho. en coul. aquarellée (51x36) : **ITL 1 500 000** – Paris, 23 nov. 1984 : *Nu aux bras levés* 1927, bronze (H. 44) : **FRF 95 000** – Londres, 6 déc. 1984 : *Mieux que rien* 1953, h/pap. mar./t. (63x91) : **GBP 44 000** – Paris, 26 sep. 1986 : *Buste aux seins* 1929, bronze, patine antique (H. 40) : **FRF 132 000** – Versailles, 21 déc. 1986 : *Nu*, pl. (32x35) : **FRF 22 000** – Paris, 9 fév. 1987 : *Nu aux bras levés* 1927, bronze patine verte nuancée (H. 44) : **FRF 180 000** – Milan, 9 nov. 1987 : *Herbages* 1959, h/pap. mar./t. (90x130) : **ITL 295 000 000** – Paris, 3 déc. 1987 : *Composition*, h/t (27x35) : **FRF 90 000** – Milan, 18 déc. 1987 : *Composition* 1963, gche (50x65) : **ITL 15 000 000** – Londres, 25 fév. 1988 : *Griffures*, encre et h/pap. (65x100) : **GBP 10 450** ; *Fruit*, techn. mixte (28x35,5) : **GBP 44 000** – Paris, 20 mars 1988 : *Composition* 1957, aquar. et gche (50x63) : **FRF 60 000** – Paris, 28 mars 1988 : *Nature morte*, h/cart. (38,5x53,5) : **FRF 78 000** – Milan, 8 juin 1988 : *Vase de fleurs*, détrempe et past./pap. (20x17) : **ITL 16 000 000** – Paris, 12 juin 1988 : *Composition* 1959, gche/pap. buvard (50x65) : **FRF 60 000** ; *Composition* 1958, gche/pap. buvard (50x65) : **FRF 90 000** ; *Les Arbres*, gche/pap. mar./t. (36x50) : **FRF 42 000** ; *City* 1951, h. et gche/pap. mar./t., 1951 (27x35) : **FRF 31 000** ; *Paysages américains* 1951, gche et h/pap./t. (27x35) : **FRF 45 000** ; *Les dominos*, gche et h/pap. mar./t. (32x40) : **FRF 42 000** – Paris, 17 juin 1988 : *Composition* 1958, gche, fus. et craie/pap. buvard (45x64) : **FRF 66 000** – Londres, 30 juin 1988 : *Construction : tableau à quatre côtés* 1958, techn. mixte (45,5x54,3) : **GBP 63 800** ; *Construction* 1958, techn. mixte (81x100) : **GBP 104 500** – Paris, 28 oct. 1988 : *Composition* 1958, gche (16x24) : **FRF 45 000** ; *Nu assis jambes croisées* 1925, sanguine (27x21) : **FRF 21 000** – Paris, 22 nov. 1988 : *Nu de dos*, dess. au cr. (38x16,5) : **FRF 24 000** – Londres, 1er déc. 1988 : *Composition* 1962, h. et pigment/pap./t. (50x65) : **GBP 82 500** – Lucerne, 3 déc. 1988 : *Construction rouge et noire*, h/pap./rés. synth. (122x91) : **CHF 1 000** – Paris, 17 fév. 1989 : *Arbres*, past. et gche (21x22) : **FRF 58 000** – Londres, 23 fév. 1989 : *Crépuscule* 1958, h. et pigments/pap./t. (33x40) : **GBP 79 200** ; *Petit masque* 1935, bronze (H. 16) : **GBP 7 480** – Paris, 7 avr. 1989 : *composition*, fus. et past. (36x50) : **FRF 65 000** – Londres, 29 juin 1989 : *Cortèges* 1963, h. et pigments/pap./t. (65x100) : **GBP 286 000** – Paris, 8 nov. 1989 : *Nu* 1961, h. et aquar. (49x63) : **FRF 280 000** – Paris, 15 fév. 1990 : *Petit nu assis* 1929, bronze (H. 14) : **FRF 140 000** – Paris, 25 mars 1990 : *Tête d'otage* 1944, h/pap./t. (65x54) : **FRF 16 200 000** – Paris, 29 mars 1990 : *Portrait de jeune fille*, h/t (55x46,5) : **FRF 460 000** – Londres, 5 avr. 1990 : *La boîte* 1945, h. et pigment/pap./t. (46x55) : **GBP 330 000** – Paris, 10 juin 1990 : *Tête d'otage*, h/pap. (27,5x22) : **FRF 1 660 000** – Paris, 10 juin 1990 : *Nu allongé* 1944, pl. (32x37,5) : **FRF 100 000** – Londres, 18 oct. 1990 : *Nature morte*, h/t (38x46,4) : **GBP 47 300** – Paris, 6 oct. 1990 : *Modèle nu accroupi* 1944, lav. brun et estompe (34x30) : **FRF 75 000** – Paris, 29 oct. 1990 : *Composition* vers 1960, gche/pap. buvard (49,5x64,5) : **FRF 180 000** – Paris, 26 nov. 1990 : *Petit nu assis* 1929, bronze à patine brune (H. 14) : **FRF 180 000** – Londres, 6 déc. 1990 : *Tranches d'orange* 1944, h. et pigments/pap./t. (27x35) : **GBP 110 000** – Paris, 14 fév. 1991 : *Nu couché*, mine de pb (22x34) : **FRF 62 000** – Londres, 21 mars 1991 : *Sans titre*, encre et fus./pap. (20,4x34,8) : **GBP 6 600** – Paris, 2 juin 1991 : *Tête* 1942, h/pap./t. (27x22) : **FRF 250 000** –

Milan, 20 juin 1991 : *Claudette* 1926, h/t (24,5x27) : **ITL 21 000 000** – Londres, 27 juin 1991 : *Grandes étendues* 1957, h. et pigments/pap./t. d'emballage (73x92) : **GBP 407 000** – Saint-Dié, 13 oct. 1991 : *Jeune femme nue* 1925, encre de Chine (27x19,5) : **FRF 41 000** – Paris, 23 nov. 1992 : *Nature morte d'un verre à facettes* 1956, h/t (34x41) : **FRF 500 000** – Paris, 24 nov. 1992 : *Visage (Partisan)* 1956, h/pap./t. (27x22) : **FRF 700 000** – Londres, 3 déc. 1992 : *Stries de couleurs* 1959, h., pigments et mélange/pap./t. (50x61) : **GBP 107 800** – Paris, 3 déc. 1992 : *Autoportrait* 1921, h/t (61x51) : **FRF 80 000** – Paris, 21 juin 1993 : *Machine à café* 1955, h/pap./t. (54x64) : **FRF 810 000** – Londres, 24 juin 1993 : *Jeune romaine* 1940, bronze (H. 16,5) : **GBP 11 500** – Paris, 14 oct. 1993 : *Nu allongé* 1944, pl. et fus. (30x34,5) : **FRF 16 000** ; *Johanna* 1957, h/pap./t. (93x72,5) : **FRF 1 150 000** – Londres, 2 déc. 1993 : *Le bouquet* 1926, h/t (60x73) : **GBP 47 700** ; *Nu rose*, h/t (81x129,5) : **GBP 177 500** – Paris, 22 déc. 1993 : *Les partisans*, aquar. et gche (42,5x44) : **FRF 75 000** – Paris, 29 avr. 1994 : *Série de petits paysages sombres VI* 1958, h/pan. (38x61) : **FRF 600 000** – Milan, 21 juin 1994 : *Composition* 1957, temp./pap. entoilé (50x65) : **ITL 16 675 000** – Londres, 30 juin 1994 : *Les seins nus* 1945, h. et pigments/pap./t. (46x55) : **GBP 298 500** – Paris, 12 oct. 1994 : *Femme nue à la longue chevelure* 1926, past./pap. (59x43) : **FRF 46 000** – Lokeren, 11 mars 1995 : *Bergeronnette* 1942, eau-forte (11,5x13,5) : **BEF 120 000** – Paris, 13 juin 1995 : *Hurluberlu*, h. et past. écrasé/pap. (64x81) : **FRF 800 000** – Londres, 26 oct. 1995 : *Buste aux seins* 1929, bronze (H. 39,5) : **GBP 56 500** – Paris, 22 nov. 1995 : *Composition*, techn. mixte/pap./t. (46x54,5) : **FRF 510 000** – Milan, 23 mai 1996 : *Composition* 1957, techn. mixte/pap. entoilé (30,5x24) : **ITL 8 625 000** – Londres, 27 juin 1996 : *Mort du sanglier* 1927, h/t (162x130,5) : **GBP 298 500** – Paris, 5 oct. 1996 : *Sans titre*, fus./pap. (26x49) : **FRF 12 500** – Londres, 24 oct. 1996 : *Nature morte aux bouteilles* 1924-1925, h/t (108x163) : **GBP 144 500** ; *Grand Nu debout* 1928, bronze (H. 51) : **GBP 32 200** – Londres, 4 déc. 1996 : *Végétaux* 1957, pigment et h/pap./t. (81x100) : **GBP 133 500** – Paris, 24 mars 1997 : *Nature morte aux oignons* 1926, h/t (61x59) : **FRF 80 000** – Paris, 11 avr. 1997 : *Nu allongé* 1942, pl. (30x35) : **FRF 14 000** – Londres, 26 juin 1997 : *Tête d'otage n°3* 1944, pigment et h/pap./t. (55x46) : **GBP 441 500** – Londres, 25 juin 1997 : *Nu couché* 1942-1943, h. et pigment/pap./t. (97x162) : **GBP 375 500** – Londres, 26 juin 1997 : *Buste de jeune fille* 1927, h/t (39,3x62) : **GBP 13 800** ; *Paysage orange* 1956, h. et pigment/pap./t. (38x55) : **GBP 51 000**.

FAUVEAU Eustache Germain
xviiie siècle. Actif à Paris. Français.
Peintre.

Il fut membre de l'Académie de Saint-Luc et Lancier de la Grande Écurie du Roi. Il travailla pour le château de Meudon où il est mentionné en 1711.

FAUVEAU Félicie de, Mlle
Née en 1799 à Florence, de parents français. Morte en 1886.
xixe siècle. Française.
Sculpteur.

Mlle Félicie de Fauveau s'inscrit sans conteste parmi les sculpteurs de l'école romantique par son goût pour ce qu'on a appelé le néo-gothique, par sa prédilection, son engouement pour le Moyen Age et l'habitude d'accumuler dans ses œuvres les détails symboliques illustrant une pensée, une maxime, une devise anciennes. Née à Florence de parents bretons en 1799, elle sortait tout juste de l'enfance quand son père, banquier, quitta, ruiné, l'Italie pour s'établir à Besançon, où il avait obtenu un poste de fonctionnaire. Exaltée, opiniâtre, indisciplinée, elle se fit renvoyer de plusieurs pensions où ses parents l'avaient placée. Elle se mit à modeler des cires, se passionna pour le Moyen Age, Dante, Walter Scott qui jouissait alors en France d'une vogue extraordinaire. Son refus de se marier, comme de se faire religieuse, est la moindre manifestation de son amour de l'indépendance. Son père, royaliste ultra, comme on disait alors, étant mort en 1822, elle vint à Paris avec sa mère. Accueillie à la cour de Charles X et dans le grand monde, elle est admirée, gâtée ; elle veut décidément faire une carrière d'artiste. Delaroche, Ingres visitent son atelier de la rue La Rochefoucauld et la conseillent. Elle prend des leçons d'Hersent. Mais le pinceau lui semble sans doute un outil trop peu viril, elle préfère le ciseau et le maillet : elle entend être sculpteur. Elle communique son enthousiasme à Delaroche, son aîné de deux ans seulement, dont il reste de cette époque quelques pièces fort réussies, plâtres et bronzes, maquettes de ses tableaux : *Tête de Charles Ier, Descente de croix* et lui fait étudier les anciennes chroniques. Ary Scheffer fait son portrait en amazone, les cheveux courts : elle admirait fort la duchesse de Berry, de même âge qu'elle, qui les porta quelque temps ainsi, mais avait en horreur George Sand qui ne les eût jamais tels et n'était leur cadette que de cinq ans.

C'est qu'elle était royaliste enragée et légitimiste intransigeante, ce qui l'entraîna à deux reprises, en Vendée, en des aventures qui auraient pu fort mal finir. Dès 1827, elle présente au Salon deux bas-reliefs tirés du roman *l'Abbé* de Walter Scott dont les œuvres avaient passionné sa jeunesse douée, mais peu studieuse. Avec *Christine et Monaldeschi* (aujourd'hui au Musée du Louvre) elle avait obtenu une deuxième médaille. Elle s'emballe pour Dante et fait, en 1830, le projet d'un monument à sa gloire ; peut-être le commence-t-elle, puisque cette œuvre, une fois exécutée, porte sur son socle l'inscription : commencé en 1830, achevé en 1836. Mais pour cette royaliste bretonne, Louis-Philippe, proclamé « roi des Français » le 7 août 1830, ne pouvait être qu'un usurpateur. La politique, et sous sa forme la plus agissante, l'insurrection, va lui faire oublier pour un temps la sculpture. Cependant un premier voyage en Vendée, en automne 1830, avec la comtesse de La Rochejaquelein, ne paraît pas avoir eu d'autre but que de fuir Paris « louis-phillipard », dessiner, chasser et sans doute se trouver, au moins quelque temps, au milieu de royalistes fidèles, entendez légitimistes. Mais, si la Vendée était fort tranquille, les légitimistes, peu nombreux, il faut le reconnaître, y complotaient. Un jeune homme de vingt et un ans, Louis Charles Boisnormand de Bonnechose, venu leur apporter des instructions secrètes de Charles X, était blessé mortellement par les gendarmes chargés de l'arrêter. Naturellement, Félicie s'indigne, s'enflamme pour la cause et perd toute prudence, si elle en eut jamais. Elle se déguise, court le pays en homme, pieds nus, pour le service de la comtesse de La Rochejaquelein. Une visite domiciliaire a lieu au château habité par les deux amies. Celles-ci, peu rassurées, bien que peu compromises dans la réalité des faits, vont se cacher dans une ferme voisine. Elles sont découvertes dans un four où elles s'étaient blotties. Tirées de ce peu confortable asile, elles sont envoyées à Angers. A la première étape, la comtesse réussit à s'échapper pendant la nuit, en changeant de vêtements avec une servante de l'auberge où la troupe s'était arrêtée. Félicie est emmenée seule à la prison d'Angers où elle ne reste que quelques jours, puis à celle de Fontenay où elle fut maintenue sept mois. Elle y obtient livres, crayons, instruments de peinture et de sculpture et l'autorisation d'avoir sa mère avec elle. C'est là qu'elle commença plusieurs ouvrages de dimensions moyennes, entre autres, *le combat de Jarnac et de la Chataigneraie*. Elle y peignit sur le mur même de la prison une composition satirique à propos de la mort de ce page de Charles X, frère cadet du cardinal de Bonnechose avec qui il fut parfois confondu, confusion facile à éviter cependant, puisque le cardinal est mort en 1883, à l'âge de 83 ans. C'est une curieuse et, après tout, bien méritoire accumulation d'architecture gothique, de blasons, d'écussons, appartenant aux personnages qui avaient acquis un renom dans les guerres de Vendée, avec emploi d'or, d'argent, d'azur et des couleurs les plus vives. Sur la pointe de l'édifice, soutenant l'écu des Bonnechose, un ange cache son visage. Sur son socle, l'archange Saint Michel, les yeux terribles, les plumes des ailes hérissées, tient de la main droite une épée flamboyante, ensanglantée, dont il vient de frapper à mort un dragon à tête de coq (Louis-Philippe l'usurpateur) ; de la main gauche il élève une balance. Dans l'un des plateaux sont des juges, des procureurs, des magistrats, dans l'autre, le plus lourd, une seule goutte de sang. Au-dessous, l'explication de ce rébus : *quam gravis est sanguis justi inultus*, qu'il est lourd le sang de l'innocent impunément répandu ! Dans les espaces entre colonnes, deux textes en caractères gothiques et en français du Moyen Age. Celui de droite rappelle la captivité, pour la cause, de noble et redoutée dame Félicie de Duras, comtesse de La Rochejaquelein, des nobles femmes Anne de la Pierre de Fauveau et de demoiselle Félicie, sa fille, laquelle... dépeignit ceci en la muraille de la geôle de Fontenay-le-Comte, en janvier 1832. Celui de droite cite plusieurs captifs en la même geôle et en leur nom promet de prendre vengeance sur le champ de bataille... pour servir leur cher sire le roy. Naturellement cette simili-fresque disparut avec le temps du mur de la prison, mais l'artiste en garda le dessin qui fut plus tard reproduit par la lithographie et qui est un bon spécimen de sa manière. Jugée à Poitiers, elle fut acquittée et put reprendre ses travaux. Elle refusa de revoir ses anciens amis ral-

liés au nouveau régime et traita de lâches et de traîtres Delaroche et Scheffer. Elle-même vient à peine de rouvrir son atelier quand la nouvelle du débarquement (avril 1832), du passage en Provence et de l'arrivée en Vendée de la duchesse de Berry, mère du duc de Bordeaux, la remplit d'enthousiasme guerrier. Elle lâche tout sans hésiter et vole en Vendée. Elle y retrouve la comtesse de La Rochejaquelein et toutes deux prennent part, à cheval, armées de sabres et de pistolets, à la tentative de soulèvement. Celui-ci fut vite réprimé par le pouvoir. Après deux simples échauffourées près de Clisson, on se dispersa. Cette fois, cependant, pour notre artiste, c'était plus grave. Après s'être tenue cachée pendant quelque temps, elle réussit à passer en Belgique : condamnée par contumace à la prison perpétuelle, elle décide de se rendre en Italie avec la comtesse. Auparavant elle se hasarde à aller à Paris, munie de faux papiers, pour déménager son atelier. Il faut croire que la police ne tenait pas particulièrement à sa capture, puisque le déménagement effectué, elle put sans encombre passer en Suisse, puis en Italie.
Elle se fixe à Florence, sa ville natale où elle retrouve les Bourbons exilés. Elle acquiert un ancien couvent et y installe un atelier, visité dès lors par les touristes de la bonne société. Elle dessine des vitraux pour le Château d'Ussé. Elle sculpte en bois un *Miroir de la vanité*, reproduit par le *Magasin Pittoresque* de 1839. Paris ne lui tenait sans doute pas trop rigueur de son aventure de Vendée, puisqu'elle y envoie en 1842 *Saint Georges terrassant le dragon, le martyre de sainte Dorothée*, et *Judith exposant au peuple la tête d'Holopherne*. Quand elle montrait cette dernière œuvre à ses visiteurs à Florence, elle disait, paraît-il, que c'était la duchesse de Berry et Louis-Philippe. Elle envoya également à Paris, pour être coulé en bronze, *le combat de Jarnac et la Chataigneraie* qui subit malheureusement un accident à la douane de Marseille. Elle fait des portraits : *la duchesse de Berry, le duc de Bordeaux*, exécute des commandes pour les princes en exil ; une *Sainte Geneviève* en marbre pour la duchesse, un *Saint Georges délivrant la Cappadoce*, pour la comtesse de La Rochejaquelein. En 1852, elle rentre en France. Elle groupe quelques-unes de ses œuvres à l'Exposition de 1875 : *Sainte Dorothée, Sainte Élisabeth*... Le comte de Pourtalès achète son fameux monument *A la gloire de Dante*, terminé à Florence en 1836. De même que la composition pour la mort de Louis Charles de Bonnechose, il peut servir à caractériser sa manière, son goût du détail symbolique et même du rébus. Elle avait déjà exécuté, pour le comte de Pourtalès, une *Lampe de Saint Michel*, très compliquée, visant à développer les paroles du Christ prédisant la fin du monde, *Vigilate et orate*, inscrites sur le socle avec le cri moyenâgeux : *Vaillant, veillant ; veillant, vaillant*. Sur le panneau de chêne sculpté supportant le tout, on lit *Non dormit qui custodit*. Quant à son monument pour Dante, c'est une composition en marbre de 2 m. 40 de haut, comportant pinacle, clochetons, colonnes torses, écussons, armoiries, anges ailés, voisinant avec Minos, juge des Enfers, un hibou, un démon aux immenses ailes de chauve-souris et l'inévitable citation, un vers de Dante : *di quâ, di lâ, di qui, di su gli mena*, destinée à expliquer la punition infligée aux deux amants qui constituent le sujet principal. Entre les colonnes torses, en effet, et sous cette espèce de dais gothique, est assise Francesca de Rimini, ayant à ses pieds Paolo Malatesta, le jeune frère de son mari. C'est indiscutablement un chef-d'œuvre d'ingéniosité et de patience ; on a dit qu'elle avait une âme d'orfèvre. Morte à quatre-vingt-sept ans, elle avait dessiné son tombeau avec l'inscription : *Vendée, Labeur, Honneur, Douleur*. Elle avait sculpté le tombeau de sa mère, aujourd'hui dans le cloître des Carmes de Florence. Dans l'église Santa Croce, dans la chapelle Médicis, on peut voir le tombeau de Louise Favreau. Parmi le petit nombre de ses œuvres en France, outre le bas-relief *Christine et Monaldeschi* du Musée du Louvre, le bénitier du Musée de Douai, *Ange sortant de l'eau purifié* (ou bien *Ame se détachant des attaches terrestres*), citons le monument du baron Gros à Toulouse, et une *Vierge et l'Enfant* à Hyères (Var), dans l'église Saint-Louis (bas-côté sud, au-dessus de l'autel), copie dont l'original est à Florence.

FAUVEAU Hippolyte de
Né à Florence, de parents français. XIXe siècle. Français.
Sculpteur et architecte.
Élève de sa sœur Félicie de Fauveau.

FAUVEL Auguste
Né le 1er mai 1822 à Bapaume (Pas-de-Calais). XIXe siècle. Français.
Peintre de genre, animaux, paysages animés, natures mortes.
De 1848 à 1875, il exposa au Salon de Paris. On cite parmi ses tableaux : *Gibier, fruits, légumes, Sanglier, Une histoire amusante, L'Amour des bêtes, La Charmeuse d'oiseaux*.
Ventes Publiques : Paris, 6 fév. 1932 (sans indication de prénom) : *Chiens* : **FRF 100** – Cologne, 2 juin 1967 : *Berger et son troupeau dans un paysage* : **DEM 900** – Paris, 20 nov. 1981 : *Femme préparant un bouquet* 1870, h/t (45x31) : **FRF 3 600.**

FAUVEL Georges Henri
Né en 1890 au Havre (Seine-Maritime). XIXe siècle. Français.
Peintre animalier.
Médaille de troisième classe en 1889.

Georges Fauvel

Ventes Publiques : Vienne, 20 nov. 1981 : *Troupeau au pâturage*, h/t (54x73) : **ATS 13 000** – Londres, 9 oct. 1987 : *Chiens de chasse au repos* 1896, h/t (142,2x120) : **GBP 4 000.**

FAUVEL Hippolyte
Né en 1835 à Amiens (Somme). XIXe siècle. Français.
Peintre de paysages animés, paysages.
Élève d'Yvon. Il figura au Salon de Paris à partir de 1861.
Musées : Amiens : *Un sentier à Capri*.
Ventes Publiques : Paris, 18 avr. 1928 : *L'abreuvoir* : **FRF 155** – Paris, 7 juil. 1982 : *La faneuse*, h/pan. (55,5x35) : **FRF 5 500.**

FAUVEL Louis François Sébastien
Né le 14 septembre 1753 à Clermont-en-Beauvaisis. Mort le 12 mars 1838 à Smyrne. XVIIIe-XIXe siècles. Français.
Dessinateur, peintre, graveur et archéologue.
On connaît de lui une gravure en couleurs. *Le Philosophe* d'après Janinet, un *portrait du poète Delille*, gravé par L. Guyot. Une vue de *Sarratoya* fut gravée d'après lui par Geoffroy pour le *Recueil d'estampes de la Guerre de l'Amérique septentrionale* ; F. L. Couché grava *Le Lit de la Victoire et la Mort de Toiras*, et Macret *la Réception de Voltaire aux Champs-Élysées*, d'après ses œuvres. Cet artiste accompagna Choiseul-Gouffiers, Ambassadeur de Turquie, d'abord en Grèce, puis à Constantinople et fut nommé vice-consul à Athènes. Il collabora à l'œuvre de Choiseul-Gouffiers *Voyage pittoresque en Grèce*, pour lequel il dessina trois vues de Constantinople et une *Vue du Sérail*. La Bibliothèque Nationale à Paris conserve de ses œuvres.

FAUVEL Louise
Née à Constantinople, de parents français. XIXe siècle. Française.
Peintre.
Élève de Mme Colin-Libour ; elle exposa au Salon, à partir de 1876, des fleurs et quelques faïences.

FAUVEL Mathieu
XVIIe siècle.
Peintre.
Cité par de Marolles.

FAUVEL Pierre
XVe siècle. Actif à Amiens. Français.
Sculpteur, ciseleur et orfèvre.
Il exécuta en 1485 avec Pierre de Dury pour le maître-autel de la cathédrale, un retable en argent ciselé avec statuettes et bas-reliefs représentant des scènes de l'Ancien et du Nouveau Testaments.

FAUVELET Jean-Baptiste
Né le 9 juin 1819 à Bordeaux (Gironde). Mort le 14 mars 1883 à Chartres (Eure-et-Loir). XIXe siècle. Français.
Peintre de scènes de genre, paysages, natures mortes, lithographe.
Il exposa au Salon de Paris, de 1845 à 1870, obtenant une médaille de deuxième classe en 1848. Il peignit des paysages, des natures mortes et surtout des scènes de genre, où le décor est suggéré.

Fauvelet

Musées : Chartres : *Rigolo* – Londres (Wallace coll.) : *Faisans* – Paris (Mus. d'Orsay) : *Ascanio, le ciseleur* – *Les plaignants* – La Rochelle : *Jeune fille* – Stettin : *Savant au travail*.
Ventes Publiques : Paris, 7 avr. 1896 : *Un artiste dans un atelier* : **FRF 680** ; *Les amateurs d'estampes* : **FRF 700** – Paris, 7 fév.

1903 : *Jeune femme au coin du feu* : **FRF 600** – Paris, 20 nov. 1918 : *Le joueur de basse* : **FRF 605** – Paris, 10 déc. 1920 : *Devant la glace* : **FRF 680** – Paris, 21-22 nov. 1922 : *Portrait de la duchesse Decazes*, aquar./pap. : **FRF 300** – Paris, 4 juin 1924 : *Le Fumeur* : **FRF 600** – Paris, 17-18 nov. 1924 : *Femme assise dans un intérieur et se chaussant* : **FRF 1 620** – Paris, 27-28 nov. 1924 : *La Conférence ; La lecture pendant le café* : **FRF 1 400** – Paris, 30 déc. 1925 : *Le Fumeur* : **FRF 3 000** – Paris, 14 déc. 1933 : *La Leçon de dessin* : **FRF 1 000** ; *En visite* : **FRF 1 150** – Paris, 22 fév. 1943 : *L'Écrivain* : **FRF 3 000** – Londres, 29 sep. 1976 : *La réussite*, h/pan. (23,5x18,5) : **GBP 550** – Los Angeles, 17 mars 1980 : *Les amateurs d'art* 1860, h/pan. (21,3x15,5) : **USD 2 500** – New York, 1er mars 1984 : *L'amateur d'art*, h/pan. (24,1x18,5) : **USD 1 000** – New York, 13 fév. 1985 : *Femmes dans un intérieur* 1863, h/t (39,4x46,4) : **USD 3 000** – Amsterdam, 5-6 nov. 1991 : *Jeune fille écoutant à une porte* 1831, h/pan. (24,5x18,5) : **NLG 2 875** – Amsterdam, 30 oct. 1991 : *Moments d'oisiveté*, h/t (36x30) : **NLG 4 140** – Londres, 2 oct. 1992 : *Le connaisseur*, h/pan. (21x16) : **GBP 1 980** – New York, 22-23 juil. 1993 : *Gentilhomme fumant la pipe*, h/pan., une paire (21,6x16,5) : **USD 4 888**.

FAUVERGE Caroline Stéphanie
Née au XIXe siècle à Strasbourg. XIXe siècle. Française.
Peintre.
De 1834 à 1839, elle figura au Salon de Paris par des vues de paysages, prises en Allemagne et en Normandie.

FAUVILLE Daniel
Né en 1953 à Charleroi. XXe siècle. Belge.
Peintre, dessinateur, sculpteur de monuments oniriques, pastelliste.
Il vit et travaille à Charleroi. Il participe à de nombreuses expositions collectives belges et internationales, d'entre lesquelles : 1982 Salon de Montrouge, région parisienne, 1984 Salon Figuration Critique, Paris, 1985 Musée des Beaux-Arts de Bruxelles, 1989 Biennale de São Paulo, etc. Il expose aussi individuellement à Bruxelles, notamment au Palais des Beaux-Arts en 1992, à La Louvière à Paris.
En sculpture, il pratique la technique du bronze en cire-perdue. Il s'inspire d'un passé récent où régnaient sur le paysage belge les architectures technologiques des aciéries et des charbonnages, qu'il n'évoque que par des métaphores, également architecturales mais déviées du côté de la commémoration, du monumental cultuel, du mausolée en voie d'abandon, colonnes brisées, issues béantes, arcs-boutants érodés. Certaines de ses œuvres ont été acquises par le ministère français de la Culture.
Bibliogr. : In : *Diction. biographique illustré des artistes en Belgique depuis 1830*, Arto, Bruxelles, 1987.

FAUVILLE Marie Ange
Née à Léo-Saint-Amand (Nord). XXe siècle. Française.
Sculpteur.
Elle exposa à Paris au Salon d'Automne en 1924.

FAUX-FROIDURE Eugénie Juliette
Née le 23 août 1886 à Noyen-sur-Sarthe (Sarthe). XXe siècle. Française.
Peintre de paysages, fleurs, aquarelliste.
Elle fut élève d'Albert Maignan, de Saintpierre et de Quost. Elle exposa régulièrement au Salon des Artistes Français, dont elle devint sociétaire en 1893. Elle obtint une mention honorable en 1898, ainsi qu'à l'Exposition universelle de 1900. Elle obtint également une médaille de troisième classe en 1903, de deuxième classe en 1906.
Musées : Rouen : *Chrysanthèmes – Feuillages d'automne*.
Ventes Publiques : Paris, 21 fév. 1924 : *Gerbe de roses*, aquar. : **FRF 470** – Paris, 24 avr. 1942 : *Capucines*, aquar. : **FRF 350** – Paris, 18 fév. 1944 : *Giroflées*, aquar. : **FRF 220** – Paris, 21 mars 1947 : *Fleurs*, aquar. : **FRF 4 700** – New York, 25 oct. 1984 : *Géraniums*, aquar. (85,1x59,6) : **USD 1 300** – Paris, 7 avr. 1987 : *Jardinière de fleurs*, aquar. (52x64) : **FRF 8 200** – Versailles, 18 mars 1990 : *Fleurs au vase bleu*, aquar. (38x55) : **FRF 24 000** – Versailles, 25 nov. 1990 : *Bouquet de géraniums*, aquar. (83x60) : **FRF 25 000** – Paris, 16 déc. 1993 : *Jeté d'hortensias sur un guéridon*, aquar. (55x72,5) : **FRF 13 500** – Amsterdam, 21 avr. 1994 : *Roses, marguerites et autres fleurs d'été dans un panier* 1886, aquar./pap. (48x59) : **NLG 4 370** – Paris, 5 juin 1996 : *Nature morte au panier de roses et œillets*, aquar./pap. (52,5x71) : **FRF 6 000** – Paris, 14 mars 1997 : *Bouquets de roses et dahlias à l'aiguière orientale*, aquar. (148x78) : **FRF 22 000**.

FAVA Brigida, contessa, née Marchesa **Tanari**
XIXe siècle. Active à Bologne. Italienne.
Peintre amateur.
Elle fut élève de Pietro Fancelli et exposa des miniatures, dont une copie de *Vierge*, d'après Guido Reni, et des portraits. Elle peignit aussi des tableaux d'histoire.

FAVA Carlo Luigi
Né à San Prospero (près de Parme). XIXe siècle. Italien.
Sculpteur.
Élève de Tommaso Bandini à l'Académie des Beaux-Arts de Parme il exposa une série de hauts et bas-reliefs que grava Bigola, comme frontispice à une édition des œuvres de l'écrivain Pietro Giordani.

FAVA Giuseppe
Né le 29 mai 1611 à Ugozzolo (près de Parme). XVIIe siècle. Italien.
Peintre copiste.
En 1653, il exécuta un dessin d'après la fresque représentant Saint-François d'Assise, au Baptistère ; on cite aussi de lui deux copies, l'une d'après Michele Raineri, l'autre d'après Michele Desubleo qui se trouvaient au Palazzo del Giardino au temps des Farnèse.

FAVA Pietro Ercole da, comte
Né en 1667 à Bologne. Mort en 1744. XVIIe-XVIIIe siècles. Italien.
Peintre.
Protecteur des arts et peintre amateur, il travailla avec L. Pasinelli et patronna ses amis Donato Creti et Ercole Graziani. Carracci fut son maître préféré ; il en étudia les œuvres avec passion. Membre de l'Académie Clémentine, il exécuta dans l'église de San Tommaso dal Mercato de Bologne un tableau d'autel : *La Vierge, l'Enfant avec saint Albert, saint Paul et d'autres saints*. Dans la cathédrale d'Ancône se trouvent de lui une *Épiphanie* et une *Résurrection*.

FAVAI Gennaro
Né à Venise (Vénétie). XXe siècle. Italien.
Peintre.
Exposant, à Paris, du Salon de la Société Nationale des Beaux-Arts.
Ventes Publiques : Paris, 6-7 déc. 1944 : *La Caravelle* : **FRF 1 600** – Paris, 21 mars 1947 : *Canal à Venise* : **FRF 420** – New York, 21 août 1981 : *Desdemona's Place*, h/pan. (99,5x120) : **USD 800** – Paris, 6 fév. 1991 : *Palais vénitien*, h/pan. (47x53) : **FRF 7 000** – New York, 26 mai 1992 : *Vue de la place Saint-Marc à Venise*, h/pan. (98,4x134,6) : **USD 7 700** – New York, 28 mai 1993 : *Vue de Santa Maria della Salute la nuit*, h/pan. (71,6x87,9) : **USD 2 300** – Venise, 7-8 oct. 1996 : *Église à Messine*, h/cart. (35,5x41) : **ITL 2 300 000**.

FAVANNE Henri Antoine de
Né le 3 octobre 1668 à Londres, de parents français. Mort le 27 avril 1752 à Paris. XVIIe-XVIIIe siècles. Français.
Peintre d'histoire, compositions mythologiques, sujets allégoriques.
Il fut l'élève de Houasse. Le 28 août 1704, il fut reçu académicien, devint professeur le 28 septembre 1725, adjoint à recteur, le 26 mars 1746, et recteur le 6 juillet 1748. En 1695, Henri de Favanne, se trouvant à Rome, se lia avec d'Aubigny, secrétaire de la princesse des Ursins. Ces relations eurent pour conséquence de le faire appeler en Espagne, en 1705, par Philippe V. L'artiste revint en France en compagnie de M. d'Aubigny en 1714, alors que sa protectrice venait de perdre son prestige. De 1704 à 1751, Henri de Favanne envoya plusieurs ouvrages au Salon.
Les plus connues de ses productions sont : *Cérès découvrant la ceinture de sa fille Proserpine enlevée par Pluton, Des Naïades, Thétis forcée de consentir à épouser Pélée, Séparation de Télémaque et d'Eucharis, Les Nymphes, excitées par l'Amour, mettent le feu au vaisseau pour empêcher l'évasion de Télémaque, Vénus met l'Amour entre les mains de Calypso, La chaste Suzanne entre les vieillards*. Henri de Favanne était peintre ordinaire du roi de France et premier veneur du roi d'Angleterre Charles II.

Favanne.

Musées : Orléans : *Philippe de France, roi d'Anjou reconnu roi d'Espagne – Esquisse de portrait* – Paris (Louvre) : *Dessin à la plume* – Paris (Beaux-Arts) : *Portrait de l'artiste* – Toulouse : *Scène d'intérieur* – Versailles : *Allégorie, avec le cardinal Albéroni*.

Ventes Publiques : Paris, 12-14 mai 1924 : *Vénus sur les eaux*, attr. : **FRF 2 600** – Paris, 17 juin 1994 : *Deux études de nu d'homme*, pierre noire et reh. de pierre blanche/pap. beige (24,5x40) : **FRF 6 200** – Paris, 10 avr. 1995 : *Allégorie à la gloire de Philippe V, roi d'Espagne*, h/t (38x46,5) : **FRF 12 000**.

FAVANNE Jacques de
Né en 1716 à Paris. Mort en 1770. xviiie siècle. Français.
Graveur.
Fils de Henri de Favanne. Élève de F. Thomassin. Vers 1760, il se fixa à Paris. Il a gravé d'après Watteau, Lancret et Le Maine.

FAVANNE Jean Henry de
xviiie siècle. Actif à Paris. Français.
Peintre et graveur.
Fils de Henri de Favanne.

FAVANT Gabrielle
Née en 1889 à Agde (Hérault). xxe siècle. Française.
Peintre de marines, paysages.
Elle vécut à Saint-Henri près de Marseille. Son initiation à la peinture fut l'œuvre du peintre de marines Louis Nattero. Elle exposa à Marseille vers 1914.
Les toiles les plus représentatives de cette artiste sont celles exécutées sur nature du littoral marseillais : La Pointe Rouge, La Redonne, L'Estaque.

FAVARD Antoine Gabriel
Né le 14 février 1829 à Lyon (Rhône). xixe siècle. Français.
Peintre et aquarelliste.
Il entra, en 1853, à l'École des Beaux-Arts de Paris. Il a exposé à Paris, de 1863 à 1877, des aquarelles et des gouaches d'après les maîtres italiens et allemands et des tableaux religieux ou de genre ; parmi ces derniers : *Abel mourant* (1863), *Souvenir d'Italie*, aquarelle (1867), *Derniers moments du Christ* (1874), *Quatre amis* (1877) ; l'artiste était alors à Rome. Il avait obtenu une médaille à Paris, en 1867.

FAVARD Philippe
Né à Berlin. xixe-xxe siècles. Français.
Peintre de portraits.
Élève de J. Lefebvre et T. Robert-Fleury.

FAVARD Ville
xviiie siècle. Actif à Londres. Britannique.
Peintre de miniatures.
Il exposa, de 1794 à 1797 quatre portraits miniatures et un *Cupidon*, à la Royal Academy.

FAVART Antoine Pierre Charles
Né en 1784 à Paris. Mort le 28 mars 1867. xixe siècle. Français.
Peintre d'histoire et graveur.
De 1806 à 1839, il figura au Salon de Paris. On cite de lui : *Action héroïque de Henri II, duc de Montmorency, Vue générale de Jérusalem, Bayard blessé sous les murs de Brescia*. Élève de Suvée.

Ventes Publiques : Paris, 27 jan. 1943 : *Portrait d'homme accoudé à une cheminée*, aquar. : **FRF 2 050**.

FAVART Geneviève, Mme, née **Bellot**
xviiie-xixe siècles. Française.
Peintre de portraits.
Élève de Bachelier. En 1800 et 1808, elle exposa au Salon de Paris, plusieurs portraits.
Ventes Publiques : Paris, 22 juin 1939 : *Charles-Simon Favart composant la comédie de « L'Anglais à Bordeaux »*, past. : **FRF 4 500**.

FAVART Jehan ou **Petit Jehan** ou **Favert** ou **Fauvert** ou **Fanart**
xvie siècle. Actif à Amboise. Français.
Peintre.
Il participa aux préparatifs de l'entrée d'Anne de Bretagne à Amboise et de la représentation du Mystère de *Jules César*. En 1508, il créa, avec le sculpteur Juste, le bas-relief de la bataille de Gennes, au château du cardinal d'Amboise, à Gaillon. En 1523, il dirigea les préparatifs de la représentation de la Passion, et en 1530 ceux de l'entrée de la reine Éléonore à Amboise.

FAVAS Jean Daniel
Né le 11 octobre 1813 à Genève. Mort en 1864 à Genève. xixe siècle. Naturalisé en France. Suisse.
Peintre.
Entré à l'École des Beaux-Arts le 7 octobre 1835, il se forma sous la conduite de Hornung et de P. Delaroche. De 1842 à 1861, il exposa régulièrement au Salon de Paris. En 1845, il obtint une médaille de troisième classe. On cite de ses œuvres : *Mariocetta, Jeune pâtre de la campagne de Rome, Costumes de Mola di Gaëta, Vue prise de l'Acquacetosa, campagne de Rome, Intérieur d'atelier, Jeune femme ôtant son masque*. Il a fait aussi des portraits. Le Musée Rath à Genève conserve de lui le *Portrait du général Dufour*.

FAVAZZA Alessandro
Originaire de Foligno. xviie siècle. Italien.
Peintre.
Il fut inscrit en 1635 sur les listes de l'Académie Saint-Luc à Rome.

FAVÉ Paul
Né au xxe siècle à Montereau (Seine-et-Marne). xxe siècle. Français.
Peintre de paysages, natures mortes.
Il figura pour la première fois, à Paris, au Salon des Indépendants en 1926. Il participe également au Salon d'Automne. Il eut une exposition particulière à Paris en 1925.
Essentiellement paysagiste, sa peinture est d'une conception primitive et spontanée. Ses natures mortes révèlent la même sincérité.
Ventes Publiques : Paris, 27 déc. 1926 : *Église de Moret* : **FRF 360**.

FAVEL
xviiie siècle. Français.
Peintre de paysages, dessinateur.
Actif à Toulon, il exécuta en 1782 des peintures pour la marine et fut nommé Professeur des Gardes de la Marine. Le graveur J. N. Laugier fut son élève.
Ventes Publiques : Paris, 24 nov. 1995 : *Vue de la ville et de la rade de Toulon*, aquar. et encre noire, une paire (35,4x63,5 et 35,5x62,5) : **FRF 20 000**.

FAVÉN Antti Yrjo
Né le 20 mai 1882 à Helsingfors (Helsinki). xxe siècle. Actif en France. Finlandais.
Peintre de paysages, portraits, scènes de genre, dessinateur.
Il est aussi caricaturiste. Il a exposé, à Paris, au Salon d'Automne à partir de 1903.
Musées : Abo : *Portrait des trois frères de l'artiste* – Helsinki : *Portrait de deux dames*.
Ventes Publiques : Stockholm, 13 avr. 1992 : *Arc-en-ciel et usines au bord d'un fleuve à Österbotten*, h/pan. (40x49) : **SEK 5 200**.

FAVENZA V.
xixe siècle. Actif à Venise vers 1850. Italien.
Sculpteur sur bois et marqueteur.
Le Musée de la ville, à Venise, conserve de la main de cet artiste quelques meubles avec ornements sculptés et incrustations d'ébène et d'ivoire.

FAVEREAU Adrien
xviie siècle. Actif à Paris en 1690. Français.
Peintre, sculpteur et graveur.

FAVEREAU Gabriel
Mort en 1576. xvie siècle. Actif à Troyes. Français.
Sculpteur et architecte.
Gendre de Dominique Florentin, il collabora avec lui à l'exécution du jubé de pierre de l'église collégiale Saint-Étienne de Troyes, de 1549 à 1555 ; les restes de cette œuvre, démolie pendant la Révolution, figurent en différents endroits (voir Dominique Florentin). Nommé en 1559 maître maçon de la cathédrale, il conserva cette situation jusqu'à sa mort.

FAVERET Claude
xviie siècle. Actif à Angers. Français.
Peintre.

FAVERGE Georges
Né vers 1654. Mort le 14 décembre 1734. xviie-xviiie siècles. Actif à Grenoble. Français.
Sculpteur.

FAVERGE Siméon
Né à Valence. xviiie siècle. Français.
Sculpteur.

FAVERI Flavio de
Né le 11 juillet 1930 à Codogne (Vénétie). XXe siècle. Français.
Sculpteur.
Il réalise des sculptures classiques de femmes, et les expose dans la région toulousaine où il a étudié aux Beaux-Arts de 1949 à 1954. Il enseigne le dessin à Montauban.

FAVERIC Étienne ou **Faverle**
XVe siècle. Français.
Peintre verrier.
Il travailla de 1452 à 1476 aux vitraux de l'église Saint-Sulpice à Fougères (Ille-et-Vilaine).

FAVERIE Nadine, Mme, née **Ollivier**
XIXe siècle. Active à Paris. Française.
Portraitiste.
Elle exposa au Salon de Paris, de 1844 à 1849, des portraits.

FAVERJON Jean Marie
Né le 3 janvier 1823 à Saint-Étienne. Mort en 1873. XIXe siècle. Français.
Peintre d'histoire, sujets mythologiques, compositions religieuses, scènes de genre, portraits, paysages.
Entré à l'École des Beaux-Arts le 7 octobre 1846, il devint l'élève de Flandrin.
Il se fit représenter au Salon de Paris de 1848 à 1872.
On cite parmi ses œuvres : *Vue de Paris prise d'un parc à Clamart, Bords de la Bièvre, Le Christ en croix, Le printemps, L'été, Délivrance de Saint Pierre, Intérieur de forge, L'automne, Épisode de batailles, Amphitrite, Buanderie aux bords du Furens.*
Musées : Saint-Étienne : *Vue prise à Fontenay-aux-Roses – Intérieur d'un atelier de tourneur – Dentellière de la Haute-Loire – Portrait de l'artiste.*
Ventes Publiques : Londres, 6 fév. 1987 : *Les saisons* 1855, suite de 4 h/t (81,9x172,1) : **GBP 4 500**.

FAVERLE Étienne. Voir **FAVERIC**

FAVERO Andrea
Né en 1837 à San Zenone degli Ezzelini (province de Trévise). Mort en 1914. XIXe-XXe siècles. Italien.
Peintre de genre, compositions décoratives.
Il étudia à Venise où il reçut, en 1856, une médaille d'or pour son tableau : *Constructions mauresques antiques*. Il exécuta, à Bologne, des décorations au Palais Belardini et des tableaux pour les théâtres de Matelica et de Camerino.
Ventes Publiques : Milan, 10 déc. 1987 : *Jeux d'enfants*, h/t (62x45) : **ITL 7 000 000**.

FAVERO Antonio dal
Né en 1844 à Ceneda. XIXe siècle. Italien.
Peintre et sculpteur.
Fit ses premières études à l'Académie de Venise, où il remporta plusieurs prix. Ses œuvres de jeunesse sont un relief représentant l'*Esmeralda*, un *Christ descendu de la Croix* (grandeur naturelle), aujourd'hui dans l'église Saint-Michel de Vittorio, deux statues *(Rebecca* et *Fioraia)*, au palais du prince Giovanelli à Venise, deux statues *(La Conception* et *Sainte Lucie)*, dans une église de Conegliano, etc. Enfin on cite comme les chefs-d'œuvre de Favero, les deux monuments élevés l'un à *Victor-Emmanuel*, l'autre à *Garibaldi*, qui se trouvent à Vittorio, et qui valurent à leur auteur la croix de la Couronne d'Italie. Parmi les toiles de cet artiste, on mentionne : *Les Élèves, la Vache de la grand-mère*, exposés à Turin en 1884, et encore *L'Assomption*, peinture sur une pale de calice de l'église de Covolo.

FAVEROT Joseph B.-B.
Né en mai 1862 à Paris. XIXe siècle. Français.
Peintre de scènes de genre, sujets divers, animaux.
Il travailla dans l'atelier de Gérome. Il figura, à Paris, au Salon des Artistes Français, de 1887 à 1900, et au Salon de la Société Nationale des Beaux-Arts.
Il réalisa des tableaux de genre, représentant en général des sujets de basse-cour, comme *Poules et Coqs*. Ayant passé sa jeunesse parmi des gens du cirque, il se spécialisa dans les panneaux décoratifs où figurent des clowns, des acrobates, qu'il brosse dans les cabarets montmartrois.
Ventes Publiques : Paris, 20-21 avr. 1928 : *Sur les fortifs ; La guinguette*, ensemble : **FRF 300** – Paris, 12-13 nov. 1928 : *Clown pêchant à la ligne* : **FRF 65** ; *Clown jouant de la guitare* : **FRF 170** – Paris, 4 juin 1941 : *Le Poulailler* : **FRF 390** – Paris, 22 juil. 1942 : *Coq et Poules* : **FRF 700** – Paris, 17 mai 1943 : *Chien et Scène de cirque*, deux h/t : **FRF 1 000** – Paris, 28 mars 1947 : *Entrée de clowns* : **FRF 1 500** – Paris, 23 juin 1947 : *Poulailler* : **FRF 2 900** – Barbizon, 31 oct. 1982 : *La noce*, h/t (192x160) : **FRF 3 000** – Verrières-le-Buisson, 14 déc. 1986 : *L'haltérophile*, h/t (46x63) : **FRF 7 500** – Paris, 19 juin 1989 : *Scène de cirque*, h/pan. (41x33) : **FRF 13 000** – Paris, 30 mars 1992 : *La basse-cour*, h/pan. (38x27) : **FRF 3 500** – Le Touquet, 30 mai 1993 : *Le bon déjeuner*, h/t (92x73) : **FRF 8 500** – Paris, 16 juin 1997 : *Coq et poules*, h/t (135x101) : **FRF 15 000**.

FAVET Charles
XXe siècle. Français.
Graveur de paysages urbains.
Il réalisa de nombreuses expositions en France et à l'étranger. Il fut lauréat de l'Institut, et obtint le prix de la Société Française de Gravure en 1960. Nombreux ex-libris (500). Spécialiste de la représentation du « Vieux Troyes ».

FAVIER Annie
XXe siècle. Française.
Peintre. Tendance abstraite.
Elle a montré ses œuvres dans une exposition personnelle en 1994 à la galerie Kandler à Toulouse.
Elle s'inspire de ses voyages pour en rendre par la couleur, dans des compositions abstraites, les sensations.

FAVIER Cécile
Née en 1906 dans le Puy-de-Dôme. XXe siècle. Française.
Peintre.
Jeune, elle voyagea en Argentine. Établie modiste, elle peignit assez tardivement. Elle montra ses premières peintures en 1950. Son art se rattache à la peinture naïve.

FAVIER Claude François
XVIIe siècle. Actif à Saint-Claude (Jura). Français.
Sculpteur.

FAVIER Eugène
Né en 1860 à Paris. XIXe-XXe siècles. Français.
Peintre de portraits, nus, fleurs, pastelliste.
Il fut élève de Gérome. Il exposa au Salon des Artistes Français de Paris, dont il fut sociétaire, dès 1892. Il y obtint une mention honorable en 1902.
Il peignit des fleurs, des nus et principalement des portraits, à l'huile ou au pastel ; il portraitura tous les comédiens du Théâtre de l'Odéon.
Ventes Publiques : Barbizon, 22 avr. 1979 : *Fillette à la robe bleue*, h/t (41x27) : **FRF 3 100** – Paris, 10 juin 1987 : *Portrait de jeune fille brune à robe de dentelle* 1924, past. : **FRF 3 000**.

FAVIER Jeanne Magdeleine
Née à Vichy (Allier). Morte en 1902. XIXe siècle. Française.
Peintre pastelliste.
On cite de cette artiste : *Portrait de ma mère* (1888) – *Portrait de M. E. M.* (1892), *Portrait de l'auteur* (1895), *En fraude, Au travail, Portrait de M. Maurice Faure* (1897).
Ventes Publiques : Paris, 23 avr. 1945 (sans indication de prénom) : *Femme dévêtue assise* 1902, past. : **FRF 400**.

FAVIER Nicolas
XVIIIe siècle. Actif à Paris en 1758. Français.
Peintre et sculpteur.

FAVIER Philippe
Né en 1957 à Saint-Étienne (Loire). XXe siècle. Français.
Graveur, peintre, dessinateur.
Il a été élève de Gérard Pascual à l'École des Beaux-Arts de Saint-Étienne. Il en sort diplômé en 1981. De suite, il connaîtra un rapide succès : l'année suivante, il expose personnellement au Musée d'Art et d'Industrie de Saint-Étienne, puis dans divers lieux prestigieux français et étrangers. Il vit et travaille dans sa ville natale.
Favier participe à nombre d'expositions collectives, entre autres : 1981, *Atelier 81/82*, Musée d'Art Moderne de la Ville de Paris ; 1982, *XIIe Biennale de Paris*, ARC, Musée d'Art Moderne de la Ville de Paris ; 1984, *12 artistes français*, Biennale de Venise ; 1985, *Peinture française 1960-1980*, Kunstmuseum, Zagreb ; 1985, *12 artistes français dans l'espace*, Musée Saibu, Tokyo ; 1986, *Angle of visions*, Guggenheim Museum, New York ; 1987, *Emerging Artist 1978-1986*, Guggenheim Museum, New York ; 1988, *Leçons de peinture*, Hôtel de Ville, Paris ; 1989, *Correspondance*, Museum für Moderne Kunst, Berlin ; 1990, *French Spring*, Scottish National Gallery, Édimbourg ; 1991, *Biennale d'art contemporain*, Lyon ; 1991, *Lato Sensu*, Copenhague, Hambourg, Fribourg, Mulhouse, etc.

Il a déjà réalisé de multiples expositions personnelles : sa première, en 1981, à la galerie Napalm de Saint Étienne, puis : 1982, Musée d'Art et d'Industrie, Saint-Étienne ; entre 1983 et 1986, galerie Farideh Cadot, Paris et New York ; depuis 1987 et régulièrement, galerie Yvon Lambert ; 1987, 1990, Pierre Hubert, Genève ; 1988, rétrospective de ses gravures, galerie la Hune ; 1989, galerie Blum Helman, New York ; 1990, rétrospective, Musée du Dessin et de l'Estampe, Gravelines ; 1990, Musée des Beaux-Arts, Carcassonne ; 1991, galerie Pierre Hubert, présenté à la FIAC 1991 (Paris) ; 1991, galerie La Hune-Brenner, présenté au SAGA (Salon des Arts Graphiques Actuels, Paris) ; 1994, *L'Archipel des Pacotilles*, galerie Yvon Lambert, Paris ; 1996, *Les cases conjuguées* en hommage à Teeny Duchamp, Galerie Nationale du Jeu de Paume, Paris ; 1997, galerie Yvon Lambert, Paris.

Favier travaille par séries, changeant assez fréquemment ses supports, deux caractéristiques non sans influence sur sa figuration qui évolue rapidement. « Je ne réfléchis pas, sinon ça me paralyse », dit-il. Concernant ses différents techniques et supports : « À chaque fois j'ai eu l'impression de lassitude, d'essoufflement. Il fallait que ça change, sinon, cela devenait de l'artisanat. Il faut qu'il y ait une certaine virginité ». C'est ainsi que de 1980 à 1985, il réalise des petites figures minuscules sur papier et colorées à la main ; de 1985 à 1987, des dessins et huiles sur verre brisé ou encadré (boîtes) ; depuis 1989, il exécute des peintures à la laque et au dissolvant sur métal (couvercle de boîtes de conserves). Parallèlement, il poursuit la réalisation de gravures selon une technique plus traditionnelle. À la question « pourquoi la gravure ? », il répond : « Graver c'est reprendre le canif de l'enfance qui torsadait la branche de noisetier, vestige des premières tentatives. » C'est d'une expérience peut-être « nostalgique » de l'enfance, issue des premières fois, que Favier suggère les origines de sa démarche. Il est rare qu'un artiste soit de nos jours aussi rapidement connu et loué pour ses gravures et estampes.

Le grattage, la déchirure, l'incision, la pointe sèche sont des caractéristiques communes de son œuvre. Il a commencé par dessiner et peindre ses sujets minuscules sur des petits bouts de papier découpés au rasoir, viendront ensuite les gravures sur les couvercles de boîtes de sardines ou les rognures de gouttière, puis les peintures sur verre cassé, au début en petits formats, carrés ou rectangulaires (les séries des *Vents* et des natures mortes). Le verre est travaillé avec soin, Favier recouvre les morceaux ou les éclats, les peignant aussi au dos, les gratte et grave, joue sur les effets de transparence, invente réellement ici un nouvel espace. Il peint également sur les boîtes de sardines et de maquereaux, témoin la série *Parisiana* qui évoque la nuit urbaine. L'artiste pratique parfois la citation d'ordre mythologique ou artistique (gravures des maîtres flamands ou allemands des XVe et XVIe siècles, œuvres d'Extrême-Orient). De nature narrative, il y a souvent, dans ses œuvre, une histoire racontée et à découvrir, un sens à déchiffrer. Le monde de Favier, ses rêveries sont des anecdotes ou plutôt des « persiflages » selon le bon mot de Claude Bouyeure, où fourmillent des petits animaux, des objets choisis non par hasard mais certainement de concert avec des souvenirs et des désirs, des émotions et des peurs. Infimement petites pour certaines ou infiniment grandes dans le petit pour d'autres – notamment sa série sur le cosmos – les œuvres de Favier ont tout de suite attiré l'attention du public et des critiques, justement, par leurs tailles minuscules, quelques centimètres carrés au maximum, des miniatures. Reconnaissable à vue d'œil, un « Favier » a l'apparence d'un petit monde clos, qu'il faut patiemment et passionnément découvrir, un jeu de caches, de replis sur soi. Le titre d'une série de gravures *Grande Excursion en Casanie* est révélateur des déambulations cérébrales de Favier (Casanie venant de casanier). C'est cet espace de relations qui importe dans ses œuvres. Il est symptomatique de la période actuelle qui veut tout « voir », de reproduire les petites œuvres de Favier en gros plan, alors que foncièrement la démarche de l'artiste est d'esquiver cette bravade incessante de l'intimité, ce grossissement du sens « vulgairement » donné. Il est certain qu'il y a là, de la part de Favier, une approche autre, faire plus petit que ses contemporains, alors que la tendance est au dépassement des limites. Mais cet aspect formel n'est pas la caractéristique majeure de son travail, il réalise d'ailleurs aussi des « grands » formats en peinture (120x160), en sérigraphie grattée et même en gravure. Sur ces grands formats Favier dessine des objets et des légumes ou grave des paysages. Mais il est toujours tenu par des petites proportions, soit sur des fonds sombres et noirs qu'il avait déjà maniés à l'envers de ses peintures sur verre, soit sur des fonds blancs dans sa série des paysages gravés (*Les Ambassades Verticales*). Daniel Abadie écrit que les peintures de Favier « mettent ainsi en évidence que toute création est d'abord destruction de la vision académique ». ■ Christophe Dorny

Bibliogr. : Gilbert Lascaut : *Philippe Favier*, Musée d'Art et d'Industrie, Saint Étienne, 1982 – Eric Darragon : *Capitaine Coucou*, catalogue de l'exposition, galerie Alma, Lyon, 1985 – Ferrari, E. Michaud, J. Bonnaval : *Philippe Favier*, Cahiers de l'Abbaye Sainte-Croix, Sables d'Olonne, 1986 – Daniel Abadie : *Les Noirs Secrets de Philippe Favier*, préface catalogue de l'exposition, Musée de Carcassonne, 1990 – Anne-Christine Dray in : *Opus International*, N° 119, Paris – Claude Bouyeure in : *Opus International*, N° 120, Paris, 1990 – *Favier*, catalogue d'exposition, Galerie Nationale du Jeu de Paume, Paris, 1996.

Musées : Marseille (Mus. Cantini) : *L'Aquarium – Château Chasse Spleen* – Montréal (Mus. d'Art Mod.) – New York (Salomon R. Guggenheim Mus.) – Paris (FNAC) – Paris (Mus. Nat. d'Art Mod.) : *Vent multicolore* 1986 – *Vent jaune* 1986 – Paris (FNAC) : *Microclimat* 1994-1995 – Rochechouart (Mus. départ. d'Art Contemp.) : *Les Majorettes* 1981 – Saint-Étienne (Mus. d'Art Mod.).

Ventes Publiques : Paris, 15 fév. 1986 : *Parallaxis 108* 1985, peint./verre (13x11) : **FRF 4 000** – Paris, 20 nov. 1988 : *Les paravents* 1985, peint./verre, triptyque (17,5x12,5) : **FRF 32 000** – Paris, 30 jan. 1989 : *Composition* 1985, peint./verre (16x12) : **FRF 18 000** – Paris, 19 mars 1989 : *Les petits métiers* 1985, peint. sur verre : **FRF 8 000** – Paris, 17 déc. 1989 : *Les paravents n° 7* 1985, peint. sur verre, en trois parties (12,5x20) : **FRF 30 000** – Paris, 18 juin 1990 : *Le cure-dent* 1988, peint. sur verre, en trois parties (9,2x12 et 9,2x2,4 et 9,2x4,2) : **FRF 20 000** – Paris, 26 oct. 1990 : *Vent (bleu)* 1988, peint. à l'émail/verre (15x22) : **FRF 41 000** – Paris, 30 mai 1991 : *Hommage aux demoiselles* 1986, collage et h/verre, triptyque (en tout 11,5x19,2) : **FRF 60 000** – Paris, 10 juil. 1991 : *Sans titre* 1986, h/verre (13,5x7,5) : **FRF 38 000** – Paris, 11 mars 1992 : *Les paravents* 1985, h. sous verre, triptyque (12,5x6,2, 12,8x2,6 et 12,8x9,1) : **FRF 28 000** – Paris, 26 nov. 1992 : *Les nénuphars*, h. sous verre (15,5x10) : **FRF 35 000** – Paris, 18 juin 1993 : *Le citron* 1986, émail et h. sous verre, triptyque (13,5x25) : **FRF 55 000** – Paris, 25 mars 1994 : *Haricots III* 1986, h. sous verre, triptyque (12x18) : **FRF 14 000** – Paris, 24 juin 1994 : *Oranges pelées* 1987, émail et céramique vernissée sur verre (11,8x10,8) : **FRF 23 000** – Paris, 21 juin 1995 : *Composition* 1984, acryl./pap. découpés (19x30) : **FRF 20 500** – Paris, 7 oct. 1996 : *Les Paravents* 1985, peint. fixée sous verre (13,5x21) : **FRF 22 000** – Paris, 20 juin 1997 : *Sans titre* 1985, vernis/verre (11,5x9) : **FRF 15 000**.

FAVIER Pierre

Né le 13 juillet 1899 à Saint-Just-sur-Loire (Loire). XXe siècle. Français.

Peintre.

Il a d'abord étudié à l'École des Beaux-Arts de Saint-Étienne, puis a été élève de Le Fauconnier. Il a exposé, à Paris, au Salon des Artistes Indépendants depuis 1925, au Salon Populiste, et au Salon Violet.

Sa peinture est figurative.

FAVIER Robin

XVe siècle. Actif à Avignon. Français.

Peintre.

En 1426, il s'engagea par contrat à exécuter « en bonnes et fines couleurs » des peintures à la tribune de la cathédrale de Grenoble.

FAVIER Roger

Né le 1er août 1881 à Versailles. Mort le 14 août 1925. XXe siècle. Français.

Aquafortiste.

Élève de Waltner, Jacquet et Cormon. Sociétaire des Artistes Français depuis 1907. Mention honorable en 1907 et une médaille de troisième classe en 1910, médaille d'argent et Hors Concours en 1911.

FAVIER Victor

Né le 18 novembre 1824 à Versailles. XIXe siècle. Français.

Peintre de portraits, paysages.

Élève d'Horace Vernet et de Wachsmuth. Il fut professeur de dessin au lycée d'Agen.

De 1848 à 1879, il exposa au Salon des vues et des portraits.

Ventes Publiques : Paris, 14 déc. 1980 : *Vue de Constantinople* 1873, h/t (21,5x32,5) : **FRF 2 700**.

FAVIERES Didier
XVIIe siècle. Actif à Paris. Français.
Graveur.
Il est mentionné comme « Graveur du Roy et de Monsieur ». Il travailla entre 1620 et 1644.

FAVIN Roger
Né à Deauville (Calvados). XXe siècle. Français.
Sculpteur.
Il a, depuis 1929, exposé au Salon de la Société Nationale des bustes féminins.
Ventes Publiques : Paris, 18 nov. 1996 : *Maternité*, bronze (H. 26,5) : **FRF 6 000**.

FAVORSKAIA Maria
Née le 10 juin 1928 à Moscou. XXe siècle. Russe.
Sculpteur, céramiste.
Elle est la fille de Vladimir Favorski. Elle a étudié à l'École d'Art Moderne de Moscou de 1948 à 1956. Elle travaille surtout la céramique dans ses œuvres figuratives.

FAVORSKI Nikita
Né le 10 mai 1915 à Moscou. XXe siècle. Russe.
Dessinateur.
Fils de Vladimir Favorski. Il a étudié de 1932 à 1938 avec Pavlinov.

FAVORSKI Vladimir Andreevitch
Né le 15 mars 1886 à Moscou. Mort en 1964. XXe siècle. Russe.
Graveur, illustrateur. Réaliste-socialiste.
Il étudia à Munich, de 1905 à 1908, dans l'atelier d'Hollosy, ainsi qu'à la Faculté de philosophie. Il voyage ensuite en Italie, Allemagne et Autriche. Rentré à Moscou, il travaille à la Faculté, de 1908 à 1913. Il expose dès 1910 à Moscou, puis part au front dans l'Armée Rouge. Il fut professeur à l'École d'Art et Technique de Moscou en 1921 et Recteur de cette institution en 1923. Il eut une importante activité pédagogique. Il figurait à l'Exposition *L'Art Russe des Scythes à nos jours*, à Paris, en 1967. Il a reçu un prix lors de l'Exposition des Arts Décoratifs à Paris en 1925. En 1959, il eut une médaille d'or à l'Exposition Internationale d'Art Graphique de Leipzig. Il reçut le Prix Lénine en 1962. Il a décoré la station de métro *Komsomol Skaja* à Moscou (1959).
Son style est réaliste et représente typiquement l'idéal de l'art russe. Loin de toutes les recherches de l'art contemporain, Favorsky est un des artistes officiels du régime, honoré par de nombreux portraits que l'on a fait de lui. ■ J. B.

FAVORY André
Né le 29 mars 1888 à Paris. Mort le 5 février 1937 à Paris. XXe siècle. Français.
Peintre de nus, portraits, figures, scènes de genre, dessinateur, illustrateur, pastelliste, aquarelliste.
Il fut élève de Baschet et Royer à l'Académie Julian où il se lia avec A. Lhote, Gleizes et La Fresnaye. Son œuvre personnelle commence en 1913. À Paris, il a exposé au Salon des Artistes Indépendants, et au Salon des Tuileries. Il fut sociétaire du Salon d'Automne.
Entre tous ceux de sa génération, A. Favory eut le rare mérite de tenter les vastes compositions qui, souvent, manquent à l'art de notre époque. Emporté par sa fougue, par une inspiration toute sensualiste, vivifiée par son admiration pour Rubens, il put parfois manquer de goût sans jamais lasser l'attention, tant était vif son sens de la construction. De longs mois avant sa fin, un mal implacable l'avait à demi-paralysé. Ami des écrivains, A. Favory a illustré : *L'Humour triste* de J. Supervielle ; *Ouvert la nuit* de P. Morand ; *Le Festival* de A. Erlande, et aussi *L'Éducation sentimentale*, de G. Flaubert. On citera d'entre ses œuvres principales : *Enlèvement d'Europe* – *La Joie de vivre* – *Le Bain au village* – *Nu sur un lit* – *L'Après-midi en Quercy* – *Cristal Palace à Anvers* – *Été* (nu) – *Baigneuse* – *Nu couché* – *Nu dans un paysage* – etc. E. Jaloux, de l'Académie Française, écrivait de cet artiste : « On vit se former en lui un peintre uniquement sensuel, violent, même brutal, mais dont la puissance était réelle et qui avait besoin, pour accomplir sa course de prendre un furieux élan ». C. R. Marx note que Favory « a tiré bénéfice des crises traversées » (dont celle du cubisme). ■ J. B.

A. FAVORY.

A. FAVORY

Bibliogr. : E Jaloux : *André Favory*, Paris, Gallimard, N-R-F, 1926 – *André Favory, 1889-1937*, Imprimerie J. Riss, Paris, 1971.
Musées : Bruxelles – Grenoble – Le Havre (Mus. des Beaux-Arts) – Moscou – Oslo – Riga – Stockholm.
Ventes Publiques : Paris, 22 oct. 1920 : *Paysage*, aquar. : **FRF 100** – Paris, 9 juin 1921 : *Paysage* : **FRF 510** – Paris, 21 jan. 1924 : *Étude de nu*, encre de Chine : **FRF 30** – Paris, 4 nov. 1924 : *Figure* : **FRF 400** – Paris, 23 avr. 1925 : *Jeune femme en jaune* : **FRF 420** – Paris, 4 juin 1925 : *La femme en bleu* : **FRF 950** – Paris, 18 juin 1925 : *La baigneuse* : **FRF 1 010** – Paris, 21 déc. 1925 : *Jeune femme nue*, past. : **FRF 950** – Paris, 19 mai 1926 : *Le cap fleuri* : **FRF 2 900** – Paris, 4 juin 1926 : *Jeune femme au turban rouge* : **FRF 580** – Paris, 2 juil. 1926 : *Femme nue debout*, sanguine : **FRF 300** – Paris, 22 nov. 1926 : *Bateaux dans un port* : **FRF 340** – Paris, 2 mars 1929 : *Maisons de plaisir* : **FRF 1 100** – Paris, 24 avr. 1929 : *Nu debout dans un paysage* : **FRF 820** – Paris, 3 mai 1929 : *Nu au chapeau* : **FRF 2 000** – Paris, 30 mai 1929 : *Baigneuses* : **FRF 2 500** – Paris, 14 juin 1929 : *Nu assis*, dess. : **FRF 225** ; *Femme nue couchée*, past. : **FRF 1 020** – Paris, 13 fév. 1932 : *Nu de dos* : **FRF 800** – Paris, 23 avr. 1932 : *Venus campagnarde* : **FRF 250** – Paris, 24 fév. 1934 : *Torse de femme nue*, sanguine : **FRF 80** – Paris, 2 juil. 1936 : *Maison rouge dans un paysage du midi* : **FRF 105** – Paris, 28 avr. 1937 : *Paysage au pont*, aquar. : **FRF 65** – Paris, 29 déc. 1941 : *Femme en déshabillé à genoux* : **FRF 760** – Paris, 30 nov. 1942 : *L'entrée du village* : **FRF 1 100** – Paris, 24 déc. 1942 : *Nu couché tourné à droite et nu couché tourné a gauche* : **FRF 720** – Paris, 22 fév. 1943 : *Femme en buste* : **FRF 1 500** – Paris, 7 avr. 1943 : *Buste de femme nue* : **FRF 2 300** ; *Le vieux pont* : **FRF 10 000** – Paris, 14 mai 1943 : *Baigneuses* : **FRF 2 000** ; *Paysage* : **FRF 2 400** – Paris, 1er juil. 1943 : *Nu assis* : **FRF 2 100** – Paris, 2 juil. 1943 : *Le modèle de dos* : **FRF 4 150** ; *Europe* : **FRF 5 000** – Paris, 17 déc. 1943 : *Baigneuse* : **FRF 7 200** – Paris, 23 mars 1944 : *Pastorale*, aquar. : **FRF 1 000** – Paris, 3 mai 1944 : *Paysage* : **FRF 4 100** – Paris, 13 nov. 1944 : *Tête de femme*, sanguine : **FRF 220** – Paris, 5 mars 1945 : *Fleurs* : **FRF 10 000** – Paris, 9 avr. 1945 : *Buste de femme* : **FRF 7 200** – Paris, 29 juin 1945 : *Femme nue* : **FRF 6 000** – Paris, 20 nov. 1946 : *Portrait de femme aux cheveux noirs* : **FRF 6 000** – Paris, 23 déc. 1946 : *Nu couché* : **FRF 12 500** – Paris, 24 jan. 1947 : *Le jardin* : **FRF 2 300** – Paris, 21 fév. 1947 : *Nu*, sanguine : **FRF 2 800** – Paris, 23 avr. 1947 : *Tête-à-tête* : **FRF 7 500** – Paris, 23 avr. 1947 : *Verlaine buvant l'absinthe au « Soleil d'Or » en 1898*, past. : **FRF 1 100** – Stockholm, 24 avr. 1947 : *Aqueduc* : **SEK 4 300** – Paris, 19 mai 1947 : *Tête de femme* : **FRF 850** – Paris, 20 juin 1947 : *Portrait de garçonnet* : **FRF 700** – Paris, 2 juil. 1947 : *Sous bois*, aquar. : **FRF 1 050** – Paris, 25 fév. 1955 : *Après-Midi en Quercy* : **FRF 51 000** – Versailles, 14 déc. 1969 : *Pastorale* : **FRF 4 000** – Genève, 18 nov. 1976 : *Nu debout*, h/t (55x32) : **CHF 3 400** – Paris, 4 mars 1981 : *Paysage*, h/t (38x61) : **FRF 5 000** – Versailles, 18 juin 1986 : *Baigneuse à la rivière*, h/t (81x65) : **FRF 15 000** – Paris, 3 juin 1987 : *Baigneuse dans un paysage*, h/t (73x60) : **FRF 8 500** – Paris, 21 fév. 1988 : *Nu allongé aux coussins rouges*, past. (45,5x60) : **FRF 3 500** – Paris, 20 mars 1988 : *Femme assise*, h/t (81x54) : **FRF 10 000** – Paris, 23 mars 1988 : *Figure féminine*, h/cart. (46x38) : **FRF 7 000** – Paris, 8 juin 1988 : *Buste nu*, h/t (44x52) : **FRF 6 300** – Paris, 7 nov. 1988 : *Paysage de Provence*, h/t (54x81) : **FRF 6 400** – Neuilly, 22 nov. 1988 : *Nu au parasol*, h/t (54x73) : **FRF 11 000** – Versailles, 18 déc. 1988 : *Route à l'entrée du village*, h/t (38x55) : **FRF 10 500** – Versailles, 20 juin 1989 : *Le pont*, h/t (73x54) : **FRF 20 000** – Paris, 27 nov. 1989 : *Baigneuse*, h/t (33x55) : **FRF 9 500** – Paris, 29 nov. 1989 : *La petite fenêtre, Valenciennes* 1923, h/cart. (35x27) : **FRF 4 000** – Versailles, 10 déc. 1989 : *Nu couché*, h/t (38,5x61) : **FRF 13 500** – Paris, 20 fév. 1990 : *Paysage au pont*, h/t (80x63) : **FRF 18 500** – Le Touquet, 11 nov. 1990 : *Nu assis au chapeau*, h/t (65x46) : **FRF 19 000** – Neuilly, 3 fév. 1991 : *Nu dans un paysage*, h/t (81x125) : **FRF 36 000** – Calais, 5 avr. 1992 : *Jeune femme au bain*, h/t (55x33) : **FRF 11 000** – Paris, 5 nov. 1994 : *La montagne Sainte-Victoire*, h/t (50x73) : **FRF 5 800** – Paris, 28 juin 1995 : *Paysage*, h/t (65x46) : **FRF 4 800** – Paris, 20 juin 1996 : *Nu au bord de la rivière*, h/t (87x72) : **FRF 6 200**.

FAVRAY Antoine de, le chevalier ou **Fauray**
Né le 8 septembre 1706 à Bagnolet. Mort en 1791 à Malte. XVIIIe siècle. Français.
Peintre de sujets religieux, compositions animées, scènes de genre, portraits, dessinateur. Orientaliste.
Son maître Jean-François de Troy le conduisit avec lui à Rome, alors qu'il fut nommé directeur de l'Académie. Il obtint pour son élève une place de pensionnaire. Pendant son séjour dans la Ville

Éternelle, Favray fit la connaissance de quelques chevaliers de Malte qui l'engagèrent à les suivre dans leur île. Le 30 octobre 1762, Favray fut reçu académicien. Dans le courant de la même année, il se rendit à Constantinople afin d'y peindre des scènes turques. Mais il ne put rester longtemps dans cette ville par suite de la guerre qui fut déclarée quelques années après entre la Russie et la Turquie.
On cite de lui : *L'intérieur de l'église de Saint-Jean-de-Malte, ornée de plafonds peints par le Calabrese, Une famille maltaise dans un appartement, Femmes de Malte de conditions différentes, distinguées par le genre d'étoffes, L'audience donnée au chevalier de Saint-Priest, par le Grand-Seigneur.*
Musées : Florence (Offices) : *Portrait du peintre par lui-même* – Gotha : *Portrait d'homme* – Paris (Louvre) : *Dames de Malte se rendant visite* – *Portrait d'une jeune femme maltaise* – Paris (Carnavalet) : *Fanchon la Vielleuse* – Toulouse (Mairie) : *Danse turque* – *Portrait de deux levantines.*
Ventes Publiques : Paris, 30-31 jan. 1894 : *La visite à la convalescente* : **FRF 290** – Paris, 28 oct. 1922 : *Portrait de fillette*, attr. : **FRF 450** – Paris, 6 déc. 1923 : *Portrait d'une dame de Malte*, cr. : **FRF 100** – Londres, 4 déc. 1935 : *L'artiste*, dess. : **GBP 70** – Paris, 14 déc. 1935 : *L'examen du portrait* : **FRF 2 250** – Paris, 26 mai 1937 : *Femmes maltaises*, pierre noire et sanguine : **FRF 200** – Paris, 13 fév. 1939 : *Maltaises*, pierre noire et sanguine : **FRF 410** – Versailles, 13 fév. 1977 : *Vue de la pointe du Sérail* 1762, h/t (87x206) : **FRF 26 000** – Paris, 10 juin 1984 : *La frégate « L'Oiseau », commandée par M. de Mariès, ramenant de Malte le vaisseau amiral turc « La Capitane » entre dans le port de Constantinople* 1770, h/t (94x249) : **FRF 276 000** – Monte-Carlo, 22 juin 1986 : *Portrait de la comtesse de Vergennes en sultane* 1766, h/t (83x66) : **FRF 30 000** – Monaco, 7 déc. 1990 : *Dames de Malte faisant leurs visites*, h/t (48x64) : **FRF 521 700** – Londres, 15 avr. 1992 : *Saint Jean Baptiste indiquant au Christ le Jourdain derrière lui* 1759, h/t (78,2x105,5) : **GBP 9 000** – Aubagne, 24 mai 1992 : *Portrait d'un dignitaire en costume de Turc*, h/t (146x119) : **FRF 202 000** – Paris, 25 oct. 1994 : *Portrait d'un dignitaire turc devant une inscription en grec* 1765, h/t (80,5x63) : **FRF 300 000** – Londres, 11 oct. 1996 : *Une femme turque et son enfant* 1769, h/t (97x76,5) : **GBP 25 300**.

FAVRE Adam ou **Faivre, Fèvre, le Fèvre**
Mort en 1523 ou 1524. XVIe siècle. Français.
Peintre.
Il vivait à Lyon en 1493, y travailla pour des entrées en 1499 et 1516, et y fit, en 1507, les *pourtraictz des ystoires jouées à Lyon, devant Louis XII.*

FAVRE Antoine ou **Faure**
XVIe-XVIIe siècles. Actif à Lyon de 1588 à 1619. Français.
Peintre.
De 1592 à 1616 il fut six fois maître de métier.

FAVRE Charles
Né au XVIIIe siècle à Saint-Jean-de-Maurienne. XVIIIe siècle. Français.
Peintre.
Il exécuta de nombreux tableaux pour les Oratoriens d'Arc-Tal, dont une *Sainte Marie-Madeleine*, datée de 1741.

FAVRE François Edmond
Né le 26 juillet 1812 à Genève. Mort le 26 mai 1880 à Genève. XIXe siècle. Suisse.
Peintre amateur.
Élève de A. Calame. A partir de 1841, il exposa à Genève des dessins de paysages et des tableaux.

FAVRE Jean ou **Faure**
Mort vers 1528. XVIe siècle. Actif à Lyon en 1523. Français.
Peintre.

FAVRE Jean ou **Faure**
XVIe siècle. Actif à Lyon en 1548. Français.
Peintre.
Il y travailla pour l'entrée dans la ville de Henri II.

FAVRE Jean François
Né le 4 juillet 1751 à Genève. Mort le 3 mars 1807 à Genève. XVIIIe siècle. Suisse.
Peintre sur émail.
Il étudia la peinture sur émail chez l'illustrateur M. T. Bourrit. En 1772, il se rendit à Paris, où il travailla dans l'atelier du peintre sur émail Loehr. Il s'associa avec Jacques Thouron avec lequel il exécuta des émaux pour bijouterie, des portraits et des copies des maîtres anciens. De retour à Genève, il fit surtout des dessins de portraits.
Musées : Genève (Rath) : *Portrait sur émail de M. Arnoux.*

FAVRE Louis
Né le 17 mars 1822 à Boudry (canton de Vaud). Mort le 13 septembre 1904 à Neuchâtel. XIXe siècle. Suisse.
Dessinateur et illustrateur.
Professeur de dessin technique à Neuchâtel, il illustra l'ouvrage : *Musée Neuchâtelois* et des œuvres scientifiques.

FAVRE Louis
Né en 1824 à Lyon. XIXe siècle. Français.
Peintre.
Élève de Mélin. Il a exposé à Paris, de 1864 à 1869, des paysages et des marines.

FAVRE Louis
Né le 4 décembre 1830 à Genève. XIXe siècle. Suisse.
Dessinateur.
Élève de l'École de dessin de Genève, il s'adonna, à l'âge mûr, au dessin de paysages, et laissa des vues de la Riviera française.

FAVRE Louis
Né le 15 septembre 1892 à Annemasse (Haute-Savoie). Mort le 17 avril 1956 à Annemasse (Haute-Savoie). XXe siècle. Français.
Peintre de compositions à personnages, figures, nus, portraits, intérieurs, paysages, natures mortes, lithographe, illustrateur, peintre de cartons de vitraux.
Il fut d'abord arpenteur, puis dessinateur industriel. Mobilisé à la guerre de 1914-1918, il fut blessé à Verdun. Il se fixa à Paris en 1919 et se consacra à la peinture, qu'il avait abordée en autodidacte. En 1927, il voyagea au Maroc ; en 1929 en Algérie. De 1930 à 1933, il interrompit son activité picturale, qu'il reprit en 1934. Lors de la guerre de 1940, il s'installa à Lyon, où, à partir de 1946, il se consacra entièrement à la lithographie en couleurs. En 1947, il séjourna et travailla en Hollande. En 1949, il fit un séjour à Londres. Il participait à des expositions collectives : à Paris au Salon d'Automne à partir de 1949, et au Salon des Indépendants. En 1954, il fit partie de la sélection française à la Biennale de Venise. Il a également exposé à Londres, New York, Genève, Rotterdam, Milan, etc. Il montra des ensembles de ses œuvres dans des expositions personnelles, dont : 1926, 1927 Paris ; 1940, 1942 Lyon ; etc.
Outre ses peintures, puis lithographies, sur des thèmes divers, où se manifestent l'influence de Matisse, et à un degré plus discret celle du cubisme synthétique de Braque, il a illustré : en 1947 *Une Saison en Enfer* d'Arthur Rimbaud ; *Le Corbeau* d'Edgar Allan Poe. En 1955, il réalisa les cartons des vitraux de Thusy.
Bibliogr. : Pierre Cailler : *Louis Favre 1892-1956*, P. Cailler, Genève, 1963.
Musées : Boston (Cab. des Estampes) – Cincinnati – Genève (Mus. d'Art et d'Hist.) – Helsinki – Londres (Victoria and Albert Mus.) – Montevideo – Newark U.s.a. – Paris (BN, Cab. des Estampes) – Paris (Mus. d'Art Mod. de la Ville).

FAVRE Marcel Auguste
Né le 16 décembre 1907 à Dingy-Saint-Clair (Haute-Savoie). XXe siècle. Français.
Peintre. Tendance naïve.
Autodidacte. Il expose, à Paris, aux Salons des Artistes Indépendants, et Comparaisons.

FAVRE Mathieu ou **Faure**
XVIe siècle. Actif à Lyon de 1571 à 1591. Français.
Peintre.

FAVRE Maurice
Né à Paris. XIXe-XXe siècles. Français.
Sculpteur, graveur en médailles.
Il exposait à Paris, du Salon des Artistes Français ; 1896 mention honorable ; 1907 médaille de deuxième classe et nommé sociétaire, bourse de voyage la même année.
Ventes Publiques : Londres, 15 nov. 1976 : *Chant de la pileuse*, bronze et ivoire (H. 60,5) : **GBP 350** – Monte-Carlo, 25 oct. 1982 : *Chant de la fileuse* vers 1890, bronze et ivoire (H. 39,5) : **FRF 5 500** – New York, 17 mai 1983 : *Taureau et chien*, bronze (H. 104) : **USD 2 800**.

FAVRE Nicolas
XVIIe siècle. Actif à Paris. Français.
Peintre sur ivoire.

FAVRE Pierre
Né le 28 février 1906 à Paris. XXe siècle. Français.

Peintre de paysages, marines.
Il fut élève de l'École des Arts Décoratifs de Paris. Il obtient une bourse de la Ville de Paris en 1939. Il expose au Salon des Artistes Indépendants à Paris, depuis 1952, au Salon d'Automne depuis 1960. La Ville de Marseille lui a acheté en 1945 : *Marché en Provence*. Il signe parfois PIERRE-FAVRE.
Ses paysages sont principalement ceux de la Provence.
Ventes Publiques : Paris, 17 mars 1974 : *À la terrasse* : **FRF 1 320** – Paris, 20 juin 1985 : *Paysage*, h/pap. (37x45) : **FRF 6 000**.

FAVRE Pierre
Né au xvie siècle à Genève. xvie siècle. Suisse.
Peintre et peintre verrier.
Bourgeois de Genève en 1546, il travailla pour l'église de la Madeleine, pour la Maison de Ville, pour l'Hôtel de Ville et pour Saint-Pierre. En 1562, il exécuta un plan de la région de Genève.

FAVRE Pierrette, plus tard Mme **Bédié**
Née le 19 août 1827 à Challex (Savoie). xixe siècle. Française.
Peintre de miniatures.
Elle travailla à Paris où elle exposa des portraits au Salon de 1857 à 1864, parmi lesquels son portrait par elle-même et celui de ses enfants.

FAVRE Valérie
Née en 1959 à Evilard. xxe siècle. Depuis 1985 active en France. Suissesse.
Peintre, créateur d'installations, vidéaste.
Elle vit et travaille à Paris. Elle participe à plusieurs expositions collectives : 1987, Salon d'Art Contemporain de Montrouge ; 1988, *Le Chiffre*, Carré des Arts, Paris ; 1988, Usine Éphémère ; 1989, *Paysages dans l'art contemporain*, École des Beaux-Arts de Paris ; 1997, *Transit – 60 artistes nés après 60 – Œuvres du Fonds national d'Art contemporain*, École des Beaux-Arts, Paris.
Elle montre ses œuvres dans des expositions personnelles : 1988, Usine Éphémère, Paris ; 1989, galerie Transit, Strasbourg ; 1992, galerie de Marseille (Marseille) ; 1994, *Range ta chambre*, Centre d'art contemporain de Basse-Normandie ; 1995, galerie Natacha Knapp, Lausanne ; 1997, Caisse des dépôts et consignations à Paris, puis musée de Picardie à Amiens, puis galerie Nathalie Obadia (Paris), Crédac à Ivry-sur-Seine et Centre culturel suisse à Paris.
L'œuvre de Valérie Favre, puisant à différentes sources, est éclectique, semble même contradictoire. Performance, son, vidéo, théâtre, écriture, peinture se partagent ses faveurs. Elle travaille généralement en séries autour d'un objet choisi, tel qu'une chaise, un oreiller, un placard... Utilisant une seule couleur, le blanc, elle nous donne à percevoir ensuite des instants d'attention. À l'occasion de son exposition à Marseille, l'artiste présentait une série de peintures intitulée *La Chambre aux armoires*. Son exposition au Centre d'art contemporain de Basse-Normandie, en 1994, donnait à voir des installations qui, par symboles, interrogeaient la peinture en tant que telle. Dans ses manifestations de 1997, elle associe les techniques d'expression, vidéo, installations et toujours cependant la peinture qui lui permet à la fois des citations d'œuvres célèbres du passé et la griserie d'utiliser les couleurs les plus rutilantes dont elle semble ne pouvoir se passer.
Bibliogr. : Cyril Jarton : *Les Restes de la peinture selon Valérie Favre*, Beaux-Arts, n° 160, Paris, septembre 1997.
Musées : Paris (FNAC) : *Robe rouge* 1995.
Ventes Publiques : Paris, 16 juin 1988 : *Sans titre* 1988, techn. mixte/t. (98x162) : **FRF 6 500** – Paris, 20 mai 1989 : *Sans titre* 1989, techn. mixte/t. (112x135) : **FRF 7 000** – Paris, 7 mars 1990 : *Scène de chasse* 1989, h. et encre de Chine/t. (100x100) : **FRF 9 000**.

FAVRE de THIERRENS Jacques
Né le 18 février 1895 à Nîmes (Gard). Mort le 17 octobre 1973 à Paris. xxe siècle. Français.
Peintre de nus, portraits, paysages.
Après avoir travaillé la peinture pendant ses jeunes années, sa vie active mais traditionnelle l'en écarta jusqu'en 1952, lui permettant toutefois de réunir une belle collection. Une exposition, en 1955, à Paris, révéla le talent robuste et le sens hardi de la couleur de cette vocation tardivement satisfaite. Il peint dans une manière traditionnelle et parfois intimiste.
Bibliogr. : Waldemar-George : *Jacques Favre de Thierrens*, Orfea, Paris.
Ventes Publiques : Lausanne, 28 oct. 1965 : *Jeune femme à la collerette* : **CHF 5 000** – Versailles, 15 juin 1976 : *Paysage du midi* 1958, h/pan. (54x73) : **FRF 4 000** – New York, 1er mai 1981 : *Jeune fille endormie*, h/pan. (60,5x73,2) : **USD 2 100** – Versailles, 18 juin 1986 : *Études de jeunes filles nues*, h/pan. (55x46) : **FRF 7 500** – New York, 13 avr. 1988 : *Jeune fille allongée*, h/t (50,7x72,7) : **USD 2 200** – Paris, 24 juin 1988 : *La modèle assis*, h/pan. (33x24) : **FRF 6 000** – Saint-Jean-Cap-Ferrat, 16 mars 1993 : *Nu au drap blanc*, h/pan. (35x44) : **FRF 11 000**.

FAVRE-BERTIN Charles Maurice
Né le 13 novembre 1887 à Paris. xxe siècle. Français.
Sculpteur, graveur en médailles.
Il fut élève de G. Greber et C. Monnin. Il débuta au Salon des Artistes Français à Paris en 1920. Il obtint une médaille d'or en 1929 ; hors concours.

FAVRE-GUILLARMOD Marie
Née le 10 mars 1824 à La Chaux-de-Fonds. Morte le 17 décembre 1872 à Neuchâtel. xixe siècle. Suisse.
Peintre de natures mortes, illustrateur.
Elle était la femme du professeur de dessin Louis Favre et la sœur du peintre Jules-Jacot Guillarmod.
De 1860 à 1872, elle figura aux expositions de Neuchâtel avec des natures mortes et dessina les illustrations de la revue *Le Rameau de sapin*.
Musées : Neuchâtel.
Ventes Publiques : Zurich, 6 juin 1986 : *Nature morte aux fruits* 1860, h/t (42x56) : **CHF 2 000**.

FAVRE-LANOA Marie Thérèse. Voir **LANOA Marie Thérèse**

FAVRE-THOUVENIN
xviiie siècle. Actif à Paris. Français.
Sculpteur.
Il était recteur de l'Académie Saint-Luc en 1746.

FAVREAU Yvan
Né le 29 juin 1933 aux Sables d'Olonne (Vendée). xxe siècle. Français.
Peintre.
Il a étudié avec Cathelin, la peinture et le dessin en 1953. Il peint des paysages abstraits, impressions de soleil sur la mer, chemins enneigés... Il expose au Salon des Réalités Nouvelles.

FAVREL Marcelle
Née le 9 février 1901 à Paris. xxe siècle. Française.
Peintre pastelliste.
Elle fut sociétaire du Salon des Artistes Français de Paris depuis 1921.

FAVRESSE Marc
xxe siècle. Français.
Peintre.
Il crée et utilise des effets de matières assez recherchés, sable, ciment, feuille d'or, plaque de métal, dans des compositions abstraites. Il expose à Paris depuis 1970.

FAVRETO Francesco Jacopo ou **Faureti**
xviie siècle. Italien.
Peintre.
Actif à Trévise vers 1675. G. Lazzari peignit son portrait.

FAVRETTO Giacomo
Né en 1849 à Venise. Mort en 1887 à Venise. xixe siècle. Italien.
Peintre de genre, portraits, paysages, aquarelliste, pastelliste, dessinateur.
Ce peintre offre l'intérêt d'avoir subi l'influence française, sans s'être cependant écarté de certaines tendances propres à l'art italien ; c'est précisément à faire la part de ces deux courants très différents par leur nature, mais l'un et l'autre parfaitement discernables dans la manière de l'artiste, qu'il importe de s'efforcer tout d'abord, si l'on veut pénétrer le caractère de son talent et résoudre certaines contradictions que l'on serait tout d'abord tenté d'y relever. On peut remarquer que le contact pris par Favretto avec la peinture française n'a pas été à proprement parler direct. Il semble que le point de départ en doive être recherché dans l'influence, certaine d'ailleurs, qu'a exercée sur lui l'œuvre d'Alberto Pasini, que Favretto a particulièrement connu. Pasini était son aîné d'environ trente ans ; il lui survécut de douze ans, Favretto étant mort en 1887, dans sa trente-huitième année seulement. Passini avait habité Paris pendant quelque temps et travaillé avec des maîtres français ; son début au Salon date de 1859. Ce peintre, très estimé à Paris, rentré dans sa patrie en pleine connaissance des tendances et des conceptions

françaises, tant par son talent que par les idées qu'il a pu exprimer, a dû exercer naturellement un prestige sensible sur le jeune artiste. On peut noter en passant que les peintres réalistes italiens Boldini et Luigi Loir sont tous deux nés en 1845, quatre ans avant Favretto, l'un et l'autre s'étant d'ailleurs fixés à Paris, tandis que Favretto vécut en Italie.
Favretto s'est formé d'après les données, toutes modernes, que l'on peut considérer comme fixées par Manet, et c'est par là qu'il s'écarte du caractère proprement italien. On en dirait à peu près autant d'autres de ses compatriotes, en particulier de Boldini, qui connut parfaitement l'esthétique des impressionnistes et des réalistes et l'utilisa en partie du moins. Luigi Loir adopta de son côté, avec grand succès, la formule des peintres de plein air français. Chez Favretto, pas de déguisement, à la façon de Meissonnier, pas plus que de sujets pris dans le passé. Le principe est au contraire fort net : puiser son inspiration dans le temps présent, même lorsqu'il s'agira d'arranger ; surtout, ne retenir que ce que l'on voit, en se gardant d'imaginer ce qui pourrait être. C'est en cela, d'ailleurs, que l'esthétique moderne rompt résolument et pleinement avec le romantisme. Favretto reste donc avant tout concret et homme de son temps. Renonçant à toute source d'inspiration autre que celle qui lui est offerte par le spectacle de la vie de chaque jour, il en tire parti de deux manières. Tantôt il arrange une scène, s'efforçant de rassembler les éléments plaisants, susceptibles de divertir le spectateur ; d'autres fois, plus réaliste et, en ce cas, meilleur peintre aussi bien que plus grand artiste, il se contente de grouper avec art ses personnages, à la manière d'un Degas ou d'un Manet, possédant le mérite de savoir retrancher l'anecdote, qui a si vite fait d'encanailler la peinture. Car il faut bien accepter comme un dogme cette vérité essentielle et, pour ainsi dire vitale, en matière d'esthétique, qu'il y a incommensurabilité entre l'art du vignettiste, si habile qu'on le suppose, et celui du peintre, même médiocre, mais épris du réel. Les seuls maîtres qui subsistent des écoles anciennes ne sont-ils pas précisément ceux-là qui ont su s'écarter de leur sujet pour donner uniquement place à ce que nous appelons aujourd'hui la « peinture pure » ?
Du point de vue proprement technique, les œuvres de Favretto qui sont de petites dimensions, sont toujours dessinées avec beaucoup de soin : l'artiste recherche le caractère des formes, pour leur donner l'intérêt voulu, sans aller cependant jusqu'aux grandes simplifications qui assurent le style à une œuvre. Il n'en possède pas moins les qualités essentielles qui lui permettent de traduire avec bonheur la vérité d'une attitude ou celle d'une physionomie : nous avons affaire à un peintre intéressant, auquel revient une place fort honorable parmi les petits maîtres. Sa couleur est sans heurt, discrète mais ferme, au demeurant assez heureuse, sachant éviter pareillement les tons trop clairs et trop foncés, se tenant souvent dans une gamme de vert et brun, à la fois sonore et sans vulgarité. Favretto ne manque d'ailleurs pas d'autres mérites : sa pâte, sans être ni trop lisse ni trop maigre, se refuse aux surcharges inutiles et parfois faciles, si en faveur dans l'école italienne. Sans doute, ces grosses pâtes donnent-elles un « ragoût » à l'œuvre, mais lorsqu'elles ne sont pas justifiées (comme elles le sont, par exemple chez Courbet), quelles erreurs ne risquent-elles pas de dissimuler ? Tout comme à un beau discours, on se laisse facilement prendre à la « faconde » d'une brosse trop facile. Il convient de rendre en cela pleine justice à Favretto : c'est résolument qu'il s'écarte d'une peinture à l'éclat factice, trompeur et, au demeurant, peu durable. Nous ajouterons en terminant que ses compositions adoptent une vérité de présentation, qui retient efficacement tous les enseignements de Manet. Disparu trop tôt, il n'a pu laisser une œuvre très importante, du moins de par le nombre des toiles.

Musées : Berlin : *Le serviteur endormi* – Milan (Brera) : *Leçon d'anatomie – Vandalisme* – Munich (Pina.) : *Artiste vénitien* – Rome (Gal. Nat.) : *Après le bain – Promenade sur la Place Saint-Marc au xviiie siècle* – Trieste (Revoltella) : *Une déclaration* – Venise (Gal. Nat.) : *Vénitienne du xviiie siècle – Portrait du père de l'artiste.*

Ventes Publiques : Londres, 11 avr. 1908 : *Jouant avec Bébé* : **GBP 22** – Paris, 2 et 3 juil. 1929 : *Personnages sur un balcon* : **FRF 42 000** – Londres, 6 fév. 1947 : *Paysage* : **GBP 210** – Milan, 21 oct. 1969 : *Rue de Venise* : **ITL 2 600 000** – Milan, 16 mars 1972 : *La maternelle* : **ITL 10 500 000** – Milan, 28 oct. 1976 : *Le kimono bleu*, h/pan. (25,5x21) : **ITL 5 500 000** – Londres, 12 juil. 1977 : *Jeunes italiennes admirant un parapluie*, aquar. (26x38,8) : **GBP 800** – Milan, 26 mai 1977 : *La tasse de café*, h/pan. (44x62) : **ITL 7 500 000** – Milan, 10 juin 1981 : *Portrait de femme*, h/t (78x65) : **ITL 11 000 000** – Milan, 29 mai 1984 : *Portrait en buste de paysanne, Venise* 1883, h/t (diam. 37) : **ITL 66 000 000** – Rome, 29 oct. 1985 : *Portrait du peintre Bressanin* 1880, h/pan. (39x30) : **ITL 24 000 000** – Milan, 9 juin 1987 : *La lecture*, past. (62,5x44) : **ITL 2 400 000** – New York, 24 avr. 1988 : *En feuilletant des livres dans l'échoppe de l'antiquaire*, aquar./pap. (21,3x31,7) : **USD 17 600** – Rome, 14 déc. 1988 : *Femme dans un intérieur*, encre de Chine/pap. (211,2x31) : **ITL 850 000** – Milan, 14 mars 1989 : *Portrait d'une jeune femme assise*, cr./pap. (33,5x24) : **ITL 6 000 000** – Paris, 5 juin 1989 : *Lac italien*, h/t (46x60) : **FRF 11 000** – Milan, 19 oct. 1989 : *Liston Moderno* 1887, h/t (82,5x162,5) : **ITL 670 000 000** – Versailles, 19 nov. 1989 : *La conversation galante*, h/t (51x86) : **FRF 14 000** – Milan, 6 déc. 1989 : *Le quartier San Polo à Venise*, encre (18x25) : **ITL 18 000 000** – Milan, 8 mars 1990 : *Travaux d'aiguilles* 1881, aquar./pap. (25x16) : **ITL 36 000 000** – Milan, 12 déc. 1991 : *Profil de femme*, aquar./pap. (39x31) : **ITL 17 000 000** – Milan, 19 mars 1992 : *Portrait du père de l'artiste* 1884, h/pan. (28x18) : **ITL 22 000 000** – Milan, 3 déc. 1992 : *Portrait de femme agée*, h/t (63,5x82) : **ITL 20 340 000** – Milan, 18 déc. 1996 : *Scène populaire dans une rue de Venise* 1883, h/pan. (24x61) : **ITL 180 575 000** – Rome, 2 déc. 1997 : *Le Père et la sœur du peintre*, h/t (24x28) : **ITL 244 250 000**.

FAVRIN Louis
xviiie-xixe siècles. Actif à Paris. Français.
Peintre de portraits.
On connaît de lui quelques miniatures sur ivoire datées de 1789 à 1813.

FAVRIOU Suzanne Marie
Née à Souvigné (Deux-Sèvres). xxe siècle. Française.
Peintre.
Exposant, à Paris, du Salon des Artistes Français en 1933.

FAVRO Murray
Né en 1940 à London (Ontario). xxe siècle. Canadien.
Sculpteur d'installations.
Il travaille dans deux directions : d'une part celle des installations animées de projecteurs, d'autre part celle des constructions d'objets reproduits à une certaine échelle.
Ses installations avec projections tentent d'explorer la relation qui existe entre la vue et la compréhension, entre l'illusion et la création d'illusion. Ainsi, *Synthetic lake* (1973) est le résultat d'une projection d'un film de vagues sur toute la longueur d'une toile fixée sur une construction mécanique qui la fait tantôt monter, tantôt descendre, donnant l'illusion du mouvement.
À travers une reproduction en trois dimensions d'une œuvre célèbre comme la *Chambre de Van Gogh*, pour laquelle les objets sont reproduits en respectant les distortions de la perspective du tableau, il ne recrée pas l'original mais essaie de rendre tangible la réalité et l'illusion. Ce n'est pas davantage le seul souci de reproduction qui a poussé Murray Favro à construire une maquette de l'avion F. 86 Sabre lorsqu'il a créé sa sculpture *Sabre Jet*, dont la carcasse transparente laisse voir les méthodes de construction, mais la volonté de célébrer la capacité créative de l'homme. ■ Annie Pagès
Musées : Ottawa (Nat. Gal. of Canada) : *Synthetic lake* 1973 – Toronto (Art Gal. of Ontario) : *Van Gogh's room* 1973-1974.

FAVROT Louis Sébastien
xixe siècle. Actif à Bruxelles vers 1836. Éc. flamande.
Peintre de genre.

FAWCETT Emily Addis, Miss
xixe siècle. Active à Londres. Britannique.
Sculpteur.
Exposa fréquemment à la Royal Academy, à Londres, à partir de 1883.

FAWCETT George
Né le 8 avril 1877 à Londres. xxe siècle. Actif aux États-Unis. Britannique.
Graveur, illustrateur.
Il étudia en Angleterre. Il a exposé à Chicago et au Canada.

FAWKES Lionel Grimston, colonel
Né en 1849. Mort en 1931. xixe-xxe siècles.
Peintre d'intérieurs, dessinateur.

Il étudia à la Royal Military Academy de Woolwich en 1868. De 1878 à 1884 il fut attaché à la maison du gouverneur des Barbades et visita d'autres îles des Caraïbes.
Ventes Publiques : Londres, 17 nov. 1995 : *Les salons de « La maison de la reine » à la Barbade*, cr. et aquar. (24,4x37,3) : **GBP 1 725**.

FAWORSKI Jozef
xviiie-xixe siècles. Actif à la fin du xviiie et au début du xixe siècle. Polonais.
Peintre.
Il a travaillé entre 1790 et 1805 à Varsovie, en Mazovie, en Grande Pologne et probablement à Berlin. Ses portraits restent dans la tradition « sarmate » : ils sont peints dans le style de ces portraits funéraires, surtout florissants au xviie siècle, présentant des personnages typiquement polonais, vêtus de leur costume national, gardant une pause hiératique, soulignant la dignité de leur rang. Les couleurs sont vives, les visages sont rendus avec individualité.

FAWZI Hussein
Né au Caire. xxe siècle. Égyptien.
Peintre.
A exposé au Salon de 1933.

FAXARDO Juan Antonio
Né à Séville. Espagnol.
Peintre.
Ce fut lui qui donna des leçons de peinture à Alonzo Miguel de Tobar enfant.

FAXOÉ Nikolaj Christian
Né en 1762. Mort le 15 mai 1810. xviiie-xixe siècles. Danois.
Peintre.
Il travailla à la Manufacture royale de porcelaine de Copenhague de 1783 à sa mort. Un portrait de sa main fut exposé en 1811.

FAXOÉ Peder Madsen
Né le 13 février 1761 à Faxinge. Mort le 27 février 1840. xviiie-xixe siècles. Actif à Copenhague. Danois.
Peintre décorateur et peintre de portraits.
Musées : Frederiksborg : *Portrait du poète Oehlenschläger enfant.*

FAXON Amélie, Mme
Née au xixe siècle à Bordeaux (Gironde). xixe siècle. Française.
Peintre.
Élève de Steuben. Elle exposa au Salon de Paris, en 1865 *(Pâques fleuries)*, en 1868 *(Une cour à Pont-l'Abbé)*, en 1870 *(Les fraises* et *Enfants bretons)*.

FAXON Richard
Né vers 1830 à Bordeaux (Gironde). xixe siècle. Français.
Peintre de paysages, marines.
Il fut élève de Jean-Baptiste Durand-Brager. Il figura au Salon de Paris, de 1859 à 1875.
Il peignit des paysages et des marines, inspirées par sa région natale et par la côte bretonne. Parmi ses œuvres, on mentionne : *Régates de Royan – Parage de Verdon – Navire en panne – Une barque sur la Garonne – Bateau recevant une rafale.*
Musées : Brest : *Combat d'un cotre anglais contre une goëlette espagnole – Entrée de port.*
Ventes Publiques : Paris, 9 juin 1980 : *Voilier en mer*, h/t (72x110) : **FRF 5 000** – Londres, 5 juin 1985 : *Un bateau en deux positions*, h/t (52x61) : **GBP 1 700**.

FAXON William Bailey
Né en 1849 à Hartford (Connecticut). xixe siècle. Américain.
Peintre de figures.
Élève de Jacquesson de la Chevreuse, il travaillait à New York.
Ventes Publiques : San Francisco, 24 juin 1981 : *Jeune paysanne*, h/t (71x100) : **DEM 14 000**.

FAY A.
xixe siècle. Actif à Francfort-sur-le-Main. Allemand.
Lithographe.
Il lithographia, en collaboration avec Jakob Fay, *Les Joueurs*, d'après G. Flüggen et individuellement d'après Hasenclever *La Dégustation du vin*, d'après H. Rustige *La Fiancée* et *Retour de l'église* ; on connaît de lui aussi des lithographies d'après C. Schröder et H. Kretschmer.

FAY Albert
xixe siècle. Actif vers 1848. Hongrois.
Peintre.
Il était dessinateur de la revue illustrée « Képes Ujsag ». Le Musée de Cassovie conserve de lui un tableau représentant l'entrée dans cette ville du grand-duc Étienne.

FAY Alexis
Né au xixe siècle à Paris. xixe siècle. Français.
Peintre.
Élève de Navez. Il exposa au Salon, en 1850 et 1853, des portraits.

FAY Charlotte
xixe siècle. Hollandaise.
Peintre de miniatures.
On connaît d'elle un portrait de femme, conservé dans la collection Van Arkel à Abcoude (Hollande).

FAY Clark
Né aux États-Unis. xxe siècle. Américain.
Lithographe.
En 1928, il exposait au Salon des Artistes Français : *Le Cirque, à Nice.*

FAY Franck
Né le 23 novembre 1921 à Paris. xxe siècle. Français.
Peintre. Abstrait-géométrique.
Il expose d'abord à Paris après la guerre, puis à Tahiti et à São Paulo. Il vit à Tahiti depuis 1951.
À Paris, il a participé au Salon des Indépendants jusqu'en 1949 et, après 1973, il expose aux Salons Grands et Jeunes d'Aujourd'hui et des Réalités Nouvelles.

FAY François
xviie siècle. Actif au Mans en 1695. Français.
Peintre.

FAY Fred
Né le 7 juillet 1901 à Bâle. xxe siècle. Suisse.
Peintre de paysages, paysages urbains, figures, portraits, dessinateur, graveur, illustrateur, peintre de cartons de vitraux, décorateur.
Il avait acquis des connaissances techniques sur la peinture grâce à son père qui était restaurateur de tableaux anciens. Encore étudiant, il exposa dès 1918, à Genève, avec le groupe *Puits d'Or.* Il poursuivit ses études artistiques à Florence. En 1923, il fit un séjour d'études à Berlin et Stuttgart. Il fut membre fondateur, en 1930, puis président de la Société des Graveurs de la Suisse latine. En 1932 il travailla à Paris, en 1933 en Italie, en 1935 en Grèce et au Liban. En 1949, il fonda l'École des Beaux-Arts du Valais. Il reçut une médaille de la Ville de Paris en 1965. En 1946, il exécuta quatre peintures murales pour l'église de la Sainte-Famille à Erde (Valais). En 1952, il réalisa les décors et les costumes de l'opéra *Le Ballet du soleil* à Lyon. Il a en outre illustré une cinquantaine d'ouvrages.
Il participe à des expositions collectives dans tous les pays d'Europe, régulièrement à *L'Art libre* à Paris, dont il est sociétaire. Il est également membre des Sociétés des Beaux-Arts de Milan, Bâle, Paris, et sociétaire du Salon des Artistes Français à Paris où il expose à ce titre.
Il a réalisé un nombre impressionnant d'expositions personnelles, avec notamment une importante rétrospective de ses œuvres pour ses soixante-dix ans, à Sion, au Musée cantonal des Beaux-Arts de la Majorie en 1971.
Si le jeune Fay fut, à ses débuts, influencé par le cubisme et le futurisme, il n'aura jamais travaillé dans le sens de l'abstraction, d'un éloignement formel du sujet. Au contraire, renonçant aux idées « modernes » de l'époque, il préféra recourir à l'intelligibilité plus traditionnelle de la forme et de la représentation. Néanmoins, certains effets du cubisme sont demeurés présents dans son travail. Paysages, portraits et nus illustrent cet « art de la sérénité » (Arnold Kohler) de cet artiste défenseur inlassable de la réalité, fixée selon les canons d'une composition réfléchie, et éclairée par les couleurs. C'est à lui que l'on doit le renouveau de la gravure sur bois en Suisse. Il a fréquemment peint en Italie.
■ C. D.
Bibliogr. : In : *Fred Fay*, catalogue de l'exposition, Musée de la Majorie, Sion, 1971.
Musées : Berne (Bibl. Nat.).
Ventes Publiques : Berne, 12 mai 1990 : *Vue de Berne* 1933, h/t (85x106) : **CHF 1 800**.

FAY J. B.
xviiie siècle. Actif à Paris vers 1785. Français.

Graveur à l'eau-forte.
On cite de lui 12 cahiers contenant 72 pièces d'ornements.

FAY Jakob
XIXe siècle. Actif à Francfort-sur-le-Main. Allemand.
Lithographe.
Il fit des lithographies d'après R. Jordan, A. Rethel, J.-B. Sonderland, P. Vogel, Steinle ; d'après A. V. D. Embde, *Gretchen* ; d'après C. F. Lessing, *Chevalier au repos dans la forêt* ; d'après D. Monten, *Mort de Gustave Adolphe*.

FAY Joseph ou **Fey**
Né le 10 août 1813 à Cologne. Mort le 27 juillet 1875 à Düsseldorf. XIXe siècle. Allemand.
Peintre d'histoire, compositions mythologiques, sujets religieux, scènes de genre.
Il suivit, entre 1833 et 1841, des cours de peinture à l'Académie de Düsseldorf ; il poursuivit ses études à Munich, puis il devint élève de Paul Delaroche, à l'École des Beaux-Arts de Paris. Il exposa au Salon de Paris, à partir de 1845 et 1846.
Il réalisa de nombreuses toiles illustrant les petits métiers des faubourgs, la vie paysanne, toutes inspirées par un long séjour en Italie. Le Conseil d'Elberfeld, en Allemagne, lui commanda divers cartons pour la décoration de la salle des séances. Il trouva son inspiration surtout dans les textes bibliques, et dans l'Antiquité classique.
Musées : Brême : *Romaines au bain* – Cologne : *Samson et Dalila* – Hambourg : *Nuit de Noël* – Hanovre (Mus. prov.) : *Moine mendiant* – Mannheim : *Jeunes filles au bain.*
Ventes Publiques : Cologne, 14 nov. 1974 : *Scène de la campagne romaine* : **DEM 8 500.**

FAY Ludwig Benno
Né le 24 mars 1859 à Gerresheim (près de Düsseldorf). Mort en septembre 1906 à Düsseldorf. XIXe siècle. Allemand.
Peintre de genre, animalier.
Il était le fils et l'élève de Joseph Fay. Il travailla à Düsseldorf. On cite de lui : *Au matin Chevaux retournant avant l'orage.*
Musées : Rostock : *Retour du marché en traîneau.*
Ventes Publiques : Cologne, 2 juin 1965 : *Enfants et chevaux au pâturage* : **DEM 3 300** – Cologne, 23 oct. 1981 : *Chien de chasse tenant un lièvre dans sa gueule*, h/t (77x100) : **DEM 14 000** – Londres, 21 mars 1986 : *Le retour des chevaux de trait*, h/t (55,8x43,7) : **GBP 5 000.**

FAYA G.
XXe siècle.
Peintre.
Ventes Publiques : Londres, 19 juin 1942 : *Suzanne et les vieillards* : **GBP 7.**

FAYARD Georges
Né à Alger. XXe siècle. Français.
Sculpteur.
Il exposa à Paris au Salon des Artistes Français à partir de 1913.

FAYARD Jean
Né le 20 juin 1919. XXe siècle. Français.
Peintre.
Il vit et travaille à Marseille. Il expose aussi à Paris au Salon d'Automne.
Il peint dans un style très réaliste.

FAYAU
XVIIe siècle. Actif au Mans vers 1617-1626. Français.
Peintre.

FAYDHERBE Anne Barbe
Baptisée à Malines le 4 décembre 1643. XVIIe siècle. Éc. flamande.
Sculpteur.
Fille de Lukas Faydherbe elle épousa en 1666 un élève de son père, Jan Van Delen. On lui attribue deux statuettes en terre cuite représentant *Minerve* et *Diane.*

FAY D'HERBE Antoine ou **Faydherbe**
Né avant 1580 à Malines. Mort le 8 octobre 1653. XVIIe siècle. Éc. flamande.
Sculpteur.
Frère de Henri Fayd'herbe. Cet artiste hollandais fut reçu maître à Malines en 1605.

FAY D'HERBE Henri ou **Faydherbe**
Né en 1574 à Malines. Mort le 30 avril 1629 à Malines. XVIe-XVIIe siècles. Éc. flamande.
Sculpteur et enlumineur.
Frère d'Antoine Fayd'herbe. Élève de Melchior d'Hassonville dans la gilde de Malines en 1588. Il fut reçu maître en 1599. Cet artiste hollandais a travaillé à Malines jusqu'en 1603 et ensuite à Anvers.

FAYDHERBE Jean
XVIIe siècle. Éc. flamande.
Sculpteur.
Il fut sculpteur du duc Henri d'Orléans et du duc de Longueville.

FAYDHERBE Jean Lukas
Né le 28 août 1654 à Malines. Mort en 1704 à Malines. XVIIe siècle. Éc. flamande.
Sculpteur.
Fils et élève de Lukas Fayd'herbe. Cet artiste hollandais fut aussi architecte.

FAY D'HERBE Lukas ou **Faydherbe**
Né le 19 janvier 1617 à Malines. Mort le 31 décembre 1697 à Malines. XVIIe siècle. Éc. flamande.
Sculpteur.
Fils d'Henri Fayd'herbe. Cet artiste hollandais qui fut également architecte, travailla longtemps le dessin avec Rubens. On cite de lui comme sculptures une *Fontaine*, d'après Rubens, et *saint Joseph et l'Enfant*, à Bruxelles. Il sculpta également l'ivoire. De nombreuses églises belges possèdent de ses œuvres, notamment à Malines, où il édifia, de 1663 à 1681, l'église N.-D. d'Hanswyck, ornant sa coupole de hauts-reliefs énormes figurant *La Nativité*, et *Le Portement de Croix* ; exécutant pour l'église du Béguinage, un haut-relief *L'Éternel*, en marbre noir et blanc, et le maître-autel ainsi qu'un monument consacré à l'archevêque André Cruesen, à Saint-Rombaut. Il contribua à définir la sculpture baroque flamande.
Musées : Copenhague (Rosenborg) : *Vénus, Cérès et Bacchus*, bas-relief – Malines : *Hercule et Omphale – Le Christ sur le globe terrestre – Saint Georges à cheval – Statue de saint Jacob Mineur*, réduction – *Descente de croix*, bas-relief – *Saint Roch guérissant les pestiférés*, bas-relief – Vienne : *Le Jugement de Salomon*, bas-relief – *Vénus, Cérès et Bacchus*, bas-relief.
Ventes Publiques : Londres, 2 avr. 1971 : *La Vierge et l'Enfant*, marbre : **GNS 2 500.**

FAY D'HERBE Marie ou **Faydherbe**
Née le 22 janvier 1611 à Malines. XVIIe siècle. Éc. flamande.
Sculpteur.
Fille d'Antoine Fayd'herbe. Active en Hollande.

FAYDHERBE Rombaut
Né le 12 décembre 1649 à Malines. Mort en 1673 à Naxos (Grèce). XVIIe siècle. Éc. flamande.
Peintre.
Fils de Lukas Fayd'herbe, il fut élève de Diepenbeeck et Jordaens. Il accompagna le marquis de Nointel, ambassadeur de Louis XIV, dans le Levant en 1673 mais mourut au début de ce voyage.

FAYE Alice
Née au XIXe siècle à Bordeaux (Gironde). XIXe siècle. Française.
Peintre de portraits.
Élève de Lefebvre, Tony Robert-Fleury et F. Humbert. Sociétaire des Artistes Français depuis 1902, elle figura au Salon de cette société.

FAYE Balthazar
Né en 1964 à Dakar. XXe siècle. Sénégalais.
Peintre, technique mixte, designer.
Il a vécu au Sénégal près d'une vingtaine d'années, puis il est arrivé en Europe par Genève. Il a étudié à l'École des Beaux-Arts de Besançon, avant d'intégrer, en 1989, l'École des Arts Décoratifs de Paris. Il a figuré à l'exposition *Suites africaines* qui a eu lieu au Couvent des Cordeliers à Paris, en 1997.
Considérant que « l'erreur est un moteur », Balthazar Faye n'efface jamais les maladresses et les décalages qui surgissent de sa toile ; au contraire, il exploite les relations qu'elles entretiennent avec la composition. Ses œuvres sont des exploitations d'espaces et surtout de matières, et l'artiste passe aisément de la peinture au design. Il a réalisé le bar et tout le mobilier du café musical pour l'exposition *Suites africaines*. ■ S. D.

FAYE J. de
XVIIIe siècle. Actif à La Haye en 1739. Éc. flamande.
Peintre.
Imitateur de Teniers et Rickaert.

FAYE Marie, Mme
Née à Chablis (Yonne). XIXe siècle. Française.
Peintre.
Elle eut pour maître L. Cogniet. En 1875, elle exposa quelques portraits de particuliers au Salon de Paris.

FAYE Mor
Né le 16 mars 1947 à Dakar. XXe siècle. Sénégalais.
Peintre. Abstrait.
Il est un ancien élève de l'École Nationale des Arts du Sénégal (section arts plastiques). Il participe à l'exposition de quarante-quatre maquettistes américains au Centre culturel américain de Dakar en 1964. En 1966, il obtient son Certificat d'aptitude à l'enseignement artistique, qui l'a conduit à enseigner les arts plastiques dans plusieurs collèges d'enseignement général.
Il a participé aux expositions suivantes : 1966, *Premier festival mondial des arts nègres* à Dakar ; 1970, *Semaine sénégalaise* au Maroc puis au Caméroun et *Dix ans d'art au Sénégal* à Stockholm ; 1972, Quinzaine de la SAC-SEN à Dakar et Festival d'I.F.E. ; 1973, Premier Salon des Arts Sénégalais ; 1973, Exposition sénégalaise à Rome et à Tunis ainsi que l'Exposition des arts plastiques contemporains au Musée des Beaux-Arts de Liège ; 1974, Deuxième Salon des Artistes Sénégalais au Musée Dynamique de Dakar. Il est titulaire des prix de Peinture, Décoration et Modelage de la Maison des Arts.
Peinture abstraite rappelant des taches de couleurs éclaboussées, elle est très colorée.

FAYE Ousman
Né le 23 novembre 1940 à Dakar. XXe siècle. Sénégalais.
Peintre, peintre de cartons de tapisseries.
C'est un ancien élève de l'École Nationale des Arts du Sénégal (section de recherches plastiques) et ancien peintre-cartonnier à la Manufacture Nationale de tapisseries de Thiès au Sénégal. Il fait ensuite un stage à l'École des Arts Décoratifs d'Aubusson. En 1973, il installe son propre atelier de tissage à Dakar. Il a participé aux expositions suivantes : 1966, *Premier Festival Mondial des Arts Nègres* où il est classé troisième au concours d'affiches ; 1967, Cinquième Biennale des Jeunes Artistes à Paris ; 1969, premier festival culturel panafricain d'Alger ; 1970, lauréat du Grand Prix de peinture à Cagnes-sur-Mer ; 1971, plusieurs expositions de groupe en Normandie ; 1973 et 1974, Premier et Deuxième Salon des Artistes Sénégalais à Dakar.
Ses œuvres sont figuratives, très colorées et sensiblement influencées par le style de Jean Lurçat.

FAYE M'Bor
Né le 28 octobre 1900 à Dakar. XXe siècle. Sénégalais.
Peintre. Naïf.
Mobilisé en 1920 pour la campagne du Levant, il est démobilisé en 1922. Il est alors employé à la mairie de Dakar, puis transitaire et consignataire de cotres. Autodidacte, c'est un peintre populaire qui n'a jamais exposé individuellement ou collectivement avant le deuxième Salon des Artistes Sénégalais de Dakar en 1974.
Il s'est appliqué à une peinture figurative et haute en couleurs.

FAYEIN-CHABANON
Né le 20 octobre 1920 à Paris. XXe siècle. Français.
Peintre, graveur.
D'origine beaujolaise, il fait ses études à l'École Nationale Supérieure des Beaux-Arts de Paris de 1945 à 1952. Il fut élève en peinture de Nicolas Untersteller, en gravure de Cami et Goerg, et en fresque de Ducos de la Haille. Depuis 1968, il est aussi restaurateur pour les Monuments Historiques.
Il a commencé par exposer, à Paris, au Salon des Artistes Français à partir de 1948, ainsi qu'à celui de la Société Nationale des Beaux-Arts. Il obtient une médaille d'or au Salon des Artistes Français, plusieurs prix au Salon de la Société Nationale des Beaux-Arts. Il est récompensé également par une médaille de la Ville de Paris et une autre de la Ville de Versailles. Il a déposé son œuvre de graveur au Cabinet des Estampes à Paris.
BIBLIOGR. : In : *Nouvelles de l'estampe*, n° 73, Paris, 1984.
MUSÉES : BOULOGNE-BILLANCOURT – PARIS (Mus. de la Ville).

FAYEN Etienne. Voir **FAYN**

FAYERMAN Anne Charlotte. Voir **BARTHOLOMEW**

FAYET Antoine Gilbert
Né en 1924 à Andance (Ardèche). XXe siècle. Français.
Peintre de compositions animées, figures, nus, portraits, paysages, pastelliste.
Il vécut de nombreuses années à Roanne. Très jeune, il adhéra au groupe des peintres se référant de l'école lyonnaise et rencontra Jean Puy avec qui il se lia d'amitié. Jean Puy l'encouragea et lui permit de travailler dans son atelier. L'amitié et la confiance de l'aîné sont restées essentielles pour la carrière d'Antoine Fayet. Pendant quelques années, il résida à Casablanca. Revenu en France, une carrière dans l'industrie l'éloigna des expositions, mais non de la peinture. Depuis 1982, il s'est établi à Bandol, désormais disponible.
Dès 1943, il a participé à des expositions collectives, à Roanne, puis en 1949 à Casablanca, en 1968 et depuis 1980 de nouveau à Roanne, puis surtout à Bandol et dans toute la région méditerranéenne. Depuis 1988, il participe à Paris au Salon des Indépendants. Il montre des ensembles de ses œuvres dans des expositions personnelles, à Roanne, Casablanca, Bandol, en 1991 à Cassis, etc.
Ses figures, nus, portraits manifestent la justesse du trait et l'équilibre de la composition. Depuis son installation à Bandol, il traduit avec sensibilité, surtout en pastels, les paysages et rivages méditerranéens.

FAYET François
Né en 1630 à Reims. Mort en 1708 à Toulouse. XVIIe siècle. Français.
Peintre.
MUSÉES : TOULOUSE : *Adoration des Bergers – Repos pendant la fuite en Égypte.*

FAYET Gustave
Né en 1865. Mort en 1926. XIXe-XXe siècles. Français.
Peintre de paysages, cartons de tapisseries, décorateur.
Il exposa au Salon de la Société Nationale des Beaux-Arts de Paris.
Il s'est consacré à la décoration. Il a choisi des thèmes de tapisseries stylisant des fleurs, des fruits et des papillons.

FAYET Henri
Né le 13 octobre 1888 à Lezoux (Puy-de-Dôme). XXe siècle. Français.
Peintre.
Élève de Cormon. Sociétaire du Salon des Artistes Français.

FAYET Jacqueline
XXe siècle. Française.
Sculpteur.
Elle est diplômée d'Art Plastique (cycle universitaire) en 1956 ; pensionnaire de la Casa Velasquez à Madrid en 1959. Elle pratique la sculpture.
Elle expose dans plusieurs salons parisiens, dont le Salon des Artistes Français, le Salon Comparaisons, et figure aussi aux Salons de Boulogne, de Montgeron et de Garches. Elle expose dans plusieurs galeries à Paris. Elle obtient en 1949 le prix Chevanard ; en 1960, le Grand Prix des Beaux Arts de la Ville de Paris.
BIBLIOGR. : Catalogue de ventes publiques : *Ateliers de Boulogne*, Richelieu Drouot, Maître Cheval, Paris, 1989.

FAYET Léon
Né le 22 avril 1826 à Béziers. Mort en 1880 à Béziers. XIXe siècle. Français.
Peintre.
Exposa des paysages au Salon de Paris de 1864 à 1870. On a de lui au Musée de Béziers : *Ferme sous bois*, et un fusain.
VENTES PUBLIQUES : PARIS, 21 et 22 mai 1928 : *Bords de rivière au matin ; Bords de rivière le soir*, ensemble : **FRF 1 500**.

FAYET Marie-Thérèse
Née en 1934 à Madrid. XXe siècle. Française.
Peintre, graveur. Abstrait-matiériste.
Elle expose, à Paris, régulièrement au Salon des Réalités Nouvelles.
Les titres de ses peintures sont significatifs de son attention aux textures : *L'Écorce terrestre ; Grottes basaltiques.*

FAYET Pierre Antoine Gabriel
Né le 17 décembre 1832 à Béziers. Mort en 1899 à Béziers. XIXe siècle. Français.

Peintre.
De 1865 à 1870, il exposa des paysages au Salon de Paris. On cite de lui : *Rocomolatio, Colombières.*
Musées : Béziers : *Bords de l'Agout – Sète, la Fontaine.*

FAYET Pierre Antoine Gustave
Né le 19 mai 1865 à Béziers. Mort en 1925. XIXe-XXe siècles. Français.
Peintre.
Élève de son père, Gabriel Fayet. Il fut conservateur au Musée de Béziers.
Musées : Béziers : *Vue de Saint-Mandrier près Toulon* – Narbonne : *Les genêts* – Sètte : *Bois de Tabarka.*

FAYETON Joseph
Né le 31 janvier 1826 à Lyon. XIXe siècle. Français.
Peintre de portraits, fleurs et fruits, dessinateur ornemaniste.
Il fut élève de l'École des Beaux-Arts de Lyon et devint dessinateur pour ornements d'église. Il figura au Salon de Lyon en 1868 avec des tableaux de fleurs et de fruits, et en 1869 de nouveau avec des natures mortes de fleurs et de fruits et son portrait par lui-même. Il dessina des soieries.

FAY MING, pseudonyme de **Fei Mingjie**
Né en 1949 à Shanghai. XXe siècle. Chinois.
Sculpteur.
Fils d'artistes, il commença ses études à Hong Kong et partit les poursuivre aux États-Unis en 1961. Il obtint un diplôme de design industriel à l'Université de l'Ohio et fréquenta aussi l'Université de Santa Barbara en Californie. Il étudia la sculpture à l'Institut d'Art du Kansas. Après un bref retour à Hong Kong il choisit de s'installer à New York. Dès 1971, ses séries de sculptures en bronze représentant de manière réaliste des fruits ou des légumes, et disposées sur des fonds en trompe-l'œil, constituent l'essentiel de sa production.
Ventes Publiques : Taipei, 22 mars 1992 : *Une poire* 1990, bronze (H. 48,2, diam. 22,8) : **NT $ 308 000**.

FAYMOREAU Renée de
Née à Château-Gontier (Mayenne). XXe siècle. Française.
Aquarelliste.
Exposant, à Paris, du Salon d'Automne et du Salon des Tuileries.

FAYN Etienne ou **Fayen**
Né le 3 septembre 1712 à Liège. Mort avant 1790. XVIIIe siècle. Éc. flamande.
Graveur et architecte.
Il dessina et grava des vues de Liège et de la Principauté, parmi lesquelles on cite le *Château d'Hex, l'Abbaye de Neumoustier, l'Abbaye du Val Saint-Lambert,* les *vues de Chèvremont* et *Chaudfontaine.* Il dessina aussi des scènes historiques, comme *la Mort de Cléopâtre.*
Musées : Liège (Ansembourg) : *Portrait de Jacques de Hubin – Portrait de Benjamin Franklin – Portrait du bourgmestre Fabry.*
Ventes Publiques : Paris, 22 mars 1928 : *Vue du grand observatoire et du Panthéon français,* pl. : **FRF 1 550**.

FAYNOT Émile
Né à Levrezy (Ardennes). XXe siècle. Français.
Aquarelliste.
Il exposa à Paris au Salon à partir de 1931.

FAYOD Charles
Né le 1er mars 1857 à Bex (canton de Vaud). XIXe siècle. Suisse.
Peintre.
Il fut d'abord dessinateur d'illustrations pour ouvrages scientifiques, puis peintre de fleurs et de paysages. En 1881 il se fixa à Nervi (Italie) et figura aux Expositions suisses et italiennes.

FAYOL Marianne
Née le 9 mai 1908 à Strasbourg (Bas-Rhin). XXe siècle. Française.
Peintre, peintre de collages. Abstrait.
Elle fut élève de l'Académie André Lhote. Elle expose, à Paris, au Salon des Femmes Peintres et Sculpteurs, dont elle a été présidente, d'Automne, Grands et Jeunes d'Aujourd'hui, Comparaisons.
Elle structure ses compositions par de longues et hautes verticales, qu'animent, quasi musicalement, de subtiles harmonies de gris clairs. Dans ses collages, la riche diversité des matériaux exploités l'incite à plus de liberté d'expression.
Bibliogr. : In : *L'Officiel des arts,* Édit. du Chevalet, Paris, 1988.

FAYOLLE Amélie Léonie
Née au XIXe siècle à Paris. XIXe siècle. Française.
Peintre.
Élève de L. Cogniet. Elle figura au Salon de Paris de 1848 à 1870, par des portraits et des sujets de genre et d'histoire. On cite d'elle : *Portrait du général Maizière, Portrait de Mme Maizière ; Portrait de M. Fayolle, père de l'artiste ; Portrait de Mme Fayolle, mère de l'artiste ; Femme romaine.* Le Musée de la Roche-sur-Yon possède de cette artiste : *Filles des champs.*

FAYOLLE Étienne
Né le 22 juin 1805 à Lyon. XIXe siècle. Français.
Peintre.
Élève de Thierriat à l'École des Beaux-Arts de Lyon. Il figura au Salon avec de nombreux portraits.

FAYOLLE Marie Eugénie
Née à Paris. XIXe siècle. Française.
Peintre d'émaux, peintre sur porcelaine.
Élève de Mme D. de Cool, elle débuta au Salon en 1876.

FAYOLLE Pierre Gabriel
XIXe siècle. Français.
Peintre.
De 1839 à 1848, il exposa régulièrement au Salon de Paris. On cite de lui : *Religieux méditant dans sa cellule ; Le peintre ; Intérieur d'une carrière ; Assassinat dans une carrière ; Un souvenir de Morlaix.*

FAYOLLE-LAPLANCHE Sally
Née à Saint-Étienne (Loire). XXe siècle. Française.
Peintre et lithographe.
Élève de A. Leleu et L. Jonas. Exposant du Salon des Artistes Français.

FAYRAM John
XVIIIe siècle. Britannique.
Peintre de portraits.
On connaît de lui un portrait de *Lord John Hervey, premier comte de Bristol, et de ses enfants, Tom, Nan et Felton* : deux copies de portraits de femmes d'après G. Kneller et J. Richardson, ainsi que deux portraits de *Sir Thomas* et *Sir Roger Twysden.* En 1742 un portrait de la main de cet artiste, de *W. Stanhope, comte d'Harrington,* fut reproduit par J. Faber le jeune et J. Simon. Probablement identique au peintre et graveur du même nom.
Ventes Publiques : Londres, 20 nov. 1931 : *Portrait d'Elisabeth Streynsham* : **GBP 44** – Paris, 7 et 8 juin 1933 : *Portrait d'homme* : **FRF 7 400** – Londres, 23 fév. 1934 : *Portrait de George Pretyman* : **GBP 21** – Londres, 26 fév. 1937 : *Portrait de George Pretyman* : **GBP 10** – Londres, 9 oct. 1981 : *Portrait d'un gentilhomme,* h/t (122x98,4) : **GBP 300**.

FAYRAM John
XVIIIe siècle. Britannique.
Peintre de portraits, paysages, graveur.
Il travaillait à Londres vers 1740. On possède de cet artiste quelques vues et esquisses des environs de Chelsea et de Battersea.

FAYS Béatrice de
XXe siècle. Française.
Peintre, illustrateur.
En 1986 elle participa avec le groupe *Ripolins* à un affichage sauvage sur le Circuit Opéra à Paris et à l'exposition collective *Palettes pauvres, images riches.* En 1988 elle a exposé au ministère de la Culture et de la Communication. Elle a réalisé de nombreuses illustrations pour des journaux, quotidiens ou autres.
Ventes Publiques : Paris, 9 mars 1987 : *Boomerang du stimul'âcre,* acryl./t. (198x150) : **FRF 7 600** – Paris, 12 fév. 1989 : *Sweet little sexy lady,* acryl./t. (160x90) : **FRF 7 000** – Paris, 26 avr. 1990 : *Une dédicace pour Fred et sa marie « Cat Zoubix »,* acryl./t. (81x36) : **FRF 4 500**.

FAYTTAN Claude ou **Fetan**
XVIIIe siècle. Actif à Lyon. Français.
Sculpteur.

FAZANO
XIVe siècle. Actif à Cherasco (Piémont) en 1347. Italien.
Peintre.

FAZIO, fra
Mort en 1340. XIVe siècle. Actif à Pise. Italien.
Moine, sculpteur.
Il était probablement un élève et un aide de Fra Guglielmo. Les bas-reliefs de l'ancienne chaire de Saint-Michel à Borgo (Corse) lui sont attribués.

FAZIO di Dietisalvi
XIIIe siècle. Actif à Sienne. Italien.
Peintre.

FAZOLI ou **Fazolo**. Voir **FASOLO**

FAZY Michel Marie
Né le 31 décembre 1798 à Sécheron (près de Genève). Mort le 31 mai 1826 à Paris. XIXe siècle. Suisse.
Peintre.
Il était le fils du collectionneur d'art Jean Samuel Fazy et frère de l'écrivain et homme d'État James Fazy. Il fut en 1814 élève de J. L. David, puis de Girodet-Trioson. On connaît de lui un tableau représentant un bal.

FAZZI Arnaldo
Originaire de Lucques en Toscane. XIXe siècle. Italien.
Sculpteur.
Élève de G. Dupré. Il travailla à Florence. Il figura en 1881 au Salon des Artistes Français à Paris avec une statuette de marbre *Chasseur de faucons* et exposa souvent au Salon de Florence. La statuette de bronze du sculpteur *Matteo Civitali* à Lucques est de sa main. Il obtint le premier prix au concours pour un monument *Garibaldi* à Gênes en 1910.

FAZZINI Pericle
Né le 4 mai 1913 à Grottamare (Ascoli Piceno). Mort en 1987 à Rome. XXe siècle. Italien.
Peintre à la gouache, peintre de technique mixte, sculpteur de figures, portraits, animaux.
Il étudia le dessin dans une Académie Libre de Rome, où il commença à sculpter en 1929. Sa première initiation, il la doit à son père menuisier-ébéniste. Il a régulièrement participé aux Biennales de Venise, d'Anvers et de São Paulo. Il a réalisé de nombreuses expositions particulières, notamment à Paris en 1934 ; Rome en 1943 et 1951 ; à New York en 1952. Il obtient en 1954 le prix de la Sculpture à la Biennale de Venise, en 1955 le prix international à la Biennale de Tokyo.
Il exécuta d'abord, en 1931, des portraits expressifs : *Orazio Costa* et *Renato Birolli*. Puis ce furent : *Sortie de l'Arche* (1932) ; *La Tempête*, en pierre et *La Danse*, en bois, deux hauts-reliefs, tous deux de 1934, année charnière chez Fazzini ; *Portrait d'Ungaretti* (1936) ; *Sybille* (1947) ; *Les Acrobates* (1950) ; *Le Petit Cheval emballé* (1953) ; *Les Chats* (1958), année où il remporta le concours pour le *Monument aux morts d'Auschwitz* ; *Portrait* pour une église à la jonction de l'autoroute du Soleil et de l'autoroute Florence.
Figuratives, ses œuvres, surtout depuis la guerre, s'affranchissent de la réalité par le lyrisme dynamique de la forme dans l'espace.
Bibliogr. : Giovanni Garandente, in : *Nouveau dict. de la sculpt. mod.*, Hazan, Paris, 1970.
Musées : New York (Mus. d'Art Mod.) : *La Sibylle* – Paris (Jeu de Paume) : *Portrait d'Anita*.
Ventes Publiques : New York, 4 avr. 1968 : *Baigneuse*, patine dorée : **USD 15 500** – Milan, 19 oct. 1974 : *Les Chats*, bronze : **ITL 1 800 000** – Los Angeles, 9 nov. 1977 : *Danseuse* 1958, bronze et cuivre (H. 56) : **USD 2 500** – Rome, 2 déc. 1980 : *Nu couché*, bronze (10x20x12) : **ITL 1 600 000** – New York, 4 nov. 1982 : *Danseuse*, bronze (H. 132) : **USD 6 500** – Paris, 23 nov. 1984 : *Jeune Fille*, bronze (14,5x25x14,5) : **ITL 1 300 000** – Rome, 23 avr. 1985 : *Nu debout, cambré* 1949, argent à patine or (H. 31) : **ITL 3 600 000** – New York, 14 nov. 1986 : *Danseuse* 1953, bronze (H. 32) : **USD 3 200** – Rome, 29 avr. 1987 : *Portrait de Maria Pia* 1933, bois (H. 60) : **ITL 20 000 000** – Rome, 15 nov. 1988 : *Portrait d'une jeune femme qui sourit* 1954, plâtre (H. 35) : **ITL 2 000 000** ; *Saint Sébastien* 1948, bronze (71x25x23) : **ITL 21 000 000** – Rome, 28 nov. 1989 : *Danseuse* 1947, bronze à patine brune (H. 26) : **ITL 15 000 000** – New York, 9 mai 1992 : *Gymnaste*, bronze à patine brune (H. 22,5) : **USD 6 600** – Rome, 12 mai 1992 : *Portrait de la Baronne Anita Blanc* 1938, bois d'olivier (21x20x12,5) : **ITL 12 500 000** – New York, 29 sep. 1993 : *Un acrobate*, bronze (H. 12,7) : **USD 1 955** – Rome, 30 nov. 1993 : *Joueur de flûte dans un bois* 1955, techn. mixte/pap./t. (126x59) : **ITL 5 750 000** – New York, 24 fév. 1994 : *Homme tombant*, bronze (H. 39,4) : **USD 8 050** – Rome, 19 avr. 1994 : *Chat* 1956, bronze (45,5x78x27) : **ITL 25 300 000** – New York, 24 fév. 1995 : *Deux chats jouant*, bronze (H. 38,4) : **USD 10 925** – Rome, 28 mars 1995 : *Autoportrait à la pipe* 1944, encre de Chine/pap. (27x21) : **ITL 2 530 000** – Milan, 20 mai 1996 : *Deux Personnages* 1950, encre/cart. (27x20,5) ; *Sans titre* 1935, encre/cart. (28x21) : **ITL 1 495 000** ; *Acrobate et Cheval* 1948, encre de Chine et gche/pap. (77x57) : **ITL 6 900 000** – Rome, 8 avr. 1997 : *Tête masculine* 1929, bronze patine brune (H. 31) : **ITL 22 135 000**.

FÉ Jacob Louis
Né le 19 novembre 1732 à Paris. Mort après 1790 à Genève. XVIIIe siècle. Suisse.
Graveur et peintre sur émail.
Fils de Pierre Fé, il entra dans la Maison « Lalime, Cussin et Colondre Frères » en 1762.

FÉ Juan Facundo, Frère
Né le 25 mars 1713 à Torrente (près de Valence). Mort le 29 mai 1750 à Palma (Île Majorque). XVIIIe siècle. Espagnol.
Sculpteur, brodeur.
Frère de l'Ordre des Augustins, il parcourut la France, l'Espagne et l'Italie et étudia la sculpture à Rome. Il passa les dernières années de sa vie au Monastère des Augustins à Palma et orna le chœur de l'église de cette ville d'un grand crucifix sculpté. Pour l'église du couvent des religieuses de la Consolation à Palma il exécuta un groupe sculpté *L'Adoration des Bergers*.

FÉ Pierre, appelé aussi **Lalime**
Né le 6 février 1698 à Genève. Mort le 23 octobre 1774 à Genève. XVIIIe siècle. Suisse.
Graveur et peintre sur émail.
Il était co-propriétaire de la Maison « Lalime, Cussin, et Colondre Frères » qui exécutait les peintures sur émail pour les bijouteries de Genève.

FEA Antonio, Francesco et **Giovanni**. Voir **CERRUTI**

FEA Pietro
Originaire de Casale. XIXe siècle. Italien.
Peintre.
Élève de G. Galliari. Il peignit surtout des tableaux d'architecture avec personnages.

FEARNLEY Thomas
Né en 1802 à Friedrishald. Mort en 1842 à Munich. XIXe siècle. Norvégien.
Peintre de scènes de chasse, paysages, graveur à l'eau-forte.
Il entra à l'Académie de Copenhague et fut protégé par le prince Oscar pour lequel il peignit une vue de la ville. De 1828 à 1836, il voyagea à travers l'Europe, puis il séjourna en Angleterre où il exposa *Une cascade norvégienne* à la British Institution.
Parmi ses œuvres figurent : *La grotte bleue de Capri* ; *Le Glacier du Grindelwald*.

Th. Fearnley 1837

Musées : Bergen : *Paysages* – Copenhague : *Paysages* – Hambourg : *Dolmen* – Oslo : *La cascade de Labro* – Stockholm : *Paysages* – Weimar : *Paysage montagneux*.
Ventes Publiques : Rouen, 14 juin 1981 : *La chasse au gibier d'eau* 1828, h/t (74x98) : **FRF 80 000** – Londres, 22 juin 1984 : *Matinée d'automne, Königsee* 1835, h/t (87x71,6) : **GBP 12 000** – New York, 27 fév. 1986 : *Pêcheurs tirant leurs filets dans la baie de Sorrente* 1837, h/t (58,4x80) : **USD 61 000** – Londres, 24 mars 1988 : *Vue du Vésuve*, h/cart. (26,5x35,5) : **USD 6 050** – Londres, 27-28 mars 1990 : *Chasseur près d'une chute d'eau en forêt* 1825, h/pan. (85x67,5) : **GBP 18 150** – Londres, 28 nov. 1990 : *Paysage fluvial norvégien* 1820, h/t (62x80) : **GBP 27 500** – Londres, 17 nov. 1993 : *Une ferme dans un paysage montagneux* 1830, h/t (30x40) : **GBP 4 370** – Londres, 14 juin 1996 : *Le château de Vadstena sur le lac Vättern en Suède* 1831, h/t (49,2x79,8) : **GBP 23 000** – Londres, 26 mars 1997 : *L'Etna vu de la mer* 1833, h/pap./t. (26x38,5) : **GBP 8 280**.

FEARNSIDE W.
XVIIIe siècle. Britannique.
Peintre de genre et paysagiste.
Il a exposé à la Royal Academy entre 1791 et 1801.
Musées : Londres (Water-Colours) : *Auberge de campagne* – *Paysage, moulin et bestiaux* – *Paysage avec marine et bestiaux*.

FEARON Hilda
Née le 14 septembre 1878 à Banstead (Surrey). Morte le 2 juin 1917 à Londres. XXe siècle. Britannique.
Peintre de portraits, paysages.
Elle a étudié à la Slade School de 1899 à 1904, ayant commencé à

dessiner et modeler dès son plus jeune âge. Elle a exposé par la suite à la Royal Academy de Londres, au Salon des Artistes Français à Paris, et au Carnegie Institute à Pittsburgh.
Musées : Londres (Tate Gal.) : *The tea party.*
Ventes Publiques : Londres, 12 nov. 1987 : *The Picture Book* 1911, h/t (75x62,5) : **GBP 2 350** – Londres, 9 oct. 1996 : *Canotage* 1907, h/t (61x76,5) : **GBP 3 105.**

FEARSON J.
XVIIIe siècle. Actif à Londres. Britannique.
Peintre.
Il figura à la Royal Academy à Londres en 1786 avec un portrait miniature, en 1788 avec un tableau d'histoire et en 1789 avec une *Résurrection de la fille de Jaïre.*

FEART Adrien
Né le 11 avril 1813 à Sedan (Ardennes). XIXe siècle. Français.
Sculpteur, dessinateur et médailleur.
Formé par H. Dantan, il envoya ses ouvrages au Salon de 1845 à 1879. Ses œuvres les plus remarquables sont : *Le mariage de la Vierge*, bas-relief, en bronze, d'après Raphaël ; *L'Été*, bas-relief en bronze ; *L'Hiver*, bas-relief en bronze ; *Le Printemps*, bas-relief en bronze ; *Le festin, la danse, la musique*, bas-relief en bronze ; *L'Automne*, bas-relief en bronze ; *Aiguière et bassin*, bronze argenté.

FEART Jérôme
XVIIe siècle. Français.
Peintre.
Cité par Siret.

FEARY John
Né vers 1745. Mort en 1788. XVIIIe siècle. Britannique.
Paysagiste.
Il exposa de 1772 à 1788 à la Royal Academy et obtint une prime de la Société des arts en 1775.
Ventes Publiques : Londres, 15 fév. 1939 : *Scène de campement* : **GBP 10.**

FEASSE Paul
XVIIIe siècle. Actif à Paris en 1786. Français.
Peintre et sculpteur.

FEATHERSTON William
Né en 1927 à Toronto. XXe siècle. Depuis 1961 actif en Angleterre. Canadien.
Sculpteur. Abstrait.
Il a étudié à Ontario et y a enseigné jusqu'en 1961, date à laquelle il est parti en Angleterre. L'influence, le presque monopole qu'exerçait *l'École des 7* au Canada a certainement gêné l'épanouissement de certains artistes canadiens. Depuis son départ, il a largement profité des courants nouveaux anglais et américains.
Il réalise des sculptures monumentales et praticables, aux formes géométriques primaires.

FEAU Amédée
Né le 11 février 1872 à Paris. XXe siècle. Français.
Peintre de scènes de genre, graveur.
Il fut élève de Richemont, Gabriel Ferrier et Guillemet. Il fut, à partir de 1908, sociétaire à Paris du Salon des Artistes Français. Il obtint une mention honorable en 1907.

FEAUSSÉ Jean
XVIIe siècle. Actif à Boulogne. Français.
Peintre.

FEBBRARI Giovan Battista
XVIIIe siècle. Actif à Crémone. Italien.
Sculpteur sur bois.
Il sculpta avec le Frère lai G. B. Gasparini une grande partie des stalles du chœur de l'église Saint-Dominique à Crémone, ainsi que le maître-autel de l'église collégiale San Bartolommeo à Busseto, orné de sculptures de bois, peintes en imitation de bronze.

FEBBRARI Giuseppe
Né vers 1725. Mort le 10 février 1785. XVIIIe siècle. Actif à Crémone. Italien.
Sculpteur sur bois.
Il sculpta plusieurs statues de bois coloriées pour les églises de Crémone. Il était le fils de Giovan Battista Febbrari.

FEBLAND Harriet
Née à New York. XXe siècle. Américaine.
Peintre, sculpteur, graveur, technique mixte.
Elle commença ses études au Pratt Institute, à l'Université de New York, à l'American Artists School, à l'Art Students League, puis alla se perfectionner en Angleterre et en France, où elle vécut onze ans. À son retour aux États-Unis, elle ouvrit un atelier à New York et à Westchester et enseigna dans plusieurs centres et écoles d'art.
Elle participa régulièrement à des expositions collectives, entre autres, au Carnegie Institute de Pitsburgh, au Musée de Brooklyn, au Cultural Center de New York, au Musée d'Art moderne de Paris, au Centre d'Art moderne de Mexico.
Personnellement, elle a présenté ses œuvres surtout à New York, au Riverside Museum, à l'Université, à la Bruce Mishell Gallery, mais aussi à Yonkers, Katonah, Chicago, Atlanta, Sweet Briar, etc.
Elle est l'auteur de constructions faites de matériaux divers : Plexiglas, acrylique, clous, électricité.
Musées : Cincinnati (Art Mus.) – Duluth (Tweed Gal. Mus., University of Minnesota) – Yonkers (Hudson River Mus.).

FEBRE. Voir **LEFEBVRE** et **LEFÈVRE**

FEBRIMONT Arnould
Mort avant 1650. XVIIe siècle. Actif à Tournai. Éc. flamande.
Sculpteur.
En 1625 il travailla à la chapelle, à la cathédrale Saint-André, et en 1626 à l'autel de Notre-Dame-du-Bon-Secours, dans l'église Saint-Brice.

FEBRUITSKI. Voir **SREBRENITSKI Grigori Féodorovitch**

FÉBUIMONT Nicolas de
XVIIe siècle. Actif à Tournai. Français.
Sculpteur.
Il travailla, de 1619 à 1623, à la chapelle de l'hôpital de Séclin (Nord), au chœur de la chapelle, il fit un tabernacle en pierre d'Avesnes.

FEBURE. Voir **LEFÉBURE** et **LE FEBRE**

FEBUS
XVIe siècle. Actif à Mantoue. Italien.
Peintre.
Une fresque de sa main a été mentionnée dans le Monastère de Gradaro à Mantoue. Peut-être identique à Franciscus de Wit.

FEBVRE. Voir aussi **LEFEBVRE**

FEBVRE Édouard
XXe siècle. Français.
Peintre de scènes animées, paysages, paysages urbains, aquarelliste, pastelliste.
Il n'a jamais peint très éloigné de la capitale et de sa banlieue, et dans ces rares cas c'était pour peindre des paysages d'eau, bords de rivières, de canaux ou ports. Dans Paris, il prenait ses vues préférées dans le vieux Montmartre pittoresque. C'était le pittoresque encore qu'il exploitait lorsqu'il abordait la composition animée avec les clowns sur la piste du cirque, les amoureux sur la piste de danse ou les fouineurs sur la piste de l'objet rare à la Foire à la ferraille.
Ventes Publiques : Paris, 30 mars 1925 : *Bords de rivière* : **FRF 150** – Paris, 22 mars 1926 : *Les Fratellini sur la piste*, past. : **FRF 175** ; *Un marché en Bretagne* : **FRF 250** – Paris, 4 juin 1926 : *Paysage* : **FRF 110** – Paris, 2 juil. 1926 : *Les fortifications* : **FRF 170** – Paris, 9 fév. 1929 : *Le Luxembourg* : **FRF 240** – Paris, 22 juil. 1942 : *Bords de canal*, aquar. : **FRF 120** – Paris, 20 nov. 1942 : *Le Jardin Public* : **FRF 400** – Paris, 15 jan. 1943 : *Bords de Seine ; Banlieue parisienne*, deux past. : **FRF 800** – Paris, 24 mai 1943 : *La foire au jambon* 1904 : **FRF 700** ; *La Place Clichy* 1923 : **FRF 450** ; *Le bassin du Pollet à Dieppe* : **FRF 300** – Paris, 25 et 26 oct. 1944 : *Sur la zone*, aquar. : **FRF 220** – Paris, 10 nov. 1944 : *Fête foraine : les manèges*, aquar. : **FRF 1 000** – Paris, 27 juin 1945 : *Montmartre : la Place du Tertre* : **FRF 550** – Paris, 19 juin 1946 : *Rue de Montmartre* : **FRF 700** – Paris, 14 fév. 1947 : *Banlieue* : **FRF 3 800** – Paris, 13 juin 1947 : *Le Sacré-Cœur* : **FRF 1 400** – Grenoble, 8 nov. 1976 : *La foire du Trône*, h/t (54x65) : **FRF 2 200** – Paris, 24 fév. 1982 : *Bords de rivière*, h/t (54x65) : **FRF 3 000** – Lindau, 2 oct. 1985 : *Scène de plage* 1925, h/t (50x64,5) : **DEM 6 000** – Paris, 6 mai 1988 : *La roulotte rouge*, aquar. et fus. (57x45) : **FRF 4 000** – Versailles, 25 sep. 1988 : *Paysage de neige*, h./ isor. (60x73) : **FRF 3 600** – Le Touquet, 12 nov. 1989 : *Le jardin du Luxembourg*, h/t (38x55) : **FRF 16 000** – Paris, 1er déc. 1989 : *Bal du 14 Juillet*, h/t (46x55) : **FRF 13 000** – Versailles, 28 jan. 1990 : *Les Roulottes* 1957, h/t (38x46) : **FRF 9 800** – Paris, 13 juin 1990 : *Scène de rue*, h/t (54x65) : **FRF 7 000** – New

York, 10 oct. 1990 : *Jardin du Luxembourg* 1924, h/t (38,2x54,6) : **USD 3 740** – Versailles, 25 nov. 1990 : *Le verger* 1922, h/t (60x91) : **FRF 16 000** – Calais, 10 mars 1991 : *Bord de rivière* 1925, h/t (54x65) : **FRF 21 500** – Paris, 21 mars 1995 : *Paris, le jardin du Luxembourg*, h/t (55x65) : **FRF 8 500**.

FECCHIA Vincenzo
XVIIIe siècle. Actif à Sulmona. Italien.
Peintre.
Il peignit dans les églises de cette ville des images de saints.

FECHELM Carl Traugott
Né en 1748 à Dresde. Mort en 1819 à Riga. XVIIIe-XIXe siècles. Allemand.
Peintre de paysages, d'architectures, et peintre décorateur.
Il figura en 1786, 1789 et 1791 à l'Exposition de l'Académie de Berlin dont il était membre avec des *Vues de Berlin* à l'huile ; en 1790 il participa à l'exécution de la fresque *Apollon et les Muses* de la salle de réception du Ministre von Heinitz dans sa maison de la Pariser Platz à Berlin. A Riga où il fut appelé comme peintre de théâtre, il fit les décorations pour la *Flûte enchantée*. Le Markisches Museum à Berlin conserve de sa main cinq *Vues de Berlin*, et le Musée de la cathédrale à Riga de nombreuses *Vues de Riga*.

FECHHELM Christian Gottlob
Né en 1732 à Dresde. Mort en 1816 à Dresde. XVIIIe-XIXe siècles. Allemand.
Portraitiste et peintre d'histoire.
Élève de Mengs, Manjocky et Hutin. On cite de lui des portraits et des miniatures. On cite parmi ses peintures : *Apollon apprend à danser aux nymphes* ; *La Sainte-Trinité* ; *Saint Jean-Baptiste* ; *La mise au tombeau* (lavis) ; *Apollon et Psyché* ; *Allégorie de l'Amour*.

FECHHELM Georg Friedrich ou **Georg Wilhelm**
Né en 1740 à Dresde. XVIIIe siècle. Allemand.
Peintre de paysages et peintre décorateur.
Frère et élève de Carl Friedrich Fechhelm, il a été souvent confondu avec Johann Friedrich ou Carl T. Fechhelm. Il travailla à Berlin ; ses peintures représentent spécialement des prisons ; il figura à l'Exposition de l'Académie de Berlin en 1789 avec un *Passage* et une *Prison*.

FECHHELM Johann Friedrich
Né le 14 mai 1746 à Dresde. Mort le 3 mars 1794 à Berlin. XVIIIe siècle. Allemand.
Peintre.
Fils de Carl Friedrich Fechhelm, il devint membre de l'Académie de Berlin en 1789. Il exécuta des peintures au Château de Rossevitz (Mecklembourg).
Musées : Breslau, nom all. de Wroclaw (Beaux-Arts) : *Paysage avec troupeau* – même sujet – Schwerin : *Paysage avec troupeau* – Schwerin (Château) : *Bétail*.
Ventes Publiques : Londres, 4 juil. 1997 : *Berlin vu du sud-est* 1781, h/t (55,4x77,7) : **GBP 69 700**.

FECHHELM Karl Christian
Né en 1770 à Dresde. Mort en 1826. XVIIIe-XIXe siècles. Allemand.
Peintre.
Fils de Christian-Gottlob Fechhelm. Il peignit surtout des portraits et des tableaux historiques.

FECHHELM Karl Friedrich
Né en 1725 à Dresde. Mort en 1785 à Berlin. XVIIIe siècle. Allemand.
Peintre d'architectures.
Élève de Muller à Prague ; puis vint à Berlin où il exécuta des décorations au Palais Royal.
Musées : Florence (Pitti) : *Portrait du duc Philippe de Bourbon-Parme*.

FÉCHIN Nicolaï Ivanovitch
Né en 1881. Mort en 1955. XXe siècle. Actif aux États-Unis. Russe.
Peintre de portraits, figures typiques, natures mortes.
Il a surtout peint des figures féminines.

Musées : Oklahoma City (Nat. Cowboy Hall of Fame and Western Heritage Center) : *Joe* vers 1930.
Ventes Publiques : New York, 14 oct. 1943 : *Isabella* : **USD 220** – New York, 24-28 sep. 1946 : *Jeune fille en noir* : **USD 450** – Los Angeles, 9 juin 1976 : *Tête de jeune mexicaine* 1937, h/t (43x35,5) : **USD 9 500** – New York, 27 oct. 1978 : *Paysage*, h/t (37,4x61,5) : **USD 20 000** – New York, 22 oct. 1981 : *Mexican girl*, h/t (34,9x26,7) : **USD 30 000** – San Francisco, 8 nov. 1984 : *Portrait de la fille de l'artiste*, mine de pb reh. de blanc (43x35,5) : **USD 4 750** – New York, 6 déc. 1984 : *Russian girl* 1924-1925, h/t (88,9x76,2) : **USD 52 000** – New York, 29 mai 1986 : *Juan the peon*, h/t (61x50,8) : **USD 50 000** – New York, 17 mars 1988 : *Portrait de Rose K.L. Davis* 1952, h/t (50x40) : **USD 9 350** – New York, 17 déc. 1988 : *Le Rio Grande*, h/t (38x32,5) : **USD 11 000** – New York, 1er déc. 1988 : *La fille au fichu rouge*, h/t (76,2x63,5) : **USD 115 500** – New York, 25 mai 1989 : *Tuppy avec un chat*, h/t (76,4x63,7) : **USD 121 000** – New York, 23 mai 1990 : *La gitane* 1912, h/t (115,5x88,9) : **USD 176 000** – New York, 6 déc. 1991 : *Reliques*, h/t (63,5x76,3) : **USD 143 000** – New York, 3 déc. 1992 : *Nature morte de fleurs* 1945, h/t (50,8x40,6) : **USD 55 000** – New York, 22 sep. 1993 : *Tête de femme* 1926, fus. et past./pap. gris/cart. (42x32) : **USD 2 990** – New York, 25 mai 1995 : *Tuppy avec un chat*, h/t (76,2x63,5) : **USD 112 500**.

FECHNER Eduard Clemens
Né en 1799 à Gross-Sarchen (Saxe). Mort en 1861 à Paris. XIXe siècle. Russe.
Portraitiste et dessinateur.
En 1814, il étudia à Dresde sous Grassi et Retsch. Il fut ensuite élève de Stieler à Munich. Après avoir travaillé pendant quelque temps pour le duc de Leuchtenberg, il se rendit à Paris en 1825 et y resta jusqu'à sa mort. Il exécuta fort habilement onze eaux-fortes et fut bon peintre de femmes et d'enfants. Il débuta au Salon de Paris en 1835, et y exposa régulièrement des portraits le plus souvent à l'aquarelle.

FECHNER Fritz
XIXe siècle. Actif à Berlin. Allemand.
Peintre de marines et de paysages.
En 1889 il obtint une mention honorable à Berlin. On cite de lui : *La mer du Nord* ; *Le soir près de Dordrecht*.

FECHNER Hans
Né le 7 juin 1860 à Berlin. Mort le 30 novembre 1931 à Schreiberhau. XIXe-XXe siècles. Allemand.
Peintre de genre, portraits.
Écrivain, il peignit aussi des portraits.
Ventes Publiques : Munich, 6 déc. 1994 : *Une bonne nouvelle* 1884, h/t (49x38,5) : **DEM 7 475**.

FECHNER Johann Friedrich
XVIIIe siècle. Actif à Breslau. Allemand.
Peintre.
Élève de George Drescher, il fut reçu maître en 1710 ; son chef-d'œuvre fut une *Naissance du Christ*.

FECHNER Johann Gottlieb
Baptisé le 21 septembre 1721. XVIIIe siècle. Actif à Breslau. Allemand.
Peintre.
Il fut l'élève de son père Johann Friedrich Fechner.

FECHNER Johannes, le Jeune
Né le 7 juin 1860 à Berlin. XIXe siècle. Allemand.
Peintre de genre, portraitiste et lithographe.
Fils de Wilhelm Fechner. Élève de l'Académie de Berlin et de Defregger. En 1887 il obtint une bourse pour un voyage d'étude. Travailla à Berlin. Il fut nommé professeur de peinture et conservateur du cabinet de lithographies du duché d'Anhalt à Dessau. Ses portraits peints ou gravés ont un grand mérite.
Musées : Berlin : *Portrait du comte de Kirchbach* – Berlin (Mus. de la Mark) : *Portrait de Theodor Fontane*, étude – Brunswick : *Portrait de Wilhelm Raabe*.

FECHNER Wilhelm
Né le 30 novembre 1835 à Sprottau en Silésie. Mort le 8 avril 1909 à Berlin. XIXe siècle. Allemand.
Peintre de portraits.
Élève de l'Académie de Berlin, il figura aux expositions de celle-ci en 1856 et 1862 avec des portraits pour la plupart au pastel et des tableaux de genre.

FECHTER Emerich
Né le 27 septembre 1854 à Friedberg (Bohême). Mort en 1912 à Vienne. XIXe-XXe siècles. Autrichien.

Peintre de paysages.
Il étudia d'abord à l'Académie de Prague puis fut élève de Lichtenfels à l'Académie de Vienne.
Les sujets de ses tableaux émanent pour la plupart des forêts de Bohême. On cite : *Prairie au bord du Krottenbach ; Vue de Gmünd.*
Ventes Publiques : New York, 30 juin 1981 : *Paysage fluvial escarpé* 1901, h/t (80x105) : **USD 1 300.**

FECKERT Gustav Heinrich Gottlob
Né en 1820 à Cottbus. Mort en 1899 à Berlin. xixe siècle. Allemand.
Lithographe et portraitiste.
Élève de l'Académie de Berlin et membre depuis 1869. Vécut à Berlin. Il obtint la petite médaille d'or en 1859 à Berlin, la médaille d'or à Cologne en 1861, la médaille d'argent à Munich en 1876. On cite de lui : *Portrait de femme.*

FEDDEN A. Romilly
Né le 5 février 1875 à Stoke Bishop (près de Bristol). Mort en 1939. xxe siècle. Britannique.
Peintre de scènes de genre.
Musées : Bristol : *Pastorale bretonne.*
Ventes Publiques : Londres, 20 jan. 1981 : *A ball by lantern light* 1912, aquar. (28,5x38,5) : **GBP 240** – Melbourne, 26 juil. 1987 : *Figures beneath Chinese lanterns* 1908, aquar. (60x75) : **AUD 4 000** – New York, 14 oct. 1993 : *Place de marché à Tanger* 1920, aquar./pap. (16,5x21) : **USD 920.**

FEDDEN Mary
Née en 1915. xxe siècle. Britannique.
Peintre de natures mortes, fleurs et fruits, aquarelliste, peintre à la gouache.
Elle travailla à Londres au xxe siècle. Elle a exposé dans une galerie londonienne d'art vivant.
Elle s'est totalement spécialisée dans les « vies-silencieuses », auxquelles toutefois elle ajoutait parfois le portrait de chats.
Ventes Publiques : Londres, 5 mars 1980 : *Vase de fleurs,* h/t (44,5x35,5) : **GBP 300** – Londres, 22 juil. 1986 : *Nature morte jaune* 1966, h/t (76x101,5) : **GBP 700** – Londres, 29 juil. 1988 : *Nature morte espagnole* 1984, h/t (62,5x55) : **GBP 715** ; *Le parapluie noir* 1965, h/t (60x50) : **GBP 1 430** – Londres, 10 nov. 1989 : *La théière noire* 1989, h/t (49,4x73,7) : **GBP 2 420** – Londres, 9 mars 1990 : *Fruits d'Albatax* 1956, h/t (40,1x59) : **GBP 7 150** – Londres, 8 juin 1990 : *Nature morte aux fruits* 1984, h/t (61x50) : **GBP 3 850** – Londres, 20 sep. 1990 : *Le chat Lulu* 1989, h/cart. (50x40,5) : **GBP 3 520** – Londres, 9 nov. 1990 : *Nature morte de fleurs et de fruits sur une table bleue* 1952, h/t (46x54,5) : **GBP 4 950** – Londres, 25 jan. 1991 : *Chat sur le parapet d'un port* 1981, aquar. et gche (21x16) : **GBP 1 045** – Londres, 8 mars 1991 : *Nature morte aux fruits* 1988, h/t (61x51) : **GBP 2 750** – Londres, 27 sep. 1991 : *Suzi* 1988, aquar. et gche (17x20) : **GBP 638** – Londres, 18 déc. 1991 : *L'île de Gozo* 1950, h/t (48x58,5) : **GBP 1 078** – Londres, 14 mai 1992 : *Le viaduc* 1970, h/t (61x51) : **GBP 1 045** – Sonning (Berkshire), 22 juin 1994 : *Chat tigré* 1993, h/cart. (58,5x73,7) : **GBP 2 530.**

FEDDER Otto
Né en 1873 à Schwerzin. Mort en 1919 à Wildschweige. xxe siècle. Allemand.
Peintre de scènes de genre, paysages.
Des tableaux de sa main furent mentionnés dans des ventes aux enchères à Berlin au début du xxe siècle.

Ventes Publiques : New York, 14-15 nov. 1941 : *Paysage avec du bétail* : **USD 45** – Cologne, 26 mars 1976 : *Scène de moisson* 1907, h/pan. (7,5x14) : **DEM 2 600** – Cologne, 23 nov. 1978 : *Scène de moisson,* h/pan. (8,5x13,5) : **DEM 8 000** – Lindau, 7 oct. 1981 : *Retour du marché,* h/pan. (12x17,5) : **DEM 9 000** – Munich, 17 mai 1984 : *Paysage de printemps,* h/t (19x39) : **DEM 3 500** – Londres, 27 fév. 1985 : *Chasseurs dans un paysage d'hiver* 1896, h/t (47x77,5) : **GBP 3 500** – Londres, 8 oct. 1986 : *Conversation au bord de la route* 1905, h/pan. (18x14,5) : **GBP 2 700.**

FEDDERG
Peintre de paysages.
Ventes Publiques : Paris, 25 et 26 avr. 1910 : *Le Petit pont de bois* : **FRF 105.**

FEDDERS Julius
Né le 7 ou 19 juin 1838 à Kokenhusen en Livonie. Mort le 1er ou 14 février 1909 à Niejin en Russie. xixe siècle. Russe.
Peintre.
Il fut élève du peintre S. M. Worobieff à l'Académie de Saint-Pétersbourg où il reçut de nombreuses médailles et figura à l'Exposition de cette Académie de 1862 à 1875 avec des paysages de Livonie et de Norvège, ainsi qu'à l'Exposition Universelle de Londres en 1875. Après un séjour à Düsseldorf, où il continua sa formation artistique, il retourna en Russie et figura aux expositions de l'Académie de Saint-Pétersbourg, ainsi qu'à l'Exposition Nationale de Moscou en 1852, à l'Exposition de l'Académie de Berlin en 1886, et à l'Exposition Universelle de Paris en 1889 avec son tableau *Cimetière de suicidés.* On cite de sa main : *Masure de pêcheurs ; Ma maison de campagne ; Au bord du fleuve Luga ; Pins sur la colline.*
Musées : Riga : *Bord de mer.*

FEDDERSEN Ann Katrin
Née en 1965. xxe siècle. Active en France. Allemande.
Sculpteur.
Elle vit et travaille à Sète. Elle a été invitée à séjourner en 1994 au Centre d'art contemporain de Pougues-les-Eaux. Elle a exposé en 1993 et en 1995 au Fonds Régional d'Art Contemporain du Languedoc-Roussillon.
Bibliogr. : Pierre Leguillon : *Trois Jeunes Artistes en résidence,* Le Journal des Arts, no 6, Paris, sept. 1994.

FEDDERSEN Hans Peter, l'Ancien
Né le 9 janvier 1788 à Wester-Schnatebüll (Schleswig-Holstein). Mort en 1860 à Wester-Schnatebüll. xixe siècle. Danois.
Peintre de portraits, miniaturiste.
Soldat dans l'armée danoise de 1808 à 1815, puis hôtelier à Schmatebrill, il exécuta un grand nombre de portraits miniatures, tous de profil, et provenant de toutes les classes de la population : paysans, bourgeois, haute société. Il fit le portrait du *Roi Christian VIII de Danemark* et d'un grand nombre de personnages de la Cour de Copenhague et de la famille ducale *von Augustenburg,* du *Lieutenant von Moltke,* père du maréchal, de la chanteuse *Catalani* et de beaucoup d'étrangers distingués. Cet artiste était aussi écrivain. Il rédigea avec ses frères un volume de poésies *Journal d'un soldat danois de 1812 et 1813, ou l'année la plus remarquable de ma vie.*

FEDDERSEN Hans Peter, le Jeune
Né le 29 mai 1848 à Wester-Schnatebüll. Mort en 1941. xixe-xxe siècles. Allemand.
Peintre de genre, portraits, intérieurs, paysages.
Fils de Hans Peter l'Ancien. Élève de l'Académie de Düsseldorf et de Oswald Achenbach. Ensuite il visita l'école d'art à Weimar. Travailla à Düsseldorf.
Musées : Berlin : *Intérieur d'une église* – Breslau, nom all. de Wroclaw : *Pâturage polonais* – Dessau : *Portrait de la fille de l'artiste.*
Ventes Publiques : Hambourg, 10 juin 1987 : *Paysage fluvial au clair de lune,* h/pan. (26x50,5) : **DEM 3 200** – Munich, 26-27 nov. 1991 : *Pêcheurs réparant des filets au bord d'un canal,* h/t (56x81,5) : **DEM 19 550.**

FEDDERSEN Martin Peter Georg
Né le 1er avril 1849 à Altona. xixe siècle. Allemand.
Peintre et sculpteur.
Élève de l'École des Arts et Métiers de Hambourg, puis de Widmann à Munich ; il peignit des paysages ; ses tableaux se trouvent dans des collections privées de Hambourg. Le Kunstverein de Hambourg se rendit acquéreur d'un paysage, *Finkenwarder* et d'un *Clair de Lune.* Comme œuvre de sculpture de cet artiste on cite le *Monument funéraire du Professeur Deutschmann* au cimetière d'Ohlsdorf.

FEDDES Pieter Van Harlingen
Né en 1586 à Harlingen. Mort en 1634. xviie siècle. Hollandais.
Peintre, peintre verrier et graveur.
Il signait généralement P. Harliensis. On connaît de lui des gravures de portrait et d'histoire, en tout 119 pièces.

FEDDES S.
Hollandais.
Peintre de fleurs et de fruits.
Cité par Siret, qui dit que son nom figure sur un tableau de fruits, que possédait un amateur de Dresde.

FEDE Annunzio
xvie-xviie siècles. Italien.

Miniaturiste.
Père de Galizia Fede, il semble très probablement s'agir de Annunzio Galizia. On ne s'explique pas la confusion entre les patronymes ou les prénoms Fede et Galizia. Actif à Trente, cet artiste jouit de son vivant d'une grande réputation.

FEDE Galizia
Née à Trente. XVIIe siècle. Italienne.
Peintre de paysages et d'histoire.
Élève de son père, Annunzio Fede, elle est certainement identique à Fede Galizia. Active vers 1616, elle alla s'établir à Milan.

FEDE di Francesco
XIVe siècle. Italien.
Peintre.
Il fut reçu à l'Académie Saint-Luc à Florence en 1397.

FEDE di Nalduccio
Mort le 13 décembre 1389 à Sienne. XIVe siècle. Italien.
Peintre.
Il est également mentionné à Pise en 1374.

FEDELE Tommaso del Porfido
XVIIe siècle. Actif à Rome. Italien.
Peintre.
Il travailla le porphyre, ce qui lui valut son surnom del porfido et exécuta dans cette matière une *Bacchanale d'enfants*, d'après Francesco Fiammingo. Cette œuvre fut commandée par le cardinal F. Barberini qui en fit don au roi Philippe IV d'Espagne. Elle se trouve aujourd'hui à Madrid. A la villa Borghèse un bas-relief avec des amours lui est attribué.

FEDELE da Carona. Voir **CASELLA Fedele** et **CASELLA Scipione**

FEDELE da Norcia
XVIe siècle. Actif à Rome. Italien.
Peintre.
Il est mentionné en 1534-35 comme membre participant de « l'Universita delle Arti ».

FEDELER Carl
Né le 7 novembre 1837 à Brême. Mort le 18 mars 1897 à Bremerhaven. XIXe siècle. Allemand.
Peintre de marines, illustrateur.
Fils et élève de Carl Justus Harmen Fedeler, il se fixa à Brême. Il exécuta des projets de peinture sur verre pour l'Hôtel de Ville de Brême ainsi que de nombreuses illustrations pour des revues. Ses tableaux représentent surtout des bateaux.
Musées : Brême (Mus. d'Hist.).
Ventes Publiques : Copenhague, 7 déc. 1977 : *Trois-mâts en mer* 1866, h/t (62x92) : **DKK 20 000** – New York, 24 jan. 1980 : *Bateau au clair de lune* 1870, h/t (51x76) : **USD 1 300.**

FEDELER Carl Justus Harmen
Né le 25 janvier 1799 à Brême. Mort le 23 janvier 1858 à Brême. XIXe siècle. Allemand.
Peintre de marines, graveur et lithographe.
Musées : Hanovre : *Pêche à la baleine.*

FEDELI Domenico. Voir **MAGGIOTTO**

FEDELI Francesco
Né en 1911 à Milan (Lombardie). XXe siècle. Italien.
Peintre. Abstrait-informel.
Il fut élève de l'Académie Brera à Milan. Il expose, depuis 1931, participant à un grand nombre d'expositions collectives et de Salons en Italie. Il fut présent, en 1942, à la Biennale de Venise. Sa peinture est abstraite et se rapproche du courant informel et matiériste. Il travaille sa toile et ses matières en épaisseur, ne négligeant ni l'empreinte, ni les graffitis. Il semble fasciné par les civilisations primitives et préhistoriques.
Musées : Rome (Mus. d'Art Mod.).

FEDELI Gian Antonio de
XVIe siècle. Actif à Milan. Italien.
Peintre.
Fils de Matteo de Fedeli. Il est mentionné en 1505.

FEDELI Matteo de' ou **de'Fedeli**
XVe siècle. Actif à Milan. Italien.
Peintre.
Il fut reçu dans la Gilde en 1481. Il exécuta les peintures du Tabernacle de bois, de San Satiro, avec Marco dei Lombardi, et celles de l'autel de Saint-Joseph à la cathédrale.

FEDELI Ortensia
XVIIe siècle. Active à Florence. Italienne.
Peintre.
Religieuse, elle travailla pour son couvent de Sainte-Agathe (maintenant transformé en hôpital) en 1620.

FEDELI Stefano de'. Voir **STEFANO de' Fedeli**

FEDER Adolphe
Né en 1886 à Odessa (Russie). Mort entre 1940 et 1945, pendant l'occupation de la France, probablement en 1943 selon certaines sources. XXe siècle. Actif et naturalisé en France. Russe.
Peintre de paysages, portraits, aquarelliste, illustrateur.
Il se fixa à Paris, en 1910, après avoir fréquenté l'École des Beaux-Arts de Berlin, et s'inscrivit à l'Académie Julian. Au début des années 1920, il voyagea dans le sud de la France et en Algérie, puis en Palestine en 1926. Proche de Modigliani, il fréquenta le cercle des artistes de Montparnasse, à Paris.
Il exposa dans les principaux Salons parisiens, notamment aux Tuileries. En 1912, il fut élu membre du Salon d'Automne à Paris. Il a illustré différents ouvrages de Joseph Kessel et les œuvres d'Arthur Rimbaud. De nombreux musées français et étrangers conservent de ses peintures. Ses œuvres révèlent une certaine influence formelle du cubisme.
Ventes Publiques : Paris, 9 avr. 1927 : *Maisons au bord de l'eau* : **FRF 140** – Paris, 14 nov. 1927 : *Paysanne à la cruche* : **FRF 150** – Paris, 24 nov. 1928 : *Cagnes* : **FRF 280** – Paris, 3 mai 1930 : *Algérienne*, aquar. : **FRF 85** – Paris, 28 fév. 1944 : *Fleurs* : **FRF 400** – Paris, 24 jan. 1945 : *L'Algérienne*, aquar. : **FRF 200** – Paris, 31 mars 1954 : *L'écolier de Jérusalem*, aquar. : **FRF 15 000** – La Flèche, 25 oct. 1981 : *Jeune Mauresque*, h/t (73x54) : **FRF 3 000** – Paris, 6 avr. 1987 : *La cathédrale cubiste* 1920, h/t (65x50) : **FRF 30 000** – Versailles, 7 fév. 1988 : *Danseuse aux seins nus*, h/t (46x38) : **FRF 2 600** – Paris, 20 mars 1988 : *Les quais de la Seine à Notre-Dame*, h/t (62x87) : **FRF 10 000** ; *Bord de lac*, h/t (50x65) : **FRF 13 000** – Paris, 8 juin 1988 : *Famille à Jérusalem*, dess. au cr./pap. : **FRF 2 000** – Paris, 16 avr. 1989 : *Place de village*, h/t (55x46) : **FRF 9 000** – Tel-Aviv, 30 mai 1989 : *Rue de village*, h/t (60x7) : **USD 5 500** – Paris, 8 avr. 1990 : *Nature morte cubiste*, h/t (92x72) : **FRF 50 000** – Paris, 8 avr. 1990 : *Le Petit Marchand*, h/t (89x54) : **FRF 13 500** – Paris, 13 juin 1990 : *Jeune femme assise dans un intérieur*, h/t (100x81) : **FRF 6 500** – Paris, 10 oct. 1990 : *Nature morte aux tulipes* 1938, h/t (100x66) : **FRF 12 200** – Paris, 17 juin 1991 : *Menu du 28/04/28*, gche (59x43) : **FRF 5 000** – Paris, 18 juin 1991 : *Portrait de femme*, h/t (100x81) : **FRF 14 000** – Paris, 14 avr. 1992 : *Saltimbanque assis*, h/t (46x38) : **FRF 11 000** – Paris, 26 mars 1995 : *Maisons et arbres de Provence*, h/t (54x65) : **FRF 5 800.**

FEDER Alex
XIXe siècle. Actif à Helsingfors. Finlandais.
Peintre et dessinateur.
Le Musée d'Helsinki conserve, de lui, les dessins suivants : *Le Torrent de Nokia* ; *Paysage à Hovasland* ; *Tavesland* ; *Birkkale* ; *Été.*

FEDER Georg
Né au XIXe siècle à Ansbach. XIXe siècle. Allemand.
Peintre de portraits et de paysages.
Il peignit à l'huile, au pastel et fit des miniatures ; il travailla à Brême, Hambourg et Berlin. La Bibliothèque de la ville de Brême possède de sa main le portrait de son père, le *Professeur J. G. H. Feder.*

FEDERER Friedrich
Né à Ludwigsbourg. Mort en 1853 à Stuttgart. XIXe siècle. Allemand.
Lithographe.
Il dessina des paysages, des portraits et aussi *Les Dix Paraboles de Jésus*, d'après Gross. Il a également peint des paysages à l'aquarelle.

FEDERHAUSER Peter
XVIIIe siècle. Actif à Ingolstadt vers 1754. Allemand.
Peintre de miniatures.

FEDERICH Antoine Bernard
XVIIe siècle. Actif à Paris. Français.
Peintre.

FEDERICI Antonio
Né le 4 juin 1790 à Bellune. Mort le 16 mars 1869 à Bellune. XIXe siècle. Italien.
Peintre.
Il fut professeur de dessin.

FEDERICI Giuseppe
Né vers 1806 à Gênes. XIXe siècle. Italien.
Peintre de paysages, fresquiste.
Il étudia à Rome et travailla surtout à Gênes. Il séjourna un certain temps en France et à Tunis où il fut peintre de la Cour du Bey.
Musées : Gênes (Palais Garibaldi) : Fresques.
Ventes Publiques : Milan, 10 déc. 1987 : *Paysage montagneux*, h/pan. (100x142) : **ITL 4 000 000.**

FEDERICO Juan
XVIIIe siècle. Actif à Murcie. Espagnol.
Peintre.
Il exécuta les statues de *Saint Philippe de Neri* et *Saint Charles Borromée* dans l'Oratoire de Saint-Philippe de Néri à Murcie.

FEDERICO Michele, cavaliere
Né en 1884. XXe siècle. Italien.
Peintre de paysages, marines.
Il a surtout peint les paysages de la région de Naples.
Ventes Publiques : Milan, 5 nov. 1981 : *Capri*, h/t (80x100) : **ITL 1 400 000** – New York, 21 mai 1987 : *La Côte à Capri*, h/t (113x145,4) : **USD 4 000** – Cologne, 15 oct. 1988 : *Dans la baie de Naples*, h/t (39x56,5) : **DEM 1 000** – Londres, 16 fév. 1990 : *Le Vésuve depuis Mergellina dans la baie de Naples*, h/t (39x56,5) : **GBP 3 850** – Londres, 4 oct. 1991 : *Faraglione et Capri*, h/t (25,3x33) : **GBP 1 320** – New York, 26 mai 1992 : *Mer calme au crépuscule*, h/t (53,9x71,1) : **USD 2 750** – Londres, 28 oct. 1992 : *Les Rochers de Faraglione et Monacone à Capri*, h/t (61x111) : **GBP 4 400** – Londres, 7 avr. 1993 : *Paysage côtier à Capri*, h/t (54,5x70) : **GBP 690** – New York, 22-23 juil. 1993 : *Capri*, h/t (55,9x70,5) : **USD 863** – Rome, 6 déc. 1994 : *Barques à Capri*, h/bois (30x40) : **ITL 1 768 000** – New York, 17 jan. 1996 : *Les Côtes de Capri*, h/t, une paire (55,9x70,5) : **USD 3 450** – Londres, 30 mai 1996 : *Lever de soleil sur Capri*, h/t (54x69) : **GBP 517.**

FEDERICO di Lamberto. Voir **SUSTRIS**

FEDERICO di Marco
Originaire de Cefalù. XVIIe siècle. Italien.
Sculpteur.
Il exécuta avec Giacomo Mangio les stalles de l'église d'Isnello.

FEDERICO di quondam Valcone
Originaire de Gemone. XIVe siècle. Italien.
Peintre de miniatures.
Il est mentionné en 1340 pour avoir reçu un paiement pour la miniature d'un crucifix.

FEDERICO Tedesco
XVe siècle. Italien.
Peintre.
Ce peintre, d'origine allemande, a travaillé à Padoue, où il orna le chœur de l'église Saint-Augustin (maintenant démolie), de fresques, et peignit un tableau d'autel dans cette même église.

FEDERIGHI Antonio ou **di Federigo**. Voir **ANTONIO Federighi**

FEDERIGO Fiammingo. Voir **SUSTRIS**

FEDERL Andreas Gotthard ou **Foderl**
XVIIIe siècle. Actif à Vienne. Autrichien.
Peintre.
Il y faisait partie de la corporation des peintres, d'où il fut expulsé en 1721.

FEDERL Anton ou **Foderl**
Né vers 1680. Mort le 9 juin 1723. XVIIIe siècle. Actif à Vienne. Autrichien.
Peintre.

FEDERL Johann
XVIIe siècle. Actif à Ratisbonne. Autrichien.
Graveur.
Dans la collection de l'Hôtel de Ville de Ratisbonne se trouvent quelques-unes de ses œuvres.

FEDERL Johann Georg ou **Foderl**
Né en 1737. Mort le 4 octobre 1807. XVIIIe siècle. Actif à Vienne. Autrichien.
Peintre.
Fils d'Andreas Gotthard, il entra à l'Académie le 3 juillet 1752, sous le nom de Federl von Au.

FEDERL Joseph
Né en 1764 à Vienne. XVIIIe siècle. Autrichien.
Sculpteur.

FEDERL Martin
XVIIIe siècle. Actif à Vienne. Autrichien.
Peintre.
Est entré à l'Académie le 27 novembre 1754.

FEDERLE Aegidius
Né le 10 octobre 1810 à Stühlingen. Mort le 21 mars 1876 à Fribourg. XIXe siècle. Suisse.
Peintre de paysages.
Élève de Heinrich Uster à Feuerthalen, où il apprit la peinture à la gouache. Il exposa au Turnus Suisse entre 1848 et 1858 et obtint le poste de maître de dessin dans les écoles de Fribourg. Ce peintre séjourna aussi au château de Lauffen à Schaffhouse et à Constance.
Ventes Publiques : Paris, 19 mai 1927 : *Vue du lac de Zoug ; Vues du bourg de Capitale, de Glarus et de Glarnish*, gche, une paire : **FRF 1 500.**

FEDERLE Helmut
Né en 1944 à Soleure (Solothurn). XXe siècle. Depuis 1985 actif en Autriche. Suisse.
Peintre, dessinateur, graveur. Abstrait-géométrique.
Après ses études à la Kunstgewerbeschule de Bâle (1964-1969), il séjourne un an à Paris, à la Cité Internationale des Arts. Il s'établit ensuite pendant quatre ans à New York. En 1983, Federle quitte New York pour s'installer à Zurich. Depuis 1985, il vit et travaille à Vienne. Il effectue des voyages en Tunisie, Afghanistan, Inde et au Népal.
Cet artiste participe à de nombreuses expositions collectives, notamment en 1975 à la Biennale de Paris. Concernant les manifestations des années quatre-vingt : 1984, *Peinture abstraite*, Genève ; 1986, *Abstraits*, Dijon ; 1986, *Tableaux abstraits*, Villa Arson, Nice ; 1988, *The Image of Abstraction*, Museum of Contemporary Art, Los Angeles ; 1989, *Prospect 1989*, Kunstverein, Frankfort ; 1989, *Bilderstreit*, Museum Ludwig, Cologne ; 1991, Donald Young, Seattle ; 1992, *Federle, Fulton, LeWitt*, galerie Franck + Schulte, Berlin ; 1992, *Face-à-face*, Espace de l'art concret, Mouans-Sartoux ; 1993, *Abstrakt*, Deutscher Künstlerbund, Dresde ; 1993, *Équilibre*, Aargauer Kunsthaus, Aarau ; 1994, *Praxis*, Centre d'art du Domaine de Kerguéhennec, Locminé ; 1997, Saint-Étienne, *Abstraction/Abstractions – Géométries provisoires* au musée d'Art moderne.
Sa première exposition personnelle eut lieu en 1971 à Bâle. Il montre ensuite ses œuvres à Fribourg (1972), Lucerne (1973), de nouveau à Bâle (1974) et Olten (1975), puis : 1979, Kuntshalle, Bâle ; 1983, Musée Cantonal des Beaux-Arts, Lausanne ; 1985, Museum für Gegenwartskunt, Bâle ; 1985, Gemeentemuseum, La Haye ; 1988, Donald Young Gallery, Seattle ; 1989, *Helmut Federle. Bilder und Zeichnungen 1975-1988*, exposition itinérante : Museum Hans Lange de Krefeld, Kunsthalle de Bielefeld, Kunstverein de Hambourg ; 1989, *Helmut Federle. Peintures, dessins*, Musée de Grenoble ; 1991, Wiener Secession, Vienne ; 1992, *Helmut Federle*, exposition itinérante : Kunsthalle de Zurich, Moderna Museet de Stockholm, Museum Fridericianum de Kassel ; 1992, galerie Durand-Dessert, Paris ; 1993, Museum Folkwang, Essen ; 1994, Peter Blum, New York ; 1995, Galerie nationale du Jeu de Paume, Paris.
Les premiers travaux de Federle sont des représentations de montagnes et de soleil tirant vers le symbolisme. Depuis la fin des années soixante-dix, avec notamment les *Black Series*, ses œuvres sont, à n'en pas douter, issues de la tradition de certains des pères de l'abstraction tels que Malevitch, Mondrian, et influencées par celle plus récente des Rothko, Newman, Agnès Martin... Austérité, rigidité, mais aussi épure de la forme géométrique inscrite dans un espace qui la nourrit également en retour, confiance déterminante dans la ligne (qui est souvent celle des bords du tableau), et couleurs blafardes composées en général sur un mode binaire (gris-jaune de Naples ; noir-jaune de Naples), tout cela caractérise d'emblée la peinture de Federle. Mais cette expression abstraite n'est pas innocemment ou gratuitement façonnée. L'artiste se réclame de *Du Spirituel dans l'Art*, à la recherche d'un équilibre mystique au-delà du monde des objets et des formes. Cette recherche d'une transcendance est, chez Federle, en correspondance avec une utilisation de signes et de symboles ésotériques. « Aujourd'hui, les signes se sont détachés de leurs modèles d'origine. Les signes sont devenus disponibles, ce qui nécessite un grand sens de la responsabi-

lité ». Si le signifié est présent, ouvert, dans la démarche picturale de Federle, c'est finalement le signifiant, « âme » porteuse des messages, qui impose sa trame. La lecture d'une toile de l'artiste effectuée avec attention et au plus près de la surface peinte, révèle une réalité complexe – couches superposées, traces des pinceaux – signes d'une recherche autre que la simple représentation de sa planéité. Les dessins de Federle nous montrent également ses différentes préoccupations, son intérêt particulier pour les motifs décoratifs, et encore les sigles ou les lettres de l'alphabet, comme le « H », l'initiale de son prénom, plusieurs fois répétée, et jamais complètement représentée.

■ Christophe Dorny

Bibliogr. : Olivier Zahm, in : *Art Press*, Paris, 1989 – Catherien Quéloz : *Helmut Federle*, in : *Beaux-Arts*, Paris, 1989 – Serge Lemoine : *Helmut Federle. Peintures, dessins*, catalogue de l'exposition, Musée de Grenoble, 1989 – *Helmut Federle*, catalogue d'exposition, Galerie nationale du Jeu de Paume, Paris, 1995.

Musées : Aarrau (Kunstmuseum) – Grenoble (Mus. de la Peinture et de la Sculpture) : *MacArthur Park* 1987 – Paris (FNAC) : *Indian painting* 1993 – *Destructive Zero Limit III* 1990 – *Zeichen des irdischen Zentrums* 1990.

Ventes Publiques : Paris, 23 mars 1988 : *Sans titre*, feutre noir/pap. (29,8x20,1) : **FRF 7 000** ; *Mechanical arm*, gche et cr./pap. (28x21,5) : **FRF 7 500** – New York, 6 mai 1992 : *Le grand mur*, h/tissu (273x184,7) : **USD 26 400** – New York, 8 oct. 1992 : *Okinava*, acryl./t. (229,9x325,7) : **USD 55 000** – New York, 19 nov. 1992 : *Deux « I » indécis* 1985, h/t (284,6x179,3) : **USD 30 800** – Londres, 25 mars 1993 : *la rangée de désolation* 1984, acryl./t. (205x337) : **GBP 19 550** – Lucerne, 15 mai 1993 : *Léopard* 1969, techn. mixte, temp. et collage, h/cart. (51x67) : **CHF 2 200** – Stockholm, 10-12 mai 1993 : *Composition abstraite*, encre (29,5x21) : **SEK 6 700** – Londres, 26 oct. 1995 : *Principe sur formes* 1986, h/t (50x40) : **GBP 7 475**.

FEDERLEY Alexander Thiodolf

Né en 1864 à Abo. XIXe siècle. Finlandais.

Peintre, aquarelliste, illustrateur.

Il étudia dans sa ville natale et à Helsingfors, puis de 1891 à 1893 à Paris. En 1893 il devint « Intendant » de l'Association des Artistes à Helsingfors. L'Atheneum de cette ville conserve deux de ses paysages.

FEDERLIN Karl

XIXe siècle. Allemand.

Sculpteur.

Peintre de la cour à Ulm. Il exécuta les statues des Apôtres *Saint Matthieu* et *Saint Barthélémy*, de *L'Empereur Konrad III*, et celle d'*A. H. Franke*, statues qui furent placées aux piliers de la nef centrale de la cathédrale d'Ulm. Des bustes du roi *Charles de Wurtemberg* se trouvent à la Konig-Karl-Haus et dans la Staats Galerie de Stuttgart. Il fit aussi des projets pour plusieurs autels de l'église du Séminaire d'Ehingen.

FEDERSPIEL Pierre

Né en 1864 à Luxembourg. Mort en 1924 à Luxembourg. XIXe-XXe siècles. Luxembourgeois.

Sculpteur de statues, bustes, portraits. Réaliste.

Il fut élève de l'Académie des Beaux-Arts de Munich, de l'Académie Julian et de l'atelier privé d'Alfred Boucher à Paris. En 1894, il participa à la première exposition du Cercle Artistique à Luxembourg.

Il représente ses contemporains dans leurs vêtements bourgeois d'époque, la femme audacieusement chapeautée, l'homme tenant ses gants à la main. Apte aux consécrations afficielles, il est l'auteur de diverses sculptures monumentales à Luxembourg : le *Monument Dicks et Lentz* Place d'Armes ; la *Frise de la comtesse Ermesinde* qui décore la façade du Cercle Municipal ; les têtes de personnages historiques sur la façade de la Gare Centrale.

Bibliogr. : Catalogue de l'exposition *150 ans d'art luxembourgeois*, Mus. Nat. d'Hist. et d'Art, Luxembourg, 1989.

Musées : Luxembourg (Mus. Nat. d'Hist. et d'Art) : *Le lanceur de pierres* 1890, plâtre – *Constant Mersch* 1891, bronze – *Grand-Duc Adolphe* vers 1890-94, terre cuite – *Jeune femme peintre norvégienne* 1894, marbre – *Comtesse Ermesinde* avant 1914, plâtre, modèle du relief de la Gare Centrale – *Empereur Charles IV* avant 1914, plâtre, modèle du relief de la Gare Centrale – *Vendelin Jurion* avant 1914, plâtre, modèle du relief de la Gare Centrale – *Emmanuel Servais* avant 1914, plâtre, modèle du relief de la Gare Centrale – *Roi grand-duc Guillaume III* avant 1914, plâtre, modèle du relief de la Gare Centrale – *Prince Henri des Pays-Bas* avant 1914, plâtre, modèle du relief de la Gare Centrale – *Princesse Henri des Pays-Bas* avant 1914, plâtre, modèle du relief de la Gare Centrale – *Madame Émile Metz, née Tesch*, Marbre – *Émile Metz* 1919, plâtre.

FEDI Antonio I

XVIIIe siècle. Actif à Florence. Italien.

Dessinateur, graveur et collectionneur d'art.

Il publia deux séries de gravures : *Bas-reliefs en bronze* et *Groupe en marbre*, etc., et dessina les vignettes du *Livre de la poésie latine* de G. Buganza. Trois de ses gravures de 1788 sont conservées à la Bibliothèque Nationale de Florence. F. Rainaldi grava d'après lui des portraits de compositeurs célèbres.

FEDI Antonio II

Né en 1771. Mort en 1843. XVIIIe-XIXe siècles. Italien.

Peintre.

La Galerie des Offices à Florence conserve son portrait peint par lui-même.

FEDI Pio

Né en 1816 à Viterbe. Mort le 1er juin 1892 à Florence. XIXe siècle. Italien.

Sculpteur de sujets religieux, statues, graveur.

Il fut d'abord apprenti orfèvre à Florence, puis graveur sur cuivre à Vienne. Il revint à Florence et entra à l'Académie pour y étudier la sculpture. Il débuta à Rome et produisit plusieurs ouvrages qui établirent sa réputation, notamment le *Christ secourant les malades*. De retour à Florence en 1844, il fut chargé d'importants travaux par le grand-duc Léopold II.

On considère comme son chef-d'œuvre *Le Rapt de Policène*, dans la Loggia des Lances.

Musées : Liverpool (Walker Art Gal.) : *La Florentine* – Vérone (Mus. Civique) : *La Poésie*.

Ventes Publiques : Londres, 12 fév. 1976 : *Jeune Pêcheur* 1864, marbre blanc (H. 137) : **GBP 1 850** – Londres, 23 fév. 1981 : *Pia de Tolomei et Nello della Pietra* 1862, marbre (H. 86) : **GBP 1 200** – Londres, 6 nov. 1986 : *Pia de Tolomei e Nello della Pietra* 1862, marbre blanc (H. 82,5) : **GBP 3 300**.

FEDIAEFFSKAIA Vera Constantinova

Née en 1911 à Saint-Pétersbourg. XXe siècle. Russe.

Dessinateur.

Elle a étudié de 1931 à 1938, à Moscou avec Favorski. Entre 1941 et 1943, elle a été évacuée à Kasan (région de la Volga centrale). Elle retourna de nouveau à Moscou pour y travailler.

FEDIER Franz

Né en 1922 à Erstfeld (Canton d'Uri). XXe siècle. Actif en France. Suisse.

Peintre. Abstrait.

Il a été élève à l'École des Arts et Métiers de Lucerne, en 1941-42, et travailla par le suite comme publicitaire à Berne. De 1949 à 1952, il fit des séjours en Algérie, Espagne, France, et notamment à Paris, où il étudia à l'Académie de la Grande Chaumière. En 1953, il suivit les cours de gravure de S. W. Hayter. Il vit à Paris.

Il participe à de nombreuses expositions de groupe à Paris, Rome, Bruxelles, Berlin et dans les villes d'Allemagne, notamment à la Documenta de Kassel en 1959, ainsi que dans de nombreuses villes suisses, et à la Ve Biennale de São Paulo en 1959. Fedier réalise également nombre d'expositions personnelles, dont : 1959 Bâle et Düsseldorf ; 1961 Berne et Francfort ; 1962 Genève ; 1966 Zurich ; etc.

Peintre abstrait, il s'exprime avec beaucoup de discrétion en utilisant les ressources des jeux de matières. ■ J. B.

Bibliogr. : In : *Peintres contemporains*, Mazenod, Paris, 1964.

Ventes Publiques : Berne, 24 juin 1981 : *Alp* 1956, h/t (121x68) : **CHF 2 800** – Lucerne, 25 mai 1991 : *Sans titre* 1980, acryl./contre plaqué (80x55) : **CHF 1 700** – Lucerne, 21 nov. 1992 : *Composition* 1956, h/toile de jute (34x32) : **CHF 1 600** ; *Sans titre* 1960, h/t (196x156) : **CHF 4 800** – Zurich, 24 nov. 1993 : *Doris* 1960, h/t (162x130) : **CHF 4 600** – Lucerne, 26 nov. 1994 : *Sans titre* 1958, h/t (80x65) : **CHF 2 200**.

FEDINI Giovanni

XVIe siècle. Actif à Florence. Italien.

Peintre.

Il orna de fresques la chapelle des peintres de l'Académie Saint-Luc avec Montorsoli, A. Fei et d'autres artistes.

FEDIT Gaston

Né à Bordeaux (Gironde). XXe siècle. Français.

Peintre.
Il a exposé, à Paris, au Salon de la Société Nationale des Beaux-Arts de 1922 à 1928.

FÉDOR, appelé aussi **Rostovski**
XIVe siècle. Actif à Rostov (région de Iaroslavl). Russe.
Peintre.
Il était archimandrite. Il peignit le portrait de son oncle *Sergei Radonejski*.

FÉDOR ou **Novgorodtseff**
Originaire de Novgorod. XVIe siècle. Russe.
Peintre.
Il travailla avec d'autres artistes à des peintures d'icones pour le monastère de Volokolamsk (région de Moscou).

FÉDOR A.
XVIIIe siècle. Russe.
Graveur sur bois.
Il travailla à Kiev et grava les illustrations d'un évangéliaire imprimé dans le monastère de Petchersk (région de Kiev) et seize illustrations d'un évangéliaire imprimé à Kiev en 1703.

FÉDOR IVANOVITCH. Voir **IVANOVITCH**

FÉDOROFF Boris Grigoriévitch
Né le 24 mars 1793. Mort en 1831. XIXe siècle. Russe.
Graveur.
Il fut élève de l'Académie de Saint-Pétersbourg, puis du graveur N. J. Utkin. Il grava, lorsqu'il était encore élève de l'Académie, deux paysages avec des chèvres et des moutons. Deux vues de batailles, celle de Leipzig, d'après un dessin de A. I. Mamonoff, et celle de La Fère Champenoise portent sa signature.

FÉDOROFF Dmitri
XIXe siècle. Russe.
Peintre de portraits.
Actif à Saint-Pétersbourg. Il ne semble pas y avoir de raison suffisante pour l'identifier à Fédor Fédoroff.

FÉDOROFF Fédor
XIXe siècle. Russe.
Peintre de portraits.
En 1808 et 1809, il reçut de l'Académie de Saint-Pétersbourg une médaille d'or et une médaille d'argent pour ses portraits.

FÉDOROFF Ilarion Féodorovitch
XIXe siècle. Russe.
Lithographe.
Il lithographia pour l'éditeur de Moscou V. Loguinoff les gravures d'un grand nombre de feuilles de prières.

FÉDOROFF Ivan Kousmitch
Né en 1853 à Odessa. XIXe siècle. Russe.
Peintre.
Il étudia à l'Académie de Saint-Pétersbourg où il reçut différentes médailles, dont une médaille d'or pour son tableau *Prométhée enchaîné au rocher du Caucase*. Il continua sa formation artistique à Paris où il peignit un *Saint Alexis* et un *Saint Jean Chrysostome* dans la chapelle byzantine d'Ivan Jakovieff au Père-Lachaise. A son retour en Russie il présenta à l'Exposition de l'Académie de Saint-Pétersbourg son tableau *Catherine II chez Lomonossoff*. Il exposa aussi différents tableaux de genre et des portraits.
MUSÉES : MOSCOU (Tretiakoff) : *Modèle posant dans un atelier d'artiste*.

FÉDOROFF Ivan Pantéleimonovitch
XIXe siècle. Russe.
Peintre.
Élève de A. T. Markoff à l'Académie de Saint-Pétersbourg, il y exposa en 1888 un tableau : *Arrivée du prince Alexeï Alexandrovitch à Odessa en 1887 à bord de l'Elbrouz*.

FÉDOROFF Léon
XVIIIe siècle. Russe.
Peintre.
Il fut actif à Saint-Pétersbourg au Palais d'Hiver en 1765. Peut-être identique à Léonti Fédoroff.

FÉDOROFF Léonti
XVIIIe siècle. Russe.
Peintre.
Il exécuta en 1720 des peintures au « Palais Monplaisir » du château de Petergof, près de Saint-Pétersbourg et en 1725 des peintures de plafond et des peintures d'icones à la chapelle du nouveau Palais d'été à Saint-Pétersbourg.

FÉDOROFF Maria Alexéïevna ou **Feodorova Maria Alekseevna**
Née en 1859. Morte en 1916. XIXe-XXe siècles. Russe.
Peintre de paysages, fleurs.
Elle étudia à l'Académie de Saint-Pétersbourg, aux expositions de laquelle elle figura à partir de 1887 avec des paysages. A l'Exposition Internationale de Berlin en 1896, elle présenta *Le Dniepr, rapide*, et un tableau de fleurs.
MUSÉES : MOSCOU (Gal. Tretiakoff) : *Brouillards sur la Volga* – *Dans la tempête* – *A Saint-Pétersbourg pendant le mauvais temps* – SAINT-PÉTERSBOURG (Mus. russe) : *Les Bords de la Volga*.
VENTES PUBLIQUES : STOCKHOLM, 10 avr. 1985 : *Paysage d'été*, h/t (36x53) : **SEK 9 500** – LONDRES, 5 oct. 1989 : *Porte d'un monastère russe*, h/t (36,2x26,7) : **GBP 2 750**.

FÉDOROFF Michaïl ou **Michel**
XIXe siècle. Russe.
Peintre de genre, portraits, graveur, illustrateur.
Peut-être est-il identique au graveur qui travailla à Saint-Pétersbourg de 1812 à 1820 comme maître monnayeur. On connaît de lui des vignettes, des illustrations de livres et des portraits.
VENTES PUBLIQUES : PARIS, 27 juin 1991 : *Danseurs devant une datcha ; Jeunes filles jouant à la balançoire devant une datcha* 1843, h/métal, une paire (chaque 26x35) : **FRF 14 000**.

FEDOROFF Nicolas
Né à Bobrov. XXe siècle. Russe.
Peintre de paysages.
Exposa aux Indépendants avant 1939.

FÉDOROFF P.
XIXe siècle. Russe.
Peintre.
MUSÉES : SAINT-PÉTERSBOURG (Mus. russe) : *Bouquets de fleurs*, deux aquar.

FÉDOROFF Peter
XIXe siècle. Russe.
Graveur et dessinateur.
Il fut probablement élève de l'Académie de Saint-Pétersbourg. On connaît de lui les portraits de l'acteur russe *A. S. Iakovleff*, du tsar *Nicolas Ier*, du prince *Alexander Nicolaïévitch à l'âge de 7 ans* (plus tard tsar Alexandre II), puis des sujets historiques qu'il grava d'après ses propres dessins, comme la *Mort de la tsarine mère, Maria Feodorovna ; Le tsar Nicolas visitant les tombes des combattants à Braïloff ; Scènes de la vie de Pierre le Grand* ; on cite également une *Apothéose du tsar Nicolas Ier et de la tsarine Alexandra Feodorovna après la défaite des Turcs de 1831*, et des sujets religieux : *Le Christ bénit les enfants* et *l'Ascension*.

FÉDOROFF Sergeï
XIXe siècle. Russe.
Graveur.
Il grava d'après les dessins de D. de Scotti six planches de batailles pour la série de S. Cardelli *Douze Victoires russes pendant la campagne de France*. On connaît de lui une *Aurore*, vignette pour partition de musique.

FÉDOROFF Stepan ou **Fedorov**
XVIIIe siècle. Russe.
Peintre de genre, peintre de décorations murales.
En 1736 il travailla aux décorations de la salle du Théâtre du Palais d'hiver à Saint-Pétersbourg.
VENTES PUBLIQUES : LONDRES, 15 juin 1995 : *Idylle pastorale*, h/t (61,5x97) : **GBP 2 300**.

FÉDOROFF Vassili
XVIIIe siècle. Actif à Saint-Pétersbourg. Russe.
Peintre.
Il exécuta avec Andreï Ivanoff la décoration des appartements dans le Grand Palais du Château de Petergof près de Saint-Pétersbourg.

FEDOROFF Vladimir
Né au début du XXe siècle en Crimée. XXe siècle. Actif en France. Russe-Ukrainien.
Peintre.
Il vécut à Paris et exposa un paysage au Salon d'Automne en 1913.

Musées : Saint-Pétersbourg (Acad. des Beaux-Arts) : *Paysage avec fleuve.*
Ventes Publiques : Amsterdam, 24 avr. 1991 : *Le printemps* 1922, h/pan. (9x11,5) : **NLG 1 035.**

FEDOROVITCH Sophia ou **Fedrovitch**
Née à Minsk (Russie). xxe siècle. Russe.
Peintre de marines.
À Paris, elle exposa de 1925 à 1929, au Salon des Artistes Indépendants, et au Salon d'Automne à partir de 1928.
Ventes Publiques : Londres, 4 juin 1981 : *Projet de costumes pour Michael Somes dans Dante Sonata,* gche et cr. (39,5x22,7) : **GBP 240.**

FÉDOSSEÏEFF Iélisseï Iémèlianovitch
Né en 1745 à Saint-Pétersbourg. xviiie siècle. Russe.
Graveur.
Élève de J. Stenglin il devint graveur de la Cour. Il exécuta avec son professeur un portrait du physicien *F. W. Richmann* ; on lui attribue la gravure du portrait de l'ingénieur *J. G. Leutmann,* d'après W. Sokoloff. On connaît de lui deux planches représentant le feu d'artifice donné à Saint-Pétersbourg en l'honneur de la paix russo-turque en 1775.

FÉDOSSEIEFF S.
xviiie siècle. Russe.
Graveur.
Il était probablement le frère de Iélisseï I. Fédosseïeff. Il grava une vignette *Minerve* comme frontispice du *Rapport annuel de la Société libre russe,* et un portrait médaillon du *Maréchal comte B. P. Cheremetieff,* pour le premier volume de la correspondance de celui-ci avec Pierre le Grand.

FÉDOTOFF Alexei
xviiie siècle. Russe.
Peintre de portraits.
Il étudia à l'Académie de Saint-Pétersbourg vers 1780. Il était probablement l'oncle de Paul Andrevitch Fedotov.

FEDOTOV Paul Andrevitch ou **Pavel Andreevich**
Né en 1815 à Moscou. Mort en 1852 à Saint-Pétersbourg. xixe siècle. Russe.
Peintre d'histoire, sujets militaires, scènes de genre, portraits, natures mortes, aquarelliste.
Fils de soldat, lui-même officier au régiment finlandais de la Garde Impériale à Saint-Pétersbourg, il a fréquenté longtemps l'Académie des Beaux-Arts de Pétersbourg, mais attendit sa retraite, en 1843, pour se consacrer entièrement à la peinture. Il mourut fou.
Les scènes militaires le séduisirent d'abord et il y obtint un grand succès. Il peignit ensuite des scènes de genre, dans la ligne critique de l'école naturaliste, dans lesquelles il mit assez de satire pour provoquer de gros scandales. Il raillait surtout la suffisance de la moyenne bourgeoisie moscovite : *Le matin d'un fonctionnaire qui a reçu de l'avancement ; Les Fiançailles du Major ; La Fiancée difficile.* On l'a comparé à Boilly et à Gavarni. On cite ses natures mortes comme des œuvres de valeur.
Musées : Moscou (Gal. Tretiakoff) : *L'injure sous Kirasnoïe, l'injure sous Smolensk – Un serviteur achète des brosses chez un mercier – Le choléra à Pétersbourg – P.-A. Fedetoff et ses camarades – Un officier près d'une urne – Trois figures inconnues – Je me trompais ! – Au magasin – Le sort d'un peintre qui, espérant en son talent, se marie sans dot – La maladie de Fidelka – La mort de Fidelka – Joueurs – Portrait du père du peintre – Une scène de rue pendant la pluie – La veuve – Portrait de l'écrivain, la comtesse E.-P. Rostopchine – Portrait de Th.-E. Jakovleff – L'Antichambre d'un commissaire de police pendant une grande fête – Portrait de l'artiste,* aquar. – Moscou (Mus. Roumiantzeff) : *Une veuve – Un déjeuner – La Demande en mariage du major endetté – Le Nouveau Chevalier de l'Ordre aux semelles percées* – Moscou (gal. Tsvietkoff) : *Portrait de l'artiste âgé* – Moscou (Ostrouchoff) : *Chasseurs de la garde russe traversant un gué* – Saint-Pétersbourg (Mus. Russe) : *Portrait de Mlle de Moncal à genoux – Les sœurs Jdanovitch – La Jeune Veuve – La Demande en mariage du major endetté.*
Ventes Publiques : Londres, 10 oct. 1990 : *Portrait d'un jeune homme,* h/cart. (25,3x20,4) : **GBP 6 600.**

FEDRIANI Y CAMPS Emilia, dona
xixe siècle. Active à Cadix. Espagnole.
Peintre.
Elle fit ses études de peinture à Cadix, où elle exposa en 1879 des natures mortes et des paysages.

FEDRIANI Y RAMIREZ Manuel
Né à Cadix. xixe siècle. Espagnol.
Peintre d'histoire, scènes de genre.

FEDRIANI Y RAMIREZ Tomas
Né au xixe siècle à Cadix. xixe siècle. Espagnol.
Peintre d'histoire et de natures mortes.
Élève de l'Académie des Beaux-Arts de Cadix.

FEDRICHETTI
Probablement originaire de Vérone. xviiie siècle. Italien.
Peintre.
Comme cet artiste n'est pas mentionné à Vérone, il s'agit peut-être de Federico Bencovitch, dont le prénom aurait été transformé en Ferighetto, puis Fedrichetti. On connaît de lui une *Extase de Sta Juliana* dans l'église Santa-Maria de Servi à Milan.
Musées : Vienne (Albertina) : *La Vierge apparaît à saint François,* pl., dessin.

FEDRIGNANI Girolamo. Voir **PEDRIGNANI**

FEDROVITCH Sophia. Voir **FEDOROVITCH**

FEDUCCI Michele
Enterré à Florence le 12 avril 1608. xviie siècle. Actif à Florence. Italien.
Peintre.

FEDULLO Nelida
Née au xxe siècle à Buenos Aires. xxe siècle. Depuis 1964 active en France. Argentine.
Peintre, graveur. Abstrait-géométrique, puis tendance surréaliste.
Elle a fait partie du groupe *Art Concret-Invencion,* premier groupe d'art abstrait géométrique d'Argentine. Elle a d'abord exposé à Buenos Aires, dès 1948, jusqu'en 1963. Arrivée en France en 1964, elle a travaillé dans l'atelier de gravure de S. W. Hayter.
Au début, son travail était une variation sur la ligne droite puis elle a créé des réseaux de formes cristallisées derrière lesquelles des images fantastiques apparaissaient. Les formes abstraites avaient tendance à se fétichiser et l'image affleurait la construction picturale jusqu'à une figuration surréalisante, ambiguë, d'où un certain érotisme n'était pas exclu. La surface devenant le « champ clos de l'onirisme et des fantasmes ». ■ J. B.

FÉE Floris de La. Voir **LA FÉE**

FEEDERLE Karl
Né en 1832 à Donaueschingen. Mort le 12 mars 1881 à Munich. xixe siècle. Allemand.
Lithographe et paysagiste.
En 1854, il vint faire ses études d'art à Munich. Il a exposé à Munich en 1879. On cite de lui : *Paysage d'hiver.*

FEELEY Paul
Né en 1910 ou 1913 à Des Moines (Iowa). Mort en 1966 à New York City (New York). xxe siècle. Américain.
Peintre, sculpteur. Abstrait-minimaliste.
Il fut présenté par E. C. Goossen, dans les expositions qu'il consacra à ce qu'il appelle « l'art du réel », aux États-Unis, de 1945 à 1968, et au Musée du Grand Palais, à Paris, en 1968. Sous cette appellation, définie souvent en termes abscons, on trouve un courant de l'art américain, qui se diversifie encore en « minimal art » et « maximal art », issu du constructivisme européen et plus particulièrement de Malevitch, qui se donne pour but d'éliminer tout élément subjectif qui pourrait donner lieu à interprétation. L'œuvre, réduite à des formes élémentaires, cube dans l'espace, surface monochrome, une ligne rouge se développant sur un panneau uniforme de dix mètres de long, etc., doit être ce qu'elle est réellement et rien d'autre. Feeley a surtout travaillé à partir d'un module (en forme de double haltère entrecroisé), dont il a développé toutes les possibilités sur le plan et dans l'espace. ■ J. B.
Bibliogr. : Lawrence Alloway : *Paul Feeley : Introduction and Interview,* in : *Living Arts,* Londres, avr. 1964 – E. C. Goossen : *Paul Feeley,* in : *Art international,* Zurich, déc. 1964 – Gene Baro : *Paul Feeley : The Art of the Definite,* in : *Arts Magazine,* New York, fév. 1966.
Ventes Publiques : New York, 28 mai 1976 : *Caesarea* 1962, peint. plastique/t. (152,5x122) : **USD 2 200** – New York, 9 nov. 1984 : *Akerena* 1963, émail/t. (167x129,5) : **USD 3 800** – New York, 6 mai 1987 : *Apyu* 1963, h/t (152,4x121) : **USD 8 000** – New York, 5 oct. 1990 : *Acrab* 1964, acryl./t. (152,8x151,8) : **USD 8 800** – New York, 10 nov. 1993 : *Maia* 1963, acryl./t. (76,2x63,5) : **USD 13 800.**

FEENEY Patrick M.
XIXe siècle. Britannique.
Paysagiste.
En 1868, il entra à l'Académie de Carey et ensuite il fréquenta les écoles de la Royal Academy. Il a exposé à cette académie ainsi qu'à l'Exposition de la Birmingham Royal Society of Artists dont il était membre. Le Musée de Birmingham conserve de lui : *Llyn Idwal.*

FEER Cambon, Mme
XIXe siècle. Active à Paris. Française.
Sculpteur.
Sociétaire des Artistes Français depuis 1888, elle figura au Salon de cette société.

FEER Lisette
Née en 1794 à Zurich. Morte le 29 juillet 1866. XIXe siècle. Suisse.
Peintre et lithographe.
Exposa à Zurich, entre 1820 et 1829. Auteur d'une série de lithographies de plantes alpines, réunies et publiées sous le titre *Souvenirs.*

FEERMANS Cornille et **Jan**. Voir **FEREMANS**

FEFFERI Angelo
XVIIe siècle. Actif à Ravenne. Italien.
Peintre.
Il exécuta avec Giulio Costa vers 1680 les fresques de l'église San-Nicandro-e-San-Marciano à Ravenne.

FEGATELLI Giuseppe Maria
Né au XVIIe siècle à Cento. XVIIe siècle. Italien.
Peintre.
Élève de C. Gennari. Il exécuta de nombreux tableaux pour les églises de sa ville natale et de Bologne.

FEGATELLI Paolo Antonio
Né en 1672 à Bologne. Mort le 18 février 1724 à Cento. XVIIe-XVIIIe siècles. Italien.
Peintre, sculpteur et architecte.
Fils de Guiseppe-Marie Fegatelli.

FEGATELLI Stefano ou **Ficatelli**
Né en 1687. XVIIIe siècle. Italien.
Peintre.
Fils de Giuseppe-Maria Fegatelli, il peignit des portraits, des tableaux religieux et des travaux d'architecture. La Galerie des Offices possède des dessins de sa main. L'église Sainte-Rose à Ferrare possède de lui un retable.

FEGDAL Suzanne
Née à Paris. XXe siècle. Française.
Peintre.
Elle exposa à partir de 1924 à Paris aux Salons d'Automne et des Indépendants.

FEGELY Philippe de
Né le 8 octobre 1790 à Fribourg. Mort le 16 juin 1831 à Baden. XIXe siècle. Suisse.
Dessinateur.
Il dessina des vues d'architecture et des paysages qu'il lithographia et publia lui-même, ou qui illustrèrent différentes œuvres. Il fit aussi des peintures à l'huile et participa à des expositions suisses.

FEGER Stefan ou **Foger**
Né en 1726 à Imst. Mort en 1770 à Innsbruck. XVIIIe siècle. Autrichien.
Sculpteur.
Il étudia à Innsbruck et séjourna longtemps à Rome. Il se fixa à Innsbruck et sculpta la pierre, le bois, l'ivoire. L'église Saint-Jean à Innsbruck possède un maître-autel qu'il exécuta avec Peter Trolf, ainsi qu'un crucifix et plusieurs statues de saints sculptées en bois. Le Musée Ferdinandeum à Innsbruck conserve de cet artiste quatre petites statuettes, musiciens ambulants en ivoire et bois, et la cathédrale de Brixen, des œuvres ornementales.

FEGRETIN Pierre
XVIe siècle. Actif à Paris. Français.
Peintre.

FEHDMER Richard
Né le 14 décembre 1860 à Koenigsberg. XIXe-XXe siècles. Allemand.
Peintre de paysages.
Il étudia à l'Académie de Düsseldorf puis à l'Académie d'Anvers. Il fut aussi élève de J. Van Luppen et se fixa à Anvers. Il prit part à l'*Exposition du jubilé* de Vienne en 1888 ; à l'Exposition du Palais de Glace à Munich en 1900 ; à la Grande Exposition de Berlin en 1893 et aux expositions d'aquarelles de Dresde en 1909, 1911 et 1913.
MUSÉES : AARAU (coll. de l'État) : *Deux paysages*, aquarelles – BAUTZEN (Mus. Mun.) – BERLIN (Gal. Nat.) – CREFELD : *Un paysage d'hiver.*
VENTES PUBLIQUES : LONDRES, 26 nov. 1986 : *Le retour un soir d'hiver* 1889, h/t (67x95) : **GBP 5 000** – AMSTERDAM, 21 avr. 1994 : *Patineurs élégants sur un lac gelé en bordure d'une forêt* 1895, h/t (74x56) : **NLG 3 450.**

FEHER Ennerie Alexandre
Né à Budapest. XXe siècle. Hongrois.
Peintre.
Élève de Cormon. Sociétaire du Salon des Artistes Français où il débuta en 1923.

FEHER Georges
Né le 22 janvier 1929 à Miskolc (Hongrie). XXe siècle. Depuis 1954 actif en France. Hongrois.
Peintre, illustrateur.
Il a été élève à l'École des Beaux-Arts de Budapest de 1946 à 1949. Il a voyagé un peu partout en Europe avant son installation définitive en France. Il pratique aussi la lithographie pour des illustrations de textes d'auteurs, tels que Saint-Exupery et Verlaine (*Sagesse – Jadis et Naguère*).
Il participe à plusieurs expositions collectives notamment : 1959, à Paris, *Huit peintres de trente ans*, galerie Pierre Loeb ; 1960, à Paris, galerie de Seine ; 1961 et régulièrement, à Dallas, galerie Morgan Knotte ; 1967, à Paris, au Salon d'Automne ; 1968, à Tokyo, pour l'*Exposition internationale du figuratif* ; puis d'autres expositions en province. Feher réalise également des expositions personnelles : 1959 à Paris, galerie de Seine ; 1965 à Paris, galerie J.-C. Bellier ; 1968 à Tokyo ; 1973 à Osaka ; 1973 et 1979 à Paris, galerie Anne Colin ; 1988 à Paris, galerie Corianne ; 1990 à Concarneau ; 1991 à Paris, galerie Claude Hémery ; 1993 à Dinan ; etc.
Sa peinture développe une représentation d'objets usuels, de fruits, etc., parfois en des suites intégrées dans un même tableau.

Feher

VENTES PUBLIQUES : BRUXELLES, 27 oct. 1976 : *Marine*, h/t (72x53) : **BEF 16 000** – PARIS, 30 mai 1990 : *Composition ocre jaune* 1955, h/t (65x100) : **FRF 5 000.**

FEHER Laszlo
Né en 1953 à Szekesfehervar (Hongrie). XXe siècle. Hongrois.
Peintre de compositions animées.
Il a bénéficié de la bourse Derkovits et fit ses études à l'École des Beaux-Arts de Budapest. Il est l'un des représentants de la « Nouvelle Sensibilité » et appartient à un groupe d'artistes régulièrement exposé à la galerie Feszek. Artiste reconnu, l'État lui consacre de grandes expositions, notamment à la Kunstballe de Budapest, en 1988. Il a aussi exposé au Musée de Graz, en 1988 également. Il est représenté dans les collections Ludwig en Allemagne.
Il construit ses compositions par de grands aplats synthétiques, de couleurs contrastées, à partir de thèmes poétiques.
VENTES PUBLIQUES : PARIS, 14 oct. 1991 : *Fête* 1991, h/t (120x90) : **FRF 20 000.**

FEHLING Carl Heinrich Jacob
Né en 1683 à Dresde. Mort en décembre 1753 à Meissen. XVIIIe siècle. Allemand.
Peintre et architecte.
Il était le fils de H. C. Fehling et professeur de l'école de dessin de la Manufacture de porcelaine de Meissen. Ses dessins et les gravures faites d'après ceux-ci sont conservés au Cabinet des Estampes de Dresde.

FEHLING Heinrich Christoph
Né en 1657 à Sangerhausen. Mort en 1725 à Dresde. XVIIe-XVIIIe siècles. Allemand.
Peintre de portraits.
Élève de Samuel Bottschild. Il travailla longtemps en Italie, puis devint directeur de l'Académie de Dresde. Il a également peint de nombreux plafonds au palais de cette ville.

H Fehling.

Musées : Berlin : *Portrait du colonel W. Caspar von Klengel* – Breslau, nom all. de Wroclaw (Bibl. mun.) : *Étude d'enfants*, dess. - *Étude de tête*, dess. - *Nu masculin*, dess. - *Étude d'arbre*, dess.

FEHLING Ilse

Née en 1896 à Dantzig. Morte en 1982. xxe siècle. Allemande.

Peintre, sculpteur, peintre de décors de théâtre et cinéma.

De 1918 à 1921, elle fait ses études à la Reimannschule et à la Kunstgewerbeschule de Berlin. De 1921 à 1923, elle poursuit ses études au Bauhaus, dans la section théâtre. Elle travaille successivement à Berlin, Munich, Hambourg, de 1925 à 1943. Depuis 1950, de nouveau Munich, où elle fut professeur à la Volkshochschule.

Bibliogr. : In : *Le Bauhaus*, catalogue de l'exposition, Musée d'Art Moderne, Paris, 1969.

Ventes Publiques : Munich, 2 juin 1987 : *Tête d'Élisabeth Bergner* 1931, bronze (H. 32,5) : **DEM 4 300**.

FEHLING Julius

Né le 29 juillet 1869 à Mariendorf près de Berlin. xixe siècle. Allemand.

Peintre.

Il fut élève de l'Académie de Berlin, puis de Marr et Zügel à Munich. Il travailla à Berlin où il figura régulièrement à partir de 1887 à la Grande Exposition avec des tableaux de genre comme *La Religieuse ; Devant le Miroir*, mais surtout avec des portraits. Il exposa de temps en temps au Palais de Glace de Munich.

FEHLING Zacharias

Né vers 1658. Mort le 9 septembre 1743 à Dresde. xviie-xviiie siècles. Allemand.

Peintre.

Il travailla à Dresde. Deux *Vues de Ruines* de sa main furent gravées par B. Cratz.

FEHR

xviiie siècle. Allemand.

Aquarelliste, dessinateur.

On mentionne de la main de cet artiste un portrait à l'aquarelle de *Sir Ralph Woodford*, dans un paysage, se trouvant dans une collection à Hambourg.

FEHR

xixe siècle. Allemand.

Peintre sur porcelaine.

Peintre à la Manufacture de porcelaine, il présenta aux expositions de Berlin des vases, assiettes et autres objets de porcelaine, peints de personnages ou de portraits.

FEHR Charles de

Mort en 1774. xviiie siècle. Travaillant au Danemark. Français.

Graveur.

Cité par Nagler.

FEHR F.

xixe siècle. Allemand.

Lithographe.

On connaît de lui six planches de dessins de fleurs, que le commandant L. von Reiche fit paraître dans son atelier de lithographie à Berlin vers 1817. Possiblement identique à Friedrich Fehr.

FEHR Friedrich

Né le 24 mai 1862 à Werneck (Franconie). xixe siècle. Allemand.

Peintre de genre, paysages, graveur.

Il travailla à Karlsruhe, en Italie et à Munich. Il fit de nombreuses lithographies.

Musées : Karlsruhe : *Crépuscule* – Mannheim : *Joueuse de luth* – Mulhouse : *Le Presbytère* – Munich : *Soir de fête*.

Ventes Publiques : Londres, 18 fév. 1984 : *Deux Jeunes Élégantes* 1901, h/cart. (47x30,5) : **GBP 800** – New York, 1er nov. 1995 : *Le Choix de la robe de mariée*, h/t (118,1x88,9) : **USD 12 650**.

FEHR Georg Konrad

Né le 19 juin 1784 à Saint-Gall. Mort le 10 août 1844 à Saint-Gall. xixe siècle. Suisse.

Dessinateur amateur.

Il fut élève de G.-L. et de Wilhelm Hartmann, habita quelque temps à Lyon et s'adonna en dilettante à la peinture de scènes de chasse et d'animaux sauvages. Il laissa une collection d'histoire naturelle à la ville de Saint-Gall.

FEHR Henri

Né en 1890 à Genève. Mort en 1974 à Genève. xxe siècle. Suisse.

Peintre.

Il a principalement peint des figures de femmes.

Musées : Chaux-de-Fonds (Mus. des Beaux-Arts).

Ventes Publiques : Zurich, 30 oct. 1982 : *Vase de fleurs*, h/t (65x57) : **CHF 1 500** – Berne, 26 oct. 1984 : *Rêverie*, past. (64x49) : **CHF 1 200** – Genève, 24 nov. 1985 : *Portrait d'une élégante*, h/isor. (64x48) : **CHF 2 600** – Berne, 2 mai 1986 : *Portrait de femme au grand chapeau* vers 1930, h/t (126x95) : **CHF 8 000** – Berne, 30 avr. 1988 : *Jeune femme nue assise*, h/t (73x60) : **CHF 3 100** – Berne, 26 oct. 1988 : *Jeune fille au jardin*, h./contreplaqué (50x70) : **CHF 2 000**.

FEHR Henry Charles

Né le 4 novembre 1867. Mort le 13 mai 1940 à Londres. xixe-xxe siècles. Britannique.

Sculpteur de portraits, bustes, monuments, décorateur.

Il exposa à la Royal Academy à partir de 1887. Il a réalisé de nombreux mémorials, dont celui de la reine Victoria à Hull, et des monuments aux morts. Il a fait également une décoration pour l'Hôtel de Ville de Cardiff. En 1898, il a exécuté une frise en bas-reliefs colorés avec des scènes de la « Guerre des Roses » pour le Wakefield County Hall.

Musées : Bradford (Corporation Art Gal.) : *Sir Edmund Cartwright* – *Lord Marsham* – Londres (Nat. Gal.) : *Persée secourant Andromède*.

Ventes Publiques : Londres, 2 oct. 1985 : *Young girl blown by a sea breeze*, bronze, patine brune (H. 80) : **GBP 3 200**.

FEHR Julius

Né vers 1860 à Grosseicholzheim. Mort en 1900 à Mannheim. xixe siècle. Allemand.

Peintre et dessinateur.

Il étudia à Karlsruhe et se fixa à Mannheim où il dirigea une école de peinture. Des collections privées de Mannheim possèdent de lui quelques portraits et paysages.

FEHR Karl Friedrich Bartholomaus

xixe siècle. Actif à Saint-Gall. Suisse.

Dessinateur et aquarelliste.

Fehr enseigna le dessin à Lyon et à Saint-Gall et exposa dans cette dernière ville en 1834 et en 1841. Il visita Alger.

FEHR Konrad

Né le 19 novembre 1854 à Toftlund (près de Hadersleben). xixe siècle. Allemand.

Portraitiste et peintre de genre.

Élève de l'Académie de Munich sous la direction Benczur, Gabb, A. Wagner et Löfftz. Professeur à l'école de dessin au cercle des dames artistes à Berlin. Il obtint une médaille de bronze à Londres en 1884. On cite de lui : *Intérieur d'une chambre ; Portrait du ministre Maybach*.

Musées : Cologne (Wallraf-Richartz) : *Vampire* – Kiel : *Portrait du conseiller Forchhammer* – Osnabruck : *Chœur* – Rostock : *Les dunes de Sylter*.

FEHR Ludwig

Né en Allemagne. xixe siècle. Actif à Christiania (Oslo). Norvégien.

Lithographe.

Il étudia à Copenhague. En 1821 il fonda à Christiania un atelier de lithographie où furent imprimés un grand nombre de portraits et vues de la ville.

FEHR Pieter

Né en 1681. Mort en 1740. xviiie siècle. Actif à Francfort-sur-le-Main. Allemand.

Graveur.

Il a illustré différents ouvrages.

FEHRENBACH Eduard Ludwig

Né en 1855 à Villingen (Bade). Mort le 24 janvier 1886 à Munich. xixe siècle. Allemand.

Dessinateur.

Il travailla à Munich pour des revues illustrées et pour des éditeurs comme Alphons Dürr, Lipperheide, Braun et Schneider. On cite de lui : *Dans les champs et les plaines ; De la maison et de l'école ; Toutes sortes de choses gaies ; Temps printanier ; Vie d'enfant ; Retour à la maison ; Les quatre saisons ; De la gaieté pendant le dur hiver ; Au Carnaval* ; et le petit livre *Toutes sortes d'images en noir* en collaboration avec Henri Braun et Karl Fröhlich, avec des vers d'Heinrich Seidel.

FEHRENBACH Gerson
Né le 18 février 1932 à Villingen (Forêt-Noire). xxe siècle. Allemand.
Sculpteur.
Il étudia dans l'atelier de Karl Hartung, à l'École Supérieure d'Arts Plastiques de Berlin. En 1959, il exposa au Symposium de Sculpteurs Européens, à Berlin. Il a ensuite participé à des expositions de groupe, notamment : 1964 *Sculpture allemande du xxe siècle*, au Musée Rodin à Paris ; à la Documenta III de Kassel. Il réalise des expositions particulières, en 1961 à Francfort, en 1963 à Berlin. Il obtint un prix à l'Exposition de Berlin, et en 1962 le prix de la Villa Romana à Florence.
Il exécute le plus souvent ses sculptures en bronze, travaille aussi la pierre et le ciment. Ce sont des sculptures monumentales, aux formes robustes, qui évoquent tantôt des formations naturelles, tantôt rappellent des apparences humaines.
Musées : Darmstadt (Landesmus.) – Kassel (Staatl. Kunstsamml.).

FEHRENBACH Lucy
Née au xixe siècle à Paris. xixe siècle. Française.
Peintre.
Élève de Mme Chéron. Elle se fit représenter au Salon de 1875 à 1880 par des portraits en miniature.

FEHRENBERG Hans
Né le 2 novembre 1868 à Cassel. Mort en 1902 près de Brême. xixe siècle. Allemand.
Peintre de paysages.
Musées : Kassel : *Paysage de forêt.*
Ventes Publiques : Vienne, 14 sep. 1982 : *Paysage de printemps* 1893, h/t (66x47) : **ATS 12 000**.

FEHRLE Wilhelm Jakob
Né le 27 novembre 1884 à Schwäbisch-Gmünd. Mort en 1974. xxe siècle. Allemand.
Sculpteur de figures, animalier.
Il fut élève de l'Académie de Berlin et de Munich. Il séjourna à Rome et à Paris, et présenta à la Grande Exposition de Berlin, en 1907 et 1908, des sculptures d'animaux en bronze et, en 1913, à Stuttgart ainsi qu'au Salon d'Automne, à Paris, des sculptures de bois : *La Vierge – Sainte Marie-Madeleine.*

Ventes Publiques : Heidelberg, 8 avr. 1995 : *Nu féminin assis*, lav. et fus. (44x36) : **DEM 1 500**.

FEHRMANN A.
xixe siècle. Actif à Hambourg. Allemand.
Lithographe.
Il fonda un atelier de lithographie où parurent des œuvres populaires.

FEHRMANN Jacob
Baptisé à Brême le 27 janvier 1760. Mort le 27 août 1837 à Brême. xixe siècle. Allemand.
Peintre et graveur.
Il étudia à Copenhague et Cassel où il semble s'être fixé vers 1788 et où il fit un grand nombre de portraits et des tableaux d'histoire, parmi lesquels on cite *La Conversation de Villehad* qui lui valut une médaille d'or. Comme graveur on connaît de lui une eau-forte d'après Tischbein et son portrait par lui-même. Le Musée de Brême ainsi que la Kunsthalle et la Bibliothèque de la ville conservent de ses œuvres.

FEHRT A. J. de
Graveur au burin.
Il a gravé des *Portraits*, en particulier pour la Collection d'Odieuvre, et des *Sujets de genre.*

FEHRT Carl de
Mort en 1774 en Norvège. xviiie siècle. Français.
Graveur.

FEI Alessandro di Vincenzio, appelé aussi **Alessandro del Barbiere**
Né en 1543 à Florence. Mort en 1592 à Florence. xvie siècle. Italien.
Peintre d'histoire, compositions religieuses, fresquiste.
Il fut successivement élève de Ghirlandajo, de Piero Francia et de Maso da San Frediano.
Il exécutait à fresque ses plus grands travaux et les embellissait d'architectures. Il aimait à y introduire des constructions et des figures grotesques.
Musées : Florence (église Santa Croce) : *La Flagellation* – Messine-Pise.
Ventes Publiques : Paris, 9 avr. 1990 : *La Décollation de saint Jean Baptiste*, h/t (77,5x53,5x) : **FRF 130 000**.

FEI Paolo. Voir **PAOLO di Giovanni Fei**

FEIBUSCH Hans
Né en 1898 à Francfort-sur-le-Main. xxe siècle. Allemand.
Peintre de figures.
Il figura en 1925 au Salon des Indépendants.
Ventes Publiques : Munich, 30 juin 1982 : *Le Tambour*, h/t (105x72) : **DEM 5 300**.

FEI CHENG ou **Fei Ch'êng** ou **Fei Tcheng**
xvie-xviie siècles. Actif à la fin de la dynastie Ming (1368-1644). Chinois.
Peintre.
Peintre mentionné comme paysagiste dans un livre intitulé le *Tuian xinshanglu.*

FEI CHENGWUOU ou **Fei Ch'eng-Wu** ou **Fei Tcheng-Wou**
xxe siècle. Actif en Angleterre. Chinois.
Peintre.
Il a étudié l'Université Nationale Centrale de Nankin. Il est présent en 1947 en Angleterre.
Ventes Publiques : Taipei, 18 avr. 1993 : *La cathédrale de Canterbury* 1947, h/cart. (51x38,6) : **NT $ 195 500**.

FEICHTINGER Angela, Mme **Astuto-Palli**
xixe-xxe siècles. Active à Budapest. Hongroise.
Peintre.

FEICHTINGER Carl
Né le 1er novembre 1838 à Stubenberg (Styrie). Mort le 15 janvier 1877 à Wiltern. xixe siècle. Autrichien.
Sculpteur.
Élève de Gschiel à Gratz, il travailla à Vienne, Munich et Wiltern. On connaît de lui à Gratz une statue de *Saint Joseph*, et une sculpture à un petit autel exposé en 1865 dans cette ville.

FEICHTINGER Joseph
Né en 1765 à Altenmarkt. xviiie siècle. Allemand.
Peintre.
Il travailla à Erding.

FEICHTINGER Jozsef
Né en 1840 à Budapest. Mort le 28 décembre 1907 à Budapest. xixe siècle. Hongrois.
Peintre.
Il fut élève de K. Lotz, puis de l'École des Arts et Métiers à Budapest. Il peignit des aquarelles avec des sujets architecturaux, comme *L'intérieur de la cathédrale de Pécs.*

FEICHTMAYR Franz Joseph
Originaire de Schongau. xviie siècle. Actif dans la seconde moitié du xviie siècle. Allemand.
Sculpteur sur bois.
Cet artiste exécuta, en collaboration avec Johann-Michaël Feichtmayr, 23 statues de saints pour l'abbé Augustin de Einsiedeln, en 1687. La plupart de ces œuvres se trouvent encore dans le chœur de l'église.

FEICHTMAYR Johann Michael
Originaire de Schongau, Bavière. xviie siècle. Actif à Einsiedeln. Allemand.
Sculpteur sur bois.
Il collabora avec F.-J. Feichtmayr à l'exécution des statues en bois pour l'abbé Augustin de Einsiedeln.

FEICHTMAYR Joseph Anton ou **Feuchtmayer**
Né en 1696 à Linz (près de Pfullendorf). Mort le 2 janvier 1770 à Mimmenhausen. xviiie siècle. Allemand.
Sculpteur, dessinateur.
Il étudia à Schongau et à Salmansweiler, et travailla pour les églises de Weingarten, Saint-Gall et Salmansweiler. Il séjourna aussi à Soleure et à Einsiedeln. Il travaillait le stuc.
Son ouvrage le plus important fut les sculptures sur la façade est de la cathédrale de Saint-Gall, ainsi que les chaises et balustrades du chœur.
Il dirigea toute la décoration de l'église de Birnau, exécutée dans un style maniériste, au mouvement dansant.
Ventes Publiques : Munich, 4 juin 1981 : *Projet de bibliothèque* 1755, pl. et lav. (36x51,5) : **DEM 8 500**.

FEID Joseph
Né le 21 février 1806 à Vienne. Mort le 8 avril 1870 à Weidling (Vienne). XIXe siècle. Autrichien.
Peintre de paysages animés, paysages.
Il exécuta avec beaucoup de talent des scènes rurales et forestières.
Musées : Vienne (Gal.) : *Nymphes au bain – Paysage à l'approche de l'orage.*
Ventes Publiques : Vienne, 12 déc. 1978 : *Paysage boisé animé de personnages* 1867, h/pan. (71,5x90,5) : **ATS 160 000** – Vienne, 15 sep. 1981 : *Paysage de la forêt viennoise*, h/pap. (32x48) : **ATS 80 000** – Heidelberg, 15 oct. 1984 : *Vue de Halstatt* 1858, h/cart. (41x54,5) : **DEM 16 500** – New York, 26 fév. 1986 : *Troupeau dans un paysage alpestre* 1849, h/pan. (46x58,1) : **USD 11 500** – Heidelberg, 9 oct. 1992 : *Paysage avec deux vaches* 1845, h/cart. (16,5x12,6) : **DEM 2 800.**

FEI DANXU ou **Fei Tan-Hiu** ou **Fei Tan-Hsü**, surnom : **Yutiao,** noms de pinceau : **Xiaolou** et **Huanqi**
Né en 1801 ou 1802 à Wucheng (province du Zhejiang). Mort en 1850. XIXe siècle. Chinois.
Peintre de portraits, paysages, fleurs.
Doué pour les paysages, les fleurs et les plantes, Fei Danxu est surtout connu comme portraitiste de lettrés et de jolies femmes, dont il traduit avec minutie les beautés et les grâces. Sa technique influencera les portraitistes de femmes de la fin du XIXe siècle. On connaît de lui plusieurs œuvres signées.
Musées : Paris (Mus. Guimet) : *Jeune femme dansant dans l'eau*, rouleau en hauteur, encre et coul. sur pap., inscription datée 1833.
Ventes Publiques : New York, 4 déc. 1989 : *Jeune femme se promenant au clair de lune*, encre et pigments/pap., kakémono (98x28,5) : **USD 990** – New York, 31 mai 1994 : *La lecture du soir*, encre et pigments/pap., kakémono (116,8x47) : **USD 3 450** – New York, 21 mars 1995 : *Femme et enfants dans un intérieur*, encre et pigments/soie, kakémono (83,5x35,2) : **USD 2 415** – Hong Kong, 4 mai 1995 : *Lettrés réunis à Yu Shan* 1848, encre/pap., kakémono (30x130,8) : **HKD 48 300.**

FEIDE H.
XVIe siècle. Actif vers 1570. Allemand.
Graveur.
On connaît de lui deux portraits gravés : celui de *L'électeur Joachim II de Brandebourg en tenue militaire*, et ce même prince en tenue officielle.

FEIDE Hans Peter
XVIIe siècle. Actif à Breslau. Allemand.
Peintre.

FEIDEAU Ambroise
XVIIe siècle.
Peintre et sculpteur.
Cité par de Marolles.

FEIEREISEN Marie Paule
Née en 1955 au Luxembourg. XXe siècle. Active en France. Luxembourgeoise.
Peintre. Abstrait.
Elle fait des études d'arts plastiques, à Paris, à l'Université de la Sorbonne, puis fréquente l'École Nationale des Beaux Arts.
Elle participe à des expositions collectives, entre autres : 1977-1989 Salon du Cercle Artistique, Luxembourg ; 1982 *Trente artistes luxembourgeois* et *La Femme dans la peinture luxembourgeoise*, Villa Vaubon, Luxembourg ; 1983 *L'Autoportrait*, Musée des Beaux Arts, Pau ; 1986 Festival de la Peinture, Ostende ; 1987 Cité Internationale des Arts, Paris ; 1988 *Quarante artistes luxembourgeois*, Hôtel de Ville, Cologne ; 1988 *12 Peintres Européens*, Musée de Roubaix ; 1989 *150e anniversaire de l'indépendance du Grand Duché de Luxembourg*, Cercle Municipal, Luxembourg. Elle réalise des expositions personnelles : 1984 Centre culturel français, Luxembourg ; 1987 et 1989 galerie Beaumont, Luxembourg.
Marie Paule Feiereisen travaille sur une représentation de la réalité par symboles : figures de géométrie, plans imaginaires, couplés à des allusions aux sentiments humains.
Bibliogr. : In : *Acquisitions 1989*, Fonds National d'Art Contemporain, Paris, 1989.
Musées : Paris (FNAC).

FEI ERQI ou **Fei Êrh-Ch'i** ou **Fei Er-K'i**, surnom : **Gepo**
Originaire de Hangzhou, province du Zhejiang. XVIIIe siècle. Actif vers 1700. Chinois.
Peintre.
Peintre de fleurs et d'oiseaux dans le style du maître de la Dynastie des Tang du sud : Xu Xi (mort avant 975). On lui doit aussi des paysages.

FEIGE Johann Christian, l'Ancien
Né le 4 février 1689 à Zeitz. Mort le 11 février 1751 à Dresde. XVIIIe siècle. Allemand.
Sculpteur.
Il acquit le droit de bourgeoisie à Dresde en 1728 ; son œuvre principale est un autel de l'église Notre-Dame à Dresde, auquel il travailla pendant 6 ans. Il exécuta aussi la chaire de l'église de Radeberg ; la chaire, les fonts baptismaux et le lutrin de l'église de Plauen, près de Dresde. Il portait le titre de « sculpteur de la Cour ».

FEIGE Johann Christian, le Jeune
Né en 1720 à Dresde. Mort le 26 octobre 1788 à Dresde. XVIIIe siècle. Allemand.
Sculpteur.
Fils aîné de J. C. Feige l'Ancien, il exécuta des sculptures pour l'église de la Croix à Dresde et pour le Palais des États ; il fit aussi les ornements sculptés d'une salle du château de Stösitz, ainsi que de nombreux monuments funéraires.

FEIGE Johann Ferdinand, l'Ancien
Né le 12 juillet 1733 à Dresde. Mort le 13 mai 1783 à Dresde. XVIIIe siècle. Allemand.
Sculpteur.
Fils de Johann Christian l'Ancien, il fut probablement aussi son élève. Beaucoup plus jeune que son frère Johann Christian, il travailla sous sa direction à Helle, près de Pirna et à Dresde. On cite de sa main un lion doré qui autrefois ornait une pharmacie de Dresde.

FEIGE Johann Ferdinand, le Jeune
Né le 25 novembre 1766 près de Pirna (Saxe). Mort le 16 avril 1827 à Dresde. XVIIIe-XIXe siècles. Allemand.
Sculpteur.
Il fut d'abord l'élève de son père J. F. Feige l'Ancien, puis étudia à l'Académie de Dresde. Il devint bourgeois de cette ville en 1800. On connaît de lui des fonts baptismaux en marbre noir de Saxe et marbre blanc de Carrare dans l'église de la Croix à Munich ; il fit aussi des monuments funéraires.

FEIGE Johann Friedrich
Né le 9 septembre 1728 à Dresde. Mort le 19 avril 1788 à Dresde. XVIIIe siècle. Allemand.
Sculpteur.
Troisième fils de J. C. Feige l'Ancien, il fut son élève et travailla ensuite à la Cour à Zerbst et à la petite Académie de cette ville, puis se fixa à Dresde. Il exécuta le monument élevé à la mémoire de l'actrice C. Neuber.

FEIGEL Johann ou **Feigl**
XVIIIe siècle. Actif à Vienne jusqu'en 1775. Allemand.
Graveur au burin.
Élève de Schmutzer et de Wille, sa meilleure œuvre est une planche d'après G. Dou, 1776 : *Vieille femme lavant la tête d'un petit garçon*. Il faut encore citer de lui : six planches pour *Les Cris de Vienne*, d'après Ch. Brand (1775), *Une blanchisseuse* et *Jeune fille en chemise cherchant ses puces*, d'après Bolognini, deux pendants d'après Freudenberger.

FEIGL Anton ou **Veigl**
XVIIIe siècle. Actif à Vienne. Autrichien.
Sculpteur.
Peut-être est-il frère de Franz Joseph Feigl.

FEIGL Franz Joseph ou **Veigl**
Né vers 1679 à Habern (Bohême). Mort le 7 mai 1757. XVIIIe siècle. Autrichien.
Sculpteur.
Il fut l'élève de S. de Caradea.

FEIGL Johann Karl ou **Veigl**
Né en 1720 à Vienne. Mort le 18 juillet 1770 à Gumpendorf. XVIIIe siècle. Autrichien.
Sculpteur.
Fils de Franz Joseph Feigl il fut reçu par l'Université de Vienne en 1744 « pro cive academico » ce qui lui valut le titre de sculpteur de l'Université.

FEIKS Alfred
Né le 27 octobre 1880 à Brod (Slavonie). XXe siècle. Hongrois.

Peintre.
Il étudia à Munich, Paris et Londres. Peintre, il fut également critique d'art pour des journaux hongrois.

FEIKS Jeno
Né en 1878 à Kaposvar. XXe siècle. Hongrois.
Peintre, dessinateur.
Il étudia à Paris et Munich. Un grand nombre de ses caricatures parurent dans les revues hebdomadaires de Budapest.

FEILER Max
XVIIe-XVIIIe siècles.
Peintre.
On lui attribue une *Nature morte avec des fruits et des instruments de musique* dans la Galerie de peinture de Wiesbaden et deux *Paysages* dans le monastère des Bénédictins de Melk (Basse-Autriche).

FEILER Paul
Né en 1918 à Francfort-sur-le-Main (Hesse). XXe siècle. Britannique.
Peintre. Abstrait.
Il a étudié à la Slade School. Sa première exposition eut lieu à Londres en 1953. Il a également exposé en groupe à la Tate Gallery et à l'Institut d'Art Contemporain, aux États-Unis, en Australie, et même en Chine. Il est aussi professeur. Sa peinture est abstraite.
Ventes Publiques : Londres, 13 nov. 1985 : *Green table with ocean window*, h/cart. (86x99) : **GBP 1 000** – Londres, 9 juin 1988 : *Ile de l'Atlantique*, h/cart. (52,5x75) : **GBP 902** – Londres, 24 mai 1990 : *Intersections d'ovales* 1963, h/t (92x92) : **GBP 9 350** – Londres, 8 mars 1991 : *Petits rochers oranges III* 1953, h/cart. (23,5x30,5) : **GBP 1 540** – Londres, 26 mars 1993 : *Godrevy pink I* 1962, h/cart. préparé au gesso (39,5x37,5) : **GBP 1 495** – Londres, 25 oct. 1995 : *Porthglaze* 1962, h/t (91,5x91,5) : **GBP 2 875.**

FEILER Thomas
XVIIIe siècle. Tchécoslovaque.
Sculpteur.
Il exécuta en 1765 l'autel de la Vierge des Douleurs avec la statue de *Sainte Barbe*, pour l'église du village de Nemcic.

FEILHAMMER Franz Anton
Né le 30 mars 1817 à Brünn. Mort le 14 février 1888 à Brünn. XIXe siècle. Tchécoslovaque.
Peintre de paysages, natures mortes, fleurs, aquarelliste.
On connaît de lui de nombreuses aquarelles et des peintures à l'huile avec des fleurs et des paysages, ainsi que des fleurs peintes sur verre.
Musées : Brünn (Franzens-Mus.) : *Fleurs – Novembre*.
Ventes Publiques : Vienne, 16 fév. 1982 : *Cerf dans un sous-bois* 1884, h/t (68x89) : **ATS 8 000** – Lindau, 5 oct. 1984 : *Nature morte aux fleurs* 1874, h/t mar./cart. (21x29,5) : **DEM 2 600.**

FEILITZSCH-WOLFF Bénita, baronne
Née à Hinzenberg (Livonie). XXe siècle. Russe.
Miniaturiste.
Elle a exposé des miniatures sur ivoire au Salon de la Société Nationale depuis 1929.

FEILL Joseph
XVIIIe siècle. Allemand.
Sculpteur.
Il travailla à Munster avec J. C. Schlaun et à Trèves avec J. Seiz. Il vécut à Saint-Pétersbourg et à Osnabrück où il exécuta les armoiries de Hanovre au pignon de la Chancellerie épiscopale.

FEILLET Hélène
Née en 1812 à Paris. Morte le 9 décembre 1889 à Biarritz (Pyrénées-Atlantiques). XIXe siècle. Française.
Peintre d'histoire, figures typiques, portraits, paysages, marines, lithographe.
Elle figura au Salon de Paris de 1836 à 1848. On cite d'elle : *Portrait de Juana Cano, première boléra du théâtre del Principo, à Madrid ; Une Espagnole à l'église ; Une gitane ; Arrivée à Bayonne de Mgr le duc et Mme la duchesse d'Orléans ; Embarquement de Lafayette en 1777.*

FEILLET Pierre Jacques
Né le 16 décembre 1794 à Imeray (Eure-et-Loir). Mort le 16 décembre 1855 à Biarritz (Pyrénées-Atlantiques). XIXe siècle. Français.
Peintre de portraits.
Il fut élève de son beau-père Pernotin et de Girodet. En 1841, il envoya au Salon de Paris un portrait de femme. Il fut directeur de l'Académie de dessin de Bayonne.

FEILNER Johann Everhard
Né le 28 mars 1802 à Cologne. Mort le 27 mai 1869 à Brême. XIXe siècle. Allemand.
Lithographe et peintre.
Il exécuta pour la *Chronique Nationale* de J. W. Brever quelques lithographies. On cite de lui des planches comme *La Maison de correction ; Scène de l'inondation de Brême de 1841.*

FEI MINGJIE. Voir **FAY MING**

FEINBERG Hirsch Bernarovitch
Né au XIXe siècle à Georgenbourg (Russie). XIXe siècle. Actif et naturalisé en France. Russe.
Sculpteur.
Il figura au Salon des Artistes Français, mention honorable en 1893.

FEINGOLD Ken
Né en 1952. XXe siècle. Américain.
Sculpteur, multimédia, vidéaste.
Il a participé en 1995 à la Biennale de Lyon, avec l'œuvre *Childhood/Hot and cold wars*, sculpture interactive.

FEININGER Lyonel
Né le 17 juillet 1871 à New York. Mort le 31 juillet 1956 à New York. XXe siècle. Américain.
Peintre, aquarelliste, graveur, illustrateur, décorateur. Cubiste. Groupe Der Blaue Reiter, Novembergruppe.
Né à New York, de parents immigrés allemands, qui étaient musiciens, lui-même étudiait la musique et donnait des concerts de violon, dès l'âge de douze ans. Il travaillait la composition, et vint, en 1987, à Hambourg, poursuivre ses études de musique. Il s'initia également à la décoration, et entra à l'École des Arts Décoratifs de Hambourg, puis étudia la peinture, à l'Académie de Berlin aux côtés de Hancke et Waldemar Freidrich, jusqu'en 1891. Il fit un séjour de quelques mois à Paris, en 1892-1893, où il travailla à l'Académie Colarossi (six mois). Revenu à Berlin, il donna, de 1893 à 1906, des dessins humoristiques ou satiriques à *Ulk*, aux *Lüstige Blätter*, au *Narrenschiff*, au *Berliner Illustrierte Zeitung*. Revenu à Paris, en 1906-1907, il continua de dessiner pour des journaux tels que le *Témoin*, le *Chicago Sunday Tribune*. Pour ce magazine américain, il dessina des « histoires en images » (ancêtre des meilleures bandes dessinées) humoristiques et poétiques : *Kin-der-Kids* (Éditions Pierre Horay) et *Wee Willie Winkies's World* (1906). En 1906, il s'établit à Weimar, puis séjourna une nouvelle fois à Paris, et rencontra Pascin et Goetz. De retour encore à Berlin, il semble que c'est en 1908 qu'il recommença sérieusement à peindre et il faudra attendre 1911-1912 pour ses premières œuvres significatives. Il se lia avec Julia Berg, Pascin Iribe, surtout, en 1911, il fit la connaissance de Delaunay, dont l'influence sera déterminante sur lui, même si elle ne se manifesta que dans l'apparence de ses propres œuvres, qui restèrent très en-deça de celles de Delaunay, mais à travers lui, il apprit à connaître l'ensemble de la peinture cubiste. En 1912, il adhéra à *Die Brücke*, fit la connaissance de Schmidt-Rottluff. En 1913, Franz Marc l'invita à exposer au premier « Erbstsalon » (Salon d'Automne) de Berlin, organisé par la revue *Sturm*, exposa donc avec le *Der Blaue Reiter* (Le Cavalier bleu). En 1918, il rejoignit le *Novembergruppe*. Dès 1919, il fut appelé par Gropius à enseigner au premier Bauhaus de Weimar comme maître de l'atelier de gravure. C'est lui qui réalisera la xylographie du manifeste du Bauhaus en 1919 (*Cathédrale de l'Avenir*). En 1924, il fit partie avec Kandinsky, Klee et Jawlensky, du groupe *Die Blauen Vier* (*Les Quatre Bleus*), héritier du *Blaue Reiter*, exposant avec eux à Dresde et à Wiesbaden. Au Bauhaus son activité pédagogique fut de courte durée. À partir de 1925, il y était professeur sans chaire, mais continua toutefois à y résider et partagea son sort jusqu'à sa dissolution à Dessau, en 1933, par les nazis. Cette même année ses œuvres figuraient dans l'exposition de l'*Art Dégénéré* que les nazis firent circuler à travers toute l'Allemagne. En 1937, Feininger put quitter l'Allemagne et s'installa définitivement aux États-Unis. En 1938, il y enseigna d'abord au cours d'été du Mills College, à Oakland (Californie). À partir de 1939, il vécut à New York. En 1945, il professa au cours d'été du Black Mountain College (Caroline du Nord). En 1955, il fut nommé vice-président honoraire de la Fédération Américaine des Peintres et Sculpteurs. Dès 1938, il exécuta des peintures murales, pour l'Exposition universelle de New York et pour la Maine Transport Compagny.

Il montra ses œuvres dans des expositions personnelles : 1917, la première, galerie Der Sturm, Berlin ; 1931, rétrospective, Nationalgalerie, Berlin ; 1944, rétrospective, Musée d'Art Moderne, New York ; 1949-1950, Paris. Autres expositions rétrospectives depuis sa mort : 1967, Museum of Modern Art, New York ; 1968, University of Delaware, Newark ; 1981, exposition itinérante en Allemagne ; 1994, ensemble d'œuvres présenté par la Galerie du Musée de la Seita, Paris ; 1998, Neue Nationalgalerie, Berlin.
Pendant la première période, de 1908 à 1911, il a peint une série de cinquante-quatre toiles, dont on peut dire les sujets anecdotiques, caractérisées par un chromatisme sonore et gai, représentant des personnages en mouvement et vus en perspective dite cavalière (vue du dessus). Le dessin des peintures trahit encore le dessinateur humoriste des années précédentes. On ignora longtemps cette série de peintures. Feininger dut quitter l'Allemagne, en 1937, pour échapper aux persécutions nazies contre les artistes non académiques. Il confia alors ces peintures à son ami Herman Klump. Une fois à New York, il demanda l'envoi des toiles, mais elles ne lui parvinrent jamais. Même après la guerre terminée, H. Klump, qui vivait en Allemagne de l'Est, refusa de les rendre et en revendiqua la propriété. Feininger étant mort en 1956, après de multiples procès, en 1976, les héritiers de Feininger furent reconnus dans leurs droits, mais il fallut encore huit ans de tractations entre le gouvernement de la République démocratique allemande et les États-Unis pour que l'ensemble soit renvoyé à New York en 1984. Ces peintures, jusque-là donc totalement occultées, surprennent d'abord par leur étrangeté en opposition avec la cohérence de toute son œuvre postérieure : exaltation du mouvement s'opposant aux tons rabattus auxquels il se tiendra, plaisir de l'arabesque alors qu'il n'usera plus que des droites et des angles. Même si l'on remarque qu'il a quarante ans lorsqu'il réalise ses œuvres significatives, Kandinsky, Klee, Mondrian ne donnèrent non plus guère d'œuvres importantes avant la quarantaine. Dans tous ces cas on ne peut guère essayer de nier ou dissimuler que c'est l'apparition, en France, du fauvisme, puis du cubisme, qui a suscité l'épanouissement de tempéraments marqués, mais qui n'avaient pas su s'orienter seuls de façon certaine, n'attendant qu'un catalyseur à leur activité. C'est donc vers 1910, qu'il possède sa manière définitive. En contradiction totale avec le cubisme analytique, dont une des règles était de ramener tous les éléments constitutifs d'une peinture au plan bi-dimensionnel de la toile, Feininger s'attacha à traduire au contraire et même à donner l'illusion de l'espace. Non seulement, il transposait toutes ses formes solides en plans simples qui s'imbriquaient les uns aux autres comme les facettes d'un cristal, mais en outre, il composa selon le même procédé les espaces vides, l'air, le ciel, appuyant peut-être cette « solidification » du vide sur les rais de soleil que l'on observe parfois distribuant géométriquement l'espace, par exemple à l'intérieur d'une église, dans une forêt, dans une rue, etc. L'espace et la lumière devinrent bientôt le seul sujet de ses peintures, les éléments solides, devenus transparents, se dissolvant dans la fluidité de l'air, ce qui crée un climat poétique très particulier à son œuvre, que l'on retrouve parfois, plus viril, chez Delaunay (*Tours Eiffel – Fenêtre*) ou mieux chez Jacques Villon. De 1919 à 1924, il prend le plus souvent pour prétexte de ses peintures les rues aux édifices gothiques des villes et des villages autour de Weimar puis Dessau. La cathédrale et les églises de Halle surtout donnèrent lieu à bon nombre de ses meilleures toiles. Sa recomposition de l'espace par la solidification des vides s'accordait avec l'esprit même de l'architecture gothique, pour laquelle l'invention de la croisée d'ogives avait représenté la possibilité de libérer l'édifice de la contrainte des murs pleins et de l'ouvrir de tous côtés au rayonnement de la lumière dont les rayons reconstruisent un espace immatériel et pourtant clairement délimité. À partir de 1939, il vécut à New York, dont les gratte-ciel de Manhattan lui fournirent un thème à ses reconstructions de l'espace par le cheminement de la lumière, renvoyée sans fin de mur en mur, d'arête en arête. Aux États-Unis, il retrouva une passion ancienne pour la mer et, souvent à l'aquarelle, en traduisit l'immensité et les aspects changeants sous des ciels différents, par des effets de transparence, évoquant tantôt des voiles de brume, tantôt des rais de soleil perçant à travers les nuages.
Allemand de souche, américain d'adoption, ayant fait partie du groupe du *Cavalier Bleu* qui fut l'une des sources de l'art abstrait, puis de l'équipe du Bauhaus dont l'un des objectifs principaux était de subordonner l'esthétique de la forme à son fonctionnalisme, c'est pourtant à la tendance spécifiquement française du cubisme, qui se définit dans le groupe de la *Section d'Or*, qu'appartient la peinture de Feininger. Elle en a les qualités et les défauts, le charme poétique, qui provoque chez ses commentateurs des descriptions aisées, et la timidité formelle, qui la laisse, malgré ses appartenances flatteuses en dehors des grands courants novateurs. ■ Jacques Busse, C. D.

Lyonel Feininger

Feininger

Bibliogr. : W. Grohmann : *Deutche Kunst und Dekoration*, Darmstadt, 1930 – H. Klump : *Abstraktion in der Malerei : Kandinsky, Feininger, Klee*, Berlin, 1932 – H. B. Muller : Catalogue de l'exposition *Lyonel Feininger*, Museum of Modern Art, New York, 1944 – Maurice Raynal : *Peinture moderne*, Skira, Genève, 1953 – Franz Meyer, in : *Dictionnaire de la peinture moderne*, Hazan, Paris, 1954 – Hans Hess : *Lyonel Feininger*, Kholhammer, Stuttgart, 1959 – E. Ruhmer, *Lyonel Feininger, Zeichnungen, Aquarelle, Grafik*, Bruckmann, Munich, 1961 – Michel Ragon, in : *L'Expressionnisme*, t. XVII, *Histoire générale de la peinture*, Rencontre, Lausanne, 1966 – L. E. Prass : *Lyonel Feininger. A Definitive Catalogue of his Graphic work*, Geb Mann, Berlin, 1972 – in : *Les Muses*, t. VII, Grange Batelière, Paris, 1972 – J. L. Ness : *Lyonel Feininger*, A. Lane, Londres, 1974 – T. Lux Feininger : *Les Œuvres d'Allemagne de l'Est de Loynel Feininger* – Raph. F. Colin : *Les Toiles récupérées*, catalogue de l'exposition *Lyonel Feininger*, 1985-1986.

Musées : Bâle (coll. Richard Doetsch-Benziger) : *Goélette dans la Baltique* 1924 – Boston (Mus. of Fine Arts) : *La barque bleue* 1944 – Cologne (Wallraf Richartz Mus.) : *Bridge III – Tour sur Halle* – Detroit (Inst. of Arts) : *Bateau à aubes* 1913 – Düsseldorf (Kunstsammlung) : *Umpferstedt* 1914 – Édimbourg (Mus. Nat. d'Art Mod.) : *Gelmeroda II* – Essen (Folkwang Mus.) : *Gelmeroda IX – Balise lumineuse* 1913 – *Kolberg* – Hambourg (Kunsthalle) : *Le Chœur est de la cathédrale de Halle* 1930 – La Haye (Mus. Muni.) : *Paysage italien* 1912 – *Monchröda* 1922 – *Kunstfort* 1932 – Houston (University of Houston) : *Autoportrait* 1915 – Minneapolis (Walker Art Center) : *L'Église des Franciscains* 1926 – Montréal (Mus. des Beaux-Arts) : *Rue jaune* 1918 – Munich (Nouvelle Pina.) : *La cathédrale de Halle* 1930 – New York (Mus. of Mod. Art) : *Viaduc* 1920 – *L'émeute* 1910 – *Le Bateau à vapeur Odin II* 1927 – *Manhattan*, série – New York (Solomon R. Guggenheim Mus.) : *Gelmeroda IV* 1915 – *Le Coucher de soleil au bord de la mer I* 1927 – *Nuage* 1936, dess. – New York (Metropolitan Mus. of Art) : *L'Église de Gelmeroda* – Paris (Mus. Nat. d'Art Mod.) – Philadelphie – Saint-Louis (City Art Mus.) : *Le Pont* 1913 – Washington D. C. (Phillips coll.) : *Village* 1927 – Washington D. C. (Washington University, Gal. of Art).

Ventes Publiques : Stuttgart, 21 mai 1959 : *Homme debout devant les rochers* : **DEM 23 000** – Stuttgart, 20 mai 1960 : *Bateau à voiles sur grosse mer* : **DEM 83 000** – New York, 25 jan. 1961 : *Rue Saint-Jacques, Paris* : **USD 7 000** – Stuttgart, 3 mai 1961 : *Débarcadère* : **DEM 120 000** – Milan, 21 et 23 nov. 1962 : *Blaue Marine*, aquar. : **ITL 1 800 000** – Hambourg, 18 mai 1963 : *Les Voiliers*, aquar. : **DEM 12 200** – New York, 6 avr. 1967 : *Cammin* : **USD 10 000** – New York, 19 nov. 1969 : *Les toits de la ville, la nuit*, aquar. /trait de pl., étude : **USD 10 500** – New York, 27 avr. 1972 : *Village*, aquar. : **USD 16 000** – Londres, 2 mai 1974 : *Zottelstedt II* : **USD 140 000** – Zurich, 28 mai 1976 : *Dernier voyage* 1940, h/t (48x78) : **CHF 240 000** – Munich, 28 mai 1976 : *L'église, tour et abside*, grav./bois : **DEM 3 700** – Hambourg, 3 juin 1976 : *Le moulin de Swinemünd* 1916, pl./fus. (22,4x25,6) : **DEM 24 000** – Berne, 8 juin 1977 : *Le Pont* 1912, eau-forte et pointe-sèche : **CHF 6 400** – New York, 12 mai 1977 : *Benz* 1933, aquar. et encre de Chine (24,3x31) : **USD 5 500** – New York, 19 oct. 1977 : *Alerte ou Eglise en hiver* 1942, h/t (93,3x64) : **USD 50 000** – Londres, 26 avr. 1978 : *Rue de Paris* 1978, grav./bois (54,5x41,2) : **GBP 1 850** – Hambourg, 8 juin 1979 : *Nieder Grunstedt* 1912, gche (21x24,5) : **DEM 22 000** – Londres, 2 déc. 1980 : *Promenade* 1914, pl./pap. (13x22) : **GBP 8 500** – New York, 18 mai 1983 : *The ship Wayward Lass in a gale in the Gulf of Arabia* 1933, aquar. et encre noire (28,2x32) : **USD 22 000** – Hambourg, 9 juin 1983 : *Le moulin* 1912, fus. (20,1x25,1) : **DEM 26 000**

– BERNE, 22 juin 1984 : *Gelmerode II*, h/t (100x80) : **CHF 365 000** – NEW YORK, 7 nov. 1984 : *The old locomotive Windspiel* 1906, litho. (15,9x32,4) : **USD 9 500** – NEW YORK, 14 nov. 1985 : *Le village* 1912, aquar. et encre de Chine (21,9x25,4) : **USD 50 000** – BERNE, 19 juin 1985 : *Taubch* 1934, craies de coul./trait de craie noire (23,4x30,4) : **CHF 24 500** – NEW YORK, 9 oct. 1986 : *Figurines et maisons*, suite de 10 figurines et 7 maisons en bois peint. (H. 3,7 à 9,7) : **USD 15 000** – NEW YORK, 11 nov. 1987 : *Promenade, Arcueil II* 1915, h/t (89,5x72) : **USD 310 000** – HAMBOURG, 12 juin 1987 : *Rauchfahne II* 1931, pl. et encre de Chine et craie (27,7x45,1) : **DEM 32 000** – NEW YORK, 18 fév. 1988 : *Un souvenir II* 1955, aquar. et encre/pap. (31,1x47,6) : **USD 15 400** – LONDRES, 29 mars 1988 : *Les vélocipédistes*, h/t (95,5x85) : **GBP 781 000** – LONDRES, 30 mars 1988 : *Vallersroda*, aquar., encre à la pl. et cr. (23,5x31,8) : **GBP 5 720** – LONDRES, 18 mai 1988 : *Jeux de fantômes* 1955, encre de Chine à la pl. et aquar. (8x15,5) : **GBP 3 300** – MUNICH, 8 juin 1988 : *Bateau* 1931, aquar. et encre (30x46,9) : **DEM 55 000** – LONDRES, 28 juin 1988 : *Ruines sur la falaise II* 1940, h/t (48,2x72,3) : **GBP 82 500** ; *Personnages, crépuscule* 1909, h/t (41,3x36,2) : **GBP 192 500** – MUNICH, 26 oct. 1988 : *Dune VI*, aquar. (27,5x45) : **DEM 33 000** – NEW YORK, 12 nov. 1988 : *L'église de Treptow* 1933, encre et aquar./pap. (37x47) : **USD 44 000** – LONDRES, 29 nov. 1988 : *Les falaises* 1912, h/t, étude (45,7x60,3) : **GBP 198 000** – MILAN, 14 déc. 1988 : *Remises* 1955, encre et aquar./pap. (22x31) : **ITL 12 000 000** – NEW YORK, 16 fév. 1989 : *L'église de Heringsdorf* 1916, aquar. et encre/pap./cart. (29,8x23,2) : **USD 35 200** – NEW YORK, 10 mai 1989 : *Chemins de fer belges* 1911, h/t (73x91) : **USD 495 000** – LONDRES, 24 mai 1989 : *Voiliers* 1934, encre et aquar. (19,4x28,1) : **GBP 28 600** – LONDRES, 28 juin 1989 : *Voiliers et soleil rouge* 1924, h/t (26,5x40,5) : **GBP 88 000** – NEW YORK, 5 oct. 1989 : *Soleil topaze II* 1947, aquar. et encre/pap. (23,8x28,9) : **USD 17 600** – NEW YORK, 6 oct. 1989 : *Brigantine au large de la côte* 1939, h/t (45,7x78) : **USD 264 000** – LONDRES, 27 nov. 1989 : *Eglise de village*, h/t (86x100) : **GBP 550 000** – NEW YORK, 26 fév. 1990 : *Nuage II* 1925, h/t (41,5x68,5) : **GBP 297 000** – LONDRES, 4 avr. 1990 : *Westward Ho !* 1936, encre et aquar. (21,5x30) : **GBP 27 500** – NEW YORK, 17 mai 1990 : *Journée ensoleillée* 1943, aquar. et encre/pap. (31,7x48,2) : **USD 27 500** – MUNICH, 31 mai 1990 : *Lüneburg VI* 1924, encre et aquar. (27,5x34,3) : **DEM 83 600** – NEW YORK, 3 oct. 1990 : *Composition Gables 5* 1953, h. et cr./t. d'emballage (38x61) : **USD 126 500** – PARIS, 23 oct. 1990 : *La locomotive* 1953, aquar. et encre de Chine/pap. (8x15) : **FRF 60 000** – ZURICH, 7-8 déc. 1990 : *Partie d'un village avec son église au soleil couchant* 1955, aquar. fus. et encre/pap. (23x30,7) : **CHF 15 000** – NEW YORK, 15 fév. 1991 : *Rue de Treptow* 1952, aquar. et encre/pap. (31x24) : **USD 17 600** – NEW YORK, 8 mai 1991 : *Maisons de Paris* 1912, encre/pap. (31,7x23,5) : **USD 71 500** – BERLIN, 30 mai 1991 : *Eichelborn (Thüringe) n° 2*, encre et aquar. sur vélin sur Japon (24,2x32) : **DEM 666 000** – NEW YORK, 5 nov. 1991 : *Quatre éléments de train modèle réduit pour enfant*, bois modelé peint. (locom. L. 20,5, wagon réserve de charbon L. 11, voiture Pullman L. 21,5, voiture à bagages L. 9) : **USD 7 700** – HEIDELBERG, 11 avr. 1992 : *La flotte hanséatique* 1918, bois gravé (16,4x21,8) : **DEM 1 100** – NEW YORK, 12 mai 1992 : *Morceaux de verre* 1927, h. et cr./t. (72,5x65) : **USD 209 000** – MILAN, 21 mai 1992 : *Paquebot avec un drapeau déployé* 1939, aquar. (18x22) : **ITL 28 000 000** – NEW YORK, 11 nov. 1992 : *Bateau* 1940, aquar. et encre/pap. (27,9x40) : **USD 33 000** – BERLIN, 27 nov. 1992 : *Hottelstedt*, aquar. et encre (27,5x42,8) : **DEM 22 600** – LUCERNE, 21 nov. 1992 : *La côte est avec des embarcations* 1925, cr./pap. (13,3x21) : **CHF 2 600** – ZURICH, 21 avr. 1993 : *Maisons et église* 1921, bois gravé (19,6x30) : **CHF 6 000** – NEW YORK, 13 mai 1993 : *La brume bleue* 1938, aquar. et encre/pap. beige (31,7x47,9) : **USD 25 300** – LONDRES, 20 mai 1993 : *Promeneurs avec un petit enfant en rouge* 1946, aquar. et encre/pap. (28,9x38,7) : **GBP 14 375** – MILAN, 12 oct. 1993 : *Village* 1922, cr. (20x16) : **ITL 16 100 000** – NEW YORK, 2 nov. 1993 : *Personnages à draisiennes* 1910, h/t (95,5x85) : **USD 1 542 500** – NEW YORK, 11 mai 1994 : *La demande en mariage* 1907, h/t (67,9x53,3) : **USD 387 500** – PARIS, 8 juin 1994 : *L'église de Hailigenhafen* 1922, pl. et aquar. (25x35,5) : **FRF 101 000** – LONDRES, 28 juin 1994 : *Voiliers sur la mer* 1953, h/t (45,7x76,2) : **GBP 67 500** – NEW YORK, 8 nov. 1995 : *Das Signalschiff* 1920, aquar. et encre/pap. (23,8x30,8) : **USD 43 700** – ZURICH, 14 nov. 1995 : *En partance vers l'ouest* 1943, aquar. et encre (29,5x46) : **CHF 26 000** – PARIS, 13 déc. 1995 : *Les maisons au bord de la rivière I*, h/t (50,5x76) : **FRF 635 000** – LONDRES, 9 oct. 1996 : *Voilier et vapeur devant un iceberg*, aquar. et encre/pap. (23,5x31,4) : **GBP 14 950** – NEW YORK, 14 nov. 1996 : *Après-midi d'été I* 1937, aquar., pl. et encre noire/pap. (31,5x48,2) : **USD 29 900** – NEW YORK, 14 mai 1997 : *Moulin à vent* 1925, aquar. et pl. et encre/pap. (28,9x40,6) : **USD 26 450**.

FEINLEIN Johann Christoph

XVIIe siècle. Actif à Waldshut sur le Rhin. Allemand.

Graveur et ébéniste.

Il publia un livre sur l'ébénisterie et une œuvre *La Disposition des colonnes*, gravée sur cuivre.

FEINSTEIN Guy

Né le 15 février 1929 à Alexandrie (Égypte). XXe siècle. Français.

Peintre.

Il s'établit à Paris en 1946 et, après une année d'études à la Faculté des Sciences, il suit les cours de l'Atelier Fernand Léger et ceux de l'Institut d'Art et d'Archéologie.
Bien que participant, à Paris, aux Salons de la Jeune Peinture, des Réalités Nouvelles (en 1958, 1959), des Grands et Jeunes d'Aujourd'hui, et Comparaisons, il montre assez rarement son travail. Sa première exposition particulière remonte en 1951, à Paris.
Parlant de sa peinture, il dit : « L'essentiel de mon travail porte sur l'expression du sentiment que j'ai de l'espace ». Après une expérience non-figurative, il est revenu, pour appréhender cet espace à une certaine figuration non ambiguë où il reprend dans ses compositions le problème d'une figure dans son environnement. ■ J. B.

VENTES PUBLIQUES : PARIS, 26 jan. 1990 : *Composition* 1959, h/t (60x73) : **FRF 3 500**.

FEINT Adrian

Né en 1894 à Sydney. XXe siècle. Australien.

Peintre de paysages, fleurs.

VENTES PUBLIQUES : SYDNEY, 6 oct. 1976 : *Nature morte aux fleurs* 1942, h/t (48x78) : **AUD 800** – SYDNEY, 29 juin 1981 : *Nature morte*, h/t (50x40) : **AUD 1 600** – SYDNEY, 29 oct. 1987 : *Nature morte aux fleurs et nautile* 1959, h/t (30,5x37,8) : **AUD 7 500** – SYDNEY, 2 juil. 1990 : *Buissons au printemps à Whale Beach*, h/t (13x23) : **AUD 1 700** – SYDNEY, 15 oct. 1990 : *Nature morte de fleurs* 1961, h/cart. (13x20) : **AUD 1 500**.

FEINTEL Jean

Né à Amboise. XVIe siècle. Français.

Peintre.

Il travailla pour François de Longueville vers 1511.

FEISS Jorg

XVIe siècle. Actif à Bolzano. Italien.

Sculpteur sur bois.

FEISSOLLE François

XVIIIe siècle. Actif à Toulon. Français.

Peintre.

FEIST Otto

Né le 18 novembre 1872 à Karlsruhe (Bade-Wurtemberg). XXe siècle. Allemand.

Sculpteur de bustes, figures, sujets allégoriques.

Il travailla à l'École des Arts et Métiers de Carlsruhe où il fit surtout des portraits sculptés. Il figura à partir de 1904 au Palais de Glace à Munich et à la Grande Exposition d'art de Berlin. Parmi ses portraits : *Le Professeur Göhler* – *Le Professeur F. S. Meyer* (bronze) – *Le Professeur Groh* – *Le Grand-Duc Frédéric Ier* – *La Grande-Duchesse Louise* (bas-relief, bronze). Parmi ses autres œuvres : *Rêve* (marbre) – *Nymphe* (bas-relief de tombeau) – *Rübezahl* (albâtre) – *Bustes d'enfants* (Bois) – *Statuette de femme* (bronze).

FEISTEL-ROHMEDER Bettina

Née le 24 août 1873 à Heidenheim (Bavière). XXe siècle. Active aussi en Suisse. Allemande.

Peintre de paysages urbains, figures, dessinateur, aquarelliste.

Elle étudia à Dachau, Carlsruhe et Stuttgart, puis en 1905 et 1906 à Venise. Elle fonda en 1909 les Ateliers de Mannheim à Heildelberg, puis se fixa en Suisse. De son séjour à Dachau proviennent des œuvres comme : *Lisière de la forêt, près de Dachau* – *Ferme dans la région de Dachau* – *Le Parc du Château de Dachau* ; et de son séjour à Venise : *Soir sur le Lido* – *Sur le balcon* – *La Lumière est son vêtement* – *L'École Saint-Marc, à Chiogga*. À Heidelberg, elle peignit des tableaux à l'huile et des aquarelles : *Cour du château d'Erbach* – *Portrait de ma mère* – *Hôtel de Ville de Michetstadt*.

Les Ateliers de Mannheim produisirent de nombreuses planches pour le commerce, ex-libris, en-têtes de lettres et une série de vingt-cinq dessins à la plume avec des vues de Heildelberg et Mannheim pour cartes postales.

FEISTENAUER Andreas ou **Faistenauer**
Né à Rosenheim. XVIIe siècle. Allemand.
Peintre.
Élève de Stoll à Vienne. Venu à Munich, il exécuta de nombreuses décorations dans les églises de cette ville et travailla pour l'Électeur de Bavière ; il exécuta pour l'église des Augustins un *Saint Thomas de Villeneuve*, pour celle des Franciscains un *Saint François en extase*.

F.

FEISTENBERGER. Voir **FAISTENBERGER**

FEISTER Carl
Né en 1742 à Vienne. Mort à Vienne. XVIIIe-XIXe siècles. Autrichien.
Dessinateur.
Il figura en 1811 avec des dessins et des gravures au Cabinet des estampes et des peintures, nouvellement ouvert à Baden, près de Vienne.

FEISTHAMEL J. J.
XIXe siècle. Français.
Dessinateur et aquarelliste.
Le Musée d'Orléans conserve de lui une aquarelle représentant : *Intérieur de l'église Saint-Euverte*.
MUSÉES : BRESLAU, nom all. de Wroclaw : *Paysage Italie* – même sujet – *Rivage d'Italie – Paysage italien – Paysage du Sud* – VIENNE : *Paysage de montagnes*.

FEISTKORN
XIXe siècle. Actif à Gœttingen. Allemand.
Peintre de genre.

FEIT Franz
Originaire de Pilgram en Bohême. XVIIIe siècle. Tchécoslovaque.
Sculpteur.
Il participa aux travaux du maître-autel de l'église du Monastère de l'Assomption à Bechin.

FEIT Nicolaus
XVe siècle. Actif à Cassovie. Hongrois.
Peintre.
Il acquit en 1465 le droit de bourgeoisie.

FEITAMA Sybrand
Né le 10 décembre 1694 à Amsterdam. Mort le 3 juin 1758 à Amsterdam. XVIIIe siècle. Hollandais.
Dessinateur et poète.
On connaît de lui un portrait dessiné du *Roi Auguste II de Pologne*.

FEI TAN-HIU. Voir **FEI DANXU**

FEI TCH'ENG. Voir **FEI CHENG**

FEI TCH'ENG-WOU. Voir **FEI CHENGWU**

FEITELBERG Zina
Née à Kazan (Tatar). XXe siècle. Russe.
Peintre.
Elle exposa à partir de 1924, à Paris, au Salon d'Automne et, à partir de 1926, à celui des Tuileries.

FEITELSON Lorser ou **I. Lorser**
Né en 1898 à New York. Mort en 1978. XXe siècle. Américain.
Peintre.
En 1965-66, il a participé à l'exposition annuelle *Peintures américaines contemporaines* du Whitney Museum of American Art de New York. En 1978-79, le même musée organisa aussitôt après sa mort une exposition personnelle *Lorser Feitelson (1898-1978) : Hommage commémoratif*.
VENTES PUBLIQUES : SAN FRANCISCO, 27 fév. 1986 : *Woman reading* 1920, h/cart. (46x26) : **USD 3 750** – NEW YORK, 25-26 fév. 1994 : *Sans titre* 1962, h. et vernis/t. (152,4x127) : **USD 23 000** – NEW YORK, 22 fév. 1996 : *Sans titre* 1965, vernis et liquitex/t. (152,5x152,5) : **USD 7 475** – NEW YORK, 8 mai 1996 : *Formes dans l'espace magique* 1962, h/t (152,4x132) : **USD 18 400**.

FEITKNECHT Peter
Mort le 15 août 1645 à Pfäffer-les-Bains. XVIIe siècle. Actif à Biel. Suisse.
Peintre verrier.
Artiste et homme d'État, il est cité comme auteur de six armoiries en 1612.

FEITO Luis ou **Feito-Lopez Luis**
Né le 31 octobre 1929 à Madrid. XXe siècle. Depuis 1954 actif aussi en France. Espagnol.
Peintre à la gouache, peintre de technique mixte, lithographe. Abstrait. Groupe El Paso.
Après des études dans un séminaire en Espagne, et s'être laissé tenter par la tauromachie, il travailla à l'école des Beaux-Arts San Fernando de Madrid, y obtint le diplôme de professeur de dessin, en 1954, année où il reçut aussi une bourse des gouvernements français et espagnol, qui l'amena à se fixer à Paris. En 1957, il fut membre fondateur du groupe *El Paso* avec Saura, Canogar et Millarès. Depuis, sa vie se déroule entre Paris et Madrid. Il fut nommé, en 1985, officier des Arts et Lettres de France. Feito a obtenu plusieurs prix : en 1956, Biennale de l'Art Méditerranéen ; 1959, Première Biennale de Paris ; 1959, Documenta II de Kassel et prix Lissone ; 1960, Prix David Bright, XXXe Biennale de Venise ; 1961, hors-concours au prix Lissone.
Il a été le premier peintre de la génération espagnole à faire une exposition de peinture abstraite, en 1954, dans le Madrid d'après-guerre civile, consacré de longtemps à l'art officiel. Il participe à de trop nombreuses expositions de groupe pour qu'il soit possible de les énumérer, parmi lesquelles à Paris : Salon des Réalités Nouvelles, Paris ; Salon Comparaisons, Paris ; Salon d'Automne, Paris ; 1956, Biennale de l'Art Méditerranéen, au Caire et à Athènes ; 1957, Biennale de São Paulo et Xe Prix Lissone ; 1958, XXIXe Biennale de Venise (Pavillon espagnol) marquant de façon éclatante le resurgissement de la peinture espagnole après une longue éclipse ; 1960, *L'École de Paris*, Paris ; 1961, sélectionné à l'exposition internationale du prix Carnegie de Pittsburgh.
Il montre ses œuvres dans de nombreuses expositions particulières : la première en 1954 (galerie Bucholz) ; régulièrement à Paris (galerie Arnaud), Milan, New York, Helsinki, Tokyo, Bâle, Copenhague, Montréal, Seattle ; 1964, Musée de Hambourg ; 1965, Musée de Tacoma ; 1968, San Francisco, Liège, Musée de Verviers ; 1968, Musée d'Art Contemporain de Montréal ; 1982, galerie Egam, Madrid (rétrospective) ; 1988, Madrid ; 1988, Museo Espagnol de Arte Contemporaneo ; 1991, galerie Louis Carré, Paris.
Après des débuts, en 1953-1954, influencés par tout le post-cubisme régnant sur l'enseignement académique de la peinture, il évolue très vite vers l'abstraction, conservant un temps une construction graphique cernant des pâtes déjà généreuses. Ensuite, vers 1955-1956, il passe résolument à une forme d'expression s'apparentant à l'art informel, ne jouant plus que des ressources de la seule matière colorée et faisant éclater d'une façon très personnelle une énorme giclure empâtée de rouge sur des fonds sombres jusqu'au noir. Vers 1963, il s'attache un peu plus à la forme en organisant ses compositions sur le thème des couches concentriques. Vers 1965-1966, il inaugure une nouvelle manière de « faire » : en partageant chacune de ses toiles, comme un diptyque – d'un côté une surface réservée à un aplat de couleurs vives, de l'autre une approche gestuelle – en un équilibre contrasté, fort, que semble sous-tendre une réflexion analytique du monde. Dans un langage peut-être plus imagé que les intentions d'abord formelles et plastiques de la peinture de Feito, Pierre Restany en dit : « Noirs des filons charbonneux, gris des tourbières, blancs des crépis de chaux sous le soleil, les ocres de Horta de Ebro et les argiles d'Andalousie, voilà toutes les terres de l'Espagne et même jusqu'au sable de l'arène baigné de sang du taureau mort. » ■ J. B., C. D.

Feito

BIBLIOGR. : Pierre Restany : *Luis Feito*, Paris, 1960 – Gérald Gassiot-Talabot, in : *Peintres contemporains*, Mazenod, Paris, 1964 – Michel Ragon, in : *Vingt-cinq ans d'art vivant*, Casterman, Paris, 1969 – in : *Catalogo Nacional de Arte Contemporaneo, 1990-1991*, Iberico 2000, Barcelone, 1991.
MUSÉES : ALEXANDRIE (Mus. roy.) – ATLANTA (Université) – BUFFALO (Albright Art Gal.) – CHAUX-DE-FONDS – CUENCA (Mus. d'Art Abstrait) – GÖTEBORG – HELSINKI (Mus. de l'Atheneum) – HOUSTON – LIS-

sone (Fond.) – MADRID (Mus. de Arte Mod.) – MARSEILLE (Mus. Cantini) : *Diptyque 563* 1966 – MONTRÉAL (Mus. of Mod. Art) – NAGAOKA (Mus. d'Art Mod.) – NEW YORK (Guggenheim Mus.) – PARIS (Mus. d'Art Mod.) – PARIS (CNAC) – RIO DE JANEIRO (Mus. de Arte Mod.) – ROME (Gal. d'Art Mod.) – SEATTLE – TOKYO (Mus. d'Art Mod.) – TOKYO (Bridgestone Gal.) – TORONTO (Art Gal.) – VERVIERS.

VENTES PUBLIQUES : MADRID, 21 déc. 1976 : *Composition* 1973, h/t (150x150) : **ESP 105 000** – MADRID, 24 mai 1977 : *Infini* 1959, techn. mixte (88x116) : **ESP 260 000** – ANVERS, 23 avr. 1980 : *Composition* 1971, h/t (145x113) : **BEF 14 000** – BARCELONE, 17 mars 1983 : *228 Base* 1961, techn. mixte/t. (81x100) : **ESP 125 000** – MILAN, 14 juin 1984 : *Peinture 620* 1968, h/t (65x108) : **ITL 1 300 000** – PARIS, 5 déc. 1985 : *Composition fond jaune* 1974, h/t (130x97) : **FRF 4 800** – LONDRES, 20 oct. 1988 : *Rouge avec noir* 1961, gche/cart. (46,4x66,7) : **GBP 5 280** – LONDRES, 23 fév. 1989 : *Rouge avec noir II*, gche et h/pap./cart. (46,5x59,5) : **GBP 4 400** – COPENHAGUE, 10 mai 1989 : *Composition* 1961, h/t (114x146) : **DKK 150 000** – PARIS, 26 jan. 1990 : *Sans titre*, h/t, collage et techn. mixte (24,5x19,5) : **FRF 18 000** – LONDRES, 22 fév. 1990 : *Cadre 210* 1960, h. et mélange/t. (25,5x34,9) : **GBP 10 450** – MILAN, 27 mars 1990 : *Sans titre* 1970, h/t (45x54,5) : **ITL 11 000 000** – LONDRES, 5 avr. 1990 : *Cadre 522* 1965, h. et mélange/t., deux panneaux (100x163) : **GBP 35 200** – PARIS, 30 mai 1990 : *Composition* 1970, h/t (100x80) : **FRF 175 000** – DOUAI, 11 nov. 1990 : *Composition*, h/pap. (44x61) : **FRF 50 000** – ROME, 3 déc. 1990 : *Sans titre* 1959, temp./pap./t. (45x55,5) : **ITL 28 750 000** – MILAN, 13 déc. 1990 : *Composition* 1969, h/t (45x54) : **ITL 11 000 000** – MADRID, 13 déc. 1990 : *Cadre 830* 1971, h/t (146x114) : **ESP 3 136 000** – LONDRES, 21 mars 1991 : *Composition*, h/pap. (65x51) : **GBP 3 740** – PARIS, 30 mai 1991 : *Composition* 1975, h/t (130x196) : **FRF 100 000** – LONDRES, 17 oct. 1991 : *Sans titre*, h/t (147x113,5) : **GBP 16 500** – MADRID, 28 nov. 1991 : *Cadre 397* 1963, h/t (73x92) : **ESP 2 464 000** – LONDRES, 29 mai 1992 : *Cadre 196* 1960, h/t (90x80) : **GBP 7 700** – PARIS, 28 sep. 1992 : *Composition 166* 1959, h/t (80x90) : **FRF 37 000** – ROME, 14 déc. 1992 : *Composition* 1970, h/t (54,5x45) : **ITL 5 175 000** – LONDRES, 3 déc. 1993 : *Cadre 346* 1962, h. et techn. mixte/t. (130x162,5) : **GBP 11 500** – PARIS, 24 juin 1994 : *Composition n° 1127* 1975, h/t (130x97) : **FRF 25 000** – LONDRES, 30 nov. 1995 : *Cadre 158* 1959, h. et sable/t. (73,5x100,5) : **GBP 13 800** – MILAN, 2 avr. 1996 : *Composition* 1968, h./deux toiles jointes (60,5x91) : **ITL 6 670 000** – LONDRES, 23 mai 1996 : *Peinture 153* 1959, h. et sable/t. (89x116) : **GBP 14 950** – LUCERNE, 8 juin 1996 : *Composition*, gche et h/pap. fort (54x68) : **CHF 4 500** – PARIS, 5 oct. 1996 : *Peinture* 1969, h/t, diptyque (146x230) : **FRF 58 000** – PARIS, 29 nov. 1996 : *Composition* 1967, h/t (147x100) : **FRF 32 000** – LONDRES, 5 déc. 1996 : *Peinture XII* 1958, h/t (114x146) : **GBP 13 225** ; *Tableau n° 194* 1960, h/t (86x110) : **GBP 9 200** – PARIS, 29 avr. 1997 : *Sans titre*, techn. mixte/t. (113,5x145,5) : **FRF 84 000** – LOKEREN, 11 oct. 1997 : *NR. 539* 1966, h/t (146x100) : **BEF 130 000**.

FEITOSA Roberto
XXe siècle. Brésilien.
Peintre de paysages. Naïf.
Il s'est spécialisé dans des paysages imaginaires de l'Amazonie.
VENTES PUBLIQUES : NEW YORK, 9 juil. 1981 : *Lever de lune* 1980, acryl. (65x80,6) : **USD 800** – NEUILLY, 6 juin 1989 : *Paysage*, h/pan. (47x61) : **FRF 7 200**.

FEITU Pierre Luc
Né le 16 avril 1868 à Mûr-de-Bretagne (Côtes d'Armor). XXe siècle. Français.
Sculpteur de figures allégoriques et mythologiques.
Cet artiste, sociétaire, à Paris, du Salon des Artistes Français et ensuite du Salon de la Société Nationale des Beaux-Arts, a exposé, en outre, à New York, Philadelphie, Pittsburgh, Mexico, etc. Parmi ses œuvres : *La Gloire – Salomé – Sisyphe*, etc. Il a réalisé l'épée du roi des Belges, Albert Ier.
MUSÉES : BREST.
VENTES PUBLIQUES : NEW YORK, 17 mai 1983 : « *Faneuse rêve...* » 1900, bronze (H. 104) : **USD 2 800**.

FEJES Emerik
Né en 1904 à Osijek (Croatie). XXe siècle. Yougoslave-Croate.
Peintre.
Tailleur de boutons et de peignes, il ouvrit ensuite une boutique de brocanteur. Il vécut à Novi-Sad. Ce fut en 1949, qu'il commença à peindre ses « portraits de villes » si particuliers. En 1956, il exposa aux *Artistes Primitifs*, à Dubrovnik ; en 1957, à Belgrade ; en 1958, à *La Peinture naïve du Douanier Rousseau à nos Jours*, à Knokke-Le-Zoute, en Belgique.
Dans une liberté totale en ce qui concerne la perspective, et avec les dons narratifs de l'enfance, il fait les portraits des maisons, d'une rue ou raconte la vie quotidienne de ces habitations, n'hésitant pas, au besoin, à supprimer une cloison pour montrer ce qui se passe à l'intérieur.
BIBLIOGR. : Oto Bihalji-Merin : *Les Peintres naïfs*, Delpire, Paris, s. d.
VENTES PUBLIQUES : NEW YORK, 24 sept. 1981 : *Piccolo teatro, Milano*, temp. (42x59) : **USD 2 000** – VIENNE, 23 juin 1987 : *Trogir*, aquar. et gche (33,5x44,5) : **ATS 18 000**.

FEKE Robert
Né entre 1705 et 1710 à Oyster Bay (Long Island). Mort en 1750 ou 1767. XVIIIe siècle. Américain.
Peintre de portraits.
Ses origines et ses débuts sont plus ou moins bien connus. Selon certains, il descendrait d'une famille hollandaise qui s'était fixée à Oyster Bay, Long Island. Selon des renseignements qui semblent proches de la légende, il aurait été fait prisonnier et emmené en Espagne où il aurait appris à peindre. Il semble qu'il ait séjourné en Angleterre où il aurait pu apprécier des portraits anglais. Rentré aux États-Unis, il s'installe à Newport vers 1741, puis à Boston vers 1750.
Il devient peintre de portraits ; ses sujets sortent de l'aristocratie. En 1741, il peint la famille d'Isaac Royall, groupe inspiré de celui des *Bermudes* peint par John Smibert. La qualité des surfaces picturales, l'opposition des couleurs, le rendu de certaines étoffes, donnent toute sa valeur à la peinture de Feke qui prend un caractère américain. Pourtant, il essaie de se rapprocher de l'art des portraitistes anglais, dont il connaissait les œuvres à travers des gravures. Sa façon de lier les personnages au fond par des lignes se retrouve chez Ralph Earl.
MUSÉES : BOSTON (Bibl. Redwood) : *Portrait de la femme du gouverneur Wanton*.
VENTES PUBLIQUES : NEW YORK, 3 nov. 1960 : *Captain William Stoddard* : **USD 6 200** – NEW YORK, 22 mars 1978 : *Portrait de Captain William Stoddard* vers 1740, h/t (76,2x63,5) : **USD 12 500**.

FEKLISTOFF Vassili
XIXe siècle. Russe.
Peintre.
Il étudia à l'Académie de Saint-Pétersbourg où il reçut plusieurs médailles d'argent pour ses portraits et ses tableaux de genre. En 1850 il obtint une médaille d'or pour son tableau *La Légende de Tobie*.

FEL William
XXe siècle. Français.
Graveur, dessinateur.
On cite ses illustrations de *Madame Bovary*, de Gustave Flaubert (eaux-fortes originales, 1927) ; des *Douze sonnets*, de C. Guérin, ainsi que des poèmes de H. de Régnier et A. Samain.
VENTES PUBLIQUES : PARIS, 16 mai 1924 : *Académie de femme*, cr. : **FRF 330** – PARIS, 15 mai 1931 : *Scène antique* : **FRF 20**.

FELAERT Dirk Jacobsz ou **Vellert** ou **Vellaert** ou **Fielart**, appelé aussi **Dietrich Tierry** ou **Dierich Jacobssone**
XVIe siècle. Éc. flamande.
Peintre de compositions religieuses, peintre sur verre, graveur.
Cet artiste est un des plus anciens peintres sur verre. Giucciardini, qui l'avait nommé grand maître, l'appelle Fielart. C'est probablement l'artiste dont parle Durel dans son voyage aux Pays-Bas et qu'il désigne sous le nom de Dietrich Tierry. Il figure sous le nom de Tierry comme doyen de la gilde de Saint-Luc à Anvers en 1518 et 1526. Il fut reçu franc-maître en 1511. Vivait encore en 1540.
VENTES PUBLIQUES : NEW YORK, 15 fév. 1980 : *La vision de St. Bernard*, grav./cuivre (17,2x12,5) : **USD 1 000** – LONDRES, 18 juin 1982 : *La Tentation du Christ* 1525, eau-forte (11,2x7,7) : **GBP 520** – LONDRES, 7 déc. 1984 : *Le tambour avec un enfant*, eau-forte (8,9x6,3) : **GBP 3 000** – LONDRES, 5 déc. 1985 : *Saint Luc peignant la Vierge* 1526, eau-forte/pap. filigrané (17,2x12,4) : **GBP 8 000** – AMSTERDAM, 20 juin 1989 : *La Sainte Famille avec des anges, sainte Catherine et sainte Barbe (sur chacun des panneaux latéraux)*,

h/pan., triptyque (centre 76,5x58, côtés 76,5x25,7) : **NLG 414 000.**

FELB Josias
XVIe siècle. Actif à Bâle en 1566. Suisse.
Peintre.

FELBER Carl Friedrich
Né le 21 septembre 1880 à Waedens-Will (Suisse). Mort en 1932 à Dachau (Bavière). XXe siècle. Suisse.
Peintre de paysages, paysages urbains, dessinateur.
Il étudia à l'École des Arts et Métiers de Carlsruhe, à l'Académie Julian à Paris, à l'école d'Hollosy à Munich et à celle d'Hölsel à Dachau, et finit par se fixer à Dachau. Il exposa, à partir de 1906, surtout au Palais de Glace de Munich, et parfois au Salon de la Société Nationale des Beaux-Arts, à Paris.
Il peignit des paysages des environs de Dachau et de la Haute-Bavière, comme aussi des paysages enneigés de la Suisse, et des vues de Venise.
Musées : Berlin (Cab. des Estampes) – Munich (Cab. des Estampes).
Ventes Publiques : Lucerne, 25 juin 1976 : *Paysage de l'Engadine* 1920, h/t (80x60) : **CHF 1 300** – Lucerne, 13 nov. 1982 : *Soir d'hiver, Engaldin* 1921, h/t (61x90,5) : **CHF 900** – Berne, 2 mai 1986 : *Paysage montagneux en hiver* 1920, h/t (50x91) : **CHF 3 600** – Munich, 1er-2 déc. 1992 : *Maison polonaise en automne*, h/pap. (60x70) : **DEM 7 475.**

FELBER Johann Carl
Né en 1743 à Berlin. Mort en 1768 à Dresde. XVIIIe siècle. Allemand.
Peintre et graveur.
Élève de N.-B. Le Sueur. Il a gravé des portraits et des sujets de genre.

FELBER Marguerite Lucie
Née le 30 mai 1878 à Paris. XXe siècle. Française.
Peintre, aquarelliste.

FELBERMEYER Johann
XIXe siècle. Actif à Gratz. Autrichien.
Peintre.
Il étudia à l'Académie de Gratz et peignit un grand nombre de tableaux religieux. Son tableau l'*Extrême-Onction* lui valut en 1853 un prix de l'Académie.

FELBIER Maurice
Né en 1903 à Anvers. XXe siècle. Belge.
Peintre de natures mortes, nus, graveur sur bois.
Il est le fils d'un peintre-décorateur. Il fut élève de l'Académie et de l'Institut Supérieur d'Anvers. Il fut professeur à l'Académie des Beaux-Arts d'Anvers entre 1950 et 1968. Il obtient le prix Van Lerius en 1925.
Bibliogr. : In : *Diction. biogra. illustré des artistes en Belgique, depuis 1830*, Arto, Bruxelles, 1987.
Musées : Anvers.
Ventes Publiques : Anvers, 8 avr. 1976 : *Tournesols* 1938, h/t (91x81) : **BEF 22 000** – Lokeren, 17 oct. 1981 : *Nature morte aux fleurs* 1945, h/t (51x44) : **BEF 18 000.**

FELBINGER Franz von, ritter
Né le 8 juillet 1844 à Hainbourg (Basse-Autriche). Mort le 15 juillet 1906 à Trebitsch (Moravie). XIXe siècle. Autrichien.
Peintre de genre, intérieurs d'églises.
Ingénieur, il s'adonna à la peinture à l'âge mûr et étudia à Brünn, puis à Munich.
Musées : Brünn (Heinrich Gomperz Gal.) : *Le Mendiant – Le Marché aux herbes de Brünn – L'Intérieur de l'église des Jésuites – Portrait du peintre par lui-même* – même sujet – Brünn (Landesmuseum) : *Portrait du peintre par lui-même* – Moravie (Kunstverein) : *Le Joueur*.
Ventes Publiques : New York, 24 jan. 1980 : *Jeune femme tricotant*, h/pan. (55,3x44,5) : **USD 5 500.**

FELD Hans von ou **Johann von Feldt**
XVIIe siècle. Actif à Prague. Tchécoslovaque.
Peintre.
Il était peintre de l'empereur Mathias. Il exécuta les bannières de l'église du château de Prague, pour les funérailles de Rodolphe II. C'est lui qui fut chargé du soin de préserver des iconoclastes les meilleures peintures de la cathédrale de Prague en 1619.

FELD Julius
Né le 29 juin 1871 à Botosani (Roumanie). XXe siècle. Actif et naturalisé en France. Roumain.
Peintre de portraits.
Il fut élève de Gérome, de Bonnat et de Cormon. Mention honorable en 1902.

FELD Otto
Né le 26 février 1860 à Breslau. Mort le 21 mars 1911 à Neu-Babelsberg (près de Potsdam). XIXe-XXe siècles. Allemand.
Peintre de paysages.
Il étudia à l'Académie de Berlin, puis séjourna à Paris où il exposa en 1896 au Salon de la Société des Artistes Français un *Portrait de femme*. De retour en Allemagne il peignit presque exclusivement des paysages de la région de Berlin et les exposa fréquemment aux expositions de Berlin, ainsi qu'à celles de Dresde, en 1899 et 1901 et Düsseldorf en 1904. A Berlin il était le Directeur de l'Association « *L'Art dans la vie de l'enfant* ».
Musées : Breslau, nom all. de Wroclaw, côte de la mer Baltique : *Soir*.

FELDBAUER Max
Né le 14 février 1869 à Neumarkt (Palatinat). XIXe-XXe siècles. Allemand.
Peintre de sujets divers, illustrateur.
Il travailla à Munich où il fut illustrateur de la revue *Jeunesse* et membre de *La Glèbe*. Il figura aux expositions du Palais de Glace à Munich et à celles de Berlin.
Il fit des tableaux à l'huile dont il emprunta les sujets à la vie du peuple bavarois et à celle des soldats. Il a également peint des peintures de chevaux, des nus féminins, des jeunes paysannes, des servantes de brasserie.
Musées : Berlin (Gal. Nat.) – Dresde (Cab. des Estampes) – Munich (Gal. de la Sezession) : *Chevaux*, étude.
Ventes Publiques : Munich, 26 mai 1978 : *Cheval et jockey* 1917, h/t (44x49) : **DEM 3 200** – Munich, 14 mai 1986 : *Nu couché* 1908, h/t (55,2x100) : **DEM 4 000.**

FELDER Carl
XVIIIe siècle. Actif à Breslau. Allemand.
Peintre.
Deuxième fils de Franz Anton Felder, il fut d'abord élève de son père, puis entra en 1769 à l'Académie de Vienne.

FELDER Franz Anton
Mort le 16 août 1782. XVIIIe siècle. Actif à Breslau. Allemand.
Peintre.
Dans la cathédrale de Breslau il exécuta un tableau d'autel dans la chapelle du Grand Électeur, et remplaça après l'incendie de 1759 quelques images d'apôtres peintes par G. A. Mainardi. En 1781 il peignit dans l'église de Prausnitz un tableau d'autel représentant l'apôtre *Jude de Thadée*.

FELDER Johann
Né au XVIIIe siècle à Breslau. XVIIIe siècle. Allemand.
Peintre.
Fils de Johann Franz Felder il entra à l'Académie de Vienne en 1799.

FELDER Johann Franz
XVIIIe siècle. Actif à Breslau. Allemand.
Peintre.
Élève de son père Franz Anton Felder, il étudia aussi à l'Académie de Vienne. Il peignit pour la chapelle du Grand Électeur dans la cathédrale de Breslau un portrait du Grand Électeur François-Louis de Palatinat.

FELDER Katharina Maria
Née le 15 janvier 1816 à Ellenbogen près de Bezau. Morte le 13 février 1848 à Berlin. XIXe siècle. Allemande.
Sculpteur.
Très douée dès l'enfance pour la sculpture, elle apprit d'abord le dessin à Constance, puis entra à l'Académie de Munich et travailla ensuite à l'atelier de Schwantal où elle exécuta un groupe en grès *La Foi, l'Espérance et la Charité*. A Berlin où elle se fixa elle fit une statue équestre de *Saint George* pour le général Knesebeck. L'église d'Oberbezau conserve, de sa main un *Saint Sébastien*, sculpture sur bois et le Ferdinandeum à Innsbruck une *Vierge s'agenouillant devant le Christ enfant*.

FELDER Marguerite
Née à Huy (Belgique). XXe siècle. Belge.
Peintre.
Elle fut exposant, à Paris, du Salon des Artistes Français à partir de 1924.

FELDERER Christian
Né en 1709 à Schwäbisch-Gmünd. Mort le 12 septembre 1778 à Schwäbisch-Gmünd. XVIIIe siècle. Allemand.
Sculpteur sur bois et ébéniste.

Cet artiste fut frère lai (sous le nouveau prénom d'Andrea) du Couvent des Dominicains de Wimpfen. L'église des Dominicains de Wimpfen lui doit toute sa décoration de style rococo : riches stalles, grille de communion, buffet de l'orgue ; il exécuta aussi le maître-autel de l'église collégiale de Wimpfen-im-Tal.

FELDERHOFF Reinhold
Né le 25 janvier 1865 à Elbing. XIXe siècle. Allemand.
Sculpteur.
Élève de l'Académie de Berlin sous Begas. En 1885 il alla en Italie et s'établit ensuite à Berlin. Le Musée de Berlin conserve de lui : *Diane*.

FELDHAAS Anton ou **Feldhans**
XVIIIe siècle. Actif à Vienne. Autrichien.
Peintre.
Il entra à l'Académie de Vienne le 7 février 1756 et était encore en 1767 élève de l'Académie de gravure fondée par Schmutzer. L'église de Kelca (Moravie) possède de lui et de son frère Louis Adolphe Feldhaas, des tableaux d'autel.

FELDHUTTER Ferdinand
Né le 7 avril 1842 à Munich. Mort le 8 décembre 1898 à Munich. XIXe siècle. Allemand.
Peintre de paysages, paysages d'eau.
Il a exposé à Munich et à Berlin en 1888-1889. On cite de lui : *Vue sur le lac*.
Ventes Publiques : Munich, 28 mars 1973 : *Tegernsee* : **DEM 8 000** – Cologne, 25 juin 1976 : *Vue de Königsee*, h/t (32,5x41) : **DEM 3 200** – Munich, 26 oct. 1978 : *La baie de Naples*, h/t (69x89) : **DEM 3 200** – Munich, 27 nov. 1980 : *Retour de chasse* 1890, h/pan. (24x36) : **DEM 8 800** – Vienne, 23 juin 1982 : *Vue de Isabella Bella sur la lac Majeur*, h/t (23,5x36) : **ATS 28 000** – Lindau, 5 oct. 1984 : *Vue du lac de Garde*, h/pan. (23,5x36) : **DEM 10 000** – New York, 29 oct. 1986 : *Le Camp de romanichels*, h/t (74,3x116,9) : **USD 4 800** – Berne, 30 avr. 1988 : *Cascade près de Mantendorf*, h/t (52x42) : **CHF 5 300** – Cologne, 15 juin 1989 : *Embarcations sur un lac des Alpes*, h/t (42x66) : **DEM 2 200** – Amsterdam, 19 sep. 1989 : *Paysage alpin avec une paysanne près d'un ruisseau au crépuscule*, h/t (24,5x17,5) : **NLG 4 370** – New York, 29 oct. 1992 : *Chalet en montagne*, h/t (43,7x58,4) : **USD 2 420**.

FELDMAN Charles
Né le 27 janvier 1893 à Lublin (Russie). XXe siècle. Américain.
Peintre.
Il fut élève de la National Academy of Design, de R. Henri et G. Bellows. Il fut également écrivain et conférencier.

FELDMAN Hilda
Née le 22 novembre 1899 à Newark (New Jersey). XXe siècle. Américaine.
Peintre.
Elle fut élève de Ida Wells Stroud et d'Anna Fisher. Elle fut également artisan d'art.

FELDMANN Eduard
XIXe siècle. Actif à Hambourg. Allemand.
Lithographe.
Il édita en 1846 le *Panorama de l'ancien et du nouveau Jungfernstieg* en impression à teintes. On cite parmi ses autres œuvres la lithographie de *L'église Sainte-Marie-Madeleine*, à *Hambourg*.

FELDMANN Hans Peter
Né en 1941 à Düsseldorf (Rhénanie-Westphalie). XXe siècle. Allemand.
Artiste d'assemblages, peintre, dessinateur.
Il a montré ses œuvres en 1992 au musée d'Art moderne de la Ville de Paris et en 1994 à La Flèche.
Il travaille à partir de reproductions, photocopies ou bustes en plâtre, qu'il peint, retouche. Il parcourt en multipliant les références à notre culture.
Bibliogr. : Pierre Leguillon : *L'Art épinglé*, Le Journal des Arts, n° 4, Paris, juin 1994.
Musées : Limoges (FRAC) : *Objets/photocopies* 1992-1994, installation – *Sans titre* 1995 – Nantes (FRAC Pays de la Loire) : *Pin up's* 1977, 5 photocop. retouchées – *Portraits de Holbein* 1977, 6 photoc. – *David* 1990, plâtre peint. – *César* 1989, plâtre peint. – *Enfants* 1977, 5 photoc. – *Encyclopédie* 1990, 5 photoc. – *Montagne* 1990, 6 photoc. – *Tour Eiffel* 1990, 24 photoc. – *Veste et chaussures* 1991, 1 photoc., veste, chaussures – *Filles en sous-vêtements* 1991, 3 photoc. – *Boulangerie* 1991, 10 photoc. – *Plats* 1991, 5 photoc. – *Machines à laver* 1990, 9 photoc. – *Tapis* 1990, 9 photoc. – *Installation* 1992, 6 pages manuscr.

FELDMANN Kaspar
Né en 1805 à Glarus. Mort en 1866 à Stuttgart. XIXe siècle. Suisse.
Peintre d'architectures et paysagiste.
Feldmann fut commerçant et n'eut d'autre professeur que lui-même. Il habita Saint-Pétersbourg, Tägerwilen, Constance, Munich et Stuttgart.

FELDMANN Konon
Né en 1870 à Krinitchnoïé-sur-le-Don. XXe siècle. Russe.
Peintre de paysages, scènes de genre, portraits.
Il étudia d'abord à l'École des Beaux-Arts d'Odessa, puis fut élève de P. P. Tchistiakoff à l'Académie de Saint-Pétersbourg. Dans la même ville, il présente à partir de 1900, à l'Exposition de Printemps, des œuvres telles que : *Flottage de bois sur le Dnieper* – *Feuilles et racines* – *La Mère* – *La Scène*.
Ventes Publiques : Londres, 2 nov. 1979 : *Portrait d'Ali Haider, émir de la Mecque* 1921, past. (60,3x45,7) : **GBP 3 200**.

FELDMANN Louis
Né le 12 juin 1856 à Itzehoe (Holstein). Mort en 1938. XIXe siècle. Allemand.
Peintre de compositions religieuses, scènes de genre.
Il travaillait à Düsseldorf. Il obtint une mention honorable à Berlin en 1889. On cite de lui : *Thomas l'Incrédule* ; *La Cène* ; *Sainte Famille* ; *Gethsémani* ; *Saint Valentin guérissant un jeune épileptique*.
Ventes Publiques : Düsseldorf, 6 oct. 1982 : *L'Ouverture du testament*, h/t (75x87) : **DEM 3 600**.

FELDMANN Peter
Né le 27 août 1790 à Crefeld. Mort le 8 octobre 1871 à Crefeld. XIXe siècle. Allemand.
Peintre de paysages.
Il étudia de 1819 à 1822 à Paris, où il exposa au Salon quelques paysages : *Coucher de soleil* ; *Clair de lune*. Il exposa aussi à l'Académie de Berlin plusieurs paysages. Après un séjour dans le Sud de l'Allemagne et en Suisse et un voyage en Italie, il peignit des vues des lacs du Nord de l'Italie, du Mont Pilate et de la Campagne romaine.
Musées : Crefeld (Kaiser Wilhelm) : *Le Lac Majeur*.

FELDMANN Valentin Augustovitch
Actif à Saint-Pétersbourg. Russe.
Peintre.
Musées : Saint-Pétersbourg (Mus. russe) : *Bord de mer*, aquar.

FELDMANN Wilhelm
Né le 1er décembre 1859 à Lunebourg. Mort en 1932. XIXe siècle. Allemand.
Peintre de paysages, aquarelliste, graveur.
Il a exposé à Dresde aux expositions des aquarelles en 1887, et obtint un prix. En 1889 il reçut le prix de la fondation Menzel. Il s'établit à Berlin en 1886. Il grava surtout des eaux-fortes.
Musées : Berlin : *Lever de lune* – Kaliningrad, ancien. Königsberg : *Village dans la lande* – Lübeck : *La Lande au coucher du soleil*.
Ventes Publiques : Stuttgart, 9 mai 1981 : *Paysage boisé*, h/t (100x80) : **DEM 4 800**.

FELDMULLER Tilman Joseph
Né le 20 juillet 1737 à Ahrweiler. Mort en 1788 à Cologne. XVIIIe siècle. Allemand.
Peintre.
Il fut élève de l'Académie d'Anvers et de celle de Vienne et fut reçu maître à Vienne en 1764. Il fut peintre d'histoire et de portraits ; il exécuta aussi des fresques.

FELDNER Reinhold
Né le 12 janvier 1855 à Francfort-sur-l'Oder. Mort en 1906 à Hambourg. XIXe siècle. Allemand.
Peintre d'architectures.
Il travailla longtemps à Hambourg.

FELDTRAPPE Henri
Né au XIXe siècle à Paris. XIXe siècle. Français.
Peintre.
Il eut pour maître Bonnegrâce. Sociétaire des Artistes Français depuis 1893. Débuta au Salon de 1876.

FELDWEG Joh. Christ. Gustav
Né en 1814 à Leipzig. XIXe siècle. Actif à Leipzig. Allemand.

Lithographe et graveur.
Il exécuta de préférence des planches d'architecture et grava pour l'œuvre de C. A. Menzel *Œuvres d'art depuis l'Antiquité jusqu'à nos jours* des vues de villes d'Allemagne.

FELEDI Tivadar ou **Theodor** ou **Flesch**
Né le 8 octobre 1852 à Budapest. Mort le 6 février 1896 à Budapest. XIXe siècle. Hongrois.
Peintre.
Il étudia d'abord à Budapest et séjourna ensuite pendant 6 ans à Paris où il travailla avec Bonnat, Munkacsy et Zichy. En 1879 et 1880 il figura au Salon de la Société des Artistes Français.
Musées : Budapest (Mus. Nat.) : *Berger.*

FELEDY Gyula
Né en 1928. XXe siècle. Hongrois.
Graveur.
Il fut élève de Karoly Koffan, Janos Kmetty et Bertalan Por, et termina ses études à l'Académie des Beaux-Arts de Cracovie. Il bénéficia pendant trois années d'une bourse Derkovits. Il participe aux Biennales de Lugano, Tokyo, Cracovie, et, en 1966, à celle de Venise. Il expose personnellement à Cracovie en 1953, et, en 1965, à Budapest. Il vit à Miskole depuis 1955.
Il utilise dans ses gravures des procédés d'empreinte directe et de textures d'un accent moderne.
Bibliogr. : Gésa Csorba : Catalogue de l'exposition : *Art Hongrois Contemporain*, Musée Galliéra, Paris, 1970.

FELETTI Giacomo Filippo
Originaire de Comacchio. XVIIe siècle. Italien.
Peintre de fresques.
Il travailla à Ferrare où il peignit avec Cesare Mezzogori des peintures à l'huile dans la nef de l'église des Théatins, peintures représentant l'histoire de saint Gaëtan.

FÉLEZ Fernando Jesus, pseudonyme de **San Martin Félez**
Né le 4 septembre 1930 à Saragosse (Aragon). XXe siècle. Depuis 1955 actif en France. Espagnol.
Peintre, graveur, illustrateur. Abstrait, puis tendance surréaliste.
Il a été élève de l'École des Arts et Métiers puis de l'Académie des Beaux-Arts de Barcelone (1941-1950). Il obtient une bourse d'études à Paris en 1950. Il entre, en 1957, à l'École des Beaux-Arts de Paris pour étudier la lithographie. En 1970, il voyage à New York.
Il participe à de nombreuses expositions collectives, entre autres : 1950, exposition itinérante des graveurs espagnols en Amérique latine ; 1963, Salon Option, organisé par le critique d'art Deroudille à Lyon. Félez a réalisé également des expositions personnelles : 1962, galerie de Beaune, Paris ; 1963, galerie de Verneuil, Paris ; 1971, New York ; 1975, Barcelone ; puis de nouveau en Espagne et en France.
En 1955, il fait ses premiers essais de peinture abstraite. Il participe à la formation de plusieurs groupes d'artistes tel *Mouvement* avec Albertini, Canes, Fiaux, Plaza, E. Valles, Guzman et l'écrivain Charles Juliet. En 1964, il entre en contact avec le « style de vie-groupe », *Panique*, d'Arrabal, Jodorowsky et Topor. Il réalise à cette occasion une première série de portraits de Fernando Arrabal. Il cesse la peinture abstraite en 1965. Le « panique » se perçoit comme un « mélange euphorique » de choses et d'événements, selon Jodorowsky et surtout « un refus de la gravité ». Les peintures de Félez, d'un réalisme soutenu et soigné, tirent leur intérêt d'une expérience à caractère surréaliste où, en général, femmes nues et désir charnel interpellent notre regard. Avec plus de recul, Fernando Arrabal souligne : « l'art de Félez est une superbe création du désir et non une sordide exigence de la nécessité ». ■ C. D.

FELGENTREFF Paul
Né le 3 août 1854 à Potsdam. Mort en 1933 à Munich. XIXe siècle. Allemand.
Peintre de genre, paysages, dessinateur.
Il étudia à Leipzig avec Nieper puis à Munich avec Seitz et avec Defregger. Il fit des études de paysages inspirées des montagnes de Bavière, agrémentées de types caractéristiques. On cite parmi ses œuvres : *Une boisson rafraîchissante* ; *Arrivée des estivants dans l'alpage.* Une exposition collective de ses œuvres eut lieu au Kunstverein à Munich en 1914.
Ventes Publiques : Lindau, 8 oct. 1980 : *Nu assis de dos*, h/t (84,5x68,5) : **DEM 4 200** – Cologne, 25 juin 1982 : *Portrait de jeune paysan*, h/pan. (13,5x10,5) : **DEM 1 600** – New York, 27 oct. 1984 : *Retour du marché*, h/t (50,8x34,3) : **USD 3 800** – Munich, 6 déc. 1994 : *Jeune femme*, h/pan. (24,5x18,5) : **DEM 2 070** – Munich, 27 juin 1995 : *Moine faisant la morale à une jeune paysanne*, h/t (62,5x50) : **DEM 5 175** – Paris, 21 mars 1996 : *Retour du marché*, h/t (50x33) : **FRF 31 000**.

FELGENTREU Max
Né le 13 juin 1874 à Luckenwalde (Brandebourg). XXe siècle. Allemand.
Peintre de paysages.
Il fut élève de J. Bergmann à l'Académie de Düsseldorf. Il figura à l'Exposition Nationale de Zurich. On connaît de lui des paysages du Tessin.

FELGUÉREZ BARRA Manuel
Né en 1928 à Zacatecas (Mexico). XXe siècle. Mexicain.
Peintre, sculpteur. Abstrait.
Il débuta par l'apprentissage de la sculpture, à Paris, auprès de Zadkine. Il a figuré à la première Biennale des Jeunes de Paris. Il commença à peindre en transposant picturalement ses assemblages sculpturaux faits de morceaux de fer soudé. C'est le premier artiste mexicain à avoir pratiqué l'abstraction totale qui ne s'est manifestée qu'à partir de 1955 en ce pays.
D'un géométrisme assez strict à ses débuts, il évolue vers des compositions aux couleurs chaudes et proches de la matière, généreusement peintes au couteau. Il a également pratiqué la sérigraphie et l'art par ordinateur.

Bibliogr. : In : *Peintres contemporains*, Mazenod, Paris, 1964 – Damian Bayon et Roberto Pontual : *La Peinture de l'Amérique latine au XXe siècle*, Éditions Mengès, Paris, 1990.
Ventes Publiques : New York, 19 mai 1987 : *Sans titre* 1960, h. et techn. mixte/t. (80,7x100) : **USD 2 000** – New York, 21 nov. 1988 : *Iconographie personnelle* 1966, h/t (115x127,5) : **USD 9 350** – New York, 1er mai 1990 : *La cintura de la andreida* 1967, h/t (125,3x140) : **USD 5 500** – New York, 18-19 mai 1992 : *Cœurs de pierre* 1989, h., rés., cire, peint. or et sable/t. (115x134,6) : **USD 16 500** – New York, 18 mai 1994 : *Poza Rica* 1965, h/t (120x99,7) : **USD 13 800** – New York, 15 nov. 1994 : *Gamine sur un tobogan*, sculpt. de t. de jute et d'acier inox. (H. 38,1) : **USD 2 300**.

FÉLIBANT Barthélémy
XVIIe siècle. Actif à Paris. Français.
Sculpteur.

FELICE. Voir aussi aux prénoms qui précèdent

FELICE
XVIIe siècle. Actif à Naples. Italien.
Peintre et graveur.
Membre de l'ordre des Mineurs. Il grava pour un livre de prières trois planches : *Tous les saints* ; *L'Ascension* ; *Sainte Claire au ciel.* B. Thibout grava d'après lui un *Saint Antoine de Padoue avec l'enfant Jésus.*

FELICE, fra
Originaire de Teramo. XVIIIe siècle. Italien.
Sculpteur sur bois.
Frère lai de l'ordre des Capucins, il exécuta en 1700 le maître-autel et un reliquaire dans l'église des Capucins de Chieti (Abruzzes).

FELICE Alessandro de
XVIe-XVIIe siècles. Italien.
Sculpteur.
Il participa avec son frère Felice de Felice aux travaux de décoration du Monastère Saint-Martin à Naples.

FELICE Felice de
Originaire de Carrare. XVIe-XVIIe siècles. Italien.
Sculpteur.
Il travailla au Monastère Saint-Martin à Naples.

FELICE Niccolo di Bernardino de
Né au XVIIe siècle, originaire de Pesaro. XVIIe siècle. Italien.
Peintre.
Élève d'A. Tasso. Il travailla à Rome et à Sienne.

FELICE Simone
XVIIe siècle. Actif à Rome. Italien.

Graveur.
En collaboration avec Giovanni Battista Falda, il grava une collection de gravures intitulée : *Giardini di Roma*.

FELICE d'Arvano
XVIe siècle. Actif à Naples. Italien.
Graveur sur bois.

FELICE da Bornato
XVIe siècle. Actif à Brescia. Italien.
Sculpteur.
Il travailla après 1554 à la Loggia du Palais Municipal de Brescia.

FELICE DE'FIORI. Voir **BIGGI Felice Fortunato**

FELICE di Francesco
XVe siècle. Actif à Pérouse. Italien.
Peintre de miniatures.

FELICE di Giovanni di ser Pietro Zaboye ou **Ciaboie**
Mort en 1481. XVe siècle. Actif à Pérouse. Italien.
Peintre.
Il fut chancelier de la Gilde, administrateur et enfin prieur. Un chancelier de la Gilde en 1449, Felice di Pietro est probablement identique avec lui.

FELICE di Michele
Né vers 1442. Mort en 1518. XVe-XVIe siècles. Actif à Florence. Italien.
Peintre de miniatures.
En 1473 il orna, dans le style de Girolamo de Crémone une partie d'un psaume conservé dans la sacristie de l'Hôpital de Sainte-Marie-Nouvelle.

FELICE da Ragusa ou **Félix Plianens de Ragusa** ou **Felix Ragusinus**
Né vers 1450 à Raguse. Mort après 1517. XVe-XVIe siècles. Yougoslave.
Miniaturiste.
Cet artiste doué d'un remarquable talent, fut chargé de la direction du groupe de miniaturistes et de copistes employés par Matthias Corvinus, à Budapest.

FELICE da Sienna
XVe siècle. Actif à Bologne. Italien.
Peintre.
Avec Ranuccio da Imola il fit les miniatures d'un antiphonaire pour San Petronio.

FELICELLO Giacomo
Originaire de Sienne. XVIIe siècle. Italien.
Peintre.
Il est mentionné à Rome en 1613.

FELICETTI Giovanni
Originaire de Predazzo. Mort en 1727 à Bologne. XVIIIe siècle. Italien.
Peintre.
Il était élève de Cignani.

FELICI Augusto
Né en 1851 à Rome. XIXe siècle. Italien.
Sculpteur.
Élève de l'Institut des Beaux-Arts de Rome il présenta à l'Exposition de Rome et de Venise en 1887 le *Buste d'une Vénitienne* et une *Tête d'enfant* qui eurent un grand succès ; il exposa ensuite à Venise six bas-reliefs de marbre, allégorie des sciences pour le Palais Franchetti. Pendant un voyage aux Indes, à Baroda, il fut nommé en 1892 sculpteur de la Cour et exécuta pour le Prince hindou de nombreuses œuvres, en partie sur place, en partie à Venise. Parmi ces œuvres, on cite des bas-reliefs et des statues comme *Joueur de violon accroupi* ; *Bayadère dansant* ; *Brahmane* ; un groupe de bronze *La Chasse avec léopard apprivoisé*. Il exécuta encore pour Baroda des bustes en bronze et une statue monumentale de la femme du Prince. Pour Buenos Aires où il fit un voyage il sculpta un monument à la mémoire de trois poètes argentins. Padoue lui doit une statue monumentale de *Saint Antoine* et la Galerie des Arts Modernes à Rome conserve une de ses œuvres *Turbine*.

FELICI Sperandio
XVIe siècle. Actif à Brescia. Italien.
Sculpteur.
Il est mentionné à Munich en 1567 pour la reconstitution d'antiques. Il travailla au Palazzo Comunale à Brescia.

FELICI Vincenzo
XVIIe-XVIIIe siècles. Actif à Rome. Italien.
Peintre et sculpteur.
Il fut élève de Domenico Guidi à Rome où on connaît de lui différentes œuvres dans les églises de Sainte-Marie-du-Transtevere, de Saint-Silvestre, de Sainte-Marie-de-l'Humilité ; il exécuta également une statue pour la colonnade de la place Saint-Pierre.

FELICIANO d'ALMEIDA. Voir **ALMEIDA**

FELICIANO da Foligno ou **Feliciano di Giacomo de Muti** ou **Mutis**
XVIe siècle. Italien.
Peintre.
A Foligno, où il semble avoir travaillé de 1473 à 1518, se trouvent la plupart des œuvres de cet artiste. Dans le Palais Candiotti : une *Vierge avec l'Enfant Jésus et deux anges en prière*. Dans le Monastère Sainte-Anne, des fresques : *Scènes de la vie de Marie* ; *Le Christ et Dieu le Père entre les Vertus cardinales*. On lui attribue aussi, se trouvant dans la Pinacothèque, une *Vierge avec saint Antoine et saint François*.

FELICIATI Francesco
XVIIIe siècle. Actif à Sienne. Italien.
Peintre.

FELICIATI Lorenço
Né en 1732 à Sienne. Mort en 1779. XVIIIe siècle. Italien.
Peintre d'histoire.
Sienne et ses environs possèdent plusieurs tableaux de cet artiste.

FELIKER C.
Sculpteur.
Le Musée de Limoges conserve de lui : *Vénus assise entourée de petits Amours*.

FELINI. Voir aussi **FELLINI**

FELINI Egidio
Né le 3 mars 1704 à Parme. XVIIIe siècle. Italien.
Peintre.
On connaît d'après lui une gravure exécutée par G. Ramis représentant *La Vierge à la Fleur*. Une copie de cette gravure se trouve à la Bibliothèque de Parme.

FELINO Agostino. Voir **FELLINI**

FELIPE, fray
XVIe siècle. Travaillant pendant la première moitié du XVIe siècle. Espagnol.
Enlumineur.
Il travailla, en collaboration de Bernardino Canderron et d'Alonso Vasquez, aux miniatures et ornements du Missel du cardinal de Cisneros, composé de sept volumes conservés dans la Bibliothèque de la cathédrale de Tolède (1514-1518).

FELIPE Juan
XVIIe siècle. Actif à Valence. Espagnol.
Graveur.
On connaît de lui les frontispices d'œuvres de L. Mateu y Sanz et de C. de Vega.

FELIPE Pablo
XVIe siècle. Actif à Valence. Espagnol.
Peintre de miniatures.

FELIU Francisco
Originaire de Catalogne. XVe siècle. Espagnol.
Peintre.
Bourgeois de Manresa, près de Barcelone en 1412, il travailla pour la Confrérie du Saint-Esprit de Manresa, à la chapelle du Saint-Esprit de la Basilique.

FELIU Guillermo
Originaire de Catalogne. XVe siècle. Espagnol.
Peintre.
Il travailla à Barcelone ; peut-être est-il identique à un peintre de Barcelone qui est mentionné en 1394 comme peintre d'étendards.

FELIU Manuel
Né le 19 février 1865 à Barcelone. XIXe siècle. Espagnol.
Peintre de genre.
Associé au Salon de la Nationale des Beaux-Arts depuis 1894, il figura au Salon de cette société. Mention honorable à Paris à l'Exposition Universelle de 1900.
MUSÉES : BARCELONE : *Dernière ressource – Le baiser.*

FELIX
Antiquité romaine.

Peintre.
Pompéien, il a signé une mosaïque dans la maison de Siricus.

FELIX
XVIe siècle. Actif à Cracovie. Polonais.
Peintre sur verre.

FÉLIX
XVIe siècle. Actif à Liegnitz. Allemand.
Peintre.

FÉLIX Alexandre Florentin
Né à Paris. XIXe siècle. Français.
Graveur sur bois.
Figura au Salon des Artistes Français. Mention honorable en 1888.

FÉLIX Anna Désirée
Née en 1827 à Bourg (Ain). Morte le 6 janvier 1863 à Lyon. XIXe siècle. Française.
Peintre.
Élève d'Elisa Blondel et de L. Cogniet, elle exposa, à Paris en 1846, à Lyon de 1846-1847 à 1858-1859, des figures, des portraits, des tableaux de genre et des intérieurs. Elle est représentée au Musée de Bourg ; à Lyon, où elle se fixa vers la fin de sa vie, elle peignit, pour les religieuses de Saint-Joseph, *Visite de la Vierge à sainte Elisabeth*.

FELIX Anthoine
XVIe siècle. Français.
Peintre.
Il exécuta des travaux de décoration à Fontainebleau de 1540 à 1550.

FELIX Auguste
Né le 2 février 1860 à Bernin (Isère). Mort en 1936 à Grenoble (Isère). XIXe-XXe siècles. Français.
Peintre de portraits, paysages.
Il fut élève d'Hébert et d'Achard. Il a fréquenté l'École Nationale des Beaux-Arts de Paris et participa au Salon de Paris en 1884. Il était présent à l'exposition : *Le Portrait en Dauphiné au XIXe siècle*, à la Fondation Hébert d'Uckermann à La Tronche, en 1981. Dans ses portraits, il tente de révéler les âmes ou l'âme cachée de ses contemporains. Il travaille longuement ses tableaux.
Musées : Grenoble (Mus. des Beaux-Arts) : *Portrait de femme* 1901, past.
Ventes Publiques : Grenoble, 12 déc. 1984 : *Grenoble, le quai Jongkind, le pont de la Citadelle et le Moucherotte*, h/t (60x92) : **FRF 6 000**.

FELIX Charles
XVIIIe siècle. Actif à Nancy. Français.
Sculpteur sur bois.
Il sculpta en 1728 les armoiries de la ville pour l'église Notre-Dame et un autel pour l'église d'Amance, près de Nancy.

FÉLIX Claudius
Né le 11 novembre 1875 à Paris. XXe siècle. Français.
Peintre.
Il fut élève de Carolus-Duran, et exposant, à Paris, du Salon des Artistes Français.

FÉLIX Dominique
Né à Paris. XIXe siècle. Français.
Peintre de genre.
Élève de L. Cogniet. Il débuta au Salon en 1846, avec *Division de cuirassiers traversant un gué*.
Musées : Marseille : *Épisode du siège de Zaatcha*.

FELIX Eugen
Né le 27 avril 1837 à Vienne. Mort le 21 août 1906 à Vienne. XIXe-XXe siècles. Autrichien.
Peintre de genre, portraits.
Il étudia sous la direction de Waldmüller ; d'après Siret, il fut élève de Rahl. Il compléta ses études dans des voyages et à Paris. Il vécut à Vienne. Il a exposé à Munich et à Vienne de 1869 à 1873. On cite de lui : *Après le bain ; Portraits d'enfants*.
Musées : Vienne : *Le Premier Ami*.
Ventes Publiques : Londres, 28 nov. 1990 : *La Garde du bébé*, h/t (65x79) : **GBP 4 620** – Londres, 28 oct. 1992 : *Portrait d'un petit garçon avec son chien* 1875, h/pan. (144x94) : **GBP 1 705**.

FÉLIX Henri André
Né à Noyon, de parents français. XIXe siècle. Français.
Peintre.
Il exposa des portraits au Salon de Paris en 1872 et 1873.

FELIX Jean Pierre
Né en 1938 à Bouge. XXe siècle. Belge.
Peintre. Tendance expressionniste.
Il est professeur d'arts plastiques. Compose aussi dans l'art fantastique.
Bibliogr. : In : *Diction. biogra. illustré des artistes en Belgique, depuis 1830*, Arto, Bruxelles, 1987.

FELIX Johann
XVIIIe siècle. Allemand.
Sculpteur.
On connaît de lui un calvaire qu'il édifia sur la rive droite de l'Erst, à l'entrée de la ville de Bergheim.

FÉLIX Juliette
Née le 20 juillet 1869 à Paris. XXe siècle. Française.
Peintre.
Elle fut élève de Carrière, Brindeau et Mme Boyer-Breton. Elle exposa régulièrement, à Paris, au Salon des Artistes Français, dont elle devint par la suite sociétaire.
Ventes Publiques : Reims, 18 mars 1990 : *Portrait de jeune femme au collier de corail* 1919, past. (60x45) : **FRF 3 000**.

FÉLIX Léon Pierre
Né le 17 août 1869 à Périgueux (Dordogne). XIXe-XXe siècles. Français.
Peintre de scènes de genre.
Il fut élève de Bonnat, Cormon et Tony Robert-Fleury. Il fut sociétaire, à Paris, du Salon des Artistes Français à partir de 1894. Il obtint une médaille de troisième classe en 1898, une mention honorable à l'Exposition universelle de 1900 à Paris, et le prix Marie-Bashkirtseff en 1908. Hors-concours au Salon des Artistes Français.

FELIX Léopold
Originaire de Policka en Bohême. XVIIIe siècle. Tchécoslovaque.
Peintre.
On connaît de lui des tableaux représentant la vie de saint Jacques dans l'église doyennale de Saint-Jacques à Policka.

FÉLIX Marie Émélie
XIXe siècle. Actif à Paris. Français.
Graveur.
Sociétaire des Artistes Français depuis 1883. Figura au Salon de cette société.

FÉLIX Maurice
Né le 26 juin 1895 à Suresnes (Hauts-de-Seine). XXe siècle. Français.
Peintre.
Il fut élève de Cormon. Exposa régulièrement, à Paris, au Salon des Artistes Français, dont il devint sociétaire. Deuxième médaille en 1920.

FELIX Nannette
XVIIIe siècle.
Aquafortiste et dessinatrice.
On connaît d'elle des paysages à l'eau-forte, d'après Schütz et Waterloo et un dessin à la sépia d'un paysage russe d'après J. B. Le Prince.

FÉLIX Nelson
XXe siècle. Brésilien.
Dessinateur.
Il participe à des expositions collectives : 1996 Biennale de São Paulo.
Il réalise des dessins très chargés, notamment à partir d'images du corps humain vu au microscope, qui donnent naissance à des abstractions mystérieuses.
Bibliogr. : Agnaldo Farias : *Brésil : petit manuel d'instructions*, Artpress, nº 221, Paris, févr. 1997.

FÉLIX Rebecca
Née à Paris. XIXe siècle. Active dans la seconde moitié du XIXe siècle. Française.
Peintre.
Élève de F. Humbert. Exposant du Salon des Artistes Français.

FELIXMÜLLER Conrad, de son vrai nom : **Müller Felix Conrad**
Né le 21 mai 1897 à Dresde. Mort en 1977 à Berlin. XXe siècle. Allemand.
Peintre de figures, nus, portraits, paysages, aquarelliste, graveur, dessinateur, illustrateur. Tendance expressionniste.

Il fit ses études à l'Académie de Dresde, où il fut élève de F. Dorsch et de C. Bantzer. Dès 1913, il commence à graver et à utiliser le procédé de la lithographie. Personnage engagé politiquement, il fut actif, à Berlin, dans le cercle du *Sturm*, et parmi les expressionnistes de Dresde. Il illustra par des gravures sur bois le journal *Die Aktion*. Il exposa pour la première fois à Berlin, en 1916, à la galerie Sturm qui introduisit, en 1911, le cubisme en Allemagne.
Jusqu'en 1913, Berlin devint le centre de la vie artistique allemande, notamment par la présence de *Die Brücke*. Felixmüller fut influencé par le style de ce groupe, par l'art nègre très populaire dans les créations de l'avant-garde, par le cubisme et, plus prosaïquement, par le paysage industriel de la Ruhr. Il exécuta de nombreuses et belles gravures sur bois, en noir et blanc, figurant des portraits dont certains sont proches de la caricature. En 1914, on put voir des portraits au trait lourd et haché. En 1915, il introduisit dans ses peintures des couleurs posées de manière expressionniste, telle cette couleur peau rose-rouge écarlate. Son travail fut souvent dénonciateur de la dure condition ouvrière, les arrière-fonds de ses compositions illustrent les sombres paysages urbains en acier des complexes industriels : l'homme est ici accablé, là-bas les enfants morbides. Les personnages subissent des déformations – têtes agrandies, yeux globuleux – dans un parti pris d'une saturation des couleurs. Vers 1932, Felixmüller réalise une série de nus très dessinés, baignés de sensualité et d'un érotisme ambigu. À partir de 1935, c'est un réalisme plus traditionnel qu'exprime l'artiste. Ses scènes sont presque champêtres, si ce n'est que la charge « laborieuse » y est encore présente : des ouvrières agricoles sont par exemple au travail. L'expressionnisme de Felixmüller s'est néanmoins émoussé à partir des années 1948-1950, devenant un académisme quelque peu asséché. ■ C. D.

Bibliogr. : Gerhart Söhn, Friedrich Heckmanns : *Conrad Felixmüller. Das graphische Werk 1912-1974*, Graphik-Salon Gerhart Söhn, Düsseldorf, 1975 – Dieter Gleisberg : *Felixmüller*, V.E.B. Verlag des Kunst, Dresde – Friedrich W. Heckmanns : *Das druckgraphische Werk von Conrad Felixmüller*, Düsseldorf, 1986 – in : *Dictionnaire de la peinture allemande et d'Europe Centrale*, Coll. Essentiels, Larousse, Paris, 1990.
Musées : Berlin – Dresde (Mus. mun.) : *Le Portrait de la bien-aimée – Le Portrait de l'artiste – Heureux mariage* – Dresde (Gal. de Peinture) : *Portrait de femme – Jeune ouvrier* – Düsseldorf – Elberfeld : *Dans l'atelier* – Halle – Heilbronn : *Midi en hiver* – Leipzig – Stuttgart : *Citadin* – Wiesbaden : *Père et fils – Bibliothécaire – Paysage d'hiver – Portrait de l'artiste avec ses fils – Dans le vent du printemps – La Famille Kirschhoff.*
Ventes Publiques : New York, 15 avr. 1959 : *Hiver* : **USD 550** – Cologne, 24 déc. 1972 : *Le déchargement des chalands à Dresde* : **DEM 7 500** – Cologne, 21 mai 1976 : *Le mineur*, litho. (58,5x43) : **DEM 2 200** – Hambourg, 3 juin 1976 : *Nouveau né* 1921, h/t (58,2x67,3) : **DEM 30 000** – Munich, 26 mai 1978 : *Trois amis* 1919, grav. sur bois : **DEM 2 600** – Cologne, 3 déc. 1980 : *Max John* 1919, pl./pap. (49x40,2) : **DEM 5 000** – Cologne, 1er déc. 1982 : *Nature morte aux fleurs avec chat* 1922, h/t (90x75) : **DEM 32 000** – Rome, 22 mai 1984 : *Le mineur* 1922, encre de Chine (64x48) : **ITL 3 500 000** ; *Nuit d'été* 1918, past. (54x39,5) : **ITL 6 000 000** – Hambourg, 9 juin 1984 : *Mann am Meer* 1918, h/t (67x58) : **DEM 36 000** – Londres, 26 juin 1984 : *Kohlenbergarbeiter* 1920, litho. en coul. reh. de past. (57x39,2) : **GBP 4 800** – Londres, 25 juin 1985 : *Auration* 1922, pinceau et encre (64,5x50) : **GBP 6 000** – Londres, 23 juin 1986 : *Im Frühlingswind* 1920, h/t (94x73,6) : **GBP 70 000** – Londres, 2 déc. 1986 : *Petite ville de Saxe* vers 1918-22, aquar./pap. (58,5x46) : **GBP 22 000** – Munich, 26 oct. 1988 : *Portrait de Herman Kühn* 1923, h/t (60x60) : **DEM 52 800** – Londres, 29 nov. 1988 : *Le château de Schleinitz* 1937, h/t (60x66) : **GBP 12 100** – Munich, 7 juin 1989 : *Leipzig, vue de la bibliothèque Albertina et du Palais de Justice* 1935, h/t (50x40) : **DEM 25 300** – Londres, 28 nov. 1989 : *Portrait de Georgette Maire* 1921, h/t (80x85) : **GBP 49 500** – Zurich, 16 oct. 1991 : *Max John* 1920, bois gravé (56x44,5) : **CHF 4 800** – Heidelberg, 12 oct. 1991 : *Cheval de trait à Berlin* 1936, bois gravé (39,7x50,5) : **DEM 1 500** – Munich, 26-27 nov. 1991 : *Portrait de Karin Lehmann* 1917, cr. (46x39) : **DEM 4 025** – Munich, 26 mai 1992 : *Jeune femme de Prachatice* 1924, bois gravé (50x40) : **DEM 1 955** – Heidelberg, 3 avr. 1993 : *Portrait de Max Liebermann* 1926, bois gravé (49,8x39,5) : **DEM 3 000** – Heidelberg, 5-13 avr. 1994 : *Jeune femme près d'une fenêtre* 1916, bois gravé (49,5x39,8) : **DEM 11 000** – Londres, 13 oct. 1994 : *Clemens Braun* 1931, h/t (115,5x75,3) : **GBP 95 000** – Amsterdam, 8 déc. 1994 : *La Tétée* 1918, encre/pap. (60x45,5) : **NLG 6 325** – Heidelberg, 8 avr. 1995 : *Tête de femme* 1922, litho. (28x18) : **DEM 3 500** – Londres, 9 oct. 1996 : *Mineur* 1920, litho. coul. (58,7x43) : **GBP 27 600** – Londres, 4 déc. 1996 : *Chômeur* 1922, pl., brosse et encre/pap. (64,5x50) : **GBP 25 300** – Heidelberg, 11-12 avr. 1997 : *Couple dans une forêt* 1918, grav./bois (25,2x30) : **DEM 15 500** ; *En barque* 1920, litho. coul. (56,5x41) : **DEM 34 000** – Paris, 10 juin 1997 : *Retour de la mine* 1920, litho. (64,6x48,2) : **FRF 58 000**.

FELIZYN Rostislaff
xixe siècle. Russe.
Peintre de portraits et peintre de genre.
Élève de Brüloff à l'Académie de Saint-Pétersbourg. Deux tableaux de genre *Deux Jeunes Amies* et *Annonce de deuil* lui valurent sa nomination d'académicien.

FELKER Ruth Kate
Née le 16 mai 1889 à Saint-Louis (Missouri). xxe siècle. Américaine.
Peintre.
Elle fut élève de l'Université de Washington et de la Saint Louis School of Fine Arts. Elle étudia aussi en Europe. On cite sa fresque à l'hôpital Saint-John's de Saint Louis.

FELL F.
xxe siècle. Français.
Peintre.
Ventes Publiques : Londres, 8 juil. 1930 : *Portrait d'une jeune femme* : **GBP 5**.

FELL Herbert Granville
Né en 1872 à Londres. xxe siècle. Britannique.
Peintre, illustrateur, peintre verrier.
Il étudia à Londres, Paris (chez Heatherley's), Bruxelles, et dans les villes d'Allemagne. Il dessina pour le *Pall Mall Magazine*, *The Ludgate Monthly*, *The Windmill*, l'*English Illustrated*, le *Ladies's Field* (dont il prend la direction artistique), et dans d'autres revues encore. À partir de 1924, il édita le *Queen*. Il enseigna la peinture et le dessin au Royal Albert Memorial College à Exter. Il réalisa des expositions à la New Gallery et à la Royal Academy. Son travail d'illustrateur fut influencé par l'Art nouveau. Il illustra aussi un grand nombre d'œuvres, de livres pour enfants, de livres de contes et de poésies, entre autres : le *Livre de Job* ; le *Chant de Salomon* ; *Arabian Nights Entertainments : Ali Baba and The Forty Thieves* ; *Cinderella* ; *Fairy Gifts and Tom Hickathrift* ; de N. Hawthorne *Wonder Book* ; *Wonder Book and Tanglewood Tales* ; *Our Lady's Tumbler* ; *Wagner's Heroes, Poems* ; de Yeats *Poems*. Il collabora à Bath avec Cedric Chivers à la décoration en couleur de reliures de cuir.
Bibliogr. : In : *Dictionnaire des illustrateurs 1800-1914*, Ides et Calendes, Neuchâtel, 1990.

FELL Sheila
Née le 20 juillet 1931 à Aspatria (Cumberland). Morte en 1979. xxe siècle. Britannique.
Peintre de paysages, figures.
Elle a étudié à la Saint-Martin's School of Art, de 1950 à 1953 avec Vivian Pitchforth. Elle vit à Londres et enseigne à la Chelsea School of Art. Elle a fait sa première exposition en 1955.
Elle peint surtout des paysages du Cumberland.

Musées : Londres (Tate Gal.) : une œuvre.
Ventes Publiques : Londres, 11 mars 1981 : *Farm in Cumberland*, h/t (100x126) : **GBP 680** – Londres, 10 juin 1983 : *Une ferme de Cumberland*, h/t (101,5x127) : **GBP 1 050** – Londres, 28 juil. 1987 : *Farm in a field*, h/t (76x101,5) : **GBP 1 300** – Londres, 20

sep. 1990 : *Une femme* 1977, h/t (30,5x41) : **GBP 1 705** – LONDRES, 26 oct. 1994 : *Cumberland sous la neige* 1962, h/t (101,5x124,5) : **GBP 2 875**.

FELLE Hans Jacob
XVIIe siècle. Actif à Altdorf près de Weingarten. Allemand.
Peintre.

FELLECCHIA F.
XIXe siècle. Actif à Naples. Italien.
Graveur.
Il grava en 1846 deux planches désignées à l'ouvrage de D. del Re, *Souvenirs historiques, etc... de Naples*.

FELLENBAUM Marx
XVIe siècle. Allemand.
Peintre.
Peintre patronneur à Nuremberg, il devint bourgeois de cette ville en 1526.

FELLENBAUM Simon
XVIe siècle. Allemand.
Peintre.
Peintre patronneur à Nuremberg, il devint bourgeois de cette ville en 1524.

FELLENBERG Hans Cunrad
Baptisé le 15 février 1621. Mort en 1657. XVIIe siècle. Suisse.
Peintre.
Auteur d'une peinture représentant les deux têtes de cerfs sculptées de l'Hôtel de Ville de Berne. Également homme d'État.

FELLENGIEBEL Georg ou **Fellengibl**
Né à Liegnitz (Silésie). Mort avant le 27 novembre 1613 à Innsbruck. XVIIe siècle. Actif à Innsbruck. Autrichien.
Peintre, cartographe.
Il était peintre de la Cour du grand-duc Ferdinand II et exécuta des peintures au château Rotholz, près de Brixlegg. Il établit pour le grand-duc Maximilien un arbre généalogique de la Maison d'Autriche. Il dessina et peignit des cartes de la haute et basse vallée de l'Inn.

FELLER Albert
XIXe siècle. Actif à Genève. Suisse.
Peintre sur émail.

FELLER F. T.
XVIIIe siècle. Actif à Iéna. Allemand.
Graveur.
Il grava le portrait du *Duc Guillaume Henri de Saxe Eisenach*, et d'après Lucas Cranach, celui de l'*Électeur Frédéric III de Saxe*.

FELLER Frank
Né le 28 octobre 1848 à Bùmpliz. Mort le 6 mars 1908 à Londres. XIXe siècle. Suisse.
Peintre et illustrateur.
Il fut l'élève à Genève du peintre sur émail Albert Feller, puis il étudia un an à l'Académie de Munich et alla à Paris et à Londres où il fit des dessins à la plume pour des journaux illustrés et pour des livres. Comme peintre il fit surtout des tableaux avec sujets guerriers et figura à la Royal Academy avec *Un poste avancé ; Bushey Park ; Fidèles jusqu'au dernier*.

FELLER P. F.
Peintre de genre et aquarelliste.
VENTES PUBLIQUES : LONDRES, 9 déc. 1907 : *Course pour la vie*, aquar. : **GBP 7**.

FELLER-BRAND Walter. Voir **FELBRA**

FELLERMEYER Josef
Né le 10 janvier 1862 à Ingolstadt. XIXe siècle. Allemand.
Peintre.
Il fut élève de Lindenschmidt à l'Académie de Munich et de Benjamin Constant et Gérôme à Paris. Il travailla à Munich, Milan et Berlin et figura à l'Exposition annuelle de Munich en 1891 et 1908, à la Grande Exposition de Berlin, à celle de Dresde et à l'Exposition Nationale de Turin de 1898 avec des tableaux de genre comme *Astarté ; Dans l'ombre ; Au bain*.

FELLINGA
XIXe siècle. Actif en Frise. Hollandais.
Peintre de genre.
Cité par Siret. Ce fut sans doute un peintre amateur.

FELLINI Agostino ou **Felino**
Probablement originaire de Bologne. XVe siècle. Italien.
Peintre.
Il travailla au Quirinal.

FELLINI Giovanni Battista
XVIIe siècle. Actif à Bologne en 1600. Italien.
Peintre d'ornements.

FELLINI Giulio Cesare
Né vers 1600. Mort en 1656. XVIIe siècle. Italien.
Peintre de genre et animalier.
Fils de Giovanni Battista et élève de Gabriel Ferrantini et d'Annibal Carraci. Il excella surtout dans la représentation des chevaux et des personnages et fut fréquemment assisté par son frère Marco Antonio.

FELLINI Marco Antonio
Mort en 1660 à Bologne. XVIIe siècle. Italien.
Peintre.
Fils de Giovanni-Battista et frère de Giulio-Cesare Fellini, il travailla surtout avec ce dernier.

FELLMAN SCHEFFER Carl
Né en 1904 à Hanovre (Ontario). XXe siècle. Canadien.
Aquarelliste.
MUSÉES : OTTAWA (Gal. Nat.) : *Printemps à Norvich, Vermont* 1941.

FELLMANN Aloys
Né le 11 janvier 1855 à Oberkirch. Mort le 9 mars 1892 à Düsseldorf. XIXe siècle. Suisse.
Peintre de portraits, de genre, d'histoire et graveur.
Fellmann reçut probablement ses premières leçons du sculpteur Sales Amlehm, qu'il connut à Sursee, puis passa successivement de l'atelier de George Kaiser à Stans, chez Seraphin Weingartner, à l'école de dessin de la ville de Lucerne, et entra à l'Académie de Düsseldorf.
MUSÉES : BERNE : *Tête d'homme*, étude – DRESDE : *Les vœux d'un moine bénédictin*.

FELLNER
XIXe siècle. Actif à Erfurt. Allemand.
Peintre.
Le Musée d'Erfurt conserve son tableau *Femme au piano*.

FELLNER Ferdinand August Michael
Né le 12 mai 1799 à Francfort-sur-le-Main. Mort le 14 septembre 1859 à Stuttgart. XIXe siècle. Allemand.
Peintre d'histoire, figures, portraits, dessinateur, illustrateur.
Après avoir fait des études de droit, il alla à Munich où il étudia la peinture avec Cornelius jusqu'en 1831. Il s'établit ensuite à Stuttgart. On cite de lui : *l'Empereur Conrad III ; Sainte Cécile* ; et parmi les ouvrages qu'il illustra : *Les Nibelungen ; Gudrun ; Don Quichotte ; Guillaume Tell ; La Pucelle d'Orléans ; Faust ; Roméo et Juliette ; Macbeth*.
Il se spécialisa dans le Moyen Age, s'intéressa aux peintures anciennes alors très délaissées, et, à l'exemple de son maître Cornelius, fut fidèle à l'esprit « gothique-romantique » si caractéristique de cette époque en Allemagne.

VENTES PUBLIQUES : MUNICH, 26 nov. 1981 : *La Rencontre de Marguerite et de Mephisto* 1855, aquar. (25x17,5) : **DEM 1 350** – MUNICH, 10 déc. 1992 : *Portrait de dame*, cr./pap. (26x18,6) : **DEM 1 695**.

FELLNER Kolomanus, Père
Né en 1750 à Bistorf. Mort en 1818 à Lambach. XVIIIe-XIXe siècles. Autrichien.
Dessinateur et graveur à l'eau-forte et au burin.
Membre de l'ordre des Bénédictins. Il a gravé des *Sujets religieux* et des *Sujets de genre*.

FELLOWES C.A., Miss
XIXe siècle. Active à Wolverhampton. Britannique.
Sculpteur.
Exposa à la Royal Academy, à Londres, de 1867 à 1872.

FELLOWES Frank Wayland
Né en 1833. Mort le 16 juin 1900 à New Hawen (États-Unis). XIXe siècle. Américain.
Peintre.

FELLOWES James
XVIIIe siècle. Britannique.
Peintre de portraits.
On lui attribue le tableau : *La Cène*, qui se trouve dans l'église Sainte-Marie à Whitechapel.
Ventes Publiques : Londres, 24 nov. 1922 : *Sir Holland Egerton ; Miss Legh*, ensemble : **GBP 21** – Londres, 9 juil. 1926 : *Officier de marine en uniforme* : **GBP 10** – Londres, 18 déc. 1933 : *Portrait de John Puleston* : **GBP 5** – Londres, 5 juil. 1937 : *Femme* : **GBP 42** – Londres, 1er juil. 1938 : *Elisabeth Pennant* : **GBP 31**.

FELLOWES William Dorset
XIXe siècle. Britannique.
Dessinateur et graveur.
Il dessina les planches gravées par J. Clark pour son œuvre *Une visite au Monastère de la Trappe en 1817*, publiée à Londres en 1818 et pour *Les Antiquités de Westminster*, de J. T. Smith. Il publia également à Londres en 1828 *Dessins Historiques sur la dernière partie du règne de Charles Ier... avec nombreux portraits originaux*.

FELLOWES-PRYNNE Edward A. Voir **PRYNNE Edward A. Fellowes**

FELLOWS Albert P.
Né en 1864 à Cahaba (Alabama). XIXe siècle. Américain.
Peintre et aquafortiste.
Il étudia à Philadelphie et s'y fixa. Il figura fréquemment aux expositions de cette ville.

FELLOWS Cornelia, née **Faber**
Née en 1857 à Philadelphie. XIXe siècle. Américaine.
Peintre.
Femme d'Albert P. Fellows. Elle peignit principalement des portraits et des miniatures.

FELLOWS William K.
Né en 1870 à Winona (États-Unis). XXe siècle. Américain.
Peintre.
Il fut élève de Edward Ertz à Paris, et a enseigné l'architecture.
Ventes Publiques : Paris, 15 déc. 1995 : *La tarantelle devant le Vésuve*, h/t (100x75) : **FRF 46 000**.

FELLY Joseph
Né à Paris. XIXe siècle. Français.
Peintre de paysages, intérieurs, sculpteur.
De 1834 à 1863, il se fit représenter au Salon, notamment par des vues. On cite de lui : *Intérieur d'un cloître en ruines ; Intérieur de cour à Furigrotta, environs de Naples ; Vue prise de Montalais ; Vue prise dans le parc de Saint-Cloud.*
Ventes Publiques : Versailles, 29 nov. 1981 : *Montfort-Lamaury vu des tours* 1844, h/t (103,5x146) : **FRF 10 000** – Paris, 22 juin 1981 : *Jeune Femme*, marbre blanc (H. 63) : **FRF 2 700** – Versailles, 6 nov. 1988 : *La Tour du château d'Anne de Bretagne dominant Montfort-L'Amaury* 1944, h/t (103,5x147) : **FRF 25 000**.

FÉLON Charles François
Né au XIXe siècle. Mort à Bruxelles. XIXe siècle. Belge.
Peintre de genre et d'histoire.

FÉLON Jean Pierre Maurice
XVIIIe siècle. Actif à Paris en 1760. Français.
Peintre.

FÉLON Joseph
Né le 21 août 1818 à Bordeaux (Gironde). Mort en 1896 à Nice (Alpes-Maritimes). XIXe siècle. Français.
Peintre de compositions allégoriques, sujets divers, scènes de genre, cartons de vitraux, sculpteur, céramiste, lithographe.
Il n'eut aucun maître. Il figura au Salon de Paris, de 1840 à 1882, obtenant des mentions honorables en 1857, 1861, 1863. Parmi ses œuvres sculptées, on cite : *Galatée* et *Amphitrite*, bas-reliefs en bronze ; *Andromède*, statuette en bronze ; *Une baigneuse*, statuette en plâtre ; *Vanité*, buste en marbre ; *La Navigation*, marbre exécuté pour l'empereur ; *Saint-Sigebert, roi d'Austrasie*, statue en pierre, destinée à la façade de la cathédrale de Nancy ; *Gerson*, statue en pierre pour la façade de la Sorbonne ; *Nélaton*, buste en marbre, pour l'Institut ; *Femme de l'Océanie*, statue en pierre. En peinture, on mentionne : *L'Ange gardien ; Les naufragés du cap Seret ; Bergers des Landes ; Le réveil au déclin du jour ; Jeune femme portant un enfant ; Mort de Mgr Affre*, tableau commandé par le ministère de l'Intérieur ; *Le réveil au déclin du jour*. Il a dessiné de nombreux cartons de vitraux pour l'église Sainte-Perpétue, à Nîmes.

Bibliogr. : Gérald Schurr, in : *Les Petits Maîtres de la peinture 1820-1920, valeur de demain*, Les Éditions de l'Amateur, t. V, Paris, 1981.
Musées : Angers : *Faune* – Bordeaux : *Nymphe chasseresse – L'Histoire consulte la Vérité* – Dunkerque : *Andromède* – Le Havre : *La Navigation* – Montpellier (Mus. Fabre) : *Mort de Mgr Affre* – Nice : *Andromède – Camaïeu – Océanie – La Musique – Le Printemps – La Prudence* – Paris (Mus. d'Orsay) : *Buste du baron Gros* – Paris (Inst.) : *Buste de Combes – Buste de Nélaton*.
Ventes Publiques : Sceaux, 9 avr. 1995 : *Nu agenouillé* 1872, mine de pb (30x24) : **FRF 3 800**.

FELOT Auguste
XXe siècle. Tchécoslovaque.
Peintre.
Il figura en 1926, à Paris, au Salon d'Automne avec une toile intitulée *Les Prisonniers*.

FELPACHER
XVIIe siècle. Hollandais.
Peintre.
La Galerie Nostitz à Prague conserve de lui un paysage avec *Diane et Actéon*. Il est certainement identique à J. Felpacker dont on mentionna un tableau dans un inventaire à Amsterdam en 1678 : *Berger et bergère et leurs moutons*.

FELS Elias
Né en 1614 à Emmishofen. Mort en 1655 à Heidelberg. XVIIe siècle. Suisse.
Peintre d'histoire et portraitiste.
Fels qui habita peu de temps Saint-Gall fit ses études, croit-on, dans les écoles d'art des Pays-Bas, et se rendit en Allemagne, où il remplit le poste de peintre à la cour de l'électeur à Heidelberg. On cite de cet artiste un *Portrait du doyen Locher* (bibliothèque de la ville de Saint-Gall), un tableau allégorique daté 1643, et une composition de son imagination datée 1647, qui se trouve au Musée historique de Mulhouse.

FELS Jan Jacob
Né en 1816 à Campen. Mort en 1883. XIXe siècle. Hollandais.
Peintre de paysages animés.
Il fut élève de J. Pluger.
Ventes Publiques : Amsterdam, 11 avr. 1995 : *Personnages sur un sentier le long d'un ruisseau*, h/pan. (40x54,5) : **NLG 5 900**.

FELSBURG Albrecht Steiner von
Né le 25 février 1838 à Vienne. Mort le 31 octobre 1905 à Innsbruck. XIXe siècle. Autrichien.
Peintre d'histoire et architecte.
Il fut élève de Schlotthauer et Schraudolph à l'Académie de Munich. Après plusieurs voyages d'études en Italie, il se fixa à Innsbruck. Il exécuta des tableaux d'autel pour Marbourg (Hesse), *Mort de sainte Elisabeth*, et pour Wielowiesz (Galicie) et entreprit la restauration d'un grand nombre de fresques. Il en peignit lui-même quelques-unes.

FELSENBERG, Frau. Voir **FISCHER Maria Anna**

FELSENHELD Lise Suzanne
Née à Paris. XXe siècle. Française.
Peintre, graveur.
Elle fut élève de Sabatté, et a figuré, à Paris, au Salon des Artistes Français à partir de 1931, de même qu'à celui des Artistes Indépendants.

FELSER Heinrich
XVIIe siècle. Actif à Munich vers 1600. Allemand.
Sculpteur.
Il exécuta avec d'autres artistes comme Krumpper, Weinhart et Türfelder les statues de pierre des princes bavarois à la façade de l'église Saint-Michel à Munich.

FELSING Georg Jakob
Né en 1802 à Darmstadt. Mort en 1883 à Darmstadt. XIXe siècle. Allemand.

Graveur.
Fils et élève de Johann Konrad. Venu en Italie, il y fut élève de Longhi à Milan. Il habita successivement à Naples et à Florence, où il fut professeur de l'Académie puis fut nommé membre de l'Académie de Milan. Revenu à Darmstadt en 1832, il fut nommé professeur à l'Académie, puis graveur de la cour. Il fut également membre des Académies de Berlin, Vienne, Saint-Pétersbourg et membre correspondant de l'Institut de Paris. Il a gravé d'après les maîtres classiques italiens.

FELSING Johann Heinrich
Né en 1800 à Darmstadt. Mort en 1875 à Darmstadt. XIXe siècle. Allemand.
Graveur au burin et imprimeur.

FELSING Johann Konrad
Né en 1766 à Giessen. Mort en 1819 à Darmstadt. XVIIIe-XIXe siècles. Allemand.
Graveur.
Il travailla surtout à Darmstadt et a gravé des portraits.

FELSKO Oskar Eduard Daniel
Né le 17 juin 1848 à Riga. XIXe siècle. Russe.
Peintre.
Il étudia d'abord la sculpture à l'Académie de Saint-Pétersbourg, puis la peinture à l'Académie de Düsseldorf et se fixa à Mitau. La Maison de la Gilde de Mitau conserve de sa main le portrait de *Zander*, membre de la corporation et la Bourse de Riga celui du conseiller Commercial *R. Kerkovius*.

FELSTEAD
XXe siècle. Britannique.
Peintre.
VENTES PUBLIQUES : LONDRES, 26 oct. 1945 : *Ara, avec un lapin et des fruits* : GBP 42.

FELTER W. D.
XIXe siècle. Actif au début du XIXe siècle. Américain.
Graveur sur bois.
Il exécuta de nombreuses illustrations dans le style de Bewick.

FELTESSE Émile Henri
Né le 7 février 1881 à Paris. XXe siècle. Français.
Graveur.
Il fut élève de Sulpis, Deschamp et Dubouchet. Il exposa, à Paris, au Salon des Artistes Français, dont il devint sociétaire en 1904. Il gravait au burin. Il obtint une mention honorable en 1905.

FELTRE. Voir aux prénoms qui précèdent

FELTRIN Victor
Né le 5 mai 1905 en Italie. XXe siècle. Français.
Sculpteur. Abstrait.
Il a étudié, à Paris, à l'Académie de la Grande Chaumière de 1947 à 1949, puis à l'Académie Julian jusqu'en 1952. Il expose, à Paris, au Salon des Artistes Indépendants depuis 1952, et au Salon de la Jeune Sculpture de 1953 à 1957.
Ses sculptures sont abstraites et synthétiques dans la forme.

FELTRIN di Lorenzo Giambattista
Mort en 1863. XIXe siècle. Actif à Belluno. Italien.
Peintre.

FELTRINI Andrea, appelé **Andrea di Cosimo,** ou **del Fornajo**
Né vers 1490. Mort vers 1554. XVIe siècle. Italien.
Peintre.
Son premier nom lui vient de ce qu'il fit ses premières études avec Morto da Feltre et le second lui fut donné à cause de son maître Cosimo Roselli. Excellent peintre de burlesques, on voit de ses œuvres sur les murs, les plafonds et les façades des maisons de Florence. Il travailla au Palais Strozzi, et avec Ridolfo Ghirlandajo au Palais Vecchio.

FELTSCH Jakob
XVIe siècle. Actif à Zittau (Saxe). Allemand.
Sculpteur sur bois.
Il exécuta plusieurs sculptures pour l'église Saint-Jean à Zittau ; ces œuvres détruites par un incendie en 1757 sont connues par une description qui en a été conservée.

FELTZ Franz Anton
XVIIe siècle. Actif à Strasbourg. Allemand.
Peintre sur faïence.
Il est mentionné en 1731 comme « porcelainier du Margrave de Bade ».

FELU Charles François
Né en 1830 à Waermaerde. Mort le 5 février 1900 à Anvers. XIXe siècle. Belge.
Peintre de portraits.
Ce peintre, né sans bras, étudia à l'Académie d'Anvers et vécut dans cette ville où il peignit d'excellents portraits, ceux de l'actrice *Victoria Lafontaine*, du roi nègre *Massala*. Il copia différentes œuvres du Musée d'Anvers et du Victoria and Albert Museum de Londres.
VENTES PUBLIQUES : PARIS, 30 jan. 1947 : *Tête de femme* : FRF 700.

FELY-MOUTTET
Né en 1893 à Collobrières (Var). Mort à Toulon (Var). XXe siècle. Français.
Peintre. Abstrait.
Il fut élève de l'atelier Cormon, à l'École des Beaux-Arts de Paris, et de l'École des Arts Décoratifs. Il fut directeur de l'École des Beaux-Arts de Toulon. Il a organisé, en 1952, une importante exposition d'art abstrait. Il a exposé dans de nombreux Salons, notamment à Paris au Salon d'Automne, puis dans son évolution vers l'abstraction au Salon des Réalités Nouvelles, qui lui consacra, en 1954, une exposition rétrospective.
Ses œuvres abstraites sont très construites, soit qu'elles se fondent sur des combinaisons de surfaces angulaires et rectilignes, soit sur des combinaisons de surfaces courbes, et occupent la surface dans un esprit de décoration murale issu du constructivisme et qui rappelle parfois Auguste Herbin. ■ J. B.
BIBLIOGR. : Michel Seuphor : *Dictionnaire de la peinture abstraite*, Hazan, Paris, 1957 – L. Réty : *Fély-Mouttet*, À la Tête d'Or, Lyon.

FELYER Johannes
XVIIe siècle. Actif à La Haye. Hollandais.
Sculpteur.

FEMADES Francisco
XVe siècle. Actif à Valence. Espagnol.
Peintre.

FEMENIA Gabriel
Né au XVIIe siècle à Majorque. XVIIe siècle. Espagnol.
Paysagiste.
On trouve de ses tableaux à Genève. Il appartient à la catégorie des artistes espagnols qui méritent d'être mieux connus et, de son temps, on le considérait en Espagne comme un des meilleurs paysagistes.

FÉMES-BECK Vilmos
Né en 1885. Mort en 1918. XXe siècle. Hongrois.
Sculpteur, décorateur.
Il fit des études à Budapest, Darmstadt, Munich, Paris et Londres. Invité par les *Huit*, il expose avec eux.
Il réalisa les ornements sculpturaux de la Villa Schiffer à Budapest.
BIBLIOGR. : In : *L'Art en Hongrie 1905-1930, art et révolution*, Catalogue de l'exposition, Musée d'Art et d'Industrie de Saint-Étienne, Musée d'Art Moderne de la Ville de Paris, 1980-1981.
MUSÉES : BUDAPEST (Gal. Nat. Hongroise) – SZEKESFEHÉRVÁR (Mus. Istvan Kiraly).

FEMI Cesare, dit **il Norcino**
XIXe siècle. Actif à Bergame. Italien.
Peintre de portraits.
Il fut élève du peintre de portraits Fra Vittore Ghislandi et s'exerça en copiant des tableaux avec personnages et animaux et principalement des paysages de Zuccarelli. Parmi ses portraits on cite celui du *Père Giulio Oderi* qui mourut à Bergame en odeur de sainteté, et du *capucin Gaetano Migliorini*. Il était également chirurgien.

FEMINE Giulio Cesare de
Né à Gênes. Mort probablement en 1736 à Lisbonne. XVIIIe siècle. Italien.
Peintre.
Il fit de nombreuses peintures à l'huile pour des bâtiments civils et religieux de Lisbonne, mais ces œuvres furent détruites en partie par le tremblement de terre de 1755. Il était entré dans la Gilde de Lisbonne en 1720.

FEN Jan
D'origine anglaise. XVIIe siècle. Travaillant à Anvers. Éc. flamande.
Peintre.
Il fut reçu Maître de la Gilde et devint bourgeois d'Anvers en 1614.

FEN Robbert
XVIIe siècle. Actif à Anvers. Éc. flamande.

Peintre.
Probablement fils de Jan Fen, il fut reçu Maître de la Gilde en 1620.

FENACOLIUS Johannes
XVIIe siècle. Actif à Dordrecht. Hollandais.
Peintre.

FENAEM Gerrit Gerritsz Van
XVIIe siècle. Travaillant à Dordrecht entre 1633 et 1671. Hollandais.
Graveur en taille-douce.

FENAILLON Madeleine
Née le 8 mai 1889 à Paris. XXe siècle. Française.
Peintre de miniatures.
Elle fut exposant, à Paris, du Salon des Artistes Français à partir de 1909.

FENAK Ferdinand ou **Fanck** ou **Fenk**
Né en 1737 à Neuschloss en Bohême. Mort le 18 janvier 1787 à Vienne. XVIIIe siècle. Tchécoslovaque.
Sculpteur.
Il travailla surtout à Vienne.

FENARD Gaston
Né à Goupillères (Eure). XXe siècle. Français.
Peintre.
Il exposa des paysages à partir de 1925 au Salon des Indépendants à Paris.

FENAROLI Flavia
Née en 1955. XXe siècle. Italienne.
Sculpteur. Abstrait.
En 1988, elle a exposé à Paris, au Salon des Réalités Nouvelles.

FENASSE Paul
Né à Alger. XXe siècle. Français.
Peintre de paysages.
Il exposa au Salon des Artistes Français à partir de 1926.

Ventes Publiques : Paris, 6 avr. 1990 : *La Baie d'Alger*, h/t (74x164) : **FRF 160 000** – Paris, 13 mars 1995 : *La Baie d'Alger*, h/t (76x164) : **FRF 128 000**.

FENCY Johannes Baptista Josefus
Né vers 1756. XVIIIe siècle. Actif à Bruxelles. Éc. flamande.
Peintre.
Il devint membre de l'Académie de Leyde le 4 août 1783.

FEND Peter
XXe siècle.
Peintre.
Musées : Marseille (FRAC Alpes-Côtes d'Azur) : *Beach Party – Europe, Allemagne, Amérique, Asie, Océans du Sud* 1992, sérig. sur tissu, série de cinq drapeaux.

FENDERICH Charles
XIXe siècle. Allemand.
Dessinateur et lithographe.
Il publia à Washington en 1841 une série de portraits de personnalités importantes. Il est probablement identique à un Fendrich qui reproduisit des tableaux de Ludwig Vogel de Zurich.

FENDERSON Annie M.
Née à Spartansburgh (Pennsylvanie). XXe siècle. Américaine.
Peintre, miniaturiste.

FENDERSON Mark
Né dans la seconde moitié du XIXe siècle aux États-Unis. XIXe siècle. Américain.
Illustrateur.
Il fut membre de la Society of Illustrators en 1913.

FENDI Peter
Né le 4 septembre 1796 à Vienne. Mort le 28 août 1842 à Vienne. XIXe siècle. Autrichien.
Peintre d'histoire, scènes de genre, portraits, sculpteur, graveur, dessinateur.
Il fit ses études d'art à Vienne avec Fischer, Maurer et Lampi. En 1836, il fut élu membre de l'Académie des Beaux-Arts. Il était dessinateur du cabinet impérial, des Antiquités et Médailles. En 1994, certaines de ses œuvres furent exposées au musée Marmottan à Paris lors de l'exposition consacrée aux *Chefs-d'œuvre du Belvédère de Vienne*. Beaucoup de ses œuvres appartiennent à des collections privées.
Il appartient aux peintres Biedermeier viennois. Sa manière est souple et pittoresque.
Musées : Riga : *Le Petit Violoniste* – Vienne : *Une fillette – Le Baptême – Le Semeur – L'Indiscrète – La Messe en plein air – Le Frère du peintre – L'Empereur François Ier – La Bénédiction maternelle – L'Enterrement – L'Orage – Triste nouvelle* – Vienne (Mus. du Belvédère) : *Jeune Fille devant un jeu de loterie* 1829.
Ventes Publiques : Paris, 7 avr. 1896 : *L'Amour maternel* : **FRF 1 450** – Vienne, 4 déc. 1962 : *Joie maternelle*, aquar. : **ATS 25 000** – Londres, 12 mai 1972 : *Travaux du matin* : **GNS 2 600** – Munich, 29 mai 1976 : *Illustration d'un poème de Schiller*, aquar. (22,5x30,5) : **DEM 3 000** – Vienne, 19 mai 1981 : *Das Krampusfest*, pl./pap. (11x17,5) : **ATS 22 000** – Berne, 23 juin 1982 : *Fiacre tiré par deux chevaux* vers 1830, cr. (18,4x20) : **CHF 2 000** – Munich, 27 juin 1984 : *Colin-maillard*, h/pan. parqueté (47x61) : **DEM 36 000**.

FENDT Bernhard
Mort en 1515. XVIe siècle. Actif à Augsbourg. Allemand.
Peintre.
Il appartenait à l'école de Hans Holbein le vieux. Il travailla pour des églises et des hôpitaux.

FENDT Tobias
Mort en 1576 à Breslau. XVIe siècle. Actif à Breslau. Allemand.
Peintre et graveur au burin.
Il a gravé 125 planches pour *Monumenta Sepulcrorum cum epigraphis ingenio et doctrina excellentium Verorum*.

FENEAU
XVIIIe siècle. Français.
Sculpteur.
En 1793, il exposa au Salon le buste de Marat, fait d'après nature.

FÉNÉRA Bertrand de. Voir **BERTRAND de Fénéra**

FENESI Paolo
XVIIIe siècle. Italien.
Peintre.
Le Musée de Toulouse possède deux paysages qu'on lui attribue, selon un ancien catalogue de la Gilde Saint-Luc.

FENESTRE Robert de La. Voir **LA FENESTRE**

FENESTREAULX Nicolas de
Né à Anvers. XVIe siècle. Actif à Orléans vers 1527. Éc. flamande.
Peintre.
Les Archives de l'art français donnent les lettres de naturalisation de cet artiste.

FENET Pierre
XVIIIe siècle. Actif à Paris en 1771. Français.
Peintre et sculpteur.

FENG CH'AO-JAN. Voir **FENG CHAORAN**

FENG CHAORAN ou **Feng Ch'ao-Jan** ou **Feng Tch'ao-Jan** ou **Feng Chaoren**
Né en 1881 ou 1882 à Lujin (province du Jiangsu). Mort en 1954. XXe siècle. Chinois.
Peintre d'animaux, paysages, calligraphe. Tendance traditionnelle.
Il fut actif à Suzhou et à Shanghai. Son académisme fait parfois preuve d'une certaine vigueur et d'une certaine liberté.
Ventes Publiques : Hong Kong, 18 mai 1989 : *Paysage d'après Yan Ciping*, encre et pigments/pap., kakémono (108,6x46,7) : **HKD 121 000** – Hong Kong, 15 nov. 1989 : *Album de paysages d'après Wang Hui*, encre et pigments/soie, 12 feuilles (chaque 38x34) : **HKD 132 000** – New York, 31 mai 1990 : *Dame dans un jardin*, encre et pigments/pap., kakémono (74,3x37,5) : **USD 1 760** – Hong Kong, 15 nov. 1990 : *Paysages des quatre saisons* 1941 à 1943, encre et pigments/pap., ensemble de quatre kakémono (chaque 132,3x65,5) : **HKD 176 000** – New York, 26 nov. 1990 : *Canards mandarins, arbre en fleurs et rochers* 1929, encre et pigments/pap., kakémono (75,5x39,8) : **USD 1 760** – Hong Kong, 31 oct. 1991 : *Lettré jouant au Weiqi dans un paysage* 1951, encre et pigments/pap., kakémono (124,4x64,8) : **HKD 143 000** – Hong Kong, 30 avr. 1992 : *L'Étang aux lotus* 1946, encre et pigments/pap., kakémono (84,3x40,5) :

HKD 46 200 - Hong Kong, 29 avr. 1993 : *Deux Lapins*, encre et pigments/pap. (40,5x66,3) : **HKD 17 250** - Hong Kong, 3 nov. 1994 : *Sujets variés*, encre et pigments/soie, album de 8 feuilles (chaque 27x32) : **HKD 97 750** - Hong Kong, 4 mai 1995 : *Lac au printemps*, encre et pigments/pap., kakémono (107x52,9) : **HKD 48 300** - Hong Kong, 28 avr. 1997 : *Paysage* 1906, encre et pigments/pap., makémono (41,3x264,8) : **HKD 59 800**.

FENG CHI ou **Fengki**. Voir **FENG JI**

FENG FASI ou **Feng Fa-Sseu** ou **Feng Fa-Ssu**
XXe siècle. Chinois.
Peintre. École moderne.
Il fut élève de Xu Beihong (1896-1953) à l'Université Nationale Centrale de Nankin. Il s'installa à Nankin après la guerre.

FENG FA-SSEU ou **Feng Fa-Ssu**. Voir **FENG FASI**

FENG HIEN-CHE ou **Fêng Hsien-Shih**. Voir **FENG XIANSHI**

FENG JI ou **Fêng Chi** ou **Feng Ki**, surnom : **Ziyang,** nom de pinceau : **Qixia**
XIXe siècle. Actif à Qiantang (province du Zhejiang), et à Suzhou (province du Jiangsu) vers 1820. Chinois.
Peintre.
Spécialiste de personnages et de paysages.

FENGLER Anton I
Né en 1694 à Weidenau en Silésie. Mort le 20 juin 1770. XVIIIe siècle. Actif à Vienne. Autrichien.
Sculpteur.
Il acquit le droit de bourgeoisie à Vienne en 1722 et exécuta les travaux de sculpture pour le bâtiment des Archives érigé en 1755.

FENGLER Anton II
XVIIIe siècle. Actif à Vienne. Autrichien.
Sculpteur.
Il était fils d'Anton Fengler.

FENGLER Johann Georg
Né en 1734. XVIIIe siècle. Actif à Vienne. Autrichien.
Sculpteur.
Fils de Anton Fengler I, il fut élève de l'Académie de Vienne.

FENGLER Michael
XVIIIe siècle. Actif à Vienne en 1756. Autrichien.
Sculpteur.

FENGLER Peter
Né en 1726. Mort le 9 novembre 1771. XVIIIe siècle. Actif à Vienne. Autrichien.
Sculpteur.
Fils d'Anton Fengler I, il fut élève de l'Académie de Vienne en 1743.

FENGLER Wenzel
XVIIIe siècle. Actif à Vienne. Autrichien.
Sculpteur.
Fils de Johann Georg Fengler, il étudia à l'Académie de Vienne et chez Martin Fischer.

FENG MIAN. Voir **LIN FENG MIAN**

FENG NING
XVIIIe siècle. Chinois.
Peintre.
Peintre de la cour sous le règne de l'empereur Qing Qianlong (1736-1796).

FENG SIZUO
XVIIIe-XIXe siècles. Chinois.
Peintre de paysages.
Originaire de Nanhai dans la province de Guangzhou. Il choisissait ses sujets parmi les accidents de la nature.
Ventes Publiques : New York, 6 déc. 1989 : *Scène de bataille, makémono*, encre et pigments/soie (48,9x884) : **USD 5 500**.

FENG TCH'AO-JAN. Voir **FENG CHAORAN**

FENG TSEU-K'AI ou **Feng Tzu-K'ai**. Voir **FENG ZIKAI**

FENG XIANSHI ou **Feng Hien-Che** ou **Fêng Hsien-Shih**, surnom : **Zilan**
Originaire de Shanyin, province du Zhejiang. XVIIIe siècle. Chinois.
Peintre.
Actif vers 1700, il est l'auteur du traité sur la peinture intitulé le *Tuhui baojian Xucuan*.

FENG ZIKAI ou **Feng Tseu-Kai** ou **Feng Tsù-K'ai**
Né en 1898. Mort en 1975. XXe siècle. Chinois.
Peintre. Traditionnel.
Originaire de Zhongde (province du Zhejiang), Feng Zikai est, en 1920, co-fondateur du Collège d'Art de Shanghai.
Ventes Publiques : Hong Kong, 16 jan. 1989 : *Buddha*, encre et pigments/pap., kakémono (51,4x34,3) : **HKD 26 400** - New York, 31 mai 1990 : *Personnages*, encre/pap., album de quinze feuilles (chaque 24,5x16,2) : **USD 8 800** - Hong Kong, 15 nov. 1990 : *Hiver*, encre et pigments/pap. (55x45) : **HKD 39 600** - New York, 29 mai 1991 : *Personnages*, encre et pigments/pap., album de dix feuilles (24,3x33,2) : **USD 7 700** - Hong Kong, 29 oct. 1992 : *Enfants portant des pastèques*, encre et pigments/pap., éventail (17x50) : **HKD 22 000** - New York, 16 juin 1993 : *Scènes de la vie courante*, encre et pigments/pap., album de douze feuilles (chaque 42,5x29,2) : **USD 23 000** - Hong Kong, 3 nov. 1994 : *Lac de l'Ouest* 1947, encre et pigments/pap., kakémono (102,9x55,9) : **HKD 55 200** - Hong Kong, 29 avr. 1996 : *Célébration de la Nouvelle Année* 1963, encre/pap. (34,2x26,5) : **HKD 46 000** - Hong Kong, 4 nov. 1996 : *Voyage* 1948, encre et pigments/pap. (66x33) : **HKD 103 500** - Hong Kong, 28 avr. 1997 : *Scènes de la période d'après-guerre* 1938-1939, encre/pap., album de six feuilles (33,1x22,8) : **HKD 82 800**.

FENICE Nicolo ou **Nicolas** ou **Fénis**
D'origine française. XVIIe siècle. Travaillant à Modène vers 1660. Italien.
Peintre.
L'église Saint-Augustin à Modène possède de cet artiste un tableau représentant *Saint Casimir de Pologne entouré de trois anges*.

FENINGER Franz
XVIIIe siècle. Actif à Vienne vers 1750. Autrichien.
Graveur.
On lui doit des ex-libris et le portrait du comte *Franz de Barkoczy*, archevêque de Gran.

FENIS Barthélémy ou **Bartolomeo**
XVIIe siècle. Travaillant à Modène de 1653 à 1669. Italien.
Graveur.
Il grava plusieurs planches dans le style de Callot.

FENITZER. Voir **FENNITZER**

FENIZZI Ascanio. Voir **AMBROSI Ascanio**

FENN Harry
Né en 1845 à Richmond (Angleterre). Mort le 21 avril 1911 à Montclair (New Jersey). XIXe-XXe siècles. Britannique.
Peintre de sujets typiques, paysages, aquarelliste.
Il obtint une médaille d'or à l'Exposition de Chicago en 1893 et fut l'un des fondateurs de la Water-Colours Society.
Il occupe une place marquante parmi les aquarellistes des États-Unis.
Musées : Chicago (Art Inst.).
Ventes Publiques : San Francisco, 19 mars 1981 : *Maison natale de Mark Hopkins* 1894, aquar. et lav. (26,5x36) : **USD 650** - New York, 7 déc. 1984 : *Pelham Bay Park, NYC* 1884, aquar. (30,5x46,2) : **USD 1 800** - New York, 15 mars 1986 : *La place du marché, Damas*, aquar. reh. de gche blanche (76,2x61) : **USD 1 400** - New York, 30 sep. 1988 : *Nénuphars*, aquar./cart. (18x53,2) : **USD 4 400** - New York, 17 déc. 1990 : *L'Hudson près de Cornwall*, aquar./pap. (22,9x41,3) : **USD 880** - New York, 4 mai 1993 : *Place de marché oriental*, aquar./pap. cartonné (69,2x50,8) : **USD 2 875**.

FENN William Wilthieu
Né vers 1827 en Angleterre. Mort le 19 décembre 1906 à Londres. XIXe siècle. Britannique.
Peintre de paysages.
Exposa à Londres de 1848 à 1880, notamment à la Royal Academy, à Suffolk Street et à la British Institution.

FENNEBRESQUE-MORING Marie Félicie
Née au XIXe siècle à Montamisé (Vienne). XIXe siècle. Française.
Peintre et aquarelliste.
Elle eut pour maîtres E. Lafon et Mme D. de Cool. En 1878, elle exposa au Salon de Paris : *Judith rentrant à Béthulie*, et en 1879 : *Le Satyre et le passant*.

FENNEKOHL Jacob
XVIIe siècle. Actif à Hambourg en 1695. Allemand.
Sculpteur.

FENNEL Friedrich
Né le 12 août 1872 à Kassel (Hesse). XIXe-XXe siècles. Allemand.
Peintre de paysages, nus, portraits, dessinateur, graveur.
Élève de l'Académie de Kassel et du professeur Wünnenberg, il travailla également en Italie et à l'Académie Julian à Paris. Il exposa dans les principales expositions allemandes.
Surtout paysagiste, il exécuta néanmoins des études de nus et des portraits. Ses lithographies, comme du reste ses peintures, s'inspirent surtout de paysages de Hesse.

FENNEL John Greville
Né en 1807. Mort en 1885. XIXe siècle. Britannique.
Peintre et graveur.
Élève de l'Académie de Londres et de Henry Sass. Il figura à Suffolk Street avec des paysages de 1851 à 1874. Il exécuta de nombreux dessins pour l'illustration de journaux, et des scènes de genre humoristiques.

FENNER
XVIIe siècle. Britannique.
Peintre.
Le Guildhall de Bury St Edmunds dans le Suffolk possède de cet artiste un portrait de Jacques Ier, peint avant 1616.

FENNER Charles
XIXe siècle. Actif à Hampton Wick. Britannique.
Peintre de genre et de paysages.
Il exposa de 1858 à 1866 à la British Institution et à la Royal Academy.

FENNER Johann Baptist
XVIIIe siècle. Allemand.
Peintre.
Il vivait probablement à Munich. Peintre à la Cour en 1713.

FENNER Maud Richmont
Née le 24 mai 1868 à Bristol. XIXe siècle. Américaine.
Peintre et artisan d'art.

FENNER-BEHMER Hermann
Né le 8 juin 1866 à Berlin. Mort le 3 février 1913 à Berlin. XIXe-XXe siècles. Allemand.
Peintre de genre, portraits, paysages.
Il fut élève de Lefebvre et de Boulanger à Paris. Après avoir étudié à l'Académie de Berlin, et avec Hellqvist, il voyagea en Europe. De retour à Berlin, il envoya ses œuvres dans différentes expositions de Paris, Munich et Berlin.
Ventes Publiques : Londres, 4 nov. 1977 : *Confidences au téléphone*, h/pan. (91,4x56) : **GBP 1 500**.

FENNITZER Georg ou **Venitzer**
XVIIe siècle. Actif à Nuremberg. Allemand.
Graveur.
Il a surtout gravé des portraits.

FENNITZER Johann Philipp
XVIIe siècle. Actif à Nuremberg. Allemand.
Graveur.
On connaît de cet artiste son propre portrait, gravé à la manière noire, et des portraits d'hommes célèbres du XVe siècle.

FENNITZER Michael ou **Venitzer**
Né en 1641 à Nuremberg. Mort le 25 février 1702 à Wittemberg. XVIIe siècle. Allemand.
Graveur.
Il a gravé des portraits des personnalités illustres de Nuremberg.

FENOLLABBATE Frédéric
Né en 1959. XXe siècle. Français.
Peintre, dessinateur. Abstrait-géométrique.
Il vit et travaille à Nice. Il a participé aux expositions suivantes : 1985 *Attention, peinture fraîche*, galerie d'Art Contemporain des Musées de Nice ; 1986 Art Jonction, Nice ; 1987 Villa Arson, Nice.
Cet artiste vivant à Nice a déjà traversé plusieurs styles picturaux distincts : figuration libre et néo-géo. Maniant un système savamment calculé et pensé, composé de courbes et de parallélépipèdes – les dessins préparatoires sont chargés de chiffres austères – Fenollabbate recherche dans ses œuvres, d'abord des effets visuels, en utilisant différents supports (bois, toile, métal) et différents médiums (huile, laque, vernis).
Bibliogr. : Catalogue, Villa Arson, Nice, 1988 – Marie-Hélène Dampérat, in : *Art Press*, Paris, 1988.
Ventes Publiques : Paris, 26 jan. 1987 : *Sans titre*, laque vernie/t. (200x165) : **FRF 7 850**.

FENOLLERA Y IBANEZ Vicente ou **José**
Né vers 1850 à Valence. XIXe siècle. Espagnol.
Portraitiste et peintre d'histoire.
Élève de l'École des Beaux-Arts de Valence et pensionnaire de cette province à Rome en 1872. Il a participé régulièrement aux Salons de Madrid.
Musées : Valence : *Saint François de Paule – Une Odalisque – Un pêcheur.*

FENOLLIET Marc Antoine, pseudonymes **Carroys** ou **la Rose**
Né au XVIIe siècle à Lyon. XVIIe siècle. Français.
Peintre.
Il est, à Lyon, maître de métier pour les peintres en 1660 et 1675. Il travailla également à Grenoble.

FENOLLO Paolo ou **Fenouil Paul**
Né au XVIIIe siècle en France. XVIIIe siècle. Français.
Peintre d'histoire.
La Galerie de Madrid possède de cet artiste une *Scène bachique*. Peut-être est-il le frère de Jean-César Fenouil. Il exécuta à Paris une série de portraits. « Agréé » de l'Académie Royale en 1740.
Ventes Publiques : Paris, 15 juin 1929 : *Portrait d'homme ; Portrait de jeune femme*, deux h/t : **FRF 51 500**.

FENOSA Apelles
Né le 16 mai 1899 à Barcelone (Catalogne). Mort le 25 mars 1988 à Paris. XXe siècle. Actif aussi en France. Espagnol.
Sculpteur de figures, animalier, monuments.
Il apprend son métier auprès de Casanovas. Il séjourne à Paris de 1921 à 1929, puis retourne en Espagne de 1929 à 1939, et se fixe définitivement en France en 1939. Durant sa première période en France, il s'intègre vite à l'active colonie artistique espagnole qui gravite, à cette époque, autour de Picasso. Il est significatif que pour rappeler le martyre de la ville française d'Oradour pendant la retraite allemande de 1944, ce soit à cet Espagnol de Paris que le Musée d'Art Moderne ait commandé un monument (1945), tant il a fait corps avec son pays d'adoption. Mais pour des raisons d'ordre esthétique – la sculpture en bronze représentant le corps d'une femme nue, enceinte et dévorée par les flammes choqua le clergé – il aura fallu attendre trente ans pour que cette statue sorte de la remise des collections nationales pour être érigée au carrefour qui mène de Limoges à Oradour. Fenosa reçut les insignes de la Légion d'honneur en 1983.
Il participa à de nombreuses expositions collectives, notamment des Biennales de sculpture : 1954, Anvers ; 1957, Carrare, y obtenant un prix, puis 1959 et 1965 ; 1958, Yverdon ; 1966, 1968, Paris, Musée Rodin. Il montra ses œuvres dans des expositions personnelles : première exposition, préfacée par Max Jacob, à Paris en 1925 ou 1926 (selon les sources) ; 1928, Paris ; entre 1929 et 1939, plusieurs fois en Espagne ; en 1939, Picasso prit l'initiative d'organiser dans son atelier une présentation de sculptures de Fenosa qu'il avait acquises. 1946, 1952, 1956, 1961, 1965, Paris, avec des textes de présentation de Paul Éluard, Jean Cocteau, Jules Supervielle, Francis Ponge ; 1954, Londres ; 1960, 1961, New York ; 1965, 1969, Barcelone ; 1966, Tokyo ; 1972, rétrospective, Rochechouart ; 1980, rétrospective, Musée Rodin, Paris.
Il débuta son métier par la taille de la pierre et du marbre, qu'il quitta peu à peu pour le modelage. L'art de Fenosa est d'abord tout de sensibilité, le bronze porte la trace des caresses fébriles de ses mains créatrices, mais la forme n'en porte pas moins la marque de notre temps, consistant, ici, en un souvenir visible du surréalisme, là, en un sens plus actuel de l'arabesque, mais surtout d'une vision synthétique de l'ensemble. On peut dégager plusieurs périodes dans son œuvre. Ses premières œuvres : *Le Guitariste* (1925) ou le *Buste de Pilar Supervielle* (1927), sont teintées de classicisme ; de son retour en Espagne datent des terres cuites comme *Femme couchée* et *Femme accroupie* (1931) ; de sa nouvelle installation en France, les sculptures de bustes de poètes et d'écrivains, telles que : Cocteau (1939), *Picasso, Eluard* (1942), *Michaux* (1949), et *Colette* (1948). Il a réalisé un grand *Christ* pour Fribourg, et un monument à Guingamp. Nombre de ses sculptures sont inspirées par la musique, *Violoniste* ; *Flûtiste* (1946), la mythologie et les poèmes homériques : *Ulysse et Nausi-*

caa (1946) ; *Polyphème aveugle* (1949). La nature et la fusion des espèces, humaine et végétale, ont été également des sources d'inspiration, avec une attention particulière pour les figures de nus. ■ J. B., C. D.

Bibliogr. : In : *Nouveau Dictionnaire de la sculpture moderne*, Hazan, Paris, 1970 – Jean Leymarie : *Fenosa*, Skira, Genève, 1993.

Musées : Paris (Mus. Nat. d'Art Mod.) : *Mantelina* 1966 – *Kimono* 1957 – Paris (Mus. d'Art Mod. de la Ville) : *Les Trois Règnes*, une fontaine – *Les Quatre Saisons*, groupe.

Ventes Publiques : Paris, 2 juin 1980 : *Nu, bras levés*, bronze (H. 59) : **FRF 5 000** – Paris, 19 oct. 1982 : *La violoniste*, bronze (H. 45) : **FRF 8 500** – Paris, 9 fév. 1987 : *Femme courant*, patine noire, bronze (H. 12,5) : **FRF 15 500** – Paris, 3 oct. 1988 : *Chrysanthème* 1960, bronze à patine brun vert (28x13x9) : **FRF 35 000** ; *Femme qui parle* 1948, bronze à patine brun-or (15x5x4) : **FRF 14 000** ; *Feuille de figuier* 1958, bronze à patine brun nuancé (27x16x11) : **FRF 81 000** – Paris, 16 mars 1989 : *Femme implorant*, bronze patine brune (H. 16,5) : **FRF 21 000** – Paris, 6 avr. 1989 : *Femme drapée*, bronze (H. 19) : **FRF 30 000** – Paris, 22 mai 1989 : *Femme*, bronze à patine brun vert (16x5x5,5) : **FRF 37 000** – Paris, 19 juin 1989 : *La conversation*, bronze à la cire perdue (H. 16,5) : **FRF 28 000** – Paris, 28 nov. 1990 : *Pliée* 1976, bronze (H. 22) : **FRF 47 000** ; *La liberté* 1950, bronze (H. 75) : **FRF 355 000** – Paris, 3 juin 1991 : *Jupe feuille d'acanthe*, bronze (19x5,5x5) : **FRF 30 000** – New York, 26 fév. 1993 : *Dame de cœur* 1965, bronze à patine sombre (H. 19,7) : **USD 1 955** – Paris, 16 mars 1993 : *Portrait de Roger Caillois* 1970, bronze (16x10x13) : **FRF 13 500** – Paris, 6 avr. 1994 : *Femme drapée*, bronze (H. 14) : **FRF 23 000** – New York, 14 juin 1995 : *Danseuses*, bronze, ensemble de six (approx. chaque H. 17,8) : **USD 6 325** – Zurich, 3 avr. 1996 : *Corail*, bronze (H. 21,5) : **CHF 3 200** – Paris, 15 avr. 1996 : *Femme de dos au drapé*, bronze (H. 21) : **FRF 28 000** – Paris, 16 sep. 1996 : *L'Andalouse*, bronze patine noire (18x5x6,5) : **FRF 11 000** – Zurich, 12 nov. 1996 : *Millepertuis*, bronze (22x9x5,5) : **CHF 2 600** – Paris, 16 juin 1997 : *Femme au bras allongé*, bronze patine noire (H. 18) : **FRF 16 000** – Paris, 18 juin 1997 : *Psyché* 1959, bronze patine brun vert (H. 25) : **FRF 30 000**.

FENOUIL Jean César
Né à Marseille. XVIIIe siècle. Français.
Peintre de portraits.
Il fut peintre du roi. Il paraît avoir séjourné longtemps à Lyon, où on le trouve en 1738 et en 1746. Ses œuvres sont souvent confondues avec celles de Paul Fenouil.

Ventes Publiques : Paris, 21 nov. 1919 : *Portrait d'un gentilhomme* : **FRF 1 720** – Paris, 7 avr. 1941 : *Autoportrait* : **FRF 500** – Paris, 16 juin 1972 : *Portrait présumé de Préville* : **FRF 10 600** – Paris, 2 mars 1994 : *Portrait de Louis Philippe d'Orléans, prince de Joinville et d'Henriette de Bourbon Conti en Hercule et Omphale* 1750, h/t (81x101) : **FRF 32 000**.

FENOUILLET
XXe siècle. Français.
Peintre.
Obtint le deuxième prix de Rome en 1906.

FENS Wilhelm Christian Heinrich
Né en 1821 à Hambourg. Mort en juillet 1840 à Enge (près de Zurich). XIXe siècle. Allemand.
Peintre.
Élève de J. J. Faber, il travailla surtout à Munich. On cite de cet artiste *Les adieux du jeune Tobias*.

FENSTERER Christoph
XVIIe siècle. Actif à Magdebourg. Allemand.
Peintre.
On connaît de cet artiste un *Portrait du peintre par lui-même* et, dans l'église Saint-Jean à Magdebourg une *Résurrection*, une *Crucifixion* et une *Cène*.

FENTON Annie Grace
XIXe siècle. Active à Londres. Britannique.
Peintre de genre.
Exposa à Londres, notamment à la Royal Academy, de 1875 à 1885.

FENTON Béatrice
Née le 12 juillet 1887 à Philadelphie (Pennsylvanie). XXe siècle. Américaine.
Sculpteur de bustes, figures.
Elle commença ses études artistiques pour devenir peintre animalier. Ce fut Thomas Eakins, lui-même peintre et sculpteur, qui lui conseilla d'aborder la sculpture. Elle entra à l'École d'Art Industriel, où elle eut Alexander Stirling Calder, le père de « Sandy » Calder, pour professeur. Elle fut élève de Charles Grafly à la Pennsylvania Academy of Fine Arts. Elle obtint le prix Stewardson de Sculpture en 1908, une mention honorable à l'Exposition de San Francisco en 1915, une médaille Widener de la Pennsylvania Academy en 1922, etc.
Au début de sa carrière, elle réalisa surtout des bustes, puis devint populaire en créant des personnages féeriques pour des fontaines de jardins et parcs publics ou de résidences privées de Philadelphie.

Ventes Publiques : New York, 5 déc. 1991 : *Fontaine avec une Néréïde dansant sur des dauphins* 1928, bronze (H. 274,3) : **USD 88 000**.

FENTON Hallie Champlin
Née en octobre 1880 à Saint Louis (Missouri). XXe siècle. Américaine.
Peintre.
Elle fut élève de Jacques Blanche à Paris. Membre de la National Association of Women Painters and Sculptors.

FENTON John
Né dans la seconde moitié du XIXe siècle. XXe siècle. Américain.
Graveur.
Il exposa à New York à partir de 1958.
Ses gravures sont symboliques et souvent tragiques, parfois tentées par une sorte de surréalisme.

FENTON John William
Né le 6 juillet 1875 à Couewango Valley (New York). XXe siècle. Américain.
Peintre.
Il enseigna l'art dans les Highs Schools de la Ville de New York. Il fut membre du Salmagundi Club.

FENTZEL Gregor
Né à Nuremberg. XVIIe siècle. Travaillant vers 1650. Allemand.
Graveur.
Il a gravé des portraits et des tableaux d'histoire d'après A. Tempesta, F. Cleyn et J. Sadeler.

FENWICK Thomas
Né dans le nord de l'Angleterre. Mort vers 1850. XIXe siècle. Britannique.
Peintre de paysages, marines.
Ami de John W. Ewbank, il travailla avec lui chez Coulson et Nasmith. Il peignit surtout des marines.

Ventes Publiques : Londres, 27 mars 1973 : *Ravenscraig* : **GBP 1 400** – Londres, 10 oct. 1980 : *Paysage montagneux* 1846, h/t (44x67) : **GBP 500**.

FÉNYES Adolphe
Né en 1867 à Kescskemét. Mort en 1945. XIXe-XXe siècles. Hongrois.
Peintre de scènes de genre.
Il fut élève de Szekely, Bouguereau, Ferrier et J. Benczur. Il participa à l'Exposition universelle de 1900, y obtenant une médaille de Bronze.
Il faisait partie des peintres qui se séparèrent du groupe de *Nagybanya* et fondèrent le groupe de *Szolnok*.

Musées : Budapest (Beaux-Arts) : *Klastch* – *La Veuve* – *Le Vieillard* – Szeged : *Vieille femme* – Weimar (Mus) : *Vieille femme*.

Ventes Publiques : Zurich, 14 mai 1982 : *Une cour de ferme hongroise*, h/t (54x68) : **CHF 4 500** – Tel-Aviv, 11 avr. 1996 : *Scène de rue*, h/t (60,4x40,4) : **USD 5 750**.

FENYÖ A. Endre
Né en 1904. XXe siècle. Hongrois.
Peintre de paysages, compositions à personnages.
Il fut l'un des fondateurs du groupe des *Artistes Socialistes*. Il obtint le prix Munkacsy. Il réalisa des expositions particulières en 1930, 1948, 1956 et 1964.
Ses peintures de tendance figurative comportent en général un message politique.

FENZONI Ferrau. Voir **FANZONI**

FEO Luigi de
Né au XIXe siècle en Autriche. XIXe siècle. Actif à Paris et à Venise. Italien.

Peintre, sculpteur et médailleur.
Il figura à la Société des Artistes Français en 1907 avec deux sculptures, et à l'Exposition Internationale de Venise en 1909 avec un *Adolescent* en bronze.

FEODOR Ivanovitch Charles Frédéric ou **Fedor**. Voir **IVANOVITCH Fedor**

FÉODOROFF. Voir **FÉDOROFF**

FÉODOTOFF. Voir **FÉDOTOFF**

FÉOFAN K.
XVIIe siècle. Russe.
Graveur.

FEOFILATOFF Ivan. Voir **FILATIEFF**

FEOLI Vincenzo
XIXe siècle. Actif à Rome. Italien.
Graveur au burin.
Il a illustré différents ouvrages.

FER de. Voir aussi **DEFER**

FER Édouard de
Né en 1887 à Nice (Alpes-Maritimes). Mort en 1959 à Nice. XXe siècle. Français.
Peintre de paysages, compositions murales, cartons de tapisseries, aquarelliste, illustrateur, affichiste, décorateur. Postimpressionniste.
Installé à Paris, il s'inscrivit à l'École des Arts Décoratifs, puis à l'École des Beaux-Arts. Il exposa, à partir de 1925, au Salon des Artistes Indépendants de Paris.
Il décora, la Bibliothèque Municipale de Nice, en 1923, avec une toile intitulée : *Nice, inspiratrice des Lettres et des Arts* ; le grand salon du paquebot « Île-de-France », en 1928 ; le hall des Nations au Palais de la Paix, à New Jersey, aux États-Unis, avec un immense tableau : *L'Arbre de Minerve*. Il réalisa des paysages peignant une grande part de son œuvre, avec des teintes lumineuses, presque aveuglantes, il fut d'ailleurs l'auteur de nombreuses affiches exaltant le soleil de la Riviera. Édouard de Fer a écrit un ouvrage théorique « Solfège de la couleur », où il a développé clairement les principes scientifiques du néo-impressionnisme, il s'est exprimé ainsi : « Pourvu que la résultante optique soit exacte, peu importe la façon dont le néo-impressionniste pose sa touche : essayons de voir plus loin que la formule ». Montrant une certaine indépendance, à l'égard des théories de ses amis : Maximilien Luce, Louis Valtat et Paul Signac, il est fréquent qu'il espace ses touches et laisse apparaître le support de ses tableaux.
Bibliogr. : Gérald Schurr, in : *Les Petits Maîtres de la peinture 1820-1920, valeur de demain*, Les Éditions de l'Amateur, t. VI, Paris, 1985.
Ventes Publiques : Paris, 4 juin 1987 : *Maison au bord du lac de Genève*, h/t mar./cart. (23,5x15,5) : **FRF 30 000** – Paris, 15 fév. 1988 : *Les dahlias, jardin mon repos*, h/pan. (24x18) : **FRF 12 000** – Paris, 18 juin 1989 : *Mas provençal*, h/t (35x27) : **FRF 9 500** – Paris, 6 juil. 1990 : *L'homme à la casquette, Saint-Cloud*, h/cart. (22x16) : **FRF 6 500**.

FER Faivre Louis Stanislas. Voir **FAIVRE-DUFFER**

FER Nicolas de
Né en 1646. Mort le 15 octobre 1720. XVIIe-XVIIIe siècles. Français.
Graveur de cartes.
Il portait le titre de Géographe du Roi et grava environ 600 cartes qui sont surtout à mentionner pour la riche ornementation des planches. On connaît de lui aussi des planches de portraits *Histoire des Rois de France depuis Pharamond jusqu'à Louis XV*.

FERA Bernardino
Mort vers 1714. XVIIIe siècle. Actif à Naples. Italien.
Peintre.
Élève de Solimena, il est connu par ses fresques. L'église Saint-François-de-Paule à Pozzano, près de Castellamare possède de lui deux tableaux à l'huile : *Rébecca* et *Joseph dans le puits*.

FERA Matteo
XVIIIe siècle. Italien.
Peintre.
Comme son frère Bernardino élève de Solimena, il entra chez les Dominicains.

FERABECH Giovanni ou **Ferrabech**
XIVe siècle. Actif à Venise à la fin du XIVe siècle. Italien.
Sculpteur.
Il participa avec d'autres artistes aux travaux de sculptures de l'église San Petronio à Bologne.

FERABOSCHI Antonio Maria
Né le 16 mars 1663 à Parme. Mort en 1738. XVIIe-XVIIIe siècles. Italien.
Sculpteur.
Il est mentionné à Carpi (Province de Modène) en 1724, pour des décorations à la Cathédrale, et à Reggio d'Emilie où il exécuta deux statues d'autel à l'ancienne église Saint-François.

FERABOSCO Girolamo. Voir **FERRABOSCO**

FERABOSCO Martino
XVIIe siècle. Actif au début du XVIIe siècle. Italien.
Graveur et architecte.
Il résidait à Rome et grava les planches de l'ouvrage intitulé : *Architettura della Basilica di San Pietro in Vaticano* qui fut publié à Rome en 1620.

FERABOSCO Pietro ou **Ferrabosco**
Né en 1513 à Laino près de Côme. XVIe siècle. Italien.
Peintre et architecte.
Il fut tout d'abord peintre de guerre en Hongrie, étant soldat dans l'armée impériale, puis peintre de la Cour de Ferdinand Ier à Vienne où il orna de peintures plusieurs appartements de la Hofbourg, mais son activité s'exerça surtout dans l'architecture.

FERABOSCO Pietro
Né probablement à Lucques. XVIIe siècle. Actif vers 1616. Italien.
Peintre.
Cet artiste passa la plus grande partie de sa vie au Portugal où l'on trouve la plupart de ses œuvres.

FERADINY. Voir **FERRANDINI**

FÉRAGU Auguste François Joseph
Né le 24 mai 1816 à Lille (Nord). Mort en 1892 à Amiens. XIXe siècle. Français.
Peintre.
Le 2 octobre 1837, il entra à l'École des Beaux-Arts et se forma sous la direction d'Abel de Pujol et de L. Cogniet. De 1841 à 1880, il figura au Salon à Paris. On cite parmi ses œuvres : *L'Aumône* ; *Le Christ en croix* ; *Inondation de la Loire en 1846* ; *Un balayeur* ; *Saint Louis et son frère Robert transportant la sainte couronne d'épines à Notre-Dame de Paris* ; *Bonaparte et Joséphine visitant la cathédrale d'Amiens* ; *Le Christ au jardin des Oliviers* ; *Un religieux du couvent des Dominicains, à Abbeville, sauvant un enfant tombé dans la Somme*. Le Musée de Cambrai possède de cet artiste le portrait du Dr. Fenin.

FERAIL Edmond
Originaire de Cambrai. Mort à Paris. XIXe siècle. Français.
Peintre.
Il fut à l'École de dessin de Cambrai l'élève de Joseph Berger.

FERAJUOLI. Voir **FERRAJUOLI**

FÉRAL Bert
XXe siècle. Français.
Peintre. Abstrait.
Depuis les années quatre-vingt, il expose régulièrement à Paris, au Salon des Réalités Nouvelles.
Ses peintures sont composées d'une juxtaposition de formes non géométriques de nature plutôt courbe, légèrement modelées dans des tonalités sobres, et situées devant un fond neutre, comme le seraient des figurants et les accessoires d'un décor devant le fond de la scène.

FERAND
Français.
Graveur.
Cité par Nagler. Il a gravé deux planches de *Portraits*.

FERAPONTIEFF ou **Ferapontoff**. Voir **FARAFONTIEFF** et **FARAFONTOFF**

FERARA Carel de. Voir **FERRARA**

FERARE Jacques Maurice
XVIIIe siècle. Actif à Paris en 1787. Français.
Peintre et sculpteur.

FERARI ou **Feraris, Ferary**. Voir **FERRARI**

FERAT Jules Descartes
Né le 27 novembre 1829 à Ham (Somme). XIXe siècle. Français.

Peintre.

Entré à l'École des Beaux-Arts le 4 avril 1850 il devint l'élève de J. Cogniet. Il se fit représenter au Salon de Paris de 1857 à 1871. On cite notamment de lui : *Intérieur des écuries de Montfort-l'Amaury ; L'été ; Un atelier de dissection ; Après la guerre, le premier coup de charrue ; Le puits et le pendule.*

FÉRAT Serge, pseudonyme de **Jastrebzoff Serge,** comte

Né le 28 mai 1881 à Moscou. Mort le 13 octobre 1958 à Paris. XXe siècle. Depuis 1901 actif en France. Russe.

Peintre, graveur, peintre de collages, peintre à la gouache, décorateur, illustrateur, peintre de cartons de tapisseries. Cubiste.

Il fit de nombreux voyages pendant sa jeunesse, en Angleterre, France, Italie et Allemagne. En 1901-1902, il se fixa à Paris, avec sa sœur la baronne d'Oettingen, où il suivit les cours de Bouguereau à l'Académie Julian. Il fut aussi élève de Baschet et Schommer. Pourvu et fastueux, le jeune comte était très entouré par des poètes et des peintres. Il fréquentait souvent *Le Lapin Agile*, à Montmartre, vers 1905. Il achetait beaucoup de peintures notamment une douzaine de Douanier Rousseau, chez qui il allait aux soirées musicales, à Montparnasse. Il acquit également des Picasso et des Braque et autres artistes cubistes. En 1911, il fit la connaissance de Picasso, qui le présenta à Apollinaire, avec qui il se lia. C'est le poète qui lui trouva son pseudonyme de Férat. En 1913, selon certains, il acheta, à André Billy, Dalize et Salmon, les *Soirées de Paris*, selon d'autres sources, il finança largement ce journal repris par Apollinaire, où il défendit les idées nouvelles. Férat en assumait la direction artistique, Apollinaire la direction littéraire. La revue avait quarante abonnés à cette époque, elle s'installa au 278 Boulevard Raspail à Paris dans l'appartement de sa sœur. Sur la couverture, figure le nom Jean Cerusse (Ces Russes : Serge et Hélène). Les futuristes italiens dans leur revue *Lacerba* établirent alors des rapports étroits avec *Les Soirées de Paris*. Engagé volontaire, en 1914, à l'Hôpital Italien de Paris, Férat y fit admettre Apollinaire blessé. Ruiné par la Révolution russe, il se retrouva quelque peu délaissé par ceux-là même qui se pressaient naguère à ses fêtes, où l'on pouvait croiser Picasso, Léger, Cendrars, Jacob, Modigliani... Il ne continua à voir que Survage, Gleizes et Delaunay. Découragé, il détruisit nombre de ses œuvres. Mais il vécut néanmoins à peu près de son art, de 1917 jusqu'à sa mort, en 1958. En 1924, Jean Cocteau lui consacra une monographie. Henri Pierre Roché était des seuls à le soutenir, en qui il faudra bien voir un des regards les plus clairs sur l'art de cette époque. Férat mourut dans le dénuement et l'oubli.

Serge Férat réalisa, en 1917, la brochure, les décors et costumes de l'unique représentation des *Mamelles de Tirésias* d'Apollinaire, ce qui lui attira quelque jalousie de la part des autres cubistes, à l'exception de Picasso. L'État lui commanda trois cartons de tapisseries pour la Manufacture de Beauvais. Il illustra de gouaches la revue d'Albert Birot, *Sic*.

Il exposa, à Paris, sous son nom de Jastrebzoff, au Salon des Artistes Français où il obtint une mention en 1906, et à celui des Artistes Indépendants en 1910, 1911 et 1912, sous le pseudonyme de Roudniev. Il participa, en 1920, à l'exposition de la *Section d'Or* à Paris. Il exposa avec Max Jacob en 1924. Il participa en 1935 à l'exposition du cubisme, au Musée d'Art Moderne de la Ville de Paris, à la suite de laquelle, l'intérêt se tourna à nouveau sur lui. Il montra rarement ses œuvres dans des expositions particulières, la première datant de 1917 à Paris, une autre est répertoriée en 1938. Une rétrospective de son œuvre a été organisée à la galerie Michèle Heyraud, à Paris, en 1989.

Ses peintures de 1910 s'inspiraient des Italiens du Quattrocento, et recueillirent la faveur de Maurice Denis. Il fut ensuite influencé par l'œuvre de Cézanne. Certes, il connut Picasso (son exact contemporain de naissance), Braque et les autres peintres cubistes, dont il adopta l'esthétique, mais en la transportant à sa mesure, devenant ainsi le peintre des bergeries et des fêtes galantes cubistes, un cubiste de la grâce et du raffinement. Ce sont surtout ses gouaches qui marquent dans son œuvre.

■ J. B., C. D.

S. FÉRAT

Bibliogr. : Jean Cocteau : *Serge Férat*, Valori Plastici, Rome, 1924 – Bernard Dorival : *Les Peintres du XXe siècle*, t. I, Tisné, Paris, 1957 – José Pierre : *Le Cubisme*, in : *Histoire générale de la peinture*, t. XIX, Rencontre, Lausanne, 1966.

Musées : Paris (Mus. Nat. d'Art Mod.) : *Nature morte : verre, pipe et bouteille* 1914-1915.

Ventes Publiques : Paris, 29 oct. 1927 : *Parade de cirque*, gche : **FRF 300** – Paris, 5 nov. 1937 : *Attributs de musique*, gche : **FRF 200** – Paris, 18 mai 1945 : *Le cirque*, aquar. : **FRF 1 700** – Paris, 28 mars 1955 : *La parade* : **FRF 55 000** – Zurich, 16 mai 1974 : *Le Viaduc* : **CHF 13 000** – Paris, 12 juin 1974 : *Composition*, aquar. gchée : **FRF 20 000** – Paris, 22 juin 1976 : *Composition*, aquar. gchée (11x51) : **FRF 3 500** – New York, 22 oct. 1976 : *Chevaux près d'un village*, h/t (81x60) : **USD 800** – New York, 19 mai 1978 : *Nature morte*, h/collage /cart. (39,5x28) : **USD 4 000** ; *Nature morte au compotier* vers 1918, gche/pap. (23,5x16,2) : **USD 1 200** – New York, 17 mai 1979 : *Nature morte n°2* 1929, gche et cr./pap. beige (27,6x18,4) : **USD 1 500** – Paris, 24 nov. 1980 : *Nature morte à la mandoline*, gche (27,5x23) : **FRF 11 500** – Paris, 23 juin 1983 : *La moisson*, gche (38x30) : **FRF 13 000** – Paris, 21 juin 1984 : *Composition à la coupe de fruits*, h/t (64,5x80) : **FRF 33 500** – Londres, 26 fév. 1986 : *Voiliers au port*, h/t (81x60) : **GBP 5 000** – Versailles, 13 déc. 1987 : *Le saxophoniste*, aquar. et gche (22,5x16,6) : **FRF 26 500** – Paris, 17 fév. 1988 : *Deux personnages*, aquar. gchée (21x17) : **FRF 14 000** – Paris, 15 juin 1988 : *La maison rose*, h/t (81x61) : **FRF 77 000** – Londres, 22 fév. 1989 : *Deux arlequins*, gche (37x22,5) : **GBP 3 080** – Douai, 3 déc. 1989 : *Musicien*, gche (12x8,5) : **FRF 20 100** – Calais, 10 déc. 1989 : *Chevaux près des allées cavalières*, h/t (81x60) : **FRF 52 000** – Londres, 29 mars 1990 : *Arlequin cubiste*, aquar. et cr. avec collage/pap. (29x20) : **FRF 5 500** – Paris, 18 fév. 1990 : *Paysages aux usines*, h/t (80x59) : **FRF 85 000** – Amsterdam, 10 avr. 1990 : *Paysage*, gche/pap. (31,5x21,5) : **NLG 7 475** – Versailles, 6 juin 1990 : *Femme sur le pont*, h/t (81x60) : **FRF 45 000** – Paris, 11 oct. 1990 : *Nature morte* vers 1915, gche (11x15) : **FRF 32 000** – Paris, 18 avr. 1991 : *Le port*, dess. à la mine de pb (21x14) : **FRF 12 000** – Amsterdam, 30 oct. 1991 : *Table de petit déjeuner avec une nature morte de fruits sur une table ensoleillée*, h/t (81x86) : **NLG 6 900** – Paris, 23 mars 1992 : *La famille* 1919, gche/cart. (19x6) : **FRF 12 000** – Londres, 15 oct. 1992 : *Pêcheurs au bord du lac*, gche et encre de Chine (11,2x13,7) : **GBP 880** – Paris, 4 nov. 1992 : *Tête d'Arlequin*, cr. de coul./pap. (12,5x12) : **FRF 4 500** – Amsterdam, 10 déc. 1992 : *Paysage fluvial*, gche/pap. (10x13,5) : **NLG 4 370** – Paris, 21 déc. 1992 : *Paysage*, h/t (80x60) : **FRF 15 000** – New York, 10 mai 1993 : *Nature morte aux poissons et aux fruits*, h/t (91,5x73,5) : **USD 3 220** – Paris, 5 juil. 1994 : *Au cirque*, h/t (41x33) : **FRF 18 000** – New York, 8 nov. 1994 : *Figures* 1926, gche/pap. (16,5x12,7) : **USD 1 150** – Paris, 10 avr. 1995 : *Composition aux fleurs et fruits*, h/t (92x65) : **FRF 17 500** – Londres, 25 oct. 1995 : *Au cirque*, gche et cr./pap. (28x21) : **GBP 1 150** – Paris, 26 fév. 1996 : *Arlequin*, gche et fus. (23,5x18,5) : **FRF 4 500** – Paris, 23 juin 1997 : *Le Village*, h/t (60x81) : **FRF 5 500**.

FERAU Y ALSINA Enrique

Né vers 1825 à Barcelone. Mort le 5 août 1887 à Barcelone. XIXe siècle. Espagnol.

Paysagiste et orfèvre.

Il exposa à Barcelone entre 1847 et 1878.

FERAUD, Mme

XIXe siècle. Française.

Peintre de fleurs.

Elle exposa au Salon de Paris en 1833 et en 1835.

FÉRAUD Albert

Né le 21 novembre 1921 à Paris. XXe siècle. Français.

Sculpteur, sculpteur de monuments. Abstrait.

Fils d'un « prix Nobel de médecine » et d'une cantatrice de l'Opéra, il passe son enfance à Paris, au Cap d'Ail et à Nîmes près de son oncle. Revenu à Paris juste avant la guerre, pour y terminer ses études secondaires, il repart pour Nîmes pendant les hostilités et entre à l'École des Beaux-Arts de Montpellier, où il rencontre Lelouët. Il va ensuite à Marseille, en 1942-1943, puis revient à Paris, où il fréquente l'atelier de Janniot. Dès 1949, celui-ci fait acheter par l'État les *Femmes à la Fontaine*. En 1951, il reçoit le premier Grand Prix de Rome, séjourne en Italie. Il est de retour en France en 1954. Depuis 1957, il a réalisé de nombreuses œuvres monumentales, souvent au titre du 1 % : 1962, Pontarlier ; 1965, Toulouse ; 1967, Arles, Marseille Grenoble ; 1968, Nice ; 1970, Loudun et Skôde (Suède) ; 1971, Conflans-Sainte-Honorine ; 1972, le plafond du R.E.R. de Saint-Germain-en-Laye ; 1974, Mulhouse, Reims ; 1977, Neuilly-sur-Seine ; 1981, Bastia ; 1984, le Monument au Général Koeinig, porte Maillot, Paris ; 1986, Washington ; 1986, le Monument à Victor Hugo, Créteil.

Il participe à de nombreuses expositions collectives, à Paris, notamment : à partir de 1960, Salon des Réalités Nouvelles ; Salon Grands et Jeunes d'Aujourd'hui ; Salon Comparaisons ; Salon de Mai. Il est également membre du comité du Salon de la Jeune Sculpture.
Il montre ses œuvres dans des expositions particulières, dont : 1960, 1961, Galerie 7, Paris ; en Allemagne, en Suisse et plus occasionnellement en Espagne en 1962 ; 1962, Autriche ; en Italie à Rome, Naples, et Turin ; 1965, 1967, Canada ; 1972, Suède ; 1974, galerie Soleil, Paris ; 1977, Naples ; 1978, galerie Paul Brück, Luxembourg ; 1979, Centre culturel, Montbéliard ; 1985, galerie Jean-Pierre Lavignes, Paris ; 1986, galerie du Luxembourg, Luxembourg ; 1987, galerie Hélène Trintignant, Montpellier ; 1988, galerie Arlette Gimaray, Paris ; 1966, galerie Lavignes-Bastille, etc.
En 1954, avec un prix qui se révèle encombrant, Féraud tâtonne, délaissant l'expression « classique » qui s'offrait tout naturellement à lui, et expérimente divers matériaux : plomb fondu où l'on sent l'influence de Giacometti dont il fait la connaissance, et enfin, le fer inoxydable que son ami César vient également de « découvrir ». Ayant à sa disposition un vaste atelier de mécanique désaffecté, mais encore plein de ses machines, Féraud commence alors, une nouvelle carrière, pliant, assemblant, soudant, tordant, déchiquetant, ajustant le métal, dans des compositions qui, si elles ne doivent rien à sa formation classique, restent toujours fortement expressives. Partant de volumes, en mettant surtout l'accent sur les creux, les vides contenus par le relief, Feraud donne d'emblée à ses sculptures des dimensions monumentales. Libéré de son étiquette Prix de Rome, il peut dès lors en toute liberté, exposer ce qu'il crée. « Utiliser la force pour donner la forme, choisir le reliquat, le rebut, lui permettre une nouvelle aventure, faire vibrer l'inox des plus étranges sensations (...) », écrit à son propos Michel Faucher en 1988.

■ J. B., C. D.

Bibliogr. : J. F. Chabrun : *Féraud*, coll. *Le Musée de poche*, Paris, 1974.

Musées : Bochum – Marseille (Mus. Cantini) – Paris (Mus. Muni. d'Art Mod.) – Paris (Mus. Nat. d'Art Mod.) – Saint-Étienne – Stockholm.

Ventes Publiques : Paris, 14 déc. 1976 : *Composition*, acier inoxydable (29x11x23) : **FRF 2 200** – Paris, 6 avr. 1981 : *Personnage*, fer soudé (H. 93) : **FRF 2 800** – Paris, 24 avr. 1983 : *Sans titre* 1963, sculpt. en acier inoxydable (H. 100) : **FRF 8 000** – Paris, 17 déc. 1985 : *Composition*, acier (230x80x80) : **FRF 34 000** – Paris, 1er fév. 1988 : *Masque*, acier inoxydable (30x14x27) : **FRF 5 000** – Paris, 15 fév. 1988 : *Composition*, fer (H. 32) : **FRF 3 200** – Paris, 20-21 juin 1988 : *Composition* 1967, sculpt. en fer (H. 33) : **FRF 6 500** – Paris, 3 oct. 1988 : *Sans titre*, acier peint., sculpture (H. 58) : **FRF 9 000** – Paris, 26 oct. 1988 : *Composition* 1974 (H. 70) : **FRF 4 500** – Douai, 23 avr. 1989 : *Composition*, acier, sculpt. (H. 78) : **FRF 12 000** – Paris, 22 mai 1989 : *Sans titre*, acier inoxydable (30x31x19) : **FRF 7 000** – Paris, 26 sep. 1989 : *Liberté*, métal (H. 44,5 et l. 18) : **FRF 9 500** – Douai, 3 déc. 1989 : *Composition* 1988, acier, sculpture (H. 41) : **FRF 11 500** – Paris, 14 mars 1990 : *Masque*, acier pièce unique (46x45) : **FRF 15 000** – Paris, 25 avr. 1990 : *Composition*, métal (H. 48, et l. 48) : **FRF 9 500** – Paris, 13 juin 1990 : *Le Chandelier*, sculpt. (H. 88) : **FRF 16 000** – Paris, 15 avr. 1991 : *Sans titre* 1974, acier inoxydable, essai de maquette pour la réalisation du monument au maréchal Koenig représentant le plan de la bataille de Bir-Hakeim (68x53x45) : **FRF 5 000** – Paris, 19 avr. 1991 : *Composition* 1960, acier inox (250x125) : **FRF 58 000** – Paris, 25 juin 1993 : *Coq* 1960, fer (H. 86) : **FRF 8 100** – Paris, 17 déc. 1993 : *Personnage debout* 1958, acier bronzé : **FRF 10 500** – Paris, 23 jan. 1995 : *Sans titre*, alu. soudé (45x35) : **FRF 10 000** – Paris, 19 juin 1996 : *Personnage*, sculpt. en plaques d'acier soudées (166x50x37) : **FRF 6 000** – Paris, 28 oct. 1996 : *Composition*, acier (H. 37,5) : **FRF 4 800**.

FERAUD Vincent ou **Féréaud**
Né en 1800 à Marseille. XIXe siècle. Français.
Peintre et lithographe.
De 1834 à 1851, il se fit représenter au Salon de Paris, notamment par des portraits. On cite de lui : *La Justice ; Ruines en Écosse ; Jésus présenté au peuple juif par Pilate ; Le Christ descendu de la Croix ; La Vierge et la Madeleine*. Médaille de troisième classe en 1836.

FERAY, Mme, née **Oberkampf**
XIXe siècle. Vivant vers 1820. Française.
Dessinateur et graveur amateur.
Elle a gravé des *Vues*.

FERAZZO
Né à Venise. XVIIe siècle. Actif vers 1675. Italien.
Peintre animalier.
Agréé à l'Académie de peinture de Paris en 1675.

FERBACH Hans von
XIVe siècle. Allemand.
Sculpteur.
On a de lui la porte d'une sacristie (sud) à Milan (fin du XIVe siècle) ; il avait travaillé antérieurement à Venise et à Bologne.

FERBER
XIXe siècle. Actif à Vienne. Autrichien.
Peintre.
On connaît de lui un portrait du chanteur d'opéra G. Walter, portrait qui fut exposé en 1860 au Kunstverein à Vienne et en 1897 à la Maison des Artistes (Exposition Schubert).

FERBER A. C.
XVIIIe siècle. Allemand.
Aquafortiste amateur.
On mentionne de lui deux planches : *Bustes de deux hommes barbus avec bonnets de fourrure*, et *Bustes d'hommes et de femmes avec bonnets de fourrure*. Ces planches sont datées respectivement de 1750 et 1766.

FERBER Hans
XVIe siècle. Allemand.
Sculpteur sur bois.
Il travailla de 1559 à 1564 au château de Gustrow (Mecklembourg).

FERBER Herbert
Né en 1906 à New York. Mort en 1991. XXe siècle. Américain.
Sculpteur.
Il fit d'abord des études de chirurgien-dentiste, puis apprit la sculpture à l'Art Institute of Design de New York de 1927 à 1930.
Il réalisa de nombreuses expositions collectives. Il fit sa première exposition particulière à la National Academy of Design de New York, en 1930. D'autres expositions particulières en 1937, 1943, 1947, 1950, 1953, 1955, 1957, 1960, 1965, etc. Une importante rétrospective de son œuvre eut lieu au Walker Art Center de Minneapolis. En 1952, il a réalisé une grande composition pour la synagogue de Milbum (New Jersey). En 1958, il a exécuté un espace habitable pour la Rutgers University (New Jersey).
Jusqu'à 1950, ses sculptures se fondaient encore sur une évocation de la réalité, quand même recréée dans une intention d'expression. Depuis lors, utilisant la fonte de bronze ou de plomb, il crée des sortes de calligraphies en trois dimensions, qui peuvent évoquer des croissances végétales, constituées d'éléments graciles s'entrecroisant dans l'espace, dont certaines monumentales à l'intérieur desquelles on peut circuler, maintenues à l'intérieur des cloisons qui délimitent le volume du vide qu'occupe chacune de ces étranges floraisons. ■ J. B.

Bibliogr. : In : *Trois sculpteurs américains, Ferber, Hare, Lassaw*, Musée de Poche, Paris – Robert Goldwater : *Nouveau Dictionnaire de la sculpture moderne*, Hazan, Paris, 1970.

Ventes Publiques : New York, 12 mai 1981 : *Disc II* 1978, cuivre forgé (160x144,8) : **USD 12 000** – New York, 8 mai 1984 : *Marl II* 1971, acier forgé (114,3x86,3x89) : **USD 8 000** – New York, 20 fév. 1987 : *Williams II B*, cuivre (91,5x91,5x66) : **USD 7 000** – New York, 24 jan. 1989 : *Le couple au no 40* 1940, gche/pap. (37,2x29,4) : **USD 550** – New York, 17 nov. 1992 : *Williams 2B* 1976, cuivre soudé (91,5x91,5x66) : **USD 5 280** – New York, 23 fév. 1994 : *Pointeur*, laiton (61,5x25,4x19,6) : **USD 2 990**.

FERCH Adam Pankratz. Voir **FERG**

FERCH Theodorich
XVIIe siècle. Actif à Buchau (Wurtemberg) vers 1631. Allemand.
Peintre.

FERDEN H. von
XVIe siècle. Allemand.
Peintre.
L'Hôtel de Ville de Lunebourg conserve de lui une grande peinture à l'huile représentant *La Prédication de saint Pierre*. On mentionne aussi de lui, provenant de la succession du peintre Jurgen Oven *Un renne*.

FERDENAND. Voir **FERDINAND** et **FERDINANDUS**

FERDI
Né en 1927 à Arnhem. XXe siècle. Depuis 1950 actif en France. Hollandais.
Sculpteur. Tendance pop art.
Il a étudié la sculpture en 1952 avec Zadkine. En 1954, il a fait un long voyage en Afrique du Sud. Il a exposé en 1968 au Stedelijk Museum d'Amsterdam, puis à Bruxelles, et au Van Abbe Museum d'Eindhoven.
Il prend souvent des fleurs, gaies, vives et colorées pour thème.

FERDI-PARIS Abélard
Né le 12 avril 1857 à Vincennes (Seine). XIXe siècle. Français.
Graveur à l'eau-forte.
Élève de Gervex et Humbert. Sociétaire du Salon des Artistes Français.

FERDIANI Giuseppe
XVIIe siècle. Actif à Naples. Italien.
Sculpteur.
En 1618 il signa les statues de la fondation de la corporation.

FERDINAND. Voir **ELLE Ferdinand, ELLE Louis** l'Ancien**, ELLE Louis** le Jeune et **ELLE Pierre**

FERDINAND
Né à Vilna. XVIIe siècle. Polonais.
Peintre de fresques.
En 1610 il fit les fresques de l'église de Vilna.

FERDINAND
XVIIIe siècle. Actif à Marseille. Français.
Sculpteur.
Il exécuta en 1794 pour la ville de Marseille une *Statue de la Liberté* en plâtre, pour l'autel de la Patrie.

FERDINAND
XIXe siècle. Français.
Graveur.
On connaît de lui quelques planches pour le Musée des Costumes, et des portraits gravés : *Nicolas Ier de Russie*, d'après le tableau de Krüger, daté de 1835, et d'après les dessins de Jeanson, dans le livre *Les Mystères de la Russie ; Le Patriarche moscovite Nikon*, d'après R. de Moraine dans *Les Martyrs de la Liberté ; Le Général Moreau* et *Napoléon III*, d'après Eugène Lami.

FERDINAND Andreas Niklas
XVIIIe siècle. Actif à Zerbst (Anhalt Dessau). Allemand.
Peintre sur porcelaine.
Il travailla à la fabrique de porcelaine de J. Wolff à Copenhague, puis à Stockholm où il devint directeur de la fabrique nouvellement créée par J. Wolff à Rörstrand.

FERDINAND de Brunswick, duc
Né en 1721. Mort en 1792. XVIIIe siècle. Allemand.
Graveur amateur.
On mentionne de lui un *Paysage avec chaumières*, d'après A. Bloemert.

FERDINAND Dominicus
Originaire d'Arnstorf en Basse-Bavière. XVIIIe siècle. Allemand.
Peintre.
Il exécuta pour Reith (Dingolfing) un tableau religieux en 1739.

FERDINAND Eugène
Né au XIXe siècle à Bordeaux. XIXe siècle. Français.
Peintre de genre, d'histoire et de paysages.
Élève de Vincent. Il travailla pour l'Hôpital de Bicêtre et pour l'église Saint-Roch à Paris.

FERDINAND Georg
XVIIIe siècle. Actif à Vienne. Autrichien.
Sculpteur sur bois.
Il était le fils de Johann Ferdinand, peintre de miniatures.

FERDINAND III, empereur
Né le 13 juillet 1608 à Graz. Mort le 2 avril 1657. XVIIe siècle. Allemand.
Sculpteur.
Empereur d'Allemagne et roi des Romains, il sculptait l'ivoire.
Musées : Vienne (salle du Trésor).

FERDINAND Jakob
XVIIIe siècle. Actif à Vienne. Autrichien.
Peintre.
Il était le frère du peintre de miniatures Johann Ferdinand.

FERDINAND Jean
Né en 1898 à Bruxelles. Mort en 1972, par suicide. XXe siècle. Belge.
Peintre. Naïf.
Jusqu'en 1951, il est coiffeur. Par la suite, il deviendra peintre d'un univers particulier, irrigué par les échos de la « Belle Époque ».
Bibliogr. : In : *Diction. biogr. illustré des artistes en Belgique, depuis 1830*, Arto, Bruxelles, 1987.

FERDINAND Johann
Né en 1633 ou 1634. Mort le 22 février 1704 à Vienne. XVIIe siècle. Actif à Vienne. Autrichien.
Peintre de miniatures.
A dû travailler au château de Ratibor en Silésie vers 1670.

FERDINAND Johann
Né en 1679 à Karlstadt (Croatie). XVIIIe siècle. Yougoslave.
Peintre.

FERDINAND d'Orléans, duc
Né le 3 septembre 1810 à Palerme. Mort le 13 juillet 1842 à Paris. XIXe siècle. Français.
Aquafortiste et lithographe amateur.
Il était le fils de Louis-Philippe, roi des Français.

FERDINAND de Vizeu. Voir **FERNANDES Vasco**

FERDINAND-AUGUSTE, prince de Saxe-Cobourg. Voir **FERNANDO II**

FERDINAND MARIA de Bavière, électeur
Né le 3 octobre 1636 à Schleissheim. Mort le 26 mai 1679 à Schleissheim. XVIIe siècle. Allemand.
Sculpteur sur ivoire.
La collection de Munich conserve de sa main un couvercle de coupe ovale.

FERDINAND-OLIVIER. Voir **OLIVIER Ferdinand**

FERDINANDI Francesco. Voir **FERNANDI**

FERDINANDO fiammingo. Voir **VOET Jacob Ferdinand**

FERDINANDO d'Orvieto
XVIe siècle. Actif à Rome. Italien.
Peintre.
Il fut élève de C. Nebbia. Deux Évangélistes, au plafond, devant la chapelle Sixte V à Sainte-Marie-Majeure à Rome sont de sa main.

FERDINANDO da Vice Morcote, fra
XVIIe siècle. Suisse.
Peintre de miniatures.
Moine franciscain, il peignit, avec le frère Bonaventure da Varese les in-folio de livres de cantiques pour le Monastère de Sainte-Marie-des-Anges à Lugano.

FERDINANDUS Alexandre
Mort en 1888. XIXe siècle. Français.
Peintre.
Sociétaire des Artistes Français, il figura au Salon de cette société.
Ventes Publiques : Paris, 25 jan. 1929 : *Cavaliers, voitures, personnages à la promenade*, dess. : **FRF 450**.

FERDINANDUS Philips
Originaire d'Anvers. XVIe siècle. Éc. flamande.
Peintre.
Il est probablement identique à un Ferdinandus, peintre et bourgeois à Prague qui y peignit en 1603 un *Sacellum corporis Christis*. Le Franzenmuseum à Brünn conserve de lui un *Christ couronné d'épines* avec les portraits de la famille Michael Reich de Brünn.

FERDOMNACH
Mort en 846. IXe siècle. Irlandais.
Peintre de miniatures.
Il est l'auteur des enluminures du *Livre d'Armagh* de la Bibliothèque du Collège de la Trinité de Dublin.

FERÉ
XVIIIe siècle. Actif à Alençon. Français.
Sculpteur sur bois.
Il sculpta la chaire de l'église de Saint-Paterne en 1775.

FÉRÉAUD Vincent. Voir **FÉRAUD**

FERÉE
XIXe siècle. Actif vers 1800. Français.

Graveur.
Son nom se trouve sur trois illustrations dessinées par Clavereau pour le *Temple de Gnide* de Montesquieu. Il travailla pour Herhan et Mame.

FÉRELLE Pierre Antoine
XVIIIe siècle. Actif à Paris en 1719. Français.
Sculpteur.

FERELST. Voir **VERELST**

FEREMANS Cornille ou **Feermans**
XVIIe siècle. Actif à Malines de 1600 à 1619. Éc. flamande.
Peintre.
Il fut appelé à Bruxelles avec d'autres peintres en 1603 pour l'exécution d'un tableau pour l'Infante.

FEREMANS Jan ou **Feermans**
XVIe siècle. Actif à Malines de 1559 à 1588. Éc. flamande.
Peintre.

FERENCZY Béni
Né le 18 juin 1890 à Szentendre. Mort en 1967 à Budapest. XXe siècle. Hongrois.
Sculpteur, dessinateur.
Il était le fils de Karoly Ferenczy, sa formation artistique commença à Nagybanya, puis il continua ses études à Florence, Munich et à Paris où il fut l'élève de Bourdelle et d'Archipenko. En 1919, il émigra à Vienne et vécut à Moscou de 1932 à 1935. Il revint dans sa patrie en 1936. Il a reçu le prix Kossuth et fut considéré comme le meilleur sculpteur hongrois de sa génération.
Après les tendances néo-classique et cubiste de ses débuts, résultant des influences successives de Bourdelle puis d'Archipenko, il travailla à des sculptures de petites dimensions, mais d'une puissance monumentale, évoquant l'esprit de la sculpture grecque et de celle de Maillol. Très bon dessinateur, il a fait des portraits, dont celui de *Béla Bartok*.
BIBLIOGR. : Lajos Nemeth : *Moderne Ungarische Kunst*, Corvina, Budapest, 1969.

FERENCZY Istvan
Né le 23 février 1792 à Rimaszombat. Mort le 4 juillet 1856 à Rimaszombat. XIXe siècle. Hongrois.
Sculpteur.
Il étudia à Budapest et à l'Académie de Vienne et se rendit à Rome où il subit d'abord l'influence de Canova ; il entra ensuite dans l'atelier de Thorwaldsen. Pendant son séjour à Rome il sculpta le buste de marbre du poète hongrois *Csokonai* dont il fit don à la ville de Debreczen. De retour en Hongrie il se fixa à Budapest et s'efforça de renouveler l'art de la sculpture dans sa patrie. Dans sa ville natale il créa une *Eurydice* qui après avoir été ensevelie avec lui à sa mort, fut exhumée et placée dans l'église de Rimaszombat.
MUSÉES : BUDAPEST (Mus. Nat.) : *L'origine des Beaux-Arts*, marbre – BUDAPEST (Beaux-Arts) : *Buste du poète Kazinczy – L'Allégorie de la Science et de la Force*.

FERENCZY Jozsef
Né le 17 décembre 1866 à Marosvasarhely. XXe siècle. Hongrois.
Peintre.
Il étudia à Budapest, ensuite à Paris, et enfin avec J. Benczur à Budapest. Il se fixa à Temesvar où il orna de quatre tableaux l'église des Piaristes. En 1911, il organisa une exposition collective de ses œuvres.
VENTES PUBLIQUES : LONDRES, 17 nov. 1993 : *La sérénade*, h/t (66x53) : **GBP 1 035**.

FERENCZY Karoly
Né le 8 février 1862 à Vienne, de parents hongrois. Mort en 1917. XIXe-XXe siècles. Hongrois.
Peintre de compositions religieuses, scènes de genre, figures, portraits.
Il fut pendant trois ans élève, à Paris, de Bouguereau et Tony Robert-Fleury, et obtint dans la suite une médaille de bronze à l'Exposition Universelle de 1900. De France, il avait rapporté l'écho du grand courant naturaliste de la fin du XIXe siècle. Sa première période fut tout empreinte de ce sentiment de la nature, que personnellement il ressentait avec une poésie sereine, surtout sensible à ses aspects délicatement ensoleillés. Il fut le fondateur, en 1896, du groupe de Nagybanya, qui fut à la Hongrie ce que Barbizon était en France.
Sa peinture évolua du naturalisme à un impressionnisme mesuré, qui rappelle parfois certains néo-impressionnistes, Gauguin et les symbolistes. Aux scènes de genre intimes, et aux paysages familiers de la période précédente, succèdent des compositions bibliques peintes sur le mode familier : *Les Trois Rois mages* (1898), *Joseph vendu par ses frères* (1900), *Le Sacrifice d'Abraham* (1901). Comme chez les symbolistes français, ses peintures, ainsi que les illustrations qu'il réalisa à cette époque, n'échappent pas toujours au style décoratif très prépondérant dans toute l'Europe des années 1900. Il fut le créateur de la peinture moderne hongroise.
BIBLIOGR. : Lajos Nemeth : *Moderne ungarische Kunst*, Corvina, Budapest, 1969.
MUSÉES : BUDAPEST (Mus. des Beaux-Arts) : *Le Peintre et un modèle – Bûcherons*.
VENTES PUBLIQUES : LONDRES, 19 juin 1985 : *Paysan près d'une rivière*, h/t (97,5x87) : **GBP 3 000** – AMSTERDAM, 5 nov. 1996 : *Taquinerie envers une fillette*, h/t/pan. (117x87) : **NLG 6 844**.

FERENCZY Noémi
Née en 1890 à Szentendre. Morte en 1957 à Budapest. XXe siècle. Hongroise.
Peintre-aquarelliste de figures, paysages, compositions à personnages, dessinateur, peintre de cartons de tapisseries.
Elle était la sœur jumelle de Béni Ferenczy. Elle étudia à la Manufacture des Gobelins à Paris.
Ses premières œuvres étaient influencées par les « Verdures » françaises du XVIIe siècle, qu'elle avait pu voir aux Gobelins. Elle évolua ensuite vers ce style, apparenté au « plein air » français du pré-impressionnisme, qui fut initié par son père Karoly Ferenczy à Nagybanya, village qui lui a donné son nom, comme ce fut le cas en France avec Barbizon, en Belgique avec Laethem-Saint-Martin. Ses tapisseries sont issues d'études préparatoires à l'aquarelle, d'une fraîche simplicité non exempte d'un certain sens monumental.
BIBLIOGR. : In : *Diction. de la peint. allemande et d'Europe centrale*, Larousse, Paris, 1990.
MUSÉES : BUDAPEST (Gal. Nat. Hongroise) : *Bergère – Vignobles en automne*.
VENTES PUBLIQUES : LONDRES, 21 oct. 1987 : *Figure et maison dans un champ*, temp. (56x49) : **GBP 1 200**.

FERENCZY Valer
XXe siècle. Actif à Vienne. Hongrois.
Peintre.
Fils de Karoly Ferenczy.

FERENZ Anton
Mort le 19 juillet 1874 à Brünn. XIXe siècle. Hongrois.
Peintre de compositions religieuses, portraits.
Il ne fut pas uniquement peintre de portraits, car il exécuta aussi des tableaux pour de nombreuses églises.
VENTES PUBLIQUES : LONDRES, 24 fév. 1982 : *Portrait de jeune fille* 1850, h/t (34x28) : **GBP 550**.

FÉRÉOL Auguste
XIXe siècle. Français.
Peintre de paysages.
De 1833 à 1848, il figura au Salon de Paris. On cite parmi ses tableaux : *Le moulin des bois ; La vallée du Mort-Chêne ; Le temps orageux ; Vue prise des Batignolles ; L'écurie de Sologne ; L'étable de Sologne*.

FÉRÉOL Louis, dit **Second**
Né à Amiens. XIXe siècle. Français.
Peintre de genre et de paysages.
Élève de Xavier Le Prince, il figura au Salon, à Paris, en 1824 et 1827 par des paysages. De ses œuvres, on cite notamment : *Un Écossais assis sur le bord d'un torrent ; Un effet de brouillard sur la Loire ; Un intérieur de cour à Orléans ; Le jeune Clovis retrouvé dans la Marne par un pêcheur ; Vue d'une partie du pont d'Orléans*.
VENTES PUBLIQUES : PARIS, 28 oct. 1932 : *L'Abreuvoir* : **FRF 135**.

FERER MORGADO Horacio
XXe siècle. Espagnol.
Peintre.
Une de ses œuvres a été présentée en 1997 à l'exposition *Les Années trente en Europe. Le temps menaçant* au musée d'Art moderne de la ville de Paris.
MUSÉES : MADRID (Mus. Nat. Reina Sofia) : *Madrid, 1937 ou Les Avions noirs* 1937.

FERET Alexandre
Né au XIXe siècle à Paris. XIXe siècle. Français.

Lithographe.
Élève de M. Lemoine, il figura au Salon de 1866 à 1880. Parmi ses œuvres, on cite notamment : *Portrait de M. Garnier-Pagès ; Portrait de M. Louis Jourdan ; Portrait de Havin ; Portrait de M. Quatrefages ; Pour les petits oiseaux.*

FERET Amédée
XIXe siècle. Français.
Peintre, pastelliste, dessinateur et lithographe.
Le Musée de Dieppe conserve de cet artiste deux pastels : *Vue du Château d'Arques* et le pendant, et plusieurs lithographies, notamment : *Tentative de bombardement par les Anglais en 1803*, publication du *Mémorial Dieppois.*

FERET Armand
XIXe siècle. Français.
Peintre.
Le Musée de Saint-Lô conserve de lui : *Souvenir de Hollande.*

FERET Baptiste
XVIIe siècle. Actif à Avignon en 1677. Français.
Peintre, prêtre.

FERET C.
XVIIe siècle. Français.
Graveur.
Sa signature *C. Feret fecit* 1697 se trouve sur une gravure représentant *Mars et deux esclaves.*

FERET Jean Baptiste
Né en 1664 à Évreux. Mort le 1er février 1739 à Paris. XVIIe-XVIIIe siècles. Français.
Peintre de paysages.
Le 26 octobre 1709, il fut reçu académicien. Au Musée de Grenoble il y a de lui un paysage animé.

FERETTI Alessandro et **Giorgio**. Voir **FERRETTI**

FEREY Louise Renée
Née à Nantes. XIXe siècle. Française.
Peintre de miniatures.
Élève d'Hortense Richard, Jules Lefebvre et Robert-Fleury. Mention honorable en 1900 (Exposition Universelle).

FEREY Prosper
XIXe siècle. Français.
Peintre de genre, paysages animés.
En 1847 et 1848, il figura au Salon de Paris avec des vues prises en Normandie.
Ventes Publiques : Paris, 8 déc. 1924 : *Le Lever ; Le Coucher du soleil*, deux panneaux : **FRF 150** – Paris, 21 jan. 1928 : *Figure et animaux dans un paysage, effet de soir* : **FRF 380** – Enghien-les-Bains, 24 fév. 1980 : *Scène de patinage*, h/t (33x46) : **FRF 4 500.**

FEREYS Wills
XIIIe siècle. Britannique.
Sculpteur.
Un monument funéraire dans l'église de Beer Ferrers, dans le Devonshire porte l'inscription : « Wills Fereys me fecit ».

FERG Adam Pankratz ou **Ferch**
Né en 1651 à Linz. Mort le 8 avril 1729 à Vienne. XVIIe-XVIIIe siècles. Autrichien.
Peintre de paysages.
Père de Franz de Paula Ferg.
Musées : Vienne.

FERG Franz de PAULA
Né en 1689 à Vienne. Mort en 1740 à Londres. XVIIIe siècle. Actif aussi en Angleterre. Autrichien.
Peintre de genre, paysages animés, paysages, marines, graveur.
Fils et élève de Adam Pankratz Ferg, il fut aussi élève de Joseph Orient et Hans Graff à Vienne. Il ne tarda pas à se faire une réputation ; il passa plusieurs années à la cour de Dresde. En 1718, il quitta Vienne, se rendit à Bamberg, Brunswick puis, vers 1720 à Londres, où il vécut vingt ans.
Ses paysages, souvent animés de nombreux personnages et très détaillés, rappellent ceux de Poelenborch et ses scènes de la vie ordinaire, celles de Van Ostade. Il est l'auteur d'une série d'eaux-fortes exécutées à Londres en 1726, représentant des paysans dans des paysages, sous le titre : *Capricci Fatti per F. F.*

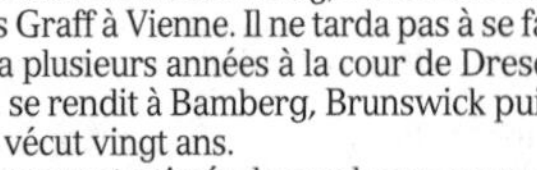

Bibliogr. : In : *Diction. de la peint. allemande et d'Europe centrale*, coll. Essentiels, Larousse, Paris, 1990.

Musées : Breslau, nom all. de Wroclaw : *La fête de la montagne – Rivage d'une mer calme* – Brunswick : *Les quatre saisons – Une fête rurale – Scène de marché* – Budapest : *Le Port*, deux fois le même sujet – Dresde : *Marché près d'un pont – Divertissement du peuple au bord d'un fleuve – Place de village – Divertissement du peuple sous des ruines – Marché devant un vieux château* – Florence (Gal. Nat.) : *Paysage avec figures – Paysage* – Graz : *Paysage* – Hambourg (Kunsthalle) : *Jour de marché* – Nottingham : *Deux Paysages* – Schwerin : *Quatre Paysages* – Vienne : *Une foire*, deux tableaux.
Ventes Publiques : Paris, 11 avr. 1874 : *Fête de village* : **FRF 990** – Londres, 9 mai 1910 : *Paysage avec figures* : **GBP 27** – Londres, 4 fév. 1927 : *Les saisons* : **GBP 30** – New York, 28 nov. 1941 : *Scène de marché* : **USD 30** – Paris, 15 déc. 1949 : *Fête villageoise* : **FRF 110 000** – Vienne, 2 juin 1964 : *La kermesse* : **ATS 30 000** – Vienne, 16 mars 1971 : *Monument dans un paysage de montagne* : **ATS 100 000** – Londres, 8 mars 1972 : *Paysage animé de personnages* : **GBP 2 000** – Cologne, 27 juin 1974 : *Paysage d'Italie animé* : **DEM 17 000** – Vienne, 30 nov. 1976 : *Paysage animé de personnages*, h/t (10,5x15,5) : **ATS 75 000** – Vienne, 12 déc. 1978 : *Enfants jouant près d'un vieux puits*, h/cuivre (32,5x46) : **ATS 200 000** – Vienne, 17 mars 1981 : *Danse villageoise*, h/pap. (26,5x36,5) : **ATS 200 000** – Londres, 15 juin 1983 : *Paysage fluvial animé de personnages*, h/t (42,5x62) : **GBP 12 500** – Londres, 8 juil. 1987 : *Kermesse villageoise*, h/cuivre (35x47) : **GBP 33 000** – Milan, 17 déc. 1987 : *Scène villageoise*, pl. et lav. (23x34,5) : **ITL 1 800 000** – New York, 7 avr. 1988 : *Paysans à leurs occupations dans une cour de ferme*, h/t (31,5x23) : **USD 4 125** – Paris, 23 jan. 1989 : *Villageois devant l'estaminet*, h/t (33x24,5) : **FRF 32 000** – New York, 31 mai 1989 : *Une foire de village*, h/pan. (26,8x39,4) : **USD 17 600** – Cologne, 15 juin 1989 : *Paysage fluvial avec un cavalier*, h/pap./t. (17x22) : **DEM 2 600** – Monaco, 16 juin 1989 : *Paysages avec voyageurs et bergers*, h/cuivre, une paire (26x33,5) : **FRF 310 800** – Londres, 27 oct. 1989 : *Fête villageoise devant l'auberge ; Paysans à l'embarcadère du village*, h/cuivre, une paire (chaque 23,6x31) : **GBP 20 900** – Rome, 21 nov. 1989 : *Paysage avec un pont ; Paysage avec des bois*, h/pan., une paire (15,2x22,5) : **ITL 13 500 000** – Londres, 8 déc. 1989 : *Paysage de rivière avec de nombreux personnages dans la barque du passeur avec une tour à l'arrière-plan*, h/cuivre, deux pendants (36,5x42) : **GBP 41 800** – New York, 5 avr. 1990 : *Vaste paysage animé avec des ruines classiques*, h/pan. (28,5x39,5) : **USD 7 150** – Paris, 31 jan. 1991 : *Bergers près d'un obélisque*, gche (27,5x38,5) : **FRF 22 000** – Londres, 19 avr. 1991 : *Campement de gitans avec un voyageur que les enfants volent tandis qu'on lui prédit l'avenir*, h/cuivre (27,7x39,5) : **GBP 7 700** – Stockholm, 29 mai 1991 : *Personnages et bétail dans la barge du passeur*, h/cuivre (32x46) : **SEK 200 000** – New York, 31 mai 1991 : *Paysage montagneux et fluvial animé*, h/t, une paire (77,5x64,8) : **USD 82 500** – Londres, 3 juil. 1991 : *Paysage italien avec la tombe de Virgile*, h/t (76x135) : **GBP 29 700** – Paris, 31 oct. 1991 : *Cavaliers écoutant une diseuse de bonne aventure*, h/cuivre (25x36) : **FRF 90 000** – Londres, 13 déc. 1991 : *Paysages italiens avec des familles de paysans au premier plan*, h/t, une paire (43,5x56) : **GBP 25 300** – Londres, 15 avr. 1992 : *Bandits attaquant un convoi près d'un gué ; Cavaliers sous les murailles d'une ville*, h/cuivre, une paire (chaque 21,5x26,5) : **GBP 9 000** – Bologne, 8-9 juin 1992 : *Paysage fluvial animé avec un moulin*, h/t (38x47,5) : **ITL 16 100 000** – Amsterdam, 10 nov. 1992 : *Un officier passant les troupes en revue à leur départ*, h/t/pan. (34x39,5) : **NLG 6 900** – Londres, 11 déc. 1992 : *Paysages rhénans avec des paysans attendant la barque du passeurs*, h/cuivre, une paire (32,2x42,3 et 32,4x42) : **GBP 39 600** – New York, 15 jan. 1993 : *Le Christ incitant les enfants à le rejoindre*, h/cuivre (22,9x29,2) : **USD 8 625** – Londres, 10 déc. 1993 : *Distractions paysannes parmi des ruines dans un paysage italien*, h/cuivre (33,3x42,2) : **GBP 13 800** – Paris, 17 juin 1994 : *Paysages montagneux avec des personnages devant des architectures*, h/cuivre, une paire (chaque 17,3x21,2) : **FRF 52 000** – Paris, 8 mars 1995 : *Paysage animé*, h/cuivre, une paire (chaque 17x22) : **FRF 98 000** – Londres, 3 juil. 1996 : *Scène de marché avec des cavaliers ; Kermesse de village*, h/cuivre, une paire (38x47,5) : **GBP 47 700** – Londres, 11 déc. 1996 : *Paysage classique avec voyageurs et paysans*, h/cuivre, une paire (chaque 31x37,8) : **GBP 13 800** – Londres, 4 juil. 1997 : *Paysage fluvial avec des paysans embarquant sur un bac, un château et le haut d'une colline dans le lointain*, h/cuivre (34x47,3) : **GBP 14 375.**

FERG Xaver
Né en 1812 à Reinstetten. Mort en 1844 à Biberach (Wurtemberg). XIXe siècle. Allemand.
Peintre d'oiseaux.

FERGIONE Bernardino ou **Fergioni**
Né en 1675. Mort après 1736 d'après Zani. XVIIIe siècle. Italien.
Peintre de scènes de chasse, marines.
Fergione reçut dans son atelier Claude-Joseph Vernet lorsque celui-ci arriva à Rome en 1732.
Musées : Rome (Villa Albani Torlonia) : *Chasse aux cerfs.*

FERGOLA Alessandro
XIXe siècle. Italien.
Peintre de compositions à personnages, paysages.
Un tableau de lui, représentant une foire, fut exposé à Naples en 1839. Peut-être est-il le frère de Salvatore Fergola.
Ventes Publiques : Londres, 15 nov. 1995 : *Vue de Naples,* h/t (27x37) : **GBP 6 325.**

FERGOLA Luigi
XVIIIe-XIXe siècles. Actif à Naples. Italien.
Peintre.
Élève de Hackert. V. Alloja grava d'après ses œuvres, un *Recueil des vues les plus agréables de Naples.*

FERGOLA Salvatore
Né en 1799 à Naples (Campanie). Mort en 1874 ou 1877. XIXe siècle. Italien.
Peintre de compositions animées, paysages, marines.
Fils du peintre Luigi Fergola. Attaché à la Cour des Bourbons, comme peintre de paysages, il accompagna le roi François Ier de Naples, dans son voyage en Sicile et en Espagne, pour le mariage de la fille du roi avec Ferdinand VII d'Espagne. Luigi Fergola eut alors pour mission de peindre les cérémonies officielles. Il exposa à l'Exposition Nationale de Naples, en 1877.
Il a relaté, à Naples, les événements contemporains, en témoigne son *Inauguration du train entre Naples et Portici.* Il a peint en dernier lieu des marines.
Musées : Naples (Mus. San-Martino) : *Inauguration du train entre Naples et Portici.*
Ventes Publiques : Milan, 6 avr. 1966 : *Vue d'une ville portuaire* : **ITL 800 000** – Paris, 11 mars 1971 : *Famille de Paysans en prière* 1838, h/t (73x96) : **FRF 950** – Milan, 26 mai 1977 : *Marine ; Éruption nocturne,* 2 toiles (28x38,5) : **ITL 1 900 000** – Milan, 20 mars 1980 : *Le fuite en Égypte* 1867, h/t (41x57) : **ITL 1 700 000** – Rome, 6 mars 1984 : *Sorrento,* h/t (30x48) : **ITL 3 400 000** – New York, 16 juin 1984 : *Battery Park* 1817, gche (38,6x54,5) : **USD 2 300** – Rome, 21 mars 1985 : *Vue de Naples avec le Vésuve ; Vue de la baie de Naples,* deux h/t (26x32,5) : **ITL 17 000 000** – Rome, 19 mai 1987 : *L'Adoration des bergers (recto) ; Le repos pendant la fuite en Égypte (verso),* aquar. et cr. (27x22,6) : **ITL 1 600 000** – Paris, 16 juin 1987 : *Vue de la campagne sicilienne* 1838, h/t (74x97,5) : **FRF 70 000** – Rome, 25 mai 1988 : *Vendeurs de poissons,* détrempe/pap. (24x38,5) : **ITL 8 500 000** – Rome, 31 mai 1990 : *Vue de Paestum,* aquar. et temp./pap. (26x32,5) : **ITL 3 000 000** – Rome, 4 déc. 1990 : *L'abbaye de Cava des Tirreni,* h/t (53x66) : **ITL 16 500 000** – Rome, 5 déc. 1995 : *Personnages sur la grève* 1856, h/cart. (14,5x19) : **ITL 5 893 000.**

FERGUSON Alice L. L.
Née à Washington. XXe siècle. Américaine.
Peintre.

FERGUSON D.
XIXe siècle. Britannique.
Peintre.
Cité par le Art Prices Current.
Ventes Publiques : Londres, 25 avr. 1908 : *Soleil printanier* : **GBP 17.**

FERGUSON Dorothy H.
Née le 9 décembre 1896 à Alton. XXe siècle. Américaine.
Peintre, graveur.
Elle fut élève de Charles W. Hawthorne. En 1928, elle obtint le premier prix du Saint Louis Artists Guild.

FERGUSON Duncan
Né le 1er janvier 1901 à Shanghai. XXe siècle. Américain.
Sculpteur.
Musées : Newark, New Jersey.

FERGUSON Eleonor M.
Née le 30 juin 1876 à Hartford (Connecticut). XXe siècle. Américaine.
Sculpteur.
Elle commença sa formation dans sa ville natale avec Charles Noël Flagg, puis alla la poursuivre à New York avec Daniel Chester French.

FERGUSON H.
Né en 1665 à La Haye. Mort en 1730 à Toulouse. XVIIe-XVIIIe siècles.
Peintre.
Musées : Toulouse : *Joueurs de dés – Attaque.*

FERGUSON Henry Augustus
Né le 14 janvier 1842 à Glenn Falls. Mort le 22 mars 1911 à New York. XIXe-XXe siècles. Américain.
Peintre de paysages, paysages d'eau, architectures, aquarelliste.
Peintre autodidacte à Glens Falls. À New York, il fut membre associé de l'Académie Nationale de Dessin et membre de la Century Association. Pendant son âge mûr il voyagea en Europe et en Afrique du Nord. Dans les années 1860-70, il participa à plusieurs expositions, notamment celle de 1867 à la National Academy of Design de New York.
Il s'est spécialisé dans la peinture de paysages de l'État de New York. Au cours de ses voyages, il a réalisé des vues de sites et d'architecture de certaines villes, notamment Venise et Le Caire.
Ventes Publiques : Milan, 28 mai 1974 : *Venise* : **ITL 1 100 000** – New York, 10 juil. 1980 : *Scène de canal, Venise,* h/t (48,2x35,5) : **USD 1 500** – New York, 23 sep. 1981 : *Paysage d'été,* h/t (76,2x55,9) : **USD 3 750** – New York, 4 avr. 1984 : *Upland pasture,* h/t (42x66) : **USD 1 800** – New York, 26 sep. 1990 : *Glen Falls sur l'Hudson,* h/t (38,7x64,8) : **USD 22 000** – New York, 22 mai 1991 : *Les Environs de Troy dans l'état de New York,* h/t (26x46,2) : **USD 3 080** – New York, 27 mai 1992 : *Lac de montagne en automne* 1867, h/t (61x106,7) : **USD 14 300** – New York, 4 mai 1993 : *Vue de San Giorgio Maggiore à Venise,* h/t (26x43,2) : **USD 2 760** – New York, 9 mars 1996 : *Paysage de l'État de New York* 1867, h/t (61x106,6) : **USD 17 250** – New York, 3 déc. 1996 : *Après la pluie, Venise,* h/cart. (32x48,5) : **USD 4 600** – New York, 25 mars 1997 : *Les pyramides vues des rives du Nil,* h/t (40,6x71,1) : **USD 5 750.**

FERGUSON James
Né en 1710 près de Keith. Mort en 1776 à Londres. XVIIIe siècle. Britannique.
Peintre.
Cet artiste qui s'instruisit lui-même est surtout connu comme astronome. Cependant il gagna pendant plusieurs années sa vie à Edimbourg et en Angleterre en faisant des miniatures.

FERGUSON James
XIXe siècle. Britannique.
Peintre de paysages.
Il travailla à Londres, Edimbourg et Keswick (Cumberland). Il envoya ses œuvres à la Royal Academy à Londres ainsi qu'à la Suffolk Street Gallery et aux expositions du British Institute.

FERGUSON John Duncan. Voir **FERGUSSON**

FERGUSON Lilian
Née le 18 août 1877 à Windsor (Ontario). XXe siècle. Américaine.
Peintre.
Elle fut élève de l'Académie Julian à Paris, travailla aussi en Hollande et reçut les conseils du peintre impressionniste William Chase, probablement à New York. Elle fut membre du California Art Club.

FERGUSON Nancy Maybin
Née à Philadelphie (Pennsylvanie). XXe siècle. Américaine.
Peintre de paysages.
Ventes Publiques : New York, 27 mars 1985 : *Oqunquit Maine,* h/isor. (64,2x76,2) : **USD 800.**

FERGUSON William Gowe ou **Fergusson**
Né en 1632 en Écosse. Mort vers 1695 à Londres. XVIIe siècle. Britannique.
Peintre de natures mortes, aquarelliste.
Après avoir appris les premières notions de son art dans sa patrie, il passa plusieurs années sur le continent. Quelques-unes de ses natures mortes sont si bien exécutées qu'on les attribue parfois à Weenix.

Musées : Amersfoort (Fléhité) : *Fleurs* – Amsterdam : *Oiseaux morts* – *Nature morte* – Même sujet – Berlin : *Nature morte avec perdrix* – Édimbourg : *Nature morte* – *Ruines* – Genève : *Gibier mort* – Glasgow : *Nature morte* – Même sujet – Hambourg : *Oiseaux morts* – Saint-Pétersbourg (Ermitage) : *Ruines*.

Ventes Publiques : Londres, 19 déc. 1908 : *Oiseau mort sur une table* : **GBP 21** – Londres, 24 nov. 1924 : *Deux filles et un garçon* : **GBP 12** – Londres, 12 mars 1926 : *Oiseaux morts* : **GBP 7** – Londres, 4 mars 1927 : *Oiseaux morts* : **GBP 16** – Londres, 2 août 1928 : *Fleurs dans un vase en verre* : **GBP 11** – Londres, 8 mars 1929 : *Oiseaux morts* : **GBP 16** – Londres, 27 juil. 1931 : *Oiseaux morts* : **GBP 3** – Édimbourg, 7 mai 1932 : *Faisan et autres oiseaux morts* : **GBP 7** – Londres, 22 fév. 1935 : *Oiseaux morts* : **GBP 10** – Londres, 13 mars 1936 : *Fleurs dans un vase de verre* : **GBP 8** – Paris, 7 déc. 1950 : *Nature morte aux oiseaux* : **FRF 70 000** – Londres, 14 mai 1965 : *Nature morte aux volatiles* : **GNS 350** – Londres, 25 nov. 1966 : *Nature morte au gibier*, deux pendants : **GNS 1 300** – Amsterdam, 20 nov. 1973 : *Trophées de chasse* : **NLG 14 000** – Vienne, 30 nov. 1976 : *Nature morte*, h/t (59x46,5) : **ATS 75 000** – Amsterdam, 18 mai 1981 : *Nature morte*, h/t (61x52,5) : **NLG 10 000** – Londres, 15 juin 1983 : *Nature morte aux volatiles*, h/pan. (39x27) : **GBP 2 600** – Lucerne, 11 nov. 1987 : *Nature morte au gibier*, h/t (64,5x55) : **CHF 24 000** – Édimbourg, 30 août 1988 : *Chasse à l'affût dans les Highlands*, aquar. (48x68,5) : **GBP 1 870** – Paris, 30 juin 1989 : *Trophée de Chasse*, h/t (67x54) : **FRF 45 000** – Londres, 9 fév. 1990 : *Nature morte avec une perdrix pendu au-dessus d'une tablette devant un rideau rouge*, h/t (78,8x63,5) : **GBP 1 980** – Londres, 10 avr. 1991 : *Nature morte avec un pigeon, un pinson, un bouvreuil, un verdier et des perdrix grises* 1661, h/t (61x74) : **GBP 3 300** – Londres, 17 avr. 1991 : *Nature morte de gibier* 1684, h/t (59x47,5) : **GBP 5 720** – Amsterdam, 14 nov. 1991 : *Passereaux suspendus à une corde et perdrix sur un entablement près d'un carnier* 1670, h/t (63x53,5) : **NLG 6 325** – Londres, 1er avr. 1992 : *Nature morte de gibier à plume et d'un équipement de chasse sur un entablement*, h/t (62,3x50) : **GBP 1 485** – Paris, 26 juin 1992 : *Trophées de chasse*, h/pan. (chaque 36,7x31,5) : **FRF 70 000** – Rome, 24 nov. 1992 : *Nature morte de gibier à plume sur une balustrade de pierre*, h/t (61x51) : **ITL 10 350 000** – Paris, 26 juin 1992 : *Trophées de chasse : canard, pigeon et chardonneret et habits posés sur un entablement*, h/t (58,5x69) : **FRF 60 000** – Amsterdam, 6 mai 1993 : *Gibier à plumes et carnier sur un entablement*, h/t (53x42) : **NLG 5 750** – Paris, 28 juin 1993 : *Nature morte aux oiseaux*, h/t (74x64) : **FRF 50 000** – Londres, 22 avr. 1994 : *Perdrix et passereaux suspendus au-dessus d'un entablement partiellement drapé* 1684, h/t (58,7x47,7) : **GBP 9 775** – Copenhague, 16 mai 1994 : *Nature morte aux oiseaux morts sur un entablement de pierre*, h/t (57x47) : **DKK 25 500** – New York, 7 oct. 1994 : *Nature morte de gibier sur un entablement de marbre*, h/t (54,6x71,1) : **USD 6 900** – Amsterdam, 13 nov. 1995 : *Passereaux suspendus ; Perdrix avec un faucon et des oiseaux sur un entablement*, h/t, une paire (56,6x45,8) : **NLG 10 925**.

FERGUSON William Hugh

Né le 8 septembre 1905 à Reading (Pennsylvanie). XXe siècle. Américain.

Peintre, graveur.

Il fut élève de la Pennsylvania Academy of Art. Il étudia aussi à Paris.

FERGUSON William J.

XIXe siècle. Britannique.

Peintre de paysages.

Il exposa à Londres, de 1849 à 1886, notamment à la Royal Academy, à Suffolk Street et à la British Institution.

Musées : Cap : *Paysage*.

Ventes Publiques : Londres, 23 juil. 1981 : *Troupeau à l'abreuvoir*, aquar. (38x61) : **GBP 300** – New York, 15 oct. 1993 : *Amalfi depuis la route de Positano* 1874, h/t (42x59) : **USD 1 725**.

FERGUSON-TEPPET Louis Édouard Guillaume

XIXe siècle. Français.

Sculpteur.

Élève de M. J. Oliva. Il figura au Salon, à Paris, de 1869 à 1873. On cite de lui le buste en marbre de *E. Colombet de l'Isère*, le buste en bronze de *Gustave Lambert*, le buste en bronze de *Frédérick Lemaître* – le buste en terre cuite de *Jacques Gros*.

FERGUSSON John Duncan ou **Ferguson**

Né le 9 mars 1874 à Athol (Pertshire, Écosse). Mort le 30 janvier 1961 à Glasgow (Écosse). XIXe-XXe siècles. Actif aussi en France. Britannique.

Peintre de paysages animés, figures, portraits, nus, natures mortes, aquarelliste. Tendance fauve.

À l'issue de ses études de médecine à l'Université d'Edimbourg, il se destinait à la carrière de chirurgien de la Marine Royale. Ayant échoué au concours, il décida de se consacrer à l'art. Il voyagea en Espagne et au Maroc. Au cours d'un séjour à Paris en 1898, inscrit aux Académies privées Colarossi et Julian, il s'imprégna de la peinture de Bonnington au Louvre et des Impressionnistes du Legs Caillebotte au Musée du Luxembourg. Il fut élu membre de la Société Royale des Artistes Britanniques en 1903. En 1905, il se fixa à Paris. La première guerre mondiale lui fit regagner Londres, où il fut nommé artiste de guerre de la Royal Navy. Il poursuivit sa carrière en Angleterre jusqu'en 1929, puis il s'établit de nouveau en France jusqu'en 1940, regagnant Glasgow à la déclaration de guerre, où il fut nommé membre honoraire de l'Université.

Il a participé à des expositions collectives à Londres en 1912, 1925, à la Royal Society of British Artists, à l'Allied Artists Association, *Peintures de six artistes écossais* 1932, à Paris : *Les peintres de l'Ecosse Moderne* 1924, *Les peintres écossais* 1931, ainsi qu'aux Salons d'Automne dont il était sociétaire et des Indépendants, Glasgow : *The Fine Art Section of the Empire Exhibition* 1938, *Scottish Painting* 1961, Edimbourg : *Four Scottish colourists* 1952, etc.

Après l'influence impressionniste subie lors de son premier séjour d'étude, ensuite lors de son séjour à Paris de 1905, il fut très sensible à la spontanéité graphique et à l'éclat des couleurs des Fauves et, sans adhérer au groupe, il éclaircit sensiblement sa palette et adopta un dessin synthétique. Selon les œuvres de cette époque, et sans esprit d'imitation servile, on retrouve des traces de son admiration tantôt pour Matisse, tantôt Friesz ou Dufy. A cette époque, il fit la connaissance de l'artiste américaine Anne Estelle Rice, qu'il peignit à plusieurs reprises. A partir de 1910, s'inspirant encore du dessin en arabesques caractéristique du fauvisme de 1905 à 1908, il conféra à son propre graphisme une fonction rythmique, évidemment liée à la couleur, et qui est surtout sensible dans les nus, alors nombreux : *Trois nus sur le rivage* vers 1912, *Eté dans le Sud* vers 1913, et qu'on retrouvera jusqu'aux *Baigneuses* d'Eden Roc au Cap d'Antibes en 1929 ou aux *Nus dans la forêt* de 1930, ces derniers toutefois étant peints dans une gamme de tons bruns rabattus. Fergusson a traité des thèmes très divers, de nombreux portraits et figures : *Miss Anne Estella Rice, Miss Elisabeth Dryden, La dame aux oranges, Le châle rouge, Le manteau chinois*, le caricaturiste *Joseph Simpson*, de nombreuses natures mortes : *Après dîner, La statuette japonaise*, et des paysages, souvent selon ses voyages ou séjours : *Un square à Cadix, Clair de lune, Dieppe la nuit, 14 juillet 1905*. Ses paysages animés, souvent des nus ou baigneuses sur les plages, occupent une place importante, en nombre et en intérêt, dans son œuvre. Quoi qu'il ait peint, et à toutes ses époques, Fergusson y a toujours manifesté un esprit de curiosité et de recherche. ■ Monique Marcaillou, J. B.

Bibliogr. : Margaret Morris : *The art of J. D. Fergusson*, Glasgow, 1974 – Roger Billcliffe : *Les coloristes écossais*, Londres, 1989.

Musées : Édimbourg – Glasgow – Londres (Tate Gal.).

Ventes Publiques : Londres, 22 juin 1923 : *Le chapeau blanc* : **GBP 11** – Londres, 2 juil. 1926 : *Nature morte* : **GBP 21** – Londres, 26 nov. 1969 : *Sous-marin et bateaux camouflés* : **GBP 1 600** – Londres, 14 mars 1973 : *Vase de fleurs* : **GBP 1 700** – Perth, 13 avr. 1976 : *Paysage montagneux* 1922, h/t (56x61) : **GBP 600** – Perth, 19 avr. 1977 : *Nature morte*, h/cart. (60x51) : **GBP 1 100** – Écosse, 31 août 1982 : *Chez Maxim* 1908, aquar. (38x28) : **GBP 1 700** – Édimbourg, 27 mars 1984 : *Étude de Margaret Morris*, craies noires et lav. de coul. (33x25,5) : **GBP 520** – Glasgow, 19 avr. 1984 : *A storm round Ben Ledi* 1922, h/t (54,6x55,8) : **GBP 13 000** – Édimbourg, 30 avr. 1986 : *Le bouquet* 1909, h/t (55,9x38) : **GBP 16 000** – Glasgow, 11 déc. 1986 : *Café Dameseuil, Gare Montparnasse* 1907, aquar. reh. de blanc (40x31,1) : **GBP 4 800** – Édimbourg, 30 août 1988 : *Nus féminins debout*, lav. sur craie blanche (33x25) : **GBP 2 860** ; *Le chapeau haut-de-forme* 1903, h/t (61x50,5) : **GBP 9 900** – Toronto, 30 nov. 1988 : *Aberdoursur Forth*, h/cart. (17,8x22,3) : **CAD 46 000** – Glasgow, 8 déc. 1988 : *Baigneurs à Antibes* 1925, aquar. (31,7x26) : **GBP 7 150** ; *Au large d'Antibes*, cr. et aquar. (22,8x17,8) : **GBP 10 450** ; *Nus dans la forêt*, h/cart. (19x23,8) : **GBP 7 700** ; *Sur la plage de Juan* 1926, h/t (50,8x45,7) : **GBP 55 000** – Glasgow, 7 fév. 1989 : *Nu féminin allongé*, craie noire et lav. (19,5x12,5) : **GBP 1 430** ; *Cassis*, h/t (54x65) : **GBP 48 400** –

PERTH, 29 août 1989 : *Portrait de jeune fille* 1914, h/cart. (35x28) : **GBP 9 900** – ÉDIMBOURG, 22 nov. 1989 : *La jeune fille au chapeau gris (Anne Estelle Rice ?)*, h/cart. (31,7x24,7) : **GBP 10 450** – GLASGOW, 7 déc. 1989 : *Le radeau d'Eden Roc à Antibes* 1929, aquar. (24,2x17,2) : **GBP 4 400** ; *La cocarde, portrait de Miss Elizabeth Dryden*, h/cart. (66x57,2) : **GBP 352 000** – GLASGOW, 6 déc. 1990 : *Bouquet de fleurs* vers 1910, h/cart. (61x50,8) : **GBP 55 000** – GLASGOW, 5 fév. 1991 : *Antibes*, aquar. et craie noire (16x11) : **GBP 2 200** – ÉDIMBOURG, 2 mai 1991 : *Nu sur un canapé* 1910, techn. mixte (26,7x38,1) : **GBP 5 500** – GLASGOW, 4 déc. 1991 : *« Trousers » la chevrette*, cuivre (H. 10) : **GBP 990** – ÉDIMBOURG, 28 avr. 1992 : *La villa « Stella Maris »* 1907, h/pan. (20x24,5) : **GBP 17 600** – PERTH, 1er sep. 1992 : *Boulevard Saint-Michel* 1907, h/pan. (19,5x24) : **GBP 17 600** – ÉDIMBOURG, 23 mars 1993 : *Yachts* 1927, h/t (56x61) : **GBP 25 300** – NEW YORK, 15 fév. 1994 : *Vue au travers du sous-bois*, h/t (76,5x101,6) : **USD 1 955** – ÉDIMBOURG, 23 mai 1996 : *Roses* 1938, h/t (64,7x54,6) : **GBP 33 350** – GLASGOW, 11 déc. 1996 : *Nu dans un* 1915, h/pan. (34x26,5) : **GBP 8 050** – ÉDIMBOURG, 27 nov. 1996 : *Marine, la jetée et deux bateaux*, h/pan. (34,2x26,7) : **GBP 18 400**.

FERGUSSON-LEBRETON Laure Madeleine Eugénie
Née le 6 décembre 1857 à Saint-Pierre-Lacour (Mayenne). XIXe siècle. Française.
Peintre.
Elle débuta au Salon des Artistes Français en 1880.

FERIE ou **Fery**
XVIIIe siècle. Actif à Mons. Éc. flamande.
Sculpteur.
Il exécuta des travaux dans l'église Notre-Dame-de-Belle-Direction en 1741 ; on le mentionne aussi pour l'exécution d'un autel dans la chapelle de l'École dominicale, avec Ph. J. Couder et Goffiaux.

FERIER Jean, nommé **Grosjean**
XVIe siècle. Français.
Sculpteur.
Il exécuta des travaux à la Maison de Ville de Cambrai vers 1534.

FERIGOULE Claude André
Né le 20 avril 1863 à Avignon (Vaucluse). Mort le 6 août 1946 à Arles. XIXe-XXe siècles. Français.
Sculpteur de statues.
Élève de Falguière à l'École des Beaux-Arts. Principales œuvres : *Le Bûcheron* (1892), *Mercis* (1894), *Nègre de Guinée combattant un serpent* (1895), salle d'honneur de la mairie d'Avignon, statues pour la restauration de la façade de l'église de Saint-Pierre, buste d'*Antony Réal* (1897). A érigé, en collaboration avec Félix Charpentier, en 1891, le monument commémoratif de l'annexion du Comtat Venaissin à la France. Fut conservateur du Musée d'Arles et directeur des cours de dessin de cette ville. Mention honorable en 1890.
MUSÉES : AVIGNON : *Le Bûcheron – Melle Favart*, buste – CARPENTRAS : *L'Écueil*.

FERIGOULE Jeanne Vincent Douci, Mme
XIXe siècle. Active à la fin du XIXe siècle. Française.
Peintre.
Le Musée d'Avignon conserve d'elle une *Tête de gardian de la Camargue* (aquarelle) et *Portrait d'une jeune Avignonnaise* (pastel).

FÉRIL
XIXe siècle. Actif vers 1820. Français.
Peintre de miniatures.
Dans une enchère à Cologne en 1905 se trouvait signé de lui un portrait de femme, sur ivoire.

FERITTER K.
XIXe siècle. Français.
Peintre de miniatures.
Dans une vente aux enchères à Munich en 1911 se trouvait un portrait d'enfant portant la signature de cet artiste et daté de 1850.

FERKH Ambros
XVIIe siècle. Autrichien.
Sculpteur.
En 1680 il exécuta les statues de pierre de *Saint Joseph* et de *Saint Léopold* ainsi qu'une fontaine sur la Grabenplatz à Vienne.

FERLAND Christian
XVIIIe siècle. Hongrois.
Sculpteur.
Il reçut en 1775 à Cassovie (Hongrie) le droit de bourgeoisie.

FERLATO J.
XVIe siècle. Français.
Graveur sur bois.
On connaît de lui une *Décollation de saint Jean-Baptiste* et 29 petites gravures pour illustrer l'œuvre parue à Paris en 1543 chez Denys Janot : *Cebes Le Tableau : auquel est paincte de ses couleurs la vraye ymaige de la vie humaine, etc., exposé en rythme Francoyse par Gilles Corrozet*. Il grava aussi les illustrations d'un *Nouveau Testament* paru chez A. J. Bonhomme en 1551 à Paris.

FERLENGA Franco
Né à Castiglione-delle-Stiviere. XXe siècle. Italien.
Peintre, mosaïste, fresquiste.
Il fut élève de l'Académie Bréra de Milan. Il a exposé dans de nombreuses villes d'Italie, aux États-Unis, à Paris, notamment en 1970.
Sa peinture rappelle celle de Francis Grüber, la couleur en plus, l'émotion en moins.

FERLET Adolphe Auguste
Né le 9 mars 1867 à Paris. XIXe siècle. Français.
Sculpteur et graveur en médailles.
Élève de Carlus, Hiolin et Claudius Marioton. Sociétaire des Artistes Français depuis 1906, il figura au Salon de cette société à partir de 1887.

FERLHAUSE Heinrich ou **Pferlshussen** ou **Verlshauser**
XVe siècle. Actif à Nuremberg. Allemand.
Peintre.

FERLIN Paulette
Née en 1921. Morte le 22 mars 1972. XXe siècle. Française.
Peintre.
Autodidacte en peinture. Elle a réalisé de nombreuses peintures à l'encre sur toile, où se déroule une sorte d'écriture automatique, qui n'est pas sans évoquer la technique et la manière d'Henri Michaux.

FERLOV-MANCOBA Sonja
Née le 1er novembre 1911 à Copenhague. Morte en 1985. XXe siècle. Depuis 1936 active en France. Danoise.
Sculpteur. Tendance abstraite. Groupe Cobra.
À partir de 1933, elle fut élève de l'Académie des Beaux-Arts de Copenhague, et rencontre Richard Mortensen, Ejler Bille et Vilhelm Bjerke Petersen, figures alors marquantes de l'art danois, puis, en 1937, elle fréquente l'École des Beaux-Arts de Paris, où elle se fixa, et se maria en 1942 avec Ernest Mancoba, retournant au Danemark de 1947 à 1952. À Copenhague, elle collabora à la revue *Linien*, qu'animait Asger Jorn, et participa à l'exposition du groupe en 1937, et fut membre du groupe de 1937 à 1939. Elle fut membre du groupe Cobra de 1948 à 1951, de *Höstudstillingen* en 1949, de *Den Frie* depuis 1968.
En 1961, elle participa à l'exposition du groupe Cobra. À Paris, elle a figuré au Salon des Réalités Nouvelles en 1962 et 1963, au Salon de la Jeune Sculpture au Musée d'Art Moderne en 1962, 1964, à l'*Esquisse d'un Salon* à la Galerie Denise René en 1963. En 1964, elle participa au Salon de la Jeune Peinture au Musée d'Art Moderne de Paris, à *Louisiana visite Middelheim* à Anvers, à *Danish Abstract Art* dans cinq villes des États-Unis. Elle figura à une exposition du Aarhus Kunstmuseum en 1969, à l'exposition *Art Danois, 1945-1973* aux Galeries Nationales du Grand-Palais en 1973. Elle eut une exposition personnelle à la galerie Birch de Copenhague en 1952. On cite une autre exposition personnelle à Copenhague en 1960.
Ses premières sculptures rappelaient certains personnages stylisés de l'art précolombien. Ensuite, elle créa des formes plus abstraites, mais non sans références anthropomorphiques par des volumes courbes et pleins, solidement plantés. Il a été avancé que la relative abstraction de ses créations anthropomorphiques symboliserait la déshumanisation du monde moderne. À l'exposition d'art danois de 1973 à Paris, elle présentait cinq œuvres, dont les titres révèlent la dimension humaniste de son inspiration : *Confiance, Efforts communs, Élan vers l'Avenir*. ■ J. B.
BIBLIOGR. : In : Catalogue de l'exposition *Art Danois, 1945-1973*, Gal. Nat. du Grand Palais, Paris, 1973.
MUSÉES : AALBORG (Nordjyllands Kunstmus.) – AARHUS – COPENHAGUE (Statens Mus. for Kunst) – COPENHAGUE (Louisiana) – SILKEBORG – SKIVE – STOCKHOLM (Mod. Mus.).
VENTES PUBLIQUES : COPENHAGUE, 25 sep. 1985 : *Sculpture* 1949,

bronze (H. 28 et L. 38) : **DKK 51 000** – COPENHAGUE, 27 nov. 1985 : *Composition* 1938-1939, h/t (72x54) : **DKK 31 000** – COPENHAGUE, 25 fév. 1987 : *Figure* 1969, bronze (H. 78) : **DKK 93 000** – COPENHAGUE, 24 fév. 1988 : *Oiseau avec son petit au nid* 1935, pierre (H. 53) : **DKK 18 000** – COPENHAGUE, 8 nov. 1988 : *Masque* 1977, bronze (H. 83) : **DKK 100 000** – COPENHAGUE, 13-14 fév. 1991 : *Ébauche pour « Effort Commun »*, bronze (H. 29 et L. 34 et l. 19) : **DKK 37 000** – COPENHAGUE, 3 nov. 1993 : *Sculpture* 1969, bronze (H. 78) : **DKK 135 000** – COPENHAGUE, 1er déc. 1993 : *L'accord* 1967, bronze (H. 40) : **DKK 75 000** – COPENHAGUE, 6 déc. 1994 : *« Livsmod »* 1964, bronze (H. 153) : **DKK 92 000** – COPENHAGUE, 7 juin 1995 : *Sculpture de bronze* 1959, bronze (H. 27) : **DKK 18 000**.

FERMANS Petrus
XVIIIe siècle. Actif à Anvers. Éc. flamande.
Sculpteur.
Il fut reçu maître de la gilde Saint-Luc à Anvers en 1763.

FERMARIELLO Sergio
XXe siècle. Italien.
Peintre.
Il expose en Italie et en France.
Il recouvre inlassablement la toile, noir sur blanc ou blanc sur noir, de petites figures, guerriers, cavaliers, archers, avec minutie. Son travail scrupuleux, reposant sur un motif, a le caractère obsessionnel des toiles d'Opalka.

FERMEPIN Alphonse
XIXe siècle. Actif à Paris. Français.
Peintre.
En 1835, 1836 et 1848, il exposa des portraits. La dernière fois, il exposa un autoportrait.

FERMET Nicolas
XVe siècle. Espagnol.
Peintre de miniatures.
Il est mentionné en 1497 comme bourgeois de Barcelone.

FERMEUS Victor
Né le 25 décembre 1894 à Laeken. Mort le 13 avril 1963. XXe siècle. Belge.
Peintre.

FERMIN Jehan
XVe siècle. Français.
Sculpteur.
Il exécuta vers 1459 des travaux à l'église Saint-Aubert à Cambrai.

FERMINE Philippe
XVIIe siècle. Actif à Angers. Français.
Peintre.

FERMO. Voir aussi **GHISONI da Caravaggio Fermo, GUISONI Fermo di Stefano,** et **STELLA da Caravaggio Fermo**

FERMO Anton
XVIIe siècle. Allemand.
Peintre.
Il décora de peintures la chaire de la chapelle de Saint-Michel à Mergentheim.

FERMOUT Gilliam ou **Wilhelm Jansz**, dit **Strazio Voluto**
Né au XVIIe siècle. XVIIe siècle. Hollandais.
Peintre d'histoire.
Cité par Samuel Van Hoogstraeten. Il travailla à Dordrecht. On nomme de sa main : *Un géant* et *Une cuisine hollandaise*.

FERNACH Giovanni di, ou **Hans von**. Voir **GIOVANNI di Fernachda di Campione**

FERNALD Helen Elizabeth
Née le 24 décembre 1891 à Baltimore. XXe siècle. Américaine.
Peintre.
Elle publia aussi des études sur l'art chinois.

FERNAN Jacques
XIXe siècle. Actif à Paris. Français.
Peintre.
Sociétaire des Artistes Français depuis 1893, il figura au Salon de cette Société.

FERNAND. Voir **PELEZ Fernand**

FERNAND-DUBOIS Émile
Né le 27 juillet 1869 à Paris. XIXe-XXe siècles. Français.
Sculpteur de statues allégoriques.
Il fut élève de Jean Sul-Abadie et de Jules Dalou. Il exposait à Paris, au Salon des Artistes Français, dont il était sociétaire depuis 1902, mention honorable et médaille de troisième classe en 1910, médaille en 1911 pour son marbre *Devant l'Amour* qui fut acquis par l'État, hors-concours et première médaille en 1922.
VENTES PUBLIQUES : ENGHIEN-LES-BAINS, 24 oct. 1982 : *Femme nue se cachant le visage*, bronze (H. 37) : **FRF 9 000**.

FERNAND-RENAULT Albert
Né à Paris. XXe siècle. Français.
Peintre.
Il fut élève de Fernand Cormon. Il exposait à Paris, au Salon des Artistes Français, médaille d'argent en 1928, médaille d'or en 1931.

FERNAND-TROCHAIN, pseudonyme de **Trochain Jean Fernand**
Né le 21 janvier 1879 à Rueil (Hauts-de-Seine). Mort le 8 mai 1969 à Paris. XXe siècle. Français.
Peintre d'intérieurs, paysages, paysages urbains, paysages de montagne, paysages d'eau. Postimpressionniste.
Il exposa régulièrement à Paris : comme sociétaire, au Salon d'Automne depuis 1919, aux Salons des Artistes Indépendants et des Tuileries, il figura aussi au Salon de la Société Nationale des Beaux-Arts.
Il s'est référé à l'exemple des impressionnistes, auxquels il devait son goût pour les harmonies claires, les tons vibrants, la vivacité des notations spontanées. Son tempérament l'écartait des excès d'expression. Il a réalisé des décorations, parmi lesquelles celle de l'hôtel de la Poste de Murols en Auvergne.
MUSÉES : AURILLAC – PARIS (Mus. d'Art Mod.) : *Neige à Vauréal* – TANANARIVE.
VENTES PUBLIQUES : LA VARENNE-SAINT-HILAIRE, 23 oct. 1988 : *Péniches à quai sur la Seine, à Levallois* 1911, h/t (43x73) : **FRF 24 000** – PARIS, 21 nov. 1989 : *Paysage de Provence* 1913, h/t (98x144) : **FRF 35 000** – VERSAILLES, 25 mars 1990 : *Le vieux château au bord de la Méditerranée* 1913 (98x147) : **FRF 61 000**.

FERNANDE Joseph ou **Fernandi**
Né le 1er octobre 1741 à Bruges. Mort le 10 août 1799 à Bruges. XVIIIe siècle. Éc. flamande.
Sculpteur.
Élève de Mathias de Visch et Jan Van Hecke à Bruges il alla en 1763 à Paris où il étudia à l'Académie Saint-Luc et à l'Académie Royale ; puis il se rendit à Rome où il séjourna trois ans ; il y exécuta le buste de l'archiduc Maximilien, fils de l'impératrice Marie-Thérèse. De retour dans sa patrie il devint à Bruxelles sculpteur de la cour du duc Alexandre de Lorraine. En 1779 à Paris il exposa un buste de la reine Marie-Antoinette et des groupes allégoriques. Parmi ses autres œuvres on mentionne une *Flore* pour la duchesse Marie-Christine, des statues pour l'Abbaye de la Bonne-Espérance près de Mons, pour l'église de Vlierbeck près de Louvain : *La Foi, l'Espérance, la Charité ; Les saints Pierre et Paul*.

FERNANDE Lucien
Né à Paris. XXe siècle. Français.
Peintre.
Il exposa des paysages au Salon d'Automne à Paris à partir de 1928.

FERNANDES. Voir aussi **FERNANDEZ, FERRANDES, HERNANDEZ,** etc.

FERNANDES Bernardo
XVIIIe siècle. Portugais.
Graveur.
On peut lire la signature de cet artiste « Bernardo Frz Lisboa incid. » sous un portrait gravé du frère bénédictin J. Vahia qui sert de frontispice au poème de celui-ci *Elisabetha Triumphans*. On attribue aussi à B. Fernandes un portrait gravé, daté de 1733, du poète Manuel de Faria e Sousa.

FERNANDES Constantino
Né le 29 septembre 1878 à Lisbonne. Mort le 21 juin 1920 à Lisbonne. XXe siècle. Portugais.
Peintre de compositions à personnages, scènes de genre, portraits.
En 1892, il fut élève de l'Académie des Beaux-Arts de Lisbonne. En 1901, il commença d'exposer ses œuvres au Salon de Lis-

bonne : *La peste à Lisbonne en 1385*. La même année, il obtint une bourse d'état, vint à Paris, où il fut élève de Fernand Cormon, exposant des portraits d'hommes au Salon des Artistes Français de 1903 et 1904. En 1905, il alla à Rome, voyageant en 1906 en Italie, Belgique, Hollande, Angleterre, Espagne. En 1908, il participa à l'Exposition de Rio de Janeiro, en 1911 il concourut pour la création d'une figure symbolisant la nouvelle République Portugaise, en 1912 à l'Exposition Nationale des Beaux-Arts de Madrid avec *Abandonnées*. En 1913, il obtint la médaille d'honneur au Salon National des Beaux-Arts de Lisbonne avec un triptyque *Le marin*.

Bibliogr. : In : *Cent ans de peinture en Espagne et au Portugal, 1830-1930*, Antiquaria, Madrid, 1988.

FERNANDES Diego
XVIe siècle. Portugais.
Enlumineur.

Il travailla pour le monastère de Thamar, avec Jorge Vieira en 1537. Peut-être identique à Diego Fernandez et à Diego Hernandez.

FERNANDES Domingo
XVIe siècle. Actif vers 1554. Portugais.
Peintre.

On trouve cet artiste figurant sur un registre de la reine Catherine comme ayant reçu huit cruzades pour un tableau peint sur bois, qui fut livré au couvent d'Abrantès.

FERNANDES Francisco
XVIe siècle. Actif à Vizeu. Portugais.
Peintre.

FERNANDES Garcia. Voir **GARCIA Fernandes**

FERNANDES Maria Térésa ou **Théréza**
Née en 1926 à Jaboticabal. XXe siècle. Brésilienne.
Peintre de natures mortes, portraits, paysages, marines, aquarelliste, pastelliste. Réaliste-photographique.

Elle vit et travaille à São Paulo, où elle reçut sa formation. Elle participe à de nombreuses expositions collectives, où elle a reçu de nombreuses distinctions.

Surtout peintre de natures mortes, elle privilégie les ensembles de verreries dont elle restitue habilement et fidèlement les effets de transparence et de reflets.

FERNANDES de SA Antonio
Né au Portugal. XIXe siècle. Portugais.
Sculpteur.

Mention honorable en 1898, au Salon de la Société des Artistes Français pour un *Enlèvement de Ganymède*.

FERNANDES Vasco
XVe siècle. Portugais.
Peintre.

Il est mentionné dans un document de 1459 comme bourgeois de Tortosa en Catalogne.

FERNANDES Vasco, appelé aussi **Fernandes de Viseu, Grao Vasco de Viseu, Ferdinand de Viseu, Fernandez Vasco de Cazal, Vasco Pereira** ou **Pereyra, Vasco Fernandez**, etc., dit le **Grao Vasco**
Né vers 1475-1480 à Viseu. Mort vers 1541-1542 à Viseu probablement. XVIe siècle. Portugais.
Peintre.

Pendant longtemps, les Portugais le considérèrent comme le plus grand peintre ayant jamais vécu, le « Grao Vasco », et lui attribuaient toute peinture de qualité retrouvée au Portugal et dont on ne connaissait pas l'auteur. Zani le faisant travailler en 1594, le confondait donc avec Vasco PEREYRA, également Portugais, mais ayant été actif à Séville ; Cean Bermudez le classant parmi les peintres espagnols, a dû faire la même confusion. On sait à peu près aujourd'hui qu'il exerça surtout son activité à Viseu (Beira Alta), au début du XVIe siècle, où il dirigeait probablement l'atelier provincial le plus important du Portugal. On ignore sa formation, sa carrière paraît avoir débuté avant 1502 et s'être poursuivie durant plus de quarante années. S'il semble avoir subi, par exemples interposés sans doute ou d'artistes flamands résidant au Portugal, des influences flamandes et hollandaises, il s'en distinguera par un sens ornemental d'homme du Sud et une force expressive toute hispanique.

On lui attribue aujourd'hui, pour une première période, d'influence surtout flamande : le maître-autel de la cathédrale de Viseu (1500-1506), aujourd'hui au Musée Grao Vasco de Viseu ; l'*Assomption de la Vierge* du Musée d'Art An,cien de Lisbonne ; au Musée de Lamego, *L'Annonciation, La Visitation, La Circoncision, La Création des animaux*, volets subsistant du retable qu'il avait peint, en 1506-1511, pour la cathédrale de la même ville ; le triptyque (vers 1520) du Musée d'Art Ancien de Lisbonne : *Descente de croix ; Saint François ; Saint Antoine*.

Dans une seconde période, dont les œuvres plus aérées témoignent d'une influence hollandaise (Lucas de Leyde), lui sont attribués : les seize panneaux sur la *Vie de la Vierge*, la *Passion du Christ*, peints vers 1520-1525, du retable de l'église de Freixo de Espada, à Cinta ; le triptyque de la *Dernière Cène* (vers 1530-1535) du Palais épiscopal de Fontelo, aujourd'hui au Musée Grao Vasco de Viseu ; *La Pentecôte*, vers 1535, à la sacristie de Santa Cruz de Coimbra, peut-être son œuvre la plus célèbre en raison de la complexité dynamique de la composition et de son caractère dramatique. On lui attribua autrefois le *Christ en croix*, de la Miséricorde d'Oporto, autrefois attribué à Holbein.

Dans une dernière période (1535-1542) sont recensés, entre autres compositions importantes, dont le *Saint Sébastien*, aujourd'hui au Musée de la ville, les cinq grands retables avec prédelles de la cathédrale de Viseu, dont un *Saint Pierre*, le *Calvaire*, toutes ces œuvres, à la fois marquées d'influences accumulées et manifestant un caractère propre empreint d'un naturalisme régional exprimé dans les personnages et les paysages, caractère propre qui contribuera à l'apparition, pendant la Renaissance manuéline, d'un style spécifique portugais.

■ J. B.

Bibliogr. : Yves Bottineau, in : *Diction. Univers. de l'Art et des Artistes*, Hazan, Paris, 1967 – in : *Dictionnaire de la peinture espagnole et portugaise du Moyen-Âge à nos jours*, coll. Essentiels, Larousse, Paris, 1989.

FERNANDEZ. Voir aussi **FERNANDES, FERRANDES, FERRÀNDEZ, HERNÀNDEZ**

FERNANDEZ AGUANEVADA Lope
XVIe siècle. Travaillant à Séville. Espagnol.
Sculpteur.

En 1513, il sculpta un crucifix de bois pour l'église ; en 1516, il contribua par quelques travaux de décoration à la solennité de la Fête-Dieu, de la fête de Pâques et de celle de l'Esprit-Saint. Le 8 octobre 1517, il reçut le paiement d'une table qu'il avait faite pour le chapitre. Sans doute identique à Ruiz Agua Nevada (Lope).

FERNANDEZ Agustin
Né en 1928 à La Havane. XXe siècle. Actif aux États-Unis. Cubain.
Peintre de compositions animées, natures mortes, peintre à la gouache.

Il fut élève de l'académie San Alejandro de La Havane puis de l'Art Students' League de New York, où il eut pour professeur Kasuo Kuniyoshi. Puis, il séjourna à paris, où il rejoignit le groupe des surréalistes. Puis, il s'installa définitivement à New York.

Il montre un sens de la composition et du dessin matisséen, confirmé par une maîtrise de la couleur où s'opposent les accents les plus purs de jaune, orangé, rouge, à des fonds de bleu et de vert profonds. À la fin des années cinquante, sa peinture se fit plus érotique, mêlant nus et formes inanimées.

Musées : New York (Mus. of Mod. Art).

Ventes Publiques : New York, 30 mai 1984 : *Pommes* 1953, h/t (139,8x89) : **USD 2 750** – New York, 29 mai 1985 : *Portrait de femme* 1949, h/t (76,2x63,5) : **USD 600** – New York, 17 mai 1988 : *Sans titre*, h/t (127x140) : **USD 16 500** – New York, 21 nov. 1988 : *Le serpent enroulé autour du rêveur* 1986, h/t (132x106,6) : **USD 17 600** – New York, 17 mai 1989 : *Sans titre* 1960, h/t (109,5x109,5) : **USD 3 850** – Paris, 21 juin 1989 : *Composition*, gche (63x72) : **FRF 18 000** – New York, 21 nov. 1989 : *Composition*, cr., aquar. et gche/pap./t. (62,5x71) : **USD 3 520** – New York, 1er mai 1990 : *Lame de rasoir* 1975, h/t (diam. 95) : **USD 3 300** – New York, 18 mai 1993 : *La table* 1952, h/t (118,4x94,6) : **USD 20 700** – New York, 23-24 nov. 1993 : *Joueurs de tennis* 1952, h/t (95,6x149) : **USD 17 250** – New York, 18 mai 1994 : *Paire*, h/t (111,1x88) : **USD 17 250** – New York, 18 mai 1995 : *Nu* 1952, h/t (119,7x78,4) : **USD 9 200**.

FERNANDEZ Alejo ou **Hernandez**
Né vers 1470. Mort en 1543 à Séville. XVe-XVIe siècles. Espagnol.
Peintre.

Il exécuta pour le couvent de Saint-Jérôme, à Cordoue où il resta jusqu'en 1508, plusieurs tableaux d'autel représentant des

scènes de la vie du Christ et de Saint Jérôme. Il peignit en 1508 les décorations du maître-autel de la cathédrale de Séville. L'église Sainte-Anne de cette ville possède de lui une *Madone entourée d'anges*. Toujours à Séville, il a peint le *Retable de Nicolas Durango* (1509-1513) dans la cathédrale, et celui de *Maese Rodrigo* (1516-1523), pour la chapelle de l'Université ; pour l'Alcazar, il fit une *Vierge des navigateurs* et le *Bon air*. A l'occasion de l'entrée de Charles Quint à Séville, en 1526, il décora la ville d'arcs de triomphe, de figures allégoriques. Son art est à mi-chemin entre le gothique tardif et la Renaissance. Il place ses figures dans des architectures antiques, mais donne à ses figures une grâce ombrienne. L'église San-Jago à Ecija, lui doit des peintures au maître-autel, la cathédrale de Saragosse, un triptyque avec la *Cène* comme motif central.
Musées : Cordoue : *La flagellation*.

FERNANDEZ Alfon I
xvie siècle. Actif à Séville en 1503. Espagnol.
Peintre.

FERNANDEZ Alfon II
xvie siècle. Actif à Séville vers 1519. Espagnol.
Peintre.
Peut-être identique à Alonso Hernandez.

FERNANDEZ Alonso
xvie siècle. Actif à Montilla près de Cordoue. Espagnol.
Peintre.

FERNANDEZ Andrés
xvie siècle. Actif à Séville en 1515 et 1557. Espagnol.
Peintre.

FERNANDEZ Andrés ou **Hernandez**
Né en 1555 à Cordoue. xvie siècle. Espagnol.
Peintre et sculpteur sur bois.
Il acheva le retable du maître-autel et le tabernacle de l'église paroissiale d'Obejo près de Cordoue, et pour l'église Sainte-Marie à Guijo près de Cordoue, il peignit une statue de bois représentant le *Christ ressuscité, avec la Croix*.

FERNANDEZ Andrés ou **Hernandez**
xvie siècle. Espagnol.
Sculpteur.
Il exécuta en 1569 les candélabres de la Puerta del Claustro à la cathédrale de Tolède.

FERNANDEZ Antonio
xvie siècle. Actif à Cordoue. Espagnol.
Peintre.
La gilde de Cordoue le reconnut comme peintre de retables et de décorations en 1549.

FERNANDEZ Antonio Arias. Voir **ARIAS FERNANDEZ**

FERNANDEZ Aristides
Né en 1904 à La Havane. Mort en 1934. xxe siècle. Cubain.
Peintre de compositions animées, aquarelliste, dessinateur.
Il fut élève de l'Académie San Alejandro, mais n'y termina pas les études. Le petit nombre de ses ouvrages, peintures, aquarelles et dessins, exposés en 1935 après sa mort, sont devenus une « œuvre culte » parmi les artistes cubains. Ses nouvelles furent également publiées l'année suivant sa mort.
À la fois peintre et écrivain, il était un « artiste engagé » traitant de l'aliénation, de la peine et de l'anxiété des travailleurs manuels, à l'époque de la dictature de droite, qu'il représente, dans une écriture synthétique rappelant Gauguin, courbés sous leurs fardeaux et labeurs.
Bibliogr. : José Lezama Lima : *Aristides Fernandez*, La Havane, 1950.
Ventes Publiques : New York, 19-20 mai 1992 : *Sans titre*, encre et aquar./pap. (22,9x32,7) : **USD 17 600** – New York, 17 mai 1994 : *Sans titre*, aquar. et encre/pap. fort (22,5x32,5) : **USD 17 250** – New York, 25-26 nov. 1996 : *Repos* vers 1930, h/pan. (28,3x31,4) : **USD 31 050**.

FERNANDEZ Armand. Voir **ARMAN**

FERNANDEZ Bartolomé
xvie siècle. Actif à Ségovie. Espagnol.
Sculpteur.
Il exécuta les stalles Renaissance à double rangée pour le monastère Saint-Jérôme d'El Paral près de Ségovie. 26 sièges de la rangée supérieure forment maintenant les stalles du chœur de l'église San Francisco el Grande à Madrid, alors que 17 autres de cette rangée et 28 de la rangée inférieure sont conservés au Musée archéologique de Madrid.

FERNANDEZ Blas
xvie siècle. Travaillant à Séville en 1509. Espagnol.
Sculpteur.
Il est peut-être à rapprocher de Blas Hernandez.

FERNANDEZ Diego I
xve siècle. Espagnol.
Sculpteur.
Il travailla en 1418 avec son frère Juan au portail principal de la cathédrale de Tolède.

FERNANDEZ Diego ou **Ferrandez**
xve siècle. Espagnol.
Peintre.
Il est probablement identique au miniaturiste Diego Farrandez de los Pilares. En 1433 et 1434 il fut chargé des peintures du cierge pascal à la cathédrale de Séville.

FERNANDEZ Diego ou **Hernandez Campoverde**
xvie siècle. Actif à Séville dans la première partie du xvie siècle. Espagnol.
Peintre.

FERNANDEZ Diego
xvie siècle. Travaillant à Séville de 1511 à 1528. Espagnol.
Peintre de miniatures.

FERNANDEZ Diego
xviie siècle. Espagnol.
Sculpteur sur bois.
Il exécuta en 1647 les statues de *Saint Joseph*, *Saint Michel* et *Saint Jean-Baptiste* aux stalles de la cathédrale de Malaga.

FERNANDEZ Domingo ou **Hernàndez**
xviie siècle. Espagnol.
Graveur de sujets religieux.
Il était actif à Séville. On mentionne de lui une *Virgen del Belen*, la *Conception* pour un livre du Dr Lucas de Gongora, et une *Virgen del Rosario*.

FERNANDEZ Domingo
Né en 1862 à Séville. xixe-xxe siècles. Depuis 1886 actif en Italie. Espagnol.
Peintre d'histoire, scènes de genre.
Il s'établit à Rome en 1886.
Musées : Séville : *Jupiter et Léda* – *Condamnation de saint Étienne*.
Ventes Publiques : Londres, 23 mars 1988 : *À la fontaine*, h/t (49x27) : **GBP 4 400**.

FERNANDEZ Enrique ou **Ferràndez**
Mort avant le 23 mars 1547 à Barcelone. xvie siècle. Espagnol.
Peintre.

FERNANDEZ Francisco
xvie siècle. Actif à Cordoue. Espagnol.
Peintre.
On connaît de lui 8 planches pour la *Vie de S. Juan de Dios*, qui furent gravées par Villafranca et Pautrel.

FERNANDEZ Francisco
xvie siècle. Espagnol.
Peintre.
En 1529, cet artiste était prisonnier à Séville et l'on obtint pour lui du directeur de la prison la permission de lui enlever ses chaînes, pour qu'il allât peindre dans une église.

FERNANDEZ Francisco
Mort avant 1520. xvie siècle. Actif à Séville. Espagnol.
Sculpteur.

f fernandez.

FERNANDEZ Francisco
xvie siècle. Actif à Grenade. Espagnol.
Peintre.
On mentionne ses peintures décoratives dans la salle des séances du chapitre à la cathédrale.

FERNANDEZ Francisco ou **Ferrandez**
xvie siècle. Espagnol.
Peintre enlumineur.
Il est mentionné à Séville en 1504.

FERNANDEZ Francisco
Né en 1605 à Madrid. Mort en 1646. XVIIe siècle. Espagnol.
Peintre et graveur.
Élève à l'école de Vincenzo Carducho, il fut un des peintres les plus ingénieux de son temps et se fit fort jeune encore une réputation. Philippe IV lui fit décorer plusieurs palais à Madrid. Le couvent de la Vitoria possède : *La mort de saint François de Paul* et *Saint Joachim* et *Sainte Anne*. Il grava cinq bonnes planches allégoriques pour les *Dialogues de la Pintura* de Carducho parus en 1633. Il fut tué par Francisco de Baras au cours d'une querelle.

FERNANDEZ Francisco ou **Hernandez**
XIXe siècle. Actif à Madrid. Espagnol.
Graveur et médailleur.
Il grava la médaille du Zodiaque à l'occasion de l'avènement du roi Ferdinand VI et les premières monnaies de ce monarque.

FERNANDEZ Garcia. Voir aussi **FERRANDEZ**

FERNANDEZ Garcia
XVe siècle. Espagnol.
Peintre.
Il travaillait à Séville en 1407. Peut-être est-il identique à Garcia Ferrandez.

FERNANDEZ Geronimo
XVe siècle. Actif à Tolède. Espagnol.
Peintre.

FERNANDEZ Gil
D'origine flamande. XVIe siècle. Espagnol.
Peintre.
Actif en 1500.

FERNANDEZ Gomez ou **Ferrandez**
XVIe siècle. Travailla à Séville de 1514 à 1525. Espagnol.
Peintre.

FERNANDEZ Gomez
XVIe siècle. Actif vers 1580. Espagnol.
Peintre.

FERNANDEZ Gonzalo. Voir aussi la notice **Fernandez Jac**

FERNANDEZ Gonzalo
XVe siècle. Actif à Séville. Espagnol.
Peintre.
Il est mentionné à Séville de 1480 à 1496.

FERNANDEZ Gonzalo
XVIe siècle. Actif à Valladolid. Espagnol.
Peintre.
Les œuvres que cet artiste produisit de 1553 à 1556 sont nombreuses ; en 1558, on cite de lui une *Madone* de grandeur naturelle.

FERNANDEZ Gonzalo ou **Hernandez**
XVIe siècle. Actif à Séville dans la première partie du XVIe siècle. Espagnol.
Peintre.
Fit son testament en 1555. Peut-être est-il le frère de Jac Fernandez.

FERNANDEZ Gregorio
Mort en 1689. XVIIe siècle. Actif à Valladolid. Espagnol.
Sculpteur.
Cet artiste, qui n'était pas sans valeur, ne peut cependant pas être comparé avec Fernandez Gregorio dit Hernandez, un des plus grands maîtres de l'art castillan. C'est uniquement à certaines similitudes de nom qu'il faut attribuer la confusion souvent faite entre eux par les historiens et les amateurs d'art. Fernandez Gregorio dit Hernandez mourut cinquante-trois ans avant Fernandez Gregorio.

FERNANDEZ Gregorio, appelé **Gregorio Hernandez**
Né vers 1576 en Galice. Mort en 1635 en Galice. XVIIe siècle. Vivait à Valladolid. Espagnol.
Sculpteur et peintre.
Élève de Francisco Rincón, il s'installe à Valladolid jusqu'à sa mort. Spécialisé en sculptures polychromes, il essaie de donner à ce genre une originalité nouvelle, qu'il trouve dans un réalisme baroque. Il traite ses draperies généreusement, par grandes masses, mais avec le souci de l'ornement, sans exclure une certaine fougue. Tout son œuvre est le reflet d'une religion profonde qui met l'accent sur la douleur. Ses œuvres nombreuses sont parfois de grandes réalisations qu'il ne peut exécuter tout seul ; c'est la raison pour laquelle il emploie des aides, donnant un caractère inégal à l'ensemble de sa sculpture. Il a fait une série de *Retables*, dont celui de San Miguel à Valladolid (1606), celui de la Collégiale de Lerma (1615), ceux de la Conception francisca (1621) et de San Miguel (1624-32) à Vitoria. Il sculpta des autels et maîtres-autels, à Valladolid, en 1616, à Plasencia, en 1624-34. Il fit des groupes dramatiques représentant des scènes de la Passion du Christ : les *Pasos* qui étaient transportés dans les rues, à l'occasion de la Semaine Sainte. De ces *Pasos*, il ne reste, en général, que quelques statues isolées. Fernandez sculptait aussi des statues seules, reprenant toujours des thèmes douloureux, comme *Le Christ à la colonne* (église de la Vera Cruz à Valladolid, 1623 ; couvent de l'Incarnation de Madrid), ou le *Christ gisant*, ou la *Vierge des Angoisses*.
BIBLIOGR. : Y. Bottineau, in : *Dictionnaire de l'Art et des Artistes*, Hazan.
MUSÉES : VALLADOLID : *Relief de la Vierge et Saint Simon – Sainte Thérèse et Sainte Madeleine de Pazzi – Christ gisant – La Vierge des Angoisses – Sainte Véronique – Simon le Cyrénéen*.

FERNANDEZ Guillen. Voir **FERNANDEZ Jac**

FERNANDEZ Isabel
XVe siècle. Active à Séville. Espagnole.
Peintre de miniatures et peut-être brodeur.
Elle travailla pour la cathédrale de Séville comme « maestra de los ornementos ».

FERNANDEZ Jac ou **Hernandez**
XVIe siècle. Actif vers 1535. Espagnol.
Peintre d'histoire.
Cité dans les comptes de la cathédrale de Séville, avec Guillen et Gonzalo Fernandez, probablement ses frères.

FERNANDEZ Jeronimo. Voir **HERNANDEZ**

FERNANDEZ Jorge, appelé aussi **Aleman**
Né vers 1470. Mort avant 1553. XVe-XVIe siècles. Travaillant à Séville. Espagnol.
Sculpteur.
Sans doute, frère de FERNANDEZ Alejo. Fit des sculptures importantes pour l'église cathédrale et pour l'Alcazar, vers 1508. On le retrouve travaillant pour la cathédrale en 1525 et en 1530. Il sculpta un crucifix sur le piédestal duquel se trouvait représenté le *5e mystère* et plusieurs autres œuvres.

FERNANDEZ José
XVIIIe siècle. Actif à Séville. Espagnol.
Graveur.
A l'église San Catalina à Séville est conservée une plaque de cuivre représentant saint François de Paule, et portant le nom de José Fernandez.

FERNANDEZ José
Né en 1918 à Caracas. XXe siècle. Vénézuélien.
Peintre.

FERNANDEZ Juan. Voir aussi la notice **Fernandez Diego I**

FERNANDEZ Juan
XVIe siècle. Espagnol.
Sculpteur sur bois.
Il exécuta des décorations de plafond vers 1540 pour la Curia Ecclesiastica à Grenade.

FERNANDEZ Juan ou **Hernandez**
XVIe siècle. Espagnol.
Peintre de cartes à jouer.
Il était le fils du peintre Pedro Fernandez. Il était actif à Séville.

FERNANDEZ Juan
XVIIe siècle. Espagnol.
Sculpteur de statues et architecte.
Il travailla en 1616 aux statues de *Saint Pierre* et de *saint Paul* pour la chapelle Notre-Dame del Sagrario de la cathédrale de Tolède.

FERNANDEZ Juan, dit **el Labrador**
XVIIe siècle. Espagnol.
Peintre de natures mortes de fruits.
Il est répertorié à Madrid de 1629 à 1636.
VENTES PUBLIQUES : LONDRES, 6 déc. 1995 : *Nature morte de raisin, glands, noisettes, marrons, pommes, avec un cruchon et un verre de vin sur une table*, h/t (64x48) : **GBP 166 500**.

FERNANDEZ Juan
XVIIIe siècle. Espagnol.
Graveur.
Il grava sur cuivre le frontispice du livre, *Annales ecclésiastiques et séculaires de la Ville de Séville, dessiné par D. Pedro Tortolero en 1747.*

FERNANDEZ Juan Antonio
Mort avant 1536. XVIe siècle. Actif à Séville. Espagnol.
Peintre.
Probablement identique à Fernandez de Alcala.

FERNANDEZ Juan de Dios
Mort vers 1801 à Séville. XVIIIe siècle. Espagnol.
Peintre de portraits.
Le Musée de Séville conserve de lui le portrait de *Don Francisco de Bruna y Ahumada*, et *Fernand Cortès à Mexico*.

FERNANDEZ Lorenzo ou **Ferrandez**
XVe siècle. Actif à Séville. Espagnol.
Peintre.
Il exécuta en 1462 et 1464 les peintures du cierge pascal de la cathédrale.

FERNANDEZ Luis ou **Hernandez**
XVIe siècle. Actif à Séville. Espagnol.
Peintre.
Il exécuta à Séville de nombreux travaux décoratifs à l'Alcazar, au Palacio del Lomo del Grullo, et des peintures pour la cathédrale.

FERNANDEZ Luis, l'Ancien
Né à Cordoue. XVIe siècle. Actif à Séville en 1580. Espagnol.
Peintre.
Il eut comme élèves Herrera, Francisco Pacheco et Augustin del Castillo.

FERNANDEZ Luis
Né en 1596 à Madrid. Mort en 1654 à Madrid. XVIIe siècle. Espagnol.
Peintre d'histoire.
Élève d'Eugenio Caxes, il travailla à l'huile et à fresque. Le couvent de la Merced Calzada possède de lui des scènes de la vie de saint Ramon, peintes en 1625. A Santa Cruz se trouvaient plusieurs fresques et différents tableaux qui périrent dans un incendie au XVIIe siècle.

FERNANDEZ Luis
Né en 1745 à Madrid. Mort peu après 1766 à Madrid. XVIIIe siècle. Espagnol.
Peintre.
Il fut élève d'A. Gonzalès Velasquez à l'Académie de San Fernando où il reçut plusieurs fois des récompenses.

FERNANDEZ Luis ou **Louis**
Né en 1900 à Oviedo. Mort en 1973. XXe siècle. Depuis 1924 actif en France. Espagnol.
Peintre, graveur, sculpteur. Polymorphe.
Il commença à dessiner encore enfant. À son arrivée en France, tout en se consacrant à la peinture, il s'initia à la gravure et à la sculpture. Il a relativement peu exposé à Paris : figurant en 1931 à l'exposition *Abstraction-Création*, en 1933 au Salon des Surindépendants, avec une *Maternité* au premier Salon de Mai, en 1945. En 1978, il était représenté à l'exposition commémorative de *Abstraction-Création* au Musée d'Art Moderne de la Ville de Paris. Il a montré des ensembles d'œuvres dans des expositions personnelles : la première en 1950 à la Galerie Pierre de Paris, 1956 Galerie des *Cahiers d'Art* à Paris, 1965 Turin, 1968 Galerie A. Iolas à Paris et Galerie V. Iolas à Madrid. En 1972, peu avant sa disparition, le Centre National d'Art Contemporain à Paris, organisa une exposition rétrospective de l'œuvre de ce peintre singulier et très méconnu, que sa ville natale d'Oviedo honora en 1984.
Accordant une primauté au dessin sur la peinture, et considérant que la sculpture était l'aboutissement du dessin, pendant plusieurs années, il travailla la pierre en taille directe. Ses premières peintures furent remarquées par Braque. Plus que par le cubisme proprement dit, il était alors plutôt intéressé et influencé dans ses peintures du moment, abstraites et totalement géométriques à la règle et au compas, par le purisme de Jeanneret et Ozenfant, et par l'abstraction froide de Mondrian, tandis qu'en sculpture il s'intéressait à Brancusi et Lipchitz. En 1934, il devint l'ami de Picasso, qui le vit presque quotidiennement jusqu'en 1940. En 1936, Picasso lui confia la réalisation, à partir d'une petite gouache, du rideau de scène, de 18x11 mètres, pour une pièce de Romain Rolland : *Quatorze Juillet*. La forte personnalité de Picasso eut un temps une influence sur sa propre peinture, au point que sa *Course de taureaux* de 1940 semble presque un pastiche inspiré de *Guernica*. De 1938 à 1941, s'étant lié avec André Breton, Paul Éluard, René Char, qu'il avait rencontrés dès son arrivée à Paris, sa peinture subit l'influence du surréalisme avec les séries des *Meurtres et Viols*.
Après quoi, il trouva son expression personnelle et définitive : techniquement, il revint à des procédés anciens, peinture à l'œuf, glacis, pour réaliser des natures mortes d'une écriture extrêmement dépouillée, géométrisée, aux formes comme découpées, peintes en aplats de tons rompus et pauvres : noir, blanc, quelques gris teintés, le volume à peine suggéré par une ombre en dégradé sec comme sur un objet métallique. Les objets assemblés dans ces natures mortes en accentuent l'étrangeté : bougies, roses figées, quartier de jambon, têtes de morts : *Crânes* de 1964, etc., sur lesquels il laissait s'accumuler la poussière pour mieux les dépersonnaliser et en unifier l'aspect de la carapace extérieure. Si la technique et le style de ses peintures, inspirés des maîtres espagnols des XVIe et XVIIe siècles et notamment de Zurbaran, demeurèrent constant durant toute cette période, il peignit aussi d'autres sujets que les natures mortes : des portraits *Portrait du Résistant* de 1944, des paysages assez nombreux, réduits à l'essentiel, quelques lignes et bandes horizontales ponctuées de quelques repères identifiables : *Paysage bordelais* de 1948. Ce méconnu sut cependant attirer l'attention de personnalités très diverses : Braque, Henri Laurens, Breton, Éluard, Miro, Ozenfant, Jeanneret, Mondrian, Brancusi, Arp, Pevsner, Picasso, Cristian Zervos directeur des *Cahiers d'Art*, Alberto Giacometti, et de Victor Brauner et René Char qui écrivirent tous deux des textes sur ses peintures. ■ Jacques Busse

BIBLIOGR. : In : *Diction. Univers. de la Peint.*, Le Robert, Paris, 1975 – in : *L'Art du XXe Siècle*, Larousse, Paris, 1991.
MUSÉES : MARSEILLE (Mus. Cantini) : *Paysage Marine n° 4*, aquar. et gche – *Paysage Marine n° 5*, gche – PARIS (FNAC) – SAINT-ÉTIENNE (Mus. d'Art Mod.).
VENTES PUBLIQUES : PARIS, 30 mars 1982 : *Tête de taureau mort* 1939, h/pan. (73x103) : **FRF 26 000** – MADRID, 17 mars 1987 : *La inmensa boca* 1939, h/t (19x32,5) : **ESP 1 600 000** – PARIS, 11 oct. 1989 : *Paysage du Médoc* (40x33) : **FRF 36 000** – PARIS, 22 nov. 1993 : *Composition*, h/bois (18,5x149,5) : **FRF 180 000** – PARIS, 13 avr. 1994 : *Portrait de Francis Jourdain* 1940, h/t (33x24) : **FRF 60 000** – PARIS, 28 nov. 1994 : *Paysage*, h/t (60x73) : **FRF 70 000** – PARIS, 1er juil. 1996 : *Nature morte* 1955, h/pap./t. (18x21,8) : **FRF 100 000** – PARIS, 20 juin 1997 : *Sans titre* 1944, h/t (48x39) : **FRF 60 000**.

FERNANDEZ Manuel Santos
Né à Madrid. XVIIIe siècle. Espagnol.
Peintre d'histoire.
Élève d'Ezquerra. Il était actif vers 1709, dans la première moitié du XVIIIe siècle.
Il peignit la *Mort de Saint François Xavier*, pour la cathédrale de Madrid en 1715. On cite aussi de lui un *Saint François* et un *Saint Antoine* qui se trouvaient à Madrid dans la chapelle de Notre-Dame del Puerto.

FERNANDEZ Mariusa
Née à Buenos Aires, d'origine brésilienne. XXe siècle. Argentine.
Peintre.
Elle peint à la tempera. Elle figurait à l'exposition ouverte à Paris en 1946, au Musée d'Art Moderne, par l'Organisation des États-Unis.

FERNANDEZ Pedro ou **Ferrandez**
XVe siècle. Actif à Séville vers 1422. Espagnol.
Peintre.

FERNANDEZ Pedro ou **Ferrandez**
XVe siècle. Actif à Cordoue. Espagnol.
Peintre.
Fils d'un Yuste Lopez, il exécuta vers 1490 un autel pour l'église Saint-François à Ecija près de Cordoue.

FERNANDEZ Pedro ou **Ferrandez**
Mort avant le 19 juin 1513 à Séville. XVe-XVIe siècles. Espagnol.
Peintre de miniatures.
Il est mentionné en 1513 au sujet d'un contrat conclu avec le peintre Dominicain Pedro de Cordoba, « vicaire de las Indias », pour les enluminures de deux volumes de psaumes.

FERNANDEZ Pedro
XVIe siècle. Actif à Séville de 1509 à 1526. Espagnol.
Peintre.
Cet artiste dut posséder une certaine fortune, car un document porte qu'il vendit un esclave le 21 mai 1520.

FERNANDEZ Pedro
XVIe siècle. Actif à Séville. Espagnol.
Peintre verrier.
Il fit des projets pour le chapitre de la cathédrale de Séville en 1526.

FERNANDEZ Pedro ou **Ferrandez**
XVIe siècle. Actif à Cordoue. Espagnol.
Peintre.
Fils d'un Diego Lopez ; il exécuta les peintures d'un *Sagrario* orné de statues de bois dans l'église paroissiale de Montilla, près de Cordoue.

FERNANDEZ Pedro ou **Hernandez**
XVIe siècle. Actif à Séville. Espagnol.
Peintre.
Peintre de cartes à jouer.

FERNANDEZ Pedro ou **Hernandez**
Mort en 1534 à Séville. XVIe siècle. Espagnol.
Peintre.
Peut-être est-il identique à un Pedro Fernandez, mentionné comme peintre enlumineur à Séville en 1503. Il était l'époux d'Isabel Fernandez.

FERNANDEZ Pedro
Mort en 1641 à Séville. XVIIe siècle. Espagnol.
Peintre.

FERNANDEZ Pedro
XIXe siècle. Espagnol.
Peintre de paysages.
Professeur à l'École des Beaux-Arts de Malaga, il exposa à Madrid en 1871 et à Malaga en 1884.

FERNANDEZ Sebastian Alejos
XVIe siècle. Actif à Séville. Espagnol.
Peintre.
Il était le fils d'Alejo Fernandez et imitait la peinture de son père.

FERNANDEZ Thomas
XVIe siècle. Actif à Séville de 1503 à 1509. Espagnol.
Peintre.
En 1508, cet artiste prit un élève.

FERNANDEZ de ALCALA Juan
XVIe siècle. Actif à Séville en 1515. Espagnol.
Peintre.
Probablement identique à Juan-Antonio Fernandez.

FERNANDEZ de AYORA Pedro
XVIe siècle. Actif à Cordoue en 1579. Espagnol.
Peintre.
Maître de la corporation des peintres.

FERNANDEZ de BARCELONA Diego
XVIe siècle. Travaillant à Barcelone vers 1525. Espagnol.
Sculpteur.
Cet artiste succéda à Pedro Baco dans la charge de graveur *Mayor* du palais de la Monnaie, à Séville.

FERNANDEZ de BIEDMA Diego
XVe siècle. Actif à Séville. Espagnol.
Peintre enlumineur.

FERNANDEZ de CASTRO VILLAVICENCIO Antonio
Mort en 1739 à Cordoue. XVIIIe siècle. Espagnol.
Peintre.
Cet artiste, chanoine de Cordoue, peignit pour la salle du chapitre de sa cathédrale un : *Saint Ferdinand* et une *Immaculée Conception*.

FERNANDEZ de CONCA Marcos
Né à Burguillos. XVIIe siècle. Espagnol.
Peintre.
Il est mentionné à Séville en 1676.

FERNANDEZ de GUADALUPE Pedro
XVIe siècle. Actif à Séville au début du XVIe siècle. Espagnol.
Peintre.
Il peignit de 1500 à 1512 une série de personnages en bois pour la cathédrale de Séville. Pour la même église, il exécuta en 1527 : *Une descente de croix* et plusieurs autres tableaux dont : *Le repentir de saint Pierre*. Le Musée de Séville conserve de lui l'*Ensevelissement du Christ*.

FERNANDEZ de la OLIVA Francisco
Né au XIXe siècle à Valladolid. XIXe siècle. Espagnol.
Paysagiste.
Élève de Carlos de Haes. Il exposa à Madrid entre 1875 et 1881. Le Musée de Madrid conserve de lui : *Vue de Villalba*.

FERNANDEZ de la OLIVA Manuel
Né au XIXe siècle à Madrid. XIXe siècle. Espagnol.
Sculpteur.
Élève de l'Académie de San Fernando. On cite de lui *Andromède* (1862) et *Premier désenchantement*. Il fut professeur de sculpture à l'École des Beaux-Arts de Cadix, puis à celle de Séville. Fils de Nicolas Fernandez, travailla aussi avec cet artiste.

FERNANDEZ de la OLIVA Nicolas
XIXe siècle. Espagnol.
Sculpteur.
Élève de l'Académie de San Fernando. Il fut un des créateurs du Cercle artistique et littéraire de Madrid. On cite de lui une *Statue de Cervantès* érigée à Valladolid en 1877, et un *Christophe Colomb* pour cette même ville.

FERNANDEZ de LAREDO Juan
Né en 1632 à Madrid. Mort en 1692 à Madrid. XVIIe siècle. Espagnol.
Peintre.
Il fut élève de Francisco Rizi qu'il aida dans ses travaux au Retiro et devint un des meilleurs peintres à fresques de son époque. Il exécuta un grand nombre de peintures pour les églises de Madrid.

FERNANDEZ de la VEGA Luis
Né vers 1600 à Lantone. Mort en 1675 à Oviedo. XVIIe siècle. Espagnol.
Sculpteur.
Élève à Valladolid de Gregorio Hernandez. Vers 1640 il travaillait à la cathédrale d'Oviedo.

FERNANDEZ del MORAL Lesmes
Né à Burgos. XVIe siècle. Travaillait à Valladolid. Espagnol.
Sculpteur, peintre et orfèvre.
Cet artiste est un des grands sculpteurs de l'Espagne ; il avait épousé une fille du sculpteur Juan de Arfe et prit part à presque toutes les œuvres exécutées par son beau-père, qui lui-même travailla avec Juan de Juni et avec le Florentin Pompeijo Léoni aux deux célèbres statues représentant *D. Francisco de Sandoval*, duc de Lerme, et *Dona Catalina de la Cerda*, sa femme, à genoux sur leur tombeau et priant ; ces statues furent conçues par Léoni ; un commencement d'exécution leur fut donné par Léoni et Arfe ensemble, puis, Léoni se retira et Arfe continua l'œuvre aidé de Fernandez. Enfin, Arfe mourut avant d'avoir achevé les statues qui furent menées à bonne fin par Fernandez del Moral seul, mais conseillé par Léoni. Ces diverses circonstances ont longtemps mis en doute le véritable auteur de ces magnifiques sculptures, aujourd'hui au Musée de Valladolid. Moral travailla aussi à la statue du cardinal de Lerme, archevêque de Tolède, et à nombre d'autres œuvres de grande valeur.

FERNANDEZ de NAVARRETE Juan, dit **el Mudo**
Né vers 1526 à Logrono. Mort en 1579 à Tolède. XVIe siècle. Espagnol.
Peintre.
À l'âge de trois ans, il fit une grave maladie qui le rendit sourd et par conséquent l'empêcha d'apprendre à parler. Fray Vicente de Santo Domingo fut son premier maître. Puis on dit que Fernandez se rendit en Italie où il aurait travaillé sous le Titien à Venise. Sa renommée vint aux oreilles de Philippe II qui l'appela à Madrid pour travailler aux décorations de l'Escurial que l'on venait de commencer. A partir de 1568 il fut peintre du roi et reçut en dehors du prix de ses œuvres deux cents ducats de pension. On cite de lui : *L'Assomption* ; *Le Martyre de saint Jacques le Grand* ; *Saint Philippe et saint Jérôme*, une *Nativité*, une *Sainte Famille* ; *Saint Jean écrivant l'Apocalypse*. Ces derniers tableaux terminés en 1575 lui furent payés 800 ducats. Malheureusement trois des peintures : *L'Assomption*, *Saint Philippe*, *Saint Jean* furent détruites dans un incendie. C'est en 1576 qu'El Mudo exécuta la fameuse peinture représentant *Abraham et les trois Anges*. Vers la même époque, il passa un contrat avec le prieur-trésorier de l'Escurial s'engageant à fournir 32 tableaux dans

l'espace de quatre ans. La mort ne lui laissa pas le temps de mettre cette vaste entreprise à exécution. En 1577 et 1578, il peignit les 8 premiers tableaux. Le reste fut continué par Alonso Sanchez Coello et Luiz de Carvajal. Peintre non conventionnel, il dépouilla ses œuvres religieuses de toute emphase. Il se montra précurseur de Caravage à travers ses effets de « ténébrisme ». Malheureusement, sa mort prématurée ne lui a pas permis de continuer dans cette voie.
Bibliogr. : J. Lassaigne : *La peinture espagnole, des fresques romanes au Greco*, Skira, Genève, 1952.
Musées : Londres (Mus. British) : *Nu masculin* – Madrid : *Baptême du Christ – Saint Pierre et saint Paul.*

FERNANDEZ de PEDRAXAS Tomas
XVIIIe siècle. Espagnol.
Sculpteur.
Dans la maison de Don R. Diaz de Morales à Cordoue, démolie vers 1890, se trouvaient deux bas-reliefs représentant une *Incarnation* et une *Assomption*, portant la date 3 août 1749 à Cordoue, et la signature de cet artiste.

FERNANDEZ de PENALOSA Pedro
Mort en 1523 à Séville, selon certaines sources. XVIe siècle. Espagnol.
Peintre.
Il vécut et travailla à Séville où il se maria en 1516.

FERNANDEZ de Quesada Gabriel
XVIe siècle. Travaillant à Séville en 1534. Espagnol.
Sculpteur.

FERNANDEZ de SAHAGUN Alfonso
XVe siècle. Espagnol.
Sculpteur.
Il exécuta en 1418 des travaux de sculpture au portail principal de la cathédrale de Tolède.

FERNANDEZ de SANTOS Sinforiano
Né le 8 novembre 1858 à Valladolid. Mort le 21 juillet 1876 à Valladolid. XIXe siècle. Espagnol.
Peintre.
Très jeune, il obtint un premier prix au concours de 1875. Il promettait d'être un peintre de talent.

FERNANDEZ de VILLASANTE Julio Moisés. Voir **MOISÉS FERNANDEZ de VILLASANTE Julio**

FERNANDEZ ALVARADO. Voir **ALVARADO Fernandez**

FERNANDEZ ARDAVIN César
Né vers 1880 à Madrid. XXe siècle. Espagnol.
Peintre de genre.
Il fut élève de Cecilio Plà y Gallardo à Madrid. Il participa à des expositions collectives, obtenant des médailles à Madrid et Barcelone.
Il peignait des tableaux de genre : *Le Rosaire ; La fiancée et ses amies.*

FERNANDEZ BENDICHO Pedro ou **Ferrandez Bendicho** ou **Fernandez Pedro**
XVIe siècle. Actif à Séville vers 1520. Espagnol.
Peintre.

FERNANDEZ CARPIO Manuel
Né au XIXe siècle à Jaén. XIXe siècle. Espagnol.
Peintre.
Il était élève de M. de la Paz à l'École des Beaux-Arts de Madrid. Une de ses premières œuvres fut *Esta muerto* ; il exposa à Madrid des tableaux de genre comme *Une fête de toros* et obtint plusieurs récompenses.
Musées : Madrid (Art Mod.) : *Intérieur d'atelier du XVIIe siècle.*

FERNANDEZ CRUZADO Joaquin Manuel
Né le 24 décembre 1781 à Jerez de la Frontera. Mort le 31 janvier 1856 à Cadix. XIXe siècle. Espagnol.
Peintre d'histoire et portraitiste.
Ce fut un artiste de talent très estimé de son temps. On cite de lui des portraits très remarquables et quelques bons tableaux, notamment une *Assomption* ; *Adam et Ève pleurant Abel* ; *Ange gardien.*

FERNANDEZ CUESTA Y PALAFOX Eusebio
Né le 26 juillet 1847 à Madrid. XIXe siècle. Espagnol.
Peintre.
Il étudia à l'École des Beaux-Arts de Madrid avec P. Gonzalvo. Il peignit des copies du Musée du Prado et des portraits comme ceux du *Duc de Valence*, du *Marquis de los Castillejos*. Il fit des tableaux de genre inspirés de la vie du peuple espagnol : on cite *Joueurs de cartes* et *Noce au village* exposés en 1871 à Madrid.

FERNANDEZ Y GONZALEZ Domingo
Né en 1862 à Séville. Mort vers 1918. XIXe-XXe siècles. Espagnol.
Peintre de compositions religieuses, compositions à personnages, paysages portuaires, intérieurs d'églises, illustrateur.
Il fut élève de l'école des Beaux-Arts de Séville, obtenant divers prix. En 1886, il bénéficia d'une bourse pour l'Académie espagnole de Rome. Il voyagea en Allemagne, France, Espagne, et surtout en Amérique latine, où il séjourna longtemps, notamment à Buenos Aires où il exerça des fonctions officielles. Il a participé à de nombreuses expositions : à Cadix, Berlin, Munich, Londres, Madrid, Santiago du Chili, Rosario-de-Santa-Fe.
Bibliogr. : In : *Cent ans de peinture en Espagne et au Portugal, 1830-1930*, Antiquaria, Madrid, 1988.
Musées : Boston – Nice – Rome (Mus. d'Art Contemp.) – Séville.
Ventes Publiques : New York, 25 jan. 1980 : *Un toast à la guitariste*, h/pan. (22x33) : **USD 9 000** – Barcelone, 17 déc. 1987 : *Intérieur de la basilique Saint-Marc à Venise*, h/t (70x51) : **ESP 1 850 000** – Londres, 23 nov. 1988 : *Le Port de Barcelone*, h/cart. (26x20) : **GBP 2 200** – Londres, 15 fév. 1990 : *Demandant leur chemin*, h/pan. (20,5x15) : **GBP 550** – Milan, 23 oct. 1996 : *Capri, escalier en bord de mer*, h/t (22,5x34) : **ITL 9 087 000**.

FERNANDEZ GUERRA Y ORBE Luis
XIXe siècle. Actif à Madrid. Espagnol.
Peintre et écrivain.
Il étudia à l'École des Beaux-Arts de Grenade et figura aux Expositions de cette ville depuis 1839 avec des portraits à l'aquarelle, des dessins et des peintures à l'huile représentant des scènes militaires. Il exécuta également des lithographies pour la Revue *El Samanario Pintoresco Espanol.*

FERNANDEZ GUERRERO José
XIXe siècle. Espagnol.
Sculpteur.
Il étudia à l'École des Beaux-Arts de Cadix. En 1819, il fut nommé membre d'honneur de l'Académie San Fernando à Madrid pour une statue monumentale exécutée à l'occasion des funérailles de la reine Marie-Isabelle de Bragance.

FERNANDEZ HIDALGO Eulalio
XIXe-XXe siècles. Espagnol.
Peintre de genre, portraits, figures, paysages.
Il fut élève de l'École des Beaux-Arts de San Fernando à Madrid. Participant à l'Exposition Nationale des Beaux-Arts de 1906, il obtint une mention honorable.
Il s'inspirait dans ses sujets religieux du style classique du XVIIe siècle, notamment de Zurbaran.
Bibliogr. : In : *Cent ans de peinture en Espagne et au Portugal, 1830-1930*, Antiquaria, Madrid, 1988.

FERNANDEZ Y JIMENEZ Federico. Voir **JIMÉNEZ Y FERNANDEZ**

FERNANDEZ MUNOZ Teodoro
Né au XIXe siècle à Jaén. XIXe siècle. Espagnol.
Peintre.
Il étudia et travailla à Madrid comme peintre de marines et de paysages. Ses œuvres furent exposées en 1856 à Cadix et en 1860 à Madrid.

FERNANDEZ-MURO José Antonio
Né en 1920 à Madrid. XXe siècle. Depuis 1938 actif en Argentine, depuis 1962 aux États-Unis, depuis 1969 en Espagne. Espagnol.
Peintre, technique mixte. Abstrait, tendance géométrique.
Sa famille émigra en 1938 à Buenos Aires, où il commença ses études de peinture. En 1948, il retourna en Espagne pour deux années. En 1952, à Buenos Aires, il forma un groupe avec quatre autres peintres et deux sculpteurs. En 1957, il reçut une bourse de l'UNESCO pour étudier à Paris la muséographie, au Musée du Louvre avec Germain Bazin et à la Sorbonne avec Pierre Francastel, parcourant les principaux musées d'Europe et des États-Unis.
Il participe à de très nombreuses expositions collectives, d'entre lesquelles : 1948 à l'UNESCO groupe d'artistes latino-américains, 1952 avec le groupe de Buenos Aires au Musée d'Art Moderne de Rio de Janeiro et au Stedelijk Museum d'Amster-

dam, 1953 Biennale de São Paulo, 1956 Biennale de Venise, 1958 *Pittsburgh International* du Carnegie Institute, et Exposition Internationale de Bruxelles, 1959 groupes de peintres latino-américains à l'Art Institute de Chicago et au Museum of Fine Arts de Dallas, 1961 *Tapies et Fernandez-Muro* au Musée National des Beaux-Arts de Buenos Aires, et VIe Biennale de São Paulo, 1963 *De l'art concret à la nouvelle tendance* au Musée d'Art Moderne de Buenos Aires, 1964 Guggenheim International Award à New York, 1967 *Art Latino-Américain* à la Pennsylvania Academy de Philadelphie, 1970 Sélection des collections du Musée Guggenheim à New York, 1971 *Art du Présent en Argentine* à la Kunsthalle de Bâle, au Musée de Rhénanie de Bonn, et Kunsthaus de Hambourg, etc. Il a obtenu de nombreuses distinctions : 1958 médaille d'or à l'Exposition Internationale de Bruxelles, 1962 Prix Herbert Read à la Biennale Interaméricaine de Cordoba (Argentine), 1968 un Prix à la Biennale de Coltejer-Medellin. Il montre aussi des ensembles de ses peintures dans de nombreuses expositions personnelles : 1944, 1946, 1958, 1962 Buenos Aires, 1963, 1965, 1967 New York, 1965 Detroit, 1967, 1972, 1977 Madrid, 1979 Caracas, etc.
Dans ses débuts en peinture, il traversa plusieurs périodes sous diverses influences : le pointillisme du néo-impressionnisme, puis l'expressionnisme de la Brücke. Ce fut à partir de 1955 environ qu'il commença de se référer au constructivisme et que se détermina progressivement son expression personnelle. Ses peintures de la maturité, dans une toutefois évidente unité de style, due surtout à une évidente perfection technique de l'exécution, ont, au cours des années, effectué des emprunts stylistiques à ce qu'on peut appeler le répertoire de la « modernité », prélevés chez des artistes d'ailleurs très différents, en général de l'école américaine moderne, peinture de champ de Rothko, très fréquemment carrés et hachures de Sol Lewitt, figures élémentaires du minimalisme, mais aussi « tachages » rustiques et croix ou signes élémentaires de l'Espagnol Tapies, lettres et chiffres typographiques, spectre chromatique des mires de réglage de la télévision ou de l'offset, exploités depuis l'Américain Rauchenberg, au Yougoslave Velickovic, au Japonais Tabuchi ou à tant d'autres.
Tous ces stéréotypes, aussi franchement assumés par Fernandez-Muro, doivent-ils être compris de sa part comme le vocabulaire basique d'un éventuel langage plastique impersonnel, international, visant à l'universel, et dont il serait un virtuose ?

■ Jacques Busse

Bibliogr. : Michel Seuphor : *Dict. de la peinture abstraite*, Hazan, Paris, 1957 – Leopoldo Castedo et divers : Catalogue de l'exposition *Fernandez-Muro 1979-1985*, Mus. Espagnol d'Art Contemporain, Mus. Nat. des Beaux-Arts, Buenos Aires, 1985, abondant appareil documentaire – Damian Bayon, Roberto Pontual, in : *La Peint. de l'Amérique latine au XXe siècle*, Mengès, Paris, 1990.
Musées : Amsterdam (Stedelijk Mus.) – Austin (University of Texas Art Mus.) – Buenos Aires (Mus. Nat. des Beaux-Arts) – Caracas (Mus. des Beaux-Arts) – Cuenca (Mus. d'Art Abstrait) – Dallas (Mus. des Beaux-Arts) – Madrid (Mus. Espagnol d'Art Contemp.) – Miami (Metropolitan Mus.) – New York (Mus. d'Art Mod.) – New York (Solomon R. Guggenheim Mus.) – Oakland (Art Mus.) – Porto-Rico (Mus. de Arte de Ponce) – Washington D. C. (Mus. d'Art Contemp. d'Amérique latine).
Ventes Publiques : New York, 7 nov. 1980 : *N.Y.C. Electrical* 1966, techn. mixte/t. (91,5x78,7) : **USD 1 000** – New York, 30 mai 1984 : *Transico-verde-entrada* 1960, h/t (129,6x98) : **USD 1 500**.

FERNANDEZ OLMOS José
Né à Valence. XIXe siècle. Espagnol.
Peintre.
Il étudia à l'Académie de San Carlos à Valence. Il figura à l'Exposition de Madrid en 1866 avec un tableau représentant le *Don Quichotte* de Cervantès.

FERNANDEZ PATTO Lucien
Né à Paris. XIXe siècle. Français.
Sculpteur.
Sociétaire des Artistes Français depuis 1902. Mention honorable en 1906.

FERNANDEZ PESCADOR Eduardo
Né en 1836 à Madrid. Mort le 26 mai 1872 à Madrid. XIXe siècle. Espagnol.
Graveur et sculpteur.
Élève de l'Académie de San Fernando et de son oncle José Sanchez Pescador. Il vint travailler à Paris vers 1855. Il exposa à Madrid de 1860 à 1866.

FERNANDEZ Y RODRIGUEZ Rosendo
Né le 24 septembre 1840 à Antequera. Mort le 8 décembre 1909 à Cortegana. XIXe siècle. Espagnol.
Peintre de genre.
Élève de l'École des Beaux-Arts de Séville. Il débuta à Madrid en 1864 avec *La Résignation*. Le Musée de Séville conserve de lui : *Vue du monastère de Saint-Paul et Saint-François*.

FERNANDEZ Y RODRIGUEZ Silvio
Né vers 1850 à Ribadavia (Galice). XIXe siècle. Espagnol.
Peintre.
Il fut élève de José Marti y Monso à l'Académie de Valladolid qui le récompensa pour son œuvre *Un mozo de cuerda* et s'en rendit acquéreur. Il étudia également à Madrid et Rome et figura à l'Exposition Nationale de Madrid avec son tableau d'histoire *Torquemada* ; ses études de genre inspirées de la vie du peuple de Galice figurèrent à l'Exposition Régionale à Madrid en 1912.

FERNANDEZ SANAHUYA Manuel
Né au XIXe siècle à Madrid. XIXe siècle. Espagnol.
Peintre d'histoire, de marines et de genre.
Élève de l'Académie de San Alejandro à la Havane. Il exposa à Madrid à partir de 1864.

FERNANDEZ VASCO de CAZAL. Voir **FERNANDES Vasco**

FERNANDI Francesco ou **Ferdinandi**, dit **Imperiali**
Né en 1679. Mort en 1740. XVIIIe siècle. Italien.
Peintre d'histoire, compositions religieuses.
Il travaillait à Rome en 1730.
Musées : Rome (église Saint-Eustache) : *Le Martyre de saint Eustache* – Rome (église San Gregorio Magno) : *Le Martyre de saint Romuald*.
Ventes Publiques : Londres, 25 nov. 1970 : *Hector et Andromaque* : **GBP 800** – Londres, 6 juil. 1978 : *Alexandre le Grand récompensant ses capitaines*, h/t (54,5x77) : **GBP 2 200** – Londres, 24 oct. 1986 : *Eliezer et Rebecca au puits*, h/t (123,9x158) : **GBP 23 000** – New York, 7 avr. 1989 : *Adoration des mages*, h/t (73x86,5) : **USD 9 350** – Londres, 9 avr. 1990 : *Erminie gravant le nom de Tancrède sur un tronc d'arbre*, h/t (87,7x74) : **GBP 16 500** – Londres, 19 avr. 1991 : *Partie de pêche mythologique*, h/t (94,5x121,8) : **GBP 6 600**.

FERNANDINOV Nicolas
XXe siècle. Actif au Venezuela. Russe.
Peintre.
On sait peu de choses sur lui. Totalement déraciné, il passa sa vie au Venezuela. Il influença la peinture du Vénézuélien Armando Reveron.

FERNANDO
XVe siècle. Actif à Séville vers 1480. Espagnol.
Peintre.

FERNANDO Francisco
XVIIe siècle. Actif à Valladolid. Espagnol.
Sculpteur.
Cet artiste fut chargé de déplacer le principal retable de Tuleda, en 1630.

FERNANDO Gomez
XVIe siècle. Actif à Séville vers 1533. Espagnol.
Peintre.

FERNANDO II, roi de Portugal ou **Ferdinand Auguste François Antoine de Saxe-Cobourg-Kohary**
Né le 29 octobre 1816 à Vienne. Mort le 15 décembre 1881 à Lisbonne. XIXe siècle. Portugais.
Peintre de genre, portraits, aquarelliste, sculpteur de statues, graveur.
Marié sous le nom du duc de Bragance à la reine Maria II de Portugal, il porta le titre de roi de Portugal jusqu'à l'avènement de son fils Pedro V. Il fut un ami des arts dans tous les domaines. On cite parmi ses œuvres une statue équestre du *Maréchal J. von Rantzau*, des paysages à l'aquarelle pour le boudoir de la reine Marie II dans le Palacio das Necessidades à Lisbonne et de nombreux dessins à la plume qu'il a gravés lui-même sur cuivre.
Parmi ses dessins se trouvent des études d'animaux d'après nature, des scènes enfantines, des costumes portugais, des souvenirs de sa vie en Hongrie, des caricatures de la vie de la cour de Lisbonne, puis enfin des portraits, comme celui du *Baron Eschwege*, de ses deux fils aînés, et de son père. Son monogramme est représenté par les deux lettres F E enlacées.

FERNANDO Jose
XIXe siècle. Actif à Séville. Espagnol.
Graveur.

FERNANDO de Alcala
Mort avant avril 1505. xve siècle. Travaillait à Séville. Espagnol.
Peintre.

FERNANDO de Cordoba
xvie siècle. Actif à Séville. Espagnol.
Sculpteur.

FERNANDO de Revilla. Voir **REVILLA Fernando de**

FERNANDO de Toledo, appelé aussi **Hernando de Toledo**
xve-xvie siècles. Actif à Séville aux xve et xvie siècles. Espagnol.
Peintre.

FERNBACH Agnes B.
Née le 29 juin 1877 à New York City. xxe siècle. Américaine.
Graveur à l'eau-forte.

FERNBACH Franz Xaver
Né en 1793 à Waldkirch (Brisgau). Mort le 25 février 1851 à Munich. xixe siècle. Allemand.
Peintre de portraits, natures mortes.
Il vint étudier à l'Académie de Munich en 1816 et reçut une médaille d'argent à la Kunstaustellung de 1820 pour ses imitations de mosaïque. Grâce à l'appui du roi Max qui s'intéressa à ses tableaux il put étudier la minéralogie, la physique et la chimie aux Universités de Landshut et de Vienne où il acquit une grande expérience technique qu'il divulgua dans ses œuvres *Sur les connaissances et le traitement de la peinture à l'huile, Manuel pour les artistes et amis de l'art*. Il fit de nombreux portraits et natures mortes.

FERNBACH Wilhelm
Mort le 16 mars 1884 à Milan. xixe siècle. Allemand.
Peintre.
Fils de Franz Xaver Fenbach. On cite de cet artiste *Deux paysannes devant le Crucifix* à Donaueschingen.

FERNE Hortense T.
Née à New York. xxe siècle. Américaine.
Peintre et graveur à l'eau-forte.
Première mention honorable du Plastic Club, 1927.

FERNEAUT Charles
Né vers 1693. Mort en juillet 1759. xviiie siècle. Actif à Paris. Français.
Sculpteur.

FERNEL Clémence
Née au xixe siècle. xixe siècle. Française.
Peintre de portraits.
Elle figura au Salon de Paris en 1837, 1838 et 1839.

FERNEL Fernand
Né vers 1872 à Bruxelles. Mort vers 1934 à Paris. xxe siècle. Belge.
Peintre, dessinateur humoriste, affichiste.
Il exposa à Paris, en 1903 au Salon d'Automne, puis au Salon des Humoristes de 1907 à 1914, de 1920 à 1923, à partir de 1925 au Salon des Artistes Indépendants.
Peintre, il a consacré bon nombre de ses œuvres au cirque et au monde du théâtre. Il a dessiné des albums pour enfants : *Mr Bob et son Rataplan, Estampes sportives, Les jolies poupées*, en 1913 *Les enfants s'amusent*. Il publiait des dessins dans les magazines : *La Caricature, Le Rire, Le Sourire*, etc. Il créa aussi des affiches publicitaires, notamment pour le magasin *La Belle Jardinière*.
Bibliogr. : Marcus Osterwalder, in : *Diction. des illustrateurs, 1800-1914*, Ides et Calendes, Neuchâtel, 1989.

FERNEL Jacques ou **Fernelle**
Originaire de Caen. xviiie siècle. Français.
Peintre.

FERNELEY Claude Lorraine
Né en 1822. Mort en 1891 ou 1892. xixe siècle. Britannique.
Peintre de scènes de chasse, animaux, paysages animés.
Ses tableaux représentant principalement des chevaux figurèrent en 1851 et 1853 à la Royal Hibernian Academy à Dublin puis dans différentes Expositions de Londres, et en 1868 à la Royal Academy.
Ventes Publiques : Londres, 16 mai 1928 : *Deux chevaux de chasse* : **GBP 10** – Londres, 25 mai 1934 : *La voiture de Bangor* : **GBP 11** – Londres, 30 juil. 1947 : *Scène de chasse* : **GBP 170** – Londres, 17 mars 1961 : *Slawston, Magnum Bovum et Sultan* : **GBP 294** – Londres, 16 juil. 1976 : *Chevaux dans leur boxe* 1877, deux h/t (60,5x78) : **GBP 400** – Londres, 19 juil. 1978 : *Lord Newport with his favourite hunter Rowton* 1862, h/t (44,5x60) : **GBP 1 400** – Londres, 26 juin 1981 : *Pur-sang et chien dans un paysage* 1850, h/t (64x77) : **GBP 3 000** – Londres, 11 juil. 1984 : *Cheval sellé tenu par un chasseur avec son chien* 1852, h/t (63,5x76) : **GBP 2 400** – New York, 7 juin 1985 : *Cheval et terrier à l'écurie* 1846, h/cart. (30,5x35,5) : **USD 4 500** – Londres, 14 juil. 1989 : *Un poney sellé et un fusil et un carnier de part et d'autre d'une porte* 1879, h/t (51x77,5) : **GBP 8 250** – Londres, 15 nov. 1989 : *Un canonnier, batterie G de l'artillerie royale* 1848, h/t (49,5x62) : **GBP 4 950** – New York, 7 juin 1991 : *Le cheval du Comte de Jersey Riddleworth monté par J. Robinson* 1841, h/t (25,4x30,5) : **USD 6 600** – Londres, 3 fév. 1993 : *Les chevaux Dragon et Prince Noir dans un paysage* 1852, h/cart. (22x28) : **GBP 862** – New York, 3 juin 1994 : *Little Peter dans son écurie* 1875, h/t (48,3x63,5) : **USD 6 325** – New York, 11 avr. 1997 : *Hunter alezan dans un box*, h/t (61x78,7) : **USD 3 450**.

FERNELEY John E.
Né en 1781. Mort en 1860 ou 1862 à Melton Mowbray. xixe siècle. Britannique.
Peintre de scènes de chasse, animaux.
De 1809 à 1855, il exposa des tableaux de chasse à la Royal Academy, à la British Institution et à Suffolk Street.

J Ferneley

Ventes Publiques : Paris, 23 mars 1878 : *Launcelot cheval de course* : **FRF 320** – Londres, 4 juin 1923 : *Cheval de course* : **GBP 3** – Londres, 25 juin 1923 : *Cheval de chasse* : **GBP 21** – Londres, 21 déc. 1923 : *Jolly Roger, cheval de chasse* : **GBP 10** ; *Coriander, Zanga et Don Pedro, trois chevaux de chasse* : **GBP 13** ; *Lord Lismore* : **GBP 110** – Londres, 4 fév. 1924 : *Beeswing et son poulain* : **GBP 73** – Londres, 22 fév. 1924 : *Jument près de Cesario* : **GBP 52** – Londres, 30 juin 1924 : *Conjuror dans une écurie* : **GBP 27** – Londres, 27 fév. 1925 : *Chevaux de chasse* : **GBP 8** – Londres, 18 déc. 1925 : *William Michener Max Field* : **GBP 60** ; *Groom* : **GBP 10** – Londres, 12 fév. 1926 : *Chasse au renard* : **GBP 199** – Londres, 13 avr. 1927 : *O'Callaghan* : **GBP 294** – Londres, 9 mai 1927 : *Cheval gris* : **GBP 10** – Londres, 4 juil. 1927 : *Cheval de chasse à la porte de l'écurie* : **GBP 13** ; *Trois chevaux* : **GBP 18** – Londres, 13 juil. 1928 : *Deux chevaux de chasse en train de brouter* : **GBP 546** – Londres, 5 déc. 1928 : *Henry Villebois* : **GBP 820** – Londres, 7 déc. 1928 : *Abbaye de Wycombe* : **GBP 378** – Londres, 14 déc. 1928 : *Portrait d'un cheval de chasse* : **GBP 304** – Londres, 14 juin 1929 : *Chasse au renard*, trois peintures : **GBP 1 102** – Londres, 19 juil. 1929 : *Chasse au renard*, trois peintures : **GBP 609** – Londres, 16 juil. 1930 : *Rencontre de chiens de chasse* : **GBP 740** – Londres, 3 juil. 1931 : *Caro* : **GBP 6** – Londres, 17 juil. 1931 : *Bénédict* : **GBP 33** – Philadelphie, 30 et 31 mars 1932 : *Chasseur et chiens* : **USD 105** – Londres, 8 avr. 1932 : *Cheval blanc* : **GBP 19** – Londres, 7 déc. 1933 : *Richard William Penn* : **GBP 525** – New York, 18 et 19 avr. 1934 : *Gustavus et jockey* : **USD 225** – Londres, 25 avr. 1934 : *Major Healy* : **GBP 78** – Londres, 19 juin 1936 : *Rockingham* : **GBP 7** – Londres, 17 mars 1937 : *Clinker* : **GBP 25** – Londres, 24 mai 1937 : *Cheval* : **GBP 18** ; *Cheval gris* ; *Cheval bai*, ensemble : **GBP 10** – Londres, 23 juil. 1937 : *Trois chevaux* : **GBP 147** ; *Deux chevaux* : **GBP 120** ; *Trois chevaux dans un paysage* : **GBP 152** – Londres, 2 juin 1938 : *Dîner de chasse* : **GBP 19** – Paris, 20 juin 1938 : *Levrette et lièvre morts dans un paysage* 1829 : **FRF 3 000** – Londres, 7 déc. 1938 : *Chasseur* : **GBP 25** – Londres, 25 mai 1939 : *Chasseur* : **GBP 68** – Londres, 28 juil. 1939 : *Chasse au renard* : **GBP 52** ; *Clinker* : **GBP 6** – Londres, 9 mai 1940 : *Chasseur* : **GBP 5** – Londres, 25 oct. 1940 : *Trois chevaux* : **GBP 31** – Londres, 18 déc. 1940 : *Scène de chasse* : **GBP 6** – Londres, 5 déc. 1941 : *Portrait de H. W. Pennestone* : **GBP 10** – Londres, 24 juin 1942 : *« Melbourne », cheval* : **GBP 32** – Londres, 26 août 1942 : *Chasse de Rufford* : **GBP 270** ; *Chasse de Rufford* : **GBP 55** – Londres, 25 nov. 1942 : *Chasse de Rufford* : **GBP 50** – Londres, 17 juin 1943 : *Deux chevaux et un garçon* : **GBP 78** – Londres, 26 juil. 1943 : *John Foster Giles* : **GBP 325** – Londres, 24 mai 1944 : *Cheval blanc* : **GBP 115** – New York, 15 et 16 mai 1946 : *Cheval et chiens* : **USD 1 600** – Londres, 19 mars 1947 : *Cheval de chasse* : **GBP 30** – Londres, 28 mars 1947 : *John Drummond* : **GBP 1 680** ; *Chasse au renard* : **GBP 1 312** – Londres, 30 mai 1947 : *Homme* :

GBP 630 ; *Baronet, cheval* : **GBP 504** ; *Cross-bow, cheval* : **GBP 73** ; *Cheval* : **GBP 220** ; *Défiance* : **GBP 210** – LONDRES, 29 nov. 1957 : *Portrait of the Chorister* : **GBP 1 627** – LONDRES, 6 nov. 1959 : *Scène de chasse, avec un portrait du capitaine John White* : **GBP 945** – NEW YORK, 6 avr. 1960 : *Béret bleu* : **USD 800** – LONDRES, 30 nov. 1960 : *Portrait de sir Wilfrid Lawson* : **GBP 2 000** – LONDRES, 16 juin 1961 : *Capitaine Frank Hall* : **GBP 2 100** – LONDRES, 20 nov. 1963 : *Cheval dans un paysage* : **GBP 1 700** – LONDRES, 19 nov. 1965 : *Écuyer tenant deux chevaux dans une rue de Londres* : **GNS 7 200** – LONDRES, 18 nov. 1966 : *Le pur-sang* : **GNS 9 500** – LONDRES, 22 nov. 1967 : *Pur-sang dans un paysage* : **GBP 17 000** – NEW YORK, 25 sep. 1968 : *Trois chevaux dans un paysage* : **USD 44 000** – LONDRES, 20 juin 1969 : *Les enfants Ferneley* : **GNS 28 000** – LONDRES, 13 déc. 1972 : *Trois pur-sang dans un paysage* : **GBP 16 000** – LONDRES, 22 nov. 1974 : *The Burton hunt* : **GNS 55 000** – LONDRES, 26 mars 1976 : *Scène de chasse* 1831, h/pan. (45,7x58,4) : **GBP 1 700** – LONDRES, 24 juin 1977 : *Un gentilhomme tenant un cheval sellé par la bride* 1807, h/t (70x90) : **GBP 4 000** – LONDRES, 27 mars 1981 : *Sir Harry Goodrick deer-stalking* 1836, h/t (110,5x147,3) : **GBP 22 000** – LONDRES, 26 juin 1981 : *Pur-sang et poney dans un paysage* 1849, h/t (62,2x75) : **GBP 4 500** – LONDRES, 13 juil. 1984 : *Equestrian portrait of Captain Joseph Smyth-Windham* 1816, h/t (101,6x127,5) : **GBP 48 000** – LONDRES, 23 nov. 1984 : *The 8th King's Irish Hussars on a field day*, h/t (68,6x96,5) : **GBP 12 000** – NEW YORK, 6 juin 1985 : *The Melton Mowbray statute fair* 1838, h/t (59x84) : **USD 22 000** – NEW YORK, 4 juin 1987 : *The Cur, a chestnut racehorse with jockey up on Newmarket Heath* 1848, h/t (101,6x127) : **USD 290 000** – LONDRES, 15 juil. 1988 : *Mr George Marriott sur son trotteur bai franchissant une cloture* 1845, h/t (86,4x114,2) : **GBP 77 000** – LONDRES, 18 nov. 1988 : *Chien courant rapportant une perdrix* 1836, h/t (101,2x126,7) : **GBP 9 350** – NEW YORK, 24 mai 1989 : *Le pur sang Harkaway* 1840, h/t (71,1x85,4) : **USD 39 600** – LONDRES, 14 juil. 1989 : *Portrait de George Payne de Sulby sur son trotteur alezan The Clipper au galop* 1827, h/t (89x112) : **GBP 88 000** – LONDRES, 14 juil. 1989 : *Hyde Park Corner*, h/t (76,2x152,3) : **GBP 49 500** – PERTH, 28 août 1989 : *Boucher dépouillant un cerf*, h/t (76x63,5) : **GBP 5 720** – LONDRES, 20 avr. 1990 : *Mrs Meakin tenant la bride d'un hunter dans une stalle avec les chiens Hector et Jem près de lui* 1853, h/t (86,3x111,8) : **GBP 30 800** – LONDRES, 11 juil. 1990 : *Le maître d'équipage Peter Christie sur son cheval alezan dans un paysage* 1817, h/t (84x105) : **GBP 17 600** – NEW YORK, 24 oct. 1990 : *Un hunter alezan doré dans un paysage* 1853, h/t (87x112,4) : **USD 19 800** – LONDRES, 20 avr. 1990 : *Launcelot le poulain brun de la marquise de Westminster, monté par W. Scott et Maroon et Gibraltar à l'arrière-plan* 1840, h/t (73x93,4) : **GBP 19 800** – LONDRES, 12 avr. 1991 : *Cigare, le trotteur de Mr. Sterling Crawford, dans son écurie* 1841, h/t (83,8x110,5) : **GBP 27 500** – NEW YORK, 7 juin 1991 : *Pur-sang monté par un jockey portant les couleurs de Lord Elcho* 1838, h/t (86,4x106,7) : **USD 154 000** – LONDRES, 10 avr. 1991 : *Pur-sang bai avec son lad dans son écurie*, h/t (61x73,5) : **GBP 2 090** – LONDRES, 10 juil. 1991 : *Mr. Markwell, veneur de la chasse de Cheshire sur Magic*, h/t (43x60) : **GBP 5 500** – NEW YORK, 16 oct. 1991 : *Le Départ d'une course de douze chevaux à York* ; *L'Arrivée d'une course de douze chevaux à York*, h/t, une paire (chaque 46,6x101,6) : **USD 41 800** – LONDRES, 10 avr. 1992 : *Hunter bai sellé dans un vaste paysage avec des chasseurs et leurs chiens au lointain* 1824, h/t (86,3x106,7) : **GBP 31 900** – LONDRES, 20 nov. 1992 : *Priam, pur-sang bai monté par Sam Day avant une course* 1830, h/t (85,4x106,4) : **GBP 71 500** – LONDRES, 18 nov. 1992 : *Jument et son poulain dans un paysage* 1856, h/t (61,5x74) : **GBP 7 150** – LONDRES, 6 avr. 1993 : *Lord Robert Manners of Benefit, Lord Charles of Featherlegs et le Duc de Rutland chassant près de Belvoir Castle* 1838, h/t (89x142,4) : **GBP 132 400** – LONDRES, 14 juil. 1993 : *La chasse sortant du couvert et Melton Mowbray à distance*, h/t (34x64) : **GBP 6 900** – NEW YORK, 12 oct. 1994 : *Portrait de Sultan, cheval bai dans un paysage* 1831, h/t (71,1x91,4) : **USD 27 600** – LONDRES, 12 juil. 1995 : *Philip, pur sang bai appartenant à Lord Elcho, monté par son jockey* 1838, h/t (86,5x106,7) : **GBP 67 500** – NEW YORK, 9 juin 1995 : *Rassemblement devant le pavillon de Garendon Park*, h/t (60,3x158,8) : **USD 48 875** – LONDRES, 13 nov. 1996 : *L'Attente du maître : chevaux, palefreniers et chiens de meute de John Morant* 1820, h/t (105,5x128) : **GBP 194 000** – PARIS, 29 mars 1996 : *Un soldat du 15e régiment de dragons entraînant le cheval du colonel Colqhoun Grant à Canterbury* 1826, h/t (79x107) : **FRF 200 000** – PERTH, 20 août 1996 : *Retour vers la maison* 1833, h/t (51x63,5) : **GBP 4 830** – LONDRES, 13 nov. 1996 : *Shamrock, pur-sang bai, dans un paysage avec une vue de Belvoir Castle en arrière-plan* 1829, h/t (71x91) : **GBP 28 750** – NEW YORK, 11 avr. 1997 : *Emilius, vainqueur du Derby 1832*, h/t (62,2x76,2) : **USD 34 500** ; *Trois hunters appartenant à Robert Myddelton-Biddulph* 1830, h/t (111,8x160) : **USD 96 000** – LONDRES, 12 nov. 1997 : *Ralph John Lambton, son homme de chasse et sa meute* 1832, h/t (110x156) : **GBP 397 500**.

FERNEMAN Albin Verner

Né en 1894 à Filipstad. XXe siècle. Suédois.

Peintre de compositions animées, portraits, paysages.

Il a figuré, en 1921, au Salon d'Automne à Paris.

VENTES PUBLIQUES : STOCKHOLM, 20 oct. 1987 : *Un village d'Alsace* 1922, h/t (49x40) : **SEK 28 000**.

FERNER

XVIIIe siècle. Actif à Meissen. Allemand.

Peintre sur porcelaine.

FERNET Richard Joseph

Né le 18 avril 1735 à Valenciennes. Mort le 31 mars 1810 à Valenciennes. XVIIIe-XIXe siècles. Français.

Sculpteur sur bois.

Il fut reçu maître avant 1757 et fut plusieurs fois Maître Juré de sa corporation à Valenciennes où il travailla pour les églises et les monastères, en particulier pour la chapelle du Saint-Sacrement à Saint-Géry, et pour Saint-Nicolas, où il sculpta le buffet d'orgue. Avec J. P. Gillet il exécuta les décorations des loges du théâtre de Valenciennes. On mentionne également de sa main un tabernacle pour l'église de Marquette-en-Ostrevent.

FERNEX Jean Baptiste, ou **Jean Baptiste de**. Voir **DEFERNEX Jean Baptiste**

FERNEZ Louis

Né en 1900 à Avignon (Vaucluse). Mort en 1983 à Paris. XXe siècle. Français.

Peintre de figures, paysages, compositions murales.

Il fut élève de Fernand Cormon à l'École des Beaux-Arts de Paris et du peintre montpelliérain Léon Cauvy, qui fut directeur de l'École des Beaux-Arts d'Alger. Il obtint la bourse de la Casa Velasquez à Madrid et en fut pensionnaire. Il a commencé à exposer à Paris en 1920, aux Salons des Artistes Français et d'Automne dont il devint sociétaire. Il a figuré aussi au Salon des Tuileries. Il a en outre participé à des expositions collectives à Prague, Rome, Bruxelles, Bucarest, La Haye et dans de nombreuses villes d'Afrique du Nord. Ayant remporté le Grand Prix d'Art de l'Algérie, il y fit carrière. Attaché au Musée d'Alger, il réalisa des compositions murales dans plusieurs bâtiments publics d'Alger. Il fut professeur de peinture à l'École des Beaux-Arts d'Alger, puis à l'École des Beaux-Arts de Bourges, ainsi qu'à l'École Camondo des Arts et Techniques à Paris. Ce fut lui qui dessina le premier timbre à tête de Marianne pendant la guerre de 1939-1945, qui circula de 1944 à 1947. Il ne revint à Paris qu'en 1962. Il était chevalier de l'Ordre des Arts et Lettres.

VENTES PUBLIQUES : PARIS, 9 déc. 1996 : *L'Amirauté d'Alger*, gche (45x60) : **FRF 7 500**.

FERNHOUT Edgar

Né en 1912 à Bergen. Mort en 1976 à Bergen. XXe siècle. Hollandais.

Peintre de portraits, paysages, intérieurs, natures mortes. Réaliste, puis tendance abstraite.

Il était le petit-fils du peintre symboliste mystique Jan Toorop et fils de Charley Toorop, fille de Jan et peintre expressionniste. Il fit de fréquents séjours de travail à Amsterdam, en France, Italie. Il commença à peindre au début des années trente à Amsterdam. Il fit sa première exposition personnelle en 1932 à Amsterdam, suivie d'autres en Hollande, à l'étranger. Après la mort de sa mère en 1955, il de fixa de nouveau à Bergen.

Dans une première période, influencée par la peinture de sa mère, il peignait des intérieurs désertés, fondés souvent sur le thème de la *Fenêtre ouverte*, telle celle de 1933, des portraits : *Autoportrait avec Rachel* de 1932, des paysages à partir d'étranges végétations tourmentées, qui ont pu être dits d'inspiration métaphysique, dans un registre de tons glauques, où l'on peut reconnaître l'écho de l'œuvre de Jan Toorop, malgré une facture réaliste proche de la « Nouvelle Objectivité » allemande. Dans la période suivante, de nouveau à Bergen après la mort de sa mère, il a peint, dans une technique pointilliste, des compositions plus heureuses, inspirées des paysages de dunes sous des ciels d'azur, puis tendant à une abstraction géométrique personnelle, dans des harmonies de tons proches du monochrome et une occupation de l'espace de la toile apparentée au « all over » américain. Certaines sources, dont plusieurs divergent sur tout le cours de son œuvre, mentionnent dans ses dernières années un retour au réalisme. ■ Jacques Busse

Bibliogr. : In : *Peintres contemporains*, Mazenod, Paris, 1964 – in : *Diction. Univers. de la Peint.*, Le Robert, Paris, 1975 – in : *L'Art du XXe siècle*, Larousse, Paris, 1991 – Aloys Van der Berk, Jozien Moerbeek et John Steen : *Fernhout Schilder*, Amsterdam, 1990.

Musées : Utrecht (Centraal Mus.) : *Autoportrait avec Rachel* 1932.

Ventes Publiques : Amsterdam, 1er nov. 1977 : *Nature morte* 1944, h/pan. (35x42) : **NLG 5 400** – Amsterdam, 19 nov. 1984 : *Automne* 1967, h/t (90x100) : **NLG 16 000** – Amsterdam, 10 avr. 1989 : *Autoportrait* 1937, h/t (40x35) : **NLG 21 850** – Amsterdam, 24 mai 1989 : *Roses blanches* 1936, h/t (30x25) : **NLG 6 325** – Amsterdam, 11 sep. 1990 : *Jeune femme avec un chapeau* 1949, h/t (60x50) : **NLG 4 600** – Amsterdam, 12 déc. 1990 : *Paysage printanier* 1941, h/t (60x72) : **NLG 7 475** – Amsterdam, 13 déc. 1990 : *Paysage des environs de Bergen* 1955, h/t (65,5x100) : **NLG 14 950** – Amsterdam, 12 déc. 1991 : *Crâne de mouton* 1940, h/t/pan. (29,5x40) : **NLG 19 550** – Amsterdam, 9 déc. 1992 : *Coquillages* 1937, h/t (35x35) : **NLG 13 800** – Amsterdam, 26 mai 1993 : *Autoportrait devant les arbres au printemps* 1938, h/t (61x52,5) : **NLG 10 925** – Amsterdam, 30 mai 1995 : *Autoportrait* 1948, h/t (80x53) : **NLG 93 750** – Amsterdam, 4 juin 1996 : *Hiver* 1964, h/t (81x75) : **NLG 44 840** – Amsterdam, 17-18 déc. 1996 : *Stilleven met flesjes en paletdoppen* 1943, h/pan. (23x22,5) : **NLG 51 920** – Amsterdam, 1er déc. 1997 : *Paysage de printemps* 1949-1950, h/t (57x70,5) : **NLG 11 800**.

FERNICKEN ou **Fernucke**. Voir **VERNUCKEN**

FERNIER Gabrielle

Née au XIXe siècle à Paris. XIXe siècle. Française.

Peintre.

Exposa au Salon de 1868 à 1878, des gouaches pour éventails et de petites aquarelles de fleurs.

FERNIER Robert

Né le 26 juillet 1895 à Pontarlier (Doubs). Mort le 27 mars ou mai 1977 à Goux-les-Usiers (Doubs). XXe siècle. Français.

Peintre de paysages.

Il fut élève de l'Atelier de Fernand Cormon. À Paris, de 1923 à 1949, il a exposé au Salon des Artistes Français, médaille d'or en 1932 ; depuis 1950 il exposa au Salon des Artistes Indépendants. Il était aussi écrivain et eut des activités culturelles importantes, en tant que Président de l'*Association des Amis de Gustave Courbet* et organisateur du *Salon des Annonciades de Pontarlier*. Il fut surtout connu comme peintre des paysages jurassiens, mais a travaillé également à Tahiti et Tananarive.

ROBERT FERNIER

Ventes Publiques : Paris, 18 juin 1990 : *Vue de Vuitteboeuf au Jura suisse*, h/t (38x46) : **FRF 5 000** – Lons-le-Saunier, 19 juin 1994 : *Il neige à Noirvaux*, h/t (50x65) : **FRF 35 000** – Paris, 29 mars 1996 : *La Grand'combe*, h/pan. (33x41) : **FRF 12 500** – Zurich, 12 nov. 1996 : *Nature morte*, h/t (50x61) : **CHF 2 600**.

FERNKORN Anton von, ritter

Né en 1813 à Erfurt. Mort en 1878 à Vienne. XIXe siècle. Allemand.

Sculpteur.

Le Musée de Hambourg conserve de lui : *Buste de l'empereur François-Joseph d'Autriche.*

FERNLAY

Né à Frederickshald. XIXe siècle. Travaillant vers 1805. Norvégien.

Peintre de paysages.

FERNLUND Peter Petrovitch

XIXe siècle. Russe.

Peintre.

Élève, puis professeur de dessin de l'Académie de Saint-Pétersbourg, il présenta quelques portraits à l'Exposition de cette Académie en 1872.

FERNOW B.

Née le 17 décembre 1881 à Jersey-City (New Jersey). XXe siècle. Américaine.

Peintre de portraits, miniaturiste.

FERNOW Carl Ludwig

Né le 19 novembre 1763 à Blumenhagen. Mort le 4 décembre 1808 à Weimar. XVIIIe siècle. Allemand.

Peintre amateur et écrivain d'art.

Il fut bibliothécaire de la duchesse Amélie à Weimar. Son œuvre *Vie de l'artiste A. J. Carsten* est illustrée par le portrait du maître, dessiné par C. L. Fernow et gravé par H. Lips.

FERNSTEIN Joseph von

Originaire de Luxembourg. XVIIIe siècle. Luxembourgeois.

Graveur.

Il est mentionné à l'Académie de Vienne en 1759 et à l'École spéciale de gravure, fondée par Schmutzer, en 1766.

FERNY A. Van

XVIIIe siècle. Actif à Middelbourg. Hollandais.

Peintre.

FEROGIO François Fortuné Antoine

Né le 2 avril 1805 à Marseille. Mort en 1888 à Paris. XIXe siècle. Français.

Peintre de compositions animées, aquarelliste, pastelliste, graveur.

Entré à l'École des Beaux-Arts le 2 avril 1825, il se forma sous la direction de Gros. De 1831 à 1880, il figura au Salon de Paris.

Ferogio peignait principalement au pastel et à l'aquarelle. Il faisait aussi des gravures sur acier et des lithographies et exécutait parfois des peintures sur faïence.

Musées : Montpellier : *La Foire aux ânes* – La Rochelle : *Une foire au village.*

Ventes Publiques : Paris, 13 juin 1934 : *Feuille de dix sujets divers*, lav. de sépia : **FRF 60** – Versailles, 10 oct. 1981 : *Personnages près des ruines*, aquar. (41,5x59,5) : **FRF 2 200** – Paris, 15 avr. 1996 : *La Collation*, past. (22x42,5) : **FRF 6 000**.

FEROLDI Charles Henri, dit **Carlo**

Né à Lyon. XIXe-XXe siècles. Français.

Peintre.

Il expose, à Lyon, depuis 1897, des portraits, des figures et des paysages.

FEROLZ Hanns

XVIIe siècle. Actif à Vienne. Autrichien.

Sculpteur.

FERON Caroline

Née à Bruxelles. XIXe siècle. Travaillant vers 1845. Éc. flamande.

Peintre de genre et de portraits.

Élève de Navez.

FÉRON Éloi Firmin

Né le 1er décembre 1802 à Paris. Mort en 1876 à Conflans-Sainte-Honorine. XIXe siècle. Français.

Peintre d'histoire, scènes de genre, portraits, paysages.

Il entra à l'École des Beaux-Arts le 27 août 1818 et se forma sous la direction de Gros. Sur le sujet : *Egisthe, croyant retrouver le corps d'Oreste mort, découvre celui de Clytemnestre*, il eut, en 1823, le deuxième prix au concours de Rome. En 1826, son tableau : *Pythias, Damon et Denis le Tyran*, lui valut le premier prix. Il obtint une médaille de première classe en 1835. Le 19 janvier 1841, il fut décoré de la croix de chevalier de la Légion d'honneur. Il figura au Salon de Paris de 1833 à 1855.

Les principales œuvres de cet artiste sont celles que l'on voit dans les galeries de Versailles.

Musées : Arras : *Athlète vainqueur expirant dans l'arène – Le soldat de Pompée* – Marseille : *Annibal traversant les Alpes* – Strasbourg : *Funérailles de Kléber en Égypte* – Versailles : *Portrait en pied de Duguesclin – Entrée triomphante de Charles VIII à Naples, le 12 mai 1495 – Combat de Guntersdorf, le 16 novembre 1805 – Bataille de Fornoue, le 16 juillet 1495 – Prise de Rhodes, le 15 août 1310 – Bataille d'Arsar, en 1191 – Bataille de Putaka, en 1159 – Bataille de Hanau, le 30 octobre 1813 – Portrait en pied du maréchal Gilles de Laval – Portrait équestre du maréchal Montfort de Laval – Portrait du maréchal Charles de Choiseul – Portrait en pied du maréchal Adrien-Maurice, duc de Noailles – Portrait du comte de Montgommery – Portrait de Gaspard de Guzman, comte d'Olivarez – Portrait de Henri II de Lorraine.*

Ventes Publiques : Paris, 14 fév. 1931 : *Paysage de la campagne romaine*, attr. : **FRF 110** – Enghien-les-Bains, 14 juin 1981 : *Chaumière auprès d'une rivière*, h/t (38x55) : **FRF 4 000** – Londres, 5 oct. 1990 : *L'Embuscade* 1844, h/t (33x41,2) : **GBP 4 180**.

FÉRON Julien Hippolyte

Né en 1864 à Saint-Jean-du-Cardonnay (Seine-Maritime). Mort en 1945. XIXe-XXe siècles. Français.

Peintre de paysages. Postimpressionniste.

Il se forma en autodidacte au contact de la nature. Il exposait au Salon des Artistes Rouennais depuis 1906, à Paris au Salon des Artistes Indépendants depuis 1908, au Salon d'Automne depuis 1911. Il voyagea et travailla en Hollande, Angleterre, Tunisie, Algérie. En 1991, dans les pays normands, a été créé un Prix de Peinture portant son nom.
Il s'est spécialisé dans la représentation des sites de Normandie qui lui étaient familiers. Sa manière large, soucieuse de restituer la lumière par des oppositions violentes, rappelle celle de Guillaumin. Il était attentif aux effets d'éclairage dûs à l'heure du jour, à la météorologie, aux saisons.
Ventes Publiques : Lucerne, 20 mai 1983 : *Paysages fluviaux*, 2 h/t (18x36) : **CHF 2 900** – Neuilly, 20 mai 1992 : *Paysage* 1930, h/t (65x81) : **FRF 14 000** – New York, 28 mai 1992 : *Vase de fleurs et pommes* 1898, h/t (80x99,1) : **USD 11 000** – Neuilly, 9 mai 1996 : *La Rue de l'Épicerie et la Cathédrale de Rouen*, h/t : **FRF 4 000**.

FÉRON Paul
XXe siècle. Français.
Peintre de paysages urbains, fleurs, aquarelliste.
Il s'est presque totalement spécialisé dans le genre très grand public des vues du vieux Paris et surtout de la butte Montmartre.
Ventes Publiques : Paris, 30 mai 1945 : *La rue de l'Abreuvoir* : **FRF 3 000** – Paris, 24 fév. 1947 : *Effet de neige, Montmartre* : **FRF 5 000** – Paris, 15 mars 1988 : *Rue des Ursins*, aquar. (18x14) : **FRF 1 500**.

FÉRON Sylvie. Voir **BAUCHER-FERON**

FÉRON Thomas
XVIIIe siècle. Actif à Paris en 1757. Français.
Peintre et sculpteur.

FÉRON William
Né le 25 octobre 1858 à Stockholm. Mort le 25 juin 1894 à Stockholm. XIXe siècle. Suédois.
Peintre de figures, paysages.
Il étudia à Stockholm et à Paris où il figura au Salon de la Société des Artistes Français avec *Laveuses bretonnes* (1881), *Italienne* (1882), *Paysan normand* (1885). Il figura aussi aux Expositions de Stockholm et de Göteborg.
Musées : Stockholm : *Jeune fille au jardin*.
Ventes Publiques : Göteborg, 9 nov. 1983 : *Femme au parasol* 1886, h/t (90x130) : **SEK 22 000** – Stockholm, 13 nov. 1987 : *Le Jeune Page*, h/t (109x72) : **SEK 25 000** – Stockholm, 15 nov. 1988 : *La Pause, jeune femme debout tenant une pelle*, h. (54x37) : **SEK 15 000** – Londres, 17 juin 1994 : *La Fête de Maman* 1886, h/t (89,5x130,2) : **GBP 11 500** – New York, 12 oct. 1994 : *Élégante à Paris*, h/t (54x31) : **USD 10 350** – Londres, 21 nov. 1997 : *Madeleine* 1882, h/t (130,8x81,9) : **GBP 8 625**.

FERONI Caterina, marquise
XIXe siècle. Italienne.
Peintre amateur.
On cite d'elle une *Vierge* dans la chapelle Sainte-Marie et Saint-Jean à Malcavolo, et une *Mère des Sept Douleurs* dans la paroisse de San Galgano à Monte Siepi (province de Sienne).

FERONI Paolo, marquis
Mort vers 1864. XIXe siècle. Italien.
Peintre de figures, portraits.
Musées : Florence (Gal. Antique et Mod.) : *Portrait du peintre Antonio Marini*.
Ventes Publiques : Lucerne, 30 sep. 1988 : *Roméo et Juliette* 1841, h/t (87x117) : **CHF 3 800**.

FERRABECH Giovanni. Voir **FERABECH**

FERRABOSCO. Voir aussi **FERABOSCO** et **FORABOSCO**

FERRABOSCO Girolamo ou **Gerolamo** ou **Ferabosco, Forabosco**
Né à Padoue. Mort après 1675 à Venise. XVIIe siècle. Italien.
Peintre d'histoire, compositions religieuses, sujets allégoriques, portraits.
Il vivait encore en 1660 et travailla à Venise de 1631 à 1659. Contemporain de Boschini, celui-ci le place ainsi que le Cavaliere Liberi, au premier rang des peintres de cette époque.
Il excella surtout dans le portrait et travailla beaucoup pour les collections privées. Ses têtes sont d'une grande et belle expression.
Musées : Dresde : *Une jeune femme sauvée de la mort* – Florence (Offices) : *Autoportrait* – *Repos pendant la fuite en Égypte*, dess. à la pl. – Rovigo (Pina.) : *Joseph et Putiphar* – Venise (Acad.) : *David portant la tête de Goliath* – Vienne (Liechtenstein) : *David portant la tête de Goliath*.

Ventes Publiques : Londres, 2 août 1939 : *Femme* : **GBP 8** – Milan, 27 nov. 1984 : *Allégorie de la Tentation*, h/t (140x176) : **ITL 12 000 000** – Rome, 24 mai 1988 : *Portrait de jeune femme au bouton de rose*, h/t (58x51) : **ITL 8 000 000**.

FERRACCI Antoine
Né le 10 octobre 1890 à Bonifacio (Corse). XXe siècle. Français.
Peintre.
Il fut élève de Luc-Olivier Merson, Fernand Cormon, Raphaël Collin. Il débuta à Paris, au Salon des Artistes Français en 1920, mention honorable en 1921.

FERRACINA Giovanni Battista
Né à Salagna près de Bassano. Mort en 1830. XIXe siècle. Italien.
Peintre de portraits.

FERRACINO Francesco
XVIe siècle. Actif à Padoue. Italien.
Sculpteur.

FERRACUTI
XVIIIe siècle. Italien.
Peintre.
Il travailla en Autriche vers 1780. Un tableau de sa main *Personnes de la haute société dans un parc* se trouve au château de Neuwaldegg près de Vienne.

FERRACUTI Giovanni Domenico
Né à Macerata selon Lanzi. XVIIe siècle. Italien.
Peintre.
Il peignit souvent des paysages, surtout des vues d'hiver, très estimées de son temps.

FERRADO Cristobal
Né en 1620 à Anieva. Mort en 1673 à Séville. XVIIe siècle. Espagnol.
Peintre.
Il reçut d'excellentes leçons d'un maître inconnu puis continua à se former seul. En 1640, il se fit moine et entra dans l'ordre dei Santa Maria de las Cuevas près de Séville. Il peignit plusieurs tableaux pour les autels de son couvent. Plusieurs de ses œuvres se trouvent dans le monastère de San Miguel à Séville, d'autres ont été transportées à l'Alcazar.

FERRAGSANI
Italien.
Dessinateur.
Le Musée de Rennes conserve de lui une *Étude*.

FERRAGUTI Arnaldo
Né le 17 avril 1862 à Ferrare. Mort en 1925 à Forli. XIXe-XXe siècles. Italien.
Peintre de scènes de genre.
Il vivait et travaillait à Rome. Il participait à des expositions collectives, obtenant des médailles d'argent à Nice en 1884, Ferrare en 1885, exposant encore à Dresde, Munich et Vienne entre 1887 et 1889.

Ventes Publiques : Londres, 8 oct. 1982 : *La lavandière*, h/t (65,4x40,6) : **GBP 500** – Londres, 20 juin 1985 : *Dans les coulisses*, past. et fus. (64,5x52,5) : **GBP 1 300** – Milan, 8 mars 1990 : *Ballerines dans un vestiaire*, past./pap. (81,5x57) : **ITL 18 000 000** – Monaco, 21 avr. 1990 : *Une famille sur une route de campagne*, h/t (67x82) : **FRF 105 450** – New York, 22-23 juil. 1993 : *Petite fille dans les bois*, h/t (74x50,2) : **USD 5 175**.

FERRAJUOLI Nunzio ou **Ferraioli**, appelé aussi **Nunzio degli Afflitti**
Né en 1661 à Nocera dei Pagani. Mort en 1735 à Bologne. XVIIe-XVIIIe siècles. Italien.
Peintre d'histoire, paysages animés.
Il travailla successivement avec Luca Giordano et avec Giuseppe del Sole. Après avoir fait quelques essais de peinture historique, il se tourna vers le paysage.
Ventes Publiques : Milan, 27 mars 1990 : *Paysage animé au coucher du soleil*, h/t (121x152) : **ITL 20 000 000**.

FERRAMOLA Benedetto
Né en 1541. Mort après 1588. XVIe siècle. Italien.

Peintre.
Fils de Giovanni Giacomo Ferramola II. Actif à Brescia.

FERRAMOLA Floriano ou **Fioravante**
Né avant 1480 à Brescia. Mort en 1528 à Brescia. XVIe siècle. Italien.
Peintre d'histoire.
Fils d'un Lorenzo Ferramola, père de Giovanni Giacomo II et de Giovanni Antonio, et maître d'Alessandro Bonvicini (Moretto). Rossi rapporte que lors du sac de Brescia par Gaston de Foix en 1512 cet artiste continua tout tranquillement à peindre pendant que les soldats pillards envahissaient son domicile. Lorsque ces derniers lui demandèrent une rançon, il leur dit de se servir eux-mêmes, chose qu'ils ne manquèrent pas de faire, laissant derrière eux des dégâts considérables. Fort heureusement pour Ferramola, le bruit de sa renommée vint aux oreilles de Gaston de Foix, qui lui commanda de faire son portrait et l'indemnisa des pertes subies.
Il reste actuellement fort peu d'œuvres de cet artiste. En 1514, il peignit les *Apôtres*, dans Sainte-Marie à Lovere, et entre 1516 et 1518 il décora les portes de l'orgue de la vieille cathédrale de Brescia. En 1527, il termina à Santa-Giulia de Brescia les fresques qu'il avait entreprises avec un peintre nommé Paolo. L'année suivante il travaillait en compagnie de son élève Moretto à la chapelle de la Sainte-Croix de la cathédrale de Brescia lorsque la mort le surprit. On attribue dans sa ville natale plusieurs autres œuvres à cet artiste. À l'église Santa-Maria de Lovere se trouvent des fresques datées de 1514 et une *Annonciation* datée de 1518.

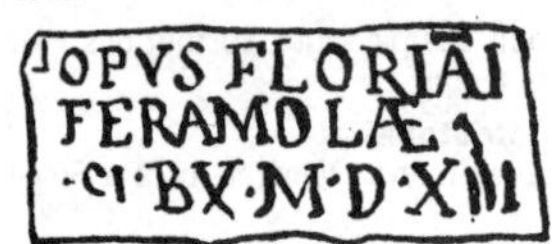

Musées : Berlin (Gal. Nat.) : *Madone avec des saints* 1513.

FERRAMOLA Giovanni Antonio
Né en 1516. XVIe siècle. Italien.
Peintre.
Fils puiné de Floriano Ferramola. Actif à Brescia.

FERRAMOLA Giovanni Giacomo I
XVe-XVIe siècles. Actif à Brescia en 1513. Italien.
Peintre.
Probablement frère de Floriano Ferramola.

FERRAMOLA Giovanni Giacomo II
Né en 1508. Mort après 1568. XVIe siècle. Italien.
Peintre.
Fils aîné de Floriano Ferramola. Actif à Brescia.

FERRAMONTI Lorenzo
D'origine flamande. Mort en 1715 à Plaisance. XVIIIe siècle. Éc. flamande.
Peintre.
Il était peintre attaché à la Maison Farnèse.

FERRAN Adriano
XIXe siècle. Espagnol.
Sculpteur.
Il étudia à l'École des Beaux-Arts de Barcelone et se fixa à Palma (Majorque) où il exécuta de nombreuses statues de saints et des autels pour les églises Sainte-Eulalie et Saint-Nicolas, et le maître-autel de l'église du Monastère des Chartreux de Walldemosa près de Palma. Il reçut un prix d'honneur à l'Exposition de Barcelone de 1815.

FERRAN Antonio
Né en 1786 à Barcelone. Mort en 1857 à Barcelone. XIXe siècle. Espagnol.
Peintre d'histoire.
Élève des cours de dessin de la Casa Lonja où il fut plus tard professeur. On cite de lui : *Socrate buvant la ciguë, Bacchante, Pétrarque et Laure.* Il exposa à Madrid, Barcelone et à Paris en 1855. Le Musée de Barcelone conserve de lui cinq tableaux, dont une *Forge de Vulcain*, un *Saint Jérôme*, et un *Othello racontant ses exploits.*

FERRAN Augusto
Né en 1813 à Palma (Majorque). Mort le 28 juin 1879 à La Havane. XIXe siècle. Espagnol.
Sculpteur.
On cite de lui de nombreux bustes. Il exposa régulièrement à Madrid.
Musées : Madrid (Lic. Artistique) : *La reine Marie-Christine d'Espagne*, buste.

FERRAN Manuel ou **Ferrant**
Né au XIXe siècle à Barcelone. XIXe siècle. Espagnol.
Peintre d'histoire et de genre.
Il fut élève, à Paris, de T. Couture. On cite de lui : *La délivrance d'Ant. Perez, Le Carnaval au quartier Latin.* Le Musée de Barcelone conserve de lui plusieurs tableaux et le Musée de Madrid une toile d'histoire représentant *Philippe III de France sur son lit de mort bénissant ses fils.*

FERRAND Adèle, Mme, née **Marcel**
Née le 20 avril 1807 à Massieu (Ain). XIXe siècle. Française.
Peintre miniaturiste.
Élève de Juine et de Mme Jacotot, peintre à la Manufacture de Sèvres, elle exposa, à Paris, de 1831 à 1846, des peintures à l'huile ou sur porcelaine (portraits, sujets historiques et de genre). On cite d'elle un portrait de *Marie-Antoinette.*

FERRAND Alexandre Jean Baptiste
Né le 19 février 1786 à Versailles. XIXe siècle. Français.
Peintre.
Entré à l'École des Beaux-Arts le 28 août 1810, il devint l'élève de Regnault.

FERRAND Arnould
Originaire de Tours. XVIIe siècle. Français.
Peintre et peintre verrier.
En 1601 il exécuta des peintures au tabernacle de l'église de Ligré près de Chinon (Indre-et-Loire), ainsi que les peintures sur verre pour le château et la chapelle de Champigny.

FERRAND Ennemond
Né le 29 janvier 1829 à Lyon. XIXe siècle. Français.
Peintre.
Il fut élève de Régnier à l'École des Beaux-Arts de Lyon. Il exposa au Salon de Paris en 1878 et à Lyon en 1881, des natures mortes.

FERRAND Ernest Justin
Né le 6 novembre 1846 à Paris. Mort en 1932. XIXe-XXe siècles. Français.
Sculpteur de statues.
Il fut élève de Levasseur et de Mathurin Moreau. Il devint sociétaire des Artistes Français en 1891.
Musées : Clamecy : *Le Matin*, terre cuite – Rouen : *Par l'épée et par la charrue.*
Ventes Publiques : Los Angeles, 21 juin 1977 : *Le Pêcheur*, bronze (H. 112) : **USD 1 400** – Londres, 20 juin 1985 : *Le Chasseur*, bronze patine verte (H. 117) : **GBP 1 800** – Lokeren, 9 déc. 1995 : *Pêcheur au harpon*, bronze (H. 80) : **BEF 48 000** – New York, 9 jan. 1997 : *Neptune*, bronze patine brune (H. 110,5) : **USD 6 037.**

FERRAND Étienne
XIXe siècle. Actif à Paris. Français.
Peintre.
Sociétaire des Artistes Français depuis 1886, il figura au Salon de cette société.

FERRAND Francis
Né à Paris. XXe siècle. Français.
Peintre de scènes typiques, graveur.
Il exposait à Paris depuis 1926, aux Salons d'Automne et des Artistes Indépendants.
Il a surtout traité des scènes de cafés et du cirque.

FERRAND François
Originaire de Nantes. XVIIIe siècle. Français.
Graveur.
Il grava d'après J. A. Portail un portrait du maire de Nantes *Gérard Mélier.*

FERRAND François Augustin
Né le 28 août 1877 à Saint-Sétiers (Corrèze). Mort le 7 février 1953 à Paris. XXe siècle. Français.
Graveur au burin.
Il exposait à Paris, au Salon des Artistes Français, dont il était sociétaire depuis 1906, mention honorable la même année.

FERRAND Gabrielle
Née en 1887 à Bordeaux (Gironde). Morte en 1984. XXe siècle. Française.

Peintre de paysages animés, aquarelliste, graveur.
Elle fit ses études à l'Académie d'Art de Bordeaux. À son époque elle était une originale, à la fois peintre et voyageuse. Arrivée en Indonésie en 1922, pendant trois années elle sillonna Java et Bali, dont elle rapporta des peintures. De retour à Paris, elle fit connaître la culture indonésienne en écrivant des articles, organisant des expositions et des conférences.
De 1923 à 1936, elle participa aux expositions de la *Bataviasche Kunstkring*. Elle exposait à Paris depuis 1926, aux Salons de la Société Nationale des Beaux-Arts et d'Automne.
Elle réalisa des aquarelles, des dessins, des bois gravés et écrivit plusieurs livres.
Ventes Publiques : Singapour, 5 oct. 1996 : *Rue principale d'une ville asiatique*, h/cart. (39,5x52) : **SGD 8 200.**

FERRAND Jacques
Né le 18 avril 1911. xxe siècle. Français.
Illustrateur, peintre-miniaturiste.
Marqué par les images d'Épinal et les albums romantiques de son enfance, Ferrand est surtout illustrateur et mêle technique et poésie dans son travail. Il a illustré Giraudoux, Lagerlof, Andersen, Nerval... Aussi miniaturiste, sa peinture est souvent évanescente.

FERRAND Jacques Philippe
Né le 25 juillet 1653 à Joigny. Mort le 5 janvier 1732 à Paris. xviie-xviiie siècles. Français.
Peintre.
Élève de Mignard et de Samuel Bernard, il fut reçu académicien le 27 mai 1699. Ferrand fit plusieurs voyages en Allemagne, en Angleterre ; en 1688, il alla à Turin et fit plusieurs ouvrages pour le duc de Savoie ; mais la guerre qui survint l'obligea à repasser en France où il demeura jusqu'à la paix de 1696, puis ayant été rappelé par le duc de Savoie, il fit un très beau portrait de ce prince. De Turin il alla à Gênes où il fut comblé d'honneurs. De Gênes, il passa à Florence et à Rome. Son séjour à Rome fut de treize mois il y fit les portraits d'*Innocent XII*, de la *Princesse Pamphile* et quelques autres qui augmentèrent sa réputation ; revenant en France, il s'arrêta encore à Turin pendant quelques mois, et arriva enfin à Paris le jour de Noël de l'année 1699.

FERRAND Jean-Pierre
Né en 1902 à Libourne (Gironde). Mort le 18 mai 1983 à Ponthierry (Seine-et-Marne). xxe siècle. Français.
Peintre de paysages.
Il fut élève de l'École des Beaux-Arts de Bordeaux, puis de Fernand Cormon à l'École des Beaux-Arts de Paris. Il exposait à Paris, au Salon des Artistes Français dont il était sociétaire, médaille d'argent en 1952, médaille d'or et hors-concours en 1956, ayant participé à d'autres groupements et obtenu diverses distinctions. Il a montré ses peintures dans de nombreuses expositions personnelles à Paris, Lyon, Saint-Étienne, Lille, Amiens, Marseille, Dijon, etc.
Il a peint les paysages de nombreuses régions de France et tout spécialement ceux de la Seine-et-Marne.
Ventes Publiques : Auxerre, 2 juil. 1989 : *Champ de blé*, h/t (33,5x41) : **FRF 24 000** ; *Scène d'intérieur*, h/t (60x72) : **FRF 34 000.**

FERRAND Jules Georges
Né au xixe siècle à Nancy. xixe siècle. Français.
Peintre.
Élève de Paul Delaroche, il figura au Salon de Paris de 1837 à 1857 par des paysages et quelques portraits de particuliers. On cite de lui : *Vue des environs de Nancy* ; *Vue prise près Saint-Maur* ; *Vallée de la Ferme*.

FERRAND Louis
Né le 8 janvier 1905 à Belle-Île-en-Mer (Morbihan). Mort le 4 avril 1992 à Nantes (Loire-Atlantique). xxe siècle. Français.
Peintre de compositions religieuses, paysages, peintre à la gouache, pastelliste, dessinateur, graveur.
Entré à l'école des Beaux-Arts de Nantes en 1921, il a ensuite enseigné dans cette école de 1951 à 1974. Il a exposé à la galerie Mignon-Massart de Nantes de 1927 à 1939, puis toujours à Nantes, galerie Michel Colomb, presque tous les ans de 1949 à 1979. Le musée des Beaux-Arts de cette ville lui a consacré une grande exposition en 1976. Ses dernières expositions ont eu lieu à Paris à la galerie Galarté en 1983 et 1986, et galerie Convergence en 1984, 1988 et 1991.
Dès 1939, sa figuration est d'inspiration religieuse. Visions familières du Christ qui témoignent d'un attrait pour l'œuvre de Maurice Denis. Peu après apparaissent les thèmes franciscains dans de nombreuses toiles et des gravures sur bois, thèmes que Ferrand ne cessera plus de traiter. Jusqu'en 1957 son évolution se fait dans une technique personnelle d'huile très diluée, traitée de manière à produire des effets de dessin au fusain.
Louis Ferrand a toutefois travaillé dans des techniques diverses : huile, acrylique, pastel. Pour de nombreux dessins il a utilisé l'encre de Chine et le fusain (*Suite du cirque* 1955-1975). Il a également, dans les années 60, gravé au burin sur cuivre et zinc. Il est passé en 1964 au paysagisme abstrait. Il est alors parvenu à une intimité avec l'île, la mer, les ruisseaux, et l'exprime sur la toile. *Mousses de mer, Signes du rocher, Ruisseau salé*..., il s'agit toujours de séries peintes parfois sur plusieurs années. Nombre de toiles portent le nom de villages ou de ports de Belle-Île-en-mer pour témoigner de l'attachement du peintre à son rocher natal. *Domois* en 1975-1976, suite de quatorze peintures des Îles Kerguelen, est l'une des plus émouvantes dans cette recherche permanente de l'insaisissable, qui conduit Ferrand à la fin de sa vie au seuil de la monochromie : « Je ne peins pas, j'efface. »
■ Alain Pizerra
Bibliogr. : In : *L'écume de l'air*, avec douze dessins de Louis Ferrand. Éditions M. Maison, 1973 – Catalogue de l'exposition *Louis Ferrand*, Musée des Beaux-Arts, Nantes, 1976.

FERRAND Nicolas Robert
xviiie siècle. Actif à Paris en 1748. Français.
Peintre et sculpteur.

FERRAND P. A.
Né en 1952 à Gevève. xxe siècle. Suisse.
Peintre. Abstrait.
Il vit et travaille à Genève et à La Chaux-de-Fonds.
Il participe à des expositions collectives, parmi lesquelles : 1991, *Extra Muros*, Musée des Beaux-Arts de La Chaux-de-Fonds et Espace Lyonnais d'art contemporain, Lyon ; 1997, *Abstraction/Abstractions. Géométries provisoires*, Musée d'Art Moderne, Saint-Étienne. Il montre ses œuvres dans des expositions particulières : 1989, Kunsthalle, Winterthur ; 1996, galerie Patrick Roy, Lausanne.
Son travail de peintre est fondé sur la notion de pauvreté. Une ou deux formes verticales respectent celles du plan du tableau, qui deviendra dans les années quatre-vingt-dix parfois concave ou convexe ; tandis que des teintes sourdes, presque sans couleur, embrumées et graves, appellent néanmoins la lumière.
Bibliogr. : In : *Abstraction/Abstractions. Géométries provisoires*, Musée d'Art Moderne, Saint-Étienne, 1997.

FERRAND Patrice
Né le 9 juillet 1946 à Paris. xxe siècle. Français.
Artiste d'interventions. Cinétique.
Il a réalisé des spectacles d'art cinétique et exposé des structures gonflables.

FERRAND Pierre François
Né en 1722 à Paris. Mort le 12 février 1800 à Paris. xviiie siècle. Français.
Sculpteur.
Il est probablement identique au sculpteur Pierre Ferand ou Ferrand qui fut admis à l'Académie St-Luc de Paris le 14 août 1753.

FERRAND V.
xviiie siècle. Français.
Dessinateur et graveur.
Peut-être est-il identique au graveur de vignettes Ferrand qui grava le frontispice du *Manuel typographique* de Fournier. Il publia *Un cahier de fleurs utile aux dessinateurs* qui comprend cinq planches.

FERRAND de MONTHELON Antoine
Né le 11 avril 1686 à Paris. Mort le 20 mars 1752 à Paris. xviiie siècle. Français.
Peintre et dessinateur.
Déjà professeur de l'Académie de Saint-Luc, à Paris, il fut nommé professeur de dessin à Reims le 9 avril 1748. Fils et élève de Jacques-Philippe Ferrand de Monthelon. Le Musée de Reims conserve de lui les portraits de l'*Abbé Jean Godinot* ; de *Jean-François Rogier* ; *Philippe Ferrand* ; *père de l'artiste* ; de l'*Abbé Pierre de Saulx*.

FERRANDES. Voir **FERNANDES** et **FERRANDEZ**

FERRANDEZ. Voir aussi **FERNANDES** et **HERNANDEZ**

FERRANDEZ Diego, Enrique, Francisco, Gomez, Lorenzo, Pedro. Voir **FERNANDEZ**

FERRANDEZ Garcia ou **Fernandez**
XVe-XVIe siècles. Travaillant à Séville de 1480 à 1500. Espagnol.
Peintre.
Cet artiste eut des élèves, se maria deux fois et semble avoir joui d'une certaine aisance.

FERRANDEZ Garcia ou **Fernandez**
XVe siècle. Espagnol.
Peintre de compositions religieuses.
Don Manuel Gomez Moreno a découvert à l'église de Salamanque, de cet artiste qui travaillait à Séville en 1543, un panneau divisé en deux parties. Dans la partie supérieure se trouve la *Présentation de Jésus au Temple*, et dans la partie inférieure le *Massacre des innocents*, qui est signé : *G. Frrz peintre de Séville*.

FERRANDEZ Luis
XVIe siècle. Actif à Séville en 1515. Espagnol.
Peintre.
Sans doute identique à Luis Fernandez.

FERRANDEZ Pedro
XVIe siècle. Travaillant à Séville en 1515. Espagnol.
Peintre.
Sans doute l'un des Pedro FERNANDEZ.

FERRANDEZ BENDICHO Pedro. Voir **FERNANDEZ BENDICHO Pedro**

FERRANDIER Gisèle
Née le 16 septembre 1909 à Paris. XXe siècle. Française.
Peintre.
Elle fut élève de l'École des Beaux-Arts de Paris. Elle exposait à Paris, depuis 1935 aux Salons des Tuileries et des Femmes Peintres et Sculpteurs, ainsi qu'à Alger, Genève, Lyon.

FERRANDINA Leonardo
XVIIe siècle. Actif à Gênes. Italien.
Sculpteur et architecte.
Il fut élève de Taddeo Carlone. Il exécuta une statue de marbre de la Vierge pour un autel de la chapelle Serra à la Nunziata al Guastato.

FERRANDINI Giovanni Battista ou **Feradini** ou **Feratini**
XVIIIe siècle. Italien.
Peintre.
Il exécuta pour le duc de Wurtemberg deux tableaux d'église et des peintures dans les églises de Sontheim et Gügligen.

FERRANDINI Jean François ou **Feradiny**
Né en 1724. XVIIIe siècle. Français.
Graveur.
Il travailla à Paris et à Toulon. Il a gravé des paysages, des marines et des vues d'après Claude Lorrain, J. Vernet, Teniers.

FERRANDINO Giovanni Battista
Originaire de San Fedele sur le lac de Côme. XVIIe siècle. Italien.
Sculpteur.
Il exécuta en 1668 l'autel de Maria delle Grazie dans la cathédrale de Crémone.

FERRANDIZ Y BADENES Bernardo ou **Ferrando y Badenes**
Né en 1835 à Valence. Mort vers 1890 à Malaga. XIXe siècle. Espagnol.
Peintre de genre.
Il fut élève de l'Académie de San Carlos à Valence puis de l'Académie de San Fernando à Madrid et enfin de l'Académie des Beaux-Arts à Paris. Il a exposé à partir de 1860 à Madrid et à Paris. En 1868 il fut nommé professeur à l'École des Beaux-Arts de Malaga.
Musées : Bordeaux : *Le Tribunal des eaux de Valence en 1800* – Madrid (Art Mod.) : *Le Charlatan politique* – *Les Chevaux ! Les Chevaux* – *Comme un poisson dans l'eau*.
Ventes Publiques : Paris, 15 mars 1976 : *Les Illusions d'un idiot* 1870, h/pan. (31,5x21,5) : **FRF 3 750** – Madrid, 24 mai 1977 : *Un mariage à Valence* 1879, h/t (65x95) : **ESP 625 000** – Londres, 19 avr. 1978 : *La Milicia Valencia* 1867, h/pan. (21,5x28) : **GBP 1 300** – New York, 31 oct. 1981 : *L'Atelier de Fortuny* 1874, h/t (48,2x80,6) : **USD 9 000** – Chester, 18 jan. 1985 : *Un galant espagnol* 1866, h/pan. (20x12,5) : **GBP 920** – Londres, 21 juin 1991 : *Dans la cour*, h/t (46,3x71,1) : **GBP 24 200**.

FERRANDIZ TERAN Federico
Né en 1870 à Malaga. Mort en 1957 à Madrid. XIXe-XXe siècles. Espagnol.
Peintre de paysages.
Fils de Bernardo Ferrandiz y Badenes, il en reçut les conseils et fut élève de l'École des Beaux-Arts de Malaga. Jaime Sabartes le cite comme ayant été un des compagnons de J. Ruiz Blasco, le père de Picasso. Il a participé à des expositions collectives : Exposition Nationale des Beaux-Arts de Madrid en 1890 *Los Gaitanes*, 1892 *Tajo de Ronda*, et 1901 *Tarde de Malaga*, obtenant des médailles de troisième classe, exposition régionale de Malaga en 1899, expositions provinciales de 1901 et 1915. Il fut professeur à l'École des Arts et Métiers de Madrid.
Bibliogr. : In : *Cent ans de peinture en Espagne et au Portugal, 1830-1930*, Antiquaria, Madrid, 1988.

FERRANDO Augustin
Né le 14 avril 1880 à Miliana (Alger). Mort le 7 avril 1957 à Oran. XXe siècle. Français.
Peintre de compositions à personnages, portraits, nus, figures et scènes typiques, paysages, natures mortes, peintre de cartons de mosaïques. Postcézannien, orientaliste.
Ses parents étaient originaires d'Italie. Il fut élève de l'École des Beaux-Arts d'Alger, puis élève boursier de l'École des Beaux-Arts de Paris de 1902 à 1908, à partir de 1906 dans l'atelier de Fernand Cormon. Revenu en Algérie, il partageait son temps entre Alger et Miliana. Il se maria à Alger en 1913. Après la guerre de 1914-1918, il fut nommé directeur de l'École des Beaux-Arts d'Oran. Il contribua à la création de l'Association Amicale des Artistes Africains. En 1930, l'École fut transférée des anciens locaux sommaires dans une construction nouvelle et adaptée, abritant aussi le musée dont il devint conservateur. Lors de la guerre civile espagnole, il accueillit quelques artistes réfugiés, parmi lesquels Pelayo et Figuerras. En 1937, il résilia ses fonctions et se retira à Oued Taria. Disposant de plus de temps libre, il fit des séjours de travail dans le Lot, en Savoie, Provence, dans les Pyrénées.
Il a exposé depuis 1910, entre autres : à Alger avec le Salon de la Société des Orientaliste, en 1931 à l'Institut Français de Prague, en 1937 à l'Hôtel-de-Ville d'Oran, en 1941 au Crédit Municipal d'Alger, en 1953 à l'Académie des Arts d'Oran. Une exposition rétrospective posthume lui fut consacrée à Alger en 1959. En 1977, le Musée Rollin d'Autun a montré un ensemble important de son œuvre.
Il subit dans ses débuts l'influence des Nabis et spécialement celle de Maurice Denis. Pendant quelque temps, il conserva la pratique des couleurs en aplats, que les Nabis tenaient de Gauguin, mais, au contact des paysages du Sahel, il exalta les couleurs, violets et bleus des montagnes, verts des jardins, rouges des terres et des vignobles à l'automne. La suite de son évolution passa par Cézanne, il délaissa les aplats pour une construction par le volume, tout en gardant sa gamme haute en couleur, d'autant que sensible au fauvisme de son ami Charles Camoin. Dès sa jeunesse, il fut attiré par les compositions murales, réalisant, encore aux Beaux-Arts, une composition de 2 m 50 x 5 m. Dans son œuvre, les compositions à personnages furent fréquentes : *Le pèlerinage, Femmes au balcon, Femmes au bain, Femmes au rocher, Contes persans*, et surtout le thème qu'il développa avec continuité : *La fête arabe*. Il a décoré, outre des maisons amies, le Théâtre Municipal et le Palais de Justice de Sidi-bel-Abbès de grandes mosaïques allégoriques. Il conçut aussi une mosaïque de 4 m x 10 m pour le Palais de justice de Tlemcen, qu'il prépara par 200 dessins de détails, 10 études générales et 3 cartons de mise en place. L'œuvre de Ferrando a souffert d'abord de l'éloignement en Algérie, puis de la guerre d'indépendance, les possesseurs de ses œuvres les ayant abandonnées dans la précipitation. Le legs affecté par sa fille au Musée Rollin d'Autun permet de prendre conscience de la présence d'un œuvre, dans la continuité postcézannienne, non indigne des Derain ou Friesz. ■ J. B.
Bibliogr. : Pr. Pierre Jacquemin : Catalogue de l'exposition *Augustin Ferrando*, Salle Pierre Bordes, Alger, 1959, abondant appareil documentaire.
Musées : Alger (Mus. des Beaux-Arts) – Autun (Mus. Rollin) : Important legs – Constantine – Oran (Mus. Demaeght).

FERRANDO Francesco. Voir **FERDINANDI**

FERRANDO Manuel
XVIe siècle. Actif à Palma (Majorque). Espagnol.
Peintre.
Le Musée de la Lonja à Palma conserve de lui un tableau à l'huile représentant *La fondation de la Chartreuse de Valldemosa près de Palma*.

FERRANDO Niccolo
Originaire de Galatina en Apulie. XVIe siècle. Italien.
Sculpteur.
Il exécuta à la cathédrale d'Otrante, pour l'archevêque Serafino di Squillace de nombreuses sculptures, dont plusieurs statues de l'archevêque lui-même.

FERRANDOUX Paul
Né à Blois (Loir-et-Cher). XXe siècle. Français.
Peintre.
Il figure aux Salons d'Automne et des Indépendants, depuis 1924.

FERRANDUS Petri de Funes
XIIe siècle. Espagnol.
Peintre de miniatures.
Il décora en 1197 pour le roi Sancho de Navarre avec plus de mille miniatures une Bible qui se trouve maintenant à Amiens.

FERRANT Angel ou **Ferrant-Vasquez**
Né en 1891 à Madrid. Mort en 1961 à Madrid. XXe siècle. Espagnol.
Sculpteur de groupes, statues, nus, dessinateur. Figuratif et abstrait-cinétique.
Il fut élève de l'École des Beaux-Arts de San Fernando à Madrid, mais se forma plutôt en autodidacte. Puis, en 1913, il séjourna à Paris, en Belgique et en Allemagne. Il revint souvent à Paris. Il participa à la vie artistique intense de la Barcelone du début du siècle, et fit partie de deux groupes d'avant-garde : *Les Évolutionnistes* et *Amis de l'art nouveau*. Il participa d'abord à de nombreuses expositions collectives en Espagne. En 1949, la galerie Palma de Madrid organisa une exposition d'un ensemble de ses sculptures. Puis, en 1958 il fut sélectionné à l'Exposition Internationale de Pittsburgh, et en 1960 à la Biennale de Venise, où il exposa sa *Sculpture infinie*. En 1961, le Musée d'Art Moderne de Barcelone lui consacra une exposition personnelle.
Il eut d'abord une période figurative à tendance monumentale, sculptant des figures féminines et des nus. Mais tôt, dès l'exposition de 1949, et parallèlement, il créa des sculptures abstraites à partir de formes naturelles, les réduisant à l'essentiel : les *Groupes Cyclopéens* des années quarante et cinquante, qui rappelaient les mégalithes de la préhistoire. Dès avant 1950, il composait des nouveaux groupes, constitués d'éléments mobiles en bois, pouvant être modifiés dans l'espace au gré du spectateur. Il poursuivit l'exploitation de cette même idée des sculptures mobiles, mais ensuite exécutées en métal. Ses nombreux dessins, préparatoires aux sculptures ou bien autonomes, démontrent clairement son approche analytique des formes. Il ne fut connu hors d'Espagne qu'après le Pittsburgh International de 1958.
Sans avoir atteint à la dimension des Picasso et Miro dans la sculpture catalane, il a tenu un rôle comparable à celui de Julio Gonzalez, sans connaître sa réputation, dans l'évolution de la sculpture espagnole de l'époque. ■ Jacques Busse
Bibliogr. : In : *Nouveau diction. de la sculpt. mod.*, Hazan, Paris, 1970 – in : *L'art du XXe siècle*, Larousse, Paris, 1991.
Ventes Publiques : Barcelone, 25 mai 1983 : *Nu assis*, bronze (H. 18 et L. 29) : **ESP 145 000** – Madrid, 28 nov. 1991 : *Les Banderilles* 1939, bronze, relief (32,5x51) : **ESP 504 000**.

FERRANT Antoine
XVIIIe siècle. Actif à Paris en 1719. Français.
Peintre.

FERRANT Charles
XVIIe siècle. Français.
Peintre.
Il devint en 1664 membre de l'Académie Saint-Luc à Paris.

FERRANT Francisco
XIXe siècle. Espagnol.
Peintre.
Peut-être y a-t-il confusion avec Fernando FERRANT Y LLAUSAS. Peintre de scènes nocturnes, inspirées des paysagistes allemands. Il remplaça, à sa mort en 1853, Jenaro Perez Villamil, au poste de maître pour le paysage à l'Académie de San Fernando de Madrid.
Bibliogr. : Jacques Lassaigne : *La peinture espagnole, de Velasquez à Picasso*, Skira, Genève, 1952.

FERRANT Nicolas Robert
XVIIIe siècle. Français.
Peintre sur porcelaine.
Il travailla à la Manufacture de Sceaux de 1758 à 1790.

FERRANT Y FISCHERMANS Alejandro
Né en 1843 à Madrid. Mort en 1917 à Madrid. XIXe-XXe siècles. Espagnol.
Peintre d'histoire et portraitiste.
Il débuta vers 1860 et exposa assez régulièrement à Madrid, Cadix et Barcelone. En 1874 il obtint une bourse de voyage pour Rome. Artiste de talent, ce peintre fut un des maîtres les plus prisés en Espagne dans la deuxième moitié du XIXe siècle. Exposa aussi à Munich en 1883. Il devint, en 1903, directeur du Musée National d'Art Moderne. Peintre et aquarelliste, il fit également de grandes décorations à St-François le Grand, au Palais du Pardo, au palais de justice de Barcelone, etc.
Musées : Cadix (Mus. prov.) : *Martyre de saint Servais et de saint Germain – Défaite de pirates maures près de Cadix en 1574 – La chute de Murillo au couvent des Capucins de Cadix* – Madrid (Art Mod.) : *L'enterrement de saint Sébastien dans les catacombes à Rome – Scène d'intérieur du « Barbier de Séville » – Concert*.

FERRANT Y LLAUSAS Fernando ou **Ferrant y Llamas**
Né à Palma de Majorque. Mort le 21 août 1856 à l'Escurial. XIXe siècle. Espagnol.
Peintre de paysages.
Il fut élève de l'Académie de San Fernando. Il débuta au Salon de Madrid vers 1843. Il a participé à l'Exposition Universelle de Paris en 1855.
Musées : Madrid : *Paysage*.
Ventes Publiques : Paris, 8 déc. 1987 : *Paysage romain avec la rentrée du troupeau* 1838, h/t (100x138) : **FRF 36 000**.

FERRANT Y LLAUSAS Luis ou **Ferrant y Llamas**
Né en 1806 à Barcelone. Mort le 28 juillet 1868 à Madrid. XIXe siècle. Espagnol.
Peintre d'histoire et portraitiste.
Élève de J. de Ribera, il fut pensionné à Rome par l'infant Gabriel. En 1848 il revint en Espagne et se fixa à Madrid où il fut nommé peintre de la cour, puis professeur de l'Académie de San Fernando. Il travailla surtout pour la galerie de l'infant Gabriel. Cet artiste d'un réel talent a laissé de beaux tableaux d'histoire et des portraits fort remarquables.
Musées : Madrid : *Portrait du roi don Sanche IV le Brave – Portrait du roi Alphonse X*.

FERRANTE
Né au XVIe siècle, originaire de Cerreto Sannita. XVIe siècle. Italien.
Sculpteur.
Il sculpta en 1537 le portail de l'église Saint-Nicolas à Cusano Mutri près de Bénévent.

FERRANTE Alessio de
XVIIe siècle. Actif à Naples. Italien.
Peintre.
Il fut reçu membre de la gilde en 1686.

FERRANTE Francesco
XVIIe siècle. Italien.
Peintre.
Probablement élève de Guido Reni. Il fut appelé à Messine par le Vice-Roi de Sicile et il exécuta pour lui une décoration de marbre dans la cathédrale. Ce travail fut achevé par G. B. Quagliatia.

FERRANTE Paolo
D'origine sicilienne. XVIIe siècle. Italien.
Peintre.
Il travailla à Rome en 1607.

FERRANTE Pietro Francesco, dit **il Cavaliere Ferrante**
Né vers 1600 à Bologne. Mort en 1652 à Pise. XVIIe siècle. Italien.
Peintre.
Élève de Gessi. Il exécuta plusieurs peintures à l'huile et à fresque à Bologne, à Pise et à Plaisance.

FERRANTI Agostino. Voir **DECIO Agostino**

FERRANTI Decio. Voir **DECIO Ferrante**

FERRANTINI Gabriele, appelé aussi **Gabriele Dagli Occhiali**
Né au XVIIe siècle à Bologne. XVIIe siècle. Italien.
Peintre.
Il fut instruit dans l'école de Dionysius Calvaert et s'adonna aux sujets historiques. Les églises de Bologne possèdent la plupart de ses œuvres, parmi lesquelles les plus estimées sont : à San

Benedetto : *Saint François de Paule,* à San Mattia : *Saint Jérôme,* à la Carita : *Saint François recevant les Stigmates,* enfin dans l'église des Servites : *La descente de croix* et *La naissance de la Vierge.*

FERRANTINI Giuseppe
XVIIIe siècle. Actif à Rome vers 1700. Italien.
Sculpteur.
Il est mentionné comme étant l'auteur d'une des statues de saints que le Pape Clément XI fit placer sur les colonnades de la place Saint-Pierre.

FERRANTINI Ippolito
XVIIe siècle. Italien.
Peintre d'histoire.
Élève de Carracci qu'il imita avec succès ; il était frère de Gabriele Ferrantini et faisait partie de l'Académie degli Incamminati. L'église de San Mattia à Bologne possède de cet artiste un tableau représentant *Saint Michel.*

FERRANTINI Orazio
D'origine florentine. XVIIe siècle. Italien.
Peintre.
Il fut membre de la Gilde de Bologne vers 1600.

FERRAPIANO Carlo
XVIIIe siècle. Actif à Naples. Italien.
Peintre.
Il fut membre de la Gilde en 1723.

FERRARA, da. Voir au prénom

FERRARA Antonio
XVIIe siècle. Actif à Naples. Italien.
Sculpteur sur bois.
Il exécuta à Naples, avec Nicola Montella, les stalles de l'église Sant Andrea delle Dame.

FERRARA Bono da. Voir **BONO da Ferrara**

FERRARA Carel de ou **Ferara**
Mort vers 1667 à Anvers. XVIIe siècle. Actif à Anvers. Éc. flamande.
Peintre.
Il travailla avec Kerstiaen de Coninck et fut reçu maître en 1612.

FERRARA Daniel
Né le 8 juillet 1906 à Mers el Kébir (Algérie). Mort le 21 avril 1990 à Marseille (Bouches-du-Rhône). XXe siècle. Français.
Peintre de paysages animés et de paysages urbains. Naïf.
Dès son enfance en Algérie, ses dons artistiques se manifestent, quand il préfère le dessin ou le modelage de l'argile aux jeux de ses camarades. Issu d'une modeste famille de marins d'origine italienne, à l'âge de onze ans il lui faut déjà gagner sa vie, et il sera successivement mousse, marin, électricien, ajusteur mécanicien, conducteur de poids lourds, et finalement docker. En 1946, son épouse l'encourage à montrer ses premières peintures, paysages harmonieux de Provence ou des terres bibliques. En 1960, la galerie Herbinet à Paris présente sa première exposition particulière, et il participera dès lors à des expositions de groupes avec d'autres artistes naïfs, en France et à l'étranger ; il sera en outre régulièrement présent aux salons d'Automne et des Artistes Français. En 1965 et 1969, l'Etat lui achète des œuvres.
Les peintures de Ferrara sont des compositions naïves équilibrées, aux couleurs fraîches, harmonieuses, délicates, toujours d'une grande richesse d'imagination.
BIBLIOGR. : In : A. Jakovsky : *Dictionnaire des peintres naïfs du monde entier,* Bâle, Ed. Basilius presse, 1965-76 – Madeleine Gavelle : *Les Peintres naïfs illuminés de l'instinct,* Ed. Filipacchi, 1977 – *Guide naïf des provinces de France,* Paris, Ed. Hervas, 1985 – Bihajli Mehrin : *Encyclopédie naïve du monde entier,* Paris, Bibliothèque des Arts, 1985 – J. M. Drot : *Voyage au pays des naïfs,* Paris, Hatier, 1986.
MUSÉES : LAVAL (Mus. des Naïfs) – NICE (Mus. international d'Art naïf Anatole Jakovsky) – PARIS (Mus. d'Art naïf) – VIC (Mus. de l'Ile-de-France).

FERRARA Jackie
Née en 1929. XXe siècle. Américaine.
Sculpteur. Abstrait-géométrique.
Elle travaille le bois, qu'elle assemble avec minutie et précision dans des sortes de constructions imaginées, éventuellement inspirées de pyramides ou mastabas.
VENTES PUBLIQUES : NEW YORK, 2 nov. 1984 : *Sans titre* 1977, bois (53x6x101,5x61) : **USD 6 000** – NEW YORK, 8 mai 1990 : *A233 Borbek,* bois et clous (124,7x87,6x87,6) : **USD 16 500** – NEW YORK, 6 mai 1992 : *A209 Zogg,* construction de bois de pin (285,7x80,3x105,4) : **USD 18 700** – NEW YORK, 16 nov. 1995 : *A233 Borbek,* assemblage bois et clous en six parties accompagné d'un dess. sur pap. graphique, sculpture (124,8x87,6x87,6, dessin 47x59) : **USD 10 350.**

FERRARA Onofrio
Né en 1859 à Naples. XIXe siècle. Actif au Pausilippe près de Naples. Italien.
Peintre.
Il présenta en 1892 au Palais des Beaux-Arts à Rome un tableau *Il piccolo Guappo napolitano* ; en 1912 à Paris au Salon de la Société Nationale un paysage *Tristesse* et en 1914 au Salon des Indépendants *Loge d'une danseuse espagnole.*

FERRARA Orazio
Né le 15 octobre 1853 à Naples. XIXe siècle. Italien.
Peintre.
On connaît de lui un *Vendredi Saint à la Chartreuse de San Martino,* exposé à Naples en 1893, *A la source* (Turin 1898) et une *Nature morte* (Palais de Glace de Munich 1901).

FERRARA Raffaele
Né le 7 mars 1814 à Chieti. Mort avant 1883 à Rome. XIXe siècle. Italien.
Peintre.
Il étudia à Naples et peignit à Rome en 1853, pour l'église restaurée de la Sainte-Trinité *L'histoire de l'église* en 4 tableaux. Il peignit également à Naples la voûte de la chapelle du Bon-Secours dans l'église de la Trinité, et pour l'église des Sept-Douleurs un tableau à l'huile représentant *La Mort de Joseph.*

FERRARA Stefano di. Voir **FALZAGALLONI Stefano**

FERRARA Taddeo da. Voir **CRIVELLI Taddeo**

FERRARESI Adriano
Né le 25 février 1851 à Rome. Mort le 15 janvier 1892 à Rome. XIXe siècle. Italien.
Peintre de genre.
Il a exposé à Munich en 1888. On cite de lui : *Marché d'oiseaux au XVe siècle.*
MUSÉES : ROME (Gal. d'Art Mod.) : *Fauconnier.*

FERRARI Adelaïde
Née le 16 juillet 1850. Morte le 17 février 1893. XIXe siècle. Italienne.
Peintre de paysages.
Fille de Carlo Ferrari (dit le Ferrarin). Elle fut l'élève de sa sœur Elisabetta.

FERRARI Agostino
XIVe siècle. Italien.
Peintre.
Une fresque de la *Crucifixion,* datée de 1376 et portant la signature de cet artiste se trouve dans l'église San Antonio di Combo à Bormio.

FERRARI Agostino
Né en 1938 à Milan. XXe siècle. Italien.
Peintre. Abstrait-géométrique.
Il vit, travaille et expose depuis 1962 à Milan. Il participe en outre à des expositions collectives en Italie, Espagne, ainsi qu'à New York, Bruxelles, etc.
Sa peinture consiste en segments linéaires, rectilignes et peu variés, qui découpent l'espace en déterminant des plans détachés sur des fonds unis.
VENTES PUBLIQUES : MILAN, 10 mars 1986 : *Nell'azzuro* 1985, sable et acryl./t. (80x100) : **ITL 1 400 000.**

FERRARI Antoine
Né le 1er février 1910 à Marseille (Bouches-du-Rhône). Mort le 7 janvier 1995. XXe siècle. Français.
Peintre de portraits, paysages, natures mortes, peintre de compositions murales.
Il fut élève de l'École des Beaux-Arts de Marseille, puis de Lucien Simon à celle de Paris. En 1937, il reçut la bourse de séjour à la Villa Abd El Tif d'Alger, où il séjourna jusqu'en 1939, date à laquelle il fut mobilisé. Il a exposé à Paris, débutant en 1928 au Salon d'Automne, où il figura jusqu'en 1935. Il fut ensuite invité au Salon des Tuileries, notamment en 1937, 1943.
Il a peint des portraits, des paysages de Paris, de Marseille et de

la Côte-d'Azur, des sujets typiques d'Algérie. Il a exécuté des compositions : *Le bain de mer* pour le Pavillon de l'Hygiène de l'Exposition Universelle de Paris en 1937, et : *Scène familiale* pour le Groupe scolaire du Pré-Saint-Gervais.
Musées : Alger : *Café maure – Vue du port de Marseille – Nature morte*, deux toiles – Marseille (Mus. Longchamp) : *Portrait de l'artiste* – Paris (Mus. d'Art Mod.) : *Paysage du Treyas*.
Ventes Publiques : Versailles, 29 oct. 1989 : *Port de la Méditerranée*, h/isor. (54x73) : **FRF 7 000** – Versailles, 21 jan. 1990 : *Nu*, h/t (54x65) : **FRF 6 800** – Versailles, 8 juil. 1990 : *La place de la Concorde*, h/isor. (27,5x35,5) : **FRF 4 500** – Neuilly, 7 avr. 1991 : *La place des Lices à Saint-tropez*, h/t (54x65) : **FRF 10 000** – Paris, 12 fév. 1992 : *Scène de rue*, h/t (54x65) : **FRF 9 500** – Neuilly, 12 déc. 1993 : *Paysage à l'arbre*, h/isor. (62x38) : **FRF 5 600**.

FERRARI Antonio. Voir **AGRATE Antonio Ferrari da**

FERRARI Antonio de' ou **de'Ferrari**. Voir **ANTONIO** et **ANTONINO de' Ferrari**

FERRARI Arturo
Né en 1861 à Milan. Mort en 1932. xixe-xxe siècles. Italien.
Peintre de paysages d'eau, paysages urbains, architectures, intérieurs d'églises, aquarelliste.
Il fut élève du peintre milanais Giuseppe Bertini. Il figura fréquemment aux expositions de l'Académie Brera à Milan. Il exposa aussi à Paris, médaille d'argent pour l'Exposition Universelle de 1900, à Dresde, Munich.
Musées : Rome (Gal. Nat.) : *Vue intérieure de Saint-Paul à Milan*.
Ventes Publiques : Milan, 16 mars 1971 : *L'église de San-Stefano* : **ITL 1 600 000** – Milan, 14 mars 1978 : *Lac de Côme*, h/cart. (30x23) : **ITL 500 000** – Milan, 10 nov. 1982 : *Un village*, aquar. (34x32) : **ITL 700 000** – Milan, 29 mai 1984 : *La boutique de l'antiquaire via S. Bernardino, Milan*, h/t (30x44,5) : **ITL 3 000 000** – Milan, 4 juin 1985 : *Il Duomo di Milano*, h/pan. (30x23,5) : **ITL 1 700 000** – Milan, 1er juin 1988 : *Mer démontée à Pegli* 1918, h/t (85x139) : **ITL 6 500 000** – Milan, 14 juin 1989 : *Paysage fluvial*, h/cart. (25,5x35) : **ITL 1 900 000** – Milan, 8 mars 1990 : *Vue du débarcadère de Côme*, h/t (34x50) : **ITL 10 000 000** – Milan, 5 déc. 1990 : *Place Saint-Marc à Venise*, h/t (32,5x48) : **ITL 10 500 000** – Milan, 6 juin 1991 : *Pavillon de chasse au bord de la Lambro méridionale*, aquar./cart. (53x69,5) : **ITL 3 000 000** – Milan, 21 déc. 1993 : *Le Lambro à Canzo*, h/cart. (25x35) : **ITL 1 725 000** – Milan, 26 mars 1996 : *Le Gentilino à Porta Ticinese dans le vieux Milan ; Le petit pont de Morivione dans le vieux Milan*, aquar./pap., une paire (20,5x15,5 et 25x34) : **ITL 2 530 000**.

FERRARI Bartolomeo
Né le 18 juillet 1780 à Marostica près de Vicence. Mort le 8 février 1844 à Venise. xixe siècle. Italien.
Sculpteur et fondeur.
Il était le neveu et l'élève de Giovanni Ferrari, nommé Torretti ; parmi ses nombreuses œuvres on cite les sculptures décoratives aux arcs de triomphe érigés à Milan pour l'entrée de Napoléon, des Crucifix pour les églises de Lussino et Cologna, deux Anges monumentaux pour le Carmine à Padoue, des monuments funéraires dans les cimetières de Ferrare et de Vicence, un bas-relief pour la comtesse Sangiovanni à Vicence, des bustes de patriciens de Venise, et au tombeau de Canova, dans l'église des Frari, son œuvre *La sculpture*.

FERRARI Benedetto
xvie siècle. Actif à Mantoue. Italien.
Peintre.
Il est mentionné en 1518 pour des travaux de réfection exécutés dans plusieurs appartements du château de Marmirolo.

FERRARI Bernardino de' ou **de'Ferrari**. Voir **BERNARDINO de' Ferrari**

FERRARI Bernardo
Né vers 1495 à Vigevano. Mort vers 1574. xvie siècle. Italien.
Peintre d'histoire.
Il imita surtout le style de Gaudenzio Ferrari et peignit dans sa ville natale les chapelles de San Jacopo et San Filippo, et l'église Sainte-Ambroise.

FERRARI Bernardo
Né en 1689. Mort en 1718. xviiie siècle. Actif à Plaisance. Italien.
Peintre.
Il était l'élève de G. B. Draghi et peignit pour la chapelle San Opilio à Sant'Antonio une image de ce saint.

FERRARI Berto
Né en 1887 à Bogliasco. Mort en 1965 à Gênes. xxe siècle. Italien.
Peintre de paysages.
Il fut plutôt continuateur des réalistes du xixe siècle que touché par les « macchiaioli ».

Ventes Publiques : Milan, 6 juin 1991 : *Première chaleur à Nervi* 1939, h/cart. (42x50) : **ITL 3 000 000** – Milan, 12 déc. 1991 : *Sur le fleuve*, h/t (47,5x84,5) : **ITL 4 900 000** – Rome, 7 juin 1995 : *Le désert à l'aube*, h/pan. (30x60) : **ITL 2 760 000** – Milan, 26 mars 1996 : *Marina à Nervi*, h/cart. (30x39,5) : **ITL 4 370 000** – Milan, 18 déc. 1996 : *Matin au bord de la mer, Nervi* 1947, h/cart. (30x39,5) : **ITL 3 262 000**.

FERRARI Carlo
Né à Bergame. xixe siècle. Italien.
Peintre de portraits.
Médaille de bronze 1900 (Exposition Universelle).

FERRARI Carlo, dit **le Ferrarin** ou **Carlo da Verone**
Né le 30 septembre 1813 à Vérone. Mort le 28 janvier 1871 à Vérone. xixe siècle. Italien.
Peintre de compositions religieuses, portraits, architectures.
Il vécut à Rome. On cite de lui : *Une rue à Vérone, La Place d'Espagne à Rome, La Place Navonne, Le Baptême de Clovis, Apparition de la Vierge*. Il figura dans de nombreuses expositions en Italie, à Vienne et Varsovie.
Musées : Vérone (Pina.) : *Portrait du peintre par lui-même*.
Ventes Publiques : Paris, 8 déc. 1941 : *Fouilles au Forum* : **FRF 8 500** – Londres, 26 nov. 1985 : *Constructeur de pont à Vérone* 1853, h/t (75x124,5) : **GBP 17 000** – New York, 25 fév. 1987 : *Chi dorme non piglia pesci* 1913, h/t (55,9x76,4) : **USD 10 000**.

FERRARI Carlo
xxe siècle.
Peintre de paysages animés.
Ventes Publiques : Rome, 25 mai 1988 : *Le Bois de Nemi avec une petite fille* 1927, h/pan. (44x59) : **ITL 1 600 000** – Londres, 25 nov. 1992 : *Place très animée en Italie*, h/t (73,5x96,5) : **GBP 16 500**.

FERRARI Cesare, appelé aussi **Cesare Augusto Ferrarese**
Originaire d'Este. xviie siècle. Italien.
Peintre.
Il travailla à Padoue et Venise où une église possède de lui des tableaux représentant des *Scènes de la vie de San Filippo Benizi*. G. L. Valesio grava d'après lui une *Mise au tombeau*.

FERRARI Cristoforo de' ou **de'Ferrari**. Voir **CRISTOFORO de' Ferrari**

FERRARI Daniele
xviie siècle. Actif à Milan vers 1600. Italien.
Sculpteur.
Père jésuite, il fut élève du sculpteur sur bois Ricciardo Taurino et termina les sculptures commencées par celui-ci aux armoires de la sacristie de San Fidele. Quatre statues de saints, en argent, exécutées d'après ses projets y sont conservées. Il exécuta aussi le tabernacle du maître autel de cette église.

FERRARI Defendente, dit **Defendente Ferrari da Chivasso**
Né vers 1490 à Chivasso. Mort après 1535. xvie siècle. Italien.
Peintre de compositions religieuses, scènes de genre.
Il eut pour maître Martino Spanzotti. Il fut actif dans la région de Turin, à partir de 1509, il eut pour disciple Girolamo Giovenone. Contemporain de Giangiacomo Macrino, cet artiste exécuta un très grand nombre de tableaux religieux et éléments de prédelles, de style gothique. On cite notamment : une *Pietà*, dans la cathédrale de Chivasso ; des tableaux d'autel dans la cathédrale d'Ivrée, réalisés entre 1519 et 1521 ; une *Nativité avec des saints* 1531, dans l'église de Ranverso ; le triptyque de San Giovanni d'Avigliana en 1535.
Bibliogr. : In : *Diction. de la peinture italienne*, coll. Essentiels, Larousse, Paris, 1989.
Musées : Amsterdam (Rijksmuseum) : *Vierge à l'Enfant et sainte*

Anne – Bergame (École des Beaux-Arts) : *La Flagellation – La Crucifixion – L'Adoration des Bergers – Un concert* – Berlin (Kaiser Friedrich) : *Adoration de l'Enfant Jésus* – Bourg-en-Bresse : *Nativité de saint Jean-Baptiste – Déposition de croix* – Denver : *Le Christ chez Marthe et Marie* – Londres (Nat. Gal.) : *Saints*, deux œuvres – Milan (Gal. Brera) : *Saint Sébastien et sainte Catherine – Saint André – Saint Jérôme* – Milan (Castello Sforzesco) : *Saints et donateurs* – New York (Metropolitan Mus.) : *Deux Saints* – Oldenbourg (Augusteum) : *La Vierge et l'Enfant avec sainte Anne* – Stuttgart (Staatsgal.) : *Jésus enfant au Temple, saint Joseph et Marie* – Turin (Mus. Civico) : *Naissance du Christ* – Turin (Gal. Sabauda) : *Le Mariage de sainte Catherine – La Vierge allaitant l'Enfant Jésus – Sainte Barbe – Saint Georges*, triptyque – Turin (École des Beaux-Arts) : *Adoration de l'Enfant Jésus – Donateur avec saint François et sainte Agathe* – Verceil (Mus. Leone) : Triptyque – *La Glorification de la Vierge* – Vérone : *La Vierge* – Vicence : *L'Adoration des Mages*.

Ventes Publiques : Londres, 6 déc. 1937 : *Saint Jérôme* : **GBP 7** – Londres, 26 avr. 1939 : *Saint Évêque* : **GBP 48** – Londres, 28 avr. 1939 : *La Madone* : **GBP 33** – New York, 15-16 mai 1946 : *Saint Étienne* : **USD 225** – Londres, 26 juin 1970 : *Salomé montrant la tête de Saint Jean-Baptiste* : **GNS 1 400** – Paris, 11 déc. 1991 : *La Dormition de la Vierge*, détrempe sur pan. (27x64) : **FRF 110 000** – New York, 19 mai 1995 : *L'Adoration des Mages*, h. et temp./pan. (40x59,1) : **USD 156 500**.

FERRARI Elisabetta

Née le 24 août 1841. xixe siècle. Italienne.

Peintre.

Fille de Carlo Ferrari (dit le Ferrarin), elle épousa un élève de son père, Gaetano Cristiani. Elle exposa en 1858 une *Sainte Famille*.

FERRARI Ettore

Né le 25 mars 1849 à Rome. Mort en 1929. xixe-xxe siècles. Italien.

Peintre de paysages, aquarelliste, pastelliste, sculpteur de monuments, statues.

Il était fils de Filippo Ferrari. Il obtint le Grand Prix à l'Exposition Universelle de 1889 (Paris). Il exécuta un grand nombre de monuments et de statues d'hommes célèbres pour Rome, Rovigo, Pise, Pavie, Milan, etc., ainsi que pour des villes étrangères.

Musées : New York (Metropolitan) : *Le Président Lincoln*.

Ventes Publiques : Milan, 11 déc. 1986 : *Garibaldi à cheval*, terre cuite (H. 28) : **ITL 3 400 000** – Milan, 14 juin 1989 : *Vue de Venise*, aquar./pap. (27,5x20,5) : **ITL 1 300 000** – Milan, 21 nov. 1990 : *Cour d'un Palais de Vérone* 1885, aquar./pap. (28x21) : **ITL 1 300 000** – Rome, 28 mai 1991 : *Paysage*, past./pap. (70,5x53,5) : **ITL 900 000**.

FERRARI Eusebio

xvie siècle. Actif de 1508 à 1533. Italien.

Peintre de sujets religieux. Gothique tardif.

A. Griseri lui attribue un petit retable, à la facture particulièrement minutieuse, certainement destiné à un amateur privé.

Bibliogr. : G. Romano : Catalogue de l'exposition *Récupérations et nouvelles acquisitions*, Turin, 1975 – G. Romano : *Eusebio Ferrari et les fresques du xvie du Palais Verga et Vercelli*, Prospettiva, 1983-84.

Musées : Mayence : Triptyque d'autel.

Ventes Publiques : Milan, 21 avr. 1988 : *Adoration de l'Enfant*, h/pan. (66x40) : **ITL 83 000 000**.

FERRARI Evangelista

Né à Torrechiara (Province de Parme). Mort en septembre 1779. xviiie siècle. Italien.

Architecte et peintre de paysages.

Il fut élève de Bossi pour la peinture de paysages. On lui doit les portraits en médaillon des princes de la Maison de Savoie, ainsi que les dessins pour les œuvres de Bodoni, publiées à Parme en 1785 : *Epithalamia linguis exoticis reddita*.

FERRARI Febo

Né le 4 décembre 1865 à Pallanza (Italie). xixe siècle. Américain.

Sculpteur.

Élève de l'Académie Royale de Turin, il s'est, aux États-Unis (où il se fit naturaliser), spécialisé dans la sculpture architecturale.

FERRARI Federico

Né au xviiie siècle à Milan. xviiie siècle. Italien.

Peintre d'histoire.

Il fut élève de Pietro Maggi. On mentionne de lui de nombreux tableaux à l'huile et des fresques exécutés pour des églises de Milan et d'autres villes, par exemple : à Plaisance, fresques de plafond à l'église Saint-Vincent ; à Lodi, à l'église Saint-Philippe, également des fresques à la coupole ; à Bergame à l'église Saint-Alexandre et à l'église Saint-Roch ; à Pavie, à la cathédrale, à l'église Saint-Thomas et d'autres églises. A Alzano Maggiore on cite de lui les *15 Mystères du Rosaire* à la chapelle du Rosaire de l'église Saint-Martin.

FERRARI Felice Antonio

Né en 1667 à Ferrare. Mort en 1720 à Ferrare. xviie-xviiie siècles. Italien.

Peintre d'architectures.

Fils de Francesco Ferrari (né en 1634) ; il se fit remarquer par le style grandiose avec lequel il décora les palais de Ferrare, Venise, Padoue et Ravenne.

FERRARI Filippo

Né en 1819. Mort en 1897 à Rome. xixe siècle. Italien.

Sculpteur de statues, aquarelliste.

Il travailla à Rome où il exposa en 1880 une statue *Rebecca*. Il participa aux projets de sculpture pour le monument de Victor Emmanuel et exécuta des bas-reliefs pour la façade du Palais des Arts de la via Nazionale à Rome.

Ventes Publiques : Rome, 8 mars 1994 : *Costumes régionaux*, aquar./pap., série de cinq (chaque 24,5x15,5) : **ITL 3 220 000**.

FERRARI Francesco

Né en 1634 à Castello della Fratta (près de Rovigo). Mort en 1708 à Ferrare. xviie siècle. Italien.

Peintre d'histoire, compositions religieuses, paysages, architectures, décorateur de théâtre, dessinateur.

Il fut d'abord employé à peindre des figures, puis étudia la décoration avec Gabriel Rossi. Il exécuta des décors pour les théâtres de Vienne et de San Lorenzo et travailla pour le marquis degli Obizzi. Puis il fit également plusieurs tableaux dans différentes églises de Bologne et de Ferrare.

Ventes Publiques : New York, 11 jan. 1994 : *Porte surmontée d'une urne sur le côté d'un autel flanqué d'anges et d'un putto*, craie noire, encre et aquar. (40,6x28,3) : **USD 1 610**.

FERRARI Francesco

xviiie siècle. Actif à Crémone. Italien.

Peintre.

Il fut élève de Francesco Chiozzi et travailla pour les palais de Crémone. On cite ses peintures de la Casa Rizzola. Il fut aussi peintre de théâtres.

FERRARI Francesco

xviiie siècle. Actif à Rome. Italien.

Peintre et architecte.

Il fut admis à l'Académie St-Luc en 1721. Comme œuvres de peinture on lui attribue un tableau avec *Saint Nicolas et saint Vincent Ferrerio* sur un autel de l'église San Nicola dei Prefetti, ainsi qu'un tableau représentant le fondateur de l'ordre des Serviteurs de Marie qui était autrefois dans l'église San Nicola à Arcione.

FERRARI Francesco de ou **Deferrari**, appelé aussi **Francesco da Pavia**

Né au xve siècle, originaire de Pavie. xve siècle. Italien.

Peintre.

Il travailla à Gênes où il exécuta seul ou avec d'autres artistes de nombreux travaux, par exemple en 1480 il peignit les fresques du chœur de l'église Saint-Ambroise, les décorations de la chapelle Saint-Sébastien à la cathédrale ; en 1484 un tableau d'autel pour la grande salle du Palais de la République et un tableau représentant le *Doge Paolo Fregoso en robe de cardinal agenouillé devant saint Georges flanqué de saint Jean-Baptiste et de saint Laurent*. Il est mentionné également en 1490 pour sa participation aux travaux exécutés au Palais de Saint-Georges avec son compatriote Francesco Grasso.

FERRARI Francesco de Bianchi, dit **il Frari**. Voir **BIANCHI-FERRARI Francesco de'**

FERRARI Franciscus ou **Ferari**

xviie siècle. Actif à Anvers. Éc. flamande.

Peintre.

FERRARI Gaetano

xixe siècle. Italien.

Sculpteur de groupes, statues, bustes, bas-reliefs.

Fils de Giovanni Ferrari appelé Torretti, il fut élève de Rinaldo Rinaldi et travailla à Venise. Il exécuta d'après les projets de ce

dernier le buste de marbre de *Moschini* dans le Séminaire de Sainte-Marie-du-Salut à Venise. On cite de lui également le lion de bronze au-dessus de la fenêtre principale de la façade de Saint-Marc à Venise. Cet artiste figura à l'exposition de Venise en 1820 avec trois têtes de nymphes et une tête de Christ couronnée d'épines en bas-relief.
Ventes Publiques : New York, 14 oct. 1993 : *Arabe enlevant une femme sur un chameau*, bronze (H. 42,7) : **USD 1 495**.

FERRARI Gaudenzio, appelé aussi **Gaudenzio de Vince,** ou **Vincio,** et par Vasari **Gaudenzio Milanese**
Né en 1484 à Valduggia très probablement. Mort en 1546 à Milan. XVIe siècle. Italien.
Peintre et sculpteur.
On croit qu'il fut quelque temps élève de Luini. Il travailla avec Stefano Scotto (Siret dit André Scotto), peintre d'arabesques à Milan. Siret nous dit qu'il fut élève de Pierre Pérugin ; exécuta des travaux importants à Varallo en 1504 ; ami et compagnon de Raphaël, il suivit celui-ci à Florence puis à Rome où il l'aida à la Farnésine et au Vatican ; il fut plus tard collaborateur de Jules Romain et de Perino del Vaga ; il retourna à Varallo, en 1521, et y exécuta des peintures et des sculptures dans sa nouvelle manière. Il fut maître du peintre biographe Lomazzo. Bryan n'est pas, beaucoup s'en faut, d'accord avec Siret. Le talent de Ferrari s'était développé avec une rapidité extraordinaire et de si bonne heure que déjà en 1504, il fut appelé à exécuter dans la Cappella del Sacro Monte de Varallo : *Le sacrifice du Christ*. En 1508, nous le trouvons à Verceil. À Varallo, il déploya une fort grande activité et y exécuta un grand nombre de sculptures et de peintures. À partir de 1527, il résida à Milan où il peignit à l'huile et à fresque pour les différentes églises de la ville et du voisinage. Pour la décoration de la coupole de Sainte Marie des Miracles à Saronno, il semble s'être inspiré du Dôme de Parme à Corrège. S'il se situe dans la lignée des grands fresquistes gothiques, sa manière ample et mouvementée annonce le baroque. Il mourut avant d'avoir terminé *La dernière Cène* dans l'église Santa Maria del Passione. Il fit aussi des tableaux en collaboration avec son maître en 1532, il acheva seul ces œuvres en 1535, soit trois ans après la mort de Luini à San Cristoforo de Vercelli et à l'église de Busto Arsizio près de Milan, plusieurs fresques.

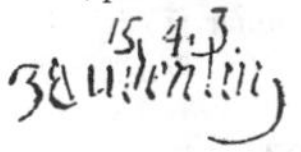

Musées : Bergame (Carrara) : *La Vierge et l'Enfant Jésus – Petits amours qui sonnent* – Même sujet – *Petits amours qui dansent* – Même sujet – Berlin (Kaiser Friedrich Mus.) : *L'Annonciation* – Florence (Gal. Nat.) : *Salvator Mundi* – Londres (Nat. Gal.) : *La Résurrection* – Milan (Brera) : *Catherine d'Alexandrie – La Vierge et l'Enfant Jésus – La Présentation de Marie – Isear chassant saint Joachim du Temple – Anges prédisant à sainte Anne la naissance de la Vierge – Consécration de Marie – L'Ange annonciateur – l'Annonciation – L'Adoration des Mages – L'Assomption – Ange avec mandoline – Ange avec harpe – Ange avec violon – Visitation de la Vierge* – Milan (Poldi-Pezzoli) : *Vierge et saints* – Moscou (Roumiantzeff) : *Adoration des bergers* – Novarra : *Anges à genoux* – Paris (Louvre) : *Saint Paul* – Turin (Pina.) : *Dieu le Père – Saint Joachim chassé du Temple – La Visitation – Sainte Anne – Pietà – La Crucifixion – Saint Pierre et donateurs* – Varallo : Fragments de fresques – *Saint François recevant les stigmates* – Verceil (Beaux-Arts) : *Pietà*.
Ventes Publiques : Londres, 26 mars 1908 : *Fragment de décoration* : **GBP 44** – Londres, 19 fév. 1910 : *La Vierge et l'Enfant Jésus* : **GBP 48** – Paris, 19 mars 1919 : *La Nativité*, attr. : **FRF 1 850** – Londres, 11 fév. 1929 : *Un Ange avec des saints*, sépia : **GBP 7** – Londres, 29 mars 1929 : *L'Adoration des Mages*, dess. : **GBP 8** – Londres, 10 juin 1931 : *L'Adoration des Mages* : **GBP 21** – Paris, 20 et 21 avr. 1932 : *La Sainte Famille et saint Jean*, pl. et lavis, attr. : **FRF 520** – Londres, 21 nov. 1958 : *Ange jouant du violon*, lav. : **GBP 630** – Genève, 13 juin 1960 : *Vierge à l'enfant*, dess. à la pl., lav. de bistre : **CHF 1 000** – Londres, 30 mars 1962 : *Sainte Catherine d'Alexandrie et Sainte Apolline* : **GNS 4 000** – Milan, 12 et 13 mars 1963 : *Le baiser de Judas ; Ecce Homo ; La Flagellation*, quatre temperas sur bois : **ITL 2 300 000** – Londres, 24 mai 1963 : *Jésus au temple* : **GNS 2 600** – Londres, 5 déc. 1969 : *Vierge à l'Enfant* : **GNS 2 500** – New York, 16 jan. 1985 : *Tête de jeune femme*, craies noire et blanche/pap. bleu (32,4x22) : **USD 12 000**.

FERRARI Giacinto
XVIIIe siècle. Actif à Rome au début du XVIIIe siècle. Italien.
Sculpteur et peintre.
Il travailla pour l'église Sainte-Marie-Libératrice.

FERRARI Giacomo
XVIIe siècle. Actif à Crémone. Italien.
Peintre.
L'église Saint-Pierre à Crémone lui doit quatre tableaux, parmi lesquels on cite *Le Martyre de saint Alexandre* et *Saint Dominique dans la bataille des Albigeois*.

FERRARI Giacomo Giuseppe, appelé en Russie **Jacopo Ferrari**
Né en 1747 à Torrechiara (Province de Parme). Mort le 1er mai 1807 à Saint-Pétersbourg. XVIIIe siècle. Italien.
Architecte et peintre d'architectures.
Élève de l'Académie de Parme il y reçut un prix pour un projet d'une place de ville. A Saint-Pétersbourg il entra comme architecte au service du tsar.

FERRARI Gian Francesco. Voir **AGRATE Gain Francesco Ferrari da**

FERRARI Gio Andrea de ou **Deferrari**. Voir **FERRARI Giovanni Andrea de**

FERRARI Giovanni
XVIe siècle. Actif vers 1585. Italien.
Peintre.
Dans l'église Saint-Laurent à Morbegno (Côme) se trouvent de lui deux tableaux : *Saint Joachim et l'ange* et *Rencontre de saint Joachim et de sainte Anne*.

FERRARI Giovanni, appelé aussi **Giovanni Torretti**
Né en 1744 à Crespano. Mort en 1826 à Venise. XVIIIe-XIXe siècles. Italien.
Sculpteur.
Il était appelé aussi Torretti comme son oncle Giuseppe II Torretti (II), premier maître de Canova. Il fut également élève de son oncle et travailla à Mantoue, Modène, Bologne, Rome et enfin à Venise. On cite parmi ses œuvres plusieurs statues sur la place Victor-Emmanuel II à Padoue, dont celles d'*Andrea Mantegna* – d'*A. Canova*, et des papes *Alexandre VIII* et *Clément XIII*, puis aussi les statues de *Saint Pierre et saint Jérémie* au maître-autel de l'église S. Geremia à Venise ; les statues de la *Prudence* et de la *Sagesse* dans le jardin du Palais Trepolo à Carbonara, ainsi que le monument funéraire de l'*Amiral Angelo Emo à Venise*.

FERRARI Giovanni Andrea de
Mort en 1657, Mort de la peste. XVIIe siècle. Italien.
Peintre de compositions religieuses, portraits.
Il était le fils d'Orazio de Ferrari et mourut de la peste avec toute sa famille. Il peignit à l'âge de 12 ans un portrait de moine augustin qui fut longtemps en possession de la Bibliothèque Aprosiana à Vintimille.

FERRARI Giovanni Andrea ou **Gio Andrea de** ou **Deferrari**
Né en 1598 à Gênes (Ligurie). Mort le 25 décembre 1669. XVIIe siècle. Italien.
Peintre de compositions religieuses.
Il eut pour maîtres Bernardo Castello et Bernardo Strozzi.
Il peignit de nombreux tableaux d'autel pour des églises de Gênes et d'autres villes. On cite parmi ses œuvres à Gênes : *Mort de saint Joseph* à l'église Saint-Roch ; *Saint Thomas confessant sa foi devant le roi Maure* dans l'Oratoire des Cinq Plaies ; *Saint Ambroise chassant du temple l'empereur Théodose* et *Miracle de saint Ignace*, à l'église Saint-Ambroise ; *Joseph vendu par ses frères*, dans la galerie Durazzo-Pallavicini. En 1619, alors qu'il n'était âgé que de vingt-et-un ans, il peignit pour l'église des Sœurs de Saint-Joseph, dix tableaux constituant l'encadrement d'une niche, parmi lesquels : *Le Mariage de la Vierge*, et *Saint Joseph charpentier*, déjà caractérisés par un sens du clair-obscur très caravagesque, et une grande virtuosité poétique.
Dans l'ensemble de ses œuvres, on retrouve des références aux exemples de Vélasquez et Murillo, qu'il admirait avec Le Caravage, le Bassano et Titien.
Bibliogr. : In : catalogue de l'exposition *Le Caravage et la peinture italienne au XVIIe siècle*, Musée du Louvre, Paris, 1965.
Musées : Chambéry (Mus. des Beaux-Arts) : *Tête d'homme* – Gênes (Mus. de l'Acad. des Beaux-Arts) : *Résurrection d'un maçon par un saint* – Gênes (Gal. du Palais Bianco) : *Saint Pierre délivré de ses liens – Repas d'Emmaüs* – Parme (Pina.) : *La Honte de Noé – Joseph vendu par ses frères* – Rome (Gal. Nat.) : *Les Frères de Joseph*.

Ventes Publiques : Londres, 10 avr. 1981 : *Joseph refusant les cadeaux de ses frères*, h/t (1746x209,6) : **GBP 24 000** – Milan, 8 mai 1984 : *Scène biblique*, h/t (141x114,5) : **ITL 19 000 000** – Londres, 4 juil. 1986 : *L'Adoration des bergers*, h/t (112,4x141,5) : **GBP 19 000** – Rome, 10 mai 1988 : *Saint Jean-Baptiste dans le désert*, h/t (144x119) : **ITL 18 000 000** – Rome, 24 mai 1988 : *Abraham agenouillé et les trois anges*, h/t (192x242) : **ITL 16 000 000** – Londres, 21 avr. 1989 : *L'adoration des bergers*, h/t (112x141,5) : **GBP 19 800** – Rome, 8 avr. 1991 : *Les lamentations sur le Christ mort*, h/t (96,5x121) : **ITL 3 680 000** – Paris, 26 juin 1991 : *Tête d'apôtre*, h/t (48x39) : **FRF 5 000** – Londres, 31 mars 1992 : *Le Christ et la Samaritaine*, h/t (108,7x129,5) : **GBP 9 000** – Milan, 14 juin 1995 : *Île de San Giorgio à Venise*, h/pan. (20,5x35) : **ITL 11 500 000**.

FERRARI Giovanni Battista. Voir **FORNARI Piccapietro**

FERRARI Giovanni Battista
Originaire de Novare dans le Piémont. XVIIe siècle. Italien.
Peintre.
Il est mentionné à Rome, où il travailla en 1608 à Sainte-Marie-Majeure.

FERRARI Giovanni Battista
XVIIe siècle. Italien.
Peintre.
Le Baptistère de Parme conserve de lui un tableau représentant trois saints. Peut-être descendant du sculpteur Giovanni-Battista Ferrari, dit Fornari Piccapietro.

FERRARI Giovanni Battista
XVIIe siècle. Actif à Sienne. Italien.
Graveur.
Il grava en 1633 les planches pour illustrer un livre sur le jardinage *De Florum cultura*, dont les projets furent faits par Guido Reni, Pietro da Cortona et A. Sacchi.

FERRARI Giovanni Battista
Né en 1829 à Brescia. Mort en 1906 à Milan. XIXe siècle.
Peintre de paysages.
Il travailla à Milan et figura à la Brera avec deux tableaux : *Lago di Piano* et *Vue de Brescia*, ainsi qu'à la Galerie des Arts Modernes avec un *Paysage de Lombardie*. Un *Paysage des Alpes* se trouvait à l'Exposition rétrospective de Milan en 1900.
Musées : Brescia (Pina.) : *Paysage des Alpes*.
Ventes Publiques : Milan, 16 déc. 1982 : *Arona, lago Maggiore*, h/pan. (18,5x33,5) : **ITL 1 500 000** – Milan, 27 mars 1984 : *Arco della Pace a Milano* ; *Lac lombard*, deux pan. (20,5x35) : **ITL 3 800 000** – Londres, 9 oct. 1987 : *Troupeau et berger dans un paysage fluvial boisé* 1869, h/t (86x131) : **GBP 6 500** – Milan, 8 juin 1993 : *Paysage lacustre avec des paysans et leur bétail* 1878, h/t (46,5x70,5) : **ITL 14 000 000** – Milan, 21 déc. 1993 : *Isola Bella sur le lac Majeur* 1883, h/t (36,5x50) : **ITL 13 225 000** – Milan, 14 juin 1995 : *L'Arc de la Paix à Milan* ; *L'Île San Giorgio à Venise*, h/pan., une paire (20,5x35,5) : **ITL 13 225 000** – Rome, 23 mai 1996 : *Promenade sur le canal* 1866, h/t (56x80) : **ITL 21 275 000** – Rome, 11 déc. 1996 : *Pâturage de montagne*, h/t (106x152) : **ITL 32 620**.

FERRARI Giovanni Francesco
XVIe siècle. Actif à Bologne. Italien.
Peintre.
Il fut élève de Carracci et travailla vers 1590.

FERRARI Girolamo, dit **Riccamador**
XVe siècle. Actif à Ferrare. Italien.
Peintre.
On lui attribue un grand tableau : *La rencontre de Marie et de sainte Elisabeth*, provenant de l'église de la Madonnina, et que conserve la Galerie de l'Université de Ferrare.

FERRARI Girolamo
XVIe siècle. Actif à Ferrare. Italien.
Peintre.
On lui attribue un tableau peint pour la paroisse de Tamara près de Ferrare ; il peignit une bannière (gonfalon) pour la « Compagnie della Morte ».

FERRARI Girolamo
Originaire de Gênes. XVIe siècle. Italien.
Peintre.
On connaît de lui seulement un dessin conservé par le Cabinet des Estampes de Berlin. Il travailla à Rome.

FERRARI Giulia
Née le 30 décembre 1845. Morte le 10 août 1901. XIXe siècle. Italienne.
Peintre de portraits.
Fille de Carlo Ferrari.

FERRARI Giulio Cesare
Né en 1813 ou 1818 à Bologne. Mort vers 1899. XIXe siècle. Italien.
Peintre d'histoire, portraits.
On cite parmi ses œuvres : *Le Tasse lisant ses poésies à Eléonore* ; *La Fille de Jephté* ; *Linda de Chamounix*.
Musées : Bologne (Pina.) : *Le Serpent d'airain – Esmeralda*.
Ventes Publiques : Bologne, 27 sep. 1986 : *Esmeralda*, h/t (90x65) : **ITL 3 500 000**.

FERRARI Giuseppe
Né en 1773. Mort en 1864. XVIIIe-XIXe siècles. Actif à Ferrare. Italien.
Sculpteur.
Il fut élève de Tenerani puis professeur à l'Université de Ferrare. Il sculpta un grand nombre de monuments funéraires pour le cimetière de sa ville natale, entre autres les statues du poète *Vincenzo Monti*, du poète et philosophe *Alfonso Varano*, du philosophe *D. Bartoli*, et des statues allégoriques et bas-reliefs.

FERRARI Giuseppe
XIXe siècle. Actif à Gênes. Italien.
Peintre de genre et de paysages.
Il publia en 1863 un album de lithographies avec des vues de la Riviera de Ponente.

FERRARI Giuseppe
Né en 1840 ou 1843 à Rome. Mort le 4 août 1905 à Rieti. XIXe siècle. Italien.
Peintre de compositions religieuses, scènes de genre, figures, paysages animés, marines, aquarelliste.
Il a exposé à Munich entre 1879 et 1888. Il obtint une mention honorable à l'Exposition Universelle de Paris en 1900.
Musées : Norwich : *Un guerrier de la Tunisie – Une dame romaine – Le Tambour*, aquar. – Rome (Gal. Nat.) : *Les Trois Marie – Le Christ à Gethsémani – Civitavecchia*, marine.
Ventes Publiques : Londres, 16 mars 1979 : *La Prière du matin* 1881, aquar. (132,2x140,8) : **GBP 900** – Londres, 30 jan. 1980 : *Le cavalier* 1878, h/pan. (48x35,5) : **GBP 1 000** – Londres, 29 avr. 1982 : *Revanche* 1877, aquar. (75x54) : **GBP 1 100** – Rome, 29 oct. 1985 : *Jeunes Filles dans un paysage boisé*, h/t (102x110) : **ITL 1 600 000**.

FERRARI Giuseppe
Né en 1846 à Plaisance. XIXe siècle. Italien.
Sculpteur sur bois.
Il fut élève de Gregori et travailla à Milan et à Naples. Il sculpta un berceau pour l'héritier du trône d'Italie, Victor-Emmanuel. Il se fixa ensuite en Amérique où il exécuta de nombreuses sculptures décoratives pour lesquelles il obtint des récompenses à l'Exposition Universelle de Philadelphie de 1876.

FERRARI Gregorio de
Né en 1644 ou 1647 à Porto-Maurizio. Mort en 1726 à Gênes (Ligurie). XVIIe-XVIIIe siècles. Italien.
Peintre d'histoire, sujets religieux, fresquiste, copiste, dessinateur.
Il fut élève de Domenico Fiasella, appelé Il Sarzana, à Gênes. Puis, il fut très occupé à Turin, à Marseille. De retour à Gênes, il travailla avec Domenico Piola, dont il épousera d'ailleurs la fille. Le génie du premier maître ne concordait pas avec celui de l'élève, doué de vues plus larges et plus libérales. Aussi, lorsque Gregorio eut étudié à Parme les œuvres du Corrège et même fait une copie très soignée de la grande coupole de la cathédrale, on le vit changer complètement de style. Il rappelle, dès lors, Allegri dans toutes ses peintures, mais s'il l'a bien imité dans ses têtes et dans ses figures isolées aux tonalités claires et aux formes légères, il n'en est pas de même dans l'ensemble de ses compositions, très loin d'être aussi bien conçues, ni dans le coloris de ses fresques. Il exécuta des travaux considérables à Gênes, on cite notamment : une fresque pour le palais Cambiaso Centurione ; *Gloire de San Andrea Avellino*, *Repos pendant la fuite en Égypte* et *Extase de San Francesco*, pour l'église San Siro ; le *Printemps* et *l'Été*, pour le palais Rosso. On lui doit aussi *Triomphe d'un guerrier*, pour le palais royal de Turin.
La peinture fantaisiste et décorative de Gregorio de Ferrari survivra durant la seconde moitié du XVIIIe siècle, qui, en peinture, suit la même ligne que quelques sculpteurs disciples de Bernin, tels que Pierre Puget et Daniel Solaro, également actifs à Gênes.
Bibliogr. : In : *Diction. de la peinture italienne*, coll. Essentiels, Larousse, Paris, 1989.

Musées : Gênes (Palais Bianco) – Gênes (Palais Rosso) : *Projet pour la décoration d'une coupole avec l'Immaculée Conception et, dans les pendentifs, un prophète et une sibylle*, dess.
Ventes Publiques : Paris, 21 fév. 1919 : *Allégorie pour un plafond*, pl. et encre de Chine : **FRF 30** – Londres, 13 déc. 1984 : *Têtes de deux anges*, pierre noire (32,4x20,5) : **GBP 450** – Rome, 24 mai 1988 : *Apparition du Christ à Sainte Catherine*, h/t (135x94) : **ITL 32 000 000** – Londres, 2 juil. 1991 : *Notre-Dame de Lorette apparaissant à deux Saints*, craie noire, encre brune et lav. gris (32x32,7) : **GBP 10 450**.

FERRARI Jacopo. Voir **FERRARI Giacomo Giuseppe**

FERRARI Jan Baptista I ou **Ferari**
xviie siècle. Actif à Anvers. Éc. flamande.
Peintre.
Il fut reçu Maître en 1696-97.

FERRARI Jan Baptista II ou **Ferari**
xviiie siècle. Actif à Anvers. Éc. flamande.
Peintre.
Il fut reçu Maître en 1725-26.

FERRARI Juan M.
Né le 21 mai 1874 à Montevideo. Mort le 31 octobre 1916 à Buenos Aires. xxe siècle. Uruguayen.
Sculpteur de monuments, groupes, bustes.
Jeune, il obtint une bourse pour se perfectionner en Europe. À Rome, il fut élève d'Ettore Ferrari et d'Ercole Rosa.
De ses maîtres italiens, il apprit une statuaire encore très objective, mais qu'il anima de toute sa sensibilité personnelle, lorsqu'il sculpta les bustes de ses amis ou des monuments, maintenant classiques en Amérique latine. Son œuvre la plus célèbre est le *Monument érigé à Mendoza pour commémorer le Passage des Andes par le général San-Martin*, dans lequel statues et hauts-reliefs en bronze se détachent de la pierre des Andes, dans un bel élan romantique.

FERRARI Leonardo, appelé aussi **Leonardino**
Né à Bologne. Mort en 1648. xviie siècle. Italien.
Peintre d'histoire.
Élève de Lucio Massari. Quoique cet artiste soit fréquemment cité par le Massari comme peintre de festivals, il se fit une bonne réputation avec ses travaux d'histoire, que l'on trouve en grande partie dans les églises de sa ville natale. A l'église S. S. Gervasio e Protasio, on voit : *La Vierge du rosaire avec Marie-Madeleine et d'autres saints* ; à San Francesco : *La mort de saint Joseph*, et à la Madonna della Neve : *Saint Antoine de Padoue*.

FERRARI Lorenzo
Né à Sissa (Province de Parme). xviiie siècle. Italien.
Peintre et modeleur.
Fils de Paolo (I) Ferrari, il fut élève de Paolo Ferrari (II) pour la peinture à l'Académie de Rome. Il étudia le modelage avec Lorenzo Guiard. On cite de lui un dessin représentant la *Communion de sainte Lucie* d'après un tableau de S. Ricci de l'église Sainte-Lucie à Parme ; ce dessin fut gravé par G. Patrini.

FERRARI Lorenzo de, dit **l'Abate de Ferrari**
Né en 1680 à Gênes (Ligurie). Mort en 1744 à Gênes. xviiie siècle. Italien.
Peintre de compositions religieuses, sujets allégoriques, fresquiste, dessinateur.
Fils de Gregorio de Ferrari, il fut son élève et, comme lui, imita le Corrège, tout en étant plus tourné vers Rome.
Il fut surtout apprécié pour ses fresques, mais il exécuta aussi des toiles de qualité pour les églises. Lorsqu'il vise à la délicatesse, il tombe dans la langueur, mais il est de ses œuvres, comme celles décorant le palais Doria, à San Matteo, où il sut aviver les teintes au point qu'elles semblent être peintes à l'huile.
Musées : Gênes (Mus. de l'Acad. des Beaux-Arts) : *Le courage*, dess.
Ventes Publiques : Londres, 9 déc. 1980 : *Deux Sibylles*, craies noire et blanche/pap. gris, deux dess. (61x37,8 et 61x38,8) : **GBP 4 500** – New York, 12 jan. 1988 : *Extase d'un Saint*, craie noire, projet pour un plafond (41x26) : **USD 3 080** – New York, 12 jan. 1989 : *Adam et Ève et leurs enfants Caïn et Abel*, h/t (91,5x94,5) : **USD 30 800** – Paris, 16 juin 1993 : *Étude pour une cariatide drapée*, craie noire avec traces de craie blanche/pap. gris-bleu (53,5x23,8) : **FRF 50 000** – New York, 12 jan. 1995 : *Saint François Xavier prêchant depuis le haut d'un rocher*, craie noire (43,7x29,5) : **USD 3 680**.

FERRARI Luca, appelé aussi **Luca da Reggio**
Né en 1605 à Reggio Emilia. Mort en 1654 à Padoue. xviie siècle. Italien.
Peintre de compositions religieuses, sujets mythologiques, portraits.
Élève de Guido Reni, il se rapproche beaucoup de son maître par la grâce de ses personnages et l'expression de ses têtes. Il fut lui-même le maître de Minorello et de Cirelli. L'église Saint-Antoine de Padoue possède une de ses peintures les plus estimées : *Une Pietà* pleine de caractère et d'expression et d'un coloris admirable.
Musées : Bordeaux : *La Peinture couronnée par la Renommée* – Florence (Offices) : *Portrait de l'auteur* – Modène (Gal. Estense) : *Sainte Marie-Madeleine* – *La Mort de Cléopâtre* – *Tomyris plongeant la tête de Cyrus dans une outre emplie de sang* – Padoue (église des Dominicains) : *La Peste* 1630.
Ventes Publiques : Rome, 24 mai 1973 : *Scène de l'Antiquité* : **ITL 6 000 000** – Rome, 29 mars 1977 : *Noli me tangere*, h/t (112x146) : **ITL 3 150 000** – Londres, 11 mars 1983 : *Pâris*, h/t (69,2x59) : **GBP 5 000** – Milan, 26 nov. 1985 : *Lucrezia*, h/t (124x110) : **ITL 14 000 000** – Londres, 11 avr. 1990 : *Sainte Catherine*, h/t (105x85,5) : **GBP 19 800** – Amelia, 18 mai 1990 : *Saint Jean-Baptiste*, h/t (93x67) : **ITL 9 500 000** – Rome, 8 avr. 1991 : *Saint Jean Baptiste jeune*, h/t (93x67) : **ITL 3 220 000** – Milan, 28 mai 1992 : *La Clémence de Scipion*, h/t (145x220) : **ITL 210 000 000**.

FERRARI Luigi
Né le 21 juin 1810 à Venise. Mort le 13 mai 1894 à Venise. xixe siècle. Italien.
Sculpteur de sujets religieux, groupes, statues, bustes, bas-reliefs, aquarelliste.
Son père, le sculpteur Bartolomeo Ferrari, fut son maître. Très jeune il se fit connaître par une belle statue de *La Vierge*, mais il doit surtout sa célébrité à son groupe du *Laocoon*. En 1851, il fut nommé professeur de sculpture à l'Académie de Venise. On cite de lui : *David et Goliath*, *Endymion*, des bas-reliefs et des bustes.
Musées : Bologne : *L'Immaculée Conception*, plâtre – Brescia : *Joseph Ier, empereur d'Autriche* – Brescia (Palais Ducal) : *Buste de Galilée* – *Buste de Paruta* – Brescia (Correr) : *Buste du général Giuglielmo Pepe*.
Ventes Publiques : Rome, 8 mars 1994 : *Costumes régionaux*, aquar./pap., série de six (chaque 17x15) : **ITL 3 450 000**.

FERRARI Marcel Jacques
Né à Saint-Maur-les-Fossés (Seine). xxe siècle. Français.
Peintre.
Exposant du Salon d'Automne.

FERRARI Moysio
xixe siècle. Actif à Venise. Italien.
Graveur au burin.

FERRARI Nicola
Originaire de Caravaggio. xive siècle. Italien.
Peintre.
Il travailla à Bergame.

FERRARI Nunzio
Né le 25 mars 1832 à Guardiagrele (Abruzzes). Mort le 10 mai 1910 à Guardiagrele (Abruzzes). xixe-xxe siècles. Italien.
Sculpteur sur bois.
Il fut élève de Cataldi, Tenerani et Protesti à l'Académie de Rome ; il travailla dans son pays natal principalement pour des églises. La cathédrale de Lanciano lui doit quatre statues des *Pères de l'Église* ; beaucoup d'églises des Abbruzzes furent décorées d'après ses projets.

FERRARI Orazio de
Né à Voltri, en 1605 ou 1606 selon certains biographes. Mort en 1657 à Gênes (Ligurie). xviie siècle. Italien.
Peintre de compositions religieuses, fresquiste.
Il fut le compatriote, parent et élève d'Andrea Ansaldo. Sa réputation lui valut la faveur du prince de Monaco, au service duquel il resta pendant plusieurs années. Il mourut de l'épidémie de la peste de 1657 à Gênes.
Peintre de fresques et de tableaux à l'huile, il réalisa notamment : une *Cène*, pour l'oratoire de San Siro à Gênes ; une *Apparition de la Vierge* et une *Consécration de saint Pierre martyr*, à l'oratoire de San Giacomo à Marina di Genova ; deux scènes de la *Vie du Christ* ; et plusieurs *Ecce Homo*.
Bibliogr. : In : *Diction. de la peinture italienne*, coll. Essentiels, Larousse, Paris, 1989.
Musées : Gênes (École des Beaux-Arts) : *Saint Augustin* – Milan (Gal. Brera) : *Ecce homo*.
Ventes Publiques : New York, 5 nov. 1982 : *Saint Pierre, Saint*

Paul et Saint Bartholomé, trois h/t (42,5x35) : **USD 3 000** – LONDRES, 8 juil. 1987 : *Scène de l'Ancien Testament*, h/t (115x147) : **GBP 200 000** – MILAN, 10 juin 1988 : *Sainte Cécile*, h/t (123x89) : **ITL 22 500 000** – ROME, 8 avr. 1991 : *L'Adoration des bergers*, h/t (112x93) : **ITL 3 450 000** – MILAN, 3 déc. 1992 : *Le martyr de saint Biagio*, h/t (155x174,5) : **ITL 53 000 000**.

FERRARI Paolo I

Né vers 1700 à Sissa (Province de Parme). XVIIIe siècle. Italien.

Architecte et peintre.

On cite parmi ses œuvres de peinture des médaillons dans l'église de Trecasali (Province de Parme), une *Tempérance* pour une cheminée d'une salle de l'Hôtel de Ville, et six planches pour le catafalque de l'église de l'Annunziata.

FERRARI Paolo II

Né vers 1730. XVIIIe siècle. Actif à Parme. Italien.

Peintre.

Il était professeur à l'Académie de Parme. Dans une chapelle de l'église San Giuseppe se trouve de lui une *Sainte Cécile à qui un ange tend la palme et la couronne du martyre*, et dans la petite chapelle du Pont Caprazucca une *Vierge avec saint Bernard et saint Roch*.

FERRARI Pietro Melchiorre

Né en 1735 à Parme. Mort en 1787. XVIIIe siècle. Italien.

Peintre d'histoire, compositions religieuses, portraits.

Élève de Giuseppe Baldrighi, il copia plutôt les anciens maîtres de Parme que le sien. Il fut professeur de l'Académie de sa ville natale.

Ferrari p.

MUSÉES : PARME : *Nu masculin* deux études – *Portrait de Bertoluzzi* – *Portrait de la femme de Bertoluzzi* – *Portrait de l'auteur avec Giuseppe Baldrighi et Gaetano Callani* – *Portrait de Ferdinand de Bourbon* – *L'Éducation de la Vierge* – *Saint Vincent Ferreri* – *Innocenzo Frugoni et l'Arcadia Parmense*.

VENTES PUBLIQUES : PARIS, 18 mai 1942 : *Le Couronnement du poète*, pl. et lav. de bistre : **FRF 1 250** – PARIS, 3 fév. 1943 : *Scène antique*, pl. et lav. de sépia : **FRF 420** – LONDRES, 7 déc. 1987 : *L'Annonciation*, pl. et lav. de coul. (33,6x25,6) : **GBP 1 000** – ROME, 10 mai 1994 : *Portrait de gentilhomme*, h/t (104x83,5) : **ITL 6 900 000**.

FERRARI Teodoro Wolf

Né le 26 juin 1878 à Venise. Mort en 1945 à Zenone degli Ezzellini (près de Trévise). XXe siècle. Depuis 1898 actif aussi en Allemagne. Italien.

Peintre de portraits, nus, paysages, décorateur. Post-impressionniste.

Il fut élève de Guglielmo Ciardi à l'Académie des Beaux-Arts de Venise. Il se fixa à Munich en 1898, où il se fit connaître en tant que Teodoro Wolf-Ferrari. Il participa à de nombreuses expositions collectives, en Italie et en Bavière, notamment à l'Exposition Internationale de Turin en 1902 et à la Biennale de Venise. Il conçut de nombreux panneaux décoratifs, des paravents et des vitraux, qui évoquent le style fin de siècle des Nabis. Il participa à la décoration du Grand Établissement de Bains du Lido à Venise. D'une façon générale, ses œuvres révèlent un sens de l'observation, une grande exigence dans la qualité du dessin, une palette délicate. Si sa préférence allait au paysage, il peignit aussi portraits et nus. Il suivit les divers mouvements artistiques de son temps, assimilant l'influence des impressionnistes, de Van Gogh et Cézanne, et enfin le divisionnisme-tachiste (macchiaiolo) de Segantini. ■ J. B.

BIBLIOGR. : G. Perocco : *Opere giovanili di Teodoro Wolf Ferrari*, Venise, 1968.

MUSÉES : BASSANO – BRIGHTON – ROME – VENISE.

VENTES PUBLIQUES : MILAN, 10 juin 1981 : *Paysage montagneux* 1925, h/pan. (55x71) : **ITL 600 000** – LONDRES, 24 oct. 1984 : *Paysage*, h/pan. (78x98) : **GBP 1 100** – MILAN, 18 mars 1986 : *Paysage*, h/pan. (60x80) : **ITL 2 200 000** – ROME, 31 mai 1990 : *Paysage montagneux*, h/pan. (24,5x36) : **ITL 2 000 000** – ROME, 28 mai 1991 : *Paysage* 1930, h/pan. (50x60) : **ITL 3 200 000** – MILAN, 6 juin 1991 : *Saules et cyprès* 1917, h/t (57x88,5) : **ITL 11 000 000** – MILAN, 8 juin 1993 : *Canal vénitien*, h/pan. (64x75) : **ITL 9 000 000**.

FERRARI William

Né à Rosario. XXe siècle. Argentin.

Graveur au burin.

Élève de E. Léon. Exposant du Salon des Artistes Français en 1930.

FERRARINI Agostino

Né en 1828 à Moletolo (province de Parme). XIXe siècle. Italien.

Sculpteur.

Il commença ses études à 9 ans chez Tomaso Bandini et les acheva à l'Académie de Parme où il devint professeur en 1865. Parmi ses œuvres, on cite à Plaisance : *Le Monument du médecin Guglielmo da Saliceto*, et au Monastère de Saint-Jean, un groupe de marbre *La Charité* ; à Parme, la statue du *Corrège* dans une niche du Palais Communal, et les statues de la façade de l'Oratoire de Saint-Tiburce. On cite encore de sa main un groupe représentant la *Descente de Croix*, qui se trouve à Campiano, près de Parme.

FERRARINI Giuseppe

Né le 30 avril 1846 à Parme. XIXe siècle. Italien.

Peintre de paysages, peintre de compositions murales.

Il figura en 1871 à la Galerie des Beaux-Arts de Parme avec trois œuvres dont deux vues du Pô, et en 1872 à la Galerie Royale avec *Au milieu du bois*. Cet artiste se rendit plus tard en Australie où il vécut longtemps et en rapporta de nombreuses études de paysages. A son retour d'Australie il se fixa à Rome où il exposa 32 esquisses de l'île Caprera. En 1891 il présenta à l'Exposition Internationale de Berlin une vue de la campagne romaine.

MUSÉES : GOULBURN, Australie : *Après l'incendie des fourrés* – NICE (Casino) : *Les Quatre Saisons*, peintures murales – PARME (Gal.) : *Le Monastère de San Quintino à Parme*.

VENTES PUBLIQUES : ROME, 16 déc. 1987 : *Bords du Tibre au coucher du soleil* 1887, h/t (90x160) : **ITL 8 000 000**.

FERRARINI Pier Giuseppe

Né le 30 mars 1852 à Parme. Mort en 1887. XIXe siècle. Italien.

Peintre de figures, paysages.

Il figura à l'Exposition de Venise en 1887 avec deux tableaux : *La Côte près de Finale Marina* et *Ruit hora*.

MUSÉES : PARME (Gal.) : *Impasse près de l'église Saint-Jean-l'Évangéliste à Parme*.

VENTES PUBLIQUES : LONDRES, 7 mai 1976 : *Le Retour à Naples* 1882, h/t (72x97) : **GBP 950** – LONDRES, 20 avr. 1978 : *Dante et Béatrice*, h/t (12x96) : **GBP 2 200**.

FERRARIO Bruno

Né en Italie. XXe siècle. Italien.

Peintre.

La Galerie d'Art Moderne de Florence conserve de cet artiste : *Anatre*.

FERRARIO Carlo

Né le 8 septembre 1833 à Milan. Mort le 11 mai 1907 à Milan. XIXe siècle. Italien.

Peintre de paysages, architectures, intérieurs d'églises, aquarelliste, décorateur de théâtre.

En 1867 il fit les décorations du théâtre de la Scala et des tableaux de scène, tout spécialement pour les œuvres de Verdi. Il figura à partir de 1870 aux expositions italiennes avec des aquarelles d'architecture, pour la plupart de Lombardie, qu'il fit publier sous le titre *Beautés d'Italie*.

MUSÉES : MILAN (Gal. Brera) : douze aquarelles.

VENTES PUBLIQUES : MILAN, 19 mars 1992 : *Ruisseau dans un bois* 1905, h/cart. (58x42,5) ; *Intérieur de Saint-Marc à Venise* 1879, aquar./cart. (29,5x19,5) : **ITL 2 600 000**.

FERRARIO Giov. Battista

Né en 1845 à Milan. XIXe siècle. Italien.

Peintre de genre.

Il a exposé à Munich en 1883. On cite de lui : *Le Baiser d'adieu*.

FERRARIO Helvetio

Né le 23 mars 1872 à Genève. XIXe-XXe siècles. Suisse.

Peintre de genre, intérieurs, natures mortes, fruits.

Il était originaire du Tessin. Il étudia à Genève, Marseille et Paris. Il exposa à Genève dès 1895.

MUSÉES : GENÈVE (Mus. Rath) : *Coin d'atelier*.

FERRARIS Arthur von

Né en 1856 à Galkovitz. Mort après 1928. XIXe-XXe siècles. Actif en Autriche. Hongrois.

Peintre de sujets typiques, portraits, natures mortes, fleurs. Orientaliste.

Il étudia dans l'atelier du célèbre portraitiste Joseph Matthaus, à

Vienne,puis s'établit à Paris, où il fut élève de Jean Léon Gérome et de Jules Lefebvre.
Il exposa, à partir de 1881, au Salon des Artistes Français de Paris, obtenant une mention honorable aux Expositions Universelles de 1889 et 1900. Il prit également part à de nombreuses expositions à Berlin, dès 1894, ainsi qu'à Düsseldorf et à Munich, entre 1904 et 1908. Parmi ses œuvres, on mentionne : *Fumeurs de narghilé – À la mosquée El A'Hazar – Le Caire – Un descendant du prophète – La Lecture du Coran – Bédouins chez l'armurier.*
Il peignit essentiellement des tableaux orientalistes et des portraits ; de nombreuses personnes de la société mondaine posèrent ainsi devant lui, à Paris, Budapest et Vienne. Il occupe une place considérable dans l'École hongroise.

Bibliogr. : Lynne Thornton, in : *Les Orientalistes, peintres voyageurs*, ACR Édition, Paris, 1993.
Ventes Publiques : New York, 8-9 jan. 1903 : *Le Caire* : **USD 1 400** – New York, 8-9 jan. 1903 : *Le Caire* : **USD 1 400** – New York, 10-11 jan. 1907 : *Une rue au Caire* : **USD 1 025** – Londres, 11 déc. 1925 : *L'Étudiant* : **GBP 32** – Londres, 11 déc. 1925 : *L'étudiant* : **GBP 32** – Londres, 3 nov. 1934 : *Visite du grand Cheik* : **GBP 73** – Londres, 3 nov. 1934 : *Visite du grand Cheik* : **GBP 73** – Glasgow, 16 nov. 1945 : *Porte de la mosquée* : **GBP 51** – Glasgow, 16 nov. 1945 : *Porte de la mosquée* : **GBP 51** – Londres, 24 mai 1946 : *Livre intéressant* : **GBP 68** – Londres, 24 mai 1946 : *Livre intéressant* : **GBP 68** – New York, 14 mai 1976 : *Turcs jouant aux dominos* 1892, h/t (46x55,5) : **USD 1 900** – New York, 12 mai 1978 : *Le bazar égyptien* vers 1887, h/pan. (63,5x46) : **USD 3 500** – Londres, 25 nov. 1981 : *Le Ménestrel arabe* 1889, h/pan. (63,5x49) : **GBP 17 000** – Vienne, 18 jan. 1984 : *Vase de fleurs*, h/t (90x72) : **ATS 20 000** – Londres, 14 juin 1995 : *Bédouins chez l'armurier* 1893, h/t (60x80) : **GBP 58 700**.

FERRARIUS Bassa. Voir **BASSA Ferrer**

FERRARO Agostino
XVIIe siècle. Actif à Naples vers 1680. Italien.
Sculpteur.
Il fut élève de Pietro Ceraso qu'il aida dans maints travaux. Il exécuta des monuments funéraires et travailla pour le Vice-Roi.

FERRARO Antonio
Originaire de Sicile. XVIe siècle. Italien.
Peintre et sculpteur.
Il fut probablement élève du peintre Orazio Alfani de Pérouse qui travailla en Sicile. Il exécuta avec Giuseppe Spadofora un bénitier de marbre pour la cathédrale de Palerme. Il travailla pour l'église San Lorenzo à Caltabellotta où l'on cite son groupe de la *Pietà*, avec des statues grandeur nature de la Vierge avec saint Jean, sainte Marie-Madeleine, les saintes femmes, saint Joseph et saint Nicodème, et pour l'église San Domenico à Castelvetrano où il fit la décoration entière du chœur ; 14 statues monumentales de l'*Arbre de Jessé*, dominées par une statue de la Vierge constituent l'œuvre principale de cette décoration.

FERRARO Bartolomeo
XVIe siècle. Actif à Messine vers 1506. Italien.
Peintre.

FERRARO Giuseppe
Originaire de Sicile. XVIe-XVIIe siècles. Italien.
Sculpteur.
On cite de lui un *Ecce Homo* dans la sacristie de l'église dell' Olivella à Palerme.

FERRARO Matteo del
Originaire de Carrare. XVIe siècle. Italien.
Sculpteur.
On le mentionne à Palerme en 1512 où il travailla dans l'atelier de A. Cagini.

FERRARO Orazio
Originaire de Sicile. XVIe-XVIIe siècles. Italien.
Peintre et stucateur.
Fils d'Antonio Ferraro il fit les décorations de stuc de la chapelle de l'église San Lorenzo à Caltabellotta et celles de l'église de Burgio et peignit aussi les fresques du plafond. Pour le maître-autel de San Cataldo à Erice il exécuta une statue de la *Vierge* et un bas-relief représentant la *Naissance du Christ*. Des tableaux d'autel de sa main se trouvent à Castelvetrano, Mazàra, Marsala, Erice.

FERRARO Salvatore
XVIIe siècle. Actif à Naples. Italien.
Sculpteur.
Il est mentionné comme ayant travaillé de 1598 à 1622 à la Chartreuse de Saint-Martin.

FERRARO Tomaso
Originaire de Sicile. XVIIe siècle. Italien.
Peintre.
Fils d'Antonio Ferraro ; on connaît seulement de lui la décoration de la chapelle Sainte-Marie-Madeleine, dans la cathédrale de Castelvetrano.

FERRARY Désiré Maurice
Né en 1852 à Embrun (Hautes-Alpes). Mort en 1904 à Neuilly-sur-Seine. XIXe-XXe siècles. Français.
Sculpteur de groupes, statues.
Il eut pour maître Cavelier. On cite de lui : *Narcisse, Charmeuse, Belluaire agaçant une panthère*, groupe en bronze. Il obtint en 1882 le Grand Prix de Rome. Au Salon des Artistes Français il eut une médaille de troisième classe en 1879, une médaille de deuxième classe en 1886, et une médaille d'argent en 1889 lors de l'Exposition Universelle. Il fut décoré de la Légion d'honneur en 1891.
Musées : Amiens : *Léon Cogniet* – Tours : *Mercure et l'Amour*, plâtre.
Ventes Publiques : Bruxelles, 25 nov. 1982 : *Dompteur de tigre*, bronze (H. 67) : **BEF 18 000**.

FERRAT Charles Hippolyte Marcelin
Né le 26 avril 1830 à Aix-en-Provence. Mort le 27 février 1882 à Aix-en-Provence. XIXe siècle. Français.
Sculpteur.
Le 31 mars 1853, il entra à l'École des Beaux-Arts et eut pour maître M. Duret. On a de cet artiste au Musée d'Aix : *Cyparisse pleurant la mort de son cerf*, statue en bronze.

FERRAT Jean Joseph Hippolyte Romain
Né le 9 août 1822 à Aix-en-Provence. Mort le 24 octobre 1882 à Aix-en-Provence. XIXe siècle. Français.
Sculpteur.
Entré à l'École des Beaux-Arts le 8 avril 1841, il se forma sous la direction de Pradier. En 1850, il eut le deuxième grand prix au concours pour Rome. Au Salon de Paris, il figura de 1849 à 1870. Ses œuvres les plus importantes sont : *La chute d'Icare*, le buste de *Tibulle* commandé par le ministre de l'Intérieur, le buste en marbre de *Granet* commandé par la ville d'Aix, *Mort d'Achille* statuette en bronze, le buste en marbre du président de *Belleyme*, la statue en marbre de *Tronchet* au Palais du Conseil d'État le buste en marbre de *Paul Borde*, la statue en marbre de *Jeanne d'Arc*.
Musées : Aix : *Corydon – Phalante recevant les cendres d'Hippias – Fondation d'Aix – J.-B.-E. Loubon – Bourguignon de Fabregoules – L'abbé de l'Épée* – Paris (Beaux-Arts) : *Antigone* – Versailles : *Le général Desmichels*.

FERRAT de GAUDE Joseph
Mort au champ d'honneur durant la Première Guerre mondiale (1914-1918). XXe siècle. Français.
Peintre.
Il exposait à Paris, au Salon des Artistes Français, dont il était sociétaire.

FERRATA
XVIIe-XVIIIe siècles. Italien.
Peintre.
On lui attribue les peintures d'une bannière, un *Saint Michel* et une *Vierge du Rosaire*, dans l'église San Giorgio à Cagno (Côme) ainsi que des tablettes de cuivre avec les *Mystères du Rosaire* qui ornaient autrefois l'autel de la Vierge.

FERRATA Ercole
Né en 1610 à Pellio Inferiore (Côme). Mort en 1686 à Rome. XVIIe siècle. Italien.
Sculpteur de sujets mythologiques.
S'il est sûrement entré dans l'atelier de Bernini, qui l'influença, il fut peut-être l'élève de L'Algarde. On croit qu'il collabora avec Bernini aux sculptures de la chaire de Saint-Pierre de Rome. Il travailla vers 1677 pour le duc Côme III de Toscane. Il fut membre de l'Académie de Saint-Luc.

Ses œuvres se concentrent à Rome, où il sculpta la *Charité* du tombeau de Clément IX à Sainte-Marie-Majeure, la statue de l'Apôtre Saint André à la façade de Sant' Andréa della Valle, et *Sainte Agnès au milieu des flammes* à Sant'Agnese.
Ventes Publiques : New York, 8 mai 1969 : *Homme assis sur un lion*, terre cuite : **USD 7 000** – Londres, 10 déc. 1987 : *Hercule enfant luttant avec le serpent*, marbre blanc (Larg. 61) : **GBP 100 000**.

FERRATER FELIU Antonio de
Né en 1868 à Barcelone. Mort en 1942 à Barcelone. XIXe-XXe siècles. Espagnol.
Peintre de paysages.
Il fut élève de l'École des Beaux-arts de Condal. Il a participé à de nombreuses expositions collectives : Expositions des Beaux-Arts de Barcelone, Exposition Gallega de 1909 obtenant une médaille d'or, Exposition de Mexico de 1910 obtenant une médaille, Exposition Internationale de Buenos Aires de 1910, VIe Exposition Internationale d'Art de Barcelone en 1911 seconde médaille.
Bibliogr. : In : *Cent ans de peinture en Espagne et au Portugal, 1830-1930*, Antiquaria, Madrid, 1988.

FERRATI Astolfo
XVIIe siècle. Italien.
Peintre.
Il exécuta en 1603 le tableau du maître-autel de l'église San Gennaro à Sessa (près de Capoue). Ce tableau représente *Deux saints avec des anges*.

FERRATI Vincenzo
XVIIIe siècle. Actif à Sienne. Italien.
Peintre d'architectures et aquafortiste.
Il peignit avec Francesco Franci le plafond de l'Oratoire du Rosaire à Sienne. On connaît de lui également des planches d'architecture gravées à l'eau-forte et le dessin du catafalque de la duchesse Vittoria della Rovere dans la cathédrale de Sienne.

FERRATTINI Gaetano
Né en 1697. Mort en 1765. XVIIIe siècle. Actif à Bologne. Italien.
Peintre.
Il fut élève de Marc'-A. Franceschini et membre de l'Académie de Bologne. On cite de lui de nombreux tableaux dans les églises de Bologne, parmi lesquels un *Saint François* à San Colombano, un *Saint Pierre martyr* et *Saint Antoine* à San Michele, *Saint Dominique* à San Domenico ; dans l'église Santa Maria della Vita se trouve un *Saint François prêchant aux poissons*.

FERRAÙ da Faenza. Voir **FANZONI**

FERRAUDI Giuseppe
Né au XIXe siècle à Turin. XIXe siècle. Italien.
Peintre de paysages.
Il était le fils du peintre d'aquarelles Maurizio Ferraudi et il fut son élève. Il figura aux expositions italiennes depuis 1884 avec des paysages comme *Derniers rayons, Paix matinale*.

FERRAUDI Maurizio
XIXe siècle. Actif à Turin. Italien.
Peintre, aquarelliste.

FERRAUDY Berthe
Née le 15 avril 1878 à Paris. XXe siècle. Française.
Sculpteur.
Elle fut élève de J.F. Coutan, Max Blondat, Moreau-Vauthier fils. Elle exposait à Paris, au Salon des Artistes Français, dont elle était sociétaire depuis 1906.

FERRAZZI Ferruccio
Né le 15 mars 1891 à Rome. Mort en 1978. XXe siècle. Italien.
Peintre de compositions à personnages, figures, portraits, animaux, natures mortes, peintre à la gouache, peintre de compositions murales. Tendance symboliste.
Il était fils de Stanislas Ferrazzi, sculpteur « bon copiste de l'Antique », qui lui enseigna le dessin et le modelage dès l'enfance. Il participa à des expositions collectives à partir de la Biennale de Venise de 1910 et de l'Exposition Internationale de Rome de 1911.
Dès 1912, il réalisa une grande peinture *Adolescente*, nommée aussi *Maternité* et *Allégorie*, œuvre de jeunesse, mais déjà remarquable de maîtrise. Sa précocité avait été décelée depuis la Biennale de Venise de 1910. Il eut surtout des occasions de portraits. Lorsqu'il peignait des groupes de figures, il les ordonnait avec des intentions symboliques. Les critiques de l'époque ont loué la capacité du jeune peintre à assimiler diverses options techniques ou esthétiques : divisionnisme, secessionnisme, expressionnisme, etc., mixage culturel d'où se dégagea une personnalité très particulière. ■ M. M., J. B.
Musées : Rome (Gal. Nat.).
Ventes Publiques : Rome, 11 juin 1981 : *Autoportrait* 1910, h/t (51,5x57) : **ITL 1 700 000** – Milan, 18 juin 1987 : *Toro legato* 1927, h/pan. (100x80) : **ITL 28 000 000** – Rome, 7 avr. 1988 : *Nature morte aux figues et à la cafetière*, h/t (40x26,5) : **ITL 7 000 000** – Milan, 14 mai 1988 : *Étude pour une fresque*, détrempe (32,5x41,5) : **ITL 2 400 000** – Milan, 14 nov. 1991 : *Le Col d'Oppio, route de Dette Dale* 1929, h/t (124x98) : **ITL 30 000 000** – Rome, 12 mai 1992 : *Portrait de Lisa* 1972, h/t (40x35) : **ITL 1 900 000** – Milan, 15 mars 1994 : *Autoportrait*, h/cart. entoilé (40x35) : **ITL 2 760 000** – Milan, 2 avr. 1996 : *Autoportrait avec Ilaria et Milu* 1954, h/t (132x75) : **ITL 16 675 000** – Milan, 20 mai 1996 : *Nature morte* 1936, h/pan. (25x25) : **ITL 3 220 000**.

FERRAZZI Luigi
XIXe siècle. Italien.
Peintre de genre.
Il a exposé à Munich en 1883.
Ventes Publiques : Londres, 23 juil. 1976 : *Fillettes fleurissant un calvaire* 1887, h/t (124,5x49) : **GBP 1 000** – New York, 28 mai 1980 : *La Nouvelle Robe de la poupée*, h/t (64,7x50,8) : **USD 3 000**.

FERRAZZOLI Antonio
Né en 1586 à Rome. Mort le 12 mars 1622 à Rome. XVIIe siècle. Italien.
Peintre de miniatures.
Il fut membre de l'Académie Saint-Luc à Rome.

FERRAZZOLI Rotilio
XVe siècle. Travaillant à Rome vers 1458. Italien.
Peintre de miniatures.

FERRAZZOLI Rotilio
XVIIe siècle. Actif à Rome en 1615. Italien.
Peintre de miniatures.

FERRÉ Camille Alphonsine
Née à Angers (Maine-et-Loire). XXe siècle. Française.
Peintre de natures mortes de fleurs et fruits.
Elle fut élève de Montézin. Elle exposait à Paris, depuis 1928 au Salon des Artistes Français, dont elle fut sociétaire, mention honorable en 1931.

FERRÉ Édouard Bizi
Né le 25 septembre 1891 à Tours (Indre-et-Loire). XXe siècle. Français.
Peintre de nus, paysages, natures mortes.
Il exposait à Paris, au Salon des Artistes Indépendants depuis 1931, ainsi qu'à ceux de la Société Nationale des Beaux-Arts et des Tuileries.
Musées : Arles – Brest – Cholet – Lyon – Quimper – Tokyo – Varsovie.

FERRÉ Fanny
Née en 1963 à Évreux (Eure). XXe siècle. Française.
Sculpteur de figures, statuettes, groupes, céramiste. Expressionniste.
De 1980 à 1983, elle fut élève de l'École des Beaux-Arts d'Angers, et, en 1983, de Georges Jeanclos à l'École des Beaux-Arts de Paris. Elle participe à des expositions collectives depuis 1984, souvent à Paris ; 1987 Châteauroux *4e Biennale de la Céramique Contemporaine* ; 1988 Le Mans *Céramiques et Terres Contemporaines* ; 1991 Paris Musée des Arts Décoratifs *Hommage à Bernard Palissy* ; 1992 Lörrach-Allemagne Museum am Burghof ; Treigny *16 Céramistes Contemporains* ; 1994 Deauville *Courant d'Art*. Elle montre ses réalisations dans des expositions personnelles, dont : 1991 Paris galerie Lavignes-Bastille ; 1992 Bruxelles ; 1993 Riom Musée Mandet ; 1994 Deauville *Les Bronzes de Fanny Ferré* ; etc.
Elle travaille surtout la terre et le bronze à la cire perdue. L'influence de la manière de Jeanclos est évidente dans sa technique du rendu des détails infimes mais porteurs de la grâce finale, boucles de cheveux, froissements de la tunique. Elle crée des petits personnages, aux déformations très expressives, enfants musiciens, petites filles espiègles.
Bibliogr. : Alin Avila : *Le Souffle des Bronzes de Fanny Ferré*, in Catalogue de l'exposition *Les Bronzes de Fanny Ferré*, Open Art International, Deauville, 1994.

FERRÉ Georges
Né vers 1860 à Paris. XIXe siècle. Français.
Peintre de scènes de genre, paysages.
Il suivit des cours de peinture dans l'atelier d'Émile Bin et celui de Désiré Laugée. Il exposa au Salon des Artistes Français de Paris, dont il devint sociétaire en 1886.
Il peignit des paysages et de nombreuses scènes de genre, parmi lesquelles : *Arracheuses de pommes de terre – Moissonneuses – Lavandières – Fin de lessive.*
Musées : Pontoise : *Moissonneuses.*
Ventes Publiques : Paris, 10 mai 1900 : *La Récolte des pommes de terre* : **FRF 145.**

FERRÉ Jacques
XVIIe siècle. Actif au Mans. Français.
Sculpteur sur bois.
Il exécuta en 1638 un tabernacle pour l'église de Lombron.

FERRÉ Marguerite Emma
Née à Saint-Germain-en-Laye (Seine-et-Oise). XXe siècle. Française.
Peintre.
Elle exposa à Paris au Salon des Artistes Français en 1933.

FERRÈ Natale
Né le 24 février 1817 à Canegrate. Mort le 27 août 1879 à Canegrate. XIXe siècle. Italien.
Peintre d'architectures et architecte.
Il figura à partir de 1852 aux expositions de l'Académie Brera.

FERRÉ Pierre Baptiste
XVIIIe siècle. Actif à Angers. Français.
Sculpteur.

FERREIRA Antonio
XVIIIe siècle. Portugais.
Sculpteur.
Fils et probablement élève de Dionizio Ferreira il travailla à Lisbonne et exécuta surtout des groupes de terre cuite, des crèches de Noël avec de nombreuses petites statues et fonds de paysages. Il fit aussi des groupes de paysans, bergers, dont le Musée de Lisbonne conserve quelques spécimens.

FERREIRA Dionizio
XVIIIe siècle. Actif à Lisbonne. Portugais.
Sculpteur.

FERREIRA Gustavus Adolphus
D'origine portugaise. XIXe siècle. Actif à Exeter. Britannique.
Peintre de paysages.
Exposa à Londres, notamment à la Royal Academy, à Suffolk Street, de 1845 à 1856.
Ventes Publiques : Londres, 24 fév. 1908 : *Tête de vieillard ; L'Église de la Toussaint à Séville*, dessins : **GBP 4.**

FERREIRA Henrique
XVIIIe siècle. Actif à Lisbonne vers 1720. Portugais.
Peintre.
Il peignit d'après d'anciens projets les portraits en pied, grandeur nature, des rois portugais dans la salle royale du Monastère Saint-Jérôme à Belém.

FERREIRA Jesus Reyes. Voir **REYES-FERREIRA Jesus**

FERREIRA José
Né à Chaves. XIXe-XXe siècles. Portugais.
Peintre.
Il vivait à Lisbonne vers 1878. Il fut élève de F. A. Metrass à l'Académie de Lisbonne et voyagea en Espagne, en France et en Angleterre. Il peignit des portraits, des scènes militaires et des fleurs. L'Académie de Lisbonne conserve quelques-uns de ses tableaux de fleurs.

FERREIRA José Francisco I
XIXe siècle. Actif à Belém. Portugais.
Peintre.

FERREIRA José Francisco II
Né au XVIIIe siècle à Belém. XVIIIe siècle. Portugais.
Peintre.
Il vivait vers 1820 à Lisbonne et était élève de son père, José Ferreira (I). Comme lui il peignit des paysages et des tableaux de fleurs et fut aussi peintre décorateur.

FERREIRA Lucy C.
Née au XXe siècle à São Paulo. XXe siècle. Brésilienne.
Graveur sur bois.
On cite de cette artiste qui a travaillé en France : *Réfugiés.*

FERREIRA Rodrigo
Né en 1951 à Paris. XXe siècle. Actif en France. Portugais.
Peintre de paysages, sites archéologiques. Tendance symboliste.
De 1968 à 1975, il se forme à l'École Nationale Supérieure des Beaux-Arts à Paris. En 1984-85, il est boursier du Ministère des Affaires Étrangères au Centre Franco-Égyptien des Temples de Karnak. Il en rapportera des œuvres très lumineuses et dépouillées, qu'il expose en 1986 à la Galerie Étienne de Causans à Paris. Il a eu depuis de nombreuses autres expositions collectives et personnelles, tant en France qu'à l'étranger.
Ses compositions se présentent souvent comme des juxtapositions de petites vues de vestiges architecturaux, gréco-latins ou arabo-égyptiens, que contemplent des personnages en toge nous tournant le dos. Il se dégage de ces scènes baignant dans une lumière dorée un grand calme et une grande stabilité.

FERREIRA DA COSTA Jean
Né à Lisbonne. XXe siècle. Portugais.
Peintre.
Il a aussi exposé à Paris, à partir de 1911 au Salon des Artistes Français.

FERREIRA DA SILVA Roberto
XIXe siècle. Portugais.
Peintre.
Il vivait vers 1827 à Rio de Janeiro. Il fut élève du graveur E. M. de Barros à Lisbonne. Il peignit et dessina de nombreuses vues de Rio de Janeiro et alentours qui furent en partie gravées par Paula.

FERREIRA-ROCHA Raoul
Né en 1951 en Mozambique. XXe siècle. Actif en France. Portugais.
Peintre. Abstrait.
Il est titulaire d'une licence d'Art plastique (Université de Paris VIII). Depuis 1978 il a participé à différents salons tels que Jeune Peinture, Mac 2000... En 1987, il a exposé à Paris, au Salon Grands et Jeunes d'Aujourd'hui.
Ventes Publiques : Paris, 21 mars 1992 : *Composition* 1987, acryl./t. (114x146) : **FRF 8 000.**

FERREN John
Né en 1905 à Pendleton (Oregon). Mort en juillet 1970 à Long-Island. XXe siècle. Américain.
Peintre, sculpteur, graveur. Abstrait.
Après ses premières études à Los Angeles, il travailla comme artisan-sculpteur à San Francisco. Il ne commença à peindre qu'en 1930. De 1931 à 1938, à Paris, il travailla dans les Académies libres et, en particulier, la gravure à l'*Atelier 17* de Stanley William Hayter. En 1936-1937, il expérimenta un procédé de gravure sur plâtre. Il eut aussi l'occasion de fréquenter les Universités de Florence et Salamanque. De retour aux États-Unis en 1938, il fut l'un des membres-fondateurs de l'Association des *American Abstract Artists.* Il a participé aux principales expositions d'art américain contemporain. Il a montré les étapes de son travail dans de très nombreuses expositions personnelles depuis 1930, notamment à Paris, puis aux États-Unis : New York en 1936, 1937, 1938, 1942, au Santa-Barbara Museum of Modern Art en 1952, à Washington, etc. Il a enseigné à partir de 1946 et a donné de nombreuses conférences et articles.
Artiste expérimental, il a joué un rôle important dans l'évolution de l'art moderne aux États-Unis. En France, en 1936-1938, il peignait des formes simples, pouvant être rapprochées des constructions géométrisantes des peintures alors abstraites d'Hélion ou des silhouettes découpées de Matisse. À son retour aux États-Unis, il s'engagea résolument dans l'expressionnisme-abstrait et l'action-painting de la nouvelle école américaine, avant d'évoluer de nouveau dans le sens de la peinture de champs chromatiques sur des toiles de grandes dimensions. L'homme était généreux et ouvert, son œuvre le reflète avec ce que cela comporte de diversité parfois déroutante. ■ J. B.
Bibliogr. : Ritchie : *Abstract Painting and Sculpture in America*, New York, 1951 – in : *Diction. Univers. de la Peint.*, Le Robert, Paris, 1975.
Musées : New York (Mus. of Mod. Art) – New York (Whitney Mus. of American Art).
Ventes Publiques : New York, 15 juin 1972 : *Sans titre* 1936 : **USD 1 600** – New York, 23 mai 1979 : *Abstraction* 1938, past.

(47x62) : **USD 2 800** – NEW YORK, 27 fév. 1980 : *Mandolo Amarilla* 1966, h/t (127x114,3) : **USD 2 500** – NEW YORK, 16 fév. 1984 : *Les fenêtres* 1958, h/t (160,5x190,5) : **USD 1 600** – NEW YORK, 6 déc. 1985 : *Abstraction* 1935, h/t (65x90,5) : **USD 10 000** – PARIS, 27 nov. 1987 : *Sans titre* 1933, h/t (54x70) : **FRF 29 000** – NEW YORK, 30 sep. 1988 : *Abstraction* 1932, h/pap. (22,2x27,6) : **USD 2 420** – PARIS, 26 oct. 1988 : *Bleu and Noir* 1951, h., aquar. et past./pap. (51x66) : **FRF 10 500** – PARIS, 23 juin 1989 : *Composition* 1931-1932, h/t (50x60) : **FRF 54 000** – NEW YORK, 23 fév. 1990 : *Sans titre* 1962, acryl./t. (127x76,2) : **USD 7 150** – PARIS, 8 avr. 1990 : *Sans titre*, h/t (63,5x76,5) : **FRF 40 000** – NEW YORK, 18 déc. 1991 : *Le champ jaune* 1960, h/t (91,4x91,4) : **USD 1 980** – NEW YORK, 15 avr. 1992 : *Sans titre*, h., sable et liège/t. (29,8x60,3) : **USD 5 775** – NEW YORK, 25 sep. 1992 : *Été III* 1958, h/t (61x50,8) : **USD 1 760** – NEW YORK, 31 mars 1993 : *Sans titre* 1942, caséine/cart. (26,7x21) : **USD 2 300** – NEW YORK, 31 mars 1994 : *Forme dressée*, bois peint. (H. 185,4) : **USD 2 875** – PARIS, 5 oct. 1996 : *Nuit d'été* 1933, h/t (33x46) : **FRF 5 000** – PARIS, 24 nov. 1996 : *Composition aux lèvres roses* 1931 (61x50) : **FRF 12 000** – PARIS, 5 juin 1997 : *Composition* 1936, h/t (100x100) : **FRF 29 000**.

FERRÉOL Maurice

Né le 10 septembre 1906 à Villeurbanne (Rhône). Mort le 4 novembre 1969. XXe siècle. Français.

Peintre de compositions à personnages, figures, natures mortes, peintre de cartons de tapisseries. Populiste.

Enfant d'une famille ouvrière, ayant perdu très jeune ses parents, à partir de l'âge de seize ans il navigua, d'abord dans la marine marchande, puis sur le cuirassé *Jean Bart*, parcourant les océans et découvrant l'exotisme des paysages et des indigènes, qui peupleront ses ouvrages. Revenu à Lyon, il travailla comme manœuvre et ouvrier dans la métallurgie, condition ouvrière dont il dépendit pendant toute sa vie, consacrant tous ses moments de liberté à sa peinture. Ce fut dans le climat social du Front Populaire de 1936, qu'il éprouva soudain le besoin de peindre. Totalement autodidacte, il progressa pourtant techniquement jusqu'à composer des cartons de tapisseries, à grandeur et par numérotage des couleurs. À partir de 1967, c'est-à-dire deux ans avant sa mort, il put vivre de la vente de ses peintures et de l'édition des tapisseries. Il a figuré dans des expositions collectives à Lyon, dans plusieurs villes de France, dans quelques pays étrangers. Il a montré ses peintures et ses tapisseries dans des expositions personnelles à Lyon. *L'Espace Lyonnais d'Art Contemporain* a organisé une grande exposition rétrospective posthume de l'ensemble de son œuvre, en 1979.

Outre quelques compositions de dimensions relativement importantes, ce fut sans doute à l'occasion des tapisseries, composées depuis 1949 mais éditées beaucoup plus tard, puis de celles qui lui furent commandées, qu'il put le plus complètement développer le monde de fêtes et de rêves paradisiaques dont il était habité. Le Musée de Lyon a acquis une de ses tapisseries, ainsi que les Hospices Civils de la ville : *Paradis retrouvé* (175x350). Il a réalisé, au titre du 1 %, pour l'École Centrale d'Écully, une tapisserie de soixante mètres carrés, inspirée des *Cavaliers* de Joseph Kessel. Dans ces imaginations, le foisonnement des images et des couleurs occupant totalement la surface, fait office de composition. Dans ses œuvres plus modestes, sa veine d'imagier populaire le situe du côté de l'innocence des artistes qu'on dit naïfs. Dans le catalogue de l'exposition rétrospective de 1979, Fernand Rude écrit : « Il goûtait la poésie de la Bible. La Genèse, et aussi L'Apocalypse, la naissance et la fin du monde, lui fournirent quelques-uns de ses thèmes les plus grandioses. Surgit devant nous tout un univers peuplé d'oiseaux et de poissons multicolores, de chevaux et de pirogues. » ■ J. B.

BIBLIOGR. : Divers : Catalogue de l'exposition *Ferréol*, Espace Lyonnais d'Art Contemporain, 1979.

MUSÉES : LYON (Mus. des Beaux-Arts) : *Petite fille à l'ombrelle rouge* 1963 – SAINT-ÉTIENNE (Mus. d'Art et d'Industrie) : *Le violon rouge* 1963.

VENTES PUBLIQUES : LYON, 9 déc. 1980 : *Les maçons*, h/t (73x60) : **FRF 2 200**.

FERRER Alberto

Né en 1870 à Florence. XIXe-XXe siècles. Italien.

Sculpteur de figures, bustes, animalier.

Il était d'origine napolitaine et fit ses études artistiques à Naples. Il exposa à Venise en 1901 un buste de caractère : *Misanthrope*, à Florence en 1907 un bronze de genre *Serenella*. Il exposa aussi à Munich en 1909. À Florence, il exécuta avec un collaborateur les deux sphinx érigés devant l'Université.

FERRER Antoine

XVIe-XVIIe siècles. Hollandais.

Peintre.

Descamps cite dans son *Voyage pittoresque* des tableaux d'autel de la main de cet artiste dans l'église paroissiale de Nieuport, représentant *Hérode avec la tête de saint Jean-Baptiste* d'une part, et *Le martyre et la mort de saint Sébastien*, d'autre part.

FERRER Bardina

D'origine catalane. XIVe siècle. Espagnol.

Peintre.

Mentionné à Barcelone en 1374.

FERRER Bassa. Voir **BASSA**

FERRER Bonifacio

XIVe siècle. Espagnol.

Peintre.

Frère de Vincent Ferrer, il se retira à la Chartreuse de Portacoeli, à la suite de la mort de sa femme et de ses sept enfants, au cours d'une épidémie en 1396. Il est connu pour avoir sans doute peint le *Retable de San Carlos* de Valence. Malgré l'attribution de certains à un peintre italien (Gererdo di Jacopo el Starina), les masses simplifiées de la *Conversion de Saint Paul* prouvent le caractère catalan de cet artiste. Il paraît d'autre part certain que la prédelle de ce même retable a été exécutée par un autre peintre qui pourrait être, cette fois, un siennois.

FERRER Domingo

XVIIIe siècle. Espagnol.

Sculpteur.

Il entreprit en 1717 l'exécution du retable du maître-autel de l'église de Banalbufar à Majorque.

FERRER Garcia, dit **le Licentiate**

Né à Alcoriza près d'Alcaniz. Mort en 1659 à Tolède. XVIIe siècle. Actif à Valence. Espagnol.

Peintre, sculpteur et architecte.

Cet artiste qui était prêtre exécuta quelques peintures pour l'autel de Saint-Vincent Ferrer dans le couvent de San Domingo. Il exerça surtout son art à Madrid. Caen Bermudez mentionne de lui un *Crucifiement* daté de 1632. Il travailla également pour la cathédrale de Tolède, dont il était le chapelain.

FERRER Geronimo

XVIIe siècle. Actif à Rome en 1651. Espagnol.

Sculpteur.

Il revint en Espagne avec Velasquez, vers 1649, pour travailler aux sculptures de l'Alcazar de Madrid.

FERRER Guillermo, l'Ancien

Né vers 1700 à Palma de Majorque. XVIIIe siècle. Espagnol.

Peintre.

Il étudia et travailla à Palma et sculpta la statue monumentale de *Sainte Eulalie* au-dessus du portail principal de Santa Eulalia, et celle de *Sainte Hélène* à un portail de Santa Cruz. La cathédrale de Palma lui doit également des sculptures de frises.

FERRER Guillermo, le Jeune. Voir **FERRER Y PUIG**

FERRER Jaime I

Né en Catalogne. XVe siècle. Espagnol.

Peintre de compositions religieuses.

Il fut peut-être l'élève de Bernardo Martorell, à moins que ce ne soit l'autre artiste appelé aussi Jaime Ferrer. Il est mentionné à Barcelone en 1436 pour des peintures d'armoiries.

À partir d'une *Épiphanie*, conservée au musée de Lérida, ont été attribués à cet artiste quelques retables, dont celui du *Sauveur* à l'église d'Albatarech et celui de *Sainte Lucie* à Tamarit de Litera ; et aussi une *Cène*.

S'il montre une influence des frères Serra à ses débuts, il se dégage de leur style en recherchant une plus grande symétrie dans ses compositions plus rythmées par des figures en mouvement, et un rendu plus précis des objets.

BIBLIOGR. : In : *Dictionnaire de la peinture espagnole et portugaise du Moyen-Âge à nos jours*, coll. Essentiels, Larousse, Paris, 1989.

MUSÉES : LÉRIDA : *L'Épiphanie* – SOLSONA : *La Cène* – VICH (Mus. épiscopal) : *Fuite en Égypte*.

VENTES PUBLIQUES : LONDRES, 9 avr. 1990 : *St André prêchant, devant le proconsul Egeas, la crucifixion et sauvant un évêque de la tentation*, temp. sur pan. à fond d'or, deux ventaux d'un retable narrant la vie de Saint André (153x62 et 153x64) : **GBP 154 000**.

FERRER Jaime II

XVe siècle. Espagnol.

Peintre de compositions religieuses.
Il était actif entre 1439 et 1457. Il est aussi à rapprocher du Jaime Ferrer I. Il aurait collaboré avec Bernardo Martorell à l'exécution du retable du maître-autel de la cathédrale de Lérida en 1441. On le cite en 1457 comme étant l'auteur du retable de l'église d'Alcover, à partir duquel d'autres œuvres lui sont attribuées.
Il peint avec beaucoup de précisions et de détails les paysages urbains et les objets, ce qui fait penser à une influence flamande.
Bibliogr. : In : *Dictionnaire de la peinture espagnole et portugaise du Moyen-Âge à nos jours*, coll. Essentiels, Larousse, Paris, 1989.
Musées : Lérida : *Saint Julien* – Vich : *Vierge*.

FERRER Joaquin
Né en 1929 à Manzanillo. xxe siècle. Depuis 1960 actif en France. Cubain.
Peintre. Tendance surréaliste, puis abstrait-organique.
Il fut d'abord employé à la compagnie des chemins de fer. En 1948, il entra à l'École des Beaux-Arts San Alejandro de La Havane, où il resta deux ans. Il exposa pour la première fois en 1954 au Salon National de Peinture de Cuba. Après la révolution, il obtint une bourse du gouvernement et vint étudier en 1960 à Paris, où il se fixa.
Il participe à Paris à des expositions collectives : 1962 exposition d'Art Latino-Américain au Musée d'Art Moderne, 1963 Biennale des Jeunes Artistes, depuis 1968 Salon de Mai, et régulièrement Salons des Réalités Nouvelles, Grands et Jeunes d'Aujourd'hui, etc. Il a fait sa première exposition personnelle à Paris en 1968, présentée par Max Ernst, suivie d'autres, ainsi qu'en Belgique et dans plusieurs pays.
Ses premières peintures évoquaient une exubérante végétation tropicale, proche du monde de Wifredo Lam. Puis, il fut influencé par le surréalisme, d'où la préface de Max Ernst, créant des formes non-figuratives, mais qui épousaient néanmoins les rythmes de la vie organique, souvent ambiguës, voire érotiques. Il construit ses compositions à partir de très fines lignes incurvées, souvent parallèles, tracés d'épure qui délimitent des surfaces juxtaposées, des plages peintes de couleurs transparentes, raffinées et tendres. Dans la suite, et toujours par le même graphisme arachnéen et les mêmes couleurs aériennes, il oriente ces constructions plastiques depuis leur rigoureuse abstraction d'origine jusqu'à ce qu'il appelle des « Tentatives de paysages ». ■ J. B.
Bibliogr. : In : *Diction. Univers. de la Peint.*, Le Robert, Paris, 1975 – Damian Bayon, Roberto Pontual, in : *La peint. de l'Amérique latine au xxe siècle – Identité et Modernité*, Mengès, Paris, 1990.
Ventes Publiques : Paris, 14 avr. 1986 : *Quand le ciel n'atait pas né* 1977, h/t (130x160) : **FRF 7 000** – Paris, 15 fév. 1988 : *Obstacle* 1969, h/t (113x92) : **FRF 8 000** – New York, 17 mai 1989 : *Sans titre* 1970, h/t (80x80) : **USD 1 870** – Paris, 25 mars 1990 : *La lumière en otage* 1989, acryl./t. (40x40) : **FRF 12 000** – Paris, 13 déc. 1991 : *L'oubli traverse la ville* 1980, h/pap./bois (73x54) : **FRF 7 000**.

FERRER José
Né en 1746 à Alorca. Mort le 4 décembre 1815. xviiie-xixe siècles. Espagnol.
Peintre de fleurs.
Il obtint un premier grand prix de peinture en 1776. Probablement fils de Vicente Ferrer.
Musées : Barcelone : *Fleurs* – même sujet – *Fleurs* – même sujet – Valence : *Les marchands chassés du Temple – Saint Thomas visitant les malades*.

FERRER José
Né en décembre 1715 à Palma de Majorque. xviiie siècle. Espagnol.
Peintre.
Chassé d'Espagne en 1731 comme postulant Jésuite, il se rendit à Rome où il étudia la peinture. Quelques tableaux de sa main furent mentionnés à Felanitx (Majorque) au Monastère des Augustins, entre autres une *Bienheureuse Catalina Tomas*, et à la Cure de cette ville un *Saint Louis de Gonzague*. Il est probablement identique à Giuseppe Ferrer.

FERRER Juan
xve-xvie siècles. Actif à Valence. Espagnol.
Peintre.

FERRER Juan de Dios
Né le 8 mars 1817 à Madrid. Mort en 1856 à Shanghai. xixe siècle. Espagnol.
Sculpteur.
On cite de lui un groupe intitulé : *La fuite en Égypte*. Il fit ses études à Naples où il entra chez les Jésuites qui l'envoyèrent dès 1847 en Chine.

FERRER Micaela
Morte le 23 avril 1804 à Valence. xviiie siècle. Espagnole.
Peintre.
Elle était membre d'honneur de l'Académie de San Carlo, à Valence.

FERRER Miguel
xve siècle. Actif à Valence. Espagnol.
Peintre.

FERRER Pedro
xive siècle. Actif à Valence. Espagnol.
Peintre.
Il travailla pour la cathédrale de Valence en 1380.

FERRER Pedro
Né vers 1555. xvie siècle. Travaillant à Valladolid en 1589. Espagnol.
Sculpteur.
Les meilleurs artistes de son époque le considéraient comme ayant une grande valeur, il exécuta de fort belles sculptures et des monuments funéraires en albâtre.

FERRER Pedro
Né à Mirambel. Mort en 1875 à Mirambel. xixe siècle. Espagnol.
Sculpteur.
Fils du sculpteur Ramon Ferrer. Il débuta au Salon de Madrid en 1866.

FERRER Pedro Juan
Né à Majorque. xviiie siècle. Actif vers 1730. Espagnol.
Peintre.
Élève de G. Mesquida.

FERRER Rafaël
xxe siècle. Américain.
Sculpteur d'environnements. Arte povera.
Il a exposé à New York, en 1970.
Il crée des environnements, dans l'esprit de l'Arte povera, assemblant des matériaux divers : bois, tôle ondulée, néons.

FERRER Ramon
xixe siècle. Espagnol.
Sculpteur.
Il fut élu en 1835 membre de l'Académie de San Fernando.

FERRER Tomas
xviiie siècle. Actif à Grenade. Espagnol.
Peintre.
En 1753 il peignit une fresque dans la sacristie de l'église des Chartreux à Grenade ainsi que d'autres fresques dans des églises de cette ville.

FERRER Vera L.
Née le 13 janvier 1895 à New York. xxe siècle. Américaine.
Peintre, peintre de miniatures.

FERRER Vicente
xviiie siècle. Espagnol.
Peintre sur faïence.
Il fut le collaborateur de Joseph Olery de Moustiers à la Manufacture de faïence d'Alcora (Province de Valence). Le Musée de céramique de Sèvres et le Conservatoire des Arts et Métiers de Berlin conservent de sa main différentes pièces de faïence provenant de la Manufacture d'Alcora, signées « Fer » et ornées de peintures ornementales et de figures.

FERRER Vicente
Né vers 1850 à Castellon de la Plana (Province de Valence). xixe siècle. Espagnol.
Peintre d'architectures.
Il fut élève de P. Gonzalvo à Madrid où il vécut. Il exposa à Madrid en 1866 quelques vues de l'Alhambra et à Londres à la Suffolk Street Gallery des tableaux d'architecture. Peut-être est-il identique à Vicente Ferrer y Alambillaga.

FERRER Y ALAMBILLAGA
xixe-xxe siècles. Espagnol.
Peintre.
Cet artiste figura à l'Exposition Nationale de Madrid en 1910 et 1912.

FERRER CALATAYUD Pedro
Né en 1860 à Valence. Mort en 1944 à Valence. XIXe-XXe siècles. Espagnol.
Peintre de marines.
Il fut élève de Vicente Borras à l'École de San Carlos de Valence, dont il devint professeur, puis directeur. Il exposait dans de nombreuses expositions collectives : Expositions Nationales de Madrid, où il débuta en 1878, puis primé en 1882 et 1910, Expositions Régionales de Valence de 1909 et 1910 y recevant des médailles d'or.
Si certaines sources indiquent qu'il peignit des portraits et des fleurs, il fut surtout peintre de marines, affectionnant la mer par gros temps. Sur ce thème, il acquit une grande virtuosité, exploitant une technique brillante.
Bibliogr. : In : *Cent ans de peinture en Espagne et au Portugal, 1830-1930*, Antiquaria, Madrid, 1988.
Musées : Madrid (Mus. d'Art Contemp.) : *Marine.*

FERRER CALATAYUD Salvador
Né à Valence. XXe siècle. Espagnol.
Peintre de paysages.
Il était frère de Pedro Ferrer Calatayud et fut son élève. Il commença à exposer en 1896 à Madrid.

FERRER CARBONELL Juan
Né le 5 juin 1892 à Madrid. XXe siècle. Espagnol.
Peintre de paysages, aquarelliste.
Il fut élève de l'École des Beaux-Arts de San Fernando de Madrid. Il obtint une bourse pour étudier les paysages de différents pays, Belgique, France, Hollande. À partir de 1929, il séjourna fréquemment en Afrique, notamment en Guinée espagnole. Il participa à de nombreuses expositions collectives : Expositions Nationales des Beaux-Arts de Madrid, y obtenant une bourse de voyage en 1930 et une troisième médaille en 1934, Bilbao, Barcelone, Paris, Bruxelles, Amsterdam, Rotterdam, Buenos Aires, Rio de Janeiro, etc.
Bibliogr. : In : *Cent ans de peinture en Espagne et au Portugal, 1830-1930*, Antiquaria, Madrid, 1988.

FERRER-COMAS Edouard
Né à Barcelone (Catalogne). XIXe-XXe siècles. Espagnol.
Peintre de genre, paysages animés.
Il a aussi exposé en France, notamment en 1921 et 1922 à Paris, au Salon de la Société Nationale des Beaux-Arts.
Ventes Publiques : New York, 22 mai 1990 : *Les coupeurs de fleurs* 1916, h/t (75x65,4) : **USD 16 500**.

FERRER Y CORRIOL Antonio
Né vers 1850 à Vich (Catalogne). XIXe siècle. Espagnol.
Peintre.
Il fut élève de José Serra y Porson à Barcelone où il travailla et exposa ses œuvres parmi lesquelles on cite : *Une fête populaire catalane vers 1800* et *La Parade*. Aux Expositions Internationales des Beaux-Arts de Berlin en 1891 et 1896 il figura avec des tableaux de genre, dont un *Joueur de guitare*.
Musées : Gérone : *Joueur de cornemuse.*

FERRER Y CRESPI Asuncion
Morte le 17 avril 1818 à Valence. XIXe siècle. Espagnole.
Peintre.
Elle était membre d'honneur de l'Académie San Carlo à Valence depuis le 26 octobre 1795. On connaît d'elle des pastels.

FERRER Y MIRÓ Juan
Né vers 1850 à Villanueva y Geltru. XIXe siècle. Espagnol.
Peintre.
Il étudia et travailla à Barcelone où, à l'Exposition Universelle de 1888, il présenta un *Intérieur d'Exposition d'Art*, et à l'Exposition Nationale de Paris de 1900 *Veille de la Fête des Rois*.
Ventes Publiques : Los Angeles, 9 avr. 1973 : *Foule devant une galerie de tableaux* : **USD 2 500**.

FERRER MORGADO Horacio
Né en 1894 à Cordoue. Mort en 1978 à Madrid. XXe siècle. Espagnol.
Peintre, peintre de compositions religieuses, peintre de compositions murales.
Il fut élève de l'école des beaux-arts de Madrid, puis séjourna à Paris. Il exposa à Madrid, notamment au Salon des Indépendants en 1929, 1930, à Paris en 1937 à l'Exposition internationale. Artiste militant engagé aux côtés des intellectuels, il pratiqua une peinture de propagande, pendant la guerre d'Espagne. Il a réalisé de nombreuses décorations pour des lieux publics et des églises.
Bibliogr. : In : Catalogue de l'exposition *Les Années trente en Europe. Le temps menaçant*, musée d'Art moderne de la ville, Paris musées, Flammarion, Paris, 1997.
Musées : Madrid (Mus. nac. centro de Arte Reina Sofia) : *Madrid 1937, les Avions noirs* 1937. *Voir aussi FERER MORGADO Horacio.*

FERRER Y PUIG Guillermo, appelé aussi **Ferrer Guillermo le Jeune**
Né le 27 mars 1759 à Palma de Majorque. Mort le 24 décembre 1833 à Palma de Majorque. XVIIIe-XIXe siècles. Espagnol.
Peintre.
Il fut élève de F. Montaner l'Ancien et termina ses études en France, en particulier, à Montpellier. Il peignit de nombreux portraits à Palma, ainsi que des tableaux religieux comme *la Visitation de sainte Elisabeth* à Notre-Dame de Grâce sur le Mont Randa près de Palma et le tableau d'autel de l'apôtre Jacques dans l'église San Jaime à Alcudia.

FERRERAS José
Né au XVIe siècle à Saragosse. XVIe siècle. Espagnol.
Sculpteur sur bois.
Il sculpta à Ségovie le maître-autel Renaissance de l'église San Miguel.

FERRÈRE Cécile, plus tard Mme **Guérin**
Née le 5 mai 1847 à Paris. XIXe siècle. Française.
Peintre.
Elle suivit l'enseignement de Lefebvre, d'Amaury-Duval et de Chaplin. A partir de 1863, elle se fit représenter au Salon par des natures mortes, des portraits, des sujets de genre. On mentionne d'elle : *Angelino ; Le dimanche en Basse-Bretagne ; Portrait du prince des Asturies ; La dormeuse ; Chasseresse ; La romance.*
Ventes Publiques : New York, 10 et 11 avr. 1920 : *La Bouquetière* : **GBP 375** – Paris, 11 mars 1925 : *Jeune Bretonne* : **FRF 270** – Paris, 23 juin 1939 : *L'Infirme* : **FRF 380** – Londres, 22 nov. 1996 : *Fleurs d'été* 1870, h/t (86,4x109,2) : **GBP 4 025**.

FERRÈRE Jean
XVIIe siècle. Actif à Asté (Bigorre). Français.
Sculpteur.
Il travailla vers 1667 au tabernacle de l'église Saint-Brice à Guchon et restaura le retable de l'église Saint-Martin à Cadéac en y ajoutant quelques statues.

FERRERI Andrea ou **Ferrari**
Né en 1673 à Milan. Mort en 1744 à Ferrare. XVIIe-XVIIIe siècles. Italien.
Peintre de compositions religieuses, sculpteur.
Il est plus connu comme sculpteur que comme peintre. Ce fut d'ailleurs plutôt un stucateur. Il fut élève, à Bologne, de Giuseppe Maza, mais il travailla surtout à Ferrare où il était établi dès 1722.
Ventes Publiques : Monte-Carlo, 21 juin 1987 : *Christ aux outrages*, h/t (84x70) : **FRF 60 000**.

FERRERI Cesare
Né le 31 mars 1802 à Pavie. Mort le 13 novembre 1859 à Pavie. XIXe siècle. Italien.
Graveur au burin.
Il a gravé des portraits et des sujets de genre.

FERRERI Domenico ou **Ferrerio** ou **Ferrero**
Mort en novembre 1630 à Rome. XVIIe siècle. Italien.
Sculpteur et fondeur.
Élève de Torrigiani, il exécuta de nombreuses œuvres, statues, tabernacles et bas-reliefs pour des églises de Rome, ainsi qu'un tabernacle en bronze orné de pierres précieuses pour l'église des Jésuites de Palerme, six statues d'argent d'après le projet d'A. Buonvicini, qui étaient destinées à Cracovie, et deux statues de Saints d'après les modèles de Mariani, pour le cardinal Sannesio.

FERRERI Enrico
XXe siècle. Italien.
Peintre. Expressionniste, puis abstrait.
Il vit et travaille à Rome, expose à Milan.
Jusqu'en 1965, il a pratiqué une peinture néo-réaliste expressionniste. Puis, son travail a évolué rapidement vers une abstraction, dans laquelle la répétition des mêmes motifs aboutissait à un effet sériel. Il a continué dans cette voie, utilisant une même forme, module, *pattern*, soit en empreintes, soit en formages, qu'il assemble et superpose, jouant à la fois sur les effets de reliefs et sur la coloration.

FERRERI Giovanni Antonio
Originaire de Gênes. XVIIe siècle. Italien.

Peintre.
Il est mentionné à Rome en 1611.

FERRERI Giovanni Battista
XVIIe siècle. Actif à Rome. Italien.
Peintre.
Il fut élève de Carlo Maratta. On connaît de lui dans l'église de la Trinità de' Pellegrini des fresques aux murs représentant des *Scènes de la vie de saint Charles et de saint Philippe*, ainsi que des fresques de plafond.

FERRERI Giuseppe
Né en 1702. XVIIIe siècle. Actif à Ferrare. Italien.
Sculpteur.
Fils d'Andrea Ferreri.

FERRERI José
Né au XIXe siècle à Lérida. XIXe siècle. Espagnol.
Sculpteur.
Il étudia à l'École des Beaux-Arts de Barcelone et exécuta les sculptures ornementales du maître-autel de l'église des Carmes à Barcelone ainsi qu'à l'autel de Saint-Bruno dans l'église du Monastère de Montealegre et à l'autel de l'église du Monastère de Montserrat.

FERRERI Victor
Né le 1er octobre 1915 à Ferryville (Tunisie). XXe siècle. Français.
Peintre de paysages, marines, natures mortes, portraits. Postimpressionniste.
Il participe à des expositions collectives, surtout dans des localités de la Côte-d'Azur, et y montre des ensembles de ses peintures dans les mairies.

FERRERI Vincenzo
XVIIIe siècle. Actif à Pérouse. Italien.
Peintre.
Il fut élève de Marcello Leopardi à Pérouse, puis de l'Académie qui lui décerna un prix en 1793 pour son tableau *Polyxène tué par Pyrrhus sur le tombeau d'Achille* ; ce tableau est conservé à la Pinacothèque de Parme. On cite de lui également un *Saint André* pour l'Oratoire San Andrea e Bernardino à Pérouse et un *Saint Bernard de Sienne*.

FERRERI Vincenzo
XIXe siècle. Actif à Rome. Italien.
Graveur.
Il grava en 1845 vingt planches en in-folio des fresques de Domenichino à Grottaferrata.

FERRERIO Domenico. Voir **FERRERI**

FERRERIO Pietro
Né vers 1600 à Rome. Mort le 10 mars 1654 à Rome. XVIIe siècle. Italien.
Architecte et dessinateur.
Il était membre de l'Académie Saint-Luc. On connaît de lui quarante-quatre planches de vues architecturales dans un volume de l'œuvre de G. G. Rossi, parue en 1655, *Palais des plus célèbres architectes à Rome*.

FERRERIS Bartholomeüs
XVIe-XVIIe siècles. Hollandais.
Peintre et collectionneur d'art.
Il fut élève d'Antonio Moro et de Peeter et Frans Pourbus. Il vécut à Leyde. Dans sa collection de tableaux se trouvaient des œuvres d'Holbein, Lucas Van Leyden, Cornelis van Haarlem, etc.

FERRERIS Heindrick
XVIIe siècle. Actif à Leyde vers 1655. Hollandais.
Peintre.
Il était le fils de Bartholomeüs Ferreris.

FERRERO Giovanni Francesco
XIXe siècle. Italien.
Peintre, dessinateur et graveur.
Il travailla à Rome où il publia en 1830 *Les meilleures compositions de Raphaël, Poussin, etc., dessins et gravures par G. F. Ferrero*. L'église S. Petro de sa ville natale, Romano d'Ivrea (Piémont) lui doit un tableau d'autel avec *la Vierge et des saints*.

FERRERO Roger
Né le 11 août 1915 à Genève. XXe siècle. Depuis 1940 naturalisé en Suisse.
Peintre, illustrateur.
Il fut élève de l'École des Beaux-Arts de Genève, de 1932 à 1935. Il se rendit en France en 1948, puis voyagea en Grèce, Arabie, Syrie, Liban en 1953. Entre 1943 et 1952, il a exposé à Genève, Zurich, Venise, Paris, Bruxelles. Il a illustré des œuvres de Maupassant et de Verlaine.
MUSÉES : GENÈVE – PARIS (Mus. de la Ville) – ZURICH.

FERRERS Benjamin
Mort en 1732. XVIIIe siècle. Britannique.
Portraitiste.
Cet artiste était sourd-muet. Parmi ses meilleures œuvres figurent le portrait de *L'évêque Beveridge* qui est à la Bodleian Library à Oxford et celui de *L'évêque Hoadly*.
VENTES PUBLIQUES : LONDRES, 27 mai 1938 : *Thomas Maccles Field* : **GBP 11**.

FERRET J. B.
XVIIIe siècle. Français.
Sculpteur.
Il exécuta en 1771 pour l'église Saint-Brice et Saint-Roch à Beaulieu-sur-Loire la chaire, les boiseries du chœur et de la nef ainsi que les deux statues d'anges en plâtre du maître-autel.

FERRET Pierre César
Né en 1801 à Saint-Germain-en-Laye. XIXe siècle. Français.
Peintre.
De 1834 à 1852 il se fit représenter au Salon de Paris. En 1839, il fut médaillé de troisième classe. On cite de lui : *Charles II, roi d'Espagne, faisant ouvrir le tombeau de son père Philippe IV* ; *Le puritain John Balfour de Burley* ; *Le moine Lazare* ; *Jean d'Aubigné* ; *Jésus en Égypte* ; *Bataille de Rocroi* ; *Un cénobite* ; *Sainte Cécile* ; *Victoire de Macchabée*.

FERRET de LA CHATAIGNERAY Denise
XVIIIe siècle. Active à Paris en 1738. Française.
Peintre.

FERRETTI Adeodato
XVIIIe siècle. Italien.
Peintre.
On connaît de lui un *Saint Martin* dans l'église San Martino à Chiusdino, une *Pietà*, à San Miniato à Fonterutoli et une *Madone avec saint Simon* dans l'église Santa Maria delle Grazie à Montepulciano.

FERRETTI Alessandro ou **Feretti**
XVIIIe siècle. Italien.
Peintre.
Il exécuta en 1748 des fresques et une *Annonciation* à l'Oratoire del Restello à Val d'Intelvi (Lac de Côme). Il est probablement identique au peintre Ferretti qui exécuta avec D. Francis au plafond de la salle des fêtes du château de Stockholm des peintures représentant *Le Triomphe de la Vertu*.

FERRETTI Antonio
Originaire du val d'Intelvi, sur le lac de Côme. XVIIIe siècle. Italien.
Sculpteur.
Il sculpta avec son père Giorgio Ferretti des statues de marbre pour la façade de la cathédrale de Crémone ; de lui seul proviennent des statues du chœur de l'église S. Girolamo et les statues de *La Foi* et de *La Charité* dans l'église S. Clemente. On cite encore de lui à Crémone quatre statues des *Sciences* et des *Amours*, à l'attique de la Bibliothèque Queriniana.

FERRETTI Camillo
XVIIe siècle. Actif à Rome en 1697. Italien.
Peintre.

FERRETTI Carlo
Originaire de Castiglione. XVIIIe siècle. Italien.
Sculpteur.
Il travailla avec l'architecte Paolo Retti vers 1717 au château de Ludwigsburg qui lui doit deux statues de *Dieux de rivière*, puis au château d'Ansbach où il exécuta un buste du *Margrave Charles Guillaume Frédéric d'Ansbach-Bayreuth*.

FERRETTI Domenico
Né en 1701 à Castiglione (sur le lac de Côme). Mort le 26 janvier 1774 à Stuttgart. XVIIIe siècle. Italien.
Sculpteur.
Fils de Carlo Ferretti il fut appelé au Wurtemberg où, après avoir exécuté des groupes *Guerre et Paix*, *Art et Sciences*, *Commerce et Agriculture* et des trophées pour le château de la Résidence à Stuttgart et pour celui de Ludwigsbourg, il entra à la Manufacture de porcelaine de Ludwigsbourg ; on cite parmi les

statues de porcelaine exécutées d'après ses modèles *Adonis et le Sanglier ; Le Bon Samaritain ; Latone avec Apollon et Diane enfants ; Mars dans la forge de Vulcain ; Vulcain et Vénus.*

FERRETTI Gian Domenico ou **Giovanni Domenico**, appelé aussi **Giovanni Domenico da Imola**

Né en 1692 à Florence. Mort entre 1766 et 1769. XVIIIe siècle. Italien.

Peintre d'histoire, sujets mythologiques, compositions religieuses, scènes de genre, fresquiste, dessinateur.

Élève de Giovanni Giuseppe del Sole, il peignit à l'huile et à fresque. On trouve surtout de ses œuvres dans les palais et églises d'Imola, de Leghorn, de Sienne, de Florence. Il peignit aussi la coupole du Filippini à Pistoie.

A côté de ses fresques grandioses, il fit des dessins mythologiques, des esquisses et « arlequinades », d'un trait plus léger et quelque peu rococo.

Musées : Chambéry : *Descente de Croix* – Florence (Mus. des Offices) : *Portrait de l'auteur* – Pise (Mus. Civico) : *La Translation du corps de saint Guido – Portrait de l'empereur François II – Portrait de l'empereur Ferdinand II* – Pise (église Saint-Barthélemy) : *Le Martyre de saint Barthélemy.*

Ventes Publiques : New York, 8 fév. 1935 : *Le Ridicule de la vanité ; La Futilité de la guerre*, ensemble : **USD 200** – Londres, 29 nov. 1963 : *Arlequin peignant le portrait d'une dame de qualité ; Arlequin rentrant de la guerre accostant une belle*, h/cuivre, une paire (35x29,2) : **GNS 700** – Milan, 10 mai 1967 : *Sainte Catherine apparaissant à un moine* : **ITL 750 000** – Milan, 1er déc. 1970 : *Scène de carnaval* : **ITL 1 700 000** – New York, 11 mars 1978 : *Nains en conversation*, h/t (51x66,5) : **USD 6 750** – Bari, 5 avr. 1981 : *Arlequin peintre*, h/t (96x77) : **ITL 3 200 000** – Londres, 2 juil. 1984 : *Groupe de satyres, nymphes et Putti buvant*, craie noire et lav. de gris (22,5x19,8) : **GBP 800** – Londres, 11 avr. 1986 : *Arlequin peignant le portrait d'une dame de qualité ; Arlequin rentrant de la guerre, accostant une belle*, h/cuivre, une paire (35x29,2) : **GBP 15 000** – Rome, 27 nov. 1989 : *L'Olympe*, h/t (61x49) : **ITL 36 800 000** – Milan, 27 mars 1990 : *Arlequin et Colombine*, h/t (69x56) : **ITL 7 000 000** – Londres, 18 mai 1990 : *Saint Philippe Neri en gloire*, h/t (36,8x31,4) : **GBP 8 580** – Monaco, 7 déc. 1990 : *Scène de la Comedia dell'arte*, h/t (45,5x32) : **FRF 38 850** – Londres, 8 juil. 1992 : *Arlequin dans le rôle d'un père nourrissant son enfant*, h/t (98x79,5) : **GBP 11 000.**

FERRETTI Giorgio ou **Feretti** ou **Ferrata**

Né au XVIIIe siècle, originaire du val d'Intelvi sur le lac de Côme. XVIIIe siècle. Italien.

Sculpteur.

On connaît de lui comme œuvres individuelles les statues de la fontaine et du jardin du Palais Avogradi à Brescia. Peut-être les statues de la Micaelstor à Bonn peuvent-elles lui être attribuées, un G. Ferretti étant mentionné en 1723 à Mannheim. Il travailla à Crémone en 1758 avec son fils Antonio Ferretti.

FERRETTI Giovanni Battista

Né au XVIIe siècle, originaire d'Alfedena dans les Abruzzes. XVIIe siècle. Italien.

Peintre.

Il fut élève de C. Maratta. L'église d'Alfedena possède de lui un *Saint Pierre martyr*, et à Rome l'église S. Trinita dei Pellegrini des peintures de plafond et des tableaux dans quatre chapelles.

FERRETTI Giuseppe

XIXe siècle. Actif à Rome. Italien.

Graveur au burin.

Il a gravé des planches de costumes.

FERRETTI Lodovico

XIXe siècle. Actif à Rome. Italien.

Graveur.

Il grava d'après Signorelli *Le Testament de Moïse* (fresque de la chapelle Sixtine), d'après Domenico *Le Triomphe de David* et une *Sainte Cécile*, d'après Garofalo une *Sainte Famille avec saint Jean*, d'après Overbeck quatorze planches d'un *Chemin de croix*. Il grava également des œuvres de Luini, Raphaël, Michel-Ange, L. Giordani.

FERRETTI Orazio dei, comte

Né le 16 février 1639 à Pérouse. Mort le 1er janvier 1725 à Pérouse. XVIIe-XVIIIe siècles. Italien.

Peintre et architecte.

À Rome il fut élève de Bernardino Gagliardi pour la peinture.

FERRETTI Paolo

Né en 1866 à Rome. XIXe-XXe siècles. Italien.

Peintre de paysages.

Il fut élève de Nino Costa, et comme lui sensible aux effets d'éclairages particuliers. Il a exposé à la *Promotrice* de Rome en 1901, à Rome encore en 1909, 1913, 1914, et également à Venise. Il a aussi travaillé en Suisse.

Les titres de ses paysages sont révélateurs de son attention aux conditions climatiques de la lumière : *Après-midi d'Automne ; Vision matinale ; Rayons dorés (coucher de soleil dans la campagne romaine)*, etc.

Musées : Rome (Gal. Nat.) : *Derniers rayons.*

FERRETTI Stefano

Né le 23 février 1807 à Parme. XIXe siècle. Italien.

Peintre.

Il exposa en 1841 une tête de *l'Apôtre Pierre* qui fut sévèrement critiquée dans le Facchino.

FERREY Coralie

Née à Rennes. XIXe siècle. Française.

Peintre de portraits et d'animaux.

Élève de Lebour, elle débuta au Salon en 1848 et continua durant de longues années à prendre part aux expositions parisiennes.

FERREY Fanni, appelée aussi la **Citoyenne**

XVIIIe siècle. Française.

Peintre.

Élève du citoyen Thonnesse, son beau-père. Elle figura au Salon de Paris en 1793 (*Deux jeunes femmes à leur déjeuner*) et en 1796 (*L'Affreuse nouvelle*).

FERREY Raoul

Français.

Peintre.

Le Musée Postal de Paris possède de lui le *Portrait de Marc Pierre d'Argenson.*

FERREYRA Rose Malvina

Née à Cordoba. XXe siècle. Argentine.

Peintre.

Elle fut élève de Paul Albert Laaurens, Paul A.J. Eschbach, Louis Roger. Elle a commencé à exposer à Paris, en 1927, au Salon des Artistes Français.

FERREYRO José Antonio Mauro

Né le 14 novembre 1738 à Noja. Mort en 1830 à Hermenesende. XVIIIe-XIXe siècles. Espagnol.

Sculpteur.

On cite parmi ses meilleures œuvres : *Minerve, Un Crucifix* pour l'église Saint-Martin à Santiago et *La Vierge du Carmel* pour un couvent de cette même ville.

FERREZ Jeanne

Née à Lyon (Rhône). XXe siècle. Française.

Peintre de paysages.

Élève de Cagniart et Grosjean. Sociétaire du Salon des Artistes Français.

FERRI. Voir **FERRY**

FERRI Andrea

XIVe siècle. Actif à Florence. Italien.

Peintre.

FERRI Antonio

XIXe siècle. Italien.

Dessinateur.

Professeur de dessin à Mirandola, il fit le projet du portrait gravé de *Ferdinand II de Médicis*, pour Pio Canossini, d'après Susterman, pour la Galerie Pitti de Bardi.

FERRI Augusto

Né en 1829 à Bologne. Mort en 1895 à Pesaro. XIXe siècle. Italien.

Peintre de paysages, natures mortes, fleurs et fruits, peintre de décors de théâtre.

Il était le fils de Domenico Ferri. Après un séjour à Paris avec son père, il fut à Turin peintre du Teatro Regio. Il séjourna aussi à Madrid où il fit la mise en scène de nombreux opéras et peignit des fresques décoratives dans un grand nombre d'églises, palais, cafés de Madrid, Barcelone et Valladolid. A Turin on cite ses travaux décoratifs au Palais du duc d'Aoste.

Ventes Publiques : Milan, 6 juin 1985 : *Nature morte ; Bord de mer*, h/t, une paire (25x37) : **ITL 1 600 000** – Milan, 14 juin 1989 : *Nature morte aux roses* 1895, h/t (90x40) : **ITL 1 900 000** – Milan, 6 juin 1991 : *Nèfles et cerises dans des compotiers*, h/t (31x50) : **ITL 3 300 000** – Milan, 7 nov. 1991 : *Lagune à Venise*, h/t (35,5x55,5) : **ITL 3 600 000.**

FERRI Ciro
Né en 1634 à Rome. Mort en 1689 à Rome. XVIIe siècle. Italien.
Peintre de compositions religieuses, sujets allégoriques, fresquiste, sculpteur, décorateur, dessinateur, illustrateur.
Il fut le meilleur élève de Pietro da Cortona avec lequel il collabora souvent. Le pape Alexandre VII et le prince Borghèse l'employèrent fréquemment. Le grand-duc Cosme III l'invita à venir à Florence, au palais Pitti, afin d'y finir les grandes fresques laissées inachevées par Pietro da Cortona. Il réussit admirablement dans ce travail. Il entreprit d'autres travaux de décoration : des *Saisons* à la villa Falconieri, à Frascati, et des fresques à Santa Maria Maggiore de Bergame (1667). Il fit également des sculptures, dont quatre pour la sacristie du Gésù. Il illustra aussi un ouvrage dédié à la reine Christine de Suède en l'honneur de sa conversion au catholicisme en 1654.
Il imita si exactement la manière de son maître qu'il est difficile de distinguer leurs œuvres.
Musées : Ajaccio : *Le Repos de la Sainte Famille* – Caen : *Le Christ en croix* – Copenhague : *David refusant l'armure* – Darmstadt : *L'enlèvement d'Hélène* – Erlangen : *La Vierge et sainte Marthe* – Florence (Offices) : *Alexandre au lit, lisant Homère – Portrait de l'auteur – L'Annonciation – Jésus crucifié* – Gotha : *Saints* – Lille (Mus. Wicar) : *Une martyre devant le Proconsul* – Londres (Hampton Court) : *Bacchanale* – Montpellier : *La Vierge* – Munich : *Repos pendant la fuite en Égypte* – Nuremberg : *Rébecca et Laban* – Oldenbourg (Augusteum) : *Sainte Thérèse* – Posen : *Moïse fait jaillir de l'eau d'un rocher* – Potsdam (Sans-Souci) : *Coriolan devant Rome* – Rennes : *Sacrifice romain – Allégorie* – Saint-Pétersbourg : *Vision de sainte Catherine de Sienne* – Spire : *Sainte Famille* – Turin (Pina.) : *Jésus au Mont des Oliviers* – Varsovie : *La Vierge entre saint Ambroise et saint Augustin* – Venise (Acad.) : *Le mariage mystique de sainte Catherine* – Versailles : *Le triomphe de Louis XIV* – Vienne : *Le Christ et Marie-Madeleine* – Vienne (Harrach) : *Adoration des bergers* – Vienne (Liechtenstein) : *Le Christ et la Samaritaine* – Vire : *L'adoration des bergers*.
Ventes Publiques : Londres, 20 fév. 1909 : *Sacrifice d'Isaac* : **GBP 4** – Londres, 24 nov. 1922 : *Moïse* : **GBP 15** – Paris, 9 mars 1929 : *Jules César*, dess. : **FRF 100** – Paris, 20-22 avr. 1932 : *Épisode de La Jérusalem délivrée*, pl. et lav. : **FRF 400** – Londres, 29 nov. 1974 : *Jésus et la femme de Samarie* : **GNS 3 000** – Londres, 29 nov. 1974 : *Jésus et la femme de Samarie*, h/t (68,6x53,3) : **GNS 3 000** – Londres, 11 déc. 1980 : *Marie-Madeleine adorant le Crucifix*, craie noire/pap. (20,5x18,5) : **GBP 2 000** – Paris, 10 oct. 1983 : *La fuite en Égypte de la Sainte Famille*, sanguine (42,5x28) : **FRF 7 200** – Londres, 12 déc. 1985 : *La Résurrection*, craie noire et lav. brun reh. de blanc/pap. bis (30,8x19,6) : **GBP 8 500** – Londres, 10 déc. 1986 : *Jésus et la femme de Samarie*, h/t (68,6x53,3) : **GBP 33 000** – Monte-Carlo, 20 juin 1987 : *Le baptême de saint Ambroise*, pl., encre brune et lav. reh. de blanc/ traits de pierre noire (17,3x19,8) : **FRF 90 000** – Londres, 2 juil. 1991 : *La Rencontre de saint François avec saint Dominique*, craies rouge et noire avec reh. de blanc (25,9x39) : **GBP 38 500** – Londres, 15 avr. 1992 : *Noli me tangere*, h/t (74x58) : **GBP 7 000** – New York, 19 mai 1993 : *Élie et la veuve de Sarepta*, h/t (120,6x109,8) : **USD 18 400** – Rome, 29-30 nov. 1993 : *Juda et Thamar*, h/t (118x132) : **ITL 30 641 000** – Londres, 18 avr. 1994 : *Allégorie de la papauté (recto) ; Étude de composition (verso)*, craie noire (20x25,3) : **GBP 2 530** – Rome, 22 nov. 1994 : *Allégorie de l'Été*, h/t (147x147) : **ITL 25 300 000** – New York, 10 jan. 1996 : *Anges transportant un candélabre*, encre et lav. (19x25,4) : **USD 2 530** – Londres, 16-17 avr. 1997 : *Coupe dont les anses sont soutenues par des satyres*, pl. et encre brune sur craie noire, étude (11,8x12,7) : **GBP 805**.

FERRI Cristoforo
XVIe siècle. Actif à Rome. Italien.
Sculpteur.

FERRI Domenico
Né le 25 avril 1857 à Castel du Lama (Ascoli Piceno). XIXe siècle. Italien.
Peintre.
Il étudia à l'Académie de Florence puis à Naples avec D. Morelli. On cite de lui à Ascoli les décorations du Palais Ferretti, celles de la Salle du Conseil, et un triptyque pour un autel de la crypte de la cathédrale, à Monte-Luporie (Macerata). Il décora le plafond du théâtre, à Bologne où il fut nommé professeur à l'Académie. Il orna de fresques l'abside et la coupole de l'église Sainte-Marie-Madeleine et peignit le maître-autel. Il peignit également des scènes de la vie paysanne *Retour de la pêche ; Papillons blancs*. Il exposa à Rome, Vienne, Turin, Munich et Florence.

FERRI Domenico
Né en 1797. Mort en 1869. XIXe siècle. Italien.
Peintre de paysages, décorateur de théâtre.
Il fut à Paris vers 1830 peintre décorateur du théâtre des Italiens où il fit la mise en scène de *Guillaume Tell* de Rossini. Il exposa deux paysages au Salon en 1836. Il était également architecte.
Ventes Publiques : Londres, 6 oct. 1989 : *Charrette couverte sur un sentier dans un paysage rocheux*, h/t (40x56) : **GBP 1 650** – Milan, 17 déc. 1992 : *Vue de Oggebio sur le lac Majeur* 1831, h/cart. (34x39) : **ITL 2 600 000** – New York, 26 mai 1994 : *Vue de Paris avec le Pont-Neuf, l'île de la Cité et la place Dauphine* 1832, h/t (53,3x74,9) : **USD 20 700**.

FERRI Félice
XIXe siècle. Italien.
Graveur au burin.
Élève de Giuseppe Longhi. Il a gravé *La Sainte Vierge évanouie*, d'après Bernardino Luini.

FERRI Félix
XVIIIe siècle. Espagnol.
Peintre.
Il fut formé à Valence et y travailla.
Musées : Valence : *Persée – Vierge au poisson*, copie d'après Raphaël.

FERRI Gaetano
Né en 1822 à Bologne. Mort en 1896 à Oneglia. XIXe siècle. Italien.
Peintre d'histoire, scènes de genre, portraits.
Il obtint la médaille de troisième classe à l'Exposition Universelle de Paris en 1855. On cite parmi ses œuvres : *Mort de la princesse de Lamballe ; Nouvelle de la mort du roi Charles Albert ; Portrait du peintre par lui-même*.
Ventes Publiques : Rome, 9 juin 1992 : *Mère et Enfant*, h/t (31x19) : **ITL 2 000 000**.

FERRI Gesualdo Francesco
Né en 1728 à San Miniato. Mort en 1788 à San Miniato. XVIIIe siècle. Italien.
Peintre d'histoire.
Élève de Pompeo Batoni ; on trouve de ses œuvres à Florence et dans d'autres villes. L'église Carmine de Florence possède de lui une *Exaltation*. La Galerie des Offices conserve son portrait par lui-même, et plusieurs dessins de sa main. Le Musée Wicar à Lille possède également de ses dessins.

FERRI Girolamo
XVIIe siècle. Actif à Pérouse. Italien.
Peintre.
Il peignit en 1650 un *Saint Antoine de Padoue* pour la chapelle du Palazzo Comunale.

FERRI Girolamo
Mort en 1670. XVIIe siècle. Actif à Bologne. Italien.
Peintre.
Il fut élève de F. Albani. On cite de lui des fresques à S. Maria-della-Vita à Bologne et à Crémone un *Saint Thomas* et un *Albertus Magnus* dans l'église des Dominicains.

FERRI Giuseppe
XVIIIe siècle. Actif à Bologne. Italien.
Peintre décorateur et architecte.
Il fit à Bologne les peintures décoratives d'une chapelle dans l'église SS. Vitale et Agricola.

FERRI Nicodemo
Né à Sienne. XIXe siècle. Italien.
Sculpteur sur bois.
Il fut élève de L. Mussini à l'Académie des Beaux-Arts de Sienne et décora un piano que la ville de Sienne offrit au roi d'Italie pour son mariage en 1896. Il décora aussi la chambre du Roi au Quirinal à Rome et une chambre pour l'empereur d'Allemagne. Il travailla également le cuir et exécuta le couvercle de l'album pour les visiteurs du tombeau de Victor-Emmanuel II au Panthéon à Rome.

FERRI Simone
XVIe siècle. Italien.
Peintre.
Il fut élève de Mantegna et travailla à Mantoue et à Pietole pour

les Gonzague. L'église du Monastère delle Murate à Florence lui doit les peintures de plafond représentant l'*Assomption*, et dix scènes de la *Vie de Marie*.

FERRI Tommaso
XIVe siècle. Actif à Modène. Italien.
Sculpteur.
Il sculpta en 1322 la chaire de la cathédrale de Modène.

FERRI Vincenzio ou **Vincent** ou **Ferry**
Né en 1787 à Fugazuolo. Mort après 1837. XIXe siècle. Français.
Sculpteur.
Élève de l'École de Toulouse, il fut nommé plus tard professeur de sculpture à l'École des Arts d'Auch. Ses œuvres principales sont : quatre grands bas-reliefs, pour les églises de Sainte-Marie, de Saint-Orens, du collège et du séminaire d'Auch ; plusieurs statues pour diverses églises du département du Gers ; un groupe colossal au-dessus de la porte principale de l'archevêché d'Auch.

FERRIÉ Blanche
XIXe-XXe siècles. Française.
Peintre de fleurs.
Elle fut élève du peintre de fleurs Pierre Adrien Chabal-Dussurgey.
Musées : Draguignan : *Un bouquet de roses.*

FERRIER André Gabriel
XIXe-XXe siècles. Français.
Peintre de genre.
Il exposait à Paris, au Salon des Artistes Français, médaille de troisième classe en 1911.
Ventes Publiques : Paris, 21 jan. 1942 : *L'apparition* : **FRF 320** ; *L'idole brisée* : **FRF 510** ; *La toilette de la nymphe* : **FRF 650.**

FERRIER André Pierre
Né à Paris. XXe siècle. Français.
Sculpteur.
Exposant de la Société Nationale des Beaux-Arts à Paris.

FERRIER Bernard
XVe siècle. Français.
Sculpteur.
Il exécuta en 1495 le monument funéraire d'Antoine de Comis pour l'église Saint-Didier à Avignon. Les restes de ce monument ont été transportés en partie au Musée Calvet.

FERRIER Denise
XXe siècle. Français.
Peintre. Abstrait.
Exposa au Salon des Réalités Nouvelles, en 1950 et 1953.

FERRIER Gabriel Joseph Marie Augustin
Né le 27 septembre 1847 à Nîmes (Gard). Mort le 6 juin 1914 à Paris. XIXe-XXe siècles. Français.
Peintre de genre, figures, natures mortes, fleurs et fruits.
Ses maîtres furent Pils, Lecoq de Boisbaudran et E. Hébert. Il figura au Salon de Paris à partir de 1869. En 1872 il obtint le Prix de Rome, en 1876 une deuxième médaille, en 1878 une première médaille, une médaille d'or en 1889 (Exposition Universelle) et la médaille d'honneur en 1903. Officier de la Légion d'honneur, membre de l'Institut et professeur à l'École des Beaux-Arts, où il eut, entre autres, Bissière pour élève.
Gabriel Ferrier est un peintre d'un très réel talent dont la peinture possède beaucoup de charme et de sincérité. On cite parmi ses meilleures œuvres : *Salammbô* ; *Le Printemps* ; *L'École arabe.*

GABRIEL-FERRIER
GABRIEL-FERRIER

Musées : Alger : *Les Fumeurs de Rif* – Amiens : *Les mères maudissant la guerre* – Munich : *Portrait de la baronne d'Akermann* – Nîmes : *David et Goliath* – Paris (Mus. d'Art Mod.) : *Portrait du général André – Portraits de Mmes de Alvéar – Fillette sur un âne* – Paris (Mus. du Petit-Palais) : *Une scène du déluge – Les parfums – Les Fleurs* – Rouen : *Franc-tireur mort – Scène guerrière – Sainte Agnès.*
Ventes Publiques : Paris, 1897 : *Salammbô* : **FRF 5 100** – New York, 13-14 fév. 1900 : *Pensées de l'absent* : **USD 485** – Paris, 25 mai 1905 : *Daphnis et Chloé* : **FRF 300** – Paris, 7 mai 1906 : *La Nuque blonde* : **FRF 100** – Paris, 26-27 nov. 1923 : *L'Ange gardien*, h/t (diam. 107) : **FRF 2 850** – Paris, 26-27 nov. 1923 : *Portrait de Pie X* : **FRF 10 000** ; *Tête de femme rousse au bonnet vénitien* : **FRF 4 700** ; *Tête de jeune femme blonde* : **FRF 1 600** ; *Fille de Fleurs* : **FRF 1 080** ; *La Femme à l'éventail* : **FRF 1 000** ; *La Femme au miroir* : **FRF 1 050** ; *La Lecture* : **FRF 2 500** ; *L'Enfant au chevreau* : **FRF 980** ; *Jeune femme rousse au bonnet vénitien* : **FRF 1 250** ; *La Femme à la rose* : **FRF 980** ; *Bacchanale*, esquisse : **FRF 1 000** ; *La Jeune Bouquetière* : **FRF 980** ; *L'Ange gardien* : **FRF 2 850** ; *Velléda* : **FRF 2 000** ; *Jeune page Henri II* : **FRF 980** ; *Le Goûter* : **FRF 2 020** – Paris, 19 déc. 1923 : *Maternité* : **FRF 280** – Paris, 26 mai 1924 : *L'Étoile* : **FRF 900** – Paris, 30 mai 1924 : *L'Ouvrière*, attr. : **FRF 130** – Paris, 4 mars 1925 : *Fille de Fleurs* : **FRF 705** – Paris, 14 et 15 déc. 1925 : *La Nuit* : **FRF 320** – Paris, 5 mai 1928 : *La dame au médaillon ou Souvenir heureux* : **FRF 1 250** – Paris, 4 déc. 1933 : *L'Amour profane*, étude d'après le tableau du Titien conservé à la Galerie Borghèse, à Rome : **FRF 40** – Paris, 20 déc. 1943 : *Femme et enfant* : **FRF 4 300** – Paris, 17 avr. 1944 : *Spes invicta manet* : **FRF 3 600** – Paris, 2 déc. 1946 : *L'espérance reste invincible* : **FRF 5 200** – Los Angeles, 8 avr. 1973 : *Couple traversant à gué* : **USD 1 900** – Paris, 26 nov. 1976 : *Jeune fille rousse*, h/pan. (65x54) : **FRF 3 200** – Paris, 10 juin 1980 : *Le goûter*, h/t : **FRF 46 500** – Londres, 3 juin 1983 : *La chèvre égarée*, h/t (71,2x49) : **GBP 2 800** – Londres, 19 mars 1986 : *L'Ange gardien*, h/t, de forme ronde (diam. 107) : **GBP 7 000** – Paris, 10 fév. 1988 : *Portrait de jeune fille* 1909, h/t (56x46) : **FRF 9 000** – Londres, 26 fév. 1988 : *Jeune fille à la chevelure auburn*, h/t (65x54) : **GBP 2 200** – Copenhague, 29 août 1990 : *Nature morte de coquelicots dans un vase de faïence* 1880, h/t (60x50) : **DKK 6 200** – New York, 15 fév. 1994 : *Beauté de harem tenant un éventail*, h/t (152,4x107,3) : **USD 55 200** – Paris, 7 nov. 1994 : *La toilette de la favorite* 1877, h/t (82x55) : **FRF 90 000** – Paris, 22 nov. 1996 : *Femme aux oiseaux*, h/bois (39x30) : **FRF 4 000** – New York, 23 oct. 1997 : *Jean (le jeune Saint Jean Baptiste)* 1910, h/t, de forme ronde (Diam. 90) : **USD 35 650.**

FERRIER George Straton
Né à Edimbourg. Mort le 26 février 1912 à Edimbourg. XXe siècle. Britannique.
Peintre et graveur.
Figura au Salon des Artistes Français. Mention honorable, 1899. Il exposa également à la Royal Academy et à la New Water-Colours Society. Fils de James Ferrier.
Ventes Publiques : Édimbourg, 13 juil. 1929 : *Dordrecht*, aquar. : **GBP 8.**

FERRIER Henry
Né à Nevers (Nièvre). XIXe siècle. Français.
Peintre.
Exposa au Salon de Paris en 1868 : *Épouvantail* ; *Jeune femme grecque*, et en 1869 : *Fleurs.*

FERRIER Henry René
Né le 19 février 1928 à Marseille (Bouches-du-Rhône). XXe siècle. Français.
Peintre de paysages.
Ventes Publiques : Lyon, 7 avr. 1994 : *Les toits du village* 1987, h/t (50x65) : **FRF 11 000.**

FERRIER James
XIXe siècle. Britannique.
Peintre de genre, paysages, peintre à la gouache, aquarelliste.
Il était actif à Edimbourg. Il figura à la Royal Academy en 1873 avec un tableau intitulé *A Glen Cannick, Invernessshire.*
Ventes Publiques : New York, 7 jan. 1981 : *Les Pêcheurs de truite*, aquar. et cr. (62,2x99,7) : **USD 1 400** – Londres, 16 oct. 1986 : *Jour de lessive au moulin*, aquar. reh. de gche (32x53) : **GBP 1 000** – Perth, 1er sep. 1992 : *Glencoe* 1866, aquar. et gche (69,5x57,5) : **GBP 1 100.**

FERRIER Maurice Henry Franck, dit **Henry**
Né à Mustapha (Alger). XXe siècle. Français.
Peintre de paysages.
Il exposa à Paris à partir de 1931, au Salon des Artistes Indépendants.
Il a surtout peint des paysages algériens.

FERRIÈRE Francis ou **François**
Né le 11 juillet 1752 à Genève. Mort le 25 décembre 1839 à Morges. XVIIIe-XIXe siècles. Depuis 1770 à 1822 actif en France, puis en Angleterre. Suisse.

Peintre de portraits, miniatures.
Il se rendit à Paris en 1770, pour y rester vingt ans ; fuyant alors la révolution, il alla vivre en Angleterre. Il s'installa définitivement à Genève en 1822. Il exposa à l'Académie royale de Londres, de 1793 à 1822, où s'établit sa réputation de portraitiste en miniature.
Bibliogr. : Gérald Schurr, in : *Les Petits Maîtres de la peinture 1820-1920, valeur de demain*, Les Éditions de l'Amateur, t. V, Paris, 1981.
Musées : Genève (Mus. Rath) : deux tableaux allégoriques.

FERRIÈRE Louis
Né en 1792 à Genève. Mort en 1866. XIXe siècle. Suisse.
Peintre de miniatures.
Il travailla à Londres comme son père Francis Ferrière et exposa des miniatures à la Royal Academy de 1817 à 1828. Le Musée Rath de Genève possède de lui un *Portrait miniature du peintre Adam Wolfgang Töpffer*.

FERRIÈRE René
Né à Paris. XXe siècle. Français.
Peintre de paysages.
Il expose à Paris, depuis 1934 au Salon de la Société Nationale des Beaux-Arts, en 1950 au Salon des Artistes Indépendants.

FERRIÈRES Armand de
Né le 14 juillet 1873. XIXe-XXe siècles. Français.
Sculpteur, peintre d'intérieurs.
Il était fils et élève de son père, le sculpteur animalier Louis François Georges comte de Ferrières. Il débuta en 1905 à Paris, au Salon des Artistes Français, en tant que sculpteur. Ce fut sans doute le même qui y exposa des peintures d'intérieurs à partir de 1933.

FERRIÈRES Louis François Georges de, comte
Né le 10 novembre 1837 à Paris. Mort en 1907. XIXe-XXe siècles. Français.
Sculpteur de statues, animaux.
De 1865 à 1893 il se fit représenter au Salon. On cite de lui : *Chien lévrier* ; *Chienne d'arrêt, Cheval et chiens*, groupe en plâtre ; *Chien en arrêt*, cire ; *Chien en arrêt*.
Ventes Publiques : Paris, 28 oct. 1990 : *Deux chiens de chasse*, bronze à patine brune (H. 28,5, L. 22,5) : **FRF 25 000** – Paris, 8 nov. 1995 : *Piqueur sautant*, bronze (H. 34) : **FRF 40 500.**

FERRIERS
XVIIIe siècle. Français.
Peintre.
En 1781, il exposa au Salon de la Correspondance : *Portrait de la reine* ; *Jeux d'enfants* ; *Marine*.

FERRIEU Jean
Né le 2 mars 1900 à Rodez (Aveyron). XXe siècle. Français.
Graveur sur bois.
Il exposait à Paris, au Salon des Artistes Français, mention honorable en 1927.

FERRIGNO Antonio
Né en décembre 1863 à Maiori (province de Salerne). XIXe siècle. Italien.
Peintre de genre, paysages animés, paysages.
Il fut élève de Di Chirico et de l'Institut des Beaux-Arts à Naples et figura aux expositions italiennes et internationales. En 1893 il se rendit au Brésil où il fit des tableaux de paysages avec personnages, dont six représentent la récolte du café. A son retour en Europe il vécut à Paris où il exposa en 1914 des paysages au Salon des Indépendants.
On cite parmi ses œuvres *Au Roi Galant* ; *Un vieux sergent* ; *Dans mon pays* ; *Soleil de mars* ; *Un soir*.
Ventes Publiques : São Paulo, 21 oct. 1980 : *L'Antiquaire*, h/t (41,4x23,5) : **BRL 160 000** – Rome, 12 déc. 1989 : *Santa Lucia*, h/t (40,5x80) : **ITL 8 500 000.**

FERRILLO Giuliano
XVe siècle. Actif à Naples. Italien.
Peintre de miniatures.

FERRINI Agnolo
XVe siècle. Italien.
Enlumineur, écrivain et relieur.
Il était prêtre et chapelain à Capraia près d'Empoli (Vallée de l'Arno) au XVe siècle. D'après des archives de Florence il relia un grand nombre de manuscrits et d'incunables florentins, dont il peignait et décorait lui-même les reliures.

FERRIOL Guillem
XVe siècle. Actif à Valence. Espagnol.
Peintre.

FERRIOL Louis
XVIe-XVIIe siècles. Actif à Nevers. Français.
Sculpteur et architecte.
Il fit, en 1590, dix écussons en pierre, aux armes de Louis de Gonzague et d'Henriette de Clèves, duc et duchesse de Nevers, qu'il orna des ordres de Saint-Michel et du Saint-Esprit et qui furent placés aux portes de la ville. A l'occasion de l'entrée à Nevers de la duchesse de Mantoue, en 1606, il modela trois grandes figures en terre. Enfin, en 1610, avec les échevins et un architecte, Jean Portier, il rechercha l'endroit le plus convenable à la construction d'un pont sur la Loire.

FERRIOL Ramon
Originaire de Catalogne. XIIIe siècle. Espagnol.
Peintre.
Il est mentionné à Barcelone en 1297.

FERRIOT Lucien
Né le 22 novembre 1905 à Paris. XXe siècle. Français.
Peintre de marines, paysages.
Il n'a commencé à peindre qu'en 1943. Il exposait à Paris, au Salon des Artistes Français, depuis 1946, nommé sociétaire l'année suivante.
Paysagiste, il peint surtout des marines dans une facture très traditionnelle.

FERRIS Bérénice Branson
Née à Astoria (Illinois). XXe siècle. Américaine.
Illustrateur.

FERRIS Edyth
Née le 21 juin 1897 à Riverton (New-Jersey). XXe siècle. Américaine.
Peintre, illustrateur.

FERRIS Jean Léon Jérôme
Né le 8 août 1863 à Philadelphie. Mort en 1930. XIXe siècle. Américain.
Peintre de genre, graveur.
Élève de son père Stephen Ferris et de Bouguereau, il travailla à Philadelphie.
Ventes Publiques : New York, 6-7 avr. 1909 : *Celle que j'ai laissée derrière moi* : **USD 145** – New York, 28 oct. 1981 : *La Partie d'échecs* ; *Une histoire embarrassante*, h/t et h/pan. (34,3x41,3) : **USD 5 500** – New York, 25 mai 1989 : *Son poids en or*, h/t (64x90) : **USD 13 750** – New York, 15 avr. 1992 : *Conversation galante*, h/cart. (40,6x50,8) : **USD 2 750.**

FERRIS Stephen James
Né le 25 décembre 1835 à Plattsburg (États-Unis). XIXe siècle. Actif à Philadelphie. Américain.
Peintre et graveur.
Élève de C. Schnesel et de S. B. Wongh. Visita l'Europe avec une bourse de voyage. Enseigna le dessin durant de longues années.

FERRIS Wanen Wesley
Né le 22 juin 1890 à Rochester (New York). XXe siècle. Américain.
Peintre, illustrateur.
Il obtint le Premier Prix de la Decorative Art League à New York, en 1923.

FERRISS Hugh
Né le 12 juillet 1889 à Saint Louis. XXe siècle. Américain.
Illustrateur.

FERRIZ Y SICILIA Cristobal
Né vers 1850 à Madrid. Mort vers 1912 à Madrid. XIXe-XXe siècles. Espagnol.
Peintre de genre, paysages.
Élève de Carlos de Haes, il débuta à Madrid en 1876 et exposa assez régulièrement aux Salons de cette ville.
Musées : Madrid : *Après l'averse – Vivier de la maison de campagne – Étang de la Retraite – L'Hippodrome*.
Ventes Publiques : Madrid, 6 mars 1986 : *En el Tajo de Aranjuez* 1877, h/t (69x46) : **ESP 500 000.**

FERRNA Philipp
XVIIe siècle. Actif à Vienne. Autrichien.
Peintre.

FERRO Cesare
Né à Turin. XIXe-XXe siècles. Italien.
Peintre.
Il exposa aussi à Paris, au Salon des Artistes Français, médaille de troisième classe en 1904.

FERRO Dario
XVIIe siècle. Actif à Rome. Italien.
Peintre.

FERRO Evangelista dal
XVIe siècle. Actif à Ferrare. Italien.
Peintre.

FERRO Gabriel Marc Louis
Né le 1er septembre 1903 à Paris. Mort le 7 octobre 1981. XXe siècle. Français.
Peintre de paysages urbains, intérieurs.
Il fut élève des Académies libres de Montparnasse. Il expose à Paris, depuis 1942 au Salon d'Automne, dont il fut nommé sociétaire la même année. Il était également sociétaire du Salon des Artistes Indépendants et exposa au Salon des Peintres Témoins de leur Temps.
Il fut le peintre du tragique des banlieues désolées, des masures pathétiques sous les ciels semblant, eux aussi, lourds d'angoisse secrète. Ses peintures dont les titres impliquent la médiocrité, voire le désespoir : *Le gardon frit ; La maison du menuisier ; La mansarde* ; n'en ont pas moins pour autant une beauté singulière.

FERRO Giacomino de
XIVe siècle. Actif à Pinerolo (Piémont). Italien.
Peintre.
Il est mentionné avec d'autres peintres pour avoir exécuté des travaux à l'église S. Giorgio à Chieri vers 1349.

FERRO Giacomo
Originaire de Balma d'Alagna, val Sesia. XVIIe siècle. Italien.
Sculpteur.
Il travailla avec Giovanni d'Enrico au Calvaire de Varallo. Il fit de nombreuses terres cuites.

FERRO Giovanni Battista ou **Johann Baptist**
Originaire de Padoue. XVIe siècle. Italien.
Peintre et architecte.
Il travailla à Varsovie et à Vienne, puis à Prague où il exécuta un projet pour la grande salle du château, avec les portraits des rois de Bohême.

FERRO Gregorio
Né en 1742 à Santa Maria de Lamas. Mort en 1812 à Madrid. XVIIIe-XIXe siècles. Espagnol.
Peintre d'histoire.
Élève de l'Académie de San Fernando, dont il devint directeur général en 1804. Il a travaillé surtout pour les couvents et les églises de Madrid. Ce fut un pâle imitateur de Mengs.

FERRO Gudmundur. Voir **ERRO**

FERRO Nicola
XIXe siècle. Actif à Naples vers 1810. Italien.
Peintre.

FERRO Tommaso
XVIIe siècle. Actif à Gênes. Italien.
Peintre.
Il était élève de G. B. Carlone. Il peignit des emblèmes des Arts et des Sciences dans la bibliothèque des Augustins à Gênes.

FERRO LA GRÉE Georges
Né le 30 juillet 1941 à Poissy (Yvelines). XXe siècle. Français.
Peintre de paysages animés, marines, natures mortes, fleurs. Postimpressionniste.
Il mena parallèlement des études d'ingénieur et de musique. En peinture, il est autodidacte, s'y étant voué à la suite du choc ressenti lors de la révélation de l'œuvre de Van Gogh à l'occasion d'un voyage à Amsterdam. Il abandonna alors son métier d'ingénieur thermicien. Il participe à des expositions collectives à Paris : Salons des Artistes Indépendants depuis 1969, des Artistes Français dont il obtint une médaille d'argent en 1974, d'Art Populiste, ainsi qu'à des expositions en banlieue parisienne : Taverny, Bougival, L'Isle-Adam, etc., où il a obtenu de nombreuses distinctions. Il montre aussi des ensembles d'œuvres dans des expositions personnelles nombreuses, d'abord à Paris, dans de nombreuses villes de province, et New York, San Francisco, Chicago, Boston, Tokyo, Genève, etc.
Bien que travaillant surtout au couteau et par larges touches franches, technique qui aurait pu faire de lui plutôt un expressionniste, de par la clarté heureuse des paysages qui suscitent son inspiration, et aussi de par un mélange des tons, une sorte de divisionnisme, inattendus d'une telle facture, c'est bien au postimpressionnisme qu'il se rattache.

BIBLIOGR. : Divers : Catalogue *Georges Ferro La Grée – Œuvres récentes 1981-1982*, Paris, 1982 – divers : Catalogue *Georges Ferro La Grée – Œuvres récentes*, Paris, 1990.
VENTES PUBLIQUES : BREST, 13 déc. 1981 : *Temps gris en Bretagne*, h/t (50x61) : **FRF 2 700** – LE RAINCY, 14 juin 1987 : *Pommier fleuri à Bagatelle* 1977, h/t (46x65) : **FRF 9 000** – CALAIS, 8 nov. 1987 : *Chaland au bord de l'Eure*, h/t (50x61) : **FRF 5 200** – PARIS, 8 juin 1988 : *La prairie en fleurs*, h/t (50x61) : **FRF 18 000** – VERSAILLES, 22 avr. 1990 : *Personnages au bord de la rivière*, h/t (46x55,5) : **FRF 6 500** – PARIS, 25 mai 1992 : *Bord de lac*, h/t (50x61) : **FRF 3 200** – NEUILLY, 17 juin 1992 : *Le Cher à Montrichard*, h/t (48x61) : **FRF 4 000** – PARIS, 17 mai 1993 : *Coquelicots à Saint-Amand dans l'Yonne*, h/t (30x61) : **FRF 4 000**.

FERROCCI Alberto ou **Ferrozzi**
XVIe siècle. Actif à Ferrare. Italien.
Peintre.
Il est fréquemment mentionné de 1533 à 1564.

FERROCCI Ginesio ou **Ferrozzi**
XVIe siècle. Actif à Gênes. Italien.
Peintre.

FERRON Marcelle
Née en 1924 à Louiseville (Québec). XXe siècle. Canadienne.
Peintre, peintre de cartons de vitraux. Abstrait-lyrique.
Elle fut élève de l'École des Beaux-Arts de Québec, en 1941-1942. En 1945, elle fit la connaissance de Paul Émile Borduas et participa aux expositions du groupe automatiste, de 1946 à 1953. En 1948, elle fut co-signataire du manifeste des « Automatistes » : *Refus global*, par lequel ils se séparaient du marché artistique et de la bourgeoisie qui l'anime. De 1953 à 1964, elle se fixa à Paris, travaillant de 1958 à 1960 à l'*Atelier 17* de Stanley William Hayter. À son retour, elle fut nommée professeur à l'École d'architecture de l'Université Laval à Québec. Depuis 1965 environ, elle crée des vitraux, dont une verrière pour un pavillon de l'Exposition Internationale de Montréal de 1967, des panneaux de verre pour la station *Champ de Mars* du métro de Montréal. En 1973, le Musée de Québec lui a consacré une exposition rétrospective. Prix Paul Émile Borduas en 1983.
Elle peignit tout d'abord des paysages tourmentés. Après son adhésion au mouvement automatiste, elle est restée fidèle au credo du geste spontané et de l'acceptation des accidents de la matière, évoluant à une abstraction gestuelle de coulées et de tourbillons de couleurs rageusement triturés. Elle peint « à bout de bras », avec effusion et exubérance, des toiles abstraites aux pâtes lourdes et aux harmonies sourdes. À son retour au Québec, en 1964, elle prêta attention aux phénomènes de transparence du verre dit « antique », qu'elle avait découvert à Paris. Dans un premier temps, indépendamment des réalisations importantes, en véritables vitraux, qui lui furent commandées à partir de 1965 environ, elle réalisa une série de peintures à l'huile sur ce thème de la transparence et de la lumière, éclaircissant sa palette jusqu'au blanc pur, puis, vers 1970, elle a réalisé des petits tableaux très scintillants, directement en verre. Après 1972-73, elle est revenue à la peinture abstraite gestuelle, mais y introduisant une infrastructure issue de la discipline technique du vitrail. ■ J. B.

BIBLIOGR. : In : *Diction. Univers. de la Peint.*, Le Robert, Paris 1975 – divers, in : Catalogue de l'exposition *Les vingt ans du musée à travers sa collection*, Mus. d'Art Contemp., Montréal, 1985.
MUSÉES : MONTRÉAL (Mus. d'Art Contemp.) : *Cerce nacarat* 1948.
VENTES PUBLIQUES : LONDRES, 26 juin 1984 : *Hermitage*, h/t (65x81) : **GBP 700** – MONTRÉAL, 24 fév. 1987 : *Le promeneur solitaire* 1979, h/t (183x76) : **CAD 4 500** – MONTRÉAL, 17 oct. 1988 : *Sans titre* 1960, h/t (81x101) : **CAD 6 000** – MONTRÉAL, 30 oct. 1989 : *Abstrait* 1956, h/t (47x75) : **CAD 8 800** – MONTRÉAL, 5 nov. 1990 : *Abstraction* 1963, techn. mixte (64x48) : **CAD 1 980**.

FERRON de LA VILLAUDON Louise
XVIIe siècle. Active à Rennes vers 1650. Française.
Peintre.
Elle était religieuse. Le Musée de Rennes conserve d'elle la première page d'un antiphonaire destiné à l'Abbaye Saint-

Georges : *Médaillon avec le portrait de la fondatrice tenu par des anges.*

FERRONI Alessandro

XVIe siècle. Actif à Pise. Italien.

Peintre.

Il exécuta vers 1652 des graffiti dans le Palazzo della Carovana à Pise, d'après les projets de Vasari.

FERRONI Egisto

Né en 1835 à Signa (Florence). Mort le 26 mai 1912 à Florence. XIXe-XXe siècles. Italien.

Peintre de genre, portraits, paysages animés.

Il étudia à l'Académie Royale de Florence et obtint une médaille à l'Exposition Internationale de Nice et une autre à l'Exposition de Naples. Il prit part en 1900 au concours Alinari avec son tableau *Jeune Mère*.

Musées : Florence (Gal. Mod.) : *Aux Champs – La Visite – Le Bûcheron* – Prato : *Aux champs* – Rome (Art Mod.) : *Le retour du père – Marchand ambulant – Les tresses* – Rome (Gal. Nat.) : deux tableaux.

Ventes Publiques : Milan, 15 mars 1977 : *Jeune Fille sur une terrasse*, h/t (91x61) : **ITL 3 800 000** – Milan, 10 juin 1981 : *Tête de fillette*, h/t (36x30) : **ITL 1 800 000** – Milan, 27 mars 1984 : *Les deux sœurs* 1887, h/t (61x55) : **ITL 11 000 000** – Milan, 28 oct. 1986 : *Paysan dans son champ*, h/t (183x90) : **ITL 8 500 000** – New York, 20 fév. 1992 : *Maternité* 1897, h/t (92,1x135,9) : **USD 17 600** – Milan, 26 mars 1996 : *Marivaudage*, h/pan. (36x30) : **ITL 18 975 000**.

FERRONI Gianfranco

Né en 1927 à Livourne. XXe siècle. Italien.

Peintre de compositions animées, natures mortes, dessinateur, graveur, lithographe. Tendance pop art, puis tendance hyperréaliste.

Il vint tôt à Milan, où il fut élève de l'École des Beaux-Arts. Depuis 1957, il s'initia à la gravure, remportant, en 1963, le Prix Biella. Il participe à des expositions collectives, nationales et internationales, de la jeune peinture italienne, notamment la Biennale de Venise 1958, 1964, 1968, 1982, la Quadriennale de Rome 1959, 1972, la Biennale de la Méditerranée 1969, la Biennale de Tokyo 1964, le Salon de la Jeune Peinture de Paris 1966, l'exposition *Peinture italienne 1950-1970* itinérante de 1975 à 1977 dans de nombreux musées d'Europe, etc. Il expose à titre personnel à Milan, Rome, Turin, Parme, Modène, Bologne, etc. En 1970, il a exposé à Paris, avec Antonio Ségui et Gérard Titus-Carmel. En 1990-1991, une exposition rétrospective *Ferroni Opere 1957-1990* a été organisée à la Galerie Communale d'Art Moderne de Conegliano.

Dans les années cinquante, il fut affilié au mouvement du « réalisme existentiel », partiellement apparenté au réalisme politique français de Rebeyrolle et du groupe de « La Ruche ». Ses moyens d'expression, aussi issus du Pop'art, empruntaient des mises en page à la technique publicitaire, et des superpositions d'images au cinéma, tout en manifestant un expressionnisme très personnel. Dans ses diverses périodes, le dessin est toujours pour lui le laboratoire où se préparent les peintures. Entre 1960 et 1970, il subit un arrêt de travail, mais non de la réflexion autour du travail. Sa maîtrise du dessin le conforta ensuite dans sa nouvelle orientation vers l'hyperréalisme, où il joue habilement de tous les éclairages, depuis l'envahissement du blanc jusqu'au clair-obscur, qui lui permettent de transgresser poétiquement, dramatiquement, l'illusionnisme gratuit du réalisme photographique, par une « mise en scène » troublante de la lumière, de la profondeur de champ et de l'espace environnant. ■ J. B.

Bibliogr. : Divers : Catalogue de l'exposition *Ferroni – Opere 1957-1990*, Galler. Comunale d'Arte Mod., Conegliano, 1990-1991.

Ventes Publiques : Milan, 1er déc. 1964 : *La stanza liberty* : **ITL 800 000** – Milan, 25 mai 1971 : *Composition* : **ITL 1 400 000** – Rome, 27 nov. 1973 : *La Trappola* 1969 : **ITL 2 400 000** – Milan, 9 nov. 1976 : *Foule dans une rue* 1958, h/cart. entoilé, étude (47,5x73) : **ITL 1 000 000** – Milan, 22 mai 1980 : *Fenêtre et végétation* 1965, h/t (42x51) : **ITL 2 300 000** – Milan, 27 avr. 1982 : *Intérieur* 1974, pl. (15x18) : **ITL 600 000** – Rome, 22 mai 1984 : *Paysage urbain* 1963, h/t (62x62) : **ITL 3 500 000** – Milan, 24 mars 1988 : *Objets familiers* 1970, h/t (46,5x56,5) : **ITL 18 000 000** – Milan, 14 déc. 1988 : *Personnage* 1961, h/t, étude (90x70) : **ITL 19 000 000** – Milan, 20 mars 1989 : *Intérieur avec une table et un lit* 1959, h/t (120x120) : **ITL 21 000 000** – Milan, 6 juin 1989 : *Nature morte au torchon rose* 1985, techn. mixte/pan. (42x42) : **ITL 26 000 000** – Rome, 28 nov. 1989 : *Chasseur avec un canard* 1949, h/t (70x50) : **ITL 8 000 000** – Milan, 19 juin 1991 : *Sans titre* 1963, techn. mixte/pap./t. (47,5x52) : **ITL 7 000 000** ; *Histoire d'un intérieur* 1962, h/t (70x90) : **ITL 15 000 000** – Milan, 19 déc. 1991 : *Désordre* 1971, h. et techn. mixte/pap./t., étude (171x145) : **ITL 40 000 000** – Milan, 20 mai 1993 : *Retour au village* 1972, cr. de coul. (34x41,5) : **ITL 6 000 000** – Milan, 14 déc. 1993 : *Exploration des objets* 1965, h/t (53x62) : **ITL 16 100 000** – Rome, 8 nov. 1994 : *Bouteille et cornet de papier dans un halo de limière*, cr. et past./pap. (34x29,5) : **ITL 23 000 000** – Milan, 9 mars 1995 : *Intérieur* 1958, h/t (70x90) : **ITL 20 125 000** – Milan, 10 déc. 1996 : *Lac de Massaciuccoli* 1964, h/t (51x38,5) : **ITL 21 552 000** – Rome, 8 avr. 1997 : *Espace vertical* 1988, h/pan. (56x28,5) : **ITL 29 707 000**.

FERRONI Girolamo

Né en 1687 à Parme. Mort vers 1730 à Milan. XVIIIe siècle. Italien.

Peintre et graveur.

Au commencement de sa carrière il peignit *La mort de saint Joseph* pour l'église de Saint-Eustorgio de Milan. Il visita Rome où il entra dans l'école de Carlo Maratti, d'après lequel il exécuta un certain nombre de gravures pleines de goût. Citons entre autres : *Josué arrêtant le soleil ; La chasteté de Joseph ; Judith et la tête d'Holopherne*, etc.

FERRONI Guido

Né en 1888. XXe siècle. Italien.

Peintre de genre.

Bibliogr. : Vincenzo Costantini : *Peinture italienne contemporaine*.

Musées : Florence (Gal. d'Art Mod.) : *La joute – La vie humble*.

FERRONI Leonardo, dit **il Bigino**

XVIIe siècle. Actif à Florence. Italien.

Peintre.

Il fut élève de F. Furini. On connaît de lui plusieurs portraits de moines qui se trouvent dans la Casa Buonarroti.

FERRONI Pietro

Originaire d'Arosio. XIXe siècle. Italien.

Sculpteur.

Il exécuta les statues pour la façade du lycée de Côme et les autels des églises de Sonvico et Agno.

FERRONI Riccardo Tommasi

Né en 1934 à Pietrasanta. XXe siècle. Italien.

Peintre de compositions mythologiques, paysages.

Ventes Publiques : Rome, 3 déc. 1985 : *Apollo*, techn. mixte/pap. mar./t. (66x32) : **ITL 1 800 000** ; *Métamorphoses*, h/t (55x55) : **ITL 2 000 000** – Rome, 17 avr. 1989 : *Léda* 1984, h/t (150x220) : **ITL 33 000 000** – Rome, 6 déc. 1989 : *Panorama de Rome*, h/t (50x70) : **ITL 9 775 000** – Milan, 15 mars 1994 : *Apollon et Daphné*, h/t (100x100) : **ITL 12 650 000** – Milan, 5 mai 1994 : *L'enlèvement de Proserpine*, h/t, étude (77x110) : **ITL 8 050 000** – Milan, 9 mars 1995 : *Vénus et Amour*, h/t, étude (65x90) : **ITL 4 600 000** – Rome, 28 mars 1995 : *L'enlèvement de Proserpine*, h/t (77x110) : **ITL 10 350 000**.

FERRONI Violante

Née en 1720 à Florence. XVIIIe siècle. Italienne.

Peintre.

Elle fut copiste et peintre de portraits. Dans l'église S. Giovanni di Dio, elle peignit un médaillon représentant ce saint.

FERROVERDE Filippo

XVIIe siècle. Italien.

Dessinateur et graveur sur bois.

Il exécuta d'après ses propres dessins les gravures sur bois de l'œuvre de Vincent Cartari, parue en 1615 à Padoue *Images des dieux des Anciens*.

FERROZZI. Voir **FERROCCI**

FERRU Félix

Né en 1831 à Limoges (Haute-Vienne). Mort en 1877. XIXe siècle. Français.

Sculpteur.

Élève de l'École des Beaux-Arts il se fit représenter au Salon de Paris de 1866 à 1877. Parmi ses œuvres, on cite notamment : *Jeune dédaigneuse ; Mlle Sabine de Gosselin*, buste en cire ; *L'Amour domptant le sphinx, Buste de J. Offenbach ; Buste en marbre d'Adrien Balny*. Le Musée de Limoges possède de lui : *L'Amour qui s'éveille ; Gustave Ricard*, buste en marbre ; *Un charmeur ; Jeune Athénienne arrosant un myrte*.

FERRU Marceau
Né à Alger. xxe siècle. Français.
Sculpteur.
Il fut élève de Paul Landowski. Il exposa à Paris, au Salon des Artistes Français depuis 1933.

FERRU Martinus
Probablement originaire de Sotto-Cenere. xve siècle. Suisse.
Peintre d'histoire.
De lui sont sans doute les fresques représentant des *Scènes de la vie de saint Jean-Baptiste* à l'église paroissiale de Sonvico, près de Lugano.

FERRUCCI Andrea, appelé aussi **Andrea di Piero** ou **Andrea da Fiesole**
Né en 1465 à Fiesole. Mort en 1526 à Florence. xve-xvie siècles. Italien.
Sculpteur et architecte.
Fils de Ferrucci Pietro di Marco. Ce fut un des meilleurs sculpteurs de la fin du xvie siècle. Il travailla à Florence et à Pistoie. Il eut pour élèves Silvio Cosini et Bascoli. Le Dôme de Florence possède de lui le buste de *Marcile Ficin*, Sainte-Marie-Nouvelle le tombeau de *A. Strozzi*, le Dôme de Pistoie des fonts baptismaux.
Musées : Florence (Mus. Nat.) : *La Vierge*, marbre, bas-relief.

FERRUCCI Andrea di Michelangelo ou **Ferruzzi**
Mort en 1626. xviie siècle. Italien.
Sculpteur.
Il travailla à Florence où il exécuta des sculptures pour le Jardin Boboli. Il était le fils de Michelangelo di Bastiano.

FERRUCCI Bastiano. Voir **BASTIANO di Francesco**

FERRUCCI Bernardo di Simone
Né en 1434 à Fiesole. xve siècle. Italien.
Sculpteur.
Fils de Ferrucci Simone di Nanni. Il travailla de 1467 à 1478 avec son frère Francesco di Simone au Monastère de S. Maria de Servi à Florence.

FERRUCCI Cesare di Romolo
Enterré à Florence le 12 septembre 1596 à S. Pier Maggiore. xvie siècle. Italien.
Sculpteur.
Fils de Ferrucci Romolo di Francesco del Tadda.

FERRUCCI Francesco di Nicodemo
Mort le 12 juillet 1678 à Florence. xviie siècle. Italien.
Sculpteur.
Fils de Ferrucci Nicodemo.

FERRUCCI Francesco di Simone da Fiesole
Né en 1437 à Fiesole. Mort le 24 mars 1493 à Florence. xve siècle. Italien.
Sculpteur et architecte.
Fils de Simone di Nanni et père de Bastiano di Francesco. Il travailla à Fiesole, Florence, Bologne et à Rome, probablement aussi pour Venise. Parmi ses œuvres on cite : à Florence le monument funéraire de *Lemno Balducci* pour l'Hôpital San Matteo et cinq petites colonnes pour un autel ; à Bologne pour l'église S. Domenico le monument funéraire d'Alessandro Tartagni et le portail du Palais Bevilacqua ; à Venise on lui attribue des travaux décoratifs à la chapelle Viviani dans l'église Giobbe. Pour la cathédrale de Prado il exécuta un *Ciborium*.
Musées : Paris (Jacquemart-André) : *Enfant debout tenant un écusson*, terre cuite, statuette.

FERRUCCI Francesco ou **Cecco**, dit **del Tadda,** appelé aussi **Francesco di Giovanni**
Né en 1497 à Fiesole. Mort en 1585. xvie siècle. Italien.
Sculpteur.
Il était fils d'un Giovanni Ferrucci du xve siècle (peut-être Giovanni Ferrucci di Taddeo) et était père de Romolo Ferrucci et peut-être père de Giovanni Battista Ferrucci, dit del Tadda. Il travailla surtout à Florence où il exécuta diverses décorations sculpturales pour les ducs Côme Ier, François Ier. Son œuvre maîtresse est le *Tombeau de G. F. Vogio* au Campo Santo de Pise. Il exécuta également à Bologne le *Tombeau Tartagni* à Saint-Dominique, à Forli, celui de *Barbara Manfredi* à Sainte-Mercuriale, à Fiesole le *Maitre-autel* du Dôme, à Pérouse, le *Tabernacle* de Santa Maria di Monteluce et participa à de nombreux travaux au Palais Pitti à Florence.
Musées : Berlin (Kaiser Friedrich) : *Tête de Christ* – Londres (Victoria and Albert Mus.) : *Cosme Ier*, bas-relief – Prague (Rudolphinum) : *Tête de Christ*.

FERRUCCI Giovanni Battista, dit **del Tadda**
Enterré à Florence le 5 mai 1617 à Santa Maria del Carmine. xviie siècle. Italien.
Sculpteur.
Fils de Francesco Ferrucci, dit del Tadda. Il participa avec d'autres sculpteurs aux travaux décoratifs occasionnés par le mariage de François de Médecis et de Jeanne d'Autriche au Palazzo Vecchio à Florence sous la direction de Vasari. Il participa également à la réfection des décorations de l'église S. Maria del Pontenovo (aujourd'hui della Spina) à Pise.

FERRUCCI Giovanni di Taddeo, peut-être pour **del Tadda**
Né en 1461 à Fiesole ou Florence. xve siècle. Italien.
Sculpteur.
Il est mentionné en 1521 à Carrara. Petit-fils de Ferrucci Simone di Nanni.

FERRUCCI Giovanni Domenico
Né au xviie siècle, originaire de Florence. xviie siècle. Italien.
Peintre.
Élève de Cesare Dandini. Il travailla à Lucques.

FERRUCCI Michelangelo di Bastiano
Enterré à Florence le 15 août 1593 à S. Ambrogio. xvie siècle. Actif à Florence. Italien.
Sculpteur.

FERRUCCI Michele di Simone
xviie siècle. Actif à Florence. Italien.
Sculpteur.

FERRUCCI Nanni di Sandro ou **Ferruzzi**
Né en 1362 à Fiesole. xive siècle. Italien.
Sculpteur.
Il fut le premier de la famille d'artistes Ferucci.

FERRUCCI Nicodemo, appelé aussi **Niccolo di Michelangelo**
Né en 1574 à Fiesole. Mort en 1650 à Florence. xvie-xviie siècles. Italien.
Peintre d'histoire, fresquiste.
Fils de Ferrucci Michelangelo di Bastiano, il fut l'ami et le disciple favori de Domenico Passignano dont il copia le style facile et spirituel. Il accompagna ce maître à Rome et l'assista dans des entreprises très importantes.
Les édifices publics de Florence, de Fiesole et des environs de Rome possèdent des œuvres de ce peintre qui peignit fort bien à fresque.

FERRUCCI Pietro di Marco
Né en 1437. xve siècle. Actif à Fiesole. Italien.
Sculpteur.
Il est mentionné à Florence en 1487. Petit-fils de Nanni di Sandro.

FERRUCCI Pompeo
Italien.
Peintre d'histoire, portraits.

FERRUCCI Pompeo di Giovanni Battista
Né vers 1566 à Florence. Mort en juillet 1637 à Rome. xvie-xviie siècles. Italien.
Sculpteur.
Fils de Ferrucci Giovanni Battista del Tadda. Il travailla à Rome à partir de 1605 et était membre de l'Académie Saint-Luc. On cite parmi ses œuvres un haut-relief avec *L'Assomption, San Girolamo, San Giovanni* et deux monuments funéraires dans la chapelle Vidoni de l'église Santa Maria della Vittoria ; en collaboration avec Buzio il travailla au monument funéraire de Paul V à Sainte-Marie-Majeure.

FERRUCCI Romolo, dit aussi **Romolo di Francesco del Tadda**
Mort le 3 mars 1621 à Florence. xviie siècle. Italien.
Sculpteur.
Fils de Ferrucci Francesco Ferrucci, dit del Tadda. Son père lui enseigna l'art de travailler le porphyre, d'autre part, il fut l'élève de son parent Andrea di Michelangelo Ferrucci. Il sculpta des animaux en porphyre pour le Jardin Boboli où des lions et un chien y sont conservés et exécuta également pour une colonne des Thermes d'Antoine à Rome le chapiteau et une statue de la Justice. D'autres œuvres lui sont attribuées à la Grotte du Palais Pitti, à la villa Pratolina, au Palais Gianfigliazzi (armoiries) et dans sa propre maison à S. Maria Nuova.

FERRUCCI Salvestro di Michelangelo, appelé aussi **Salvatore da Fiesole**
XVIe-XVIIe siècles. Italien.
Sculpteur.
Il travaillait à Florence en 1601. Fils de Michelangelo di Bastiano et frère de Nicodemo.

FERRUCCI Sandro ou **Alessandro di Marco**
XVe siècle. Italien.
Sculpteur.
Petit-fils de Ferrucci Nanni di Sandro, il est mentionné à Florence en 1487.

FERRUCCI Simone di Nanni
Né à Fiesole. Mort le 4 mars 1469 à Florence. XVe siècle. Italien.
Sculpteur.
Fils de Nanni di Sandro. Il est mentionné dans l'atelier de L. Ghiberti à partir de 1427 où il travailla à une porte du Baptistère de Florence. Il exécuta avec Jacopo di Bartolomeo da Fiesole pour le local de la Gilde des Tisserands, d'après un projet de L. Ghiberti, un grand encadrement de marbre pour un autel de la Vierge de Fra Angelico ; en 1467, il fit un bas-relief *l'Agneau de Dieu*, pour l'église S. Maria de Carmine. A Rimini, il participa aux décorations de l'église San Francisco, et à Vicovaro, près de Rome il fit les décorations de la façade de l'église S. Jacopo.

FERRUCCI Vincenzo di Nicodemo
Enterré à Florence le 2 novembre 1626 à S. Felice. XVIIe siècle. Actif à Florence. Italien.
Peintre.
Fils de Nicodemo di Michelangelo.

FERRUCCIO Domenico
XVIIe siècle. Italien.
Graveur.
Il grava les personnages du livre d'armes de Giuseppe Morsicato-Pallavicini *L'escrime illustrée*.

FERRUH BASAGA
Né en 1915 à Istanbul. XXe siècle. Turc.
Peintre de portraits.
Il fut élève du peintre français Léopold-Lévy à l'École des Beaux-Arts d'Istanbul. Il a pris part aux expositions officielles d'Ankara. En 1946, il figura à l'Exposition Internationale d'Art Moderne, ouverte au Musée National d'Art Moderne de Paris par l'Organisation des Nations Unies (O.N.U.), y présentant un *Portrait d'enfant*.

FERRUZZI Andrea di Michelangelo. Voir **FERRUCCI**

FERRUZZI Nanni di Sandro. Voir **FERRUCCI**

FERRUZZI Roberto Felix
Né en 1853 ou 1854 à Sebenico (Dalmatie). Mort en 1934. XIXe-XXe siècles. Yougoslave.
Peintre de genre, portraits, aquarelliste, pastelliste.
Il étudia seul la peinture et figura à l'exposition de Turin en 1883 avec des études de têtes, puis en 1887 à Venise avec *La Première Pénitence*, ainsi qu'en 1897 avec une *Madonnina* et un tableau au pastel *Vers la lumière*.
Ventes Publiques : Milan, 10 nov. 1982 : *Portrait de jeune fille* 1895-1896, aquar. (37,5x28,5) : **ITL 1 200 000**.

FERRY Adrien ou **Ferri**
Mort avant 1885. XIXe siècle. Actif à Auch. Français.
Sculpteur.
Il était probablement le fils de Vincenzo Ferri. Il fit l'esquisse de la statue du *Vice-amiral de Villaret-Joyeuse* qu'exécuta Ed. Nelli à Auch en 1885.

FERRY Didier
XVIe-XVIIe siècles. Actif à Paris. Français.
Sculpteur.

FERRY Isabelle H.
Née dans la seconde moitié du XIXe siècle à Williamsburg (Massachusetts). XIXe siècle. Américaine.
Peintre.
Elle fut élève de W. Bouguereau, T. R. Fleury et Boutet de Monvel, à Paris.

FERRY Jean Georges
Né le 22 juin 1851 à Paris. Mort en 1926. XIXe-XXe siècles. Français.
Peintre de genre, figures.
Il fut élève de Hillemacher et de Cabanel, et débuta au Salon de Paris en 1875. On cite de lui : *Une jeune fille de Capri* ; *Le Lundi de Pâques en Andalousie* ; *Faiblesse humaine* ; *Une sérénade espagnole*. Il devint sociétaire des Artistes Français en 1888, et obtint une mention honorable en 1900.
Musées : Copenhague (Ny Carlsberg Glyptotek) : deux tableaux.
Ventes Publiques : Brest, 13 déc. 1981 : *Normande en coiffe, Boulogne-sur-Mer*, h/pan. (35x27) : **FRF 2 700** – Paris, 10-11 juin 1997 : *Marchande de fruits* 1890, h/pan. (25,7x18,2) : **FRF 10 000**.

FERRY Jules Jean
Né le 1er janvier 1844 à Bordeaux. XIXe siècle. Français.
Peintre de scènes de chasse, sujets de genre, dessinateur.
Il eut pour maîtres Cabanel et J.-L. Brown. Il figura au Salon de Paris de 1869 à 1880. Il obtint une mention honorable en 1887, une médaille de troisième classe en 1886, une médaille de bronze à l'Exposition Universelle de 1889, ainsi qu'en 1900. Il était associé de la Société Nationale des Beaux-Arts.
Musées : Paris (Mus. du Petit Palais) : *Esquisses pour la décoration de l'Hôtel de Ville de Paris* – *Esquisses pour la décoration de la Mairie de Suresnes*.
Ventes Publiques : Londres, 6 avr. 1966 : *La Promenade au bois* : **GBP 900** – Londres, 18 nov. 1994 : *Chien de chasse flairant un canard* 1862, h/t (142,9x215,9) : **GBP 2 760**.

FERRY Marie-Alfred René
Né à Nancy (Meurthe-et-Moselle). XXe siècle. Français.
Graveur à l'eau-forte.
Il fut élève d'Eugène Gauguet. Il exposait à Paris, au Salon des Artistes Français, dont il était sociétaire, mention honorable 1932.

FERRY Michel
XVIIe siècle. Actif à Verdun. Français.
Peintre verrier.
De sa main se trouve à la cathédrale de Verdun une fenêtre datée de 1633.

FERRY Pierre Augustin
Né en 1742. XVIIIe siècle. Français.
Peintre de fleurs.
Il fut élève de Bachelier et travailla de 1757 à 1763 à la Manufacture de porcelaine de Sèvres.

FERRY René
Né à Joinville-le-Pont (Val-de-Marne). XXe siècle. Français.
Peintre.
Il exposait à Paris, au Salon d'Automne en 1926, au Salon des Artistes Indépendants à partir de 1927.

FERRY. Voir **FERRI**

FERRY-HUMBLOT Guite
Née le 22 mai 1897 à Joinville (Hte-Marne). XXe siècle. Française.
Peintre.
Elle exposait à Paris, au Salon des Artistes Français, dont elle était sociétaire, mention honorable en 1928.

FERSTL Anton
Né en 1844. Mort le 23 mars 1875. XIXe siècle. Actif à Munich. Allemand.
Peintre verrier.
Il fut élève de l'Académie de Munich et compléta sa formation en voyageant en Belgique, à Paris, en Suisse, à Vienne. Les églises de Carlstadt, Burghausen (Bavière), Murau (Styrie), l'église Notre-Dame à Esslingen, et la chapelle du grand-duc Charles à Vienne possèdent de ses œuvres.

FERSTLER Heinrich
Né en 1800 à Vienne. XIXe siècle. Autrichien.
Peintre de miniatures, portraits, aquarelliste.
Il fut élève de l'Académie de Vienne et prit part à l'Exposition de cette Académie en 1824 et 1828 où il présenta une miniature d'après J. B. Von Lampi.

FERSTLER Johann
XVIIIe siècle. Actif à Vienne. Autrichien.
Graveur.

FERSTLER Johann
Né en 1776 à Saint-Pölten. XIXe-XXe siècles. Autrichien.
Peintre.
Il fut élève de l'Académie de Vienne et travailla de 1797 à 1820 comme peintre de figures à la Manufacture de porcelaine.

FERSTLER Johann Michael
Né en 1770 à Saint-Pölten. XVIIIe siècle. Actif à Vienne. Autrichien.

Graveur.
Il étudia à l'Académie de Vienne et travailla chez le graveur Assner. Neveu de Johann Ferstler.

FERTBAUER Léopold
Né en 1802 à Vienne. Mort le 17 février 1875. XIXe siècle. Autrichien.
Peintre d'histoire, portraits, paysages.
Il peignit des paysages, des tableaux historiques et des portraits.
Musées : Vienne (Acad.) : *L'Église Sainte-Marie.*
Ventes Publiques : Vienne, 29-30 oct. 1996 : *Portrait d'une dame vêtue de blanc et de rose*, h/pan. (37x30,5) : **ATS 126 500**.

FERTE Corinne
XXe siècle. Française.
Peintre. Abstrait.
Entre 1981 et 1986 elle exposa au Salon de Montrouge, en 1984 elle participe à l'exposition intitulée *Un nouveau monde : jeunes artistes* au Musée des Arts Décoratifs de Paris, à *10 grands – 10 jeunes* au Grand Palais, en 1985 à *Émergence 85* au CAPC de Bordeaux et à *10 jeunes pour demain* au Musée d'Amiens, en 1986 à l'exposition *Art au présent* organisée à Berlin.
Comme nombre de jeunes abstraits de sa génération, nés autour de 1960-1965, elle pratique une abstraction, dans son cas personnel : gestuelle, matiériste, qui n'apporte rien de nouveau dans l'aventure déjà ancienne de l'abstraction, sinon un côté « mal peint » (bad painting) encouragé autour de 1980.
Ventes Publiques : Paris, 25 juin 1986 : *Peinture 250* 1985, acryl./t. (240x200) : **FRF 12 000** – Paris, 13 avr. 1988 : *Sans titre* 1985, h/t (204x240) : **FRF 12 500** – Paris, 12 fév. 1989 : *Sans titre* 1984, h/t (220x200) : **FRF 21 000**.

FERTÉ Papillon de La. Voir **PAPILLON de La Ferté**

FERTIG Ignaz
Né en 1809 près d'Aschaffenburg. Mort en 1858 à Munich. XIXe siècle. Allemand.
Lithographe.
Il étudia d'abord dans une école de dessin de son pays natal, puis dans un atelier de lithographie à Hanau ; enfin à Munich avec G. Bodmer. Il lithographia un grand nombre de portraits de ses contemporains célèbres, *Le roi Maximilien II ; Le roi Louis Ier et la reine Thérèse avec les princes et princesses ; Le prince Léopold II et sa femme ; La famille du duc de Leuchtenberg* ; des diplomates, poètes, chanteurs et chanteuses ; il fit aussi des reproductions de tableaux réputés de l'ancienne pinacothèque. Le Musée d'Histoire de Munich conserve de ses œuvres.

FERTL Johann
Né au XVIIIe siècle, originaire de Dunkelscherben. XVIIIe siècle. Tchécoslovaque.
Peintre.
Il vécut et travailla à Brünn (Moravie).

FERTSCH Johann Peter
Mort le 26 février 1791. XVIIIe siècle. Actif à Zerbst. Allemand.
Peintre sur faïence.
Il travailla à la Manufacture ducale de faïence de Zerbst (Anhalt Dassau).

FERVILLE-SUAN Charles Georges
Né au Mans (Sarthe). XIXe siècle. Français.
Sculpteur de groupes, statues, animaux.
Il débuta au Salon de Paris en 1872 par des médaillons et des statuettes et obtint une mention honorable. On cite de lui : *Le Villageois et le Serpent ; Dame noble, fin du XVe siècle*, statuette en marbre ; *Danseuse du XVIIe siècle ; La Cigale*. Il est sans doute l'un des descendants du peintre Charles Suan.
Ventes Publiques : New York, 14 nov. 1980 : *La Frayeur*, bronze (H. 91,5) : **USD 2 200** – Londres, 23 juin 1983 : *La Découverte* vers 1890, bronze (H. 82,5) : **GBP 2 600** – Lokeren, 22 fév. 1986 : *La Bouderie*, bronze patine brune (H. 79) : **BEF 600 000**.

FERWER
Allemand.
Peintre de paysages d'eau.
Musées : Kaliningrad, ancien. Königsberg : *Paysage de fleuve.*

FERY. Voir aussi **FERIE**

FÉRY Cécile Amélie
Née à Paris. XXe siècle. Française.
Peintre, aquarelliste, peintre à la gouache.
Elle exposa à Paris au Salon des Artistes Français à partir de 1929.

FERY John
Né en 1865. Mort en 1934. XIXe-XXe siècles. Américain.
Peintre de paysages animés.
Il a peint des aspects typiques de la campagne américaine.
Ventes Publiques : San Francisco, 24 juin 1981 : *Red eagle lake*, h/t (91x183) : **USD 4 250** – New York, 25 oct. 1985 : *Iceberg Lake, National park*, h/t (132x145) : **USD 6 750** – New York, 17 mars 1988 : *Élan au bord d'un lac*, h/t (35x60) : **USD 1 430**.

FÉRY Louise Lucie
Née le 6 novembre 1848 à Metz. XIXe siècle. Française.
Peintre.
Élève de Mlle Houssaye et de Mme Faye, elle exposa au Salon de Paris en 1868 : *Le graveur sur pierres fines* ; en 1870 : *Aiguière et Coupe* ; en 1874 : *Livres, mandolines, fleurs.*

FESCA A.
XIXe siècle. Actif au milieu du XIXe siècle. Allemand.
Graveur.

FESCHAL Jacques et **Léonard**
XVIe siècle. Français.
Peintres.
Il travaillèrent, vers 1510, pour diverses églises de Rouen et le château de Gaillon.

FESCHOTTE Henri
Né à Lyon (Rhône). XXe siècle. Français.
Peintre paysagiste.
Il exposa à Paris au Salon des Indépendants à partir de 1925.

FESEL Caspar Carl
Né en 1775 à Würzburg. Mort en 1820 à Würzburg. XIXe siècle. Allemand.
Peintre.
Il était fils de Christoph et travailla surtout comme copiste et restaurateur. C'est particulièrement dans sa ville natale et à Vienne qu'il trouva des commandes.

FESEL Christoph
Né en 1737 à Ochsenfurt. Mort le 25 octobre 1805 à Würzburg. XVIIIe siècle. Allemand.
Peintre d'histoire et de portraits.
Élève de Mengs et de Battoni à Rome. Revenu en Allemagne, il fit de nombreux tableaux religieux. Il fut professeur à l'Académie de Saint-Luc à Rome, puis peintre de la cour de Würzburg.

FESEL Franz
Né à Vienne. XIXe siècle. Autrichien.
Peintre.

FESEL Johann
Né à Vienne. XVIIIe siècle. Autrichien.
Peintre.

FESELEN Melchior
Né peut-être à Passau. Mort le 10 avril 1538 à Ingolstadt. XVIe siècle. Allemand.
Peintre d'histoire.
Il travailla à Ingolstadt entre 1522-1532. Dans sa manière de peindre, il se rapproche d'Altdorfer mais sans l'égaler.

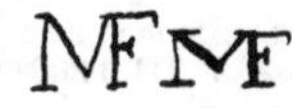

Musées : Munich : *Le siège de Rome par Porsena, roi des Étrusques – La ville d'Alésia en Bourgogne, assiégée par Jules César.*

FESIERS Joseph
XVIIe siècle. Actif à Anvers au milieu du XVIIe siècle. Éc. flamande.
Peintre.

FESLOFF P.
XIXe siècle. Actif à Riga vers 1800. Russe.
Graveur.
Il grava en 1793 d'après Rotari le *Portrait du comte Souvorof.*

FESNEAU Auguste Henri
Né le 21 janvier 1873 à Paris. XIXe-XXe siècles. Français.
Peintre.
Il exposait à Paris, aux Salons d'Hiver et des Artistes Français.

FESQUET Jules
Né le 11 juillet 1836 à Charleval. XIXe siècle. Français.
Sculpteur et graveur.
Entré à l'École des Beaux-Arts le 8 avril 1858, il devint l'élève de

Dantan aîné. En 1862, il eut le deuxième prix au concours pour Rome sur le sujet : *Le berger Aristée perd ses abeilles*. Il fut médaillé de troisième classe en 1861, et rappelé en 1863. Au Salon de Paris, il figura de 1861 à 1867. On cite de lui : *Jeune faune jouant avec un bouc ; Biblis ; Bacchus enfant, Ouvrier du Capitole ; La ville de New York*, statue en bronze ; *Buste de M. Montrouge ; Cassandre dans le palais d'Agamemnon ; Buste de M. Carlier*. Cet artiste exécuta, pour l'église de la Trinité de Paris, une statue en pierre de Saint Jean. On a de lui au Musée d'Aix : *Biblis* et à au Victoria and Albert Museum de Londres : *Contrebandiers aragonais*.

FESSARD Claude Mathieu
Né en 1740 à Fontainebleau. XVIIIe siècle. Français.
Graveur au burin.
Élève de Longueil. Il a gravé des vues, des fleurs et des animaux.

FESSARD Étienne
Né en 1714 à Paris. Mort le 2 mai 1777 à Paris. XVIIIe siècle. Français.
Graveur.
Il était graveur ordinaire du cabinet du roi. Le 26 mai 1753, il fut agréé à l'Académie. De 1753 à 1763, il exposa au Salon.

FESSARD Madeleine Henriette Louise
Née le 7 octobre 1873 à Fécamp (Seine-Maritime). XXe siècle. Française.
Sculpteur.
Elle fut élève de Victor Ségoffin, Henri Gauquié, François Sicard, Auguste Carli. Elle exposait à Paris, au Salon des Artistes Français, mention honorable 1928.

FESSARD Pierre Alphonse
Né le 10 juillet 1798 à Paris. Mort le 16 février 1844 à Paris. XIXe siècle. Français.
Sculpteur.
De 1822 à 1843, il envoya ses ouvrages au Salon. Il était entré à l'École des Beaux-Arts le 23 février 1813 et eut pour professeurs Stouf, Bridan et Bosio. Ses œuvres principales sont : *Buste en marbre de Valentin ; Capanée ; Adonis ; Buste du comte de Lanjuinais ; Buste de G. Rossini ; Buste de Mme Rogerson-Cotter ; Buste de M. Nicodami ; Buste du baron Fourrier ; Buste du marquis Amelot de Guépeau*. Médaille de deuxième classe en 1844.
Musées : Grenoble : *Adonis* – Rennes : *Lanjuinais* – Versailles : *Simon Vouet*.

FESSEL Pietrequin
XVe siècle. Actif à Rouen. Français.
Sculpteur sur bois.
Cet artiste, sans doute d'origine flamande, collabora à la sculpture des stalles du chœur de la cathédrale de Rouen, sous les ordres de Philippot Viart, en 1462.

FESSER Edward
Né le 1er novembre 1863 à New York. XIXe siècle. Vivant à New York. Américain.
Peintre de miniatures, aquarelliste.
Élève de Robert Bier. Ses portraits miniatures à l'aquarelle sont appréciés.

FESSER-BORRHEE Joséphine
Née en 1819 à Namur. Morte en 1891 à La Côte-Saint-André (Isère). XIXe siècle. Active en France. Hollandaise.
Peintre de paysages.
Elle vécut à Paris et y fut professeur de dessin. Elle se lia, vers 1860, avec Jean-Barthold Jongkind ; travaillant auprès de lui, elle fut influencée par sa peinture. Elle exposa à Paris, au Salon de 1863.
Bibliogr. : Gérald Schurr, in : *Les Petits Maîtres de la peinture 1820-1920, valeur de demain*, Les Éditions de l'Amateur, t. V, Paris, 1981.
Ventes Publiques : Londres, 1er juil. 1976 : *Moulin au clair de lune* 1888, h/t (24x40) : **GBP 850**.

FESSLER Johann
Né le 29 août 1803 à Bregenz. Mort le 14 mars 1875 à Vienne. XIXe siècle. Autrichien.
Sculpteur.
Père d'Otto et de Leo il fut à l'Académie de Vienne élève d'Anton Peter et d'Anton Schaller. On lui doit des bustes et des sculptures religieuses tel l'important *Christ en croix avec Marie* qu'il exécuta pour l'église Sainte-Elisabeth à Vienne.

FESSLER Leo
Né le 22 novembre 1840 à Vienne. Mort le 14 novembre 1893 à Budapest. XIXe siècle. Autrichien.
Sculpteur.
Fils de Johann. Il fut élève de Bauer à l'Académie de Vienne, puis, plus tard, celui de Melnitzky. On cite parmi ses bustes celui du *Sculpteur Emmanuel Vogel* et 38 portraits de musiciens pour l'Opéra de Budapest.

FESSLER Otto
Né le 17 octobre 1853 à Vienne. XIXe siècle. Autrichien.
Peintre.
Fils de Johann et frère d'Otto, il se spécialisa dans la peinture religieuse. On cite de lui le retable de l'église de Beuthen en Silésie.

FEST Martin
Mort le 15 mars 1642. XVIIe siècle. Actif à Breslau. Allemand.
Peintre.
On cite de lui une *Nativité*.

FEST Wilhelm
XIXe siècle. Actif à Vienne et à Berlin. Allemand.
Peintre de miniatures.
On cite son *Portrait du roi de Prusse Frédéric Guillaume III*.

FESTA Agostino
XVIIIe-XIXe siècles. Actif à Vicence. Italien.
Sculpteur.
Il exécuta à Vicence plusieurs peintures religieuses.

FESTA Bianca
XIXe siècle. Active à Rome vers 1830. Italienne.
Peintre de miniatures.
Elle était fille de Felice et fut professeur de dessin à l'Académie de Saint-Luc à Rome.

FESTA Domenica. Voir **MONVOISIN Domenica**

FESTA Felice
Né à Turin. Mort le 16 octobre 1926 à Turin. XIXe-XXe siècles. Italien.
Sculpteur de monuments, statues. Symboliste.
Il vécut longtemps à Rome, où il exécuta de nombreux monuments funéraires et des sculptures à sujets symboliques.

FESTA Franz
Né en 1771. Mort le 18 octobre 1800 à Vienne. XVIIIe siècle. Autrichien.
Peintre.
Il était fils de Johann Michaël l'Ancien et frère jumeau de Johann Michaël le Jeune.

FESTA Giovanni
XVIIe siècle. Actif à Orzinuovi (près de Brescia) vers 1646. Italien.
Peintre.

FESTA Johann Michaël, l'Ancien
Né à Presbourg. Mort le 22 mai 1804 à Vienne. XVIIIe siècle. Autrichien.
Peintre.

FESTA Johann Michaël, le Jeune
Né en 1771 à Vienne. XVIIIe-XIXe siècles. Autrichien.
Peintre.
Il était fils de Johann Michaël l'Ancien.

FESTA Mathilde. Voir **PIACENTINI-FESTA**

FESTA Pietro Giovanni
XVIe siècle. Actif à Piacenza à la fin du XVIe siècle. Italien.
Sculpteur.

FESTA Raffa
Né en 1927 à Bari. XXe siècle. Italien.
Peintre. Abstrait-géométrique.
Il expose depuis 1945, notamment à Milan à la Mostra des Artistes Italiens, et au Salon des Artistes Indépendants à Paris où il a séjourné.
Ses peintures sont composées à base de cercles très colorés.

FESTA Tano
Né en 1938 à Rome. Mort en 1987 à Rome. XXe siècle. Italien.
Peintre de compositions animées, paysages urbains, peintre de collages, technique mixte.
Il a beaucoup utilisé le principe du collage, pour reporter sur le support de la toile à peindre normale des accessoires de bois, des fragments de papier. Il a peint aussi sur d'autres supports, panneaux de bois par exemple. Ses techniques étaient très diversifiées, depuis l'acrylique, les vernis, jusqu'aux feutres de

couleurs. L'ensemble de ces conditions confère un caractère baroque à ses compositions, constituées parfois d'un détail architectural ou de paysage ou bien de la confrontation insolite de deux objets hétérogènes ou encore d'un objet et d'un fragment de paysage.

Ventes Publiques : Milan, 8 juin 1976 : *Danger* 1961, h/cart. entoilé (47,5x60) : **ITL 500 000** – Milan, 6 avr. 1982 : *Persienne porte-fenêtre* 1964-1972, bois peint (100x80) : **ITL 900 000** – Rome, 22 mai 1984 : *Rouge et noir N° 40* 1961, h/t, bois et pap. (111x124) : **ITL 3 800 000** – Milan, 10 déc. 1985 : *Le stanze del Vaticano* 1962, bois peint (81x65) : **ITL 4 400 000** – Rome, 25 nov. 1987 : *Porte N° 3* 1962, émail/bois (200x99,5) : **ITL 21 000 000** – Rome, 7 avr. 1988 : *Le péché originel* 1966, h/t (90x46) : **ITL 14 500 000** ; *Michel-Ange* 1969, acryl./t. (80x100) : **ITL 7 000 000** – Milan, 14 mai 1988 : *Monuments* 1962, feutre et techn. mixte/cart. (50x70) : **ITL 1 500 000** – Milan, 8 juin 1988 : *Du péché originel : Ève* 1968, acryl./t. (116x89) : **ITL 7 000 000** – Rome, 15 nov. 1988 : *Les dimensions du ciel* 1965, acryl./t. (100x81) : **ITL 8 500 000** – Rome, 15 nov. 1988 : *Le péché originel* 1968, acryl./t. (160x130) : **ITL 17 000 000** – Milan, 14 déc. 1988 : *Edicule 2* 1962, bois peint (150,5x120,5) : **ITL 28 000 000** – Milan, 8 nov. 1989 : *Via Veneto n°1* 1961, acryl. et collage de bois/t. (150x200) : **ITL 32 000 000** – Milan, 27 mars 1990 : *Rouge n° 21* 1960, h. et collage de t. et pap./t. (120x80) : **ITL 30 000 000** – Milan, 13 juin 1990 : *Armoire avec le ciel* 1964, vernis sur bois (160x130) : **ITL 37 000 000** ; *Détail de la chapelle sixtine* 1963, h. et collage/bois (194x130) : **ITL 77 000 000** – Rome, 30 oct. 1990 : *Sans titre* 1985, acryl. et confettis/t. (160x130) : **ITL 7 000 000** ; *Fenêtre* 1963, feutre/pan. (100x80) : **ITL 20 000 000** – Milan, 26 mars 1991 : *Personnages* 1986, h/t (70x80) : **ITL 4 500 000** – Rome, 9 avr. 1991 : *Sans titre*, acryl. et confettis/t. (160x130) : **ITL 6 500 000** – Rome, 13 mai 1991 : *La période rose n° 4* 1968, vernis et acryl./t. (81x65) : **ITL 8 050 000** – Milan, 20 juin 1991 : *Noir et rouge n° 28* 1961, acryl., pap. et bois/t. (130x148,5) : **ITL 23 500 000** – Milan, 14 avr. 1992 : *Le désert et l'oasis* 1982, acryl./t. (140x140) : **ITL 4 000 000** – Rome, 12 mai 1992 : *Studio per pianoforte* 1963, feutre/bois (113x92) : **ITL 25 000 000** – Milan, 23 juin 1992 : *La période rose n°8* 1968, h/t (162x130) : **ITL 17 000 000** – Rome, 19 nov. 1992 : *Sans titre* 1987, acryl. et confettis/t. (160x130) : **ITL 3 200 000** – Rome, 14 déc. 1992 : *Depuis le péché originel* 1978, vernis/t. enduite d'émulsion (50x110) : **ITL 8 625 000** – Rome, 25 mars 1993 : *Sans titre* 1985, acryl. et confettis/t. (160x130) : **ITL 4 500 000** – Milan, 6 avr. 1993 : *Hommage à Michel-Ange*, h/t (51x100) : **ITL 7 000 000** – Rome, 19 avr. 1994 : *Trichromie du ciel* 1965, feutre/t. (116x89) : **ITL 14 950 000** – Rome, 28 mars 1995 : *Extrait d'une œuvre de Michel-Ange* 1966, vernis/t. (80x100) : **ITL 15 525 000** – Milan, 20 mai 1996 : *Rouge n° 29* 1961, h/pap./t. (99x150) : **ITL 25 300 000** – Milan, 25 nov. 1996 : *Rouge et noir n° 27* 1961, bois et h/pap./t. (130x150) : **ITL 21 850 000** – Milan, 19 mai 1997 : *De Mondrian à Michel-Ange* 1966, acryl./t. (100x81) : **ITL 19 550 000**.

FESTE David

Né à Neusohl. xviie siècle. Hongrois.

Peintre.

En 1656 il travaillait à Breslau.

FESTORAZZO Theodor

Né vers 1800 au Tyrol. Mort le 14 mai 1862 près de Vienne. xixe siècle. Autrichien.

Peintre, dessinateur et lithographe.

Il illustra surtout des scènes historiques ou de genre.

FESTU Jean

xve siècle. Actif à Paris en 1413. Français.

Peintre.

FESZTI Arpad

Né le 25 décembre 1856 à O-Gyalla. Mort le 1er juin 1914 à Lovrana. xixe-xxe siècles. Hongrois.

Peintre de genre et d'architectures.

On cite de lui : *Catastrophe de mine* exposé à Munich en 1888. Il fit ses études à l'Académie de Munich et illustra un grand nombre de sujets mythologiques.

Ventes Publiques : Paris, 18 fév. 1924 : *Magyar assis, en manteau doublé de fourrure* : **FRF 380**.

FETAN Claude. Voir **FAYTTAN**

FETEL Pierre

Né à Loon-Plage (Nord). xxe siècle. Français.

Peintre de paysages.

Il exposait à Paris, au Salon des Artistes Indépendants depuis 1931.

FÊTES de Valois, Maître des. Voir **MAÎTRES ANONYMES**

FETI Domenico ou **Fetti**

Né en 1589 à Rome. Mort en 1624 à Venise. xviie siècle. Italien.

Peintre d'histoire, scènes de genre, portraits.

Dominique Feti était élève de Civoli (ou Cigoli). Très jeune encore, *giovinetto*, il peignit un tableau d'autel pour l'église Saint-Laurent de Damase : *Vierge adorée par deux anges et soutenue par deux enfants*. Avec une *Madeleine*, c'est tout ce qu'on connaît à Rome de ce peintre romain. Il fut en effet emmené à Mantoue par le cardinal Ferdinand de Gonzague. Les œuvres, à peine sèches, de Jules Romain, plus encore peut-être que les leçons de Civoli, contribuèrent à former le talent de Feti. Cependant ses fresques sont assurément très inférieures à ses tableaux à l'huile. C'est que la fresque ne lui permettait pas de donner libre cours à ses goûts de coloriste. Pour y donner prétexte visiblement, ses tableaux sont fréquemment presque encombrés d'attributs dont plusieurs n'ont qu'un assez lointain rapport avec le sujet. Pourtant la critique a peut-être été trop sévère pour lui à cet égard. Dans le tableau généralement nommé *La Mélancolie* (Musée du Louvre), on signale une foule d'accessoires qu'on trouve disparates et inutiles : un chien, un livre froissé, un sablier, une sphère armillaire, une palette... avec la tête de mort sur laquelle médite une femme. Feller, au début du xviiie siècle, donnait pour titre à ce tableau du xviie : *Méditation sur le néant des vanités humaines*, qui justifie mieux la présence des nombreux accessoires. Le cardinal, duc de Mantoue, avait fait venir dans cette ville toute la famille de Feti dont la sœur Lucrina se fit religieuse au couvent des Ursulines. Elle peignait elle-même avec une certaine grâce et a laissé dans son couvent quelques tableaux qui furent retouchés par son frère, entre autres une *Nativité*. Quant à Feti, il exécuta pour le réfectoire de ce couvent un grand tableau *La multiplication des pains* (Mantoue). Il a orné de peintures l'escalier du couvent, la chapelle du tribunal de Mantoue, l'église des chanoinesses de Latran ; on cite un *Mariage de sainte Catherine*. On ne sait combien de temps il séjourna à Venise dans cette ville à l'âge de trente-cinq ans, à la suite d'excès, est-il rapporté.

La critique a évoqué à son propos des influences diverses et nombreuses, en particulier celles de Elsheimer et Rubens. En fait, à travers ces peintres, auxquels il convient d'ajouter le Bassano, c'est la leçon du Caravage que Domenico Feti a propagée, avec ses moyens propres, de Rome à Mantoue et Venise. Les effets de lumière, de clair-obscur, de sources de lumière artificielles, sont caractéristiques de la « mise en scène » caravagesque. Un des meilleurs exemples qu'on en trouve dans les œuvres de Feti, est la *Parabole de la Drachme*, du Palais Pitti à Florence. Quand il s'écarte de la gravité de pensée dont est lourde la *Mélancolie* du Louvre, son style se fait plus intimiste, ce en quoi il annonce le peintre de bambochades M. Sweerts. A cette veine plus familière appartient toute la série des petits tableaux des *Paraboles*. L'accumulation des détails que l'on a pu reprocher à ses fresques du dôme de Mantoue, peut aujourd'hui être interprétée comme une multiplication des prétextes à suivre le cheminement de la lumière en fusion au flanc des objets les plus divers. Le modernisme de sa vision, de son sens dramatique de la répartition de la lumière, de sa technique frémissante, fut longtemps mal compris, quand bien même imité par l'Allemand Liss, le Florentin Mazzoni, ou encore Maffei et Carneo. La critique moderne s'est attachée à redécouvrir ce peintre, en grande partie dans la perspective du caravagisme.

D Feti.

Bibliogr. : Lionello Venturi : *La peinture italienne, du Caravage à Modigliani*, Skira, Genève, 1952 – *Catalogue de l'exposition : Le Caravage et la peinture italienne du xviie siècle*, Musée du Louvre, Paris, 1965.

Musées : Bergame (Carrara) : *Tobie avec l'ange* – Berlin : *Élie dans le désert* – Budapest : *Jeune fille endormie* – *Les Aveugles* – Caen : *La Naissance de la Vierge* – Compiègne : *Un paysan* – *Un soldat* – Dresde : *David avec la tête de Goliath* – *Le jeune Tobie avec l'Ange* – *La Parabole de l'enfant prodigue* – *La parabole de la drachme perdue* – *La parabole du mauvais serviteur* – *Décollation d'un saint* – *La parabole de la brebis perdue* – *La Parabole des* *aveugles – La Parabole des ouvriers et de la vigne – La Parabole du banquet sans invités – Le bon Samaritain* – La Fère : *La Cenci* – Florence (Gal. Nat.) : *Artémise en habit de deuil* – Florence (Palais Pitti) : *La Parabole de la vigne – La drachme perdue* – Milan (Ambrosiana) : *Le Semeur* – Munich : *Ecce Homo – L'Apôtre saint Paul* – Nancy : *L'Archange – La Mélancolie* – Nantes : *Sainte Prudentienne – Vieille femme et enfant* – Paris (Louvre) : *Néron – La vie champêtre – La Mélancolie – L'ange gardien* – Rennes : *Jésus-Christ mort – La Mélancolie – Paysage avec figures* – Rome (Borghèse) : *La Sainte Vierge, l'enfant Jésus, sainte Élisabeth et saint Jean* – Rome (Gal. Doria Pamphili) : *La Madeleine* – Saint-Pétersbourg : *David – Le jeune Tobie guérissant son père – L'Immaculée Conception – L'Adoration des Bergers – Portrait d'un comédien – Dédale et Icare* – Venise (Gal. roy.) : *Vieillard coiffé d'un turban – Tête de vieillard – Le bon Samaritain – Lectrice – Parabole de l'ennemi qui sème l'ivraie* – Venise (Beaux-Arts) : *Deux vieillards* – Vienne : *Le triomphe de Galathée – Une place de marché – Sommeil de Pierre – Moïse devant le buisson ardent – La fuite en Égypte – Léandre mort – Le songe de Jacob – La reine Artémise – Mariage mystique de sainte Catherine – Sainte Marguerite*.

Ventes Publiques : Paris, 6 fév. 1865 : *Tobie et son père* : **FRF 2 750** – Londres, 23 mai 1924 : *La parabole de la poutre et de la paille* : **GBP 57** – Londres, 1er juin 1928 : *Madeleine contemplant un crâne* : **GBP 47** ; *Sainte Agathe* : **GBP 15** – Londres, 28 nov. 1928 : *Marie Madeleine en méditation* : **GBP 20** – New York, 27 et 28 mars 1930 : *Un message de pitié* : **USD 425** – Londres, 19 avr. 1944 : *Scène de marché* : **GBP 165** – Londres, 17 oct. 1945 : *Jeune chanteur* : **GBP 380** – Londres, 21 nov. 1958 : *Tête d'un garçon s'appuyant sur sa main*, sanguine : **GBP 992** – Londres, 11 nov. 1959 : *Le bon Samaritain* : **GBP 620** – Londres, 30 juin 1961 : *Portrait d'un homme* : **GBP 3 675** – Milan, 16 mai 1962 : *Martyre de deux saints* : **ITL 2 800 000** – Milan, 29 oct. 1964 : *Saint Paul* : **ITL 1 600 000** – Milan, 1er déc. 1970 : *La parabole de l'avare* : **ITL 3 800 000** – Londres, 1er déc. 1978 : *Les Vendangeurs*, h/pan. (58x43) : **GBP 20 000** – Milan, 29 mai 1981 : *Ecce Homo*, h/t (85,5x68) : **ITL 8 000 000** – Londres, 11 déc. 1984 : *Crates de Thèbes, le philosophe cynique*, h/t (171,5x126,3) : **GBP 60 000** – Monte-Carlo, 20 juin 1987 : *Marie Madeleine appuyée sur un crâne*, dess. double face à la pierre noire reh. de blanc/pap. bleu (20,2x18,1) : **FRF 80 000** – Londres, 8 juil. 1988 : *La tentation du Christ*, h/pan. (85,5x70,5) : **GBP 57 200** – Stockholm, 16 mai 1990 : *David avec la tête de Goliath*, h/t (143x102) : **SEK 65 000** – New York, 10 jan. 1995 : *Étude de la Sainte Trinité (recto) ; Étude de personnage (verso)*, craie noire/feuilles de pap. réunies (21,1x22,1) : **USD 3 450**.

FETIVO, pseudonyme de **Fetiveau André**

Né le 19 juillet 1908 dans le Morbihan. xxe siècle. Français.

Peintre, sculpteur.

Il fut élève de l'École des Beaux-Arts de Paris de 1926 à 1930. Il a exposé à Paris, aux Salons des Surindépendants et d'Automne. Il a aussi exposé aux États-Unis.

FETT Maximilian

Né en 1773. xviiie-xixe siècles. Allemand.

Peintre.

En 1810 il vivait à Tölz en Bavière.

FETT William

Né aux États-Unis. xxe siècle. Américain.

Peintre.

FETTI Domenico. Voir **FETI**

FETTI Giovanni di Francesco

xive siècle. Italien.

Sculpteur.

Travailla à la Loggia dei Priori à Florence, ainsi qu'à la décoration de la cathédrale.

FETTI Lucrina

xviie siècle. Italienne.

Peintre.

Sœur et élève de Domenico. Elle exécuta des portraits et des tableaux religieux. Encore jeune elle entra dans les ordres.

FETTI Mariano

xviie-xviiie siècles. Travaillant sans doute à Mantoue. Italien.

Peintre.

Il existe deux *Natures mortes* de cet artiste au Musée Kaiser Friedrich à Berlin.

FETTING Rainer

Né en 1949 à Wilhelmschaffen (Basse-Saxe). xxe siècle. Allemand.

Peintre de technique mixte, figures. Néo-fauve.

De 1969 à 1972, il suivit une formation de menuiserie, obtenant un certificat d'aptitude à compagnon. En même temps, il effectua un stage de décor de théâtre à la Landesbühne (Scène du Land) de Wilhelmschaffen. Il arriva à Berlin et fut élève de Hans Jaenisch à l'École Supérieure des Beaux-Arts jusqu'en 1978. En 1977, il avait été, avec trois autres participants, co-fondateur de la Galerie de la Moritzplatz, située près de ce qui était alors le mur de démarcation entre Allemagne Fédérale et Allemagne Démocratique, et qui, couvert de peintures était la plus grande peinture d'Europe. En 1978, grâce à une bourse du Service des Échanges de l'Académie Allemande, Fetting fit un séjour à New York. À son retour, il participa à l'exécution de nombreuses peintures collectives, et, de 1976 à 1981 réalisa plusieurs films.

Baselitz, Lüpertz et Penck étant considérés comme constituant les premiers néo-fauves, appellation qui, sans avoir grand rapport avec le fauvisme historique, tend à les discriminer d'entre le vaste, en Allemagne et ailleurs, mouvement des nouveaux expressionnismes, Fetting appartient donc à la deuxième vague de ces néo-fauves. Des Fauves historiques, il partage la référence à Van Gogh. Il pratique, souvent mélangées, diverses techniques, fusain, aquarelle, gouache, acrylique, huile, etc. Comme souvent dans sa génération, il éprouve le besoin de peindre très grand, deux mètres lui sont une unité de mesure minimale. Et comme bon nombre d'artistes de sa génération, il pratique une technique sommaire, de badigeonnages, giclures, éclaboussures, inachèvement. Il sacrifie parfois au collage-technique-mixte en incluant des bouts de bois dans des visages. Il peint des personnages, souvent nus, en activité érotique aussi, allongés, caricaturés, informés, des évocations de décors de villes, *Hudson River* de 1984 par exemple, des animaux, peut-être des loups, des oiseaux, il peint, comme un enfant avec ses doigts, tout ce qui lui passe devant les yeux ou dans la tête, son quotidien réel et rêvé, non sans amour, non sans humour, non sans frayeur. Certaines de ses compositions témoignent de son ambition et de sa capacité à assumer de grandes surfaces, telle *West-Nacht* (Nuit d'Ouest) de 1984 avec ses 275x640 centimètres, dont la construction graphique peu déterminée et lourde, est compensée par une riche diversité d'harmonies chromatiques, où d'entre des ombres sourdement teintées surgissent des évocations de figures violemment éclairées en rouge, jaune-orangé, vert et bleu, comme électriques. D'autres, non médiocres de dimensions, telles celles de la série des *Icare au fer à repasser*, par leur aspect « bad painting », vraiment mal dessinées, mal peintes, sont assimilables au sous-courant de la « figuration libre ». Par le brassage de toutes ses qualités avec toutes ses carences, par la feinte innocence de la maladroite expression de ses obsessions, la peinture de Rainer Fetting prend place et s'affirme dans un des courants qui auront participé à et de la modernité des années quatre-vingt. ■ Jacques Busse

Bibliogr. : Démosthènes Davvetas : *Neuf + Un, notes pour une composition musicale sur le travail de Rainer Fetting*, Artstudio, Paris, Automne 1986 – Catalogue de l'exposition *Rainer Fetting, peintures, aquarelles, dessins*, Gal. Kaj Forsblom, Helsinki, 1988 – in : Catalogue de l'exposition *L'Art moderne à Marseille – La collection du Musée Cantini*, Marseille, 1988.

Musées : Marseille (Mus. Cantini) : *Gary Head* 1986.

Ventes Publiques : New York, 11 mai 1983 : *Figure and overhead railway* 1981, acryl./t. (199,5x249,5) : **USD 6 500** – New York, 6 mai 1986 : *Indian 2* 1982, temp./t. (250,2x170,2) : **USD 16 000** – Londres, 26 juin 1986 : *Van Gogh Mauer* 1983, acryl./t. (300x225) : **GBP 14 000** – New York, 4 mai 1988 : *Homme à la hache (Vert II)* 1981, acryl./t. (220x160,2) : **USD 12 100** – Stockholm, 21 nov. 1988 : *Homme et oiseau* 1983, gche et aquar. (68x99) : **SEK 6 000** – New York, 10 Nov. 1988 : *Homme avec une chandelle* 1984, h. et bois/t. (228,6x205,8) : **USD 30 800** – Paris, 12 avr. 1989 : *La flûte enchantée I* 1984, h/t (229x182) : **FRF 110 000** – New York, 3 mai 1989 : *L'enfant-loup* 1983, h/t et bois (228,5x183) : **USD 27 500** – New York, 5 oct. 1989 : *Hallucination* 1984, acryl. et bois/t. (228,5x182,8) : **USD 34 100** – Londres, 22 fév. 1990 : *Van Gogh le maçon* 1983, acryl./t. (300x225) : **GBP 50 600** – New York, 7 mai 1990 : *Van Gogh à New York* 1978, aquar. et fus./pap. (38,1x27,5) : **USD 6 050** – New

York, 4 oct. 1990 : *Le Prisonnier* 1983, h/t (230x160) : **USD 17 600** – Londres, 18 oct. 1990 : *La Montagne indienne verte* 1982, h/t, diptyque (chaque 250x120) : **GBP 16 500** – New York, 7 nov. 1990 : *Portrait de bois* 1983, bois et h/t/cart. (228x182,8) : **USD 25 300** – Paris, 9 déc. 1990 : *Tuxedo man and doberman* 1984, h. et bois/t. (229x184) : **FRF 155 000** – Londres, 21 mars 1991 : *Mad Max* 1983, h/t (180x250) : **GBP 13 200** – Paris, 16 juin 1991 : *Desmond-profil* 1987, bronze (105x112x33) : **FRF 130 000** – Londres, 27 juin 1991 : *Homme au fer à repasser VII* 1983, acryl./t. (230x200) : **GBP 15 400** – New York, 7 mai 1992 : *La chèvre* 1986, h/t (229,2x247) : **USD 23 100** – Londres, 2 juil. 1992 : *La grande douche II* 1980, acryl./deux pan. de t. (en tout 269x305) : **GBP 28 600** – Paris, 27 oct. 1992 : *Flûte enchantée I* 1984, h/t (229x182) : **FRF 58 000** – New York, 19 nov. 1992 : *L'Homme et le Singe* 1982, pigments/t. (270x210) : **USD 28 600** – New York, 4 mai 1993 : *Danseurs III* 1982, pulvérisation sèche/tissu (209,6x280) : **USD 23 000** – Londres, 2 déc. 1993 : *Arabe et Chameau* 1983, h/t (230x160) : **GBP 12 650** – New York, 3 mai 1995 : *Nu à l'éventail* 1989, h./contre-plaqué (207x125,1) : **USD 10 350** – New York, 16 nov. 1995 : *Halloween van Gogh* 1983, h/t (121,9x91,1) : **USD 12 650** – Londres, 15 mars 1996 : *Nu gris et rouge* 1981, acryl./t. (170x135,3) : **GBP 7 130** – Amsterdam, 10 déc. 1996 : *Salomé* vers 1978-1979, h/t (95x75,5) : **NLG 8 072** – New York, 21 nov. 1996 : *Le Mangeur d'oranges* 1984, h., bois flottant et quincaillerie/t. (228,6x182,8) : **USD 13 800**.

FETTU Germaine
Née à Paris. xxe siècle. Française.
Peintre.
Elle expose au Salon des Artistes Français.

FETZ Leonhard
Mort en 1657 à Graz. xviie siècle. Autrichien.
Peintre.
Après avoir voyagé en Italie, il fut choisi comme peintre particulier par l'empereur d'Allemagne Ferdinand III.

FEU Jaume de, ou **Dez**. Voir **DUFEU**

FEU Ramon dez. Voir **DUFEU**

FEUARDENT Georges François
Né le 14 septembre 1873 à Paris. xixe-xxe siècles. Français.
Peintre de paysages.

FEUCCIO di Paolo
xive siècle. Actif à Pise vers 1315. Italien.
Peintre.
Peut-être fut-il également orfèvre.

FEUCHÈRE Jean-Jacques
Né le 26 août 1807 à Paris. Mort le 25 juillet 1852. xixe siècle. Français.
Peintre, sculpteur de monuments, d'histoire, portraits, graveur.
Il fut élève de Jean-Pierre Cortot et de Claude Ramey. Il exposa au Salon de Paris, de 1831 à 1852, obtenant une médaille de deuxième classe, en 1834. Il fut décoré de la croix de la Légion d'honneur, en 1846.
Jean-Jacques Feuchère fut surtout connu pour son activité de sculpteur. On cite parmi ses œuvres sculptées : *David montre aux Israélites la tête de Goliath* – *Judith, après avoir sauvé son pays, remercie Dieu de sa victoire* – *Nymphe sur une coquille* – *La résurrection de Lazare* – *Un ange jouant d'un instrument* – *Jeune homme suppliant des moines de le recevoir dans leur ordre* (bas-relief) – *Le pont d'Arcole* (un des bas-reliefs décorant l'Arc de Triomphe de l'Étoile) – *Benvenuto Cellini* (statue en bronze).
Bibliogr. : In : Catalogue de l'exposition : *Nouvelles acquisitions du Département des Sculptures 1988-1991*, Mus. du Louvre, Paris, 1992.
Musées : Dunkerque : *La résurrection de Lazare* – Rouen (Mus. des Beaux-Arts) : *Raphaël* – *Jeanne d'Arc sur le bûcher* – Versailles : *Olivier Castelan, maréchal des camps de l'armée du roi* – *Mme Marie-Adélaïde de France* – *Mme Clotilde, reine de Sardaigne* – *Simon, comte de Montfort* – *Comte Jacques de Douglas*.
Ventes Publiques : Amsterdam, 20 fév. 1980 : *L'amazone* 1843, bronze (H. 45) : **NLG 4 300** – Cologne, 29 juin 1984 : *Satan, l'Ange déchu* 1833, bronze (H. 34) : **DEM 2 600** – Paris, 5 juin 1987 : *Le diable songeur* 1833, bronze, patine brune (H. 35) : **FRF 15 000** – New York, 25 mai 1988 : *Daphnis et Chloé*, bronze (H 53,4) : **USD 3 850** – Lokeren, 4 déc. 1993 : *Allégorie de la Navigation*, bronze (H. 31, l. 29) : **BEF 34 000** – New York, 26 mai 1994 : *Satan* 1833, bronze (H. 34,3) : **USD 8 625** – New York, 9 jan. 1997 : *Satan*, bronze patine brune (H. 21,6) : **USD 4 025**.

FEUCHÈRES Anne Marie
Née à Saint-Brieuc (Côtes-du-Nord). xxe siècle. Française.
Pastelliste.
Elle exposa à Paris au Salon des Artistes Français à partir de 1930.

FEUCHOT Pierre
Né à Dijon. Mort en 1830 à Dijon. xixe siècle. Français.
Peintre de paysages et dessinateur.
Élève de Fr. et d'A. Devosge.

FEUCHT Georg Gottfried
xviiie siècle. Actif à Bamberg en 1734. Allemand.
Sculpteur.

FEUCHT Theodore
Né le 8 novembre 1867 à Ludwigsburg. xixe siècle. Allemand.
Peintre de portraits, paysages, dessinateur.
Après des études à Stuttgart, Munich et Vienne, il s'établit à Paris.
Musées : Paris (Carnavalet) : *Études de paysage* – Philadelphie : *Portrait de femme*.
Ventes Publiques : Munich, 29 mai 1976 : *Le Laboureur*, h/t (38x55) : **DEM 1 000** – Munich, 29 mai 1980 : *Vue d'un village* 1913, h/t (54,5x65) : **DEM 1 600**.

FEUCHTE Hans
xvie siècle. Actif à Breslau au début du xvie siècle. Allemand.
Peintre.

FEUCHTMAIR. Voir **FEICHTMAYR**

FEUDEL Alma L. M. A., Mrs
Née le 1er novembre 1867 à Leavenworth (États-Unis). xixe-xxe siècles. Travaillant à New York. Américaine.
Peintre.
Femme de Arthur Feudel.

FEUDEL Arthur
Né le 27 mars 1857 à Harthau (près de Chemnitz, Saxe). Mort en 1929. xixe-xxe siècles. Vivant à New York. Américain.
Peintre de genre, portraits, paysages, natures mortes.
Élève de Fedor Flinzer, Julius Benezer et des Académies de Dresde et de Munich. Il s'établit d'abord à Chicago où il prit une place marquante dans le monde des arts. Naturalisé américain en 1892, il vint se fixer à New York en 1897.
Il peint des scènes de la vie rustique.
Ventes Publiques : Cologne, 4 juin 1985 : *Paysage de printemps* 1925, h/t mar./pan. (50x70) : **DEM 3 400** – New York, 20 jan. 1993 : *Clair de lune sur la plage de Katwijk*, aquar./pap. (45,7x64,8) : **USD 863** – Amsterdam, 4 juin 1996 : *Nature morte de fleurs*, h/cart. (35x35) : **NLG 1 534**.

FEUDEL Constantin
Né le 24 septembre 1860 à Harthau (près de Chemnitz, Saxe). xixe siècle. Allemand.
Peintre de genre.
Il étudia à l'Académie de Dresde et dans l'atelier du professeur Pauwels. Ensuite il fit des voyages en Italie. Il a exposé à Dresde entre 1884-1887. On cite de lui : *Chronique de famille*.

FEUERBACH Anselm ou **Anselme**
Né le 12 août 1829 à Spire. Mort le 4 janvier 1880 à Venise. xixe siècle. Allemand.
Peintre d'histoire, scènes mythologiques, portraits, dessinateur.
Il travailla successivement en Allemagne, à Düsseldorf, à Munich, puis à Amiens et enfin à Paris avec Couture. En 1873 il fut nommé professeur à l'Académie à Vienne, poste qu'il conserva seulement trois années. Esprit indépendant et aventureux, aimant à voyager. Feuerbach ne saurait être rattaché à aucune école. Certaines de ses toiles révèlent l'influence de Couture, d'autres sont très près de la technique des maîtres belges contemporains. Durant les dernières années de sa vie qu'il passa à Venise, il s'efforça – presque avec excès – d'imiter l'art des anciens maîtres de l'école vénitienne.
Ses tableaux à nombreux personnages (*Hafiz, Banquet de Platon, Bataille des Amazones*) manquent d'unité ; et parfois, il ne les achevait pas, pris de découragement. Ses évocations antiques à une figure (*Médée, Iphigénie*) sont un peu froides. Il donne sans doute le meilleur de lui-même dans ses portraits.

A. Feuerbach

Bibliogr. : P. du Colombier, in : *Dictionnaire de l'art et des artistes*, Hazan, 1967 – J. Ecker : *Anselm Feuerbach, Leben und Werk*, Munich, 1991.
Musées : Bâle : *La mort de Pierre l'Arétin – Portrait du graveur Allgeyer – Nymphes écoutant des enfants qui jouent de la musique* – Berlin : *Dans les monts de Castell Toblino – Printemps – Belle-mère de l'artiste – Partie rocheuse avec trois vaches paissant – Ricordo di Tivoli – Paysage héroïque – Portrait de l'artiste – Médée se prépare à la fuite – Batailles d'Amazones – Concert – Festin de Platon* – Brême : *Le joueur de mandoline* – Breslau, nom all. de Wroclaw : *Médée* – Darmstadt : *Iphigénie* – Francfort-sur-le-Main : *Lucrèce* – Hambourg : *Danse de bohémiens – Joueur de mandoline – Le jugement de Pâris* – Leipzig : *Sérénade d'enfants* – Munich : *Médée – Les géants – Portrait de l'artiste* – Strasbourg : *Plage italienne* – Stuttgart : *Iphigénie – Portrait d'homme – Portrait de femme* – Weimar : *Tête d'étude.*
Ventes Publiques : New York, 6 avr. 1960 : *Portrait de Nana* : **USD 2 000** – Cologne, 14 nov. 1963 : *La Poésie* : **DEM 18 000** – Cologne, 16 nov. 1967 : *Nana* : **DEM 10 000** – Lucerne, 27 nov. 1971 : *Mère et enfant* : **CHF 13 500** – Munich, 28 nov. 1974 : *Tête de jeune fille* : **DEM 13 000** – Munich, 29 nov 1979 : *Caliban agenouillé*, pl./trait de cr. (27x39) : **DEM 2 700** – Munich, 27 nov. 1980 : *Tête de jeune fille*, h/t (32x25) : **DEM 5 300** – Munich, 29 juin 1982 : *Enfant nu vu de dos* vers 1858, fus. (32x16) : **DEM 3 700** – Cologne, 27 mars 1987 : *La Courtisane avec sa servante* 1852, h/t (106,5x86,5) : **DEM 44 000** – Heidelberg, 14 oct. 1988 : *Pierrot debout*, cr. (42,4x27,2) : **DEM 2 200** – Munich, 10 mai 1989 : *Mère italienne avec son enfant*, cr., fus. et craies de coul. (40x27,5) : **DEM 25 300** – Munich, 12 déc. 1990 : *Pivoines*, h/t (99x78) : **DEM 88 000** – Londres, 13 oct. 1994 : *L'Aveuglement de Samson*, h/t (35x55,8) : **GBP 4 025** – New York, 1er nov. 1995 : *Tête de Christ*, h/t (40x30,5) : **USD 5 750** – Vienne, 29-30 oct. 1996 : *Portrait de dame au collier de perles*, h/t (77x57,5) : **ATS 299 000** – Londres, 21 nov. 1996 : *Jeunes Musiciens près d'une fontaine* vers 1855-1860, h/t (24,5x32,4) : **GBP 6 900** – Munich, 3 déc. 1996 : *Orlando et Angelica*, h/t (64x76) : **DEM 24 000.**

FEUERBACH Johann Anselm
Né le 19 février 1755 à Francfort-sur-le-Main. Mort le 1er mars 1827. xviiie-xixe siècles. Allemand.
Dessinateur, graveur.
Il fut l'arrière grand-père d'Anselm Feurbach.

FEUERER Hanns
xve siècle. Actif à Würzburg vers le milieu du xve siècle. Allemand.
Peintre.

FEUERHAHN Hermann
Né le 20 mai 1873 à Hildesheim. xixe-xxe siècles. Allemand.
Sculpteur de monuments.
Il fut élève de Karl Gundelach à Hanovre, de Christian Behrens à Breslau. Après de longs voyages d'étude en France, Italie, Amérique, il s'établit définitivement à Berlin, où, entre autres, il orna la façade de la Bibliothèque Nationale d'Allemagne.

FEUERLE Johann
xviiie siècle. Actif à Vienne. Autrichien.
Peintre.
Il était fils de Josef Benedikt.

FEUERLE Josef Benedikt
Né vers 1719. Mort le 17 juillet 1780 à Vienne. xviiie siècle. Autrichien.
Peintre.

FEUERLEIN Johann Peter
Né le 12 octobre 1668 à Boxborg. Mort le 16 septembre 1728 à Ansbach. xviie-xviiie siècles. Allemand.
Peintre.
Il fut élève d'Ongher à Würzburg et séjourna longtemps ensuite à Vienne et à Venise. On lui doit surtout des portraits des membres de la famille impériale d'Allemagne et entre autres celui du roi Joseph.

FEUERMAN Carole Jean
Née en 1945. xxe siècle. Américaine.
Peintre de scènes animées, figures, sculpteur.
Elle traite avec fraîcheur et humour des sujets familiers.
Ventes Publiques : New York, 5 oct. 1989 : *Brooke et le ballon de plage*, rés. de polyester et h. (52x63,5x48,2) : **USD 23 100** – New York, 9 mai 1990 : *Plongeur* 1984, rés. de polyester et h. (88,9x48,2x38) : **USD 35 750** – New York, 4 oct. 1990 : *Le petit imperméable* 1987, rés. de polyester et peint. (H. 43,2) : **USD 14 300** – New York, 12 juin 1991 : *La nageuse*, rés. de polyester peinte (H. 43,2) : **USD 8 800** – New York, 12 juin 1992 : *Le béret bleu* 1983, rés. de polyester (H. 40,6) : **USD 6 600** – New York, 15 nov. 1995 : *Capri* 1991, acryl. sur mannequin de rés. de polyester et perruque (89x45,7x30,4) : **USD 19 550** – New York, 8 mai 1996 : *Noël de Courtney*, acryl./résine de polyester, chevaux et mousse acryl. (59,7x45,7x25,3) : **USD 8 625.**

FEUERRING Maximilian ou **Feuerring-Emefowicz**
Né le 16 novembre 1896 à Lwow. xxe siècle. Depuis 1950 actif et depuis 1955 naturalisé en Australie. Polonais.
Peintre, décorateur de théâtre.
Après la Première Guerre mondiale, il fit ses études à Berlin, les poursuivit à Rome où il fut diplômé en 1926. Lors d'un séjour à Paris, il entra en contact avec la peinture moderne. Il participa à des expositions collectives, à Rome à partir de 1926, puis en Pologne, à Prague, Berlin, après 1928 à Paris, notamment aux Salons de la Société Nationale des Beaux-Arts, d'Automne, etc. Pendant les six années de la seconde guerre il fut interné dans les camps allemands. Il enseigna ensuite à Munich, puis émigra en Australie. Il y participa à des expositions collectives dans les principales villes australiennes. En 1965, une salle entière lui était consacrée à la Biennale de São Paulo. Il a montré ses œuvres dans de nombreuses expositions personnelles à Sydney en 1950, 1951, 1954, 1958, 1960, 1966, 1969, au Musée d'Art Moderne de Melbourne en 1958, 1970.
Musées : Adélaïde – Brisbane – Jérusalem – Lodz – Lwow – Melbourne – Newcastle, Angleterre – Perth – Rappersvil – Rome (Acad. des Beaux-Arts) – Sydney – Tel-Aviv – Varsovie – Washington D. C.

FEUERSTEIN Émile
Né le 17 février 1856 à Provins (Seine-et-Marne). xixe siècle. Français.
Peintre de fleurs, peintre à la gouache, aquarelliste, graveur.
Il fut élève de Th. Jourdan et de J. Martin. Il obtint une médaille d'argent au Salon de Paris de 1926. Il réalisa de nombreuses lithographies.
Ventes Publiques : Reims, 18 mars 1990 : *Bouquets de fleurs* 1922, aquar. et gche (62x48) : **FRF 7 500.**

FEUERSTEIN Georg
Né le 16 octobre 1840 à Hinterreuthe (près de Bezau). Mort le 26 octobre 1904 à Bregenz. xixe siècle. Allemand.
Sculpteur.
Élève de Knabl à l'Académie de Munich, il se fit tout d'abord remarquer pour une sculpture en bois : *Les bons pasteurs.* Il sculpta par la suite des tableaux et un grand nombre de sujets religieux.

FEUERSTEIN Johann Martin
xixe siècle. Actif en Alsace. Français.
Sculpteur.
Il fut le père et le maître de Martin.

FEUERSTEIN Martin
Né le 5 janvier 1856 à Barr. Mort en février 1931 à Barr. xixe-xxe siècles. Français.
Peintre d'histoire.
Élève de son père en Alsace ; de Alex. Strähuber, Ludwig Löfftz et Wilhelm Diez à Munich, et de Luc-Olivier Merson à Paris. Il voyagea en Italie, exposa au Salon de Paris entre 1879-1882, au Turnus de 1898, et se fixa à Munich où il se maria. Depuis 1898, Feuerstein fut professeur à l'Académie de Munich. Parmi ses œuvres citées par Brun, il convient de mentionner : *Laissez venir à moi les petits enfants*, dix tableaux peints sur cuivre : *Scènes de la vie de saint Antoine* à l'église de Sainte-Catherine à Munich, ainsi que la série des 14 tableaux du chemin de la croix dans la même église. On cite aussi deux tableaux : *Danse* et *Musique* (à Winterthur) et une *Allégorie de la Méditerranée* (à San Remo). Le Musée de Strasbourg conserve de lui *La Multiplication des pains* et *Construction de la première église à Marienthal.*

FEUERSTEIN Noël
Né à Sceaux (Hauts-de-Seine). xxe siècle. Français.
Sculpteur.
Il fut élève de René Debarre. Il exposait à Paris, au Salon des Artistes Français, dont il était sociétaire, troisième médaille en 1930.

FEUGERAY Pierre, l'Ancien
xviie siècle. Actif à Caen. Français.

Peintre.
Il exécuta plusieurs peintures pour l'église Saint-Germain-la-Blanche Herbe.

FEUGERAY Pierre, le Jeune
XVIIe siècle. Actif à Caen dans la seconde moitié du XVIIe siècle. Français.
Peintre.

FEUGÈRE Marguerite, puis **Feugère-Mouton**
Née le 12 juillet 1876 à Longjumeau (Essonne). Morte le 20 février 1971 à Ivry-sur-Seine (Val-de-Marne). XXe siècle. Française.
Peintre.
Elle exposait à Paris, depuis 1896 au Salon des Artistes Français, dont elle devint sociétaire en 1903.

FEUGÈRE des FORTS
XIXe siècle. Français.
Peintre de compositions religieuses, paysages, dessinateur, illustrateur.
Ce peintre amateur exposa au Salon de Paris en 1824 et 1834 des paysages. On lui doit quelques tableaux d'église et une suite de vignettes pour l'*Encyclopédie portative*. Elles ont été gravées par Girardot.

FEUGÈRE des FORTS Vincent Émile
Né le 17 novembre 1825 à Paris. Mort en mars 1889 à Paris. XIXe siècle. Français.
Sculpteur.
Élève de Heim et Duseigneur. Au Salon de Paris, il figura de 1849 à 1870 ; il fut médaillé en 1864, 1866 et en 1867 à l'Exposition Universelle.
On cite de lui : *Le denier de la veuve* ; *Sainte Clotilde* ; *Marguerite* statue en marbre ; *Femme de Castel-Madama* près de Rome, buste en marbre ; *Une négresse* buste en bronze ; *Chevrier* statue en marbre ; *Un tireur d'arc* ; *Martyre chrétienne* ; buste en marbre du *Docteur Bouchet*. Feugère des Forts fit pour l'église de la Villette un groupe en pierre : *Le Christ en croix, entouré de la Vierge, de saint Jean et de la Madeleine.*
Musées : Châlons-sur-Marne : *Beethoven* – Chartres : *Abel mort.*

FEUGEREUX Jean
Né le 25 septembre 1923 à Fresnay-l'Évêque (Eure-et-Loir). Mort en 1992. XXe siècle. Français.
Peintre de paysages, compositions décoratives.
Il exposait depuis 1944 tant en province qu'à Paris, au Salon des Artistes Indépendants depuis 1946, au Salon Comparaisons, dont il était membre du comité depuis 1954.
Il est surtout paysagiste, mais est aussi l'auteur de compositions-dans lesquelles les éléments figuratifs, les objets, semblent exister hors du temps.

FEUGEY Jean
Né à Douai (Nord). XXe siècle. Français.
Peintre.
Exposant du Salon d'Automne.

FEUILLAGE
XVIIIe siècle. Actif à Paris en 1718. Français.
Peintre et sculpteur.

FEUILLAS-CREUSY Caroline
Née le 19 mars 1861 à Paris. XIXe siècle. Française.
Peintre de portraits, miniatures.
Élève de Henner et Jules Lefebvre. Elle reçut aussi les conseils de Donzel et Camino. Elle exposa d'abord des portraits sur ivoire, en 1880 et 1882. Sociétaire des Artistes Français depuis 1883. Médaille de bronze à l'Exposition Universelle de 1889 (Paris).

FEUILLAT Julien
Né à Namur. XVIIIe siècle. Éc. flamande.
Sculpteur.

FEUILLAT Marcel
Né le 2 mars 1896 à Genève. XXe siècle. Suisse.
Sculpteur, orfèvre, émailleur.
Il fut élève de l'École des Arts Industriels de Genève. Il a participé à la décoration de la chapelle Maurice Denis à Saint-Germain-en-Laye.

FEUILLATE Raymond
Né le 13 mai 1901 à Neuilly-sur-Seine (Hauts-de-Seine). Mort le 4 juillet 1971 à Neuilly-sur-Seine (Hauts-de-Seine). XXe siècle. Français.
Peintre de figures, paysages, illustrateur, peintre de cartons de tapisseries.
Il fut élève de l'École des Arts Décoratifs de Paris. Il exposait à Paris, régulièrement au Salon des Artistes Indépendants depuis 1919, au Salon d'Automne depuis 1924, ainsi qu'au Salon de la Société Nationale des Beaux-Arts à partir de 1927. Il prit part au Salon Populiste, dont il fut vice-président depuis 1951. En 1933, un Prix de la Ville de Paris lui avait permis un voyage en Afrique du Nord, qui lui fit visiter l'Algérie, la Tunisie, le Maroc. En 1936, il représentait l'art français, avec *Les cavaliers*, aux Jeux Olympiques de Berlin.
Ventes Publiques : Versailles, 21 oct. 1990 : *Remorqueurs sur le fleuve* 1928, h/t (46x55) : **FRF 4 200.**

FEUILLATRE Eugène
Né le 30 avril 1870 à Dunkerque (Nord). Mort le 17 septembre 1916. XIXe-XXe siècles. Français.
Sculpteur.
Il exposait à Paris, au Salon des Artistes Français, mention honorable 1898, dont il était sociétaire depuis 1899, médaille de troisième classe en 1904, de deuxième classe en 1905.

FEUILLES DENTELÉES, Maître des. Voir **MAÎTRES ANONYMES**

FEUILLET
XIXe siècle. Actif à Paris. Français.
Peintre sur porcelaine.

FEUILLET François
XVIIe siècle. Actif à Paris vers 1660. Français.
Peintre.
Il se spécialisa, semble-t-il, dans la peinture de monuments et reçut le titre de peintre du roi.

FEUILLET G.
XVIIe siècle. Actif à Paris vers 1675. Français.
Dessinateur.
Il reçut des commandes pour les bâtiments du roi.

FEUILLET Jean Baptiste
Mort en 1806 à Provins. XVIIIe siècle. Actif à Paris. Français.
Sculpteur.
Directeur de l'Académie de Saint-Luc, il exposa en 1762 : *Artémise avalant les cendres de son mari pour lui servir, elle-même, de tombeau*, et plusieurs esquisses de bas-reliefs ; en 1774 : *La gloire des princes*, statue de femme ailée, *La Peinture, l'Architecture, la Musique*, statues en terre cuite, *La Pudeur*, statue.

FEUILLOUX Camille
Née à Chessy (Seine-et-Marne). XXe siècle. Française.
Graveur à l'eau-forte.
Elle fut élève de Théophile Chauvel. Elle exposait à Paris, au Salon des Artistes Français, dont elle était sociétaire depuis 1901, mention honorable 1908.

FEULARD Alexandre Louis
Né le 23 février 1813 à Paris. Mort en 1886. XIXe siècle. Français.
Peintre.
Le 2 avril 1831, il entra à l'École des Beaux-Arts, et eut pour professeurs Gros et Millet. Cet artiste se distingua surtout par ses miniatures. Il figura au Salon de 1840 à 1882. Le Musée du Havre possède de lui quelques miniatures. Il était fils de Jean-Pierre.

FEULARD Jean Pierre
Né le 15 novembre 1790 à Châteaudun. Mort le 12 mai 1849 au Havre. XIXe siècle. Français.
Peintre.
Élève d'Aubry. Il envoya au Salon de Paris ses miniatures de 1819 à 1848. On a de lui, au Musée du Havre, le portrait de Joseph Morlent.
Ventes Publiques : Paris, 27-29 mai 1929 (sans indication de prénom) : *Portrait de jeune homme en uniforme à revers bleus*, miniature : **FRF 460** – Paris, 24 mars 1947 : *Portrait de Changarnier, en tenue d'officier d'état-major* 1828, miniature : **FRF 3 100.**

FEULIEN Marc
Né en 1943 à Courcelles. XXe siècle. Belge.
Sculpteur, céramiste.
Il fut élève de l'Académie des Beaux-Arts de Charleroi. Il participe à des expositions collectives internationales : médaille à Gdansk (Pologne) 1973, médaille d'or au concours international de la céramique à Faenza 1976. Il est membre de l'Académie Internationale de la Céramique à Genève.

Bibliogr. : In : *Diction. Biogr. Illustré des Artistes en Belgique depuis 1830*, Arto, Bruxelles, 1987.
Musées : Bruxelles (coll. de l'État Belge) – Faenza (Mus. de la Céramique).

FEURE ou **Feuvre** et **Fever**. Voir aussi **LEFEBVRE**

FEURE Georges de, pseudonyme de **Van Sluijters Georges Joseph**
Né le 6 septembre 1868 à Paris, de parents belge et hollandais. Mort le 26 novembre 1943 à Paris. xixe-xxe siècles. Français.
Peintre de compositions animées, figures, paysages, sujets divers, peintre à la gouache, aquarelliste, graveur, lithographe, peintre de cartons de tapisseries, vitraux, sculpteur, dessinateur, illustrateur, décorateur. Symboliste.

Sa famille était d'origine belge et hollandaise. Il fut élève de Jules Chéret à Paris, en 1890. Il donna des dessins à des périodiques : *Le Courrier français, Le Boulevard, L'Image*. Il a illustré, entre autres : *La Porte des Rêves* de Marcel Schwob en 1899, il a exécuté une gravure d'après le roman de Georges Rodenbach : *Bruges-la-Morte*. Il a réalisé des affiches, pour Loïe Füller dans *Jeanne d'Arc*, pour le Salon des Cent. Il a joué un rôle important dans la constitution de l'art décoratif « nouveau », sur la fin de l'époque du symbolisme, et réalisa à Paris la décoration intérieure du pavillon de *L'Art nouveau* à l'Exposition Universelle de 1900. Il fut le décorateur du cabaret *Le Chat noir*. Il a inventé des formes de meubles dans l'esprit de ce qu'on a appelé le « modern style ». Il a peint des porcelaines. Il fut professeur à l'École des Beaux-Arts de Paris. En 1903, la galerie Bing, à Paris, présenta un ensemble de ses œuvres. Une rétrospective de son œuvre a été présentée en 1993 au musée Van Gogh d'Amsterdam puis en 1995 au musée départemental Maurice Denis « Le Prieuré » à Saint-Germain-en-Laye.
Outre son importante activité de décorateur, en 1896 fut exposée sa tapisserie *La Fée Caprice*. Il a créé des objets utilitaires de décoration, mais toutefois intéressants en tant que sculpture représentative d'un style et d'une époque. Il a réalisé environ quatre cents lithographies. Il fut un peintre abondant, et exposa à ce titre à la Secession de Munich. Bien qu'il ait traité des sujets divers, les figures féminines tiennent une place importante dans son œuvre peint, pour elles-mêmes et souvent dans des attitudes de rêverie, mais aussi dans des compositions aux intentions symbolistes évidentes, comme l'attestent certains de ses titres, par exemple : *Les Chercheuses d'infini* ou bien, pour une composition de 1892 environ, une scène forestière assez fréquente dans ses débuts : *Vision rouge*, dont le sous-titre : *Femme dans les bois* ne rend pas compte de la frayeur qui saisit cette femme, frayeur que traduit par contre efficacement l'utilisation symbolique de la couleur rouge en tant qu'éclairage généralisé de la scène. ■ J. B.

Bibliogr. : Gabriel P. Weisberg : *La Femme mystérieuse de Georges de Feure : une étude des sources symbolistes dans les écrits de Charles Baudelaire et de Georges Rodenbach*, Gazette des Beaux-Arts, Paris, oct. 1974 – Marcus Osterwalder, in : *Diction. des illustrateurs, 1800-1914*, Ides et Calendes, Neuchâtel, 1989.
Ventes Publiques : Paris, 2 déc. 1946 : *Rêverie* : **FRF 8 000** ; *Jeune femme tenant des fleurs* : **FRF 6 000** ; *La Danse au bord de l'eau* ; *Jeune femme au bord de la rivière*, 2 gches : **FRF 3 500** – Paris, 3 déc. 1969 : *Paysage maritime* : **FRF 7 850** – Paris, 25 mai 1970 : *Les Chercheuses d'infini*, aquar. : **FRF 11 500** – Paris, 15 nov. 1971 : *La Promenade au bois*, aquar. gchée : **FRF 51 000** – Paris, 25 nov. 1974 : *Femme au chapeau noir* : **FRF 44 500** – Paris, 14 juin 1976 : *Le Peintre et son modèle*, gche (66,3x71,4) : **FRF 22 000** – Paris, 8 déc. 1976 : *Scène champêtre*, h/pan. (83x42) : **FRF 3 100** – Paris, 25 nov. 1977 : *Femme dans un sous-bois*, gche (59x72) : **FRF 36 000** – Enghien-les-Bains, 28 oct. 1979 : *La Source*, gche, aquar. et fus. (65x23) : **FRF 10 000** – Lyon, 29 oct. 1981 : *Portrait présumé de Mme de Feure*, fus. reh. de gche et d'aquar./pap. (41x28) : **FRF 5 100** – Londres, 30 juin 1983 : *Le Retour du chevalier* 1897, litho. en coul. (32,6x25,5) : **GBP 600** – Londres, 6 déc. 1983 : *Le Pêcheur et le Moulin à vent* vers 1906, h. et temp./t. (33x46,5) : **GBP 4 000** – Versailles, 11 déc. 1983 : *Élégante au paddock*, gche et aquar. (32x15,5) : **FRF 28 000** – Enghien-les-Bains, 25 oct. 1987 : *Femme au grand chapeau noir*, h/t (60x72) : **FRF 460 000** ; *La Botaniste* 1894, gche (90x71) : **FRF 220 000** – Paris, 28 nov. 1988 : *Le Fruit défendu* 1895, aquar. gchée/pap./t. (72,5x58) : **FRF 145 000** – Paris, 21 nov. 1989 : *Les Gens du cirque*, gche (35x24) : **FRF 41 000** – Londres, 1er déc. 1989 : *L'Écu du diable*, encre noire et gche, cadre dessiné par l'artiste (68x48) : **GBP 46 200** – Monaco, 3 déc. 1989 : *La Visite*, aquar. et gche (37x28) : **FRF 111 000** – Paris, 29 mars 1990 : *Le Fou à la pomme*, cr., encre de Chine et aquar. (33,5x21) : **FRF 5 000** – Paris, 10 juin 1990 : *La Femme et l'Oiseau*, litho./vélin : **FRF 5 200** – Paris, 6 nov. 1992 : *Couple*, gche/cart. (46x38) : **FRF 20 000** – Paris, 23 juin 1993 : *Femme fatale*, h/t (60x73) : **FRF 180 000** – Paris, 24 juin 1994 : *Pavillon en Indonésie*, h/pan. (74x116) : **FRF 600 000** – Paris, 21 déc. 1994 : *Élégantes*, gche (33,5x25) : **FRF 107 000** – Londres, 16 nov. 1994 : *La Verrerie*, h/t (279x102) : **GBP 5 175** – Paris, 6 mars 1996 : *Solitude*, gche (43x25,5) : **FRF 45 000** – Paris, 14 oct. 1996 : *La Folle* 1901-1903, gche/pap. (64x22,5) : **FRF 50 000** – Paris, 29 nov. 1996 : *Paysage maritime*, gche (31,5x44,5) : **FRF 7 000** – Paris, 16 mai 1997 : *Sablonnières près de l'Isle-Adam*, aquar. avec reh. de gche (40,5x52,5) : **FRF 10 000**.

FEURER Michael
Né le 11 octobre 1862 à Merzweiler. xixe siècle. Français.
Peintre et peintre verrier.

Il fit ses études à Strasbourg, puis à Munich et travailla en Allemagne.

FEURER René
Né en 1940 à Saint-Gall. xxe siècle. Suisse.
Peintre. Abstrait.

Il participe à des expositions de groupe depuis 1965, notamment : 1979 au Musée Rath de Genève, 1981 *La lumière et sa peinture* au Centre d'art visuel de Genève, 1982 Bilbao, 1986 Montréal, 1987 Salon de Montrouge, etc. Il montre aussi ses peintures dans des expositions personnelles, d'entre lesquelles, depuis la première en 1980 à Paris : 1981 Galerie Numaga à Auvernier-Neuchâtel ; 1984 Centre d'art contemporain de Genève ; 1988-1989 *Sur les chemins de Saint-Jacques-de-Compostelle en Limousin* exposition itinérante par : Collégiale du Dorat, Abbatiale d'Eymoutiers, Collégiale de Saint-Léonard-de-Noblat, Abbatiale de Solignac, Collégiale du Moustiers de Saint-Yrieix-la-Perche ; 1989 Musée municipal de l'Évêché de Limoges ; 1990 Galerie Franka Berndt de Paris, 1992 à L'Isle-sur-la-Sorgue, etc.
Il peint sur des grands formats, placés à plat sur le sol. Il recouvre la surface des toiles d'une matière pigmentaire, volontiers épaisse, qui ressortirait au monochrome si elle n'était, au contraire, comme « mouchetée » de plusieurs tons très proches. Cette technique justifie l'apparentement, qu'il revendique, à la peinture de champs de Mark Rothko ou à Barnett Newman ou Tobey. Quand Rothko délimite ses champs par des lignes de partage délicatement dégradées, Feurer découpe sur la surface du tableau des zones géométriques précises, en général des rectangles verticaux, dont le petit côté supérieur se surmonte parfois en triangle, comme dans les compartimentages des anciens polyptyques. Il peint en effet souvent des diptyques ou triptyques, ce qui explique sa référence à Fra Angelico. D'autant que sa peinture procède d'évidence d'une spiritualité mystique, se sourçant autant du côté de la contemplation chrétienne du Quattrocento, que de la méditation Zen des peintres de la Côte Pacifique. D'entre les commentaires que sa peinture, d'emblée depuis 1980 telle qu'en elle-même, volontiers suscite, de Valentina Anker celui-ci : « Vivant dans le monde sans en être affecté, Feurer répète inlassablement ses gestes rituels et cherche à ouvrir, dans ses majestueux triptyques, les champs immenses et nébuleux d'un espace autre ». ■ Jacques Busse

Bibliogr. : Anne Tronche, in : *Actualités*, Opus International n° 80, Paris,, Printemps 1981 – Françoise Bataillon : *Connection 87*, Art Press, Paris, 1987 – Jacques Magnol : *René Feurer, tout art digne de ce nom est religieux*, Impact n° 241, Genève, 1988 – Catalogue de l'exposition itinérante *René Feure, peintures 1978-1987. Sur les chemins de Saint-Jacques-de-Compostelle en Limousin*, Limoges, 1988 – *Feurer rentre en collégiales*, La Croix, Paris, 21 fév. 1989.

FEURGARD Julie. Voir **DELANCE-FEURGARD**

FEURSTEIN Léopold
Né en 1725 à Bizau. Mort le 11 mars 1807 à Bizau. XVIIIe siècle. Allemand.
Sculpteur sur bois.
Il décora, entre autres, l'église de Schnepfau.

FEUSTINGH Johann
XVIIe siècle. Actif à Koesfeld à la fin du XVIIe siècle. Allemand.
Peintre verrier.

FEUTER Lowis de
Originaire de La Haye. XVIIe siècle. Hollandais.
Peintre.
En 1639 il vivait à Amsterdam.

FEUZ Werner
Né le 10 juin 1882 à Seftigen. XXe siècle. Travaillant à Gsteigwiter, près d'Interlaken. Suisse.
Peintre de paysages et de figures.
Il étudia à Berne, Genève et exposa à Berne en 1902 et 1903.

FEVER Johannes Le. Voir **LE FEVER**

FÉVIN Jean de. Voir **JEAN de Févin**

FEVOLA Félix Pascal
Né le 16 septembre 1882 à Poissy (Yvelines). Mort le 7 février 1953 à Paris. XXe siècle. Français.
Sculpteur.
Il fut élève de (Gabriel ?) Thomas et d'Antoine Injalbert. Il exposait à Paris, au Salon des Artistes Français, où il obtint une mention honorable en 1906 et une médaille d'or en 1927, hors-concours.

FÈVRE Adam. Voir **FAVRE**

FÈVRE Paul
Né à Méry-sur-Seine (Aube). XXe siècle. Français.
Peintre de paysages.
Il exposa à Paris, au Salon des Artistes Français et au Salon des Indépendants, à partir de 1931.

FÈVRE Simone
Née en septembre 1915 à Langres (Hte-Marne). XXe siècle. Française.
Peintre de figures, paysages, natures mortes, pastelliste.
Elle fut élève de l'École des Beaux-Arts de Dijon. Elle participe à des expositions collectives, notamment à Paris au Salon des Artistes Français, dont elle est sociétaire. Elle a été professeur à l'École de Dessin de la Ville de Langres.
Elle utilise plutôt le pastel pour les figures, la peinture pour ses paysages et natures mortes. Le Musée de Dijon a acquis son dessin de *La dentellière*, le Musée de Chaumont a acquis deux dessins des vieux quartiers de la ville.

FEVRET de SAINT-MEMIN Charles Balthasar Julien. Voir **SAINT-MEMIN**

FÉVRIER L. J.
XVIIIe siècle. Actif dans la seconde moitié du XVIIIe siècle. Hollandais.
Peintre ou dessinateur.
Cardon grava un *Portrait du théologien J. Willemsen*, dû à cet artiste.

FEXIS Dimitri
Né à Athènes. XXe siècle. Grec.
Peintre de natures mortes.
Il a figuré au Salon de la Nationale en 1938.

FEY Joseph. Voir **FAY**

FEYDEAU Anne de
Née à Guingamp. XIXe siècle. Française.
Peintre de miniatures.
Associée au Salon de la Nationale des Beaux-Arts depuis 1901, elle figura aux expositions de cette société.

FEYDEAU Diane
XIXe siècle. Active à la fin du XIXe siècle. Française.
Peintre.
Le Musée de Dieppe conserve d'elle une aquarelle : *Bouquet de fleurs*.

FEYEAU Maurice
Né à Rochefort. XIXe siècle. Français.
Peintre.
Le Musée de Rochefort conserve de lui une *Marine*.

FEYEN Eugène, pour **Jacques Eugène**
Né le 13 novembre 1815 à Bey-sur-Seille (Meurthe-et-Moselle). Mort en juin 1908 à Bey-sur-Seille. XIXe-XXe siècles. Français.
Peintre de scènes de genre, portraits, paysages animés, marines.
Frère aîné de François Feyen-Perrin, il entra, en 1837, à l'École des Beaux-Arts de Paris, dans l'atelier de Léon Cogniet et celui de Paul Delaroche. Il exposa au Salon de Paris, de 1841 à 1882, il y fut médaillé, en 1866 et 1880. Il fut promu chevalier de la Légion d'honneur en 1881.
Il réalisa pour commencer des portraits, puis des sujets de genre, s'étant spécialisé, comme son frère, dans les scènes bretonnes et en particulier les pêcheurs de Cancale, œuvres qui le firent connaître. Il reçut, en 1872, la commande par l'État des *Glaneuses de la mer*. Parmi ses toiles, on cite : *Le Retour du pêcheur* – *La Fiancée du marin* – *La Soupe du pêcheur*.

EUG. FEYEN

MUSÉES : LILLE – MULHOUSE – NANCY : *Les Marchandes de poisson* – *Départ pour la pêche* – RENNES : *Le Marin*.

VENTES PUBLIQUES : PARIS, 10 avr. 1899 : *Les Ramasseuses de moules* : **FRF 255** – NEW YORK, 12-14 avr. 1909 : *La moisson* : **USD 70** – PARIS, 29-30 déc. 1924 : *Pêcheuses de crevettes* : **FRF 250** – PARIS, 16 déc. 1925 : *Après le bain* : **FRF 500** – PARIS, 15 juin 1934 : *Jeune paysanne assise au bord de la mer* : **FRF 320** – PARIS, 5 déc. 1941 : *Pêcheuses de Cancale* : **FRF 420** – VIENNE, 16 mars 1971 : *Les raccomodeuses de filets* : **ATS 55 000** – COLOGNE, 15 juin 1973 : *Les dunes* : **DEM 5 000** – VERSAILLES, 11 mai 1975 : *En attendant la marée*, h/t (66x95) : **FRF 3 000** – LONDRES, 20 avr. 1978 : *Les Jeunes pêcheuses*, h/t (61x96,5) : **GBP 1 100** – COLOGNE, 21 mars 1980 : *Les ramasseuses de coquillages*, h/t (56x80) : **DEM 13 000** – LONDRES, 12 oct. 1984 : *Le Lavoir de la Houle*, h/t (92,6x64,7) : **GBP 2 800** – BOURG-EN-BRESSE, 2 mars 1986 : *La Pêcheuse d'huîtres*, h/pan. (32x24) : **FRF 34 000** – NÎMES, 25 fév. 1989 : *Les Lavandières*, h/pan. (23x50) : **FRF 20 000** – PARIS, 5 mars 1989 : *Fillettes au panier de pommes*, h/t (94,5x65) : **FRF 25 000** – VERSAILLES, 19 nov. 1989 : *Marine*, h/cart. (18x25) : **FRF 7 500** – PARIS, 13 déc. 1989 : *Ramasseuse d'huîtres*, h/pan. (15x25) : **FRF 38 000** – VERSAILLES, 7 juin 1990 : *Bretonnes attendant le retour des pêcheurs*, h/cart. (32x50,5) : **FRF 46 000** – PAU, 21 juil. 1990 : *Le retour des pêcheuses cancalaises*, h/t (90x150) : **FRF 228 000** – LONDRES, 5 oct. 1990 : *Les ramasseuses de coquillages*, h/t (61x97,8) : **GBP 3 300** – PARIS, 24 mai 1991 : *La cueillette des pommes*, h/t (56x66) : **FRF 28 000** – NEW YORK, 15 oct. 1991 : *Musiciens de la rue endormis*, h/pan. (19x26) : **USD 3 080** – PARIS, 12 déc. 1991 : *Jeune fille au bord de la mer*, h/cart. (32x50) : **FRF 26 000** – PARIS, 5 nov. 1993 : *Bateaux sur la grève*, h/pan. (16x25) : **FRF 12 000** – NEW YORK, 19 jan. 1995 : *Départ pour la pêche*, h/t (94,6x66) : **USD 6 900** – PARIS, 23 avr. 1996 : *Femmes à la pêche*, h/t (95x66) : **FRF 20 000**.

FEYEN Justin Jean François
Né à Bar-sur-Seine (Aube). XIXe siècle. Français.
Peintre.
Il exposa au Salon, en 1877 et 1878 : *Falaises de Cancale* et *Chant du crépuscule*.

FEYEN-PERRIN François Nicolas Augustin
Né le 12 avril 1826 à Bey-sur-Seille (Meurthe-et-Moselle). Mort le 14 octobre 1888 à Paris. XIXe siècle. Français.
Peintre d'histoire, sujets religieux, scènes de genre, scènes typiques, figures, nus, portraits, paysages animés, paysages d'eau, marines, dessinateur.
Il entra à l'École des Beaux-Arts de Paris en 1848, il y fut élève de Léon Cogniet et d'Adolphe Yvon. Il figura au Salon de Paris, de 1848 à 1882, étant médaillé en 1865 et 1867.
François Feyen-Perrin fut pendant de longues années un des peintres favoris du grand public, ses tableaux faisaient sensation au Salon. Il fut, avec son frère Jacques Eugène Feyen, le peintre attitré des pêcheurs de Cancale. Sa constante préoccupation d'enjoliver ses sujets décèle ce que son art a souvent d'artificiel, notamment dans un registre qui se voudrait réaliste, lorsque ses personnages féminins sont manifestement trop élégants pour s'être jamais livrés aux rudes travaux de la mer.
De cette veine, on cite de lui : *Femmes de l'île de Batz attendant la chaloupe du passage* – *La Femme du pêcheur* – *Cancalaise à la source* – *La Parisienne à Cancale* – *La pêche à pied* – *Le chemin de la Corniche* – *Tricoteuse au bord de la mer* – *Retour à la chaumière*, mais aussi : *La barque de Caron* – *Prodigalité de l'Arétin* – *Ronde Antique* – *Une leçon d'anatomie* – *Les Damnés*.

On remarque alors que son œuvre ne s'est pas limité au folklore de Cancale et de ses habitants, mais qu'il fut, quant à la diversité des thèmes, un peintre complet ; certaines peintures renvoient à l'histoire : *Découverte du corps de Charles le Téméraire après la bataille de Nancy*, à l'histoire religieuse : *La Descente de Croix*, à la mythologie : *La Barque de Caron*, à l'allégorie : *L'Élégie*, aux faits divers : *Épisode du naufrage de l'Evening Star*, à l'histoire littéraire : *Prodigalité de l'Arétin*, à la célébration de la beauté féminine : *Femme nue étendue sur une plage*. Quant à la *Ronde antique*, qui est conservée au château de Cormatin, près de Cluny, elle y arriva sans doute acquise par Raoul Gunsbourg, alors directeur de l'Opéra de Monte-Carlo, collectionneur fervent, propriétaire du château depuis 1898. La peinture aurait été vue par Henri Matisse, peu probablement du vivant de Feyen-Perrin qui n'exposa au Salon que jusqu'en 1882, bien que Matisse fût né dès 1869, sensiblement avant tous les fauves et les cubistes nés après 1880, mais possiblement lors de quelque exposition avant son acquisition. Matisse se serait souvenu de la guirlande rythmée des jeunes femmes nues lorsqu'il créa les diverses versions de *La Danse* de 1910.
Peu importe la véracité de l'anecdote, reste, en ce qui concerne Feyen-Perrin, que lorsque la grâce n'est plus incompatible avec le sujet, son œuvre prend une autre dimension, certes dans un style officiel, plus touché par le symbolisme que par l'impressionnisme, mais trouve sa place historique dans le style caractéristique qui témoigne du goût de la bourgeoisie d'une époque précise. ■ J. B.

A. Feyen-Perrin

Musées : Aix-en-Provence (Mus. Granet) : *La Parisienne à Cancale* – Angers : *Épisode du naufrage de l'Evening Star* – Arras : *Cancalaises au bord de la mer* – Épinal (Mus. dép. des Vosges) : *L'Élégie* – Moulins : *L'enfance du mousse* – Nancy (Mus. des Beaux-Arts) : *La barque de Caron* – *La Descente de Croix* – *Aretino* – *Découverte du corps de Charles le Téméraire après la bataille de Nancy* – Paris (Mus. d'Orsay) : *Retour de la pêche, Cancale* – Reims (Mus. des Beaux-Arts) : *Rentrée des pêcheuses d'huîtres* – Toulon : *La chanson* – Troyes : *Esquisse*.
Ventes Publiques : Paris, 6-7 avr. 1892 : *Une Cancalaise* : **FRF 330** – Paris, 27 fév. 1893 : *Pêcheuse de Cancale* : **FRF 600** ; *Darse au crépuscule* : **FRF 700** – New York, 14 nov. 1903 : *Marée montante* : **USD 190** – Paris, 18 déc. 1922 : *La Mort de Charles le Téméraire* : **FRF 190** ; *Portrait de Mr Ch. Lepère* : **FRF 360** – Paris, 23 fév. 1925 : *Portrait de Juana Romani* : **FRF 200** ; *Le Modèle sur une draperie rouge* : **FRF 1 050** – Paris, 5 mai 1928 : *Paysanne et chien au bord d'un fleuve* : **FRF 600** – Paris, 13 mai 1942 : *Nu dans la forêt*, esquisse au revers : **FRF 620** – Paris, 24 nov. 1944 : *Trois pêcheuses revenant de la pêche sur des ânes* : **FRF 2 200** – Paris, oct. 1945-juil. 1946 : *Femmes de pêcheurs et marchande sur le port* : **FRF 11 800** ; *Femme nue étendue sur le port* : **FRF 10 000** – Paris, 12-13 mars 1947 : *Fillette en robe grise* 1823 : **FRF 2 300** – Paris, 16 mars 1976 : *Le Retour des pêcheurs*, h/t (100,5x73) : **FRF 3 000** – Paris, 27 avr. 1983 : *Retour de pêche*, fus. (200x139) : **FRF 11 500** – New York, 19 oct. 1984 : *En attendant le retour des pêcheurs*, h/t (165x221) : **USD 3 500** – Cannes, 21 juil. 1987 : *Femme de pêcheur en enfant devant la mer*, h/t (125x181) : **FRF 56 000** – Calais, 28 fév. 1988 : *Scène de danse* 1860, h/t : **FRF 11 500** – Paris, 15 avr. 1988 : *La pêche à pied*, h/t (82x59) : **FRF 14 600** – Stockholm, 29 avr. 1988 : *Jeunes filles se baignant au bord de la plage* : **SEK 15 500** – Morlaix, 31 oct. 1988 : *Paysanne*, h/pap. mar./t. (200x113) : **FRF 19 000** – New York, 23 fév. 1989 : *Retour de la pêche aux huîtres*, h/t (130,8x98,1) : **USD 6 600** – Paris, 29 nov. 1989 : *Les Cancalaises*, h/t (84x48) : **FRF 28 500** – New York, 21 mai 1991 : *Pêcheurs sur le rivage*, h/t (75x106,8) : **USD 2 420** – New York, 17 oct. 1991 : *Retour de la pêche* 1877, h/t (43,2x60) : **USD 6 600** – Paris, 2 nov. 1992 : *La Ramasseuse de coques*, h/t (81x65) : **FRF 8 000** – New York, 28 mai 1993 : *Regard vers le large*, h/t (61x45,7) : **USD 1 150** – Paris, 18 nov. 1994 : *Jeune paysanne assise* 1888, h/t (72x52) : **FRF 6 000** – Paris, 6 mars 1996 : *Femmes de pêcheurs*, h/pan. (24x32,5) : **FRF 5 000** – Paris, 16 déc. 1996 : *Paysanne allongée sur la plage*, h/t (6.000) : **FRF 6 000**.

FEYENS Augustin Joseph
Né en 1789 à Turnhait. Mort le 6 novembre 1854 à Bruxelles. XIXe siècle. Belge.
Sculpteur.
Il fut élève de l'Académie d'Anvers et à Godecharle. Il exposa au Salon de Bruxelles en 1811 un buste de Napoléon et en 1816 une statue très remarquée d'*Ariane abandonnée*. Il travailla à Paris, à la statue d'Henri IV sur le Pont-Neuf et à l'Arc de Triomphe. Il exposa en outre des bustes à Bruxelles.

FEYERABEND Augustin
Né en 1745. Mort en 1790. XVIIIe siècle. Actif à Bâle. Suisse.
Peintre, décorateur.
Frère de Samuel et de Franz Feyerabend. Ses ouvrages sont presque toujours des paysages et des imitations de reliefs.

FEYERABEND Benedikt
Né en 1792 à Vienne. Mort le 9 mai 1825 à Vienne. XIXe siècle. Autrichien.
Peintre.

FEYERABEND Franz
Né en 1755 à Bâle. Mort en 1800 à Bâle. XVIIIe siècle. Suisse.
Peintre de portraits, peintre à la gouache, aquarelliste, caricaturiste et graveur.
Il abandonna l'étude de la sculpture et de la peinture décorative et devint portraitiste vers 1780, puis caricaturiste. On cite surtout ses caricatures de la vie intime des baillis de Bâle publiées vers 1798. Parmi ses gravures, on mentionne 26 planches d'uniformes exécutées en 1792. Le Musée de Colmar conserve des gouaches de cet artiste.

FEYERABEND Jean Jacob
XVIIIe siècle. Actif au début du XVIIIe siècle à Dantzig. Allemand.
Dessinateur.
Il descendait vraisemblablement d'une famille allemande, à moins qu'il ne soit identique au suivant.

FEYERABEND Jean Jacob
Né au XVIIIe siècle à Bâle. XVIIIe siècle. Suisse.
Peintre.

FEYERABEND Johann Rudolff
Né en 1779 à Bâle. Mort en 1814 à Bâle. XIXe siècle. Suisse.
Peintre de portraits, fleurs, aquarelliste.
Fils de Franz Feyerabend. Il suivit le métier de son père, peignit à la gouache et à l'aquarelle, et laissa entre autres un paysage avec figures, conservé à l'Association artistique de Bâle. On grava d'après lui une *Démolition de la danse des morts à Bâle* dessinée d'après nature.
Ventes Publiques : Paris, 29-30 nov. et 1er déc. 1927 : *Nature morte*, gche, attr. : **FRF 1 000**.

FEYERABEND Samuel
Né en 1746 à Bâle. Mort en 1787 à Bâle. XVIIIe siècle. Suisse.
Peintre et doreur.
Frère de Franz Feyerabend. Il peignit des paysages et des décorations.

FEYERABEND Sigmond
Né en 1528 à Heidelberg. Mort le 22 mars 1590 à Francfort. XVIe siècle. Allemand.
Peintre et graveur.
C'est surtout en tant qu'éditeur qu'il est connu.

FEYGUINE Grégoire
Né à Moscou. XXe siècle. Français.
Peintre.
Il exposa à Paris au Salon des Indépendants en 1931 et 1932.

FEYHAMAN DURAN. Voir **DURAN Feyhaman**

FEYKEN Jacob
XVIIe siècle. Actif à Amsterdam. Hollandais.
Peintre.

FEYSINGER Jean
XVIe siècle. Allemand.
Peintre.

FEYTAUD Sophie Tavel, Mme
XIXe siècle. Française.
Peintre.
De 1835 à 1843, elle se fit représenter au Salon de Paris, par des portraits et des tableaux de genre. Au Musée de Bordeaux on conserve d'elle : *Deux ramoneurs se partageant les restes d'un repas*, et à celui de Versailles, le *Portrait du géomètre marquis de Laplace*.

FEYTCH G. S.
Né en Angleterre. XIXe siècle. Vivant à Londres. Britannique.

Peintre de figures.
Exposa à Londres de 1839 à 1847, notamment à la Royal Academy, à Suffolk Street, et à la British Institution.

FEYZDJOU Choreh
Née en 1955 à Téhéran. Morte le 17 février 1996 à Paris. XXe siècle. Depuis 1975 active en France. Iranienne.
Peintre, dessinateur, sculpteur, créateur d'installations.
Elle a été élève de l'École Nationale des Beaux-Arts de Paris à partir de 1975 tout en étudiant l'esthétique à la Sorbonne.
Elle participe à des expositions collectives, dont : 1994, Galerie Nationale du Jeu de Paume, Paris. Elle montre son travail dans des expositions personnelles : 1987, Hourian Art Gallery, Oakland ; 1989, *91 Quai de la Gare*, Paris ; 1992, galerie Patricia Dorfmann, Paris ; 1992, galerie Renate Schröder, Cologne ; 1993, Musée Ludwig, Coblence ; 1994, Musée d'Art Contemporain, Saint-Étienne ; 1994, Musée Kröller Müller, Otterlo ; 1996, galerie Le Monde de l'art, Paris.
L'année 1994 fut riche en expositions dans des lieux prestigieux pour Chohreh Feyzdjou. Son travail, présenté la Galerie du Jeu de Paume à Paris se veut d'emblée imposant, voire écrasant. L'espace d'exposition est saturé d'un nombre considérable d'objets divers groupés par affinités formelles, entassés contre les murs ou entreposés dans des lieux de rangement monumentaux : une multiplication de toiles collées en strates et empilées, des rouleaux de toiles fermés, de mises en boules ou en paquets... Toutes ces pièces cachent jalousement leur intériorité. Closes, elles sont, en outre, uniformément recouvertes d'une couleur noire de feu, invariablement étiquetées « Product of Chohreh Feyzdjou » et méticuleusement inventoriées. ■ C. D.
Bibliogr. : In : *Choreh Feyzdjou*, catalogue de l'exposition, Galerie Nationale du Jeu de Paume, Paris, 1994.

FIACCO Orlando ou **Flacco**, appelé **il Moro**
Né à Vérone. XVIe siècle. Italien.
Peintre d'histoire, compositions religieuses, portraits.
Actif vers 1560, il fut élève de Francesco Torbido. Vasari loue ses portraits et Lanzi dit que ses toiles ressemblent à celles de Caravaggio.

OFF 1565

Musées : Stockholm : *Portrait du Titien vieillard* – Vérone (église San Nazario) : *Crucifiement – Ecce Homo*.

FIACRE Fiacre
Mort en 1650 à Nancy. XVIIe siècle. Français.
Sculpteur.

FIACRE Martin
XVIIe siècle. Actif à Liège. Belge.
Sculpteur.
Il érigea le tombeau de l'archevêque Reginard (mort vers 1030) dans l'église Saint-Laurent.

FIALA
XIXe siècle. Actif à Berlin vers 1800. Allemand.
Graveur.
Le cabinet des estampes conserve de lui une estampe.

FIALA Jean
Autrichien.
Peintre sur porcelaine.
Attaché à la Manufacture de Vienne.

FIALA Sebastian
XIXe siècle. Autrichien.
Peintre.
Il fut attaché à la Manufacture de Vienne de 1800 à 1812.
Musées : Breslau, nom all. de Wroclaw (Mus. des Arts et Métiers) : Service à petit déjeuner.

FIALA Vaclav
Né à Prague (Bohème). XXe siècle. Tchécoslovaque.
Graveur.
Élève de Svabinsky. En 1928 il exposait deux lithographies (portraits) au Salon des Artistes Français.

FIALETTI Bartolomeo
Italien.
Graveur.
Cité par Nagler comme ayant gravé une planche représentant *La Cérémonie de l'Agnus Dei*, mais qui est en réalité d'Odoardo Fialetti.

FIALETTI Odoardo, de son vrai nom : **Édouard Viallet**
Né le 18 juillet 1573 à Bologne, d'origine savoyarde. Mort en 1638. XVIe-XVIIe siècles. Italien.
Peintre de compositions religieuses, portraits, graveur.
Le graveur Bartolomeo Fialetti, introduit dans la littérature d'art par de Marolle, et maintenu par Nagler, n'a jamais existé, et n'est autre que Odoardo Fialetti. Son père, né à Beaufort-sur-Dozon, descendant d'une famille de robe, fut professeur à l'Université de Padoue, puis à l'Université de Bologne, dans cette ville comme doyen-recteur. Édouard Viallet, dit Odoardo Fialetti, fut à Bologne élève de Giovanni Battista Cremonini, puis il se rendit à Rome et à Venise, où il entra dans l'atelier du Tintoret. Tintoret le nomma son exécuteur testamentaire. Fialetti forma plusieurs élèves, parmi lesquels François Nigri, de Bologne.
Bartsch décrit 243 planches gravées d'après ses propres dessins et d'après d'autres maîtres ; en réalité, il faut en compter plus de trois cents, dont, entre autres, une série de costumes des différentes nations et des différents ordres religieux, et des motifs décoratifs qui furent recherchés en France au XVIIIe siècle et jusqu'au début du XIXe siècle, par les faïenceries de Nevers, qui s'en inspirèrent largement. ■ E. -H. Zeiger-Viallet

Musées : Londres (Hampton Court Palace) : *Les Sénateurs de Venise au Sénat – Quatre Doges de Venise* – Murano (San Marco) – Murano (Sant'Andrea) – Venise.
Ventes Publiques : Londres, 6 déc. 1983 : *Saint Sébastien*, eau-forte, d'après le Tintoret (24,3x15,2) : **GBP 750** – Paris, 14 déc. 1989 : *Portrait du doge Leornado Donato*, h/t (61,5x46) : **FRF 20 000**.

FIALEX
XIXe siècle. Français.
Peintre verrier.
Il fit des vitraux pour l'église de Moncresson (Loiret), d'autres pour Gy-les-Nonnains (Loiret) et Saint-Gumgalois à Château-du-Loir (Sarthe).

FIALIN Georges
Né à Moulins (Allier). XXe siècle. Français.
Peintre de paysages.
Il exposait à Paris, au Salon des Artistes Indépendants. On cite ses paysages de Saint-Tropez.

FIAMBERTI Tomaso
Mort entre le 7 septembre 1524 et le 21 janvier 1525 à Cesenare. XVIe siècle. Actif à Campione. Italien.
Sculpteur.
Il travailla dans le même atelier que Giovanni Ricci de Sala et se sépara de lui en 1508. Avec Ricci et Giovanni Cenni il travailla au tombeau de Luffo Numaï dans l'église Sainte-Marie-de-Servi. Avec Vincenzo Gottardi il travailla à trois statues de marbre dans la chapelle Saint-Léonard dans la cathédrale de Cesene.

FIAMINGHI Hermelindo
Né en 1920. XXe siècle. Brésilien.
Peintre. Abstrait-constructiviste.
En 1951 s'ouvrit la première Biennale de São Paulo. Elle offrit d'un coup aux jeunes artistes brésiliens et latino-américains un panorama de tout l'art de la première moitié du XXe siècle. L'impact fut considérable. En premier ce fut l'art constructiviste qui retint l'attention de ce public nouveau. Dès 1952 se créait le groupe *Ruptura*, auquel adhéra très tôt Fiaminghi. La même année, le Musée d'Art Moderne de São Paulo présentait une exposition du groupe, attestant ainsi le début d'un changement dans l'art brésilien. Il adhéra ensuite au groupe *Nouvelles tendances*, qui se manifesta pour la première fois en 1963 à São Paulo. Ce groupe se donnait pour objectif de doter le constructivisme d'une nouvelle dimension, dans la durée, par les phénomènes optiques et le cinétisme.
Bibliogr. : Damian Bayon, Roberto Pontual : *La peinture de l'Amérique latine au XXe siècle*, Mengès, Paris, 1990.

FIAMINGHINO. Voir **EVERARDI Angiolo**

FIAMINGO ou **Fiammingo**. Voir aussi au prénom

FIAMMINGO Giorgio
XVIIe siècle. Actif à Florence. Italien.
Peintre et peintre verrier.

FIAMMINGO Gualtieri
XVIIe siècle. Actif à Florence. Italien.
Peintre et peintre verrier.

FIAMMINGO Guglielmo
XVIIe siècle. Italien.
Peintre.
Élève de Francesco Albani, il peignit à Bologne dans le style de ce maître vers l'année 1660 et se fit surtout remarquer dans le paysage.

FIAMMINGO Michele. Voir **DESUBLEO**

FIAMMINGO Paolo. Voir **FRANCESCHI Paolo dei**

FIANI Giovanni Francesco
Né au XVIIIe siècle à Lucques. XVIIIe siècle. Italien.
Peintre de mosaïques.
Il travailla à la Basilique Saint-Pierre à Rome ; le retable de l'autel de l'archange Saint Michel est en partie de lui.

FIASCHI Angelo
XVIIIe siècle. Italien.
Peintre et graveur.
Il fut attaché de 1757 à 1791 à la Manufacture de porcelaine de Doccia, près de Florence. Comme graveur, il nous a laissé *Le Corps du Christ* et *La mort d'un chrétien*.

FIASELLA Domenico, dit **il Sarzana** ou **Sarazana**
Né en 1589 à Sarzana. Mort le 14 octobre 1669 à Gênes. XVIIe siècle. Italien.
Peintre d'histoire, compositions religieuses, portraits, fresquiste.
Il avait appris de très bonne heure le dessin sous la direction de son père, orfèvre à Sarzana, et s'était exercé à la peinture, avant de partir pour Gênes, en copiant plusieurs fois un tableau d'Andrea del Sarto dans l'église de sa ville natale. Son séjour à Rome se prolongea pendant dix ans. A son retour à Gênes, les Lomellini le chargèrent de la décoration de leur palais. Il peignit également pour eux les voûtes de leur église de l'Annunziata. Parmi les nombreux tableaux qu'il exécuta pour les églises de Gênes, il faut citer *Saint Antoine trouvant le corps de saint Paul ermite*. Ce tableau a été décrit par Soprani et signalé par Lanzi comme un véritable chef-d'œuvre. En 1635, la princesse Marie, qui n'avait jamais consenti à se laisser peindre, le fit venir à Mantoue pour faire son portrait. Le duc de Mantoue, le prince Carlo de Massa cherchèrent en vain à se l'attacher ; il refusa leurs offres les plus magnifiques, jaloux par-dessus tout, sans doute, de conserver sa pleine liberté. D'Espagne, le comte de Sirvelo lui commanda un tableau : *Héro pleurant la mort de Léandre*, qui fut offert au roi et placé dans la galerie de Buen-Retiro. L'âge ne semble pas avoir ralenti sa production : à 74 ans, en 1657, il prit pour sujet d'un tableau les ravages causés à Gênes par la peste de cette année-là ; les *Miracles de la Sainte Face* sont de sa soixante-seizième année.
Il forma, dans son atelier de Gênes, un assez grand nombre d'élèves : Giovanni Battista Fiasella (ou Casone), son neveu, suivant certains, son beau-frère, suivant d'autres, dont l'église Notre-Dame-des-Vignes a une *Madone entourée de Saints* ; Valerio Castello, Francesco Capuro, Grégorio de Ferrari (1644-1726) qui peignit à Gênes, Turin, Port-Maurice, Marseille ; Luca Saltarello, mort très jeune à Rome, dont l'église Saint-Étienne de Gênes possède un *Saint Benoît ressuscitant le fils d'un paysan* et l'Académie Ligustique, un *Saint Pierre guérissant le paralytique* ; Giovanni Paolo Oderico et Francesco Merano, morts jeunes durant la peste de 1657.
Certains critiques ont cité à son sujet Van Dyck, Caravage, Raphaël, Strozza, ainsi que les Carrache et leur école. Tous ces jugements, qui suggèrent une grande facilité d'adaptation, pourraient signifier une certaine absence de génie original. Mais sa réputation fut très grande.
MUSÉES : CARIGNAN (église Sainte-Marie) : *Le Bienheureux Alexandre Sauli, évêque de Gênes guérissant un malade*, attribué à tort à Cambiaso – FLORENCE (Mus. des Offices) : *Têtes et études de Madones* – GÊNES : *Sainte-Marie – Le Mariage de Marie – Angélique et Medor* – GÊNES (église Saint-Ambroise) : *Vie de saint François-Xavier* – GÊNES (église Saint-Barthélemy-des-Arméniens) : *Les Miracles opérés par la Sainte Face* – GÊNES (sacristie de l'Annunziata del Guastato) : *Le Mariage de la Vierge – Le Repos pendant la fuite en Égypte – Les Noces de Cana – Le Baptême du Christ – Saint André adorant la croix – Saint Paul prêchant – Isaac allant à la rencontre de sa fiancée – Jacob bénissant ses fils*, fresques – GÊNES (église Saint-Côme et Saint-Damien) : *Les Âmes du Purgatoire*, peinture en camaïeu – GÊNES (église Saint-Cyr) : *L'Assomption – la Mort de saint André Avellino* – GÊNES (église Saint-Dominique) : *Jésus au milieu des Docteurs – La Madone de Lorette – Saint Hyacinthe devant la Vierge – Saint Vincent Ferrier* – GÊNES (église Saint-Étienne) : *La Nativité de Jésus* – GÊNES (église Saint-François di Castellotto) : *La Mort de la Vierge* – GÊNES (église Saint Marc) : *Sainte Barbe* – GÊNES (église Saint-Sébastien) : *L'Annonciation* – GÊNES (église Saint-Sylvestre) : *Saint Sylvestre* – GÊNES (église Saint-Augustin) : *Saint Thomas de Villeneuve* – GÊNES (église de Santa Maria del Monte-sul-Bisagno) : *Sainte Anne – Saint François donnant l'habit religieux à sainte Claire – Assomption* – MILAN (Gal. archiépiscopale) : *Jésus enfant* – MILAN (sacristie de l'Annunziata) : *Esaü changeant son droit d'aînesse* – MILAN (église de la Madeleine) : *Assomption* – PARME : *La Madone et trois saints*, sanguine – PAVERANO-SOPRA-IL-BISAGNO (église San Giovanni Decollato) : *Vie de saint Jean-Baptiste*, fresque – SARZANE (cathédrale) : *Le Massacre des Innocents*.
VENTES PUBLIQUES : MILAN, 29 oct. 1964 : *Nativité* : **ITL 1 200 000** – LONDRES, 24 mars 1971 : *Rebecca et Éliezer* : **GBP 2 000** – ROME, 27 mars 1980 : *La negozione di San Petro*, h/t (121x171) : **ITL 8 500 000** – LONDRES, 18 nov. 1982 : *Le Martyr de Saint André*, sanguine (27x42) : **GBP 2 200** – MILAN, 27 nov. 1984 : *L'Ivresse de Noë*, h/t (203x146) : **ITL 20 000 000** – ROME, 20 mars 1986 : *L'Adoration des bergers*, h/t (12x157) : **ITL 18 000 000** – MILAN, 12 déc. 1988 : *Judith et oloferne*, h/t (117x130) : **ITL 14 000 000** – ROME, 13 avr. 1989 : *Portrait d'un homme âgé, peut-être Bernardino Barengo de Sienne*, h/t (73x58) : **ITL 9 500 000** – NEW YORK, 31 mai 1991 : *Carlo et Ubaldo sauvant Renaud des charmes d'Armide*, h/t (186,7x255,9) : **USD 148 500** – MILAN, 28 mai 1992 : *Judith avec la tête d'olopherne*, h/t (114x130) : **ITL 24 000 000**.

FIASELLA Giovanni Batista ou **Battista**
XVIIe siècle. Actif à Gênes. Italien.
Peintre.
Il fut l'élève de son oncle Domenico Fiasella. Il hérita en 1669 des œuvres de celui-ci, qui, à sa mort, retournèrent à la ville de Gênes.

FIAT Auguste
Né au XIXe siècle à Taninges. XIXe siècle. Français.
Peintre.
Il figura au Salon des Artistes Français. Mention honorable en 1903.

FIAULT Henri Alexandre
Né au XIXe siècle à Paris. XIXe siècle. Français.
Aquafortiste.
Élève de H. Lefort. Sociétaire des Artistes Français depuis 1905, il figura au Salon de cette société.

FIAUX Jean Claude
Né le 15 novembre 1938. XXe siècle. Français.
Peintre, dessinateur. Abstrait-nuagiste.
Il entre en 1958 à l'École Nationale des Beaux-Arts de Paris, fréquente également l'atelier de Joseph Rivière à l'Académie Julian. Il obtient en 1960 le Certificat de dessin du Professorat d'État. Fiaux fera partie du groupe *Mouvement* aux côtés d'Albertini, Canès, Plaza, Guzman, Felez, et ils exposeront ensemble à plusieurs reprises. Il fera partie également du « groupe » nuagiste avec des artistes comme Benrath, Duvillier, Graziani, Laubiès. En 1987, lui est decerné le Prix de l'Association Artistique et Culturelle *Les Compagnons du Feu* à Paris.
Il participe à des expositions de groupe, notamment : 1963, Salon des Indépendants, Paris ; 1977, Salon de Mai, Paris ; 1983, Salon de la Société Nationale des Beaux-Arts, Paris ; 1963, avec le « groupe » nuagiste, galerie de Beaune, Paris ; 1963, *Option 63*, organisée par Déroudille à Lyon ; 1979, galerie Art Contemporain, Paris ; ainsi que dans de nombreux salons en Seine-et-Marne, etc.
Il réalise sa première exposition personnelle en 1959 à l'Hôtel de Ville de Verdun, puis : 1961, et à plusieurs reprises, galerie de Beaune, Paris ; galerie Verneuil, Paris ; 1978, 1981, galerie l'Œil Écoute, à Paris ; 1996, galerie du 8 rue de Furstemberg, Paris.
Jugée sur les années, l'œuvre de Fiaux peut se décomposer en périodes. Selon Déroudille, il apparaissait dans les années soixante comme « un expressionniste abstrait attiré par un art gestuel et vigoureusement colorié ». Une quinzaine d'années plus tard, il souligne, lors de l'exposition à l'Œil Écoute (Lyon

1978), une « métamorphose contenue au sein d'une pudeur silencieuse ». « Plus de gestes rageurs rayant la surface immaculée. (...) Sur l'étendue, Fiaux cherche les facteurs formels absolus, à savoir : la sphère ou l'ovale de l'œuf. » Il bâtit son œuvre à partir des fluctuations de la lumière-couleur, peignant des atmosphères silencieuses dans des teintes légères, diaphanes. ■ C. D.
Musées : Cherbourg.

FIBARDEL Jean
Né au XVIIe siècle à Orléans. XVIIe siècle. Français.
Sculpteur sur bois.
Il termina les sculptures du portail de la cathédrale Sainte-Croix à Orléans. En 1702, il livra les sièges du chœur ; c'est Degoulon qui en fit les sculptures.

FIBICH Johann
Né en 1771 à Vienne. XVIIIe-XIXe siècles. Autrichien.
Peintre ?
Il entra à l'Académie le 27 novembre 1786, du vivant de son père.

FIBICH Kaspar
XVIIIe siècle. Actif à Vienne entre 1760 et 1790. Autrichien.
Peintre.

FIBICHOVA Zdena
Née le 9 décembre 1933 à Prague. XXe siècle. Tchécoslovaque.
Sculpteur. Tendance symboliste.
De 1948 à 1957, elle fut élève de l'École des Arts Décoratifs de Prague. Elle a exposé à Paris, en 1968, au Musée Rodin, avec une sélection de sculpteurs tchèques.

FIBICKH Hanns
XVIe siècle. Actif à Prague. Tchécoslovaque.
Sculpteur.
Il fit des travaux de décoration pour Maximilien II.

FIBICKH Matthes
XVIe siècle. Travaillait à Prague. Tchécoslovaque.
Sculpteur.
Il reçut en 1570 un salaire pour avoir sculpté en bois un modèle des armes de l'Empereur.

FIBING Christian
XIXe siècle. Tchécoslovaque.
Peintre.
On connaît de lui une statue de *Saint Mathieu.*

FIBO Giorgio
XVIIe siècle. Bourguignon, travaillant à Bologne. Italien.
Sculpteur.
En 1638, il termina une statue de la Madone de Carmine pour l'église San Giovanni à Capri.

FICATELLI Stefano. Voir **FEGATELLI**

FICH A. E.
XVIIIe siècle. Danois.
Peintre.
On ne le connaît que par une statue de l'évêque *Saint Tetens.*

FICH Erik Carl Frederik
Né le 17 février 1816 à Copenhague. Mort le 13 août 1870. XIXe siècle. Danois.
Peintre.
Il fut élève à l'École des Beaux-Arts de Copenhague. Il exposa quelques paysages et des scènes de la guerre de 1848-50 à laquelle il prit part.

FICHARD Maximilien de, baron
Né le 10 mai 1836 à Léopol (Galicie). XIXe siècle. Polonais.
Peintre de paysages et graveur.
Capitaine dans le génie, il se consacra aux beaux-arts et travailla à l'École des Beaux-Arts de Venise. Il exposa à Vienne, Berlin, Turin, etc. Le Musée de Pallanza conserve de lui deux paysages du Lac Majeur.

FICHAUX Robert
XXe siècle. Français.
Peintre.
A figuré en 1952, 1953, au Salon des Réalités Nouvelles de Paris, avec des compositions abstraites, qui peuvent être rapprochées des peintures constructivistes d'Auguste Herbin.

FICHEFET Georges
Né le 5 janvier 1864 à Bruges. Mort en 1954 à Uccle. XIXe-XXe siècles. Belge.
Peintre de figures, portraits, paysages.
Il fut élève de l'École des Beaux-Arts de Namur, puis de Portaels à l'Académie de Bruxelles. Il fut co-fondateur de *L'Essor* et du Cercle *Pour l'Art.*
Bibliogr. : In : *Diction. Biogr. Illustré des Artistes en Belgique depuis 1830,* Arto, Bruxelles, 1987.
Musées : Ixelles : *Jeune Anglaise* – Namur : *Jeune Fille à la raquette.*
Ventes Publiques : Londres, 22 juin 1983 : *Un artiste dans son atelier* 1883, h/t (88,5x68) : **GBP 4 000** – Lokeren, 16 mai 1987 : *Paysage à l'étang au crépuscule,* h/t (79x64) : **BEF 85 000** – New York, 17 fév. 1993 : *Au café-théâtre,* h/t (120x170,2) : **USD 46 000.**

FICHEL, Mme **Eugène Benjamin**. Voir **SAMSON Jeanne**

FICHEL Benjamin Eugène
Né le 30 août 1826 à Paris. Mort le 2 février 1895 à Paris. XIXe siècle. Français.
Peintre d'histoire, compositions religieuses, sujets de genre, portraits, scènes d'intérieurs.
Il entra à l'École des Beaux-Arts de Paris, en 1841, se formant sous la conduite de Paul Delaroche et de Martin Drolling. Il exposa au Salon de Paris, de 1849 à 1895. Il fut médaillé en 1857 et 1869, promu chevalier de la Légion d'honneur en 1870.
Parmi ses nombreuses œuvres, on cite : *Sainte Famille – Portrait de Hadji-Add-Hamid-Bey – Guillaume Harwey démontrant la circulation du sang à Charles Ier, roi d'Angleterre – Les Encyclopédistes – Le peseur d'or – La toilette – Le café – Le lever – Une matinée intime – Une collation.* Eugène Fichel s'est inspiré, pour ses scènes d'intérieurs, de la conception artistique d'Ernest Meissonier, en baignant ses scènes d'intérieurs dans une atmosphère à la fois sombre et brillante ; il a bénéficié pendant un certain temps de la vogue de celui-ci.

E. FICHEL. E. FICHEL.

Bibliogr. : Gérald Schurr, in : *Les Petits Maîtres de la peinture 1820-1920, valeur de demain,* Les Éditions de l'Amateur, t. II, Paris, 1982.
Musées : Amsterdam : *Joueurs d'échecs* – Grenoble : *Amateurs chez un peintre* – Kaliningrad, ancien. Königsberg : *Tableau de genre* – Lille : *Le déjeuner* – Montpellier : *La nuit du 24 août 1572* – Mulhouse : *Un gourmet – Un fumeur* – Paris (Mus. d'Orsay) : *L'arrivée à l'auberge.*
Ventes Publiques : Paris, 11 mars 1891 : *Cuvier dans son cabinet* : **FRF 850** – Paris, 7 avr. 1896 : *Le Cabaretier* : **FRF 740** – Paris, 27 mars 1897 : *Intérieur d'auberge au temps de Louis XVI* : **FRF 1 730** – Paris, 9 mai 1898 : *Joyeuse réunion* : **FRF 1 555** – Londres, 29 juin 1908 : *Lisant une dépêche,* aquar. : **GBP 54** – Londres, 12 juin 1910 : *La lecture des nouvelles* 1871 : **GBP 50** – Paris, 26 nov. 1920 : *Les amateurs de tableaux* : **FRF 2 200** ; *Le nouveau clerc* : **FRF 1 450** – Paris, 23-24 nov. 1923 : *La Quête à l'église* : **FRF 1 855** – Paris, 23 mai 1924 : *Chanson à boire* : **FRF 5 100** – Londres, 1er juil. 1927 : *Napoléon, Joséphine, Eugène et Hortense* : **GBP 115** – Paris, 16 nov. 1928 : *Amateurs chez un peintre* : **FRF 5 800** – Paris, 23 déc. 1936 : *Le prestidigitateur* : **FRF 5 600** – New York, 14-16 jan. 1943 : *Dans une taverne* : **USD 200** – Paris, 7 mai 1943 : *Le Nu au miroir* : **FRF 12 000** – Paris, 1er fév. 1945 : *La réprimande* : **FRF 18 200** – Paris, oct. 1945-juil. 1946 : *Le peseur d'or* 1851 : **FRF 27 000** – Glasgow, 26 juil. 1946 : *Ornithologistes* : **GBP 336** – Londres, 21 fév. 1947 : *Cardinal de Richelieu* : **GBP 157** – Paris, 15 juin 1954 : *Baptême de Mademoiselle Clairon* : **FRF 150 000** – Londres, 12 fév. 1969 : *Scène de cabaret* : **GBP 500** – Londres, 7 mai 1971 : *Prestidigitateur,* h/t (37x54) : **FRF 18 000** – Londres, 23 juil. 1976 : *The toast* 1863, h/pan. (21,5x16) : **GBP 1 400** – Londres, 16 juin 1978 : *La leçon de dessin,* h/cart. (14x9) : **GBP 240** – Cologne, 20 nov. 1980 : *La ramasseuse de fagots* 1857, h/pan. (33x27) : **DEM 9 000** – New York, 19 oct. 1984 : *Gentilhommes festoyant* 1888, h/pan. (33x40,7) : **USD 4 500** – New York, 29 oct. 1987 : *L'heure de la messe à Saint-Sulpice, Paris* 1874, h/pan. (79x135) : **USD 20 000** – Londres, 6 oct. 1989 : *Le récital* 1853, h/pan. (26,5x21) : **GBP 1 760** – New York, 25 oct. 1989 : *La lecture de la gazette* 1866, h/pan. (31,8x41) : **USD 7 150** – Londres, 5 oct. 1990 : *Réunion musicale ; Partie de cartes,* h/pan., une paire (chaque 21,3x27,4) : **GBP 6 380** – Versailles, 25 nov. 1990 : *Gentilhomme à l'épée,* h/pan. (24x16) : **FRF 5 000** – Paris, 4 mars 1991 : *Parade militaire,* gche (38x28) : **FRF 10 000** – New York, 21 mai 1991 : *Le garde,* h/pan. (24,1x14) : **USD 1 650** – Amsterdam, 5-6 nov. 1991 : *Le billet de*

logement 1883, h/pan. (31x45,5) : **NLG 16 100** – LONDRES, 18 mars 1992 : *L'ultimatum* 1890, h/pan. (33x41,5) : **GBP 2 640** – NEW YORK, 29 oct. 1992 : *Les musiciens*, h/cart. (24,8x33,5) : **USD 1 980** – LONDRES, 25 nov. 1992 : *Les mains secourables* 1854, h/pan. (23x17,5) : **GBP 2 200** – NEW YORK, 20 jan. 1993 : *Le connaisseur* 1871, h/pan. (22,2x15,9) : **USD 3 738** – LONDRES, 17 nov. 1993 : *Le coin des fumeurs*, h/pan. (21,5x27) : **GBP 2 875** – NEW YORK, 20 juil. 1994 : *Entracte à l'Opéra*, aquar. et craies/pap. (31,1x23,8) : **USD 6 900** – LONDRES, 14 juin 1995 : *Fumeurs de pipes dans une auberge*, h/pan. (21x15,5) : **GBP 3 220** – LOKEREN, 9 déc. 1995 : *Joyeuse réunion* 1858, h/pan. (27x35) : **BEF 220 000** – PARIS, 21 mars 1996 : *Le paiement des gages*, h/t (48x61) : **FRF 32 000**.

FICHER Julien

Né vers 1888 à Bruxelles. Mort vers 1990 à Anderlecht. XXe siècle. Belge.

Peintre de paysages, aquarelliste, graveur.

Il vécut six ans, entre 1914 et 1920, en Bolivie et à Cuba, en tant que membre d'une mission pédagogique. Il reçut, en Belgique, le Prix de l'Œuvre Nationale des Beaux Arts.

C'est en Amérique latine qu'il commença à peindre des paysages. On vante son sens de la composition et de la couleur.

BIBLIOGR. : In : *Diction. Biogr. Illustré des Artistes en Belgique depuis 1830*, Arto, Bruxelles, 1987.

FICHERELLI Felice, appelé aussi **Felice Riposo,** ou **il Riposo**

Né en 1605 à San Gimignano. Mort en 1660 ou 1669 à Florence. XVIIe siècle. Italien.

Peintre d'histoire, sujets mythologiques, compositions religieuses, dessinateur.

Élève de Jacopo da Empoli et ami intime de Christoforo Allori, il dut son surnom à son caractère taciturne et à son indolence extrême. Il n'exécuta en conséquence qu'un petit nombre de peintures.

Ses œuvres dénotent un réel talent. Ses copies du Perugino, d'Andrea del Sarto et d'autres ont été souvent prises pour des originaux de ces maîtres.

MUSÉES : BERLIN (Cab. des Estampes) – CHAMBÉRY (Mus. des Beaux-Arts) : *Jonas* – FLORENCE (Palais Rinucci) : *Adam et Ève chassés du Paradis terrestre* – FLORENCE (église Santa Maria Nuova) : *Saint Antonin* – LILLE (Mus. Wicar) : dessins.

VENTES PUBLIQUES : PARIS, 6 déc. 1924 : *Hercule et Omphale ; Hercule ramenant Alceste à Admète*, deux toiles : **FRF 580** – LONDRES, 28 mai 1982 : *Sophonisbe tenant la coupe de poison*, h/t (73,1x60,4) : **GBP 2 200** – LONDRES, 11 déc. 1991 : *Salomé avec la tête de Saint Jean-Baptiste*, h/t (97x123) : **GBP 27 500** – LONDRES, 15 avr. 1992 : *Rinaldo dans la forêt enchantée*, h/t (232x348,5) : **GBP 90 000** – LONDRES, 10 juil. 1992 : *Sainte Catherine*, h/t (97,8x73,5) : **GBP 4 950** – LONDRES, 8 déc. 1993 : *Tarquin et Lucrèce*, h/t (99,6x148) : **GBP 84 000** – LONDRES, 22 avr. 1994 : *Sainte Catherine d'Alexandrie*, h/t (73,5x96,5) : **GBP 10 925**.

FICHEROUX Mathieu

Né le 22 avril 1926 à Rotterdam. XXe siècle. Hollandais.

Sculpteur, technique mixte. Abstrait.

Depuis 1961, il expose très régulièrement à Rotterdam, en 1963, 1964, 1965, 1968, etc. En 1965, il a reçu le Prix Lissone. En 1971, il a participé à la Biennale d'Anvers Middelheim.

Il réalise des objets à partir de tubes chromés, de vitre et de plastique.

FICHET, Mme **Gabriel Bramanée**. Voir **BRAMA**

FICHET Alexandre

Né en 1881 à Paris. Mort en 1968. XXe siècle. Actif en Tunisie. Français.

Peintre de portraits, paysages, compositions murales.

En 1902, il quitta Paris pour Tunis, où, très vite, il eut plusieurs activités : enseignant de dessin à l'école Émile-Loubet, au collège Sadiki et au collège Alaoui de Tunis ; décorateur d'édifices publics, entre autres à la salle du Palmarium et au Casino municipal du Belvédère ; animateur de spectacles théâtraux ; collaborateur au quotidien *Tunis socialiste*, organe d'opposition à la politique coloniale. Sur le plan artistique, il fut tout aussi actif en tant que président du Salon tunisien de 1912 à 1968, avec deux interruptions, l'une due à la Première Guerre mondiale, l'autre, à sa déportation en Silésie, lors de la Seconde Guerre mondiale. Il participa à plusieurs expositions coloniales, dont celle de Marseille en 1922, au Salon des Indépendants, aux Expositions de l'Afrique française et au Salon tunisien.

Sur le plan pictural, Alexandre Fichet reste assez académique surtout en ce qui concerne la peinture à l'huile pour laquelle il accuse les modelés avec vigueur, tandis que ses paysages, surtout à l'aquarelle, sont traités plus librement, utilisant parfois la technique pointilliste.

BIBLIOGR. : Catalogue de l'exposition : *Lumières tunisiennes*, Pavillon des Arts, Paris, 1995.

MUSÉES : TUNIS (Mus. d'Art Mod.) : *Portrait de Jules Lellouche.*

FICHET Jean

Né le 17 avril 1822 à Lyon. Mort vers 1889. XIXe siècle. Français.

Sculpteur, dessinateur, mosaïste.

Élève de Legendre Héral à l'École des Beaux-Arts de Lyon (1835-1837), il exposa à Lyon, en 1842-1843, des dessins, des sculptures, un *Vase pour les saintes huiles*, et se consacra à l'ameublement des églises et à la décoration. Il dessina et exécuta, en mosaïque de verre émaillé, pour des chapelles ou des habitations particulières, des autels, chaires, chemins de croix, frises, tympans, panneaux, dessus de table, souvent dans le style de l'époque romane, où il affirma sa science du décor et de la couleur. L'exposition des Arts décoratifs, organisée à Lyon, en 1884, révéla cet artiste peu connu, dont les principales œuvres sont à Saint-Augustin et chez les Oratoriens (Paris), à Saint-Louis, à l'Hôtel-Dieu, au couvent de la Réparation (Lyon), à la cathédrale de Chambéry, dans les églises de Tassin, Dardilly, Iassam, Voiron, etc. Le Musée des Tissus à Lyon possède des dessins et maquettes de J. Fichet.

FICHET Pierre

Né le 10 août 1927 à Paris. XXe siècle. Français.

Peintre. Abstrait-lyrique.

De 1948 à 1950, il prépara le professorat de dessin, renonça au professorat en 1950, mais continua de fréquenter l'atelier de dessin de 1950 à 1952. Il participe à de très nombreuses expositions collectives, à Paris : le Salon des Artistes Indépendants de 1948 à 1954, le Salon d'Automne régulièrement depuis 1951 et qui lui a consacré un hommage en 1987, le Salon des Réalités Nouvelles depuis 1952 et auquel il restera attaché. Après 1954, d'entre les très nombreuses manifestations collectives : 1954 groupe *Divergence 2* à la Galerie Arnaud Paris 1955 ; *Divergence 3, Éloge du petit format* à la galerie La Roue à Paris et *19 peintres français* à la Kunsthalle de Mannheim ; 1956 *Divergence 4*, 1957 *Divergence 5*, 1957 *50 ans de peinture abstraite* présenté par Michel Seuphor à la galerie Greuze, 1958 *Divergence 6*, 1959 Biennale de Paris, 1960 et 1963 exposition du Prix Lissone, 1966 Biennale de Menton, 1967 *Une aventure de l'art abstrait* aux musées Galliéra de Paris, de Nantes, Brest, Orléans, depuis 1987 Salon de Mai, 1988 *Aspect de l'abstraction des années 50* à Créteil, Lille, Bordeaux, Lyon, Rouen, Toulouse, Marseille, Grenoble, Nantes, Royan, Nancy, etc. Il montre surtout des ensembles de peintures dans des nombreuses expositions personnelles depuis 1952, notamment une vingtaine à Paris, de 1954 à 1969 Galerie Arnaud, puis Galerie Regard, Galerie Protée, ainsi qu'à Bruxelles en 1955, à Toulouse nombreuses de 1965 à 1985, 1968, à Nantes en 1977, 1981, à Montréal en 1978, à Cannes en 1979, Saint-Nazaire 1985, Lyon 1986, La Chaux de Fonds 1988, Gand 1989, etc. Il a réalisé une peinture murale pour l'amphithéâtre des morts à l'Hôpital Saint-Antoine de Paris, des mosaïques pour les lycées d'Auch et de Blois, une tapisserie pour le Mobilier National, les décors pour *Le Roi Lear* de Shakespeare au Grenier de Toulouse.

En 1947-1948, Fichet tendait à l'abstraction. Toutefois, entre 1948 et 1951, il opta pour la figuration, traitant souvent des thèmes religieux : Pieta, Annonciation, se référant à Philippe de Champaigne et Zurbaran. En 1951, il revint définitivement à l'abstraction. Pourtant, son biographe Michel Ragon fait état de décalages importants par rapport à la précédente chronologie, puisqu'il date les peintures dans l'esprit de Port-Royal de 1958, qu'il fait suivre d'une période baroque et quasi-sulpicienne, et qu'il ne place le retour radical à l'abstraction qu'en 1961. La peinture de Pierre Fichet est totalement caractéristique, quasiment emblématique, de l'abstraction lyrique des années cinquante, cette abstraction lyrique qu'on a pu dire parfois internationale. Éminemment gestuelle, elle consiste, à partir de fonds monochromes rouges, jaunes ou autres, en larges traînées, souvent blanches se développant par-dessus des noires plus étendues, que rayent ici ou là un frottement de bleu, un trait acéré de rouge, témoignant d'une pratique très sûre d'elle-même. ■ J. B.

BIBLIOGR. : Georges Boudaille : *P. Fichet*, Gal. Arnaud, Paris, 1961 – Michel Ragon : *Vingt-cinq ans d'art vivant*, Casterman,

Paris, 1969 - in : *Diction. Univers. de la Peinture*, Le Robert, Paris, 1975 - Catalogue de l'exposition *Pierre Fichet*, Treffpunkt Kunst, Saarlouis, 1990, bon appareil documentaire.
Musées : Aix-la-Chapelle - Paris (Mus. Nat. d'Art Mod.) - Paris (Mus. d'Art Mod. de la Ville) - Rouen (FRAC) - Toulouse (Mus. des Augustins).
Ventes Publiques : Paris, 6 déc. 1986 : *Composition n° 23* 1955, h/t (65x83) : **FRF 22 000** - Paris, 28 mars 1990 : *Composition fond jaune*, h/t (79x150) : **FRF 58 000** - Douai, 1er juil. 1990 : *Composition n° 4086* 1986, h/t (50x50) : **FRF 12 000** - Paris, 20 nov. 1991 : *Le linge de la flagellation* 1957, h/t (160x80) : **FRF 22 000** - Paris, 1er juil. 1992 : *Composition n° 2* 1978, h/t (100x100) : **FRF 3 200** - Paris, 19 mars 1993 : *Composition n° 39-88*, h/t (60x60) : **FRF 4 000** - Paris, 25 mai 1994 : *Composition* 1959, h/t (100x100) : **FRF 8 000** - Paris, 26 juin 1995 : *Gloria in excelsis deo* 1960, h/t (100x100) : **FRF 6 500**.

FICHI Ercole
Né en 1595 à Castel Bolognese. Mort en 1665 à Bologne. XVIIe siècle. Italien.
Sculpteur, peintre.
Il fut élève de Emilio Savonanzi et termina lui-même les statues de saint Charles et de saint Philippe Neri qui décorent le haut de la façade de Saint-Paul. Il fut également architecte.

FICHON Jacques François
XVIIe siècle. Français.
Sculpteur.
Il était le frère de Philippe Fichon et le fils du sculpteur du même nom.

FICHON Philippe
Mort le 25 novembre 1729 à Paris. XVIIIe siècle. Français.
Sculpteur.

FICHOT Albert Lucien
Né à Nevers (Nièvre). XXe siècle. Français.
Peintre de genre.
Il exposa à Paris au Salon des Artistes Français en 1925.

FICHOT Jean-Michel
Né en 1959. XXe siècle. Français.
Sculpteur de figures, nus, groupes. Expressionniste.
Il vit et travaille près de Paris. Il fut diplômé, à Paris, de l'École des Arts Appliqués Duperré en 1980 et 1982, puis de l'École des Beaux-Arts en 1984. Depuis 1985, il participe à des expositions collectives, dans plusieurs villes de Bretagne, en 1986 à un symposium de sculpture contemporaine à Sylt (Allemagne), à l'*Hommage à Jean Arp* à Clamart, où lui fut décerné le Prix d'art contemporain, 1987 Salon de la Jeune Peinture à Paris, 1990 Foire Internationale d'Art Contemporain de Tokyo, Foire Internationale de Los Angelès, etc. Il a montré des ensembles d'œuvres dans des expositions personnelles : 1985 Mairie du Xe à Paris ; 1987 Musée Albert Chanot de Clamart ; 1988, 1991, 1994 Galerie Furstenberg à Paris ; 1989 *Espace et Toiles* à la Mairie de Paris, Maison de la Culture de Metz ; 1990 Musée de Saint-Denis, etc.
Il crée des assemblages, sortes de collections, d'un même masque grimaçant de cent façons différentes. Surtout, il crée des personnages féminins ou féminins en partie : femme-feuille, femme-panthère, seuls ou souvent en groupes restreints, des nus encore gracieux bien que très plantureux, dansant quelque farandole ou bien, en hommage au Titien, s'envolant à travers les airs, comme sur une aile.
Bibliogr. : Mireille Sueur : Catalogue de l'exposition *Fichot*, Gal. Furstenberg, Paris, 1988 - Gilbert Lascault : Présentation de l'exposition *Jean-Michel Fichot*, Gal. Furstenberg, Paris, 1991.
Musées : Clamart (Mus. Albert Chanot) - Saint-Denis (Mus. d'Art et d'Hist.).
Ventes Publiques : Paris, 18 fév. 1990 : *Femme feuille*, bronze à patine verte (36x46) : **FRF 20 000**.

FICHOT Michel Charles
Né en 1817 à Troyes (Aube). Mort le 7 juillet 1903 à Paris. XIXe siècle. Français.
Peintre de paysages, architecte, dessinateur, illustrateur, lithographe.
Il suivit des études d'architecte à l'École des Beaux-Arts de Paris. Il figura au Salon de Paris, de 1841 à 1875, y obtenant une mention honorable en 1887. Il fut promu chevalier de la Légion d'honneur.
Réalisant des dessins de monuments anciens, en particulier de sa région natale, il illustra un ouvrage : *Voyage archéologique dans le département de l'Aube*. Puis installé à Paris, il travailla pour le magazine *l'Illustration* et pour *Le Magasin pittoresque*.
Bibliogr. : Gérald Schurr, in : *Les Petits Maîtres de la peinture 1820-1920, valeur de demain*, Les Éditions de l'Amateur, t. V, Paris, 1981.
Musées : Pontoise : *Le château d'Écouen* - Troyes.

FICHTEL J. N.
XIXe siècle. Travaillait à Nuremberg. Allemand.
Sculpteur.
Le Musée Germanique de Nuremberg conserve de lui les *Profils du brasseur Meixner et de sa femme*, d'*Elisabeth Schröppel* et de *Georg Ulrich Friesser*, ainsi que des statuettes représentant des soldats et officiers français ayant fait la retraite de Russie.

FICHTEL Johann Konrad
XVIIIe siècle. Actif à Biberach. Allemand.
Sculpteur sur bois.
Il termina les grandes orgues de l'église protestante de Biberach en 1780.

FICHTENBERGER Bartholomeus
Mort en février 1592. XVIe siècle. Actif à Breslau. Allemand.
Peintre.
Il fut maître de la Guilde en 1561 et nommé citoyen de la ville le 23 janvier 1562. Il peignit les dos des côtés du retable du grand chœur dans la cathédrale de Breslau.

FICHTENBERGER Jacob
Né en 1581. XVIIe siècle. Allemand.
Peintre.
Il fut l'élève du peintre D. Moder.

FICHTENBERGER Peter
Né en 1570. Mort entre le 30 avril et le 7 mai 1611. XVIe-XVIIe siècles. Allemand.
Peintre.
Il fut cinq ans l'élève de son père Bartholomeus Fichtenberger. Il fut nommé maître en 1591 à Breslau, et forma six disciples.

FICHTHORN Johann Abraham
XVIIIe siècle. Allemand.
Peintre.
En 1747, il est à Bayreuth, et il peint pour la Manufacture de porcelaines. Il a peint également des grès.
Musées : Hambourg - Sèvres - Stuttgart - Würzburg (Mus. Luitpold) : porcelaines peintes.

FICHTL Joseph
Né à Adlzhausen (près de Landsberg). Mort le 18 mai 1732 à Munich. XVIIIe siècle. Allemand.
Sculpteur.
Il travailla à Crems, en Autriche et à Munich, où il fut nommé maître de la Corporation le 16 août 1714. Il travailla pour l'église de la Trinité, il sculpta un grand ange, et fit un cadre sculpté.

FICHTNER Hugo de
Né le 6 septembre 1872 à Vienne. XIXe-XXe siècles. Actif et naturalisé en France. Autrichien.
Peintre de sujets militaires.
Il fut élève de Benjamin-Constant et de Léon Bonnat, à Paris, où il exposait au Salon des Artistes Français, notamment en 1921 : *Charge de Dragons à Montdidier*.
Ventes Publiques : Reims, 26 oct. 1980 : *Hussards à cheval* ; *La charge de la cavalerie*, deux h/pan. (27x22) : **FRF 4 500**.

FICHTNER Rochus
Né vers 1560 à Innsbruck. Mort vers 1610 à Munich. XVIe-XVIIe siècles. Allemand.
Peintre verrier.
Il fut élève de Nicolaus Schinober à Innsbruck et s'établit ensuite à Munich, où il fut nommé maître de la corporation en 1590.

FICHU, Mme
Née au XIXe siècle à Lille. XIXe siècle. Française.
Peintre.
Élève de Mme Coeffier. Elle figura au Salon de Paris en 1876 et 1880 avec des portraits en miniature.

FICK Andrès
XVIIe siècle. Hollandais.
Peintre.
On cite de lui une *Vanité* encadrée en ébène.

FICK Christian François
XVIIIe siècle. Actif à la fin du XVIIIe siècle. Allemand.
Dessinateur.

FICK Niels
XVIIIe siècle. Danois.
Peintre.
On le cite comme peintre à Faaborg (Fünen). On connaît de lui des *Portraits* et des *Bacchanales*.

FICKAERT Cornelis
Mort avant le 17 octobre 1616. XVIIe siècle. Éc. flamande.
Peintre.
Il fut nommé membre de l'Académie Saint-Luc à Anvers en 1595.

FICKAERT Hans
Mort vers 1634. XVIIe siècle. Éc. flamande.
Peintre.
Il fut maître de l'Académie Saint-Luc à Anvers en tant que fils d'un membre de cette Académie.

FICKE Nicolaes ou **Nikolaus**
Né en 1642. Mort vers 1702. XVIIe siècle. Éc. flamande.
Peintre de paysages animés, graveur.
Il fut élève du peintre Philips Wouverman à Haarlem. On connaît de lui trois paysages avec des chevaux.
VENTES PUBLIQUES : VIENNE, 16 mars 1976 : *Le Repos du chasseur*, h/pan. (44x54) : **ATS 90 000**.

FICKER Florian
XVIIIe siècle. Actif à Glatz. Tchécoslovaque.
Peintre.
On parle de lui à l'occasion de la mort de sa femme.

FICKLER Sebastian
XVIIIe siècle. Allemand.
Sculpteur sur bois et ébéniste.
Il travailla de 1785 à 1795 pour l'église protestante de Dösingen.

FICO Giovanni del
XVIIIe siècle. Italien.
Peintre.
Il fut membre de la Guilde de Naples en 1723.

FICQUENET
XIXe siècle. Actif à Sèvres. Français.
Peintre céramiste.

FICQUET Adam
XVIIe siècle. Français.
Sculpteur.
Il fut nommé membre de l'Académie Saint-Luc à Paris le 23 avril 1666.

FICQUET Antoine
XVIIIe siècle. Français.
Sculpteur.
Il fut désigné comme gardien de l'atelier de Michel-Ange Sledtz à Paris en 1764.

FICQUET Étienne
Né en 1719 à Paris. Mort en 1794 à Paris. XVIIIe siècle. Français.
Graveur.
Élève de G. F. Schmidt et de Le Bas. Il exécuta les gravures de la *Vie des Peintres Flamands et Hollandais*, par Descamps. On cite également de lui de nombreux portraits parmi lesquels celui de Mme de Maintenon d'après Mignard. Cet excellent graveur, au talent si délicat, mérite d'être recherché par les amateurs.

FICQUET Jean
XVIIIe siècle. Actif à Paris. Français.
Sculpteur.

FIDANI Orazio
Né vers 1610 à Florence. Mort peu après 1656. XVIIe siècle. Italien.
Peintre de sujets mythologiques, compositions religieuses, portraits.
Élève de Giovanni Biliverti, il imita le style de son maître. Sa ville natale possède plusieurs de ses œuvres.
MUSÉES : FLORENCE (église de la Chartreuse) : *Les Quatre Docteurs – Les Quatre Évangélistes* – FLORENCE (Gal. Corsini) : *Portrait*, deux tableaux – FLORENCE (Mus. des Offices) : *Autoportrait*.
VENTES PUBLIQUES : LONDRES, 15 avr. 1992 : *Les nymphes jouant à colin-maillard : Corsica poussant Mirtillo vers Amarillis* 1654, h/t (232x348,5) : **GBP 110 000** – NEW YORK, 15 jan. 1993 : *Narcisse près d'un lac* 1647, h/t (171,5x203,2) : **USD 10 925**.

FIDANZA
XIIIe siècle. Italien.
Peintre.
On cite son nom dans un document à Florence en 1224.

FIDANZA Filippo
Né en 1720 à Sabino. Mort en 1790 à Rome. XVIIIe siècle. Italien.
Peintre.
Il fut élève de Marco Benefial à Rome, puis étudia et imita les grands maîtres. La Galerie antique et moderne de Prato conserve de lui un : *Paysage montueux* et un *Port de mer*.

FIDANZA Francesco
Né en 1747 à Rome. Mort en 1819 à Milan. XVIIIe-XIXe siècles. Italien.
Peintre de paysages animés, paysages, marines.
Fils de Filippo Fidanza, ce fut un excellent paysagiste ; il étudia avec Vernet et Lacroix et exécuta des travaux pour Eugène de Beauharnais.
MUSÉES : FLORENCE (Mus. des Offices) : Dessins – MILAN (Gal. Brera) : *Chute de neige – Vue des toits d'Ancone – Vue des toits de Chioggia – Vue des toits de Rimmi* – ROME (Acad. Saint-Luc) : Deux marines – VIENNE (Gal. Harrach) : Deux paysages.
VENTES PUBLIQUES : MILAN, 27 avr. 1978 : *L'Incendie au bord de la mer la nuit*, h/t (75,5x105) : **ITL 3 800 000** – MILAN, 18 juin 1981 : *Pêche nocturne*, h/t (98x76) : **ITL 2 600 000** – MILAN, 8 mai 1984 : *Marine sous la bourrasque*, h/t (61x93) : **ITL 9 000 000** – LONDRES, 11 déc. 1986 : *L'Éruption du Vésuve* 1768, h/pap. (89,5x64,8) : **GBP 6 500** – ROME, 23 mai 1989 : *Marine avec des pêcheurs*, h/t (64x95) : **ITL 30 000 000** – MONACO, 3 déc. 1989 : *Personnages dans une cave voûtée*, h/t (55x80) : **FRF 77 700** – ROME, 8 avr. 1991 : *L'Incendie d'un village la nuit*, h/t (73x60) : **ITL 8 050 000** – MILAN, 30 mai 1991 : *Marine avec des pêcheurs et une barque*, h/t (57x75) : **ITL 15 000 000** – MILAN, 16 mars 1994 : *Marine avec des barques et des pêcheurs*, h/t, une paire (chaque 23,5x35,5) : **ITL 17 250 000** – LONDRES, 6 juil. 1994 : *Mendiant et autres personnages devant un capriccio de cascade à Tivoli*, h/t (32x40) : **GBP 3 220** – LONDRES, 30 oct. 1996 : *Capriccio d'un port méditerranéen avec des pêcheurs*, h/t, une paire (chaque 35x45,2) : **GBP 14 950** – LONDRES, 13 déc. 1996 : *Port méditerranéen à l'aube avec pêcheurs au premier plan et un marchand plus loin*, h/t (99,7x148,4) : **GBP 43 300** – LONDRES, 30 oct. 1997 : *Marine avec un bateau sur mer calme et des pêcheurs tirant leurs filets ; Paysage rocheux avec une mer démontée et des personnages réchappant d'un naufrage*, h/t, une paire (61,8x75,8 et 61,6x74,5) : **GBP 11 500**.

FIDANZA Giuseppe
Né vers 1750 à Rome. Mort vers 1820. XVIIIe-XIXe siècles. Italien.
Peintre de paysages.
Il avait ouvert une école de peinture de paysages à Milan, et fut recherché comme révolutionnaire. Il fut nommé membre des Académies de Florence, de Rome et de Padoue.

FIDANZA Gregorio
Né en 1759 à Collevecchio. Mort le 10 janvier 1823 à Rome. XVIIIe-XIXe siècles. Italien.
Peintre de paysages animés, paysages.
Frère de Francesco Fidanza, il fut élève de Lacroix à Paris. Il devint peintre de la cour du roi de Pologne, Stanislas Auguste. Il fut nommé membre de l'Académie Saint-Luc le 2 décembre 1813.
Il s'inspira de Claude Lorrain et de Salvator Rosa dont il imita avec bonheur les paysages, surtout les paysages d'Italie qui avaient le plus de succès auprès des étrangers.
MUSÉES : PARME.
VENTES PUBLIQUES : ZURICH, 22 mai 1987 : *Pêcheurs au bord de la mer à l'aube*, h/t (80x38) : **CHF 7 000**.

FIDANZA Paolo
Né en 1731 à Camerino. XVIIIe siècle. Italien.
Peintre et graveur.
Il étudia les grands maîtres à Rome et exécuta d'après eux une série de têtes. D'après Raphaël, Guido Reni et Annibale Carracci, il grava une série de planches, parmi lesquelles figurent : *Le Mont-Parnasse*, d'après Raphaël, *La descente de croix*, d'après Annibale Carracci, *Saint Pierre et saint Paul apparaissant à saint François*, d'après le même.

FIDANZA Raffaele
Né le 10 décembre 1797 à Matelica. Mort le 23 novembre 1846 à Matelica. XIXe siècle. Italien.

Peintre et lithographe.
Il fit ses études à Rome avec P. Podesti. Il exposa à Paris et à Londres. Il fit surtout des portraits. On trouve des tableaux de lui dans les églises de Matelica. Il fut un des premiers à introduire la lithographie en Italie.

FIDANZIO Prospero
XVIIe siècle. Italien.
Peintre.
Il fit partie de l'Académie Saint-Luc de Rome le 30 octobre 1663.

FIDE
XIXe siècle. Italien.
Lithographe.
On connaît de lui une lithographie représentant une *Vue de Klosterneubourg.*

FIDE-FISNEGER Johann
Né en 1753 à Trente. Mort le 1er décembre 1807 à Vienne. XVIIIe siècle. Autrichien.
Sculpteur.

FIDE-FISNEGER Joseph
Né en 1790. XIXe siècle. Autrichien.
Sculpteur.
Il était le fils de Johann Fide-Fisneger et fut élu membre de l'Académie Saint-Luc le 28 avril 1802.

FIDELE C.
Né à Vallerotonde. XXe siècle. Italien.
Sculpteur.
Il exposait un buste (marbre de Sienne) au Salon de 1923.

FIDELIS, Frère. Voir **FAILER Peter**

FIDERLE Isidore Coridon
Graveur à l'eau-forte.
Cité par Nagler.

FIDLER Constance Louise
Née le 11 juillet 1904. XXe siècle. Britannique.
Peintre de portraits, peintre au lavis, dessinatrice.

FIDLER Eugène
Né en 1910 en Russie. Mort le 30 septembre 1990 à Roussillon (Vaucluse). XXe siècle. Actif en France. Russe.
Peintre, peintre de collages, céramiste.
Il a étudié à Nice, puis à Paris, où il entra à l'École d'Architecture. Abandonnant cette discipline, il s'est consacré à la peinture et à la céramique. Après la Seconde Guerre mondiale, il s'installa à Vallauris, où il a poursuivi son activité de céramiste. À partir de 1957, il a fait de longs séjours en Espagne, au Portugal et aux Açores.
Quant à sa peinture, la rencontre du postcubiste Hayden semble avoir été déterminante sur sa propre évolution. Vers 1966, il a adopté la technique des papiers collés et des assemblages.
VENTES PUBLIQUES : PARIS, 16 mars 1989 : *Cavaliers dans la forêt* 1932, h/t (0.60x0.70) : **FRF 4 500.**

FIDLER Harry ou **Harold**
Né à Salisbury. Mort en 1935. XIXe-XXe siècles. Britannique.
Peintre de genre, paysages animés, paysages d'eau.
Il s'est consacré aux paysages ruraux, aux cours d'eau et aux travaux de la ferme.
VENTES PUBLIQUES : LONDRES, 2 fév. 1923 : *La charrue est notre espoir* : **GBP 9** ; *Déchargement des bateaux à St-Ives* : **GBP 3** – LONDRES, 19 fév. 1926 : *La charrette de foin* : **GBP 10** – JOHANNESBURG, 17 mars 1976 : *Les chevaux de la ferme*, h/t (40,5x45,5) : **ZAR 650** – LONDRES, 10 nov. 1981 : *Le marché aux chevaux*, h/t (77,5x91,5) : **GBP 3 200** – LONDRES, 2 nov. 1983 : *Volendam, Hollande*, h/t (101,5x152,5) : **GBP 2 600** – LONDRES, 23 mai 1984 : *Le retour des champs*, h/t (61x91,5) : **GBP 1 750** – LONDRES, 19 mars 1986 : *Promenaders by the gallop, Hyde Park*, aquar. : **GBP 1 300** – LONDRES, 22 juil. 1987 : *Going home*, h/t (46x56) : **GBP 6 500** – LONDRES, 29 juil. 1988 : *Cour de ferme*, h/pan. (70x90) : **GBP 6 380** – LONDRES, 9 juin 1988 : *Sur le port*, h/t (45x55) : **GBP 6 600** – LONDRES, 3 mai 1990 : *Berge de rivière*, h/t (23x28) : **GBP 880.**

FIDLER Jean
XXe siècle. Français.
Peintre.
A exposé des natures mortes au Salon des Indépendants en 1942 et 1943.

FIDLER Michel, l'Ancien
Mort avant 1569. XVIe siècle. Allemand.
Sculpteur.
On connaît de lui à Breslau le tombeau de Henri Ribisch dans l'église Sainte-Élisabeth et du chanoine Stanislas Sauer dans l'église Sainte-Croix.

FIDLER Michel, le Jeune
XVIe siècle. Allemand.
Sculpteur.
Fils de Michel Fidler l'Ancien.

FIDRIT Charles André
Né le 12 mai 1881 à Paris. Mort en avril 1927. XXe siècle. Français.
Peintre.
Il fut élève de Léon Bonnat, à Paris, où il exposa au Salon des Artistes Français, mention honorable 1906, deuxième médaille 1922. Il obtint le Prix de l'Association des Anciens Élèves de Bonnat en 1924 et 1926.

FIDRIT Louis
Né à Paris. XXe siècle. Français.
Peintre de paysages.
Il exposait à Paris, au Salon des Artistes Français, mention honorable 1909.
VENTES PUBLIQUES : PARIS, 22 jan. 1945 : *Rochers au bord de la mer* : **FRF 150.**

FIDUCCIO Marco
XVIIe siècle. Italien.
Graveur.
Il fit surtout des gravures représentant des chevaux.

FIDUS, pseudonyme de **Höppener Hugo**
Né le 8 octobre 1868 à Lübeck. Mort le 23 février 1948 à Schönblick. XIXe-XXe siècles. Allemand.
Peintre de sujets divers, figures, paysages, pastelliste, aquarelliste, dessinateur, illustrateur. Art nouveau.
Il fut élève de l'école des Arts et Métiers de Lübeck, puis de l'Académie des Beaux-Arts de Munich. Pendant deux ans, il reçut les conseils de Karl Wilhelm Diefenbach, l'ermite peu sociable de Höllrigelskreuth sur l'Isar, qui lui attribua le pseudonyme de Fidus, sans doute en raison de sa persévérance auprès de lui. En 1889, il retourna à l'Académie de Munich, où il fut l'élève du peintre grec Nikolaus Gysis. En 1892, il se fixa à Berlin.
Il fut surtout actif comme dessinateur pour plusieurs journaux et périodiques : *Berliner illustrierte Zeitung, Jugend, Pan, Sphinx*, et comme illustrateur de nombreux ouvrages, d'entre lesquels : *Le Livre de l'enfant*, de Dehmel : *Mais l'amour*, de F. Evers : *Chants élevés*, de E. Stucken : *Contes théosophiques*, de K. Geuke : *Nuits* en 1897, de K. Henckell : *Poésies*, etc. Il eut toutefois aussi une activité de peintre, huile et aquarelle.
Ses thèmes, en tant qu'illustrateur et en tant que peintre, sont souvent empreints de symbolisme, et son style est caractéristique de l'époque entre symbolisme de la Sécession et décor floral de l'Art nouveau. ■ J. B.
BIBLIOGR. : Marcus Osterwalder, in : Diction. des illustrateurs, 1800-1914, Ides et Calendes, Neuchâtel, 1989.
VENTES PUBLIQUES : LONDRES, 26 nov. 1980 : *Der Gottsucher* 1918 et 1943, h/pap. (65,5x89) : **GBP 3 200** – LONDRES, 21 oct. 1988 : *Adam et Eve* 1905, aquar./pap. (29,2x41,9) : **GBP 1 430** – MUNICH, 29 nov. 1989 : *Le Soir dans un parc* 1892, h/cart. (48x45,5) : **DEM 7 700** – LONDRES, 1er déc. 1989 : *Sur un pont à Zurich* 1906, aquar. (32x48) : **GBP 1 980** – VIENNE, 29-30 oct. 1996 : *Naïade* 1894, craie et past./pap. (49x63) : **ATS 460 000.**

FIE-FIEUX Madeleine
Née à Varenne-en-Gatinais (Loiret). XXe siècle. Française.
Peintre.
Elle a exposé à Paris, au Salon des Artistes Français, mention honorable 1943.

FIEBICH Jean
Né au XVIIIe siècle à Ronow. Mort en 1785. XVIIIe siècle. Tchécoslovaque.
Peintre.
Il travailla à l'Académie de Vienne et peignit des fresques pour son protecteur, le prince d'Auersperg, pour son château de Slatinan, près de Chrudim.

FIEBIG Adam
Né en 1555. Mort le 11 janvier 1605 à Breslau. XVIe siècle. Allemand.
Sculpteur et architecte.
On sait qu'il a travaillé à l'église Saint-Christophe à Breslau.

FIEBIG Carl Rudolph
Né le 10 février 1812 à Eckernforde. Mort le 23 février 1874 à Copenhague. XIXe siècle. Suédois.

Peintre de portraits.
Il fut l'élève du peintre de portraits Baasch à Eckernforde et entra à l'École des Beaux-Arts de Copenhague en 1832 ; il travailla également avec J. L. Lund's.
Il fut surtout apprécié comme peintre de portraits et on connaît de lui le portrait du prince Frédéric Ferdinand, de la princesse Caroline, de Frédéric VII, etc.
Ventes Publiques : Copenhague, 27 jan. 1981 : *Portrait de femme* 1855, h/t (69x53) : **DKK 6 600.**

FIEBIG Frédéric
Né le 17 mai 1885 à Talsen (Courlande). Mort le 6 février 1953 à Sélestat (Bas-Rhin). xxe siècle. Depuis 1907 actif en France. Letton.
Peintre de paysages, figures, graveur sur bois.
En 1905-1906, il fut élève d'une École d'Art à Saint-Pétersbourg. À Paris à partir de 1907, il y fut élève de l'Académie Julian. Il a commencé à y exposer en 1908 au Salon des Artistes Indépendants jusqu'en 1921, de 1910 à 1928 au Salon d'Automne, dont il fut nommé sociétaire en 1921. Outre ses participations aux Salons parisiens, il exposa aussi à Londres, New York, Riga, Barcelone, Moscou, etc. En 1911, il fit un voyage d'étude en Italie. Pendant la Première Guerre, il se retira à Saint-Georges-de-Didonne (Charente-Maritime). En 1925, il fit un séjour dans le Gers, en 1926 dans les Pyrénées-Atlantiques. En 1929, il se fixe définitivement à Sélestat (Bas-Rhin). Il a montré aussi ses peintures dans des expositions personnelles : 1912 Galerie Bernheim Jeune à Paris, puis, après la première guerre mondiale, en 1929 Riga où le musée fit plusieurs achats, 1936 Colmar.
Utilisant fréquemment le couteau, il a pratiqué une peinture robuste, terrienne, plus dans la lignée de Courbet que débitrice envers l'impressionnisme. Toutefois, certains paysages présentent des simplifications synthétiques des plans et des espaces, qui semblent se référer au groupe de Puteaux et à Jacques Villon en particulier.
Bibliogr. : Maurice Rheims : Préface de la monographie, et divers : *Frédéric Fiebig, des plaines de Courlande au Ried alsacien*, Édit. Oberlin, Strasbourg, 1984.
Musées : Riga : plusieurs œuvres.
Ventes Publiques : Paris, 20 fév. 1990 : *Jeune femme dans un pré*, h/t (70x120) : **FRF 28 000.**

FIEBIGER Julius
Né le 5 septembre 1813 à Bautzen. Mort le 29 janvier 1883 à Dresde. xixe siècle. Allemand.
Paysagiste.
Membre honoraire de l'Académie de Dresde. Il a exposé à Dresde entre 1837-1881. On cite de lui : *Paysage de soir.*
Musées : Bautzen : *Paysages*, aquar. – *Vue d'une partie du château d'Ortenburg à Bautzen*, gravure – Dresde : *Paysage de montagnes en Bohême* – Aquarelles – Görlitz : *Église Wendique* – Schwerin : *Arc-en-ciel sur une colline.*

FIEBIGER Moritz
Né le 11 février 1810 à Görlitz. Mort le 4 novembre 1834 à Munich. xixe siècle. Allemand.
Peintre de portraits et d'histoire.
Il fut l'élève, à Munich, de F. Milde avec lequel il travailla d'après le Corrège et Batoni. Il entra à l'École des Beaux-Arts de Dresde, où il fut un excellent élève. Il travailla aussi avec Overbeck. Le Musée de l'empereur Frédéric à Görlitz conserve de lui : *Daniel dans la fosse aux lions.*

FIECHTER. Voir **VIECHTER**

FIECHTNER
Mort le 6 mars 1692. xviie siècle. Allemand.
Sculpteur.
Il fut nommé citoyen de Nuremberg le 6 mars 1689.

FIEDLER Bernhard
Né le 23 novembre 1816 à Berlin. Mort le 28 mars 1904 à Trieste. xixe siècle. Allemand.
Peintre de paysages, décorateur, dessinateur.
Il fut élève de l'Académie de Berlin, et du peintre Gerst, ensuite du peintre de marine Krause. Il fit des voyages d'études, en Italie, Dalmatie et en Orient. Il devint membre de l'Académie de Venise. On cite parmi ses ouvrages la décoration du château de Miramar, près de Trieste.
Musées : Berlin : Peintures – Cologne : *Marécage en Égypte* – Francfort-sur-le-Main : Peintures – Trieste (Mus. Revoltella) : *Ruines de Thèbes* – *Ruines du temple du soleil à Baalbeck* – Vienne : *Le Cloître* – *Vue du Caire, prise de la Citadelle.*
Ventes Publiques : Cologne, 23 mars 1973 : *Vue de Jérusalem* : **DEM 4 400** – New York, 5 mars 1981 : *Vue de Constantinople* 1896, h/pap. (39,5x33) : **USD 1 000** – Londres, 18 fév. 1983 : *Trieste* 1870, h/t (45,8x76,2) : **GBP 2 600** – Londres, 17 mai 1985 : *Arabes au bord de la mer*, h/t (27,3x40,6) : **GBP 3 200** – Lindau, 6 mai 1987 : *Paysage d'été* 1850, h/t (68x105) : **DEM 5 000** – Londres, 13 mars 1996 : *Vue de Louxor en Égypte*, h/t (101x194) : **GBP 7 130.**

FIEDLER Carl Christian
Né en 1789 à Schkenditz (près de Leipzig). Mort le 26 janvier 1851 à Saint-Pétersbourg. xixe siècle. Allemand.
Peintre de portraits et de miniatures.
Il travailla à Leipzig, sous la direction de Tiselibem et de Schnorr. Il exposa en 1812 à Leipzig.

FIEDLER François
Né le 15 février 1921 à Kassa. xxe siècle. Depuis 1945-1950 actif en France. Hongrois.
Peintre, graveur, illustrateur. Abstrait-lyrique.
Il s'initia très jeune au portrait académique et copiait les maîtres du passé. Après des études universitaires, il entra à l'Académie des Beaux-Arts de Budapest. Une fois à Paris, il y figura au Salon des Réalités Nouvelles en 1950, au Salon de Mai en 1968. Il montre surtout ses travaux dans des expositions personnelles à Paris, depuis 1956, et, aux successives galeries Maeght : depuis 1959 ; en avril 1989 *Peintures 1955-1965* ; en septembre 1989 *Peintures 1965-1975* ; en 1994 *Peintures 1959-1961* ; en 1997 *Œuvres récentes*. En 1995, le Musée de Vevey a exposé un ensemble de ses gravures.
Ce fut après la Seconde Guerre mondiale, installé en France, qu'il évolua à l'abstraction. Il pratiqua alors une peinture gestuelle et en « coulages ». Puis, il expérimenta des matières très épaisses, créant de véritables peintures en relief. Ensuite, au contraire, il revint à des lavis très légers, de grandes dimensions, faisant couler les couleurs les unes par-dessus les autres, à la façon de trames de tissage. Depuis 1962, il peint directement avec les couleurs telles qu'elles sortent des tubes. Il applique ses expérimentations de matières à la gravure, eau-forte, aquatinte, carborundum. Dans ses diverses périodes, il a toujours joué la raréfaction du signe. Il a illustré divers ouvrages : la *Bible*, *Cantiques spirituels* de saint Jean de la Croix, *Fragments* d'Héraclite, *Du fond des âges* de Claude Ollier. ■ J. B.
Bibliogr. : Octave Nadal : catalogue de l'exposition : *Fiedler*, Galerie Adrian Maeght, Paris, 1983 – Daniel Dobbels : catalogue de l'exposition : *Fiedler*, Galerie Adrian Maeght, Paris, 1990.
Musées : Budapest – Lausanne (Bibl. Canton. et Univers.) – New York (Guggenheim Mus.) – Paris (Mus. Nat. d'Art Mod.) – Paris (Fonds Nat. d'Art Contemp.) – Saint-Paul-de-Vence (Fondat. Maeght) – Vevey (Cabinet Canton. des Estampes).
Ventes Publiques : Paris, 21 juin 1987 : *La nuit veille*, h/t (146x96) : **FRF 10 000** – Milan, 19 déc. 1989 : *Mémoire absente* 1971, h/t (116x73) : **ITL 3 800 000** – Paris, 10 juin 1990 : *Sans titre* 1961, h/t (194x97) : **FRF 30 000.**

FIEDLER Herbert Herman
Né en 1891 à Leipzig. Mort en 1962. xxe siècle. Allemand.
Peintre de compositions à personnages, scènes de genre, nus, portraits, paysages. Expressionniste.
Il quitta l'Allemagne sous la menace nazie. Après un séjour à Paris, il se fixa en Hollande, comme George Grosz.
En Allemagne, il avait connu Max Beckmann, avec la peinture duquel la sienne avait des affinités, marquée à la fois par des séquelles du cubisme dans la construction et par l'expressionnisme de la couleur. Il est surtout connu pour ses paysages de Hollande, ses vues du port d'Amsterdam, ses scènes de danse et du cirque.
Bibliogr. : In : *Diction. Univers. de la Peint.*, Le Robert, Paris, 1975.
Ventes Publiques : Amsterdam, 24 oct. 1983 : *Café-concert à Paris*, h/t (112,5x60) : **NLG 3 000** – Amsterdam, 10 avr. 1990 : *Danseuses gitanes*, h/t (37,4x46,5) : **NLG 3 450** – Amsterdam, 23 mai 1991 : *Paysage d'hiver avec des cyclistes*, h/t (50,5x80) : **NLG 2 990** – Amsterdam, 17 sep. 1991 : *Portrait d'un jeune garçon en costume bleu*, h/t (41x25,5) : **NLG 2 530** – Amsterdam, 11 déc. 1991 : *Femme au perroquet*, gche/pap. (53x48,5) : **NLG 1 150** – Amsterdam, 18 fév. 1992 : *Pierrette*, h/pan. (23x20) : **NLG 1 840** – Amsterdam, 19 mai 1992 : *Pieta*, h/t (82x118) : **NLG 6 325** – Amsterdam, 30 mai 1995 : *Paysage de Edam*, h/t (75x81) : **NLG 7 500** – Amsterdam, 4 juin 1996 : *'N Bos Bloemen*, h/cart. (45,2x50,5) : **NLG 1 298** – Amsterdam, 18 juin 1996 : *Portrait d'un jeune gar-*

çon, h/t/cart. (42,5x26) : **NLG 1 840** – AMSTERDAM, 10 déc. 1996 : *Nus se baignant*, h/t (52x64) : **NLG 2 998**.

FIEDLER J. H.
XIXe siècle. Travaillant à Hanau vers 1828. Allemand.
Graveur.
On connaît de lui un portrait gravé du *Tzar Alexandre Ier*, et du général russe, *A. J. Tschernyscheff*.

FIEDLER Johann Christian
Né le 31 octobre 1697 à Pirna. Mort le 5 septembre 1765 à Darmstadt. XVIIIe siècle. Allemand.
Peintre de genre, portraits.
Il était le protégé du duc de Brunschwig qui l'envoya faire un séjour d'études à Paris.
MUSÉES : DARMSTADT : *Société de Darmstadt – Portrait de l'artiste*.
VENTES PUBLIQUES : LONDRES, 5 juil. 1995 : *Portrait du sculpteur Georg Friedrich Donett, en buste, tenant une tête de marbre gravée à l'antique* 1756, h/t (85x66,8) : **GBP 6 325**.

FIEDLER Katharina
XIXe siècle. Allemande.
Peintre de paysages.
Elle était la fille de Bernhard Fiedler.

FIEDLER Marianne
Née le 29 avril 1864 à Dresde. Morte le 14 février 1904 à Mainberg. XIXe siècle. Allemande.
Peintre et lithographe.
Elle travailla avec Ludwig Herterich à Munich, puis en Italie. Elle subit l'influence d'Otto Greiner. Elle est surtout connue par ses aquarelles : *Paysage au bord du Main, Vue de Loschwitz, près de Dresde*.

FIEDLING Thomas ou **Fielding**
Né vers 1758. XVIIIe siècle. Britannique.
Peintre de scènes de chasse, paysages, graveur.
Il fut élève de F. Bartolozzi et de W. W. Ryland. On connaît de lui quatre suites de paysages et des scènes de chasse. Il a également gravé sur cuivre des *Sujets d'histoire*.

FIEGEL Carl
Né le 20 janvier 1824 à Munich. Mort le 16 mai 1869. XIXe siècle. Allemand.
Peintre de genre et peintre verrier.
Il fit notamment des cartons pour des peintures sur verre. On connaît de lui une *Adoration des mages*.

FIEGLIN Jorg
Né au XVIe siècle à Blaubeuren (Wurtemberg). XVIe siècle. Allemand.
Sculpteur.
Il travailla au chœur de l'église d'Oberlenningen de 1513 à 1540.

FIEHNE J. M.
XVIIIe siècle. Hollandais.
Graveur.
On connaît un paysage de lui.

FIELD Edward Loyal
Né en 1856 à Galesburg (États-Unis). Mort en 1914. XIXe-XXe siècles. Américain.
Peintre de paysages.
Il étudia à Paris avec Carolus-Duran. Il remporta le Iuness Price et le Samuel Shaw Price. Il était membre du Salmagundi Club à New York.
VENTES PUBLIQUES : NEW YORK, 26 mai 1904 : *Après-midi de septembre* : **USD 135** – NEW YORK, 25-26 mars 1909 : *Crépuscule* : **USD 60** – LOS ANGELES, 24 juin 1980 : *Paysage champêtre*, h/t (30,5x41,3) : **USD 900**.

FIELD Erastus Aenas Salisbury
Né en 1807 à Loverett (Massachusetts). Mort en 1900 à Sunderland. XIXe siècle. Américain.
Peintre de compositions d'imagination, portraits.
Peintre dit naïf, il est autodidacte, malgré son passage pendant quelques mois dans l'atelier de Samuel Morse.
Il peignit des portraits et une série de peintures fantastiques.
VENTES PUBLIQUES : NEW YORK, 13 nov. 1974 : *Mary (Polly) Coomes ; Abiel Coomes*, h/t, une paire : **USD 14 000** – NEW YORK, 30 avr. 1981 : *Deacon Joshua Smith ; Jerusha Foote Smith* vers 1825-1830, h/t, une paire (90,2x73,7) : **USD 21 000** – NEW YORK, 21 jan. 1984 : *Énée débarquant à Carthage* vers 1865, h/t (83,8x98,4) : **USD 65 000** – NEW YORK, 26 oct. 1985 : *Portrait de fillette*, h/t (86,3x66) : **USD 60 000**.

FIELD Hamilton Easter
Né le 21 avril 1873 à Brooklyn. XIXe-XXe siècles. Américain.
Peintre.
À Paris, il fut élève de J. L. Gérome, Raphaël Collin, Fantin-Latour.

FIELD John M.
Né en 1771. Mort en 1841 à Molesey (près de Londres). XVIIIe-XIXe siècles. Travaillant à Londres. Britannique.
Peintre de portraits et de paysages.
Il exposa à la Royal Academy de 1800 à 1836. Le British Museum conserve deux dessins de lui faits d'après le buste de W. Pitt exécuté par Nollekens.

FIELD Louise Blodgett, Mrs
XXe siècle. Active à Boston. Américaine.
Peintre.
Élève de Rose Turner et de Tomasso Juglaris à Boston.

FIELD Robert
Né à Gloucester. Mort le 9 août 1819 à la Jamaïque. XIXe siècle. Britannique.
Peintre de portraits, graveur.
Il exposa en 1810 à la Royal Academy de Londres. Il travaillait à Halifax.
MUSÉES : LONDRES (British Mus.) : *Gravure du portrait de Thomas Warton*, d'après Reynolds – LONDRES (Nat. Gal.) : *Portrait de Charles Inglis D. D.*
VENTES PUBLIQUES : NEW YORK, 5 avr. 1944 : *Homme* : **USD 150** – NEW YORK, 4 nov. 1987 : *Portrait d'un officier de marine* 1818, h/t (76x63) : **GBP 6 800**.

FIELD Walter
Né le 1er janvier 1837. Mort le 23 décembre 1901 à Hampstead. XIXe-XXe siècles. Britannique.
Peintre de genre, paysages, aquarelliste.
Il fut élève de John Rogers Herbert et de John Pye. Il exposa à la Royal Academy et à la Old Water-Colours Society, entre 1856 et 1899.
MUSÉES : HAMBOURG : *Mauvais temps sur la Tamise – Effet de soleil – Régates de Henley* – LONDRES (Victoria and Albert Mus.) : *Jeune garçon dans un champ de blé – Fillette portant une cruche*.
VENTES PUBLIQUES : LONDRES, 25 juin 1909 : *Le Bain sur la côte*, aquar. : **GBP 17** – LONDRES, 8 mars 1977 : *Les Régates de Henley* 1884, h/t (140x242) : **GBP 400** – LONDRES, 23 juin 1981 : *Wargrave-on-Thames*, h/t (71x119) : **GBP 2 200** – LONDRES, 11 oct. 1983 : *Scène de labour* 1895, aquar. et cr. (44,5x62,3) : **GBP 500** – LONDRES, 30 jan. 1991 : *La fenaison* 1881, aquar. (35x52) : **GBP 2 090** – LONDRES, 14 juin 1991 : *Le souffle d'une douce brise...* 1870, h/t (76x122) : **GBP 4 180** – LONDRES, 13 mars 1992 : *Phillimore Island à Shiplake ; Le déversoir de Shiplake* 1882, h/t, une paire (chaque 99x152,5) : **GBP 13 200** – LONDRES, 4 nov. 1994 : *Les régates de Henley* 1884, h/t (139,7x242) : **GBP 135 700** – LONDRES, 9 mai 1996 : *Sur la berge d'une rivière* 1879, h/t (35x61) : **GBP 690**.

FIELD-EMMETT Lydia. Voir **EMMETT Lydia Field**

FIELDE Jakob
Né le 10 avril 1859 à Aalesund. Mort le 5 mai 1896 à Minneapolis (Minnesota). XIXe siècle. Danois.
Sculpteur.
Il fut élève de l'École des Beaux-Arts de Copenhague et il travailla aussi avec C. G. V. Bissen. La Galerie des Beaux-Arts de Bergen conserve de lui une *Primavera*, et un *Portrait du consul C. Sundt et de sa femme*.

FIELDER
Mort en 1800 à Birmingham. XVIIIe siècle. Britannique.
Miniaturiste.

FIELDER L.
XXe siècle. Travaillant à Londres. Britannique.
Peintre.
VENTES PUBLIQUES : LONDRES, 13 juin 1928 : *Nature morte* : **GBP 21**.

FIELDING Anthony Vandyke Copley
Né le 22 novembre 1787 à East Sowerby. Mort le 3 mars 1855 à Worthing (près de Brighton). XIXe siècle. Britannique.
Peintre de paysages, marines, aquarelliste, dessinateur.
Second fils de Nathan Theodore Fielding, il étudia avec John Varley. Il fut membre et plus tard président de la société des aquarellistes où il fit de fréquents envois. En 1824, il remporta une médaille d'or au Salon de Paris. Peintre à l'huile à ses heures,

il exposa fréquemment à la Royal Academy de Londres. Copley Fielding connut, par son frère Thales, Eugène Delacroix au cours des voyages que celui-ci fit à Londres en 1825, en compagnie de Bonington et d'Alexandre Colin.
Copley Fielding est surtout remarquable dans sa représentation des grands horizons, excellant dans les marines et les effets de ciels. Il appartient à la catégorie de ces artistes qui, au commencement du XIXe siècle, affirmèrent leur puissante vision de la nature et dont l'influence se fit sentir sur les maîtres français de l'École de 1830.

Copley-Fielding

Musées : Avignon : *Marine, coucher de soleil* – Berlin : Dessins – Birmingham : *Arundel Park* – Blackburn : *Sandgate* – Cardiff : *Château de Cardiff* – *Château d'Arundel* – Dublin : *Vieux Port de Westminster* – *Vue de Cumberland* – *Port de Shoreham* – Hambourg : *Marine* – Londres (Victoria and Albert Mus.) : *Paysage de montagne* – *Château de Brougham* – *Paysage* – Londres (Water-Colours) : *Vallée d'Irthing* – *South Downs* – *Montagnes de Rydal* – *Paysage* 1843 – *Paysage* 1849 – *La lande de Ramoch* – *Rivière et montagne* – *Parc de Windsor* – *Navire en détresse* – *Lac Lomond* – *Château sur un roc* – *Bateau passant sous un pont* – *Château de Carnavon* – *Bords de mer, soleil couchant* – *Abbaye de Rievault* – *Scène sur un lac* – *Becles, sur la Waveney, Suffolk* – *Marine* – *Bouviers et bestiaux* – *Champ de blé* – Londres (coll. Wallace) : *Landgale Pikes* – *Le port de Bridlington* – *Coteaux de Crowborough Sussex* – *Vue du Pays de Galles* – Manchester : *Vieux port* – *Lac Lomond* – *Staffa* – *Vue prise du lac Etive* – *Bateaux rentrant au port de Douvres* – *Ben Varlich, vu du lac Lomond* – Nottingham : *Vue d'un château près de la mer* – *Labourage* – *Vue du château de Stone* – Sheffield : *Marine* – Sydney : *Au large du port d'Eddystone* – *Après le naufrage*.

Ventes Publiques : Londres, 6 mai 1899 : *Les Dunes de Sussex* ; *Château d'Arundel* : **FRF 46 200** – Londres, 30 nov. 1907 : *Vue de Towy*, aquar. : **GBP 44** ; *Les montagnes de Glecone*, aquar. : **GBP 48** – Londres, 18 jan. 1908 : *Kithurn Castle* 1826 : **GBP 54** – Londres, 4 avr. 1908 : *Pembroke Castle* : **GBP 325** – Londres, 21 mai 1908 : *Vue près de Lendfield* : **GBP 33** – Londres, 19 juin 1908 : *Bolton Obleaye* : **GBP 336** – Londres, 27 fév. 1909 : *Straeth Bychan près de Tremador* : **GBP 96** ; *Énée et la Sibylle* : **GBP 47** – Londres, 7 mai 1909 : *Marine* : **GBP 39** – Londres, 21 mai 1909 : *Vue près de Lewes* : **GBP 57** – Londres, 7 mars 1910 : *Vue de Liverpool* : **GBP 37** – Londres, 17 juin 1910 : *Paysage boisé* ; *Un paysan conduit des bestiaux* : **GBP 126** – Paris, 16 et 17 déc. 1919 : *Route dans la plaine*, aquar. : **FRF 400** ; *Pâturage*, aquar. : **FRF 220** – Paris, 20-22 mai 1920 : *Paysage anglais*, aquar. : **FRF 1 000** – Paris, 30 nov.-2 déc. 1920 : *Lac dans les montagnes d'Écosse*, aquar. : **FRF 600** ; *Poule faisane* ; *Deux canards* ; *Un faisan*, trois crayons : **FRF 410** – Londres, 26 nov. 1923 : *Tempête au large*, dess. : **GBP 18** – Londres, 21 déc. 1923 : *Un vieux moulin* ; *Scène sur une route* ; *Gibier mort*, trois dessins : **GBP 7** – Londres, 25 jan. 1924 : *Abbaye de Bolton*, dess. : **GBP 136** – Londres, 20 juin 1924 : *Loch Katrine*, dess. : **GBP 231** ; *Tempête en mer*, dess. : **GBP 52** ; *Loch des Higlands*, dess. : **GBP 672** – Londres, 18 juil. 1927 : *Loch des Highlands*, dess. : **GBP 168** ; *Château de Dolbauden* : **GBP 65** – Londres, 22 juin 1928 : *Loch Katrine*, dess. : **GBP 483** ; *Lac Nemi*, dess. : **GBP 304** ; *Bolney, Sussex*, dess. : **GBP 199** ; *Château de Warleigh*, dess. : **GBP 178** – Londres, 25 oct. 1928 : *Val Groyim*, aquar. : **GBP 73** – Londres, 10 mai 1929 : *Cintra Spa*, dess. : **GBP 273** ; *Loch Awe et Ben Cruachan*, dess. : **GBP 52** – Londres, 29 mai 1929 : *Paysage boisé*, aquar. : **GBP 21** ; *Paysages*, deux aquarelles : **GBP 24** – Londres, 8 juil. 1930 : *Snowdon*, aquar. : **GBP 135** ; *Snowdon*, aquar. : **GBP 74** – Londres, 3 nov. 1937 : *Château de Dindarrah* : **GBP 60** – Londres, 9 mai 1938 : *Marée basse*, dess. : **GBP 35** – Londres, 6 mars 1939 : *Paysage*, dess. : **GBP 24** – Londres, 26 avr. 1939 : *Aux environs de Cuckfield* : **GBP 40** – Londres, 26 juin 1940 : *Paysage*, dess. : **GBP 18** – Londres, 21 mars 1941 : *Glen Lockhy*, dess. : **GBP 23** – Londres, 26 juin 1941 : *Conway*, dess. : **GBP 11** ; *Lac des Highlands*, dess. : **GBP 147** ; *Lac des Highlands*, dess. : **GBP 63** – Londres, 14 jan. 1944 : *Loch Lomond*, dess. : **GBP 84** – Londres, 11 fév. 1944 : *Château de Goodrich*, dess. : **GBP 44** ; *Ross-on-Wye*, dess. : **GBP 39** ; *Lac Bala*, dess. : **GBP 14** ; *Château de Conway*, dess. : **GBP 39** ; *Marais de Rossenah*, dess. : **GBP 29** – Londres, 17 mars 1944 : *Loch Achray* : **GBP 94** – Londres, 23 juin 1944 : *Glen Orchy*, dess. : **GBP 231** ; *Loch Lomond*, dess. : **GBP 37** ; *Près de Maidstone*, dess. : **GBP 78** – Londres, 23 juin 1944 : *Vue d'Arundel*, dess. : **GBP 262** ; *Vue de Lancaster*, dess. : **GBP 294** ; *Château de Goodrich*, dess. : **GBP 89** – Londres, 2 août 1944 : *Loch Fyne*, dess. : **GBP 38** – Londres, 25 oct. 1944 : *Loch Fyne*, dess. : **GBP 48** – Londres, 5 oct. 1945 : *Ben Vorlich*, dess. : **GBP 89** – Londres, 5 oct. 1945 : *Scarborough*, dess. : **GBP 36** ; *Douvres*, dess. : **GBP 26** ; *Coucher de soleil dans les Highlands*, dess. : **GBP 273** – Londres, 9 nov. 1945 : *Ben Starine*, dess. : **GBP 63** ; *Château de Goodrich*, dess. : **GBP 31** ; *Château de Lancaster*, dess. : **GBP 120** – Londres, 21 nov. 1945 : *Ben Lomond*, dess. : **GBP 135** ; *Conislonwater*, dess. : **GBP 26** ; *Paysage*, dess. : **GBP 98** – Londres, 21 nov. 1945 : *Loch Katrine*, dess. : **GBP 44** ; *Loch Lomond*, dess. : **GBP 46** ; *Paysage*, dess. : **GBP 60** ; *Femme dans le Kent*, dess. : **GBP 18** ; *Paysage*, dess. : **GBP 110** ; *Paysage*, dess. : **GBP 120** ; *Lac*, dess. : **GBP 130** ; *Ben Nevis*, dess. : **GBP 85** ; *Patterdale*, dess. : **GBP 45** ; *Château de Goodrich*, dess. : **GBP 28** ; *Paysage*, dess. : **GBP 34** ; *Port*, dess. : **GBP 32** – Londres, 30 nov. 1945 : *Whitby*, dess. : **GBP 178** ; *Une Baie*, dess. : **GBP 136** ; *Château d'Arundel*, dess. : **GBP 162** – Londres, 11 jan. 1946 : *Château d'Arundel*, dess. : **GBP 136** – Londres, 16 oct. 1946 : *Cintra Spa*, dess. : **GBP 55** ; *Loch Leven*, dess. : **GBP 35** – Londres, 29 nov. 1946 : *Downs du Sussex*, dess. : **GBP 48** – Londres, 21 fév. 1947 : *Paysage des Highlands*, dess. : **GBP 47** – Londres, 25 avr. 1947 : *Paysage boisé* : **GBP 39** – Londres, 11 juil. 1947 : *Abbaye de Bolton*, dess. : **GBP 57** – Londres, 17 nov. 1971 : *Byland abbey* : **GBP 1 400** – Londres, 8 juin 1976 : *Loch Tay*, aquar. (25,5x36) : **GBP 700** – Londres, 24 nov. 1977 : *Chepstow Castle, Monmouthshire* 1832, aquar. (25x32,5) : **GBP 1 000** – Londres, 24 mars 1981 : *Loch Lomond* 1850, aquar. (18,1x26,3) : **GBP 1 000** – New York, 1er mars 1984 : *Paysage du Cumberland*, h/t (83,8x98,4) : **USD 65 000** – Londres, 20 nov. 1984 : *Arundel Castle from the Park*, aquar. (28x39,5) : **GBP 7 500** – Londres, 19 nov. 1987 : *Scène de naufrage au large de la côte du Yorkshire* 1831, aquar. et cr. reh. de gche (70,5x114) : **GBP 7 200** – Amsterdam, 16 nov. 1988 : *Paysage rocheux avec un berger regardant vers la vallée* 1810, aquar./pap. (38x54) : **NLG 1 610** – Londres, 31 jan. 1990 : *Navigation au large des falaises de Seaford dans le Sussex* 1834, aquar. et gche/pap. (21,5x32,5) : **GBP 2 640** – Londres, 9 fév. 1990 : *Pêcheurs dans leur barque sur la Wye avec le chateau de Goodrich au lointain* 1838, h/t (43,5x61,5) : **GBP 8 250** – Paris, 25 mars 1991 : *Capel curig*, aquar. (20x29,5) : **FRF 3 500** – Londres, 10 juil. 1991 : *Vaste paysage avec l'Abbaye de Rievaulx à distance, Yorkshire* 1847, h/pan. (35x44,5) : **GBP 18 700** – Londres, 9 avr. 1992 : *Bateaux de pêche revenant vers la côte* 1842, aquar. et gche (49,5x75) : **GBP 3 410** – Londres, 13 juil. 1993 : *Shoreham*, cr. et aquar. (29,2x40) : **GBP 3 680** – Ludlow (Shropshire), 29 sep. 1994 : *Les monts Glydder en Galles du Nord*, aquar. (47x70) : **GBP 2 760** – Calais, 25 juin 1995 : *Voiliers à Venise*, h/t/pan. (54x101) : **FRF 15 000**.

FIELDING John
Né vers 1758. XVIIIe siècle. Britannique.
Graveur.
Il étudia d'abord avec Bartolozzi, puis avec Ryland, pour lequel il travailla beaucoup, de sorte que peu de ses œuvres portent son propre nom. Parmi celles-ci figurent : *Jacob et Rachel*, d'après Stothard, et *Moïse sauvé par la fille du Pharaon*.

FIELDING John
XVIIIe siècle. Travaillant à Londres. Britannique.
Graveur.
Il grava d'après Hogarth en 1746 et en 1756.

FIELDING Marie Anne, née **Walton**
XIXe siècle. Britannique.
Peintre de fleurs et d'oiseaux.
Elle fut nommée membre de la Water-Colours Society en 1821 et elle y exposa jusqu'en 1835.

FIELDING Nathan Theodore
Né vers 1747. Mort en 1814 ou 1818. XVIIIe-XIXe siècles. Britannique.
Peintre de portraits, paysages, aquarelliste.
Il fut à la fois le père et le maître de Theodore, Copley, Thales et Newton Fielding. Il travailla essentiellement à Halifax, en Grande-Bretagne. En 1775, il fut nommé membre de la Society of Artists où il exposa en 1791. Il exposa également à la Free Society, à la British Institution et à la Old Water-Colour Society. Il est surtout connu par ses portraits.
Bibliogr. : In : *Diction. de la peinture anglaise et américaine*, coll. Essentiels, Larousse, Paris, 1991.

Musées : Londres (Victoria and Albert Mus.) : *Portrait.*
Ventes Publiques : Londres, 19 nov. 1986 : *Portrait de deux fillettes* 1794, h/t (112x90) : **GBP 9 000** – Londres, 18 nov. 1988 : *Perspective d'une ville avec des moulins et un viaduc et des personnages au premier plan* 1764, h/t (100,3x131,8) : **GBP 68 200** – Londres, 7 avr. 1993 : *Deux enfants sur un poney noir,* h/t (101,6x116,9) : **GBP 41 100.**

FIELDING Newton
Né en 1799 à Huntington (Yorkshire). Mort le 16 juin 1856 à Paris. XIXe siècle. Actif aussi en France. Britannique.
Peintre de paysages animés, paysages, animaux, aquarelliste, graveur, lithographe.
Il fut le plus jeune fils et élève de Nathan Theodore Fielding. Il exposa à la Water Colour Society à Londres. Il fut surtout connu comme graveur et lithographe, jouissant en France d'une grande réputation ; il fut d'ailleurs professeur de dessin de la famille de Louis-Philippe. Il est l'auteur de deux traités théoriques sur le dessin.
Bibliogr. : Gérald Schurr, in : *Les Petits Maîtres de la peinture 1820-1920, valeur de demain,* Les Éditions de l'Amateur, t. II, Paris, 1982 – in : *Diction. de la peinture anglaise et américaine,* coll. Essentiels, Larousse, Paris, 1991.
Musées : Baltimore (Peabody Inst.) : *Scène de jardin aux lapins* – Caen : *Canards* – Londres (British Mus.) : *Canards* – Londres (Victoria and Albert Mus.).
Ventes Publiques : Londres, 9 déc. 1907 : *Paysage,* aquar. : **GBP 2** – Paris, 30 nov.-1er et 2 déc. 1920 : *La Rivière sous les arbres,* aquar. : **FRF 605** – Paris, 3 mai 1923 : *Bords de rivière,* aquar. : **FRF 100** – Paris, 15 déc. 1927 : *Remise de chevreuils,* aquar. : **FRF 430** – Paris, 22 fév. 1932 : *Le chasseur endormi* : **FRF 500** – Paris, 31 juin 1935 : *Épave d'un navire de guerre hollandais sur une plage,* aquar. : **FRF 65** – Paris, 21 déc. 1938 : *Oiseaux et animaux,* deux aquar. : **FRF 1 410** ; *Un lièvre,* aquar. : **FRF 400** – Paris, 24 avr. 1942 : *Sanglier* 1831, aquar. : **FRF 550** – Paris, 8 jan. 1947 : *Bord de mer sur un horizon de montagne* 1832, aquar. : **FRF 2 300** – Versailles, 19 oct. 1969 : *Paysage aux trois canards,* aquar. : **FRF 700** – Paris, 31 mai 1972 : *Paon et faisan doré ; Cygnes* 1830, aquar. (18x26) : **FRF 1 050** – Londres, 19 mars 1981 : *Un faisan et deux coqs,* aquar. et gche (15x23,5) : **GBP 400** – Londres, 7 juil. 1983 : *Canards au bord d'un ruisseau ; La basse-cour,* 2 aquar./trait de cr. (16,5x24,5 et 17x25) : **GBP 1 050** – Londres, 19 fév. 1987 : *Swans by a river bank* 1830, aquar. (18,5x26) : **GBP 680** – Paris, 11 juin 1997 : *Belette et faisan dans un sous-bois ; Canards au bord d'une mare,* aquar., deux pendants (12,3x18) : **FRF 27 000.**

FIELDING Thales
Né en 1793. Mort le 20 décembre 1837 à Londres. XIXe siècle. Britannique.
Peintre d'histoire, scènes de genre, animalier, paysages, aquarelliste.
Fils de Nathan Theodore Fielding. Il alla à Paris vers 1820 ; il s'y lia d'amitié avec Eugène Delacroix et habita pendant un certain temps la même mansarde que l'auteur de *Dante et Virgile,* place de la Sorbonne.
Il exposa à la Old Water-Colour Society, dont il fut nommé membre le 12 février 1829, ainsi qu'au Salon de 1823-1824 à Paris. Il fut nommé professeur de dessin à l'Académie militaire de Woolwich.
À côté de ses scènes de genre, il peignit des paysages parfois animés d'animaux et des sujets historiques tirés de Walter Scott.
Bibliogr. : In : *Diction. de la peinture anglaise et américaine,* coll. Essentiels, Larousse, Paris, 1991.
Musées : Londres (British Mus.) – Londres (Victoria and Albert Mus.) : *Côteaux de Greenwich, l'observatoire et la Tamise* – *Paysage et animaux.*
Ventes Publiques : Londres, 1er déc. 1922 : *Bétail* : **GBP 3** – Londres, 30 juil. 1924 : *Près de Abergavenny* : **GBP 18** – Londres, 18 mars 1982 : *Pêcheurs sur la plage,* aquar. (20x28,5) : **GBP 500.**

FIELDING Theodore Henry Adolphus
Né en 1781. Mort le 11 juillet 1851 à Croydon. XIXe siècle. Britannique.
Peintre de paysages, aquarelliste, graveur.
Fils aîné de Nathan Theodore Fielding, il exposa quelquefois à la Royal Academy et devint professeur de dessin au collège militaire d'Addiscombe. Il écrivit plusieurs ouvrages sur la théorie et la pratique de la peinture, de la gravure et de la perspective.
Il a également fait des recueils de gravures représentant des paysages exécutés à l'aquatinte, tels : *A picturesque tour of the english lakes* 1821 ; *Picturesque illustrations of the river Wye* 1822 ; *Cumberland, Westmoreland and Lancashire illustrated* 1822.
Bibliogr. : In : *Diction. de la peinture anglaise et américaine,* coll. Essentiels, Larousse, Paris, 1991.
Musées : Leeds : *L'entrée de la forêt* – Londres (British Mus.) – Londres (Victoria and Albert Mus.) : *Château de Manorbier, Pembrokeshire.*

FIELDING Theodore Henry Adolphus, Mrs
XIXe siècle. Britannique.
Peintre d'animaux, fleurs, aquarelliste, dessinatrice.
Femme de Theodore Henry Adolphus Fielding, elle était membre de la Société des aquarellistes, où elle fit des envois de dessins, fleurs, oiseaux et insectes, de 1821 à 1835.

FIELDS Mitchell
Né le 28 septembre 1900 en Roumanie. XXe siècle. Américain.
Sculpteur.
Il reçut le Prix Bornet, décerné par la National Academy of Design. Il fut membre de la Society of Sculptors and Modellers of America.

FIELDSKOV Niels Voldemar
Né le 2 avril 1826 à Copenhague. Mort en 1903. XIXe siècle. Danois.
Sculpteur.
Il fut élève à l'École des Beaux-Arts de Copenhague et travailla avec H. W. Bissens. Il fit surtout des copies d'après Thorwaldsen, et de sculptures anciennes. On connaît de lui : *Pan, Le roi Christian IV, Thor, Les quatre saisons.* Il décora beaucoup de monuments officiels, églises et châteaux.
Musées : Copenhague (Ny Carlsberg) : *Thor.*

FIELDSTED S. ou **Fjeldsted**
XVIIIe-XIXe siècles. Danois.
Lithographe.
On connaît de lui qu'une lithographie représentant le *Vieux Souffleur d'orgues, Jens,* à la cathédrale de Roskilde.
Ventes Publiques : Copenhague, 6 mai 1992 : *La Mort de Napoléon à Sainte-Hélène* 1835, h/t, d'après C. von Steubens (74x100) : **DKK 5 200.**

FIELGRAF Karl
Né en 1804 à Berlin. XIXe siècle. Allemand.
Portraitiste, peintre de genre et d'histoire.
Élève de Wach à Berlin et de Schadow à Düsseldorf. S'établit à Berlin, où il exposa entre 1826-1844. On cite de lui : *Le sacrifice d'Abraham.*

FIELING Lodewyk ou **Tieling**
XVIIIe siècle. Italien.
Peintre d'animaux, paysages animés, paysages.

Lodewyk Fieling fecit

Ventes Publiques : Londres, 21 avr. 1993 : *Paysage italien avec des paysannes trayant des vaches,* h/t (101,5x111) : **GBP 4 830.**

FIELISCH Christoph
Mort vers 1757. XVIIIe siècle. Actif à Goldberg (Silésie). Allemand.
Peintre.

FIELITZ Ida A., Mlle
Née en 1847 à Riga. XIXe siècle. Russe.
Peintre.
Élève de Luc-Olivier Merson, elle figura au Salon des Artistes Français où elle obtint une mention honorable en 1892. Après les premiers succès qui ont marqué ses débuts, Ida Fielitz, ne voulant pas s'astreindre aux démarches, aux compromissions imposées trop souvent aux artistes dans les coulisses des Salons pour obtenir de figurer sur la cimaise, renonça à envoyer de la peinture aux expositions du Grand Palais, se bornant à des envois de gravures.
Musées : Reims : *Religieuse grecque* – Riga : *Portrait de la mère de l'artiste.*

FIELIUS. Voir **TIELIUS Johannes**

FIENE Ernest
Né le 2 novembre 1894 à Elberfeld. Mort le 10 août 1965 à Paris. XXe siècle. Depuis 1910 actif et depuis 1928 naturalisé aux États-Unis. Allemand.

Peintre de paysages, paysages urbains animés, figures, portraits, pastelliste, dessinateur.

Il fut élève de la National Academy of Design de 1914 à 1918, ainsi que du Beaux-Arts Institute of Design de 1916 à 1918, de l'Art Student's League en 1923. Il voyagea en Europe, travailla à Paris en 1929, à Florence en 1932. Il voyagea aussi au Mexique. Il exposait surtout à New York, depuis 1923, notamment au Whitney Museum for American Art de 1930 à 1945, à la National Academy of Design, ainsi qu'au Carnegie Institute de Pittsburgh et à la Pennsylvania Academy of Art entre 1930 et 1945. Il fut membre de plusieurs associations, professeur à la Cooper Union en 1938-1939, à l'Art Student's League de 1938 à 1965, à la National Academy of Design de 1960 à 1965. Il reçut plusieurs Prix et distinctions, notamment au Carnegie Institute en 1938, le Prix Edwin Palmer Memorial de la National Academy of Design en 1944.

Il exécuta quelques commandes de portraits, mais fut surtout remarqué pour des paysages solidement construits et des scènes de rues réalistes.

Ventes Publiques : New York, 1er mai 1946 : *Soir d'hiver* : **USD 625** – New York, 5 déc. 1982 : *Pittsburgh*, h/t (56x71,4) : **USD 5 200** – New York, 18 mars 1983 : *Fleurs dans un vase*, past. (61,8x50) : **USD 550** – New York, 23 mars 1984 : *Fleurs*, h/t (70x89,5) : **USD 600** – Washington D. C., 6 déc. 1985 : *Après le bain* 1931, h/t (53,7x68,8) : **USD 4 000** – New York, 20 mars 1987 : *Madison Square Park*, fus. et blanc de Chine/pap. : **USD 1 600** – New York, 25 mai 1989 : *Pittsburg*, h/t (76,2x91,4) : **USD 28 600** – New York, 14 fév. 1990 : *Nuit tombante sur le village de Woodbury*, h/t (50,7x71) : **USD 1 100** – New York, 31 mai 1990 : *La raffinerie de pétrole*, h/cart. (81,2x60,3) : **USD 8 250** – New York, 27 sep. 1990 : *Première neige*, h/t (66,3x92) : **USD 7 700** – New York, 14 mars 1991 : *La femme au chapeau noir*, h/t (61x40,6) : **USD 8 800** – New York, 6 déc. 1991 : *L'East River la nuit*, h/cart. (63,9x76,3) : **USD 8 800** – New York, 25 sep. 1992 : *Danseuse*, h/cart. (40,6x27,9) : **USD 1 320** – New York, 11 mars 1993 : *Nocturne* 1948, h/t (152,5x102) : **USD 13 800** – New York, 25 mai 1994 : *L'équipe de nuit à l'usine d'Aliquippa*, h/t (91,4x121,9) : **USD 20 700** – New York, 28 nov. 1995 : *À la ferme*, aquar. et cr./pap. (37x54,4) : **USD 1 725**.

FIENLES Jean de

XIVe siècle. Éc. flamande.

Peintre.

En 1315, il travaillait au château de Hesdin (Artois).

FIENNES Jean Baptiste ou **Désiré de**

Né vers 1800 à Anderlecht. XIXe siècle. Belge.

Peintre d'histoire, scènes de genre.

Il exposa à Anvers en 1829 et à Bruxelles en 1830 : *Faune et Bacchante*, *Mendiant avec un enfant*, ainsi qu'un portrait ; en 1823, il présenta : *La Bonne Mère*, en 1836 : *La Mort d'Egmont*. Il travaillait encore en 1842.

Ventes Publiques : Londres, 19 mars 1980 : *La Couturière* 1858, h/pan. (46x34,5) : **GBP 1 200**.

FIENVILLIER Thomas de

XIVe siècle. Parisien, actif vers 1373. Français.

Sculpteur sur ivoire.

FIÉRARD Clémentine

XXe siècle. Française.

Peintre.

Elle vivait et travaillait à Saint-Denis (Seine-Saint-Denis). Elle exposait à Paris, au Salon des Artistes Français, dont elle était sociétaire, médaille de bronze en 1900 à l'Exposition Universelle, mention honorable 1901.

FIERAVINO Francesco, dit **il Maltese** ou **le Chevalier Maltais**

Né à Malte. XVIIe siècle. Italien.

Peintre de natures mortes, fleurs et fruits.

Il travaillait à Rome de 1640 à 1680 environ.

Musées : Aix : *Nature morte* – Nancy : *Tapis et armes* – Rennes : *Deux natures mortes* – Saint-Brieuc : *Nature morte*.

Ventes Publiques : Milan, 12-13 mars 1963 : *Natures mortes*, deux pendants : **ITL 1 800 000** – Versailles, 3 juin 1965 : *Nature morte* : **FRF 10 000** – Londres, 1er juil. 1966 : *Nature morte aux fruits* : **GNS 700** – Rome, 7 mai 1974 : *Nature morte* : **ITL 4 000 000** – Milan, 5 déc. 1977 : *Nature morte*, h/t (96x123) : **ITL 4 000 000** – New York, 5 juin 1982 : *Nature morte aux fruits*, h/t (93,3x123,3) : **USD 8 000** – Londres, 9 mars 1983 : *Nature morte au globe terrestre et vase de fleurs*, h/t (170x130) : **GBP 15 500** – Monte-Carlo, 22 juin 1985 : *Nature morte aux pièces d'orfèvrerie et à la guitare*, h/t (143x206) : **FRF 300 000** – New York, 17 jan. 1992 : *Nature morte d'une coupe dorée remplie de biscuits et posée sur une table richement drapée*, h/t (91,4x125,7) : **USD 42 900** – Milan, 13 mai 1993 : *Nature morte avec une partition musicale et des instruments sur un tapis d'Orient*, h/t (89x127) : **ITL 40 000 000** – New York, 12 jan. 1994 : *Coffret à bijoux, pendule, coussin et urne sur une table drapée d'une nappe brodée d'or*, h/t (101,x76,5) : **USD 43 700** – Londres, 3 juil. 1997 : *Nature morte d'aiguières dorées et argentées, d'un miroir, d'un coffre, de sucreries dans un plateau doré et d'étoffes brodées*, h/t (97x130,5) : **GBP 41 100**.

FIERENS Cornelis

XVIIIe siècle. Éc. flamande.

Peintre.

FIERENS Jan F.

XVIIe-XVIIIe siècles. Éc. flamande.

Peintre.

Il était le fils de Jaques Fierens et fut membre de la guilde ; de 1695 à 1708, il forma quatre disciples, dont son fils Cornelis Fierens.

FIERENS Jaques

Mort en 1669. XVIIe siècle. Éc. flamande.

Peintre.

Il fut membre de la Guilde de Middelbourg en 1652.

FIERENS Jaques et **Jodocus**. Voir **FIRENS**

FIERET Antoine

XVe siècle. Éc. flamande.

Peintre.

En 1488, il fut élève de Pierre Fiéret ; en 1503, il fut nommé maître de la Guilde de Tournai. On connaît des dessins de lui.

FIÉRET Jennin

XVIe siècle. Éc. flamande.

Peintre.

En 1496, il devint élève de son père Fiéret Pierre et fut nommé membre de la Guilde de Tournai en 1500. Peut-être est-ce lui qui est connu comme peintre du connétable de France sous le nom de Jehan Ferret.

FIÉRET Philippot

XVIe siècle. Éc. flamande.

Peintre.

Il était le fils d'Antoine Fiéret et fut nommé maître de la Guilde de Tournai en 1525.

FIÉRET Pierre

Né au XVe siècle à Bruges. XVe siècle. Éc. flamande.

Peintre.

Il fut nommé maître de la guilde de Tournai le 11 janvier 1483. C'est lui qui fit le tableau du chœur de la chapelle des Augustins le 17 août 1498.

FIERLANT Herman de

Né le 4 avril 1835 à Anvers. Mort le 9 février 1872 à Lyon. XIXe siècle. Éc. flamande.

Sculpteur.

Il fut élève de Geerts, et fit un long séjour à Rome. Le Musée de Lyon conserve de lui une statue qui représente *Ruth en train de glaner*.

FIERLANTS Nicolaas Marten, capitaine

Né en 1622 à Bois-le-Duc. Enterré à Anvers le 14 mai 1694. XVIIe siècle. Éc. flamande.

Peintre d'histoire.

Il fut reçu dans la corporation Saint-Luc à Anvers en 1651 ou 1652. Siret cite de lui un tableau représentant : *La Peinture se plaignant à Jupiter*, qui fut offert à la corporation Saint-Luc. Fierlants fut le maître de Genoels le Jeune pour la perspective.

FIERMAISTRE François ou **Fieremestre**

XVIIIe siècle. Actif à Paris vers 1700. Français.

Peintre.

FIERO Émilie

Née à Joliet. XXe siècle. Américaine.

Sculpteur de figures, animalier.

Elle fut élève d'Antoine Injalbert à Paris, où elle a exposé des plâtres et des bronzes, de 1925 à 1927 au Salon des Artistes Français.

FIERROS Dionisio
Né vers 1830 à Ballota (Asturies). Mort avant 1899. XIXe siècle. Espagnol.
Peintre.
Il travailla à l'Académie San Fernando de Madrid avec Fed. de Madrazo. Il exposa à l'Exposition Nationale de Madrid en 1860-61 des peintures de genre et des portraits.
Musées : Madrid (Mus. d'Art Mod.) : *La Fuente*, peint. de genre – Madrid (Mus. du Prado) : *Portrait d'Alphonse V.*

FIERS Edouard
Né le 27 mai 1826 à Ypres. Mort le 23 décembre 1894 près de Bruxelles. XIXe siècle. Éc. flamande.
Sculpteur.
Élève à l'Académie de Geefs et de Simonis à Bruxelles ; décoré de l'ordre de Léopold.
Musées : Ypres : *Le premier amour* – *La Marguerite*, plâtre – *La Marguerite*, marbre – *La nuit* – *Satyre et l'amour* – *Bacchus enfant* – *Sciences et arts* – *Commerce et industrie* – *L'esclave négresse* – *l'Amour à la coquille* – *L'innocence* – *Buste de M. Baedt* – *M. de Brouckère* – *Le baron Sentin* – *M. Rodenbach* – *La Peinture* – *La Sculpture* – *L'Architecture* – *La Poésie* – *La Musique* – *Le colin-maillard* – *L'Amour désolé* – *Jeune pêcheur napolitain* – *Enfant jouant avec un chien* – *La victoire* – *Fontaine de Brouckère* – *Le passé, le présent, l'avenir* – *Jeune fille.*

FIERTMAIR Joseph
Né le 18 février 1702 à Schwandorf. Mort le 24 juin 1738 à Rottenburg. XVIIIe siècle. Allemand.
Peintre.
Il fut l'élève de C. D. Adams. Il peignit des fresques dans les chapelles des collèges des Jésuites, compagnie dont il faisait partie ; à Ellwangen, à Rottweil. A Rottweil il fit même le tableau de l'autel de la chapelle Saint-Ignace, à Rottenbourg, il peignit les tableaux de l'autel de Saint-François-Régis et Saint-Xavier.

FIERZ Albert
Né le 31 octobre 1861 à Reutlingen. XIXe-XXe siècles. Allemand.
Peintre de paysages, de natures mortes. Postimpressionniste.
Il fut élève de Hermann Baisch et de Gustav Schönleber à l'Académie des Beaux-Arts de Karlsruhe. Il exposa à partir de 1886. En 1902, il séjourna à Paris. En 1904, il participa à la fondation d'une école d'art à Zurich.
De ses deux maîtres, il a retenu l'attention aux effets de la lumière sur le paysage, par exemple : *Effet de matin*.
Ventes Publiques : Londres, 15 juin 1994 : *Nature morte de fleurs, de fruits et d'objets divers sur une table* 1895, h/t (79x54) : **GBP 4 600.**

FIERZ Mathilde
Née le 18 février 1873 à Zurich. XIXe-XXe siècles. Suissesse.
Peintre de natures mortes de fleurs et fruits.
Elle fut élève de Gioachimo Galbusera et de A. Barzaghi à Lugano. Entre 1896 et 1900, elle exposa à Genève. En 1902, elle partit pour l'Amérique du Sud.

FIESCHI Giannetto
Né en 1921 à Zogno (Bergame). XXe siècle. Italien.
Peintre de compositions animées, sujets divers, technique mixte. Figuration narrative, puis tendance abstraite-matiériste.
Il vit et travaille à Gênes, où il a exposé pour la première fois en 1947. Il participe à des expositions collectives, dont : en 1965, il a figuré à Paris à l'exposition de la *Figuration narrative* organisée par Gérald Gassiot-Talabot et qui regroupait les artistes travaillant à un retour à la figuration, à la suite de la vague du pop art ; en 1995, à l'exposition *Attraverso l'Immagine*, au Centre Culturel de Crémone. En 1965, le Musée Municipal de Bologne organisa une exposition rétrospective de son œuvre ; en 1966, la galerie Botti de Crémone a organisé une exposition individuelle de ses peintures.
Une considérable évolution l'a amené à une sorte d'abstraction apparente, mais encore inspirée de la réalité, une réalité imaginée, nourrie d'un travail sensuel et somptueux de la matière pigmentaire.
Bibliogr. : Catalogue de l'exposition *Giannetto Fieschi*, gal. Botti, Crémone, 1966 – in : Catalogue de l'exposition *Attraverso l'Immagine*, Centre Culturel Santa Maria della Pietà, Crémone, 1995.
Ventes Publiques : Milan, 9 nov. 1982 : *Devotion II*, h/isor. (70x56) : **ITL 900 000** – Milan, 9 avr. 1987 : *Due che si rivestono* 1966, h/t (254x98) : **ITL 4 200 000** – Milan, 14 avr. 1992 : *Calice et fleur*, h/pan. (70x34) : **ITL 2 600 000** – Rome, 12 mai 1992 : *Le gamin* 1966, h/t (200x100) : **ITL 6 000 000.**

FIESCO Tommasina del
Née en 1448 à Gênes. Morte en 1534. XVe-XVIe siècles. Italienne.
Peintre.
Elle faisait également de la broderie. Elle entra dans les ordres, après la mort de son mari, dans le cloître S. M. delle Grazie puis dans celui de S. S. Giacomo e Filippo. On connaît des petits tableaux d'elle sur parchemin, qui se trouvent dans le cloître de S. Silvestro.

FIESINGER Franz Gabriel
Né le 11 mars 1723 à Offenbourg-en-Brisgau. Mort le 2 février 1807 à Londres. XVIIIe siècle. Allemand.
Graveur.
Il travailla en Allemagne, en Suisse, en France et en Angleterre. Il fut élève du peintre Franz S. Stöber et grava les portraits des membres de la Convention Nationale, puis ceux de généraux de Napoléon (Bernadotte, Régnier, Masséna, Kléber). Membre de la Compagnie de Jésus.

FIESOLE, da. Voir au prénom

FIESOLE Giovanni
D'origine italienne. XVIIe siècle. Travaillant à Valladolid. Espagnol.
Sculpteur.
On trouve souvent cet artiste exécutant des travaux pour les grands sculpteurs de son époque.

FIESS Mathias
XVIIIe siècle. Autrichien.
Sculpteur.
En 1723 il travailla à l'église de Horn.

FIESSO, da. Voir au prénom

FIETURSKY Nikon ou **Fjetursky**
XVIIIe siècle. Russe.
Sculpteur, graveur.
On connaît de lui les illustrations de deux livres de messe qui furent imprimés à Tschernikoff en 1703. Il était ecclésiastique.

FIETZ Gerhard
Né en 1910 à Breslau. XXe siècle. Allemand.
Peintre. Abstrait.
Il fut élève d'Oskar Schlemmer à l'Académie des Beaux-Arts de Breslau de 1930 à 1932, puis à Düsseldorf et Berlin. Il fut mobilisé pendant la guerre. Ensuite, il vécut à Munich, puis Hambourg, où il devint professeur à l'Institut des Arts Plastiques en 1956. En 1948, il a participé au Salon des Réalités Nouvelles à Paris. Il fut membre du groupe *Zen 49*. En 1950, il participa à la Biennale de Venise, en 1955 à l'exposition des Peintres Abstraits Allemands à Paris.
Bibliogr. : In : *Peintres contemporains*, Mazenod, Paris, 1964.
Ventes Publiques : Heidelberg, 11 avr. 1992 : *Composition linéaire* 1952, h/rés. synth. (39x50,5) : **DEM 2 300.**

FIEULLIEN Bonaventure
Né en 1903 à Schaerbeek. Mort en 1961 à Regniowez (Ardennes françaises). XXe siècle. Belge.
Graveur sur bois.
Moine franciscain, il a illustré les *Fioretti* de saint François d'Assise.
Bibliogr. : In : *Diction. Biograph. Illustré des Artistes en Belgique depuis 1830*, Arto, Bruxelles, 1987.

FIEUZAL Pierre Léonce Narcisse Félix
Né le 20 septembre 1768 à Paris. Mort en 1844 à Valenciennes. XVIIIe-XIXe siècles. Français.
Sculpteur.
Fils de Madeleine Céleste Fieuzal, l'actrice connue au théâtre sous le nom de Durancy ; protégé par le marquis de Desandrouin, il fut donné comme élève de Godecharle, professeur à l'Académie de Bruxelles. Plus tard, en 1809, le marquis fit nommer Fieuzal professeur de sculpture à l'Académie de Valenciennes. L'artiste exerça cette fonction jusqu'en 1840. On doit à Léonce Fieuzal le tombeau en marbre du marquis Desandrouin,

chambellan de l'empereur d'Autriche, et le monument de Desfontaines, érigé à l'hôpital. Bellier de la Chavignerie cite de lui au Musée de Valenciennes : *Louis XVIII*, buste en marbre, *Louis-Philippe Ier*, buste en marbre, *Momal*, buste en plâtre, *Coliez*, buste en terre cuite ; le catalogue actuel ne mentionne aucune de ces œuvres.

FIÉVÉ Nicolas

Né à Ypres. XVIIe siècle. Actif vers 1623. Éc. flamande.

Peintre de portraits.

Il fit des portraits de souverains pour orner l'Hôtel de Ville d'Ypres.

FIÉVÉE Adolphe Joseph Louis Théodore

XIXe siècle. Français.

Peintre de sujets militaires.

Il exposa au Salon de Paris de 1846 à 1849. On cite parmi ses œuvres : *Cuirassiers enlevant une batterie d'artillerie russe*, *Hussard de l'armée espagnole en vedette*, *Le Billet de logement*.

Musées : Niort : *Cavaliers passant un gué*.

Ventes Publiques : New York, 3 juin 1994 : *Promenade matinale à cheval* 1846, h/t (48,6x74) : **USD 9 200**.

FIEVET Carel

XVIIe siècle. Éc. flamande.

Peintre.

Il fut l'élève de R. Serin en 1672-1673 et était maître à Anvers en 1676-1677.

FIÉVET Nadine

Née en 1947 à Bruxelles. XXe siècle. Belge.

Peintre, dessinateur, sérigraphe.

Elle fut élève de Edmond Dubrunfaut à l'Académie des Beaux-Arts de Mons.

Ayant commencé avec des peintures à destination murale, elle se voua ensuite à la sérigraphie. À partir d'images photographiques, elle tend à en synthétiser les lignes directrices.

Bibliogr. : In : *Diction. Biograph. Illustré des Artistes en Belgique depuis 1830*, Arto, Bruxelles, 1987.

FIÈVRE Yolande

Née le 25 janvier 1907 à Paris. Morte en 1983 à Paris. XXe siècle. Française.

Peintre, sculpteur d'assemblages. Entre art brut et surréalisme. Groupe surréaliste.

Enfant, elle a beaucoup voyagé et a commencé très jeune à peindre. Le milieu familial était cultivé et artiste. Elle continua à voyager, notamment en Amérique, vécut trois ans à Alexandrie, avant d'entrer à l'École des Beaux-Arts de Paris. Elle fut ensuite un certain temps professeur à l'École des Beaux-Arts d'Orléans. Mariée, elle bénéficiait d'un mode de vie aisé. Ses rencontres avec André Breton, Dubuffet, Réquichot et surtout Jean Paulhan, semblent avoir été déterminantes sur son œuvre. Dès ses propres débuts, elle fut liée au groupe surréaliste. Fréquentant le monde des vernissages, elle y affichait une tenue et des manières qualifiées d'« ahurissantes ». Elle aurait alors participé à de nombreuses expositions collectives, dont, à Paris, les Salons de Mai, Comparaisons, ainsi qu'à des expositions thématiques. Elle a aussi montré ses réalisations dans des expositions personnelles, surtout à Paris. Toutefois la date de celle qu'aurait préfacée Paulhan en 1948, est contredite par la date de 1957, beaucoup plus fréquemment donnée pour la première exposition Galerie Simone Collinet, suivie de : 1962 Galerie Daniel Cordier Paris, et Künstlerhaus de Vienne ; 1964 Galerie Iris Clert Paris ; 1968 Galerie Lucien Durand Paris ; 1969 Stockholm ; 1973 Galerie Daniel Gervis Paris ; 1974 Galerie Bonnier Genève. En 1991, la Galerie Di Méo de Paris a montré une exposition d'un ensemble de ses œuvres.

Son nom de Yolande Fièvre ne serait pas celui de l'état-civil. Sa biographie ainsi que la chronologie de ses œuvres sont embuées d'incertitudes. Elle aurait connu les membres du groupe surréaliste très tôt et ses toutes premières peintures auraient été provoquées, dès 1933, à travers Breton, par la découverte de la création automatique. Cela aurait été, dès les années trente, des portraits abstraits, décrits comme sombres, gestuels, matiéristes, découlant de poèmes de Paulhan, Jouve, Soupault et autres. Après ces premières œuvres, elle cessa complètement de peindre. Ce fut à partir de 1957, qu'elle reprit son activité picturale, avec les *Oniroscopes*, sortes de jouets à rêver, faits de riens, un peu de sable, quelques fils, des paillettes, une étoile de papier d'argent, qu'elle signait Yol-ttan ou plutôt Yol-Han (pour Yolande ?). Des variantes comportaient des fragments de soies, constituant les sous-groupes des *Soies-fictions*, des *Organsins* (de Or et Ganse ?). En 1957 aussi, elle a commencé à réaliser des assemblages, les *Boîtes-placards*, caractéristiques de sa manière définitive, à partir de petits débris, petits os, bouts d'écorces, bois de flottage, galets polis, rognons de silex percés de trous (les yeux), etc. Cloisonnés dans des petits compartiments juxtaposés à l'intérieur de boîtes ou dans des compositions plus vastes, en bas-reliefs ou en sculptures, ses assemblages font toujours preuve d'un goût très sensuel du matériau. Jean-Paul et Isabelle Ledeur, dans leur catalogue de l'œuvre de Yolande Fièvre, ont proposé une classification de ses réalisations à partir de 1957. Parfois assez proches, dans la conception, des reliquaires de Réquichot, les compositions de Yolande Fièvre s'en différencient par un usage presque exclusif, sauf quelques soldats et animaux de plomb, de matières non artificielles, souvent brutes telles que trouvées ou en tout cas polies ou remodelées seulement par une érosion naturelle. Ses interventions ne s'exercent que peu, seulement après 1961 par quelques modelages et teintes, sur la forme des composants de ses sortes de retables, mais par contre décident souverainement de leur composition, dont Gérard Barrière à écrit que ces « petits riens, aussi précisément agencés, donneront idée du Grand Tout ». Son univers très personnel, est à la fois délicat, minutieux, dénué de toute mièvrerie, situé au contraire du côté du fantastique et, comme souvent les ex-voto, entre le cérémonial mortuaire et l'invite à la nostalgie. ■ Jacques Busse

Bibliogr. : Jean Planche : *Yolande Fièvre*, Artension no 20, Rouen, vers 1980 – Isabelle, Jean-Paul Ledeur : *Catalogue raisonné de l'œuvre de Yolande Fièvre*, Paris, en préparation.

Ventes Publiques : Paris, 27 mars 1980 : *Les attentifs* 1962, assemblage de terre glaise et galets (24x24x6) : **FRF 2 900** – Paris, 3 juil. 1992 : *Mon chateau pour un rêve !*, assemblage de galets, débris, bois et miroir (24x24) : **FRF 13 000** – Londres, 15 oct. 1992 : *Exaltation de la mort* 1961, construction de bois encadrée (26,5x127x7,2) : **GBP 4 400** – Paris, 31 mai 1995 : *Nocturne dans les entrailles de Paris* 1966, assemblage de galets, d'argile et de bois dans une boîte (35x35x10) : **FRF 18 300** – Londres, 21 mars 1996 : *La Ville des pêcheurs*, argile peint/socle de bois dans une boîte de verre (42,5x16,5) : **GBP 2 300** – Paris, 1er juil. 1996 : *Oniroscope*, sable, tissu, bois, perles et grillages sous boîte (37x45) : **FRF 6 000** – Paris, 12 déc. 1996 : *Un foyer pour les rêves* 1973, bois dans Plexiglas, sculpture (35x45) : **FRF 16 500** – Paris, 18 juin 1997 : *Gloria (I)* 1967, bois/pan. dans emboîtage Plexiglas (24x24x4) : **FRF 20 000**.

FIFFA Annibale

XVIIe siècle. Travaillant à Vérone en 1605. Italien.

Peintre.

FIGARELLA Dominique

Né en 1966. XXe siècle. Français.

Peintre.

Il fut élève, en 1992, de la Villa Arson à Nice, École Internationale d'Art. Il participe à des expositions collectives depuis 1993, dont le Salon de Montrouge, des groupes à la Villa Arson, à Paris et à New York, en 1994 *Nouvelle Vague* au musée d'Art moderne et contemporain de Nice. Il a exposé individuellement, en 1992 à Bologne, en 1993 à la galerie du Forum Saint-Eustache à Paris, en 1995 à la Villa Arson à Nice.

Bibliogr. : Christian Bernard : Catalogue de l'exposition *Dominique Figarella*, Villa Arson, Nice, 1993.

FIGARI Andrea

Né en 1858 à Sassari. Mort en 1945 à Gênes. XIXe-XXe siècles.

Peintre de paysages, marines.

Musées : Gênes (Gal. Rosso) : *Petite Plage*.

Ventes Publiques : New York, 25-26 nov. 1929 : *Partie espagnole* : **USD 30** – Milan, 6 juin 1991 : *La Côte Ligure*, h/pan. (19x25,5) : **ITL 2 500 000** – Milan, 12 déc. 1991 : *Matin d'hiver dans le port de Gênes*, h/cart. (46x54,5) : **ITL 9 500 000** – Milan, 16 juin 1992 : *Marine nocturne*, h/t (75x91) : **ITL 4 500 000**.

FIGARI Pedro

Né le 29 juin 1861 à Montevideo, d'une famille d'origine italienne. Mort le 24 juillet 1938 à Montevideo. XIXe-XXe siècles. Actif aussi en France. Uruguayen.

Peintre de genre, sujets typiques. Postimpressionniste.

En 1886, Pedro Figari devint avocat, aux plaidoiries bientôt largement écoutées, et fit un voyage à travers l'Europe. En 1895, Figari assuma la défense du sous-lieutenant Enrique Almeida, finalement acquitté après une polémique nationale. Puis, homme politique, député en 1896, nommé au Conseil d'État en

1898, élu vice-président de la Chambre des Députés en 1899, chargé de très nombreuse fonctions, il fut pressenti pour la présidence de la République. Écrivain esthéticien, il écrivit plusieurs ouvrages traitant de l'art, entre autres, en 1912, son *Essai de Philosophie Biologique*, de cinq cents pages : *Arte, Estetica, Ideal*. En 1913, il fit un séjour de six mois en France. Nommé, en 1915, à la direction de l'Institut des Arts et Métiers de Montevideo, il réforma l'enseignement et contribua à la connaissance et à la compréhension des artistes contemporains, puis démissionna de son poste en 1917. À l'âge de cinquante ans, il se retira complètement de la vie publique, pour réaliser son aspiration ancienne. Ayant vendu ses biens à Montevideo, de 1921 à 1925 il s'installa à Buenos Aires, puis, de 1925 à 1933 vint passer huit ans à Paris, où il fut bien accueilli et où fut peinte la plus importante partie de son œuvre, en rapportant près de deux mille peintures à l'huile sur carton. Sa première exposition eut lieu à Buenos Aires en 1921, suivie d'autres en 1923, 1924, 1925. Avant son séjour à Paris, en 1923, la galerie Druet avait montré ses peintures dans une exposition personnelle, préfacée par son compatriote Jules Supervielle, admirée par Bonnard et Vuillard, et saluée par André Lhote dans la Nouvelle Revue Française. Ensuite, en 1928, il fut nommé ambassadeur à Londres, exposa dans plusieurs villes d'Europe et d'Amérique, puis, en 1933, retourna à Montevideo comme conseiller artistique au Ministère de l'Instruction Publique. En 1930, lui avait été attribué le Grand Prix de Peinture à l'Exposition du Centenaire de l'Uruguay, à Montevideo. En 1938, il fit sa dernière exposition à Buenos Aires, et retourna à Montevideo, où il mourut trois jours après. En 1960, le Musée National d'Art Moderne de Paris lui consacra une exposition rétrospective posthume, de nouveau préfacée par Jules Supervielle. En 1992, le Pavillon des Arts de la Ville de Paris organisa une exposition d'un ensemble important de l'œuvre, complétée d'un très complet catalogue. Il n'eut pas de continuateurs en Uruguay, son influence s'exerça surtout en Argentine.

Il avait peint dans sa jeunesse, il continua à faire des notations à l'aquarelle pour se délasser de la vie publique, qu'il signait discrètement de pseudonymes, P. Merlin et P. Weber. Il reprit son ancienne activité en 1920, devenant un des peintres les plus connus de l'époque pour le continent latino-américain. Sa vénération totale pour Diégo Rivéra n'influença pas sa propre manière ; on peut rapprocher son style de celui de Vuillard et de Bonnard à l'époque de la *Revue Blanche*, qu'il admirait spécialement, exploitant, sur une écriture de dessin sommaire, une palette délicate et pourtant éclatante de roses, jaunes, vert tendre, bleu céleste, lilas, sur lesquels se détachent les visages brun sombre. Sauf une série, plutôt humoristique, consacrée aux hommes des cavernes, tout son œuvre tend à retracer, entièrement d'après ses souvenirs visuels de jeunesse, cette époque étonnante, qui vit la création, à partir d'à peu près rien, du Rio de La Plata, non comme une quelconque reconstitution historique, mais à travers un sens poétique presque naïf des scènes très animées de la vie familière, à la ville et à la campagne, des noirs et des premiers gauchos, accompagnés des inévitables chevaux, chiens et taureaux. Il représente les scènes en vision frontale, comme au théâtre ; en ville : dans un patio, un salon rouge aux hautes proportions ou dans une rue ; à la campagne : devant une maison, les grilles du portail, un chariot, n'omettant pas l'« ombu », l'arbre typique du pays, et la petite lune dans le ciel de la pampa.

Avocat brillant, homme public et politique de premier plan, écrivain, philosophe esthéticien, peintre de l'identité uruguayenne, par ses multiples activités et par sa peinture, Pedro Figari a joué un rôle primordial dans l'évolution de son pays au début du siècle, et notamment dans le mouvement « nativiste », qui revendiquait la diversité des matrices raciales et culturelles à l'origine de la création de l'Uruguay. ■ Jacques Busse

P. Figari

Bibliogr. : Pedro Figari : *Essai de Philosophie Biologique*, Paris, 1926 – Georges Pillement : *Pedro Figari*, Paris, s. d – in : *Diction. Univers. de la Peint.*, Le Robert, Paris, 1975 – Damian Bayon, Roberto Pontual, in : *La peinture de l'Amérique latine au xxe siècle*, Menges, Paris, 1990 – Nelson Di Maggio, Gabriel Peluffo Linari, Jules Supervielle, Alejo Carpentier, Jorge Luis Borges, divers : Catalogue de l'exposition *Pedro Figari*, Pavillon des Arts de la Ville de Paris, 1992, abondante documentation.

Musées : Montevideo (Mus. Historique Nat.) : *Le vieux marché, Montevideo 1890 – Le Refus – Bal colonial – La Pique – Le Pari – La Visite au Gouverneur – L'Auberge – Fantaisie – Ne t'en va pas, mon vieux – Au village – Le Repentir* – Montevideo (Mus. Nat. des Arts Visuels) : *Vigilance – La Diligence – Dans la pampa – Le Cri d'Asencio – À la ferme – Le Gato (danse paysanne)* – Montevideo (Mus. Municip. Blanes) : *Le petit cheval de toutes les corvées* 1921 – *Brutalité – Incertitude – Réunion fédérale – Indécision – Las Quitanderas – La Tombée de la nuit – Condoléances – Après l'enlèvement – Duel créole – Péricon (danse paysanne) sous les ombus – Le Palito (danse populaire) – Nostalgies africaines – La Descente du cercueil – Qui se charge du mort ? – À la recherche de la croix*, triptyque – *Apothéose*, triptyque – *Fleurs pour le mort*, triptyque – *Le Vieux Nègre – Le Baiser – Victoria Ocampo – Stupidité – Cupidité* – Montevideo (Résidence de la Présidence de la République) : nombreuses œuvres – Paris (Mus. d'Orsay) : *Divergences* 1921 – *Scène créole*.

Ventes Publiques : Paris, 29 oct. 1926 : *Danse créole* : **FRF 6 700** – Paris, 22 juin 1945 : *Danse nègre* 1921 : **FRF 4 000** – Londres, 28 nov. 1972 : *La Plaza de Pueblo* : **GNS 1 100** – Londres, 20 oct. 1976 : *La cour de ferme*, h/cart. (18,5x23,5) : **GBP 210** – Montevideo, 23 nov. 1977 : *Paysans et chevaux*, h/t (40x30) : **UYU 14 000** – New York, 5 mai 1981 : *La visite*, cr./pap. (12,5x19,5) : **USD 1 000** – New York, 31 mai 1984 : *Danse créole*, h/cart. (49,5x69,5) : **USD 13 000** – Paris, 20 mars 1985 : *Guitaristes et danseuse*, gche (48x60) : **FRF 25 500** – Montevideo, 14 août 1986 : *Candombe*, h/cart. (60x80) : **UYU 4 770 000** – New York, 17 mai 1988 : *Après la danse*, h/cart. (40x33) : **USD 13 200** – New York, 21 nov. 1988 : *La conquête du Chaco*, h/cart. (35x50,2) : **USD 13 200** ; *La famille*, h/cart. (34,4x49,5) : **USD 7 150** ; *La fête champêtre*, h/cart. (50x70) : **USD 55 000** – Paris, 11 avr. 1989 : *Le départ au concert*, h/cart. (34x49) : **FRF 95 000** – New York, 17 mai 1989 : *La Naticia* (40x59) : **USD 19 800** – New York, 20 nov. 1989 : *El gato* 1927, h/cart. (52x68) : **USD 44 000** – New York, 21 nov. 1989 : *Danse traditionnelle dans un patio*, h/cart. (69x99,6) : **USD 82 500** – New York, 1er mai 1990 : *Gaucho guitariste*, h/cart. (50x70) : **USD 77 000** – New York, 19-20 nov. 1990 : *L'attente*, h/cart. (69,6x100) : **USD 52 250** ; *En route pour les arènes*, h/cart. (98x34,5) : **USD 46 200** – Paris, 4 mars 1991 : *Lavanderas* 1919, h/cart. (33x40) : **FRF 50 000** – New York, 8 mai 1991 : *Le rassemblement du troupeau*, h/cart. (53x68,5) : **USD 44 000** – New York, 15-16 mai 1991 : *Réception coloniale*, h/cart. (69x99,6) : **USD 30 800** – New York, 20 nov. 1991 : *La promenade*, h/cart. (40x60) : **USD 33 000** – New York, 18-19 mai 1992 : *Piété*, h/cart. (47,3x61,6) : **USD 19 800** – New York, 24 nov. 1992 : *Bal dans le patio*, h/cart. (61,6x81,6) : **USD 37 400** – Paris, 14 juin 1993 : *L'Incident* 1933, h/cart. (31x47) : **FRF 75 000** – New York, 23-24 nov. 1993 : *Halte à la campagne*, h/cart. (60x80) : **USD 68 500** – New York, 16 nov. 1994 : *Fête créole*, h/cart. (52x82,2) : **USD 79 500** – New York, 16 mai 1996 : *Le Premier Amour* 1984, h/cart. (35x50) : **USD 11 500** – New York, 25-26 nov. 1996 : *Promenade* vers 1930, h/pan. composé (30,8x81,9) : **USD 24 150** – New York, 28 mai 1997 : *Fête dans le camp*, h/pan. (60,7x80,3) : **USD 99 300** – New York, 24-25 nov. 1997 : *Danse créole*, h/pan. (49,8x69,8) : **USD 46 000**.

FIGAS Marcel
Né le 9 août 1935 à Nice. xxe siècle. Français.
Peintre.

Il a exposé une première fois à Paris en 1969. Sa peinture est surréalisante et décrit un monde imaginaire.

FIGATELLI Giuseppe Maria
Originaire de Cento. xviie siècle. Italien.
Peintre.

Il fut l'élève de Ces. Gennari et fut ensuite influencé par Le Guerchin. Il a peint beaucoup de tableaux d'autels à Bologne et à Cento pendant la deuxième moitié du xviie siècle.

FIGATELLI Paolo Antonio
Né en 1672 à Bologne. Mort le 18 février 1724 à Cento. xviie-xviiie siècles. Italien.
Peintre et sculpteur.

Il était le fils de Giuseppe Maria Figatelli. Il est surtout connu pour ses portraits et ses saints. Il était également architecte. Les Offices à Florence conservent une série de ses dessins.

FIGGEMEIER Bernd
Né en 1940. xxe siècle. Allemand.
Peintre. Abstrait.

Il peint en larges aplats.

FIGINO Ambrogio
Né vers 1550 à Milan. xvie siècle. Italien.

Peintre d'histoire, compositions religieuses, portraits, dessinateur.
On ne sait ni la date de naissance, ni celle de la mort de Ambrogio Figino (il vivait encore en 1595), qu'il faut se garder de confondre avec son contemporain et homonyme Girolamo Figino. On sait toutefois par Lomazzo qu'il fut l'élève de ce dernier, ce qui place le début de son activité de peintre au plus tard en 1571, puisque Lomazzo devint aveugle cette année-là, à trente-trois ans.
Il eut quelque réputation comme portraitiste et peintre d'histoire ; ses travaux, presque tous à l'huile, ne comprenaient jamais, nous dit son maître Lomazzo, un très grand nombre de personnages et se distinguaient en conséquence par une grande clarté. Grand admirateur de Michel-Ange, surtout sur la fin de sa vie, il finit par l'imiter de si près qu'un assez grand nombre de ses dessins, de réelle valeur, ont été attribués à Michel-Ange ou à ses élèves.
Les tableaux de Figino qui nous sont parvenus sont aussi peu nombreux que les renseignements sur sa personne. Cependant, son talent de portraitiste est attesté par les éloges décernés à Figino dans ses vers par le poète italien Marini ou Marino. Celui-ci, connu en France, à la cour de Marie de Médicis, sous le nom de cavalier Marin, nous parle de Ambrogio Figino comme d'un contemporain, ce qui nous aide à le dater approximativement, puisque Marini, né en 1569, est mort en 1605.
Musées : Hildesheim : *La Vierge et plusieurs saints* – Milan (Ambrosiana) : *Portrait de saint Charles Borromée* – Milan (Mus. mun.) : *Projet pour une bannière avec saint Ambroise* – Milan (Mus. Brera) : *Portrait du maréchal Lucio Foppa – Vierge à l'Enfant entre saint Jean l'Évangéliste et saint Michel abattant Lucifer* – Milan (église Saint-Raphaël) : *Saint Mathieu – Saint Paul* – Milan (église San Antonio Abate) : *Vierge écrasant la tête du serpent* – Milan (église San Eustorgio) : *Saint Ambroise* – Milan (église San Fedele) : *Assomption* – Paris (Mus. du Louvre) : Un dessin.
Ventes Publiques : Paris, 10 fév. 1926 : *Étude de têtes d'Orientaux*, pl. : **FRF 100** – Londres, 28 juin 1974 : *Portrait d'homme barbu* : **GNS 8 000** – Londres, 2 juil. 1984 : *Christ et Anges pour l'Agonie dans le jardin (recto) ; Personnages (verso)*, pl. et encre brune, études (14,1x18,8) : **GBP 1 050**.

FIGINO Camillo
Mort le 25 novembre 1835. XIXe siècle. Actif à Mantoue. Italien.
Peintre.

FIGINO Girolamo
XVIe siècle. Actif à Milan dans la seconde moitié du XVIe siècle. Italien.
Peintre.
Il fut l'élève de Gio. Paolo Lomazzo qui a chanté son art dans un poème.

FIGINO Jérôme
XVIIIe siècle. Actif vers 1795. Éc. flamande.
Peintre d'histoire et miniaturiste.
Il est cité par Siret.

FIGLIOLINI Vincenzo
XVIIIe siècle. Actif à Naples vers 1775. Italien.
Peintre.

FIGON
XVIe siècle. Actif en Espagne. Français.
Sculpteur.
Il travailla de 1512 à 1516 à la cathédrale de Zamora.

FIGUEIREDO Cristovao de
XVIe siècle. Actif entre 1515 et 1543. Portugais.
Peintre de compositions religieuses.
Il travailla dans l'atelier de Jorge Afonso et collabora avec lui au tribunal de justice de Lisbonne. Il fut peintre officiel à la cour de Manuel Ier. Il travailla à Coïmbra en 1522 pour l'autel de l'église Sta Cruz où un *Ecce Homo* lui est attribué. Il fit le *Retable de Ferreirim* (1533-1534), avec Gregorio Lopes et Cristovao de Utreque. En 1540, il fut peintre du cardinal Infant Dom Alfonso. Ayant beaucoup travaillé avec Gregorio Lopes et Garcia Fernandes, il est souvent difficile de distinguer la main de chacun, cependant des œuvres comme l'*Ecce Homo* et les *Martyres de saint André et de saint Hippolyte* lui sont assez certainement attribuées. Il donne à ses compositions une tendance expressionniste, éloignée de l'élégance maniérée d'un Gregorio Lopez. Sa composition dense et dramatique procède par taches de couleurs qu'il sait manier avec grande facilité.
Bibliogr. : In : *Dictionnaire de la peinture espagnole et portugaise du Moyen Âge à nos jours*, coll. Essentiels, Larousse, Paris, 1989.
Musées : Lisbonne (Mus. d'art ancien) : *Martyres de saint André et de saint Hippolyte – Mise au tombeau* vers 1529-1530 – *Scènes de l'enfance du Christ*, fragments de retable – Setabul : *Retable*.

FIGUEIREDO Francesco de
Né à Porto. Mort peu avant 1800 à Lisbonne. XVIIIe siècle. Portugais.
Peintre.
Il a peint, dans le cloître Saint-Ela à Évora, plusieurs tableaux pieux ; à Lisbonne il exécuta des peintures murales et de plafonds dans l'église Joao da Praça.

FIGUEIRERO Hélène
XXe siècle. Brésilienne.
Peintre de compositions à personnages, scènes typiques.
Elle fut élève d'André Lhote à Paris. De son enseignement, elle a gardé le sens d'une construction rigoureuse. La juxtaposition de parties de peinture lisse et d'autres dont la matière est travaillée à la spatule, produit une impression de collage. Figurative, sa peinture évoque la vie quotidienne à Rio de Janeiro, vision pleine d'humour et d'invention.

FIGUERAS Y VILA Juan
Né le 15 juillet 1829 à Gérone. Mort le 28 décembre 1881 à Madrid. XIXe siècle. Espagnol.
Sculpteur.
Il fut élève de José Piquer y Duart à l'Académie S. Fernando à Madrid, et gagna le prix de Rome en 1858 avec sa *Suzanne au bain*. Il exposa à l'Exposition Internationale de Madrid en 1860. Il fit également un grand nombre de portraits.
Musées : Madrid (Mus. d'Art Mod.) : *Conversion d'une Indienne à la Religion catholique – Hyménée.*

FIGUEROA Baltazar de
Mort le 19 avril 1659. XVIIe siècle. Travaillant à Séville. Espagnol.
Peintre.

FIGUEROA Diego de
XVIe siècle. Espagnol.
Sculpteur.
Cet artiste fit six moules en bois pour l'ornementation des galeries extérieures des maisons capitulaires de Séville, vers 1564.

FIGUEROA Francisco de
XVIIe siècle. Espagnol.
Peintre d'histoire.
Religieux dominicain qui travailla pour son couvent.

FIGUEROA Francisco de
XVIIIe siècle. Actif en Galice. Espagnol.
Paysagiste.
Étudia avec le prince de Pio et Miranda.

FIGUEROA Juan de
XVIe siècle. Actif à Séville. Espagnol.
Sculpteur.
Cet artiste prit part aux travaux de l'Alcazar, vers 1568 et fit le buffet d'un orgue pour la cathédrale, en collaboration avec Bautista Vazquez, en 1579.

FIGUEROA Luis
Mort le 10 décembre 1642 à Séville. XVIIe siècle. Actif à Séville. Espagnol.
Sculpteur.
On cite de lui un crucifix pour la confrérie de la Vera Cruz, à la date du 23 mai 1622.

FIGUEROLA
XIVe siècle. Espagnol.
Peintre.
On cite son nom sur des documents de 1378 à 1389 à Barcelone.

FIGURES, Maître des. Voir **MAÎTRES ANONYMES**

FIGURINO. Voir **ROCCHETTI Marco Antonio**

FIHLER Merten
XVIe siècle. Allemand.
Peintre.
Il fut élève de J. Twenger jusqu'en 1579, et fut nommé maître à Breslau en 1581.

FIJALKOWSKI Stanislaw
Né le 4 novembre 1922 à Zdolbunow (province de Wolyn). XXe siècle. Polonais.

Peintre, graveur. Abstrait, tendance Lettres et Signes.
Il vit et travaille à Lodz, où il fut élève de l'École des Beaux-Arts de 1946 à 1951, et où il est devenu ensuite professeur. Il a participé à de très nombreuses expositions collectives dans les pays d'Europe, au Japon, aux États-Unis, notamment : 1966, 1968, 1970 Biennale de la Gravure à Cracovie ; 1967 VIIe Biennale de la Gravure à Ljubljana ; 1969 VIe Biennale de Gravure à Tokyo, Ire Exposition Internationale de Gravure de Florence, *Xylon V* à Genève, Berlin, Klagenfurt, Xe Biennale de São Paulo ; 1970 IIe Exposition Internationale de Dessins Originaux à Rijeka, IXe Prix International Dibuix Joan Miro à Barcelone, etc. Il a en outre participé, en 1970, aux Symposiums Internationaux de Roudnice-nad-Labem (Tchécoslovaquie) et de Eisenstadt (Autriche). Il a aussi montré des ensembles de ses œuvres dans des expositions personnelles : à Lodz 1957, 1959, 1961, 1964 ; Cracovie 1961, 1967 ; Varsovie 1961, 1967 ; Paris 1965, Wroclaw et Poznan 1967 ; Torun 1969 ; Graz 1970, etc.
Ses peintures, généralement de petits formats, mettent en œuvre des éléments répétitifs très simples : points, cercles, lignes, carrés, d'une facture qui rappelle les premiers essais d'écritures enfantines, dans lesquels la moindre variation, introduite comme par inadvertance : un cercle plus petit que les autres ou bien pas à sa place logique, une tache de pinceau comme accidentelle ou n'importe quel autre élément du moment qu'incongru dans le contexte de l'organisation globale du tableau, prend au regard une valeur irritante étonnante. Ce sont des propositions insidieuses qui portent à la réflexion, mais sans proposer la moindre solution. Dans la suite de son évolution, il a introduit dans sa peinture des éléments plus nombreux empruntés à la réalité. Quant au sens de l'ensemble de son œuvre, Janusz Bogucki, un de ses commentateurs, a écrit qu'elle « tend à façonner un nouveau type de formes significatives, à même de transmettre non seulement la logique des émotions et des impressions, mais encore de la pensée ». ■ J. B.

FIJT Jan. Voir **FYT Jan**

FIKENTSCHER Jenny, née **Nottebohin**
Née le 1er juin 1869 à Kallowitz. XIXe-XXe siècles. Allemande.
Peintre et dessinateur.
Elle était la femme du peintre Otto Fikentscher et travailla beaucoup à Grötzingen près de Karlsruhe. Elle exposa à Dresde en 1899 et en 1901, à Munich en 1900.

FIKENTSCHER Otto
Né le 6 juillet 1862 à Zwickau. Mort en 1945 à Baden-Baden. XIXe-XXe siècles. Allemand.
Peintre d'animaux, sculpteur, graveur.
Il travailla à l'École des Arts et Métiers de Dresde à l'Académie de Munich, et à l'École des Beaux-Arts de Karlsruhe. Il voyagea beaucoup. Il exposa à Berlin en 1897 et 1908, à l'Exposition Internationale de Düsseldorf en 1904, à Munich en 1900 et à Karlsruhe en 1906.
C'est surtout un peintre animalier.
Ventes Publiques : Heidelberg, 5-13 avr. 1994 : *Cerf au bord d'un vallon ensoleillé*, h/t (73x67) : **DEM 1 400** – Heidelberg, 8 avr. 1995 : *Cerfs dans les bois*, h/t (50,5x64) : **DEM 1 200**.

FIKENTSCHER Otto Clemens
Né le 28 février 1831 à Aix-la-Chapelle. Mort le 11 novembre 1880 à Düsseldorf. XIXe siècle. Allemand.
Peintre animalier et peintre d'histoire.
Il était élève de Theodore Hildebrandt. Le Musée de Düsseldorf conserve de lui : *Combat de fauves* (esquisse).

FIKRET Mualla ou **Mowalla**
Né en 1904 ou 1905 à Istanboul. Mort en 1968. XXe siècle. Turc.
Peintre.
En 1946, il a figuré à l'Exposition Internationale d'Art Moderne, ouverte à Paris, au Musée National d'Art Moderne, par l'O.N.U (Organisation des Nations Unies). *Voir aussi MOUALLA.*
Ventes Publiques : Paris, 21 sep. 1989 : *Nature morte* 1947, h/pan. (49,5x34,5) : **FRF 43 000** – Versailles, 26 nov. 1989 : *L'Arlequin* 1945 (100x73) : **FRF 66 000** – Paris, 5 déc. 1992 : *Scène de bar*, gche (21x27) : **FRF 4 200**.

FILA Rudolf
Né le 19 juillet 1932 à Pribrami (Moravie). XXe siècle. Tchécoslovaque.
Peintre.
Il fit ses études à Brno en 1951-1952, à Bratislava de 1952 à 1958. Il expose depuis 1962, notamment dans les grandes villes tchécoslovaques, ainsi qu'en Hongrie, Italie, à la Biennale de Paris. Il était représenté à la grande exposition de *Cinquante ans de peinture tchécoslovaque*, organisée en 1968 pour le cinquantenaire de la fondation de la République.

FILARET
XVIIIe siècle. Russe.
Sculpteur sur bois.
Il était moine et travailla à un livre des Apôtres imprimé à Kiev en 1784, et pour lequel il fit vingt-deux illustrations.

FILARETTE Antonio di Pietro Averlino
Né vers 1400 à Florence. Mort après 1465 à Rome. XVe siècle. Italien.
Sculpteur.
Il est également connu comme architecte et fondeur. Le pape Eugène IV le fit venir à Rome pour sculpter et fondre la porte de bronze de la basilique Saint-Pierre en 1433. Il obtint cette commande parce qu'il avait travaillé aux portes du Baptistère de Florence, dans l'atelier de Ghiberti. Également en bronze, il exécuta une *Vierge et l'Enfant*, conservée au Louvre. Il aurait appris à Fouquet la technique de l'émail appliqué directement sur cuivre avant la peinture. En tant qu'architecte, il travailla surtout au service de Francesco Sforza à Milan, où il se rendit en 1450, après avoir quitté Rome, accusé, semble-t-il, d'avoir volé des reliques. Il n'eut le temps que de construire la tour d'Horloge du château des Sforza, sur l'emplacement de la forteresse Visconti. Il fit les plans de l'hôpital de Milan, construit au XVIIIe siècle. Mais il est plus connu pour son *Traité d'architecture* en 25 livres, où il a conçu des architectures parfois fantastiques, mêlant formes païennes et chrétiennes.
Musées : Berlin (Mus. de l'Empereur Friedrich) : *Madone avec des Anges* – Londres (Mus. Albert et Victoria) : *L'artiste par lui-même*, médaille – Paris (Mus. du Louvre) : *Triomphe de César* – *Madone avec des anges* – Rome (Mus. di Propaganda Fide) : *Buste de l'empereur Jean VI Paléologue* – Vienne (Mus. de la Cour) : *Odysseus et Iros*, plaquette.

FILARSKI Dirk Hermann Wilhem
Né le 15 octobre 1885 à Amsterdam. Mort en 1964. XXe siècle. Hollandais.
Peintre de paysages, natures mortes.
Il fut élève de l'École des Arts et Métiers d'Amsterdam. Il figura à l'Exposition Internationale d'Amsterdam en 1912. Il fit des voyages de travail en Suisse, à Paris, en Espagne.

D·H.W. FILARSKI.

Ventes Publiques : Amsterdam, 7 sep. 1976 : *Vue de Corte*, aquar. (78,5x98) : **NLG 2 100** – Amsterdam, 7 nov. 1978 : *Paysage du Midi*, h/t (119x159) : **NLG 6 000** – Amsterdam, 20 mai 1981 : *Paysage boisé*, h/t (65x53,5) : **NLG 2 100** – Amsterdam, 24 oct. 1983 : *Ville du Midi*, h/t (64x80) : **NLG 1 750** – Amsterdam, 28 sep. 1987 : *Vue de Corte, Corse* 1931, h/t (118x159) : **NLG 6 600** – Amsterdam, 10 fév. 1988 : *Vue d'un village de montagne*, h/t (84,5x65,5) : **NLG 2 070** – Amsterdam, 30 août 1988 : *Le Pont-Neuf à Paris*, h/t (81x65) : **NLG 2 300** – Amsterdam, 8 déc. 1988 : *Meules de foin*, h/t (35x53) : **NLG 3 450** – Amsterdam, 10 avr. 1989 : *Nature morte de fleurs* 1930, h/t (120x99,5) : **NLG 4 370** – Amsterdam, 13 déc. 1989 : *Montagnes enneigées* 1916, h/t (73,5x100) : **NLG 17 250** – Amsterdam, 10 avr. 1990 : *Les Diablerets* 1916, h/t (63x87) : **NLG 8 625** – Amsterdam, 22 mai 1990 : *Paysage montagneux en Suisse* 1917, h/t (65x90) : **NLG 13 800** – Amsterdam, 5 juin 1990 : *Un hameau au bord d'une route boisée* 1940, h/t (50x70) : **NLG 3 220** – Amsterdam, 12 déc. 1990 : *Un château du sud de l'Espagne*, h/t (67x82) : **NLG 6 900** – Amsterdam, 22 mai 1991 : *Nature morte avec du matériel de peintre* 1911, h/t (55x70) : **NLG 8 050** – Amsterdam, 23 mai 1991 : *La coulée vers la vallée* 1940, h/t (54x65) : **NLG 12 650** ; *Le vieux parc de Bergen* 1940, h/t (54x65) : **NLG 31 050** – Amsterdam, 12 déc. 1991 : *L'hiver* 1913, h/t (54,5x69) : **NLG 8 050** ; *Paysage de dunes* 1913, h/t (34x51) : **NLG 21 850** – Amsterdam, 21 mai 1992 : *Café de Paris*, h/t (80x66) : **NLG 13 800** – Amsterdam, 10 déc. 1992 : *Les Avants*, h/t (74x118) : **NLG 11 500** – Amsterdam, 26 mai 1993 : *Montagnes rouges en Espagne* 1925, h/t (80x100) : **NLG 12 650** – Amsterdam, 9 déc. 1993 : *Lac de montagne en Suisse* 1914, h/t (35x53) : **NLG 11 270** – Amsterdam, 7 déc. 1994 : *Une ferme* 1942, h/t (100x80) : **NLG 8 625** – Amsterdam, 31 mai 1995 : *Vue du lac Léman* 1913, h/t/pan. (43,5x60) : **NLG 8 496** – Amsterdam, 5 juin 1996 : *Nature morte de fleurs* 1942, h/t (82x65) : **NLG 4 600** –

Amsterdam, 10 déc. 1996 : *Paysage suisse près de Busier* 1916, h/t (64,5x90) : **NLG 17 298** – Amsterdam, 17-18 déc. 1996 : *Village de montagne*, h/t (81,5x65,5) : **NLG 6 844** ; *Landschaft Partenkirchen* vers 1917, h/t (57,5x83,5) : **NLG 10 030** – Amsterdam, 2 déc. 1997 : *Ferme à Drente* 1915, h/t (88x64) : **NLG 25 370** – Amsterdam, 1er déc. 1997 : *Route de Sospel*, h/t (109,5x130) : **NLG 12 390**.

FILASTRE Ambroise
xviiie siècle. Actif à Houdan. Français.
Sculpteur.
Il travailla pour les églises de Nogent-le-Roi, Boutigny, Boué.

FILASTRE-DUMONT Gérard
Né en 1891 à Cussac (Gironde). xxe siècle. Français.
Peintre de genre, portraits, marines, natures mortes.
Il exposait à Paris, aux Salons d'Automne et des Artistes Indépendants.

FILATJEFF Ivan ou **Filatoff, Feolifatoff, Jarosslawzeff**
Mort le 5 août 1678 à Moscou. xviie siècle. Russe.
Peintre.
Il a peint des icônes pour des églises de Moscou et des monastères, et travailla pour le compte du Kremlin.

FILATJEFF Tichon Ivanovitch
xviie siècle. Travaillait à Moscou. Russe.
Peintre.
Il était le fils et très probablement l'élève d'Ivan Filatjeff. Après la mort de ce dernier il fut nommé peintre attaché aux ateliers du Kremlin. On connaît de lui des tableaux pieux dans l'église du Métropolite Alexeï.

FILATOV Nikolaï Vadimovitch
Né en 1951 à Lvov (Ukraine). xxe siècle. Russe-Ukrainien.
Peintre. Expressionniste.
En 1977, il fut diplômé de l'Institut des Arts Décoratifs de Lvov. Il vit à Moscou depuis 1982. En 1984, il est devenu membre de l'Union des Artistes Soviétiques.
Il a fait partie d'un collectif d'ateliers qui s'était installé dans un ancien jardin d'enfants, d'où il furent évacués par la police. Il pratique une peinture gestuelle expressionniste, comparable aux figurations libres occidentales. Il est à noter qu'une telle peinture a tout de même pu exister et se montrer dans la deuxième moitié des années quatre-vingt.
Bibliogr. : Divers : *L'Art au Pays des Soviets, 1963-1988*, et Olga Makhroff : *Les Dossiers des Cahiers*, Les Cahiers du Musée National d'Art Moderne, Paris, hiver 1988.
Ventes Publiques : Moscou, 7 juil. 1988 : *Minotaure* 1987, h/t (200x150) : **GBP 12 100**.

FILCZ Joachim
xvie siècle. Allemand.
Peintre.
En 1518 il fut élève de Nicolaus von Lemberg ; en 1521 il fut nommé maître à Breslau, et en 1523 citoyen de la ville.

FILDES Fanny, Lady, née **Woods**
xixe siècle. Britannique.
Peintre de genre, paysages, fleurs et fruits.
Elle fut la femme de sir Luke Fildes. Elle exposa à la Royal Academy de Londres à partir de 1875.
Ventes Publiques : Londres, 24 juin 1909 : *Maison vénitienne sur le Grand Canal* : **GBP 17** – Londres, 15 juin 1923 : *Fruits ; Fleurs*, ensemble : **GBP 12** – Bruxelles, 16 déc. 1986 : *Jeune femme épluchant des pommes de terre* 1878, h/t (33x27) : **GBP 2 500**.

FILDES Luke, Sir
Né le 18 octobre 1844 à Liverpool. xixe siècle. Britannique.
Peintre de genre, portraits.
Il commença ses études dans les écoles du South Kensington, les poursuivit à la Royal Academy et débuta à ses expositions en 1867 et continua à y exposer. Il se fit aussi remarquer comme illustrateur par sa collaboration au *London Graphic, Cornhill Magazine, Once a Weeck* et par les dessins qu'il fournit pour les romans de Dickens et de Lever. Nommé associé de la Royal Academy, il devint académicien en 1887. Il prit part à de nombreuses expositions à l'étranger, notamment à Paris en 1878 et en 1889 (Médaille argent Exposition Universelle).
Il établit sa renommée en peignant des sujets sociaux-réalistes. Il fit de fréquents séjours à Venise et s'inspira de scènes populaires pour retracer la vie vénitienne.
Bibliogr. : Rosemary Trebbe : *Les peintres victoriens de la vie moderne*, 1982 – Christopher Wood : *Paradis perdu*, 1988.
Musées : Aberdeen : *L'artiste par lui-même* – Hambourg : *Jeune Marchande de fleurs à Venise* – Liverpool : *Le Veuf* – Londres (Tate Gal.) : *Le Docteur* – Warrington : *Fille des lagunes*.
Ventes Publiques : Londres, 8 mai 1886 : *La noce au village* 1883, h/t (152,4x254) : **GNS 105** – Londres, 15 fév. 1908 : *Dolly* 1881 : **GBP 210** – Londres, 21 mars 1908 : *Tête de jeune fille* : **GBP 86** – Londres, 1er mai 1908 : *L'Attente* : **GBP 99** – Londres, 25 juin 1908 : *Jeune Anglaise* : **GBP 420** ; *Jeune Irlandaise* : **GBP 231** ; *Nin* : **GBP 168** – Londres, 10 juil. 1908 : *Dévotion* : **GBP 220** – Londres, 24 juin 1909 : *Retour d'un pénitent* : **GBP 266** ; *Vénitien* : **GBP 210** ; *Paysanne vénitienne* 1876 : **GBP 252** – Londres, 12 fév. 1910 : *Amoureux* : **GBP 94** – Londres, 8 déc. 1922 : *La chaise vide*, dess. : **GBP 39** – Londres, 9 mars 1923 : *Roses* : **GBP 70** – Londres, 15 juin 1923 : *Tête de fillette* : **GBP 47** – Londres, 15 fév. 1924 : *Tête de fillette* : **GBP 8** – Londres, 23 jan. 1925 : *Contemplation* : **GBP 27** – Londres, 15 mars 1925 : *Heures de repos* : **GBP 35** – Londres, 1er déc. 1925 : *La Laitière* : **GBP 92** – Londres, 5 fév. 1926 : *Beauté vénitienne* : **GBP 52** – Londres, 4 juin 1926 : *Marianina* : **GBP 60** – Londres, 24 juin 1927 : *Norah* : **GBP 31** ; *Rose jaune* : **GBP 115** ; *La toilette* : **GBP 48** ; *Contemplation* : **GBP 16** ; *Nina tricote* : **GBP 60** ; *Adoration* : **GBP 16** ; *Naomi* : **GBP 147** ; *Le Châle vert* : **GBP 52** ; *Louis* : **GBP 22** ; *La Mantille* : **GBP 115** ; *Brigitta* : **GBP 10** ; *Irma n° 2* : **GBP 12** ; *Anna n° 1* : **GBP 33** ; *La Fleuriste* : **GBP 29** ; *Méditation* : **GBP 23** ; *Catherine* : **GBP 47** ; *Le Châle noir* : **GBP 48** ; *Catarina* : **GBP 47** ; *Irma* : **GBP 39** ; *Rébecca* : **GBP 25** ; *Maria n° 2* : **GBP 10** ; *Le châle rouge* : **GBP 37** ; *Gina* : **GBP 18** ; *Une blonde* : **GBP 27** ; *Nina* : **GBP 13** – Londres, 12 déc. 1927 : *Jeune femme de la Croix Rouge* : **GBP 13** – Londres, 4 juin 1928 : *Une jeune Vénitienne* : **GBP 81** – Londres, 30 nov. 1928 : *Heures de repos* : **GBP 25** – Londres, 3 déc. 1928 : *Netta* : **GBP 11** – Londres, 10 mai 1929 : *Marietta* : **GBP 14** – Londres, 30 mai 1930 : *Portrait de Williamina Margaret Ellen* : **GBP 17** – Londres, 1er mai 1931 : *Sœurs* : **GBP 29** – Londres, 24 juil. 1931 : *Jeune Vénitienne* : **GBP 17** – Londres, 2 mars 1932 : *Betty* : **GBP 30** – Londres, 17 juin 1932 : *Marianina* : **GBP 8** – Londres, 30 nov. 1934 : *La rose jaune*, dess. : **GBP 21** – Londres, 3 mai 1935 : *La Gardiniera* : **GBP 78** ; *Marchande de fruits vénitienne* : **GBP 18** – Londres, 3 avr. 1936 : *Un Vénitien* : **GBP 71** – Londres, 24 avr. 1936 : *Nourrissant des pigeons*, dess. : **GBP 5** – Londres, 25 mai 1936 : *Marietta* : **GBP 6** – Londres, 21 mai 1937 : *Sylvia* : **GBP 31** – Londres, 19 juil. 1937 : *Vivienne* : **GBP 10** – Londres, 14 fév. 1941 : *Fleuriste vénitienne*, dess. : **GBP 35** – Londres, 10 juil. 1970 : *Les pauvres* : **GNS 1 600** – Londres, 16 nov. 1976 : *Le docteur*, h/t (51,5x75) : **GBP 1 700** – Londres, 26 nov. 1982 : *The village wedding* 1883, h/t (152,4x254) : **GBP 35 000** – Londres, 14 juil. 1983 : *Rêverie au bord d'un étang* 1876, h/t (61x40,5) : **GBP 8 500** – Londres, 11 juin 1986 : *Fair quiet and sweet rest*, h/t (61x91,5) : **GBP 5 000** – Londres, 15 juin 1988 : *La cueillette des roses*, h/t (53x37) : **GBP 4 840** – Londres, 24 nov. 1989 : *La vie à Venise* 1884, h/t (214x158) : **GBP 101 200** – Londres, 13 mars 1992 : *Étude pour « Le veuf »*, h/t (54,6x38,1) : **GBP 6 270** – Londres, 12 juin 1992 : *La noce villageoise* 1883, h/t (151,7x255,3) : **GBP 275 000** – Londres, 13 nov. 1992 : *Portrait de la fille de l'artiste* 1891, h/pan. (29,2x21) : **GBP 8 580** – Londres, 12 nov. 1992 : *Simpletons la calme rivière*, h/t (40x66,5) : **GBP 12 100** – Londres, 8-9 juin 1993 : *Moments d'oisiveté* 1876, h/t (62,5x41) : **GBP 10 925** – Londres, 6 nov. 1995 : *La Laitière Betty* 1875, h/t (31x22) : **GBP 3 220** – Londres, 7 juin 1996 : *Portrait de Joséphine Agnew* 1892, h/t (54,7x43,2) : **GBP 10 350** – Londres, 12 mars 1997 : *Rose Siega, paysanne vénitienne* 1876, h/t (86,5x58) : **GBP 11 500**.

FILDIER Robert
Né à Avallon (Yonne). xxe siècle. Français.
Aquarelliste.
Il exposa à Paris au Salon des Artistes Français à partir de 1927.

FILELA Jaime
xive siècle. Espagnol.
Sculpteur.
Il travailla en 1382 aux sculptures du portail de la cathédrale de Barcelone.

FILGER Conrad ou **Filgher**
xviie siècle. Travaillait à Venise vers 1660. Italien.
Peintre de paysages.
Seulement connu par le texte de 1660, de Marco Boschini.

FILHASTRE Paul Louis Georges
Né le 18 septembre 1859 à Sainte-Bazeille (Lot-et-Garonne). Mort le 5 janvier 1948 à Villeneuve-sur-Lot. xixe-xxe siècles. Français.

Sculpteur.
Élève de Chappu et Puech. Il débuta au Salon des Artistes Français de 1884.

FILHER Julien
Né en 1888 à Bruxelles. xxe siècle. Belge.
Peintre, graveur. Postimpressionniste.
Il fut élève de l'Académie des Beaux-Arts de Bruxelles. De 1914 à 1920, il voyagea en Amérique du Sud, d'où il rapporta de nombreuses études. Il exposait à Bruxelles depuis 1922.
D'abord influencé par l'impressionnisme, son style évolua ensuite dans un sens plus purement décoratif.

FILHO Joao Camara. Voir **CAMARA-FILHO**

FILHOL Antoine Michel
Né en 1759 à Paris. Mort le 5 mai 1812 à Paris. xviiie-xixe siècles. Français.
Graveur et éditeur.
Élève de F.-D. Née. Il a gravé des paysages. On le connaît surtout comme éditeur et pour sa publication du *Cours élémentaire de peinture* ou *Galerie du Musée Napoléon*, ouvrage en 120 livraisons formant 10 volumes, avec un texte explicatif par Caroffe et J. Lavallée. En 1827, sa veuve avec la collaboration de Jal, compléta l'ouvrage avec : *Musée Royal de France* ou *Collection gravée de chefs-d'œuvre de peinture et de sculpture dont il s'est enrichi depuis la Restauration.*

FILHOL Sophie Antoinette
Née le 4 mars 1806 à Paris. Morte en 1854. xixe siècle. Française.
Peintre.
Formée par Mme de Mirbel, cette artiste fut médaillée de deuxième classe en 1839, et de première classe en 1846. Elle excella surtout dans la miniature. Au Salon elle se fit représenter de 1836 à 1853.

FILHON Bertrand
xviie siècle. Actif à Angoulême. Français.
Peintre.

FILHOS Jean
Né le 10 mars 1921 au Mas d'Agenais (Lot-et-Garonne). xxe siècle. Français.
Sculpteur.
Il a fait des études d'architecture et de sculpture. Après avoir rencontré Henri Laurens, qui le marqua profondément, il abandonna la profession d'architecte pour se consacrer entièrement à la sculpture et à l'orfèvrerie. Il expose depuis 1962 et participe à de nombreux Salons à Paris : des Réalités Nouvelles, Salon de Mai, Comparaisons.
En 1960, il découvrit les matériaux synthétiques, qui devinrent dès ce moment l'élément à travers lequel il s'exprime le plus aisément, pouvant jouer sur la souplesse du matériau pour créer une esthétique baroque, où la polychromie tient un rôle important. Créateur de bijoux, il a réalisé une série de pièces érotiques, qui connurent un certain retentissement.

FILIBERTI Francesco
Né à Alessandria (Piémont). xve siècle. Italien.
Sculpteur.
Il fut l'élève de Jacopino da Tradate. On ne connaît de lui qu'une terre cuite retrouvée chez un antiquaire en 1910 et qui représente *La Vierge et l'Enfant* portant la date du 25 juin 1462.

FILIBERTI Georges Guido
Né le 12 mars 1881 à Milan. Mort en 1970. xxe siècle. Depuis 1900 actif et depuis 1924 naturalisé en France. Italien.
Peintre de paysages, graveur. Polymorphe. Groupe musicaliste.
Il fut élève à Paris des Écoles des Arts Décoratifs et des Beaux-Arts, notamment de Louis Biloul. Il a toujours travaillé en France. Il a figuré régulièrement à Paris, d'abord au Salon des Artistes Français, et occasionnellement au Salon des Artistes Indépendants, de 1934 à 1943 au Salon des Tuileries, de 1942 à 1971 au Salon d'Automne. En 1954 et 1955, il a participé au Salon des Réalités Nouvelles avec les « musicalistes », et de 1956 à 1959 au Salon Comparaisons. En 1963, il a figuré à l'exposition *Valensi et le musicalisme* au Musée de Lyon.
D'un talent très divers, délicat non sans audaces, il a influencé des graveurs de son temps.
Ventes Publiques : Honfleur, 9 nov. 1986 : *Mme Filibert assise* 1945, h/t (81x65) : **FRF 15 000** – Paris, 12 juil. 1988 : *Composition* 1937, h/pan. (65x53,5) : **FRF 4 000** – Paris, 11 juil. 1989 : *Neige sur Montmartre* 1946, h/t (33x42) : **FRF 11 500** – Calais, 8 juil. 1990 : *Nice – la Baie des Anges* 1938, h/pan. (33x41) : **FRF 5 000**.

FILICAJA Simone da
Née à la fin du xvie siècle à Florence. xvie-xviie siècles. Italienne.
Peintre.
Elle fut élève de Jacopo Vignali.

FILICCHI Camilla
Née en 1771 à Gubbio. Morte en 1848. xviiie-xixe siècles. Italienne.
Peintre.

FILIDONI Gioacchino
xixe siècle. Travaillant au début du xixe siècle. Italien.
Graveur au burin.
Il a gravé des sujets religieux. On connaît de lui une *Entrée de Charles Quint à Bologne.*

FILIE
xviie siècle. Actif à la fin du xviie siècle. Français.
Sculpteur-ivoirier.
On cite de lui le médaillon de la princesse Palatine, au Musée de Dieppe, avant 1700.

FILIGER Charles ou **Filliger**
Né le 28 novembre 1863 à Thann (Haut-Rhin). Mort le 11 janvier 1928 à Plougastel ou Brest (Finistère). xixe-xxe siècles. Français.
Peintre de compositions religieuses, figures, paysages, peintre à la gouache, graveur. Archaïque.
Il arriva à Paris en 1886 pour peindre. Il fut d'abord sensible au pointillisme de Seurat, à la facture heurtée de Van Gogh. En 1890, il reçut un coup de poignard, sans doute lors de la fréquentation de jeunes voyous séduisants. Avait-il connu Paul Gauguin auparavant ? En tout cas, obligé de quitter Paris, il le rejoignit en Bretagne, et travailla à ses côtés en juillet 1890 au Pouldu. Il collabora à *L'Ymagier* de Rémy de Gourmont. En 1892, il participa au premier Salon des artistes de la Rose-Croix. Il partit de nouveau se fixer à Plougastel. Il ne devait plus quitter la Bretagne, dont les sites et les habitants le fascinaient. Après 1900, il erra de ville en village pendant plusieurs années, avant de se retirer dans une auberge de Tregunc, où il se cachait, ne cherchant pas à vendre ses œuvres, d'ailleurs rares. Sa carrière fut donc modeste et il termina sa vie presque misérable, assassiné ou par suicide. En 1990, le Musée de Strasbourg a organisé une exposition rétrospective de son œuvre.
Il était aussi musicien. Il fut un artiste éminemment mystique, qui semble avoir évolué d'un christianisme primitif à un certain paganisme. Il y avait une préfiguration de Pier Paolo Pasolini chez cet artiste fou de pureté et duquel les visions, jusqu'au pied de la croix, étaient hantées d'éphèbes. Il avait gravé au burin. Pour ses peintures, il utilisa surtout la gouache sur papier. Ses compositions religieuses, étranges et volontairement archaïques, dont la raideur hiératique était référée aux graveurs gothiques allemands, et les courbes sensuelles aux primitifs italiens, et auxquelles il appliquait le « cloisonnisme » des disciples de Gauguin, séduisirent Alfred Jarry, qui les louangea dans une chronique du *Mercure de France* en 1894, et ne furent pas sans influencer certains surréalistes. André Breton s'intéressa aussi à cette œuvre singulière, dont il acquit une *Composition symbolique.* Il semble qu'il peignit aussi une série de paysages d'une expression exaltée. Après 1895, il fit surtout des dessins, empreints de naïveté, où il consigne de plus en plus géométriquement ses visions, avec une exceptionnelle richesse de couleurs, comparable à celle de la transparence des vitraux. Autour d'un motif central, en général un visage de profil géométrisé, il développait une sorte de broderie proliférante, construite exactement comme ces mosaïques aux symétries florales, indéfiniment renouvelables, constituées de petits éclats de surfaces colorées, qu'on voit se générer dans le secouement d'un kaléidoscope. Émile Bernard écrivait de lui : « Filiger ne se doit qu'aux Byzantins et aux images populaires de la Bretagne. » Lui-même livrait un des préceptes responsables du hiératisme de ses personnages, qu'il tenait d'ailleurs peut-être de l'enseignement de Gauguin : « Ne faites jamais ni pleurer ni rire vos figures », ce qui avait sans doute aussi été son attitude pour la traversée d'une vie douloureuse. ■ Jacques Busse

Bibliogr. : In : *Diction. Univers. de la Peint.*, Le Robert, Paris, 1975 – Pierre Schneider : *Filiger : l'Amer Picon de l'absolu*, L'Express, Paris, 31 août 1990.

Musées : Paris (Mus. d'Orsay) : *Tête de Bretonne* – Quimper (Mus. des Beaux-Arts) : *Paysage du Pouldu* vers 1892.
Ventes Publiques : Londres, 8 avr. 1976 : *Portrait d'homme*, h/pap. mar./cart. (21x15) : **GBP 1 200** – Versailles, 15 juin 1976 : *Nouvelle recherche d'un motif primitif unitaire*, aquar. gchée (23x29) : **FRF 6 200** – Versailles, 18 juin 1980 : *Nature morte au potiron*, gche (16x20,5) : **FRF 10 000** – Enghien-les-Bains, 22 avr. 1982 : *L'Ange près de la chapelle*, h/t (33x41,5) : **FRF 118 000** – Paris, 19 juin 1984 : *Le Pouldu : la chapelle de Saint-Maudez*, gche (26x36) : **FRF 68 000** – Paris, 24 juin 1988 : *Le Christ à la lande* vers 1890, étude aquar. et encre sur calque (37x25) : **FRF 65 000** ; *Grève en Bretagne* vers 1892, gche/cart. (23x18) : **FRF 320 000** ; *Le Christ en buste entre deux anges et la Vierge*, gche/pap. reh. d'or (15,7x13,8) : **FRF 160 000** – Paris, 21 juin 1989 : *Le génie de la guirlande* 1892, gche/plâtre (35x72) : **FRF 90 000** – Paris, 22 nov. 1989 : *Nature morte aux noix*, h/pan. (9x10,5) : **FRF 50 000** – Douai, 3 déc. 1989 : *Composition au personnage*, aquar. (14x14) : **FRF 41 000** – Paris, 3 avr. 1990 : *L'Ange*, collage gouaché (137x137) : **FRF 60 000** – Paris, 11 mars 1991 : *La Vierge à l'Enfant*, aquar., gche et peint. dorée (7,8x6,5) : **FRF 19 000** – Paris, 8 nov. 1991 : *Le Christ et la Vierge* 1892, reproduction avec reh. de gche, illustration pour Le Lutin mystique (8x9,2) : **FRF 9 500** – Paris, 24 juin 1992 : *Sainte en prière*, gche (23,5x16,5) : **FRF 200 000** – Paris, 4 mars 1994 : *Études de personnages (portrait de La Rochefoucault) et de motifs ornementaux*, trois dess. à la pl. sur pap. calque (14x12,5 ; 14x14, et 11,5x15,8) : **FRF 30 000** – Paris, 24 juin 1994 : *Portrait d'homme en médaillon*, aquar. (15,5x14,5) : **FRF 6 500** – Paris, 15 déc. 1994 : *Mosaïque et portrait*, aquar. (15x14,5) : **FRF 11 000** – Paris, 26 mars 1995 : *Étude pour La Madone au ver luisant*, aquar. gchée avec reh. d'or sur pap. calque/cart. (23,5x30,5) : **FRF 48 000** – Paris, 19 juin 1995 : *Le Génie à la guirlande* 1892, gche/pan. de plâtre (36x71) : **FRF 200 000** – Londres, 28 juin 1995 : *Les anges près de la chapelle Saint-Maudez au Pouldu* 1892, h/t (34x42) : **GBP 8 050** – Paris, 16 déc. 1997 : *Ora pro nobis* 1894, reh. gche et or, illustration (8x6) : **FRF 35 000**.

FILIMONOFF Jacob Jakovlevitch
Né le 10 avril 1771 à Saint-Pétersbourg. Mort le 2 avril 1795 à Nadjeshidino (près de Saratov). xviiie siècle. Russe.
Peintre.
En 1786, il entra à l'École Impériale des Beaux-Arts et y fut l'élève de Ssemjon Fedorovitch Chtschedrin. En 1793 il fut décoré comme artiste de première classe. Le Musée Alexandre III à Saint-Pétersbourg conserve de lui deux paysages italiens.

FILIMONOV Vladimir
Né en 1873. Mort en 1934. xxe siècle. Russe.
Peintre de natures mortes.
Il fut élève de l'Académie des Beaux-Arts de Saint-Pétersbourg. Le titre d'Artiste du Peuple lui fut décerné. Il participa à des expositions nationales et internationales, notamment à Vienne, Amsterdam, Rome, Paris.
Il peint des thèmes usés, d'une technique académique maîtrisée.
Ventes Publiques : Paris, 19 juin 1991 : *Nature morte à la pastèque* 1929, h/t (97x120) : **FRF 6 500**.

FILIPEPI Alessandro. Voir **BOTTICELLI Sandro**

FILIPKIEWICZ Stephan
Né en 1879 à Cracovie. xxe siècle. Polonais.
Peintre de paysages, paysages animés.
Il fut élève de Florian Cynk et Joseph Mehoffer à l'Académie des Beaux-Arts de Cracovie. Il exposa annuellement à Cracovie, Lemberg, Varsovie, et figura dans des expositions collectives à Berlin, Munich, Vienne, Rome, etc.
Il fut surtout peintre de paysages, sensible aux atmosphères particulières : *L'hiver, La rosée, Ciel d'Automne*. Il peignit aussi des vues de villes : *Vue de Kasimiec*, des vues animées : *La foire sur la place Szczepauski à Cracovie*.

FILIPOFF Afanasii
xviie siècle. Travaillait à Moscou. Russe.
Peintre.
Il était élève de Ivan Bogdanovitch Saltanoff à Moscou. Il travailla avec lui dans plusieurs églises moscovites.

FILIPOFF Constantini Nicolaievitch
Né en 1830. Mort le 12 juillet 1878 à Yalta. xixe siècle. Russe.
Peintre.
Depuis 1850, il fut élève du peintre de batailles B. P. Willewalde, à l'Académie Impériale de Saint-Pétersbourg. Il fut plusieurs fois décoré de médailles. Il exposa à Saint-Pétersbourg en 1863.
Musées : Moscou (Gal. Tretiakov) : *Route militaire de Simferopol à Sébastopol au temps de la guerre de Crimée* – Moscou (Gal. Zvietkoff) : *Scène de la guerre de Crimée* – *Un cosaque*, aquar. – *Cavalier caucasien*, sanguine – Saint-Pétersbourg (Mus. Russe) : *Émigrés bulgares en route vers la Russie* – *Paysans russes émigrant au Caucase*.

FILIPOVA Katia
xxe siècle. Russe.
Peintre, créatrice d'assemblages.
Elle incorpore dans des habillements néoconstructivistes provocateurs, des images caractéristiques prélevées de la culture « sot », l'équivalent à la fin de la Russie soviétique de la culture « pop » en Amérique.

FILIPOVIC Franjo
Né en 1930 à Hlebine (Croatie). xxe siècle. Yougoslave-Croate.
Peintre de scènes typiques. Naïf.
Il a toujours été paysan et l'est resté, ne peignant que pendant ses loisirs. Né à Hlebine, village devenu capitale de la peinture naïve par la force de l'exemple donné par Generalic, Filipovic lui montra ses dessins en 1945 et Generalic l'encouragea à se mettre à la peinture. Il a montré ses premières peintures dans des expositions régionales à partir de 1946. En 1957, il figurait à l'exposition des peintres naïfs yougoslaves à Belgrade. En 1949, il y eut une exposition personnelle de ses œuvres à Zagreb.
Il peint par larges aplats colorés, dans une manière d'imagerie décorative. Ses thèmes favoris sont les scènes de la vie quotidienne des paysans : la cuisson du pain, l'égrenage du maïs, le barattage du beurre, etc.
Bibliogr. : Oto Bihalji-Mehrin : *Les peintres naïfs*, Delpire, Paris, s. d.
Musées : Zagreb (Gal. d'Art Primitif) : *La chasse aux canards* 1957.
Ventes Publiques : Zurich, 23 nov. 1978 : *Les œufs de Pâques* 1962, fixé sous-verre (32x45) : **CHF 2 500**.

FILIPOWICZ San-Joseph
xviiie siècle. Polonais.
Graveur de sujets religieux, portraits.
En 1742 on le trouve à Lublin, en 1745 à Leopol. Il grava, sur cuivre, des portraits de ses contemporains et des images pieuses ; des *Madones*, des images de *Saints*, des *Scènes de la Vie du Christ*. Comme portraits, il grava, entre autres, celui du *Prince Janusz Lubartowicz Sanguszko*, ceux des évêques *Léon* et *Athanase Szeptycki*, de *Anna de Ossy Wielporsha* et de *Stephan Studzinski*.

FILIPPELLI Cafiero
Né en 1889 à Livourne. Mort en 1973. xxe siècle. Italien.
Peintre de genre, nus, figures, paysages animés, paysages, intérieurs.
Dans ses scènes d'intérieurs, il se montrait volontiers peintre de genre, choisissant des thèmes et des personnages typiques.

C Filippelli

Ventes Publiques : Milan, 17 juin 1981 : *Lo scaldino*, h/isor. (25x20) : **ITL 1 700 000** – Milan, 16 déc. 1982 : *Famille attablée*, h/pan. (19x23,5) : **ITL 1 400 000** – Milan, 2 avr. 1985 : *Paysage rustique, Toscane* 1937, h/pan. (45x33) : **ITL 3 600 000** – Milan, 18 mars 1986 : *Scène d'intérieur*, h/cart. (34x39) : **ITL 2 800 000** – Rome, 24 mai 1988 : *Devant l'âtre*, h./contre-plaqué (18x24) : **ITL 2 200 000** – Rome, 14 déc. 1988 : *Une table*, h/pan. (20x30) : **ITL 2 000 000** – Rome, 14 déc. 1988 : *Intérieur bourgeois*, h/pan. (15x20) : **ITL 1 400 000** – Rome, 14 déc. 1989 : *Le soir à la maison*, h./contre-plaqué (42x47) : **ITL 2 875 000** – Milan, 30 mai 1990 : *Enfants de chœur dans la sacristie* 1944, h/pan. (59,5x53) : **ITL 6 000 000** – Rome, 31 mai 1990 : *Le réparateur de parapluies*, h/pan. (35x45,5) : **ITL 5 500 000** – Milan, 6 juin 1991 : *Village* 1952, h/pan. (29x39,5) : **ITL 1 900 000** ; *Nu féminin de dos* 1940, h/pan. (112x70,5) : **ITL 4 000 000** – Milan, 19 mars 1992 : *La charrette rouge dans l'oliveraie*, h/pan. (24,5x34,5) : **ITL 4 200 000** – Bologne, 8-9 juin 1992 : *Devant l'âtre*, h/rés. synth. (22,5x30) : **ITL 2 300 000** – New York, 29 oct. 1992 : *Fillette près d'une fontaine*, h/pan. (34,2x49,5) : **USD 2 200** – Milan, 3 déc. 1992 : *Rue de village*, h/t (68x115) : **ITL 17 688 190** – Milan, 8 juin 1993 : *Le bout du pays*, h/pan. (38x26,5) : **ITL 4 000 000** – Milan, 29 mars 1995 : *L'attente* 1913, h/cart. (18,5x14,5) : **ITL 2 300 000** – Rome, 5 déc. 1995 : *À table*, h/bois (31x33) : **ITL 4 478 000**.

FILIPPI Agostino
Né vers 1680 à Parme. Mort après 1760. XVIIIe siècle. Italien.
Peintre d'architectures.

FILIPPI André
Né le 26 juillet 1902 à Toulon (Var). Mort le 14 avril 1962. XXe siècle. Français.
Sculpteur, graveur.
Il sculpta nombre de santons.

FILIPPI Biagio di Lorenzo de
Mort le 22 septembre 1510. XVIe siècle. Italien.
Miniaturiste.
Il fut appelé Biago di Lorenzo et fut employé pour les ouvrages de l'église Sta Maria Novella, à Florence.

FILIPPI Camillo
Né vers 1500 à Ferrare. Mort en 1574. XVIe siècle. Italien.
Peintre d'histoire et de portraits.
Élève de Dosso Dossi. L'église Santa Maria del Vado de sa ville natale possède de lui un tableau de l'*Annonciation*. Dans l'église de Il Gesu se trouve une *Trinité*. Il travaillait pour la famille d'Este. Dans la villa à Copparo on trouve une peinture de la *Bataille de Marignan*. Il exécuta un grand nombre de cartons de tapisseries.

FILIPPI Cesare
Né en 1536 à Ferrare. Mort après 1602. XVIe siècle. Italien.
Peintre.
Fils et élève de Camillo Filippi, il assista dans leurs travaux son père et son frère Sebastiano ; il exécuta quelques tableaux d'histoire tels que : *Le Crucifiement* dans l'église de La Morte. Cet artiste excella dans la peinture des têtes et des grotesques en style ornemental. On connaît de lui également le *Jugement dernier* (sur la façade de l'église Saint-Silvestre). *La Résurrection du Christ en présence de saint Bernard* est conservée à la Pinacothèque.

FILIPPI Fernando de
Né en 1940 à Lecce. XXe siècle. Italien.
Peintre de compositions animées. Figuration narrative.
Il fut élève de l'Académie de Bréra à Milan, où il fit sa première exposition en 1963. Il exposa ensuite dans de nombreuses villes d'Italie.
L'œuvre de de Filippi se rattache au courant de la figuration narrative, elle-même issue de l'attention du pop art envers les images stéréotypées. Tirée de documents photographiques, sa peinture respecte cet « anonymat » de l'objectif, s'appliquant à éviter toute tentation impressionniste ou expressionniste. Pourtant, loin de n'effectuer qu'un simple constat, Filippi, comme l'écrit Renato Barelli : « opère des modifications... Il joue des ciseaux en opérant des coupures et des juxtapositions. Après s'être muni en quelque sorte de coupures de journaux et de magazines, il laisse au magnétisme d'une sympathie secrète le soin de les unir ou de les séparer en un kaléidoscope vif et multicolore. C'est dans ce sens que l'on peut considérer que sa peinture est une *narration* un *récit* ».
VENTES PUBLIQUES : MILAN, 27 mars 1990 : *L'étrange histoire de Grégoire* 1963, h/t (70x100) : **ITL 2 400 000**.

FILIPPI Francesco
XVIe siècle. Actif à Ferrare. Italien.
Peintre.
Il travaillait pour la Confrérie de la Mort. On connaît de lui une *Mise en croix*, qui se trouve dans l'église Saint-Apollinaris. Il était le frère de Gasparo Filippi.

FILIPPI Gasparo
XVIe siècle. Actif à Ferrare. Italien.
Peintre.
Il travaillait pour la Confrérie de la Mort. On connaît de lui une *Crucifixion* qui se trouve dans l'église Saint-Apollinaris. Il était le frère de Francesco Filippi.

FILIPPI Giacomo
Né en 1692 à Ferrare. Mort le 3 août 1743. XVIIIe siècle. Italien.
Peintre d'architectures et de paysages.
Il était élève de Francesco Ferrari. Il travailla pour beaucoup d'églises, Saint-Étienne, Sainte-Rose, Saint-Lorenzo, pour le Palais du Paradis, etc.

FILIPPI Giovanni Battista
XVe siècle. Actif à Bologne. Italien.
Sculpteur.

FILIPPI Giovanni Maria
Né à Dasindo. XVIe-XVIIe siècles. Italien.
Sculpteur.
Il sculpta le portail principal de l'église paroissiale ainsi que deux fenêtres de marbre blanc et rouge.

FILIPPI Giuseppe
Mort le 28 juillet 1757. XVIIIe siècle. Italien.
Peintre de théâtre.
Il était le neveu de Giacomo Filippi. Il travailla aux églises Saint-Dominique et Saint-François de Ferrare.

FILIPPI Jeanne de
Née au XIXe siècle à Paris. XIXe siècle. Française.
Peintre.
Élève de Chaplin. Elle se fit représenter au Salon par des portraits, de 1876 à 1882. On cite d'elle, notamment, le portrait de *Mme Élise Picard, de l'Odéon*.

FILIPPI Lucienne
Née le 23 juillet 1928 à Mandelieu (Alpes-Maritimes). XXe siècle. Française.
Peintre d'histoire, fleurs, paysages, scènes typiques, miniatures.
Elle acquit sa formation artistique à Paris, notamment à l'Académie de la Grande Chaumière. Elle figure dans de nombreuses expositions collectives, notamment à Paris aux Salons des Indépendants, de la Société Nationale des Beaux-Arts, etc., ainsi que dans de nombreuses municipalités de la périphérie, où elle a obtenu de nombreuses distinctions et médailles. Elle a été professeur de dessin et peinture aux Centres culturels de Bry-sur-Marne et de Villiers-sur-Marne, où elle vit et travaille et dont elle a fondé la Société des Artistes.
Les compositions florales restent son activité de prédilection. Elle y a ajouté le paysage, des scènes de la vie de province et des guinguettes des bords de Marne. Elle a peint avec un soin méticuleux des scènes historiques de la Révolution. Elle peint aussi quelques portraits en miniatures.
BIBLIOGR. : Michel Riousset : *Les peintres des bords de Marne*.
MUSÉES : NOGENT-SUR-MARNE : *Arrestation de Millin du Perreux en 1794 – Pierre Marjolin coupe la croix du clocher de Saint-Saturnin de Nogent en 1794 – Extraction des cercueils de plomb de l'église de Nogent en 1794 – Joséphine et Hortense de Beauharnais*, miniature – *Miniature de Jérôme Millin du Perreux – Sophie Legrand*, miniature – *Château du Perreux au XVIIIe siècle*, miniature.

FILIPPI Niccolo
XVIe siècle. Actif à Sienne. Italien.
Sculpteur.

FILIPPI Paolo
Né le 4 septembre 1755. Mort le 27 août 1830. XVIIIe-XIXe siècles. Italien.
Peintre et graveur.
Il fit une peinture pour l'autel de l'église Saint-Gervais de Belluno.

FILIPPI Paris
Né en 1836 à Cracovie. Mort en 1874 à Varsovie. XIXe siècle. Polonais.
Sculpteur.
Il fut élève de son père, puis de l'Académie de Munich. On connaît de lui des bustes, des bas-reliefs, des monuments funéraires.

FILIPPI Pietri
XVIIIe siècle. Italien.
Peintre.
Il était le frère de Giuseppe Filippi et travailla avec lui à Ferrare.

FILIPPI Sebastiano, l'Ancien
Mort avant 1523 à Ferrare. XVIe siècle. Actif à Lendinara près de Rovigo. Italien.
Peintre.
Grand-père de Sebastiano Filippi le Jeune et de Cesare Filippi.

FILIPPI Sebastiano, le Jeune, appelé **il Bastianino** et parfois **Gradella**
Né en 1532 à Ferrare. Mort avant le 19 décembre 1602 à Ferrare. XVIe siècle. Italien.
Peintre d'histoire, compositions religieuses, portraits, dessinateur.
Son père Camillo Filippi fut aussi son maître. Il partit ensuite pour Rome à dix-huit ans, et y fut admis dans l'école de Michel-Ange. Mais le climat de Rome l'obligea à retourner dans sa ville natale.

Il se montra un des meilleurs imitateurs de son maître.
Musées : Ferrare (cathédrale) : *Le Jugement dernier* 1577-1584 – *La Circoncision* – Ferrare : *L'Annonciation,* sept versions – Ferrare (église Sainte-Catherine) : *Le Martyre de sainte Catherine* – Ferrare (église Santa Maria de Servi) : *L'Épiphanie* – Ferrare (église San Benedetta) : *Christ mort porté par les anges* – Ferrare (Pina.) : *L'Annonciation* – *La Naissance du Christ* – *Sainte Cécile* – *Madones* – *Portrait d'Alphonse II* – *Portrait du marquis Hippolyte Villa.*
Ventes Publiques : Milan, 8 mai 1984 : *Madonna in gloria con devoto,* h/t (40x24) : **ITL 6 000 000** – New York, 10 jan. 1996 : *Deux putti et un ange soufflant dans des trompettes,* craies noire et blanche/pap. bleu (26,2x42) : **USD 26 450.**

FILIPPI Théodoro
Graveur.
Cité par Nagler.

FILIPPINI Achille
Mort le 16 novembre 1910. xixe-xxe siècles. Italien.
Peintre.
En peignant le plafond du théâtre Paganini à Gênes, il tomba des échafaudages.

FILIPPINI Andrea
Né au xviiie siècle à Trente. xviiie siècle. Italien.
Sculpteur.
On peut citer de lui l'autel de marbre de la cathédrale de Trente, élevé à la gloire de l'Immaculée-Conception.

FILIPPINI Antonio
Né près de Bologne. Mort en 1710. xviiie siècle. Italien.
Peintre.
Il n'est mentionné que par Zani.

FILIPPINI Francesco
Né en 1670. Mort après 1718. xviie-xviiie siècles. Actif à Vérone. Italien.
Sculpteur.
Il était l'élève de Don Tomezzoli et de Giov. Bonazza. Il fit beaucoup de statues pour décorer les églises et les jardins de Vérone. On peut citer les statues de *Saint Ignace,* de *Saint François-Xavier,* de *Francesco Borgia* et les statues de la chapelle et du jardin de la Villa Persico-Poggi à Affi.

FILIPPINI Francesco
Né en novembre 1853 à Brescia. Mort le 6 mars 1895 à Milan. xixe siècle. Italien.
Peintre d'histoire, compositions religieuses, paysages.
Il travailla avec Luigi Campini, et avec Giuseppe Bertini à Milan. Il fut d'abord peintre d'histoire, avec *Caligula, Une martyre chrétienne,* puis il s'adonna au paysage.
Ventes Publiques : Milan, 21 oct. 1969 : *La Lagune à Venise* : **ITL 1 400 000** – Milan, 18 mai 1971 : *Sago d'Iseo* : **ITL 1 600 000** – Milan, 17 oct. 1972 : *Les pêcheurs* : **ITL 3 400 000** – Milan, 12 juin 1973 : *Paysage alpestre* : **ITL 1 700 000** – Milan, 15 mars 1977 : *Lac de montagne,* h/pan. (34,5x59,5) : **ITL 1 900 000** – Milan, 19 mars 1981 : *Têtes de femmes,* deux aquar. (38x37) : **ITL 2 400 000** – Milan, 12 déc. 1983 : *Paysage,* h/t (115x80) : **ITL 17 000 000** – Milan, 28 oct. 1986 : *Paysage escarpé,* h/t (36,5x54) : **ITL 12 000 000** – Milan, 14 mars 1989 : *Tourbière sous la neige,* h/t (39x60) : **ITL 19 000 000** – Milan, 19 mars 1992 : *Bateau à vapeur sur la lagune,* h/pan. (24x46,5) : **ITL 24 500 000.**

FILIPPINI Orlando
xviiie siècle. Italien.
Peintre.
En 1737, il alla de Florence à Naples et fut nommé directeur de la « Piccola Academia ». Il était également tapissier.

FILIPPINI Pietro
Né vers 1789. Mort le 6 avril 1869. xixe siècle. Actif à Brescia. Italien.
Peintre et lithographe.
Il était l'élève de Giuseppe Bezzuoli à Florence. Il était excellent restaurateur (il restaura un Fra Angelico dans l'église Saint-Alexandre) et mosaïste. C'est lui qui introduisit la lithographie à Brescia.

FILIPPIS August de
Né le 8 septembre 1906 à Jersey-City (New Jersey). xxe siècle. Américain.
Peintre de paysages.
Il fut élève de Nicolaï Féchin. Il participait à l'exposition annuelle de New Jersey, où il obtint une mention honorable en 1935.

FILIPPIS Nicolas de
Né vers 1697 à Triggiano (Apulie). Mort après 1740. xviiie siècle. Italien.
Peintre.
Il était l'élève de son cousin, le peintre Vitantonio de Filippis de Triggiano, et de Paolo de' Matteis. Entré dans les ordres, il peignit une *Sainte Claire* pour l'église Sainte-Claire-de-Bari, et un *Exode des Israélites* pour Sorrente.

FILIPPO
xiiie siècle. Italien.
Sculpteur.
Il travailla à Ancône de 1210 à 1225 aux églises Sainte-Marie-de-Piazza et Saint-Pellegrin ; en 1231 il bâtit l'église S. Giovanni Profiamma à Foligno ; (il était également architecte). Le Musée Chrétien de la cathédrale de Foligno conserve des statues de lui.

FILIPPO
xve siècle. Actif à Sulmona en 1408. Italien.
Peintre.

FILIPPO
xve siècle. Actif à Ferrare en 1430. Italien.
Peintre.

FILIPPO
xve siècle. Actif à Forli en 1491. Italien.
Peintre.

FILIPPO
xvie siècle. Actif à Pise en 1540. Italien.
Sculpteur.
On connaît de ce sculpteur sur argile un *Christ entouré de deux anges,* qui a disparu aujourd'hui et qu'il avait fait pour l'église Sainte-Marie-de-Pontenovo.

FILIPPO di Andrea
xve siècle. Italien.
Peintre.
Des documents font état de lui à Venise de 1481 à 1486.

FILIPPO del Aquilo Beato
Né dans les Abruzzes. xive siècle. Italien.
Peintre de miniatures.

FILIPPO da Bissone
xvie siècle. Italien.
Sculpteur.
Vivant à Bissone, Filippo fut un des trois frères da Bissone, fils d'Antonello Gaggini, qui travaillèrent vers 1558 au Sanctuaire de la Madone de Macerato, près de Visso, dans les Apennins.

FILIPPO da Borsano
xve siècle. Actif à Milan en 1473. Italien.
Peintre.

FILIPPO da Campi
xive siècle. Actif à Florence vers 1366. Italien.
Peintre.

FILIPPO da Carona
xvie siècle. Italien.
Sculpteur.
En 1509, il sculpta un portail pour l'église Saint-François à Udine.

FILIPPO da Castello
xve siècle. Italien.
Sculpteur.
En 1475 il travailla à l'autel de Saint-Joseph dans la cathédrale de Milan.

FILIPPO di Celo
xive siècle. Vivant à Avignon en 1336. Italien.
Peintre.

FILIPPO da Como
xvie siècle. Italien.
Sculpteur.
C'est lui qui fit le tabernacle de la statue de Jules II élevée par Michel-Ange sur la façade de l'église S. Petronio de Bologne.

FILIPPO di Cristofano
xve siècle. Italien.
Sculpteur.
En 1412 et 1413 il travailla à des tabernacles dans la Residenza dei Capitani del Bigallo à Florence.

FILIPPO di Domenico
xive-xve siècles. Italien.

Sculpteur.
Vénitien, il travailla de 1394 à 1396 et en 1423 aux fenêtres des huit premières chapelles de Saint-Petrone à Bologne, en 1416-1421 il travailla à Fano au Palazzo Malatestiano, érigea le monument funéraire de Paola Malatesta dans l'église Saint-François.

FILIPPO da Fiesole
Mort en 1540. XVe-XVIe siècles. Italien.
Sculpteur.
Il travailla à Cracovie au château royal ; en 1495 il avait pris part à la construction du château Sant' Angelo à Rome. Il était plus connu comme architecte.

FILIPPO da Fiesole Florian
XVIe-XVIIe siècles. Italien.
Sculpteur.
Il était le fils de Filippo da Fiesole et l'élève de Giovanni Cini. Il travailla surtout à Cracovie.

FILIPPO da Firenze
XVe siècle. Italien.
Moine, miniaturiste.
De 1488 à 1491, il vécut près de Florence dans le Cloître San Miniato al Monte et de 1494 à 1502 au couvent San Benedetto à Gubbio. Le Musée Saint-Marc à Florence possède des miniatures extraites d'un Missel venant du couvent de Monte Olivetto.

FILIPPO di Giovanni
XVIe siècle. Italien.
Sculpteur.
Cet artiste florentin travailla à Sienne. En 1591 il livra un tabernacle richement décoré pour la chartreuse di Maggiano, ainsi qu'un ange.

FILIPPO di Giuliano
XVe siècle. Italien.
Peintre.
Son nom est mentionné à Florence dans des documents en 1480 et en 1491 ; en 1480 il avait un atelier en commun avec Jacopo del Sellajo.

FILIPPO di Goro
XVe siècle. Actif au début du XVe siècle. Italien.
Peintre.

FILIPPO di Jacopo
XVe siècle. Actif à Pise en 1493. Italien.
Sculpteur.

FILIPPO di Lazzaro
XIIIe siècle. Italien.
Peintre.
Il travailla en 1280 à la cathédrale de Pistoia et peignit un tableau pour l'autel de S. Giovanni Fuorcivitas, auquel il travailla avec Taddeo Gaddi. Il était le frère de Jacopo et de Tommaso di Lazzaro.

FILIPPO di maestro Giovanni Scutario. Voir **SCUTARIO**

FILIPPO da Mantu
XVIe siècle. Italien.
Sculpteur sur bois.
En 1515 il livra à la compagnie Sainte-Croix à Urbino, un crucifix de bois sculpté, avec *Saint Jean entre les deux Marie*.

FILIPPO di Marco
XVe siècle. Italien.
Peintre.
En 1447, il fut nommé membre de la Guilde de Florence.

FILIPPO da Martinengo
XVIe siècle. Actif à Bergame. Italien.
Peintre.

FILIPPO da Melegnano
XVe siècle. Italien.
Peintre.
Le 4 mars 1402, il reçut un salaire pour avoir continué et terminé le vitrail principal du chœur de la cathédrale de Milan.

FILIPPO da Menderisio
XVe siècle. Italien.
Sculpteur.

FILIPPO da Montercale
XVe siècle. Italien.
Peintre.
En 1490 il travailla à la cathédrale d'Aquila.

FILIPPO Napoletano. Voir **ANGELI Filippo d'**

FILIPPO de Pola
Originaire de Monteleone. XVe siècle. Actif à Urbino en 1428. Italien.
Peintre.

FILIPPO da Settignano
XVIe siècle. Italien.
Sculpteur.
Il travailla à l'extérieur de la chapelle Saint-Jean de la cathédrale de Sienne d'après les plans de Peruzzi.

FILIPPO di Ugolino di Roberto
Mort en 1468. XVe siècle. Italien.
Peintre.
En 1451 il fut admis dans la corporation des peintres de Pérouse, et élu prieur en 1468.

FILIPPO da Venezia
XIVe siècle. Italien.
Sculpteur.
Il se confond, selon toute vraisemblance, avec Filippo de' Santi da Venezia. Il exécuta en 1332 le tombeau du bienheureux Odorico de Pordenone à Udine, érigé dans la chapelle de Saint-Louis de Toulouse dans l'église Saint-François à Udine. C'est une des œuvres capitales de la sculpture vénitienne de la première moitié du XIVe siècle. On reconnaît notamment sur les fragments conservés : Odorico guérissant les malades et l'enterrement d'Odorico en présence du patriarche d'Aquileja et de Castaldus d'Udine, ainsi que sept figures de saints.

FILIPPO da Verona
XVIe siècle. Actif au début du XVIe siècle. Italien.
Peintre.
On peut citer de lui des fresques à Saint-Antoine de Padoue : *Madone avec saint Félix et sainte Catherine, Annonciation aux Anges, Saint Antoine, Les fiançailles de sainte Catherine* ; à Bergame se trouve une *Vierge avec un Évêque*.

FILIPPOFF Ilya
XVIIe siècle. Russe.
Peintre.
Il était élève de Simon Uchakoff à Moscou, et peignit avec d'autres élèves de ce maître, de 1678 à 1685, dans des églises de Moscou, des icônes et des fresques.

FILIPPONI Giuseppe et **Luighi**, les frères
Nés à Udine. XIXe-XXe siècles. Italiens.
Peintres.
Ces deux artistes ont travaillé en collaboration. Ils étudièrent à Rome, s'adonnant particulièrement au genre sacré. On leur doit de nombreux travaux à Trévise et à Venise. Ils eurent des prix aux Expositions de Turin. Vers la fin du XIXe siècle, ils prirent part au concours de S. S. Léon XIII. En 1900, il prirent part également au concours Alinari avec leur tableau : *Rosa Mystica*.

FILIPPOV Oleg
Né en 1937. XXe siècle. Russe.
Peintre de compositions à personnages, de paysages, de natures mortes.
Élève de l'institut Répine à l'Académie des Beaux Arts de Leningrad. Il devint Membre de l'Association des Peintres de Saint-Pétersbourg.
VENTES PUBLIQUES : PARIS, 23 mars 1992 : *Le mariage en automne*, h/t (60x80) : **FRF 4 000**.

FILIPS
Né le 9 novembre 1958 à Versailles (Yvelines). XXe siècle. Français.
Dessinateur, illustrateur.
Diplômé de l'École des Beaux-Arts de Versailles, il collabore régulièrement avec les revues *Bitro, Rock and Folk, l'Écho des Savanes, Actuel* et *Télérama*.
VENTES PUBLIQUES : PARIS, 5 avr. 1991 : *France-Colonie* 1988, encres de coul./pap. (21,5x16,5) : **FRF 3 500**.

FILIPSZ Hans
XVIIe siècle. Actif à Amsterdam. Éc. flamande.
Peintre.

FILISPONIO Domenico
XVIIIe siècle. Italien.
Peintre.
Il fut membre de la guilde de Naples en 1709.

FILKO Stano

Né le 15 juillet 1937 à Velké-Hradné. XXe siècle. Tchécoslovaque.

Sculpteur d'assemblages, environnements, artiste de happenings.

Il fut élève de l'École Supérieure des Beaux-Arts de Bratislava. Il commença à exposer en Tchécoslovaquie, Italie et France. En 1968, un « environnement » de lui fut présenté à la Maison de la Culture de Grenoble.

Il se fit remarquer avec des assemblages complexes d'images religieuses et de photographies érotiques : *Autels contemporains* de 1963 à 1966, démystifications des tabous divers de la société du moment. Des costumes peints et ornés étaient mis à la disposition du public, afin de lui permettre une réelle participation à ces célébrations profanatrices. Avec Alex Miynarcik, il organisa, en 1965, les « happsocs », sortes de happenings à intentions politiques. En 1967, il réalisa un *Environnement universel*, construction habitable, jouant avec des effets de miroirs multiples projetant silhouettes et reflets. Ce fut cet environnement qui fut montré à Grenoble en 1968, dans le moment de la vogue de ces sortes d'interventions à participation.

Bibliogr. : In : *Nouveau diction. de la sculpt. mod.*, Hazan, Paris, 1970.

FILKUKA Anton ou **Filkula**

Né en 1888 à Vienne. Mort en 1947. XXe siècle. Autrichien.

Peintre de paysages, paysages animés, portraits, pastelliste.

Il a exposé à Düsseldorf, Genève, Stockholm, Melbourne, New York.

Musées : Vienne.

Ventes Publiques : Vienne, 20 mai 1981 : *Paysage au chalet* 1912, h/t (90x120) : **ATS 11 000** – Vienne, 13 sep. 1983 : *Leopoldsberg*, past. (67x87,5) : **ATS 12 000** – Vienne, 11 sep. 1984 : *Lac alpestre*, h/t (150x170) : **ATS 35 000** – Vienne, 23 juin 1987 : *Paysage d'hiver*, h/t (100x136) : **ATS 13 000** – Berne, 26 oct. 1988 : *Chalets dans un village de montagne en Autriche*, h/t (60x81) : **CHF 1 000** – Londres, 30 nov. 1990 : *Les briseurs de glace dans un paysage d'hiver en montagne*, h/t (202,5x300,4) : **GBP 6 820**.

FILL Ph. Jos.

XVIIIe siècle. Actif dans la seconde moitié du XVIIIe siècle. Allemand.

Graveur.

Il travaillait dans la vallée du Rhin. On peut citer de lui un portrait du prince électeur de Trèves *Clemens Wenceslas*, et *Départ des Français de Mannheim en 1795*.

FILLA Emil

Né le 4 avril 1882 à Chropyne (Moravie). Mort le 7 octobre 1953 à Prague. XXe siècle. Tchécoslovaque.

Peintre, sculpteur. Cubiste. Groupe Osma (Les Huit), groupe Skupina vytvarnych umelcu (groupe des Plasticiens).

De 1903 à 1906, il fut élève de l'École des Beaux-Arts de Prague. Il s'intéressait alors aux précurseurs de l'expressionnisme Greco, Goya, Daumier, Munch, Max Liebermann, et aussi à Cézanne. De 1907 à 1914, Filla entreprit de fréquents et longs voyages d'étude à travers l'Allemagne, l'Italie et surtout la France. Ce fut au cours de ces voyages qu'il entra en contact avec la peinture cubiste. Il ne semble pas qu'il ait été sensibilisé au futurisme italien, ni à l'émergence de l'abstraction, même ensuite lorsqu'il se réfugia en Hollande pendant la Première Guerre mondiale, se liant avec Mondrian et Van Doesburg et participant au premier numéro de *De Stijl*. Dès 1907, 1908, il avait exposé avec le groupe *Osma* (Les Huit) de tendance expressionniste, qu'il avait co-fondé avec d'anciens camarades des Beaux-Arts. Il fut membre après 1911 du groupe *Skupina vytvarnych umelcu* (groupe des arts plastiques), qui privilégiait les orientations cubistes. À cette époque, il joua, notamment par ses contributions aux revues, un rôle de relais entre les artistes tchèques et les cubistes français. De retour à Prague en 1920, il fut aussitôt l'animateur de l'association *Manès* (du nom du plus important peintre romantique tchécoslovaque), dont la salle d'exposition nouvelle, bâtie par Novotny en 1930 au bord de la Moldau, existait encore dans les années soixante-dix, et qui, à la façon de la *Brücke* en 1909 à Munich, regroupait, sans exclusives, les artistes des tendances prospectives, des expressionnistes aux cubistes et aux surréalistes. Dans ce cadre administratif, Filla organisait des expositions représentatives de toutes les nouvelles tendances de l'art national et international. En 1936, il publia ses réflexions sous le titre *Art et Réalité*. Outre son activité antifasciste notoire, ce fut sans doute aussi en raison de ce qu'il pratiquait un art qu'ils qualifiaient de « dégénéré » que les Allemands du nazisme, après l'annexion de la Tchécoslovaquie et pendant la Seconde Guerre, l'internèrent en 1939 dans le camp de déportation de Buchenwald. Après la guerre, Filla a beaucoup écrit sur l'art. Il fut professeur à l'École des Arts Appliqués de Prague. À la fin de sa vie, il avait été logé au château de Péruc, où fut ensuite créé un musée de ses œuvres.

De nombreux peintres tchèques, avec Vaclav Spala, Frantisek Tichy, Jindrich Prucha, travaillaient dans l'esprit de l'expressionnisme dominant en Allemagne et Europe Centrale, tandis qu'un Vincenc Bénès regardait du côté des intimistes ou que Frantisek Janousek était fortement marqué par les surréalistes. Émil Filla, de même que Kubista et Prochazka, avait commencé à peindre dans cet esprit expressionniste, comme en témoignent ses peintures de 1907, à l'époque du groupe des Huit. La couleur, poussée à sa plus haute intensité, rapprochait alors son propre expressionnisme du fauvisme français, tandis qu'il en exploitait le potentiel symbolique pour exprimer la spiritualité d'un certain tragique existentiel. L'influence du cubisme, reçue vers la trentaine, fut déterminante sur l'orientation définitive donnée à toute la suite son œuvre. Il fut le chef de file du mouvement cubiste-expressionniste tchèque, qui, réunissant d'excellents représentants, avec Bohumil Kubista (au nom prédestiné), Antonin Prochazka, Josef Capek, Pravoslav Kotik, Alfred Justitz, Frantisek Muzika, fut l'une des manifestations issues du cubisme les plus importants d'Europe, avec évidemment le futurisme italien. Filla se détacha assez tôt de ce courant, cubiste certes, mais encore teinté d'expressionnisme, pour se rapprocher, entre 1912 et 1914 dans des natures mortes aux teintes sobres, de la lettre du cubisme analytique, avec peut-être en plus un souci de traduire la matérialité des objets, goût tactile plus sensible chez Braque que chez Picasso. Cette option, avec ses caractéristiques, s'est poursuivie pendant sa période hollandaise, son sens de la matière, de l'épiderme des choses, y étant conforté par l'étude des peintres hollandais du XVIIe siècle. Ensuite, uniformisés par l'écriture cubiste, ses thèmes se diversifièrent. Il peignit encore de nombreuses natures mortes lors de son retour à Prague, dont la couleur se renforça bientôt, tandis que ses sujets s'exaltaient jusqu'à l'agressivité. À partir des années trente et surtout dans les dernières avant l'annexion et la guerre, il peignit des grandes compositions illustrant soit les coutumes de la vie en Tchécoslovaquie, soit les conflits sociaux, puis bientôt des combats et des allégories sur la violence et l'horreur. Ce fut dans les années trente aussi qu'il réalisa des petits bronzes. Si, en 1932, il fit partie de la manifestation *Poésie 32* qui préluda à la constitution du groupe surréaliste tchécoslovaque, ce ne fut que pour des raisons circonstancielles, tandis que sa peinture restait ancrée au cubisme. Après la Seconde Guerre, il peignit une série de grands paysages, toujours construits en fonction de son option cubiste initiale. La réserve qui peut être émise à l'encontre de l'œuvre d'Émil Filla, tiendrait parfois à son étroite parenté avec celle de Georges Braque. Son rôle dans l'accession de l'art tchèque à la modernité du XXe siècle fut capital. ■ Jacques Busse

Bibliogr. : In : Catalogue de l'exposition *50 ans de peinture tchécoslovaque*, Musées Nationaux de Tchécoslovaquie, 1968 – in : *Diction. de l'Art Mod. et Contemp.*, Hazan, Paris, 1992.

Musées : Hadrec Kralove : *Le Peintre* 1934 – Péruc (Château-Musée) : ensemble important – Prague (Mus. Nat.) : *Le Lecteur de Dostoïevsky* 1907 – *L'As de cœur* 1908 – *Le Bon Samaritain* 1910 – *Nature morte à la carte* 1914 – *Le Panier de fruits* 1916-17 – *Nature morte à la tête de sanglier* 1927 – *La Mort d'Orphée* 1937.

Ventes Publiques : Londres, 2 déc. 1971 : *Homme assis tenant un journal* : **GBP 2 600** – Londres, 4 juil. 1974 : *Tête*, bronze : **GBP 1 800** – Zurich, 9 nov. 1984 : *Composition BOL* 1949, h/t (68x108) : **CHF 11 000** – Londres, 25 fév. 1987 : *Nature morte à l'as de cœur* 1928, h/t (39x46) : **GBP 18 500** – Paris, 22 juin 1988 : *Nature morte cubiste* 1926, h/t (46x55) : **FRF 59 000** – Londres, 28 juin 1988 : *Nature morte au luth* 1946, h/t (97x130) : **GBP 13 200** – Londres, 19 oct. 1988 : *Jeune Fille pensive* 1933, h/t (99,5x81) :

GBP 16 500 - BERNE, 26 oct. 1988 : *Composition avec un clown, une princesse et un bélier*, h/t (56x45) : **CHF 3 000** - LONDRES, 27 juin 1989 : *Composition cubiste* 1926, h/t (46x70) : **GBP 13 200** - PARIS, 11 mars 1990 : *Composition à l'as de cœur* 1928, h/t (38,5x46) : **FRF 232 000** - SAUMUR, 22 avr. 1990 : *Personnage aux oiseaux* 1932, h/t (100x50) : **FRF 202 000** - LONDRES, 3 déc. 1991 : *Nature morte aux poires* 1927, h/pan. (32,5x41) : **GBP 14 300** - LONDRES, 24 mars 1992 : *Nature morte cubiste*, h/t (100x81) : **GBP 44 000** - PARIS, 24 nov. 1992 : *Nature morte*, h/t (115x75) : **FRF 280 000** - AMSTERDAM, 10 déc. 1992 : *Groupe de soldats autour d'un feu* 1949, h/t (196x155) : **NLG 40 250** - NEW YORK, 12 mai 1993 : *Zena* 1917, h/t (100,4x74,5) : **USD 107 000** - NEW YORK, 13 nov. 1996 : *Artistes dans l'atelier* 1946, h/t (120x79,1) : **USD 96 000** - PARIS, 9 déc. 1996 : *Composition aux fruits et compotier* 1936, aquar. et encre/pap. (30,5x39) : **FRF 33 000** - LONDRES, 19 mars 1997 : *Bois près de Brno* 1906, h/t/pan. (68x92,5) : **GBP 12 650** ; *Comédie de la Mort, nature morte au livre* 1914, h/t (30,5x25) : **GBP 56 500**.

FILLACIER Jacques

Né le 3 février 1913 à Paris. XXe siècle. Français.

Peintre, peintre à la gouache, dessinateur, designer.

Il fut élève de l'École Nationale des Beaux-Arts de Paris. Il exposa, à Paris, au Salon des Artistes Français. Il obtient une médaille d'argent en 1939 et le prix Marie Bashkirtseff. De 1950 à 1958, il enseigna aux Manufactures des Gobelins, de Beauvais et de la Savonnerie. À partir de 1962, il fut professeur d'esthétique industrielle à l'École des Arts Appliqués. Il exerça une activité très importante de théoricien et de praticien de l'esthétique de la couleur. C'est à ce titre qu'il fut nommé professeur à l'École des Arts Décoratifs à Paris.

VENTES PUBLIQUES : PARIS, 24 avr. 1947 : *Le port*, gche : **FRF 1 300**.

FILLACIER Sophie

Née le 20 juin 1888 à Paris. XXe siècle. Française.

Peintre.

Elle fut membre, à Paris, du Salon des Artistes Français.

FILLANS James

Né le 27 mars 1808 dans le Lamarkshire. Mort le 27 septembre 1852 à Glasgow. XIXe siècle. Britannique.

Sculpteur.

Fut d'abord maçon et tailleur de pierres, puis sculpteur ornemaniste et se fit connaître enfin par des bustes intéressants. Il vint à Paris en 1835 et étudia au Louvre. A son retour en Angleterre, en 1837, il exposa à la Royal Academy et continua jusqu'en 1850 à prendre part à ses Expositions. Il visita l'Allemagne et l'Italie. Bien qu'il ait produit quelques statues, il est surtout apprécié pour ses bustes.

MUSÉES : ÉDIMBOURG (Nat. Portrait Gal.) : *Buste du poète écossais Motherwell* - GLASGOW : *Rachel pleurant ses enfants*, plâtre.

FILLATREAU Benoist

Né le 15 mai 1843 à Cambrai (Nord). XIXe siècle. Français.

Peintre et graveur.

Le 31 mars 1863, il entra à l'école des Beaux-Arts. Il fut l'élève de Marius Cival. De 1864 à 1880, il se fit représenter au Salon de Paris par des paysages. On cite de lui : *Un soir, La Reuss, Un page, Ravin près de la Grande Chartreuse, Les Bords de la Marne*.

FILLET

XVIIe siècle.

Peintre.

Cité par de Marolles.

FILLET Pierre Hippolyte

Né au XIXe siècle à Paris. XIXe siècle. Français.

Peintre.

Cet élève de Picot peignait principalement au pastel. Il figura au Salon de 1874 à 1878. On cite : *La repriseuse, Le Message, Une jeune Italienne*.

FILLETTE Ange Édouard

Né le 3 juillet 1814 à Paris. Mort le 18 mars 1870. XIXe siècle. Français.

Peintre.

Il fut élève de Mulard et de l'École des Beaux-Arts. L'église Saint-Marcel de la Salpétrière conserve de lui six plafonds ronds avec des saints.

FILLETTE Pierre

Né le 19 novembre 1926 au Mont-Saint-Aignan (Seine-Maritime). XXe siècle. Français.

Peintre, graveur, illustrateur, lithographe, peintre de compositions murales, céramiste. Figuration-onirique.

Il a étudié la littérature et les Beaux-Arts. Il a enseigné les arts plastiques aux lycées Henri IV et Janson-de-Sailly, à Paris. Il est membre du comité directeur de la Société des Artistes Indépendants. Il est sociétaire de nombreux salons, ceux de l'Art Libre, des Artistes Français, de la Société Nationale des Beaux-Arts, des Terres Latines. Il participe à des expositions de groupe en France et à l'étranger : Bruxelles, Pittsburgh, New York, Londres... Il montre ses œuvres dans des expositions particulières, en France, depuis 1950 (galerie Saluden, Brest). En 1976, il expose à l'Orangerie du Sénat, à Paris.

Peintre, il pratique aussi la lithographie, la gravure, la céramique et la sérigraphie. Peintre de sujets divers, sa vision s'est largement poétisée, pour laisser place au rêve.

BIBLIOGR. : Roger Bouillot : *Pierre Fillette*, Éditions Vision sur les Arts, 1977.

MUSÉES : BOULOGNE-BILLANCOURT - PUTEAUX - TOULON.

VENTES PUBLIQUES : SAINT-BRIEUC, 7 avr. 1980 : *Fleurs*, h/t (60x30) : **FRF 2 000** - VERSAILLES, 10 déc. 1989 : *Le concert*, h/t (100x100) : **FRF 4 600** - VERSAILLES, 28 jan. 1990 : *Don Quichotte*, techn. mixte (50x61) : **FRF 3 100**.

FILLEUL Anne Rosalie, Mme, **Née Bocquet**

Née en 1752. Morte en 1794. XVIIIe siècle. Française.

Peintre portraitiste.

Elle fut élève en même temps que la future Madame Vigée-Lebrun de l'Atelier de Gabriel Briard, et fut nommée en 1773 membre de l'Académie Saint-Luc. Elle monta sur l'échafaud en même temps que Madame Chalgrin. Le Musée de Versailles conserve d'elle les portraits de : *Louis, comte d'Artois, et de ses enfants*.

FILLEUL Charles Alexandre

Né au Mans (Sarthe). XIXe siècle. Français.

Sculpteur.

Il était élève de Cavelier et de A. Millet. Sociétaire des Artistes Français, a obtenu une mention honorable en 1887.

FILLEUL Clara

Née à Nogent-le-Rotrou (Eure-et-Loir). XIXe siècle. Française.

Peintre et pastelliste.

Elle eut pour maître Monvoisin et se fit représenter au Salon de Paris, de 1842 à 1878, par des portraits, des natures mortes, des fruits.

FILLEUL Louis

Né le 5 mars 1891 au Mans (Sarthe). XXe siècle. Français.

Sculpteur.

Il fut élève de Charles Filleul. Il exposa régulièrement, à Paris, au Salon des Artistes Français, dont il devint par la suite sociétaire.

FILLEUL Paul

Né à Paris. XXe siècle. Français.

Peintre.

Élève de P.-A. Laurens. Il débuta au Salon des Artistes Français de 1926.

FILLEY G.

XXe siècle. Français.

Peintre de scènes de genre.

VENTES PUBLIQUES : PARIS, 24 fév. 1934 : *Femme à l'ombrelle* : **FRF 30**.

FILLIA, pseudonyme de **Colombo Luigi**

Né en 1904 à Revello. Mort en 1936 à Turin (Piémont). XXe siècle. Italien.

Peintre, peintre de compositions murales, écrivain. Futuriste.

Ce peintre mort à trente-deux ans fut l'un des esprits les plus clairvoyants en ce qui concernait l'évolution de l'expression artistique entre les deux guerres. En effet, au cours de nombreux voyages effectués jusqu'à sa mort, à Paris, il y était en contact avec les pionniers de l'art abstrait, alors négligés par tous, c'est ainsi qu'il se lia avec les animateurs du groupe *Cercle et Carré*, à Paris. Il commença à l'âge de dix-neuf ans, avec T.A. Bracci, à participer à des activités liées au mouvement futuriste, notamment dans les revues *Futurismo* en 1924, *Vetrina futurista* en 1927. Il devint le principal créateur du second futurisme, à Turin. Ce centre, très actif, a rassemblé des artistes tels que : Alimandi, Oriani, Franco Cota, Pozzo, le sculpteur Mino Rosso, l'architecte Nicolas Djulgheroff... Il créa la maison d'édition *Sindacati Artisti Futuristi*. Il fut également le fondateur de la revue *Citta Futurista* en 1929, de *Citta Nuova* la même année qu'il animait en collaboration avec Prampolini, et de *Nuova Architettura* en 1931. Animateur du mouvement futuriste, Fillia en fut aussi un théoricien, avec la publication d'essais, tel *Il Futurismo* à Milan, en 1932. Fillia organisa, en 1928, le pavillon futuriste, à l'Exposition internationale de Turin, dont l'architecture fut dessinée par Prampolini. Il commença vers 1932 la réalisation de peintures monumentales avec notamment la décoration murale de la Mairie de La Spezia en 1933.

En 1925, sa propre peinture, la série des *Nus Mécaniques*, était proche de la période mécaniste de Prampolini. Elle évolua ensuite dans des directions diversifiées. Le purisme d'Ozenfant l'influença en 1927. En 1928, une note plus personnelle de psychologie lui fit peindre *Féminité*, peinture dans laquelle il traduit un de ces états d'âmes selon les préceptes de Boccioni. En 1929, avec entre autres, Balla, Marinetti, Prampolini, il signa avec enthousiasme le manifeste de l'*Aéropeinture*, qui constitua la pierre angulaire de la seconde génération futuriste, et qui, dans la perspective machiniste et dynamique qui était déjà celle du premier futurisme, préconisait d'exprimer le monde contemporain avec le recul et l'altitude que donne la vision des choses à partir d'un avion. Il peignait alors : *Spiritualité aérienne ; Spiritualité de l'aviateur*. Il n'abandonna pas pour autant ses préoccupations d'ordre psychologique avec les *Amoureux* ou *Femme, Ciel et Paysage*, qui datent de 1931. Ses tendances mystiques se développèrent ouvertement à la fin de sa vie, avec le *Manifeste de l'art sacré futuriste*, qu'il signa avec Marinetti en 1931. Il découvrit ensuite la photographie et réalisa des photomontages.

■ J. B., C. D.

Bibliogr. : José Pierre : *Le Futurisme et le Dadaïsme*, in : *Histoire générale de la peinture*, t. XX, Rencontre, Lausanne, 1966 – E. Crispolti, *Fillia*, Milan, 1988 – in : *Dictionnaire de la peinture italienne*, Coll. Essentiels, Larousse, Paris, 1989.

Musées : Grenoble : *L'Homme et la femme* – Rome (Gal. d'Arte Mod.) : *Les Amoureux* – Turin (Gal. d'Arte Mod.) : *Plasticité d'objets*.

Ventes Publiques : Milan, 4 déc. 1969 : *Paysage*, temp. : **ITL 950 000** – Milan, 25 oct. 1977 : *Le constructeur* vers 1932, h/cart. (63x48) : **ITL 6 200 000** – Milan, 18 avr. 1978 : *L'attente* 1930, h/t (39x50) : **ITL 2 400 000** – Paris, 24 fév. 1982 : *Le couple*, h/t (73x60) : **FRF 6 000** – Lyon, 23 oct. 1984 : *Tendances spirituelles* 1929, h/t (100x82) : **FRF 110 000** – Milan, 11 juin 1985 : *Pezzo rotante* 1925, temp. (35x50) : **ITL 9 000 000** – Milan, 18 juin 1987 : *L'incontro* 1930, h/t (98x79) : **ITL 34 000 000** – Milan, 27 mars 1990 : *Valeurs plastiques d'aujourd'hui ; Composition géométrique* 1928, h/pan., une paire (chaque 32x24) : **ITL 28 000 000** – Milan, 26 mars 1991 : *L'attente*, h/t (40x50) : **ITL 17 000 000** – Milan, 14 avr. 1992 : *Village*, h/t (25x33,5) : **ITL 17 000 000** – Milan, 14 déc. 1993 : *Nature morte à la guitare*, h/t (52,5x47,5) : **ITL 24 150 000** – Milan, 27 avr. 1995 : *Le chemin* 1930, h/t (81x65) : **ITL 77 050 000**.

FILLIAN John

Mort vers 1680, jeune. XVIIe siècle. Britannique.

Graveur.

Élève de Faithorne l'aîné, il travailla dans le style de son maître et grava parmi d'autres planches : *Thomas Cromwell, William Faithorne, La tête de Paracelsus*, etc.

FILLIARD Ernest

Né en 1868 à Chambéry (Savoie). Mort en 1933. XIXe-XXe siècles. Français.

Peintre, aquarelliste de fleurs.

Il fut élève de B. Molin. Il obtint une mention honorable en 1908 et une médaille de troisième classe au Salon des Artistes Français, à Paris, de 1911. Chevalier de la Légion d'honneur.

Musées : Avignon : *Œillets* – Chambéry : *Fleurs*, aquar.

Ventes Publiques : Paris, 11 et 12 mai 1925 : *Roses rouges dans un vase en verre*, aquar. : **FRF 1 020** – Paris, 9 fév. 1927 : *Œillets dans un vase persan*, aquar. : **FRF 520** ; *Dahlias dans un vase bleu, capucines et jatte*, aquar. : **FRF 2 050** – Paris, 30 mai 1929 : *Vases de fleurs*, quatre aquar. : **FRF 900** ; *Fleurs dans un vase*, aquar. : **FRF 160** – Paris, 17 déc. 1934 : *Œillets et fleurs variées*, aquar. : **FRF 480** – Paris, 16 et 17 mai 1939 : *Mandarines au pot bleu*, aquar. : **FRF 1 400** ; *Poids de senteur*, aquar. : **FRF 1 600** – Paris, 25 et 26 jan. 1943 : *Petite aquarelle* : **FRF 700** – Paris, 14 mai 1943 : *Vase de fleurs* : **FRF 2 000** – Paris, 24 mai 1943 : *La coupe de cerises*, aquar. : **FRF 1 500** ; *Fleurs et fruits*, aquar. : **FRF 1 800** – Paris, 18 fév. 1944 : *Roses rouges dans un vase*, aquar. : **FRF 7 300** – Paris, 15 déc. 1944 : *Roses rouges dans un vase* : **FRF 2 600** – Paris, 7 oct. 1946 : *Fleurs* : **FRF 3 100** – Paris, 9 juin 1947 : *Fleurs*, aquar. : **FRF 1 500** – Grenoble, 18 mai 1981 : *Vase de dahlias*, aquar. (65,5x46,5) : **FRF 5 000** – Neuilly, 7 avr. 1991 : *Bouquet d'œillets*, aquar. (27x38) : **FRF 4 200** – Paris, 4 mars 1992 : *Les dahlias*, aquar. (60x43) : **FRF 13 000** – Amsterdam, 21 avr. 1993 : *Gentianes bleues dans un vase*, aquar./pap. (12,5x15,5) : **NLG 4 025**.

FILLIAU Charles Édouard

Né le 18 mai 1812 à Livry. XIXe siècle. Français.

Peintre.

Entré à l'École des Beaux-Arts le 3 avril 1830, il figura au Salon par un paysage et quelques portraits de 1831 à 1840.

FILLINGER Sebastian

XVIIe siècle. Actif à Würzburg. Allemand.

Sculpteur.

FILLION John

Né en 1933 à Little Current. XXe siècle. Canadien.

Sculpteur.

Ses sculptures sont figuratives, expressionnistes, prenant souvent comme thème des troncs humains tronqués. La surface, surtout les surfaces internes, sont craquelées et mises en opposition avec des parties polies.

FILLIOU Robert

Né en 1926 à Sauve (Gard). Mort le 2 décembre 1987 aux Eyzies (Dordogne). XXe siècle. Actif aussi en Allemagne. Français.

Artiste, créateur d'installations, de performances, vidéos, multimédia. Tendance conceptuelle. Groupe Fluxus.

Il est selon ses termes le fils d'un « aventurier ». Robert Filliou ne rencontre son père, qu'à l'âge de vingt ans. Sa mère travaillait dans une usine textile. À dix-sept ans, il rejoint la Résistance, celle organisée par les communistes (Francs-tireurs et Partisans Français). Il démissionne de tout engagement politique après l'exclusion de Tito de l'Internationale communiste. Il émigre aux États-Unis, et à partir de 1949, il étudie l'économie politique à l'Université de Californie, Los Angeles. Il effectue, durant son séjour, des voyages au Japon et en Asie où il découvre pour la première fois le bouddhisme. De 1951 à 1954, il est économiste-planificateur pour la United Nations Korean Reconstruction Agency, en Corée du Sud. En 1954, il donne sa démission, et part vivre au Japon, en Égypte, puis en Espagne. En 1959, il revient en France. Il perd sa nationalité américaine. Il donne des cours d'économie et de français dans une base américaine, et écrit des pièces de théâtre. En 1964, il obtint de nouveau la nationalité américaine, à laquelle il attachait de l'importance. La langue anglaise devint en effet pour lui une seconde nature. Certaines légendes ou thèmes de recherche, publications et jeux de mots, accompagnant nombre de ses œuvres, le furent souvent en anglais. En 1960, il rencontre Daniel Spoerri, une longue amitié s'en suivra. C'est en 1964, à New York, qu'il se met en contact avec les principaux représentants du groupe Fluxus, dont George Brecht. Il s'installe en 1967 à Düsseldorf, où il rejoint Spoerri et Diether Roth. Ils enseigneront ensemble à l'Académie des Beaux-Arts de cette ville. Il reprendra l'enseignement entre 1982 et 1984 car invité à la Kunstakademie de Hambourg. Il a écrit avec J. Beuys, G. Brecht, J. Cage, A. Kaprow... un livre d'enseignement : *Teaching and Learning as Performing Arts*. Au printemps 1985, il entre en retraite avec Marianne (sa compagne depuis 1957), pour trois ans, trois mois et trois jours au Centre d'Études Tibétaines de Chanteloube (Dordogne).

Filliou a figuré à de nombreuses expositions collectives, marginales d'abord, comme ce festival d'art d'avant-garde à Paris en 1960, puis très officielles. Il a également participé à des Fluxus/Performances, notamment celui de Wiesbaden en septembre 1962.

Sa première exposition personnelle, *PoïPoï*, eut lieu à la galerie Köpcke, en 1961, à Copenhague. Une cinquantaine d'autres suivront, dont : 1969, *Création permanente, principe d'équivalence*, galerie Schmela, Düsseldorf ; 1969, *La Cédille qui sourit* avec George Brecht, Städtliches Museum, à Mönchengladbach ; 1971, *Research at the Stedelijk*, Stedelijk Museum, Amsterdam ; 1972, *Defrosting the frozen exhibition*, galerie Magers, Bonn ; 1972, *Recherche en futurologie*, galerie Schmela, Düsseldorf ;

1972, *Documentation sur le territoire N° 2 de la République Géniale*, House Gallery, Londres ; *Research on pre-biology*, galerie Multipla, Milan ; 1973, *le 1.000.010 anniversaire de l'art*, Neue Galerie, Aix-la-Chapelle ; 1974, *Recherche sur le pas fait*, galerie Bama, Paris ; 1976, *Telepathic Music*, John Gibson Gallery, New York ; 1976, *Panthogrammes*, galerie Handschin, Bâle ; 1979, *Dessin sans dessein, the eternal network*, galerie Bama, Paris ; 1981, *Robert Filliou + seeing on all sides + voyant partout*, galerie Bama, Paris ; 1982, *Briquolages*, galerie Marika Malacorda, Genève ; 1984, *The Eternal Network*, rétrospective itinérante au Kunstmuseum de Hanovre, à l'*ARC 2* (Art Recherche Confrontation 2) à Paris, à la Kunsthalle de Berne. Depuis sa mort : 1989, galerie Crousel-Robelin, Paris, avec la reconstitution de l'atelier de Filliou ; 1991, rétrospective organisée dans le Musée des Beaux-Arts de la ville de Nîmes, à la Kunsthalle de Berne, au Kunstverein de Hambourg, et au Musée National d'Art Moderne, Centre Georges Pompidou, à Paris ; 1997, galerie de la Ville de Remscheid ; 1998, Musée du Périgord et Espace culturel François Mitterrand, Périgeux.

Poète, artiste, philosophe, économiste, philosophe-poète, artiste-économiste... Difficile de définir, à la fois le personnage, sensiblement ailleurs, et les travaux presque éphémères de Robert Filliou, qui par le verbe et la matière, l'idée et le matériau, mêlent invariablement plusieurs langages, avec cependant un attachement particulier pour celui des mots dans leur rôle expressif, imagé, imaginaire et didactique, de diffuseur de la pensée. En 1960, il monte une pièce d'« auto-théâtre », dédiée à Daniel Spoerri, *L'Immortelle Mort du Monde*, qui se créait pendant qu'elle se jouait. Dans les années soixante, il réalise ses *Suspense-Poèmes*, les *Poèmes à petite vitesse*, les *Momifications* et les *Mensurations*. En 1962, il lance sa *Galerie légitime*, dont le siège est sa casquette ou un chapeau haut-de-forme. En 1963, il crée avec l'architecte Joachim Pfeuffer le *Poïpoïdrome*, un institut de « création permanente », dont les réalisations seront présentées en 1978, à Paris, au Musée National d'Art Moderne. En 1965, il fonde avec George Brecht *La Cédille qui sourit* à Villefranche-sur-Mer, une sorte de boutique-école-atelier, ouvert sur rendez-vous seulement. Ce fut le premier *Centre de Créativité Permanente*, lieu d'« échange insouciant », où seront inventés puis expérimentés des objets. Le lieu également d'élaboration du livre *Games at the Cedilla or the Cedilla takes off* (1967). La *Cédille* fermera en 1968. Cette même année, il conçoit son *Principe d'équivalence* ; en 1971-1972, il entreprend *Research in Art and Astrology* ; en 1973, *Research on Pre-Biology* ; il réalise aussi les *Briquolages* ; de 1977 à 1981, il tourne une série de films vidéos au Canada : *Portafilliou* (1977), *Video Universe-City* (1978-1981) ; en 1982-1984, il travaille avec ses élèves de la Kunstakademie de Hambourg sur son programme d'*Artists-in-Space*.

Ses réalisations, il les a exécutées à l'économie et vite, sans trop se soucier de leur bonne présentation et facture, ni en général de l'esthétique. Cartons, bouts de bois, griffonnages, inscriptions manuscrites, clous, ficelles, briques, papiers égarés, déchets..., se rencontrent au fil de ses pérégrinations. Ce sont des révélateurs personnels d'idées et de sentiments, et quelle qu'en soit l'origine première, l'idée ou l'objet, Filliou parvient à exprimer une poétique de l'objet. Une poésie vive, aérée mais iconoclaste. D'une certaine aptitude dévastatrice à « surfer » au-dessus du monde des apparences artistiques, pour happer et recueillir au passage les échos et les délices de sa planisphère personnelle. Tentant d'élargir et véritablement incorporer l'art à la vie, en étirer le sens, l'infiltrer à toutes les heures du jour, il n'aura de cesse d'explorer maints domaines, où la parole malgré tout, constitue le lien et un des liants de notre monde : performances, littérature, théâtre, cinéma, vidéo (un des premiers à s'intéresser à cette forme d'expression). Idéaliste dans l'âme, et dans son esprit, utopiste par nécessité (une des rares personnes a être devenue artiste après avoir tenté de faire évoluer l'infrastructure de la société « sur le terrain »), il crée ainsi la *République Géniale* ou *Cucumberland*, en 1971 ; la *Biennale de la Paix* ; *Commemore*, un échange entre la Belgique (Liège) et l'Allemagne (Aix-la-Chapelle), de leurs monuments aux morts afin de sceller une réconciliation entre les peuples.

Après avoir élaboré le concept de la *Création Permanente*, qui se résume aussi à « quoi que tu fasses, fais autre chose », il définit, en 1968, celui qui, central, déterminera en grande partie son activité créatrice : le *Principe d'Équivalence*, son véritable « troisième œil ». Une idée selon laquelle, « le bien-fait = le mal-fait = le pas-fait ». Une relation d'équivalence sujette à de multiples interprétations. C'est à tout le moins une manière de constater que socialement nous évoluons dans un dangereux enfermement, où le cynisme de certains induit une confusion des valeurs, que tout un chacun, poètes et artistes, peut briser pacifiquement. D'autre part, ce même principe affirme la primauté du concept sur la réalisation, de l'idée sur une certaine matérialité. Filliou a illustré à maintes reprises cette recherche principale. Dans sa première tentative (1968), l'œuvre consistait en une chaussette rouge dans une boîte jaune (le « bien-fait »), puis il tenta de la refaire, mais il manqua le pied de la chaussette (le « mal-fait »), enfin, il adjoignit à ces deux boîtes, une boîte vide le (« pas-fait »). Puis, du « bien-fait », du « mal-fait » et du « pas-fait », il fit à nouveau le « bien-fait », le « mal-fait » et le « pas-fait ». Par répétition, ce type de progression l'a amené à des œuvres de plus en plus monumentales. Filliou maniera et fera prendre corps à de nombreux autres concepts, comme celui issu de *La recherche sur l'origine*, avec une œuvre en tissu d'une longueur de quatre-vingts mètres, exposée à la Kunsthalle de Düsseldorf et dont il a fait un multiple au 1/10e. Si son travail est incontestablement issu de l'œuvre de Marcel Duchamp, dont il extrait le principe d'équivalence, et en profite au passage pour en désacraliser une partie de l'héritage, écrivant que le ready-made est bon pour les riches et les blancs-Africain, lui, transformera une voiture en maison – il est aussi héritier de l'esprit dadaïste, lequel est vivace et présent dans la groupe Fluxus, que Filliou accompagne un temps sans jamais en devenir membre. Si le matériau devient aussi, dans le cas de Filliou, « tremplin » pour l'idée, c'est généralement une idée qui, n'ayant pas pour origine ou destination uniquement l'histoire de l'art proprement dite, possède une résonance universelle. L'œuvre de Filliou est, entre autres, comme la tentative de synthèse (art, vie, créations artistiques) exprimée par Fluxus, une démonstration de la non-autonomie de l'art. Il nota lors de ses recherches sur la *Pré-biologie* : « Les principes d'équivalence d'une création permanente ont été les voies d'une communication entre les hommes : toute ma vie j'ai vécu de mes amis et j'ai travaillé pour eux. Pour moi, l'organisation idéale de la société (j'ai travaillé sur le sujet pendant quinze ans avec les principes d'économie politique) est d'arriver à la solitude heureuse de chaque être humain. » Filliou élabore également *Les Principes d'Économie Poétique* : « Entre temps, je pense aux travailleurs sans lesquels il ne peut y avoir la poésie. Je conçois des projets, pour trouver comment la poésie, qui est futile, pourrait leur être utile. En d'autres termes, comment concilier la gnose, si gaie, à l'économie, si sinistre. Comment passer du *travail comme peine* au *travail comme jeu* ». Robert Filliou se réfère à de nombreuses reprises à Fourier, ses idées sont importantes pour la définition de la *République Géniale* (Research at the Stedelijk Museum d'Amsterdam, 1971) et du *Territoire de la République Géniale*. Adoptant une attitude positive et lucide, il ne s'exprimera jamais sur le mode d'une « croisade ». Poésie, douceur, humour, respect de la vie irriguent son travail, en sont les ferments de ses pensées, qu'il souhaitait faire partager comme en témoigne sa dernière œuvre. Issue du *Principe d'équivalence*, celle-ci est une installation, *Le Dé Filou*, composée de dés pipés, jetés sur le sol, portant sur chacune de leurs faces un as unique. Lors de son exposition, tous les visiteurs pouvaient, l'œuvre le stipulait, emporter un dé avec eux. Étant parvenu à échapper au carcan parfois sec de l'art conceptuel, Robert Filliou préféra le dialogue poétique des objets de notre vie affective. Rassurant dans sa forme, interrogatif quant au fond, son regard sur la vie est un mouvement de libération. En hommage à Fourier, précurseur en ce domaine et utopiste convaincu, il avait fait sienne cette phrase : « Si l'homme manque d'idées, c'est le moment de livrer le monde aux femmes et aux enfants. » ■ Christophe Dorny

Bibliogr. : Catalogue de l'exposition *Robert Filliou*, Sprengel-Museum de Hanovre, A.R.C., Musée d'Art Moderne de la Ville de Paris, Kunsthalle de Berne, 1984 – Nathalie Abou-Isaac, in : Catalogue de l'exposition *L'Art moderne à Marseille la Collection du Musée Cantini*, Marseille, 1988 – divers : *Robert Filliou 1926-1987 : Zum Gedächtnis*, Städtische Kunsthalle, Düsseldorf, 1988 – Pascaline Cuvelier : *Robert Filliou, l'art économe*, in : *Libération*, Paris, 18 déc. 1990 – Marc Partouche, in : *Art Press*, n° 154, jan. 1991 – F.B. : *Filliou, de la folie au fou rire*, in : *Beaux-Arts Magazine*, Paris, 1991 – *Qu'est-ce que l'art français ?*, Centre Régional d'Art Contemporain Midi-Pyrénées, Toulouse, 1986 – Roland Recht : *Un homme sans qualités*, Paul-Hervé Parsy : *Histoires de Filliou*, catalogue de l'exposition *Robert Filliou*, Musée National d'Art Moderne, Paris, 1991.

Musées : Angoulême (FRAC Poitou-Charente) : *Work as play.*

Art as thought vers 1974 – DORTMUND (Mus. Am Ostwall) : *Marcel Broodthaers, Marianne et moi marchant* 1970 – LILLE (FRAC Nord-Pas-de-Calais) : *Sun book* 1972-1973 – LYON (Mus. Saint-Pierre) : *Recherche sur l'Origine* – MARSEILLE (Mus. Cantini) : *Daily miracle-daily void* 1983 – MÖNCHENGLADBACH (Städtliches Mus.) : *Création permanente – Sémantique générale* 1962 – *Poïpoïdrome* 1963 – NÎMES (Carré d'Art, Mus. d'Art Contemp.) : *The upside-down world* 1968 – *Sémantique générale* 1962 – PARIS (Mus. Nat. d'Art Mod.) : *Installation* 1970 – *Telepathic music : From madness to nomad-ness* 1979 – *Telepathic music N°5* 1976-1978 – *Briquolages, Brickings and Kueens 1* 1982 – *Seven childike uses of warlike material* 1970 – STRASBOURG (Mus. d'Art Mod. et Contemp.) : *The last time I felt sad* 1970 – TOULOUSE (FRAC Midi-Pyrénées) – VIENNE (Mus. Moderner Kunst) : *It would give me joy to give joy* 1970 – WESERBURG (Neues Mus., coll. Dobermann) : *Principe d'équivalence : bien-fait, mal-fait, pas-fait* 1968.

VENTES PUBLIQUES : PARIS, 6 mars 1989 : *Leeds* 1976, coffret de bois, intérieur du couvercle : une photographie, intérieur du coffret : tapis de jeu, cartes à jouer, râteau, deux masques en feutre, une visière, un livret règle du jeu (32,5x37x7) : **FRF 8 000** – PARIS, 14 jan. 1991 : *Musique télépathique Calling the big cats*, partition de brique, caillou et collage/bande de pap. (21,5x11x7) : **FRF 13 000** – PARIS, 2 juin 1991 : *Optimistic box n°1, Merci mon Dieu pour les armes modernes*, boîte en bois contenant une pierre (11x11x11) : **FRF 8 000** – PARIS, 17 oct. 1994 : *La tour de Seine sans rien savoir* 1976, pupitre de musique supportant une boîte ouverte contenant trois photomatons (120x43) : **FRF 13 500** – AMSTERDAM, 8 déc. 1994 : *Cinq signes (du temps)* 1974, boîte de cart. avec dess. de cr. et craies grasses/photos, cart. et bois (41,5x30) : **NLG 4 025** – PARIS, 1er juil. 1996 : *Couvre Chef(s) d'œuvre* 1965, béret, boîte contenant 5 voyelles dorées, boîte avec 6 pièces dorées, petit livre en forme de tête, petit tableau-timbre, deux écrits, sculpture : **FRF 7 500**.

FILLISCH Christoph

Né vers 1628. Mort après 1679. XVIIe siècle. Allemand.

Peintre.

Il fit le portrait du *Conseiller Lorenz Eyselin*.

FILLISCH Johann Christoph

Mort après 1738 et avant le 9 mars 1743. XVIIIe siècle. Allemand.

Peintre, graveur, dessinateur.

Il était le fils de Christoph Fillisch et attaché à la cour du margrave de Brandebourg à Ansbach. La bibliothèque municipale de Munich garde deux cahiers de ses dessins, qui représentent les monuments funéraires de l'église Gumpertus à Ansbach. On connaît de lui également le portrait du margrave *Georges Frederic IV*.

FILLISCH Johann David F.

XVIIe siècle. Actif dans la seconde moitié du XVIIe siècle. Allemand.

Peintre.

Il fit les portraits de *J. L. Lœlius*, de *J. Ch. Rehm*, de *Maria Sidonia d'Erffa*, du *Bénédictin Joh Heuber*.

FILLŒUL Gilbert

Né en 1644 à Abbeville. Mort après 1697. XVIIe siècle. Français.

Graveur.

Il était fils de chirurgien, élève de Pierre Daret. On peut citer de lui une série de gravures d'après les monuments funéraires de l'architecte et sculpteur Nicolas Blassel, une *sainte Madeleine* d'après Ch. Lebrun, une *Sainte Thérèse* et une *Annonciation*, d'après Michel Corneille, un *Saint Joseph avec Jésus*, et un *Saint Dominique*, d'après Jean Restout l'Ancien. D'après Henri Rigaud il grava plusieurs portraits : *Claude de Vert, Dominicain* ; *Anne-Marie-Louise d'Orléans, duchesse de Montpensier* et *l'Abbé de la Trappe, Boutellier de Rancé*.

FILLŒUL Pierre

XVIIIe siècle. Travaillant à Paris. Français.

Graveur et peintre.

Fils et élève de Gilbert Fillœul Il illustra les *Contes* de La Fontaine. On connaît également de lui un recueil de soixante portraits des Rois de France, les illustrations du *Nouvel Abrégé* du Président Hénault, une suite de gravures, d'après des tableaux de Pater *(Le Savetier, Le cocu battu et content, L'Amour et le Badinage, Les Amours heureux, La belle bouquetière*, et *l'Agréable Société)*. D'après Chardin, il grava : *Les bulles de savon, Les Osselets, Châteaux de Cartes, Dame prenant son bain* ; d'après Fontaine : *Stanislas Leczinski* ; d'après Watteau : *Le Déjeuner, Le pénitent, L'hiver, Livre de différents caractères de Têtes, La polonaise, Le docteur, La Villageoise*.

VENTES PUBLIQUES : PARIS, 4 et 5 juin 1926 : *Le Toucher* ; *L'Odorat*, gche, une paire : **FRF 2 450** – PARIS, 20 mars 1941 : *Jeunes femmes dans des paysages*, gche, deux pendants : **FRF 2 750**.

FILLOL Jaime

Mort vers le 16 novembre 1476 à Valence. XVe siècle. Espagnol.

Peintre.

Il fut attaché à la cour de Juan II, où il fut de 1437 à 1469 peintre de bannières.

FILLOL Léon A.

XIXe siècle. Actif à Paris. Français.

Graveur.

Sociétaire des Artistes Français depuis 1893, il figura au Salon de cette Société.

FILLOL Y GRANEL Antonio

Né le 3 janvier 1870 à Castellnovo. Mort en août 1930 à Castellon. XIXe-XXe siècles. Espagnol.

Peintre de scènes de genre, compositions murales, illustrateur.

Il étudia à l'École des Beaux-Arts de San Carlos de Valence, où il fut élève d'Ignacio Pinazo. Il devint professeur de l'École des Artes y Oficios de Valence. Il participa à diverses expositions collectives, celles, à Paris, de la Société Nationale des Beaux-Arts, y obtenant des médailles en 1895 et 1897, une première médaille en 1901, et des mentions en 1904, 1908, 1912. Il eut une médaille à l'Exposition universelle de Chicago en 1893, une troisième médaille à celle de Paris en 1900, une première, à celle de Panama, en 1916.

Il réalisa des œuvres à caractère décoratif à Las Palmas, Valence, et dans d'autres villes. Il illustra aussi certaines revues.

BIBLIOGR. : In : *Cien anos de pintura en Espana y Portugal, 1830-1930*, Éditions Antiqvaria, Madrid, 1988.

MUSÉES : CHICAGO : *La Fripière* – MADRID (Mus. de Arte Mod.) : *La Gloire du peuple – Mister May – La comare de Foios – La Fiancée – Ayuntamiento de Valencia – La bestia humana* – VALENCE : *El primer hijo – La Gloire du peuple*.

FILLON Arthur

Né le 27 octobre 1900 à Loris (Loiret). Mort le 14 décembre 1974 à Paris. XXe siècle. Français.

Peintre, peintre à la gouache, aquarelliste de sujets de sport, sujets divers. Postimpressionniste.

Il a étudié à l'École des Beaux-Arts de Marseille, puis à celle de Paris. Il commence en 1924, à Paris, à exposer au Salon d'Automne et à celui des Indépendants.

Surtout connu pour ses représentations de scènes de cirques et ses décorations sportives, il se rattache au style postimpressionniste.

VENTES PUBLIQUES : PARIS, 4 juin 1926 : *Le Canal* : **FRF 160** ; *Vase de tulipes* : **FRF 85** – PARIS, 16 jan. 1928 : *Notre-Dame de Paris* : **FRF 150** – PARIS, 27 fév. 1936 : *Les Acrobates* : **FRF 170** – PARIS, 22 déc. 1941 : *Les clowns* : **FRF 1 600** ; *Le cirque* : **FRF 1 100** – PARIS, 9 juil. 1942 : *Le cirque*, aquar. : **FRF 300** ; *Tête de clown*, aquar. : **FRF 220** – PARIS, 22 juil. 1942 : *Nu couché* : **FRF 300** – PARIS, 11 déc. 1950 : *Notre-Dame de Paris, vue prise de la Tour d'Argent* : **FRF 45 000** – PARIS, 22 juin 1976 : *Canal Saint-Martin* 1961, h/t (60x73) : **FRF 1 700** – PARIS, 23 mai 1981 : *Le clown*, gche (27x22) : **FRF 2 300** – PARIS, 1er juin 1983 : *Saint-Germain-des-Prés* 1942, h/t (73x60) : **FRF 6 300** – NEW YORK, 10 avr. 1987 : *Bords de Seine et la passerelle des Arts*, h/t (65x83) : **USD 6 000** – REIMS, 3 mars 1988 : *Le Jardin des Tuileries* ; *Le bossu*, deux h/t (chacune 28x46) : **FRF 14 600** – VERSAILLES, 20 mars 1988 : *Manège au Luxembourg*, h/pan. (22x27) : **FRF 8 500** – VERSAILLES, 17 avr. 1988 : *Péniches à quai*, h/pan. (18,5x25) : **FRF 2 400** – PARIS, 22 avr. 1988 : *Les clowns musiciens*, gche (36,5x49) : **FRF 4 300** – L'ISLE-ADAM, 11 juin 1988 : *Paris, le Pont-Neuf*, h/t (73x92) : **FRF 28 000** – PARIS, 14 déc. 1988 : *Le port de Honfleur*, h/t (38x48) : **FRF 8 500** – PARIS, 3 mars 1989 : *Chalutiers à quai*, h/isor. : **FRF 7 500** – PARIS, 26 mai 1989 : *Promenade en barque*, gche (32x49) : **FRF 3 500** – PARIS, 22 jan. 1990 : *Tête de Clown*, gche (26x20) : **FRF 6 000** – PARIS, 26 oct. 1990 : *Notre-Dame de Paris* 1944, h/t (81x65) : **FRF 23 000** – PARIS, 14 jan. 1991 : *L'église d'Orsay* 1931, gche (31x47) : **FRF 4 000** – PARIS, 6 fév. 1991 : *Au cabaret*, gche (30x46) : **FRF 6 500** – PARIS, 10 juin 1991 : *Manège*, aquar. (36x54) : **FRF 7 500** – NEW YORK, 27 fév. 1992 : *Vase de fleurs*, h/t (46x38) : **USD 1 320** – CALAIS, 5 juil. 1992 : *Vase de* *fleurs blanches,* h/t (46x38) : **FRF 6 500** – SAINT-JEAN CAP-FERRAT, 16 mars 1993 : *Nature morte au bol,* h/t (23x28) : **FRF 7 000** – PARIS, 26-27 nov. 1996 : *Les Acrobates* 1929, h/t (92x66) : **FRF 19 000.**

FILLON Tony
Né à Saint-André-de-Cubzac (Gironde). XXe siècle. Français.
Sculpteur.
Il fut élève de Jean Coutan. Il débuta, à Paris, au Salon des Artistes Français de 1924 et fut ensuite invité au Salon des Tuileries.

FILLONIÈRE Marianne, Mrs
XVIIIe siècle. Active à Londres. Britannique.
Peintre de fleurs.
Exposa de 1766 à 1776 à la Free Society of Artists.

FILLOT Emmanuel
XXe siècle. Français.
Sculpteur d'assemblages.
À Paris, il a participé aux Salons de la Jeune Peinture et des Réalités Nouvelles. Depuis 1985, il est surtout représenté, collectivement et individuellement, par la galerie Lélia Mordoch à Paris. S'inspirant des cultures primitives contemporaines, il assemble des éléments extrêmement hétéroclites pour créer des sortes d'objets inhérents à quelque coutume ou rite, en tout cas porteurs de poésie.

FILLOZ Claude Joseph
Né à Baume-les-Dames (Doubs). Mort en 1759 à Besançon. XVIIIe siècle. Français.
Graveur.
On connaît de lui des ex-libris, et une *Vue de l'Abbaye de Baume.*

FILLYON Jules
Né le 12 avril 1824 à Compiègne (Oise). Mort en 1883. XIXe siècle. Français.
Peintre.
Élève de Brissot de Warville. Il fut surtout bon pastelliste et habile dessinateur au fusain. Il envoya des ouvrages au Salon de 1868 à 1881. On mentionne de lui : *La Lecture,* tête d'étude. ; *Un musicien amateur devant la difficulté ; Dévideuse ; Les étangs de Saint-Pierre ; Intérieur de bergerie ; Cour de ferme ; Gorges du Han ; Une rue à Quimper, Église de Tourotte ; Un vieux puit.* On a de lui au Musée de Compiègne, le portrait au fusain de *Pierre-Charles-Marie Sauvage.*

FILMENT-FAITDIEU Pierre Germain
Mort après 1768. XVIIIe siècle. Français.
Sculpteur.
Il fut membre de l'Académie Saint-Luc à Paris le 11 juillet 1748.

FILOCAMO Antonio, Gaetano et **Paolo**, les frères
Nés à Messine. Morts en 1743 de la peste à Messine. XVIIIe siècle. Italiens.
Peintres de sujets allégoriques, fresquistes, dessinateurs.
Après avoir été élèves de Carlo Maratti à Rome, les trois frères, à leur retour à Messine, y fondèrent une Académie qui fut très fréquentée.
Ils travaillèrent ensemble durant leur vie entière, peignant tantôt à l'huile, tantôt à fresque. Antonio (né en 1699) cependant était particulièrement réputé pour ses tableaux à l'huile.
MUSÉES : MESSINE (église Santa Caterina di Valverde) – MESSINE (église San Gregorio).
VENTES PUBLIQUES : LONDRES, 3 juil. 1995 : *Scène allégorique,* encre et sanguine avec reh. de blanc (22,9x22,4) : **GBP 1 035.**

FILODRORO Stefano
XVIIe siècle. Travaillait à Rome. Italien.
Peintre.
Il peignit dans l'église Sainte-Elisabeth dei Fornari, qui n'existe plus aujourd'hui, des fresques sur la voûte et au plafond de la sacristie.

FILON Théodorine, Mme
XIXe siècle. Française.
Peintre de portraits.
Se fit représenter au Salon de 1831 à 1848.

FILONI Charles
Né le 21 juin 1932 à Marseille (Bouches-du-Rhône). XXe siècle. Français.
Peintre. Figuratif.
Il expose au Salon des Artistes de Provence, à Marseille et, à Paris, au Salon d'Automne dont il devint sociétaire en 1961.

FILONOV Pavel Nikolaïevitch
Né en 1883 à Moscou. Mort en décembre 1941 à Leningrad. XXe siècle. Russe.
Peintre, dessinateur.
Orphelin d'une famille modeste à l'âge de treize ans, il fut hébergé chez sa sœur à Saint-Pétersbourg en 1886, dès 1901 fréquenta des ateliers d'art privés pour tenter d'entrer à l'Académie des Beaux-Arts. Il y fut admis en 1908 et la quitta en 1910. À partir de 1910, il fut soutenu par Mikhaïl Matiushin et s'intégra au groupe d'artistes qu'il animait à Saint-Pétersbourg, où il fut informé des théories futuristes, introduites en Russie par Marinetti lui-même, et où il fréquenta de nombreux artistes, d'entre lesquels le poète Vélimir Khlebnikov dont il partageait les conceptions sur la mission de l'artiste, et duquel il mettra en forme, en 1914, le livre-objet *Les idoles de bois.* Il fut alors un des membres fondateurs de l'*Union de la Jeunesse,* où il commença à exposer. Dans le groupe, il cotoyait les frères Bourliouk, Malevitch, Maïakovski. En 1911, il fit un voyage en France et Italie. En 1913, il créa les décors de la pièce de Maïakovski *Vladimir Maïakovski, Tragédie.* En 1914, il publia *Les tableaux travaillés jusqu'au bout,* où il esquissait déjà les principes de sa « méthode analytique-organique », à laquelle il se conformera toute sa vie. S'intitulant lui-même « artiste-chercheur-explorateur », il exigeait de l'artiste que l'expression de sa propre spiritualité soit totalement tributaire des forces universelles du cosmos. Il ne s'agissait pas du tout d'« imiter les formes créées par la nature, mais de s'inspirer de la manière dont elle les crée ». L'œuvre devait être élaborée en toute connaissance de la nécessité de ses moindres détails, « atome par atome aussi organiquement et régulièrement que la croissance naturelle ». Une telle rationalité de la création plastique exigeait un dessin préalable totalement maîtrisé, auquel, ensuite, la couleur ne pouvait qu'être subordonnée, ce qui explique l'abondance des dessins dans son œuvre, mais ce que contredit la richesse de la couleur dans ses peintures. À partir de 1918, il constitua un « Collectif d'art analytique » à l'intérieur de la nouvelle Académie de Peinture. Dans les années vingt, il tenta de préciser la théorie du « Mouvement analytique », dont les principes sont demeurés plus intentionnels que clarifiés. De 1923 à 1926, avec Matiushin et Malévitch, il poursuivit l'action du « Collectif d'art analytique » à l'Institut de Culture Artistique de Pétrograd, où il dirigeait la section de l'idéologie générale. Si sa théorisation laissait à désirer, son charisme auprès de ses élèves, sauf incompatibilité ou saturation, était très agissant, ceux-ci s'appliquant à imiter la manière du maître. En 1925, il était le chef de file des *Maîtres de l'art analytique,* et il expose alors régulièrement avec ses élèves, de 1925 à 1929. En 1926, il ouvrit une école de peinture privée, qui fut fermée deux ans plus tard. Il semble qu'une exposition personnelle lui fut consacrée en 1928. En 1929 ou 1931, le Musée Russe de Leningrad préparait une grande exposition d'ensemble de son œuvre, qui fut annulée à la veille de l'ouverture, sans doute pour cause de « formalisme cosmopolite bourgeois », alors que le contenu iconique et narratif des peintures de Filonov a toujours été en accord avec les idéaux sociaux de la Révolution, mais évidemment en désaccord avec la stérilité formelle du « réalisme socialiste ». Toutefois, en 1932, il participa à l'*Exposition des artistes de l'U.R.S.S. des quinze années 1917-1932* au Musée Russe de Leningrad. En 1936, il fit don de tout son œuvre « au peuple soviétique », dans le but de la création, non avenue depuis, d'un musée de l'art analytique. L'occultation relative de son œuvre se poursuivit longtemps après sa mort, survenue par épuisement en décembre 1941 pendant le siège de Leningrad. Ce fut seulement en 1967 que son œuvre fut montrée à Novosibirsk, sous l'égide de l'Académie des Sciences de Sibérie, puis en 1988 que fut organisée l'exposition d'ensemble de l'œuvre au Musée Russe de Leningrad, où en a été déposée la presque totalité, puis transportée à Moscou, Paris et Düsseldorf.
Ses tout débuts, à son arrivée à Saint-Pétersbourg, se situaient dans le contexte d'un expressionnisme alors très généralisé en Europe centrale. En accord avec la théorie du « Néoprimitivisme » de Mikhaïl Larionov et Natalia Gontcharova, dans les années dix, Filonov ambitionna d'abord de créer un art spécifiquement russe, ce qui l'amena à s'opposer à l'internationalisme de l'art moderne occidental et à attaquer violemment le postcézannisme, le cubisme et Picasso dans *Le canon et la loi* de 1912, dénonçant leur formalisme contraire au fonctionnement organique de la nature. Cependant, sa propre peinture n'avait pas échappé à l'esprit d'analyse du fait pictural qui fondait le cubisme, et qui, après le fauvisme et l'expressionnisme, était la

seule proposition novatrice du moment. Dès les années 1911 à 1914, les formes qui composent ses peintures sont constituées d'une accumulation de petites facettes, exacerbation de la dislocation cubiste, qui semblent croître selon une dynamique labyrinthique, animant aussi bien les choses que les êtres, proliférant à la façon de cellules biologiques. Il crée alors un univers pictural hallucinatoire, mixant des éléments de la réalité à des symboles abstraits, complexes mais signifiants, à la façon dont le personnage central de l'icône est entouré de figurants et figurations secondaires. En 1910-1911, il peignit un cycle de peintures utopistes, inspirées de l'art populaire et des icônes russes, représentant hommes, animaux vivant en totale harmonie avec la nature : *La famille paysanne, Les trois à table, Les rois mages, Les fleurs de l'éclosion universelle.* Entre 1912 et 1916, il peignit en contrepartie *Le festin du roi*, illustrant l'écrasement de l'homme par la ville et la machine. En 1916-1917, il peignit la série encore relativement réaliste des *Officiers*, ainsi que des natures mortes et des paysages. Après la Révolution de 1917, enthousiaste du projet de nouvelle société, il débuta la série des *Formules : Formule du prolétaire, Formule du printemps*, etc., les formules étant pour lui des analyses « atomistes » de chaque composant de la réalité, être ou chose. En 1923, il publia *l'Éclosion du monde*, éclosion s'effectuant à la fois par la Révolution historique et par l'invention de la méthode analytique, celle-ci participant à la glorification de celle-là, comme en témoignent quelques titres, entre 1918 et 1921 : *Formule du cosmos, Entrée dans l'épanouissement universel, Formule de l'épanouissement dernier stade du communisme, Victoire sur l'éternité*, etc. Au cours de son développement, dans les limites cernables de sa théorie analytique, dont il élaborait les principes depuis 1914, la peinture de Filonov a évolué dans le sens d'une parcellisation croissante des formes, dont les facettes s'imbriquent inextricablement en mosaïques serrées, dont on pourrait parfois qualifier l'aspect artisanal de « tricoté ». À partir de 1930 environ, cette amplification du décoratif au détriment du signifié, semble correspondre à une baisse de sa ferveur messianique révolutionnaire, métaphysique et matérialiste, au profit d'un intérêt plus existentiel pour l'homme, pour le visage et le cerveau humains, en tant que réceptacle de la totalité des phénomènes constituant l'univers. Dans les meilleurs des cas, les plus nombreux aussi, cette parcellisation mosaïquée, résultant d'un mode de croissance organique relativement statique, est subordonnée à la dynamique des grands rythmes généraux de la composition, dont on peut rattacher encore l'origine au futurisme et à l'orphisme. Il apparaît vain de tenter de réduire les œuvres de Filonov à quelque définition que ce soit, tant par leur diversité elles échappent à toute réduction, y compris à être réduites aux seuls principes de la méthode analytique de leur auteur commun. L'œuvre de Filonov ne manque pas de singularité, y compris dans le contexte international de son époque, de par ce curieux équilibre instable qu'il a su maintenir entre un évident automatisme rigoureux de son mode de création quasi biologique, résultant de sa conception matérialiste (déterministe, rationaliste) de l'univers, depuis le macrocosme initial jusqu'au microcosme de l'acte pictural, et un irrépressible expressionnisme visionnaire exacerbé, équilibre qui peut faire penser, en plus profond, en plus violent, à celui présent dans les peintures de Chagall de la même époque, quand il teintait d'un formalisme néocubiste ses imaginations expressionnistes oniriques. Filonov subordonnait ambitieusement sa peinture à une métaphysique globalisante, toutefois, là où Pascal était saisi d'effroi devant « le vide des espaces infinis », lui a su y entendre la polyphonie des sphères. Visionnaire slave, mystique ascétique, dépositaire d'une mission, intolérant aux autres, son œuvre a de son vivant pâti de sa hautaine intransigeance. Sa peinture glorifiait la Révolution dans ses ambitions, qui n'a pas su le comprendre dans son dévoiement. Découlant d'une théorie exigeante bien que diffuse, cet œuvre, échappant par là aux rigueurs de son créateur, déborde d'une diversité foisonnante, où coexistent austérité de la structure et orientalisme de la couleur, discipline et raffinement, messianisme et sensualité, abstraction et folklore. Malgré son appartenance à un syncrétisme des options d'époque plus qu'à une originalité conceptuelle, une certaine naïveté scientiste et quelque maniérisme, sa redécouverte a enrichi d'un artiste majeur l'histoire de la peinture en Russie, à son heure la plus néfaste. ■ Jacques Busse

Bibliogr. : In : *Diction. Univers. de la Peint.*, Le Robert, Paris, 1975 – divers : Catalogue de l'exposition *Filonov*, Centre Pompidou, Paris, 1990 – Mikhaïl Kowalkov : *Pavel Filonov ou le matérialisme métaphysique en peinture*, Art Press, Paris, hiver 1990 – in : *L'art du xxe siècle*, Larousse, Paris, 1991 – in : *Diction. L'Art Mod. Contemp.*, Hazan, 1992.

Musées : Cologne (Mus. Ludwig) – Saint-Pétersbourg (Mus. Russe) : la presque totalité de l'œuvre.

Ventes Publiques : New York, 3 nov. 1978 : *La fuite en Égypte* 1918, h/t (71x89) : **USD 33 000** – Munich, 30 juin 1982 : *L'homme à l'harmonica*, craie (19x17) : **DEM 2 500** – Londres, 3 déc. 1985 : *Composition aux figures* vers 1910, aquar. et pl. (19x14) : **GBP 5 500** – Londres, 23 mai 1990 : *Trois visages avec cheval*, cr., pl. et encre aquarellée (34,4x31,7) : **GBP 19 800** – Londres, 17 oct. 1990 : *Les rois mages* 1913, temp./pap. teinté/cart. (46,5x35) : **GBP 56 100** – Londres, 25 mars 1992 : *Révolution éternelle* 1926, encre, cr., aquar. et gche/cart. (13,5x50,3) : **GBP 13 750** – Londres, 1er juil. 1992 : *La Cène*, aquar. (33x49) : **GBP 28 600**.

FILOSA Giovanni Battista

Né en 1850 à Castellammare di Stabia. Mort en 1935 à Resina. xixe-xxe siècles. Italien.

Peintre de genre, aquarelliste.

Il fut élève de Morelli.

Musées : Clamecy : *Jeune fille cueillant un fruit*, aquar. – Glasgow : *La Lettre d'amour*.

Ventes Publiques : New York, 7 mars 1981 : *Jeune femme nourrissant un perroquet*, aquar. (55x73,5) : **USD 1 600** – Rome, 1er juin 1983 : *La rencontre dans le parc*, aquar. (52x70) : **ITL 2 000 000** – Londres, 28 nov. 1985 : *Le Galant Entretien* 1873, aquar. et cr. (53,5x73,5) : **GBP 750** – Paris, 4 déc. 1985 : *Le retour des pêcheurs près de Naples* 1908, h/t (99x136) : **FRF 60 000** – New York, 25 fév. 1988 : *La cueillette des fleurs des bois* 1874, aquar. et gche (47,6x75,5) : **USD 1 870** – Versailles, 18 mars 1990 : *Pêcheurs napolitains en face du Vésuve* 1908, h/t (100x136) : **FRF 68 000** – Rome, 29 mai 1990 : *Littoral près de Sorrente*, aquar. (63x63) : **ITL 978 000** – Milan, 21 nov. 1990 : *Profil d'un jeune berger*, aquar./pap. (37x27) : **ITL 1 500 000** – Rome, 4 déc. 1990 : *Confidences*, aquar./pap./pan. (67,5x49,5) : **ITL 8 000 000** – New York, 17 oct. 1991 : *Indolence*, h/t (64,8x50,2) : **USD 10 450** – Londres, 25 nov. 1992 : *La lettre d'amour*, aquar. (68,5x53,5) : **GBP 2 860** – New York, 17 jan. 1996 : *Le cacatoes apprivoisé*, aquar./cr. (54,6x73,7) : **USD 2 875** – Londres, 13 mars 1996 : *Les jardins de Nymphea en Italie*, aquar. (122x76) : **GBP 4 600**.

FILOSI

Sculpteur.

Le Musée de Metz conserve de cet artiste un buste en plâtre : *La République*.

FILOSI Gioseffo

xviiie siècle. Actif à Venise de 1732 à 1744. Italien.

Graveur au burin.

Il a gravé des planches pour les *Vedute delle ville et d'altri luoghi della Toscana*.

FILOSI Giovanni Battista

xvie siècle. Actif en Italie vers 1560. Italien.

Graveur.

Il a gravé les planches pour la *Philosophia generalis, sive Logica, Cosmologia generalis*, publiées par Ch. Wolff à Vérone, 1555-1562.

FILOTESIO Nicola ou **Niccolo** ou **Cola di** ou **Filoteschi**. Voir **NICOLA di Filotesio**

FILOTICO Vincenzo

xviie siècle. Actif à Manduria. Italien.

Peintre.

On connaît de lui quatre tableaux dans la chapelle du collège Saint-Grégoire-le-Grand.

FILOV Dimitri

Né en 1952 à Simferopol (Crimée). xxe siècle. Russe.

Peintre. Figuration-onirique.

Il fait ses études dans sa ville natale, y travaille. Il est membre fondateur du groupe *L'Avant-garde de Crimée*.

FILOZOF Véronique ou **Filosof**, dite **Véronique**

Née le 8 août 1904 à Bâle. Morte le 12 janvier 1977 à Mulhouse (Haut-Rhin). xxe siècle. Depuis 1923 active en France. Suissesse.

Peintre, dessinatrice, peintre de décors de théâtre, illustratrice. Populiste.

Véronique Filozof est arrivée à Paris en 1923. Elle a exposé à par-

tir de 1949 environ. Elle participe, à Paris, au Salon Comparaisons, depuis 1960.
C'est à quarante-quatre ans qu'elle commence une carrière de peintre. Elle débute son apprentissage par la « belle peinture », dite traditionnelle, celle qui tente la ressemblance de la représentation. Cependant, allergique à tout effet, comme à la perspective, et sur les conseils du critique Georges Besson, elle se mettra à dessiner autrement avec comme simples instruments une plume sergent-major et une bouteille d'encre de Chine. Son sujet principal étant : « l'homme : sa vie, son travail, ses joies, ses peines », souligne-t-elle. Elle a beaucoup travaillé par séries en rassemblant parfois ses dessins en volumes. Le premier d'entre eux fut *Périgord noir* (1954), une illustration de la vie paysanne et villageoise du Sarladais. Suivront entre autres : *La Bible en Images*, le *Pré spirituel*, la *Haggada de Pâques*, le *Palais Royal*, la *Vie en Appenzell*, les *Fables* de la Fontaine, *Mai 68*. Elle exécuta de nombreux dessins sur Paris, une *Danse des Morts*, une série sur les *Hippies*, une autre sur la *Commune de 71*. Son travail, sans être naïf, évoque néanmoins un certain esprit des « traditions populaires ». Découvreur d'un autre monde, engagée politiquement, elle illustra les guerres d'Algérie et du Vietnam. Jean Cocteau disait d'elle : « Le miracle de Véronique consiste à se faire voir de n'importe quel œil comme un poète se ferait entendre de n'importe quelle oreille. » ■ C. D.

FILS PRODIGUE, Maître du. Voir **MAÎTRES ANONYMES**

FILSER Jakob
Né en 1801 à Kaufbeuren. Mort le 27 mars 1880 près de Munich. XIXe siècle. Allemand.
Lithographe.
On connaît quelques lithographies de sa main. Il fut professeur de dessin.

FILSJEAN Roger Victor
Né à Saint-Mandé (Val-de-Marne). XXe siècle. Français.
Sculpteur.
Élève de F. P. Niclausse. Exposait au Salon de 1934, un *Nu*, statue plâtre, et, en 1936, un *Nu*, statue plâtre. Mention honorable en 1936.

FILSSMOSSER Daniel
Mort en 1753. XVIIIe siècle. Actif à Fürstenfeld (Styrie). Autrichien.
Sculpteur.

FILTSCH Christian
Mort le 18 juin 1683. XVIIe siècle. Actif à Brieg. Allemand.
Peintre.

FILTSCH Christoph
XVIIe siècle. Actif à Brieg. Allemand.
Peintre.

FIMA, pseudonyme de **Roeytenberg Ephraïm**
Né en 1916 à Harbin (Mandchourie), de parents russes. XXe siècle. Depuis 1949 actif et naturalisé en Israël, depuis 1961 actif aussi en France. Russe.
Peintre, décorateur de théâtre, graveur.
Il vécut jusqu'en 1949 à Shanghai et Pékin étudiant la calligraphie et la philosophie chinoises. Il émigra avec ses parents en 1949 en Israël. Il fut élève d'abord d'une Académie chinoise, en 1935, où il s'initia à la calligraphie traditionnelle, puis d'une Académie de peintres russes. Il exécuta alors des décors et costumes pour des ballets et des opéras. Il enseigna à l'Académie Izô de Pékin, puis à celle de Shanghai. À partir de 1961, il a vécu entre Israël et Paris.
Entre autres nombreuses expositions de groupe auxquelles il a participé dans de nombreux pays : *Pittsburgh International Exhibition*, en 1961, 1964, 1967 ; Salon des Réalités Nouvelles à Paris en 1962, et la même année à *La Forme de l'Impression* : cinq peintres présentés par Jacques Lassaigne à la galerie Jacques Massol de Paris ; 1963 Premier Salon des Galeries-Pilotes du Monde, au Musée Cantonal de Lausanne ; *Art Israël*, exposition itinérante aux États-Unis, au Canada et en Israël ; etc. Il a réalisé également des expositions personnelles : 1947 Shanghai ; 1956, 1958 1960, 1966, 1970, 1978 Jérusalem ; 1960 Baltimore Museum of Art ; 1962 Londres ; 1963, 1969, 1976 galerie Jacques Massol à Paris ; 1966 musée de Turku (Finlande) ; 1972 Jewish Museum de New York ; 1974, 1976, 1987, 1989 Tel-Aviv ; 1984 Genève ; 1995 galerie Clivages à Paris.
Après des premières œuvres influencées par le cubisme et le surréalisme, il trouva son propre style dans une synthèse élégante de la calligraphie extrême-orientale.

- Fima -

Bibliogr. : Michel Ragon, Michel Seuphor : *L'Art abstrait*, Maeght, Paris, 1974 – in : *Dict. univer. de la peinture*, Le Robert, Paris, 1975 – Georges Boudaille, Patrick Javault : *Fima – Monographie*, Bineth Gallery, Tel-Aviv, 1990.
Musées : Haifa (Mus. mun.) – Haifa (Mus. of Mod. Art) – Hameenlinna – Jérusalem (Mus. Israël) – Paris (Mus. d'Art Mod. de la Ville) – Tel-Aviv (Mus. of Art) – Winnipeg (Art Gal.).
Ventes Publiques : Tel-Aviv, 3 jan. 1990 : *Arbres à un coin de rue*, h/cart. (45x31,5) : **USD 990** – Tel-Aviv, 1er jan. 1991 : *Les environs de Jérusalem*, h/t (46x55) : **USD 1 540** – Tel-Aviv, 6 jan. 1992 : *Vase et fleurs*, h/cart. (28,5x37) : **USD 660** – Tel-Aviv, 30 juin 1994 : *L'acteur chinois* 1971, h/t (82x65,5) : **USD 3 680**.

FIMBACHER Ferdinand Sebastian
Né le 15 mars 1714 à Vienne. XVIIIe siècle. Autrichien.
Peintre de théâtre.
Il était fils de Johann Fimbacher, et fut élu membre de l'Académie Saint-Luc en 1730. Il succéda à son père, comme peintre de théâtre.

FIMBACHER Franz Joseph
Né en 1710 à Vienne. XVIIIe siècle. Autrichien.
Peintre.
Il était fils de Johann Fimbacher, et fut élu membre de l'Académie Saint-Luc en 1728.

FIMBACHER Johann
Né en 1680. Mort le 13 mai 1729. XVIIIe siècle. Autrichien.
Peintre de théâtre.
Viennois, il était attaché à la cour comme peintre de théâtre. Il était très lié d'amitié avec Ferd. Galli Bibiena.

FIMMERS Kallist
Né en 1906 à Anvers. Mort en 1969. XXe siècle. Belge.
Dessinateur, graveur.
Il pratique surtout la gravure sur bois.
Bibliogr. : In : *Diction. biogr. illustré des artistes en Belgique depuis 1830*, Arto, Bruxelles, 1987.

FIMOSA P.
XVIIe siècle. Italien.
Peintre.
C. Blœmert exécuta la gravure d'une peinture de lui, qui représente *Le corps du Christ dans les bras de Dieu le Père*.

FÎN, pseudonyme de **Vilato Ruiz José**
Né le 4 janvier 1916 à Barcelone. Mort le 8 mars 1969 à Paris. XXe siècle. Depuis 1946 actif en France. Espagnol.
Peintre de figures, natures mortes, graveur.
Il est le fils du docteur Ruan Vilato Gomez, neuropsychiatre barcelonais et de Lola Ruiz Picasso. Il fit ses études secondaires à Barcelone. Pendant de courtes périodes, il assiste aux cours de l'École des Beaux-Arts de la Lonja et plus tard de San Jorge. Mobilisé en 1938, il prend part à la guerre d'Espagne, puis séjourne et rentre à Barcelone en 1939. À partir de 1943, il fait partie d'un groupe très actif de quatre jeunes peintres avec Alberto Fabra, Ramon Rogent et Javier Vilato. Il revient à Paris en 1946, où il se fixera désormais. Il a gravé une soixantaine de planches environ. Il a participé, à Paris, au Salon de Mai et au Salon d'Automne. Sa première exposition particulière a lieu à Barcelone en 1935. Il expose également à Paris et Madrid. En septembre 1971, la ville de Barcelone lui rend hommage en organisant une importante rétrospective au Palacio de la Virreina avec un catalogue illustré. ■ J. B.
Ventes Publiques : Madrid, 20 mars 1984 : *Nature morte*, h/t (65x92) : **ESP 130 000** – Paris, 29 avr. 1991 : *Nature morte* 1954, h/t (73x92) : **FRF 5 000** – Paris, 21 déc. 1992 : *Nature morte au bouquet de fleurs* 1954, h/t (73x92) : **FRF 7 500** – Paris, 12 déc. 1996 : *Personnages cubistes*, h/t (72x93) : **FRF 6 000**.

FINA Giovanni Antonio della
Né au XVe siècle à Lizzana. XVe siècle. Italien.
Peintre.
Dans l'église Saint-Florian se trouve un retable daté de 1481 et signé de sa main ; ce retable représente *Saint Antoine, saint Roch et saint Blaise sur une prairie couverte de fleurs*.

FINAAS John
XVIIIe siècle. Norvégien.

Sculpteur.
La Galerie de Bergen, conserve de lui, le portrait en buste du Recteur Boaeth, qu'il avait fait pour l'Académie de Musique.

FINACER José Antonio
XVIIIe-XIXe siècles. Actif à la fin du XVIIIe siècle et au début du XIXe siècle. Espagnol.
Sculpteur.

FINALDI Filippo di Bartolo
XVe siècle. Actif à Florence. Italien.
Peintre.
En 1450, il fut nommé membre de l'Académie Saint-Luc.

FINALE Cristoforo del
XVIe siècle. Italien.
Peintre.
Il paya sa cotisation de membre de l'Académie Saint-Luc de Rome le 27 avril 1556.

FINALÉ Moïse ou **Moïsés**
Né en 1957 à Cardenas (Matanzas). XXe siècle. Depuis 1989 actif en France. Cubain.
Peintre, graveur.
Il s'est formé à l'Institut National des Beaux-Arts près de La Havane. Il est membre de l'Union Nationale des Écrivains et Artistes Peintres et Graveurs de Cuba.
Il participe à des expositions collectives, parmi lesquelles : 1981, première exposition, La Havane ; 1989, la première en France, *Trajectoire cubaine*, aux côtés d'Humberto Castro et de José Franco, Centre d'Art Pablo Neruda (Corbeil-Essonnes) ; 1989, Orvieto et Gibellina (Italie) ; 1992, *Expressions actuelles, 62 artistes d'Amérique latine*, Nanterre.
Il expose aussi personnellement : 1979, 1988, Musée National des Beaux-Arts de La Havane ; 1985, *Mitologicas*, galerie des Pays non Alignés, Belgrade ; 1986, *Formes Escondidas*, Centre des Arts de La Havane ; 1988, Musée des Beaux-Arts, La Havane ; 1990, *L'Imaginaire merveilleux*, galerie Arichi, Paris ; 1990, *Cadeau d'Ange*, galerie Jacques de Vos, Paris ; 1991, Centre culturel Albanville, Toulouse ; 1991, Espace latino-américain, Paris ; 1991, *Relations occultes*, galerie Armand, Paris ; 1993, *Face-à-Face*, galerie Artuel, Paris.
Si Moïse Finale est issu d'une famille hispanique et urbaine, c'est aux sources historiques et populaires de Cuba, à la rencontre de l'Afrique et de l'Espagne, du noir et du blanc, du sacré et du profane, du primitif et des rites ancestraux que prennent corps ses figurations. Elles sont en général de couleurs sourdes celles qui expriment le mystère, avec parfois des teintes vives associées au sexe et à l'ivresse. Ses compositions d'objets et de formes iconiques – pieds, mains, représentations d'animaux, calices... – dessinent les contours de cette croyance syncrétique : la Santeria. ■ C. D.
BIBLIOGR. : Hélène Lassalle : *Moïse Finalé*, in : *Artension*, n° 28, Rouen, 1991.

FINALI Giovanni Angelo
Né en 1709 à Valsolda (Milanais). Mort en 1772, en se rendant à Breslau. XVIIIe siècle. Italien.
Sculpteur.
Il travailla à Vienne avec le sculpteur Franz Blüml. On peut citer de lui, une gigantesque statue de *Scipion Mafféï*, à Vérone, le buste de *Vincent Pisani* qui se trouve sur son monument à Sainte-Anastasie, les statues de *Saint Pierre* et de *Saint Paul* sur la façade de San Paolo sur le champ de Mars. Il fit également les statues des *Douze Apôtres* et d'autres saints dans l'église San Prospero à Reggio Emilia, et la statue de *Saint Jean Népomucène*, érigée sur un pont à Mirandola.

FINARRO
XIIIe siècle. Italien.
Sculpteur.
Il travaillait à Canosa vers 1233.

FINART Noël Dieudonné
Né le 27 mars 1797 à Condé. Mort en 1852 à Paris. XIXe siècle. Français.
Peintre d'histoire, sujets militaires, aquarelliste.
Il débuta au Salon de Paris en 1817 avec un tableau représentant le *Champ de manœuvres de Clignancourt*. À partir de 1833, il y expose régulièrement des scènes militaires.
VENTES PUBLIQUES : PARIS, 19 mars 1924 : *Cosaques* : **FRF 530** – LONDRES, 23 fév. 1925 : *Souverains alliés* : **GBP 44** – PARIS, 16-18 nov. 1925 : *Sujets militaires*, deux aquar. : **FRF 200** – PARIS, 3 déc. 1925 : *Épisode de la campagne de Russie* : **FRF 150** – PARIS, 17 déc. 1928 : *Scène de la campagne d'Égypte* : **FRF 555** – PARIS, 9 nov. 1938 : *Napoléon et son état-major*, aquar. : **FRF 100** – PARIS, 16 juil. 1942 : *Deux amazones et un chien* 1840 : **FRF 360** – PARIS, 23 sep. 1942 : *Louis XIV et sa suite* 1844 : **FRF 1 700** – PARIS, 16 avr. 1945 : *La diligence dans les sables*, aquar. : **FRF 950** – VERSAILLES, 24 oct. 1982 : *Cosaques sur leurs chevaux non loin d'un campement* 1830, aquar. sur mine de pb : **FRF 15 000** – PARIS, 12 mars 1984 : *Cavaliers arabes au pied des Pyramides* 1831, aquar. reh. de gche (49x38,5) : **FRF 19 200** – LONDRES, 4 oct. 1989 : *Caravaniers faisant une pause dans le désert* 1838, h/t (15,5x21) : **GBP 1 100** – PARIS, 21 juin 1990 : *Escarmouche entre la cavalerie circassienne et l'armée russe dans les monts du Caucase* 1840, h/t (54x86) : **FRF 20 000** – NEW YORK, 16 fév. 1995 : *Napoléon à Aboukir*, h/t (38,1x55,9) : **USD 12 650** – PARIS, 18-19 mars 1996 : *Scène de campement*, h/t (52x66) : **FRF 70 000** – PARIS, 11 déc. 1996 : *Cavaliers russes*, h/t (32x40,5) : **FRF 18 000**.

FINAUD-BOUNNAUD Claire, Mme
Née à Marseille (Bouches-du-Rhône). XXe siècle. Française.
Peintre.
Élève de Marius Barret. Exposant du Salon des Artistes Français.

FINAZZI Jean
Né en 1920 à La Rochelle (Charente-Maritime). Mort en 1971 à Lyon (Rhône). XXe siècle. Français.
Peintre de paysages, marines, portraits. Postimpressionniste.
Il fut élève de l'École des Beaux-Arts de Lyon, en 1944-1945. Il participe à des expositions depuis 1947, dans de nombreuses villes de France, notamment à La Rochelle, au Salon des Beaux-Arts de Lyon où il obtint plusieurs distinctions, à Royan, etc., à Paris, au Salon des Artistes Indépendants à plusieurs reprises depuis 1952, ainsi qu'à Caracas.
Peintre de l'eau, des rivages et des ports, il a su en traduire les variations d'atmosphère, selon les heures et les saisons.

FINCH A. M.
XXe siècle. Britannique.
Peintre.
VENTES PUBLIQUES : PARIS, 22 juin 1945 : *Bateau échoué* 1915 : **FRF 500**.

FINCH Alfred William, dit **Willy**
Né le 28 novembre 1854 à Bruxelles, d'origine anglaise. Mort en 1930 à Helsinki. XIXe-XXe siècles. Depuis 1897 actif en Finlande. Belge.
Peintre de paysages, céramiste, décorateur. Néo-impressionniste.
Il se forma à l'Académie des Beaux-Arts de Bruxelles en 1878 et 1879 sous la direction de Joseph Van Severdonck. Il y rencontra Ensor. Il connut Seurat, en 1887, lors de la présentation au Salon de *Un dimanche après-midi à l'île de la Grande-Jatte*, ce qui allait avoir une influence déterminante sur sa peinture. Il étudia avec intérêt les principes divisionnistes de la couleur. En 1890, Il pratiqua la décoration sur faïence en Belgique, et s'initia à la céramique. En 1897, il accepta de diriger une usine de céramique en Finlande à la demande de Louis Sparre. Finch reprit la peinture en 1905, et devint professeur à l'École des Arts Décoratifs d'Helsinki. Il fut très intéressé par les idées de William Morris et de l'écrivain John Ruskin qui développèrent le style *Arts and Crafts*. Il figura, en 1880, au Salon de Gand. Membre de sociétés artistiques comme la *Chrysalide* et *L'Essor*, il fut, en 1884, l'un des fondateurs de la *Société des Vingt* (des XX). En 1912, il fonda avec Magnus Enckell et Sigurd Frosterus un groupe de peintres nommé *Septem*, regardé comme un renouveau de la peinture finlandaise.
Finch, admirateur tout d'abord de Monet, fut celui à partir duquel le néo-impressionnisme s'introduisit en Belgique et en Finlande. Il développa dans cette facture pointilliste de belles peintures de paysages. Il fut aussi un pionnier dans le domaine du design. ■ C. D.

A W Finch

BIBLIOGR. : In : *Dictionnaire universel de la peinture*, t. II, Le Robert, Paris, 1975 – in : *Diction. biographique illustré des artistes en Belgique depuis 1830*, Arto, Bruxelles, 1987 – in : *Dictionnaire de la peinture flamande et hollandaise*, coll. Essentiels, Larousse, Paris, 1989.

Musées : Abö – Helsinki – Helsinki (Athenaeum) : *Course de chevaux à Ostende* 1888 – *Verger à la Louvière* 1890-91 – *Falaises de Douvres* 1891-92 – Ixelles : *Les Meules* 1899 – Tournai : *Effet de neige* – *Barques échouées sur la grève.*
Ventes Publiques : Londres, 12 oct. 1970 : *Route de campagne près de la mer du Nord* : **GBP 4 000** – Londres, 12 nov. 1970 : *Route de campagne près de la mer du Nord* : **GBP 4 000** – Paris, 25 nov. 1977 : *La loge du théâtre*, past. (100x79) : **FRF 17 000** – New York, 19 mai 1983 : *L'estacade à Heyst, temps gris* 1889/1890, h/t (37x54,5) : **USD 82 500** – Londres, 1er juil. 1987 : *Les moissons* 1890, h/t (40,5x53,7) : **GBP 24 000** – Londres, 19 oct. 1989 : *Paysan aux champs*, h./palette (51,5x32,4) : **GBP 4 950** – Amsterdam, 2 déc. 1997 : *La Route de Nieuport* 1988, h/t (55x66) : **NLG 530 472** – Amsterdam, 4 juin 1997 : *Bateaux sur la plage*, h/t (24x32) : **NLG 23 064.**

FINCH Christopher
xviiie siècle. Actif à Londres. Britannique.
Peintre de portraits.
Il exposa en 1764 et en 1765 à la Free Society.

FINCH E. H.
Née à Londres. xxe siècle. Britannique.
Aquarelliste.
Élève de M. W. Egerton-Hine. Exposant du Salon des Artistes Français depuis 1926.

FINCH Francis Oliver
Né le 22 novembre 1802. Mort le 27 août 1862. xixe siècle. Britannique.
Peintre de portraits, paysages animés, paysages, paysages d'eau, peintre à la gouache, aquarelliste.
Au début de sa carrière, il fit des portraits et fut élève de John Varley et de Henri Sass. Il fut élu membre de la société des aquarellistes en 1827 et y exposa longtemps et régulièrement.
Il est apprécié pour l'intensité qu'il sut mettre dans ses crépuscules et ses effets de lune.
Musées : Cardiff : *Château sur une colline boisée* – Dublin : *Paysage classique* – Londres (Victoria and Albert Mus.) : *Jets d'eau devant un palais* – *Ruines* – *Le Matin* – *Rivière au clair de lune* – *Temple en ruine* – *Cimetière le soir* – *Paysage classique* – *Vue de montagnes* – *Paysage montagneux, l'arbre frappé par la foudre* – *Ruines et pêcheurs* – *Jour calme d'été* – *Rivière et château* – *Clair de lune* – *Paysage avec une tour* – *Ruines dans une forêt* – *Ruines près d'une mare* – Londres (British Mus.) : Sept aquarelles.
Ventes Publiques : Londres, 1er mai 1908 : *Sur la rivière*, aquar. : **GBP 9** – Londres, 28 mai 1923 : *Paysage classique*, dess. : **GBP 14** – Londres, 30 nov. 1923 : *Paysage*, dess. : **GBP 11** – Londres, 10 déc. 1923 : *Solitude*, dess. : **GBP 21** – Londres, 23 avr. 1928 : *Paysage classique* : **GBP 11** – Londres, 6 juil. 1928 : *Paysage classique*, dess. : **GBP 15** – Londres, 5 déc. 1930 : *Paysage classique*, dess. : **GBP 6** – Londres, 6 mars 1931 : *Route le long d'une rivière*, dess. : **GBP 16** – Londres, 8 mars 1935 : *Lac italien* : **GBP 5** – Londres, 24 mai 1935 : *Un lac*, dess. : **GBP 12** – Londres, 30 oct.-2 nov. 1936 : *Paysage classique*, dess. : **GBP 7** – Londres, 30 nov. 1978 : *The Dell of Comus*, aquar. reh. de gche (30x25) : **GBP 520** – Londres, 17 nov. 1987 : *Paysage boisé animé au coucher du soleil* 1835, aquar. (12,5x18,1) : **GBP 1 700** – Londres, 31 jan. 1990 : *Paysage classique avec des personnages assis sur des ruines antiques*, aquar. avec reh. de gche (37x47) : **GBP 800.**

FINCH R.
xviiie siècle. Actif à Londres. Britannique.
Miniaturiste.
On connaît de lui un portrait d'homme qui se trouve à la Royal Academy.

FINCK
xviiie siècle. Allemand.
Sculpteur sur bois.
Il fit ses études à Stuttgart.

FINCK Adele von
Née le 6 février 1879 à Berlin. xxe siècle. Allemande.
Peintre de paysages, scènes de genre.
Elle étudia à Munich avec Lenbach, à Bruxelles avec Portaels, à Paris avec G. Courtois, ainsi qu'en Italie. Elle exposa en 1903 et 1904 à Prague, et de 1907 à 1913 à Berlin.

FINCK Georg
Né en 1721 à Augsbourg. Mort en 1757 à Cassel. xviiie siècle. Allemand.
Graveur et architecte.
Il travailla avec son père ; en 1741 il se rendit à Berlin où il travailla à l'Opéra. Il est l'auteur de plusieurs gravures.

FINCK Hieronymus von der
Mort en 1780 à Bâle. xviiie siècle. Suisse.
Graveur sur bois.
Probablement élève de J.-B. M. Papillon. Il fournit des planches pour des ouvrages littéraires, entre autres pour les *Merkwürdigkeiten von Basel Land* de Bruckner, les *Balser Leichenpredigten* et cent huit illustrations (1778) pour l'*Histoire de la Bible* par Jean Hubner.

FINCK Jean
xxe siècle. Français.
Peintre.
Il figure au Salon des Indépendants depuis 1941.

FINCK Karl
Mort en 1890 à Cassel. xixe siècle. Allemand.
Peintre.

FINCK Ludwig
Né le 22 novembre 1857 à Hanovre. xixe siècle. Allemand.
Peintre de paysages.
Il était le fils et l'élève de Karl Finck. Il exposa en 1905 et en 1906 des paysages du Taunus à Francfort.

FINCKE Hans
Né le 5 mai 1800 à Berlin. Mort le 12 août 1849. xixe siècle. Allemand.
Graveur.
Élève de Buchhorn, puis de Linden, à Londres. Il a gravé surtout des paysages et des vues d'architectures.

FINCKE Hermann
Né le 25 novembre 1845 à Dresde. xixe siècle. Allemand.
Sculpteur.
Il était élève de A. Gaber, et étudia à Dresde avec H. Bürkner.

FINCKE L. ou **Finck**
xixe siècle. Allemand.
Graveur.
On peut citer de cet artiste, qui travaillait dans la première moitié du xixe siècle, neuf vues de Berlin, d'après les dessins de Heinrich Hitze.
Musées : Berlin (Cab. des Estampes) : gravures.

FINCKEN James Horsey
Né le 9 mai 1860 à Bristol (?). xixe siècle. Américain.
Graveur à l'eau-forte.

FINCKENZELLER F. Felix
xviie siècle. Bavarois, travaillant à Landshut au xviie siècle. Allemand.
Peintre.
On peut citer de lui un tableau d'autel dans l'église protestante d'Ergolding, représentant le *Martyre de Saint Érasme*, et un autre dans l'église de Gundihausen représentant *Saint Antoine.*

FIND Ludvig
Né le 16 mai 1869 à Osterbygaard (près de Vamdrup). xixe siècle. Danois.
Peintre de genre, portraits.
Il fut élève de l'École des Beaux-Arts de Copenhague, puis de l'École de Kr. Zahrtmann. Il figura à l'Exposition Universelle de 1900 où il obtint une médaille de bronze.
Musées : Copenhague (Gal. d'Art Mod.) : *Un atelier* – Copenhague (Mus. Hirschsprung) : *Portrait de son père.*
Ventes Publiques : Londres, 25 mars 1987 : *Jeux d'enfants*, h/t (50,5x69) : **GBP 2 600** – Copenhague, 25 oct. 1989 : *Petite fille près d'un piano* 1917, h/t (69x61) : **DKK 7 000.**

FINDEN Dietrich
Né en 1720 à Lauenbourg. Mort en 1765. xviiie siècle. Allemand.
Peintre et graveur à l'eau-forte.
Cité par Nagler.

FINDEN Edward Francis
Né le 30 avril 1791 à Londres. Mort le 9 février 1857 à Londres. xixe siècle. Britannique.
Graveur.
Frère puîné de William Finden, il fut comme celui-ci élève de James Mitan. Il exécuta quelques planches pour le *Literary Souvenir*. Parmi ses autres œuvres figurent : *La princesse Victoria*, d'après Westall, *Heureux comme un roi*, d'après Gainsborough, *Othello narrant ses exploits à Desdémone et Brabantio*, d'après Douglas Cowper.

FINDEN George C.
XIXe siècle. Britannique.
Graveur.
La première gravure qu'on connaisse de lui est celle qu'il fit de son portrait de *Wellington en recteur de l'Université d'Oxford*. On connaît de lui également un portrait de *Lady Romney* d'après Reynolds, et de *La Famille Cooper*, d'après E. Frère.

FINDEN William
Né en 1787. Mort le 20 septembre 1852 à Londres. XIXe siècle. Britannique.
Graveur.
Élève de James Mitan. En collaboration avec son frère Edouard et plusieurs aides et élèves, il publia de belles séries de gravures, entre autres : *La Galerie des Grâces*, d'après Chalon, Landseer et d'autres (1832-1834), *Portraits des dames de la suite de la reine Victoria*, d'après Chalon, Hayter et d'autres, *Portraits d'illustres personnages de la Grande-Bretagne*. Les frères Finden contribuèrent à l'illustration des ouvrages suivants : *La vie et les œuvres de Lord Byron, Voyages artistiques, Œuvres poétiques de Campbell*. De sa propre main, Finden, grava entre autres : *George IV*, d'après Sir Thomas Lawrence, *L'Intérieur de la maison d'un Highlander*, d'après Sir Edwin Landseer, *Le crucifiement*, d'après Hilton, *Maladie et Santé*, d'après Webster, etc.

FINDENIGG Franz Paul
Né en 1726 ou 1727 à Villach. Mort le 18 juillet 1771 à Vienne. XVIIIe siècle. Autrichien.
Peintre.
Il fit partie de l'Académie de Vienne le 7 décembre 1751.

FINDL Johann Baptist
XIXe siècle. Actif au début du XIXe siècle à Munich. Allemand.
Peintre sur porcelaine.
Le Musée National bavarois de Munich conserve de lui un gobelet sur lequel il a peint la fête d'octobre à Munich en 1801.

FINDLATER William
XVIIIe-XIXe siècles. Actif à Londres. Britannique.
Peintre de batailles.
Exposa à Londres de 1800 à 1821, notamment à la Royal Academy et à la British Institution.
Ventes Publiques : Londres, 14 déc. 1927 : *Ouverture du pont de Waterloo*, aquar. : **GBP 18**.

FINDLAV J.
XIXe siècle. Britannique.
Dessinateur, aquarelliste et graveur.
Il exposa à la Royal Academy en 1827 et en 1831, des aquarelles de Londres ; il exposa également au British Institute et à la Suffolk Street Gallery.
Musées : Londres (British Mus.) : Quarante et un dessins rehaussés faisant partie de la collection Grace.

FINDORFF Dietrich
Né le 23 mars 1722 à Lauenbourg. Mort le 3 mai 1772 à Ludwigslust. XVIIIe siècle. Allemand.
Peintre, graveur et sculpteur.
C'est le duc Christian Louis de Melsleinbourg qui découvrit son talent, et lui fit travailler la sculpture avec Naunheim et la peinture avec Lehmann. Il travailla aussi avec Dietrich à Dresde. C'est la Galerie de Schwerin qui conserve la plupart de ses œuvres, un portrait de lui, des portraits, des études de mœurs. Son chef-d'œuvre est l'*Annonciation aux bergers*, qui se trouve dans l'église de Ludwigslust derrière l'autel. Il grava ses propres œuvres, et il fut surtout sculpteur animalier.

FINE Jud
Né en 1944 à Los Angeles (Californie). XXe siècle. Américain.
Sculpteur.
Il a exposé à Los Angeles en 1972 et 1973, et participé à un grand nombre d'expositions collectives où l'accent était mis sur une nouvelle attitude de l'artiste vis-à-vis de son art. Il a également participé à la Documenta V à Kassel en 1972, et à la Biennale de Paris en 1973.
Après les libertés acquises par l'art pauvre et une nouvelle considération des matériaux, Jud Fine exploite le côté artisanal de la sculpture, mettant l'accent sur le travail des matériaux naturels, branches, pierres etc., et sur leurs possibilités d'expressivité.
■ J. B.
Ventes Publiques : San Francisco, 20 juin 1985 : *Removal N° 1* 1978, techn. mixte/pap. (64x101) : **USD 950** – New York, 24 fév. 1995 : *Pole* 1979, cr. et encres de coul./t. et ficelles enroulées autour d'un tube de cuivre (L. 266,1) : **USD 805**.

FINE Pearl ou **Perle**
Née en 1908 à Boston (Massachusetts). XXe siècle. Américaine.
Peintre, graveur. Abstrait.
Elle reçut les conseils de Hans Hofmann. Elle a participé à de nombreuses expositions de groupe, parmi lesquelles : Salon des Réalités Nouvelles, à Paris, 1950 ; Carnegie International Exhibition, à Pittsburgh ; Whitney Museum Annuals ; Biennale du Mexique, au Musée de Mexico, en 1960 ; etc. Elle a également réalisé des expositions personnelles aux États-Unis. Elle a reçu plusieurs récompenses notamment le prix de gravure du Brooklyn Museum.
Abstraite, partie d'une étude serrée de la dernière période américaine de Mondrian, sa peinture actuelle a gagné en liberté d'expression pour aboutir dans ses dernières années à des compositions presque monochromes dont le charme repose sur un flou artistique. ■ J. B.
Bibliogr. : Michel Seuphor : *Dict. de la peinture abstraite*, Hazan, Paris, 1964 – in : *Peintres contemporains*, Mazenod, Paris, 1964.

FINELLI Carlo
Né le 25 avril 1786 à Carrare. Mort le 6 septembre 1853 à Rome. XIXe siècle. Italien.
Sculpteur.
On suppose qu'il appartenait à la même famille que Giuliano Finelli. Il fit ses études à Rome avec Canova. Il travailla au Palais apostolique de Rome et au Palais Royal, à Turin. Siret le mentionne comme peintre d'histoire. Il fut élu membre de l'Académie Saint-Luc, le 20 mars 1814. On peut citer de lui les *Cariatides* de bronze du maître-autel, dans la cathédrale de Novara, les bustes de *Pétrarque* et de l'*Arioste*, ceux de *Masaccio* et de *Ghiberti* dans la Protomothèque du Capitole à Rome, *Junon et le jeune Mars*.
Musées : Florence (Mus. des Offices) : *Dessins* – Milan (Gal. Brera) : *Bas-relief en terre cuite à la mémoire d'Alfieri*.

FINELLI Giuliano
Né le 13 décembre 1601 à Carrare. Mort en 1657 à Rome. XVIIe siècle. Italien.
Sculpteur.
Il étudia d'abord à Naples avec son oncle Vitale, puis il fut l'élève de Naccarini. Il vint à Rome travailler avec Bernini, puis alla s'établir à Naples ; on cite plusieurs statues de lui, en marbre et en bronze. Il travailla avec le fils de Bernini, Pietro Bernini. On peut citer de lui une statue de *Sainte Cécile* dans l'église Santa Maria di Loreto ; à Naples pour la chapelle del Tesoro de la cathédrale, les statues gigantesques des *Apôtres Pierre et Paul*, ainsi que les statues des treize protecteurs de la ville, en bronze, et deux bustes des membres de la famille du cardinal Filomarino.
Musées : Madrid (Prado) : *Huit lions gigantesques*, bronze, servant de soutien à des consoles.

FINELLI Pietro
Né vers 1770 à Carrare. Mort le 7 mars 1812 à Rome. XVIIIe-XIXe siècles. Italien.
Sculpteur.
Il était le fils du sculpteur Vitale Finelli le Jeune. Il arriva vers 1800 à Rome et obtint avec son groupe *Hercule et Déjanire* un prix de l'Académie Saint-Luc le 15 novembre 1801 ; il fut élu membre de cette Académie le 19 avril 1808. Il était le frère de Carlo Finelli.

FINELLI Vitale, l'Ancien
Né en 1583 à Carrare. XVIIe siècle. Italien.
Sculpteur et architecte.
Il était l'oncle et fut le premier maître de Giuliano Finelli. Il fit surtout des tableaux d'autel et des décorations d'églises.

FINELLI Vitale, le Jeune
Né à Carrare. XVIIIe siècle. Italien.
Sculpteur.
Il travailla à Naples pendant sept ans et fut ensuite nommé professeur à l'Académia Nuova de Carrare.

FINERT Noël Dieudonné
Né le 27 mars 1797 à Condé. Mort en 1852. XIXe siècle. Français.
Peintre.
Cet artiste n'eut point de maître. Il forma seul son talent en étudiant la nature de près et en s'inspirant des œuvres des grands peintres. En 1840, il fut médaillé de troisième classe. Il exposa au Salon de Paris de 1817 à 1850 des paysages, des sujets de genre,

des sujets militaires et autres. Parmi ses œuvres principales, on cite : *Un camp d'exercice de troupes françaises ; Campement d'une peuplade de la tribu des Kalmoucks ; Arabe en fuite emportant sa femme ; Chasse au lion en Afrique ; Une promenade de Louis XIV au rocher Canon ; Le maréchal Ney à la retraite de Russie ; Portrait de Charles Ier ; Promenade de Longchamp sous Louis XV.*
Musées : Cambrai : *Scène arabe – Cavaliers circassiens – Paysage, effet de crépuscule* – Versailles (Trianon) : *Matinée de septembre.*

FINES C.
XIXe siècle. Actif à Londres. Britannique.
Sculpteur.
Exposa des modelages en cire à la Royal Academy, à Londres, de 1833 à 1846.

FINES Eugène François
Né le 19 juillet 1826 à Paris. XIXe siècle. Français.
Peintre de scènes de genre, paysages animés.
Il entra à l'École des Beaux-Arts de Paris, ayant pour maîtres Auguste Hesse et Léon Cogniet. Il exposa au Salon de Paris, de 1859 à 1880.
Il réalisa beaucoup de scènes paysannes, le plus souvent inspirées par la Bretagne. Parmi ses œuvres, on cite : *Paysanne filant – Le Poussin chez le sculpteur François Duquesnoy – Paysanne italienne et son enfant – L'Aïeul – L'Épée.*

Evg. FINES

Bibliogr. : Gérald Schurr, in : *Les Petits Maîtres de la peinture 1820-1920, valeur de demain,* Les Éditions de l'Amateur, t. V, Paris, 1981.
Ventes Publiques : New York, 25 jan. 1979 : *La convalescence de la mère,* h/t (67x58) : **USD 3 000** – New York, 25 jan. 1980 : *La convalescence de la mère,* h/t (67x58,5) : **USD 1 700** – Zurich, 22 mai 1987 : *Les préparatifs pour le bal,* h/t (73x59) : **CHF 6 500** – Paris, 26 mars 1995 : *Jeunes enfants réprimandés par le sacristain à la sortie de l'église,* h/t (90,5x78) : **FRF 25 500.**

FINES L.
XVIIIe siècle. Actif à Liège dans la première moitié du XVIIIe siècle. Éc. flamande.
Dessinateur et graveur.
On connaît à peu près trente gravures de lui.

FINET A. A.
XIXe siècle. Français.
Sculpteur.
Il exposa de 1889 à 1902 au Salon des Artistes Français des bustes et des statues. On peut citer de lui : *La Vengeance* et *Moïse sauvé des eaux.*

FINET François I
Né le 24 mars 1719. XVIIIe siècle. Français.
Peintre de compositions religieuses, peintre de cartons de tapisseries.
Il fut professeur aux Écoles d'Aubusson où il fut nommé en 1758.
Musées : Moutier-Roseille (église) : *Assomption de la Vierge.*

FINET François II
Né à Aubusson. XVIIe-XVIIIe siècles. Français.
Peintre d'histoire, peintre de cartons de tapisseries, dessinateur.
Père de Gilbert et fils de François Finet, également peintres. Il fut l'élève de J. Jouvenet à Paris. Finet fut, dès l'âge de 26 ans, professeur de dessin aux écoles d'Aubusson. Le Musée de Guéret conserve de lui : *Jésus guérissant la fille de Jaïre* et *Jésus guérissant le paralytique.*

FINET Gilbert
Né en 1685. Mort en 1745 à Aubusson. XVIIIe siècle. Français.
Peintre d'histoire, peintre de cartons de tapisseries, dessinateur.
Fils de François II Finet, il lui succéda comme professeur de dessin. Il fut nommé peintre du roi. Ses œuvres sont mal connues.

FINET Jean Robert
Mort en décembre 1947. XXe siècle. Français.
Peintre.
Il fut premier Grand Prix de Rome.

FINETTI Gino von, ritter
Né le 9 mai 1877 à Pise (Toscane). XXe siècle. Actif en Allemagne. Italien.
Peintre, dessinateur.
Il résida à Berlin, après avoir fréquenté l'Académie des Beaux-Arts de Munich. Il collabora à des revues : *Die Jugend, Ulk,* comme dessinateur publicitaire. Il exposa en 1906, 1907, 1912.

FINEZ Grégoire Nicolas
Né le 30 octobre 1884 à Saint-Saulve-les-Valenciennes (Nord). Mort le 1er juin 1975 à Menton (Alpes-Maritimes). XXe siècle. Français.
Peintre de scènes de genre, paysages.
Il fut élève de Joseph Layraud à Valenciennes et de Fernand Cormon à Paris. Il fut professeur de dessin de la Ville de Paris à partir de 1908. Il exposa régulièrement, à Paris, au Salon des Artistes Français, en devint sociétaire. Il obtint une médaille de troisième classe en 1910, et une médaille d'or en 1940, hors concours. Il fit une importante donation de ses œuvres à sa ville natale, ainsi qu'à Valenciennes.
Musées : Tours : *Jeunesse* – Valenciennes.

FINGER
XVIIIe siècle. Actif à Berlin. Allemand.
Peintre de paysages.
On peut citer de lui une *Vue de la Ville de Kiel,* qu'il exposa en 1791 à Berlin.

FINGERHUTH Johann Baptist
Né en 1774. Mort le 13 mai 1836. XVIIIe-XIXe siècles. Actif à Cologne. Allemand.
Peintre de portraits.

FINGHIUS Mei
XVIIe siècle.
Graveur au burin.
Travaillant sans doute vers 1660, il est cité par Nagler comme ayant gravé : *La Tentation de saint Antoine.*

FINI Arone
Né au XVIe siècle à Bornato. XVIe siècle. Italien.
Sculpteur.
Il travailla au Palazzo Municipale de Brescia.

FINI Giuseppe
XIXe siècle. Actif dans la première moitié du XIXe siècle. Italien.
Peintre d'histoire.
Cité par Siret. Le Musée des Offices à Florence conserve de lui un dessin.

FINI Léonor
Née le 30 août 1908 à Buenos Aires, de parents italiens. Morte le 19 janvier 1996 à Paris. XXe siècle. Depuis 1933 active, puis naturalisée en France. Italienne.
Peintre de figures, portraits, peintre à la gouache, aquarelliste, pastelliste, peintre de décors de théâtre, graveur, dessinatrice, illustratrice. Surréaliste.
Elle a commencé à peindre très jeune, admirant d'abord les peintres du Quattrocento, puis les maniéristes du XVIe siècle, dont les grâces alanguies la fascinaient déjà, de même que le symbolisme romantique de Caspar David Friedrich. Elle étudia à Trieste, puis à Milan, subissant l'influence de Carra. Dès 1933, s'installant à Paris, elle participa aux activités du groupe surréaliste, ainsi qu'à Londres, puis, en 1938, à New York, Zurich, Bruxelles.
Femme ayant le goût du brocard et de la plume, et la passion du masque, elle fut toujours attirée par la scène et a donné parmi le meilleur de son œuvre pour le théâtre et le ballet : *Le Rêve de Léonor,* 1945, Ballets des Champs-Élysées ; *Tannhäuser* de Wagner ; *Le Palais de Cristal,* 1947, Opéra de Paris ; *Les Demoiselles de la nuit,* 1948, Ballets de Paris de Roland Petit ; *Bérénice,* 1955, Compagnie Jean-Louis Barrault ; *Les Bonnes* de Jean Genêt, 1961. Pour le cinéma, elle a travaillé, en 1953, pour le *Roméo et Juliette* de Castellani. Dessinateur, aquarelliste et graveur, elle a illustré, entre autres : de Shakespeare les *Sonnets,* 1949, *La Tempête,* 1965 ; de Sade *Juliette,* 1944 ; Edgard Poe, Francis Ponge, Jean Cocteau et autres poètes pour *Portraits de famille,* 1950 ; de Pauline Réage *Histoire d'O,* 1962 ; de Baudelaire *Les Fleurs du Mal,* 1964.
Elle participa à l'exposition *Le Surréalisme* à Londres, en 1936 à la Burlington Gallery. À New York, en 1936 également, elle fut présente à l'exposition *Fantastic Art, Dada, Surrealism,* au Musée d'Art Moderne. Après sa première exposition personnelle à Milan, elle en fit une autre à Paris, en 1932. En 1936, elle exposa de nouveau à New York, mais cette fois-ci seule, avec comme préfaciers de son catalogue, Éluard et Chirico. Une rétro-

spective complète de son œuvre eut lieu au musée du Luxembourg, à Paris, en 1986, avec quatre-vingts tableaux, des gouaches, des dessins, des aquarelles, des éditions de bibliophilie, et des masques.
Ses œuvres sont matériellement nourries de la tradition classique, ce qui est souvent le cas pour les surréalistes, tenus, selon les préceptes d'André Breton, de donner des photographies de rêves. Sa peinture transposa successivement des silhouettes d'adolescentes, des paysages fantastiques, des femmes chauves, des germinations au style presque abstrait, de nouveau des personnages mais toujours marqués par l'étrangeté. Quand à ce que ces œuvres expriment, la volonté de se référer au fantastique est évidente, le recours à l'érotisme morbide peut paraître parfois forcé ; ce qui en fait peut-être la principale qualité est le climat véritablement trouble, créé par la beauté surannée d'une technique éprouvée alliée à l'ambiguïté des sujets traités. L'étrange séduction d'un jeune éphèbe nu enveloppé de fourrures se trouve accentuée d'être représentée avec la religiosité des techniques anciennes. La somptuosité des fourrures et des étoffes lourdes augmente la touffeur du climat. D'entre ses œuvres nombreuses, sont citées : *La Bergère du Sphynx*, 1941 ; *Portrait de Jean Genêt*, 1949-1950 ; *Les Fileuses*, 1954 ; *Portrait de Sylvia Monfort*, 1955 ; *La Fête secrète*, 1965. Dans les années soixante-dix, elle a peint une série : *Jeux de vertige*, au sujet de laquelle elle écrivit : « Dans ces jeux l'important c'est la perte de conscience, le naufrage heureux du soi. Le va-et-vient d'une balançoire commence par l'euphorie et le rire pour devenir absence et vertige, d'où la difficulté de l'arrêter : l'attraction du vide. » C'est indiscutablement au surréalisme que l'œuvre de Léonor Fini se rattache. « Lorsque Fini peint un chapeau, écrira Robert Melville, elle le peint comme Bonnard ou encore elle redécouvre ces tons mystérieusement incandescents que Redon n'a trouvés que dans le pastel, et les filles deviennent de simples piédestaux pour buissons ardents. » Le surréalisme de son art consiste peut-être surtout en sa féminité ; quoi ou qui qu'elle peigne, c'est toujours le reflet du plus profond d'elle-même qu'elle y guette, avide et anxieuse de cette interrogation du miroir qui la traque quand elle croit le fuir. ■ J. B., C. D.

Bibliogr. : J. Audiberti : *Léonor Fini*, Paris, 1950 – André Pieyre de Mandiargues : *Les Masques de Léonor Fini*, Paris, 1951 – M. Brion : *Léonor Fini et son œuvre*, Pauvert, Paris, 1955 – G. Bataille : *Les Larmes d'Éros*, Paris, 1961 – M. Brion, in : *Art fantastique*, Paris, 1961 – R. Passeron, in : *Histoire de la peinture surréaliste*, Paris, 1968 – C. Jelenski : *Léonor Fini*, Lausanne, 1970 – in : *Les Muses*, t. VII, Grange Batelière, Paris, 1972 – C. Jelenski : catalogue de l'exposition *Léonor Fini*, Musée d'Art Sogo à Yokohama, nov.-déc., 1985.

Musées : Bruxelles – Lodz – Milan – Paris (Mus. Nat. d'Art Mod.) : *Femme travestie* – Rome – Trieste – Venise (Fond. Peggy Guggenheim) : *La Bergère de Sphynx*.

Ventes Publiques : Paris, 21 juin 1960 : *L'arbre* : **FRF 850** – New York, 23 mars 1961 : *Roberto* : **USD 425** – Paris, 14 mars 1974 : *Portrait de Eddy Boffério* : **FRF 48 000** ; *Mandilia* : **FRF 82 000** – Versailles, 18 juin 1974 : *Escarpolette N° 2* : **FRF 225 000** – Londres, 4 déc. 1974 : *L'envoi* : **GBP 17 000** – Paris, 22 juin 1976 : *Visage*, h/cart. (64x50) : **FRF 19 000** – Versailles, 27 nov. 1977 : *Réunion de femmes*, h/pan. (162x114) : **FRF 33 000** – Toulouse, 5 déc. 1977 : *Visage*, aquar. (34x25) : **FRF 6 000** – Anvers, 8 mai 1979 : *Mourmour*, aquar. (63x48) : **BEF 140 000** – Enghien-les-Bains, 27 mai 1979 : *Alice*, dess. à la pl. (30x38,5) : **FRF 6 500** – New York, 2 avr. 1981 : *Tête de femme* 1948, encre de Chine et encres de coul./pap. (32,5x25,1) : **USD 2 250** – Milan, 24 oct. 1983 : *Femme-lion*, temp./cart. (76x56) : **ITL 15 000 000** – Zurich, 9 nov. 1984 : *Tête de femme*, encre de Chine (65x50) : **CHF 6 000** – Enghien-les-Bains, 25 nov. 1984 : *Opération II* 1941, h/t (92x65) : **FRF 235 000** – Paris, 26 juin 1986 : *Les demoiselles de la nuit*, gche et aquar./pap. vert olive (32x25,3) : **FRF 22 000** – Londres, 30 juin 1987 : *L'essayage* vers 1958, h/t (116x89) : **GBP 52 000** – Lokeren, 28 mai 1988 : *Deux personnages*, lav. (39,5x33) : **BEF 38 000** – Paris, 1er juin 1988 : *Couple*, encre brune (42x35) : **FRF 6 500** – Paris, 12 juin 1988 : *Visage féminin* 1945, aquar. et encre de Chine/pap. (33x23) : **FRF 20 000** – Paris, 23 juin 1988 : *Jeune femme*, h/t (72x49) : **FRF 140 000** – Londres, 29 juin 1988 : *La peine capitale* 1969, h/t (120x120) : **GBP 44 000** – New York, 6 oct. 1988 : *Composition avec des personnages sur une terrasse* 1938, h/t (99,5x81) : **USD 154 000** ; *Sphinx rose, l'Automne*, aquar. et encre (30x21,5) : **USD 6 050** – Londres, 19 oct. 1988 : *Portrait de Mrs H.* 1941, h/t (18,2x14,1) : **GBP 2 970** – Londres, 29 nov. 1988 : *Jeune fille en robe verte*, h/t (81,3x68) : **GBP 38 500** – Paris, 23 jan. 1989 : *Portrait de jeune femme*, aquar. et gche/pap. bistre (45x31) : **FRF 22 000** – Londres, 22 fév. 1989 : *Les Antinomies électives* 1959, h/t (73,5x50,5) : **GBP 8 800** – Rome, 21 mars 1989 : *Portrait de jeune fille*, h/t (26x22) : **ITL 12 000 000** – Londres, 5 avr. 1989 : *Chambre d'enfant* 1971, h/t (130x81) : **GBP 49 500** – New York, 17 mai 1989 : *Portrait d'un jeune homme*, h/t (42x33) : **USD 11 000** – Paris, 6 juil. 1989 : *Les Comédiens, série Hamlet* 1954, h/t (90x71) : **FRF 820 000** – Paris, 29 sep. 1989 : *Trois personnages*, dess. à la pl. (35x25,5) : **FRF 12 000** – Londres, 28 nov. 1989 : *Le Hibou*, h/cart. (23,7x16) : **GBP 14 300** – Milan, 19 déc. 1989 : *La petite rade* 1928, h/pan. (57,5x64) : **ITL 16 000 000** – Paris, 22 jan. 1990 : *Le Couple*, dess. à l'encre de Chine (30x22) : **FRF 10 500** – Londres, 2 avr. 1990 : *Les Quatre Saisons*, h/pap./t., quatre panneaux (chaque 135x40,5) : **GBP 385 000** – Paris, 26 avr. 1990 : *La Vie et la Mort*, paravent (158x48) : **FRF 75 000** – Paris, 19 juin 1990 : *Asphodèles* 1966-1967, h/t (100x65) : **FRF 400 000** – Paris, 6 oct. 1990 : *Portrait de jeune femme*, aquar. et past. (39x22) : **FRF 30 000** – Paris, 16 mars 1991 : *Madame X* vers 1948-1949, h/t (93x65) : **FRF 115 000** – Londres, 19 mars 1991 : *L'Escarpolette I* 1975, h/t (diam. 118) : **GBP 44 000** – New York, 9 mai 1992 : *Éphèbe*, aquar./pap./cart. (32,7x23,8) : **USD 990** – Lokeren, 5 déc. 1992 : *Le Couple*, aquar. (36x30) : **BEF 100 000** – Sceaux, 13 déc. 1992 : *Ronde féminine*, aquar. et gche (35x24) : **FRF 7 500** – Paris, 28 mai 1993 : *Portrait de femme*, gche/pap. (41x29) : **FRF 7 500** – Paris, 28 juin 1993 : *La Peinture*, h/t/bois (171x70) : **FRF 180 000** – Lokeren, 9 oct. 1993 : *Guerrier et Femme*, gche et past. (45x38) : **BEF 240 000** – Lokeren, 12 mars 1994 : *Deux Figures*, techn. mixte sur fond peint. à l'h. (44x37) : **BEF 220 000** – Paris, 24 juin 1994 : *Messe noire*, aquar. (54x40) : **FRF 11 000** – Paris, 18 oct. 1994 : *Les Deux Femmes aux chapeaux* 1960, h/t (55,7x39,4) : **FRF 87 000** – Le Touquet, 21 mai 1995 : *Les Deux Amies*, encre de Chine : **FRF 5 000** – Londres, 25 oct. 1995 : *Portrait d'André Pieyre de Mandiargues* 1942, h/t (33x22) : **GBP 8 280** ; *Femme au grand chapeau* 1967, h/cart. (27x34) : **GBP 12 075** – Zurich, 14 nov. 1995 : *La Double Constance*, h/t (100x65) : **CHF 23 000** – Calais, 24 mars 1996 : *La Femme-oiseau*, aquar. (22x20) : **FRF 19 000** – Paris, 24 mai 1996 : *Trois Visages*, encre et lav. (22x18) : **FRF 8 000** – Amsterdam, 4 juin 1996 : *Tête*, h./carte (20x15) : **NLG 2 714** – Paris, 30 sep. 1996 : *La Belle Dorothée* vers 1980, h/pap./t. (38x28) : **FRF 55 000** – Londres, 3 déc. 1996 : *La Sphinge*, h/pap. (31,1x41) : **GBP 18 400** – Londres, 23 oct. 1996 : *Figure*, aquar., pl. et encre/pap. (28x18) : **GBP 1 610** – New York, 10 oct. 1996 : *Portrait de femme* 1940, h/t (20,3x16,5) : **USD 8 050** – Calais, 23 mars 1997 : *La Danseuse*, aquar. (36x30) : **FRF 11 000** – Lokeren, 8 mars 1997 : *Deux Personnages*, aquar. et past. (33x23) : **BEF 65 000** ; *Roméo et Juliette* 1977, h/t (41x33) : **BEF 240 000** – Paris, 4 juil. 1997 : *Les Fruits de la passion n° 3*, gche sur fond mauve (42x33) : **FRF 11 800** – Lokeren, 6 déc. 1997 : *Trois femmes*, pl. (29x26,5) : **BEF 50 000**.

FINI Tommaso di Cristoforo. Voir **MASOLINO da Panicale**

FINIGUERRA Maso ou **Tommaso**

Né en 1426. Mort en 1464. xve siècle. Italien.

Orfèvre, sculpteur, graveur, dessinateur.

Il appartenait à une noble et ancienne famille florentine et fut d'abord orfèvre. Vasari lui prête la gloire d'avoir inventé la gravure en Italie en ce sens que le premier il aurait obtenu sur papier les épreuves de gravures sur métal. Certains critiques ont contesté cette affirmation de l'auteur de la *Vie des Peintres*. Ce qui est indiscutable, c'est qu'il s'associa avec Antonio Pollajuolo et que, vers 1459, ils sont cités par Zibaldone comme maîtres de dessin. Son rôle comme dessinateur est d'ailleurs établi par des travaux importants. On cite notamment une *Sainte Zénobie entre deux diacres* et *La Vierge avec un ange*. On cite encore parmi ses gravures un *Crucifiement* et un *Couronnement de la Vierge* qui établissent son grand talent dans ce genre. Le Cabinet des Estampes à la Bibliothèque Nationale, à Paris, possède une épreuve de cette rarissime gravure, qu'y découvrit le savant biographe abbé Zani. Le Musée des Offices à Florence conserve plusieurs aquarelles de lui, rappelant, mais avec plus de douceur, l'exécution puissante, la large conception d'Albert Dürer. Finiguerra a également exécuté des bas-reliefs et des ornements religieux pour diverses églises de Florence.

Ventes Publiques : Versailles, 13 mai 1964 : *Portrait d'un jeune Romain* : **FRF 10 500** – Milan, 9 avr. 1970 : *La gardienne des fleurs* : **ITL 5 200 000** – Londres, 12 déc. 1985 : *Homme assis*, pl. et lav. (13,4x6,4) : **GBP 3 600.**

FINK

Mort vers le milieu du xviiie siècle à Klausen. xviiie siècle. Autrichien.

Peintre.

Il était le frère de Bartholomae Fink. Il a peint des animaux et des scènes populaires.

FINK Adolphe David

Né le 5 avril 1802 à Rouen. xixe siècle. Français.

Peintre.

Entré à l'École des Beaux-Arts le 6 juillet 1818, il se forma sous la conduite de Girodet Trioson. De 1833 à 1864, il figura au Salon de Paris par un grand nombre de portraits à l'aquarelle et au pastel.

FINK Anton

Né à Neustiff (près de Brixen). Mort le 10 février 1886 à Vienne. xixe siècle. Autrichien.

Peintre de portraits.

Il travaillait à Méran.

Musées : Innsbruck (Mus. Ferdinand) : *Portrait de l'orientaliste P. Pius Zinguerle* – Méran : *Portrait de l'artiste par lui-même.*

Ventes Publiques : Vienne, 11 mars 1980 : *Portrait d'enfant* 1873, h/t (45x37) : **ATS 25 000.**

FINK August

Né le 30 avril 1846 à Munich. xixe siècle. Allemand.

Peintre de paysages animés, paysages.

Il fut élève de Stademann, d'Ed. Schleich et, à partir de 1872, de Lier. Il travailla également avec J. Wenglein. En 1889, il obtint le titre de professeur.

Musées : Munich : *Matin d'hiver – Soir d'automne* – Nuremberg : *Nuit d'hiver avec un renard.*

Ventes Publiques : Cologne, 27 juin 1974 : *Paysage d'automne* : **DEM 5 500** – Cologne, 1er juin 1978 : *Paysage de Bavière*, h/t (24,5x40) : **DEM 6 500** – New York, 1er mars 1984 : *Cerfs dans un paysage d'hiver*, h/t (50,8x81,2) : **USD 1 600** – New York, 24 fév. 1987 : *Enfants jouant dans un paysage d'hiver*, h/t (83,8x144,1) : **USD 12 000.**

FINK Bartholomae

Né au xviie siècle à Innsbruck. xviie-xviiie siècles. Autrichien.

Peintre.

Il était élève de Fr. Mez. Il travailla en Italie et s'établit à Klausen. Il peignit des tableaux d'autel : dans le couvent des Capucines à Klausen, un *saint Joseph*, et une *Assomption de la Vierge* dans le couvent des Augustins à Neustift ; un *Combat d'Hercule avec l'Hydre de Lerne* se trouve aussi parmi les tableaux que possède ce couvent.

FINK Carl W. E.

Né le 22 septembre 1814 à Cassel. xixe siècle. Allemand.

Peintre et dessinateur.

Il était encore professeur de dessin à Cologne en 1885. Il voyagea en Italie et se fixa pendant cinq ans à Venise.

FINK Denman

Né le 29 août 1880 à Springdale (Pennsylvanie). xxe siècle. Américain.

Peintre, illustrateur.

Il a illustré notamment l'*Histoire des États-Unis* de Mace.

FINK Don

Né en 1923 à Duluth (Minnesota). xxe siècle. Américain.

Peintre. Abstrait.

Il fut élève au Walker Institute, à Minneapolis, et de l'Art Students' League de New York. Il effectua un séjour à Paris en 1953-54, au cours duquel il montra une exposition particulière de ses œuvres, et une nouvelle fois en 1955. Il figura à certaines expositions de groupe en France, notamment, à Paris, au Salon des Réalités Nouvelles de 1957.

Peintre abstrait, l'exemple de Jackson Pollock l'a amené à un graphisme gestuel et calligraphique se développant sur des fonds monochromes.

Bibliogr. : Michel Seuphor : *Dictionnaire de la peinture abstraite*, Hazan, Paris, 1957.

Ventes Publiques : Paris, 27 oct. 1993 : *Composition* 1956, h/t (136x54) : **FRF 3 400.**

FINK Eduard

Né en 1844 à Vienne. xixe siècle. Autrichien.

Graveur amateur.

Le Cabinet des Estampes de Berlin conserve des exemplaires des quatre gravures que l'on connaît de lui, dont deux petits paysages d'après Höger.

FINK Frederick

Né en 1817 à New York. Mort en 1849. xixe siècle. Américain.

Peintre de genre.

Il travailla à New York avec Morse. En 1840, il visita l'Europe où il exécuta des copies des œuvres de Murillo et du Titien. Parmi ses travaux figurent : *L'atelier d'un artiste* et *Le naufrage.*

Ventes Publiques : New York, 20 fév. 1930 : *Artiste dans son atelier* : **USD 60.**

FINK Friedrich Wilhelm

Né le 10 octobre 1796 à Graz. Mort le 22 avril 1861 à Bertholdstein (Styrie). xixe siècle. Autrichien.

Lithographe et graveur.

D'après Isabey, il grava le portrait d'*Albert duc de Sachsen-Teschen*, deux *Paysages*, d'après C. W. E. Dietrich, *Frédéric II à cheval*, un *Vieil Homme à son bureau* et *Chien et Tête d'aigle* d'après Fried Gauermann.

FINK Hans

Autrichien.

Sculpteur.

Peintre de la cour à Vienne, il reçut un salaire pour la commande de cinq têtes de Jésus, qu'il fit pour l'église des Capucins.

FINK Jakob

Né le 23 novembre 1821 à Schwarzenberg. Mort le 6 septembre 1846 à Rome. xixe siècle. Allemand.

Peintre.

FINK Johann

Né le 20 avril 1628 à Freiberg. Mort le 10 décembre 1675 à Dresde. xviie siècle. Allemand.

Peintre d'histoire et de portraits.

Il voyagea en Italie, surtout à Naples. Il devint peintre de la cour du Prince Électeur à Dresde. On peut citer de lui les peintures d'autels des églises de Obernhau et de Dippoldiswalde, un tableau au-dessus de l'autel de la chapelle du pavillon de chasse de Moritzbourger, *Adam et Ève chassés du Paradis*, une *Fuite en Égypte*, ainsi que quelques portraits des membres de la famille du Prince Électeur.

FINK Johann Nepomuk

xixe siècle. Actif à Munich dans la première moitié du xixe siècle. Allemand.

Sculpteur.

Il fit des crucifix, des statues de saints, des bas-reliefs d'animaux en bois et en pierre.

FINK Lola

Née à Jaslo. xxe siècle. Polonaise.

Peintre.

Expose aux Artistes Français.

FINK Paul

Né à Louviers (Eure). xixe siècle. Français.

Dessinateur.

Le Musée de Louviers conserve un dessin de cet artiste.

FINK Tullan

Née en 1919 à Göteborg. xxe siècle. Suédoise.

Peintre.

Elle est élève à l'École des Beaux-Arts de Valand à Göteborg et, au cours d'un voyage d'études en Europe, à l'Académie de la Grande Chaumière, à Paris. Elle dirige une Académie dans la ville de Göteborg.

Elle a participé, en 1962, à une exposition de jeune peinture suédoise, à Paris, consacrée précisément à l'école de Göteborg. Elle a réalisé plusieurs expositions personnelles en Suède.

Musées : Göteborg.

FINK Waldemar

Né en 1893 à Berne. Mort en 1948 à Berne. xxe siècle. Suisse.

Peintre.

Il a exposé à Munich en 1909, mais résidait à Adelboden en Suisse. On cite de lui une toile : *Soir d'hiver dans la vallée.*

Ventes Publiques : Berne, 6 mai 1981 : *Adelboden en automne* 1922, h/t (60x80) : **CHF 700** – Berne, 21 oct. 1983 : *Paysage d'automne* 1936, h/t (60x90) : **CHF 1 400** – Berne, 30 avr. 1988 : *Paysage montagneux dans la brume avec chevrière*, h/t (80x70) : **CHF 2 200** – Berne, 26 oct. 1988 : *Le Gsteig vers midi en hiver* 1922, h/t (63x73) : **CHF 1 000.**

FINKE Heinrich Jonathan
Né le 9 avril 1816 à Nuremberg. Mort le 9 août 1868 à Altenbourg. XIXe siècle. Allemand.
Peintre de portraits.
Il travailla d'abord à Nuremberg, puis en Belgique et en Hollande. Il devint professeur à Altenbourg.

FINKEL Joseph
Né vers 1760 à Immenstadt. XVIIIe siècle. Allemand.
Peintre de portraits et graveur.
Il voyagea beaucoup, et peignit surtout des miniatures pour des bagues, des boîtes et autres objets décoratifs.

FINKELBURG Augusta
Née à Fountain City (Wisconsin). XXe siècle. Américaine.
Peintre de paysages.
Elle fut élève de l'Art Institute de Chicago. Elle étudia également à Paris, en Italie, en Hollande et en Angleterre. Elle fut membre de la Saint Louis Artists Guild.

FINKELSTEIN Louis
Né en 1923 à New York. XXe siècle. Américain.
Peintre.
Il fut élève de la Cooper Union Art School, de l'Art Students' League et de la Brooklyn Museum Art School. Il a obtenu en 1957-58 une bourse de la Fondation Fullbright pour un séjour d'études en Italie. Il fut professeur à plusieurs reprises, et fut directeur du département d'histoire de l'art de la Philadelphia School of Art.
Il a participé à de nombreuses expositions de groupe, notamment dans les musées américains, et à Rome. Il a réalisé des expositions personnelles, à New York, en 1950, 1953, 1956, 1960 ; et à Rome en 1958.
Bibliogr. : In : *Peintres contemporains*, Mazenod, Paris, 1964.

FINKERNAGEL E.
XIXe siècle. Actif à Munich. Allemand.
Peintre.
On connaît de lui plusieurs gravures *(Naufrage, marine, Torre del Greco près du Vésuve).*

FINKERNAGEL F. Ph.
Né vers 1839 à Darmstadt. XIXe siècle. Allemand.
Peintre de marines.
Cité par Siret.
Musées : Gdansk, ancien. Dantzig (Mus. mun.) : *Vue de Sorrente.*

FINLAY Winifred
Née à South-Orange. XXe siècle. Américaine.
Peintre.
Élève de E. Chimot. Exposant du Salon des Artistes Français depuis 1928.

FINLAYSON, Mrs
XVIIIe siècle. Active à Londres. Britannique.
Peintre d'oiseaux.
Femme de John Finlayson. Exposa à la Society of Artists et à la Free Society, de 1762 à 1768.

FINLAYSON Alfred
XIXe siècle. Britannique.
Peintre de genre et de natures mortes.
Il travailla à Londres, où il exposa particulièrement à Suffolk Street et à la Royal Academy, de 1857 à 1876.

FINLAYSON John
Né vers 1730. Mort vers 1776. XVIIIe siècle. Britannique.
Graveur et dessinateur.
Il travaillait à Londres où il reçut en 1773 un prix de la société des arts. Il grava quelques portraits à la manière noire et quelques planches représentant des sujets historiques. Citons : *La duchesse de Gloucester,* d'après Sir Joshua Reynolds, *Lady Charles Spencer, Le comte de Buchau,* d'après le même, *William Drummond,* d'après C. Janssens, etc. D'après son propre dessin il grava : *Candaules, roi de Lydie, montrant à Gyges, sa favorite, la reine sortant du bain.* Il exposa à Londres de 1762 à 1770, notamment à la Society of Artists et à la Free Society. Il appartenait, du reste, à ce dernier groupement. Ces œuvres sont fort recherchées et méritent de l'être.

FINLEY Ella
Née en 1868 à Philadelphie (Pennsylvanie). XIXe-XXe siècles. Américaine.
Peintre.
Elle fut élève de la Pennsylvania Academy of Fine Arts.

FINN Herbert John
Né en 1860. XIXe siècle. Britannique.
Peintre, aquarelliste, graveur.
Il fit ses études à Paris et à Anvers et travailla surtout à Londres et à Folkestone. Le Musée de Nottingham possède de cet artiste une *Vue de la cathédrale d'Exeter.*
Ventes Publiques : Londres, 13 mars 1925 : *L'étang* : **GBP 5** – Londres, 20 mars 1925 : *Cathédrale de Durham* : **GBP 9** – Londres, 22 avr. 1927 : *Vaisseaux dans le port,* dess. : **GBP 5** – Londres, 23 mai 1929 : *Cathédrale de Gloucester* : **GBP 5** ; *Cathédrale de Gloucester* : **GBP 4** – Londres, 1er avr. 1935 : *York Minster,* dess. : **GBP 4.**

FINN James Wall
XXe siècle. Actif à New York. Américain.
Peintre.
Mention honorable au Salon de Paris 1896, médaille de bronze Pan-American Exposition 1901.

FINNBERG Gustaf Wilhelm
Né le 24 novembre 1784 à Pargas (Finlande). Mort le 28 juin 1883 à Stockholm. XIXe siècle. Finlandais.
Peintre de portraits.
Le Musée d'Helsingsfors conserve de cet artiste : *Portrait du baron Gustaf Wredes, Portrait d'Anton Tengstrom, Portrait de M. Lundgren.*

FINNE Augusta, Mme
Née le 11 mars 1868 à Bergen. XIXe siècle. Norvégienne.
Sculpteur.
Le musée de Copenhague conserve deux bustes de cette artiste.

FINNEMORE Joseph
Né en 1860 à Birmingham. XIXe siècle. Britannique.
Peintre d'histoire, scènes de genre, portraits, aquarelliste.
Il fit un long voyage d'études en Russie au cours duquel l'un de ses tableaux remporta un prix à Odessa. Il exposa régulièrement à la Royal Academy de Londres. Il pratiqua également l'enluminure.
Ventes Publiques : Londres, 15 mai 1984 : *La Poupée,* aquar. (35,5x48,8) : **GBP 500** – Londres, 12 mai 1993 : *La Proclamation du roi Edward VII au Palais Saint-James en 1901,* h/pan. (23x32,5) : **GBP 1 035.**

FINNEY J.
XIXe siècle. Britannique.
Graveur.
On connaît de lui des planches d'après Rubens et Le Corrège.

FINNEY Samuel
Né le 13 février 1721 à Winslow (Cheshire). Mort en 1798 à Winslow (Cheshire). XVIIIe siècle. Britannique.
Miniaturiste.
De 1761 à 1766, il exposa à la Société des Artistes dont il était membre. Il devint le peintre de la reine Charlotte.

FINNIE John
Né en 1829 à Aberdeen. Mort le 27 février 1907 à Liverpool. XIXe-XXe siècles. Britannique.
Peintre de genre, paysages, graveur.
Associé de la Royal Society of Painters Etchers et membre de la Society of British Artists, il exposa à partir de 1861 à la Royal Academy, à la British Institution et à Suffolk Street. Il figura également au Salon des Artistes Français où il obtint une mention honorable en 1896.
Musées : Liverpool : *Vue de Capel Curig – Paysage du Pays de Galles – Moel Siabod, Pays de Galles* – Norwich : *Un membre de la réserve navale – À Gresford près de Chester – Le temps des foins – À Tow – La tombée de la nuit – Llyn Idwal – Effet de lune – Loin du port – Loin du rivage du Sud.*
Ventes Publiques : Chester, 9 déc. 1982 : *Jeux d'enfants,* h/t (100x69) : **GBP 320** – Londres, 30 mars 1994 : *Vue sur la vallée,* h/t (101,5x152,5) : **GBP 6 670.**

FINO di Saverio
XIIIe siècle. Actif à Bologne en 1297. Italien.
Enlumineur.

FINO di Tedaldo
XIIIe siècle. Actif à Florence en 1292. Italien.
Peintre.

FINOCCHIARO Francesco Paolo
Né à Randazzo (près de Messine). XIXe-XXe siècles. Italien.

Peintre.
Il vécut à Paris et en Amérique où il fit le portrait du *Président Théodore Roosevelt.*

FINOGLIA Paolo Domenico
Né en 1590 à Orte. Mort sans doute en 1656 à Naples. XVIIe siècle. Italien.
Peintre de compositions religieuses, dessinateur.
Élève à l'Académie du chevalier Massino Stanzioni, il peignit surtout dans le style du Spagnoletto, et est considéré comme un bon dessinateur.
Musées : Naples : *Saint Bruno* – Naples (couvent San Martino) : *Vie de San Martino* – Naples (Capitole) : dix peintures à l'huile – Strasbourg : *Saint Bruno.*
Ventes Publiques : New York, 17 avr. 1986 : *Tobie guérissant la cécité de son père*, h/t (131x161) : **USD 45 000** – Lugano, 16 mai 1992 : *Saint Jean Baptiste*, h/t (63x77) : **CHF 24 000** – Rome, 29-30 nov. 1993 : *Salomé*, h/t (104x152) : **ITL 20 035 000.**

FINOT
XVIIIe-XIXe siècles. Actif à Paris. Français.
Miniaturiste.
Exposa au Salon de 1814.

FINOT
XVIIIe-XIXe siècles. Actif à Vic-en-Bigorre. Français.
Peintre.
Il exposa des paysages à la plume à Toulouse en 1835.

FINOT Adèle, Mme
Française.
Peintre.
Le musée de Bayonne conserve d'elle : *La porte de la Ville.*

FINOT Alfred
Né le 13 octobre 1876 à Nancy (Meurthe-et-Moselle). Mort le 11 janvier 1947 à Nancy (Meurthe-et-Moselle). XXe siècle. Français.
Sculpteur.
Il fut élève de Louis Barrias. Il exposa, à Paris, au Salon des Artistes Français, dont il devint par la suite sociétaire. En 1935, il exposait *Le Baiser*, un groupe en bronze. Il obtint une mention honorable en 1908.
Ventes Publiques : Paris, 18 juin 1981 : *L'Aurore*, marbre blanc (91x34x23) : **FRF 16 000.**

FINOT Jules
Né vers 1830 à Guéret (Creuse). XIXe siècle. Français.
Peintre de scènes de chasse, animaux, paysages animés, paysages, aquarelliste.
Élève d'Auguste Delacroix, il exposa au Salon de Paris de 1857 à 1882. Il réalisa de nombreuses aquarelles : des paysages et surtout des scènes de chasse, de chevaux de course, qui montrent sa science de l'anatomie. On mentionne de lui : *Courses de Chantilly – Derby – L'hippodrome de Périgueux – Courses de 1859 au bois de Boulogne.*
Ventes Publiques : Paris, 6 mai 1925 : *Dans la forêt en hiver*, aquar. : **FRF 90** – Paris, 25 mai 1932 : *Cheval de course dans son box*, gche : **FRF 320** ; *La rentrée des chevaux de course à l'écurie* : **FRF 430** ; *Les Étangs du Fay*, en bordure de la forêt de Saint-Aignan : **FRF 420** ; *Cavalier et amazones en forêt* : **FRF 420** – Paris, 19 juin 1933 : *Les prés inondés*, aquar. gchée : **FRF 50** – Paris, 4 avr. 1941 : *Scènes de chasse*, cinq aquar. reh. de gche : **FRF 650** – Paris, oct. 1945-juil. 1946 : *Chez l'entraîneur* : **FRF 2 400** – Paris, 21 jan. 1947 : *Scène de chasse*, aquar. : **FRF 4 000** – Versailles, 21 nov. 1971 : *Scènes de chasse à courre* 1888, deux aquar. : **FRF 1 400** – Paris, 29 avr. 1981 : *Retour de chasse*, h/t (51x82,5) : **GBP 260** – Paris, 31 jan. 1983 : *Le rendez-vous de chasse* 1897, h/pan. (16,5x23,5) : **FRF 9 000** – Paris, 20 juin 1994 : *Les chevaux s'échauffant avant le départ de la course* 1894, aquar. : **FRF 12 000.**

FINOTTI Antonio Maria
XVIe siècle. Actif à Ferrare en 1568. Italien.
Peintre.

FINSINGER Ehrenfried
XVIIIe siècle. Actif à Plön. Allemand.
Peintre.

FINSLER Helias
Mort en 1578 à Zurich. XVIe siècle. Suisse.
Peintre.

FINSLER Konrad
XVIe siècle. Actif à Biel vers la fin du XVIe siècle. Suisse.
Peintre verrier.
Il fournit divers ouvrages pour les édifices de Biel entre 1589 et 1595.

FINSON
XVIe siècle. Français.
Peintre d'histoire.
Siret dit qu'il peignit à Avignon, en 1565, le grand tableau de Saint-Trophime d'Arles. Ne serait-ce pas le même que Jacques Fynson ?

FINSON David
Né vers 1597 à Amsterdam. XVIIe siècle. Hollandais.
Peintre de compositions à personnages, portraits.
Il était, semble-t-il, le neveu de Louis et le frère de Pieter Finson.
Ventes Publiques : Monaco, 21 juin 1991 : *Scène de la vie à Troie* 1642, h/t (140,5x224) : **FRF 72 150.**

FINSON Jacques ou **Fynson, Finsonius**
XVIe siècle. Actif à Bruges vers 1560. Éc. flamande.
Décorateur.
Père de Louis Finsonius. Il fut reçu franc-maître de la gilde de Bruges le 6 avril 1560.

FINSON Ludovicus ou **Louis** ou **Fynson, Finsonius**
Né entre 1575 et 1580 à Bruges. Mort en 1617 à Amsterdam. XVIIe siècle. Flamand.
Peintre de compositions religieuses, portraits.
Il visita l'Italie et travailla à Naples sous la direction de Caravage, puis il s'établit vers 1609 à Aix-en-Provence, exposant ses œuvres à la galerie de Peiresc. On cite parmi ses élèves : Mimault, Bigot et Fauchier. Il signait « Ludovicus Finsonius Belga Brugensis ».
Il peignit des portraits, tels que : le *Portrait de Peiresc* (1613), qui fut reproduit par la gravure par Claude Mellan ; le portrait de *Du Vair* (autre magistrat de Provence qui devint homme d'Église et mourut évêque de Lisieux), la toile provient d'un don de du Vair à Peiresc et ce dernier inscrivit sur le cadre ce vers : « Non alia melius pingetur magine virtus » (On ne saurait peindre la vertu mieux ni sous d'autres traits). L'artiste réalisa aussi des tableaux d'église. Son premier ouvrage connu à Aix est une *Résurrection*, dans l'église Saint-Jean-de-Malte, datée de 1610, et qui présente des caractères plus vénitiens que caravagesques. Il en fut de même pour sa *Madeleine pénitente* (1613). On cite encore de lui : l'*Incrédulité de saint Thomas*, pour la cathédrale Saint-Sauveur d'Aix-en-Provence ; le *Martyre de saint Étienne* et l'*Adoration des mages*, pour Saint-Trophime d'Arles. On lui a redonné un *Flûtiste* qui avait été attribué à Velasquez et qui est remarquable par sa nature morte. Louis Finson eut sur la peinture provençale une influence notable en y introduisant le réalisme qu'il tenait de son maître.

Musées : Aix-en-Provence (Mus. Granet) : *Portrait de Raymond d'Espagnet, conseiller au Parlement d'Aix* – Aix-en-Provence (Bibl. Méjanes) : *Portrait de du Vair* – Marseille (Mus. Longchamp) : *Madeleine en extase* – Naples (Capodimonte) : *Annonciation.*
Ventes Publiques : Londres, 26 juin 1930 : *David et Goliath* : **GBP 33** – Londres, 23 oct. 1941 : *Suzanne et les Vieillards* : **GBP 63** – Paris, 23 juin 1964 : *L'Annonciation* : **FRF 18 000** – Bourg-en-Bresse, 12 avr. 1987 : *La Madeleine en extase* 1613, h/t (112x87) : **FRF 220 000** – Londres, 18 oct. 1995 : *Caïn tuant Abel*, h/t (138x104,5) : **GBP 4 025** – Londres, 30 oct. 1996 : *Caïn tuant Abel*, h/t (138x104,5) : **GBP 3 795.**

FINSON Pieter
XVIIe siècle. Actif à Delfshaven, vers 1632. Hollandais.
Peintre.
Frère de David. Reçu franc-maître à Delft le 12 novembre 1632.

FINSTER Howard
Né en 1916. XXe siècle. Américain.
Peintre.
Ventes Publiques : New York, 7 mai 1991 : *Reste loin de la cocaïne* 1988, acryl./pan. (43,8x43,1) ; *Coca-cola* 1988, acryl./pan. (86,4x25,3x1) : **USD 2 420** – New York, 9 mai 1992 : *Mouchards* 1981, vernis/pan. encadré par l'artiste (50,8x99) : **USD 2 200** – New York, 17 nov. 1992 : *Ange* 1976, h. et feutres/pan. (29,8x129) : **USD 1 100** – New York, 22 fév. 1993 : *La cité de Salcona*, h. et cr. feutre/pan. encadré par l'artiste (44,4x55,9) : **USD 990** – New York, 8 nov. 1993 : *La main d'Howard*, laque sur

plâtre (19x14,5x2,5) : **USD 1 265** – New York, 23 fév. 1994 : *Panthère noire* 1976, h. et feutre noir/pan. (29,9x69,2x9,2) : **USD 1 150** – New York, 7 mai 1996 : *Sans Dieu ils perdent tout* 1988, h/pan. découpé (29,2x67,3) : **USD 2 070**.

FINSTERWALDER Johann Jakob
Né en 1787 à Francfort-sur-le-Main. Mort en 1839. xixe siècle. Allemand.
Peintre.
Il travailla longtemps dans les ateliers de J. A. B. Reges et de J. D. Scheel.

FINSTERWALDER Mathias
xviiie siècle. Actif à Francfort-sur-le-Main vers 1760. Allemand.
Peintre.

FINTA Alexandre
Né le 12 juin 1881 à Tuckeve (Hongrie). xxe siècle. Hongrois.
Sculpteur, sculpteur de monuments.
Il fut membre de l'American Federation of Arts. Il est l'auteur de monuments commémoratifs en Tchécoslovaquie, à Brooklyn, ainsi qu'à Rio de Janeiro.

FINTBONER Hans
xve siècle. Actif à Isny vers 1435. Allemand.
Sculpteur sur bois.

FINZI A.
Peintre de paysages.
Ventes Publiques : Milan, 30 nov. 1933 : *Campagne romaine* : ITL 2 200.

FIOCCHI Alexandre
Né en 1803 à Paris. xixe siècle. Français.
Miniaturiste.
Il était sans doute d'origine italienne.
Musées : Londres (coll. Wallace) : *Portrait de Mlle Henriette Sontag* – Rochefort : *Portrait de l'impératrice Eugénie*, d'après Winterhalter.

FIODOROV Alexei ou **Fedorov**
Né en 1927 à Léningrad (aujourd'hui Saint-Pétersbourg). xxe siècle. Russe.
Peintre de compositions à personnages, figures. Réaliste-socialiste.
Il commença ses études artistiques à l'École Tavritcheskoïe de Léningrad, puis travailla sous la direction de V. M. Orechnikov à l'Institut Répine de Léningrad. Il devint membre de l'Union des Peintres de Léningrad.
Il peignait dans la tradition la plus académique du xixe siècle, des sujets en accord avec la glorification des bienfaits du régime soviétique prônée par les instances dites culturelles.
Musées : Moscou (min. de la Culture) – Novgorod (Mus. des Beaux-Arts) – Saint-Pétersbourg (Mus. de l'Acad. des Beaux-Arts) – Saint-Pétersbourg (Mus. de la Ville).
Ventes Publiques : Paris, 26 avr. 1991 : *Le Tourneur* 1954, h/t (74,5x114) : **FRF 5 200** – Paris, 18 fév. 1991 : *Remorqueurs sur la Neva*, h/t (41x95) : **FRF 8 500** ; *Réunion technique* 1952, h/t (50x76) : **FRF 13 500** – Paris, 29 nov. 1993 : *Nuit blanche* 1957, h/t (39x77) : **FRF 6 100**.

FIOL Jan
xvie siècle. Actif à Cracovie vers 1554. Polonais.
Peintre.

FIOLER Adriaan
xve siècle. Actif à Hertogenbosch à la fin du xve siècle. Hollandais.
Sculpteur.

FIONDI Francesco
xviie siècle. Actif à Naples en 1618. Italien.
Sculpteur.

FIOR Adam
Né vers 1648 à Valenciennes. Mort en 1709 à Valenciennes. xviie siècle. Français.
Sculpteur.
Il fut le père de Jean Michel.

FIOR André Joseph
xviiie siècle. Actif à Valenciennes. Français.
Sculpteur.
Fils de Jean Michel ; il fut également son élève.

FIOR Jean Michel
Né le 29 septembre 1678 à Valenciennes. Mort le 20 mai 1755. xviiie siècle. Français.
Sculpteur.
Il travailla pour différentes églises de cette ville.

FIOR Joseph
Né le 4 mars 1696 à Valenciennes. Mort le 23 mars 1748. xviiie siècle. Français.
Sculpteur.
Il était frère de Jean Michel dont il fut l'élève et le collaborateur.

FIOR Philippe André
Né sans doute en 1711. Mort le 27 mars 1783 à Valenciennes. xviiie siècle. Actif à Valenciennes. Français.
Sculpteur.
Fils et élève de Jean Michel.

FIORANI Illuminato
Né en 1766 à San Severino. Mort en 1790 à Lisbonne. xviiie siècle. Italien.
Peintre et sculpteur.
Le Palais Bellisomi à Pavie possède de lui un *Laocoon.*

FIORAVANTE Bolcioni
Né à Marseille (Bouches-du-Rhône), d'origine italienne. xxe siècle. Italien.
Peintre.
Exposant du Salon des Indépendants en 1925.

FIORAVANTE d'Andrea
xve siècle. Actif à Pérouse en 1434. Italien.
Peintre.

FIORAVANTI Benedetto
xviie siècle. Italien.
Peintre de natures mortes, fleurs et fruits.
Il exécuta des natures mortes et des objets inanimés. Il excella surtout dans la représentation exacte et fidèle d'instruments de musique, de vases, de fleurs et de fruits.
Ventes Publiques : Rome, 22 mars 1988 : *Repas de Pâques à Rome, vase de fleurs*, h/t (73x100) : **ITL 16 000 000** – Paris, 10 avr. 1992 : *Nature morte aux pièces d'orfèvrerie et aux fruits*, h/t (64x119) : **FRF 75 000**.

FIORAVANTI José
Né en 1896 en Argentine. Mort en 1977 à Buenos Aires. xxe siècle. Argentin.
Sculpteur, sculpteur de monuments.
Il reçut la médaille d'or de l'Exposition internationale de Paris en 1937. Il réalisa parmi les plus importants monuments d'Argentine.

FIORAVANTI Neri
xive siècle. Actif à Florence. Italien.
Architecte et sculpteur.
Il décora, parfois dit-on, certains édifices qu'il éleva.

FIORAVANTI Ridolfo
Né en 1415 à Bologne. Mort en 1485 ou 1486 à Moscou. xve siècle. Italien.
Architecte, fondeur et médailleur.
Esprit universel, il est surtout connu pour avoir construit, dans l'enceinte du Kremlin, la cathédrale de la Dormition (1475-79), qui, malgré ses cinq coupoles dorées, reste d'une grande simplicité.

FIORE Angelo Agnello del
Né au xve siècle à Naples. xve siècle. Italien.
Sculpteur et architecte.
On cite de lui à Naples plusieurs travaux remarquables, notamment les tombeaux du cardinal Rinaldo Piscinello, dans la cathédrale, de Jean Cianello, dans l'église de Saint-Laurent, divers autres mausolées ; son chef-d'œuvre : celui de Francesco Caraffa, dans l'église San Domenico Maggiore.

FIORE Antonio del
xvie siècle. Italien.
Peintre de compositions religieuses.
Il exécuta un *Saint Charles Borromée* pour la cathédrale de Lecce au début du xvie siècle.

FIORE Christian
Né le 1er octobre 1945 à Bodo-Dioulasso (Haute-Volta). xxe siècle. Français.
Peintre. Abstrait.
Il expose depuis 1972 des toiles où il mêle la peinture gestuelle à des reliefs.

FIORE Daniele del
xvie siècle. Actif à Venise en 1514. Italien.
Peintre.

FIORE Francesco del
Mort vers 1400. XIVe siècle. Actif à Venise. Italien.
Peintre.
On ne nomme pas son maître. À Venise, on ne possède aucun ouvrage de lui ; on n'y voit que son tombeau à l'église de Saint-Jean et Saint-Paul. Le chevalier Strangt acheta à Londres un diptyque signé de lui et portant la date de 1412. Il fut le père de Jacobello et Niccolo.

FIORE Georga Eleanora
Née à Philadelphie (Pennsylvanie). XXe siècle. Américaine.
Sculpteur.
Elle fut élève de Franck B. A. Linton. En 1934, elle exposait un buste (bronze), à Paris, au Salon des Artistes Français.

FIORE Giovan Antonio del
Mort vers 1506. XVe siècle. Actif à Venise. Italien.
Peintre.
Il fut le père de Lodovico.

FIORE Jacobello del ou **Jacobello del Fiore**
Né vers 1370 à Venise (Vénétie). Mort en 1439 à Venise. XIVe-XVe siècles. Italien.
Peintre de compositions religieuses.
Fils de Francesco del Fiore, il remplit les fonctions de doyen de la gilde, de 1415 à 1436. Il eut une importante activité en Vénétie et dans les Marches.
En 1421, il fut chargé d'exécuter un sujet représentant *La Justice entre saint Michel et saint Gabriel* pour le Tribunal du Poprio. Ses œuvres de jeunesse, qui se trouvaient dans les églises de Pise, en ont disparu. Son premier tableau daté est le triptyque de la *Madone de Miséricorde* (1407).
Peintre vénitien, il garde une couleur précieuse byzantine, tout en évoluant vers un style « gothique international » à la manière de Gentile da Fabriano qui l'a influencé pour ses dernières œuvres.
Musées : Avignon (Mus. Calvet) : *La Vierge allaitant l'Enfant Jésus* – Bergame (Acad. Carrara) : six tableaux religieux – *Vierge à l'Enfant* – Ceneda (cathédrale) : *Le Couronnement de la Vierge* 1438 – Fermo (Pina.) : Scènes de la vie de sainte Lucie – Milan (Gal. Brera) : *Madone adorant Jésus* – Pesaro (Mus. Civ.) : Polyptyque, attr. – Stockholm : Triptyque – Stuttgart : *Sibylle de Tybur montrant la Vierge à Auguste* – Venise (Gal. roy.) : *La justice* – *La Vierge et l'Enfant* – Venise (Palais Ducal) : *Le doge Loredan aux pieds de la Vierge* – *Le Paradis* – *Lion ailé de Saint-Marc* 1415 – Venise (Mus. Correr) : *Madone.*
Ventes Publiques : Londres, 14 déc. 1907 : *Saint Sirus et saint Paul* : **GBP 17** – Berlin, 20 sep. 1930 : *La Vierge et l'Enfant* : **DEM 5 500** – Londres, 8 juil. 1938 : *Madone nourrissant l'Enfant* : **GBP 63** – Lucerne, 21-27 nov. 1961 : *La Vierge et l'Enfant* : **CHF 12 000** – Milan, 19 nov. 1963 : *Crucifixion*, temp./bois : **ITL 4 200 000** – Milan, 6 avr. 1965 : *Santo Vescovo*, temp./bois : **ITL 2 200 000** – Londres, 25 mars 1977 : *La Vierge et l'Enfant*, h/pan. (54,5x43) : **GBP 9 000** – Londres, 1er nov. 1978 : *La Vierge et l'Enfant*, h/pan. à fond or (30x47) : **GBP 38 000** – Londres, 10 juil. 1981 : *La Vierge et l'Enfant*, h. et fond or/pan., fronton arrondi (54,6x43,2) : **GBP 5 500** – New York, 17 jan. 1985 : *La Madone de l'Humilité*, h/pan. à fond or (56,5x46) : **USD 13 000** – New York, 21 mai 1992 : *Vierge de l'Humilité*, temp./pap. fond or (63,3x43,9) : **USD 77 000** – Londres, 3 juil. 1997 : *La Madone de l'Humilité avec deux saints et la Sainte Trinité dans la partie supérieure ; Saint Évêque avec sainte Marie-Madeleine*, temp./pan., fond or, deux parties d'un tabernacle (42x18,4 et 40x8,6) : **GBP 62 000.**

FIORE Lodovico
XVIe siècle. Actif à Venise vers 1506. Italien.
Peintre.
Il était fils de Giovan Antonio.

FIORE Marzio. Voir **COLANTONIO**

FIORE Niccolo del
XIIIe-XIVe siècles. Actif à Venise. Italien.
Peintre.
Il était frère de Jacobello.

FIORELLI Francesco
Originaire de Fermo. XVIIe siècle. Italien.
Peintre.
Il fut l'élève de Sacchi et travailla à Ascoli Piceno et à Fermo.

FIORELLI Rodrigo
Né à Naples. Mort le 1er octobre 1865 à Naples. XIXe siècle. Italien.
Peintre de paysages.
Il travailla à Rome où il fut l'ami de Morelli, de Vertunni et de Celentano. Il exposa aussi à Florence.

FIORENTINI Aurelia
Née en 1595 à Lucques. XVIIe siècle. Italienne.
Peintre.
Elle devint dominicaine et travailla pour le couvent Saint-Dominique à Lucques.

FIORENTINI Domenico Antonio
XVIIe siècle. Actif à Rome. Italien.
Peintre.
Il peignit une *Vie de saint François* à l'église San Bartolomeo all'Isola.

FIORENTINI Francesco
XVIIIe siècle. Actif à Forli vers 1700. Italien.
Peintre d'histoire.
Élève de C. Cignani. Il était prêtre.

FIORENTINI Giacinto
Né en 1564. Mort en 1623. XVIe-XVIIe siècles. Actif à Plaisance. Italien.
Sculpteur.
Il exécuta les statues monumentales du *Tombeau de Marguerite d'Autriche*, tante de Charles Quint.

FIORENTINI Lorenzo
Né en 1580 à Borgo (Val Sugana). Mort le 4 juillet 1644. XVIIe siècle. Italien.
Peintre de miniatures.

FIORENTINI Lorenzo
XVIIe siècle. Actif à Innsbruck en 1666. Autrichien.
Peintre de miniatures.
Peut-être était-il parent du précédent. On lui doit des portraits de l'impératrice Marguerite d'Autriche et de l'archiduc Sigismund Freund.

FIORENTINI Orazio
XVIIe siècle. Actif à Carpi en 1615. Italien.
Peintre.
Il travaillait peut-être encore en 1664.

FIORENTINI Paola
Née au XXe siècle à Rome. XXe siècle. Depuis 1956 active en France. Italienne.
Peintre de natures mortes.
Elle a étudié à l'Académie des Beaux-Arts de Rome. En France depuis 1956, elle expose au Salon des Artistes Indépendants, à Paris.

FIORENTINO. Voir aussi au prénom

FIORENTINO Jacopo
XVIe siècle. Travaillant au début du XVIe siècle. Italien.
Peintre et graveur.
Il a gravé des sujets religieux et des sujets de genre. À rapprocher de Francesco dell'Indaco.

FIORENTINO Luca
XVIe siècle. Actif au début du XVIe siècle. Italien.
Graveur.
Il suivit la manière de Robetta. Parmi ses meilleures œuvres figurent : *Hérode tenant la tête de saint Jean-Baptiste, Un homme avec un jeune garçon, La Vierge, l'Enfant, saint Antoine et saint François*. Il est identique au graveur Luca A. De Giunta.

FIORENTINO Pier Francesco. Voir **PIER FRANCESCO Fiorentino**

FIORENTINO Stefano. Voir **STEFANO Fiorentino**

FIORENZA
IXe siècle. Actif à Florence. Italien.
Sculpteur.

FIORENZO di Barnabeo di Magio
Mort en 1462 à Pérouse. XVe siècle. Italien.
Peintre.
Il travailla pour la cathédrale et pour la maison commune de Pérouse.

FIORENZO di Lorenzo
Né vers 1445 à Pérouse. Mort vers 1525 à Pérouse. XVe-XVIe siècles. Italien.

Peintre d'histoire, compositions religieuses, fresquiste.
On ne sait qui apprit à Fiorenzo di Lorenzo l'art de la peinture. On sait que Pérouse était sa ville natale, car on le trouve inscrit dans le Registre de la corporation des peintres de cette ville. D'autre part, Mariotti nous apprend qu'en 1472 Fiorenzo était au nombre des décemvirs de cette cité. Nous savons encore qu'en 1499 Bartolommeo Caporali et Fiorenzo furent commis à l'expertise d'une fresque de Giannicola Manni, encore à Pérouse. Il existe un acte passé le 9 décembre 1472 entre le vice-prieur du couvent des Silvestrini de Pérouse et Fiorenzo. Celui-ci s'y engage à peindre, pour 225 ducats, un grand tableau comportant d'un côté une *Assomption de la Vierge* avec les saints Pierre, Paul, Benoît et Silvestre, de l'autre une *Madone avec l'Enfant* et les saints Jérôme, Ambroise, Nicolas, Paulin, les douze Apôtres et une foule d'autres personnages. Ce travail fut exécuté, mais on ignore ce qu'il est devenu. Postérieurement à 1488, nous trouvons qu'il peignit en 1501, avec Eusebio di San Giorgio, les bannières des trompettes de Pérouse et qu'en 1521, il fut appelé à expertiser l'ouvrage d'un peintre appelé Giacomo di Guglielmo.
La Vierge du musée de Pérouse a le cou maigre, les mains courtes ; en revanche, les anges sont traités d'une manière annonçant déjà le Pérugin que quelques-uns, à cause de cela, ont donné comme élève à Fiorenzo, faisant ainsi de ce dernier un des grands noms de l'École ombrienne, bien qu'il soit difficile de porter sur sa manière et son talent un jugement fondé, étant donné le petit nombre de pièces authentiques qui nous sont parvenues.
La seule inscription connue qui fasse mention de Fiorenzo di Lorenzo semble se trouver sur l'un des fragments d'un grand tableau dans la sacristie de l'église des Franciscains de Pérouse. Les apôtres saint Pierre et saint Paul y portent, sur la bordure de leur manteau, ces mots : *florentius laurenti pinxit mccccIxxxviii* (1488) ; les plis des étoffes y sont soigneusement et régulièrement brisés à angles nets. Une fresque dans la salle du cadastre, au Palais Public de Pérouse, représentant une *Madone et deux anges*, lui est attribuée sans autre preuve que celle tirée de son style général. Il en est de même d'une autre fresque à San Francisco de Diruta, le *Père éternel entre saint Romain et saint Roch*.
Musées : Berlin : *Marie et l'Enfant* – Pérouse (église des Augustins) : *Vierge avec l'Enfant dans une couronne de fleurs* – Pérouse : *Vierge – Saints*, peinture sur fond or – *Annonciation – Saint Sébastien – Père Éternel* – Pérouse (sacristie de l'église des Franciscains) : *Saint Pierre et saint Paul* – Pérouse (Palais Public, salle du cadastre) : *Madone et deux anges*, fresque.
Ventes Publiques : Paris, 19-20 avr. 1921 : *Saint Sébastien*, École de F. di L. : **FRF 1 300** – Londres, 16 mars 1924 : *Guerrier romain* : **GBP 57** – Paris, 16 mai 1924 : *Portrait d'homme*, attr. : **FRF 380** – Paris, 10-11 mai 1926 : *Deux guerriers menant un martyr et trois personnages*, pl. : **FRF 1 550** – Londres, 23 juin 1934 : *Saint Jérôme au désert* : **GBP 17** – Londres, 10 déc. 1937 : *Le Couronnement de la Vierge* : **GBP 483** – New York, 15 jan. 1988 : *La Vierge et l'Enfant dans une guirlande de séraphins*, h/pan. (72x73,5) : **USD 12 100** – Londres, 7 juil. 1989 : *Vierge à l'Enfant*, h/pan. (28x22) : **GBP 35 200**.

FIORI Cesare
Né en 1636 à Milan. Mort en 1702 à Milan. XVIIe siècle. Italien.
Peintre, graveur et architecte.
Élève de Carlo Cane. Le Musée de Besançon conserve de lui : *Le Portrait de l'abbé Boisol*, fondateur de la bibliothèque de Besançon.

Cesar fior.

FIORI Ernesto de
Né en 1884 à Rome, de mère autrichienne. Mort en 1945 à São Paulo (Brésil). XXe siècle. Depuis 1914 actif et naturalisé en Allemagne, puis actif en Italie, au Brésil. Italien.
Sculpteur de statues, bustes.
Il a d'abord abordé la peinture en suivant des cours à l'Académie des Beaux-Arts de Munich à partir de 1903, subissant l'influence de Ferdinand Hodler. Après être revenu à Rome, c'est lors d'un séjour à Paris entre 1911 et 1914 que, sur les conseils du sculpteur Hermann Haller et sous l'emprise qu'exercent sur lui les œuvres de Rodin, Degas et Maillol qu'il décide de se consacrer exclusivement à la sculpture. Il part vivre à Berlin en 1914, s'y faisant naturaliser et y demeurant jusqu'en 1936, alors contraint par le régime nazi de s'expatrier au Brésil. Une rétrospective de ses œuvres fut présentée à la Biennale de Venise en 1950.
Son projet artistique est essentiellement axé sur la figure humaine : « Je veux sculpter l'homme, non pas troublé par les événements, mais en parfaite quiétude mentale, dans une attitude olympienne, loin de l'agitation éphémère de la vie quotidienne ; ce n'est pas la souffrance qui élève l'homme, mais la manière dont il la supporte ». Il fit une sculpture psychologique, à la technique et au toucher apparents, encore impressionniste, aussi bien dans la terre cuite que dans les bronzes. De Fiori appartient à la génération intermédiaire qui a abandonné l'esthétique monumentale des années 1900, mais n'a su rejoindre le mouvement cubo-abstrait. Ses œuvres sont dotées d'une simplicité formelle qui toutefois évoque parfois un cubisme tempéré. Il représente l'homme actif *Homme saluant*, *Marcheur* 1927, *Femme accroupie* 1911-1922 ; il exécuta les statues des boxeurs Dempsey, en 1925, et Max Schmelling. Au contraire, par une absence d'effets, il se montre désireux de rendre avant tout « le mouvement intérieur de l'être », surtout dans des bustes.
Bibliogr. : In : *Dictionnaire de la sculpture moderne*, Hazan, Paris, 1960 – in : *Les Muses*, t. VI, Grange Batelière, Paris, 1970.
Ventes Publiques : New York, 14 juin 1985 : *L'Anglaise* 1925, bronze, patine brun doré (H. 137) : **USD 5 250** – Cologne, 31 mai 1986 : *Jeune homme debout* 1911, bronze (H. 177) : **DEM 42 000** – Paris, 13 déc. 1989 : *Jeune homme nu*, bronze à patine verte (H. 177) : **FRF 300 000**.

FIORI Filippo
Né à Côme. XVIIIe siècle. Italien.
Peintre.
Il fut surtout un fresquiste.

FIORI Filippo, appelé aussi **Pietro Montalti**
Né à Rome. Mort le 15 mars 1739 à Carpi. XVIIIe siècle. Italien.
Peintre.

FIORI Gasparo di. Voir **LOPEZ Gasparo**

FIORI Mario de' ou **de'Fiori**. Voir **NUZZI Mario**

FIORI Muzio di Paolo
Originaire de Fratta en Ombrie. XVIe-XVIIe siècles. Italien.
Peintre.
Il exécuta une *Cène* pour une église de Fratta.

FIORI Sebastiano
Originaire d'Arezzo. XVIe siècle. Italien.
Peintre.
Il exécuta d'importantes décorations au Palazzo della Cancellaria à Rome vers 1545.

FIORIDO Osvaldo
Né le 1er mai 1870 à Vérone (Vénétie). XXe siècle. Italien.
Peintre de paysages, scènes d'intérieurs.
Il fit ses études à Milan et Florence.

FIORILLO Francesco ou **Domenico**
XVIIe siècle. Actif à Naples au début du XVIIe siècle. Italien.
Peintre.
Élève d'Andrea Sabbatina. On lui attribue parfois une importante *Vierge avec des saints* qui appartient au Musée de Naples et qui est datée de 1521.

FIORILLO Johann Dominicus
Né le 13 octobre 1748 à Hambourg. Mort le 10 septembre 1821 à Gottingen. XVIIIe-XIXe siècles. Allemand.
Peintre et littérateur.
Il travailla en 1759 à l'Académie de Beyreuth, puis à Rome, en 1761, dans l'atelier de P. Battoni ; enfin, entre 1765 et 1769, à Bologne sous la direction de Vittorio Bigari. Il revint ensuite à Hambourg et fut nommé en 1784, conservateur à Göttingen, puis, en 1799 professeur à l'Université de cette ville.

FIORILLO Nicola
XVIIIe siècle. Actif à Naples vers 1760. Italien.
Graveur.

FIORINI Bernardino
XVIe siècle. Actif à Ferrare. Italien.
Peintre.
Il fut le père de Girolamo le jeune.

FIORINI Costantino
XVe siècle. Actif à Ferrare à la fin du XVe siècle. Italien.
Peintre.

FIORINI Filippo Maria
XVIe siècle. Actif à Ferrare vers 1528. Italien.
Peintre.

FIORINI Florio
XVIe siècle. Actif à Ferrare en 1523. Italien.
Peintre.

FIORINI Gabriele, l'Ancien
Mort vers 1576 à Bologne. XVIe siècle. Italien.
Sculpteur sur bois.
Il travaillait déjà à Bologne en 1525.

FIORINI Gabriele, le Jeune
XVIe-XVIIe siècles. Italien.
Sculpteur.
Il était le fils de Giovanni Battista le jeune. On lui doit le tombeau du cardinal Agucchi à l'église San Giaccomo Maggiore à Bologne.

FIORINI Gherardo
Mort vers 1487. XVe siècle. Actif à Ferrare. Italien.
Peintre.
Il fut le père de Costantino.

FIORINI Giacomo Filippo
XVe-XVIe siècles. Actif à Ferrare. Italien.
Peintre.
Il était le fils de Giovanni Francesco.

FIORINI Giovanni Battista, l'Ancien
XVIe siècle. Actif à Bologne. Italien.
Peintre.
Il était l'oncle de Giovanni Battista le jeune.

FIORINI Giovanni Battista, le Jeune
Né vers 1540 à Bologne. Mort vers 1660 à Bologne. XVIe-XVIIe siècles. Italien.
Peintre et architecte.
Cet artiste est surtout connu comme collaborateur de Cesare Aretusi avec lequel il exécuta plusieurs peintures à Bologne et à Brescia. Il se distingue comme excellent dessinateur et habile inventeur. Parmi ses œuvres figurent à Bologne dans la cathédrale : *Le Christ remettant les clefs à saint Pierre*. A. S. Afra de Brescia : *La naissance de la Vierge* et une petite peinture dans la Sala Regia du Vatican.

FIORINI Giovanni Francesco
Mort sans doute vers 1528. XVIe siècle. Actif à Ferrare. Italien.
Peintre.

FIORINI Giovanni Maria
XVIe siècle. Actif à Ferrare. Italien.
Peintre.
Il était le fils de Bernardino.

FIORINI Girolamo, l'Ancien
XVe-XVIe siècles. Actif à Ferrare. Italien.
Miniaturiste et architecte.
Il était moine cistercien et travailla pour le cardinal Hippolyte d'Este. Il fut, dit-on, le maître de Cosimo Tura.

FIORINI Girolamo, le Jeune
XVIe siècle. Actif à Ferrare. Italien.
Peintre.

FIORINI Luigi
Né en 1795 à Rome. XIXe siècle. Italien.
Peintre de genre.
Le Musée de Munich conserve de lui : *Pâques romaines*.

FIORINI Marcel
Né le 23 février 1922 à Gruelma (Algérie). XXe siècle. Français.
Peintre, graveur, sculpteur. Tendance abstraite.
Son père était pharmacien. Il se passionna tôt pour l'art, la musique, l'archéologie. S'il commença à peindre dès 1938, en 1940 il s'essaya à la gravure, utilisant produits et recettes de l'officine. La guerre lui imposa un arrêt de quatre années. Il arriva à Paris en 1947, où il connut Fautrier qui le guida dans l'apprentissage de l'eau-forte. Il participe à de très nombreuses expositions collectives, notamment, à Paris, à la Galerie Jeanne Bucher qui l'a présenté et représenté de 1951 à 1980, Maison de la Pensée Française et *École de Paris* à la Galerie Charpentier dans les années qui suivirent la guerre, *Hommage à Bachelard* à la Galerie *Cinq Mars*, *La Nouvelle Gravure*, ainsi que des expositions de groupes, parfois itinérantes, aux États-Unis, en Allemagne, Angleterre, etc. Il participe ou a participé, aux principaux Salons annuels de Paris : Salon d'Octobre et Salon des Jeunes Peintres tôt après la guerre, Salons d'Automne, de Mai, des Réalités Nouvelles, de la Jeune Gravure Contemporaine, au Musée Cantonal de Lausanne premier *Salon International des Galeries Pilotes*, et les Biennales de Venise, Tokyo, São Paulo, Ljubljana, Grenchen, Lugano, Cracovie, Vancouver, etc. Il montre aussi ses peintures et gravures dans des expositions personnelles, à Paris, en Allemagne, Suisse, Afrique-du-Sud, États-Unis... Outre son activité de peintre et graveur, Fiorini a collaboré avec Bissière pour l'illustration du *Cantique à notre frère Soleil* en 1954, avec Jacques Villon, de 1956 à 1960, pour l'illustration de trois livres, pour des « gravures d'interprétation » avec Bissière, Chastel, Bertholle, Tobey, Vieira da Silva, et aussi sur *Les chaumes de Corbeville* de Van Gogh pour la Chalcographie du Louvre. Il a créé pour la Manufacture de Sèvres : luminaires, table, vases, panneau décoratif, assiettes, pour les Fonderies *Le Creuset* un bas-relief en fonte, pour les Fonderies de Cousances : douze plaques de cheminée sur les signes du Zodiaque.
En tant que graveur, Fiorini a imaginé et pratiqué des techniques nouvelles : comme pour le métal et avec une presse taille-douce, depuis 1952 il tire les bois-gravés en encrant les creux et essuyant la surface, d'autre part, depuis 1964, il incorpore aux plaques du plâtre, des sables et des colles. Il a parfois réalisé des gravures sur bois de dimensions monumentales. La gravure en « morsure profonde » qu'il a toujours pratiquée, et les nouveaux procédés qu'il a initiés, confèrent à ses gravures des effets de reliefs mieux aptes à faire passer les moindres frémissements de sa sensibilité, et comme l'écrivait Bissière en 1961 : « où l'invention et la liberté règnent constamment (et) donnent des résultats inattendus ». Son registre coloré est particulièrement important et varié, Bissière encore : « Avec des couleurs d'une discrétion parfois un peu janséniste, il nous suggère un monde nouveau... » En peinture comme en gravure, ses compositions, souvent abstraites, communiquent cependant une impression d'animation et de réalité. Fiorini, lui-même, sait, et avec quelle modestie, évoquer sa passion : « Je n'ai pas de grandes options esthétiques sinon de croire à la vertu d'un travail longtemps caressé dont peut naître une lumière. » ■ Jacques Busse

FIORINI Michele
XVIIe siècle. Actif à Bologne dans la seconde moitié du XVIIe siècle. Italien.
Peintre.
Il travailla également à Venise.

FIORINI Paolo, l'Ancien
XVIe siècle. Actif à Bologne. Italien.
Sculpteur et architecte.
Sans doute peut-on l'identifier avec le sculpteur connu sous le nom de MAESTRO POLO, qui travaillait au début du siècle.

FIORINI Paolo, le Jeune
XVIe siècle. Actif à Bologne dans les dernières années du XVIe siècle. Italien.
Sculpteur.
Il travailla à la décoration du couvent Saint-Grégoire de Bologne.

FIORINI Sebastiano
XVIIe siècle. Actif à Bologne. Italien.
Peintre et architecte.
Il décora vers 1625 plusieurs églises à Bologne.

FIORINI Sigismondo, l'Ancien
Mort vers 1512. XVIe siècle. Actif à Ferrare. Italien.
Peintre.
Il travailla pour les princes de la maison d'Este et fut le père de Girolamo l'ancien et de Bernardino.

FIORINI Sigismondo, le Jeune
XVIe siècle. Actif à Ferrare en 1528. Italien.
Peintre.
Il était le fils de Bernardino.

FIORINI Sperandio
XVIe siècle. Actif à Ferrare vers 1500. Italien.
Peintre.

FIORINI Stefano, dit **Stefano dei Ritratti**
XVIIe siècle. Actif à Florence vers 1600. Italien.
Peintre de portraits.
Un *Saint François* terminé par cet artiste en 1620 se trouvait autrefois à l'église Santa Maria della Torricella à Vicence.

FIORINO Jeremias Alexander
Né le 3 mai 1797 à Cassel. Mort le 22 juin 1847 à Dresde. XIXe siècle. Allemand.

Peintre de portraits.
On cite de lui de nombreux portraits au Musée de Dresde. Après avoir été élève il fut professeur à l'Académie de Cassel. Il travailla également pour la Manufacture de porcelaine de cette ville.

FIORINO di Domenico da Verona
XVe siècle. Actif à Ferrare vers 1460. Italien.
Sculpteur.

FIORIO Giovanni Battista
Né en 1723 à Vérone. Mort le 24 mai 1789 à Vérone. XVIIIe siècle. Italien.
Peintre.
Élève de Michelangelo Prunati. Il séjourna à Rome et à Naples. De retour dans sa région natale il exécuta des portraits et un *Saint Georges*, pour l'église de Rivoli.

FIORISELLO Domenico
XVIe siècle. Actif à Padoue. Italien.
Peintre.
Il exécuta, semble-t-il, une peinture pour l'église San Giovanni delle Navi à Padoue.

FIORITI Bernardino, appelé aussi **Focoso**
XVIIe siècle. Actif à Rome. Italien.
Sculpteur.
Il exécuta plusieurs sculptures pour le tombeau de Salvator Rosa en 1673 à l'église Sainte Marie des Anges.

FIORONI Ado
Né vers 1800. XIXe siècle. Actif à Milan. Italien.
Graveur.
Élève de Longhi, il grava à Milan quelques planches excellentes parmi lesquelles figurent : *La Vierge et l'Enfant avec saint Jean*, d'après Raphaël (1829) et *La Vierge et l'Enfant*, d'après B. Luini (1822).

FIORONI Giosetta
Née en 1932 ou 1933 à Rome. XXe siècle. Italienne.
Peintre, sculpteur d'assemblages, technique mixte.
Ventes Publiques : Rome, 23 avr. 1985 : *La casetta*, sculpt. lumineuse en bois peint et matériaux divers (176x55x65) : **ITL 1 400 000** – Milan, 14 déc. 1988 : *La dimension d'un regard* 1964, vernis/t. (117x89) : **ITL 6 000 000** – Rome, 9 déc. 1991 : *Maison* 1982, h/t (120x100) : **ITL 4 140 000** – Rome, 28 mars 1995 : *James Joyce et les tours du château de Trieste*, vernis argenté et cr./pap. (98x67) : **ITL 1 380 000** – Rome, 13 juin 1995 : *Liberty* 1964, vernis/t. (120x100) : **ITL 6 325 000.**

FIORONI Luigi
Né en 1795 à Santa Fiora. Mort vers 1864 à Rome. XIXe siècle. Travaillant à Rome. Italien.
Peintre de paysages, d'histoire et de genre.
Il était le frère d'Enrica et de la miniaturiste Teresa Voigt. La nouvelle pinacothèque de Munich et le Musée Thorwaldsen à Copenhague possèdent des œuvres de cet artiste.

FIORONI-NARDUCCI Enrica
Née en 1806 à Santa Fiora. Morte en 1892 à Rome. XIXe siècle. Italienne.
Peintre.
Elle était la sœur de Luigi. On lui doit surtout des portraits en miniature et des copies d'après les maîtres anciens.

FIORUZZI Giovanni
Né à Plaisance. Mort vers 1884. XIXe siècle. Italien.
Peintre de genre.
On cite de lui : *Le Retour du zouave*.

FIOT Jean Marie
XVIIIe siècle. Français.
Sculpteur sur bois.
Il travailla pour l'église Notre-Dame à Bourg (Ain).

FIOT Maximilien Louis
Né le 22 janvier 1886 à Grand-Pressigny (Indre-et-Loire). Mort le 19 septembre 1953 à Corbeil (Essonne). XXe siècle. Français.
Sculpteur animalier.
Il fut élève de Lecourtier. Il exposa régulièrement, à Paris, au Salon des Artistes Français, dont il devint sociétaire. Troisième médaille en 1911 ; deuxième médaille en 1923.
Ventes Publiques : New York, 21 sep. 1981 : *Trois lévriers courant*, bronze (L. 95) : **USD 1 800** – Paris, 3 déc. 1984 : *Le grand cerf*, bronze (H. 46) : **FRF 7 100** – Paris, 9 nov. 1987 : *Le grand cerf*, bronze patine brun-vert (H. 44) : **FRF 8 000** – New York, 23 fév. 1989 : *Têtes de chiens*, bronze, une paire (chaque H. 20,3) : **USD 2 420** – La Varenne-Saint-Hilaire, 21 mai 1989 : *Panthères*, bronze patine verte (H. 44, L. 62) : **FRF 36 000** – Saint-Dié, 15 oct. 1989 : *L'albatros*, bronze argenté (60x100) : **FRF 18 500** – Mayenne, 18 fév. 1990 : *Course de lévriers*, bronze (L. 95) : **FRF 51 000** – Paris, 19 mars 1990 : *Cheval et chien*, bronze cire perdue (H. 37,5, L. 60) : **FRF 36 000** – Paris, 28 oct. 1990 : *Aigle se préparant à l'envol*, plâtre original (H. 80, L. 100, l. 30) : **FRF 13 000** – Paris, 6 nov. 1992 : *Deux lionnes en marche*, marbre blanc (29,5x21x64) : **FRF 7 800** – Perth, 30 août 1994 : *Deux hirondelles dans un nid*, bronze cire perdue (H. 12) : **GBP 1 495** – Lokeren, 7 oct. 1995 : *Chien couché*, bronze cire perdue (H. 13,5, l. 22) : **BEF 32 000.**

FIOT THIEBLEMONT Yvonne Marie
Née à Autun (Saône-et-Loire). XXe siècle. Française.
Aquarelliste.
Elle fut élève de Barbier. Elle a exposé, à Paris, au Salon des Artistes Français de 1929 à 1938, elle en devint membre par la suite. Elle obtient une médaille d'argent en 1936.

FIQUEMONT Marie
Née le 10 mai 1880 à Vouziers (Ardennes). XXe siècle. Française.
Peintre.
Cette artiste débuta, à Paris, au Salon des Artistes Français en 1905.

FIQUENSCHER Johann Adam
XVIIIe siècle. Actif dans la région de Bayreuth. Allemand.
Peintre sur porcelaine et sur faïence.

FIRDMANN D.
XXe siècle. Travaillant à Londres. Britannique.
Peintre.
Ventes Publiques : Londres, 25 juin 1931 : *Un couvent* : **GBP 22.**

FIRENS César
XIXe siècle. Vivant à Paris au début du XIXe siècle. Français.
Graveur et éditeur.

FIRENS Gaspard
XVIIe siècle. Actif à Paris au début du XVIIe siècle. Français.
Graveur au burin et éditeur.
Il a gravé des sujets religieux.

FIRENS Jaques ou **Fierens**
Mort vers 1620. XVIIe siècle. Actif à Anvers. Éc. flamande.
Peintre.
Il fut élève de Hans de Wael puis se rendit à Rome.

FIRENS Jeronimus
XVIIe siècle. Hollandais.
Dessinateur.
On cite un ouvrage ancien où des paysages sont reproduits d'après des dessins de cet artiste.

FIRENS Jodocus ou **Fierens**
XVIIe siècle. Actif à Middelbourg. Hollandais.
Dessinateur et peut-être peintre de paysages.
On cite deux estampes gravées d'après ses dessins par Houdius. On mentionne également à Middelbourg d'autres peintres du même nom : Isaac Fierens, 1652, Jaques Fierens, mort le 9 décembre 1969, et Jan Fierens, 1699. Probablement de la même famille.

FIRENS Melchior
Né le 25 décembre 1607 à Paris. Mort en 1665 à Paris. XVIIe siècle. Français.
Peintre et sculpteur.

FIRENS P.
XVIIe siècle. Actif à Beaumontel (Normandie) vers 1670. Français.
Peintre.
Cité par E. Veuch dans *Les Artistes Normands du XVIIe siècle*.

FIRENS Pierre I
Mort vers 1636. XVIIe siècle. Travaillant à Anvers et à Paris. Éc. flamande.
Graveur et éditeur.
Il vint à Paris avec sa famille au commencement du XVIIe siècle. On cite de lui diverses gravures, notamment un portrait de Louis

XIII publié dès 1610. On lui doit aussi un portrait de Henri IV. Ses filles se marièrent à Paris avec des artistes. Catherine, le 3 février 1619, avec le graveur Charles David ; Marie, le 30 août 1620, avec le peintre Jean Cars ; Jeanne, en 1626, avec le peintre François Ponfi. L'enseigne de l'Imprimerie en taille-douce, qui marquait le logis de P. Firens, rue Saint-Jacques, semble indiquer qu'il était aussi imprimeur.

FIRENS Pierre II
Né en 1637. XVIIe siècle. Actif à Paris. Français.
Peintre.
Fils de Melchior. Il copia un portrait du prince de Condé. Peut-être faut-il l'identifier avec P. Firens qui exécuta en 1668 une peinture religieuse pour l'église de Beaumontel.

FIRENS Pierre III
Né en 1641 à Paris. XVIIe siècle. Français.
Graveur et éditeur.
Il était fils de Gaspard.

FIRENZE, da. Voir aux prénoms qui précèdent

FIRESTONE I. D.
Né le 13 avril 1894 en Autriche-Hongrie. XXe siècle. Américain.
Peintre, illustrateur.
Il fut élève du Carnegie Institute de Pittsburgh, de la New York Evenong School of Industrial Art et de la Students League of New York. Membre de la Pittsburgh Association. Il fut également professeur.

FIRLE Walter ou **Fierle**
Né le 22 août 1859 à Breslau. Mort en 1929 à Munich. XIXe-XXe siècles. Allemand.
Peintre de genre, figures, portraits, paysages.
Il fut élève du paysagiste A. Dressler à Breslau, puis à l'Académie de Munich de Gabriel Max et de Ludwig Lofftz. Il a travaillé surtout à Munich, en Hollande et en Italie. Il fut médaillé à Munich en 1886 et à l'Exposition Universelle de Paris en 1889.
Musées : Brême : *La nuit divine*, triptyque – Breslau, nom all. de Wroclaw : *Dans la maison mortuaire* – Cologne : *Pardonne-nous nos péchés* – Düsseldorf : *Nouveau printemps* – Francfort-sur-le-Main : *Méditation du matin* – Leipzig : *La foi*, triptyque – Munich : *Notre Père*, triptyque.
Ventes Publiques : Zurich, 25 nov. 1977 : *Deux fillettes avec un livre d'images*, h/t (65x56,5) : **CHF 4 000** – Brême, 28 mars 1981 : *Soir de fête*, h/t (74x91) : **DEM 3 000** – New York, 25 mai 1984 : *La lecture de la lettre*, h/t (71,1x72,4) : **USD 7 000** – Zurich, 29 nov. 1985 : *Deux Vénitiennes*, h/pan. (55x42) : **CHF 5 000** – Vienne, 19 mars 1986 : *Portrait de jeune fille*, h/cart. (49x40,5) : **ATS 16 000** – Berne, 26 oct. 1988 : *Deux enfants regardant un livre d'images*, h/pan. (58x73) : **CHF 9 000** – Londres, 6 oct. 1989 : *Un livre captivant*, h/cart. (49,5x63,5) : **GBP 4 400** – Munich, 12 déc. 1990 : *L'Heure du thé*, h/t (61x84) : **DEM 19 800**.

FIRLER Franz
Né au début du XVIIIe siècle à Innsbruck. Mort le 28 août 1784 à Innsbruck. XVIIIe siècle. Autrichien.
Peintre.
Il exécuta peut-être une *Madeleine aux pieds de la Croix*, conservée au château d'Ambras.

FIRMENICH Joseph
Né en 1820 à Cologne. Mort le 18 janvier 1891 à Berlin. XIXe siècle. Allemand.
Peintre de paysages.
Il fut élève de Simon Meister. Après un voyage d'étude en Italie, il s'établit dans sa ville natale en 1847. On cite de lui : *Vue sur Naples et sur le Vésuve*.
Ventes Publiques : Londres, 17 nov. 1995 : *Le Golfe de Palerme avec le mont Pellegrino* 1887, h/t (134,6x188,8) : **GBP 9 200**.

FIRMIAN Carl Josef von, comte
Né le 6 août 1716 à Mezzocorona. Mort le 20 juillet 1782. XVIIIe siècle. Italien.
Peintre amateur.
Il était frère de Franz Lactanz et participa dans le groupe de Winckelman à la réaction antiquisante.

FIRMIAN Franz Lactanz von, comte
Né le 28 janvier 1712 à Trente. Mort le 6 mars 1786 à Villa Lagarina. XVIIIe siècle. Italien.
Peintre et graveur amateur.
Il était frère de Carl Josef et peignit des portraits et des académies.

FIRMIN
XIVe siècle. Actif à Cambrai. Français.
Sculpteur.
Il travailla à la cathédrale de Cambrai, en 1386.

FIRMIN
XVIIIe siècle. Travaillant probablement à Paris. Français.
Peintre de portraits.
Le Musée de Reims conserve de lui : *Portrait d'Antoine Hédouin de Pons-Ludon*.

FIRMIN Claude
Né le 18 février 1864 à Avignon (Vaucluse). Mort le 8 décembre 1944 à Avignon. XIXe-XXe siècles. Français.
Peintre de sujets de genre, typiques, portraits, paysages, scènes d'intérieurs. Orientaliste.
Il fut élève de Léon Bonnat. Il poursuivit ses études à l'École des Beaux-Arts d'Avignon, où il sera professeur puis directeur. Il obtint une mention honorable en 1892.
Il est surtout connu pour ses portraits et ses scènes d'intérieur ; il fut le portraitiste presque attiré de la bourgeoisie avignonnaise, étant habile à percer le caractère de ses models. Il peignit aussi de nombreuses vues des bords du Rhône, des villages de Provence, et des petites villes du Maghreb.

Bibliogr. : Gérald Schurr, in : *Les Petits Maîtres de la peinture 1820-1920, valeur de demain*, Les Éditions de l'Amateur, t. VII, Paris, 1989.
Musées : Avignon (Mus. Calvet) : *Intérieur d'un réparateur d'objets d'art – Noël Biret dans son atelier – Les Sablières du Rhône à Villeneuve-lès-Avignon*.
Ventes Publiques : Londres, 13 juin 1973 : *Scène de ferme* : **GBP 1 000** – New York, 22 mai 1991 : *Dans le jardin* 1899, h/t (55,2x46,4) : **USD 13 750** – Paris, 12 déc. 1996 : *Bergers et bergères conversant sous un arbre* 1904, h/t (73x92) : **FRF 10 500**.

FIRMIN D.
XVIIIe siècle. Actif à Londres au début du XVIIIe siècle. Britannique.
Peintre de portraits.
On connaît plusieurs gravures d'après des œuvres de cet artiste.

FIRMIN Hughe
Mort vers 1547. XVIe siècle. Actif à Bruges. Éc. flamande.
Peintre.
Il était le fils de Jean l'ancien et le frère de Jan le jeune.

FIRMIN Jan, l'Ancien ou **Fremyn**
XVIe siècle. Actif à Bruges. Éc. flamande.
Peintre.
Il fut le père de Jan et d'Hughe.

FIRMIN Jan, le Jeune
Mort vers 1542. XVIe siècle. Actif à Bruges. Éc. flamande.
Peintre.
Il était le fils de Jan l'ancien.

FIRMIN Thomas
XVIIIe siècle. Actif à Paris en 1774. Français.
Peintre et sculpteur.

FIRMIN-BADOIS Jeanne, Mme
XIXe siècle. Active à Verneuil-sur-Seine. Française.
Pastelliste et graveur.
Sociétaire des Artistes Français depuis 1895. Avait exposé des fleurs sous son nom de jeune fille au Salon « Blanc et Noir » de 1892.

FIRMIN-GIRARD Firmin Marie François. Voir **GIRARD Firmin**

FIRMINGER T. A. C.
XIXe siècle. Britannique.
Peintre.
Cet artiste exposa régulièrement à Londres de 1834 à 1871 et en particulier à la Royal Academy.

FIRNBACH Jakob
Né à Bamberg. Mort le 23 février 1805 à Vienne. XVIIIe siècle. Autrichien.
Peintre.

FIRNHABER Élise, Mme
XIXe siècle. Active à Asnières (Hauts-de-Seine). Française.
Peintre.
Sociétaire des Artistes Français depuis 1890.

FIRPO Walter
Né en 1902 à San Juan (États-Unis). XXe siècle. Depuis 1914 actif en France. Américain.
Peintre. Tendance cubiste.
Venu en France dès 1941, il se fixa dans le Midi en 1930. Disciple et ami d'Albert Gleizes, ses recherches sont donc issues du cubisme. Il réalise plusieurs expositions à Nice, avec Albert Gleizes en 1930, personnellement à Marseille, Aix-en-Provence, Paris, Boulogne, et Folkstone.
Musées : Marseille (Mus. Cantini) : *Chant pour l'Espagne*.

FIRQUET Marcel Firmin
Né en 1947 à Verviers (Liège). XXe siècle. Actif aussi au Canada. Belge.
Peintre.
Il fit ses études à l'institution Saint-Luc à Liège. Certaines rencontres vont déterminer sa carrière : celle d'A. Blanck (1968) et celle d'A. Courtois (1974). Il est professeur à l'Université de Québec (Rimouski).
Bibliogr. : In : *Diction. biogra. illustré des artistes en Belgique, depuis 1830*, Arto, Bruxelles, 1987.

FIRSSOFF Dmitri Petrovitch
XVIIe siècle. Actif à Moscou. Russe.
Peintre.
Il décora plusieurs églises ainsi que les appartements particuliers des tzars au Kremlin.

FIRSSOFF Ivan
XVIIIe siècle. Actif à Saint-Pétersbourg. Russe.
Peintre.
Élève de Valeriani et de Peresinotti. Il participa à la décoration des palais impériaux de Saint-Pétersbourg.

FIRSSOFF Michaïl Petrovitch
XVIIe siècle. Actif à Moscou. Russe.
Peintre.
Il était le frère de Dmitri Petrovitch et fut en même temps que lui élève de Bogdan Saltanoff.

FIRSSOFF Peter
XVIIIe siècle. Actif à Saint-Pétersbourg. Russe.
Peintre.
Il travailla à la même époque qu'Ivan à la décoration des palais impériaux de Saint-Pétersbourg.

FISAREK Aloïs
Né en 1906 à Prostejov (Moravie). XXe siècle. Tchécoslovaque.
Peintre de portraits, natures mortes.
Il a figuré à la Biennale de Venise en 1948 et à l'Exposition *50 ans de peinture tchécoslovaque 1918-1968*, organisée à travers les musées nationaux pour le Cinquantenaire de la fondation de la République.
Préférentiellement peintre de natures mortes et de portraits, sa vision et sa technique sont post-cézanniennes, même si parfois il se réfère à un cubisme tardif. Après la Seconde Guerre mondiale, il a exécuté une série de tapisseries et de peintures monumentales sur des thèmes folkloriques.

FISCH Fernand Alfred Antoine
Né en 1898 à Saint-Josse-ten-Noode. XXe siècle. Belge.
Graveur en médailles.
Il réalise des effigies.
Bibliogr. : In : *Diction. biogra. illustré des artistes en Belgique, depuis 1830*, Arto, Bruxelles, 1987.

FISCH Hans Balthasar
Enterré à Ammerswil le 22 janvier 1656. XVIIe siècle. Actif à Aarau. Suisse.
Peintre verrier.
Fils de Hans-Ulrich Fisch, baptisé le 20 ou 30 août 1608, il travailla entre 1637 et 1652 pour la ville de Biberstein, les églises et d'autres édifices publics de Ammerswill, Birrwill, Kulm, Aunestein et Aarau. Il est aussi l'auteur d'armoiries.

FISCH Hans Ulrich I, appelé parfois **Fisch Vom Stein**
Né en 1583 à Aarau. Mort en novembre 1647 à Aarau. XVIIe siècle. Suisse.
Peintre de cartons de vitraux, dessinateur.
Fisch vécut à Aarau et remplit plusieurs postes officiels. Il travailla pour sa ville natale et celles de Lenzburg, Aarburg, Zöfingen.
Il est l'auteur de nombreux vitraux et armoiries.
Musées : Aarau (abbaye de Gnadenthal) : vitrail 1620 – Bâle (Bibl. de l'Université) : livre d'armoiries de la ville de Berne – Bâle (Mus. historique) : vitraux – Berne (Mus. historique) : vitraux – Wettingen (cloître) : vitraux 1620.
Ventes Publiques : Londres, 2 juil. 1991 : *Les Vertus chrétiennes* 1641, encre et lav. avec reh. de blanc, projet de vitrail (18,7x29,9) : **GBP 6 600**.

FISCH Hans Ulrich II
Baptisé à Aarau en août 1613. Mort en mars 1686 à Aarau. XVIIe siècle. Suisse.
Peintre verrier.
Fils de Hans-Ulrich Zum Stein, il embrassa la même carrière que lui et travailla à Zofingen, Beromünster, Biberstein, Aarau ; il se maria dans cette dernière ville. Parmi ses œuvres, on cite des vitraux dans la collection Wyss au Musée historique de Berne, un vitrail représentant Uly Flückiger et son épouse (1646) et deux vitraux d'armoiries de Rudolf von Diesbach (1663) et de Joh.-Georg Imhof (1665) à l'église de Gränichen.

FISCH Hans Ulrich III
XVIIe siècle. Suisse.
Peintre verrier.
Fils de Hans-Ulrich II Fisch, baptisé à Aarau en mars 1648. Il travailla vers 1684-85 pour le prévôt de Biberstein.

FISCHACH S.
XVIIIe siècle. Allemand.
Graveur et peut-être peintre.
Un peintre de ce nom exécuta à Memmingen en 1781 deux importants portraits.

FISCHBACH August
Né le 7 mars 1828 à Vienne. Mort le 2 février 1860 à Munich. XIXe siècle. Autrichien.
Peintre de genre.
Il était fils et fut élève de Johann.

FISCHBACH Friedrich
Né le 10 février 1839 à Aix-la-Chapelle. Mort le 12 septembre 1908 à Wiesbaden. XIXe siècle. Allemand.
Dessinateur et graveur d'ornements.
Élève de l'École des Beaux-Arts de Berlin. Il travailla ensuite à Vienne. En 1870, il devint professeur à l'Académie de Hanau, puis voyagea en Italie et en Autriche.

FISCHBACH H.
Né en 1833 à Unna (Westphalie). XIXe siècle. Allemand.
Peintre et restaurateur.

FISCHBACH Johann
Né le 5 avril 1797 à Grafenegg. Mort le 19 juin 1871 à Munich. XIXe siècle. Autrichien.
Peintre de genre, scènes de chasse, paysages, dessinateur.
Cet artiste étudia à l'Académie de Vienne. Il se fit connaître par ses vingt-huit dessins au crayon représentant des arbres forestiers d'Allemagne.
Musées : Munich (Gal.) : *Paysage dans le Salzburg* – Vienne (Gal.) : *Veuve dans un cimetière*.
Ventes Publiques : Vienne, 17 sep. 1974 : *Le Chasseur* : **ATS 35 000** – New York, 28 mai 1981 : *Le Doux Entretien* 1868, h/pan. (86,5x70) : **USD 15 000** – Amsterdam, 22 mars 1983 : *Famille au bord d'un lac de montagne* 1832, h/t (30x42) : **NLG 3 500** – Vienne, 5 nov. 1986 : *Un père patient*, h/t (60x45) : **ATS 25 000** – Paris, 7 mars 1989 : *Scène de chasse dans le Pinzgau* 1842, h/pan. (74,5x58) : **FRF 260 000** – Munich, 10 déc. 1992 : *Vue de Mödling* 1820, cr. et encre/pap. (20,6x34,5) : **DEM 2 486** – Munich, 7 déc. 1993 : *Jeune paysanne priant au pied d'un calvaire*, h/cuivre (31x25) : **DEM 36 800** – Munich, 3 déc. 1996 : *Salzachtal près de Salzbourg*, h/bois (27x36) : **DEM 4 800**.

FISCHBACH Lucas
XVe siècle. Actif à Breslau en 1482. Allemand.
Peintre.

FISCHBACHER Franz
Né en 1925 à Vöcklabruck. XXe siècle. Autrichien.
Sculpteur.
Il a étudié à l'École d'Art d'État de Linz.

Ses sculptures sont réalisées à partir d'assemblages d'éléments préfrabriqués, et évoquent parfois la technique de Louise Nevelson.

FISCHBECK Ludwig
Né le 20 septembre 1866. XIXe siècle. Allemand.
Peintre de paysages, graveur.
Il travailla à Oldenburg. On lui doit surtout des paysages et des ex-libris.
VENTES PUBLIQUES : BRÊME, 30 juin 1984 : *Paysage au crépuscule* 1936, h/t (31,8x46) : **DEM 1 500**.

FISCHE Jakob
XVIIIe siècle. Actif à Trèves. Allemand.
Sculpteur.
En 1732 il travaillait aux sculptures du portail de l'église Sankt Gandolph.

FISCHER
XVIIe siècle. Autrichien.
Peintre.
Il était actif à Thunau vers 1675. Il exécuta trois peintures pour la décoration de l'église de cette ville.

FISCHER A.
Graveur.
Ce nom est celui d'un artiste qui exécuta une gravure des *Carriers*, d'après Wouwermann.

FISCHER A. L.
XIXe siècle. Allemand.
Peintre de miniatures.
On lui doit des portraits.

FISCHER Abraham Samuel
Mort le 7 août 1809 à Berne. XVIIIe siècle. Suisse.
Peintre paysagiste.
Baptisé à Arch le 13 février 1744. Il est l'auteur d'un tableau du *Bain Leuk*, conservé à la Bibliothèque Municipale de Berne. Il participa à l'Exposition de l'art et de l'industrie de cette ville en 1804 avec un dessin sur lavis et un tableau de genre.

FISCHER Adam
Né en 1686 à Braunau. XVIIIe siècle. Tchécoslovaque.
Peintre de miniatures.
Il vécut longtemps à Prague.

FISCHER Adam
Né en 1888 au Danemark. XXe siècle. Actif aussi en France. Danois.
Sculpteur, céramiste. Populiste.
Bien que n'ayant appris, à l'École des Beaux-Arts de Copenhague que le dessin et la peinture, c'est à la sculpture que Fischer a consacré son activité. Il fut membre du Salon d'Automne à Paris, où il vécut de 1913 à 1933, il y a exposé régulièrement, ainsi qu'au Salon des Tuileries, de 1921 à 1931.
Il exécuta en particulier de la sculpture sur céramique, qu'il traitait dans un esprit fidèle aux traditions populaires.

FISCHER Adolf
Né le 18 mai 1856 à Linz. Mort le 2 février 1908 à Linz. XIXe siècle. Autrichien.
Peintre de portraits, paysages, illustrateur.
Fils de Michaël, il fut le père d'Adolph Johannes. Après des études à Vienne il revint s'établir à Linz.
On lui doit surtout des paysages et des portraits.
MUSÉES : LINZ.
VENTES PUBLIQUES : PARIS, 19 jan. 1992 : *Portrait de femme au turban* 1885, h/t (42,5x35) : **FRF 12 000**.

FISCHER Adolf, pseudonyme : **Fischer Gurig**
Né le 2 juin 1860 à Obergurig (près de Bautzen). XIXe siècle. Actif à Dresde. Allemand.
Peintre de paysages.
Il a exposé à Dresde, Berlin et Munich entre 1884-1889. On cite de lui : *Après la pluie*.

FISCHER Adolphe Johannes
Né le 7 juillet 1885 à Gmunden. XXe siècle. Autrichien.
Peintre.
Fils d'Adolf Fischer, peintre, il fit ses études à Vienne avant de s'établir à Linz.

FISCHER Adrian
XVIIIe siècle. Actif à Altenbourg à la fin du XVIIIe siècle. Autrichien.
Peintre.
On connaît deux aquarelles signées de cet artiste qui était dominicain.

FISCHER Andreas
XVe siècle. Actif à Breslau à la fin du XVe siècle. Allemand.
Peintre.

FISCHER Andreas
XVIe siècle. Actif à Nuremberg en 1589. Allemand.
Enlumineur.

FISCHER Anna Katharina. Voir **BLOCK**

FISCHER Anton
Mort le 22 mars 1773 à Dillingen. XVIIIe siècle. Allemand.
Sculpteur.
Sans doute faut-il l'identifier avec Johann Anton qui travaillait dans la même région en 1756.

FISCHER Anton
XVIIIe siècle. Actif à Munich dans la seconde moitié du XVIIIe siècle. Allemand.
Graveur.

FISCHER Anton Otto
Né le 23 février 1882 à Munich. Mort en 1962. XXe siècle. Allemand.
Peintre, illustrateur.
Il fut élève de J. P. Laurens et de l'Académie Julian à Paris. Il a travaillé aux États-Unis. Il fut membre de la Society of Illustrators et de l'American Federation of Arts.
VENTES PUBLIQUES : NEW YORK, 29 avr. 1976 : *Scène de lynchage* 1911 ; *Ouvriers dans une cabane* 1912, deux h/t (76,2x53,3) : **USD 1 100** – NEW YORK, 11 mars 1982 : *L'arrivée du bateau* 1923, h/t (50,8x91,4) : **USD 1 500** – NEW YORK, 23 juin 1987 : *Abandoning ship* 1935, h/t (56x92) : **USD 7 500** – NEW YORK, 17 mars 1988 : *Le garde-côtes*, h/t (43,7x63,7) : **USD 2 090** – NEW YORK, 7 avr. 1988 : *Voiliers au soleil couchant*, h/t (65x70) : **USD 1 650** – NEW YORK, 14 fév. 1990 : *Près de chavirer* 1930, h/t (56x70) : **USD 1 320** – NEW YORK, 17 déc. 1990 : *Débarquement clandestin de marchandises*, h/t (50,8x101,6) : **USD 825** – NEW YORK, 15 avr. 1992 : *L'Amérique apporte des renforts* 1942, h/t (66x91,4) : **USD 6 325** – NEW YORK, 31 mars 1994 : *Le sixième jour* 1948, h/t (61x91,4) : **USD 5 175**.

FISCHER August
Né le 11 mars 1854 à Copenhague. Mort en 1921. XIXe-XXe siècles. Danois.
Peintre de genre, paysages, paysages urbains.
Élève de l'Académie de Copenhague, il voyagea beaucoup par la suite.

VENTES PUBLIQUES : COPENHAGUE, 6 déc. 1973 : *Scène de rue à Lugano* : **DKK 11 500** – LONDRES, 11 fév. 1976 : *Le Pont Neuf, Paris* 1883, h/t (28x46) : **GBP 500** – COLOGNE, 20 mars 1981 : *Le marché aux fruits de Nuremberg*, h/t (31x24) : **DEM 3 000** – COPENHAGUE, 13 juin 1984 : *La place du marché à Nuremberg*, h/t (39x50) : **DKK 15 000** – LONDRES, 20 mars 1985 : *Vue de Nuremberg* 1891, h/t (62,5x91) : **GBP 3 000** – LONDRES, 17 fév. 1989 : *La rivière Ter* 1907, h/t (30,3x48,8) : **GBP 1 760** – LONDRES, 6 oct. 1989 : *Rue de Lugano* 1886, h/cart. (47,5x37) : **GBP 2 640** – STOCKHOLM, 15 nov. 1989 : *Une ferme à Gamle Lygtekro*, h/t (25x33) : **SEK 7 000** – COPENHAGUE, 25 oct. 1989 : *Canal à Trieste* 1890, h/t (50x41) : **DKK 13 000** – COPENHAGUE, 21 fév. 1990 : *Le lac Léman avec vue sur les Dents du Midi* 1888, h/t (50x80) : **DKK 7 500** – NEW YORK, 15 oct. 1991 : *La piazza Erbe à Vérone*, h/t (38x26,8) : **USD 1 980** – COPENHAGUE, 5 fév. 1992 : *Une cour de maison italienne*, h/t (45x62) : **DKK 6 000** – LUGANO, 16 mai 1992 : *Le marché via Nassa à Lugano* 1886, h/t (47,5x37) : **CHF 22 000** – COPENHAGUE, 2 fév. 1994 : *Cour d'auberge près du jardin du presbytère de Kalundborg* 1880, h/t (47x61) : **DKK 14 000** – COPENHAGUE, 16 nov. 1994 : *Rue d'un bourg italien animée*, h/t (75x90) : **DKK 21 500** – AMSTERDAM, 16 avr. 1996 : *Jardin potager*, h/t (46x66) : **NLG 2 360** – COPENHAGUE, 21 mai 1997 : *Cour vue de Gammel Mont 31, Copenhague* 1907 (43x45) : **DKK 16 500**.

FISCHER Benno Joachim Theodor
Né le 11 avril 1828 à Dresde. Mort en 1865 à Dresde. XIXe siècle. Allemand.
Peintre d'histoire et de genre.
Élève de Hübner. Il peignit surtout des scènes de genre.

FISCHER Bertha
Née le 25 juin 1864 à Berne. XXe siècle. Suissesse.
Peintre, aquarelliste de paysages.
Elle fut élève de l'École d'Art de Berne sous W. Benteli et Paul Volmar. Elle prit part aux expositions suisses à partir de 1900. Elle s'adonna tout particulièrement à l'aquarelle.

FISCHER Bruno
Né le 30 avril 1860 à Dresde. XIXe siècle. Allemand.
Sculpteur.
Fils de Ernst. Il travailla à Stuttgart, puis à Dresde dans l'atelier de Schilling. Par la suite il séjourna assez longtemps en Italie puis revint à Dresde où il exécuta plusieurs monuments dans un style d'un naturalisme classique.

FISCHER Carl
XVIIe siècle. Allemand.
Peintre.
Il était actif à Magdebourg au début du XVIIe siècle. Il aurait travaillé pour la cathédrale de cette ville.

FISCHER Carl
XVIIe siècle. Allemand.
Peintre.
Il était actif à Brunschwig au début du XVIIe siècle.

FISCHER Carl
XVIIIe siècle. Allemand.
Peintre.
Il était actif à Breslau au milieu du XVIIIe siècle.

FISCHER Carl
XIXe siècle. Allemand.
Dessinateur et lithographe.
Il était actif à Berlin vers 1840. Il exécuta surtout des portraits.

FISCHER Carl
Né le 8 décembre 1838 à Hüttenort Rotehütte. Mort le 22 février 1891 à Munich. XIXe siècle. Allemand.
Sculpteur.
Cet artiste fut à Munich l'élève de Josef Knabl. On cite de lui en particulier un *Christ au Mont des Oliviers* à l'église de Reichenhall.

FISCHER Carl
Né en 1887 à Copenhague. Mort en 1962. XXe siècle. Danois.
Peintre de scènes animées, intérieurs, figures, natures mortes, fleurs.
VENTES PUBLIQUES : LONDRES, 24 mars 1988 : *Bleuets, marguerites et autres fleurs dans un vase*, h/t (70x100) : **GBP 1 870** – COLOGNE, 23 mars 1990 : *Nature morte avec des roses dans un vase de cuivre, de l'argenterie, des cristaux*, h/t (80x115) : **DEM 1 100** – COPENHAGUE, 9 mai 1990 : *Nature morte sur une table*, h/t (55x60) : **DKK 4 600** – COPENHAGUE, 31 oct. 1990 : *Jeune femme assise*, h/t (59x51) : **DKK 6 000** – COPENHAGUE, 12-14 nov. 1997 : *Personnages devant un kiosque sous la pluie*, h/pap. (55x46) : **DKK 12 500** – COPENHAGUE, 3-5 déc. 1997 : *Jeune femme assise, visage détourné, dans un intérieur* 1929, h/t (55x51) : **DKK 32 000.**

FISCHER Carl Christian
Mort en 1794 à Hanau. XVIIIe siècle. Allemand.
Peintre sur faïence.

FISCHER Caspar
Né à la fin du XVIe siècle à Rosenheim. XVIe-XVIIe siècles. Actif à Enns. Allemand.
Peintre.

FISCHER Christian
Baptisé à Brienz le 30 mai 1789. Mort le 22 août 1848 à Brienz. XIXe siècle. Suisse.
Sculpteur sur bois.

FISCHER Christian Johann
Né à Hambourg. Mort le 7 juin 1802 à Hambourg. XVIIIe siècle. Allemand.
Dessinateur.

FISCHER Christian Nathanael
Né en 1756. Mort en 1817 à Leipzig. XVIIIe-XIXe siècles. Allemand.
Peintre.
Il travailla à Leipzig à partir de 1791.

FISCHER Clara Elisabet
Née le 29 janvier 1856 à Berlin. XIXe siècle. Allemande.
Peintre de genre et graveur.
Exposa à Berlin à partir de 1886.

FISCHER Daniel
Né vers 1730 à Vienne. XVIIIe siècle. Autrichien.
Peintre de miniatures.

FISCHER Eduard
Né le 6 novembre 1852 à Berlin. Mort en 1905. XIXe-XXe siècles. Allemand.
Peintre de genre, paysages.
Il débuta à Berlin vers 1874.
VENTES PUBLIQUES : MUNICH, 14 mai 1986 : *Pêcheurs tirant leurs filets au Chiemsee*, h/pan. (25,5x52) : **DEM 3 000.**

FISCHER Egon
Né en 1935 à Copenhague. XXe siècle. Danois.
Sculpteur. Tendance abstraite.
Autodidacte. Il est membre de l'École d'Art Expérimentale depuis 1961 et du groupe *Den Frie* depuis 1967. Il participe aux expositions suivantes : 1962 l'École d'Art Expérimental, Copenhague ; 1966 Biennale de la Jeunesse nordique, Louisiana, pour laquelle il obtient le prix ; 1967 Gothembourg et Stockholm ; 1969 Varsovie et Paris ; 1970 Biennale de Venise, où il représente le Danemark.
Son art participe d'un humour et d'une ironie amusante.
BIBLIOGR. : In : *Art danois*, catalogue d'exposition, Galeries Nationales du Grand Palais, Paris, 1973.
MUSÉES : AALBORG (Nordjyllands Kunstmuseum) – ESBERG – LOUISIANA – ODENSE – RANDERS.

FISCHER Ellen
Née à Kornerup (Danemark). XXe siècle. Danoise.
Peintre.
Elle exposa à Paris au Salon des Indépendants en 1925 et au Salon des Tuileries en 1929.

FISCHER Ernst
Né le 6 novembre 1815 à Dresde. Mort le 22 septembre 1874 à Dresde. XIXe siècle. Allemand.
Peintre de genre, lithographe et graveur.
Il débuta à Dresde vers 1861.

FISCHER Ernst
Né le 6 juillet 1850 à Dresde. XIXe siècle. Allemand.
Paysagiste.
De 1877 à 1880, il fut élève de Paul Mohn. Il débuta à Dresde en 1875.

FISCHER Ernst Albert, pseudonyme de **Fischer Corlin** ou **Cornelin**
Né le 22 août 1853 à Cörlin. XIXe siècle. Allemand.
Peintre d'histoire, scènes de genre, intérieurs, illustrateur, peintre à la gouache.
Il fut à Berlin élève de Daege et Schrader. Il débuta à Berlin en 1877. Il se spécialisa dans la grande peinture historique.
VENTES PUBLIQUES : COPENHAGUE, 18 avr. 1978 : *Couple dans un intérieur rococo* 1890, h/t (100x71) : **DKK 20 000** – LONDRES, 25 juin 1987 : *Le Galant Entretien*, gche (75x105) : **GBP 2 800** – NEW YORK, 19 jan. 1995 : *Le Vase vert* 1926, h/t (73,7x55,9) : **USD 1 150.**

FISCHER Ferdinand Auguste
Né le 17 février 1805 à Berlin. Mort le 2 avril 1866 à Berlin. XIXe siècle. Allemand.
Sculpteur et médailleur.
Élève de l'Académie de Berlin dont il devint membre en 1847 ; en 1848, il fut nommé membre du Sénat académique.

FISCHER Franz
XVIIIe siècle. Actif à Prague. Tchécoslovaque.
Graveur.

FISCHER Franz
XIXe siècle. Actif à Vienne. Autrichien.
Peintre de miniatures.

FISCHER Franz Josef
XVIIe siècle. Actif à Ravensbourg. Allemand.
Peintre.

FISCHER Franz Marcel
Né le 28 novembre 1900 à Prague, de parents russes. XXe siècle. Actif et naturalisé en Suisse. Russe.
Sculpteur. Polymorphe.
Il a étudié à Zurich, à l'École des Arts et Métiers, puis fut tailleur de pierre à Lugano. De 1921 à 1923, il fut à Rome, puis à Paris, de 1926 à 1928. En 1936, il s'installa à Zurich. Il a participé en 1948 à la Biennale de Venise.

Ses œuvres se répartissent en plusieurs périodes. Au début, archaïsantes, elles ont évolué vers une expression proche de l'abstraction. C'est néanmoins un retour au réalisme qui caractérise les sculptures de la maturité, un réalisme libre et personnel, avec une nette tendance au symbolisme. Ses sculptures et ses reliefs en bronze et en pierre ont souvent été conçus dans un cadre architectural.
Musées : Lausanne (Mus. canton. des Beaux-Arts) : *Chien mourant* 1956.
Ventes Publiques : Zurich, 13 nov. 1976 : *Couple d'amoureux I* 1960, bronze relief (87x85) : **CHF 2 500** – Zurich, 30 mai 1979 : *Taureau* 1960, bronze (H. 46) : **CHF 7 500** – Zurich, 30 oct. 1980 : *Zébu I*, bronze (H. 61,5) : **CHF 4 600** – Zurich, 22 juin 1985 : *Chien sautant* 1956, bronze patiné (H. 34) : **CHF 8 500**.

FISCHER Franz Xaver
Mort le 7 avril 1809 à Dillingen. XVIIIe siècle. Allemand.
Sculpteur.

FISCHER Georg
XVIIIe siècle. Actif à Prague. Tchécoslovaque.
Peintre.

FISCHER Georg
XVIIIe siècle. Actif à Munich en 1700. Allemand.
Peintre.

FISCHER Georg Peter
XVIIe siècle. Actif à Munich dans la première moitié du XVIIe siècle. Allemand.
Dessinateur, illustrateur.

FISCHER Georges Alexandre
Né le 21 novembre 1820 à Paris. XIXe siècle. Français.
Peintre et lithographe.
Il eut pour maître Paul Delaroche à l'École des Beaux-Arts où il entra le 27 septembre 1841. Au Salon il se fit représenter à partir de 1848 jusqu'en 1870. Parmi ses tableaux, on cite : *Gaulois chassant le matin dans des marais sur les bords d'une rivière*, *Un ligueur*, *Passe-temps de jeunesse*. On a de lui au Musée de Niort : *Le conteur breton*.

FISCHER Gottfried
Mort en 1660. XVIIe siècle. Actif à Vienne. Autrichien.
Peintre.
Fils de Thomas.

FISCHER Gottlob
Né le 17 juin 1829 à Stuttgart. Mort le 8 juillet 1905 à Stuttgart. XIXe siècle. Allemand.
Peintre de genre, portraits.
Il étudia en Hollande et à Paris avec Ary Scheffer. À partir de 1857, il vécut à Stuttgart et à Cannstatt.
Musées : Stuttgart : *Prédication huguenote – Portrait de femme*.
Ventes Publiques : New York, 25 fév. 1986 : *Le Galant Cavalier*, h/pan. (40,7x31,7) : **USD 2 700** – Heidelberg, 14 oct. 1988 : *Portrait de jeune fille* 1869, h/t (60x50) : **DEM 1 300**.

FISCHER Gustaf Ericson
Né en 1846. Mort en 1893. XIXe siècle. Suédois.
Peintre de paysages.
Il fut élève de l'Académie de Stockholm.
Ventes Publiques : Stockholm, 23 avr. 1980 : *Paysage d'été* 1878, h/t (34,5x62,5) : **SEK 5 500**.

FISCHER Hans
Né en 1909 à Berne. Mort le 19 avril 1958 à Interlaken. XXe siècle. Suisse.
Peintre, dessinateur, lithographe, peintre de décors de théâtre, peintre de compositions murales, illustrateur.
Il fut élève de l'École des Beaux-Arts de Genève, puis d'Otto Meyer-Amden à l'École des Arts et Métiers de Zurich, de 1928 à 1930. Dessinateur publicitaire à Paris, de 1931 à 1932, il suivit les cours de l'Académie Fernand Léger. Retourné en Suisse en 1932, il collabora à des journaux satiriques et exécuta surtout des décors de théâtre. Il a illustré de nombreux albums, parmi lesquels : *Les Musiciens de la ville de Brême*, des frères Grimm, et d'autres nombreux sur ses propres sujets.
Nombreuses expositions particulières, depuis sa première à Zurich en 1943, en Suisse, en Hollande, à Paris, à Londres, aux États-Unis, etc. Il a exécuté vingt-six décorations murales dans différentes villes de Suisse. En 1955, il avait obtenu le prix pour les œuvres graphiques, à la Biennale de São Paulo. ■ J. B.
Bibliogr. : In : *Peintres contemporains*, Mazenod, Paris, 1964.

FISCHER Hans
XVIe siècle. Actif à Breslau en 1575. Allemand.
Peintre.

FISCHER Hans
XVIe siècle. Actif à Wolfenbüttel à la fin du XVIe siècle. Allemand.
Peintre.

FISCHER Hans
XVIIe siècle. Actif au début du XVIIe siècle. Allemand.
Miniaturiste.
En 1612, il peignit, pour l'album du duc de Stettin, une miniature du *Crucifiement*.

FISCHER Hans Christian
Mort le 3 avril 1846. XIXe siècle. Danois.
Peintre de paysages animés.
Il fut élève de l'Académie de Copenhague.
Ventes Publiques : Copenhague, 15 jan. 1986 : *Fillette dans un sous-bois au printemps* 1878, h/t (125x110) : **DKK 19 000**.

FISCHER Heinrich
Né à Lauffenburg. XVIIe siècle. Actif entre 1605 et 1619. Suisse.
Sculpteur sur bois et pierre.
Il travailla en collaboration avec son frère Melchior à Massmünster (Alsace), Beromünster, au couvent des capucins à Sursee, au couvent Muri à Augsbourg, et à Görmund. On cite ses sculptures à Beromünster et ses crucifix à Sursee et à Görmund.

FISCHER Heinrich
Né le 20 avril 1820 à Nänikon. Mort le 26 octobre 1886 à Zurich. XIXe siècle. Suisse.
Paysagiste, portraitiste et lithographe.
Étudia à Munich et travailla à Berne, Lucerne, Vevey, Montreux, Nice et Zurich. En 1846 et 1848, il envoya trois portraits (dont un sur pierre) à l'Exposition suisse de Berne. Son fils Jakob Henri embrassa également la carrière artistique. Quelques vues de Berne, lithographiées de sa main, jouissent d'une certaine réputation.

FISCHER Helene von
Née le 20 avril 1843 à Berlin. XIXe siècle. Allemande.
Peintre de fleurs et de natures mortes.
Elle débuta à Dresde vers 1880.

FISCHER Henri ou **Heinrich**, pseudonyme : **Fischer Hinnen**
Né le 20 avril 1844 à Zurich. Mort le 18 mai 1898 à Bellegarde. XIXe siècle. Suisse.
Peintre de paysages, dessinateur, illustrateur.
Il séjourna à Montreux, Nice, Zurich, Londres, Berne et Genève, et termina ses jours à Bellegarde en France. À Londres, il ouvrit une galerie de peintures en 1880. Il travailla pour le *Postheiri* de Lucerne.
Il est l'auteur de nombreux tableaux d'ours dont six pour l'hôtel « À l'Ours » de Berne. On lui doit surtout des paysages et des peintures humoristiques.
Ventes Publiques : Lucerne, 25 mai 1982 : *Le Lac des Quatre-Cantons*, h/t (57x75) : **CHF 1 600** – New York, 29 oct. 1986 : *Promenade dans un bois* 1878, h/t (123,8x110,5) : **USD 4 200** – Berne, 26 oct. 1988 : *Paysage campagnard avec de vieux chênes*, h/cart. (26x36) : **CHF 850**.

FISCHER Hermann ou **Vischer**
XVe siècle. Allemand.
Sculpteur.
Artiste de l'école de Franconie. Voir les marques reproduites à l'article Flotner (Peter). Peut-être identique à Hermann Vischer l'ancien.

FISCHER Hermann
XVIIe siècle. Actif à Neisse au début du XVIIe siècle. Allemand.
Sculpteur sur bois.

FISCHER Hermann
Né le 12 novembre 1855 à Lenzburg. XIXe siècle. Suisse.
Graveur sur bois.
Étudia et travailla sous la direction J. R. Müller à Zurich, à Stuttgart, Leipzig, Vienne et Berlin. À partir de 1883, il dirigea un atelier de gravure sur bois à Zurich. Parmi ses œuvres (dont quelques-unes furent récompensées entre 1883 et 1896 à Genève et à Zurich), on cite notamment ses illustrations pour l'ouvrage de botanique et de physique du Dr. Keller (1901), ainsi que les portraits pour *l'Histoire Suisse* du Prof. Dr Karl Dandliker.

FISCHER Hervé
Né en 1931 à Paris. XXe siècle. Français.

Artiste, peintre, écrivain. Abstrait, puis conceptuel. Groupe Collectif d'Art Sociologique.

Hervé Fischer participe à des expositions collectives, parmi lesquelles : 1976, Biennale de Venise ; 1976, Biennale de São Paulo ; 1976, Atelier d'Art Politique avec Klaus Staeck ; 1981, Documenta 7, Kassel. Il réalise aussi des expositions personnelles, dont : 1974, où il a montré des *Déchirures* d'œuvres d'artistes ; 1974, Musée d'Art Contemporain de Montréal, rétrospective ; 1983, *Exposition/événement social imaginaire : La Calle, adonde llega ?*, Musée d'Art Moderne de Mexico.

De formation universitaire, Fischer a commencé par peindre en amateur, passant naturellement les étapes d'une peinture d'abord traditionnelle, jusqu'à une abstraction directement issue de Pollock, qu'il pratiquait en 1968. Dans le contexte de ce qu'il nomme une « hygiène de l'art », il a tenté, vers 1972, à la fois de démythifier l'œuvre d'art et d'en analyser les processus sociologiques, mettant en accusation les tabous qui l'entourent : respect, présentation, prix, circuits de distribution..., en sacrifiant parfois, pour être plus explicite peut-être, au jeu de mots : *Pilules anti-conceptuelles*, etc. En 1974, avec deux autres artistes de même tendance Fred Forest et Jean-Paul Thénot, il fonde le Collectif d'Art Sociologique, qu'il définit comme suit : « l'art sociologique est une expérience limite, existentielle et de lucidité de l'individu au sein de la société. Et à ce titre, une pratique philosophique ». Ainsi, tous les mots ont une image, une force, il s'agit de ne jamais l'oublier et de s'en servir, pour à la fois comprendre, mais aussi dénoncer, si besoin est, notre environnement socioculturel fait de conventions. ■ J. B., C. D.

Bibliogr. : In : *Art et communication marginale*, Éditions Balland, Paris, 1974 – *Théorie de l'art sociologique*, Éditions Casterman, Paris, 1977 – *Citoyens/Sculpteurs*, Éditions Segedo, Paris, 1981 – *L'Histoire de l'art est terminée*, Éditions Balland, Paris, 1981 – *L'Oiseau-chat*, Éditions la Presse, Montréal, 1983 – *La Calle, adonde llega ?*, Arte y Edicion, catalogue d'exposition, Mexico, 1983 – *La Mythanalyse*, Éditions Balland, Paris, 1984 – in : *Écritures dans la Peinture*, Centre National des Arts Plastiques, Villa Arson, Nice, 1984.

FISCHER Ida

XXe siècle. Américaine.

Peintre.

On a vu de ses œuvres, abstraites, bien équilibrées et composées de matières extrêmement épaisses, en 1950, à Paris, au Salon des Réalités Nouvelles.

FISCHER Ignaz

XIXe siècle. Actif à Vienne vers 1830. Autrichien.

Peintre de miniatures.

FISCHER Isaac

Mort en 1705. XVIIe siècle. Actif à Augsbourg. Allemand.

Portraitiste et peintre d'histoire.

Il travaillait déjà à Augsbourg en 1677.

FISCHER J. H.

XVIIIe siècle. Actif à Cologne à la fin du XVIIIe siècle. Allemand.

Peintre d'histoire et de portraits.

On lui doit plusieurs peintures religieuses.

FISCHER J. L.

XVIIIe siècle. Actif à Nuremberg à la fin du XVIIIe siècle. Allemand.

Graveur.

On connaît un grand nombre de planches, signées du nom de cet artiste.

FISCHER Jacob

XVIIe siècle. Actif à Brieg en 1664. Allemand.

Peintre.

FISCHER Jacob Adolphe

Né en 1755 à Magdebourg. XVIIIe siècle. Allemand.

Peintre de portraits et de miniatures.

Élève de l'Académie de Berlin, il se spécialisa dans les portraits au pastel et à la miniature.

FISCHER Jan

Né vers 1636 à Amsterdam. XVIIe siècle. Hollandais.

Peintre d'animaux.

Selon Siret, il avait d'abord été graveur, il commença à peindre à cinquante-six ans.

FISCHER Jocheim

Mort en 1633 à Lüben (près de Liegnitz). XVIIe siècle. Allemand.

Peintre.

FISCHER Joël

Né en 1947 à Salem (Ohio). XXe siècle. Actif en Angleterre. Américain.

Dessinateur, sculpteur.

Il expose depuis 1970 aux États-Unis, puis en Europe, notamment à Londres et Paris. Il participe à des expositions collectives, dont : 1972, Documenta V, Kassel ; 1972, Biennale de Paris ; 1982, *Choix pour aujourd'hui. Regard sur 4 ans d'acquisitions d'art contemporain*, Musée National d'Art Moderne, Paris. Il expose également personnellement, entre autres, 1987-1988, galerie Farideh Cadot, Paris.

Sans appartenir au courant de l'art pauvre qui s'est surtout manifesté en Italie à partir de 1968, Fischer en a néanmoins bénéficié, dans le nouveau regard que cet art a porté sur les matériaux les plus grossiers. Pourtant le problème de Fischer n'est pas, comme pour l'art pauvre un problème d'expressivité, mais plus une réflexion sur les ambitions de l'art. Son travail s'est avant tout voulu dans ses premiers travaux, une activité dérisoire, conçue comme telle, de gestes qui remontent à la nuit des temps. C'est ainsi qu'il commença à tresser et filer des cheveux, fabriquer des clous avec des vieilles pièces métalliques ou des feuilles de papier brut avec de vieux vêtements. En renouant avec ce côté artisanal de l'art, Fischer a vite été pris en considération aux États-Unis. Sans avoir perdu son intérêt pour les matériaux, Joël Fischer, depuis les années quatre-vingt, explore minutieusement le support et le sujet de ses futurs dessins : un papier chiffon qu'il fabrique entièrement à la main. Les imperfections, agrandies au fusain, deviennent dans un nouvel espace, significative d'une forme non accidentelle. En 1980, il déclarait : « Lorsque l'incident a été dessiné, combien de fois puis-je le refaire ? Doit-on se contenter des seules limites de la page ou peut-on s'aventurer vers d'autres surfaces ? ». C'est dans la troisième dimension que Fischer a répété la projection formelle de ses dessins issue des imperfections initiales, avec des sculptures en bronze de plus d'un mètre de hauteur. Elles figurent des parcours où la ligne est prépondérante, où le volume spatial s'étire, élégamment ouvert. ■ C. D., J. B.

Bibliogr. : In : *Choix pour aujourd'hui*, catalogue exposition, Centre Georges Pompidou, Musée National d'Art Moderne, Paris, 1982.

Ventes Publiques : New York, 9 mai 1990 : « *Vas* » 1985, bronze à patine verte (H. 35,5) : **USD 15 400**.

FISCHER Johan

XVIIe siècle. Travaillant en Saxe au début du XVIIe siècle. Allemand.

Graveur sur bois.

On lui attribue des planches pour une bible publiée à Strasbourg en 1606.

FISCHER Johann

XVIIIe siècle. Actif à Berlin. Allemand.

Peintre de monuments.

Il fut membre de l'Académie de Berlin.

FISCHER Johann

Né à Neus (près de Düsseldorf). Mort le 19 janvier 1728 à Düsseldorf. XVIIIe siècle. Allemand.

Peintre.

On lui doit surtout des vues de monuments.

FISCHER Johann Anton. Voir **FISCHER Anton**

FISCHER Johann Baptist

Né en 1626 à Gratz. XVIIe siècle. Autrichien.

Sculpteur.

Il travailla à l'Hôtel de Ville de Gratz et pour l'entrée triomphale de l'empereur Léopold Ier dans cette ville.

FISCHER Johann Christian Richard

Né en 1826 à Dantzig. XIXe siècle. Allemand.

Peintre de paysages.

Élève de Sohn, Hildebrand et Schirmer. Il voyagea en Allemagne, en Suisse et dans le Tyrol, puis se fixa à Berlin, et, à partir de 1862, à Dantzig.

FISCHER Johann Christoph

XVIIIe siècle. Actif à Ansbach vers 1700. Allemand.

Sculpteur.

C'est sans doute le même artiste qui travaillait à Amberg en 1684.

FISCHER Johann Franz
Mort le 4 novembre 1740 à Prague. XVIIIe siècle. Tchécoslovaque.
Graveur.
On lui doit surtout des portraits et des peintures de monuments.

FISCHER Johann Friedrich
XVIIIe siècle. Actif à Bayreuth vers 1738. Allemand.
Sculpteur.

FISCHER Johann Georg
Né en 1580 à Augsbourg. Mort en 1643 à Munich. XVIIe siècle. Allemand.
Peintre d'histoire.
Il était peintre de la cour de Bavière. Le Musée de Munich conserve de lui : *Christ rendu prisonnier*. Imitateur d'Albert Dürer.

FISCHER Johann Georg
Mort en 1669. XVIIe siècle. Actif à Eger. Allemand.
Sculpteur sur bois.

FISCHER Johann Heinrich
Né le 15 août 1811 à Aarau. Mort le 7 août 1879 à Aarau. XIXe siècle. Suisse.
Lithographe et dessinateur.
J.-H. Fischer apprit son métier dans l'atelier de Bolliger à Aarau et travailla aussi à Zug et à Zurich. On cite surtout ses deux planches : *Hoffnung (Espérance)* et *Wiedersehen (Rencontre)*.

FISCHER Johann Michael
XVIIe-XVIIIe siècles. Actif à Vienne. Autrichien.
Sculpteur.
Sa veuve épousa l'un de ses élèves Léopold Fischer en 1714.

FISCHER Johann Michael
Mort le 27 mars 1801 à Dillingen. XVIIIe siècle. Allemand.
Sculpteur.
On lui doit entre autres œuvres l'autel principal de l'église Sainte-Catherine à Hall et une partie de la façade de l'église de Neresheim.

FISCHER Johann Thomas
Né le 21 décembre 1603. Mort le 16 octobre 1685. XVIIe siècle. Actif à Nuremberg. Allemand.
Aquarelliste et enlumineur.
On lui doit surtout des tableaux de fleurs.

FISCHER Johann Wilhelm
XVIIe siècle. Actif à Cologne vers 1680. Allemand.
Peintre et dessinateur.
Il semble que ce soit le même artiste qui mourut à Hambourg le 2 décembre 1710.

FISCHER Johannes
XVIe-XVIIe siècles. Actif à Augsbourg. Allemand.
Peintre.
On confond souvent cet artiste à tort avec Johann Georg et avec Georg Vischer de Munich.

FISCHER Johannes Josef
XVIIIe siècle. Actif à Bilin au début du XVIIIe siècle. Allemand.
Sculpteur.

FISCHER Johannes Sigismond
Mort en mai 1758 à Capodimonte (près de Naples). XVIIIe siècle. Autrichien.
Peintre sur porcelaine.
En 1751 il travaillait à Vienne.

FISCHER Josef
Né vers 1746. Mort le 9 février 1779 à Vienne. XVIIIe siècle. Autrichien.
Peintre.

FISCHER Joseph
Né à Faulenbach. XVIIIe siècle. Allemand.
Sculpteur.
Il décora des églises à Ketterschwang, Jengen et Unterostendorf.

FISCHER Joseph
Né en 1761 à Munich. Mort peut-être en 1843 à Vienne. XVIIIe-XIXe siècles. Allemand.
Peintre de fleurs et fruits.
Il fit ses études à Augsbourg, Vienne, Berlin et Anvers et fut l'élève de J. Dorner à Munich. Il peignit également sur porcelaine.
Ventes Publiques : Vienne, 14 sep. 1983 : *Bouquet de fleurs* 1806, aquar. et gche (90x64) : **ATS 20 000** – Paris, 15 déc. 1995 : *Fruits et fleurs sur un entablement* 1788, h/t (41x31) : **FRF 300 000**.

FISCHER Joseph
Né en 1769 à Vienne. Mort le 5 septembre 1822 à Vienne. XVIIIe-XIXe siècles. Autrichien.
Peintre et graveur.
Il étudia la peinture et la gravure avec Brand et Schmutzer à l'Académie de sa ville natale. Il y devint ensuite professeur. Parmi ses peintures à la Galerie de Vienne, se trouvent une *Vue de Vienne* et un *Paysage*. Parmi ses meilleures gravures, on cite : *Le Christ dans le Temple*, d'après Ribera (1793) ; *La femme adultère*, d'après Füger ; *Le portrait du Corrège*.

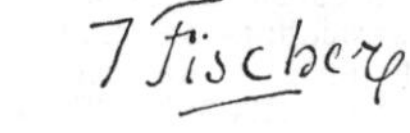

FISCHER Joseph
Né le 22 septembre 1853 à Stetten. XIXe siècle. Allemand.
Peintre.
Élève de P. Deschwanden, il se spécialisa dans les sujets religieux.

FISCHER Joseph Anton
Né à Augsbourg. Mort en 1750 à Vienne. XVIIIe siècle. Allemand.
Peintre de miniatures.
Il travailla la plus grande partie de sa vie à Vienne.

FISCHER Joseph Anton
Né le 28 février 1814 à Oberstdorf. Mort le 20 mars 1859 à Munich. XIXe siècle. Allemand.
Peintre.
Après avoir été vacher, il put, avec l'aide de Ch. Schraudolf, entrer à l'Académie de Munich avec Schlotthauer et visiter l'Italie en 1832 et 1843. Pendant ce temps, il exécuta sous la direction de Hess des cartons pour la peinture sur verre du Auerkirche et en peignit huit autres de 1844 à 1848 pour la cathédrale de Cologne. De très beaux dessins à la plume sont dispersés dans différentes collections, particulièrement à Munich. Parmi ses peintures à l'huile, la galerie de cette ville possède : *La fuite en Égypte* (1841), *L'Adoration des mages* (1844), *La Visitation* (1845), *L'ensevelissement* (1848).

FISCHER Judas Thadeus
XVIIIe siècle. Actif à Rosenheim vers 1700. Allemand.
Peintre.

FISCHER Karl, pseudonyme : **Fischer Köystrand**
Né le 28 novembre 1861 à Vienne. Mort en 1918. XIXe-XXe siècles. Autrichien.
Peintre de genre, peintre à la gouache, aquarelliste, pastelliste, dessinateur, caricaturiste.
Après avoir été l'élève de Grietenkerl à l'Académie de Vienne, il mena de front la peinture et la caricature, collaborant à différents journaux viennois.
Ventes Publiques : Londres, 25 mars 1988 : *Après la femme*, aquar. et gche, triptyque (48,3x161) : **GBP 2 200** – Londres, 28 nov. 1990 : *Portrait de la cantatrice Léonore Rellée*, past. (96x47) : **GBP 9 900**.

FISCHER Karl von
Né le 19 septembre 1782 à Mannheim. Mort le 12 février 1820 à Munich. XIXe siècle. Allemand.
Architecte et aquarelliste.
Cet architecte exécuta quelques paysages et vues de monuments.

FISCHER Konrad
Né à Grosswangen. XVIIIe siècle. Suisse.
Peintre.
Restaura en 1731 le tableau représentant la *Bataille de Sempach* dans une chapelle de cette ville.

FISCHER L.
Né en 1814. XIXe siècle. Britannique.
Peintre de portraits, miniatures.
Il exposa des miniatures à la Royal Academy à Londres en 1854.

FISCHER Léopold
Né vers 1813 à Vienne. Mort en 1860. XIXe siècle. Autrichien.

Peintre de portraits, aquarelliste, graveur.
Il fut élève de l'Académie de Vienne et exposa des miniatures à partir de 1844.
Ventes Publiques : Vienne, 17 mai 1984 : *Portrait de jeune femme en robe de dentelle* 1844, aquar. (23x17) : **ATS 20 000**.

FISCHER Lothar
Né en 1933 à Germershein. XXe siècle. Allemand.
Peintre, sculpteur. Tendance expressionniste.
Il fut élève de l'Académie des Beaux-Arts de Munich. En 1961, il obtint une bourse de la Villa Massimo, à Rome. Il réalise des expositions en Allemagne et à l'étranger. En 1957, il fonda, avec trois peintres, à Munich, le groupe *Spur*, dont les intentions sont ouvertement expressionnistes et expérimentales, prolongeant ainsi l'activité du mouvement COBRA.
Ventes Publiques : Cologne, 5 déc. 1981 : *Figure assise* 1974, terre cuite (H. 170) : **DEM 5 000** – Cologne, 7 déc. 1984 : *Nu couché* 1976, terre cuite (H. 8, l. 58) : **DEM 1 600** – Cologne, 29 mai 1987 : *Grosse sitzende im Gewand* 1975, terre cuite (H. 125) : **DEM 11 000** – Amsterdam, 13 déc. 1989 : *Gäa* 1962, terre cuite (H. 70) : **NLG 23 000** – Amsterdam, 11 déc. 1991 : *Torse* 1973, terre cuite (H. 84) : **NLG 4 830** – Copenhague, 1er déc. 1993 : *Le traîneau de compétition*, bronze (L. 40, l. 16, H. 15) : **DKK 15 000** – Copenhague, 2 mars 1994 : *Sans titre* 1964, céramique (H. 30, l. 46) : **DKK 16 000** – Lucerne, 4 juin 1994 : *Figure nue debout*, argile (H. 47,5) : **CHF 2 600** – Milan, 24 mai 1994 : *Don Quichotte*, terre cuite peinte (54x35x14) : **ITL 26 450 000** – Copenhague, 8-9 mars 1995 : *Amour et Psyché* 1960, bronze (H. 20) : **DKK 25 000** – Amsterdam, 10 déc. 1996 : *Suzanne au bain* 1964, terre cuite (H. 35,5) : **NLG 7 495**.

FISCHER Louis, de son vrai nom : **Louis-François Poisson de Marigny,** marquis
Né le 25 août 1784 à Paris. Mort le 15 février 1845 à Schwerin. XIXe siècle. Français.
Peintre de natures mortes, sculpteur, graveur.
Cet artiste qui avait été officier de l'armée française s'établit à Schwerin en 1815. Il fut le père du peintre Theodor Fischer Poisson. Il réalisa des lithographies.
Musées : Mayence : *Nature morte*.
Ventes Publiques : Munich, 18 avr. 1988 : *Jeu d'échecs à Schlosseichstätt*, h/pan. (52x43) : **DEM 9 900**.

FISCHER Ludwig
Né le 13 octobre 1825 à Vienne. XIXe siècle. Autrichien.
Peintre de paysages et de fleurs.
Il fut élève de Steinfeld à l'Académie de Vienne.
Ventes Publiques : Vienne, 28 nov. 1967 : *Paysage montagneux* : **ATS 25 000**.

FISCHER Ludwig Hans
Né le 2 mars 1848 à Salzbourg. Mort le 24 avril 1915 à Vienne. XIXe-XXe siècles. Allemand.
Peintre de paysages, architectures, peintre à la gouache, aquarelliste.
Il fut élève de Lichtenfels, de Jacoby et de Unger. Il voyagea en Italie, en Algérie, puis revint se fixer à Vienne.

Musées : Graz : *Paysage* – Vienne : *Au bord de la mer* – *Vue de Jérusalem* – *Château Vajda Hunyad en Hongrie*.
Ventes Publiques : Vienne, 14 nov. 1978 : *Vue de Vienne* 1912, aquar. (9,5x14,5) : **ATS 18 000** – Londres, 26 nov. 1981 : *Vue panoramique de Vienne* 1894, aquar. (92x140,5) : **GBP 1 400** – Londres, 22 mars 1984 : *Vue des souks, Le Caire*, aquar. reh. de gche (33,5x26) : **GBP 2 200** – Londres, 20 juin 1984 : *La lecture de la lettre dans un marché arabe* 1890, h/cart. (99x72,5) : **GBP 5 200** – New York, 28 oct. 1986 : *Le vent du désert*, h/t (175,3x118) : **USD 23 000** – Londres, 27 nov. 1987 : *Riva degli Schiavoni, Venise* 1895, aquar. reh. de blanc (30x45,8) : **GBP 1 500** – Londres, 25 mars 1988 : *Vue de Constantinople*, h/pan. (13x28) : **GBP 2 860** – Londres, 16 juin 1993 : *La mosquée du Vizir Khan à Lahore*, aquar. (28,5x41) : **GBP 5 520** – Zurich, 24 juin 1993 : *Le grand temple de Hampi*, aquar. (24,2x37,2) : **CHF 2 200** – Paris, 30 juin 1993 : *Vue d'un intérieur*, aquar. gchée (31x48) : **FRF 22 000** – Londres, 19 nov. 1993 : *Caravane dans le désert au crépuscule*, h/t (50,8x83,8) : **GBP 6 325** – Londres, 10 fév. 1995 : *Caravane dans le désert* 1903, h/t/cart. (67x120,7) : **GBP 3 220**.

FISCHER Maria Anna ou **Fisher**, née **Felsenberg**
Née en 1785 à Vienne. XIXe siècle. Allemande.
Graveur.
Sœur de Joseph Fischer. Elle a gravé des paysages et des scènes de bataille.

FISCHER Mark. Voir **FISHER William Mark**

FISCHER Martha
XIXe siècle. Active à Berlin. Allemande.
Portraitiste et peintre de genre.
Elle débuta à Hambourg vers 1887.

FISCHER Martin
XVIIIe siècle. Italien.
Peintre.
Il peignit en 1702 des fresques dans le Palais Antonini à Udine.

FISCHER Martin
Né le 10 novembre 1879 à Kiel (Allemagne). XXe siècle. Allemand.
Peintre, peintre de compositions murales, écrivain.
Il fut membre de la Duvenech Society of Painters et du Cincinnati Art Club. Il a exécuté, à Cincinnati, des peintures murales. Il fut conférencier et écrivain, auteur notamment de *The Permanent Palette*, livre traduit en allemand.

FISCHER Martin
Né le 17 avril 1946 à Londres. XXe siècle. Actif en Suisse. Britannique.
Sculpteur.
Il a vécu à Londres jusqu'à l'âge de seize ans, et a surtout reçu une formation musicale de jazzman. Ensuite, il s'est installé en Suisse, dans le canton d'Argovie. Il a pris part à des expositions de jeunes artistes suisses.
Depuis 1972, il se consacre à la sculpture, dans un esprit proche de l'art pauvre, construisant des instruments à vent ou à cordes qui utilisent le vent comme élément mécanique. ■ J. B.

FISCHER Martin Johann
Né le 2 novembre 1741 à Bebele (près de Hopfen). Mort le 27 avril 1820 à Vienne. XVIIIe-XIXe siècles. Autrichien.
Sculpteur.
Il fut élève de Tabota et J. Schletterer à Vienne et devint membre de l'Académie des Beaux-Arts, puis en 1815 directeur de l'École de dessin et de sculpture. On trouve à Vienne un très grand nombre de ses œuvres : des fontaines, celles *de Moïse, d'Hygie, de Léopold, de Joseph, de la Vigilance* ; un *Mucius Scœvola* pour les jardins de Schœnbrünn, quatre statues des *Évangélistes* pour le maître-autel de l'église Saint-Michel ; *le buste de Joseph II* à l'Université. La cathédrale de Saint-Pölten lui doit le monument funéraire de *l'Évêque H. J. Kerenz*, la cathédrale de Prague, le monument funéraire du *Général Zischkowitz et de sa femme*. Il exécuta pour des personnalités distinguées de nombreux travaux de décoration et de sculpture, comme *Les Trois Grâces*, d'après Eisgrub, pour le prince Liechtenstein, *Mercure et Vénus* pour la comtesse Kinsky, un *Apollon* pour le comte Althan, les décorations de sculpture du Palais de la duchesse T. A. F. de Carignan, née princesse Liechtenstein.

FISCHER Marx
XVIe siècle. Allemand.
Sculpteur.
Est mentionné en 1539 à Augsbourg.

FISCHER Mary Ellen Sigsbee
Née le 26 février 1876 à la Nouvelle-Orléans (Louisiane). XXe siècle. Américaine.
Illustrateur.
Elle fut élève de la Students' League de Workington et de New York. Membre associée de la Society of Illustrators depuis 1912. Elle est la femme de Anton Otto Fischer.

FISCHER Melchior
Né à Lauffenburg. XVIIe siècle. Travaillant entre 1605 et 1619. Suisse.
Sculpteur sur pierre et sur bois.
Frère de Heinrich Fischer, il collabora avec lui dans plusieurs villes d'Alsace.

FISCHER Michael ou **Vischer**
XVIe siècle. Actif à Vienne en 1587. Autrichien.
Peintre.
Ce peintre accompagna l'ambassadeur Friedrich Kreskwitz à Constantinople pour faire pour lui des croquis de voyage.

FISCHER Michael
XVIIIe siècle. Allemand.
Sculpteur sur marbre, dessinateur.
Il exécuta en 1733 dans le chœur de l'église du château de Bruchsal quelques travaux de marbre au-dessus du siège de l'évêque et au-dessus de celui du prêtre.

FISCHER Michael
Né en 1826, à Aurolzmünster, en Haute Autriche. Mort en 1887 à Linz. XIXe siècle. Autrichien.
Graveur.
Il grava des métaux, des pierres précieuses, des gemmes et des poinçons.

FISCHER Niklaus von
Né en 1825 à Erlach. XIXe siècle. Suisse.
Dessinateur et peintre.
Fischer habita Riesbach-Zurich et Londres. Le Dictionnaire du Dr Brun cite de lui un grand dessin panoramique de la ville de Zurich : *Vue du Mont-Jakob*, exposé à Zurich en 1883. Il vint à Londres en 1885.

FISCHER Nikolaus
Né le 20 novembre 1768 à Triengen. Mort en 1792 à Rome. XVIIIe siècle. Suisse.
Peintre d'histoire, de portraits et de genre.
Frère d'Ulrich Fischer le peintre d'histoire sainte, et élève de Melchior Wyrsch, cet artiste travailla pour des églises suisses et exposa son portrait et d'autres tableaux à Lucerne en 1789. On cite surtout : *L'Annonciation* et *Noël* à l'église paroissiale de sa ville natale, et un tableau d'autel dans celle de Eich (Canton de Lucerne) représentant *Saint Laurent*.
Musées : Mayence : *Portrait du Dr F. Werner*.

FISCHER Oskar
Né en 1910 à Vienne. XXe siècle. Belge.
Peintre. Polymorphe.
Il fait des études d'architecture. Il s'installe définitivement en Belgique, en 1939. C'est pendant la guerre qu'il commence à peindre. Abordant d'abord ses compositions en termes figuratifs, il se laisse gagner par un expressionnisme, avant de prolonger ses recherches dans la voie abstraite.
Bibliogr. : In : *Diction. biogra. illustré des artistes en Belgique, depuis 1830*, Arto, Bruxelles, 1987.
Ventes Publiques : Hambourg, 11 juin 1982 : *Crime passionnel* 1921, pl. (26x29,5) : **DEM 1 200** – Cologne, 4 juin 1985 : *Maisons dans les arbres* 1917, aquar./pap. Japon (42,5x29) : **DEM 3 200** – Munich, 3 juin 1987 : *Der liebe Scheerenschleifer* vers 1920, h/t (38,5x52,5) : **DEM 15 000**.

FISCHER Otto
Né le 2 juillet 1870 à Leipzig (Saxe). XXe siècle. Allemand.
Peintre de portraits, graveur, lithographe.
Il fut élève de l'Académie des Beaux-Arts de Dresde et d'Oehme, de Preller et de H. Prell. Il vécut à Loschwitz, près de Dresde. Il figura, de 1894 à 1914, dans la plupart des expositions européennes. Il était membre de la Nouvelle Association des Artistes de Munich. En 1912, il publia *Das neue Bild*, qui provoqua le départ du groupe de Jawlensky et Marianne von Werefkin.
Musées : Berlin – Brême : *Tête de Vieillard* – Breslau, nom all. de Wroclaw – Budapest – Dresde – Leipzig – Vienne.

FISCHER Paul
Né le 22 juillet 1860 à Copenhague. Mort en 1934. XIXe-XXe siècles. Danois.
Peintre d'histoire, scènes de genre, portraits, sculpteur.
Il fut élève de l'Académie de Copenhague. Il exposa à Munich en 1891, puis occasionnellement à Paris.
Il peignit quelques toiles historiques, des portraits, et des sujets de genre, en particulier des scènes de rues et de marchés. Il réalisa aussi diverses terres cuites.

PAUL
FISCHER

Bibliogr. : Gérald Schurr, in : *Les Petits Maîtres de la peinture 1820-1920, valeur de demain*, Les Éditions de l'Amateur, t. IV, Paris, 1979.
Musées : Frederiksborg (Mus. Hillerd) : *Christian IX reçoit une députation à l'occasion de l'élection d'Haakon VII comme roi de Norvège*.
Ventes Publiques : Copenhague, 10 fév. 1966 : *Le marchand de fleurs* : **DKK 14 000** – Copenhague, 11 fév. 1969 : *La parade militaire* : **DKK 29 000** – Copenhague, 20 sep. 1972 : *Scène de marché* : **DKK 20 000** – Copenhague, 26 mars 1974 : *Le marché aux fleurs* : **DKK 38 000** – Copenhague, 5 mai 1976 : *L'incendie* 1900, h/t (90x120) : **DKK 20 000** – Copenhague, 16 mars 1977 : *Scène de marché*, h/t (50x57) : **DKK 27 000** – Copenhague, 29 août 1978 : *Scène de rue en hiver* 1904, h/t (52x34) : **DKK 23 000** – Copenhague, 18 août 1981 : *Scène de rue en hiver, Nyhavn* 1924, h/t (65x90) : **DKK 80 000** – Londres, 19 juin 1984 : *Une soirée au Théâtre Royal de Copenhague* 1887-1888, h/t (220x172) : **GBP 38 000** – Londres, 28 nov. 1984 : *Scène de rue, Copenhague*, aquar., cr. et encre de Chine reh. de gche (19x38) : **GBP 2 300** – Copenhague, 23 avr. 1987 : *Scène de rue* 1899, h/t (92,5x156,5) : **DKK 1 000 000** – Londres, 23 mars 1988 : *Le marché aux fleurs à Amagertow* 1916, h/t (73x55) : **GBP 39 600** ; *Cueillette de fleurs printanières* 1893, h/t (94x46,5) : **GBP 41 800** ; *Une place à Copenhague* 1923, h/t (31x38) : **GBP 9 350** ; *Université de Copenhague*, h/t (24,5x32) : **GBP 4 180** ; *La Garde Royale défilant dans Ostergade à Copenhague*, h/t (100x100) : **GBP 30 800** – Stockholm, 15 nov. 1988 : *Croisement de rue avec des passants et une automobile à Copenhague*, h/t (32x25) : **SEK 100 000** – Londres, 16 mars 1989 : *La relève de la garde au Palais d'Amalienborg* 1903, h/t (71x99) : **GBP 26 400** ; *Le marché aux fleurs de Hojbro Plads à Copenhague* 1902, h/t (67x91) : **GBP 132 000** – Copenhague, 5 avr. 1989 : *Sur le chemin de l'église*, h/t (12x25) : **DKK 6 000** – Stockholm, 19 avr. 1989 : *Scène de la vie quotidienne dans une rue de Naples*, h/t (57x51) : **SEK 90 000** – Göteborg, 18 mai 1989 : *Le littoral*, h/t (28x40) : **SEK 25 000** – Londres, 20 juin 1989 : *Le marché au poisson de Gammelstrand à Copenhague* 1919, h/t (89x120,5) : **GBP 49 500** – Copenhague, 25 oct. 1989 : *Le marché d'Hojbro Plads* 1916, h/t (48x69) : **DKK 260 000** – Londres, 22 nov. 1989 : *Le marché aux fleurs de Copenhague*, h/t (56x73) : **GBP 28 600** – Copenhague, 21 fév. 1990 : *Promenade au marché aux fleurs de Hojbro Plads*, h/t (39x32) : **DKK 150 000** – Londres, 27-28 mars 1990 : *Kongens Nytorv à Copenhague* 1908, h/t (73,5x99) : **GBP 132 000** – Londres, 29 mars 1990 : *La classe de danse du Théâtre Royal* 1889, h/t (52,6x102,9) : **GBP 132 000** – Londres, 6 juin 1990 : *Bain de soleil dans les dunes*, h/t (38x54) : **GBP 15 400** – Copenhague, 29 août 1990 : *Jeune fille lisant dans un salon* 1916, h/t (39x55) : **DKK 80 000** – Londres, 28 nov. 1990 : *Rue de Copenhague*, h/pan. (37x28) : **GBP 5 500** – Stockholm, 14 nov. 1990 : *Voitures à cheval dans une rue enneigée de Copenhague*, h/pan. (20x25) : **SEK 36 000** – Copenhague, 6 déc. 1990 : *Mère et sa fillette se promenant dans le parc Peblingesoen*, grisaille (19x25) : **DKK 19 000** – Copenhague, 1er mai 1991 : *Jeune femme debout*, h/t (41x27) : **DKK 7 000** – Londres, 17 mai 1991 : *Dans le tram*, h/pan. (38,8x32) : **GBP 8 800** – Londres, 19 juin 1991 : *La rue Osterbro en hiver* 1918, h/t (37x53,5) : **GBP 22 000** – Copenhague, 28 août 1991 : *Le rémouleur*, h/t (56x40) : **DKK 36 000** – Copenhague, 6 mai 1992 : *Élégante société se promenant sous les arbres des jardins de Tivoli* 1901, h/t (48x95) : **DKK 116 000** – Stockholm, 5 sep. 1992 : *Marché aux fleurs sur Höjbro Plads à Copenhague*, h/t (50x58) : **SEK 190 000** – Londres, 16 juin 1993 : *Trois baigneuses*, h/t (55,5x73,5) : **GBP 9 200** – Londres, 15 juin 1994 : *Kongens Nytorv à Copenhague sous la neige*, h/t (57x74,5) : **GBP 18 975** – Paris, 26 oct. 1994 : *Femme au parasol au bord de la mer*, h/t (55x45,5) : **FRF 15 000** – Copenhague, 16 nov. 1994 : *Vue de Stengade à Helsingor*, h/t (36x46) : **DKK 40 000** – Londres, 15 mars 1996 : *La famille de l'artiste sur la véranda du Sofievej 23 à Hellerup* 1914, h/t (47x40) : **GBP 20 700** – Londres, 12 juin 1996 : *Le Marché aux poissons, Copenhague*, h/t (73x56,5) : **GBP 5 175** – New York, 12 fév. 1997 : *Hvidsten* 1892, h/t (45,7x36,8) : **USD 37 375**.

FISCHER Paul ou **Fisher**
Né en 1864 à Stuttgart. Mort en 1931. XIXe-XXe siècles. Allemand.
Peintre de compositions animées, paysages, peintre à la gouache, aquarelliste.
Autodidacte, il pratiqua la peinture parallèlement à son métier de médecin exercé à partir de 1890 dans les mines de la région de Durango.
Il a peint inlassablement les paysages du Mexique.
Ventes Publiques : Paris, 1er fév. 1980 : *Jeune fille sur l'aquarium*, gche (30x44,5) : **GBP 400** – New York, 21 nov. 1989 : *Jardin mexicain*, aquar. et cr./pap./cart. (16,5x26,5) : **USD 2 860** – New York, 14-15 mai 1996 : *Paysage mexicain*, aquar./pap. fort (29,8x48,9) : **USD 9 200** – New York, 25-26 nov. 1996 : *L'Hacienda* vers 1865, aquar./pap. (13,7x24,8) : **USD 2 760**.

FISCHER Per
Né le 6 décembre 1877 à Lidköping. XXe siècle. Suédois.

Peintre de paysages, fleurs, intérieurs, dessinateur, graveur.
Il étudia à l'Institut Chalmar à Göteborg puis, en Norvège, chez Halfdan Strom et, enfin, à l'Académie de Munich. Il exposa ses œuvres à Stockholm et à Malmö.

FISCHER Peter. Voir **VISCHER**

FISCHER Philip August
Né le 1er avril 1817 à Rudkoping. XIXe siècle. Danois.
Peintre.
Il fut le père d'August.

FISCHER Poisson. Voir **FISCHER THEODOR**

FISCHER Romano ou **Vischer**
XVIIe siècle. Actif à Dormitz. Allemand.
Peintre.
Il peignit en 1604 un ciborium pour l'église de Dormitz.

FISCHER Stefan
Né en 1660. Mort le 26 décembre 1715 à Vienne. XVIIe-XVIIIe siècles. Autrichien.
Sculpteur.
Il travailla probablement au « Graben » à Vienne à la colonne de la Sainte Trinité.

FISCHER Susanna
Née en 1600. Morte en 1674. XVIIe siècle. Active à Augsbourg. Allemande.
Peintre.
Fille et élève de Johannes Fischer, elle épousa un marchand C. G. Mayr et eut pour fils Johann Ulrich Mayr.
Musées : Augsbourg (Mus. Maximilien) : *Portrait de Johann Ulrich Mayr, fils du peintre.*

FISCHER T.
XIXe siècle. Travaillant probablement à Leipzig. Allemand.
Pastelliste.
On mentionne de lui deux pastels dans une collection privée de Leipzig.

FISCHER T. Paul, ou **Paul Johann Georg**
Né le 16 septembre 1786 à Hanovre. Mort le 12 décembre 1875 à Londres. XIXe siècle. Allemand.
Peintre de miniatures, aquarelliste, dessinateur.
Il étudia dans sa ville natale avec Ramberg. En 1810, il vint à Londres où il exposa à l'Académie royale de 1811 à 1871. Il devint miniaturiste du roi George IV.
Musées : Londres (British Mus.) : *Jardin de la reine Charlotte – Le Messager – Les Sept Âges de la vie.*
Ventes Publiques : Londres, 30 nov. 1978 : *Uniformes militaires de l'époque napoléonienne* 1814-1816, 12 aquar. et pl. (20,5x29) : **GBP 4 000**.

FISCHER Theodor, pseudonyme : **Fischer Poisson**
Né le 13 juin 1817 à Schwerin. Mort le 30 mars 1873 à Schwerin. XIXe siècle. Allemand.
Peintre.
Fils de Louis Fischer, il fut élève de Schumacher, peintre de la cour, puis de Bendemann, à l'Académie de Dresde. On cite de lui *La belle Mélusine, Le Retour de sainte Geneviève*, les portraits de la famille du comte Maltzah. Le château grand-ducal de Schwerin lui doit de nombreux tableaux, parmi lesquels *Ruth et Booz*. On mentionne également de sa main un tableau représentant une *Paysanne et deux enfants* dans un paysage et le portrait de son professeur *Schumacher*, ainsi que de nombreux tableaux d'autel dans les églises du Mecklembourg.

FISCHER Thomas ou **Thoman** ou **Vischer**
XVIe-XVIIe siècles. Actif à Vienne. Autrichien.
Peintre.
Il est mentionné de 1595 à 1616 pour des peintures d'armoiries.

FISCHER Ulrich
Né en 1770 à Triengen. Mort en 1859 à Triengen. XVIIIe-XIXe siècles. Suisse.
Peintre de sujets religieux.
Se spécialisa dans la peinture de sujets religieux, fut élève de Xaver Hecht à Willisau, et peignit pour des églises de sa ville natale, de Eich et de Willisau. On cite parmi ses œuvres : *Dieu le Père* et *Le Sauveur sur la Croix*, autrefois à Triengen, et un *Christ au Tombeau* à l'église de Willisau.

FISCHER V. Hugo
Né le 1er juillet 1866 à Reinach (Argovie). XIXe siècle. Suisse.
Peintre, graveur et dessinateur.
Il étudia à Zurich, Genève et Munich. Il fit aussi un voyage en Italie et se spécialisa dans le dessin pour l'art industriel.

FISCHER Valentin
Né en 1722 à Nuremberg. Mort après 1797. XVIIIe siècle. Allemand.
Graveur.

FISCHER Vilhelm Theodor
Né le 4 novembre 1857 à Holbaeck. Mort en 1928. XIXe-XXe siècles. Actif à Copenhague. Danois.
Peintre d'animaux, paysages.
Il étudia à l'Académie de Copenhague. Il travailla à la Manufacture de porcelaine ; ses œuvres figurèrent à l'Exposition Universelle de Paris en 1900.
Il a privilégié la représentation d'oiseaux et de chevaux dans des paysages.
Ventes Publiques : Londres, 12 oct. 1984 : *Le Marché aux chevaux* 1886-1887, h/t (122x162,5) : **GBP 4 200** – New York, 4 juin 1987 : *Le marchand de chevaux* 1886-87, h/t (123,7x166,4) : **USD 40 000** – Londres, 16 mars 1989 : *Chevaux dans un pré* 1887, h/t (82x116) : **GBP 3 520** – Londres, 29 mars 1990 : *Basta* 1895, h/t (52,8x78,1) : **GBP 1 540** – Copenhague, 8 fév. 1995 : *Deux chevaux dans un pré* 1892, h/t (75x100) : **DKK 10 000**.

FISCHER Vincenz
Né en 1729 à Schmidham. Mort en 1810 à Vienne. XVIIIe-XIXe siècles. Autrichien.
Peintre d'histoire et architecte.
Il fut professeur d'architecture à l'Académie de Vienne. Les œuvres suivantes sont dignes d'être citées : *La Résurrection du fils de la veuve de Naïm* (1763), *La Résurrection de Lazare* (1763).
Musées : Graz : *Suzanne devant les juges – Moïse devant le trône de Pharaon* – Vienne : *Allégorie – Tableau d'architecture – Même sujet* – Vienne (Acad.) : *Moïse piétine la couronne de Pharaon.*

FISCHER von Ehrenbach Johann Friedrich
Né vers 1680 dans le duché de Saxe Eisenach. Mort vers 1759. XVIIIe siècle. Allemand.
Peintre.
Après un voyage prolongé à travers les différents pays d'Europe il s'établit à Vienne où il exécuta des portraits pour la cour impériale.

FISCHER-CORLIN. Voir **FISCHER Ernst Albert**

FISCHER-ELPONS Georg
Né le 7 septembre 1866 à Berlin. XIXe-XXe siècles. Actif au Brésil. Allemand.
Peintre de paysages.
Il étudia à l'Académie de Munich. Après avoir vécu vingt-trois ans dans cette ville, il se rendit à São Paulo, où il dirigea une école de peinture et dessin. Il exposa ses œuvres à Munich au Palais de Glace en 1904, 1907, 1908 et à Berlin en 1906, 1908 et 1911.
On connaît de lui un tableau *Homards et langoustes* qui appartient à une collection privée.

FISCHER GURIG. Voir **FISCHER Adolf**

FISCHER-HANSEN Else
Née en 1905. XXe siècle. Danoise.
Peintre de compositions à personnages, paysages.
Ventes Publiques : Copenhague, 3 mars 1981 : *Composition* 1973, h/t (68x54) : **DKK 1 000** – Copenhague, 25 fév. 1987 : *Composition* 1946, h/t (136x160) : **DKK 36 000** – Copenhague, 30 nov. 1988 : *Composition aux personnages* 1933, h/t (52x61) : **DKK 11 000** – Copenhague, 10 mai 1989 : *Composition* 1944, h/t (66x89) : **DKK 40 000** – Copenhague, 20 sep. 1989 : *Composition* 1983, h/t (150x100) : **DKK 17 000** – Copenhague, 21-22 mars 1990 : *Composition* 1953, h/t (116x78) : **DKK 16 000** – Copenhague, 30 mai 1990 : *Soleil couchant sur la mer* 1966, h/t (73x54) : **DKK 7 000** – Copenhague, 14-15 nov. 1990 : *Composition* 1970, h/t (68x54) : **DKK 6 500** – Copenhague, 30 mai 1991 : *Composition* 1965, h/t (53x41) : **DKK 5 500** – Copenhague, 4 déc. 1991 : *Composition* 1968, h/t (92x73) : **DKK 8 000** – Copenhague, 10 mars 1993 : *Composition* 1965, h/t (73x92) : **DKK 6 000** – Copenhague, 21 sep. 1994 : *Composition* 1971, h/t (54x69) : **DKK 4 400**.

FISCHER HINNEN. Voir **FISCHER Henri**

FISCHER KÖYSTRAND. Voir **FISCHER Karl**

FISCHERN Adolf von
Né le 21 novembre 1838 à Meiningen. Mort le 3 mars 1902 à Emershausen. XIXe siècle. Allemand.

Peintre et dessinateur.
Il figura en 1894 à une exposition à Meiningen avec un tableau à l'huile *(Vue de Salzungen)* et des dessins *(Vues de Gräfenthal, Vue du château de Römhild)*. Il fit paraître en 1891 *Planches de souvenirs à l'occasion de l'inauguration du Casino de Meiningen.*

FISCHES Isaac ou **Jesaias** ou **Isaias**, l'Ancien
Né en 1638 à Augsbourg. Mort en 1706. XVIIe siècle. Allemand.
Peintre de compositions religieuses, portraits, graveur.
Père d'Isaac Fisches le jeune, il fut maître à Augsbourg. Il est l'auteur de plusieurs tableaux religieux, conservés dans des églises d'Augsbourg, notamment : *Le Christ au Jardin des Oliviers – La Mort sur la Croix – La Résurrection.* Il peignit aussi des portraits, parmi lesquels ceux de personnalités de la ville, dont *L'Orfèvre Christoph von Rad.*
Bibliogr. : In : *Diction. de la peint. allemande et d'Europe centrale*, coll. Essentiels, Larousse, Paris, 1990.
Musées : Augsbourg (Staatsgal.) : *L'Orfèvre Christoph von Rad.*

FISCHES Isaac, le Jeune
Né en 1677 à Augsbourg. Mort en 1705 à Augsbourg. XVIIe siècle. Allemand.
Peintre d'histoire, compositions religieuses, sujets allégoriques, portraits.
Fils d'Isaac ou Jesaias Fisches. On connaît de lui un *Ecce Homo* dans l'église Sainte-Anne à Augsbourg, on mentionne parmi ses tableaux religieux, une *Naissance du Christ* – les *Martyres de saint Pierre, saint Paul et saint Sébastien.* Il peignit également des allégories, dont *Allégorie d'une mort édifiante* ; des sujets historiques, dont *Alexandre devant la dépouille de Darius* ; des portraits. Son tableau *Minerve protège les Arts* fut vendu aux enchères à Paris avec la collection d'Hautpoul en 1905. Ses œuvres ont très souvent été gravées par J. A. Corvinus, A. Geyer, J. W. et L. Heckenauer, J. D. Hertz, P. A. Kilian, B. Kilian, G. C. Kilian, A. M. et J. G. Wolfgang.
Bibliogr. : In : *Diction. de la peint. allemande et d'Europe centrale*, coll. Essentiels, Larousse, Paris, 1990.
Musées : Augsbourg (Staatsgal.) : *Allégorie d'une mort édifiante* 1688 – Ludwigsburg (Städtisches Mus.) : *Alexandre et l'épouse de Darius* vers 1685 – Nuremberg : *Alexandre devant la dépouille de Darius* vers 1685.
Ventes Publiques : Amsterdam, 2 déc. 1987 : *Suzanne et les vieillards*, h/t (145x123) : **NLG 7 000** – New York, 6 oct. 1995 : *Minerve protectrice des Arts*, h/t (73x52,7) : **USD 3 450.**

FISCHES
Né en 1638. Mort en 1706. XVIIe siècle. Actif à Augsbourg. Allemand.
Peintre et graveur.

FISCHETTI Fedele ou **Fidele**
Né en 1734 à Naples. Mort en 1789 ou 1809. XVIIIe siècle. Italien.
Peintre de scènes mythologiques, compositions religieuses, sujets allégoriques, dessinateur.
Il travailla à Naples pour la Cour, pour des églises et pour des personnalités distinguées. On trouve ses principales œuvres dans l'église du Saint-Esprit, une *Vierge avec l'Enfant Jésus, sainte Anne et saint Jérôme, La Conversion de saint Paul, Une Vierge avec saint Antoine de Padoue et un évêque.* À S. Eligio Maggiore une *Naissance du Christ* avec un grand nombre de personnages et dans une chapelle de San Domenico Maggiore une *Vierge du Rosaire* et des fresques ; à Santa Caterina da Siena et à l'Annunziata à Capoue des tableaux d'autel et des fresques. On cite de lui également des tableaux allégoriques et mythologiques, parmi lesquels l'*Histoire de Télémaque* et *Les Quatre Saisons*, tableaux sur toile dans la Casa Mariano Carelli. À la Manufacture des Gobelins il était collaborateur de Bonito.
Musées : Naples (Filangieri) : *Rêve d'un jeune prince.*
Ventes Publiques : Paris, 24 juin 1929 : *Plafond rectangulaire à trois compartiments*, pl. : **FRF 380** ; *Le Temps*, pl. : **FRF 220** ; *Sujet mythologique*, pl. : **FRF 110** ; *Le Génie industrieux*, pl. : **FRF 100** ; *Cérès, Pomone et Vertumne*, pl. : **FRF 115** – Bari, 5 avr. 1981 : *La Sainte Famille*, h/t (124x71) : **ITL 7 500 000** – Rome, 28 mai 1985 : *Allégorie de l'Été*, h/t (57x102) : **USD 7 000** – Londres, 1er juil. 1986 : *Bacchus et une nymphe assis sur un nuage, entourés de Putti*, craies rouge et noire, pl. et lav. (58,9x44,1) : **GBP 3 000** – Londres, 8 déc. 1987 : *Diane et Endymion*, craie noire, pl. et lav. (44,4x31) : **GBP 1 400** – Rome, 11 mai 1993 : *Diane et Endymion*, h/t, de forme ovale (100x75) : **ITL 28 000 000** – Rome, 23 mai 1996 : *Allégorie du Courage*, h/t (130x133) : **ITL 57 500 000** – Londres, 31 oct. 1997 : *Cupidon avec des nymphes à demi allongées, un paysage en arrière plan*, h/t (50,2x76,5) : **GBP 13 800.**

FISCHETTI Odoardo
XIXe siècle. Actif à Naples. Italien.
Peintre d'histoire.
Il travailla à Rome et ses environs (Cardito, S. Leucio et Fiatamone). On connaît parmi ses œuvres une *Fable de Psyché*, peinte à l'huile et des projets pour les Gobelins dans la chapelle Palatine.
Musées : Naples (S. Martino) : *Prise de Capri par Murat – Même sujet.*

FISCHHOF Georg
Né le 11 mai 1859 ou 1849 à Vienne. Mort après 1920. XIXe-XXe siècles. Autrichien.
Peintre de portraits, de figures et de paysages.
Il étudia d'abord à l'École des Arts et Métiers de Vienne, puis à Munich. De retour à Vienne il s'adonna surtout à la copie de Gobelins anciens. Parmi ses portraits on cite celui de l'*Archiduc Rainer*, du *Duc et de la duchesse de Saxe-Cobourg-Gotha* et de la *Princesse Dora de Slesvig-Holstein.* Le Wiener Club lui doit une série de panneaux décoratifs.
Ventes Publiques : Vienne, 18 mai 1976 : *Le Petit Port de pêche* 1903, h/t (74x101) : **ATS 15 000** – Vienne, 15 avr. 1980 : *Le Retour des pêcheurs* 1909, h/t (74x99,5) : **ATS 18 000** – Vienne, 14 mars 1984 : *Les Lavandières* 1904, h/t (43x53) : **ATS 30 000** – Londres, 18 juin 1993 : *Sur la lagune à Venise*, h/t (47x69) : **GBP 2 530** – Amsterdam, 19 avr. 1994 : *Ramasseurs de fagots en forêt* 1892, h/pan. (63x45) : **NLG 2 185.**

FISCHL Eric
Né en 1948 à New York (État de New York). XXe siècle. Américain.
Peintre de compositions à personnages, graveur. Nouvelles figurations, tendance naturaliste.
Il fut élève au California Institute of Arts de Valencia, où il fit la connaissance de David Salle et Matt Mullican, artistes de sa génération, aujourd'hui reconnus. Il vit à New York.
Eric Fischl participe à la Biennale de Venise en 1984, à celle de Paris en 1985, à celle de Sydney en 1986, et à la Documenta 8 de Kassel en 1987. Il réalise ses premières expositions personnelles au Canada, dès 1979. Il expose très souvent à New York et Toronto. En 1985, une importante exposition itinérante fut organisée en Europe à partir du Musée Van Abbe de Eindhoven, puis alla aux États-Unis au Musée d'Art Contemporain de Chicago et au Whitney Museum de New York. En 1990, eut lieu une seconde rétrospective de son œuvre en Europe, à Lausanne (Musée Cantonal) et à Vienne. La galerie Daniel Templon, à Paris, présente régulièrement ses œuvres récentes.
Tenté à ses débuts par l'abstraction, il s'en détourne, et aborde de front la figuration picturale, propre à exprimer de manière plus illustrée les sentiments et le désir. C'est de 1979 que date son premier tableau *Sleep-Walker* (un jeune adolescent se masturbant dans une petite piscine de jardin), d'un esprit qualifié de Figuration Narrative en France, et qui fut renouvelé, aux États-Unis, par l'ascendance historique de l'œuvre d'Edward Hopper. Fischl s'appliqua, dès lors, à monter, raconter et illustrer des « scénarios », dans lesquels ses personnages participent involontairement à une mise en cause existentielle de leur être. Une crise induite par la prise de conscience d'une organisation sociale qui, voulant s'imprégner d'un style de vie aussi fantasmatique que l'« American Way of Life », cherche avant tout à faire taire ses contradictions, à exacerber des symboles qui, pour la plupart, ne correspondent plus ou pas à une réalité vécue. Et, dans cette relation à la vie trop décalée, comme le souligne Fischl : « chaque nouvel événement est une crise, et chaque crise une confrontation qui nous remplit d'une anxiété très semblable à celle que nous ressentons lorsqu'en rêve nous nous découvrons nus ». Ses thèmes favoris : l'adolescence et les problèmes familiaux, les relations croisées du père et de la fille, de la mère et du fils, à l'âge où les désirs et tourments liés à la sexualité adolescente sont à consommer mais aussi à désactiver de l'angoisse œdipienne et de ses dérivés. De même, il traitera du tabou sexuel des relations entre noirs et blancs. Son environnement privilégié : l'Amérique « middle-class » des banlieues résidentielles, des piscines et... des salles de bain ouatées. Baignées de tons chauds, parfois « drus », d'une facture – touche et dessin – maladroite, artificieuse, ces tranches de vie s'égrènent dans une atmosphère dépouillée de nécessité existentielle. La lenteur ambiante précise

et articule subtilement le tout dans un jeu d'interprétations sur les attitudes et le positionnement corporel de ces personnages. Le corps, la nudité physique, et l'érotisme larvé venant combler l'espace de la représentation, réceptacle d'une vacuité morale et intellectuelle. La femme, la mère, la fille, les adolescents sont très souvent objets de désirs. Le tableau *Bad Boy* (1981) est peut-être l'œuvre la plus connue de Fischl. Une scène ambiguë dans laquelle un adolescent (le fils, le jeune amant, un voleur ?) regarde (sciemment ?) la nudité soutenue d'une femme (la mère, la sœur, la voisine, une prostituée ?), qui, sur un lit, s'offre, mais à qui, au juste ? L'homme, le représentant de la virilité, le « Good Father », ce bon père de famille est absent de la scène, et des autres d'ailleurs. Il quitte, solitaire, les épisodes pour aller travailler, et alimenter le mythe américain au-dessus duquel bourdonne ce matériel refoulé créant l'indéfinissable mal d'être. Commentant cette période du peintre, Robert Storr, d'ajouter plus crûment : « ... les personnages de Fischl veulent baiser et être baisés par tout ce qui bouge. Mais dans cet univers coincé, le coïtus était en général interruptus et l'obsédante *tristesse* précédait l'acte tout autant qu'elle le suivait ». La psychanalyse, Fischl dit s'en amuser, mais sait pertinemment que les idées qu'elle met à jour sont réelles, parallèlement à celles que ce double juvénile et fictif, cet ombre de lui-même, met en scène sans complaisance. Parmi les autres peintures de Fischl, citons : *The old Man's boat and the old Man's Dog*, 1982 ; *Vanity*, 1984 ; *Birth of Love*, seconde version, 1987 ; *Portrait d'artiste en femme*, 1988 ; *Girl with Doll*, 1987 ; il exécute aussi de nombreuses gravures de nus. Au milieu des années quatre-vingt, le peintre va renoncer, suite, peut-être, à la prise de conscience déclarée puis métabolisée des conflits de son moi, à cette peinture en eau trouble. Pourtant, c'est vers la représentation de ses thèmes initiaux et donc revus qu'il s'orientera à nouveau. Avec aussi comme sources de ses compositions à personnages, les portraits de célébrités, Joan Crawford, Ernest Hemingway, Truman Capote, également des photographies prises par lui, telle la série de peintures sur l'Inde (*Kowdoolie*, 1990) qui opèrent comme un questionnement à l'homme blanc, le touriste, l'« exotique » parmi les « indigènes ». ■ Christophe Dorny

Bibliogr. : Eric Fischl, in : *Tendances à New York*, Musée du Luxembourg, Paris, 1984 – Gérard Marzorati : *« I will think bad thoughts »*, interview avec Éric Fischl, *Parkett*, n° 5, Zurich, 1985 – D. Kuspit : *Eric Fischl : an Interview*, New York, 1987 – Peter Schjeldahl *Eric Fischl*, New York, 1988 – Bernard Marcadé : *Entre symptôme et stéréotype : Éric Fischl ou le réalisme œdipien petit-bourgeois*, in : *Artstudio*, n° 11, Paris, Hiver 1988 – D. Whitney : *Eric Fischl*, New York, 1988 – Robert Storr : *Illusions perdues*, *Art Press*, n° 155, fév. 1991.

Musées : Humleback (Louisiana Mus. of Mod. Art) : *Birth of love*, seconde version.

Ventes Publiques : New York, 11 nov. 1986 : *Study for father and son sleeping* 1980, fus. et past./parchemin (96,5x91,5) : **USD 8 250** – New York, 5 mai 1987 : *Mère et enfant* 1982, lav. d'h/pap. (50,8x130,8) : **USD 36 000** ; *Sans titre* 1978, gche et encre brune/parchemin (42,7x80) : **USD 8 500** – New York, 5 nov. 1987 : *Study for tigers of autumn* 1981, lav. d'h/pap. (61x145,4) : **USD 29 000** – New York, 3 avr. 1988 : *Sans titre* 1985, h/pap. (40,8x30,7) : **USD 24 200** – New York, 10 Nov. 1988 : *Chacun pour soi* 1980, h/pap. (61,5x145,8) : **USD 49 500** – New York, 3 mai 1989 : *Sans titre*, h/pap. (89x117) : **USD 77 000** – New York, 7 mai 1990 : *Le champion* 1981, h/t (141,6x226) : **USD 715 000** – New York, 8 mai 1990 : *Une parfaite belle journée* 1988, h/tissu (152,5x203,3) : **USD 440 000** – New York, 30 avr. 1991 : *Sans titre* 1989, h/t. en deux pan. (en tout 241,3x287) : **USD 187 000** – New York, 13 nov. 1991 : *Le gosse II* 1984, h/t (213,3x274,3) : **USD 242 000** – New York, 27 fév. 1992 : *Sans titre* 1986, fus./pap. (61x45,8) : **USD 8 250** – New York, 5 mai 1992 : *Marché au bétail*, h/t (248,9x290,2) : **USD 286 000** – New York, 7 mai 1992 : *Premier séjour au Japon* 1988, h/tissu (147,3x137,2) : **USD 77 000** – New York, 18 nov. 1992 : *Le Début et la Fin* 1988, h/t (190,5x280) : **USD 154 000** – Londres, 3 déc. 1992 : *Sans titre* 1985, h/pap. (55x88) : **GBP 14 300** – New York, 10 nov. 1993 : *Sans titre* 1990, h/t (45,7x35,6) : **USD 32 200** – New York, 3 mai 1994 : *Loin de Rockaway* 1986, h/t, deux panneaux (279,4x342,9) : **USD 167 500** – New York, 22 fév. 1996 : *Sans titre* 1985, h/pap. (89x117) : **USD 32 200** – New York, 9 nov. 1996 : *Plage* 1989, aquat. coul. (90x137,5) : **GBP 2 587** – New York, 19 nov. 1996 : *Sans titre* 1986, h/pap. chromé (32,4x27,3) : **USD 5 175** – New York, 20 nov. 1996 : *Le Premier Sexe* 1981, h/t (182,8x243,8) : **USD 167 500** – New York, 20 nov. 1996 : *Sans titre* 1983, fus. et gche/pap. (154,9x193) : **USD 46 000** – New York, 7 mai 1997 : *Sans titre* 1983, h./glassine (121,3x146,1) : **USD 28 750** ; *Sur les Marches du Temple* 1989, h/t (292,2x355,6) : **USD 178 500**.

FISCHLI Hans

Né en 1909 à Zurich. xxe siècle. Suisse.

Sculpteur, peintre, architecte. Abstrait.

Il a appris le dessin d'architecture, de 1925 à 1928. C'est à l'occasion d'un voyage à Stuttgart qu'il visite la cité de Weissenhof, la première manifestation de la modernité en architecture. Il fut en 1929 et 1930 étudiant au Bauhaus, en architecture et décoration, suivant aussi les cours de peinture de Kandinsky et Klee, et ceux de Oskar Schlemmer dans la section de peinture murale. Au Bauhaus, il rencontre Max Bill. De retour, en 1929, à Zurich, il travailla comme dessinateur et, en 1933, ouvre son propre bureau d'architecture à Zurich. Depuis 1933, il réside aussi à Meilen. En 1937, il construit un atelier pour Oskar Schlemmer à Sehringen, près de Badenweiler. En 1952, il voyage à Rome, Pompéi et Florence. À partir de 1954, il devient directeur de l'École des Arts Décoratifs de la ville de Zurich dont il démissionne en 1961, partageant depuis son temps, entre la peinture, la sculpture et l'architecture.

Il participe à des expositions collectives, dont : 1950, Salon des Réalités Nouvelles, Paris ; 1978, *Abstraction Création 1931-1936*, Musée d'Art Moderne de la Ville de Paris.

Sa peinture abstraite, tracée en pleine pâte, ressortit plus particulièrement à l'abstraction lyrique. C'est toutefois à la sculpture qu'il consacre l'essentiel de son activité. Par le style, ses œuvres ont la rigueur construite de l'école concrète zurichoise, tempérée par une main sensible, qui taille et polit les pierres avec une patience toute brancusienne. ■ J. B., C. D.

Bibliogr. : *Hans Fischli als Maler und Zeichner*, catalogue d'exposition, Städt Galerie Schwarzes Kloster, Freiburg, 1972.

FISCHLI et WEISS Peter et **David**

Fischli né en 1952 à Zurich et Weiss en 1946 à Zurich. xxe siècle. Suisses.

Sculpteurs, créateurs d'installations, multimédia. Tendance dadaïste.

Peter Fischli fut élève de l'Académie des Beaux-Arts d'Urbino (1975-1976), puis de celle de Bologne (1976-1977). David Weiss étudia à la Kunstgewerbeschule (1964-1965), puis partit à Bâle. En 1985, ils participent à la Biennale de Paris, à la Documenta 8 de Kassel de 1987, en 1989 à la 20e Biennale de São Paulo, en 1995 à la Biennale de Venise (Pavillon suisse), en 1997 à *Skulptur. Projekte in Münster 1997*. Ils font une première exposition personnelle à Zurich en 1981. Le Musée de Grenoble leur a consacré une exposition en 1988, les Galeries contemporaines du Musée National d'Art Moderne de Paris en 1992-1993, la Kunsthaus de Zurich en 1996. Ils travaillent ensemble depuis 1979, réalisant des séries de photographies, des sculptures et trois films. Leur première œuvre commune *Série de saucisses*, constituée de photographies, met en scène un accident de la route avec des rondelles de saucisson, des mégots de cigarette (les secouristes), un rouleau de papier toilette (l'autoroute), du gruyère (les chalets). Ce travail annonce l'importance que prendront les objets triviaux dans les œuvres à venir. Ce goût de la collection les amène à réunir sur de vastes surfaces divers éléments du quotidien. Ceux-ci ont pour fonction d'accaparer l'espace à la place des traditionnelles sculptures qui ont leur place dans les musées. Eux-mêmes réalisent des sculptures en gomme synthétique. En 1980, ils présentent une œuvre *Soudain, cette vue d'ensemble*, composée de 250 objets de terre cuite. L'œuvre *La table* de 8 m x 2,5 m de 1992 se joue à nouveau du réel réunissant plus de cent cinquante objets en polyuréthanne, parfaitement imités de loin mais de près la contrefaçon saute aux yeux. Lessive, boîte de Canigou, transistor, éponge, clef anglaise, bidon, gant se côtoient avec humour et dérision. Ayant perdus leurs fonctions, ils sont là pour être vus, tout simplement.

Bibliogr. : In : *Dictionnaire de peinture et de sculpture – l'Art du xxe s.*, Larousse, Paris, 1991 – Jérôme Sans : Interview de *Peter Fischli, David Weiss*, Beaux-Arts, Paris, janv. 1993 – *Fischli et Weiss*, catalogue de l'exposition, Musée National d'Art Moderne, Paris, 1993.

Musées : Dôle (FRAC de Franche-Comté) : *Curiosité* 1984.

Ventes Publiques : New York, 7 mai 1993 : *Bungalow*, caoutchouc noir (14,5x71,1x50,2) : **USD 4 830** – New York, 3 mai 1994 : *Pouf cubique* 1987, caoutchouc noir (38,2x54,2x54,2) : **USD 8 050**.

FISCHMANN Charles

Né le 17 octobre 1928 à Paris. xxe siècle. Français.

Peintre.

Il a étudié, à Paris, l'École des Arts Décoratifs dans l'atelier de Desnoyer. Il expose depuis 1918, à Paris, au Salon d'Automne et au Salon des Artistes Indépendants.

FISCHWEILER Gustave

Né en 1911 à Saint-Servais-sur-Namur. Mort le 1er mai 1990 à Ohain. xxe siècle. Belge.

Peintre, sculpteur, graveur en médailles.

Très bon technicien.

Bibliogr. : In : *Diction. biographique illustré des artistes en Belgique depuis 1830*, Arto, Bruxelles, 1987.

FISÉ Michael Johann. Voir **FISSÉ**

FISELIER Jean ou **Lefiselier**

xve siècle. Actif à Rouen. Français.

Sculpteur sur bois.

Il prit part, en 1467, avec d'autres artistes placés sous la direction de Philippot Viart, à la sculpture des stalles du chœur de la cathédrale de Rouen. Il s'était occupé, en 1459, d'une chaire archiépiscopale, mais le chapitre refusa celle qu'il proposa, ne la trouvant pas assez riche. Laurent Adam en fit une autre, qui fut adoptée et que la Révolution détruisit.

FISEN Englebert ou **Engelbert**

Né en 1655 à Liège. Mort en 1733 à Liège. xviie-xviiie siècles. Éc. flamande.

Peintre de compositions religieuses, portraits.

Il fut élève de Berthol et Flemalle. Il travailla également en Italie avec Carlo Maratta. Revenu à Liège, il peignit des tableaux religieux pour diverses églises de cette ville.

E.FISEN FECIT A° 1718

Musées : Liège : *Portrait de l'artiste et de sa famille*.

Ventes Publiques : Amsterdam, 20 juin 1989 : *Le Christ guérissant les lèpreux*, h/t (88,6x118,1) : **NLG 10 925** – Amsterdam, 12 mai 1992 : *Le Christ donnat les clés du paradis à saint Pierre*, h/t (81x112) : **NLG 5 750**.

FISH Janet

Née en 1938. xxe siècle. Américaine.

Peintre de natures mortes, aquarelliste, pastelliste.

Elle a surtout adopté le thème réputé difficile des natures mortes de verres et verreries.

Ventes Publiques : New York, 9 nov. 1982 : *Campari bottles* 1973, h/t (122x107) : **USD 7 500** – New York, 1er nov. 1984 : *Three glasses Skowhegan window* 1974, past./pap. (72,5x72,5) : **USD 8 500** – Barcelone, 1er oct. 1985 : *Tanqueray bottles* 1973, h/t (101,5x101,5) : **USD 26 000** – New York, 11 nov. 1986 : *Six glasses of water* 1974, past./pap. (56x94,3) : **USD 13 000** – New York, 5 mai 1987 : *Pansies and tea* 1982, h/t (96,5x162,5) : **USD 40 000** – New York, 8 oct. 1988 : *Six verres d'eau* 1974, past./pap. (56x94,3) : **USD 19 800** – New York, 3 avr. 1988 : *Sept verres peints*, past. (73,7x61,7) : **USD 11 500** – New York, 5 oct. 1989 : *Sept verres peints à Skowhegen* 1974, past./pap. teinté (73,7x61,7) : **USD 19 800** – New York, 8 nov. 1989 : *Œillets et poivrons rouges* 1979, h/t (127,1x137,1) : **USD 44 000** – New York, 4 oct. 1990 : *Le pichet rose* 1987, aquar./pap. (99x73,6) : **USD 8 800** – New York, 14 fév. 1991 : *Le verre rouge* 1977, craies de coul./pap. (77x60,5) : **USD 8 800** – New York, 15 fév. 1991 : *Les verres peints* 1974, past./pap. (56x94) : **USD 13 200** – New York, 7 mai 1992 : *Verres* 1976, h/t (162,6x101,6) : **USD 44 000** – New York, 3 mai 1995 : *Quatre bocaux assortis* 1972, acryl./t. (127x142,2) : **USD 32 200** – New York, 9 mai 1996 : *Les Photos de Nan* 1984, h/t (91,4x147,3) : **USD 28 750** – New York, 10 oct. 1996 : *Pommes* 1972, past./pap. (45,7x60,3) : **USD 6 325** – New York, 21 nov. 1996 : *Ville anglaise* 1976, h/t (132,2x96,5) : **USD 17 250** – New York, 20 nov. 1996 : *Cruche violette, gateaux et pivoines* 1982, h/t (107,3x233,7) : **USD 32 200** – New York, 7 mai 1997 : *Bouteilles de Windex* 1971-1972, h/t (127x75,6) : **USD 23 000** – New York, 8 mai 1997 : *Sept pots de miel* 1970, h/t (50,2x212,8) : **USD 36 800**.

FISHER

xviiie siècle. Actif à Rome. Italien.

Portraitiste.

FISHER A. Hugh

Né en 1867 à Londres. xixe siècle. Britannique.

Peintre et aquafortiste.

Il fut tout d'abord commerçant, puis élève de la Lambeth School à Londres, et enfin de Benjamin Constant et Laurens à Paris. Il peignit des paysages : *La Tamise*, *Vues de Londres et de Paris* à l'huile, et à l'aquarelle : *Neige à Paris*. Parmi ses eaux-fortes, on cite : *Le Moulin sur la Mersey*, *Stone Henge*, *Le pont anglais*, *Canton*, *Grays Inn*, *Saint-Étienne du Mont*, *Rue Grenier sur l'eau*. Il exposa à la Royal Academy, à la Suffolk Street Gallery, à la New Water-Colours Society à Londres, et à Paris au Salon de la Société des Artistes Français.

FISHER Alanson

Né en 1807. Mort en 1884. xixe siècle. Actif à New York. Américain.

Peintre de portraits.

Il était depuis 1845 « Associate » de l'Académie Nationale de dessin.

FISHER Alexander

Né en 1864. Mort en 1936. xixe-xxe siècles. Britannique.

Peintre, sculpteur, orfèvre.

Peintre de fleurs et de sujets mythologiques, il a exposé en 1886 à différentes expositions de Londres. Il s'est intéressé également à l'orfèvrerie et aux émaux, et a fondé son propre atelier à Londres. Il a enseigné la technique de l'émail à la Central School of Arts and Crafts de Londres, à partir de 1896. Le Musée Victoria and Albert, à Londres, conserve de lui : *Roses*.

FISHER Alvan

Né le 9 août 1792 à Needham. Mort en 1863 à Dedham (Massachusetts). xixe siècle. Américain.

Peintre de portraits, paysages animés, paysages. Romantique.

En 1825, il visita l'Europe et étudia pendant quelque temps à Paris. Ses tableaux sont ressemblants et ont quelque mérite, particulièrement celui de Spurzheim.

Ventes Publiques : New York, 17 juin 1964 : *La Halte des voyageurs* : **USD 1 350** – New York, 20 mars 1969 : *Voyageurs dans un paysage* : **USD 2 250** – New York, 20 sep. 1972 : *Deux chiens de chasse* : **USD 3 600** – Hyannis (Massachusetts), 7 août 1973 : *Vaches se désaltérant* : **USD 2 000** – Hyannis (Massachusetts), 29 avr. 1976 : *Chasseur et son chien dans un sous-bois*, h/t (76,2x63,5) : **USD 1 500** – Hyannis (Massachusetts), 24 sep. 1981 : *Les Chutes du Niagara*, aquar. (23,3x36,3) : **USD 4 400** – Hyannis (Massachusetts), 21 oct. 1983 : *Enfants et chien dans un paysage*, h/t (55,9x68,6) : **USD 1 200** – Hyannis (Massachusetts), 20 mars 1987 : *Chieftain's Son* 1834, h/t (76,2x64) : **USD 4 000** – Hyannis (Massachusetts), 6 déc. 1991 : *Après la chasse* 1840, h/t/alu. (76,5x64) : **USD 17 600** – Hyannis (Massachusetts), 4 déc. 1996 : *Au bord de l'eau* 1835, h/t (61,5x89,5) : **USD 11 500** – New York, 26 sep. 1996 : *Vues des chutes du Niagara* 1822, h/t (83,8x119,4) : **USD 35 650** – New York, 23 avr. 1997 : *Découverte* 1846, h/t (55,9x68,6) : **USD 5 750**.

FISHER Amy E., Miss

xixe siècle. Britannique.

Peintre de genre.

Elle a exposé à la Royal Academy, à Suffolk Street et au Royal Institute de 1866 à 1890. Le Victoria and Albert Museum conserve d'elle : *Le Doyenné, Westminster*, aquarelle.

FISHER Andrea

xxe siècle. Active en Angleterre. Américaine.

Artiste d'installations.

Elle a participé en 1992 à l'exposition *I, Myself and others* au Magasin, Centre national d'Art contemporain de Grenoble.
Elle compose un décor, révélant sa conception du monde.

FISHER Anna S.

xxe siècle. Américaine.

Peintre.

Membre de l'American Water-Colours Society, du New York Water-Colours Club, de la National Association of Women Painters and Sculptors, du National Art Club. Elle obtient le prix National Arts Club de la National Association of Women Painters en 1919, le prix Harriet B. Jones du Bolto-Colours en 1922, le prix Swift en 1930. Œuvres à la N. A. D.

Musées : New York (Nat. Arts Club).

Ventes Publiques : New York, 3 oct. 1984 : *Une matinée d'été*, aquar. (43x52) : **USD 900**.

FISHER Brian

Né à Uxbridge. xxe siècle. Actif au Canada. Britannique.

Peintre, sculpteur. Abstrait, tendance cinétique.
Après des études à l'École d'Art de Regina en 1957, il va aux États-Unis, où il travaille sous la direction de Roy Kiyooka en 1959. Sorti diplômé de l'École d'Art de Vancouver en 1961, il part pour Rome où il poursuit son enseignement à l'École des Beaux-Arts de 1962 à 1964.
Il partage avec Bloore la même approche de l'art abstrait, peignant avec soin des séries de lignes droites qui, lorsqu'elles se croisent, donnent des effets de vibrations optiques. Il utilise volontiers divers matériaux, dont le verre, le métal, les fils, dans la lignée des artistes cinétiques.

FISHER Daniel
XIXe siècle. Actif à Londres. Britannique.
Peintre de paysages.
Exposa à Londres, à la Royal Academy et surtout à Suffolk Street, à partir de 1875.
Ventes Publiques : Londres, 4 avr. 1910 : *Le Ruisseau du moulin* : **GBP 1**.

FISHER E. J.
XIXe siècle. Britannique.
Peintre de portraits.
Il figura aux expositions de la Royal Academy et de la British Institution à Londres de 1836 à 1853.
On connaît de sa main un *Portrait du Lord Maire, J. Kinnersly Hooper*. W. T. Davey grava d'après lui le *Portrait d'un ecclésiastique*.
Ventes Publiques : Londres, 6 nov. 1995 : *Portraits de Mary et Emma Warrington vêtues de robes blanche et bleue*, h/t, une paire (chaque 76x64) : **GBP 8 625**.

FISHER Edward
Né en 1722 à Dublin. Mort vers 1785 à Londres. XVIIIe siècle. Irlandais.
Graveur à la manière noire.
Se fixa à Londres où il grava un grand nombre de portraits d'après sir Joshua Reynolds. Citons parmi ceux-ci : *Garrick entre la comédie et la tragédie* (1769), *Sir Thomas Harrison, Le marquis de Rockingham, Lady Elisabeth Lee, Lawrence Sterne, John Armstrong*, etc., *Mark Akenside*, d'après Pond, *George III*, d'après Benjamin West.

FISHER Flavius J.
Né en 1832 à Wytheville (Vancouver). Mort le 9 mai 1905 à Washington. XIXe siècle. Américain.
Peintre de portraits et de paysages.
Il fit ses études à Philadelphie, puis alla travailler en Europe. Il fut le premier Américain admis à l'Institut artistique de Berlin. Il s'établit à Washington et y peignit un grand nombre de personnalités marquantes des États-Unis. On lui doit aussi des paysages.

FISHER George Bulteel, major
XVIIIe-XIXe siècles. Britannique.
Peintre de paysages, aquarelliste, graveur.
Il exposa des paysages à la Royal Academy de Londres de 1780 à 1808.
Ventes Publiques : Londres, 13 mars 1980 : *Vue de Lisbonne*, aquar. (48x90) : **GBP 950** – Londres, 1er juin 1983 : *Les Chutes du Niagara*, aquar./trait de cr. (21,5x31) : **GBP 1 350** – Montréal, 19 nov. 1991 : *Les Chutes de Chaudière*, grav. (41,8x61) : **CAD 950** – Londres, 2 juin 1995 : *Les Galtee Mountains vues de loin dans le Comté de Tipperary*, aquar./cr. (46,5x62) : **GBP 575**.

FISHER Harrison
Né le 22 juillet 1877 à Brooklyn (New York). Mort le 19 janvier 1934. XXe siècle. Américain.
Peintre, dessinateur, illustrateur.
Fils de peintre, il passa son enfance sur la côte Est, à New York. Il apprit tôt son futur métier, faisant ses études au Mark Hopkins Institute of Art de San Francisco et, dès l'âge de seize ans, dessinant pour certains journaux de cette ville. Il revint à New York pour y exercer sa carrière, entra au *Puck* comme collaborateur. Il fut membre de la Society of Illustrators à partir de 1911.
C'est en dessinant les femmes de tous les jours, mais en particulier celles qualifiées de « modernes », vivant une vie d'action, par exemple : *Red Cross Nurse*, qu'il connut une réelle célébrité. Ses *Fisher Girls* ornèrent pendant un certain temps exclusivement la revue *Cosmopolitan*. Il collabora aussi à d'autres revues : *Examiner* ; *Ladies'Home Journal* ; *Life* ; *McClure's* ; *San Francisco call* ; *Saturday Evening Post* ; *Scribner's*. Il illustra certains livres : *The Market Place*, 1899, de Frederics H. ; *Hiawatha*, 1906, de Longfellow.
Bibliogr. : In : *Dictionnaire des illustrateurs, 1800 – 1914*, Ides et Calendes, Neuchâtel, 1989.
Ventes Publiques : New York, 26 juin 1981 : *Charming company* 1894, pl./pap. (69,1x50,4) : **GBP 850** – New York, 2 oct. 1985 : *Les amoureux timides* 1900, gche et pl. (81,3x56) : **USD 4 000**.

FISHER Horace
Mort en 1893. XIXe siècle. Britannique.
Peintre de genre, paysages.
Il exposa à Londres, particulièrement à la Royal Academy et à Suffolk Street, à partir de 1882.
Ventes Publiques : Londres, 17 nov. 1933 : *La Terrasse* : **GBP 5** – Londres, 27 juil. 1984 : *La Fileuse*, h/t (104,7x69,2) : **GBP 3 750** – New York, 24 mai 1989 : *Jeunes paysannes ramassant des fleurs sauvages*, h/t (127,1x89,1) : **USD 6 600** – New York, 19 juil. 1990 : *Sur le pont du moulin*, h/t (111,8x86,5) : **USD 4 400** – Londres, 3 juin 1992 : *Une terrasse à Capri*, h/t (71,5x102) : **GBP 3 520**.

FISHER Hugo Melville
Né le 20 octobre 1876 à Brooklyn (New York). Mort en 1916. XIXe-XXe siècles. Américain.
Peintre de paysages, aquarelliste.
Il fut élève de Whistler et, à Paris, de B. Constant et J. P. Laurens. Il fut membre de l'American Art Association de Paris.
Ventes Publiques : San Francisco, 21 jan. 1981 : *Ruisseau sous bois*, aquar. (74x51) : **USD 1 100** – San Francisco, 16 mai 1985 : *Falls of the Ausable, Adirondacks*, aquar. (102x76) : **USD 2 500**.

FISHER J.
XIXe siècle. Actif à Bristol. Britannique.
Miniaturiste.
Exposa des miniatures à la Royal Academy à Londres de 1849 à 1858.
Ventes Publiques : Paris, 27 avr. 1910 : *Portrait de jeune femme*, miniat. : **FRF 180**.

FISHER J. C.
XIXe-XXe siècles. Actif en Amérique. Américain.
Peintre.
Cité par miss Florence Levy.
Ventes Publiques : New York, 15 fév. 1907 : *Rue de village* : **USD 210**.

FISHER J. H. Vignoles
XIXe siècle. Actif à Londres. Britannique.
Peintre de paysages et aquarelliste.
Il exposa à la Royal Academy, à Suffolk Street, à la New Water-Colours Society à Londres à partir de 1884.
Ventes Publiques : Londres, 29 juin 1931 : *Dans les marais de Norfolk* ; *Après-midi sur les Downs du Sussex*, ensemble : **GBP 5**.

FISHER Janet
Née à Walton-on-Trent (Derbyshire). XXe siècle. Britannique.
Peintre de genre, pastelliste, graveur.
Elle a exposé au Salon de 1926, un bois : *Crépuscule*.
Ventes Publiques : Londres, 11 nov. 1981 : *Fillette cousant*, past. (68x52) : **GBP 1 700**.

FISHER Jonathan
Mort en 1809 à Dublin. XVIIIe siècle. Irlandais.
Peintre de paysages.
Il travailla au Stamp Office, à Dublin. Fisher était un protégé de lord Portarlington.
Musées : Londres (Victoria and Albert Mus.) : *La Rivière Lymington – L'Île de Wight à l'horizon*, aquarelle.
Ventes Publiques : Londres, 17 mars 1972 : *Le port de Cork* : **GNS 8 500** – Londres, 18 juin 1976 : *Paysage d'Irlande*, h/t (54,7x103) : **GBP 900** – Londres, 26 juin 1981 : *O'Sullivan's Cascade, Killarney*, h/t (101,6x127) : **GBP 4 800** – Londres, 26 avr. 1985 : *O'Sullivan's Cascade, Killarney*, h/t (101,6x127) : **GBP 3 800** – Londres, 15 nov. 1989 : *Paysage avec une maison au lointain*, h/t (108x147) : **GBP 11 000**.

FISHER M. J., Miss
XIXe siècle. Active à Wargrave. Britannique.
Peintre de paysages.
Exposa à Londres à la Royal Academy et à Suffolk Street de 1858 à 1866.

FISHER Maria Anna. Voir **FISCHER**

FISHER Mary
Née à Brooklyn (États-Unis). XIXe-XXe siècles. Vivant à Boston. Américaine.

Peintre.
Élève de Edmund C. Tarbell et Joseph de Camp.

FISHER Melton Samuel
Né le 2 janvier 1859 ou 1861 à Herne Hill (Londres). Mort le 2 septembre 1939 à Camberley. XIXe-XXe siècles. Britannique.
Peintre d'histoire, scènes de genre, portraits, aquarelliste, dessinateur.
Il a étudié à la Royal Academy de 1876 à 1881, y a reçu une médaille d'or, et, en 1881, une bourse de voyage, avec laquelle il est allé à Paris étudier avec Bonaffé. À partir de 1878, il exposait à la Royal Academy, ainsi que dans les Salons de Paris où il reçut une médaille en 1896. Il passe ensuite dix ans à Venise, peignant des scènes de genre. En 1895, il retourne à Londres, est associé en 1917, puis membre en 1924 de la Royal Academy. Il est également membre de la New Water-Colours Society. Il exposa à Suffolk Street.
Musées : Liverpool (Walker) : *Joueurs d'échec* – Londres (Tate Gal.) : *Au Royaume de l'imagination* – Londres (Guildhall) : *Étude de portrait* – Sydney : *Festa, café vénitien.*
Ventes Publiques : Londres, 9 déc. 1907 : *Beauté du Sud* : **GBP 6** – Londres, 3 avr. 1909 : *David et Abiathar* : **GBP 7** – Londres, 10 juin 1909 : *Olivia* : **GBP 68** – Londres, 27 nov. 1922 : *Repos*, dess. : **GBP 17** – Londres, 11 déc. 1922 : *Violetta* : **GBP 7** ; *Catriona* : **GBP 14** – Londres, 3 mai 1935 : *Sommeil* : **GBP 10** – San Francisco, 20 juin 1985 : *Portrait d'une lady*, h/t (152,5x81) : **USD 2 500** – New York, 24 oct. 1989 : *Le Miroir*, h/t/rés. synth. (133,3x102,8) : **USD 15 400** – Londres, 5 juin 1991 : *Le Choix dun collier*, h/t (149x117) : **GBP 7 150.**

FISHER Penelope, Miss
XXe siècle. Britannique.
Peintre.
Exposait au Salon de 1933 : *Broad Road Fleggburgh.*

FISHER Percy Harland
Né en 1865. Mort en 1944. XIXe-XXe siècles. Britannique.
Peintre de genre.
Il exposa à la Royal Academy à Londres à partir de 1886.
Ventes Publiques : Londres, 23 jan. 1925 : *Chevrier* : **GBP 21** – Londres, 20 avr. 1982 : *The goat boy*, h/t (38x30,5) : **GBP 320** – Londres, 21 juin 1983 : *Les deux sœurs*, h/t (101,5x61) : **GBP 5 000** – Londres, 1er oct. 1986 : *Le gardien de chèvres, Capri*, h/t (61x91,5) : **USD 2 500** – Londres, 13 juin 1990 : *Petite fille au chapeau de paille*, h/t (90,5x78) : **GBP 4 620** – Londres, 26 sep. 1990 : *Jeune garçon avec un terrier*, h/t (142x101) : **GBP 7 040** – Londres, 13 fév. 1991 : *Sous un arbre en fleurs*, h/t (68x64) : **GBP 4 400** – Londres, 3 juin 1992 : *Son chien de compagnie*, h/t (76x64) : **GBP 2 420.**

FISHER Robert
XVIIe siècle. Actif à Oxford. Britannique.
Peintre de portraits.
On connaît de lui le portrait signé et daté du musicien d'Oxford *John Wilson*. On lui attribue le portrait de *Thomas Yate* au Brasenose College à Oxford.

FISHER Samuel
XIXe siècle. Britannique.
Graveur de reproductions.
On connaît de lui une planche d'après W. A. Bartlett : *Chamonix, Mer de Glace*. Il travailla pour des œuvres de gravure comme : *L'Annuaire du paysage* ; *La Galerie Royale d'Art Britannique*, de Finden et *Lady of the Lake*, de Scott, d'après les projets de J. D. Harding, D. Roberts, C. Stanfield, W. F. Witherington.

FISHER S. Melton. Voir **FISHER Melton Samuel**

FISHER Thomas
Né en 1782 à Rochester. Mort en 1836 à Stoke Newington. XIXe siècle. Britannique.
Peintre de paysages, aquarelliste, graveur, dessinateur.
Employé à l'Office des Indes, il pratiquait l'art en amateur et faisait des dessins d'objets antiques qu'il gravait lui-même. Il était antiquaire.
Musées : Londres (British Mus.) : *Vue de Finsbury Square, Londres*, aquar.
Ventes Publiques : Londres, 15 mars 1984 : *Chesham, Buckinghamshire*, aquar./trait de cr. (32x44,5) : **GBP 620** – Londres, 11 juil. 1985 : *Houghton Conquest, Bedfordshire*, aquar. et trait de cr. (31,5x40,5) : **GBP 900.**

FISHER Vernon
XXe siècle. Américain.
Peintre technique mixte, sculpteur d'assemblages. Tendance conceptuelle.
Il constitue des sortes d'hommages, à Paul Cézanne, à Jackson Pollock, Donald Judd, dans lesquels l'intention conceptuelle sait se teinter d'humour.
Ventes Publiques : New York, 4 oct. 1989 : *Alignement*, acryl./deux feuilles de pap. montées sur un tableau noir (65,7x139) : **USD 6 820** – New York, 9 nov. 1989 : *Meditations in Cézanne* 1983, acryl./pap. plastifié et t. (150x299,7) : **USD 35 750** – New York, 27 fév. 1990 : *Renaissance afternoon* 1976, acryl./t. (328,7x328,7) : **USD 17 600** – New York, 4 oct. 1990 : *La recherche de Judd* 1976, acryl./pap. (238,7x241,3) : **USD 11 000** – New York, 5 oct. 1990 : *Pollock*, montage en trois parties, acryl. sur bois, acryl. sur pap. et urinal de porcelaine et métal chromé (en tout 190,5x355,6x35) : **USD 15 400** – New York, 4 mai 1993 : *Pont*, acryl./pap. plastifié et t. (partie de droite 167,6x167,6, partie de gauche 182,9x182,9) : **USD 6 900.**

FISHER W.
XVIIIe-XIXe siècles. Actif à York. Britannique.
Sculpteur.
Cet artiste exposa à la Royal Academy, à Londres, de 1800 à 1811.

FISHER W. L. T.
Né à Londres. XXe siècle. Britannique.
Peintre de genre, portraits.
Il exposa au Salon de 1929 : *Le Petit Lord.*

FISHER William
Né en 1817 à Cork. Mort en 1895 à Londres. XIXe siècle. Irlandais.
Peintre de portraits, aquarelliste.
Il a exposé entre 1840 et 1886 à la Royal Academy, à la British Institution et à la New Water-Colours Society.
Musées : Cork : *Portrait de Samuel Skillin* – Londres (Nat. Portrait Gal.) : *Portrait de Walter Savage Landor.*
Ventes Publiques : Londres, 21 nov. 1908 : *Medora, le chien favori par A. D. Wilde* : **GBP 8.**

FISHER William Edgard
Né le 24 octobre 1872 à Wellsville (New York). XXe siècle. Américain.
Dessinateur, illustrateur.
Il fut élève de l'Art Institute de Chicago, et appartint à l'American Bookplate Society et au Salmagundi Club.

FISHER William Mark
Né en 1841 à Boston (Massachusetts), de parents anglo-irlandais. Mort en 1923. XIXe-XXe siècles. Américain.
Peintre de genre, paysages animés, paysages.
Il commença ses études d'art au Lowell Institute et ensuite à Paris dans l'atelier de Gleyre. En 1879 il fut élu membre du Royal Institute. Son éducation artistique terminée, il retourna à Boston. N'y trouvant pas le succès, il vint s'établir à Nieuport en Angleterre. Il participa alors régulièrement aux expositions londoniennes. Il obtint la médaille de bronze à l'Exposition Universelle de Paris en 1889.
Musées : Birmingham : *La Halte* – Bradford : *Colline et vallon* – Dublin (Mod. Art) : *Le Bain* – Leeds : *Pâturages d'hiver* – Manchester : *Paysage et bétail* – Melbourne : *Un pré à Antibes* – Norwich : *Près de Sèvres.*
Ventes Publiques : Londres, 30 nov. 1907 : *Vaches autour d'une voiture de fourrage* : **GBP 14** – Londres, 4 juin 1908 : *Le Bac* : **GBP 15** ; *Bestiaux allant au pâturage* : **GBP 18** – Londres, 6 mars 1909 : *Paysage* : **GBP 18** – Londres, 19 mars 1910 : *Attendant le bac* : **GBP 37** – Londres, 30 avr. 1910 : *Ancienne fontaine à Alger* : **GBP 68** ; *Bestiaux près d'un lac* : **GBP 78** – Londres, 9 juil. 1920 : *Château près d'une chaumière*, h/t (39,5x51) : **GNS 50** – Londres, 2 fév. 1923 : *Scène de ferme* : **GBP 30** – Londres, 6 avr. 1923 : *Bétail dans un paysage* : **GBP 38** – Londres, 10 déc. 1923 : *Bétail dans un paysage* : **GBP 29** – Londres, 2 mai 1924 : *Village côtier* : **GBP 52** – Londres, 14 nov. 1924 : *Champs de foin* : **GBP 22** ; *Arabes et chameaux* : **GBP 10** – Londres, 3 avr. 1925 : *La baie d'Antibes*, dess. : **GBP 31** ; *Scène de village* : **GBP 88** ; *Tonte des moutons* : **GBP 31** – Londres, 19 fév. 1926 : *Pâturages à l'ombre* : **GBP 52** – Londres, 19 et 20 mai 1926 : *Journée claire à Antibes* : **GBP 11** – Londres, 22 avr. 1927 : *Berger* : **GBP 23** ; *Jour nuageux* : **GBP 27** – Londres, 30 mars 1928 : *Bétail au pâturage* : **GBP 29** – Londres, 13 avr. 1928 : *Le noisetier* : **GBP 57** – Londres, 30 nov. 1928 : *Bétail au pâturage* : **GBP 11** – Londres, 22 juil. 1929 : *Un pâturage à Carton*, dess. : **GBP 5** – Londres, 21 nov.

1929 : *Scène de village*, aquar. : **GBP 7** – LONDRES, 5 déc. 1930 : *Bétail au pâturage* : **GBP 12** – LONDRES, 1er mai 1931 : *Les champs familiaux* : **GBP 30** – LONDRES, 27 nov. 1931 : *Bétail au pâturage* : **GBP 5** – LONDRES, 1er déc. 1933 : *L'heure de la traite* : **GBP 6** – LONDRES, 11 juil. 1934 : *Pâturages* : **GBP 6** ; *Traversant le Ford* : **GBP 11** – LONDRES, 11 mars 1935 : *Paysage* : **GBP 7** – LONDRES, 19 juil. 1935 : *Champ labouré* : **GBP 11** – LONDRES, 1er août 1935 : *Changement de pâturages* : **GBP 21** – LONDRES, 21-24 fév. 1936 : *Printemps*, dess. : **GBP 6** ; *Prairies du Hampshire* : **GBP 12** ; *Bétail au pâturage*, dess. : **GBP 23** – LONDRES, 1er mai 1936 : *Bétail au pâturage* : **GBP 10** – LONDRES, 30 et 31 juil. 1936 : *Prairies du Hampshire* : **GBP 9** – LONDRES, 13 fév. 1937 : *Soleil et ombre* : **GBP 27** – LONDRES, 25 juin 1937 : *Ferme* : **GBP 31** – LONDRES, 26 juin 1940 : *Pâturages* : **GBP 9** – LONDRES, 26 juin 1941 : *Sables de Margate* : **GBP 25** – LONDRES, 18 sep. 1942 : *Sables de Margate* : **GBP 54** – GLASGOW, 3 nov. 1944 : *Pâturages* : **GBP 25** – LONDRES, 4 mai 1945 : *Route de ferme* : **GBP 42** – LONDRES, 9 mai 1945 : *Paysage* : **GBP 35** – LONDRES, 9 et 10 avr. 1946 : *Pâturages* : **GBP 33** – LONDRES, 20 déc. 1946 : *Pâturage ombreux* : **GBP 31** – LONDRES, 11 juil. 1947 : *Down du Sussex* : **GBP 31** – LONDRES, 8 juil. 1966 : *Village du Sussex* : **GNS 280** – LONDRES, 12 avr. 1967 : *La rivière* : **GBP 520** – LONDRES, 18 juil. 1969 : *Jardin en fleurs* : **GNS 950** – LONDRES, 12 juin 1970 : *Le village* : **GNS 2 200** – LONDRES, 13 juil. 1973 : *Paysage au lac, Harlow, Sussex* : **GNS 1 800** – LONDRES, 14 mai 1976 : *Paysage boisé* 1883, h/t (44,5x58,5) : **GBP 400** – LONDRES, 25 oct. 1977 : *Berger et moutons dans un paysage*, h/t (53x72) : **GBP 950** – LONDRES, 4 fév. 1981 : *Figures dans un paysage*, aquar. (37x49) : **GBP 220** – LONDRES, 13 mars 1981 : *Château près d'une chaumière*, h/t (39,5x51) : **GBP 700** – NEW YORK, 15 juin 1984 : *Troupeau dans un paysage*, h/t (87,5x123) : **USD 2 800** – LONDRES, 15 mai 1985 : *Troupeau au pâturage* 1875, h/t (76x127) : **GBP 7 000** – LONDRES, 6 mars 1986 : *On the Cam* 1923, aquar. et gche (45,7x66) : **GBP 1 300** – LONDRES, 29 juil. 1988 : *Vaches au pré*, aquar. (22,5x32) : **GBP 462** – BELFAST, 28 oct. 1988 : *Bétail dans une prairie boisée*, h/t (24,2x32,1) : **GBP 495** – LONDRES, 2 mars 1989 : *Bétail paissant près d'une rivière bordée d'arbres*, h/t (60x80) : **GBP 6 600** – LONDRES, 12 mai 1989 : *Le jardin d'été*, h/t (66,2x97,5) : **GBP 1 870** – LONDRES, 18 oct. 1990 : *L'écluse de Sawbridgeworth*, h/t (50x67) : **GBP 1 870** – STOCKHOLM, 16 mai 1990 : *Vacances italiennes à Sorrente* 1869, h/t (104x131) : **SEK 105 000** – LONDRES, 25 jan. 1991 : *La tonte des moutons dans une grange*, h/t (43x62,5) : **GBP 1 980** – NEW YORK, 15 mai 1991 : *Paysage rustique*, h/t (34,3x50,8) : **USD 1 320** – NEW YORK, 21 mai 1991 : *Vaches dans une prairie* 1883, h/t (77,5x118,1) : **USD 4 400** – NEW YORK, 28 mai 1992 : *Journée d'été*, h/t (58,4x76,2) : **USD 4 675** – LONDRES, 3 fév. 1993 : *Pâturage sous les arbres*, h/t (103x143,5) : **GBP 3 220** – NEW YORK, 24 fév. 1994 : *Antibes*, h/t (53,3x63,5) : **USD 1 035** – ÉDIMBOURG, 15 mai 1997 : *Village du Sussex*, h/t (61x76,2) : **GBP 2 875**.

FISHER CLAY Elizabeth Campbell. Voir **CLAY Elizabeth Campbell Fisher**

FISHER-PROUT Margaret

xxe siècle. Britannique.

Peintre, aquarelliste.

Elle fut élève de Mark Fischer, de Brown et Wilson Steen à la Slade School of Fine Arts. Elle exposait à Londres, à la Royal Academy, au New English Art Club, à la Royal Society, à la Royal Society of Painters in Water-Colours et, à Paris, en Belgique, en Allemagne et aux États-Unis. *Voir aussi PROUT Margaret.*

VENTES PUBLIQUES : LONDRES, 3 et 4 mars 1988 : *Rivière dans le West Sussex*, h/cart. (62,5x75) : **GBP 902** ; *Lecture dans un jardin*, h/cart. (88x72) : **GBP 1 012** ; *Chevaux dans un champ*, h/t (43x63) : **GBP 880**.

FISK William

Né en 1796 à Thorpe-le-Soken (Essex). Mort en 1872 à Danbury (près de Chelmsford). xixe siècle. Britannique.

Peintre d'histoire, portraits.

Destiné au commerce, il ne s'occupa d'art qu'à l'âge de trente et un ans. Il fit d'abord des portraits qu'il exposa à l'Académie Royale de 1831 à 1835. À partir de cette date, il traita surtout des sujets historiques parmi lesquels figurent : *Léonard de Vinci expirant dans les bras de François Ier*, envoyé à l'Académie en 1838 ; *L'Attentat contre Laurent de Médicis à Florence en* 1478, qui fut exposé en 1839 et remporta en 1840 une médaille d'or à l'Institution de Manchester. Ses tableaux d'histoire sont d'une bonne composition et exacts quant aux costumes. Peu d'années après 1842, il se retira dans sa propriété à la campagne et cessa presque entièrement de peindre.

MUSÉES : CAPETOWN : *Les rivaux – La Conjuration des Pazzi – L'Ange gardien – Résurrection de Lazare – Bourgmestre hollandais et sa femme – Le Rajah Ram-Rey – Portrait d'un enfant – Adieux de Charles Ier à sa famille – Les cousins* – LIVERPOOL : *Le jugement du comte de Strafford à Manchester.*

FISK William Henry

Né vers 1827. Mort le 13 novembre 1884 à Hampstead. xixe siècle. Britannique.

Peintre d'histoire, compositions religieuses, scènes de genre, aquarelliste, dessinateur.

Fils et élève de William Fisk, il étudia aux écoles de l'Académie royale et fut nommé dessinateur anatomiste au collège royal des chirurgiens. Tout en occupant ce poste, il continua à peindre et exposa souvent à l'Académie, à l'Institution britannique, à la galerie de Suffolk Street et à Paris. Pendant quarante ans il fut attaché à l'University College School de Londres.

MUSÉES : LONDRES (Victoria and Albert Mus.) : *Ben Nevis de Navin*, aquarelle.

VENTES PUBLIQUES : LONDRES, 18 mars 1935 : *La Demande* : **GBP 12** – DORDRECHT, 25 nov. 1969 : *Le Rendez-vous amoureux* : **NLG 3 800** – LONDRES, 13 juin 1984 : *Le Christ et la femme de Samarie* 1870, h/t (98x185,5) : **GBP 1 300** – LONDRES, 5 mars 1993 : *Journées de troubles*, h/t (89x130) : **GBP 3 450** – GLASGOW, 14 fév. 1995 : *Les Fugitifs après le massacre de Glencoe en 1692* 1859, h/t, haut arqué (102x66) : **GBP 2 875**.

FISKE Chas. A.

xixe-xxe siècles. Actif à Greenwich (États-Unis). Américain.

Peintre.

Membre de l'Académie Nationale.

FISKE Gertrude

Née le 16 avril 1879 à Boston (Massachusetts). Morte en 1961. xxe siècle. Américaine.

Peintre, graveur.

Cette artiste membre de nombreuses sociétés artistiques, dont la National Academy of Design, a obtenu très souvent des récompenses dans les Salons, dont plusieurs prix de portraits, notamment à la National Academy of Design en 1929 et 1931.

VENTES PUBLIQUES : NEW YORK, 23 sep. 1993 : *La petite église*, h/t (61,6x76,8) : **USD 2 875** – NEW YORK, 28 sep. 1995 : *Eaux calmes*, h/t (61x71,1) : **USD 2 875**.

FISOV Yvan

Né à Zagreb (Croatie). xxe siècle. Yougoslave.

Peintre.

Élève de J.-P. Laurens et A. Laurens. Exposant du Salon des Artistes Français.

FISQUET Théodore Auguste

Né le 21 avril 1813 à Toulon (Var). Mort le 11 janvier 1890 à Toulon (Var). xixe siècle. Français.

Peintre de scènes de genre, paysages animés, paysages, fleurs, aquarelliste, dessinateur, lithographe.

Entré dans la Marine comme enseigne de vaisseau, il effectua de nombreux voyages, et fit deux fois le tour du monde. Il put alors concilier ses fonctions professionnelles et sa passion pour la peinture. Il tint son journal de bord sous forme de croquis et dessins, plus tard lithographiés. Conseillé par un élève du baron Gros, Ferdinand Wachsmuth, il accentua, en particulier dans ses lavis, les effets d'ombre et de lumière. Son style s'est affermi jusqu'à ce qu'il prenne sa retraite, en 1875, en tant que Major général de la Marine. Installé, alors à Toulon, il réalisa divers dessins aquarellés de fleurs et de plantes.

BIBLIOGR. : Gérald Schurr, in : *Les Petits Maîtres de la peinture 1820-1920, valeur de demain*, Les Éditions de l'Amateur, t. VII, Paris, 1989.

MUSÉES : TOULON : *Monument à Chandernagor – Bains de Ras-el-Tin.*

FISSÉ Michael Johann ou **Fisé**

Originaire d'Anvers. Mort en 1726 à Znaim en Moravie. xviiie siècle. Tchécoslovaque.

Peintre.

Il fut élève de Pozzo à Rome et se fixa à Znaim où il peignit en 1710 les fresques et quelques tableaux d'autel de l'église du Monastère de Hradisch. Il travailla aussi au Calvaire d'Olmütz et à Klosterbruck.

FISSETTE Léopold

Né en 1814 à Dison. xixe siècle. Allemand.

Peintre de genre.

Élève de F. de Brackeleer. Le Musée de Leipzig conserve de lui une *Scène de cabaret*.

FISSIER Robert
XVIIe siècle. Actif à Montdidier. Français.
Sculpteur.
Il fit la chaire de marbre de l'église du Saint-Sépulcre, à Montdidier, où se lit, sur la première marche « J'ai esté foite par Robert Fissier, 1630 ». Avec le sculpteur amiénois Pierre Blassel, il orna le maître-autel de la chapelle de la Vierge, dans l'église Saint-Pierre, en 1642.

FISTULATOR Blasius ou **Plazy Pfeiffer**
Mort en 1622 à Munich. XVIIe siècle. Allemand.
Sculpteur et stucateur.
Il travailla de 1587 jusqu'à sa mort à la Cour à Munich et exécuta des travaux de marbre et de stuc pour la Résidence et l'église Saint-Michel.

FISTULATOR Wilhelm
XVIIe siècle. Actif à Munich. Allemand.
Sculpteur et stucateur.
Fils de Blasius Fistulator, il participa aux travaux de marbre et de stuc exécutés à la Résidence de Munich. On cite également de lui un *Saint François* en stuc.

FISZL Hélène
Née en 1912. XXe siècle. Depuis 1930 environ active en France. Hongroise.
Peintre de sujets divers.
En 1983, le Musée d'Art Moderne de Budapest lui a consacré une exposition rétrospective. Elle vit et travaille près de Fontainebleau.
Sa peinture oscille entre une figuration onirique, une tendance surréaliste et une tentation d'abstraction.
VENTES PUBLIQUES : PARIS, 14 mai 1990 : *Composition abstraite*, h/t (46x54,5) : **FRF 20 000** – PARIS, 29 juin 1990 : *Nature morte*, h/t (46x55) : **FRF 22 000**.

FITA Juan
Mort en 1784 à Saragosse. XVIIIe siècle. Actif à Saragosse. Espagnol.
Sculpteur.
Il était depuis 1760 membre d'honneur de l'Académie de S. Fernando.

FITA Y ROVIRA Magin
Né vers 1850 à Barcelone. XIXe siècle. Espagnol.
Sculpteur.
Élève de l'École des Beaux-Arts de Barcelone. Il obtint des médailles en 1871 et 1875 et exposa à Madrid en 1876.

FITCH John L.
Né en 1836 à Hartford (États-Unis). Mort en 1895. XIXe siècle. Américain.
Peintre de paysages et de genre.
Il étudia à Munich et à Milan, notamment avec Albert, Max et Richard Zimmermann. Il s'établit à son retour en Amérique, à New York et dans sa ville natale et se fit une juste renommée en reproduisant les scènes de la vie de forêt aux États-Unis.

FITE Pierre
XVIIIe siècle. Actif à Paris. Français.
Graveur au burin.
Il a gravé une planche représentant : *La Rosière de Solence*, d'après J.-B. Greuze.

FITE-WATERS George. Voir **WATERS George Fite**

FITGER Arthur Heinrich Wilhelm
Né le 4 octobre 1840 à Delmenhorst. Mort le 28 juin 1909 à Brême. XIXe siècle. Allemand.
Peintre d'histoire, compositions mythologiques.
De 1858 à 1861, il fut élève de l'Académie de Munich, puis voyagea en Belgique et en Italie, où il resta de 1863 à 1866. En 1870, il revint se fixer à Brême.
VENTES PUBLIQUES : NEW YORK, 1er mars 1990 : *Diomède chassant Aphrodite lorsqu'elle essaie de reprendre le corps de Aeneas* 1905, h/t (129,5x194,3) : **USD 8 800**.

FITLER William Crothers
Né en 1857 à Philadelphie. Mort en 1915. XIXe-XXe siècles. Actif à New York. Américain.
Peintre de paysages, peintre à la gouache, dessinateur.
MUSÉES : SYDNEY : dessins.
VENTES PUBLIQUES : NEW YORK, 1er juil. 1982 : *Maison près de la rivière*, h/t (56,5x76,1) : **USD 1 400** – NEW YORK, 22 juin 1984 : *Morning study, East Hampton*, h/t (31,7x54,6) : **USD 2 600** – NEW YORK, 26 juin 1985 : *Ombre et Lumière*, h/t (35,5x50,8) : **USD 650** – NEW YORK, 30 sep. 1988 : *Soleil couchant*, gche/pap. (23,5x32,5) : **USD 1 760** – NEW YORK, 30 mai 1990 : *Sous le saule* ; *Crépuscule*, h/t, une paire (chaque 20,3x25,4) : **USD 1 870** – NEW YORK, 15 mai 1991 : *La Ferme à l'aube* 1892, aquar./cart./cart. (24,8x38,1) : **USD 1 100** – NEW YORK, 4 mai 1993 : *Personnages sur le rivage* 1882, h/t (28x39,4) : **USD 3 680** – NEW YORK, 21 mai 1996 : *Automne doré*, h/t (56x76) : **USD 3 220**.

FITREMAN Gérard
XXe siècle. Français.
Graveur.
Il exécute des gravures abstraites, où l'accent est mis surtout sur les variétés de textures.

FITSCH Eugène C.
Né le 11 décembre 1892 en Alsace. XXe siècle. Américain.
Peintre, aquafortiste.
Il fut professeur d'art graphique à l'Art Students' League de New York.

FITSCHULKY Benjamin Vertraugott
XVIIIe siècle. Allemand.
Peintre.
Il était peintre de la Cour et régisseur du château d'Ols, en Silésie.

FITTLER James
Né en 1758 à Londres. Mort en 1835 à Turnham Green. XVIIIe-XIXe siècles. Britannique.
Graveur.
Il entra aux Écoles de l'Académie Royale en 1778 et fut nommé graveur associé en 1800. Parmi ses meilleures œuvres figurent : *La Victoire de Lord Howe* ; *La Bataille du Nil*, d'après De Loutherbourg ; *Le Portrait de Benjamin West* ainsi que des illustrations pour le *Théâtre de Bell* ; *Scotia Depicta*, d'après Claude Nattes et *La Bible illustrée*. Ce fut un buriniste de valeur, au travail un peu dur, mais habile dans le jeu de la lumière.

FITTON Hedley
Né en 1859 à Haslemere (près de Londres). XIXe siècle. Britannique.
Graveur à l'eau-forte.
Cet artiste occupe une place marquante parmi les aquafortistes anglais et s'est plu à retracer d'une pointe alerte et spirituelle les sites les plus intéressants des contrées qu'il a visitées. C'est ainsi qu'on lui doit de remarquables vues de Florence, de Venise, de Londres. Ses œuvres sont recherchées. Mention honorable en 1906, médaille de troisième classe en 1907.

FITTON James
Né le 11 février 1899 à Oldam (Lancashire). XXe siècle. Britannique.
Peintre, dessinateur, lithographe, décorateur.
Il travaille à quatorze ans chez un décorateur et apprend le dessin aux cours du soir. En 1919, il arrive à Londres, où il étudie à la Central School. Il ne commence à exposer qu'en 1929, à la Royal Academy, et, en 1930, au New English Art club. En 1934, il devient membre du *London Group*. En 1954, il a été nommé membre de la Royal Academy.
MUSÉES : LONDRES (Tate Gal.) : ensemble d'œuvres.
VENTES PUBLIQUES : LONDRES, 17 sep. 1980 : *Paysage du Kent*, h/pan. (63,5x83) : **GBP 650** – LONDRES, 2 nov. 1983 : *Pétunias*, h/cart. (61x51) : **GBP 1 000** – LONDRES, 4 mars 1987 : *Arbre en fleurs*, h/t (58x76) : **GBP 1 800**.

FITTS Clara Atwood
Née le 6 octobre 1874 à Worcester (Massachusetts). XIXe-XXe siècles. Américaine.
Illustrateur.
Elle fut élève de l'École des Beaux-Arts de Boston. Membre de l'American Federation of Arts. Elle illustre spécialement des livres pour enfants.

FITY Jean René
XVIIIe siècle. Actif à Paris en 1753. Français.
Peintre et sculpteur.

FITZ Benjamin Rutherford
Né en 1855 à New York. Mort en 1891 à New York. XIXe siècle. Américain.
Peintre de genre.

Musées : New York (Metropolitan) : *Portrait de femme* – Washington D. C. (Nat. Gal.) : *L'étang dans la forêt.*
Ventes Publiques : New York, 31 janv.-1er fév. 1900 : *La Réflexion* : **USD 1 450.**

FITZ Georg ou **Fritz**
Mort le 28 mars 1609 à Mährisch-Trübau. XVIe siècle. Tchécoslovaque.
Peintre.
Le Franzensmuseum à Brünn (Moravie) conserve de lui une *Sainte Trinité* ; on cite aussi une *Pietà*, signée et datée de 1582.

FITZ Zbigniew
Né le 17 avril 1943 à Cracovie. XXe siècle. Depuis 1967 actif en France. Polonais.
Peintre, graveur. Tendance surréaliste.
Il a fait ses études aux Beaux-Arts de Cracovie, puis est venu en France où il vit depuis 1967. Il expose, à Paris, au Salon des Artistes Français, où il a reçu une mention honorable en 1969. Son style se rapproche d'un certain surréalisme à tendance érotique.

FITZ-GIBBON Géraldine Dillen
Née à New York. XXe siècle. Américaine.
Peintre.
Elle exposa à Paris au Salon des Artistes Français.

FITZ-HUGH Eliz
Née en Californie. XXe siècle. Américaine.
Peintre.
Exposant du Salon des Indépendants en 1940.

FITZ RONDOLPH Grace, Miss
Née à South Hadley (New York). XXe siècle. Américaine.
Sculpteur.
Élève de Alden Weir et Augustus Saint-Gaudens à New York et de B. Constant, Girardot et Puech, à Paris. Médaille Br. Atlanta en 1896. Membre de plusieurs sociétés artistiques.

FITZCOOK Henry
Né en 1824 à Pentonville. XIXe siècle. Actif à Londres. Britannique.
Peintre d'histoire, genre, illustrateur.
Il fut élève de B. R. Haydon et de la Royal Academy et exposa à la Royal Academy, à la Suffolk Street Gallery, à la Society of British Artists et la British Institution. Il était collaborateur de l'*Illustrated London News* et exécuta de nombreuses illustrations de livres. On cite son tableau *Thalabar the Destroyer*, scène tirée de l'œuvre de Southey.

FITZER Karl H.
Né le 4 mai 1896 à Kansas City (Kansas). XXe siècle. Américain.
Peintre, pastelliste, illustrateur.
Il fut membre de la Kansas City Society of Artists. On cite ses pastels.

FITZGERALD Florence, Miss
XIXe siècle. Britannique.
Peintre de fleurs, sculpteur.
Cette artiste exposa à la Royal Academy et à Suffolk Street, à Londres, à partir de 1887.
Ventes Publiques : Londres, 13 fév. 1991 : *La Guirlande de marguerites*, h/t (46x30,5) : **GBP 1 980** – Londres, 7 oct. 1992 : *La Saison des roses*, h/t (51x76) : **GBP 1 760.**

FITZGERALD G.
Britannique.
Peintre de genre.
Musées : Sydney : *Où la rosée tombe de bonne heure* – *Sentier dans les collines.*

FITZGERALD Gerald, Lord
Né le 6 janvier 1821. Mort le 23 septembre 1886. XIXe siècle. Irlandais.
Dessinateur et aquafortiste amateur.
Il était membre de l'Etching Club de Dublin et grava deux planches des *Passages de poètes anglais modernes* publié par ce club. Il grava également dix vues pour les poèmes de Hood.

FITZGERALD Harrington
Né le 5 avril 1847 à Philadelphie. Mort en 1930. XIXe-XXe siècles. Américain.
Peintre de paysages, marines.
Il fut élève de George W. Nicholson. Il a obtenu de nombreuses récompenses aux expositions américaines, et fut membre des principaux groupes artistiques de la région de Philadelphie.
Musées : Philadelphie : *Les Restes du naufrage.*
Ventes Publiques : New York, 31 mars 1994 : *La Grotte des contrebandiers*, h/t (40,6x66) : **USD 2 415.**

FITZGERALD James
Né le 8 mars 1899 à Boston (Massachusetts). XXe siècle. Américain.
Aquarelliste.
Il fut membre de la California Water-Colour Society. Il obtint le premier prix d'aquarelle, à la Santa Cruz State Wide Exhibition, en 1930.

FITZGERALD John Austen
Né le 25 novembre 1832. Mort après 1906. XIXe siècle. Britannique.
Peintre de genre, paysages, aquarelliste, peintre à la gouache, technique mixte.
De sa vie on ne connaît presque rien, même la date de sa mort est incertaine. Il vécut à Moore Park Road à Fulham en 1858. Il fut membre du Maddox Street Sketching Club.
Il participa pour la première fois en 1845 à l'exposition de la Royal Academy, puis régulièrement jusqu'en 1881, après une longue interruption on l'y retrouve en 1902. Il exposa aussi à la British Institution, à Suffolk Street et à New Water-Colours Society.
Il est surtout connu pour ses sujets féériques traités avec une vision quasi « surréaliste ». Au début de sa carrière, de nombreux artistes se ralliaient au Préraphaélisme, rapidement il s'en détourna tant par la technique que par esprit critique.
Musées : Cardiff : *Une Lande* – Liverpool : *Ariel.*
Ventes Publiques : Londres, 3 fév. 1976 : *Paysage fantasmagorique*, aquar. reh. de blanc (28x37,5) : **GBP 650** – Londres, 14 mai 1976 : *The captive Robin*, h/t (25,5x30,5) : **GBP 4 800** – Londres, 24 oct. 1978 : *The release of Ariel*, aquar. et reh. de blanc, coins supérieurs arrondis (48x29) : **GBP 3 500** – Londres, 23 mars 1981 : *The enchanted forest*, aquar. (48x71) : **GBP 10 800** – Londres, 15 fév. 1983 : *Creatures of the Night*, h/t (29,8x22,8) : **GBP 1 000** – Londres, 17 oct. 1984 : *L'intrus*, gche et aquar./trait de cr. (14x22,8) : **GBP 650** – Londres, 24 juil. 1985 : *Nymphe dans un sous-bois*, h/t (27x16) : **GBP 700** – Londres, 25 jan. 1988 : *Scène de conte de fée*, aquar. (32x46) : **GBP 2 640** – Londres, 25 mars 1988 : *Le concert*, techn. mixte/cart. (25,5x19) : **GBP 6 050** – Londres, 21 nov. 1989 : *Armée des insectes féériques attaquant une chauve-souris*, aquar. et gche (35,5x54) : **GBP 13 200** – Londres, 9 fév. 1990 : *Le Banquet des fées (recto) ; L'Aumône (verso)*, h/cart., croquis original (23x28) : **GBP 30 800** – Londres, 25-26 avr. 1990 : *Les intrus*, aquar. et gche (37x29) : **GBP 7 150** – Londres, 1er nov. 1990 : *Noël*, h/t (40x35) : **GBP 5 500** – Londres, 30 jan. 1991 : *Les messagers des fées*, encre et grisaille/pap. parcheminé (38x27) : **GBP 990** – Londres, 14 juin 1991 : *Banquet des fées (recto) ; L'Aumône (verso)*, h/cart., croquis original (23x38) : **GBP 28 600** – Londres, 30 mars 1994 : *L'oisillon*, aquar. et gche (26x43) : **GBP 36 700.**

FITZGERALD Lionel Lemoine
Né en 1890 à Winnipeg (Manitoba). Mort en 1956 à Winnipeg. XXe siècle. Canadien.
Peintre de paysages, dessinateur.
Il fut élève de la Keszthelyi's School of Art de Winnipeg vers 1910, puis de K. H. Miller et de B. Robinson à l'Art Student's League à New York. En 1924, il est nommé professeur à l'École d'Art de Winnipeg, il en fut le directeur de 1929 à 1947. Il effectua plusieurs voyages vers la côte Ouest des États-Unis entre 1942 et 1949, au Mexique en 1951. Il exposa avec le *Groupe des Sept* en 1930 et se lia d'amitié avec Lawren Harris. Une autre exposition est répertoriée à l'Art Gallery de Winnipeg en 1963. Successivement influencé par l'impressionnisme, l'art abstrait et le pointillisme, il fut avant tout paysagiste.
Bibliogr. : D. Reid : *A Concise History of Canadian Painting*, Toronto, 1973 – in : *Dictionnaire de l'art moderne et contemporain*, Hazan, Paris, 1992.
Ventes Publiques : Toronto, 27 mai 1980 : *Nu* 1928, fus./pap., double face (46,3x42,5) : **CAD 1 100** – Toronto, 26 mai 1981 : *Manitoba landscape*, h/t (18,8x22,5) : **CAD 6 000** – Toronto, 3 mai 1983 : *Nu couché*, h/t mar./cart. (25,6x30,6) : **CAD 2 200** – Toronto, 28 mai 1985 : *Feuilles d'automne dans une coupe*, aquar. (54,3x36,3) : **CAD 2 200** – Toronto, 18 nov. 1986 : *Winter, the banks of the Assiniboine river* 1921, h/t (26,3x33,8) : **CAD 18 000.**

FITZGERALD Pitt L.
Né le 8 octobre 1893 à Washington (district de Columbia). XXe siècle. Américain.
Peintre, illustrateur.

FITZGERALD Tom
Né en 1939 à Limerick. xxe siècle. Irlandais.
Sculpteur.
Il expose régulièrement dans toutes les grandes expositions nationales. Il a gagné plusieurs prix internationaux. Il a été sélectionné parmi les dix artistes irlandais qui ont participé à *Rosc'84*, à Dublin en 1984.

FITZHUGH William
xviiie-xixe siècles. Actif en Angleterre. Britannique.
Peintre de paysages.
Exposa à la Royal Academy et à Suffolk Street, de 1799 à 1809.

FITZI Johann Ulrich
Né en 1798 à Bühler (canton d'Appenzell). Mort en 1855 à Speicher. xixe siècle. Suisse.
Peintre de paysages, animaux, fleurs et plantes, dessinateur.
Il dessina et peignit des plantes et des animaux, pour des travaux d'histoire naturelle, puis des vues de villages de l'Appenzell et des paysages.
Musées : Saint-Gall.
Ventes Publiques : Berne, 24 juin 1983 : *Le Château Rhäzüns et ses alentours* vers 1830, aquar. (19,4x24,2) : **CHF 2 200** – Zurich, 10 déc. 1996 : *Geais* 1835, encre de Chine et aquar./pap. (26x44,5) : **CHF 19 550**.

FITZJAMES Anna Maria, Miss
xixe siècle. Active à Bath. Britannique.
Peintre de fleurs.
Exposa à Londres, à la Royal Academy et à Suffolk Street, de 1852 à 1876.

FITZPATRICK Arthur
xixe siècle. Britannique.
Peintre de genre.
Il exposa à Londres, de 1862 à 1868, à la Royal Academy, à la British Institution et à Suffolk Street.
Ventes Publiques : Londres, 25 juin 1908 : *Le Chiropodiste* : **GBP 2** – Belfast, 30 mai 1990 : *Jeune Irlandais s'exerçant sur un violon*, h/t (61,6x46,4) : **GBP 2 200** – New York, 17 jan. 1996 : *Mère coiffant ses enfants*, h/t/rés. synth. (61,6x51,4) : **USD 1 840**.

FITZPATRICK Edmond
Né en Irlande. xixe siècle. Irlandais.
Peintre de genre.
Associé de la Royal Hibernian Academy. Prit part à de nombreuses expositions à Dublin. On le trouve également exposant à Londres, de 1848 à 1870, à la British Institution et à Suffolk Street.

FITZPATRICK Grace Marie
Née le 25 juillet 1897 à Brooklyn. xxe siècle. Américaine.
Peintre, professeur.
Elle fut élève de Benjamin Eggleston. Membre de la National Association of Women Painters and Sculptors. Elle fut également artisan d'art.

FITZPATRICK Helena
Née en 1889 dans le New Jersey. xxe siècle. Américaine.
Peintre et professeur.
Elle fut membre d'une société artistique de Philadelphie.

FITZPATRICK John C.
Né en 1876 à Washington. xxe siècle. Américain.
Peintre, illustrateur et écrivain.

FITZPATRICK John Kelly
Né en août 1888 en Alabama. xxe siècle. Américain.
Peintre de portraits.
Il fut élève de l'Art Institute de Chicago, il est membre de plusieurs associations artistiques, et a remporté quelques récompenses dans les Salons, où il expose surtout des portraits.

FITZPATRICK Patrick
xviiie siècle. Actif à Dublin. Irlandais.
Dessinateur et graveur.
Il reçut en 1761 et 1763 un prix de la Dublin Society pour ses gravures de paysages. Il dessina des enseignes, des frises, des cartes, des ornements de livres. Le portrait qu'il dessina de l'homme d'état *Henry Grattan* fut gravé par P. Roberts.

FITZPATRICK Thomas
Né le 27 mars 1860 à Cork. Mort le 16 juillet 1912. xixe-xxe siècles. Irlandais.
Dessinateur.
Il fut lithographe et dessinateur d'illustrations de livres, en même temps que caricaturiste politique. Il publia à partir de 1905 une revue mensuelle humoristique *The Leprachoun*.

FITZSIMMONS James
Né en 1919 à Shanghai (Chine). xxe siècle. Américain.
Photographe, peintre.
Il fut élève en Suisse et en Angleterre, et étudia à la Columbia University de New York. Il exposa ses recherches en photographie, de 1947 à 1950, au Musée de San Francisco, à l'Art Institute de Chicago et à la Pinacothèque de New York. Il expose des œuvres peintes, à New York, en 1951. Il fut également critique d'art.
Il fit des découvertes en photolithographie, après 1945, et produisit ainsi des monotypes colorés à partir de clichés photographiques. Dans ses peintures, il se montre influencé par les abstraits à tendance géométrique. ■ J. B.
Bibliogr. : In : *Collection de la Société Anonyme*, New Haven, Connecticut, 1950.

FIUMANA. Voir **ALBERTI Francesco**

FIUME Salvatore
Né en 1915 à Comiso. xxe siècle. Italien.
Peintre de compositions animées, figures typiques, nus, portraits, intérieurs, paysages, technique mixte. Orientaliste.
Il utilise volontiers des matériaux techniques contemporains. D'entre ses thèmes très divers, de nombreux sujets orientalistes peuvent laisser supposer un séjour au Proche-Orient. Il traite aussi des groupes de personnages avec des chevaux.

FIUME
S. FIUME

Ventes Publiques : Milan, 9 mars 1972 : *Le Châle noir* : **ITL 2 000 000** – Milan, 13 juin 1978 : *Femme couchée*, h/isor. (73,5x101,5) : **ITL 4 600 000** – Milan, 14 avr. 1981 : *Danza*, techn. mixte (40,5x55,5) : **ITL 1 100 000** – Milan, 14 juin 1983 : *Nu*, isor. (74x101) : **ITL 9 000 000** – Milan, 4 avr. 1984 : *Gentilhomme de Grenade* 1952, h/pap. (34,5x24) : **ITL 1 000 000** – Londres, 9 déc. 1986 : *Il porto della statue* 1972, h/t mar./isor. (71x106) : **ITL 24 000 000** – Milan, 1er déc. 1987 : *Gladiateurs* 1946, aquar. (35x33) : **ITL 2 000 000** – Londres, 19 oct. 1988 : *Paysage*, h/cart. (35,3x54,3) : **GBP 6 380** – Rome, 15 nov. 1988 : *La Favorite du sultan* 1981, techn. mixte/cart. (52,5x34,5) : **ITL 12 000 000** – Milan, 14 déc. 1988 : *La Terrasse de Harar* 1985, h/cart. (50x73) : **ITL 24 000 000** – Rome, 8 juin 1989 : *Modèle dans l'atelier*, h/cart./rés. synth. (59,5x47) : **ITL 15 000 000** – Londres, 25 oct. 1989 : *Modèle allongé*, h/pap. (88x144) : **GBP 17 600** – Rome, 28 nov. 1989 : *Île de pierre*, h/rés. synth. (74x101) : **ITL 26 000 000** – Milan, 27 mars 1990 : *Somaliennes*, h/cart. (26x35) : **ITL 11 000 000** – Londres, 17 oct. 1990 : *Portrait de femme* 1958, h/cart. (168x70,2) : **GBP 10 450** – Rome, 30 oct. 1990 : *Paysage avec une femme et un cheval*, h/rés. synth. (35,5x53,5) : **ITL 13 000 000** – Milan, 13 déc. 1990 : *Trois personnages à cheval*, h/rés. synth. (27x36) : **ITL 9 000 000** – Milan, 20 juin 1991 : *Île* 1953, h/t/pan. (47x135) : **ITL 20 000 000** – Milan, 14 avr. 1992 : *Les îles de pierre*, h/rés. synth. (78x51) : **ITL 26 000 000** – Londres, 15 oct. 1992 : *Portrait de femme* 1960, h/cart. (168x57) : **GBP 6 050** – Milan, 9 nov. 1992 : *Figures égyptiennes* 1957, h/t/rés. synth. (73x110) : **ITL 24 000 000** – Rome, 25 mars 1993 : *Odalisque et cavaliers*, h/rés. synth. (37x54) : **ITL 12 000 000** – Milan, 16 nov. 1993 : *Paysage sicilien*, h/rés. synth. (45x59) : **ITL 12 650 000** – Rome, 30 nov. 1993 : *Odalisque blonde*, h/pap./rés. synth. (90x170) : **ITL 27 025 000** – Rome, 28 mars 1995 : *Figures féminines avec un cheval blanc*, h/rés. synth. (36x54) : **ITL 13 225 000** – Paris, 29 mars 1995 : *Nu dans l'atelier*, h/isor. (23x38) : **FRF 13 000** – Milan, 27 avr. 1995 : *Nu féminin*, h/rés. synth. (72x124) : **ITL 29 325 000** – Milan, 19 mars 1996 : *Odalisque voilée*, h/rés. synth. (35,5x53,5) : **ITL 13 800 000** – Milan, 20 mai 1996 : *Odalisque*, h./masonite (74x122) : **ITL 27 600 000** – Milan, 25 nov. 1996 : *Nu* 1988, h./Plexiglas/alu. (78,5x104) : **ITL 18 400 000**.

FIUMI Jean Napoléon
Né à Lourdes (Hautes-Pyrénées). xxe siècle. Français.
Peintre.
Il exposa au Salon des Artistes Français, à Paris.

FIVAZ Emile
Né le 6 janvier 1858 à Sainte-Croix. Mort le 18 janvier 1912 à Lausanne. XIXe-XXe siècles. Suisse.
Peintre, aquarelliste, illustrateur.
On connaît de lui des caricatures et des vues de Lausanne.

FIVET Alphonse Émile
Né le 27 décembre 1872 à Noyers Pont-Maugis (Ardennes). Mort le 27 janvier 1946. XXe siècle. Français.
Sculpteur.
Il fut élève de Xavier-Mathieu. Sociétaire, à Paris, du Salon des Artistes Français, où il exposa à partir de 1921.
Ventes Publiques : Paris, 8 déc. 1994 : *Les vendanges dans la province de Rome*, h/t (47x87) : **FRF 4 000**.

FIVIZZANI Antonio
XVIIIe siècle. Actif à Bologne. Italien.
Graveur.
Il grava plusieurs images de saints, en particulier, une planche représentant *La mort de saint Joseph*.

FIVRONI Luigi
Né en Italie. XXe siècle. Italien.
Peintre de portraits.
Ventes Publiques : Londres, 25 mars 1946 : *Portrait de femme* : **GBP 70**.

FIX Yvonne
Née à Saint-Mandé (Val-de-Marne). XXe siècle. Française.
Sculpteur.
Elle fut membre de la Société Nationale des Beaux-Arts de Paris, où elle expose depuis 1936.

FIX-ADAM Lina
Née dans la seconde moitié du XIXe siècle à Kelbsteim (Haut-Rhin). XIXe siècle. Française.
Miniaturiste.

FIX-MASSEAU Pierre
Né le 7 juin 1905 à Paris. Mort le 2 octobre 1994. XXe siècle. Français.
Affichiste.
Il est le fils du sculpteur Pierre Félix Fix-Masseau. Il fut, à Paris, élève de l'École Boulle et des Arts Décoratifs. Il a travaillé, de 1926 à 1928, avec Cassandre.
Ses affiches les plus célèbres sont celles qu'il a réalisées pour la Société nationale des Chemins de fer français, en 1932 ; celles pour la Régie des tabacs et la Loterie nationale. C'est également lui l'auteur des publicités pour les bas *Scandale* et le *Rouge Baiser* des années quarante.
Ventes Publiques : Paris, 22 juin 1980 : *Pour les huiles Renault*, affiche (79x121) : **FRF 2 400** – New York, 13 mars 1982 : *Exactitude* 1929, gche (100,3x62,2) : **USD 8 500** – Paris, 14 déc. 1987 : *Le secret*, bronze patine dorée (H. 27,5) : **FRF 9 500**.

FIX-MASSEAU Pierre Félix
Né le 17 mars 1869 à Lyon (Rhône). Mort en 1937 à Paris. XXe siècle. Français.
Sculpteur de bustes, figures, peintre de natures mortes, fleurs.
Il fut élève de l'École des Beaux-Arts de Paris. Une bourse de voyage lui permit de visiter la Belgique, la Hollande, la Suisse, l'Italie et surtout Florence. Il fut directeur de l'École Nationale d'Art Décoratif de Limoges jusqu'en 1935.
Il exposa dans de nombreuses expositions de groupe : à Paris, au Salon des Artistes Français, en 1890 ; à la Société Nationale des Beaux-Arts, dont il fut sociétaire. Il fut promu officier de la Légion d'honneur.
Il a été à la fois un sculpteur de renom, célèbre surtout pour ses bustes, notamment celui d'*Anna de Noailles*, mais aussi l'un des inspirateurs de l'art décoratif, tendance Art nouveau, dans le domaine de l'objet domestique avec des encriers, vases, chandeliers, etc.
Musées : Lyon : *Le Secret*, bois et ivoire – Paris (Palais des Beaux-Arts, Dutuit) : *Buste d'Eugène Dutuit* – Paris (Mus. d'Art Mod.) : *Portrait de jeune homme*, marbre, buste – Paris (Mus. d'Orsay) : *Le Secret* 1894.
Ventes Publiques : Paris, 3 déc. 1927 : *Nature morte : les deux geais* : **FRF 200** – Paris, 5 mai 1928 : *Nature morte : pot à lait et citrons* : **FRF 1 500** – Paris, 4 juin 1928 : *Nature morte* : **FRF 705** – Paris, 31 jan. 1929 : *Fleurs et fruits* : **FRF 500** – Paris, oct. 1945-juil. 1946 : *Vase de fleurs sur fond de paysage* : **FRF 9 200** ; *Fleurs* : **FRF 1 500** – Paris, 17 mars 1975 : *Le Luxembourg*, h/t (19x24) : **FRF 3 800** – Enghien-les-Bains, 8 juil. 1976 : *Le secret*, bronze doré : **FRF 4 200** – Monte-Carlo, 18 nov. 1978 : *Le secret*, bronze (H. 35,5) : **FRF 7 200** – Enghien-les-Bains, 8 avr. 1979 : *Le secret*, bronze (H. 62) : **FRF 20 000** – Paris, 27 fév. 1980 : *Le secret*, bronze doré (H. 28) : **FRF 8 000** – New York, 3 avr. 1982 : *Tête de femme*, bronze (H. 20,5) : **USD 850** – Paris, 5 mai 1987 : *Buste de jeune fille*, terre cuite vernissée blanc (H. 20) : **FRF 13 000** – Neuilly, 1er mars 1988 : *Buste de Beethoven*, bronze à patine brune (H.34) : **FRF 2 400** – Paris, 27 juin 1990 : *Bouquet de fleurs*, h/t (61x50) : **FRF 5 500**.

FIXON Claude Pierre
XVIIIe siècle. Actif à Paris. Français.
Peintre.
Fils de Pierre Fixon. Il était membre de l'Académie Saint-Luc.

FIXON Louis Pierre
Né vers 1748. Mort en janvier 1792 à Paris. XVIIIe siècle. Français.
Sculpteur.
Il est le fils de Pierre Fixon. Membre de l'Académie de Saint-Luc ; il travailla pour les bâtiments du roi.
Ventes Publiques : Paris, 7-8 mai 1923 : *Vue d'un port*, lav. de sépia : **FRF 1 350** – Paris, 25 fév. 1929 : *La halte*, dess. : **FRF 400** – Paris, 12 mai 1937 : *Scènes champêtres*, sépia et reh. de blanc, deux pendants : **FRF 330**.

FIXON Pierre
Mort le 8 avril 1788. XVIIIe siècle. Français.
Sculpteur.
Il devint en 1748 membre de l'Académie Saint-Luc à Paris et travailla de 1756 à 1760 à Notre-Dame.

FIXON Pierre François
XVIIIe siècle. Actif à Paris. Français.
Peintre doreur.
Il était fils de Pierre Fixon.

FIZELIERE-RITTI Marthe de La. Voir **LA FIZELIÈRE-RITTI**

FIZELLE Rah
Née à Sydney (Australie). XXe siècle. Autrichienne.
Peintre de paysages, aquarelliste.
Ventes Publiques : Sydney, 20 oct. 1980 : *Vue d'un port*, aquar. (42,5x49) : **AUD 750** – Sydney, 29 juin 1981 : *Flannel Flowers*, aquar. (38x57) : **AUD 550**.

FJAESTAD Gustaf Edoff
Né en 1868 à Stockholm. Mort en 1948. XIXe-XXe siècles. Suédois.
Peintre de paysages, graveur, peintre de cartons de tapisseries.
Il fut élève de Karl Larsson et de Bruno Liltefors à Stockholm. En 1905, il s'installa à Lake-Raecken. En 1929, il figurait à l'*Exposition de l'Art suédois*, à Paris, où il présentait : *Le Givre sur la glace*. Il obtient une médaille de bronze à l'Exposition universelle de Paris en 1900.
Il se spécialisa dans la représentation de l'hiver suédois, avec l'eau comme thème de prédilection qu'il interpréta presque de manière abstraite avec une sensibilité toute symboliste.

GFjæstad

Musées : Copenhague : *Première gelée sur le lac* – *Givre et soleil* – Stockholm : *Clair de lune d'hiver* – *Aurore boréale*.
Ventes Publiques : Stockholm, 11 oct. 1956 : *Paysages de collines* : **SEK 2 900** – Stockholm, 26 oct. 1960 : *Paysage d'hiver* : **CHF 4 100** – Stockholm, 26-28 mars 1969 : *Paysage d'hiver* : **SEK 12 300** – Göteborg, 24 mars 1976 : *Paysage de neige* 1933, h/pan. (78x122) : **SEK 21 000** – Göteborg, 31 mars 1977 : *Paysage de neige* 1923, h/pan. (49x69) : **SEK 20 000** – Stockholm, 22 avr. 1981 : *Paysage d'hiver* 1912, h/t (150x182) : **SEK 37 000** – Stockholm, 30 oct. 1984 : *Paysage d'hiver* 1915, h/t (108x138) : **SEK 66 000** – Stockholm, 20 oct. 1987 : *Paysage de neige ensoleillé* 1911, h/t (150x185) : **SEK 760 000** – Stockholm, 15 nov. 1988 : *Stilla kvällseglats, archipel et bateaux* 1909, h. (46x66) : **SEK 75 000** – Stockholm, 15 nov. 1989 : *Blidväder, paysage d'hiver avec un lac entouré de montagnes boisées*, h. (61x87) : **SEK 185 000** – Londres, 29 mars 1990 : *Gelée blanche* 1920, h/t (90,5x111) : **GBP 24 200** – Stockholm, 14 nov. 1990 : *Étude de reflets sur l'eau*, h/pan. (17x22) : **SEK 15 000** – Stockholm, 29 mai

1991 : *Effets de soleil sur un lac de montagnes enneigé*, h/t (90x103) : **SEK 66 000** – STOCKHOLM, 5 sep. 1992 : *Bouleaux givrés*, h/t (122x145) : **SEK 76 000** – STOCKHOLM, 10-12 mai 1993 : *Bouleaux givrés*, h/t (122x145) : **SEK 70 000** – STOCKHOLM, 30 nov. 1993 : *Paysage avec un ruisseau et des chênes givrés sous le soleil d'hiver*, h/t (67x86) : **SEK 82 000** – LONDRES, 10 fév. 1995 : *Reflets de soleil en hiver*, h/t/cart. (72,5x93) : **GBP 3 680**.

FJAESTAD Kerstin Maria, née **Hallén**
Née le 30 mai 1873 à Hörby. XIXe-XXe siècles. Suédoise.
Peintre de portraits et de paysages.

FJELDE Jakob
Né le 10 avril 1859 à Aalesund. Mort le 5 mai 1896 à Minneapolis. XIXe siècle. Norvégien.
Sculpteur.
Élève de B. Bergslien à Oslo, puis de C. G. V. Bissen à Copenhague. Après un voyage à Rome, il s'établit en 1887 en Amérique. La Bibliothèque Municipale de Minneapolis possède de lui *Femme lisant*.

FJELDE Paul
Né le 12 août 1892 à Minneapolis (Minnesota). XXe siècle. Américain.
Sculpteur, sculpteur de monuments.
Il étudia dans les Académies de Minneapolis à New York, Royale de Copenhague, et de Paris. Il fut également professeur. Il est surtout connu pour son monument *Lincoln* à Oslo, mais il a exécuté aux États-Unis de nombreuses autres œuvres.

FJELDSKOV Niels Valdemar. Voir **FIELDSKOV**

FJELDSTED S. Voir **FIELDSTED**

FJELL Kai
Né en 1907 à Sköger (près de Drammen). Mort en 1989. XXe siècle. Norvégien.
Peintre, illustrateur, peintre de décors de théâtre.
Encore enfant, il commence à dessiner, il est encouragé par son professeur, Nils Schjelbred, ami de Munch. En 1930, il travaille à Oslo comme décorateur et peintre publicitaire. Il se fixe dans la région de Telemark pour se consacrer entièrement à son art. En 1932, il suit quelque temps des cours à l'Académie d'Oslo. Il part ensuite à Paris, mais ne cherche pas à entrer en contact avec d'autres artistes, c'est pourquoi il ne se laisse pas influencer par les tendances modernes. Il expose en 1937. En 1952, il participa à la Biennale de Venise. Il a illustré des recueils de poèmes et a créé des décors pour le Théâtre national d'Oslo.
Son œuvre se divise en deux périodes, une première, nettement expressionniste, où se décèle la tradition du romantisme nordique. À partir de 1940, sa peinture s'éclaircit et revint aux sources fraîches de l'art populaire. ■ J. B.
VENTES PUBLIQUES : LONDRES, 17 mai 1991 : *Personnages dans un port* 1959, h/t (81,3x92,1) : **GBP 27 500** – LONDRES, 15 juin 1994 : *La Vierge d'Oslo* 1955, h/t (79x89) : **GBP 36 700**.

FJERDINGSTAD Carl Christian
Né le 30 août 1891 sur l'île de Christianso. XXe siècle. Depuis 1917 actif en France. Danois.
Artiste.
Il vint combattre pour la France en 1914. Gravement blessé en mai 1915, il fut réformé. Orfèvre, il installa son atelier dans la région parisienne à la fin de la guerre. Il fut conseiller de la Maison Christofle. Il fut sociétaire, à Paris, du Salon d'Automne. Il participa à l'Exposition des Arts Décoratifs de 1925 à Paris. Plusieurs rétrospectives de son travail ont été organisées, dont : 1981 Pavillon Christofle ; 1982 Arthus Bertrand. Nombreuses médailles militaires. Chevalier de la Légion d'honneur ; Chevalier de l'ordre du Danebrog.
Il marque de son empreinte les arts de la parure, de la table et l'art sacré.
BIBLIOGR. : Carl Christian Fjerdingstad : *Escapade dans le passé ou la Vie d'un Danois en France*, Édition du Rocher, 1967.

FJETURSKY Nikon. Voir **FIETURSKY**

FLACCO Orlando. Voir **FIACCO**

FLACH Charles
Né le 22 février 1863 dans la colonie Léopoldine. XIXe siècle. Brésilien.
Peintre.
Cet artiste vécut tour à tour à Berne, Dresde, Hanovre, et en Angleterre. Il étudia la peinture à l'école d'art de Hubert Herkomer à Bushey, près de Londres, sous la direction de Roll et de Besnard, à Paris. Il voyagea en Espagne et en Italie, et exposa à partir de 1894 en Suisse (Turnus et Genève) et à Paris.

FLACH Johann Georg
XVIIe siècle. Actif probablement à Leipzig. Allemand.
Graveur et peintre.
Il grava spécialement des frontispices de livres. On connaît de lui un portrait d'*Anna Elisabeth ab Enden* que grava C. Romstedt.

FLACH Kaspar
XVIIe siècle. Allemand.
Sculpteur.
Il sculpta en 1642 un autel représentant *La Passion du Christ* pour l'église Saint-Laurent à Hof (Franconie).

FLACHAT Antoine
Né à Lyon. XIXe siècle. Français.
Peintre.
Élève, à Lyon, de Lepage et de Chaine, il a peint d'abord, à l'aquarelle, des insectes et des natures mortes qui figurèrent aux Salons de Lyon (1855-56 à 1865) et de Paris (1864 et 1865). Il a exposé ensuite à Lyon, jusqu'en 1896, des peintures (portraits, paysages, natures mortes, sujets religieux et de genre).

FLACHAT Jean Baptiste
Né le 15 juillet 1828 à Lyon (Rhône). Mort le 19 janvier 1896 à Lyon. XIXe siècle. Français.
Sculpteur et décorateur.
Élève de l'École de la Martinière à Lyon, il travailla chez un sculpteur décorateur de cette ville où, depuis 1853, il dirigea, avec divers associés, une maison de décorations pour appartements et surtout pour le mobilier. Il décora le cercle international de Vichy, le Grand Cercle de la Villa des Fleurs à Aix-les-Bains ; à Lyon, la Préfecture du Rhône et le Foyer du Grand Théâtre. Les meubles qu'il composa rappellent, par la pureté de leur style et la perfection de leur exécution, les bois sculptés de la Renaissance lyonnaise. Plusieurs figurèrent à Paris, aux expositions universelles de 1878 à 1889 où ils obtinrent deux médailles d'or, aux Expositions d'art décoratif de Paris (1882) et de Lyon (1884). J.-B. Flachat fut professeur de la classe, d'Art décoratif à l'École des Beaux-Arts de Lyon en 1894-1895 et reçut, en 1895, la Légion d'honneur. Le Musée des Tissus, à Lyon, possède une crédence Louis XIV dessinée par lui et exécutée dans ses ateliers.

FLACHENECKER Ferdinand Wolfgang ou **Flachner**
Né en 1792 à Zirndorf (près de Fürth, Bavière). XIXe siècle. Allemand.
Peintre et lithographe.
Il étudia à l'Académie de Copenhague où il exposa et obtint plusieurs récompenses. On cite de lui : *Elie ressuscite le fils de la veuve*. Il se rendit à Munich, Vienne, Rome. Il reproduisit en lithographie de nombreux tableaux de la Pinacothèque de Munich, dont l'*Enlèvement des filles de Leucippe*, de Rubens ; *L'Empereur Charles Quint*, du Titien ; *Le portrait du duc de Neuburg*, de Van Dyck ; et d'après ses propres œuvres *Le duc de Bavière refuse la Couronne de Bohême en 1440*.

FLACHÉRON Grégoire Isidore
Né le 29 avril 1806 à Lyon (Rhône). Mort en 1873 à Hyères (Var). XIXe siècle. Français.
Peintre d'histoire, sujets religieux, paysages animés, paysages, marines, graveur.
Fils de L.-C. Flacheron, architecte de la Ville de Lyon, il fut élève de Pierre Révoil à l'École des Beaux-Arts de Lyon, dont il suivit les cours de 1824 à 1827 ; puis il étudia avec Ingres à l'École des Beaux-Arts de Paris. Il partit pour Rome en 1833, où il séjourna longtemps.
Il exposa aux Salons annuels de Paris et de Lyon, y envoyant des vues d'Italie, dès 1833 ; des paysages de Provence, de la région de Nice, d'Algérie, et des marines, dès 1861. Il obtint, à Paris, en 1841, une médaille de troisième classe avec *Caïn après le meurtre d'Abel*.
Il grava quelques eaux-fortes. Ses paysages de la campagne romaine, démontrent l'admiration du peintre pour Poussin : de la même manière, il peint de multiples personnages, tirés de la Bible ou des œuvres de Virgile, introduits dans une nature grandiose.
BIBLIOGR. : Gérald Schurr, in : *Les Petits Maîtres de la peinture 1820-1920, valeur de demain*, Les Éditions de l'Amateur, t. VI, Paris, 1985.
MUSÉES : LYON (Mus. des Beaux-Arts) : *Vue prise à Subiaco – Abel et Caïn – Caïn après le meurtre d'Abel*.
VENTES PUBLIQUES : PARIS, 17-18 déc. 1923 : *Paysage oriental* : **FRF 230** – PARIS, 25 nov. 1925 : *Vue de Subiaco* : **FRF 250**.

FLACHERON Louis
Né à Rome, de parents français. Mort en 1885. XIXᵉ siècle. Français.
Peintre de genre et aquarelliste.
Élève de Dumas et de Cabanel. Il débuta au Salon de 1880. Il était le fils de Grégoire Isidore Flacheron.

FLACHET Maurice
Né en 1872. Mort en 1964. XXᵉ siècle. Belge.
Peintre.
VENTES PUBLIQUES : COPENHAGUE, 25-26 avr. 1990 : *Homme lisant une lettre*, h/t (135x186) : **DKK 9 000**.

FLACHNER Lucas Anton
Né à Hammelbourg. Mort en 1769 à Würzburg. XVIIIᵉ siècle. Allemand.
Peintre de genre et portraitiste.
Le Musée de Cassel conserve de lui : *Un cabaret de village*. On cite également de cet artiste un *Saint Antoine de Padoue*, un *Saint Jean l'Évangéliste* et un *Saint Christophe* à Würzburg.

FLACHOT M.
XXᵉ siècle. Français.
Peintre, pastelliste.
VENTES PUBLIQUES : PARIS, 12 fév. 1945 : *La place du Marché à Bruxelles* 1901, past. : **FRF 700**.

FLACK Audrey
Née en 1931 à New York (État de New York). XXᵉ siècle. Américaine.
Peintre. Hyperréaliste.
Elle a étudié à Yale, avec Jossef Albers, et à la Art Students' League. Elle expose depuis 1959 à New York. En 1970, elle participait à l'Exposition *22 Réalistes* au Whitney Museum, qui est en partie à l'origine du retentissement de ce réalisme photographique.
Elle peint avec minutie, habileté et brio, mettant surtout l'accent sur les détails et les reflets. Ses toiles les plus célèbres représentent des monuments connus (cathédrale d'Amiens) ou des sculptures (le *David* de Michel-Ange). En 1973, elle a consacré une série de toiles à la description des outils du peintre, où jouent les reflets des couleurs, des verreries ou des toiles cirées, alors qu'au départ ses toiles avaient un caractère social ou politique nettement plus marqué : description de rassemblements ou de manifestations, lutte contre la guerre au Vietnam. Le style de sa peinture a également évolué, passant d'un réalisme abrupt, voire agressif, toujours précis et contrasté, à ce jeu subtil où la réalité décrite prend des allures de mirages scintillants. ■ J. B.
BIBLIOGR. : In : *Audrey Flack on Painting*, New York, 1981.
VENTES PUBLIQUES : NEW YORK, 4 mai 1989 : *Banana split sundae*, cr. et craies de coul./pap. (57,1x76,2) : **USD 5 500** – NEW YORK, 8 mai 1990 : *Tarte aux fraises*, h. et acryl./t. (61x77) : **USD 41 800** – NEW YORK, 9 mai 1990: *Bleu Shiva* 1973, h/t (91,5x127) : **USD 49 500** – NEW YORK, 13 nov. 1991 : « *Time to save* » 1979, h/t (203,2x162,6) : **USD 253 000**.

FLACK Thomas
Né en 1771 à Garboldishom. Mort en 1844 à Arras. XVIIIᵉ-XIXᵉ siècles. Britannique.
Peintre.
Le Musée d'Arras conserve de lui une aquarelle : *Le pont de grès sur la Scarpe*.

FLACKER
Né au XVIIIᵉ siècle à Vienne. XVIIIᵉ siècle. Autrichien.
Sculpteur.
Peut-être est-il identique à Carl Sebastian Plack, sculpteur à Gratz. Il y exécuta en 1720 dans l'église du Pèlerinage des autels et la chaire, et dans la chapelle du Mont Thabor en 1733 un *Saint François* et une *Crucifixion*.

FLAD. Voir aussi **FLADT**

FLAD Georg
Né le 10 mars 1853 à Heidelberg. Mort le 2 juin 1913 à Dachau. XIXᵉ-XXᵉ siècles. Allemand.
Paysagiste.
Vivait à Dachau, près de Munich. Le Musée de Munich conserve de lui : *Matin de printemps*. Mention honorable aux Expositions Universelles de 1889 et 1900, à Paris.

G. Flad.

FLAD L. Alois
XIXᵉ siècle. Actif à Munich. Allemand.
Lithographe.
On connaît de lui des vues lithographiées de Munich, du château Hohenschwangau, du château d'Unterwittelsbach et d'autres lithographies pour *Les sources minérales de Bavière* de V. Müller. Il fit aussi des vues à l'aquarelle.

FLADAGER Ole Henriksen
Né en 1832 à Nordre Aurdal. Mort en 1871 à Rome. XIXᵉ siècle. Norvégien.
Sculpteur.
Le Musée d'Oslo conserve de lui le *Buste de P.-A. Munch*, *Le Buste du ministre Jorgen Herman Vogi*, ainsi qu'un *David* et un *Thésée*.

FLADE Christian
Né vers 1680. Mort le 23 mars 1745. XVIIIᵉ siècle. Actif à Lauban. Allemand.
Peintre.
Il exécuta en 1732 le tableau des tribunes dans l'église d'Herwigsdorf, près de Löbau, dont un seul est conservé : *L'Adoration des Bergers*.

FLADE Georg Christoph
Né vers 1718. Mort le 22 juin 1759. XVIIIᵉ siècle. Actif à Lauban. Allemand.
Sculpteur.

FLADE Gottlob
XVIIIᵉ siècle. Actif à Dresde. Allemand.
Sculpteur.
On lui attribue la statue d'un ange qu'il aurait exécutée pour l'église de Friedersdorf, près de Zittau en 1732.

FLADE Johann Christian
Né en 1712. Mort en 1745. XVIIIᵉ siècle. Actif à Liegnitz. Allemand.
Sculpteur.

FLADT ou **Flad** ou **Fuldt**
Né en 1718. Mort en 1780. XVIIIᵉ siècle. Allemand.
Peintre d'architectures amateur.
Le Musée de Kassel conserve de lui : *Un morceau d'architecture*, et celui de Munich : *Thesaurus Palatinus*.

FLAESCHNER Julius
XIXᵉ siècle. Actif à Berlin. Allemand.
Sculpteur.
Il figura à l'Exposition de l'Académie de Berlin en 1844, 1860 et 1862 avec des bas-reliefs : *Ariane*, *Euterpe*, etc.

FLAGEL-CARRETTE Henriette
Née le 27 avril 1883 à Paris. XXᵉ siècle. Française.
Graveur.
Elle fut élève de Édouard Léon. Si elle exposa au Salon des Artistes Indépendants, à Paris, autour de 1930, à celui de la Société Nationale des Beaux-Arts en 1938, et même à l'Automne, c'est par le Salon des Artistes Français qu'elle s'illustra.
Depuis 1925, elle y expose des eaux-fortes, qui lui ont valu plusieurs récompenses, dont une médaille de bronze en 1937.

FLAGG Charles Noël
Né en 1848 à Brooklyn. XIXᵉ siècle. Américain.
Peintre et professeur.
Fils et élève de J.-B. Flagg, puis élève de Louis Jacquesson de la Chevreuse à Paris de 1872 à 1882. Directeur de l'enseignement artistique de l'État du Connecticut. Plusieurs de ses œuvres se trouvent dans les musées de New Jersey, Northampton, Hartford, Philadelphie, Saint-Paul, etc.

FLAGG George Whiting
Né en 1816 à New Haven (États-Unis). Mort en 1897. XIXᵉ siècle. Américain.
Peintre d'histoire et de genre.
Frère de J. B. Flagg et neveu du peintre Washington Allston. Dès son jeune âge, il vint à Boston profiter de l'instruction de ce parent. Ses dispositions le firent considérer comme un enfant prodige. Il vint en Europe et pendant six ans travailla à Londres. Il y obtint un succès consacré par la presse artistique. De retour en Amérique, Flagg fut élu, en 1851, membre de l'Académie Nationale. On cite parmi ses œuvres : *Le Meurtre des enfants d'Edouard*, *L'Œuf de Christophe Colomb*, *Washington reçoit la bénédiction de sa mère*.
MUSÉES : NEW YORK (Hist. Soc.) : *Le petit Savoyard* – *La petite marchande d'allumettes* – *Le fils du fendeur de bois*.

FLAGG H. Peabody
Né en 1859 à Somerville (Massachusetts). XIXᵉ siècle. Américain.

Peintre.
Il fut élève de Carolus Duran à Paris, et membre du Boston Art Club et d'autres sociétés artistiques, en Amérique.

FLAGG James Montgomery
Né le 18 juin 1877 à New York City. Mort le 27 mai 1960 à New York City. XXe siècle. Américain.
Peintre, dessinateur, illustrateur, affichiste.
Il fit des études artistiques à New York, en Angleterre et à Paris. Il exposa, à Paris, au Salon de 1900, à New York au Water-colour Club, et à la National Academy of Design. Il fut membre de nombreuses associations artistiques.
Talentueux et créatif, il est notamment l'auteur de la célèbre affiche de recrutement pour l'armée américaine sur laquelle l'« Oncle Sam » pointait son index droit devant, avec pour légende le fameux : « I want you ». Il est l'auteur et l'illustrateur de plusieurs livres : *The Adventures of Kitty Cobb* 1912, *Yankee Girls Abroad* 1900, *Tomfodery* 1904, *If, a Guide to Bad Manners* 1905, *Why they Married* 1906, *All in the same Boat* ; *I should say so* 1914, *The Mystery of the Hated Man* 1916, *Boulevard* 1925. Il collabora à plusieurs revues : *Cosmopolitan, Good House-Keeping, Liberty Weekly, Life, Judge, Saint-Nicholas, Scribners*.
Bibliogr. : In : *Dictionnaire des illustrateurs, 1800-1914*, Ides et Calendes, Neuchâtel, 1989.
Ventes Publiques : New York, 18 nov. 1965 : *Contemplation*, aquar. : **USD 1 200** – New York, 19 juin 1981 : *I like it this way*, h/t (121,9x71,1) : **USD 3 200** – New York, 1er juil. 1982 : *Femme lisant sur un sofa* 1913, aquar. (51,5x34,3) : **USD 750** – New York, 20 juin 1985 : *Le joueur de golf*, pl. (69,2x54) : **USD 1 100** – New York, 30 mai 1986 : *Autoportrait et modèle*, h/t (61,4x46) : **USD 2 000** – New York, 30 sep. 1988 : *La douceur du foyer*, aquar. et gche/pap. (38x56) : **USD 1 320** – New York, 24 jan. 1990 : *Maître luthier*, aquar. et cr./cart. (45,7x30,5) : **USD 1 045** – New York, 14 fév. 1990 : *Policiers et émeutiers*, aquar. et gche/cart. (61x56) : **USD 2 200** – New York, 31 mai 1990 : *Boca Raton Club* 1945, aquar./cart. (38,1x55,8) : **USD 1 430** – New York, 17 déc. 1990 : *Ham Fisher avec trois nus*, h/t (127x157,7) : **USD 7 975** – New York, 3 déc. 1992 : *Étude pour une décoration murale d'une salle de boxe* 1944, aquar., gche et cr./pap. fort (23,5x74,3) : **USD 7 150**.

FLAGG Jared Bradley
Né en 1820 à New Haven. Mort le 25 septembre 1899. XIXe siècle. Américain.
Peintre de genre et de portraits.
Frère cadet de George Flagg, cet artiste travailla comme lui avec leur oncle Allston. Il fut aussi l'élève de son aîné ; il débuta à la National Academy, à New York, en 1836, avec le portrait de son père. En 1849, il fut élu membre de la National Academy. Malgré ses succès, il entra dans les ordres et devint ministre protestant en 1854. Il continua à peindre cependant et figurait encore à l'Exposition de Philadelphie avec le *Portrait du commodore Vanderbilt*, et à celle de la National Academy en 1877 avec le *Portrait de Charles-L. Frost* et *La Captive du poète*.
Musées : Washington D. C. : *Portrait d'Alfred Vail*.

FLAGG Montague
Né en 1842 à Hartford (Connecticut). Mort le 24 décembre 1915 à New York. XIXe-XXe siècles. Américain.
Peintre de genre, portraits.
Il était fils de J. B. Flagg et élève de Jacquesson de la Chevreuse et de l'École des Beaux-Arts à Paris. Il exposa au Salon de 1879 à 1882. Il travailla à New York où il devint membre de l'Académie Nationale en 1910.

FLAHAUT Léon Charles
Né le 4 décembre 1831 à Paris. XIXe siècle. Français.
Peintre.
Formé par Léon Fleury et Corot, cet artiste fut médaillé en 1869 et 1878. Il figura au Salon par des paysages de 1857 à 1880. Chevalier de la Légion d'honneur.
On cite de lui : *Environs de Port-Royal* ; *Un bord de rivière* ; *Bords du lac de Genève* ; *Une ferme normande* ; *Paysage à Magny-les-Hameaux* ; *Vallée de Mérantais* ; *Bois d'oliviers à Beaulieu* ; *L'Étang de Saint-Hubert* ; *Une falaise, près d'Houlgate* ; *Un soir* ; *L'Étang d'or, forêt de Rambouillet* ; *La vallée de Saint-Lambert* ; *Dessous de bois* ; *Souvenir des côtes de Normandie* ; *Un matin* ; *Les bords du Loing à Montbouy* ; *Canal de Briare* ; *La Bergerie des Salles* ; *Le Croisic*.
Musées : Orléans (Mus.) : *La ferme des Pertuiseaux au soleil couchant* – Rouen (Mus. des Beaux-Arts) : *Paysage*.

FLAHAUT Lucien
Né à Arras (Pas-de-Calais). XXe siècle. Français.
Peintre de paysages, natures mortes.
A exposé aux Indépendants en 1937 et 1938.

FLAHAUT René Louis Auber
Né à Paris. XIXe-XXe siècles. Français.
Peintre.
Mention honorable en 1901.

FLAISSIÉRES Joséphine, Mme
Née à Constantine (Algérie). XXe siècle. Française.
Peintre.
A exposé des *Fleurs* au Salon des Artistes Français en 1932 et 1933.

FLAJOULOT Charles Antoine
Né en 1774 à Besançon (Doubs). Mort le 15 septembre 1840 à Besançon (Doubs). XIXe siècle. Français.
Peintre d'histoire, sujets religieux, dessinateur.
Il fut un disciple de Jacques-Louis David. Il dirigea un atelier à l'École des Beaux-Arts de Besançon, où il eut Gustave Courbet comme élève. Il légua à divers établissements de sa ville natale, les œuvres d'art qu'il possédait, dont sa collection de moulages antiques.
Bibliogr. : Gérald Schurr, in : *Les Petits Maîtres de la peinture 1820-1920, valeur de demain*, Les Éditions de l'Amateur, t. III, Paris, 1976.
Musées : Besançon : *Saint Jean l'aumônier*.

FLAKSTAD Nels
Né en 1908 à Hamar. XXe siècle. Norvégien.
Sculpteur, peintre. Tendance expressionniste.
Il fut élève de Alvasker et de Revold à l'Académie des Beaux-Arts d'Oslo, de 1930 à 1932. Il a voyagé en Italie et en France.
Entre les deux guerres, sa peinture était figurative, se rattachant au grand courant expressionniste.

FLAMAEL Bertholet I ou **Bartholomé**. Voir **FLÉMAL**

FLAMAND. Voir aussi **DUCERF**

FLAMAND Albert. Voir **FLAMEN**

FLAMAND Arthus
XVIe siècle. Français.
Peintre d'histoire et de paysages.
Élève de Dubreuil. Vivait sous Henri IV.

FLAMAND Hyacinthe
XIXe siècle. Français.
Sculpteur sur ivoire.
On cite de lui un coquetier (1814), conservé au Musée de Dieppe.

FLAMAND Jacques
XVIIIe siècle. Actif à Paris dans la première moitié du XVIIIe siècle. Français.
Sculpteur.

FLAMAND Obéline
Née le 11 mars 1952 à Heudicourt (Somme). XXe siècle. Française.
Peintre. Abstrait-lyrique.
Elève du peintre américain Louise Janin, elle présente ses œuvres dans des expositions personnelles à partir de 1976 (Galerie Christiane Vincent, Paris), dans divers lieux alternatifs ou galeries. Elle participe aussi à des expositions de groupe : à la FIAC de Paris en 1987, 1988, 1989 ; aux salons des Indépendants, Comparaison, des Femmes Peintres et Sculpteurs, etc.
Elle pratique une abstraction en courbes et en entrelacs, avec parfois des motifs floraux ou serpentins, et où la couleur joue un grand rôle.

FLAMANT Alexander
Né le 28 mars 1836 à Francfort-sur-le-Main. XIXe siècle. Allemand.
Peintre de portraits et de paysages.
Élève de Hübner et de Richter à Berlin et à Dresde. Il se fixa à Dresde et exposa à partir de 1867.
Musées : Dessau (Mus. hist.) : *Portrait de l'astronome S. H. Schwabe*.

FLAMANT Charles
Né au XIXe siècle à Asnières (Seine). XIXe siècle. Français.
Peintre.
Élève d'André. Il envoya au Salon de Paris, en 1881 et 1882, des paysages à l'aquarelle.

FLAMANT Émile Marcel
Né le 18 janvier 1896 à Ohain (Aisne). XXe siècle. Français.

Peintre.
Il fut membre, à Paris, de la Société des Artistes Français à partir de 1922.

FLAMANT-DUCANY-GIDE Andrée
Née à Nîmes (Gard). XXe siècle. Française.
Peintre.
Elle exposa à Paris au Salon des Artistes Français à partir de 1923.

FLAMBART
XIXe siècle. Actif vers 1870. Français.
Dessinateur caricaturiste.
On connaît de lui dix planches de caricatures de 1870 représentant *Napoléon III et sa famille*, ainsi que le *Roi de Prusse*.

FLAMBERGE Jean
XVIIe siècle. Actif à Moret. Français.
Sculpteur.
Il fit, en 1651, le maître-autel de l'église de Saint-Thugal à Château-Landon (Seine-et-Marne).

FLAMBERTI. Voir **FIAMBERTI**

FLAMEL Guillaume
XVIe siècle. Actif à Gy (Haute-Saône). Français.
Peintre.

FLAMEL Jean
XVe siècle. Actif à Salins. Français.
Peintre.
Il est mentionné de 1480 à 1506 pour des peintures d'armoiries.

FLAMEL Nicolas
XVIe siècle. Français.
Peintre.
Est mentionné en 1585 à Salins.

FLAMEL Nicolaus
XVIe siècle. Éc. flamande.
Enlumineur.
Il travailla en 1350 aux miniatures des *Livres des Merveilles du Monde*.

FLAMEN Albert ou **Flamand**
D'origine flamande (Bruges). Certains biographes le font naître en 1564. Mort en 1646, selon certains biographes. XVIIe siècle. Éc. flamande.
Peintre de genre, portraits, paysages, pastelliste, graveur, dessinateur.
Il travaillait à Paris entre 1646 et 1648. Beaucoup de ses portraits ont été gravés par Poilly et Boulanger.
Comme graveur, il rappelle le style de Hollar.

MUSÉES : LONDRES (British Mus.) : quatre-vingts dessins.
VENTES PUBLIQUES : PARIS, 16 déc. 1922 : *La Jetée*, pl. et encre de Chine : **FRF 55** – LONDRES, 4 juin 1981 : *Danse nuptiale* vers 1650, aquar. et pl. (17,2x31,7) : **GBP 300** – ENGHIEN-LES-BAINS, 21 mars 1982 : *Lecture*, past. (90x71) : **FRF 16 000** – AMSTERDAM, 16 nov. 1993 : *Scène de village*, encre et lav. (10,2x16) : **NLG 3 910**.

FLAMEN Anselme I, père
Né le 2 janvier 1647 à Saint-Omer. Mort le 15 mai 1717 à Paris. XVIIe-XVIIIe siècles. Français.
Sculpteur.
Élève de Marsy, un bas-relief de *Saint Jérôme* le fait entrer à l'Académie en 1681. Le Musée de Versailles possède plusieurs de ses œuvres. Il est l'auteur de : *Diane, Flore*, deux bustes en bronze et *Cupidon*, statue en marbre (Salon de 1704). Flamen devint professeur à l'Académie en 1701. Il avait obtenu son troisième prix de sculpture en 1673 et fut envoyé à Rome en 1675.
VENTES PUBLIQUES : PARIS, 3 juin 1970 : *Diane chasseresse*, marbre blanc : **FRF 60 000**.

FLAMEN Anselme II, fils
Né le 13 septembre 1680 à Paris. Mort le 9 juillet 1730 à Paris. XVIIIe siècle. Français.
Sculpteur.
Fils d'Anselme Flamen. Il entra à l'Académie en 1708 avec une statuette en marbre : *Plutus* qui figure aujourd'hui au Musée du Louvre.

FLAMEN F.
Né au XVIIe siècle en Flandre. XVIIe siècle. Éc. flamande.
Peintre et graveur.
Il travaillait à Paris vers 1660. Il était probablement de la même famille que Albert Flamen. On cite de lui des *Vues de la Seine*, d'après Israel Silvestre.

FLAMEN Jules
XIXe siècle. Français.
Peintre.
Sociétaire des Artistes Français depuis 1888.

FLAMEN Pierre
Né le 27 novembre 1712 à Paris. Mort après 1793. XVIIIe siècle. Français.
Sculpteur.
Fils d'Anselme II Flamen. On cite de sa main un *Ganymède* et une *Léda*.

FLAMEN Pieter
XVIIIe siècle. Actif à Bruges. Éc. flamande.
Peintre.
Il fut en 1767 Gouverneur de la Gilde.

FLAMENBAUM Simon
Né à Radom (Pologne). XXe siècle. Polonais.
Sculpteur.
Il a exposé, à Paris, au Salon des Artistes Indépendants, en 1940, un *Portrait* et une *Femme nue*.

FLAMENCO. Voir au prénom

FLAMENG Élisa
Née au XIXe siècle à Bruxelles, de parents français. XIXe siècle. Française.
Graveur.
Figura au Salon de Paris en 1868 et 1869.

FLAMENG François
Né le 6 décembre 1856 à Paris. Mort le 28 février 1923 à Paris. XIXe-XXe siècles. Français.
Peintre d'histoire, scènes de genre, portraits, paysages, dessinateur, graveur.
Fils de Léopold Flameng, il eut pour maîtres Alexandre Cabanel, Pierre Hédouin et Jean-Paul Laurens.
Il exposa au Salon de Paris, dès 1873, obtenant une médaille de deuxième classe et le Prix du Salon, en 1879 ; le Grand Prix à l'Exposition Universelle de 1889. Il fut promu commandeur de la Légion d'honneur. Nommé, à Paris, professeur à l'École des Beaux-Arts en 1905, il devint membre de l'Institut et du Comité des Artistes Français.
Étant apprécié du grand public, François Flameng eut de nombreuses commandes de tableaux historiques. Il réalisa également plusieurs portraits de personnages officiels, dont *Victor Hugo sur son lit de mort*, appartenant à la collection du théâtre de la Comédie Française. Parmi ses peintures, on mentionne : *Un lutrin – L'Appel des Girondins – Prison de la Conciergerie – Route de Capo-di-Monte, à Naples – Les bords de la Seine, au pont de Meudon – Sous bois – Camille Desmoulins*.

BIBLIOGR. : Gérald Schurr, in : *Les Petits Maîtres de la peinture 1820-1920, valeur de demain*, Les Éditions de l'Amateur, t. II, Paris, 1982.
MUSÉES : BEAUNE : *Frédéric Barberousse visite le tombeau de Charlemagne* – LIÈGE : *Portrait du peintre Florent Willems* – PARIS (Mus. d'Orsay) : *Murat chargeant à la tête de la cavalerie française – Portrait du dessinateur Sem* – PARIS (Mus. des Beaux-Arts) : *La Musique* – ROUEN (Mus. des Beaux-Arts) : *Les Vainqueurs de la Bastille* – SYDNEY : *Napoléon à Waterloo*.
VENTES PUBLIQUES : PARIS, 13 mai 1892 : *Coquetterie* : **FRF 2 050** – PARIS, 22-23-24 avr. 1901 : *Le Roman* : **FRF 205** – NEW YORK, 19-20 mars 1903 : *En reconnaissance* : **USD 650** – LONDRES, 18 jan. 1908 : *Constantinople, la Corne d'Or* : **GBP 50** – NEW YORK, mai 1910 : *Le Hussard* : **USD 626** – LONDRES, 17 mai 1923 : *Garde napoléonienne* : **GBP 6** – PARIS, 5 déc. 1923 : *Isola Bella* : **FRF 11 500** – PARIS, 15 fév. 1926 : *Nonchalante* : **FRF 2 400** – PARIS, 4 mars 1926 : *Hussard du Premier Empire* : **FRF 4 600** – PARIS, 17-18 juin 1927 : *Explications après le repas, le monastère*

de *Walter-Scott,* dess. : **FRF 200** – PARIS, 17-19 oct. 1927 : *Feuille d'éventail,* aquar. reh. : **FRF 130** – PARIS, 16 fév. 1928 : *L'entrée des soldats français en Hollande en 1795* : **FRF 7 900** – PARIS, 20 mai 1935 : *Portrait de jeune femme en robe noire* : **FRF 350** – PARIS, 24 déc. 1942 : *L'Acropole* : **FRF 300** ; *La Chambrée* : **FRF 130** ; *Le passage du Grand-Saint-Bernard* : **FRF 2 600** – NEW YORK, 29 jan. 1944 : *Intérieur d'un palais* : **USD 525** – PARIS, 12 mai 1944 : *l'Estafette* : **FRF 3 800** – PARIS, oct. 1945-juil. 1946 : *Étude d'homme,* dess. reh. : **FRF 3 000** – NEW YORK, 22-25 mai 1946 : *Le retour de la promenade* : **USD 450** – NEW YORK, 11-14 déc. 1946 : *Versailles* : **USD 1 400** – PARIS, 20 fév. 1947 : *Assemblée de seigneurs et de grandes dames en costume de cour sur une terrasse devant un panorama de ville* : **FRF 500** – PARIS, 6 juin 1951 : *Bonaparte dans sa mansarde* : **FRF 20 000** – NEW YORK, 21 oct. 1959 : *Julie* : **USD 400** – LONDRES, 18 déc. 1963 : *Vue de Dieppe* : **GBP 600** – LONDRES, 1er mars 1972 : *Jeunes Femmes assises au Bois de Boulogne* : **GBP 1 400** – PARIS, 31 mai 1972 : *Portrait de la Duchesse de Villeroy* 1888, dess. : **FRF 380** – LONDRES, 7 mai 1976 : *L'arrivée à Constantinople,* h/pan. (30,5x40) : **GBP 2 000** – SAN FRANCISCO, 21 juin 1984 : *Madame Simon, fleuriste,* h/t (71x51) : **USD 7 500** – LONDRES, 21 juin 1985 : *Une élégante,* h/t (164x84) : **GBP 18 000** – NEW YORK, 22 fév. 1989 : *Ile Pointeaux,* h/t (73x91,6) : **USD 49 500** – VERSAILLES, 25 nov. 1990 : *Soir de bal,* past. (123x47) : **FRF 8 000** – PARIS, 10 déc. 1990 : *Portrait de Cléo de Mérode,* h/t (92x73) : **FRF 55 000** – NEW YORK, 20 fév. 1992 : *Portrait d'une jeune lady assise dans un paysage* 1907, h/t (81,3x64,8) : **USD 19 800** – NEW YORK, 12 oct. 1993 : *Beauté de l'automne* 1901, h/pan. (46x37,5) : **USD 10 350** – NEW YORK, 12 oct. 1994 : *Réception pour Napoléon Ier à Isola Bella pendant la cinquième année de son règne,* h/pan. (105,4x141) : **USD 156 500** – LONDRES, 18 nov. 1994 : *Portrait de Jean Jacques Henner,* cr./pap. (27,3x21,3) : **GBP 1 035** – PARIS, 13 oct. 1995 : *Jeune femme lisant,* h/pan. (90x56) : **FRF 25 000** – LONDRES, 22 nov. 1996 : *Portrait de Marcelle Praince* 1913, h/t (100,4x81,2) : **GBP 3 450**.

FLAMENG Léopold

Né le 22 novembre 1831 à Bruxelles, de parents français. Mort en septembre 1911 à Paris. XIXe-XXe siècles. Français.

Peintre, graveur.

Élève de Calamatta et de Gigoux, il fut médaillé en 1864, 1866, 1867 et à l'Exposition Universelle de 1878. Il fut décoré de la croix de chevalier de la Légion d'honneur en 1870. Il obtint une médaille d'honneur en 1886, un grand prix en 1900, et devint officier de la Légion d'honneur en 1894. Son habileté comme buriniste l'avait fait remarquer par Charles Blanc et sa collaboration à la *Gazette des Beaux-Arts,* que fondait le célèbre écrivain d'art, assura la réputation du jeune graveur comme reproducteur d'œuvres d'art.

Léopold Flameng a droit à une place marquante parmi les graveurs français du XIXe siècle. Il fit toujours preuve d'une conscience artistique digne de tous les éloges et ses eaux-fortes d'après Eugène Delacroix, Ingres, Léonard de Vinci, Rembrandt, méritent le succès qui les accueillit lors de leur apparition, mais il n'osa pas, ou ne put pas traduire directement la nature comme les Méryon, les Bracquemond, et c'est ce qui laissera forcément son nom au second plan.

VENTES PUBLIQUES : PARIS, 26 fév. 1943 : *Cour de ferme en Normandie* : **FRF 1 000** – PARIS, 29 nov. 1991 : *Cour de ferme en Normandie,* h/t (27x40,5) : **FRF 4 000**.

FLAMENG Marie Auguste

Né le 14 juillet 1843 à Metz (Moselle). Mort le 26 septembre 1893 à Paris. XIXe siècle. Français.

Peintre de paysages, marines.

Élève de Palianti et de Puvis de Chavannes, il figura au Salon de Paris de 1870 à 1882. On cite de lui : *Village de Lorraine, Vallée de Vaucotte, Les Vaches noires à Villers-sur-Mer, Ronceveaux, Marée basse à Cancale, Rochers à Cancale, Moulin à Malesherbes, Pêcheuses d'huîtres de la baie du mont Saint-Michel, L'impasse Chazelle à Paris, Un coin de mer à Saint-Vaast-la-Hougue, Goélette à quai, au Havre.*

MUSÉES : MULHOUSE : *La Cale des Messageries maritimes à Bordeaux* – NANCY : *Barques de pêche* – PARIS (Art Mod.) : *Bateaux de pêche à Dieppe* – PARIS (Beaux-Arts Ville de Paris) : *Embarquement d'huîtres à Cancale.*

VENTES PUBLIQUES : PARIS, 26 mars 1896 : *Un quai à Bordeaux* : **FRF 220** ; *L'Escaut à Anvers* : **FRF 205** – PARIS, 17 juin 1902 : *La Garonne à Bordeaux* : **FRF 115** – PARIS, 3 nov. 1923 : *Paysage* : **FRF 390** – PARIS, 28 jan. 1924 : *Marine : bateaux de pêche et steamer* : **FRF 70** – PARIS, 20 nov. 1925 : *Le port* : **FRF 300** – PARIS, 11 juin 1926 : *Le port* : **FRF 160** ; *Les Salines* : **FRF 185** – PARIS, 7-8 juin 1927 : *Marine* : **FRF 200** – PARIS, 5 mai 1928 : *Flotille de bateaux de pêche* : **FRF 105** – PARIS, 23 mai 1941 : *Voiliers en mer* : **FRF 320** – PARIS, 9 et 10 juin 1941 : *Voiliers* : **FRF 480** – PARIS, 4 déc. 1941 : *Les Marais* : **FRF 3 000** – PARIS, 8 déc. 1941 : *Les Voiliers* : **FRF 600** – PARIS, 15 jan. 1943 : *La Pêche aux huîtres* : **FRF 1 450** – PARIS, 8 mars 1943 : *Barques sur la mer* : **FRF 1 400** – PARIS, 12 mai 1944 : *Le Port à marée basse* : **FRF 2 500** – PARIS, 4 déc. 1944 : *Le Port à marée basse* : **FRF 3 700** – PARIS, 12 mars 1945 : *Le Port à marée basse : Marine* : **FRF 750** – PARIS, 20 juil. 1945 : *Marine* : **FRF 1 050** – PARIS, 11 déc. 1946 : *Marine* : **FRF 620** – PARIS, 26 fév. 1947 : *La Vague* : **FRF 1 200** – PARIS, 24 mars 1947 : *Paysage de Hollande* : **FRF 1 300** – PARIS, 13 juin 1947 : *Bateaux échoués* : **FRF 450** – VERSAILLES, 28 juin 1981 : *La Côte normande,* h/pan. (34x56) : **FRF 5 500** – LONDRES, 28 juin 1983 : *La Seine,* h/t (52x82) : **GBP 800** – DETROIT, 21 mars 1987 : *La Flotille de pêche,* h/pan. (44,5x56) : **USD 1 600** – VERSAILLES, 5 mars 1989 : *Port à marée basse,* h/pan. (28,5x39) : **FRF 9 800**.

FLAMENQ Jean

Né à Toulon (Var). XVe siècle. Français.

Sculpteur sur bois.

Il fut chargé, en 1426, de différents ouvrages dans le couvent de Saint-Maximin (Var) ; il aurait fait notamment, avec un autre sculpteur, nommé Antonelle Gervaut, la sculpture des stalles qui, autrefois, ornaient le chœur de l'église.

FLAMENT, Mlle

XIXe siècle. Française.

Peintre et aquarelliste.

Exposa au Salon en 1835 : *Étude de dahlias, Étude de géraniums,* et en 1836 : *Vase rempli de fleurs.*

FLAMENT Édouard Casimir Arthur

Né dans la seconde moitié du XIXe siècle à Wavain (Nord). XIXe siècle. Français.

Peintre.

Il débuta au Salon des Artistes Français de 1903.

FLAMENT Ernest Hippolyte

Né au XIXe siècle à Paris. XIXe siècle. Français.

Peintre.

De 1870 à 1880, il figura au Salon avec des portraits et des natures mortes. Il fut l'élève de Lucas et de l'École des Gobelins.

FLAMENT Guérard ou **Flameng**

XVIe siècle. Actif à Cambrai en 1578. Français.

Peintre.

FLAMENT Marc

Né en 1929 à Bordeaux (Gironde). XXe siècle. Français.

Peintre. Abstrait-lyrique.

Il fut, avant de devenir peintre, photographe de guerre et d'art, écrivain et cinéaste. Il suivit les cours de l'École des Beaux-Arts. Sa peinture colorée et fougueuse, illustre selon lui le « mouvement », la « démesure », « l'envolée » et « le crescendo permanent ».

VENTES PUBLIQUES : PARIS, 15 oct. 1990 : *Les grandes lavandes bleues,* acryl./cart. (121x91) : **FRF 4 100** ; *Nymphéas, Hommage à Monet,* acryl./t. (100x81) : **FRF 3 300**.

FLAMENT Pierre Joseph

XVIIIe siècle. Actif à Arras. Français.

Sculpteur sur bois.

Il exécuta vers 1785 les stalles de l'église de l'Abbaye d'Hénin-Liétard.

FLAMET Eugène Jacques Marie

Né à Paris. Mort en 1887 à Paris. XIXe siècle. Français.

Graveur.

Élève de P. Delaroche et de A. Martinet. Il se fit représenter au Salon de Paris de 1842 à 1877.

FLAMINIO Lucca

XIXe siècle.

Sculpteur.

MUSÉES : MELBOURNE : *La Puberta.*

VENTES PUBLIQUES : MELBOURNE, 30 juin 1987 : *La Puberta* 1866, marbre blanc (H. 67) : **AUD 4 200**.

FLAMM Albert

Né le 9 avril 1823 à Cologne. Mort le 28 mars 1906 à Düsseldorf. XIXe-XXe siècles. Allemand.

Peintre de paysages, graveur.

Il fut élève de l'Académie de Düsseldorf et d'Andr. Achenbach. Il fit des voyages d'études en Italie avec Osw. Achenbach, puis vécut à Düsseldorf. Il obtint une mention honorable en 1863. Il réalisa des lithographies.

Musées : Düsseldorf : *Paysan italien.*

Ventes Publiques : Cologne, 21 avr. 1967 : *La baie de Naples* : **DEM 4 800** – Cologne, 15 mars 1968 : *Paysage d'Italie* : **DEM 7 500** – Cologne, 6 juin 1973 : *Vue de la campagne romaine* : **DEM 7 500** – Cologne, 26 mars 1976 : *Bord de mer*, h/t (75x116) : **DEM 28 000** – Cologne, 23 nov. 1978 : *Paysage aux environs de Rome*, h/t (67,5x94,5) : **DEM 13 000** – Londres, 25 mars 1981 : *Paysans au bord de la mer* 1863, h/t (61x88,5) : **GBP 2 800** – Londres, 11 mai 1984 : *Bord de Méditerranée*, h/t (79,4x104,2) : **GBP 2 600** – Vienne, 22 jan. 1986 : *Troupeau au bord d'une rivière*, h/pan. (29x71) : **ATS 30 000** – New York, 22 mai 1990 : *Personnages sur une plage*, h/t (55,2x107,3) : **USD 22 000** – Paris, 6 déc. 1990 : *Escale d'un vaisseau et d'une frégate anglaise près de Naples*, cr. noir et craie (15x23) : **FRF 3 800**.

FLAMM Carl

Né le 14 mai 1870 à Düsseldorf (Rhénanie-Westphalie). Mort le 9 septembre 1914 à Bonn (Rhénanie-Westphalie). xxe siècle. Allemand.

Peintre.

Il fut le fils d'Albert Flamm, et élève de F. Brütt à Düsseldorf. On connaît de lui un *Portrait de l'Empereur Guillaume II* à l'Hôtel de Ville de Remscheid.

FLAMME Jacques

xviiie siècle. Actif à Paris vers 1730. Français.

Peintre ou sculpteur.

FLAMOND Alexandre

xviie siècle. Actif à Paris en 1675. Français.

Peintre et sculpteur.

FLANAGAN Barry

Né en 1941 à Prestatyn (Pays de Galles). xxe siècle. Britannique.

Sculpteur de monuments, animaux, créateur d'installations, graveur, dessinateur. Polymorphe.

Flanagan commence par étudier l'architecture au Birmingham College of Art, effectue ensuite différents métiers, puis il suit les cours de la Saint-Martin School of Art, à Londres, où exerce en particulier le sculpteur Anthony Caro. Il obtient son diplôme en 1966. En 1973, il voyage en Italie. Il vit à Daventry (Northamptonshire).

Il a participé à d'importantes expositions collectives : 1965, *Between Poetry and Painting*, Institute of Contemporary Art (I.C.A.), Londres ; 1966, *New Dimensions*, Camden Art Centre, Grande-Bretagne ; 1967, Biennale de Paris, Biennale de Tokyo ; 1967, *British Drawings-The New Generation*, Museum of Modern Art, New York ; 1968, *Young British Artists*, Museum of Modern Art, New York ; 1968, *Situaties en cryptostructuren*, Stedelijk Museum, Amsterdam ; 1968, *When Attitudes become Form*, Kunsthalle, Berne ; 1968, *Nine Young Artists*, Guggenheim Museum, New York ; 1970 Biennale de Tokyo ; 1970, *British Sculpture out of the Sixties*, I.C.A., Londres ; 1971, *British Avant-garde*, New York ; 1973, *11 englische Zeichner*, Staatliche Kunsthalle, Baden-Baden ; 1974, *Critics Choice*, Tooths Gallery, New York ; 1975, *From Britain' 75*, Taidehalli, Helsinki ; 1975, Biennale de Paris ; 1982, Biennale de Venise, où il représente la Grande-Bretagne ; 1991, *De quelques grands états de la gravure contemporaine (1945-1991)*, Centre d'art d'Ivry ; 1996, *Un Siècle de sculpture anglaise* à la Galerie nationale du Jeu de Paume à Paris.

Il a montré son travail dans de nombreuses expositions personnelles : 1966, 1968, 1969-1974, Rowan Gallery, Londres ; 1974, Musée d'Art Moderne de New York et Musée d'Oxford ; 1983, Musée National d'Art Moderne, Paris ; Pace Gallery, New York ; Whitechapel Art Gallery, Londres ; 1983, Centre d'Art Contemporain, Syracuse ; 1986, Tate Gallery, Londres ; 1992, galerie Durand-Dessert, Paris ; 1993, Musée des Beaux-Arts, Nantes ; 1996, ensemble de gravures à la Bibliothèque nationale, Paris ; 1997, dessins et gravures à la Tecla Sala, centre d'art contemporain à Barcelone...

Conceptuel, Flanagan cherche à mettre en situations des matériaux tels que de la toile, du sable, des cordes, du verre, du plâtre, en concevant des environnements dans les galeries ou en utilisant les effets encore plus spatiaux des bords de mer et des éléments naturels s'y associant. En 1969, il réalisa *Hole in the Sea*, en plaçant sur le sable à marée basse, un cylindre transparent et creux, qui entrava le flux, le cylindre restant vide et formant ainsi un trou dans la mer. D'autres œuvres datent de cette période : *Stand Muslin 2*, 1966 ; *Four Casb 2, Ring L1, Rope, gr 2 sp 606*, 1967 ; *Pile 2' 68"*, 1968. « On amène rarement les choses à se découvrir elle-même à la conscience sculpturale. C'est la conscience qui se manifeste, non les agents du phénomène sculptural », dit-il en commentant ses réalisations des années soixante-dix. En ce sens, son travail a pu aussi être rapproché de l'Arte Povera. Sculpteur, il a exécuté à partir de 1973 des œuvres en pierre et en bronze. C'est le rapport entre les qualités intrinsèques de la matière et ses formes qui semble intéresser l'artiste, plus l'objet à définir que sa mise en situation dans un espace spécialement adapté, par référence à son travail antérieur. Il taille et cisèle la pierre en s'appliquant à la laisser en partie à l'état brut, y inscrit des signes, le tout rappelant une tête d'animal, un corps nu convulsé, etc. Mais certaines de ses sculptures ont formellement une autre origine ; pour celles-ci Flanagan utilise de l'argile, matière qu'il presse et serre entre ses mains et qui servira de modèle à un tailleur de pierre qui le réalisera en grande dimension. Il a célébré le lièvre, à partir de 1978, en en moulant des bronzes de tailles différentes, certains gigantesques. Flanagan a travaillé sur l'analogie que ces mammifères pouvaient avoir avec le comportement humain. Dans cette série, il y a : le lièvre *Joueur de cricket*, les *Lièvres boxeurs*... À côté de ces lièvres géants et dressés sur leurs pattes arrière, il peut placer un éléphanteau d'une taille déstabilisatrice. Polymorphe, il dessine aussi des nus délicats ou sculpte le buste de ses amis (Paul Potts, par exemple) dans une technique et une facture parfaitement classiques. Il a exécuté certaines réalisations monumentales, dont celle à la Rawlings School (Leicestershire), intitulée *Portoro 1*, puis à Gand, Venise, New York, et sur la Victoria Plazza de Londres. Flanagan s'est exercé à la gravure (1970). Il a réalisé aussi des films et des spectacles chorégraphiques (1973) et de la poterie (1974).

Pataphysicien, Flanagan est un adepte d'Alfred Jarry. Ami de nombreux poètes, il a su réaliser en dehors de tout parti pris absolutiste une œuvre aux voies et formes multiples, variée, qui possède le don de brouiller toute tentative de catégorisation, se plaisant à se jouer du sens manifeste, vers un non-sens imaginaire, ludique et poétique. ■ Christophe Dorny, J. B.

Bibliogr. : In : *Eye-Liner-Some Leaves from Barry's Flanagan Notebook*, Art and Artists, avril, 1968 – Charles Harrison : *Barry Flanagan's Sculpture*, in : *Studio International*, mai 1968 – Marina Vaizey : *Barry Flanagan*, in : *Art Review*, avril 1971 – Béatrice Parent : *Land Art*, in : *Opus International*, Paris, avr. 1971 – in : Catalogue *9e Biennale de Paris*, Idea Books, Paris, 1975 – *Barry Flanagan*, Édition Centre Georges Pompidou, Paris, 1983 – Alain Borer : *Flanagan l'insaisissable*, in : *Artstudio*, N°3, hiver 1986-1987 – *Barry Flanagan : a Visual Invitation : sculpture 1967-1987*, Laing Art Gallery, Newcastle, 1987 – Barry Barker : *Réflexions sur les dernières sculptures de Barry Flanagan*, in : *Artstudio*, N°10, Paris, automne, 1988 – in : *Dictionnaire de peinture et de sculpture – l'Art du xxe siècle*, Larousse, Paris, 1991 – in : *Dictionnaire de l'art moderne et contemporain*, Hazan, Paris, 1992.

Musées : Amsterdam (Stedelijk Mus.) – Londres (Tate Gal.) : *Aaing j gni aa – A nose in repose – Sixties' dish* 1970 – Londres (Arts Council) – Londres (British Council) – Londres (Contemporary Art Society) – New York (Mus. of Mod. Art) : *Vessel in memoriam* 1980 – Ottawa (Nat. Gal. of Canada) – Paris (Mus. Nat. d'Art Mod.) : *Casb* 1967 – Saint-Étienne : *Pile 2'68"* 1968 – Tokyo (Nagaoka Mus.).

Ventes Publiques : Londres, 4 déc. 1984 : *Acrobats* 1981, bronze (H. 168) : **GBP 22 000** – Londres, 5 déc. 1986 : *Large leaping hare* 1982, fer et bronze, patine verte (244x174,5) : **GBP 45 000** – New York, 3 mai 1989 : *Porte-polochons*, t. de jute, paille et alu. peint (76,2x175,3x307,3) : **USD 26 400** – Londres, 29 juin 1989 : *L'arbre des fondeurs*, bronze (H. 32) : **GBP 3 080** – Paris, 8 oct. 1989 : *Le Cure-dent* 1988, acryl./plaques de verre (10x20) : **FRF 11 000** – New York, 27 fév. 1992 : *Éléphant* 1981, bronze (61,6x41,9x27,9) : **USD 38 500** – New York, 5 mai 1992 : *Acrobates* 1988, bronze (304,8x94x65,4) : **USD 93 500** – Londres, 2 juil. 1992 : *Lièvre bondissant par dessus une cloche et un croissant* 1983, bronze (116,5x60) : **GBP 57 200** – New York, 19 nov. 1992 : *Grand lièvre boxeur sur une enclume*, bronze (218x123,5x46) : **USD 110 000** – New York, 18 nov. 1992 : *Végétal 5* 1971, t. d'emballage, laine brute, sable et rés. (H. 127) : **USD 7 150** – Londres, 3 déc. 1992 : *Lièvre au tambour* 1983, bronze (H. 84,5) : **GBP 35 200** – New York, 3 mai 1993 : *Lièvre sur pyramide*, bronze (203,8x193x45,7) :

USD 107 000 – LONDRES, 30 juin 1994 : *Lièvre et vase*, bronze et céramique (88,3x47,9x24,1) : **GBP 20 125** – PARIS, 17 oct. 1994 : *Sans titre* 1986, terre, techn. raku (31x21,5x14) : **FRF 7 500** – LONDRES, 27 juin 1996 : *Les Boxeurs* 1989, bronze (279,5x110,8x254) : **GBP 194 000** – LONDRES, 23 oct. 1996 : *Lièvre et Cloche* 1981, bronze à patine brune (130,8x95x61) : **GBP 54 300** – LONDRES, 30 mai 1997 : *Lièvre sur une pyramide* 1988, bronze patine noire (204x189,2x45,7) : **GBP 87 300** – LONDRES, 25 juin 1997 : *Lièvre Nijinsky* 1989, bronze patine brune (240x115x75) : **GBP 139 000**.

FLANAGAN John
Né le 4 avril 1898 à Newark (New Jersey). Mort en 1942. XXe siècle. Américain.
Sculpteur, médailleur.
Il fut élève de Bartlett à Boston, Saint-Gaudens à New York et de Falguière à l'École des Beaux-Arts de Paris. Cet artiste, très honoré en Amérique, où il est membre de nombreuses sociétés, a souvent exposé en France. En dehors des récompenses et distinctions honorifiques qu'il reçut aux États-Unis, il fut fait chevalier de la Légion d'honneur en 1927, et obtint une médaille d'argent à l'Exposition universelle de 1900 à Paris.
Outre ses œuvres purement sculpturales, comme l'*Aphrodite* du Knickerboter Hotel, à New York, il acquit une grande renommée dans la sculpture de médailles, dont de nombreuses figurent dans les musées d'Europe et d'Amérique. Il est l'auteur de la médaille de Verdun, offerte par les États-Unis à la ville. Malgré des similitudes, il ne paraît pas identique à FLANNAGAN John Bernard.
VENTES PUBLIQUES : NEW YORK, 19 mai 1966 : *Tête négroïde*, granit noir : **USD 4 000**.

FLANDEREISEN Hans, de son vrai nom : **Schmid**
XVIe siècle. Actif à Leipzig vers 1580. Allemand.
Sculpteur sur bois.
On trouve de ses œuvres dans plusieurs églises de Leipzig.

FLANDERS Dennis
Né le 2 juillet 1915. XXe siècle. Britannique.
Dessinateur.
Après des études artistiques, il exposa notamment à la Royal Academy, à Londres. Il a publié ses dessins dans la plupart des journaux d'Angleterre.

FLANDERS Marguerite, Mlle
Née à Londres. XXe siècle. Britannique.
Peintre de miniatures.
A exposé aux Artistes Français à Paris en 1932.

FLANDES, de. Voir au prénom

FLANDIN Denise
Née à Paris. XXe siècle. Française.
Peintre de paysages.
A exposé des paysages au Salon des Indépendants en 1935.

FLANDIN Eugène Napoléon
Né en 1809 à Naples, de parents français. Mort en 1876 à Paris. XIXe siècle. Français.
Peintre d'histoire, sujets typiques, scènes de genre, portraits, paysages animés, paysages urbains, aquarelliste, dessinateur. Orientaliste.
Il fut élève d'Horace Vernet. Il accompagna l'armée française dans sa campagne de 1837 en Algérie. En 1840, l'Institut l'envoya en mission en Perse, pour recueillir le maximum d'informations sur l'évolution du pays sous le règne de Mohammad Chah Qadjar. Accompagné de l'architecte et peintre Pascal Coste, ils inventorièrent les monuments anciens et modernes. Ils visitèrent alors Hamadan, Kirmanshah, Ispahan, puis des contrées plus éloignées telles que Chiraz, Persépolis, et enfin, ils reprirent le chemin du retour en 1842, en passant par Mossoul, Alep et Constantinople. Eugène Flandin retourna au Moyen-Orient en 1844, cette fois en Mésopotamie.
Il exposa au Salon de Paris, obtenant une médaille de deuxième classe en 1837. Il fut décoré de la croix de la Légion d'honneur, en 1842.
Le début de son œuvre est tout empreint de sa région natale, il peignit des vues de monuments, des paysages, des scènes de genre et des portraits, parmi lesquels : *Vue de la Piazetta et du Palais ducal de Venise* – *Le Pont des Soupirs* – *Plage de Naples* – *Portrait d'une jeune Napolitaine sur fond blanc*. Eugène Flandin rédigea divers albums lors de ses nombreux voyages. De retour de son premier séjour au Moyen-Orient, il rédiga un album en six volumes en collaboration avec Pascal Coste ; ainsi qu'un compte rendu de voyage plus personnel ; lors de son second séjour, il dessina des sculptures et bas-reliefs qui avaient été dégagés sur le site de Kuyunjik, dessins qui furent publiés, en 1850, dans *Monument de Ninive*. Il publia encore *L'Orient*, en 1856, en quatre volumes, dont certaines planches ont donné lieu à des huiles ; et *Histoire des chevaliers de Rhodes*, en 1864. Inspiré par ses nombreux voyages, il peignit essentiellement des tableaux orientalistes, des vues de villes et d'architectures, où il met plus l'accent sur l'aspect documentaire que sur le caractère anecdotique. Parmi ses toiles, on mentionne : *Ispahan, entrée de la grande Mosquée sur la Place de Chah Abbas* – *Constantine, assaut donné le 13 octobre 1837, intérieur de la batterie de la brèche* – *Intérieur de bazar à Téhéran* – *Aux abords de la Grande Mosquée, Constantinople*.

Eugène Flandin

BIBLIOGR. : Lynne Thornton, in : *Les Orientalistes, peintres voyageurs*, ACR Édition, Paris, 1993.
MUSÉES : AUCH : *Le Pont des Soupirs à Venise* – CAEN : *Intérieur d'atelier* – LILLE : *Vue prise à Tripoli de Syrie* – MARSEILLE : *Vue de Bagdad* – LA ROCHE-SUR-YON : *Entrée des caveaux de Venise* – ROUEN : *Vue d'Athènes* – VERSAILLES : *Entrée de l'armée française à Alger le 5 juillet 1830*.
VENTES PUBLIQUES : PARIS, 23 fév. 1891 : *Vue d'Orient* : **FRF 90** – PARIS, 22 mars 1924 : *L'Heure de la prière en Orient*, aquar. : **FRF 40** – PARIS, 11-12 déc. 1924 : *Fête arabe réunissant de nombreux personnages* : **FRF 400** – PARIS, 17 nov. 1941 : *Vue de Rhodes* 1843 : **FRF 1 150** – PARIS, 15 oct. 1942 : *Vue d'Orient* 1831 : **FRF 1 950** – PARIS, 29-30 mars 1943 : *Ville d'Orient avec mosquée*, aquar. reh. de gche : **FRF 1 200** ; *La Danse pour le sultan*, aquar. gchée : **FRF 1 200** – VERSAILLES, 15 déc. 1968 : *Mosquée*, h/t (46x39) : **FRF 500** – LONDRES, 10 fév. 1977 : *La mosquée royale d'Ispahan* vers 1840, h/t (126x200) : **GBP 21 000** – LONDRES, 20 mars 1981 : *Vue du Moyen-Orient* 1837, h/t (90,7x134) : **GBP 4 000** – PARIS, 15 fév. 1983 : *Caravane dans le désert*, gche (26x47,5) : **FRF 22 500** – COMPIÈGNE, 24 fév. 1985 : *Vue de Constantinople*, h/t (22x38) : **FRF 35 500** – LONDRES, 30 mars 1990 : *Les Ablutions* 1857, h/t (46,3x38,1) : **GBP 13 200** – AMSTERDAM, 24 avr. 1991 : *La route de La Fa Kieh à Tripoli*, aquar. et gche avec reh. de blanc/pap. (26,5x48) : **NLG 4 600** – PARIS, 21 oct. 1992 : *Intérieur d'une église vénitienne*, aquar. (26x20,5) : **FRF 5 500** – PARIS, 19 nov. 1992 : *L'Entrée de la mosquée*, fus. et reh. de craie/pap. bleu (39x30) : **FRF 4 000** – PARIS, 27 mai 1993 : *Portrait d'une jeune Napolitaine sur fond blanc* 1835, h/t (35,5x27) : **FRF 17 000** – PARIS, 22 mai 1994 : *Vue de Vera Cruz* 1839, mine de pb, pierre noire et reh. de blanc (30x54) : **FRF 6 800** – LONDRES, 16 nov. 1994 : *Vue de Scutari depuis le Bosphore*, aquar. (50,5x37) : **GBP 5 750** – LONDRES, 11 fév. 1994 : *Musiciens orientaux dans un intérieur* 1852, cr. et aquar./pap. (19,7x16) : **GBP 1 150** – PARIS, 25 juin 1996 : *Mosquée de Tripoli de Syrie* 1841, h/pan. (20x29) : **FRF 80 000**.

FLANDIN Roger
Né le 21 août 1910 à Saint-Maur (Hauts-de-Seine). XXe siècle. Français.
Peintre de paysages, natures mortes.
Il fut élève de Legueult à l'École des Arts Décoratifs de Paris, et de Dewambez à l'École des Beaux-Arts à Paris également.

FLANDIN Violette, Mme **Pierre Debray**
Née à Paris. XXe siècle. Française.
Peintre de portraits, paysages.
A exposé un paysage et un portrait au Salon des Indépendants en 1935.

FLANDIN Hélène Charles
Née à Paris. XXe siècle. Française.
Sculpteur de bustes.
Elle a exposé, à Paris, au Salon des Indépendants entre 1935 et 1943. Elle a modelé surtout des bustes, notamment celui de *Marcel Bouteron de l'Institut*. On cite aussi des têtes d'enfants et le *Chien de Jules Cambon*.

FLANDRE Charles
XXe siècle. Français.
Peintre de paysages.
A exposé au Salon des Indépendants en 1942 et 1943.

FLANDRES, de. Voir au prénom

FLANDRIN François Henri. Voir **FRANCK Henri**

FLANDRIN Gilberte

Née à Bordeaux (Gironde). XXe siècle. Française.

Peintre de fleurs.

Elle exposa à Paris au Salon de la Société Nationale des Beaux-Arts à partir de 1933.

FLANDRIN Hippolyte Jean

Né le 23 mars 1809 à Lyon (Rhône). Mort le 21 mars 1864 à Rome. XIXe siècle. Français.

Peintre de compositions religieuses, portraits.

Il appartenait à une vieille famille lyonnaise qui au XVIIIe siècle, exerçait le commerce des draps d'or. Ses parents étaient dans une situation des plus modestes, d'autant qu'ils avaient sept enfants, dont trois se tournèrent vers la peinture. Son père lui-même avait du goût pour les arts et faisait de petites miniatures. Hippolyte, qui rêvait de devenir peintre militaire, fit ses premières études de dessin et de peinture auprès du sculpteur Legendre Héral, ami de Foyatier, et du peintre animalier Duclaux, qui lui fit prendre l'habitude de dessiner d'après nature, en particulier des chevaux, des chiens, etc., puis à l'École des Beaux-Arts de Lyon dont il remporta les plus belles récompenses. A vingt ans, il vint à pied à Paris, avec son frère Paul, pour continuer ses études, et s'attacha à Ingres dont l'enseignement, après l'avoir étonné d'abord, le conquit et l'enthousiasma et dont il devint le disciple et l'ami. Prix de Rome en 1832, il se lia à la villa Médicis avec Ambroise Thomas, Baltard, Oudiné, Simart, le compositeur Boulanger, l'architecte Faminet. Ravi de la nature italienne, enthousiasmé par les chefs-d'œuvre de Raphaël, docile aux conseils d'Ingres, qu'il avait retrouvé comme directeur de l'École de Rome, en 1835, il ne laissa pas cependant de suivre sa voie. D'un caractère doux, tendre et mélancolique, porté à la rêverie et au recueillement, d'une âme délicate et profondément religieuse, il se tourna de lui-même vers la peinture sacrée, comme le prouvent ses deux derniers envois : *Saint Clair guérissant les aveugles* (première médaille au Salon de 1837) et *Jésus bénissant les enfants*. Revenu en France en 1838, Hippolyte Flandrin ne tarda guère à être chargé de la décoration d'une chapelle à Saint-Séverin (chapelle Saint-Jean) et bientôt après, dans l'église Saint-Germain-des-Prés, de la décoration du sanctuaire et de la chapelle des Apôtres. Il y fit preuve, en même temps que d'un sentiment chrétien intime et pénétrant, d'une grande intelligence de la peinture murale, d'un noble talent de composition, d'un coloris sobre, d'un dessin pur et sévère (*la Cène, l'Entrée à Jérusalem, la montée au Calvaire*). A Saint-Vincent-de-Paul, sur les deux frises latérales de la nef, il peignit deux admirables processions de saints et de saintes que Théophile Gautier appela les « Panathénées chrétiennes ». On compte environ quatre-vingts figures de chaque côté, réparties en douze chœurs (les Apôtres, les Martyrs, les Docteurs, etc., les Vierges martyres, les Pénitentes, les saints ménages). Appelé à compléter la décoration de Saint-Germain-des-Prés, il représenta de chaque côté de la nef deux séries de sujets empruntés à l'Ancien et au Nouveau Testament et rapprochés deux à deux, pour montrer dans la vie de Jésus-Christ l'accomplissement d'une prophétie ou d'une figure de l'ancienne Loi, par exemple, *La Faute d'Adam* à côté de *La Nativité*, ou bien *Le Sacrifice d'Abraham* à côté du *Calvaire*, ou encore *Jonas sauvé* à côté de *La Résurrection*. Par cette recherche, Flandrin mettait l'art religieux au service de la démonstration dogmatique et reprenait les traditions des peintres chrétiens d'autrefois. Il fut vraiment le peintre religieux de la France au XIXe siècle. Flandrin fut aussi un grand portraitiste. Dessinateur impeccable, observateur attentif et recueilli devant la nature, il analysait les traits de la physionomie morale de son modèle et faisait resplendir l'âme sur le visage. Il excellait surtout dans les portraits de jeunes filles et de jeunes femmes, qu'il représentait charmantes d'ingénuité ou de distinction. On peut s'en convaincre au Louvre devant le *Portrait de Mme Vinet* ou devant la *Jeune fille grecque*, à Versailles devant le fameux *Portrait de Napoléon III* dont l'Empereur fut peu content à cause du regard perdu dans le vague, mais qui reproduit si fidèlement l'expression rêveuse du modèle. Tant de travaux exécutés en vingt-cinq ans, avec une probité d'art poussée jusqu'au scrupule, épuisèrent Flandrin qui mourut à l'âge de cinquante-cinq ans, à Rome, où il avait été chercher quelque repos. Il avait reçu la croix de chevalier en 1841, la rosette d'officier en 1853 et cette même année il était entré à l'Académie. Aimé de la jeunesse, il a eu pour élèves Elie Delaunay, Alexis Douillard, Blaise Desgoffe, etc. MM. Urbain Bourgeois et Eugène A. Guillon. Il avait épousé en 1843 une cousine du sculpteur Gatteaux, Mlle Ancelot ; il en eut plusieurs enfants dont le peintre Paul-Hippolyte Flandrin, né en 1856. Les *Lettres et pensées* d'Hippolyte Flandrin, pleines de cœur et de suavité, ont été publiées en 1865 par M. Delaborde (Plon). Une vie d'Hippolyte Flandrin a été donnée également par un de ses neveux, M. Louis Flandrin (première édition Laurens, 1902 ; deuxième édition Perrin, 1909). Ses expositions et salons furent nombreux.

Parmi ses décorations, citons : *Chapelle Saint-Jean à Saint-Séverin*, 1839-1841, *Décoration du château de Dampierre*, 1841, *A Saint-Germain-des-Prés, décoration du sanctuaire*, 1842-1846, *de la chapelle des Apôtres*, 1846-48, *de la nef*, 1856-1861, *A Nîmes, décoration de l'église Saint-Paul*, 1848-49, *A Saint-Vincent-de-Paul, décoration de la nef*, 1849-1853, *Au Conservatoire des Arts et Métiers*, deux figures représentant *l'Agriculture et l'Industrie*, 1854, *A Lyon, décoration de Saint-Martin-d'Ainay*, 1855.

Parmi ses nombreux portraits, citons : *Ambroise Thomas, Oudiné, Debay*, 1837-38 (Villa Médicis), *Mlle Paule Baltard*, 1839, *Mme Oudiné* (Salon de 1840), *Mme Vinet* (Salon 1841) aujourd'hui au Louvre, *Mlle Delessert* (Salon de 1843), *Chaix d'Est Ange, M. Varcotier, Mme Féburier* (Salon de 1845), *Mme Régnault, Mme la Comtesse de Verdun* (Salon de 1846), *Mme de Villiers du Terrage, Mme Auvray, Mme Hippolyte Flandrin, Mme de Saint-Didier*, 1849, *Mme la comtesse Marion*, 1852, *M. Marc Séguin* (Salon de 1855), *Mme la baronne Fréteau de Pény*, 1854, *M. et Mme Thiac, M. et Mme Brolemann*, 1855, *Mme Legentil* (Salon de 1857), *M. le baron Fréteau de Peny*, 1857, *M. Legentil, M. et Mme Sieyès, Mlle Maison (baronne de Mackau) ; La jeune fille à l'œillet* (Salon de 1859), *Mlle Duchâtel (duchesse de la Trémoille), Le prince Napoléon* (Salon de 1861), *M. Gatteaux, le comte Duchâtel, le comte Walewski*, 1863, *Casimir Périer, Mme Brame, Mme Anisson-Duperron, Mme la duchesse d'Ayen, l'empereur Napoléon III* (Salon de 1863), aujourd'hui au Musée de Versailles, *M. Say, M. le baron James de Rothschild, M. Marcotti-Genlis*, 1863. Les portraits de l'artiste par lui-même sont : un portrait de profil, peint à Rome, 1837, et conservé dans la famille de l'artiste. Une redite de ce portrait est conservée à la Villa Médicis. Un portrait de trois quarts qui appartient au Musée des Offices, à Florence. Une ébauche de ce portrait est conservée dans la famille. Un portrait représentant Hippolyte Flandrin âgé d'environ cinquante ans (appartient à la famille). Un portrait du peintre à son chevalet, appartient à la famille. Voir aussi au Musée de Nantes les deux frères Hippolyte et Paul peints l'un par l'autre.

Le reste de son œuvre est aussi divers que varié : *Le Berger* (1835), *Saint Clair guérissant les aveugles*, 1836 (cathédrale de Nantes), *Les Bergers de Virgile*, 1837, *Saint Louis dictant des Établissements*, 1842 (Palais du Sénat), *Saint Louis prenant la Croix*, 1842 (carton pour vitrail, chapelle de Dreux), *Mater Dolorosa*, 1845 (Saint-Martory, près Saint-Gaudens, Haute-Garonne), *Napoléon Ier législateur*, 1847 (tableau brûlé dans l'incendie du Conseil d'État), *La République*, 1848, quatre médaillons pour *Le Berceau du prince impérial*, 1856, étude, *Jeune femme*, 1854.

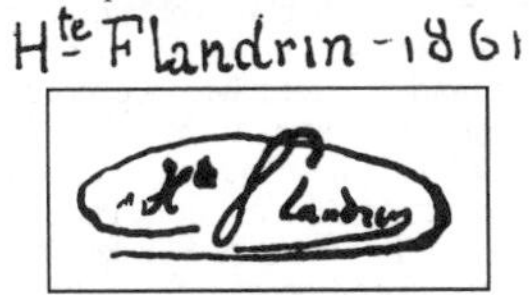

Cachet de vente

MUSÉES : AMIENS : *Portrait de Napoléon III*, copie – ANGERS : *Saint Clair guérissant les aveugles*, esquisse – BAGNOLS : *Saint Pierre et saint Paul – Saint Paul sur le chemin de Damas* – CALAIS : *Portrait de Napoléon III* – FLORENCE (Offices) : *Portrait du peintre par lui-même* – LILLE : *La dispersion des peuples – Samson, juge – Baruch, prophète* – LISIEUX : *Jésus bénissant les petits enfants* – LYON (église Saint-Martin-d'Ainay) – LYON : *Dante et Virgile – Euripide* – MONTAUBAN : *Portrait d'Ingres – Raphaël et la Fornarina* – NANTES : *La rêverie – Jeune Fille – Portrait de Paul Flandrin* – NÎMES (église Saint-Paul) – PARIS (Louvre) : *Jeune homme nu assis au bord de la mer – La jeune fille grecque – Figure d'étude – Portrait de jeune fille – Portrait d'Ambroise Thomas – Portrait de Mme Vinet* – PARIS (École des Beaux-Arts) : *Thésée reconnu par son père – Copie d'un fragment de l'École d'Athènes de Raphaël* –

PARIS (église Saint-Séverin) – PARIS (église Saint-Vincent-de-Paul) – PARIS (église Saint-Germain-des-Prés) – ROUEN : *Intérieur d'église – Fra Angelico – Christ mort – La Cène – Douze personnages – Tête d'homme – Torse d'homme nu* – SAINT-ÉTIENNE : *Politès observant les Grecs* – VERSAILLES : *Duchesse de Vendôme – Marquise de Lavardin – Cardinal de Tournon – Diane de Poitiers – L'empereur Napoléon III.*

VENTES PUBLIQUES : PARIS, 4-5 déc. 1918 : *Une pénitente*, étude au crayon : **FRF 40** – PARIS, 30 nov.-2 déc. 1920 : *L'Homme à la lance ; Saint François d'Assise ; Adam et Ève*, trois sanguines : **FRF 200** ; *Le Christ bénissant ; Étude de femme drapée ; Un Apôtre*, trois sanguines : **FRF 100** ; *Démocrite et les Abdéritains*, cr. : **FRF 180** – PARIS, 19 fév. 1921 : *Paysage*, dess. : **FRF 215** – PARIS, 29 avr. 1921 : *Nature morte* : **FRF 380** ; *Coins du village de Noailly* : **FRF 500** – PARIS, 26 fév. 1926 : *La Balançoire*, cr. : **FRF 85** – PARIS, 19 mai 1926 : *Le Verger* : **FRF 1 000** – PARIS, 20 et 21 avr. 1932 : *Étude de femme drapée, de profil*, mine de pb : **FRF 45** – PARIS, 8 mars 1974 : *L'adoration des rois mages* : **FRF 12 000** – NEW YORK, 12 mai 1978 : *Jeune Femme au châle rouge* 1834, h/t (55x46) : **USD 2 000** – PARIS, 1er déc. 1983 : *Le prophète Osée*, h/cart. (32,5x12,5) : **FRF 11 000** – COLOGNE, 27 mars 1987 : *Portrait de jeune fille dans un paysage*, h/t (65x52) : **DEM 5 500** – PARIS, 20 jan. 1988 : *Après le combat*, aquar. (22x31,5) : **FRF 7 800** – PARIS, 10 oct. 1990 : *Rome, coucher de soleil*, aquar. (9x20) : **FRF 4 800** – NEW YORK, 26 oct. 1990 : *Esquisse de la tête d'un homme jeune*, h/pap./t. (40,6x30,5) : **USD 4 675** – PARIS, 2 avr. 1993 : *Vénus et Psyché*, mine de pb, étude (27,5x20) : **FRF 5 300** – PARIS, 4 juin 1993 : *Tête de jeune femme pensive*, h/t (38,4x28,4) : **FRF 15 000** – PARIS, 18 nov. 1994 : *Vue de Rome la nuit, depuis la loge de la Villa Médicis* 1836, aquar. (15x24) : **FRF 108 000** – PARIS, 9 déc. 1994 : *Le Christ mort et un ange agenouillé devant les instruments de la Passion*, cr. noir et lav. gris (29,5x25) : **FRF 9 500** – PARIS, 22 nov. 1995 : *Académie d'homme debout*, h/t (81x60) : **FRF 13 000** – PARIS, 28 fév. 1996 : *La Cène* 1852, h/pan. (56x52) : **FRF 61 000** – NEW YORK, 23 mai 1997 : *Jésus-Christ et les petits enfants*, h/t (50,8x61) : **USD 32 200**.

FLANDRIN Jean

XVIIe siècle. Actif à Nantes. Français.

Peintre et peintre verrier.

FLANDRIN Jean Baptiste Jacques

Né en 1773. Mort le 27 janvier 1838 à Lyon (Rhône). XVIIIe-XIXe siècles. Actif à Lyon. Français.

Peintre amateur.

Il s'adonna d'abord à la peinture d'histoire et de genre, puis il peignit des portraits miniatures. On connaît de lui un double portrait sur ivoire d'un homme et d'une femme, qui fut exposé à Berlin en 1906.

FLANDRIN Jules Léon

Né le 9 juillet 1871 à Corenc (Isère). Mort le 25 ou 27 mai 1947 à Paris. XXe siècle. Français.

Peintre de compositions à personnages, compositions religieuses, compositions mythologiques, sujets allégoriques, natures mortes, portraits, paysages, fleurs, scènes de genre, peintre de cartons de tapisseries, céramiste, dessinateur, pastelliste, graveur.

Issu d'une vieille famille de la bourgeoisie grenobloise, il quitte l'école à quinze ans pour apprendre le métier de graveur lithographe dans une imprimerie, et suivre les cours de l'École municipale de modelage et de dessin. Après son service militaire, en 1893, il obtient une bourse de la Mairie de Grenoble pour suivre les cours de l'École des Arts Décoratifs de Paris. Son professeur Gustave Moreau l'incite à s'inscrire également à l'École des Beaux-Arts de Paris, où il dirigeait un atelier. Il y rencontre Marquet, Matisse, Rouault et Guérin. Il demande aussi conseil à Puvis de Chavannes, et devient l'ami de Maurice Denis. Il fait la connaissance, en 1895, de Jacqueline Marval peintre comme lui, avec laquelle il vivra trente-cinq ans. C'est à trente-huit ans, qu'il va effectuer son premier voyage à l'étranger. À cette époque, c'est encore l'Italie qui est le passage obligé de tout voyage d'étude, il découvrira Venise, Florence et Rome. Il a quarante-trois ans lorsque la Première Guerre mondiale éclate. Durant quelque temps, il dessinera ses camarades « les Poilus ». Il ouvre à partir de 1919, un atelier de tapisseries. Après plusieurs saisons fastes, cet atelier ferme pour raisons financières en 1924. En 1931, il épouse une de ses élèves, Henriette Deloras. À partir de 1905, il a commencé une série de compositions murales : *Saint Pierre ; Saint Paul ; le Couronnement de la Vierge*, pour l'église de Corenc et, en 1924, peint pour l'église Saint-Bruno, à Grenoble, deux immenses tableaux commémorant la venue des Pères Chartreux dans le Dauphiné.

Il participe à des expositions collectives, parmi lesquelles : 1896, des peintures et des lithographies, Salon du Champ de Mars, Paris ; 1897, Salon de la Société Nationale des Beaux-Arts, duquel il est nommé membre associé, puis membre sociétaire ; Salon des Artistes Indépendants avec les Fauves ; au Salon d'Automne ; 1910, Londres ; 1913, Berlin, Munich ; 1916, Paris, Grenoble, Venise ; 1936, Japon ; 1939, New York, Mexico ; *150 ans de Peinture Dauphinoise*, Château de la Condamine, Mairie de Torenc. Une rétrospective de ses œuvres eut lieu à Grenoble en 1972.

Il emprunta les sujets de ses nombreux paysages principalement au Dauphiné et à l'Italie. Ses paysages et natures mortes ne présentent pas de grande originalité, et les figures de ses compositions empruntent quelque peu de la spiritualité de l'œuvre de Maurice Denis. S'il connut, dans le cercle de l'atelier de Gustave Moreau, la génération des Fauves, il n'en partagea pas les conceptions. ■ C. D.

Jules FLANDRIN Jules FLANDRIN

Jules FLANDRIN

BIBLIOGR. : J. Marval : *Les Danseurs de Flandrin*, Paris, 1913 – T. L. Klingsor : *Jules Flandrin*, Paris, Rue de l'Échelle, 1923 – Maurice Wantelet : *Deux siècles et plus de peinture dauphinoise*, Édition Maurice Wantelet, Grenoble, 1987.

MUSÉES : CHAMBÉRY (Mus. des Beaux-Arts) : *Le Peintre et les chasseurs alpins – Les Cavaliers au bois* – GRENOBLE – LUXEMBOURG – NEW YORK – PARIS (Mus. Nat. d'Art Mod.) : *La Route de la Grande Chartreuse – À la fontaine, matinée* – TOKYO.

VENTES PUBLIQUES : PARIS, 12 oct. 1922 : *Paysage* : **FRF 1 000** – PARIS, 7 avr. 1924 : *Le Mont-Blanc*, dess. : **FRF 280** ; *Les danses russes*, trois toiles : **FRF 8 500** – PARIS, 26 et 27 mai 1924 : *Montagne au bord du lac* : **FRF 155** – PARIS, 4 juin 1925 : *Vue du Dauphiné* : **FRF 1 000** – PARIS, 2 juin 1926 : *Vase de fleurs* : **FRF 6 000** – PARIS, 4 juin 1926 : *La maison des Capitans à Corenc* : **FRF 525** – PARIS, 12 juin 1926 : *Nature morte* : **FRF 1 400** – PARIS, 27 oct. 1926 : *Pierrot masqué* : **FRF 150** – PARIS, 20 et 21 déc. 1926 : *Le cavalier* : **FRF 3 000** ; *Le banc* : **FRF 1 200** – PARIS, 7 avr. 1927 : *Notre-Dame de Paris vue du quai Saint-Michel, effet de soleil* : **FRF 5 000** – PARIS, 30 et 31 mai 1927 : *La vallée du Drac et le Mont Aiguille* : **FRF 820** – PARIS, 26 nov. 1927 : *La Vallée* : **FRF 480** ; *Le pâturage* : **FRF 380** – PARIS, 17 mai 1929 : *Notre-Dame de Paris et le Pont au Double* : **FRF 1 610** – PARIS, 10 fév. 1932 : *L'étudiante russe assise au café* : **FRF 60** – PARIS, 12 fév. 1932 : *Promenade dans les bois* : **FRF 750** – PARIS, 13 fév. 1932 : *Le golf sur la falaise* : **FRF 950** – PARIS, 12 déc. 1932 : *Le Spectre de la Rose : Le rêve (Nijinsky et Karsavina)* : **FRF 16 000** – PARIS, 27 avr. 1932 : *Le Pont Saint-Michel à Paris* : **FRF 830** – PARIS, 9 juin 1933 : *Le Spectre de la Rose* : **FRF 1 520** – PARIS, 9 juin 1933 : *Le Spectre de la Rose* : **FRF 1 520** – PARIS, 24 fév. 1934 : *L'entrée en scène* : **FRF 105** ; *La fontaine* : **FRF 250** – PARIS, 26 et 27 fév. 1934 : *La charette sur la route, à l'entrée d'une ville*, dess. au cr. lavé d'aquar. : **FRF 170** – PARIS, 24 fév. 1936 : *La charrette au cheval blanc, environs de Grenoble en été* : **FRF 380** – PARIS, 8 mai 1936 : *Les ruines antiques de Taormina* : **FRF 60** – PARIS, 17 fév. 1937 : *Les trois danseuses* : **FRF 300** – PARIS, 30 juin 1937 : *Bouquet d'anémones et de soucis dans un pichet* : **FRF 750** – PARIS, 1er juil. 1937 : *Paysage du Dauphiné* : **FRF 220** – PARIS, 9 déc. 1940 : *Jeune provençale* : **FRF 180** – PARIS, 5 mars 1941 : *la petite dessinatrice* : **FRF 820** – PARIS, 27 juin 1941 : *Nature morte à la jumelle* : **FRF 650** – PARIS, 2 mars 1942 : *Le petit gardeur de vaches* : **FRF 420** – PARIS, 19 mars 1942 : *La Seine à Paris* : **FRF 2 800** – PARIS, 1er avr. 1942 : *Le jardin* : **FRF 2 200** – PARIS, 24 avr. 1942 : *Le mousquetaire* : **FRF 320** – PARIS, 9 juil. 1942 : *Paysage* 1908, aquar. : **FRF 400** – PARIS, 15 avr. 1943 : *La couturière* 1912 : **FRF 700** – PARIS, 16 juin 1943 : *Portrait*, lav. d'encre de Chine : **FRF 120** – PARIS, 10 nov. 1943 : *La Seine au quai des Orfèvres* : **FRF 2 800** – PARIS, 23 fév. 1945 : *Fleurs et fruits sur une fenêtre* 1913 : **FRF 900** – PARIS, 9 avr. 1945 : *Poupées dansant* : **FRF 3 000** – PARIS, 29 juin 1945 : *Paysage du Dauphiné* : **FRF 3 000** – PARIS, oct. 1945-juil. 1946 : *Dante et Béatrice au Paradis* : **FRF 8 500** – PARIS, 26 déc. 1946 : *Paysage du Dauphiné*, esqu. au fus. : **FRF 300** – PARIS, 26 fév. 1947 : *Fleurs* : **FRF 1 200** – PARIS, 25 juin 1947 : *Paysage du Dauphiné* 1918 : **FRF 5 000** – PARIS, 2 juil. 1947 : *Nature morte, fleurs* :

FRF 1 000 – VERSAILLES, 12 déc. 1976 : *Rome : La place du Peuple* 1922, h/t (76x150) : **FRF 7 100** – GRENOBLE, 12 déc. 1977 : *Civita Vecchia*, h/cart. (55,5x90) : **FRF 5 000** – GRENOBLE, 18 mai 1981 : *Rome* 1929, past. (36x46) : **FRF 3 000** – GRENOBLE, 12 déc. 1983 : *Paysage champêtre à Corenc*, h/t (98x162) : **FRF 29 500** – PARIS, 10 fév. 1986 : *Figure de ballet*, h/t (100x80) : **FRF 24 000** – PARIS, 7 déc. 1987 : *Paris, le Pont Neuf*, h/t (60x92) : **FRF 11 100** – PARIS, 28 jan. 1988 : *Nature morte aux pommes*, h/t (24x41) : **FRF 5 000** – PARIS, 6 mai 1988 : *Enfants sur la terrasse* 1910, h/t (178x233) : **FRF 75 000** – PARIS, 18 déc. 1989 : *Vase de fleurs*, h/t (65x54) : **FRF 26 000** – PARIS, 19 mars 1990 : *Les Vendanges* 1902 (131x163) : **FRF 131 000** – PARIS, 30 jan. 1995 : *Les Orientales : Nijinsky*, h/t (81x65) : **FRF 100 000** – PARIS, 11 avr. 1996 : *Vaslav Nijinski et Tamara Karsavina interprétant Le Spectre de la Rose*, h/t (82x100) : **FRF 37 000**.

FLANDRIN Madeleine Marie Noémie Marthe
Née le 4 août 1904 à Montgeron (Essonne). XXe siècle. Française.
Peintre, sculpteur.
Elle fut élève de Pierre Laurens, de 1926 à 1931, et de Grange. Elle exposa, à Paris, au Salon des Artistes Français à partir de 1929, et y remporta de nombreuses récompenses, dont une bourse de voyage en 1930 et le prix Irma Lukinovic en 1934.

FLANDRIN Paul Hippolyte
Né en 1856 à Paris. Mort en 1921. XIXe-XXe siècles. Français.
Peintre.
Fils de Jean Hippolyte Flandrin. Sociétaire des Artistes Français, a obtenu une mention honorable en 1883, des médailles de troisième classe en 1890, de bronze en 1900 (E. U.), de deuxième classe en 1901. Hors concours.
MUSÉES : NICE : *La statuette.*

FLANDRIN Paul Jean
Né le 28 mai 1811 à Lyon (Rhône). Mort le 8 mars 1902 à Paris. XIXe siècle. Français.
Peintre de compositions religieuses, portraits, dessinateur, caricaturiste.
Frère cadet d'Hippolyte Flandrin, il étudia le dessin d'abord à Lyon avec le sculpteur Legendre Héral et le peintre animalier Duclaux, puis à l'École des Beaux-Arts, alors dirigée par Artaud. A Paris, de 1829 à 1838, il fait partie de l'atelier d'Ingres dont il est, avec son frère, un des élèves préférés. En Italie, où il séjourne cinq ans, de 1833 à 1838, il multiplie les études de paysage d'après nature dans la campagne romaine ou dans les sites pittoresques de la ville. Il en tire le motif de ses premiers tableaux qui, conçus dans la manière de Poussin, dénotent chez leur auteur une préoccupation marquée de la composition et du style. Médaillé dès son premier Salon en 1839, il obtient la croix de chevalier en 1852. Il épousa la même année la fille de son ami le peintre paysagiste Alexandre Desgoffe, dont il eut quatre enfants. Il ouvrit un atelier de dessin et de peinture pour les jeunes filles, qui fut très suivi pendant près de cinquante ans. Il collabora aux grandes œuvres de son frère, notamment à Nîmes.
Doué d'un très pur talent de dessinateur, il a exécuté beaucoup de portraits, les uns peints, les autres en plus grand nombre dessinés à la mine de plomb. Il y avait aussi en lui un amusant caricaturiste : Ingres collectionnait lui-même sur un album les charges de son élève.

Paul Flandrin.
Paul Flandrin

MUSÉES : ANGERS : *Nymphée, bois – Les environs de Marseille* – BAGNOLS : *Souvenir du Bas Bréau* – BORDEAUX : *Au bord de l'eau* – COMPIÈGNE : *Dans les bois* – DIJON – LANGRES : *Les Gorges de l'Atlas* – LILLE : *Portrait du Père Lacordaire* – LYON : *Les Pénitents de la mort – Bords du Rhône – Paysage indien* – LE MANS – MONTAUBAN : *Paysage – Même sujet* – MONTPELLIER : *Vallée d'Hyères – Environs de Vienne* – NANTES (coll. de Feltre) : *Hippolyte et Paul Flandrin – Le Duc de Feltre – Vue de Montredon* – NICE : *Paysage* – ORLÉANS : *Paysage* – PARIS (Louvre) : *Vue de la Villa Médicis*, dess. – PARIS (Art Mod.) : *Portrait d'Ambroise Thomas – Les Adieux du proscrit* 1839 – *Solitude* – PARIS (église Saint-Séverin) : *décoration de la chapelle des Fonts-Baptismaux* 1844-1846 – PARIS (palais de la Chancellerie) : *Grand paysage représentant la maison de la Légion d'honneur à Saint-Denis* – ROUEN : *La Statue* – ROUEN : *Paysage* – VERSAILLES : *Portrait d'Hippolyte Flandrin.*
VENTES PUBLIQUES : PARIS, 4-5 déc. 1918 : *Démocrite et les Abdéritains*, dess., d'après la fable de La Fontaine : **FRF 95** – PARIS, 28 mars 1919 : *Fleurs sur la balustrade* : **FRF 700** ; *Le Persée de Florence* : **FRF 2 000** ; *Fruits et fleurs* : **FRF 1 050** – PARIS, 4 et 5 mars 1920 : *La Brume dans la vallée* : **FRF 740** – PARIS, 3-4 juin 1920 : *Les Pâtres* : **FRF 200** – PARIS, 19 nov. 1931 : *Portrait*, cr. : **FRF 105** – LONDRES, 7 juil. 1939 : *Brillet de Moncours*, dess. : **GBP 11** ; *Louis Gueuria*, dess. : **GBP 11** ; *Jeune homme*, dess. : **GBP 18** – PARIS, 27 nov. 1942 : *Bergers grecs dans la montagne* : **FRF 3 800** – LONDRES, 15 mai 1942 : *Homme* : **GBP 29** – PARIS, 18 avr. 1984 : *Démocrite et les Abderitains* 1867, cr., reh. de blanc (26,5x21,5) : **FRF 5 200** – CHARTRES, 18 oct. 1987 : *Portrait de Louis Jules Delon* 1860, h/t (98x80) : **FRF 24 500** – VERSAILLES, 5 mars 1989 : *Le repos sous les arbres au bord du lac*, h/t (27x35) : **FRF 29 000** – PARIS, 30 juin 1989 : *Petit bois de la villa Borghèse à Rome*, h/t (29x21) : **FRF 19 000** – PARIS, 15 mai 1992 : *Jeune femme assise, torse nu*, h/t (35x19,5) : **FRF 8 000** – PARIS, 5 nov. 1993 : *Caricature d'Ingres à Rome*, pl. (22x35,5) : **FRF 4 800** – PARIS, 8 juin 1994 : *Portrait d'homme* 1833, cr. noir (18,7x13,2) : **FRF 12 800** – PARIS, 28 juin 1995 : *Tête d'homme de profil*, h/pap. (23x17) : **FRF 32 000** – LONDRES, 21 nov. 1996 : *Portrait d'une lady assise tenant une marguerite* 1871, past. (43,8x25,7) : **GBP 4 025**.

FLANDRIN Pierre
XVIIe siècle. Actif à Nantes. Français.
Peintre.

FLANDRIN René Auguste
Né en 1804 à Lyon (Rhône). Mort en août 1843 à Lyon. XIXe siècle. Français.
Peintre et lithographe.
Il était l'aîné d'une famille de sept enfants, et le frère d'Hippolyte et de Paul Flandrin. Après avoir étudié le dessin et la peinture à l'École des Beaux-Arts de Lyon, il vint en 1833 à Paris recevoir les leçons d'Ingres ; mais il ne suivit pas le maître à Rome et se fixa à Lyon, où il commençait à se faire connaître pour son talent très habile, quand il mourut, à l'âge de 38 ans. Le Musée de Lyon possède plusieurs œuvres de lui, entre autres une *Prédication de Savonarole dans l'église de San Miniato* et surtout plusieurs *Portraits.* Il avait ouvert un atelier où des artistes comme Louis Lamothe, Joseph Pagnon, Cabuchet, Chancel firent leurs premières études. Médaille de troisième classe en 1840.

FLANDRIN-LATRON Simone, Mme
Née à Vendôme (Loir-et-Cher). XXe siècle. Française.
Peintre de miniatures.
Élève de J.-P. Laurens et de Dézarrois. Exposant en 1933, au Salon des Artistes Français dont elle est sociétaire.

FLANGER José ou **Flangier**. Voir **FLAUGÉ**

FLANIGEN Jean Nevitt
Né en 1898. XXe siècle. Américain.
Peintre.
Après ses études artistiques, il devint membre de nombreuses sociétés de peinture.

FLANNAGHAN John Bernard ou **Flannagan**
Né en 1895 à Fargo (Dakota du Nord). Mort le 6 janvier 1942. XXe siècle. Américain.
Sculpteur de figures, animalier.
Il fut étudiant en peinture au Minneapolis Institute of Arts, de 1914 à 1917. Il fut un ami de Arthur B. Davies qui organisa l'exposition historique de l'*Armory Show*, en 1913, à New York. Celui-ci l'incita à la sculpture sur bois, ce qu'il fit à partir de 1922. Il vivait à cette époque dans une extrême pauvreté. Ce n'est qu'en 1929 qu'il fut pris en contrat par une galerie new-yorkaise. Après avoir subi quatre trépanations, à partir de 1939, il n'utilisa plus que le métal, sa santé lui interdisant la taille directe, jusqu'à son suicide en janvier 1942.
De la taille du bois, il passa à la sculpture de la pierre, matériau dans lequel il réalisa l'inventaire d'un monde animal, sur un mode presque naïf, s'il n'eût été humoristique. Dans ce qui est considéré comme sa période médiane, vers 1938, Flannaghan sculpta dans la pierre d'Alabama : *Chercheur d'or – Cheval Blanc – Agneau* et *Chèvre.*
Il a laissé le souvenir d'un personnage hors du commun, dans la vie artistique américaine de l'entre-deux-guerres. Ses lettres ont été publiées par Curt Valentin, marchand de tableaux new-yorkais. Malgré de grandes similitudes, il ne semble pas identique à FLANAGAN John. ■ J. B.

Bibliogr. : Jérôme Mellquist, in : *Dictionnaire de la sculpture moderne*, Hazan, Paris, 1960 – R.J. Forsyth : *John B. Flannaghan : sa vie et son œuvre*, Université de Minnesota, 1985.
Musées : New York (Metropolitan Mus. of Art) : *Figure of Dignity, Irish Mountain Goat.*
Ventes Publiques : New York, 21 mars 1974 : *Serpent* : **USD 4 000** – Los Angeles, 9 nov. 1977 : *Mère et enfant*, bronze (H. 46,3) : **USD 2 600** – New York, 21 avr. 1978 : *Figures* vers 1924-25, bois relief (59x21,6) : **USD 1 200** – New York, 25 sep. 1980 : *Colt*, aquar. (34,2x17,4) : **USD 650** – New York, 4 juin 1982 : *Nonne*, pierre (H. 53,3) : **USD 3 750** – New York, 29 mai 1987 : *Negro boy*, pierre (H. 71,1) : **USD 32 000** – New York, 1er oct. 1987 : *Nu*, pinceau et encre sépia (47,5x31,5) : **USD 2 400** – New York, 17 déc. 1990 : *Profil de Paul Wayland Bartlett*, bronze rond à patine brune (diam. 30,5) : **USD 6 600** – New York, 22 mai 1991 : *La Fille et le Cheval* 1938, pierre d'Alabama : **USD 22 000** – New York, 31 mars 1993 : *Pas encore*, bronze (H. 33) : **USD 6 325** – New York, 21 sep. 1994 : *Mère et enfant*, pierre beige (H. 38,1) : **USD 6 900**.

FLANNEAU Léon
Né le 23 février 1837 à Paris. xixe siècle. Français.
Peintre.
En 1869, il exposa au Salon : *Le menu*, et en 1870 : *Un cabaret de village en Basse-Picardie.*

FLASCHNER Alexandre
Né en 1903 en Hongrie. xxe siècle. Depuis 1924 actif en France. Tchécoslovaque.
Peintre de paysages, natures mortes.
En 1919, il eut la révélation de la peinture, à l'occasion d'une exposition des œuvres confisquées aux collections privées de Budapest. À Vienne, il fréquenta l'École des Arts Décoratifs. Arrivé à Paris en 1924, il y fut élève de l'Atelier Othon Friesz, de l'Académie de la Grande Chaumière et, pendant quatre ans, de l'atelier Lucien Simon à l'École des Beaux-Arts. À Paris, il participait aux Salons d'Automne, des Tuileries, des Artistes Indépendants. À titre personnel, il a exposé en 1937 à la galerie Jeanne Castel, en 1973 à la galerie Bassano, en 1988, avec sa femme sculpteur et leur fille peintre, dans les Salons de la Rose-Croix, en 1990 à la galerie Rambaud.
Les critiques ont souligné la filiation cézannienne de sa peinture. On peut préciser que cette filiation s'est opérée à travers Marquet et surtout Friesz. De Cézanne, en passant par Marquet, ses paysages et natures mortes ont retenu la simplification synthétique des grands plans et du modelé des volumes. De Friesz, il tient une sensualité des larges et grasses traînées de la brosse.

FLASCHNER Madeleine
xxe siècle. Française.
Peintre de sujets divers, graveur, lithographe. Expressionniste.
Elle fut élève d'Édouard Goerg. Elle fut ensuite élève de l'École des Beaux-Arts de Paris, de 1952 à 1960. Elle participe à des expositions collectives, dont, à Paris le Salon des Artistes Français, où elle obtint, en 1988 le prix Chassériau de gravure et une médaille d'or. Elle est également sociétaire du Salon d'Automne. Elle participe aussi au Salon de Gravure de Bayeux, obtenant le prix du Musée en 1980. Elle montre son travail dans des expositions personnelles, à Paris en 1957, 1962, en 1973 à Nordholm avec des gravures et des lithographies, en 1991 à Paris de nouveau à la Librairie-Galerie Sylvain Combescot.
Sa peinture expressionniste, dans une pâte généreuse, fait culminer les rouges sur les noirs, verts, bruns et bleus. Elle traite aussi bien le paysage, le portrait, le nu, que la nature morte. Toutefois, elle illustre souvent les coulisses du cirque, avec les clowns, les pantomimes ou bien s'intéresse aux scènes populaires, aux mœurs paysannes.
Ventes Publiques : Paris, 19 juin 1989 : *Les vieilles dames*, h/t (80x100) : **FRF 4 000**.

FLASCONARO Antonio
xvie siècle. Actif à Palerme. Italien.
Peintre.

FLASHAR Max
Né le 3 juillet 1855 à Berlin. Mort le 8 juin 1915 à Munich. xixe-xxe siècles. Allemand.
Peintre de portraits, peintre de genre et illustrateur.
Il fut à l'École des Beaux-Arts de Weimar élève de Kalckreuth, puis de l'Académie de Munich et de Knaus à Berlin. Il adopta dans ses œuvres le genre humoristique et fut collaborateur des *Fliegende Blätter* de Munich. Parmi ses portraits on cite ceux du *Prince de Schönburg-Waldenburg* et de la *Comtesse Lazar.*
Musées : Hambourg (Kunsthalle) : *Portrait du poète Freiligrath.*

FLASSCHOEN Gustave
Né en 1868 à Bruxelles. Mort en 1940. xixe-xxe siècles. Belge.
Peintre, aquarelliste, dessinateur, graveur, illustrateur.
Il fut élève de Stroobant à l'Académie de Bruxelles. Il effectua de nombreux voyages.

G. Flasschoen

Bibliogr. : In : *Diction. biogr. illustré des artistes en Belgique, depuis 1830*, Arto, Bruxelles, 1987.
Ventes Publiques : Bruxelles, 27 oct. 1982 : *Retour de pêche, Hollande*, aquar. (95x128) : **BEF 34 000** – Bruxelles, 13 déc. 1984 : *Paysage au moulin*, h/t (78x119) : **BEF 54 000** – Anvers, 2 déc. 1986 : *Avant l'orage*, h/t (54x81) : **BEF 260 000** – Lokeren, 5 mars 1988 : *Le port d'Anvers*, h/pan. (24x25) : **BEF 36 000** – Paris, 8 nov. 1989 : *Les Hollandaises*, h/pan. (35x55) : **FRF 4 000** – Bruxelles, 19 déc. 1989 : *Barques au clair de lune*, h/t (54x66) : **BEF 58 000** – Paris, 22 juin 1990 : *Marché à Biskra, Algérie*, h/pan. (32,5x39) : **FRF 30 000** – Paris, 16 nov. 1992 : *La chasse au faucon*, h/t (110x100) : **FRF 48 000** – Paris, 5 avr. 1993 : *Caïd algérien à cheval*, h/pan. (40x33) : **FRF 9 500** – Amsterdam, 20 avr. 1993 : *Vue du Cap Ferrat*, h/t (110,5x83) : **NLG 5 750** – Lokeren, 15 mai 1993 : *Vue d'un port*, h/t (74x65) : **BEF 55 000** – Paris, 18 juin 1993 : *Les cavaliers de la fête*, h/pan. (40x49) : **FRF 8 500** – Paris, 8 nov. 1993 : *Marché à Sidi Okba*, h/t (60x80) : **FRF 20 000** – Paris, 22 mars 1994 : *Chamelier et palanquin*, h/t (35x46) : **FRF 15 000** – Lokeren, 10 déc. 1994 : *Marché à Biskra en Algérie*, h/cart. (22,5x23) : **BEF 26 000** – Londres, 11 oct. 1995 : *Cavaliers arabes*, h/pan. (30x40) : **GBP 2 070** – Paris, 10-11 avr. 1997 : *Scène de campement*, h/pan. (37x46) : **FRF 8 000**.

FLASSE Edmond
Né le 23 novembre 1896. Mort en 1968 à Uccle (Brabant). xxe siècle. Belge.
Peintre. Lyrique.

FLATAU Joanna
Née à Varsovie. xxe siècle. Depuis 1971 active en France. Polonaise.
Peintre de figures, portraits, pastelliste. Expressionniste.
En 1969, elle fut diplômée d'histoire de l'art à l'Université et à l'Académie des Beaux-Arts de Varsovie. Depuis 1971, elle vit et travaille à Paris. Depuis 1982, elle expose en France et à l'étranger, notamment à Paris galerie de l'Œil de Bœuf, à Londres Centaur Gallery, en 1995 à Saint-Prex (Suisse) galerie de l'Ancienne Douane.
Elle privilégie la technique du pastel qu'elle n'utilise pas dans ses ressources de délicatesse, mais bien au contraire dans la violence. Surtout peintre des visages, elle en scrute l'expression qu'elle transcrit sans ménagements, entre beauté farouche et rire grinçant.

FLATEN Arnold
Né à Minneapolis (Minnesota). xxe siècle. Américain.
Sculpteur.
Il fut élève de M. J. Camus. Exposant, à Paris, du Salon des Artistes Français, en 1932.

FLATHE
xviiie siècle. Allemand.
Peintre.
La chapelle du Calvaire de Schöntal construite en 1716 lui doit des fresques de rotonde.

FLATMAN Thomas
Né en 1637 à Londres. Mort en 1688 à Londres. xviie siècle. Britannique.
Peintre et miniaturiste.
Après avoir étudié à l'École de Winchester, il alla au nouveau collège d'Oxford, qu'il quitta sans y avoir obtenu aucun grade. Il se tourna vers le barreau, mais il ne semble pas avoir suivi cette profession. Il avait du goût pour les Beaux-Arts et se fit une certaine réputation comme poète, comme miniaturiste et comme portraitiste. La collection Wallace, à Londres, conserve de lui un *Portrait de Charles II.* On voit aussi de lui, au Victoria and Albert Museum, une miniature le représentant, œuvre d'une remarquable exécution et d'une intensité d'expression tout à fait extraordinaire.

FLATTERS Jean Jacques
Né le 16 novembre 1786 à Crevelt. Mort le 19 août 1845 à Paris. XIXe siècle. Français.
Sculpteur.
Le 15 février 1814, il entra à l'École des Beaux-Arts et eut pour maître Houdon. Un an avant, il avait eu le deuxième prix au concours pour Rome. Flatters, qui fut chevalier de la Légion d'honneur et membre de l'Institut, figura au Salon de 1810 à 1839. Cet artiste a exécuté des œuvres remarquables. Les plus importantes sont : *Ulysse et Neoptolème enlevant à Philoctète les armes d'Hercule, Buste de Haydn, Buste de Louis XVIII, Sommeil,* petite statue en bronze, *Tête de fantaisie,* marbre, *Buste en marbre de Duguay-Trouin, Le Réveil,* statue en plâtre, *Ève, Buste en marbre de Turenne, Le Réveil,* statue en bronze. Plusieurs des productions de cet artiste sont à Londres.
Musées : Arras : *Buste de jeune femme,* marbre – Paris (coll. de la Comédie-Française) : *Mlle Rose Dupuis,* plâtre, buste – *Mlle Duchesnois,* marbre, buste – *Baptiste cadet,* plâtre, buste – Strasbourg : *Charles X,* marbre, buste – Valenciennes : *Mlle Duchesnois* – Versailles : *Joseph Haydn – Marie-Joseph Lafayette – Pierre de France, comte d'Alençon – Strozzi, maréchal de France – Turenne – Comte de Brueys d'Aigalliers – Mazarin.*

FLATTERS Richard Edmond
Né en 1822 à Urdingen. Mort en octobre 1876 à Bremerhaven. XIXe siècle. Allemand.
Peintre de genre.
Il débuta au Salon de Paris en 1845, et s'établit dans cette ville jusqu'en 1860.
Ventes Publiques : Rome, 6 juin 1984 : *Scène de la Révolution de 1848, Paris,* h/t (82x66) : **ITL 6 000 000** – New York, 19 jan. 1995 : *Les Chatons joueurs,* h/t (82,6x65,4) : **USD 5 750.**

FLATTERY Ivy Anne
Née à Londres. XXe siècle. Britannique.
Peintre.
Elle exposa à Paris au Salon des Artistes Français à partir de 1928.

FLATTNER Peter. Voir **FLOTNER**

FLATZ Johann Gebhard
Né le 11 juillet 1800 à Wolfurt. Mort en 1881 à Bregenz. XIXe siècle. Allemand.
Peintre d'histoire, compositions religieuses, dessinateur.
Il fut élève de Caucig et de Petter à l'Académie de Vienne. Il a longtemps travaillé à Rome.
Musées : Bregenz : *Saint Bonaventure* – Innsbruck (Ferdinandeum) : *Hector et Pâris – Fra Angelico au travail sous la protection de saint Luc* – Vienne : *La Vierge.*
Ventes Publiques : Vienne, 26 mai 1982 : *Dieu le Père* 1880, cr. (14x21) : **ATS 11 000** – Londres, 22 nov. 1990 : *L'Extase de saint François* 1864, h/t (137x96,5) : **GBP 990.**

FLAUBERT Louis Eugène
Né le 6 février 1885 à Paris. XXe siècle. Français.
Peintre.
Il fut élève de l'École des Arts Décoratifs. Il exposa ses œuvres, à partir de 1921, à Paris, au Salon des Artistes Français et au Salon des Artistes Indépendants. Il obtint une mention honorable au Salon des Artistes Français de 1926.

FLAUBERT Paul
Né en 1928. XXe siècle. Français.
Peintre de scènes et paysages animés, paysages, paysages urbains, paysages d'eau.
Ventes Publiques : Toulouse, 14 juin 1976 : *La Seine en Normandie,* h/pan. (28x39) : **FRF 1 900** – Saint-Brieuc, 12 déc. 1982 : *La promenade,* h/pan. (19,5x24) : **FRF 2 700** – Nanterre, 11 oct. 1987 : *Les boulevards,* h/pan. (52x37) : **FRF 6 000** – Calais, 3 juil. 1988 : *Le kiosque à musique,* h/pan. (19x27) : **FRF 7 800** – Paris, 19 jan. 1990 : *Chasse à courre, le rappel,* h/pan. (18x24) : **FRF 6 000** – Versailles, 8 juil. 1990 : *Paysage d'hiver,* h/pan. (38x46) : **FRF 5 700** – Paris, 30 oct. 1990 : *Venise, le grand Canal,* h/pan. (38x45) : **FRF 12 000** – Reims, 21 avr. 1991 : *Détente au bord de l'eau en automne,* h/t (46x55) : **FRF 20 500** – Le Touquet, 19 mai 1991 : *Plage animée,* h/pan. (29x42) : **FRF 13 500** – Le Touquet, 8 juin 1992 : *Jeune femme dans un jardin fleuri,* h/t (46x55) : **FRF 12 000.**

FLAUD Béatrice
Née le 16 décembre 1946 à Boulogne-sur-Seine (Hauts-de-Seine). XXe siècle. Française.
Peintre de figures, paysages, natures mortes, aquarelliste, graveur, sculpteur, restaurateur. Tendance symboliste.
Elle fut élève de l'École du Louvre à Paris, en histoire de l'art. Elle a acquis une formation multiple, en gravure, peinture et restauration. Elle expose à Paris, où elle participe aux Salons des Artistes Français, des Indépendants, dont elle est sociétaire. Elle participe aussi au Salon d'Automne. Elle participe à d'autres groupements à Paris et dans des villes de province. Elle a montré un ensemble de ses peintures dans une exposition personnelle en 1980 à Paris.
Dans une technique classique de figuration appliquée, elle traite souvent des sujets à tendance fantastique ou symboliste : en 1993 *Le Pharaon* un visage recouvert en partie d'un masque d'or ; *Les Énergies* paysage panoramique de métropole caché en partie par des constructions symbolisant les usines productrices des sources d'énergie nécessaires à la ville tentaculaire.

FLAUGÉ José ou **Flaugier** ou **Flanger**
Né en 1760. Mort le 9 mars 1812 à Barcelone. XVIIIe-XIXe siècles. Espagnol.
Peintre d'histoire, scènes de batailles.
Musées : Barcelone (Mus. prov.) : *Sainte Famille – Adoration des bergers* – deux tableaux.
Ventes Publiques : New York, 28 mai 1981 : *Scène de bataille,* h/t (72x112) : **USD 3 000.**

FLAUNET Eugène Louis
Mort en 1885. XIXe siècle. Français.
Peintre.
Sociétaire des Artistes Français.

FLAUSCH Fernand
Né en 1948 à Liège. XXe siècle. Belge.
Peintre, graveur, sculpteur.
Bibliogr. : In : *Diction. biogr. illustré des artistes en Belgique, depuis 1830,* Arto, Bruxelles, 1987.
Musées : Liège – New York (Metropolitan Mus.).

FLAVELLE William
Né vers 1786. XIXe siècle. Actif à Dublin. Irlandais.
Peintre de miniatures.
D'après un dessin de sa main Basire grava une vue de Dublin pour les *Rapports publics sur l'Irlande.*

FLAVERI Flavio de
Né le 11 juillet 1930 à Codogne (Vénétie). XXe siècle. Italien.
Sculpteur.
Il a étudié à l'École des Beaux-Arts de Toulouse de 1949 à 1954. Il enseigne le dessin à Montauban. Il réalise des sculptures classiques de femmes, et les expose dans la région toulousaine.

FLAVIA Antonio
D'origine catalane. Mort en 1639 à Salsa. XVIIe siècle. Espagnol.
Peintre.
Des tableaux bibliques de sa main se trouvent dans l'église de Salsa.

FLAVIGNY Henri
Mort avant 1581. XVIe siècle. Actif à Anvers. Éc. flamande.
Peintre.
Il est probablement identique à Herry Flowyn, qui eut pour élève J. Cleerbout en 1538.

FLAVIGNY Pierre
XVIe siècle. Actif à Châlons-sur-Marne. Français.
Peintre.
Fils d'Henri Flavigny et peintre de l'évêque Cosme-Clausse. Il est à supposer que le portrait de cet ecclésiastique dans la salle des séances de la Commission des Hospices à Châlons a été peint par lui.

FLAVIGNY Robert Constant Jean
Né à Elbeuf (Seine-Maritime). XXe siècle. Français.
Peintre.
Il exposa à Paris au Salon des Artistes Français en 1924.

FLAVIN Dan
Né en 1933 à Jamaica (New York). Mort en décembre 1996 à New York. XXe siècle. Américain.
Sculpteur, créateur d'installations, d'environnements, graveur. Abstrait-minimaliste.
Il fit des études secondaires au Collège de l'Immaculée Conception (1947-1952) où il préparait le séminaire de Brooklyn pour

devenir prêtre. Il fut ensuite formé comme technicien météorologue par l'armée américaine en Corée et passa ensuite par la New York School of Social Research en 1956 et les cours du peintre Hans Hoffmann (1955-1959), tout en suivant jusqu'en 1959 des études d'histoire de l'art à la Columbia University de New York. Il a vécu et travaillé à Garrison (New York).
En 1964, il participe avec son œuvre *Diagonal*, à une des premières expositions institutionnelles consacrées à l'art minimal, intitulée *Noir, Blanc et Gris* au Wadsworth Atheneum. En 1966, il est présent à l'exposition *Primary Structures* au Jewish Museum de New York, aux côtés de Carl André, Sol Lewitt et Donald Judd, également considérée comme un des actes fondateurs du minimal art, de même qu'à l'exposition *Kunst Licht Kunst* au Stedelijk Museum d'Eindhoven. Autres expositions collectives, en France : 1989, Musée d'Art Contemporain, Lyon ; 1989-1990, *L'Art conceptuel, une perspective*, Musée d'Art Moderne de la Ville de Paris ; 1990, *Un choix d'art minimal dans la Collection Panza*, Musée d'Art Moderne de la Ville de Paris.
Sa première exposition personnelle eut lieu à la Judson Gallery de New York, en 1961. Parmi ses nombreuses autres expositions personnelles : 1969, une importante rétrospective lui est consacrée à Ottawa, puis au Jewish Museum ; 1974 et 1975, il expose à Cologne, Rotterdam, Bâle ; 1982, Guggenheim Museum, New York ; 1985, *Monuments for V. Tatlin*, CAPC-Centre d'art contemporain, Bordeaux ; 1985, Musée Kröller Müller, Otterloo ; 1985, 1987, Leo Castelli, New York ; 1986, Harvard University, Boston ; 1987, Stedelijk Museum, Amsterdam.
Dan Flavin maîtrisait parfaitement la technique du dessin et débuta comme peintre, subissant l'influence de l'expressionnisme abstrait et du pop art. Il travailla ensuite à une série d'œuvres, les *Icônes*, des « supports à surface frontale carrée », de couleur sombre, cernés sur les arêtes par des ampoules électriques en fuseau, comme dans le cas de *Icon V* (1962). Il s'agissait de définir une « plasticité rigide » interprétée en réaction contre les derniers avatars de l'expressionnisme abstrait. S'il se référait au terme d'« icône », ce n'était pas comme une incarnation du Saint-Sauveur mais comme production visuelle de la lumière. Rapidement, il fit partie de la tendance dite minimaliste de l'abstraction géométrique. Historiquement, comme il le rappellera dans plusieurs de ses œuvres, le minimalisme prend sa source dans le mouvement constructiviste des années vingt en Europe. Aux États-Unis par contre, il est postérieur ou concomitant – suivant les artistes que l'on regroupe sous la dénomination de « minimalisme » – au radicalisme abstrait de Ad Rheinhardt, Barnett Newman et Frank Stella. Cette tendance, d'abord picturale, ensuite tournée vers l'objet, élimine toute représentation liée à l'illusionnisme interprétatif en faveur d'une seule image unifiée arrangée selon un ordonnancement précis et soigneusement pensé. En « sculpture », respectant ces principes formels, les éléments sont souvent des produits usinés et modulaires fabriqués en séries. Il s'agit pour les minimalistes d'élaborer des œuvres en trois dimensions dans une recherche de simplicité radicale, encore que Flavin, vaillant polémiste, refuse toutes associations avec les notions de sculptures ou d'œuvres en trois dimensions, etc. On pourrait également dire en utilisant une terminologie plus philosophique, qu'il s'agirait alors de créer les conditions d'une expérience phénoménologique. *Diagonal of May 25, 1963*, un tube fluorescent incliné à 45°, fut la première installation de l'artiste, point de départ de son travail futur. Le manifeste, pour Flavin, d'un art qui n'a pas de contenu explicite, ni de sujet défini. Lors d'une conférence au Brooklyn Museum Art School, en 1964, à New York, il commenta cette œuvre – aujourd'hui mythique – dans une forme de nominalisme postduchampienne : « J'ai déclaré Diagonale de l'Extase Personnelle (the Diagonal of May 25, 1963), un banal et simple tube fluorescent de 8 pieds de long (environ 2,50 m), d'une couleur quelconque, celles disponibles dans le commerce. Je l'ai choisi au début de couleur or. Le tube rayonnant et l'ombre capturée par sa position fixée semblaient suffisamment ironiques pour se suffire à eux-mêmes... de façon dynamique et dramatique sur le mur de mon atelier (...). » Flavin « produira » plusieurs versions de *Diagonal of May 25, 1963*, de couleurs et de positions différentes, les comparant à *La Colonne sans Fin* de Constantin Brancusi. Il dédiera par la suite une série de *Monuments* à Vladimir Tatlin. Attaché à des racines picturales, reconnaissant et bénéficiant de l'influence du travail d'autres artistes, l'œuvre de Flavin peut s'appréhender au travers des nombreuses pièces dédiées ou des *Mémorials* à ses contemporains ou à ses prédécesseurs : Newman, Lichtenstein, Brancusi, Mies Van der Rohe, Mondrian, etc. Sa pratique est à mettre également en perspective avec la fameuse émergence de l'art dit conceptuel. De cette prise de position conséquente de Flavin : « La tâche est terminée pour moi. Maintenant, c'est au tour des électriciens et des ingénieurs, etc. », d'aucuns y déduiront l'application la plus radicale des principes de l'art minimal : l'art s'arrête là où la conception s'arrête. Néanmoins, il s'agit d'un conceptualisme qui n'a que peut à voir avec celui plus radical d'un Kossuth par exemple.
Son travail de composition est extrêmement rigoureux. Le plus souvent, le tube de néon est articulé de façon rectiligne avec verticales, horizontales, plans cruciformes parfois, plus rarement circulaires. Une gamme chromatique y est définie par sa simplicité : bleu, rouge, jaune..., avec parfois de subtiles variations colorées : rose, blanc-gris, doré... C'est une « couleur-lumière ». L'intériorité de l'œuvre est basée sur le faisceau de lumière que le néon crée dans l'espace, et qui se répercute sur le mur, le sol ou le plafond, de même que sur la forme, elle-même rigide, de ces néons. Regroupés par paquets de trois ou quatre et fixés sur un mur ou parcourant les plinthes d'une pièce ou simplement posés dans un des coins, ces tubes fluorescents barrent parfois le couloir d'accès d'une salle, ajoutant indéniablement, dans ce dernier cas, des éléments subjectifs et associatifs à la rigueur formelle. C'est, en effet, dans un espace déjà architecturé – réel par opposition à l'espace pictural – que Flavin peut s'attacher le mieux à créer des « situations » et des cadres de références : il ne révèle pas des espaces mais construit des lieux. C'est encore dans « l'adaptation », ainsi que le dit Flavin, de son art aux lieux publics de « manière attentive et complémentaire », que nombre de ses réalisations exhibent leur pouvoir de souligner des lignes, des contours, des espaces... (parmi ses réalisations en milieu urbain : Hudson River Museum, Pacific Design Center, Grand Central Station à New York...). L'architecture du lieu devient alors un élément déterminant du sens de l'œuvre. Depuis longtemps symbole universel de nombreux aspects de notre vie matérielle et spirituelle, la lumière est déjà significative en soi. Le néon, lumineuse métonymie, lumière artificielle, participe souvent à une confrontation avec celle, naturelle, des différentes heures de la journée. Elle est drue, rayonnante ou mate, suggestive, re-créatrice de l'espace environnant, mais encore, force interactive pour le regardeur lui-même éclairé.

■ Christophe Dorny

Bibliogr. : Donald Judd : *Aspects de l'œuvre de Flavin*, in : *Dan Flavin*, catalogue de l'exposition, National Gallery of Canada, Ottawa, 1969 – D. Judd, C. Huber, et Deutch : *Dan Flavin, fünf Installationen in Fluoreszierendem licht*, catalogue de l'exposition, Kunsthalle, Basel, 1975 – *Dan Flavin*, catalogue de l'exposition, Art Museum, Fort Worth, 1976 – *Dan Flavin*, catalogue de l'exposition, Art Institute, Chicago, 1977 – Ann Hindry : *Le Pur Vase d'aucun breuvage...*, in : *Artstudio*, Paris, Automne 1987 – *Dan Flavin*, catalogue de l'exposition, Kunsthalle, Baden-Baden, 1989 – Madeleine Deschamps : *Dan Flavin, situations*, in : *Art Press* – Maïten Bouisset, in : *Beaux-Arts*, Paris, 1990.

Musées : Bordeaux (CAPC) : *Hommage à Tatlin* 1964, tubes fluorescents – Cambridge (Fogg Art Mus., Harvard University) : *Sans titre en respectueux hommage à vous, Nikki* – Lille (FRAC Nord Pas-de-Calais) : *Sans titre* – Paris (Mus. Nat. d'Art Mod.).

Ventes Publiques : New York, 17 nov. 1971 : *The Alternate Diagonals of March 2*, cinq tubes de néon blanc : **USD 6 000** – Los Angeles, 15 mai 1972 : *Sans titre*, tubes fluorescents : **USD 6 250** – Londres, 3 avr. 1974 : *A primary picture*, cinq tubes de néon : **GBP 4 800** – New York, 21 oct. 1976 : *Lumière Porto-Ricaine II, à Jeanie Blake* 1965, lumière fluorescente rouge, rose et jaune (H. 244) : **USD 5 500** – New York, 13 mai 1977 : *Sans titre, pour Karin et Walther* 1966-71, lumière bleue fluorescente (244x244) : **USD 6 000** – Londres, 28 juin 1978 : *Sans titre*, tubes fluorescents rose et vert (H. 180) : **GBP 2 200** – Londres, 5 déc. 1978 : *Composition from August 5th 1964* 1966, gche blanche/pap. noir (30x30) : **GBP 850** – Londres, 28 juin 1978 : *Sans titre*, lumières fluorescentes bleu et rouge (122x122) : **GBP 1 000** – New York, 16 mai 1980 : *Sans titre* 1971, cr. et encre/pap. (43,8x56,5) : **USD 2 800** – Londres, 29 juin 1982 : *À Henri Matisse* 1965, tubes fluorescents (H. 264) : **GBP 3 000** – New York, 9 mai 1984 : *The nominal three, à William de Ockham* 1963, lumière fluorescente (182,8x133,3) : **USD 29 000** – New York, 5 nov. 1985 : *Sans titre, for you Leo, in long respect and affection* 1977, lumière fluorescente rose, verte, bleue et jaune (122x122) : **USD 21 000** – New York, 10 nov. 1988 : *1969 en rouge, vert et jaune clair fluo* 1972, cr. de coul. et graphite/pap. millimétré (43,2x55,9) : **USD 12 100** –

NEW YORK, 3 mai 1989 : *Sans titre* 1966, quatre tube fluorescents blanc froid (244x26) : **USD 66 000** – NEW YORK, 5 oct. 1989 : *Sans titre*, tubes fluorescents jaune, vert, bleu et rose (H. 243,8) : **USD 55 000** – NEW YORK, 8 mai 1990 : *Les roses de Barbara 3D*, Fleurs dans une ampoule électrique dans un vase dans un pot de plastique (H. 22,2) : **USD 11 000** ; *Sans titre, à Pat et Bob Rohm* 1969, Tubes fluorescents rouge, vert et jaune (243,9x243,9x6,4) : **USD 231 000** – NEW YORK, 7 nov. 1990 : *Sans titre, à Barnett Newman*, tubes fluorescents jaune, rouge et bleu (h. 243,8) : **USD 66 000** – NEW YORK, 30 avr. 1991 : *La diagonale du 25 mai 1963, à Robert Rosenblum*, tube fluorescent blanc (L. 243,8) : **USD 170 500** – NEW YORK, 3 oct. 1991 : *Sans titre* 1964, montage de tubes fluorescents lumière du jour, blanc froid et blanc chaud en cinq sections (chaque section 152,5, en tout 762,5) : **USD 66 000** – NEW YORK, 13 nov. 1991 : *Monument à V. Tatlin* 1966, tubes fluo. blanc froid (H. 309,6) : **USD 99 000** – NEW YORK, 14 nov. 1991 : *La diagonale du 25 mai 1963 pour Brancusi*, tube fluo. jaune (L. 243,8) : **USD 148 500** – NEW YORK, 19 nov. 1992 : *Sans titre* 1970, tubes fluorescents bleu et rouge (18,4x121,9x6,7) : **USD 19 800** – NEW YORK, 10 nov. 1993 : *Sans titre, vers le réel Dan Hill* 1978, tubes fluorescents vert, bleu, jaune et rose (243,8x12,8x21) : **USD 27 600** – LONDRES, 29 juin 1994 : *À Bob et Pat Rohm* 1969, lumière fluorescente rouge, jaune et verte (244x244x6,4) : **GBP 34 500** – NEW YORK, 3 nov. 1994 : *Sans titre, dédié à Philip Johnson* 1964, tubes fluorescents rose vert bleu et rouge (243,8x22,2x11,4) : **USD 74 000** – NEW YORK, 15 nov. 1995 : *Sans titre*, tubes fluorescents bleu et rouge (63,4x63,4x8,9) : **USD 25 300** – NEW YORK, 8 mai 1996 : *Sans titre (à Don Judd, coloriste) I*, tubes rose fluorescent (132,7x123,2) : **USD 28 750** – NEW YORK, 20 nov. 1996 : *Sans titre* 1984, lumières fluorescentes rouge et bleue (7x121,9x18,4) : **USD 13 800** – NEW YORK, 7 mai 1997 : *Sans titre (pour Margot)*, tubes fluorescents blancs (H. 243,8) : **USD 23 000** – NEW YORK, 8 mai 1997 : *Sans titre (For you Leo in long respect and affection) 2* 1977, lumières fluorescentes roses, vertes, bleues et jaunes (266x266) : **USD 51 750**.

FLAVITSKY Constantin Dmitriévitch

Né en 1830. Mort en 1866 à Saint-Pétersbourg. XIXe siècle. Russe.

Peintre d'histoire.

Il étudia à l'Académie de Saint-Pétersbourg où il devint par la suite professeur. Il est l'auteur d'un tableau connu : *La mort de la princesse Tarakanova*.

MUSÉES : MOSCOU (gal. Tretiakoff) : *La princesse Tarakanova dans la forteresse de Petropavlovsk pendant l'inondation à Pétersbourg* – *Le seigneur Savaaphe* – MOSCOU (gal. Tsviétkoff) : *La princesse Tarakanova*, étude – SAINT-PÉTERSBOURG (Mus. Russe) : *La princesse Tarakanova*, étude – *Les chrétiens martyrs dans le Colisée* – SARATOV (Radichtcheff) : *Portrait du comte Moussine-Pouchkine*.

FLAXIUS Josef

Mort en 1741. XVIIIe siècle. Actif à Prague. Tchécoslovaque.

Peintre.

FLAXLAND Joseph Frédéric

Né en 1814 à Strasbourg. Mort en 1884 à Paris. XIXe siècle. Français.

Peintre d'histoire.

Il travailla pour de nombreuses églises d'Alsace. On cite également de sa main des scènes de genre et des paysages alsaciens.

FLAXMAN John I

Né dans le comté de Buckingham. Mort vers 1795 à Londres. XVIIIe siècle. Britannique.

Sculpteur, modeleur.

Il appartenait à une famille qui avait vigoureusement combattu pour la cause du Parlement. Il fut employé comme modeleur par Roubiliac et Scheemakers. Il tint une boutique de modeleur à Covent Garden, puis dans le Strand. Il fut le père de William et de John Flaxman.

FLAXMAN John II

Né le 6 juillet 1755 à York. Mort le 7 décembre 1826 à Londres. XVIIIe-XIXe siècles. Britannique.

Sculpteur de monuments, statues, bas-reliefs, aquarelliste, dessinateur, illustrateur.

Flaxman était considéré comme l'un des plus grands sculpteurs anglais de son temps. Il était le second fils du modeleur John Flaxman. Il passa la majeure partie de son enfance dans l'atelier et dans la boutique de son père, dessinant ou modelant en cire ou en terre glaise. Entre-temps, il faisait de bonnes études et apprenait le grec et le latin. Il débuta à douze ans, en 1767, à la Free Society of Artists, par une copie d'après l'antique ; l'année suivante, il envoyait un buste, et, en 1769, *L'Assassinat de Jules César*. À cette époque, il entra comme élève aux Écoles de la Royal Academy. Sa longue pratique du modelage lui permit de se classer parmi des élèves beaucoup plus âgés et, en 1772, ayant concouru pour la médaille d'or, son insuccès apparut comme une injustice. Il avait fait la connaissance de William Blake et de Romney, qui eurent sur lui une influence déterminante. Ayant débuté aux expositions de la Royal Academy en 1770, il continua à y prendre part jusqu'en 1787. Parallèlement, Flaxman fit de nombreux dessins et modèles pour une importante maison de céramique, Wedgwood. En 1782, il se maria avec Anne Denman et, cinq années plus tard, il partit pour l'Italie en compagnie de sa femme. Son arrivée à Rome fut remarquée et les commandes ne lui firent pas défaut. Il exécuta notamment un important groupe en marbre dont le sujet, emprunté aux *Métamorphoses d'Ovide*, représentait *Les Fureurs d'Athanas*. Flaxman exécuta aussi d'intéressantes illustrations pour l'*Iliade* et l'*Odyssée* d'Homère, pour la *Divine Comédie* de Dante, pour les *Tragédies d'Eschyle*, qui furent gravées à Rome sous la direction de Piroli. Il fit aussi, plus tard, des dessins pour les poèmes d'Hésiode. Cet ensemble de travaux lui valut sa nomination comme membre des académies de Florence et de Vérone. Il était de retour à Londres en 1794 et son premier ouvrage fut le monument de Lord Mansfield, à Westminster Abbaye. Nommé associé à la Royal Academy en 1797, il en devint membre en 1800. En 1810, Flaxman, dont la renommée était définitivement établie, fut nommé professeur à la Royal Academy.

Parmi ses œuvres principales : les monuments de sir Joshua Reynolds, du Earl de Bristol, de l'amiral Nelson, les statues de Washington, de Reynolds, et l'important bas-relief : *Le Bouclier d'Achille*.

Flaxman eut une influence considérable sur l'art anglais en remettant en honneur le goût de la statuaire grecque. Goethe appréciait son classicisme. Ingres et les Nazaréens subirent son influence. Il est un peu en Angleterre ce que Louis David fut en France. ■ E. B.

MUSÉES : BRISTOL : *Charité*, plâtre – CAMBRIDGE (Fitzwilliam) : *Le Chevalier à la croix enflammée* – GLASGOW : *John Moore*, bronze, statue – *William Pitt*, bronze, statue – LONDRES (Victoria and Albert Mus.) : *Oreste poursuivi par les Furies* – *Ajax et Hector séparés par les héraults* – *Homme et deux femmes prosternés*, aquar. – LONDRES (John Soane's Mus.) : *Britannia*, projet – *L'Amour maternel*, projet – *Buste de Hayley*, terre cuite – *Buste du père de l'auteur*, terre cuite – MANCHESTER : *Amour maternel*, aquar. – NOTTINGHAM : dessins.

VENTES PUBLIQUES : LONDRES, 9 mai 1910 : *Études diverses* : **GBP 1** – LONDRES, 22 nov 1979 : *L'Adoration des rois Mages*, cr., pl. et lav., dessin pour un bas-relief (27x44) : **GBP 2 300** – LONDRES, 24 mars 1981 : *Pacification de l'Europe* 1821, cr. et pl./pap., projet de sculpture destinée à décorer Buckingham Palace (5x38,3) : **GBP 1 200** – LONDRES, 21 nov. 1984 : *Dante et Béatrice* 1792, pl./traits de cr. (32x37) : **GBP 2 400** – LONDRES, 19 fév. 1987 : *Design for a vase with Hesiod and Victory*, pl., encre grise/traits de cr. et lav. (26,5x20,5) : **GBP 1 300** – LONDRES, 25 jan. 1988 : *Étude d'un enfant endormi*, encre (11,5x16,5) : **GBP 385** – LONDRES, 7 juil. 1992 : *Dante et Béatrice* 1792, craie noire et encre (32x36,5) : **GBP 7 150**.

FLAXMAN Mary Ann

Née en 1768. Morte en 1833 à Londres. XVIIIe-XIXe siècles. Britannique.

Peintre et dessinatrice amateur.

Sœur de John Flaxmann, le célèbre sculpteur, avec lequel elle habita pendant quelque temps, elle exposa à l'Académie royale entre 1786 et 1819 des portraits, des sujets poétiques et des scènes domestiques. Parmi ses œuvres figurent : *Dames turques* (1786), *Ferdinand et Miranda jouant aux échecs* (1789), *Sapho* (1810), *Piété maternelle* (1819).

FLAXMAN William

Né probablement à York. XVIIIe siècle. Britannique.

Sculpteur et modeleur.

Frère de John Flaxman. Bien qu'il paraisse avoir surtout été ouvrier d'art, il fit œuvre d'artiste en exposant une *Vénus* en 1768 à la Free Society. On le trouve encore à la Royal Academy en 1781 avec un buste en cire de son frère John, et de 1782 à 1793 avec des bustes en cire.

FLE Jean Claude

Né en 1948 à Tilff. XXe siècle. Belge.

Peintre, dessinateur, aquarelliste.
Il fut élève de l'Académie de Saint-Luc (Liège).
Bibliogr. : In : *Diction. biogr. illustré des artistes en Belgique, depuis 1830*, Arto, Bruxelles, 1987.

FLÈCHEMULLER Jacques
Né en 1945 à Monaco. XXe siècle. Actif aussi aux États-Unis. Français.
Peintre.
Il a suivi, à Paris, les cours de l'École Nationale des Beaux-Arts et ceux de l'École des Arts Appliqués. Il vit à Beaulieu (Ardèche) et Pinè (New York).
Il participe à des expositions collectives, entre autres : 1976, Salon des Réalités Nouvelles, Paris ; 1985, *Grafik aus Paris*, Musée de Worpswede ; 1985, *Drawings and Sculptures*, Manhattan Art, New York. Il réalise des expositions personnelles : 1978-1983, galerie Jeanne Bucher, Paris ; 1984, galerie Sag Harbor Art, New York ; 1985, 1986, 1988, galerie Anne Plumb, New York ; 1986, *L'Étroit Séjour*, Maison de verre, Paris ; 1987, galerie Linda Hodges, Seattle, Washington ; 1988, galerie Rena Bransten ; 1989, galerie Lavignes-Bastille, Paris ; 1997, galerie Catherine Niederhauser, Lausanne ; 1997, galerie Jan Baum, Los Angeles.
Sa peinture est d'abord une réflexion sur les différents supports : toile, toile de tente, toile à matelas, papier d'emballage marouflé sur toile..., qu'il mélange à des couleurs. Il dessine et ensuite peint des motifs sur ces surfaces travaillées, souvent des objets simples, glanés au fil de ses rencontres (comme la série *Texas Style*) et constitutifs d'une poétique. Son registre est large, voire éclectique, ainsi *Begognia* (1997) est une peinture représentant le portrait d'un petit enfant, presque un bébé, garçon ou fille, prématurément veilli par un accoutrement baroque et la pose que lui font tenir les adultes. « Il aime Chaissac et Dubuffet et détient, comme eux, cette inspiration libérée de tout préjugé culturel », écrit à son propos Monique Daubigné. ■ C. D.
Bibliogr. : Monique Daubigné, in : *Fonds National d'Art Contemporain, Acquisitions, 1989*, Ministère de la Culture, Paris, 1989.
Musées : Paris (FNAC) : *Rita* 1988.
Ventes Publiques : Paris, 13 avr. 1988 : *Sans titre*, techn. mixte/t. (195x94) : **FRF 10 000** – Paris, 12 fév. 1989 : *Sans titre* 1985, acryl./t. (162x123) : **FRF 10 000** – New York, 7 mai 1991 : *Texas style* 1986, acryl./t. (207,7x139,7) : **USD 1 650**.

FLECHTER Thomas
XVIIIe siècle. Britannique.
Peintre sur porcelaine.
Il travailla de 1786 à 1806 à Shelton (Shropshire).

FLECHTNER Jacob
XVIe siècle. Actif à Zittau. Allemand.
Peintre.
Il était bourgeois de Zittau et travailla probablement à Prague.

FLECK Gabriel
XVIIe siècle. Actif à Fribourg. Suisse.
Sculpteur sur bois.
L'ancienne chaire de l'église de Fribourg était de sa main ; peut-être fut-il également l'auteur des stalles qui datent de la même époque.

FLECK Josef
XIXe siècle. Actif à Düsseldorf. Allemand.
Peintre de portraits.

FLECK Joseph Amadeus
Né le 25 août 1892. XXe siècle. Autrichien.
Peintre.
Il fut élève de l'Académie des Beaux-Arts de Vienne. Il a travaillé en Amérique, où il fut membre de plusieurs sociétés artistiques. Il a obtenu de nombreuses distinctions et récompenses, et on voit de ses œuvres en Virginie et dans le Kansas.
Ventes Publiques : San Francisco, 3 oct. 1981 : *Song of Mexico*, h/t (55x66) : **USD 5 000** – New York, 27 jan. 1984 : *Après l'orage* 1964, h/t mar./isor. (63,5x76,2) : **USD 6 750** – New York, 25 mai 1989 : *Village Taos en juillet*, h/rés. synth. (71,1x88,7) : **USD 18 700** – New York, 23 sep. 1992 : *Première neige dans un village Taos*, h/rés. synth. (30,5x40,3) : **USD 2 200**.

FLECKEN Otto Karl Léonard
Né le 11 avril 1860 à Düsseldorf. XIXe siècle. Allemand.
Peintre.
Il fut d'abord élève du sculpteur Kaupert à Francfort-sur-le-Main, puis de l'Institut Städel avec Hasselhorst. Il peignit surtout des paysages du Nord et fut aussi illustrateur.

FLEDNER Peter. Voir **FLOTNER**

FLEETWOOD-WALKER Bernard. Voir **WALKER**

FLEGEL Georg
Né en 1563 à Olmütz (Moravie). Mort en 1638 à Francfort. XVIe-XVIIe siècles. Allemand.
Peintre de natures mortes, fleurs et fruits.
Il passa sa vie à Francfort. Sa vie est presque inconnue. Comme la peinture de natures mortes n'a, à cette époque-là, pas de tradition en Allemagne, on pense généralement qu'il alla se former aux Pays-Bas, peut-être sous la direction de Soreau, ce qui constituerait pour sa peinture une source commune avec le peintre de natures mortes alsacien Sebastian Stosskopff.
Non sans quelque naïveté qui le distingue du Français Baugin ou de l'Italien Baschenis, il peint avec minutie, fruits, fleurs, verreries, objets en métaux divers, et aussi, à la manière d'Abraham Mignon, oiseaux chatoyants et insectes. Bien qu'il ait sacrifié au genre de la *Vanité*, nature morte dont le choix des objets, crâne de mort, crucifix, incline à la méditation sur la vanité de l'existence, on considère qu'il était plus proche du sensualisme des peintres de natures mortes hollandais, pour lesquels comptait surtout la vérité tactile de la matière des objets peints. Une autre caractéristique de ses peintures, quand on les compare aux productions similaires de l'époque, est la priorité qu'il donne par le dessin à la sensation du volume des objets dans l'espace, et à l'architecture de leur organisation réciproque.
Les fleurs et les fruits dans les tableaux de Martin van Valckenborch sont de lui. ■ J. B.
Bibliogr. : W. J. Muller : *Der Maler Georg Flegel und die Anfänge des Stillebens*, Frankfurt, 1956.
Musées : Augsbourg – Darmstadt – Dessau – Karlsruhe : *Nature morte à la bougie* – Kassel – Munich.
Ventes Publiques : Londres, 28 nov. 1962 : *Nature morte aux fruits* : **GBP 2 600** – Londres, 6 juil. 1966 : *Nature morte* : **GBP 2 200** – Londres, 10 avr. 1970 : *Nature morte* : **GNS 7 500** – Zurich, 1er juin 1973 : *Nature morte* : **CHF 60 000** – Zurich, 12 nov. 1976 : *Nature morte* vers 1620-1625, h/pan. (39,2x47) : **CHF 60 000** – Londres, 12 juil. 1978 : *Nature morte*, h/pan. (35,5x43) : **GBP 28 000** – Zurich, 15 mai 1981 : *Nature morte* vers 1620-1625, h/pan. (39,2x47) : **CHF 105 000** – Londres, 4 avr. 1984 : *Nature morte aux fruits* 1630, h/pan. (30,5x49,5) : **GBP 55 000** – Cologne, 20 mai 1985 : *Nature morte aux fleurs et aux fruits et homard*, h/t (62x46,5) : **DEM 360 000** – New York, 10 jan. 1990 : *Grande composition florale dans un pichet d'étain gravé avec un verre de vin blanc, une tranche de pain, des cerises, un couteau et un insecte sur un entablement*, h/t (62,2x45) : **USD 1 980 000** – Paris, 9 avr. 1990 : *Corbeille de pêches, de poires et de pommes, bol de fraises et martin-pêcheur, assiettes de cerises et chataîgnes, amandes, petits pois et pêches de vigne, campagnole sur un entablement*, h/pan. de noyer (28x42) : **FRF 900 000** – New York, 10 jan. 1991 : *Composition florale dans un vase d'argent doré, de fruits et d'un homard dans des plats d'étain et d'une bonbonnière près d'une miche de pain sur une table de marbre*, h/t (62x46,5) : **USD 253 000** – Londres, 3 juil. 1991 : *Œillets dans un vase, vin blanc dans une carafe et cerises*, h/pan. de bouleau (24,4x16) : **GBP 79 200** – Londres, 3 juil. 1997 : *Nature morte de fruits secs et de noisettes dans un plat en porcelaine, de cerises dans une coupe Wanli, d'un Sigburg Kanne et d'un verre à vin disposés sur un entablement avec coquillages, noisettes et friandises éparpillés*, h/pan. hêtre (32x23,5) : **GBP 265 500**.

FLEGEL Georg
XVIIe siècle. Allemand.
Peintre.
Il est mentionné en 1671 pour ses travaux à l'église de la Paix à Jauer en Silésie.

FLEGEL Johann Gottfried
Né en 1815 à Leipzig. Mort à Leipzig. XIXe siècle. Allemand.
Graveur sur bois.
Il a gravé des planches pour des albums.

FLEGIER Ange
XIXe siècle. Français.
Peintre.
Le Musée Saint-Saëns, à Dieppe, conserve une aquarelle de lui : *Vue de Martigues*. Il est connu aussi comme musicien et a fait des mélodies qui ont obtenu beaucoup de succès.

FLEIGE
XIXe siècle. Travaillant à Munster. Allemand.
Sculpteur.
On connaît de lui à Munster le monument en bronze du *Ministre de Furstenberg*, un *Jardin des Oliviers* et une *Pietà* pour les églises, une fontaine, et le monument d'*Annette von Droste-Hülshoff*.

FLEISCHBERGER Johann Friedrich
XVIIe siècle. Actif à Nuremberg. Allemand.
Graveur au burin.
On cite de lui des gravures d'ornements et des portraits.

FLEISCHER
XVIIIe siècle. Autrichien.
Peintre de porcelaine.
Il travailla d'abord à la Manufacture de porcelaine de Meissen, puis à celle de Vienne.

FLEISCHER Alain
Né en 1944 à Paris. XXe siècle. Français.
Artiste multimédia, créateur d'installations.
Il a une formation universitaire en lettres, linguistique et anthropologie. Il a enseigné à l'Université de Paris III, à l'École d'Art de Cergy et à l'Institut des Hautes Études Cinématographiques, de même qu'à l'École Nationale d'Art de Nice (Villa Arson).
Fleischer a participé à des expositions collectives, entre autres : 1972 galerie Ranelagh, Paris ; 1975 Musée National d'Art Moderne, Paris ; 1982 Musée National d'Art Moderne, Paris ; 1985 Musée de l'Abbaye Sainte-Croix, Les Sables-d'Olonne. Il a réalisé des expositions personnelles, entre autres : 1975 *Cinq artistes contemporains*, Städtische Kunsthalle, Düsseldorf et Musée de Hagen ; 1976 *La Boîte*, Art Recherche Confrontation (A.R.C.), Musée d'Art Moderne de la Ville de Paris ; 1981 *Ateliers 81-82*, A.R.C., Musée d'Art Moderne de la Ville de Paris ; 1983 Salon de Montrouge ; 1985 *Das Akstfoto*, Musée de Munich, puis Vienne, Hambourg et Tokyo ; 1986 *Machines affectées/affected machines*, Nexus Contemporary Art Center, Atlanta.
Bernard Millet : « Alain Fleischer s'efforce de rassembler et de mettre en scène des matériaux souvent hétéroclites dans un jeu dont le thème générique reste la perversion de la réalité ».
BIBLIOGR. : D. Semin, M. Nuridsany, J.L. Baudry, E. Michaud : *Alain Fleischer : Vanités*, Musée de l'Abbaye de Sainte-Croix, les Sables d'Olonne, 1985 – in : *L'Art Moderne à Marseille, la Collection du Musée Cantini*, catalogue de l'exposition, Musée Cantini, Centre de la Vieille Charité, Marseille, 1988 – in : *Fonds National d'Art Contemporain, Acquisitions 1989*, Ministère de la Culture, Paris, 1989.
MUSÉES : MARSEILLE (Mus. Cantini) : *Le Camion lumière au Musée des Plâtres* 1988 – PARIS (FNAC) : *Triptyque de salle de bain* 1982.

FLEISCHER Balthasar ou **Flaischer**
XVIIe siècle. Actif à Nuremberg. Allemand.
Peintre.
Il renonça en 1603 à son droit de bourgeoisie.

FLEISCHER Eduard Carl
Né le 3 mai 1815 à Dresde. Mort le 17 juin 1869 à Dresde. XIXe siècle. Allemand.
Peintre de paysages et dessinateur.
Il fut, à l'École des Beaux-Arts de Dresde, élève de C. A. Richter et figura aux expositions de Dresde avec des dessins au lavis, au pastel et au crayon, inspirés de paysages des environs de Dresde et de la Suisse Saxonne. On cite de lui une peinture à l'huile *Paysage idyllique*.

FLEISCHER Ernst Philipp
Né en 1850 à Breslau. XIXe siècle. Allemand.
Portraitiste, peintre d'histoire et de genre.
Élève de Schnorr et Carolsfeld à Dresde, et de Piloty à Munich. Il voyagea longtemps en Italie. Il débuta à Dresde en 1870.
MUSÉES : POSEN (Kaiser Friedrich) : *La relève dans le tunnel du Saint-Gothard en construction.*

FLEISCHER Friedrich Martin ou **Fritz**
Né le 1er mars 1861 à Breslau. XIXe siècle. Allemand.
Peintre de genre, portraits.
Il travaillait à Weimar. Il fut médaillé à Berlin en 1896.
MUSÉES : WEIMAR : *Vieillard lisant.*
VENTES PUBLIQUES : MUNICH, 2 juil. 1986 : *La Partie de cartes*, h/pan. (61x43) : **DEM 4 500**.

FLEISCHER Georg
Né à Dresde. XVIe siècle. Allemand.
Sculpteur sur bois.
Il travailla surtout à la Cour de Dresde. Le Musée de Freiberg conserve de la main de cet artiste deux statues de l'électeur Auguste et de sa femme Anna, à genoux, provenant d'un autel exécuté par lui pour l'église du château de Freudenstein à Freiberg.

FLEISCHER Georges
XVIe-XVIIe siècles. Actif à Dresde de 1594 à 1613. Allemand.
Sculpteur.
Fils de Goerg Fleischer.

FLEISCHER Josef
Né en 1676. Mort le 19 novembre 1729. XVIIIe siècle. Actif à Vienne. Autrichien.
Peintre.

FLEISCHER Max
Né le 4 juillet 1861 à Lipine. XIXe siècle. Allemand.
Peintre de genre, portraits, paysages.
Élève de l'École d'Art de Breslau, des Académies de Berlin et de Munich, il se perfectionna dans cette dernière ville sous la direction du professeur Ludwig Löfftz, et à l'Académie Julian à Paris. Après un séjour à Zurich, il fit un voyage d'études en France, en Italie et en Tunisie, et se fixa vers 1894 à Rome. Fleischer exposa à Berlin, à Berne et à Londres où il reçut une médaille d'or. Il obtint une mention honorable à l'Exposition universelle de 1889. Parmi ses œuvres, il convient de citer : *Victime du travail aux carrières de Carrare, Gamins se baignant, Pêcheurs bretons, Première communion.*
VENTES PUBLIQUES : AMSTERDAM, 5 juin 1996 : *Paysage montagneux*, h/t (40x65) : **GBP 2 300**.

FLEISCHER Michael
Né le 8 juillet 1869 à Gross-Schenk (Transylvanie). XIXe-XXe siècles. Roumain.
Peintre de scènes typiques, portraits, dessinateur.
Il fut d'abord élève sculpteur à Cronstadt, puis élève de l'École de Dessin de Budapest et reçut le diplôme de professeur de dessin. Il voyagea à Venise, Paris, Stuttgart, Munich et Vienne. Il exposa, en 1901, à Budapest un grand tableau *Veillée mortuaire dans une maison de paysans saxons* pour lequel il reçut le prix Rath. Il est connu également pour son tableau *Buffles à la rivière*. Il fit de nombreux portraits.

FLEISCHHACKER Leopold
Né le 13 mai 1882 à Felsberg (Hesse-Nassau). XXe siècle. Allemand.
Sculpteur de portraits, animalier.
Après avoir étudié à l'École des Arts et Métiers de Düsseldorf, il étudia à l'Académie de Berlin avec Herter et Breuer. En 1905, il obtint le Prix de Rome. Ses œuvres figurèrent fréquemment aux expositions de Berlin, Düsseldorf et Munich : des portraits en bronze, en plâtre ou en marbre : *Judith* ; *Vieil étalon trakène*.

FLEISCHHAUER. Voir aussi **VLEESCHOUWERE**

FLEISCHHAUER Hermann
XIXe siècle. Actif vers 1850. Allemand.
Peintre de chevaux et lithographe.
Il fut professeur de dessin à Reutlingen, puis à Stuttgart. On connaît de lui une lithographie publiée en 1856 dans l'*Album des Artistes du Wurtemberg : Sortie pour la chasse au faucon*, et une *Vue d'Aalen*, lithographiée.

FLEISCHLIN Jakob
XVIIe siècle. Suisse.
Peintre de compositions religieuses.
Il fut membre de la confrérie de Saint-Luc, et, d'après Brun, peignit vers 1669 pour les églises de Lucerne.

FLEISCHMANN
XIXe siècle. Actif à Vienne. Autrichien.
Peintre de miniatures.
Peut-être est-il identique à Adolphe Fleischmann mentionné en 1851 à Londres où il exposa à la Royal Academy le portrait d'un prince.

FLEISCHMANN Adolf Richard, pseudonyme : **Ado**
Né le 18 mars 1892 à Esslingen (Wurtemberg). Mort le 28 janvier 1968 à Stuttgart (Bade-Wurtemberg). XXe siècle.

Depuis 1938 actif en France, et depuis 1952 aux États-Unis. Allemand.

Peintre à la gouache, peintre de techniques mixtes, lithographe.

Il fut élève, de 1911 à 1913, d'Adolf Hölzel à l'École des Arts Décoratifs, ainsi qu'élève à l'Académie de Stuttgart. Il a fait des séjours prolongés, d'abord en Suisse où il était venu soigner de graves blessures de guerre, puis de 1930 à 1933 à Ascona (Tessin), de 1933 à 1936 en Espagne, de 1936 à 1938, en Italie. Il s'établit alors en France. Il est un des fondateurs du groupe *Espace*. En 1952, il se fixa aux États-Unis, à New York. Il est de retour à Stuttgart en 1965. Il a exposé à la *Neue Sezession* de Munich, en 1922, à Berlin et à Stuttgart ; à Paris, aux Surindépendants, en 1932, 1945, 1946 ; à la Galerie de la Ville de Munich avec une œuvre *Poisson Rouge*. Il participe à la première exposition des Réalités Nouvelles, organisée par le groupe Renaissance Plastique, à Paris, en 1939. Il est membre fondateur du Salon des Réalités Nouvelles. Il exposa avec le groupe des Artistes Abstraits Américains (A.A.A.). Il fit plusieurs expositions particulières dont, à Paris : 1948 (Galerie Raymond Creuse), 1951 (Galerie Colette Allendy) ; 1952 à Stuttgart ; 1955 à New York. Un Hommage lui fut rendu au Salon des Réalités Nouvelles en 1969. Une importante rétrospective de son œuvre fut organisée au Musée d'Art Moderne de Sarrebruck.

Il réalisa durant sa période française des compositions extrêmement pures, inspirées par le travail de Baumeister, mettant d'abord en œuvre des lignes courbes en arabesques, puis passant à la seule utilisation de la ligne droite en horizontales et verticales, apportant au néo-plasticisme de Mondrian le chatoiement d'une gamme de tonalités riches et variées. ■ J. B.

Bibliogr. : In : *Témoignages pour l'art abstrait*, Paris, 1952 - Michel Seuphor : *Dictionnaire de la peinture abstraite*, Hazan, Paris, 1957 - in : *Dictionnaire la peinture allemande et d'Europe Centrale*, Coll. Essentiels, Larousse, Paris, 1990 - in : *L'Art du xxe siècle*, Larousse, Paris, 1991.

Musées : Grenoble (Mus. de Peinture et de Sculpture) : *Composition n° 43* - Paris (Mus. Nat. d'Art Mod.) - Pontoise : *Composition constructiviste* 1951.

Ventes Publiques : Hambourg, 3 juin 1976 : *Composition* 1957, gche (31,2x24) : **DEM 2 000** - Munich, 23 mai 1977 : *Composition n°4* 1960-61, h. et relief/cart. (45x34,5) : **DEM 5 600** - Hambourg, 12 juin 1981 : *Composition* 1959, gche (63,6x48) : **DEM 4 800** - Munich, 30 mai 1983 : *Composition* 1959, gche (59,5x48) : **DEM 6 600** - Zurich, 28 oct. 1983 : *Fleurs dans un vase* 1928, h/t (74,5x62) : **CHF 2 600** - Cologne, 9 déc. 1986 : *Composition géométrique*, gche (65x49) : **DEM 4 800** - Londres, 29 juin 1989 : *Op n° 123* 1959, h/t (91,7x74) : **GBP 16 500** - Londres, 30 nov. 1989 : *Comp. n°530* 1961, h/t (99,3x81,5) : **GBP 24 200** - Londres, 28 juin 1990 : *Op 301* 1962, h/t (102x76) : **GBP 19 800** - Londres, 18 oct. 1990 : *Comp n° 567* 1961, h/t (89x101,5) : **GBP 24 200** - Londres, 21 mars 1991 : *C 110*, collage et gche/pap. (diam. 39) : **GBP 6 050** - Munich, 26-27 nov. 1991 : *Composition*, gche (63,5x58) : **DEM 35 650** - Londres, 15 oct. 1992 : *Composition n°12* 1960, aquar. et gche/pap. (64,8x29,5) : **GBP 7 700** - Zurich, 3 déc. 1993 : *Couple*, h/t (78x63) : **CHF 6 500** - Londres, 27 oct. 1994 : *Composition dans un ovale*, gche/pap. (63,5x45,7) : **GBP 10 350** - Londres, 23 mai 1996 : *Sans titre*, gche/pap. (65x50,2) : **GBP 8 625** - Paris, 19 juin 1996 : *Composition sur fond noir*, gche/pap. (24x31,5) : **FRF 10 000** - Paris, 28 avr. 1997 : *Bouquets de fleurs* 1931, gche/pap./cart. (63x47,5) : **FRF 12 000**.

FLEISCHMANN Andrea Johann

Né en 1811 à Nuremberg. Mort le 7 juin 1878 à Munich. xixe siècle. Allemand.

Graveur au burin.

On cite de lui *Le Berger médecin* (1839).

FLEISCHMANN Arthur ou **Fleishman**

Né en 1896. xxe siècle. Actif aussi en Australie. Tchécoslovaque.

Sculpteur de figures.

Il fut élève de l'Académie des Beaux-Arts de Prague, puis poursuivit sa formation à Vienne. Ayant travaillé dans plusieurs pays d'Europe, il fut aussi actif aux États-Unis, en Afrique du Sud, en Australie. À Paris, en 1961, il a participé à l'Exposition Internationale de Sculpture qui se tint au Musée Rodin.

Ventes Publiques : Sydney, 17 avr. 1988 : *Personnage assis*, plastique (H 40) : **AUD 1 900**.

FLEISCHMANN Auguste Christian

xviiie siècle. Actif à Nuremberg. Allemand.

Graveur.

Il travailla pour des éditeurs de Nuremberg. On cite de lui des portraits.

FLEISCHMANN Carl

Né le 11 décembre 1853 à Floss (Palatinat). xixe siècle. Actif à Nuremberg. Allemand.

Peintre.

Élève de l'École des Arts et Métiers de Nuremberg, il en devint professeur en 1873. Il exposa en 1891 à Nuremberg des *Portraits de femmes*, en 1897 à Leipzig *Un moine lisant*, et à Munich en 1904 et 1909 des *Natures mortes*. La collection d'art de la Ville de Nuremberg conserve de lui trois portraits d'hommes.

FLEISCHMANN D. C. C.

xviie siècle. Actif en 1690 à Nuremberg. Allemand.

Graveur au burin.

Il travailla avec Auguste Christian Fleischmann pour F. Rothscholz, éditeur à Nuremberg.

FLEISCHMANN Friedrich

Né en 1791 à Nuremberg. Mort en 1834 à Munich. xixe siècle. Allemand.

Peintre et graveur.

Élève de Ambrosius Gabler. On cite de lui des portraits, des miniatures et des gravures de sujets d'histoire.

FLEISCHMANN Jacob

Né vers 1816 à Nuremberg. Mort en 1866. xixe siècle. Allemand.

Graveur, aquafortiste et dessinateur.

Fils de Friedrich Fleischmann. Il fut l'élève de son frère Andreas, puis de Henriquel-Dupont à Paris. Il travailla pour des libraires français et allemands.

FLEISCHMANN Julius

Né le 18 mars 1813 à Meissen (Saxe-Anhalt). xixe siècle. Allemand.

Graveur et dessinateur.

Élève à Dresde de A. Krüger et de A. Richter. Il grava surtout des paysages.

FLEISHER Samuel

Né le 27 novembre 1871 à Philadelphie (Pennsylvanie). xixe-xxe siècles. Américain.

Peintre.

Il vécut et travailla à Philadelphie, où il créa un cours de dessin, où les enfants sans ressources pouvaient recevoir gratuitement une éducation artistique.

FLEISSIG Nicolae, puis **Nicolas**

Né le 24 mars 1948 à Targu-Mures (Transylvanie). xxe siècle. Depuis 1982 actif en France. Roumain.

Sculpteur de monuments. Abstrait.

Il a été diplômé en 1973 de l'Institut d'Arts Plastiques N. Grigorescu de Bucarest. Il participe à des expositions collectives en Roumanie, France, États-Unis, Luxembourg, Allemagne, Espagne, Suisse, Yougoslavie, Bulgarie, Russie, etc. À Paris, il figure au Salon Grands et Jeunes d'Aujourd'hui. Il a participé à une dizaine de symposiums de sculpture, notamment en Roumanie, Bulgarie, Yougoslavie, Allemagne, États-Unis. Depuis la première en 1973 à Bucarest, il montre des ensembles d'œuvres dans des expositions personnelles en Roumanie, France, États-Unis. En 1973 il a obtenu un Prix et en 1974 une bourse.

Il a exécuté plus de dix sculptures monumentales en marbre, pierre, granit, bois, érigées dans des lieux publics, notamment : 1973 *Borne* dans le Parc de Sculpture de Magura, 1977 *Antiqua II* à Hoyeswerde (Allemagne), 1980 *Borne* à Burgas (Bulgarie), 1982 *Genèse* et 1983 *Solitude* à New-Hampshire (États-Unis). La prise en compte du matériau est une des caractéristiques de sa manière. Le choix du matériau qui convient à chaque cas particulier et la façon appropriée de le travailler constituent des phases importantes de la création. Souvent, il oppose les parties principales de l'ensemble minutieusement polies à un élément inséré au contraire agressivement acéré.

Bibliogr. : Ionel Jianou, in : *Les artistes roumains en Occident*, American Romanian Academy of Arts and Sciences, Los Angeles, 1986.

FLÉMAL Bertholet
XVIIe siècle. Allemand.
Peintre.
En 1687, il obtint le droit d'exercer librement son art à Cologne.

FLÉMAL Bertholet ou **Bartholomé** ou **Flémalle** ou **Flemaël** ou **Flamaël**
Né le 23 mai 1614 à Liège. Mort le 10 ou 18 juillet 1675 à Liège. XVIIe siècle. Éc. flamande.
Peintre d'histoire, sujets allégoriques, portraits.
Fils du peintre verrier Renier Flemalle, il fut élève de Hendrik Trippez et de Geraert Douffet avant de partir pour l'Italie. Il était à Rome en 1638. Son habileté le fit vite remarquer, et il fut appelé à Florence par le grand-duc de Toscane Ferdinand III, qui lui confia la décoration d'une galerie de son palais. Il vint à Paris vers 1644 et y fut très bien accueilli. Il était à Liège en 1647 et quitta cette ville pour Bruxelles, après y avoir produit d'importants travaux dans les églises de la ville. Il fut rappelé à Paris en 1670. Nommé membre de l'Académie Royale de Peinture, il y fut aussi professeur. Le désir de revoir son pays lui fit accepter les offres que le prince évêque de Liège, Maximilien de Bavière, lui faisait en l'appelant près de lui. Flemalle peignit le portrait du prélat et reçut en récompense une prébende dans l'église collégiale de Saint-Paul, à Liège. Il fit encore le portrait du comte de Monterey, gouverneur des Pays-Bas.
Il dut sa célébrité à la décoration du plafond de la salle d'audience du Palais des Tuileries, réalisé en 1670 et aujourd'hui détruit, dont le sujet était *La Religion protégeant la France*.
Musées : Bamberg : *Des anges pleurant le Christ – Les funérailles d'Héphaïstos* – Breslau, nom all. de Wroclaw : *Générosité de Scipion* – Bruxelles : *Héliodore chassé du Temple* – Caen : *Adoration des bergers* – Dresde : *Énée disant adieu à Troie* – Fontainebleau : *Alexandre au tombeau d'Achille* – Kassel : *Adieux d'Alexandre le Grand – Lucrèce mourante entourée des siens* – Liège (Beaux-Arts) : *Portrait du peintre par lui-même – Fuite en Égypte – Martyre de sainte Catherine – Infanticide* – Lille : *Épisode de la vie de saint Lambert* – Niort : *Saint Lambert* – Paris (Louvre) : *Mystères de l'Ancien et du Nouveau Testament* – Paris (Marmottan) : *Vision de saint Bruno* – Paris (coupole de l'église des Carmes déchaussés) : *Le Prophète Élie montant au ciel sur un char de feu* – Paris (sacristie des Grands-Augustins) : *L'Adoration des trois Mages* – Stockholm : *Achille blessé au talon par Pâris*.
Ventes Publiques : Bruxelles, 18 juin 1980 : *Allégorie de la Victoire*, h/t (97x132) : **BEF 130 000** – Paris, 12 juin 1986 : *Les Victoires de Rome*, h/t (97,5x132,5) : **FRF 45 000**.

FLÉMAL Renier, l'Ancien ou **Flémalle** ou **Flemael**
XVIe-XVIIe siècles. Actif à Liège. Éc. flamande.
Peintre verrier.
Père de Bertholet, de Willem, de Renier le jeune et d'un quatrième fils, Hendrik, qui fut orfèvre. On lui attribue le vitrail de l'*Adoration des Mages*, à l'église Saint-Paul à Liège.

FLÉMAL Renier, le Jeune ou **Flémalle**
Né en 1610 à Liège. XVIIe siècle. Éc. flamande.
Peintre.
Fils de Renier Flemalle le vieux ; on croit qu'il mourut en Espagne. Cité par Siret.

FLÉMAL Willem ou **Flémalle** ou **Flemael**
Né à Liège. Mort en 1676 à Liège. XVIIe siècle. Éc. flamande.
Peintre.
Frère de Bertholet Flémalle, son père Renier fut son maître. Il paraît avoir été surtout peintre verrier ; il a probablement succédé à son père dans ce genre de travail.
Musées : Liège (église de Sainte-Madeleine) : vitraux en grisaille.

FLEMALLE ou **Flémal**
XVIe siècle. Actif à Liège. Éc. flamande.
Peintre verrier.
Il exécuta en 1532 avec Jean Nivar des peintures sur verre pour l'église Saint-Paul représentant l'*Adoration des Bergers* et *La Naissance du Christ*.

FLÉMALLE, Maître de. Voir **MAÎTRES ANONYMES** et **CAMPIN Robert**

FLEMING Henry Stuart
Né le 21 juillet 1863 à Philadelphie. XIXe siècle. Vivant à New York. Américain.
Peintre.
Élève de Lefebvre et B. Constant à Paris.

FLEMING Ian
Né le 19 novembre 1906. XXe siècle. Britannique.
Peintre de sujets militaires, paysages, natures mortes, aquarelliste, graveur à l'eau-forte.
Il fut élève de la Glasgow School of Art. Il poursuivit aussi sa formation à Paris. Il a figuré dans des expositions collectives en Écosse, ainsi qu'à la Royal Academy de Londres. Il était membre de plusieurs associations artistiques écossaises.
Ventes Publiques : Édimbourg, 11 nov. 1980 : *Green Gate* 1950, h/t (41x51) : **GBP 380** – Londres, 4 mars 1987 : *Le Débarquement des troupes* 1945, aquar. et pl. (40,5x53) : **GBP 750** – Glasgow, 7 fév. 1989 : *Nature morte avec un cactus, une bouteille, un vase et une assiette* 1946, h/t (46x61) : **GBP 880**.

FLEMING Jean Robinson
Né le 22 septembre 1874 à Charleston. XXe siècle. Américain.
Peintre.
Il fit de longues études artistiques. Il fut membre d'associations artistiques régionales.

FLEMING John
Né en 1792. Mort en 1845. XIXe siècle. Britannique.
Peintre de paysages, illustrateur.
Il est surtout connu par la série de vues qu'il peignit pour les *Lacs d'Écosse* de Swan, publié en 1834.
Musées : Glasgow (Gal. de la Corporation) : *Vue de Greenock* 1827.
Ventes Publiques : Perth, 13 avr. 1981 : *Paysage au moulin*, h/t (43x63,5) : **GBP 450** – Écosse, 28 août 1984 : *Duntreath Castle, Loch Fyne* 1869, h/pan. (35x54) : **GBP 1 650** – Édimbourg, 30 avr. 1985 : *Cardwell, Bay, Gourock* (18x28) : **GBP 1 600**.

FLEMING Margaret
Britannique.
Peintre animalier.
Le Musée de Sydney conserve d'elle : *Le perroquet*.

FLEMING Nicolas
XVIIIe siècle. Actif à Paris en 1753. Français.
Peintre et sculpteur.

FLEMING Raoul P.
Né à Greenwich. XXe siècle. Américain.
Peintre de paysages.
Il fut élève de Frank Vincent Dumond. À Paris, il figura avec des paysages au Salon des Artistes Français, de 1933 à 1938.

FLEMING William
Né en 1804. XIXe siècle. Britannique.
Peintre d'intérieurs.
Il fut élève de Van den Broeek et de C.-H. Hodges. Entre 1834 et 1837, il travailla en Angleterre, dans le Devonshire, et en France.

FLEMMING Ernst
Mort le 22 octobre 1865. XIXe siècle. Actif à Wolfenbüttel. Allemand.
Peintre sur porcelaine.
Le Musée ducal de Brunswick conserve des pièces de porcelaine de la Manufacture de Fürstenberg, peintes par lui.

FLENSBORG Valdemar
Né le 31 juillet 1846 à Copenhague. Mort le 3 septembre 1876 à Copenhague. XIXe siècle. Danois.
Peintre.
Après avoir étudié à l'Académie de Copenhague, il travailla dans cette ville comme peintre de portraits jusqu'à sa mort qui fut prématurée.

FLENTJEN Johann Auguste Ludwig
Né le 25 août 1823 à Hitzacker (Hanovre). Mort le 10 mai 1877 probablement à Schaffhouse. XIXe siècle. Allemand.
Graveur sur bois.
Étudia à Schaffhouse où il devint bourgeois, en 1860. Il a exposé des illustrations de calendriers, etc., au Turnus Suisse de 1865.

FLEPP Philipp. Voir **PLEPP Joseph**

FLERDYN Hans
XVIe siècle. Actif à Anvers. Éc. flamande.
Peintre.
Il fut reçu maître en 1591.

FLERI Joseph C.
Né le 20 mai 1889 à Brooklyn (New York). XXe siècle. Américain.

Sculpteur de sujets religieux.
Il était membre de la National Society of Sculpture et de l'Architectural League de New York.
Il a sculpté des œuvres religieuses pour Philadelphie et Bethlehem en Pennsylvanie.

FLEROWSKY Dionissi Nicolaiévitch
Né le 26 septembre (7 octobre) 1791 à Tobolsk. Mort après 1862. XIXe siècle. Russe.
Sculpteur sur bois.
Ses sculptures représentant des sujets religieux, comme *Marie sur le chemin de Bethléem à Nazareth*, obtinrent des médailles à l'Exposition paysanne de Saint-Pétersbourg en 1860 et en 1861 à l'Exposition Universelle de Londres.

FLERS Camille
Né le 15 février 1802 à Paris. Mort le 27 juin 1868 à Annet (Seine-et-Marne). XIXe siècle. Français.
Peintre de paysages, paysages d'eau, peintre à la gouache, aquarelliste, pastelliste.
Élève de Paris, il fut médaillé de troisième classe en 1840 et de deuxième classe en 1847. Le 11 septembre 1849, il fut décoré de la croix de chevalier de la Légion d'honneur. Au Salon, il figura de 1831 à 1863, notamment par des vues.
On cite de lui : *Moulin à eau sur la Marne, Intérieur de cour à Saint-Leu-Taverny, Vue prise à Moulinal, Animaux dans un pâturage, Ruines du château d'Arques, Une cour à Aumale, Les marronniers à Bercy, au moment de la dernière inondation, Le Moulin de la Louques, Route aux environs de Rivière-Thibouville, Le moulin de Chelles, Village de Saint-Pierce, sur la route du Grand-Saint-Bernard, La Côte des Deux Amants sur la Seine, Ile Saint-Ouen, Cabanes de pêcheurs, Le Moulin des Cailloux, Inondation à Charenton, Entrée de bois à Montfermeil, Parc aux huîtres à Dieppe, Cour de ferme du grand Bailly, Saules sur la Beurronne, Moisson à Fresnes, Ile Henriette.*
Flers était un excellent pastelliste. En 1846, il publia, dans le journal l'*Artiste*, ses théories à ce sujet.
Flers fit partie de la glorieuse phalange d'artistes qui, rejetant les barrières du froid classicisme, revinrent à l'étude directe de la nature et créèrent l'École de 1830. Sans posséder la largeur de vision de Théodore Rousseau, la puissance d'expression de Daubigny, le charme poétique de Corot, Camille Flers a su traduire avec une grande sincérité son émotion en face de la nature.
BIBLIOGR. : Pierre Miquel, in : *Le paysage français au XIXe siècle 1800-1900, l'école de la nature*, Éditions de La Martinelle, vol. II-III, Maurs-la-Jolie, 1985.
MUSÉES : AUTUN : *Noisetiers sur le bord de la Bresle* – BÉZIERS : *Prairie à Aumale* – CHERBOURG : *Marine* – LE HAVRE : *Rivière en Bretagne* – LILLE (Mus. Wicar) : Dessin – ORLÉANS : *Paysage* – PARIS (Louvre) : *Paysage, environs de Paris* – LE PUY-EN-VELAY : *Chaumière normande*.
VENTES PUBLIQUES : PARIS, 1891 : *Vue des bords de l'Oise* : **FRF 970** – PARIS, 24 fév. 1899 : *Vue prise aux environs de Touques* : **FRF 135** – PARIS, 25 fév. 1901 : *Bords de rivière* : **FRF 150** – PARIS, 22-24 avr. 1901 : *Le Pont de Bois* : **FRF 255** – PARIS, le 12 fév. 1909 : *Les bords de la Loire après une crue* : **FRF 550** ; *Matinée de printemps* : **FRF 550** – LONDRES, 13 fév. 1909 : *Laveuse* : **GBP 7** – PARIS, 20 nov. 1918 : *Le coup du million (Robinson)* : **FRF 220** ; *Paysanne conduisant ses bêtes dans la montagne*, aquar. : **FRF 155** – PARIS, 4 et 5 déc. 1918 : *Fardier sur la route dans la campagne, effet de soleil levant*, past. : **FRF 280** ; *Barque et chaland sur une rivière*, aquar. : **FRF 225** – PARIS, 29 mai 1919 : *Paysage animé* : **FRF 185** ; *Nature morte* : **FRF 260** – PARIS, 14 jan. 1921 : *Paysage, moulins et cours d'eau* : **FRF 470** – PARIS, 18 avr. 1921 : *Les blanchisseuses* : **FRF 520** – PARIS, 23-24 mai 1921 : *Barques de pêche sur la Seine à Saint-Denis*, cr. : **FRF 42** ; *Le Pont de Charenton*, cr. : **FRF 100** ; *Bord de rivière*, cr. : **FRF 37** ; *L'Aurore*, past. : **FRF 105** – PARIS, 26 mars 1923 : *Paysage normand* : **FRF 700** – PARIS, 28 juin 1923 : *Paysage, effet de soir*, aquar. : **FRF 390** – PARIS, 28 jan. 1924 : *Inondation à Charenton : la guinguette sous les eaux* : **FRF 450** ; *Inondation à Charenton : la barque de secours* : **FRF 450** – PARIS, 14 nov. 1924 : *Paysage au temps de la moisson* : **FRF 1 050** – PARIS, 4 fév. 1925 : *Le Lavoir au bord de la rivière* : **FRF 550** – PARIS, 25 avr. 1926 : *Les petits pêcheurs*, past. : **FRF 680** – PARIS, 10 déc. 1926 : *Paysage*, past. : **FRF 550** ; *Marine*, past. : **FRF 200** – PARIS, 11 déc. 1926 : *L'Écluse* : **FRF 1 220** – PARIS, 16 fév. 1927 : *Pâturage au bord du ruisseau (Normandie) : effet du soir* : **FRF 700** – PARIS, 27 avr. 1928 : *Paysage aux trois moulins* : **FRF 2 100** – PARIS, 4 mai 1928 : *L'Étang*, past. : **FRF 220** ; *Avant l'orage* : **FRF 2 050** – PARIS, 18 et 20 juin 1928 : *Bords de rivières animés de figures*, deux panneaux : **FRF 1 465** – PARIS, 30 oct. 1928 : *Paysage au bord d'un cours d'eau*, dess. : **FRF 60** – PARIS, 25 jan. 1929 : *Chaumière au bord d'une rivière avec personnages* : **FRF 620** – PARIS, 17 mai 1929 : *Passerelle sur un ruisseau en Normandie* : **FRF 1 150** – PARIS, 27 mars 1931 : *La Passerelle* : **FRF 1 950** – PARIS, 28 avr. 1937 : *Bord de rivière* : **FRF 400** – PARIS, 16 et 17 mai 1939 : *Barques sur la rivière* : **FRF 380** – PARIS, 11 juil. 1941 : *Paysage* 1855, past. : **FRF 600** ; *Bords de rivière* : **FRF 1 820** – PARIS, 13 mars 1942 : *La Route* : **FRF 4 000** – PARIS, 4 mai 1942 : *Le Pont de Bois ; Les Chaumières ; Les Hangars*, trois dessins au crayon : **FRF 400** – PARIS, 22 juin 1942 : *Vaches au pâturage près d'une rivière* : **FRF 2 500** – PARIS, 24 juin 1942 : *Famille de Sabotiers en forêt* 1863 : **FRF 15 500** – PARIS, 21 déc. 1942 : *Paysage des environs de Vichy*, cr. : **FRF 750** – PARIS, 3 fév. 1943 : *La Basse-Cour*, mine de pb, reh. d'aquar. et de gche blanche : **FRF 300** – PARIS, 29 mars 1943 : *Vaches au pâturage*, aquar. : **FRF 1 500** – PARIS, 10 déc. 1943 : *La Récolte des roseaux* 1835 : **FRF 11 000** – PARIS, 14 juin 1944 : *Cour de ferme* 1849, past. : **FRF 8 800** – PARIS, 20 oct. 1944 : *Vieille maison campagnarde* : **FRF 1 900** – PARIS, 4 déc. 1944 : *Vue des environs de Soissons*, pierre noire, reh. de blanc : **FRF 320** ; *La Marne à Vaires* 1852, pierre noire, reh. de gche : **FRF 520** – PARIS, 14 juin 1945 : *Bords de rivière* : **FRF 7 200** – PARIS, 22 juin 1945 : *La route*, dess. au cr. noir : **FRF 500** – PARIS, 27 jan. 1947 : *Paysage* : **FRF 4 000** ; *Paysage* : **FRF 14 000** – PARIS, 27 mars 1947 : *Paysage aux environs de Soissons* 1865, dess. : **FRF 400** – PARIS, 2 juin 1947 : *Paysans et troupeaux sur une route* : **FRF 9 300** – PARIS, 23 juin 1954 : *Vaches dans un pré* : **FRF 32 000** – BORDEAUX, 31 mai 1978 : *Pastorale*, h/t (54x42) : **FRF 7 200** – BERNE, 6 mai 1981 : *Paysage au ruisseau*, past. (19x31) : **CHF 1 900** – PARIS, 3 nov. 1983 : *Paysage* 1844, h/t (30x48) : **FRF 20 000** – VERSAILLES, 12 juin 1985 : *Intérieur de cuisine* 1863, h/t (100,5x81) : **FRF 25 000** – VERSAILLES, 19 nov. 1989 : *Le passage du gué, brouillard d'Automne*, h/cart. (29x44) : **FRF 10 400** – PARIS, 12 déc. 1990 : *Lavandière et pêcheur à l'épervier en barque près d'un moulin* 1850, h/cart. (38x54) : **FRF 21 000** – PARIS, 5 avr. 1992 : *Paysage à la mare*, h/pan. (diam. 13,5) : **FRF 6 400** – LONDRES, 16 juin 1993 : *Une rivière au milieu des prés* 1849, past. (25,8x40,5) : **GBP 1 380** – PARIS, 29 avr. 1994 : *Embarcations près de la berge* 1847, past. avec reh. de gche (17x23) : **FRF 6 000**.

FLES Etha
Née en 1857 à Utrecht. Morte en 1948. XIXe-XXe siècles. Hollandaise.
Peintre de genre, graveur.
Elle participait à des expositions collectives, notamment à Paris en 1900, où elle obtint une médaille de bronze à l'occasion de l'Exposition Universelle.
Peintre, elle traitait des scènes de genre et pittoresques. Graveur, elle pratiquait l'eau-forte.
VENTES PUBLIQUES : AMSTERDAM, 17 sep. 1991 : *Villageois se rendant à léglise à Laren* 1887, h/t (59x87) : **NLG 3 220**.

FLESCH Tivadar ou **Theodor**. Voir **FELEDI**

FLESCH-BRUNNINGEN Luma ou **Ludmilla**, plus tard Mme **von Csuzy**
Née le 31 mars 1856 à Brünn. XIXe siècle. Autrichienne.
Peintre de genre, portraits.
Elle étudia à Vienne, puis à Munich, où elle se fixa. Elle a obtenu une médaille de bronze en 1900 à l'Exposition Universelle et une médaille de troisième classe en 1902.
MUSÉES : BRÜNN (Acad. de Moravie) : *La Dame au masque* – BRÜNN (Mus. Nat.) : *Portrait de l'auteur*.
VENTES PUBLIQUES : VIENNE, 20 sep. 1977 : *Le Gage d'amour*, h/t (108x144) : **USD 600**.

FLESCHAUER. Voir **VLEESCHOUWERE**

FLESCHIÈRES Fabien de ou **Fléchières, Fabien de**
XVIe siècle. Français.
Sculpteur de statues, animaux.
Il répara, en 1573, une statue de saint Jean et sculpta trois lions en pierre blanche, pour le Palais de Justice de la ville de Cambrai, en 1578.

FLESSELLES
XIXe siècle. Actif à Paris vers 1800. Français.
Peintre de miniatures.
Il fut élève de Bourgeois et Vincent. Il exposa au Salon de Paris en 1802 deux portraits. Un portrait d'homme de sa main daté de 1801 figurait à une exposition de miniatures à Berlin en 1906.

FLESSHIER B.
xviie siècle. Britannique.
Peintre.
Walpole le cite comme ayant exécuté des marines, des paysages et des fruits. Il faut croire que ses tableaux avaient de la valeur, car plusieurs d'entre eux furent jugés dignes de figurer dans la collection du roi Charles Ier et de sir Peter Lely. Paraît être le même que Benjamin Flessiers.
Ventes Publiques : Londres, 13 fév. 1925 : *William Wood Yeare* : **GBP 10**.

FLESSIERS Balthasar
Né probablement à Gand (Flandre). Mort avant le 29 juin 1626 à La Haye. xviie siècle. Éc. flamande.
Peintre.
Il était membre de l'Académie Saint-Luc à La Haye. Un portrait de sa main d'*Eva Fliegen* fut gravé par A. Stock ; ce tableau fut vendu aux enchères à Amsterdam en 1886 ; de lui également, gravé par A. Stock, un portrait équestre de *Georges Guillaume de Brandebourg*.

FLESSIERS Benjamin
xviie siècle. Éc. flamande.
Peintre.
Fils de Balthasar Flessiers. Il étudia à Amsterdam, vers 1629, avec Isaac Pietersz.

FLESSIERS Claes
xviie siècle. Actif à La Haye. Hollandais.
Peintre.

FLESSIERS Joris
Né vers 1616 à La Haye. xviie siècle. Hollandais.
Peintre.
Fils de Balthasar Flessiers.

FLESSIERS Tobias
xviie siècle. Hollandais.
Peintre.
Fils de Balthasar Flessiers, il est mentionné à Londres de 1652 à 1653. Il peignit des natures mortes et des marines.

FLESSIERS Willem
xviie siècle. Actif à La Haye. Hollandais.
Peintre.
Fils de Balthasar Flessiers.

FLETCHER Angus
xixe siècle. Britannique.
Sculpteur.
Cet artiste exposa à la Royal Academy, de 1831 à 1839. On trouve, de lui, à la National Gallery of Portraits, à Londres, un *Buste de Felicia Dorothea Hemans*.

FLETCHER Anne
Née le 18 juin 1876 à Chicago. xxe siècle. Américaine.
Peintre, peintre de décorations murales.
Elle fit ses études artistiques à New York et Paris.
Elle a créé des décorations à Richmond, en Virginie.

FLETCHER Blandford William Teulon
Né en 1858 ou 1866. Mort en 1936. xixe-xxe siècles. Britannique.
Peintre de genre, paysages, marines.
Il exposa à la Royal Academy à Londres à partir de 1879.

BLANDFORD FLETCHER

Ventes Publiques : New York, 24-26 fév. 1904 : *Jardin d'un cottage anglais* : **USD 55** – Londres, 9 déc. 1907 : *Truanths* : **GBP 5** ; *Wareham* : **GBP 5** – Londres, 21 mars 1910 : *Marine* : **GBP 8** – Londres, 2 avr. 1910 : *Soir d'hiver* : **GBP 9** – Londres, 29 mars 1982 : *Evening in a Sussex Village*, h/t (40,5x29,5) : **GBP 1 500** – Londres, 13 juin 1984 : *Le verger* 1901, h/t (51x76) : **GBP 2 300** – Londres, 13 nov. 1985 : *Portrait de la sœur de l'artiste, Dorothy* vers 1884, h/t (43x33) : **GBP 6 500** – Londres, 12 mars 1992 : *Le passeur à Walberswick*, h/t (43x61) : **GBP 5 750** – Londres, 3 nov. 1993 : *Le vieux Culvert* 1899, h/t (51x76) : **GBP 2 760** – Londres, 10 mars 1995 : *Journée d'été*, h/cart. (25x18,8) : **GBP 2 990** – Londres, 5 nov. 1997 : *Les Désobéissants*, h/pan. (38x31) : **GBP 9 200**.

FLETCHER Calvin
Né le 24 juin 1882 à Provo (Utah). xxe siècle. Américain.
Peintre de compositions animées, décorations murales.
Il fit ses études artistiques en Amérique et en Europe. Il fut le premier président de l'Utah Art Institute.
Il établit sa réputation dans l'État de l'Utah. Il a réalisé des peintures murales à Logan.

FLETCHER Edwin Henry Eugene, ou **Edward**
Né en 1857. Mort en 1945. xixe-xxe siècles. Britannique.
Peintre de paysages urbains et paysages d'eau animés, marines.
Il a peint les aspects divers de la Tamise, de Londres jusqu'à l'estuaire et les ports.

E Fletcher

Ventes Publiques : Torquay, 16 juin 1981 : *Scènes de port*, deux h/t (51x76) : **GBP 600** – Londres, 14 juil. 1983 : *Coucher de soleil sur la Tamise et la cathédrale Saint-Paul*, h/t (102x152) : **GBP 1 700** – Londres, 3 juin 1986 : *La Tamise à Nore*, h/t (76x127) : **GBP 2 000** – Londres, 26 sep. 1990 : *La Tamise*, h/t (51x76) : **GBP 1 210** – Londres, 18 oct. 1990 : *Navigation dans l'embouchure de la Tamise*, h/t (40,5x61) : **GBP 495** – New York, 19 jan. 1994 : *Trafic maritine sur la Tamise*, h/t (50,8x76,2) : **USD 1 265** – Londres, 3 mai 1995 : *La Tamise à Westminster*, h/t (61x40,5) : **GBP 747** – Londres, 30 mai 1996 : *Tower Bridge*, h/t (41x61) : **GBP 1 035**.

FLETCHER Flitcroft
xixe siècle. Actif à Croydon. Britannique.
Peintre de paysages.
Exposa régulièrement à la Royal Academy de Londres à partir de 1882. On trouve aussi son nom sur le catalogue de Suffolk Street.

FLETCHER Frank Morley
Né en 1866. xixe siècle. Britannique.
Peintre, graveur, dessinateur.
Il fut élève de Cormon à Paris. Directeur de l'École des Beaux-Arts du Reading College (Université d'Oxford), il publia en 1896 avec J. D. Batten des gravures sur bois en couleur *Ève et le Serpent, Les Harpies*. En 1897 parut de lui seul *Meadowsweet*. Il fut membre de plusieurs sociétés artistiques anglaises, et obtint dans différents Salons internationaux, des distinctions honorifiques, notamment pour ses gravures sur bois. Il exposa ses œuvres à Londres, à Paris, à Dresde en 1903 et à l'Institut Carnegie à Pittsburg la même année.
Musées : Boston – Budapest – Dresde (Cab. des Estampes) : gravures – Londres (Victoria et Albert Mus.) : gravures.

FLETCHER Geoffrey S.
Né en 1923. xxe siècle. Britannique.
Dessinateur de paysages et portraits.

FLETCHER Henry
xviiie siècle. Actif vers 1729. Britannique.
Graveur.
Il exécuta une gravure de *Bethsabée et ses compagnes au bain*, d'après Sebastiano Conca, et quelques portraits parmi lesquels figure celui d'*Ebenezer Pemoerton, ministre de Boston*, placé en tête d'un recueil de ses sermons.

FLETCHER Nicolas
xviiie siècle.
Graveur.
Cet artiste est mentionné par Basan comme ayant gravé vers 1750 quelques vues de Rome d'après Canaletto.

FLETCHER Peter
xxe siècle. Américain.
Peintre, technique mixte. Nouvelles figurations.
Il commença à exposer en 1979, au California Institute of Art, où il avait peut-être fait ses études. En France, en 1982, il produisit un film, *Nostalgie du futur*, pour le Centre National d'Art et de Culture Beaubourg. En 1985 il fut sélectionné au Salon de Montrouge. En 1986, il exposa à New York, en 1987 à Houston, en 1988 Paris et figura au Metropolitan Museum de New York...
Il peint avec des produits composites, poudre de marbre, oxydes métalliques, etc. Ses réalisations se situent entre l'abstraction informelle matiériste et les suggestions rudimentaires des nouvelles figurations.
Ventes Publiques : Paris, 13 avr. 1988 : *Interruption* 1987, techn. mixte/t. (195x145) : **FRF 13 000**.

FLETCHER William
XVIIe siècle. Britannique.
Peintre de portraits.
Le portrait de l'*Évêque James Ussher* qui se trouve à la Bodleian Library à Oxford est de la main de cet artiste.

FLETCHER-WATSON P. Voir **WATSON P. Fletcher**

FLETNER Peter ou **Flettner**. Voir **FLOTNER**

FLEUNER Peter
XVIe siècle. Hollandais.
Graveur sur bois.
Il existe une gravure sur bois qui porte la signature de cet artiste et la date 1549.

FLEUR J. de
XVIIIe siècle. Britannique.
Peintre.
Le portrait de *Lord G. Gordon* fut gravé d'après lui par Th. Trotter.

FLEUR Jean
Mort avant 1656. XVIIe siècle. Actif à Paris. Français.
Peintre.

FLEUR Nicolas Guillaume de La. Voir **DELAFLEUR**

FLEUR Willy
Né en 1888. Mort en 1967. XXe siècle. Français.
Peintre de natures mortes, fleurs.
VENTES PUBLIQUES : AMSTERDAM, 30 août 1988 : *Chrysanthèmes dans un vase avec des pommes sur un plat d'étain et une coupe de verre*, h/t (80x60,5) : **NLG 1 092** - AMSTERDAM, 17 sep. 1991 : *Nature morte avec des chrysanthèmes dans un vase et un panier de pommes et un vase de Chine sur une table*, h/t (80x60,5) : **NLG 1 610** - AMSTERDAM, 18 fév. 1992 : *Nature morte avec un bouquet d'asters dans un vase de terre-cuite, un pichet d'étain et des pommes sur un entablement drapé*, h/t (100x80) : **NLG 1 265** - AMSTERDAM, 19 avr. 1994 : *Nature morte de fruits sur une table* 1920, h/t (59x79) : **NLG 2 300**.

FLEURAC Louis Victor Marie de
Né à Paris. XXe siècle. Français.
Graveur.
A exposé au Salon des Artistes Français, en 1928 et 1930, des lithographies.

FLEUREL Jean
XVIe siècle. Actif à Limoges vers 1570. Français.
Peintre émailleur.

FLEURENT Robert
Né en 1904 à Bois-Colombes (Hauts-de-Seine). Mort en 1981. XXe siècle. Français.
Peintre de paysages animés.
Il exposait à Paris, au Salon des Artistes Français dans les années trente.
Il a peint des paysages dans un grand nombre de régions de France, côte normande, Bretagne, côte d'azur, Vosges, Île-de-France, etc.
VENTES PUBLIQUES : HONFLEUR, 31 mai 1987 : *La péniche sur la Seine*, h/t (50x65) : **FRF 7 000**.

FLEUREOT René
XVIIIe siècle. Actif à Paris en 1731. Français.
Peintre ou sculpteur.

FLEURET
XIXe siècle.
Peintre de portraits, miniatures.
Il était actif de 1820 à 1850. Un portrait d'homme de sa main fut vendu aux enchères à Cologne avec la collection Jaffé chez Heberle en 1905.

FLEURET Léon Louis
Né à Pacy-sur-Eure (Eure). XIXe siècle. Français.
Graveur sur bois.
Élève d'Hildebrand et de Pannemaker fils. Sociétaire des Artistes Français depuis 1908. Mention honorable en 1882.

FLEURET Pasquier
XVIe siècle. Français.
Graveur.
Il travailla à la Monnaie de Paris.

FLEURIAN François Pierre
Né le 21 octobre 1764 à Caen (Calvados). Mort le 17 septembre 1810 à Caen. XVIIIe-XIXe siècles. Français.
Peintre.
Il était conservateur du Musée de Caen. En 1808, il envoya au Salon de Paris : *Une tête d'enfant*. Le Musée de Caen possède de lui : *Tête de vieillard*.

FLEURIAU DE BELLEMARE Cécile
Née en 1794. XIXe siècle. Active à Nantes. Française.
Aquarelliste.
Élève de M. de Bellemare.

FLEURIET René
XXe siècle. Français.
Peintre.
A exposé au Salon des Indépendants en 1941, 1942, 1943, principalement des *Effets de neige*.

FLEURIOT François
XVIIe siècle. Actif au Mans. Français.
Peintre.
La cathédrale du Mans lui doit une *Adoration des Mages*, l'église Notre-Dame-du-Pré et l'église de Sarcé, un *Rosaire*.

FLEURIOT Mathieu
XVIIe siècle. Actif à Angers. Français.
Peintre.

FLEURIVAL Maurice
Né en Russie, d'origine française. XXe siècle. Français.
Peintre.
A exposé des paysages au Salon des Indépendants de 1931.

FLEURON de
Peintre de portraits.
La Galerie Czernin, à Vienne, conserve un *Portrait de femme* de cet artiste.

FLEUROT-MONNIER Fernande
Née à Besançon (Doubs). XXe siècle. Française.
Peintre de paysages.
Elle a exposé à Paris au Salon de la Société Nationale des Beaux-Arts à partir de 1923.

FLEURY
Né à Châtillon. Mort en 1877. XIXe siècle. Français.
Lithographe.
Il fut un collaborateur de la revue *Vie Parisienne*, et illustra de nombreux ouvrages.

FLEURY Albert François
Né le 2 février 1848 au Havre (Seine-Maritime). XIXe siècle. Français.
Peintre de paysages, marines, peintre de compositions murales.
Il fut élève de l'École des Beaux-Arts de Paris, sous la direction de Lehmann et de Renouf. Il débuta au Salon de Paris en 1880 et s'établit à Chicago en 1888.
Il s'adonna particulièrement à la décoration murale.
VENTES PUBLIQUES : LONDRES, 17 mai 1991 : *Au bord de la mer* 1883, h/cart. (24x32,5) : **GBP 3 080**.

FLEURY Andrée
Née à Paris. XXe siècle. Française.
Peintre de paysages.
Elle exposa à Paris au Salon d'Automne.
VENTES PUBLIQUES : LONDRES, 29 mars 1982 : *Paris sous la neige* 1900, h/t (31x45,5) : **GBP 480**.

FLEURY Antoine
XVIIe-XVIIIe siècles. Actif à Toulon. Français.
Sculpteur.
Il travailla de 1691 à 1721 dans l'atelier de sculpture de l'Arsenal de Toulon et exécuta les sculptures de la façade de la cathédrale.

FLEURY Antoine
XVIIIe siècle. Français.
Peintre.
Actif à Hambourg de 1797 à 1799. Le Musée Germanique de Nuremberg possède de cet artiste une miniature sur ivoire représentant un *Officier anglais*. Peut-être est-il identique à Antoine Claude Fleury.

FLEURY Antoine Claude
XVIIIe siècle. Français.
Peintre de genre, portraits.
Cet artiste, qui fut un élève de Regnault, figura au Salon de Paris de 1795 à 1822. Ses œuvres les plus importantes sont : *Deux Jeunes Amants devant un tombeau, Un enlèvement au clair de*

lune, Une jeune femme enfermée par ses oppresseurs est délivrée par ses amants.
Ventes Publiques : Paris, 25 avr. 1990 : *Deux Jeunes Amants devant un tombeau*, h/t (73,5x86) : **FRF 23 000**.

FLEURY Auguste Antoine
Né à Châtillon-sur-Seine (Côte-d'Or). Mort en 1881 à Paris. xixe siècle. Français.
Peintre.
Entré à l'École des Beaux-Arts le 19 octobre 1848, devint élève d'Yvon. De 1849 à 1874, il se fit représenter au Salon par des portraits et autres sujets. On cite de lui : *A la journée, L'École buissonnière, Le Christ, Saint Henri.*

FLEURY Augustine
xixe siècle. Française.
Peintre de portraits.
Elle figura au Salon de Paris en 1839, 1841 et 1845.

FLEURY Charles
Né à Saint-Satur (Cher). xxe siècle. Français.
Peintre de paysages, nus, natures mortes.
Il exposait à Paris, au Salon des Artistes Indépendants de 1931 à 1943.

FLEURY Denise
Née à Courbevoie (Hauts-de-Seine). xxe siècle. Française.
Peintre, aquarelliste.
Elle exposait à Paris, régulièrement au Salon des Artistes Français depuis 1926, mention honorable 1936.

FLEURY Édouard
Né au xixe siècle à Paris. xixe siècle. Français.
Peintre.
Élève de Couture et de Monginot, il se fit représenter au Salon de 1863 à 1868. On mentionne de lui : *Gibier et fruits, Deux amis, L'ennemi mort, Oiseau et fleurs, Chien de la Vendée, Relais de chiens courants.*

FLEURY Fanny, Mme, née **Laurent**
Née en 1848 à Paris. xixe siècle. Française.
Peintre de sujets typiques, scènes de genre, portraits, natures mortes.
Élève de Henner et de Carolus Duran, elle se fit représenter au Salon de 1869 à 1882, notamment par des portraits. Elle obtint une mention honorable en 1889 lors de l'Exposition Universelle.
Ventes Publiques : Bruxelles, 1886 : *Printemps*, étude de jeune fille : **FRF 85** – Paris, 1894 : *Jeune femme* : **FRF 130** – Paris, 28 avr. 1937 : *Nature morte* : **FRF 90** – Londres, 21 juin 1989 : *La Marguerite : il m'aime...*, h/t (97x130,5) : **GBP 11 000** – Londres, 1er oct. 1993 : *L'École de danse*, h/t (81,6x100,3) : **GBP 2 070** – Londres, 17 nov. 1993 : *Jeune Parisienne sous un arbre*, h/pan. (21,5x41) : **GBP 3 220** – New York, 26 mai 1994 : *Le Bouquet*, h/t (61x45,4) : **USD 21 850** – Paris, 9 déc. 1996 : *Portrait de jeune fille kabyle*, h/pan. (35x26,5) : **FRF 10 500**.

FLEURY Frédérique
Née en 1957 à Grenoble (Isère). xxe siècle. Française.
Peintre, créateur d'installations. Abstrait.
Elle vit et travaille à Lyon. Elle fut élève des Écoles des Beaux-Arts d'Aix-en-Provence et Lyon. Depuis 1981, elle participe à des expositions collectives à Villefranche, Paris, 1983 *Exposition de Noël* au Nouveau Musée de Villeurbanne, Lyon, etc.

FLEURY J. de
xviiie-xixe siècles. Britannique.
Peintre de paysages.
Cet artiste travailla à Londres, où il exposa à la Royal Academy, de 1799 à 1823.

FLEURY James V. de
xixe siècle. Britannique.
Peintre de paysages.
Cet artiste exposa à la Royal Academy, à la British Institution et à Suffolk Street, à Londres, de 1842 à 1869.
Musées : Le Cap : *Bischofstein-sur-Moselle.*
Ventes Publiques : Londres, 5 mars 1910 : *Venise, le Grand Canal* 1865 : **GBP 15** – Londres, 20 juil. 1923 : *Récolte d'algues* : **GBP 9** – Glasgow, 4 sep. 1946 : *Marché d'Hereford* : **GBP 31** – Londres, 21 jan. 1986 : *Queen of the Hops* 1867, aquar. reh. de gche (53,5x75) : **GBP 900** – Londres, 14 fév. 1986 : *Le pont de Treilles, Angers*, h/t (160x243) : **GBP 18 000** – Londres, 3 nov. 1989 : *Les Falaises d'Étretat sur la côte normande* 1853, h/t (104x162,5) : **GBP 4 620** – Londres, 9 fév. 1990 : *Le Lac Majeur* 1865, h/t (51x66) : **GBP 1 760** – St. Asaph (Angleterre), 2 juin 1994 : *Ville continentale au bord d'une rivière* 1865, h/t (79x117) : **GBP 10 350**.

FLEURY Jean Baptiste
xviiie siècle. Actif à Paris en 1788. Français.
Peintre et sculpteur.

FLEURY Jules Amédée Louis
Né le 4 novembre 1845 à Cherbourg (Manche). xixe siècle. Français.
Peintre.
Formé par Durand-Brager, il figura au Salon de Paris en 1868, 1869 et 1870, avec des paysages. Le Musée de Cherbourg possède de lui : *Vue prise dans la vallée de Quincampoix.*
Ventes Publiques : Paris, 3 avr. 1925 : *Petite Ferme normande* : **FRF 360**.

FLEURY Léon François Antoine
Né le 18 décembre 1804 à Paris. Mort en octobre 1858 à Paris. xixe siècle. Français.
Peintre de compositions religieuses, scènes de genre, portraits, paysages animés, paysages.
Fils d'Antoine Claude Fleury, il fut l'un de ses élèves, puis il entra à l'École des Beaux-Arts de Paris, en 1821, où il eut pour maîtres Jean Victor Bertin et Louis Hersent. Il séjourna en Italie de 1827 à 1830.
Il exposa au Salon de Paris, de 1831 à 1855, y obtenant une troisième médaille en 1834, une deuxième médaille en 1837 et une première médaille en 1845.
Parmi ses œuvres, on mentionne : *Vue du Ponte-Rotto – Vue de Watten – Vue d'Ischia – Un bois – Vue de Bruxelles – Vue des environs de Maubeuge – Vue du château de Clisson – Chemin dans les rochers à Sassenage – Vue de Nice – Souvenir de Flandre – Le Bocage – Entrée de village en Normandie – Étang et moulin à Contivert.* Il peignit également des paysages d'Auvergne et des vues de la forêt de Fontainebleau.
Léon Fleury oscille entre le néo-classicisme, qu'il prolonge jusqu'au milieu du xixe siècle, et le naturalisme proche de l'École de Barbizon : le peintre s'oblige à animer la nature d'une présence humaine, ses personnages sont décrits avec précision, la nature est détaillée et ses paysages sont traités avec des tons modulés. Il réalisa de grandes toiles religieuses, qui figurèrent dans deux églises parisiennes, Saint-Étienne-du-Mont et Sainte-Marguerite.
Bibliogr. : Gérald Schurr, in : *Les Petits Maîtres de la peinture 1820-1920, valeur de demain*, Les Éditions de l'Amateur, t. VI, Paris, 1985.
Musées : Amiens : *Route de Gênes, près de Nice* – Bar-le-Duc : *Léopold, duc de Lorraine et de Bar*, médaillon – *Portrait aux trois crayons*, médaillon – *Le Bocage – Louis XV, roi de France* – Bayeux : *Vue de Naples* – Blois (Château) : *Bord de rivière en Normandie* – Compiègne : *Costume de domino – Vue de la côte de Pouzzoles* – Nantes : *Paysage* – Orléans : *Paysage* – Paris (Mus. d'Orsay) : *Poule*, dess. – Rochefort : *Vue de Pompéi* – Saintes : *Moine assis sur le bord de la mer* – Sceaux (Mus. de l'Île-de-France) : *Saint-Cloud* – Versailles (Trianon) : *Escalier du château de Blois.*
Ventes Publiques : Paris, 1895 : *Campagne de Rome* : **FRF 105** ; *Mare avec pont de bois* : **FRF 120** – Paris, 31 oct. 1919 : *Le petit village* : **FRF 180** – Paris, 18 mars 1920 : *Les Ruines d'un château fort* : **FRF 170** ; *Bords d'un lac alpestre* : **FRF 155** – Paris, 5-6 mars 1923 : *Les Chalands sur le canal* : **FRF 400** ; *Moulins à vent* : **FRF 420** – Paris, 30 jan. 1929 : *Paysage montagneux* : **FRF 620** – Paris, 13 déc. 1935 : *Vue des environs de Rome* : **FRF 360** – Paris, 5 mars 1945 : *Le vieux manoir sur la colline* : **FRF 7 000** – Paris, 2 fév. 1947 : *Sentier aux abords d'un château* : **FRF 4 000** – Paris, 3 nov. 1983 : *Campagne italienne*, h./ t. (87x130) : **FRF 60 000** – Paris, 5 fév. 1986 : *La lecture*, h/t (55x46) : **FRF 13 500** – Toronto, 30 nov. 1988 : *Le cadeau*, h/pan. (45x30,5) : **CAD 3 000** – Nancy, 19 mars 1989 : *La lettre d'amour*, h/t (98x130) : **FRF 79 000** – Reims, 17 juin 1990 : *Port de pêche*, h/t (29,5x42,5) : **FRF 9 800** – Paris, 24 mai 1991 : *La ferme*, h/pap./t. (29x36,5) : **FRF 10 000**.

FLEURY Lucien
Né vers 1930. xxe siècle. Français.
Peintre de compositions animées, figures, sujets divers, sérigraphe. Nouvelles figurations. Groupe Coopérative des Malassis.
Après des études artistiques, il commença d'exposer dans divers Salons annuels de Paris et expositions collectives en France et à l'étranger. Il participait notamment au Salon de la Jeune Peinture, dont il fit partie du comité, y jouant un rôle positif et tem-

péré. Ce fut à partir de ce même Salon de la Jeune Peinture que se forma le groupe ou plutôt la *Coopérative des Malassis*, aux activités théoriques et pratiques de laquelle il participa avec continuité. Les membres du groupe réalisaient, collectivement et anonymement, des peintures ou plus souvent ensembles de peintures, à objectif politique, même si le politique n'était pas visé directement mais à travers le social. Les actions picturales du groupe dénonçaient essentiellement les tares du système capitaliste, aussi bien dans ses oppressions policières que dans ses leurres de richesse. Le groupe a été, l'institution tentant de récupérer ses contestataires, invité à participer à des expositions collectives importantes, d'entre lesquelles : l'*Exposition 72/72* ou « Expo Pompidou », où la suite de peintures qu'il présentait *Le grand Méchoui* fut tout de même censuré et décroché le jour du vernissage. De ces suites d'œuvres collectives, Lucien Fleury a participé à : 1971 *L'envers du billet*, six projets de billet de banque tirés en sérigraphie, 1971 *L'appartemensonge*, un trois pièces grandeur nature dont tout le mobilier est peint sur les murs, 1972 *Le grand Méchoui*, dont le troupeau de moutons est le peuple des électeurs bernés. Ces ensembles de travaux pouvaient être loués à la Coopérative à des fins d'expositions directives. Lucien Fleury a accompli une carrière d'enseignement à l'École des Beaux-Arts d'Orléans.
Outre son activité collective et militante, Fleury, de même que les autres membres dont Cueco, Tisserand, Parré, poursuit son œuvre individuel. Dans sa premièe époque de jeunesse, il peignit dans le contexte d'époque généralisé d'un post-cubisme encore dominant. Il élabora son propre langage à la faveur des rencontres et amitiés à partir du Salon de la Jeune Peinture. Depuis lors, il peint en larges aplats, définissant sans ambiguïtés les objets et les êtres au sujet desquels il veut dire des choses, car ses tableaux, comme l'écrit Pierre Gaudibert, se veulent intensément « images de communication ». Il a renoncé à l'ésotérisme de la peinture considérée comme un des beaux-arts en soi, au profit d'un univers de signes sémiologiquement échangeables et clairs. Gaudibert encore remarque que ses œuvres refusent de se laisser enfermer dans le dilemme : art de dénonciation ou bien art de délectation : « Le regard rencontre des images plaisantes, mais une lecture plus attentive les montre secrètement corrodées d'inquiétude et de dérision », qu'il s'agisse de deux beaux chiens qu'on découvre soudain policiers, d'un pimpant châlet dans la montagne, qui s'avère appartenir à un couvercle de boîte de fromage. Au contraire, « D'autres images, dures et ingrates au premier abord, laissent découvrir des charmes infiltrés ». Ainsi en va-t-il souvent de bien des charmes doucereusement amers qui, mis bout-à-bout, constituent une existence. Un arc-en-ciel est dénoncé clairement en tant qu'à la fois la chose la plus laide du monde ou la plus belle. Les *Images-pièges* de Lucien Fleury constituent une brillante démonstration de ce qu'on pourrait nommer des « perspectives subjectives ». Avec lui, on ne sait jamais très bien s'il dénonce la niaiserie de notre « cadre de vie », fait de pavillons de banlieue et de bibelots minables, « kitch » ou bien s'il ne s'y attendrit pas au fond de sa secrète nature de tendre, compatissant aux modestes joies des humbles. Dans le registre rose : maisons de campagne, chambres et lits, maisons qui s'envolent dans des ciels bêtement bleus, dans le registre noir : couloirs sans fin, gardiens sans visage en imperméable mastic, molosses, guichets d'un château kafkaïen. De nouveau Pierre Gaudibert : « L'univers ainsi *distancié* n'autorise pas la fuite poétique, mais une prise de conscience lucide qui doit conduire à changer le monde et la vie... Un chemin difficile a conduit Lucien Fleury de l'expression de ses fantasmes individuels à un dialogue qu'il veut engager avec les autres. » ■ J. B.

Bibliogr. : Pierre Gaudibert : *Images-pièges*, fascicule *Lucien Fleury*, Les loges de l'Odéon, Paris, s.d.

Ventes Publiques : Calais, 28 fév. 1988 : *Paysage animé*, h/t (33x47) : **FRF 3 000**.

FLEURY Madeleine
Née à Constantinople, de parents français. xixe siècle. Française.
Peintre.
Mention honorable en 1889.

FLEURY Marcel Paul
Né le 15 novembre 1883 au Logis-de-Nalliers (Vendée). Mort le 28 mars 1955 à Fontenay-le-Comte (Vendée). xxe siècle. Français.
Graveur, illustrateur.
Il fut élève de André Charles Coppier. Il exposait à Paris, au Salon des Artistes Français, dont il était sociétaire, mention honorable 1912, médaille d'argent 1937.

FLEURY Marie Aimée Amélie
Née le 7 mai 1819 à Paris. xixe siècle. Française.
Peintre de miniatures.
Elle exposa au Salon de Paris entre 1844 et 1849.

FLEURY Marie Berthe
xixe siècle. Française.
Peintre.
Sociétaire perpétuelle des Artistes Français depuis 1900, elle a obtenu une mention honorable en 1902. Elle est citée à Paris le 21 octobre 1857.

FLEURY Maurice
Né le 29 novembre 1920 à Gisors (Eure). xxe siècle. Français.
Peintre de paysages. Naïf.
Il est autodidacte. Il expose à Paris, aux Salons d'Automne dont il est sociétaire, et Comparaisons.
Dans un esprit naïf, il peint les paysages de sa région natale.

FLEURY Nicolas
xvie siècle. Actif à Paris en 1586. Français.
Peintre.

FLEURY Nicolas
xviie siècle. Français.
Sculpteur.
Il prit part, sous la direction de Gilles Guérin, à la décoration du château de Fontainebleau, en 1640.

FLEURY Octavie
Née au xixe siècle à Paris. xixe siècle. Française.
Peintre de miniatures.
Elle eut pour maîtres Hussenot père et J. Hussenot. De 1857 à 1861, elle figura au Salon de Paris avec des portraits d'anonymes.

FLEURY Pierre
Né le 6 juillet 1900 à Boulogne-sur-Seine (Hauts-de-Seine). xxe siècle. Français.
Peintre de marines. Néo-impressionniste.
Il fut élève de Paul Signac. Il exposait à Paris, au Salon d'Automne en 1919, depuis 1925 au Salon des Artistes Indépendants, surtout au Salon des Tuileries depuis 1927. Depuis la seconde guerre mondiale, il n'a plus exposé dans les Salons, mais régulièrement dans des expositions personnelles toujours à Paris.
Il a surtout peint le dialogue, sans cesse modulé, des ciels et de la mer par tous les temps. En connaisseur, il peignait aussi les bateaux de toutes sortes.

Ventes Publiques : Paris, 31 jan. 1944 : *Goélette à huniers* : **FRF 5 500** – Paris, 8 déc. 1944 : *Houle de courant* : **FRF 7 000** – Paris, 29 juin 1945 : *Ketch blanc par mer forte* : **FRF 3 400** – Paris, juil. 1946 : *Pêche en groupe par beau temps* : **FRF 17 500** – Paris, 16 nov. 1987 : *La houle*, h/t (54x65) : **FRF 5 200** – Calais, 8 juil. 1990 : *Paimpolais dans la brume* 1941, h/t (73x100) : **FRF 7 500**.

FLEURY Richard François. Voir **RICHARD Fleury François**

FLEURY Sylvie
Née en 1961 à Genève. xxe siècle. Suisse.
Peintre, créateur d'assemblages.
Elle vit et travaille à Genève. Elle expose en France, notamment à Paris, à la Galerie Urbi et Orbi, en 1995 à la galerie Gilbert Brownstone, et à l'étranger, à Genève.
Elle emprunte ses objets, qu'elle compose en assemblages, à la mode féminine, la haute-couture : chaussures, accessoires griffés, cosmétiques (...) se plaisant à mettre en scène la frivolité. Elle a présenté en 1993 une collection de chaussures posées dans des boîtes fourrées, vendues comme multiples.

Bibliogr. : Dolène Ainardi : *Sylvie Fleury*, Art Press, n°174, nov. 1992.

Musées : Paris (FNAC) : *Current issues, July-August 1995* 1995, vidéo coul., son.

FLEURY Tony Robert. Voir **ROBERT-FLEURY**

FLEURY-BARABE Marguerite
Née à Rouen (Seine-Maritime). xxe siècle. Travaillant à Rouen. Française.
Peintre de fleurs.

FLEURY-D'HERBEZ Lucienne
Née à Marseille (Bouches-du-Rhône). XXe siècle. Française.
Peintre.
Elle fut élève de Fernand Sabatté, René Xavier Prinet. Elle exposait à Paris, au Salon des Artistes Français depuis 1931, mention honorable 1935, Prix T. Ralli la même année, médaille d'argent 1938.
Ventes Publiques : Paris, 22 juin 1992 : *Marocaine assise*, h/t (100x80) : **FRF 24 000** – Paris, 11 déc. 1995 : *Portrait de Berbère marocaine*, h/t (45x37,5) : **FRF 6 000**.

FLEUSS H.
Né vers 1800. XIXe siècle. Allemand.
Lithographe.
Il travailla à Francfort-sur-le-Main. On lui doit de nombreux portraits dessinés et lithographiés.

FLEUSS Henry J.
XIXe siècle. Britannique.
Peintre de genre.
Il travaillait à Marlbro' College et exposa à la Royal Academy de Londres, de 1847 à 1874.

FLEUTTE Michiel ou **Verflute**
Mort après 1553. XVIe siècle. Actif à Bruges. Éc. flamande.
Peintre.
Il fut reçu maître en 1507.

FLEXNER Roland
XXe siècle.
Dessinateur de figures.
Il a exposé en 1994, à la galerie Météo, à Paris.
Musées : Paris (FNAC).

FLEXOR Samson
Né le 9 septembre 1907 à Soreca (Bessarabie). Mort en 1971. XXe siècle. Depuis 1927 actif puis naturalisé en France, depuis 1946 actif au Brésil. Roumain.
Peintre. Figuratif, puis abstrait-géométrique.
Il fut d'abord un peintre typique de l'École de Paris de l'entre-deux-guerres. Il débuta au Salon d'Automne de 1927, exposa ensuite au Salon des Artistes Indépendants de 1928 à 1935. Il fut invité au Salon des Tuileries de 1936 à 1939. Bien qu'ayant été réformé en 1932, en 1939 il s'engagea pour la durée de la guerre. Après qu'il eût été traqué, caché jusqu'à la Libération, il reprit son activité picturale avant de partir pour le Brésil en 1948. Il avait alors réalisé de nombreuses décorations pour des églises françaises. Au Brésil, lorsque, en 1948, la direction du tout nouveau Musée d'Art Moderne de São Paulo fut confiée au critique franco-belge Léon Degand, celui-ci inaugura son action, en 1949, avec une exposition des principaux artistes abstraits d'Europe, auxquels il joignit Cicero Dias et Samson Flexor. Il participa à de nombreuses expositions collectives, figura aux Biennales de Venise et de São Paulo. À São Paulo, il ouvrit en 1951 un *Atelier Abstraction*, qui contribua à l'émancipation de l'art brésilien autochtone, d'autant qu'à cette époque plus engagé dans l'abstraction que le couple, également réfugié à São Paulo, Szenès, Vieira da Silva. En 1954, le Musée d'Art Moderne de São Paulo, et en 1955 celui de Rio de Janeiro lui consacrèrent des expositions rétrospectives.
Dans sa première période, avant la guerre, il peignit des sujets divers, ayant d'abord envoyé au Salon d'Automne de 1927, un *Nu* et des *Fleurs*. Il peignait alors des paysages, figures, natures mortes. Dans ses quelques années parisiennes de l'après-guerre, il produisit, notamment en 1946, des œuvres d'un art plus systématique, bien que toujours fondées sur la réalité. L'influence du critique Léon Degand le fit évoluer durablement à l'abstraction. Dans son exploitation personnelle de l'abstraction d'origine constructiviste, il introduisait une dimension dynamique, obtenue par une fragmentation, comme éclatée, de la surface de la peinture en une multitude de surfaces acérées comme des flèches à direction centrifuge. Dans sa fin de carrière à São Paulo, il revint à des figurations allusives entre l'humain et l'animal. ■ J. B.
Bibliogr. : Michel Seuphor, in : *Diction. de la peint. abstraite*, Hazan, Paris, 1957 – Damian Bayon, Roberto Pontual, in : *La peinture de l'Amérique latine au XXe siècle*, Menges, Mengès, Paris, 1990.
Musées : Agen : *La table* – Fécamp : *Femme à la cigarette* – Paris (Mus. Nat. d'Art Mod.) : *Nature morte*.
Ventes Publiques : Paris, 24 avr. 1929 : *Maisons dans les arbres* : **FRF 165** – Paris, 2 mars 1934 : *Nu couché* : **FRF 50** – São Paulo, 24 oct. 1980 : *Bipède*, h/t (188x117,5) : **BRL 122 000**.

FLEYSCHER Michael ou **Fleischer**
XVIe siècle. Actif à Breslau en 1556. Allemand.
Sculpteur sur bois.

FLICCIUS Gerlach ou **Garlicke** ou **Flicke**
XVIe siècle. Britannique.
Portraitiste et graveur.
On connaît de lui un *Portrait de l'archevêque Cranmer*, daté de 1546, qui figure à la National Portrait Gallery, un *Portrait de sir Peter Carew, Un portrait de Jacques de Savoie, duc de Nemours, Un portrait de la reine Mary*. On lui attribue également le *Portrait de Garcilaso de la Vega* (au Musée de Kassel).
Ventes Publiques : Londres, 17 et 18 mai 1928 : *Gentilhomme* : **GBP 220** – Londres, 15 fév. 1929 : *L'évêque Cranmer* : **GBP 12**.

FLICK Émile
Né vers 1845 à Metz (Moselle). XIXe siècle. Français.
Peintre de scènes de genre, paysages animés, paysages, marines, natures mortes, aquarelliste.
Il eut pour maîtres Isidore Pils, Théodore Devilly et Laurent Charles Maréchal. Il exposa au Salon de Paris, de 1870 à 1881. Il obtint une médaille de bronze à l'Exposition Universelle de 1889. On cite de lui : *Bords de la Moselle – Cuirassier en faction au camp – L'Avenue du bois de Boulogne – Marée montante à Pornic, en vue de l'île de Noirmoutier – Sur la falaise*. Ses natures mortes trahissent son souci de l'arabesque, son sens tactile de la matière et la délicatesse de la touche. Ses vues de Paris et des bords de la Seine, ses marines, montrent aussi son habileté à varier les couleurs.
Bibliogr. : Gérald Schurr, in : *Les Petits Maîtres de la peinture 1820-1920, valeur de demain*, Les Éditions de l'Amateur, t. V, Paris, 1981.
Ventes Publiques : Londres, 21 mars 1908 : *Sur la Seine, près de Poissy* : **GBP 8** – Paris, 22 nov. 1940 : *L'Avenue du Bois de Boulogne en 1886* : **FRF 3 500** – Paris, 23 fév. 1979 : *Pêcheurs au bord de la rivière* 1874, h/pan. (19x27) : **FRF 3 600**.

FLICK Félix Nicolas
Né vers 1852 à Metz (Moselle). XIXe siècle. Français.
Peintre de genre, paysages animés, paysages, marines, aquarelliste.
Il exposa au Salon de Paris, dès 1875.
Il réalisa des paysages des régions de l'Est ou de la Normandie, et des bords de mer, qu'il peignit, dans des harmonies de bleu-vert et de gris perle, puis dans des tons plus variés et contrastés.
Bibliogr. : Gérald Schurr, in : *Les Petits Maîtres de la peinture 1820-1920, valeur de demain*, Les Éditions de l'Amateur, t. V, Paris, 1981.
Ventes Publiques : Paris, 17 mai 1979 : *Guerriers à cheval*, h/t (80x105) : **FRF 1 500** ; *La Malédiction*, h/cart. : **FRF 1 400**.

FLICKEL Paul Franz
Né le 8 avril 1852 à Berlin. Mort en 1903 à Nervi. XIXe siècle. Allemand.
Peintre de paysages animés, paysages.
En 1871, il visita l'École d'art à Weimar. De 1872 à 1873, il fut élève de Th. Hagen. Il s'établit ensuite à Düsseldorf. En 1876, il alla en Italie. Il fut médaillé à Berlin en 1880.
Musées : Berlin : *Forêt de hêtres* – Erfurt : *La Villa Borghèse à Rome*.
Ventes Publiques : Munich, 11 mars 1987 : *Paysage au moulin* 1885, h/t (49x59,5) : **DEM 3 300** – Londres, 29 nov. 1991 : *Chasseur sur un sentier boisé au bord d'un lac* 1895, h/t (95,2x140,3) : **GBP 11 000**.

FLICKINGER Paul
Né le 11 août 1941 à Colmar (Haut-Rhin). XXe siècle. Français.
Peintre de compositions animées, sculpteur de figures, groupes, animalier. Art fantastique, art brut.
Né en Alsace, il vit et travaille à Marly (Moselle), en Lorraine pays du charbon et du fer. En 1974, il fut des douze peintres et sculpteurs qui fondèrent le groupe *Art Recherche*. En 1994, la Place d'Armes de Metz a vu s'ériger, sur 3,40 mètres de hauteur, son *Été du Livre*, imposant totem anthropomorphique de fonte polychromée. Il participe à des expositions collectives, d'entre lesquelles : 1965 au Cercle des Arts de Colmar ; 1972, 1974, *Les Artistes Européens* à Prüm, Allemagne ; 1974, 1977, 1980, 1981, avec le groupe *Art Recherche* dans plusieurs villes d'Alsace ; 1981 *Bilan de l'Art Contemporain* au Québec ; ainsi que à Paris : 1974 Salon des Indépendants ; depuis 1975 Salon des Artistes

Français, médaille d'argent en 1981 ; 1977 Salon d'Automne ; etc. Il montre des ensembles d'œuvres dans de nombreuses expositions personnelles, dont : 1964 la première, à Colmar où elle fut suivie d'autres ; 1971 Metz ; 1973 Nancy ; 1979 au Musée Bartholdi de Colmar *Les Personnages fantastiques*, et en 1981 *Visions de l'Imaginaire* ; 1980, 1981, galerie L'Arc-en-Ciel à Paris ; 1984 Maison de la Culture de Metz ; ensuite à la galerie Ars Gambetta de Metz.
Paul Flickinger a d'abord peint, avant de s'affirmer également dans les trois dimensions. Dans ses deux volets, peinture et sculpture, son œuvre présente un cas très troublant de dissociation de la personnalité. Ses peintures révélaient déjà qu'il connaissait beaucoup de choses : Picasso, mais surtout aussi Max Ernst, les surréalistes, et bien d'autres. Ses peintures, d'une technique et d'une habileté éprouvées, sont des compositions à personnages et créatures fantastiques, compositions d'une extrême complexité, fourmillantes de détails narratifs. Pourtant, malgré ses sources culturelles et sa science picturale, c'est à l'art brut que sa sculpture s'apparente ; il est vrai que Gaston Chaissac était aussi assez bien informé de ses contemporains, et que Dubuffet, transgressant son « asphyxiante culture », se resourça auprès des primitifs d'aujourd'hui. Les sculptures de Flickinger ressortissent à deux techniques : l'une, très spontanée, assemblant tous les morceaux de bois trouvés jusqu'à créer des bonshommes et bestioles divers, l'autre, plutôt sophistiquée, soumettant ces mêmes créatures au moulage puis à la coulée de fonte. Dans les deux cas, les sculptures ainsi assemblées ou fondues sont très généreusement polychromées. Il en résulte une faune de personnages ou animaux souvent emplumés, totalement cocasses et pourtant, comme les clowns, émouvants.
On est forcément troublé par la complexité des aspects si divers qu'offrent aussi bien ses peintures que ses sculptures, qui incite à imaginer plusieurs personnages, plusieurs auteurs. Flickinger, en tant que peintre, indépendamment de son inspiration dont le caractère fantastique, aux directions d'ailleurs multiples, se prête à la liberté du jugement d'autrui, en tout cas maîtrise totalement une technique narrative traditionnelle, fréquente chez les surréalistes et peintres du fantastique qui doivent rendre l'irréel reconnaissable. Tandis que Flickinger sculpteur, dont les réalisations forment un ensemble plus cohérent dans sa rusticité voulue, c'est de l'imagination et du talent à l'état natif, brut.
■ J. B.

Bibliogr. : Gilles Laporte, Sam Picard : *Flickinger*, Édit. Serpenoise, Metz, 1992, abondante documentation – Catalogue *Flickinger. Peintures, Sculptures, Bois polychrome*, gal. Arts Gambetta, Metz, 1993 – Gilles Laporte : *Paul Flickinger – Les Fontes aciérées polychromées*, gal. Arts Gambetta, Metz, s.d., 1994 – divers : trois catalogues *Flickinger*, gal. Arts Gambetta, Metz, 1995 – divers ; un catalogue *Flickinger*, Édit. P. Flickinger, Metz, 1996-1997.

Ventes Publiques : Paris, 18 mars 1992 : *La mutation des consciences* 1985, h/t (130x200) : **FRF 82 000** – Paris, 21 déc. 1992 : *Lion*, h/t (0,50x0,50) : **FRF 18 000** ; *Sagittaire*, h/t (50x50) : **FRF 18 000** – Paris, 5 juil. 1993 : *Dragon*, h/t (92x73) : **FRF 23 000** – Paris, 22 déc. 1993 : *Gainsbourg II*, h/t (80x80) : **FRF 20 000** – Paris, 15 déc. 1994 : *Les Races*, h/t (100x100) : **FRF 30 000** ; *Les Dames aux oiseaux*, h/t (100x100) : **FRF 25 000**.

FLIEGAUF Josef
Né au xviiie siècle à Vienne. xviiie siècle. Autrichien.
Sculpteur.
Il obtint le droit de bourgeoisie en 1735.

FLIEHER Anton
Né le 20 juin 1800 près de Merano. Mort le 25 janvier 1880. xixe siècle. Italien.
Peintre de paysages, de genre et de portraits, et sculpteur sur bois.
Le Musée de Merano conserve trois études de sa main.

FLIER Helmert Richard Van der
Né le 26 mars 1827 à Baarn. Mort en 1899. xixe siècle. Hollandais.
Peintre de paysages animés.
Il fut élève de James de Ryk.

Musées : Amsterdam : *Moutons* – Rotterdam.

Ventes Publiques : Amsterdam, 1881 : *Mouton sur la bruyère* : **FRF 37** – Cologne, 28 juin 1991 : *Cavalier se reposant près de son chien et de son cheval sellé, dans un paysage*, h/t (45x59) : **DEM 5 000**.

FLIES Th.
Actif à Brunswick. Allemand.
Peintre sur porcelaine et décorateur.
Il travailla à la Manufacture de Furstenberg comme peintre de figures.

FLIESCHAUER. Voir **VLEESCHOUWERE**

FLIGHT Claude
Né en 1881 à Londres. Mort en 1955. xxe siècle. Britannique.
Peintre de genre, paysages, graveur.
Il fut professeur dans les années trente à la Grosvenor School of Modern Art de Londres, dirigée par Iain McNab. Il participa en 1921 à une exposition organisée par la Royal Academy de Londres avec un *Paysage de printemps, vallée de la Seine*. Il exposa à Paris en 1924 et 1925.

Ventes Publiques : Londres, 3 nov. 1981 : *Dirt track racing*, linogravure en coul. (25x30,3) : **GBP 380** – Londres, 14 nov. 1984 : *Pêcheurs* 1928, h/t (71x82,5) : **GBP 3 000** – Londres, 13 nov. 1985 : *Policeman in a snowstorm* 1922, aquar. et craie noire (30x40) : **GBP 2 500** – Londres, 13 nov. 1987 : *Swimming : the start of the race*, h/t (45,7x61) : **GBP 4 200**.

FLIGHT J.
xviiie-xixe siècles. Britannique.
Peintre miniaturiste.
Exposa à la Royal Academy de Londres de 1802 à 1806.

FLIN John
Né vers 1690. Mort le 23 septembre 1747 à Galway. xviiie siècle. Irlandais.
Peintre.

FLINCH Andreas Christian Ferdinand
Né en 1813 à Copenhague. Mort en 1872 à Copenhague. xixe siècle. Danois.
Graveur sur bois.
Il étudia à l'Académie de sa ville natale de 1832 à 1838. Après avoir travaillé comme orfèvre, il se mit de sa propre initiative à graver sur bois. Il introduisit, au Danemark une méthode spéciale nouvelle alors, consistant à ne mettre que les lignes principales sur le bloc et à exécuter les détails à la main. En 1840, il s'établit comme lithographe et publia l'*Almanach Flinch* avec des illustrations de gravure sur bois.

FLINCH Ingeborg
Née à Copenhague. xxe siècle. Danoise.
Aquarelliste.
Elle exposa à Paris au Salon de la Nationale des Beaux-Arts.

FLINCK Govaert
Né en décembre 1615 ou 1616 à Clèves (Rhénanie du Nord-Westphalie). Mort le 2 décembre 1660 à Amsterdam. xviie siècle. Éc. flamande.
Peintre d'histoire, compositions religieuses, scènes de genre, portraits, paysages, dessinateur.
Il faut distinguer deux hommes en Govaert Flinck : l'artiste personnel et l'imitateur. A vrai dire ce fut surtout à ce dernier titre qu'il doit sa réputation. Après avoir été l'élève de Lambert Jacob, il devint celui de Rembrandt, de qui il peignit le portrait, et copia si exactement la manière de ce maître que longtemps certains de ses tableaux furent attribués au grand peintre. Mais Rembrandt ne fut pas le seul artiste que Govaert Flinck chercha à imiter. Il exécuta aussi certaines toiles dans le goût de celles de Murillo en lesquelles il fit preuve d'une connaissance approfondie du style du maître espagnol. On prétend d'ailleurs que dans son désespoir de n'avoir pu réussir à imiter Van Dyck et Rubens, il renonça à la peinture. Mais cet imitateur fit parfois preuve d'un tempérament artistique très personnel notamment dans ses portraits. Il travailla beaucoup pour l'électeur de Brandebourg Frédéric-Guillaume, pour le prince Jean-Maurice de Nassau, et le duc de Clèves.

G. flinck. f 1641 · Flinck f 1645.

Bibliogr. : Werner Sumowski, in : *Peintres de l'École de Rembrandt*, 1983.

Musées : Ajaccio : *Portrait de femme* – Amiens : *Portrait d'homme* – Amsterdam (Rijksmus.) : *Portrait de Gozen Centen – Isaac bénit Jacob – Joost Van den Rondel – Amalia van Solms en deuil de son époux le prince Frédéric-Henri d'Orange – Gérard Pietter Hoelft – Quatre chefs des arquebusiers en 1642 – La* *compagnie du capitaine Albert Bas et du lieutenant Conyn – Fête de la garde civique à l'occasion de la paix de Munster en 1648 – Jonas Jacob Leeuwen Dircksz* – AMSTERDAM (coll. Six) : *Isaac bénit Jacob* – BÂLE : *Les trois croix au Golgotha* – BERLIN : *Portrait de jeune femme – Le renvoi d'Agar* – BERNE : *Portrait de jeune homme* – BESANÇON : *Hollandais lisant* – BONN : *Sarah conduit Agar à Abraham* – BOSTON : *Tableau mythologique avec Mercure* – BRUNSWICK : *Bergère* – BRUXELLES : *Portrait de femme* – BUDAPEST : *Agar chassée par Abraham – Le Sacrifice de Manova* – CHERBOURG : *Saint Jérôme* – COPENHAGUE : *Groupe de portraits* – DARMSTADT : *Deux portraits en pied* – DOUAI : *Portrait du duc de Brunswick* – DRESDE : *Le repos pendant la fuite* – DUBLIN : *Tête de rabbin juif – Bethsabée demande à David la couronne pour son fils Salomon* – FLORENCE (Palais Pitti) : *Portrait d'homme* – HAMBOURG : *Jeune fille et chien* – KALININGRAD, ancien. Königsberg : *Étude de tête* – LEYDE : *Portrait d'homme* – LONDRES (Wallace Coll.) : *Portrait d'une jeune femme* – MUNICH : *Corps de garde hollandais – Isaac bénit Jacob* – NANTES : *Jeune fille aux fleurs* – NICE : *Jacob recevant la bénédiction paternelle* – NUREMBERG : *Jeune guerrier* – PARIS (Louvre) : *Un ange annonçant aux bergers la naissance du Christ – Portrait de petite fille en bergère* – ROTTERDAM : *Portrait de Dirck Graswinckel et de sa femme* – ROUEN : *Portrait d'André Doria* – SAINT-PÉTERSBOURG (Ermitage) : *Étude de tête – Bethsabée – Jacob Cats et Guillaume d'Orange – Portrait de jeune homme* – STUTTGART : *Paysage* – TOULON : *Bénédiction de Jacob* – VIENNE : *Jésus parmi les docteurs – Vieillard à barbe grise* – VIENNE (Harrach) : *Portrait d'homme – Portrait de jeune homme* – VIENNE (Liechtenstein) : *Agar au désert* – WIESBADEN : *Dédale et Icare.*

VENTES PUBLIQUES : PARIS, 9 mars 1872 : *Portrait de jeune homme* : **FRF 1 110** – PARIS, 22 fév. 1893 : *Portrait de femme* : **FRF 1 872** – NEW YORK, 9-11 mars 1904 : *Portrait de femme* : **USD 1 300** – NEW YORK, 6-7 avr. 1905 : *Un rabbin* : **USD 560** – NEW YORK, 22 et 23 fév. 1907 : *Portrait de jeune femme de qualité* : **USD 750** – LONDRES, 27 fév. 1909 : *Portrait d'un jeune garçon* : **GBP 89** – NEW YORK, 1910 : *Tobie et l'Ange* : **USD 1 100** – PARIS, 19 juin 1910 : *Portrait d'homme* : **FRF 2 730** – PARIS, 4 juin 1923 : *Portrait d'homme* : **FRF 9 500** – PARIS, 2 juin 1924 : *Portrait de jeune homme en berger* : **FRF 11 000** – PARIS, 17 et 18 juin 1924 : *Portrait de jeune femme* : **FRF 1 300** – PARIS, 4 déc. 1924 : *Portrait d'un homme de qualité* : **FRF 6 000** ; *Portrait de femme* : **FRF 1 350** – PARIS, 13-14 déc. 1926 : *Jeune femme et deux amours endormis* : **FRF 360** – PARIS, 19 avr. 1928 : *Portrait d'un jeune garçon coiffé d'un béret noir* : **FRF 5 200** – PARIS, 13 nov. 1933 : *Portrait de femme* : **FRF 7 900** – LONDRES, 28 mai 1936 : *Gentilhomme* : **GBP 180** – LONDRES, 26 juin 1936 : *Tobie guérit son père* : **GBP 168** – LONDRES, 24 mai 1937 : *Gentilhomme* : **GBP 29** – LONDRES, 30 juin 1937 : *Sigismonde* : **GBP 18** – NEW YORK, 4 mars 1938 : *Marchand* : **USD 300** – LONDRES, 18 nov. 1938 : *Jeune homme* : **GBP 178** – PARIS, 8 déc. 1938 : *Le Christ et la Samaritaine*, pierre noire et lav. d'encre de Chine : **FRF 2 100** – LONDRES, 12 avr. 1940 : *Jeune homme* : **GBP 609** – PARIS, 1er déc. 1943 : *L'Homme au turban* : **FRF 1 150** – LONDRES, 26 juin 1946 : *Paysage avec Tobie et un ange* : **GBP 105** – PARIS, 30 juin 1947 : *L'écrivain* : **FRF 11 000** – LONDRES, 1er avr. 1960 : *Le Sacrifice de Manoah* : **GBP 682** – LONDRES, 17 mai 1961 : *Portrait d'un homme* : **GBP 320** – NEW YORK, 1er mai 1963 : *Portrait d'un rabbin*, h/pan. (62x52) : **USD 65 000** – PARIS, 27 juin 1963 : *Vertumne et Pomone* : **FRF 6 500** – VIENNE, 1er et 4 déc. 1964 : *Vertumne et Pomone* : **ATS 70 000** – LONDRES, 29 juin 1966 : *Portrait de Rembrandt* : **GBP 800** – AMSTERDAM, 10 déc. 1968 : *Portrait de jeune homme* : **NLG 7 200** – COLOGNE, 8 mai 1969 : *Portrait de jeune homme* : **DEM 10 000** – LONDRES, 25 nov. 1970 : *Fillette au petit chien* : **GBP 6 500** – LONDRES, 10 juil.1974 : *Le Sacrifice* : **GBP 5 200** – ZURICH, 28 mai 1976 : *Couple musicien* 1643, h/t (87x107,5) : **CHF 60 000** – COPENHAGUE, 9 nov. 1977 : *Chasseur et ses chiens dans un paysage boisé*, h/t (1085x150) : **DKK 40 000** – LONDRES, 12 juil. 1978 : *Portrait d'un gentilhomme* 1641, h/pan., de forme ovale (75,5x59,5) : **GBP 7 000** – AMSTERDAM, 29 oct 1979 : *Joseph interprétant les rêves*, pl., coins coupés (11,4x13,3) : **NLG 4 800** – NEW YORK, 8 jan. 1981 : *Portrait d'un rabbin*, h/pan. (62x52) : **USD 75 000** – LONDRES, 9 mars 1983 : *Portrait d'une fillette avec deux chiens*, h/t (114x91) : **GBP 16 000** – AMSTERDAM, 26 nov. 1984 : *Étude de jeune fille au grand chapeau*, craies noire et blanche/pap. bleu (37,7x19) : **NLG 7 500** – LONDRES, 11 déc. 1985 : *Autoportrait* 1643, h/pan. (72x53) : **GBP 140 000** – LONDRES, 10 avr. 1985 : *Diane : nu assis*, craies noire et blanche/pap. bleu (38,4x24,4) : **GBP 8 000** – NEW YORK, 14 jan. 1988 : *Portrait d'un rabbin*, h/pan. (62x52) : **USD 341 000** – AMSTERDAM, 29 nov. 1988 : *Portrait d'un gentilhomme en buste vêtu de sombre avec un col de dentelle* 1645, h/pan. (70,8x60) : **NLG 24 150** – NEW YORK, 12 jan. 1989 : *Portrait d'un jeune homme portant une courte épée ornementée* 1644, h. (100,5x86,5) : **USD 407 000** – NEW YORK, 1er juin 1989 : *L'ange disparaissant devant Manué et sa femme*, h/pan. (111,7x101) : **USD 23 100** – PARIS, 8 déc. 1989 : *Négresse*, h/t (88x68) : **FRF 56 000** – NEW YORK, 11 jan. 1990 : *La Déposition*, h/t (89x71,5) : **USD 209 000** – LONDRES, 6 juil. 1990 : *Petite fille richement vêtue avec une plume dans les cheveux et un chiot dans les bras*, h/t/pan. (71x57,8) : **GBP 143 000** – PARIS, 29 nov. 1991 : *Portrait de jeune homme*, lav. gris (27,6x21,7) : **FRF 10 000** – LONDRES, 11 déc. 1992 : *Buste de vieil homme barbu vêtu de noir*, h/pan. (56,6x46,5) : **GBP 66 000** – NEW YORK, 15 jan. 1993 : *Paysage avec une tour*, h/pan. (40,6x57,2) : **USD 112 500** – NEW YORK, 14 jan. 1994 : *Portrait d'une jeune femme tenant une orange*, h/t (74,6x60,3) : **USD 96 000** – NEW YORK, 11 jan. 1996 : *Portrait d'une jeune homme tenant une courte épée ottomane dans un fourreau très décoré* 1644, h/t (100,3x86,4) : **USD 360 000** – AMSTERDAM, 12 nov. 1996 : *Tête de vieil homme barbu*, cr. et encre brune (10,3x12,8) : **NLG 4 956** – NEW YORK, 31 jan. 1997 : *Laissez venir à moi les petits enfants*, h/t (122x 176) : **USD 18 400** – AMSTERDAM, 7 mai 1997 : *Portrait en buste d'Andries de Graeff*, h/t (45,1x37) : **NLG 27 676**.

FLINCK Nicolaes Anthoni

Né en 1646 à Amsterdam. Enterré à Rotterdam le 8 janvier 1723. XVIIe-XVIIIe siècles. Hollandais.

Aquafortiste amateur.

Fils de Govaert Flinck il se fixa à Rotterdam. Comme œuvre de Nicolas Flinck on connaît une eau-forte signée de lui, représentant un jeune homme à longs cheveux, que l'on croit être son propre portrait. Le British Museum de Londres conserve de lui deux autres portraits à l'eau-forte.

FLINDT Eduard

Né le 4 mars 1861 à Altona. XIXe siècle. Allemand.

Peintre de paysages.

Élève de l'École des Beaux-Arts de l'Académie de Berlin, il figura à l'exposition de celle-ci en 1892 avec des paysages du Harz et du nord de l'Allemagne, ainsi qu'à la Grande Exposition d'Art de 1893 à 1898.

FLINDT Paul ou **Flynt, Vlindt**

Mort après 1618 à Nuremberg. XVIIe siècle. Allemand.

Orfèvre et graveur au burin et sur bois.

Il a gravé surtout des sujets d'ornements. On cite, cependant de lui un sujet mythologique : *Orphée charmant les animaux féroces* et *Les Mois*, suite de treize planches.

FLINN Doris K.

Née au début du XXe siècle à Manchester. XXe siècle. Britannique.

Sculpteur.

Elle figura au Salon de la Société Nationale des Beaux-Arts à Paris en 1934.

FLINOIS Arnould Joseph

Né en 1709. Mort le 11 décembre 1754 à Cambrai (Nord). XVIIIe siècle. Français.

Peintre.

Il vint à Cambrai avant 1739.

FLINSCH Alexander

Né le 9 janvier 1834 à Leipzig. Mort le 19 janvier 1912 à Berlin. XIXe-XXe siècles. Allemand.

Aquarelliste amateur.

Élève de A. Tissier et de C. Flers à Paris il séjourna à Leipzig et Berlin et fit de nombreux voyages en Italie, en Thuringe, à la Baltique et en rapporta des paysages à l'aquarelle. Deux exemplaires de ses œuvres se trouvent dans la collection de dessins du Musée de Leipzig.

FLINT Andreas

Né vers 1768 à Copenhague. Mort le 19 septembre 1824 à Copenhague. XVIIIe-XIXe siècles. Danois.

Graveur.

Fils d'Ole Nielsen Flint et élève de l'Académie de Copenhague, celle-ci lui décerna la médaille d'argent en 1788 et 1791 pour des études de paysages, et en 1792 et 1794 pour des gravures d'après Poussin *(Moïse devant le buisson ardent)* et d'après Giordano *(La Mort d'Abel)*. Il grava des tableaux d'histoire d'après C. A. Lorentzen : *La déesse Hertha abandonne son bois sacré, Bataille en mer à Fhemarn*, des paysages norvégiens d'après Sigvard Schojdt, Vues de Trondjem et des environs, et de nombreux portraits, rois danois et personnalités de son temps, d'après ses propres dessins, ou d'après d'autres artistes.

FLINT F. Wighton
XIXe siècle. Britannique.
Peintre de paysages.
Il vivait et travaillait à Édimbourg. Père de R. Purves et de William Russell Flint.

FLINT Francis Murray Russell
Né le 3 juin 1915. XXe siècle. Britannique.
Peintre de marines, aquarelliste.
Il fit ses études artistiques en Angleterre et à Paris. Il expose dans différents Salons régionaux et à la Royal Academy de Londres. Il est membre du Royal Institute of Oil Painters.
Il est tout autant peintre des bateaux que de la mer.
VENTES PUBLIQUES : LONDRES, 11 juin 1982 : *Above the waves* 1955, aquar. (38x56) : **GBP 400** – NEW YORK, 19 juil. 1990 : *Le canot de sauvetage à la mer*, h/t (76,3x127) : **USD 2 475** – LONDRES, 18 déc. 1991 : *Chantier de construction navale*, aquar. et gche (54,5x76) : **GBP 1 100** – ÉDIMBOURG, 13 mai 1993 : *La jetée abandonnée de Ardgour au Loch Linnhe*, gche (52,6x75,8) : **GBP 1 870** – LONDRES, 11 mai 1994 : *Le passage du bateau-phare par gros temps*, h/t (71x91,5) : **GBP 1 380** – NEW YORK, 24 mai 1995 : *Conversation entre modèles*, temp./pap. (67,3x91,4) : **USD 37 375**.

FLINT Johannes
Mort le 25 février 1823. XIXe siècle. Actif à Copenhague. Danois.
Graveur.
Fils de Ole Nielsen Flint, il fut baptisé le 15 août 1778. Il reçut une médaille de l'Académie de Copenhague en 1800. On connaît de lui une vue de la *Cathédrale de Pise*.

FLINT Niels
Né en 1776 à Copenhague. XIXe siècle. Danois.
Peintre.
Fils du graveur Ole Nielsen Flint il fut élève de l'Académie de Copenhague où il reçut en 1793 et 1795 des médailles d'argent, et en 1797 une médaille d'or pour son tableau *L'Affliction d'Abraham à la mort de Sarah*. Grâce à une bourse de voyage il se rendit à Kiel, Hambourg, Leipzig, Dresde, puis à Vienne et en Italie où il mourut, vraisemblablement, après une vie errante de dix années. En 1828 il figura à l'Exposition de Milan comme peintre d'histoire avec un tableau *Corinne chante au bord de la mer devant lord Melville et ses compatriotes italiens* (scène du roman de Mme de Staël *Corinne ou l'Italie*).

FLINT Ole
Né en 1785. Mort en 1806. XVIIIe siècle. Actif à Copenhague. Danois.
Graveur.
Fils de Ole Nielsen Flint.

FLINT Ole Nielsen
Né en 1739. Mort le 8 janvier 1808 à Copenhague. XVIIIe siècle. Danois.
Graveur.
Il grava surtout des cartes marines et avec J. G. Friedrich de Nuremberg, il travailla à une collection danoise et norvégienne d'armoiries.

FLINT R. Purves
XXe siècle. Britannique.
Peintre-aquarelliste de paysages.
Il était fils de F. Wighton Flint. Il vivait et travaillait en Écosse. Il participait au début du siècle aux expositions de Glasgow et d'Édimbourg. En 1913, une exposition d'ensemble de ses œuvres fut organisée aux Walker-Galleries de Londres.
VENTES PUBLIQUES : ÉDIMBOURG, 13 juil. 1929 : *Anes à Margete*, aquar. : **GBP 6**.

FLINT S.
XIXe siècle. Britannique.
Peintre de paysages et animalier.
Cité par le *Art Prices Current*.
VENTES PUBLIQUES : LONDRES, 23 mars 1908 : *Moutons sur un chemin* 1882 : **GBP 1**.

FLINT Saville Lumley William
XVIIIe-XIXe siècles. Actif à Londres. Britannique.
Peintre miniaturiste.
Exposa à la Royal Academy, de 1882 à 1895.

FLINT William Russel, Sir
Né en 1880 à Édimbourg (Écosse). Mort en 1969. XXe siècle. Britannique.
Peintre de scènes de genre, figures, nus, paysages, aquarelliste, illustrateur.
Il était fils de F. Wighton Flint. Il étudia chez un lithographe d'Édimbourg. À partir de 1900, il travailla comme dessinateur d'illustrations à Londres. Il fut alors initié à l'aquarelle. Il commença à participer à des expositions collectives : 1905 et 1906 à Paris Salon de la Société Nationale des Beaux-Arts, 1906 et 1907 Royal Academy de Londres, 1909 et 1914 Venise, 1914 Berlin. À partir de 1912, il travailla pour la Riccardi-Press de Londres, fournissant des projets à l'aquarelle pour les illustrations en couleurs de : *Poèmes* de M. Arnold, *Héros* de Kingsley, *La mort d'Arthur* de T. Malory, *Les contes de Canterbury* de Chaucer.
Sa production est considérable. Il n'a pratiquement peint qu'à l'aquarelle : notamment des études rapportées de ses voyages en France et en Italie : *Riviera bleue*, *La Garonne*, des paysages d'Écosse : *Tempête*, *Loch Earn*, des figures féminines et des nus : *La belle poseuse*, des scènes de genre : *Soleil, sable et bavardage* et des compositions d'inspiration romantique : *Les chasseresses et le chevalier* ou mythologique : *Andromède*, *Le jugement de Pâris*.

WRF
W. RUSSELL FLINT

BIBLIOGR. : A. Palmer : *More than shadows. A biography of W. Russel Flint, The Studio*, Londres – New York, 1945 – R. Lewis : *Sir William Russel Flint. 1880-1969*, CH. Skilton, Édimbourg-Londres, 1980.
MUSÉES : CARDIFF – LIVERPOOL.
VENTES PUBLIQUES : LONDRES, 23 juil. 1926 : *Fraises*, dess. : **GBP 27** – LONDRES, 15 juin 1932 : *La petite lagune*, aquar. : **GBP 28** – LONDRES, 21-24 fév. 1934 : *Soleil, sable et bavardage* : **GBP 79** – LONDRES, 19 fév. 1936 : *Jeune Ibère*, aquar. : **GBP 36** – LONDRES, 11 déc. 1936 : *Sur les sables*, dess. : **GBP 86** – LONDRES, 14 juin 1938 : *Promenade des jeunes filles* : **GBP 70** – GLASGOW, 3 mars 1943 : *Paméla et Chloé*, aquar. : **GBP 55** ; *Poitiers*, aquar. : **GBP 23** – LONDRES, 26 nov. 1943 : *Patience et impertinence*, dess. : **GBP 105** – GLASGOW, 2 fév. 1945 : *Rosneath un soir de juin* : **GBP 32** – NEW YORK, 18-19 oct. 1946 : *Dans un studio blanc*, aquar. : **USD 130** – LONDRES, 29 jan. 1947 : *Fillette sur la plage*, dess. : **GBP 44** – LONDRES, 25 mai 1960 : *La fontaine des échos*, dess. : **GBP 720** – LONDRES, 23 mars 1962 : *Danza Montana*, aquar. : **GNS 1 100** – LONDRES, 15 déc. 1965 : *Raquel, Leila et Cijita* : **GBP 2 500** – LONDRES, 18 juil. 1969 : *Le jugement de Pâris* : **GNS 3 800** – LONDRES, 19 mai 1972 : *Nu couché*, aquar. : **GNS 3 000** – LONDRES, 11 oct. 1974 : *La balançoire* : **GNS 3 600** – LONDRES, 12 nov. 1976 : *Alycia* 1958, aquar. (22,2x37) : **GBP 2 600** – LONDRES, 4 mars 1977 : *Rosalind*, aquar. (30,5x55,5) : **GBP 6 500** – LONDRES, 17 juin 1977 : *Les danseuses gitanes*, h/t (76,5x101,5) : **GBP 2 600** – LONDRES, 15 nov. 1978 : *La toilette de Vénus*, h/t (61,5x79,5) : **GBP 2 100** – NEW YORK, 26 jan. 1979 : *Among misty isles*, aquar. (53x77) : **USD 7 000** – LONDRES, 14 nov 1979 : *Nu couché*, craie de coul. (22x38,5) : **GBP 2 100** – NEW YORK, 9 juin 1981 : *Les Trois Grâces*, craies noire, brune et carmin, aquar./pap. (24,1x33) : **USD 3 800** – LONDRES, 9 mars 1984 : *Ariane*, craie noire/pap. gris (32x48,3) : **GBP 1 500** – LONDRES, 9 nov. 1984 : *Nu couché*, aquar. (34,5x64,2) : **GBP 18 000** – LONDRES, 14 nov. 1984 : *Kite flyer*, h/t (115,5x174) : **GBP 14 000** – LONDRES, 15 mai 1985 : *Ruth with Naomi and Orpah*, h/t (36x60) : **GBP 11 000** – LONDRES, 12 juin 1986 : *Carlotta Verdi* 1954, craie rouge, suite de dix dess. (43,6x27,8) : **GBP 10 000** – LONDRES, 12 juin 1987 : *Alexandrine et Josette*, aquar. (49x67,5) : **GBP 24 000** – NEW YORK, 25 fév. 1988 : *Nu féminin allongé*, craies rouge et brune (20x26,8) : **USD 2 750** ; *Le travail de l'aube*, h/t (94x99,1) : **USD 9 900** – NEW YORK, 25 mai 1988 : *Pontaix* 1962, aquar. (28,5x39,2) : **USD 2 750** – LONDRES, 9 juin 1988 : *Comédie printanière*, aquar. (46,3x64,5) : **GBP 23 100** – LONDRES, 29 juil. 1988 : *Nu allongé*, craies de coul. (24,4x34,5) : **GBP 2 750** – ÉDIMBOURG, 30 août 1988 : *Lac des Highlands*, aquar. (24,5x34,5) : **GBP 1 650** – ÉDIMBOURG, 22 nov. 1988 : *Sport sur le sable*, aquar. (49,5x66,5) : **GBP 32 000** – NEW YORK, 23 fév. 1989 : *Les colonnes de marbre* 1926, aquar. (51x69,2) : **USD 49 500** – LONDRES, 2 mars 1989 : *La ferme d'Argilliers en Languedoc*,

aquar. (30x43,7) : **GBP 10 450** ; *La plage de Germaines*, aquar. (50x65) : **GBP 40 700** – LONDRES, 12 mai 1989 : *Maruja*, craie brune/pap. kraft (32,5x21,8) : **GBP 2 420** – AMSTERDAM, 24 mai 1989 : *Dame assise sur un banc* 1919, h/t (143x86) : **NLG 3 910** – LONDRES, 8 juin 1989 : *Gabrielle*, détrempe (41,8x66,7) : **GBP 42 900** – PERTH, 29 août 1989 : *Croquis à Sandos*, aquar. (37x56) : **GBP 14 300** – NEW YORK, 28 fév. 1990 : *Le maillet*, aquar./cart. (32,7x48,6) : **USD 25 300** – LONDRES, 8 mars 1990 : *La rue Mario Schiavuta à Chioggia*, aquar. (53,9x43,3) : **GBP 19 800** – NEW YORK, 23 mai 1990 : *Le collier de diamants* 1961, aquar./pap. (27,3x47) : **USD 99 000** – NEW YORK, 23 oct. 1990 : *Bavardages autour du puits*, aquar./cart. (53,3x71,1) : **USD 38 500** – LONDRES, 8 nov. 1990 : *La belle poseuse* 1968, aquar. (47x62) : **GBP 28 600** – LONDRES, 7 mars 1991 : *Vignette (Cécilmia)* 1956, aquar. (24x33) : **GBP 28 600** – LONDRES, 6 juin 1991 : *Ombres argentées dans le Languedoc*, aquar. (48x68) : **GBP 47 300** – LONDRES, 7 nov. 1991 : *Gabrielle*, temp. (42x67) : **GBP 27 500** – LONDRES, 14 mai 1992 : *Le porche ancien à Cordes*, aquar. et gche (56x35,5) : **GBP 13 200** – NEW YORK, 28 mai 1992 : *Ray* 1963, h/t (21x22,9) : **USD 22 000** – LONDRES, 5 juin 1992 : *La balance* 1944, h/t (56x70) : **GBP 22 000** – LONDRES, 6 nov. 1992 : *Sans aucune gêne*, aquar. (56,5x81,5) : **GBP 5 500** – ÉDIMBOURG, 19 nov. 1992 : *Danseuse espagnole*, sanguine/pap. bleu (19,7x24,7) : **GBP 2 640** – LONDRES, 12 mars 1993 : *Marée basse à Saint Malo*, h/t (76x102) : **GBP 20 700** ; *Hommage à Demeter en Provence*, h/t (92x158) : **GBP 35 600** – ÉDIMBOURG, 13 mai 1993 : *Phyllis seule*, aquar. (48,9x66,6) : **GBP 14 300** – NEW YORK, 26 mai 1993 : *Abigail, le nouveau modèle* 1964, aquar./cart. (29,2x39,4) : **USD 34 500** – NEW YORK, 19 jan. 1995 : *Une olympienne*, aquar./pap./cart. (50,8x35,6) : **USD 6 900** – ÉDIMBOURG, 23 mai 1996 : *La villa rose* 1948, aquar. (24,8x33,7) : **GBP 8 050**.

FLINTOE Johan ou **Johannes**

Né en 1786 à Copenhague. Mort le 27 janvier 1870 à Copenhague. XIXe siècle. Norvégien.

Peintre de paysages animés, paysages, peintre à la gouache.

Il est classé comme artiste norvégien, bien que né danois, parce qu'il a consacré son activité en Norvège et a exercé une influence considérable sur l'art norvégien. Il fréquenta l'académie de Copenhague sans pouvoir y obtenir la moindre médaille. Il vint alors se fixer à Oslo où il vécut de portraits ; il fut aussi professeur à l'école de dessin, donnant sa démission le 1er octobre 1851.

Ses paysages norvégiens, peinture et gouache, ont eu leur heure de grand succès.

VENTES PUBLIQUES : COPENHAGUE, 8 déc. 1976 : *Deux voyageurs sur une route de montagne enneigée* 1819-1825, gche (35x47) : **DKK 9 000** – COPENHAGUE, 2 fév. 1982 : *La vallée*, gche (60x57) : **DKK 23 000** – COPENHAGUE, 7 nov. 1984 : *L'écluse de Trolhattan*, gche (87x77) : **DKK 50 000** – COPENHAGUE, 18 nov. 1987 : *Vue d'un village* 1822, gche (33x49) : **DKK 46 000**.

FLINTOFF T.

XIXe siècle. Australien.

Peintre de portraits.

Le Musée de Melbourne (Nat. Gal. of Victoria) conserve de lui : *Portrait de sir William John Clarke Bart, membre du conseil législatif de Victoria, Portrait de Gordon August Thomson*.

FLINTZEP Hugo

Né le 4 mai 1862 à Eisenach. XIXe siècle. Allemand.

Peintre de paysages.

Le Musée de Weimar conserve de lui : *Forêt*.

FLINZER Fedor Alexis

Né en 1832 à Reichenbach. Mort en 1911 à Leipzig. XIXe-XXe siècles. Allemand.

Peintre animalier et graveur.

De 1849 à 1859, il fut élève de Julius Schnorr à l'Académie de Dresde. Il débuta à Dresde vers 1860. Il illustra de nombreux livres pour enfants.

FLIPART Charles François

Né en 1730 à Paris. Mort en 1773. XVIIIe siècle. Français.

Graveur.

Fils de Jean-Charles Flipart, il grava d'après Fragonard et divers autres maîtres français de son époque, comme Carème et Boucher.

FLIPART Charles Joseph ou **Giuseppe**

Né en 1721 à Paris. Mort en 1797 à Madrid. XVIIIe siècle. Français.

Peintre d'histoire, portraits, intérieurs, graveur.

Il était fils de Jean-Charles Flipart, dont il reçut sa première instruction. Il alla en Italie, et, durant son séjour à Venise, fut l'élève de Tiepolo, d'Amiconi et de Joseph Wagner pour la gravure. Il passa aussi plusieurs années à Rome. Ce fut probablement de cette ville qu'il fut appelé en Espagne par le roi Ferdinand VI, en 1770, et nommé peintre et graveur de la cour d'Espagne. On cite de ses ouvrages dans deux églises de Madrid. Il a gravé avec succès les portraits du roi et de la reine d'Espagne.

VENTES PUBLIQUES : PARIS, 29 avr. 1921 : *Le Savetier ivre*, pierre noire, d'après Greuze : **FRF 310** – LONDRES, 3 juil. 1985 : *Intérieur d'une maison de jeux*, h/t (34x47) : **GBP 6 000** – NEW YORK, 9 oct. 1991 : *Jeune femme au clavecin près d'un homme jouant de la viole dans un intérieur*, h/t (43,2x36,2) : **USD 8 250**.

FLIPART Jacques Nicolas

Né en 1724 à Paris. XVIIIe siècle. Travailla en Hollande. Français.

Peintre de portraits.

Fils de Jean-Charles Flipart. Cet artiste, qui assistait au mois de mai 1750 aux funérailles de son père à Paris, est évidemment identique au peintre de portraits reçu franc-maître à La Haye en 1773, que Siret nomme N.-N. Flipart et le Dr von Wurtzbach John.-Jac. Flipart. En effet, il ne peut-être question du peintre Charles-Joseph Flipart qui résidait en Espagne depuis 1770, pas plus que de Jean-Jacques Flipart, nulle part cité comme peintre, et dont l'inscription connue dans la corporation de La Haye eut certainement été relatée dans l'article nécrologique que de la Blancherie lui consacra dans *Les Nouvelles de la République des lettres et des arts*, le 31 juillet 1782.

FLIPART Jean Charles

Né en 1684 à Abbeville (Somme). Mort le 23 mai 1751 à Paris. XVIIIe siècle. Français.

Graveur au burin.

On ne nomme pas son maître. On cite de lui des sujets religieux, notamment *La Vierge et l'Enfant Jésus* et *Le Christ au Jardin des Oliviers*, estampes d'après deux tableaux de Raphaël, du Cabinet Crozat. Il grava aussi d'après Le Brun et Houasse. Jean-Charles Flipart habitait rue Saint-Jacques. Quatre de ses fils : Jean-Jacques, graveur au burin ; Jean-Antoine, organiste ; Jacques-Nicolas, peintre ; Charles-François, graveur, assistaient à son enterrement. Si, comme il y a lieu de le croire, le peintre graveur Charles-Joseph Flipart était également son fils, Jean-Charles aurait eu cinq fils. Il est présumable qu'il était dans une situation de fortune avantageuse, car ses funérailles furent faites avec un certain éclat.

FLIPART Jean Jacques

Né en 1719 à Paris. Mort le 10 juillet 1782 à Paris. XVIIIe siècle. Français.

Graveur.

Fils aîné de Jean-Charles Flipart. Les biographes ne sont pas d'accord sur la date de sa naissance. Certains donnent la date de 1719, d'autres 1723 ; l'acte de décès portant la mort à l'âge de soixante-huit ans, celle de 1714 nous paraît devoir être préférée. Il fut élève de son père, de Peronneau, de P. Aveline et de Laurent Cars. Il fut de beaucoup le plus célèbre de sa famille et tient une bonne place parmi les graveurs français du XVIIIe siècle. Il fut agréé à l'Académie le 28 juin 1755 et continua à prendre part à ses expositions jusqu'en 1777. A collaboré à *La Galerie de Dresde*. Il a gravé particulièrement des sujets de genre, d'après les peintres les plus célèbres de son époque ; Boucher, Chardin, Natoire, Vernet, Vien, Boullogne, Dietrich ; mais ce fut surtout Greuze dont il se plut à reproduire les œuvres, et il y trouva grand profit. Notons : *Une jeune fille qui pelote du coton, Portrait de Greuze, Le Paralytique, L'Accordée de Village, Le Gâteau des rois, L'Oiseau mort, La Tricoteuse*.

FLIPSEN Alfred Wilhelm Philippe et **Victor Philippe**. Voir **PHILIPSEN**

FLISCHER Édith E.

Née en 1890 à Cleveland (Ohio). XXe siècle. Américaine.

Peintre de portraits.

Elle fut élève de l'Académie des Beaux-Arts de Pennsylvanie. Elle fut aussi artisan d'art et professeur.

FLISSIER. Voir **FLESSIERS**

FLOBERT-GRACIANSKY Charlotte

Née dans la seconde moitié du XIXe siècle à Paris. XIXe-XXe siècles. Française.

Peintre.
Élève de l'École des Beaux-Arts, elle travailla avec Humbert, Biloul et Roger. Elle devint Sociétaire du Salon des Artistes Français en 1929.

FLOC'H M. J.
XVIe siècle. Français.
Sculpteur.
Le nom de cet artiste breton est gravé sur l'une des statues du porche de l'église de Landivisiau (Finistère), dont la construction remonte à 1554.

FLOCCI Bernardino
XVIIe siècle. Italien.
Peintre.
Il est mentionné en 1630 à Ciminna au sujet de décorations de stuc à l'église principale de cette ville.

FLOCH Jeanne
Née le 6 juin 1916 à Rotterdam, de parents français. XXe siècle. Française.
Peintre. Tendance abstraite.
Elle a acquis sa formation dans les Académies libres. Elle expose à Paris, notamment au Salon des Artistes Indépendants, et à Bruxelles.
Sa peinture est abstraite, tachiste, et essaie de briser la notion de centre et de focalité. En général, la matière est très travaillée. L'intention descriptive n'est pourtant pas cachée et reste lisible : les titres la suggèrent, qui sont autant de références à la réalité.

FLOCH Joseph
Né en 1894 ou 1895 à Vienne. Mort en 1977 à Paris. XXe siècle. Actif en France, puis aux États-Unis. Autrichien.
Peintre de figures, intérieurs, paysages. Néoréaliste.
Il a exposé à Paris, à partir de 1926 aux Salons d'Automne et des Tuileries.
Après avoir joué un rôle important dans le mouvement néo-réaliste, patronné à Paris, entre les deux guerres, par le critique Waldemar-George, il se réfugia aux États-Unis, où il fut quelque peu influencé par les surréalistes.

Floch

MUSÉES : MULHOUSE : *Portrait de la femme de l'artiste.*
VENTES PUBLIQUES : PARIS, 29 oct. 1926 : *Paysage* : **FRF 2 600** – NEW YORK, 26-27 jan. 1944 : *Portrait d'un jeune garçon* : **USD 175** – VIENNE, 17 mars 1976 : *Voiliers à l'ancre*, h/t (49x64) : **ATS 9 000** – VIENNE, 4 déc. 1984 : *Les toits* vers 1933, h/t (46x55) : **ATS 50 000** – VIENNE, 19 mai 1987 : *Portrait d'homme barbu*, h/t (66x53) : **ATS 80 000** – NEW YORK, 18 déc. 1991 : *Dans mon atelier*, h/t (55,2x38,7) : **USD 2 090** – NEW YORK, 9 sep. 1993 : *Repos*, h/t (100,3x90,2) : **USD 3 450** – NEW YORK, 21 sep. 1994 : *Paravent noir avec un châle*, h/t (123,2x96,5) : **USD 7 187** – PARIS, 3 avr. 1996 : *Deux femmes dans un intérieur*, h/t (170x89) : **FRF 130 000.**

FLOCH Lionel
Né à Quimper (Finistère). XXe siècle. Français.
Peintre de genre.
Il exposait à Paris, régulièrement au Salon des Artistes Français, ainsi qu'au Salon d'Automne en 1924.
Il a souvent peint les scènes du cirque.
VENTES PUBLIQUES : BREST, 3 mars 1981 : *Marins sur les quais*, h/t (46x61) : **FRF 4 600** – LORIENT, 3 nov. 1984 : *Thoniers à Concarneau*, h/t (44x63) : **FRF 9 700** – DOUARNENEZ, 26 juil. 1987 : *Femme de pêcheur devant la mer*, h/t (65x49) : **FRF 10 000** – PARIS, 17 fév. 1988 : *Dans les coulisses d'un cirque*, h/t (55x46) : **FRF 5 000** ; *Campement d'un cirque*, h/cart. (37x45) : **FRF 5 500.**

FLOCKEMANN August Christoph Friedrich
Né le 6 avril 1849 à Hiddersdorf (Hanovre). Mort le 17 juillet 1915 à Radebeul (près de Dresde). XIXe-XXe siècles. Actif à Dresde. Allemand.
Sculpteur.
A Hanovre il fut élève du sculpteur H. Marten et participa à la restauration de la cathédrale de Güstrow (Mecklembourg-Schwerin). Grâce à une bourse il continua ses études de sculpture chez F. Eggers à Berlin, puis chez J. Schilling à Dresde. On connaît de lui des statues allégoriques en marbre *Muguet* (1899), des bustes, des statuettes (celles de l'*Empereur Guillaume Ier* (1880) et de *E. M. Dégremont*), ainsi que des portraits en relief comme celui du *Hofrat Dr E. Peschel.*

FLOCKENHAUS Heinz
Né en 1856 à Remscheid. Mort en 1919 à Düsseldorf. XIXe-XXe siècles. Allemand.
Peintre de paysages, paysages d'eau.
VENTES PUBLIQUES : COLOGNE, 22 oct. 1982 : *Jour d'hiver*, h/t (64x98) : **DEM 11 000** – COLOGNE, 21 mai 1984 : *Paysage d'hiver au moulin*, h/cart. (68x95) : **DEM 18 000** – LONDRES, 9 oct. 1985 : *Une soirée d'hiver* 1882, h/t (45x37) : **GBP 1 100** – COLOGNE, 20 oct. 1989 : *L'hiver à Niederrhein*, h/pan. (42x23) : **DEM 6 000** – COLOGNE, 23 mars 1990 : *L'automne à Niederrhein*, h/pan. (18x27) : **DEM 4 000** – COLOGNE, 28 juin 1991 : *Canal de Hollande en automne*, h/pan. (39x50) : **DEM 7 500.**

FLOCKET ou **Flocquet**. Voir **FLOQUET**

FLOCKHART William
XIXe siècle. Britannique.
Peintre de paysages.
Exposa régulièrement à Londres, à la Royal Academy et à Suffolk Street à partir de 1880.

FLOCKTON Margaret
Britannique.
Peintre de genre.
Le musée de Sydney conserve d'elle : *Étude de Waratahs.*

FLOCON Albert, pseudonyme de **Mentzel**
Né en 1909 à Köpenick. Mort le 12 octobre 1994 à Paris. XXe siècle. Depuis 1933 actif et depuis 1946 naturalisé en France. Allemand.
Peintre, graveur de compositions animées, graveur de perspectives, illustrateur.
De 1927 à 1930, il fut élève, et délégué des étudiants, au Bauhaus de Dessau, recevant d'abord les conseils de Albers, Kandinsky, Klee, avant de s'inscrire à l'atelier de théâtre d'Oskar Schlemmer. De 1931 à 1933, il travailla dans des ateliers de publicité graphique, à Berlin, puis à Francfort. En 1933, devant la montée du nazisme, il émigra à Paris, où il exerça la même activité, comme travailleur indépendant, puis, en 1937, en tant qu'assistant de Vasarely. En 1939, à la déclaration de guerre contre l'Allemagne, il s'engagea dans la Légion étrangère et se retrouva en Algérie, jusqu'à sa démobilisation en 1941. Après l'occupation de la France, il s'établit dans la zone Sud, d'abord non occupée. En 1944, il fut finalement arrêté à Toulouse, avec sa femme et sa fille aînée, qui furent déportées et assassinées à Auschwitz. En 1946, il obtint la nationalité française. Revenu à Paris, se réfugiant dans l'art, il commença à graver, pratiquant parallèlement la peinture et la gravure, surtout au burin, dans des œuvres d'expression personnelle, tout en produisant une œuvre théorique importante sur la gravure, l'illustration et la perspective. De 1950 à 1952, il dirigea, avec Johnny Friedlaender, l'*Atelier de l'Ermitage*, une école libre de gravure et dessin, et fonda le groupe *Graphies*. En 1954, il entra, comme professeur de dessin, d'histoire de l'art et du livre, à l'École Estienne, spécialisée dans les métiers et techniques du livre. En 1964, il fut nommé à la chaire de perspective de l'École des Beaux-Arts de Paris. En 1994, les Éditions Ides et Calendes ont édité son livre de souvenirs *Points de Fuite.*
Des expositions lui ont été consacrées en France et dans de nombreux pays, notamment à Montréal en 1987 ; à Metz en 1992.
En tant que graveur, il était surtout buriniste. En 1948, il publia son premier recueil de gravures *Perspectives*, « illustré » de dix poèmes de Paul Éluard. En 1949, il fut le maître-d'œuvre de l'ouvrage collectif du groupe *Graphies*, *À la Gloire de la Main*, préfacé par Gaston Bachelard. La collaboration entre le philosophe et le graveur s'est poursuivie : en 1950 avec *Paysages*, pour lequel Gaston Bachelard écrivit ses *Notes d'un philosophe pour un graveur* ; en 1953, où Bachelard préfaça le *Traité du burin*, écrit et illustré par Flocon ; en 1957, avec les dix-huit burins de *Châteaux en Espagne*, commentés par Bachelard. En 1954, Flocon a illustré *Notes d'un biologiste* de Jean Rostand. Il a aussi illustré ses propres textes théoriques et techniques : en 1961 *Topo-Graphies*, essai sur l'espace du graveur ; en 1975 *Entrelacs ou les divagations d'un buriniste* ; en 1980 *En corps*, douze lithographies aux deux crayons et douze apologues ; en 1984 *12 Caprices* ; en 1987 *Scénographies au Bauhaus*, texte et trente et une linogravures. En tant que perspectiviste, il s'est spécialisé dans les perspectives non euclidiennes, notamment les perspectives courbes, publiant : en 1962 *La perspective, son histoire, ses méthodes*, écrit en collaboration avec René Taton, où se trouve le premier exposé théorique de la perspective curviligne ; en 1968 *La perspective curviligne, de l'espace visuel à l'image construite*, en collaboration avec André Barre.
Dans sa diversité et son invention formelles, l'œuvre d'Albert

Flocon a tout spécialement approprié la science des perspectives à la rigueur du burin. ■ J. B.

Bibliogr. : In : Catalogue de l'exposition du *Bauhaus*, Mus. Nat. et Mun. d'Art Moderne, Paris, 1969 – Albert Flocon : *Scénographies au Bauhaus*, L'Atelier du Nombre d'Or, Paris, 1987 – Luc Monod, in : *Manuel de l'amateur de Livres Illustrés Modernes 1875-1975*, Ides et Calendes, Neuchâtel, 1992 – Catalogue de l'exposition *Albert Flocon, une poétique de la vision*, Édit. de l'École des Beaux-Arts, Metz, 1992, documentation très abondante – Albert Flocon : *Points de Fuite*, Ides et Calendes, Neuchâtel, 1994.

Ventes Publiques : Paris, 11 fév. 1987 : *Composition* 1950, techn. mixte/pap. (50x42) : **FRF 3 000**.

FLOCQUET Nicolas Claude
xviiie siècle. Actif à Paris en 1761. Français.
Peintre et sculpteur.

FLODIN-RISSANEN Hilda Maria
Née le 16 mars 1877 à Helsingfors (Helsinki). xxe siècle. Active aussi en France. Finlandaise.
Sculpteur de figures, graveur de figures, paysages.
Après avoir étudié à l'École des Beaux-Arts d'Helsingfors, elle vint à Paris, où elle figura, à partir de 1901, aux Salons de la Société Nationale des Beaux-Arts, des Artistes Indépendants, d'Automne. Elle exposa d'abord des sculptures, puis exclusivement des eaux-fortes.
Musées : Helsinki : *Buste d'un homme âgé – Paysages et Figures*, eaux-fortes.

FLODING Per Gustaf
Né en 1731 à Stockholm. Mort en 1791 à Stockholm. xviiie siècle. Suédois.
Dessinateur et graveur.
Élève de Charpentier il séjourna fréquemment à Paris et grava un certain nombre de planches parmi lesquelles il faut citer : *Le portrait d'Alexandre Roslin, peintre*, d'après Roslin, *Apollon et Daphné*, d'après F. Boucher, *Gustave III, roi de Suède*, d'après Pasch, *Une bataille*, d'après Casanova, *Le loup et le renard*, d'après Oudry.

FLODMAN Carl ou **Karl Samuel**
Né le 17 décembre 1863 à Stockholm. Mort le 27 octobre 1888 à Stockholm. xixe siècle. Suédois.
Peintre de paysages, marines, graveur.
Il étudia de 1883 à 1886 à l'Académie de Stockholm et peignit des paysages ; il fit également des eaux-fortes avec motifs de paysages.
Musées : Stockholm (Mus. Nat.) : *Bord de mer* – Stockholm (Acad. des Arts) : *Kungsor*.
Ventes Publiques : Stockholm, 15 nov. 1988 : *Bateaux près de la plage* 1885, h. (26x35) : **SEK 11 000** – Stockholm, 10-12 mai 1993 : *Bateau échoué près d'un hangar*, h/t (36,5x48) : **SEK 15 000**.

FLODNER. Voir **FLÖTNER Peter**

FLODT Paul Ambroise
xviiie siècle. Actif à Paris en 1739. Français.
Sculpteur.

FLOEGEL Alfred E.
Né le 4 septembre 1894 à Leipzig. xxe siècle. Actif aux États-Unis. Allemand.
Peintre de compositions à personnages, peintre de décorations murales.
Bien qu'Allemand d'origine, il fit toutes ses études artistiques en Amérique ou encore à l'American Academy de Rome. Il était membre de l'Architectural League de New York, et de la Société des Mural Painters.
On lui doit de nombreuses décorations d'églises, notamment dans les états du Michigan et du New-Jersey. À Brooklyn, État de New York, il a peint le plafond de l'église du Rédempteur.

FLOESSER Chilian
xve siècle. Travaillant durant la seconde moitié du xve siècle. Allemand.
Enlumineur.
Un bréviaire et un antiphonaire, écrits en 1465 et 1468, ont été enluminés par lui. Ces ouvrages sont conservés à la Bibliothèque royale de Bamberg.

FLOETER Kent
Né en 1937 à Saginaw (Michigan). xxe siècle. Américain.
Sculpteur, dessinateur.
Il fut élève de l'École des Beaux-Arts et Arts Appliqués de l'Université de Boston (Massachussets), diplômé en 1961, de l'École d'Art et d'Architecture de la Yale University de New-Haven (Connecticut), diplômé en 1964. Il vit et travaille à Oboken (New-Jersey). Il participe à de très nombreuses expositions collectives internationales de sculpture et de dessin et montre ses travaux dans des expositions individuelles : 1973, 1978, 1980, 1981, 1984, 1986 New York, 1976, 1978, 1979 Cologne, 1978 Athènes, Düsseldorf, 1982 Richmond (Virginie), 1990 Seattle, etc.
Musées : Monchengladbach (stadtisch. Mus.) – Rottweil (Sculptor's Drawing Mus.).

FLŒTNER Pierre. Voir **FLÖTNER Peter**

FLÖGEN C. A. von
xviiie siècle. Actif à la fin du xviiie siècle. Allemand.
Peintre.
Il travaillait dans le goût de Vernet.

FLOGIL Mertin
xive siècle. Actif à Breslau. Allemand.
Peintre.
Il obtint le droit de bourgeoisie en 1398.

FLOGNY Eugène Victor de
Né le 7 mai 1825 à Flogny (Yonne). xixe siècle. Français.
Peintre d'histoire, scènes typiques, portraits.
Élève d'Eugène Delacroix, il figura au Salon de Paris de 1869 à 1876. Général, il rapportait de nombreuses études de ses campagnes. On cite parmi ses œuvres : *Spahis en vedette, Le général Randon châtie les O-si-Yohia, Benthaleb, Habitation du marabout Li-El-Hady-Mbarek, Femmes occupées à la préparation du couscous*.
Musées : Alger : *Tête de femme kabyle* – Auxerre : *Nourrice noire et son enfant*.
Ventes Publiques : Londres, 26 jan. 1984 : *Cavalier arabe* 1865, h/t (74x53) : **GBP 3 000** – Paris, 18 mars 1992 : *Troupeau s'abreuvant*, h/t (38x61) : **FRF 5 900** – Monaco, 14-15 déc. 1996 : *Portrait des enfants du duc de Chartres* 1880, h/t (170x124) : **FRF 52 650**.

FLOH A. W.
xixe siècle. Actif à Enschedé vers 1810. Hollandais.
Peintre de genre et de portraits.

FLOHR
xixe siècle. Actif vers 1839. Allemand.
Peintre de genre.

FLOIRAT Marie, dite **Floirette Bourbon**, née **Bourbon**
Née le 28 août 1900 à Coussac-Bonneval (Hte-Vienne). xxe siècle. Française.
Peintre, restaurateur, émailleur.
De 1940 à 1967, elle a participé, à Paris, aux Salons des Artistes Français, des Artistes Indépendants, de l'Académie Européenne des Arts, ainsi que des Salons des Arts, Sciences et Lettres du Limousin et des Artistes Marchois à Bellac. Elle a reçu la médaille d'argent des Arts, Sciences et Lettres de Paris, en 1967. Elle fut la collaboratrice du peintre restaurateur Vikke Van den Bergh. Elle participa, avec lui, à la découverte et à la restauration de nombreux tableaux anciens, d'entre lesquels la maquette des *Noces de Cana* de Véronèse.

FLOISTAD Lisa
xxe siècle. Active aux États-Unis. Norvégienne.
Auteur d'installations, d'assemblages.
Elle montre ses œuvres dans des expositions personnelles : 1996 Tecla Sala centre d'art contemporain à Barcelone.
Elle travaille sur la représentation de la femme dans l'imaginaire catholique (la Vierge, la courtisanne...), sélectionnant des détails de peinture qu'elle agrandit à la photocopie et qui dévoile le désir, la sexualité masculine.

FLONDOR-STRAINU Constantin
Né en 1936 à Bucarest. xxe siècle. Roumain.
Peintre. Abstrait-géométrique.
Il fit ses études à Bucarest.
Il vit et travaille à Timisoara, où il a exposé en 1968. En 1969, il a participé à Nuremberg à l'Exposition *Art Constructif*.

FLOOR Laurens
Né à Frederickstadt. Enterré à Amsterdam le 17 septembre 1667. xviie siècle. Hollandais.
Peintre.

FLOORTEE ou **Floortie**. Voir **FLORTEN Jan**

FLOQUET Bartholomy
Mort en 1699 ou 1690 à Anvers. xviie siècle. Éc. flamande.

Peintre.
Inscrit comme fils de maître en 1665. Peut-être fils de Lucas Floquet l'Ancien.

FLOQUET Gabriel I
XVIIIe siècle. Actif à Paris au début du XVIIIe siècle. Français.
Peintre.

FLOQUET Gabriel II
XVIIIe siècle. Actif à Paris au début du XVIIIe siècle. Français.
Peintre.

FLOQUET Jakob
XVIIe siècle. Allemand.
Peintre d'histoire et de portraits.
Est mentionné à Francfort-sur-le-Main en 1660.

FLOQUET Jean Paul
Peintre.
Cité par de Marolles. N. Pitau grava d'après cet artiste un *Portrait de H. L. Habert*, seigneur de Montmort. Peut-être est-il identique à Pauwel Floquet.

FLOQUET Jeanne
XVIIIe siècle. Active à Paris en 1769. Française.
Peintre.

FLOQUET Lucas, l'Ancien
Né en 1578 à Anvers. Mort en 1635 à Anvers. XVIIe siècle. Éc. flamande.
Peintre d'histoire, compositions religieuses, portraits.
Il travailla successivement à Gand et à Anvers. En 1598, il entra dans la gilde d'Anvers. Il eut dans cette ville de nombreux élèves, notamment son neveu David Leeuwarts.
Musées : Saint-Winox-Bergen (église) : tableau d'autel.
Ventes Publiques : Londres, 29 oct. 1965 : *La Rencontre de David et Abigail* : **GNS 1 100** – Madrid, 21 mai 1985 : *Dames de qualité présentant des suppliques à un roi*, h/t (81,5x112,5) : **USD 13 000**.

FLOQUET Lucas, le Jeune
Mort vers 1666. XVIIe siècle. Actif à Anvers. Éc. flamande.
Peintre.
Fils de Lucas Floquet l'Ancien. Inscrit dans la gilde d'Anvers en 1640.

FLOQUET Pauwel
Né à Anvers. Mort en 1667 à Anvers. XVIIe siècle. Éc. flamande.
Peintre d'histoire.
Fils de Lucas Floquet l'Ancien. Inscrit à la gilde de Saint-Luc à Anvers en 1631.

FLOQUET Simon
XVIIe siècle. Éc. flamande.
Peintre d'histoire, compositions religieuses, graveur.
Fils de Lucas Floquet l'Ancien, il est inscrit dans la gilde en 1634.
Musées : Gœttingue (Université) : *La Mort et l'Avare*, d'après Parthey – *Esther et Assuérus*, d'après Parthey.
Ventes Publiques : Londres, 8 juil. 1992 : *Repos pendant la fuite en Égypte*, h/cuivre (69x94) : **GBP 7 150**.

FLOR. Voir aussi **FIORE**, **FLUR** et **FLURER**

FLOR Ferdinand
Né le 22 janvier 1793 à Hambourg. Mort le 5 avril 1881 à Rome. XIXe siècle. Allemand.
Peintre.
Il étudia à Eutin, à Dresde et à Munich. En 1819 il se rendit en Italie, visita Florence, puis l'Angleterre et Paris. Il se fixa à Rome définitivement en 1834. On cite parmi ses œuvres un *Christ bénissant les petits enfants, Mariage de Marie et Joseph, Narcisse, Portrait du roi de Naples, Danse indienne, Paysanne italienne*, et différentes marines et tableaux de mœurs.
Musées : Copenhague (Thorwaldsen) : *Portrait d'Elise Thorwaldsen* – Hambourg (Kunsthalle) : *Portrait de l'actrice Lina Fuhr*.

FLOR Jan
XVe siècle. Actif à Cologne. Allemand.
Sculpteur sur bois.
Son nom est porté aux stalles de l'église Sainte-Marie, Schnurgasse, à Cologne.

FLOR Johann. Voir **FLUR Johann Limpert**

FLOR-DAVID, pseudonyme de **David Florence**
Née le 13 mai 1891 à Paris. Morte en 1958. XXe siècle. Française.
Peintre pastelliste.
Elle fut élève de Désiré Lucas. Elle exposait à Paris, au Salon des Artistes Français depuis 1923, mention honorable et Prix Léonie Dusseuil 1934.
Ventes Publiques : New York, 2 nov. 1993 : *Femme au châle vert* 1937, h/t (117x81) : **USD 863**.

FLORA Francesco
Né le 30 juin 1857 à Francavilla Fontana (Apulie). XIXe siècle. Italien.
Sculpteur.
Il fut élève de l'Académie de Venise il travailla dans cette ville et à Naples et y exécuta des portraits sculptés, des statues de genre et des monuments funéraires.

FLORA Paul
Né le 29 juin 1922 à Glurns (Vinschgau). XXe siècle. Autrichien.
Dessinateur, graveur, illustrateur.
Il vit depuis 1927 à Innsbruck. De 1942 à 1944, il fut étudiant à Munich. Il expose depuis 1945 en Europe et à New York. En 1968, il a participé à la Biennale de Venise.
Par l'humour graphique, il s'apparente à Paul Klee, à Calder, et surtout à Steinberg. Il fait découvrir l'envers énigmatique et comique d'une civilisation qui se veut et se croit rationaliste.

FLORA

Musées : Brême – Hanovre – Paris (Mus. Nat. d'Art Mod.) – Vienne.
Ventes Publiques : Vienne, 14 mars 1980 : *Les vagabonds* 1949, pl./pap. (26,5x36,5) : **ATS 18 000** – Vienne, 16 mars 1982 : *Im ABC*, encre de Chine (42,5x60,5) : **ATS 14 000** – Vienne, 4 déc. 1984 : *« Besiegte Helden »*, pl. et encre de Chine (36x50,5) : **ATS 5 000** – Munich, 26-27 nov. 1991 : *Marionnettes*, encre et cr. de coul. (25x35) : **DEM 2 185**.

FLORA Thalia, plus tard Mme **Caravias**
Née en 1875 à Siatista. XXe siècle. Grecque.
Peintre de genre, pastelliste.
Elle fut élève de Georges Jacobidès. Elle a travaillé à Munich. Elle a exposé à Paris, recevant une mention honorable en 1900, à l'occasion de l'Exposition Universelle.

FLORAE. Voir **DELAFLEUR Nicolas Guillaume**

FLORANCE Eustache Lee
Né à Philadelphie. XXe siècle. Américain.
Peintre.
Il exposa à Paris au Salon de la Société Nationale.

FLORAND Denise, Mme
Née à Maisons-Laffitte (Yvelines). XXe siècle. Française.
Peintre.
A exposé au Salon des Indépendants en 1938, 1939 et 1940, des natures mortes et des fleurs.

FLORAT Anne Élisabeth
XVIIIe siècle. Actif à Paris en 1764. Français.
Peintre.

FLOREANI Antonio
Originaire d'Udine. XVIe siècle. Italien.
Peintre et architecte.
Il travailla à Frioul et était architecte à la Cour de Maximilien II. Ses œuvres de peinture ont complètement disparu.

FLOREANI Floriano delle Cantinelle
Mort en 1511. XVIe siècle. Actif à Udine. Italien.
Peintre.
Il était fils d'Alberto da Tolmezzo Floreani.

FLOREANI Francesco
Né à Udine. Mort en 1593. XVIe siècle. Italien.
Peintre, sculpteur et architecte.
Il fut l'élève de Pellegrino et se fit remarquer comme portraitiste. L'empereur Maximilien II qui l'employait possédait un grand nombre de ses œuvres, parmi lesquelles on remarque une *Judith* de grande valeur. Le Musée de Vienne conserve de lui : *Marie et l'Enfant*.

FLOREANI Giovanni I
Né en 1486, originaire d'Udine. Mort le 21 mars 1540. XVIe siècle. Italien.
Peintre et sculpteur sur bois.
Fils de Floriano delle Cantinelle.

FLOREANI Giovanni II
Originaire d'Udine. XVIe siècle. Italien.
Peintre.
Fils de Pietro I Floriani.

FLOREANI Giuseppe
Originaire d'Udine. XVIe siècle. Italien.
Peintre.
Fils de Pietro I Floreani.

FLOREANI Pietro I
Originaire d'Udine. XVIe siècle. Italien.
Peintre.
Fils de Giovanni I Floreani.

FLOREANI Pietro II
Originaire d'Udine. XVIe siècle. Italien.
Peintre.
Fils de Pietro I Floreani.

FLOREN Alonso
XVIe siècle. Travaillant, croit-on, à Séville vers 1554. Espagnol.
Peintre.

FLORENCE Lucette
XXe siècle. Français.
Peintre.
A exposé des portraits au Salon des Indépendants à Paris en 1942.

FLORENCE Mary, née **Sargant**
Née le 21 juillet 1857 à Londres. Morte le 14 décembre 1954 à Twickenham (Middlesex). XIXe-XXe siècles. Britannique.
Peintre fresquiste et aquarelliste.
Sœur du sculpteur F. W. Sargant, elle a étudié à Paris avec L. O. Merson, puis à la Slade School avec Legros. En 1888 elle a épousé le musicien américain Henry Smith Florence. Elle est membre du New English Art Club en 1911. La Tate Gallery conserve de ses œuvres.

FLORENCE Prosper Joseph
Né au XIXe siècle à Paris. XIXe siècle. Français.
Peintre.
Il se forma sous la conduite de Cabanel et figura au Salon de 1875 à 1880, notamment avec des portraits.

FLORENCIA Tomas de
D'origine italienne. XVIe siècle. Travaillant à Valladolid. Espagnol.
Peintre.
Cet artiste fut appelé à Valladolid par Pompeyo. Il travailla pour le duc d'Albe au château d'Alba de Tormes.

FLORENS Simon
XVIIe siècle. Actif à Anvers. Éc. flamande.
Sculpteur.
En 1666 il fut reçu maître de la Gilde.

FLORENSA Y ARNUS Salvador
Né à Barcelone (Catalogne). XXe siècle. Espagnol.
Peintre.
Il exposa à Paris au Salon de la Société Nationale des Beaux-Arts.

FLORENT
XIXe siècle. Français.
Peintre de miniatures.
Le musée Wicar, à Lille, conserve de lui une miniature.

FLORENT Alfred
Né à Boulogne-sur-Mer (Pas-de-Calais). XIXe siècle. Français.
Peintre.
Débuta au Salon en 1880.

FLORENT Maurice
XXe siècle. Français.
Peintre de paysages et de natures mortes.
Exposant du Salon des Indépendants à Paris en 1943.

FLORENTI, Florentia. Voir au prénom

FLORENTIA Bernardus de. Voir **BERNARDUS de Florentia** et **DADDI Bernardo**

FLORENTIN. Voir aussi au prénom

FLORENTIN
XIXe siècle. Français.
Peintre.
VENTES PUBLIQUES : PARIS, 23 mars 1945 : *Nature morte : bassine et fruits* : FRF 1 400.

FLORENTIN Dominique. Voir **DOMINIQUE FLORENTIN**

FLORENTINO Jacobo ou **Jacopo**. Voir **INDACO Jacopo dell'**

FLORENTINO Nicola. Voir **DELLO Fiorentino**

FLORER Ignaz Franz Joseph. Voir **FLURER**

FLORES Alonso de
XVe siècle. Actif à Séville à la fin du XVe siècle. Espagnol.
Peintre.
Un document porte qu'il acheta un esclave le 19 octobre 1492.

FLORES Alonso de
XVIIe siècle. Actif à Séville en 1642. Espagnol.
Peintre.

FLORES Antoine ou **Florez**
Mort en 1550. XVIe siècle. Éc. flamande.
Peintre d'histoire.
Siret, au sujet de cet artiste, dit qu'il fit un voyage en Espagne avec un autre peintre flamand qui serait Pedro Campana ou Pierre Van Campen.

FLORES Antonio ou **Florez**
XVIe siècle. Actif à Cuenca. Espagnol.
Sculpteur.
Pour la cathédrale de Cuenca il érigea deux autels dans la chapelle Albornoz et orna l'encadrement de fer forgé de la grille de cette chapelle d'un riche travail de ciselures : têtes d'anges, trophées d'armes, ossements de morts, symboles de la vie, du combat et de la mort.

FLORES Felipe
Né au XIXe siècle à Benaguacil. XIXe siècle. Espagnol.
Peintre.
Il fut formé par l'Académie de Valence.
MUSÉES : VALENCE : *Naissance du Christ.*

FLORES Francisco. Voir **FLOREZ**

FLORES Frutos
XVIe siècle. Espagnol.
Peintre.
Il travailla pour la cathédrale de Tolède. Peut-être identique à Frutet (Frans) ou à Floris (Frans I).

FLORES Gonzalo de
XVIe siècle. Espagnol.
Peintre.
Il est mentionné à Séville de 1518 à 1544.

FLORES José Joaquin
Né au XIXe siècle à Daimiel (province de Ciudad-Real). XIXe siècle. Espagnol.
Peintre de genre.
Élève de Carlos Luis de Ribera et de Carlos Mujica. Il débuta à la Nationale des Beaux-Arts de Madrid en 1866.

FLORES Juan
XVIe siècle. Travaillant à Séville dans la seconde partie du XVIe siècle. Espagnol.
Graveur.
Cité à propos d'un héritage, en 1571.

FLORES Juan de
XVIe siècle. Actif à Séville. Espagnol.
Peintre.

FLORES Luis Molinari
Né en 1929. XXe siècle. Équatorien.
Peintre. Abstrait-géométrique.
Il a acquis sa formation à Buenos Aires, à Paris, séjourné à New York.
Peut-être influencé par l'exemple d'Araceli Gilbert, il adopta la ligne « dure » de l'abstraction sans concessions, adoptant une ligne parallèle à celle du Groupe de Reherche d'Art Visuel. Ses œuvres se constituent par une démarche sérielle. Il les anime d'un chromatisme violent.
BIBLIOGR. : Damian Bayon, Roberto Pontual, in : *La peinture de l'Amérique latine au XXe siècle*, Mengès, Paris, 1990.

FLORES Pedro Victor
Né le 5 février 1897 à Murcie. Mort en 1967 à Paris (?). XXe siècle. Actif aussi en France. Espagnol.
Peintre de compositions à personnages, scènes typiques, figures, peintre à la gouache, aquarelliste, pastelliste, peintre de compositions murales, décors de théâtre, graveur, dessinateur, illustrateur. Expressionniste.
Lors de la ruine du négoce familial, il obtint de quitter le collège et d'étudier le dessin à la Société Économique des Amis du Pays de Murcie, obtenant très jeune le Prix de Peinture du Gouvernement de Murcie. Il semble qu'il fut aussi élève de l'Académie de San Fernando de Madrid. En 1924, il réalisa sa première exposition et l'année suivante obtint de bonnes critiques pour une exposition à Barcelone. En 1933, il participait à l'Exposition de l'Art Espagnol à Paris, ainsi qu'au Salon National de Madrid. Il interrompit un séjour à Paris, étant nommé professeur de dessin à l'Institut Balmes de Barcelone. Il ne cessa jamais de participer à la vie artistique espagnole, tout en ayant son atelier permanent à Paris, d'où, après certains événements, l'ambiguïté d'une double carrière. En 1937, il remporta le Premier Prix National de Gravure, le deuxième Prix National de Peinture en 1938. À Paris, il figurait à certains des Salons traditionnels. Il aurait à ce moment participé à Prague aux expositions d'Art et Résistance de l'Art Plastique Espagnol. Depuis 1940, il vécut sans discontinuer à Paris, montrant des expositions personnelles à Madrid, Barcelone, Santander, Paris, Murcie, etc.
En marge de la peinture proprement dite, il a exécuté des maquettes de costumes et décors pour *La Savetière prodigieuse* de Garcia Lorca (au Théâtre Édouard VII), *Le Tricorne* de de Falla (à l'Opéra Comique), *Le Chevalier errant* de Jacques Ibert (à l'Opéra), et encore il a illustré : *Pieds joints* commentaire tauromachique de Jean Babelon, *Dom Juan* de Molière avec des eaux-fortes en couleurs, *Série noire* de J. Lancien. Il a réalisé des peintures murales pour le Sanctuaire de Notre Dame de la Fuensanta à Murcie.
Lui-même était un vrai petit Espagnol, noir et piaffant, toujours suivi de sa Carmen, pratiquement en costume de scène. Sa peinture participait d'un expressionnisme très coloré, où l'on pouvait voir la marque de l'Espagne. L'Espagne, il ne peignit bientôt plus que sur ce thème. Il se montra souvent apte à des compositions ambitieuses rassemblant et organisant quantité de personnages, ainsi dans les *Maîtres de la Tauromachie* où, au premier plan sont représentés les grands personnages de l'histoire de cet art, dans un plan intermédaire un groupe de personnages secondaires, picadors, etc. dans une échappée on aperçoit une corrida en cours, sans doute dans les arènes de Madrid, dont on aperçoit au loin les bâtiments dans le poudroiement du soleil. Mais il s'est surtout spécialisé dans les scènes espagnoles plus familières : danseurs et chanteurs de flamenco, femmes en costumes traditionnels pour lesquelles il n'était pas question que posât une autre que sa Carmen personnelle. ■ J. B.
BIBLIOGR. : Jean-Marc Campagne, B. de Pantorba : *Pedro Florès*, Édit. Françaises, Paris, 1958 – in : *Cent ans de peinture en Espagne et au Portugal, 1830-1930*, Antiquaria, Madrid, 1988.
MUSÉES : CÉRET – MADRID – MURCIE – PARIS (Mus. d'Art Mod.) – PERPIGNAN – PRAGUE.
VENTES PUBLIQUES : PARIS, 28 mars 1955 : *La Chaumière* : **FRF 37 000** – MADRID, 27 juin 1974 : *Barque de pêche sur la plage* : **ESP 250 000** – PARIS, 24 mars 1976 : *La Dame à l'éventail*, h/t (55x38) : **FRF 2 000** – MADRID, 20 déc. 1976 : *Don Quichotte*, gche (31x24) : **ESP 40 000** – MADRID, 22 nov. 1977 : *Le Petit Violoniste*, gche (64x50) : **ESP 100 000** – MADRID, 25 nov. 1980 : *Armando a un caballero*, gche (50x90) : **ESP 80 000** – MADRID, 25 jan. 1983 : *Danseuse*, h/isor. (74x60) : **ESP 90 000** – PARIS, 6 mai 1988 : *Les Toréadors*, h/cart. (37,5x60,5) : **FRF 7 000** – PARIS, 26 mai 1989 : *Portrait de femme*, h/t (56x46) : **FRF 8 500** ; *Couple espagnol*, h/t (46x38) : **FRF 18 000** – LONDRES, 22 fév. 1989 : *La Chaumière*, h/t (64,5x77,5) : **GBP 3 080** – PARIS, 3 déc. 1992 : *Le Coq*, h/isor. (24x19) : **FRF 3 500** – PARIS, 15 déc. 1994 : *Les Amoureux*, h/t (81x54) : **FRF 15 000** – CALAIS, 15 déc. 1996 : *Arlequin à la guitare*, aquar. et past. (28x20) : **FRF 3 200** – PARIS, 23 fév. 1997 : *Arlaquin à la guitare*, past. et aquar. (29x20) : **FRF 7 000**.

FLORES Reinaldos de
XVIe siècle. Travaillant à Séville vers 1595. Espagnol.
Sculpteur.
Cet artiste sculpta une *Vierge* qui fut placée au-dessus d'une des portes de l'Alcazar royal.

FLORÈS Ricardo
Mort le 20 octobre 1918, au champ d'honneur. XXe siècle. Français.
Dessinateur humoriste, illustrateur, peintre de portraits.
Il s'est surtout fait connaître pour sa collaboration humoristique et satirique à *L'assiette au beurre* et au *Rire*. Il a illustré divers ouvrages, dont *La chanson des gueux* de Jean Richepin. Il a également exécuté quelques portraits mondains.
VENTES PUBLIQUES : PARIS, 26 oct. 1922 : *Dessin*, pl. : **FRF 40** ; *Dessin*, pl. : **FRF 90** – PARIS, 29-30 mai 1929 : *Vieux cheminot assis* ; *Deux Paysages*, trois sépias : **FRF 270** – PARIS, 12 avr. 1943 : *Le chemineau*, aquar. : **FRF 110**.

FLORES VALDEZ Leopoldo
Né le 25 janvier 1935. XXe siècle. Mexicain.
Peintre, peintre de compositions murales. Abstrait.
Il fut élève de l'École des Beaux-Arts de Mexico, où il vit. En 1965-1966, il est venu en France avec une bourse d'étude. En 1967, de retour au Mexique, il a remporté le premier Prix National d'Art Plastique, et y expose depuis cette date.
Abstraite, sa peinture est vivement colorée. Il a exécuté plusieurs peintures murales et au sol.

FLORET Robert
Né le 5 mai 1931 à Lanobre (Cantal). XXe siècle. Français.
Peintre, graveur, illustrateur.
Il a étudié à Clermont-Ferrand et à Rabat. Il expose dans différents Salons de province et, en particulier, à Marseille, Cannes et Vichy.

FLOREZ Antonio. Voir **FLORES**

FLOREZ Francisco ou **Flores**
XVe siècle. Espagnol.
Peintre.
Peintre au service d'Isabelle d'Espagne dont il enlumina le missel qui se trouve actuellement dans la cathédrale de Grenade. Peut-être le même que le Frère Flores de Amberes qui, entre 1500 et 1510, travaillait pour la cathédrale de Tolède, ou que Frutos Flores.

FLOREZ-IBAÑEZ Eduardo
Né à Madrid. XIXe-XXe siècles. Espagnol.
Peintre de paysages, scènes de genre, portraits, aquarelliste.
Il fut élève de Carlos de Haes à l'École des Beaux-Arts de San Fernando de Madrid. Il débuta dans des expositions collectives et des concours en 1871, obtenant des distinctions : 1873 Exposition Nationale des Beaux-Arts avec médaille de bronze. À Paris, exposant au Salon de la Société Nationale des Beaux-Arts, il obtint une mention honorable en 1889 à l'occasion de l'Exposition Universelle. Il a fait partie de la Société des Aquarellistes de Madrid et du Cercle des Beaux-Arts.
S'il a traité des sujets les plus divers, il fut surtout un peintre de paysages animés, d'autant plus intéressant que manifestement influencé par Turner, recherchant les effets dorés du soleil à travers la brume ou les effets bleutés de brume sur les fleuves.

FLORI. Voir **FIORI**

FLORIAN
XVIe siècle. Actif à Cracovie. Polonais.
Sculpteur et architecte.
Il était le fils de Filippo da Fiesole.

FLORIAN
XVIIe siècle. Autrichien.
Sculpteur.
Peut-être est-il identique à un FLORIAN qui exécuta des armoiries pour l'abbé Johann à Admont. Il fit les modèles des décorations de stuc de l'église de la Sainte-Trinité d'Innsbruck.

FLORIAN Antonio
XIXe siècle. Actif à Venise. Italien.
Peintre.
Les églises Saint-Maurice et Saint-Pierre à Venise possèdent de ses œuvres.

FLORIAN Ernest
Né le 5 décembre 1863 à Chez-le-Bart. Mort le 20 mars 1914 à Paris. XIXe-XXe siècles. Suisse.
Graveur sur bois.
Élève de son frère Frederic Florian ; a obtenu une mention honorable en 1890 et une médaille d'argent à l'Exposition Universelle de 1900.

FLORIAN Frédéric, pseudonyme de **Rognon**
Né le 20 février 1858 à Gorgier (près de Neuchâtel). XIXe siècle. Suisse.
Graveur sur bois.
Cet artiste s'est créé une place très intéressante par l'interprétation qu'il sait donner aux œuvres qu'il reproduit. Frédéric Florian a fait beaucoup d'illustrations pour des éditions d'ouvrages de bibliophiles. Mention honorable en 1885, médaille de troisième classe en 1887.

FLORIAN Georges
Né à Jojib. XXe siècle. Actif aussi en France. Roumain.
Peintre, dessinateur.
Il a exposé à Paris, en 1926 aux Salons des Artistes Français et d'Automne, depuis 1927 régulièrement au Salon des Artistes Indépendants.

FLORIAN Walter
Né en 1878 à New York. Mort le 1er avril 1909 à New York. XXe siècle. Américain.
Peintre de portraits, paysages.
Il commença ses études artistiques à l'Art Student's League de New York, puis vint à Paris, où il fut élève de l'Académie Julian. Après avoir passé deux ans en Espagne, il visita la Hollande, où il reçut les conseils de Joseph Israëls, dont il fit le portrait. Il revint s'établir à New York. En 1904, il avait obtenu une médaille d'argent à l'Exposition de Saint-Louis (Missouri).
Il a peint les portraits de nombreuses personnalités américaines. Il est dit aussi parfois sculpteur. Il a peint quelques paysages.
Musées : New York (Metropolitan Mus.) : *Portrait de Joseph Israëls.*
Ventes Publiques : New York, 7-8 déc. 1933 : *Paysage au crépuscule* : **USD 50** – New York, 22 mai 1980 : *Portrait de jeune femme* 1898, h/t (56,2x45,8) : **USD 1 000.**

FLORIAN-PARMENTIER Ernest
Né à Valenciennes (Nord). XXe siècle. Français.
Peintre de paysages, natures mortes.
Il exposait à Paris, au Salon des Artistes Indépendants de 1935 à 1943.

FLORIANE, pseudonyme ?
Née le 26 octobre 1878 à Strasbourg (Bas-Rhin). XXe siècle. Française.
Peintre de paysages.
Elle a exposé à Paris, au Salon des Artistes Français depuis 1921.

FLORIANI Flaminio
XVIIe siècle. Italien.
Peintre.
Vénitien, on croit qu'il fut élève du Tintoretto parce qu'il copia et imita avec beaucoup de succès les œuvres de ce maître. Le tableau de *Saint Laurent* dans l'église du même nom, est une de ses meilleures œuvres.

FLORIANI Giuseppe ou **Maffeotti**
Originaire de Rovereto près de Trente. Mort en 1624. XVIIe siècle. Italien.
Peintre.

FLORIANO delle Cantinelle. Voir **FLOREANI**

FLORIAS Tin
Né à Corfou. XXe siècle. Grec.
Peintre de portraits, paysages, natures mortes.
Il a aussi exposé à Paris, au Salon des Artistes Indépendants, en 1935, 1937, 1938, 1939.

FLORIDAN Thomas
XVIIIe siècle.
Sculpteur.

FLORIDI Francesco
XIXe siècle. Actif à Rome vers 1830. Italien.
Graveur de reproductions.
Il travailla pour la *Galerie Pitti* de L. Bardi, d'après L. Lotto, A. del Sarto et pour la *Calcografia Romana*, d'après Domenichino et G. Reni.

FLORIGERIO Sebastiano ou **Bastianello** ou **Florigorio**
Né en 1500 à Udine. Mort vers 1545 à Udine. XVIe siècle. Italien.
Peintre.
Élève du Pelligrino, dont on croit qu'il épousa la fille Aurelia. Il exécuta en 1525 son premier tableau d'autel pour l'église Santa Maria di Villanuova et en 1529 le tableau d'autel de *Saint George et le dragon* pour l'église San Giorgio d'Udine. Peu de temps après il se rendit à Padoue, où il peignit le portail du Palazzo del Capitaneo. Selon toute vraisemblance, il demeura dans cette ville jusqu'en 1533. Ayant tué dans un duel son adversaire, il fut obligé de fuir et de se réfugier à Cividale jusqu'en 1543. On croit qu'il mourut à Udine peu de temps après. Parmi ses œuvres, on cite à Saint-Bovo de Padoue : *Une descente de Croix* ; à l'Académie de Venise : *Madone avec l'Enfant, saint Augustin et sainte Monique ; Saint François, saint Antoine et sainte Monique*. Le Musée de Munich conserve également de lui un tableau.

FLORIMI Giovanni ou **Florini**
XVIIe siècle. Italien.
Graveur.
Élève de Cornelis Galle, il travaillait à Sienne en 1630. Il exécuta surtout des portraits, parmi lesquels figure celui de Francesco Piccolomini d'après F. Vanni.

FLORIMONT C. T. B. de
Né le 29 août 1802 à Demerary (Indes). Mort en 1846 à Amsterdam. XIXe siècle. Hollandais.
Peintre de marines.
Élève de Schotel à Dordrecht.

FLORIN Jan
Né en 1955 à Zottegem. XXe siècle. Belge.
Peintre, graphiste, affichiste. Expressionniste.
Il fut élève de l'Académie Saint-Luc de Gand et de l'Académie des Beaux-Arts de Zottegem.
Bibliogr. : In : *Diction. Biogr. illustré des Artistes en Belgique depuis 1830*, Arto, Bruxelles, 1987.

FLORINI Matteo ou **Florimi**
XVIIe siècle. Actif à Sienne. Italien.
Graveur au burin et sur bois et éditeur.

FLORIO Giovanni Battista di Bernardo
XVIIe siècle. Actif à Trévise. Italien.
Sculpteur sur bois.
L'église S. Margherita degli Eremitani à Trévise lui doit les statues de bois de la *Mère Miséricordieuse*, de *Saint Augustin* et de la *Sainte Monique* ainsi qu'une statue de la *Vierge* sous un baldaquin précieux porté par quatre anges. Pour S. Giorgio Maggiore à Venise il sculpta en 1641 six statues pour les autels de S. Stephan et S. Benedict, en 1644 *Les quatre Pères de l'église* qui furent placés au-dessus du portail principal.

FLORION
XVIIIe siècle. Actif à Paris. Français.
Sculpteur.
Élève de l'Académie Royale, il exposa en 1793 un buste de *Lepeletier de Saint-Fargeau* et quelques portraits de cire.

FLORIS Baptist, de son vrai nom : **Baptist de Vriendt**
Né après 1547 à Anvers. XVIe siècle. Éc. flamande.
Peintre.
Fils de Frans I Floris de Vriendt. On connaît de lui un portrait du peintre Frans Francken le vieux.

FLORIS Claudius, de son vrai nom : **Claudius de Vriendt**
XVIe siècle. Actif à Anvers en 1533. Éc. flamande.
Sculpteur.
Fils de Jan de Vriendt dit Floris et frère de Cornelis Floris l'Ancien.

FLORIS Conrad
Originaire d'Utrecht. XVIe siècle. Hollandais.
Sculpteur.
Il travailla à Schwerin de 1563 à 1567 pour la chapelle du château. On lui attribue les bas-reliefs de la chaire de Güstrow.
Musées : Schwerin : *L'histoire de Loth*, bas-relief d'albâtre.

FLORIS Cornelis I, de son vrai nom : **Cornelis de Vriendt**
Mort le 17 septembre 1538 à Anvers. XVIe siècle. Éc. flamande.
Sculpteur.
Fils de Jan de Vriendt dit Floris et père de Frans I Floris.

FLORIS Cornelis II, de son vrai nom : **Cornelis de Vriendt**
Né en 1514 à Anvers. Mort en 1575 selon certains biographes ou le 20 février 1572 selon d'autres. XVIe siècle. Éc. flamande.
Sculpteur, dessinateur, graveur et architecte.
Après avoir travaillé en Italie, il revint à Anvers où il épousa la sœur du peintre Frans Pourbus. Il est surtout connu comme

architecte. En peinture décorative, il créa des *grotesques*. En sculpture, il exécuta le mausolée de Jean de Mérode, à Geel, le jubé de la cathédrale de Tournai, et le grand tabernacle de Saint-Léonard de Léau constitué de dix étages, et dont la hauteur atteint dix-huit mètres.

FLORIS Cornelis III, de son vrai nom : **Cornelis de Vriendt**

Né en 1551 à Anvers. Mort le 12 mai 1615 à Anvers. XVIe-XVIIe siècles. Éc. flamande.

Peintre de compositions religieuses, sujets allégoriques, sculpteur.

Fils de Cornelis II, il fut élève de Hieronymus Francken à Paris. Il était maître à Anvers en 1577 et y demeura toujours ensuite. En 1594 il avait comme élève Hieronymus Van Kessel.

VENTES PUBLIQUES : VIENNE, 30 nov. 1976 : *Loth et ses filles*, h/pan. (76x106,5) : **ATS 300 000** – MONACO, 17 juin 1988 : *Homme au chapeau de paille*, h/pan. (25x18,3) : **FRF 31 080** – ROME, 13 avr. 1989 : *Tête de jeune femme en atours*, h/pan. (48x34) : **ITL 6 500 000** – NEW YORK, 31 mai 1989 : *Moïse allaité par sa mère*, h/pan. (97x90) : **USD 33 000** – NEW YORK, 31 mai 1990 : *Tête de saint Jean Baptiste*, h/pan. (46,6x34) : **USD 71 500** – AMSTERDAM, 25 nov. 1991 : *La Justice*, encre et lav. avec reh. de blanc/pap. (28,2x15,6) : **NLG 12 075** – LONDRES, 1er avr. 1992 : *Vierge à l'Enfant avec un ange*, h/pan. (118x97,5) : **GBP 6 600** – NEW YORK, 22 mai 1992 : *Adam et Eve*, h/pan. (176,5x144,8) : **USD 49 500** – PARIS, 8 avr. 1992 : *Allégorie de l'Amour profane sur fond de ruines du Colisée*, h/pan. (86x121,5) : **FRF 280 000** – LONDRES, 28 oct. 1992 : *La Sainte Famille*, h/t (111,5x134,2) : **GBP 10 450** – NEW YORK, 11 jan. 1995 : *Arithmétique*, h/t (151,5x224,2) : **USD 195 000**.

FLORIS Frans I, de son vrai nom : **Frans de Vriendt**

Né en 1516 à Anvers. Mort en 1570 à Anvers. XVIe siècle. Éc. flamande.

Peintre d'histoire et de portraits, graveur à l'eau-forte.

À l'exemple de son grand-père et de son père, qui exerçaient la profession de sculpteur ou, comme on disait alors, de tailleur de pierres, Frans de Vriendt adopta le surnom de Floris, grâce à eux connu et estimé dans le monde des arts. Ce fut auprès de son oncle, Claudius de Vriendt, qu'il étudia lui-même la sculpture, jusque vers sa vingtième année. Il avait trois frères, qui se distinguèrent respectivement dans l'architecture, la peinture sur verre et la céramique. Cependant, hanté par un goût inné pour la peinture, le jeune Floris renonçant à sculpter des statues et des tombeaux, quitta Anvers pour s'établir à Liège, afin de devenir l'élève de Lambert Lombard, sur l'enseignement duquel commençaient à se propager de singulières nouvelles. Ce peintre, au cours d'un séjour fait à Rome en 1538, avait éprouvé la révélation profonde de la voie nouvelle ouverte par les grands artistes de la Renaissance ; il avait étudié en particulier les œuvres d'Andrea del Sarto. De retour à Liège, il ouvrit une école dont le renom ne tarda pas à s'établir. Floris, tôt gagné à l'enthousiasme de son maître, réussit vite à imiter fort intelligemment la manière de celui-ci. Mais ce ne fut là qu'une première initiation. Revenu dans sa ville natale et reçu en 1540 franc-maître dans la Guilde de Saint-Luc, il ne tarda pas à partir pour l'Italie, qui exerçait sur lui un attrait invincible. Il y séjourna plusieurs années, sans qu'il soit possible de fixer à ce sujet des dates précises. On a conjecturé qu'il a pu se trouver à Rome le jour de Noël 1541, lorsque Michel-Ange découvrit, après huit ans de travail, sa grande fresque du *Jugement dernier* ; quoi qu'il en soit, l'impression que le jeune flamand dut éprouver au contact du chef-d'œuvre fut décisive, prédisposé d'ailleurs qu'il était à en subir la puissance suggestive, tant par les circonstances de sa formation que par son apprentissage de la sculpture. Michel-Ange fut dès lors son modèle et son inspirateur presque unique, réserve faite pour Andrea del Sarto, dont il s'était déjà abondamment nourri à l'école de Lombard. C'est donc bien à tort qu'on lui décerna par la suite le surnom de « Raphaël flamand », qui n'est justifiable en aucune manière, si ce n'est du fait de l'ignorance. Ce qualificatif témoigne, en tout cas, du succès enthousiaste que recueillit Floris à son retour en Flandre : c'est à lui, entre autres, que revient le mérite d'avoir été l'un des introducteurs de l'italianisme dans son pays et dans son école. Sans doute le style libre, mouvementé, les attitudes fortes et tourmentées de ses premières compositions causèrent tout d'abord quelque surprise ; mais la renommée de l'artiste ne tarda pas à se répandre dans les Pays-Bas, aussi bien qu'en Espagne. Il acquit bientôt l'estime et la protection du prince d'Orange, et, plus étroitement encore, celle des comtes de Horn et d'Egmont. Ce fut à Floris que la ville de Delft confia l'exécution d'un *Crucifix* pour l'une de ses principales églises. Lors de l'entrée de Charles Quint à Anvers, en 1549, il fut chargé, avec Jean de Vries, de la peinture des arcs de triomphe dressés en diverses parties de la ville. La tradition rapporte qu'en cette occasion, il peignit en un seul jour sept figures de grandeur naturelle. Ce fut encore à Floris que l'on confia, quelques années plus tard, la décoration pour la visite de Philippe II ; il grava en 1552 la composition qu'il avait exécutée pour la circonstance, représentant la *Victoire*. En 1554, il peignit la *Chute des anges rebelles*, pour l'autel de Saint-Michel, patron des escrimeurs (aujourd'hui au Musée d'Anvers). Dans ce tableau, que l'on a considéré comme son chef-d'œuvre, le peintre oppose de manière saisissante les esprits célestes, très beaux et très purs de dessin, dont la grâce tout italienne n'exclut en rien la force qu'ils ont à déployer dans la terrible bataille, aux anges rebelles. Ces derniers, avec leurs têtes de bouc ou de sanglier, leurs serres, leurs griffes, leurs queues de serpent, réalisent une vision fantastique digne des légendes du Moyen Age. Floris travailla, vers 1559, pour Notre-Dame d'Anvers, exécutant notamment une *Assomption*, aujourd'hui disparue, et une *Nativité*, qui n'est vraisemblablement autre que l'*Adoration des bergers* du Musée d'Anvers. Cette œuvre, l'une des plus importantes, est surtout remarquable par l'expression ; l'artiste semble, à ce point de vue, se rapprocher plutôt de la douceur d'Andrea del Sarto, en demeurant cependant fort loin encore de la grâce de ce maître. Par le coloris, toutefois, abondant en gris-roux et en tons neutres, ainsi d'ailleurs que dans le *Jugement dernier* du Musée de Bruxelles, l'œuvre marque plutôt l'influence de la célèbre fresque de Michel-Ange. Floris célèbre et admiré, dut s'astreindre à un labeur sans répit : fantaisiste, amoureux de la vie large, ce ne fut pas dans sa maison, splendidement décorée, qu'il sut retenir la fortune. Franc buveur, il soutenait avec les plus illustres assoiffés de son temps, des compétitions dignes des héros de Rabelais, et dont il sortait, si l'on ose dire, à son honneur. Lettré, très amateur de mythologie, il exécuta quelques décorations très réussies dans ce dernier genre, notamment pour un riche habitant d'Anvers, Nicolas Jonghelingh, les *Travaux d'Hercule*, en dix grands tableaux, *La décapitation des comtes de Horn et d'Egmont*, ses protecteurs, en 1568, marqua la fin des allégories et des temps heureux. Floris, revenu aux sujets graves, ne put achever *le Christ en Croix* et *la Résurrection*, qu'il avait entrepris pour le Grand Prieur d'Espagne. Il mourut en 1570, âgé d'une cinquantaine d'années seulement. Il avait exercé une influence considérable et créé une école dont le règne persista jusqu'au début du XVIIe siècle, lorsque Rubens, par son génie, vint restituer à l'école flamande son originalité propre, avec sa pleine autonomie d'inspiration. Parmi les élèves et les disciples du maître de l'italianisme flamand, on peut citer François Pourbus, Crispian Van den Broecke, Martin de Vos, Lucas de Heere, Martin van Cleef. Floris laissa deux fils, dont l'un, Frans, travailla longtemps en Italie, où il se fit connaître surtout par des tableaux de petites dimensions. Malheureusement, l'œuvre de Floris a beaucoup souffert des troubles religieux du XVIe siècle ; plusieurs œuvres importantes ont disparu : les gravures qui les reproduisent en ont souvent exagéré le caractère et la violence, traduisant mal la manière du maître, qui savait tour à tour déployer une imagination fougueuse et délicate.

HF. F. FLORIS

MUSÉES : ANVERS : *La Chute de l'Ange – Saint Luc – L'adoration des bergers* – AVIGNON : *Crésus montrant ses trésors à Solon* – BAMBERG : *La Sainte Famille et le petit saint Jean* – BERLIN (Kaiser Friedrich) : *Vénus et Mars dans les filets de Vulcain* – BRESLAU, nom all. de Wroclaw (Mus. de Silésie) : *Vénus et Adonis* – BRUNSWICK : *Le Fauconnier* – BRUXELLES : *Le Jugement dernier – Adoration des Mages* – CAEN : *Portrait de femme âgée* – COLOGNE : *Portrait d'homme* – COPENHAGUE : *Abel et Caïn* – DRESDE : *L'Adoration des bergers – Jeune fille riant – L'empereur Vitellius* – FLORENCE (Offices) : *Adam et Ève* – GLASGOW : *Sainte Catherine et sainte Marguerite* – GRAZ : *La Vieillesse courbée relevée par l'Amour et l'Espérance, allégorie* – HAMBOURG : *Diane* – LA HAYE (Mauritshuis) : *Vénus et Adonis* – LANGRES : *Adoration des Mages* –

Liège : *Les trois âges* – Lierre : *La Famille Van Berchem* – Liverpool : *Le Jugement de Pâris* – Madrid (Prado) : *Portrait d'homme – Portrait de femme – Le Déluge universel* – Morez : *Un Tournoi* – Munich (Vieille Pina.) : *Portrait d'homme – Judith* – Munster : *La forge de Vulcain* – Prague (Nostiz) : *Les Vierges folles et les Vierges sages – Tête de femme – Adoration des bergers* – Saint-Pétersbourg (Ermitage) : *Allégorie – Sainte Famille* – Schwerin : *Tête de Christ – Adoration des bergers* – Stockholm : *Le festin des Dieux de la Mer* – Tirlemont : *Saint François* – Turin : *Les neuf Muses endormies pendant la guerre, allégorie* – Valenciennes : *Portrait de femme* – Vienne : *Le Jugement dernier* – Vienne (Liechtenstein) : *Adoration des bergers.*

Ventes Publiques : Paris, 18 déc. 1893 : *Bacchantes et femmes* : **FRF 335** – Paris, 10 et 11 mai 1897 : *La Vierge et l'Enfant Jésus* : **FRF 990** – New York, 24 mars 1905 : *La Vierge et l'Enfant Jésus* : **USD 200** – Londres, 20 déc. 1922 : *Descente de Croix* : **GBP 5** – Londres, 23 mars 1923 : *La Sainte Famille* : **GBP 12** – Londres, 27 juil. 1923 : *La Mort de Madeleine ; L'Échelle de Jacob*, ensemble : **GBP 5** – Londres, 4 fév. 1924 : *Noé et les animaux entrant dans l'Arche* : **GBP 44** – Londres, 28 juil. 1924 : *La Flagellation* : **GBP 3** – Paris, 6 nov. 1924 : *L'Homme de douleurs* : **FRF 330** – Londres, 13 fév. 1925 : *La Trinité* : **GBP 9** – Paris, 25 avr. 1925 : *La Madeleine* : **FRF 1 000** – Londres, 1er déc. 1926 : *La Sainte Famille* : **GBP 13** – Paris, 18 mai 1927 : *Le Jugement de Pâris* : **FRF 5 600** – Londres, 20 juin 1927 : *Paysans conduisant un troupeau* : **GBP 10** – Londres, 28 et 29 juil. 1927 : *Le Jugement de Midas* : **GBP 60** – Londres, 2 mars 1928 : *Procession du Calvaire* : **GBP 25** – Londres, 16 nov. 1928 : *Le Christ est bafoué* : **GBP 9** – Londres, 19 déc. 1928 : *Composition mythologique* : **GBP 30** – Londres, 18 fév. 1929 : *Festin des Dieux* : **GBP 6** – Londres, 12 déc. 1930 : *Le Mont des Oliviers* : **GBP 16** – Londres, 17 avr. 1935 : *Noli me tangere* : **GBP 11** ; *Dames et gentilshommes festoyant* : **GBP 16** ; *Portrait d'un sénateur* : **GBP 39** – Londres, 5 juil. 1935 : *Noli me tangere* : **GBP 5** – Londres, 13 mars 1936 : *Dame âgée* : **GBP 69** – Londres, 6 mai 1938 : *Chanté* : **GBP 8** – Londres, 8 juil. 1938 : *Diane et Actéon* : **GBP 283** – Londres, 22 juil. 1938 : *Descente aux Enfers ; Ascension au ciel*, ensemble : **GBP 19** – Londres, 13 mars 1939 : *Paul devant Félix* : **GBP 7** – Paris, 29 mai 1941 : *La Famille de la Vierge* : **FRF 20 000** – Paris, 28 nov. 1941 : *Sainte Anne, la Vierge et l'Enfant*, pl. et lav. : **FRF 2 000** – Londres, 17 déc. 1941 : *Sujet mythologique* : **GBP 7** – Londres, 19 juin 1942 : *Sainte Famille* : **GBP 10** – Londres, 7 août 1942 : *Le Jugement dernier* : **GBP 11** – Londres, 22 mars 1944 : *Scène mythologique* : **GBP 62** – Londres, 1er déc. 1944 : *Martyre de saint Sébastien* : **GBP 42** – New York, 21 fév. 1945 : *Chanté* : **USD 600** – New York, 28 fév. et 1er mars 1945 : *Nymphes de rivière* : **USD 900** – Londres, 18 jan. 1946 : *Saint Pierre et saint Marc* : **GBP 89** – Londres, 1er fév. 1946 : *Hommes et femmes* : **GBP 57** – Vienne, 14 mars 1967 : *Tête d'homme barbu au béret rouge* : **ATS 40 000** – Versailles, 1er juin 1969 : *Scène mythologique* : **FRF 12 500** – Vienne, 30 nov. 1971 : *Vénus, Satyre et Terpsichore* : **ATS 70 000** – Paris, 23 nov. 1972 : *Portrait d'homme* : **FRF 14 000** – Londres, 20 nov. 1980 : *David jouant de la harpe devant Saül*, grav. sur bois (33,4x48,7) : **GBP 300** – Londres, 19 déc. 1980 : *Adam et Ève*, h/pan. (176,5x145) : **GBP 15 000** – Londres, 16 fév. 1983 : *L'instruction de Jupiter*, h/pan. (121x169) : **GBP 3 000** – Amsterdam, 26 nov. 1984 : *Femme assise au miroir*, sanguine (17,3x23,1) : **NLG 6 600** – Paris, 16 avr. 1986 : *Saint Pierre et saint Paul*, h/pan., ovale (53x65,5) : **FRF 68 000** – Paris, 11 déc. 1991 : *Portrait du philosophe Diogène*, h/pan. (41x33) : **FRF 49 000** – Milan, 18 oct. 1995 : *La famille d'Adam et Eve*, h/t (163x210) : **ITL 69 000 000.**

FLORIS Frans II, de son vrai nom : **Frans de Vriendt**
Né en 1545. xvie siècle. Éc. flamande.
Peintre.
Fils de Frans I Floris, il fut probablement actif à Anvers. Il travaillait à Rome en 1604.

FLORIS H. E.
xvie siècle. Actif à Utrecht. Hollandais.
Peintre sur verre.
Cité par Siret.

FLORIS Jacob, l'Ancien, de son vrai nom : **Jacob de Vriendt**
Né en 1524. Mort le 8 juin 1581. xvie siècle. Éc. flamande.
Peintre verrier.
Frère de Frans I Floris. En 1551, il était maître à Anvers. On lui a longtemps attribué à tort les vitraux de la cathédrale de Tournay qui sont en réalité de Lucasi Adriaensz. Mais on a toutes raisons de croire de lui différents vitraux de l'église Sainte-Gudule, de Bruxelles et de l'église de la Vierge, d'Anvers.

FLORIS Jacob, le Jeune, de son vrai nom : **Jacob de Vriendt**
xve-xvie siècles. Éc. flamande.
Peintre verrier.
Probablement fils de Jacob de Vriendt, dit Floris l'Ancien. Il a peint l'histoire de *Saint Elie* aux fenêtres de l'ancienne église des Grands-Carmes à Anvers, église aujourd'hui disparue.

FLORIS Jan I, de son vrai nom : **Jan de Vriendt**
Né avant 1524. xvie siècle. Actif à Anvers. Éc. flamande.
Peintre sur faïence.
Fils de Cornelis I Floris. Admis à la Gilde de Saint-Luc comme premier de sa spécialité en 1550, il fut plus tard appelé en Espagne par Philippe II où il travailla dans les châteaux royaux à Madrid, au Prado, à Ségovie.

FLORIS Jan II, de son vrai nom : **Jan de Vriendt**
Mort le 2 mars 1650. xviie siècle. Actif à Anvers. Éc. flamande.
Peintre.
Il fut l'élève de son père Cornélis III Floris et devint membre de la Gilde en 1615.

FLORIS Jan Baptista, de son vrai nom : **Jan Baptista de Vriendt**
Né vers 1617. Mort le 10 janvier 1655 à Anvers. xviie siècle. Éc. flamande.
Peintre.
Fils de Frans Floris l'Ancien.

FLORIS Jan ou **Giovanni**, de son vrai nom : **Jan de Vriendt**
xvie siècle. Éc. flamande.
Peintre.
En 1570 il est mentionné à Pérouse au sujet de peintures pour un arc de triomphe d'après les projets de Galeazzo Alessi. Peut-être est-il identique à Jan Floris, fils de Claudius Floris.

FLORIS Marcel
Né le 11 septembre 1914 en France. xxe siècle. Actif au Venezuela. Français.
Sculpteur. Abstrait-géométrique.
Ses biographies sont muettes sur les éléments de sa vie privée. Depuis 1956, il participe à des expositions collectives, d'entre lesquelles : 1956 Caracas, Musée des Beaux-Arts ; 1958, 1970 Biennale de Medellin ; 1969 Biennale de São Paulo, et Paris galerie Denise René ; 1970 Osaka, Exposition Internationale ; 1971 Biennale de São Paulo, où il obtint une médaille d'or ; 1972 Caracas *Art Plastique du Venezuela*, Musée des Beaux-Arts ; 1979 Caracas *Art Construit au Venezuela* ; 1989 Paris *En trois dimensions*, galerie Lahumière ; 1991 Auxerre, ive Biennale de Sculpture ; etc. Il montre ses réalisations dans de nombreuses expositions personnelles, dont : à Caracas 1960, au Musée des Beaux-Arts 1964 et 1967, de nouveau dans des galeries 1968, 1969, 1972, Musée des Beaux-Arts 1976, en galeries 1977, 1980 ; et : à Paris 1962, 1978, Galerie Franka Berndt Bastille 1987, Galerie Lahumière 1990, 1996 ; San Francisco 1964, Dublin 1966, Ibiza 1974, 1984, Madrid 1977, Miami 1979, New York 1980, Fondation Joan Miro Barcelone 1981, Düsseldorf 1981, Mayence 1987, Musée des Beaux-Arts de Cholet 1891, 1994 Ibiza...
Selon les époques, et les opportunités, il utilise : carton, treillages métalliques, fil de fer, tubulures métalliques de section carrée, etc. Tous ces matériaux sont pliés, assemblés, pour constituer des constructions spatiales, issues d'une rigoureuse géométrie, fidèle à la conception platonicienne selon laquelle la vraie beauté des formes appartient à ces volumes inaltérables. Une des caractéristiques des œuvres de Floris est qu'il y introduit des effets d'anamorphoses, certaines de ces figures résultant d'illusions optiques, d'où les mises-en-garde au public : « Illusionnisme et réalités spatiales, Apparences et réalités ». ■ J. B.

Bibliogr. : Gaston Diehl : Présentation de l'exposition *Floris*, Gal. Franka Berndt, Paris, 1987 – Gaston Diehl : Présentation de l'exposition *Floris*, Gal. Lahumière, Paris, 1990.

Musées : Austin-Texas (Mus. of the University) – Bogota (Mus. de Arte Mod.) – Bolivar (Fond. Soto) – Caracas (Mus. de Bellas Artes) – Caracas (Mus. de Arte Contemp.) – Ciudad-Bolivar (Mus. de Bellas Artes) – Ciudad-Bolivar (Mus. Fundacion Jesus Soto) – Ibiza (Mus. d'Arte Contemp.) – Maracaibo (Casa de

Cultura) - MEXICO (Instituto Nac. de Bellas Artes) - MONTRÉAL (Mus. d'Art Contemp.) - NEW YORK (Mus. of Mod. Art) - PARIS (BN) - WASHINGTON D. C. (Smithsonian Inst.).

FLORISELLO. Voir **FIORISELLO** et **FLORIGERIO**

FLORISZ. Voir aussi **BERCKENRODE**

FLORISZ Jacob
XVIIe siècle. Actif à Amsterdam en 1644. Hollandais.
Peintre.
Cet artiste, cité par Obreen sans plus de détails, pourrait bien être le même que le peintre verrier flamand Jacob Floris.

FLORISZ Willem
XVe-XVIe siècles. Hollandais.
Peintre d'histoire et d'ornements.
D'après Siret, il s'établit à Utrecht et y travaillait en 1479. Il vivait encore en 1502.

FLORIT José Luis
Né le 25 avril 1909 à Madrid. XXe siècle. Espagnol.
Peintre de compositions animées, scènes typiques.
Il fut élève de l'École des Beaux-Arts de San Fernando à Madrid. Depuis 1933, il a participé à des expositions collectives à Madrid, Barcelone, interrompues par la guerre civile, puis de nouveau : 1940 Barcelone, Valence, 1949 et 1950 Barcelone. À ce moment, il se consacra pendant cinq ans à des décorations murales. Après 1956, il recommença à exposer en Espagne, à Paris, Rome, Turin, Milan, Saint-Étienne, etc.
Il peint le spectacle d'une vie insouciante qu'on trouve dans les fêtes populaires, dans les coulisses des cabarets ou tout simplement dans les rues des foules quotidiennes et souvent cocasses.
VENTES PUBLIQUES : BARCELONE, 29 oct. 1986 : *Village de montagne*, techn. mixte/t. (60x72) : **ESP 95 000**.

FLORIZOONE Pieter
Né le 5 décembre 1937. XXe siècle. Belge (?).
Sculpteur.

FLORKIEWICZ Witold
Né en 1874 à Cracovie. XIXe-XXe siècles. Polonais.
Peintre de paysages.
Il fut élève de l'École des Beaux-Arts de Cracovie et étudia ensuite à Paris. Il travailla à Cracovie comme peintre de paysages.

FLORNICZER
XIVe siècle. Actif à Cracovie. Polonais.
Peintre.
Il exécuta un tableau d'autel pour l'église du Corpus Christi à Kazimierz, près de Cracovie.

FLORNOY Olivier
Né le 4 mars 1894 à Nantes (Loire-Atlantique). XXe siècle. Français.
Peintre.
Il fut élève d'Ernest Laurent, Jules Adler, Louis Biloul à l'École des Beaux-Arts de Paris. Il expose à Paris, au Salon des Artistes Français depuis 1922, y obtenant de nombreuses distinctions : médaille d'argent 1925, médaille d'or 1931, hors-concours 1932, chevalier de la Légion d'honneur 1933. Il obtint aussi divers Prix.

FLORO Serge
Né le 11 octobre 1911 à Vallorbe (Suisse). XXe siècle. Français.
Peintre de compositions animées, paysages. Naïf.
Très jeune, il prit goût à la peinture et s'y initia en autodidacte. Il a exercé divers métiers : terrassier, photographe, mineur, puis agriculteur dans la région d'Aix-en-Provence depuis 1947. Gino Severini l'a encouragé à peindre. Il expose depuis 1959 et participe au Salon Comparaisons à Paris.
Sa peinture évoque le Quattrocento, sans pour autant perdre son caractère contemporain. Ses paysages sont primitifs. Ils dégagent une étrange atmosphère d'immobilité. Il exprime l'harmonie d'un monde imaginaire allié au monde moderne.

FLOROFF. Voir aussi **FROLOFF**

FLOROFF Lavrenti ou **Froloff**
XVIIIe siècle. Actif à Moscou. Russe.
Graveur.
Il grava des illustrations de livres spécialement des portraits, parmi lesquels on cite ceux du *tsar Alexandre I*er et de la *tsarine Elisabeth Alexeïevna*.

FLOROFF M.
XVIIIe siècle. Russe.
Peintre de portraits.
Il peignit avant 1750 le portrait du *Général russe G. V. de Hennin*, qui fut reproduit en gravure par G. J. Heitmann.

FLOROFF Michaïl Alexandrovitch ou **Froloff**
Né en 1785 à Saint-Pétersbourg. XIXe siècle. Russe.
Sculpteur.
Élève de J. P. Martoss à l'Académie de Saint-Pétersbourg ; il reçut un prix pour son œuvre *Vénus dans la forge de Vulcain*.

FLOROT Gustave
Né en 1885. Mort en 1965. XXe siècle. Français.
Peintre de scènes de genre, sujets typiques.
Il expose chaque année à Paris, au Salon d'Automne depuis 1921. Il a figuré également au Salon des Artistes Indépendants en 1925 et 1927, et fut invité au Salon des Tuileries en 1930.
Ses peintures sont souvent consacrées à la musique de jazz et aux danses modernes.
VENTES PUBLIQUES : PARIS, 19 déc. 1984 : *Les saltimbanques*, h/t (116x88,5) : **FRF 17 500** - PARIS, 9 mars 1987 : *Le joueur*, h/t (115x85) : **FRF 4 200**.

FLORSCHUETZ Thomas
Né en 1957 à Zwickau. XXe siècle. Allemand.
Artiste.
Il fait des études d'architecture, devient assistant photographe. Il vit et travaille à Berlin. Il participe à des expositions collectives à Dresde, Berlin, Essen, et montre ses œuvres dans des expositions personnelles à Berlin, Essen, Paris (1988, Galerie du Jour) et Amsterdam.

FLORSHEIM Lillian
Née à la Nouvelle-Orléans. XXe siècle. Américaine.
Sculpteur. Cinétique.
Elle expose surtout aux États-Unis, mais aussi à Tel-Aviv et Paris. Elle a figuré également en Allemagne dans des expositions d'art cinétique.
Elle assemble, dans un style constructiviste, des tubes et des disques transparents en Plexiglas, construisant de hautes et longues colonnes aux rythmes clairs.

FLORTE Pieter ou **Floorten**
Enterré à Haarlem le 8 octobre 1662. XVIIe siècle. Hollandais.
Peintre.
Il était maître à Haarlem en 1639. Cet artiste est indiscutablement celui dont veut parler Siret sous le nom de Jean Florten.

FLORTEN Jan ou **Floortee**
Mort après 1677. XVIIe siècle. Actif à Haarlem. Hollandais.
Paysagiste.
Franc-maître à Haarlem en 1639. Cité par Siret qui confond cet artiste avec Pieter Florte. Mais il exista aussi un autre peintre nommé Jean Florten ou Flortin cité par Kramm et qui lui-même est peut-être identique au peintre Floortie qui travaillait à Leyde entre 1650 et 1673.

FLORUS. Voir **FIORI** et **FLORIS**

FLOS. Voir **DUFLOS**

FLÖSCHAUER. Voir **VLEESCHOUWERE**

FLOSCHE Daniel. Voir **FROSCHL**

FLOSER Jorg
XVIe siècle. Allemand.
Peintre.
La Kunsthalle de Karlsruhe conserve un tableau signé de cet artiste et daté de 1510, provenant du Monastère de Zwiefalten, représentant *La Vierge avec l'Enfant Jésus*.

FLOSI
XIXe siècle.
Sculpteur.
Le Musée de Compiègne conserve de lui : *Antoine Vivenel* (statuette).

FLOSI Monique
Née le 18 avril 1943 à Oran (Algérie). XXe siècle. Française.
Peintre de figures, nus, portraits, animalier, graveur, illustratrice.
Elle fut élève et diplômée, en 1970, en gravure de l'École des Beaux-Arts de Marseille. En 1984, elle se forma aux techniques des nouvelles images et du graphisme sur ordinateur. Elle participe à des expositions diverses, notamment à Marseille et en Provence. Depuis 1975, elle a une activité d'enseignant. Elle a illustré des textes de Rabindranath Tagore, de Salah Stétié.

FLOSSMANN Joseph
Né le 19 mars 1862 à Munich. Mort le 20 novembre 1914 à Munich. XIXe-XXe siècles. Allemand.
Sculpteur.
Mention honorable en 1900 (Exposition Universelle).
Musées : Munich (Glyptothèque) : *Mère barbare serrant ses enfants contre sa poitrine.*

FLOT Louis
XIXe-XXe siècles. Français.
Peintre de scènes typiques. Orientaliste.
Il vivait et travaillait au début du siècle en Afrique du Nord.
Ventes Publiques : Paris, 4 mars 1988 : *Le marchand d'oranges à Tunis* 1908, h/t : **FRF 21 000** – Paris, 17 mars 1989 : *La Cour de la Mosquée au coucher du soleil*, h/pan. (35x26,5) : **FRF 3 100** – Paris, 11 déc. 1995 : *Scène de rue à Tunis* 1909, h/pan. (35x26,6) : **FRF 19 000**.

FLOTATS Juan
Né au XIXe siècle à Manresa. XIXe siècle. Espagnol.
Sculpteur.
Élève de Vallmitjana. Il débuta au Salon de Madrid en 1878. Il a également exposé à Madrid.

FLÖTNER Peter ou **Flattner** ou **Flodner** ou **Floetner**
Né vers 1485. Mort le 23 octobre 1546 à Nuremberg. XVIe siècle. Allemand.
Sculpteur et graveur sur bois.
Il a gravé des ornements et des sujets de genre. Ces marques sont attribuées soit à lui, soit au sculpteur Hermann Fischer. Il était également orfèvre et architecte. Il était arrivé en 1522 à Nuremberg, où il s'établit, non sans avoir fait un voyage en Italie entre 1505 et 1510. Des motifs italiens se retrouvent dans ses œuvres décoratives. Il donna des modèles à la fonderie de Vischer. Flötner était également connu pour créer, à partir de coquillages et noix de coco, de grands hanaps d'apparat.

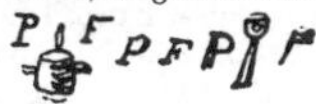

Bibliogr. : P. du Colombier, in : *Dictionnaire de l'art et des artistes*, Hazan, 1967.
Musées : Berlin (Kaiser Friedrich Mus.) : *Petit amour joueur de luth* – Bas-relief – Nuremberg (Mus. Germ.) : *Petits amours dansant*, bas-relief sculpté – Vienne : *Adam*, buis sculpté, statuette.

FLOTOW Mathilda de, Mme
Née à Vienne. XIXe siècle. Autrichienne.
Peintre de portraits.
Médaille de bronze en 1900 (Exposition Universelle).

FLOTTE DE LA, Mlle. Voir **LA FLOTTE de**

FLOTTE DE SAINT JOSEPH
Né en 1727. XVIIIe siècle. Français.
Peintre amateur.
Officier des vaisseaux du roi, membre de l'Académie Saint-Luc, il exposa en 1753 : *Clair de lune, Marine, Soleil levant dans un port d'Italie, Soleil couchant dans une rade d'Afrique.*

FLÖTTER Hans Jorg
XVIIe siècle. Actif à Nuremberg. Allemand.
Peintre.

FLOTZ Johannes ou **Floz**
Originaire d'Anvers. XVIIe siècle. Éc. flamande.
Peintre.
Il travailla pour Klosterneubourg, où il fit deux tableaux de *Saint François*, et pour la Cour de Vienne, où il fit un portrait de Ferdinand III.

FLOUEST
XVIIIe siècle.
Peintre d'histoire, dessinateur.
Peut-être Flouest Marie Joseph ? (1747-1833).
On ne sait rien de cet artiste excepté qu'il était présent à Versailles le 20 juin 1789 et qu'il a assisté au Serment du Jeu de Paume comme il le mentionne sur son dessin.
Ventes Publiques : New York, 15 jan. 1992 : *Le Serment du Jeu de Paume à Versailles*, craie noire, encre et lav. (35,6x13,1) : **USD 35 200**.

FLOUEST Marie Joseph
Né en 1747 à Dieppe. Mort en 1833 à Dieppe. XVIIIe-XIXe siècles. Français.
Peintre de portraits, sculpteur.
Musées : Dieppe : un portrait.

FLOUEST S.
XIXe siècle. Allemand.
Peintre de portraits, miniatures.
On connaît un portrait de *Lola Montes* signé de la main de cet artiste.

FLOUQUET Pierre Louis
Né en 1900 à Paris. Mort en 1967 à Dilbeek (Bruxelles). XXe siècle. Depuis 1910 vivant en Belgique. Français.
Peintre, graveur, illustrateur. Postcubiste, puis abstrait.
Il a vécu à Bruxelles depuis 1910. Il fut élève de Montald et de l'Académie des Beaux-Arts de Bruxelles. Il a travaillé avec Magritte, partageant son atelier et exposant avec lui au Cercle d'art de la ville en 1919, 1920. Il a exposé à Berlin, avec le groupe de la galerie de Horwarth Walden *Der Sturm*, en 1925. Ensuite, il a exposé aux États-Unis. Il a séjourné à Paris, de 1928 à 1930. Après 1930, il cessa de peindre et n'exposa plus. Il eut une importante activité d'écrivain et de journaliste, étant mêlé à de nombreux groupes d'avant-garde à Bruxelles et à Paris, y organisant quelques manifestations du groupe *Assaut* entre 1925 et 1930. Il a collaboré à l'hebdomadaire *Sept Arts* dès sa fondation en 1922 jusqu'en 1928. Il a fondé à Bruxelles le *Journal des poètes* en 1930, les Biennales de Poésie, et a dirigé la revue d'architecture *La Maison*, ouverte à la critique des arts plastiques.
Tant qu'il était plasticien, il a aussi réalisé des travaux annexes : de nombreuses linogravures en noir et blanc contrastés, des lithographies publiées en 1922 par le groupe d'Anvers *Ça ira*, des vitraux pour la Cité moderne de Berchem-Sainte-Agathe en 1923. Il a illustré de nombreux recueils de poésie. Après l'abandon de la peinture, il continua toutefois à dessiner. En tant que peintre, il a été influencé stylistiquement par le cubisme de Fernand Léger, en ce qui concerne la géométrisation des plans et des formes qui structurent l'espace dans lequel il oppose des cylindres, des sortes de tubulures métalliques coudées, à des plans, des emboîtements de volumes incurvés au dynamisme d'arrière-plans constitués de cercles concentriques, y introduisant également des rappels de personnages schématisés, comme des silhouettes féminines en forme de quenouilles. Des couleurs simples et fortes, la modulation du clair ou sombre des volumes, accentuent la puissance de ces constructions architecturés. Il évolua à l'abstraction pure après 1920. En 1928, il changea radicalement d'option et réalisa des portraits d'artistes et d'écrivains, déformant leurs visages dans des expressions dramatiques et mystiques, avant de renoncer à la peinture pour l'écriture, abandon qu'il regretta sur le tard. ■ J. B.

Bibliogr. : In : M. Eemans : *La Peinture moderne en Belgique*, Bruxelles, 1969 – in : *Les Muses*, Grange Batelière, Paris, 1971 – in : *L'art du XXe siècle*, Larousse, Paris, 1991.
Musées : Bruxelles (Mus. roy. des Beaux-Arts) : *Composition* 1921 – *Architecture-Formes* 1925, trois dess. – Grenoble (Mus. de Peinture et Sculpture).
Ventes Publiques : Paris, 7 nov. 1982 : *Meeting* 1919, lav. d'encre de Chine (23x17) : **FRF 5 000** – Paris, 8 déc. 1987 : *A Icare* 1921, h/t (80,5x60,5) : **FRF 39 000** – Lokeren, 8 oct. 1988 : *Golgotha* 1931, h/t (80x100,5) : **BEF 110 000** – Paris, 27 oct. 1988 : *Le fou*, gche (63x48) : **FRF 16 500** – Paris, 16 déc. 1988 : *Composition géométrique*, gche (25,5x35,5) : **FRF 9 000** – Paris, 20 mai 1992 : *Eurika Shel Slange, poétesse*, gche (63x48) : **FRF 5 000** – Paris, 25 nov. 1993 : *Maternité* 1925, encre de Chine (36x26,5) : **FRF 15 500** – Lokeren, 12 mars 1994 : *Portrait de Dichter a. Declercq* 1920, h/t (76x55) : **BEF 750 000** – Paris, 4 déc. 1996 : *Sans titre* 1923, cr. coul. (22x34) : **FRF 4 500**.

FLOUR François
Originaire de Marseille. XVIIe siècle. Français.
Peintre.
Il est mentionné à Toulon de 1665 à 1694 comme « peintre officiel » de la commune.

FLOUR Jules Adrien
Né le 6 août 1864 à Avignon (Vaucluse). Mort le 10 février 1921 à Avignon. XIXe-XXe siècles. Français.
Peintre de scènes de genre, portraits, paysages animés, paysages, natures mortes, fleurs, compositions murales.
Il étudia à l'École des Beaux-Arts d'Avignon, dès 1878, sous la conduite de Pierre Grivolas. Puis il s'inscrivit, à Paris, dans l'atelier de Gérome. Il installa son atelier à Montparnasse. Étant nommé professeur à l'École municipale des Beaux-Arts d'Avignon, en 1906, il figura parmi les fondateurs du « Groupe des Treize », qui eut pour ambition de réanimer le monde artistique en Avignon et en Provence. Il exposa, à Paris, dès 1887, au Salon des Artistes Français.
La municipalité d'Avignon lui commanda, en 1900, la décoration de deux plafonds de la salle des fêtes de l'hôtel de ville. Peintre de sujets divers, Jules Flour montra une attirance pour le paysage, en particulier la campagne provençale, qu'il transposa de manière réaliste, avec une palette restreinte et une sensibilité à la lumière.
BIBLIOGR. : Gérald Schurr, in : *Les Petits Maîtres de la peinture 1820-1920, valeur de demain*, Les Éditions de l'Amateur, t. VII, Paris, 1989.
MUSÉES : AVIGNON : *La source de Vaucluse*.
VENTES PUBLIQUES : PARIS, 20 nov. 1925 : *Tête de jeune femme à la cravate blanche* : **FRF 70** – PARIS, 26 fév. 1926 : *Paysage d'automne* : **FRF 100** – PARIS, 4 mars 1926 : *La leçon du grand-père* : **FRF 410** ; *Après le bal* : **FRF 240** – PARIS, 18 déc. 1981 : *Le cerisier japonais*, h/t (93x73) : **FRF 4 800**.

FLOUR Pierre
XVIIe-XVIIIe siècles. Actif à Toulon. Français.
Peintre.
Fils de François Flour. Il travailla pour la Marine. En 1697 il peignit pour la cathédrale de Toulon un tableau représentant des *Anges adorant l'hostie*.

FLOURENS Renée
Née à Paris. XXe siècle. Française.
Peintre.
Exposa depuis 1925 au Salon des Indépendants.

FLOURET Marthe
Née à Montivilliers (Seine-Maritime). XXe siècle. Française.
Peintre.
A exécuté des tableaux d'églises parisiennes. Exposant du Salon des Indépendants en 1931.

FLOURY François Louis Lucien
Né au XIXe siècle à Paris. XIXe siècle. Français.
Peintre.
Élève d'Allongé. Il se fit représenter au Salon de 1873 à 1882. Cet artiste peignait principalement à l'aquarelle. Ses meilleurs ouvrages sont : *Faïence et objets divers, nature morte* ; *Tour de l'horloge à Auxerre* ; *La Gorge-au-Loup dans la forêt de Fontainebleau*.

FLOUTIER Louis
Né à Toulouse (Haute-Garonne). XXe siècle. Français.
Peintre de paysages.
Il fut élève de Fernand Cormon. Il a exposé à Paris dans les années trente, au Salon des Artistes Français.
VENTES PUBLIQUES : PARIS, 23 avr. 1945 : *Paysage* : **FRF 920** – PARIS, 9 déc. 1994 : *Le petit pont sur la rivière*, h/t (65x100) : **FRF 22 000**.

FLOWER Bernard
Mort vers 1513. XVIe siècle. Britannique.
Peintre verrier.
Devant exécuter les fenêtres de la chapelle d'Henri VII à l'abbaye de Westminster à Londres, il mourut avant l'achèvement de son travail. Ses projets furent utilisés par James Nicholson pour les fenêtres qu'il exécuta dans la chapelle du King's College à Cambridge.

FLOWER John
Né en 1795 à Leicester. Mort en 1861 à Leicester. XIXe siècle. Britannique.
Peintre d'architectures.
Il n'eut presque pas d'instruction artistique, sauf un an qu'il passa à Londres et où il étudia sous la direction de Peter de Wint.
MUSÉES : LEICESTER : *L'Église Sainte-Marie – Le Château de Leicester*.

FLOWER Marmaduke C. W.
Mort le 1er novembre 1910 à Ballycastle en Irlande. XIXe-XXe siècles. Britannique.
Peintre de genre.
Cet artiste, qui travaillait à Leeds, exposa fréquemment des tableaux de genre à la Royal Academy à partir de 1878.

FLOWER Noël
XXe siècle. Actif à Londres. Britannique.
Peintre d'histoire, scènes de genre.
VENTES PUBLIQUES : LONDRES, 30 jan. 1909 : *Entre le Démon et la mer profonde* : **GBP 5**.

FLOWERS J.
XVIIIe-XIXe siècles. Britannique.
Peintre.
Le British Museum à Londres possède d'après cet artiste un portrait du prédicateur baptiste *R. Hall*, gravé à la manière noire par une main inconnue ; également de lui au British Museum une gravure de *S. Freeman*, d'après une de ses œuvres.

FLOWERS Peter
Né le 2 janvier 1916. XXe siècle. Britannique.
Peintre de paysages, aquarelliste.
Il fut élève de Bertram Nicholls. Il a participé à diverses expositions collectives, notamment à la Royal Academy de Londres. Il est membre de la Royal Society of British Artists.

FLOWYN Herry. Voir **FLAVIGNY Henri**

FLOWYN Marten
XVIIe siècle. Éc. flamande.
Peintre.
Il fut reçu maître à Anvers en 1621.

FLOYD Donald Harry
Né à Londres. XIXe-XXe siècles. Actif aussi en Amérique. Britannique.
Peintre de paysages.
Il fit ses études à Paris avec Bouguereau, Robert-Fleury et Humbert, puis alla s'établir en Amérique.
VENTES PUBLIQUES : AMSTERDAM, 8 déc. 1988 : *Vue de Ash Grove Weir à Tintern* 1942, h/t (102x152) : **NLG 6 900** – AMSTERDAM, 18 fév. 1992 : *Nedern Floods, Caldicot Castle* 1938, h/t (72x92) : **NLG 1 265**.

FLOYD W.
XIXe siècle. Britannique.
Graveur.
Il a gravé au burin des vues.

FLOZ Johannes. Voir **FLOTZ**

FLU Jilg von der ou **Flue** ou **Flueth**
Originaire de Berne. Mort vers le 26 janvier 1586 à Vienne. XVIe siècle. Autrichien.
Graveur et orfèvre.

FLÜCK Johann
Né en 1820 à Düsseldorf. XIXe siècle. Allemand.
Peintre de genre et de portraits.

FLÜCK Johann
Né le 13 novembre 1813 à Brienz. Mort le 1er mars 1897 à Brienz. XIXe siècle. Suisse.
Sculpteur sur bois.
Exposa à partir de 1867 avec succès. Après avoir travaillé à Interlaken et Meiringen, il se fixa dans son pays natal. Également homme d'État, il fut membre du Grand Conseil du canton de Berne.

FLÜCK ou **Flueck Johann Peter**
Né en 1902. Mort en 1954. XXe siècle. Suisse.
Peintre de portraits, paysages. Expressionniste.
Il fut surtout un peintre de la montagne.
MUSÉES : BERNE : *Paysage de montagne*.
VENTES PUBLIQUES : BERNE, 21 oct. 1976 : *Troupeau au pâturage* 1945, h/t (33x46) : **CHF 1 100** – BERNE, 10 juin 1978 : *Portrait d'Inge Rehberg* 1951, h/t (100x81) : **CHF 4 200** – BERNE, 6 mai 1983 : *Vue du lac de Brienz près d'Interlaken* 1935, h/t (64x92) : **CHF 3 200** – BERNE, 3 mai 1985 : *Scène de moisson, Brienz* 1934, h/pan. (46x70) : **CHF 2 700** – LUCERNE, 30 sep. 1988 : *Portrait d'enfant en buste*, h/t (48x38) : **CHF 2 400**.

FLÜCK Ulrich
Né en 1809 à Brienz. Mort le 16 octobre 1881 à Interlaken. XIXe siècle. Suisse.
Sculpteur sur bois.
Frère de Johann Flück. Il ouvrit un atelier de sculpteur sur bois.

FLÜCK-SCHILD Johann
XIXe-XXe siècles. Suisse.

Sculpteur sur bois.
Il dirigea à à Fluhberg l'atelier de sculpture sur bois fondé par son père Ulrich Flück.

FLÜCKIGER Hans
Baptisé à Burgdorf en août 1587. Mort en 1629. XVIIe siècle. Suisse.
Peintre verrier.
Il devint bourgeois de Burgdorf en 1611. D'après Brun, il aurait exécuté pour la ville de Berne les armoiries d'Aarberg en 1621.

FLUDER Franz Jakob
XVIIIe siècle. Suisse.
Sculpteur.
Petit-fils du sculpteur Urs Fluder, il obtint en 1759 le droit de cité à Lucerne.

FLUDER Heinrich
Né au XVIIe siècle à Lucerne. XVIIe siècle. Suisse.
Sculpteur.
Fut membre de la confrérie Saint-Luc.

FLUDER Urs Viktor
Né à Lucerne. XVIIIe siècle. Travaillant vers le milieu du XVIIIe siècle. Suisse.
Sculpteur.
Exécuta deux autels à l'église de l'hôpital à Lucerne.

FLUEHER
Originaire d'Obermais près de Mérano. XIXe siècle. Autrichien.
Peintre.
Il peignit des paysages et des portraits ; le tableau d'autel de *Saint Sébastien* dans l'église collégiale de Stals (Haute vallée de l'Inn) lui est attribué.

FLÜGGE B.
XVIIIe siècle. Actif à Copenhague. Danois.
Graveur.
Il grava surtout des paysages et des vues d'architecture de petit format dont on connaît neuf planches.

FLÜGGE Henny
XIXe siècle. Active à Munich. Allemande.
Peintre de genre et de portraits.
Elle exposa, à partir de 1875, à Berlin, Dresde et Munich.
Ventes Publiques : Londres, 29 fév. 1924 : *Abandonnée* : **GBP 6**.

FLÜGGEN Gisbert
Né le 9 février 1811 à Cologne. Mort le 3 septembre 1859 à Munich. XIXe siècle. Allemand.
Peintre de genre.
Il travailla successivement à Düsseldorf, puis à Munich, où il devint professeur à l'Académie en 1853. Il avait débuté vers 1840.
Musées : Breslau, nom all. de Wroclaw : *Le Joueur* – Madrid : *Un Joueur malheureux* – Mayence : *Le Joueur* – Munich : *Dans l'antichambre d'un prince*.

FLÜGGEN Joseph
Né le 3 avril 1842 à Munich. Mort le 3 novembre 1906 à Bergen (près de Traunstein). XIXe-XXe siècles. Allemand.
Peintre de genre, portraits, intérieurs.
Fils de Gisbert Flüggen, il fut aussi son élève. Il travailla également à l'Académie de Munich sous la direction de Piloty, puis voyagea en France, en Angleterre et en Belgique. Revenu à Munich, il fut nommé professeur à l'Académie. Il débuta en exposition à Munich, en 1866, et participa aux Salons de Vienne, Berlin et Dresde.
Musées : Munich : *La fiancée de Fugger reçoit ses cadeaux de mariage*.
Ventes Publiques : Berne, 2 mai 1974 : *Mère et Enfant* : **CHF 2 400** – Berne, 25 nov. 1982 : *Mère et enfant dans un intérieur* 1866, h/t (51x41,5) : **DEM 2 400**.

FLUHLER Karl
XVIIIe siècle. Allemand (?).
Peintre.
Il est mentionné par le Dr Brun comme ayant été à Nidwalden en 1708.

FLUMET G. S. de
XVIIIe siècle. Actif à Paris. Français.
Graveur au burin.
Il a gravé des sujets de genre.

FLUR Johann Limpert ou **Fluer** ou **Flor**
Né à Augsbourg. Mort avant 1755. XVIIIe siècle. Allemand.
Peintre.
Peut-être identique au Johann Flor qui entra à l'Académie le 7 octobre 1730.

FLURER Ignaz Franz Joseph ou **Fluerer** ou **Florer**
Mort le 25 juin 1742 à Graz. XVIIIe siècle. Autrichien.
Peintre.
Vers 1730 il exécuta un retable et deux tableaux pour le maître-autel de la cathédrale de Graz, représentant des *Scènes de la vie de saint Gilles* ; en 1732 une fresque de plafond au Kursaal de Tobelbad, près de Graz. On cite de lui également des tableaux d'autel dans les églises de Semriach et de Maletschnig, près de Marbourg. Le Musée de Graz conserve deux paysages de sa main.

FLURY Paul
Né le 24 mai 1878 à San Isabella (Brésil). XXe siècle. Actif aussi en France. Suisse.
Dessinateur, graveur.
Il vécut à Conter (Grisons). Il figura dans quelques expositions collectives suisses. À partir de 1904, il travailla à Paris, où il exposa à partir de 1907 aux Salons de la Société Nationale des Beaux-Arts des Artistes Français et des Artistes Français.

FLURY Urs
Né le 6 juin 1937 à Solothurn. XXe siècle. Suisse.
Peintre de figures, paysages.
Il a voyagé en Europe, surtout en Espagne et Portugal. En Suisse, il s'est fixé à Aetingen. Il participe à des expositions collectives en Suisse.
Sa peinture, figurative, accuse quelque influence de Matisse.

FLUYXENCH Y TRELL Miguel
Né à Tarragone. XIXe siècle. Espagnol.
Peintre d'histoire et portraitiste.
Élève de l'École des Beaux-Arts de Barcelone. Il séjourna quelque temps à Rome, puis, revenu en Espagne, fut nommé professeur à l'École de Peinture de Barcelone. Il débuta vers 1857. Il a exposé jusqu'en 1878 à Madrid, à Barcelone et à Londres. Ce fut aussi un illustrateur de talent. Il a notamment fourni des dessins pour une édition de Don Quichotte en 1862.

FLYE-SAINTE-MARIE Pierre
Né à Avallon (Yonne). XXe siècle. Français.
Peintre de scènes typiques.
Il a exposé à Paris, au Salon des Artistes Indépendants de 1931 à 1943.
Il a surtout peint des *Scènes marocaines*.

FLYNT Paul ou **Flynth**. Voir **FLINDT Paul**

FLYRI Peter
Né à Taufers (Tyrol). XIXe siècle. Autrichien.
Peintre.
Musées : Meran : *Sainte Famille*.

FO G. R.
XVIe siècle. Suisse.
Graveur.
Auteur de gravures pour *L'Histoire des animaux*, de Conrad Gesner, publiée en 1551, et pour les *Médailles des Empereurs romains* du même auteur, publié en 1559.

FOACHE Arthur
Né à Janzé (Ille-et-Vilaine). XXe siècle. Français.
Peintre de paysages.
Élève de B. Constant. Exposant du Salon des Artistes Français en 1933.

FOACIER Jacques
Mort le 14 mars 1736 à Paris. XVIIIe siècle. Français.
Peintre d'histoire.
Il obtint le deuxième prix de l'Académie royale, en 1684, avec *Enos commençant à invoquer le nom du Seigneur*.

FOCARDI Giovanni
Né le 7 mai 1842 à Florence. Mort fin septembre 1903 à Florence. XIXe siècle. Italien.
Sculpteur.
Il vécut à partir de 1875 presque jusqu'à sa mort à Londres où il exécuta de nombreuses sculptures de genre humoristique, dont les sujets sont inspirés de la vie du peuple de Londres. Parmi ses autres œuvres on cite *Othello* et *Desdémone* et des bustes. Il exposa plusieurs fois à la Royal Academy.

FOCARDI Piero, dit le **Peintre de Garde**
Né vers 1889 à Settignano. XXe siècle. Italien.

Peintre de paysages.
Il était fils de Ruggero Focardi. Il vivait et travaillait dans la région du Lac de Garde. En 1912, il figura à l'Exposition Internationale des Beaux-Arts d'Amsterdam, avec une *Vue du Lac de Garde.*
On cite de lui encore : *Scène du tremblement de terre de Messine, Bataille d'Adoua.*
Ventes Publiques : Milan, 14 juin 1989 : *Paysage de la région de Garde,* h/t (18,5x30) : **ITL 1 200 000** - Milan, 6 juin 1991 : *Forêt en automne,* h/cart./pan. (18,5x29) : **ITL 1 900 000** - Rome, 19 nov. 1992 : *Colline de Salo près du lac de Garde* 1931, h/pan. (20x41,5) : **ITL 1 150 000** - Monaco, 2 juil. 1993 : *La Corniche d'Or pittoresque,* h/t (48x59) : **FRF 8 880** - Milan, 14 juin 1995 : *La Punta di Manerba* 1907, h/t/cart. (17x26,5) : **ITL 2 300 000.**

FOCARDI Ruggero
Né en 1864 à Florence. Mort en 1934 à Quercianella Sannino. XIXe-XXe siècles. Italien.
Peintre de genre, portraits, paysages animés, marines.
Il commença par exposer des esquisses à la Royal Academy de Londres en 1881. En 1884, âgé de vingt ans, il exposa son premier tableau achevé, à la Promotrice de Florence. En 1894, des scènes de rues lui valurent une distinction de la Société des Beaux-Arts.
Dans ses paysages, il se montra sensible aux effets climatiques : *Atmosphère de pluie* de 1884. Il eut une activité très diversifiée, peignant toutefois souvent des paysages avec des figures.
Musées : Florence (Palazzo Pitti) : *Vie à la campagne.*
Ventes Publiques : Milan, 14 déc. 1976 : *Fileuse dans un paysage,* h/t (150x120) : **ITL 1 100 000** - Milan, 19 mars 1981 : *Paysage* 1913, h/t (103x187) : **ITL 5 500 000** - Londres, 30 nov. 1984 : *Le jeu de boules,* h/t (74,2x103) : **GBP 11 000** - Milan, 18 déc. 1986 : *Autoportrait* 1906, h/cart. (58x40) : **ITL 1 300 000** - Milan, 6 juin 1991 : *Epluchage des chataignes* 1920, h/pan. (38,5x51) : **ITL 6 500 000** - Milan, 12 déc. 1991 : *La campagne des environs de Castigliocello avec un paysan labourant avec un attelage de bœufs,* h/pan. (30x40) : **ITL 3 500 000** - Bologne, 8-9 juin 1992 : *La route de Castiglioncello* 1926, h./contre-plaqué (21x39) : **ITL 2 990 000** - Milan, 19 déc. 1995 : *Lac de Garde,* h/pan. (23,5x33,5) : **ITL 1 150 000.**

FOCCORA. Voir **FOUQUET Jean**

FOCHI Ferdinando
XVIIe siècle. Italien.
Peintre.
On cite de lui des fresques au Palais Magnani à Bologne et au Palais Bianchini à Lavino ; à Padoue il peignit au commencement du XVIIIe siècle le plafond de la salle de la Bibliothèque de S. Antonio.

FOCHT Frédéric
Né le 17 juillet 1879 à Paris. XXe siècle. Français.
Sculpteur de monuments.
Il eut aussi une carrière de ténor à l'Opéra. Sculpteur, il fut élève d'Alexandre Falguière. Il exposait à Paris, au Salon des Artistes Français, médaille en 1900.
Il a exécuté le *Monument aux morts* de Lor (Aisne) et à Carcassonne : *Debout, les morts.*
Ventes Publiques : Londres, 8 mars 1976 : *Figure ailée,* bronze (L. 79) : **GBP 280** - New York, 26 mars 1983 : *Force,* bronze polychrome (H. 51,2) : **USD 3 000.**

FOCILLON Victor Louis
Né en 1849 à Dijon (Côte-d'Or). Mort le 20 décembre 1918 à Paris. XIXe-XXe siècles. Français.
Graveur.
Élève de l'École des Beaux-Arts de Dijon, il débuta au Salon de Paris en 1876, obtint une mention honorable en 1886 et en 1889, des médailles de troisième classe en 1891, de deuxième classe en 1894, d'or en 1900 (Exposition Universelle), de première classe en 1901, d'honneur en 1906.

FOCK Harmanus
Né le 1er novembre 1766 à Amsterdam. Mort en 1822. XVIIIe-XIXe siècles. Hollandais.
Miniaturiste et graveur.
Cet artiste travailla à Franeker et à Amsterdam. Le Musée de cette ville conserve son portrait sur ivoire.

FOCK Johann
XVIIe siècle. Allemand.
Sculpteur sur bois.
En 1644 il exécuta la tribune de l'orgue de l'église de Hattstedt (Schleswig-Holstein).

FOCKE C.
XIXe siècle. Allemand.
Peintre.
En 1805 il figura à l'Exposition de Dresde avec un tableau représentant *Un camp près de Dresde* (Soldats devant la tente du vivandier) ; des portraits de sa main, datés de 1806 à 1810, furent présentés aux Expositions de Leipzig en 1912.

FOCKHEZER Johann Georg
Originaire de Kissleg près de Lindau sur le lac de Constance. Allemand.
Peintre.
Il peignit surtout des natures mortes (gibier).

FOCO Paolo
XVIIe siècle. Actif à Casale vers 1660. Italien.
Paysagiste.

FOCOSI Alessandro
Né en 1839 à Milan. Mort en 1869 à Milan. XIXe siècle. Italien.
Peintre.
Il peignit à Milan des sujets d'histoire, entre autres : *Catherine de Médicis et Charles IX* (1867) et *Charles-Emmanuel donnant les insignes de la Toison d'or à l'Ambassadeur d'Espagne* (tableau peint pour le gouvernement italien). Le Musée Ambrosiana, à Milan conserve de lui le *Portrait d'Antonio Ronchette,* et la Pinacothèque de Bologne *Le Tasse fuyant à Sorrente.*

FOCOSO. Voir **FIORITI Bernardino**

FOCQUER Jacques. Voir **FOUQUIÈRES**

FOCUS Georges. Voir **FAUCAS**

FODOR Jakab
XVIIe siècle. Hongrois.
Peintre.
Il fit les peintures décoratives du plafond de l'église unitaire de Varfalva. Ce plafond, en planches, fut transporté au début du XXe siècle au Musée Erdélyi à Koloszvar.

FODOR Madeleine
Née à Budapest. XXe siècle. Hongroise.
Sculpteur.
Elle exposa à Paris au Salon d'Automne.

FODOROVITCH Stephan
XIXe siècle. Yougoslave.
Peintre.
Mention honorable en 1889 (Exposition Universelle).

FODRI Lorenzo
XVe siècle. Actif à Crémone. Italien.
Miniaturiste.
Il écrivit et fit les miniatures d'un *libro processionale* pour la cathédrale.

FOEDISCH Carl
XIXe siècle. Allemand.
Peintre de miniatures et peintre sur porcelaine.
Il peignit spécialement des portraits sur porcelaine, également des paysages. Ses œuvres figurèrent à l'Exposition de portraits de Leipzig en 1912.
Musées : Leipzig (Mus. Historique) : *Portrait de femme sur porcelaine.*

FOEDISCH Heinrich Christian Friedrich
XIXe siècle. Actif à Leipzig. Allemand.
Peintre sur porcelaine.
Il était probablement le fils de Carl Foedisch.

FOELIX
Né vers 1736. Mort en 1808 à Ehrenbreitstein. XVIIIe siècle. Allemand.
Peintre.
Il est probablement le père de Heinrich Foelix.

FOELIX Heinrich
Né le 28 janvier 1757. Mort en 1821 à Ehrenbreitstein. XVIIIe-XIXe siècles. Allemand.
Peintre de portraits.
Il travailla à Mayence et à Trèves.
Musées : Coblentz : *Portrait de Peter et Clara Lang* - Mayence : *Portrait du prince électeur de Mayence, Sébastien Pfaff* 1786 - Versailles : *Frédéric-Auguste Ier, roi de Pologne.*

Ventes Publiques : Londres, 11 déc. 1996 : *Portrait de Clément Wenzeslaus, archevêque et électeur de Trier*, h/t (91,5x36x28) : **GBP 4 600**.

FOENARD
XVIIIe siècle. Français.
Peintre.
Un portrait de sa main, daté de 1743, se trouve dans l'église de Bernay (Normandie).

FOERSTER Charles H.
Né dans la seconde moitié du XIXe siècle à Lemberg (Autriche). XIXe-XXe siècles. Autrichien.
Sculpteur.
À Paris, il fut élève de Coutan. Il obtint une troisième médaille au Salon des Artistes Français en 1914.

FOERSTER-BOLLA Mathilde
Née à Vienne (Autriche), d'origine hongroise. XXe siècle. Hongroise.
Peintre.
Elle exposait, en 1934 à Paris, au Salon de la Société Nationale des Beaux-Arts : *Paysanne hongroise*.

FOETSCH Hermann
Né le 5 janvier 1825. Mort le 9 décembre 1883. XIXe siècle. Actif à Altenbourg (Thuringe). Allemand.
Peintre.
Il était élève de F. Döll. Il fit des portraits et des copies.

FOGARTY Thomas
Né en 1873 à New York. Mort le 11 août 1938. XXe siècle. Américain.
Dessinateur, illustrateur, peintre.
Il fut élève de l'Art Student's League de New York, où il revint comme professeur. Depuis 1901 il était membre de la Society of illustrators, il fut aussi membre du Salmagundi Club.
Dans la presse, il collabora au *Cosmopolitan*, à *Scribners*, etc. Il fit quelques peintures de scènes de genre. Il fut essentiellement illustrateur : 1896 *Cleg Kelly* de Crockett, 1911 *Voyage seul autour du monde* de Slocum, 1913 *Œuvres, Le faire d'un Américain, La route de la fortune* de D. Grayson, *Voyage du Hoppergrass* de Pearson, 1935 *Le peuple de Dickens*, etc.
Bibliogr. : Marcus Osterwalder : *Diction. des illustrateurs 1800-1914*, Ides et Calendes, Neuchâtel, 1988.
Ventes Publiques : San Francisco, 24 juin 1981 : *Receiving the post*, h/cart. (44x32) : **USD 700** – New York, 24 jan. 1990 : *Indiscrétion*, encre/pap. (35,6x66) : **USD 715** – New York, 14 mars 1991 : *Pique-nique estival* 1937, h/t (122x194) : **USD 13 200**.

FOGEL Fernand
Né le 9 mars 1889 à Saint-Aybert (Nord). XXe siècle. Français.
Peintre de paysages.
Il fut professeur de dessin à l'Académie des Beaux-Arts de Cambrai et au Lycée de Valenciennes. Il a exposé à Paris, au Salon des Artistes Français en 1933, et à celui de la Société Nationale des Beaux-Arts en 1950.

FOGELBERG Bengt Erland
Né en 1786 à Göteborg. Mort en 1854 à Trieste. XIXe siècle. Suédois.
Sculpteur.
Élève de l'Académie de Stockholm. En 1820, il alla à Rome où il se fit remarquer dès ses débuts, puis revint en Suède où il fut nommé sculpteur de la cour. Il a traité avec une égale maîtrise des sujets d'histoire et des groupes empruntés à l'antiquité et à la mythologie runique. Sa vogue fut énorme en Suède. Sa santé chancelante l'obligea à repartir pour l'Italie ; il mourut au cours de ce voyage.
Musées : Göteborg : *Odin* – Helsinki : *Buste du général A.-F. Palmfelt* – Stockholm : *Psyché – Vénus – Pâris – Amour dans la coquille – Gustave Adolphe II – Charles XIV – K.-F. von Breda – J.-G. Sandberg – Apollon – Vénus – Odin – Thor – Balder – Charles XIII – Hélène* – Soixante-quatre esquisses.

FOGER Stefan. Voir **FEGER**

FOGG A.
Originaire de Reading. XVIIIe-XIXe siècles. Britannique.
Peintre.
En 1811 il exposa à la Royal Academy à Londres une *Vue de Reading*.

FOGG A.
XVIIIe-XIXe siècles. Britannique.
Graveur de reproductions.
Il grava des portraits d'après M. Bacciarelli, W. Beechey, J. Biedermann, J. S. Copley, Rubens. On mentionne également de lui, d'après Hamilton *La Bataille d'Acre*.

FOGGIA MORETTI Mario. Voir **MORETTI-FOGGIA Mario**

FOGGIANO
XVIIIe siècle. Italien.
Peintre de portraits.
Il est probablement identique à un Vincenzo de Mita, dit Foggiano qui travaillait à Naples vers 1739. A l'Exposition du Portrait à Florence en 1911 figurait un *Portrait de Don Giovanni di Donato*, de la main de cet artiste.

FOGGIE David
Né en 1878. XXe siècle. Britannique.
Peintre de paysages animés, aquarelliste, pastelliste.
Il étudia à Anvers, Paris et Florence. Il a exposé à la Royal Academy de Londres, au Glasgow Institute, à Munich. Il était membre de la Royal Scottish Academy, de la Royal Scottish Water-Colour Society, du Scottish Arts Club.
Ventes Publiques : Glasgow, 12 déc. 1985 : *Fatigue* 1923, h/t (61x50,8) : **GBP 1 600** – Perth, 28 août 1989 : *Travail au bord de mer* 1927, aquar. (25,5x36,5) : **GBP 682**.

FOGGINI Giovanni Battista
Né en 1652 à Florence. Mort en 1725 à Florence. XVIIe-XVIIIe siècles. Italien.
Sculpteur de sujets religieux, groupes, dessinateur.
Musées : Florence (Mus. des Offices) : *Buste du cardinal Léopold Médicis* – Paris (Mus. du Louvre) : *Scythe écorcheur, d'après l'antique*, marbre – Pise : Dessins – Versailles (Parc) : *Statue d'après l'antique*.
Ventes Publiques : Londres, 28 nov. 1968 : *L'Enlèvement de Proserpine ; Borée enlevant Orinthya*, deux bronzes : **GBP 4 200** – Monte-Carlo, 27 mai 1980 : *Psyché et Amour*, bronze (L. 33) : **FRF 140 000** – Londres, 7 juil. 1981 : *Christ aux outrages et baldaquin (recto) ; Trahison de Jésus et moine agenouillé (verso)*, pierre noire, pl. et lav./pap. (29,5x21,2) : **GBP 1 300** – Monte-Carlo, 5 mars 1984 : *Cléopâtre*, pl. et lav./traits de pierre noire (18,5x12,8) : **FRF 5 500** – Londres, 13 déc. 1985 : *Le suicide d'Ajax*, bronze (H. 47) : **GBP 24 000** – New York, 11 jan. 1994 : *Quatre étages de coquilles et un hippocampe tenant un dauphin au sommet*, craie noire, encre et lav., esquisse d'une fontaine murale (20x18) : **USD 4 370** – New York, 12 jan. 1995 : *Jupiter et Junon supportés par deux nus sur des rochers*, craie noire, encre et lav. avec reh. de blanc, projet d'une sculpture de groupe (30,3x15,9) : **USD 8 050**.

FOGGINI Jacopo Maria
Mort en 1683 à Florence. XVIIe siècle. Actif à Florence. Italien.
Sculpteur et sculpteur sur bois.
On mentionne de lui le monument funéraire d'un *Freiherr Starhemberg*, qui se trouvait dans l'église sécularisée Sainte-Cécile et un *Ecce Homo*, sculpture sur bois, peinte par B. Volterrano.

FOGGINI Vicenzo
XVIIIe siècle. Italien.
Sculpteur.
Fils de Giovanni Battista Foggini, il exécuta la statue de *L'Astronomie*, au Monument de Galilée, érigé par son père à Florence. De lui également la statue équestre de l'empereur François Ier, pour l'arc de triomphe de la Porte S. Gallo à Florence.

FOGGO George
Né en 1793. Mort en 1869. XIXe siècle. Britannique.
Peintre et lithographe.
Il travailla avec son frère aîné James Foggo et lithographia les cartons de Raphaël. Il est aussi l'auteur de plusieurs essais écrits pour le développement de l'art.

FOGGO James
Né en 1790 à Londres. Mort en 1860 à Londres. XIXe siècle. Britannique.
Peintre.
Fut élève à l'Académie Impériale à Paris. Lorsqu'en 1815 Napoléon revint de l'île d'Elbe, James Foggo s'empressa de rentrer en Angleterre avec les plus grandes ambitions. Il se mit avec ardeur à l'ouvrage dans son tout petit logement et y peignit *Agar et Ismaël*. Son frère George étant venu le rejoindre en 1819, ils travaillèrent ensemble avec persévérance et acharnement pendant plus de quarante ans, exécutant de nombreux tableaux d'his-

toire, qu'ils ne réussirent malheureusement pas à vendre pour la plupart. Enfin leur grand tableau exécuté en 1821 et 1822, représentant : *Les habitants chrétiens de Parga se préparant à fuir en présence de la force envahissante d'Ali Pacha*, les mit tout à fait en lumière. Ils exécutèrent ensuite *L'ensevelissement du Sauveur* (tableau d'autel de l'église protestante française à Saint-Martin-le-Grand). Parmi leurs autres œuvres figurent : *Napoléon signant l'arrêt de mort du duc d'Enghien en dépit des supplications de sa mère, Le général Williams parmi les habitants de Kars, Le Christ à la mare de Bethesda.*

FOGLIA Celestino
Né le 2 mars 1905 à Trivero (Vercelli). XXe siècle. Actif aussi en Turquie. Italien.
Peintre de portraits, nus, paysages, fleurs. Postimpressionniste.
De 1934 à 1962, il a vécu à Istamboul. Depuis, il vit et travaille à Milan. Il participe à quelques expositions collectives régionales. De 1946 à 1954, il a montré ses œuvres dans des expositions personnelles à Istamboul, puis, depuis 1965, dans des villes d'Italie, ainsi qu'à Montréal, São Paulo, etc.
Il pratique une technique d'esprit postimpressionniste, bien que comportant des empâtements. Il a beaucoup voyagé : Mexique, Canada, Turquie, Afrique, Amérique, Australie, France, Espagne, Angleterre, Belgique, Suisse, Yougoslavie, d'où il a rapporté des vues et des esquisses de scènes typiques. Il a peint de nombreux portraits féminins.
Bibliogr. : Divers : *Celestino Foglia*, Magalini Edit., Brescia, 1973.

FOGLIATI Piero
XXe siècle. Italien.
Sculpteur.
Il a montré ses œuvres dans des expositions personnelles : 1996 musée de l'énergie électrique de Mulhouse.
Il réalise des *Latomies*, en métal avec moteur et eau, « sortes de grottes siciliennes qui transforment et font dériver la perception visuelle et auditive dans l'espace ».

FOGNONE. Voir **ANTONIO Vicentino**

FOGOLINO Marcello
Né vers 1470 à San Vito. Mort après 1550. XVe-XVIe siècles. Italien.
Peintre de compositions religieuses, fresques, miniatures, graveur.
Il fut actif en Vénétie et dans les Marches de 1519 à 1548. Il apprit la peinture à Vicence. En 1523, il signa un contrat avec la Scuola di San Biagio à Pordenone. Il s'établit à Trente en 1527.
Une de ses premières œuvres est un petit tableau représentant l'*Épiphanie*, qui se trouvait autrefois dans l'église de San Bartolomeo à Vicence. Il exécuta une *Vierge avec l'Enfant, entre sainte Blaise et sainte Apollonia*, à Pordenone. Un peu plus tard, il peignit *La Glorification de saint François, entre Daniel et saint Jean-Baptiste*. Ces deux tableaux se trouvent actuellement dans la cathédrale de Pordenone. Il existe de cet artiste une lettre datée de 1536 par laquelle nous apprenons qu'il faisait partie en cette année-là du groupe de peintres chargés des décorations de la ville de Trente, en l'honneur de la visite du roi Ferdinand ; à cette occasion, il peignit le tableau d'autel de *Sainte Anne*, à la cathédrale de Trente. De retour dans sa patrie, il exécuta *Une Madone entourée d'anges*, à Santa Corona, et une *Nativité*, actuellement la propriété du Signor Bernasconi de Vérone. On cite encore de lui six gravures signées.
Musées : Amsterdam (Rijksmuseum) – Bergame (Mus. Carrara) : *Chœur de religieux*, miniature – Berlin (Kaiser Friedrich Mus.) : *Madone avec l'Enfant et six saints* – Harvard (Univ. Mus. Fogg) : *L'Adoration des Mages* – La Haye (Mauritshuis) : *La Vierge avec l'Enfant et cinq saints* – Milan (Mus. Poldi-Pezzoli) : *Vierge* – Venise : *La Vierge trônant* – Vérone (Mus. Civique) : *Adoration de l'Enfant* – Vicence (Mus. Civique) : *Adoration des Mages avec prédelle – Concert – La Stigmatisation de saint François*, prédelle.

FOGOLINO Matteo
XVIe siècle. Actif à Venise. Italien.
Peintre.

FÖHL Helga
Née en 1935 à Berlin. XXe siècle. Allemande.
Sculpteur. Expressionniste, tendance abstraite.
Elle fut élève, de 1954 à 1958, de l'École des Arts Décoratifs de Darmstadt et de l'École des Beaux-Arts de Berlin.
Elle utilise surtout le fer, qui exige à la fois sévérité et décision, et elle le ressent comme un élément modérateur de ses rêves romantiques. Ses sculptures sont expressionnistes, souvent abstraites, aux formes massives évoquant des éléments organiques.

FOHN Emanuel
Né le 26 mars 1881 à Klagenfurt (Carintie). Mort le 14 décembre 1966 à Bozen (Sud-Tyrol, Italie). XXe siècle. Autrichien.
Peintre de portraits, paysages.
Il fut élève de l'Académie des Beaux-Arts de Munich, de 1907 à 1911. Il fit des voyages d'étude et de travail en Suède, Espagne, Italie, France, etc. Il a participé à des expositions collectives et montré ses peintures dans des expositions personnelles.

Em. Fohn

Ventes Publiques : Heidelberg, 13 avr. 1982 : *La villa Medicis à Rome* 1937, h/t (33,5x55) : **DEM 1 200** – Munich, 15 sep. 1983 : *Vase de fleurs*, h/cart. (62x33) : **DEM 2 700.**

FOHN Germain
Né à Paris. XXe siècle. Français.
Peintre.
A exposé des paysages et des personnages au Salon des Indépendants en 1931 et 1932.

FÖHN Michael
Né le 26 juillet 1789 à Schwyz. Mort en 1853 à Wallis. XIXe siècle. Suisse.
Peintre d'histoire, de paysages et de portraits.
Föhn dirigea pendant quelque temps une école de dessin à Schwyz et peignit de nombreux paysages à l'huile et à l'aquarelle.

FOHN Sofie, née **Schneider**
Née le 2 août 1899 à Munich (Bavière). XXe siècle. Active en Italie. Allemande.
Peintre de compositions animées, portraits, paysages, natures mortes, aquarelliste.
Elle fut élève d'André Lhote à Paris. Elle fut la femme d'Emanuel Fohn. Elle a participé à des expositions collectives dans le Sud-Tyrol.

FÖHR
XVIIIe siècle. Actif à Berlin. Allemand.
Sculpteur.
Suivant les plans de Chodowiecki il exécuta les statues et les bas-reliefs du pignon de l'église française à Berlin, et travailla également au château.

FOHR Carl Philipp
Né le 26 novembre 1795 à Heidelberg. Mort le 29 juin 1818 à Rome, par noyade dans le Tibre. XIXe siècle. Allemand.
Peintre de paysages.
Frère de Daniel Fohr. Il fit ses études à l'Académie de Munich. La grande duchesse de Bade, frappée de ses dispositions artistiques, lui fournit une pension pour aller à Rome. Il y peignit deux paysages fort remarqués.
Avec Franz Pforr, qui mourut aussi à vingt-quatre ans, Fohr représentait l'espoir d'un grand génie pour la peinture religieuse allemande de cette époque-charnière entre le XVIIIe et le romantisme. Malgré la brièveté de sa carrière, il est de ceux, d'entre les nombreux artistes allemands qui œuvrèrent dans le contexte de la confrérie des « Nazaréens » fondée par Johann Friedrich Overbeck dans le couvent de Sant'Isidoro, que la critique moderne redécouvre. Il fut l'un des précurseurs, avec Koch, du paysage romantique allemand, qui allait trouver son aboutissement avec Friedrich, Carus et Oehme. Quant il peignait des portraits, il allait chercher technique et expression chez les vieux maîtres allemands, Altdörfer, Cranach, Dürer, ce qui est particulièrement sensible dans le *Portrait de Wilhelm von Schadow*, dont Marcel Brion qualifie le regard de « faustien », par opposition à la superficialité du portrait rococo finissant.
Bibliogr. : Marcel Brion : *La Peinture Allemande*, Tisné, Paris, 1959.
Musées : Darmstadt (Schlossmus.) : *Retour de chasse* – Francfort-sur-le-Main : *Cascade de Tivoli – Le château de Heidelberg* – Heidelberg (Kurpfalz. Mus.) : *Portrait de Wilhelm von Schadow.*
Ventes Publiques : Munich, 6 et 8 nov. 1963 : *Les quatre châteaux de Neckar Steinach*, aquar. : **DEM 12 000** – Munich, 28 nov 1979 : *Portrait du peintre Theodor Rehbenitz* vers 1817/18, cr. (10,8x10) : **DEM 17 000.**

FOHR Daniel
Né en 1801 à Heidelberg. Mort le 25 juin 1862 à Baden-Baden. XIXe siècle. Allemand.
Peintre de paysages.
Frère de Karl Philipp Fohr, il fut peintre de la cour de Bade. Ce fut un paysagiste de talent qui travailla d'abord à Munich, puis dans le Tyrol.
Musées : Karlsruhe : *Le Château d'Eberstein – Environs de Berchtesgaden – Le Domaine de Rübezahl dans la montagne des Géants – Chiemsee – Kampenwand – Bois sacré – Saint Boniface abattant un chêne* – Mannheim : *Le Château d'Eberstein.*
Ventes Publiques : Lucerne, 23 mai 1985 : *Paysage romantique* 1841, h/t (68x91,5) : **CHF 19 000**.

FÖHRLEIN Johann
Né vers 1701. Mort en 1759. XVIIIe siècle. Actif à Francfort-sur-le-Main. Allemand.
Peintre.

FOIDART René
Né le 30 avril 1888 à Paris. XXe siècle. Français.
Peintre.
Élève de G. Ferrier. En 1922, et les années suivantes, il exposa des dessins et pastels au Salon des Artistes Français.

FOIN Augustin Nicolas
Né en 1726 à Paris. Mort après 1759. XVIIIe siècle. Français.
Graveur au burin.

FOIN Louis Joseph
XVIIIe siècle. Actif à Paris en 1787. Français.
Peintre ou sculpteur.

FOIRESTIER Laure Marie, plus tard Mme **Gozzoli**
Née à Paris. XIXe siècle. Française.
Peintre de genre, intérieurs.
Elle fit son éducation artistique sous la direction de Le Poitevin. De 1837 à 1864, elle figura au Salon avec des portraits, et des tableaux de genre. On cite d'elle : *Un intérieur ; La prière ; La causerie ; Le traîneau ; La grand-mère ; La récréation ; Le découragement ; Groupe d'enfants ; Le sabot ; La tricoteuse ; La plage.*

FOIS Giorgio
Originaire de Sardaigne. XVIIe siècle. Italien.
Peintre.
Il peignit une *Vierge avec des saints dominicains* pour l'église Sainte-Marie à Tergo.

FOISSE François, appelé aussi **Brabant**
XVIIIe siècle. Français.
Peintre.
Peintre de Cour du duc Stanislas de Lorraine, il est mentionné à Lunéville en 1746 et 1749. On cite de lui des portraits du duc et de la duchesse Ossolensky, de Louis XV, de Marie Leczinska et du Dauphin.

FOISSE Jacques de
XVIIIe siècle. Actif à Hambourg. Allemand.
Dessinateur et graveur.
On connaît de lui des vues de *Promenades de Hambourg : devant la Dammtor et la Steintor.*

FOISSY Georges André
Né le 26 septembre 1944 à Chambéry (Savoie). XXe siècle. Français.
Graveur, peintre.
Il fut d'abord élève de l'École des Beaux-Arts de Grenoble, puis de celle de Paris, de 1964 à 1969 dans l'atelier de gravure de Lucien Coutaud. Il participe à des expositions collectives, notamment : 1967 Biennale de Paris, ainsi qu'aux Biennales de l'Estampe à Paris, de Gravure à Cracovie et Tokyo.

FOIT Bernard
Né vers 1710 à Pau. Mort vers 1791 à Lisbonne. XVIIIe siècle. Français.
Peintre.
Peintre de la Cour du roi Joseph Ier Emmanuel de Portugal, il peignit des portraits et des tableaux d'autel pour les églises de Lisbonne.

FOIT Francis Wladimir
XXe siècle. Français.
Sculpteur.
A exposé au Salon des Tuileries en 1928 *Portrait* et *Les siècles disparus* (bronze).

FOIT Franta
Né en Bohême. XXe siècle. Tchécoslovaque.
Sculpteur.
A exposé au Salon des Tuileries en 1924 un *Buste.*

FOIX Denis de
XVIe siècle. Français.
Sculpteur.
L'architecte Jean de Beaujeu le fit venir à Auch ; il y travailla aux sculptures de la façade et à la décoration intérieure du portail de la cathédrale, de 1560 à 1567.

FOKAS Odysseus
Né en 1865 à Kalasteri. Mort en 1946 à Athènes. XIXe-XXe siècles. Grec.
Peintre de paysages.
Il est venu parfaire sa formation à Paris et Aix-en-Provence.
Musées : Athènes (Pina. Nat.).

FOKIN Leonid Alexandrovitch
Né en 1930 à Pavlograd (région de Dniepropétrovsk). Mort en 1985. XXe siècle. Russe.
Peintre de genre, portraits.
Diplomé de l'Institut Répine des Beaux-Arts de Léningrad, il participe aux expositions collectives depuis 1956.
Peintre de scènes de genre désuètes ou mièvres, portraitiste, accessoirement paysagiste, son œuvre est un compromis des traditions réalistes académiques des *Ambulants* du XIXe siècle et du réalisme socialiste des années de la répression stalinienne et post-stalinienne.
Musées : Krasnodar – Loanov – Moscou – Orel – Saint-Pétersbourg.
Ventes Publiques : Paris, 5 oct. 1992 : *La maternelle du village,* h/t (105x129) : **FRF 10 000**.

FOKINA Elena
Née en 1961. XXe siècle. Russe.
Peintre.
Élève de l'Institut Polygraphique de Moscou, elle y eut pour professeurs Marina Topaz et Youri Bourdjelian. Ses œuvres ont été présentées au cours de différentes expositions : *Tokyo International Art Show* en 1991, *Art Mif* à Moscou en 1991, Gallery Art London à Londres en 1991. Elle a montré ses œuvres dans des expositions personnelles de galeries privées, à Londres, Dortmund, Moscou.

Ventes Publiques : Paris, 1er juin 1994 : *Chats de Tunis,* h/t (140x120) : **FRF 5 500**.

FOKINE Nicolai Michailovitch
Né en 1869 à Saint-Pétersbourg. Mort en 1908 à Saint-Pétersbourg. XIXe siècle. Russe.
Peintre.
Après avoir étudié sept ans à l'Académie de Saint-Pétersbourg dans la collection de laquelle son œuvre *Premières neiges* fut incorporée, il peignit surtout des paysages de Finlande et des paysages de neige avec lesquels il figura aux expositions de Saint-Pétersbourg.
Musées : Saint-Pétersbourg (Mus. russe) : *Faubourg – Sur le Lac* – Étude.

FOKKE A. Willemsz
XVIIIe siècle. Actif vers 1780. Hollandais.
Graveur.
Parmi ses œuvres sont mentionnés *Échouage d'un bateau de pêche hollandais poursuivi par trois navires anglais armés, à Schevening, le 1er janvier 1781 ; Naufrage du bateau Woestduyn de retour des Indes, le 24 juillet 1779.*

FOKKE Arend Simonsz
Né le 3 juillet 1755 à Amsterdam. Mort le 15 novembre 1812 à Haarlem. XVIIIe-XIXe siècles. Hollandais.
Graveur.
Il était le fils de Simon Fokke. Le British Museum de Londres conserve de lui deux eaux-fortes avec des caricatures inspirées de l'histoire d'Angleterre. Il était aussi écrivain.

FOKKE Jan
Né vers 1745 à Amsterdam. Mort en 1812 à Amsterdam. XVIIIe-XIXe siècles. Hollandais.
Graveur et écrivain.
Fils de Simon Fokke. Le Cabinet des Estampes d'Amsterdam possède quelques-unes de ses œuvres.

FOKKE Simon
Né le 1er septembre 1712 à Amsterdam. Mort le 10 août 1784 à Amsterdam. XVIIIe siècle. Hollandais.

Peintre d'histoire, portraits, dessinateur, graveur.
Il fut élève de J.-C. Philips. On cite de lui de nombreux portraits et des vignettes pour l'illustration de divers ouvrages.
VENTES PUBLIQUES : PARIS, 23 mai 1923 : *L'Appel au passeur*, cr. : **FRF 135** – MILAN, 1982 : *L'Explosion du bateau Alphen dans le port de Curaçao* 1778, pl. et lav. (20x28,9) : **NLG 2 000** – LONDRES, 18 avr. 1994 : *Le Bombardement de Bergen-op-Zoom le 1er août 1747* 1780, encre et lav./sanguine (15,8x26,8) : **GBP 1 840**.

FOKKENS Phocas
Né en 1888 à Amsterdam. Mort en 1965. XXe siècle. Hollandais.
Peintre de genre, figures, dessinateur.
Il exposa régulièrement à Paris au Salon de la Société Nationale à partir de 1926.
VENTES PUBLIQUES : AMSTERDAM, 7 nov. 1995 : *Jeune femme jouant du violon* 1913, past. (82x73) : **NLG 4 720**.

FOL, Mme
Suisse.
Peintre de portraits.
Le musée Ariana de Genève contient de Mme Fol deux portraits, *J. Grandpierre, de Genève*, et *Mlle Dimier*.

FOLARTON Allart ou **Follaton**
XVe siècle. Français.
Peintre et enlumineur.
À Tours, il est mentionné vers 1476, en 1478 pour des peintures d'armoiries à l'Hôtel de Ville ; en 1479 il y peignit une *Annonciation* pour la Grande Salle, et comme décoration du portail principal deux portraits du *Prince d'Orange*. Selon Siret, il aurait travaillé pour Louis XII.

FOLÂTRE Catherine
Née le 11 octobre 1944 à Pau (Pyrénées-Atlantiques). XXe siècle. Française.
Peintre de scènes de genre. Naïf.
À Paris, elle a participé au Salon des Artistes Français. Sa première exposition personnelle y a eu lieu en 1966 et, depuis, elle y expose régulièrement.
Bien qu'ayant reçu une formation artistique, sa peinture se rattache néanmoins à l'art naïf ou à l'imagerie populaire, quoique parfois influencée par le pop art. Elle aborde des thèmes divers, qu'elle traite toujours avec humour : 1966 les boutiques et quartiers de Paris, 1968 le Far-West, 1972 le cirque, 1974 *Dans la verdure*, etc.

FOLAWN Thomas Jefferson
Né à Youngstoury (Ohio). XIXe siècle. Américain.
Peintre.
Élève de C. S. Niles, de la Colorado School of Fine Arts et de Van Waeyenberge à Paris. Membre de la Denver Art Association, de la Society of Independent Artists et de l'American Artists' Professional League.

FOLCH Y AMICH Mariano
Né au XIXe siècle à Manresa (province de Barcelone). XIXe siècle. Espagnol.
Peintre.
Il enseignait la peinture dans sa ville natale vers 1860 et peignit des paysages de sa patrie, des vues de villes, des tableaux de batailles. Présente des similitudes avec Mariano BORRELL Y FOLCH.

FOLCH Y CARDONA Francesco
XVIIIe siècle. Espagnol.
Peintre.
Il fut professeur à l'Académie de Valence à partir de 1752 et, à partir de 1787, directeur de l'Académie de Murcie. Parmi les portraits de sa main on cite celui du *Comte de Florida Blanca*.

FOLCH Y COSTA Jaime
Né vers 1760 à Barcelone. Mort le 17 août 1816 à Barcelone. XVIIIe-XIXe siècles. Espagnol.
Sculpteur.
Formé à l'École des Beaux-Arts de Barcelone, puis à l'Académie de Madrid et à Rome il envoya de Rome à l'Exposition de l'Académie de Madrid en 1784 un bas-relief *La Mort de Sénèque*. A Grenade, où il fut nommé Directeur de la sculpture à l'École des Beaux-Arts on connaît de lui de nombreuses œuvres : *l'Adoration des Bergers* et *l'Adoration des Mages* à l'église S. José ; des statues au maître-autel de S. Pedro y Pablo ; un *Christ en croix* pour l'église S. Matias, et à la cathédrale le Monument funéraire de l'archevêque J. M. Moscoso y Peralta.

FOLCH Y COSTA José
Né le 12 janvier 1768 à Barcelone. Mort le 24 novembre 1814 à Madrid. XVIIIe-XIXe siècles. Espagnol.
Sculpteur.
Il étudia le dessin à l'École des Beaux-Arts de Barcelone et la sculpture sous la direction du sculpteur Raimondo Amedeu. Venu à Madrid, il y travailla dans l'atelier de Juan Adan et de Manuel Alvarez. En 1797, il fut reçu membre de l'Académie de San Fernando et en 1814, quelques mois avant sa mort, il fut nommé directeur de cette Académie.

FOLCHART
IXe siècle. Travaillant à Saint-Gall. Suisse.
Miniaturiste.
Un spécimen certain de la peinture et du dessin de l'époque carolingienne est le psautier orné par cet artiste à Saint-Gall.

FOLCHER Jean Auguste Félix
Né à Saint-André-de-Sangonis (Hérault). XXe siècle. Français.
Peintre aquarelliste.
Élève de P. et P. A. Laurens. A exposé au Salon des Artistes Français en 1931.

FOLCHETTI Stefano
Originaire de San Ginesio (Marches). XVe-XVIe siècles. Italien.
Peintre.
Le Musée municipal de sa ville natale conserve de lui des tableaux d'autel ; on cite également un triptyque à la Collection d'Urbisaglia, un triptyque à l'église S. Clemente à Genga ; une *Vierge* à la fresque de l'église du Rosaire à Amendola et une *Crucifixion* au Musée municipal de Sarnano. Cette dernière œuvre, ainsi que celle du Musée de San Ginesio figurèrent à l'Exposition Retrospective de Macerata en 1906.

FOLCHI Ferdinand
Né le 2 mai 1822 à Florence. Mort le 20 août 1883 à Florence. XIXe siècle. Italien.
Peintre de genre, dessinateur.
Il fut élève de B. Sabatelli et de Bezzuoli. Il travailla surtout à Florence.

VENTES PUBLIQUES : LONDRES, 12 fév. 1993 : *Le Troc*, cr. et aquar. avec reh. de blanc/pap. (50,2x35,6) : **GBP 6 160** – LONDRES, 17 nov. 1994 : *Le Troc*, cr. et aquar. avec reh. de blanc/pap. (50,2x35,6) : **GBP 6 900**.

FOLCO Giuseppe
XVIIIe siècle. Italien.
Peintre.
Élève de P. L. Spoletti à Gênes. Il travailla comme peintre sur majolique à la Manufacture de Savone.

FOLDES Lenke. Voir **SONNENFELD Lenke**

FOLDES Mihàly, appelé aussi **de Bische** ou **de Bicske**
XVIIIe siècle. Hongrois.
Peintre.
Il exécuta les peintures décoratives du plafond de l'église réformée de Vilonya, plafond qui fut transféré au Musée National de Budapest en 1910.

FOLDÈS Peter
Né en 1924 à Budapest, de parents anglais. Mort le 29 mars 1977 à Paris. XXe siècle. Actif aussi en France. Britannique.
Peintre, dessinateur. Figuration narrative.
Il débuta sa formation à l'École des Beaux-Arts de Budapest. À l'âge de vingt-et-un ans, il a enseigné un moment à l'École des Beaux-Arts de sa jeunesse. Après un court passage à Paris, où il eut le choc de l'art moderne, il alla à Londres en 1946, grâce à une bourse d'étude, où il fut élève de la Slade School. Il a participé à des expositions collectives internationales : en 1956 il obtint un Prix de la Biennale de Venise pour un court métrage cinématographique d'animation sur un cataclysme atomique et la fin du monde, autour de 1960 plusieurs groupements à Paris dont le Salon de Mai, 1961 IIe Biennale de Paris, 1963 Biennale de São Paulo, 1964 Biennale de Venise, 1964 *Mythologies quotidiennes* au Musée d'Art Moderne de la Ville de Paris, et 1965 *La Figuration narrative*, les deux groupes étant réunis et programmés par Gérald Gassiot-Talabot, etc. Sa première exposi-

tion personnelle eut lieu à la Hanover Gallery de Londres en 1948, suivie d'autres à la même galerie jusqu'en 1955, Paris en 1949, 1954 National Art Gallery de Sydney, 1959 Galerie *La Bussola* de Turin, 1960 Galerie d'Art International de Washington, puis Paris notamment Galerie Iris Clert...
Le parcours de Peter Foldès a été aussi diversifié dans sa production artistique que dans l'itinéraire de sa vie. Lors de ses premières expositions personnelles, il se rattachait à une abstraction à dominante géométrique. Il revint bientôt à la figuration, souscrivant, et participant à sa manière, au renouveau du réalisme qui a gravité autour du phénomène du popart dans les années soixante. Dans un style très graphique, très spontanément dessiné au trait, il développait souvent les temps d'une action en tableaux successifs mais juxtaposés sur une même toile. Sa production se manifestait alors dans ces sortes de bandes dessinées, mais aussi en calligrammes d'écritures, collages, œuvres « motorisées » dans lesquelles des éléments sont effectivement mus mécaniquement, etc., dont la diversité d'écritures, de techniques, de matières et des thèmes exprimaient l'humour ou la violence, le sexe ou la mort ou tout cela et beaucoup d'autres choses en même temps, dans des sortes de rébus inextricables, dans lesquels Gérald Gassiot-Talabot ne voit « aucune explication, aucune clef. Plutôt un cauchemar traversé d'images heureuses ». ■ Jacques Busse

Bibliogr. : Catalogue de l'exposition *Peter Foldès*, Gal. Y. Gastou, Paris, 1989 – in : *Diction. L'art Mod. Contemporain*, Hazan, Paris, 1992.

Ventes Publiques : Paris, 5 oct. 1987 : *Composition aux pièces de monnaie* 1962, h/t (160x129) : **FRF 14 000** – Paris, 21 mai 1990 : *Fusée* 1958, h/t (119x102) : **FRF 7 000** – Paris, 30 jan. 1995 : *Composition aux personnages* 1952, h/t (202x213) : **FRF 4 200**.

FOLDI Peter
Né en 1949 à Simoskoujflu (Hongrie). xxe siècle. Hongrois.
Peintre de compositions animées. Nouvelles Figurations.
Il fit ses études à l'École des Beaux-Arts de Eger. Il participe à des expositions nationales, Musée de Vac 1979, et internationales, Hambourg 1983. Issu d'un milieu rural du nord de la Hongrie, il s'inspire du folklore et de la vie paysanne, dans un graphisme illustratif très libre et des colorations narratives.

Ventes Publiques : Paris, 14 oct. 1991 : *Soleil lève-toi* 1989, h/pan. (45x58) : **FRF 6 000**.

FOLDSONE John
Mort vers 1784 à Londres. xviiie siècle. Britannique.
Portraitiste.
Il exposa à l'Académie jusqu'en 1783 et mourut peu de temps après son dernier envoi. Il était le père de Mrs Mee, la miniaturiste.

FOLER Antonio ou **Foller**
Né en 1528 à Venise. Mort en 1616. xvie-xviie siècles. Italien.
Peintre.
Contemporain et ami de Paul Véronèse, dont il imita le style avec succès. Rodolfi cite parmi les travaux de ce maître : *L'Assomption de la Vierge* dans l'église de l'abbaye de San Gregorio et *Le Crucifiement* ; à Santa Barnaba : *La naissance de la Vierge* et à Santa Caterina : *Le Christ au Jardin des Oliviers* et *La Résurrection*.

FOLETTI Anton Iégorovitch
xviiie siècle. Russe.
Sculpteur.
Il fut élève de G. Vitali à l'Académie de Saint-Pétersbourg qui lui décerna des médailles pour ses bustes de l'architecte *Ricard de Montferrand* et du sculpteur *Vitali* ; également pour une statue *Adonis au repos*.

FOLEY Charles Vandeleur
Né à Dublin. Mort après 1868 en Écosse. xixe siècle. Irlandais.
Peintre de genre, paysages.
D'abord élève sculpteur à la Royal Dublin Society School, il s'adonna ensuite à la peinture et figura à l'Exposition de l'Académie de Dublin de 1846 à 1868 avec des tableaux de genre et quelques paysages, ainsi qu'à l'Académie de Londres de 1856 à 1860 et à la British Institution de 1852 à 1860.

Ventes Publiques : Londres, 27 jan. 1986 : *Rues de villages*, deux h/t (25,5x35,5) : **GBP 900** – South Queensferry (Écosse), 23 avr. 1991 : *Le Château d'Édimbourg*, h/t (46x25,5) : **GBP 1 210** – Édimbourg, 28 avr. 1992 : *Château sur la colline à Édimbourg*, h/cart. (26x21) : **GBP 990**.

FOLEY Edward N.
Né en 1814 à Dublin. Mort en 1874, par suicide. xixe siècle. Britannique.
Sculpteur.
Ilexposa à la Royal Academy et à Suffolk Street, à Londres, de 1834 à 1873.

Musées : Londres (Nat. Portrait Gal.) : *Samuel Lover*, buste en marbre.

FOLEY Fiona
Née en 1964. xxe siècle. Australienne.
Peintre, graveur, sculpteur.
Aborigène, elle fit ses études à Sydney et à Londres. Elle a acquis la maîtrise de la gravure. Elle a effectué des séjours dans des communautés aborigènes, s'initiant aux formes d'art traditionnelles. Elle participe aux expositions d'art aborigène « urbain ».
Son œuvre présente plusieurs aspects. D'une part, elle crée des peintures consistant en figurations de coquillages ou arêtes de poissons ou signes abstraits, dont les couleurs vives tranchent sur des fonds sombres. D'autre part, par la gravure ou la sculpture, elle participe au mouvement politique de revendication de reconnaissance de l'identité aborigène.

Bibliogr. : In : *Diction. L'Art Mod. Contemporain*, Hazan, Paris, 1992.

Musées : Canberra (Nat. Mus. of Australia) : *Élimination des Noirs*.

FOLEY J. B.
xixe siècle. Actif à Londres. Britannique.
Peintre de marines.
De 1863 à 1877, il exposa à la British Institution et à Suffolk Street.

FOLEY John Henry
Né en 1818 à Dublin. Mort en 1874 à Londres. xixe siècle. Irlandais.
Sculpteur de bustes.
Il fit ses études aux Écoles d'Art de la Royal Dublin Society. En 1834 il devint élève de la Royal Academy à Londres où il exposa à partir de 1839. En 1859 il devint associé de cette Institution. Il a fait en collaboration avec Thomas Brock le buste de Michael Faraday.

Musées : Birmingham : *Oliver Goldsmith – Edmund Burke* – Bristol : *Edmund Burke* – Londres (Nat. Portrait Gal.) : *Bryan Waller Procter – Michael Faraday*.

Ventes Publiques : Londres, 5 nov. 1980 : *Portrait équestre de la reine Victoria* vers 1865, bronze (H. 47) : **GBP 1 900** – Madrid, 25 oct. 1983 : *Le guerrier*, bronze (H. 62) : **ESP 140 000** – Paris, 9 nov. 1987 : *Le bain* 1846, bronze, patine médaille (H. 54) : **FRF 25 000** – New York, 26 mai 1993 : *Gentilshommes*, bronze, une paire (chaque 100,3) : **USD 6 900**.

FOLEY Margaret F., Miss
Née dans le New Hampshire. Morte le 7 décembre 1877 à Meran (Tyrol). xixe siècle. Britannique.
Sculpteur.
Elle a exposé à la Royal Academy à Londres de 1870 à 1877.

Ventes Publiques : Londres, 14 mai 1980 : *La Baigneuse timide* 1875, marbre (H. 87) : **GBP 1 400**.

FOLEY-RISLER Amélie
Née à Baden-Baden, de parents français. xxe siècle. Française.
Peintre ?
Elle exposa à Paris au Salon de la Société Nationale des Beaux-Arts.

FOLFI Alessandro ou **Folsi**
Né au xvie siècle à Florence. xvie siècle. Italien.
Sculpteur sur bois.
Il exécuta de 1576 à 1603 des sculptures sur bois à Naples au Palais Royal, aux églises S. Giacomo degli Spagnuoli, degli Incurabili, Croce di Luca et Gesu.

FOLFI Giacomo ou **Folsi**
xvie-xviie siècles. Italien.
Sculpteur sur bois.
Il exécuta avec son frère Alessandro des sculptures sur bois dans de nombreuses églises de Naples, et à la chapelle du Palais Royal.

FOLGER Michael
xixe siècle. Actif à Vienne. Autrichien.

Peintre de miniatures et lithographe.
A l'Exposition de l'Académie de Vienne il figura de 1849 à 1851 avec des portraits miniatures et des lithographies.

FOLGUERAS Y DOIZTUA Cipriano
Né vers 1860 à Oviedo. XIXe siècle. Actif à Madrid. Espagnol.
Sculpteur.
Médaille d'argent en 1900 (Exposition Universelle).
Musées : Madrid (Mus. Mod.) : *L'arrachage d'une dent,* plâtre.

FOLICHE E.
Peintre de marines.
Le Musée de Berne conserve de lui : *Au bord de la mer.*

FOLIGNO, da. Voir au prénom

FOLIN. Voir **FOLLIN**

FOLINGSBY Clara, née **Wagner**
XIXe siècle. Allemande.
Peintre de paysages.
Femme du peintre Georges Folingsby, elle exposa ses œuvres à Vienne en 1868, à Munich en 1869 et à Breslau en 1873.

FOLINGSBY George Frederick
Né le 23 août 1828 à Wilcklow. Mort le 4 janvier 1891 à Melbourne. XIXe siècle. Irlandais.
Peintre d'histoire, scènes de genre, portraits.
Élève de Piloty, il se fixa à partir de 1855 à Munich.
Musées : Melbourne : *Portrait de James Service – Portrait de sir Charles Sladen – Première rencontre de Henri VIII et d'Anne Boleyn – Bunyan en prison* – Sydney : *Sir Hercules Robinson.*
Ventes Publiques : Londres, 30 mars 1990 : *La Première Leçon de piano,* h/t (83,2x63,5) : **GBP 11 000** – Glasgow, 4 déc. 1991 : *Anne de Danemark et Jacques VI d'Écosse* 1866, h/t (124,5x147) : **GBP 7 150.**

FOLINO. Voir **FOLLIN**

FOLINSBEE John Fulton
Né le 14 mars 1892 à Buffalo (New York). Mort en 1972. XXe siècle. Américain.
Peintre de paysages, figures.
Il fut élève de Frank Vincent Du Mond, de Thomas Alexander (?) Harrison. Il fut membre de la National Academy of Design, du Salmagundi Club, du National Art Club. Il obtint plusieurs distinctions : 1917 Prix Greenough de la Newport Art Association, 1921 Prix Carnegie, 1931 médaille d'or de la Pennsylvania Academy of Fine Arts.
Essentiellement paysagiste, il se montra, comme de nombreux peintres de l'après-impressionnisme, particulièrement sensible aux variations de la lumière en fonction de l'heure ou des saisons, avec, chez lui, une prédilection pour les paysages d'hiver.
Musées : Washington D. C. (Corcoran Gal.).
Ventes Publiques : Los Angeles, 6 nov. 1978 : *Towpath, Montrichard,* h/t (40,5x51) : **USD 2 000** – New York, 20 mars 1984 : *Outdoor Bar Cologan at Stockton* 1950, h/cart. entoilé (40,5x59,7) : **USD 1 400** – New York, 24 avr. 1985 : *The outdoor bar,* h/cart. (40,5x61) : **USD 2 400** – New York, 17 mars 1988 : *Coucher de soleil en hiver,* h/t (40x50) : **USD 8 250** – New York, 27 sep. 1990 : *Petite fille,* h/cart. (21x26) : **USD 2 640** – New York, 30 nov. 1990 : *Soleil d'hiver,* h/t (41x51,2) : **USD 22 000** – New York, 14 nov. 1991 : *La rivière Delaware gelée,* h/t (50,8x76,2) : **USD 2 090** – New York, 15 avr. 1992 : *La rive ouest,* h/t (61x76,2) : **USD 17 600** – New York, 28 mai 1992 : *Le barrage du moulin,* h/t (41x50,8) : **USD 4 400** – New York, 31 mars 1994 : *La vue depuis Lopaus Point,* h/t (76,2x91,4) : **USD 2 875** – New York, 14 sep. 1995 : *The raritan,* h/t (81,3x101,6) : **USD 27 600.**

FOLIO A. ou **Foolio** ou **Foly**
XVIIe siècle. Actif vers 1669. Hollandais.
Peintre, peut-être miniaturiste.
Sans doute le même artiste que Adriaen Foly, cité par Houbraken.

FOLIOT François
XVIIIe siècle. Français.
Peintre.
Il travaillait à Paris en 1754.

FOLIOT Jean Baptiste Henry
XVIIIe siècle. Actif à Paris en 1769. Français.
Peintre et sculpteur.

FOLIOT Julien
XVIIIe siècle. Actif à Paris en 1766. Français.
Peintre et sculpteur.

FOLIOT Louis Pierre
XVIIIe siècle. Français.
Sculpteur sur bois.
Il était membre de l'Académie Saint-Luc à Paris.

FOLIOT Nicolas Quinibert
Mort le 20 mai 1776 à Paris. XVIIIe siècle. Français.
Sculpteur sur bois.
Des fauteuils sculptés par lui sont conservés au Louvre.

FOLIOT Toussaint François
XVIIIe siècle. Français.
Sculpteur sur bois.
Membre de l'Académie Saint-Luc à Paris, et reçu maître en 1773, il travailla pour les châteaux royaux de Compiègne, Fontainebleau et Versailles.

FOLK Charles
Né le 15 octobre 1920 à Mulhouse (Haut-Rhin). XXe siècle. Français.
Peintre de sujets divers, graveur, peintre de cartons de vitraux, fresquiste.
Il a étudié de 1946 à 1950, à Strasbourg, ainsi qu'à l'Académie de la Grande Chaumière à Paris, où il participe aux Salons de la Jeune Peinture, d'Automne, des Artistes Indépendants.

FOLKARD Elisabeth F., Miss
XIXe siècle. Active à Londres. Américaine.
Peintre de genre et aquarelliste.
A figuré aux expositions de la Royal Academy, de Suffolk Street et de la New Water-Colours Society, de 1876 à 1884.

FOLKARD Julia B., Miss
XIXe siècle. Active à Londres. Britannique.
Peintre de genre et de figures.
A exposé fréquemment à la Royal Academy et à Suffolk Street à partir de 1872.

FOLKEMA Anna
Née en 1695. Morte en 1768 à Amsterdam. XVIIIe siècle. Hollandaise.
Peintre de miniatures, graveur.
Collaboratrice à Dokkum de son frère, le graveur Jakob Folkema.

FOLKEMA Fopje
XVIIIe siècle. Active à Amsterdam. Hollandaise.
Aquafortiste.
Peut-être était-elle la sœur d'Anna Folkema avec laquelle elle travailla aux illustrations de *Il Callotto Resuscitato.*

FOLKEMA J. C.
XVIIIe siècle. Actif à Amsterdam en 1716. Hollandais.
Dessinateur.
Cet artiste établit les dessins de *Il Callotto Resuscitato* qui fut gravé par Anna et Fopje Folkema.

FOLKEMA Jakob
Né en 1692 à Dokkum. Mort en 1767 à Amsterdam. XVIIIe siècle. Hollandais.
Dessinateur et graveur.
Élève de son père, l'orfèvre Johann Jakobz Folkema, puis de Bernard Picart à Amsterdam. Ce fut surtout un excellent graveur à la manière noire.

FOLKEMA Johannes Jakobsz
XVIIe siècle. Hollandais.
Graveur.
En 1680 parurent chez C. Allard à Amsterdam deux séries de six planches de gravures décoratives ; on connaît de lui une autre série de douze planches intitulée *Livre de feuillage et d'ouvrages d'orfèvrerie inventées par T. Le Juge,* qui porte la signature J. J. Folkema.

FOLKEMA R. Jakobsz
XVe siècle. Hollandais.
Graveur.
Probablement frère de Johannes Folkema. Le British Museum à Londres possède quelques planches de sa main.

FOLKERTS Poppe
Né le 9 avril 1875 à Norderney. XIXe-XXe siècles. Allemand.
Peintre de marines.
Il fut élève des Académies des Beaux-Arts de Berlin, de Königsberg, travailla aussi à Düsseldorf, Kiel, Norderney. Il a figuré à l'Exposition de Berlin à partir de 1889, à celle de Dresde en 1904, au Palais de Glace de Munich en 1907.

Il a peint des sujets inspirés des côtes de la Mer du Nord, des vaisseaux de guerre, des scènes de sauvetage.

Poppe Folkerts

FOLKESTAD Berhard Dorotheus
Né le 13 juin 1879. xxe siècle. Norvégien.
Peintre de natures mortes de fleurs et fruits, d'intérieurs.
Il fit un court séjour à l'École de Laurits Tuxen et P. H. Kristian Zahrtmann à Copenhague. Ce fut surtout en Norvège qu'il reçut sa formation. Il a voyagé à Amsterdam et à Paris. Il a exposé à Oslo en 1907, à l'Exposition Norvégienne de 1910, et en 1911, 1914. Il a exposé à Brighton en 1914.
MUSÉES : OSLO (Gal. Nat.).

FOLKMER Johann Jacob
xviiie siècle. Travaillant à Landeck, en Silésie, de 1712 à 1791. Allemand.
Peintre.

FOLLATON Allart. Voir **FOLARTON Allart**

FOLLEN Bishop W. Voir **BISHOP Walter Follen**

FOLLENWEIDER Adolf
Né le 6 juillet 1823 à Bâle. Mort le 27 août 1895 à Bâle. xixe siècle. Suisse.
Peintre de portraits.
Fils et élève du paysagiste Rudolf Follenweider il étudia aussi sous la direction de H. Hess, de Bernhardt et à l'Académie de Munich. Follenweider se spécialisa dans le portrait-miniature à l'aquarelle.

FOLLENWEIDER Rudolf
Né le 29 décembre 1774 à Bâle. Mort le 3 novembre 1847 à Bâle. xviiie-xixe siècles. Suisse.
Paysagiste, portraitiste et graveur.
Cet artiste étudia à Paris et dans sa ville natale, se maria avec Katharina Birmann, membre de la célèbre famille de peintres et marchands d'objets d'art de Bâle, et travailla quelque temps comme professeur de dessin à l'école des arts industriels de Fribourg-en-Brisgan Parmi ses œuvres, on cite des vues de la Suisse, de villes de Heidelberg et de Fribourg, etc. Il est l'auteur des traités didactiques sur l'art de dessiner le paysage, publiés vers 1819-1822, et peignit quelques paysages dans la manière de Peter Birmann.

FOLLER. Voir **FALLARO**

FOLLER Antonio. Voir **FOLER**

FOLLET Édouard
Né au xixe siècle à Sceaux. xixe siècle. Français.
Graveur.
Élève de Rouargue et de Leroux. Il figura au Salon de Paris de 1859 à 1879.

FOLLEVILLE Armand de
xviie siècle. Français.
Sculpteur.
Figure de 1680 à 1688, sur la liste des sculpteurs de la maison du roi.

FOLLEVILLE Léonce de
xixe siècle. Actif à Rouen. Français.
Peintre de paysages.
Exposa au Salon de Paris de 1839 à 1842. On cite de lui : *Vue prise dans les Alpes, effet du soir ; Vue prise à Lehon, près de Dinan ; Vue prise à Domfront (Orne).*

FOLLEVILLE Marie Madeleine, épouse **Delagardette,** puis veuve
xviiie siècle. Active à Paris en 1782. Française.
Peintre ou sculpteur.

FOLLI Sebastiano
Né vers 1568 à Sienne. Mort en 1621. xvie-xviie siècles. Italien.
Peintre de compositions religieuses, fresquiste.
Élève d'Alessandro Casolani, il se fit remarquer par plusieurs fresques dans les églises de Sienne, en particulier par la coupole de Santa Marta et plusieurs sujets de la *Vie de saint Sébastien* dans l'église dédiée à ce saint, peints en collaboration avec Rutilio Manetti. Il visita Rome et fut employé à des travaux considérables par le cardinal de Médicis, plus tard Léon XI.

VENTES PUBLIQUES : MILAN, 5 déc. 1991 : *Vierge à l'Enfant sur son trône entourée de Saints*, h/t (81,5x61) : **ITL 5 000 000** – MILAN, 21 nov. 1996 : *Marie-Madeleine écoute le sermon du Christ*, h/t (63,5x45,5) : **ITL 9 320 000**.

FOLLIA Perino
xive siècle. Actif à Verceil à la fin du xive siècle. Italien.
Peintre.
Il fut chargé fréquemment de la peinture d'armoiries pour le Palazzo del Comune de Verceil. Pour Chiavari il peignit une *Vierge bienheureuse*.

FOLLIN Bartolomeo ou **Folin, Folino**
Né en 1730 à Venise. Mort à Varsovie. xviiie siècle. Italien.
Graveur au burin.
Élève de L. Zucchi. Il a gravé des portraits.

FOLLIN DE LA FONTAINE Octave de, comte
Né au xixe siècle au Lude (Sarthe). xixe siècle. Français.
Sculpteur.
En 1880, il exposa au Salon de Paris : *L'Ivresse* (statue en marbre) et en 1882 : *Une baigneuse* (statuette en marbre). Sociétaire des Artistes Français depuis 1885.

FOLLINI Carlo
Né le 24 août 1848 à Domodossola. Mort en 1938 à Pagli. xixe-xxe siècles. Italien.
Peintre de scènes de genre, figures, paysages animés, paysages, paysages urbains, paysages de montagne.
Il fut élève d'Antonio Fontanesi à l'Albertina de Turin. Il séjourna quatre ans à Bologne. Il a figuré dans des expositions à Turin, Florence, Venise, Rome.
Il a peint des paysages de natures très différentes, la montagne, Venise, la mer, la campagne.

Follini

MUSÉES : ROME : *Abreuvoir dans les Alpes* – TURIN (Mus. Civique) : *La Sieste*.
VENTES PUBLIQUES : MILAN, 10 avr. 1969 : *Paysage* : **ITL 900 000** – MILAN, 16 mars 1972 : *La basse-cour* : **ITL 1 200 000** – MILAN, 28 mars 1974 : *Paysage* : **ITL 2 400 000** – MILAN, 28 oct. 1976 : *Bord de mer animé de personnages*, h/pan. (34x49) : **ITL 1 100 000** – MILAN, 5 nov. 1981 : *Paysage*, aquar. (23x34) : **ITL 1 200 000** – MILAN, 12 déc. 1983 : *La route du marché*, h/t (87,5x139,5) : **ITL 12 000 000** – MILAN, 29 mai 1986 : *Paysage*, h/t (142x191) : **ITL 13 000 000** – MILAN, 23 mars 1988 : *Plage avec des pêcheurs séchant leurs filets*, h/pan. (26x44) : **ITL 7 000 000** – MILAN, 1er juin 1988 : *Les rochers de Nervi*, h/pan. (26,5x43,5) : **ITL 6 000 000** – MILAN, 14 mars 1989 : *Chapelle de montagne*, h/pan. (28x46) : **ITL 10 000 000** – MILAN, 19 oct. 1989 : *Paysage de montagne animé* 1900, h/pan. (27x44) : **ITL 7 500 000** – MILAN, 6 déc. 1989 : *Paysage d'automne au coucher du soleil*, h/pan. (21x13,5) : **ITL 4 500 000** – MILAN, 8 mars 1990 : *Lavandières au bord du Po*, h/t (60,5x90) : **ITL 24 000 000** – MONACO, 21 avr. 1990 : *À la ferme* 1898, h/pan. (27x44) : **FRF 44 400** – MILAN, 5 déc. 1990 : *Soleil couchant*, h/pan. (23x34,5) : **ITL 11 000 000** – MILAN, 7 nov. 1991 : *La Campagne piémontaise*, h/t (59x92) : **ITL 20 000 000** – MILAN, 17 déc. 1992 : *La Gare de Pietrasanta* 1904, h/pan. (27,5x44) : **ITL 12 500 000** ; *Jeune paysanne lisant*, h/t (54,5x34,5) : **ITL 14 000 000** – MILAN, 21 déc. 1993 : *Paysage champêtre avec une paysanne et des vaches*, h/t (87x84) : **ITL 22 425 000** – MILAN, 22 mars 1994 : *Campagne piémontaise*, h/t (59x91,5) : **ITL 20 125 000** – ROME, 7 juin 1995 : *Paysage animé*, h/t (91x65) : **ITL 15 525 000** – MILAN, 26 mars 1996 : *Bal masqué*, h/cart. (24,5x19,5) : **ITL 4 025 000** – MILAN, 23 oct. 1996 : *Canal du Viareggio*, h/t (17x27) : **ITL 13 980 000** – LONDRES, 21 nov. 1996 : *Marina*, h/t (61,5x100,5) : **GBP 4 140**.

FOLLONG Jules José
Né à Moelenbech-Saint-Jean (Brabant). xxe siècle. Belge.
Peintre.
Exposait au Salon de la Nationale en 1930, une *Grisaille*.

FOLLOT Hélène
Née dans le Schleswig. xxe siècle. Active en France. Allemande.
Peintre de paysages animés, fleurs.
Venue jeune à Paris, elle épousa le décorateur réputé Paul Follot. Elle exposait à Paris, au Salon des Artistes-Décorateurs, ornant souvent de ses claires compositions les ensembles qu'y présentait son mari.

FOLLOT Paul

Né le 17 juillet 1877 à Paris. Mort en 1941 à Sainte-Maxime (Var). XXe siècle. Français.

Décorateur, architecte. Art nouveau.

Il fut élève du peintre et surtout décorateur Eugène Samuel Grasset. Il exposait à Paris, aux Salons de la Société Nationale des Beaux-Arts, d'Automne, des Artistes Décorateurs, dont il fut alors l'un des principaux animateurs.

Il a créé des ensembles, des meubles, des tapis, sa maison personnelle de la rue Schœlcher à Paris. Des modèles de ses services de table furent acquis par les porcelainiers anglais. Il a concilié le modernisme décoratif 1900 et une discipline classique.

FOLMER Georges

Né le 19 novembre 1895 à Nancy (Meurthe-et-Moselle). Mort en 1977 à Neumühl. XXe siècle. Français.

Peintre, sculpteur. Abstrait-géométrique.

Très jeune, de 1911 à 1913, il fut élève de l'École des Beaux-Arts de Nancy. En 1914, il fut fait prisonnier civil en Allemagne où il se trouvait. En 1917, il put devenir élève de l'École des Beaux-Arts de Genève, prisonnier sur parole. Il voyagea ensuite en Algérie et Tunisie. À partir de 1919, il a habité Paris, subsistant de « petits métiers ». De 1922 à 1924, il a exposé dans des galeries de Nancy. En 1926, il fit la connaissance de Del Marle, qui eut une influence sur son évolution. En 1926, il exposa à Lille, avec le groupe *Vouloir*, dont Lempereur-Haut qui devint son ami. De 1928 à 1934, il figura dans des expositions collectives de Paris : Salons d'Automne, des Artistes Indépendants, des Tuileries. En 1932, il fit la connaissance de Herbin, qui, à son tour, influa sur son travail, et en 1935 il exposa au 1er Salon d'Art Mural avec Gleizes, Gorin, Kandinsky. En 1939, il faisait partie des exposants du groupe réuni à la Galerie Charpentier par Frédo-Sidès, sous l'appellation des Réalités Nouvelles. L'exposition du groupe, fut interrompue par la guerre, le groupe fut transformé en association et en Salon annuel, sous le même titre, en 1946. Folmer y reprit sa place dès le deuxième en 1947. Il y a figuré régulièrement jusqu'en 1972. En 1949, il œuvra avec ce qui deviendra le groupe *Espace*, animé par Del Marle, avec Gorin, Beothy, Servanes, et en signa le manifeste en 1952. En 1956, il fut nommé secrétaire général du Salon des Réalités Nouvelles. En 1960, il fut le président-fondateur du groupe *Mesure*, Gorin étant vice-président, dont il organisa les expositions en France et en Allemagne en 1964-1965. En 1964, à la suite des réflexions menées dans les groupes *Espace* et *Mesure*, en tant que coloriste-conseil il s'intéressa plus concrètement aux questions d'intégration architecturale, c'est-à-dire de collaboration dès la conception entre architectes et artistes. À partir de 1968, il se retira sur les bords du Rhin. Outre ses participations aux expositions collectives, Folmer a montré ses réalisations dans des expositions personnelles tout au long de sa vie : 1933 Paris Galerie Billiet-Worms, 1950 et 1951 Paris Galerie Colette Allendy, 1961 Paris Galerie Hautefeuille, 1966 Paris Galerie Cazenave, 1969 Stasbourg Galerie Landwerlin, 1972 Hommage au Salon des Réalités Nouvelles. En 1985, le Musée de Pontoise organisa une exposition rétrospective de ses peintures et sculptures, puis, à Paris, la galerie Michèle Heyraud en 1988.

Ses premières peintures participaient du cubisme alors ambiant, auquel Del Marle l'initia plus fondamentalement à partir de 1926. À partir de 1932, il fut attiré par le phénomène de l'abstraction, notamment au contact de Herbin. De 1932 à 1939, sans renoncer à la vision cubiste, il travaille cependant selon les concepts abstraits de sections harmoniques et de proportion d'or. Sa participation à l'exposition des Réalités Nouvelles de 1939 atteste de son adhésion au principe de l'abstraction en art. En 1942, donc pendant la guerre, il imagina un procédé de dessins, qu'il nomma « monotypes », auquel il retravailla en 1968. En 1950, il exposa des bois polychromes, à la galerie Colette Allendy. À partir de cette date, sa production se partagea assez également entre peintures et sculptures polychromes, ses « structures spatiales ». En 1966, il participa à l'engouement pour le cinétisme et créa quelques « roto-peintures », constituées d'un relief polychrome en mouvement sur un fond abstrait, et des sculptures mobiles.

De 1932 à 1943, et malgré son intérêt manifesté depuis les années trente pour l'abstraction, il exposa dans les Salons annuels parisiens paysages, portraits, natures mortes. En ne prenant en considération que les œuvres de la longue période abstraite, et malgré les quelques premières complexes et surchargées, que ce soit dans les peintures ou dans les sculptures, Georges Folmer a été l'artiste de la droite ou plutôt des segments de droites, au point qu'on n'y repère que rarement un discret quart de cercle. C'est un art austère, que la couleur vivifie, bien que Folmer ait surtout usé de tons rabattus, sobrement accordés et souvent réveillés par une note sonore. Art abstrait géométrique, les couleurs, posées en aplats à l'intérieur de figures nettement délimitées, prennent toutes, même désaturées, valeur de tons purs, tant la stricte géométrie de la forme amplifie la totalité de sa valeur plastique. Dans l'entourage du Salon des Réalités Nouvelles, il a été un fédérateur et défenseur de l'art abstrait construit en opposition à l'abstraction lyrique, gestuelle ou informelle. Roger Van Gindertael, critique-historien que sa formation de peintre rendait particulièrement perspicace, a formulé en 1966, à partir de ses diverses composantes, la synthèse de l'art de Folmer : « un art actuel de caractère monumental parfaitement accordé aux tendances les plus audacieuses d'une architecture prospective ». ■ Jacques Busse

BIBLIOGR. : Michel Seuphor, in : *Diction. de la peint. abstraite*, Hazan, Paris, 1957 – in : *L'art du XXe siècle*, Larousse, Paris, 1991.

MUSÉES : CHOLET – GRENOBLE – KAISERSLAUTERN – NANTES – RENNES.

FOLO Giovanni

Né en 1764 à Bassano. Mort en 1836 à Rome. XVIIIe-XIXe siècles. Italien.

Graveur.

Après avoir été dans sa ville natale élève de deux peintres : Mengardi et Janotti, il travailla à Rome à l'école de Volpato. Ses premières œuvres sont d'un style dur et sec qu'on retrouve un peu dans la *Madonna de Candelabri* d'après Raphaël mais qui est complètement atténué dans la *Mater Dolorosa*, d'après Sassoferrato. Il a su rendre dans cette dernière planche tout le charme délicat et l'harmonie des ombres qui caractérisent cette peinture. *Le Christ ressuscitant le fils de la veuve de Naïm*, d'après Annibale Carracci, est considéré comme son chef-d'œuvre. Membre de l'Académie Saint-Luc à Rome, il reçut en 1807 la médaille d'or de l'Académie de Milan pour sa toile : *Le temps protégeant l'Innocence contre le mal et l'envie*, d'après Nicolas Poussin. Parmi ses autres travaux, citons : *La Cène*, d'après Léonard de Vinci, *Le Mariage de la Vierge*, d'après Raphaël, *Le Mariage de sainte Catherine*, d'après Correggio, *La mort de Virginie*, d'après Camuccini, *Le Christ en croix*, d'après Michel Angelo.

FOLO Pietro

Né en 1790 à Rome. Mort en 1867 à Rome. XIXe siècle. Italien.

Graveur au burin.

Élève de Valpoto. Il a gravé des effigies de saints. Fils et élève également de Giovanni Folo.

FOLON Jean-Michel

Né en 1934 à Bruxelles. XXe siècle. Belge.

Dessinateur, illustrateur, graveur, aquarelliste.

Il se destinait initialement à l'architecture, en ayant commencé l'étude, mais il n'en exerça jamais la profession, se consacrant très tôt au dessin. Longtemps défini comme dessinateur humoriste, il travaillait en effet pour diverses parutions. Dès 1970, le Musée des Arts Décoratifs de Paris organisait une vaste exposition d'un ensemble de ses œuvres. En 1972, il était invité à participer à l'*Exposition 72/72* au Grand-Palais de Paris. En 1965, il remportait le Grand Prix de la troisième Triennale de l'Humour à Milan. En 1973, il reçut le Grand Prix de la XIIe Biennale de São Paulo.

Il a très tôt créé un monde particulier où un homme anonyme et indéfini, qu'on a parfois comparé au comédien muet Buster Keaton, erre dans un contexte absurde, en général de ville fantomatique. Ce ne fut que plus tardivement, vers 1968, que, par l'emploi de la couleur surtout, son œuvre a pris un aspect légèrement pictural. En peu de temps, il a réussi à imposer son univers, à la fois nostalgique et critique, aussi bien à la « une » des hebdomadaires français ou américains, aux « génériques » d'émissions de télévision, et, pendant le temps d'un engouement, aux cimaises des galeries d'art. De nombreuses sérigraphies, diffusées avec succès, ont contribué à rendre familier un style souvent caractérisé par l'emploi de subtils camaïeux. Il a conçu des cartons de tapisseries, a été réalisateur de films d'animation, a créé l'affiche de l'année européenne du patrimoine en 1975. Dénonçant les absurdités de la vie contemporaine et de la condition humaine, son univers peuplé de flèches indicatrices de directions contradictoires, de labyrinthes, de personnages (hommes seulement) prisonniers du béton, d'arbres défoliés, est souvent porteur de nostalgie. Moins que la nostalgie d'un passé perdu, *Carpaccio est mort, Morandi est mort*, c'est la nostalgie de l'homme perdu qui donne à l'œuvre de Folon sa signification. Formellement simples, réduites à un dessin au trait et à deux ou trois couleurs dégradées, les aquarelles de Folon parlent clairement aux cœurs purs et touchent immédiatement. L'angoisse qu'elles véhiculent est celle de notre époque, où l'homme manipulé, téléguidé, canalisé, assume inconscient son anonymat et son aliénation. ■ P. F., J. B.

FOLON

FOLON

Musées : Marseille (Mus. Cantini).

Ventes Publiques : Anvers, 28 avr. 1981 : *La nuit des temps* 1973, aquar. (98x70) : **BEF 70 000** – New York, 11 mai 1982 : *Blue man*, multiple (H. 186,5) : **USD 1 100** – Milan, 4 avr. 1984 : *Personnage*, h/tempera (44x35) : **ITL 3 300 000** – Paris, 11 fév. 1987 : *Créer*, aquar. (49x40) : **FRF 48 000** – Paris, 16 déc. 1988 : *Demain* 1974, aquar. (47,5x59,5) : **FRF 8 500** – Paris, 3 mars 1989 : *L'observateur* 1974, aquar. (55x75) : **FRF 23 000** – Paris, 8 oct. 1989 : *L'été* 1984, aquar./pap. (58x78) : **FRF 60 000** – Paris, 26 sep. 1989 : *Différences* 1981 (52x37) : **FRF 16 000** – Paris, 15 déc. 1991 : *Personnage lunaire*, aquar. (18x25,5) : **FRF 11 000** – Amsterdam, 19 mai 1992 : *Un rêve* 1978, aquar. et collage/pap. (55x41) : **NLG 3 450** – Lokeren, 15 mai 1993 : *La mémoire* 1973, aquar. (43x55) : **BEF 120 000** – Paris, 23 juin 1993 : *L'homme seul*, aquar. (39x52) : **FRF 4 500** – New York, 24 fév. 1994 : *Le café du matin* 1979, aquar. et cr./pap. (33x25,4) : **USD 2 875** – Paris, 29-30 juin 1995 : *L'escargot*, aquar. (68x102) : **FRF 20 000**.

FOLQUES Paul de

XVIe siècle. Actif à Châlons-sur-Marne. Français.

Peintre.

Une fresque, dans une chapelle de la cathédrale, représentant *La Ville de Châlons*, lui est attribuée.

FOLSI Alessandro et **Giacomo**. Voir **FOLFI**

FOLSON E. A.

Né dans la seconde moitié du XIXe siècle aux États-Unis. XIXe-XXe siècles. Américain.

Peintre.

Il exposa à Paris au Salon de la Nationale des Beaux-Arts en 1913.

FOLTMAR Christian Ulrich

XVIIIe siècle. Actif à Copenhague. Danois.

Peintre de miniatures, aquarelliste.

Il était peintre miniaturiste de la Cour. Frère de Christoffer Foltmar.

FOLTMAR Christoffer

Né le 17 octobre 1718 à Copenhague. Mort le 4 avril 1759 à Copenhague. XVIIIe siècle. Danois.

Peintre et musicien.

Il fut peintre de miniatures et professeur de dessin de la famille royale de Danemark. Le Musée National de Frederiksborg à Hillerd conserve de sa main des portraits miniatures.

FOLTYN Frantisek

Né en 1891 à Kralovské-Stachy (Bohême du Sud). Mort en 1976. XXe siècle. Tchécoslovaque.

Peintre. Abstrait-géométrique, polymorphe. Groupe Cercle et Carré, groupe Abstraction-Création.

Après l'École des Métiers d'Art de Pilzen, en 1913 il étudiait à l'École Supérieure des Arts et Métiers de Prague. À Paris, il fréquenta ensuite les Académies Julian et de la Grande Chaumière. À partir de 1921, il a exposé souvent dans les grandes villes de Tchécoslovaquie. Il a commencé d'exposer à Paris en 1924. En 1930 il devint membre du groupe Cercle et Carré à Paris et en 1932 de Abstraction-Création. Entre 1924 et 1930 il participa à plusieurs expositions toujours à Paris. En 1934, il retourna en Tchécoslovaquie. En 1968, il était représenté à l'exposition *50 ans de peinture tchécoslovaque*, organisée dans les musées tchécoslovaques en 1968 pour la commémoration du cinquantenaire de la fondation de la république.

Vers 1922, il adhérait un moment au courant tchèque du réalisme poétique et social. Ensuite, à la suite d'un retour à Paris, il fut marqué par le cubisme synthétique, et peignit vers 1925 dans cet esprit, associant dans ses compositions des éléments prélevés de la réalité et des formes abstraites. Son style ressemblait alors à celui du cubisme de Juan Gris, mais il lui apportait une tendance abstraite. Il aboutit finalement à une abstraction pure dans les années de sa participation aux groupes Cercle et Carré et Abstraction-Création. Après son retour en Tchécoslovaquie, il poursuivit son œuvre dans l'esprit de l'abstraction pendant quelques années. Après 1940, il revint peu à peu au paysage et à la nature morte traditionnels. ■ J. B.

Foltyn

Foltyn

FOLTYN

Bibliogr. : In : *L'art du XXe siècle*, Larousse, Paris, 1991.

Musées : Brno (Gal. d'Art de Moravie) : ensemble d'œuvres abstraites.

Ventes Publiques : Paris, 27 juin 1983 : *Composition spatiale* 1928, h/t (91x59) : **FRF 8 000** – Paris, 29 nov. 1986 : *Composition* 1924, h/t (65x81) : **FRF 7 500** – Londres, 5 avr. 1990 : *Nature morte cubiste* 1924, h/t (64x81) : **GBP 60 500** – Londres, 4 déc. 1990 : *Composition abstraite* 1926, h/t (92x60) : **GBP 19 800** – Paris, 9 déc. 1990 : *Composition* 1927, h/t (92x65) : **FRF 90 000** – Paris, 16 avr. 1992 : *Composition* 1927, h/t (73x92) : **FRF 19 000** – Amsterdam, 27-28 mai 1993 : *Nature morte cubiste* 1926, h/t (65x81) : **NLG 23 000** – Paris, 16 juin 1993 : *Composition*, h/t (100x81) : **FRF 52 000** – Londres, 19 mars 1997 : *Composition* 1934, h/t (61x50) : **GBP 3 450** – Paris, 20 juin 1997 : *Sans titre* 1927, h/t (81x65) : **FRF 58 000**.

FOLTZ Hans Christoph

Originaire d'Ulm. XVIIe siècle. Allemand.

Peintre.

Il travailla de 1647 à 1683 à Nuremberg.

FOLTZ Karoline

Née en 1852 à Ratisbonne. XIXe siècle. Allemande.

Peintre de paysages.

Elle est la fille de Ludwig II Foltz.

FOLTZ Lloyd Chester

Né le 24 septembre 1897 à Brown (Kansas). XXe siècle. Américain.

Peintre, graveur.

Il fut élève de la Chicago Academy of Fine Arts. Il a été membre de la Wichita Artists Guild et de la Print Maker's Society of California.

FOLTZ Ludwig I

XIXe siècle. Actif à Bingen. Allemand.

Peintre de portraits, dessinateur, illustrateur.

Parmi ses œuvres sur miniatures, on cite : *Portrait d'une jeune fille, Portrait de la famille Linz*. L'œuvre *Costumes, occupations et fêtes du peuple du Grand Duché de Bade* parue chez Herder en 1823 fut illustrée de dessins de sa main.

FOLTZ Ludwig II

Né le 23 mars 1809 à Bingen. Mort le 10 novembre 1867 à Munich. XIXe siècle. Allemand.

Architecte et sculpteur.

Il était fils de Ludwig I et fut élève du sculpteur Scholl à Mayence, entra à l'Académie de Munich en 1830 et en 1832 à l'Atelier de Schwanthaler, il participa à l'exécution des statues monumentales de ce dernier pour la salle du trône du château de Munich. Parmi ses œuvres personnelles on cite une statue grandeur nature d'un *Chasseur montagnard* érigée à Berchtesgaden, de petites statuettes et sculptures en ivoire ; les statues humoristiques de 50 centimètres de hauteur d'un jeu d'échecs du Moyen Age, des monuments funéraires.

FOLTZ Philipp von

Né le 11 mai 1805 à Bingen. Mort le 5 août 1877 à Munich. XIXe siècle. Allemand.

Peintre d'histoire et de genre.

Fils et élève du peintre Ludwig I Foltz, puis de Cornelius à Munich. De 1835 à 1838, il voyagea en Italie. Revenu en Allemagne, il devint professeur, puis directeur de l'Académie de Munich. En 1855, il participe, à Paris, à l'Exposition Universelle.

Il exécuta de nombreuses fresques pour la Glyptothèque de Munich, et, pour la Maximilianeum, plusieurs importantes peintures d'histoire.
Musées : Copenhague (Thorwaldsen) : *Aveugle mendiant à la porte d'une église à Rome – Projet pour la Malédiction du chanteur* – Darmstadt : *Scène sur l'Isar* – Munich (Pina.) : *La malédiction du chanteur* – Munich (Maximil.) : *Frédéric Barberousse s'humilie devant Henri Le Lion – Le siècle de Périclès* – Schleissheim : *Mise au Tombeau – La Loreley – Amour maternel – Pèlerinage en montagne – Otton von Wittelsbach dans sa cellule à Vérone – Le troubadour Fravenlob* – Vienne : *Gœtz von Berlichingen et le moine.*
Ventes Publiques : Vienne, 12 sep. 1967 : *Pèlerinage dans les Alpes Bavaroises* : **ATS 32 000.**

FOLTZER Jean Baptiste
Né à Frenigen (Alsace). xixe siècle. Français.
Peintre.
En 1881, il exposa au Salon de Paris : *Asperges,* et en 1882 : *Alsace,* deux aquarelles.

FOLVESSE Philbert
xviiie siècle. Actif à Paris en 1766. Français.
Peintre et sculpteur.

FOLWELL Samuel
Né vers 1765. Mort le 26 novembre 1813 à Philadelphie. xviiie-xixe siècles. Américain.
Graveur et peintre de miniatures.
On connaît de lui quelques portraits gravés à l'aquatinte et au pointillé, dont un portrait de *George Washington.* Le Musée Historique de New York conserve de lui un portrait-miniature.

FOLY Adriaen. Voir **FOLIO A.**

FOMARI A.
xxe siècle.
Peintre.
Ventes Publiques : Paris, 7 mai 1943 : *Le Livre ouvert* 1926 : **FRF 400.**

FOMEZ Antonio
Né en 1938 à Naples. xxe siècle. Italien.
Peintre.
Il fut élève de l'École des Beaux-Arts de Naples. Sa première exposition eut lieu à Milan en 1961, il y a exposé depuis, notamment en 1971.

FOMINE Afanassi
xviie siècle. Actif à Moscou. Russe.
Peintre.
Il exécuta pour la Cour du Tsar vers 1660 des peintures décoratives des icônes, des bannières, et pour la cathédrale de l'Archange des peintures murales.

FOMINE Anatoli M.
Né en 1925 à Aktubinsk. xxe siècle. Russe.
Peintre de natures mortes.
Il fit ses études au studio artistique de Dnepropétrovsk de 1950 à 1957. Il devint Membre de l'Union des Peintres de l'Ukraine en 1970. Il participa en 1985 à une exposition des Peintres Ukrainiens en Pologne et eut en 1982 une exposition personnelle à Zaporojié.
Ventes Publiques : Paris, 5 avr. 1992 : *Le panier de groseilles,* h/t (63,5x83) : **FRF 3 800** – Paris, 11 avr. 1992 : *Zakorsk* 1965, h/pan. (49x65) : **FRF 5 000** – Paris, 5 nov. 1992 : *Soir d'été,* h/t (64x119) : **FRF 6 000** – Paris, 7 avr. 1993 : *Fleurs des champs* 1959, h/t (96x75) : **FRF 8 000.**

FOMINE Ivan
xviie siècle. Actif à Moscou. Russe.
Peintre.
Élève d'Ivan Besmine à Moscou. Il exécuta au Kremlin les peintures murales et en 1686 il participa à l'exécution d'une *Annonciation* et une *Crucifixion* peintes sur toile pour la Cour du Tsar. Il orna l'appartement de la princesse Tatiana Michaïlovna de fresques représentant la *Légende de Melchisédech.*

FOMINE Ivan Alexandrovitch
Né en 1840. xixe siècle. Russe.
Peintre de genre, dessinateur.
Élève de l'Académie de Saint-Pétersbourg, il fut l'un des fondateurs du Musée « Le Vieux Saint-Pétersbourg ». Il fut également architecte et écrivain.
Ventes Publiques : Paris, 7 nov. 1988 : *La Soirée* : **FRF 5 400.**

FOMINE Luca
xviie siècle. Actif à Moscou. Russe.
Peintre.
Il exécuta au Palais du Kremlin et à la cathédrale de l'Archange à Moscou des peintures murales et des icônes.

FOMINE Nicolai Fadéiévitch
xviiie siècle. Actif à Saint-Pétersbourg. Russe.
Peintre.
Il était élève de l'Académie de Saint-Pétersbourg dont il reçut plusieurs médailles. W. Piadychef grava d'après lui en 1795 un portrait du *Comte N. A. Tatichtcheff.* On connaît également de lui un portrait-miniature de *M. V. Kachovsky,* qui fut exposé en 1905 à Saint-Pétersbourg.

FOMINE Piotr
Né en 1919. xxe siècle. Russe.
Peintre de paysages urbains, architectures.
Il fut élève de l'Institut Répine à Saint-Pétersbourg et plus tard y sera professeur. Membre de l'Union des Artistes d'URSS il reçut la distinction de « Peintre émérite ». Il a exposé : en Finlande en 1965, 1969 ; à Tokyo en 1965 ; à Madrid en 1971 ; à Paris et à Cannes en 1991.
Musées : Moscou (Gal. Trétiakov) – Saint-Pétersbourg (Mus. Russe).
Ventes Publiques : Paris, 5 oct. 1992 : *Le débarcadère de la Volga* 1954, h/t (34,5x57,5) : **FRF 5 200** – Paris, 27 mai 1992 : *La perspective Nevski* 1979, h/cart. (41x48) : **FRF 5 000.**

FOMINE Terenti
xviie siècle. Actif à Moscou. Russe.
Peintre.
Il est mentionné de 1660 à 1670 comme peintre d'icônes, et pour des peintures murales à la cathédrale de l'Archange et au Kremlin.

FOMISSON Tony
Né en 1939 à Christchurch (Nouvelle-Zélande). xxe siècle. Britannique.
Peintre. Tendance fantastique.
Il a étudié la sculpture en Angleterre, à Canterbury, où il fut aussi assistant du musée en 1962. En 1963, une bourse lui permit de voyager en Europe.
Il peint, souvent d'après photographies, des sujets angoissants, qui procurent une certaine anxiété. Sa peinture est donc réaliste, mais influencée par le surréalisme et surtout par une vision psychanalytique des choses.

FOMSGAARD Jes
xxe siècle. Danois.
Peintre d'animaux, dessinateur, technique mixte.
En 1995, il a participé à la FIAC (Foire internationale d'Art contemporain) à Paris, présenté par la galerie Asbaek de Copenhague. Mêlant les techniques, il s'inspire de planches anatomiques, en reprenant les motifs dans ses œuvres.

FONBONNE Anne
xviiie siècle. Active à Paris. Française.
Graveur.
Fille de Quirijn Fonbonne.

FONBONNE Quirijn
Né vers 1680. xviiie siècle. Actif aussi en France. Hollandais.
Graveur.
Il a gravé des *sujets de genre,* des *vues* et des *sujets d'histoire.* Il travailla à Amsterdam vers 1705, de 1714 à 1734 à Paris.

FONCE Camille Arthur
Né le 9 juin 1867 à Briare (Loiret). xixe siècle. Français.
Graveur.
Élève de Lalanne, Allongé et Collier. Sociétaire des Artistes Français depuis 1888, a obtenu une mention honorable en 1889, des médailles de troisième classe en 1896, de deuxième classe en 1897, d'argent en 1900 (Exposition Universelle). Chevalier de la Légion d'honneur en 1906. Camille Fonce fut très apprécié du public anglais et publia plusieurs planches importantes chez les grands éditeurs de Londres.

FONCIÈRES Philippe de
xve siècle. Actif à Paris. Français.
Sculpteur.
Il fit, pour le grand portail du Louvre, avec Guillaume Jasse, les statues de *Charles VI* et de *Charles VII* de 1436 à 1440.

FOND Étienne Antoinette
Née dans la seconde moitié du xixe siècle à Roanne (Loire). xixe siècle. Française.
Miniaturiste.

FONDA Enrico
Né en 1892 à Fiume. Mort en 1929 à Paris. xxe siècle. Italien.
Peintre de portraits, paysages.
Il exposait à Paris, au Salon d'Automne dont il était sociétaire. La critique italienne lui donnait Cézanne comme maître spirituel.

FONDAMENT. Voir **RAUFFT Franz Ludwig**

FONDERIE Henri
Né en 1836 à La Haye. xixe siècle. Français.
Sculpteur.
Élève de A. Toussaint à Paris il exécuta des sculptures pour l'église de Lodelbach, près de Colmar. Au Salon de Paris de 1861 il exposa une statue de marbre *Muse du souvenir*, qui fut achetée par le roi de Prusse. Il exposa par la suite des portraits médaillons en bronze et des terres cuites.

FONDESENDI Hiéronymus
xvie siècle. Italien.
Peintre et graveur sur bois.
Cité par Nagler à Malines.

FONDET. Voir **RENOUST Jacques**

FONDEUR Henry
Né à Paris. xxe siècle. Français.
Peintre, aquarelliste.
Il fut élève de Marcelle Fondeur-Cuby. Il exposait à Paris, au Salon des Artistes Indépendants et à celui des Artistes Français dont il était sociétaire.

FONDEUR-CUBY Marcelle
Née le 2 mars 1902 à Paris. xxe siècle. Française.
Peintre.
Elle fut élève de Marguerite Martinet et d'Élisabeth Zabeth. Elle exposait à Paris, au Salon des Artistes Français de 1928 à 1933.

FONDEVILA. Voir **MAS Y FONDEVILA Arturo**

FONDIN Evariste
Né à Paris. xixe siècle. Français.
Peintre de paysages.
Il débuta au Salon en 1877. Il devint sociétaire des Artistes Français en 1883.
Ventes Publiques : Versailles, 5 mars 1989 : *Village au printemps, Auvers-sur-Oise*, h/t (26,5x40,5) : **FRF 7 000**.

FONDULO Giovanni Paolo ou **Fundulli**
xvie siècle. Actif à Crémone. Italien.
Peintre d'histoire.
Élève d'Antonio Campi.

FONDUTI Agostino dei, dit **il Padovano**
Originaire de Crema. xve siècle. Italien.
Sculpteur.
Il est mentionné à Milan et Plaisance à partir de 1483 ; il y fut chargé de travaux décoratifs dans des églises et des palais.

FONÈCHE A.
xixe-xxe siècles. Français.
Peintre de marines.
Ventes Publiques : Paris, 11 juin 1942 : *Marine* : **FRF 650** – Orléans, 14 nov. 1987 : *Voiliers dans la tempête*, h/t (57x102) : **FRF 6 400** – Amsterdam, 14 juin 1994 : *Souvenir de Bretagne*, h/t (45,5x73) : **NLG 1 840** – Lokeren, 8 oct. 1994 : *Marine avec un bateau incendié*, h/t (45x73) : **BEF 48 000**.

FONFREIDE Victor
Né à Volvic (Puy-de-Dôme). xxe siècle. Français.
Peintre, sculpteur, graveur.
Il exposait à Paris, au Salon de la Société Nationale des Beaux-Arts de 1922 à 1934, et il en était membre associé.

FONG Chung-Ray
Né en 1933 dans la province du Henan. xxe siècle. Chinois.
Peintre. Abstrait.
Il participe à de nombreuses expositions collectives internationales, d'entre lesquelles : 1959, 1963, 1969 Biennale de São Paulo, 1963 première Biennale de Paris, 1964 exposition itinérante en Afrique de peintures chinoises contemporaines, 1965 à Rome *Exposition d'Art Chinois Moderne* et exposition itinérante en Asie *Principaux peintres d'Asie*, 1966-1968 aux États-Unis *Le nouveau pays chinois*, 1967-1970 exposition itinérante dans les musées d'Amérique du Nord *Nouvelles voix de la Chine*, 1970 au Musée National d'Histoire de Taipei *Exposition de calligraphies et de peintures de la République de Chine*, etc. En 1960, il avait reçu la médaille d'argent au premier *Salon International de Peinture* de Hong-Kong. Il a aussi montré ses œuvres dans des expositions personnelles : 1965 au National Taiwan Art Center de Taipei, 1967 Taipei de nouveau, 1970 San Francisco.
Musées : San Francisco (De Young Memorial Mus.).

FONG LEE MAN
Né en 1913 à Canton. Mort en 1988. xxe siècle. Chinois.
Peintre d'animaux, paysages.
Il avait trois ans lorsque sa famille émigra à Singapour. En 1932, il partit pour l'Indonésie et commença sa carrière artistique dans une agence de publicité de Jakarta. Après 1940, il se consacra exclusivement à la peinture. En 1949, une bourse lui fut décernée pour partir étudier pendant trois années en Hollande. De retour en Indonésie, son travail fut remarqué et encouragé par le président Soekarno.
Ventes Publiques : Amsterdam, 23 avr. 1996 : *Le Pic Wu-i dans la chaîne de Tjo San Ling au sud de la Chine* 1956, h/cart. (61x91) : **NLG 68 440** ; *Coq et Poule* 1950, h/cart. (99x47) : **NLG 165 200** – Singapour, 5 oct. 1996 : *Poissons rouges*, h/cart. (122x244) : **SGD 168 750** – Singapour, 29 mars 1997 : *Le Coq de combat* 1946, h/pan. (86,5x45) : **SGD 63 250**.

FONGUEUSE Maurice
Né à Ry (Seine-Maritime). xxe siècle. Français.
Peintre de paysages.
A exposé au Salon des Indépendants de 1940 à 1943.

FONGUEUSE

FONGUS Matthias. Voir **VANGUS**

FONNER F.
xxe siècle. Britannique.
Peintre de genre.
Ventes Publiques : Londres, 6 déc. 1926 : *Groupe de cavaliers et de dames* : **GBP 58**.

FONQUERGNE Marcel
Né le 23 septembre 1873 à Paris. xxe siècle. Français.
Sculpteur.
Il fut élève de Falguière et de Jacques Perrin. Il exposait à Paris, régulièrement au Salon des Artistes Français depuis 1923, en était sociétaire, mention honorable 1929, première médaille 1930, médaille d'argent 1932.

FONQUERNIE Jean-Paul
Né à Toulouse (Haute-Garonne). xxe siècle. Français.
Sculpteur.
Il fut élève de l'École des Beaux-Arts. Il a exposé à Paris au Salon depuis 1922.

FONSAGA. Voir **FANSAGA**

FONSECA Alfon de
xve-xvie siècles. Espagnol.
Peintre.
Cet artiste eut des élèves, fut marié et apparaît en divers documents qui permettent de le suivre à Séville 1496 à 1511.

FONSECA Antonio Manuel da
Né en 1796 à Lisbonne. Mort en 1890. xixe siècle. Portugais.
Peintre d'histoire et de portraits.
Peintre du roi en 1830, il fut aussi nommé professeur à l'Académie des Beaux-Arts à Lisbonne. En 1852, l'Académie des Beaux-Arts de Paris le nommait membre correspondant. Fonseca fut un artiste sérieux et sincère et il tient une place distinguée dans la peinture moderne.
Musées : Baltimore (Peabody Inst.) : *Vieux cloître*, aquar. – Lisbonne : *La Transfiguration*, copie de Raphaël.

FONSECA Claudio
Né en 1949 à Rio de Janeiro. xxe siècle. Brésilien.
Peintre. Tendance expressionniste-abstrait.
Le Brésil ne s'est ouvert au monde extérieur que dans les années quatre-vingt. Les peintres, et parmi eux, Claudio Fonseca, ont aussitôt profité de cette liberté recouvrée. Après s'être quelque peu impliqué dans la froideur du courant conceptuel, il s'est totalement investi dans la matérialité de la peinture. Il participe à des expositions collectives internationales, dont, en 1985, la Nouvelle Biennale de Paris.
Les peintures de Claudio Fonseca sont exécutées techniquement avec la fougue gestuelle et la générosité pigmentaire de l'expressionnisme ou de l'expressionnisme-abstrait. Elles participent des deux, construites dans le plan de la toile comme une œuvre

abstraite, et pourtant figurant un amoncellement de hauts pics montagneux, comme vus d'avion. Acérés d'avant toute érosion, ces pics surgissent du magma originel avec la violence d'un monde encore en train de se faire, double métaphore pour Fonseca, du surgissement de sa propre force créatrice et de l'éclatement d'un monde qui s'ouvre à l'existence. ■ J. B.

Bibliogr. : Roberto Pontual, in : Catalogue de la *Nouvelle Biennale de Paris*, 1985.

FONSECA Francisco de
XVIIe siècle. Espagnol.
Peintre.
Il est mentionné à Séville vers 1631.

FONSECA Gaspar Joaquin da
Né vers 1796 à Vizeu. Mort en 1829 à Lisbonne. XIXe siècle. Espagnol.
Sculpteur et sculpteur sur bois.
Élève de J. J. de Barros Laborao à Lisbonne. Il fut à partir de 1822 professeur à l'Académie de cette ville.

FONSECA Gaston de. Voir **SIMOES DE FONSECA**

FONSECA Gonzalo
Né en 1922 à Montevideo. XXe siècle. Actif aux États-Unis. Uruguayen.
Sculpteur. Abstrait.
Enfant, il vint souvent en Europe avec sa famille. De 1939 à 1941, il étudia l'architecture à l'Université de la République Orientale d'Uruguay. De 1942 à 1949, il fut élève de Joaquin Torrès-Garcia, à Montevideo. Après 1950, il revint vivre en Uruguay. De 1952 à 1957, il résida à Paris. Depuis un voyage à New York en 1958, il a fait connaître son œuvre aux États-Unis. Il partage souvent son temps entre New York et l'Italie.
Il participe à des expositions collectives, notamment : en 1993 au Museum of Modern Art de New York, *Artistes Latino-Américains du XXe siècle*. En 1962, il eut une première exposition personnelle dans le contexte du *Art Portland Exhibit* ; en 1971, une seconde au Jewish Museum de New York ; en 1985, il fut invité d'honneur à l'exposition de sculpture de Volkesund (Danemark).
Dans la lignée de Torrès-Garcia, avec quelques peintres également uruguayens, Julio Alpuy, José Gurvich, et autres, ils constituèrent une véritable école, suscitant à leur tour de nouveaux disciples. En 1945, un voyage au Pérou et en Bolivie attisa son intérêt pour le passé précolombien.
Ses sculptures présentent des formes géométriques, mais pourtant variées, exécutées dans des matériaux divers : bois, granit, marbre, souvent associées dans des constructions ludiques. Cette propension à l'assemblage de formes et de matériaux se traduit aussi dans des réalisations intégrées à l'architecture : notamment en 1962, des projets monumentaux pour la New School for Social Research de New York ; en 1970, pour l'Alza Laboratory de Palo Alto (Californie) ; ainsi qu'à Reston (Virginie).

Bibliogr. : In : *Dictionnaire L'Art Moderne Contemporain*, Hazan, Paris, 1992.

Musées : Austin (Université du Texas) – Caracas (Mus. od Fine Arts) – New York (Brooklyn Mus.).

Ventes Publiques : Montevideo, 17 nov. 1982 : *Dique*, h/t (80x60) : **UYU 40 000** – Montevideo, 16 mai 1984 : *Vue d'un port* 1944, h/cart. (40x58) : **UYU 170 000** – Montevideo, 14 août 1986 : *Le chemin vicinal* 1949, h/cart. (38x50) : **UYU 170 000** – New York, 17 mai 1989 : *Concinnitas* 1970, marbre (h. 87,5) : **USD 47 300** – New York, 20-21 nov. 1990 : *Construction* 1971, marbre rose (53x62x13) : **USD 55 000** – New York, 15-16 mai 1991 : *Nivea Saturna Vacca* 1982, bloc de pierre scié avec des éléments divers (H. 28, l. 30,5 et épaiss. 30,5) : **USD 30 800** – New York, 18-19 mai 1993 : *Colombarium n°1* 1966, construction de bois et objets (H. 218,4) : **USD 107 000** – New York, 22-23 nov. 1993 : *Meuble constructiviste* 1950, pan. peint. et incrusté de nacre (180,3x90x30,2) : **USD 68 500** – New York, 23-24 nov. 1993 : *Sans titre* 1971, marbre rose (H. 57, l. 66, prof. 18,5) : **USD 79 500** – New York, 18 mai 1995 : *La tour des vents, hommage à Andronicus*, pierre peinte et gravée avec des attaches de bois et de cuir (43,7x34,9x22,9) : **USD 46 000** – New York, 29-30 mai 1997 : *Nivea Saturna Vacca* 1982, calcaire peint. et sculpté avec accessoires en calcaire, bois et cuir (28,9x29,8x27,9) : **USD 43 125** – New York, 24-25 nov. 1997 : *Haut Lieu I*, marbre Carrare blanc (50,2x72,8x57) : **USD 63 000.**

FONSECA Joao Thomaz da
Né en 1754 à Lisbonne. Mort en 1835. XVIIIe-XIXe siècles. Espagnol.
Peintre et illustrateur.
Élève de Joao Grossi et de J. M. da Rocha, il était le père du célèbre Antonio Manuel da Fonseca. Des églises et des palais de Lisbonne lui doivent des peintures murales et des décorations de toutes sortes. Il illustra des livres de prières.

FONSECA José de
XIXe siècle. Espagnol.
Graveur.
Il exécuta les gravures qui illustrèrent une *Histoire universelle* imprimée autrefois à Lisbonne, et contenant entre autres le *Portrait du tsar Pierre III*. Il grava également les illustrations du *Traité Militaire* de Rojo de Flores.

FONSECA Martinho Gomes da
Né le 31 janvier 1890 à Lisbonne. Mort en 1972. XXe siècle. Portugais.
Peintre de figures, portraits, décorations murales, dessinateur. Postimpressionniste.
Il fut élève de l'Académie des Beaux-Arts de Lisbonne. À son examen de fin d'études, il présenta une *Léda et le cygne*. Il devint professeur des Écoles Industrielles, professeur de dessin de la Société Nationale des Beaux-Arts, puis directeur. Il fit de nombreux voyages en France et Espagne. Il a participé à de nombreuses expositions collectives, au Portugal et à l'étranger, obtenant diverses distinctions : médaille d'honneur en dessin et première médaille en peinture de la Société Nationale des Beaux-Arts, diplôme d'honneur de l'Université de Barcelone en 1929, médailles d'or à l'Exposition Coloniale de Paris, à Séville et Rio de Janeiro, en 1953 le Prix Silva Porto de la Société Nationale des Beaux-Arts, etc.
Pour le Palais de Belem, il exécuta le *Portrait du Président Bernardino Machado*. Il réalisa des peintures pour le Pavillon du Portugal à l'Exposition Hispano-Américaine de Séville en 1929, ainsi que les décoration de la Caisse Générale des Dépôts à Porto. Peintre de figures, ce fut à travers les œuvres de Degas et Renoir qu'il reçut l'influence de l'impressionnisme.

Bibliogr. : In : *Cent ans de peinture en Espagne et au Portugal, 1830-1930*, Antiquaria, Madrid, 1988.

Musées : Coimbra – Évora – Lisbonne – Viseu.

FONSECA Reynaldo ou **Reynaldo Fonseca**
Né en 1925 à Recife. XXe siècle. Brésilien.
Peintre de compositions à personnages.
Il étudia avec Candido Portinari à Rio de Janeiro. En 1948, il fit un séjour d'une année en Europe, et de retour à Rio commença à travailler avec Henrique Oswald. En 1952 il eut sa première exposition à Recife et enseigna à l'École des Beaux-Arts de l'Université Fédérale de Pernambuco. En 1969 il s'installa à Rio où il poursuit sa carrière. En 1970 il fut membre du jury du Salon National d'Art Moderne, auquel il participe régulièrement.
Ses peintures manifestent l'influence reçue de Portinari : il représente les gens simples dans leurs occupations familières, leur conférant des attitudes et expressions hiératiques et figées comme s'ils posaient pour un photographe. Toutefois, bien des éléments de son style lui sont personnels : la fidélité de son réalisme, soucieux du rendu intègre des personnages et des éléments de la composition, une géométrisation des formes qui n'est pas sans rappeler le caravagisme du XVIIe siècle européen, et surtout sa volonté de se limiter à la gamme sobre, comme d'une intériorisation du message, des gris-ocre et gris-brun.

Ventes Publiques : São Paulo, 11 août 1981 : *Os Sentidos* 1969, h/t (72x53) : **BRL 290 000** – New York, 31 mai 1984 : *Ceia* 1978, h/t (81x100) : **USD 8 500** – New York, 25 nov. 1992 : *Fillette à califourchon sur un chien avec une femme* 1984, h/t (100x80,5) : **USD 12 100** – New York, 18 mai 1993 : *Repas, mère et fille* 1978, h/t (81,3x100,4) : **USD 13 800** – New York, 18-19 mai 1993 : *Mère et ses enfants dînant* 1976, h/t (73,7x100,6) : **USD 13 800** – New York, 22-23 nov. 1993 : *Le livre rouge* 1985, h/t (80,6x99,4) : **USD 6 900** – New York, 23-24 nov. 1993 : *Petite fille au chat* 1985, h/t (100,4x91,4) : **USD 9 200.**

FONSECA Y FIGUEROA Juan de
Mort en 1627. XVIIe siècle. Espagnol.
Peintre.
Chanoine et chancelier de la cathédrale de Séville, grand chambellan à la cour de Madrid, il produisit quelques très bons portraits, mais se fit surtout connaître comme protecteur des artistes, entre autres de Velasquez.

FONSÈQUE Maxime
Né à Bordeaux (Gironde). XXe siècle. Français.

Artiste-relieur d'art.
Il exposait à Paris, au Salon des Artistes Indépendants en 1931 et 1932, au Salon des Artistes Français de 1925 à 1933, mention honorable 1932.

FONSON Albert François
XVIIe siècle. Actif à Mons. Éc. flamande.
Sculpteur.
En 1686 il exécuta les statues de *Saint Pierre* et de *Saint Paul* pour le portail de l'église Sainte Élisabeth à Mons et en 1712 un autel avec les statues de *Saint Roch, saint Fabien* et *saint Sébastien* pour la Corporation des fripiers. Il travailla également à la cathédrale Sainte-Waudru.

FONSON Charles Auguste
Né le 15 avril 1706. Mort le 13 mars 1788. XVIIIe siècle. Actif à Mons. Éc. flamande.
Sculpteur.
La cathédrale Sainte-Waudru lui doit les statues des Apôtres *Jacques, Philippe et Jean*, et l'église Saint-Nicolas de nombreuses sculptures, par exemple, au maître-autel et aux stalles du chœur.

FONT Constantin
Né le 11 janvier 1890 à Auch (Gers). XXe siècle. Français.
Peintre de genre, de nus, paysages, graveur.
Il fut élève de Fernand Cormon. Il obtint le Prix de Rome en 1921. Il exposait déjà à Paris, au Salon des Artistes Français, mention honorable 1910, médaille d'argent 1921, médaille d'or 1922 et hors concours, chevalier de la Légion d'Honneur 1935.
Ventes Publiques : Paris, 17-18 nov. 1943 : *Rives de la Garonne* : **FRF 280** – New York, 25 oct. 1984 : *Odalisque*, h/t (144,8x284,5) : **USD 20 000** – Londres, 10 juil. 1985 : *Intérieur de harem*, h/t (97x130) : **FRF 25 000** – Reims, 24 avr. 1988 : *Vue du canal de Venise*, h/t (50x100) : **FRF 4 800** – Sceaux, 19 mai 1988 : *Nu sommeillant*, h/t (54x65) : **FRF 12 000** – Paris, 27 oct. 1988 : *La lecture*, h/t (50x61) : **FRF 15 000** – Paris, 14 déc. 1988 : *Femme à la couture* 1921, h/t (50x61) : **FRF 13 500** – Versailles, 18 déc. 1988 : *Nu couché*, h/pan. (50x99,5) : **FRF 10 500** – New York, 23 fév. 1989 : *Pastorale* 1919, h/t (144,8x113) : **USD 6 050** – Paris, 3 mars 1989 : *Nu allongé*, h/t (50x100) : **FRF 12 000** – Paris, 4 avr. 1989 : *La corrida*, h/t (50x61) : **FRF 8 000** – Paris, 19 jan. 1990 : *Port de pêche méditerranéen*, h/t (46,5x55) : **FRF 6 000** – Paris, 27 mars 1990 : *Port de pêche*, h/t (62x50) : **FRF 10 000** – New York, 20 jan. 1993 : *Allégorie de la jeunesse* 1919, h/t (115,6x146,1) : **USD 3 450**.

FONT Francisco
Né à Barcelone. XIXe siècle. Espagnol.
Sculpteur.
Élève de Domingo Talarn. Il débuta à Madrid à la Nationale des Beaux-Arts en 1856.

FONT Y BARRERA Antonio
Né le 3 mars 1778 à Cadix. Mort en 1800 à Cadix. XVIIIe siècle. Espagnol.
Peintre.
Il étudia à l'École des Beaux-Arts de Cadix et obtint une bourse pour l'achèvement de sa formation artistique à Rome. On connaît de lui des portraits, parmi lesquels plusieurs portraits de l'artiste par lui-même.

FONT Y VIDAL Juan
Né au XIXe siècle à Port-Mahon (Minorque). XIXe siècle. Espagnol.
Peintre.
Il peignit à Port-Mahon des vues du port, dont quatre sont conservées au Museo de Ingenieros à Madrid. A l'Exposition de Madrid de 1864 il figura avec deux tableaux de batailles.

FONTAINAS Andrée
Née à Paris. XXe siècle. Française.
Peintre de portraits, paysages, fleurs.
Elle a exposé à Paris, au Salon d'Automne à partir de 1921 et au Salon des Tuileries de 1924 à 1931.
À ses sujets habituels, elle a aussi ajouté un *Jugement de Pâris*.

FONTAINAS Marguerite
Née à Paris. XXe siècle. Française.
Peintre de paysages, fleurs.
Elle exposait à Paris, au Salon d'Automne depuis 1930.

FONTAINE. Voir aussi **LAFONTAINE** et **DEFONTAINE**

FONTAINE
XVe siècle. Français.
Sculpteur sur bois.
Sous la direction de Philippot Viart, il prit part à la sculpture des stalles du chœur de la cathédrale de Rouen, en 1467.

FONTAINE
XVIIIe siècle. Français.
Peintre amateur.
J. F. Feradiny grava d'après lui six planches de paysages et de marines, et de Fehrt deux vues de l'Ile Minorque.

FONTAINE
XVIIIe siècle. Français.
Peintre de portraits ou dessinateur.
P. A. Le Beau grava d'après lui le portrait d'*Élisabeth de France* et celui de sa sœur *Marie-Adélaïde*, et S. Goulet celui de l'*amiral P. A. de Suffren*.

FONTAINE
XVIIIe siècle. Français.
Sculpteur.
Il était élève de l'Académie Royale à Paris en 1747.
Musées : Orléans : *Portrait de Marie-Antoinette*, bronze, médaillon.

FONTAINE, Mlle
XIXe siècle. Française.
Peintre.
En 1819, elle exposa au Salon de Paris un portrait de femme, et en 1822 : *Une scène de la romance de M. Desprez* et *Mariage d'Angélique et de Médor*.

FONTAINE A. Victor
Né à Saint-Amour (Jura). XIXe siècle. Français.
Sculpteur de statues.
Élève de Prost, il exposa au Salon de Paris, de 1867 à 1870, quelques médaillons et une statue en marbre : *Le Regret*.

FONTAINE Alexandre Victor
Né le 22 octobre 1815 à Paris. XIXe siècle. Français.
Peintre de genre.
Le 2 avril 1836, il entra à l'École des Beaux-Arts et devint l'élève de Leroux et de Guillemin. De 1844 à 1855, il exposa plusieurs œuvres au Salon. On cite de lui : *Enfance de Callot, La Provision, L'Orage, Jeunes filles dans un bois*.
Musées : Chantilly : *Les Baigneuses*.
Ventes Publiques : Londres, 6 fév. 1909 : *Brisé de fatigue* : **GBP 11**.

FONTAINE André
Né le 21 janvier 1802 à Lyon. XIXe siècle. Français.
Peintre.
Élève de Révoil à l'École des Beaux-Arts de Lyon, il exposa, à Lyon, de 1831 à 1842-43, des portraits, des sujets de genre et des paysages. Un *Portrait de J.-B. Poupar*, bibliothécaire de Lyon, gravé à l'eau-forte, est signé *Fontaine*, 1840.

FONTAINE Andrée, Mlle
Née à Lens (Pas-de-Calais). XXe siècle. Française.
Peintre.
Élève de A. et S. Debaene. A exposé des personnages au Salon des Artistes Français en 1932 et 1933.

FONTAINE Benoît
Né le 1er novembre 1806 à Lyon. Mort en août 1887 à Lyon. XIXe siècle. Français.
Graveur amateur.
Fils d'un libraire de Lyon, élève de l'École des Beaux-Arts de cette ville en 1833 (Classe de Théorie et de Mise en carte). Il exposa à Lyon (1836-1840) des dessins et des eaux-fortes représentant des vues de Lyon et des environs. Une collection de son œuvre gravé, vendue à Lyon avec sa collection d'estampes, en février-mai 1888, comprenait cent seize pièces, parmi lesquelles *L'ancien Pont de Pierre* (1837), *Vue des parcs de Pierre Scize, La cascade de Glandieu, Le château de Pierre Scize, Les aqueducs d'Écully*.

FONTAINE Charles
XIXe siècle. Français.
Peintre.
Ventes Publiques : New York, 3 jan. 1906 : *Au Tournant* : **USD 375**.

FONTAINE Christian
Originaire de Zengg. Mort le 12 décembre 1772 à Vienne. XVIIIe siècle. Autrichien.
Peintre de miniatures.
Il entra à l'Académie de Vienne le 1er juin 1766, pour la gravure.

FONTAINE E.
XVIIe siècle. Actif vers 1681. Français.
Graveur sur bois.
Il a gravé des sujets religieux.

FONTAINE Edme Adolphe
Né le 8 mai 1814 à Noisy-le-Grand (Seine-Saint-Denis). XIXe siècle. Français.
Peintre et aquarelliste.
Entré à l'École des Beaux-Arts le 7 avril 1838, il devint l'élève de L. Cogniet. Il obtint une médaille de troisième classe en 1852. Ses œuvres figurèrent au Salon de 1845 à 1878. On cite de lui : *Ibrahim Pacha à l'école militaire de Saint-Cyr, le 22 mai 1846* ; *Jocelyn* ; *Zouaves* ; *Souvenir du pays* ; *Portrait de L. Mieroslawski* ; *Haute cour de justice de Versailles* ; *Portrait du général Alexandre* ; *La lettre* ; *La messe à Pont-l'Abbé* ; *Souvenir du camp de Satory* ; *César et sa fortune* ; *Portrait du général baron Ameil.*
Musées : Toul : *Portrait de M. Poirot, capitaine au 52e* – Versailles : *Attaque de la redoute Selinghins* – *Portrait du duc de Masséna.*

FONTAINE Éloy
XVIIe siècle. Français.
Peintre.
On connaît seulement de lui un portrait de *l'Évêque J. L. de la Bourdonnaye* (gravé par E. Gantrel et P. Drevet). Peut-être est-il identique au graveur sur bois E. Fontaine.

FONTAINE Emmanuel
Né le 8 décembre 1856 à Abbeville (Somme). Mort le 21 septembre 1935 à Commercy (Meuse). XIXe-XXe siècles. Français.
Sculpteur de bustes.
Il eut pour maître Jouffroy et figura au Salon de Paris de 1877 à 1882 avec des médaillons et quelques bustes. Mention honorable en 1887, il obtint une médaille de troisième classe en 1893, une de deuxième classe en 1896, et une d'argent en 1900, puis enfin une médaille de première classe en 1904. Il fut fait chevalier de la Légion d'honneur en 1910. Il fut classé hors concours en 1922.
Musées : Abbeville : *Le Naufragé* – Amiens : *Boucher de Crèvecœur de Perthes* – Compiègne : *A l'eau, Porthos !* – Gray : *Fascination* – Paris (Mus. du Petit Palais) : *Premier Frisson.*
Ventes Publiques : Lokeren, 18 oct. 1986 : *À la rivière* 1910, bronze, patine brun foncé (H. 51) : **BEF 90 000**.

FONTAINE François
Né le 11 juin 1938 à Boulogne-Billancourt (Hauts-de-Seine). XXe siècle. Français.
Peintre. Postimpressionniste.
Il fut élève de l'Académie de la Grande Chaumière à Paris, où il expose au Salon d'Automne, dont il a été nommé sociétaire en 1968.

FONTAINE Gabriel
Né le 9 mai 1696 à Genève. Mort le 2 janvier 1767. XVIIIe siècle. Suisse.
Peintre.
Il fut élève de J. Mussard. Peut-être est-il identique à un peintre sur émail du même nom qui travaillait à Paris vers 1727.

FONTAINE Gaston
Né à Tours (Indre-et-Loire). XXe siècle. Français.
Peintre.
A exposé au Salon des Indépendants en 1931 et 1932.

FONTAINE Geneviève
XVIIIe siècle. Active à Paris en 1767. Française.
Peintre.

FONTAINE Gustave Adolphe
Né à Bruxelles. XXe siècle. Belge.
Sculpteur de bustes, portraits.
Il a aussi exposé à Paris, au Salon d'Automne depuis 1921.
Il a sculpté des bustes et des masques de femmes et d'enfants.
Ventes Publiques : Lokeren, 16 fév. 1985 : *Buste de femme*, cire perdue, bronze (H. 49) : **BEF 28 000** – Amsterdam, 2-3 juin 1997 : *Femme*, bronze (H. 27) : **NLG 3 540**.

FONTAINE Hansequin
XVe siècle. Actif à Lille vers 1453. Français.
Peintre.

FONTAINE Henri
Né à Lyon (Rhône). XXe siècle. Français.
Peintre, dessinateur.
Il a exposé à Paris, au Salon de la Société Nationale des Beaux-Arts de 1922 à 1935.

FONTAINE Henriette Marie
Née à Bordeaux (Gironde). XXe siècle. Française.
Sculpteur de groupes.
Elle fut élève de Félix Févola. Elle exposait à Paris, au Salon des Artistes Français depuis 1930, sociétaire, mention 1933.

FONTAINE Jacques
Né en 1735. XVIIIe siècle. Français.
Peintre de fleurs, d'ornements et de miniatures.
De 1752 à 1793 il travailla à la Manufacture de porcelaine de Sèvres. Le Musée céramique de Sèvres, la Collection Wallace à Londres et le Buckingham Palace conservent de ses œuvres.

FONTAINE Jacques de
XVIIe siècle. Éc. flamande.
Peintre.
Il fut reçu maître de la Gilde à Anvers en 1648-49.

FONTAINE Jacques François José ou **Joseph**. Voir **SWEBACH**

FONTAINE Jacques Valentine
XIXe siècle. Actif vers 1840. Français.
Graveur.
Il travailla à la Manufacture des Gobelins à Paris. On connaît de lui deux publications de gravures.

FONTAINE Jean
Mort en 1669. XVIIe siècle. Hollandais.
Peintre de marines.

FONTAINE Jean
Né le 22 décembre 1668 à Genève. Mort le 12 septembre 1716 à Genève. XVIIe-XVIIIe siècles. Suisse.
Peintre sur émail.
Élève de Thomas Fontaine, il s'associa avec lui en 1695.

FONTAINE Jean
XVIIIe siècle. Actif à Paris en 1746. Français.
Peintre et sculpteur.

FONTAINE Jean Adolphe
XXe siècle. Français.
Sculpteur.
Il travaillait à Paris, où il exposait au Salon des Artistes Français, dont il était sociétaire depuis 1901.

FONTAINE Jean Joseph
Né en 1802. XIXe siècle. Français.
Peintre sur porcelaine et aquarelliste.
En 1835, il exposa un portrait d'homme et en 1836, des fleurs.

FONTAINE Jean Mathias
Né en 1791 à Paris. Mort le 10 octobre 1853 à Paris. XIXe siècle. Français.
Graveur.
De 1827 à 1843, il figura au Salon. Jean-Mathias Fontaine essaya le premier en France, l'emploi des planches d'acier pour la gravure, à l'imitation des Anglais.

FONTAINE Jean Michel Denis La. Voir **LA FONTAINE**

FONTAINE Jehan
XVe siècle. Actif à Tournai. Éc. flamande.
Sculpteur.
Il est mentionné en 1482 et 1487.

FONTAINE Jenny Maria
Née le 9 mai 1862 à Arras (Pas-de-Calais). Morte en 1938. XIXe-XXe siècles. Française.
Peintre de scènes de genre, portraits, fleurs, pastelliste, dessinatrice.
Elle fut élève de Gustave Boulanger, Jules Lefebvre, Jean-Paul Laurens et Benjamin-Constant. Elle figura, à Paris, au Salon des Artistes Français, dont elle fut sociétaire. Elle obtint une mention honorable en 1892, une médaille de troisième classe en 1896 et une médaille de bronze à l'Exposition Universelle de 1900.
Jenny Fontaine réalisa quelques toiles de fleurs et de sujets anecdotiques, mais elle consacra son œuvre presque exclusivement au portrait ; les réalisant au pastel ou au fusain, jusqu'en 1890, et les brossant par la suite. Elle privilégia les modèles féminins, étant habile à dévoiler leur traits de caractère et leur conférant une part de mystère ; elle les réalisa le plus souvent dans des tons ocres et verts feutrés.
Bibliogr. : Gérald Schurr, in : *Les Petits Maîtres de la peinture*

1820-1920, valeur de demain, Les Éditions de l'Amateur, t. VII, Paris, 1989.
Musées : Arras : *Rêverie – Portrait de jeune fille – Pêcheuses de crevettes à Villerville.*

FONTAINE Johann Jakob. Voir **SWEBACH**

FONTAINE Jules Léon
Né le 12 avril 1817 à Calais (Pas-de-Calais). XIXe siècle. Français.
Peintre.
De 1865 à 1870, il exposa au Salon de Paris quelques dessins d'après les peintres de renom. Sociétaire des Artistes Français depuis 1888.

FONTAINE Léon
Né le 13 octobre 1853 à Paris. XIXe siècle. Français.
Peintre.
Élève de W. Bouguereau et T.-R. Fleury. Il débuta en 1888 au Salon des Artistes Français.

FONTAINE Lionel
XXe siècle. Français.
Dessinateur et caricaturiste.

FONTAINE Lorraine
XXe siècle. Canadienne.
Créatrice d'installations, d'environnements.
Elle montre ses œuvres dans des expositions personnelles, dont la première en France organisée par les Services culturels de l'Ambassade du Canada en France en 1997.
Le travail de Lorraine Fontaine repose sur les contacts entre le monde de la nature, les objets qu'on peut y trouver, comme des bouts de bois, et l'intervention de l'homme, leur mise en situation. Un échange subtile soumis à l'écoulement du temps.

FONTAINE Louis
Mort en 1664. XVIIe siècle. Français.
Sculpteur sur bois.
On lui attribue les sculptures des stalles de l'église Saint-Maclou à Pontoise.

FONTAINE Louis de
XVIIIe siècle. Français.
Peintre de portraits.
Peut-être est-il identique à un élève de l'Académie Royale qui reçut un prix en 1704. En 1737 il devint directeur de l'Académie Saint-Luc. J. J. Pasquier grava d'après lui le portrait du *Marquis de Cayla*, P. Fillieul ceux du *Roi Stanislas Leczinski*, du *Marquis d'Aubois*, G. F. Schmidt celui d'*Adrienne Lecouvreur*, N. Dupuis celui de *C. Rollin*.
Musées : Orléans : *Portrait d'une abbesse.*

FONTAINE Louis François
XVIIIe siècle. Actif à Paris en 1753. Français.
Peintre et sculpteur.

FONTAINE Marcel Georges
Né le 24 septembre 1889 à Paris. XXe siècle. Français.
Sculpteur.
Il fut élève de Marius Mercié, Jean Boucher, Ernest Dubois. Il exposait à Paris, au Salon des Artistes Français.

FONTAINE Marie, Mme
Née en 1816 à Paris. Morte en 1877 à Versailles. XIXe siècle. Française.
Peintre de portraits, natures mortes, pastelliste.
Elle eut pour maîtres L. Cogniet, et épousa Edme Adolphe Fontaine. De 1848 à 1866, elle figura au Salon avec quelques portraits et des natures mortes.

FONTAINE Marie Antoinette, Mme
XIXe siècle. Française.
Peintre.
Femme du peintre André Fontaine, elle exposa à Lyon, en 1839 et 1842-43, des portraits et des sujets de genre.

FONTAINE Marie Claire
Née à Versailles. XIXe siècle. Française.
Peintre de portraits, fleurs et fruits.
C'était la fille d'Edme Adolphe Fontaine. Elle exposa au Salon de 1875 à 1878, des fleurs et des portraits.

FONTAINE Mathurin
XVIe siècle. Français.
Sculpteur.
Il collabora à la décoration du château de Fontainebleau, de 1537 à 1540.

FONTAINE N.
XVIIIe siècle. Éc. flamande.
Peintre d'intérieurs d'églises.
Selon Nagler, il travaillait à Courtrai dans le style de P. Neefs.

FONTAINE Paul
Né le 13 avril 1833 à Paris. Mort en 1897. XIXe siècle. Français.
Peintre.
Élève de Couture, il envoya plusieurs œuvres au Salon, de 1865 à 1870. On cite de lui : *Un étang à Cernay* ; *Souvenir des Vaux de Cernay* ; *Ile de Capri, effet du soir* ; *Un jardin dans l'île de Capri* ; *Une plage.*

FONTAINE Pierre François Léonard
Né le 20 septembre 1762 à Pontoise. Mort le 13 octobre 1853 à Paris. XVIIIe-XIXe siècles. Français.
Peintre d'histoire, sujets mythologiques, architectures, peintre à la gouache, aquarelliste, dessinateur.
Cet artiste fut élève de Percier, et plus tard son collaborateur. Le 12 mars 1812, il fut nommé membre de l'Institut. L'année suivante, l'Empereur en fit son premier architecte. Il conserva cette charge sous Louis-Philippe. Fontaine était commandeur de la Légion d'honneur et membre honoraire de l'Académie de Munich. Il figura au Salon de 1791 à 1810, notamment avec des sujets d'architecture.
Musées : Orléans : *Portrait d'une abbsesse des Ursulines* – Pontoise : *Vue de l'Arc de Titus à Rome.*
Ventes Publiques : Paris, 1896 : *Vue de l'ancienne église Saint-Ambroise et de la fontaine de la rue Popincourt*, aquar. : **FRF 360** – Paris, 4 déc. 1931 : *Vue du château d'Eu, prise sur la façade des jardins en 1835*, aquar. : **FRF 2 200** – Paris, 3 juin 1935 : *Promeneurs dans les ruines d'un ancien palais romain*, aquar./trait de pl., attr. : **FRF 500** – Paris, 8 juin 1982 : *Vue d'un parc et d'un portique de palais* 1792, aquar. (27,5x19) : **FRF 7 800** – New York, 9 jan. 1991 : *La Piazza della Signoria à Florence* ; *Les bains de Caracalla à Rome* 1792, craie noire, aquar. et gche, une paire (chaque 63,5x94) : **USD 18 700** – Paris, 22 mars 1991 : *Vue de la nouvelle entrée du muséum du Vatican en 1790*, pl. et lav. (25,9x33,5) : **FRF 170 000** ; *Projet pour une table à thé*, pierre noire et aquar. (9,5x12,4) : **FRF 50 000** – Paris, 19 fév. 1992 : *Arrivée du Roi Louis-Philippe au chateau d'Eu du côté des jardins* 1835, aquar., encre et lav. (28,4x46) : **FRF 72 000** – Paris, 18 nov. 1994 : *Projet d'écoinçon*, pierre noire et lav. (26x33,3) : **FRF 5 000** – Paris, 20 nov. 1994 : *Projets pour un palais du roi de Rome à édifier sur la colline de Chaillot*, deux dess. aquarellés : **FRF 250 000.**

FONTAINE René
Mort le 31 août 1787 à Paris. XVIIIe siècle. Français.
Peintre.
Il était Directeur de l'Académie Saint-Luc à Paris.

FONTAINE Robin de
XIVe-XVe siècles. Actif à Paris. Français.
Enlumineur.

FONTAINE Thomas
Né le 5 octobre 1659 à Genève. Mort le 1er août 1703 à Genève. XVIIe siècle. Suisse.
Peintre sur émail et orfèvre.

FONTAINE Victor
Né le 9 juin 1837 à Cuesmes-lez-Mons. Mort le 12 avril 1884 à Ixelles-lez-Bruxelles. XIXe siècle. Belge.
Peintre de nus, portraits, natures mortes, fleurs et fruits, pastelliste.
Il était élève de l'Académie de Mons.

Musées : Mons.
Ventes Publiques : New York, 24 fév. 1987 : *Nature morte aux fleurs des champs* 1877, h/t (66,3x82,2) : **USD 3 750** – Sydney, 16 oct. 1989 : *Nu debout*, past. (59x47) : **AUD 1 100** – Sydney, 26 mars 1990 : *Nu debout*, past. (63x46) : **AUD 750.**

FONTAINE-LAUGÉE Jeanne
Née à Paris. XXe siècle. Française.
Peintre.
Elle exposa à Paris au Salon des Artistes Français.

FONTAINE-LESREL Jacques
Né à Octeville (Manche). XXe siècle. Français.

Peintre.
Élève de E. Renard et L. Roger. Expose au Salon des Artistes Français.

FONTAINES. Voir aussi au prénom

FONTAINES Michelet de
XVe siècle. Actif à Nevers. Français.
Sculpteur.
Il travailla à la chapelle du marché au blé de Nevers, en 1470 et y sculpta, sur les clefs de voûte, en 1471, les armoiries du duc de Brabant, celles du comte de Nevers et celles de la ville.

FONTAINES Pierre de
XVe siècle. Français.
Peintre et sculpteur.
Il participa aux décorations que fit Lyon, en l'honneur de l'entrée dans cette ville du roi Louis XII, en 1499.

FONTAINIÈRE. Voir **FONTANIÈRE Gaspard Moïse de**

FONTAINIEU Prosper François Irénée Barrigues de. Voir **BARRIGUES**

FONTALLARD Alexandre Henri
Né à Paris. XIXe siècle. Français.
Peintre de portraits, aquarelliste.
De 1831 à 1835, cet élève de Rouget exposa au Salon des miniatures. Il était probablement le frère de Camille Fontallard.
Musées : Nottingham : *Portraits du major de Sydenham et de sa femme.*

FONTALLARD Camille
Né vers 1810. XIXe siècle. Français.
Peintre d'histoire, sujets religieux, scènes de genre, paysages animés, paysages.
Il exposa au Salon de Paris, de 1831 à 1850. On cite de lui : *L'Offrande du pauvre à la Vierge – La Vivandière de la Grande Armée – Les moissonneurs – Plaine de Waterloo – Les petits pêcheurs – L'Enterrement du petit chien.*
Bibliogr. : Gérald Schurr, in : *Les Petits Maîtres de la peinture 1820-1920, valeur de demain*, Les Éditions de l'Amateur, t. IV, Paris, 1979.
Ventes Publiques : Paris, 31 mai 1919 : *Portrait du sculpteur Clésinger* : **FRF 150** – St. Asaph (Angleterre), 2 juin 1994 : *Les baigneuses* 1847, h/pan. (40,5x30,5) : **GBP 2 645.**

FONTALLARD Henri-Gérard ou **Gérard-Fontallard**
Né vers 1798 à Paris. XIXe siècle. Français.
Dessinateur et lithographe.
Fils de Jean François Gérard Fontallard, il fut surtout caricaturiste. Il collabora à *La Silhouette*, parue en 1830, à *Aujourd'hui*, vers 1840, à *La Revue des peintres*. Il créa *l'Histoire d'une épingle* (16 planches) et *Bluettes* ; il a également lithographié des frontispices de morceaux de musique, danses, représentant des sujets de la vie bourgeoise.

FONTALLARD Jean François Gérard
Né en 1777. Mort en 1858 à Paris. XIXe siècle. Actif à Mézières. Français.
Peintre et aquarelliste.
Cet artiste qui excella dans la miniature, fréquenta l'école du Génie, l'école des Beaux-Arts et les ateliers de Paris et d'Augustin. Au Salon de Paris, il figura de 1798 à 1858. Le Musée de Châteauroux possède, de Fontallard, un portrait de *Bourdillon.*
Ventes Publiques : Paris, 17 et 18 nov. 1920 : *Portrait d'enfant blond* : **FRF 1 100** – Paris, 20 juin 1924 : *Portrait de femme en robe blanche*, miniature : **FRF 290** – Paris, 27-29 mai 1929 : *Portrait du général Jourdan enfant* : **FRF 10 000.**

FONTAN Arnaud
XVIIe siècle. Français.
Sculpteur sur bois.
Il fut chargé de sculpter à Toulouse les boiseries et le lutrin du réfectoire du Couvent des Religieuses de Saint-Pantaléon, et le maître-autel de l'église, en 1619.

FONTAN Edmond J. Arnaud
Né à Bordeaux. XIXe siècle. Français.
Peintre.
Le Musée de Bordeaux conserve une aquarelle de lui : *Place du Vieux-Marché à Bordeaux.*

FONTAN Guillaume
XVIIe siècle. Français.
Sculpteur sur bois.
En 1642 il fut chargé de sculpter un retable pour la chapelle Sainte-Marie de l'église Saint-Sernin à Toulouse.

FONTAN Joseph Augustin
Né à Crémens. XIXe siècle. Français.
Peintre de genre et de portraits.
Débuta au Salon en 1880.

FONTAN Leo
Né le 23 septembre 1884 à Douchery (Ardennes). Mort le 26 juin 1965 à Annecy (Savoie). XXe siècle. Français.
Peintre de scènes de genre, portraits, paysages urbains, intérieurs, aquarelliste, pastelliste, décorateur.
Il fut élève de Luc-Olivier Merson, Léon Bonnat, Fernand Cormon. Installé à Paris, il exposa régulièrement au Salon des Artistes Français, dont il était sociétaire, et au Salon des Humoristes. Il obtint, le Prix des anciens élèves de Bonnat en 1936, une médaille d'argent en 1944. Il fut promu chevalier de la Légion d'Honneur. Il réalisa des panneaux décoratifs destinés aux paquebots.
Ventes Publiques : Paris, 15-16 juin 1923 : *La réussite*, aquar. reh. de gche : **FRF 140** ; *Le tango*, aquar. reh. de gche : **FRF 190** – Paris, 3 mars 1947 : *Entrée de jardin avec grille* : **FRF 100** – Milwaukee, 26 sep. 1982 : *Nu couché*, h/t (98x49,5) : **USD 600** – Paris, 10 juil. 1983 : *La salle à manger de l'Île-de-France*, h/t (53x80) : **FRF 12 500** – Paris 20 janv. 1984 : *Élégante au chapeau*, past. (39x36) : **FRF 6 800** – Paris, 24 oct. 1986 : *Jeune fille dans la neige*, gche, de forme ovale (H. 53) : **FRF 9 000** – Paris, 16 déc. 1987 : *Le marché aux fleurs de la Madeleine*, h/t (22x27) : **FRF 4 000** – Paris, 12 juin 1988 : *Le grand salon de l'« Île de France »*, h/t (52x80) : **FRF 27 000** – Paris, 24 juin 1991 : *Boccace decameron*, encre de Chine et aquar./pap. beige (40x49) : **FRF 7 800** – Paris, 16 oct. 1992 : *Venise*, h/t (60x72,5) : **FRF 13 000.**

FONTAN Marie-Louise
Née le 1er septembre 1863 à Paris. XIXe siècle. Française.
Peintre.
Elle exposa à Paris au Salon des Artistes Français.

FONTAN Victor
XIXe siècle. Français.
Sculpteur.
Musées : Lyon : *Ant. Coysevox – Sauzet – J. B. Say.*

FONTANA Alberto
Né vers 1537 à Modène. Mort en 1558. XVIe siècle. Italien.
Peintre.
Camarade de Niccolo dell' Abbate et élève d'Antonio Begarelli, il exécuta en collaboration avec le premier, des peintures dans sa ville natale qui sont pour la plupart exécutées dans le style de leur maître. Les styles des deux artistes sont à peu près similaires, mais si Fontana ressemble à Niccolo dans l'expression des têtes, il lui est inférieur dans le dessin, et son coloris a quelque chose de lourd et de froid. La galerie Estense de Modène possède de lui quatre fresques représentant *La Vigilance, La Prudence, L'Espérance* et *La Fidélité.*

FONTANA Andrea di
XVIe siècle. Actif à Gênes. Italien.
Peintre.
Pour l'église du village de S. Giulia à Lavagna, il exécuta un retable.

FONTANA Annibale
Mort en 1587 à Milan. XVIe siècle. Italien.
Sculpteur, fondeur et médailleur.
Mentionné comme bourgeois de Palerme en 1570, son activité de sculpteur débute à son retour à Milan où il exécuta l'ensemble des sculptures décoratives, guirlandes de bronze, bas-reliefs à la façade de l'église S. Maria presso S. Celso, et dans l'intérieur de l'église une statue de marbre de *l'Assomption*, un bas-relief, *la Mort de Marie*, et une statue de *Saint Jean Baptiste.*

FONTANA Antonio
XVIIIe siècle. Actif à Venise vers 1710. Italien.
Peintre.
Il peignit, au Monastère de Saint François de Paule, des fresques représentant des scènes de la vie de ce saint.

FONTANA Baldassare
Né vers 1658 à Chiasso (Tessin). Mort en 1738. XVIIe-XVIIIe siècles. Italien.
Sculpteur.
L'église de Chiasso possède de lui quatre têtes en stuc. En 1679, il fut chargé de la décoration de la Résidence de l'évêque de

Kremsier (Moravie). En 1695, il participa à Cracovie aux décorations de l'église Sainte-Anne et exécuta celles de l'église Saint-André, de l'église des Dominicains et une sculpture de *l'Archange Saint-Michel* à l'église Saint-Marc. En Moravie, en 1702, il fut chargé de la décoration de châteaux, d'églises et monastères. A Olmütz il exécuta des statues et des autels pour l'église du Prieuré au Calvaire.

FONTANA Battista. Voir **FARINATI Giambattista**

FONTANA Bill
Né en 1947 à Cleveland. XXe siècle. Américain.
Créateur d'installations.
Il installe des hauts-parleurs dans divers lieux pour que le spectateur puisse « entendre du plus loin qu'on voit ». Ainsi, à l'Arc de Triomphe de Paris, pouvait-on, en regardant vers la Bourse, l'Arche de la Défense ou les Jardins de Bagatelle, capter les bruits qui s'y produisaient.
Bibliogr. : Patrick Amine : *Bill Fontana*, Art Press, n° 194, Paris, sept. 1994.

FONTANA Camillo
XVIe siècle. Actif à Urbino. Italien.
Peintre.

FONTANA Carlo
Né le 20 octobre 1865 à Carrare. XIXe siècle. Italien.
Sculpteur.
Sa sculpture, *Le Deshérité*, lui valut un prix de sa ville natale qui lui permit de se rendre à Rome où il reçut de nouveau un prix pour son bas-relief, *Le philosophe Campanella torturé en prison*. On cite de lui le *Monument du sculpteur Pietro Tacca*, celui de *Shelley* à S. Terenzo, celui de *Garibaldi*, et dans l'église S. Croce à Florence celui d'*Ugo Foscolo*. Il fut aussi dessinateur et aquafortiste.
Musées : Paris (Mus. d'Art Mod. de la Ville) : *Porteur d'eau*, bronze – Rome (Gal. Nat. d'Art Mod.) : *Rêveur éternel – Farinata*.

FONTANA Cesare
Mort après 1660, selon Zani. XVIIe siècle. Actif en 1620. Italien.
Graveur.
Il grava plusieurs planches représentant des processions funèbres et des cavalcades.

FONTANA Corsin
Né le 19 avril 1944 à Domat-Ems. XXe siècle. Suisse.
Sculpteur, auteur d'environnements.
Il réalise des petites structures à manipuler, dont le caractère ludique est manifeste.

FONTANA Domenico Maria
Né vers 1607 à Parme. XVIIe siècle. Italien.
Graveur.
Il apprit son art à Bologne et grava plusieurs planches tant d'après ses propres dessins que d'après les maîtres. On lui attribue : *La fuite en Égypte, avec un paysage montagneux* ; *Les Sabines rétablissant la paix entre les Romains et les Sabins* ; *Saint Jean prêchant dans le désert* ; *Le Christ montant au Calvaire* (1584). Il semble avoir existé à Parme deux artistes du même nom. Le second vivait en 1644 et a laissé une seule planche : *Moïse et les tables de la loi*, d'après Parmigiano.

FONTANA Ernesto
Né en 1837 à Milan. Mort en 1918 à Cureglia. XIXe-XXe siècles. Italien.
Peintre de scènes de genre, figures, portraits.
Ventes Publiques : Lucerne, 3 juin 1981 : *Le présent* 1873, h/t (43x32,5) : **CHF 6 500** – Londres, 27 mars 1987 : *Jeune femme à sa toilette*, h/t mar./pan. (26,5x17) : **GBP 2 400** – Londres, 29 avr. 1988 : *Portrait d'une jolie femme*, h/t (47x36) : **GBP 3 850** – Monaco, 21 avr. 1990 : *Portrait d'une Italienne* 1887, h/t (59x46,5) : **FRF 61 050** – Milan, 12 mars 1991 : *Le signal amoureux* 1904, h/t (90x61,5) : **ITL 20 000 000**.

FONTANA Ernesto
Né à Lugano. XXe siècle. Italien.
Peintre de paysages animés.
En 1900, il prit part au concours pour Rome, avec *Au lever du soleil*.

FONTANA Ferdinando
Né en 1798 à Carrare. Mort le 22 avril 1847 à Carrare. XIXe siècle. Italien.
Sculpteur.
Élève de son frère Pietro Fontana et de Desmarais il obtint en 1810 le Prix de Rome de l'Académie de Carrare et, l'année suivante à Florence, un prix pour son bas-relief *Achille, Patrocle et Briséis*, conservé à l'Académie de Florence. On cite également de sa main une statue : *La Foi*.

FONTANA Flaminio
XVIe siècle. Actif à Urbin vers 1556. Italien.
Miniaturiste et peintre sur porcelaine.

FONTANA Francesco
XVIe-XVIIe siècles. Italien.
Peintre.
Il participa, avec son frère Baldassare Fontana, aux décorations de l'église Sainte-Anne à Cracovie.

FONTANA Francesco, dit **l'Ancien**
Mort vers 1750 à Mantoue. XVIIIe siècle. Italien.
Peintre de paysages, marines.
Il était actif à Vérone. Il peignit des paysages décoratifs, « Capriccios », des ports de mer, pour des palais privés.

FONTANA Francesco
XIXe siècle. Italien.
Graveur de reproductions.
Il était actif à Rome vers 1824. On mentionne de lui une gravure d'après Raphaël : *La Vierge à la Chaise*, et un portrait de *Grégoire XVI*.

FONTANA Francesco
Né en 1843. Mort en 1876 à Milan. XIXe siècle. Italien.
Peintre, aquarelliste, sculpteur.
Ses aquarelles représentent souvent des scènes tirées de la Bible.

FONTANA Gherardo
Italien.
Graveur au burin.
Actif à Rome, cité par Nagler.

FONTANA Giambattista ou **Giovanni Battista**
Né en 1525 à Ala (Tyrol). Mort en 1587. XVIe siècle. Autrichien.
Peintre de compositions religieuses, graveur.
Après avoir été l'élève de Giovanni Carotto, il devint peintre de la cour de l'archiduc Ferdinand à Vienne. Il travailla aussi à Rome et à Venise.
Ses planches les plus importantes sont : *Le Christ portant la Croix, Le Crucifiement, Saint Martin, Le prophète Ézéchiel* (1579), *Le Martyre de saint Pierre*, d'après le Titien, *Sainte Agathe en prison*, d'après Véronèse.
Ses compositions sont d'un style riche et majestueux et il mania le burin avec une très grande habileté.

Ventes Publiques : Londres, 26 juin 1985 : *La Vision d'Ézechiel*, cuivre (38,1x42,5) : **GBP 3 000**.

FONTANA Giovanni
Né en 1795 à Gênes. Mort le 16 décembre 1845 à Gênes. XIXe siècle. Italien.
Peintre.
Élève de Carlo Baratta à l'Académie de Gênes, puis professeur à cette Académie. Il peignit une *Caritas Romana* et un *Patriarche Joseph* pour le roi Charles Albert, le rideau du théâtre Carlo Félice représentant la *Fête des Panathénées*, une fresque allégorique à l'église San Martino à Sampierdarena et un médaillon avec le *miracle de Saint Martin*, à Lavagna deux tableaux d'autel : *Le martyre et la découverte de saint Sébastien*.

FONTANA Giovanni Domenico
Originaire de Lucques. XVIIe siècle. Italien.
Peintre et graveur.
On connaît de lui une gravure représentant un combat contre les Turcs.

FONTANA Giovanni Giuseppe
Né en 1821 à Carrare. Mort en 1893 à Londres. XIXe siècle. Actif à Londres. Italien.
Sculpteur et aquarelliste.
Exposa à Londres, de 1852 à 1886, notamment à la Royal Academy, à Suffolk Street et à la New Water-Colours Society.
Musées : Liverpool : *Portrait de Charles Dickens – Statue de Héros – La Somnambule*, plâtre – *Captive de l'amour*, groupe – *Vase antique – Cupidon captivé par Vénus*, groupe – *Jephté et sa*

fille – *S. R. Graves* – *Juliette* – SYDNEY : *La Somnambule* – *Patrocle et Achille*.

FONTANA Giovanni Pietro

XVIe siècle. Actif à Venise. Italien.

Graveur sur bois.

Les gravures sur bois d'un *Officio della gloriosa Virgine*, publié en 1536, sont de la main de cet artiste.

FONTANA Girolamo

Originaire de Vérone. XVIe siècle. Italien.

Peintre.

Il travailla à Trente de 1545 à 1551, on mentionne entre autres ses peintures à l'Arc de Triomphe, à l'occasion du voyage du roi de Bohême, Maximilien, et de sa femme Maria.

FONTANA Girolamo

XVIIIe siècle. Actif à Vérone. Italien.

Peintre.

Il était le fils de Francesco Fontana il Vecchio (l'Ancien).

FONTANA Giulio

Né au XVIe siècle à Vérone. XVIe siècle. Italien.

Graveur.

On connaît une planche de cet artiste, datée de 1569 et représentant *Le combat des Vénitiens contre les troupes impériales à Cadore* (d'après le Titien), et une *Mort de saint Pierre* (également d'après le Titien).

FONTANA Giuseppe

Né en 1832. Mort en 1881. XIXe siècle. Actif à Pise. Italien.

Sculpteur sur bois.

Le Musée civique conserve de lui un modèle de bois sculpté pour la reconstruction de la chaire de la cathédrale, de Giovani Pisano. Il renouvela quelques parties des stalles du chœur, de Girolamo Tacchi, également à la cathédrale.

FONTANA Guido

Mort le 9 juillet 1605. XVIe siècle. Actif à Urbino. Italien.

Peintre.

Il était fils de Camillo Fontana.

FONTANA Lavinia, plus tard épouse **Zappi**

Née en 1552 à Bologne. Morte en 1614 à Rome. XVIe-XVIIe siècles. Italienne.

Peintre d'histoire, compositions religieuses, portraits.

Fille de Prospero Fontana qui fut son maître, elle peignit des tableaux historiques très estimés, mais se fit surtout remarquer par les portraits qu'elle exécuta à Rome. Elle épousa Paolo Zappi qui peignit les draperies de ses ouvrages, parmi lesquels figure le *Portrait de Grégoire XIII*, qui fut son protecteur.

Lav Fon finx.

MUSÉES : BERLIN : *Vénus et l'Amour* – BESANÇON : *Portrait du peintre* – BOLOGNE (Pina.) : *Louise de France devant saint François de Paule* – *La Nativité de la Vierge* – BORDEAUX : *Portrait du sénateur Orsini* – CHERBOURG : *L'adoration des mages* – DRESDE : *Sainte Famille avec sainte Élisabeth et saint Jean enfant* – DUBLIN : *La visite de la reine de Saba au roi Salomon* – *Portrait d'un guerrier italien* – FLORENCE (Mus. des Offices) : *Portrait de l'auteur* – deux œuvres – *Le Frère Panigarola* – *Apparition de Jésus à Madeleine* – FLORENCE (Palazzio Pitti) : *Portrait de femme* – MADRID (Escurial) : *La Sainte Famille et saint Jean* – MILAN (Ambrosiana) : *Portrait de femme* – MILAN (Bréra) : *Portrait de famille* – MODÈNE : *Portrait d'un moine franciscain* – NAPLES : *Jésus et la Samaritaine* – PARME : *Portrait d'homme* – ROME (Gal. Borghèse) : *Le Christ dormant*, cuivre – *Tête de jeune homme* – ROME (Acad. Saint-Luc) : *Portrait du peintre par elle-même* – SAINT-PÉTERSBOURG (Mus. de l'Ermitage) : *Vénus et Cupidon* – *Le Mariage de sainte Catherine*.

VENTES PUBLIQUES : LONDRES, 4 mai 1925 : *Sainte Famille* : **GBP 28** – LONDRES, 15 juil. 1927 : *Femme en robe de velours* : **GBP 210** – LONDRES, 26 mars 1928 : *Vénitiens et Vénitiennes* : **GBP 16** – NEW YORK, 22 jan. 1931 : *Portrait d'une femme de la famille Isolani* : **USD 1 000** – NEW YORK, 14-16 jan. 1943 : *Portrait d'une femme* : **USD 410** – VIENNE, 1er-4 déc. 1964 : *La Sainte Famille* : **ATS 80 000** – LONDRES, 16 juil 1980 : *La Sainte Famille entourée de saints personnages*, h/t (156x118) : **GBP 5 000** – MILAN, 26 nov. 1985 : *Descente de Croix*, h/t (120x89) : **ITL 14 000 000** – PARIS, 31 mai 1988 : *Portrait d'une patricienne*, h/cuivre (15,4x11) : **FRF 150 000** – ROME, 13 déc. 1988 : *Portrait de la petite Antonia Ghino*, h/t (87,5x72) : **ITL 10 000 000** – NEW YORK, 11 jan. 1989 : *La Madonne avec l'enfant Jésus endormi, saint Joseph et sainte Anne*, h/t (143,7x118,2) : **USD 12 100** – MONACO, 16 juin 1989 : *Nativité*, h/t (38x32) : **FRF 166 500** – LONDRES, 12 déc. 1990 : *Portrait du pape Grégoire XIII*, h/t (116,5x97,5) : **GBP 22 000** – NEW YORK, 9 oct. 1991 : *La Sainte Famille avec saint Jean enfant et sainte Catherine*, h/pan. (85,1x66) : **USD 99 000** – ROME, 28 avr. 1992 : *Saint Jérôme*, h/t (36,5x30) : **ITL 35 000 000** – MILAN, 13 mai 1993 : *Le Mariage mystique de sainte Catherine*, h/cuivre (47x35) : **ITL 22 000 000** – MILAN, 19 oct. 1993 : *L'Adoration des mages*, h/pan. (73,5x61) : **ITL 31 050 000** – MILAN, 4 avr. 1995 : *La Sainte Famille avec saint Jean et sainte Anne*, h/cuivre (43x34) : **ITL 39 100 000** – NEW YORK, 12 jan. 1996 : *Portrait d'une dame en robe verte avec un collet de dentelle blanche portant un collier de perles et un médaillon de pierres précieuses*, h/pan. (57,2x44,5) : **USD 13 800** – LONDRES, 11-13 déc. 1996 : *Judith et Holopherne*, h/t (175,6x133,4) : **GBP 65 300** ; *Portrait d'un garçonnet en costume rouge brodé*, h/t (114,3x95,2) : **GBP 14 950**.

FONTANA Lorenzo

XVIIIe siècle. Actif à Naples vers 1700. Italien.

Sculpteur.

Il exécuta la décoration de marbre d'un autel à S. Caterina à Formello.

FONTANA Lucio

Né le 19 février 1899 à Rosario di Santa-Fé, de parents italiens. Mort le 7 septembre 1968 à Comabbio (Varèse). XXe siècle. Actif aussi et naturalisé en Italie. Argentin.

Peintre à la gouache, aquarelliste, peintre de techniques mixtes, sculpteur, céramiste, dessinateur. Abstrait. Groupe Spatialiste.

Il vint en Italie, avec ses parents, père italien, Luigi Fontana statuaire funéraire, mère argentine, à l'âge de six ans. Il semble qu'il regagna plus tard l'Argentine, pour ne revenir en Italie que comme soldat pendant la Première Guerre mondiale. La guerre terminée, il repartit pour l'Argentine de 1922 à 1927, travaillant un moment dans l'entreprise de son père, se consacra ensuite entièrement à la sculpture, puis revint en Italie en 1927. En 1926, il avait exposé pour la première fois, un plâtre au Salon *Nexus*. À Milan, Lucio s'inscrivit comme élève en sculpture d'Adolfo Wildt à l'Académie de la Bréra, en 1927, dont il fut diplômé en 1930. Dès 1930-31, il montra une première exposition de ses œuvres à la Galleria del Milione de Milan. En 1934, avec d'autres artistes, il fonda le groupe des *Abstraits italiens*, et en 1934-35, il adhéra au groupe *Abstraction-Création* de Paris. En 1936, à Paris encore, il rencontra, entre autres, Brancusi et Miro. En 1937, des sculptures de lui figuraient au Pavillon de l'Italie fasciste à l'Exposition Universelle de Paris. Il retourna en Argentine pendant la Seconde Guerre, de 1939 à 1946, prenant part à de nombreuses expositions. Il y fonda l'Académie d'Altamira. Avec un groupe de ses élèves, il publia, en 1946 à Buenos Aires, le *Manifeste blanc*. Revenu à Milan en 1947, il précisa le contenu du *Manifeste blanc* dans le nouveau manifeste *Spaziali* ou *Manifeste du Spatialisme*. Il y affirme la nocivité de tous les systèmes, et réclame le maximum de liberté dans les démarches de l'expression et de la création. Il faut redonner toute sa valeur à l'irrationnel, donner une forme plastique à l'arbitraire, à l'ineffable, abolir les limites entre nature et art, peinture et sculpture, intégrer « couleur, son, mouvement, espace, dans une unité à la fois idéale et matérielle ». À Milan, il put développer ses idées, notamment dans le contexte très actif autour de la galerie du *Naviglio*.

En dépit de l'appartenance au groupe spatialiste d'artistes hétéroclytes, parmi lesquels des peintres usant d'une technique bien traditionnelle, Morandi, Peverelli et autres, Fontana en radicalisait les principes fondateurs : « Les spatialistes vont au-delà de cette idée (le dynamisme futuriste), ni peinture, ni sculpture : les formes, les couleurs et les sons à travers les espaces. Le carton peint, la pierre dressée n'ont plus de sens. » L'espace se définit par la trajectoire du geste, tout ce qui est autour n'est rien, c'est le vide. Encore fallait-il trouver les moyens de matérialiser la trace du geste. En 1951, après deux autres manifestes « spatiaux », il publia de nouveau un *Manifeste technique*, à l'occasion de la Triennale de Milan. Dans ses divers manifestes, il prônait « un art basé sur l'unité du temps et de l'espace ».

D'entre d'innombrables participations à des expositions collectives : Biennale de Venise dès 1930, puis 1948, 1950, 1954, 1958 avec une salle entière, 1964, 1966 qui fut l'année de la *Salle blanche* pour laquelle lui fut décerné le Grand Prix ; Quadriennale de Rome 1935, 1939, 1947, 1955 ; Festival d'Osaka 1958 ;

Biennale de São Paulo 1959 ; *Arte Nuova* à Turin 1959 ; Ducumenta II de Kassel 1959 ; Salon des Réalités Nouvelles de Paris 1963 ; etc. En outre, il a pu montrer à travers le monde plus de cent-vingt expositions individuelles de ses œuvres, depuis celle de 1930. Ses expositions personnelles ont notamment eu lieu : à Milan de 1930 à sa mort ; ainsi qu'à Rome en 1955, 1957 ; à Turin 1957 ; Venise 1957 ; Zurich 1959 ; et encore : Paris Galerie Jeanne Bucher 1937 ; Galerie Zack 1938, 1959, 1961, 1963 ; Londres 1960 ; New York 1961... En 1967, des expositions rétrospectives lui furent consacrées par le Museum of Modern Art de New York, le Stedelijk Museum d'Amsterdam, la Fondation Louisiana de Copenhague, le Moderne Museet de Stockholm, puis, en 1970, les Musées Municipaux d'Art Moderne de Turin et Paris, en 1996 au Museum Moderner Kunst de Vienne.

De 1931 à 1934, ses œuvres étaient des sculptures, d'abord encore traditionnellement figuratives, modelées en plâtre et en terre, dans l'esprit de Maillol, Archipenko étant aussi cité, puis influencées par le dynamisme futuriste, enfin ou plutôt simultanément, en 1933-1934, des sculptures abstraites, résolvant avec élégance l'occupation de l'espace par des plaques tendues entre des fers courbés ou bien elles étaient, ce qu'on peut considérer comme ses premières peintures, des plaques de ciment noir griffées de graffitis. Avec son adhésion en 1934-1935 à *Abstraction-Création*, il prenait position dans l'avant-garde abstraite, non sans équivoque, puisque, travaillant le grès à la même époque et, en 1935 à Albisola, expérimentant la technique de la céramique, il revint à une figuration expressionniste, qu'il pratiquera d'ailleurs jusqu'en 1949 parallèlement à ses expérimentations abstraites. Dans l'option figurative, à Paris en 1936, il exécuta une série de céramiques à grand feu pour la Manufacture de Sèvres. Lors de son retour en Argentine en 1939, en peinture aussi il pratiqua une figuration expressionniste, participa à des projets architecturaux et obtint des distinctions officielles. Enfin, À la suite du *Manifeste blanc* de 1946 et du *Manifeste Spatialiste* de 1947, comme première réalisation de l'esprit de synthèse qu'il y préconisait, à la galerie del Naviglio de Milan, le 5 février 1949, il présenta une exposition *Perspective de l'espace, avec forme spatiale et illumination noire*, dite aussi « Ambiance noire », éclairée à la lumière noire, qui présageait avec une avance singulière les futures recherches de sculptures habitables et autres expérimentations d'« environnements ». Après 1949, il n'y eut plus de traces figuratives dans son œuvre. Dans la multiplicité diverse de ses gestes fondateurs, après avoir réalisé d'autres « Ambiances », dès 1951, donc environ dix ans avant l'utilisation du néon par les artistes du groupe de l'*Art Visuel* ou du luminocinétisme en général, avant qu'à leur tour certains minimalistes américains l'exploitent, à l'occasion de la Triennale de Milan Fontana conçut pour le plafond du grand escalier deux cents mètres d'arabesques en tubes de néon. De 1953 datent des peintures avec incrustations de pierres ou de fragments de verre, autre moyen d'échapper à la planéité de la toile, tout en y recourant à ce qui peut être considéré comme annonçant les futures lacérations. Jusqu'en 1964, il continua de créer des assemblages de tubes fluorescents, selon des structures géométriques simples.

Pourtant, dès 1949, il avait commencé de pratiquer quelques perforations. À partir de ce moment, toute sa recherche fut axée sur les notions d'espace et d'énergie, le devant par rapport au verso, l'extérieur par rapport au dedans, mais aussi sur les liens entretenus entre la perception de l'espace et celle du temps, liens qui seront matérialisés dans les traces des actes d'agressivité qui auront provoqué les trous, fentes, perforations, qui vont constituer la constante de tout son œuvre de la maturité, dont les réalisations auront pour unique titre : *Concept spatial*. Il étendit la matérialisation du concept spatial à la sculpture, avec des sortes de sphères grossières, de boules rustiques (désignées du mot de Nature), en céramique, en bronze, dans lesquelles il pratiquait une entaille. Peinture ou sculpture était ainsi, par un moyen simple, connectée avec l'espace environnant, tout en gardant la trace du temps du mouvement de l'agression. C'est de 1952 à sa mort qu'il réalisa l'ensemble de ses investigations concernant les concepts spatiaux : la période des trous (Buchi) et des incrustations (Pietre), de 1949 à 1958, qui, multipliés en constellation à la surface de la toile, évoquaient un ciel étoilé, les premières fentes (Attese et Inchiostri) dans la toile, à partir de 1959, qui deviendront les *Lacérations*, sur fonds unis ou travaillés, parfois sur support de métal, avant les fonds unis, ensuite les *Œufs célestes* de 1963, toiles ovales perforées, parfois traitées en sculptures, puis les *Théâtres* de 1963-1966, constitués de deux plans parallèles accolés par un côté. L'acte ou l'action, spécialité de Fontana, sans négliger la diversité de ses productions antérieures ou parallèles, est caractérisé par deux gestes extrêmes, gestes d'agression, donc de néantisation de ce qui n'est pas le geste lui-même : le trou et la fente, le percement et la lacération. Après avoir porté ces gestes sur des supports qui lui étaient relativement indifférents, lorsqu'il eut rencontré Yves Klein, lors de son exposition de Milan en 1957, et ayant été son premier acheteur, il accorda une importance croissante à la couleur, porteuse du rôle de figurer la résonance à l'agression, jusqu'à, assez étrangement, lui conférer une valeur synesthésique, l'identifiant à l'eau, au ciel, au sable, à la terre, prolongement du sens bien plus proche du poétique que de la spéculation métaphysique sur la relation entre l'espace et le temps. Dans cet ordre de remarques, certains auteurs relèvent des traces de baroquisme dans diverses périodes des activités de Fontana. Sans remonter à ses périodes figuratives expressionnistes, à ses hésitations initiales sur la voie de l'abstraction, aux environnements de néons, on peut rattacher à ce baroquisme les incrustations de pierres et verreries dans les peintures des années cinquante, le doublement par derrière des peintures fendues ou perforées par un tissu noir afin de mettre esthétiquement en valeur le trou dans l'espace de la toile, enfin, dans ses ultimes années, avec les *Concepts spatiaux/Petits théâtres*, les silhouettes figuratives soigneusement découpées et laquées posées en premier plan devant une toile perforée en deuxième plan.

La totalité de l'œuvre de Fontana ressortissant au spatialisme peut sembler s'être développée selon la double logique de l'exigence spirituelle et de la provocation. Louangé par les uns, Alain Jouffroy : « Les Musées, les historiens auront beau faire, ils n'auront pas la peau de cet homme-là. Son étoile écorchée leur survivra », accueilli avec réserve par de bons esprits, Michel Seuphor : « De même, ne dirai-je pas de Lucio Fontana que c'est un peintre indigent », Jean-Clarence Lambert : « C'est un art hautement raffiné, un art de société galante », Pierre Restany : « De nombreuses démarches contemporaines, artificiellement demeurées à la superficie du problème, recherchent une motivation négative du geste. » Se commentant lui-même, Fontana ne minimise pas son rôle : « En tant que peintre, travaillant sur une de mes toiles préparées, je ne veux pas faire un tableau, je veux ouvrir l'espace, créer pour l'art une nouvelle dimension, le rattacher au cosmos tel qu'il s'étend, infini, au-delà de la surface plate de l'image. » L'acte archétypal de Lucio Fontana restera, avec ceux de Malévitch ou Marcel Duchamp ou Yves Klein, comme un exemple de l'ambiguïté des démarches artistiques négatrices, dans lesquelles l'évidente volonté de négation de la possibilité de l'art est contredite par le recours final à l'interprétation esthétique de l'objet (l'œuvre ou l'acte), dont la fonction-même semblait être de la nier. C'est en termes esthético-psychologiques qu'on commente finalement le *Porte-bouteilles* de Marcel Duchamp, le *Carré blanc sur fond blanc* de Malévitch, la peinture *Monochrome* d'Yves Klein, les *Compressions* de César, quand leur geste fondateur niait son propre effet en tant que possibilité d'œuvre d'art, en tout cas en tant que fait esthétique ou psychologique. Pour la perception commune, Lucio Fontana a été l'artiste qui fendait d'un coup de rasoir une toile recouverte d'une couleur monochrome. Indépendamment de toutes les variantes possibles autour de la mythologie de la fente et du trou, le cas n'est quand même pas si simple, d'autant qu'il n'a pas fait que cela. Qu'on interprète l'œuvre de Fontana comme un acte négatif de provocation ou qu'on glose sur ses implications métaphysiques, de contestation de l'activité de représentation, de la notion d'œuvre, de la possibilité de création, de la nécessité de l'acte artistique, de la nécessité de l'être, il apparaît de plus en plus clairement que cette œuvre austère, et peut-être désespérée, menée en tout cas avec rigueur et persévérance, est à l'image de son temps, une interrogation sur la réalité de l'espace et du temps.

■ Jacques Busse

L. Fontana

Bibliogr. : Giampiero Giani : *Le Spatialisme*, 1956 – Michel Tapié : *Fontana*, Turin, 1967 – Catalogue de l'exposition rétrospective *Lucio Fontana*, Mus. d'Art Mod. de la Ville de Paris, 1970 – E. Crispolti, J. Van Der Marck : *Lucio Fontana, Catalogue raisonné des peintures, sculptures et environnements spatiaux*, Bruxelles, 1974 – Catalogue de l'exposition *Lucio Fontana, rétrospective*, Solomon R. Guggenheim Mus., New York, 1977 – Catalogue de l'exposition *Lucio Fontana, l'espace comme exploration*, Palais Vélasquez, Madrid, 1982 - divers : *Lucio Fontana, la cultura dell'ochio*, Castello di Rivoli, 1986, appareil documentaire important - K. Hegewisch : *Lucio Fontana : 60 œuvres des années 1938 à 1966*, Gal. Neuendorf, Francfort/Main, 1987 - divers : Catalogue de l'exposition *Lucio Fontana*, Centre Pompidou, Paris, 1987.

Musées : Amsterdam (Stedelijk Mus.) - Berlin (Nat.Gal.) : *Concept spatial/Nature* 1959 - Buenos Aires (Mus. de Arte Mod.) - Buenos Aires (Mus. Municip.) - Cologne (Mus. Ludwig) : *Concept spatial : Lacération* 1961 - Londres (Tate Gal.) - Milan (Mus. Municip. d'Arte Contemp.) : *Le pêcheur* 1931 - Milan (Fond. Fontana) : un ensemble d'œuvres - *Concept spatial/Petit théâtre* 1965 - New York (Mus. of Mod. Art) - Paris (Mus. Nat. d'Art Mod.) : *Sculpture abstraite* 1934 - important ensemble de peintures, sculptures, dessins, donation Teresita Fontana - Rome (Gal. d'Arte Mod.).

Ventes Publiques : Milan, 26 mars 1962 : *Composition spatiale* : **ITL 1 000 000** - Londres, 1er déc. 1965 : *Concept spatial de l'an 2000* : **GBP 550** - Londres, 16 oct. 1969 : *Concept spatial* 1958, cuivre : **GBP 933** - Milan, 4 déc. 1969 : *Concept spatial* : **ITL 2 600 000** - New York, 18 nov. 1970 : *Concept spatial* : **USD 15 500** - Rome, 28 nov. 1972 : *Concept spatial, la fin de Dieu*, trous sur t. verte : **ITL 15 500 000** - Londres, 3 avr. 1974 : *Concept spatial, la fin de Dieu* : **GBP 28 000** - Paris, 29 oct. 1974 : *Le couple*, céramique peinte, paire d'œufs : **FRF 18 000** - Rome, 18 mai 1976 : *Concetto spaziale*, temp. et cr. (66x45) : **ITL 2 400 000** - Londres, 1er juil. 1976 : *Concetto spaziale, Fentes* 1966, h/t entaillée (101x82) : **GBP 9 500** - Rome, 9 déc. 1976 : *Concetto spaziale* 1955, terre cuite peinte en noir (75x48) : **ITL 3 400 000** - Milan, 25 oct. 1977 : *Concetto spaziale* vers 1963, céramique (32x42) : **ITL 1 400 000** - Zurich, 26 nov. 1977 : *Concetto Spaziale* 1963, aquar. (32,5x22,5) : **CHF 4 700** - Milan, 13 déc. 1977 : *Concetto spaziale* 1958, cratère/t. verte (55x46) : **ITL 5 000 000** - Milan, 18 avr. 1978 : *Concetto spaziale* 1958, trous, collage et aniline/t. (97x130) : **ITL 15 000 000** - Milan, 14 avr. 1981 : *Concetto spaziale*, cr. et trous/pap. (31x46) : **ITL 1 500 000** - Milan, 15 mars 1983 : *Concetto spaziale, Fente* 1966, h/t (147x115) : **ITL 22 000 000** - Milan, 4 avr. 1984 : *Concetto spaziale*, temp./pap. toilé (67x45) : **ITL 2 000 000** - Londres, 4 déc. 1984 : *Concetto spaziale, Natura* 1967, cuivre poli (H. 28) : **GBP 2 500** - Milan, 18 déc. 1984 : *Concetto spaziale* 1954, fus. et cr. (24x34,2) : **ITL 1 900 000** - Milan, 16 oct. 1986 : *Concept spatial* 1960, trous et cr./t. vierge (65x84) : **ITL 28 000 000** - Londres, 2 juil. 1987 : *Concetto spaziale, Venezia Baroca* 1961, h/t (150x150) : **GBP 140 000** - Paris, 24 nov. 1987 : *Concept spatial*, peint. à l'eau/t. (72x79) : **FRF 330 000** - Paris, 4 déc. 1987 : *Concept spatial Natura* 1967, sculpt. laiton poli, n° 422/500 (H. 25, diam. 22) : **FRF 36 000** - Milan, 14 déc. 1987 : *Concetto spaziale* 1954, past. et trous/t. grise et marron (82x65) : **ITL 125 000 000** - Londres, 25 fév. 1988 : *Concept spatial* 1961, broche en or (5,8x3,5) : **GBP 6 050** ; *Concept spatial* 1966, peint. à l'eau/t. et bois (75x94) : **GBP 33 000** - Paris, 21 mars 1988 : *Concept spatial* 1966-67, h/t (55x46) : **FRF 320 000** - Paris, 23 mars 1988 : *Concept spatial* 1955, terre cuite peinte (38x29) : **FRF 125 000** - Milan, 24 mars 1988 : *Concept spatial* 1956, h. et techn. mixte/t., morceaux de verres jaune, blanc, rose/fond rouge (80x64,5) : **ITL 205 000 000** ; *Concept spatial* 1963, h., déchirures et graffitis/t. blanche (81x65) : **ITL 77 000 000** - New York, 2 mai 1988 : *Concept spatial*, détrempe/t. (93x138) : **USD 132 000** - Lokeren, 28 mai 1988 : *Concept spatial* 1957, gche (16x24) : **BEF 90 000** - Milan, 8 juin 1988 : *Concept spatial, Attesa* 1967, entaille/t./fond bleu (81x65) : **ITL 115 000 000** - Londres, 30 juin 1988 : *Concept spatial* 1955, techn. mixte (80x65) : **GBP 115 500** - Londres, 20 oct. 1988 : *Concept spatial*, peint. à l'eau/t. (81x65) : **GBP 53 900** - Stockholm, 21 nov. 1988 : *Composition en rouge*, sculpt. techn. mixte (49,5x47,5) : **SEK 9 000** - Londres, 1er déc. 1988 : *Lagune de Venise* 1961, h/t (150x150) : **GBP 396 000** - Milan, 14 déc. 1988 : *Ascension*, céramique polychrome peinte (71x35) : **ITL 41 000 000** - Londres, 23 fév. 1989 : *Concept spatial* 1958, peint. à l'eau, cr. et collage/t. (130x97) : **GBP 88 000** - Rome, 21 mars 1989 : *Concept spatial* 1959, matière plastique (94x94) : **ITL 165 000 000** - Londres, 6 avr. 1989 : *Concept spatial* 1960, peint. à l'eau/t. (93,7x116,2) : **GBP 209 000** - Milan, 6 juin 1989 : *Concept spatial* 1960, graffitis et h/t argentée (61x46) : **ITL 255 000 000** - Londres, 29 juin 1989 : *Concept spatial* 1956, h. et techn. mixte scintillante/t. (134,5x100) : **GBP 374 000** - Milan, 8 nov. 1989 : *Concept spatial* 1961, morceaux d'écorse et de verre, h. et graffitis/t. dorée (74x60) : **ITL 570 000 000** ; *Concept spatial, forme* 1958, sculpt. de fer (44x14,5x14) : **ITL 150 000 000** - Rome, 6 déc. 1989 : *Composition* 1952, techn. mixte/pap./verre (diam. 128) : **ITL 27 600 000** - Milan, 19 déc. 1989 : *Concept spatial, fente* 1967, peint. à l'eau/t. bleue (82x65) : **ITL 480 000 000** - Paris, 15 fév. 1990 : *Concetto spaziale* 1952, pap. buvard perforé (45,5x58) : **FRF 400 000** - Londres, 5 avr. 1990 : *Concept spatial* 1956, h. et techn. mixte/t. (100x80) : **GBP 418 000** - Stockholm, 14 juin 1990 : *Concept spatia, fentes 1+1-ac34* 1962, techn. mixte/t. (61x50) : **SEK 1 500 000** - New York, 5 oct. 1990 : *Concept spatial* 1954, collage de t. et peint. à l'eau/t. (53,7x64,8) : **USD 93 500** - Paris, 15 oct. 1990 : *Concetto spaziale*, cuivre émaillé vert (37x37) : **FRF 55 000** - New York, 7 nov. 1990 : *Concept spatial*, h/t (81,4x64,8) : **USD 165 000** - Londres, 21 mars 1991 : *Poisson* 1944, céramique polychrome vernissée (24,1x25,4x15,3) : **GBP 13 750** - Paris, 30 mai 1991 : *Composition*, peint. sous-verre, formant la plateau d'une table triangulaire (diam. 99) : **FRF 100 000** - Londres, 27 juin 1991 : *Concept spatial* 1962, h/t (146,5x114,5) : **GBP 154 000** - Zurich, 16 oct. 1991 : *Concept spatial*, estampe (63,7x49,7) : **CHF 4 400** - Lugano, 28 mars 1992 : *Projet pour Ambiente spaziale* 1953, gche/pap. (60x40) : **CHF 41 000** - Milan, 14 avr. 1992 : *Crucifix*, céramique vernissée (35x23,5) : **ITL 10 000 000** - Milan, 23 juin 1992 : *Figure sur un divan avec un chien*, encre de Chine (21x27) : **ITL 3 900 000** - Londres, 2 juil. 1992 : *Concept spatial*, peint. à l'eau/t. (81,2x100) : **GBP 121 000** ; *La fin de Dieu* 1963, h. et paillettes/t. (178x123) : **GBP 319 000** - Paris, 1er oct. 1992 : *Petit théâtre blanc/blanc, Concept spatial* 1965 (157x164) : **FRF 610 000** - Rome, 14 déc. 1992 : *La tortue* 1945, céramique coul. (9x13x12) : **ITL 16 100 000** - Londres, 24-25 mars 1993 : *Concept spatial*, deux boules de bronze (chaque H. 28, l. 22) : **GBP 8 625** - Londres, 24 juin 1993 : *Concept spatial* 1958, h/cart. (68x86,5) : **GBP 367 000** - Stockholm, 10-12 mai 1993 : *Concept spatial, couleur or*, techn. mixte/t. (81x65) : **SEK 450 000** - Milan, 16 nov. 1993 : *Concept spatial, fentes* 1965, peint. à l'eau/t. (81,5x65,5) : **ITL 241 500 000** - Londres, 2 déc. 1993 : *L'Aboutissement de Dieu, série des Œufs célestes* 1963, h/t (178x123) : **GBP 320 500** - Milan, 24 mai 1994 : *Portrait féminin*, céramique peinte (14,5x12,5x6,5) : **ITL 4 025 000** - Paris, 13 juin 1994 : *Concept spatial*, pierre et h/toile (100x70) : **FRF 700 000** - Londres, 1er déc. 1994 : *Nu féminin*, encre et aquar./pap. (34x49) : **GBP 6 325** - Lucerne, 20 mai 1995 : *Concept spatial* 1959, stylo-bille/feuille d'argent percée dans un cadre doré (19x16) : **CHF 2 500** - Londres, 28 juin 1995 : *Concept spatial, fentes*, aquar./t. (115x146) : **GBP 430 500** - Milan, 19 mars 1996 : *Concept spatial, fentes* 1967, aquar. rouge/t. avec 4 entailles (60x60) : **ITL 224 250 000** ; *Concept spatial* 1963-1964, gche et trous/pap. (47x32) : **ITL 12 650 000** - Paris, 1er juil. 1996 : *Concept spatial* 1966-1967, encre/pap. (56,5x20) : **FRF 13 000** - Milan, 25 nov. 1996 : *Concept Spatial* 1947, terre cuite (25,5x31) : **ITL 18 400 000** - Londres, 4-5 déc. 1996 : *Concetto Spaziale, la Fine di Dio* 1964, h/t (178x123) : **GBP 397 500** ; *Concetto Spaziale, Attese* 1964, aquar./t. (61x46) : **GBP 34 500** - Paris, 13 déc. 1996 : *Composition* 1968, encre de Chine/pap. (17x25) : **FRF 8 100** - Paris, 28 avr. 1997 : *Concept spatial* 1949, encre de Chine et lacérations/pap. (27x21) : **FRF 9 500** - Londres, 26 juin 1997 : *Concept spatial*, peint. or et h/t (150x150) : **GBP 529 000** - Milan, 19 mai 1997 : *Concept spatial* 1957, techn. mixte/t. (55x55) : **ITL 136 900 000** - Londres, 27 juin 1997 : *Concept spatial* 1952, h/t (40x50) : **GBP 46 600** - Londres, 23 oct. 1997 : *Concept spatial, Attese*, aquar./t. (73x60) : **GBP 56 500**.

FONTANA Luigi

Né au XIXe siècle à Milan. XIXe siècle. Italien.

Sculpteur.

Après l'achèvement de ses études à l'Académie de Milan, il se rendit à Buenos Aires et à Rosario di Santa Fé. On cite parmi ses œuvres la statue de l'*Affliction* et un *Ange de la Miséricorde* au Monument funéraire de la Famille Pinasco, un monument de Colomb à Rosario et, conservé par la ville de Buenos Aires, un groupe inspiré de la Révolution de Buenos Aires ; on cite encore un buste *A l'église*, un groupe : *Les Orphelines* et le *Monument du Général S. Martin*.

FONTANA Luigi

Né en 1827 à Monte S. Petrangeli (Marches). Mort fin décembre 1908 à Rome. XIXe siècle. Italien.

Peintre, sculpteur et architecte.

Il commença ses études avec Palmaroli à Marcerata et les continua à Rome avec Minardi. Il s'adonna spécialement à la peinture décorative. On cite, parmi ses œuvres : à S. Nicola de Tolentino, *la Vision d'Ézechiel*, d'après Raphaël. A Rome de nombreuses églises lui doivent des fresques : S. Salvatore in Lauro *(Les quatre prophètes)*, S. Lorenzo in Damaso, S. Apostoli, S. Maria in Trastevere. On mentionne également ses peintures au Palais Massini et au Palais Ricci, et comme œuvres de sculpture : le monument funéraire en marbre de son maître, *Minardi*, au Campo Santo, les bustes des Archevêques *Minucci* et *De Angelis* à la cathédrale de Fermo.

FONTANA Michele
Originaire de Côme. Mort le 28 avril 1729 à Brünn. XVIIIe siècle. Italien.
Sculpteur et stucateur.
Fils de Baldassare Fontana. Il reçut le droit de bourgeoisie à Brünn en 1720. Il travailla au Monastère Hradisch à Welehrad et à la Montagne du Calvaire à Olmutz.

FONTANA Natale
XVe siècle. Actif à Venise en 1437. Italien.
Peintre.

FONTANA Orazio
Mort après 1571. XVIe siècle. Actif à Urbino. Italien.
Miniaturiste et peintre sur porcelaine.
Les Musées du Louvre et de Berlin ainsi que le British Museum à Londres possèdent de ses œuvres.

FONTANA Pietro
Né en 1762 à Bassano. Mort en 1837 à Rome. XVIIIe-XIXe siècles. Italien.
Graveur.
Après avoir été l'élève du peintre Mengardi à Venise, il se rendit à Rome en 1785 et s'y adonna complètement à la gravure. Il fut l'élève de Volpato et de Morghen. Membre de l'Académie Saint-Luc à Rome et à Venise, il exécuta une grand nombre de planches parmi lesquelles il convient de citer : *Les Sibylles* (d'après Domenichino) ; *Le Christ devant Pilate* (d'après Ludovico Carracci) ; *Les quatre Évangélistes* (d'après Guercino) ; *Hérode* (d'après Guido Reni) ; *La mort de César* (d'après Camuccini) ; *La Fête des Dieux* (d'après Camuccini) ; *Les Apôtres* (d'après Thorwaldsen).

FONTANA Pietro
Né en 1787 à Carrare. Mort en 1858 à Carrare. XIXe siècle. Italien.
Sculpteur.
Élève de Pizzi et de Desmarais à l'Académie de Carrare, il se rendit à Milan où il obtint en 1804 le Prix de Rome de l'Académie Brera. En 1806, il reçut le prix de l'Académie de Florence pour son bas-relief *Isaac et sa mère Sarah*. Son œuvre principale fut la statue monumentale de la *Duchesse Maria Béatrice d'Este* à Carrare. Parmi ses autres sont mentionnés : les monuments funéraires de deux évêques dans la cathédrale de Reggio ; un bas-relief *le Baptême du Christ* dans l'église d'Agnano près de Pise : deux têtes de marbre *Hector* et *Pâris* dans le Palais Ducal de Modène.
Musées : Carrare (Acad.) : *Thésée*, bas-relief – Milan (Mus. Brera) : *Buste de Raphaël.*

FONTANA Prospero
Né en 1512 à Bologne. Mort en 1597 à Bologne. XVIe siècle. Italien.
Peintre de compositions religieuses, portraits, dessinateur.
Élève d'Innocenzio da Imola, il se rendit à Rome où il fut employé par le pape Jules III, puis engagé par le Primatice qui travaillait à cette époque à Fontainebleau. De Fontainebleau il revint à Gênes, où il travailla pour la galerie Doria. De retour dans sa ville natale, il devint le maître de Lodovico, Annibale et Agostino Carracci, Dionysius Calvaert, Tiarini et Achille Calici, et fut plusieurs fois directeur de la Corporation des peintres.
Parmi ses productions les plus importantes, il convient de citer : *L'Épiphanie*, son chef-d'œuvre. Fontana se fit surtout remarquer comme portraitiste. Ses meilleurs travaux en ce genre sont : *Le Pape Jules III, Ulysse Aldrovandi, Achille Bocchi.*
Musées : Berlin (Kaiser Friedrich Mus.) : *L'adoration des mages* – Bologne (Pina.) : *Mise au tombeau – Portrait d'un membre de la Maison d'Este* – Bologne (église San Silvestro) : *L'Épiphanie* – Dresde : *La Sainte Famille avec sainte Catherine et sainte Cécile* – Milan (Mus. Brera) : *L'Annonciation – Vierge et Apôtres* – Rome (Borghèse) : *La Sainte Famille* – Vérone : *La Sainte Famille*, attribuée à B. India.
Ventes Publiques : Londres, 22 déc. 1927 : *Guirlande de fleurs* : **GBP 21** – Londres, 18 déc. 1936 : *La Vierge della Tenda*, d'après Raphaël : **GBP 10** – Londres, 12 juin 1968 : *Portrait d'un cardinal* : **GBP 2 800** – Rome, 10 mai 1988 : *Portrait d'une dame avec une suivante portant un enfant*, h/t (117x96) : **ITL 50 000 000** – Rome, 13 déc. 1988 : *Portrait d'un gentilhomme portant la médaille de Saint Georges*, h/t (63x44) : **ITL 15 000 000** – New York, 11 oct. 1990 : *Vierge à l'enfant entourée de Saint Jean Baptiste et d'un saint évêque*, h/pan. (79x68,5) : **USD 46 200** – New York, 14 jan. 1992 : *Funambule avec un balancier terminé par deux panneaux portant écrit en grec : Supporte et abstiens-toi, avec des personnages le regardant d'en bas*, encre et lav./craie noire (11,7x8,4) : **USD 2 200** – New York, 11 jan. 1996 : *Vierge à l'Enfant avec Saint Jean Baptiste*, h/t (27,9x24,8) : **USD 60 250** – Londres, 16-17 avr. 1997 : *La Madone et l'Enfant avec sainte Catherine*, pl. et encre brune et lav. (17,7x21) : **GBP 2 990**.

FONTANA Roberto ou **Fontano**
Né en 1844 à Milan. Mort en 1907 à Milan. XIXe siècle. Italien.
Peintre de genre, figures, portraits, aquarelliste.
Il a exposé en Allemagne à partir de 1888, notamment à Munich. Il obtint une médaille à Philadelphie en 1876 et une mention honorable à Paris en 1889.

R Fontana

Musées : Göteborg : *Pierrot* – Milan (Gal. Mod.) : *Ésope raconte ses fables à ses enfants.*
Ventes Publiques : Londres, 21 mars 1908 : *Italienne*, aquar. : **GBP 4** – Paris, 14-16 jan. 1926 : *Jeune femme tenant un livre* : **FRF 220** – Milan, 21 oct. 1969 : *Rue de village* : **ITL 650 000** – Milan, 17 oct. 1972 : *Enfants dans une église* : **ITL 500 000** – Milan, 20 déc. 1977 : *Portrait de fillette*, h/t (44x32) : **ITL 1 000 000** – Milan, 6 nov. 1980 : *Portrait de jeune fille*, h/t (31x18) : **ITL 4 000 000** – Londres, 23 fév. 1983 : *Jeune fille au châle noir*, h/t (52x44,5) : **GBP 2 200** – Londres, 21 juin 1984 : *Innocence*, aquar. reh. de blanc (22,2x16) : **GBP 500** – Milan, 9 juin 1987 : *Nu debout*, aquar. (31x20) : **ITL 1 800 000** – Rome, 16 déc. 1987 : *Ophélie*, h/t (124x112) : **ITL 11 000 000** – Londres, 29 avr. 1988 : *Dans le verger*, h. (19,5x28) : **GBP 26 400** – Milan, 14 mars 1989 : *La lecture*, h/pan. (31x45,5) : **ITL 9 000 000** – Milan, 14 juin 1989 : *Femme au balcon*, h/pan. (19x15,5) : **ITL 7 000 000** – Milan, 5 déc. 1990 : *Portrait d'une jeune femme dans l'atelier d'un peintre* 1883, h/t/pan. (32x13,5) : **ITL 17 500 000** – Rome, 16 avr. 1991 : *Buste de jeune fille*, h/cart. (12,5x8,5) : **ITL 2 760 000** – Milan, 29 oct. 1992 : *Le modèle*, h/pan. (10,5x19) : **ITL 7 500 000**.

FONTANA Salvatore di Pietro
Mort le 26 juillet 1590 à Rome. XVIe siècle. Travaillant à Venise et à Rome. Italien.
Peintre d'histoire.

FONTANA Veronica
Née en 1651 à Bologne. Morte en 1690. XVIIe siècle. Italienne.
Graveur.
Élève de Domenico Maria son père, elle grava quelques planches représentant des scènes de la *Vie de Marie*, le *Portrait d'Andreini, le poète*, quelques gravures sur bois pour une Bible Latine et des portraits pour *Felsina* de Malvasia (1678).

FONTANA Vincenzo
XVIIe siècle. Actif à Padoue en 1615. Italien.
Peintre.

FONTANA FREDO Girardo
XVIe siècle. Italien.
Graveur.
Il grava une *Adoration des Mages*, d'après Polidoro da Caravaggio.

FONTANALS Y ROVIROSA Francisco
Né en 1777 à Villanova de Stiges. Mort en 1827 à Villanova de Stiges. XIXe siècle. Espagnol.
Peintre et graveur.
Il fut pensionné à Rome par le roi Fernand VII. Il fut surtout connu comme graveur.
Musées : Barcelone : *Saint François d'Assise*, copie – Valence (Acad. San Carlos) : *Deux musiciens*, aquar. – *Sainte Isabelle*, aquar.

FONTANAROSA Lucien Joseph
Né le 19 décembre 1912 à Paris, de parents italiens. Mort le 27 avril 1975 à Paris. XXe siècle. Français.

Peintre de compositions à personnages, scènes de genre, figures, paysages, natures mortes, fleurs, peintre à la gouache, aquarelliste, graveur, lithographe, illustrateur.

Jusqu'en 1923, son enfance fut partagée entre Paris et Padoue. En 1927, il entra au lycée technique Estienne, d'où il sortit lithographe, en 1931. Il souhaitait devenir peintre, ses parents, de condition modeste, lui accordèrent une année d'essai, pendant laquelle il suivit les cours du soir de l'École des Arts Appliqués, travaillait au musée du Louvre, s'installait un atelier dans une boutique désaffectée du 101 de la rue des Haies. En 1932, il entra à l'atelier Lucien Simon de l'école des Beaux-Arts. En 1934, il exposa pour la première fois : *Les Musiciens* au Salon de la Société Nationale des Beaux-Arts, et il obtint une bourse de voyage en Espagne, en 1935 reçut le Grand Prix de l'Afrique du Nord avec un séjour d'un an au Maroc, en 1936 fut lauréat du Grand Prix de Rome. Il poursuivit ses études en Italie et dans les musées. En 1939, il fut de retour de la Villa Médicis, s'installa dans le quartier des Buttes-Chaumont, avec sa femme, Annette Faive, peintre, camarade de l'atelier Simon, avec laquelle il aura trois enfants, tous musiciens réputés. Mobilisé à la guerre, il fut libéré en 1940-1941. Il détruisit alors une partie des peintures et dessins restés en sa possession. En 1946, il fut nommé membre du jury du Concours de Rome, de nouveau en 1952. En 1946 aussi, il fut nommé professeur à l'Académie américaine d'été de Fontainebleau. En 1951, il remporta le Prix de la Biennale de Menton. En 1955, il fut nommé membre de l'Institut. En 1957, il fut fait chevalier de la Légion d'Honneur. En 1958, il fut nommé professeur à l'École Polytechnique, où il réorganisa les cours d'initiation artistique et de dessin. En 1961, il reçut le Grand Prix de la Ville de Paris, en 1963 la médaille de vermeil. Depuis 1964, il était installé Cité des Fleurs, dans le quartier des Batignolles. En 1971, il reçut le Prix Léonard de Vinci à Amboise, en 1973 le Grand Prix des Peintres Témoins de leur Temps. En 1992, la Ville de Paris a donné son nom à un square du XVIIe arrondissement. Après sa mort, en 1985, est fondée à Paris l'Association Lucien-Fontanarosa.

Il a participé à des expositions collectives, d'entre lesquelles, à Paris : le Salon de la Société Nationale des Beaux-Arts, dont il fut nommé membre du comité directeur en 1941, depuis 1953 et annuellement le Salon des Peintres Témoins de leur Temps.

Depuis la première en 1947, il montrait des ensembles de ses œuvres régulièrement surtout à Paris dans des expositions personnelles à la Galerie Chardin, ainsi qu'en province, au Palais de la Méditerranée de Nice en 1973, à l'occasion d'un voyage à Londres en 1956, à Palm Beach en 1963. En 1956, après Londres, il fit un voyage en Hollande. Depuis 1957, il avait installé un atelier en Provence. Depuis sa mort, de nombreuses expositions de son œuvre sont organisées à Paris et en province.

Dans les domaines annexes à la peinture, il a réalisé de nombreuses estampes en lithographie, illustré depuis 1945 une quarantaine d'ouvrages littéraires de Gide, Mac Orlan, Montherlant ; de 1950 à 1974, illustré plus de cent-vingt couvertures du *Livre de Poche*, dont toutes celles des romans de Gilbert Cesbron ; exécuté pour le compte de l'État des décorations murales à l'École Estienne de Paris en 1961, à la Bibliothèque de la Faculté des Sciences d'Orsay en 1962, à la Poste Centrale de Mâcon en 1964, ainsi qu'à Bry-sur-Marne, Malakoff, Châtellerault, Vierzon, Lille, Nice, etc. De 1964 à 1969, la Banque de France lui a commandé des aquarelles pour les billets de 10F, 50F, 100F, 500F.

Lors de ses années de formation, et bien qu'il ne fût pas influencé par eux, les cubistes le mirent sur sa propre voie en lui faisant découvrir l'architecture intérieure d'un tableau dans le *Concert champêtre*. À son retour de la guerre, il détruisit une partie de sa production antérieure, désirant un contrôle plus sévère de sa palette. Il se limita alors au registre des ocres, terre et bruns, dans une série de peintures dans cette harmonie réduite, de laquelle il ne se déprit que lentement, d'autant que, revenu à l'éclat des couleurs proprement dites, il conserva toujours la gamme des terre en infrastructure de la composition du volume et de la couleur. Ses trois enfants musiciens furent les inspirateurs des thèmes des *Enfants* et des *Musiciens*. À partir de son installation estivale en Provence, il y retrouva les harmonies qu'il avait connues en Italie et Afrique du Nord, y peignant sur le thème des *Filles* et des natures mortes. Après 1961, il fit des séjours à Venise, d'où sa famille était originaire, commençant la série des grands paysages vénitiens, trouvant, là aussi comme en Provence, le bonheur de peindre dans la lumière qu'il aimait. Lucien Fontanarosa a choisi de travailler à l'écart des mouvements contemporains, poursuivant seul, dans un langage clair et accessible à tous, son œuvre résolument dédié dès les années soixante au bonheur paisible. ■ J. B.

FONTANAROSA

Musées : Paris (BN, Cab. des Estampes) : Ensemble important de lithographies.

Ventes Publiques : Paris, 15 déc. 1943 : *Vieille Rue*, dess. aquarellé : **FRF 420** – Paris, 20 juin 1944 : *Le Canal de la Villette sous la neige* : **FRF 15 000** – Paris, 18 mars 1969 : *La Salute à Venise* : **FRF 6 500** – Paris, 20 mai 1974 : *Jeune Marchand de poisson* : **FRF 10 000** – Paris, 25 oct. 1976 : *La Femme musicienne*, past. (31x36) : **FRF 3 000** – Lyon, 24 mars 1980 : *Jeune Fille sur une chaise-longue*, h/t (24x41) : **FRF 3 300** – Paris, 15 juin 1982 : *Les Gondoliers à Venise*, h/t (50x100) : **FRF 10 500** – Paris, 10 juil. 1983 : *Les Vendanges*, h/pan. (89x130) : **FRF 100 000** – Paris, 30 juin 1986 : *Aïcha* 1936, h/t (51x43) : **FRF 17 000** – Paris, 14 déc. 1988 : *La Rixe* 1933, h/cart. (52x60) : **FRF 25 000** – Paris, 9 juin 1989 : *Nu debout* 1937 (130x90) : **FRF 92 000** – Paris, 11 mai 1990 : *Le Plateau*, h/t (17x34) : **FRF 25 000** – Paris, 6 juin 1990 : *Odalisque en chien de fusil*, h/pan. (19x24) : **FRF 9 500** – Lyon, 9 oct. 1990 : *L'Enfant aux fruits*, h/t (46x75) : **FRF 52 000** – Fontainebleau, 18 nov. 1990 : *Le Château de Fontainebleau* 1943, h/pap. (17,5x35) : **FRF 30 500** – Calais, 9 déc. 1990 : *Jeunes Ballerines*, h/t (73x50) : **FRF 79 000** – Lyon, 13 déc. 1990 : *L'Enfant à la pomme*, h/t : **FRF 46 000** – Le Touquet, 8 juin 1992 : *Canal près du bassin de La Villette*, h/pan. (53x66) : **FRF 10 000** – New York, 12 juin 1992 : *Nature morte avec des pommes*, h/t (27,3x45,7) : **USD 1 210** – Paris, 10 fév. 1993 : *Pierrot et Arlequin* 1955, h/t (61x60,5) : **FRF 45 000** – Le Touquet, 22 mai 1994 : *Comedia dell'arte ou Guitariste et petit singe musicien* 1969, h/t (73x115) : **FRF 82 000** – Paris, 5 avr. 1995 : *Les Deux Guitaristes* 1962, h/t (60x120) : **FRF 49 000** – Le Touquet, 21 mai 1995 : *Venise, La Salute* 1964, h/t (130x130) : **FRF 111 000** – Calais, 7 juil. 1996 : *Portrait de Lucette Descaves*, h/t (33x24) : **FRF 16 000** – Paris, 29 nov. 1996 : *Femme à la toilette*, h/t (60x73) : **FRF 33 000** – Calais, 23 mars 1997 : *Les Ballerines* 1960, h/t (46x33) : **FRF 31 000** ; *Venise, la Salute* 1966, h/pan. (19x33) : **FRF 11 500**.

FONTANE Peter
XVIIIe siècle. Allemand.
Peintre de miniatures.

Il était maître de dessin des enfants royaux à Berlin. Il figura de 1787 à 1795 aux expositions de l'Académie avec des portraits et des copies sur ivoire et au pastel.

FONTANELLA Carlo
XVIIIe siècle. Italien.
Peintre.

Probablement élève d'A. Zucchi, il exposa un portrait à la Free Society à Londres en 1779, et un autre portrait en 1780.

FONTANELLI Giovanni Batista
XVIIe siècle. Actif à Bologne. Italien.
Graveur au burin.

Il a gravé le Frontispice de *Ristrett Odella vita*.

FONTANES J.-J. Raymond ou **Coignande de Fontanes**
Né le 27 juillet 1875 à Angers (Maine-et-Loire). XIXe-XXe siècles. Français.
Peintre de paysages. Orientaliste.

Il fut élève de Marcel Baschet, François Schommer, Henri Royer. Il exposait à Paris, au Salon des Artistes Français, dont il fut sociétaire à partir de 1906. En 1913-1914, il exposait ses œuvres rapportées d'Égypte au Salon de la Société des Peintres Orientalistes Français ; y figuraient deux vues du cimetière de Cafr-el-Gamous près du Caire.

Ventes Publiques : Paris, 7 déc. 1992 : *Vieilles tombes en Égypte*, h/t (58x72) : **FRF 7 500**.

FONTANES Louise Méchin de, Mme
Née à Caen. XIXe siècle. Française.
Peintre sur porcelaine.

Élève de la Manufacture de Sèvres. Elle débuta au Salon en 1841 avec des fleurs.

FONTANESI Antonio
Né le 23 février 1818 à Reggio d'Emilia (Émilie-Romagne). Mort le 17 avril 1882 à Turin (Piémont). XIXe siècle. Italien.
Peintre de compositions mythologiques, scènes de genre, paysages animés, paysages.

Il étudia la peinture à Reggio d'Emilia, à Turin puis à Rome, où il fit la connaissance d'Auguste Ravier. Il abandonna son activité de peintre en 1847, pour prendre part aux campagnes de Garibaldi, en 1848, et onze ans plus tard, à la seconde guerre d'indépendance. Entre temps, il dut s'enfuir à l'étranger ; on le trouve exilé à Genève en 1850, où il eut pour maître le paysagiste Alexandre Calame. Il séjourna à Paris en 1855, à Londres en 1866, et enfin en Italie. Il fut directeur de l'Académie de Lucques en 1868 puis professeur à l'Albertina de Turin en 1869. Il fut appelé au Japon en 1875 pour diriger l'Académie de Tokyo pendant trois ans. Incompris, il s'établit définitivement à Turin, en 1878, il y mourut quelques années plus tard.
Il exposa à Genève, de 1845 à 1886, puis à Paris, à l'Exposition Universelle de 1855, où il fit la connaissance de Charles François Daubigny, et de Corot.
Antonio Fontanesi peignit presque exclusivement des paysages, il fut influencé, dans ses débuts, par Auguste Ravier, ce qui explique sans doute ses affinités avec les violences polychromes de la peinture lyonnaise, préfigurant le pointillisme et le fauvisme. À Florence, il fréquenta le groupe des « Macchiaioli », tachistes italiens, s'opposant pourtant à eux par ses préoccupations symbolistes. Revenu vivre à Turin, il peignit avec un style personnel, que l'on peut rapprocher du romantisme de Charles François Daubigny.
Bibliogr. : Lionello Venturi, in : *La peinture italienne du Caravage à Monticelli*, Skira, Genève, 1952 - Gérald Schurr, in : *Les Petits Maîtres de la peinture 1820-1920, valeur de demain*, Les Éditions de l'Amateur, t. II, Paris, 1982 - in : *Diction. de la peinture italienne*, coll. Essentiels, Larousse, Paris, 1989.
Musées : Bologne (Pina.) : *Abreuvoir* - Florence (École des Beaux-Arts) : *L'Arno au coucher du soleil, pont Sainte-Trinité* - Prato : *Vue de l'Arno au coucher du soleil* - Reggio d'Emilia : *Solitude - Tempête sur mer - Entrée d'un temple japonais* - Rome (Mus. d'Art Mod.) : *Source - Le Bain de Diane* - Turin (Pina.) : *Pâturage* - Turin (Mus. Civique) : *Étang - Matin - Paix du soir - Paysage d'avril* - Turin (Mus. du Palais roy.) : *Paysage de novembre*.
Ventes Publiques : Milan, 16 mars 1965 : *Les nuages* : **ITL 22 000 000** - Milan, 11 nov. 1969 : *Troupeau se désaltérant dans un paysage* : **ITL 5 000 000** - Milan, 28 mai 1974 : *Troupeau dans un paysage* : **ITL 3 300 000** - Milan, 10 juin 1981 : *Paysage*, fus./pap. mar. (39x60) : **ITL 3 200 000** - Milan, 13 oct. 1987 : *Octobre, bergère et troupeau au crépuscule*, h/t (93x132) : **ITL 160 000 000** - Milan, 5 déc. 1990 : *Vallée solitaire*, h/cart. (32x26) : **ITL 32 000 000** - Rome, 16 avr. 1991 : *Paysage animé*, h/pan. (21x30) : **ITL 23 000 000** - Milan, 19 mars 1992 : *En Savoie*, aquar./pap. (18x25,5) : **ITL 20 000 000** - Milan, 8 juin 1993 : *Les arbres et la mer*, h/pan. (16x30) : **ITL 26 000 000**.

FONTANESI Francesco
Né le 4 octobre 1751 à Reggio d'Emilia. Mort le 9 octobre 1795. xviiie siècle. Italien.
Peintre.
Élève de G. Bazzani et P. Zannichelli à Reggio, il fut à partir de 1780 peintre de théâtre à Milan et Venise ; tableaux scéniques, rideaux, intérieurs de théâtre étaient le domaine de son activité. Il exécuta l'ensemble des décorations du théâtre della Fenice à Venise en 1790. Il fut aussi peintre de paysages ; on cite son tableau à l'huile *Aurore*. Le Musée Chierici à Reggio conserve des modèles de ses décorations et le Musée Teatrale à Milan deux de ses projets pour scènes.

FONTANESI Giovanni
Né le 28 janvier 1813 à Reggio. Mort le 14 février 1875 à Reggio. xixe siècle. Italien.
Peintre de paysages et peintre de théâtre.
Petit-fils de Francesco Fontanesi, il figura régulièrement aux expositions de l'Académie des Beaux-Arts de Modène. Il peignit des décorations de théâtre, entre autres le rideau du Teatro Communale à Reggio, mais il fut avant tout peintre de paysages.

FONTANET Georges
Né au Mont-Dore (Puy-de-Dôme). xxe siècle. Français.
Peintre de paysages.
Il expose à Paris au Salon depuis 1922.

FONTANET Gil
xve siècle. Espagnol.
Peintre verrier.
Il exécuta les peintures sur verre pour des fenêtres de la cathédrale de Barcelone en 1495, d'après les projets du peintre B. Bermejo.

FONTANET Jaime
xvie siècle. Espagnol.
Peintre verrier.
Probablement fils de Gil Fontanet. Il exécuta en 1535 la *Fenêtre des Vertus* et autres peintures sur verre à l'Hôtel de Ville de Barcelone.

FONTANET Juan
xvie siècle. Actif à Barcelone en 1565. Espagnol.
Peintre.

FONTANEY Georges
Né le 9 août 1935 à Saint-Étienne (Loire). xxe siècle. Français.
Peintre.
Il a étudié à Saint-Étienne et expose en province depuis 1966.

FONTANEZ Jules
Né le 2 mai 1875 à Genève. Mort en 1918 à Genève. xxe siècle. Actif aussi en France. Suisse.
Peintre, dessinateur, graveur, illustrateur.
Il étudia la gravure sur bois à l'École des Arts et Métiers de Genève. Il se fixa à Paris en 1900. Il prit part à de nombreuses expositions collectives, à Paris le Salon de la Société Nationale des Beaux-Arts, Genève, Berne, Zurich, Stuttgart, Rome, etc.
À Genève, il a collaboré à des feuilles humoristiques, comme *Le Sapajou, La Passe-partout, Le Papillon*. À Paris, il a travaillé pour *Le Courrier français, Gil Blas*, il a illustré des livres, parmi lesquels : *Du sang, de la volupté et de la mort* de Maurice Barrès, *Gaspard de la nuit* d'Aloysius Bertrand, ainsi que des livres pour enfants : *La maison des oiseaux, Contes de jade et de jadis*.
Peintre, il a traité des vues de Paris.
Musées : Genève - Soleure : *Paris la nuit*.
Ventes Publiques : Zurich, 1er juin 1973 : *Le diabolo* : **CHF 4 000** - Genève, 29 nov. 1986 : *Carnaval*, h/t (72x98) : **CHF 2 400** - Berne, 26 oct. 1988 : *Rue de Paris le soir*, h/t (55x46) : **CHF 1 400**.

FONTANIÈRE Gaspard Moïse de
Mort en 1784. xviiie siècle. Français.
Dessinateur et graveur à l'eau-forte amateur.
Il a gravé des sujets de genre.

FONTANIEU Pierre Elisabeth de
Mort le 30 mai 1784. xviiie siècle. Français.
Dessinateur et aquafortiste amateur.
Niodot grava d'après ses dessins en 1770 *Collections de Vases* (47 planches). On connaît également de lui deux séries gravées du *Livre de treize feuilles propres aux sculpteurs*, etc.

FONTANT Antoine
xvie siècle. Français.
Sculpteur et architecte.
Il travailla dix ans au château de la Rochefoucault, dans l'Angoumois. Il y fit : la façade, ornée de 80 chapiteaux ; le grand escalier, au haut duquel il plaça son buste, portant la date de 1538 ; la galerie à jour donnant sur la cour et la chapelle ayant seize clefs de voûte, toutes ornées de riches écussons.

FONTANUS E.
Né au début du xviie siècle en Flandre. xviie siècle. Éc. flamande.
Graveur sur bois.
Il a gravé surtout des sujets religieux. Il travaillait entre 1625 et 1678.

FONTAY Jean de
xve siècle. Français.
Sculpteur.
On pense qu'il est l'auteur du tombeau d'Alain Chartier, qui était dans l'église des Chanoines de Saint-Antoine, à Avignon, et que Guillaume Chartier, évêque de Paris et frère du poète, lui aurait commandé en 1458.

FONTAYNE de La. Voir **LA FONTAYNE**

FONTAYNE Juliette
xxe siècle. Français.
Peintre de natures mortes.
Exposant au Salon des Indépendants en 1943.

FONTAYNE René
Né le 3 janvier 1891 à Vergèze (Gard). Mort le 7 septembre 1952 à Paris. xxe siècle. Français.
Peintre de paysages, marines.
Il exposait à Paris, au Salon des Artistes Français depuis 1930, dont il reçut le Prix Corot et une médaille d'or, ainsi qu'aux Salons d'Automne et des Artistes Indépendants.

Ventes Publiques : Paris, 20-21 déc. 1944 : *Masure dans un ravin* : **FRF 420.**

FONTEBASSO

xviiie siècle. Italien.

Peintre d'histoire.

Il exposa des sujets mythologiques au Salon de Lille en 1779. Peut-être n'est-il autre que Domenico Fontebasso, fils de Francesco, membre de l'Académie de Venise en 1770-1772.

FONTEBASSO Francesco Salvator

Né en 1709 à Venise (Vénétie). Mort en 1769. xviiie siècle. Italien.

Peintre de sujets religieux, compositions mythologiques, scènes de genre, fresquiste, graveur, dessinateur.

Après avoir reçu à Rome les premières notions de l'art, il se rendit à Venise, où il eut pour maître Sebastiano Ricci. Il séjourna à Trente, puis, vers 1761-1762, il fut nommé peintre de la cour de Saint-Pétersbourg, à la suite de Tiepolo. Il travailla principalement à Venise, et devint président de l'Académie des Beaux-Arts de la ville, à partir de 1768.

On connaît peu de ce qu'il peignit, si ce n'est une *Assomption de la Vierge*, dans l'église Santa Annunziata à Trente ; le plafond de l'église San Francesco della Vigna à Venise. Comme graveur, il exécuta : *La Vierge apparaissant à saint Grégoire priant pour la délivrance des âmes du Purgatoire*, d'après Sebastiano Ricci ; une suite de sept sujets fantastiques, d'après ses propres dessins.

Bibliogr. : In : *Diction. de la peinture italienne*, coll. Essentiels, Larousse, Paris, 1989.

Musées : Stockholm : *Jeune fille mangeant dans une écuelle* – Udine (Mus. Civique) : *La conversion de saint Paul*, dess. – Venise (Séminaire Patriarcal) : *Saint François de Paule guérit un enfant aveugle* – Venise (Athénée) : *Repas dans la maison du pharisien* – Venise (Palais Barbarigo) : *Alexandre et Diogène*.

Ventes Publiques : Paris, 19 avr. 1895 : *La Vierge, l'Enfant et des saints* : **FRF 650** – Milan, 12-13 mars 1963 : *Portrait d'une dame de qualité* : **ITL 800 000** – Londres, 19 avr. 1967 : *L'Adoration des Rois Mages* : **GBP 2 100** – Munich, 6 juin 1968 : *La Vierge et l'Enfant avec deux Saints* : **DEM 11 500** – Londres, 28 juin 1974 : *La continence de Scipion* : **GNS 12 000** – Londres, 25 mars 1977 : *Judith avec la tête d'Holopherne*, h/t (69x89) : **GBP 3 800** – Berne, 9 juin 1978 : *Sophonisbe (ou Artémise)* avant 1760, eau-forte : **CHF 3 000** – Londres, 20 nov. 1980 : *Le pape Grégoire I priant pour la délivrance des âmes*, eau-forte (46,1x31,3) : **GBP 780** – Londres, 9 mars 1983 : *L'Adoration des Rois Mages*, h/t (56x74) : **GBP 14 000** – Londres, 21 avr. 1983 : *Bacchanale*, eau-forte (27,3x38,7) : **GBP 850** – New York, 18 jan. 1984 : *La Sainte Famille avec Saint Jean-Baptiste enfant et Putti*, pl. et lav. reh. de blanc/trait de craie noire (46,5x33,5) : **USD 19 000** – New York, 15 jan. 1985 : *Le retour d'Alexandre-le-Grand à Rome*, h/t (47x61) : **USD 15 000** – Londres, 1er juil. 1986 : *Marie-Madeleine aux pieds du Christ*, pl. et lav. de brun (48,9x35,2) : **GBP 18 000** – Rome, 19 mai 1987 : *L'Assomption de la Vierge*, pl. et encre brune (22x15,5) : **ITL 1 800 000** – Paris, 20 oct. 1988 : *Les Apôtres Pierre et Jean guérissant un impotent de naissance*, pl. à l'encre de Chine (32,8x25,5) : **FRF 51 000** – Paris, 14 avr. 1989 : *La Charité*, h/t (66x84) : **FRF 40 000** – Rome, 23 mai 1989 : *Joseph expliquant les songes du pharaon*, h./vélin/t. (37,5x54,5) : **ITL 7 000 000** – Paris, 22 juin 1990 : *Moïse enfant foulant aux pieds la couronne de pharaon*, h/t (82x121) : **FRF 800 000** – Londres, 31 oct. 1990 : *La rencontre d'Abraham et de Malchizedek*, h/t (74x58) : **GBP 15 400** – Londres, 19 avr. 1991 : *Cloelia et ses compagnes s'évadant du camp de Lars Porsena*, h/t (43,5x54,8) : **GBP 18 700** – Monaco, 5-6 déc. 1991 : *Moïse enfant faisant tomber la couronne du pharaon*, h/t (34x45) : **FRF 88 800** – New York, 15 jan. 1993 : *La famille de Darius devant Alexandre*, h/t (92,7x126,4) : **USD 90 500** – Londres, 23 avr. 1993 : *Vénus visitant la forge de Vulcain*, h/t (115,5x125) : **GBP 166 500** – Paris, 5 nov. 1993 : *Étude de deux femmes conversant*, lav. d'encre de Chine, gche blanche et trait de pl. (44x29) : **FRF 120 000** – New York, 11 jan. 1994 : *Le martyre d'un saint*, craie noire et encre (57,5x41,8) : **USD 8 625** – New York, 19 mai 1994 : *Scène mythologique (Alexandre et Roxane ?)*, h/t (63,5x79,4) : **USD 140 000** – New York, 10 jan. 1995 : *Jeune homme debout tenant un vase près d'un vieil homme assis tenant une urne*, encre et lav./sanguine (32,9x24,3) : **USD 28 750** – Paris, 7 avr. 1995 : *Moïse sauvé des eaux*, encre noire, lav. brun et reh. de blanc/pap. beige (50x37,5) : **FRF 85 000** – Paris, 26 nov. 1996 : *Sainte Hélène découvrant la vraie Croix*, pl. et lav. d'encre brune/esq. à la pierre noire (51,5x25,5) : **FRF 13 500.**

FONTEBUONI Anastasio

Né vers 1571 à Florence. Mort en 1626. xviie siècle. Italien.

Peintre d'histoire, compositions religieuses.

Il travailla à l'École de Domenico Passignano, puis visita Rome sous le pontificat de Paul V (1605-1621) où il peignit plusieurs tableaux pour les églises.

On considère comme ses chefs-d'œuvre : *La Naissance de la Vierge* et *La Mort de la Vierge*.

Musées : Florence (Mus. des Offices) : *Saint Jean Baptiste* – Florence (Palais Buonarroti) : *Michel-Ange et Jules II à Bologne* – Florence (Mus. des Médicis) : *Prise de Sienne – Le Couronnement de Cosme Ier* – Florence (église Santa Maria in Selci) : *L'Annonciation* – Florence (église San Giovanni de Fiorentini) : *La Naissance de la Vierge – La Mort de la Vierge*.

Ventes Publiques : Londres, 21 avr. 1993 : *Troilo Orsini apportant l'aide de Côme de Médicis au Roi Charles IX dans sa lutte contre le Huguenots, reçu par la reine mère Catherine de Médicis*, h/t (179x245,5) : **GBP 1 651 000.**

FONTEBUONI Bartolommeo

Mort en 1630 à Bengalen. xviie siècle. Italien.

Peintre.

Il passa sa jeunesse à Florence puis se rendit aux Indes comme missionnaire jésuite. A Rome il fit différentes peintures pour S. Silvestro a Monte Cavallo, et plus tard aux Indes pour des églises de Jésuites à Goa.

FONTELLE François

Mort avant 1696. xviie siècle. Français.

Sculpteur décorateur.

« Sculpteur des plaisirs du roi », il travailla avec Gourville à l'Hôtel Condé à Paris, puis surtout au Parc de Versailles où il restaura des statues et exécuta des vases et des trophées.

FONTENAY Alexis Léonard Dalige de. Voir **DALIGE DE FONTENAY Alexis Léonard**

FONTENAY André

Né le 22 novembre 1913 à Compiègne (Oise). xxe siècle. Français.

Peintre de paysages urbains. Naïf.

Il expose à Paris, au Salon d'Automne, dont il est sociétaire. À partir de 1966, il signe Fontenay de Saint-Afrique.

Il peint des vues de Montmartre, d'un style naïf, sortant toutefois de l'ordinaire de ce sujet.

Ventes Publiques : New York, 24 sep. 1981 : *Montmartre*, h/t (61x45,7) : **USD 400** – Paris, 23 mai 1990 : *Rue de Montmartre sous la neige*, h/t (55x46) : **FRF 3 500.**

FONTENAY Belin de. Voir **BELIN**

FONTENAY Blain de. Voir **BELIN Jean**

FONTENAY Charles de

Mort le 10 janvier 1916, au champ d'honneur au combat de La Main-de-Massiges. xxe siècle. Français.

Illustrateur.

Il avait illustré des œuvres poétiques.

FONTENAY Claude

xviie siècle. Actif à Paris en 1682. Français.

Peintre et sculpteur.

FONTENAY Claude I de

Né en 1619 à Fontainebleau. Mort le 12 octobre 1694. xviie siècle. Français.

Peintre.

Il est mentionné plusieurs fois comme « peintre en email », mais aussi comme « peintre et graveur ».

FONTENAY Claude II de

Né le 22 août 1653 à Fontainebleau. Mort en 1673. xviie siècle. Français.

Peintre.

Fils de Claude I de Fontenay.

FONTENAY de

Né en 1957. xxe siècle. Français.

Lithographe de paysages.

Lithographe de profession, il s'inspire des paysages de Grèce dont les bleus sont soutenus.

FONTENAY Eugène

Né en 1824 à Paris. xixe siècle. Français.

Peintre de paysages animés, paysages, graveur, dessinateur.

De 1867 à 1870, il se fit représenter au Salon par quelques études et quelques paysages.
Ventes Publiques : New York, 1er mars 1984 : *Personnages sur un pont dans un paysage colonial*, h/t (32,4x40,6) : **USD 2 800.**

FONTENAY Henri François
Né le 4 octobre 1657 à Fontainebleau. xviie siècle. Français.
Peintre.
Fils de Claude I de Fontenay. Il est mentionné plusieurs fois pour ses peintures aux « Dépendances » du château.

FONTENAY Jacques, Jean, Jean Baptiste, et **Louis Blain, Blin** ou **Belin de**. Voir **BELIN**

FONTENAY Jean de I
Mort avant le 16 mai 1642. xviie siècle. Actif à Fontainebleau. Français.
Peintre.
Il était « sergent royal », et est fréquemment mentionné à partir de 1613.

FONTENAY Jean de II
Baptisé à Avon le 28 mai 1620. xviie siècle. Français.
Peintre.
Il était le fils de Jean I de Fontenay. Il travailla également à Fontainebleau.

FONTENAY Louis Henri de
Né le 15 mai 1800 à Amsterdam, de parents français. xixe siècle. Français.
Peintre d'histoire, de genre et miniaturiste.
Élève de Louis Autessier. Exposa des miniatures au Salon de Paris de 1850 à 1852.

FONTENÉ Robert
Né le 6 janvier 1892 à Paris. Mort le 4 juin 1980 à Paris. xxe siècle. Français.
Peintre. Abstrait.
De 1910 à 1914, il fut élève de l'École des Beaux-Arts de Paris, puis, après 1918, travailla dans les Académies libres. Mobilisé pour la guerre de 1939, il fut libéré en 1941. En 1945, il fit la connaissance d'Auguste Herbin, qui le parraina pour le premier Salon des Réalités Nouvelles, où il a exposé sans discontinuer depuis 1946, en devenant président jusqu'à sa mort, participant à ses diverses sélections : 1947 à Lille, 1948 Bordeaux, 1957 Nantes, 1958 Recklinghausen, 1964 Namur. Il a aussi exposé au Salon de Mai à Paris, en 1950 à *50 ans d'art abstrait*, en 1957 à la Triennale de Milan, en 1959 au Musée de Mannheim à *80 peintres de l'École de Paris*, en 1963, 1964 au Salon Comparaisons de Paris..., et à de nombreuses expositions collectives dans des villes de France et dans des pays étrangers. Il a en outre montré des ensembles de ses peintures dans des expositions personnelles : à Paris, en 1953, 1955, 1958, 1962, 1969, à Londres en 1958, 1974.
De 1921 à 1939, il exposa des peintures figuratives à Paris, aux Salons des Artistes Indépendants, d'Automne et des Tuileries, notamment sur le thème du cirque aux Indépendants de 1931 à 1934. Ce fut en 1943 qu'il fit ses premiers travaux non-figuratifs. Si les premières œuvres de sa seconde période, la période abstraite, furent influencées par le néo-constructivisme élégant et décoratif de Herbin, Fontené s'en dégagea rapidement et se créa un langage propre, plus souple et dont une des caractéristiques était le refus de tout systématisme, comme s'il laissait la peinture naître spontanément, comme, non malgré, mais en dehors de lui : « Ce que je forme sur le papier ou sur la toile, est souvent ascendant ou bien s'enroule, tente une boucle, se forme en roue, avec des échappées, des incursions au-delà. Tantôt la couleur se répand, tantôt ce ne sont plus que des lueurs. » De sa formation et de son expérience, il avait le sens et le goût du beau métier : « J'aime le beau grain, la belle matière adaptée. » Mais derrière cette feinte nonchalance, il gardait le contrôle du déroulement de l'acte créateur : « Il ne s'agit pas tant d'y penser que de laisser venir un mûrissement naturel ». Il n'était pas question pour lui de renoncer à ce contrôle, mais, en bon esprit nourri du classicisme français, d'équilibrer les rôles de la raison et du sentiment : « Lorsque l'intellect prend en moi le pas sur l'affectif, je ne suis plus sûr de rien. » Et le peintre conclut sur une image : « Il me faut l'aveugle et le chien tout ensemble. » ■ Jacques Busse
Bibliogr. : Jean Grenier, in : *Entretiens avec dix-sept peintres non-figuratifs*, Calmann-Lévy, Paris, 1963.

FONTENEAU Éric
Né le 21 octobre 1954 à Cholet (Vendée). xxe siècle. Français.
Peintre, technique mixte, dessinateur. Tendance conceptuelle.
Il participe à des expositions collectives, dont : 1984 invité de Gina Pane *10 grands invitent 10 jeunes* au Grand-Palais Paris, 1986 *Julien Gracq-Paysages* à la Bibliothèque Municipale de Nantes, et nombreuses dans les pays de Loire et Bretagne. Il expose aussi seul depuis 1982, notamment à Nantes, Paris, 1990 Galerie Aline Vidal Paris, etc.
Il vit et travaille à Nantes, pays de Jules Verne. Son activité créatrice ressortit presque plus à la poésie qu'aux arts plastiques. Sur des thèmes très divers, par exemple des cartes géographiques imaginaires, il intervient par des discrètes notations graphiques, qui donnent des prolongements d'ordre onirique au thème initial.
Bibliogr. : Catalogue de l'exposition *Première nuit d'été*, Bouchemaine, 1988.

FONTENEAU Georges
Né à Douai (Nord). xxe siècle. Français.
Peintre de portraits.
Exposant du Salon des Indépendants.

FONTENEL L.
xxe siècle. Français.
Peintre de genre, natures mortes, sujets divers.
Ventes Publiques : Paris, 8 déc. 1924 : *Nature morte* : **FRF 2 310** – Paris, 25 mai 1932 : *Une vente aux enchères en plein air à la campagne* : **FRF 1 600** – Londres, 21 mars 1941 : *Milton et ses sœurs* : **GBP 6.**

FONTENELLE Charles Claude
Né le 16 juin 1815 à Saint-Marcel-de-Félines (Loire). Mort le 29 mai 1866 à Paris. xixe siècle. Français.
Sculpteur.
Il se forma sous la conduite de David d'Angers. En 1851 il fut médaillé de troisième classe. De 1843 à 1851, il exposa au Salon des bas-reliefs et une statue en pierre de saint Joachim. On cite parmi ses travaux le dallage incrusté de la Sainte-Chapelle.

FONTENELLE Fr.
xviiie siècle. Français.
Sculpteur.
Un buste du peintre *A. P. Meusnier*, de la main de cet artiste, se trouve à Versailles. Peut-être est-il identique au sculpteur Fontenelle qui est mentionné en 1784 à Saint-Marcel-de-Félines (Loire).

FONTENILLE
xviiie siècle. Actif à Bordeaux. Français.
Peintre.
En 1740 il exécuta pour la ville quelques portraits de Schöffen.

FONTENILLE Michel
Né en 1947 à Dijon (Côte-d'Or). xxe siècle. Français.
Sculpteur-céramiste de bas-reliefs animés.
Son travail semble indiquer qu'il ait reçu une formation apparentée à celle de l'atelier de Jeanclos à l'École des Beaux-Arts de Paris. Il participe depuis 1978 à des expositions collectives consacrées au travail de la terre et à la céramique, à Paris et périphérie, Bordeaux, dans l'Eure, etc. Depuis 1981, il montre ses réalisations dans des expositions personnelle, à Paris, Poitiers, etc.
Il réalise des sortes de bas-reliefs, d'une certaine virtuosité technique, dans la terre desquels, avant cuisson, il intègre des empreintes ou des moulages de figures et d'objets divers.

FONTENILLE Solange Marie Charlotte de
Née à Rennes (Ille-et-Vilaine). xxe siècle. Française.
Peintre.
Elle exposait à Paris, depuis 1926 au Salon des Artistes Français.

FONTES
xviiie siècle. Actif vers 1760. Portugais.
Graveur au burin.
Il a gravé des portraits.

FONTEYN Adriaen Lucasz
Né à Ypres. Mort fin 1660 à Rotterdam. xviie siècle. Hollandais.
Peintre de sujets allégoriques, scènes de genre, intérieurs.
Fonteyn vint, très jeune, se fixer à Rotterdam, et il s'y maria le 16 juillet 1645.

A. fonteyn 1657

Musées : Amsterdam : *Marché aux moules à Rotterdam.*
Ventes Publiques : Londres, 10 juin 1932 : *Marché aux bestiaux* : **GBP 10** – Londres, 12 mars 1937 : *Intérieur* : **GBP 8** – Londres, 26 mai 1977 : *Joyeuse compagnie dans un intérieur,* h/pan. (46,3x84) : **GBP 1 300** – Paris, 13 nov. 1981 : *Assemblée joyeuse dans un cabaret* 1650 ?, h/bois (55x74) : **FRF 14 000** – Stockholm, 10-12 mai 1993 : *Réunion musicale : allégorie des Cinq Sens,* h/pan. (59x89) : **SEK 50 000.**

FONTEYN Carel ou **de Fontijni**
XVIIe siècle. Éc. flamande.
Peintre.
Il était en 1656 élève de Simon Van Dow, et fut reçu maître de la Gilde de Saint-Luc en à Anvers 1664.

FONTEYN Jan Anthonisz
XVIIe siècle. Actif à Amsterdam. Hollandais.
Peintre.

FONTEYN Pieter ou **Fontyn, Fontijn**
Né en 1773 à Dordrecht. Mort en 1839. XVIIIe-XIXe siècles. Hollandais.
Peintre de scènes de chasse, sujets de genre, portraits, dessinateur.
Il fut élève de P. Hofman et de W. Van Leen. Il a également peint des miniatures.
Ventes Publiques : Amsterdam, 27 avr. 1976 : *Le Marchand de poissons* 1812, h/pan. (44x37) : **NLG 15 000** – Londres, 10 juil. 1981 : *Orphelins à la porte d'une boutique* 1826, h/pan. (83,8x66) : **GBP 11 000** – Amsterdam, 24 avr. 1991 : *Retour de chasse* 1832, h/t (62,5x49) : **NLG 8 050.**

FONTICELLI Girolamo
Né le 4 avril 1662 à Pérouse. Mort le 5 mai 1716 à Pérouse. XVIIe-XVIIIe siècles. Italien.
Peintre de paysages.
Il était élève de son oncle Pietro Montanini. Beaucoup de ses paysages se trouvèrent dans les maisons particulières de Pérouse et des environs ; on cite aussi des œuvres de sa main à la sacristie de l'église S. Spirito à Pérouse, à Corciano près de Pérouse, et à S. Maria della Spina (Ombrie).

FONTICOLI Paola
XXe siècle. Italienne.
Sculpteur de bas-reliefs. Tendance abstraite.
Elle vit et travaille à Milan.
Elle incise, grave et griffe des plaques de bois de signes apparemment non-signifiants, mais métaphoriquement chargés de connotations sensuelles et sexuelles.
Bibliogr. : In : *Opus International,* N°119, Paris, mai-juin 1990.

FONTINELLE Jean de La. Voir **LA FONTINELLE**

FONTYN Jacobus
XVIIIe siècle. Actif à Haarlem. Hollandais.
Sculpteur.
Il était en 1724, membre de la Gilde de Saint-Luc.

FONTYNE G. Van den
Né à Bruxelles. XXe siècle. Belge.
Peintre.
Exposant du Salon des Indépendants en 1938.

FONVIELLE Ulrich de
Né à Paris. XIXe siècle. Français.
Peintre.
Mentions honorables en 1888 et 1889 (Exposition Universelle). Ulrich de Fonvielle occupa dans le monde scientifique une place considérable, particulièrement dans l'aéronautique. Ce fut un des pionniers de la navigation aérienne.

FONVIELLES Yvette
Née à Paris. XXe siècle. Française.
Peintre.
Exposait au Salon de la Nationale, en 1932 : *Mon coin préféré* et *Impression.*

FONVILLE Horace Antoine
Né le 9 mars 1832 à Lyon (Rhône). Mort après 1905. XIXe siècle. Français.
Peintre de scènes de genre, paysages animés, paysages, dessinateur, graveur.
Il eut pour maîtres, Nicolas Victor Fonville, son père, ainsi que Jacques Appian à l'École des Beaux-Arts de Lyon, en 1847 et 1848. Il s'établit à Paris, puis à Oyonnax, dans l'Ain, où il dirigea une école de dessin industriel. Il fut nommé professeur de dessin aux lycées de Bourg-en-Bresse, puis de Lyon, en 1881. Il exposa à Lyon, en 1853 et 1854 ; à Paris, en 1869, y présentant surtout des paysages à l'huile et au fusain. Il obtint, en 1903, un diplôme d'honneur, à Lyon, avec *Dans les carrières de Ramasse,* fusain. Il réalisa de grandes toiles religieuses, qui figurèrent dans deux églises parisiennes, Saint-Étienne-du Mont et Sainte-Marguerite. Parmi ses œuvres, on mentionne : *Chemin dans les montagnes du Haut-Bugey – La rivière d'Ain à Neuville – Un ruisseau à Charabotte – Le Suzan à Chatillonnet – Dans les montagnes de l'Estaque – Bords de la mer à Saussel – Les Bains – Première du jour à Montagnat.* Horace Fonville peignit d'après nature, il privilégia les coins les plus déserts de la campagne lyonnaise et du pays de Bresse, son trait de crayon net et anguleux étant en harmonie avec le dessin cassant des rochers. Son graphisme convenant à l'eau-forte, il en grava une vingtaine, dont un album de dix planches sera édité par Cadart vers 1886. Il publia aussi : *De-ci de-là dans Bourg-en-Bresse,* en 1880.
Bibliogr. : Gérald Schurr, in : *Les Petits Maîtres de la peinture 1820-1920, valeur de demain,* Les Éditions de l'Amateur, t. III, Paris, 1976.
Musées : Besançon : *Chemin dans les montagnes du Haut-Bugey* – Bourg-en-Bresse : *La rivière d'Ain à Neuville* – Roanne : *Chalet suisse.*
Ventes Publiques : Paris, 29 jan. 1931 : *Lisière de forêt* : **FRF 100** – Milan, 20 mars 1980 : *Paysage boisé à l'aube* 1849, h/t (65,5x99) : **ITL 27 000 000** – Lyon, 6 déc. 1983 : *Vue de Lyon,* h/cart. (16x22) : **FRF 14 600** – Paris, 13 déc. 1989 : *Lavandières,* h/t (100x135) : **FRF 18 000** – Paris, 23 oct. 1992 : *Paysage de Provence,* h/pap./t. (28x37,5) : **FRF 8 000** – Paris, 2 avr. 1993 : *Paysage animé,* h/pan. (30x41) : **FRF 6 000.**

FONVILLE Nicolas Victor
Né en novembre 1805 à Thoissey (Ain). Mort le 12 novembre 1856 à Thoissey. XIXe siècle. Français.
Peintre de paysages animés, paysages, graveur, lithographe.
Il étudia chez le lithographe lyonnais J. Brunet, dont il fut plus tard le gendre et le successeur. Il suivit des cours de peinture à l'École des Beaux-Arts de Lyon, dès 1820, sous la conduite d'Augustin Thierriat et de Jean Duclaux.
Il fit le voyage de Rome, en 1830, où il resta un an. Dès son retour en France, il ouvrit un atelier à Lyon, que fréquentèrent François Gabillot, Louis Carrand ; il visita avec ses élèves, le Bugey, la Savoie, la Provence et la Suisse. Il fut nommé professeur de dessin au collège de Thoisset. Il exposa à Lyon, dès 1821 ; au Salon de Paris en 1833.
Il a traité principalement des paysages de l'Italie, de l'Ain, de l'Isère et du Lyonnais, exécutés à l'huile, à l'aquarelle ou au fusain. Il a réalisé de nombreux dessins, des vues de Lyon et des environs, monuments, événements contemporains, qui ont été lithographiés ou qu'il a lithographiés lui-même. Il grava également quelques eaux-fortes.
Bibliogr. : Gérald Schurr, in : *Les Petits Maîtres de la peinture 1820-1920, valeur de demain,* Les Éditions de l'Amateur, t. V, Paris, 1981.
Musées : Lyon : *Vue prise aux environs de Lyon – Vue de Lyon prise de Vassieu.*
Ventes Publiques : Versailles, 17 nov. 1985 : *Pêcheurs et leurs barques sur le lac de Genève* 1837, h/t (48,5x76) : **FRF 18 500** – Versailles, 6 nov. 1988 : *Lac et montagnes* 1837, h/t (49x76) : **FRF 18 000** – Versailles, 19 nov. 1989 : *Barques au bord d'un lac de montagne* 1837 (48,5x76) : **FRF 12 500** – Lyon, 5 nov. 1991 : *Paysage du Bugey,* h/t (30x43) : **FRF 9 000.**

FONZO Tiziana di
XXe siècle. Italienne.
Peintre.
C'est dans un pâte nerveuse et épaisse qu'elle s'attache à rendre l'agonie de Venise à travers des verts profonds, des bleus violacés rehaussés d'or.

FOORT Karel, dit **Karel** ou **Charles d'Ypres**
Né en 1510 à Ypres. Mort le 22 juin 1562 à Courtray. XVIe siècle. Éc. flamande.
Peintre, graveur, sculpteur et architecte.
Il travailla d'abord en Italie puis revint en Flandre, laissant, selon Van Mander, une femme et des enfants en Italie, ce qui ne l'empêcha pas de se remarier à Courtray, d'où l'accusation de bigamie portée contre lui. Il eut pour élèves Pieter Vlerick et Nicolas

Snellaert. Il a beaucoup gravé d'après Dürer, Lucas, de Leyde et les maîtres italiens. On croit qu'il fut élève de Tintoret.

FOOTE Mary Hallock
Née à Millon (États-Unis). XIXe siècle. Américaine.
Peintre, illustratrice.
Elle commença ses études au Copper Institute avec le Dr Rimmer, puis elle fut l'élève de Frost Jonston et enfin de William J. Linton. Elle fournit de nombreuses illustrations pour Osgood et Company et collabora au *Scribner's Monthly* et au *Saint Nicolas*.

FOOTE Will Howe
Né le 29 juin 1874 ou 1878 à Grand Rapids (Michigan). Mort en 1965. XXe siècle. Américain.
Peintre de figures, paysages animés.
Il fut élève de l'Art Institute de Chicago, de l'Art Student's League de New York, et de Jean-Paul Laurens et Benjamin-Constant à l'Académie Julian à Paris. Il était membre associé de la National Academy of Design. Il participait à des expositions collectives : 1902 obtint un Prix de la National Academy of Design, 1904 médaille de bronze à l'Exposition de Saint-Louis, 1914 sélectionné au Carnegie International Exhibition de Pittsburgh, 1915 médaille d'argent à l'exposition Panama-Pacifique à San Francisco, 1926 Prix Eaton de la Lyme Association.
Il peignit surtout des scènes typiques de la vie des campagnes américaines.
Ventes Publiques : New York, 19 juin 1981 : *Maisons dans un paysage de printemps et portrait de madame Parrish*, h/t (61x73,7) : **USD 2 500** – New York, 1er oct. 1987 : *Old Lyme Harbor from the artist's studio (recto) ; Esquisse d'une scène de café (verso)* 1903, h/pan. (14,6x20,3) : **USD 6 000** – New York, 17 mars 1988 : *Jeune Jamaïcaine vêtue de blanc*, h/t (75x75) : **USD 5 500** ; *Statue et porteur de coquelicots dans un jardin* 1909, h/t (33,5x22,5) : **USD 1 760** – New York, 23 sep. 1993 : *Été*, h/t (61,6x50,8) : **USD 23 000**.

FOOTTET Frederick Francis ou **Foot, Foottit**
Né en 1850 dans le Yorkshire. Mort en 1935. XIXe-XXe siècles. Britannique.
Peintre de figures, paysages, graveur, dessinateur.
En 1873, il figura à l'Exposition de la Royal Academy avec un paysage : *Décembre*. En 1890, il fit quelques eaux-fortes et en 1900 des lithographies en couleur ; à partir de 1901 il exposa des paysages et des tableaux de figures.
Ventes Publiques : Londres, 8 juin 1989 : *Verger en Normandie* 1892, h/t (75x90,4) : **GBP 6 050** – Londres, 21 sep. 1989 : *Scène de rue à la tombée de la nuit*, h/t (101,6x127) : **GBP 3 850** – Londres, 18 nov. 1992 : *L'Abbaye de Buckfast au bord de la Dart dans le Devon* 1851, h/t (44x64,5) : **GBP 1 980**.

FOOTTIT Harrison
XVIIIe siècle. Britannique.
Peintre de miniatures.
Il exposa à la Royal Academy de Londres de 1772 à 1774.

FOPPA Vincenzo de, appelé aussi **Vincenzo Bresciano**
Né entre 1425 et 1430 à Brescia. Mort entre mai 1515 et octobre 1516 à Brescia. XVe-XVIe siècles. Italien.
Peintre de compositions religieuses.
D'après les recherches les plus récentes, il fut le fils d'un certain Giovanni de Bagnolo. L'Anonimo et d'autres appellent Foppa : Vincenzo Vecchio, nom qui lui fut certainement donné à cause de son grand âge. D'après certaines œuvres de l'artiste, exécutées après 1492 selon toute probabilité, on voit qu'il dut encore être employé activement dans le cours des dix premières années du XVIe siècle. En dépit de son long séjour à Brescia, on ne peut y rencontrer aucune peinture qui puisse lui être attribuée. On admet ordinairement qu'il reçut les premiers principes de l'art de Squarcione et devint disciple de Mantegna, bien que les données soient peu en concordance avec le genre de peinture qui ressort des premières œuvres du peintre. Il semble s'être, tout d'abord, inspiré de Stefano da Verona et Jacopo Bellini. Selon toute probabilité, il rentra en 1450 dans sa ville natale après avoir terminé ses études ; il y épousa Caylina, fille d'un citoyen de Brescia. Vers 1456, il émigra avec sa femme et ses enfants à Pavie où il résida pendant plus de trente ans et où il acheta une maison et obtint les droits de citoyen entre 1467 et 1468. On ne possède aucune indication sur les premiers travaux qu'il exécuta dans cette ville, mais il est bien probable qu'il fut un des peintres employés entre 1459 et 1460 par Francesco Sforza à la décoration du Palazzo dell'Arengo de Milan. En 1461, nous le trouvons à Gênes exécutant pour la Confrérie de Saint-Jean-Baptiste des fresques dans leur chapelle de la cathédrale de la ville. Lorsqu'il eut terminé le plafond de la chapelle, il n'observa pas les clauses de son contrat et refusa de décorer les murs. Il retourna à Pavie où l'église des Carninel possédait de lui un tableau signé et daté en mai 1462 (aujourd'hui perdu). À cette époque il exécuta un très grand nombre d'œuvres à Milan et dans ses environs : *Épisodes de la vie de Trajan*, et des peintures décoratives dans la banque Médicis, palais donné par Francesco Sforza à Cosme de Médicis. Parmi ses œuvres, on cite encore des figures de prophètes dans un des cloîtres de Pavie (1465) ; un tableau d'autel de Santa Maria delle Grazie à Monza (1466). A nouveau à Milan en 1468, il exécuta des fresques pour l'église de Sant'Eustorgio, relatant la vie de saint Pierre martyr.
Ces fresques marquent un renouveau dans la peinture lombarde, en accentuant les constructions en perspective et en accusant les masses par la lumière. Ces nouvelles recherches étaient prévisibles déjà dans sa *Crucifixion* (1456). À partir de 1470, il fit de nombreux voyages à Gênes, ce qui lui permit de mieux connaître les peintures flamande et franco-provençale. En 1469, n'ayant pas réussi à obtenir un emploi au Campo Santo de Pise, Vincenzo Foppa retourna à Gênes où nous le trouvons en 1471 recevant des honoraires pour un travail exécuté dans la chapelle de Saint-Jean-Baptiste. Après 1474, il fut employé activement à Pavie avec d'autres peintres à la composition du grand tableau d'autel de la chapelle dans le Castello. C'est à cette même époque qu'il exécuta très probablement un assez grand nombre de travaux pour Milan, lesquels ont tous péri. Parmi tant d'œuvres produites par cet artiste à Gênes et dans la Ligurie entière, deux seules ont résisté à la destruction du temps : un grand tableau d'autel commandé par Giuliano della Rovere pour la cathédrale de Savone (actuellement dans l'oratoire de S. M. de Castello) et un tableau très abîmé commandé par Manfredo Fornani pour le Certosa de Loreto, que l'on peut voir aujourd'hui dans la galerie de Savone.
Musées : Bergame (Carrara) : *Crucifixion* – Bergame (Gal. Lochis) : *Saint Jérôme* – Berlin (Kaiser Friedrich Mus.) : *Vierge – Le Christ pleuré par les Saintes Femmes* – Brescia (Pina. Tosio Martinengo) : *Étendard d'Orzinuovi* – Glasgow : *L'Adoration des mages* – Londres (Nat. Gal.) : *Adoration des mages* – Londres (Coll. Wallace) : *Le jeune Galeazze Sforza lisant Cicéron*, fresque – Milan (Gal. Ambrosiana) : Triptyque – Milan (Mus. Brera) : *Madone – Sainte Claire et saint Bonaventure – Saint Jérôme et saint Alexandre – Saint Ludovic et saint Bernardin – Saint Vincent et saint Antoine de Padoue – Le Rédempteur – Saint François recevant les stigmates – La Vierge, Jésus, saint Jean l'Évangéliste et saint Jean-Baptiste – Martyre de saint Sébastien – Le Christ mort* – Milan (Castello Sforzesco) : *Saint Benoît et saint Ambroise – Martyre de saint Sébastien – Vierge à l'Enfant* – deux œuvres – *Saint Jean-Baptiste*, fresque – *Saint François recevant les stigmates*, fresque – Milan (Poldi Pezzoli) : *Vierge à l'Enfant* – Savone (Palais mun.) : *Tableau d'autel*.
Ventes Publiques : Londres, 12 mai 1927 : *La résurrection de Lazare* : **GBP 58** – New York, 27 et 28 mars 1930 : *La Madone et l'Enfant* : **USD 175** – Londres, 12 déc. 1930 : *L'Adoration des Mages* : **GBP 441** – Londres, 4 juin 1937 : *La Madone et l'Enfant* : **GBP 44** – Londres, 20 août 1941 : *Le Christ fait prisonnier ; Le Christ devant Pilate ; Le Christ à Emmaüs*, ensemble : **GBP 20** – Paris, 15 déc. 1958 : *Pietà* : **FRF 580 000** – Cologne, 2 et 6 nov. 1961 : *La Vierge en prière devant l'Enfant* : **DEM 11 000** – Milan, 6 avr. 1965 : *La Vierge et l'Enfant*, temp. sur bois : **ITL 6 000 000** – Londres, 2 juil. 1965 : *Portrait d'un gentilhomme, de profil droit* : **GNS 2 200** – Londres, 19 avr. 1967 : *Saint Jérôme* : **GBP 5 500** – Londres, 26 juin 1970 : *Saint Jérôme en robe de cardinal* : **GNS 6 000** – Monaco, 16 juin. 1989 : *Les anges musiciens*, h/pan. (14x20) : **FRF 777 000**.

FOPPIANI Gustavo ou **Foppani**
Né en 1925 à Udine. Mort en 1986 à Piacenza. XXe siècle. Italien.
Peintre, technique mixte, peintre à la gouache. Nouvelles figurations.
Ses œuvres ont figuré dans des expositions collectives, dont : en 1995 *Attraverso l'Immagine*, au Centre Culturel de Crémone.
Bibliogr. : In : Catalogue de l'exposition *Attraverso l'Immagine*, Centre Culturel Santa Maria della Pietà, Crémone, 1995.
Ventes Publiques : Paris, 16 avr. 1992 : *Citta antica* 1955, techn. mixte/pap./t. (81x51) : **FRF 21 000** – Rome, 25 mars 1993 : *Affiche*

dans la rue au clair de lune 1962, h/rés. synth. (100x70) : **ITL 4 000 000** – New York, 24 fév. 1994 : *Un cochon cherchant des truffes* 1957, h/pan. (40x54,6) : **USD 1 610** – Paris, 29 mars 1995 : *Da salo sul trono* 1974, gche et encre/pap./pan. (35x24) : **FRF 5 500** – Milan, 20 mai 1996 : *Cathédrale et tricycle*, h/pan. (28x31) : **ITL 4 600 000**.

FORABOSCO Girolamo. Voir **FERRABOSCO**

FORABOSCO Michele

xviiie siècle. Actif à Pavie. Italien.

Sculpteur sur bois.

Il exécuta pour le théâtre Fraschini à Pavie les statues de la *Musique* et de la *Poésie*.

FORAIN Jean Louis

Né le 23 octobre 1852 à Reims (Marne). Mort le 11 juillet 1931 à Paris. xixe-xxe siècles. Français.

Peintre de compositions à personnages, figures, peintre à la gouache, aquarelliste, pastelliste, graveur, lithographe, dessinateur, illustrateur, caricaturiste, affichiste. Impressionniste.

Il était fils d'un peintre en bâtiment et fut apprenti chez un graveur de cartes de visites. Il fut brièvement élève de Gérôme et Carpeaux à l'École des Beaux-Arts de Paris, mais assidu au Louvre, où il copiait les maîtres. On rapporte que, durant un certain temps, il vécut de la vente précaire de petits dessins dans le goût de Grévin. Puis, collaborateur de diverses publications comme dessinateur-chroniqueur, débutant en 1876 à *La Cravache*, puis collaborant aux périodiques *Le Journal amusant, Le Figaro, L'Écho de Paris*, il fut amené à fréquenter les différents milieux qui constituaient la société parisienne : le monde du théâtre, des spectacles, le monde des lettres, notant d'un trait critique les tics et travers propres à chacun de ces cercles. Il entrait ainsi dans une voie très caractéristique de cette époque, qu'illustraient déjà Steinlen, Caran d'Ache ou Toulouse-Lautrec, dans leurs revues : *La Pléiade, La Vogue, La Revue blanche*. En tant que peintre, il exposa, avec ses amis impressionnistes Monet et Degas, au Salon officiel en 1884 et 1885, certaines sources indiquent également 1879, 1880, 1881. En 1995, la Fondation de l'Hermitage à Lausanne a réuni une exposition d'ensemble de son œuvre ; en 1996 à Paris, exposition à la galerie Hopkins-Thomas.

Il s'agissait de tracer, non par l'image strictement imitative, mais par le dessin-charge, le tableau de la société d'une époque. En 1880, il a illustré les *Croquis Parisiens* de J.-K. Huysmans. Cependant, la société de cette époque, qui fut qualifiée de « belle », foisonnait de scandales mondains ou demi-mondains, financiers, boursiers, politiques. Forain s'était acquis une réputation non surfaite pour ses « bons » mots, qui en fait étaient féroces. Beaucoup sont restés célèbres, la plupart ont été sans doute inventés, mais on ne prête qu'aux riches. Les journaux auxquels il collaborait ne lui offraient pas suffisamment de liberté d'expression pour la causticité qui l'animait. La fondation du *Courrier français*, et plus tard celle du *Rire* lui permirent de donner libre cours à sa verve particulière. Le scandale politico-financier de la mise en liquidation judiciaire de la *Compagnie Universelle du Canal Interocéanique*, en 1892, lui procura un terrain de choix pour l'observation des affairistes et politiciens véreux nageant dans les eaux troubles du monde judiciaire. Il prit alors l'initiative de réunir ses dessins en albums thématiques, dressant ainsi les parties d'un tableau de la société de son temps : 1982 *L'Album Forain, La Comédie parisienne*, 1893 *Les Temps difficiles, Nous, vous, eux*, 1897 *Doux Pays*. En 1898, « L'Affaire » battait son plein et divisait les Français en deux clans ; les demandes en révision du procès du capitaine Dreyfus, accusé de trahison, ne pouvaient plus être écartées par les pouvoirs publics. Ce fut l'année de la publication du « J'accuse » de Zola. L'innocence de Dreyfus allait éclater, et le complot politico-militaire être dévoilé. Forain se rangea du côté des opposants à la révision du procès et, avec Caran d'Ache, il fondait, en 1898-1899, le *Pss't !*, qui allait devenir le véhicule, d'autant plus féroce que talentueux, d'un antisémitisme qui trouva toujours sa clientèle. Forain fonda encore le journal *Le Fifre*, enfin, il fut l'un des membres-fondateurs de la *Société des Humoristes*. De 1914 à 1920, il donna au *Figaro* une longue série d'illustrations concernant les faits de la guerre de 1914-1918, dans lesquelles il opposait l'héroïsme des soldats à la lâcheté des « planqués » de « l'arrière ». À la suite d'une crise religieuse, il consacra la fin de sa vie à des sujets pieux, où il ne semble pas qu'il put déployer ce qui constituait le fond de son talent, à quoi une certaine méchanceté n'était pas étrangère. Il fut fait chevalier de la Légion d'honneur en 1893. Il fut ensuite comblé d'honneurs et élu membre de l'Institut de France.

Outre ses nombreuses collaborations aux journaux et revues de son temps, Forain a gravé à l'eau-forte et surtout a produit quatre-vingt-neuf lithographies, dont quelques affiches. D'entre les albums de dessins qu'il a publiés, certains comportaient des suites nombreuses : les deux-cent-cinquante dessins de *La Comédie parisienne*, les cent-quatre-vingt-neuf dessins de *Les Temps difficiles*, etc. Il a aussi illustré quelques ouvrages littéraires : 1920 *Les Pantins de Paris* de Gustave Coquiot, 1931 *Les Tribunaux* de Georges Courteline ou participé à l'illustration de : 1880 *La vraie tentation du grand saint Antoine* de Paul Arène, 1891 *Chansons fin de siècle* de J. Oudot, 1922 *Montmartre immortel* de É. Bayard.

Lors de ses tout débuts, il peignit des aquarelles, inspirées des mises en page japonaises. Ensuite, même si cette partie de son œuvre est peut-être trop négligée, il poursuivit sa carrière de peintre et pastelliste, parallèlement à celle de dessinateur humoriste. Il est considéré que son admiration pour Manet et l'influence de Degas marquèrent tôt sa technique étendue, son style incisif et le choix de ses sujets, dans les aquarelles rehaussées de pastel et de gouache et les peintures à l'huile, aux notations colorées savantes, qui suivirent : coulisses des théâtres, cafés-concerts, bars, etc. On reproche à sa production picturale une certaine maladresse, peut-être en fait ici génératrice de fraîcheur, quand dans son dessin un excès d'habileté nuit à l'expression des sentiments. D'entre les thèmes qu'il y traita, il privilégia celui de la femme, mais la femme telle que lui la ressentait ou peut-être la pratiquait, c'est-à-dire bien plutôt la fille, aux yeux vides, au sourire figé, aux avantages et élégances fatigués, se situant sociologiquement à l'inverse d'un Constantin Guys.

Si on voulait situer, non pas l'esprit de son dessin, dont a déjà été évoqué la causticité, plus sarcastique que révoltée, voire parfois de la pire origine, mais la qualité de son graphisme, par exemple en regard de ceux de ses contemporains, desquels au moins une partie de leur activité s'exerçait dans ce même sens de la charge, laissant de côté Steinlen, d'une inspiration plus humanitaire et tragique, il aurait en commun avec Daumier et Toulouse-Lautrec le sens du raccourci synthétique du trait, mais d'un caractère plus convenu, dans la façon de représenter les personnages, que Claude Roger-Marx dit réduits à : « quelques types puissants, mais d'une psychologie assez courte ». Moins lyrique-expressionniste que chez le romantique Daumier, moins « artiste », comme on disait alors, que chez Toulouse-Lautrec, précurseur des audaces stylistiques du xxe siècle, le dessin de Forain, à l'inverse de sa verve caustique, pâtit de sa neutralité artistique.

■ Jacques Busse

forain

forain

Bibliogr. : Marcel Guérin : *J.-L. Forain lithographe et aquafortiste, avec catalogue raisonné*, Floury, Paris, 1910-1912 – Marcus Osterwalder : *Diction. des illustrateurs 1800-1914*, Ides et Calendes, Neuchâtel, 1989.

Musées : Memphis (Mus. Dixon) : ensemble de plus de cinquante œuvres – Paris (Mus. d'Orsay) : *Au Café de la Nouvelle Athènes*, aquarelle.

Ventes Publiques : Paris, 7 fév. 1901 : *Intimité*, dess. : **FRF 2 250** – Paris, 23 fév. 1910 : *Danseuse rattachant son chausson*, litho. : **FRF 470** ; *La Tonnelle*, litho., tiré à une dizaine d'épreuves : **FRF 1 500** ; *Le Cabinet particulier* : **FRF 630** ; *Le petit déjeuner* : **FRF 750** ; *Scène en cabinet particulier*, épreuve retouchée : **FRF 300** ; *Danseuse accôtée contre un portant*, tiré à six épreuves : **FRF 380** ; *Femme nue assise sur son lit*, dess. : **FRF 160** ; *Le petit modèle couché sur un fauteuil* : **FRF 320** – Paris, 24 avr. 1919 : *Dans la loge de la danseuse* : **FRF 5 030** ; *Le marchand de tableaux* : **FRF 5 350** – Paris, 2 nov. 1920 : *En correctionnelle* : **FRF 11 100** – Paris, 1er-2 déc. 1920 : *Danseuses dans les coulisses*, aquar. : **FRF 2 900** – Paris, 7 juil. 1921 : *Femme à sa toilette*, aquar. : **FRF 2 300** – Paris, 26 oct. 1922 : *En soirée, le buffet* : **FRF 5 100** – Paris, 25 mai 1923 : *Les coulisses de l'Opéra*, past. : **FRF 9 000** ; *L'homme sérieux* : **FRF 13 100** – Londres, 1er juin 1923 : *Femme en rose* : **GBP 99** – Paris, 20 oct. 1926 : *Le Repos du modèle*, cr. : **FRF 2 450** – Paris, 30-31 mai

1927 : *Dans les coulisses* : **FRF 50 000** – LONDRES, 23 mars 1928 : *Préparation du repas*, dess. : **GBP 63** – PARIS, 18-19 juin 1928 : *Le Prétoire* : **FRF 153 000** – PARIS, 3 mai 1929 : *L'hompme de loi*, dess. : **FRF 4 750** ; *Danseuses* : **FRF 60 000** ; *Voila la preuve* : **FRF 100 300** – PARIS, 25 juin 1931 : *Intimité*, aquar. : **FRF 4 050** ; *En soirée*, aquar. : **FRF 7 000** – PARIS, 12 déc. 1932 : *La femme à l'éventail* : **FRF 32 100** ; *Le retour de l'enfant prodigue* : **FRF 62 000** ; *Nu couché*, dess. aux cr. de coul. : **FRF 1 100** – PARIS, 17 fév. 1937 : *Acte féminin*, past. : **FRF 3 000** – PARIS, 10 juin 1937 : *Nu debout : le modèle*, past. : **FRF 1 800** ; *Les coulisses de l'Opéra en 1880* : **FRF 31 200** ; *Danseuse debout vue de dos* : **FRF 7 000** – NEW YORK, 8-9 jan. 1942 : *À la cour* : **USD 2 200** ; *La promenade* : **USD 1 750** – PARIS, 28 jan. 1942 : *La procureuse et la débutante* : **FRF 23 000** – PARIS, 11 déc. 1942 : *Scène de ballet*, dess. aquarellé en forme d'éventail : **FRF 24 000** ; *Portrait présumé du peintre Courtois devant son chevalet* : **FRF 106 000** – NEW YORK, 20-21 oct. 1943 : *Après le bain*, dess. : **USD 270** ; *Folies-Bergère*, past. : **USD 5 900** – PARIS, 28 mars 1945 : *Un soireux*, aquar. : **FRF 10 000** – LONDRES, 10 juil. 1946 : *Danseuses* : **GBP 180** – PARIS, 30 mai 1949 : *Dans les coulisses* : **FRF 165 000** – PARIS, 20 juin 1951 : *Les coulisses de l'Opéra* : **FRF 240 000** – PARIS, 21 mars 1958 : *La visite à la loge* 1882, aqu.et gche : **FRF 920 000** – PARIS, 15 juin 1958 : *Derrière le portant, l'abonné*, h/t : **FRF 320 000** – NEW YORK, 11 nov. 1959 : *Le cabaret*, h/t : **USD 3 200** – PARIS, 10 déc. 1959 : *Étude inspirée de La conquête de l'air*, gche : **FRF 1 000 000** – LONDRES, 20 mai 1960 : *Scène de l'Opéra*, h/t : **GBP 3 990** – NEW YORK, 16 avr. 1961 : *Le peintre idéaliste*, past. : **USD 4 000** – BERNE, 9 juin 1961 : *Personnages dans le Foyer d'un théâtre*, gche et aquar./dess. au cr. : **CHF 2 600** – NEW YORK, 27 mars 1963 : *Fillette assise jouant avec un chien*, past. : **USD 3 200** – PARIS, 12 mars 1964 : *Le couple* : **FRF 125 000** – VERSAILLES, 8 juin 1969 : *Jeune-fille*, fus. : **FRF 4 200** – PARIS, 10 mars 1970 : *Dans les coulisses* : **FRF 18 000** – LONDRES, 17 mars 1970 : *Abonné et danseuse* 1892 : **GBP 3 200** – GENÈVE, 1er juil. 1971 : *Intimité* : **CHF 40 000** – LONDRES, 1er juil. 1971 : *Étude de femme, les mains dans un manchon* 1880 : **GNS 4 500** – PARIS, 4 déc. 1972 : *Au café*, gche : **FRF 90 000** – LONDRES, 3 mai 1973 : *Les coulisses de l'Opéra de Paris* 1899 : **GBP 4 500** – PARIS, 23 mai 1973 : *Coulisses de l'Opéra* 1912 : **FRF 29 500** – HAMBOURG, 14 juin 1973 : *Les avocats* 1908 : **DEM 16 000** – GENÈVE, 6 juin 1974 : *Danseuse à l'Opéra* : **CHF 128 000** – LONDRES, 7 avr. 1976 : *Au théâtre*, aquar. et gche (46x32) : **GBP 2 600** – PARIS, 25 mai 1976 : *Scène d'église*, h/t (65x81) : **FRF 5 300** – LONDRES, 29 juin 1977 : *Dans les coulisses*, gche (42,5x27) : **GBP 2 500** – NEW YORK, 21 oct. 1977 : *Dans les coulisses de l'Opéra de Paris* 1899, h/t (81,5x100,5) : **USD 6 500** – PARIS, 16 mai 1979 : *Le Mont Valérien vue de la Seine* 1877, aquar. (15,2x26,4) : **FRF 11 800** – LONDRES, 1er juil. 1980 : *Le Bal Mabille* vers 1877, pl., lav. et craie jaune/pap. (18x24,4) : **GBP 1 500** – NEW YORK, 4 nov. 1982 : *Les étrangers à Paris*, encre noire et craie noire (42x27,5) : **USD 1 700** – LONDRES, 29 juin 1983 : *Homme galant* vers 1890, aquar. et cr. de coul./trait de pl. (27x11) : **GBP 3 000** – ENGHIEN-LES-BAINS, 27 mai 1984 : *L'homme comblé*, h/t (60x73) : **FRF 57 000** – LONDRES, 3 déc. 1986 : *Femme à la voilette*, h/t (76x60,3) : **GBP 21 000** – LONDRES, 28 mai 1986 : *Deux danseurs*, pl. et cr. coul. (20x12,2) : **GBP 1 200** – LONDRES, 1er juil. 1987 : *Aux Folies-Bergères*, gche (34,5x25) : **GBP 18 000** – NEW YORK, 25 fév. 1988 : *Le buffet*, encre (31x22,3) : **USD 1 100** – PARIS, 22 mars 1988 : *Scène de théâtre*, h/t (60x74) : **FRF 44 000** – LONDRES, 29 mars 1988 : *Dans les coulisses* 1878, h/pan. (25,5x21) : **GBP 57 200** – LOKEREN, 28 mai 1988 : *Le Prétoire*, pointe sèche (47,5x60,3) : **BEF 36 000** – PARIS, 12 juin 1988 : *Les ballerines sur scène*, h/t (50x73) : **FRF 260 000** – PARIS, 14 juin 1988 : *Au café*, encre de Chine et aquar. (13,5x10,4) : **FRF 17 000** – CALAIS, 3 juil. 1988 : *La ballerine et son protecteur*, dess. à l'encre de Chine (29x23) : **FRF 10 500** – LOKEREN, 8 oct. 1988 : *Le ballet*, craie noire et aquar. (24x21) : **BEF 40 000** – LONDRES, 19 oct. 1988 : *Scène de tribunal* 1924, aquar., gche et fus. (34,6x51) : **GBP 6 820** – PARIS, 28 nov. 1988 : *Au claque*, h/t (60x73) : **FRF 40 000** – PARIS, 9 déc. 1988 : *L'aveu*, aquar. (29,5x28) : **FRF 6 500** – LONDRES, 22 fév. 1989 : *La sortie du théâtre*, aquar. avec reh. de gche blanche (32,3x25) : **GBP 11 550** – NEW YORK, 23 mai 1989 : *Le lever*, h/t (60,4x73) : **USD 44 000** – PARIS, 11 avr. 1989 : *Danseuse au miroir*, past. (30x28) : **FRF 118 000** – LONDRES, 27 juin 1989 : *Les artistes de cirque*, h/t (91,4x72,4) : **GBP 16 500** – PARIS, 3 juil. 1989 : *Femme au lever*, h/t (80x69) : **FRF 420 000** – REIMS, 22 oct. 1989 : *Doux pays, le député et la légion d'honneur*, dess. à l'encre de Chine et à l'aquar. (25x38,5) : **FRF 3 500** – NEW YORK, 24 oct. 1989 : *Au Salon* 1921, h/pap./t. (55x66) : **USD 14 300** – PARIS, 8 nov. 1989 : *La Loge de la ballerine*, encre de Chine reh. de cr. bleu (29x22) : **FRF 9 000** – PARIS, 26 nov. 1989 : *La boudeuse*, h/t (73x60) : **FRF 100 000** – PARIS, 24 jan. 1990 : *La Famille*, gche (50x61) : **FRF 38 000** – NEW YORK, 26 fév. 1990 : *La Lettre*, h/t (68,6x56,5) : **USD 18 700** – PARIS, 21 mars 1990 : *Réception mondaine*, h/pan. (26x34) : **FRF 78 000** – GRANDVILLE, 29 avr. 1990 : *Au café*, peint./t. : **FRF 340 000** – PARIS, 5 juil. 1990 : *Danseuse de profil*, fus. (42,5x32,5) : **FRF 13 000** – NEW YORK, 23 oct. 1990 : *Dans les coulisses*, h/t (61x73,7) : **USD 12 100** – LONDRES, 4 déc. 1990 : *Au bar*, h/t (66x82) : **GBP 22 000** ; *Chez la modiste*, past./pap./cart. (54,6x46) : **GBP 35 200** – NEW YORK, 14 fév. 1991 : *Chez Maxim à Paris*, h/t (60,3x73,7) : **USD 38 500** – MONACO, 11 oct. 1991 : *Gigolo et Gigolette*, encre et lav. (26,5x20) : **FRF 28 860** – LONDRES, 2 déc. 1991 : *Danseuse*, soie peinte à la gche, éventail (L. 27) : **GBP 17 600** – NEW YORK, 26 fév. 1993 : *La Chanteuse*, encre et gche/pap. avec reh. de blanc (27,3x17,8) : **USD 4 600** – PARIS, 28 mai 1993 : *Deux femmes à vélo*, gche/pap. brun (72,5x150) : **FRF 53 000** – LONDRES, 22 juin 1993 : *La Loge*, h/pan. (24x19) : **GBP 76 300** – NEW YORK, 2 nov. 1993 : *Les Balletomanes*, h/t (60,3x73) : **USD 13 800** – NEW YORK, 16 fév. 1994 : *Devant la table de toilette*, h/pap./cart. (38,7x45,7) : **USD 23 000** – AMSTERDAM, 19 avr. 1994 : *La Nymphe des bois*, h/t/pan. (288x18) : **NLG 2 990** – LONDRES, 29 juin 1994 : *Portrait de Camille Pissarro*, aquar. (21x14) : **GBP 23 000** – DEAUVILLE, 19 août 1994 : *Le Lever*, past./pap./t. (55x65) : **FRF 8 500** – PARIS, 26 mars 1995 : *Étude de danseuses*, past. (46x38) : **FRF 10 200** – SAINT-GERMAIN-EN-LAYE, 26 mars 1995 : *Scène de maison close*, h/pan. (32x40) : **FRF 85 000** – NEW YORK, 24 mai 1995 : *La Loge ou Palais de glace*, h/t (64,8x92,7) : **USD 360 000** – PARIS, 26 avr. 1996 : *Le Salon d'essayage*, encre et lav. (31x24) : **FRF 4 900** – PARIS, 22 mai 1996 : *Deux Pays en Orient*, aquar., pl. et encre noire (24,7x33,7) : **FRF 6 200** – NEW YORK, 12 nov. 1996 : *Le Tribunal* vers 1925, gche, aquar., brosse, encre et craie noire/cr./pap./cart. (29,8x42,9) : **USD 4 600** – PARIS, 24 nov. 1996 : *Femme et enfant dans la rue* vers 1908, h/t (73x43) : **FRF 13 000** – PARIS, 16 mars 1997 : *Portrait de femme*, h/t monogrammée (46x38) : **FRF 5 000** – PARIS, 20 mars 1997 : *Mariage au jardin d'hiver*, lav. d'encre et aquar. (31,5x22) : **FRF 33 000** – NEW YORK, 12 mai 1997 : *La Danseuse au cerceau* 1881, h/pan. (33x23,5) : **USD 387 500** – AMSTERDAM, 2-3 juin 1997 : *Portrait féminin*, aquar./pap. (37x26) : **NLG 19 470** – PARIS, 16 juin 1997 : *Le Peintre et son modèle dans l'atelier*, aquar. gchée (40,5x49) : **FRF 40 000** – NEW YORK, 9 oct. 1997 : *Tribunal*, h/t (91x89) : **USD 10 925**.

FORAIN Jeanne

XXe siècle. Française.

Peintre, sculpteur de figures, portraits, nus, fleurs, pastelliste, dessinatrice.

Épouse de Jean-Louis Forain, elle travailla dans son atelier, rue Spontini, à Paris. Elle exposa régulièrement au Salon de Paris. Plus sculpteur que peintre, elle modela des têtes de marionnettes pour son *Théatre des Nabots*, qu'elle créa dès 1905. Dans les différentes techniques pratiquées, elle réalisa des nus, des fleurs à la fin de sa carrière, mais surtout des portraits, se spécialisant dans les visages d'enfants. Parmi ses œuvres, on mentionne : *La princesse Caroline Murat – Jean-Loup enfant – La petite fille en bleu – Jeune femme à la rose*.

BIBLIOGR. : Gérald Schurr, in : *Les Petits Maîtres de la peinture 1820-1920, valeur de demain*, Les Éditions de l'Amateur, t. V, Paris, 1981.

VENTES PUBLIQUES : PARIS, 13 fév. 1924 : *Étude pour Le Bain*, past. : **FRF 350** – PARIS, 5 nov. 1936 : *Étude pour Le Bain*, fus. reh. : **FRF 100** – PARIS, 20 juin 1941 : *Madame Trinité cousant*, past. : **FRF 280** – NEW YORK, 9 mai 1989 : *La vieille femme*, bronze (H. 49,5) : **USD 1 100**.

FORAND Antony

Né à La Rochelle (Charente-Maritime). XIXe-XXe siècles. Français.

Sculpteur.

Élève de l'École des Beaux-Arts de Paris. Le Musée de La Rochelle conserve de lui : *Un jeune mendiant* (plâtre).

FORANI Madeleine Christine

Née en 1916 à Arlon. XXe siècle. Belge.

Sculpteur de monuments. Tendance abstraite.

Après des études d'archéologie, elle fut élève en 1942 de l'Académie des Beaux-Arts de Bruxelles. Elle fut ensuite déportée au camp de Dachau. Rescapée, elle reprit le cours de son ravail et devint élève de Zadkine, à l'Académie de la Grande-Chaumière à Paris, en 1947-1948. En 1949, elle fit une première exposition

personnelle à Naples. En 1952, elle fit une exposition personnelle à Bruxelles. En 1953, elle fut lauréate pour la Belgique du Concours International pour le *Monument au Prisonnier Politique Inconnu*. En 1953 aussi, elle participa au Salon de la Jeune Sculpture à Paris. En 1945, elle exposa à Anvers, grande plaque-tournante pour la sculpture dans la période d'après-guerre et elle obtint une bourse d'étude pour le Congo. En 1958-1959, elle fit un voyage en Amérique.
Elle utilise, insérés dans l'infrastructure métallique, des émaux et pâtes de verre de couleurs. À la suite de l'enseignement de Zadkine, elle avait évolué un temps à une abstraction symbolique. Après sa bourse pour le Congo, elle revint à une figuration allusive, où elle se trouva confirmée lors de son voyage à New York.
Bibliogr. : Denys Chevalier, in : *Diction. de la sculpt. mod.*, Hazan, Paris, 1960.

FORASTIERI Giovanni Battista, dit **lo Zoppo**
XVIe siècle. Italien.
Peintre.
Il était actif à Ravenne. Il fut peintre d'armoiries. Peut-être est-il identique à un Giovanni Battista Forastieri, compagnon du peintre Galeotto Corelli, et mentionné en 1555.

FORBAT Alfred
Né en 1897. Mort en 1972. XXe siècle. Depuis 1918 actif en Allemagne, et depuis 1938 en Suède. Hongrois.
Dessinateur. Constructiviste.
Il fut essentiellement architecte. En 1918-19, il fut étudiant à l'École Supérieure Technique de Munich. De 1920 à 1922, il travailla dans l'atelier de Walter Gropius au Bauhaus. De 1924 à 1932, il eut une activité d'architecte, notamment à Berlin. En 1932-33, il fut urbaniste à Moscou. De 1933 à 1938, il revint en Hongrie comme architecte. À partir de 1938, il se fixa en Suède, toujours comme architecte, nommé, en 1959, professeur d'urbanisme à Stockholm.
Il dessina aux crayons de couleurs des compositions abstraites-constructivistes en tant que projets pour des intégrations artistiques en milieu architectural urbain ou simplement en tant qu'œuvres en soi.
Bibliogr. : In : Catalogue de l'exposition *L'art en Hongrie 1905-1930, art et révolution*, Musée d'art et d'industrie, Saint-Étienne, 1980.
Musées : Budapest (Mus. des Beaux-Arts) : *Composition abstraite* 1921.
Ventes Publiques : Paris, 19 fév. 1996 : *Composition géométrique*, past. (30x24) : **FRF 4 700**.

FORBELL Charles
Américain.
Illustrateur.
Membre du Salmagundi Club et de la Artists Guild of the Author's League of America.

FORBERG Ernst Carl
Né le 20 octobre 1844 à Düsseldorf. Mort en 1915 à Düsseldorf. XIXe-XXe siècles. Allemand.
Graveur à l'eau-forte.
Mention honorable en 1883, médaille d'or en 1900 (Exposition Universelle).

FORBES Alexander
XVIIe siècle. Britannique.
Dessinateur.
Le British Museum possède de cet artiste plusieurs *Vues* signées et datées de 1690 et 1691.

FORBES Alexander
Mort en 1839. XIXe siècle. Britannique.
Peintre d'animaux.
Ses portraits de chevaux et de chiens l'ont rendu célèbre.

FORBES Anne
Née en 1745. Morte en 1834. XVIIIe-XIXe siècles. Britannique.
Peintre.
Elle étudia à Rome vers 1770 et exposa des portraits à la Royal Academy à Londres en 1772. On cite parmi ses portraits ceux d'*Elisabeth Hamilton* et de *lord Polwarth*.

FORBES Charles Stuart
Né vers 1860 à Genève, de parents américains. XIXe siècle. Américain.
Peintre de paysages.
Il obtint une médaille de bronze à l'Exposition Universelle de Paris en 1889.
Ventes Publiques : New York, 21 sep. 1984 : *Pont des Saints-Pères* 1918, h/pan. (18,7x27,1) : **USD 700**.

FORBES Edwin
Né en 1839 à New York. Mort en 1895. XIXe siècle. Américain.
Peintre de sujets militaires, batailles, animaux, graveur.
Il commença ses études vers 1857 comme peintre d'animaux, et en 1859, il se plaça sous la direction de A.-F. Tait. Lorsque la guerre de Sécession éclata, il suivit les opérations militaires en 1862, 1863 et 1864. A son retour à New York, il peignit plusieurs tableaux militaires, mais il ne tarda pas à revenir à son premier genre. Il fut nommé membre honoraire du London Etching Club en 1877.
On cite de lui une intéressante suite d'eaux-fortes : *Études d'après nature de la grande armée*, exposée à Philadelphie avec succès, et dont les épreuves furent achetées par le général Sherman, pour le Gouvernement américain.
Ventes Publiques : New York, 21 nov. 1980 : *Union supply wagon*, h/t (30,5x45,8) : **USD 3 000** – New York, 15 mars 1985 : *A civil war tune* 1867, h/t (40,7x51,4) : **USD 32 000**.

FORBES Elizabeth Adela Stanhope, Mrs ou **Stanhope-Forbes**, née **Armstrong**
Née le 29 décembre 1859 à Ottawa. Morte le 22 mars 1912 à Newlyn (Cornouailles). XIXe-XXe siècles. Canadienne.
Peintre de genre, paysages, aquarelliste, graveur, dessinatrice, illustratrice.
Fille d'un fonctionnaire du gouvernement à Toronto, elle fit ses études à la Students' Art League à New York avec W. Chase. Elle vint ensuite travailler en Bretagne où elle produisit un grand nombre de pointes sèches. Elle devint membre de la Painter Etchers Society à Londres. Ayant rencontré Stanhope Forbes en Cornouailles, elle l'épousa en 1890. Elle fut associée à partir de 1899 à la Society of Painters in Water-Colours. Elle exposa à la Royal Academy à partir de 1890.
Mentionnons parmi ces œuvres de très mystérieuses illustrations pour le *Bois du roi Arthur*, *Les Poèmes d'Herwicks*, d'une haute valeur artistique.
Musées : Plymouth : *Imogène* – Sydney : *Mignon*.
Ventes Publiques : Londres, 4 juin 1908 : *Le Hamac* : **GBP 5** – Londres, 7 mars 1910 : *Partie de pêche l'après-midi* : **GBP 10** – Londres, 19 avr. 1926 : *Enlève, oh ! enlève ces lèvres* : **GBP 31** – Londres, 22 fév. 1972 : *La bohémienne* : **GBP 320** – Londres, 13 mai 1977 : *La Rivière*, h/t (109,3x80) : **GBP 680** – Londres, 23 juin 1981 : *Spring blossoms*, aquar. (45,5x31) : **GBP 6 500** – Londres, 23 oct. 1984 : *Moissonneur dans un champ de blé*, craie noire et lav. reh. de blanc/pap. gris (42,5x30,5) : **GBP 500** – Londres, 15 mars 1985 : *Scène de moissson*, h/t (45,7x63,5) : **GBP 6 800** – Londres, 14 nov. 1987 : *La Corvée d'eau*, aquar./traits de craie noire reh. de blanc (46x33) : **GBP 7 500** – Londres, 2 mars 1989 : *Portrait de Marion Kerr*, h/t (45x27,5) : **GBP 27 500** – Londres, 8 juin 1989 : *Un conte de fées*, h/t (118,8x95) : **GBP 187 000**.

FORBES Helen K.
Née le 3 février 1891 à San Francisco (Californie). Morte en 1945. XXe siècle. Américaine.
Peintre de paysages.
Elle fut membre de la San Francisco Art Association, du Palo Alto Art Club, de la San Francisco Society of Women Artists, de laquelle elle obtint le Premier Prix en 1930.
Elle a surtout peint les paysages typiques de la Californie.
Ventes Publiques : Los Angeles-San Francisco, 12 juil. 1990 : *Flancs de colline*, h/t (84x84) : **USD 1 540** ; *Orage sur la Vallée de la Mort* 1933, h/t (86x102) : **USD 3 850** – Los Angeles-San Francisco, 10 oct. 1990 : *La Vallée de la Mort II*, h/t (92x82) : **USD 1 320**.

FORBES James
Né en 1749. Mort en 1819. XVIIIe-XIXe siècles. Britannique.
Dessinateur.
Explorateur, il rapporta de ses voyages de nombreuses esquisses, d'après lesquelles W. Stoker exécuta des gravures à l'aquatinte pour ses *Mémoires d'Orient*.

FORBES James G.
Né vers 1800 en Écosse. XIXe siècle. Britannique.
Peintre de genre, portraits.
Il exposa en 1852 et 1854 à la Royal Scottish Academy à Édimbourg, en 1853 à la Royal Academy à Londres, et en 1855 et 1857 à la British Institution. Il vécut de 1860 à 1870 à Chicago.
Musées : Chicago (Art Inst.) : *Portrait de A. N. Fullerton*.
Ventes Publiques : Londres, 29 fév. 1984 : *Le Rémouleur* 1859, h/t (51x41) : **GBP 800**.

FORBES John Colin
Né le 3 janvier 1846 à Toronto. Mort en 1925. XIXe-XXe siècles. Canadien.
Peintre de portraits, natures mortes.
Il étudia à la South Kensington Art School et à la Royal Academy à Londres, et se fixa à New York comme peintre de portraits, parmi lesquels on cite ceux de Gladstone et de Campbell-Bannerman, ceux du roi Edouard VII et de la reine Alexandra d'Angleterre ; ces derniers furent exposés à la Royal Academy à Londres en 1906.
Musées : Ottawa (Palais du Parlement) : *Portrait du roi Edouard VII – Portrait de la reine Alexandra d'Angleterre.*
Ventes Publiques : Toronto, 28 mai 1980 : *Nature morte*, h/cart. (37,5x52,5) : **CAD 850**.

FORBES Mary
Née en Angleterre. XXe siècle. Britannique.
Peintre.
Ventes Publiques : Londres, 4 juin 1923 : *Paysage* : **GBP 2**.

FORBES Pieter
Né vers 1637. XVIIe siècle. Hollandais.
Peintre de natures mortes.
Il travailla à Amsterdam.
Ventes Publiques : Londres, 11 mars 1983 : *Nature morte* 1663, h/t (130,8x109,2) : **GBP 6 500**.

FORBES Stanhope Alexander
Né en 1857 à Dublin. Mort en 1947. XIXe-XXe siècles. Britannique.
Peintre de genre, portraits, paysages animés.
Son père occupait une importante situation dans les chemins-de-fer et épousa une Française. Stanhope Alexander Forbes fit ses études au Dulwich College, puis fut élève de la Lambeth School of Art, puis de la Royal Academy à Londres. Il poursuivit ses études à Berlin, avec Léon Bonnat à Paris, passa plusieurs années en Bretagne, où il peignit beaucoup, avant de venir se fixer à Newlyn en Cornouailles. Il a aussi voyagé et peint à Venise. Il a commencé à exposer en 1874, à Londres à la Royal Academy, dont il fut élu membre associé en 1892 et membre académicien en 1910. En 1905, il fut nommé membre correspondant de l'Institut de France. Il reçut de nombreuses distinctions : 1891 médaille à Berlin, 1895 médaille d'or à Munich, 1900 médaille à Paris pour l'Exposition Universelle, 1910 mention honorable à Pittsburgh. Il a peint une importante décoration au *Stock Exchange* de Londres : « L'incendie de Londres ».
Les portraits ne sont pas partie dominante dans son œuvre. Il peignait par contre des figures isolées ou en situation, soit dans leurs occupations quotidiennes ou professionnelles, soit dans des scènes de genre familières. Il fut un abondant paysagiste, qui s'est surtout voué aux sites de la Cornouailles et aux scènes animées des ports de pêche.

Stanhope A Forbes

Musées : Aberdeen : *Portrait de l'artiste par lui-même* – Birmingham : *L'harmonie de village* – Brighton : *Nuit de Noël* – Bristol : *Soir sur le port de pêche* – Exeter : *Nouvelle de la mort de Victoria, le 29 janvier 1901* – Hull : *Bateaux de pêche à l'ancre* – Liverpool : *Rue en Bretagne – En route pour le banc de pêche* – Londres (Tate Gal.) : *À la santé de la mariée !* – Londres (roy. Acad.) : *Fenêtre sur le port* – Manchester : *Le phare* – Norwich : *Portrait de sir Peter Eade* – Oldham : *Chevaux à l'abreuvoir* – Plymouth : *Le postier* – Sydney : *Rue de village* – Worcester : *Petits pêcheurs de Mount's Bay.*
Ventes Publiques : Londres, 28 nov. 1908 : *La forge* : **GBP 105** – Londres, 30 avr. 1910 : *Le couvent de Quimperlé* 1882 : **GBP 63** – Londres, 27 nov. 1922 : *Châteaudun*, dess. : **GBP 4** – Londres, 3 avr. 1925 : *Le couvent* : **GBP 54** – Londres, 17 déc. 1928 : *La fin du jour* : **GBP 21** – Londres, 6 déc. 1935 : *Village de Cornouailles* : **GBP 36** – Londres, 25 juin 1941 : *Pêcheurs de Cornouailles* : **GBP 16** – Londres, 15 déc. 1972 : *Vieillard portant du bois* 1904 : **GNS 320** – Londres, 14 juil. 1973 : *Rue de village* : **GBP 320** – Londres, 10 juin 1981 : *The saffron cake* 1920, h/t (76x102) : **GBP 7 000** – Londres, 14 nov. 1984 : *Portrait de jeune fille en noir* 1886, h/cart. entoilé (38,1x27,3) : **GBP 5 200** – Londres, 13 nov. 1986 : *Chevaux à l'abreuvoir* 1931, h/t (61x76,2) : **GBP 22 000** – New York, 25 mai 1988 : *Santa-Maria della Salute*, h/t (76,8x61,5) : **USD 9 350** – Londres, 9 juin 1988 : *Repas de Noël* 1913, h/t (39,5x30) : **GBP 8 250** – Londres, 2 mars 1989 : *La taverne près de la fontaine* 1939, h/t (50,6x63,7) : **GBP 19 800** – Londres, 8 juin 1989 : *Rue d'un village de Cornouailles* 1909, h/t (58,8x43,8) : **GBP 39 600** – Londres, 8 mars 1990 : *Le pain quotidien* 1886, h/t (54,9x39,5) : **GBP 44 000** – New York, 22 mai 1990 : *Le violoniste*, h/t (92,8x85) : **USD 16 500** – Londres, 7 mars 1991 : *Une rue bien tranquille* 1921, h/t (76x61) : **GBP 15 400** – New York, 16 oct. 1991 : *Santa Maria della Salute*, h/t (76,8x61,2) : **USD 9 900** – Londres, 7 nov. 1991 : *Village de Cornouailles* 1925, h/t (60x75) : **GBP 20 900** – Londres, 6 mars 1992 : *Le vieux village de Newlyn* 1884, h/t (38x30,5) : **GBP 50 600** – Londres, 6 nov. 1992 : *L'ancienne maison des poids à Penzance* 1922, h/t (61,5x76) : **GBP 13 750** – Édimbourg, 13 mai 1993 : *La source de Trungle Moor* 1915, h/t (50,8x61) : **GBP 6 600** – Perpignan, 3 déc. 1994 : *Enfants sur la plage*, h/t (45x33) : **FRF 82 000** – Londres, 27 mars 1996 : *Un écolier – portrait de Thomas Ormsby*, h/t (35x30) : **GBP 1 495**.

FORBES-DALRYMPLE Arthur Evan
Né le 22 octobre 1912. XXe siècle. Britannique.
Peintre.
Il fut élève de la Heatherley's Art School et de la Goldsmith's Art School. Il a figuré aux expositions collectives de la Royal Academy, du Royal Institute of Oil Painters et du New English Art Club de Londres, ainsi qu'au Salon de Paris.

FORBES-ROBERTSON Eric
XIXe siècle. Actif à Londres. Britannique.
Peintre.
Il présenta à la Royal Academy de 1885 à 1891 et à la Suffolk Street Gallery, des tableaux de paysages. Frère de sir Johnston.

FORBES-ROBERTSON Frances, plus tard Mrs **M. D. Harrod**
XIXe siècle. Active à Londres. Britannique.
Peintre.
Elle étudia la peinture avec F. Brangwyn, mais écrivit surtout des nouvelles.

FORBES-ROBERTSON Johnston, Sir
Né le 16 janvier 1853 à Londres. XIXe siècle. Britannique.
Peintre et acteur.
Il était le fils de l'écrivain d'art John Forbes-Robertson et fut anobli en 1913. Élève de la Royal Academy à Londres il figura aux expositions de celle-ci, ainsi qu'à la Grosvenor Gallery avec de nombreux portraits, surtout des portraits d'acteurs. Il s'adonna en dernier lieu exclusivement au théâtre et n'exerça la peinture qu'en amateur.

FORBES-ROBERTSON Margaret
XIXe siècle. Active à Londres. Britannique.
Peintre.
Elle figura de 1892 à 1894 à la Royal Academy avec des portraits miniatures. Elle était la sœur de sir Johnston.

FORBICINI Eliodoro
Né vers 1532 à Vérone. Mort après 1590. XVIe siècle. Italien.
Peintre d'histoire, de portraits, de grotesques.
Décora deux chambres du Palazzo Canossa qui furent très admirées.

FORBIGLIO Jio
XVIIe siècle. Éc. flamande.
Peintre.
En 1695 il peignit à Bruxelles deux plafonds dans le Palais du Gouverneur, l'Électeur Max Emmanuel de Bavière.

FORBIN de, comte
Né vers 1721. XVIIIe siècle. Français.
Graveur à l'eau-forte amateur.
On cite de cet artiste onze gravures représentant des paysages. Il était probablement l'oncle d'Auguste Forbin.

FORBIN Louis Nicolas Philippe Auguste de, comte
Né le 19 août 1777 à La Roque d'Antheron. Mort le 23 février 1841 à Paris. XIXe siècle. Français.
Peintre d'histoire, compositions animées, figures, paysages, aquarelliste, graveur, dessinateur.
Il travailla dans l'atelier de David. Entré dans l'armée à l'époque du Directoire, il fut pendant quelque temps chambellan de la princesse Pauline Bonaparte. Après avoir fait les campagnes de Portugal, d'Espagne et d'Autriche, le comte de Forbin, alors que la paix fut proclamée en 1809, rentra dans la vie privée avec le grade de lieutenant-colonel. Il se retira à Rome et dès ce moment, se livra tout entier aux arts. En 1816, il fut nommé membre de l'Institut et le 1er juin de la même année, on lui donna

la direction des musées royaux. Il réorganisa le Louvre et c'est grâce à lui que le superbe tableau de Géricault, *Le Radeau de la Méduse*, fut laissé à la France. Le comte de Forbin créa le Musée Charles X et le Musée du Luxembourg. Pendant les années 1817 et 1818, il parcourut l'Orient aux frais de l'État. Il y fit l'acquisition d'un grand nombre d'antiquités. Au Salon, plusieurs de ses toiles figurèrent de 1796 à 1840. Chevalier de la Légion d'honneur en 1809, officier en 1817, commandeur en 1822.
Son œuvre est intéressant par ses effets de lumière. Les figures qui se trouvent dans ses paysages ont été pour la plupart exécutées par Granet.

Musées : Aix : *Gonzalve de Cordoue s'emparant de l'Alhambra de Grenade, le 2 janvier 1492 – Meurtre du roi Albert de Hongrie au Pausilippe* – Bayonne : *Scène de l'Inquisition – Le Couronnement d'Inès de Castro morte* – Compiègne : *Vue des environs de Rome* – Lille : *Un ami* – Montpellier : *Intérieur d'un cloître* – Paris (Louvre) : *Intérieur du péristyle d'un monastère – Ruines du Colisée à Rome* – Tours : *Ruines de la Haute-Égypte, à l'époque de l'inondation du Nil – Ruines de Palmyre* – Versailles (Grand Trianon) : *Vue de Jérusalem*.
Ventes Publiques : Paris, 31 mars-1er avr. 1924 : *Ruines*, aquar. : **FRF 200** – Paris, 21 jan. 1925 : *Scène du désert*, pl. et reh. : **FRF 120** – Paris, 14 oct. 1992 : *Moine parmi des ruines*, pl. et lav. d'encre de Chine (57,5x49,5) : **FRF 12 500** – Paris, 18 nov. 1994 : *Escalier dans Rome* 1826, lav. (14,5x10) : **FRF 4 600** – Paris, 29 mai 1996 : *Un Maure de Tanger est accusé d'avoir voulu favoriser la fuite d'une religieuse*, h/t (46x37,5) : **FRF 27 000**.

FORCADE Étienne de. Voir **DEFORCADE Jean Baptiste Étienne**

FORCADE Raoul André Jacques
Né à Dieppe. XIXe siècle. Français.
Peintre de genre, paysages, sculpteur.
Il fut élève de Cabanel. Il figura au Salon de Paris de 1870 à 1883.
Ventes Publiques : Paris, 7 juil. 1943 : *Venise* : **FRF 800** – Versailles, 21 juin 1981 : *Le Garde-chasse en forêt* 1884, h/t (73x59) : **FRF 3 500**.

FORCE Clara G.
Née le 30 octobre 1852 à Erié (Pennsylvanie). XIXe siècle. Américaine.
Peintre en miniatures.
Élève de Mabel Welsh, Thayer, Du Mond. Membre du California Art Club.

FORCELLA Nicola
XIXe siècle. Italien.
Peintre de scènes et figures typiques. Orientaliste.

Ventes Publiques : Paris, 29 nov. 1986 : *Danseuse au harem*, h/t (60x92) : **FRF 18 000** – New York, 27 mai 1993 : *Le Narguilé, ou Vieux Marchand de tapis*, h/t (70x46,3) : **USD 10 350** – New York, 14 oct. 1993 : *Portrait d'un arabe*, h/pan. (32,4x24,2) : **USD 14 950** – Paris, 8 nov. 1993 : *L'école coranique*, h/pan. (41x24,5) : **FRF 15 000** – Paris, 6 nov. 1995 : *Ruelle animée dans la partie ancienne du Caire*, h/t (55x32) : **FRF 12 000** – Londres, 15 mars 1996 : *À la mosquée*, h/t (51x71) : **GBP 21 275** – Paris, 22 avr. 1996 : *Au café*, h/t (56x44,5) : **FRF 52 000**.

FORCELLINI Simone
Originaire de Trévise. XVIIe siècle. Actif à la fin du XVIIe siècle. Italien.
Peintre.
Les églises Sainte-Marie-Madeleine de Padoue et de Trévise lui doivent des tableaux d'autel.

FORCESTER, famille d'artistes
XVIIe siècle. Actifs en Angleterre. Britanniques.
Peintres sur verre.

FORCEVILLE Jacques de
XVIIe-XVIIIe siècles. Français.
Peintre ou sculpteur.
Il fut reçu à l'Académie de Saint-Luc, à Paris en 1682, ou 1782.

FORCEVILLE M. J. Émilie
Née le 4 août 1867 à Tonnerre (Yonne). XIXe siècle. Française.
Miniaturiste.

FORCEVILLE-DUVETTE Gédéon Alphonse Casimir
Né le 12 février 1799 à Saint-Maulvis (Somme). Mort le 30 janvier 1886 à Amiens. XIXe siècle. Français.
Sculpteur de statues, bustes.
De 1845 à 1880, il figura au Salon de Paris. Il fut médaillé de troisième classe. On mentionne parmi ses ouvrages : *Vénus céleste*, *Buste en marbre de l'astronome Delambre*, *Buste colossal de Nicolas Blasset*, destiné à la décoration de l'une des fontaines monumentales d'Amiens, *Jeune Fille*, *L'Enfant heureux*, *Le Petit Pêcheur napolitain*, le buste en bronze du docteur Barbier, le buste en marbre de Boucher de Perthes, *La Nuit*, statue en marbre, *Odalisque surprise*, statue en plâtre, et *Sainte Cécile*, statuette en bronze.
Musées : Amiens (Acad.) : *Statue de Grasset*, marbre – Amiens : *Gresset*, statuette en biscuit de Sèvres – *Barbier*, bronze – *Lagrénée*, marbre.
Ventes Publiques : Paris, 26 mars 1980 : *L'Écrivain Gresset*, bronze (H. 43) : **FRF 2 300**.

FÖRCH Adam Pankratz ou **Foerch**. Voir **FERG**

FORCHEM Guillam ou **Forchen**
XVIIe siècle. Éc. flamande.
Peintre.
Il fut admis membre de la Gilde de Saint-Luc à Anvers en 1631-1632.

FÖRCHER Joseph
Né au XVIIIe siècle à Geisslingen près de Rottweil. XVIIIe siècle. Allemand.
Sculpteur.
Après avoir travaillé à Weilheim, Türkheim, Dachau et Augsbourg, il devint bourgeois de Munich où plusieurs églises conservent de ses œuvres : chaire, statues de saints.

FORCHHAMMER Emilie
Née le 13 janvier 1850 à Saint-Antonien. Morte le 13 juin 1912 à Chur. XIXe-XXe siècles. Suisse.
Peintre de portraits.
Élève du professeur Weissbrod à Bâle, de T. Robert-Fleury, Jean-Paul Laurens et Benjamin-Constant à l'Académie Julian à Paris.

FORCHNER Franz Xaver
Originaire de Dietenheim (Souabe). Mort le 19 septembre 1751 à Dietenheim. XVIIIe siècle. Allemand.
Peintre.
L'église de Höselhurst lui doit des fresques de plafond ainsi qu'une *Adoration des Mages* et une *Entrée au ciel de saint Nicolas* ; l'église de Muttensweiler des fresques de plafond représentant l'*Histoire de saint Norbert et de saints de l'ordre des Prémontrés* ; l'église de Dietenheim un *Saint Sépulcre*. On lui attribue les fresques du Chemin de croix du Monastère d'Ochsenhausen.

FORCHNER J. Chrysostomus
Mort le 13 novembre 1791 à Dietenheim. XVIIIe siècle. Actif à Dietenheim. Allemand.
Peintre.
Les trois tableaux d'autel de l'église de Muttensweiler sont de sa main.

FORCIER Denis
Né en 1943 à Montréal (Québec). XXe siècle. Canadien.
Peintre, sérigraphe. Tendance pop art.
Il a fait partie de l'Atelier Graff, dont Albert Dumouchel et Pierre Ayot avaient été les animateurs, qui propagea au Québec l'esprit d'une culture de masse, inspirée du Pop'art.
Utilisant la technique du report photographique par la sérigraphie, Denis Forcier développe une imagerie personnelle de tasse de thé, sac de bonbons, juke box, réunions de groupe, etc. Apparemment objectif, en représentant ces objets de la consommation ou bien leurs consommateurs, il ne les met pas moins en exposition, donc en question.
Musées : Montréal (Mus. d'Art Contemp.) : *Boîte à musique* 1976, sérig.

FORCONI Jacques Antoine Léonard
Né à Calais (Pas-de-Calais). XXe siècle. Français.
Peintre de paysages urbains.
Il a exposé à Paris, au Salon d'Automne à partir de 1925.
Il a peint des vues de Paris.

FORCROY
XIXe siècle.

Graveur sur bois.
Cité par Nagler, il fut élève d'Adam.

FORD, Miss
XVIIIe siècle. Britannique.
Peintre de paysages.
Elle Prit part aux Expositions de la Royal Academy, de 1771 à 1783.

FORD C.
Originaire de Bath. XIXe siècle. Britannique.
Peintre.
De 1830 à 1856, il exposa à la Royal Academy à Londres des portraits miniatures. J. Thomson grava d'après lui le portrait du chirurgien *J. W. Howell*.

FORD Edward Onslow
Né en 1852 à Londres. Mort le 23 décembre 1901 à Londres. XIXe siècle. Britannique.
Peintre de genre, figures, sculpteur de statues, bustes.
Il fit ses études à Anvers et à Munich. Cet artiste commença à prendre part aux expositions de la Royal Academy et de Suffolk Street à partir de 1875. Il en fut nommé associé en 1888 et académicien en 1895. Il abandonna la peinture pour la sculpture.
Ses œuvres dénotent une grande puissance d'expression.
Musées : Anvers : *L'Alma Tadema* - Birmingham : *Dr R. W. Dale* - Bradford : *Tête de jeune fille*, bronze - Édimbourg (Nat. Gal.) : *A. J. Balfour* - Glasgow (roy. Inst.) : *J. E. Millais* - Liverpool : *La Paix*, bronze, statuette - Londres (Nat. Portrait Gal.) : *Sir John Everett Millais, Bart.* - Londres (Tate Gal.) : *La Folie*, bronze, statuette - *Un chanteur égyptien*, bronze, statuette - Londres (roy. Acad.) : *L'Alma Tadema* - Londres (Mus. d'Hist. Natur.) : *Thomas Henry Huxley* - Londres (Guildhall) : *Henry Irving dans Hamlet* - Manchester : *Ch. Hallé* - Preston : *La Paix*, bronze, statuette - Sydney : *Tête de jeune fille*, bronze.
Ventes Publiques : Londres, 25 mars 1981 : *Paix*, bronze (H. 58,5) : **GBP 980** - Londres, 14 déc. 1983 : *Paix* 1890, bronze patiné (H. 56) : **GBP 600** - Londres, 2 oct. 1985 : *Frederick William Heilgers* 1879, marbre (H. 79) : **GBP 450** - Londres, 16 avr. 1986 : *Folly*, bronze patine vert foncé et noir (H. 50) : **GBP 1 400** - New York, 8 oct. 1988 : *Pied de haricots* 1961, techn. mixte/t. (305,2x91,5) : **USD 13 200** - New York, 25 oct. 1989 : *La Paix*, bronze à patine brune (H. 55,2) : **USD 3 300** - Paris, 10 juin 1990 : *Voyager with blue auras* 1989, h/t (95x81) : **FRF 35 000** - Paris, 2 juin 1991 : *In come*, acryl./t. (158x98) : **FRF 20 000** - Montréal, 19 nov. 1991 : *Tête de jeune fille* 1884, bronze (H. 36,8) : **CAD 7 000** - Paris, 21 oct. 1992 : *L'Aumône ; Paysanne endormie avec son enfant sur les genoux* 1864, h/t, une paire (87x65) : **FRF 16 000**.

FORD Elizabeth
Née à Arahi (Rhode-Island). XXe siècle. Américaine.
Sculpteur de figures.
Elle a aussi exposé à Paris, notamment en 1924 au Salon d'Automne.

FORD F.
XIXe siècle. Actif à Londres. Britannique.
Peintre de paysages.
Exposa à la Royal Academy et à Suffolk Street, de 1852 à 1860.

FORD George Henry
Né le 13 juillet 1912. XXe siècle. Britannique.
Sculpteur.
Il a exposé à la Royal Academy de Londres, à la Royal Scottish Academy, à la Walker Gallery de Liverpool.

FORD Henry Chapman
Né en 1828 à New York. Mort en 1894. XIXe siècle. Américain.
Peintre de scènes et paysages animés, dessinateur.
Entre 1857 et 1860, il étudia à Paris et à Florence et retourna dans son pays pour prendre part à la guerre civile pendant laquelle, d'ailleurs, il réalisa des croquis pour la presse. Après sa démobilisation il partit pour Chicago et y ouvrit son atelier en 1863. Il fut l'un des membres fondateurs de L'Académie de Design et en devint Président en 1873.
Ventes Publiques : San Francisco, 6 nov. 1985 : *Cerfs dans un paysage* 1874, h/t (63,5x107) : **USD 3 000** - New York, 15 mai 1991 : *Paysage californien* 1879, h/t (58,4x43,2) : **USD 1 870** - New York, 25 mai 1994 : *L'arche féérique à Mackinac Island* 1874, h/t (76,2x128,3) : **USD 32 200** - New York, 28 sep. 1995 : *Paysage de l'ouest* 1874, h/t (76,8x127) : **USD 3 910**.

FORD Henry Justice
Né en février 1860 à Londres. Mort en 1941. XIXe-XXe siècles. Britannique.
Peintre de scènes mythologiques, compositions religieuses, compositions animées, peintre à la gouache, aquarelliste, dessinateur, illustrateur.
Il fut élève de collèges de Cambridge, du graveur ami de Whistler et des pré-raphaélites, Alphonse Legros, et de Hubert von Herkomer dans l'école qu'il avait fondée à Bushey. Il se lia avec le pré-raphaélite Burne-Jones et en fut influencé. Il participa à des expositions collectives de Londres : Fine Art Society, New Gallery, Royal Academy, Royal Institute of Oil Painters.
Il se fit surtout connaître d'abord par les illustrations qu'il publia, entre 1889 et 1913, pour les recueils de contes de Andrew Lang. Il a toutefois illustré quantité d'autres ouvrages littéraires, en général de contes et légendes : 1888 *Fables* d'Ésope, 1890 *Le Livre rouge des fées*, 1892 *Le Livre vert des fées*, 1894 *Le Livre jaune des fées*, 1896 *Le Livre d'histoires d'animaux* de Lang, 1901 *Le Livre violet des fées*, 1905 *Contes du roi Arthur*, 1907 *Contes et Romances, Contes de Troie et de Grèce*, 1912 *Le Livre des saints et des héros*, 1919 *Les Contes des Mille et Une Nuits*, etc.
Bibliogr. : Marcus Osterwalder : *Diction. des illustrateurs 1800-1914*, Ides et Calendes, Neuchâtel, 1988.
Ventes Publiques : Londres, 27 avr. 1982 : *Saint François parlant aux oiseaux*, aquar. (32,5x20,5) : **GBP 300** - New York, 23 fév. 1983 : *The were-wolf carries Prince William away*, gche (17,9x31,5) : **USD 1 300** - Londres, 29 oct. 1991 : *Psyché perdant Cupidon*, cr. et aquar. (28x16,5) : **GBP 6 600** - New York, 20 juil. 1994 : *La Princesse et les loups dans la forêt* 1907, aquar./cart. (27x38,7) : **USD 2 300** - Paris, 16 mars 1997 : *Famille indienne*, h/t (62x44) : **FRF 7 500**.

FORD James
Mort après 1812. XIXe siècle. Irlandais.
Graveur.
Élève de l'École de la Dublin Society, il grava une série de paysages à l'aquatinte pour les *County Surveys* éditées par cette société, des illustrations de livres, et un portrait de l'acteur *T. Ryder* d'après A. Shee.

FORD John
XVIIIe siècle. Actif à Bath. Britannique.
Sculpteur et émailleur.
Il exposa à Londres, de 1764 à 1797, à la Royal Academy et à la Free Society.

FORD L.W. Neilson
XXe siècle. Américain.
Peintre.
Il fut d'abord élève de Hugh Newell à Philadelphie, poursuivit ses études à Paris, en Angleterre, à Berlin.

FORD Laurens
Née le 23 février 1891 à New York. Morte en 1973. XXe siècle. Américaine.
Peintre, aquarelliste.
Elle fut élève de Frédérick Arthur (?) Bridgman et de Frank Vincent (?) Du Mond. Elle fut membre de l'American Water Colour Society.
Ventes Publiques : New York, 25 mars 1997 : *Piazza San Pietro, Assisi* vers 1930, h/pan. (32,4x40,3) : **USD 2 587**.

FORD Michael
Mort en 1765. XVIIIe siècle. Irlandais.
Graveur à la manière noire.
Il fut probablement l'élève de John Brooks auquel il succéda en 1747 comme marchand d'estampes à Dublin. Il existe de lui plusieurs portraits dont quelques-uns furent exécutés d'après ses propres dessins. On ne sait au juste comment mourut cet artiste ; on suppose qu'il fut perdu en mer. Parmi ses œuvres figurent : *Guillaume III*, d'après Kneller, *Georges II*, d'après Hudson, *Henry Singleton, chef de justice irlandais*, d'après lui-même.

FORD Michael
Né le 28 juillet 1920. XXe siècle. Britannique.
Peintre de portraits, dessinateur.
Il expose à Londres, aux Royal Academy, New English Art Club, Royal Society of Portraits, Royal Society of British Artists.

FORD Richard
Né en 1796 à Londres. Mort le 1er septembre 1858 à Heavitree (près Exeter). XIXe siècle. Britannique.
Graveur amateur.
Auteur du livre intitulé : *Guide pour le voyageur en Espagne* ; il fit de la gravure en amateur. Il illustra *Les ballades espagnoles de Lockhart*.

Ventes Publiques : Londres, 24 nov. 1926 : *Scène de rue sur le continent*, aquar. : **GBP 50.**

FORD Rudolph ou **Wolfram Onslow** ou **Onslow Ford**
Né vers 1880 à Londres. XXe siècle. Britannique.
Peintre de portraits, paysages, natures mortes.
Il était fils du sculpteur Edward Onslow Ford. Il fut élève de la Royal Academy de Londres, où il exposa de 1897 à 1913. En 1910, il organisa une exposition personnelle de l'ensemble de ses portraits et paysages à la Baillie Gallery de Londres. Il a peint de nombreux portraits, parmi lesquels celui de son père, celui de James Mc Neill Whistler, celui de sa jeune femme.
Il recherchait pour ses paysages des thèmes champêtres familiers : *L'Écluse*, et se montrait, ce qui était fréquent dans le temps de l'impressionnisme dominant, sensible aux moindres notations concernant la lumière en fonction du temps, de l'heure, des saisons : *Matin de février*.
Ventes Publiques : Londres, 31 mars 1981 : *Mrs Ralph Flower et ses enfants* 1905-1906, h/t (135x165) : **GBP 750** – Londres, 11 juin 1986 : *Mr G. Warner* 1899, h/pan. (59,5x47) : **GBP 1 000.**

FORD Ruth Van Sickle
Née le 8 août 1898 à Aurora (Illinois). XXe siècle. Américaine.
Peintre.
Elle fut membre du Painters and Sculptors of Chicago Institute. En 1931, elle obtint le Prix des Beaux-Arts à l'Art Institute de la même ville.

FORD Samuel ou **Forde**
Né le 8 avril 1805 à Cork. Mort le 29 juillet 1828 à Cork. XIXe siècle. Irlandais.
Peintre d'histoire.
Quoique de famille très pauvre, cet artiste réussit à étudier à l'École de Cork et devint en 1828 maître à l'Institut Mécanique de Cork. Parmi ses œuvres figurent : *Le Génie de la Tragédie*, 1827, *La chute des anges*. Le Victoria and Albert Museum, à Londres, conserve de lui : *Vision tragique* (aquarelle).

FORD Thomas
Mort le 29 août 1746 à Oxford. XVIIIe siècle. Britannique.
Graveur de portraits amateur.
Homme d'église, il est également connu comme graveur. On connaît un portrait ovale de l'artiste par lui-même, gravé à la manière noire.

FORD Walton
Né en 1960 à New York. XXe siècle. Américain.
Peintre de compositions animées, scènes d'intérieurs.
Il fut élève de la Rhode Island School of Design. En 1982, il a étudié à Rome. Il participe à de nombreuses expositions aux États-Unis et en Europe.
Il peint des scènes du quotidien, généralement tragiques.
Bibliogr. : Catalogue de l'exposition : *Un regard autre*, Galerie Farideh Cadot, Paris, 1987.

FORD William
XIXe siècle. Britannique.
Peintre.
Il exposa à la Royal Academy et à Suffolk Streetà Londres de 1846 à 1858. Il pratiquait la peinture sur émail.

FORD William B.
XIXe siècle. Britannique.
Peintre.
Il est parent, et peut-être même fils de William Ford. On trouve son nom fréquemment sur les catalogues de la Royal Academy et de Suffolk Street à partir de 1859. Il pratiquait lui aussi la peinture sur émail.

FÖRDERREUTHER Robert
Né le 18 août 1859 à Nuremberg. Mort le 13 septembre 1906 à Schwarzenbach-sur-la-Saale. XIXe siècle. Allemand.
Peintre de paysages.
Il fut élève de Léon Pohle à l'Académie de Dresde. Il fit d'abord de la peinture à l'huile (paysages du Nord de la Bavière et de la région de l'Isar, et études de portraits), puis ensuite de l'aquarelle.

FORDRAIN Charles Antoine
XVIIIe siècle. Actif à Paris en 1772. Français.
Sculpteur et peintre.

FOREAU Claude
Né le 12 juin 1903 à Paris. XXe siècle. Français.
Peintre de scènes de genre.
Il fut élève de Cormon. Il exposa régulièrement, à Paris, au Salon des Artistes Français à partir de 1924, y obtenant une seconde médaille en 1924, une médaille d'or en 1927, différents prix et bourses, dont le prix National en 1932, et le prix Hemming Fry en 1944.
Ventes Publiques : Paris, 9 juil. 1942 : *La Fenêtre* : **FRF 200.**

FOREAU Henri-Louis
Né le 19 février 1866 à Paris. Mort le 1er avril 1938 à Paris. XIXe-XXe siècles. Français.
Peintre de scènes de genre, paysages animés, paysages, aquarelliste.
Il fut élève de Jules Lefebvre, Henry Lévy, Luc-Olivier Merson, recevant aussi les conseils de Henri Harpignies. Il exposa, à Paris, étant sociétaire du Salon des Artistes Français à partir de 1888. Il obtint une mention honorable en 1891, une médaille de troisième classe en 1892, une de deuxième classe en 1894, une de bronze à l'Exposition universelle de 1900. Il fut aussi Président de l'Association des Paysagistes français, et promu chevalier de la Légion d'honneur, en 1911.
L'œuvre de Foreau s'ordonne autour de trois thèmes principaux : la campagne de France, les parcs et les jardins, Paris et la région parisienne. Il réalisa principalement des paysages mélancoliques peints avec une palette restreinte, une gamme de tons gris et bleutés. Ses compositions ne sont pas sans évoquer l'impressionnisme, le symbolisme, l'école de Barbizon, et surtout Corot. Il a utilisé presque toutes les techniques, mais a donné la pleine mesure de son talent dans ses aquarelles, où le ciel et l'eau occupent une place prédominante.
Bibliogr. : Gérald Schurr, in : *Les Petits Maîtres de la peinture 1820-1920, valeur de demain*, Les Éditions de l'Amateur, t. IV, Paris, 1979 – Édith Herment et Éric Desmarest : *Henri Foreau, peintre de l'air et de l'eau*, Paris, Éditions de l'Amateur, 1992.
Musées : Niort : *Le Parc en hiver*, aquar. – Paris (Mus. d'Orsay) : *Paysage d'Automne – Le Lac Soubise* – Paris (Mus. du Louvre) : cinq aquarelles – Paris (Mus. Carnavalet) : *Le Soir (fortifications de Paris) – Les Fortifications*, aquar. – Paris (Mus. d'Hist. Contemporaine) : *Le Berger*, aquar. – Pau (Mus. des Beaux-Arts) : *Une Diligence dans le Var* – Péronne (Historial de la Grande Guerre) : *Prisonniers au travail* – Rouen : *Cortège païen* – Vienne : *La Douleur d'Orphée*.
Ventes Publiques : Londres, 21 mars 1908 : *Le bac de Soubise*, aquar. : **GBP 7** – Paris, 12 juin 1926 : *Le Lavoir* : **FRF 405** – Paris, 17 mai 1929 : *Une allée au jardin des Tuileries*, aquar. : **FRF 980** – Paris, 19 déc. 1932 : *Le lac* : **FRF 400** – Paris, 24 avr. 1942 : *Les charrettes de foin ; Le lac*, deux aquar. : **FRF 1 000** – Paris, 23 juin 1943 : *La pièce d'eau ; La Pergola*, deux aquar. : **FRF 3 600** – Paris, 25 sep. 1944 : *Troupeau dans la plaine*, deux aquar. : **FRF 2 000** – Paris, 28 juin 1945 : *Le passeur* : **FRF 1 700** – Paris, 13 juin 1947 : *Moutons dans la vallée ; Les oiseaux de passage*, deux pendants : **FRF 3 000** – Paris, 9 fév. 1979 : *Berger et moutons au bord de la mer*, aquar. (28x39) : **FRF 600** – Versailles, 18 fév. 1979 : *Bergère et son troupeau*, h/t (54x81) : **FRF 2 000** – New York, 30 juin 1981 : *Vues du parc du château de Versailles*, deux aquar. (41x61) : **USD 1 300** – Vienne, 20 avr. 1983 : *Au bord de la Seine*, h/t (26x37) : **ATS 18 000** – Lindau, 9 mai 1984 : *Moissonneurs dans les champs au crépuscule*, h/t (65x100) : **DEM 4 300** – Vienne, 11 sep. 1985 : *Plage de Normandie*, h/t (105x88) : **ATS 100 000** – Paris, 10 fév. 1988 : *Vaches près de la rivière*, aquar. (28x38,5) : **FRF 1 700** – Paris, 3 juin 1988 : *Chaumière en hiver*, h/t (46x65) : **FRF 4 500** – Montréal, 30 avr. 1990 : *Personnages près d'une rivière*, h/t (51x61) : **CAD 1 430** – Paris, 20 mars 1991 : *Moutons et bergers près de la rivière*, aquar. et gche (26,5x36,5) : **FRF 4 800** – Paris, 18 mai 1992 : *Versailles*, aquar. (24x36) : **FRF 10 500** ; *Ramasseurs de varech près de Fouras*, aquar. (26x32,5) : **FRF 10 000** – Paris, 22 mars 1993 : *Automne*, aquar. (36,5x55) : **FRF 5 000.**

FOREAU Nicolas François
XVIIIe siècle. Actif à Paris en 1763. Français.
Peintre.

FOREAU Pierre Jacques
XVIIIe siècle. Actif à Paris en 1758. Français.
Peintre et sculpteur.

FOREIS Pierre
XVe siècle. Actif à Chambéry. Français.
Enlumineur.
En 1416 il termina un missel pour la chapelle du château de Chambéry qu'il avait orné d'enluminures et relié. Membre de l'ordre de Saint-Antoine.

FOREL Alexis
Né le 5 mai 1852 à Morges (Suisse). XIXe siècle. Suisse.
Graveur à l'eau-forte.
D'après M. Béraldi, cet artiste et ingénieur chimiste, qui s'était fait un nom dans la science, en étudiant les couleurs d'aniline, s'adonna à la gravure à l'eau-forte à partir de 1881, s'appliquant à reproduire les « coins de Paris » les plus pittoresques. On sent que, souvent, Forel s'est inspiré de Meryon. L'éminent éditeur et écrivain d'art américain Fredric Keppel a publié une planche de lui : *La cathédrale de Lausanne*.

FOREL Emmeline
Née le 2 novembre 1860 à Morges (canton de Vaud). XIXe siècle. Suisse.
Peintre de paysages.
Elle étudia à Paris aux Ateliers Julian et Delécluzes, puis chez T. Bischoff à Lausanne et figura de 1895 à 1904 aux expositions suisses. Femme de l'aquafortiste Alexis Forel elle illustra son ouvrage : *Voyage aux pays des sculpteurs romans* avec des dessins en couleur et des vignettes.
Musées : Lausanne : *Paysage*.

FORELL Robert
Né le 27 avril 1858 à Bockenheim. XIXe siècle. Allemand.
Peintre d'histoire et de genre.
Élève de l'Institut Municipal de Francfort et de l'Académie de Düsseldorf. Il se fixa à Düsseldorf.
Musées : Crefeld (Kaiser Wilhem) : *Mort du comte de Mansfeld*.

FORELLI G.
XXe siècle. Français.
Peintre de genre.
Ventes Publiques : Paris, 16 avr. 1945 : *Christ en prière* : **FRF 1 250**.

FOREMAN Agnès Emily
Née dans la seconde moitié du XIXe siècle à Londres. XIXe siècle. Britannique.
Miniaturiste.

FORER Rennwart ou **Forrer**
Né à Lucerne. XVIIe siècle. Travaillait entre 1606-1650. Suisse.
Peintre.
Bourgeois de Lucerne, il peignit pour les églises et autres édifices publics de cette ville, de Wertenstein, de Bade et de Beromünster, plusieurs œuvres. On cite surtout une *Naissance du Christ* à l'église des Carmes déchaussés à Lucerne, et une *Adoration des Rois*, détruite dans l'incendie de 1633, ainsi que *L'Assomption* à Bade.

FORES Joseph
Né à Vilna. Mort en 1661 à Varsovie, en religion. XVIIe siècle. Polonais.
Peintre.

FORES S. W.
XVIIIe siècle. Actif à Londres. Britannique.
Graveur.
Il travailla à Londres de 1785 à 1825 et y publia de nombreuses copies des caricatures de James Gillray, surtout des caricatures de chefs d'armée et d'hommes d'état : *le Général Souvaroff, Catherine II*, les Tsars *Paul* et *Alexandre Ier*, *Napoléon* et *la bataille de Waterloo*, etc.

FORESMAN Alice
Née à Darien (Wisconsin). Américaine.
Peintre en miniatures et professeur.
Membre de la California Society of Miniaturist Painters et du West Coast Arts Club.

FOREST
Né au XVIIIe siècle à Soissons. XVIIIe siècle. Français.
Sculpteur.
Il travailla en 1736 à la façade de l'Hôtel de Ville de Laon et en 1762 au château de Compiègne. Peut-être est-il identique au sculpteur sur bois Foret qui exécuta, en 1770, les stalles de la cathédrale de Soissons.

FOREST, les ou **Fourest**, famille d'artistes
XVIe siècle. Français.
Peintres.
Ils furent actifs à Lyon. Jean vécut entre 1515 et 1533 ; Laurent entre 1515 et 1554 (il travailla pour des entrées en 1533 et 1540) ; Sébastien vécut en 1557.

FOREST Eugène Hippolyte
Né le 24 octobre 1808 à Strasbourg. XIXe siècle. Français.
Peintre de genre, animaux, paysages animés, graveur, caricaturiste.
Élève de Camille Roqueplan, il figura au Salon de Paris de 1847 à 1866. On cite de lui : *Vieux Pont à Cahors, Un braconnier, Vue de la vallée des eaux minérales de Cransac, Emouchet, Gibier d'eau, Étude d'oiseaux, Faisan et Perdrix, Un drame dans la montagne*. Comme graveur on lui doit un certain nombre d'albums, notamment des caricatures dans le genre de Henri Monnier.
Ventes Publiques : Paris, 25 mai 1923 : *Troupeau au pâturage* : **FRF 60** – Cologne, 18 mars 1983 : *Bergers et troupeau au pâturage dans un paysage montagneux*, h/pan. (14x22) : **DEM 3 500**.

FOREST Flavien
Né à Paris. XXe siècle. Français.
Peintre.
Il expose des paysages au Salon des Indépendants, à Paris.

FOREST Fred
Né le 6 juillet 1933 à Mascara (Algérie). XXe siècle. Français.
Artiste, dessinateur, peintre, puis créateur d'installations, multimédia. Art sociologique. Groupe Collectif d'Art Sociologique.
Il vit et travaille à Paris et à Anserville. Sa première exposition eut lieu en 1967. Il réalise par la suite une animation urbaine Paris-Banlieue : *Portrait de Famille*. Depuis, parmi ses principales manifestations : 1969, une installation vidéo, galerie Sainte-Croix, Tours ; 1976, avec le *Collectif d'Art Sociologique*, Biennale de Venise ; 1977, Documenta 6, Kassel ; 1982, *Bourse de l'Imaginaire*, Centre Georges Pompidou, Paris ; 1983, Musée d'Art Moderne de la Ville de Paris. Il a reçu, en 1967, la médaille d'argent des Arts et Lettres, en 1973, le prix de la communication de la douzième Biennale de São Paulo, en 1990, le prix laser d'or vidéo, au Festival de Locarno, en Italie.
Il peignait, à l'époque, dans un style issu de la nouvelle figuration du pop art, et donnait des dessins-charges dans la presse quotidienne. Ayant abandonné les supports traditionnels de la création picturale, il travaille, depuis 1967, dans le champ ouvert de la communication. C'est le premier artiste français à avoir fait usage de la vidéo. Il est co-fondateur du *Collectif d'Art Sociologique* et, en 1984, du *Groupe international de l'esthétique et de la communication* avec Mario Costa, à San Severino Mercato (Italie). L'Art sociologique prend en compte les transformations structurelles de la société industrielle liée à sa croissance et à son développement. C'est un regard qui se veut au plus près de la réalité sociale : analyser les disfonctionnements induits par une organisation sociale plus complexe, les nouvelles stratifications sociales, les modalités d'accès à la culture, et surtout les nouveaux modes de communication audios et visuels, aujourd'hui enjeux majeurs de notre vie collective. Selon Fred Forest, l'esthétique de notre époque relève de la « relation et des systèmes de communication » dont les supports et les contenus sont imbriqués et interdépendants. L'esthétique de la communication qu'il définit, se propose d'appréhender cette sensibilité au monde, de mettre en œuvre une approche systémique visant à « donner à voir » et percevoir ce qu'il nomme ce « bloc-image ». En ce sens, sa pratique artistique manie tous les dispositifs et instruments technologiques empruntés au monde des télécommunications et de l'information : vidéo, téléphone, télévision, radio, presse écrite, télématique... avec une attention particulière pour l'image. Son travail, essentiellement situé sur l'interface et les échanges possibles entre les différentes unités mises en place, est également marqué par la présence d'« actes » qu'il introduit dans ses systèmes préalablement conçus et qu'il exécute lui-même ou fait exécuter par les regardeurs. Il est proche des artistes qui manipulent les images virtuelles, où l'interactivité demeure le point central de la relation artistique. Vers 1970, il crée le tableau-écran où interviennent collages et interférences lumineuses en synchronisation avec le son. De nature sociologique, les actions de Fred Forest deviennent événementielles : enquêtes, films... et tendent à décrire un moment de la vie artistique. Il a ainsi filmé le déroulement d'enchères publiques (lieu privilégié où se rencontrent les amateurs d'art) et, dans la même vente, a filmé son propre collectionneur. Il provoque une certaine perturbation à un moment précis et filme alors le constat des conséquences de cette perturbation dans le milieu social choisi. Lors d'une action réalisée le 10 janvier 1986 à l'École Nationale des Beaux-Arts de Paris dans le cadre des *Rencontres et Performances sur l'Esthétique de la Communication*, Forest fit diffuser sur l'antenne d'une radio une série de messages préalablement enregistrés par ses soins comportant

des instructions, telles que « lève un bras », « fais trois pas en avant » etc., qu'il exécuta en public et en temps réel. Pendant l'action, sa propre voix enregistrée, lui demanda de déplacer un vase posé sur un poste de télévision, Forest exécuta le message mais fit tomber le vase : l'accident sembla fortuit jusqu'au moment où intervint la voix lui ordonnant de ramasser les débris du vase, puis d'allumer un magnétoscope. L'écran de télévision sur lequel était posé le vase diffusa alors l'image du vase intact. Ce genre de d'action permet d'apprécier la complexité du réseau média, jouant sur la présence et l'absence physique médiatisée de l'individu et de ses sens, de la réalité et des images de la représentation, de la concomitance et de la non-simultanéité des faits ou des actes. Une autre action : *Le Feu du ciel ou la danse des électrons*, réalisée dans les années quatre-vingt-dix, consistait à utiliser en temps réel le soleil de l'Arizona pour embraser la nuit d'été autour du lac de Locarno. Le système reposait sur un jeu de manipulations physiques à caractère symbolique : le feu et les électrons, et informationnelles : lumière, images et sonorisation sophistiquées mêlées aux principes esthétiques du Land Art.

■ Christophe Dorny, J. B.

Bibliogr. : Fred Forest : *Art sociologique*, Paris, 1977 – in : *Revue d'art contemporain : + – 0*, n° 43, Belgique, oct. 1985 – Entretien Fred Forest et Paul Virilio, in : *Art Press*, Paris, 1989 – in : *Dictionnaire de l'art moderne et contemporain*, Hazan, Paris, 1992 – *Le Feu du ciel ou la danse des électrons*, in : *Art Press Spécial, Nouvelles technologies un art sans modèle ?*, Paris, 1992 – in : *Écritures dans la Peinture*, t. I, Centre National des Arts Plastiques, Villa Arson, Nice, 1984 – *Fred Forest 100 actions*, Z'Éditions, Nice, 1995.

Musées : Épinal (Mus. départ. des Vosges) : *1 mètre carré artistique*.

Ventes Publiques : Paris, 12 fév. 1990 : *Ballade pour changement de régime Lénine-Gorbatchev* 1989, deux photos (32x24) : **FRF 3 500**.

FOREST Jean Baptiste

Né en 1635 à Paris. Mort le 17 mars 1712 à Paris. xviie-xviiie siècles. Français.

Peintre de paysages.

Forest est comme le prototype de ces artistes exceptionnellement doués qui, moins par l'effet des circonstances qu'en raison de la bizarrerie de leur caractère et, peut-on dire, de leur originalité même, n'ont pas réussi à donner à leur génie la superbe envolée que celui-ci semblait promettre. Rien n'a manqué cependant à son éducation et à la préparation d'une brillante carrière. Son père fut son premier initiateur et les dispositions que développèrent ce noviciat permirent au jeune artiste de partir pour l'Italie et d'y prolonger son séjour pendant sept années. Il reçut les leçons d'un peintre d'histoire et de paysages, alors célèbre, Pierre-François Mola. A son retour, il dessina d'après nature quelques-uns des plus beaux sites de Provence et de Franche-Comté. Doué d'un sentiment artistique exquis, très épris de la nature, il ne pouvait manquer de se mettre en évidence : à l'âge de 38 ans le 26 mai 1674, il était reçu à l'Académie. Signalons en passant qu'il en fut exclu par la suite comme protestant et réintégré le 5 avril 1699. Il avait épousé la fille de Lafosse et maria la fille qu'il eut de cette union à Largillière. En dépit de son humeur fantasque, de son caractère jalousement indépendant, qui lui fit refuser deux commandes importantes proposées au nom du roi, il ne connut pas de plus grand ennemi que lui-même. Il lui arrivait couramment de se dégoûter brusquement d'une esquisse, jugée par ses amis admirable, et de la couvrir d'une autre ébauche ou de la recommencer dans une toute autre vue. Le plus grand malheur est qu'il s'entêtait à inventer des procédés de peinture, destinés à rendre celle-ci plus durable et plus brillante. Le résultat fut que la plupart de ces œuvres ont poussé au noir au point de devenir indéchiffrables. Fort heureusement, Forest a laissé des dessins qui témoignent d'un esprit et d'une liberté de main de qualité rare, et qui, par le grand effet qu'ils procurent, donnent l'impression de véritables tableaux. Mais la valeur de sa peinture ne saurait être mise en doute, ne fût-ce que du fait matériel des succès de sa carrière. Nous savons que quinze de ses paysages, détruits au cours d'un incendie, furent évalués à 15000 livres. On raconte que Largillière, étant venu rendre visite à son beau-père un jour d'orage, le trouva en train d'interpréter à sa manière les effets du ciel tempétueux. Largillière, surpris et ravi de cette esquisse, déclara qu'il était tout disposé à l'acheter. « Je vous la donne, répondit Forest, et pour vous en assurer, mettez votre nom derrière la toile. » Mais le gendre, qui n'osait réclamer l'accomplissement de la promesse, ne put entrer en possession de la toile à l'envers de laquelle il avait inscrit son nom, qu'après la mort de Forest. Il lui fallut constater, avec quel chagrin ! que celui-ci mécontent de son ébauche, en avait peint une autre par-dessus. « Son coloris est terrible, disait son biographe d'Argenville, quelquefois même un peu outré et trop noir ; mais on est sûr de trouver toujours dans ses tableaux du piquant, de ces coups de pinceau hardis qui sentent le maître et que les peintres appellent des réveillons... Tous les endroits sombres et pour ainsi dire sourds ne servent qu'à faire valoir une échappée de lumière et une touche hardie que le peintre a ménagées avec beaucoup d'adresse. Les seuls connaisseurs sont frappés de ce grand style et c'est à eux proprement que s'adressent ces réflexions ». Le caractère des paysages est grandiose, l'aspect plutôt sauvage ; les figures humaines, de proportion infime par rapport au cadre, sont ordinairement des pénitents, moines en prières, Madeleine repentie. Le paysage, si énorme qu'il soit, n'est, a-t-on dit, que l'accompagnement de la figure toute menue qu'il enveloppe. Il semble plutôt que le sentiment, toujours intense, est exprimé à la fois par l'attitude humaine et par la composition du décor. Plus que n'importe où, c'est le cas de considérer ici que le paysage est un personnage dans le drame, et non le moindre. Jean Forest, chargé par M. de Seignelay de recueillir en Italie des peintures et objets d'art pour constituer un cabinet, s'acquitta de cette mission avec beaucoup de finesse et de goût, rapporta de ce second séjour nombre de nouvelles études. Le Louvre ne possède aucun tableau de Forest. Un seul dessin : *Vue des bords de la mer*. Des gravures permettent de suppléer aux toiles disparues : notamment un paysage, gravé par Bernard, et une Madeleine dans un paysage en hauteur, par Cœlemans. Le Musée de Tours possède un *jeune Bacchus confié aux nymphes de l'île de Naxos*. Il existe un portrait de l'artiste peint par Largillière en 1704, dont deux versions sont conservées dans les musées de Berlin et Lille, et gravé par Pierre Drevet, le père.

FOREST Pierre

Né le 21 novembre 1881 à Nice (Alpes-Maritimes). Mort en 1971 à Paris. xxe siècle. Français.

Peintre de paysages animés, paysages, marines, natures mortes, fleurs, pastelliste.

Neveu du graveur lyonnais, Tony Forest-Fleury, il exposa, de 1931 à 1943, au Salon des Indépendants, à Paris, dont il fut sociétaire. Il fit des expositions personnelles dans plusieurs villes françaises, dont Paris, en Amérique du Sud, en Suisse et au Maroc. Une exposition rétrospective de son œuvre a été présentée par la ville de Nice en 1981.

Il peignit de nombreuses vues de sa ville natale. Au contact des paysages de l'Île-de-France, il atténua ses teintes et il commença à utiliser le pastel, dont il devint spécialiste. Il donna alors à ses œuvres un ton mélancolique.

Bibliogr. : Gérald Schurr, in : *Les Petits Maîtres de la peinture 1820-1920, valeur de demain*, Les Éditions de l'Amateur, t. IV, Paris, 1979.

Ventes Publiques : Paris, 11 mai 1977 : *La Médinah de Rabat*, past./pap. (32x25) : **FRF 800** – Paris, 28 nov. 1978 : *Le Sichon, Allier*, past./pap. (34x25) : **FRF 1 600** – Paris, 12 juin 1985 : *La corbeille de roses*, h/pan. (55x46) : **FRF 5 500**.

FOREST Pierre

Né vers 1587. Mort le 9 novembre 1675 à Paris. xviie siècle. Français.

Peintre.

Il était protestant et avait occupé les fonctions de « garde de la communauté des maistres peintres et sculpteurs à Paris ».

FOREST Roy de

Né en 1930 à North Platte (Nebraska). xxe siècle. Américain.

Peintre.

Entre 1950 et 1953, il a étudié en Californie et à San Francisco. Il a participé à plusieurs expositions collectives, dont une au Whitney Museum en 1962. Il a fait plusieurs expositions personnelles à Los Angeles, San Francisco et New York.

Sa peinture allie figuration et motifs abstraits, d'un tracé extrêmement libre, qui évoque parfois une technique enfantine. Il semble qu'Allan Davie l'ait influencé.

Ventes Publiques : New York, 2 nov. 1984 : *Sans titre*, craies de coul. et mine de pb/pap. monté/cart. (71x85,6) : **USD 2 800** – New York, 20 fév. 1988 : *Le bon chien suisse* 1973, acryl./t. (167,9x182,8) : **USD 12 100** – New York, 4 mai 1989 : *Vivre sur le taureau*, acryl./t. (168,3x183,5) : **USD 23 100** – New York, 23 fév. 1990 : *Sans titre* 1985, aquar., vernis en spray, craie et cr. gras de coul. et fus./pap. (88,2x109,1) : **USD 4 950** – New York, 6 nov. 1990 : *Sans titre* 1976, acryl./t. (53,3x41,6) : **USD 4 180**.

FOREST-BRUSH George de. Voir **BRUSH**

FOREST-FLEURY Tony ou **Forest de Lemps Fleury**
xixe siècle. Français.
Graveur.
Cet artiste, qui vivait à Lyon dans la seconde moitié du xixe siècle, exposa à Lyon, en 1866, *Entrée de Lyon par les Étroits*, a gravé à l'eau-forte un grand nombre de petites vues de Lyon et des environs, parues, pour la plupart, dans les ouvrages ou recueils suivants, dont il a, le plus souvent, donné le texte : *Vieux Lyon et Lyon moderne* (1875, 105 planches), *Excursion historique, artistique et pittoresque à Lyon* (40 eaux-fortes), *Le monument des Enfants du Rhône* (1887), *Le vieux Lyon qui s'en va*, *Quartier Grolée* (1890), *Lyon ancien et moderne* (1891). Ces recueils contiennent quelques portraits.

FORESTIER
Né vers 1755 à Néhou (Manche). Mort en 1828. xviiie-xixe siècles. Français.
Peintre.
Cet artiste peignait des paysages, des figures, des marines. Le Musée de Saintes possède de lui le portrait du général Chasseloup de Laubat. Il inventa une méthode pour dessiner la figure.

FORESTIER Adolphe
Né en 1801 à Paris. Mort en 1885 à Paris. xixe siècle. Français.
Peintre de genre, portraitiste, paysagiste et graveur.
D'abord élève de son père (mort en 1828), il se forma ensuite sous la direction de Valenciennes et de Thibault. Le gouvernement le chargea de différents travaux. On possède de lui au Musée de Neuchâtel : *La Muse Uranie*.

FORESTIER Alice de
Née au xixe siècle à Paris. xixe siècle. Française.
Peintre.
De 1863 à 1882, elle envoya au Salon quelques aquarelles, dont on cite : *Vieux chênes au bord de la mer*, *Herbage des bords de la Toucques* (Calvados), *Falaise d'Oberville à marée basse*, *Herbage en Normandie*. Sociétaire des Artistes Français depuis 1883.

FORESTIER Antonin Clair
Né le 18 octobre 1865 à Cannes (Alpes-Maritimes). Mort en janvier 1912. xixe-xxe siècles. Français.
Sculpteur de statues, bustes.
Il fut élève de Gauthier et Charpentier à l'École des Arts décoratifs. Il obtint une médaille de troisième classe en 1890, et une de deuxième classe en 1897.
On cite de lui : *Tête d'étude* (1885), bustes et médaillons (1895), *Le Loup de mer* (1890), *Bacchante*, plâtre (1891), buste décoratif (1893), *Premier désir*, plâtre (1894), *le Désert*, statue en pierre (1895), *l'Ouragan et la Feuille*, plâtre (1897). On lui doit également le buste du gouverneur de l'Australie et des principales notabilités de Melbourne (1891-1893).
Musées : Cannes : *Premier désir*, plâtre.
Ventes Publiques : New York, 19 juin 1981 : *L'Ouragan et la Feuille*, bronze (H. 96,5) : **USD 4 250** – Paris, 7 juil. 1983 : *La Victoire*, bronze (H. 40) : **FRF 6 800**.

FORESTIER Auguste
Né en 1780 à Paris. Mort en 1850 à Paris. xixe siècle. Français.
Peintre de paysages.
Il étudia principalement à Rome.
Musées : Fribourg-en-Suisse : *Vue de la Campagne romaine – Même sujet*.

FORESTIER Auguste
xixe-xxe siècles. Français.
Peintre. Art brut.
Fils d'agriculteurs de Lozère, il est interné à vie en 1914 après avoir fait dérailler un train. Il va consacrer sa vie à dessiner, fabriquer des jouets et des objets. Picasso possèdera quelques pièces de cet artiste.
Bibliogr. : Françoise Monnin : *Tableaux choisis. L'art brut*, Éditions Scala, Paris, 1997.

FORESTIER Charles
Né au xixe siècle à Paris. xixe siècle. Français.
Peintre.
Élève de Lepic. Exposa au Salon en 1880 : *Plage de Berck*, et en 1882 : *Bateaux abandonnés*.

FORESTIER Charles Aimé
Né en 1789 à Paris. xixe siècle. Français.
Graveur.
Auteur de portraits et de vignettes, il travaillait à Paris vers 1824.

FORESTIER Étienne
Né à Paris. xxe siècle. Français.
Sculpteur de statues.
Il exposa à Paris au Salon de la Société Nationale des Beaux-Arts.
Ventes Publiques : Londres, 29 oct. 1981 : *Danseuse dans Jeux* 1914, bronze (H. 32) : **GBP 400** – Melbourne, 30 juin 1987 : *Danseuses* 1914, deux bronzes (H. 38,5) : **AUD 2 600** – Paris, 30 jan. 1995 : *D'après Isadora Duncan*, bronze cire perdue (H. 40) : **FRF 29 000**.

FORESTIER Gabriel
Né dans la seconde moitié du xxe siècle à Eymet (Dordogne). xxe siècle. Français.
Sculpteur.
Il a exposé, à Paris, au Salon des Artistes Français, en 1922, 1924, 1925, 1934, 1935. Il a obtenu une mention honorable en 1913. Une bourse de voyage en 1922, une médaille d'argent en 1925, d'or en 1934.

FORESTIER Henri ou **Fortier**
xviie siècle. Français.
Peintre.
Il vit à Lyon en 1640 et est maître de métier en 1648.

FORESTIER Henri Claude
Né le 25 février 1875 à Genève. Mort en 1922. xixe-xxe siècles. Suisse.
Peintre de fleurs, sujets divers, aquarelliste, graveur, dessinateur, illustrateur.
Il fut élève de A. Martin à l'École des Arts et Métiers de Genève pour la gravure sur bois et travailla ensuite à Paris à des illustrations de livres puis se fixa à Genève en 1896 où il dessina pour des feuilles humoristiques : *Le Sapajou* ; *Le Passe-partout* ; *L'Album genevois*. Il fit paraître à Paris chez Sajot, en 1903, une série de gravures en couleur, sujets de chasse, ainsi qu'une série de combats de boxe. À partir de 1906, il s'adonna surtout à la peinture de fleurs.
Ventes Publiques : Berne, 21 oct. 1976 : *Nature morte*, h/t (41x33) : **CHF 1 100** – Berne, 6 mai 1981 : *Nature morte aux fleurs*, h/t (61x50) : **CHF 1 500** – Genève, 8 déc. 1983 : *Scène de marché*, 2 aquar. (32x94 et 32x112) : **CHF 1 500** – Genève, 29 nov. 1986 : *Bouquet de fleurs*, h/t (90x108) : **CHF 4 000**.

FORESTIER Henri Joseph de
Né en 1787 à Saint-Domingue. Mort en 1872 à Paris. xixe siècle. Français.
Peintre d'histoire, compositions mythologiques, sujets religieux.
Élève de François Vincent et de Jacques-Louis David, il obtint, en 1812, le deuxième prix au concours de Rome, et l'année suivante, le premier prix avec *La mort de Jacob*. Il fut décoré de la Légion d'honneur, en 1832. Il délaissa sa carrière artistique, pour s'intéresser à la politique, après la révolution de 1848, il fut élu colonel de la 6e légion de la garde nationale. Le 13 juin 1849, il prit part à une manifestation révolutionnaire ; arrêté, il fut acquitté par la haute cour de Versailles. Il exposa au Salon de Paris, de 1819 à 1855.
Il peignit principalement des toiles à thème biblique ou historique. On mentionne de lui : *Ecce homo – Saint Pierre délivré de sa prison par un ange – Saint Front sur le point d'aller prêcher le christiannisme, invoque le Saint-Esprit – Le Samaritain – Jésus guérissant un possédé – Funérailles de Guillaume le Conquérant*.
Bibliogr. : Gérald Schurr, in : *Les Petits Maîtres de la peinture 1820-1920, valeur de demain*, Les Éditions de l'Amateur, t. V, Paris, 1981.
Musées : Caen : *Funérailles de Guillaume le Conquérant* – Paris (Mus. d'Orsay) : *Jésus guérissant un jeune homme* – Paris (École des Beaux-Arts) : *L'Amour et Anacréon*.
Ventes Publiques : Paris, 6 déc. 1982 : *Saül dans sa fureur veut tuer David ?*, pl. et lav. (16,4x24,5) : **FRF 3 000** – Paris, 5 avr. 1991 : *Ulysse massacrant les prétendants de Pénélope*, h/t (114x148) : **FRF 130 000** – New York, 29 oct. 1992 : *Ulysse massacrant les prétendants de Pénélope*, h/t (114,3x148) : **USD 44 000**.

FORESTIER Jean Baptiste
xviiie siècle. Actif à Paris. Français.
Sculpteur.
Il était élève de l'Académie. On mentionne de sa main un buste de l'*abbé de Mably*.

FORESTIER Jeanne J. G., Mme
XXe siècle. Active à Paris. Française.
Peintre.
Sociétaire des Artistes Français depuis 1901.

FORESTIER Marie Anne Julie
Née en 1789 à Paris. XIXe siècle. Française.
Peintre de portraits.
Élève de David et de Debret, elle exposa au Salon entre 1804 et 1819.
Musées : Chartres : *Portrait de Gaillard, poète chartrain.*
Ventes Publiques : Paris, 9 juin 1993 : *Portrait de la duchesse d'Angoulême* 1814, h/t (60x51) : **FRF 7 000**.

FORESTIER Paul Raymond
Né à Gottenhausen (Bas-Rhin). XXe siècle. Français.
Aquarelliste.
Il exposa à Paris au Salon d'Hiver et au Salon des Artistes Français depuis 1927.

FORESTIER Pierre Jacques
Mort le 28 juillet 1771. XVIIIe siècle. Actif à Paris. Français.
Peintre.
Il était membre de la Gilde de Saint-Luc.

FORESTIER Rodolphe
Né à Genève. XXe siècle. Suisse.
Peintre de paysages.
Il exposa à Paris au Salon d'Automne en 1930.

FORESTIER Roland
Né le 15 mai 1806 à Moirans. Mort le 14 juin 1885 à Lons-le-Saunier. XIXe siècle. Français.
Sculpteur et sculpteur sur bois.
Il fut à Lons-le-Saunier élève de J. J. C. Bourgeois. Il fit des statues pour des églises et des jardins.

FORESTIER-BARBE Andrée, Mme
Née à Liverdun. XIXe siècle. Française.
Sculpteur.
Mention honorable en 1899.

FORESTO C.
Né le 15 avril 1931 à Foresto-Sparso (Bergame). XXe siècle. Actif en Suisse. Italien.
Peintre de paysages, paysages urbains, natures mortes, fresquiste.
Il fut élève de l'Académie Carrare de Bergame. Il vit à Genève. Il expose régulièrement, depuis 1963, surtout en Suisse, à Genève, et en Italie, mais aussi en France, aux États-Unis et au Canada. Il obtient de l'Académie San-Marco, à Rome, la médaille d'argent du Grand Prix *Italia 1971*, en 1971. En 1973, il fut nommé membre de l'Académie des Sciences des Arts et Lettres de Milan.
En 1953, il exécuta les peintures de l'église de l'hôpital militaire de Vérone. En 1958, les fresques de l'église de San-Fermo (Bergame).
Foresto réalise des œuvres mêlant plusieurs styles picturaux traditionnels. Moyen d'expression avant que d'être une discipline, sa peinture marque une prédilection pour les compositions animées et les paysages vaporeux dans lesquels, parfois, une lumière blanche donne une tonalité métaphysique à l'ensemble.
Bibliogr. : Giancarlo Caldini : *Foresto, immagini da Ginevra*, catalogue de l'exposition, Gall. Arte, Florence.

FORÊT. Voir aussi **FOREST**

FORET Paul
Né à Paris. XIXe siècle. Français.
Peintre de natures mortes, fleurs et fruits.
Il eut pour maîtres Goupil et Vollon. Au Salon, il se fit représenter, de 1870 à 1882, par des natures mortes. On cite de lui : *Instruments de musique, Objets d'art, Aiguière et violettes, Paon, Un plat d'huîtres, L'Éventaire de la bouquetière, Lièvre et plat d'huîtres, La Marée, L'Ordinaire, souvenir de mes treize jours.*
Ventes Publiques : Paris, 4 mai 1928 : *Fleurs dans un vase* : **FRF 120** – Nîmes, 15 oct. 1981 : *Aiguière et son plateau*, h/t (66x80) : **FRF 4 000**.

FORETAY Alfred Jean
Né le 12 janvier 1861 à Morges. Mort en 1944 à Genève. XIXe-XXe siècles. Actif en France. Suisse.
Peintre, sculpteur de compositions animées, figures, portraits.
Il étudia, dès 1877, à l'École des Beaux-Arts de Paris, section sculpture, chez Alexandre Falguière. Vers 1910, il se consacra à la peinture, date à laquelle il revint en Suisse. De 1918 à 1935, il séjourna à nouveau en France : en Haute-Savoie, en Bretagne et dans le Sud du pays. Il voyagea aussi à travers l'Italie.
Il exposa au Salon des Artistes Français de Paris, obtenant une mention honorable, en 1891 et une médaille de troisième classe, en 1904. Une exposition personnelle lui fut consacrée dans sa ville natale en 1977.
Il sculpta plusieurs œuvres notamment pour la municipalité de Genève.
Bibliogr. : Gérald Schurr, in : *Les Petits Maîtres de la peinture 1820-1920, valeur de demain*, Les Éditions de l'Amateur, t. IV, Paris, 1979.
Ventes Publiques : Paris, 16 mai 1979 : *Danseuse à l'écharpe*, bronze (H. 63) : **FRF 6 000** – Zurich, 3 juin 1983 : *Coucher de soleil*, h/t (50x72) : **CHF 1 600** – Paris, 23 mars 1987 : *Femme-fleur, bronze*, patine brune (H. 35) : **FRF 4 500** – Berne, 12 mai 1990 : *Les baigneuses*, h/t (37x55) : **CHF 1 500**.

FOREY Jules Jean Baptiste
Né en 1807 à Dijon (Côte-d'Or). Mort en 1854 à Paris. XIXe siècle. Français.
Peintre d'histoire et de genre.
De 1843 à 1846, il figura au Salon de Paris avec des portraits et quelques sujets de genre. On mentionne de lui : *Marthe et Jésus, Portrait du baron de Bretenière, Le Cimabué rencontre le Giotto, dessinant ses chèvres.*
Musées : Dijon : *Suzanne au bain.*

FOREY Perrier de
XIVe siècle. Actif à Dijon. Français.
Sculpteur.
Il travailla, en 1391, à la décoration de l'église de la Chartreuse de Champmol, à Dijon, sous la direction de Claus Sluter.

FÖRG Günther
Né en 1952 à Füssen. XXe siècle. Actif en Suisse. Allemand.
Peintre, peintre de compositions murales, sculpteur, créateur d'installations, multimédia.
Il a étudié à l'École des Beaux-Arts de Munich de 1973 à 1979 et suivi les cours du peintre Karl Fred Dahmen. Il vit et travaille à Areuse (Suisse).
Il participe à des expositions collectives, notamment en France : 1985, Nouvelle Biennale de Paris, Paris ; 1989, *Une autre objectivité* Centre National d'Art Contemporain, Paris ; 1990, *Un art de la distinction*, Centre d'Art Contemporain, Meymac.
Il réalise des expositions personnelles, entre autres : 1980, à Munich ; 1981, Amsterdam ; 1983, Foire de Cologne, présenté par la galerie Max Hetlzer ; 1984, Kunstraum, Munich ; 1986, Kunsthalle, Berne ; Westfälischer Kunstverein, Münster ; 1987, Museum Hans Lange, Krefeld ; 1987, Maison de la culture et de la communication, Saint-Étienne ; 1988, Gemeentemuseum, La Haye ; 1989, Newport Harbor Art Museum, Newport Beach ; 1989, San Francisco Museum of Modern Art, San Francisco ; 1989, Milwaukee Art Museum, Milwaukee ; 1989-1990, *Günther Förg : the Complet Editions* Museum Boymans-van Beuningen, Rotterdam puis Neue Galerie au Landesmuseum Joanneum, Graz ; 1990-1991, exposition itinérante : Museum Fridericianum de Kassel, Museum Hedendaagse Kunst de Gand, Museum der Bildenden Künste de Leipzig, Kunsthalle de Tübingen, Kunstraum de Munich ; 1991, Touko Museum of Contemporary Art, Tokyo ; 1991 galerie Grässlin-Ehrhardt, Francfort ; 1991, galerie Rüdiger Schöttle, Paris ; 1991, galerie Crousel Robelin Bama, Paris ; 1991, Musée d'Art Moderne de la Ville de Paris ; 1996, galerie Samia Saouma à Paris ; 1997, galerie Lelong, Paris.
L'étude du travail d'artistes liés à l'histoire de l'art abstrait (constructivisme russe, Bauhaus) puis contemporain (Newman, Rothko, Ad Reinhardt) a influencé pour une large part les visées de Förg. Se posant le problème de la mise en abyme de la peinture, il cherche à élargir le champ pictural hors des conventions strictes du châssis pour déborder sur les murs et accéder à un nouvel espace. Il ajoutera par la suite des éléments photographiques sur la surface peinte. Privilégiant, entre 1983 et 1986, les mises en scène de photographies d'architecture, en général des grands formats, Förg, à partir de 1986, reprend l'association photographies et peintures murales, tout en travaillant également à part entière sa peinture. Il réalise par la suite des œuvres en bronze, notamment avec la série de *Stations of the Cross* (Chemin de Croix) de 1989 qui tende vers la sculpture tout en possédant les caractéristiques du tableau. ■ C. D.
Bibliogr. : Béatrice Parent, Rudi Fuchs, Mario Diacono, Cathe-

rien Quéloz : *Günther Forg*, catalogue de l'exposition, Musée d'Art Moderne de la Ville de Paris, 1991 – in : *Dictionnaire de peinture et de sculpture – l'Art du xxe siècle*, Larousse, Paris, 1991 – *Günther Förg*, catalogue de l'exposition, Stedelijk Museum, Amsterdam, 1995.
Musées : New York (Mus. of Mod. Art) – Rochechouart (Mus. départ. d'Art Contemp.) : *Triennale Mailand II* 1986 – Saint-Étienne : *Installation MCC*.
Ventes Publiques : New York, 8 mai 1990 : *Peinture cuivre* 1987, h/cuivre/bois (190,2x90,2) : **USD 38 500** – New York, 9 mai 1990 : *Sans titre* 1986, peint./pb (54,5x52) : **USD 16 500** – New York, 7 nov. 1990 : *Écran de plomb* 1987, acryl./pb sur deux pan. de bois (180,5x250) : **USD 26 400** – New York, 2 mai 1991 : *Sans titre* 1989, six pan. acryl./bois (chaque 60x50) : **USD 35 200** – New York, 13 nov. 1991 : *Tableau de plomb* 1988, acryl./pb monté sur cart. (240x160,3) : **USD 8 800** – New York, 25-26 fév. 1992 : *Sans titre* 1988, bronze (120x80x6) : **USD 8 800** – New York, 27 fév. 1992 : *Sans titre*, h/pan., ensemble de trois panneaux, chaque (69,8x55,2) : **USD 19 800** – New York, 6 mai 1992 : *Sans titre* 1988, acryl. et pb/pan. (240x160,3) : **USD 20 900** – New York, 19 nov. 1992 : *Sans titre* 1987, bronze coulé (97,8x59) : **USD 9 900** – New York, 19 nov. 1992 : *Rome* 1987, photo. encadrée par l'artiste (282x130) : **USD 11 000** ; *Sans titre* 1987, acryl. et pb/pan. (122,2x69,5) : **USD 12 650** – New York, 24 fév. 1993 : *Sans titre* 1987, 12 pan. aquar. et pigments métallisés/pap. (chaque 31,4x23,8) : **USD 14 850** – Londres, 25 mars 1993 : *Sans titre* 1987, bronze (120x70,5x6,5) : **GBP 5 750** – New York, 5 mai 1993 : *Sans titre*, acryl. et pb/bois (240,7x160,6) : **USD 18 400** – New York, 3 mai 1994 : *Fenêtre I*, h/pan. (160x139,7) : **USD 11 500** – Londres, 27 oct. 1994 : *Image de plomb* 1987, acryl./pb (90x250) : **GBP 8 050** – Amsterdam, 7 déc. 1994 : *Sans titre*, photo. en noir et blanc (270x120) : **NLG 16 100** – Londres, 26 oct. 1995 : *« Canto »* 1989, acryl./pap. (214,5x159) : **GBP 8 280** – New York, 16 nov. 1995 : *Sans titre* 1989, acryl./pap. Canson (262,3x149,2) : **USD 8 050** – Londres, 6 déc. 1996 : *Sans titre* 1989, cr. et acryl./pap. (260x150) : **GBP 8 050** – New York, 19 nov. 1996 : *Bronzerelief* 1987, bronze (260x141) : **USD 10 925** – New York, 21 nov. 1996 : *Peinture de plomb*, h/pan. pb, triptyque (210,8x255,3) : **USD 23 000** – New York, 6-7 mai 1997 : *Sans titre (49/87)* 1987, h./pb/bois (58,7x38,7) : **USD 50 600**.

FORG Hans Oswald
Originaire d'Aichach. xviie siècle. Allemand.
Peintre.
Il fit partie de la Gilde de Munich. On cite de lui des dessins de têtes d'animaux portant son monogramme et datés de 1615 et 1618.
Ventes Publiques : Paris, 20 juin 1938 : *Jeux d'enfants ; Chèvre*, deux toiles peintes en grisaille, dessus-de-portes : **FRF 200**.

FORGACH Elisabeth
Née à Budapest. xxe siècle. Hongroise.
Sculpteur.
Élève de Sicard. A exposé au Salon en 1928 un *Portrait Buste* (plâtre).

FORGAS Robert
Né en 1929 à Vincennes (Val-de-Marne). xxe siècle. Français.
Peintre. Populiste.
Il a figuré, à Paris, au Salon des Peintres Témoins de leur Temps, puis expose avec le Groupe 109.
Il s'est fait remarquer avec des scènes d'enfants, peintes dans un style populiste.

FORGE de La. Voir **LA FORGE**

FORGE F. de
xviiie siècle. Français.
Peintre.
La Galerie de Bamberg conserve de lui une *Réunion de paysans* dans le style de Brouwers.

FORGELOT Charles Albert
Né le 19 octobre 1876 à Paris. Mort le 21 février 1975. xxe siècle. Français.
Peintre de paysages.
Il fut élève de Georges Moteley. Il fut exposant, à Paris, du Salon des Artistes Français depuis 1926, sociétaire en 1928, mention honorable en 1953.

FORGEOIS Michèle
Née le 16 mai 1929 à Bois-Colombes (Hauts-de-Seine). xxe siècle. Française.
Sculpteur, illustrateur. Abstrait.
Elle a surtout étudié dans des ateliers indépendants et à l'École des Arts Décoratifs de Paris en 1945. Ses sculptures sont abstraites. Elle attaque le plomb et crée un univers ésotérique, sensuel et mystique. Elle participe aussi à des expositions de livres.

FORGEOT
xviiie siècle. Français.
Peintre.
Le Musée de Saint-Lô conservait le *Portrait du chevalier Geoffroy de Baudot*, daté de 1711.

FORGEOT
xviiie siècle. Français.
Sculpteur.
Il exécuta de 1779 à 1819 des modèles pour des groupes en biscuit de Sèvres, parmi lesquels on cite : *République, Nymphe au cygne, Quand Amour parle, Tentation, Jésus*.

FORGEOT Claude Édouard
Né en 1826, au Moule (Saône-et-Loire), à Lays-sur-le-Doubs selon les Salons. xixe siècle. Français.
Sculpteur.
Élève de Rude. Il exposa quelques années au Salon, de 1853 à 1877. On a de lui au Musée de Gray : *Buste de Mac-Mahon, Buste de bohémienne, Buste de Forgeot père*, et à celui de Saint-Lô : *Personnage en cuirasse du temps de Louis XIV*. Mention honorable en 1891.

FORGERON Alfred Armand
Né le 3 avril 1842 à Paris. xixe siècle. Français.
Portraitiste et peintre de genre.
Le 8 avril 1858, il entra à l'École des Beaux-Arts et se forma sous la direction de Aug. Hesse et de Gérôme. Il exposa au Salon de 1861 à 1882, des portraits. On cite de lui : *La chaste Suzanne, Louis XVII, chez Simon, à la prison du Temple, Portrait de M. de Beauplan, La Vierge Marie, à quinze ans, La Leçon, Portrait de Mme Halanzier*.

FORGES René de
Né à Quimperlé (Finistère). xxe siècle. Français.
Peintre.
Exposant du Salon des Indépendants en 1931.

FORGET
xviiie siècle. Français.
Peintre et graveur au burin.
Exposa des paysages au Salon en 1791 et 1793.

FORGET Charles Gabriel
Né le 4 août 1807 à Paris. Mort en 1873. xixe siècle. Français.
Peintre.
Élève d'Isabey et de Th. Rousseau. Il exposa au Salon, de 1846 à 1870, des aquarelles, parmi lesquelles on cite : *Rue Saint-Lubin, à Blois, Chemin des Vaux-Verts*. On a de lui, au Musée d'Orléans, deux paysages.

FORGET Charles Jean
Né le 25 janvier 1886. xxe siècle. Français.
Graveur, dessinateur.
Exposant, à Paris, au Salon des Artistes Français à partir de 1922.

Ventes Publiques : Londres, 18 mai 1988 : *La fête du 14 juillet à la Madeleine* 1938, h/t (50x65) : **GBP 3 300**.

FORGET E.
xixe siècle. Actif à Paris. Français.
Graveur de reproductions.
Parmi ses gravures on cite : *La Sainte Vierge*, d'après Batoni, *L'Adoration des Mages*, d'après Blaisot, *La Vierge de Foligno*, d'après Raphaël, des planches pour le *règne animal* de Cuvier, les portraits du *roi Frédéric VI de Danemark* et du *maréchal Kellermann*, et, tirées du livre de L. Freycinet : *Voyage autour du monde : Chinoises à l'île Timor*, d'après Arago.

FORGET Louise
Née en 1931 à Saint-Agathe-des-Monts (Québec). xxe siècle. Canadienne.
Peintre, aquarelliste. Abstrait.
Entre 1951 et 1956, elle a étudié à l'École des Beaux-Arts de Montréal. Après un voyage au Mexique, où elle s'est initiée à la

gravure et à l'art mural, et de nouvelles études à Montréal, elle est venue à Paris et a travaillé avec Stanley Hayter à l'atelier 17. À Paris, elle a exposé dans divers Salons : Salon des Artistes Indépendants, Salon des Artistes Français.
Les tons de ses peintures sont d'une grande transparence, veulent exprimer un maximum de lumière avec un minimum de couleurs. Ses aquarelles sont proches de la spontanéité de l'abstraction lyrique.

FORGET Marie Thérèse
Née au XIXe siècle à Blois (Loir-et-Cher). XIXe siècle. Française.
Peintre.
Elle eut pour professeurs Carolus Duran et Henner. De 1878 à 1882, elle envoya au Salon de Paris, des portraits et des têtes d'étude. Mention honorable en 1888.

FORGEUR Ernest
Né en 1897 à Liège. Mort en 1961. XXe siècle. Belge.
Peintre, dessinateur.
Il fit ses études à l'Académie de Liège. Il fut caricaturiste dans les années trente. Par la suite, il exécuta surtout des nus féminins.
Bibliogr. : In : *Diction. biogra. illustré des artistes en Belgique depuis 1830*, Arto, Bruxelles, 1987.

FORGIOLI Attilio
Né en 1933 à Salo. XXe siècle. Italien.
Peintre de portraits, paysages, pastelliste.
Ventes Publiques : Milan, 8 juin 1982 : *Paysage* 1962, h/t (70x100) : **ITL 550 000** – Milan, 19 déc. 1985 : *Paysage*, h/t (170x173) : **ITL 2 700 000** – Milan, 7 nov. 1989 : *Contes* 1982, h/t (35,5x80,5) : **ITL 1 900 000** – Milan, 27 mars 1990 : *Paysage*, techn. mixte (96x70) : **ITL 1 800 000** – Milan, 27 sep. 1990 : *Paysage* 1967, h/t (60x68) : **ITL 2 000 000** – Milan, 20 juin 1991 : *Île* 1972, h/t (100x90) : **ITL 4 600 000** – Milan, 15 déc. 1992 : *Paysage*, h/t (33,5x41) : **ITL 2 200 000** – Milan, 22 nov. 1993 : *Paysage*, past./t. (60x60) : **ITL 2 357 000** – Milan, 26 oct. 1995 : *Portrait* 1986, h/t (96x70) : **ITL 2 645 000**.

FORGUES
XIXe siècle. Français.
Graveur.
M. Béraldi cite de lui : *La Distribution des aigles, le 10 mai 1852*.

FORI Luciano
Né en 1649. XVIIe siècle. Actif à Messine. Italien.
Peintre d'histoire.
Restaurateur de tableaux ; copiste et imitateur de Polidoro Caravaggio.

FORICHON F.
Français.
Peintre de portraits.
Professeur de dessin au Lycée de Nîmes. Le Musée d'Alès conserve de lui un *Portrait de femme*.

FORINGER Alonzo Earl
Né le 1er février 1878 à Kaylor (Pennsylvanie). XXe siècle. Américain.
Peintre de compositions murales, illustrateur.
Élève de Stevenson à Pittsburgh, de Mowbay à New York. Il fut membre de l'Association of Mural Painters et de la New York Architectural League.

FORINO. Voir **FURINI**

FORIOLLI Marcantonio
XVIIe siècle. Actif à Rome. Italien.
Peintre.
Il est mentionné en 1657 pour des travaux qu'il exécuta dans la Galerie du Quirinal.

FORISSIER Roger
Né le 26 juin 1924 à Feurs (Loire). XXe siècle. Français.
Peintre de paysages, marines, figures, natures mortes, compositions à personnages, graveur, lithographe, fresquiste, illustrateur.
Il suivit, à partir de 1942, les cours de l'École des Beaux-Arts de Lyon, puis, à Paris en 1947, ceux de l'École des Beaux-Arts. Il fut boursier du Gouvernement des Pays-Bas en 1951, de la Maison Descartes à Amsterdam en 1952, de la Casa Velasquez à Madrid en 1953. Il a illustré *Le Diable au corps* de Raymond Radiguet, de seize lithographies. Il a exécuté une peinture murale pour les nouveaux thermes du Mont-Dore en 1975. Il a bénéficié d'achats de l'État et de la Ville de Paris. Forissier a obtenu plusieurs prix : 1965, celui du Conseil Général de Seine-et-Oise ; 1973, celui du Conseil Général de Seine-et-Marne ; 1973, Paul-Louis Weiller ; 1980, le Grand Prix de peinture de la Ville de Corbeil-Essonnes. Il est président de l'association artistique *L'École de Moret*.
Il participe à des expositions collectives, parmi lesquelles : Salon de la Jeune Peinture, Paris ; Salon des Indépendants, Paris ; Salon d'Automne, Paris ; Salon des Tuileries, Paris ; Salon Comparaisons, Paris ; Salon de la Société Nationale des Beaux-arts, Paris ; de même qu'à *Peintres lyonnais contemporains* au Musée d'Art Moderne de Lyon ; *Artistes figuratifs* au Musée du Mans ; *Artistes français en Hollande* à l'Institut Néerlandais ; *En bateau sur la Seine* et *Peintre de la Banlieue* au Musée de Courbevoie.
Il montre de très nombreuses expositions individuelles : 1949, 1951, 1955, 1958, 1960, 1962, 1964, 1967, Paris ; 1970, Nice, rétrospective ; 1976, 1978, 1979, Paris ; Cannes, Lyon, Nancy, Genève, Lausanne, Zurich, Neuchâtel, Amsterdam, Tokyo, Corbeil ; 1981, Centre culturel Pablo Neruda ; 1992, quadruple exposition, Paris : en mai les paysages, en juin les natures mortes, en juillet les portraits, en novembre aquarelles et gravures.
Forissier peint souvent les paysages du Lyonnais, de Paris, d'Île-de-France, d'Amsterdam et de New York. Son thème de prédilection demeure les berges et les quais, spécialement ceux de la Seine à Paris, les rivières ou les ports de mer. À son sujet est souvent évoquée la tradition de Boudin et Marquet. ■ J. B., C. D.
Bibliogr. : Raymond Cogniat : *Pour Forissier*, Pierre Cailler, Genève, 1961 – *Forissier*, catalogue de l'exposition rétrospective, Palais de la Méditerranée, Nice, 1970 – Arnold Kohler : *Roger Forissier ou le plaisir de peindre* – Roger Forissier : *Propos d'Artiste* – Bertrand Duplessis : *L'Enracinement de Forissier* – Sadi de Gorter : *Roger Forissier*, Librairie de la Bibliothèque des Arts, Paris, 1986.
Musées : Fontainebleau – Lyon – Paris (coll. de l'État) – Paris (coll. de la Ville de Paris) – Rodez – Sceaux (Mus. de l'Île-de-France).
Ventes Publiques : Paris, 3 mai 1985 : *Paris, l'île Saint-Louis* 1958, h/t (100x73) : **FRF 9 000**.

FORKNER Edgard
Né en 1867 à Richmond (Virginie). XIXe-XXe siècles. Américain.
Peintre.
Il fut élève de Du Mond et de l'Art Students' league de New York. Membre de la Chicago Gallery Association. Il obtint le premier prix du Hoosier Salon en 1916, le prix Owsley en 1917, le premier prix Seattle F.A.S. en 1918 et 1923.

FORKUM Roy
Né à Kane (États-Unis). XXe siècle. Américain.
Peintre.
A exposé au Salon en 1928.

FORLANI ou **Forlano**. Voir **FURLANI**

FORLEO-BRAYDA Francesca
Née en 1779 à Francavilla (province de Lecce). Morte le 3 juin 1820. XIXe siècle. Italienne.
Peintre.
Élève du peintre Lodovico delle Guanti elle s'adonna aux peintures religieuses, parmi lesquelles, pour l'église S. Maria della Fontana : *Baptême du Christ, Décollation de saint Jean-Baptiste*. Elle peignit aussi des tableaux d'histoire, comme des scènes empruntées à la *Jérusalem délivrée*, des tableaux campagnards : *Tarentella, Repos des faucheurs*, et de petits tableaux de genre. Le Palais Forleo à Francavilla conserve de ses œuvres.

FORLI, da. Voir au prénom

FORLI Giovanni Vincenzo. Voir **VINCENZO da Forli**

FORLI Guglielmo da. Voir **GUGLIELMO da Forli**

FORMAINO Andrea
Originaire de Ravenne. XVIe siècle. Italien.
Sculpteur.
Il érigea à Forlimpopoli, près de Forli, le monument funéraire de Brunoro Zampeschi.

FORMAL
XXe siècle.
Graveur.
Cité par le *Art Prices Current*.

FORMAN Emil
Né en 1954 à Rio de Janeiro. XXe siècle. Brésilien.
Artiste multimédia, créateur d'installations.
Il a fait ses études au C.P.A. (Centre de Recherche d'Art) avec

Ivan Serpa, à Rio de Janeiro, entre 1971 et 1973. Il vit à Rio de Janeiro.
Il participe à des expositions collectives, dont : *9e Biennale de Paris*, en 1975. Il réalise des expositions personnelles : 1973 au C.P.A. de Rio ; 1974 galerie Buarque-Bittencourt, à Rio.
Lors de la 9e Biennale de Paris, Forman exposa une installation audiovisuelle, qui rappelait le travail de Boltanski, consistant en une série de diapositives présentant un ensemble d'effets personnels : pelote de laine, brosse à dents, ciseaux... ayant appartenu à une femme conservatrice de ce genre d'objets, sa vie durant.
Bibliogr. : In : *9e Biennale de Paris*, catalogue de l'exposition, Idea Books, Paris, 1975.

FORMAN Helen
Née à Londres. Américaine.
Aquafortiste.
Élève de l'Art Institute of Chicago. Membre de la Chicago Society of Etchers.

FORMAN L. Voir **FOSMAN Gregorio**

FORMAN Vera Smith
Née le 26 octobre 1889 à Jacksonville (Illinois). XXe siècle. Américaine.
Peintre, illustrateur.
Elle fut élève de John Douglas Patrick. Membre de l'Illinois Academy of Fine Arts. Elle obtint le prix du Des Moines Women's Club en 1925, 1927, 1929 et 1931.

FORMARINI
XVIIe siècle. Tchécoslovaque.
Peintre.
En 1647, il fit des tableaux pour le château de Nachod.

FORMELLO Donato da, dit **Donatello**
Né à Formello dans le duché de Bracciano. Mort vers 1580. XVIe siècle. Italien.
Peintre de sujets religieux, peintre de compositions murales.
Élève de Giorgio Vasari, il visita (d'après Baglione) Rome au début du pontificat de Grégoire XIII. Il peignit à fresques les murs d'un escalier du Vatican en y exécutant des épisodes de la vie de saint Pierre.

FORMENOY Niclaes
XVIIIe siècle. Actif à Anvers. Éc. flamande.
Peintre de miniatures.
Il fut reçu maître le 10 septembre 1760.

FORMENT Damian ou **Formente**
Né vers 1480. Mort vers 1543. XVIe siècle. Travailla surtout à Valladolid. Espagnol.
Sculpteur.
Cet artiste, qui occupe un premier rang parmi les sculpteurs espagnols, est particulièrement curieux à étudier parce qu'on peut suivre en lui la transformation de l'art gothique en celui de la Renaissance, de cet art qui résulta plus encore de l'évolution des idées religieuses dans l'esprit de l'auteur que des nouvelles méthodes qui commençaient à se répandre. L'effort de Forment pour inféoder l'esprit chrétien du Moyen Age à l'étude de la nature, à la correction des formes, à l'élégante majesté des draperies de l'antiquité, fut-il instinctif ou conscient ? Il serait difficile de l'établir. Dans la première œuvre que l'on possède de lui, le retable du maître-autel de Notre-Dame-del-Pilar, à Saragosse, il laissa entrevoir comme un thème de la Renaissance, mais le plan, la disposition du retable et ses ornements sont délibérément gothiques, en dépit d'une coquille placée au-dessus du soubassement, dont Berruguete fit un grand usage un peu plus tard. Le retable de San Pablo, dont l'analogie avec le précédent est très grande, dans lequel on retrouve la même forme rectangulaire, les mêmes lignes infléchies du gothique, ne permet pas moins de constater les progrès de l'artiste vers la transformation. Il y a dans ce superbe travail des morceaux qui peuvent rivaliser avec l'œuvre des plus grands sculpteurs de la Renaissance. Vient ensuite le retable de Huesca, dans lequel l'évolution se montre avec plus d'évidence ; le plan est encore le même, mais les courbes sont plus fréquentes, les angles s'effacent, la grâce se révèle. Le retable de Santo Domingo de la Calzada à Valladolid atteste l'accentuation du mouvement vers la Renaissance qui entraîne le maître. Quelle distance il a parcourue ! Comme il a peu à peu triomphé des contradictions qui le déparaient en Aragon ! Il n'y a plus de heurts maintenant, l'harmonie éclate, il est dans le ravissement. Il a adapté l'esprit chrétien du Moyen Age aux formes de la beauté telles que les présente la nature, son sentiment religieux a trouvé une expression qui l'enivre, et il s'écrie qu'il est « un émule de Phidias et d'Appelle ». Larousse dit que Forment est né à Valence vers 1440 et mort à Huesca vers 1534.

FORMENTE
XVIe siècle. Travaillant à Valladolid. Espagnol.
Sculpteur.
La similitude de nom a souvent fait confondre cet artiste avec le précédent, mais ils sont très distincts dans leur œuvre. Ce fut aussi un très grand artiste, mais il demeura rebelle aux doctrines nouvelles et fut un des derniers représentants de l'art gothique pur.

FORMENTE Lucas
Né vers 1526. XVIe siècle. Travaillant à Valladolid. Espagnol.
Sculpteur.
Très lié avec Berruguete, il prit part à nombre de ses œuvres et cependant il n'apparaît nulle part comme ayant subi le mouvement qui transformait l'art. On trouve dans le remarquable ouvrage de Marti y Monzo cette note : « Plusieurs sculpteurs de talent portèrent le nom de Formente, mais Damian est le seul qui entra dans les voies de la Renaissance. »

FORMENTI Lazzaro
Originaire de Carrare. XVIe siècle. Italien.
Sculpteur.
Il est mentionné en 1563 à Messine.

FORMENTI Tommaso ou **Formentino**
XVIIIe siècle. Actif à Milan vers 1720. Italien.
Peintre.
On connaît de lui des tableaux d'autel à Milan, à Côme et Pavie et des paysages à Brescia.

FORMENTINI L.
XVIIIe siècle. Actif à Venise. Italien.
Paysagiste.
Marchesini collabora avec lui et étoffa ses tableaux.

FORMENTROU Jacob de
XVIIe siècle. Actif à Anvers. Éc. flamande.
Peintre.
Il fut reçu maître en 1659.

FORMICA Jean Pierre
XXe siècle. Français.
Peintre.
Il a participé à la FIAC (Foire Internationale d'Art Contemporain) à Paris, en 1993. Philippe Piguet : « Il y a chez Formica – comme chez Paul Klee, d'ailleurs – une éminente propension à vouloir associer ce que Hégel considère comme les trois arts romantiques – la poésie, la peinture et la musique. (...) Se découvrent dans l'espace de ses toiles des figures anodines à l'image d'un taureau mithra, d'une vierge sara, d'un chameau, d'une porteuse d'eau ou d'une architecture, ces signes sont les traces mémorables d'un quotidien. (...) Il crée un univers enchanté où se mêlent tous les ordres, animal et végétal, minéral et humain. »

FORMIGÉ Jean Camille
Né le 24 juillet 1845 au Bouscat-lez-Bordeaux (Gironde). Mort le 28 août 1926 à Paris. XIXe-XXe siècles. Français.
Peintre et architecte.
Exposa au Salon, à partir de 1868, des vues de monuments, des aquarelles.

FORMIGÉ Marie Emma
Née au XIXe siècle à Bordeaux (Gironde). XIXe siècle. Française.
Peintre.
Élève de Laurens et de Carolus-Duran. Elle envoya au Salon de Paris, de 1876 à 1882, des aquarelles représentant des fleurs.

FORMIGINE Andrea da. Voir **MARCHESE Andrea di Pietro**

FORMILLI Attilio
Né le 8 juin à 1866 à Alexandrie. Mort en 1933. XIXe-XXe siècles. Italien.
Sculpteur de bustes, de figures.
Il travailla à Florence où il fut élève de l'Académie avec Rivalta. On cite de lui un *Christ en croix*, exposé à Florence en 1896, et un buste en bronze de *Schopenhauer*, exposé à Berlin en 1899.

MUSÉES : PISE (Mus. Civique) : *Buste de Moïse Supino, fondateur du Musée.*

FORMIS BEFANI Achille

Né en 1832 à Naples. Mort en 1906 à Milan. XIXe siècle. Italien.

Peintre de scènes de genre, paysages, paysages urbains, paysages d'eau, paysages de montagne.

Il exposa régulièrement à Milan, Turin, Venise et au Salon des Artistes Français à Paris en 1880, à Berlin en 1896, en 1901 et 1906 à Munich. Il fit des tableaux d'Orient, des paysages des Alpes et des lacs italiens, des vues de Venise et des lagunes. On cite parmi ses œuvres : *Tous à la pêche, Côme, Paysannes au labour, Lagune de Pallestrina.*

MUSÉES : ROME (Art Mod.) : *Torrent.*

VENTES PUBLIQUES : MILAN, 26 nov. 1968 : *Lac Majeur* : **ITL 650 000** – LONDRES, 12 mai 1972 : *Paysage de montagne* : **GNS 1 200** – MILAN, 28 oct. 1976 : *Bord de mer*, h/t mar./pan. (30x60) : **ITL 1 000 000** – MILAN, 14 mars 1978 : *Paysage alpestre*, h/t (67x123) : **ITL 1 200 000** – MILAN, 17 juin 1981 : *Venise*, h/pan. (58,5x25) : **ITL 4 400 000** – MILAN, 21 avr. 1983 : *Paysage*, h/t (57x36,5) : **ITL 5 000 000** – MILAN, 21 avr. 1983 : *Voiliers à Chioggia*, h/pan. (24,5x58) : **ITL 6 600 000** – NEW YORK, 1er mars 1984 : *Une rue à Venise*, h/pan. (61x30,8) : **USD 5 000** – LONDRES, 20 juin 1986 : *La Fontaine du sultan Ahmed, Constantinople*, h/t (75x78) : **GBP 400 000** – LONDRES, 27 mars 1987 : *La Corvée d'eau*, h/t (23x57,5) : **GBP 8 000** – MILAN, 31 mars 1987 : *Cascinale* 1900, h/pan. (26x43,5) : **ITL 2 600 000** – MILAN, 23 mars 1988 : *Les Monts Corni di Conzo*, h/t (71x53,5) : **ITL 10 000 000** – LONDRES, 29 avr. 1988 : *Cour de ferme et volailles*, h/t (31,5x19) : **GBP 1 650** – MILAN, 1er juin 1988 : *Route de village et paysanne*, h/pan. (57,5x24) : **ITL 3 200 000** – MILAN, 14 juin 1989 : *Effet de soleil*, h/pan. (31,5x18,5) : **ITL 6 000 000** – NEW YORK, 23 mai 1990 : *Cour de ferme*, h/t/cart. (31,7x19) : **USD 4 950** – NEW YORK, 16 oct. 1991 : *Sur les berges du Bosphore*, h/t (64,2x124,5) : **USD 44 000** – MILAN, 19 mars 1992 : *Cour d'une maison rustique à Valtellina*, h/pan. (58x23) : **ITL 3 000 000** – MILAN, 29 oct. 1992 : *Le Bout du village*, h/pan. (29,5x60,5) : **ITL 6 000 000** – MILAN, 26 mars 1996 : *Paysage montagneux avec une cabane et une paysanne*, h/pan. (58x24,5) : **ITL 11 500 000** – MILAN, 23 oct. 1996 : *Bateaux mouillés à Tremezzo*, h/t (25,5x38,5) : **ITL 22 135 000** ; *Barques à Chioggia* 1897, h/pan. (29x60) : **ITL 16 892 000** – MILAN, 18 déc. 1996 : *Paysage avec barques et personnages*, h/t (37x66,5) : **ITL 33 785 000** – MILAN, 25 mars 1997 : *Lavandières au bord du fleuve*, h/t (49x80) : **ITL 40 775 000.**

FORMOSA Romualdo

XVIIIe siècle. Actif à Naples vers 1755. Italien.

Peintre.

Il travailla au Palais Gravina.

FORMOZOV Valerian Mikhailovitch

Né en 1921 à Tépélévo (Gorki). XXe siècle. Russe.

Peintre de compositions à personnages, de paysages.

En 1937, il est entré à l'École des Beaux-Arts de Gorki, ses études furent interrompues par la guerre. Après sa démobilisation, en 1946, il entra à l'Académie des Beaux-Arts de Lettonie où il travailla sous la direction de E. Kalnins et de J. Tiberg. Dans le même temps, il termina en auditeur libre, les classes de l'École des Beaux-Arts de Gorki. Il obtint ses diplômes en 1952 et fut nommé professeur de peinture et de dessin à l'Académie des Beaux-Arts et à l'École d'Art Appliqué de Riga où il exerça de 1953 à 1964. Depuis 1964, il travaille et vit à Moscou. Depuis 1952, il a participe à de nombreuses expositions nationales et a obtenu à maintes reprises des diplômes de la Fédération des Peintres de Moscou. Ses œuvres figurent dans plusieurs musées de Russie.

Il est l'auteur de cycles picturaux ayant pour thème : la guerre, la vie des femmes des campagnes, des portraits de travailleurs ruraux, des paysages.

MUSÉES : JAROSLAVL – KRASNODAR – RIGA (Mus. d'Art Letton) – RIGA (Mus. Russe) – VORONEJ.

VENTES PUBLIQUES : PARIS, 3 oct. 1990 : *Une conversation entre filles* 1957, h/cart. (60x70) : **FRF 17 500** ; *Plein air* 1968, h/cart. (100x58) : **FRF 17 000** – PARIS, 9 déc. 1991 : *Le jardin fleuri* 1973, h/cart. (57x69) : **FRF 3 800** – PARIS, 19 avr. 1993 : *Goriatchy Kloutch*, h/t (107x103) : **FRF 3 500** – PARIS, 24 oct. 1993 : *La dame en gris* 1957, h/t (79x60) : **FRF 6 000.**

FORMSTECHER. Voir aussi **MOSES**

FORMSTECHER Alfred Wolf

XIXe siècle. Français.

Graveur.

FORMSTECHER Anna

Née le 7 août 1848 à Paris. XIXe siècle. Française.

Peintre.

Élève de Frère. En 1869, 1870 et 1879, elle envoya au Salon des portraits et un tableau de genre : *Une récréation artistique.*

FORMSTECHER Bertha, Mme

Née au XIXe siècle à Paris. XIXe siècle. Française.

Peintre.

Élève de L. Cogniet et de Chaplin. Elle envoya au Salon, de 1868 à 1881, des portraits.

FORMSTECHER Emma

XIXe siècle. Française.

Peintre.

Élève de Léon Cogniet et de Chaplin. Le Musée de Clamecy conserve d'elle *Tête d'Alsacienne.*

FORMSTECHER Hélène

Née le 25 février 1852 à Paris. XIXe siècle. Française.

Graveur.

Élève de son père, d'Ed. Frère et de Louis Lucas. Débuta au Salon de 1880. Mention honorable en 1885 et 1900 (Exposition Universelle). Elle a gravé, notamment d'après Ed. Frère, Terbury, Greuze, Salmson et Bacon. Le catalogue du Musée de Nice l'appelle à tort Formstecker.

FORMSTER Alfred

XIXe siècle. Français.

Graveur.

Figura au Salon de Paris de 1841 à 1844.

FORNACI Luca

XVIe siècle. Actif à Chieti. Italien.

Peintre.

L'église S. Domenico à Chieti lui doit une fresque de la *Vierge* ; on connaît également de lui un tableau daté de 1590 : *Arbre généalogique de l'ordre des Franciscains.*

FORNANDER Andreas

Né en 1820. Mort en 1903. XIXe siècle. Suédois.

Sculpteur.

Le Musée de Stockholm conserve de lui un *Chevreuil* (plâtre).

FORNARA Carlo

Né le 27 octobre 1871 à Prestinone (Province de Novare). Mort en 1968 à Prestinone. XIXe-XXe siècles. Italien.

Peintre de portraits, paysages animés, paysages.

Il fut élève d'Enrico Cavalli à l'École d'Art de Santa-Maria Maggiore. Il fut un partisan convaincu du peintre italien Giovanni Segantini. Il séjourna en France et en Amérique du Sud. Il revint s'installer définitivement dans son village natal, en 1922. Il figura, à Paris, à l'exposition parisienne des Divisionnistes, en 1907 ; au Salon d'Automne, en 1909.

Il réalisa, en 1916, *La Conquête de la Terre*, pour la salle du Parlement de Buenos Aires. Influencé par l'École de Barbizon, dans ses débuts, Carlo Fornara se rapprocha des conceptions artistiques de Claude Monet, étant un peu son porte-parole en Italie. Il applique sa peinture au couteau, sabre ses toiles de striures. Privilégiant les tons purs et dissociant la couleur de la forme, il laisse au spectateur le soin d'opérer la fusion. Parmi ses œuvres, on mentionne : *Derniers pâturages – Tristesse d'hiver – Petite église blanche – Prélude au Printemps – Octobre sur la montagne – Après-midi d'hiver – Portrait de l'artiste par lui-même – En plein air.*

BIBLIOGR. : Gérald Schurr, in : *Les Petits Maîtres de la peinture 1820-1920, valeur de demain*, Les Éditions de l'Amateur, t. III, Paris, 1976.

VENTES PUBLIQUES : MILAN, 11 nov. 1969 : *Bergère et troupeau dans un paysage* : **ITL 4 000 000** – MILAN, 25 nov. 1971 : *Paysans dans un paysage* : **ITL 20 000 000** – MILAN, 28 mars 1974 : *Pâturage* : **ITL 10 500 000** – MILAN, 28 oct. 1976 : *Paysage*, h/pan. (17x18) : **ITL 950 000** – MILAN, 26 mai 1977 : *Octobre à Arvonio* 1930, h/t (70x100) : **ITL 20 000 000** – MILAN, 19 mars 1981 : *Printemps mélancolique*, h/t (38x50) : **ITL 15 000 000** – MILAN, 30 oct.

1984 : *Portrait d'homme* 1889, fus. (70x56,5) : **ITL 1 800 000** – MILAN, 9 juin 1987 : *Après-midi d'été* 1898, h/t (48,5x59) : **ITL 112 000 000** – PARIS, 22 mars 1989 : *Printemps dans les Alpes*, h/t (52,5x65,5) : **FRF 440 000** – MONACO, 21 avr. 1990 : *Vue d'une église en haut d'une colline*, h/pan. (30x39,5) : **FRF 199 800** – MILAN, 5 déc. 1990 : *Petit Jardin avec des cerisiers fleuris*, h/pan. (50x40) : **ITL 99 000 000** – MILAN, 12 mars 1991 : *Roses dans un vase blanc* 1962, h/pan. (37x28) : **ITL 20 000 000** – MILAN, 7 nov. 1991 : *Le Jardin de la maison du peintre à Prestinone* 1943, h/t/cart. (50x40) : **ITL 82 000 000** – MILAN, 8 juin 1993 : *Un coin de mon jardin*, h/pan. (40x30) : **ITL 35 000 000** – MILAN, 22 mars 1994 : *Derniers pâturages* 1950, h/pan. (40x50) : **ITL 64 400 000** – MILAN, 29 mars 1995 : *La Maison du peintre à Prestinone*, h/t (65,5x80,5) : **ITL 115 000 000** – ROME, 23 mai 1996 : *La Vallée de la Vigezzo* vers 1900, h/pap. (35x48,5) : **ITL 26 450 000** – MILAN, 18 déc. 1996 : *Silence*, mine de pb/pap./cart. (46x63) : **ITL 4 194 000** – ROME, 27 mai 1997 : *Hauts pâturages* 1934, h/cart. (39,5x34,5) : **ITL 46 000 000**.

FORNARA Sallustio
Né en 1852 à Milan. Mort en 1922 à Cernobbio. XIXe-XXe siècles. Italien.
Peintre de scènes et paysages animés, figures typiques.
Il a aussi traité des sujets orientalistes.
VENTES PUBLIQUES : MILAN, 21 avr. 1983 : *Une rue du Caire* 1881, h/t (36x28) : **ITL 3 000 000** – MILAN, 28 oct. 1986 : *Couple de paysans dans un paysage montagneux*, h/t (100x70) : **ITL 6 500 000** – MILAN, 30 mai 1990 : *Jeunes paysannes transportant du foin sur la tête à Capri*, h/t (120x85) : **ITL 26 000 000** – MILAN, 5 déc. 1990 : *Maisons au soleil à Venise*, h/pan. (23,5x39) : **ITL 10 500 000** – MILAN, 16 juin 1992 : *Campement arabe hors des muraille d'une ville*, h/pan. (16,5x32) : **ITL 7 500 000** – ROME, 26 mai 1993 : *Ferme de montagne*, h/t (45x35) : **ITL 12 500 000** – ROME, 29-30 nov. 1993 : *Les charmeurs de serpents* 1882, h/t (76x58,5) : **ITL 20 035 000**.

FORNARI Anselmo de
Né vers 1470 à Castelnuovo di Scrivia. Mort entre 1521 et 1529 à Gênes. XVe-XVIe siècles. Italien.
Sculpteur sur bois.
Les stalles du chœur de la cathédrale de Savone sont l'œuvre principale de cet artiste. En 1514 il entreprit celles du chœur de la cathédrale de Gênes, qui furent achevées par d'autres artistes après sa mort.
VENTES PUBLIQUES : PARIS, 27 fév. 1930 : *Composition* : **FRF 530** – PARIS, 30 mai 1945 : *Tête de femme* : **FRF 400**.

FORNARI Benvenuto
XIIIe siècle. Italien.
Peintre.
Il était actif à Gênes.

FORNARI Giovanni Battista
XVIe siècle. Italien.
Sculpteur.
Il ne peut pas être le fils du sculpteur Fornari Piccapietro, né en 1491. Il fut, à Parme, le sculpteur du duc Ottavio Farnèse de 1520 à 1586, pour lequel il exécuta une statue de Neptune destinée à une fontaine.

FORNARI Piccapietro, ou Piccapietra, de son vrai nom : **Giovanni Battista Ferrari**
Né en 1491. Mort en 1542. XVIe siècle. Italien.
Sculpteur.
Une statue dans l'église Saint-Jean-Baptiste à Parme (au-dessus de la porte de la sacristie) est de sa main.

FORNARI Simone, appelé aussi **Moresini**
XVIe siècle. Italien.
Peintre d'histoire.
Cité par Siret. Actif à Reggio.

FORNARINO. Voir **ROMANI Tommaso**

FORNARO Elisa, plus tard Mme **Fr.-Jos. Büeler**
Née le 15 septembre 1724 probablement à Rapperswil. Morte le 19 janvier 1796. XVIIIe siècle. Suisse.
Peintre.
On cite de cette artiste des portraits-miniatures de Marie-Thérèse et François Ier, conservés dans la collection d'Einsiedeln.

FORNARO Marie Louise
Née le 26 juin 1812 à Rapperswil. Morte le 4 décembre 1840 à Munich. XIXe siècle. Suisse.
Peintre.
Elle travaillait à Munich. Elle est mentionnée dans la correspondance du peintre Gottfried Keller.

FORNASIERO Giuliano
XVIe siècle. Actif à Padoue. Italien.
Sculpteur.

FORNAVERT P. P.
Graveur.
D'après Strutt, il exécuta la couverture d'un livre de piété représentant : *Moïse et Aaron et les quatre évangélistes*.

FORNAZERIS Jacques de
XVIe-XVIIe siècles. Français.
Dessinateur et graveur.
Cet artiste, dont la vie est inconnue et qu'on fait naître à Turin ou à Lyon, a été identifié avec un peintre de ce nom qui travailla pour le roi de France de 1570 aux premières années du XVIIe siècle ; en tout cas il n'est pas, comme on l'a prétendu, le même personnage qu'Isaïe Fournier (voir la notice). Ses gravures portent le prénom : *I. Iacomo, Jacobus* ou *Jacques* et le nom (précédé ou non de la particule) : *de Fornazeri, Fornazeris, Fornazerii, Fornazari, Fournazeri*. Son vrai nom était probablement *Fournasayre* ; c'est ainsi qu'il a signé à l'acte de baptême de sa fille, née à Lyon en juillet 1608. Il vécut à Lyon en 1601 et 1619 et travailla pour Horace Cardon. Il a gravé au burin des portraits et de nombreux titres ou frontispices, notamment les *Portraits d'Henri IV à cheval, de Marie de Médicis, de Jacques Ier, roi d'Angleterre, de Charles-Emmanuel de Savoie*, du botaniste *Bauderon*, du jésuite A. *Favro*, ainsi que le *Mariage d'Henri IV, Henri IV et Marie de Médicis écoutant la leçon du dauphin* (1605).

FORNÈ Tomaso
Originaire de Gênes. XVIe siècle. Italien.
Sculpteur.
Il travailla à Carrare de 1519 à 1521 avec Adamo Wibaldo et sous la direction de l'Espagnol B. Ordonez au monument funéraire du *cardinal Ximénez de Cisneros*, pour l'église de l'Université d'Alcala.

FORNENBERG Alexandre Van
XVIIe siècle. Actif à Anvers au milieu du XVIIe siècle. Éc. flamande.
Peintre.
Établi à Anvers. Il publia en 1658 un ouvrage sur Quentin Metsys.

FORNENBURGH Jan Baptist Van, l'Ancien
Né vers 1600 à Delft. Mort en 1649 à La Hague. XVIIe siècle. Éc. flamande.
Peintre de natures mortes, fleurs et fruits, peintre à la gouache.
Il fut actif de 1608 à 1656.
VENTES PUBLIQUES : NEW YORK, 5 juin 1980 : *Vase de fleurs* 1656, h/pan. (38x28) : **USD 110 000** – ZURICH, 7 juin 1984 : *Nature morte aux fruits*, h/pan. (72x90) : **CHF 22 000** – NEW YORK, 15 jan. 1985 : *Vase de fleurs et coquillages sur un entablement*, h/t (38x29) : **USD 55 000** – MONACO, 17 juin 1988 : *Nature morte aux fruits sur un entablement*, h/t (71,5x91) : **FRF 222 000** – LONDRES, 14 déc. 1990 : *Nature morte avec une tulipe, une rose, un lézard, une mouche et une souris sur un entablement*, h/pan. (36x29,2) : **GBP 82 500** – LONDRES, 30 nov. 1993 : *Fleurs dans un vase décoratif avec un lézard sur la table*, gche/vélin (33,5x24) : **GBP 24 150** – AMSTERDAM, 13 nov. 1995 : *Pommes, coing et noix sur un entablement de pierre*, h/pan. (24,3x40,5) : **NLG 34 500** – NEW YORK, 16 mai 1996 : *Nature morte de fleurs dans un vase de verre dans une niche de pierre avec des lézards, des insectes et des pétales de fleurs sur l'entablement* 1626, h/pan. (107,3x76,2) : **USD 519 500** – LONDRES, 11 déc. 1996 : *Nature morte aux pêches, noix, raisins et papillon sur un entablement de pierre*, h/pan. (31,3x40,1) : **GBP 13 225**.

FORNER Raquel
Née en 1902 à Buenos Aires. Morte en 1987 à Buenos Aires. XXe siècle. Argentine.
Peintre de compositions animées. Tendance expressionniste, puis figuration-fantastique.
Elle fut élève de l'Académie Nationale des Beaux-Arts de Buenos Aires. Elle étudie, à Paris, entre 1929 et 1930, avec Friesz. Elle participa, à Paris, au Salon des Tuileries en 1930 avec une peinture *Femmes arabes* et cinq aquarelles, présente également à l'Exposition internationale de Pittsburgh en 1933, à l'exposition de peinture argentine, à la National Gallery de Washington en

1956, aux Biennales de Mexico et de Venise en 1958, à l'exposition *150 ans d'art argentin*, à Buenos Aires, en 1961. Elle a obtenu le prix Palanza, à Buenos Aires, en 1955 ; le Grand Prix d'honneur au Salon National des Beaux-Arts de la même ville.
Elle est considérée comme l'un des artistes majeurs de l'Argentine du milieu du siècle. Douée pour les compositions ambitieuses, elle ne rencontra cependant pas les opportunités qui lui auraient permis de se manifester en tant que muraliste. Exprimant surtout une nature personnelle tragique, elle a été inspirée par la guerre civile espagnole. Déjà présente dans son œuvre, la trame fantastique de ses compositions s'accentuera à partir des années cinquante vers un art totalement visionnaire.
Bibliogr. : In : *Peintres contemporains*, Mazenod, Paris, 1964 – Damian Bayon, Roberto Pontual : *La Peinture de l'Amérique latine au XXe siècle*, Menges, Paris, 1990 – in : *Dictionnaire de l'art contemporain*, Hazan, Paris, 1992.
Ventes Publiques : New York, 7 nov. 1980 : *El rucuerdo* 1954, h/t (55x38) : **USD 2 900** – New York, 14-15 mai 1996 : *Icare* 1943, gche/pap. (34,9x27,3) : **USD 2 645**.

FORNERI Biago
Originaire de Caresana dans le Piémont. XVe siècle. Actif vers 1459. Éc. piémontaise.
Peintre.
Bourgeois d'Ivrea, il travailla aussi à Rome.

FORNERI Giovanni ou **Fornerio**
Originaire de Pinerolo dans le Piémont. XIVe siècle. Italien.
Peintre.
Il travailla en 1316 pour le duc de Savoie au château de Gentilly, près de Paris, et en 1342 dans la chapelle du château de Vigone, près de Pinerolo, pour le prince d'Achaja.

FORNEROD Rodolphe
Né le 22 juin 1877 à Lausanne. Mort en 1953. XIXe-XXe siècles. Actif en France. Suisse.
Peintre de portraits, paysages animés, paysages, natures mortes, fleurs, illustrateur.
Installé à Paris, il fut élève de Jules Lefebvre et de Tony Robert-Fleury à l'École Nationale des Beaux-Arts, de 1898 à 1904, puis il poursuivit ses études à l'Académie Julian. Il effectua un voyage d'études, en Espagne.
Il présenta ses œuvres, à Paris, en 1905, au Salon des Artistes Indépendants et au Salon d'Automne, au Salon de la Société Nationale des Beaux-Arts ; à Bruxelles, en 1908, au Salon de la Libre Esthétique ; et à diverses expositions à Genève et Zurich.
Son séjour dans divers villages espagnols, lui inspira de nombreuses toiles, aux tons purs, appliqués par une touche large et vigoureuse. Il illustra aussi quelques ouvrages.
Bibliogr. : Gérald Schurr, in : *Les Petits Maîtres de la peinture 1820-1920, valeur de demain*, Les Éditions de l'Amateur, t. II, Paris, 1982.
Ventes Publiques : Paris, 27 fév. 1936 : *Tête de femme ; Chanteur montmartrois*, ensemble : **FRF 100** – Paris, 10 nov. 1943 : *La Femme au chat* : **FRF 1 250** – Paris, 23 fév. 1945 : *Le bouquet de fleurs* : **FRF 1 000** – Versailles, 2 déc. 1973 : *Jeune fille au chapeau gris* vers 1925 : **FRF 2 300** – Zurich, 7 nov. 1981 : *L'église*, h/cart. (58,5x78) : **CHF 1 000** – Zurich, 13 juin 1986 : *Vue de Montmartre*, h/t (92x73) : **CHF 2 500** – Versailles, 29 oct. 1989 : *Jeune fille au chapeau*, h/pap. (41,5x37) : **FRF 8 500** – Versailles, 25 mars 1990 : *Les pommes*, h/cart. (69,5x55) : **FRF 12 500** – Paris, 10 avr. 1996 : *La jeune fille aux nattes*, h/t (92,5x73) : **FRF 16 000**.

FORNET Eugène Alexandre
Né à Paris. XIXe siècle. Français.
Graveur.
Élève de L. Lucas. Mention honorable en 1885, médaille de troisième classe en 1888, de bronze en 1900 (Exposition Universelle).

FORNEY Clarisse
Née au XIXe siècle à Paris. XIXe siècle. Française.
Sculpteur.
Élève de Mme Léon Bertaux. Elle figura au Salon en 1881 et 1882. On cite d'elle le buste en bronze de *A. Dantier*.

FORNIER Cristofano ou **Fornieri**
D'origine francaise. XVIIe siècle. Travaillant à Pérouse vers 1650. Italien.
Sculpteur.
On connaît de lui un grand crucifix de bois dans le chœur de la cathédrale de Pérouse et un autre à l'église Sainte-Elisabeth.

FORNIER Kitty, Mme **Tollin-Fornier** à partir de 1892
Née à Genève. Morte vers 1908. XIXe siècle. Française.
Peintre de genre, figures, portraits, pastelliste.
Elle fut élève de Loubet et de Cesbron. Elle exposa, à Lyon à partir de 1885, à Paris à partir de 1888, des portraits et des figures, notamment *Marie de Nazareth* à Paris en 1889, *Beauté du diable* à Paris en 1892, *Sourire* à Paris en 1901, *Portrait de Sylvia* à Paris en 1903. Elle obtint une première médaille, à Lyon, en 1891.
Musées : Lyon (Préfecture) : *Louise Labé – Mme Récamier* 1893, panneaux décoratifs.
Ventes Publiques : Londres, 11 fév. 1994 : *Petite Esclave* 1901, h/t (102,5x65,6) : **GBP 5 290**.

FORNIER DE VIOLET Clotilde
XIXe siècle. Française.
Peintre.
De 1840 à 1847, elle exposa au Salon de Paris des portraits et des études de têtes.

FORNO Giovanni del
XVIe siècle. Actif à Amalfi. Italien.
Peintre.
De 1500 à 1525 il exécuta les fresques d'une chapelle de la cathédrale d'Amalfi.

FORNONI Giulio
Né en 1866 à Venise. XIXe siècle. Actif à Venise. Italien.
Peintre.
Il exposa à partir de 1890 à Turin, Florence, Munich, Venise. Ses œuvres sont inspirées principalement des canaux de Venise.

FORNS BADA Carlos
Né en 1955 à Madrid. XXe siècle. Espagnol.
Peintre.
Il participe à de nombreuses expositions collectives, entre autres : 1977 *28e Salon de Jeune Peinture*, Musée du Luxembourg, à Paris ; 1982 *Salon des los 16*, Musée d'Art Contemporain, à Madrid ; 1982 2e Internationale Jugentrienale, à Nüremberg et au Musée Cantonal des Beaux-Arts à Lausanne. Il réalise des expositions personnelles, depuis 1976, principalement à Madrid.
Une peinture qui accuse une influence cubiste et surtout surréaliste rappelant certaines des œuvres de Dali et de Chirico.

FORRÈCHE A.
Peintre de marines.
Ventes Publiques : Paris, 29 juin 1988 : *Le bateau à rame*, h/t (54x73) : **FRF 7 800**.

FORRER Daniel
Né le 26 septembre 1540 à Schaffhouse. Mort le 6 octobre 1604 à Schaffhouse. XVIe siècle. Suisse.
Peintre verrier.
On lui attribue des vitraux d'armoiries portant les initiales D. F. à l'Association historique de Schaffhouse, et à Zurich. Il fut membre d'une confrérie de peintres décorateurs et verriers fondée en 1588, et du Grand Conseil de Schaffhouse.

FORRER Georg
XVIIIe siècle. Travaillant à Winterthur au milieu du XVIIIe siècle. Suisse.
Peintre verrier.

FORRER Jakob
Né le 1er janvier 1661 à Winterthur. Mort le 21 juillet 1719 à Winterthur. XVIIe-XVIIIe siècles. Suisse.
Peintre verrier et décorateur.
Ce peintre fournit des vitraux pour l'église de Belp (Canton de Berne) et pour sa ville natale.

FORRER Johann Gustav
Né en 1830 à Winterthur. Mort en 1880 à Winterthur. XIXe siècle. Suisse.
Dessinateur.
Il travailla surtout comme dessinateur pour des fabriques d'étoffes orientales.

FORRER Karl Gustav
Né le 31 décembre 1852 à Winterthur. XIXe siècle. Suisse.
Dessinateur.
Forrer embrassa la carrière de son père Johann-Gustav qui fut son maître. Il travailla aussi à Paris à partir de 1879, et remplit quelque temps des fonctions de professeur de dessin à l'École des arts industriels de Leipzig.

FORRER Rennwart. Voir **FORER**

FORRES Agnès Freda
Née à Weybridge près de Londres. XXe siècle. Britannique.

Sculpteur.
Elle fut élève de Charles Jagger. Elle a exposé, à Paris, au Salon des Artistes Français de 1926 un *Portrait buste* (bronze) et en 1927 un *Portrait buste* (plâtre).

FORREST
XVIIIe siècle. Britannique.
Peintre et peintre sur verre.
Élève et collaborateur de Jarvis, il travailla à la chapelle de Saint-George à Windsor. Il exécuta encore d'autres ouvrages à Birmingham, avec Eguiton.

FORREST Charles
XVIIIe siècle. Irlandais.
Peintre de portraits.
Il exposa à Londres, dont sept portraits à la Free Society en 1776.

FORREST Charles Ramus
XVIIIe-XIXe siècles. Britannique.
Peintre de paysages, aquarelliste, dessinateur.
Il était actif entre 1802 et 1827. Il a travaillé au Québec.
VENTES PUBLIQUES : LONDRES, 3 nov. 1976 : *Wolsfield*, aquar. (34x51) : **GBP 2 500** – LONDRES, 1er juin 1977 : *On the Jacques Cartier river* 1821, aquar. (44,5x66) : **GBP 3 400** – LONDRES, 22 oct. 1986 : *Cape Diamond and Point Levi, Québec* 1823, aquar./traces de cr. (32,5x42,5) : **GBP 7 200.**

FORREST Grace Banker
Née le 5 janvier 1897. XXe siècle. Américaine.
Peintre de portraits, illustrateur.
Elle fut élève de J.W. Gies, J.P. Wicker et F.P. Paulus. Elle a travaillé à Grosse-Pointe-City (Michigan). Elle fut membre de la Société des Femmes Peintres et Sculpteurs de Detroit, de la Société des Indépendants de New York et de l'Arts Club de Chicago.

FORREST John B.
Né vers 1814 en Aberdeenshire (Écosse). Mort en 1870 à Hudson (New York). XIXe siècle. Britannique.
Graveur.
Il fut à Londres élève de Thomas Fry. En 1837, il alla à Philadelphie où il travailla pour la National Portrait Gallery, puis alla à New York où il fit des portraits miniatures. On cite de lui le portrait gravé du peintre *R. A. Stothard* d'après le buste de E. H. Baily.

FORREST Robert
Né en 1789 à Carluke (Lanarkshire). Mort le 29 décembre 1852 à Edimbourg. XIXe siècle. Britannique.
Sculpteur.
On cite de lui une statue de *Wallace* (1817).

FORREST Theodosius Thomas
Né en 1728. Mort le 5 novembre 1784. XVIIIe siècle. Britannique.
Peintre et dessinateur.
Élève de Lambert. Il exposa régulièrement à la Royal Academy de 1769 à 1775.
VENTES PUBLIQUES : LONDRES, 26 nov. 1930 : *Le prieuré de Saint-Botolph*, aquar. : **GBP 4.**

FORREST W. S.
XIXe siècle. Actif à Greenhithe. Britannique.
Peintre de sujets de sport.
Exposa à la Royal Academy, à la British Institution et à Suffolk Street, de 1840 à 1866.

FORREST William
Né en 1805. Mort en 1889. XIXe siècle. Actif à Londres. Britannique.
Graveur.
On connaît de lui des gravures de paysages d'après N. Chevalier, F. E. Church, Cl. Lorrain, A. Waterloo, et, d'après W. Allan, *Le rassemblement des clans.*

FORRESTALL Thomas de Vany, ou **Tom** ou **Forresthall**
Né en 1936. XXe siècle. Canadien.
Peintre de paysages.
Très réaliste, il s'approche de ce qu'on nommait, vers 1955, le « Réalisme Magique », réalisme qui reste aujourd'hui plus romantique que l'hyperréalisme. Sa peinture est lente, précise, évoquant le climat désolé de la campagne du Nouveau-Brunswick.
VENTES PUBLIQUES : TORONTO, 19 oct. 1976 : *To me, a strange room* 1963, h/cart. plâtré (40x90) : **CAD 2 000** – TORONTO, 26 mai 1981 : *View from cellar window* 1963, h/cart. (60x90) : **CAD 2 400** – TORONTO, 3 juin 1986 : *Pluie d'été* 1964, acryl./cart. (40,6x29,2) : **CAD 1 500.**

FORRESTER Alfred Henry, pseudonyme : **Alfred Crowquill**
Né en 1804 à Londres. Mort en mai 1872 à Londres. XIXe siècle. Britannique.
Caricaturiste.
Il collabora à divers périodiques : *Beutley's Miscellany, The illustrated London News, The Humourist*, etc. Citons de lui : *Contes excentriques, Les aventures d'une plume et d'un crayon*, etc. Le Musée de Norwich conserve de lui : *Very animated nature* et *Saint Georges et le dragon.*

FORRESTER James
Né en 1729 à Dublin. Mort en 1775 à Rome. XVIIIe siècle. Irlandais.
Peintre de paysages animés, paysages, graveur. Romantique.
Il résida pendant quelques années en Italie et y exécuta un certain nombre de paysages.
VENTES PUBLIQUES : LONDRES, 19 juil. 1985 : *Paysage boisé orageux avec personnages au bord d'un torrent* 1766, h/t (132x194,3) : **GBP 2 800** – LONDRES, 9 fév. 1990 : *Paysage italien avec des voyageurs près d'un aqueduc par une nuit nuageuse*, h/t (97,9x136) : **GBP 3 520** – LONDRES, 8 avr. 1992 : *Paysage italien au clair de lune avec un aqueduc au fond*, h/t (96x134) : **GBP 6 050.**

FORRESTER John
Né en 1922 à Wellington. XXe siècle. Depuis 1960 actif en France. Néo-Zélandais.
Peintre.
Il commença à peindre en 1938, puis fut mobilisé pour la durée de la guerre qu'il effectua dans le Pacifique et en Afrique. Il vécut ensuite en Angleterre, de 1953 à 1958, employé à la reconstruction de la ville de Sheffield. Puis, de 1958 à 1960, à Sienne, et se fixe à Paris, à partir de 1960.
À Paris, il a figuré dans diverses manifestations de groupe, le Salon Comparaisons, le groupe *Donner à Voir*, le groupe de la *Figuration Narrative*, organisé en 1965, par G. Gassiot-Talabot. Il a réalisé plusieurs expositions personnelles, dont : 1946 Bibliothèque nationale de Wellington ; 1955 Londres ; 1960 Pistoia ; 1962 Londres ; 1963 Paris.
Tenté un temps par les démarches d'appropriation du réel contemporain caractéristiques des *Nouveaux Réalistes* soutenus par Pierre Restany, il s'inspira dans ses œuvres des graffiti et des affiches lacérées de nos rues urbaines. De sa période suivante, que l'on peut qualifier de narrative, Jean-Jacques Lévêque remarque qu'elle n'est pas sans rappeler les procédés littéraires d'Ezra Pound, juxtaposant les moments de la conscience des phénomènes vécus, sans souci de les organiser artificiellement selon des logiques de lieu ou de temps. Il dit de Forrester qu'il extrait de la réalité « des particularités qu'il lie grâce à une écriture extrêmement simple où l'on retrouve des allusions architecturales, des évocations végétales, des instants volés au réel et que l'écriture fixe sur la toile ». ■ J. B.
BIBLIOGR. : In : *Dictionnaire des artistes contemporains*, Libraires Associés, Paris, 1964.
VENTES PUBLIQUES : PARIS, 22 nov. 1987 : *Out of nowhere* 1973, h/t (150x150) : **FRF 13 000** – PARIS, 20 mars 1988 : *A room with a view*, acryl./t. (90x90) : **FRF 3 000.**

FORRESTER Joseph James, baron
Né en 1809 à Kingston-upon-Hull. Mort en 1861. XIXe siècle. Britannique.
Peintre de paysages, aquarelliste.
Fils de commerçant, il fut lui-même exportateur au Portugal. En même temps il était cartographe, photographe et artiste amateur averti, peignant surtout des aquarelles. On connait également en ensemble de 7 peintures sur zinc de paysages portugais.
VENTES PUBLIQUES : LONDRES, 15 déc. 1993 : *Vue de Douro avec le Tage (recto) ; Paysage fluvial portugais avec un passeur (verso)*, h./zinc (42,5x59,7) : **GBP 9 775.**

FORS Claix et **Guillaume**
Originaires de Bruxelles. XVe siècle. Éc. flamande.
Sculpteurs.
Ils exécutèrent en 1461 les statues de *Saint Philippe* et de *Sainte Élisabeth* pour le Palais de Philippe le Bon à Bruxelles.

FORS Curt
Né en 1935 à Malmö. XXe siècle. Actif aussi en France. Suédois.

Peintre, peintre de collages, graveur, dessinateur.
Il expose depuis 1965. Il présente surtout des ensembles de ses peintures dans de nombreuses expositions personnelles, surtout à Malmö, Stockholm notamment en 1995 galerie Erik Höglund, Helsingborg, Halmstad ; ainsi que : en 1968 à Vienne, 1976 au Vetlanda Museum, 1980 au Ystads Konstmuseum, 1983 à Paris au Centre culturel suédois, 1988 rétrospective à la Lunds Konsthall, 1990 Paris galerie K'art, etc.
Curt Fors part d'objets ordinaires : bol, vase, fruit, cendrier, carton d'emballage. La modestie du choix l'apparente à Morandi, duquel l'écarte radicalement le traitement pictural. L'objet traité est réduit à sa plus simple expression, à un schéma tout juste allusif. L'objectif de la peinture n'est pas dans l'objet représenté, mais dans le rapport de l'emplacement de cet objet avec l'espace environnant, dont sa présence-absence exalte l'étendue, que seuls limitent les bords de la toile, tandis que le travail pigmentaire quasi monochrome de la couleur en prolonge la profondeur.
Bibliogr. : Marie-Odile Andrade : *Curt Fors*, 1991, documentation.
Musées : Helsingborg – Kalmar – Malmö – Paris (BN, Cab. des Estampes) – Stockholm (Nationalmus.) – Vienne (Albertina Graphische Sammlung) – Ystad (Konstmus.).

FORSBERG Anders Vilhelm
Né le 30 juin 1871 à Karlstad. Mort le 16 mai 1914 à Stockholm. XIXe-XXe siècles. Suédois.
Dessinateur, illustrateur.
Il fut élève de l'École des Arts et Métiers de Stockholm, il en devint le premier professeur de dessin en 1896. Il illustra de nombreuses revues humoristiques.
Musées : Stockholm (Mus. Nat.).

FORSBERG Carl Johan
Né en 1868 à Sverige. Mort en 1938 à Sonderho. XIXe-XXe siècles. Suédois.
Peintre, aquarelliste.
Après avoir étudié à l'École des Arts et Métiers et à l'Académie de Stockholm, il séjourna longtemps à l'étranger. En 1904, il organisa à Stockholm une exposition d'aquarelles représentant en partie des paysages d'Italie et de Suisse, en partie des sujets divers, comme *La Mort (assise dans un paysage des Alpes)*. Dans une exposition de 1913, il présente des tableaux du même genre et des vues de Stockholm, Göteborg, Copenhague et de la côte du Danemark.
Musées : Stockholm (Mus. Nat.).
Ventes Publiques : Londres, 25 mars 1987 : *Scène de plage* 1903, aquar. et gche (35x25,5) : **GBP 3 200** – Londres, 16 mars 1989 : *Le lac d'Aegeri*, cr. et aquar. (26x72) : **GBP 4 950** – Londres, 29 mars 1990 : *Reflets sur l'eau* 1930, h. et aquar./pap. (64x49,5) : **GBP 3 080** – Copenhague, 29 août 1990 : *Eruption du Vésuve* 1899, aquar. (39x36) : **DKK 10 500.**

FORSBERG Elmer A.
Né le 16 juillet 1883 à Gamalakarleby (Finlande). XXe siècle. Finlandais.
Peintre.
Il fut élève de l'Art Institute de Chicago. Il fut membre du Chicago Painters and Sculptors, et du Swedish Club. Il fut également conférencier et professeur.

FORSBERG Jan
Né en 1932 à Stockholm. XXe siècle. Suédois.
Graveur.
Il a étudié aux Beaux-Arts de Stockholm. Il expose dans diverses Biennales de gravure, telles que Ljubljana et Cracovie.

FORSBERG Nils, l'Ancien
Né le 17 décembre 1842 à Riseberga. Mort en 1934. XIXe-XXe siècles. Suédois.
Peintre de genre, portraits, paysages.
Il travailla surtout en France où il fut élève de Bonnat. Il figura au Salon des Artistes Français, et obtint la médaille de première classe en 1888, puis la médaille d'argent. Il participa à l'Exposition Universelle de 1889, reçut la médaille d'or en 1900. Il fut fait chevalier de la Légion d'honneur en 1901.

Nils Forsberg

Musées : Göteborg : *Famille d'acrobates – Gustave-Adolphe à Lutzen* – Helsingborg : *Le Courrier de Stenbock* – Stockholm : *La Mort d'un héros.*
Ventes Publiques : Paris, 25 mai 1951 : *Moisson* : **FRF 30 000** – Stockholm, 10 nov. 1982 : *Gustaf II Adolf* 1889, h/t (115x79) : **SEK 14 000** – Stockholm, 14 nov. 1990 : *Pièce d'eau et balustrade à Versailles*, h/pan. (30x40) : **SEK 6 500** – Londres, 17 mars 1995 : *La Danse du ventre*, h/t (210x124) : **GBP 25 300.**

FORSBERG Nils, le Jeune
Né le 15 novembre 1870 à Paris. Mort en 1961. XIXe-XXe siècles. Français.
Peintre de scènes de genre, paysages animés, paysages urbains.
Il fut élève de Fernand Cormon et de Fernand Humbert. Il exposa, à Paris, au Salon des Artistes Français, dont il fut sociétaire, dès 1901, obtenant une mention honorable en 1907 et une médaille de troisième classe en 1909 ; au Salon des Indépendants, en 1891, 1901, 1907.
Il peignit principalement des petits artisans et des jardins parisiens.
Musées : Toledo (Mus. d'Ohio) : *Le Potier de Saint-Amand.*
Ventes Publiques : Paris, 9 mai 1977 : *Cuirassier et nounou au Parc Monceau*, h/t (47x34) : **FRF 5 000** ; *Miss Jessie*, aquar. et gche/pap. (140x102) : **FRF 1 000** – Stockholm, 13 avr. 1992 : *Jeune fille à l'ombrelle dans un parc en France* 1895, h/t (53x44) : **SEK 7 500.**

FORSBERG P. William
Né en Suède. XXe siècle. Suédois.
Sculpteur.
Il fut élève de M.E. Fernand-Dubois. Il a exposé chaque année, à Paris, au Salon des Artistes Français de 1927 à 1932.

FORSELLES Sigrid Maria Rosina af
Née le 4 mai 1860 à Evois. XIXe siècle. Active à Paris. Finlandaise.
Sculpteur.
Le Musée d'Helsinki conserve un bronze d'elle : *Jeunesse*, et un bas-relief : *Le Combat.*

FORSMAN Alina
Née en 1845 à Lojo (près d'Helsingfors). XIXe siècle. Finlandaise.
Sculpteur.
Le Musée d'Helsinki conserve d'elle le médaillon sur marbre du *sculpteur Runeberg* et les bustes en plâtre de la *cantatrice Signe Hebbe* et du *musicien Dornnstrom.*

FORSMANN Abel Margaretha Sophia, née **Meyer**
Née en 1753 à Rendsbourg. Morte le 28 février 1836 à Hambourg. XVIIIe-XIXe siècles. Active à Hambourg. Allemande.
Sculpteur sur ivoire.
Elle épousa en 1793 le graveur G. A. Forsmann. Elle sculpta des portraits en relief sur ivoire, des coupes, des bouquets de fleurs. Le Musée des Arts et Métiers de Hambourg conserve de ses œuvres.

FORSMANN Gustav Andreas
Né en 1773 à Hambourg. Mort le 26 avril 1830 à Hambourg. XVIIIe-XIXe siècles. Allemand.
Graveur.
Il grava des portraits, parmi lesquels ceux de Lessing, de Lord Nelson. On cite sa gravure *Aloès d'Amérique en fleurs* et ses gravures sur nacre, dont le Conservatoire des Arts et Métiers de Hambourg conserve un spécimen.

FORSSELL Christian Didrik
Né en 1777 à Helsingborg. Mort le 19 octobre 1852 à Stockholm. XIXe siècle. Suédois.
Graveur au burin et dessinateur.
Après avoir étudié à l'Académie de Copenhague, il fut professeur à l'Académie de Stockholm et graveur de la cour. Citons parmi ses meilleures œuvres : *Le Couronnement de la Vierge*, d'après un dessin de Ternite, *Le Camocus*, d'après Gérard, *Louis XVIII*, d'après Augustin.

FORSSELL Eugénie
Née en 1808. Morte en 1833. XIXe siècle. Suédoise.
Dessinatrice.
Fille de Christian Forssell. Elle exécuta des dessins au crayon.

FORSSELL George
Né à Halino (Suède). XXe siècle. Suédois.
Peintre.
Exposait au Salon d'Automne, en 1921 : *Après le bain.*

FORSSELL Viktor Reinhold ou **Forsell**
Né en 1846 à Sala. Mort en 1931. XIXe-XXe siècles. Suédois.

Peintre de paysages animés, paysages.

MUSÉES : STOCKHOLM : *Printemps au Zoo.*
VENTES PUBLIQUES : STOCKHOLM, 31 mars 1971 : *La petite route de campagne* : **SEK 10 500** – STOCKHOLM, 19 avr. 1972 : *Vaches se désaltérant* : **SEK 5 000** – GÖTEBORG, 5 avr. 1978 : *Paysage* 1871, h/t (60x88) : **SEK 10 500** – STOCKHOLM, 8 avr. 1981 : *Bûcheron dans un paysage de neige*, h/t (39x63) : **SEK 49 000** – STOCKHOLM, 30 oct. 1984 : *Rue de village en hiver* 1879, h/pan. (31x38) : **SEK 80 000** – STOCKHOLM, 19 oct. 1987 : *Paysage au lac*, h/pan. (42x33) : **SEK 220 000** – STOCKHOLM, 19 avr. 1989 : *Jeune fille gardant son bétail dans une clairière au bord d'un lac*, h/t (52x88) : **SEK 7 500** – STOCKHOLM, 19 mai 1992 : *Paysage côtier de Gotland avec des enfants jouant dans une barque*, h/pan. (60x50) : **SEK 47 000.**

FORSSLUND Jonas
Né en 1754 à Fors (Jämtland). Mort en 1809 à Stockholm. XVIIIe siècle. Suédois.
Peintre et sculpteur.
MUSÉES : STOCKHOLM : un médaillon en plâtre et plusieurs portraits au pastel.
VENTES PUBLIQUES : STOCKHOLM, 30 oct. 1984 : *Portrait de Gustaf Erik Ruth, Portrait de Hedda Eleonora Ruth*, 2 past. (63x51) : **SEK 16 000.**

FORSSTROM Karl Wilhelm
Né le 18 septembre 1854 à Hedemora. XIXe siècle. Suédois.
Dessinateur.
Il étudia de 1876 à 1883 à l'Académie de Stockholm et fut exclusivement dessinateur humoristique ; il collabora à des feuilles humoristiques comme *Puck*. Il fit paraître en 1900 une série de dessins : *Boströms bilderbok, en statsministers saga.*

FORST Johann Hubert Anton
Né en 1756 à Berlin. XVIIIe siècle. Allemand.
Peintre de miniatures et peintre sur porcelaine.
Élève de C. W. Boehme. Il entra en 1771 à la Manufacture Royale à Berlin où il occupa le poste de Directeur de la peinture de 1796 à 1815. Il présenta aux expositions de l'Académie de Berlin des assiettes peintes, des vases et aussi quelques tableaux à l'huile et des vues des châteaux de Berlin.

FORST Johann Victor von der
Né en 1864 à Munster en Westphalie. Mort le 30 mars 1901 à Herten (Westphalie). XIXe siècle. Allemand.
Peintre d'histoire.
Il fut élève des Académies de Düsseldorf et de Munich et travailla principalement pour des églises.

FORST Miles
Né en 1923 à Brooklyn (New York). XXe siècle. Américain.
Peintre.
Il fut élève de M. Kantor à l'Art Students League, puis en 1950, de Hans Hofmann dans sa propre école de New York. Il a participé à de nombreuses expositions de groupe, parmi lesquelles *Jeunes peintres d'Amérique* au Guggenheim Museum de New York, en 1954 ; *Peintres new-yorkais, deuxième génération*, au Jewish Museum de New York, en 1957 ; au Carnegie International de Pittsburgh, en 1958 et 1959, etc. Il a réalisé des expositions personnelles à New York, en 1953, 1954, 1955, 1958.

FORST Ullrich Van
Originaire d'Oldenzaal. Mort en 1677 à Vienne. XVIIe siècle. Hollandais.
Peintre verrier.
Il devint bourgeois de Vienne. Le prince Charles Eusèbe de Liechtenstein lui acheta des tableaux.

FORSTEN Berndt Lennart
Né en 1817 à Kuopio. Mort en 1886. XIXe siècle. Finlandais.
Peintre amateur de paysages.
Il fut aussi poète. Le Musée d'Helsinki conserve un de ses paysages.

FORSTER. Voir aussi **FOERSTER**

FORSTER, Mrs
XIXe siècle. Britannique.
Peintre de portraits.
Elle exposa à la Royal Academy de Londres de 1800 à 1814.

FORSTER A.
XVIIIe siècle. Tchécoslovaque.
Sculpteur.
On mentionne de ses œuvres à Wischau et Patschlawitz (statues de *l'Immaculée Conception*) et à Müglitz.

FORSTER Antonius
Né au XVIe siècle à Francfort-sur-le-Main. XVIe siècle. Allemand.
Graveur sur bois.
Quatre gravures sur bois de cet artiste sont mentionnées par Nagler : *Le Christ devant Pilate, Le Christ en croix entre Luther et un prince saxon*, tous deux à genoux, *Le Christ en croix avec saint Jean et Marie*, ainsi que l'ornementation du frontispice de la troisième partie de l'édition de *Luther*, publiée à Iéna.

FORSTER Asmus
XVe siècle. Italien.
Sculpteur.
Il est mentionné à Gardolo près de Trente où il travailla de 1494 à 1495.

FORSTER Berthold Paul
Né le 2 novembre 1851 à Westerau. XIXe siècle. Allemand.
Peintre de paysages.
Travailla à Weimar, puis, à Dresde. Exposa à Berlin et à Düsseldorf. Le Musée de Weimar conserve de lui : *Chemin dans les champs.*

FORSTER C.
XIXe siècle. Actif à Londres. Britannique.
Peintre de portraits.
Exposa à la Royal Academy, de 1828 à 1847.

FORSTER Cajetan
Originaire de Merano. XVIIIe siècle. Autrichien.
Peintre.
Il fut élève de l'Académie de Vienne. Il est probablement identique au peintre du même nom qui mourut à Burghausen en Haute-Bavière et dont l'église de l'hôpital de cette ville conserve un tableau signé C. Forster : *Vierge avec saint Jean de Thadée et saint Barthélemy.*

FORSTER Charles, Jr.
XIXe siècle. Britannique.
Peintre de scènes rustiques.
Cet artiste, qui paraît être parent de C. Forster, exposa à la Royal Academy, à la British Institution, à Suffolk Street, à Londres, de 1835 à 1876.

FORSTER Christian
Né vers 1826. Mort le 6 août 1902 à Hambourg. XIXe siècle. Actif à Hambourg. Allemand.
Dessinateur et illustrateur.
Ses nombreuses gravures sur bois sont inspirées de scènes de la rue à Hambourg : *Porteur d'eau, Laveuse.* Il travailla aussi pour le journal *La Réforme*, ce qui lui valut son nom de « Reformförster », et fit des illustrations pour différentes œuvres, des caricatures, dont on cite entre autres : *Le Garde Civique de* 1840. Ces dessins sont conservés aussi en lithographie et en gravure sur cuivre.

FORSTER Christoph ou **Vorster**
Mort en 1597 à Vienne. XVIe siècle. Autrichien.
Peintre.
Probablement parent de Georg ou Hans FORSTER, il se spécialisa dans la peinture de cartes à jouer.

FORSTER Conrad
XVIe siècle. Allemand.
Sculpteur.
Il est mentionné de 1545 à 1552 pour ses travaux au château de Heidelberg : cheminée, armoiries en bas-relief. On lui attribue également une cheminée au château de Neumarkt, dont le Musée National bavarois à Munich conserve des restes.

FORSTER Cornelia
Née en 1906 à Zurich (Suisse). XXe siècle. Suissesse.
Dessinateur.
Elle a exposé deux dessins au Salon d'Automne à Paris.

FORSTER Ernst Joachim
Né le 8 avril 1800 à Munchergasserstadt. Mort le 29 avril 1885 à Munich. XIXe siècle. Allemand.
Peintre et critique d'art.
Il travailla d'abord à l'Université d'Iéna, puis sous la direction de

Schadow à Berlin et enfin de Cornelius à Munich. Après son mariage avec la sœur de Jean-Paul Richter, il commença à se consacrer à la littérature artistique. En 1832, il fit pour le prince Max de Bavière un voyage en Italie, au cours duquel il fit de nombreux dessins d'après l'antique. Il a exécuté une partie des décorations du palais de Munich. Il a laissé de nombreux ouvrages sur l'art.

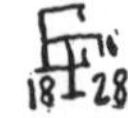

FORSTER François
Né le 22 août 1790 au Locle (Suisse). Mort en 1872 à Paris. XIXe siècle. Français.
Graveur.
Entra à l'École des Beaux-Arts en 1805. Obtint en 1809 le deuxième prix de Rome, et remporta le premier en 1814. Le 23 avril 1838, il fut décoré de la Légion d'honneur. Médailles de deuxième classe en 1824, de première classe en 1831. En 1844, il fut élu membre de l'Institut et le 14 août 1863, il fut promu au grade d'officier de la Légion d'honneur. Naturalisé Français en 1828. Forster fut un des graveurs les plus considérables de son temps.
Ventes Publiques : Paris, 1898 : *Les Moissonneurs*, aquar. : **FRF 6 425** – Londres, 1899 : *Navires dans un coup de vent*, aquar. : **FRF 7 875** ; *Le Lac de Stratfort*, aquar. : **FRF 10 500** ; *La récolte du goémon*, aquar. : **FRF 1 825**.

FORSTER G.
XIXe siècle. Britannique.
Peintre de genre.
On trouve son nom aux expositions de la Royal Academy, de la British Institution et à Suffolk Street, de 1816 à 1830.

FORSTER Georg, ou **Hans** ou **Vorster**
Mort le 6 septembre 1584 à Vienne. XVIe siècle. Autrichien.
Peintre, graveur, illustrateur.
Il était actif à Krumau (Bohême). Des jeux de cartes dont il est l'auteur sont conservés dans la Bibliothèque d'État de Vienne. On lui attribue, d'autre part, la gravure des illustrations d'une Bible imprimée à Prague en 1570.

FORSTER George
XIXe siècle. Américain.
Peintre de natures mortes de fleurs et fruits.
Il était actif de 1844 à 1890.
Dans ses natures mortes, il ajoutait parfois des insectes, oiseaux ou petits animaux.
Ventes Publiques : New York, 10 juin 1976 : *Nature morte* 1866, h/pan. (35,5x27,5) : **USD 800** – San Francisco, 8 nov. 1984 : *Nature morte aux fruits et aux fleurs* 1870, h/t (70x56) : **USD 22 500** – New York, 4 déc. 1987 : *Raisins et groseilles* 1869, h/t (20,6x25,7) : **USD 12 000** – New York, 30 sep. 1988 : *Nature morte avec du raisin et un verre de vin* 1878, h/t (21x25,5) : **USD 6 050** – New York, 14 mars 1991 : *Nature morte avec un groseiller, une souris, une sauterelle et une coccinelle* 1869, h/t (25,5x20,5) : **USD 12 100** – New York, 21 mai 1991 : *Raisin et pêches ; Raisin et prunes* 1853, h/pan., une paire (chaque 14,6x18,5) : **USD 6 050** – New York, 27 mai 1993 : *Nature morte de fruits* 1886, h/t (63,5x76,2) : **USD 32 200** – New York, 29 nov. 1995 : *Nature morte avec des fruits* 1840, h/t (20,3x25,4) : **USD 9 200** – New York, 9 mars 1996 : *Nature morte de fruits, papillon et nid* 1882, h/t (35,5x44,5) : **USD 34 500** – New York, 27 sep. 1996 : *Nature morte de porcelaine et de biscuits* 1872, h/pan. (35,5x43,2) : **USD 40 250**.

FORSTER Gottfried
XVIIIe siècle. Allemand.
Peintre de compositions religieuses.
Membre de l'ordre de Saint-François, il peignit en 1758 une *Cène* pour son monastère à Randerath près de Gelsenkirchen.
Musées : Randerath (église paroissiale) : *La Cène*.

FORSTER Gustav
Mort vers 1887 à Budapest. XIXe siècle. Allemand.
Peintre d'histoire, scènes de batailles, portraits, animaux.
Il vécut à Vienne jusqu'en 1875, puis près de Budapest. Il peignit des portraits et des animaux, également des tableaux de bataille, comme la *Bataille de Solférino* et des scènes de l'histoire de Hongrie.
Ventes Publiques : Munich, 22 juin 1993 : *Margarethe, Curt, Adolphine et Gerhart von Werne* 1850, h/t (105x123) : **DEM 9 200**.

FORSTER Hans
Né le 8 février 1885. XXe siècle. Allemand.
Dessinateur.
Il fut élève de l'École des Arts et Métiers de Hambourg, et d'Orlik à Berlin. Ses dessins sont inspirés des coutumes et des costumes, ainsi que des paysages du Hanovre et des Vierlanden. Il travailla à Hambourg.
Musées : Dresde (Cab. des Estampes) – Hambourg (Conservatoire des Arts et Métiers) – Hambourg (Mus. d'Hist.).

FORSTER Hans Werner ou **Werni** ou **Foster**
Né à Oberkirch. XVIIe siècle. Suisse.
Peintre verrier.
Au commencement du XVIIe siècle, Forster travaillait pour Beromünster. Il est mentionné en 1600.

FORSTER Heinrich Gottfried ou **Forshter** ou **Forschter**
Mort le 23 novembre 1760 à Brünn. XVIIIe siècle. Tchécoslovaque.
Graveur.
On connaît de lui deux séries de six ou sept gravures ornementales.

FORSTER Hiéronymus
Originaire de Merano. XVIIe siècle. Autrichien.
Sculpteur.
Il fut élève de l'Académie de Vienne et travailla chez le sculpteur J. Gundrich, frère de Cajetan Forster.

FORSTER Jean
Née aux États-Unis. XXe siècle. Américaine.
Dessinateur.
Elle exposait, à Paris, au Salon d'Automne, en 1931, une *Nature morte* (dessin).

FORSTER Joachim
Né peu après 1500 à Augsbourg. Mort en 1579 à Augsbourg. XVIe siècle. Allemand.
Sculpteur et orfèvre.
Il étudia chez le sculpteur Jakob Murmann, et vécut longtemps à l'étranger où il travailla fréquemment à des Cours princières. La Collection de Berlin conserve une médaille (portraits des parents de l'artiste), datée de 1521 et 1527, qui est certainement de sa main.

FORSTER Johann Jobst ou **Vorster**
XVIIe siècle. Actif à Augsbourg. Allemand.
Peintre.
Le Musée germanique de Nuremberg conserve des exemplaires de ses cartes à jouer.

FORSTER Johann Ludwig Wilhelm
Né le 12 mai 1769 à Lübeck. Mort le 22 juin 1833 à Lübeck. XVIIIe-XIXe siècles. Allemand.
Peintre.
Après avoir été élève de l'Académie de Copenhague, il travailla à Lübeck comme peintre de genre et de portraits et professeur de dessin. Le Musée de Lübeck conserve de lui deux tableaux à l'huile en forme de frise, représentant la joie du vin et de la chasse, en des groupes d'amours.

FORSTER John
XVIIIe siècle. Irlandais.
Peintre.
Il étudia à Dublin et Paris. De 1773 à 1780 il exposa des paysages et des portraits au crayon et au pastel.

FORSTER John Wycliffe Lowes
Né à Norval (Canada). XIXe-XXe siècles. Canadien.
Peintre.
Élève à Paris de Boulanger, Lefebvre, Tony Robert-Fleury, Bouguereau et Carolus-Duran. Membre de l'Académie Royale du Canada.

FORSTER Jorg ou **Georg**
Né en Wurtemberg. XVIe-XVIIe siècles. Travaillant en Suisse vers 1584-1606. Allemand.
Sculpteur sur bois.
Il fut membre de la confrérie de Saint-Luc à Lucerne, où il fut reçu bourgeois et travailla jusque vers 1606. On cite ses sculptures sur bois à l'Hôtel de Ville (vers 1602) et certains travaux dans l'ancienne église de la ville.

FORSTER Joseph Simon
XVIIIe siècle. Français.
Graveur au burin.

Cité par Nagler. Il a gravé des *Portraits de saints* (dont un *Saint Georges*) et un portrait de *Benoît XIII*.

FORSTER Klaus
XVe siècle. Actif vers 1470. Suisse.
Peintre.
Il est cité par le Dr. C. Brun.

FORSTER Lorenz Joseph
XVIIIe siècle. Allemand.
Peintre.
En 1795 il peignit les fresques de plafond de la chapelle du pèlerinage du Cœur de Jésus à Velbourg.

FORSTER Mary, Miss, plus tard Mrs **Lofthouse**
Née en 1853 à Holt (Wiltshire). Morte en 1885 à Halliford. XIXe siècle. Active à Trowbridge. Britannique.
Peintre de paysages, aquarelliste.
Elle est la fille de T. B. W. Forster. Associée de la Royal Water-Colours Society, elle exposa au Salon de cette société, ainsi qu'à la Royal Academy de Londres, de 1873 à 1884.
Ventes Publiques : Londres, 30 mai 1985 : *Near Holt, Norfolk*, aquar. (14x28) : **GBP 600** – Glasgow, 7 fév. 1989 : *Ayr en Écosse, vu de Newark Hill*, aquar. (30,5x58) : **GBP 770**.

FORSTER Michael
Né en 1907 à Calcutta (Indes). XXe siècle. Canadien.
Peintre à la gouache, dessinateur.
Depuis 1928, il est établi au Canada. Il a réalisé un ensemble d'œuvres, en France, après le débarquement des alliés et la Libération, qui sont conservées à la Galerie Nationale du Canada.
Musées : Ottawa (Gal. Nat.) : *Section de bureaux intérieurs et parc de sous-marins, Brest* 1945.

FORSTER Richard
Né le 25 septembre 1873 à Saint-Pétersbourg. XXe siècle. Allemand.
Sculpteur de figures, de bustes, médailleur.
Il étudia à l'Institut de Städel à Francfort-sur-le-Main, puis à l'Académie, avec Rümann. Il travailla à Munich et figura à partir de 1904 aux expositions du Palais de Glace et de la Sécession et quelquefois, à Paris, au Salon de Paris avec des statues de marbre et de bronze : *Remords* ; *Christ* ; *Le Cortège de Bacchus* (un bas-relief), et avec des bustes et des médailles de bronze et d'argent.

FORSTER Robert E.
XIXe siècle. Actif à Londres. Britannique.
Peintre de portraits.
Son nom figure fréquemment dans les catalogues de la Royal Academy, de 1838 à 1855.

FORSTER Rolf
Né en 1938 à Dussnang (Suisse). XXe siècle. Suisse.
Peintre. Abstrait-géométrique.
Il a étudié à l'Académie de Stuttgart entre 1959 et 1961, de même qu'à l'Académie Julian à Paris. De 1961 à 1964, il étudia en Espagne, Grèce et Italie. Il habite depuis 1964 dans le canton de Schaffhouse.
Il participe à des expositions collectives : 1968, 1970, 1981, 1985, 1987, 1989 au Musée de Tous les Saints à Schaffhouse ; 1969-72 aux expositions du Cercle d'art de Singen, en Allemagne ; 1981-1983 aux expositions du Cercle d'art de Hilzingen, en Allemagne ; 1983-1993 à la galerie Suzanne Bollag à Zurich ; 1987, 1988, 1989, 1990 à La Haye, etc. Il réalise des expositions personnelles depuis 1965, principalement en Suisse, notamment à la galerie Suzanne Bollag à Zurich depuis 1983, et en Allemagne.
Les œuvres de Forster sont issues d'une abstraction-géométrique très stricte, que l'on pourrait qualifier historiquement de « concrète » par référence à Van Doesburg. Des compositions faites de lignes droites, de couleurs vives, verticales, horizontales, entrecroisées de diagonales et d'obliques, tracées sur des fonds gris ou noirs.

FORSTER Rose
Née à Boulogne (Hauts-de-Seine). XXe siècle. Française.
Peintre, aquarelliste de fleurs.
Elle expose, à Paris, au Salon des Artistes Français depuis 1922.

FORSTER T. B. W.
XIXe siècle. Actif à Chippenham. Britannique.
Peintre de paysages.
Exposa à Londres, à la Royal Academy et à Suffolk Street, de 1859 à 1886.

FORSTER Thomas
XVIIIe siècle. Britannique.
Peintre de miniatures.
Il exécuta sur parchemin des miniatures.
Musées : Londres (Brit. Mus.) : *Portrait de George St Lo, commissaire de la Marine* – *Portrait d'un inconnu* – *Portrait de Margaret Harcourt* – Londres (Victoria and Albert) : *Portrait du duc de Marlborough* – *Portrait de Sarah Jennings*.
Ventes Publiques : New York, 19 jan. 1982 : *Portrait de John Blackstone* 1707, cr. (11,7x8,8) : **USD 1 100**.

FORSTER William C.
Né à Dublin. Mort en 1911 au Canada. XIXe-XXe siècles. Irlandais.
Peintre, graveur, dessinateur.
Il reçut en 1844, 1845 et 1846 des prix pour des pierres gravées à la main. Il se rendit au Canada en 1872. Il réalisa aussi des chromolithographies, comme *Chiens*, d'après Armstrong, et plusieurs vues d'après ses propres dessins.

FORSTERLING Otto
Né le 18 juin 1843 à Berlin. XIXe siècle. Allemand.
Paysagiste et graveur.
Élève de l'Académie de Berlin et de Julius Schrader. Il voyagea, à partir de 1867, en Allemagne, en Autriche et en Italie. Il a surtout peint des paysages avec des scènes mythologiques ou bibliques. A partir de 1890, il se fixa à Leipzig. Il a exposé à Dresde et à Berlin.

FORSTL Christian
XVIIe siècle. Actif à Passau. Allemand.
Sculpteur.
En 1597 il érigea une fontaine sur la place de la Cathédrale avec les armoiries des chanoines.

FORSTMAN Gregorio. Voir **FOSMAN**

FORSTMOSER Alois
Né le 10 mai 1866 à Uttendorf (Autriche). Mort le 3 novembre 1905 à Uttendorf. XIXe siècle. Autrichien.
Peintre et illustrateur.
Il fut élève de Defregger à Munich et travailla comme illustrateur pour le Musée Francisco Carolinum à Linz et pour la collection en plusieurs volumes d'œuvres de poètes autrichiens. Son œuvre principale fut son *Portrait par lui-même*, exécuté peu de temps avant sa mort. Le Musée de Linz conserve de ses dessins.

FORSTNER Léopold
Né le 2 novembre 1878 à Leonfelden. XXe siècle. Autrichien.
Peintre sur verre, cartons de mosaïques.
Il étudia à l'École des Arts et Métiers de Vienne et à l'Académie de la même ville. Avant de s'établir professionnellement à Vienne, il fit des voyages d'études en Allemagne, Hollande, Belgique, et surtout en Italie. Il s'est adonné presque exclusivement à la peinture sur verre et mosaïque. Il fonda, en 1908, les *Ateliers de mosaïque de Vienne*.
On cite, parmi ses œuvres les plus importantes le maître autel en mosaïque de l'église *Am Steinhof* à Vienne, l'abside de l'église d'Ebelsberg (Haute-Autriche) et la mosaïque de l'hôtel Wiesler à Gratz.
Ventes Publiques : Vienne, 16 nov. 1982 : *Osterreichischer Lloyd, Triest, projet d'affiche*, techn. mixte (103x74) : **ATS 20 000**.

FORSTNER S.
XIXe siècle. Actif à Laufen (Bavière) vers 1850. Allemand.
Peintre.
On connaît de lui un tableau signé de sa main : *Vue de Laufen*.

FORSYTH Constance
Née le 18 août 1903 à Indianapolis (Indiana). XXe siècle. Américaine.
Peintre, graveur.
Elle fut élève de William Forsyth, Harding et Carter. Membre de la Indianapolis Art Association. Elle obtint le prix Hoosier au Salon de Chicago en 1928. Elle pratiquait la gravure à l'eau-forte.

FORSYTH James
Né en 1826. Mort en 1910 à Londres. XIXe-XXe siècles. Britannique.
Sculpteur.
Il exposa à la Royal Academy à Londres de 1864 à 1889.
Musées : Sydney : *Andromède*.

FORSYTH James Nesfield
XIXe-XXe siècles. Britannique.

Sculpteur.
Fils de James Forsyth. Il exposa fréquemment à la Royal Academy de Londres à partir de 1885.

FORSYTH Lilian
Née à Hornsey (Middlesex). xxe siècle. Britannique.
Peintre, aquarelliste.
Elle a exposé une aquarelle : *Les Pois de senteur,* à Paris, au Salon des Artistes Français de 1938.

FORSYTH William
Né à Hamilton (Ohio). xxe siècle. Américain.
Peintre.
Il fut élève de l'Académie Royale de Munich. Il fut membre de l'American Water-Colour Society. Il fut professeur. Il obtint une médaille à Munich en 1885, une médaille d'argent (aquarelle) et de bronze (peinture) à l'Exposition de Saint Louis en 1904. Prix Holcomb en 1904.
Ventes Publiques : New York, 24 jan. 1990 : *Femme se promenant dans un parc* 1885, aquar. et gche/cart. (28,2x32) : **USD 2 860.**

FORSYTHE Victor Clyde Elyre
Né le 24 août 1885 à Orange (Californie). Mort en 1962. xxe siècle. Américain.
Peintre.
Il fut élève de L. E. Garden Macleod et F. V. du Mond. Il obtint, en 1927, une médaille de Bronze de la société des Painters of the West. Il fut également membre du Salmagundi Club, du California Art Club, etc.
Ventes Publiques : New York, 21 nov. 1980 : *L'attaque des loups* 1920, h/t (61,5x86,7) : **USD 700** – New York, 28 mai 1987 : *Old prospector with donkeys* 1928, h/t (76,2x101,6) : **USD 5 000** – New York, 24 juin 1988 : *Silence,* h/rés. synth. (30x42,5) : **USD 1 210.**

FORT François
Né le 22 octobre 1942 à Paris. xxe siècle. Français.
Peintre. Abstrait.
Après ses études à l'École Nationale des Beaux-Arts de Paris, il expose en France, depuis 1966. Sa peinture est abstraite.

FORT Léon
Né en 1870 à L'Isle-Adam (Val d'Oise). Mort en 1965 à L'Isle-Adam (Val d'Oise). xixe-xxe siècles. Français.
Peintre de paysages, compositions murales.
Le musée Senlecq, à L'Isle-Adam, lui consacra une exposition rétrospective en 1970.
Il collabora à divers panneaux décoratifs, commandés par la Ville de Paris, dont certains furent destinés au Collège de France et au Palais de Justice.
Bibliogr. : Gérald Schurr, in : *Les Petits Maîtres de la peinture 1820-1920, valeur de demain,* Les Éditions de l'Amateur, t. II, Paris, 1982.

FORT Louis Pierre Gustave
Né à Bordeaux (Gironde). xixe siècle. Français.
Sculpteur.
Débuta au Salon en 1868.

FORT Martha
Née dans la seconde moitié du xixe siècle aux États-Unis. xixe siècle. Américaine.
Dessinateur.
Elle exposa à Paris au Salon des Artistes Français en 1914.

FORT Martin
xvie siècle. Actif à Paris en 1585. Français.
Peintre.

FORT Siméon Jean Antoine
Né le 28 août 1793 à Valence. Mort le 24 décembre 1861 à Paris. xixe siècle. Français.
Peintre d'histoire, paysages, aquarelliste, dessinateur.
Artiste de talent, il eut pour maître Christian Brune. Médaillé de deuxième classe en 1831 et de première classe en 1836, il fut décoré de la Légion d'honneur le 4 juin 1842. Il figura de 1824 à 1847 au Salon.
Il fut chargé par le gouvernement de reproduire, pour Versailles, les principaux événements de la Révolution et de l'Empire. A cet effet, il visita l'Allemagne, l'Italie, l'Espagne, la Belgique et consacra dix années de sa vie à poursuivre l'œuvre qu'on lui avait proposée.
Musées : Bourges : *Un lac suisse* – Rouen : *Un cheval de trait harnaché – Autre cheval – Charge de cavalerie – Cavaliers – Costumes de cour* – Valence : *Un coucher de soleil dans les environs de Meaux* – Versailles : *Vue du château de Saint-Cloud – Vue du château de Compiègne – Vue du Palais-Royal – Vue du château de Pau – Vue du château d'Eu – Vue du château de Randau – Combat de Gunzbourg – Capitulation de Memmingen – Bataille de Wagram, première journée – Bataille de Wagram, deuxième journée – L'armée arrive devant Constantine – Seconde attaque de Constantine – Vue générale des Bibans ou Portes de Fer – Combat de Médéah – Siège d'Anvers – Vue d'Oran – Vue générale de Tlemcen – Première attaque de Constantine – Combat de Lig – L'armée arrive à Mascara – Plan du siège d'Anvers – Vue générale de Constantine jusqu'à Alger – Vue générale de la Smalah d'Abd-el-Kader – Vue générale de la bataille d'Isly – Siège de Namur – Siège de Toulon – Vue générale de Gênes à Nice, de la chaîne des Apennins, par les Alpes Maritimes – Vue générale d'une partie de l'Italie – Siège de Mantoue – Bataille d'Aboukir – Siège de Dantzig, le 12 mars 1807 – Siège de Tarragone, le 29 juin 1811 – Plan du siège d'Anvers 1832 – Marche de l'armée française sur Mascara, en 1835 – Combat de Saalfeld – Bataille d'Iéna – Combat de Thamm – Combat d'Ebersberg – Reddition de Glogau – Combat d'Eylau – Combat de Wertingen – Entrée des Français à Munich – Prise de Braunau – Passage de la Tramm à Lambach – Combat d'Elchingen – Combat d'Hollabrunn – Astorga est pris d'assaut – Combat de Krasnoé – Passage de la Sunatb à Diétikow – Passage de l'Inn – Prise de Kœnisberg – Siège de Grandeutz – Siège du fort de l'Empereur à Alger – Combat de Téniah – Prise de Mons – Combat de Heilsberg – Bataille de Friedland – Combat de Steyer – Combat d'Armstetten – L'armée française marchant sur Vienne traverse le défilé de Molk – Reddition d'Erfurt – Entrée de l'armée française à Leipzig – Combat de Valjonau et de Villeneuve-le-Comte – Bataille de Montereau – Combat de Berry-au-Bac – Bataille d'Eylau – Prise de Dirschau – Combat de Champaubert – Bataille de Montmirail – Bataille d'Eckmühl – Siège de Dantzig – Passage de la Vistule à Thorn – Combat de Château-Thierry – Combat de Mormant – Entrée des Français à Posen – Capitulation de Magdebourg – Bataille d'Austerlitz – Combat de Durnstein – Passage du Danube à Vienne – Combat de Wesen – Bataille de Zurich – Passage de la Lunth à Bilten – Combat du pont de Nœffels – Combat d'Anzin devant Valenciennes – Position et combat de Glaris – Combat de Brienne.*
Ventes Publiques : Paris, 1868 : *Paysage avec rivière, soleil couchant* : **FRF 90** – Paris, 22-23 fév. 1929 : *Le torrent,* aquar. : **FRF 400** – Paris, 4 déc. 1931 : *Relai à l'Arbre des Princes dans la forêt d'Eu* 1843 : **FRF 4 100** ; *Maison à Twickenham* : **FRF 2 800** – Paris, 13 juin 1947 : *Paysages,* deux lav. de sépia : **FRF 1 050** – Lille, 11 déc. 1983 : *Enfants jouant dans le parc d'un château,* h/t (51x87) : **FRF 8 000** – Reims, 24 oct. 1994 : *Vue d'Italie,* h/t/pan. (28x36) : **FRF 7 500** – Monaco, 14-15 déc. 1996 : *Vue du château de Randan, Puy-de-Dôme* 1843, h/t (45x30,5) : **FRF 84 240.**

FORT Théodore
Né vers 1810. xixe siècle. Français.
Peintre de sujets militaires, aquarelliste.
Fils du peintre Simon Fort, il débuta au Salon de Paris, en 1842.
Il peignit de nombreuses aquarelles, essentiellement des sujets militaires, où le cheval joue un rôle essentiel.

Th. Fort

Bibliogr. : Gérald Schurr, in : *Les Petits Maîtres de la peinture 1820-1920, valeur de demain,* Les Éditions de l'Amateur, t. II, Paris, 1982.
Musées : Louviers : *Étude de chevaux* – Mulhouse : *La voiture du cardinal* – Pontoise : *Étude de chevaux,* deux aquar.
Ventes Publiques : Bordeaux, 1889 : *Piqueur à cheval, en costume Louis XV,* aquar. : **FRF 40** – Paris, 27 fév. 1929 : *Hussards au galop,* aquar. : **FRF 170** – Paris, 19 juin 1933 : *Chasseur d'Afrique poursuivant un cavalier arabe,* aquar. : **FRF 260** – Paris, 9 nov. 1938 : *Diligences* : **FRF 240** – Paris, 4 jan. 1945 : *Paysage,* aquar. : **FRF 2 800** ; *Paysage,* gche : **FRF 3 000** – Paris, oct. 1945-juil. 1946 : *Chevaux de labour,* aquar. : **FRF 2 800** ; *Le fardier,* aquar. : **FRF 2 000** – Paris, 2 déc. 1946 : *Cuirassiers, artilleurs et lanciers,* six aquar. : **FRF 6 250** – Nice, 27 mai 1970 : *Promenade en calèche,* h/t (45x60) : **FRF 500** – Versailles, 4 oct. 1981 : *Le cocher et son attelage,* aquar. (27x46,5) : **FRF 2 400** – Paris, 24 oct. 1983 : *Cheval à l'écurie, Chevaux et palefrenier,* h/t, deux pendants (16x23) : **FRF 17 000** – Paris, 23 juin 1988 : *Che-*

vaux de hallage, h/pap./t. (82x101) : **FRF 8 000** – Reims, 20 juin 1993 : *Chevaux à l'écurie*, h/t (50x61) : **FRF 13 500** – Lyon, 18 mai 1994 : *Deux chevaux à la mangeoire avec un garçon d'écurie ; Deux chevaux rentrant à l'écurie menés par un paysan*, h/t, une paire (chaque 13,5x21,5) : **FRF 10 500**.

FORT-SIMÉON Élisabeth, née **Collin**
Née à Paris. XIXe siècle. Française.
Peintre de paysages, aquarelliste.
Élève de Rémond, elle épousa le peintre Siméon Fort. Elle exposa au Salon, sous son nom de jeune fille, de 1835 à 1848 et ensuite de 1851 à 1865. Cette artiste s'est distinguée dans le paysage. On cite d'elle : *Vue d'une scierie d'acajou à Montataire, Vue d'un moulin à eau à Montataire, Vue prise à Cramoisi, Vue du Château-Gaillard, Vue du port Morin, aux Andelys, Chute de la Birse à Moutiers, Site des environs de Fribourg, Vue d'une usine à Serrières, sur les bords du lac de Neuchâtel.*
Musées : Dieppe : un paysage – Montpellier : *Gorge de montagnes – Vue du lac de Côme.*
Ventes Publiques : Paris, 10 avr. 1924 : *Le Torrent*, aquar. : **FRF 250** – Berne, 6 mai 1981 : *Paysage au château*, h/t (19x28) : **CHF 3 000**.

FORTAN Joseph Lambert
XVIIIe siècle. Actif à Paris. Français.
Sculpteur.

FORTAN Nicolas
XVIIIe siècle. Actif à Paris en 1745. Français.
Peintre et sculpteur.

FORTAN Toussaint
XVIIe siècle. Actif à Paris. Français.
Peintre.
Il fut admis à la Gilde de Saint-Luc en 1663.

FORTANER de Usesque. Voir **USESQUE**

FORTE Angelo
XVIe siècle. Actif à Trévise. Italien.
Peintre.
Il peignit en 1560 un tableau d'autel pour l'église S. Niccolo à Trévise.

FORTE Gaetano
Né en 1790 à Salerne. Mort en 1871 à Naples. XIXe siècle. Italien.
Peintre et architecte.
Deux portraits de sa main figurent à l'exposition de portraits de Florence en 1911.

FORTE Luca ou **Lucas**
Né entre 1600 et 1605 à Naples. Mort vers 1670. XVIIe siècle. Italien.
Peintre de paysages, natures mortes, fleurs et fruits.
Il travailla de 1640 à 1670.
Musées : Naples : deux tableaux de fruits.
Ventes Publiques : Londres, 3 déc. 1969 : *Nature morte aux fruits* : **GBP 2 000** – Paris, 25 juin 1973 : *Village dans la vallée* : **FRF 2 000** – Londres, 14 avr. 1978 : *Nature morte aux fruits*, h/t (73,7x97,8) : **GBP 4 800** – Milan, 3 nov. 1982 : *Nature morte à la guirlande de fleurs*, h/t (170x122) : **ITL 45 000 000** – Londres, 12 déc. 1984 : *Nature morte aux raisins*, métal (31x25) : **GBP 40 000** – Milan, 4 avr. 1989 : *Nature morte avec du raisin et des pêches ; Nature morte avec du raisin et des pommes*, h/t, une paire (chaque 34x43) : **ITL 32 000 000** – Amsterdam, 20 juin 1989 : *Nature morte avec un cep de vigne dans un pot et une pomme, une figue et une grenade*, h/cuivre (30,7x25,8) : **NLG 184 000** – New York, 11 jan. 1990 : *Grenades et melon sur un entablement de pierre*, h/t (49x71) : **USD 88 000** – Rome, 19 nov. 1991 : *Figues, prunes et fraises*, h/t (32x58) : **ITL 40 000 000** – Paris, 17 juin 1997 : *Nature morte aux raisins, pommes, figues et fleurs*, t., une paire (65x78) : **FRF 420 000**.

FORTE Tommaso
XVIIe siècle. Italien.
Sculpteur sur bois.
Il participa en 1652 aux sculptures des stalles de l'église de Bagnoli Irpino (Calabre).

FORTE Vicente
Né en 1912 à Lanus (province de Buenos Aires). XXe siècle. Argentin.
Peintre.
Il effectue des voyages en Espagne, au Portugal, en France. Il figure depuis 1945, dans de nombreuses expositions d'art argentin, dans les pays d'Amérique latine, aux États-Unis, etc. Il figurait à l'Exposition *150 ans d'art argentin*, en 1961. Il a obtenu le premier prix du Salon National, en 1952, et d'autres récompenses officielles. Il est représenté, outre à Buenos Aires, dans les musées provinciaux.
Bibliogr. : In : *Peintres contemporains*, Mazenod, Paris, 1964.
Musées : Buenos Aires : *ensemble d'œuvres* – San Francisco (Art Inst. de Californie).
Ventes Publiques : New York, 8 mai 1981 : *Barques* 1953, h/t (45,2x55,2) : **USD 3 750** – New York, 21 mai 1986 : *Nature morte à la lampe* 1961, h/t (180,3x58,7) : **USD 1 600** – New York, 17 mai 1989 : *Vieil instrument* 1968, h/t (70x100) : **USD 4 620**.

FORTEA José
Né vers 1700. Mort en 1751 à Valence. XVIIIe siècle. Actif en Aragon. Espagnol.
Peintre et graveur.
Élève d'Apolinario Larraga de Valence.

FORTES Victor
Né en 1943 à Madère. XXe siècle. Portugais.
Graveur.
Il a été invité à la Biennale de São Paulo et à celle de Paris.

FORTESCUE William B.
Mort en 1924. XIXe siècle. Britannique.
Peintre de paysages, intérieurs.
Il travaillait à Saint-Ives en Cornouailles. Il exposa à partir de 1880 à Londres, à partir de 1887 à la Royal Academy, des paysages et des intérieurs.
Ventes Publiques : Londres, 11 nov. 1981 : *A good day's catch*, h/t (86,5x127) : **GBP 550** – Londres, 9 mars 1984 : *Porthminster beach in the bathing season* 1902, h/t (35,5x45,7) : **GBP 850** – Londres, 12 juin 1987 : *Village gossip*, h/t (61x45,7) : **GBP 14 000** – Montréal, 23-24 nov. 1993 : *La cour de San Gregorio à Venise*, h/t (68x49,5) : **CAD 1 800** – Londres, 4 nov. 1994 : *La cour de San Gregorio à Venise*, h/t (68x49,5) : **GBP 1 725**.

FORTESCUE-BRICKDALE ou **Bricklade Eleanor**. Voir **BRICKDALE**

FORTESS Karl Eugene
Né en 1907. XXe siècle. Américain.
Peintre de genre. Groupe de Woodstock.
Il travailla à Woodstock dans les années 1930, quand, pendant la grande récession, le gouvernement subventionnait l'art.
Il trouvait des espaces à Woodstock et dans les environs dont il voulait faire des exemples de « scènes américaines ».
Ventes Publiques : New York, 28 nov. 1995 : *« Pipeline hill »*, h/t (55,8x81,3) : **USD 863**.

FORTEZZA
Né vers 1530. Mort vers le 14 mai 1596. XVIe siècle. Actif à Sebenico. Italien.
Enlumineur et orfèvre.
En 1578 cet artiste fit également des restaurations de tableaux.

FORTI Carlo Antonio
Né en 1657 à Parme. Mort en 1732. XVIIe-XVIIIe siècles. Italien.
Aquafortiste.
Il travailla à Modène ; il fit des eaux-fortes d'allégories religieuses.

FORTI Ettore, et par erreur **Eduardo**
XIXe siècle. Italien.
Peintre d'histoire, scènes de genre.
Il était actif à Rome. On ne peut que s'étonner qu'il n'apparaisse pas plus de renseignements sur un artiste, d'une part répertorié en ventes publiques depuis le début du siècle, d'autre part dont l'œuvre est à ce point spécialisée dans l'illustration anecdotique de la Rome antique.

E Forti

E Forti

Musées : Albany : *Scène de rue à Pompéi.*
Ventes Publiques : New York, avr. 1903 : *Chanteurs à Pompéi* :

USD 475 – New York, 12 nov. 1908 : *Toilette pompéienne* : **USD 95** – Londres, 16 déc. 1935 : *Fontaine de Diane* : **GBP 19** – Paris, 25 mai 1951 : *Une rue à Pompéi* : **FRF 35 000** – Los Angeles, 28 fév. 1972 : *Course de chars romains* : **USD 3 600** – Los Angeles, 9 avr. 1973 : *Romains sur une terrasse à Pompéi* : **USD 3 250** – New York, 7 oct. 1977 : *Le marchand de poteries*, h/t (49,5x79) : **USD 4 000** – New York, 12 mai 1978 : *Les commères*, h/t (49,5x78) : **USD 4 000** – Rome, 1er déc. 1982 : *Deux femmes sur un canapé*, h/pan. (22x40,5) : **ITL 3 600 000** – Londres, 28 nov. 1984 : *Course de chars*, h/t (59,5x100) : **GBP 2 000** – New York, 23 mai 1985 : *Marchands de Pompéi*, h/t (54,5x85,5) : **USD 7 500** – Stockholm, 21 oct. 1987 : *Intérieur de palais romain*, h/t (62x100) : **SEK 170 000** – New York, 25 fév. 1988 : *Personnages sur la véranda avec le Vésuve au fond*, h/t (60,3x100,3) : **USD 12 100** – New York, 23 fév. 1989 : *Embarquement d'une impératrice romaine*, h/t (80x139,7) : **USD 49 500** – New York, 24 mai 1989 : *Marchand de tapis*, h/t (52,7x83,8) : **USD 19 800** – New York, 24 oct. 1989 : *Jeune femme de Pompéi avec un cygne*, h/t (100,3x61) : **USD 14 300** – New York, 28 fév. 1990 : *Le cortège d'Hadrien quittant la villa de Tivoli*, h/t (80x140,5) : **USD 22 000** – Monaco, 21 avr. 1990 : *La célébration du printemps*, h/t (92x143) : **FRF 255 300** – Rome, 10 déc. 1991 : *Cour d'un palais de Pompéi*, h/t (54,5x96) : **ITL 29 000 000** – Londres, 19 mars 1993 : *Le marchands de sandales à Pompei*, h/t (49,5x77,5) : **GBP 11 500** – New York, 27 mai 1993 : *Le départ du maître de maison*, h/t (59x100) : **USD 20 700** – Londres, 18 juin 1993 : *Discussion d'intérêt*, h/t (61x100,5) : **GBP 16 100** – Rome, 31 mai 1994 : *La course de chars*, h/t (70x114) : **ITL 64 817 000** – New York, 24 mai 1995 : *Le char romain*, h/t (60,3x100,3) : **USD 18 400** – Londres, 14 juin 1995 : *Le magasin d'antiquités*, h/t (52x83) : **GBP 17 250** – New York, 1er nov. 1995 : *Pompéiens se rencontrant autour d'un puits*, h/t (100,3x60,3) : **USD 63 000** – New York, 17 jan. 1996 : *Un nouvel ami*, h/t (65,4x29,8) : **USD 10 350** – Londres, 14 juin 1996 : *Une distraction dangereuse*, h/t (60,4x100,3) : **GBP 14 950** – New York, 24 oct. 1996 : *Un salut romain*, h/t (61x100,3) : **USD 46 000** – Londres, 20 nov. 1996 : *Le Marchand de fleurs*, h/t (52x83) : **GBP 38 900**.

FORTI Francesco Cipriano

Né le 23 mars 1713 à Correggio. Mort le 11 juin 1779 à Correggio. XVIIIe siècle. Italien.

Peintre, architecte et poète.

Il fut élève de Giorgio Magnanini à Modène. Il travailla à Corregio pour les théâtres et les églises ainsi qu'à Modène (théâtre de la Cour), à Vescovado, et S. Barnaba et pour le Palais Bellaria à S. Martino di Mugnano.

FORTI Giacomo

XVe siècle. Italien.

Peintre.

Il était actif en 1483. Élève de Zoppo, il assista son maître dans ses peintures à fresques. L'église San Tommaso al Mercato de Bologne possède une fresque de la Vierge qu'on lui attribue.

FORTIER. Voir aussi **FORESTIER**

FORTIER Claude François

Né le 10 avril 1775 à Paris. Mort le 21 juin 1835 à Paris. XIXe siècle. Français.

Graveur.

Exposa au Salon à partir de 1819.

FORTIER Jean

XVIe siècle. Français.

Peintre.

Il travailla au château de Fontainebleau de 1536 à 1550 et se fixa à Troyes de 1556 à 1565.

FORTIER Marie Louise

Née à Paris. XXe siècle. Française.

Peintre.

Élève de Adler, Berges et Sabatté. A exposé au Salon en 1934, 1935, 1936. Mention honorable en 1935.

FORTIER Natalie

Née en 1959 au Canada. XXe siècle. Depuis 1980 active en France. Canadienne.

Peintre, dessinatrice.

Elle participe à plusieurs expositions collectives à Brive et à Paris, où elle expose personnellement ses œuvres depuis 1989.

Ventes Publiques : Paris, 24 mai 1992 : *Trou d'air II* 1992, techn. mixte/bois : **FRF 7 000**.

FORTIER Pierre

XVIIe siècle. Travaillant à Dreux. Français.

Sculpteur.

Il fit, en 1614, le buffet des orgues de l'église Saint-Pierre, à Dreux ; le jubé de cette église fut exécuté par lui en 1620 et détruit sous la Révolution.

FORTIMANY Mattia

Originaire de Majorque. XVe siècle. Espagnol.

Sculpteur et architecte.

De 1469 à 1474 il travailla à Naples à la construction du Castel Nuovo. Ses œuvres de sculpture ne sont pas connues avec certitude.

FORTIN

XVIIIe siècle. Actif à La Rochelle. Français.

Sculpteur.

Il fit des sculptures décoratives pour des jardins.

FORTIN Augustin Félix

Né en 1763 à Paris. Mort le 4 juillet 1832 à Paris. XVIIIe-XIXe siècles. Français.

Peintre, sculpteur et lithographe.

Obtint, en 1782, le deuxième prix de Rome en sculpture et le premier prix, l'année suivante, avec *Mort ressuscité par l'attouchement des os du prophète Élie*. Le 25 avril 1789, il fut agréé à l'Académie. Il prit part aux expositions du Louvre de 1789 à 1824. Parmi ses sculptures on cite : *Un chasseur se reposant*, statue en plâtre, *Réconciliation*, bas-relief en plâtre, *Phocion*, statue en plâtre, *L'oiseau de Lesbie*, terre cuite, *La Charité*, bas-relief exécuté pour la fontaine de Popincourt, *La Madeleine*, bas-relief en marbre, *Pâris*, bas-relief en terre cuite. Ses meilleures peintures sont : *Socrate enseignant la sagesse*, *Cham, maudit par Noé, se retire dans le désert*, *Aristophane composant la comédie des Nuées*. Il était neveu et élève du sculpteur Lecomte.

C. Fortin

Musées : Angers : *Philippe de Champaigne*, marbre, buste – Nîmes : *Visconti* – Paris (Comédie Française) : *Michel Bayron* – *J. B. L. Gresset*.

FORTIN Charles

Né le 12 juin 1815 à Paris. Mort le 19 octobre 1865 à Paris. XIXe siècle. Français.

Peintre de sujets religieux, scènes de genre, intérieurs.

Fils d'Augustin Félix Fortin, il fut élève de Joseph Beaume et de Camille Roqueplan. Il exposa au Salon de Paris, de 1835 à 1865 ; à celui de Nantes, de 1842 à 1854. Il obtint plusieurs médailles en 1849, 1857 et 1859. Il fut promu chevalier de la Légion d'honneur, en 1861.

Il réalisa principalement des scènes de genre, inspirées par la vie paysanne de Normandie et de Bretagne : des greniers, celliers, intérieurs de maisons et d'églises, peints le plus souvent en clair-obscur. Parmi ses œuvres, on mentionne : *Intérieur, marins en goguette* – *Un cellier* – *Intérieur d'un grenier de pauvres gens en Normandie* – *Une marchande de chiffons* – *Paysans bretons, costumes du Morbihan*.

Bibliogr. : Gérald Schurr, in : *Les Petits Maîtres de la peinture 1820-1920, valeur de demain*, Les Éditions de l'Amateur, t. V, Paris, 1981.

Musées : Grenoble : *Pendant les vêpres* – Lille (Mus. des Beaux-Arts) : *Des Chouans* – Nantes : *Intérieur breton* – Paris (Mus. d'Orsay) : *Le Bénédicité* – Stettin : *Maison de paysans bretons*.

Ventes Publiques : Paris, 2 mai 1894 : *La Partie perdue* : **FRF 420** – Paris, 25 juin 1937 : *La Brocanteuse* : **FRF 100** – Berne, 30 avr. 1980 : *Scène rustique*, h/t (42x54) : **CHF 4 300** – Londres, 28 oct. 1992 : *Couple de Bretons près d'une fontaine*, h/t (40x32) : **GBP 770** – Monaco, 2 juil. 1993 : *Enfants bretons jouant avec un oiseau* 1854, h/pan. (35,5x28) : **FRF 16 650**.

FORTIN Henry

XVIIIe siècle. Actif à Paris en 1711. Français.

Sculpteur.

FORTIN Joséphine, Mme, née **Thierry**

Née au XIXe siècle à Caen (Calvados). XIXe siècle. Française.

Sculpteur.

De 1864 à 1873, elle exposa au Salon de Paris des bustes, entre autres celui de *Madame Élisabeth*, et une statuette en marbre de *Charlotte Corday*.

FORTIN Marc-Aurèle

Né en 1888 à Montréal. Mort en 1970. XXe siècle. Canadien.

Peintre, aquarelliste.

De 1903 à 1906, il fit ses études au Monument National, puis, de 1906 à 1908, sous la direction de Ludger Larose. Durant trois ans, il voyagea à travers les États-Unis et termina ses études à l'Art Institute de Chicago.
Il est considéré comme l'un des bons artistes canadiens du début du siècle.

M A Fortin

Musées : Québec (Mus. de la Province) : *Paysage, Hochelaga.*
Ventes Publiques : Toronto, 17 mai 1976 : *Paysage du Québec*, h/cart. (30x41) : **CAD 1 800** – Toronto, 15 mai 1978 : *Hochelage*, h/pan. (54x43,5) : **CAD 6 000** – Toronto, 26 mai 1981 : *French canadian village*, aquar. et cr. (24,4x30) : **CAD 6 000** – Toronto, 3 mai 1983 : *Commencement d'orage à Hochelaga*, h/cart. (96,3x116,3) : **CAD 22 000** – Montréal, 13 nov. 1984 : *Sans titre*, aquar. : **CAD 2 100** – Toronto, 18 nov. 1986 : *Ombres d'automne*, h/cart. (93,8x118,8) : **CAD 43 000** – Montréal, 25 nov. 1986 : *Village*, aquar. (37x49) : **CAD 5 000** – Montréal, 25 avr. 1988 : *Pour Jacques Cartier*, aquar. (36x51) : **CAD 5 000** – Montréal, 17 oct. 1988 : *Paysage à Ste Scholastique dans le Québec*, h/pan. (51x61) : **CAD 42 000** – Montréal, 1er mai 1989 : *Corde à linge dans une arrière cour*, h/pan. (18x20) : **CAD 3 600** – Montréal, 30 oct. 1989 : *Hochelaga en hiver*, h/pan. (86x104) : **CAD 154 000** – Montréal, 30 avr. 1990 : *Paysage avec des maisons*, h/pan. (61x122) : **CAD 37 400** – Montréal, 5 nov. 1990 : *Barques sur la grève à Perce* 1944, aquar. (38x56) : **CAD 8 250** – Montréal, 4 juin 1991 : *Ombres sur Hochelaga*, h/pan. (42,5x64,7) : **CAD 30 000** – Montréal, 19 nov. 1991 : *Scène de Ste-Rose*, aquar. (53,2x69,8) : **CAD 12 000** – Montréal, 1er déc. 1992 : *Couleurs d'automne*, h/pan. (21x17,8) : **CAD 3 800** – Montréal, 23-24 nov. 1993 : *Barques*, aquar. (26x34,2) : **CAD 1 700** – Montréal, 3 déc. 1996 : *Paysage près de Montréal*, cr. coul. (22,2x30,5) : **CAD 1 700.**

FORTIN Maurice ou **Fortin-Locquirec**
Né le 10 avril 1911 à Laval (Mayenne). xxe siècle. Français.
Peintre de paysages, natures mortes, portraits, aquarelliste, graveur, lithographe. Polymorphe.
Il suit les cours de peinture et de modelage de la Ville de Laval. Il eut une longue carrière de maquettiste à Nice et de graphiste pour l'imprimerie. À partir des années quatre-vingt, il se consacre à la peinture et à la gravure. Il a exposé, à Paris, aux Salons des Artistes Français, dont il est membre sociétaire, et d'Automne. Médaillé d'argent, en 1958, lors de l'Exposition Universelle à Bruxelles. Il montre surtout son travail dans des expositions collectives en Bretagne, où il a obtenu des Prix régionaux. Non sans une pointe d'humour, il se situe lui-même dans la continuité du cubisme, à moins qu'en d'autres circonstances, ce ne soit dans celle dú surréalisme, où sa référence évidente est René Magritte, leurs deux sortes d'humour étant proches. En fait, il est surtout un excellent peintre de natures mortes, qu'il traite dans la technique des anciens maîtres, poussée parfois jusqu'au trompe-l'œil.

FORTIN Philippe
xvie siècle. Travaillant à Gisors. Français.
Sculpteur sur bois.
Il fit, en 1566, pour le grand portail de l'église Saint-Gervais et Saint-Protais, de Gisors, deux portes où figurent les douze apôtres, et qui existent encore. En 1578, il sculpta le buffet des orgues de cette église.

FORTIN R.
Né à Paris. xviiie siècle. Français.
Peintre de miniatures.
Exposa à la Royal Academy, de 1790 à 1794.

FORTINELLI
xviiie siècle. Britannique.
Peintre.
Ce peintre exposa en 1783 à la Free Society à Londres des paysages représentant des ruines.

FORTINI Benedetto
Né en 1675 à Settignano. Mort en 1732 à Settignano. xviiie siècle. Italien.
Peintre de fruits et de perspectives.
Élève de B. Bimbi et de J. Chiavistelli.

FORTINI Carlo
xviie siècle. Actif à Ferrare. Italien.
Peintre.
En 1648 il travailla à l'église S. Bartolomeo fuori delle mure.

FORTINI Edouard
Né à Florence. xxe siècle. Italien.
Sculpteur.
Il exposa à Paris au Salon des Artistes Français en 1914.

FORTINI Giovacchino
Né en 1671 à Settignano. Mort le 12 décembre 1736 à Florence. xviie-xviiie siècles. Italien.
Sculpteur, architecte et médailleur.
L'église de l'Annunziata à Florence lui doit des statues ; il acheva la façade de l'église S. Firenze commencée par A. Maria Ferri, et exécuta le monument funéraire du médecin *G. Neri* dans l'église S. Giuseppe. On connaît encore de lui à Florence des statues à l'église S. Michele e Gaetano ; la cathédrale de Cologne possède de lui le monument funéraire du *maréchal von Hochkirchen.*

FORTINI Raffaelo
xviie siècle. Actif à Pise en 1600. Italien.
Sculpteur.
Il créa les modèles d'un bas-relief et de quatre statues d'Apôtres pour les portes de la cathédrale. Ces projets ne furent pas exécutés.

FORTINO Giuseppe
xviiie siècle. Italien.
Peintre.
Il exécuta en 1781 une *Vierge* pour S. Maria dell' Ajuto à Naples.

FORTINY
xxe siècle. Actif à Paris. Français.
Sculpteur.
Le Musée Simu, à Bucarest, conserve de lui un *Buste de femme* (marbre).

FORTIS Tommaso de
Originaire de Vérone. xvie siècle. Italien.
Peintre.
Il est mentionné en 1589 à Rome.

FORTLING Christian Edvard
Né le 10 avril 1809 à Copenhague. Mort le 12 août 1875 à Copenhague. xixe siècle. Danois.
Lithographe.
Il fut élève de l'Académie de Copenhague et figura aux expositions de celle-ci de 1838 à 1873 avec des dessins et des lithographies. Il fit de nombreux portraits lithographiés, parmi lesquels ceux de rois et reines de Danemark, et celui de l'ecclésiastique *N. F. S. Grundtvig.*

FORTLING Jakob
Né le 23 décembre 1711, originaire d'Allemagne. Mort le 16 juillet 1761 à Kastrup. xviiie siècle. Danois.
Sculpteur, architecte et céramiste.
Il était sculpteur de la Cour à Copenhague. Il fonda une manufacture de porcelaine dans cette ville en 1760.

FORTNER Andreas
Né le 16 juin 1809 à Prague. Mort le 14 mars 1862 à Munich. xixe siècle. Autrichien.
Peintre d'histoire, sculpteur et graveur.
A partir de 1840, il se fixa à Munich.

FORTNER Georg
Né le 20 octobre 1814 à Munich. Mort le 27 juillet 1879 à Munich. xixe siècle. Allemand.
Peintre d'histoire.
Élève de Schlotthauer et de Heinrich Hess. Il a exécuté des fresques pour le Musée National de Bavière et des décorations pour diverses églises.

FORTON Louis
Né le 14 mars 1879 à Sées (Orne). Mort en 1934. xxe siècle. Français.
Dessinateur, illustrateur.
Il fut le fils d'un marchand de chevaux, puis garçon d'écurie, jockey etc... En 1907, sont publiés ses dessins pour l'ouvrage *Les Aventures de Séraphin Laricot*, suivi l'année d'après par *Les Exploits d'Isidore MacAron.* Il est aussi l'auteur de la célèbre bande *Les Pieds Nickelés.* L'auteur, également de : *La Carrière militaire d'Onésime Baluchon*, 1900 ; *Les 126 métiers de Caramel*, 1920 ; *Bibi Fricotin*, 1929.
Bibliogr. : In : *Dictionnaire des illustrateurs 1800 – 1914*, Ides et Calendes, Neuchâtel, 1989.

FORTORI Alessandro ou **Forzori**
XVIe siècle. Actif à Arezzo vers 1568. Italien.
Peintre d'histoire.
Le musée, les églises et les palais d'Arezzo possèdent de ses œuvres.

FORTSCH Sebastian
Né vers 1753, originaire de Pottenstein dans la Franconie. Mort le 22 août 1803. XVIIIe siècle. Allemand.
Peintre.
Musées : Bamberg (coll. mun.) : *Salomon reçoit la reine de Saba* – Munich (Mus. Nat. Bavarois) : *Portrait de la duchesse Franziska von Zweibrücken* – Nuremberg (Mus. Nat. Germanique) : *Portrait* – *Même sujet.*

FORTSMAN Gregorio. Voir **FOSMAN**

FORTT Frederick
XIXe siècle. Britannique.
Peintre de genre, architectures.
Il était membre de la Société des British Artists. Actif à Bath, il exposa à Londres, notamment à la Royal Academy, à la British Institution et à Suffolk Street.
Ventes Publiques : New York, 20 juil. 1995 : *La Diseuse de bonne aventure* 1884, h/t (127x101,6) : **USD 6 900**.

FORTUNA Alessandro
Né vers 1596. Mort le 6 août 1623 à Rome. XVIIe siècle. Italien.
Peintre d'histoire.
Élève du Dominiquin.

FORTUNA Giovanni
Né en 1535. Mort en 1611. XVIe-XVIIe siècles. Actif à Sienne. Italien.
Orfèvre et dessinateur.
En 1588, A. Andreani grava d'après un projet de cet artiste une planche allégorique : *Triomphe de la Mort.*

FORTUNATO
Mort en 1579 à Rome. XVIe siècle. Actif à S. Angelo in Vado près d'Urbino. Italien.
Peintre.

FORTUNATO Domenico
XVIIe siècle. Actif à Naples. Italien.
Peintre.
Il était en 1665 membre de la Gilde de Saint-Luc.

FORTUNATUS
XIXe siècle. Autrichien.
Peintre de miniatures.

FORTUNÉ L.
XIXe siècle. Actif vers 1830. Français.
Lithographe.
Il a publié quelques planches parmi lesquelles *Les Folies du jour.*

FORTUNEY
Né en 1878. Mort en 1950. XXe siècle. Français.
Peintre de sujets de genre, paysages animés, paysages urbains, marines, pastelliste.
Essentiellement pastelliste, Fortuney créa quelques marines et surtout des œuvres illustrant la vie parisienne, des scènes de rue et de cafés, prises sur le vif, et vivement colorées.
Bibliogr. : Gérald Schurr, in : *Les Petits Maîtres de la peinture 1820-1920, valeur de demain,* Les Éditions de l'Amateur, t. II, Paris, 1982.
Ventes Publiques : Paris, 26 fév. 1926 : *Danseuse derrière un portant,* past. : **FRF 100** – Paris, 24 avr. 1942 : *Le port de pêche,* past. : **FRF 420** – Paris, 3 nov. 1944 : *En soirée ; Cabinet particulier ; Sur le pont du yacht ; Au pesage,* quatre past. : **FRF 3 500** – Paris, 4 nov. 1946 : *Vue sur le littoral méditerranéen,* past. : **FRF 650** – Paris, 8 déc. 1976 : *La promenade,* past. (115x162) : **FRF 16 000** – Paris, 3 déc. 1982 : *Scène de café,* past. (47x30) : **FRF 4 200** – Paris, 14 déc. 1984 : *Le port de Cassis,* past. (64x80) : **FRF 8 900** – Paris, 23 mars 1987 : *Promenade au bois,* past. (114x163) : **FRF 160 000** – Paris, 6 mai 1988 : *Coup de vent d'Est au Trayas,* past. (49x59) : **FRF 7 500** – Paris, 7 oct. 1988 : *L'élégante dans un parc,* h/t (55x38) : **FRF 22 000** – Calais, 13 nov. 1988 : *Élégante au bois,* past. (49x32) : **FRF 70 000** – Paris, 8 nov. 1989 : *Couple sous la tonnelle* 1906, h/t (48x61) : **FRF 18 000** – Versailles, 19 nov. 1989 : *La parisienne,* past. (48,5x30) : **FRF 9 000** – Paris, 21 nov. 1989 : *Au restaurant ; La loge,* deux past. (chacun 47x31,5) : **FRF 46 000** – Paris, 25 juin 1990 : *Élégante,* past. (52x35) : **FRF 13 500** – Neuilly, 26 juin 1990 : *Paysage provençal,* h/cart. (42,5x50) : **FRF 13 000** – Calais, 10 mars 1991 : *Élégante au manchon d'hermine,* past. (48x31) : **FRF 11 500** – Neuilly, 23 fév. 1992 : *La crique,* past. (24x31) : **FRF 7 500** – New York, 16 fév. 1994 : *Toutes voiles dehors,* past./pap. (49,8x65,1) : **USD 3 450** – Paris, 12 juil. 1994 : *Orientale nue assise devant un miroir,* past. (31x24) : **FRF 15 500** – Calais, 24 mars 1996 : *Élégante au chapeau,* past. (35x24) : **FRF 5 000**.

FORTUNIO
Originaire de Parme. XVIIe siècle. Italien.
Peintre.
A Vicence deux tableaux d'autel de sa main se trouvent dans l'église Zittelle, et une *Espérance* dans le Palais del S. Monte di Pieta.

FORTUNY Y CARBO MARSAL Mariano. Voir **FORTUNY Y MARSAL Mariano**

FORTUNY Y DE MADRAZO Mariano
Né en 1871 à Grenade (Andalousie). Mort en 1949. XIXe-XXe siècles. Espagnol.
Peintre de portraits.
Sans doute le fils de Mariano FORTUNY Y MARSAL. Il figura à l'Exposition Universelle de 1900 où il obtint une médaille d'argent.
Ventes Publiques : Londres, 16 mai 1903 : *Innomanita* 1896, h/pan. (87x73) : **GBP 735** – Londres, 23 juin 1981 : *Innomanita* 1896, h/pan. (87x73) : **GBP 7 500** – Madrid, 27 oct. 1987 : *La Valkyrie* 1893, temp./cart. (30x25) : **ESP 1 000 000** – Milan, 23 mars 1988 : *Carnaval de Venise,* h/t (56x77,5) : **ITL 10 000 000** – Paris, 10 déc. 1996 : *Jeune Femme au chemisier bleu* 1889, h/bois (9,7x7,7) : **FRF 21 000**.

FORTUNY Y MARSAL Mariano ou **Fortuny y Carbo Marsal**
Né le 11 juin 1838 à Reus (Catalogne). Mort le 21 novembre 1874 à Rome. XIXe siècle. Actif aussi en Italie. Espagnol.
Peintre d'histoire, compositions religieuses, scènes de genre, sujets typiques, portraits, paysages urbains, paysages animés, aquarelliste, dessinateur, graveur. Orientaliste.
Il étudia à l'École des Beaux-Arts de Barcelone, suivant les cours de Claudio Lorenzale. Il obtint, en 1857, une bourse de pensionnaire pour Rome. Puis il visita le Maroc, pour la première fois en 1860, envoyé par la ville de Barcelone comme « artiste de guerre » pour réaliser une toile commémorant la victoire espagnole de Tétouan. En 1863, il se rendit à Naples, y rencontrant le peintre d'histoire Domenico Morelli. Il séjourna à Paris, en 1866, où il se lia d'amitié avec les peintres académiques français, dont Jean Léon Gérome et Ernest Meissonier. En 1867, il revint se fixer à Rome où il eut pour ami Henri Regnault. Ce fut en 1869 que, revenu à Madrid, il commença d'étudier avec ardeur la technique de Goya. En 1871, il voyagea, en compagnie du peintre orientaliste français Georges Clairin, à Tanger et à Tétouan. Mariano Fortuny y Marsal gagna Grenade et Séville pour y étudier les vestiges mauresques ; puis l'Angleterre et revint s'établir, en 1873, à Portici en Italie. Il contracta alors la malaria, il dut rentrer à Rome où il mourut peu de temps après. Mariano Fortuny prit part au Salon de Barcelone ; à diverses expositions organisées par le marchand de tableaux parisiens Adolphe Goupil, à qui il donna l'exclusivité sur sa production, dès 1870.
Il a fait de nombreuses esquisses au crayon ou à l'aquarelle, étudiant, dès son premier séjour au Maroc, les soldats arabes, de même que les paysages, l'habitat, la population et les animaux du pays. Ces études lui ont permis, au retour de ses voyages, de peindre et de graver des scènes empruntées à la vie quotidienne orientale. Il a répliqué à loisir les armes, tissus, tapisseries, tapis, bronzes, faïences qu'il a rapportés de ses voyages et qu'il a accumulés dans son atelier, études à partir desquelles il devint un créateur célèbre de tissus de mode, dont parle Proust dans *Un amour de Swann.*
La luminosité et les couleurs intenses de l'Afrique du Nord ont éclairci sa palette et l'ont débarrassé du classicisme de sa première manière. L'influence de Goya s'est fait également sentir dans son œuvre, en particulier dans le *Mariage à la Vicaria.* Théophile Gautier a dit de cette toile qu'elle semblait une « esquisse de Goya reprise par Meissonier ». En effet, Mariano Fortuny a quelque chose de la liberté de technique de Goya, sa palette étant plus près de celle de Goya que de Meissonier. Ce qui est particulier à Mariano Fortuny, c'est son souci du détail poussé à l'extrême dans la seconde partie de sa carrière, en cor-

rélation avec ses créations de tissus de mode. S'il a oublié parfois que les qualités de la composition de l'ensemble doivent primer celles d'une exécution méticuleusement fidèle, il a prêché d'exemple en faveur de la lumière intensive et des soleils exaltés. Parmi ses toiles orientalistes, on mentionne : *Fantasia arabe – Sur les hauteurs d'Alger – La Fantasia à Grenade – La Halte des voyageurs – Bataille de Tituans au Maroc – Charmeur de serpents hindou.*
Les dernières études de Fortuny y Marsal montrent qu'il a commencé à concentrer son attention sur la structure interne des paysages, avec des ciels plus vastes et moins de détails superficiels. Parmi ses autres œuvres, on cite : *Saint Ermite en pénitence – L'Abbé galant – Déjeuner dans la cour du vieux couvent – L'Antiquaire – La Cour de l'Alhambra.*

■ Sandrine Vézinat

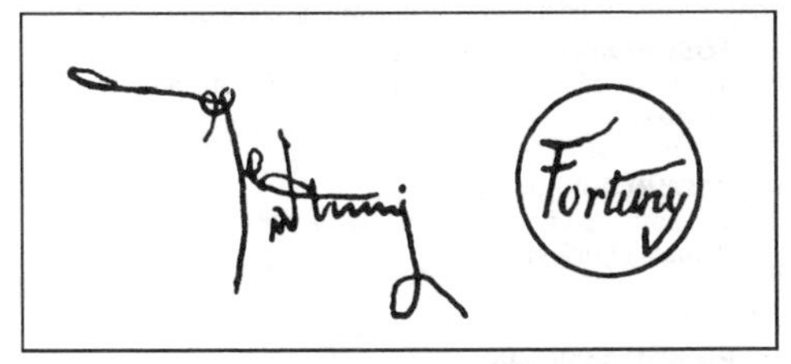

Cachets de vente

Bibliogr. : Lynne Thornton, in : *Les Orientalistes, peintres voyageurs*, ACR Édition, Paris, 1993 – Caroline Juler, in : *Les Orientalistes de l'École Italienne*, ACR Édition, Paris, 1994.
Musées : Baltimore (Walters Art Gal.) : *Charmeur de serpents hindou – Fantasia arabe* – Barcelone : *Amateur d'art dans son cabinet – Esclave – Sentinelle maure : herador marroqui – Sentinelle Maure : bataille de Tétouan* – Bucarest : *Le ruisseau de Darro* – Buenos Aires : *Retour de la procession sous la pluie* – Castres : *Sortie de taureaux, en Espagne – Les fenêtres* – Chicago : *Guerrier* – Copenhague (Ny Carlsberg) : *Jeune romaine, étude de tête* – La Haye (Mesdag) : *Anachorète* – Madrid : *Bataille de Wad-Ras – La reine Marie-Christine d'Espagne passant la revue des troupes* – Mannheim : *Jeune romaine, étude de tête* – Milan (Poldi Pezzoli) : *Tanger*, aquar. – Moscou (Tretiakoff) : *Amateur d'art dans son cabinet – Charmeurs de serpents marocains* – Munich : *Le duo* – New York (Metrop.) : *Espagnole* – Saint-Pétersbourg (Mus. de l'Ermitage) – Venise (Mus. Fortuny) : important ensemble d'œuvres.
Ventes Publiques : Paris, 9 mai 1874 : *Deux gendarmes* : **FRF 7 300** – New York, 1887 : *Le charmeur de serpent* : **FRF 65 000** – Londres, 1891 : *Intérieur de bazar* : **FRF 25 000** – Paris, 1892 : *Sentinelle arabe* : **FRF 4 300** – New York, 1898 : *La cour de l'Alhambra* : **FRF 10 750** ; *Déjeuner dans la cour du vieux couvent* : **FRF 34 500** ; *L'antiquaire* : **FRF 76 000** – Anvers, 1898 : *L'Arménien* : **FRF 3 400** – Paris, 20-21 mai 1898 : *Paysage des environs de Rome* : **FRF 1 000** – Paris, 1898 : *Homme assis*, dess. : **FRF 125** – New York, 1899 : *Fantasia arabe*, aquar. : **FRF 37 500** – Paris, 21 juin 1900 : *L'abbé galant* : **FRF 400** – Paris, 22-24 avr. 1901 : *Le Rémouleur* : **FRF 360** – Londres, 22 mai 1908 : *A la porte* : **GBP 43** – Paris, 4 juin 1909 : *Arabe assis* : **FRF 1 000** – Londres, 15 juil. 1910 : *Garde bédouin* : **GBP 37** – Paris, 4-5 déc. 1918 : *Carrefour en Espagne* : **FRF 230** ; *Bataille de Tituans au Maroc*, dess. reh. de blanc : **FRF 50** – Paris, 27-28 fév. 1919 : *Une Cour en Espagne* : **FRF 130** – Paris, 7 mars 1923 : *Patio mauresque* : **FRF 2 300** – Paris, 17 mars 1923 : *Le Vieux Philosophe* : **FRF 260** ; *L'Antichambre*, en collaboration avec F. Roybet : **FRF 3 250** – Paris, 12 juin 1923 : *Femme debout*, aquar. : **FRF 115** – Londres, 9 mai 1924 : *La sentinelle*, dess. : **GBP 63** ; *Cavalier arabe*, dess. : **GBP 346** – Londres, 5 juin 1924 : *Coup de mistral près d'Agay*, past. : **GBP 5** – Paris, 10-11 juin 1925 : *Buste de jeune femme* : **FRF 2 400** – Paris, 21-22 déc. 1925 : *La fontaine mauresque* : **FRF 9 500** – Paris, 19 juin 1926 : *Femme romaine à la fontaine*, aquar. : **FRF 850** – Londres, 25 fév. 1927 : *Marchand de noisettes*, dess. : **GBP 10** – Londres, 13 mai 1927 : *Un picador*, dess. : **GBP 86** – Londres, 22 juil. 1927 : *Chef arabe*, dess. : **GBP 78** – Paris, 3 fév. 1928 : *Étude d'homme*, cr. : **FRF 200** – Londres, 30 mars 1928 : *Paysage rocheux* : **GBP 68** ; *L'esclave* : **GBP 220** – Paris, 3 et 4 juin 1929 : *Jeune Italienne au puits*, aquar. : **FRF 8 500** – Paris, 12 juin 1929 : *Un grenadier* : **FRF 1 850** ; *Tête de fantaisie* : **FRF 1 850** – Paris, 26 juin 1929 : *Arabe accroupi*, aquar. : **FRF 5 300** – Paris, 18 juin 1930 : *Tête de maure* : **FRF 2 950** – New York, 4 et 5 fév. 1931 : *Le contrat de mariage* : **USD 220** – Paris, 20 juin 1932 : *Après l'exécution* : **FRF 3 300** – Paris, 14 déc. 1933 : *La Rémouleuse* : **FRF 45 100** – New York, 7-8 déc. 1933 : *La Belle de la campagne* : **USD 225** – Paris, 14 déc. 1933 : *Jeune seigneur vénitien du Moyen Age*, aquar. : **FRF 1 650** ; *La rémouleuse* : **FRF 45 100** – Paris, 8 mars 1934 : *Femme assise, de face* : **FRF 100** – Paris, 8 et 9 mai 1934 : *Un brigand*, aquar. : **FRF 2 000** ; *Vieux pont sur un ruisseau dans une ville d'Espagne* : **FRF 450** ; *Le déjeuner dans la cour d'une hôtellerie espagnole* : **FRF 1 420** – New York, 17-18 mai 1934 : *Le visiteur* : **USD 450** – New York, 4 jan. 1935 : *Joueur de mandoline*, aquar. : **USD 160** – New York, 8 fév. 1935 : *Le visiteur* : **USD 625** – Londres, 15 fév. 1935 : *Femme à l'éventail* : **GBP 7** – New York, 4 jan. 1935 : *Joueur de mandoline*, aquar. : **USD 160** – Londres, 13 fév. 1936 : *Reine d'Espagne* : **GBP 7** – Paris, 17 déc. 1936 : *Le Char de Vénus*, copie de la composition de Tiepolo conservée au Prado : **FRF 4 200** – Paris, 16 et 17 mai 1939 : *Guerrier maure*, aquar. : **FRF 1 120** – Paris, 29 déc. 1941 : *Le Souper fin, illustration pour Rolla*, gche : **FRF 700** – Paris, 13 mai 1942 : *Projet de plafond*, copie d'après Tiepolo : **FRF 700** – Paris, 8 mars 1943 : *La Plaza de Toros de Séville* : **FRF 41 000** – Paris, 27 juin 1944 : *La Tapisserie*, aquar. : **FRF 4 200** – Paris, 24 jan. 1945 : *Personnage drapé*, dess. au cr. : **FRF 3 000** – New York, 18-19 avr. 1945 : *Fou de la Cour* : **USD 1 050** ; *Fantasia arabe* : **USD 2 900** – New York, 31 jan. 1946 : *Petit déjeuner à l'Alhambra* : **USD 5 200** ; *L'hôte* : **USD 875** – New York, 12 oct. 1946 : *L'hôte* : **USD 875** – Paris, 8 juin 1949 : *Deux arabes* : **FRF 62 000** – Paris, 20 juin 1951 : *Scène arabe* : **FRF 50 000** – Paris, 18 mars 1955 : *Les maisons blanches* : **FRF 108 000** – Paris, 12 juin 1969 : *Portrait d'un acteur* : **FRF 14 500** – Milan, 16 mars 1972 : *La lecture* : **ITL 3 700 000** – New York, 10 oct. 1973 : *La Vente aux enchères* : **USD 3 250** – New York, 9 oct. 1974 : *Les Flûtes de Pan*, aquar. : **USD 3 000** – Londres, 7 mai 1976 : *L'Amateur d'art*, h/pan. (29,5x19,5) : **GBP 620** – Madrid, 25 mai 1977 : *La femme à l'éventail*, aquar. (48x32,5) : **ESP 330 000** – Milan, 10 nov. 1977 : *L'Atelier du peintre* 1897, h/t (54x81) : **ITL 4 800 000** – Londres, 30 sep. 1981 : *Le marchand d'œufs*, aquar. et cr. (24,4x30) : **GBP 1 700** – Barcelone, 26 mai 1982 : *L'Aqueduc*, h/t (53x38) : **ESP 300 000** – New York, 25 fév. 1983 : *La sentinelle* 1862, h/t (64,7x38,7) : **USD 7 000** – Londres, 24 nov. 1983 : *Jeune femme en robe bleue* 1866, aquar. reh. de blanc (36,2x24,7) : **GBP 3 200** – Londres, 19 juin 1984 : *La Bataille de Wad-Ras*, h/t, étude : **GBP 32 000** – Madrid, 24 oct. 1984 : *Portrait d'un gentilhomme*, pl. (26x25) : **ESP 250 000** – Madrid, 27 fév. 1985 : *Portrait de Jose Aixala* 1873, h/t (60x49) : **ESP 2 070 000** – New York, 21 mai 1987 : *Fantasia arabe à Tanger* 1866, h/t (50,8x62,2) : **USD 200 000** – Montevideo, 2 déc. 1987 : *Le marchand de tapis*, aquar. (20x28) : **UYU 4 027 000** – Paris, 6 mai 1988 : *Académie d'homme*, cr. avec reh. de gche (38,4x20) : **FRF 61 000** – Londres, 22 juin 1988 : *Le jeune ânier*, h/pan. (17x23) : **GBP 48 400** – Londres, 21 juin 1989 : *Une Fée-fleur* 1868, aquar. et gche (23,5x14,5) : **GBP 8 580** – New York, 24 oct. 1989 : *La sortie de l'église de San Ginès de Madrid*, aquar./pap. (12,7x21) : **USD 14 300** – Rome, 4 déc. 1990 : *Portrait de François de Bourbon*, cr. et craie/pap. (60x46) : **ITL 3 500 000** – Paris, 4 mars 1992 : *La barque* 1860, aquar. (5,5x11,5) : **FRF 7 500** – New York, 16 fév. 1993 : *Un air de mandoline* 1869, aquar./cart. (28,5x19,7) : **USD 3 520** – Monaco, 2 juil. 1993 : *Étude de nu masculin debout*, fus. avec reh. de coul. (43x28,2) : **FRF 66 600** – Paris, 4 mars 1994 : *Jeune femme de profil au corsage bleu* 1889, h/pan. (9,8x7,8) : **FRF 7 100** – Milan, 8 juin 1994 : *Convalescence* 1871, h/pan. (21,5x13) : **ITL 16 675 000** – New York, 23 mai 1997 : *Contemplation du portrait* 1874, h/pan. (40,6x31,8) : **USD 28 750**.

FORTUYN et O'BRIEN, groupe constitué de deux artistes : FORTUYN Irene Broogleever et O'BRIEN Robert
Irene Broogleever Fortuy née en 1959 en Hollande, Robert O'Brien né en 1951 en Angleterre. xxe siècle. Actifs en Hollande et aux États-Unis. Hollandaise et Britannique.
Sculpteurs.

Elle travaille avec Robert O'Brien. Ils vivent à Amsterdam et New York et exposent en tant que Fortuyn/O'Brien, depuis 1984. Ils ont été présentés, en France, en 1988, à la Maison de la Culture de Saint-Étienne.
Ils réalisent des sculptures, principalement en forme d'arcades, ménageant des espaces de vision, plus ou moins transparents –

ils peuvent être grillagés ou en Plexiglas – au travers de structures porteuses faites de tiges d'acier ou de bois. Cette mise en exergue de multiples points de vue incorpore l'espace d'une galerie ou s'installe dans un espace naturel leur imprégnant un nouveau sens et une nouvelle clarté.
Bibliogr. : Patrick Javault, in : *Art Press*, Paris – P. Hefting – *L'espace familier, l'art de la sculpture aux Pays-Bas après 1945*, Amsterdam/Bruxelles, 1985.

FORTUYN Willem
XVIIIe siècle. Actif entre 1757 et 1762. Hollandais.
Graveur.
Peut-être est-il identique au graveur Gugliemo Fortuyn, qui travaillait en Italie un peu plus tard.

FORTY Jean François
XVIIIe siècle. Actif à Paris. Français.
Dessinateur et graveur.
Il publia une série de projets pour les orfèvres et surtout pour des travaux de fer forgé, comme : *Œuvres de sculptures en bronze*, *Œuvres d'orfèvrerie à l'usage des églises*, et trois cahiers : *Œuvres de serrureries*. D'après ses dessins furent exécutés l'escalier et le portail de l'École Militaire, des grilles au Palais Royal et à Saint-Germain-l'Auxerrois à Paris, dans l'église des Augustines et au monastère des Bernardins à Marseille.
Ventes Publiques : Paris, 1896 : *Applique en bronze*, pl. et encre de Chine : **FRF 360** ; *Feu de cheminée*, pl. avec reh. de sépia et encre de Chine : **FRF 100** ; *Panneau de buffet*, pl. et aquar. : **FRF 159** – Paris, 10-11 avr. 1929 : *Ciboire*, dess., attr. : **FRF 350** ; *Encadrement en bronze ciselé*, dess., attr. : **FRF 80**.

FORTY Jean Jacques
Né en 1743 à Marseille. Mort en décembre 1800 à Aix-en-Provence. XVIIIe siècle. Français.
Peintre d'histoire, dessinateur.
Après avoir été élève de Vien, il fut reçu académicien le 25 juin 1791. La même année, il envoya au Salon de Paris : *Désintéressement d'Epaminondas*, *Portrait d'un vieil ermite*, *Jacob reconnaissant la robe ensanglantée de son fils Joseph*. Il y exposa encore en 1793 et en 1795.
Musées : Aix : *peinture décorative*.
Ventes Publiques : Paris, 3 oct. 1991 : *Hercule et Hébé*, h/pap. (22x16,5) : **FRF 4 200**.

FORTY DE LAMAR Pierre Denis
XVIIIe siècle. Actif à Paris en 1771. Français.
Peintre et sculpteur.

FORVETU Joseph
XIXe siècle. Français.
Peintre.
De 1833 à 1839, il figura au Salon de Paris avec des paysages.

FORZONI-ACCOLTI Giovanna Gastona
XIXe siècle. Active à Volterra. Italienne.
Peintre.
Dans la chapelle de la Miséricorde de la cathédrale de Volterra se trouve de la main de cette artiste une *Vierge d'Arezzo*, un *Christ au Jardin des Oliviers*. On voit aussi sa signature sur une grande peinture à l'huile : *Saint Guillaume d'Aquitaine dans l'église S. Agostino à San Gimignano*.

FORZORI Alessandro. Voir **FORTORI**

FOS Johann Dietrich
XVIIIe siècle. Actif à Hambourg. Allemand.
Graveur.
Parmi ses œuvres on cite le portrait gravé du *Pasteur J. Chr. Wolff*, d'après Geve.

FOSBERY Ernest George
Né le 29 décembre 1874 à Ottawa (Canada). XXe siècle. Canadien.
Peintre, illustrateur.
Il fut élève de l'Art School d'Ottawa, du Royal College of Arts de 1890 à 1897, de Fernand Cormon de 1897 à 1898. Il a exposé à Boston, Buffalo, Chicago, Saint Louis, New York, et diverses villes du Canada et des États-Unis où il reçut plusieurs prix et médailles. Il fut membre du Royal College of Arts.

FOSBROOKE Leonard
XIXe siècle. Actif à Ashby-de-la-Zoucle. Britannique.
Peintre de paysages et aquarelliste.
Exposa assez régulièrement, à partir de 1884, à la Royal Academy, à Suffolk Street et à la New Water-Colours Society.

FOSCARDI Ambrogio. Voir **TAGLIAPIETRA**

FOSCARI Orfeo
XVIe siècle. Actif à Rome en 1578. Italien.
Peintre.

FOSCATO S.
Né à Bologne. XXe siècle. Italien.
Peintre.
En 1938 il exposait un *Montmartre* et un *Nu* au Salon des Indépendants.

FOSCHI Andrea
Originaire de Faenza. XVIe siècle. Italien.
Sculpteur sur bois.
Il travailla à Venise et sculpta un retable et un crucifix pour l'église S. Giovanni à Latisana (Vénétie). La Brera de Milan conserve une médaille avec le portrait de cet artiste.

FOSCHI Antonio ou **di Fosco**
Mort vers 1602. XVIe siècle. Actif à Faenza. Italien.
Peintre.
Il est mentionné à Faenza à partir de 1566.

FOSCHI Antonio ou **di Fosco**
XVIe siècle. Actif à Faenza. Italien.
Peintre et orfèvre.
Il exécuta en 1516 un tableau d'autel pour la Confrérie de Saint Antoine.

FOSCHI Apollonio
Mort avant 1531. XVIe siècle. Actif à Massa (Carrare). Italien.
Peintre.

FOSCHI Ascanio
Originaire de Cesena. XVIIe siècle. Italien.
Peintre.
L'église S. Apollinare Nuovo à Ravenne possède une *Proclamazione del perdono d'Assisi* peinte par lui en 1612.

FOSCHI Carlo
Originaire de Macerata. XVIIIe siècle. Italien.
Peintre.
Il est mentionné comme ayant été un peintre de paysages réputé.

FOSCHI Francesco
Né à Ancône. Mort en 1780 à Rome. XVIIIe siècle. Actif à Bologne. Italien.
Peintre de paysages animés, paysages.
Musées : Cambrai : *Effet de neige* – Darmstadt : *Vue d'hiver* – Grenoble : *Effet de neige* – Lille : *Paysage* – Toulouse : *L'Hiver*.
Ventes Publiques : Paris, 21 mai 1927 : *Les Voyageurs par la neige* : **FRF 520** – Paris, 8 mai 1940 : *Paysage d'hiver* : **FRF 520** – Londres, 24 mars 1976 : *Paysage d'hiver*, h/t (30x49) : **GBP 2 200** – Londres, 9 mars 1983 : *Paysages d'hiver*, deux h/t (24x29) : **GBP 8 000** – Milan, 25 fév. 1986 : *Paysage d'hiver*, h/t (65x89) : **ITL 9 000 000** – Paris, 16 juin 1987 : *Paysages d'hiver*, deux h/t (71x101) : **FRF 250 000** – New York, 7 avr. 1988 : *Paysage enneigé avec un personnage sur un sentier et maisons sur la colline*, h/t (46,5x59,5) : **USD 7 700** – Monaco, 17 juin 1988 : *Paysage d'hiver*, h/t (32x44) : **FRF 61 050** – Rome, 13 déc. 1988 : *Paysage montagneux en hiver avec des voyageurs* ; *Paysage montagneux en hiver avec des bergers et leurs bêtes dans une grotte* 1776, h/t, deux pendants (chaque 124x171) : **ITL 120 000 000** – Rome, 23 mai 1989 : *Paysage d'hiver*, h/pan. (24x32,5) : **ITL 8 000 000** – New York, 10 jan. 1990 : *Paysage d'hiver avec des voyageurs sur un chemin enneigé le long d'une rivière*, h/t (119,3x170,2) : **USD 60 500** – Rome, 8 mars 1990 : *Paysage d'hiver avec des voyageurs*, h/t (75x100) : **ITL 25 000 000** – Rome, 8 avr. 1991 : *Paysage hivernal*, h/t, une paire (97,5x136 et 100x136) : **ITL 17 250 000** – Brive-la-Gaillarde, 28 avr. 1991 : *Paysage d'hiver*, h/t (89,5x96,5) : **FRF 200 000** – Monaco, 5-6 déc. 1991 : *Paysage des Alpes*, h/t (86x94) : **FRF 244 200** – Rome, 26 nov. 1992 : *Vue de Loreto avec des paysans dansant au premier plan*, h/t (44,5x57,5) : **ITL 25 000 000** – Londres, 7 juil. 1993 : *Paysage d'hiver avec un chasseur de canards et des voyageurs sur un chemin longeant une rivière*, h/t/pan. (47,2x74,3) : **GBP 9 200** – Paris, 29 mars 1994 : *Paysage d'hiver animé de personnages*, h/t (71x99) : **FRF 300 000** – Paris, 12 déc. 1995 : *Paysage d'hiver à la cascade animé de paysans*, h/t (71x99) : **FRF 230 000** – Paris, 27 mars 1996 : *Le Départ, paysage de neige*, h/t (100,5x132,5) : **FRF 70 000** – Paris, 17 juil. 1996 : *Paysage d'hiver animé de paysans*, h/t (72x94) : **FRF 92 000** – New York, 30 jan. 1997 : *Paysage d'hiver* 1779, h/t (32,7x46,7) : **USD 32 200** – Paris, 17 déc. 1997 : *Paysage*

de neige près d'une rivière avec promeneurs, t. (48x74) : **FRF 125 000**.

FOSCHI Giambattista
XVIIe siècle. Actif à Ancône. Italien.
Peintre.
Pour l'église S. Niccolo de Tolentino il exécuta en 1629 deux grands tableaux représentant l'histoire du saint.

FOSCHI Giuseppe
XVIIIe siècle. Actif à Bologne. Italien.
Graveur.
Il grava, en 1743, *Sainte Anne apprend à lire à Marie* et, en 1763, un portrait du *Chirurgien L. F. Anderlani*.

FOSCHI Nicola ou **di Fosco**
XVIe siècle. Actif à Faenza. Italien.
Peintre et orfèvre.
Il participa, avec son frère Antonio, à l'exécution d'un tableau d'autel pour la Confrérie de Saint-Antoine.

FOSCHI Pier Francesco di Jacopo
Né en 1502. Mort en 1567. XVIe siècle. Actif à Florence. Italien.
Peintre de compositions religieuses, portraits.
Musées : Chambéry (Mus. des Beaux-Arts) : *Vierge à l'enfant.*
Ventes Publiques : Milan, 20 nov. 1963 : *La Vierge et l'Enfant* : **ITL 2 000 000** – Londres, 28 juil. 1973 : *Paysage de neige animé de personnages* : **GBP 2 500** – Londres, 27 mars 1974 : *Portrait d'homme* : **GBP 3 000** – Londres, 10 déc. 1982 : *Portrait de Bartolomeo Compagni* 1549, h/pan. (103x82,5) : **GBP 42 000** – New York, 18 jan. 1984 : *Portrait d'un architecte*, h/pan. (92,7x76) : **USD 22 000** – New York, 15 oct. 1992 : *Portrait d'une dame vêtue de noir et portant un voile blanc sur la tête et tenant un livre*, h/pan. (63,5x52,1) : **USD 7 700** – Londres, 7 déc. 1994 : *Vierge à l'Enfant avec St Jean-Baptiste enfant et les anges*, h/pan. (114x88) : **GBP 122 500**.

FOSCHI Salvadore, fra
XVIe siècle. Actif à Arezzo. Italien.
Peintre d'histoire.
Le Musée des Offices à Florence possède de cet artiste quatre dessins représentant la Vierge.

FOSCHI Sigismondo
Né à Faenza. Mort après le 13 septembre 1532. XVIe siècle. Italien.
Peintre.
A la Brera de Milan se trouve une *Madone et l'enfant*, exécutée par cet artiste dans l'église San Bartolommeo de sa ville natale. On lui attribue également une *Vierge avec saints* (Pinacothèque de Faenza).
Ventes Publiques : Nice, 18 et 19 fév. 1946 : *Le couronnement d'épines* : **FRF 30 000** ; *La Vierge, l'Enfant divin, saint Jean* : **FRF 32 000**.

FOSCHINI Arcangelo ou **Fosquini**
Né en 1771 à Lisbonne. Mort le 4 avril 1834 à Lisbonne. XVIIIe-XIXe siècles. Portugais.
Peintre.
Fils du peintre italien Francesco Foschini il fut élève de J. M. da Rocha à l'Académie de Lisbonne et termina ses études à Rome et Florence. De retour à Lisbonne il devint professeur de peinture de l'Infant Dom Pedro Carlo. De 1803 à 1823 il participa à la décoration de trois salles du château royal de Paço d'Ajuda près de Lisbonne. Un tableau d'autel, daté de 1829, dans une église de Santarem près de Lisbonne, est de sa main.

FOSCHINI Francesco
Né vers 1745 à Faenza. Mort en 1805 à Lisbonne. XVIIIe siècle. Italien.
Peintre.
Il copia, pour l'église du monastère des Capucins à Faenza le tableau de Guido Reni : *La Vierge avec saint François et sainte Christine*. Il fut appelé à Lisbonne en 1771 par le marquis de Pombal à la Manufacture de faïence de la même ville.

FOSCHINI Michele
Né en 1711 à Guardia Sanframondi. Mort en 1770. XVIIIe siècle. Italien.
Peintre.
Il fut élève de N. M. Rossi et de Fr. Solimena. On cite de lui un tableau d'autel dans la cathédrale de Nusco ; également des tableaux d'autel et des fresques pour le couvent de religieuses S. Gaudioso à Naples, et la fresque de la voûte de l'église de la Paix de la même ville.

FOSCHINI Pedro Maria ou **Fosquini**
XIXe siècle. Actif à Lisbonne. Portugais.
Sculpteur.
Il était le fils du peintre Arcangelo Foschini et élève du sculpteur de la Cour J. J. de Aguiar. Il sculpta en 1822 pour le château d'Ajuda une statue de *Cérès*.

FOSCO Antonio et **Nicola di**. Voir **FOSCHI**

FOSDICK Gertrude Christiane
Née le 19 avril 1862 dans le Middlesex (Virginie). XIXe siècle. Américaine.
Peintre et sculpteur.
Élève de W. Bouguereau et J. Lefebvre à l'Académie Julian, à Paris. Membre de l'Allied Artists of America.

FOSDICK James William
Né le 13 février 1858 à Charlestown (Massachusetts). Mort en 1937. XIXe-XXe siècles. Américain.
Peintre de compositions à personnages, compositions mythologiques, religieuses.
Il était à la fois peintre et écrivain. Il fit ses études à l'École du Musée des Beaux-Arts de Boston, puis à Paris à l'Académie Julian sous la direction de Gustave Boulanger, Jules Lefebvre et Raphaël Collin.
Il s'est spécialisé dans la fresque, traitant à plusieurs reprises le thème de *Jeanne d'Arc*.
Ventes Publiques : New York, 31 mars 1994 : *Nymphes se baignant près d'une cascade*, h/t (76,2x61) : **USD 1 380**.

FOSELLA Giovanni
Né à Sargana. Italien.
Graveur.
Elève de Granara.

FOSIE Elisabeth
XVIIIe siècle. Active à Copenhague. Danoise.
Aquafortiste.
Elle était la sœur de Johanne Marie Fosie, et la fille de Jacob Fosie.

FOSIE Jacob
Mort le 1er décembre 1763 à Copenhague. XVIIIe siècle. Actif à Copenhague. Danois.
Peintre, aquafortiste et musicien.
Élève du peintre de Copenhague Hendrik Krock, il termina ses études en Italie et devint à Copenhague professeur de dessin à l'École des Cadets. Il fit des aquarelles : paysages, fleurs et fruits, parmi elles des copies de Wouwerman et autres Hollandais. Comme aquafortiste il publia en 1746 une collection de paysages et en 1747 une collection de travaux de ses élèves auxquels appartenaient son fils et ses deux filles.

FOSIE Johanne Marie, plus tard Mme **Westengaard**
Née le 24 mars 1726 à Copenhague. Morte le 23 août 1764. XVIIIe siècle. Danoise.
Peintre et aquafortiste.
Fille et élève de Jacob Fosie, elle peignit comme lui des paysages, des fleurs, des fruits à l'aquarelle, la plupart copiés d'après les Maîtres hollandais. Parmi ses eaux-fortes on cite *Le Christ devant Pilate, Deux vues du château de Christianborg, Illuminations pour l'entrée de la princesse Louise à Copenhague le 11 décembre 1743*, divers paysages et des sujets du bord de la mer.

FOSIE Michael
Né le 20 janvier 1724. Mort le 22 mai 1794. XVIIIe siècle. Danois.
Aquafortiste.
Il était fils de Jacob Fosie et ecclésiastique à Randers dans le Jutland.

FOSKHO Josef
Né en Russie. XXe siècle. Américain.
Sculpteur.
Il a participé à une exposition organisée à Paris par A. Rodin. Il figurait, en 1933, au Worcester Art Museum.

FOSMAN Gregorio ou **Forstman** ou **Vosman**
XVIIe siècle. Espagnol.
Graveur.
Parmi ses œuvres figurent : *Titre pour une vie de St Domingo de Silos* (1653), *Autodafé tenu dans la Plaza Mayor de Madrid le 30 juin 1860, Saint François Xavier, Le portrait de l'archevêque F. Manso de Zuniga.*

FOSMAN Y MEDINA Gregorio
XVIIe siècle. Espagnol.

Graveur.
Probablement fils de Gregorio Fosman, il fut également un graveur apprécié. On lui doit un *Portrait du cardinal Enrique Noris*, et les illustrations d'une *Vie de saint Julien*, d'après A. Palomino Y Velasco.

FOSQUINI Arcangelo et **Pedro Maria**. Voir **FOSCHINI**

FOSS Harald Frederick ou **Voss**
Né en août 1843 à Fredericia. Mort en 1922. XIXe-XXe siècles. Danois.
Peintre de paysages.
Fils de Hans Vilhelm Voss.
MUSÉES : COPENHAGUE : trois œuvres.
VENTES PUBLIQUES : COPENHAGUE, 18 mars 1980 : *Temps de pluie* 1889, h/t (34x56) : **DKK 4 500** – STOCKHOLM, 19 avr. 1989 : *Le Littoral* 1900, h/t (40x58) : **SEK 12 500**.

FOSS Harriet Cambell
Née vers 1860 à Middleton (États-Unis). XIXe siècle. Active à New York. Américaine.
Peintre.
Élève d'Alden Weir à New York, d'Alfred Stevens et de Courtois à Paris. A pris part aux expositions de la Société Nationale des Beaux-Arts à Paris.

FOSS Olivier
Né en 1920. XXe siècle. Français.
Peintre de paysages urbains, marines.
Il a surtout peint des vues typiques de Paris.
VENTES PUBLIQUES : LOS ANGELES, 18 mars 1980 : *Vue d'un village*, h/t (61x73,6) : **USD 625** – LUCERNE, 7 nov. 1985 : *Le canal Saint-Martin à Paris* 1965, h/t (46x55) : **CHF 2 200** – PARIS, 16 déc. 1987 : *La place de la Concorde*, h/t (38,5x54,5) : **FRF 3 200** – PARIS, 4 juil. 1990 : *Retour de pêche*, h/t (54x65) : **FRF 5 000** – LE TOUQUET, 21 mai 1995 : *Rue à Ménilmontant*, h/t (55x46) : **FRF 8 000** – NEW YORK, 7 nov. 1995 : *Sur la Seine*, h/rés. synth. (45,7x54,5) : **USD 920**.

FOSSA Franco
Né à Milan. XXe siècle. Italien.
Peintre, graveur.
Il a fréquenté l'Academia di Brera. Il a participé à diverses Biennales italiennes à Verone, Milan et à la Mostra de Carrare.
Son art au graphisme très présent évoque la condition humaine dans son emprisonnement et ses angoisses.

FOSSA François de, vicomte
Né le 3 avril 1861 à Paris. XIXe siècle. Français.
Aquarelliste et écrivain.
Il était élève de Vignal. Sous le pseudonyme d'Yvan d'Assof il figura à quelques expositions avec des paysages : vues de Marseille, de Fontainebleau. Son œuvre : *Histoire du château de Vincennes*, contient quelques-unes de ses esquisses.

FOSSA-CALDERON Julio Eduardo
Né à Valparaiso (Chili). XXe siècle. Chilien.
Peintre.
Il fut élève de Cormon, Laurens et Biloul. Il a exposé régulièrement, à Paris, au Salon des Artistes Français de 1922 à 1938. Il obtint une médaille d'argent en 1930, une médaille d'or en 1936. Hors-concours.
VENTES PUBLIQUES : PARIS, 1er juil. 1992 : *L'escarpolette*, h/pan. (41x33) : **FRF 20 000**.

FOSSAERT Mainnaert
XVIIe siècle. Actif à Anvers. Éc. flamande.
Peintre.
Il était en 1605 élève de Thomas Francken, en 1611 maître de la Gilde.

FOSSANO, da. Voir aussi au prénom

FOSSANO Stefani da. Voir **BORGOGNONE, Ambrogio di Stefano,** dit

FOSSAT Yvonne
Née le 3 mars 1894 au Havre (Seine-Maritime). XXe siècle. Française.
Peintre.
Elle a d'abord étudié à l'École des Beaux-Arts du Havre, dans l'atelier du graveur Alphonse Lamotte, puis à Paris aux Beaux-Arts et à l'Académie Colarossi. Elle a participé, toujours à Paris, au Salon d'Automne et au Salon des Artistes Français.

FOSSATI
XVIIIe siècle. Actif à Marseille. Français.
Sculpteur.
L'église des Grands-Augustins à Marseille lui doit un autel de marbre. Il reçut un premier prix de l'Académie en 1763.

FOSSATI Andrea
Né en 1844 à Toscolano (lac de Garde). XIXe siècle. Italien.
Peintre.
Il étudia et travailla à Milan. Il peignit des tableaux de genre et des portraits. Il présenta en 1900, à l'Exposition annuelle de Milan, un tableau représentant la *Salle des Fêtes de l'ancien Palais Delai à Toscolano*.

FOSSATI Bernardino ou **Fossato**
XVIe siècle. Actif à Arzo près Mendrisio. Italien.
Sculpteur sur pierre.
Mentionné en 1589.

FOSSATI Carlo Francesco
XVIIIe siècle. Italien.
Sculpteur et architecte.
Il travailla à Saint-Pétersbourg vers 1740 ; peut être est-il identique à un sculpteur du même nom qui exécuta les trophées de stuc au Palais de la Perspective Nevsky.

FOSSATI Davide Antonio
Né en 1708 à Morcote près de Lugano. Mort en 1780 à Vienne. XVIIIe siècle. Italien.
Peintre et graveur.
Il fut élève de Mariotti et de Daniel Gran. En 1728, il décora le réfectoire du monastère de Saint-Martinsberg à Presbourg. En 1731, il travailla aux peintures de la villa à Torre près d'Este et à celles du cloître de Santa Margaretta près de Lauis. Parmi ses meilleures planches figurent : *Diane et Calisto*, d'après Solimena, *La famille de Darius devant Alexandre*, *Rebecca et le Serviteur d'Abraham*, d'après Bellucci, ainsi qu'une suite de vingt-quatre vues de Venise et des paysages d'après Marco Ricci.

FOSSATI Domenico
Né en 1743 à Venise. Mort en 1784 à Venise. XVIIIe siècle. Italien.
Peintre et architecte.
Fils et élève de Giorgio F. Il étudia à l'Académie de sa ville natale et se fit surtout remarquer comme décorateur et peintre d'architectures. On trouve de ses travaux dans les théâtres et palais de Venise, Padoue, Vicenza, Verone, Udine, Monza et Gratz et à la Scala de Milan.

FOSSATI Gaétano
Né en 1862 à Meride près de Mendrisio. XIXe-XXe siècles. Suisse.
Peintre de compositions religieuses, scènes de genre.
Il fut élève de l'Académie de la Bréra à Milan, de l'Académie Albertina à Turin. Il a exposé à Genève, Berne, Lugano, Turin et Milan, où ses œuvres furent souvent récompensées.
Il a peint, entre autres : *Christ crucifié, Idylle, Retour des prés.*

FOSSATI Giorgio
Né en 1706 à Morcote. Mort en 1778. XVIIIe siècle. Italien.
Graveur et architecte.
Il exécuta les planches pour la *Raccolta di varie Tavole* (Venise, 1744) et fit aussi les dessins de sculptures dans la Scuola di San Rocco de Venise.

FOSSATI Giorgio
Né vers 1800 à Plaisance. XIXe siècle. Italien.
Sculpteur.
La chapelle del Santissimo de l'église Saint-Antoine à Plaisance lui doit un autel de marbre et deux anges, qu'il sculpta vers 1840.

FOSSATI Giovanni Maria
Originaire de Morcote sur le lac de Lugano. XVIIIe siècle. Suisse.
Sculpteur et architecte.
Peut-être est-il le frère de David Antonio Fossati. Il travailla à Dresde où il exécuta l'ancien autel en marbre de style baroque pour l'église Saint-Thomas de Leipzig, qui fut transféré dans l'église Saint-Jean. De lui aussi l'autel de marbre de la section catholique de la cathédrale de Bautzen, et probablement celui de l'église de Grossröhrsdorf près de Bautzen.

FOSSATI Guiseppe Luigi
Né en 1759 à Venise. Mort le 6 octobre 1811 à Venise. XVIIIe-XIXe siècles. Italien.

Peintre.
Fils de Davide-Antonio Fossati. Élève de l'Académie de Venise vers 1775, il se consacra surtout par la suite à l'histoire de l'art et de la littérature.

FOSSATI Pierre
XVIIIe siècle. Actif à Grenoble. Français.
Peintre.

FOSSE. Voir aussi **DELAFOSSE** et **LAFOSSE**

FOSSÉ Athanase
Né le 7 janvier 1851 à Allonville (Somme). Mort le 18 juin 1923. XIXe-XXe siècles. Français.
Sculpteur.
Élève de Cavelier, il figura au Salon à partir de 1876. La ville du Crotoy lui doit une statue en bronze : *Jeanne d'Arc prisonnière*. Sociétaire des Artistes Français, a obtenu des médailles de troisième classe en 1882, de bronze en 1889 (E. U.), de deuxième classe en 1900.
Musées : Amiens : *Th. Caudron – Jules Barnt – Un bûcheron – La vague – Jeanne d'Arc prisonnière – La nuit du 4 décembre 1851* – Arras : *Une bayadère*.

FOSSE Charles de La. Voir **LAFOSSE Charles de**

FOSSE Désiré
Né le 10 janvier 1862 à Nantillois. Mort en décembre 1913 à Nantillois. XIXe-XXe siècles. Actif à Paris. Français.
Sculpteur.
Sociétaire des Artistes Français, il a obtenu une médaille de troisième classe en 1890 et une bourse de voyage la même année.

FOSSÉ Jacques
XVIIe siècle. Français.
Sculpteur.
Avec Pierre Pavillon et Jean Rombaud, il travailla, en 1659, à la décoration de la façade de l'Hôtel de Ville d'Aix-en-Provence.

FOSSE Jean Baptiste et **Jean Charles de la**. Voir **DELAFOSSE**

FOSSE Louis
XVIIIe siècle. Actif à Paris. Français.
Peintre.
L'église Saint-Médard possède de lui un *Baptême du Christ*.

FOSSES-MENGELLE Pierre Émile
Né dans la seconde moitié du XIXe siècle à Bagnères-de-Bigorre (Hautes-Pyrénées). XIXe-XXe siècles. Français.
Sculpteur.
Il débuta, à Paris, au Salon des Artistes Français en 1903.

FOSSEY André
XIXe-XXe siècles. Actif à Paris. Français.
Peintre.
Sociétaire des Artistes Français depuis 1884.

FOSSEY Félix
Né le 12 août 1826 à Paris. XIXe siècle. Français.
Peintre, dessinateur, aquarelliste et pastelliste.
Entra à l'École des Beaux-Arts le 2 octobre 1844 et devint l'élève de Blondel et de L. Cogniet. En 1852, il obtint le deuxième prix de Rome avec : *La Résurrection de la fille de Jaïre*. De 1847 à 1869, il exposa assez régulièrement au Salon. On cite de lui : *Saint Sébastien, Éducation de la Vierge, Les quatre saisons, La Fable et la Vérité, L'Amour et la Folie, Sainte Hélène*, pour l'église de la Fère-en-Tardennois.

FOSSEY Jean
XVIIIe siècle. Actif à Bayeux. Français.
Peintre.

FOSSEYEUX Jean Baptiste
Né en 1752 à Paris. Mort en 1824 à Paris. XVIIIe-XIXe siècles. Français.
Graveur.
Élève de Moreau le jeune. Il exposa au Salon de 1793 à 1822. Il a gravé d'après Velasquez et le Dominiquin.

FOSSIER
XVIIIe siècle. Actif vers 1775. Français.
Dessinateur ornemaniste.
On cite parmi ses œuvres une série de *Trophées*, gravée par Berthault, deux planches *Orfèvrerie*, gravées par Bénard, deux planches pour les *Heureux Malheurs*, par Ingouf, et Patas grava plusieurs planches de ses dessins pour l'*Iconologie historique des Souverains de France*.

FOSSIER Christian
Né le 9 septembre 1943 à Paris. XXe siècle. Français.
Graveur, dessinateur. Abstrait.
Dès 1963, et en 1964 et 1965, Fossier à exposé à la Jeune Gravure Contemporaine. Il a également participé au Salon des Réalités Nouvelles et au Salon de Mai. Il a été invité à deux reprises en 1965 et 1967, à la Biennale de Paris, puis a exposé en 1966 à la Biennale de Tokyo et, en 1967, à la Biennale de Ljubljana. Il est représenté à l'exposition *De quelques grands états de la gravure contemporaine (1945-1991)*, au Centre d'Art d'Ivry en 1991. Le Musée de Grenoble lui a organisé en 1972 une exposition personnelle.
Les gravures de Fossier sont très caractéristiques : abstraites, elles évoquent un monde hybride, entre le règne animal et un univers mécanique. Elles inventent un espace d'étranges rencontres entre le fer et la chair, entre le souffle et le silence. Toujours en noir et blanc, souvent de grandes dimensions, ces gravures surprennent par la pureté de matières et la noblesse de la technique.

FOSSIER Matthis
XVIIe siècle. Hollandais.
Peintre.
En 1685 il fut reçu membre de la Gilde.

FOSSIN Jean Baptiste, père
Né en 1786 à Paris. XIXe siècle. Français.
Peintre et sculpteur.
En 1846 et 1847, il exposa au Salon : *Le Triomphe du Christ, La prière* (marbre), *La Vierge et l'enfant Jésus aux passiflores, Le miroir* (statue en marbre). Médaille de troisième classe en 1847.

FOSSIN Jules Jean Baptiste, fils
Né en 1808 à Paris. XIXe siècle. Français.
Sculpteur.
Élève de son père. Il figura au Salon de 1852 à 1861.

FOSSLAND Toroff
Né au XXe siècle. XXe siècle. Norvégien.
Peintre. Abstrait.
Sa peinture est abstraite. Mesurée et sage, elle manifeste un intérêt à la fois pour la forme et la couleur. Sa structure est à tendance géométrique, mais souple. Il recherche des effets de matière en incorporant dans la couleur des fragments de tissu.

FOSSOUX Claude
Né en 1946. XXe siècle. Français.
Peintre de figures, paysages animés, lithographe. Post-impressionniste.
Il expose régulièrement – 1988, 1989, 1990, 1992 – à Paris, de même qu'à New York et Chicago.
Il peint surtout des jeunes femmes élégantes, dans leurs attitudes familières ou dans des paysages fleuris.
Ventes Publiques : Paris, 29 nov. 1982 : *La conversation dans le jardin*, h/t (61x50) : **FRF 7 800** – Megève, 10 mars 1984 : *Village endormi*, h/t (54x65) : **FRF 8 000** – La Varenne-Saint-Hilaire, 6 mars 1988 : *Jeune femme à la bicyclette*, h/t (54x65) : **FRF 8 500** – Paris, 30 mai 1988 : *Jeunes filles se maquillant dans un jardin*, h/t (61x50) : **FRF 16 000** – La Varenne-Saint-Hilaire, 23 oct. 1988 : *Jeune femme cueillant des fleurs*, h/t (65x81) : **FRF 14 000** – Paris, 16 déc. 1988 : *A St-Paul de Vence*, h/t (61x50) : **FRF 42 500** – Paris, 15 fév. 1989 : *La terrasse de café*, h/t (46,5x55) : **FRF 8 300** – La Varenne-Saint-Hilaire, 3 déc. 1989 : *La cueillette des coquelicots*, h/t (50x61) : **FRF 15 200** – Paris, 11 mars 1990 : *Après-midi dans le jardin*, h/t (65x81) : **FRF 41 000** – Paris, 9 déc. 1991 : *Restaurant en plein air*, h/t (50x65) : **FRF 10 000** – Paris, 3 juin 1992 : *Le café de Flore*, h/t (49x64) : **FRF 8 500**.

FOSTÉ Théodore
XVIIIe siècle. Actif à Malines. Éc. flamande.
Sculpteur sur bois.
Il travailla en 1730 avec Verhaegen aux stalles de l'église Saint-Jean.

FOSTER A. J.
Né en 1834 à Westminster. Mort en 1897. XIXe siècle. Britannique.
Peintre de portraits.
Vint en Australie à l'âge de un an. Il était juge à la Cour Suprême en 1876. Il ne paraît pas identifiable à Arthur Joseph Foster.
Musées : Sydney : *Le Juge Sir William Windeyn*.

FOSTER Alan
Né le 2 novembre 1892 à Fulton (New York). XXe siècle. Américain.

Peintre.
Il a composé de nombreuses couvertures de revues et magazines.
Ventes Publiques : New York, 14 déc. 1973 : *L'autre côté* : **USD 1 600** – New York, 26 juin 1981 : *A disputed call* 1930, h/t (76,2x61,5) : **USD 3 750**.

FOSTER Arthur Bell
Né le 5 mars 1900. xxe siècle. Britannique.
Peintre de paysages, illustrateur.
Il fut élève de la Sheffield School of Arts. Il expose à la Royal Academy, au Royal Institute of Painters in Water-Colours, au Glasgow Institute, au Salon de Paris, et dans diverses villes d'Angleterre. Il fut membre de la United Society of Artists.

FOSTER Arthur Joseph
xixe-xxe siècles. Britannique.
Peintre de portraits, paysages.
Il exposa assez régulièrement à la Royal Academy et à Suffolk Street de 1880 à 1904.
Ventes Publiques : Londres, 21 juil. 1981 : *Vue du lac de Côme* 1874, h/t (61x107) : **GBP 230**.

FOSTER Arthur Turner
Né en 1877 à Brooklyn (New York). xxe siècle. Américain.
Peintre.
Autodidacte. Membre de l'Artland Club, du Los Angeles P. S. C. et de la California Water-Colours Society.

FOSTER Benjamin ou **Ben**
Né le 31 juillet 1852 à Northanson. Mort en 1926. xixe-xxe siècles. Actif à New York. Américain.
Peintre paysagiste et écrivain d'art.
Élève à New York d'Abbott H. Thayer et de Aimé Morot et Olivier Merson à Paris. Obtint le deuxième prix Cleveland 1895, médaille d'or Chicago 1893. Médaille bronze Paris 1900 ; médaille d'argent Saint-Louis 1904 ; Prix Webb 1901. Membre de la National Academy.
Musées : Montréal : *Clair de lune brumeux* – Paris (Art Mod.) : *Bercé par le murmure d'un ruisseau.*
Ventes Publiques : New York, 31 janv.-2 fév. 1898 : *Dans le froid et le silence* : **USD 210** ; *La Route solitaire* : **USD 500** – Londres, 5 mai 1899 : *Le Lac Strafford* : **FRF 10 500** – New York, 9 mars 1906 : *Le Retour du troupeau* : **USD 115** – New York, 11 mars 1909 : *Effet de lumière* : **USD 185** – New York, 4 mars 1937 : *Étoile du soir* : **USD 75** – New York, 14 oct. 1943 : *Sous des cieux nuageux* : **USD 200** – New York, 29 jan. 1981 : *Paysage à la rivière*, h/t (76,2x61,5) : **USD 3 500** – New York, 23 juin 1983 : *Ruisseau dans la forêt*, h/t (91,4x76,2) : **USD 3 000** – New York, 30 sep. 1985 : *Lever de lune par temps de brume*, h/t (29x107,4) : **USD 1 500** – New York, 1er oct. 1986 : *Paysage boisé*, h/t (45,7x56) : **USD 1 500** – New York, 7 avr. 1988 : *Reflets sur l'étang*, h/t (50x88,9) : **USD 1 210** – New York, 30 mai 1990 : *Le lever de la lune en octobre*, h/t (106,7x122) : **USD 3 300** – New York, 31 mai 1990 : *Bâtiment près du ruisseau*, h/t (76,2x76,2) : **USD 3 300** – New York, 21 mai 1991 : *Soirée*, h/t (86,3x66) : **USD 990** – New York, 10 juin 1992 : *Jour pluvieux*, h/t (76,4x76) : **USD 3 300** – New York, 23 sep. 1993 : *Les collines de Litchfield*, h/t (107x91,8) : **USD 9 200** – New York, 31 mars 1994 : *Matin de fin d'automne*, h/t (106,7x121,9) : **USD 4 888**.

FOSTER Bertha Knox
Née le 25 mai 1896 à Hymer (Kansas). xxe siècle. Américaine.
Peintre.
Elle fut élève de Clark, Schaeffer et Wright Poor. Elle fut membre du California Art Club et du Women Painters of the West.

FOSTER Catherine
Née en Angleterre. xxe siècle. Britannique.
Graveur.
Exposait deux pointes sèches au Salon de 1930.

FOSTER Charles
Né le 4 juillet 1850 à North Anson. xixe siècle. Vivant à Formington (États-Unis). Américain.
Peintre.
Fit ses études avec Cabane à l'École des Beaux-Arts à Paris ; travailla aussi avec Jacquesson de la Chevreuse.

FOSTER Edward Ward
Né en 1761. Mort en 1864. xviiie-xixe siècles. Britannique.
Peintre de paysages.
Il travailla à Londres, où il exposa régulièrement à la Royal Academy, de 1809 à 1828. Il était également silhouettiste.

FOSTER Enid
Né le 28 octobre 1896 à San Francisco (Californie). xxe siècle. Américain.
Sculpteur.
Élève de Chester Beach.

FOSTER F. E., Miss
xixe siècle. Active à Hitchin. Britannique.
Peintre de fruits.
Exposa régulièrement à Suffolk Street, de 1871 à 1879.

FOSTER Frederick
xixe siècle. Actif à Londres. Britannique.
Peintre de paysages.
Exposa à Suffolk Street, de 1867 à 1876.

FOSTER Grace
Née le 9 mars 1879 à Wolf City (Texas). xxe siècle. Américaine.
Peintre de genre, paysages animés.
Elle fut élève de Elia J. Hobbs, Zella Web et Frank Reaugh. Elle fut membre de la Southern States Art League.
Ventes Publiques : New York, 10 juin 1992 : *Jeune garçon avec du bétail au bord d'un ruisseau*, h/t (40,7x55,9) : **USD 1 430**.

FOSTER Herbert Wilson
xixe siècle. Britannique.
Peintre de figures, aquarelliste.
Il exposa régulièrement, à partir de 1870, à la Royal Academy, et, moins souvent, à Suffolk Street, à la New Water-Colours Society.

FOSTER J. Ernest
Né à Hull (Yorkshire). xxe siècle. Britannique.
Graveur.
Élève du Royal College of Art de Londres. Exposait au Salon de 1924 deux gravures : *La vieille grange* et *Le vieux houblon pressé.*

FOSTER John
Né en 1648 à Dorchester (Massachusetts). Mort le 9 septembre 1681 à Boston. xviie siècle. Américain.
Graveur sur bois.
Élève du Collège de Harvard, il fonda en 1675 la première imprimerie à Boston. On lui attribue la gravure de deux planches qu'il imprima lui-même : le portrait de l'ecclésiastique *R. Mather*, et une *Carte de la Nouvelle-Angleterre.*

FOSTER Leonida Adelaïde
Née à Boston (États-Unis). xxe siècle. Américaine.
Peintre de paysages.
Elle fut élève de Victor Charreton. Elle a exposé en 1923 *Les Fleurs du printemps* et en 1925 *Automne à la ferme.*

FOSTER Maria Jane
Née à Bonn (Angleterre). xxe siècle. Britannique.
Graveur.
Exposait deux bois au Salon de 1927.

FOSTER Marianne. Voir **BARRETT,** Mrs

FOSTER Miles, ou **Myles Birket,** dit **Birket**
Né le 4 février 1825 à North-Shields. Mort le 27 mars 1899 à Weybridge. xixe siècle. Britannique.
Peintre de genre, portraits, paysages, marines, aquarelliste, graveur, dessinateur, illustrateur.
Birket Foster était issu d'une ancienne famille de Quakers, il était le dernier né de sept enfants. Son grand-père avait un ami, Thomas Bewick, graveur et dessinateur, qui vécut de 1753 à 1828. Bewick, qui illustra un très grand nombre de livres connus est considéré comme le restaurateur de la gravure sur bois en Angleterre. En 1829, alors que Birket Foster était dans sa cinquième année, sa famille vint se fixer à Londres. Il commença l'étude du dessin, qu'il poursuivit successivement aux Écoles de Tottenham et de Hitchin ; le maître Parry lui donna des leçons de perfectionnement. Il termina ce cycle d'études, en 1841, à l'âge de seize ans. Il fut décidé que le jeune homme serait mis en apprentissage chez un graveur sur métal nommé Stone. Le jour même où Birket Foster devait commencer son apprentissage, le malheureux Stone se suicidait. Le jeune Birket fut envoyé chez Ebenezer Landells : il s'agissait cette fois d'un graveur sur bois qui, dans sa jeunesse (il vécut de 1808 à 1860) avait connu Bewick. Il travaillait pour un grand nombre de publications et périodiques. Au cours des cinq années qu'il passa chez Landells, Birket Foster eut le temps d'approfondir l'art de la gravure sur bois et de donner sa large part à l'exécution d'innombrables des-

sins publiés par le *Punch*, le *Punch's Almanack*, l'*Illustrated London News*, l'*Annual Almanack*, et quelques autres périodiques. À l'âge de vingt-et-un ans, soit en 1846, le jeune artiste quittait Ebenezer Landells et trouvait un éditeur en la personne de Vigetelly. Les dessins qui illustrèrent *Évangeline*, furent son premier succès. Puis il se rendit aux bords du Rhin, pour y puiser l'inspiration des gravures qu'il destinait à *Hyprion*, ainsi qu'à un ouvrage sur le fleuve. De 1846 à 1859, Foster se consacra d'une façon exclusive à l'illustration des livres et on lui doit une grande partie des bois qui ornent des œuvres célèbres de l'époque.
Il avait trente-quatre ans (1859) à ses débuts dans l'aquarelle. Sa première œuvre représentait une ferme près d'Arundel ; elle fut exposée en 1859 à la New Society of Painters in Water-Colours. L'année suivante il entrait comme associé à l'Ancienne Société des Aquarellistes, la Old Water-Colours Royal Society. Il y entrait en même temps qu'un peintre de figures en renom, Frédéric K. Smallfield. Il en devint membre en 1861. En 1861, deux ans après son début à la Water-Colours, son père mourut ; par suite d'une confusion de noms, ce fut le décès de l'artiste qui fut annoncé. Birket Foster mit toute sa discrétion à reparaître. Il quitta Londres pour se fixer dans le comté de Surrey, où il fit construire une maison de campagne. Rossetti en décora la salle à manger, tandis que Burne-Jones ornait les escaliers, que William Morris, Hunt, Walker, Pinwell, Houghton concouraient à la tâche confraternelle. Jusqu'à sa mort, survenue en 1899, à l'âge de soixante-quatorze ans, Birket Foster emprunta ses sujets à cette campagne de Surrey. Là, pas de montagnes, des sites simples, des églises de village, des petits ruisseaux. Depuis l'industrie a bouleversé le décor. En dehors des sujets eux-mêmes, empruntés presque toujours à la vie rurale, l'artiste est reconnaissable à sa facture. Les sujets sont toujours de petites dimensions ; le dessin, très soigné, pousse à l'extrême l'exécution du détail. Les couleurs, laissant apercevoir le dessin, sont fraîches. Il procède par petites touches juxtaposées, réalisant une sorte de « pointillé », mais toutefois sans régularité, évitant de « boucher » les couleurs. Cette facture rappelle un peu celle des néo-impressionnistes, « l'arrangement » des scènes demeurant toutefois conforme aux conventions reçues. Entre 1861 et 1899, c'est-à-dire à une époque où l'impressionnisme était inconnu en Angleterre, Birket Foster faisait figure de « réaliste » : il entend représenter une campagne réelle, mais dont il ne veut retenir que les aspects agréables. Cette ambiance bucolique, comme la transposition graphique de l'illustration des poètes élégiaques qu'il a si longtemps pratiquée, était en accord avec une sensibilité britannique d'époque. ■ E. C. Bénézit, J. B.

Bibliogr. : M. B. Huish : *Birket Foster, his life and work, The art annual for 1890*, Londres, vers 1890.

Musées : Aberdeen : *Portrait du peintre par lui-même* – Birmingham : *La cathédrale de Wornas* – Blackburn : *Paysage avec un cottage* – *Apenheim* – Glasgow : *Le rocher de la Loreley* – Liverpool : *Marine avec navires* – Londres (Victoria and Albert) : *Marine avec navires* – Sydney : *Printemps*.

Ventes Publiques : Manchester, 1861 : *Halte près d'une barrière*, aquar. : **FRF 3 300** – Londres, 1874 : *Les voleurs d'œufs*, dess. : **FRF 4 050** – Londres, 1874 : *Bord de la mer*, dess. : **FRF 4 725** – Londres, 1877 : *Ancienne habitation de Robert Bruce*, aquar. : **FRF 8 250** – Londres, 1887 : *Entraînement de chiens*, dessin : **FRF 7 230** – Londres, 1891 : *Le rendez-vous*, dess. : **FRF 13 385** – Londres, 1898 : *Le Printemps*, dess. : **FRF 6 025** ; *Les moissonneurs*, dess. : **FRF 6 425** – Londres, 1899 : *Le lac de Stradfort*, aquar. : **FRF 10 500** – Londres, 1899 : *Meute sortant du couvert*, dess. : **FRF 4 050** ; *Marché à Séville*, aquar. : **FRF 5 250** – Londres, 30 nov. 1907 : *Le Raccommodeur de chaises*, aquar. : **GBP 204** – Londres, 15 fév. 1908 : *Paysage*, aquar. : **GBP 105** ; *Jeune fille cueillant des nénuphars*, aquar. : **GBP 94** ; *Le Rialto, Venise*, aquar. : **GBP 105** – Londres, 29 mai 1908 : *Coblentz*, aquar. : **GBP 94** – Londres, 19 juin 1908 : *Puisant de l'eau au ruisseau*, aquar. : **GBP 105** – Londres, 26 juin 1908 : *La Charrette de bois*, aquar. : **GBP 462** ; *La Boutique du fruitier*, aquar. : **GBP 210** – Londres, 10 juil. 1908 : *Pêcheurs rustiques*, aquar. : **GBP 199** – Londres, 6 fév. 1909 : *Edimbourg*, aquar. : **GBP 75** – Londres, 13 fév. 1909 : *Lac Majeur*, aquar. : **GBP 136** – Londres, 27 mars 1909 : *Saint André*, aquar. : **GBP 131** – Londres, 11 juin 1909 : *Allant au marché*, aquar. : **GBP 252** – Londres, 25 juin 1909 : *Leçon de danse*, aquar. : **GBP 315** – Londres, 16 avr. 1910 : *Le Gué* : **GBP 131** – Londres, 23 avr. 1910 : *Greta Bridge*, aquar. : **GBP 126** – Londres, 27 mai 1910 : *Bestiaux à l'abreuvoir*, aquar. : **GBP 126** – Londres, 13 juin 1910 : *Dead Gull*, aquar. : **GBP 147** – Londres, 24 juin 1910 : *Hexham*, aquar. : **GBP 210** – Londres, 2 fév. 1923 : *Abbaye San Gregorio*, dess. : **GBP 157** ; *Ruisseau*, dess. : **GBP 215** ; *Côte rocheuse*, dess. : **GBP 183** – Londres, 23 nov. 1923 : *Mère et fille*, dess. : **GBP 31** ; *Chasse au papillon*, dess. : **GBP 30** ; *Près de la ferme*, dess. : **GBP 86** – Londres, 15 fév. 1924 : *Château de Bradgate*, dess. : **GBP 42** ; *Dans la prairie* : **GBP 152** – Londres, 21 mars 1924 : *A Hambledon*, dess. : **GBP 89** ; *Ferme au bord de la route*, dess. : **GBP 35** – Londres, 2 mai 1924 : *Chasseur*, dess. : **GBP 420** ; *Jardin*, dess. : **GBP 178** ; *Loch des Higlands*, dess. : **GBP 136** – Londres, 13 juin 1924 : *Goûter d'enfants*, dess. : **GBP 110** ; *Chartres*, dess. : **GBP 89** ; *Ferry-Boat*, dess. : **GBP 81** – Londres, 14 nov. 1924 : *Moutons et canards*, dess. : **GBP 157** – Londres, 23 fév. 1925 : *Douvres*, dess. : **GBP 54** – Londres, 15 mars 1925 : *Vallée de la Tyne*, dess. : **GBP 105** ; *Granada*, dess. : **GBP 71** ; *Sur le lac de Côme*, dess. : **GBP 65** ; *Ile de San Giorgio Maggiore*, dess. : **GBP 48** ; *Rivière* ; *Lac italien*, deux dess. : **GBP 22** – Londres, 19 juin 1925 : *Faneurs*, dess. : **GBP 651** – Londres, 2 déc. 1927 : *Arundel*, dess. : **GBP 367** ; *Temps de la fenaison*, dess. : **GBP 388** ; *En allant au marché*, dess. : **GBP 367** ; *Roquebrune*, dess. : **GBP 241** ; *Bohémiens*, dess. : **GBP 225** ; *Séville*, dess. : **GBP 141** ; *Pise*, dess. : **GBP 162** – Londres, 28 fév.-3 mars 1930 : *La rencontre*, aquar. : **GBP 945** ; *L'auberge du Lion rouge*, aquar. : **GBP 525** ; *L'enterrement du favori*, aquar. : **GBP 378** ; *Venise*, aquar. : **GBP 892** ; *Retour du bétail*, aquar. : **GBP 210** ; *Cueillette des mûres*, aquar. : **GBP 42** ; *Dépassant le troupeau*, aquar. : **GBP 756** ; *Près de la Tamise*, aquar. : **GBP 241** – Birmingham, 15 nov. 1933 : *Aberdeen*, aquar. : **GBP 60** ; *Witley*, aquar. : **GBP 52** ; *Retour du bétail*, aquar. : **GBP 210** ; *Papillons*, aquar. : **GBP 32** – Londres, 13 avr. 1934 : *A la fontaine*, dess. : **GBP 48** – New York, 17-18 mai 1934 : *La prairie*, aquar. : **USD 150** – Londres, 30 oct.-2 nov. 1936 : *Milan*, dess. : **GBP 29** ; *Le Lido, Venise*, dess. : **GBP 71** ; *Sur le Rhin* ; *Rio Ognisanti*, deux dessins : **GBP 88** ; *Ville rhénane* ; *Sur les canaux* ; *Village de pêche*, trois dess. : **GBP 162** ; *Lac italien*, dess. : **GBP 102** – Londres, 22 juin 1938 : *Paysage boisé*, dess. : **GBP 28** – Londres, 23 juin 1939 : *Trois enfants*, dess. : **GBP 81** – Londres, 21 juin 1940 : *Lac de Côme*, dess. : **GBP 31** ; *Jeunes paysans*, dess. : **GBP 68** – Londres, 26 juin 1941 : *Pont rustique*, dess. : **GBP 98** ; *Frieburg*, dess. : **GBP 29** – Londres, 31 mars 1943 : *Paysage*, aquar. : **GBP 220** ; *Sur la côte*, aquar. : **GBP 250** – Londres, 23 juin 1943 : *Florence*, aquar. : **GBP 48** ; *En Hollande* ; *A Venise*, deux aquar. : **GBP 96** – Londres, 17 sep. 1943 : *Près de Dalmally*, dess. : **GBP 714** ; *Windsor Lock*, dess. : **GBP 819** ; *Paysage d'été*, dess. : **GBP 945** ; *Scène forestière*, dess. : **GBP 441** ; *Nourrissant le chat*, dess. : **GBP 52** ; *Loch Awe*, dess. : **GBP 294** ; *Vieille, vieille histoire*, dess. : **GBP 336** ; *Au printemps*, dess. : **GBP 168** ; *Rivage*, dess. : **GBP 47** ; *Port de Marseille*, dess. : **GBP 94** ; *York*, dess. : **GBP 126** – Londres, 10 mai 1944 : *Prairie*, aquar. : **GBP 820** ; *Clovelly*, aquar. : **GBP 280** ; *Ferry-Boat*, aquar. : **GBP 460** ; *Moisson*, aquar. : **GBP 270** – Londres, 22 nov. 1946 : *Printemps*, dess. : **GBP 120** ; *Lagunes, Venise*, dess. : **GBP 50** – Londres, 24 jan. 1947 : *Cueillette de primevères*, dess. : **GBP 315** ; *Déjeuner des bûcherons*, dess. : **GBP 126** ; *Loch Marée*, dess. : **GBP 115** – Londres, 2 avr. 1947 : *A dos d'âne*, dess. : **GBP 94** ; *Lac de Côme*, dess. : **GBP 131** ; *Apeuré*, dess. : **GBP 57** ; *Glaneurs*, dess. : **GBP 63** ; *Shylark*, dess. : **GBP 52** – Londres, 25 avr. 1947 : *Lac italien*, dess. : **GBP 36** – Londres, 25 avr. 1947 : *Retour des glaneurs*, dess. : **GBP 157** – Londres, 25 juil. 1947 : *Saint Goarhausen*, dess. : **GBP 52** ; *Au travail*, dess. : **GBP 68** – Londres, 22 juil. 1959 : *Une auberge de village*, aquar. : **GBP 550** – Londres, 11 mars 1960 : *Paysage boisé du Surrey*, dess. : **GBP 945** – Londres, 16 juin 1961 : *Paysage boisé du Surrey*, dess. : **GBP 577** – Londres, 22 avr. 1966 : *La Chapelle d'Eton, vue de la rivière*, aquar. : **GNS 550** – Londres, 19 nov. 1968 : *Le chariot de bois*, aquar. et gche : **GNS 1 100** – Londres, 15 juin 1971 : *Paysage du Surrey*, aquar. et reh. de blanc : **GNS 3 000** – Londres, 20 juin 1972 : *Vue de Bellagio sur le lac de Côme* : **GBP 900** – Londres, 28 nov. 1972 : *Le Voilier dans le baquet*, gche et aquar. : **GBP 800** – Londres, 7 mars 1972 : *An alfresco dance*, aquar. : **GNS 750** – Londres, 20 juin 1972 : *Vue de Bellagio sur le lac de Côme* : **GBP 900** – Londres, 27 mars 1973 : *Paysage alpestre* : **GBP 500** – Londres, 5 nov. 1974 : *Scène de marché, Falaise*, aquar. : **GNS 1 500** – Londres, 9 nov. 1976 : *Le pique-nique*, aquar. et reh. de blanc (21x32,5) : **GBP 850** – Londres, 26 avr. 1977 : *Estuaire au coucher du soleil*, aquar. et reh. de blanc (12,5x17,8) : **GBP 550** –

Londres, 3 avr. 1977 : *Estuaire au coucher du soleil*, aquar. et reh. de blanc (12,5x17,8) : **GBP 550** – Londres, 3 juil. 1979 : *Scène de moisson*, aquar. et reh. de gche (21,5x34) : **GBP 3 200** – Londres, 6 mai 1981 : *The village tree*, aquar. (21x27,3) : **GBP 2 600** – Londres, 19 oct. 1983 : *The ford*, h/t (99x150) : **GBP 7 500** – Londres, 15 mai 1984 : *L'auberge de campagne*, aquar., gche et cr. (79x67,5) : **GBP 21 000** – Londres, 26 jan. 1987 : *Oxford from Christchurch Meadows*, aquar. reh. de gche (33x71) : **GBP 23 000** – Londres, 29 jan. 1988 : *Leith Hill dans le Surrey*, h/t (22,9x30,5) : **GBP 825** – Édimbourg, 30 août 1988 : *Les chutes du Tummel*, aquar. et gche (32x44,5) : **GBP 1 705** – Londres, 25 jan. 1989 : *La cathédrale de Glasgow*, aquar. et gche (15x20) : **GBP 3 300** ; *Retour à la maison*, aquar. et gche (19,5x14,5) : **GBP 7 150** – Chester, 20 juil.1989 : *Chaumière près de Braemar*, aquar. et gche (19,5x27) : **GBP 12 650** – Londres, 31 jan. 1990 : *La balançoire*, aquar. avec reh. de gche (28x42) : **GBP 41 800** ; *La tombée de la nuit*, aquar./cr. et gche (21x33) : **GBP 9 240** – Glasgow, 6 fév. 1990 : *Ben Cruachan*, aquar. et gche (21x26) : **GBP 8 800** – Londres, 25-26 avr. 1990 : *Le passage du gué* 1882, aquar. et gche (77x67) : **GBP 25 300** – Londres, 26 sep. 1990 : *La jeune vachère*, aquar. avec reh. de gche (35,5x60) : **GBP 13 200** – Londres, 30 jan. 1991 : *Chaumière dans les Trossachs*, aquar. et gche (28x38) : **GBP 11 000** – Londres, 8 fév. 1991 : *Le pont des soupirs à Venise*, aquar. avec reh. de blanc (29,5x22,7) : **GBP 13 200** – Londres, 5 juin 1991 : *Fillette donnant un rameau à un âne devant une petite fille assise dans l'herbe*, aquar. avec reh. de blanc (16x13) : **GBP 5 280** – Londres, 29 oct. 1991 : *Près de la mare aux canards*, cr., aquar. et gche (23,5x34,4) : **GBP 10 450** – Londres, 19 déc. 1991 : *Navigation sur le Grand Bassin près de la Salute à Venise*, aquar. et gche (35,6x53,3) : **GBP 19 800** – Londres, 3 juin 1992 : *Vus d'un balcon sur un canal de Venise*, aquar. et gche (14x10) : **GBP 1 760** – Londres, 13 nov. 1992 : *Vue de Holmwood Common dans le Surrey*, aquar. et gche (38,2x76,2) : **GBP 15 400** – Édimbourg, 13 mai 1993 : *Cottage près de Bannavie*, aquar. et gche (17,2x26) : **GBP 3 300** – Londres, 8-9 juin 1993 : *Venise*, h/t (164x282) : **GBP 29 900** – Londres, 5 nov. 1993 : *Enfants des pêcheurs*, cr. et aquar. (27x39,2) : **GBP 24 150** – Londres, 30 mars 1994 : *La provende des poules*, aquar. et gche (35x60) : **GBP 20 700** – Milan, 20 déc. 1994 : *Enfants en haut de la falaise*, aquar./pap. (30x45,5) : **ITL 3 910 000** – Londres, 29 mars 1995 : *Le Palais ducal à Venise* ; *Ile San Giorgio*, aquar. et gche (chaque 15x20) : **GBP 16 100** – New York, 18-19 juil. 1996 : *Petit paysan essayant d'atteindre un nénuphar*, aquar./cart. (21x28,6) : **USD 19 550** – Londres, 6 nov. 1996 : *L'Élan*, aquar. avec reh. de gche (20x26,5) : **GBP 18 400** – Londres, 8 nov. 1996 : *Anderlächt, sur le Rhin*, cr. et aquar. reh. de blanc (15,2x22,2) : **GBP 5 000** – Londres, 14 mars 1997 : *Voiliers sur le bassin près de la Salute, Venise*, cr. et aquar. avec reh. de blanc (35,6x53,3) : **GBP 32 200** – Londres, 4 juin 1997 : *Le Cerf-volant coincé dans un arbre*, aquar. reh. de gche (15x20,5) : **GBP 11 500** – Londres, 7 nov. 1997 : *Henley-on-Thames*, cr. et aquar. reh. de blanc (10,5x14,6) : **GBP 9 430** – Londres, 5 nov. 1997 : *Le Marché aux fleurs, Toulon*, aquar. reh. de gche (47x72) : **GBP 20 700** ; *Sur la passerelle*, aquar. reh. de gche (26x38,5) : **GBP 20 700**.

FOSTER O. L.

Né le 12 mai 1878 à Ogden (Indiana). XXe siècle. Américain.

Peintre.

Élève de Laura A. Fry et Harry Leith-Ross.

FOSTER Ralph L.

Né le 20 mai 1887 à Providence (Rhode Island). XXe siècle. Américain.

Dessinateur et illustrateur.

FOSTER Thomas

Né en 1798 à Dublin. Mort en 1826 à Londres. XIXe siècle. Irlandais.

Portraitiste.

Fort jeune, il se rendit en Angleterre et entra aux écoles de l'Académie royale où il exposa de 1819 à 1825. Il se suicida. Citons parmi ses portraits : *Miss Tree* ; *Right Hon. John Wilson Croker* ; *Sir Henry Bishop*.

FOSTER Walter H. Wallis

XIXe siècle. Britannique.

Peintre de paysages.

Il travailla à Kingsland et à Halsemere. Il exposa régulièrement à Suffolk Street, et occasionnellement à la Royal Academy à partir de 1861, jusqu'en 1881.

FOSTER Willer S.

Né le 11 mars 1885 à Gouverneur (New York). XXe siècle. Américain.

Peintre.

Il fut élève de K. Yens et de N. W. Warner. Il fut membre de la California Water Colour Society.

FOSTER William

Mort en 1812. XIXe siècle. Actif à Londres. Britannique.

Peintre de portraits.

Prit part, assez régulièrement, de 1772 à 1812, aux expositions de la Society of Artists, de la Royal Academy et de la British Institution.

FOSTER William

Né vers 1852 à Londres. XIXe siècle. Britannique.

Peintre de genre et aquarelliste.

Exposa à la Royal Academy, à Suffolk Street, à la New Water-Colours Society, à partir de 1870. Il travailla surtout à Witley. Il était fils de Myles Birket Foster.

FOSTER William Friederich

Né le 13 août 1882 à Cincinnati (Ohio). XXe siècle. Américain.

Illustrateur.

Il obtient le prix Clarke en 1926.

Ventes Publiques : San Francisco, 24 juin 1981 : *Jeunes femmes avec un chien* 1930, h/t (86x101,5) : **USD 700** – Londres, 11 oct. 1995 : *Petit garçon nourrissant son oiseau favori*, aquar. (55x43,5) : **GBP 2 300**.

FOSTER William Gilbert

Né en 1855 à Manchester. Mort en 1906. XIXe siècle. Britannique.

Peintre de genre, portraits, paysages.

Il a exposé à la Royal Academy à partir de 1876, ainsi qu'à Suffolk Street.

Musées : Bradford : *Soir* – Leeds : *Effet de soir* – *Une vie d'ombres*.

Ventes Publiques : Londres, 8 juin 1973 : *Ombre et lumière* : **GNS 600** – Londres, 28 avr. 1987 : *A mother and child at the gate of a cottage*, aquar. reh. de blanc (54,7x37,5) : **GBP 800** – Londres, 30 mars 1994 : *Hop Garden à Rolvenden dans le Kent* 1884, h/t (56x91) : **GBP 2 530** – Londres, 29 mars 1995 : *L'autre versant à perte de vue* 1894, h/t (107,5x183) : **GBP 4 025** – Londres, 7 nov. 1997 : *Le Retour des moissonneurs* 1898, h/t (106,7x182,9) : **GBP 16 100**.

FOTHERGILL J.

XXe siècle. Britannique.

Peintre.

Ventes Publiques : Londres, 6 nov. 1935 : *Mrs Dudgeon* : **GBP 15**.

FOTI Eileen M.

Née en 1963 à Brooklyn (New York). XXe siècle. Américaine.

Graveur, lithographe.

Elle a figuré, à Paris, en 1995, à l'exposition de la Jeune Gravure Contemporaine parmi les invités des États-Unis.

Tout son travail sur l'estampe évoque la matérialité de la peau, à commencer par le papier lui-même.

FOTI Luciano

Né en 1694 à Messine. Mort en 1779. XVIIIe siècle. Italien.

Peintre.

Il fut élève de Placido Celi. Il copia tout spécialement Polidoro Carravage, même dans ses propres œuvres. Beaucoup de ses copies parurent plus tard dans le commerce comme œuvres originales.

FOTINSKY Serge

Né le 3 février 1887 à Odessa. Mort le 1er septembre 1971 à Paris. XXe siècle. Depuis 1908 actif en France. Russe.

Peintre, aquarelliste, graveur, illustrateur.

En 1903 il termina ses études artistiques à Odessa. En 1904 il fut admis à l'Académie des Beaux-Arts de Saint-Pétersbourg. Après la répression sanglante de la manifestation pacifique dirigée par le moine Gapone, le 9 janvier 1905 devant le Palais d'Hiver, Fotinsky s'exila. Il rallia d'abord Berlin, puis Munich où il travailla à l'Académie. En 1908, il gagna Paris, où il vécut désormais. Il a figuré dans de nombreuses expositions collectives, notamment à Paris : Salon des Artistes Indépendants depuis 1912 jusqu'en 1965, Salon d'Automne depuis 1920, et divers groupements en province : 1927 Limoges, Bordeaux, 1928 Reims, puis Grenoble, Périgueux, etc., ainsi que, à l'étranger : 1926 Exposition Internationale de Dresde et expositions d'art russe en Italie et à Londres, diverses expositions d'art français contemporain : 1927 Vienne, 1928 Moscou, 1930 Prague,

Zagreb, Ljubljana, 1931 Varsovie, Budapest... Des expositions personnelles lui furent aussi consacrées en : 1926, 1927, 1932 galerie Billiet-Vorms Paris. En 1928, il avait été l'un des organisateurs de l'Exposition de la peinture française contemporaine au Musée de l'Art Moderne Occidental à Moscou.
Graveur sur bois, il a illustré *Ballades* de Georges Duhamel en 1926, et il a collaboré à de nombreuses revues : 1922-1924 *Montparnasse*, 1923 *Clarté*, 1928 *Monde*, 1950, 1964, 1975 *Europe*. En tant que peintre, il bénéficiait de l'amitié d'André Derain, qui lui manifesta par écrit à plusieurs reprises l'admiration qu'il éprouvait pour son œuvre, la rattachant à l'école de Paris de l'entre-deux-guerres, fauvisme et cubisme révolus, mais encore débitrice de Cézanne. ■ Lucien Scheler

Ventes Publiques : Paris, 15 mars 1943 : *Voilier au port* 1927, aquar. : **FRF 210** – Paris, 21 mai 1986 : *Tulipes à la fenêtre devant le port* 1928, h/t (100x81) : **FRF 7 200** – Paris, 29 nov. 1989 : *Remorqueurs à Marseille*, h/t (66x81) : **FRF 9 000**.

FOTUH
xe siècle. Actif vers 976. Espagnol.
Sculpteur.
A Cordoue, un chapiteau de façade d'une maison située dans la Carrera del Puente, et portant des ornements mauresques, porte la signature de cet artiste et l'année 366 de l'hégire.

FOU E.
xxe siècle. Français.
Graveur.
Il gravait à l'eau-forte. On cite de cet artiste une eau-forte originale : *Environs de Montereau*, figurant dans la collection du Victoria and Albert Museum de Londres.

FOUACE
xviiie siècle. Actif à Caen. Français.
Peintre.
Il est mentionné de 1775 à 1783.

FOUACE Guillaume Romain
Né en mai 1827 à Réville (Manche). Mort en 1895 à Paris. xixe siècle. Français.
Peintre de portraits, animaux, natures mortes, fleurs et fruits.
Il eut pour maître Yvon et se fit représenter au Salon de Paris à partir de 1870. Ses natures mortes de poissons et coquillages sont plus riches en couleur que ses portraits. On cite de lui : *Portrait de l'amiral Ducrest de Villeneuve* ; *Pommes* ; *Pot-au-feu* ; *Portrait du docteur Le Petit* ; *Lapins domestiques* ; *Béatrix* ; *Poissons et coquillages*. Il fut médaillé en 1884 et 1891.
Une exposition lui a été consacrée en 1995 au musée Thomas Henry à Cherbourg. On peut le qualifier de peintre paysan exaltant les valeurs du terroir.

G Fouace

Musées : Bourges : *Jours gras* – Cherbourg : *Portrait de Vauban* – *Portrait de Jean Bart* – Paris (Mus. du Petit Palais) : *Coup double* – Saint-Brieuc : *Huîtres et Chablis* – Stuttgart : *Nature morte au buffet*.

Ventes Publiques : Paris, 18 mai 1900 : *La Bouteille de Sauternes* : **FRF 270** – Paris, 15 juin 1900 : *Nature morte* : **FRF 105** – Paris, 12 déc. 1904 : *La Desserte* : **FRF 660** ; *Lièvre, faisan, bécasse, petits oiseaux, chaudron en cuivre* : **FRF 600** – Paris, 23 mars 1910 : *Canard et ustensiles de cuisine* : **FRF 115** – Paris, 16 mai 1923 : *Le Plat d'huîtres* : **FRF 45** – Paris, 8 mai 1924 : *Le Jambon* : **FRF 650** – Paris, 16 mai 1924 : *Nature morte* : **FRF 95** – Paris, 4 mars 1925 : *Nature morte* : **FRF 1 000** ; *Nature morte* : **FRF 650** ; *Nature morte* : **FRF 720** ; *Nature morte* : **FRF 450** – Londres, 3 avr. 1925 : *Nature morte* : **GBP 9** – Paris, 6 mai 1925 : *Nature morte, la brioche* : **FRF 350** – Paris, 30 déc. 1925 : *Nature morte : homard, huîtres, pâté, vins et fleurs* : **FRF 850** – Paris, 15 fév. 1926 : *Gros temps, environs de Cherbourg* : **FRF 1 950** ; *Radis et œufs* : **FRF 800** – Paris, 20 fév. 1926 : *Perdrix* : **FRF 310** ; *Artichauts* : **FRF 310** – Paris, 10 mars 1926 : *Branche de pommier en fleurs* : **FRF 195** ; *Poule faisane* : **FRF 350** – Paris, 3 mai 1926 : *Nature morte* : **FRF 1 080** ; *Le Pot-au-feu* : **FRF 1 200** – Paris, 16-17 mai 1927 : *Nature morte, lièvre et perdreau auprès d'une marmite en cuivre* : **FRF 1 250** – Paris, 17 mai 1929 : *Nature morte* : **FRF 1 900** – Paris, 10 fév. 1932 : *Nature morte* : **FRF 380** – Paris, 8 mai 1941 : *Les Crevettes roses* : **FRF 180** – Paris, 19 avr. 1943 : *Nature morte* : **FRF 8 100** – Paris, 5 mai 1944 : *Nature morte* : **FRF 1 750** – Paris, 14 juin 1944 : *Raisins* 1882 : **FRF 1 600** – Paris, 8 déc. 1944 : *Perdrix* : **FRF 1 510** – Paris, 20 avr. 1945 : *Nature morte aux fruits et aux légumes* : **FRF 4 500** – Paris, 30 mai 1945 : *La Coupe de fruits* : **FRF 300** – Paris, oct. 1945-Juillet 1946 : *Nature morte à la soupière* : **FRF 4 000** – Paris, 18 nov. 1946 : *Figues et Citrouille* : **FRF 3 200** – Paris, 26 fév. 1947 : *L'assiette d'huîtres* 1891 : **FRF 6 000** – Amsterdam, 15-18 et 21 avr. 1947 : *Nature morte* : **NLG 1 350** – Amsterdam, 26 mai 1970 : *Nature morte aux pêches* : **NLG 6 600** – Cologne, 15 nov. 1972 : *Nature morte aux fruits* 1884 : **DEM 2 500** – Amsterdam, 21 nov. 1973 : *Nature morte* : **NLG 2 100** – Versailles, 22 fév. 1976 : *Nature morte aux prunes*, h/t (65x81) : **FRF 3 300** – Nantes, 25 nov. 1981 : *Nature morte aux crustacés* – *Nature morte au gibier*, deux h/t (80x130) : **FRF 36 000** – Vernon, 13 déc. 1987 : *Nature morte*, h/t (134x173) : **FRF 50 000** – Amsterdam, 3 mai 1988 : *Nature morte avec des pommes*, h/t (46,5x61) : **NLG 6 325** – Rome, 14 déc. 1988 : *Nature morte au dindon*, h/t (72,5x100) : **ITL 5 500 000** – Paris, 18 déc. 1989 : *Nature morte aux huitres*, h/t (38x46) : **FRF 46 000** – Amsterdam, 11 sep. 1990 : *Nature morte avec une citrouille*, h/t (47x65) : **NLG 6 900** – Amsterdam, 6 nov. 1990 : *Nature morte au panier de pêches* 1875, h/t (53x64) : **NLG 9 200** – Paris, 9 mars 1990 : *Nature morte aux poires*, h/t (46x65) : **FRF 65 000** – Cherbourg, 24 mars 1991 : *Les poires* 1872, h/t (43,5x65) : **FRF 73 000** – Cherbourg, 24 mars 1991 : *Les Poires* 1872, h/t (43,5x65) : **FRF 73 000** – Amsterdam, 18 fév. 1992 : *Cheval se reposant dans un paysage*, h/t (49,5x65,5) : **NLG 1 265** – New York, 30 oct. 1992 : *Nature morte* 1890, h/t (55,2x69,8) : **USD 8 800** – New York, 16 fév. 1995 : *Nature morte avec des poissons et des huitres* 1875, h/t (65,4x81,3) : **USD 7 475** – Amsterdam, 11 avr. 1995 : *Nature morte au jambon* 1892, h/t (49x73) : **NLG 17 110** – Paris, 22 déc. 1996 : *Roses dans un jardin*, h/t (112x71,5) : **FRF 27 500**.

FOUARD Ernest
Né le 27 avril 1883 à Montpellier (Hérault). Mort le 14 septembre 1951 à Montpellier (Hérault). xxe siècle. Français.
Peintre.
Il fut élève de Cormon, et expose, à Paris, au Salon des Artistes Français depuis 1913, année où il obtient sa premier médaille. En 1914, il reçoit une médaille d'argent, d'or en 1921, le prix Thirion en 1921.

FOUARD Moïse Jean Baptiste
Né en 1653 à Paris. Mort le 16 mars 1726 à Paris. xviie-xviiie siècles. Français.
Graveur.
Il avait été l'élève d'Adolphe Perrelle.

FOUASSIER Jacques
xviie siècle. Actif à Paris en 1692. Français.
Peintre et sculpteur.

FOUAT Michel
Né en 1939 à Rocourt (Liège). xxe siècle. Belge.
Peintre.
Il fit ses études à l'Académie des Beaux-Arts de Liège, où il devint professeur. Influencé par Klee, il peint des paysages oniriques.

Bibliogr. : In : *Dictionnaire biographique illustré des artistes en Belgique depuis 1930*, Arto, Bruxelles, 1987.

FOUBARD Abel
Né le 8 juillet 1879 à Drivyes-les-Belles-Fontaines (Yonne). Mort le 1er février 1957 à Auxerre (Yonne). xxe siècle. Français.
Peintre de paysages.
Il fut élève d'Henri Harpignies et de Gosselin. Il exposa, à Paris, au Salon des Artistes Français, dont il devint sociétaire, y obtenant une mention en 1926, une médaille d'argent en 1935, la médaille d'or en 1942, et surtout le prix Corot, la même année. On connaît ses paysages sensibles de son Yonne natale ou des bords du Loing, chers à tant de paysagistes.

FOUBERT Claude Alain
Né en 1945 à Bois-d'Haine. xxe siècle. Belge.
Peintre, dessinateur.
Il fut élève de l'Académie des Beaux-Arts de Saint-Luc à Bruxelles.

Bibliogr. : In : *Diction. biographique illustré des artistes en Belgique depuis 1830*, Arto, Bruxelles, 1987.

FOUBERT Émile Louis
Né en 1848 à Paris. Mort en 1911 à Paris. xixe-xxe siècles. Français.

Peintre de compositions mythologiques et religieuses, sujets allégoriques, scènes de genre, portraits, paysages animés, paysages.

Il étudia la peinture à l'École Municipale de Bayonne, puis il fut élève de Léon Bonnat, Charles Busson et de Henri Lévy.

Il figura, à Paris, au Salon, de 1875 à 1879 ; au Salon des Artistes Français, dont il fut sociétaire dès 1884. Il y obtint une mention honorable en 1879, une médaille de troisième classe en 1880, une de deuxième classe en 1885, une de bronze en 1889 et une d'argent en 1900.

Parmi ses œuvres, on cite : *Le châtiment de Caïphe – Hésiode et la Muse – Le Christ à la Colonne – Nymphes et faune.*

EMILE FOUBERT

Bibliogr. : Gérald Schurr, in : *Les Petits Maîtres de la peinture 1820-1920, valeur de demain,* Les Éditions de l'Amateur, t. III, Paris, 1976.

Musées : Bayeux : *Corot – Millet* – Compiègne : *Un bras de la Seine* – Saint-Étienne : *Saint Jean dans le désert.*

Ventes Publiques : Paris, 27 jan. 1923 : *Marché en Bretagne* : **FRF 230** – Paris, 30 nov. 1923 : *Rébecca à la fontaine* : **FRF 850** – Paris, 5 déc. 1923 : *Vétheuil* : **FRF 125** – Paris, 16 mars 1925 : *Le petit village* : **FRF 155** – Paris, 4 mars 1926 : *L'Écluse* : **FRF 260** – Paris, 16 jan. 1928 : *Paysage* : **FRF 210** ; *Le petit port* : **FRF 120** – Paris, 25 nov. 1942 : *Femmes peintes au bord d'un ruisseau ombragé* : **FRF 1 800** – Paris, 8 déc. 1944 : *Baigneuse et son enfant au bord d'un lac devant un château* : **FRF 1 300** – Paris, 9 mars 1945 : *Les lavandières* : **FRF 1 500** – Paris, 14 fév. 1947 : *La barque* : **FRF 900** – Paris, 27 mars 1947 : *Bords de rivière* : **FRF 400** – Paris, 29 nov. 1950 : *Scènes villageoises,* deux pendants : **FRF 22 600** – Londres, 21 juil. 1976 : *Le pêcheur à la ligne solitaire* 1898, h/t (65x81) : **GBP 600** – Paris, 31 oct. 1980 : *Odalisque et esclave* 1879, h/t (73x46,5) : **FRF 3 300** – New York, 22 mai 1986 : *La source* 1881, h/t (200x96) : **USD 6 500** – Paris, 13 déc. 1989 : *Clairière,* h/t (38x55) : **FRF 3 500** – Rome, 26 mai 1993 : *Portrait d'enfant,* h/t (49x39) : **ITL 1 800 000** – New York, 17 fév. 1994 : *Peinture en plein air,* h/t (38x46,5) : **USD 1 495** – New York, 1er nov. 1995 : *Jeu de la main chaude* 1902, h/t (92,7x73) : **USD 16 100.**

FOUBERT Hugues
XVe siècle. Actif à Paris. Français.
Peintre.

En 1401, il exécuta les enluminures et la précieuse reliure de deux livres pour les enfants de la duchesse d'Orléans.

FOUBERT Jean Antoine
XVIIIe siècle. Actif à Paris en 1767. Français.
Peintre.

FOUBERT Jean Joseph
XVIIIe siècle. Actif à Paris en 1770. Français.
Peintre et sculpteur.

FOUBERT Pierre
XVIIe siècle. Actif à Paris en 1675. Français.
Peintre et sculpteur.

FOUBERT Rolland
XVIe siècle. Français.
Sculpteur sur bois.

Il se chargea, en 1545, de sculpter le buffet des orgues de la cathédrale de Chartres.

FOUCART Jean Georges
Né à Valenciennes (Nord). XIXe-XXe siècles. Français.
Graveur à l'eau-forte.

Élève de L. Lucas. Figura à Paris au Salon des Artistes Français où il obtint une mention honorable 1887, médaille de bronze 1900 (E. U.).

FOUCAUCOURT Gaston de
Né en 1835 à Paris. Mort en 1891. XIXe siècle. Français.
Peintre.

Fils et élève de Louis-Édouard de Foucaucourt ; il fut aussi l'élève de Harpignies.

Musées : Amiens : *Vue des bords de la Somme.*

FOUCAUCOURT Gustave de
Né au XIXe siècle à Paris. XIXe siècle. Français.
Peintre de paysages.

Il exposa au Salon de 1865 à 1888. On cite parmi ses œuvres : *Les étangs de Saint Pierre ; Vue du Mont-Blanc et de la vallée de Chamonix ; Le soir dans les marais pontins ; Le pont du Souverain ; Moulin, près de Boulogne-sur-Mer.* Il a été souvent confondu avec Gaston de Foucaucourt.

Ventes Publiques : Paris, 12 nov. 1946 (sous la désignation G. de Foucaucourt) : *Scène de chasse* : **FRF 10 000.**

FOUCAUCOURT Louis Édouard de, baron
Né en 1800 à Foucaucourt. XIXe siècle. Français.
Peintre.

En 1846, il obtint une médaille de troisième classe. De 1839 à 1859, il figura au Salon de Paris. On mentionne de lui : *Vue prise dans la vallée de Liangollen ; Site du pays de Galles ; Vue du château des comtes de Tyrol ; Bois de palmiers de Bordighera, dans la riviera de Gênes ; Les adieux de Charles-Édouard ; Les environs du lac de Côme.*

FOUCAUD Auguste
Né en 1786 à Périgueux. Mort vers 1844. XIXe siècle. Français.
Peintre et lithographe.

Élève de Lacour, de Bordeaux. Il exposa au Salon de Paris, en 1827, 1837 et 1838. On cite de lui : *L'Adoration des Mages* (lithographie d'après un tableau allemand), et *Les confidences* (aquarelle).

FOUCAULT
Né le 1er décembre 1945. XXe siècle. Français.
Peintre.

Il fit ses études à l'Institut d'Art Plastiques de Tournai, en Belgique. Il expose collectivement, à Paris, aux Salons Figuration Critique, et Grands et Jeunes d'Aujourd'hui.

FOUCAULT Denis
XVIIe siècle. Actif à Paris en 1680. Français.
Peintre et sculpteur.

FOUCAULT Georges
Né à Montereau (Seine-et-Marne). XXe siècle. Français.
Peintre de paysages, natures mortes.

Exposant, à Paris, du Salon d'Automne de 1921 à 1931.

FOUCAULT Gustave Louis
XIXe siècle. Français.
Peintre de portraits.

Exposa au Salon de Paris, en 1837 et 1848, des portraits.

FOUCAULT Hélène
Née le 6 mars 1886 à Paris. XXe siècle. Française.
Peintre.

Elle fut élève de F. Humbert. Exposant, à Paris, du Salon des Artistes Français.

FOUCAULT Henri
XXe siècle. Français.
Sculpteur, peintre de collages.

Il montre ses œuvres dans des expositions personnelles en 1994, à Paris, au salon Découvertes, présenté par la galerie Michèle Chomette, et à l'Espace Saint-Eustache.

Depuis 1991, il privilégie les photogrammes, dessinant avec un filament de métal des figures blanches sur du papier photographique, au moment de la solarisation, dans un temps très court par conséquent. Il réunit ses formes, organise ses volumes sur de grands panneaux ou les utilise comme modèle pour certaines de ses sculptures. Pour réaliser celles-ci, il s'interroge sur divers matériaux qu'il s'approprie ensuite : moquette, papier buvard, vinyle.

Bibliogr. : Gilles Genty : *Henri Foucault,* Beaux-Arts, n° 121, Paris, mars 1994 – Dominique Païni : *Henri Foucault,* Art Press, n° 193, Paris, juil.-août 1994.

FOUCAULT Pierre
XVIe siècle. Actif à Troyes. Français.
Sculpteur sur bois.

Il fit, de 1508 à 1509, une chaire pour l'église Saint-Jean, à Troyes, et fournit, en 1525, le modèle des stalles du chœur de la cathédrale.

FOUCAULT Simon C.
Né le 3 mai 1884 à Nantes (Loire-Atlantique). XXe siècle. Français.
Sculpteur.

Il fut élève de Coutan. Grand Prix de Rome en 1912.

FOUCEEL
XVIIe siècle. Français.
Paysagiste et graveur à l'eau-forte.

Il a gravé des *Paysages.*

FOU CHAN. Voir **FU SHAN**

FOUCHÉ Hugues
XIVe siècle. Français.
Sculpteur.
Il fut un de ceux qui travaillèrent à l'ornementation du château de Riom, en 1386, pour le compte du duc Jean de Berry.

FOUCHÉ Nicolas ou **Foucher**
Né en janvier 1653 à Troyes. Mort en 1733 à Paris. XVIIe-XVIIIe siècles. Français.
Peintre d'histoire, sujets mythologiques, scènes de genre, portraits, paysages, graveur.
Il fut élève de Mignard.
MUSÉES : AMIENS : *Vue des bords de la Somme* – RENNES : *La Mère et l'enfant*, dess. – SAINT-LÔ : *Portrait de Marie de Lorraine, duchesse de Valentinois.*
VENTES PUBLIQUES : MONACO, 2 déc. 1989 : *Marie-Thérèse de Bourbon, princesse de Conti*, h/t (118x88) : **FRF 61 050** – PARIS, 28 juin 1993 : *Le Jugement de Pâris ; Pan et Syrinx*, h/t, une paire (chaque 43x81) : **FRF 98 000** – NEW YORK, 21 oct. 1997 : *Portrait de Marie de Lorraine, Duchesse de Valentinois, et de sa jeune sœur Charlotte de Lorraine, Mademoiselle d'Armagnac, devant un parapet, un paysage dans le lointain*, h/t (97,8x130,8) : **USD 90 500**.

FOUCHER Alphonse Charles
Né au XIXe siècle à Paris. XIXe siècle. Français.
Graveur sur bois.
Figura au Salon des Artistes Français où il obtint une mention honorable en 1899.

FOUCHER Dominique
Née le 9 décembre 1936 à Boulogne-sur-Mer (Pas-de-Calais). XXe siècle. Française.
Peintre, peintre de cartons de mosaïques.
Elle a étudié à l'École des Beaux-Arts de Paris dans l'atelier de Brianchon. Elle a participé au Salon d'Automne, et, en 1963, à la Biennale de Paris.
Sa peinture est non-figurative. Elle réalise surtout des mosaïques.

FOUCHER Herminie, Mme. Voir **GUDIN**

FOUCHER Jean François
Né en 1761 à Paris. XVIIIe siècle. Français.
Peintre de marines.
Restaurateur de tableaux, il travailla pour le musée Napoléon.
VENTES PUBLIQUES : AUCH, 19 juin 1982 : *Scène de port* 1806, h/t : **FRF 4 600**.

FOUCHER Luc Antoine
Né le 30 juillet 1851 à Melle (Deux-Sèvres). XIXe siècle. Actif à Paris. Français.
Peintre.
Sociétaire des Artistes Français depuis 1904. Il fit surtout des miniatures.

FOUCHIER Bertram de et non **Bartram** ou **Fouquier**
Né le 14 février 1609 à Berg-op-Zoom. Mort le 25 août 1673 à Berg-op-Zoom. XVIIe siècle. Hollandais.
Portraitiste et peintre de genre.
Élève de Van Dyck, à Anvers, de 1634 à 1636, puis de Jan Bylert à Utrecht. Il travailla à Venise, Rome, Florence, Paris, Anvers, puis revint à Berg-op-Zoom. Il copia les œuvres de Tintoret et d'Adrien Brouwer. Il a fait aussi de la peinture sur verre.
MUSÉES : VIENNE (Albertina) : *Vulcain montrant aux dieux Mars et Vénus.*

FOUCHIER N. et **Robert**. Voir **FAUCHIER**

FOUCHIER Paulus de ou **Fouquier**
Né en 1643 à Berg-op-Zoom. Mort en 1717 à Haarlem. XVIIe-XVIIIe siècles. Hollandais.
Peintre.
Fils de Bartram de Fouchier. Il eut lui-même un fils également appelé Paulus et qui fut peut-être peintre.

FOUCHIER Willem de
Né après 1674. Mort avant 1739 à Amsterdam. XVIIe-XVIIIe siècles. Hollandais.
Peintre.
Fils de Paulus Fouchier, il fit d'abord des peintures décoratives grandeur nature, puis de petits tableaux représentant des boutiques, des auberges, des mascarades, à la façon de Janssen, Metsu et Biset, puis des fleurs, et enfin des peintures murales avec des chasses ou des batailles.

FOUCOU Jean Joseph
Né le 7 juin 1739 à Riez. Mort en 1815 à Paris. XVIIIe-XIXe siècles. Français.
Sculpteur de statues, bustes.
Il fut fait académicien le 30 juillet 1785 pour son ouvrage : *Un fleuve*, marbre. Il exposa de 1779 à 1812 au Salon.
On cite de lui : *Le bailli de Suffren*, statue en marbre pour la ville de Salon ; *Ariane abandonnée ; Puget*, statue en pierre ; *Buste du cardinal Maury ; Erigone*, statue en marbre ; *Chasseur de cavalerie*, statue en marbre pour l'arc de triomphe de la place du Carrousel ; *La Gloire*, statue en marbre ; *Buste de Jean Goujon.*
MUSÉES : AIX : *L'Amour*, terre cuite, figurine – MARSEILLE : *Faune*, statuette – *Bacchante*, marbre, statuette – *Vénus*, marbre, statuette – *Buste de Puget* – *Projet de monument à Pierre Puget* – PARIS (Louvre) : *Un fleuve*, marbre, statuette – *Bacchante portant un petit satyre*, marbre – PARIS (Comédie Française) : *Regnard-Dancourt*, marbre, buste – *Buste de Regnard*, marbre – VERSAILLES : *Buste du général Auguste Dampierre* – *Duguesclin* – *Buste du poète comique Florent Dumont.*
VENTES PUBLIQUES : PARIS, 21-22 mars 1935 : *Bacchante dansant*, marbre blanc : **FRF 5 100** – PARIS, 25 jan. 1937 : *Profil d'enfant*, plâtre, bas-relief : **FRF 500** – MONTE-CARLO, 6 fév. 1978 : *Buste de femme* 1776, marbre blanc (H. 65) : **FRF 6 000** – MONTE-CARLO, 25 nov. 1979 : *Femmes vêtues à l'Antique*, marbre blanc, paire de torchères (H. 134, diam. 24) : **FRF 320 000** – PARIS, 18 mars 1981 : *Femmes drapées à l'antique tenant des torchères*, terre cuite (H. avec socle 106) : **FRF 250 000**.

FOUCQUART Lottard
XVe siècle. Actif à Tournai. Éc. flamande.
Sculpteur.

FOUCQUET. Voir **FOUQUET**

FOUCQUET Lambert
XVIIe siècle. Actif à Paris en 1683. Français.
Peintre et sculpteur.

FOUCQUIER. Voir **FOUQUIÈRES**

FOUCQUIÈRE. Voir **FOUQUIÈRES**

FOUDIOKA Hajimé
Né au Japon. XXe siècle. Japonais.
Peintre.
Exposait deux peintures au Salon des Tuileries de 1930.

FOUERE-MARTIN Yves Charles
Né le 16 octobre 1891 à Rennes (Ille-et-Vilaine). XXe siècle. Français.
Peintre, céramiste.
Sociétaire du Salon des Artistes Décorateurs, et exposant à Paris du Salon d'Automne.

FOUET Jacques
XVIIe siècle. Français.
Peintre.
Siret dit que, reçu à l'Académie en 1664, il en fut exclu presque aussitôt.

FOUET Louise Berthe
Née au XIXe siècle à Paris. XIXe siècle. Française.
Peintre de fleurs, de fruits et pastelliste.
Élève de Mme Mallou. En 1878, 1879 et 1880, elle figura au Salon.

FOUET Robert
Né à Genève. XXe siècle. Suisse.
Peintre.
Il exposa des paysages rapportés de ses voyages.

FOUGEAU, famille d'artistes
XVIe-XVIIe siècles. Actifs à Saumur. Français.
Sculpteurs, architectes.

FOUGEIROL Jacques
Né le 30 juin 1929 à Saint-Laurent-du-Pape (Ardèche). XXe siècle. Français.
Peintre, graveur.
Autodidacte de formation, ce n'est qu'après avoir exercé une activité professionnelle autre, que Jacques Fougeirol s'est décidé à répondre à sa véritable vocation et à se consacrer uniquement à elle. Ses premières expositions particulières, à Marseille puis à Paris, remontent à 1968. En 1969, il participe à l'*Exposition d'art fantastique*, au Château de Culan (Cher).

De fait, ses assemblages de volumes structurés, qui épousent les clivages du monde minéral, se perçoivent plus comme des développements oniriques à partir d'un thème, le visage humain très souvent, que comme des abstractions pures. La matière y est traitée avec une grande douceur, mais une extrême assurance technique, dans une gamme chromatique ouatée, dont les tons froids sont en accord intime avec l'étrangeté de la composition.

■ J. B.

Musées : Mulhouse (Cab. des Estampes) – Paris (Mus. d'Art Mod. de la Ville).

FOUGERAT Emmanuel

Né le 25 décembre 1869 à Rennes (Ille-et-Vilaine). Mort le 3 septembre 1958 à Paris. xxe siècle. Français.

Peintre de scènes typiques, figures, nus, portraits, paysages.

Il fut élève d'Albert Maignan et de Jean-Paul Laurens. Directeur de l'École des Beaux-Arts de Nantes, et fondateur conservateur du Musée.

Il n'a cessé jusqu'en 1945 d'exposer régulièrement, à Paris, au Salon des Artistes Français, où il obtint dès 1899 diverses récompenses. Chevalier de la Légion d'honneur en 1912.

Jusqu'à la fin de sa carrière, il a peint des paysages et des scènes de genre de sa Bretagne natale, à laquelle il est toujours resté fidèle.

FOUGERAT

Musées : Nantes : *Jeune ouvrier* – Paris (Mus. d'Art Mod. de la Ville) : *Portrait de Madame Fougerat* – Saint-Nazaire : *L'Enfant* – Vitré : *Le Peintre et sa femme.*

Ventes Publiques : Paris, 12 mai 1923 : *La Toilette* : **FRF 450** – Londres, 27 juil. 1973 : *Nu à son miroir* : **GNS 300** – Versailles, 14 déc. 1980 : *Jeune femme nue assise*, h/t (22x16) : **FRF 2 000** – Versailles, 22 avr. 1990 : *Nu assis*, h/t (46x38) : **FRF 10 000** – Paris, 23 oct. 1991 : *Jeune femme alanguie, vue en buste*, h/t, de forme ovale (24x30,5) : **FRF 7 000.**

FOUGÈRE Amanda

Née en 1821 à Coutances (Manche). xixe siècle. Française.

Peintre de figures, portraits, fleurs et fruits.

Élève de Steuben et de M. Monvoisin, elle fut médaillée en 1847 et figura au Salon de 1844 à 1870.

On cite d'elle : *Saint Paul ; Mendiant espagnol ; Fileuse au fuseau ; Sainte Cécile ; Solitaire ; Portrait de Mgr Deperg évêque de Gap ; Deux orphelines ; Le repas de l'ermite ; Petite villageoise ; Jeune fille mauresque.*

Ventes Publiques : Paris, 22 juin 1992 : *Le Panier de cerises*, h/t (116x89) : **FRF 21 000.**

FOUGÈRE Germaine

xxe siècle. Française.

Sculpteur.

Elle exposa à Paris au Salon des Artistes Français en 1939.

FOUGEREZ F.

xxe siècle. Français.

Peintre.

Ventes Publiques : Londres, 9 juil. 1926 : *Femme assise* : **GBP 42** – Londres, 28 et 29 juil. 1926 : *Femme assise* : **GBP 14.**

FOUGERON André

Né le 1er octobre 1913 à Paris. xxe siècle. Français.

Peintre de compositions à personnages, figures, peintre à la gouache, aquarelliste, graveur, peintre de cartons de mosaïques, peintre de décors de théâtre, décorateur. Réaliste-socialiste, tendance figuration narrative.

Il est issu d'une famille ouvrière-paysanne originaire de la Creuse. Après avoir obtenu le certificat d'études primaires, il débute sa vie professionnelle comme apprenti dessinateur, devient métallurgiste dans les usines Renault, puis chômeur, écrit-il laconiquement dans une biographie, ajoutant toutefois : marié, trois enfants. En matière artistique, il se forme seul en fréquentant les cours du soir. En 1939, il adhère au parti communiste. Durant l'occupation, il milite dans la Résistance. En 1942, il est responsable du Front national des arts, puis secrétaire de l'Union des arts plastiques. En 1947, il se rend en Italie et visite Milan, Venise, Ravenne, Padoue, Arezzo, Naples puis se fixe à Rome pour plusieurs mois d'études. C'est là qu'il nouera des amitiés profondes avec Renato Guttuso, Gina et Nino Franchina et Ewa Garztecka.

Il débute au Salon des Surindépendants de 1937. Il réalise de nombreuses expositions personnelles en France et à l'étranger, parmi les principales : 1946, galerie Billiet-Caputo, Paris ; 1951, galerie Bernheim-Jeune, Paris ; 1952-1955, galerie Raymond Creuze, Paris ; 1953, galerie la Colona, Milan ; 1956, Musée des Beaux-Arts, Tours ; 1956, galerie Sagot-le Garrec, Paris ; 1958, galerie la Proue, Bruxelles ; 1960, galerie Montmorency, Paris ; 1964-1969, galerie Katia Granoff, Paris ; 1967, Neue Berliner Galerie, Berlin (République Démocratique Allemande) ; 1968, Kunsthalle, Weimar, (R.D.A.) ; 1968, Albertinum (*Neue Meister*), Dresde (R.D.A.) ; 1968, Musée Pouchkine, Moscou ; Musée de l'Ermitage, Léningrad ; 1972, Centre International d'Art Contemporain, Paris ; 1973, Chapelle des Cordeliers, Châteauroux ; 1974, Centre d'Art Dramatique, Tours ; 1975, galerie Jeanette Laverrière, Paris ; 1977, Maison de la culture, Châteauroux ; 1976-1977, Galerie Toninelli, Rome, Bologne, Milan, Palerme ; 1978, Städtische Kunsthalle, Recklinghausen, (R.F.A) ; 1987, 1989, 1993, galerie Jean-Jacques Dutko, Paris.

Il a décoré l'église de Romainville et exécuté de très nombreuses décorations pour des bâtiments municipaux. En 1946, il obtint le prix national de la Direction des arts et lettres, en 1968 le Grand Prix des Peintres Témoins de leur Temps, en 1976 le prix de la peinture de la 2e Triennale internationale d'art réaliste, à Sofia. Il est membre correspondant (Classe de peinture) de l'Accademia Delle Arti Del Disegno, Florence, 1980.

Avant-guerre, il s'associe avec des artistes comme Gischia, Pignon, Robin et Tal-Coat, pour ses recherches sur l'arabesque. Il participe également au groupe *Art Cruel*, réuni par J. Cassou (galerie Billiet-Worms). Intellectuel marxiste, il s'engage dans un expressionnisme virulent en illustrant les événements politiques tels que la guerre civile : *Hommage à Franco ! ! !* (1937) ou la résistance au nazisme : *À mort la bête* (1944). Le xie Congrès du parti communiste sera pour lui déterminant quant à sa manière de peindre, développant avec *Parisiennes au marché* (1947-48), une esthétique que l'on peut qualifier de réaliste socialiste, qui est en fait la dimension internationale et expansionniste de la politique culturelle de l'Union soviétique, officiellement proclamée en 1934. Fougeron participe alors à la « querelle du réalisme », puisque les communistes occidentaux nomment cet art « nouveau réalisme ». Ses peintures, à l'iconographie strictement définie, deviennent des actes politiques au service de la dialectique marxiste-léniniste : un reflet « correct » de la réalité dans une perspective révolutionnaire. En accord avec ses engagements, il va vivre, en 1950-51 à Lens, et réalise la série *Le Pays des mines* : des sujets ouvriers traités dans une manière uniquement réaliste : *L'Ouvrier mort*. En lutte ouverte, il proteste contre l'Organisation du Traité de l'Atlantique Nord : *Les Paysans français défendent leurs terres* (1953), contre la guerre du Viêt-nam : *Viêt-nam 67* (1967). Dans les années soixante-dix, sa figuration perd de son hiératisme « historique » pour évoluer vers une stylisation plus souple et peut-être féconde. Surtout connue pour sa période réalisme socialiste, l'œuvre de Fougeron n'est pas monolithique. Elle glisse vers une figuration narrative – qu'il avait d'ailleurs largement ébauchée vingt ans auparavant – où l'important est de raconter dans l'espace et le temps. Certaines rétrospectives thématiques nous rappellent qu'il a ensuite abordé des thèmes plus traditionnels. En témoigne la série d'œuvres exposées, en 1989, à la galerie Jean-Jacques Dutko, à Paris, et intitulée *Femmes d'Italie*, présentant des figures féminines éclatantes de couleurs d'une gamme chromatique composée de rouge, jaune, orange et vert, posés en aplats ou brossés en traits rapides. La composition met en « lumière » l'arrondi des formes et d'élégantes arabesques. Ailleurs, aquarelles gouachées, mosaïques ou peintures à l'huile (*Femmes d'Italie*, 1947) révèlent l'influence de la projection spatiale du cubisme et de l'esthétique fauviste, sans renoncer toutefois au réalisme des attitudes et des formes. Autre thème cher à Fougeron, le rugby. *Sortie de mêlée* (1965-1966), *À la touche* (1967-68), *Prise de balle* (1970) et *Rugby spectacle* (1973) renvoient selon les propos de l'artiste, à « l'inextricable entremêlement des formes », lorsque les joueurs se retrouvent dans la mêlée, lors d'un placage ou d'une prise de balle. Découpes et enchevêtrements des bras, têtes, torses (...), oppositions de couleurs (rouge, blanche bariolée de noir) font vivre en mouvement ces œuvres. Celles-ci illustrent la symbolique de ce sport qui est de lutter pour la balle et la « faire vivre », tout comme chacun doit lutter pour son existence, donc la vivre, et parfois lutter pour celle des autres.

■ Christophe Dorny

Bibliogr. : L. Aragon : *Album de dessins*, Éditions Les 13 Épis, Paris, 1946 – in : *Nouveau dessin, nouvelle peinture*, Librairie

Médicis, Paris, 1946 - J. Fréville : *Le Pays des Mines*, Éditions Cercle d'Art, Paris, 1951 - J. Uhlitzsch : *André Fougeron*, Éditions E.A. Seeman, Leipzig, 1970 - J. Rollin : *André Fougeron*, Éditions Hentschel, Berlin, 1972 - in : *L'Art en Europe les années décisives 1945-1953*, Skira, Genève, 1987 - Galerie Jean-Jacques Dutko Album-catalogue : *Pièces détachées 1937-1987*, Paris, 1987 - in : *L'Art du xxe siècle*, Larousse, Paris, 1991.

Musées : Paris (Mus. d'Art Mod. de la Ville) : *La jeune fille au miroir* – *Les Gens de la mer* – Paris (Mus. du Petit Palais) : *La Trieuse de cailloux*.

Ventes Publiques : Paris, 25 oct. 1987 : *Jeune femme pensive* 1945, h/t (61x46) : **FRF 22 000** - Versailles, 21 fév. 1988 : *Marchande d'oranges à Rome* 1947, gche (65,5x49,5) : **FRF 6 500** - Le Touquet, 12 nov. 1989 : *La mêlée de rugby*, h/t (22x33) : **FRF 42 000** - Paris, 22 jan. 1990 : *Portrait de femme* 1944, past. (45x62) : **FRF 14 000** - Neuilly, 7 fév. 1990 : *Jeune marchande de volaille* 1946, aquar. (61x47) : **FRF 43 000** - Milan, 27 sep. 1990 : *Couple conspué*, h/t (100x72) : **ITL 2 000 000** - Paris, 29 avr. 1991 : *Visage de femme*, fus. (48x63) : **FRF 4 200** - Calais, 5 avr. 1992 : *Vase de fleurs* 1946, h/t (55x38) : **FRF 7 500** - Paris, 4 mars 1994 : *Nature morte* 1944, h/t (55x45) : **FRF 4 500**.

FOUGERON Ignace

xviiie siècle. Actif à Londres. Britannique.

Graveur.

On trouve son nom sur les catalogues de la Society of Artists et à la Free Society.

FOUGEROUSSE Jean Louis

Né le 10 décembre 1870 à Paris. xxe siècle. Français.

Peintre de scènes de genre.

Sociétaire, à Paris, du Salon des Artistes Français. Il y obtint une mention honorable en 1909.

FOUGEROUX Georges

Né le 13 mai 1902 à Paris. xxe siècle. Français.

Peintre.

Il travaille avec Lapoujade. Il participe, à Paris, aux Salons des Artistes Français, d'Automne et des Indépendants.

FOUGERT Huguette

Née le 1er novembre 1928 à Saint-Cyr-sur-Morin (Seine-et-Marne). xxe siècle. Française.

Peintre de paysages, fleurs.

Elle a été élève de Charles Bischoff. Elle expose, à Paris, au Salon d'Automne et au Salon de la Société Nationale des Beaux-Arts. Sa peinture est figurative, parfois proche de l'abstraction, utilisant les transparences dans un esprit assez expressionniste. Elle est surtout paysagiste mais traite parfois les thèmes de la vie moderne. Elle peint aussi des bouquets.

FOUGERY Anny

Née le 14 septembre 1915 à Paris. xxe siècle. Française.

Peintre.

Elle expose, à Paris, au Salon des Réalités Nouvelles et est Sociétaire du Salon d'Automne.

FOUGET Simonet

xive siècle. Français.

Sculpteur.

Il collabora, en 1386, à l'ornementation du château de Riom, en Auvergne, pour le compte du duc Jean de Berry.

FOUGSTEDT Arvid

Né en 1888 en Suède. xxe siècle. Suédois.

Peintre.

Il fut élève de Henri Matisse dont il fréquenta l'Académie parisienne en 1909 et 1910. En 1929, il figurait à l'exposition de l'art suédois, à Paris, avec trois portraits et une œuvre intitulée : *Au balcon*.

Ventes Publiques : Stockholm, 16 mai 1984 : *Portrait d'homme* 1932, h/t (92x83) : **SEK 12 000** - Stockholm, 20 avr. 1985 : *Autoportrait*, h/pap. (24x18,5) : **SEK 4 900**.

FOU HI. Voir **MA YUAN-YU**

FOUILHOUZE Félix

Né au xixe siècle à Saint-Dié (Vosges). Mort en 1885. xixe siècle. Français.

Peintre.

Il eut pour maîtres Bellel et Ouvrié. Au Salon de Paris, il figura de 1836 à 1882. On cite de lui : *Le lac de Brientz* ; *Vue prise à Oberwesel* ; *Vue prise dans la vallée de Meyringen* ; *Vallée de Rocheson* ; *Vue prise dans les Vosges* ; *Souvenir de Suisse*.

FOUILLEUL Georges René

Né à Paris. xxe siècle. Français.

Peintre, aquarelliste.

Il exposa, à Paris, au Salon de la Société Nationale des Beaux-Arts à partir de 1923.

FOUINET Ernest, Mme

xixe siècle. Française.

Peintre.

Le Musée de Pontoise conserve de cette artiste : *Église d'Eaubonne*.

FOUJINO Shuzaku Paul

Né le 5 septembre 1925 au Japon. Mort le 1er mars 1982 à Paris. xxe siècle. Depuis 1953 actif en France. Japonais.

Peintre, décorateur. Abstrait.

Il a d'abord étudié au Japon. Arrivé en France en 1953, il fréquente l'Académie Julian et l'École Nationale des Beaux-Arts dans l'atelier de Souverbie entre 1955 et 1956. Il travaille également dans l'atelier de Lacasse de 1953 à 1956.

Il expose au Japon dès 1948. Il participe à de nombreuses expositions collectives en France et à l'étranger. Sa première exposition individuelle a lieu en 1960, à Paris, galerie Jacques Massol. Il exposera en 1961 à Londres, en 1963 à Colombus aux États-Unis (Ohio), en 1964 à Bruxelles, en 1965 à Berlin-Ouest, en 1972 à Paris. Il obtient le prix Julian en 1955.

Il a travaillé en collaboration avec les architectes P. Chemetov et J. Decroche : en 1965 au Foyer des Vieux, à Romainville (béton peint et carreaux) ; en 1966 dans l'Immeuble central de l'ensemble de Vigneux (peinture) ; en 1969 pour le Stade nautique de Villejuif (relief en béton) ; en 1971 pour la Sécurité sociale de Vigneux (carreaux émaillés) ; en 1972 au Stade nautique de Chatillon-Malakoff (béton, galets et carreaux). Foujino a réalisé d'autres travaux monumentaux à Osaka, Paris, Avignon, Vitry... Ses toiles sont abstraites, figurant en surface des formes souples qui semblent être assemblées selon un lointain ordre géométrique.

FOUJIOKA Nobom

Né à Hiroshima. xxe siècle. Japonais.

Peintre.

Exposa au Salon d'Automne en 1930 et 1931.

FOUJITA Tsuguharu, puis **Léonard**

Né le 27 novembre 1886 à Edogama (près de Tokyo), baptisé en 1959. Mort le 29 janvier 1968 à Zurich. xxe siècle. Depuis 1955 naturalisé en France. Japonais.

Peintre de sujets religieux, compositions animées, figures, nus, portraits, animaux, paysages urbains, natures mortes, aquarelliste, fresquiste, peintre de décorations murales, cartons de vitraux, graveur, lithographe, dessinateur, illustrateur, décorateur.

Fils de samouraï, il perd sa mère à l'âge de cinq ans ; il est élevé par sa sœur aînée. Il fut élève de l'École impériale des Beaux-Arts de Tokyo à partir de 1915. Récompensé très jeune aux expositions japonaises, favorisé de l'achat d'une de ses œuvres par l'Empereur, appelé à peindre le portrait du Souverain de Corée (*Portrait de l'Empereur de Corée*, 1911), Foujita semblait promis à une éclatante carrière nationale. Mais il entendit l'appel de l'Occident. Ayant étudié la peinture européenne, notamment les avant-gardes françaises, il se rendit à Paris en 1913. L'année suivante, il fit un court passage à Londres, où il exerça divers métiers. De retour à Paris en 1915, il s'installa Cité Falguière. Il devint vite une des figures pittoresques de Montparnasse. Il rencontre aussi Picasso, préférant chez lui les œuvres du Douanier Rousseau, qu'il possédait, que le cubisme qui ne le tenta qu'un court moment. Il noue aussi des relations amicales avec Soutine, son voisin. En 1926, l'État lui achète une toile : *L'Amitié*. En 1928, Il réalisa le décor pour une pièce japonaise jouée au théâtre de l'Odéon. En 1929, il quitta Paris, y revint l'année suivante. Mais de 1930 à 1950, il partagera sa vie entre des voyages où il rencontre succès et estime : en Angleterre, Belgique, Hollande, Suisse, Italie, Allemagne, États-Unis..., et ses deux capitales affectives : Paris, et Tokyo où il construira un atelier en 1934 et une maison en 1938. L'État japonais lui confia des responsabilités, l'envoyant en Mandchourie en tant qu'attaché artistique du ministère de l'Armée de terre, où il effectua selon certains un travail de propagande en faveur du militarisme de son pays. En 1949, Foujita part aux États-Unis, invité comme professeur à l'École des Beaux-Arts de Brooklyn. En 1950, il s'établit une nouvelle fois à Paris. En 1951, il fit don de quatre toiles au Musée National d'Art Moderne. En 1955, il adopta la nationalité française. Bouddhiste, il se convertit au catholicisme et se fit baptiser à 73 ans, à la cathédrale de Reims, du nom de Léonard, en hom-

mage à Vinci. Il commence à travailler, à partir de 1965, à l'édification et à la décoration (fresques et vitraux) de la chapelle Notre-Dame de la Paix à Reims, où il est enterré.
Sa première exposition, à Paris, date de 1917, Galerie Chéron. Il occupa le devant de la scène artistique lors de ses envois au Salon d'Automne, à Paris, notamment à celui de 1921, où il exposa un autoportrait, une nature morte et un nu qui furent très bien accueillis par la critique. Il participa aussi au Salon des Tuileries. Parallèlement, entre 1930 et 1950, il exposa dans plusieurs Salons au Japon. Il effectua la décoration du Pavillon japonais de la Cité universitaire de Paris. Il a également réalisé une décoration au Cercle interallié, et avec Duffy, en 1937, décore le bar du Palais de Chaillot. Au Japon, il a exécuté plusieurs décorations murales : pour les grands magasins Sogo à Osaka (1935), pour la Maison franco-japonaise à Kyoto (1936), pour la maison du collectionneur Masakichini Hirano à Atika (1937), qui deviendra plus tard le Musée Foujita. Il est élu en 1924 membre de l'Académie des Beaux-Arts de Tokyo. Foujita fut nommé chevalier de la Légion d'honneur de France. Le gouvernement japonais lui décerna, à titre posthume, le titre de l'Ordre du Trésor Sacré.
Il a publié deux albums : *Nus* et *Les Enfants, les Chats*. Il en a illustré de nombreux : *Chansons de Geishas* – *L'Honorable partie de campagne*, de T. Raucat (Paris, 1927) ; *L'Oiseau noir dans le soleil levant*, de P. Claudel ; *Propos d'un intoxiqué*, de J. Boissière ; *La Troisième Jeunesse de Madame Prune* et *Madame Chrysanthème*, de P. Loti (Paris, 1926) ; *Les Divertissements d'Éros*, de Brindejonc-Oftenbach ; *Poèmes de jalousie* de C. et L. Goll ; *Les Huit Renommées*, de Kikou Yamata (Paris, 1927) ; *Barres Parallèles*, de M. Vaucaire ; *Amal et la lettre au Roi*, de R. Tagore ; *Le Dragon des Mers*, de Jean Cocteau (Paris, 1925), etc.
Les premières aquarelles de Foujita témoignent de l'influence d'artistes tels que Marie Laurencin, et de son ami Modigliani. Dessinateur d'une rare souplesse, peintre ami de la grâce, il use de procédés assez proches de ceux des artisans de son pays, couvrant peu ses toiles, usant du tampon autant que du pinceau. L'ensemble de son œuvre est marqué par des périodes distinctes soumises à des influences occidentales : naïves (Bauchant, entre autres), expressionnistes (Dix), et proprement historiques, certaines de ses œuvres témoignent d'une grande connaissance de la peinture des siècles passés. Néanmoins, Foujita laissera toujours une large place au décoratif délicat de l'art traditionnel japonais. Foujita, peintre « différent des autres parce que – disait-il – je suis japonais et myope », exécuta de nombreux autoportraits, amoureux de lui-même mais aussi des femmes : ses nombreux nus féminins seront très appréciés pour l'érotisme de leurs formes avantageuses. Il dessina des fillettes aux yeux légèrement bridés, des fleurs, ses chats tigrés, quelques natures mortes (lunettes, encre de calligraphe, pendules...), puis après sa conversion au catholicisme un nombre plus important de tableaux religieux. Figure coqueluche du Paris des années folles, prisé par les milieux mondains, Foujita prend alors comme modèle la légendaire Kiki de Montparnasse, Olga la femme de Picasso, Gertrude Stein, et des femmes du monde... Toujours adroit, avec encore du panache, il continuera d'exécuter des œuvres qui, à partir de son deuxième retour à Paris, et malgré la qualité de ce célèbre trait dont il était lui-même si fier, ne seront en fait qu'une suite de productions devenue à force répétitive. Il aura surtout découvert l'art français vivant, un peu comme les artistes français avaient, un demi-siècle plus tôt, découvert l'art japonais classique. Ce qui revient à dire que Foujita fut aussi le créateur d'un art capable de séduire par sa part de modernisme occidental appuyé sur une tradition japonaise, et d'un art « qui a rendu aux écoliers du Japon l'audace de peindre en Japonais » (A. Salmon). ■ André Salmon, C. D.

Foujita 嗣治
Foujita

Bibliogr. : G. Bauer, R. Rey et G. C. Recio : *Foujita*, Cahiers de la Peinture, Presses Artistiques, Paris – Jean Selz : *Foujita*, Flammarion, Paris, 1980 – M.G. Vaucavre : *Foujita*, Paris – Sylvie et Dominique Buisson : *La Vie et l'œuvre de Léonard-Tsuguharu Foujita*, ACR Édition, Paris, 1987.

Musées : Bruxelles – Chicago – Genève (Petit-Palais) : *Le Salon à Montparnasse* 1930 – *La Dompteuse et le lion* 1930 – Grenoble – Le Havre – Liège – Lyon – Munich – Nîmes – Paris (Mus. Nat. d'Art Mod.) : *Mon Atelier* 1921 – *Mon Atelier* 1922 – *Mon intérieur à Paris* 1922 – *Autoportrait* 1928 – *Au café* 1949 – *Quai aux Fleurs, Notre Dame de Paris* 1950 – Paris (Mus. d'Art Mod. de la Ville) : *Nu à la toile de Jouy* 1922 – Paris (anc. Mus. du Jeu de Paume) – Rouen.

Ventes Publiques : Paris, 6 nov. 1924 : *Les Invalides, place Vauban* : **FRF 1 200** – Paris, 4 juin 1925 : *La neige*, aquar. : **FRF 510** – Paris, 12 fév. 1926 : *Étude de dormeuse les seins nus*, pl. et cr. : **FRF 350** – Paris, 20 mai 1926 : *Vue de Cagnes* : **FRF 11 150** – Paris, 4 juin 1926 : *Vue de Cagnes* : **FRF 950** – Paris, 3 mai 1929 : *Femme couchée* : **FRF 3 300** – New York, 25 et 26 nov. 1929 : *Nu* : **USD 100** – New York, 25 et 26 mars 1931 : *Paysage* : **USD 160** – Paris, 30 avr. 1931 : *Nu aux cheveux blonds*, dess. : **FRF 1 600** – Paris, 19 fév. 1932 : *Nature morte* : **FRF 600** – Paris, 24 nov. 1932 : *chat endormi* : **FRF 1 300** – Paris, 29 avr. 1933 : *Études d'athlètes*, dess. : **FRF 270** – Paris, 6 avr. 1936 : *Femme nue couchée* : **FRF 3 700** – Paris, 8 déc. 1941 : *Les chats* 1924, peint. sur soie : **FRF 1 050** – Paris, 15 avr. 1942 : *Chats*, aquar. : **FRF 320** – Paris, 19 juin 1942 : *Jeux d'enfants* 1924 : **FRF 2 400** – Paris, 27 nov. 1942 : *Le Pont des Invalides* : **FRF 4 000** – Paris, 7 avr. 1943 : *Les deux amies*, mine de pb : **FRF 2 600** – Paris, 1er juil. 1943 : *Portrait de femme* 1927, pl. et estompe : **FRF 900** – Paris, 10 nov. 1943 : *Allégorie* 1917, aquar. : **FRF 900** – New York, 18-20 nov. 1943 : *Chat endormi* : **USD 80** – Paris, 23 fév. 1945 : *Nu assis*, cr. : **FRF 2 900** – New York, 12 avr. 1945 : *Portrait de l'artiste*, dess. : **USD 50** – Paris, 29 juin 1945 : *Buste de femme étendue* 1928 : **FRF 5 200** ; *Fables de la Fontaine* 1922 : **FRF 5 200** – Paris, oct. 1945-juil. 1946 : *Buste de femme de profil à droite*, cr. et reh. d'aquar. ; *Tête de femme brune vue de profil*, pl. et reh., les deux : **FRF 6 000** – Paris, 12 nov. 1946 : *Tête de femme*, aquar. : **FRF 5 800** – Paris, 23 avr. 1947 : *Deux nus debout*, dess. : **FRF 580** – Paris, 13 juin 1947 : *La bergère en prière*, aquar. : **FRF 10 000** – Paris, 25 avr. 1955 : *La petite fille* : **FRF 53 000** – Paris, 4 juin 1958 : *Le chat* : **FRF 210 000** – New York, 18 mai 1960 : *Femme aux cerises*, aquar. : **USD 600** – Paris, 16 juin 1961 : *Études de nus*, craie : **FRF 1 700** – Paris, 10 déc. 1966 : *Jeune femme au petit chien* : **FRF 52 000** – Paris, 24 juin 1968 : *La tentation de Boudha*, aquar. gchée sur fond or : **FRF 16 500** – Paris, 1er déc. 1969 : *Nu au chat* : **FRF 330 000** – Londres, 28 nov. 1972 : *Nu allongé* : **GNS 17 000** – Orléans, 17 juin 1973 : *Enfants de Ghardaïa* : **FRF 85 000** – Genève, 7 déc. 1973 : *Nature morte* : **CHF 65 000** – Paris, 21 mars 1974 : *Le petit déjeuner* : **FRF 170 000** – Paris, 5 juin 1974 : *Les deux sœurs* : **FRF 200 000** – Paris, 1er mars 1976 : *Buste de femme de profil à droite*, eau-forte : **FRF 3 500** – New York, 28 mai 1976 : *La religieuse* 1959, h/t (33,5x19,5) : **USD 11 500** – Londres, 30 nov. 1976 : *Les Danseuses* vers 1917, gche/feuille d'or (37x53) : **GBP 9 500** – Londres, 29 juin 1977 : *Estuaire au coucher du soleil*, aquar. et reh. de blanc (12,5x17,8) : **GBP 550** – Paris, 14 oct. 1977 : *L'autoportrait au chat*, litho./Japon : **FRF 3 600** – New York, 16 déc. 1977 : *Le chat* 1949, h/t (20,5x25,5) : **USD 22 000** – Londres, 27 juin 1978 : *Nu couché* 1929, h/t (30x46) : **GBP 15 000** – Los Angeles, 18 sep. 1978 : *Nu debout*, eau-forte et roulette en coul. (56x37,3) : **USD 5 000** – Londres, 4 avr. 1979 : *Couple amoureux*, aquar. et encre (35,5x37,5) : **GBP 2 600** – New York, 9 mai 1979 : *Nu couché*, eau-forte (40,5x58,5) : **USD 5 000** – Paris, 24 juin 1981 : *Femme aux mains croisées* 1917, aquar. (23x11,5) : **FRF 52 000** – Paris, 17 fév. 1984 : *Dans l'atelier : autoportrait au chat* 1929, h/t (81x65) : **FRF 1 600 000** – New York, 2 mai 1984 : *Les enfants : fillette au chignon tenant un oiseau* 1929, eau-forte (34,7x26,7) : **USD 7 000** – New York, 17 mai 1984 : *Jeune fille et chat* 1958, pl. et lav. (32,5x25) : **USD 32 000** – New York, 14 nov. 1984 : *Christ sur la Croix*, gche, aquar., feuille d'or et pl./pap. (45,5x27) : **USD 12 000** – New York, 15 mai 1985 : *Grand nu allongé* 1928, cr. et lav. (65x100) : **USD 47 500** – New York, 20 nov. 1986 : *Jeune fille à la chemise verte*, aquar. et encre reh. de gche blanche/pap. mar./cart. (27,3x21,9) : **USD 80 000** – Londres, 30 juin 1987 : *Marionnette* 1949, h/t (76x63) : **GBP 570 000** – Paris, 25 nov. 1987 : *Jeune femme nue assise*, aquat. : **FRF 75 000** – Paris, 7 déc. 1987 : *dessin*, au cr. noir, reh. de cr. de coul. et lav. (34x19,5) : **FRF 29 000** – New York, 18 fév.

1988 : *Tête de femme* 1926, encre/pap. (32,4x25,4) : **USD 12 100** ; *Portrait de jeune fille*, h/t (33,6x22,2) : **USD 220 000** – MONACO, 20 fév. 1988 : *Chaton* 1949, cr. bille (11,5x15) : **FRF 17 760** – PARIS, 22 fév. 1988 : *Vache sacrée et animaux*, dess. à la pl. (36x50) : **FRF 30 000** – PARIS, 15 mars 1988 : *Nativité*, aquar. sur fond d'or (33x40) : **FRF 580 000** – LONDRES, 29 mars 1988 : *Deux filles*, h/t (41,4x33,4) : **GBP 264 000** – PARIS, 15 avr. 1988 : *Portrait de femme* 1928, h/t (24x19) : **FRF 540 000** – BERNE, 30 avr. 1988 : *Femme jouant du xylophone*, h/t (72x99) : **CHF 10 000** – NEW YORK, 12 mai 1988 : *Elle épluchant des pommes de terre*, h/t (33,8x24,9) : **USD 462 000** – LONDRES, 18 mai 1988 : *Portrait de femme*, encre de Chine à la pl. (37,3x27,3) : **GBP 5 500** – PARIS, 8 juin 1988 : *Jeune Fille au chat* 1951, h/t (33x24) : **FRF 2 250 000** – L'ISLE-ADAM, 11 juin 1988 : *Paris : La Porte de Chatillon* 1921, aquar. (25x34) : **FRF 100 500** ; *Jeune Femme aux yeux bleus* 1932, encre de Chine aquarellée et gchée (40x30) : **FRF 350 000** – PARIS, 12 juin 1988 : *Profil de femme* 1929, aquar. (25x21) : **FRF 200 000** – PARIS, 22 juin 1988 : *Nu debout* 1923, h/t (81x45) : **FRF 1 920 000** – LONDRES, 28 juin 1988 : *Branches de cerisier en fleurs dans un vase de grès*, h/t (54,6x36,2) : **GBP 77 000** – LONDRES, 29 juin 1988 : *Le Chat* 1947, h/t (27,5x22,2) : **GBP 73 700** – CALAIS, 3 juil. 1988 : *Jeune Enfant*, encres rouge et noire (50x37) : **FRF 55 000** – NEW YORK, 6 oct. 1988 : *Tête de jeune fille* 1930, encre et aquar./pap. (28x22,3) : **USD 14 300** – LONDRES, 21 oct. 1988 : *La Porte de Vanves* 1927, h/t (38x46,5) : **GBP 49 500** – PARIS, 26 oct. 1988 : *Tête d'enfant noir de profil*, eau-forte : **FRF 44 000** – NEW YORK, 12 nov. 1988 : *Nu allongé* 1931, encre et aquar./pap. (51,8x72) : **USD 286 000** – PARIS, 20 nov. 1988 : *Mère et Enfant* 1932, aquar. (35x29) : **FRF 310 000** ; *Jeune Femme et Enfant* 1950, encre de Chine et aquar. (27,6x20,9) : **FRF 420 000** ; *Nymphe endormie* 1951, h/t (24x33) : **FRF 2 100 000** – PARIS, 23 nov. 1988 : *Nu allongé* 1930, eau-forte coul. : **FRF 85 000** – PARIS, 24 nov. 1988 : *Portrait de femme*, mine de pb (23,5x16,5) : **FRF 75 000** ; *La balançoire* vers 1918, aquar. reh. d'or (36x43) : **FRF 940 000** – PARIS, 12 déc. 1988 : *Jeune Femme de trois quart à gauche* 1924, pl., cr. et estompe (20,3x16) : **FRF 95 000** – NEW YORK, 11 mai 1989 : *Chat* 1940, h/t (33x41) : **USD 187 000** – PARIS, 18 mai 1989 : *La Jeune Fille au verre* 1917, aquar. gchée (25,5x19) : **FRF 323 000** ; *La Blonde endormie*, h/t (20x27) : **FRF 610 000** – PARIS, 17 juin 1989 : *Les deux enfants portant le pain et le lait*, h/t (35x27) : **FRF 1 800 000** – PARIS, 20 juin 1989 : *Mère et Enfant*, h/pap. (21x17) : **FRF 1 600 000** – LONDRES, 27 juin 1989 : *Jeune Fille à la voilette* 1953, h/t (22x16) : **GBP 126 500** – VERSAILLES, 25 sep. 1989 : *Autoportrait pour Kimiyo*, eau-forte (37,5x28) : **FRF 8 500** – NEW YORK, 5 oct. 1989 : *Deux Hommes nus*, dess. au cr./pap. teinté (75,9x98,8) : **USD 22 000** – NEW YORK, 6 oct. 1989 : *Vue de Hailar en Mandchourie*, h/t (49,8x60,6) : **USD 93 500** – ZURICH, 25 oct. 1989 : *Chat* 1953, encre (19,5x24,5) : **CHF 8 500** – NEW YORK, 14 nov. 1989 : *Enfants à la poupée*, h/t (55,3x46,3) : **USD 3 740 000** – PARIS, 19 nov. 1989 : *Vierge à l'enfant* 1959, h/t (27,5x22,5) : **FRF 1 900 000** – LONDRES, 28 nov. 1989 : *Femme nue aux bras levés* 1926, h/t (40,6x33,6) : **GBP 154 000** – PARIS, 7 déc. 1989 : *Petit cavalier* 1955, h/t (74x51) : **FRF 8 840 000** – PARIS, 11 déc. 1989 : *Femme au chat* 1926, h/t (55x46) : **FRF 1 530 000** – AVRANCHES, 17 déc. 1989 : *Rue de Paris*, h/t (30x24) : **FRF 1 120 000** – NEW YORK, 26 fév. 1990 : *Jeune Fille aux pommes de terre*, h/t (49,5x33) : **USD 451 000** – PARIS, 21 mars 1990 : *Fillette endormie à la poupée* 1950, dess. à la pl. et au lav. (21,5x31) : **FRF 455 000** – BRUXELLES, 27 mars 1990 : *Jeune fille et chat*, grav. (96x100) : **BEF 85 000** – PARIS, 1er avr. 1990 : *Le Modèle allongé* 1928, mine de pb et estompe/pap. mar. (32x48) : **FRF 2 000 000** – LONDRES, 4 avr. 1990 : *Les Enfants sur le mur à Meudon*, h/t (25x42) : **GBP 319 000** – NEW YORK, 16 mai 1990 : *Jeune Fille dans un parc* 1957, h/t (50,8x65,4) : **USD 6 050 000** – PARIS, 15 juin 1990 : *Nu allongé*, encre de Chine (47x83) : **FRF 450 000** – CALAIS, 8 juil. 1990 : *Fillette au chat* 1950, sépia (27x21) : **FRF 500 000** – NEW YORK, 14 nov. 1990 : *L'Enfant égarée*, h/t (57,3x43,7) : **USD 1 365 000** – CHARTRES, 25 nov. 1990 : *La Fille de la concierge*, h/t (27x22) : **FRF 2 000 000** – PARIS, 25 nov. 1990 : *Portrait de famille* 1954, h/t/pan. (18x13) : **FRF 2 200 000** – LONDRES, 5 déc. 1990 : *Nature morte*, h/t (62,8x46,4) : **GBP 159 500** – NEW YORK, 8 mai 1991 : *Trompe-l'œil* 1956, h/t (22x27,5) : **USD 137 500** – PARIS, 25 mai 1991 : *Vierge à l'Enfant ou Mère et ses enfants*, h/t et application de feuilles d'or au fond (41,3x33,5) : **FRF 4 700 000** – LONDRES, 26 juin 1991 : *À l'école* 1957, h/t (24,2x19) : **GBP 121 000** – BELFORT, 15 déc. 1991 : *Fillette devant l'église* 1957, h/t (42x25) : **FRF 690 000** – NEW YORK, 12 mai 1992 : *Jeune Fille au chat* 1952, h/t (33x24,1) : **USD 165 000** – NEW YORK, 11 nov. 1992 : *La Châtelaine et sa fillette* 1962, h/t (41,3x24,4) : **USD 181 500** – LONDRES, 24-25 mars 1993 : *Le Chat*, encre et aquar./cart. (23,8x26,2) : **GBP 14 950** – ZURICH, 21 avr. 1993 : *Le Rêve (nu)*, litho. coul. (55x63) : **CHF 2 400** – AMSTERDAM, 26 mai 1993 : *Portrait d'une petite fille*, h/t (27,5x19) : **NLG 161 000** – LYON, 6 juin 1993 : *Bouquet de roses*, h/t (41x33) : **FRF 250 000** – LOKEREN, 12 mars 1994 : *Nu*, litho./pap. Japon (40,3x30,5) : **BEF 60 000** – PARIS, 18 avr. 1994 : *Buste de Japonais*, mine de pb/pap. calque (41x37) : **FRF 15 500** – NEW YORK, 11 mai 1994 : *Deux Jeunes Filles*, h/t/rés. synth. (14,2x17,8) : **USD 85 000** – PARIS, 25 nov. 1994 : *La Vie* 1917, h/t (55x46) : **FRF 455 000** – PARIS, 21 juin 1995 : *Chatte et son chaton* 1930, eau-forte et aquat. : **FRF 19 500** – LONDRES, 28 juin 1995 : *Mon atelier, paysage de Paris* 1939, h/t (55x46) : **GBP 47 700** – PARIS, 18 mars 1996 : *Cupidon* 1924, h/t (46x38) : **FRF 180 000** – AMSTERDAM, 4-5 juin 1996 : *Petite Fille et sa poupée* 1939, h/t (46x38,4) : **NLG 118 000** ; *Rendez-vous de cyclistes* 1939, h/t (14x18) : **NLG 59 800** – PARIS, 26 juin 1996 : *Portrait de femme* 1929, estompe et encre de Chine/cart. (35,5x32,7) : **FRF 40 000** – PARIS, 9 déc. 1996 : *La Petite Fille aux nattes* vers 1950, encre de Chine et lav. d'encre/pap./cart. (31,5x22,5) : **FRF 98 000** – NEW YORK, 13 nov. 1996 : *Maternité et chat* 1957, h/t (54,9x33) : **USD 189 500** – PARIS, 18 nov. 1996 : *Les Deux Religieuses* vers 1917-1918, aquar., gche et encre de Chine (31,5x28,9) : **FRF 38 000** – PARIS, 10 déc. 1996 : *Femme au chat*, litho. coul. (103x38) : **FRF 4 000** – PARIS, 18 déc. 1996 : *Chaton et sa mère* 1929, eau-forte et aquat. coul. (32x38,5) : **FRF 48 000** – LONDRES, 23 oct. 1996 : *A Concarneau* 1919, h/t (38x46) : **GBP 25 300** – NEW YORK, 9 oct. 1996 : *Portrait de femme* 1930, gche, aquar. et cr./pap. (55,3x38,4) : **USD 19 550** – LONDRES, 25 juin 1996 : *Jeune fille à la coiffe*, aquar. (27,9x19,1) : **GBP 27 600** – PARIS, 16 mars 1997 : *Portrait de femme* 1930, encre de Chine et estompe/pap. (38,5x29,5) : **FRF 54 000** – PARIS, 16 juin 1997 : *Mère et enfant* 1951, h/t (33x25) : **FRF 580 000** ; *Jeune femme au ruban* 1951, encre et lav. d'encre (26x18) : **FRF 80 000** ; *Amour chevauchant un dauphin*, gche rouge et noire, dessin au trait (50x36) : **FRF 38 000** – PARIS, 17 juin 1997 : *Petite fille au capuchon sous la neige* 1927, h/t (27x22) : **FRF 500 000** – LONDRES, 25 juin 1997 : *Portrait d'un jeune garçon* vers 1928, pl. et encre et lav. gris/pap. (28x27,8) : **GBP 10 925** – AMSTERDAM, 1er déc. 1997 : *Petite fille à la bouteille* ; *Garçonnet au livre* ; *Petite Fille à la casserole*, pl., encre et aquar./pap., trois pièces (chaque 15,7x11,6) : **NLG 11 800**.

FOUKIYA Kauji
Né à Tokyo. XXe siècle. Japonais.
Peintre.
A exposé au Salon d'Automne en 1926-28.

FOUKONI Ichiro
Né à Osaka. XXe siècle. Japonais.
Peintre.
A exposé en 1926 au Salon d'Automne.

FOUKONOKA Takatsugu
Né à Tokyo. XXe siècle. Japonais.
Peintre.
A exposé en 1926 au Salon d'Automne.

FOUKOUSSIMA Kin Ichiro
Né à Okayama. XXe siècle. Japonais.
Peintre.
Il a figuré, à Paris, au Salon d'Automne en 1929.

FOUKOUZAWA Ichiro. Voir **FUKUZAWA Ichiro**

FOULAIN Jean
XVe siècle. Français.
Enlumineur, illustrateur.
Il travailla en 1456 et 1457 pour l'évêque de Troyes.

FOULARD
Français.
Peintre de miniatures.
MUSÉES : ROUEN : *Portrait de femme.*

FOULD Consuelo. Voir **CONSUELO-FOULD**

FOULHOUZE de La. Voir **LA FOULHOUZE**

FOULIS Andrew et **Robert**
Andrew mort le 15 septembre 1775 et Robert en 1776. XVIIIe siècle. Actifs à Glasgow. Britanniques.
Imprimeurs, amateurs d'art.
Ils fondèrent à Glasgow de leur propre initiative et à leurs frais une académie de peinture et de sculpture où les jeunes artistes trouvaient jusqu'à des subsides pour aller faire leurs études en

Italie. Faute d'appui, les deux frères se ruinèrent dans cette entreprise. Leur nom mérite cependant de passer à la postérité pour l'heureuse influence qu'ils eurent sur l'école écossaise.

FOULKES Llyn
Né en 1934 à Ykima (Washington). XXe siècle. Américain.
Peintre. Figuration-fantastique.
Il vit en Californie. Il expose depuis 1961. Il a en outre participé en 1967 à la Biennale de Paris, où il reçut un prix et, la même année, à la Biennale de São Paulo. Il est représenté à l'exposition, en 1992, *L'Art des années quatre-vingt-dix* au Musée d'Art Contemporain de Los Angeles. Il expose régulièrement à Paris, notamment à la galerie Dartea Speyer en 1997.
Sa peinture est surprenante, à la fois d'un réalisme précis et minutieux, et évoquant néanmoins des paysages irréalistes et fantastiques constitués d'énormes magmas rocheux. Corsant encore cette atmosphère d'irréalité, la lumière sourde provient d'un accord de tons monochromes.
Ventes Publiques : New York, 13 mai 1981 : *Union 76*, h. et pap. sous verre avec cadre en cuivre (56,5x48,5) : **USD 1 500** – New York, 2 nov. 1984 : *Exercises series* vers 1964, encre de Chine et h/t (28x35,5 ; 31x40,6 ; 24,8x29,5) : **USD 2 800** – New York, 23 fév. 1985 : *Holley's Rock* 1965, h/t (166,3x165) : **USD 1 100** – New York, 21 fév. 1990 : *In der fuhrer's face* 1976, techn. mixte et collage/rés. synth. (21,6x27,3) : **USD 990** – New York, 23 fév. 1994 : *La colline est bleue* 1984, h., acryl. et craie sur cart./pan. (126,3x104,2) : **USD 5 175**.

FOULLIOUX Fernand
Né à Egletons (Corrèze). XXe siècle. Français.
Peintre.
Il figure aux Indépendants depuis 1931.

FOULLON Benjamin
Né vers 1550 à Paris. Mort en 1612 à Paris. XVIe-XVIIe siècles. Français.
Peintre de portraits.
Il fut peintre de la cour après la mort de François Clouet, son oncle. Les études manquent singulièrement sur cet artiste important.
Musées : Chantilly : *Portrait de Gabrielle d'Estrées* – Saint-Pétersbourg (Ermitage) : *Ronsard*, dess. – Versailles : *Gabrielle d'Estrées*.

FOULLON César
Né vers 1580 à Neuves-Maisons (Meurthe-et-Moselle). Mort vers 1644 à Nancy. XVIIe siècle. Éc. lorraine.
Sculpteur.
Résidant à Nancy, il sculpta, en 1621, des figures de bois, qui devaient orner le carrosse de la duchesse de Lorraine.

FOULLON Pierre
Né au XVIe siècle à Anvers. XVIe siècle. Français.
Peintre.
Protégé par M. de Boisy, il reçut, en 1538, des lettres de naturalisation de François Ier. N'est pas le père de Benjamin Foulon.

FOULLON-VACHOT Lucille Louise
Née vers 1775 au Havre (Seine-Maritime). Morte en 1865 à Antibes (Alpes-Maritimes). XVIIIe-XIXe siècles. Française.
Peintre de portraits, miniaturiste.
Élève de Robert Lefèvre, elle exposa, au Salon de Paris, de 1793 à 1822 ; et occasionnellement à la Royal Academy de Londres.
La ville de Lille lui commanda le *Portrait en pied de Louis XVIII*. Peintre de portraits d'apparat, ses personnages se détachent souvent sur des fonds de paysages de style romantique.
Bibliogr. : Gérald Schurr, in : *Les Petits Maîtres de la peinture 1820-1920, valeur de demain*, Les Éditions de l'Amateur, t. V, Paris, 1981.
Ventes Publiques : Versailles, 18 juil. 1979 : *Mme du Blézel et sa fille*, h/t (212x135) : **FRF 18 000** – Paris, 28-29 juin 1980 : *Portrait du comte de Thermes en uniforme de colonel de hussards*, h/t (128x96) : **FRF 14 000** – Versailles, 2 mars 1986 : *Petite fille offrant une rose à sa mère* 1819, h/t (205x134) : **FRF 18 500** – New York, 9 oct. 1991 : *Portrait d'une dame vêtue d'une robe noire garnie de dentelle blanche avec un châle rouge, assise dans un paysage* 1807, h/t (99,9x81,3) : **USD 7 150**.

FOULLONGNE Alfred Charles ou **Foulongne**
Né le 26 mars 1821 à Rouen (Seine-Maritime). Mort en 1897 à Paris. XIXe siècle. Français.
Peintre de sujets religieux, scènes de genre, paysages, aquarelliste.
Entré à l'École des Beaux-Arts de Paris, en 1855, il fut élève de Paul Delaroche et de Marc Gleyre. Il figura au Salon de Paris, de 1848 à 1882, étant médaillé en 1869.
Il peignit des paysages, des scènes de genre et quelques sujets religieux. Parmi ses œuvres, on cite : *Une rêverie – Le petit Saint Jean – Le printemps – Un enterrement à la Trappe*.
Ventes Publiques : Londres, 23 mars 1987 : *Nu couché*, h/t (26x47) : **GBP 1 300**.

FOULON Balthasar ou **Baltazin** ou **Foullon**
XVIe siècle. Français.
Peintre verrier.
Il travailla de 1515 à 1544 à Cambrai dans différents bâtiments de la ville : « prétoire » de l'Hôtel de Ville, Cathédrale, Église abbatiale du Saint-Sépulcre.

FOULON François
XVIIIe siècle. Actif à Paris en 1771. Français.
Peintre et sculpteur.

FOULON Jean
XVIIe siècle. Actif à Nancy. Français.
Sculpteur sur bois.
Fils et élève de Nicolas François Foulon (I), il fut reçu membre de la gilde de Nancy en 1682.

FOULON Jeanne
Née au XIXe siècle à La Rochelle (Charente-Maritime). XIXe siècle. Française.
Peintre.
Elle fut l'élève de Lequin et de Haquette. En 1879, elle exposa au Salon de Paris : *Un coin de marché ; Les préparatifs de départ*.

FOULON Nicolas François I
Né le 19 mai 1628 à Nancy. Mort le 26 avril 1698 à Nancy. XVIIe siècle. Français.
Sculpteur sur bois.
Fils et élève de César Foulon il fut reçu membre de la gilde de Nancy en 1667. Il participa aux travaux exécutés par le sculpteur sur bois César Bégard pour le duc Charles IV de Lorraine et pour le roi Louis XIV.

FOULON Nicolas François II
Né le 30 octobre 1658 à Nancy. Mort le 10 juin 1740 à Paris. XVIIe-XVIIIe siècles. Français.
Sculpteur sur bois.
Il était le fils et l'élève de Nicolas François I Foulon.

FOULON Pierre
XVIIe siècle. Français.
Sculpteur-ivoirier.
Il se marie à Dieppe en 1686.

FOULON Serge
Né le 5 janvier 1923 au Mans (Sarthe). XXe siècle. Français.
Peintre de paysages, paysages d'eau.
Après avoir fréquenté l'École des Beaux-Arts du Mans, il a été l'élève du peintre de paysages Merio Ameglio. Il a pris part à de nombreuses expositions collectives et personnelles en France et à l'étranger. Il veut cerner au plus près la « réalité poétique » des paysages français.

FOULONNEAU Charles
XIXe siècle. Actif à Quintin. Français.
Sculpteur.
Le Musée de Saint-Brieuc conserve de lui : *Glais-Bizoin* (buste marbre).

FOULQUES
XIe siècle. Actif à Liège vers 1081. Éc. flamande.
Sculpteur et enlumineur.
Il était moine à l'abbaye de Saint-Hubert des Ardennes.

FOULQUES Elisa
Née le 27 mars 1864 à Piatigorsk (Caucase). XIXe siècle. Russe.
Peintre de genre et de portraits.
Elle étudia à l'Institut des Beaux-Arts à Naples avec Autorielli et Mancinelli. Elle fit des tableaux à l'huile, à l'aquarelle et au pastel et exposa ses œuvres à Naples, Palerme et Londres.

FOULQUET Pierre
XVe siècle. Français.
Sculpteur.
Il se chargea, pour le compte des chanoines de l'église Saint-Sauveur, en 1484, de faire, en un an, le tombeau de Charles III, dernier comte de Provence, neveu du roi René, et mort trois ans avant. Il le figura couché sur une table de marbre noir, ayant

deux anges à la tête et deux lions aux pieds. Ce monument fut détruit en 1793, il en reste un dessin de Millir.

FOULQUIER François Joseph
Né en 1744 à Toulouse. Mort en 1789 à la Martinique. XVIIIe siècle. Français.
Graveur.
Conseiller au Parlement de Toulouse, mort intendant à la Martinique. Possesseur d'une fortune, il vint à Paris fort jeune et fut élève de Loutherbourg et du miniaturiste Hall. M. H. Vienne a catalogué 26 estampes de Foulquier.

FOULQUIER Jean Antoine Valentin
Né en octobre 1822 à Paris. Mort en 1896 à L'Isle-Adam (Val d'Oise). XIXe siècle. Français.
Peintre de paysages animés, paysages, natures mortes, aquarelliste, pastelliste, graveur, dessinateur, illustrateur.
Élève d'Abel de Pujol, il exposa au Salon de Paris, à partir de 1848.
On lui doit quelques natures mortes, mais essentiellement des paysages, réalisés sous différentes techniques : dessin, aquarelle, pastel, eau-forte. Il connut surtout la notoriété en tant qu'illustrateur.
Bibliogr. : Gérald Schurr, in : *Les Petits Maîtres de la peinture 1820-1920, valeur de demain,* Les Éditions de l'Amateur, t. II, Paris, 1982.
Musées : Montauban : *Marine,* deux toiles.
Ventes Publiques : Paris, 11 juil. 1941 : *Les Falaises, soleil couchant* : **FRF 150** – Paris, 26 fév. 1943 : *La Pomme verte* : **FRF 160.**

FOU MEI. Voir **FU MEI**

FOUNARI Sho
Né à Tokyo. XXe siècle. Japonais.
Peintre de paysages.
Exposa au Salon d'Automne de 1931.

FOUNEV Yvan
Né en Bulgarie. XXe siècle. Bulgare.
Sculpteur.
Il a vécu un an à Paris durant la dernière guerre. Il a étudié les œuvres de Despiau, Bouchard et Wiérick. Il a tendu à un art prolétarien.

FOUNTAIN. Voir **LA FONTAINE Georg Wilhelm**

FOU PAO-CHE. Voir **FU BAOSHI**

FOUQUÉ Charles
Né à Avranches (Manche). XIXe siècle. Français.
Peintre de genre, portraits.
De 1865 à 1882, il figura au Salon de Paris avec des portraits et quelques sujets de genre. De ces derniers on cite notamment : *Fantaisie sur le hautbois* ; *Une chanson* ; *Fileuse.* Il devint sociétaire des Artistes Français en 1883.
Musées : Auxerre : *La Mère Jacqueline* – Avranches : *M. Le Héricher.*
Ventes Publiques : Nantes, 17 juin 1992 : *Le Guignol* 1874, h/t (116x89) : **FRF 13 900.**

FOUQUE Jean Marius
Né le 20 juillet 1822 à Arles (Bouches-du-Rhône). XIXe siècle. Français.
Peintre.
Le 7 octobre 1846, il entra à l'École des Beaux-Arts. C'est principalement sous la direction de M. de Lestang-Parade qu'il se forma. Fouque ayant visité l'Extrême-Orient, s'attira les bonnes grâces du roi de Siam, qui le nomma son peintre. Il exposa au Salon de Paris de 1846 à 1879. Ses œuvres les plus importantes sont : *Joséphine de la Pagerie, accompagnée de deux de ses amies, vient consulter une devineresse, qui lui prédit qu'elle sera un jour impératrice* ; *Diane et Endymion* ; *Phylax et Juliana* ; *Portrait du statuaire Pradier.*

FOUQUERAY Dominique Charles
Né le 23 avril 1869 ou 1872 au Mans (Sarthe). Mort en 1956. XIXe-XXe siècles. Français.
Peintre d'histoire, compositions animées, paysages animés, paysages, marines, peintre à la gouache, aquarelliste, graveur, illustrateur, affichiste, décorateur.
Il fit ses études à l'École des Beaux-Arts de Paris, dans les ateliers d'Alexandre Cabanel et de Fernand Cormon. Membre du Comité du Salon des Artistes Français de Paris, il y exposa, de 1890 à 1955 ; il figura également à l'Exposition Universelle de 1900. Toutes les techniques lui furent familières, et il obtint rapidement récompenses et honneurs divers ; recevant, entre autres, le prix Rosa Bonheur en 1909, et une médaille d'or pour la gravure en 1920. Il fut membre du Jury de l'École des Beaux-Arts de Paris, membre de l'Institut, officier de la Légion d'honneur.
Il décora les hôtels de ville de Niort, du Bourget et de Fouras. Il fut l'auteur de nombreuses affiches de guerre ; il peignit des panneaux décoratifs pour l'Exposition coloniale de 1922 à Marseille. On lui doit un panneau sur la prise du fort de Douaumont, qui est conservé au Musée de la Guerre de Versailles. Il illustra de nombreuses œuvres littéraires, d'entre lesquelles : *Chez les Anthropophages,* de E. Salgari, en 1904 ; *Un sauvetage,* de L. Daudet, en 1907 ; *Les Croix de Bois,* de Dorgelès, en 1925 ; *Le Cœur des ténèbres,* de J. Conrad, en 1928 ; *Kim,* de R. Kipling, en 1931 ; *Les Mutinés de l'Elseneur,* de J. London et *Œuvres diverses,* de Baudelaire, en 1934 ; *Roman d'un Spahi,* de Pierre Loti, *Tour du monde en 80 jours,* de J. Verne et *Jonques et sampans,* de Farrère, en 1945. Dans la presse, il collabora à : *L'Illustration, Univers Illustré,* et *Revue Mame* ; au *Monde Illustré* ; de même qu'à des périodiques du ministère de la marine. Il illustra son ouvrage : *Les Uniformes de la Marine Française.* Il fut toujours attiré par les voyages et les colonies et connu pour être l'un des peintres officiels les plus marquants de la guerre et des colonies, de la première moitié du XXe s.

Bibliogr. : Gérald Schurr, in : *Les Petits Maîtres de la peinture 1820-1920, valeur de demain,* Les Éditions de l'Amateur, t. III, Paris, 1976 – in : *Dictionnaire des illustrateurs 1800 – 1914,* Ides et Calendes, Neuchâtel, 1989.
Musées : Bordeaux : *Le 1er Prairial, an III* – Paris (Mus. d'Art Mod. de la Ville) : *Les Marins de Barberousse – Palerme – L'agonie, camp de Leissèques* – Rochefort : *Algésiras* – La Rochelle : *L'Appel sur le pont du croiseur Jean-Bart* – Versailles (Mus. de la Guerre).
Ventes Publiques : Paris, 20 nov. 1925 : *Sur le front* 1916, aquar. : **FRF 140** – Paris, 17 et 18 juin 1927 : *Entrée des Anglais à Contalmaison dans la Somme* 1916, aquar. : **FRF 160** – Paris, 28 juin 1929 : *Rue à Amsterdam le soir,* aquar. : **FRF 190** – Paris, oct.1945-juil. 1946 : *Vaisseaux en mer* ; *Combat naval,* deux aquar. : **FRF 1 200** – Paris, 19 mars 1947 : *Port d'Orient,* aquar. : **FRF 1 000** – Paris, 18 fév. 1980 : *Débarquement dans un port en Arabie,* h/t (100x81) : **FRF 6 500** – New York, 28 oct. 1986 : *Élégantes et officiers sur le pont d'un bateau de guerre,* h/t (46,5x55,3) : **USD 14 000** – Paris, 7 nov. 1988 : *Les esclaves,* h/t (149x108) : **FRF 35 000** – Paris, 10 avr. 1989 : *Combat naval* 1911, h/t (65x54) : **FRF 6 500** – Paris, 9 nov. 1990 : *Palmyre* 1919, h/t (54x65,5) : **FRF 10 500** – Paris, 22 juin 1992 : *Le port d'Akaba, Mer Rouge* 1917, gche (44,5x32) : **FRF 6 200** – Paris, 5 avr. 1993 : *Le port de Yambo Em-Bahr,* h/t (54x65) : **FRF 20 000** – Paris, 3 juin 1994 : *Paysannes bretonnes,* h/t (54x64,5) : **FRF 4 700** – Paris, 9 déc. 1996 : *Devant les portes de la ville, Maroc,* h/t (45,6x38) : **FRF 8 000.**

FOUQUEREAU Robert
Né à Elbœuf (Seine-Maritime). XXe siècle. Français.
Peintre.
Il exposa des paysages à Paris au Salon des Artistes Français à partir de 1933.

FOUQUEREL Jean
Mort en 1454 à Dijon. XVe siècle. Français.
Sculpteur.
Il prit part à la construction de l'hôpital de Beaune, en 1447.

FOUQUES Henri Amédée, dit **Fouques de Saint-Leu**
Né en 1857 à Paris. Mort en 1903 à Paris. XIXe siècle. Français.
Sculpteur de statues, animaux.
Il débuta au Salon en 1881.
Musées : Gray : *La Sieste* – Paris (Galliéra) : *Five o'clock* – Paris (Mus. du Petit Palais) : *Chien de chasse,* marbre.
Ventes Publiques : New York, 1er mars 1980 : *Chien et Chat,* bronze (H. 30,1) : **USD 1 600.**

FOUQUES Robert Henry
Né le 28 février 1892 en Nouvelle-Calédonie. xxe siècle. Français.
Peintre de paysages, marines.
Il fut membre, à Paris, du Salon des Artistes Français.
Ventes Publiques : Paris, 10 juil. 1983 : *Paysage à la rivière*, h/pan. (32,5x45,5) : **FRF 5 800.**

FOUQUES-DUPARC René
Mort en 1889. xixe siècle. Français.
Peintre.

FOUQUET Anatole
Né en 1793. xixe siècle. Français.
Aquarelliste.
Élève de Pernot. Il figura au Salon de Paris de 1833 à 1837, avec des vues prises en Savoie ou en Normandie. Salon de 1833 : *Vue du lac du Bourget près d'Aix en Savoie* ; Salon de 1834 : *Vue prise à Orbe (Suisse)*, aquarelle et *Vue prise au Bourget* ; Salon de 1835 : *Vue de Dieppe prise des hauteurs derrière le château* ; et aquarelles ; Salon de 1837 : *Vue prise en Normandie* aquarelle.
Ventes Publiques : Londres, 29 mai 1908 : *Portrait de Mrs. Margareth Strachey* 1838 : **GBP 7.**

FOUQUET Bernard
xviie-xviiie siècles. Français.
Sculpteur sur bois.
Frère cadet de Jacques Fouquet, il travailla comme lui pour le roi de Suède.

FOUQUET Émile
xxe siècle. Français.
Peintre de paysages.
Il figure aux Indépendants depuis 1935 avec des paysages.

FOUQUET Émile François
Né le 13 juin 1817 à Paris. xixe siècle. Français.
Sculpteur.
Formé par Foyatier. Il exposa au Salon, de 1865 à 1879, des bustes de particuliers, un bas-relief en pierre (*La Vierge et l'Enfant Jésus*) et quelques médaillons en cire.

FOUQUET Félicie
Née le 7 septembre 1845 à Paris. xixe siècle. Française.
Peintre aquarelliste et sur porcelaine.
Élève de Mlle Mery. Cette artiste exposa au Salon de 1869 : *Fleurs*, d'après Van Dael, porcelaine ; Salon de 1870 : *Fleurs*, d'après Van Dael et *Vue prise à Boigueville (Loiret)*, peinture.

FOUQUET François. Voir **FOUQUET Louis** et **François**

FOUQUET Henri
Né en 1826 à Limbourg. xixe siècle. Belge.
Graveur de reproductions.
Il exposa en 1869 à Bruxelles un tableau : *La Ferme des Sables*.

FOUQUET Jacques
xviie siècle. Actif à Tournai. Éc. flamande.
Sculpteur, dessinateur de cartons de tapisseries.
En 1699 il sculpta des ornements au beffroi et les armes de la ville sur la grande cloche de la cathédrale sont conservées.

FOUQUET Jacques
xviie-xviiie siècles. Français.
Peintre d'histoire.
Deuxième prix de l'Académie en 1691. Il travailla à Stockholm pour le roi de Suède.

FOUQUET Jacques Henri
xxe siècle. Français.
Peintre. Tendance abstraite-paysagiste.
Il travaille à Paris. De 1949 à 1956, il a figuré, à Paris, au Salon des Réalités Nouvelles, avec des compositions dont l'abstraction n'est qu'apparente. Des formes dues aux hasards de techniques assimilables à celle des monotypes, sont habilement orientées vers ce que l'on pourrait dire un paysagisme abstrait, avec une nette coloration fantastique.

FOUQUET Jean, ou **Jehan** ou **Foucquet**
Né vers 1420 à Tours. Mort entre 1477 et 1481 à Tours. xve siècle. Français.
Peintre de portraits, de miniatures et peut-être de compositions religieuses.
Après avoir compté parmi les peintres les plus célèbres de son temps, Fouquet fut oublié au point que deux de ses tableaux, acquis au xixe siècle par le Louvre, y entrèrent l'un comme « ouvrage grec », l'autre comme œuvre de l'école allemande. Sa résurrection est due, en premier lieu, à l'intuition d'un collectionneur, précédant d'assez loin les recherches érudites. George Brentano-Laroche, le demi-frère du poète romantique allemand Clemens Brentano, découvre en 1805, chez un antiquaire de Bâle, quarante miniatures des *Heures d'Étienne Chevalier*. Quelques années plus tard, il trouve à Munich l'*Étienne Chevalier présenté par Saint-Étienne* qu'il relie immédiatement à ses miniatures et constitue ainsi le premier ensemble d'œuvres sur lequel puisse se greffer le travail des chercheurs. Ce travail, il faut le dire, a surtout été fait de conjectures. Le nombre extrêmement réduit de renseignements certains ou plausibles que l'on a pu recueillir dans les archives ou d'après les témoignages contemporains a obligé la critique moderne à recréer un peu arbitrairement la personnalité de Fouquet. C'est ainsi que, seules, quelques miniatures des *Antiquités Judaïques* de Flavius Josephe, conservées à la Bibliothèque nationale de Paris, peuvent être considérées comme incontestablement authentiques, sur la foi d'une attestation de François Robertet, bibliothécaire de Pierre II, duc de Bourbon. Encore cette attestation, postérieure de vingt ou trente ans à l'exécution des œuvres, n'offre-t-elle qu'une sécurité relative, Robertet ne semblant pas avoir fait le compte exact des miniatures contenues dans le premier tome du manuscrit. De même pour un passage du *Traité de l'Architecture* de Filarete, sur lequel on se fonde communément pour affirmer que Fouquet aurait peint à Rome le portrait du pape Eugène IV, représenté avec deux familiers : il n'est question que d'un certain « Grachetto » ou « Giachetto Francioso » qui peut fort bien ne pas être le même artiste que le « Giovanni Fochetta » ou « Foccora » dont parlera plus tard Vasari. En revanche une lettre de Francesco Florio, écrite en 1477, porte bien mention du portrait d'Eugène IV, mais aussi d'images religieuses exécutées dans l'église de Notre-Dame-la-Riche à Tours, œuvres dont il ne reste aucune trace. Il nous est impossible dans le cadre de cette étude, de passer au crible les faits parfois contradictoires, et les hypothèses souvent hasardeuses dont l'amalgame heureux nous permet aujourd'hui d'esquisser de Fouquet une silhouette quelque peu vraisemblable.
Nous admettrons donc que, né à Tours d'un prêtre et d'une femme non mariée (K. Perls) il fit son apprentissage à Paris entre 1440 et 1445. K. Perls présume aussi que Fouquet travailla dans l'atelier de Haincelin de Haguenau, lequel ne serait autre que le « Maître du duc de Bedford », mais rien de convaincant ne vient étayer cette thèse. Les tentatives que l'on a faites jusqu'ici pour identifier les premières enluminures de Fouquet, sans doute influencées par l'art des frères de Limbourg, sont demeurées des plus précaires. Quoi qu'il en soit, on ne saurait expliquer par les seules vertus du terroir tourangeau, de la contemplation des sculptures et de l'exemple italien, comment ce miniaturiste se libéra du métier « analytique » imposé par les Van Eyck pour atteindre *même et surtout dans ses enluminures* à l'ampleur monumentale que l'on sait. Fouquet, on ne doit jamais l'oublier, est le contemporain du Flamand Dirck Bouts et de l'Italien Piero della Francesca. Ce double rapprochement permet, à notre sens, de mieux le situer dans le courant international auquel il appartient et de dégager la signification de son style. Une première réaction se dessine dans toute l'Europe dès avant 1450 contre l'esprit gothique, c'est-à-dire contre *le primat de l'expression*. Les motifs réels de cette réaction sont évidemment d'ordre mystique. En Italie, Piero della Francesca s'appuie sur Sienne contre la tradition giottesque tandis qu'au nord Dirck Bouts oppose à Jan van Eyck, qui vient de mourir, une vision à la fois plus dépouillée et plus hermétique. Il s'agit de répudier les mimiques que perpétue Rogier van der Weyden pour empreindre des personnages impassibles d'un rayonnement venu « de l'âme ». On tente généralement de réduire cette révolution à une simple étape de l'évolution technique, mais, d'autre part, n'a-t-on pas précisément observé que le métier de Fouquet, minutieux et serré dans ses peintures, ne différait guère de celui des autres peintres du nord. Quant au « sentiment de vie » que l'on admire dans ses figures (on a bien célébré le naturalisme de Piero), il est visiblement d'une toute autre essence que le vérisme de Van Eyck. Dans l'œuvre la plus ancienne qu'on attribue à Fouquet, le *Charles VII* du Louvre, le modèle apparaît comme un cousin peu engageant d'Arnolfini et déjà la barrière est dressée contre le spectateur indiscret. Le monarque « victorieux » a moins pour souci de faire éclater sa gloire que de se tenir à distance dans cette attitude d'oraison que Fouquet, pour être plus explicite encore, donne volontiers à ses personnages. L'opinion selon laquelle ce tableau aurait été peint avant le voyage d'Italie, vers

1444 (P. A. Lemoisne, Ch. Sterling) nous semble la plus acceptable. On tient pour établi que l'année suivante Fouquet se trouve à Rome et qu'il ne rentre à Tours qu'en 1448. L'Italie où il devance donc Rogier van der Weyden et où Antonello de Messine ne diffusera que plus tard le résultat de ses nouvelles expériences, le reçoit avec la curiosité sympathique réservée aux visiteurs septentrionaux. La commande qu'aurait faite le pape Eugène IV à un peintre étranger si jeune encore impliquerait, relativement à notre lenteur moderne, une reconnaissance extraordinairement rapide des talents inconnus. Toujours est-il que si le *Charles VII* est exempt d'influence italienne, toutes les autres œuvres que l'on groupe sous le nom de Fouquet ont manifestement été peintes par un artiste pour qui le métier des premiers quattrocentistes n'avait plus de secret. Et, de même que son séjour prolongé à Paris est démontré par la fidélité de ses paysages parisiens, son voyage en Italie, mieux que par quelques feuilles d'archives, est attesté par le style de son ornementation, par la nature de sa perspective, par sa vision libérée de toute petitesse, par l'aspect légendaire qu'il imprime à des scènes dont l'inspiration a pu être qualifiée de prosaïque (Friedländer). On a noté ce que ses miniatures pouvaient devoir à Fra Angelico, mais il ne tombera jamais dans le suave ou dans le pittoresque. C'est vers l'art plus large de Paolo Uccello qu'ont dû le porter ses préférences, vers des œuvres comme le *Monument Équestre de Giovanni Acuto* (1436) ou les *Quatre Têtes d'Évangélistes* peintes à l'emporte-pièce sur l'horloge de la cathédrale de Florence (1443). On ne peut guère croire qu'il ait connu Piero della Francesca, mais du moins a-t-il vécu dans la même atmosphère. Les affinités entre les deux peintres ont été dejà mises en relief par Roberto Longhi. En outre, Wescher relève que Piero avait peint dans la future Chambre d'Héliodore un portrait de *Charles VII* que l'on peut imaginer être d'après celui de Fouquet. Signalons enfin, pour clore le chapitre des correspondances italiennes, le curieux air de famille que présente avec Étienne Chevalier le *Saint Dominique* de Domenico Veneziano à la National Gallery de Londres. À son retour en France, on suppose que Fouquet mena de pair sous Charles VII puis sous Louis XI son activité de peintre de portraits et d'enlumineur. Toutefois les différences qui frappent dans son style selon qu'il utilise l'une ou l'autre technique ne laissent pas d'être parfois troublantes. Un document de 1475 le mentionnera comme Peintre du Roi. En 1461 et en 1476, il est cité comme ordonnateur de cérémonies à Tours. En 1461 on lui avait apporté à Paris le masque mortuaire de Charles VII. En 1469 il reçoit un paiement pour un travail exécuté pour l'ordre de Saint-Michel. En 1472 il va de Tours à Blois pour s'entretenir avec Marie de Clèves, duchesse d'Orléans, à propos d'un manuscrit à peintures. En 1474 son nom figure dans un projet de tombeau pour Louis XI. La même année, il est en procès avec Commines pour le paiement d'un ou deux livres d'Heures. En 1477, Francesco Florio parle de lui dans sa lettre comme d'un peintre vivant. Enfin le 8 décembre 1481, la femme de Fouquet porte déjà son titre de veuve. Tels sont les quelques événements que l'on peut reconstituer de son existence.

À la base de son œuvre de miniaturiste, se trouvent, nous l'avons déjà spécifié, le groupe des *Antiquités Judaïques* formé de onze enluminures du premier volume et d'une autre, vraisemblablement authentique, dans le second volume, toutes peintes pour Jacques d'Armagnac, duc de Nemours, dont la décapitation en 1477 permet de dater l'ouvrage entre 1470 et 1476. C'est par leur analogie avec les *Antiquités Judaïques* que Waagen fut conduit en 1837 à donner à Fouquet les *Heures d'Étienne Chevalier*. On s'accorde à les considérer comme nettement antérieures (1452-1460). Réunies originairement en un seul volume, elles sont actuellement dispersées et un certain nombre de feuillets ont disparu. L'ensemble le plus important, les quarante miniatures acquises en 1891 par le duc d'Aumale du fils de George Brentano, se trouvent à Chantilly au Musée Condé. Deux autres, dont une identifiée en 1891 par Paul Durrieu, sont conservées au Louvre. La Bibliothèque nationale de Paris, le British Museum de Londres et le vicomte Bearsted en possèdent respectivement chacun une. Enfin deux feuilles jusqu'alors inédites et provenant de la collection Louis Fenoulhet ont été vendues en 1946 chez Sotheby à Londres, ce qui porte à quarante-sept le total des miniatures retrouvées. Parmi les recueils où l'on décèle à bon droit la main du peintre de Tours, citons encore *Les statuts de l'Ordre de Saint-Michel* (Bibliothèque nationale), une miniature (frontispice, vers 1470), *L'Histoire ancienne jusqu'à César et faits des Romains* (Musée du Louvre), quatre miniatures dont deux provenant de la collection Yates-Thompson, œuvres de la maturité (vers 1475 ?). Pour d'autres, la collaboration de l'atelier paraît probable, notamment le *Boccace* de la Bibliothèque de Munich, les *Grandes Chroniques de France* (Bibliothèque nationale), le *Livre d'Heures de Charles de France* (Bibliothèque Mazarine), le *Tite-Live* (Bibliothèque nationale), les *Heures de Diane de Croy* (Ruskin Art Museum, Sheffield), etc.

Pour ce qui est de ses tableaux authentiques, leur nombre a plutôt diminué depuis la liste qui en fut établie sous la direction d'Henri Bouchot pour l'exposition de 1904. Ce sont : 1° le *Portrait de Charles VII* (Louvre), vers 1444, déjà décrit plus haut ; 2° *Étienne Chevalier présenté par Saint-Étienne* (Musée de Berlin), acquis en 1896 du fils de George Brentano ; 3° *La Vierge et l'Enfant entourés d'anges rouges* (Musée d'Anvers). La Vierge emprunte peut-être les traits d'Agnès Sorel. Ces deux derniers tableaux semblent bien avoir formé un diptyque à la cathédrale de Melun de 1461 à 1475. La date d'exécution est proche de 1450 ; 4° le *Portrait de Guillaume Jouvenel des Ursins* (Louvre) provenant de la collection Gaignières, peint vers 1455 ; 5° le *Portrait du même* (Berlin, Cabinet des Dessins), étude préparatoire pour le précédent portrait, la tête seule, de trois-quarts à droite, presque de grandeur nature. Le dessin à la pierre noire et aux crayons de couleur sur papier gris fut autrefois attribué à Holbein, restitué à Fouquet en 1910 par M. J. Friedländer. Rappelons que le portrait peint du Louvre avait été attribué à Dürer, puis à Wolgemuth. Aux œuvres ci-dessus, s'ajoutent deux petits émaux pouvant provenir du cadre du diptyque de Melun ; 6° le *Portrait présumé de l'artiste* (Louvre) ; 7° *Croyants et Incrédules* (Berlin, Schlossmuseum). Ce dernier a été détruit en 1945. Viennent ensuite deux tableaux et un dessin généralement acceptés par la critique, mais sur lesquels la discussion reste néanmoins ouverte : 8° *La Pietà* (Église de Nouans), publiée par Paul Vitry en 1931. Cette grande composition qui pourrait se rattacher aux peintures religieuses mentionnées par Francesco Florio a certainement été conçue par Fouquet, mais l'exécution ne nous semble pas entièrement du maître ; 9° le *Portrait d'un moine* (Musée de Tours), fragment d'un grand tableau ; 10° le *Portrait d'un légat du Pape* (Metropolitan Museum, New York). Le dessin à la pointe d'argent, provenant des anciennes collections Heseltine, Oppenheimer et Duveen serait, selon C. Schaeffer (1967), un portrait du cardinal d'Estouteville.

Au-delà de ces dix œuvres qui, dans l'état actuel des connaissances sur Fouquet, forment en quelque sorte une base de travail, les attributions ne relèvent plus que de l'hypothèse. Le *Triptyque* de Loches, daté 1485, doit être, croyons-nous, attribué aux fils de Fouquet, Louis et François (voir l'article qui leur est consacré). Le *Portrait d'homme de 1465* (Collection Liechtenstein) et l'*Homme au verre de vin* (Louvre), tous deux exposés en 1904 comme ouvrages de Fouquet, ne passent plus pour tels aujourd'hui, mais restent associés aux yeux de la plupart des critiques. Nous inclinons à croire, comme Grete Ring, que le premier de ces tableaux est d'un atelier français tandis que le second doit s'apparenter à Nuno Gonçalves, ainsi que l'avait suggéré Salomon Reinach. Signalons enfin trois dessins qui ont été, avec des fortunes diverses attribués à Fouquet : un *Portrait d'homme* (Louvre) exposé en 1904 et qui est une œuvre flamande, la *Tête de jeune homme* (Ermitage), ouvrage français mais ne se reliant que d'assez loin à Fouquet, de même que le *Jeune homme debout* de la collection Liechtenstein. Une excellente bibliographie relative à Fouquet a été publiée par Charles Sterling dans l'*Art Bulletin* de 1946. Quelques études plus récentes ont proposé des précisions de détails, sans modifier profondément la problématique de Fouquet. Citons C. Schaeffer (1967) établissant que le voyage de Fouquet à Rome, entre l'été 1445 et Noël 1446, a eu surtout pour but d'obtenir du pape une « dispense de naissance illégale » qui fut suivie en 1447 d'un canonicat, confirmé en 1449. De son côté M. G. A. Vale (1968), estime que le *Portrait de Charles VII* pourrait avoir été peint au moment de la mort du roi, en 1461 ou peu après, lorsque le masque mortuaire parvint à Fouquet qui se trouvait à Paris. Enfin Robert Fiot (1970) attribue à Fouquet les cartons, voire l'exécution de plusieurs vitraux de Notre-Dame-la-Riche à Tours. Ces vitraux seraient les « images religieuses » signalées par Florio en 1477. L'activité de Fouquet comme verrier et comme orfèvre apparaît en tout cas de plus en plus probable.

En correctif de la notice de Robert Lebel, les travaux de Laborde émettent des doutes sur certaines attributions à Jean Fouquet, concernant notamment : les grandes miniatures du livre d'heures d'Anne de Bretagne, le livre d'heures de Marie de Médicis, le *Boccacio* de Munich, celui de Genève et beaucoup

d'autres manuscrits primitivement attribués à Jean Fouquet (voir la notice Louis et François Fouquet). ■ Robert Lebel, J. B.
Bibliogr. : Klaus G. Perls : *Jean Fouquet*, Hypérion, Paris, 1940 – Jean Alazard : *Fouquet*, Hatier, Paris.
Musées : Anvers : *La Vierge et l'Enfant Jésus* – Berlin : *Étienne Chevalier avec son patron saint Étienne* – Chantilly : *Le jour des morts* – *La Toussaint* – *Job et ses amis* – *Saint Thomas d'Aquin enseignant dans un couvent de l'ordre de Saint Dominique* – *Saint Hilaire présidant un concile* – *Intronisation de saint Nicolas, évêque de Myre* – *Le martyre de sainte Catherine d'Alexandrie* – *Saint Jean dans l'île de Patmos* – *Le martyre de sainte Apolline* – *Le martyre de saint André* – *Le martyre de saint Pierre* – *Saint Paul sur le chemin de Damas* – *Le martyre de saint Jacques le Majeur* – *Le couronnement de la Vierge* – *Le martyre de saint Étienne* – *L'assomption de la Vierge* – *L'intronisation de la Vierge* – *La mort de la Vierge* – *Les funérailles de la Vierge* – *L'ange annonce à la Vierge qu'elle va entrer dans le royaume du Christ* – *La mission des Apôtres et l'unité du ministère apostolique* – *L'Ascension* – *La Pentecôte* – *La mise au tombeau* – *La Vierge tenant sur ses genoux le Christ mort* – *Jésus crucifié* – *La descente de croix* – *Le portement de croix* – *Jésus devant Pilate* – *Jésus livré par Judas* – *La Cène* – *Marie-Madeleine répand des parfums sur les pieds du Sauveur* – *L'adoration des mages* – *Les bergers adorant l'enfant divin, qui vient de naître* – *La naissance de saint Jean-Baptiste* – *L'Annonciation* – *La Visitation* – *La Vierge et l'Enfant Jésus, entourés de la cour céleste, reçoivent les hommages d'Étienne Chevalier et de son patron saint Étienne* – *Le mariage de la Vierge* – *Étienne Chevalier et saint Étienne rendent hommage à la Vierge* – Munich : *Bocacce* – Paris (Louvre) : *Portrait de Charles VII, roi de France* – *Portrait de Guillaume Juvenal des Ursins* – *Portrait du pape Eugène IV* – *Portrait de Louis XI* – *Autoportrait* – Vienne (Liechtenstein) : *Portrait d'homme*, attr.
Ventes Publiques : Paris, 1884 : *Portrait d'Anne de Bretagne* : **FRF 1 800** ; *Portrait présumé d'Anne de Bretagne* : **FRF 600** – Paris, 1889 : *Le Calvaire et le retour de l'escorte* : **FRF 540** – Paris, 10 et 11 mai 1926 : *La Vierge et l'Enfant dans un encadrement de niches gothiques avec statuettes*, miniat. reh. d'or sur parchemin : **FRF 15 000** – Londres, 10-13-14 juil. 1936 : *Portrait d'un ecclésiastique* : **GBP 107** – New York, 15 nov. 1945 : *Charles VII*, d'après J. F. : **USD 225**.

FOUQUET Jean
XVIIe siècle. Français.
Peintre.
Membre de l'Académie Saint-Luc, à Paris, en 1678.

FOUQUET Jean
XVIIIe siècle. Français.
Peintre de genre, portraits, paysages, dessinateur.
De 1793 à 1798, il exposa au Louvre des centaines de portraits dessinés, qui furent gravés ensuite par Chrétien, ainsi que quelques paysages animés. En 1781, il avait envoyé au Salon de la Correspondance un petit tableau d'une intéressante composition : *Buveuses*.

FOUQUET Louis et **François** ou **Foucquet**
XVe siècle. Français.
Peintres, miniaturistes.
Ces deux fils de Jean Fouquet sont mentionnés par J. Brèche dans *Ad titulum Pandectarum de verborum significatione Commentarii* (Lyon 1556), mais aucune autre preuve de leur existence n'a été retrouvée dans les archives. Dans le document, cité plus haut, du 8 novembre 1481 à Tours, il n'est question que de « la veuve et héritiers de feu Jehan Foucquet, peintre ». On a tenté d'identifier François Fouquet à « Maître François », miniaturiste à Paris dans la seconde moitié du XVe siècle. Il est vraisemblable que Fouquet eut ses fils pour élèves et qu'après avoir collaboré avec lui de son vivant, ceux-ci continuèrent à peindre dans son style après sa mort. Le triptyque de la *Passion du Christ* (église Saint-Antoine, Loches, aujourd'hui au château) daté 1485, ne peut, malgré les initiales F. I. B., être attribué à Bourdichon. Il s'agit d'un ouvrage exécuté directement sous l'influence de Fouquet, très probablement par ses fils, ou par l'un d'eux dont la personnalité pourrait être définie à partir de cette base.
Toutefois, en correctif de la notice de Robert Lebel, on trouve dans Laborde la notice suivante : « J'ai attribué aux élèves de Jean Fouquet les grandes miniatures du livre d'heures d'Anne de Bretagne. Il me semble retrouver également la touche de ces peintres dans le livre d'heures de Marie de Médicis (Collection Dome, n° 112), conservé à Oxford dans la *Bodleian Library*. Les miniatures les plus belles du livre d'Anne de Bretagne ont été, d'après moi, exécutées par un artiste français de l'école de Jean Fouquet ; ce sont *Le Christ* et les ornements de marge du fol. 1, *La Pentecôte*, *La Vierge et l'Enfant*, peinture dans laquelle l'influence flamande est plus marquée que de coutume, bien que l'on y retrouve la netteté propre à Jean Fouquet, *Le péché originel* (un château rappelant celui de Chambord, se trouve à l'arrière-plan, le charme et l'élégance de son aspect sont d'une facture indubitablement française). » Canon Fochem, dont le nom paraît plusieurs fois dans ce manuscrit, y a écrit l'énumération suivante : « Ce livre contient outre beaucoup d'autres ornements : Figures humaines, 585 ; Oiseaux, 64 ; Insectes, 314 ; Fleurs, 1503 ; Fruits, 309 ; Feuilles, 1259-4031. Le *Boccacio* de Munich, celui de Genève et beaucoup d'autres manuscrits primitivement attribués à Jean Fouquet sont maintenant reconnus comme ayant été exécutés par ses élèves ». ■ R. L., J. B.

FOUQUET Louis Socrate
Né le 13 mai 1795 à Paris. Mort après 1831 à Paris. XIXe siècle. Français.
Peintre de portraits.
Cet artiste passa de longues années en Allemagne ; dès 1815, il était peintre de la manufacture royale de porcelaine de Berlin ; il occupa le même emploi à la manufacture royale de Nymphenbourg et fut nommé, en 1821, peintre sur émail du cabinet du prince de Saxe-Gotha. Il travailla successivement pour le roi de Prusse, le roi Maximilien, Eugène de Beauharnais, le prince de Hœrdenborg ; finalement, il revint à Paris et devint professeur. Il fut également miniaturiste.
C'est probablement le même artiste que le peintre animalier Fouquet cité par Siret.
Musées : Gotha : *Portrait de femme sur émail*.
Ventes Publiques : Paris, 22 oct. 1982 : *Portrait d'une dame de qualité*, h/t (65x54) : **FRF 3 800**.

FOUQUET Louis Vincent
Né en 1803 à Orléans (Loiret). Mort en 1869. XIXe siècle. Français.
Peintre de genre, paysages, intérieurs, aquarelliste.
Élève de l'école de dessin, à Orléans, il se perfectionna dans l'atelier de Decamps. En 1833, il fut médaillé et exposa au Salon de 1827 à 1868.
De ses tableaux, on cite : *Intérieur du bourg de Batz, en Bretagne* ; *Le Balayeur* ; *Les Singes savants* ; *Intérieur d'une clouterie* ; *Scène de choléra, Une veuve* ; *La Marchande d'antiquités* ; *Des enfants à la cabane aux lapins* ; *Intérieur d'une cuisine à Franchard* ; *Convoi d'un seigneur breton*.
Musées : Bourges : *Un mendiant* – Orléans : *Intérieur d'atelier* – *L'Enfant aux marionnettes*.
Ventes Publiques : Paris, 15 oct. 1990 : *Couple surpris par l'orage*, h/pan. (69x51) : **FRF 18 000** – Paris, 10-11 juin 1997 : *Massage au hammam*, aquar. et gche, une paire (17,5x12) : **FRF 55 000**.

FOUQUET Michel ou **Fouqué**
Mort en 1782 à Angers. XVIIIe siècle. Français.
Sculpteur sur bois.
Il travaillait en 1780 à la cathédrale avec Jacques Gaultier.

FOUQUET Valentin
Mort en 1744. XVIIIe siècle. Actif à Tournai. Éc. flamande.
Sculpteur.
Fils de Jacques Fouquet. On cite parmi ses œuvres un cadre pour un portrait de Charles VI qu'il exécuta en 1721, et un tabernacle pour l'école de garçons des Dominicains, exécuté en 1728.

FOUQUET-DORVAL Georges
XXe siècle. Français.
Graveur.
Il travaillait à Paris. Il fut élève de Gérome et de Waltner. Sociétaire, à Paris, du Salon des Artistes Français, à partir de 1903, il a obtenu une médaille de troisième classe et une bourse de voyage en 1902. Des médailles de deuxième classe en 1907 et de première classe en 1910. Hors concours. Il fut membre du jury.

FOUQUEUR Jean Louis
Né en 1786 à Tierceville. Mort le 20 avril 1866 à Villeneuve-les-Genêts. XIXe siècle. Français.
Peintre de compositions religieuses, dessinateur.
Fut formé par David et Regnault, mais ne tarda pas à se laisser entraîner par le mouvement politique. Admirateur de Napoléon, il s'engagea et servit dans les armées du premier Empire. Ce n'est qu'en 1831 qu'il commença à figurer au Salon. Il y exposa : *Bataille de la Moskowa*, et parmi ses autres ouvrages on cite :

Trois portraits de Louis XVIII, dont l'un à Auray, le second à Ploërmel, le troisième à Lorient ; *Un portrait de Charles X*, à Vannes. Pour le séminaire de cette ville, il exécuta une peinture représentant : *Saint Vincent de Paul donnant les statuts de son ordre à ses missionnaires*. Pour la cathédrale il peignit l'*Assomption* et fit les stations du chemin de croix. On doit à Fouqueur, à l'église de Bernières, le tableau du maître-autel : *La Nativité* et deux fresques intéressantes : *L'Assomption* et *La Cène*. Il réalisa également des dessins à la plume.

FOUQUIER Bertram et **Paulus de**. Voir **FOUCHIER**

FOUQUIER Victor

XIVe siècle. Actif à Marseille. Français.

Peintre.

FOUQUIÈRES Jacques ou **Foucquière** ou **Foucquier**

Né vers 1580 à Anvers. Mort en 1659 à Paris. XVIIe siècle. Français.

Peintre de paysages, graveur.

Ses origines étaient fort modestes, bien qu'il laissât entendre qu'il appartenait à la famille opulente des Fuggers, appelés en Flandre Fokkiers. D'après Juste d'Egmont, son père était charron. Il fut l'élève de Breughel de Velours, ainsi qu'en témoignent ses premiers travaux, exécutés dans le style de ce maître. Peut-être fut-il également à l'école de Josse de Momper, paysagiste en renom, le « pictor montium » des cent portraits de Van Dyck. Artiste certainement doué, Fouquières suivit d'abord une excellente voie, en se basant sur l'observation fidèle de la nature, saisie dans sa réalité même, avec un talent qui le fit considérer par certains critiques comme le « Titien des Flamands ». Il peignait et dessinait avec facilité, maniant aussi heureusement la plume. Fouquières ne persévéra pas dans cette première manière, qu'une critique ancienne tenait pour naïve, n'y voyant qu'une « copie de la nature ». Il chercha à idéaliser celle-ci, combinant dans des ensembles de son invention les parties observées directement, visant aux aspects majestueux, aux masses imposantes, procédant, pour ainsi dire, avec le parti-pris de voir tout en grand. On a attribué cette préoccupation, qui tendait à faire perdre à l'artiste la saveur de son caractère d'origine, à l'influence de Rubens. Il est de fait que l'illustre maître flamand connut Fouquières et apprécia son talent, car il lui confia l'exécution de quelques fonds de paysage dans des tableaux d'histoire qu'il n'avait pas le temps d'achever lui-même. En 1621, l'artiste vint à Paris, la même année que Rubens, qui avait été appelé par Marie de Médicis pour peindre la galerie du Luxembourg. Il est vraisemblable que Rubens, s'il n'amena peut-être pas Fouquières à sa suite, le détermina du moins à venir en France. Son succès y fut rapide, d'autant plus que le paysage ne constituait pas encore « un genre » ; le peintre flamand sut parfaitement se mettre au goût du jour, et adapter sa manière aux conceptions de l'époque, dans la forme italianisante qui était celle de Forest, par exemple. Il exécuta d'abord de nombreuses peintures pour la décoration des grands hôtels, travaux dont il ne reste pas de trace. Le roi Louis XIII s'éprit de ses paysages, au point de lui octroyer, non seulement la naturalisation, mais des lettres de noblesse, avec le titre de baron. Malheureusement pour lui, le tortil lui fut fatal, car il devint arrogant et orgueilleux à l'excès, plus qu'il ne l'avait été jusqu'alors de son talent. Il ne consentit plus à peindre que pour les grands seigneurs, une longue rapière toujours à son côté, affectant de condescendre à les obliger, mais exigeant néanmoins qu'on le payât fort cher. Il avait reçu, sur l'ordre du roi, la mission de peindre, entre les fenêtres de la grande galerie du Louvre, les vues des principales villes de France. Il fit, à cet effet, un voyage, principalement à Marseille et en Provence, au cours duquel il s'abandonna surtout à son penchant naturel pour la vie facile, soit la paresse et le bon vin. Mais il arriva que ce projet de décoration fut abandonné, lors de l'arrivée à Paris de Nicolas Poussin, qui prit en main la conduite de l'entreprise. Le baron Fouquières, l'épée au côté sinon le feutre en bataille, s'en vint, de toute la hauteur de sa dignité offensée, relancer Poussin et revendiquer son autorité méconnue. Mais il se trouva en présence d'une hauteur au moins égale et d'une autorité encore moins disposée à la discussion. Poussin s'en égaya et en égaya ses amis ; Fouquières furieux, mais déconfit, s'en alla travailler pour un temps chez l'Électeur palatin. Il mourut âgé, mais tristement. S'il n'avait su atteindre au panache de Cyrano, il faut reconnaître qu'il n'avait pas abaissé sa dignité de gentilhomme à la plate prévoyance d'un Chrysale. Prodigalité, ivrognerie, conduite déréglée menèrent le malheureux baron à la ruine : un peintre du nom de Sylvain, pauvre diable peut-être, mais artiste au cœur noble, le recueillit chez lui. C'est là, faubourg Saint-Jacques, qu'il termina son existence. Son ami Nicolas Montagne dessina son portrait, tandis qu'il agonisait. Mariette avait vu ce portrait, mais ne savait ce qu'il était devenu. Les Musées d'Europe, pas plus que le Louvre, ne possèdent de tableaux de Fouquières. Il existait quatre de ses paysages, en médaillons, aux Tuileries (salle du Conseil des Ministres), ainsi que sept autres peints sur panneaux, dans la Bibliothèque et trois dans le Salon des Dames du même Palais. Il n'existe pas non plus de gravures de sa main ; mais un certain nombre de ses paysages ont été gravés par Arnould de Jode, Alexandre Voet, Michel Montagne, Perelle et surtout Jean Morin. Quelques-uns de ses dessins ont figuré dans des ventes publiques. Fouquières, tout en adoptant la manière en vogue, n'avait pas entièrement abdiqué sa nature originelle : ses sites sauvages, affranchis de figures mythologiques, ne sont pas indignes des succès qui les ont accueillis et la recherche de la grandeur n'exclut pas le charme rustique, surtout dans les scènes qui représentent ou évoquent la chasse.

Musées : Besançon : *Paysage* – Bordeaux : *Paysage avec figures* – Cologne : *Paysage* – Grenoble : *Paysage aux cavaliers* – Heidelberg : *Paysage* – même sujet – Nantes : *Grand paysage aux piqueux* – Toulouse : *Lisière de forêt*.

Ventes Publiques : Paris, 1753 : *Paysage d'hiver* : **FRF 129** – Cologne, 1862 : *Paysage animé de figures* : **FRF 150** – Paris, 1873 : *Paysage* : **FRF 400** – Paris, 14 mai 1935 : *L'auberge sur la colline*, attr. : **FRF 4 000** – Londres, 31 juil. 1939 : *Paysage boisé* : **GBP 7** – Paris, 7 mars 1955 : *Paysage à la tour*, lav. de bistre : **FRF 26 000** – Londres, 27 mars 1963 : *A stag hunt* : **GBP 800** – Bruxelles, 13 mai 1969 : *Paysage fluvial animé de personnages* : **BEF 2 000 000** – Vienne, 4 déc. 1973 : *Paysages animés de personnages*, deux panneaux : **ATS 500 000** – Paris, 7 juin 1974 : *Scène de la vie du Christ* : **FRF 16 000** – Paris, 28 nov. 1978 : *Scène de la vie du Christ*, h/bois (49x94) : **FRF 24 000** – New York, 17 jan. 1985 : *Paysans dans un paysage boisé*, h/t (57,5x84,5) : **USD 32 000** – Amsterdam, 18 nov. 1985 : *Paysage escarpé boisé avec vue d'un château à l'arrière-plan*, craies rouge et noire (23,6x38) : **NLG 26 000** – Zurich, 20 nov. 1987 : *Voyageurs dans un paysage boisé*, h/pan. (57,5x84,5) : **CHF 44 000** – New York, 5 avr. 1990 : *Vaste paysage animé d'animaux et de personnages marchant sur un sentier*, h/cuivre (16,5x22) : **USD 4 400** – Londres, 8 juil. 1992 : *Ville en hiver avec un canal gelé et foire aux cochons sur un quai au premier plan*, h/pan. (56x85) : **GBP 121 000**.

FOUR. Voir aussi **DUFOUR**

FOUR Amélie. Voir **FRUCHARD,** Mme

FOUR Pieter de ou **Foere**. Voir **FURNIUS Pieter Jalhea**

FOURAU Hugues ou **Foureau**

Né le 9 mai 1803 à Paris. Mort le 1er décembre 1873 à Paris. XIXe siècle. Français.

Peintre d'histoire, compositions mythologiques, scènes de genre, portraits.

Entré à l'École des Beaux-Arts de Paris, en 1828, il se forma sous les conseils de Pierre Guérin et d'Antoine Gros. Il exposa au Salon de Paris, de 1827 à 1864.

Il réalisa des peintures d'histoire, des scènes de genre et des portraits. C'est cette dernière discipline qui lui valut le plus de commandes. Parmi ses toiles, on cite : *La mort du patriarche grec Grégoire* – *La mort d'Adonis* – *La tendresse maternelle* – *La folle* – *Ulysse et Nausicaa* – *Défense de Valenciennes, en 1793, par le général Ferrand* – *Ambroise Paré*.

Bibliogr. : Gérald Schurr, in : *Les Petits Maîtres de la peinture 1820-1920, valeur de demain*, Les Éditions de l'Amateur, t. V, Paris, 1981.

Musées : Boulogne-sur-Mer – Moulins : *Femme allaitant son enfant*.

Ventes Publiques : Paris, 1er-2 mars 1869 : *Bataille de Palestro* : **FRF 200** ; *Mirabeau et le Marquis de Dreux-Brézé* : **FRF 255** ; *Un déjeuner*, past./pap. : **FRF 110** – Londres, 30 mai 1932 : *Derniers moments de Chatterton* : **GBP 8** – Paris, 15 mai 1933 : *Ambroise Paré prisonnier chez les Espagnols* : **FRF 1 405** – Paris, 30 mai 1980 : *Portrait de fillette au chien*, past./pap. (64x52) : **FRF 4 500** – Paris, 27 juin 1994 : *Achille poursuivit par le Xanthe*, h/t (112x145) : **FRF 102 000**.

FOURAU Laure, Mme. Voir **COUSSIN Laure**

FOURAUT Célénie, Mme

XIXe siècle. Active à Paris. Française.

Sculpteur.
Sociétaire des Artistes Français depuis 1889.

FOURBAULT Yvon
XVe siècle. Français.
Peintre.
Peintre de la Cour de Louis XI, il peignit en 1464 deux bannières représentant *Notre-Dame d'Aix*, et *Saint Denis avec deux martyrs.*

FOURCADE
XIXe siècle. Actif dans le Sud de la France vers 1830. Français.
Peintre de miniatures.
Des portraits miniatures de sa main sont conservés dans la région de Bordeaux et Toulouse.

FOURCADE Dominique Philippe Jean
Né en 1871 au Plan (Ille-et-Vilaine). XXe siècle. Français.
Sculpteur, graveur, médailleur.
Il fut sociétaire, à Paris, du Salon des Artistes Français à partir de 1903. Il obtint une mention honorable en 1899, et une médaille de deuxième classe en 1908.

FOURCADE F. de
XIXe siècle. Français.
Sculpteur.
Le Musée Camille Saint-Saëns, à Dieppe, conserve de lui un *Portrait de Saint-Saëns.*

FOURCADE-CANCELLE Jeanne
Née au XXe siècle à Paris. XXe siècle. Française.
Peintre et céramiste.
Elle exposa à Paris au Salon de la Nationale des Beaux-Arts en 1933.

FOURCAUD Adolphe
Mort en 1849. XIXe siècle. Actif à Liège. Éc. flamande.
Peintre sur porcelaine et aquarelliste.

FOURCHE Étienne
XVIIe siècle. Actif à Troyes de 1634 à 1644. Français.
Peintre.

FOURCHEY Étienne ou **Fourché**
XVIIe-XVIIIe siècles. Actif à Troyes en 1692 et 1707. Français.
Peintre.

FOURCROY Nicole. Voir **PUCE**

FOURCY Jacques Charles
Né en 1906 à Paris. XXe siècle. Français.
Aquarelliste.
Il exposa à Paris au Salon.

FOURDIN H.
XIXe siècle. Français.
Sculpteur.
Le Musée de Nice renferme un médaillon de lui : *Salvator Olivette.*

FOURDINOIS Henri
XIXe siècle. Actif à Paris. Français.
Sculpteur sur bois et ébéniste d'art.
Il employa pour la création de ses meubles des artistes comme J. J. Perraud et J. Taballon comme sculpteurs d'ornements et de figures, et présenta aux Expositions Universelles de Londres 1851, Paris 1867, Vienne 1873 et Paris 1878, des œuvres produites dans ses ateliers.

FOURDRIN Adrien
XIXe siècle. Français.
Sculpteur.
En 1849, il envoya au Salon de Paris : *Souvenir d'enfance*, tête d'étude en bronze, et en 1850 : *Tête d'étude avec fleurs*, médaillon en bronze et *Tête d'étude*, grand médaillon en bronze.

FOURDRIN Camille, Mme, née **Lemaire**
XIXe siècle. Française.
Peintre.
Elle figura au Salon de Paris de 1831 à 1848 avec des aquarelles. On cite d'elle : *Papillons ; Gobe-mouches ; Bouquet de pivoines ; Oreilles-d'ours, primevères et impériales ; Roses, tulipes, giroflées ; Camélias et roses.*

FOURDRINIER Pierre ou **Fourdrinière**
Né en France. Mort à Londres. Français.
Graveur.
Il travailla surtout à Londres. Il a gravé notamment des portraits et des planches pour des illustrations. On cite aussi de lui des gravures d'architecture.

FOURÉ, abbé
Né en 1819 ou 1839 à Rothéneuf (près de Saint-Malo). Mort en 1910. XIXe-XXe siècles. Français.
Sculpteur. Naïf.
A consacré trente ans de sa vie à sculpter de figures monumentales naïves, les rochers de la falaise de Rothéneuf. Il y conte la chanson de geste des Rothéneuf, famille de pirates, dont les faits et gestes ne furent pas toujours édifiants. La tradition de la statuaire populaire bretonne, qui emplit les murs des églises, les autels, et les calvaires, a certainement exercé une influence sur l'abbé.

FOURÉ Antoine
XVIIIe siècle. Français.
Peintre et architecte.
Il était élève de l'Académie Royale ; il travailla comme peintre pour le comte de Clermont et comme architecte pour le prince de Conti. Il se fixa en 1770 à Strasbourg. Il est probablement identique au peintre du même nom qui fit des peintures au théâtre de Nancy en 1770.

FOURÉ Jacques
XVIIIe siècle. Actif à Paris en 1748. Français.
Peintre et sculpteur.

FOURÉ Louis Ernest
Né au XIXe siècle à Paris. XIXe siècle. Français.
Peintre.
En 1878, il envoya au Salon : *Environs de Mussidan*, et en 1879 : *Bords de la Seine, aux Moulineaux.*

FOURE Mathieu ou **Fourée**
XVIIIe siècle. Français.
Peintre.
Il était peintre de fleurs à la Manufacture de Sèvres, de 1748 à 1778. Une coupe d'un service de Catherine II porte sa marque, ainsi que certaines parties d'un service de table de Buckingham Palace.

FOUREAU
XVIIIe siècle. Actif à Versailles en 1768. Français.
Sculpteur sur bois.
Il travailla avec Pajou au théâtre du Château.

FOUREAU. Voir aussi **FOURAU**

FOUREST Suzanne
Née à Paris. XXe siècle. Française.
Peintre.
Élève de Sabatté. Elle exposa à Paris au Salon des Artistes Français à partir de 1930. Elle reçut une mention en 1934, médaille d'argent en 1938.

FOURESTIER Jacques. Voir **FABRÈGE**

FOURIÉ Albert Auguste
Né en 1854 à Paris. Mort en 1896 à L'Isle-Adam (Val d'Oise). XIXe siècle. Français.
Peintre de sujets religieux, scènes de genre, paysages animés, paysages, sculpteur, graveur, illustrateur.
Entré à l'École des Beaux-Arts de Paris, il étudia la sculpture chez Jean Gautherin. Puis il s'adonna entièrement à la peinture et suivit l'enseignement de Jean-Paul Laurens. Il exposa pour la première fois, au Salon de Paris de 1877, avec une sculpture : *Buste de jeune fille.* À partir de 1879, il y présenta des toiles, obtenant une mention honorable en 1883, une médaille de troisième classe en 1884, une de deuxième classe en 1887, et une médaille d'or à l'Exposition Universelle de 1889. Il fut promu chevalier de la Légion d'honneur.
Parmi ses œuvres, on cite : *La récréation au cloître – Judith – Un Numismate – La Première communion à Crosne – Fille d'Ève.*
Bibliogr. : Gérald Schurr, in : *Les Petits Maîtres de la peinture 1820-1920, valeur de demain*, Les Éditions de l'Amateur, t. IV, Paris, 1979.
Musées : Nîmes : *À travers bois* – Paris (Mus. d'Orsay) : *Sous les branches* – Rouen (Mus. des Beaux-Arts) : *Repas de noce à Yport – La chambre mortuaire de Mme Bovary* – Saintes : *Souvenir de Versailles* – Saint-Étienne : *Étienne Marcel et le Dauphin* – Sète : *Les accordailles – Les fiançailles – Les noces d'or* – Tourcoing : *Le dernier deuil.*
Ventes Publiques : Paris, 15 juin 1900 : *Après le bain* : **FRF 220** – Paris, 4-5 déc. 1918 : *Léda et le cygne*, dess. : **FRF 240** – Paris,

15 avr. 1921 : *Femme nue* : **FRF 800** – PARIS, 18-19 mai 1925 : *Le Cygne* : **FRF 115** – LONDRES, 22 déc. 1926 : *La fin d'un rêve* : **GBP 31** – PARIS, 18 avr. 1928 : *Jeune baigneuse* : **FRF 175** – PARIS, 13 juin 1941 : *Glaneuse* : **FRF 100** – PARIS, 18 fév. 1942 : *Baigneuse*, past./pap. : **FRF 300** – PARIS, 24 avr. 1942 : *La Passerelle* : **FRF 320** – PARIS, 14 mars 1945 : *Nu dans les fleurs* : **FRF 850** – LOS ANGELES, 13 nov. 1972 : *La jeune fille au lézard* : **USD 1 100** – NEW YORK, 23 fév. 1989 : *Jeune femme assise dans un chemin forestier* 1908, h/t (94,7x75) : **USD 8 800** – DOUAI, 2 juil. 1989 : *L'enfant au panier*, h/t (47x35) : **FRF 8 100** – VERSAILLES, 19 nov. 1989 : *Miroir d'eau* 1910, h/t (81x100) : **FRF 52 000** – PARIS, 12 déc. 1990 : *Jeunes baigneuses dans un parc*, past. (23x31) : **FRF 6 000**.

FOURIER Anthoine
XVIIe siècle. Actif à Paris en 1614. Français.
Peintre ou sculpteur.

FOURLIGUIN J. P.
Né en 1858. XIXe siècle. Russe.
Peintre.
Le Musée de Roumiantzeff, à Moscou, conserve de lui une œuvre, *Au travail*.

FOURMAINTRAUX-WINSLOW Rachel
Née en 1880 à Londres. XXe siècle. Française.
Aquarelliste.
Elle fut élève de Walter Sickert. Exposant, à Paris, au Salon des Artistes Français à partir de 1922.

FOURMALS J. M.
Née en 1905 à Paris. XXe siècle. Française.
Peintre.
Elle fut élève de Guirand de Scévola. Elle expose des paysages et des fleurs, notamment au Salon des Artistes Français, à Paris, en 1928. Elle obtint une médaille d'or, à l'Exposition internationale de 1937.

FOURMANOIR Cleto
XVIe siècle. Éc. flamande.
Sculpteur.
Il travailla avec son père Jean Fourmanoir pour l'église Sainte Waudru à Mons.

FOURMANOIR Jacques
XVIe siècle. Éc. flamande.
Sculpteur.
Il était probablement le fils du sculpteur Jean Fourmanoir. Il sculpta les armes de Philippe II pour l'Hôtel de la Monnaie à Anvers.

FOURMANOIR Jean
XVIe siècle. Actif à Mons. Éc. flamande.
Sculpteur sur bois.
Il exécuta de 1535 à 1549, d'après le projet de J. Dubroeucq, les stalles de l'église Sainte-Waudru à Mons, qui furent détruites en 1797.

FOURMENTIN Michel. Voir **FROUMENTIN**

FOURMOIS Théodore
Né le 14 octobre 1814 à Presles. Mort le 16 octobre 1871 à Ixelles. XIXe siècle. Belge.
Peintre d'histoire, paysages animés, paysages, aquarelliste, graveur, dessinateur, lithographe. Réaliste.
Autodidacte, il débuta sa carrière comme dessinateur, puis il se mit à peindre des scènes de la Révolution belge de 1830. Dès 1836, il se consacra au paysage. Il travailla d'après nature, en Belgique, à Bruxelles et sa campagne environnante ; en France, dans la région des Ardennes, ainsi qu'à Barbizon, par admiration pour Théodore Rousseau, Jules Dupré et Charles Daubigny. Il figura parmi les précurseurs de l'École de Tervueren, et fut l'initiateur du réalisme de la peinture de paysage belge.

T. fourmois
1854

T fourmois

BIBLIOGR. : Gérald Schurr, in : *Les Petits Maîtres de la peinture 1820-1920, valeur de demain*, Les Éditions de l'Amateur, t. II, Paris, 1982.
MUSÉES : ANVERS – BRUGES – BRUXELLES (Mus. des Beaux-Arts) : *Le moulin d'Éprave* – *Vue prise dans la Campine* – LIÈGE – MONTRÉAL.
VENTES PUBLIQUES : PARIS, 7-8 déc. 1891 : *Paysage* : **FRF 540** – PARIS, 28 avr. 1900 : *Vue du Dauphiné* : **FRF 725** – LONDRES, 4 mai 1908 : *Crépuscule* : **GBP 1** – PARIS, 30 mars 1925 : *Coin de forêt* : **FRF 105** – BRUXELLES, 24-25 oct. 1938 : *Le vieux moulin* : **BEF 1 600** – NICE, 2 juin 1945 : *Paysage* : **FRF 11 200** – PARIS, 18 mars 1955 : *Paysage ardennais* : **FRF 44 000** – PARIS, 17 fév. 1971 : *Le Chêne*, h/pan. (24x32) : **FRF 1 300** – LONDRES, 13 avr. 1972 : *La ferme* : **GBP 400** – LONDRES, 6 déc. 1973 : *La récolte du blé* 1841 : **GBP 620** – BRUXELLES, 28 oct. 1981 : *Paysage animé avec moulin à eau* 1871, h/t (80x110) : **BEF 275 000** – LONDRES, 23 fév. 1983 : *Troupeau au bord d'une rivière*, h/t (46x61) : **GBP 850** – BRUXELLES, 27 mars 1985 : *Paysage animé avec moulin à eau* 1871, h/t (79x108) : **BEF 260 000** – BERNE, 30 avr. 1988 : *Sans titre*, h/t (43x54,5) : **CHF 8 000** – LOKEREN, 21 mars 1992 : *Sous-bois*, h/cart. (34x47) : **BEF 38 000** – AMSTERDAM, 2-3 nov. 1992 : *Paysage vallonné avec des personnages sur un sentier longeant une crique*, h/pan. (49x69) : **NLG 11 500** – LONDRES, 7 avr. 1993 : *Figures dans un paysage* 1845, h/pan. (20x27) : **GBP 517** – LOKEREN, 4 déc. 1993 : *Le moulin à eau*, h/t (100x140) : **BEF 380 000** – LOKEREN, 12 mars 1994 : *Vaches à l'abreuvoir*, h/pan. (65x45) : **BEF 60 000** – LOKEREN, 7 oct. 1995 : *Vaste paysage avec des vaches s'abreuvant au bord de la mare*, h/t (75x99,5) : **BEF 220 000** – AMSTERDAM, 22 avr. 1997 : *Paysanne et vaches près d'une ferme* 1866, h/t (79x102) : **NLG 21 240**.

FOURMOIS William
XXe siècle. Français.
Peintre de scènes de genre, paysages.
VENTES PUBLIQUES : PARIS, 14 mai 1945 : *En promenade dans la campagne* : **FRF 5 000**.

FOURMOND Coraly de
Née en 1803. Morte en 1853. XIXe siècle. Française.
Peintre.
De 1831 à 1850, elle figura au Salon de Paris, avec des portraits et des miniatures. Parmi ses ouvrages, on cite : *Portrait de Sidi Mohamed Machsen, gouverneur de Tripoli* ; *La chaste Suzanne* ; *Portrait de M. Eugène Janvier* ; *Frédégonde et l'évêque de Tours, Grégoire*.

FOURNASAYRE Jacques ou **Fournazeri**. Voir **FORNAZERIS Jacques de**

FOURNEAU Daniel
Né en 1953 à Liège. XXe siècle. Belge.
Peintre.
Fils de Charles Félix Fourneau, il fut élève de l'Académie des Beaux-Arts de Liège jusqu'en 1978. Expose à Liège et New York. Une imagerie occasionnée par une « libre-écriture » picturale.
BIBLIOGR. : In : *Diction. biographique illustré des artistes en Belgique depuis 1830*, Arto, Bruxelles, 1987.

FOURNEAU Louis
Né à Trouville-sur-Mer (Calvados). XXe siècle. Français.
Peintre.
Il exposa à Paris au Salon des Artistes Français à partir de 1920.

FOURNEL Eugénie, Mlle. Voir **PELLETIER Laurent**, Mme

FOURNEL Jean-Baptiste
Né vers 1835 à Lyon (Rhône). XIXe siècle. Français.
Peintre d'animaux, paysages, marines, fleurs et fruits, aquarelliste.
Ayant installé son atelier à Pierre-Bénite, dans le Rhône, il exposa au Salon de Lyon, de 1857 à 1892.
Il peignit surtout des fleurs, des fruits et des oiseaux, plus rarement des paysages ou des marines, réalisés à l'aquarelle ou à l'huile.
VENTES PUBLIQUES : ARLES, 10 nov. 1985 : *Nature morte à la coupe de fruits et aux pichets de grès sur une nappe blanche*, h/t (60x73) : **FRF 14 000**.

FOURNEL Pierre
Né le 27 mai 1924 à Rodez (Aveyron). XXe siècle. Français.
Peintre, technique mixte, graveur, lithographe, sculpteur de médailles.
Après ses études à l'École Nationale des Beaux-Arts à Paris, il obtient le Certificat du professorat de dessin en 1949. Il est nommé, en 1950, professeur à Montpellier et se fixe dans le vil-

lage de Castelnau. Il a réalisé les médailles de Joseph Delteil et de Jean Hugo pour la Monnaie de Paris, ainsi que la médaille commémorative du Marquis Jean Pierre et celle de Gabriel Couderc, fondateur du Musée Paul Valery de Sète.
Il participe à de nombreux Salons parisiens : Salon d'Automne, Salon Comparaisons, Peintres Témoins de leur Temps, de même qu'en province. Il expose personnellement régulièrement à Montpellier, Toulouse, Aix, Paris (galerie Vendôme, notamment en 1998), Genève... Plusieurs rétrospectives de son œuvre ont été organisées : 1966, Musée de Narbonne ; Musée de Rodez ; *10 ans de peinture*, Musée de Pau ; 1984, Musée Paul Valery de Sète.
Dans une facture traditionnelle, il peint la campagne montpelliéraine et les villages languedociens. Attiré par l'espace et son horizon, il choisit, en 1959, pour thèmes, les étangs et la mer. En 1960, il peint les paysages d'Espagne, de Bretagne, puis ceux de la lagune de Venise et les espaces sahariens. Vers 1970, il va utiliser des sables et des papiers froissés qu'il appliquera aux grandes étendues de ses paysages. Par ce procédé, il leur imprègne une tonalité chaude et structure par un discret relief l'espace de ses compositions. Dans les années quatre-vingt-dix, le natif de Rodez a pris pour thème les *Chemins Cathares*, jouxtant parfois dans ses évocations une abstraction ornementale.
Pierre Fournel pratique aussi la gravure, utilisant d'abord les techniques traditionnelles de l'eau-forte, de la pointe sèche, et de la lithographie, mais remplaçant bientôt la plaque gravée par un substrat de résines synthétiques. ■ C. D.

Bibliogr. : Phillipe Comte, in : *Pierre Fournel*, catalogue de l'exposition, Musée Paul Valery, Sète, 1984.

Musées : Avignon – Luxembourg – Lyon – Montpellier (Mus. Fabre) : *Carrefour de Castelnau* – *Paysage Caussenard* – Narbonne (Mus. d'Art et d'Hist.) : *Cadaquès 1961*, h/t – Nice – Paris (Mus. d'Art Mod. de la Ville) – Pau : *Chemins sauniers* – Rodez – Sète : *Plage de l'Espiguette*.

Ventes Publiques : Paris, 1er juil. 1986 : *Triptyque saharien*, trois h. et sable/t. (100x100 ; 113x146 ; 100x100) : **FRF 8 100**.

FOURNEREAU Jean François Mathieu, dit **Mathéus**
Né le 29 décembre 1829 à Mornant (Rhône). Mort le 13 décembre 1901 à Lyon. xixe siècle. Français.
Peintre.
Élève d'H. Flandrin et de Janmot, cet amateur exposa, à Lyon, en 1858-59 et 1861, des paysages, des têtes d'étude (peinture, fusains et crayons) ; en 1888, *Samson incendiant les blés des Philistins*. Il a décoré le chœur de l'église de Couzon (Rhône) et le baptistère de l'église de Saint-Didier sous Riveria.

FOURNERY Félix
Né au xixe siècle à Paris. xixe siècle. Français.
Peintre et illustrateur.
Sociétaire des Artistes Français depuis 1887 ; Félix Fournery a effectué un long voyage dans les pays du Nord. Revenu à Paris, il s'est surtout consacré à l'illustration élégante.

FOURNETS Marie, née **Vernaud**
Née en 1865 à Paris. xixe siècle. Active à Paris. Française.
Peintre.
Élève de D. Maillart. Elle peignit des tableaux d'histoire et de genre ainsi que des portraits et exposa au Salon des Artistes Français en 1885, 1893 et 1900.

FOURNIALS J. Marguerite
Née à Paris. xxe siècle. Française.
Peintre de paysages.
Elle fut élève de Guirand de Scévola. En 1931, elle reçoit une bourse de voyage. Elle exposa, à partir de 1928, au Salon de la Société Nationale des Beaux-Arts, à Paris, des paysages. Elle en devint par la suite sociétaire. Elle obtint une médaille d'or à l'Exposition internationale de 1937, et le prix Charles Cottet en 1941.

FOURNIALS Roger
Né en 1910 à Paris. xxe siècle. Français.
Peintre.
Il a exposé, à Paris, aux Salons des Indépendants, d'Automne, de la Société Nationale des Beaux-Arts, et au Salon Populiste. Médaille d'or Intersalon en 1957.

FOURNIÉ
xviiie siècle. Actif à Bordeaux. Français.
Sculpteur sur bois.
En 1720 il sculpta les statues de *Saint Michel* et de *Saint Guillaume* pour l'église Saint-Michel à Bordeaux.

FOURNIER
Mort le 19 octobre 1739 à Rome. xviiie siècle. Français.
Peintre.
Élève de l'Académie de Paris, il obtint le premier grand prix de Rome de peinture en 1737 avec *Samson surpris chez Dalila par les Philistins*. Il a été souvent confondu avec Jean Fournier, élève de Troy.

FOURNIER
xviiie siècle. Français.
Peintre.
L'église de Contres (Loir-et-Cher) lui doit une *Ascension*. Il est désigné comme « peintre de l'Académie ».

FOURNIER, dom
xviiie siècle. Français.
Peintre.
Il appartenait à l'ordre de Saint-Benoît. Le Lycée de Caen possède de lui quelques tableaux représentant des sujets de l'Ancien et du Nouveau Testament.

FOURNIER Alain A.
Né en 1931. Mort en 1983. xxe siècle. Français.
Peintre de paysages, marines, fleurs, aquarelliste. Réalité poétique.
À Paris, il fut élève de Édouard Goerg et Maurice Brianchon. Élève de l'École des Beaux-Arts, il obtint le Prix de Rome en 1957. Il n'exposait guère depuis 1980. En 1991, la ville de Saint-Lô lui consacra une exposition rétrospective, et la galerie des Orfèvres à Paris a montré un ensemble de ses peintures et aquarelles en 1994.
De Goerg, il tenait une rigueur de la composition, de Brianchon un sens délicat de la lumière. Il a peint de nombreux tableaux de fleurs et des paysages de Normandie, Bretagne et Venise. Dans sa première période, il tendait à un certain expressionnisme dans la facture, qui se fit ensuite plus sereine.

ALAIN A FOVRNIER
ALAIN FOURNIER

Ventes Publiques : Versailles, 23 mars 1986 : *Grand bouquet de fleurs*, h/t (116x89) : **FRF 7 800** – Versailles, 13 déc. 1987 : *Venise, la Salute*, h/t (81x100) : **FRF 9 500** – Versailles, 21 fév. 1988 : *Jeune femme et enfant près du grand canal dans le parc de Versailles*, h/t (81x100) : **FRF 6 000** – Versailles, 23 mars 1988 : *Bateau de pêche près du phare*, h/t (97x131) : **FRF 5 500** – Versailles, 17 avr. 1988 : *Fleurs dans un paysage*, h/t (100x81) : **FRF 2 800** – Le Touquet, 21 mai 1995 : *Port en Bretagne*, h/t (130x162) : **FRF 13 000** – Calais, 25 juin 1995 : *Le Port breton*, h/t (90x116) : **FRF 6 500** – Calais, 7 juil. 1996 : *Bretagne, barques près de la digue*, h/t (130x97) : **FRF 5 500**.

FOURNIER Albert
Né en 1843 à Bordeaux (Gironde). xixe siècle. Français.
Peintre.
Élève de L. Cogniet et de S. Cornu. En 1869, il envoya au Salon de Paris : *Le berger et la mer*, et en 1870 : *Enfant sur une terrasse, Étude*.

FOURNIER Alexandre
Né le 5 décembre 1831 à Gannat (Allier). xixe siècle. Français.
Peintre.
Le 5 avril 1849, il entra à l'École des Beaux-Arts et se forma sous la direction de Cogniet et de Corot. De 1864 à 1870, il figura au Salon de Paris. On cite de lui : *La forêt de Francheville* ; *Un vagabond* ; *Berger napolitain* ; *Une famille de lions*.

FOURNIER Alexis Jean Joseph
Né en 1865. Mort en 1948. xixe-xxe siècles. Depuis 1903 actif aux États-Unis. Français.
Peintre de paysages. Postimpressionniste.
En 1903, il partit s'installer dans la propriété East Aurora près de New York afin d'y poursuivre sa carrière d'artiste. Il créa avec ses amis artistes et des étudiants le *Paint and Varnish Club*, groupe avec lequel il fit de nombreuses promenades en mer en quête de points de vue attractifs.
Peintre de la nature et de plein air, il trouva là sa source principale d'inspiration. Il aimait à peindre sa maison et son jardin, surtout en été.

Bibliogr. : R. N. Cohen : *L'Art d'Alexis Jean Fournier*, Saint Cloud, 1985.

Ventes Publiques : San Francisco, 24 juin 1981 : *Paysage enso-*

leillé, h/t (49,5x60,5) : **USD 1 600** – PORTLAND, 28 sep. 1985 : *Paysage de printemps*, h/pan. (35,5x45,7) : **USD 1 800** – NEW YORK, 30 mai 1990 : *La vieille maison*, h/t (45,5x61) : **USD 3 850** – NEW YORK, 27 sep. 1990 : *Les chutes du Niagara au clair de lune*, h/t (71x97) : **USD 7 700** – NEW YORK, 23 sep. 1992 : *Les roses trémières du jardin de Bungle House*, h/t (66,5x102) : **USD 41 800** – NEW YORK, 11 mars 1993 : *Venise* 1913, h/t (38x55) : **USD 6 325** – NEW YORK, 22 sep. 1993 : *Paysage de fin d'été* 1892, h/t. cartonnée (30,5x50,9) : **USD 2 875** – NEW YORK, 17 mars 1994 : *Le matin au bord du Mississippi* 1891, h/t (71,1x152,4) : **USD 14 950** – NEW YORK, 28 nov. 1995 : *Le champ de courges* 1892, h/cart. (30,5x47) : **USD 3 450.**

FOURNIER Amable Nicolas
Né en 1789 à Cayeux. Mort le 22 juin 1854 à Paris. XIXe siècle. Français.
Graveur.
Il figura au Salon de 1835 à 1850.

FOURNIER Anatole
XXe siècle. Actif à Sèvres (Seine-et-Oise). Français.
Peintre.
Sociétaire des Artistes Français depuis 1907.

FOURNIER André Désiré Jules Louis
Né à Orléans (Loiret). XIXe siècle. Français.
Sculpteur.
Sociétaire des Artistes Français depuis 1904, a obtenu une mention honorable en 1907.

FOURNIER André Georges
Né en 1882 à Paris. XXe siècle. Français.
Peintre.
Il ne semble pas opportun d'établir un rapprochement entre André Georges et Georges. Il fut élève de Forget et de Quenioux.
MUSÉES : LIMOGES : trois croquis.

FOURNIER Antoine
XVIIe siècle. Français.
Sculpteur sur bois.
Il travailla avec son fils Noël à Troyes. Sans doute parents d'Innocent Fournier, ils firent des stalles pour les églises Sainte-Madeleine, Saint-Étienne, Saint-Nicolas et Saint-Rémi, de Troyes. Ils sculptèrent le buffet des orgues de l'église Saint-Jean et firent, en 1626, la chaire de l'église Sainte-Savine ; cette œuvre existe encore aujourd'hui, mais elle est malheureusement recouverte de peinture.

FOURNIER Antoine
Mort le 6 avril 1679. XVIIe siècle. Français.
Sculpteur.
Il sculpta en 1671 et 1672 des confessionnaux pour l'église Saint-Pantaléon à Troyes.

FOURNIER Armand
XIXe siècle. Français.
Peintre.
En 1839, il exposa au Salon de Paris : *Lisière d'un bois*, et en 1848 : *Vue prise aux environs de Montauban*.

FOURNIER Charles
Né le 30 janvier 1803 à Salmaise (Côte-d'Or). Mort le 16 janvier 1854 à Birkenhead (Angleterre). XIXe siècle. Français.
Peintre de genre, portraits, paysages animés.
Il fut l'élève de Prud'hon. Le 4 mars 1825 il entra à l'École des Beaux-Arts. Il exposa de 1833 à 1850 au Salon de Paris.
De ses tableaux on cite notamment : *Scène tirée du roman de Cinq-Mars ; Le Triomphe de la religion sur l'amour ; Paul et Virginie ; Don Juan et Haydée ; L'Orage ; Le Plaisir des belles âmes ; Le Denier de la veuve ; Portrait du docteur Rattier ; Agar arrivant au désert ; Une pauvre femme et sa petite-fille.*
MUSÉES : DIJON : *La Mort d'Abel* – *Le portrait en pied de Pierre-Paul Prud'hon* – SEMUR-EN-AUXOIS : *Femme romaine*.
VENTES PUBLIQUES : LONDRES, 14 mai 1976 : *Mère et enfant dans un paysage* 1843, h/t (118,2x94) : **GBP 650** – MILAN, 25 fév. 1986 : *Portrait de la marquise del Carretto* 1839, h/t (92x72) : **ITL 11 000 000** – PARIS, 18 avr. 1991 : *Portrait de la comtesse de Solancy et de son fils*, h/t (117,5x89) : **FRF 50 000** – PARIS, 6 déc. 1995 : *Fête champêtre* 1838, h/t (82x66) : **FRF 29 000** – PARIS, 2 juin 1997 : *Jeunes filles de la Légion d'Honneur* 1838, t. (82x65) : **FRF 48 000.**

FOURNIER Charles Louis
Né le 21 février 1730 à Ypres. Mort le 28 août 1803. XVIIIe siècle. Éc. flamande.
Peintre de genre et poète.
Le Musée d'Ypres conserve de lui son *Portrait* et quatre dessus-de-porte représentant les *Quatre saisons*.

FOURNIER Claude l'Ancien, l'Ancien
XVIIe siècle. Français.
Peintre.
Il fut l'un des fondateurs de l'Académie de Bordeaux en 1691 et professeur, en même temps que Mar. Fournier le Jeune.

FOURNIER Claude
XVIIIe siècle. Actif à Troyes. Français.
Sculpteur sur bois.
Fils d'Antoine II Fournier, il participa aux travaux de sculpture de boiseries à l'église Saint-Pantaléon à Troyes.

FOURNIER Clotilde Marie Geneviève
Née à La Guadeloupe. XXe siècle. Française.
Peintre, pastelliste.
Élève de l'école des Beaux-Arts à Paris, elle expose dès 1922 au Salon.

FOURNIER Daniel
Né vers 1710. Mort vers 1766 à Wild Court. XVIIIe siècle. Français.
Dessinateur, graveur.
Il était cordonnier et restaurateur-traiteur. Il a publié, en 1764, un ouvrage sur la perspective. On cite de lui des gravures à la manière noire.

FOURNIER Edmond Charles
XIXe-XXe siècles. Actif à Paris. Français.
Peintre.
Sociétaire des Artistes Français depuis 1904, il a obtenu une mention honorable en 1905.
VENTES PUBLIQUES : PARIS, 5 juin 1985 : *Jardin en automne*, h/t (128x160) : **FRF 13 000.**

FOURNIER Édouard. Voir **ÉDOUARD-FOURNIER Paul Joseph Albert**

FOURNIER Édouard
Né en 1857 à Orléans ou à Dijon. XIXe siècle. Français.
Sculpteur.
Élève de Georges Lemaire. Sociétaire des Artistes Français, il a obtenu une médaille de troisième classe en 1889.

FOURNIER Élise, Mme, née **Bernard**
Née au XIXe siècle à Paris. XIXe siècle. Française.
Peintre.
De 1848 à 1852, elle se fit représenter au Salon, notamment par des portraits au pastel. Il ne semble pas qu'il s'agisse de la pastelliste Elisabeth Bernard.

FOURNIER Émile
XIXe siècle. Français.
Peintre.
En 1848 et 1849, il exposa au Salon de Paris des vues prises du côté de la Seine.

FOURNIER Félicie, Mlle. Voir **SCHNEIDER**

FOURNIER Félicie, Mme, née **Monsaldy**
Née en 1797. Morte en 1879. XIXe siècle. Française.
Graveur.
Elle figura au Salon de Paris de 1837 à 1847. Fille du graveur Monsaldy et épouse d'Anatole Nicolas Fournier.

FOURNIER Gabriel
XVIIe siècle. Actif à Bordeaux. Français.
Peintre.
Il était associé avec François de Laprérie ; il visita la Hollande où il est mentionné à Amsterdam en 1641.

FOURNIER Gabriel Francisque Alexis, dit aussi **Gabriel-Fournier**
Né le 26 mai 1893 à Grenoble (Isère). Mort le 13 avril 1963 à Fontainebleau (Seine-et-Marne). XXe siècle. Français.
Peintre de figures, nus, paysages, natures mortes, fleurs, aquarelliste, peintre de cartons de tapisseries, dessinateur, illustrateur. Postimpressionniste.
Il apprit le métier de peindre auprès de Lucien Mainssieux. Il fréquenta à partir de 1910 l'École des Beaux-Arts de Lyon, puis l'École des Arts Décoratifs de Paris en 1912. Il fut élève d'Aubert. Désireux de parfaire les acquis de ses études, il copia abondamment Fra Angelico et Delacroix au Louvre, Véronèse, Sisley et encore Delacroix au musée de Grenoble puis il travailla quatre

ans dans l'atelier de décoration de Raoul Dufy, jusqu'à sa mobilisation en 1918. À Montparnasse, il fréquente Soutine, Kisling, Max Jacob, Picasso, Modigliani, Cendrars, Satie, et rencontre Léopold Zborowski qui, devenant marchand, lui propose un contrat. En 1917, il expose en groupe à la Salle Huyghens, où se déroulaient aussi les récitals de Satie, Poulenc, Auric, Honegger. Zborowski l'envoit peindre à Saint-Paul de Vence, où il fréquente Matisse, Dufy, Jean Renoir, Signac et Gimond. La critique s'intéresse à lui : Élie Faure, André Salmon, Louis Vauxcelles. De 1926 à 1940, il réside à La Murette près de Voiron en Dauphiné, peignant aussi en Provence et à Fontainebleau. À partir de 1943, il illustre des ouvrages : *La Fille d'Auberge* de Virgile en 1945, *Les Chimères* de Nerval en 1948. Il a créé quelques cartons de tapisseries, notamment *Le Baptême du Christ*, commande de la manufacture des Gobelins en 1943. Il a également fait publier en 1956, chez Pierre Cailler à Genève, un recueil de souvenirs sur ses amis artistes. Il a exposé, à Paris, débutant au Salon des Indépendants, et devint sociétaire du Salon d'Automne. En 1933 il est élu au premier groupe de la Galerie Druet, avec Signac, Luce, Bonnard, Vuillard, Maurice Denis, Roussel. Il est présent, en 1939, à une exposition qui se déroula à la Kunsthalle de Bâle, avec Marquet, Laprade, Bouche, Mainssieux. La Galerie Katia Granoff à Paris lui consacre en 1959 une importante exposition personnelle.
Ses nombreuses natures mortes, ses paysages et ses personnages révèlent un artiste délicat à la touche minutieuse.

Bibliogr. : B. Ferrotin : *Gabriel Fournier*, Paris, 1956 – B. Duplessis : *Gabriel Fournier*, Éditions S.N.P.M.D., Paris, 1973 – Maurice Wantellet : *Deux siècles et plus de peinture dauphinoise*, Éditions M. Wantellet, Grenoble, 1987.

Musées : Alger – Chambéry (Mus. des Beaux-Arts) : *Vase de fleurs* – Grenoble – Moscou (Mus. de l'Art Occidental) – Paris (Mus. du Petit Palais) – Pau – Saint-Étienne.

Ventes Publiques : Paris, 9 fév. 1925 : *Paysage* : **FRF 750** – Paris, 22 mars 1926 : *Fleurs* : **FRF 1 100** – Paris, 16 fév. 1929 : *La route* : **FRF 980** ; *Femme assise* : **FRF 800** – Paris, 13 juil. 1942 : *Bandol* : **FRF 800** – Paris, 22 oct. 1946 : *Paysage*, aquar. : **FRF 310** ; *Vue du Midi*, aquar. : **FRF 400** – Paris, 22 mai 1981 : *Paris, une rue*, h/t (73x60) : **FRF 2 650** – Paris, 25 mai 1983 : *Maison et jardin de l'artiste près de Fontainebleau*, h/t (55x46) : **FRF 5 500** – Reims, 22 déc. 1985 : *Le village de Villiers-sous-Grez* 1957, h/t (46x55) : **FRF 13 500** – Reims, 21 déc. 1986 : *Lever de brouillard sur le village de Larchant*, h/t (38x55) : **FRF 5 500** – Paris, 7 juin 1988 : *L'Église Saint-Gervais*, h/t (73x92) : **FRF 14 000** ; *La Fenêtre blanche*, h/t (116x89) : **FRF 11 000** ; *L'Église Saint-Étienne du Mont*, h/t (81x100) : **FRF 13 500** – Paris, 7 déc. 1990 : *Antibes, les remparts*, h/t (64,5x100) : **FRF 5 500** – Paris, 5 fév. 1992 : *Nu de dos* 1939, mine de pb (38x23) : **FRF 6 000** – Paris, 28 juin 1995 : *Allée d'arbres vers un village*, h/t (60x73) : **FRF 4 000** – Neuilly, 9 mai 1996 : *Nature morte aux fleurs dans un vase d'apothicaire*, h/t (83x54) : **FRF 5 500**.

FOURNIER Georges
Né à Paris. xxe siècle. Français.
Peintre.
Il ne semble pas opportun d'établir un rapprochement entre André Georges et Georges. Il exposa des paysages à Paris au Salon des Indépendants à partir de 1903.

FOURNIER Guillaume
xviiie siècle. Actif à Marchéville (Eure-et-Loir). Français.
Sculpteur sur bois.
En 1732 et 1737 il exécuta pour l'église une chaire, des boiseries et autres travaux.

FOURNIER Hippolyte
Né en 1852 à Rablay (Maine-et-Loire). Mort en 1926. xixe-xxe siècles. Français.
Peintre de scènes de genre, nus, aquarelliste.
Il fut élève de Jean-Paul Laurens. Il exposa au Salon des Artistes Français. Il obtint, à Paris une médaille de troisième classe à l'Exposition Universelle de 1889, une de deuxième classe en 1890, une de bronze à l'Exposition Universelle de 1900, devint sociétaire en 1903.
Il peignit diverses scènes de genre, telles que : *Lecture à l'aïeul* – *Dernière communion* – *Soir près d'un berceau*, qui sont un hymne à la vie de famille. Il fit une autre série illustrant des scènes paysannes de la région de l'Anjou. Hippolyte Fournier réalisa aussi quelques nus, traités de manière vaporeuse, où il se rapproche du Symbolisme.

Bibliogr. : Gérald Schurr, in : *Les Petits Maîtres de la peinture 1820-1920, valeur de demain*, Les Éditions de l'Amateur, t. V, Paris, 1981.

Musées : Angers : *Le premier déjeuner*.

Ventes Publiques : Paris, 5 mars 1997 : *La Jeune Mère* 1893, h/t (134,9x167) : **FRF 50 000**.

FOURNIER Hippolyte
Né le 4 juin 1799 à Coutances. Mort le 30 décembre 1863. xixe siècle. Français.
Peintre.
Cet artiste abandonna la musique, objet de ses premières études, pour se consacrer à la peinture. Pensionné par sa ville natale, il vint travailler à Paris et fut élève de Bertin. Le Musée de Coutances conserve de lui un *Paysage*.

FOURNIER Innocent
xvie siècle. Actif à Troyes. Français.
Sculpteur sur bois.
Il prit part à l'ornementation des stalles du chœur de la cathédrale de Troyes, en 1525 et 1526.

FOURNIER Isaïe
xviie siècle. Français.
Graveur et architecte.
Il travaillait, en 1600, à l'édification de la grande galerie du Louvre. C'est à tort que la plupart des biographes l'identifient à Fornazeris (voir la notice).

FOURNIER Jean
xvie siècle. Actif à Paris en 1526. Français.
« imagier ».
Peut-être est-il identique à Jean Fournier, sculpteur et fondeur.

FOURNIER Jean
xvie siècle. Français.
Sculpteur et fondeur.
Il fit, en 1519, pour l'église Saint-André, de Châteaudun, un lutrin en cuivre, en forme d'aigle, orné des figures de saint André, saint Pierre et saint Paul, et aussi une crosse en cuivre pour le maître-autel. La même année, il fit trois cloches pour l'église de Saint-Médard.

FOURNIER Jean
Né vers 1700. Mort en 1765 à La Haye. xviiie siècle. Français.
Peintre d'histoire et de portraits.
Élève de Fr. de Troy. Il quitta la France pour des raisons qui nous sont inconnues et alla s'établir en Hollande où il fut reçu membre de la confrérie Pictura, à La Haye. Un de ses meilleurs tableaux se trouvait dans le local de cette société : *Les Officiers bourgeois du drapeau bleu*, mais c'est surtout comme portraitiste que Jean Fournier était renommé. Le Musée de Haarlem possède de lui : les portraits du *Docteur Pieter Steyn* et de sa femme *Cornelia Schellinger*, les portraits du *Docteur Elias Schellinger* et de sa femme *Elisabeth Buys*, et celui d'Amsterdam, deux portraits.

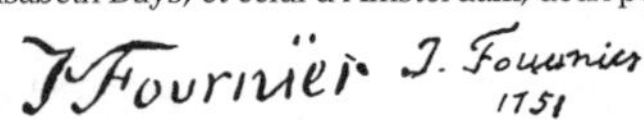

Ventes Publiques : Paris, 1891 : *Nymphe* ; *Jeune faune*, deux pendants : **FRF 650**.

FOURNIER Jean Auguste
Né le 1er septembre 1790 à Vincennes. Mort en 1835 à Paris. xixe siècle. Français.
Peintre et miniaturiste.
Entré à l'École des Beaux-Arts le 6 septembre 1816, il devint l'élève de Gros. En 1831, 1833 et 1835 il exposa au Salon des portraits.

FOURNIER Jean Baptiste
xviiie siècle. Actif à Paris en 1764. Français.
Peintre.

FOURNIER Jean Simon
Né à Paris. xviiie siècle. Français.
Peintre de genre, intérieurs.
Il fut élève de Regnault. Il figura aux expositions du Louvre de 1791 à 1799. On mentionne de lui : *Une jeune fille se parant de fleurs devant une glace* ; *Une jeune fille se mettant à son clavecin* ; *Le Rosier dangereux*.

Ventes Publiques : Paris, 6 juin 1928 : *La Lettre désirée* ; *Une jeune fille se parant de fleurs devant une glace*, les deux : **FRF 62 400** – Paris, 1er-2 avr. 1954 : *L'Heure du rendez-vous* : **FRF 210 000** – Versailles, 23 mai 1978 : *Deux Jeunes Femmes* *dans un intérieur* 1795, h/t (56x47) : **FRF 20 000** – Paris, 31 oct. 1991 : *La Confidence*, h/t (56x46,5) : **FRF 38 000**.

FOURNIER Jean-Baptiste Fortuné de
Né en 1795 ou 1798 à Ajaccio (Corse). Mort le 17 février 1864 à Paris. xixe siècle. Français.
Peintre de portraits, intérieurs, compositions murales, aquarelliste, graveur.
Il étudia à l'École Polytechnique de Naples. Il exposa au Salon de Paris, de 1843 à 1864. Il fut promu chevalier de la Légion d'honneur, en 1855.
Il peignit principalement des aquarelles et se spécialisa dans les tableaux d'intérieurs : salons, galeries et différentes pièces de palais, toutes réalisées avec une parfaite exactitude dans le rendu du mobilier et des tissus. Parmi ses œuvres, on mentionne : *Vue intérieure de la tribune de Florence, salle des Médicis – Vue intérieure de la grande salle de la Niobé, galerie des Offices, à Florence – Salon Louis XIV, aux Tuileries ; Huit vues du palais des Tuileries*, commandées par l'empereur. Théodore Fourmois réalisa également des planches pour la Galerie Pitti de Bardi ; divers projets de panneaux décoratifs ; quelques portraits, entre lesquels : *Portrait en pied de Napoléon III, revêtu du costume impérial – Portrait en pied de Napoléon III, en grand uniforme de général de division.*
Bibliogr. : Gérald Schurr, in : *Les Petits Maîtres de la peinture 1820-1920, valeur de demain*, Les Éditions de l'Amateur, t. V, Paris, 1981.
Ventes Publiques : Londres, 18 juin 1926 : *Le Bain* : **GBP 27** – Paris, 10-11 avr. 1929 : *La salle des maréchaux, Palais des Tuileries*, aquar. : **FRF 4 100** – New York, 3 juin 1980 : *Portrait de jeune femme*, mine de pb/pap. (36,3x22,6) : **USD 1 900** – Monaco, 8 déc. 1990 : *Vue intérieure de la tribune de Florence, salle des Médicis*, aquar. (46x59,5) : **FRF 44 400** – Paris, 20 oct. 1997 : *Médaillons et châtelaines*, aquar./pap. (28x21) : **FRF 2 000**.

FOURNIER Louis
xviiie siècle. Français.
Sculpteur.
Conseiller à l'Académie de Saint-Luc, il y exposa, le 25 août 1774, son *Portrait* fait par lui-même à Copenhague. Il était également fabricant de porcelaines.

FOURNIER Louis
Né au xixe siècle à Saint-Donat (Drôme). xixe siècle. Français.
Sculpteur.
De 1864 à 1872, il figura au Salon de Paris avec des bustes et des médaillons. On cite de lui : *Buste en marbre du chanoine Ouin-la-Croix, secrétaire général de la grande aumônerie de France ; Buste de M. Germain, Statue de Mgr Darboy*. Le Musée de Rouen conserve de lui le buste de *L'Abbé Ouin-la-Croix*.

FOURNIER Louis Antoine
xviiie siècle. Actif à Paris en 1771. Français.
Peintre et sculpteur.

FOURNIER Louis Édouard Paul
Né en 1857 à Paris. xixe siècle. Français.
Peintre d'histoire, portraits, aquarelliste, décorateur, dessinateur, illustrateur.
Élève de Cabanel, il obtint en 1881 le Grand Prix de Rome, une médaille de troisième classe en 1885 et une médaille de bronze à l'Exposition Universelle en 1889 et une médaille d'argent en 1900. Il fut fait chevalier de la Légion d'honneur. Il fut chargé de quelques décorations officielles notamment à l'École Normale et à l'Institut. Il est également l'auteur du dessin de l'*Histoire de l'art* exécuté en mosaïques de verre le long de la corniche du Grand Palais des Beaux-Arts aux Champs-Élysées. Il a enfin décoré plusieurs monuments à Lyon. Il a illustré plusieurs ouvrages, notamment : *Dialogue des Courtisanes*, de Lucien ; *La Matrone d'Éphèse* de Pétrone et les *Contes* d'Albert Samain.
Il a surtout fait des portraits.
Musées : Aix : *Oreste se réfugiant à l'autel d'Apollon* – Belfort : *Le Fils du Gaulois* – Liverpool : *Incinération du corps de Shelley* – Morlaix : *Velléda, prophétesse des Gaules* – Paris (Comédie Française) : *M. Buloz* – Périgueux : *La Science – Charmeuse de serpents* – Saint-Brieuc : *Le Maraudeur* – Sens : *Suleka, femme du Caire*.
Ventes Publiques : Paris, 1894 : *Scènes du Théâtre de Molière*, aquar., série de trente-huit : **FRF 151** – New York, 17 mai 1984 : *Un bouquet du jardin*, h/t (49,5x65) : **USD 3 000** – New York, 28 oct. 1986 : *La Belle du harem* 1885, h/t (47,5x63) : **USD 9 000** – New York, 25 fév. 1988 : *Portrait d'une jeune femme portant un chapeau*, craie noire (54,6x39,7) : **USD 1 320** – Londres, 11 oct. 1995 : *L'Acteur Mounet Sully en costume de romain dans sa loge*, h/cart. (14x24) : **GBP 1 725**.

FOURNIER Mar., le Jeune
xviie-xviiie siècles. Français.
Peintre.
Professeur adjoint à l'Académie de Bordeaux en 1691, en même temps que Claude Fournier dit l'Ancien.
Ventes Publiques : Paris, 18 jan. 1945 : *Trois vignettes* 1781, pierre d'Italie : **FRF 600**.

FOURNIER Marcel
Né en 1869. Mort en 1917, pour la France. xixe-xxe siècles. Français.
Peintre de paysages.
Il figurait, à Paris, au Salon des Artistes Indépendants à partir de 1922.
Ventes Publiques : Paris, 29 et 30 déc. 1919 : *Derniers rayons* : **FRF 115** – Paris, 15 juin 1945 : *La moisson* : **FRF 450** – Paris, 14 fév. 1947 : *Rivière dans les gorges* : **FRF 320**.

FOURNIER Nicolas
xviie siècle. Actif à Troyes. Français.
Sculpteur sur bois.
Frère d'Antoine et de Noël Fournier. Il acheva la chaire de l'église Saint-Nicolas, de Troyes, de 1623 à 1632.

FOURNIER Nicolas
xviiie siècle. Actif à Paris en 1750. Français.
Peintre et sculpteur.

FOURNIER Noël
Né vers 1580. Mort après 1630. xviie siècle. Actif à Troyes. Français.
Sculpteur sur bois.
Fils de Antoine Fournier (voir ce nom).

FOURNIER Paul
Né en 1859 à Paris. xixe siècle. Français.
Sculpteur et auteur dramatique.
Le Musée de Nice conserve de lui une *Ophélie*, et, en 1888, on inaugura une statue de *Shakespeare* sur le boulevard Haussmann à Paris ; en 1891 un *Balzac*, à Tours.

FOURNIER Paul Albert
Né le 6 décembre 1847 à Paris. xixe siècle. Français.
Graveur.
Il est peut-être identique à Paul Joseph Albert Édouard-Fournier. Il gravait d'après Meissonier. Il débuta au Salon en 1870 et obtint une mention honorable en 1896.

FOURNIER Philippe Joseph
xviiie siècle. Actif à Paris en 1755. Français.
Peintre.

FOURNIER Pierre
xviiie siècle. Actif à Paris. Français.
Sculpteur.
Il faisait partie de l'Académie Saint-Luc comme « sculpteur du roi ». A Versailles il travailla en 1705 aux Bains d'Apollon et en 1740 il exécuta les parties décoratives du portail de Notre-Dame-des-Victoires à Paris.

FOURNIER Pierre
Né à Lyon. xixe siècle. Français.
Peintre.
Élève de Sigalon. Il se fixa à Levallois-Perret et exposa au Salon de Paris, à partir de 1872, des tableaux représentant des fruits.

FOURNIER Pierre Charles
xviiie siècle. Actif à Paris en 1759. Français.
Peintre.

FOURNIER Pierre Émile
Né le 20 mai 1829 à Paris. xixe siècle. Français.
Sculpteur animalier, peintre.
Il était élève de Frémiet et de Barye pour la sculpture. Il se perfectionna avec Couture et Émile Lecomte, et exposa au Salon de 1866 à 1878. On cite de lui : *Gazelle* (cire en bronze) ; *Chevalier aboyeur attrapant une libellule* (cire) ; *La mort du faon, cerfs de Cochinchine* (groupe en cire) ; *Cerf attaqué par un ours* (groupe en cire) ; *Taureau et doguin* (groupe en cire). Cet artiste fournit des cartons zoologiques et des cartons anatomiques pour divers établissements.

FOURNIER Pierre Simon
Né le 16 septembre 1712 à Paris. Mort le 8 octobre 1768 à Paris. xviiie siècle. Français.

Graveur sur bois, sculpteur.
Il fut élève de Colson à l'Académie Saint-Luc. On connaît de lui quelques gravures sur bois représentant des fleurs et également des vignettes. Il fut également fondeur de caractères d'imprimerie.

FOURNIER Ulysse
Né au XIXe siècle à Ville-Saint-Jacques. Mort en 1895. XIXe siècle. Français.
Graveur.
Élève de Coste. Il débuta au Salon en 1865.

FOURNIER Victor Alfred
Né en 1872 à Paris. Mort en 1924 à Paris. XXe siècle. Français.
Peintre de marines, paysages.
Il fut élève d'Albert Maignan. Il fut d'abord exposant, puis sociétaire, à Paris, du Salon des Artistes Français à partir de 1901. Il obtint une mention honorable en 1902, une médaille de troisième classe en 1906.
Ventes Publiques : Versailles, 7 juin 1990 : *Après-midi, la plage en Bretagne* 1907, h/t (100x133,5) : **FRF 90 000** – Paris, 14 jan. 1991 : *Marché breton* 1921, h/t (50x61) : **FRF 8 000** – Calais, 5 avr. 1992 : *Vue du Tréport* 1903, h/t (43x55) : **FRF 10 000**.

FOURNIER de BERVILLE C. V.
Mort en juin 1848 à Paris, blessé pendant les journées de juin, il mourut des suites de sa blessure. XIXe siècle. Français.
Peintre de figures, portraits.
De 1831 à 1847, il figura au Salon de Paris. On cite de lui : *Le Comte d'Aranda aux pieds du duc de Lerme ; D'Alembert chez Mme de Tencin ; Deux Ramoneurs ; Oiseaux de proie ; Superstition de Charles II, roi d'Espagne.*
Musées : Narbonne : *Charles II ouvrant le cercueil de Philippe IV.*
Ventes Publiques : Paris, 30 juin 1989 : *Portrait du vicomte Alexandre de Beauharnais* (64,5x54) : **FRF 12 000**.

FOURNIER des CORATS Marie-Antoinette. Voir **BOULLARD-DEVÉ M.-A**

FOURNIER des CORATS Pierre
Né en 1884 à Moulins (Allier). XXe siècle. Français.
Sculpteur.
Il fut élève de Coutan, membre, à Paris, du Salon des Artistes Français. Il obtint différentes récompenses, dont une médaille de bronze en 1928, d'argent en 1929, d'or en 1933. Chevalier de la Légion d'honneur en 1934.

FOURNIER des ORMES Charles
Né le 6 mars 1777 à Paris. Mort le 18 janvier 1850 à Paris. XIXe siècle. Français.
Peintre de paysages animés, dessinateur.
Cet artiste, élève de Hubert Robert, exposa au Salon de Paris de 1817 à 1849. Il exposa au Salon de 1817 à 1849. Parmi ses nombreux tableaux, on cite : *Ermitage au bord d'un torrent ; Le prince de Brunswick secourant un de ses sujets qu'il a lui-même retiré des flots ; Une source ; Une chaumière de Beauce ; Ruines du château de Rabetan ; Vue de la ville de Chartres ; Intérieur de forêt ; Vue de la vallée de Longsuaux.*
Il peignit principalement des paysages de l'Eure et du Perche dans le style de son maître Hubert Robert.
Musées : Chartres : *Vue des anciens trois ponts, aux environs de Chartres.*
Ventes Publiques : Paris, 21 juin 1926 : *Ferme à la lisière d'un bois* : **FRF 105** – Paris, 22 jan. 1947 : *Chartres* : **FRF 1 200** – Paris, 12 avr. 1996 : *Chasseur et son chien dans un paysage de rochers*, h/t (38x46,5) : **FRF 9 500**.

FOURNIER-SARLOVÈZE M., Mme
Née en 1845 à Paris. XIXe siècle. Française.
Sculpteur et peintre.
Élève de Mathieu-Meusnier. Elle envoya au Salon, en 1868, un médaillon en marbre, en 1870 une nature morte, et en 1880, quatre portraits à l'aquarelle.

FOURNIER-SARLOVÈZE Raymond Joseph de
Né le 9 janvier 1836 à Moulins (Allier). XIXe siècle. Actif à Paris. Français.
Peintre et sculpteur.
Sociétaire des Artistes Français depuis 1883 et officier de la Légion d'honneur.

FOURNIÈRES R.
Peintre.
Cité par Mireur.
Ventes Publiques : Paris, 1890 : *Portrait d'homme* : **FRF 510**.

FOURNIQUET Pierre
XVIIIe siècle. Actif à Paris en 1759. Français.
Peintre.

FOURQUES
Originaire de Meaux. XIVe siècle. Français.
Enlumineur.
La Bibliothèque royale de Bruxelles conserve deux manuscrits, ornés de miniatures, copiés par lui en 1359. Ce sont : *Le roman de la Rose* et le *Testament de Maistre Jehan de Meung.*

FOURQUET Georges Émile
Né le 10 décembre 1945 à Majunga. XXe siècle. Naturalisé en France. Malgache.
Peintre.
Autodidacte, il fréquente l'École des Beaux-Arts de la Ville de Paris et les ateliers privés, de 1959 à 1965. Il participe à des expositions collectives : 1965 Paris ; 1965 Reims ; 1966, 1968, 1981, 1982 Paris, Salon des Surindépendants ; 1986, 1987, 1988, 1989 Paris, Salon des Indépendants ; 1990 Paris, Salon des Artistes Malgaches. Il montre ses œuvres dans des expositions personnelles : 1966, 1967, 1968, Paris ; 1985, 1987 à Caen.
Une peinture figurative au colorisme chaud.

FOURQUET Léon Charles
Né le 20 décembre 1841 à Saint-Forget. XIXe siècle. Français.
Sculpteur.
Élève de Jouffroy, il figura au Salon de Paris de 1866 à 1880. On mentionne de lui : *Triptolème enseignant l'agriculture* (statue en marbre), *La source de l'Yvette* (statue en plâtre), *Psyché évanouie* (statuette en marbre), *Flore* (statuette en bois). Médailles de troisième classe en 1873 et 1874, médaille de bronze en 1889 à l'Exposition Universelle à Paris. Le Musée de Niort conserve de lui : *Triptolème.*

FOURQUET Napoléon
Né le 15 août 1807 à Dôle (Jura). XIXe siècle. Français.
Sculpteur.
Le 2 avril 1834, il entra à l'École des Beaux-Arts et se forma sous la direction de David d'Angers. Il figura au Salon de 1842 à 1857. On cite de lui le buste du duc *Albert de Luynes.*

FOURRÉ Hugues
XVIe siècle. Actif à Senlis. Français.
Sculpteur.
Cet artiste travaillait en 1524 avec Pierre Bezault à l'église Notre-Dame.

FOURREAU Jacques François
Né vers 1736. Mort en 1795. XVIIIe siècle. Français.
Sculpteur.
En 1791, il envoya au Salon de Paris un bas-relief en bronze représentant *La Prise de la Bastille* et un projet de tombeau pour Mirabeau.

FOURRIER Odette
Née à Paris. XXe siècle. Française.
Peintre, sculpteur.
Élève de l'école des Beaux-Arts, elle expose au Salon depuis 1932.

FOURTINA Anny
Née vers 1915 à Bordeaux. Morte vers 1965 à Paris. XXe siècle. Française.
Peintre. Abstrait.
Pseudonyme de la femme du dessinateur Chaval. Élève, comme lui, de l'École des Beaux-Arts de Bordeaux. Elle figura au Salon de Mai, et au Salon des Réalités Nouvelles, en 1949, 1953 et 1956. Elle usa très tôt d'un langage abstrait, à tendance géométrique. Elle fut encouragée par Sonia Delaunay, avec qui elle exposa parfois dans des groupes.
Musées : Bordeaux : *Composition.*

FOURY Germaine
Née le 19 mars 1902 à Paris. XXe siècle. Française.
Peintre, peintre de compositions murales, décorateur, illustrateur.
Elle fut élève d'Humbert à l'École Nationale des Beaux-Arts. Elle obtient une bourse de voyage de la Ville de Paris en 1930.
Elle a exposé de 1925 à 1937 aux Salons d'Automne, des Artistes Français, de la Société Coloniale et à l'Exposition universelle. Voyageant avec son mari le peintre A. Gianelli, aux Antilles et en Afrique, elle a exposé également à la Guadeloupe, à Tananarive, Nossi-Bé, Diego-Suarez, Johannesburg, Pretoria (*La Semaine française* organisée par le Centre culturel) et au Cap. Elle a parti-

cipé aux Expositions universelles de Bruxelles et de Rome. Elle obtient le prix de la Guadeloupe en 1932.
Parmi ses œuvres : Portrait de la *Princesse des Asturies* ; *Antillaise aux ibiscus* ; *Maternité sakalave*. Elle a aussi réalisé des peintures murales et des décorations, notamment pour le pavillon de la Guadeloupe, à l'Exposition universelle de 1937. Elle a illustré : *Belles et fières Antilles*, de M.A. Leblond.
Musées : Marseille (Mus. Cantini) : *Modernité*.

FOUS Alain
Né le 28 septembre 1928 à Perpignan (Pyrénées-Orientales). xxe siècle. Français.
Sculpteur de monuments, bustes, portraits, statuettes.
Il est le fils du peintre naïf Jean Fous. Il fit ses études à Paris. Il voyage à Madagascar, où il exécuta le monument à Alfred Grandidier, à Tananarive, puis le buste du premier Président de la République malgache, Philibert Tsiranana. Il a aussi sculpté des bustes d'enfants souriants, des nymphettes et faunes, et quelques bustes d'hommes.

FOUS Jean
Né le 9 avril 1901 à Paris. Mort en 1970. xxe siècle. Français.
Peintre. Naïf.
La réputation de cet artiste auprès du grand public date surtout des années quarante, lorsqu'il exposa, à Paris, au Salon d'Automne et dans des galeries privées. Il a figuré aux principales expositions internationales de peinture naïve, notamment : *La Peinture naïve*, à Knokke-le-Zoute, 1958 ; *La Peinture naïve*, à la Maison de la pensée française, Paris, 1960 ; *Les Primitifs d'aujourd'hui*, Londres, 1962 ; *Les Peintres naïfs*, Rome, 1964 ; etc.
C'est dans la rue du Dragon, où était le magasin de son père, encadreur, qu'il fit sa première exposition particulière, en 1944, suivie d'autres en 1945, 1948, 1954, toutes préfacées par Anatole Jakovsky.
Son don naïf mais aigu d'observation s'exerce volontiers autour des foires populaires ou noces de village. Mais son sujet de prédilection, qui l'a surtout fait connaître, c'est le *Marché aux puces* de Paris, où il fut lui-même brocanteur, vendeur de tout et de rien, des cartes postales, des cadres ornés qu'il fabriquait lui-même. Il n'avait pas alors voulu reprendre le métier paternel, partant à l'aventure dans le Midi de la France, et commençant son activité de brocanteur à l'ombre de l'église Saint-Sernin à Toulouse. ■ J. B.

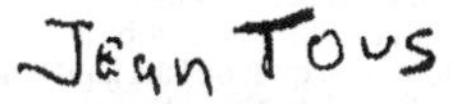

Bibliogr. : Anatole Jakovsky : *La Peinture naïve*, Damase, Paris, 1949 – Oto Bihalji-Merin : *Les Peintres naïfs*, Delpire, Paris, s. d.
Musées : Paris (Mus. d'Art Mod.) : *La Place Denfert-Rochereau* – Paris (Mus. des Arts et Trad. Pop.) : *Le Cirque*.
Ventes Publiques : Versailles, 3 juin 1970 : *Synthèse sur Paris et le Quartier Latin* : **FRF 14 000** – Paris, 12 juin 1972 : *Joyeux Dimanche* : **FRF 4 300** – Paris, 4 avr. 1974 : *Mariage en hiver* : **FRF 3 100** – New York, 28 mai 1976 : *Notre-Dame de la Mouise sur l'ancienne zone* 1938 (55,5x46,5) : **USD 1 200** – Versailles, 20 déc. 1981 : *Grand Voilier, Cannes*, h/t (50x65) : **FRF 3 000** – Versailles, 23 mars 1986 : *L'Arrivée des voyageurs*, h/t (50x65) : **FRF 6 600** – Paris, 6 mars 1988 : *Le Marché aux puces*, h/t (33x41) : **FRF 1 800** – Paris, 17 avr. 1988 : *Rue Saint-Vincent à Montmartre, l'hiver*, h/t (50x65) : **FRF 2 900** – Paris, 18 mai 1988 : *Jardin du Luxembourg*, h/t (38x55) : **FRF 4 100** – Versailles, 18 déc. 1988 : *Retraite aux flambeaux*, h/t (50x64,5) : **FRF 7 500** – Sceaux, 18 nov. 1990 : *Retour de chasse*, h/t (27,5x35) : **FRF 7 500** – Paris, 22 nov. 1990 : *Le Camp des Bottemens*, h/t (54x65) : **FRF 23 000** – Paris, 22 mars 1993 : *La Chasse aux lions*, h/t (38x55) : **FRF 3 800** – Calais, 3 juil. 1994 : *Vive la mariée*, h/pan. (41x32) : **FRF 4 000** – Paris, 28 oct. 1996 : *Campagne d'hiver*, h/t (50x65) : **FRF 3 800**.

FOUSSARD Pierre
xvie siècle. Actif à Gray (Haute-Saône). Français.
Peintre.
En 1506 il peignit des armoiries pour les funérailles de Philippe le Beau.

FOUSSEDOIRE Émile J.
xixe siècle. Actif à Pierrelage. Français.
Sculpteur.
Sociétaire des Artistes Français depuis 1888.

FOUSSEREAU Joseph Marie
Né le 5 décembre 1809 à Paris. xixe siècle. Français.
Peintre et aquarelliste.
Entré à l'École des Beaux-Arts le 17 novembre 1827, il se forma sous la conduite de Guillon Lethière. Au Salon, il figura de 1831 à 1853. On cite de lui : *Murat sauvé par un dragon* ; *Un moine ligueur faisant faction sur les bords de la Seine* ; *Palefreniers faisant boire des chevaux* ; *Un débuché* ; *Rendez-vous de chasse à courre* ; *Carabinier sous l'Empire* ; *Cuirassier sous l'Empire* ; *Chasseur à courre, de l'époque de Louis XIII* ; *Postillon ramenant ses chevaux* ; *Halte de chasseurs bretons dans un terrain autrefois consacré au culte druidique* ; *Un trompette, époque de Louis XIII* ; *Charge de cuirassiers*.
Ventes Publiques : Paris, 20 et 21 fév. 1899 : *Combat entre hussards français et autrichiens* ; *Charge de cuirassiers français* 1842 ; *Guide de la garde* 1853, mine de pb et pl., trois dessins : **FRF 190**.

FOU SSEU-TA. Voir **FU SIDA**

FOUSSIER Ernest
Né en 1859. Mort en 1917. xixe-xxe siècles. Français.
Architecte décorateur.
Il a décoré entièrement de nombreux hôtels particuliers à Paris. On trouve des albums reproduisant ces décorations.

FOUSSIER Jean
Né le 29 août 1886 à Paris. Mort le 7 octobre 1950 à Loudun (Vienne). xxe siècle. Français.
Peintre, pastelliste, peintre de compositions murales, décorateur, peintre de décors de théâtre, illustrateur de sujets divers.
Il fut le fils de l'architecte décorateur Ernest Foussier. Il fit ses premières études de dessin à l'École Bernard Palissy, puis entra à l'École des Beaux-Arts, dans l'atelier de Luc-Olivier Merson et de Raphaël Collin.
Il participa à de nombreuses expositions de groupe : Salon des Artistes Français (début en 1919), de l'École Française, ainsi qu'à Poitiers, Troyes, Nantes. Il exécuta des panneaux publicitaires pour diverses expositions, notamment l'Exposition coloniale de 1931 ; des décors de théâtre, des décorations pour la Mission de la Salette, à Fourqueux, près de Paris. Il collabora par l'illustration à des ouvrages de physiologie animale et végétale. Il eut une activité de conférencier en Belgique.
Mobilisé en 1914, il fut fait prisonnier de guerre à Bischoot le 14 novembre 1914. Pendant quatre ans, il parvint à poursuivre son activité artistique avec des portraits de ses camarades, des scènes de la vie du camp, le paysage. À son retour en France, le 22 janvier 1929, il peignit longuement les ruines de la région soissonnaise, avec entre autres *Une partie de la Cathédrale de Soissons*. Certaines de ses peintures furent reproduites en gravure. Puis, il reprit l'exécution de peintures diverses : paysages de nombreuses régions, portraits à l'huile et au pastel, travaux d'illustration etc. ■ J. B.
Musées : Laon – Paris (Mus. Carnavalet) : *L'Église Saint-Étienne-du-Mont* – Soissons.

FOU TAO-K'OUEN. Voir **FU DAOKUN**

FOUTE Michael
xviie siècle. Actif vers 1620. Allemand.
Graveur.
Peut-être est-il identique à M. Faulte. De lui on connaît une *Assomption*.

FOUTELLE François
xviie siècle. Français.
Sculpteur.
Il travailla à Versailles, restaura des statues du parc, en 1679, fit des vases, des consoles et des ornements dans le vestibule du château, en face le parterre d'eau, en 1680, et sculpta des trophées pour le corps de garde des Suisses. Il travailla ensuite, en 1681 et 1682, à la chapelle de la reine, dans l'église paroissiale de Versailles, et fut chargé, en 1683, de la décoration du catafalque de la reine Marie-Thérèse. Enfin il collabora au Labyrinthe de Versailles, en 1682, et aux Bains d'Apollon, en 1686.

FOUTIN J.
xviie siècle. Actif à Châteaudun au début du xviie siècle. Français.
Graveur.
Il fut sans doute également orfèvre.

FOUTREL-GAUGY Clément
xviiie siècle. Actif à Nantes. Français.
Peintre.
Il était fils de Nicolas I Foutrel-Gaugy.

FOUTREL-GAUGY Nicolas I
Né vers 1693. Mort le 20 janvier 1755. XVIIIe siècle. Actif à Nantes. Français.
Peintre.

FOUTREL-GAUGY Nicolas II
Baptisé le 29 août 1720. XVIIIe siècle. Actif à Nantes. Français.
Peintre.
Il est mentionné en 1755 et 1756. Il était le fils de Nicolas Foutrel-Gaugy I. On lui attribue le *Portrait de J. B. Gellée de Prémion* du Musée Archéologique de Nantes, signé N. Gaugy.

FOU WEN. Voir **FU WEN**

FOU-YANG. Voir **ZHANG FU**

FOUYER Pierre, appelé aussi **Jehan**
XVIe siècle. Actif à Doué (Maine-et-Loire). Français.
Peintre.
Il demanda en justice le paiement d'un projet de monument funéraire qu'il aurait fait pour Louis Buget, Sieur des Landes.

FOVEAU de COURMELLES, Mme **A. Wegl**
Morte en 1903. XIXe siècle. Française.
Sculpteur.

FOVELINE Alexandra Ivanovna
Née vers 1850. XIXe siècle. Russe.
Peintre.
Élève de A. G. Goravsky à Saint-Pétersbourg, elle peignit surtout des scènes enfantines, comme *Enfants de paysans à la fête de la Sainte Trinité*, tableau qui reçut un prix à l'Exposition de l'Académie de Saint-Pétersbourg en 1872. On mentionne aussi *Petits marchands des rues*.

FOWERAKER A. Moulton
Né en 1873. Mort en 1942. XIXe-XXe siècles. Britannique.
Peintre de scènes et paysages urbains animés, figures, portraits, paysages, peintre à la gouache, aquarelliste.
Ventes Publiques : Londres, 4 mars 1980 : *Le Palais des Papes au clair de lune*, aquar. (34x51) : **GBP 280** – Londres, 17 oct. 1984 : *Une ville d'Espagne*, aquar. (53x76) : **GBP 1 600** – Londres, 29 avr. 1987 : *Scène de rue, la nuit*, aquar. reh. de gche (28x23) : **GBP 650** – Londres, 25 jan. 1989 : *Soir d'hiver*, aquar. (21,5x27) : **GBP 990** – Londres, 12 mai 1989 : *Après la grosse chaleur dans les sierras près de Ségovie*, h/t (45,3x24,6) : **GBP 1 100** – Chester, 20 juil. 1989 : *La transhumance* ; *La fenaison*, h/t, une paire (chaque 21,5x29) : **USD 1 760** – Londres, 13 déc. 1989 : *Albi*, h/t (112x137) : **GBP 2 860** – Londres, 31 jan. 1990 : *Clair de lune sur Anlequera*, aquar. (25x35) : **GBP 1 320** – Londres, 25-26 avr. 1990 : *Newton St Cyres dans le Devon, au clair de lune*, aquar. (26x35) : **GBP 1 100** – Londres, 26 sep. 1990 : *Village de pêcheurs méditerranéen*, aquar. (25x35) : **GBP 935** – Londres, 30 jan. 1991 : *Poussée par le vent*, aquar. (33x43) : **GBP 1 540** – Londres, 9 juin 1994 : *Portrait d'un homme en canotier*, h/cart. (16x16) : **GBP 575**.

FOWKE Thomas
XIXe siècle. Britannique.
Sculpteur de bustes.
Il travailla à Londres, où il exposa régulièrement à la Royal Academy de 1851 à 1877.
Ventes Publiques : Londres, 24 sep. 1987 : *Le Jeune Prince de Galles* 1864, bronze (H. 84) : **GBP 8 500**.

FOWLE Bertha
Née le 2 mars 1894. XXe siècle. Britannique.
Peintre de miniatures, aquarelliste.
Elle fut élève de la Gravesend School of Arts. Elle exposa à la Royal Academy, au Royal Institute of Painters in Water-Colours, à la Walker Art Gallery. Elle fut membre de la Royal Society of Teachers.

FOWLER Daniel
Né en 1810. Mort en 1894. XIXe siècle. Canadien.
Peintre de genre, paysages, fleurs et fruits, dessinateur.
Il fut membre de la Royal Canadian Academy à Toronto.
Musées : Montréal (Art Assoc.) : *Roses trémières*.
Ventes Publiques : Londres, 11 juin 1923 : *Lago di Garda*, dess. : **GBP 26** – Toronto, 27 mai 1981 : *Paysage au pont* 1886, aquar. (18,8x26,9) : **CAD 2 400**.

FOWLER Evangeline
Née dans l'Ohio. XXe siècle. Américaine.
Peintre.
Elle a fait des études artistiques poussées, en Amérique et en France. Elle consacre une grande part de son activité à l'enseignement. Membre de la Southern States Art League, elle a obtenu diverses récompenses, dont une médaille d'or en 1885 à New Orleans, et un premier prix en 1930.

FOWLER Frank
Né le 12 juillet 1852 à Brooklyn. Mort le 18 août 1910 à Canaan (Connecticut). XIXe-XXe siècles. Américain.
Peintre de genre, portraits, illustrateur.
Il fut élève de Edwin White, Carolus-Duran et de l'École des Beaux-Arts de Paris. Il obtint une médaille de bronze à l'Exposition universelle de 1889 à Paris et un grand nombre de récompenses aux expositions américaines. Il devint membre de la National Academy en 1899.
Ventes Publiques : New York, 25-26 fév. 1904 : *Nourrissant ses favoris* : **USD 130** – New York, 31 mai 1943 : *John Bigelow* : **USD 150** – New York, 30 sep. 1988 : *Deux Amis*, h/t (38x30,5) : **USD 2 860**.

FOWLER George
XIXe-XXe siècles. Britannique.
Peintre de paysages, paysages d'eau, marines.
Ventes Publiques : Londres, 13 juil. 1934 : *Falaises et mouettes* : **GBP 35** – Toronto, 29 juil. 1981 : *Paysage*, h/t (71,3x90) : **CAD 700**.

FOWLER John
Né en 1943. XXe siècle. Britannique.
Sculpteur.
Il a étudié à la Saint Martin's School et au Royal College of Art. Il expose, en groupe, depuis 1962, surtout lors d'expositions de jeunes sculpteurs contemporains.

FOWLER Robert
Né vers 1853 à Anstruther (Firth of Forth). Mort en 1926. XIXe siècle. Britannique.
Peintre de sujets mythologiques, figures, paysages animés, aquarelliste, dessinateur.
Il fit ses études à l'École d'Art Heatherley de Londres avant de s'établir à Liverpool où il demeura jusqu'en 1903. Son atelier de Castle Street devint le centre de la vie artistique de la ville. Associé de la Royal Cambrian Academy et membre du Royal Institute of Painters in Water-Colours, il exposa régulièrement de 1876 à 1903 à la Royal Academy, à Suffolk Street et au Royal Institute. Il exposa également à Paris et à Munich.
Ses travaux sont influencés par Leighton et Albert Moore ; il partage avec ce dernier le goût de l'art japonais.
Musées : Bootle : *Étude de tête* – Liverpool : *Ève et les voix* – *Ariel* – *Nymphes endormies surprises par un berger* – Magdebourg : *Nymphe effrayée*.
Ventes Publiques : Washington D. C., 22 mai 1982 : *La Nymphe et la Tortue*, h/t (121x94) : **USD 1 000** – Londres, 29 mars 1983 : *Jeunes femmes nourrissant des cygnes*, h/t (105,5x229) : **GBP 1 600** – Londres, 11 oct. 1983 : *Michal watches with contempt the Dancing of David* 1886, aquar. (122x69) : **GBP 650** – Chester, 12 juil. 1985 : *Daffodils*, aquar. (48x73,5) : **GBP 580** – Londres, 31 oct. 1986 : *La Nymphe*, h/t (76x62) : **GBP 4 500** – Londres, 15 juin 1988 : *Moutons au pré sur les rives de la Dee*, h/t (120x211,5) : **GBP 1 430** – Londres, 23 sep. 1988 : *Un monde de couleurs* 1887, h/t (123x61) : **GBP 12 650** – New York, 1er mars 1990 : *La Naissance de Vénus*, h/t (175,8x74,9) : **USD 6 600** – New York, 21 mai 1991 : *Personnage féminin classique sur une plage*, h/t (71x92,8) : **USD 6 050** – Londres, 5 mars 1993 : *Eunoe* 1883, h/t (127,7x76,6) : **GBP 6 900** – Londres, 5 nov. 1993 : *Jeune Grecque*, cr. et aquar. (23,8x34,3) : **GBP 977** – Londres, 6 nov. 1995 : *Personnages classiques aux masques* 1885, aquar. (70,5x120,5) : **GBP 3 450**.

FOWLER Trevor Thomas
Né vers 1800 à Dublin. XIXe siècle. Irlandais.
Peintre.
En 1829 il exposa à la Royal Academy à Londres un *Portrait d'homme*. De 1830 à 1835, il figura à Dublin à la Royal Hibernian Academy, avec 35 portraits et, de 1843 à 1844, à l'Exposition de la Royal Irish Art Union avec des tableaux de genre.

FOWLER Walter
XIXe siècle. Actif à Richmond. Britannique.
Peintre de paysages.
Exposa à la Royal Academy et à Suffolk Street, à partir de 1887.

FOWLER William
Né le 12 mars 1761 à Winterton (Lincolnshire). Mort le 22 septembre 1832 à Winterton. XVIIIe-XIXe siècles. Britannique.
Graveur, dessinateur.

FOWLER William
Né en 1796. Mort vers 1880 à Londres. XIXe siècle. Britannique.
Peintre de portraits, paysages.
Son œuvre la plus connue est un portrait de la reine Victoria, qui fut gravé à la manière noire par J.-B. Jackson.
Ventes Publiques : New York, 17-18 mai 1934 : *Portrait d'un jeune homme* : **USD 70** – Londres, 8 mars 1977 : *Village au bord d'un étang* 1841, h/t (99x140) : **GBP 2 800** – Londres, 24 mars 1981 : *Parc de Windsor au printemps* 1859, h/t (76x122) : **GBP 900** – New York, 19 jan. 1995 : *Vue de Windsor* 1840, h/t (52,1x69,9) : **USD 2 645.**

FOWLER William
XIXe siècle. Actif à Londres. Britannique.
Peintre de paysages et aquarelliste.
Membre de la Royal Society of Artists. Prit part, assez régulièrement, aux expositions de la Royal Academy, à la British Institution, à Suffolk Street et à la New Water-Colours Society, de 1825 à 1867.
Ventes Publiques : Londres, 27 mars 1973 : *Village au bord d'une rivière* 1841 : **GBP 6 000.**

FOWLES Arthur Wellington
XIXe siècle. Britannique.
Peintre de marines.
Musées : Orléans : *Marine.*
Ventes Publiques : Londres, 15 juin 1925 : *Régates sur la Tamise* ; *Revue de la flotte* ; *Revue à Spithead*, les trois : **GBP 36** – Londres, 30 jan. 1970 : *Marine* : **GNS 1 200** – Londres, 17 mars 1982 : *Régates au large de l'île de Wight*, h/t (20,5x30,5) : **GBP 420** – Londres, 6 juin 1984 : *Régates au large de l'île de Wight* 1864, h/t (81x137) : **GBP 16 000** – Londres, 31 mai 1989 : *Le schooner Cambria de 188 tonnes, en course au large de Ryde* 1868, h/t (61x107) : **GBP 16 500** – Göteborg, 18 mai 1989 : *Marine avec un voilier dans la houle* 1858, h/t (20x30) : **SEK 10 800** – Londres, 22 mai 1991 : *Le yacht royal Victoria et Albert II, à Cowes* 1867, h/t (76x137) : **GBP 8 800** – Londres, 20 mai 1992 : *Le Schooner Diana au large de Norris* 1860, h/t (40x61) : **GBP 6 380** – Londres, 18 nov. 1992 : *Arrivée de la Reine Victoria à Cowes, île de Wight*, h/t (51x86) : **GBP 5 500** – Londres, 20 jan. 1993 : *Un yacht toutes voiles dehors*, h/t (51x76) : **GBP 4 600.**

FOX Augustus H.
XIXe siècle. Actif à Londres. Britannique.
Peintre.
Il exposa de 1841 à 1849 à la Royal Academy et à la Society of British Artists des portraits et des tableaux de genre.

FOX Charles
Né en 1749 à Falmouth. Mort en 1809 à Bath. XVIIIe-XIXe siècles. Britannique.
Peintre de portraits, paysages.
Il débuta dans la vie comme libraire puis s'adonna au portrait et au paysage. Il était poète et publia également quelques traductions du persan.
Musées : Londres (British Mus.) : *Parc.*

FOX Charles
Né le 17 mars 1794 à Cossey Hall. Mort le 28 février 1849 à Leyton. XIXe siècle. Britannique.
Peintre, graveur, graveur de reproductions.
Après avoir étudié pendant quelque temps la gravure avec Edwards à Bungay, il se rendit à Londres où il entra dans l'atelier de John Burnet.
Parmi les œuvres qu'il exécuta seul figurent des illustrations variées des journaux du temps. Il grava une série de petites planches d'après Wilkie pour l'édition Cadell des nouvelles de Sir Walter Scott et ses plus grandes gravures sont d'abord un *Portrait en pied de Sir George Murray*, d'après Pickersgill, puis *Le premier Conseil de la Reine* et *Recrues villageoises*, d'après Wilkie.

FOX Charles
Mort en 1854 à Brighton. XIXe siècle. Britannique.
Sculpteur modeleur.
Il exposa à Londres, à Suffolk Street en 1850 et 1852. Un *Groupe d'enfants* lui valut, en 1847, une médaille de la Society of Artists.

FOX Charles James
Né en 1883. Mort en 1904. XIXe siècle. Français.
Peintre de figures, paysages animés, paysages, aquarelliste.
Il exposa, à partir de 1883, à la Royal Academy, à Suffolk Street et à la New Water-Colours Society à Londres.
Ventes Publiques : Londres, 13 déc. 1989 : *Enfants au bord de la rivière donnant de la nourriture aux cygnes*, h/t (79x122) : **GBP 9 350** – Londres, 26 sep. 1990 : *Brise sur une rivière*, h/t (79x125) : **GBP 2 200** – Montréal, 4 juin 1991 : *Personnage*, h/t (111,7x86,4) : **CAD 2 000** – Londres, 3 juin 1992 : *Williton dans le Somerset*, h/t (48x68,5) : **GBP 2 145** – Londres, 3 fév. 1993 : *Fenaison*, h/t (79x122) : **GBP 1 035.**

FOX Edward
XIXe siècle. Actif à Londres. Britannique.
Peintre de paysages et aquarelliste.
Cet artiste exposa un nombre important d'ouvrages, de 1813 à 1854 à la Royal Academy, à la British Institution, à Suffolk Street et à la Old Water-Colours Society.

FOX Edwin M.
Né vers 1830. Mort en 1870. XIXe siècle. Travaillant aux États-Unis. Américain.
Peintre de genre, animaux.
Ventes Publiques : New York, 11 avr. 1929 : *Pink Pearl* ; *Dark Regan*, les deux : **USD 125** – Londres, 26 mai 1989 : *Mr. Falkner sur un hunter bai brun avec deux chiens à Foxrock* 1869, h/t (63,2x76,2) : **GBP 3 740** – Londres, 9 fév. 1990 : *Un cheval d'attelage gris dans son écurie avec un chien* 1861, h/t (63,5x76) : **GBP 1 320** – Londres, 14 juil. 1993 : *Un hunter bai dans son écurie avec un fox-terrier* 1850, h/t (49,5x60) : **GBP 3 680** – Londres, 25 mars 1994 : *Terrier maltais, terrier anglais blanc et deux terriers nains avec un perroquet africain gris dans un salon* 1868, h/t (40x50,8) : **GBP 4 370.**

FOX Eliza Florence. Voir **BRIDELL**

FOX Emmanuel Philips
Né en 1865 à Melbourne. Mort en 1915 à Paris. XIXe-XXe siècles. Actif en France. Australien.
Peintre de compositions animées, scènes de genre, figures, portraits. Postimpressionniste.
Il étudia la peinture aux Écoles des Beaux-Arts de Paris et de Londres, puis il s'établit définitivement à Paris. Il exposa au Salon de la Société Nationale des Beaux-Arts, obtenant une médaille de troisième classe, en 1894.
Sa peinture est directement influencée par celle de Manet et de la première manière de Monet. Ses thèmes sont du domaine familier, intimiste. Plus que la narration, son vrai sujet pictural c'est la lumière qui avive les couleurs, qui crée les ombres, et se reflète sur l'eau.

E-P-Fox

Bibliogr. : In : *Australie Créatrice, 200 ans d'Art 1788-1988*, Art Gall. of South Australia, Adelaïde, 1988.
Musées : Melbourne : *L'abordage du capitaine Cook à la baie de Botany* – *Histoire d'Amour* – *Portrait de Robert L.J. – L.J. Elleret* – *Portrait de Sir Frederick Sargood* – Sydney : *Adélaïde* – *Ondées d'automne* – *Dame en noir.*
Ventes Publiques : Melbourne, 11-12 mars 1971 : *Paysage au ciel d'orage* : **AUD 800** – Londres, 17 mai 1974 : *Paysage boisé* : **GNS 1 600** – Sydney, 6 oct. 1976 : *Sorrento, Victoria* 1915, h/t (37,5x45,2) : **AUD 600** – Melbourne, 11 mars 1977 : *L'allée du jardin*, h/t (38x46) : **AUD 2 600** – Sydney, 10 mars 1980 : *Blush Track*, h/t (60x34) : **AUD 2 600** – Londres, 23 mai 1984 : *Cremorne Point, Sydney harbour* 1913, h/cart. (15x20) : **GBP 1 600** – Sydney, 29 oct. 1987 : *Étude de nu* 1910, h/t (60x92) : **AUD 165 000.**

FOX Ernest R.
Né vers 1860. XIXe siècle. Britannique.
Peintre de paysages.
Travaillant à Strood, il exposa à Londres, à la Royal Academy et à Suffolk Street, à partir de 1886.
Ventes Publiques : Londres, 25 mai 1983 : *Le Mont Saint-Michel*, h/t (91,5x152,5) : **GBP 650** – Londres, 22 juil. 1986 : *Twickenham Ferry* 1885, h/t (35,5x61) : **GBP 1 450.**

FOX Ethel Carrick. Voir **CARRICK-FOX Ethel**

FOX George
XIXe siècle. Britannique.
Peintre de genre.
Il exposa à partir de 1873 à Londres, notamment à la Royal Academy et à Suffolk Street.
Ventes Publiques : Londres, 30 nov. 1908 : *Les Joueurs de*

cartes : **GBP 3** – LONDRES, 27 fév. 1925 : *Une lettre désagréable* : **GBP 12** – LONDRES, 16 nov. 1928 : *Une bonne histoire* : **GBP 5** – LONDRES, 29 fév. 1980 : *The devil's own luck*, h/t (29,2x39,3) : **GBP 380** – LONDRES, 27 sep. 1989 : *Un jeu de tricheurs*, h/pan. (23x30,5) : **GBP 1 320**.

FOX Gilbert

Né vers 1776 probablement à Londres. XIXe siècle. Britannique.

Graveur.

Il fut élève de T. Medland vers 1793 à Londres, puis graveur d'illustrations à Philadelphie.

FOX Henry Charles

Né vers 1860. Mort vers 1930. XIXe-XXe siècles. Britannique.

Peintre de paysages animés, paysages, paysages d'eau, aquarelliste.

Il fut membre de la Society of British Artists. Il a exposé à la Royal Academy, à la Suffolk Street Gallery, à partir de 1879.

MUSÉES : MONTRÉAL (Art Assoc.) : *A Oatlands dans le Surrey* – SYDNEY : *Paysage*.

VENTES PUBLIQUES : LONDRES, 20 mars 1909 : *L'Ancienne Demeure* : **GBP 7** – LONDRES, 20 mars 1909 : *Sur la rivière* 1893, aquar. : **GBP 5** – LONDRES, 17 mai 1923 : *Bindon*, dess. : **GBP 5** – LONDRES, 28 nov. 1924 : *Mare au canard ; Le temps des mûres*, les deux : **GBP 10** – LONDRES, 10 nov. 1926 : *Paysage*, aquar. : **GBP 2** – LONDRES, 19 déc. 1928 : *Sujets de chasse* : **GBP 70** – LONDRES, 15 mai 1984 : *Un village du Sussex* 1915, aquar. et gche (69x100) : **GBP 700** – LONDRES, 26 jan. 1987 : *Sonning on Thames* 1904, aquar. reh. de gche (35,5x51) : **GBP 650** – CHESTER, 20 juil. 1989 : *Bûcherons dans les bois ; Retour au village* 1920, aquar. et gche, une paire (49,5x75) : **GBP 3 740** – LONDRES, 1er nov. 1990 : *Environs de Cookham-on-Thames, maison au bord de la rivière avec des canards nageant*, aquar. avec reh. de blanc (36,9x54,9) : **GBP 825** – LONDRES, 30 jan. 1991 : *En route vers la maison* 1900, aquar. (25,5x35,5) : **GBP 880** ; *Chevaux tirant un tombereau sur le chemin de la ferme ; Bétail se désaltérant devant une ferme entourée d'arbres* 1911, aquar. avec reh. de blanc, une paire (36,5x54) : **GBP 2 640** – LONDRES, 12 juin 1992 : *Le soir, laitière ramenant ses vaches par un chemin* 1905, aquar. avec reh. de blanc (38,8x56) : **GBP 605** – LONDRES, 9 mai 1996 : *Paysage de rivière* 1899, aquar. avec reh. de blanc (35x51) : **GBP 862**.

FOX J.

XIXe siècle. Actif à Londres. Britannique.

Peintre de miniatures.

Exposa à la Royal Academy de 1830 à 1846.

FOX John Richard

Né en 1927 à Montréal. XXe siècle. Canadien.

Peintre de natures mortes.

Influencé par Matisse, et peut-être Picasso, c'est surtout du peintre canadien Morrice qu'il se réclame. Il fut assistant de John Lyman.

VENTES PUBLIQUES : TORONTO, 27 mai 1980 : *Figure*, h/t (60x75) : **CAD 2 500** – MONTRÉAL, 25 avr. 1988 : *Commode*, h/t (56x69) : **CAD 1 900** – MONTRÉAL, 5 nov. 1990 : *Nature morte avec livres et vase de fleurs*, h/t (61x51) : **CAD 2 420**.

FOX John Shirley

Né vers 1867. Mort en 1939. XIXe-XXe siècles. Britannique.

Peintre de scènes de chasse, sujets de genre, portraits, paysages animés.

Il se forma à Paris, avant de se fixer à Londres en 1890.
À Paris, il exposa des portraits au Salon des Artistes Français, en 1887 et 1889. À Londres, il exposait à la Royal Academy, à la Society of British Artists et à la New Gallery.
D'entre ses nombreux portraits : le *Portrait de miss Evelyn Gayer* est parvenu à la collection privée royale ; le *Portrait du roi et de la reine d'Angleterre* fut exposé à la Royal Academy, en 1914.

VENTES PUBLIQUES : LONDRES, 30 jan. 1946 : *Chasse* : **GBP 82** – NEW YORK, 16 fév. 1994 : *La Saison du lilas* 1896, h/t (91,4x61,6) : **USD 17 250** – LONDRES, 9 juin 1994 : *La Bague de fiançailles* 1898, h/t (61x46) : **GBP 2 990**.

FOX Margaret Taylor

Née le 26 juillet 1857 à Philadelphie. XIXe siècle. Américaine.

Peintre et illustrateur.

FOX R.

XIXe siècle. Britannique.

Peintre de fleurs et fruits.

Il exposa à la Royal Academy à Londres en 1867.

VENTES PUBLIQUES : LONDRES, 4 mai 1908 : *Fruits* : **GBP 1**.

FOX Robert

Né vers 1810 à Dublin. XIXe siècle. Irlandais.

Peintre de genre.

Il prit part régulièrement à Londres aux expositions de la Royal Academy, de la British Institution et de Suffolk Street, de 1846 à 1868.

FOX Robert Atkinson

Né en 1860. Mort en 1927. XIXe-XXe siècles. Canadien ou Américain.

Peintre de figures typiques, paysages.

Robert Atkinson et Robert Atkinson Fox ne semblent pas à rapprocher.

VENTES PUBLIQUES : CHICAGO, 4 juin 1981 : *Yosemite*, h/t (91,5x58,5) : **USD 1 300** – NEW YORK, 15 mai 1991 : *Torrent de montagne*, h/t (71,1x91,4) : **USD 2 200** – LONDRES, 7 oct. 1992 : *Portrait d'un Hindou de caste supérieure*, h/t/pan. (56,5x44,5) : **GBP 3 080** – NEW YORK, 15 oct. 1993 : *Chasseur arabe sur un cheval blanc*, h/t (50,8x40,2) : **USD 1 725** – NEW YORK, 17 fév. 1994 : *Paysage côtier au crépuscule*, h/t (40,5x66) : **USD 1 265** – NEW YORK, 20 mars 1996 : *Un sommet de l'ouest, peut-être le mont Rainier*, h/t (66x90,8) : **USD 5 750** – NEW YORK, 30 oct. 1996 : *Le Temps des moissons* vers 1895, h/pap./cart. (61,6x76,2) : **USD 3 450** – NEW YORK, 25 mars 1997 : *Vieille croyance*, h/t (87,6x64,8) : **USD 2 185**.

FOX T. M.

XIXe siècle. Actif à Londres. Britannique.

Peintre de miniatures.

Exposa à la Royal Academy de 1843 à 1846.

FOXEL Maurice Frederick

Né le 15 août 1888. XXe siècle. Britannique.

Peintre, graveur.

Il gravait sur bois. Il exposa à la Society of Parson Painters. Master of Arts. Il fut membre du Royal Victorious Order.

FOXKIRCH

XVIIe siècle. Actif à Stolp. Allemand.

Peintre.

Il exécuta en 1632, pour l'église de Schmolsin près de Stolp, 150 tableaux bibliques, dont 49 furent conservés.

FOY André

Né le 14 avril 1886 ou 1892 à Paris. Mort en avril 1953. XXe siècle. Français.

Peintre de compositions religieuses, scènes de genre, portraits, paysages animés, paysages, natures mortes, fleurs, dessinateur, illustrateur, peintre de décors de théâtre.

Il figura dans de nombreuses expositions collectives, à Paris, au Salon des Artistes Indépendants, dont il devint sociétaire en 1914 ; au Salon de l'Araignée, qu'il créa en 1920, avec ses amis Jean-Gabriel Daragnès et Gus Bofa, salon qui influença les illustrateurs français ; au Salon d'Automne en 1935 ; à une exposition du musée du Petit-Palais, en 1938 ; au Salon des Humoristes. Il fut vice-président du Salon de l'Imagerie. Il multiplia les expositions particulières.
Il débuta sa carrière, en produisant des dessins pour divers journaux humoristiques français, et le *Bystander*, de Londres. Il illustra plusieurs albums pour enfants, dont *La Veillée des petits soldats de plomb* – *Bib et Bop* – *Faut pas s'en faire*, des contes de R. Bizet, *Cinéma* d'A. Arnoux, *Les Gaietés de l'escadron* de G. Courteline. Il publia un album sur le café-concert, et *Sauvegarde de la méditation*, qui est une satire de l'ameublement modern'style. Il réalisa des décors et costumes pour *La Mort de Socrate*, au théâtre de l'Atelier ; pour une revue de Rip ; pour *Angélique*, de Jacques Ibert, à l'Opéra-Comique. En peinture, il fut notamment l'auteur de portraits, natures mortes traités de manière classique, d'études de fleurs et de paysages de Bretagne. Parmi ses toiles, on mentionne : *La Clownesse* 1927 – *Le Portrait du comédien Pauley* – *Vestiaire du bal masqué* – *Le Tribunal des Masques* – *La Tentation de Saint Antoine*.

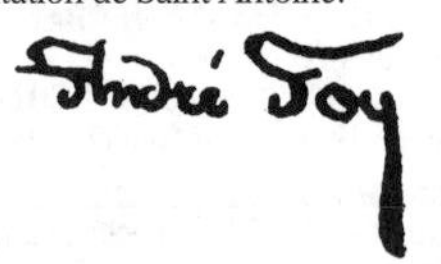

BIBLIOGR. : Gérald Schurr, in : *Les Petits Maîtres de la peinture*

1820-1920, valeur de demain, Les Éditions de l'Amateur, t. VII, Paris, 1989.
Musées : Helsinki – Paris (Mus. d'Art Mod. de la Ville).
Ventes Publiques : Paris, 1er avr. 1920 : *Dans le Paradis en fleurs,* dess. : **FRF 300** ; *Les vierges du Nihil,* dess. : **FRF 290** ; *Idylle au désert,* dess. : **FRF 280** – Paris, 24 mars 1930 : *Masque blanc,* aquar. : **FRF 125** ; *Fleurs,* aquar. : **FRF 105** ; *Masques et soupière blanche* : **FRF 100** ; *L'Horloge* : **FRF 305**.

FOY Edith Oellenbeck
Née en 1893 à Cincinnati (Ohio). xxe siècle. Américaine.
Peintre.

FOY Francis M.
Né en 1890 à Chicago. xxe siècle. Américain.
Peintre et illustrateur.

FOY Michael
xviiie siècle. Actif à Dublin. Irlandais.
Sculpteur.
Il était élève de la Dublin's Society School. Il figura de 1767 à 1770 à l'Exposition de la Society of Artists à Dublin avec des groupes mythologiques.

FOY William
Né en 1791 à Londonderry. Mort après 1861. xixe siècle. Actif à Londres. Britannique.
Peintre de portraits.
Exposa à Londres, à la Royal Academy, à la British Institution et à Suffolk Street, de 1828 à 1861.

FOY DE VALLOIS Gaspard
xviiie siècle. Français.
Graveur.
Il eut pour fille Anne-Louise Foy de Vallois qui fut également graveur, sous le nom de Anne-Louise Chéreau. M. Jal, en disant qu'il est né le 27 novembre 1748, commet une erreur, car cette date est celle de la naissance d'un de ses frères.

FOYA Philippe
xviiie siècle. Actif à Grenoble. Français.
Sculpteur.

FOYATIER Denis
Né le 22 septembre 1793 à Bussière (Loire). Mort le 19 novembre 1863 à Paris. xixe siècle. Français.
Sculpteur de sujets religieux, groupes, bustes.
Il fut d'abord élève de Marin à l'École des Beaux-Arts de Lyon, puis entra aux Beaux-Arts de Paris le 3 août 1817. Son premier envoi au Salon comprenait plusieurs bustes et un *Jeune Faune* qui lui valut une médaille d'or et la commande d'une statue de saint Marc pour la cathédrale d'Arras. Le jeune artiste partit pour l'Italie et ce fut à Rome qu'il conçut le projet de sa célèbre statue : *Spartacus brisant ses chaînes.* Le modèle fut exposé en 1827 et consacra définitivement la réputation du jeune sculpteur. Foyatier est un artiste élégant, à l'expression facile, mais chez qui on ne sent guère les aspirations puissantes du véritable grand artiste.
Musées : Bagnères-de-Bigorre : *Buste de Louise Labbé* – Flers : *Le Colonel Combes,* statue de bronze – Langres : *Mongin de Montrol* – Lyon : *Bacchante couchée* – *Jeune Fille* – *Louise Labbé* – *Le Baron Lemot* – Orléans : *Jeanne d'Arc* inaugurée le 8 mai 1855, statue équestre – Paris (Louvre) : *Sully* – *L'Amour,* statuette en marbre – *Spartacus,* marbre – *La Sieste,* marbre – Paris (jardin des Tuileries) : *Spartacus brisant ses chaînes* – *Germanicus* – Paris (Palais-Royal) : *Le Régent,* statue en marbre – Paris (façade de Saint-Vincent-de-Paul) : *Saint Mathieu* – Paris (église Saint-Étienne-du-Mont) : *La Vierge* – Paris (église de la Madeleine) : quatre pendentifs – Paris (Arc de Triomphe) : frise – Roanne : *L'Artiste* – Tournus : *Le Christ en croix,* bas-relief – Versailles : *Suger* – *La Palice* – *Olivier de Clisson.*
Ventes Publiques : New York, 25 mai 1988 : *Jeanne d'Arc* 1852, bronze, groupe équestre (H 45,1) : **USD 1 100**.

FOYOT-D'ALVAR Madeleine, Mme
xixe-xxe siècles. Active à Paris. Française.
Peintre.
Sociétaire des Artistes Français depuis 1895.
Ventes Publiques : Paris, 20 et 21 avr. 1928 : *Le vase* : **FRF 210**.

FOZEMBRAS Charles Émile
Né à Bordeaux (Gironde). xixe siècle. Français.
Peintre de paysages et aquarelliste.
Débuta au Salon en 1880. Peut-être est-ce le même que Fozembas Étienne-Charles, mort en 1893.

FRA... Voir au prénom

FRAASS Gustave
Né le 4 septembre 1920 à Mulhouse (Haut-Rhin). xxe siècle. Français.
Peintre.
Il fut élève de l'école de dessin et de gravure de Mulhouse. Il a participé à partir de 1949 au Salon d'Automne de Paris et à diverses expositions collectives. Il a reçu de nombreux prix et distinctions, ainsi que la mention honorable au Salon des Artistes Français. Il a exposé dans de nombreuses galeries françaises et étrangères.

G Fraass

FRAAY-KARTE Klasina
Née en 1892 à Zaandijk. xxe siècle. Hollandaise.
Peintre de paysages. Naïf.
Femme au foyer, elle peignait des vues de jardins, dont la minutie poétique échappait parfois au simple charme de la naïveté.
Bibliogr. : Dr. L. Gans : *Catalogue de la collection de peinture naïve Albert Dorne,* Pays-Bas, s.d.

FRABONI Alain
xxe siècle. Français.
Peintre.
Il a participé à Paliss'art, peinture en public en mai 1987 à Paris, et en juillet 1988 a exposé lors d'*Art Rythmic,* Art Jonction International au Palais des expositions de Nice.
Ventes Publiques : Paris, 16 juin 1988 : *L'homme qui rit* 1987, h/t (146x114) : **FRF 5 000** – Paris, 12 fév. 1989 : *Le rêveur* 1987, h/t (146x114) : **FRF 4 200**.

FRACALANZA Nicolo
xvie siècle. Actif à Vérone. Italien.
Peintre et sculpteur.
On cite de lui un tableau de la *Vierge* pour l'église S. Giovanni della Beverara. Cette église n'existe plus.

FRACANZANO Alessandro ou **Fracanzani**
Né vers 1576. xviie siècle. Actif à Naples. Italien.
Peintre.

FRACANZANO Carlo Antonio ou **Fracanzani**
Né en 1640 à Naples. xviie siècle. Italien.
Peintre.
Il était le fils de Cesare Fracanzano.

FRACANZANO Cesare
Né vers 1605 à Bisceglie (Apulie). Mort avant 1653. xviie siècle. Italien.
Peintre.
Il fut élève de José Ribera et père de Carlo A. et Michelagnolo Fracanzano. Venu du caravagisme napolitain, il se tourna vers une formule baroque, annonçant M. Preti et L. Giordano.
Musées : Naples : *Trois têtes d'apôtres.*
Ventes Publiques : New York, 13-15 mars 1947 : *Débarquement de Colomb* : **USD 220** – Rome, 28 mai 1985 : *Un philosophe,* h/t, de forme ovale (84x62) : **ITL 7 000 000**.

FRACANZANO Francesco ou **Francanzano**
Né en 1612 à Monopoli. Mort en 1656 à Naples, condamné à mort pour assassinats. xviie siècle. Italien.
Peintre de compositions religieuses.
Comme son frère, Cesare Fracanzano, il fut élève de José Ribera, il eut pour élève son beau-frère Salvator Rosa.
Francesco, venu du caravagisme napolitain, contrairement à son frère Cesare, resta dans la ligne du naturalisme luministe, pratiqué à Naples, dans les années 1630, par un groupe d'artistes, dont Guarino, Do, Bassante, le « Maître de l'Annonce aux Bergers », et surtout Ribera, alors à Naples, et qui contribua à la diffusion du caravagisme en Espagne.
Bibliogr. : In : Catalogue de l'exposition : *Le Caravage et la peinture italienne du xviie siècle,* Louvre, Paris, 1965.
Musées : Béziers : *Une fileuse espagnole* – Compiègne : *Un enfant* – Florence (Offices) : dessins – Madrid (Prado) : *Deux lutteurs* – Nantes : *Jésus parmi les docteurs* – Naples (église Saint-Grégoire l'Arménien) : peintures vers 1635 – Vire : *L'amour couché.*
Ventes Publiques : Londres, 22 juil. 1983 : *Le Prophète Élie,* h/t (99x73,6) : **GBP 6 500** – New York, 5 nov. 1986 : *Joseph vendu par ses frères,* h/t (100x124,5) : **USD 23 000** – Milan, 12 déc. 1988 : *Saint Antoine,* h/t (90x70) : **ITL 5 000 000** – New York, 3 juin 1988 : *Saint Pierre,* h/t (92x73) : **USD 35 750** – Milan, 13 déc.

1989 : *Saint en prière*, h/t (77x65) : **ITL 12 000 000** – NEW YORK, 30 jan. 1997 : *Tête de saint Pierre*, h/t (62,9x48,9) : **USD 34 500**.

FRACANZANO Michelagnolo
Né vers 1644. Mort vers 1685 en France. XVIIe siècle. Italien.
Peintre.
Fils de Cesare Fracanzano.

FRACAO Francesco
XVIe-XVIIe siècles. Actif à Trévise. Italien.
Sculpteur.
Il exécuta en 1590 l'autel de Saint Thomas d'Aquin à l'église S. Nicolo à Trévise.

FRACARO Domenico
XVIIe siècle. Actif à Padoue. Italien.
Peintre.
Les peintures de plafond de la Scuola de Battuti à Monselice sont signées de lui et datées de 1682.

FRACASSA. Voir **DUNESIO Giovanni Antonio**

FRACASSI Cesare ou **Fracassini**
Né en 1838. Mort en 1868 à Rome. XIXe siècle. Italien.
Peintre de compositions religieuses, fresquiste.
Il étudia la peinture à Rome où il exécuta plusieurs fresques pour San Lorenzo. Une de ses œuvres les plus importantes représente : *Les Martyrs de Gorkum*. C'est probablement l'artiste désigné par Siret sous le nom de Charles.
MUSÉES : ORVIETO : *Belisar délivre Orvieto*, projet – ROME (Gal. Mod.) : *Le Jugement de saint Étienne*, dess. – ROME (Vatican) : *Les martyrs de Gorkum* – *Petrus Canisius devant l'empereur Ferdinand*.
VENTES PUBLIQUES : NEW YORK, 18 sep. 1981 : *La Déclaration d'amour* 1860, h/t (63x49,5) : **CAD 1 600**.

FRACASSI Girolamo
XVIIe siècle. Actif à Pérouse vers 1678. Italien.
Peintre.

FRACASSI Patrizio
Mort début 1904 à Sienne. XIXe siècle. Actif à Sienne. Italien.
Sculpteur.
L'Académie de Sienne lui décerna un prix pour son tableau : *Les Vendeurs chassés du Temple*. On cite encore parmi ses œuvres principales : *Le Travail* ; *L'Humanité*.

FRACASSO G.
XIXe siècle. Actif à Vérone. Italien.
Peintre.
L'église des Saints Apôtres à Vérone lui doit une *Marie au Temple*. Peut-être est-il identique au peintre Fracasso qui exécuta, en 1808, un *Saint Antoine* pour l'église S. Lorenzo dans la même ville.

FRACCARI Pier Cesare
Né en 1920 à Vicence. XXe siècle. Italien.
Peintre. Abstrait.
Il expose surtout en Italie, régulièrement à Milan.
Sa peinture abstraite et vivement colorée semble concrétiser une dynamique des formes directement issue du futurisme.

FRACCAROLI Innocenzo, appelé aussi **Innocenzo da Imola**
Né en 1805 à Castel-Rotto. Mort en 1882 à Milan. XIXe siècle. Italien.
Sculpteur.
Après avoir étudié à Venise, à Milan, à Rome, il devint professeur à l'Académie de Florence, en 1842, puis membre des Académies de Milan et de Venise.
MUSÉES : LIVERPOOL (Walker Art Gal.) : *La Vénus de Milo*, plâtre – MILAN (Gal. Mod.) : *Achille blessé* – *Cyparis pleurant la mort de son cerf* – MILAN (Brera) : *Pietro Verri* – VENISE (Acad.) : *Le peintre Matteini* – VIENNE (Belvédère) : *Le massacre des innocents*.

FRACHISSE
XVIIIe siècle. Actif à Tain (Drôme). Français.
Sculpteur sur bois.
Parmi ses œuvres on cite les boiseries qu'il sculpta pour la sacristie de la cathédrale de Valence.

FRACHON-SPAZIN Julie Christiane, Mme, née **Spazin**
Née à Lyon. XIXe-XXe siècles. Française.
Peintre amateur.
Élève de Perrachon. Elle exposa à Lyon depuis 1845, à Paris depuis 1909, des tableaux de fleurs. Elle signe depuis 1898 *J.-C. Frachon-Spazin*.

FRADEL Denis
XVIIIe siècle. Actif à Paris. Français.
Sculpteur.
Il fut admis comme membre de l'Académie Saint-Luc en 1735.

FRADEL Henri Joseph ou **Fradelle** ou **Fredel**
Né en 1778 à Lille. Mort le 14 mars 1865 à Londres. XIXe siècle. Français.
Peintre d'histoire, portraits, intérieurs d'églises.
Quoique Français de naissance, cet artiste vécut surtout en Angleterre. Il y exposa de temps en temps entre 1816 et 1855 à la Royal Academy, mais fit de plus nombreux envois à l'Institution britannique. Parmi ses œuvres (dont plusieurs furent gravées), figurent : *Milton dictant le Paradis perdu*, 1817 ; *Belinda à sa toilette* ; *La Reine Elisabeth et Lady Paget* ; *Lady Jane Grey*. Fradel exposa aussi à Paris de 1827 à 1837. En 1834 il y obtint une médaille de troisième classe. Il paraît avoir compté à Paris parmi les miniaturistes.
Bellier de la Chavignerie le cite avec l'orthographe Fredel (sans prénom), ce qui pourrait faire croire à deux personnalités différentes, mais la similitude des œuvres citées établit qu'il s'agit d'un même individu.
MUSÉES : PARIS (coll. de la Comédie Française) : *Portrait de Pierre Ligier*.
VENTES PUBLIQUES : LONDRES, 15 fév. 1928 : *Jane Grey* : **GBP 11** – LONDRES, 15 fév. 1935 : *Reine Elisabeth et Lady Pagget* : **GBP 10** – NEW YORK, 3 déc. 1936 : *Molière* : **USD 90** – VIENNE, 16 jan. 1985 : *Intérieur de monastère* 1855, h/t (63x54) : **ATS 11 000** – LONDRES, 7 avr. 1993 : *La Reine Elizabeth et Lady Paget*, h/pan. (36x45) : **GBP 977** – MILAN, 22 mars 1994 : *L'Origine de la peinture* 1834, h/pan. (78x104) : **ITL 19 550 000**.

FRADIN
XVIe siècle. Actif vers 1580. Français.
Graveur sur bois.

FRADIN Corneille C.
Mort en 1900. XIXe siècle. Français.
Peintre.

FRADIN Jacques
XVIIe siècle. Vivant à Paris. Français.
Peintre.
Cité comme ayant été parrain d'Estienne Moreau (fils du sculpteur de ce nom, qui fut baptisé le 18 octobre 1668 à Paris).

FRAEK Freddy
Né en 1935 à Copenhague. XXe siècle. Actif aussi en France. Danois.
Sculpteur, dessinateur. Abstrait.
De 1960 à 1966, il fit ses études à l'académie royale des beaux-arts de Copenhague, où il enseigna de 1967 à 1979, créant l'atelier de travail du métal. Il vit et travaille à Paris et Copenhague. Il participe à diverses manifestations collectives en Suède, Allemagne, France, Italie. Il montre ses œuvres dans de nombreuses expositions personnelles depuis 1964.
Il élabore à partir de formes élémentaires, de couleurs uniformes, une sculpture monumentale et aérienne qui se joue de l'équilibre : *Plans décalés* – *Plans ouverts* – *Quatre Plans*. Ses assemblages ludiques, le plus souvent en acier corten ou en diabas, semblent saisis dans l'instant et évoquent le château de cartes au moment où il s'effondre. Il réalise également des œuvres destinées à être intégrées à l'architecture.
BIBLIOGR. : Catalogue de l'exposition *Gordillo – Fraek*, Galerie Denise René, Paris, 1991.

FRAENCKEL Liepmann
Né en 1772 à Parchim (Mecklembourg). Mort en 1857 à Copenhague. XVIIIe-XIXe siècles. Allemand.
Miniaturiste.
Passa dix ans en Suède. Le Musée de Stockholm conserve de lui le *Portrait du maréchal baron K. F. Bennet*, et le Musée de Frederiksborg à Hillerod un *Portrait du capitaine F. Morck*.

FRAENKEL Théodore Oscar
Né le 17 mars 1857 à Chicago. XIXe siècle. Vivant à la Nouvelle-Orléans. Américain.
Aquarelliste.
Fit ses études à Chicago où d'abord il exerça son art. Établi ensuite à la Nouvelle-Orléans, il y obtint une médaille d'or pour les aquarelles à l'Exposition de 1900.

FRAENKEL Walter
Né le 12 mars 1879 à Breslau. XXe siècle. Actif en Autriche. Allemand.

Peintre de figures, sujets religieux.
Il fut l'élève de l'école de peinture d'A. Kaufmann à Munich, puis de l'académie des beaux-arts de de cette ville et enfin de l'école de peinture d'H. Knirr. Il voyagea en Italie et à Paris. Il exposa à Vienne à partir de 1902.
Il a peint des sujets religieux : *Salomé ; Annonciation ; Les Rois Mages*, ainsi que des sujets allégoriques : *Vanité*.

FRAENKEL-HAHN Louise
Née le 12 août 1878 à Vienne. xxe siècle. Autrichienne.
Peintre de sujets religieux, portraits, fleurs.
Femme du peintre Walter Fraenkel, elle étudia à l'école des arts et métiers de Vienne et à l'école de peinture d'H. Knirr à Munich. Elle voyagea en Italie, en Grèce et fit un séjour à Paris en 1907. Elle exposa à Vienne à partir de 1902.
Parmi ses œuvres, de nombreux sujets religieux : *David – Laissez venir à moi les petits enfants – La Vierge*, ainsi que des portraits dont le : *Portrait de l'artiste par lui-même*.

FRAERMANN Theophil
Né en 1884 à Odessa. xxe siècle. Actif en France. Russe.
Peintre de compositions murales, portraits, scènes de genre.
Après ses études à l'École des Beaux-Arts d'Odessa, il se rendit à Paris en 1905, où il les poursuivit à l'École des Beaux-Arts avec Gabriel Ferrier. Il débuta au Salon d'Automne en 1908, y exposa en 1909 et 1910, et fut élu sociétaire en 1909. Il exposa aussi au Salon des Humoristes et au Salon des Artistes Indépendants.

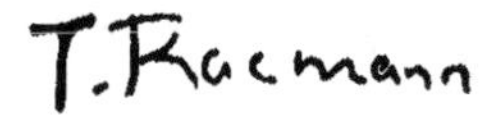

FRAET Alexandre ou **Sanders**
xve siècle. Actif à Bruges. Éc. flamande.
Peintre.
D'après ses esquisses, Pierre Van Meessene exécuta, en 1445, des broderies pour le Palais du Franc à Bruges.

FRAET Jan
xve siècle. Actif à Anvers. Éc. flamande.
Peintre.

FRAET Joris
xve siècle. Actif à Anvers. Éc. flamande.
Peintre.

FRAGA Rodrigo da
xvie siècle. Espagnol.
Sculpteur.
Il travailla à Saint-Jacques-de-Compostelle où il exécuta, en 1532, pour l'église du monastère de Saint François, un maître-autel surmonté du Christ, et deux Anges recueillant son sang dans des coupes.

FRAGGI Alain
xxe siècle. Français.
Peintre de compositions animées.
Il a participé à de nombreuses expositions.
Bibliogr. : In : Art Press, n° 165, Paris, janvier 1992.

FRAGGI Raymond Michel
Né en 1902 à Marseille (Bouches-du-Rhône). xxe siècle. Français.
Peintre.
Il exposa à Paris avant la Seconde Guerre mondiale, au Salon des Artistes Français, dont il fut sociétaire.

FRAGIACOMO Antonietta
xixe-xxe siècles. Éc. vénitienne.
Peintre de paysages.
Sœur de Pietro Fragiacomo. Elle figura à plusieurs expositions à Venise et Turin.

FRAGIACOMO Pietro
Né le 14 août 1856 à Trieste. Mort en 1922 à Venise. xixe-xxe siècles. Actif à Venise. Italien.
Peintre de genre, paysages, aquarelliste.
Élève de l'Académie de Venise. Il obtint une médaille de bronze et une d'argent aux Expositions universelles de 1889 et de 1900.

Musées : Berlin : *Tristesse* – Florence (Art Mod.) : *Traghetto – Armonic del silenzio* – Paris (Art Mod.) : *Gondole* – Rome (Gal. Mod.) : *Repos – Hiver* – Trieste (Revoltella) : *Cloche du soir* – Venise (Gal. Mod.) : *Au vent – Place Saint-Marc – Coucher du soleil triste – Les hirondelles*.
Ventes Publiques : Londres, 12 juil. 1968 : *Bords de rivière* : **GNS 900** – Milan, 21 oct. 1969 : *Canal à Venise* : **ITL 1 300 000** – Milan, 24 mars 1970 : *La Barque de pêche* : **ITL 1 700 000** – Milan, 18 mai 1971 : *Barque sur la lagune* : **ITL 2 400 000** – Milan, 20 nov. 1973 : *Barques sur la lagune* : **ITL 700 000** – Milan, 12 déc. 1974 : *La Lagune* : **ITL 3 800 000** – Milan, 20 déc. 1977 : *Les confidences*, h/t (41x68) : **ITL 2 400 000** – Milan, 10 juin 1981 : *Barques de pêcheurs au large de la côte*, h/t (58x101) : **ITL 18 000 000** – Milan, 15 juin 1983 : *Le Zattere, Venezia*, h/t (49x97) : **ITL 12 000 000** – Rome, 16 mai 1985 : *Gondole sur la lagune*, aquar. (16x30) : **ITL 2 000 000** – Milan, 28 oct. 1986 : *Riva degli Schiavoni*, h/t (71x130) : **ITL 70 000 000** – New York, 25 fév. 1988 : *Harmonies vertes*, h/cart. (78,7x117,5) : **USD 10 450** – Lokeren, 28 mai 1988 : *Le Grand Canal et Santa Maria della Salute à Venise*, h/pan. (10x13) : **BEF 160 000** – Milan, 1er juin 1988 : *Villa la Malcontenta*, h/cart. (21x31,5) : **ITL 5 400 000** ; *L'aube*, h/t (88,5x189) : **ITL 62 000 000** – Londres, 24 juin 1988 : *La Giudecca à Venise*, h/pan. (47,5x77) : **GBP 12 100** – Milan, 14 mars 1989 : *Matin sur la lagune*, h/t (46,5x69,5) : **ITL 120 000 000** – Milan, 19 oct. 1989 : *Barques de pêche sur la lagune*, h/t (37,5x58,5) : **ITL 44 000 000** – Londres, 30 mars 1990 : *Chioggia*, h/t (49x80) : **GBP 13 200** – Monaco, 21 avr. 1990 : *Pêcheurs à Venise*, h/t (59x99) : **FRF 444 000** – Berne, 12 mai 1990 : *Le lac de Garde*, aquar. (15x25) : **CHF 1 500** – Rome, 31 mai 1990 : *Paysage avec un canal*, h/t (54x70) : **ITL 24 000 000** – Milan, 18 oct. 1990 : *Venise depuis la lagune*, h/t (37x60) : **ITL 75 000 000** – Rome, 11 déc. 1990 : *La Venise des pauvres*, h/pan. (35x55) : **ITL 63 250 000** – Milan, 6 juin 1991 : *Marine* 1913, h/cart. (16x22,5) : **ITL 4 500 000** – Londres, 19 juin 1991 : *Barques sur la lagune vénitienne*, h/t (36x65) : **GBP 14 300** – New York, 15 oct. 1991 : *Pont au-dessus d'un canal*, h/pan. (38,9x19) : **USD 4 950** – Milan, 12 déc. 1991 : *Barque dans le vent*, h/t (40x65) : **ITL 18 000 000** – Londres, 20 mars 1992 : *Sur la lagune* 1882, h/t (55,2x100,3) : **GBP 50 600** – Milan, 29 oct. 1992 : *La Lagune à Venise*, h/pan. (48x78) : **ITL 40 000 000** – Rome, 6 déc. 1994 : *Reflets de lune*, h/t (27,5x35,5) : **ITL 7 660 000** – Milan, 25 oct. 1995 : *Le Saule*, h/cart. (34x25) : **ITL 5 750 000** – Rome, 5 déc. 1995 : *Pêcheurs sur la lagune*, h/t (46x82) : **ITL 82 495 000** – Rome, 23 mai 1996 : *Cabane dans un paysage*, h/pap. (14,5x19) : **ITL 2 990 000** – Rome, 28 nov. 1996 : *Barque sur le sable*, h/cart. (16,5x32) : **ITL 12 000 000**.

FRAGNAY François
Né le 5 juillet 1824 à Pérouges (Ain). xixe siècle. Français.
Peintre.
Élève de l'École des Beaux-Arts de Lyon (1839-43), il exposa à Lyon, de 1844-45 à 1862, quelques portraits, des intérieurs campagnards : *Le Sommeil de Jésus enfant* (1846-47), *Jeune paysan tressant de la paille* (1858-59). Il peignit à Lyon, en 1861-62, dans la salle d'audience du Tribunal de commerce, quatre figures : *L'Éloquence, La Méditation, L'Autorité, La Modestie*. Il signait *F. Fragnay*.

FRAGONARD Alexandre Evariste
Né en octobre 1780 à Grasse (Alpes-Maritimes). Mort le 10 novembre 1850 à Paris. xixe siècle. Français.
Peintre d'histoire, compositions mythologiques, sujets religieux, compositions murales, sculpteur, illustrateur, lithographe.
Il eut pour maîtres, son père, Jean-Honoré Fragonard, et Jacques-Louis David. Il exposa au Salon de Paris, de 1799 à 1842. Il traita des sujets mythologiques, puis napoléoniens, religieux et monarchistes. Il fut également illustrateur, on trouve quantité de ses dessins dans les ouvrages publiés pendant la période révolutionnaire. Il donna aussi des sujets d'estampes, dont *La Liberté – La Vérité – La République*, qui furent gravés, par Jean-Alexandre Allais, Louis-François Mariage, Jacques-Louis Copia. Sous la restauration, il s'adonna à la lithographie. Comme peintre, Alexandre Évariste Fragonard jouit d'une notoriété suffisante pour que des décorations importantes lui fussent confiées au Louvre. Il y peignit : *François Ier armé chevalier par Bayard – François Ier reçoit les tableaux rapportés d'Italie par le Primatice – Les Sciences et les Beaux-Arts rendent hommage à leurs dieux protecteurs*. Il travailla aussi pour le château de Versailles.
Bibliogr. : Gérald Schurr, in : *Les Petits Maîtres de la peinture 1820-1920, valeur de demain*, Les Éditions de l'Amateur, t. III, Paris, 1976.

Musées : Arras : *Les bourgeois de Calais à la tente d'Édouard III* – Montpellier : *Portrait de J.J.B de Joly* – Morez : *Léonard de Vinci et François Ier* – Orléans : *Entrée de Jeanne d'Arc à Orléans* – Paris (Mus. du Louvre) : peintures décoratives – Saint-Étienne (Mus. d'Art et d'Industrie) : *Jean Le Hennuyer* – Versailles : *Bataille de Marignan* – *Isabelle d'Aragon implorant Charles VIII* – *François Ier armé chevalier par Bayard* – *Portrait de Bayard.*
Ventes Publiques : Paris, 9 juin 1975 : *Soldats en armes investissant une église*, h/t (43x65) : **FRF 3 500** – Monte-Carlo, 8 fév. 1981 : *La mort de Condorcet*, pierre noire/pap. (19x24) : **FRF 8 000** – Lyon, 18 déc. 1983 : *Lucrèce*, h/t (121x138) : **FRF 50 000** – New York, 17 jan. 1985 : *Psyché montrant ses cadeaux à ses sœurs ; Le jugement de Psyché*, deux h/t (40,5x66) : **USD 125 000** – Monte-Carlo, 22 fév. 1986 : *La Fureur d'Œdipe*, pl. et encre brune, lav. de brun et gche avec reh. de blanc (77x52,5) : **FRF 280 000** – New York, 24 mai 1989 : *Le magicien*, h/t (61x72,5) : **USD 33 000** – Paris, 12 déc. 1989 : *Henri IV, Sully et Gabrielle d'Estrées*, t. (50,5x42) : **FRF 850 000** – Paris, 12 juin 1990 : *Le Dissipateur*, pl. et lav./pap. (13,9x8,4) : **FRF 42 000** – New York, 12 oct. 1994 : *La fureur d'Œdipe*, encre et gche avec reh. de blanc (77,5x53,3) : **USD 47 150** – Paris, 7 nov. 1997 : *Scène pastorale au pied de la statue de Jupiter*, pl. et gche (41x65) : **FRF 15 500.**

FRAGONARD Antonin

Mort en 1887. xixe siècle. Français.

Sculpteur.

Il était le petit-fils d'Honoré Fragonard. En 1882 il exposa au Salon de la Société des Artistes français une statue de danseuse et une statuette : *Aurore*. Il mourut fou à Charenton.

FRAGONARD Jean Honoré

Né le 5 janvier ou avril 1732 à Grasse. Mort le 22 août 1806 à Paris. xviiie siècle. Français.

Peintre d'histoire, de genre et de paysages.

Il appartenait à une famille aisée, mais après la mort de son père, sa situation de fortune se trouva sensiblement modifiée et il dut venir à Paris avec sa mère qui avait à soutenir un procès très important. Honoré Fragonard ou « Frago », ainsi qu'on l'appelait et qu'il se plut à signer souvent, fut d'abord petit clerc chez un notaire, puis, manifestant un goût déterminé pour la peinture, il sollicita d'entrer dans l'atelier de François Boucher. Celui-ci le plaça sous la direction de Chardin. Le jeune méridional fit de rapides progrès, et, en 1752, obtint le Grand Prix de Rome. On rapporte que Boucher, de qui il allait prendre congé avant son départ, lui dit dans une forme plus triviale : « Tu pars pour l'Italie, mon garçon ; si tu étudies Michel-Ange et Raphaël, tu es... perdu. » Fragonard profita du conseil. Dans les milliers de « griffonis » qu'il fit là-bas, tableaux ou fragments croqués en quelques traits de plume relevés de lavis, on trouve beaucoup plus de sujets pris à Barocci, à Pietro da Cortona, à Tiepolo et autres maîtres des xviie et xviiie siècles qu'aux grands artistes de la Renaissance Italienne. À Rome, Fragonard vivait dans l'intimité d'Hubert Robert. L'abbé de Saint-Non les prit comme compagnons dans un voyage à Naples et en Sicile, au cours duquel ce distingué amateur d'art grava avec une admirable fidélité nombre des dessins de Fragonard. Deux ans après son retour à Paris (1765), Fragonard envoya au Salon son tableau *Corésus et Callirrhoé*, qui obtint un énorme succès et fut acheté par le roi pour être reproduit aux Gobelins. Cependant les difficultés éprouvées par l'artiste pour toucher le prix de son ouvrage le dégoûtèrent des travaux officiels. Il ne se montra, du reste, guère plus désireux des honneurs académiques. Il exposa encore une fois au Salon de 1767, et ce fut tout. Ce ne fut qu'en 1987-1988, qu'une exposition d'ensemble de son œuvre fut organisée aux Galeries Nationales du Grand Palais, à Paris.
Le brillant artiste préférait de beaucoup aux grandes « tartines » classiques les charmantes fantaisies, les décorations gracieuses qu'on lui demandait dans le monde de la finance et du théâtre. Ses démêlés avec la Guimard à propos de la décoration de l'hôtel que la célèbre danseuse s'était fait construire occupèrent tout Paris et sont rapportés en détail dans les *Mémoires secrets* de Bachaumont. Le peintre et la danseuse semblent avoir eu une égale tendresse pour l'argent. Ils avaient été aussi bons amis que possible, et Mlle Guimard, estimant sans doute que sa bienveillance était un prix suffisant, fit la sourde oreille quand Fragonard voulut parler de la question intérêt ; l'artiste se fâcha et abandonna le travail. La décoration fut terminée par David et par Taraval qui peignit les plafonds. Fragonard visita l'Italie une seconde fois en 1773, en compagnie du financier Bergeret, qui d'ailleurs émit la prétention de s'approprier les croquis exécutés par l'artiste durant le voyage. Un procès s'ensuivit, gagné par Fragonard. La Révolution de 1789 porta un coup terrible à la fortune de Fragonard. La protection de David lui assura un emploi de conservateur du musée de peinture récemment fondé par l'Assemblée Nationale, mais Fragonard était demeuré trop « ci-devant » pour se sentir en sûreté à Paris. Il partit pour Grasse où l'hospitalité d'un ami lui était offerte. Il emportait quatre importantes compositions commencées en 1772 pour le pavillon que Mme Du Barry possédait à Louveciennes : *L'Amour et la jeune fille, La surprise de l'Amour, L'Offre de la Rose, La Lettre d'amour*, dont il décora le salon de la maison qu'il habitait, complétant la série par une cinquième composition : *Le couronnement de l'amour*. Fragonard avait mis tout son savoir dans ces peintures, qui, demeurées chez son ami, furent durant de longues années une des curiosités de la ville de Grasse. Les propriétaires ne refusèrent pas l'offre de 1.250.000 francs qui leur fut faite et les vendirent, le 8 février 1898. Fragonard revint à Paris, mais n'y retrouva pas la vogue. Quelques timides tentatives pour s'assimiler les formes roides et guindées mises à la mode par les élèves de David donnèrent de déplorables résultats : c'est du Fragonard d'outre-tombe. Il mourut très pauvre dans le logement qu'il avait retrouvé au Louvre. Il avait épousé, en 1769, son élève et sa parente, Mlle Marie-Anne Gérard. Il eut d'elle un fils, qui fut peintre.
Fragonard reste par excellence le peintre du xviiie siècle. Encore mieux que Boucher, il en a la verve, la joliesse, la finesse, l'esprit. S'il est grivois, libertin même, c'est toujours avec une grâce qui désarme les sévères censeurs. ■ E. Bénézit, J. B.

Frago. Fragonard.

Bibliogr. : L. Réau : *Fragonard. Sa vie et son œuvre*, Bruxelles, 1956 – G. Wildenstein : *Fragonard*, Phaidon, Londres, 1960 – A. Ananoff : *L'œuvre dessiné de Jean-Honoré Fragonard*, catalogue raisonné, 4 tomes, 1961 – J. Thuillier : *Fragonard*, Genève, 1966 – in : catalogue de l'exposition *Diderot et l'Art de Boucher à David*, Hôtel de la Monnaie, Paris, 1984 – P. Cabanne : *Fragonard*, Somogy, Paris, 1987 – P. Rosenberg, sous la direction de : *Chefs d'œuvre de Jean-Honoré Fragonard, 1732-1806*, no hors-série, Beaux-Arts Magazine, Levallois, 1987 – P. Rosenberg : catalogue de l'exposition : *Jean-Honoré Fragonard, 1732-1806*, Édition de la Réunion des Musées Nationaux, Paris, 1987 – Baron R. Portalis : *Honoré Fragonard, sa vie et son œuvre*, Rotschild, Paris, 1988.
Musées : Abbeville (Mus. Boucher de Perthes) : *Jeune femme* – Aix : *Tête de vieillard* – Amiens : *Le dîner sur l'herbe* – *Le berceau* – *Tête de vieillard* – *Les lavandières* – *Paysage d'automne* – *Henri IV et Gabrielle d'Estrées* – *La résistance* – *Herminie chez les bergers* – *Jeune femme mettant sa jarretière* – Angers : *Callirhoé et Corésus*, esquisse – Barcelone : *L'abbé de Saint-Non, vêtu à l'espagnole* – Berne : *Amour coiffant une baigneuse* – Besançon (Mus. des Beaux-Arts) : *La Grande Cascade de Tivoli* 1760, sanguine, étude – *L'Escalier de la Gerbe de la Villa d'Este* 1760, sanguine – *Jeune couple* – *Jeune Mère : La Toilette de Vénus* – Chantilly : 42 portraits des princes et princesses de la Maison de Bourbon – *Mme de Tott* – *Louis-Joseph, prince de Condé* – Chartres : *Paysage* – Clamecy : *Tête de fillette* – grisaille – Detroit (Detroit Inst. of Arts) : *Le moissonneur* – *La vendangeuse* – *La Bergère* – *Le jardinier* – Glasgow : *Fête champêtre* – Grasse (Mus. Fragonard) : tableaux et dessins divers – Grenoble : *Tête de vieillard* – Lille : *Adoration des bergers* – Londres (Nat. Gal.) : *Psyché montre à ses sœurs les présents qu'elle a reçus de l'Amour* 1753 – Londres (Wallace coll.) : *Vue des jardins de la Villa d'Este* – *Jardin d'une villa romaine* – *Le chiffre d'amour* – *La fontaine d'amour* – *La maîtresse d'école* – *L'enfant blond* – *L'escarpolette* – *Amours folâtrant* – *Amours endormis*, miniature – Munich (Alte Pina.) : *Jeune fille faisant danser son chien sur son lit* vers 1768 – New York (Metrop. Mus.) : *L'enjeu perdu* – *La cascade* – *Le bosquet* – *Scène de famille dans un intérieur italien* – *Le billet doux* – *Profil de jeune fille* – *Les deux sœurs* – Nice : *Le songe d'Amour* – Orléans : *Les peines d'amour* – Paris (Mus. du Louvre) : *La grande Cascade de Tivoli* 1760-1761 – *L'Essaim d'Amours* vers 1765 – *Portrait de Diderot* – *Portrait de l'Abbé de Saint-Non* 1769 – *Le Verrou* – *L'Armoire*, eau-forte – *Don Quichotte*, cr. – *La Lecture*, lav. – *Le sacrifice de Corésus* – *La leçon de musique* – *L'heure du berger* – *Les baigneuses* – *Bacchante endormie* – *La chemise enlevée* – *La Musique* – *L'Étude* – *L'Inspiration* – *Figure*

de fantaisie - Jeune femme - L'orage - Portrait de Fragonard - La fontaine d'amour - Le vœu à l'amour - L'enfant aux fleurs - Le nid d'oiseau - Le songe d'amour du guerrier - Sganarelle dans le Médecin malgré lui, Acte I, Scène VI - PARIS (Mus. du Petit Palais) : *L'Allée ombreuse* 1773-1774, lav. - *La Servante justifiée* vers 1780, lav. - *Les Remois*, lav. - PARIS (Mus. Jacquemart-André) : *Tête de vieillard - Le début du modèle - Jeune fille blonde - Anachréon couronné par Vénus* - LE PUY-EN-VELAY : *Une bacchante* - ROCHEFORT : *Paysage*, aquar. - ROUEN : *Ruines du Colisée - Femme en buste - Vue d'Italie - Mars, blessé par Minerve - Le débarquement de Cléopâtre* - SAINT-OMER : *Le baiser*, miniature - SAINT-PÉTERSBOURG (Ermitage) : *La famille du fermier - Le baiser à la dérobée* - TROYES : *Le repos de la Sainte Famille* - WASHINGTON D. C. (Nat. Gal.) : *L'Amour Folie - L'Amour en sentinelle - Le cheval fondu - La main chaude - La balançoire - Colin-Maillard - La visite à la nourrice.*

VENTES PUBLIQUES : PARIS, 1er-3 juin 1865 : *L'Escarpolette* : **FRF 30 200** ; *Le souvenir* : **FRF 35 000** - PARIS, 6 au 9 mars 1872 : *La main chaude* ; *Le Cheval fondu*, ensemble : **FRF 10 400** - PARIS, 1876 : *Le torrent*, h/pap. (25,5x35,5) : **FRF 420** - PARIS, 1881 : *Le réveil de la nature* : **FRF 15 900** ; *La visite à la nourrice* : **FRF 9 000** ; *Le pont de bois* : **FRF 6 600** - PARIS, 1886 : *Les baisers maternels* : **FRF 8 600** - PARIS, 14 juin 1891 : *Les saltimbanques* : **FRF 19 000** - PARIS, 16-17 mai 1892 : *Le Printemps* : **FRF 22 000** ; *Le Réveil de la nature* : **FRF 20 000** ; *Le sacrifice de la Rose* : **FRF 60 000** ; *Portrait de Diderot* : **FRF 16 000** - PARIS, 6-7 avr. 1893 : *La Réconciliation* : **FRF 16 200** - PARIS, 20 au 22 juin 1898 : *Le vœu à l'Amour* : **FRF 18 510** ; *L'Amour vainqueur et l'Amour Folie* : **FRF 12 200** - PARIS, 1899 : *La lettre* : **FRF 44 500** ; *L'amour* : **FRF 15 000** - PARIS, 10-12 mai 1900 : *La vigilance endormie* : **FRF 17 500** - PARIS, 4 juin 1903 : *L'Hiver* : **FRF 8 900** - PARIS, 4-5 déc. 1905 : *Le Billet doux* : **FRF 420 000** ; *La Liseuse* : **FRF 182 000** ; *Portrait de fillette* : **FRF 3 800** - NEW YORK, 23-24 fév. 1906 : *Le baiser tenté* : **USD 13 500** - PARIS, 13 mai 1907 : *L'heureuse mère* : **FRF 29 000** - PARIS, 13-15 mai 1907 : *La Résistance inutile* : **FRF 62 100** - LONDRES, 23 nov. 1907 : *Pastorale* : **GBP 6** - LONDRES, 15 mai 1908 : *Portrait de femme* : **GBP 89** - LONDRES, 28 mai 1908 : *Paysage*, sépia : **GBP 200** ; *Entrée d'un parc*, sépia : **GBP 660** - LONDRES, 2 juil. 1909 : *Les Amoureux* : **GBP 136** - LONDRES, 18 juil. 1910 : *Danseur dans un jardin* : **GBP 378** - PARIS, 25 nov. 1918 : *Tête de jeune femme* : **FRF 29 000** - PARIS, 12-13 mai 1919 : *Le galant surpris*, sanguine/cr. : **FRF 27 000** ; *La résistance inutile*, lav. de bistre et aquar. : **FRF 33 100** - PARIS, 13 mars 1920 : *L'heureuse famille*, lav. : **FRF 25 000** - PARIS, 20 mars 1920 : *Paysage* : **FRF 10 500** - PARIS, 6-7 mai 1920 : *Annette et Lubin* : **FRF 24 000** - PARIS, 10-11 mai 1920 : *L'allée ombreuse*, pl. et lav. de sépia : **FRF 143 600** - PARIS, 31 mai 1920 : *Recueil*, contenant entre autres 125 contre-épreuves d'eaux-fortes rehaussées de sépia par Fragonard : **FRF 29 500** - PARIS, 8-10 juin 1920 : *La Coquette*, sanguine : **FRF 32 100** - PARIS, 21-22 juin 1920 : *Les Pins parasols de la villa Pamphile, à Rome*, lav. de sépia : **FRF 20 000** ; *Portrait de femme*, lav. : **FRF 21 000** ; *Le Bac*, lav. : **FRF 4 550** ; *Homme lisant*, sanguine : **FRF 3 600** ; *La Conversation*, lav. : **FRF 1 800** ; *Ruines et figures*, lav. : **FRF 13 100** ; *Étude*, lav., d'après Lucas Giordano : **FRF 1 810** - PARIS, 3 juil. 1920 : *Passage au chemin de Savone à Gênes*, lav. : **FRF 34 050** - LONDRES, 24 nov. 1922 : *Vertu*, dess. : **GBP 283** ; *Enfant jouant avec un chien*, gche : **GBP 388** ; *Lettre d'amour*, dess. : **GBP 273** - PARIS, 14-15 déc. 1922 : *Les Amants surpris*, lav. sépia : **FRF 22 600** - PARIS, 22 nov. 1923 : *La Nativité ou l'Adoration des Bergers* : **FRF 85 000** ; *L'Amour vainqueur* : **FRF 20 000** - PARIS, 10 déc. 1923 : *L'armoire*, cr. lav. bistre : **FRF 8 100** ; *Scène de la vie de Jésus*, lav. et cr. : **FRF 3 100** - LONDRES, 14 déc. 1923 : *Vénus endormie* : **GBP 997** ; *Joueur de flûte* : **GBP 52** - PARIS, 22 déc. 1923 : *Tête d'homme*, mine de pb : **FRF 1 100** - PARIS, 28-29 déc. 1923 : *Composition pour Roland furieux*, cr. et sépia : **FRF 305** - LONDRES, 14 mars 1924 : *Vieille femme* : **GBP 50** - PARIS, 19 mars 1924 : *Arc antique*, sanguine : **FRF 17 200** - PARIS, 26 juin 1924 : *La Nuit* : **FRF 86 000** ; *Terrasse d'une villa romaine, avec figures*, sanguine : **FRF 36 500** - LONDRES, 30 juin 1924 : *Pressoir* ; *Amoureux*, les deux : **GBP 31** - PARIS, 17-18 nov. 1924 : *Illustration pour un conte de La Fontaine*, dess. au lav. de sépia : **FRF 3 000** - PARIS, 25 nov. 1924 : *La sangle brisée*, pierre noire et lav. sépia : **FRF 40 000** ; *Berger et moutons*, lav. sépia : **FRF 42 000** - PARIS, 22 déc. 1924 : *Groupe de femmes et enfants*, mine de pb, pierre noire, sanguine et lav. d'aquar. : **FRF 5 100** - PARIS, 24 déc. 1924 : *Le mur en ruines*, sanguine : **FRF 2 500** ; *Le couronnement de Franklin*, lav. de bistre : **FRF 38 000** - LONDRES, 16 jan. 1925 : *Vénus et Adonis* : **GBP 25** - PARIS, 26 fév. 1925 : *Le Petit Temple*, pierre noire et lav., reh. aquar., attr. : **FRF 2 300** - PARIS, 7 mars 1925 : *Un paysan italien*, attr. : **FRF 850** - PARIS, 25 mars 1925 : *Portrait présumé de Tante Rosalie*, sanguine : **FRF 40 000** - PARIS, 22 mai 1925 : *L'heureuse famille* : **FRF 721 000** - LONDRES, 22 mai 1925 : *Amoureux*, sépia : **GBP 147** - PARIS, 8 juin 1925 : *Le mari confesseur*, lav. de sépia : **FRF 19 100** ; *Fanchon la vielleuse* : **FRF 680 000** ; *Portrait de Suzanne Griois* : **FRF 326 500** - PARIS, 17-18 juin 1925 : *La Terrasse de la villa Reale, à Naples*, lav. de sépia : **FRF 275 000** ; *Le Berger*, dess. gouaché et pastellé : **FRF 27 200** ; *La surprise*, sanguine : **FRF 39 200** ; *La Ferme*, cr., pierre noire, pl. et lav. : **FRF 115 000** ; *La Sultane*, lav. de sépia : **FRF 65 100** ; *Tête de femme*, sanguine : **FRF 7 700** ; *L'Italienne, jeune femme debout*, lav. de sépia : **FRF 72 000** ; *Sancho Pança*, sanguine : **FRF 13 000** ; *Pan et Syrinx* : **FRF 218 000** ; *Le Philosophe* : **FRF 415 000** ; *L'approche de l'orage* : **FRF 70 000** ; *La Toilette de Vénus* : **FRF 40 500** - PARIS, 26 juin 1925 : *Campagne romaine et aqueduc*, pierre noire : **FRF 800** - LONDRES, 10 déc. 1925 : *La Vigne* ; *Bergers*, les deux : **GBP 42** - PARIS, 11-12 déc. 1925 : *Projet de vase*, lav. et pl. : **FRF 3 250** - PARIS, 12 déc. 1925 : *La Vierge au berceau*, étude : **FRF 2 000** - LONDRES, 18 déc. 1925 : *Femme en rose* : **GBP 42** - LONDRES, 26 fév. 1926 : *Deux femmes cousant* : **GBP 17** - PARIS, 10-11 mai 1926 : *Halte dans un bois*, lav. : **FRF 21 000** ; *Pâtres et animaux dans la montagne*, lav. et aquar. : **FRF 7 400** ; *La consultation*, lav., attr. : **FRF 16 300** - PARIS, 27-28 mai 1926 : *Tête de vieillard* : **FRF 67 000** - PARIS, 3-4 juin 1926 : *Le sacrifice à la rose* : **FRF 200 000** - LONDRES, 3 juin 1926 : *Paysage d'Italie*, dess. : **GBP 26** - PARIS, 29 jan. 1927 : *Paysage d'Italie avec cascade*, sanguine : **FRF 12 550** - PARIS, 11 mai 1927 : *Entrée de parc*, sanguine : **FRF 2 900** - PARIS, 16 mai 1927 : *La visite au grand-père* : **FRF 57 000** - PARIS, 20 mai 1927 : *Le gué*, sanguine : **FRF 22 000** - PARIS, 22-24 juin 1927 : *Jeune fille en buste* : **FRF 200 000** - LONDRES, 16 déc. 1927 : *La Sainte Famille et saint Jean* : **GBP 35** ; *Femme* : **GBP 52** - LONDRES, 24 fév. 1928 : *Garçon* : **GBP 63** - PARIS, 21-22 mai 1928 : *Les baisers maternels, ou les jalousies de l'enfance* : **FRF 315 000** - PARIS, 23 mai 1928 : *La Passerelle*, pierre d'Italie : **FRF 15 200** ; *La Promenade à cheval*, pierre d'Italie : **FRF 33 850** - PARIS, 1er juin 1928 : *La visitation de la Vierge* : **FRF 205 000** - PARIS, 7-8 juin 1928 : *Le bac* : **FRF 21 000** - PARIS, 9 juin 1928 : *Jéroboam sacrifiant aux idoles*, sanguine : **FRF 6 500** - LONDRES, 15 juin 1928 : *Jeune étudiant* : **GBP 1 470** - PARIS, 17 mai 1928 : *La mort de l'ermite*, dess. : **FRF 31 000** - LONDRES, 22 mars 1929 : *Vieillard* : **GBP 94** - PARIS, 13-15 mai 1929 : *Muse couronnant le buste de Franklin*, dess. : **FRF 103 000** ; *Les enfants à la cage*, dess. : **FRF 55 000** ; *La statue antique*, dess. : **FRF 28 000** ; *La grande allée du Parc Saint-Cloud*, dess. : **FRF 340 000** ; *Escalier dans le parc d'une villa italienne*, dess. : **FRF 195 000** ; *Les jets d'eau*, dess. : **FRF 295 000** ; *L'inspiration du poète*, dess. : **FRF 160 000** ; *Parc d'une villa italienne*, dess. : **FRF 105 000** ; *Villa d'Este, à Tivoli, près de Rome, la terrasse d'eau*, dess. : **FRF 64 000** ; *Portrait d'Hubert Robert à Rome*, dess. : **FRF 21 000** ; *Portrait de Mlle Gérard, debout*, dess. : **FRF 185 000** ; *La confidence, portraits de Mme Fragonard et de sa sœur Marguerite Gérard*, dess. au lav. de sépia : **FRF 560 000** ; *La consultation*, dess. : **FRF 60 000** ; *La colonne Marc-Aurèle et la place Colonna à Rome*, dess. au lav. de sépia : **FRF 48 000** ; *A femme avare galant escroc*, dess. au lav. de sépia : **FRF 260 000** ; *Les quiproquos*, dess. au lav. de sépia : **FRF 18 000** ; *La rentrée du troupeau*, dess. au lav. de sépia : **FRF 250 000** - PARIS, 3-4 juin 1929 : *Danaé*, dess. : **FRF 500 000** - PARIS, 12 juin 1929 : *Grotte de la nymphe Égérie* : **FRF 8 500** - LONDRES, 14 juin 1929 : *Les baigneuses* : **GBP 577** - LONDRES, 26 juin 1929 : *Tête de vieillard* : **GBP 60** - PARIS, 26 juin 1929 : *Escalier dans un parc* : **FRF 25 000** - NEW YORK, 27-28 mars 1930 : *Nymphes de Diane* : **USD 1 600** ; *Vénus et Cupidon* : **USD 425** - NEW YORK, 11 déc. 1930 : *L'instant désiré* : **USD 375** ; *Scène familiale*, dess. : **USD 120** - LONDRES, 27 fév. 1931 : *Vénus, Cupidon et un satyre* : **GBP 42** - PARIS, 1er déc. 1932 : *L'adoration des Bergers*, sépia : **FRF 107 000** ; *La visite chez le docteur*, sépia : **FRF 136 000** ; *L'Écurie de l'âne* : **FRF 300 000** - PARIS, 12 déc. 1932 : *Vénus et Psyché* ; *Psyché et ses sœurs*, deux dess. : **FRF 9 800** - PARIS, 27 mars 1933 : *Le Lever* : **FRF 120 000** - PARIS, 26 mai 1933 : *Le Verrou*, attr. : **FRF 67 500** - LONDRES, 7 déc. 1933 : *Le baiser envoyé* : **GBP 34** - PARIS, 8-9 mai 1934 : *La Coquette*, sanguine : **FRF 36 000** ; *La jeune soubrette* : **FRF 15 200** - PARIS, 15 juin 1934 : *L'heureuse famille* : **FRF 600 000** - LONDRES, 29 juin 1934 : *Le verre d'eau* : **GBP 168** - LONDRES, 6 juil. 1934 : *Fillette en bleu* : **GBP 11** - LONDRES, 23 nov. 1934 : *Femme en noir* : **GBP 16** - PARIS, 3 déc. 1934 : *L'en-*

lèvement des Sabines, lav. de sépia : **FRF 15 000** – LONDRES, 12 déc. 1934 : *Diane ; Vénus*, les deux : **GBP 250** – LONDRES, 1er mars 1935 : *Tête de jeune fille* : **GBP 178** – PARIS, 15 mars 1935 : *La coquette fixée* : **FRF 28 000** – LONDRES, 8 avr. 1935 : *Vénus à sa toilette* : **GBP 81** – STOCKHOLM, 11-12 avr. 1935 : *Composition* : **SEK 6 000** – LONDRES, 27-29 mai 1935 : *Intérieur, avec femme assise*, sanguine : **GBP 265** – LONDRES, 5 juil. 1935 : *Amants* : **GBP 13** – LONDRES, 4 déc. 1935 : *Taureau* : **GBP 1 100** ; *Songe du Mendiant* : **GBP 540** ; *Sultane* : **GBP 780** ; *Ma chemise brûle* : **GBP 440** ; *Parc en Italie* : **GBP 260** ; *Enfants dans une étable* : **GBP 95** ; *Paysage boisé* : **GBP 98** – PARIS, 14 déc. 1935 : *Le Colin-Maillard*, dess. à la pierre d'Italie et au lav. de sépia : **FRF 171 000** ; *L'oranger renversé*, dess. à la pl. et au lav. de bistre et d'aquar. : **FRF 90 000** – PARIS, 17 déc. 1935 : *Les quiproquos*, lav. de sépia, conte de la Fontaine : **FRF 12 000** – PARIS, 14 mai 1936 : *La résistance inutile*, lav. de sépia : **FRF 40 000** ; *Le vieux chêne*, sanguine : **FRF 15 500** ; *Caprarola, palazzo et terrasses*, pierre d'Italie : **FRF 3 300** – PARIS, 23 juin 1936 : *La cascade*, sanguine : **FRF 5 000** ; *La Fontaine* : **FRF 18 000** – LONDRES, 11 nov. 1936 : *Sujet classique* : **GBP 11** – PARIS, 17 nov. 1936 : *Deux femmes prises par des voleurs sont conduites dans leur souterrain*, lav. de sépia : **FRF 4 500** ; *Une femme prise par des brigands, et conduite au chef de la bande*, lav. de sépia : **FRF 4 500** – PARIS, 30 nov. 1936 : *La vasque de pierre*, lav. de sépia : **FRF 20 000** ; *L'aurore* : **FRF 91 000** – PARIS, 5 déc. 1936 : *Un parc italien*, sanguine : **FRF 15 000** – PARIS, 14 déc. 1936 : *Étude d'arbres*, sanguine : **FRF 11 100** – LONDRES, 15 jan. 1937 : *L'amant impétueux* : **GBP 350** – LONDRES, 28 mai 1937 : *Le berceau* : **GBP 299** – PARIS, 25 juin 1937 : *Un parc italien*, pierre noire : **FRF 5 100** – LONDRES, 2 juil. 1937 : *Diseur de bonne aventure* : **GBP 388** – LONDRES, 22 juil. 1937 : *Un coin des jardins de Tivoli* : **GBP 2 900** – LONDRES, 25 fév. 1938 : *Vénus endormie* : **GBP 18** – LONDRES, 2 mars 1938 : *Gabrielle de Vergy* : **GBP 90** – LONDRES, 18 mai 1938 : *Tête de femme* : **GBP 460** – PARIS, 15 juin 1938 : *Le verrou*, sanguine et lav. de sépia : **FRF 350 000** ; *Hubert Robert*, pierre noire et lav. de sépia : **FRF 11 100** ; *La passerelle*, pl. et lav. de sépia : **FRF 5 100** – PARIS, 22 juin 1938 : *Le songe du mendiant*, lav. de sépia : **FRF 205 000** – LONDRES, 24 juin 1938 : *Jardins de la villa d'Este* : **GBP 399** – PARIS, 26 sep. 1941 : *La Récompense ou Il a gagné le prix*, pierre noire et lav. d'encre de Chine : **FRF 215 000** – PARIS, 20 nov. 1941 : *La Gimblette*, pierre noire et lav. de bistre : **FRF 180 000** ; *La Mort de Marie de Gonzague*, pierre noire et lav. de bistre : **FRF 123 000** ; *L'Escalier et le Jet d'eau de l'Hémicycle dans les jardins de la villa d'Este, à Tivoli*, sanguine, pl. et lav. de bistre : **FRF 415 000** ; *Jeune femme debout*, sanguine : **FRF 32 000** ; *Portrait d'homme*, pierre noire : **FRF 125 000** – PARIS, 19 déc. 1941 : *La Cavalcade*, pierre noire et lav. d'encre de Chine, légers reh. d'aquar. : **FRF 180 000** – LONDRES, 2 oct. 1942 : *L'Inspiration*, dess. : **GBP 78** – PARIS, 12-13 oct. 1942 : *Le Christ apparaissant aux apôtres, d'après Louis Carrache*, pierre noire : **FRF 160 000** – LONDRES, 8 mars 1944 : *Portrait de femme* : **GBP 78** – LONDRES, 31 mars 1944 : *Nymphe endormie* : **GBP 630** – PARIS, 15 avr. 1944 : *Le Baiser* : **FRF 9 800** – LONDRES, 9 juin 1944 : *Cendrillon*, dess. : **GBP 577** – NEW YORK, 22 nov. 1944 : *Intérieur de ferme*, dess. : **USD 85** ; *La famille de Noé se rendant dans l'arche*, dess. : **USD 225** – LONDRES, 24-25 nov. 1944 : *Mademoiselle Marie Madeleine Guimard* : **GBP 17 000** ; *Le chevalier de Billaut* : **GBP 12 000** – PARIS, 20 déc. 1944 : *Les beignets*, sépia : **FRF 400 000** – PARIS, 8 fév. 1945 : *La cuisine*, lav. de sépia : **FRF 310 000** ; *La Récompense ou Il a gagné le prix*, pierre noire et lav. d'encre de Chine : **FRF 350 000** – PARIS, 12 fév. 1945 : *Le Temple*, pierre noire et lav. de bistre, attr. : **FRF 19 500** – PARIS, 16 mars 1945 : *Scène familiale* : **FRF 21 000** – PARIS, 11 mai 1945 : *La Jeune fille brune* : **FRF 3 250 000** ; *Antiochus et Stratonice* : **FRF 220 000** – PARIS, oct. 1945-Juillet 1946 : *Le vallon* : **FRF 610 000** ; *Le sacrifice de la rose* : **FRF 1 200 000** ; *Passage au chemin de Savone à Gênes*, sépia : **FRF 340 000** – LONDRES, 6 mars 1946 : *Cupidon* : **GBP 640** – PARIS, 18 déc. 1946 : *Les Jardins de la villa d'Este*, sanguine : **FRF 160 000** – PARIS, 13 jan. 1947 : *La fuite à dessein* : **FRF 16 500** – LONDRES, 14 fév. 1947 : *La forge de Vulcain* : **GBP 168** – PARIS, 19 mars 1947 : *Vue des jardins de la villa Falconieri à Frascati*, pierre noire : **FRF 152 000** – PARIS, 4 juin 1947 : *Pan et Syrinx*, lav. de sépia, attr. : **FRF 13 500** – PARIS, 14 mai 1952 : *La jeune fille aux chiens* : **FRF 10 600 000** – PARIS, 6 avr. 1957 : *La fuite de Clélie*, dess. : **FRF 320 000** – LONDRES, 26 juin 1957 : *Le lit* : **GBP 2 400** – LONDRES, 20 nov. 1957 : *Villa Aldobrandini*, sanguine : **GBP 220** – LONDRES, 26 fév. 1958 : *Paysage de parc* : **GBP 3 500** – PARIS, 21 mars 1958 : *Vue prise des jardins du Trianon*, sanguine : **FRF 1 000 000** – PARIS, 26 mars 1958 : *La culbute*, dess. lavé : **FRF 800 000** – PARIS, 16 mai 1958 : *La fontaine*, lav. de sépia : **FRF 170 000** – NEW YORK, 6 déc. 1958 : *Taureau de la campagne romaine* : **USD 4 500** – NEW YORK, 23 mai 1959 : *Deux amours* : **USD 4 000** – LONDRES, 10 juin 1959 : *Le Philosophe* : **GBP 13 000** – PARIS, 23 juin 1959 : *Le repos dans la forêt*, sanguine : **FRF 2 500 000** – PARIS, 10 déc. 1959 : *Le serment d'amour*, cr. et lav. de bistre : **FRF 2 800 000** – LONDRES, 27 avr. 1960 : *L'Amour vainqueur* : **GBP 2 600** – PARIS, 14 juin 1960 : *Cache-cache* : **FRF 150 000** – LONDRES, 22 juin 1960 : *L'écurie de l'âne* : **GBP 5 500** – PARIS, 4 mars 1961 : *La servante de Fragonard*, lav. de bistre sur craie : **FRF 52 000** – LONDRES, 10 mai 1961 : *Le sacrifice au Minotaure*, pierre noire, lav. et aquar. : **GBP 5 500** – NEW YORK, 15 nov. 1961 : *La liseuse* : **USD 875 000** – LONDRES, 27 nov. 1963 : *La jardinière* : **GBP 36 000** – LONDRES, 6 déc. 1967 : *Vénus attachant les ailes de Cupidon* : **GBP 34 500** – VERSAILLES, 26 juin 1968 : *L'enfant à la curiosité* : **FRF 100 000** – LONDRES, 9 juil. 1968 : *La bonne mère*, aquar. et gche : **GBP 5 000** – LONDRES, 26 mars 1969 : *La liseuse* : **GBP 33 000** – LONDRES, 8 déc. 1971 : *Anne-François d'Harcourt, duc de Beuvron* : **GBP 340 000** – PARIS, 25 nov. 1971 : *Le réveil de Vénus ou l'Aurore* : **FRF 550 000** – LONDRES, 7 juil. 1972 : *Le pont de bois* : **GNS 65 000** – NEW YORK, 6 déc. 1973 : *Le repos de Diane* : **USD 25 000** – PARIS, 7 déc. 1973 : *Portrait de Madame Griois* : **FRF 332 000** – LONDRES, 12 déc. 1973 : *L'abreuvoir* : **GBP 10 500** – PARIS, 25 mai 1976 : *Le Songe du mendiant*, h/t (73x91) : **FRF 2 300 000** – PARIS, 23 juin 1976 : *La promenade*, cr. et lav. de bistre (17x23,2) : **FRF 15 000** – NEW YORK, 28 oct. 1977 : *Au bonheur du premier baiser*, h/pan. (33x24) : **USD 85 000** – PARIS, 11 mai 1977 : *L'armoire*, eau-forte : **FRF 11 000** – LONDRES, 1er nov. 1978 : *Le Pont de bois*, h/t (62x84) : **GBP 150 000** – BERNE, 9 juin 1978 : *Le Parc* vers 1765 : **CHF 3 000** – LONDRES, 24 juin 1980 : *Cendrillon, Servante de Fragonard* 1774, sanguine/pap. (24,1x20,9) : **GBP 28 000** – NEW YORK, 11 juin 1981 : *Le torrent*, h/pap. (25,5x35,5) : **USD 20 000** – MONTE-CARLO, 14 fév. 1983 : *Le verrou*, h/pan. (26x32,5) : **FRF 2 500 000** – LONDRES, 13 déc. 1984 : *Taureau rentrant à l'étable*, pierre noire, lav. de brun et de gris (25,6x40,4) : **GBP 105 000** – PARIS, 29 nov. 1985 : *Portrait présumé de Marguerite Gérard, jeune femme assise, le bras gauche appuyé à son front, reposant sur une table* 1773-1780, sanguine (32,2x23) : **FRF 1 950 000** – NEW YORK, 14 jan. 1987 : *Les jardins de la Villa d'Este*, gche/parchemin (19,9x24,4) : **USD 185 000** – MONTE-CARLO, 20 juin 1987 : *L'abreuvoir*, h/t (51,5x63) : **FRF 4 400 000** – PARIS, 9 mars 1988 : *Cascade*, cachet Faucigny-Lussinge (28,5x21) : **FRF 105 000** – PARIS, 14 avr. 1988 : *Le vieux chêne*, h/pan. (22x17) : **FRF 850 000** – PARIS, 30 mai 1988 : *L'heureuse fécondité*, h/t : **FRF 8 000 000** – MONACO, 20 fév. 1988 : *Le canal*, encre et aquar. (27, 6x39,7) : **FRF 1 087 800** ; *Personnages dans un paysage à Velletri*, pierre noire (36,5x28) : **FRF 399 600** – PARIS, 31 mai 1988 : *La jeune fille aux petits chiens*, h/t, de forme ovale (62x50,2) : **FRF 2 400 000** – STOCKHOLM, 15 nov. 1988 : *Vénus assistant à la mort d'Adonis*, h. (159x98) : **SEK 200 000** – NEW YORK, 1er juin 1989 : *Le repos de la Sainte Famille au cours de la fuite en Egypte*, h/t, de forme ovale (190,5x221) : **USD 352 000** – LONDRES, 5 juil. 1989 : *Sapgo inspirée par Cupidon*, h/t, ovale (61,5x52,5) : **GBP 264 000** – NEW YORK, 12 jan. 1990 : *La coquette*, sanguine (36,5x21) : **USD 297 000** – PARIS, 12 déc. 1990 : *Renaud dans les jardins d'Armide*, Pierre noire et lav. bistre (35x46) : **FRF 3 200 000** – LONDRES, 2 juil. 1990 : *Bireno quitte les îles*, craie noire et lav., extrait de Orlando Furioso (39,5x26,8) : **GBP 41 800** – MONACO, 7 déc. 1990 : *La récompense*, h/pap./pan. (26x34) : **FRF 333 000** ; *Paysage au champ de blé et au charriot attelé ou les Moissonneurs au repos*, h/t (55x64,8) : **FRF 1 276 500** – PARIS, 12 déc. 1990 : *Renaud dans les jardins d'Armide*, pierre noire et lav. bistre (35,5x46) : **FRF 3 200 000** – NEW YORK, 8 jan. 1991 : *Etude d'une petite fille sur un âne*, sanguine (16,5x24) : **USD 2 750** – NEW YORK, 9 jan. 1991 : *Le départ du troupeau*, craie noire et lav. brun (11,8x19,3) : **USD 20 900** – NEW YORK, 22-23 mars 1991 : *Le tour de cartes ou la perruque brûlée*, craie noire et lav. (21,6x31,2) : **USD 35 200** – NEW YORK, 31 mai 1991 : *Le numéro*, h/cart. (29x39) : **USD 93 500** – MONACO, 21 juin 1991 : *Portrait d'une jeune fille assise*, sanguine (34,8x22,7) : **FRF 555 000** – PARIS, 28 nov. 1991 : *Vierge à l'Enfant*, pierre noire (29,5x20,4) : **FRF 18 000** – NEW YORK, 15 jan. 1992 : *La cascade de la villa Aldobrandi à Frascati*, sanguine (35,4x47) : **USD 110 000** – LONDRES, 15 avr. 1992 : *Repos pendant la fuite en Égypte*, h/t, de forme ovale (190,5x221) : **GBP 170 000** – MONACO, 18-19 juin 1992 : *La visitation de la Vierge*, h/t (24,3x32,4) : **FRF 888 000** – LONDRES, 6 juil. 1992 : *Romulus traçant les limites de Rome*, craie noire

(19,7x27) : **GBP 2 530** – New York, 13 jan. 1993 : *Jardin d'une villa italienne avec un jardinier et deux enfants*, lav. brun sur craie noire (33,8x45,1) : **USD 343 500** – Paris, 29 mars 1994 : *Le temple dans un parc*, sanguine (32,4x37) : **FRF 240 000** – Londres, 10 juin 1994 : *Bergère assise sous un arbre avec des moutons et tenant une corbeille de fleurs près de ruines*, h/t (71,8x92,5) : **GBP 287 500** – Paris, 14 déc. 1994 : *Les enfants jouant avec un chat*, h/cuivre (diam. 18,6) : **FRF 2 280 000** – New York, 12 jan. 1995 : *Les brigands découvrant Orlando avec Isabelle et Gabrina dans leur grotte*, craie noire, lav. brun et gris, extrait du Orlando Furioso (39,4x24,8) : **USD 57 500** – Paris, 12 déc. 1995 : *Deux jeunes femmes sur un lit jouant avec un petit chien : le lever*, h/t (74x59) : **FRF 8 200 000** – Londres, 2 juil. 1996 : *Vue d'un jardin italien animé avec une villa, des statues antiques, une fontaine et un sarcophage*, sanguine et craie noire (23,8x33,4) : **GBP 54 300** – Paris, 25 avr. 1997 : *Agar consolée par un ange d'après Castiglione et trois têtes de vieillards d'après Sebastiano Ricci*, pierre noire (29x20) : **FRF 70 000** – Paris, 2 juin 1997 : *Portrait de Madame de La Girennerie en médaillon*, pierre noire et sanguine (Diam. 12,5) : **FRF 27 000** – Paris, 18 juin 1997 : *Groupe sur un tertre avec au premier plan un personnage montant une échelle*, pierre noire et lav. de brun (45,4x29) : **FRF 25 000** – Londres, 2 juil. 1997 : *Atalante est vaincue par Bradamante (Roland furieux, de l'Arioste, IV 25-26)*, craie noire et lav. brun (36,4x23,9) : **GBP 17 250**.

FRAGONARD Jean Honoré, Mme, née **Marie-Anne Gérard**

Née en 1745 à Grasse. Morte en 1823. xviiie-xixe siècles. Française.

Peintre, peintre de miniatures.

Elle était l'aînée d'une famille de dix-sept enfants et vint à Paris près d'un oncle. La jeune fille montrait des dispositions exceptionnelles et fut placée comme élève près d'Honoré Fragonard. C'était une charmante personne, intelligente, vive, aimable, très gaie : le maître s'éprit d'elle et l'épousa. Deux enfants naquirent de ce mariage : une fille qui faisait preuve d'extraordinaires dispositions artistiques et qui mourut trop jeune pour pouvoir les mettre en lumière, et Alexandre-Evariste, qui, lui aussi, fut peintre. Mlle Gérard fut surtout miniaturiste et fit preuve dans ce genre de très remarquables qualités. Il nous paraît probable, sinon certain, étant donné le milieu dans lequel se manifesta son talent, qu'elle dut aussi produire quelques sujets de genre. Elle exposa au Salon de la Correspondance en 1779.

Musées : Besançon : *Portrait de l'architecte L.-A. Trouard*, miniature – Paris (Jacquemart-André) : *Enfant costumé en Crispin*, miniature sur ivoire – *Enfant coiffé d'un toquet à plume blanche*, miniature sur ivoire.

Ventes Publiques : Paris, 1783 : *Buste d'un jeune garçon ; Buste de jeune fille*, deux miniatures : **FRF 137** – Paris, 1787 : *Tête d'enfant*, miniature : **FRF 17** – Paris, 1846 : *Malvina*, dess. : **FRF 17**.

FRAGONARD Théophile Évariste Hippolyte

Né le 2 février 1806 à Paris. Mort en 1876 à Neuilly-sur-Seine (Hauts-de-Seine). xixe siècle. Français.

Peintre d'histoire, scènes de genre, portraits, paysages, lithographe, dessinateur, illustrateur.

Fils d'Alexandre Évariste Fragonard, dont il fut l'élève, et petit-fils de Jean-Honoré Fragonard. Il fut pendant longtemps attaché à la Manufacture Royale de Sèvres. Il exposa au Salon de Paris, dès 1831, obtenant une médaille de première classe en 1850. Il fut promu chevalier de la Légion d'honneur en 1869.

Il eut une importante activité d'illustrateur, dessinant pour le magazine *L'Illustration* et diverses œuvres littéraires : *Les Mille et une nuits, Contes et Nouvelles de La Fontaine, Quentin Durward* de Walter Scott, *Le Génie du Christianisme* de Chateaubriand. Il produisit beaucoup de lithographies.

Bibliogr. : Gérald Schurr, in : *Les Petits Maîtres de la peinture 1820-1920, valeur de demain*, Les Éditions de l'Amateur, t. VI, Paris, 1985.

Musées : Amiens : *Paysage accidenté* – Bagnères-de-Bigorre : *Angelo, tyran de Padoue* – Rouen (Mus. des Beaux-Arts) : *Portraits du père et de la mère de l'artiste – Songe de Plutarque* – Versailles : *Siège de Ptolémaïs*.

Ventes Publiques : Paris, 1875 : *Un rendez-vous*, éventail : **FRF 320** ; *La Sérénade*, éventail : **FRF 1 160** ; *La vie au château*, éventail : **FRF 1 200** – Paris, 27 avr. 1921 : *Amours préparant des flèches ; Amours souilleurs*, deux aquar. : **FRF 810** – Paris, 29 avr. 1921 : *Le baiser rustique ; Danse à la guitare*, deux aquar. : **FRF 300** – Paris, 18 nov. 1926 : *La Fête-Dieu*, aquar. : **FRF 730** – Paris, 3 déc. 1927 : *Scène galante* : **FRF 700** – Paris, 20 mars 1941 : *Quatre carnets de notes et croquis* : **FRF 650** – Paris, 30 mai 1941 : *Carnet de croquis*, études au cr. et lav. : **FRF 300** – Paris, 22 juil. 1942 : *La clémence de Louis XI*, aquar. : **FRF 500** – Paris, 26 fév. 1943 : *La Peur*, cr. et lav. de sépia/pap. : **FRF 680** – Paris, 6 juin 1945 : *L'Imploration amoureuse*, aquar. : **FRF 7 700** – Versailles, 16 juin 1982 : *Jeux d'enfants*, aquar. et pierre noire (29x98) : **FRF 3 400** – Monte-Carlo, 5 mars 1984 : *Scène de la vie d'Henri IV*, h/t (52,5x36,5) : **FRF 100 000** – Versailles, 22 juin 1986 : *Portrait d'un jeune homme*, h/t (41x33) : **FRF 4 800** – Paris, 22 mars 1991 : *L'Amoureuse déçue*, aquar. et cr. noir (24x18,5) : **FRF 16 000** – Lokeren, 10 oct. 1992 : *Le Tambour* 1833, h/t (90x116) : **BEF 300 000** – Paris, 24 mars 1997 : *Scène d'émeute*, h/t (59x49) : **FRF 9 000**.

FRAGOSO Joao

Né en 1913 à Caldas da Rainha. xxe siècle. Portugais.

Peintre.

Professeur à l'École Supérieure des Beaux-Arts de Lisbonne, il a été lauréat de nombreuses récompenses. Sa peinture classique et traditionnelle représente en quelque sorte un certain art officiel au Portugal. Il a exposé au musée Rodin, à Paris en 1966.

FRAGOVSKI Nole

Né en 1939 à Galicnik. xxe siècle. Yougoslave.

Peintre. Expressionniste.

Il a étudié à l'École des Beaux-Arts de Belgrade et expose depuis 1968 en Yougoslavie, notamment à Skopje et à Belgrade. Ses peintures à résonance expressionniste sont souvent chargées de symbolisme nettement engagé.

FRAGUIER Gabriel Auguste Claire Armand de, comte

Né le 18 novembre 1803 à Besançon (Doubs). Mort le 31 juillet 1873 à Besançon (Doubs). xixe siècle. Français.

Peintre.

Élève de Camille Roqueplan, il figura au Salon de Paris de 1833 à 1859. On mentionne de lui : *Intérieur de cuisine ; Un marchand à Syra ; Souvenir de Syra*.

Musées : Besançon : *Fleurs et fruits*.

FRAHIER Thérèse

Née dans l'Aube. xxe siècle. Française.

Peintre.

Elle exposa à Paris, dès 1933 au Salon des Artistes Français. Depuis 1944, elle a figuré au Salon de la Société Nationale des Beaux-Arts.

FRAHM Christian Daniel

Né à Wismar. Mort en 1778. xviiie siècle. Allemand.

Peintre de sujets religieux.

Il fut poignardé à Rome. Le Musée de Kassel conserve de lui : *Sainte Famille*.

FRAÏCHE DE BRENEST Guillaume

Originaire de Tarbes. xviiie siècle. Français.

Peintre.

Il est mentionné à Angers en 1784 et 1785. Peut-être est-il identique à un peintre Fraiche de Brenet qui séjourna à La Rochelle en 1788 comme « peintre de la Cour d'Espagne » et exécuta quelques travaux dans cette ville.

FRAICHOT Claude

Né au xviiie siècle à Morteau (Doubs). xviiie siècle. Français.

Peintre.

Frère de Pierre Fraichot.

FRAICHOT Claude Joseph I

xviiie siècle. Actif à Besançon. Français.

Sculpteur.

Frère de Jean Fraichot.

FRAICHOT Claude Joseph II

Né le 22 mars 1732 à Besançon. Mort vers 1803 à Besançon. xviiie siècle. Français.

Peintre de genre, portraits, natures mortes, dessinateur.

Fils de Jean Fraichot, il fut professeur de dessin à l'École de Peinture de Besançon.

Ventes Publiques : Versailles, 26 juin 1985 : *Nature morte aux poissons*, h/t (67x92) : **FRF 34 000** – Milan, 13 déc. 1989 : *Cuisine*, h/t (83,5x107) : **ITL 40 000 000** – Paris, 27 juin 1989 : *La Table de cuisine ; Un repas*, h/t (73,5x103) : **FRF 60 000** – Paris, 14 fév. 1990 : *Nature morte à la bouteille de vin, fromage et cerises*, h/t (45x52,5) : **FRF 38 000**.

FRAICHOT Jean

Né à Morteau (Doubs). Mort avant 1758. xviiie siècle. Français.

Peintre.
Il devint bourgeois de Besançon en 1747.

FRAICHOT Jean Baptiste
Né le 17 octobre 1727 à Besançon. XVIIIe siècle. Français.
Peintre.
Il était le fils de Pierre Antoine Fraichot.

FRAICHOT Jean Pierre
XVIIIe siècle. Actif à Besançon. Français.
Peintre.
En 1769 il s'engagea par contrat à exécuter un tableau de *Notre-Dame du Rosaire* pour l'église de Nancray (Doubs).

FRAICHOT Pierre
Né à Morteau (Doubs). Mort le 14 janvier 1713 à Besançon. XVIIIe siècle. Français.
Peintre.
Un portrait de sa main, daté de 1675 est conservé à Besançon (Doubs). On mentionne de lui également des peintures exécutées à l'Hôpital du Saint-Esprit à Besançon.

FRAICHOT Pierre Antoine
Né en 1690 à Besançon. Mort vers 1763. XVIIIe siècle. Français.
Peintre de natures mortes.
Ventes Publiques : Paris, 20 avr. 1988 : *Nature morte au jambon ; Nature morte au poisson*, h/t, une paire (60x74) : **FRF 148 500** – Paris, 26 oct. 1992 : *Nature morte aux légumes*, h/t (57x74) : **FRF 34 000**.

FRAIDEL Alois
XIXe siècle. Allemand.
Peintre de fresques.
Il fit des fresques de plafond dans les églises d'Obersulmetingen, Demmingen, Ummendorf, Grundsheim. Établi à Söflingen, il était occasionnellement dessinateur de lithographies.

FRAIKIN Charles Auguste
Né le 14 juin 1817 à Hérenthals. Mort en 1893 à Schaerbeek-lez-Bruxelles. XIXe siècle. Belge.
Sculpteur de statues, bustes.
Élève de l'Académie d'Anvers, il exposa dès 1846. Chevalier de l'Ordre de Léopold en 1848, officier en 1858, membre de l'Académie royale de Belgique, en 1847, membre effectif du Conseil académique en 1882, il fut fait chevalier de la Légion d'honneur en 1878. Il exposa à la Royal Academy à Londres en 1879.
Musées : Anvers : *La Mère de Moïse* – Bruxelles : *Vénus et l'Amour* – Ypres : *Marie-Henriette, reine des Belges*, deux bustes – *Léopold II*, deux bustes.
Ventes Publiques : Lokeren, 19 oct. 1985 : *Femme à la colombe*, bronze patine brune (H. 29,5) : **BEF 45 000**.

FRAILE Alfonso
Né en 1930 à Marchena. Mort en 1988 à Madrid. XXe siècle. Espagnol.
Peintre de figures.
Il a étudié à l'école des beaux-arts de Madrid. C'est dans cette ville qu'il expose pour la première fois en 1957. Dès 1963, il a reçu de nombreux prix : premier prix national de Peinture (Madrid, 1963), premier prix de la Critique de l'*Ateneo* (Madrid, 1966), première médaille à l'exposition nationale des Beaux-Arts (Madrid, 1968), premier prix national d'Arts Plastiques (Madrid, 1988). Il a régulièrement exposé, à Madrid mais aussi à l'étranger : 1978 FIAC (Foire internationale d'Art contemporain) à Paris, 1980 galerie Naviglio à Milan, 1985-1986 musée national d'Art contemporain à Madrid, ainsi qu'à Washington.
Sa peinture, dans la lignée de l'école de Paris, ayant subi certaines influences du tachisme tout en portant une réflexion sur la composition du tableau, jusqu'à la fin des années soixante, connaît une brutale rupture après 1975. S'attachant désormais à la figure humaine, il entreprend une déconstruction habile de ses personnages : ainsi le *Grand Triptyque* (1977), composé de 143 personnages. Mêlant humour et ironie, il nous présente un univers teinté de fantastique dans lequel des formes biomorphiques et anthropomorphiques évoluent, à la manière parfois de Kandinsky ou de Miro. ■ L. L.
Bibliogr. : In : *Diction. de la peinture espagnole et portugaise*, Larousse, Paris, 1989 – in : *Catalogo nacional de arte contemporaneo*, Iberico 2mil, Barcelone, 1990-1991.
Musées : Bilbao (Mus. d'Art Mod.) – Madrid (Mus. espagnol d'Art Contemp.) – Séville (Mus. d'Art Contemp.) – Tolède (Mus. d'Art Contemp.).
Ventes Publiques : Madrid, 13 déc. 1990 : *Rassemblement autorisé* 1976, h/t (120x110) : **ESP 2 240 000** – Madrid, 28 nov. 1991 : *120 personnages n° 7* 1978, techn. mixte/pap./pan. (130x110) : **ESP 2 464 000**.

FRAILE Maria Julia
Née à Carthagène. XXe siècle. Espagnole.
Peintre de compositions animées. Naïf.
Elle participe à de nombreuses expositions collectives, notamment, en 1989 à Paris, au Salon International d'Art Naïf.
Ses compositions représentent des scènes heureuses, dans des sites plaisants, avec jardins, palmiers, bateaux sur la mer, où s'affairent quantités de personnages très divers, des enfants qui jouent surtout, les parents ou les nurses, le gardien du square, etc.

FRAILLION Paul
XIXe siècle. Actif à Paris. Français.
Peintre.
Sociétaire des Artistes Français depuis 1891.

FRAILONG Pierre Jean Charles
Né à Châteauneuf (Charente). XXe siècle. Français.
Peintre de paysages animés.
Il exposa dès 1923 à Paris, au Salon des Artistes Français, avec des compositions inspirées par l'Algérie.

FRAIMAN Philippe ou **Freyman**
XVIIe siècle. Actif à Tournai. Éc. flamande.
Sculpteur.
Il exécuta en 1651 l'autel de Notre-Dame du Bon-Secours pour l'église Saint-Brice à Tournai.

FRAIN de LA GAULAYRIE Christian
Né le 6 novembre 1916 à St-Pol-de-Léon (Finistère-Nord). XXe siècle. Français.
Peintre de marines, paysages animés, peintre à la gouache, aquarelliste, dessinateur, graveur et illustrateur. Postimpressionniste.
Il fut élève de l'École des Beaux-Arts de Rennes et de l'École Nationale Supérieure des Arts Décoratifs de Paris. Il expose régulièrement en France, notamment au Salon de la Marine.
Il pratique préférentiellement les techniques de la gouache et de l'aquarelle. Il reconnaît pour maîtres les Impressionnistes, privilégiant les représentations de ciels, mers et bateaux.

FRAINAIS D'ALBERT Jacques Nicolas
Né le 9 décembre 1763 à Alençon. Mort le 28 décembre 1816 à Alençon. XVIIIe-XIXe siècles. Français.
Peintre de genre, natures mortes, fleurs.
Il peignit principalement des natures mortes et sa manière rappelle un peu celle de Chardin.
Musées : Alençon : *Dernier jour du Carnaval – Chien terrassant un chat – Bacchus*.
Ventes Publiques : Paris, 7 mars 1923 : *Vase de fleurs* : **FRF 750** – Paris, 18 déc. 1981 : *Garçonnet sur une balançoire ; Château dans la campagne*, deux gches : **FRF 12 000**.

FRAINCRY Anthoine de
Originaire de Boulogne. XVIe siècle. Français.
Peintre.
Il exécuta, en 1532 et 1533 avec R. le Carpentier des peintures décoratives à l'Abbaye Notre-Dame.

FRAINET Jean David
Né le 3 novembre 1752 à Genève. Mort le 7 juillet 1788. XVIIIe siècle. Suisse.
Peintre sur émail.
Il fut élève de F. J. Malignon.

FRAIPONT Georges
Né vers 1873 à Paris. Mort le 24 novembre 1912. XIXe-XXe siècles. Français.
Peintre, graveur, illustrateur.
Fils de l'artiste Gustave Fraipont et élève de Gérome et L.-O. Merson, il exposa au Salon des Artistes Français à partir de 1901, dont il fut élu sociétaire en 1905. Il a réalisé d'intéressantes pointes-sèches, ainsi que de nombreuses illustrations comme : *La Seine à travers Paris* de Saint Juirs.

g. FRAIPONT

Ventes Publiques : Paris, 14 mai 1943 : *Femme à la brouette*, dess. et craie : **FRF 100** – Londres, 8 juin 1983 : *Paris, place de la*

Concorde, h/t (45x53,5) : **GBP 2 000** – Douarnenez, 12 août 1983 : *Marché, enclos paroissial de Guimiliau*, aquar. gchée (37x53) : **FRF 6 200** – Paris, 22 mars 1993 : *Paris – la République*, aquar. (25,5x36,5) : **FRF 19 000** – Paris, 4 juin 1993 : *Olace à Lisieux*, h/t (75x60) : **FRF 10 500**.

FRAIPONT Gustave
Né en 1849 à Bruxelles. XIXe siècle. Actif et naturalisé en France. Belge.
Peintre de scènes de genre, paysages animés, paysages, aquarelliste, graveur, illustrateur, affichiste.
Il fut élève de Henri Hendrick et de Henri de Hem. S'étant établi à Paris, il exposa, au Salon des Artistes Français, en 1882, puis, de 1896 à 1910. Il fut promu chevalier de la Légion d'honneur, en 1896.
Il peignit des vues de Paris, de Bretagne, de Belgique, de Hollande. Il réalisa de nombreuses aquarelles, ainsi que diverses affiches illustrant ses propres articles de presse et ses ouvrages, tels que : *Paris illustré – L'Art de peindre les animaux – L'Art de prendre les croquis*.
Bibliogr. : Gérald Schurr, in : *Les Petits Maîtres de la peinture 1820-1920, valeur de demain*, Les Éditions de l'Amateur, t. II, Paris, 1982.
Musées : Brest – Mont-de-Marsan : *Orage dans le Bas-Sennois*.
Ventes Publiques : Paris, 29 fév. 1895 : *Le grenier*, aquar. : **FRF 56** – Londres, 23 avr. 1910 : *Le Mont Saint-Michel*, aquar. : **GBP 6** – Paris, 13 mai 1976 : *Église à Paris*, h/t (50x73) : **FRF 4 000**.

FRAISINGER Caspar
XVIe siècle. Actif à Ingolstadt à la fin du XVIe siècle. Allemand.
Peintre d'histoire et graveur.
On cite de lui des sujets allégoriques religieux.
Ventes Publiques : Paris, 1856 : *La vallée des aqueducs près de Tivoli* : **FRF 160**.

FRAISSE Édouard
Né le 14 mai 1880 à Beaune (Côte-d'Or). Mort le 13 juillet 1945 à Paris. XXe siècle. Français.
Sculpteur de sujets de sport, médailleur.
Sociétaire des Artistes Français, membre de la Société Nationale des Beaux-Arts, il exposa aussi au Salon d'Automne. Il fut fait Chevalier de la Légion d'honneur en 1929, et obtint une médaille d'or en 1937.
Il fut surtout connu pour ses compositions inspirées par le sport.

FRAISSE J.
Français.
Sculpteur.
Le Musée de Perpignan conserve de lui : *Une branche de laurier*.

FRAISSE Jean Antoine
XVIIIe siècle. Actif à Chantilly au début du XVIIIe siècle. Français.
Graveur au burin et peintre.

FRALEY Laurence-K
Né le 17 mai 1897 à Portland (Oregon). XXe siècle. Américain.
Sculpteur.

FRAMA, pseudonyme de **Maryan Henrich**
XXe siècle. Français (?).
Dessinateur.
Ventes Publiques : Paris, 28 oct. 1990 : *Sans titre*, dess. reh. de coul. (61x47) : **FRF 115 000** – Paris, 31 oct. 1990 : *Hommage* 1989, dess. au cr. de coul. (47,5x61,5) : **FRF 110 000** – Paris, 14 nov. 1990 : *Hommage à Arthur Rimbaud* 1989, encre (62x48) : **FRF 40 000** – Paris, 18 déc. 1991 : *Énergie*, h/t (61x50) : **FRF 59 000**.

FRAMBOLUTI, orthographe erronée pour **Fromboluti**

FRAMEGAUDUS
IXe siècle. Français.
Miniaturiste.
Il fut à Munich l'auteur d'un évangéliaire carolingien conservé par la Bibliothèque d'État de cette ville. La Bibliothèque Nationale à Paris, possède un évangéliaire de l'an 900 environ, portant le nom du même auteur.

FRAMERY Loïs de
Mort avant 1563. XVIe siècle. Actif à Tournai. Éc. flamande.
Peintre.
Selon Siret, il était élève de Jean du Jonquoit et de Bernard (?) à Milan.

FRAMERY Robin de
XVIe siècle. Actif à Tournai de 1528 à 1546. Éc. flamande.
Peintre.
Fils et élève de Loïs de Framery.

FRAMERY, l'héritier de
XVIe siècle. Actif à Tournai en 1541. Éc. flamande.
Peintre.
Fils et élève de Loïs de Framery.

FRAMONT Gilian
Né au XVIIe siècle à Hoorn. XVIIe siècle. Hollandais.
Peintre.
Il était membre de la Gilde de Saint-Luc à Dordrecht.

FRAMPTON Christabel A., Lady, née **Cockerell**. Voir **COCKERELL**

FRAMPTON Edward
Né vers 1850. XIXe siècle. Britannique.
Peintre.
Il étudia à Londres et travailla dans la même ville où il exposa de 1877 à 1895 à la Royal Academy de nombreuses esquisses pour peintures sur verre destinées à des églises de Londres et de l'étranger.
Musées : Chester (église catholique Saint-John) : trois fenêtres – Denver (cathédrale Saint-John) : dix fenêtres – Londres (église Sainte-Margaret) : *Souvenir*, fenêtre pour l'amiral Blake.

FRAMPTON Edward Reginald
Né en 1870 ou 1872. Mort en 1923 à Paris. XIXe-XXe siècles. Britannique.
Peintre de compositions religieuses, compositions à personnages, paysages, peintre à la gouache, aquarelliste. Symboliste.
Fils d'un maître du vitrail, il fut à la Brighton Grammar School le contemporain de Aubrey Beardsley et ensemble ils poursuivirent leurs études à la Westminster School of Art. Puis il travailla avec son père tout en effectuant des voyages d'étude en Italie et en France.
Dans un premier temps, il peignit surtout des décorations murales, il décora des mémorials de guerre mais il fut surtout connu pour ses peintures de chevalet qu'il exposa régulièrement à partir de 1894. Ses peintures avaient pour thème des sujets littéraires, religieux ou symboliste. Plus tard, il se consacra davantage aux paysages du Sussex, Cumberland, des îles de la Manche et de Bretagne et de l'Oberland bernois. C'est au cours d'un de ses voyages vers l'Autriche qu'il mourut subitement à Paris et fut enterré à Saint-Germain.
Sa connaissance du travail du vitrail et l'influence des primitifs italiens, de Puvis de Chavannes et de Burne-Jones se conjuguèrent pour lui donner un style personnel, apparenté aux préraphaélites.

Bibliogr. : In : Catalogue de vente Christie's, Londres, 13 mars 1992.
Musées : Bradford : *Vierge bretonne*.
Ventes Publiques : Londres, 18 juin 1909 : *Sainte Cécile* : **GBP 31** – Paris, 15 déc. 1972 : *L'Annonciation* : **GNS 4 500** – Londres, 14 juin 1977 : *Jeune fille aux fleurs* 1906, gche et reh. d'or (31x21) : **GBP 800** – Londres, 12 déc. 1978 : *Bishopstone*, h/t (59x60) : **GBP 3 800** – Londres, 15 juin 1982 : *Flora of the fields*, temp. (30,5x30,5) : **GBP 2 000** – Londres, 21 juin 1983 : *A maid of Bruges*, temp. (53,5x45) : **GBP 8 200** – Londres, 4 nov. 1983 : *Love in the Alps*, h/t (76,2x91,5) : **GBP 6 500** – Londres, 26 nov. 1985 : *La naissance de Neptune*, h/t (117x167) : **GBP 30 000** – Londres, 26 nov. 1986 : *A maid of Bruges*, temp./cart. (53,5x45) : **GBP 15 000** – Londres, 13 mars 1992 : *« Les murs de pierre ne font pas une geôle, ni les barreaux une cage »*, h/t (90,1x55,2) : **GBP 33 000** – Londres, 5 mars 1993 : *Printemps* 1911, aquar. et gche (34,3x39,4) : **GBP 3 450** – Londres, 8-9 juin 1993 : *Sainte Cécile* 1905, h/t (115x125,5) : **GBP 76 300** – Londres, 25 mars 1994 : *Étude en bleu et rose*, h/cart. (32,4x24,2) : **GBP 1 840** – Londres, 10 mars 1995 : *La tour gothique*, aquar. et gche (92,7x39,4) : **GBP 10 350** – Londres, 6 juin 1997 : *Le Printemps* 1911, aquar. et gche reh. d'or (34,3x39,4) : **GBP 6 900**.

FRAMPTON George James, Sir
Né en 1860 à Londres. Mort en 1928. XIXe-XXe siècles. Britannique.

Sculpteur de bustes, bas-reliefs.
Associé de la Royal Academy, il prit part à ses expositions à partir de 1884. Il obtint une mention honorable et le Grand Prix aux Expositions Universelles de 1889 et de 1900.
Musées : Glasgow : *Sir J. D. Marwick*, buste en marbre - *La Reine Victoria*, buste en marbre - Liverpool : *Mystériarche*, buste, haut-relief - Londres (Nat. Gal.) : *Ch. S. Keene*, bas-relief en bronze - Londres (roy. Acad.) : *La Marquise de Granby*, buste en marbre - Londres (Guildhall) : *Chaucer*, buste en marbre - *Le Roi George V*, marbre - *La Reine Mary*, marbre - Londres (jardins de Kensington) : *Peter Pan* - Venise (Mus. Mod.) : *La Belle Dame sans mercy*, bronze.
Ventes Publiques : Londres, 28 avr. 1982 : *Enid the fair* vers 1907, bronze (H. 37) : **GBP 600** - Londres, 30 nov. 1983 : *Peter Pan* 1918, bronze (H. 46,5) : **GBP 2 300** - Londres, 29 jan. 1987 : *Peter Pan* 1915, bronze (H. 48) : **GBP 9 000** - Londres, 21 nov. 1989 : *Peter Pan* 1915, bronze à patine brune/socle de marbre (H. totale 53) : **GBP 13 200**.

FRAMPTON Lola, Mrs, née **Clark**
XIXe siècle. Britannique.
Dessinatrice.
Femme de Edward Reginald Frampton.

FRAMPTON Meredith
Né en 1894. Mort en 1984. XXe siècle. Britannique.
Peintre de portraits.
Une de ses œuvres a été présentée en 1997 à l'exposition *Les Années trente en Europe. Le temps menaçant* au musée d'Art moderne de la ville de Paris.
Musées : Londres (Tate Gal.) : *Portrait d'une jeune femme* 1935.
Ventes Publiques : Londres, 13 nov. 1985 : *Portrait of Joseph Ivimey* 1924, h/t (120x94) : **GBP 5 000**.

FRAMPTON Richard
XVe siècle. Britannique.
Enlumineur.
Il enlumina, pour le compte de Henri V, un livre d'actes officiels du duché de Lancastre. On lui doit probablement aussi les enluminures de deux volumes conservés au « Record Office ». Différents portraits d'Henri, duc de Lancastre, sont enclavés dans leurs initiales.

FRAMTON Thomas
XVe siècle. Britannique.
Peintre.

FRAN-BARO, pseudonyme de **Baro Francisco**
Né le 4 octobre 1926 à Valence. XXe siècle. Depuis 1961 actif en France. Espagnol.
Peintre de genre, marines, paysages d'eau, paysages urbains, peintre de décorations murales. Postimpressionniste.
Il fut élève et diplômé de l'École des Beaux-Arts de Valence. De 1975 à 1980, il fut président de l'Association des Artistes Espagnols en France.
En France, il participe à des expositions collectives : Salons des Artistes Français, des Indépendants, Art Libre. Il expose aussi à Bordeaux, Biarritz, Pau, Madrid, San Francisco, etc., recevant diverses distinctions et médailles, notamment la médaille d'argent de la Ville de Paris.
S'il peignit quelques scènes de genre, sujets de danse, il est surtout peintre de marines, il peint les vues de ports sur la plupart des côtes françaises. Peintre de paysages d'eau, il se consacre surtout aux vues des quais de Paris.

Ventes Publiques : Versailles, 28 mars 1976 : *Notre-Dame et les bouquinistes*, h/t (54x65) : **FRF 2 200** - Versailles, 28 juin 1981 : *Répétition*, h/t (60x73) : **FRF 3 600** - Versailles, 18 mars 1984 : *Premiers pas de danse*, h/t (65x81) : **FRF 5 100** - Versailles, 13 déc. 1987 : *Honfleur, La Lieutenance*, h/t (60x73) : **FRF 13 000** - Paris, 23 juin 1988 : *Paris - La Seine et Notre-Dame* 1979, h/t (54x65) : **FRF 16 000** - Versailles, 25 sep. 1988 : *Bateaux au port, Lesconil*, h/t (60x73) : **FRF 16 000** - Versailles, 6 nov. 1988 : *Paris, la Seine, Notre-Dame et les quais*, h/t (60x73) : **FRF 25 000** - Versailles, 18 déc. 1988 : *La Seine à Issy-les-Moulineaux*, h/t (60x73) : **FRF 16 000** - Versailles, 29 jan. 1989 : *Le port Haliguen, presqu'île de Quiberon* (54x65) : **FRF 13 600** - Paris, 19 mars 1989 : *Voiliers à Menton*, h/t (60x73) : **FRF 23 000** - Paris, 19 juin 1989 : *Les quais de Notre-Dame*, h/t (50x61) : **FRF 16 500** - Paris, 11 oct. 1989 : *Péniches au Pont-Neuf*, h/t (46x55) : **FRF 16 000** - Le Touquet, 12 nov. 1989 : *Bords de Seine de la Cité*, h/t (46x55) : **FRF 10 000** - Paris, 20 juin 1990 : *Terrasse à Honfleur*, h/pan. (33x41) : **FRF 18 500** - Versailles, 8 juil. 1990 : *Paris - le pont Saint-Michel*, h/t (38x46) : **FRF 10 500** - Metz, 14 oct. 1990 : *La Lieutenance et le bassin de Honfleur*, h/t (50x65) : **FRF 22 500** - Calais, 20 oct. 1991 : *Le Grand Canal à Venise*, h/t (50x65) : **FRF 20 000** - Neuilly, 23 fév. 1992 : *L'avant-port d'Honfleur*, h/t (60x73) : **FRF 28 000** - Le Touquet, 8 nov. 1992 : *Le marché de la rue Mouffetard*, h/t (60x73) : **FRF 12 000** - Paris, 26 oct. 1993 : *Automne au canal Saint-Martin*, h/t (60x73) : **FRF 23 000** - Paris, 20 nov. 1994 : *Le pont Marie*, h/t (60x73) : **FRF 17 000** - Le Touquet, 21 mai 1995 : *Venise*, h/t (50x65) : **FRF 14 000**.

FRANA Franciscus
XVe siècle. Actif à Prague. Tchécoslovaque.
Enlumineur.
Peut-être est-il identique à Frana de Brunna, mentionné à Prague en 1370, ou à Franciscus Franek, mentionné comme peintre dans la même ville de 1378 à 1414.

FRANC Désiré Fleury
Né le 3 juillet 1888 à Marseille (Bouches-du-Rhône). XXe siècle. Français.
Peintre.
Il figurait à Paris, au Salon des Artistes Français. Il connut une certaine notoriété régionale.

FRANC Jhérosme
XVIe siècle. Actif à Paris en 1593. Français.
Peintre et sculpteur.

FRANC Léo
XXe siècle. Travaillant à Marseille (Bouches-du-Rhône). Français.
Peintre.

FRANC Pierre
Né à Fontenay-aux-Roses (Hauts-de-Seine). XXe siècle. Français.
Peintre de fleurs.
Il figure aux Indépendants depuis 1909.

FRANC-BELT
XVIIe siècle. Éc. flamande.
Peintre.
Un tabernacle en bois sculpté peint, signé de ce nom se trouve dans l'église d'Ettelghem, ainsi qu'un tableau à l'huile représentant l'*Assomption*, dans l'église de Schoore (près d'Ostende).

FRANC-LAMY. Voir **LAMY Pierre Désiré Eugène Franc**

FRANCA
XXe siècle. Française.
Peintre de paysages.
Elle a peint des paysages en Italie et au Maroc, pays où elle a aussi exposé.

FRANCA Antonio della. Voir **ANTONIO**

FRANÇAIS Anne
Née le 30 mai 1909 à Chatenois (Vosges). XXe siècle. Française.
Peintre de paysages, d'intérieurs, de portraits et de nus, aquarelliste, pastelliste.
Elle s'est formée seule, notamment dans les ateliers libres de la Grande Chaumière, à Paris. Elle vit et travaille à Paris. En 1933, elle y exposa un *Nu* au pastel au Salon des Artistes Français et, en 1946, elle figura au Salon des Tuileries. Elle exposa individuellement à Lyon en 1943 et à Paris en 1945 où elle montra des nus et des portraits d'acteurs, notamment celui de Fernandel et de François Périer. Depuis elle a participé à de nombreuses autres expositions.
Après 1950, elle a créé ce qu'elle nomme la peinture « ionniste » caractérisée par une technique hachurée. Elle a également publié un livre-album sur les belles demeures de la région de Blois et s'est intéressée à de nombreux projets d'architecture. L'État lui a acheté diverses œuvres, ainsi que la ville de Paris.
Musées : Épinal (Mus. départ. des Vosges) : *Le Petit Gouffre de Castelmeur* 1964.
Ventes Publiques : Paris, 7-8 déc. 1987 : *La danse des voiles sur planche*, h/t (38x46) : **FRF 4 800** ; *Le blanc moulin rouge à travers les peupliers* ; *Le clocher du village*, deux h/t (50x65) : **FRF 12 000** - Paris, 30 mai 1988 : *Deux voiliers à blanches voiles pour la Pyro-*

technic 1970, h/pap. mar./t. : **FRF 6 500** – Paris, 31 jan. 1990 : *Le Calvados*, h/t (61x50) : **FRF 14 800**.

FRANÇAIS François Louis

Né le 17 novembre 1814 à Plombières (Vosges). Mort en 1897 à Paris. XIXe siècle. Français.

Peintre de portraits, paysages animés, peintre à la gouache, aquarelliste, pastelliste, dessinateur.

Il vint à Paris vers quinze ans et fut d'abord commis libraire. Son goût pour le dessin l'incita à l'étude de cet art et il fut à même d'exécuter quelques gravures sur bois et des lithographies. Corot, à qui il demanda des conseils, l'accueillit avec sa bienveillance habituelle, et plus tard, lui facilita la possibilité d'un voyage en Italie. Français fut aussi l'élève de Jean Gigoux. Il débuta au Salon de 1837 avec *Chanson sous les saules*, paysage animé dont les figures furent peintes par Baron. En 1846, ce fut la collaboration de Meissonier qu'il sollicita pour son paysage : *Parc de Saint-Cloud*. Français continua à prendre part aux Expositions, bénéficiant de l'attention provoquée dans les milieux artistiques par les hardiesses des novateurs de l'École de 1830, et envoyant des ouvrages dont la pondération n'avait rien à envier aux élèves les plus soumis aux conceptions classiques. Cette attitude lui valut l'indulgence du Jury. Il obtint une médaille de troisième classe en 1841 et de première classe en 1848, en 1855 et 1867 (Expositions Universelles) et la médaille d'honneur en 1878. Il fut fait chevalier de la Légion d'honneur en juillet 1853 et promu au grade d'officier le 29 juin 1867. Enfin, en 1890, Français fut nommé membre de l'Institut.

On doit à Français la décoration des fonts baptismaux de l'église de la Trinité.

Français sut à merveille profiter du rayonnement des maîtres qu'il approcha.

Cachet de vente

Bibliogr. : Pierre Miquel, in : *Le paysage français au XIXe siècle 1800-1900, l'école de la nature*, Éditions de La Martinelle, vol. II-III, Maurs-la-Jolie, 1985.

Musées : Alençon : *Coucher du soleil* – Amiens : *Crépuscule sous bois* – Avignon : *Le Mont Cervin* – Bayonne (Bonnat) : *Paysage avec rivière* – Besançon : *Le Miróir de Scey* – *Un abri sous roche à Cléron* – Bordeaux : *Les Hêtres de la côte de Grâce* – Chantilly : *Vue du hameau de Chantilly* – Épinal : *Paysage* – *Un portrait* – Florence (Offices) : *Portrait de l'auteur par lui-même* – Grenoble : *Le Pré-Cabri à Plombières* – Lille : *Bois sacré* – Lyon : *Deux paysages* – Montpellier : *Effet de soleil couchant* – Mulhouse : *Idylle* – *Paysage* – *Grisaille* – Nancy : *Le ravin du Puits noir* – *La Source* – *Le Chemin creux* – *Le barrage* – Aquarelles – Nantes : *Au bord de l'eau* – Paris (Mus. du Louvre) : *La fin de l'hiver* – Paris (Palais des Beaux-Arts Ville de Paris) : *Adam et Ève chassés du Paradis* – *Vue prise à Bougival* – Plombières : *Vue prise aux environs de Paris* – *Jardin antique* – Poitiers : *Paysage* – Reims : *Vallon de l'Eugronne, près de Plombières* – *La Basse-Seine* – La Rochelle : *La Sèvre à Moulin-Neuf* – *Nymphes sous bois* – *Vue du château de Clisson*, aquar. – Rouen : *Paysage* – Strasbourg : *Vue d'Antibes* – Tours : *Sous les Saules*.

Ventes Publiques : Paris, 1897 : *Quarante-et-une peintures* : **FRF de 105 à 5 200** ; *Cinquante-quatre aquarelles* : **FRF de 35 à 1 400** – Paris, 1899 : *Les cascatelles de Tivoli* : **FRF 3 650** ; *Laveuses aux Vaux-de-Cernay* : **FRF 900** ; *L'olivier du plateau d'Antibes* : **FRF 2 550** ; *Vue du lac Léman et du Mont Blanc* : **FRF 6 500** ; *Vue de Clisson* : **FRF 460** ; *Le Bas-Meudon* : **FRF 2 250** ; *Citronniers et palmiers dans le jardin de la villa Frémy, à Nice* : **FRF 320** ; *Le ravin*, dess. : **FRF 225** ; *Le commencement du printemps aux Vaux-de-Cernay*, dess. : **FRF 620** ; *Le parterre de la villa Gentil à Beaulieu*, dess. : **FRF 3 100** ; *Une vue de Clisson*, dess. : **FRF 480** ; *La baie de Saint-Jean, entre Beaulieu et Monaco*, dess. : **FRF 950** – Paris, 1900 : *Soleil couchant dans la campagne romaine* : **FRF 510** ; *Le pêcheur à la ligne* : **FRF 1 320** – Paris, 11 fév. 1901 : *Crépuscule au bord de l'eau* : **FRF 2 000** – Paris, 26-27 mai 1902 : *Route de Combes-la-Ville* : **FRF 4 000** – New York, 10 fév. 1903 : *Environs de Rome, soleil couchant* : **USD 1 200** – Paris, 20 nov. 1918 : *Bêtes au pâturage*, past. : **FRF 610** – Paris, 21 juin 1919 : *Pêcheurs en barque sur la Juyne près d'Étampes* : **FRF 360** – Paris, 26 nov. 1919 : *Cours d'eau dans les Vosges* : **FRF 480** – Paris, 28 jan. 1920 : *Le peintre Anastasy dans l'île de Croissy* : **FRF 585** – Paris, 29 mai 1920 : *Un coin de la villa Borghèse, Rome* : **FRF 320** – Paris, 3-4 juin 1920 : *La Villa dans la verdure* : **FRF 190** – Paris, 19 juin 1920 : *Villa au bord de la mer*, aquar. : **FRF 400** – Paris, 1er-2 déc. 1920 : *La Seine à Bougival* : **FRF 280** – Paris, 7 mars 1921 : *La Source* : **FRF 420** – Paris, 29 avr. 1921 : *Paysage au soleil couchant* : **FRF 280** – Paris, 30 déc. 1922 : *Bords de rivière au soleil couchant* : **FRF 300** – Paris, 27 jan. 1923 : *Les premières feuilles au ravin de Neufpré, près de Plombières* : **FRF 900** – Paris, 30 et 31 mai 1923 : *Coucher de soleil* : **FRF 270** – Paris, 27 juin 1923 : *Allée fleurie à Nice* : **FRF 500** – Paris, 26 et 27 oct. 1923 : *Portrait du comte de Fersen*, past. : **FRF 600** – Paris, 21 jan. 1924 : *Le Repos dans la campagne* : **FRF 720** – Paris, 3 mars 1924 : *Bords de rivière au soleil couchant* : **FRF 250** – Paris, 26-27 mai 1924 : *Le pont de pierre* : **FRF 130** – Paris, 10 mai 1926 : *Grands arbres au bord d'un étang dans un parc* : **FRF 750** – Paris, 12 juin 1926 : *Les foins, environs de Plombières* : **FRF 910** – Paris, 3 juil. 1926 : *Bords d'étang* : **FRF 910** – Paris, 11 déc. 1926 : *Route dans la forêt de Fontainebleau*, dess. reh. : **FRF 150** – Paris, 16 et 17 mai 1927 : *Villa dans un jardin fleuri* : **FRF 300** – Paris, 29 juin 1927 : *Pêcheur sous bois* : **FRF 500** – Londres, 1er juil. 1927 : *Bétail et moutons près d'une rivière* : **GBP 26** – Paris, 9 fév. 1928 : *Bords de rivière* : **FRF 2 130** – Paris, 2 juil. 1928 : *Vue d'un port* : **FRF 405** – Paris, 9 fév. 1928 : *Bords de rivière*, aquar. : **FRF 280** – Paris, 10 juin 1932 : *Les bords de la Seine, à Bougival* : **FRF 920** – Paris, 13 oct. 1933 : *La Rivière* : **FRF 310** – Paris, 23 juin 1936 : *Scène antique : femmes cueillant des fleurs dans une prairie* : **FRF 510** – Paris, 9 déc. 1940 : *Portrait de femme assise*, cr. noir et reh. de gche et sanguine : **FRF 140** – Paris, 7 fév. 1941 : *La Vallée de l'Yvette* 1880, aquar. : **FRF 600** – Paris, 9 fév. 1942 : *Le Chemin*, aquar. : **FRF 300** – Paris, 3 mars 1942 : *L'Offrande* : **FRF 4 100** ; *Pêcheur au bord de la rivière* : **FRF 4 800** – Paris, 24 avr. 1942 : *La Foire à Montsoreau*, pl. et lav. : **FRF 330** – Paris, 22 juil. 1942 : *Paysage au soleil couchant* 1878 : **FRF 3 000** – Paris, 29 mars 1943 : *Bords de rivière* : **FRF 2 400** – Paris, 26 nov. 1943 : *La Route bordée d'arbres*, pl. et lav. : **FRF 1 000** ; *Le Lac*, pl. et lav. : **FRF 800** ; *La Scierie*, pl. et lav. : **FRF 1 850** ; *Forêt de Fontainebleau*, pl. et lav. : **FRF 750** ; *Dans les ruines* 1848, aquar. gchée : **FRF 380** ; *La Seine au Bas-Meudon*, cr. noir : **FRF 275** ; *La Lecture*, fus. et sanguine : **FRF 550** ; *Le château de Clisson*, pl. et lav. : **FRF 1 850** ; *Petite rivière et pâturage en Normandie*, mine de pb : **FRF 500** ; *Paysan dans un pré*, pl. et lav. : **FRF 750** ; *Le vieux château de Clisson* 1882, aquar. : **FRF 7 100** ; *La Ramasseuse d'herbe* 1882 : **FRF 4 000** ; *Sous-bois au val d'Ajol* 1881 : **FRF 3 400** ; *Chaumières au crépuscule* : **FRF 3 000** ; *Environs de Poncin* 1878 : **FRF 3 600** ; *Laveuses dans un pré* 1872 : **FRF 4 100** ; *La Route au bord du torrent* 1889 : **FRF 11 100** – Paris, 7 fév. 1944 : *Le Pouliguen* 1867, aquar. : **FRF 1 800** – Paris, 12 mai 1944 : *Bords de rivière* : **FRF 700** ; *Paysage* : **FRF 280** ; *Le Peintre près du torrent*, lav. : **FRF 480** – Paris, oct. 1945-Juillet 1946 : *La terrasse de la source Babel à Plombières* 1895 : **FRF 8 000** ; *Trois toiles* : FRF de 2 100 à 2 800 ; *Deux dessins* : **FRF 800** et 1 100 – Paris, 21 oct. 1946 : *Paysage bucolique* 1878 : **FRF 3 800** – Paris, 18 nov. 1946 : *Profil d'Harpignies*, dess. : **FRF 520** – Paris, 27 nov. 1946 : *Femme nue étendue* : **FRF 6 500** – Paris, 20 jan. 1947 : *Hautes futaies*, fusain : **FRF 320** – Paris, 20 juin 1947 : *Paysage*, dess. reh. : **FRF 400** – Paris, 14 juin 1960 : *Vue de la Loire et du château d'Amboise* : **FRF 4 500** – Paris, 16 mars 1970 : *Bords de l'eau au crépuscule* 1890 : **FRF 3 500** – Paris, 19 mai 1971 : *Bergers au bord d'un lac* : **FRF 4 000** – Paris, 27 mai 1972 : *Lecture en forêt* : **FRF 5 500** – Paris, 16 mars 1973 : *Bords de rivière* : **FRF 7 500** – Berne, 6 mai 1976 : *Bords du Rhône* 1856, h/t (80x120) : **CHF 9 000** – Versailles, 4 oct. 1981 : *Les pins dominant la mer* 1880, lav. d'aquar. et encre de Chine (37,5x54,5) : **FRF 4 200** – Lille, 19 juin 1983 : *Embarcation sur un étang*, h/t (26x6) : **FRF 20 000** – Paris, 23 mars 1984 : *Jardin à Saint-Jean* 1882, aquar. (38x32) : **FRF 23 000** – Bayeux, 6 oct. 1985 : *Sous-bois animé le matin*, aquar. (30x39) : **FRF 12 000** – New York, 25 mai 1987 : *Route près de Rome* 1848, h/t, de forme ovale (73,5x66) : **USD 8 500** – Versailles, 25 sep. 1988 : *Bords de rivière* 1858, h/pan. (28,5x46) : **FRF 16 500** – Paris, 21 nov. 1989 : *Deux paysannes italiennes*, aquar. (27x19,5) : **FRF 5 500** – Paris, 15 juin

1990 : *Vue d'un jardin au bord de la mer avec une jeune femme arrosant les fleurs*, aquar. (37,5x32) : **FRF 38 000** – PARIS, 27 juin 1990 : *Lac dans les Vosges*, aquar. (48x65) : **FRF 110 000** – PARIS, 19 juin 1991 : *Crépuscule à Auvers* 1855, h/pan. (29,5x39) : **FRF 8 000** – PARIS, 13 avr. 1992 : *La maison romaine à Capri* 1864, aquar. et gche/pap. (28,5x32,5) : **FRF 34 000** – NEW YORK, 16 fév. 1993 : *Une forêt touffue* 1882, h/t (54x47) : **USD 1 100** – CALAIS, 14 mars 1993 : *Pêcheur et élégante au bord d'une rivière*, h/pan. (33x24) : **FRF 19 500** – PARIS, 31 mars 1993 : *Cryptoportique dans un parc*, h/t (72x61) : **FRF 35 000** – PARIS, 11 juin 1993 : *Paysage*, h/t (28,5x46) : **FRF 20 000** – AMSTERDAM, 19 oct. 1993 : *À la campagne*, h/t (46x55) : **NLG 14 950** – LONDRES, 27 oct. 1993 : *Brume du matin* 1866, h/t (71x94) : **GBP 2 415** – PARIS, 18 avr. 1994 : *Femme sous un arbre* 1879, h/t (24x34,5) : **FRF 23 000** – PARIS, 29 avr. 1994 : *Les fouilles de Pompeï* 1886, aquar. (30,5x41) : **FRF 50 000** – PARIS, 31 mars 1995 : *Paysage italien*, h/t (14x37) : **FRF 23 000** – NEW YORK, 18-19 juil. 1996 : *Hommage à Flore*, h/t (101,6x76,2) : **USD 6 900**.

FRANCALANCIA Riccardo
Né en 1886 à Assise. Mort en 1965 à Rome. XXe siècle. Italien.
Peintre de paysages, paysages animés, natures mortes.
Il ne peint que des paysages d'Italie, mais d'une grande diversité quant au choix des sites, toujours pittoresques.
VENTES PUBLIQUES : ROME, 20 mai 1986 : *Une femme au pied de la montagne* 1934, h/t (65x86) : **ITL 13 500 000** – ROME, 15 nov. 1988 : *Route de campagne* 1949, h/t (40x50) : **ITL 9 500 000** – MILAN, 20 mars 1989 : *Fenêtre de l'atelier* 1933, h/t (60x50) : **ITL 16 000 000** – ROME, 21 mars 1989 : *Plage avec des baigneurs et une barque* 1922, h/t (30x40) : **ITL 18 000 000** – ROME, 28 nov. 1989 : *La vallée de Tiberina* 1923, h/t (38x47) : **ITL 19 000 000** – ROME, 10 avr. 1990 : *Amphore et coquillage* 1960, h/t (65x50) : **ITL 15 000 000** – ROME, 3 déc. 1991 : *Ruelle de village*, h/pan. (40x30) : **ITL 13 000 000** – ROME, 19 nov. 1992 : *San Rufino, n° 16* 1935, h/t (45,5x58) : **ITL 14 500 000** – ROME, 30 nov. 1993 : *Nature morte aux poires sur un torchon blanc* 1960, h/t (35,5x46,5) : **ITL 5 750 000** – MILAN, 19 mai 1997 : *Route de montagne* 1959, h/t (60x80) : **ITL 23 000 000**.

FRANCART François
Né en 1622. Mort en 1672. XVIIe siècle. Français.
Peintre de décors et d'ornements.
Peintre ordinaire du roi. Il épousa le 15 juillet 1669 Anne-Élisabeth Le Geret, fille de Jean Le Geret, sculpteur.

FRANCART François
Baptisé le 22 janvier 1663. XVIIe siècle. Français.
Peintre et dessinateur.
Fils de Gilbert Francart. Il était au service de Vauban et travailla en 1683 au château de Bazoches. Il est désigné comme « peintre ordinaire du Roy dans l'hostel des Gobelins ». Peut-être est-il identique à un peintre Francart qui travailla en 1690 pour le château de Chantilly.

FRANCART Gilbert
XVIIe siècle. Français.
Peintre d'histoire.
Frère de François Francart. Cet artiste est connu par un tableau de *Saint Sébastien* signé et daté de 1661, qui figure à l'église de Bazoches-du-Morvan.

FRANCART Laurent ou **Francard**
Né au XVIIe siècle à Paris. XVIIe siècle. Français.
Peintre, dessinateur et architecte.
Fils de Gilbert Francart, il est désigné dans les documents en 1681 comme « dessinateur de M. de Vauban, mareschal des camps et armées du Roy » et en 1686 comme « ingénieur du Roy ». Il travailla pour Vauban au château de Bazoches et participa à la décoration du portail du dôme des Invalides. On connaît de lui deux gravures d'esquisses de porte et cheminée.

FRANCAVILLA. Voir aussi **FRANCHEVILLE**

FRANCAVILLA Liliana
Née le 18 avril 1918 à Florence. XXe siècle. Depuis 1949 active en France. Italienne.
Peintre de paysages urbains.
Elle a exposé à Florence, à Paris et à Milan.
Fixée à Paris, elle s'est spécialisée dans les paysages parisiens.

FRANCE Alexandre de. Voir **DEFRANCE**

FRANCE Enrilda ou **Eurilda Loomis**, Mrs
Née à Pittsburg. XXe siècle. Américaine.
Peintre, aquarelliste.
Elle fut élève à Paris de A. Morot, de J. Lefebvre et de Benjamin Constant. Ce fut la femme de M. H. France.
VENTES PUBLIQUES : PORTLAND, 17 juil. 1982 : *Tiger lilies*, aquar. (43x56) : **USD 2 000** – NEW YORK, 3 oct. 1984 : *In the Garden*, aquar. (31x50,8) : **USD 850**.

FRANCE Henri de
Français.
Peintre.
VENTES PUBLIQUES : PLESSIS-BELLIÈRE, 10-11 mai 1879 : *Château en ruine* : **FRF 95**.

FRANCE Jacques. Voir **LECREUX Paul**

FRANCE Jean Baptiste Félix
Né le 22 février 1844 à Dijon (Côte-d'Or). Mort en 1903. XIXe siècle. Français.
Peintre.
D'abord élève de l'École de dessin de Dijon, et ensuite de Cabanel, il figura au Salon de Paris de 1870 à 1880 avec quelques portraits, entre autres ceux de J. Cornu et de M. Garraud, et par un tableau de genre : *Danaé*.
MUSÉES : DIJON : *Portrait du peintre J. J. Cornu*.

FRANCE Jean de, dit aussi **Jean du Cateau**
XVIe siècle. Travaillant à Cambrai. Français.
Sculpteur.
Il fournit, en 1533, à Cambrai, un modèle de décoration pour la bretique de l'Hôtel de Ville (balcon d'où se faisaient les publications légales).

FRANCE Jean Pierre de. Voir **DEFRANCE**

FRANCE Jessie Leach
Né le 8 octobre 1862 à Cincinnati. XIXe siècle. Vivant à Buffalo. Américain.
Peintre, illustrateur.
Élève de H.-W. Mesdag, Carolus-Duran et B. Constant, il enseigna lui-même plus tard la peinture.

FRANCE Jules
Né le 22 octobre 1920 à Anzin (Nord). XXe siècle. Français.
Sculpteur, sculpteur de monuments, médailleur, décorateur, peintre de cartons de vitraux.
Ancien élève de l'École des Beaux-Arts de Valenciennes, de l'École Nationale Supérieure des Beaux-Arts de Paris, ainsi que de l'École Nationale Supérieure des Arts Décoratifs de Paris, il a reçu de nombreux prix et distinctions, dont le Premier Grand Prix de Rome en médaille en 1948. De 1957 à 1983, il a dirigé l'École des Beaux-Arts de Valenciennes.
Il a réalisé la décoration de nombreux lieux publics : musées, bibliothèques, écoles au titre du 1 %. Il a également édifié différents mémoriaux, exécuté diverses médailles, le plus souvent emblématiques de villes, mais aussi restauré ou conçu de nombreux vitraux.

FRANCE Milos
Né le 11 août 1928 à Pilzen. XXe siècle. Tchécoslovaque.
Peintre, céramiste.
Il est diplômé de l'École Industrielle de Céramique de Prague. Il expose souvent, de 1985 à 1988 à Prague ; de 1984 à 1992 à Pilzen.
Il crée des compositions peintes sur céramique, inspirées d'un post-cubisme décoratif.

FRANCE Pierre de
XVIIe siècle. Parisien, vivant au XVIIe siècle. Français.
Sculpteur.
Avec un autre sculpteur, nommé Bastien Gayon, il alla à Albi. Ils y firent en 1603, un nouveau pilier de Justice destiné à être élevé au milieu de la place de la ville et sur lequel étaient sculptées les armes de la ville et celles de Monseigneur d'Albi.

FRANCE RAPHAËL. Voir **RAPHAËL France**

FRANCE-WAGNER. Voir **WAGNER France**

FRANCELET Jean Max
Né à Paris. XXe siècle. Français.
Aquarelliste, pastelliste.
Il figure aux Artistes Français depuis 1926.

FRANCELLI Pietro
Né en 1764 à Bologne. Mort en 1850. XVIIIe-XIXe siècles. Italien.
Peintre.
Il peignit dans le style vénitien de nombreux travaux décoratifs pour des églises, des châteaux et pour des théâtres.

FRANCEN Aper. Voir **HOEVEN Aper Fransz Van**

FRANCEQUIN Jean ou **Francisquin**

XVIe-XVIIe siècles. Français.

Sculpteur et architecte.

Lorrain, il fit, en 1613, de concert avec le sculpteur Jean de Trémont, différents ouvrages de sculpture et d'architecture dans l'église des Minimes de Nancy.

FRANCÉS

D'origine espagnole. XIXe siècle. Vivant à Paris. Français.

Sculpteur.

Le Musée de Saint-Saens, à Dieppe, conserve de lui un *Buste de Sarasate*, et l'Hôpital du Val-de-Grâce à Paris un buste du chirurgien *Michel Lévy*.

FRANCÉS. Voir aussi au prénom

FRANCÉS Antonio

XVIe siècle. Actif à Séville. Espagnol.

Sculpteur.

Cité, en 1533, parmi les artistes qui décorèrent les frises et les fenêtres des maisons capitulaires.

FRANCÉS Didier

XVIe siècle. Actif à Séville en 1534. Espagnol.

Sculpteur.

Cet artiste sculpta les nervures de la voûte du vestibule, dans le palais du chapitre.

FRANCES Esteban

Né en 1914 à Port-Bou (Espagne). Mort en 1976. XXe siècle. Depuis 1937 actif en France, puis aux États-Unis. Espagnol.

Peintre, technique mixte. Surréaliste.

Dès son arrivée à Paris, il participe aux activités des surréalistes. Durant la Seconde Guerre mondiale, il se réfugie aux États-Unis où il s'installera définitivement.

Sa contribution la plus importante aux techniques surréalistes fut l'invention du grattage automatique qu'André Breton décrit ainsi : « Esteban Frances, après avoir distribué sans aucun ordre les couleurs sur une plaque de bois, soumet la préparation obtenue à un grattage non moins arbitraire à la lame de rasoir. Il se borne ensuite à préciser les lumières et les ombres. Ici une main invisible prend la sienne et l'aide à dégager les grandes figures hallucinantes qui étaient en puissance dans cet amalgame. »

Alliant ce procédé aux déformations inspirées de Picasso, il bouleverse l'espace : au cœur des perspectives contradictoires, rigueur géométrique et formes échevelées désormais se répondent.

Bibliogr. : In : *Diction. de l'Art mod. et contemp.*, Hazan, Paris, 1992.

Ventes Publiques : Londres, 3 juil. 1987 : *Trompe-l'œil*, aquar. et h/pap. (46,5x34) : **GBP 1 400** – Londres, 29 mars 1988 : *Masques fantastiques sur fond bleu*, aquar. et h. à l'essence/pap. (55,9x71,1) : **GBP 2 860** – Londres, 29 nov. 1989 : *Trompe-l'œil*, aquar. et h. diluée/pap. (46,5x34) : **GBP 6 050** – New York, 2 nov. 1993 : *Figure surréaliste*, cr. de coul. et encre/pap. (59x37) : **USD 5 750**.

FRANCÉS Gil

XVIe siècle. Actif à Séville. Espagnol.

Sculpteur.

Prit part aux travaux de la cathédrale.

FRANCÉS Gusman

XVIe siècle. Actif à Séville vers le milieu du XVIe siècle. Espagnol.

Sculpteur.

Travailla pour le chapitre en 1534, particulièrement aux nervures de la voûte.

FRANCES H. E.

XIXe siècle. Actif à Londres. Britannique.

Peintre de genre.

Exposa à la Royal Academy, à la British Institution et à Suffolk Street, de 1851 à 1875.

FRANCES Juana

Née en 1926 à Alicante. XXe siècle. Espagnole.

Peintre, technique mixte. Abstrait.

Elle a étudié à Madrid où elle vit. Depuis 1953, elle expose en Espagne mais aussi en Suisse. En 1968, elle a eu une exposition itinérante dans divers musées d'Europe du Nord. Elle a participé à la Biennale de Venise en 1964 et 1966.

Mêlant assemblage et peinture, elle réalise une abstraction assez mystérieuse.

FRANCES Mathilde

Née le 23 décembre 1879 à Saint-Pons (Hérault). Morte le 12 août 1964 à Montpellier (Hérault). XXe siècle. Française.

Peintre de portraits, paysages.

Après avoir été élève à l'École des Beaux-Arts de Montpellier, elle acheva ses études à Paris, sous l'autorité de J.-P. Laurens et H. Royer. Elle exposa à Paris au Salon des Artistes Français dont elle devint sociétaire en 1922.

FRANCÈS Nicolas. Voir **NICOLAS Francès**

FRANCÉS Tomas

XVIe siècle. Actif à Séville. Espagnol.

Sculpteur.

Fut employé aux travaux de la cathédrale.

FRANCÉS Y AGRAMUNT José

Né vers 1860 à Valence. XIXe siècle. Espagnol.

Peintre.

Fils de Placido Francés y Pascual et élève de J. Capuz à Valence, il figura jusqu'en 1912 aux Expositions de Madrid avec des paysages.

FRANCÉS Y ARRIBAS de Vallcorba Fernanda

Née vers 1860 à Valence. XIXe siècle. Espagnole.

Peintre.

Fille et élève de Placido Francés y Pascual, elle travailla à Madrid. Elle figura à partir de 1881 aux Expositions de la même ville avec des tableaux de fleurs et des natures mortes parmi lesquels on cite *Branches d'amandier en fleurs*. Elle exposa aussi de temps à autre à Munich et à Berlin.

Musées : Madrid (Mus. Mod.) : *Huîtres et volailles*.

FRANCES-LLAMAZARES Agapito

Né à Palencia. Mort le 28 novembre 1869 à Rome. XIXe siècle. Espagnol.

Peintre d'histoire.

Il fit ses études à Rome, sous la direction de Coghetti et de Podesti. Il débuta à Madrid en 1864 à la Nationale des Beaux-Arts.

FRANCÉS Y MEXIA Juan

Né vers 1870 à Madrid. XIXe-XXe siècles. Espagnol.

Peintre de genre, portraits.

Fils de Placido Frances y Pascual, il fut son élève ainsi que celui d'E. Sala y Frances. Il travailla à Madrid où il exposa régulièrement. En 1913, on put voir certaines de ses œuvres à Munich, parmi celles-ci : *L'amour qui passe*. Ses tableaux lui valurent de nombreuses médailles.

FRANCÉS Y MEXIA Luis

Né vers 1880 à Madrid. XXe siècle. Espagnol.

Peintre de paysages.

Il était le fils du peintre Placido Frances y Pascual. Il figura jusqu'en 1912 aux expositions de Madrid avec ses peintures de paysages.

FRANCÉS Y PASCUAL Placido

Né vers 1840 à Alcoy. Mort en 1901. XIXe siècle. Espagnol.

Peintre de genre, scènes typiques.

Il fut élève de Carlos Mujica et de l'Académie de San Fernando. Il débuta à l'Exposition Nationale des Beaux-Arts, à Madrid, en 1862 et exposa régulièrement jusqu'en 1882. Il obtint des médailles en 1868, 1871 et fut décoré de l'Ordre de Carlos III en 1882.

Musées : Madrid (Mus. Mod.) : *Type de femme de 1800*.

Ventes Publiques : Londres, 24 nov. 1976 : *Arabes nourrissant des flamants roses* 1880, h/pan. (29x46) : **GBP 800** – Londres, 30 nov. 1977 : *Romance au patio* 1873, h/t (44x58,5) : **GBP 3 000** – Londres, 17 fév. 1989 : *Mariage espagnol dans une rue de village* 1873, h/t (64,7x81,3) : **GBP 33 000** – Londres, 21 juin 1989 : *La Collecte des impôts* 1879, h/pan. (44,5x65) : **GBP 11 000** – Paris, 12 avr. 1991 : *La farandole* 1878, h/t (90x125) : **FRF 41 000** – Londres, 15 juin 1994 : *Cinq jeunes beautés espagnoles*, h/t (51x146) : **GBP 8 050**.

FRANCESC, maître. Voir **FRANCISCO de Cervera**

FRANCESCA Piero della. Voir **PIERO della FRANCESCA**

FRANCESCA da Firenze

XVIe siècle. Travaillant à Florence vers 1528. Italien.

Miniaturiste.

FRANCESCHELLI Ferdinando

XVIIIe siècle. Travaillant à Rome vers 1700. Italien.

Graveur à l'eau-forte.

FRANCESCHETTI Giovanni
Né en 1816 à Brescia. Mort en 1845 à Milan. XIXe siècle. Italien.
Sculpteur.
Il exécuta à Milan les sculptures décoratives du Monument Appiani et celles de l'Arco del Sempione.

FRANCESCHI Alessandro
Né en 1789. Mort en 1834. XIXe siècle. Actif à Bologne. Italien.
Sculpteur.
Il fut élève de G. di Maria. Il exécuta de nombreux monuments funéraires pour le cimetière de Bologne. Au cimetière de Ferrare le monument funéraire *Bevilacqua* est son œuvre. On cite de lui une *Vénus* (en Hollande), et une *Naissance du Christ* (en Espagne).

FRANCESCHI Domenico dei
XVIe siècle. Vivant à Venise à la fin du XVIe siècle. Italien.
Graveur.
Il fut également typographe et marchand d'estampes. On possède de lui deux gravures datées de 1565. L'une représentant la *Procession du Corpus Christi à Venise*, l'autre la *Parade de l'empereur Soliman II à Constantinople.*

FRANCESCHI Emilio
Né en 1839 à Florence. Mort en 1890 à Naples. XIXe siècle. Italien.
Sculpteur de statues.
Il fut d'abord sculpteur sur bois, puis il sculpta le marbre et le bronze.
Musées : Rome (Gal. Mod.) : *Eulalia Christiania*, bronze – *Fossor*, bronze – *Le Poète Parini*, marbre – Rome (Palais de Capodimonte) : *Opimia*, marbre.
Ventes Publiques : Milan, 14 juin 1995 : *Paysan faisant la pause*, marbre (H. 35) : **ITL 2 760 000**.

FRANCESCHI Francesco dei
XVe siècle. Actif à Venise. Italien.
Peintre.
On mentionne de lui trois tableaux d'autel représentant des saints dans les églises S. Giobbe, S. Giorgio d'Alega et S. Samuele à Venise. Le Musée de Padoue conserve de lui un tableau d'autel en douze parties, provenant de l'église S. Pietro à Padoue.

FRANCESCHI Giovanni dei
Né à Venise. Mort le 23 avril 1595 à Rome. XVIe siècle. Italien.
Peintre.
Il fut admis à la Corporation de Saint-Luc en 1575.

FRANCESCHI Giovanni dei
XVIIIe siècle. Actif vers 1743. Italien.
Graveur.
On cite de lui des gravures d'après David (*Portrait de Clément XII*), et d'après Parmigianino et C. Giaquinto.

FRANCESCHI Jean Paul Paschal
Né le 26 mars 1826 à Bar-sur-Aube. Mort le 18 mars 1894 à Besançon. XIXe siècle. Français.
Sculpteur.
Frère de Jules Franceschi. En 1839, 1840 et 1841, il reçut à Besançon des premiers prix pour des sculptures et des dessins et alla ensuite à l'École des Beaux-Arts à Paris où il travailla avec Rude et Carpeaux. De retour à Besançon il sculpta des statues et bas-reliefs pour les églises de cette ville. On cite parmi ses œuvres les statues de *Saint François-Xavier, Saint Vincent de Paul, Saint Joseph* dans la chapelle du Collège catholique ; la statue du Missionnaire *Parrenin* pour le monument funéraire de celui-ci au Roussey (Doubs), des médaillons pour des tombeaux du cimetière de Besançon, et des bustes.

FRANCESCHI Lazzaro dei
Mort avant le 6 juin 1483. XVe siècle. Actif à Venise. Italien.
Peintre et sculpteur sur bois.

FRANCESCHI Louis Julien, dit **Jules**
Né le 11 janvier 1825 à Bar-sur-Aube (Aube). Mort le 1er septembre 1893 à Paris. XIXe siècle. Français.
Sculpteur de statues, bustes.
Élève de Rude, il fut médaillé en 1861, 1864 et 1869, et fut fait chevalier de la Légion d'honneur en 1874. Au Salon de Paris, il exposa plusieurs œuvres à partir de 1848.
On cite de lui : *Jeune berger saignant son chien malade* ; *Les Roses*, statue ; *Napolitain jouant à la morra* ; *La princesse Solovoy*, buste en bronze ; *Jeune chasseresse agaçant un renard*, groupe ; *La comtesse Charles Tascher de la Pagerie*, buste en marbre ; *Ma marquise de Pastoret*, buste en marbre ; *Andromède*, statue en pierre ; statue en bronze de *Kamienski*, tué à Magenta, et destinée à son tombeau ; *Danaïde*, statue en marbre ; *Saint Sulpice*, statue en pierre pour l'église Saint-Sulpice à Paris ; *Mort du commandant Baroche*, bas-relief pour la chapelle du Bourget ; *Buste en marbre de Mme Carvalho* ; *Albert Wolf*, buste en bronze.
Musées : Amiens : *Mme Worms-Baretta* – *Tête de Christ* – Besançon : *Le réveil* – Clamecy : *M. Bigée* – *Mme Collard* – Nîmes : *Le réveil* – Paris (Art Mod.) : *La Fortune* – Paris (Comédie Française) : *Régnier* – *François Ponsard* – Reims : *Le sommeil* – Troyes : *La religion* – *Le réveil*, deux fois le même sujet – *Groupe surmontant un tombeau* – *La guerre et l'art* – *La Fortune* – *La Peinture* – *Mlle Croizette* – *Mlle Reichenberg* – *Mlle Krauss* – *Mme Miolan-Carvalho* – *Marie-Amélie d'Orléans, reine de Portugal* – *Tête de Christ* – *Rédemption* – *Hébé* – *Andromède* – *Joueuse de flûte* – *Tête de la Poésie* – *Émile Augier* – *Gounod* – *Le commandant Rivière* – *Régnier* – *L'abbé Poiré* – *M. Séguier* – *M. Bouchot* – *M. Seligman* – *Mme X* – *Mme Judic* – *Pierre Franceschi* – *Paul Franceschi* – *Portrait d'enfant.*
Ventes Publiques : Paris, 20 nov. 1979 : *Femme assise aux deux oiseaux*, bronze (H. 64) : **FRF 7 500** – New York, 20 juil. 1995 : *Femme assise*, bronze (H. 37,5) : **USD 3 450**.

FRANCESCHI Marguerite, Mme **Poiré**
XIXe siècle. Active à Paris. Française.
Sculpteur.
Fille de Jules Franceschi. Elle figura au Salon de 1883 à 1885 avec des bustes.

FRANCESCHI Mariano de
Né en 1849 à Rome. Mort en 1896. XIXe siècle. Italien.
Peintre de genre, paysages, aquarelliste, dessinateur.
Il fit ses études à l'Académie de Saint-Luc et se perfectionna dans l'atelier du peintre espagnol Baldomero Gelofre. Il exposa à Turin, en 1884, une toile intitulée : *L'Amour nous conduit à la mort* (vers du Dante), et une aquarelle : *Le Panthéon*. Parmi ses autres œuvres, on cite *Qu'il revienne bientôt, Riva degli Schiavoni, Squero di San Trovaso.*
Musées : Rome (Art Mod.) : *La Folle du village.*
Ventes Publiques : Londres, 7 déc. 1907 : *Dans le jardin du monastère*, dess. : **GBP 5** – Londres, 13 déc. 1909 : *Vue de Venise* : **GBP 12** – New York, 25 oct. 1977 : *Mariage vénitien*, h/t (68,5x46) : **USD 2 400** – New York, 27 fév. 1982 : *Vue de la Rome antique*, aquar. (64,8x47) : **USD 1 200** – Enghien-les-Bains, 4 mars 1984 : *Marchands ambulants dans une ville arabe*, aquar. (53x75) : **FRF 40 000** – New York, 31 oct. 1985 : *Scène de mariage, Tanger*, h/t (56x76,9) : **USD 4 500** – Rome, 14 déc. 1988 : *Barques de pêche sur la plage*, détrempe/pap. (51,5x68,5) : **ITL 3 800 000** – New York, 17 jan. 1990 : *Marché au Moyen Orient*, h/t (49,3x75) : **USD 6 600** – New York, 19 juil. 1990 : *Rue de village arabe*, h/t (49,4x74,3) : **USD 4 675** – New York, 29 oct. 1992 : *Une caravane arabe*, aquar./pap. (34,2x51,4) : **USD 715** – Rome, 26 mai 1993 : *Ruelle dans un village oriental*, h/pan. (40x23) : **ITL 2 000 000** – Londres, 17 nov. 1994 : *Place de marché arabe*, cr. et aquar./pap. (50,8x72,5) : **GBP 5 980**.

FRANCESCHI Marthe
Née le 18 janvier 1899 à Besançon (Doubs). XXe siècle. Française.
Peintre de portraits.
Elle fut élève de Fernand Sabatté. Elle exposa, à Paris, au Salon des Artistes Indépendants. Sociétaire du Salon des Artistes Français, elle obtint une mention en 1923, ainsi qu'une médaille de bronze en 1926.

FRANCESCHI Paolo dei ou **Franchoys, Francken**, de son vrai nom : **Franck Pauwels** ou **Paul,** appelé aussi **Paolo Fiammingo**
Né vers 1540 à Anvers. Mort en 1596 à Venise. XVIe siècle. Éc. flamande.
Peintre d'histoire, compositions mythologiques, sujets religieux, scènes de chasse, paysages.
Cet artiste vint jeune à Venise, où il devint élève du Tintoretto, et où il résida pendant toute sa vie. Il excella surtout dans la peinture des paysages bien qu'il exécutât aussi de temps à autre des sujets historiques. Il fut employé par l'empereur Rodolphe II.

P Franceschi.

Musées : Nantes : *Jésus portant sa croix* – Schleissheim : *Pietà* – Venise (Acad.) : *Saint Jean Baptiste au désert* – *L'enfant prodigue* – Venise (église San Niccolo de Frari) : *Descente de Croix* – *Saint Jean prêchant dans le désert* – Vienne (Acad.) : *Pietà*.
Ventes Publiques : Vienne, 14 juin 1966 : *Orphée parmi les animaux* : **ATS 45 000** – New York, 9 jan. 1981 : *Baptême du Christ*, h/t (101,5x150) : **USD 9 500** – New York, 9 juin 1983 : *Chasse à courre*, h/t (118x152) : **USD 15 000** – Londres, 15 juin 1983 : *Mercure et une jeune blessée dans un paysage surmonté de Vénus*, pl. et encre noire (37,5x54,5) : **GBP 1 050** – Milan, 21 avr. 1988 : *Le Baptiste prêchant*, h/t (173x220) : **ITL 36 000 000** – Milan, 12 déc. 1988 : *La Prédication du Baptiste*, h/t (173x220) : **ITL 34 000 000** – New York, 11 jan. 1995 : *Les Bains de Bethesda*, h/t (110,5x151) : **USD 21 850** – Venise, 7-8 oct. 1996 : *Vénus*, h/t (28,5x89) : **ITL 27 850 000** – Vienne, 29-30 oct. 1996 : *Saint Dominique dirigeant les ouvriers pour la construction d'une église*, h/t (98x138) : **ATS 184 000**.

FRANCESCHI Pietro. Voir **PIERO della FRANCESCA**

FRANCESCHIELLO. Voir **MURA Francesco de**

FRANCESCHINI Baldassare, dit **il Volterrano Giuniore**
Né en 1611 à Volterra. Mort en 1689 à Florence. XVIIe siècle. Italien.
Peintre d'histoire, scènes mythologiques, compositions religieuses, fresquiste.
Fils de Gasparo Franceschini le sculpteur, on l'appelait Il Volterrano Giuniore pour le distinguer de Daniele Ricciarelli da Volterra. Il étudia d'abord avec Matteo Rosselli, puis devint élève de Giovanni da San Giovanni. On dit qu'il excita la jalousie de ce dernier qui, l'ayant engagé comme collaborateur pour certaines œuvres au palais Pitti, jugea prudent de le remercier après avoir mis son talent à l'épreuve. Citons parmi ses principales œuvres au palais ducal de Florence les quatre grandes peintures représentant les actions des Médicis.
Franceschini fut un des meilleurs peintres à fresque de son temps.
Musées : Bordeaux : *Moïse devant Pharaon* – *Apothéose d'Ovide* – *Apollon et Marsyas* – Florence (S. Mus. Maggiore) : *L'Ascension d'Élie* – Florence (Offices) : *Sainte Catherine de Sienne* – *Un frère de l'ordre des Augustins* – *Saint Pierre* – *Portrait de l'artiste* – *La plaisanterie du curé Arlotto* – *Christ de souffrance*, dess. – Florence (Palais Pitti) : *L'Amour vénal* – *L'Amour endormi* – Lille (Wicar) : *Dieux et Amours*, sanguine – Lucques : *Tête d'ange* – Montpellier : *Le Père Éternel* – New York (Metropolitan) : *Tête d'ange* – Venise (Sem. Pat.) : *Saint Jean Baptiste* – Volterra (S. Agostino) : *Saint Roch* – *La Purification de la Vierge*.
Ventes Publiques : Paris, 1775 : *Saint Stanislas Kostcka* ; *Sujet allégorique*, deux dessins : **FRF 27** ; *Un pape sur un nuage accompagné de saint François de Sales* ; *Vénus fouettant l'Amour*, deux dessins : **FRF 200** – Paris, 8 nov. 1922 : *Recueil*, 410 dessins : **FRF 3 811** – Londres, 3 juil. 1980 : *Étude pour le repos pendant la fuite en Égypte*, craie noire/pap. (29,2x21,4) : **GBP 3 700** – Londres, 23 mars 1982 : *Vue d'une ferme en Toscane*, sanguine et lav. (26,9x42,4) : **GBP 1 650** – Londres, 22 oct. 1984 : *Études pour une Vierge à l'Enfant*, pl. et encre brune/traits de craies rouge et noire (26x17,1) : **GBP 850** – Monte-Carlo, 29 nov. 1986 : *Étude de jeune homme vêtu d'une cape*, sanguine avec reh. de blanc (35,5x18,5) : **FRF 155 000** – New York, 14 jan. 1987 : *Aurore sur son char*, craies noire et blanche (25,4x41,1) : **USD 4 250** – Berne, 30 avr. 1988 : *Le Couronnement de Marie*, h/t (110x110) : **CHF 11 000** – Milan, 25 oct. 1988 : *Judith et la tête d'Olopherne*, h/t (118x92) : **ITL 22 000 000** – Londres, 14 déc. 1990 : *Saint Georges*, h/t (135,5x98,7) : **GBP 22 000** – Londres, 6 juil. 1992 : *Étude d'une sainte et étude de mains jointes*, craie avec reh. de blanc (22,1x14) : **GBP 770** – New York, 20 mai 1993 : *Bacchus avec des putti*, h/t (144,8x230,5) : **USD 4 888** – Londres, 4 juil. 1994 : *Le jeu du vin*, sanguine et lav. rouge quadrillé pour transfert (24,2x36,7) : **GBP 91 700** – Paris, 18 nov. 1994 : *Saint Jean l'Évangéliste*, sanguine (33,2x22,4) : **FRF 16 000** – New York, 12 jan. 1995 : *La Vierge à l'Enfant avec saint Jean Baptiste*, craie noire et encre, étude recto et verso (24,7x35,7) : **USD 5 175** – Londres, 24 fév. 1995 : *Sainte Dorothée*, h/t (120,7x96,5) : **GBP 24 150** – Londres, 2 juil. 1996 : *Repos pendant la fuite en Égypte*, craie noire (29,3x21,6) : **GBP 20 700**.

FRANCESCHINI Domenico Mariano
Né à Vérone. XVIIIe siècle. Actif à Rome. Italien.
Graveur.
Auteur d'une petite gravure datée de 1725, représentant l'*Amphithéâtre de Flavius*.

FRANCESCHINI Filippo Antonio
XVIIIe siècle. Actif à Turin. Italien.
Peintre.
Il était le fils de Mattia Franceschini. Il travailla pour l'église de l'Hôpital de Pazzarelli à Turin.

FRANCESCHINI Gasparo ou **Gaspero**
XVIIe siècle. Italien.
Sculpteur.
Il travailla de 1610 à 1630 à Volterra. Une statue de *Saint François* dont il est l'auteur se trouve à l'église S. Francesco à Volterra, sur l'autel de la chapelle Leonori. Il sculpta aussi des crucifix de bois et des statuettes d'albâtre.

FRANCESCHINI Giacomo
Né en 1672 à Bologne. Mort en 1745 à Bologne. XVIIe-XVIIIe siècles. Italien.
Peintre.
Fils et élève de Marc Antonio Franceschini, il devint chanoine à Santa Maria Maggiore et il exécuta des peintures historiques dans le style de son père. Les églises de sa ville natale possèdent plusieurs de ses œuvres. À Santa Maria Incoronata, se trouve une peinture représentant *Saint Usnaldo, sainte Marguerite, sainte Lucie et sainte Cécile*. À San Simone : *Le crucifiement*, et à San Martino : *Sainte Anne*.

FRANCESCHINI Girolamo
Né le 12 mai 1820 à Trente. Mort le 7 janvier 1859 à Vienne. XIXe siècle. Autrichien.
Dessinateur et lithographe.
Il était directeur costumier des deux théâtres de la cour à Vienne et fit un grand nombre de dessins de costumes dont il lithographia lui-même quelques planches. Parmi ces œuvres on cite : *Milicien de Vienne de 1848* ; dessins de costumes pour bal et théâtre. Il fut occasionnellement collaborateur du *Journal illustré des théâtres*, de Bäuerle, pour lequel il fit les *Images satiriques*.

FRANCESCHINI Marco Antonio, chevalier
Né en 1648 à Bologne. Mort en 1729 à Bologne. XVIIe-XVIIIe siècles. Italien.
Peintre d'histoire, compositions mythologiques, sujets religieux, portraits, fresquiste, peintre de cartons de mosaïques, dessinateur.
Quelques-unes de ses premières œuvres sont à Imola, Ozzano et Plaisance. Après avoir été l'élève de Giovanni Maria Galli, il devint un des aides les plus assidus de Carlo Cignani. Sous la direction de ce maître, Franceschini peignit à l'huile et à fresque plusieurs œuvres à Bologne, Plaisance, Modène, Reggio. Il reçut de nombreux encouragements de toutes parts. En 1702, il peignit des scènes de l'histoire de la république dans le palais du Concile de Gênes. En 1711, il dessina à Rome pour le Pape Clément XI plusieurs cartons pour les mosaïques de Saint-Pierre qui lui valurent l'Ordre du Christ. Après avoir décoré la chapelle de la madone del Carmine à Crémone en 1716, il retourna à Bologne et y travailla avec assiduité jusqu'à l'âge de quatre-vingts ans, produisant des œuvres qui ne portent aucunement l'empreinte de la vieillesse, telles que son tableau des *Fondateurs de l'Ordre* dans le Padri Servi à Bologne, et sa *Pietà* chez les Augustins d'Imola.

MAF In.

Musées : Auch : *Loth et ses filles* – Bologne (Pina.) : *Annonciation* – *Vierge à l'Enfant* – *Sainte Famille* – *Fama* – *Saint Thomas d'Aquin* – Bologne (église de Corpus Domini) : *La Mort de saint Joseph* – Bologne (Carita) : *Saint Jean dans l'île de Pathmos* – Bologne (Madonna di Galeria) : *Saint François de Sales s'agenouillant devant la Vierge et l'Enfant* – Budapest : *Moïse sauvé des eaux* – Chambéry : *Sainte Praxède* – Copenhague : *Diane chassant* – Dresde : *La Naissance d'Adonis*, grav. sur cuivre – *L'Expiation de sainte Marie-Madeleine* – Florence (Offices) : *Cupidon décochant une flèche* – *Portrait de l'artiste par lui-même* – Milan (Brera) : *Sainte Catherine Vigri*, sanguine – Ravenne (Pina.) : *Saint Barthélémy et saint Sévère* – Rimini : *Saint Thomas de Villeneuve donnant des aumônes aux pauvres* – Rome : *La Mort d'Adonis* – Saint-Pétersbourg (Ermitage) : *Le Jugement de Pâris*, dess. – Vienne : *La Charité* – *La Madeleine pénitente* – Vienne (Liechthenstein) : *Jacob et Rachel* – *Joseph et la femme de Putiphar* – *Saint Sébastien et sainte Irène* – *L'Enfant Jésus endormi* – *Lucrèce* – *Narcisse* – *Diane, Vénus et Adonis* – *Bacchus, Ariane et Apollon* – Vienne (Czernin) : *Vénus et l'Amour*.
Ventes Publiques : Londres, 5 déc. 1908 : *La Vierge et l'Enfant*

Jésus : **GBP 11** – Lucerne, 28 nov. 1964 : *Paysage avec Cupidon s'apprêtant à lancer sa flèche* : **CHF 5 500** – Rome, 24 mai 1973 : *Mercure éveillant Énée* : **ITL 7 500 000** – Paris, 16 mars 1981 : *Mars et Vénus*, h/t (135x121) : **FRF 26 500** – Londres, 12 avr. 1983 : *Tancrède et Erminie*, craie noire, pl. et lav. (24,7x34,4) : **GBP 1 600** – Lokeren, 20 oct. 1984 : *Saint Jérôme dans le désert*, h/t (63x48) : **BEF 220 000** – Milan, 26 nov. 1985 : *Sibilla*, h/t (197x173) : **ITL 18 000 000** – Rome, 22 mars 1988 : *Portrait d'adolescente*, h/t (56x45) : **ITL 15 000 000** – Milan, 27 mars 1990 : *Josué arrêtant le soleil* ; *Histoire du prophète Élie*, h/t (106x149) : **ITL 58 000 000** – Londres, 24 mai 1991 : *L'Enlèvement d'Europe*, h/t (116,5x152) : **GBP 26 400** – New York, 30 mai 1991 : *L'ivresse de Pan*, h/t (113x147) : **USD 121 000** – Rome, 4 déc. 1991 : *Diane et Actéon*, h/t (56x82) : **ITL 17 250 000** – New York, 15 oct. 1992 : *Marie-Madeleine repentante avec un ange lui apportant la couronne d'épines*, h/t (124,5x95,3) : **USD 33 000** – Londres, 6 déc. 1995 : *Tarquin et Lucrèce*, h/t (184,5x184,5) : **GBP 78 500** – New York, 10 jan. 1996 : *L'ermite Zosimus donnant la dernière communion à sainte Marie l'Égyptienne*, h/cuivre (42,6x54,3) : **USD 112 500** – Milan, 3 avr. 1996 : *Scène biblique* ; *Jacob et Rachel*, h/t (152x115) : **ITL 92 000 000** – Londres, 11 déc. 1996 : *Agar et l'ange*, h/t (217,5x215) : **GBP 54 300** – New York, 31 jan. 1997 : *L'Ivresse de Pan*, h/t (113x147) : **USD 34 500** – Londres, 4 juil. 1997 : *Mercure attrappe des oiseaux, Cupidon des cœurs*, h/t (87x250) : **GBP 84 000**.

FRANCESCHINI Mattia
XVIIIe siècle. Actif à Turin vers 1745. Italien.
Peintre d'histoire.

FRANCESCHINI Vincenzo
Né en 1680 à Rome. XVIIIe siècle. Actif à Florence entre 1700 et 1740. Italien.
Graveur au burin et peintre.
Il était probablement parent de Domenico Franceschini. Il exécuta une partie des planches pour le *Museo Fiorentino*, publié en 1748.

FRANCESCHINI Vincenzo
Né en 1812 à Cassandrino. Mort en 1885 à Naples. XIXe siècle. Italien.
Peintre de compositions religieuses, paysages animés, paysages.
Élève de Pitloo et Marsigli à Naples, il séjourna ensuite longtemps à Rome ; il reçut une médaille d'or à une exposition à Naples.
Il peignit des paysages dont les sujets inspirent souvent l'effroi.
Musées : Naples (San Martino) : *Tentation du Christ dans le désert*.
Ventes Publiques : Rome, 25 mai 1988 : *Paysage avec lavandières*, h/t (53x74,5) : **ITL 4 000 000** – Bologne, 8-9 juin 1992 : *Visiteurs à l'intérieur du Colisée*, h/t (50,5x35,5) : **ITL 2 990 000**.

FRANCESCHINI Vittorio
XVIIIe siècle. Actif à Florence en 1744. Italien.
Graveur.
Il travailla au *Choix de 24 vues de la ville de Florence*.

FRANCESCHINO. Voir aussi **FRANCESCO**

FRANCESCHINO da Castelnuovo-Scrivia. Voir **CASTELNUOVO-SCRIVIA**

FRANCESCHINO da Padova
XIVe siècle. Italien.
Peintre de miniatures.
Le Trésor de la cathédrale de Gemona (Frioul) possède de lui un antiphonaire qu'il orna d'images historiques et allégoriques. Cet artiste est peut-être identique à un « Frate Francesco miniatore » mentionné à Padoue en 1344.

FRANCESCHINO da Venezia
XIVe siècle. Actif à Vérone. Italien.
Sculpteur.
Il sculpta les armoiries du Prieur Pietro degli Specchi dans le chœur de l'église S. Anastasia à Vérone.

FRANCESCHITTO ou **Francisquito**
Né en 1681 à Valladolid. Mort en 1705 à Naples. XVIIe siècle. Espagnol.
Peintre.
Élève de Luca Giordano, il accompagna ce dernier en Italie. À Naples, il peignit un tableau superbe destiné à l'église de Santa Maria del Monte et représentant *Saint Pascal entouré d'anges*. Malheureusement cet artiste d'avenir mourut fort jeune.

Ventes Publiques : Paris, 1843 : *Paysage avec trois figures* : **FRF 700** ; *Paysage avec animaux* : **FRF 155** – Londres, 10 juin 1932 : *Jeune homme* : **GBP 9**.

FRANCESCO. Voir aussi au nom et prénom

FRANCESCO, Père
XVIIe siècle. Actif à Pérouse vers 1600. Italien.
Peintre d'histoire et peintre sur verre.
Religieux du mont Cassin.

FRANCESCO
XIVe siècle. Actif à Venise vers 1300. Italien.
Peintre.
L'École de Saint-Jean-l'Évangéliste à Venise possède une peinture de la *Vierge* signée de lui.

FRANCESCO ou **Francio di Vannuccio**
XIVe siècle. Travaillant à Sienne vers 1361-1388. Italien.
Peintre à fresque.
Le Musée de Berlin conserve de ce primitif un *Christ en croix*, peint à la détrempe.

Ventes Publiques : Londres, 31 mars 1944 : *L'Annonciation* ; *L'Assomption*, ensemble : **GBP 997**.

FRANCESCO, dit **Franciscus Italus**
XVIe siècle. Italien.
Sculpteur et architecte.
Il travailla de 1502 à 1509 pour le prince Sigismond Jagiello qui devint Sigismond Ier, roi de Pologne. On lui attribue le *Monument funéraire du roi de Pologne Jean Albert* dans la cathédrale de Cracovie. Il fut le premier artiste de la Renaissance en Pologne. On ne doit pas le confondre avec un Francesco della Lora, de Florence, appelé aussi Franciscus Italus, qui était architecte de la cour du roi Sigismond.

FRANCESCO Benjamino de
Né à Naples. Mort en 1869 à Dinard. XIXe siècle. Italien.
Peintre de genre et graveur.
Il figura aux Expositions de Naples et de Florence.
Musées : Angers : *Pétrarque et Laure* – Copenhague (Thorwaldsen) : *Énée chez la Sibylle* – *Paysage*.
Ventes Publiques : Paris, 1870 : *Le port de l'Annunziatella* : **FRF 1 800** ; *Vue de la Tour à Chiaja* : **FRF 630** ; *Étude de plantes* : **FRF 810** ; *Étude de coquelicots* : **FRF 510** – Paris, 1er mai 1900 : *Les quatre saisons*, quatre panneaux décoratifs : **FRF 140**.

FRANCESCO Betto di. Voir **BETTO di Francesco Fiorentino**

FRANCESCO Francese. Voir **PERRIER François**

FRANCESCO Giovanni Battista de
Originaire de Predazzo. Mort vers 1720 à Turin. XVIIIe siècle. Italien.
Peintre de portraits.

FRANCESCO Pagano. Voir **PAGANO Francesco**

FRANCESCO Pappalettere
XVe siècle. Italien.
Peintre.
Il exécuta à Naples et Capoue en 1492 et 1498 des peintures murales et des fresques de plafond.

FRANCESCO Raffaello di. Voir **BOTTICINI Raffaelo di Francesco**

FRANCESCO di Agostino Ericello. Voir **ERICELLO**

FRANCESCO de Alesiis
XVe siècle. Travaillait à Udine dans la seconde moitié du XVe siècle. Italien.
Peintre.
On cite de cet artiste la fresque décorant le dessus de la porte de la Confraternita di S. Girolamo, à Udine. Cette œuvre, signée du maître, porte la date de 1494 et représente *Saint Gérôme entouré de religieux*. On donne aussi à notre artiste les fresques d'une chapelle à Contovello, près de Trieste.

FRANCESCO d'Alessandro. Voir **ALESSANDRO Francesco**

FRANCESCO de Alienza. Voir **ALIENZA**

FRANCESCO de Amorotto. Voir **AMOROTTO**

FRANCESCO d'Andreas
XVe siècle. Actif à Sienne. Italien.
Peintre.
En 1480 il peignit la fresque de la *Bataille de Poggio Imperiale* dans la salle de la Mappemonde à la maison de Ville.

FRANCESCO d'Antonio
Né en 1394. Mort après 1433. XVe siècle. Italien.
Peintre de sujets religieux.
À rapprocher peut-être de FRANCESCO d'Antonio da Viterbo.
VENTES PUBLIQUES : MILAN, 3 mars 1987 : *La Vierge et l'Enfant*, h/pan. fond or, haut cintré (96x47) : **ITL 59 000 000** – LONDRES, 8 juil. 1987 : *La Vierge et l'Enfant entourés d'anges*, temp./pan. fond or, haut arrondi (94x57) : **GBP 72 000**.

FRANCESCO d'Antonio del Cherico. Voir **CHERICO**

FRANCESCO di Antonio del Valente. Voir **VALENTE**

FRANCESCO d'Antonio da Viterbo, dit **Balletta**
XVe siècle. Italien.
Peintre de sujets religieux.
À Viterbe se sont conservées un certain nombre de ses œuvres ; son œuvre principale est un triptyque à l'église S. Rosa. Des restes de fresques de 1449 se trouvent dans l'église S. Maria della Verità, et le Musée civique possède une fresque représentant *La Vierge avec des Anges*.
MUSÉES : VITERBE (Mus. civique) : *La Vierge avec des Anges*, fresque.

FRANCESCO d'Arezzo
XIVe siècle. Italien.
Sculpteur.
Élève d'Oredigna, sculpta l'autel de la cathédrale d'Arezzo (1369-1389) avec Betto di Francesco. À rapprocher de Giovanni di Francesco d'Arezzo, qui pourrait avoir été son fils et collaborateur.

FRANCESCO d'Arezzo
XVe siècle. Toscan, actif au XVe siècle. Italien.
Peintre.
Il peignit une image votive dans l'église S. Caterina à Galatina.

FRANCESCO da Bergamo
XVIe siècle. Italien.
Sculpteur de statues.
Il exécuta avec son fils Bartolomeo di Francesco da Bergamo une statue de *Sainte Madeleine* pour S. Maria de'Servi à Venise.

FRANCESCO della Biava
Né au XVe siècle à Vérone. XVe siècle. Italien.
Peintre.
Travailla à Ferrare, vers 1470, pour le duc Borso.

FRANCESCO di Bonajuto
XVIe siècle. Italien.
Peintre.
Cité à Venetico (Province de Messine), en 1533.

FRANCESCO di Borgo
XVe siècle. Actif à Borgo san Sepolchro, vers 1446. Italien.
Peintre d'histoire.
Siret fait observer que le style de cet artiste rappelle à tel point Piero della Francesca qu'on pourrait peut-être l'identifier avec ce maître, à moins qu'il n'en ait été l'élève.

FRANCESCO da Carona. Voir **CASELLA Francesco**

FRANCESCO da Castello
XVe siècle. Actif à Milan. Italien.
Peintre de miniatures.
Il a décoré de miniatures un Bréviaire conservé au monastère de Lambach (Haute-Autriche).

FRANCESCO di Cecco. Voir **GHISSI**

FRANCESCO da Città di Castello
Originaire de Citta di Castello dans la province d'Arezzo. Italien.
Peintre.
On connaît de lui un petit nombre de peintures qui révèlent l'influence du Perugin (dont il fut peut-être l'élève), de Signorelli et de Raphaël. Le Musée de Citta di Castello conserve de ce peintre une *Vierge à l'Enfant, entourée de sainte Catherine, de saint Nicolas de Tolentino et de deux autres saints*, une *Vierge à l'Enfant entre saint Jérôme et un autre saint* et une *Annonciation*.

FRANCESCO da Città della Pieve
XVe siècle. Italien.
Peintre.
Une fresque de la *Crucifixion* dans l'église S. Giuseppe à Paciano porte sa signature.

FRANCESCO da Codigoro. Voir **CODIGORO**

FRANCESCO di Cola. Voir **COLA**

FRANCESCO di Domenico. Voir **MONCIATTO** et **VALDAMBRINO**

FRANCESCO da Fabriano. Voir **GHISSI**

FRANCESCO de Ferrari. Voir **FERRARI**

FRANCESCO Fiammingo. Voir **BARCKE Francesco di Francesco**

FRANCESCO di Filippo
XVIe siècle. Italien.
Sculpteur.
Élève de Peruzzi. Il sculpta en 1534 le sarcophage en travertin de *Celia Petrucci* dans l'église de l'Osservanza à Sienne.

FRANCESCO del Fiore. Voir **FIORE**

FRANCESCO Fiorentino
XVIe siècle. Actif à Venise. Italien.
Sculpteur sur bois.
Il exécuta vers 1559 les sculptures de l'orgue de l'église de S. Sebastiano à Venise.

FRANCESCO Fiorentino, appelé **Zucca**
XVIe siècle. Actif à Naples. Italien.
Sculpteur sur bois.
En 1536 il exécuta les stalles, maintenant détruites, de l'église Carmine Maggiore à Naples.

FRANCESCO da Firenze
XVe siècle. Actif à Florence. Italien.
Peintre d'histoire et portraitiste.
Élève de don Lorenzo.

FRANCESCO dei Franceschi. Voir **FRANCESCHI**

FRANCESCO di Francesco. Voir **BARCKE**

FRANCESCO dei Gabrielli
XVe siècle. Actif à Florence vers 1425. Italien.
Peintre.
Il peignit un retable pour l'hospice Saint-André à Percusina.

FRANCESCO di Gentile da Fabriano
Originaire de Fabriano. XVe siècle. Italien.
Peintre.
Peut-être est-il le fils de Gentile da Fabriano ; on connaît de lui dans des collections privées : à Florence un triptyque représentant *La Vierge, saint Jean Baptiste et le Christ*, une *Vierge avec des Anges*, et deux *Annonciations* ; à Londres, un *Ecce Homo*.
MUSÉES : ROME (Pina. du Vatican) : *La Vierge et l'Enfant Jésus* – ROME (Gal. Colonna) : *Portrait d'Enfant*.
VENTES PUBLIQUES : LONDRES, 16 jan. 1925 : *La Madone et l'Enfant sur un trône* : **GBP 210** – LONDRES, 9 mai 1934 : *La Madone et l'Enfant* : **GBP 105** – LONDRES, 18 mars 1935 : *La Madone et l'Enfant* : **GBP 52** – LONDRES, 28 mai 1936 : *La Madone et l'Enfant* : **GBP 55** – LONDRES, 31 mai 1946 : *La Madone adorant l'Enfant Sauveur* : **GBP 120**.

FRANCESCO di Giorgio Martini
Né en septembre 1439 à Sienne. Mort en janvier 1502 à Sienne. XVe siècle. Italien.
Peintre, architecte et sculpteur.
Artiste universel par excellence, il est à la fois sculpteur, peintre et surtout architecte. D'origine siennoise, il aime l'arabesque, le raffinement linéaire, et apprécie également Donatello, dont il sait se souvenir, en particulier dans ses bas-reliefs écrasés de la *Déposition de Croix* (Venise) et le fond architectural de la *Flagellation* (Pérouse). Il était un élève de Lorenzo di Pietro, et ses premières œuvres sculptées ou peintes sont inspirées du style de son maître, que ce soit l'un des deux anges accompagnant le porte candélabre de L. di Pietro du Dôme de Sienne, ou ses tableaux de *l'Annonciation* et du *Couronnement de la Vierge* (1472) à Sienne. Alliant le génie de Florence à celui de Sienne, il place sa *Nativité* de 1490, devant un arc de triomphe romain. Il avait été appelé à Urbino, en 1477, où il a dû prendre connaissance des recherches de perspective de la marquetterie faite vers 1475. On lui attribue, d'ailleurs, le « manuscrit 148 » de

Turin fait de compositions architecturales imaginaires. Intéressé par l'architecture militaire, il fit des murailles et forteresses, et publia un *Traité d'architecture civile et militaire*. Attiré par la symbolique astrologique et préoccupé des rapports géométriques de la figure humaine et de l'architecture, il inscrit, par exemple, le schéma du corps d'un homme à l'intérieur d'un plan d'église. Ces recherches seront reprises par Léonard et ensuite par Dürer. Sa plus belle réussite architecturale est la petite église de la Madona del Calcinaio (1485), à Cortone. Son plan est une croix latine, et ses articulations sont soulignées par de la pietra serena, selon un style qui sera repris par Michel Ange et Brunelleschi à Florence.
Bibliogr. : M. Gallet, in : *Dictionnaire de l'Art et des Artistes*, Hazan, Paris, 1967.
Musées : Dresde (Albertinum) : *Esculape*, bronze – Florence (Offices) : *Vie de saint Benoît* – *Nativité* – Francfort-sur-le-Main : *Vierge* – Londres (Nat. Gal.) : *La Vierge et l'Enfant Jésus* – Munich (Ancienne Pina.) : *Saint Antoine*, prédelle – Paris (Louvre) : *L'Enlèvement d'Europe* – Sienne (Acad.) : *Annonciation* – *Histoire de saint Joseph* – *Vierge*.
Ventes Publiques : New York, 20 nov. 1931 : *Triomphe de la Chasteté* : **USD 3 100** – New York, 18 et 19 avr. 1934 : *Triomphe de la Chasteté* : **USD 550**.

FRANCESCO de Giovannelli. Voir **GIOVANNELLI**

FRANCESCO di Giovanni
xve siècle. Actif à Ascoli Piceno. Italien.
Sculpteur sur bois.
Il sculpta la porte Lamusa à un portail de la cathédrale d'Ascoli, dont une partie des stalles est considérée également comme son œuvre.

FRANCESCO di Giovanni. Voir aussi **FERRUCCI Francesco**

FRANCESCO di Giuliano
xvie siècle. Actif à Vérone vers 1500. Italien.
Sculpteur.
Le Musée de Berlin conserve un bas-relief de bois représentant deux amours portant la tête de saint Jean Baptiste sur un plat, sur le socle duquel on peut lire la signature de cet artiste. Peut-être est-il identique à un Franciscus Juliani pictor qui est né à Vérone en 1462 et est mentionné dans cette ville jusqu'en 1502.

FRANCESCO della Lora. Voir **FRANCESCO,** dit **Franciscus Italus**

FRANCESCO da Lugano
xviie siècle. Italien.
Sculpteur.
Il exécuta avec Bernardo da Lugano quelques statues pour le monastère S. Pietro à Reggio d'Emilie.

FRANCESCO di Maestro Giotto
xive siècle. Italien.
Peintre d'histoire.
Élève de Giotto.

FRANCESCO di Mantovana
xviie siècle. Travaillant vers 1663. Italien.
Peintre de fleurs et de fruits.

FRANCESCO di Michele
xive siècle. Actif à Florence en 1385. Italien.
Peintre.
Il doit être identique à Francesco da Firenze. On lui attribue une *Vierge avec des saints*, conservée au Musée du Louvre.

FRANCESCO da Milano
Originaire de Lombardie. Mort avant le 12 novembre 1505. xve siècle. Italien.
Sculpteur.
Il travailla à Rome, puis à Naples et environs, où il exécuta de nombreux travaux de sculpture pour des familles nobles. De ses œuvres sont conservées seulement les armoiries de Jacopo Rocco à l'église S. Lorenzo à Naples.

FRANCESCO da Milano
xvie siècle. Actif à Bologne. Italien.
Sculpteur.
Il travailla avec Alfonso Lombardi à l'église S. Petronio à Bologne.

FRANCESCO da Milano
xviie siècle. Actif à Reggio d'Emilia. Italien.
Sculpteur.
Avec Giacomo da Milano, il sculpta en 1622 les statues et bas-reliefs d'un autel dans l'église de la Madonna della Chiara.

FRANCESCO da Milano ou **Francesco Pagani**
xvie siècle. Actif à Milan vers 1540. Italien.
Peintre d'histoire.
Imitateur du Titien et de Pordenone. L'église de Caneva di Sacile possède de lui un triptyque *Saint Roch, saint Sébastien et saint Nicolas*, l'église de Soligo une *Assomption*. On lui attribue également à Porcia près de Pordenone *Saint Antoine, sainte Lucie et sainte Apollonie*, à Sedico les restes d'un polyptyque, et dans l'église Saint-Martin à Conegliano une *Adoration des bergers*, détruite à présent.
Musées : Trévise : *Vierge avec des anges* – Venise (Acad.) : *Vierge avec des anges* – *Pietà*, attrib.

FRANCESCO da Montereale
xvie siècle. Actif à Aquila (Abruzzes). Italien.
Peintre.
Il était le fils de Paolo da Montereale et était en 1535, membre de l'Académie Saint-Luc à Rome. L'église S. Silvestro à Aquila conserve de lui une fresque de *La Vierge avec saint Sébastien et saint Roch*.

FRANCESCO DE MURA. Voir **MURA Francesco de**

FRANCESCO Napoletano
Originaire de Naples. xvie siècle. Italien.
Peintre de compositions religieuses.
Il travaillait vers 1500 à Milan.
Musées : Milan (Pina. de Brera) : *La Vierge et l'Enfant Jésus* – Zurich : *Vierge sur un trône entre saint Jean Baptiste et saint Sébastien* – *Vierge à mi-corps*.

FRANCESCO Napoletano
xvie siècle. Italien.
Peintre.
De 1534 à 1561 il est mentionné comme membre de l'Académie Saint-Luc à Rome.

FRANCESCO da Napoli. Voir **PAGANO Francesco**

FRANCESCO di Neri di Ubaldo, dit **Sellaio**
Né au xive siècle à Florence. xive siècle. Italien.
Sculpteur.
En 1366 il était membre d'une commission d'experts pour la construction de la cathédrale, pour la façade de laquelle il sculpta des statues d'Apôtres et d'Évangélistes.

FRANCESCO di Neri da Volterra ou **da Voltri**. Voir **FRANCESCO da Volterra**

FRANCESCO d'Oberto da Moneglia
xive siècle. Italien.
Peintre de compositions religieuses, miniatures.
Il travailla à Ferrare, en 1368, dans l'équipe du palais communal à Fassolo, puis à Gênes. L'Académie de cette ville possède de lui un petit tableau représentant : *La Vierge entre saint Dominique et saint Jean l'Évangéliste*.

FRANCESCO Paduano
Né au xvie siècle à Padoue. xvie siècle. Italien.
Peintre.
Il travailla à Trente entre 1548 et 1550. Peut-être, est-il identique au « maestro Francesco depentor » qui est mentionné à Trente en 1549 pour des peintures exécutées à la porta dell'Aquila.

FRANCESCO da Parma
xve siècle. Actif à Padoue de 1467 à 1477. Italien.
Sculpteur sur bois.
Cet artiste travailla avec Domenico da Piacenza à Sainte-Justine à Padoue.

FRANCESCO da Pavia. Voir **FERRARI Francesco de**

FRANCESCO di Pellegrino. Voir **PELLEGRINO**

FRANCESCO da Perugia. Voir **BARONI Francesco**

FRANCESCO di Piero. Voir **GIOVANNELLI Francesco**

FRANCESCO di Pietro d'Assisi
D'origine siennoise. xive siècle. Travaillant à Cortone. Italien.
Sculpteur.
Il travailla avec Angelo di Pietro d'Assisi au tombeau de l'évêque Ranieri Ubertoni dans l'église Saint-François, et au monument funéraire à Sainte-Marguerite dans l'église Sainte-Marguerite à Cortone.

FRANCESCO di Pietro da Venezia
xvie siècle. Actif à San Severino. Italien.

Sculpteur.
Il travailla avec son frère Antonio di Pietro da Venezia.

FRANCESCO Placido di Giacomo. Voir **POLAZITO**

FRANCESCO da Ragusa
Né vers 1591 à Rome (ou Raguse). Mort le 20 février 1665 à Rome. XVIIe siècle. Italien.
Peintre.
Il a peint des tableaux pour des églises de Rome et pour S. Francesco dei Monaci Olivetani de Brescia.

FRANCESCO da RIMINI
XIVe siècle. Italien.
Peintre.
À Bologne, il peignit les fresques du monastère de Saint-François, monastère qui fut détruit en 1882. Son œuvre se rattache plus étroitement à Giotto. On lui assimile parfois le MAÎTRE de VERUCCHIO.

FRANCESCO da San Simone
XIIIe siècle. Italien.
Mosaïste.
Travailla à la cathédrale de Pise en 1301. Il y fut remplacé par Cimabue.

FRANCESCO da Siena
XIVe siècle. Actif à Pistoia. Italien.
Peintre.
Il exécuta en 1346, avec Bartolommo di Vanni un retable pour l'église S. Giovanni Fuorcivitas.

FRANCESCO da Siena
XVIe siècle. Actif à Sienne. Italien.
Peintre d'histoire, de portraits et d'ornements.
Élève de Baldassare Peruzzi.

FRANCESCO da Siena
XVIIe siècle. Italien.
Peintre.
Élève de Mascagni, il travailla sous sa direction à la cathédrale de Salzbourg et au château de Hellbrunn. Dans l'église des Franciscains de Salzbourg deux tableaux d'autel lui sont attribués : *Martyre et entrée au ciel de saint Sébastien*, ainsi qu'une *Adoration des Bergers* dans l'église du Monastère des Capucins. La cathédrale possède une copie de la *Transfiguration*, d'après cet artiste.

FRANCESCO di Simone
XIVe siècle. Italien.
Peintre d'histoire.
D'après Siret, fils et élève du maître Simone.

FRANCESCO di Stefano. Voir **PESELLINO,** pseudonyme de **Francesco di Stefano**

FRANCESCO di Stefano
XVe siècle. Italien.
Sculpteur de monuments.
Il travailla en 1444 avec Antonio Federighi au monument funéraire de l'évêque *Carlo Bartoli* dans la cathédrale de Sienne. Il travailla également à Rome et Orvieto.

FRANCESCO da Terranova, fra
XVe siècle. Italien.
Peintre de compositions religieuses.
Il est mentionné en 1476 à Assise pour ses peintures dans l'église San Francesco.

FRANCESCO del Tintore. Voir **TINTORE**

FRANCESCO da Tolentino
XVe siècle. Italien.
Peintre de miniatures.
Sa signature se trouve sur un manuscrit que possède la Bibliothèque du Vatican provenant de la bibliothèque de Federigo da Montefeltre. Le frontispice de ce manuscrit représente le *Duc Federigo da Montefeltre à cheval devant Cyrus sur un trône*.

FRANCESCO da Tolentino
XVIe siècle. Italien.
Peintre.
Une chapelle de l'église du Monastère de Liveri près de Nola possède de lui des tableaux d'autel, dans le genre du Pinturricchio : *Pietà, Adoration des Mages, le Christ avec des saints*. On lui attribue des fresques à S. Maria Nuova à Naples : *Couronnement de Marie, Adoration des Mages avec des saints de l'Ordre des Franciscains, Annonciation, Naissance du Christ*.

FRANCESCO da Urbino, fra
XVIe siècle. Italien.
Dessinateur d'architectures.
On connaît de lui un livre d'esquisses pour autels, confessionnaux, armoires, destinés aux églises de Jesi, Cagli et autres villes.

FRANCESCO da Urbino ou **Francesco da Urbina** ou **Francisco da Urbino** ou **Urbina**
XVIe siècle. Italien.
Peintre de grotesques.
Père de Diego da Urbina. Il fut nommé peintre de la cour d'Espagne, et travailla à l'Escurial, à Madrid et à Ségovie. Il travaillait à Urbino vers 1575.

FRANCESCO di Vanni, dit **il Chiancianese**
XIVe siècle. Actif à Sienne. Italien.
Peintre.
Il travailla à la cathédrale de Sienne en 1385.

FRANCESCO di Vanni
Mort le 6 novembre 1394. XIVe siècle. Actif à Sienne. Italien.
Peintre.
Il fit, en 1370, avec son frère Andrea di Vanni, les peintures de trois chapelles de la cathédrale de Sienne.

FRANCESCO da Venezia
XIVe siècle. Actif à Aquileja. Italien.
Peintre.
Il exécuta deux petits autels : *Le Couronnement de Marie* et *Marie avec l'Enfant Jésus*, à Aquileja.

FRANCESCO da Verona. Voir **BONSIGNORI Francesco**

FRANCESCO da Vicenza. Voir **COZZI Francesco di Giampietro**

FRANCESCO de Vico
XVe siècle. Actif à Milan. Italien.
Peintre d'histoire et de portraits.
On sait qu'il peignit pour la chapelle de l'hôpital de Milan les portraits de *Francesco Sforza, duc de Milan et de Bianca Maria, sa femme, agenouillés devant le pape Pie II*. Cette peinture fut détruite, croit-on, au XVIIe siècle et on la connaît par une copie ancienne, conservée dans la Chambre du Conseil de l'hôpital.

FRANCESCO da Volterra
XIVe siècle. Actif à Pise. Italien.
Peintre.
En 1344 il exécuta une peinture pour la cathédrale de Pise et participa avec d'autres artistes à des travaux au Camposanto. Il est identique à Francesco Neri da Volterra dont on connaît un tableau de *Vierge* dans la Galerie Estense à Modène.

FRANCESCO da Volterra. Voir aussi **CAPRIANI Francesco**

FRANCESCO MIRANDA. Voir **MIRANDA**

FRANCESCONI Gasparo
Originaire de Venise. XIXe siècle. Italien.
Peintre.
Il peignit vers 1800 pour la cathédrale de Trévise une *Vierge assise, entourée de quatre saints*.

FRANCESCUCCIO di Cecco. Voir **GHISSI**

FRANCESE. Voir aussi au prénom

FRANCESE Franco
Né en 1920 à Milan. XXe siècle. Italien.
Peintre. Expressionniste-abstrait.
Élève, en sculpture sous la direction de Manzu, de l'Académie Brera de Milan, il se mit aussitôt à la peinture. Il participe à la Biennale de Venise en 1952 puis en 1960, année où une salle lui est consacrée ; à la Quadriennale de Rome en 1955 et 1959 ; aux IIIe et IVe Prix Marzotto, en 1954 puis 1960 ; à la Biennale de São Paulo, en 1961 ; etc. On a pu voir également un grand nombre de ses œuvres dans des expositions personnelles à Milan en 1954, 1955, 1956.
Après des débuts réalistes, marqués par le néo-cubisme généralisé de l'époque, il évolua vers une abstraction expressionniste, ne refusant pas le support de quelques évocations de la réalité.
Bibliogr. : In : *Peintres contemporains*, Mazenod, Paris, 1964.
Ventes Publiques : Milan, 9 nov. 1976 : *Paysage n° 1* 1953, h/t (92x73) : **ITL 700 000** – Milan, 7 nov. 1978 : *Élégie pour Kronstadt* 1970, h/t (81x130) : **ITL 1 300 000** – Milan, 12 mars 1980 : *Maternité* 1956, fus./pap. (70x56) : **ITL 850 000** – Rome, 20 avr.

1982 : *Le guitariste* 1961, techn. mixte (38x48,5) : **ITL 800 000** – MILAN, 5 avr. 1984 : *Le Malinconia del Dürer n° 1* 1962, h/t (123x99) : **ITL 5 000 000** – MILAN, 19 juin 1986 : *Dimanche* 1966, h/t mar. (21x45) : **ITL 1 500 000** – LONDRES, 8 juil. 1987 : *A quelli di Kronstadt* 1966, h/t (54x74) : **ITL 4 500 000** – MILAN, 20 mars 1989 : *Étude de l'atelier* 1987, h/t (47x78) : **ITL 5 500 000** – MILAN, 7 juin 1989 : *Nuit étoilée* 1973, h/t (73x60) : **ITL 6 000 000** – MILAN, 19 déc. 1989 : *L'oiseau frappant à la vitre*, h/t (81,5x65) : **ITL 7 000 000** – MILAN, 27 mars 1990 : *Nuit étoilée* 1973, h/t (46x38) : **ITL 4 000 000** – MILAN, 19 juin 1991 : *Étude pour Cinémascope* 1958, h/t (64,5x53) : **ITL 5 500 000** – MILAN, 14 avr. 1992 : *Embarquement* 1982, h/t (65,5x54) : **ITL 5 500 000** – MILAN, 16 nov. 1993 : *Nuit d'amour* 1960, h/t (152x158) : **ITL 21 850 000** – MILAN, 15 mars 1994 : *Strip-tease* 1961, h/t (215x200) : **ITL 14 605 000** – MILAN, 22 juin 1995 : *Étude pour l'Atelier* 1985, h/t (44x73) : **ITL 7 475 000** – MILAN, 23 mai 1996 : *La bestia addosso* 1961, techn. mixte/pap. (50x34) : **ITL 2 530 000**.

FRANCESI Alessandro
Originaire de Naples. XVIIIe siècle. Italien.
Peintre.
Il travailla dans les églises S. Andrea della Valle, S. Maria Traspontina, et S. Agata à Rome. De ces œuvres seul le tableau d'autel *Marie avec l'Enfant Jésus* à l'église S. Andrea della Valle est conservé.

FRANCESINO, il. Voir **GIUSTAMMANI Giovanni Battista**

FRANCET E.
XIXe siècle. Français.
Peintre.
Le Musée de Vire conserve de lui : *Chemin de traverse à Episy*.

FRANCEY Achille Adolphe
Né au XIXe siècle à Paris. XIXe siècle. Français.
Paysagiste.
Il eut pour maître X. Leprince. De 1835 à 1859, il exposa au Salon des paysages. On cite de lui : *Entrée d'un bois, Vue des ruines de l'ancien château de Viviers, Environs de Montpellier*.

FRANCFORT, Maître de. Voir **MAÎTRES ANONYMES**

FRANCH Juan
XIXe siècle. Actif à Madrid en 1860. Espagnol.
Peintre.
Il travailla également dans l'île de Cuba.

FRANCH Y MIRA Ricardo
Né en 1839 à Valence. Mort avant 1897. XIXe siècle. Espagnol.
Graveur.
Élève de l'Académie de San Fernando et de Domingo Martinez. Il débuta à Madrid en 1862. Il a exposé également à Valence et à Paris. Il a gravé d'après Le Titien, Murillo, Zurbaran, Carducho.

FRANCHECOURT Marin
XVIIIe siècle. Actif à Paris en 1751. Français.
Peintre et sculpteur.

FRANCHEQUIN
XVIe siècle. Actif à Cambrai. Français.
Sculpteur.
La fabrique de la cathédrale de Cambrai avait chargé, en 1507, Gilles Titre et Charlot Canonne de décorer le portail Saint-Gangolph ; leur travail n'ayant pas donné satisfaction, fut supprimé entièrement et l'exécution nouvelle fut confiée à Franchequin.

FRANCHÈRE Joseph Charles
Né en 1866. Mort en 1921. XIXe-XXe siècles. Canadien.
Peintre de scènes de genre, portraits, paysages animés, paysages.
Il peignait les paysages typiques du Québec, et parfois quelques scènes familières.
VENTES PUBLIQUES : TORONTO, 2 mars 1982 : *Marine*, h/cart. (18,8x32,5) : **CAD 950** – MONTRÉAL, 27 août 1985 : *Portrait de vieillard à la pipe*, h/pan. (33x23) : **CAD 1 000** – MONTRÉAL, 27 avr. 1986 : *Paysage boisé au lac*, aquar. (25,3x35,5) : **CAD 1 000** – MONTRÉAL, 25 avr. 1988 : *Les chutes du Lac Marios*, h/pan. (24x34) : **CAD 900** – MONTRÉAL, 1er mai 1989 : *Île Perrot*, h/t (36x56) : **CAD 1 000** – MONTRÉAL, 30 oct. 1989 : *La poudrière*, h/t (74x99) : **CAD 23 100** – MONTRÉAL, 30 avr. 1990 : *Après le souper* 1906, h/t (84x107) : **CAD 11 000** – MONTRÉAL, 5 nov. 1990 : *Scène de forêt avec lac et chute d'eau*, h/t (41x56) : **CAD 770** – MONTRÉAL, 6 déc. 1994 : *Jeune femme assise devant le feu*, h/pan. (31x25,3) : **CAD 2 100**.

FRANCHES Rinaldo. Voir **FRANCK Aernout**

FRANCHESQUINI Christofle
XVIe siècle. Français.
Peintre sur faïence.
Il travaillait à Lyon en 1557 et 1559 et était « peintre de vayselle de terre » ; on l'appelait aussi « Francisquyn ».

FRANCHET Augustin
XIXe siècle. Français.
Peintre de portraits.
De 1834 à 1847, il figura au Salon de Paris, avec des portraits. On cite de lui : *Portrait de Ad. Galin, Portrait de Casimir Noël, Chasseur des Apennins, Résurrection de la fille de Jaïre*.

FRANCHEVILLE Guillaume de. Voir **GUILLAUME de Francheville**

FRANCHEVILLE Pierre de ou **Franqueville** ou **Francavilla**
Né entre 1548 et 1553 à Cambrai. Mort le 25 août 1615 à Paris. XVIe-XVIIe siècles. Français.
Sculpteur, peintre et architecte.
Après un stage de cinq ans à Innsbruck, chez un sculpteur sur bois, où il fut remarqué par l'archiduc Ferdinand, celui-ci l'envoya à Florence chez Jean de Bologne (1574) dont il devint le collaborateur ; il fit avec lui les groupes du Centaure et de l'Enlèvement des Sabines. À Gênes, en 1585, il fit les statues colossales de Junon et de Jupiter ; à Florence il exécuta cinq statues pour l'église Santa Croce : *la Prudence, l'Humilité, la Virginité, Moïse et Aaron* ; à Pise, la statue de *Côme Ier*. Appelé à Paris par Henri IV, il reçut de lui un logement au Louvre et de nombreuses commandes ; les deux œuvres les plus connues sont : *Le Temps enlevant la Vérité* et *Saturne enlevant Cybèle*, au jardin des Tuileries. Louis XIII le nomma sculpteur du roi et le chargea de la décoration de la statue équestre d'Henri IV, détruite en 1792.
BIBLIOGR. : R. de Francqueville : *Pierre de Francqueville, sculpteur des Médicis et du roi Henri IV*, Paris, 1968.
MUSÉES : BERLIN (Kaiser Fried.) : *Ferdinand Ier*, cire, modèle – *Tête de Christ*, marbre – FLORENCE (Offices) : *Louis XIII à cheval*, bronze – FLORENCE (Pitti) : Sept scènes de la Passion, bronze, bas-relief – FONTAINEBLEAU : *La Force et la Paix* – GÊNES (Bianco) : *Jupiter*, marbre – *Janus*, marbre – PARIS (Louvre) : *Mercure*, marbre, statue – *Orphée*, marbre – *David*, marbre – *L'enlèvement de Psyché* – *Quatre esclaves*, bronze, venant de la statue d'Henri IV – *Jean de Bologne*, bronze et albâtre – *Buste de Martin Fréminet* – *La bataille d'Ivry*, bas-relief – VALENCIENNES : *Henri d'Oultreman*, marbre, buste – VERSAILLES : *Henri IV* – VIENNE : *L'enlèvement de Psyché*.
VENTES PUBLIQUES : PARIS, 1er déc. 1965 : *Figure féminine*, bronze : **FRF 8 500**.

FRANCHI. Voir aussi **FRANCO**

FRANCHI Alessandro
Né le 15 mars 1838 à Prato. Mort le 29 avril 1914 à Sienne. XIXe-XXe siècles. Italien.
Peintre.
Élève de Mussini à l'Académie de Sienne, il en devint le successeur en 1888. Ses premières œuvres, *Saint Louis de France, Sainte Elisabeth de Hongrie* furent primées en 1861 à Florence. À Sienne ses principales œuvres sont : à la cathédrale la restauration du dallage de marbre, qui le rendit célèbre, les peintures de plafond dans la chapelle de l'Istituto S. Teresa et les peintures murales représentant la *Vie de sainte Thérèse*, le tableau d'autel à l'église S. Maria dei Servi, un tableau *La Visitation* dans l'église de la Visitation, *Le baptême du Christ* pour le maître-autel du baptistère de la cathédrale et les fresques de plusieurs chapelles au cimetière. On cite encore ses fresques et tableaux d'autel au Séminaire d'Areivescovile à Gênes. La cathédrale de Prato lui doit également la fresque de la chapelle del Crocifiisso. Parmi ses œuvres profanes on mentionne à Sienne ses fresques au Palais Bichi-Ruspoli et, au palazzo Pubblico dans la salle Victor-Emmanuel : *L'Italie triomphante, La Vénétie – La Lombardie*.

FRANCHI Antonio, dit **Lucchese**
Né en 1634 à Lucques. Mort en 1709 à Florence. XVIIe siècle. Italien.
Peintre d'histoire, compositions religieuses, portraits.
Il fut élève de Baldassere Franceschini, appelé Il Volterrano,

mais il subit l'influence de Pietro da Cortona. Il fut employé par le grand-duc de Toscane et exécuta plusieurs œuvres pour lui et pour des collections privées.
Son tableau de *Saint Joseph de Calasanzio*, dans l'église de Padri Scolopi, est remarquable par la correction du dessin et la vigueur de son coloris.
Musées : Caporgnano (église paroissiale) : *Le Christ remettant les clefs à saint Pierre* – Chambéry (Mus. des Beaux-Arts) : *Portrait de femme* – Florence (Offices) : *Portrait du peintre par lui-même* – Florence (Corsini) : *Flore*.
Ventes Publiques : Paris, 20 juin 1994 : *Flore*, h/t (128x102) : **FRF 70 000** – Londres, 5 juil. 1995 : *Le Temple de Vénus*, h/t (260x321) : **GBP 1 156 500**.

FRANCHI Antonio Maria
XVIIIe siècle. Italien.
Peintre.
En 1771 il posa sa candidature à l'Académie de Florence. Peut-être est-il identique à un Antonio Franchi qui peignit en 1793 à Pérouse à l'église S. Egidio et au Palazzo Comunale des fresques décoratives.

FRANCHI Cesare
Né vers 1580 à Pérouse. Mort en 1615. XVIe siècle. Italien.
Peintre.
Cet artiste excella à peindre des personnages de petites dimensions et fut élève de Giulio Cesare-Angeli.

FRANCHI Domenico, dit **Lucchese**
XVIIe siècle. Actif à Sienne. Italien.
Peintre.
On lui attribue une *Visitation* (celle de l'ancien monastère des Trafisse à Sienne) qui est probablement l'œuvre d'Antonio Franchi.

FRANCHI Francesco
Né vers 1600 à Rome. Mort le 13 septembre 1653 à Rome. XVIIe siècle. Italien.
Peintre.
Ventes Publiques : Milan, 14 nov. 1990 : *Trompe-l'œil avec des gravures représentant l'antiquité*, aquar./pap., une page de dédicace au marquis Giuseppe Beccadelli de Bologne et une carte des deux hémisphères (37x53,5) : **ITL 4 800 000** – Milan, 31 mai 1994 : *Trompe-l'œil* 1778, temp./t. (38x53) : **ITL 8 050 000**.

FRANCHI Gaetano Maria
XVIIIe siècle. Actif à Pise. Italien.
Peintre.
Il peignit en 1766 deux tableaux pour l'église S. Antonio, et en 1776 un tableau d'autel pour l'église S. Bartolomeo près de Pise (Bagni di S. Giuliano).

FRANCHI Giulio
XIXe siècle. Actif à Ravenne. Italien.
Sculpteur.
Il sculpta un grand nombre de bustes pour des monuments funéraires du cimetière de Ravenne et le monument de Garibaldi de la place Byron.
Musées : Rome (Gal. Nat. Mod.) : *Femme âgée*, terre cuite.

FRANCHI Giunta di Jacopo
Né vers 1379. XVe siècle. Italien.
Peintre.
Frère de Rossello di Jacopo et membre de l'Académie Saint-Luc.

FRANCHI Giuseppe
Né le 28 mars 1634 à Rome. XVIIe siècle. Italien.
Peintre.
Il était le fils de Francesco Franchi.

FRANCHI Giuseppe
Né en 1731 à Carrare. Mort le 11 février 1806 à Milan. XVIIIe siècle. Italien.
Sculpteur.
Il étudia d'abord à Carrare, puis à Rome. En 1776, il fut à Milan professeur à l'Académie et eut pour élèves les grands ducs Ferdinand et Maximilien. En 1791 il fut nommé membre de l'Académie Saint-Luc. Parmi ses œuvres on cite à Milan des statues de dieux pour la salle des Cariatides du Palais Royal, des sirènes et des dauphins à la Fontaine des Sirènes sur la Piazza Fontana, le monument funéraire du comte Firmian à l'église S. Bartolomeo, le buste de *Parini* à la Brera, le monument funéraire de l'*Empereur Léopold*, les bustes de *G. B. Branca*, et de *Maria Gaetana Agnesi* à la Bibliothèque Ambrosiana ; au château de Monza, deux *Amours* ; à l'Institut des Sciences de Bologne un buste de *P. Sacchi* ; à Sienne un portrait en relief de l'*Abbé Carli* ; à Assise le monument de la *Princesse Grillo Pamfili* dans l'église de Sainte-Marie-des-Anges ; et à Sarzana une statue de la *Vierge* à la cathédrale.

FRANCHI Giuseppe et **Margherita**
XVIIe siècle. Actifs à Lucques. Italiens.
Peintres.
Fils et fille d'Antonio Franchi.

FRANCHI Lorenzo
Mort avant 1539 à Bologne. XVIe siècle. Italien.
Peintre.
Il est cité par Zani.

FRANCHI Lorenzo ou **Franco**
Né vers 1563 à Bologne. Mort vers 1630 à Reggio d'Emilia. XVIe-XVIIe siècles. Italien.
Peintre.
Fut élève de Camillo Procaccini et imita la manière du Carrache.

FRANCHI Pietro
XVIIIe siècle. Actif à Carrare. Italien.
Sculpteur.
Il travailla avec son frère Pompeo Franchi dans l'atelier de Diego Jori, aux sculptures décoratives de la Chartreuse de Calci près de Pise.

FRANCHI Pietro
XIXe siècle. Actif à Carrare. Italien.
Sculpteur.
Il sculpta vers 1870 dans son propre atelier des statues de marbre, d'après des modèles d'autres artistes, et des statues de genre, d'après ses propres modèles.

FRANCHI Pompeo
XVIIIe siècle. Actif à Carrare. Italien.
Sculpteur.
Élève de Diego Jori, il exécuta dans l'atelier de celui-ci de nombreux travaux décoratifs en marbre pour la Chartreuse de Calci près de Pise. Il sculpta avec lui pour la façade de la Chartreuse les statues de marbre de l'*Assomption*, de *Saint Jean l'Évangéliste* et d'autres saints, ainsi que la *Foi* et la *Charité*, et les armoiries de la Chartreuse.

FRANCHI René
Né le 31 mai 1912 à Paris. XXe siècle. Français.
Peintre. Figuratif-réaliste.
Il expose à Paris, aux Salons Comparaisons, des Artistes Indépendants, et à celui des Artistes Français.
Il fait partie de ce que l'on a nommé les peintres de la réalité.

FRANCHI Romuald
XIXe siècle. Italien.
Peintre d'histoire.

FRANCHI Rossello di Jacopo
Né vers 1377. Mort le 10 août 1456. XVe siècle. Italien.
Peintre de compositions religieuses.
Musées : Empoli (Collegiata) : *Vierge* – Empoli (église des Dominicains de S. Miniato al Tedesco) : fresques – Florence (église S. Miniato al Monte) : fresques – Florence (Offices) : *Vierge et quatre saints* – *Vierge avec saints et donateurs* – *Sainte Zénobie* – Florence (Acad.) : *Le Couronnement de la Vierge* – Florence (bib. de Saint-Marc) : *Résurrection*, peinture ornant un missel – *L'Ascension*, peinture ornant un missel – New York (Metropolitan) : *Vierge* – Pise (Mus. civique) : *Vierge* – Prato (cathédrale) : *Saint Étienne entre des anges*, peinture ornant un antiphonaire – Valdema (Chartreuse) : *Vierge*.
Ventes Publiques : New York, 24-28 sep. 1946 : *La Madone et l'Enfant* : **USD 250** – Londres, 5 avr. 1963 : *La Vierge et l'Enfant entourés de quatre saints* : **GNS 500** – Londres, 1er juil. 1966 : *La Vierge et l'Enfant* : **GNS 3 200** – Londres, 27 juin 1969 : *La Vierge et l'Enfant avec saint Étienne et saint Jérôme* : **GNS 6 000** – Londres, 10 juil. 1974 : *Vierge à l'Enfant* : **GBP 14 000** – Londres, 14 avr. 1978 : *Vierge à l'Enfant*, h/pan./fond or, fronton cintré (63x37,5) : **GBP 13 000** – New York, 5 juin 1980 : *La Vierge entourée de saint Pierre, saint Jean Baptiste et autres saints personnages*, h/pan./fond or (90,2x50,2) : **USD 30 000** – New York, 17 jan. 1985 : *Saint François et saint Jean l'Évangéliste*, temp./pan. (70x42) : **USD 9 000** – Londres, 4 juil. 1986 : *Le prophète Jérémie*, h/pan., fond or, fronton arrondi (34,9x18,1) : **GBP 15 000** – Venise, 29 nov. 1987 : *I santi Cristoforo, Paolo, Bernardino da Siena e Lorenzo nella cuspide da Vergina Annunciata*, temp./pan., fond or, haut cintré (190x69) : **ITL 100 000 000** – Londres, 8

juil. 1988 : *Les Saints Jacques le Majeur et Jacques le Mineur avec dans le coin inférieur la donatrice,* détrempe/pan. fond or (84x42) : **GBP 22 000** – Rome, 8 mai 1990 : *L'Annonciation,* temp./pan. (26x40,5) : **ITL 52 000 000** – Londres, 11 déc. 1991 : *Vierge à l'Enfant,* h. et temp./pan. fond or, sommet ogival (64,3x43,2) : **GBP 35 200** – Londres, 19 avr. 1996 : *Saint François recevant les stigmates,* h/pan. (68x20) : **GBP 36 700**.

FRANCHI Veronica
XVIIe siècle. Active à Bologne vers 1670. Italienne.
Peintre.
Élève d'E. Sirani elle peignit des portraits et des tableaux d'histoire parmi lesquels on cite : *L'enlèvement d'Hélène, Cléopâtre, Lucrèce.*

FRANCHINA Nino
Né en 1912 à Palmanova-di-Udine. Mort en 1987 à Rome. XXe siècle. Italien.
Sculpteur de monuments. Abstrait.
Il passa sa jeunesse à Palerme, puis résida à Milan en 1936-1937, il se fixa ensuite à Rome. Après la guerre de 1939-1945, il adhéra au *Front Nouveau des Arts* et figura, en tant que membre de ce groupe, à la Biennale de Venise de 1948. Il séjourna à Paris jusqu'en 1950, y montrant une exposition personnelle d'un ensemble de ses œuvres en 1949, et participant au Salon des Réalités Nouvelles en 1949 et 1950. En 1958, la Biennale de Venise lui consacra une salle entière. En 1959, il eut une importante participation à la Biennale de São Paulo. En 1962, il participa à l'exposition de Spolète *Sculptures dans la Cité.* En 1966 et 1972, la Biennale de Venise lui consacra de nouveau une salle entière. En 1973, il a participé à la Biennale de Sculpture de Anvers-Middelheim.
Figuratif avant la guerre, son séjour à Paris l'incita à évoluer à l'abstraction. Lors de ses participations au Salon des Réalités Nouvelles, il montra des œuvres monumentales, aux formes simplifiées à l'extrême, dans la lignée de Brancusi ou plutôt de l'art fonctionnel issu du Bauhaus. Il utilise alors les matériaux métalliques et les techniques industrielles dans des réalisations telles que : en 1953 *Métallurgie* et *Aérodynamique,* toutes deux en tôle, la seconde polychromée. Ensuite, il exécuta des sculptures aux formes frêles, en faisant ressortir dans l'espace leur fragilité quasi-vivante, qui évoquent des végétaux frémissants ou des animaux ailés : ainsi de *Trinacria* de 1955. Outre ces œuvres, dont la gracilité rappelle l'orfèvrerie, il a réalisé des œuvres monumentales : en 1960 à Cornigliano. En 1970, une sculpture de lui, de douze mètres de hauteur fut érigée à Lausanne. ■ J. B.
Bibliogr. : Giovanni Carandente : *Nino Franchina,* Officina Édit., Rome, 1968 – Giovanni Carandente, in : *Nouveau diction. de la sculpt. mod.,* Hazan, Paris, 1970.
Ventes Publiques : Milan, 22 avr. 1982 : *Caccia preferita,* h/pan. (28x45) : **ITL 550 000** – Rome, 7 avr. 1988 : *Héraldique,* encre/pap. (47,5x34) : **ITL 2 600 000** – Milan, 22 nov. 1993 : *Nike,* laiton (H. 33) : **ITL 1 340 000** – Milan, 2 avr. 1996 : *Sans titre* 1959, sculpt. (H. 63) : **ITL 3 450 000**.

FRANCHINI
XIXe siècle. Français.
Sculpteur.
Il travaillait à Troyes vers 1847.
Musées : Troyes : *Henri le Libéral, comte de Champagne,* statuette.

FRANCHINI Antonio
XIXe siècle. Italien.
Peintre de genre, sculpteur.
Musées : Arras : *Un sacrificateur.*
Ventes Publiques : New York, 17 jan. 1990 : *Personnages conversant sur une place,* h/t (52,1x68,6) : **USD 1 760** – New York, 23 mai 1990 : *Le petit émissaire de l'Amour,* marbre (H. 73,7) : **USD 121 000**.

FRANCHINI Giralomo
XVIIIe siècle. Actif à Este. Italien.
Graveur et faïencier.
Il grava les planches de l'œuvre d'Alessi *Ricerche stor.-crit. delle antichita di Este, 1776.*

FRANCHINI Jacopo
Né en 1665. Mort en 1736. XVIIe-XVIIIe siècles. Actif à Sienne. Italien.
Sculpteur et architecte.
Il érigea à Sienne l'Oratorio della Visitazione della Madonna et sculpta des statues à l'église SS. Concezione et à l'église S. Gaetano.

FRANCHINI Niccolo
Né en 1704 à Sienne. Mort en 1783. XVIIIe siècle. Italien.
Peintre.
Fils du sculpteur Giacomo Fanchini, il est l'auteur de : *Saint François de Sales,* au Baptistère San Giovanni ; *Saint Christophe,* à Saint-Augustin et *La mort de la Vierge,* à San Giorgio.

FRANCHINI Umberto
XXe siècle. Italien.
Peintre. Expressionniste.
Au moyen de bleus et de rouges violacés, il traite avec pessimisme, angoisse, tristesse la douleur humaine. Il fait jaillir d'une atmosphère nébuleuse des visages hallucinés. Sa peinture fait surtout penser à certains expressionnistes abstraits.

FRANCHINO Giovanni Battista
XVIIe siècle. Actif à Mendrisio (Tessin). Suisse.
Peintre.
En 1669 il peignit une *Pietà* pour la chapelle Maria Sonnenberg.

FRANCHOYS Lucas Elias
Né vers 1670. XVIIe siècle. Éc. flamande.
Peintre.
Il était le fils de Lucas Franchoys le jeune et fut son élève. Il fit un voyage à Rome. On sait peu de choses sur cet artiste.

FRANCHOYS Lucas, l'Ancien
Né le 25 janvier 1574 à Malines. Mort le 16 septembre 1643 à Malines. XVIe-XVIIe siècles. Éc. flamande.
Peintre de sujets religieux, portraits.
Père des peintres Lucas le jeune et Peeter Franchoys.
Musées : Anvers : *Éducation de la Vierge – Apparition de la Vierge et de l'Enfant Jésus à saint Simon Stock.*
Ventes Publiques : Paris, 1746 : *Élévation de la croix* : **FRF 294** – Bruxelles, 1797 : *Un sacrifice au dieu Terme,* trois autres dessins, ensemble : **FRF 23**.

FRANCHOYS Lucas, le Jeune
Né le 28 juin 1616 à Malines. Mort le 3 avril 1681 à Malines. XVIIe siècle. Éc. flamande.
Peintre d'histoire, compositions religieuses, portraits.
Il fut d'abord élève de son père Lucas Franchoys, puis de Rubens. Après la mort de ce dernier, il resta à Anvers, mais n'y trouvant pas de travail, il vint en France. Revenu à Malines, il entra dans la gilde en 1655.
Il peignit des tableaux pour diverses églises de sa ville natale. Intime de Jordaens, Van Dyck et J. Boeckhorst, il ne sut pas suffisamment dégager sa personnalité de celle de ces maîtres.
Musées : Amsterdam : *François Vilain de Tournai* – Malines – Toulouse : *Jésus persécuté.*
Ventes Publiques : Paris, 6 mai 1925 : *Portrait présumé de l'artiste* : **FRF 3 200** – Londres, 29 mars 1974 : *Portrait d'un gentilhomme* : **GNS 6 500** – Amsterdam, 24 mars 1980 : *Portrait d'homme,* h/t (59x50) : **NLG 3 500** – Amsterdam, 14 nov. 1991 : *Portrait d'un gentilhomme en buste vêtu d'un costume noir,* h/t (78,3x64,8) : **NLG 3 220**.

FRANCHOYS Paul. Voir **FRANCESCHI Paolo dei**

FRANCHOYS Peter
Né le 20 octobre 1606 à Malines. Mort en 1654 ou 1681 à Malines. XVIIe siècle. Éc. flamande.
Peintre d'histoire, portraits, paysages.
Fils de Lucas Franchoys, il fut élève de son père et de G. Seghers. Il travailla à Anvers et à Malines.

Peeter Franchoys

Musées : Berlin : *Portrait d'un jeune homme* – Cologne : *Portrait d'un vieillard* – Dresde : *Buste d'un chevalier* – Francfort-sur-le-Main : *Portrait d'homme* – Hambourg : *Portrait d'un jeune homme* – Lille : *Portrait de Gisbert Mutzarto.*
Ventes Publiques : New York, 12 jan. 1989 : *Portrait d'un architecte,* h/pan. (71x56) : **USD 6 600**.

FRANCI Agostino
XIXe siècle. Actif en Espagne. Italien.
Sculpteur.
Élève de l'Académie de Milan en 1860, il travailla à Séville et Regla (près de Cadix) de 1865 à 1867.

FRANCI Francesco
Né en 1658 à Sienne. Mort en 1721 à Sienne. XVIIe-XVIIIe siècles. Italien.
Peintre.
Sa ville natale possède un assez grand nombre de ses tableaux, parmi lesquels : *Saint Jérôme*, dans l'église de Fonte Giusla, et une *Dernière Cène*, dans le réfectoire des Osservanti.

FRANCIA, pseudonyme de **Tobacman Francia**
Née le 10 septembre 1950 à New York. XXe siècle. Américaine.
Peintre de paysages, collages, assemblages, installations, technique mixte.
Elle fit ses études à l'Art Students League de New York en 1967-1969 et fut diplômée au City College de New York en 1971.
Dès 1972, elle participe à des expositions collectives, notamment en 1972 et 1986 à New York ; 1973 Evansville ; 1975 Brooklyn ; 1984 à la Biennale d'Indianapolis et au Festival d'Élancourt ; 1985 et 1989 à Chicago ; 1993 à une exposition itinérante allant de Nashua à Portland, New Haven et Meridan ; 1995 à San Antonio au Texas.
Ses expositions personnelles se sont déroulées en 1973 au Musée d'Owensboro, en 1974 à Louisville, en 1979 à l'Université de New York, en 1989 à la Galerie J. Dauphin de Wilmington.
Si, à ses débuts, elle a peint des paysages réalistes, elle a ensuite créé des formes architecturales en bois peint dans des couleurs vibrantes où le rose domine, sur lesquelles elle a collé des photographies et autres éléments, voulant rappeler l'holocauste juif. Tout son art est rattaché à l'histoire et au rituel judaïque.
Musées : Evansville – Oswega (Tyler Mus., Oswega State University) – Owensboro (Mus. of Fine Arts) – Paris (BN).

FRANCIA, de. Voir au prénom

FRANCIA, Mme
XIXe siècle. Française.
Peintre.
Femme de Louis Francia, cette artiste exposa des paysages à la Royal Academy à Londres en 1801 et 1803.

FRANCIA Alexandre T.
Né en 1815 ou 1820 à Calais. Mort en 1884 à Bruxelles. XIXe siècle. Français.
Peintre de scènes de genre, paysages animés, marines, peintre à la gouache, aquarelliste.
Élève de son père Louis Francia, il exposa au Salon de Paris de 1841 à 1866. On cite de lui : *Échouement du Veloce*, tableau commandé par la ville de Calais, *Vue prise sur le canal de Guines, Naufrage du bateau pêcheur de Saint-Pierre de Dieppe à Calais, le 18 octobre 1791.*
Musées : Calais : quatre marines – Kaliningrad, ancien. Königsberg.
Ventes Publiques : Paris, 19 nov. 1919 : *Vue de Venise* : **FRF 235** – Paris, 27 avr. 1927 : *Pêcheurs sur la jetée*, aquar. : **FRF 520** – Paris, 22 mars 1928 : *Péniche sur un canal en Hollande*, aquar. : **FRF 450** – Paris, 17 fév. 1937 : *La Ferme au bord de l'eau* : **FRF 450** – Londres, 14 juin 1972 : *Scène de port au soir couchant* : **GBP 600** – Londres, 15 mars 1974 : *Scène de canal près d'Amsterdam* : **GNS 900** – Bruxelles, 10 déc. 1976 : *Vue de Quimperlé*, aquar. (30x23) : **BEF 32 000** – Londres, 17 fév. 1984 : *Pêcheurs et bateaux sur la plage*, h/t (23,5x31) : **GBP 700** – Londres, 15 mars 1984 : *Venise*, aquar./trait de cr. (35,5x56) : **GBP 850** – Londres, 16 juil. 1987 : *Boats on a river in a french town*, aquar. (18,5x31) : **GBP 2 400** – Londres, 19 juin 1991 : *Vue de Santa Maria della Salute à Venise*, aquar. (52x93) : **GBP 2 145** – New York, 15 oct. 1991 : *La Pause de midi*, aquar. et gche/pap. (42x68,5) : **USD 880** – Paris, 14 mars 1997 : *Retour de pêche*, aquar. (41x69) : **FRF 24 000**.

FRANCIA Angelo
Né à Rodez (Aveyron). XXe siècle. Français.
Sculpteur.
Exposa au Salon de Paris de 1867 à 1882. On cite parmi ses œuvres : *Théophile de Marcol*, buste ; *Darolle*, médaillon ; *Mgr Bauer*, buste ; *Marquise de Blocqueville*, buste en bronze ; *Aurélien Scholl*, buste en bronze.
Ventes Publiques : Paris, 25 sep. 1997 : *Buste de femme vêtue d'une robe dans le goût du XVIe*, bronze argentée (H. 39) : **FRF 17 000**.

FRANCIA Domenico
Né en 1702 à Bologne. Mort en 1758 à Bologne. XVIIIe siècle. Italien.
Peintre.
Fils du graveur Francesco Maria Domenico Francia, il étudia sous la direction de Ferdinand Galli (appelé Bibiena), puis il fut nommé architecte du roi de Suède.

FRANCIA Francesco Domenico Maria
Né en 1657 à Bologne. Mort en 1735 à Bologne. XVIIe-XVIIIe siècles. Italien.
Graveur à l'eau-forte et au burin.
Père du peintre Domenico Francia. Son œuvre gravé est important.

Ventes Publiques : Londres, 24 mai 1963 : *La Vierge et l'Enfant* : **GNS 900**.

FRANCIA Francesco Maria
XVIIIe siècle. Actif à Florence en 1752. Italien.
Graveur.

FRANCIA Francesco, de son vrai nom : **Francesco di Marco Raibolini**
Né en 1450 à Bologne. Mort le 5 janvier 1517 à Bologne. XVe-XVIe siècles. Italien.
Peintre d'histoire et graveur.
Il appartenait à une ancienne famille bolonaise. Au moment de sa naissance, la fortune familiale paraît en assez mauvaise posture. Son père, Marco Raibolini, graveur ou sculpteur sur bois, le place comme apprenti chez le joaillier Duc, dit Francia, dont plus tard il adoptera le surnom. Francesco Raibolini prend une place marquante parmi les bijoutiers de sa ville natale. Ses joyaux sont recherchés par les princes et les grands. Une lettre de 1546 le cite comme le premier orfèvre de Bologne. Il est aussi graveur de médailles ; il s'occupe des monnaies bolonaises ; il grave des caractères d'imprimerie et on lui attribue les premiers types d'*Italiques*, qu'il aurait fournis à Aldus-Manutius. Tous ses travaux décèlent une égale supériorité sur les productions de ses confrères. Sa carrière comme orfèvre est notamment marquée par ses admirables nielles. On lui donne généralement comme maîtres Marco Zoppo et Squarcione. On croit aussi que la venue de Lorenzo Costa à Bologne en 1483, influa sur la détermination de Raibolini de se livrer à la peinture. Il ne paraît pas probable que Francia fut l'élève de Costa ; son âge, sa notoriété artistique, excluent l'idée de toute subordination à un homme moins âgé que lui. Mais une grande intimité s'établit entre les deux artistes qui habitaient la même maison. Ils travaillèrent ensemble, notamment à un tableau d'autel pour l'église de la Misericordia. Le panneau central fut exécuté par Francia, le reste par Lorenzo Costa. Les premières productions de cette collaboration ou tout au moins les œuvres exécutées par Francia et Lorenzo au début de leur connaissance sont d'une exécution si semblable qu'elles ont pu être attribuées indifféremment à l'un et à l'autre ; mais à la longue, la supériorité de Francia s'affirma.
Le premier tableau daté connu de Francia, une *Madone, l'Enfant Jésus et six saints*, conservé à la Galerie de Bologne, est de 1494. La sûreté de la technique semble infirmer que ce serait le premier ouvrage, comme l'affirme Vasari. On cite de l'année suivante une peinture représentant *La Vierge, l'enfant Jésus et saint Joseph*, et qui fut acquise en 1892 à la Vente Dudley par le comte Jean Palffy. En 1499 Raibolini peignit pour Giovanni Benlevoglio le tableau d'autel de la chapelle qu'il avait fait construire dans l'église de San Giacomo Maggiore. Ce tableau valut à Francia la commande de sa *Nativité*, actuellement à la Galerie de Bologne et qu'il peignit pour l'église della Misericordia. Pour la même église Raibolini exécuta la petite prédelle, représentant la naissance et la mort du Christ (au même Musée). La Galerie de Bologne conserve aussi la célèbre *Vierge de la famille Masignoli*, que, suivant Vasari, Francia fit pour la même église. En 1500, Francia peignit une *Annonciation* pour l'église de l'Annunziata hors les murs. De 1502 date le tableau *La Vierge glorieuse, l'Enfant Jésus et des saints*. On cite de la même année deux *Annonciation*, l'une conservée à la Galerie de Bologne, l'autre, exécutée pour le duc de Mantoue, actuellement à Milan. Vasari mentionne encore une *Naissance du Christ*, peinte pour Polo Zambeccaro, maintenant à la Galerie de Farli. On croit pouvoir classer de la même période une *Madone et deux saints*, au Musée de Vienne ; un *Saint François*, dans la collection du Dr Frizzoni ; *La Madone dans le jardin des roses*, à Munich ; *La tête de l'homme de douleurs portant sa croix*, à Bergame ; une *Figure de saint Sébastien*, au duc de Fernan Nuñez, à Madrid ; une *Présentation au temple*,

à Cesena. Une mention spéciale est due à l'importante peinture conservée à l'église de San Martino Maggiore, à Bologne et que l'on admire encore dans la chapelle où la plaça l'artiste. On ne saurait omettre l'admirable *Annonciation*, d'une poésie si pénétrante faisant partie des collections de Chantilly. En 1505, Francia peignit pour l'Hôtel de Ville de Bologne la *Madone del Terremoto*. De 1506 datent les fresques qu'il peignit dans la chapelle de Santa Cecilia représentant *Le mariage de sainte Cécile* et *l'Enterrement de sainte Cécile*. Dans l'ordre chronologique, nous trouvons daté de 1509 *Le Christ mort*, du Musée de Dresde. On cite encore une œuvre de 1512, une de 1514 et deux de 1515, une à Parme, l'autre à Turin.
Indépendamment de ces ouvrages de dates précises, l'œuvre de Francia comprend de nombreuses peintures, notamment ses admirables madones, d'un caractère si particulier. Vasari rapporte que de son temps on le considérait à Bologne comme un Dieu, tandis que certains critiques modernes le considèrent comme un imitateur. Gruyer notamment dit qu'il copia Perugin.

■ E. Bénézit

francia aurifabr bonon.

Musées : Bergame (Acad. Carrara) : *Christ en croix* – Berlin : *Vierge en gloire et saints* – *Sainte famille* – Béziers : *Vierge et Enfant Jésus* – *Saint François en extase* – Bologne : *Vierge et saints* – Bordeaux : *Christ en croix* – Budapest : *Vierge, Enfant Jésus et deux anges* – *Vierge, Enfant Jésus et petit saint Jean* – Chantilly : *Annonciation* – Cologne : *Madone* – Dijon : *Vierge et Enfant Jésus* – Dresde : *Baptême du Christ* – *Adoration des Mages* – Dublin : *Lucrèce se perçant d'un glaive* – La Fère : *Sainte Famille* – Florence (Gal. Nat.) : *Évangéliste* – Florence (Pitti) : *Deux portraits d'hommes* – *Vierge et Enfant Jésus* – Gênes : *Portrait d'homme* – Glasgow : *Nativité* – Londres (Nat. Gal.) : *Vierge, Enfant Jésus et sainte Anne sur des trônes, entourés de saints* – *Christ pleuré* – *Vierge, Enfant Jésus et deux saints* – Milan (Brera) : *Annonciation* – Munich : *Madone dans un buisson de roses* – *Vierge et Enfant Jésus* – Nice : *Vierge, Enfant Jésus, saint Jean Baptiste et sainte Catherine* – Paris (Louvre) : *Nativité* – *Christ en croix* – *Vierge, Enfant Jésus et plusieurs saints*, trois versions – Parme : *Déposition de croix* – *Vierge, Enfant Jésus, saint Jean* – *Vierge et Enfant Jésus, plusieurs saints* – Rome (Borghèse) : *Vierge et Enfant Jésus* – *Saint Étienne* – Rome (Vatican) : *Vierge, Jésus et saint Jérôme* – Saint-Pétersbourg (Ermitage) : *Vierge et Enfant Jésus* – Turin : *Mise au tombeau* – Vérone : *Vierge, Enfant Jésus et saints.*

Ventes Publiques : Paris, 1793 : *Sainte Famille avec saint Pierre et saint Paul* : **FRF 2 500** – Paris, 1847 : *Sainte Famille* : **FRF 1 080** – Paris, 1859 : *L'Annonciation* : **FRF 2 080** ; *La Vierge et l'Enfant Jésus* : **FRF 3 432** – Paris, 1863 : *Portrait d'homme* : **FRF 1 200** ; *Saint Joseph et la Vierge adorant l'Enfant Jésus* : **FRF 2 050** – Paris, 6 fév. 1865 : *La Vierge portant sur ses genoux l'Enfant Jésus* : **FRF 21 500** ; *La Vierge et l'Enfant* : **FRF 14 000** – Paris, 1867 : *Sainte Famille* : **FRF 18 000** – Paris, 1870 : *Vierge et Enfant Jésus* : **FRF 3 000** – Londres, 1874 : *La Vierge, l'Enfant Jésus, saint Jean et deux anges* : **FRF 17 050** – Londres, 1898 : *La Vierge et l'Enfant Jésus* : **FRF 12 600** – Londres, 24 mars 1899 : *La Madone et l'Enfant Jésus* : **FRF 3 800** – Londres, 4 et 5 juin 1907 : *La Vierge au donateur* : **FRF 8 000** ; *La Vierge, l'Enfant Jésus, saint Laurent et un pape* : **FRF 11 000** – Londres, 12 juin 1919 : *La Vierge et l'Enfant* : **FRF 16 000** – Londres, 19 et 20 avr. 1921 : *La Vierge, l'Enfant et une sainte* : **FRF 1 610** – Londres, 25 fév. 1924 : *Saint Michel*, pl. et lav., reh. : **FRF 1 000** – Londres, 26 oct. 1925 : *La Vierge et l'Enfant entre deux saints personnages, fond de paysage* : **FRF 1 500** – Londres, 13 déc. 1926 : *La Vierge, l'Enfant Jésus, saint Jean, saint Joseph et un donateur*, École de R. : **FRF 10 100** – Londres, 19 déc. 1928 : *La Vierge, l'Enfant Jésus et saint Jean* : **FRF 5 000** – Londres, 24 avr. 1929 : *La Vierge et l'Enfant* : **FRF 4 000** – New York, 10 avr. 1930 : *La Vierge et l'Enfant et saint Jean entourés de saints* : **USD 1 700** – New York, 4 jan. 1935 : *La Vierge et l'Enfant saint Jean et saint François* : **USD 500** – New York, 6 mai 1937 : *La Vierge, l'Enfant, saint Jean et des saints* : **USD 350** – Paris, 28 fév. 1938 : *Saint Sébastien*, pl. et lav. de bistre, reh. de gche : **FRF 1 000** – Paris, 18 juin 1943 : *La Vierge et l'Enfant Jésus*, manière de R. : **FRF 6 300** – Paris, 20 déc. 1943 : *La Vierge et l'Enfant Jésus*, manière de R. : **FRF 18 000** – New York, 15 jan. 1944 : *La Vierge et l'Enfant, entourés de saints* : **USD 12 000** – New York, 4 mai 1944 : *Le mariage de sainte Catherine* : **USD 2 900** – New York, 2 déc. 1944 : *La Vierge, l'Enfant et saint François* : **USD 2 000** – New York, 31 jan. 1946 : *Sainte Marie-Madeleine* : **USD 425** ; *Tête de Nicodème* : **USD 425** – Londres, le 28 mai 1965 : *La Sainte Famille* : **GNS 1 100** – Paris, 20 juin 1966 : *La Vierge et l'Enfant entourés de deux saints* : **FRF 21 000** – Enghien-les-Bains, 27 fév. 1983 : *Vierge au parapet*, h/pan. (60x48) : **FRF 140 000** – Londres, 21 avr. 1989 : *Les lamentations*, h/pan. (31,8x39,5) : **GBP 41 800** – New York, 1er juin 1989 : *Vierge à l'Enfant avec un ange et saint Jean*, h/pan. (58x48,9) : **USD 407 000.**

FRANCIA Giacomo, de son vrai nom : **Raibolini Giacomo**

Né avant 1486. Mort en 1557 à Bologne. xvie siècle. Italien.

Peintre de compositions religieuses, graveur.

Il était fils de Francesco Francia. Il exécuta la plupart de ses œuvres en collaboration avec son frère Giulio. Il fut également orfèvre.

Musées : Bologne (église San Stefano) : *Crucifixion avec saint Jérôme et saint François* – Bologne (église S. Cristina) : *Naissance du Christ* – *Adoration des Mages* – Bologne (Acad.) : *Vierge, saint Jean et quatre saints*, provenant de l'église San Francesco – Madrid (Prado) : *Sainte Marguerite entre saint Jérôme et saint Jean* – Milan (Acad. Brera) : *Vierge avec des Anges, quatre saints et quatre religieuses*, provenant de l'église S. Gervasio e Protasio de Bologne – Modène (Gal. de) : *Assomption avec les Apôtres*, provenant de la cathédrale de Mirandola – Parme (église S. Giovanni Evangelista) : *Naissance du Christ.*

Ventes Publiques : Londres, 1er fév. 1924 : *Madone* : **GBP 25** – Londres, 24 nov. 1924 : *Mariage mystique de sainte Catherine* : **GBP 16** – Londres, 11 juin 1926 : *Tête de donateur* ; *Tête de femme*, les deux : **GBP 73** – Londres, 28 et 29 juil. 1926 : *Pietà* : **GBP 21** – Londres, 15 juil. 1927 : *La Madone et l'Enfant* : **GBP 220** – Londres, 8 fév. 1928 : *Pietà* : **GBP 23** – Londres, 27 avr. 1934 : *La Madone et l'Enfant* : **GBP 33** – Londres, 21 mai 1935 : *Sainte Famille* : **GBP 15** – Londres, 9 juil. 1936 : *Adoration des Mages* : **GBP 38** – Londres, 14 déc. 1938 : *Madone et l'Enfant* : **GBP 88** – Londres, 6 mars 1940 : *Madone et l'Enfant* : **GBP 36** – Londres, 3 mai 1940 : *Madone et l'Enfant* : **GBP 6** – Londres, 18 déc. 1940 : *Madone et l'Enfant* : **GBP 11** – Londres, 20 août 1941 : *Madone et l'Enfant* : **GBP 30** – Londres, 5 déc. 1941 : *Sainte Famille et saint Antoine de Padoue* : **GBP 157** – Londres, 14 août 1942 : *Madone et Enfant* : **GBP 31** – New York, 4 nov. 1944 : *Madone et Enfant* : **USD 3 000** – Milan, 12 et 13 mars 1963 : *La Vierge et l'Enfant avec saint Pierre et saint Sébastien* : **ITL 2 700 000** – Londres, 2 juil. 1965 : *La Vierge et l'Enfant* : **GNS 600** – Florence, 10 avr. 1974 : *La Vierge et l'Enfant avec saint Jean Baptiste enfant* : **ITL 6 400 000** – Londres, 14 juin 1984 : *Vénus et Cupidon dans les nuages*, grav./cart. (30,7x21,5) : **GBP 2 200** – Florence, 27 mai 1985 : *La Sainte Famille avec une sainte*, h/pan. (60x46,5) : **ITL 15 000 000** – Londres, 5 déc. 1985 : *Vénus et Cupidon* vers 1528-31, grav./cart. (30,6x21,7) : **GBP 6 000** – New York, 31 mai 1989 : *Vierge à l'Enfant avec Saint Jean Baptiste enfant*, h/t (61x50) : **USD 49 500** – New York, 10 jan. 1990 : *La Sainte Famille et saint François*, h/pan. (67,9x52,2) : **USD 24 200** – Londres, 9 avr. 1990 : *Vierge à l'Enfant*, h/pan. (59,5x44) : **GBP 33 000** – Paris, 9 avr. 1991 : *La Vierge à l'Enfant avec sainte Catherine*, h/pan. (57,5x49,5) : **FRF 180 000** – New York, 16 jan. 1992 : *Le mariage mystique de sainte Catherine*, h/pan. (64,7x53,3) : **USD 104 500** – Londres, 23 avr. 1993 : *Vierge à l'Enfant avec saint Jean Baptiste*, h/pan. (61x48,2) : **GBP 29 900** – Milan, 28 nov. 1995 : *Vierge à l'Enfant avec deux saints*, h/pan. (74x56) : **ITL 69 000 000** – Londres, 19 avr. 1996 : *Vierge à l'Enfant avec un berger dans un paysage*, h/pan. (55,9x42,2) : **GBP 21 850.**

FRANCIA Giovanni Battista

Né le 27 juin 1533. Mort le 13 mai 1575 à Bologne. xvie siècle. Italien.

Peintre de compositions religieuses.

Il était fils de Giulio Francia et exécuta quelques travaux dans les églises de Bologne.

Ventes Publiques : Milan, 31 mai 1966 : *Vierge à l'Enfant et deux saints*, temp. sur bois : **ITL 7 000 000** – New York, 18 jan. 1983 : *La Vierge et l'Enfant avec saint Joseph et saint Christophe*, h/pan., fond or (62x51,5) : **USD 6 500.**

FRANCIA Giulio

Né le 20 août 1487. Mort en 1540. xvie siècle. Actif à Bologne. Italien.

Peintre et orfèvre.

Fils de Francesco Francia, il travailla avec son frère Giacomo. Parmi ses œuvres personnelles on mentionne quelques peintures de saints aux piliers de l'église S. Giovanni in Monte à Bologne, un tableau d'autel à l'église S. Margarita, deux tableaux à l'église S. Sigismondo.

FRANCIA Juan Bautista
XVIIe siècle. Espagnol.
Graveur.
Il fut à Valence élève de F. Quesadez. Il grava des portraits parmi lesquels on cite ceux de *Fray Marcelo Marona*, de *Sœur Josefa Maria de S. Ines de Beniganim*, du Grand-Maître de Malte, *Don Ramon Rabaza de Perellos*, et parmi ses gravures de sujets religieux, celui de la bulle d'indulgences de l'archevêque de Valence Fray J. T. Rocaberti.

FRANCIA Louis François Thomas
Né le 21 décembre 1772 à Calais. Mort le 6 février 1839 à Calais. XVIIIe-XIXe siècles. Français.
Peintre de paysages, marines, aquarelliste.
Cet artiste, dont les ouvrages furent très recherchés, alla se fixer à Londres, où il devint secrétaire perpétuel de la société des aquarellistes, et peintre du duc d'York. Il devint le maître de Bonington. Revenu en France vers les dernières années de sa vie, il participa aux Salons du Louvre, en 1835, avec *Marine, plage à marée basse, suite d'un gros temps* ; en 1836, avec *Les Contrebandiers*, en 1838, avec *Famille de pêcheurs* ; *Vue du Pont-Avenue en Basse-Bretagne* ; *Vue du Tréport en Normandie, effet du soir* ; *Intérieur de port en Bretagne le matin* ; *Plage de Picardie* ; *Marée basse* et en 1839 avec : *Naufrage de l'Amphitrite* ; *Vue prise sur la Seine près de Marly* ; *Le Fort Rouge à Calais, le soir* ; *Vue d'Amsterdam, le matin* ; *Dieppe, marée basse* ; *Le Canal de Rotterdam*.
Son style s'apparente parfois à celui de Turner.

Musées : Calais : *Marines*, cinq aquarelles – Cardiff : *Maisons le long du chemin* – *Paysage avec cottage* – Clamecy : aquarelles – Dublin : *Calais*, aquar. – Londres (Victoria and Albert Mus.) : aquarelles – Manchester : aquarelles – Norwich : *Sauvetage d'un vaisseau à Yarmouth* – Périgueux : aquarelles.
Ventes Publiques : Londres, 30 nov. 1923 : *Bateaux échoués*, dess. : **GBP 14** – Londres, 30 juil. 1924 : *Marée haute* : **GBP 19** – Londres, 10 nov. 1933 : *Un chemin à travers bois* : **GBP 44** – Londres, 27 juil. 1938 : *Mouse Hold Heath* : **GBP 14** – Londres, 4 mars 1943 : *Paysage boisé*, aquar. : **GBP 25** – Londres, 11 mars 1969 : *Bateaux au large de Dunkerque*, aquar. : **GNS 360** – Londres, 6 juin 1972 : *Le port de Calais à marée basse* : **GNS 1 600** – Londres, 24 nov. 1977 : *L'Observatoire de Greenwich, avec l'artiste assis, dessinant* 1828, aquar. (27,5x43) : **GBP 850** – Londres, 20 mars 1979 : *Les quais de Calais*, aquar. (12,5x20) : **GBP 2 200** – Londres, 16 juil. 1981 : *Pêcheur sur la plage*, aquar. (16,5x31) : **GBP 2 100** – Londres, 30 mars 1983 : *Portsmouth harbour from Portsdown Hill* 1808, aquar./trait de cr. (18,5x31) : **GBP 3 700** – Londres, 9 juil. 1985 : *Voiliers par forte mer* 1835, aquar. (16,2x25,5) : **GBP 7 500** – Paris, 21 mars 1990 : *Bord de rivière*, aquar. (34x54) : **FRF 9 000** – Calais, 9 déc. 1990 : *Marine* vers 1830 (87x98) : **FRF 63 000** – Londres, 30 jan. 1991 : *Voiliers échoués près d'un château avec des montagnes à l'arrière-plan* 1831, aquar. (47,5x64) : **GBP 385** – Le Touquet, 19 mai 1991 : *Bateaux à la sortie du port*, h/t (37x56) : **FRF 47 000** – Paris, 5 juil. 1993 : *Dunkerque – l'avant port*, aquar. (9,5x18) : **FRF 8 000** – Paris, 29 nov. 1995 : *Vaisseaux par mer forte* 1834, aquar. (41x55) : **FRF 15 000**.

FRANCIA Pietro. Voir **TOSCHI Pier Francesco**

FRANCIABIGIO, appelé aussi **Francesco di Cristofano** ou **Francesco Bigi,** ou **Bigio**
Né en 1482 à Florence. Mort en 1525 à Florence. XVIe siècle. Italien.
Peintre d'histoire et de portraits.
Il fut très connu pour ses portraits, dont on trouve des spécimens dans diverses galeries de l'Europe. Albertinelli lui donna des conseils et il étudia aussi à la chapelle Brancacci. Quelques-unes de ses fresques, très intéressantes malgré les ravages du temps, se trouvent encore dans les églises San Giovanni-Battista della Calza, et Santa Maria del Candeli, à Florence. Il était fils de Christofano di Francesco d'Antonio, peintre milanais. Il fut l'ami très intime et l'associé d'Andrea del Sarto et ses premiers ouvrages importants furent exécutés en collaboration du maître florentin dans le couvent des Servites et dans celui de l'Annunziata, avec le *Mariage de la Vierge*. On raconte qu'un des moines ayant découvert une des fresques peintes par Franciabigio avant que celui-ci ne la considérât comme terminée, le peintre en conçut une si violente colère qu'il détruisit à coup de marteau plusieurs têtes de la composition, à laquelle il ne voulut jamais toucher depuis. Pendant le séjour de del Sarto en France, Bigio continua ses travaux. Il exécuta un *Triomphe de Cicéron* pour le décor du Salon de Poggio à Caiano. Son œuvre est sensiblement partagé entre deux influences, tantôt celle de Léonard, avec le *Triomphe d'Hercule* et *Job* (Florence), tantôt celle de Raphaël, avec le *Jeune homme* (Louvre), et la *Sainte Famille* (Vienne).

Musées : Barnard Castle (Bowes) : *Portrait d'homme* – Berlin : *Portrait* – Bruxelles : *Léda* – Dresde : *Histoire de Bethsabée* – Florence (Offices) : *La glorification d'Hercule* – *Vierge au puits* – *Vierge avec saint Jean Baptiste et Job* – Florence (Pitti) : *Portrait* – *La calomnie d'Apelle* – Londres (Nat. Gal.) : *Portrait d'homme* – Paris (Louvre) : *Portrait d'homme* – *Portrait de jeune homme* – Paris (Jacquemart André) : *Sainte Marie l'Égyptienne recevant la dernière communion de la main de Zozime* – Turin : *L'Annonciation* – Vienne : *Sainte Famille* – Vienne (Liechtenstein) : *Portrait* – Wiesbaden : *Histoire de Lucrèce*.
Ventes Publiques : Paris, 29 et 20 avr. 1920 : *La Vierge, l'Enfant et saint Joseph*, attr. : **FRF 5 100** – Londres, 12 fév. 1932 : *Sainte Famille* : **GBP 23** – Londres, 20 avr. 1932 : *Vierge et Enfant* : **GBP 18** – Londres, 27-29 mai 1935 : *Portrait d'homme*, dess. à la craie : **GBP 300** – Londres, 16 avr. 1937 : *Gentilhomme* : **GBP 29** – New York, 24 mai 1944 : *Portrait d'homme* : **USD 300** – Londres, 2 mars 1945 : *Portrait d'homme portant une barbe* : **GBP 31** – Londres, 11 oct. 1946 : *Samson tuant le lion* : **GBP 115** – Versailles, 20 mai 1965 : *Portrait de jeune femme portant les attributs de sainte Catherine* : **FRF 22 000**.

FRANCIÈRE Jean de
XVIe siècle. Français.
Sculpteur.
Probablement parent de Gérard Francières. Il habita Beauvais en 1579-1580, et y travailla à différentes pièces de bois sculpté, qu'il destinait à la clôture du chœur de l'église Saint-Vivien, de Rouen. Il se rendit ensuite à Amiens et y fit un retable pour l'église Saint-Pierre, de Roye (Somme) en 1594 et les armes du roi sur le nouvel Hôtel de Ville en 1595.

FRANCIÈRES Gérard de ou **Franssières**
XVIe siècle. Français.
Sculpteur.
Avec Firmin Cadot, il fit, en 1545, deux figures de prophètes pour la grande salle de l'Hôtel de Ville d'Amiens. François Louvel, sieur de Glisy, le chargea en 1549, d'un groupe : *La Samaritaine donnant à boire au Christ*. Ce groupe, qui figura dans l'ancien cimetière de Saint-Denis, est aujourd'hui détruit.

FRANCIÈRES Jacques de. Voir **FRANSSIÈRES**

FRANCILLON Anny. Voir **LIEROW Anny**

FRANCILLON René
Né le 28 décembre 1876 à Lausanne ou Genève. Mort en 1973. XXe siècle. Suisse.
Peintre, sculpteur, graveur.
Il fut élève de l'École des Arts Appliqués de Genève. Son tableau *Automne* est mentionné dans le catalogue de l'exposition de 1909 de Munich. Il connut une certaine notoriété dans son pays.
Ventes Publiques : Lucerne, 30 sep. 1988 : *Rue de village*, h/t (46x56) : **CHF 750**.

FRANCIN, pseudonyme de Mme **Marie Bouasse Francine**
XIXe siècle. Active à Paris. Française.
Graveur.
Sociétaire perpétuelle des Artistes Français depuis 1887. Mention honorable en 1889.

FRANCIN Claude
Né en 1702 à Strasbourg. Mort le 19 mars 1773 à Paris. XVIIIe siècle. Français.
Sculpteur.
Le 31 janvier 1767, il fut reçu académicien pour son *Christ attaché à la colonne*, qui se trouve aujourd'hui au Musée du Louvre. Le 29 août 1767 il fut nommé professeur. Il figura à l'Exposition du Louvre de 1737 à 1745. Ses œuvres principales sont : *Enfant dormant sur un oreiller* (terre cuite), *Daniel sauvant Suzanne au*

moment où on la conduit à la mort, Deux anges (au fronton de l'église Saint-Roch), *Deux pères de l'église latine* (groupe pour le portail de Saint-Roch), *Ganymède* (statue pour le roi). Le Musée de Versailles conserve de lui le *Buste de d'Alembert*. Deuxième prix en 1729, premier prix en 1730.

FRANCIN François Alexis. Voir **FRANSIN**

FRANCIN Guillaume
Né en 1741 à Paris. Mort en 1830. XVIIIe-XIXe siècles. Français.
Sculpteur.

Fils de Claude Francin, il étudia d'abord avec son père, puis il entra dans l'atelier de Coustou. En 1793, il envoya au Louvre : *L'Amour qui couronne l'amitié* (statue en marbre) et en 1800 : *Jacques Angot, évêque d'Auxerre* (buste).

Musées : Langres : *Buste de Marivetz* – Paris (Louvre) : *Gluck*, marbre, buste d'après Houdon – *Peiresc* – Paris (Mus. des Monuments Français) : *D'Alembert*, marbre, buste – Versailles : *Jean Goujon*.

FRANCINI Alexandre
Mort en 1648. XVIIe siècle. Français.
Sculpteur.

Sous le règne d'Henri II, cet artiste, sans doute d'origine italienne, travailla au château de Fontainebleau ; il fit la fontaine du *Persée*, dans la cour des fontaines, et décora les cascades du parc et la fontaine de Diane. Ces œuvres furent en partie démolies sous Louis XIV.

Ventes Publiques : Paris, 10-11 avr. 1929 : *Entablement de corniche. Un triomphe de Neptune*, dess. : **FRF 180**.

FRANCINI Filippo ou **Franchini** ou **Franzini**
Originaire de Florence. XVIIe siècle. Italien.
Peintre.

Il fut l'élève et l'aide d'Agostino Tasso. Après avoir travaillé avec celui-ci à Livourne et à Gênes il vint en 1610 à Rome où il exécuta avec lui des peintures dans la Sala regia du Quirinal et au Plazzo Altemps ; ils travaillèrent également ensemble à Bagnaja.

FRANCINO
Originaire de Fivizzano. XVIIe siècle. Italien.
Sculpteur.

L'église S. Antonio de Fivizzano lui doit une statue de marbre du *Christ ressuscité*.

FRANCINO Giovanni
Originaire de Pinerolo. XVe siècle. Italien.
Peintre.

Il exécuta en 1410 un tableau d'autel pour l'église des frères mineurs à Nice.

FRANCIOLI Enrico
Probablement originaire de Milan. XIXe siècle. Italien.
Peintre.

Il est mentionné à Saint-Pétersbourg de 1855 à 1858. Il y exposa à l'Académie une *Annonciation* qui lui valut un diplôme ; il fut chargé de la rénovation d'un tableau de plafond dans la Salle des Fêtes du Grand Palais de Tsarkoïé Selo. Plus tard, à Milan, il peignit dans l'église S. Simpliciano une fresque dans la chapelle du Rosaire.

FRANCIONE Pedro, dit **Pietro Hispano**
XVIe siècle. Espagnol.
Peintre d'histoire.

Ses œuvres sont à Naples.

FRANCIOTTI Brigida
XVIe siècle. Active à Lucques. Italienne.
Peintre et sculpteur.

Cette artiste était religieuse au Couvent de S. Giorgio à Lucques.

FRANCIS. Voir aussi **CONSCIENCE Francis Antoine**

FRANCIS F. L.
XVIIIe-XIXe siècles. Britannique.
Peintre de paysages, aquarelliste.

Il est cité par le *Art Prices Current*.

Ventes Publiques : Londres, 28 mai 1908 : *Rivière dans la montagne* 1801, aquar. : **GBP 3**.

FRANCIS Filip
Né le 10 avril 1944 à Duffel. XXe siècle. Belge.
Artiste d'installations, performances, peintre, dessinateur. Conceptuel.

Depuis 1965, il participe à de nombreuses expositions, manifestations collectives, surtout dans les galeries des principales villes et dans les principaux musées de Belgique, notamment Anvers, dont : 1968 Bruxelles *Prix de la jeune peinture belge*, au Palais des Beaux-Arts ; ainsi que dans d'autres pays, dont : 1972 Triennale d'Eindhoven, Van Abbemuseum ; 1974 Paris *15 jeunes artistes belges*, galerie de Varenne ; et Stuttgart *Tendances de l'art actuel en Belgique* ; 1976 Aarhus *Vidéo International*, Kunstmuseum ; etc. Il se produit aussi dans des expositions personnelles : 1970 Berchem ; 1973 Maastricht ; 1975 Anvers ; 1976 Maastricht ; etc. En outre, depuis 1966, il développe ses idées à l'occasion de nombreuses actions-performances, à Bruxelles, Anvers, Gand, etc.

Il a d'abord utilisé des schémas graphiques traditionnels, puis a compris que le film et la vidéo étaient mieux appropriés à ses démonstrations. Ses moyens d'expérimentation, étant différents dans chacune de ses interventions, ne pourraient être transcrits qu'au long de son itinéraire personnel ; ils les considère lui-même comme constituant son journal intime. Son projet fondamental consiste à mettre en évidence la notion d'espace-temps. Ses démonstrations, selon certains commentateurs, ne seraient pas tout à fait exemptes d'un certain humour : par exemple, soit au cours d'une action en direct, soit retracée par le film ou la vidéo, écrire le même chiffre ou le même mot ou la même injure dans des langues différentes, pendant un laps de temps prédéterminé ; exemple plus précis : *Une limitation infinie*, de 1973, est le résultat de l'écriture de deux mots, répétée rigoureusement et avec persévérance pendant 9 jours et 9 nuits. L'élément temps est présent dans toute l'œuvre de Francis comme réalité subjective et objective, tant pour l'artiste que pour le spectateur. Florent Bex précise : « L'œuvre de Filip Francis est un journal d'expérience, d'analyses et de réflexions sur la réalité. Elle témoigne de ses explorations dans le monde des réalités sensorielles et dans le monde de la réflexion... » ■ J. B.

Bibliogr. : Florent Bex, in : Catalogue de l'exposition *Filip Francis*, Internationaal Cultureel Centrum, Anvers, 1977, importante documentation.

Musées : Amiens (FRAC Picardie) : *En regardant à gauche de la main droite et en regardant à droite de la main gauche* 1993, past. – Marseille (FRAC Alpes-Côtes d'Azur) : *Le Champ de vision périphérique en regardant à gauche et en regardant à droite* 1993 – Montpellier (FRAC Languedoc-Roussillon) : *Copie de « La rencontre » de Courbet dans le champ de la vision périphérique* 1994.

FRANCIS James
Né en 1949. XXe siècle. Canadien.
Sculpteur. Abstrait.

Dans les années quatre-vingt, il expose à Paris, au Salon des Réalités Nouvelles.

Bien qu'abstraites, ses sculptures peuvent évoquer des idées formelles : flammes, baiser...

FRANCIS John
Né le 3 septembre 1780 dans le Lincolnshire. Mort le 30 août 1861. XIXe siècle. Britannique.
Sculpteur de bustes.

Il a exposé de 1820 à 1857 à la Royal Academy, à la British Institution et à Suffolk Street.

Musées : Londres (Nat. Gal.) : *John Ier, comte de Russell* – *Arthur Wellesley, duc de Wellington* – Melbourne : *Lord Melbourne*.

FRANCIS John Deffett
Né en 1815 à Swansea. Mort le 21 février 1901 à Swansea. XIXe siècle. Britannique.
Peintre de genre.

Il exposa à la Royal Academy, à la British Institution et à Suffolk Street, à Londres, de 1837 à 1860.

Ventes Publiques : Londres, 4 juin 1908 : *Jeune fille de Forborn* : **GBP 3** – Londres, 12 nov. 1992 : *Le Petit Chaperon rouge* 1859, h/t (120,5x81,5) : **GBP 2 750** – New York, 26 fév. 1997 : *Le Petit Chaperon rouge*, h/t (120,6x81,3) : **USD 7 475**.

FRANCIS John F.
Né en 1808 à Philadelphie. Mort en 1886. XIXe siècle. Américain.
Peintre de portraits, natures mortes, fleurs et fruits.

Il travailla dans les années 1830-40, comme peintre de portraits en Pennsylvanie, dans l'Ohio et dans le Tennessee avant de devenir peintre de natures mortes dans les années 1850. Il exposa aux salons annuels de l'Académie des Beaux-Arts de Pennsylvanie en 1847, 1855 et 1859. Son activité semble s'être arrêtée en 1879.

John F. Francis s'est inscrit dans la tradition de beau métier d'observation et de méticulosité des peintres, surtout hollandais, de fleurs et fruits du XVIIIe siècle.

J Francis 1866

Ventes Publiques : New York, 22 mars 1978 : *Fruits et vin* 1858, h/t (63,5x76,2) : **USD 65 000** – New York, 11 déc. 1981 : *Gâteaux, vin et fruits* 1852, h/t (50,8x61) : **USD 20 000** – New York, 1er juin 1984 : *Desserts sur une table*, h/t (38,4x48,5) : **USD 24 000** – New York, 29 mai 1987 : *Panier de cerises* 1868, h/t (26,7x34,5) : **USD 65 000** – New York, 26 mai 1988 : *Pommes et noisettes*, h/t (26,5x34,3) : **USD 13 200** – New York, 1er déc. 1988 : *Nature morte avec ananas, oranges et noix* 1865, h/pan. (25,4x29,8) : **USD 9 900** – New York, 25 mai 1989 : *La Table des goûteurs de vin* 1858, h/t (64,1x76,4) : **USD 264 000** – New York, 24 mai 1990 : *Nature morte aux pêches et poires*, h/t (38,1x48,2) : **USD 12 100** – New York, 22 mai 1991 : *Nature morte aux pommes et châtaignes*, h/cart. (28x36) : **USD 10 450** – New York, 28 mai 1992 : *Nature morte de pommes et châtaignes*, h/t (63,5x76,2) : **USD 22 000** – New York, 3 déc. 1992 : *Nature morte à la corbeille de groseilles* 1866, h/t (26,7x33,7) : **USD 26 400** – Monaco, 2 juil. 1993 : *Nature morte aux pommes et châtaignes* 1867, h/pan. (18,5x22) : **FRF 25 530** – New York, 23 sep. 1993 : *Nature morte avec des cerises et des groseilles autour d'un verre*, h/cart. (28,6x34,3) : **USD 4 313** – New York, 25 mai 1995 : *Panier de cerises* 1863, h/pan. (37,5x48,3) : **USD 76 750** – New York, 1996 : *Panier de fruits*, h/t (63,5x76,2) : **USD 36 800** – New York, 26 sep. 1996 : *Oranges et pamplemousse* 1866, h/t (26,7x34,3) : **USD 9 200**.

FRANCIS Mark

XXe siècle. Irlandais.

Peintre. Tendance abstraite.

Il a étudié à la Saint Martin's School of Art de Londres. Il participe à des expositions collectives : 1997 *New British Painting in the 1990s* au Museum of Modern Art d'Oxford. Il montre ses œuvres dans des expositions personnelles, notamment : 1996, 1998, galerie Annde de Villepoix, Paris.
Fortement intéressé par l'anatomie du corps humain, l'artiste peint des grossissements cellulaires de l'organisme. D'une haute et impeccable finition, l'esthétique de ses tableaux, aux effets optiques marqués, rend également compte des menaces d'intrusion et de mutation dans l'ordre biologique.

FRANCIS Mike

Né en 1938 à Londres. XXe siècle. Britannique.

Peintre.

Autodidacte, il a exposé pour la première fois à Londres en 1962. Il montre son travail en Belgique, France et Italie.
Ventes Publiques : Paris, 12-13 oct. 1987 : *Frustration*, techn. mixte/pan. (11x81) : **FRF 20 000** ; *Connivence*, techn. mixte (184x122) : **FRF 18 000** – Lucerne, 20 nov. 1993 : *J'ai mis ma jupe rouge* 1974, h. et acryl./t. (61,5x75) : **CHF 3 400**.

FRANCIS Sam

Né le 25 juin 1923 à San-Mateo (Californie). Mort le 4 novembre 1994 à Santa-Monica (Californie). XXe siècle. Américain.

Peintre, peintre à la gouache, aquarelliste, lithographe, sculpteur. Abstrait-lyrique.

Il étudia la médecine et la psychologie à l'Université de Berkeley. Mobilisé à la guerre, il servit, de 1943 à 1945, dans l'U.S. Air Force. En 1943, au cours de manœuvres, son avion s'écrasa dans le désert de l'Arizona. Blessé à la colonne vertébrale, il fut hospitalisé, immobilisé pendant quatre ans, et ce fut à l'hôpital qu'il commença à peindre. Yves Michaud le décrit : « immobilisé de la nuque aux pieds dans un plâtre, étendu sur le dos des jours et des mois, avec pour seule mobilité celle des yeux », jusqu'à ce que lui fût offerte une boîte d'aquarelle, avec laquelle il commença à peindre ce que, sur le dos, il voyait : les jeux de la lumière et les reflets du Pacifique au plafond. Il devait dire de cette époque : « J'ai peint pour rester vivant ». Il entra ensuite à l'École des Beaux-Arts de Californie à San Francisco, où il suivit les cours de Clifford Still et dont il fut diplômé en 1950. Venu en 1950 à Paris, il travailla peu de temps à l'Académie privée de Fernand Léger. Il se lia avec le peintre canadien Jean-Paul Riopelle et avec les jeunes artistes américains séjournant alors à Paris. Il fut aussitôt invité à participer au Salon de Mai et à divers groupes organisés dans leurs galeries par Nina Dausset, Georges Duthuit ou Michel Tapié avec *Signifiants de l'informel* en 1952. Après avoir utilisé des ateliers de fortune, il installa un nouvel atelier plus grand à Arcueil, dans la banlieue parisienne, en 1956. Il effectuait de longs périples, avec en particulier, en 1957, un tour du monde avec haltes à New York, Mexico et un séjour au Japon, puis en Thaïlande et en Inde, qui s'avéreront déterminants dans l'évolution de son expression plastique ; il retourna au Japon en 1959 et souvent ensuite. En 1961, gravement malade, il dut rester hospitalisé à Berne. De retour aux États-Unis, il acheta une maison en 1962 à Santa-Monica en Californie, où il installa ensuite de vastes ateliers dans des locaux d'usines désaffectés.
Il participa à de nombreuses expositions collectives, dont : 1959 Musée National d'Art Moderne à Paris, 1964 Documenta de Kassel. Il montrait surtout des ensembles de ses peintures dans des expositions personnelles, cent-vingt-quatre dénombrées en 1983, dont : la première dès 1948 à San Francisco, ensuite à Paris : 1952 Galerie Nina Dausset, 1955 et 1956 Galerie Rive Droite, puis 1956 Galerie Martha Jackson à New York, 1960 à la Kunsthalle de Berne, 1967 Houston, 1968 au C.N.A.C. (Centre National d'Art Contemporain) de Paris, à partir de 1971, nombreuses à la Galerie Jean Fournier de Paris, 1972 exposition itinérante dans les musées de Buffalo, Washington, New York, Dallas, 1978 rétrospective au Centre Pompidou de Paris, 1986 choix des peintures du Musée Idemitsu de Tokyo au Pavillon des Arts de Paris, 1988 exposition qui lui est consacrée au Musée d'Art Moderne de Toyama au Japon, 1991 de nouveau Galerie Jean Fournier à Paris et Galerie Kornfeld à Berne, etc. En 1996 la Galerie nationale du Jeu de Paume à Paris a organisé l'exposition *Sam Francis, les années parisiennes, 1950-1961*.
Sam Francis est l'un des artistes les plus importants de l'école américaine de la seconde moitié du XXe siècle, bien qu'il y occupe une position très à part. Ses peintures de 1946 témoignent de sa filiation avec Monet et avec Bonnard ; il disait alors : « Je fais du Monet tardif en pur », se référant aux derniers *Nymphéas*, tellement prémonitoires du futur « all over » américain. On peut dire que, dès 1947, la peinture de Sam Francis tendait à l'abstraction, toutefois cette abstraction demeura « bonnardisante ». Enfreignant le tacite ostracisme que les Américains entretenaient envers tout ce qui se créait à Paris, Sam Francis, y effectua un premier séjour en 1950, il y resta jusqu'à la fin de l'année 1960. Ces années parisiennes furent riches de la découverte d'un art européen, jusqu'alors seulement connu par reproductions. Entre-temps, il séjourna au Japon, où il exécuta une grande peinture murale pour l'École Sogestsu de Sofu Teshigahara, en 1956-1958 il réalisa un triptyque pour l'escalier de la Kunsthalle de Bâle, à la demande du directeur, Arnold Rudlinger, qui ne devait ensuite cesser de le soutenir. En 1959 il réalisa une peinture murale pour la Chase Manhattan Bank de New York. 1960 marqua le début de la série des *Blue Balls*, projection sur la toile de taches bleues, dont la forme rappelle celle de ballons, obtenues selon une technique de hasard dirigé, la part de hasard étant contrôlée par la part de décision. En 1960, avant son hospitalisation à Berne, et après, en 1963, il a réalisé des lithographies. Plus tard, installé à Santa Monica, il reprendra sur une grande échelle la production de lithographies. D'entre les activités annexes de sa peinture, en 1965 au Japon, il travailla à une grande sculpture en céramique.
Dans les peintures de sa première période abstraite, en général de grandes dimensions, il ose des subtilités et des somptuosités. Ses toiles sont à peine effleurées de tons, comme aquarellées, et composées de formes cellulaires régulières et monochromes, laissant paraître par endroits et transparaître la surface blanche du support. *For Fred* et *Opposites*, qui furent peintes au début de l'année 1950, annoncent les œuvres parisiennes, ce que l'on a appelé les *White Paintings*, de 1950-52. Il y a sans doute dans cette simplification volontaire un désir sinon de rupture, du moins de purification, pour un peintre qui veut revenir aux sources de la peinture. Pour lui, peindre a toujours été recréer « la substance même dont la lumière est faite » ; ses peintures, telles un prisme de cristal, éclaboussées de toutes les couleurs du spectre de la lumière, confirment l'expérimentation de Newton. Paradoxalement, cette série est moins définie par la monochromie que par la diversité des expériences colorées qu'elle révèle. Ce sont alors les titres eux-mêmes qui évoquent la diversité des couleurs, *Autre blanc* 1952 ou *Vert pâle* 1951. Dans *Gris jauni* 1952, la couleur, rassemblée en un mouvement tournant aux bords du tableau, illumine son centre évidé. Ainsi, après trois années de peintures aux tonalités assourdies, à partir de 1952, sa palette chromatique s'enrichit, les couleurs ne se contentent plus d'animer la toile, elles l'habitent avec une

durable intensité sans toutefois la recouvrir complètement. Sam Francis peignit *Autour de l'orange et du noir* 1954-1955, *Bleu noir* 1952, *Autour du noir* 1954, où le noir est, à l'instar du blanc dans les *White Paintings*, utilisé comme révélateur d'une couleur. Avec *Dans l'adorable coloration bleue* 1955-57, il entreprit la première d'un ensemble d'immenses peintures murales qui jalonnèrent tout son œuvre ; ce changement de format fut rendu possible par son déménagement dans un atelier plus grand. On dénote dans ces grandes compositions l'importance croissante du bleu et la décomposition des cellules colorées en « tesselles », caractéristiques des mosaïques byzantines qu'il découvrit en Italie. Une fois la toile « ouverte » par les exigences du monumental, ce que les cellules colorées désignaient comme un fond blanc plus ou moins animé devient, progressivement, la blancheur même. Au long de son œuvre, les grandes peintures sont accompagnées de petits travaux sur papier. Sam Francis a alors un style, d'ailleurs hors normes du moment, et il s'y est tenu fermement, tandis que certains artistes américains sont souvent prêts à remettre en question leur mode d'expression en fonction de l'évolution des critères de jugement du monde et du marché de l'art. Ainsi ne fut-il que peu marqué par l'époque de l'« action painting », bien qu'il s'y rattache à sa manière, et il a échappé totalement à toute influence du « pop'art », ainsi que de l'« optical art ». Rapprochant la peinture de Sam Francis de celle de Tal-Coat, Pierre Cabanne la singularise en l'opposant aux courants alors dominants aux États-Unis : « aucune violence expressionniste, aucune spéculation calligraphique dans le geste pictural, aucun esprit de géométrie..., mais un espace que ne limitait aucune perspective, que ne définissait aucune structure, qui n'était que lumière et mobilité. » En revanche, l'évolution de son œuvre en 1967, montre qu'il a adhéré assez fortement aux conceptions du « minimal art », à moins qu'on puisse considérer qu'il en fut l'un des précurseurs, au même titre, par exemple, que Mark Rothko avec la peinture de champs. En référence, entre autres, à Malévitch ou conjointement à Yves Klein, le minimal renvoie aux données immédiates de la perception des « formes primaires », par leur mise en évidence, leur isolation de tout référent autre qu'elles-mêmes, en matérialisant le minimum d'une notion, par exemple : une ligne, un rectangle, un cube, une couleur, et ceci dans la plus grande dimension possible de façon que le spectateur ne puisse dévier de son évidence. Ainsi, Sam Francis, dans la série d'œuvres peinte à partir de 1967, a-t-il voulu rendre sensible, lui peintre des irisations de la lumière, de nouveau « la substance-même dont la lumière est faite », mais cette fois par ce qui s'en rapproche le plus, c'est-à-dire l'idée et la réalité du blanc. Aussi ces peintures, de formats non médiocres, sont-elles entièrement blanches, à l'exception d'un très mince liséré, qui court sur la frange extrême tout au long du périmètre, dans l'exiguïté duquel il arrive encore à pratiquer la sorte de touche divisée et coulée, légère et ravissante, qui caractérise l'ensemble de son œuvre. Rompant avec ses monochromes blancs, dans les années quatre-vingt, d'une part il est revenu à des peintures courant sur la totalité de la surface de la toile, bien que laissant toujours le blanc de la préparation jouer entre les coulées de couleurs un rôle de contraste valorisant, d'autre part il a aussi introduit accessoirement dans quelques-unes comme des ébauches de visages. Dans ce qui sera la dernière période de sa vie et de son œuvre, doivent être au moins évoqués de nouveaux aspects de ce gigantisme qui n'affectait jusque là que le format des peintures. Dans des ateliers immenses, dispersés de la Californie au Japon, il développe, avec des collaborateurs imprimeurs, éditeurs, etc., une activité boulimique dans la production de gravures, lithographies, affiches, livres. Quant aux peintures, il est alors seul, mais tout aussi démesuré, peignant avec des sortes de longs balais d'immenses toiles répandues sur le sol, sur lesquelles il projette, selon Yves Michaud : « taches, éclaboussures, explosions, séismes, plongées », rendant plus manifeste sa constatation autobiographique : « Je me suis littéralement roulé dans les couleurs, tout comme je me suis roulé sur les toiles ».

Venu de Monet, de Bonnard, conciliant les extrêmes préciosités d'une palette aux reflets de diamant et la démesure spécifiquement américaine du format des toiles, du volume des ateliers, de la capacité de production, par souci d'« engagement corporel », cette « dimension spatiale à l'échelle américaine » tôt notée par Michel Tapié, Sam Francis était, jusqu'à la série de peintures référées au minimal, le plus européen des peintres américains, privilégiant la lumière quand ceux-ci privilégient l'espace. La pesante évidence du minimal, puis le gigantisme des ambitions, étaient-ils le meilleur moyen pour lui d'échapper à son « goût du goût », pour autant qu'il le puisse jamais ? On a pu reprocher à la peinture de Sam Francis d'être un art hédoniste, plus soucieux de plaisirs gustatifs que d'aventures théoriques, quand on peut aussi l'en louanger. ■ Jacques Busse, Sandrine Vézinat

Bibliogr. : Georges Duthuit : Préface de l'exposition *Sam Francis*, Gal. Rive Droite, Paris, 1955 – Michel Tapié : Préface de l'exposition *Sam Francis*, Gal. Rive Droite, Paris, 1956 – Herbert Read, in : Quadrum, Paris, mai 1956 – Franz Meyer : Préface de l'exposition *Sam Francis*, Kunsthalle, Berne, 1960 – J.-J. Sweeney : Préface de l'exposition *Sam Francis*, Houston, 1967 – Pierre Cabanne, Pierre Restany, in : *L'avant-garde au xxe siècle*, A. Balland, Paris, 1969 – Yves Michaud : *Sam Francis : Introduction à l'œuvre peint sur papier 1947-1988*, Gal. Jean Fournier, Paris, 1988 – Pontus Hulten : *Sam Francis : Monotypes*, Gal. de Séoul, Séoul, 1988 – Yves Michaud : *Sam Francis*, Papierski, Paris, 1991 – Catalogue de l'exposition *Sam Francis, Les années parisiennes, 1950-1961*, gal. nat. du Jeu de Paume, Édition du Jeu de Paume et RMN, Paris, 1995 – Éric de Chassey : *Sam Francis. La lumière en feu*, in : Beaux-Arts Magazine, Paris, déc. 1995.

Musées : Amsterdam (Stedelijk Mus.) : *Basel Mural II* 1956-1958 – Bâle (Kunsthalle) – Berne (Kunsthaus) – Buffalo (Albright Art Mus.) – Danemark (Louisiana Mus. of Mod. Art) : *Sans Titre* 1956 – Dayton (Art Mus.) – Houston – Kurashiki, Japon (Ohara Mus. of Art) : *Mexico* 1957 – Londres (Tate Gal.) : *Autour des bleus* 1957-1962 – Marseille (Mus. Cantini) : *Sans titre* 1971, encres/pap. – Montréal (Mus. des Beaux-Arts) : *Sans titre* vers 1947 – New York (Mus. of Mod. Art) : un ensemble important – New York (Solomon R. Guggenheim Mus.) : *Rouge et Noir* 1954 – *Shining Back* 1958 – Paris (Mus. Nat. d'Art Mod.) : *Dans l'adorable coloration bleue* 1955-57 – *Autre blanc* 1952 – Rennes (Mus. des Beaux-Arts) : *Composition bleue sur fond blanc* 1960 – Stockholm (Mod. Mus.) : *Le jaune au-dessus II* 1958-1960 – Stuttgart (Staatsgal.) : *Le jaune au-dessus* 1957-58 – Tokyo (Mus. Idemitsu) : *Sans titre* 1948 – *Opposés* 1950 – *Pour Fred* 1949 – *Noir foncé* – Zurich (Kunsthalle).

Ventes Publiques : Londres, 6 juil. 1960 : *Peinture en bleu et jaune* 1956 : **GBP 2 800** – Londres, 6 juil. 1961 : *Composition rouge, bleue et jaune*, aquar. : **GBP 550** – Berne, 25 mai 1962 : *Sans titre*, gche/pap. : **CHF 15 500** ; *Bleu et rouge*, h/t : **CHF 35 000** – New York, 21 oct. 1964 : *Rouge n° 2* : **USD 16 500** – Genève, 7 nov. 1969 : *Bleu* : **CHF 83 000** – New York, 4 mars 1970 : *Violet doux*, aquar. : **USD 5 000** – Londres, 22 avr. 1971 : *Sans titre*, gche : **GBP 1 450** – New York, 26 oct. 1972 : *Bleu n° 3* 1952 : **USD 19 000** – Genève, 8 déc. 1973 : *Composition* : **CHF 23 000** – New York, 1er mai 1974 : *Violet, jaune et blanc* : **USD 45 000** – Berne, 13 juin 1974 : *Bleu*, aquar. : **CHF 10 800** – Berne, 9 juin 1976 : *Dark blue* 1954, h/t (64,5x54) : **CHF 60 000** – Londres, 1er juil. 1976 : *Painting* 1957, gche et aquar. (54x73) : **GBP 2 600** – Berne, 8 juin 1977 : *Foot print* 1960, litho. coul. (63,3x86) : **CHF 3 200** – Londres, 29 juin 1977 : *Sans titre* 1971, h/t (80x80) : **GBP 5 500** – Londres, 7 déc. 1977 : *Sans titre* vers 1959, gche (38x28) : **GBP 1 600** – Berne, 7 juin 1978 : *Flying love* 1963, litho. coul. (60,7x47,7) : **CHF 2 600** – Londres, 6 déc. 1978 : *Rouge et Noir*, h/t (196x97) : **GBP 22 000** – Berne, 20 juin 1979 : *Upper left Red* 1961, aquar. (38,1x32) : **CHF 11 500** ; *Cœur de pierre*, litho. coul. (62,5x90,5) : **CHF 4 000** – New York, 19 nov. 1981 : *Sans titre* 1960, gche/pap. (50,5x66) : **USD 9 000** – New York, 9 mai 1984 : *Blue balls* 1967, gche/pap. (75x104,2) : **USD 45 000** – Berne, 20 juin 1984 : *White line*, litho. en coul. (85,2x63,3) : **CHF 16 500** – New York, 1er nov. 1984 : *Towards disappearance* 1957-1958, h/t (296x320) : **USD 700 000** – New York, 2 mai 1985 : *Black* 1950, h/t (197,5x130,5) : **USD 180 000** – New York, 19 nov. 1985 : *The white line* 1960, litho. en coul. (90,2x63,5) : **USD 10 000** – Berne, 17 juin 1987 : *White line* 1959, aquar. et gche (101,5x68,5) : **CHF 209 000** – Paris, 21 déc. 1987 : *Composition*, aquar. et gche (37,5x28) : **FRF 98 000** – Paris, 20 mars 1988 : *Composition* 1970, aquar. (45x60) : **FRF 130 000** – New York, 3 mai 1988 : *Sans titre*, acryl./pap./pap. Japon (103,5x73) : **USD 46 750** ; *Passer à travers*, acryl./pap. monté sur t. (77x56) : **USD 60 500** ; *Sans titre* 1953, aquar./pap. (65,5x50) : **USD 77 000** – Londres, 30 juin 1988 : *Sans titre*, aquar./pap. (58x78) : **GBP 39 600** – New York, 8 oct. 1988 : *Sans titre* 1962, h. et gche/pap. (43,2x50,5) : **USD 60 500** – Paris, 26 oct. 1988 : *Composition bleue* 1960, aquar. (50x65) : **FRF 190 000** – New York, 9 nov. 1988 : *Vers la disparition I*, h/t (274,6x320,3) : **USD 1 320 000** – Londres, 1er déc. 1988 : *Sans titre* 1974, acryl./pap. (93x182) : **GBP 66 000** – Paris, 12 fév. 1989 : *Composition* 1970 (50x61) : **FRF 150 000** – New York, 14 fév. 1989 : *Sans titre* 1970, acryl./

pap. (56,1x74,9) : **USD 30 800** ; *Sans titre* 1986, acryl./t. (90,2x353,2) : **USD 198 000** – PARIS, 6 mars 1989 : *Sans titre*, litho./pap. (63x72) : **FRF 6 000** – PARIS, 23 mars 1989 : *Composition* 1972, acryl./pap. (76,5x55,5) : **FRF 280 000** – NEW YORK, 2 mai 1989 : *Sans titre* 1958, h/t (101,6x73,7) : **USD 484 000** ; *Sans titre* 1962, h/t (129,5x195,5) : **USD 605 000** – NEW YORK, 5 oct. 1989 : *Sans titre* 1984, acryl./t. (182,8x91,5) : **USD 264 000** – PARIS, 7 oct. 1989 : *Sans titre* 1960, aquar./pap. (43x32,5) : **FRF 175 000** – PARIS, 8 oct. 1989 : *Sans titre* 1960, gche et aquar. (49,5x69,5) : **FRF 350 000** – PARIS, 9 oct. 1989 : *Composition* 1986, acryl./t. (91,5x152,5) : **FRF 1 720 000** – NEW YORK, 7 nov. 1989 : *Sans titre* 1957, aquar./pap. (67,2x101,6) : **USD 352 000** – NEW YORK, 8 nov. 1989 : *Silvio set one* 1963, h/t (120,7x101,7) : **USD 990 000** – PARIS, 22 nov. 1989 : *Composition bleue et jaune*, gche (14x9,5) : **FRF 115 000** – PARIS, 9 déc. 1989 : *Composition* 2 nov. 1960, aquar. /pap. (23,5x32,5) : **FRF 250 000** – PARIS, 18 fév. 1990 : *Dripping*, acryl. et gche/pap. (76x56) : **FRF 280 000** – LONDRES, 22 fév. 1990 : *Sans titre* 1988, acryl./pap. (37,5x27) : **GBP 24 200** – PARIS, 29 mars 1990 : *Dripping* 1973, acryl./t. (213x305) : **FRF 3 100 000** – PARIS, 8 avr. 1990 : *Tokyo* 1973, acryl./pap. (55x75) : **FRF 480 000** – NEW YORK, 7 mai 1990 : *Autour du monde* 1959, h/t (274,3x321,3) : **USD 1 870 000** – NEW YORK, 8 mai 1990 : *Centre bleu III* 1959, h/t (182,8x243,8) : **USD 1 650 000** – LONDRES, 28 juin 1990 : *Sans titre* 1956, gche/pap. (76,5x57,1) : **GBP 99 000** – NEW YORK, 4 oct. 1990 : *Sans titre* 1977, acryl./t. (198x137) : **USD 192 500** – PARIS, 28 oct. 1990 : *Sans titre* 1979, acryl./pap./t. (107x350) : **FRF 1 500 000** – NEW YORK, 7 nov. 1990 : *Sans titre* 1956, h/t (184,6x197,5) : **USD 935 000** – MILAN, 13 déc. 1990 : *Depuis Tokyo 1* 1970, acryl./pap. entoilé (70x103) : **ITL 35 000 000** – NEW YORK, 15 fév. 1991 : *Sans titre* 1958, aq. et acryl./pap./cart. (50,8x68,5) : **USD 93 500** – LONDRES, 21 mars 1991 : *Sans titre*, gche et h/pap. (31x24) : **GBP 30 800** – NEW YORK, 2 mai 1991 : *Sans titre* 1971, acryl./t. (130,8x162,6) : **USD 99 000** – AMSTERDAM, 23 mai 1991 : *Sans titre* 1960, aquar./pap. (47x31) : **NLG 12 650** – LONDRES, 27 juin 1991 : *Composition n° 6* 1973, acryl./t. (182x152) : **GBP 105 600** – LONDRES, 17 oct. 1991 : *Rouge, vert et bleu* 1959, gche/pap. (15x7,5) : **GBP 6 050** – VERSAILLES, 15 déc. 1991 : *Composition* 1984, acryl./t. (81x65) : **FRF 460 000** – NEW YORK, 25-26 fév. 1992 : *Sans titre* 1982, acryl./t. (91,4x182,2) : **USD 115 500** – NEW YORK, 6 mai 1992 : *Deux Magots*, h/t (92,1x61,3) : **USD 148 500** – AMSTERDAM, 21 mai 1992 : *Composition* 1960, aquar./pap. (43x33) : **NLG 17 250** – PARIS, 13 juin 1992 : *Sans titre* 1987, acryl./pap. (56x76) : **FRF 115 000** – LONDRES, 2 juil. 1992 : *Composition n° 4* 1973, acryl./t. (213x183) : **GBP 74 800** – NEW YORK, 18 nov. 1992 : *Sans titre* 1977, acryl./t. (183,5x213,7) : **USD 176 000** – MUNICH, 1er-2 déc. 1992 : *Pasadena Box*, objet peint à la gche (H. 50) : **DEM 46 000** – ZURICH, 21 avr. 1993 : *Pour les fils bleus de l'air* 1990, litho. coul. (136x81) : **CHF 5 000** – NEW YORK, 3 mai 1993 : *Silvio état un* 1963, h/t (121,3x101,6) : **USD 288 500** – LONDRES, 24 juin 1993 : *Bulles bleues* 1961, gche/pap./t. (102,5x62,5) : **GBP 29 900** – NEW YORK, 10 nov. 1993 : *Bleu moyen III* 1959, h/t (182,9x243,8) : **USD 1 047 500** – ZURICH, 3 déc. 1993 : *Composition* 1973, acryl./pap. (50,5x36) : **CHF 55 000** – NEW YORK, 3 mai 1994 : *Bleu Tokyo* 1961, acryl./pap. (130,8x81,3) : **USD 145 500** – NEW YORK, 4 mai 1994 : *Rouge* 1956, h/t (309,9x190,5) : **USD 1 267 500** – LONDRES, 30 juin 1994 : *Sans titre* 1964, acryl./t. (122x153) : **GBP 133 500** – PARIS, 23 nov. 1994 : *Composition*, acryl./pap. (45x60) : **FRF 100 000** – HEIDELBERG, 8 avr. 1995 : *Sans titre* 1974, litho. coul. (76x56) : **DEM 4 400** – ZURICH, 14 nov. 1995 : *Sans titre* 1974, acryl./pap. de riz (93x181) : **CHF 110 000** – AMSTERDAM, 15 nov. 1995 : *Sans titre*, gche/pap. (151,1x111,8) : **NLG 365 500** – PARIS, 22 nov. 1995 : *Sans titre* 1986, acryl./t. (154x91) : **FRF 555 000** – NEW YORK, 22 fév. 1996 : *Sans titre* 1987, acryl./t. découpée (diam. 160) : **USD 85 000** – NEW YORK, 8 mai 1996 : *Sans titre* 1955, aquar./pap. (56,5x45,1) : **USD 123 500** – LONDRES, 23 mai 1996 : *Sans titre* 1974, acryl. et aquar./pap. (92x182) : **GBP 54 300** – NEW YORK, 9 nov. 1996 : *Météorite* 1986, litho. coul. (182,5x106,5) : **USD 9 200** – MILAN, 25 nov. 1996 : *Bleu pâle et bleu foncé*, aquar. (30x20) : **ITL 8 050 000** – NEW YORK, 19 nov. 1996 : *Composition* 1957, h/t (130,8x64,3) : **USD 200 500** – NEW YORK, 20 nov. 1996 : *Sans titre*, acryl./t. (121,9x152,4) : **USD 90 500** – ZURICH, 8 avr. 1997 : *San – Zurich, 8 avr. 1997 : Sans titre* 1990, acryl./pap. (H. 45,5x32,7) : **CHF 24 000** – NEW YORK, 7 mai 1997 : *Sans titre* 1958, aquar./pap. (101,9x64,8) : **USD 96 000** – NEW YORK, 8 mai 1997 : *Rouge, jaune, bleu* 1960, h/t (81,6x53,7) : **USD 151 000** – PARIS, 20 juin 1997 : *Sans titre* 1974, acryl./pap. (61x56,5) : **FRF 71 000** – LONDRES, 26 juin 1997 : *Sans titre* 1977, acryl./pap. (56x75,5) : **GBP 18 400** – LONDRES, 27 juin 1997 : *Sans titre* 1969, gche/pap. (122x162) : **GBP 20 700**.

FRANCIS Sidney
Né le 22 octobre 1945 à Paris. XXe siècle. Français.
Peintre, technique mixte.
Il expose à Paris, depuis 1969, dans différents Salons : Comparaisons, Grands et Jeunes d'Aujourd'hui. Il a, dès 1971, présenté son travail dans des expositions individuelles.
Il développe une technique très personnelle afin de saisir l'expression de la durée et du temps, dans un climat d'étrange poésie hallucinatoire, à partir d'images qu'il fixe en forme de photos-montages. Il a baptisé ses œuvres des « Chronographismes ».

FRANCIS Yoseph, appelé aussi **Alimazi Yoseph**
Né en 1930. XXe siècle. Depuis 1955 actif en Tanzanie. Mozambicain.
Sculpteur.
Il est le frère de Matayo, avec qui il travailla et s'installa à Dar-es-Salaam, en 1955. Il pratiqua la sculpture makondé et eut de nombreux disciples.
BIBLIOGR. : Jutta Stöter-Bender : *L'Art contemporain dans les pays du « tiers-monde »*, L'Harmattan, Paris, 1995.

FRANCIS-BERNARD. Voir **BERNARD Francis**

FRANCISCI Anthony de
Né le 13 juin 1887 en Italie. Mort en 1964. XXe siècle. Actif aux États-Unis. Italien.
Sculpteur de figures, nus, médailleur.
Il a été professeur à l'Institut des Beaux-Arts de New York.
Il est l'auteur de statuettes, de nus, et, en tant que médailleur, du modèle du dollar en argent du « Maine Centannial » (half dollar).
VENTES PUBLIQUES : NEW YORK, 29 sep. 1977 : *Cup of Basil* 1940, bronze patine or (H. 30) : **USD 1 100** – NEW YORK, 30 mai 1990 : *Nu féminin*, bronze à patine brun-doré (h. 51,4) : **USD 2 200** – NEW YORK, 28 nov. 1995 : *Femme*, bronze (H. 42,5) : **USD 2 530**.

FRANCISCO
XVe siècle. Espagnol.
Graveur.
Il fut moine de l'Ordre de Saint-Dominique à Valence. Le Musée des Estampes de Madrid possède de lui une *Vierge du Rosaire* avec des saints de l'ordre des Dominicains et des *Scènes de la Vie de Marie et du Christ*.
MUSÉES : MADRID (Cab. des Estampes) : *Vierge du Rosaire – Scènes de la Vie de Marie et du Christ*.

FRANCISCO, appelé aussi **Francesco Florentin**
Originaire de Florence. XVIe siècle. Actif en Espagne. Italien.
Sculpteur.
À Grenade, il sculpta de 1520 à 1522 pour la cathédrale, avec Martin Milanes, les fonts baptismaux en marbre de style Renaissance italienne qui se trouvent maintenant dans l'église paroissiale « Sagrario ».

FRANCISCO
XVIIIe siècle. Travaillant à Séville. Espagnol.
Peintre.

FRANCISCO Antonio. Voir **ANTONIO Francisco**

FRANCISCO Carlos V.
Né en 1913 aux Philippines. XXe siècle. Philippin.
Peintre.
Avec Edades et Ocampo, il fait figure de leader de l'art moderne aux Philippines. Sa peinture est fortement influencée par celle de Gauguin.

FRANCISCO J. B.
Né le 14 décembre 1863 à Cincinnati (Ohio). Mort en 1931. XIXe-XXe siècles. Américain.
Peintre de paysages.
Il fit des études artistiques très poussées, à Berlin dans l'atelier de Fechner, à Munich, et à Paris avec Bouguereau et Courtois.
VENTES PUBLIQUES : LOS ANGELES, 17 mars 1980 : *Sacramento River*, h/t (56x71,1) : **USD 1 600** – LOS ANGELES-SAN FRANCISCO, 7 fév. 1990 : *Paysage au crépuscule*, h/cart. (20x27) : **USD 2 750** – LOS ANGELES-SAN FRANCISCO, 10 oct. 1990 : *Crépuscule dans les sierras*, h/cart. (18x25,5) : **USD 2 200**.

FRANCISCO José
XIXe siècle. Portugais.
Peintre.
Professeur de peinture de paysages à l'Académie de Lisbonne, il y exposa des paysages de parcs. Peut-être est-il identique au peintre du même nom qui fit un plan pour le parc de la « Quinta

das Virtudes » à Porto, d'où il tira son nom de « José Francisco das Quintas ».

FRANCISCO Juan
XVIe siècle. Actif à Valladolid. Espagnol.
Sculpteur.
Artiste presque inconnu, mais qui devait avoir du talent puisqu'on le retrouve fréquemment parmi les aides préférés de Berruguete.

FRANCISCO Pascual
XVIe siècle. Actif à Séville en 1575. Espagnol.
Peintre.

FRANCISCO Pietro de
Né à Palerme. XXe siècle. Italien.
Peintre de compositions animées, scènes de genre, sujets typiques, paysages. Orientaliste.
En 1926, il exposait à Paris *Vision de Provence* au Salon des Artistes Français. Il a également montré des scènes populaires, des « expressions de mouvement » ainsi que des études orientalistes au Salon de la Société Nationale des Beaux-Arts.
Ventes Publiques : Paris, 24 mars 1930 : *Marché en Espagne* : **FRF 60** – Milan, 16 juin 1980 : *Via Appia*, h/t (60x122) : **ITL 750 000** – New York, 29 nov. 1984 : *Les Courses à Saint-Cloud*, h/pan. (42x75,5) : **USD 2 800**.

FRANCISCO d'Avila
XVIIe siècle. Actif à Séville. Espagnol.
Peintre de portraits.
Il était renommé pour son coloris et la ressemblance de ses portraits. Il fit de mémoire des portraits remarquables. Il était attaché au service de l'archevêque Don Pedro de Castro.

FRANCISCO de Burgos
XVe siècle. Actif à Séville vers 1450. Espagnol.
Peintre.

FRANCISCO de Cervera, dit **Mestre Francesco**
XVe siècle. Espagnol.
Peintre.
Il est mentionné à partir de 1479 à Barcelone et travailla à une chapelle de la cathédrale en 1486.

FRANCISCO il Fiammingo. Voir **DUQUESNOY François**

FRANCISCO de Hollanda ou **Francisco d'Ollanda** ou **Dolanda**
Né vers 1517 probablement à Lisbonne. Mort le 19 juin 1584 à Lisbonne. XVIe siècle. Portugais.
Peintre de miniatures et dessinateur.
Fils, élève et biographe de Antonio, un excellent dessinateur et architecte et particulièrement un miniaturiste. D'après Taborda il enlumina les livres de chœur du monastère royal de Thomar et, d'après son biographe, l'abbé de Castro, il exécuta ceux appartenant au monastère de Belém, lesquels furent détruits par le tremblement de terre de Lisbonne. Il se rendit deux fois à Rome : d'abord dans sa jeunesse lorsqu'il accompagnait les deux Infants Don Fernando et Don Alfonso, et une deuxième fois sur l'ordre du roi Jean III. Dans son dernier voyage, il visita le reste de l'Italie, l'Espagne et la France. Il se lia à Venise avec Serlio et à Rome avec Buonarroti, Clovio, Lattansio et Claudio Tolomei. Il voyageait en qualité de messager accrédité du roi et passa neuf ou dix ans en Italie. Nous le trouvons à Rome en 1539. Il rentra au Portugal en 1548 où il réunit les documents de son traité sur la peinture. Pendant ses dernières années, il ne cessa de travailler à ses mémoires qui ne furent jamais publiés. Parmi ses travaux de miniaturiste, figurent les enluminures du Bréviaire de Jean III. Le British Museum possède un missel exécuté pour Jean III et qui fut commencé alors que Francisco était à son service. La Bibliothèque de l'Escurial conserve son livre d'esquisses de voyages qui contient entre autres des esquisses de constructions romaines, quelques études de costumes, des paysages d'Italie et de France (Le Vésuve, le Mont-Cenis), des portraits miniatures : le *Pape Paul III*, le *Doge de Venise Pietro Lando* et *Michel-Ange*. Il fit, pour la fille du roi de Portugal Joao III, Donna Maria, le portrait de celui-ci.

FRANCISCO da Reggio, fra
XVIe siècle. Italien.
Miniaturiste.

FRANCISCUS
XVe siècle. Allemand.
Enlumineur.
Il est mentionné à Bâle en 1485.

FRANCISCUS Italus. Voir **FRANCESCO**

FRANCISCUS Juliani. Voir **FRANCESCO di Giuliano**

FRANCISQUE
Né à Marseille (Bouches-du-Rhône). XXe siècle. Français.
Sculpteur.
Il exposa à Paris au Salon des Artistes Français à partir de 1929.
Ventes Publiques : Londres, 8 mars 1976 : *Pierrot et Colombine*, bronze (l. 63) : **GBP 280**.

FRANCISQUIN Geronimo ou **Franceschini**
XVIe siècle. Espagnol.
Peintre et sculpteur.
Probablement d'origine italienne, il est mentionné à Séville vers 1554.

FRANCISQUIN Jean. Voir **FRANCEQUIN**

FRANCISQUITO. Voir **FRANCESCHITTO**

FRANCISY-ECKERT, pseudonyme de **Eckert Marie-France**
Née le 24 mai 1915 à Marseille (Bouches-du-Rhône). XXe siècle. Française.
Peintre de sujets divers. Postimpressionniste.
Élève de l'École des Beaux-Arts de Marseille et de l'École Internationale de Dessin et Peinture de Monte-Carlo. A participé à de nombreuses expositions collectives dans toutes les villes du Sud de la France (au Musée de Marseille en 1962) et au Salon des Artistes Indépendants de Paris, ainsi qu'à l'étranger : en Angleterre, au Luxembourg, en Belgique, en Allemagne, en Espagne, en Algérie, en Italie, aux États-Unis, New York et Washington. Elle est sociétaire des Salons des Artistes Français, des Indépendants, de l'Art Libre et de la Société des Arts Graphiques et Plastiques. Ses expositions personnelles ont eu lieu à la Galerie Marcel Bernheim à Paris, notamment en 1961. Plusieurs médailles lui ont été attribuées, notamment la médaille d'or au Grand Prix de Paris, d'autres à Genève, Lyon, Mexico. Elle est diplômée de plusieurs Prix régionaux, Deauville, Provinces Françaises, Montpellier, Fontaine-de-Vaucluse. Plusieurs achats ont été effectués par les institutions locales de Marseille et des Bouches-du-Rhône.
La peinture de Francisy-Eckert traite, dans un style postimpressionniste, toutes sortes de sujets tels que des paysages (souvent ceux des environs de Marseille), des marines, des portraits et des natures mortes.
Musées : Marseille.

FRANCISZEK
XVIIIe siècle. Actif à Lemberg. Polonais.
Sculpteur sur bois.
En 1775 il travailla pour la cathédrale de Lemberg.

FRANCK. Voir aussi **FRANCKE, FRANCKEN, FRANK, FRANKE, FRANKEN, FRANKX, VRANCK, VRANCX, etc**

FRANCK, généalogie des. Voir **FRANCKEN,** généalogie de la famille des, et au prénom

FRANCK
XVIIIe siècle. Allemand.
Graveur.
Il était actif à Mayence.

FRANCK
XIXe siècle. Belge.
Graveur.
Il faisait partie de l'atelier de Bruxelles, vers 1850.

FRANCK Adolf Theodor
Né le 11 juillet 1841 à Billwärder près de Hambourg. XIXe siècle. Allemand.
Peintre de paysages et de genre.
Il fut élève de G. et M. Gensler à Hambourg, puis élève de l'Académie de Munich. En 1863, il se rendit à Florence et en 1865 à Rome. Il fit de nombreux voyages d'étude au Tyrol où il peignit des tableaux qui furent gravés sur bois par son ami T. Knesing et parurent dans de nombreuses revues. On cite : *Le Sermon sur la montagne dans le Tyrol*, *Lutte avec des braconniers*, *Cabaret à Botzen*. Il fit aussi des eaux-fortes de paysages tyroliens.

FRANCK Aernout
Mort en 1592 à Rome. XVIe siècle. Éc. flamande.

Peintre et graveur.
Cet artiste flamand est mentionné à Rome à partir de 1582, sous le nom de Rinaldo Franches.

FRANCK Albert Jacques
Né en 1899. Mort en 1973. xxe siècle. Canadien.
Peintre de paysages urbains, aquarelliste.
Il a peint, souvent à l'aquarelle, des rues et lieux typiques de villes canadiennes apparemment britanniques.
Ventes Publiques : Göteborg, 31 mars 1977 : *Shuter street* 1963, h/cart. (30x40) : **CAD 2 100** – Toronto, 15 mai 1978 : *Ontario street* 1969, h/cart. (51x40,5) : **CAD 7 400** – Toronto, 30 oct. 1978 : *Howard Street*, aquar. (28x24,3) : **CAD 2 600** – Toronto, 14 mai 1979 : *Grenville Street* 1963, aquar. (49,5x61,5) : **CAD 4 000** – Toronto, 28 mai 1980 : *Campus Arch*, pl./pap. (11,3x9,4) : **CAD 1 100** – Toronto, 1er juin 1982 : *Wellesley E. at Parliament* 1968, aquar. (60,6x50) : **CAD 9 000** – Toronto, 3 mai 1983 : *Berryman street sous la neige* 1966, h/cart. (55x65) : **CAD 5 500** ; *Lane behind spruce* 1965, aquar. (13,8x12,5) : **CAD 2 000** – Toronto, 28 mai 1985 : *Ontario street* 1970, aquar. (18,1x13,8) : **CAD 1 400** ; *Behind Henry street* 1966, h/cart. (50x40) : **CAD 4 200** – Toronto, 12 juin 1989 : *Ruelle contournant Isabella Street*, aquar. (12,7x17,1) : **CAD 1 700**.

FRANCK Alfred von
Né le 3 mars 1808 à Vienne. Mort le 4 décembre 1884 à Gratz. xixe siècle. Autrichien.
Peintre, aquafortiste et lithographe.
D'abord élève de l'École d'Ingénieurs à Vienne, il fut de 1849 à 1856 professeur à l'Académie de dessin de Vienne-Neustadt, après avoir eu comme élève l'empereur François-Joseph. Il a dessiné et peint à l'huile des paysages et peint à l'aquarelle des plantes sauvages. Ses eaux-fortes et ses lithographies représentent des paysages, des scènes de genre, des études de plantes et d'animaux. Parmi ses lithographies se trouvent aussi des portraits et des copies de dessins.

FRANCK Antoine Pierre
Né en 1723. Mort le 24 décembre 1796. xviiie siècle. Actif à Liège. Éc. flamande.
Sculpteur.
Il fut élève de G. Evrard. Parmi ses nombreux travaux, on cite, dans les églises de Liège : à Saint-Martin, les statues monumentales des quatre Pères de l'Église à l'entrée du chœur, et quatre bas-reliefs dans le chœur ; à Saint-André et aux Augustins, sculptures sur les portes d'entrée ; à Saint-Nicolas-au-Trez, statue de saint-Roch ; à Saint-Thomas, statue d'un ange ; à Sainte-Agathe, deux statues de bois et un tabernacle ; au Couvent des Carmélites, statue du Prophète Elie et au Monastère des Franciscains, deux statues de saints.

FRANCK Arnold ou **Franken**
xvie-xviie siècles. Actif à Anvers. Éc. flamande.
Peintre.
Siret dit qu'il fut admis, en 1611, comme élève du sculpteur Cardon.

FRANCK Arthur
xxe siècle. Américain.
Peintre.
Après 1922, à Paris, il a participé à différents Salons : de la Société Nationale des Beaux-Arts, d'Automne, des Artistes Indépendants.

FRANCK Christoffel Frederik
Né en mai 1758 à Zwolle. Mort en 1816 à Bennebroek. xviiie-xixe siècles. Hollandais.
Peintre de portraits, paysages animés, paysages.
Il travailla à Louvain, puis à Haarlem.

Musées : Amsterdam : *Portrait de l'artiste par lui-même.*
Ventes Publiques : Amsterdam, 28 oct. 1980 : *Paysage boisé*, h/t (31x46) : **NLG 5 200** – Monaco, 17 juin 1989 : *La rentrée des foins*, h/t (85x98,5) : **FRF 35 520** – Londres, 31 oct. 1990 : *Personnages devant une maison au bord d'une rivière*, h/t (38x54) : **GBP 3 300** – Amsterdam, 10 nov. 1997 : *Un chasseur et des voyageurs faisant halte dans une auberge forestière*, h/t (87x101) : **NLG 40 362**.

FRANCK Franz Friedrich
Né en 1627 à Kaufbeuren. Mort en 1687 à Augsbourg. xviie siècle. Allemand.
Peintre d'histoire, portraits, natures mortes.
Fils de Hans Ulrich Franck, il fut influencé par son père, par l'art de Rembrandt et par les peintres italiens de natures mortes.

Bibliogr. : In : *Diction. de la peint. allemande et d'Europe centrale*, coll. Essentiels, Larousse, Paris, 1990.
Musées : Vienne : *Portrait d'homme.*
Ventes Publiques : Londres, 31 mai 1932 : *Dives et Lazare* : **GBP 42**.

FRANCK Friedrich Carl
Né le 29 mai 1799 à Annaberg (Saxe). Mort le 21 août 1872 à Dresde. xixe siècle. Allemand.
Peintre de paysages et dessinateur.
C'est seulement à l'âge de trente ans qu'il étudia à l'Académie de Dresde. Il voyagea en Pologne et en Galicie et exposa des tableaux à l'huile avec des vues de ces contrées, en 1864 et 1865 ; ses autres tableaux représentent presque exclusivement des paysages de la Suisse saxonne.
Musées : Dresde (Stadtmuseum) : *Le Loschwitzgrund près de Dresde*, tableau à l'h. – Dresde (Cab. des Estampes) : *Chemin avec sapins – Haleur de bateau.*

FRANCK Friedrich Wilhelm
Originaire de Kahla (Saxe-Altenbourg). xviie siècle. Allemand.
Peintre.
Dans l'église de Strassberg, près de Plauen se trouvent des peintures murales représentant *La Naissance du Christ* et *L'Ascension*, avec des inscriptions bibliques. Ces peintures portent la signature de cet artiste.

FRANCK Frigyes
Né en 1890. xxe siècle. Hongrois.
Peintre de paysages, de compositions animées.
Il fut élève de l'École Supérieure des Beaux-Arts de Budapest, entre 1908-1911. Il exposa à partir de 1911. C'est sans doute lui qui, sous le prénom de Fréderic, exposa au Salon de Paris à partir de 1925.
Musées : Budapest (Gal. Nat.).

FRANCK Hans ou **Frangk**
xvie siècle. Allemand.
Peintre.
Il entra au service du duc O. Heinrich de Palatinat en 1555 ; il peignit pour lui des portraits.

FRANCK Hans ou **Jan**
xvie siècle. Allemand.
Graveur sur bois.
Mentionné de 1514 à 1522 à Augsbourg, il est certainement identique à Hans Lützlburger qui travailla à Bâle de 1522 à 1526.

FRANCK Hans Ulrich
Né entre 1590 et 1595 ou 1603 à Kaufbeuren. Mort en 1675 ou 1680 à Augsbourg. xviie siècle. Allemand.
Peintre d'histoire, compositions religieuses, graveur.
Installé à Augsbourg en 1637, il était le père de Franz Friedrich Franck.
Il est surtout connu pour avoir gravé à l'eau-forte des scènes de la guerre de Trente Ans, montrant des massacres, pillages, viols et autres atrocités.

Bibliogr. : In : *Diction. de la peint. allemande et d'Europe centrale*, coll. Essentiels, Larousse, Paris, 1990.
Ventes Publiques : New York, 17 mars 1945 : *Crucifiement* : **USD 225** – Londres, 6 juil. 1982 : *Moïse sauvé des eaux*, craie noire, pl. et lav. (12,2x19,2) : **GBP 300**.

FRANCK Helene, Miss, plus tard Mrs **A. Fairlie**
xixe siècle. Britannique.
Peintre de genre.
Exposa fréquemment à Londres, entre 1883 et 1911 notamment à la Royal Academy et à Suffolk Street.

FRANCK Henri, pseudonyme de **Flandrin François Henri**
Né le 7 mai 1877 à Grenoble (Isère). Mort le 10 octobre 1957 à Corenc (Isère). xxe siècle. Français.
Peintre de paysages, d'intérieurs, dessinateur, aquarelliste. Néo-impressionniste.

Il était le frère du célèbre peintre Jules Flandrin. Pour se distinguer de celui-ci, il signait de ses initiales F. F et de ses deux prénoms : Henri François (transformé en Franck). Après ses études au Lycée de Grenoble, il exerça la profession de pharmacien. En 1912, il abandonna son métier afin de se consacrer à la musique et à la peinture. Il a exposé à Paris dans de nombreux Salons : des Artistes Indépendants de 1908 à 1922, des Tuileries de 1919 à 1922, de la Société Nationale des Beaux-Arts de 1920 à 1922 mais aussi à Grenoble à la Galerie Feneglio. En 1939, il se retira à Corenc, où il peignit son village jusqu'à ce que sa vue ne le lui permette plus.
Sa peinture, très différente de celle de son frère, est dominée par les tons pastels et plus particulièrement les mauves et bleus-verts pâles, et par le fait qu'il pratiquait la touche pointilliste.
Bibliogr. : Maurice Wantellet : *Deux siècles et plus de peinture Dauphinoise*, Édit. Maurice Wantellet, Grenoble, 1987.

FRANCK Isaac ou **Francken**
XVIIe siècle. Actif à Anvers. Éc. flamande.
Peintre.
Élève de Jan Franssen (?) en 1608 ; cité par Siret.

FRANCK J. F.
XVIIIe siècle. Allemand.
Peintre de portraits.
Il travailla probablement à Ratisbonne. On connaît de lui les portraits du chapelain de Ratisbonne, *J. J. Gassner*, et du surintendant *H. Chr. Schäffer*, que G. P. Nussbiegel grava d'après lui.

FRANCK Jacob
XVIe siècle. Actif à Fribourg en Suisse, vers 1539. Suisse.
Peintre de miniatures.
Il fut moine de l'ordre des Augustins. La Bibliothèque cantonale de Fribourg possède de lui un antiphonaire provenant de l'ancien monastère des Augustins de Fribourg, écrit par cet artiste et richement orné de miniatures : images religieuses, scènes humoristiques, danses des morts, etc. Cet ouvrage contient aussi le portrait de l'artiste comme jeune moine.

FRANCK Jean François
Né le 30 novembre 1804 à Gand. XIXe siècle. Belge.
Sculpteur.
Élève de son père qui était sculpteur ornemaniste, puis, en 1831, élève à Paris de David d'Angers. Il devint ensuite professeur à Louvain.

FRANCK Jérémias
XVIe siècle. Actif à Gratz. Autrichien.
Sculpteur.
Il est probablement l'auteur du monument funéraire de Georg Schafmann à l'église S. Bartholoma à Friesach (Carinthie) ; il modela pour le fondeur de la grosse cloche « Liesel » à Gratz, quatre bas-reliefs. On connaît aussi de lui, exécuté en 1590, le grand monument funéraire du Freiherr von Racknitz et de sa femme à l'église de Bernegg.

FRANCK Johan Willem ou **Frank**
Né probablement en 1720. Mort en 1761 à La Haye. XVIIIe siècle. Hollandais.
Peintre d'histoire, oiseaux, natures mortes, fleurs et fruits.
Inscrit dans la gilde de La Haye en 1745. Il a copié Berchem, Potter, Van de Velde et d'autres maîtres flamands et hollandais.
Ventes Publiques : Amsterdam, 18 mai 1981 : *Nature morte*, h/pan. (68,7x51,5) : **NLG 36 000**.

FRANCK Johann
XVe siècle. Allemand.
Enlumineur.
Il était moine à l'abbaye de Saint-Ulrich et Saint-Afra, à Augsbourg, et travailla aux livres du chœur ainsi qu'à plusieurs manuscrits pour son couvent.

FRANCK Johann
Né à Kaufbeuren. XVIIe siècle. Allemand.
Graveur.
Fils du peintre Hans Ulrich Franck. Il a surtout gravé pour des libraires. Il a travaillé en collaboration avec Susanna Sandrart et J. Mayer.

FRANCK Johann Friedrich
XIXe siècle. Actif à Berlin. Allemand.
Peintre.
De 1880 à 1889 il exposa ses portraits à l'Académie de Berlin.

FRANCK Johannes ou **Franch**
Mort vers 1687 à Copenhague. XVIIe siècle. Actif à Copenhague. Danois.
Sculpteur.
Il est considéré comme étant l'auteur du socle de la statue équestre de Christian V à Copenhague, comme également du buste de ce roi et des statues de la *Crainte de Dieu* et de la *Justice* à l'ancienne « Porte du Nord » à Copenhague.

FRANCK Joseph
Né vers 1745. Mort le 19 octobre 1790. XVIIIe siècle. Actif à Namslau (Silésie). Allemand.
Sculpteur.

FRANCK Joseph
Né en 1825 à Bruxelles. Mort en 1883. XIXe siècle. Belge.
Graveur.
Élève de Calamatta. Il a gravé d'après les maîtres anciens et modernes, notamment d'après Rubens, Vinci, Van Dyck, Portaels, Gérome et Metsys. En 1854, il fut nommé membre de l'Académie Royale de Belgique. Certaines de ses œuvres, comme *le Prisonnier* d'après Gérome, obtinrent un grand succès. Il a travaillé pour la maison Goupil.

FRANCK Lucien. Voir **FRANK Lucien**

FRANCK Maximilian ou **Frans** ou **France**
Né en 1490 à Bruges. Mort en 1547. XVIe siècle. Éc. flamande.
Peintre.
Élève de Jean Prévost ; il devint maître à Bruges en 1524. On croit qu'il fut maître de Johannes Stradanus.

FRANCK Maximilian
Né vers 1780 à Düsseldorf. XIXe siècle. Allemand.
Peintre et lithographe.
À Munich où il se fixa en 1806, il peignit des tableaux bibliques et des portraits et travailla pour l'atelier de lithographie A. Senefelder. Il publia, en lithographie, sous le titre *Galerie d'artistes allemands*, 80 petits portraits en buste d'artistes allemands et 20 portraits des Régents de Bavière Wittelsbach. En 1830, il lithographia un portrait du *Roi Guillaume Ier* peint par Albrecht Adam à Stuttgart.

FRANCK Maximilien ou **Francken**. Voir **FRANCKEN**

FRANCK Melchior
Né le 6 janvier 1577. Mort le 23 décembre 1625. XVIIe siècle. Actif à Saint-Gall. Suisse.
Graveur et orfèvre.
Il est l'auteur d'un plan de la ville de Saint-Gall à vol d'oiseau, qu'il a gravé lui-même.

FRANCK Michael
XVIe siècle. Actif à Hanau. Allemand.
Sculpteur.

FRANCK Myriam
Née en 1948. XXe siècle. Française.
Sculpteur de statuettes.
Ventes Publiques : Paris, 5 fév. 1990 : *Aleph* 1985, bronze à patine noire (20x16x16) : **FRF 11 000** – Paris, 21 mai 1990 : *Au commencement* 1989, bronze à patine brun clair : **FRF 20 000** – Paris, 7 oct. 1991 : *Aleph* 1985, bronze (20x16x16) : **FRF 10 000** – Paris, 5 oct. 1992 : *Aleph* 1985, bronze (20x16x16) : **FRF 9 500**.

FRANCK P. J.
XVIIIe siècle. Actif à Prague vers 1700. Éc. de Bohême.
Graveur.
Il grava des images de saints et quelques frontispices.

FRANCK Paul
Né le 4 juillet 1918 à Gryon. XXe siècle. Actif en Belgique, et depuis 1956 en France. Suisse.
Peintre, graveur, sculpteur. Expressionniste, puis surréaliste, puis abstrait.
Il fut élève des écoles de Saint-Luc de Tournai et Liège, de l'Institut supérieur d'Anvers, de l'académie des beaux-arts de Liège. En 1945, il devint membre de la Jeune Peinture Belge et, en 1947 il fut l'un des co-fondateurs à Mons du groupe surréaliste Haute Nuit, puis de Réalité Cobra en 1950. En 1954, il travailla à Paris, à l'Atelier 17 dirigé par William. S. Hayter. En 1956, il s'installe définitivement en France, à Colombes. Depuis 1942, il participe à de nombreuses expositions et salons en Belgique, à Liège avec l'A.P.I.A.W. (association artistique wallonne), au musée d'Art moderne, à Bruxelles au musée d'Art moderne ; mais aussi en France, notamment à Paris : Salons de la Jeune Peinture, des Réalités Nouvelles, Comparaisons, ainsi qu'en Angleterre, Yougoslavie, Brésil... Il a également présenté de nombreuses œuvres dans des expositions personnelles en Belgique, en

Suisse et en France. En 1951, il obtint une médaille pour la gravure à Liège.
Expressionniste, puis surréaliste, sa peinture s'orienta, dès 1950, vers l'abstraction, devenant son propre sujet : « (...) de toile en toile, s'accentue l'éloignement du peintre, de son initiale violence gestuelle et thématique. La pâte se fait légère, les tons pâles sinon froids (des gris, des bleus, des verts) succèdent aux tons chauds, le trait s'affine jusqu'à n'être parfois qu'un fil, la composition devient de plus en plus géométrique » (Jean Rousselot). Musicien de formation, Franck laisse transparaître son goût pour la musique, créant un monde où l'harmonie des tons atténue la rigueur des formes.
Bibliogr. : In : *Diction. biogr. illustré des Artistes en Belgique depuis 1830*, Arto, Bruxelles, 1987 - Rousselot Jean : Catalogue de l'exposition *P. Franck - Œuvres abstraites 1949-1955*, Paris, 1988.
Musées : Amsterdam (Stedelijk Mus.) - Bâle - Bruxelles (Cab. des Estampes) - Dunkerque - Florence - Genève - Liège - Lodz - Milan - Paris (Cab. des Estampes) - Skopje - Vienne.

FRANCK Paul ou **Pauwels**. Voir **FRANCESCHI Paolo dei**

FRANCK Philipp
Originaire de Giessen en Hesse. xviie siècle. Allemand.
Sculpteur.
À Butzbach se trouve une épitaphe de pierre sur le tombeau du landgrave Philippe III de Hesse qu'il exécuta en 1622.

FRANCK Philipp
Né le 9 avril 1860 à Francfort-sur-le-Main. Mort en 1944. xixe-xxe siècles. Allemand.
Peintre de portraits, paysages et intérieurs animés, paysages d'eau, graveur, illustrateur. Postromantique.
Il fut élève de l'Institut Städel de Francfort, et en 1881, de K. F. Eduard von Gebhardt et E. G. Dücker à l'Académie des Beaux-Arts de Düsseldorf. Il vécut ensuite à Potsdam, Würzbourg, Hall, puis Berlin. À partir de 1903, il a exposé ses peintures à la Sécession de Berlin. En 1892, il fut nommé professeur à l'École des Beaux-Arts de Berlin, dont il devint directeur.
À Francfort, il illustra des contes romantiques dans le style de Edward Steinle. Aquafortiste, il répliquait ses portraits et paysages. Dans une technique traditionnelle du paysage au xixe siècle, il a peint des vues des jardins « rococo » de Potsdam, des vues de la Havel avec des canots et de jeunes baigneurs. Il s'est montré particulièrement habile à peindre le reflet des paysages dans les étendues d'eau. Ses tableaux d'intérieurs illustrent le mode de vie « petit-bourgeois » de l'époque.
Musées : Rostock : plusieurs œuvres.
Ventes Publiques : Munich, 15 sep. 1983 : *Une allée boisée* vers 1920, h/t (71x100) : **DEM 3 300** - Munich, 10 juin 1985 : *Voiliers sur le Wannsee*, h/t (90,5x100) : **DEM 9 500** - Amsterdam, 16 nov. 1988 : *Cueillette de fleurs dans les bois près d'une mare*, h/t (12,5x21) : **NLG 1 265** - New York, 24 fév. 1994 : *Un coin de jardin* 1906, h/t (86,4x73,7) : **USD 9 488** - Londres, 13 mars 1996 : *Paysage estival*, h/t (84x111) : **GBP 3 565**.

FRANCK Philippe
Né vers 1780 à Stettin. xixe siècle. Français.
Peintre.
Élève de David. Le Musée de Louviers conserve de lui : *Hylas enlevé par les nymphes du fleuve Ascanius* (Salon de 1824). Il a exposé au Salon, de 1812 à 1837.

FRANCK Tobias ou **Francken** ou **Vranck**
Né en 1574 à Londres. xvie-xviie siècles. Britannique.
Peintre.
Il se maria à Amsterdam et y reçut le droit de bourgeoisie le 28 décembre 1598.

FRANCK-BUGGS. Voir **FRANK-BOGGS**

FRANCK-KOHLER Pierre Victor
Né à Sarrebourg (Haut-Rhin). xxe siècle. Français.
Aquarelliste.
Il figure depuis 1927 au Salon des Artistes Français, à Paris.

FRANCKE ou **Franco**
xvie siècle. Actif à Deventer. Allemand.
Peintre.
Frère lai. La cathédrale de Munster possède de ses œuvres.

FRANCKE. Voir aussi **FRANCK**

FRANCKE, Meister
xve siècle. Allemand.
Peintre d'histoire.
Cet artiste fut le disciple de Bertram. Peut-être même fut-il son élève. En tous cas, il subit très fortement l'influence du maître hambourgeois. Il s'est affirmé comme un des plus grands coloristes de l'école allemande. Il marque l'apogée de la peinture hanséatique, qui, après lui, devait subir d'une façon très nette l'influence de l'école hollandaise et de l'école de Westphalie. Ce ne fut guère qu'au xviiie siècle que l'on identifia son œuvre et beaucoup de tableaux de lui, cités dans les anciens auteurs, n'ont pas encore été retrouvés. On sait qu'il exécuta notamment un grand tableau d'autel, beaucoup d'autres relatifs à la vie de la Vierge, et à la vie des saints, particulièrement de saint Thomas de Cantorbery. Assez peu de ces tableaux sont donc venus jusqu'à nous, mais ceux que nous possédons paraissent constituer le meilleur de son œuvre. Le plus ancien semble être *Le Christ aux douleurs* du Musée de Hambourg, qui doit dater de 1415 ou 1420, et qui jusqu'en 1806 figura à la cathédrale de Hambourg. Le Musée de Leipzig possède de cette œuvre une petite réplique dont l'authenticité, assez longtemps contestée, paraît indiscutable. Ce *Christ aux douleurs* est indubitablement l'œuvre la plus remarquable de l'école allemande à cette époque. On cite encore de meister Francke, au Musée de Hambourg : *La Crucifixion, La Flagellation* et *La Fuite de Thomas de Cantorbery*.
Musées : Hambourg : *Le Christ aux douleurs* 1415 ou 1420 - *La Crucifixion - La Flagellation - La Fuite de Thomas de Cantorbery* - Leipzig : *Le Christ aux douleurs*, réplique de celui de Hambourg.

FRANCKE Bernhard Christoph ou **Franck,** ou **Frank,** ou **Francken** ou **Franken**
Enterré à Brunswick le 28 janvier 1729. xviiie siècle. Actif à Brunswick. Allemand.
Peintre.
Peintre du duc Rodolphe Auguste de Brunswick, il fit le portrait de celui-ci à la chasse au sanglier, portrait conservé au Musée Kestner à Hanovre et gravé par Heckenauer. On cite de lui également les portraits des ducs Antoine-Ulrich, Louis-Rodolphe, Ferdinand-Albert II et de sa femme Antoinette-Amalie, dans les châteaux de Brunswick et Königsberg. D'autres portraits de sa main se trouvent au Musée de Brunswick.

FRANCKE Carl Ludwig
Né le 12 août 1797 à Neusalz (Liegnitz). Mort le 3 août 1846 à Berlin. xixe siècle. Allemand.
Peintre d'histoire, compositions religieuses, scènes de genre, portraits, paysages.
Il fut élève de l'Académie de Berlin et figura de 1826 à 1844 aux Expositions de cette Académie avec de nombreux tableaux d'histoire et de genre, des portraits et des paysages. Il fut aussi écrivain et on cite de lui des écrits scientifiques, des poésies et une *Histoire biblique en vers*.
Ventes Publiques : Zurich, 16 mai 1980 : *L'Adoration des bergers* 1842, h/pan. (28x34) : **CHF 2 100**.

FRANCKE Heinrich Christian
xixe siècle. Actif à Hambourg vers 1830. Allemand.
Peintre de miniatures et peintre sur porcelaine.
Il peignit d'abord sur émail et ivoire et ne s'adonna que plus tard à la peinture sur porcelaine.

FRANCKE Rudolf ou **Francke-Nautschutz**
Né le 6 août 1860 à Nautschutz (Thuringe). xixe siècle. Allemand.
Sculpteur et illustrateur.
Élève de l'Académie de Berlin il travailla dans la même ville et voyagea dans les colonies allemandes. Il exposa à partir de 1881 des bustes et des bronzes. Dans le jardin zoologique d'Hagenbeck à Hambourg se trouvent ses sculptures *Indien et Nubien* et son monument de *G. Hagenbeck*. Comme illustrateur il exécuta des dessins des colonies allemandes.

FRANCKEN. Voir aussi **FRANCK**

FRANCKEN, généalogie de la famille des XVIe-XVIIe-XVIIIe siècles.
(Voir les articles à leur place alphabétique).

Nicolas Francken (1520-1596)

Hieronymus I (1540-1610)	Frans I (1542-1616)	Ambrosius I (1544-1618)	Cornelis (1545-?)

Thomas, (1574-?)	Hieronymus II, (1578-1623)	Frans II, (1581-1642)	Ambrosius II, (après 1581-1632)	Hans, (1518-1624)

Frans III, (1607-1667)	Hieronymus III, (1611-)	Ambrosius III, (1622-?)

Constantinus (1661-1717)

FRANCKEN Ambrosius I, le Vieux ou l'Ancien ou **Franck**
Né en 1544. Mort le 16 octobre 1618 à Anvers. XVIe-XVIIe siècles. Éc. flamande.
Peintre d'histoire, compositions religieuses, portraits, paysages.
Dans l'arbre généalogique des Francken, qui comporte cinq générations, Ambrosius l'ancien, prend place sur le deuxième échelon. Il est le troisième des quatre fils de Nicolas (1520-1596), le fondateur de cette dynastie d'artistes, qui semble avoir tant préoccupé la critique historique. Ainsi que ses deux frères aînés, Hieronymus, né en 1540 et Frans, né en 1542, il est désigné par l'épithète d'ancien ou de vieux, ou d'une façon plus moderne, sous le nom d'Ambrosius I, afin de la distinguer d'Ambrosius II, fils de son frère Frans I.
Ambrosius I a eu, semble-t-il, une carrière plus active que ses aînés et a connu un succès plus prolongé. Sa formation a été la même : tous trois ont été les élèves de Frans Floris, qui était du même âge que leur père Nicolas. Van Mander rapporte qu'il fut appelé à Tournai, étant jeune encore, par l'évêque de ce siège. Il semble avoir fait également un voyage en Italie, bien que ce point ne soit pas nettement élucidé. En tous cas, nous le retrouvons en Flandre, en 1569 ; l'année suivante, il se rendit à Fontainebleau, étant alors dans sa vingt-sixième année. Ce séjour est attesté par une mention des registres de l'église d'Avon, en date du 27 mai 1570, où l'artiste figure comme parrain dans un baptême. Fut-il employé aux travaux de décoration que François Ier faisait alors exécuter ? On l'a contesté, en invoquant les livres des comptes royaux qui ne citent pas son nom. N'était-il venu à Fontainebleau qu'afin d'y poursuivre ses études ? Quoi qu'il en soit, et même s'il n'avait pas déjà pris un contact direct avec l'Italie, le jeune peintre eut alors le loisir de contempler les grandes fresques du Rosso et du Primatice, qu'il admira grandement, à en juger par les traces qu'on en peut relever dans ses œuvres. De retour à Anvers, Ambrosius était reçu franc-maître dans la Guilde de Saint-Luc, en 1573, à l'âge de 29 ans. En 1577, le droit de bourgeoisie lui était concédé et, en 1581, il devenait doyen de la Guilde. Il ne quitta plus la Flandre, dans cette ville âgé de 74 ans, le 16 octobre 1618. Bien qu'ayant été marié deux fois, en 1577 et en 1583, il ne laissa pas d'enfants. Il prit comme élève son neveu Hieronymus II (qui vécut de 1578 à 1623), l'un des fils de son frère Frans l'Ancien ou le Vieux.
L'œuvre d'Ambrosius comprend un assez grand nombre de tableaux, qui subsistent pour la plupart, répartis principalement entre le Musée et l'église Saint-Jacques, à Anvers. D'une façon générale, cet artiste continue l'œuvre de Floris et de son école « italianisante » sans avoir cependant adopté intégralement la manière du maître. Au point de vue du coloris, surtout, il abandonne la gamme propre à celui-ci, c'est-à-dire une tonalité grise et d'impression plutôt triste, pour adopter des tons plus vifs et plus brillants ; en cela il fait, pour ainsi dire, retour à la nature spontanée de l'École d'Anvers. On peut conjecturer, de ce fait, ainsi qu'en raison du dessin lui-même, l'influence de Martin de Vos, disciple lui aussi de Floris, plus âgé qu'Ambrosius de quatorze ans et qui possédait aux yeux de ce dernier un incontestable prestige. On pourrait invoquer encore d'autres influences, comme celle d'Otto Vénius, le tout se combinant avec le souvenir des grandes œuvres de Fontainebleau. On trouve, en particulier, le témoignage de ces réminiscences dans le *Martyre de saint Crépin et saint Crépinien* (au Musée), ainsi que dans les deux volets de l'église Saint-Jacques : *la Femme adultère et la Résurrection de la fille de Jaïre*. On reproche au *Martyre de saint Crépin* une certaine monotonie, qui résulterait de l'absence d'ombres vigoureuses ; d'autre part, quelques détails de cette œuvre témoignent d'un réalisme à la flamande et d'un culte pour le familier, qui tranchent avec la conception tout italienne des personnages du premier plan. De même dans un tableau, conservé par la gravure de Gérard de Jose, *Jésus chez Marthe et Marie*, l'artiste a traité dans le fond un intérieur de cuisine, qui ne doit certainement rien à ses maîtres. L'église Saint-Jacques conserve encore quelques portraits d'Ambrosius Francken l'Ancien, entre autres ceux de Nicolas Mertens et de sa femme Jeanne Brandt. En plus des deux volets déjà mentionnés, on y trouve enfin un triptyque de 1608, la *Sainte Trinité* et un *Christ en croix*. L'artiste a composé, comme Otto Vénius, quelques séries de sujets allégoriques et moraux. On peut citer une grande planche, gravée en 1578, l'*Homme soutenu par la Grâce et éclairé par la Vérité*, composée à l'italienne, dont les deux figures de femmes ne manquent pas d'élégance dans leur robustesse ; *La lutte des Vertus et des Vices*, en huit planches gravées en 1579, la fable en six dessins de Poggio du *Meunier et de son fils*, que La Fontaine devait immortaliser plus tard.

MUSÉES : AIX : *Paysage – L'enlèvement de Déjanire* – ANVERS : *Multiplication des pains*, triptyque – *Martyre de saint Crépin et de saint Crépinien – Charité de saint Côme et de saint Damien – Saint Côme, médecin et martyr – Martyre de saint Côme et de saint Damien – Saint Damien, médecin et martyr – Martyre de sainte Catherine d'Alexandrie – Saint Sébastien en prison – Guérison miraculeuse de Zoé – Saint Sébastien martyrisé à coups de bâton – Vie de saint Georges* – BRUXELLES : *Daniel libère Suzanne* – CALAIS : *Moïse sauvé des eaux* – LA FÈRE : *Les noces de Cana* – OSLO : *Esther et Assuérus* – SAINT-OMER : *La Fille de Jephté – Le Triomphe de David* – VALENCIENNES : *Entrée dans l'Arche*.
VENTES PUBLIQUES : PARIS, 20 mai 1925 : *Le Passage de la Mer Rouge* : **FRF 520** – PARIS, 18 fév. 1926 : *Le Christ chargé de sa croix* : **FRF 2 520** – LONDRES, 24 fév. 1984 : *L'Adoration des bergers*, h/pan. (113x160) : **GBP 9 000** – PARIS, 19 déc. 1994 : *La Dormition de la Vierge*, h/pan. (112x92) : **FRF 20 000**.

FRANCKEN Ambrosius II, le Jeune ou peut-être **Francken Amman**
Né probablement à Anvers. Mort en 1632. XVIIe siècle. Éc. flamande.
Peintre d'histoire, compositions religieuses.
Fils et élève de Frans le Vieux ou l'Ancien ; reçu maître à Anvers en 1624. On manque de renseignements précis sur cet artiste ; il est celui cité par Siret avec le prénom de Amman. On suppose qu'il habita quelque temps Louvain ; on croit également qu'il aida, dans cette ville Mathieu Van Negre, élève de Martin de Vos, à achever plusieurs tableaux pour la grande église.

FRANCKEN Ambrosius III ou **Franck**
XVIIe siècle. Flamand.
Peintre.
Fils de Frans Francken II, dit le jeune. Il s'agit probablement du peintre Ambrosius Francken qui fut reçu maître à Anvers en 1644-45, comme fils de maître.

FRANCKEN Amman. Voir **FRANCKEN Ambrosius II, dit le Jeune,** ou **FRANCK**

FRANCKEN C. A. V.
XVIIIe siècle. Actif à La Haye vers 1754. Hollandais.
Portraitiste et miniaturiste.
Inscrit dans la Pictura.

FRANCKEN Constantinus ou **Constantijn** ou **Franck**
Né en 1661 à Anvers. Mort en 1717 à Anvers. XVIIe-XVIIIe siècles. Éc. flamande.
Peintre d'histoire, batailles.
Fils de Hieronymus III. En 1694, il fut reçu membre de la gilde de Saint-Luc. On considère comme son chef-d'œuvre *Le siège de Namur*.
MUSÉES : ANVERS : *La bataille d'Eckeren – Martin Van Rossum après l'attaque d'Anvers*.
VENTES PUBLIQUES : LONDRES, 6 avr. 1977 : *William III au siège de Namur* 1695, h/t (143x192) : **USD 5 500**.

FRANCKEN Cornelis ou **Franck**
Né vers 1545 à Anvers. XVIe siècle. Flamand.

Peintre.
Quatrième fils de Nicolas Francken, père de Hans Francken. On sait peu de choses sur lui.

FRANCKEN Frans, l'Ancien ou le Vieux ou **Frank**
Né en 1542 à Herenthals (Anvers). Mort le 3 octobre 1616 à Anvers. XVIe-XVIIe siècles. Éc. flamande.
Peintre d'histoire, scènes mythologiques, compositions religieuses, scènes de batailles, portraits.
Cet artiste était le second fils de Nicolas Francken (1520-1596), souche de la célèbre famille de peintres que l'on peut suivre sur cinq générations. C'est d'ailleurs de Frans l'Ancien, ou si l'on préfère Frans I, que sont issues les trois générations suivantes, exception faite pour son frère Cornelis, qui laissa un fils dont la postérité est inconnue. Il n'existe pas beaucoup de renseignements positifs sur la jeunesse de l'artiste. Nous savons seulement qu'il vint de bonne heure à Anvers, pour y faire ses études. Comme ses frères, il devint l'élève de Frans Floris, qui jouissait alors d'une grande célébrité, et s'attacha à continuer la manière de son maître, de plus près encore certainement que son frère Ambrosius I. À quelques variantes près, il s'agit ici d'artistes de même nature, propagateurs convaincus du mouvement « italianisant » dont le succès initial fut l'œuvre propre de Floris. Frans I, devenu citoyen et bourgeois d'Anvers en 1567, fut reçu, soit la même année, soit deux ans plus tard, franc-maître dans la Guilde de Saint Luc, dont il fut doyen en 1588, après son cadet Ambrosius, qui avait rempli les mêmes fonctions en 1581. Il est très douteux, plus encore qu'en ce qui concerne ce dernier, que Frans ait séjourné en Italie. De son mariage avec Elisabeth Mertens, en 1573 (ou moins vraisemblablement 1575), naquirent quatre fils : Thomas, Hieronymus (dit II), Frans II et Ambrosius II, qui furent tous peintres, mais fournirent des carrières assez différentes, Frans II, appelé encore François le Jeune, ayant seul laissé un renom comparable à celui de son père et de ses oncles. Frans I figure dans un certain nombre d'actes authentiques : ainsi, comme parrain, sur l'acte de baptême d'un enfant de David Ryckaert l'Ancien, en 1594 ; plus tard, en 1607, comme témoin du mariage de son fils Frans II. Artiste des plus réputés, Frans l'Ancien a formé des élèves de valeur, en dehors de ses propres fils : Goltzius, Jean de Waal, Herman Van der Maest. Il ne quitta pas Anvers, dans cette ville où il mourut le 3 (ou 5) octobre 1616, dans sa 74e année. Il fut enseveli dans l'église Saint-André.
Parmi ses œuvres de la meilleure époque, on peut noter le vaste triptyque de la cathédrale d'Anvers, dont le panneau central représente *Jésus au milieu des docteurs* et les volets latéraux, l'un le *Miracle d'Elie à Sarepta*, l'autre *Saint Ambroise baptisant saint Augustin*. Cette œuvre, qui porte la date de 1587, fut l'objet d'une étude attentive de la part de Reynolds, lors de son voyage en Flandre : elle témoigne d'un effort sincère et intelligent accompli dans la voie tracée par Floris. L'italianisme se manifeste principalement dans la recherche de l'expression à donner aux physionomies et de la correction des contours. On a reproché à ces peintures, ainsi qu'en général à l'œuvre de Frans Francken, de manquer d'audace et d'accent, d'exprimer la réflexion, l'étude attentive plutôt que l'inspiration, pour tout dire de n'accuser qu'une personnalité effacée. Toutefois la technique lisse, par glacis superposés, est d'une perfection irréprochable. On trouve chez son frère Ambrosius l'Ancien plus d'indépendance, la marque plus nette, sinon d'une véritable originalité personnelle, du moins du tempérament proprement flamand. Il s'agit en réalité d'artistes probes et laborieux, demeurés résolument dans le sillage du maître, de peintres d'école, on serait tenté de dire de « bons élèves ». Le tableau d'*Etéocle et Polynice* du Musée d'Anvers, provenant de l'ancien Serment de l'Escrime, est une composition en grisaille, consciencieusement ordonnée, avec la foule des guerriers groupée autour des deux combattants prêts à en venir aux mains, et même avec la vue, dans le fond, du bûcher destiné à la crémation du cadavre du vaincu. La peinture n'offre pas, d'ailleurs, grand caractère. On peut relever encore, dans l'église Saint-Jacques d'Anvers, dans la chapelle de Saint-Jean-Baptiste, les deux volets : *L'Ensevelissement de Jésus-Christ* et *L'Apparition de Jésus à Madeleine*, dont les revers sont décorés de grisailles, représentant *Saint Sévère évêque* et *Saint Ambroise*. Il existe au Louvre une *Histoire d'Esther*, que le catalogue de M. Villot a attribuée à Frans I, mais qui est en réalité de son fils Frans le Jeune : ce tableau fut acquis au prix de 500 fr. Frans Francken l'Ancien a exécuté les portraits de personnages comptant parmi les plus illustres de son temps, celui notamment de Guillaume d'Orange. Une petite peinture, *La Destruction de l'armée de Pharaon dans la Mer Rouge* (Angleterre, Blenheim), a été jugée par M. Waagen « d'une délicatesse extraordinaire ».

Musées : Abbeville : *La Vierge et l'Enfant Jésus* – Anvers : *Etéocle et Polynice* – Auxerre : *Le passage de la Mer Rouge* – Chartres : *Prédication de saint Jean Baptiste* – Dresde : *Christ sur le chemin du Golgotha* – Florence (Offices) : *Le Triomphe de Neptune et d'Amphitrite* – Genève (Rath) : *Les pendaisons du duc d'Albe dans les Flandres* – Glasgow : *La procession vers le Calvaire* – Madrid (Prado) : *La sentence de mort de Jésus et sa présentation au peuple* – *La prédication de saint Jean* – *Ecce Homo* – *L'arrestation de Jésus* – *Neptune et Amphitrite* – *Perspective intérieure d'une église* – Moscou (Roumiantzeff) : *L'adoration du veau d'or* – *Achille reconnu* – *Le Crucifiement* – Nantes : *Jésus en croix entre les deux larrons* – Paris (Louvre) : *Histoire d'Esther* – Poitiers : *Festin de Balthasar* – Reims : *Adoration des Mages* – Saint-Pétersbourg (Ermitage) : *Les noces de Cana* – Stockholm : *Lazare et le mauvais riche* – Stuttgart : *Adoration des Mages*.
Ventes Publiques : Paris, 25 juin 1892 : *Vierge et Enfant Jésus* : **FRF 13 000** – Paris, 15-16 mars 1897 : *La Mort de la Vierge* : **FRF 120** ; *Réjouissances politiques* : **FRF 1 200** – Paris, 4 mai 1900 : *Le Christ, la Vierge et les douze apôtres* : **FRF 300** – Paris, 16 fév. 1920 : *Le Festin de Balthazar* : **FRF 260** – Londres, 5 juil. 1920 : *Reine de Saba devant Salomon* : **GBP 35** – Paris, 15 fév. 1923 : *Esther et Assuérus* : **FRF 1 750** – Londres, 2 mars 1923 : *Découverte d'Achille* : **GBP 110** – Paris, 23 mars 1923 : *Le Repos de la Sainte Famille* : **FRF 1 520** – Londres, 26 mars 1923 : *Adoration des Mages* : **GBP 39** – Paris, 14 juin 1923 : *Jésus mené au Calvaire* : **FRF 1 150** – Londres, 25 juin 1923 : *Esther et Assuérus* : **GBP 14** – Londres, 21 nov. 1924 : *Procession au Calvaire* ; *Le Crucifiement*, les deux : **GBP 63** – Londres, 3 déc. 1924 : *Évêque baptisant des enfants* : **GBP 12** – Londres, 9 juil. 1926 : *Coriolan, Volumnie et Virgile* : **GBP 52** – Paris, 19 avr. 1928 : *L'Adoration des Bergers* : **FRF 4 000** ; *Le Christ en croix et trois saints personnages* : **FRF 2 000** – Londres, 27 juil. 1928 : *Mariage de la Vierge* : **GBP 23** ; *Vierge se lamentant sur le Christ mort* : **GBP 52** – Paris, 19 nov. 1928 : *Le Festin de Lazare* : **FRF 8 500** – Londres, 8 mars 1929 : *Travail et repos* : **GBP 44** – Londres, 11 avr. 1929 : *Les noces de Cana* : **GBP 27** – Londres, 19-22 juin 1931 : *La chanson d'amour* : **GBP 13** – Londres, 2 août 1934 : *Le crucifiement* : **GBP 13** – Londres, 16 avr. 1937 : *Intérieur d'un studio d'artiste* : **GBP 19** – Londres, 29 avr. 1938 : *Les vierges sages et les vierges folles* : **GBP 28** – Londres, 16 juin 1938 : *Esther devant Assuérus* : **GBP 18** – Londres, 6 mars 1940 : *Moïse frappant le rocher* : **GBP 15** – Londres, 4 sep. 1941 : *Adoration des Mages* : **GBP 16** – Paris, 10 et 11 mars 1941 : *L'Adoration des Mages* : **FRF 2 750** – Paris, 26 et 27 mai 1941 : *Orphée charmant les animaux* ; *Scène romaine dans le péristyle d'un palais*, ensemble : **FRF 3 400** – Paris, 4 déc. 1941 : *La Montée au Calvaire*, École des Francken : **FRF 5 200** – Paris, 19 déc. 1941 : *Le Festin de Balthazar*, attr. : **FRF 4 300** – Londres, 5 juin 1942 : *Banquet dans un jardin* : **GBP 21** – Londres, 30 oct. 1942 : *Enlèvement des Sabines* : **GBP 21** – Paris, 30 oc. 1942 : *Le Calvaire*, École des Francken : **FRF 26 500** – Paris, 25 juin 1943 : *Les Noces de Cana*, École des Francken : **FRF 15 500** ; *Le Christ devant Pilate*, École des Francken : **FRF 10 500** – Londres, 30 juil. 1943 : *Festin d'Esther et d'Assuérus* : **GBP 31** – Paris, 13 déc. 1943 : *Les Cinq Sens*, en collaboration avec J. Breughel, dit de Velours : **FRF 81 000** – Londres, 18 fév. 1944 : *Festin d'Hérode* : **GBP 42** – Paris, 24 avr. 1944 : *Le Christ devant Pilate*, École des Francken : **FRF 15 600** – Paris, 14 mai 1945 : *L'Adoration des Mages*, attr. : **FRF 10 100** – Paris, oct. 1945-juil. 1946 : *Le Festin du mauvais riche* 1606 : **FRF 43 000** – Londres, 13 fév. 1946 : *Festin de Bacchus* : **GBP 62** – Londres, 15 nov. 1946 : *Les Noces de Cana* : **GBP 36** – Paris, 17 fév. 1947 : *Scène de bataille*, École des Francken : **FRF 26 100** – Paris, 13 mars 1947 : *Les Noces de Cana* : **FRF 35 000** – Londres, 19 mars 1947 : *Intérieur* : **GBP 35** – Paris, 5 mai 1947 : *L'Adoration des Mages*, attr. : **FRF 15 000** – Londres, 20 juin 1947 : *Minerve et autres personnages* : **GBP 68** – Londres, 15 nov. 1961 : *Le collectionneur* : **GBP 950** – Paris, 1er juin 1967 : *Les Noces de*

Cana : **FRF 19 100** – Bruxelles, 26-28 mars 1968 : *Le Golgotha* : **BEF 100 000** – Versailles, 4 juin 1970 : *Le Golgotha* : **FRF 17 100** – Paris, 12 avr. 1973 : *Scène de la vie de Loth* : **FRF 2 000** – Paris, 26 mars 1974 : *Les Hébreux fuyant vers la terre promise* : **FRF 46 000** – Paris, 26 mars 1977 : *Le Bal à la Cour*, h/pan. (52x75) : **FRF 82 000** – Copenhague, 28 avr. 1981 : *Crucifixion*, h/pan. (98x154) : **DKK 13 000** – Paris, 3 juil. 1987 : *Le Festin de Balthazar*, h/pan. (52,5x80) : **FRF 82 000** – Londres, 3 juil. 1996 : *L'Incrédulité de Thomas*, h/pan. (77x102,2) : **GBP 12 650**.

FRANCKEN Frans II, le Jeune ou **Franck**

Né le 6 mai 1581 à Anvers. Mort le 6 mai 1642 à Anvers. XVIIe siècle. Éc. flamande.

Peintre de scènes mythologiques, compositions religieuses, sujets allégoriques, graveur.

Frans II, ou le Jeune, appartient à la troisième génération de l'arbre généalogique des Francken. Né en 1581, de Frans I, ou l'Ancien, il était le frère de Thomas, né en 1574, de Hieronymus II, né en 1578 et mort en 1623, et d'Ambrosius II, le dernier des quatre, mort en 1632. Hieronymus, mort à quarante-cinq ans, n'est guère connu que par son tableau *Horatius Cocles au pont Sublicius*. Frans II fut d'abord l'élève de son père et eut le loisir d'acquérir auprès de celui-ci, qui jouissait alors de sa pleine renommée, tous les enseignements de la tradition de Frans Floris. Mais, heureusement pour lui, il put visiter assez longuement l'Italie, au cours de sa première jeunesse et, en particulier, étudier sur place les maîtres de l'école vénitienne. Cette prise de contact directe lui valut de pouvoir se dégager des méthodes déjà vieillies de l'italianisme flamand, tel que le pratiquaient son père et ses oncles. Le jeune artiste s'est-il rencontré alors avec Rubens, qui séjourna en Italie à la même époque ? En 1605, soit dans sa vingt-quatrième année, Frans Francken, de retour à Anvers, était admis comme maître dans la Guilde de Saint-Luc. En 1607, il épousa Elisabeth Placquet ; de ce mariage naquirent trois fils et cinq filles. Ses enfants constituent le quatrième échelon de la dynastie : on en connaît surtout Frans III (1607-1667) et Hieronymus III, né en 1611 ; ce dernier eut pour fils Constantinus (1661-1717), par lequel se termine l'arbre généalogique ; la famille des peintres Francken occupant ainsi à peu près l'espace de deux siècles, entre 1520 et 1717. Devenu l'un des maîtres les plus actifs d'Anvers, Frans II fut nommé doyen de la gilde en 1614. Il était également membre de la Violette, association littéraire importante, pour laquelle il peignit un blason symbolique qui fut primé. Il était en relations familières avec les artistes les plus en renom, notamment avec Van Dyck, qui fit de lui un portrait apparemment fort beau, à en juger d'après la gravure de Guillaume Hondius et Pierre de Jode. Il est vraisemblable qu'il connut plus ou moins intimement Rubens, qui fut à peu de chose près son contemporain. Il mourut à Anvers, le 6 mai 1642, âgé de soixante et un ans, ne survivant guère, par conséquent, ni à Rubens ni à Van Dyck.

La première œuvre de Frans II, de date certaine, est *Le Christ en croix*, de la galerie de Vienne, peint en 1606. *Le Sabbat des Sorcières* (Vienne) et *Les Œuvres de Miséricorde* (Anvers), sont respectivement de 1607 et 1608. Dans ces deux dernières œuvres, le peintre s'annonçait comme un figuriste habile et un compositeur élégant de scènes allégoriques. *Les Œuvres de Miséricorde* présentent divers groupes de personnages, symbolisant les différentes activités inspirées par la charité chrétienne ; les pauvres et les mendiants occupent le premier plan, l'ensemble étant dominé par la figure du Christ glorieux. Frans le Jeune ne peut être comparé aux maîtres de cette grande première génération anversoise, qu'a illuminée et entraînée le puissant génie de Rubens ; il n'en possède pas moins un mérite réel. Dans un cadre plus modeste, il a su réaliser et mettre, en quelque sorte à la mode, un genre anecdotique, sur le succès duquel ont d'ailleurs vécu pendant plus d'un siècle encore, les derniers représentants de la famille Francken. Frans II fut certainement le dessinateur le plus remarquable de celle-ci ; on a pu reprocher à son art de ne s'être élevé ni à la grandeur ni même à la gravité : il n'en a pas moins déployé un vrai talent d'exécution. Sa brosse est agile, sa fantaisie prudente mais ingénieuse ; son goût naturel pour la couleur, secondé par les leçons qu'il a su tirer de l'étude et de la compréhension de ses grands contemporains, lui a permis d'exécuter des paysages et, aussi bien, des figures aux chairs grasses et lumineuses, qui ne le rendent certes pas indigne de la brillante époque qui fut la sienne. Le détail, l'accessoire même le préoccupent sans doute ; mais il sait les traiter avec intelligence, voire avec esprit. *La Parabole de l'Enfant Prodigue, La Visite d'un prince dans le trésor d'une église* (tous deux au Louvre) sont très démonstratifs à cet égard. Les scènes, peintes en grisaille, qui entourent le motif principal de l'*Enfant prodigue*, sont surtout caractéristiques de sa manière. Il excellait à peindre les orfèvreries, les ornements, les costumes chatoyants. Un grand nombre de ses figurines peuplent les fonds neutres d'intérieurs d'appartements, de galeries, etc. : il a exécuté des travaux de ce genre, non seulement pour son propre compte, mais pour d'autres artistes, tels que Peeter Neeffs, Van Bassen, Josse de Momper, Breughel. Ses tableaux subsistent d'ailleurs en assez grand nombre.

Den. f. ffranck

Musées : Aix : *Arrivée des Hébreux dans la terre promise* – Amiens : *L'Adoration des Mages*, esquisse – Amsterdam : *Abdication de Charles Quint – Adoration des Mages – L'Enfant prodigue – Même sujet – Scènes de l'Ancien Testament* – Anvers : *Un cabinet d'amateur de tableaux – Miracles au tombeau de saint Bruno – Les œuvres de miséricorde – Les Quatre Couronnés condamnés au martyre – Flagellation des quatre couronnés – Lapidation – Les quatre couronnés au travail* – Arras : *La Passion* – Augsbourg : *Moïse fait jaillir l'eau d'un rocher* – Bamberg : *La fête de la danse* – Besançon : *Passage de la Mer Rouge – Passage du Jourdain – Le Christ livré aux insultes des Juifs – Jésus portant sa croix* – Bordeaux : *Le Christ au Calvaire – Même sujet* – Bruxelles : *Crésus montrant ses trésors à Solon* – Budapest : *Esther et Assuérus* – Caen : *Les Esclaves des fureurs de l'Amour* – Chambéry (Mus. des Beaux-Arts) : *Adoration des Mages* – Cherbourg : *La Femme adultère* – Cologne : *Adoration des Mages* – Compiègne : *Allégorie* – Dresde : *La calomnie d'Apelle – La fuite en Égypte – La Reine des cieux couronnée de fleurs – La Femme adultère devant le Christ – La création d'Ève* – Dunkerque : *Le Festin d'Hérode* – Florence (Offices) : *La Fuite en Égypte* – Florence (Pitti) : *Jésus montant au Calvaire* – Hambourg : *Engloutissement de Pharaon* – Hanovre : *L'Enfant prodigue* – La Haye : *Un bal à la Cour d'Albert et d'Isabelle* – Kassel : *Apelle et le cordonnier*, cuivre – *Le Baiser de Judas*, cuivre – Lille : *Jésus montant au Calvaire* – Mayence : *David vainqueur de Goliath* – Munich : Salle ornée de tableaux et d'objets d'art – *Les sept œuvres de miséricorde – Un tournoi* – Nancy : *La Vierge et l'Enfant servis par des Anges – Jésus dans le désert servi par les Anges* – Nantes : *Le Débarquement de Cléopâtre* – Nice : *Jésus au jardin des Oliviers* – Oldenbourg (Augusteum) : *Apollon et les Muses* – Orléans : *Jésus devant Caïphe* – Oslo : *Réunion d'hommes et de femmes devant une auberge* – Paris (Louvre) : *Parabole de l'Enfant Prodigue – La Passion – Ulysse reconnaît Achille parmi les filles de Lycomède – Crésus et Solon* – Paris (Marmottan) : *Jésus prêchant sur les bords du lac de Tibériade* – Rennes : *Jésus chez Simon le Pharisien* – Rome (Borghèse) : *Marchand de tableaux* – Saint-Pétersbourg (Ermitage) : *Le Passage de la Mer Rouge – Les sept œuvres de la Miséricorde chrétienne – L'Entrée de David à Jérusalem* – Schleissheim : *La tentation de saint Antoine* – Stockholm : Six tableaux – Stuttgart : *Adoration des Mages – Jugement dernier – Les quatre éléments – Jupiter et Junon* – Tours : *Enlèvement d'Hélène* – Vienne : *Sabbat des sorcières – Crésus et Solon – La danse – Le Crucifiement – Le Christ et Nicodème – Cabinet d'art et de curiosités – Réunion de sorcières* – Vienne (Harrach) : *Atelier*, sujet allégorique.

Ventes Publiques : Paris, 1847 : *Le Festin de Balthazar* : **FRF 310** – Paris, 1861 : *Intérieur d'un musée* : **FRF 980** – Paris, 1872 : *Les œuvres de miséricorde* : **FRF 2 300** – Paris, 1899 : *La Visite à la galerie* : **FRF 2 100** – Paris, 8 mai 1900 : *Le Festin de Balthazar* : **FRF 880** ; *Les Enfants de Jacob* : **FRF 100** – Paris, 17 nov. 1919 : *Le Mariage de la Vierge* : **FRF 300** – Paris, 19 déc. 1919 : *Jeune femme implorant la clémence d'un roi* : **FRF 900** – Paris, 29-30 avr. 1920 : *Allégorie du Christianisme* : **FRF 2 600** – Paris, 26 mai 1920 : *Énée et Didon* : **FRF 440** – Paris, 28 fév. 1921 : *Le Retour de Jacob* : **FRF 3 600** – Paris, 9-10 juin 1926 : *Sujet tiré de l'Histoire ancienne* : **FRF 3 400** – Paris, 9 mai 1927 : *L'Adoration des Rois Mages* : **FRF 1 600** – Paris, 7 juil. 1927 : *La Prédication de saint Jean* : **FRF 860** – Paris, 25 nov. 1927 : *Hélène enlevée par Pâris* : **FRF 1 055** – Paris, 25 mars 1935 : *Salomon sacrifiant aux faux dieux* : **FRF 850** – Paris, 16 fév. 1939 : *Scènes tirées du Nouveau Testament : La Nativité, l'Adoration des Mages, la Circoncision, le Couronnement d'épines, la Crucifixion, la Résurrection, le Christ apparaissant aux Apôtres et l'Assomption de la Vierge*, suite de huit compositions : **FRF 2 700** – Paris, 11 jan. 1943 : *Le Festin de Balthazar* : **FRF 90 000** – Paris, 25-26 juin 1945 : *Le Mauvais*

Riche : **FRF 21 400** - Paris, 21 oct. 1946 : *Jésus et le paralytique*, attr. : **FRF 11 000** - Paris, 9 déc. 1961 : *Salomon et la reine de Saba*, panneau : **FRF 4 000** - Londres, 27 juin 1962 : *L'intérieur d'une galerie de tableaux* : **GBP 1 900** - Cologne, 11 nov. 1964 : *L'Adoration des Rois* : **DEM 7 500** - Londres, 8 déc. 1965 : *Le banquet* : **GBP 1 200** - Copenhague, 12 mai 1969 : *Saint Antoine* : **DKK 13 000** - Vienne, 16 mars 1971 : *Le Chemin de Croix* : **ATS 35 000** - Londres, 12 déc. 1973 : *L'adoration du Veau d'Or* : **GBP 5 500** ; *Festin des Dieux* : **GBP 29 000** - Bruxelles, 26 mars 1974 : *Élégante compagnie dans un intérieur* : **BEF 400 000** - Versailles, 23 mai 1976 : *La Mise en croix*, cuivre (41,5x34) : **FRF 9 500** - Londres, 6 juil. 1976 : *Scène villageoise* 1634, aquar. et pl. (20,6x31,3) : **GBP 1 600** - Versailles, 5 mars 1978 : *La Montée au Golgotha*, h/bois (52x73) : **FRF 38 000** - Paris, 18 mars 1981 : *Un bal à la cour*, h/bois (50x71) : **FRF 125 000** - Versailles, 27 nov. 1983 : *La Crucifixion devant de nombreux spectateurs*, h/pan. parqueté (73x121) : **FRF 55 000** - New York, 7 juin 1984 : *Triomphe de Neptune*, h/pan. (53,5x75,5) : **USD 42 000** - Londres, 19 avr. 1985 : *La Parabole des Vierges sages et des Vierges folles* 1616, h/pan. (67,3x110,5) : **GBP 28 000** - New York, 7 avr. 1988 : *Le Festin de Balthazar*, h/cuivre (66x82,5) : **USD 6 325** - Paris, 14 avr. 1988 : *Le Banquet*, h/pan. (74x105,5) : **FRF 110 000** - Milan, 10 juin 1988 : *L'Adoration des Mages*, h/pan. (101x64) : **ITL 34 000 000** ; *La Boutique de l'antiquaire*, h/pan. (50x72) : **ITL 73 000 000** - Londres, 17 juin 1988 : *Vierge à l'Enfant avec saint Jean Baptiste enfant*, h/cuivre (30,5x24,1) : **GBP 5 500** - Paris, 12 déc. 1988 : *Salomon et la reine de Saba*, h/pan. (81x117,5) : **FRF 620 000** - New York, 21 oct. 1988 : *Le Passage de la mer rouge*, h/pan. (40,5x56,5) : **USD 8 800** - New York, 11 jan. 1989 : *Bal costumé* 1608, h/pan. (47x70) : **USD 38 500** - Londres, 31 mars 1989 : *La Cène avec les quatre évangélistes et Dieu le Père*, h/cuivre, peint. ovale sur fond rectangulaire (54x40) : **GBP 5 500** - Paris, 12 avr. 1989 : *Le Christ présenté à la foule*, h/pan. (35,5x47,3) : **FRF 16 000** - Paris, 14 avr. 1989 : *Le Festin*, h/bois parqueté (35x38) : **FRF 130 000** - Stockholm, 19 avr. 1989 : *Bataille entre les Juifs et les Égyptiens*, h/pan. (99x150) : **SEK 92 000** - New York, 12 oct. 1989 : *La Mort courtisant la Misère*, h/cuivre (23x17,2) : **USD 26 400** - Londres, 18 oct. 1989 : *La rencontre d'Antoine et Cléopâtre*, h/pan. (70x105,5) : **GBP 33 000** - Londres, 11 avr. 1990 : *Le Triomphe de Bacchus*, h/cuivre (53,5x75,6) : **GBP 115 500** - Stockholm, 14 nov. 1990 : *Lazare et les hommes riches*, h/pan. (44x63) : **SEK 40 000** - Rome, 19 nov. 1990 : *Duel entre Minerve et Mars en présence de Mercure pendant la guerre de Troie*, h/pan. (56x85) : **ITL 10 350 000** - Paris, 30 nov. 1990 : *L'Adoration des Mages*, h/pan./t. (55x80) : **FRF 230 000** - Londres, 12 déc. 1990 : *Grande composition florale dans un vase de métal peint représentant le rapt de Déjanire*, h/pan. (60,5x48,5) : **GBP 462 000** - New York, 11 avr. 1991 : *Halte pendant la fuite en Egypte avec un cerf à distance*, h/pan. (38,5x41) : **USD 38 500** - Milan, 30 mai 1991 : *L'œuvre de miséricorde*, h/pan. (50x76) : **ITL 28 000 000** - Monaco, 22 juin 1991 : *La Légende de Virgile et de la fille de l'empereur*, h/pan. (58,8x80) : **FRF 188 700** - Paris, 6 nov. 1991 : *Création d'Adam et Eve*, trois h/cuivre (chaque 12x28,5) : **FRF 30 000** - Cologne, 28 juin 1991 : *Jésus et Ponce Pilate*, h/cuivre (57x73) : **DEM 3 300** - Monaco, 5-6 déc. 1991 : *Le Festin de Balthazar*, h/cuivre (36x52,5) : **FRF 133 200** - Amsterdam, 2 mai 1991 : *Le Christ prêchant sur la mer de Galilée*, h/pan. (40,7x64,3) : **NLG 28 750** - New York, 16 jan. 1992 : *Daniel apprivoisant le dragon de Babylone*, h/pan. (24,3x33,7) : **USD 12 100** - Paris, 26 juin 1992 : *Salomon accueillant la reine de Saba*, cuivre (37x50,5) : **FRF 60 000** - Londres, 10 juil. 1992 : *La Traversée de la mer Rouge*, h/t (128,3x166,8) : **GBP 12 100** - New York, 14 jan. 1993 : *Différents moyens d'atteindre l'Immortalité* 1610, h/pan. (78,1x146) : **USD 20 900** - New York, 15 jan. 1993 : *La Construction de la tour de Babel*, h/cuivre (69,2x86,4) : **USD 34 500** - Paris, 6 juil. 1993 : *Le Christ sur le lac de Génézareth*, h/pan. de chêne (84,5x164) : **FRF 360 000** - Londres, 6 juil. 1994 : *La Parabole des mauvais riches et de Lazare* 1608, h/pan. (46x77) : **GBP 16 675** - New York, 12 jan. 1995 : *Les Israélites au bord de la mer Rouge avec les reliques de Joseph*, h/pan. (63,5x81,3) : **USD 68 500** - La Flèche, 2 avr. 1995 : *Vierge à l'Enfant dans un paysage*, h/cuivre (42x55) : **FRF 66 000** - Paris, 12 déc. 1995 : *Le Repas chez Simon*, h/pan. de chêne, de forme octogonale (30x66) : **FRF 60 000** - New York, 11 jan. 1996 : *Élégante société dansant dans une auberge*, h/cuivre (50,2x73,7) : **USD 37 950** - L'Isle-Adam, 28 jan. 1996 : *Le Passage de la mer Rouge*, h/pan. (51x73) : **FRF 80 000** - Londres, 30 oct. 1996 : *Présentation à l'empereur Charles V*, h/pan., bordure en grisaille (53x42) : **GBP 17 825** - New York, 4 oct. 1996 : *Le Festin de Balthazar* vers 1610, h/pan. (54,5x76,7) : **USD 28 750** - New York, 3 oct. 1996 : *L'Âge d'Or*, h/cuivre (33,7x40,6) : **USD 13 800** - Paris, 17 juin 1997 : *L'Entrée du Christ à Jérusalem*, pan. chêne (52x82) : **FRF 110 000** - Amsterdam, 11 nov. 1997 : *L'Idolâtrie de Salomon* vers 1640, h/pan. (38,3x65,2) : **NLG 29 983** - Londres, 3-4 déc. 1997 : *Le Festin d'Hérode*, h/pan. (53,8x74,7) : **GBP 19 550**.

FRANCKEN Frans III, l'Aîné, pseudonyme : **Francken Rubens**

Né en 1607 à Anvers. Mort le 4 septembre 1667 à Anvers. XVIIe siècle. Éc. flamande.

Peintre de compositions religieuses, figures, portraits, intérieurs d'églises.

Fils aîné de Frans II. Son surnom de Rubens Francken est encore inexpliqué. En 1655, il devint doyen de la gilde de Saint-Luc. Il a peint surtout des figures, notamment dans les intérieurs d'églises de Pieter Neeffs.

Musées : Anvers : *Portraits de famille* - Augsbourg : *Saint Jean prêchant* - *Moïse frappant le rocher* - Douai : *L'Adoration des Mages* - Dresde : *Intérieur de la cathédrale d'Anvers* - Hanovre : *Le Festin de Balthazar* - La Haye : *Intérieur de cathédrale*.

Ventes Publiques : Paris, 23 jan. 1928 : *Le Roi Salomon* : **FRF 2 000** - Paris, 6 déc. 1984 : *Le Combat des Centaures et des Lapithes*, h/pan. (50,5x76) : **FRF 15 000** - New York, 21 oct. 1988 : *L'Adoration des Mages*, h/pan. (53,5x66) : **USD 10 450** - Strasbourg, 11 mars 1989 : *Nativité*, h/t (65x49,5) : **FRF 66 000** - Le Touquet, 19 mai 1991 : *Le Joyeux Festin*, h/cuivre (22x29) : **FRF 40 000** - Lokeren, 23 mai 1992 : *Le Combat*, h/pan. (46,5x58,5) : **BEF 300 000** - Amsterdam, 13 nov. 1995 : *Le Festin de Balthazar*, h/pan. (65x96,5) : **NLG 43 700** - Paris, 18 déc. 1996 : *Le Golgotha*, h/pan. (45,5x58) : **FRF 48 000**.

FRANCKEN Gabriel ou **Franck** ou **Vrancken**

Mort en 1639. XVIIe siècle. Actif à Anvers. Éc. flamande.

Peintre.

En 1605, il était élève de Geert Schoofs. En 1620, il fut reçu maître et en 1634 membre de la gilde de Saint-Luc.

Musées : La Fère : *La mort d'Adonis* - Karlsruhe : *Un bal* - Lisbonne : *Automne*.

FRANCKEN Hans ou **Franck**

Né en 1581 à Anvers. Mort le 24 décembre 1624 à Anvers. XVIIe siècle. Flamand.

Peintre de compositions religieuses.

Fils de Cornelis Francken. Il fut élève de son oncle Ambrosius I, dit l'Ancien. En 1607, il vint à Paris. En 1608, il retourna à Anvers, où il fut reçu maître en 1611.

Musées : Bruges : *Jésus parmi les docteurs de la loi* - *Descente de l'Esprit Saint* - Bruxelles : *La Décollation de saint Jean-Baptiste*.

FRANCKEN Hieronymus I, le Vieux ou l'Ancien ou **Franck**

Né en 1540 à Hérenthals. Mort en 1610 à Paris. XVIe-XVIIe siècles. Éc. flamande.

Peintre d'histoire, compositions religieuses, scènes de genre, portraits.

Hieronymus est le premier fils de ce Nicolas Francken, peintre d'Hérenthals, qui fut la souche d'une dynastie bien connue d'artistes, mais sur lequel il n'existe guère d'informations précises. Il semble avoir vécu de 1520 à 1596 ; son portrait, peint par lui-même, figurait encore sur son tombeau, dans l'église d'Hérenthals, au milieu du XVIIIe siècle. Nicolas eut quatre fils, dont les trois premiers, Hieronymus, Frans et Ambrosius (tous trois désignés de l'appellation de l'Ancien, pour les différencier de leurs fils ou neveux), furent des peintres en renom. Le quatrième, Cornelis, né en 1545, n'est pas mieux connu que son fils Hans, qui vécut de 1518 à 1624.

Hieronymus I, dit l'Ancien, fut l'élève de Frans Floris, de même que ses frères ; sans doute, leur père, Nicolas Francken a-t-il adhéré lui-même au grand mouvement italianisant dont le succès fut principalement l'œuvre de Floris. Mais, à la différence de ses cadets, qui ne connurent pas l'Italie ou ne prirent qu'un contact très rapide avec elle, Hieronymus y fit un séjour assez prolongé. Par la suite, il vint à Paris et obtint auprès de la Cour un succès très vif : le roi Henri III lui aurait témoigné son estime

en le chargeant d'exécuter son portrait. Il n'existe pas trace de cette peinture, à la vérité ; mais l'inscription qui figure au bas d'un portrait de l'artiste, peint par lui-même, aujourd'hui disparu, mais conservé par la gravure de Jean Morin, le désigne comme « peintre du roy ». En tout cas, il est certain que Christophe de Thou, premier président du Parlement, prit l'artiste flamand sous sa protection la plus effective et lui commanda un tableau représentant l'*Adoration des Bergers*, lequel fut peint par Francken en 1585 (il était alors âgé de 45 ans) ; il y fit d'ailleurs figurer le magistrat avec toute sa famille. Cette peinture décorait, avant la Révolution, l'autel de l'Église des Cordeliers ; elle a disparu et aucune recherche n'a réussi à en retrouver la trace. Mariette connaissait très bien le tableau et il a dit à son sujet : « Jérôme Francken semble avoir voulu imiter la manière de dessiner et de composer de Frans Floris, qui, toute sauvage qu'elle était, était alors en estime auprès de bien des gens ». Vers 1590, Hieronymus revint à Anvers ; mais à la différence, en cela encore, de ses frères qui ne quittèrent pas cette ville, il retourna en 1595 à Paris, rappelé probablement par le roi ou ses protecteurs. Il y demeura d'ailleurs sous Henri IV et jusqu'à sa mort, survenue peu après l'avènement de Louis XIII, en 1610. Un document de l'époque fait mention d'une somme de cent vingt écus, reçue par un certain « Jérôme Francan », pour l'exécution d'un tableau représentant le prévôt des marchands et les échevins, ainsi que les autres officiers municipaux en charge. Ce tableau, qui était placé à l'Hôtel de Ville, a également disparu. Le peintre, signalé comme habitant le faubourg Saint-Germain en 1604, y mourut vraisemblablement, à l'âge de 70 ans. (On a parfois fixé la date de son décès vers 1620, par conséquent dix années plus tard). Il avait épousé une Française ; de ce mariage naquirent deux fils, morts jeunes, et trois filles.
L'œuvre de Hieronymus Francken I a disparu en très grande partie. On connaît surtout *l'Abdication de Charles Quint*, du Musée d'Amsterdam, vaste composition dont le centre groupe les figures de l'empereur, sur son trône, de son frère Ferdinand Ier et de Philippe II, au milieu d'une foule de courtisans, tandis que le premier plan est occupé par les figures allégoriques des quatre parties du monde. Certains critiques se sont demandé si le tableau du Musée de Lille *Charles Quint prenant l'habit religieux*, attribué à Frans Francken I, ne serait pas plutôt l'œuvre de son frère Hieronymus. De même, devrait-on lui attribuer quelques-uns des portraits considérés comme étant de François Porbus, dont la femme s'appelait Elizabeth Francken ? Ces dernières peintures auraient été, en ce cas, vraisemblablement exécutées pendant les séjours de l'artiste à Paris.
En résumé, Hieronymus l'Ancien et ses frères Frans et Ambrosius furent des propagateurs laborieux de la manière inaugurée et « lancée » par Frans Floris. Ils jouirent, à ce titre, d'une renommée incontestable ; après avoir assisté, dans leur jeunesse, à la fin du maître de l'italianisme, ils connurent l'avènement de Rubens, se trouvant à la fin de leur carrière comme les survivants d'une formule périmée, attardés et étonnés dans le tourbillon d'un renouveau dont il était désormais trop tard pour eux de pénétrer le sens.

HF HF

Musées : Aix-la-Chapelle : *Carnaval vénitien – Portrait de Hieronymus Francken* – Avignon : *L'Adoration des Mages* – Bruxelles : *L'Adoration des Mages* – Dresde : *Décollation de saint Jean Baptiste* – Lille : *L'empereur Charles Quint prenant l'habit religieux* – Oslo : *Actes de charité* – Stockholm (Univ.) : *Réunion* – Troyes : *Institution de la fête du Saint Sauveur par le pape Urbain IV* – Vienne (Gal. Harrach) : Sujet religieux.
Ventes Publiques : Paris, 8 jan. 1945 : *Le Festin de Balthazar*, attr. : **FRF 26 100** – Bruxelles, 2-4 juin 1965 : *Jésus tombant sous la croix* : **BEF 100 000** – New York, 27 nov. 1968 : *Le repas des Huguenots* : **USD 1 600** – New York, 8 jan. 1981 : *L'Adoration des Rois Mages*, h/cuivre (35,5x28) : **USD 6 250** – Monte-Carlo, 25 juin 1984 : *L'Adoration des Rois Mages*, h/pan. (115x88,5) : **FRF 55 000** – New York, 7 avr. 1989 : *Abigail offrant de la nourriture à David et à ses soldats*, h/cuivre (51x70) : **USD 8 250**.

FRANCKEN Hieronymus II ou **Franck**, dit **le Jeune**
Né en 1578 à Anvers. Mort le 17 mars 1628 à Anvers. XVIIe siècle. Éc. flamande.
Peintre d'histoire, portraits.
Dit le jeune parce que fils de Frans Francken l'Ancien et élève de son oncle Ambrosius Francken. En 1607, il fut reçu maître de la gilde de Saint-Luc. Il a surtout peint des portraits. Il eut pour élève Gaspard Van Bergen.

2 JERONIMVS. FRANCKEN. INVET.FECIT
ANNO 1620 3 914 Ayguthi

Musées : Anvers : *Horatius Cocles* – Bruxelles : *Intérieur d'atelier* – Douai : *Intérieur* – La Haye : *L'atelier d'Apelle* – Valenciennes : *L'abdication de Charles Quint.*
Ventes Publiques : Londres, 17 avr. 1996 : *La Visitation* ; *L'Annonciation*, h/cuivre, une paire (69,4x54,1) : **GBP 18 400**.

FRANCKEN Hieronymus III
Né en 1611 à Bruges. XVIIe siècle. Flamand.
Peintre de sujets religieux.
Fils de Frans Francken II, dit le jeune. Il fut élève de son père et de Jacob Van der Lamen. Il travailla à Anvers, où il fut reçu dans la gilde en 1645.

HF

FRANCKEN Jan Baptist ou **Vrancx**
Né en 1599 à Anvers. Mort en 1653. XVIIe siècle. Éc. flamande.
Peintre.
Fils et élève de Sebastian Francken. Il s'appliqua à l'étude de Rubens et de Van Dyck. Après s'être consacré à la peinture d'histoire, il s'attacha à l'exécution des tableaux d'intérieur. Il collabora assez souvent avec Pieter Neeffs.
Musées : Bruges : *Jésus parmi les docteurs – L'Assomption – Visitation de la Vierge – Descente du Saint Esprit sur les apôtres – Adoration des bergers*, quatre copies d'après Rubens – Bruxelles : *Décollation de saint Jean* – Chartres : *Les noces de Cana – La Multiplication des pains* – Mulhouse : *Le Goût – L'Ouïe – L'Odorat – Le Toucher*, pas exposé – Ypres : *Abigaïl cherchant à fléchir David irrité contre son mari.*
Ventes Publiques : Paris, 18 nov. 1920 : *Scène de l'histoire d'Esther*, attr. : **FRF 480** – Londres, 26 mars 1923 : *Attaque d'un convoi* : **GBP 31** – Londres, 28 mars 1923 : *Réjouissance hollandaise* : **GBP 33** – Paris, 18 fév. 1926 : *Prédication de saint Jean* : **FRF 900** – Paris, 22 mars 1926 : *La Tour de Babel* : **FRF 1 030** – Londres, 2 fév. 1927 : *Sermon sur la montagne* : **GBP 31** – Londres, 25 mai 1927 : *Intérieur* : **GBP 16** – Londres, 13 juin 1927 : *Le passage du temps* : **GBP 14** – Paris, 14 avr. 1937 : *L'Adoration des Rois mages*, attr. : **FRF 1 750**.

FRANCKEN Laurens ou **Laureys** ou **Franck**
XVIIe siècle. Éc. flamande.
Peintre d'histoire et paysagiste.
Élève et neveu de Gabriel Franck, oncle d'Abraham Genoels ; maître de Francisque Millet, il vint s'établir à Paris en 1660.

FRANCKEN Maximilien ou **Franck** ou **Vrancx**
Mort en 1651. XVIIe siècle. Éc. flamande.
Peintre d'histoire et de genre.
Frère de Laurent Franck, peut-être fils de Jean Baptiste Francken.

MF.

FRANCKEN Nicolas ou **Franck**
Né vers 1520 à Hérenthals. Mort le 12 mars 1596 à Anvers. XVIe siècle. Flamand.
Peintre.
Il vécut à Anvers. Fondateur de la nombreuse lignée des Francken, qui continua avec ses quatre fils Hieronymus I, Frans I, Ambrosius I et Cornelis.

FRANCKEN P. H. ou **H. P.**
XVIIe siècle. Actif à Anvers vers 1652. Éc. flamande.
Peintre d'histoire.
Élève de l'École de Rubens. Le Musée d'Anvers conserve de lui : *La Coupe empoisonnée, Saint Louis en croisé, Saint Antoine de Padoue.*

PF PF

FRANCKEN Ruth
Née le 8 août 1924 à Prague. XXe siècle. Depuis 1952 active en France. Tchécoslovaque.
Peintre de portraits, sculpteur d'assemblages. Polymorphe : expressionniste, abstrait-tachiste, pop art.

Elle fut élève de A. Segal en Angleterre avant d'étudier à l'Art Students' League de New York. Elle s'installe définitivement à Paris en 1952.
Elle participe à des expositions collectives, notamment à des Salons parisiens, à la Biennale de Venise en 1952. Elle montre ses œuvres dans des expositions personnelles, parmi lesquelles : 1950, première exposition à Paris ; 1991, musée de Metz ; 1997, galerie Eric Dupont. Elle a exposé dans la plupart des grandes villes d'Europe ainsi qu'aux États-Unis.
Jusqu'en 1964, date charnière dans son travail, Ruth Franken témoigne de sa filiation avec l'expressionnisme-abstrait. Depuis lors, son travail se diversifie et se fait plus prolixe : elle aborde la série des *Köpfe*, têtes expurgées jusqu'à la non-représentation, sur petit format papier mais aussi la sculpture avec des sculptures-objets, notamment les *Téléphones*, qui doivent sans doute beaucoup au surréalisme et au pop'art. De 1977 à 1986, elle entreprend une nouvelle série sur le portrait ou plutôt l'anti-portrait, mettant une nouvelle fois en scène le problème de la non-communication, thème déjà présent dans ses œuvres plus anciennes. Accumulant les techniques, assemblant photographies, collages et dessins, elle soumet les visages de personnages célèbres, comme Sartre, Monory ou le philosophe Lyotard, à de nombreuses retouches et déformations, dissolvant leur image, pour ne recueillir que l'identité vacillante de l'être. Depuis 1987, elle poursuit ses recherches sur les sculptures-objets, avec les *Wittgenstein Variations*. ■ L. L.

Bibliogr. : R. Francken, Jean François Lyotard : *L'Histoire de Ruth*, Paris, 1983 – in : Art Press, n° 165, Paris, janv. 1991 – in : *Diction. de l'art mod. et contemp.*, Hazan, Paris, 1992.

Ventes Publiques : Paris, 17 déc. 1985 : *Téléphone 5* 1967, acier (30x30x30) : **FRF 5 000** – Paris, 20 mars 1988 : *Petite vallée de Blake* 1957, h/t (73x100) : **FRF 7 000** – Paris, 10 avr. 1992 : *Composition* 1950, h/t (107x95) : **FRF 6 000** – Zurich, 8 avr. 1997 : *Composition* 1959, h/t (80x160) : **CHF 1 900**.

FRANCKEN Sebastian ou **Francx**. Voir **VRANCX**

FRANCKEN Thomas ou **Franck**
Né en 1574 à Anvers. XVIe-XVIIe siècles. Flamand.
Peintre.
Fils aîné de Frans Francken I, dit l'Ancien. On sait peu de choses sur lui.

FRANCKX. Voir aussi **FRANCK**

FRANCKY BOY Sevehon
Né en 1954 à Paris. XXe siècle. Français.
Peintre, sculpteur, peintre de décors de théâtre, technique mixte. Figuration libre.
Autodidacte, il fut l'un des co-fondateurs du groupe « Musulmans fumants ». Depuis 1983, il participe aux expositions du groupe. Depuis 1988, il expose à titre individuel à Saint-Étienne, 1989 Paris, Mulhouse et Belgrade...
Ses peintures se situent entre le dessin d'enfant et la bande-dessinée. Ses sculptures sont issues d'assemblages de jouets.

Ventes Publiques : Paris, 9 avr. 1989 : *Encore un naufrage*, acryl./t. (97x146) : **FRF 13 000** – Paris, 8 oct. 1989 : *Le week-end très agréable*, acryl./t. (73x92) : **FRF 20 300** – Paris, 15 fév. 1990 : *Week-end à la campagne* 1989, acryl./t. (150x200) : **FRF 105 000** – Paris, 21 juin 1990 : *« Francky plane »* 1988, sculpt. de polyester recouverte de tarlatane, peinte à l'acryl. (85x112x112) : **FRF 35 000** – Paris, 29 juin 1990 : *Jane*, acryl./t. (116x90) : **FRF 23 000** – Paris, 7 fév. 1991 : *Vharlie Bravo*, acryl./t. (146x114) : **FRF 29 000** – Paris, 16 avr. 1992 : *Adieu Valérie* 1987, acryl./t. (123x157) : **FRF 6 500** – Paris, 29 nov. 1992 : *La belle Lulu*, techn. mixte/t. (150x200) : **FRF 15 500** – Paris, 22 avr. 1994 : *Proute, proute* 1992, acryl./t. (100x81) : **FRF 7 500**.

FRANCO
Xe siècle. Travaillant sans doute dans la région de Liège. Éc. flamande.
Miniaturiste.
La Bibliothèque Nationale possède un manuscrit enregistré sous la cote 15176 qui doit être de cet artiste.

FRANCO. Voir aussi **FRANCKE**

FRANCO Agnolo ou **Angiolo**
Mort vers 1455. XVe siècle. Actif à Naples. Italien.
Peintre.
On lui attribue les fresques de la Capella Brancaccio à San Domenico Maggiore de Naples, représentant le *Crucifiement*, et des scènes tirées des vies des saints et des martyrs. Élève de N.-A. del Fiore dit Colantonio et imitateur de Giotto.

A Franco.

FRANCO Andrea
XVIe siècle. Actif en 1594. Italien.
Graveur.
On connaît une estampe de cette date signée de ce nom, qui représente un sujet mythologique.

FRANCO Antonio
XVIe siècle. Actif à Cadix en 1587. Espagnol.
Peintre.
Cet artiste, peut-être d'origine hollandaise, séjourna à Rome, puis vint à Cadix travailler pour la cathédrale de cette ville.

FRANCO Barthélemy
Né le 22 août 1923 à Nice. XXe siècle. Français.
Peintre.
Il expose surtout à Nice, des paysages de la Côte d'Azur, ainsi que des portraits de gitans et des fleurs.

FRANCO Battista
Né en Espagne. XXe siècle. Espagnol.
Céramiste.

FRANCO Cesare
Né à Padoue. XVIe siècle. Italien.
Sculpteur et architecte.
Il semble que cet artiste travailla à la fin de sa vie à Naples où il sculpta quelques statues pour des églises dont il avait dirigé la construction.

FRANCO Francesco
XVIIe siècle. Actif à Crémone vers 1600. Italien.
Peintre.
Il exécuta un retable pour l'église Saint-Apollinaire à Crémone.

FRANCO Francisco
Mort le 23 mars 1694 à Saragosse. XVIIe siècle. Espagnol.
Sculpteur.
Il travailla à la décoration de la cathédrale.

FRANCO Giacomo
Né en 1556 à Venise. Mort le 28 juin 1620 à Venise. XVIe-XVIIe siècles. Italien.
Dessinateur et graveur.
Parent de Giovanni-Battista Franco, il fut l'élève d'Agostino Carracci. Ses œuvres sont le plus souvent signées de son nom, parfois d'un monogramme. Parmi ses œuvres figurent : *Habiti delle Donne Veneziane*, publié en 1626, *Le Crucifiement*, *Hercule entre la vertu et le Plaisir* d'après un bas-relief antique.

FRANCO Giovanni
XVIIIe siècle. Actif à Naples. Italien.
Peintre.
Il fut élève de Giuseppe Sammartino.

FRANCO Giovanni Battista, dit **il Semolei**
Né en 1498 ou 1510 à Udine. Mort en 1580 à Venise. XVIe siècle. Italien.
Peintre d'histoire, compositions mythologiques, sujets religieux, portraits, compositions décoratives, fresquiste, dessinateur, graveur.
Sa date de naissance est incertaine : 1498, d'après les uns, plus probablement 1510, suivant d'autres. Ces derniers le font naître à Udine, ce qui ne l'empêcherait pas d'être Vénitien comme le déclarent les premiers, la ville d'Udine étant venue sous la domination de Venise en 1445. Il vint très jeune à Rome, où il se prit d'une admiration sans bornes pour Michel-Ange, alors dans toute la splendeur de son talent. Il n'était, dit Vasari, pas un sujet, un croquis de Michel-Ange qu'il ne dessinât religieusement. On a dit du reste qu'il était le meilleur dessinateur de son temps.
Cette application à dessiner semble même lui avoir fait négliger quelque peu la couleur : chargé en 1536 d'exécuter quatre grandes fresques à la porte Capène par laquelle devait entrer l'empereur Charles Quint, la comparaison de son travail avec celui de peintres hollandais engagés pour la même circonstance, virtuoses du clair-obscur, fit ressortir son inexpérience du pinceau. Cette même année 1536, Vasari l'employa à décorer avec lui le palais d'Octavien de Médicis à Florence. C'est encore à cette époque qu'il peignit sur toile le viol de Lucrèce par Sextus Tarquin. Après l'assassinat, au début de 1537, du duc Alexandre

de Médicis, Vasari, quittant Florence, laissa à Franco le soin d'exécuter les travaux qu'il y avait acceptés : le portrait du père d'Alexandre, le pape Clement VII, celui du cardinal Hippolyte de Médicis... Il peignit en l'agrandissant un carton de Michel-Ange : *Noli me tangere*. À la fin de cette même année, il eut à représenter la bataille gagnée par le duc Côme Ier sur les révoltés ; il y introduisit curieusement l'enlèvement de Ganymède par l'aigle Jupiter, dont il avait pris l'idée à Michel-Ange. Lors du mariage de Côme avec Leonora de Tolède, il fut chargé de peindre sur un arc de triomphe les exploits de Jean-des-Bandes-Noires, frère du duc. Un autre tableau, pour la cour du Palais des Médicis, représentait, en clair-obscur, le duc Côme recevant les insignes ducaux. Ridolfo Ghirlandajo (ne pas confondre avec Domenico, mort en 1498) avec qui il avait déjà collaboré, l'emmena alors peindre les fresques du cloître d'un couvent des Camaldules, représentant l'histoire de Joseph. En 1541 il revint à Rome. Michel-Ange venait de terminer l'immense fresque du *Jugement dernier*. Franco enthousiasmé n'eut de repos qu'après en avoir copié toutes les figures. Son compatriote, le cardinal Grimano, lui donna alors à décorer de grotesques et d'arabesques une loge de son palais, à côté de Saint-Pierre du Vatican. En même temps, il entreprenait de peindre à fresque un *Saint Jean Baptiste mis en prison*. Vasari rapporte que la perspective aérienne y semblait complètement sacrifiée au détail de la musculature, bras, jambes, torses, lesquels, pris à part, étaient d'un dessin et d'un modelé parfaits, mais mal placés dans l'ensemble. Cet échec le décida à accepter les avances du duc Guidobaldo II qui l'appelait à Urbino. Il eut à exécuter les peintures de la grande voûte de l'église du palais ; il devait y représenter une *Assomption de la Vierge*. Il se mit à dessiner anges, saints, prophètes, apôtres, sybilles, tels qu'il les avait admirés à la Chapelle Sixtine : ce fut encore un chef-d'œuvre manqué.
Mais cette maîtrise du dessin inspira au duc l'idée d'attacher le peintre à ses manufactures de majoliques à Urbino, Pesaro, Castel-Durante. La majolique était alors en pleine vogue. Introduite en Italie depuis peu par des ouvriers arabes ou espagnols de Majorque, la glaçure à l'étain, remplaçant la glaçure au plomb, permettait de décorer la faïence de façon artistique et variée, grâce au fond blanc ainsi obtenu. Les fabriques se multipliaient : outre celles citées plus haut, Faenza (1425), Gubbio (1480), Rovezzano, Rovigo, Bologne, Cetto di Castello. La période la plus brillante s'étend précisément de 1520 à 1560 : le peintre céramiste le plus célèbre, Georgio Andreoli (1498-1552) possédait une fabrique à Gubbio. Franco fournit aux manufactures du duc une quantité considérable de dessins. Il eut plusieurs élèves connus : Orazio Fontana d'Urbino (1520-1582) dont le Louvre possède une coupe où est représenté l'enlèvement d'Europe, Raphaël dal Colle...
Entre-temps, il fut chargé de décorer des arcs de triomphe pour le mariage du duc avec Vittoria Farnèse, au lieu de Vasari malade. Revenu à Rome, vers 1579, il y dessinait avec sa fougue habituelle des antiquités dont il voulait composer un livre (il avait une certaine habileté de graveur) quand Andrea dell' Anguillea lui demanda d'orner de peintures le théâtre qu'il fondait à Rome. À la même époque, il peignit les fresques que l'on voit à la Minerve. Revenu à Venise, il y exécuta de nombreux travaux, entre autres, Diane et Actéon au plafond de la bibliothèque de Saint-Marc. Il travaillait à la chapelle des Grimani, où il reste le *Baptême du Christ*, quand il mourut en 1580. Si ses tableaux sont peu nombreux, ses dessins sont innombrables ; le Louvre qui n'a de lui aucune peinture possède 93 dessins de ce peintre.

BFV. F., F.

Ventes Publiques : Paris, 17 et 18 mai 1920 : *Jésus au milieu des Docteurs*, pl. : **FRF 205** – Paris, 22 déc. 1923 : *Jésus au milieu des Docteurs*, pl. et sépia : **FRF 750** – Paris, 21 jan. 1924 : *Composition religieuse*, pl. : **FRF 1 300** – Paris, 28 et 29 juin 1926 : *La Vierge, l'Enfant et saint Jean*, pl. et sépia : **FRF 600** – Londres, 4 juin 1937 : *Baptême du Christ* : **GBP 33** – Paris, 28 fév. 1938 : *La Sainte Famille*, pl., sanguine et bistre : **FRF 350** – Paris, 18 jan. 1945 : *Un guerrier*, pl. : **FRF 800** – Londres, 7 avr. 1981 : *Homme penché en avant, touchant le sol avec sa main droite*, craie noire et pl./pap. bleu (16,2x11,5) : **GBP 1 500** – Londres, 25 mars 1982 : *Douze attitudes d'hommes en détresse*, pl. (23,1x34,4) : **GBP 3 800** – Londres, 17 juin 1983 : *Christ parmi les docteurs*, eau-forte (37,3x47,2) : **GBP 700** – Londres, 5 déc. 1985 : *La Flagellation*, eau-forte et burin (41,4x55) : **GBP 2 800** – Londres, 1er juil. 1986 : *Jupiter porté par un aigle*, craies noire et rouge (38,2x30,2) : **GBP 8 500** – Londres, 7 déc. 1987 : *Scène de bataille*, pl. et encre brune (16,5x28,3) : **GBP 1 100** – Rome, 13 avr. 1989 : *La douleur autour du Christ mort*, h/pan. (80x64) : **ITL 7 500 000** – Monaco, 15 juin 1990 : *Scène de l'histoire ancienne*, encre (25,5x21,2) : **FRF 9 990** – New York, 9 jan. 1991 : *La bataille des Lapithes et des Centaures*, encre et lav. (13,7x42,8) : **USD 6 600** – Monaco, 2 juil. 1993 : *Un homme nu allongé tenant un masque ; Deux autres silhouettes*, craie rouge et encre (16,2x28,5) : **FRF 31 080** – Londres, 18 avr. 1994 : *Le Parnasse*, encre (diam. 11,7) : **GBP 2 530** – New York, 10 jan. 1996 : *Couple avec un enfant suivi d'une vieille femme*, craie noire et encre (23,5x16) : **USD 10 350** – Londres, 3 juil. 1996 : *Étude de quatre personnages*, encre (25,5x23,2) : **GBP 1 840** – Londres, 2 juil. 1997 : *Profil d'un nu masculin s'accroupissant* vers 1552, craie noire/pap. bleu, étude (33,1x22,4) : **GBP 5 175**.

FRANCO Giuseppe, dit **dalle Lodole** ou **de Monti**
Né vers 1550 à Rome. Mort vers 1627 à Rome. XVIe-XVIIe siècles. Italien.
Peintre d'histoire.
Travaillait au Vatican sous Sixte-Quint. Siret dit qu'il doit son surnom à l'alouette qu'il introduisait dans ses compositions.

FRANCO Giuseppe del
XXe siècle. Italien.
Artiste plasticien. Body-art.
Depuis 1966, il a exposé à plusieurs reprises en Italie et en France. À Paris en 1968, il a étudié l'architecture et s'est intéressé aux problèmes de l'art et de la communication, ce qui explique sans doute ses attitudes postérieures.
Il participe au mouvement du « Body Art », où la création se fait sur les corps eux-mêmes, rétrécissant ainsi le hiatus permanent qui, depuis toujours, s'était instauré entre l'artiste et son « œuvre ».

FRANCO José
Né en 1958 à Cuba. XXe siècle. Actif en France. Cubain.
Peintre. Tendance abstraite.
Il fait ses études à La Havane, à l'Académie des Arts Plastiques, puis à l'École des Beaux-Arts. Depuis 1974, il participe à des expositions collectives dans son pays, ainsi qu'à l'étranger : 1984 Tokyo ; 1986 Buenos Aires, Barcelone ; 1989 Corbeil-Essonnes (Centre d'Art Pablo Neruda) : *Trajectoires cubaines*. Dès 1977, il expose personnellement, notamment, depuis 1989, à la Galerie Artuel, à Paris, où il vit désormais.
Sa peinture est vivement colorée. Sur des fonds à motifs géométriques, pouvant évoquer le pelage de certains animaux, les ailes de papillons aux fines nervures, comme agrandis au microscope, il place sa faune onirique.
Ventes Publiques : Paris, 9 avr. 1989 : *Aveline*, techn. mixte/pap. (70,5x50) : **FRF 7 000**.

FRANCO José Maria
XIXe siècle. Actif au début du XIXe siècle. Espagnol.
Peintre d'histoire.

FRANCO Joseph Napoléon
Né le 18 août 1811 à Paris. XIXe siècle. Français.
Peintre de fleurs et fruits.
Exposa au Salon de Paris, de 1840 à 1859. Il peignit aussi sur porcelaine et sur albâtre.
Ventes Publiques : New York, 24 mai 1995 : *Coupe de fleurs et de fruits sur un entablement de marbre* 1850, h./marbre, peint. ovale sur fond rectangulaire (38,4x52,4) : **USD 8 050**.

FRANCO Manuel
XVIIe siècle. Actif à Lisbonne en 1650. Portugais.
Peintre.

FRANCO Pedro, l'Ancien
XVIe siècle. Actif à Séville. Espagnol.
Sculpteur.
Il travaillait en 1550 pour la cathédrale.

FRANCO Pedro, le Jeune
Mort le 24 octobre 1694 à Saragosse. XVIIe siècle. Espagnol.
Sculpteur.
Il était le fils et fut l'élève de Francisco.

FRANCO Salvatore
XVIIIe siècle. Actif à Naples. Italien.
Sculpteur.
Il fut élève de Giuseppe Samartino.

FRANCO Siron
Né en 1947 à Goias Velho. XXe siècle. Brésilien.

Peintre de figures, créateur d'installations.
Il vit et travaille à Goiânia (Brésil). Il montre ses œuvres dans des expositions personnelles : 1987 São Paulo ; 1992, 1994 Londres ; 1993 Paris ; 1997 Florence.
Dans les années soixante-dix, sur des fonds ocres, il montre la détresse de l'homme, corps nus, repliés sur eux-mêmes, mutilés, difformes. Ses œuvres sont violentes, il les peint puis les corrige, s'attaque à la représentation pour mieux l'épurer, exprimant une révolte intime. Dans ses installations, Siron met en scène avec humour l'indifférence du peuple brésilien, sa stupidité, s'engage dans la lutte contre la mortalité infantile avec l'œuvre *Bandeira Brasileira* qui réunit 1020 cercueils d'enfants pour la Semaine internationale de l'enfance organisée par l'Unicef. Il réalise de nouveau des peintures dans les années quatre-vingt-dix, qui mêle culture primitive et univers fantasmagorique, et privilégie le signe, l'abstrait, à la figuration.
Bibliogr. : Marc Jimenez : *Siron Franco de la chute à la révolte*, Artpress, n° 221, Paris, févr. 1997.
Ventes Publiques : New York, 17 mai 1989 : *Personnage indéfini* 1986, h/t (70x59,6) : **USD 5 280** – New York, 21 nov. 1989 : *Expulsée du paradis* 1976, h/cart. compressé (90x120) : **USD 8 250** – New York, 2 mai 1990 : *Les meilleurs amis* 1980, h/t (153,7x134,5) : **USD 7 150** – New York, 18-19 mai 1992 : *Attention : verre* 1990, h/t (135x135) : **USD 12 100** – New York, 18 mai 1993 : *Dette internationale* 1991, h/t (179,7x189,3) : **USD 17 250** – New York, 16 nov. 1994 : *Histoire mal racontée*, h/t (160x198,8) : **USD 16 100** – New York, 14-15 mai 1996 : *Régression antique* 1990, h/t (135,6x154,6) : **USD 10 350** – New York, 25-26 nov. 1996 : *Fourrures II* 1990, h/t (160x200) : **USD 29 900**.

FRANCO di Argentere Alfonso
Né en 1466 à Messine. Mort en 1524 à Messine. XVe-XVIe siècles. Italien.
Peintre.
Auteur d'une *Pietà*, datée de 1524, qui se trouve dans l'église Saint-François de Paul à Messine. Mort de la peste.

FRANCO Bolognese, appelé aussi **Franco da Bologna**
XIVe siècle. Travaillant au commencement du XIVe siècle. Italien.
Peintre et miniaturiste.
Fondateur d'une école de peinture à Bologne, que fréquentèrent des peintres comme Vitale, Lorenzo, Simone Jacopo, Cristoforo et peut-être aussi Simone da Bologna. Il fut miniaturiste et travailla avec Oderigi de Gubbio (dont il aurait été l'élève) et Giotto à l'illustration de quelques livres commandés par le pape Boniface VIII. Ces ouvrages sont actuellement dans la bibliothèque du Vatican. Dante le mentionne dans son *Purgatorio* et le place plus haut peut-être que Giotto. On cite de Franco Bolognese une *Vierge assise sur un trône*, avec la date 1313.

FRANCO di Piero
XVe siècle. Actif à Florence en 1406. Italien.
Peintre.

FRANCO DE SOUZA Francisco
Né à Madère. XXe siècle. Portugais.
Sculpteur.
Il fut membre du Salon d'Automne de Paris.

FRANCO Y CORDERO José
Né à Jerez de la Frontera. XIXe siècle. Espagnol.
Peintre de paysages.
Élève de José Jimenez Aranda. Il débuta à Madrid en 1878.

FRANCO Y SALINAS Luis
Né le 19 mars 1850 à Valence. Mort vers 1897 ou 1899 à Barcelone. XIXe siècle. Espagnol.
Peintre d'histoire, scènes de genre, portraits.
Élève de Bernardo Ferrandiz. Il débuta à Valence en 1867 et exposa assez régulièrement aux Salons de cette ville et à Madrid.
Musées : Madrid : *Bureau – Dans le cabinet de toilette*.
Ventes Publiques : Londres, 25 mars 1987 : *Jeune femme au piano*, h/pan. (27,5x22) : **GBP 11 500**.

FRANÇOIS
XVe siècle. Français.
Miniaturiste.
On connaît un nombre relativement important de manuscrits illustrés par cet artiste qu'on a voulu parfois identifier avec François Fouquet le fils de Jean.

FRANÇOIS, dit **le Jeune Cœur**
XVIe siècle. Français.
Peintre et tailleur d'images.
Il vivait à Lyon en 1535 et 1574, fut maître de métier pour les peintres en 1569 et travailla pour des entrées en 1558 et 1574. Il travailla à Dijon aux mêmes époques, notamment à l'occasion de l'entrée solennelle de Henri II, en 1548, et de Henri III, en 1574.

FRANÇOIS
XVIIe siècle. Actif à Paris en 1683. Français.
Peintre, sculpteur, graveur et enlumineur.

FRANÇOIS
XVIIIe siècle. Actif à Paris. Français.
Sculpteur.
Il fut élève de Gois.

FRANÇOIS
XIXe siècle.
Peintre d'histoire.
Siret cite un peintre de ce nom comme ayant collaboré avec Étienne Dubois pour le tableau : *Louis-Philippe remettant le drapeau à la garde nationale en 1830* (Musée de Versailles) ; le prénom a été pris à tort pour le nom ; le collaborateur d'Étienne Dubois n'est autre que son frère François Dubois. (Voir ce nom.).

FRANÇOIS Alexandre
Né en 1824 à Bruxelles. Mort le 1er mars 1912 à Albany (États-Unis). XIXe-XXe siècles. Depuis 1849 actif aux États-Unis. Belge.
Peintre de scènes de genre, portraits, paysages animés, paysages.
Il fut élève de son oncle Pierre Joseph François, à l'Académie de Bruxelles. Il vécut à Paris, puis se fixa définitivement aux États-Unis, dès 1849, s'installant à New York, à Rochester, et enfin à Albany.
Il peignit quelques paysages, scènes de genre, mais surtout des portraits, de tonalités sobres.

FRANÇOIS Alphonse
Né le 25 août 1814 à Paris. Mort le 7 juillet 1888 à Paris. XIXe siècle. Français.
Graveur.
Élève de Henriquel-Dupont, il obtint des médailles en 1851 et en 1857. A l'Exposition Universelle de 1867, il eut la médaille d'honneur. Il figura au Salon de 1842 à 1880. Cet artiste de talent devint membre de l'Institut en 1873, et fut fait officier de la Légion d'honneur en 1857.

FRANÇOIS André, appelé **André-François**
Né en 1915 à Timisoara. XXe siècle. Depuis 1934 actif en France. Roumain.
Peintre de paysages, figures, sculpteur d'assemblages, dessinateur humoriste, illustrateur, affichiste, peintre de décors de théâtre.
Il a fait ses études à l'École des Beaux-Arts de Budapest. Arrivé en France en 1934, il suit les cours de l'École des Beaux-Arts de Paris, avant de devenir l'élève de Cassandre. Il a participé au Salon de Mai à Paris en 1968. Dès 1955, il expose individuellement dans divers musées et galeries à Paris (Musée des Arts Décoratifs, Palais de Tokyo), mais aussi en province (Palais des Papes d'Avignon) ainsi que dans de nombreux autres pays (Stedelijk Museum d'Amsterdam, Musée de Vilanova à Varsovie, Musée des Beaux-Arts à Bruxelles). Médaille d'or des Arts Directors Clubs de New York et de Philadelphie, de la Biennale de l'Affiche de Varsovie en 1972, il est, en France, Grand Prix National des Arts Graphiques.
Très vite, il devient célèbre pour ses affiches (Citroën, Esso, Le Printemps), ses couvertures de magazines et dessins d'humour (Punch, Télérama, Graphis...). Il a également illustré de nombreux ouvrages et a publié en 1956 un livre pour enfants *Le Crocodile*. Il est également connu pour ses décors de théâtre : *Valentine et le vélo*, pour les ballets de Roland Petit, le *Pas de Deux* de Gene Kelly, *Les Joyeuses Commères de Windsor* au Royal Shakespeare Theatre. En outre, depuis les années soixante, il se consacre plus particulièrement à sa peinture, qui intègre souvent le collage, ainsi qu'à ses sculptures peintes ou assemblages riches en gags.
Artiste inclassable ? Pourtant, il n'y a pas de différence entre André François peintre, sculpteur et André François créateur de publicité, de décors ou d'illustrations : une indéniable poésie se dégage de son travail quel qu'il soit. Le monde d'André François est un monde lunaire, cocasse avec de temps en temps un rire atroce. C'est un monde visité par la farce, le canular, mais aussi un monde de tendresse, d'ingénuité, de candeur. ■ J. B.

Bibliogr. : Claude Roy, in : *Graphis*, Suisse, 1958 – Michel Ragon, in : *Catalogue du musée des Arts Décoratifs*, Paris, 1970 – Georges Goldine : *Catalogue du musée St-Georges*, Liège, 1977 – François Mathey, in : *Introduction à André François*, Herscher, Paris, 1989 – Pierre Bazin : *Catalogue du musée de Dieppe*, 1989 – Pierre Souchaud, in : Art Tension, n° 10, Rouen, 1989.
Musées : Bâle (Chris. Merian Stiftung Mus. für Gegenwartskunst) – Bruxelles (Mus. d'Art Mod.) – Caen (FRAC Basse Normandie) : *Le Jour où la marquise est devenue folle* 1990 – Grenoble – Hanovre (Mus. Wilhelm Busch) – New York (Mus. of Mod. Art) – Paris (Mus. des Arts déco.) – Paris (FRAC d'Île de France) : *L'Aura du canot bleu et rouge* 1978-1979 – *Femme aux poires* 1981 – Paris (Mus. Nat. d'Art Mod.) – Pau – Pontoise – Tokyo (Mus. d'Art Mod.) – Toyama (Mus. de l'Affiche).
Ventes Publiques : Paris, 2 juin 1991 : *Le cuirassé*, assemblage, mine de pb, aquar., galet et document manuscrit (27x22) : **FRF 8 000**.

FRANÇOIS Ange
Né le 2 janvier 1800 à Bruxelles. XIXe siècle. Éc. flamande.
Peintre d'histoire, sujets religieux, scènes de genre, portraits.
Fils et élève de Pierre Joseph Célestin François. On cite de lui : *Louis XIV et Mme de Maintenon*.
Ventes Publiques : Paris, 1844 : *Intérieur avec figures* : **FRF 690** – Paris, 1894 : *La petite femme* : **FRF 170** – Monte-Carlo, 26 mai 1980 : *Le baisemain*, h/pan. (46x36,5) : **FRF 11 000** – Londres, 8 oct. 1986 : *Saint Sébastien* 1823, h/t (81x57,5) : **GBP 1 100** – New York, 25 mai 1988 : *Jeux dans le grenier*, h/pan. (31,4x36,8) : **USD 5 500** – Monaco, 3 déc. 1989 : *Le poète Charles d'Orléans* 1845, h/pan. (46,5x39) : **FRF 72 150**.

FRANÇOIS Auguste
Né à Neuville-sur-Ornain (Meuse). XIXe siècle. Français.
Sculpteur.
Ses maîtres furent David d'Angers et Rude. En 1848, il envoya au Salon de Paris : *Le dernier des Macchabées* (statue en plâtre) ; en 1849 : *Le Christ mourant sur la Croix* ; en 1874 : *La France relevant son drapeau et le tenant sous la garde de son épée*.

FRANÇOIS Barthélemy
Né en avril 1640 au Puy (Haute-Loire). Mort le 6 février 1713 au Puy. XVIIe-XVIIIe siècles. Français.
Peintre.
Neveu et élève de Guy François. Il a travaillé au Puy. On ne connaît de ce peintre aucune œuvre d'une attribution certaine.

FRANÇOIS Bastien ou **Sébastien**
Mort vers 1523. XVe-XVIe siècles. Actif à Tours. Français.
Sculpteur et architecte.
Il épousa Marie Regnault, fille du sculpteur Guillaume Regnault, neveu par alliance de Michel Colombe. Maître de l'œuvre de la cathédrale de Tours, en 1500, il édifia, avec son frère Martin, de 1504 à 1507, le clocher de la tour du nord ; on voit leur monogramme sous le dôme de la lanterne. Ils construisirent, en 1509, le cloître de l'église Saint-Martin, aujourd'hui en ruines. En 1508, Bastien travailla dans l'atelier de Michel Colombe. Avec son frère Martin, il fit, en 1510, son œuvre capitale : la belle fontaine de Beaune-Semblançay ; mutilée par les réformistes en 1562, elle fut reconstruite en 1820 sur la place du marché, où elle est aujourd'hui ; on en voit un moulage au Musée de sculpture comparée du Trocadéro. En 1513, il fut nommé maître des œuvres de la ville de Tours.

FRANÇOIS Célestin
XIXe siècle. Belge.
Peintre de genre.
Il était sans doute le fils de Jacob et fut élève de son oncle Joseph. Actif à Bruxelles.
Ventes Publiques : Londres, 22 mars 1985 : *La consultation* 1823, h/pan. (36,8x45) : **GBP 3 000** – Amsterdam, 24 avr. 1991 : *Les indiscrets*, h/pan. (34x27) : **NLG 4 600**.

FRANÇOIS Ch. A., dit **Fontenay**
XIXe siècle. Actif à Viroflay (Seine-et-Oise). Français.
Graveur sur bois.
Sociétaire des Artistes Français depuis 1894. Mention honorable en 1898.
Ventes Publiques : Paris, 11 mai 1897 : *Saint-Jean-de-Luz* : **FRF 95** ; *Chasse à l'ours* : **FRF 65**.

FRANÇOIS Charles
Né à Nice (Alpes-Maritimes). XXe siècle. Français.
Peintre.
Il exposa à Paris au Salon des Indépendants à partir de 1939.

FRANÇOIS Charles Émile
Né le 23 octobre 1821 à Paris. XIXe siècle. Français.
Peintre.
Élève de Durand-Duclos et de Georges Rouget, il figura au Salon de 1848 à 1880. Parmi ses ouvrages, on cite notamment : *Intérieur d'atelier de dessinateur, Un chimiste, Religieux de l'ordre de la Merci, Un orientaliste, Moines à l'étude, Une religieuse de l'ordre de Sainte Élisabeth, Pierre Corneille chez le savetier, Portrait de Mgr Darboy, archevêque de Paris, Portrait du baron Taylor*, à l'Université d'Upsal. Il fit pour le roi de Portugal : *Les disciples d'Emmaüs* et pour le Bey de Tunis : *Dame d'honneur*.

FRANÇOIS Claude, dit **Frère Luc**
Né en 1615 à Amiens (Somme). Mort le 17 mai 1685. XVIIe siècle. Français.
Peintre.
Élève de Vouet et de Le Brun, il est plus connu sous le nom de frère Luc ou de frère Lucas de La Haye, parce que, à l'âge de vingt-six ans, il entra dans l'ordre des Récollets. Le tableau d'autel de la chapelle de Saint-Étienne à la cathédrale d'Amiens est de lui.

FRANÇOIS Claude
Né à Toul. XVIIe siècle. Français.
Peintre et graveur.
Vers 1615 il travaillait à Nancy.

FRANÇOIS Edme
XVIIe siècle. Actif à Auxerre. Français.
Sculpteur.
Il travailla avec Lambert.

FRANÇOIS Édouard
Né en 1866 à Paris. Mort en 1924. XIXe-XXe siècles. Français.
Peintre, aquarelliste.
Il a régulièrement exposé au Salon des Artistes Français, à Paris.

FRANÇOIS Félix Léon
Né à Joinville-le-Pont (Seine). XXe siècle. Français.
Peintre.
Il fut élève de Cormon ; membre du Salon des Artistes Français de Paris depuis 1929.

FRANÇOIS Ferdinand ou **François**
XVIIIe siècle. Actif à Paris en 1777. Français.
Peintre ou sculpteur.

FRANÇOIS Georges
Né le 25 juin 1880 à Saint-Gourgon (Loir-et-Cher). XXe siècle. Français.
Graveur.
Il fut élève de J.-P. Laurens. Il a exposé ses gravures au burin, à Paris, au Salon des Artistes Français où il obtint une médaille en 1914.

FRANÇOIS Gustave, pseudonyme de **Barraud Gustave**
Né le 4 mai 1883 à Genève. Mort en 1968 à Genève. XXe siècle. Suisse.
Peintre de nus, compositions à personnages, paysages, graveur, illustrateur.
Frère du peintre Maurice Barraud, il travailla quelque temps avec lui, après ses études à l'École des Beaux-Arts de sa ville natale. Outre ses nus et ses paysages de la région génevoise, il est surtout apprécié pour ses illustrations de la *Découverte de l'Amérique* de Rachilde.
Musées : Genève : *Léda* – Shaffouse : *Femme en rose* – Winterthur : *Paysage au Trayas* – Zurich : *La Toilette*.
Ventes Publiques : Zurich, 29 mai 1976 : *Nu* 1925-1930, past. (61x47) : **CHF 3 700** – Zurich, 12 mai 1977 : *Nu au turban*, past. (62x52,5) : **CHF 1 900** – Zurich, 23 nov. 1977 : *Rose et noir*, h/t (73x60) : **CHF 1 900** – Zurich, 11 mai 1978 : *Démasquée*, h/t (73x100) : **CHF 2 800** – Berne, 2 mai 1979 : *Nu couché*, past. (54x78) : **CHF 1 300** – Zurich, 4 juin 1983 : *Femme assise*, past. (35,5x28,7) : **CHF 3 300** – Zurich, 9 nov. 1984 : *Carnaval*, h/t (81x64) : **CHF 1 600** – Chester, 4 oct. 1985 : *Une vente aux enchères publiques à Paris* 1911, aquar./ivoire (16x20,5) : **GBP 6 100** – Zurich, 14 nov. 1986 : *Jeune femme nue, près de la baignoire*, past. (43x54,5) : **CHF 1 900** – Berne, 8 mai 1987 : *Le bain de soleil*, h/pan. (99x70) : **CHF 3 400** – Berne, 26 oct. 1988 : *Paysage avec des arbres en fleurs*, h/pan. (16,5x22) : **CHF 600** – Paris, 22 nov. 1988 : *Au café*, h/t (55x46) : **FRF 30 000** – Zurich, 25

oct. 1989 : *Jeunesse*, h/t (100x65) : **CHF 7 500** – BERNE, 12 mai 1990 : *Paysage d'été*, h/t (46x65) : **CHF 2 200** – ZURICH, 18 oct. 1990 : *Nu allongé*, fus. (29,2x48,1) : **CHF 1 300** – ZURICH, 4 juin 1992 : *Nu couché*, h/t (65x100) : **CHF 6 780**.

FRANÇOIS Guy, appelé **Guido Francisco,** dit **le Grand François**
Né le 20 novembre 1580 au Puy-en-Velay (Haute-Loire). Mort après le 5 octobre 1650. XVIIe siècle. Français.
Peintre de compositions religieuses.
François Guy signait *Guido Francisco*, ce qui a pu le faire confondre parfois avec Guido Reni, auquel allait toute son admiration d'entre les Caravagesques. Il fut assez estimé de ses contemporains pour être appelé le Grand François.
Contrairement à ce que dit Félibien, il n'a pas travaillé avec Simon Vouet. Après un court séjour en Italie, il se fixe au Puy avant 1614 et y fonde un atelier dont la réputation fut considérable dans toute la région du Languedoc et de l'Auvergne.
Ses œuvres signées et datées sont : *Christ en Croix*, 1619, église du Collège, au Puy-en-Velay ; *Notre-Dame du Rosaire avec saint Louis et saint Dominique*, 1619, église de Saint-Laurent au Puy-en-Velay ; – *Saint Pierre d'Alcantara*, 1625, église de Montferrand (Puy-de-Dôme) ; – *Adoration des bergers*, 1630, église du Collège au Puy, *Adoration des bergers*, église de Gannat (Allier), même date, ainsi que *la Vierge, l'Enfant Jésus et saint Ignace*, église du Collège du Puy-en-Velay ; – *Adoration des bergers*, 1631, église de Saint-Bonnet près Riom (Puy-de-Dôme) ; – *Pietà*, 1635, église de Saint-Laurent au Puy-en-Velay ; – *Saint Hyacinthe et la Dame de Coubladeur*, 1635, église de Saint-Laurent au Puy-en-Velay ; – *Descente de Croix*, 1640, église des Pénitents de Craponne (Haute-Loire).
On lui attribue aussi : un tableau de l'église de Saint-Julien de Tournon (Ardèche) ; un tableau de l'église de Montpezat (Tarn-et-Garonne) ; *Vierge et Enfant, Mariage de sainte Catherine et Purification*, au Musée de Toulouse ; – *Saint Ignace* (église des Carmes au Puy) ; – *Incrédulité de saint Thomas* (église de Saint-Laurent au Puy), et le plafond de l'église des Pénitents au Puy (une *Assomption* et cinquante-six anges).
Il recherche dans la composition les effets de clair-obscur, dans l'exécution le réalisme. Il a souvent une couleur riche. ■ E. Gautheron
BIBLIOGR. : E. Gautheron, in : *Peintres et Sculpteurs du Velay*, 1927 – in : Catalogue de l'exposition *Les peintres de la réalité en France au XVIIe siècle*, Musée de l'Orangerie, Paris, 1934.
MUSÉES : TOULOUSE (Mus. des Augustins) : *Mariage de sainte Catherine et Purification*, attr.
VENTES PUBLIQUES : NEW YORK, 31 mai 1991 : *Saint Jean-Baptiste*, h/t (97,2x74,3) : **USD 38 500** – LONDRES, 11 déc. 1996 : *L'Adoration des Mages*, h/t (190x146) : **GBP 67 500**.

FRANÇOIS Henri J.
Né au XVIIIe siècle. XVIIIe siècle. Français.
Peintre de portraits.
Élève de Brenet. En 1785 et en 1786, il exposa au Salon de la Correspondance, puis il figura aux expositions du Louvre de 1791 à 1806. Il fut aussi poète.
VENTES PUBLIQUES : PARIS, 1er juil. 1987 : *Portrait d'un peintre* 1779, h/t (102x82,5) : **FRF 230 000**.

FRANÇOIS Henri Louis
Né en 1841 à Vert-le-Petit (Essonne). Mort le 5 septembre 1896 à Paris. XIXe siècle. Français.
Sculpteur de camées et graveur.
Élève de Bonnat et de Chapu, il se fit représenter au Salon de Paris à partir de 1867. On mentionne de lui : *Vénus venant de désarmer l'Amour*, camée sur onyx oriental, *La Liberté*, camée sur cornaline, *Prométhée*, camée sur sardoine, *Saint Georges*, camée sur sardoine, *Vénus jouant avec l'Amour*, camée sur onyx, *Un amour transi*, camée sur cornaline, *Ève*, camée sur onyx, *Égyptienne*, statuette en jaspe rouge, avec habillement en or ciselé et émaillé sur socle en lapis-lazuli, *Vénus sortant de l'onde*, camée sur agate, *Andromède*, *Amour filial*.

FRANÇOIS Jacob
XIXe siècle. Actif à Anvers vers 1800. Éc. flamande.
Peintre d'histoire.
Il fut sans doute père de Célestin.

FRANÇOIS Jacques
XVIIe siècle. Actif à Senlis. Français.
Sculpteur.
Plusieurs des pierres tombales qu'il sculpta sont dans les églises de Villiers-le-Sec, de Villeron et de Marly-la-Ville, en Seine-et-Oise.

FRANÇOIS Jacques
XVIIe siècle. Actif à Anvers en 1600. Éc. flamande.
Sculpteur.

FRANÇOIS Jacques
XVIIe siècle. Actif à Paris en 1602. Français.
Peintre et sculpteur.

FRANÇOIS Jacquet
XVe siècle. Actif à Tours. Français.
Sculpteur sur bois.
Résidant à Tours de 1478 à 1483, il fit, pour Louis XI, en 1478, une statue en bois de saint Martin à cheval, qui fut peinte par Jean Bourdichon et placée dans la chapelle du château de Plessis-lès-Tours. Jacquet François était sans doute parent de Bastien et de Martin François, également sculpteurs.

FRANÇOIS Jean I
Né le 20 novembre 1580 au Puy-en-Velay (Haute-Loire). Mort vers 1650 à Paris. XVIIe siècle. Français.
Peintre.
Frère jumeau de Guy François, il a commencé à peindre au Puy-en-Velay et paraît s'être fixé à Paris vers 1622. Ses œuvres peuvent être confondues avec celles de son neveu Jean II François. On n'en signale aucune dont l'attribution soit certaine. C'est sans doute lui que cite Marolles, sous le nom de Jean François père, dont certains portraits ont été gravés par Cossin.
MUSÉES : LE PUY-EN-VELAY : *Portrait d'homme*.

FRANÇOIS Jean II
Né au Puy-en-Velay (Haute-Loire). Mort en 1684 au Puy. XVIIe siècle. Français.
Peintre.
Fils et élève de Guy François, a peint de nombreux tableaux religieux et paraît avoir réussi surtout dans le portrait. Ses œuvres signées et datées sont les suivantes : 1653, Ex-voto dit du *Vœu de la peste*, représentant les consuls du Puy, *Saint Sébastien et saint Roch* (cathédrale du Puy-en-Velay) ; – 1663, *Christ en Croix* (église des Carmes, au Puy-en-Velay) ; – 1669, *Les consuls du Puy avec saint Ignace et saint François Régis* (église du Collège, au Puy-en-Velay) ; – 1679, *Naissance de la Vierge* (église des Carmes, au Puy-en-Velay) ; – 1649, *Disciples d'Emmaüs* (Musée de Toulouse). On lui attribue aussi divers autres tableaux religieux qui peuvent être aussi bien l'œuvre de son oncle Jean I et sont sans intérêt. ■ E. Gautheron

FRANÇOIS Jean III
XVIIe-XVIIIe siècles. Français.
Sculpteur.
Frère de Louis François, dit François l'Aîné. Il travailla, comme lui, à Versailles, Saint-Germain-en-Laye, Chantilly et l'église des Invalides.

FRANÇOIS Jean Charles
Né le 4 mai 1717 à Nancy (Meurthe-et-Moselle). Mort le 21 mars 1769 à Paris. XVIIIe siècle. Français.
Graveur.
Il était graveur des dessins du cabinet du roi et graveur ordinaire du roi de Pologne. Il fit de nombreuses découvertes dans l'art de la gravure, imitant le dessin et même l'aquarelle d'une façon extraordinaire. Ces procédés, repris par Demarteau, servirent à édifier la gloire du célèbre graveur. Il n'en est que plus intéressant de rappeler le mérite de François.

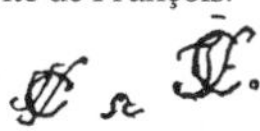

BIBLIOGR. : J. Hérold : *Jean-Charles François, catalogue de l'œuvre gravé*, Sté pour l'étude de la gravure française, Paris, 1931.

FRANÇOIS Jean-Michel
Né en 1955 à Namur. XXe siècle. Belge.
Peintre.
Il fit ses études à Namur et à l'Académie des Beaux-Arts de Bruxelles.
BIBLIOGR. : In : *Diction. biogr. illustré des Artistes en Belgique depuis 1830*, Arto, Bruxelles, 1987.

FRANÇOIS Joseph. Voir **FRANCOIS Pierre Joseph Celestin**

FRANÇOIS Joseph Charles
Né en 1851 à Bruxelles. Mort en 1949. XIXe-XXe siècles. Belge.

Peintre de paysages, paysages animés.
Il exposait aussi à Paris, au Salon des Artistes Français, obtenant la médaille d'argent en 1913.
Ventes Publiques : Lokeren, 28 mai 1988 : *Paysage d'été*, h/t (36,5x50) : **BEF 33 000** – Bruxelles, 19 déc. 1989 : *Ramasseurs de bois*, h/t : **BEF 50 000** – Copenhague, 6 déc. 1990 : *Ruisseau serpentant en sous-bois*, h/t (51x75) : **DKK 7 000** – Lokeren, 15 mai 1993 : *Paysage boisé*, h/t (90x110) : **BEF 110 000** – Lokeren, 20 mai 1995 : *Innondation à Cureghem le 27 janvier 1891*, h/t (71x100) : **BEF 44 000**.

FRANÇOIS Jules Charles Rémy
Né le 24 décembre 1809 à Paris. Mort le 16 octobre 1861 à Neuilly. XIXe siècle. Français.
Graveur.
Cet artiste, qui grava presque exclusivement d'après Paul Delaroche, eut pour maître Henriquel-Dupont. Il obtint des médailles en 1847, 1851, 1853 et 1859, et fut fait chevalier de la Légion d'honneur la même année. Frère d'Alphonse François.

FRANÇOIS Lambert
XVIIe siècle. Actif à Auxerre. Français.
Sculpteur.
Il travailla pour l'église de Beine.

FRANÇOIS Léon
XXe siècle. Français.
Peintre de paysages.
Il figure aux Indépendants depuis 1925.

FRANÇOIS Louis
XVIe siècle. Français.
Portraitiste.
Travaillait à Fontainebleau en 1548.

FRANÇOIS Louis
XVIIe siècle. Actif à Paris vers 1680. Français.
Peintre, sculpteur, graveur et enlumineur.

FRANÇOIS Louis, dit **François l'Aîné**
XVIIe-XVIIIe siècles. Français.
Sculpteur.
De 1671 à 1711, il fit une série de travaux pour Versailles, Clagny, Marly, Chantilly et l'église des Invalides.

FRANÇOIS Louis Charles
XVIIIe siècle. Actif à Paris en 1756. Français.
Peintre et sculpteur.

FRANÇOIS Louise Jeanne
Née dans la Somme. XXe siècle. Française.
Peintre.
Elle fut élève de Sabatté ; membre du Salon des Artistes Français de Paris depuis 1927.

FRANÇOIS Luc
Né en 1936 à Saint-Laurent du Maroni (Guyane). XXe siècle. Français.
Peintre de paysages.
Il fut élève à l'École des Arts Appliquées de Paris, puis à l'École Blot de Reims. Il a exposé à Paris dans de nombreux Salons, dont il fut sociétaire. Il a peint de nombreux paysages en Provence.
Musées : Narbonne (Mus. d'Art et d'Hist.) : *Le chemin et les pins à Grambois dans le Vaucluse – Paysage de Ménerbes, Vaucluse.*

FRANÇOIS Lucas. Voir **FRANCHOYS**

FRANÇOIS Marcel
Né le 18 mars 1908 à Paris. Mort en 1987. XXe siècle. Français.
Peintre de paysages, marines, natures mortes, fleurs.
Il fut élève de l'Ecole des Arts Décoratifs de Paris. Il a exposé dans la plupart des Salons annuels de Paris. Il a peint dans plusieurs régions de France, Finistère, Morbihan, Gironde, etc.
Ventes Publiques : Paris, 10 fév. 1988 : *Arcachon*, h/t (46x61) : **FRF 2 000** – Paris, 17 juin 1988 : *Doëlan*, h/t (38x46) : **FRF 1 600** ; *Le compotier*, h/t (46x55) : **FRF 1 600**.

FRANÇOIS Marie Catherine, née **Frédou**
Née vers 1712. Morte le 10 avril 1773 à Paris. XVIIIe siècle. Française.
Peintre de portraits.
Elle était la femme de Jean-Charles.

FRANÇOIS Martin
Originaire de Tours. Mort vers 1527. XVe-XVIe siècles. Français.
Sculpteur et architecte.
Frère de Bastien et de Jacquet François. Il fut appelé, en 1490, à Amboise pour réparer le grand pont de la Loire et en bâtir un sur l'Amasse. Il travailla avec son frère Bastien : au clocher nord de la cathédrale de Tours (1507) ; au cloître de l'église Saint-Martin (1509) ; à la fontaine de Beaune-Semblançay (1510). Enfin, en 1519, avec le maître d'œuvre Gatien François, peut-être son frère, il travailla à l'église des Minimes de Plessis-lès-Tours et, seul, bâtit, en 1524, l'église de Marchenoir.

FRANÇOIS Michel
Né en 1956 à Saint-Trond (Limbourg). XXe siècle. Belge.
Sculpteur, auteur d'installations.
Il participe à de nombreuses expositions collectives : musée d'Ixelles, Espace Nord de Liège, MUHKA d'Anvers, galerie Maeght de Montrouge, Documenta de Kassel, palais des Beaux-Arts de Bruxelles. Il présente également ses sculptures-performances dans de nombreuses expositions personnelles : depuis 1986 régulièrement à la galerie Isy Brachot de Bruxelles, en 1996 au Fonds régional d'art contemporain de Limoges, au musée d'Art moderne de Bruxelles, au Museum Voor Hendendaagse de Gand ; 1997 Tecla Sala, centre d'art contemporain à Barcelone ; 1998 Espace départemental d'art contemporain Cimaise et Portique à Albi.
Soucieux avant tout de créer une expérience émotionnelle, Michel François, dans ses premières œuvres *Appartement à louer* et *Araignée*, présentait deux situations et mettait l'accent, en retenant certains objets du quotidien plutôt que d'autres, sur le paradoxe et les contradictions inhérents à chaque situation. Depuis, il poursuit son travail, soumettant ses œuvres à un jeu de dédoublement, soit qu'il les présente séparément, en tant qu'objets autonomes, soit qu'il les intègre dans une installation préexistante. Ainsi l'installation *Prunes II* (1990) est-elle constituée de différentes pièces fixées au mur et que l'on peut acheter isolément : un chapeau, une boule formée d'élastiques entrelacés, un pull-over accroché à une sphère de ciment(...). Chaque installation, qui reçoit des murs et des sols sa structure, vise à suggérer que les formes sont avant tout des forces, mais sont aussi un geste qui porte et qui touche. En effet, ne rend-elle pas perceptible l'imperceptible : le lien existant entre toutes choses mais aussi le lien qui se tisse entre le corps et les objets présentés : veste, ceinture de cuir, tatouage ? Il réalise également des photographies, en noir et blanc, qui retiennent, comme dans les sculptures, les objets et formes du quotidien. ■ L. L.
Bibliogr. : Bernard Marcelis : *Michel François*, Art Press, n° 178, Paris, mars 1993.
Musées : Limoges (FRAC) : *Casablanca* 1993, vidéo – *Sans titre* 1995.

FRANÇOIS Nicolas
XVIIIe siècle. Actif à Paris en 1766. Français.
Peintre et sculpteur.

FRANÇOIS Nicolas Le. Voir **LE FRANCOIS**

FRANÇOIS Pierre
XVIIIe siècle. Actif à Paris en 1765. Français.
Sculpteur.

FRANÇOIS Pierre Joseph Célestin
Né en 1759 à Namur. Mort en 1851. XVIIIe-XIXe siècles. Belge.
Peintre d'histoire, compositions mythologiques, scènes de genre, portraits, paysages, compositions murales, miniaturiste, décorateur.
Il fut élève d'Andreas Cornelis Lens. Il travailla en France, en Italie et en Allemagne, avant de s'installer définitivement en Belgique. Il fut successivement professeur aux académies de Bruxelles, de Charleroi et d'Anvers.
Il peignit surtout de grandes toiles historiques et mythologiques. Il réalisa également des décorations d'églises à Gand, Bruxelles, Mons et Charleroi.
Bibliogr. : Gérald Schurr, in : *Les Petits Maîtres de la peinture 1820-1920, valeur de demain*, Les Éditions de l'Amateur, t. III, Paris, 1976.
Musées : Nancy : *Portrait de l'abbé Grégoire.*
Ventes Publiques : Versailles, 19 mai 1974 : *Le Jugement de Pâris ; Vénus donnant des armes à Énée ; Vénus et Énée*, trois h/t (279x280) : **FRF 20 400** – Bruxelles, 25 nov. 1981 : *Chemin en forêt de Soignes*, h/t (92x73) : **BEF 20 000** – Bruxelles, 28 mars 1984 : *Jeunes femmes sur l'estacade*, h/t (90x120) : **BEF 160 000** – Lokeren, 21 fév. 1987 : *Narcisse*, h/pan. (50x38) : **BEF 120 000** – Bruxelles, 28 oct. 1987 : *Jeunes femmes et fillettes sur un brise-*

lames, h/t (168x231) : **BEF 450 000** – New York, 24 mai 1988 : *Coriolan*, h/pan. (72,4x56,5) : **USD 25 300** – Londres, 21 juin 1991 : *La mort de Marcus Curtius*, h/pan. (66x51) : **GBP 7 150** – Lokeren, 7 oct. 1995 : *La rixe* 1842, h/pan. (62,5x78,5) : **BEF 440 000**.

FRANÇOIS Raymond
Né à Charleville (Ardennes). xxe siècle. Français.
Peintre de genre.
Il exposa, à partir de 1932, des scènes de guinguette au Salon des Artistes Indépendants, à Paris.
Ventes Publiques : Lyon, 1er déc. 1987 : *Champs Élysées*, h/t (46x55) : **FRF 9 000** – Paris, 20 nov. 1994 : *Cabaret à Montmartre*, h/t (46x55) : **FRF 15 500**.

FRANÇOIS Simon, dit le **Petit François**
Né le 3 décembre 1606 à Tours (Indre-et-Loire). Mort le 22 mai 1671 à Paris. xviie siècle. Français.
Peintre et graveur.
Nous savons que cet artiste était protégé par la reine et le cardinal de Richelieu. Il voyagea en Italie et devint l'ami du Guide qui fit son portrait. On cite encore de lui le *Portrait de Louis XIV dauphin*. Il fut peintre de la cour et fut reçu académicien le 7 août 1653.

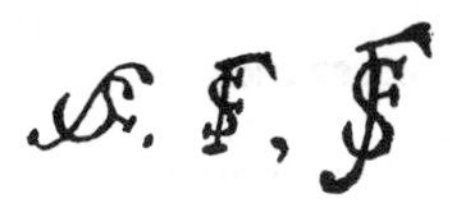

FRANÇOIS Solange
Née en 1938. xxe siècle. Belge.
Peintre.
Elle fut élève de l'école d'art Leonardo da Vinci de l'université américaine du Caire, et de Paul Delvaux à l'école de La Cambre. Elle reçut le prix Godecharle en 1961.
Bibliogr. : In : *Diction. biogr. illustré des artistes en Belgique depuis 1830*, Arto, Bruxelles, 1987.

FRANÇOIS Théodore
Né en 1837 à Paris. xixe siècle. Français.
Peintre.
Élève de Cornu. Il envoya au Salon en 1868 : *La plaine de Chailly, Un coin d'atelier*, et en 1869 : *Le Ruisseau d'Entraigues*.

FRANÇOIS DE HÉDINCOURT
xive siècle. Actif au début du xive siècle. Français.
Sculpteur.
Il travailla avec son frère Raoul au tombeau de Robert d'Artois à l'abbaye de Saint-Denis.

FRANÇOIS d'Orléans. Voir **ORLÉANS François d'**

FRANÇOIS ALLEMAND ou **Alman**
xve siècle. Actif à Toul. Français.
Peintre verrier.
En 1470, cet artiste travailla à Mirecourt, dans les Vosges, à un vitrail pour l'église du couvent Saint-François. En 1485, il peignit, à Nancy, un pupitre de lecture pour la duchesse de Lorraine.

FRANÇOIS-AUBERT Marcel
Né à Paris. xxe siècle. Français.
Peintre de paysages, portraits.
Il fut élève de Montézin. À partir de 1924, il exposa à Paris, au Salon des Artistes Français, obtenant, en 1928, la médaille d'argent et le Prix de la Savoie.

FRANÇOIS-CURILLON
Né à Tournus (Saône-et-Loire). xixe siècle. Français.
Sculpteur.
Mention honorable en 1902.

FRANÇOIS-DEDIEU Marie
Née à Aumale (Algérie). xxe siècle. Française.
Peintre de fleurs, natures mortes.
Elle expose au Salon des Artistes Indépendants, à Paris, depuis 1935.

FRANÇOIS-LOUBENS Emma
xxe siècle. Française.
Peintre.
Elle exposa, à Paris, au Salon des Artistes Français, dont elle devint sociétaire en 1919.

FRANÇOIS-MOREAU Hippolyte. Voir **MOREAU François**

FRANCOLIN Robert
xxe siècle. Français.
Peintre.
Il exposa à Paris aux Salons des Tuileries et d'Automne à partir de 1926.

FRANCON de Kempe
xive siècle. Éc. flamande.
Peintre.
Sans doute identique à FRANCON de Endout, cité par Siret à Malines, vers 1386.

FRANCONI Paolo
xviiie siècle. Actif à Naples. Italien.
Peintre amateur.
Il fut élève de Solimena.

FRANCONIO Juan Bautista
xviie siècle. Actif à Séville vers 1600. Espagnol.
Sculpteur et orfèvre.

FRANCONVILLE Jeanne
xxe siècle. Française.
Peintre.
Elle a exposé à Paris au Salon des Artistes Français, dont elle devint sociétaire en 1909.

FRANCONVILLE Moricaud
xviiie siècle. Français.
Graveur amateur.
On lui doit quelques caricatures.

FRANCOS L.
xixe siècle. Actif à Paris vers 1879. Français.
Peintre de genre.
Le Musée de Strasbourg conserve de lui : *Cavalier espagnol*.

FRANCOVICH A.
xixe-xxe siècles. Actif à Paris. Français.
Peintre.
Il a obtenu un grand prix à l'Exposition Universelle de Paris en 1900.

FRANCQUART Gilbert
xviie siècle. Actif à Paris en 1657. Français.
Peintre et sculpteur.

FRANCQUART Jacques
Né en 1577 à Bruxelles. Mort en 1651 à Bruxelles. xviie siècle. Éc. flamande.
Peintre de portraits et d'histoire.
Après avoir voyagé en Italie, il revint à Bruxelles, où il fut nommé peintre et architecte du gouverneur des Flandres. Il décora de peintures et de dessins l'église des Jésuites de Bruxelles.

FRANCQUEVILLE Jean de
xxe siècle. Français.
Peintre.
Il vivait à Amiens. Il a exposé, à Paris, au Salon des Artistes Français, dont il devint sociétaire en 1909.

FRANCQUIN
xviiie siècle. Actif à Toulon vers 1700. Français.
Peintre.
En 1699 il se rendit à Rome.

FRANCUCCI Francesco
xviie siècle. Actif à San Severino. Italien.
Sculpteur.
Il séjourna à Madrid et à Rome.

FRANCUCCI Innocenzo di Pietro, dit **Innocenzo da Imola**
Né vers 1494 à Imola. Mort vers 1550 à Bologne. xvie siècle. Italien.
Peintre de compositions religieuses, sujets allégoriques.
Cet artiste résida surtout à Bologne. En 1508, il entra à l'école de Francesco Francia, mais, d'après Malvasia, il alla travailler à Florence sous la direction de Mariotto Albertinelli. D'après Vasari, cet artiste mourut d'une fièvre pestilentielle.
Il semble avoir étudié très attentivement les œuvres de Andrea del Sarto car son style ressemble beaucoup à celui de ce peintre et à celui de Fra Bartolommeo. Les églises de Bologne possèdent un grand nombre de ses œuvres ; et certaines d'entre elles res-

semblent à un tel point aux œuvres de Raphaël par leur simplicité et leur beauté qu'elles semblent être exécutées d'après les dessins du maître. Parmi ses autres œuvres figure : à San Salvatore de Bologne : *Le Christ en Croix avec des saints* (1549).

INNOCENTIVS
FRANCALIVSIMOLENSIS

Musées : Avignon : *La Sainte Famille* – Bergame : *Mariage mystique de sainte Catherine* – Berlin : *Marie, l'Enfant et deux saints* – Bologne (Pina.) : *La Madone glorifiée avec des saints* – Chambéry (Mus. des Beaux-Arts) : *La Vierge apparaissant à un Chartreux* – Genève : *Ange jouant du tambourin* – *Ange jouant du flageolet* – *La Foi* – *L'Espérance* – Karlsruhe : *Vierge à l'Enfant* – Lisbonne : *Loth* – *Baptême de la reine d'Éthiopie* – Moscou (Roumiantzeff) : *Fiançailles de sainte Catherine* – Munich : *La Vierge et l'Enfant Jésus dans une gloire d'anges* – Rome (Borghèse) : *La Vierge, Jésus, saint Jérôme et saint Antoine* – *Le mariage de sainte Catherine avec Jésus* – Rome (Colonna) : *Sainte Famille avec saint François* – Saint-Pétersbourg : *Vierge à l'Enfant avec saints.*

Ventes Publiques : Paris, 1852 : *La Sainte Famille* : **FRF 1 950** – Paris, 1870 : *Mariage mystique de sainte Catherine* : **FRF 1 520** ; *La Vierge et Jésus* : **FRF 1 500** – Paris, 2 fév. 1874 : *Sainte Catherine recevant Jésus des mains de la Madone* : **FRF 7 100** – Londres, 1er fév. 1924 : *Sainte Famille* : **GBP 15** – Londres, 23 mai 1924 : *L'Adoration des bergers* : **GBP 50** – Londres, 16 jan. 1925 : *Mariage mystique de sainte Catherine* : **GBP 8** – Londres, 21 oct. 1925 : *Sainte Véronique* : **GBP 10** – Londres, 12 fév. 1926 : *La Sainte Famille* : **GBP 33** – Londres, 26 mars 1926 : *Madone et l'Enfant* : **GBP 42** – Londres, 22 déc. 1927 : *La Vierge et l'Enfant* : **GBP 73** – Londres, 15 juin 1928 : *La Madone et l'Enfant* : **GBP 33** – Londres, 12 juil. 1929 : *La Vierge et l'Enfant* : **GBP 63** – New York, 25 et 26 mars 1931 : *La Vierge et l'Enfant* : **USD 550** – Lucerne, 28 nov. 1964 : *La naissance de la Vierge* : **CHF 11 500** – Londres, 10 juil 1979 : *Les rois Mages*, sanguine reh. de gche blanche (26x42,3) : **GBP 3 000** – Milan, 18 mars 1982 : *Tête d'ecclésiastique*, craie noire (29,5x22) : **ITL 5 500 000** – Londres, 4 avr. 1984 : *Portrait de jeune femme*, h/pan. (60,2x44,5) : **GBP 10 500** – Zurich, 29 nov. 1985 : *Le mariage mystique de sainte Catherine*, temp./pan. (88,5x68,5) : **CHF 34 000** – New York, 13 oct. 1989 : *La Sainte Famille avec saint Jean Baptiste et sainte Elisabeth*, h/pan. (62,5x48) : **USD 19 800** – New York, 1er juin 1990 : *La Sainte Famille avec saint Jean Baptiste et sainte Elisabeth*, h/pan. (92,5x72,5) : **USD 18 700** – Milan, 3 déc. 1992 : *La Sainte Famille avec saint Jean*, h/pan. (75x58) : **ITL 22 600 000** – New York, 19 mai 1993 : *Vierge à l'Enfant avec saint Jean Baptiste et saint Jérôme et saint François*, h/pan. (95,9x75) : **USD 81 700** – New York, 12 jan. 1994 : *Saint Jean l'Évangeliste*, partie de fresque (68,5x49,5) : **USD 27 600** – Londres, 7 déc. 1994 : *Le mariage de la Vierge*, h/pan. (222x118) : **GBP 20 700**.

FRANGEPAN Torquat Alexander Julius
XVIIe siècle. Yougoslave.
Peintre, dessinateur et graveur.
Il était d'origine croate.

FRANGES-MIHANOVIC Robert
Né le 2 octobre 1872 à Mitrovica (Yougoslavie). XIXe-XXe siècles. Yougoslave.
Sculpteur.
Il a vécu et travaillé à Zagreb. En 1900, il a obtenu la médaille d'or à l'Exposition Universelle de Paris.

FRANGIAMORE Salvatore
Né en 1853. Mort en 1915. XIXe siècle. Britannique.
Peintre de genre.
Il vécut et travailla à Londres.
Il traitait exclusivement des thèmes très typiques de ce qu'on classait alors en tant que scènes de genre, genre qui d'ailleurs est à peu près disparu à la fin du siècle.

Ventes Publiques : Londres, 18 mai 1925 : *Page favori* : **GBP 16** – Londres, 16 mars 1945 : *La chanson d'amour* : **GBP 35** – Paris, 28 fév. 1951 : *La soubrette rebelle* : **FRF 40 000** – Londres, 30 juil. 1982 : *La présentation* 1897, h/t (55,9x85) : **GBP 1 500** – Londres, 12 oct. 1984 : *La rebuffade*, h/t (61,5x50,2) : **GBP 2 200** – Londres, 27 nov. 1985 : *Le récital pour le cardinal* 1908, h/t (52x72,5) : **GBP 4 500** – New York, 25 fév. 1988 : *Des fleurs pour le cardinal*, h/t (55x75,2) : **USD 18 700** – New York, 25 mai 1988 : *Isabelle Orsini écoutant les fils du Tasse*, h/t (61,9x50,2) : **USD 15 400** – Londres, 6 oct. 1989 : *Une lecture passionnante*, h/t (68,5x54,5) : **GBP 4 620** – New York, 23 mai 1991 : *Le dévoilement dans l'atelier*, h/t/cart. (62,2x50,2) : **USD 13 200** – New York, 19 fév. 1992 : *Le dévoilement dans l'atelier*, h/t/cart. (62,2x50,2) : **USD 14 300** – Milan, 9 nov. 1993 : *Enfants en costumes traditionnels à la fontaine de Trevi*, h/t (82,5x55) : **ITL 19 550 000** – Londres, 22 fév. 1995 : *Violoniste arabe*, aquar. (68x49) : **GBP 1 782**.

FRANGIPANE Niccolo
Né en 1550 ou 1555 à Tarcento. Mort en 1600 à Tarcento. XVIe siècle. Italien.
Peintre de compositions religieuses, sujets mythologiques, scènes de genre.
Il exécuta un assez grand nombre de tableaux d'autel, mais réussit mieux dans les sujets mythologiques. Une *Assomption* dans l'église des Conventuali à Rimini. L'église San Bartolommeo de Padoue possède de lui un joli tableau de *Saint François*, daté 1588, et San Stefano de Pesaro, un tableau d'autel. Il y eut, semble-t-il, à la même époque un second peintre de ce nom qui fut sans doute le père de celui-ci.

Musées : Angers : *Quatre têtes riant à la vue d'un chat* – Rome (Gal. Doria-Pamphili) : *Jésus et Véronique.*

Ventes Publiques : Rome, 21 nov. 1989 : *Berger avec une flûte*, h/t (55,5x47) : **ITL 18 500 000** – Londres, 8 juil. 1992 : *Ecce Homo*, h/t (97,2x119,2) : **GBP 6 600** – New York, 16 mai 1996 : *Le Christ portant sa Croix* 1574, h/pan. (53,3x45,1) : **USD 14 950**.

FRANK. Voir aussi **FRANCK**

FRANK A. C.
XIXe siècle. Actif à Hambourg vers 1826. Allemand.
Lithographe.
On connaît de lui le portrait du Danois *Urban Jürgensen*, d'après C. Horneman, le frontispice des *Nouvelles astronomiques* de Schumacher et un *Ecce homo* d'après Dolci.

FRANK B. Virginia
Née le 31 mai 1900 à Norfolk. XXe siècle. Américaine.
Peintre et professeur.
Élève de l'Art Students' League de New York.

FRANK Bernhard
Né en 1770 à Eltingen. Mort le 29 novembre 1836 à Stuttgart. XVIIIe-XIXe siècles. Allemand.
Sculpteur.
Il fut élève de la Karlsschule à Stuttgart et obtint le titre de sculpteur de la Cour. On connaît surtout de lui un portrait médaillon de Schiller dont un exemplaire en bronze figurait à l'Exposition Schiller, à Weimar, en 1884. On cite également de lui un haut-relief en plomb au tombeau du comte F. L. von Sponeck et de sa femme dans la sacristie de l'église paroissiale de Winterbach.

FRANK Caroline
XVIIIe siècle. Active à Berlin. Allemande.
Peintre.
Elle exposa de 1787 à 1791 des portraits à l'Académie de Berlin.

FRANK Caspar
XVIe siècle. Actif à Cracovie en 1599. Polonais.
Peintre.

FRANK Christoph
XVIIe siècle. Allemand.
Sculpteur sur bois.
Il est mentionné à Spire de 1621 à 1635. Le Musée d'histoire de cette ville conserve de lui deux armoires d'église richement sculptées.

FRANK Christoph
XVIIe siècle. Actif à Kaufbeuren. Allemand.
Peintre.
L'église évangélique de Kaufbeuren lui doit des peintures représentant les *Apôtres* et un *Salvator mundi.*

Musées : Nuremberg (Ebner) : *La Mort chez le Riche.*

FRANK Christoph
Né vers 1787 à Eger. Mort en 1822 à Vienne. XIXe siècle. Autrichien.
Peintre de portraits et peintre de miniatures.
Il était, à dix-sept ans, élève de l'Académie de Prague et travailla à Vienne. On lui attribue le portrait de l'oculiste *G. J. Beer*, ainsi que celui du comédien *F. Raimund*, gravé par J. Passini ; on cite encore de lui deux portraits miniatures de femme dans une collection de Vienne.

FRANK Daniel
Né en 1573 à Saint-Gall. XVIe-XVIIe siècles. Suisse.

Peintre.
On cite de lui un grand *Portrait de Klaus Gugger* au Musée Municipal de Saint-Gall. Il aurait quitté son pays après 1615.

FRANK Franciscus
XVIe siècle. Allemand.
Peintre d'histoire.
En 1563, l'époque de l'artiste, l'influence du néerlandais est très remarquable. Le Musée de Hambourg conserve de lui : *Christ portant sa Croix*. Ce tableau rappelle celui de Pieter Aertsen (même sujet) au Musée de Berlin, mais le coloris de Frank est plus riche.

FRANK Franz Friedrich. Voir **FRANCK Franz Friedrich**

FRANK Frigyes. Voir **FRANCK**

FRANK Gerald A.
Né en 1888 à Chicago. XXe siècle. Américain.
Peintre.
Il a été membre de nombreuses sociétés artistiques.
Ventes Publiques : New York, 2 juin 1982 : *Revelry reflected in pool* 1925, h/cart. (102x152) : **USD 700**.

FRANK Gustav
Né le 14 septembre 1859 à Wlaschim (Bohême). XIXe siècle. Tchécoslovaque.
Peintre et dessinateur.
Il fut élève de l'Académie de Vienne pour la peinture, et du graveur J. Sonnenleiter. Il travailla d'abord comme peintre de portraits et comme dessinateur pour *Les Trésors artistiques de l'Italie* de C. V. Lützow et pour *La Monarchie austro-hongroise par la parole et par l'image*, et autres ouvrages. Comme graveur et aquafortiste, il exécuta de nombreux portraits. Appelé en 1890 à l'Imprimerie d'État de Saint-Pétersbourg, il en devint directeur. A Saint-Pétersbourg il fit des portraits à l'eau-forte, parmi lesquels on cite ceux du Président *F. Faure*, du poète *Tolstoï*, de la comédienne *Eleonore Duse*, ces deux derniers d'après les tableaux de I. Rjepin.

FRANK Gustav
XIXe siècle. Actif à Oldenbourg vers 1860. Allemand.
Lithographe.
Il exécuta une série de vues de villes allemandes : Breslau, Dessau, Hambourg, Leipzig et Oldenbourg.

FRANK Hans et **Léo**
Nés le 13 mai 1884 à Vienne. Léo, mort en 1959. XXe siècle. Autrichiens.
Peintres de portraits, animaux, paysages, natures mortes, fleurs, graveur, dessinateur.
Ils étaient frères jumeaux. Ils furent tous deux élèves de l'École des Arts et Métiers de Vienne puis de l'Académie. Outre leurs nombreux dessins et peintures, on connaît, exécutés par Hans, plusieurs gravures sur bois en couleur, représentant des oiseaux et des animaux des forêts et un portrait de jeune fille.
Ventes Publiques : Vienne, 16 sep. 1981 : *Portrait de jeune fille*, h/cart. (55x47,5) : **ATS 6 000** – Vienne, 10 avr. 1984 : *Vase de fleurs*, h/pan. (77x51) : **ATS 20 000** – Londres, 11 fév. 1994 : *Lapin parmi les pissenlits* 1910, h/cart. (diam. 34,3) : **GBP 2 875**.

FRANK Hans Heinrich
Né en 1738. XVIIIe siècle. Allemand.
Peintre de portraits.
Il est cité par Siret.

FRANK Heinrich Friedrich
XVIIe siècle. Allemand.
Sculpteur.
Il travailla vers 1626 à la décoration intérieure de la grande salle du château de Bayreuth.

FRANK Hémery
XVIe siècle. Actif à Anvers. Éc. flamande.
Peintre enlumineur.
Il est mentionné à Tours en 1522 au sujet d'un contrat pour l'exécution de plusieurs tableaux.

FRANK Henri. Voir **FRANCK Henri**, pseudonyme de **Flandrin François Henri**

FRANK Jane
XXe siècle. Américaine.
Peintre. Abstrait.
Depuis 1958, elle expose aux États-Unis. Elle a également montré ses œuvres à Paris et à Londres.
Sa peinture, abstraite, fait cependant référence à un paysagisme aérien, comme vu d'avion.

FRANK Johann ou **Franck de Langraffen**
XVIIe siècle. Actif à Vienne. Autrichien.
Graveur.
On connaît de lui le frontispice de l'œuvre de J. Ch. Frölich von Frölichsburg *Nemesis Romano-Austriaco-Tirolensis* et neuf gravures allégoriques au sujet du mariage de l'empereur François Ier d'Autriche avec Amalie de Brunswick, dont des exemplaires se trouvent au Cabinet graphique de Munich.

FRANK Johann Andreas Joseph ou **Franke** ou **Francke**
Né le 24 mars 1756 à Dresde. Mort le 25 septembre 1804 à Dresde. XVIIIe siècle. Allemand.
Peintre de miniatures.
Il étudia à Dresde et figura aux expositions de l'Académie de cette ville de 1773 à 1791, surtout avec des portraits en miniature. Il fit, pendant un certain temps, des copies de tableaux de la Galerie de Dresde, comme *La Madeleine repentie* de Batoni, *Le chaste Joseph* de Cignani. Il copia aussi des tableaux d'A. Kauffmann, Hutin, Rubens et Van Dyck.

FRANK Johann Jakob
XVIIIe siècle. Actif à Nuremberg. Allemand.
Peintre de miniatures.

FRANK Johann Willem. Voir **FRANCK Johan Willem**

FRANK Julius
Né le 11 avril 1826 à Munich. Mort en 1912. XIXe-XXe siècles. Allemand.
Peintre d'histoire, scènes de genre.
Fils de Michael Sigismond Frank. Élève de Schraudolph. Il a travaillé à Munich.
Ventes Publiques : Londres, 12 jan. 1942 : *Coup de maître* : **GBP 6** – Enghien-les-Bains, 16 oct. 1983 : *Danseuse orientale devant le sultan*, h/t (53x77) : **FRF 41 000**.

FRANK Leo. Voir **FRANK Hans** et **Leo**

FRANK Lorenz
Originaire de Burgeis dans le Tyrol. XVIIIe siècle. Autrichien.
Sculpteur.
Il entra à l'Académie de Vienne en 1771 et y reçut un prix en 1787.

FRANK Lucien
Né en 1857 à Bruxelles. Mort en 1920 à Ohain. XIXe siècle. Belge.
Peintre de paysages urbains, paysages, natures mortes, fleurs et fruits, pastelliste. Postimpressionniste.
Il étudia probablement à Paris et travailla à Bruxelles et Paris où il exposa à partir de 1886 de petits paysages impressionnistes et des vues de villes de France et des Flandres.

L_Frank

Musées : Bruxelles : *Avril* – Paris (Mus. d'Art Mod.) : Deux tableaux.
Ventes Publiques : Paris, 27 et 28 juin 1927 : *Vase de fleurs et orange* : **FRF 100** – Paris, 10 mai 1944 : *Coucher de soleil sur la mer* : **FRF 5 000** – Bruxelles, 4 mai 1976 : *Paysage de printemps*, h/t (45x65) : **BEF 22 000** – Bruxelles, 28 oct. 1981 : *Soir d'avril sur l'étang*, h/t (63x44) : **BEF 42 000** – Anvers, 27 avr. 1982 : *Pêcheur près de l'étang* 1905, past. (91x112) : **BEF 45 000** – Anvers, 26 avr. 1983 : *Octobre à Tervuren*, h/t (121x169) : **BEF 55 000** – Bruxelles, 1er mars 1984 : *Champs-Elysées*, gche (31x39) : **BEF 60 000** – Bruxelles, 8 mai 1985 : *La ville, soir*, past. (54x38) : **BEF 56 000** – Anvers, 2 déc. 1986 : *Dimanche dans les bois*, h/pan. (27x36) : **BEF 160 000** – Bruxelles, 25 nov. 1987 : *Paysage nocturne*, h/t (74x103) : **BEF 100 000** – Paris, 20 jan. 1988 : *Paysage animé*, h/pan. (27x36) : **FRF 27 000** – Lokeren, 28 mai 1988 : *Soleil couchant sur les prés*, h/pan. (33x53) : **BEF 90 000** – Lokeren, 8 oct. 1988 : *Crépuscule*, h/t (40x32) : **BEF 44 000** – Bruxelles, 27 mars 1990 : *Au parc de Barcelone*, h/pan. (23x31) : **BEF 425 000** – Bruxelles, 12 juin 1990 : *Marché aux fleurs sur la rambla à Barcelone*, h/pan. (23x33) : **BEF 260 000** – Bruxelles, 9 oct. 1990 : *Musiciens ambulants*, h/pan. (31x23) : **BEF 175 000** – Amsterdam, 30 oct. 1990 : *Personnages sur les quais de Dordrecht*, h/pan. (36x27) : **NLG 3 220** – Bruxelles, 13 déc. 1990 : *Promenade*, h/pan. (32x40) : **BEF 250 800** – Lokeren, 21 mars 1992 : *Coin de la grand'place de Furnes*, h/pan. (16x24,5) : **BEF 48 000** – Lokeren, 23 mai 1992 : *Paysage enneigé avec un*

promeneur, h/pan. (27x36) : **BEF 200 000** – LOKEREN, 10 oct. 1992 : *L'entrée du béguinage de Bruges le soir,* techn. mixte/cart. (38x46) : **BEF 130 000** – AMSTERDAM, 2-3 nov. 1992 : *Promenade dans un parc,* h/cart. (45x37) : **NLG 2 990** – AMSTERDAM, 10 déc. 1992 : *Sur les quais,* h/pan. (38x46) : **NLG 8 625** – LOKEREN, 5 déc. 1992 : *L'étang,* h/t (76x105,5) : **BEF 140 000** – PARIS, 6 avr. 1993 : *Paysage, soleil levant,* h/pan. (14x23,5) : **FRF 4 200** – LOKEREN, 9 oct. 1993 : *Promeneurs,* h/pap. (60x44) : **BEF 80 000** – AMSTERDAM, 31 mai 1995 : *Village,* h/t (44x55) : **NLG 8 024** – LOKEREN, 9 déc. 1995 : *Le boulevard,* gche (64x47) : **BEF 130 000** – PARIS, 2 juin 1997 : *Moulin, lumière bleue,* h/pan. (21x16) : **FRF 9 500** – LOKEREN, 6 déc. 1997 : *Étang le soir,* h/t (76x106) : **BEF 750 000.**

FRANK Magda

Née le 20 juillet 1914 à Cluj (Hongrie). XXe siècle. Active et naturalisée en Argentine, active aussi en France. Hongroise.

Sculpteur. Abstrait.

Elle a étudié à l'École des Beaux-Arts de Budapest, avant de venir à Paris où elle fut élève de Marcel Gimond. Elle est ensuite partie en Argentine, où elle s'est fait naturaliser, et a mené parallèlement sa carrière de sculpteur et d'enseignante. Elle a participé à la Biennale de São Paulo. Depuis, elle s'est installée en France, et a exposé à Paris dans de nombreux Salons : Comparaisons, Réalités Nouvelles, Jeune Sculpture. Elle a également été invitée aux Expositions de Sculpture Internationale du Musée Rodin.
Sa sculpture abstraite évoque des signes totémiques en trois dimensions.

VENTES PUBLIQUES : NEW YORK, 27 fév. 1985 : *Tête,* céramique (43,9x43,2x23,5) : **USD 2 600.**

FRANK Mary

Née en 1933 à Londres. XXe siècle. Active aux États-Unis. Britannique.

Sculpteur de figures, paysages, peintre, dessinateur, technique mixte.

Depuis son plus jeune âge, elle vit à New York. Durant son adolescence, elle prend quelques leçons, à New York, avec Alfred Van Loeb, Max Beckmann et Hans Hofmann. En 1950, elle est diplômée du Children's Professional School. Avec son premier mari, le célèbre photographe Robert Frank, elle a séjourné deux années en Europe. Depuis 1958, elle expose régulièrement à New York, et depuis 1968 à la galerie Zabriskie à Paris.
Très tôt, Mary Frank s'est consacrée au dessin, aux moulages de plâtre, et plus particulièrement, vers 1953, à la sculpture sur bois, privilégiant la représentation de paysages imaginaires. Ses premières sculptures, de type primitif, sont fortement influencées par Brancusi, Raoul Hague et l'art africain. Cependant de petites sculptures de cire ont conduit l'artiste à préférer le plâtre, puis, en 1969, l'argile, qui devint aussitôt son matériau de prédilection. Ses sculptures, de tradition cubiste, sont composées de plusieurs pièces placées côte à côte et pouvant atteindre trois mètres de longueur. Parallèlement, elle imprime sur des dalles humides des feuilles, des fougères, mais aussi, à l'aide de poinçons qu'elle a gravés elle-même, des séries de petits animaux et petites figurines créant un univers poétique qui reste à décrypter. Mary Frank exécute aussi de nombreux dessins au fusain, prenant souvent ses sculptures en céramique pour modèle, ainsi que des peintures expressionnistes narratives souvent méconnues.
Femme avant que d'être artiste, Mary Frank propose une œuvre d'une étonnante unité, quant aux motifs et aux thèmes, et pourtant sans cesse renouvelée par ses expériences personnelles. Ses figures, corps ou ébauches, puissamment sensuelles, essentiellement féminines expriment des états psychologiques. En choisissant l'argile, matériau qui se trouve à l'état de transition dans la nature, Mary Frank affirme sa volonté d'animer la matière.
■ Laurence Lehoux

BIBLIOGR. : Carter Ratcliff : *Mary Frank's monotypes,* 1978 – in : *Zabriskie Gazette,* vol. IV, n° 2, Paris, printemps 1981 – Robert C. Morgan : *Trois Stratégies personnelles : Michael Goldberg, Lang, Mary Frank,* Art Press, n° 213, Paris, mai 1996.

MUSÉES : BOSTON (Yale University) – CHICAGO (Art Inst.) – NEW YORK (Metropolitan Mus. of Art) – NEW YORK (Whitney Mus. of American Art).

VENTES PUBLIQUES : NEW YORK, 19 oct. 1979 : *Ghost dancer* 1972-1973, céramique (61x32x47) : **USD 3 000** – NEW YORK, 16 oct. 1981 : *Sans titre,* aquar. (64,7x50,7) : **USD 550** – NEW YORK, 12 nov. 1982 : *Sans titre,* encre noire (44,5x58,5) : **USD 400** – NEW YORK, 5 mai 1987 : *Sans titre, femme aux bras de pétales* 1981, céramique en 6 parties (22,5x122x79) : **USD 9 000** – NEW YORK, 5 oct. 1989 : *Daphné* 1979, céramique en 8 parties (99x96,5x14) : **USD 7 150** – NEW YORK, 23 fév. 1990 : *Séries de tranches de tête* 1974, pierre oxydée (30,5x25,4x22,9) : **USD 7 150** – NEW YORK, 10 oct. 1990 : *Sans titre,* terre cuite en deux parties (en tout 25,4x38,2x33,1) : **USD 3 850** – NEW YORK, 13 fév. 1991 : *Vallée* 1973, terre cuite (45,7x47, 6x39,4) : **USD 2 200** – NEW YORK, 9 mai 1992 : *Femme-fleur* 1982, terre cuite en deux parties (67,3x43,5x57,1) : **USD 7 150** – NEW YORK, 24 fév. 1995 : *Femme marchant* 1981, fus. et craie noire/pap. (64,8x50,2) : **USD 1 495.**

FRANK Melchior

XVIIIe siècle. Suisse.

Sculpteur sur bois.

Il participa aux travaux de sculpture des stalles de l'église des Cisterciens de Saint-Urban (Canton de Lucerne).

FRANK Michael Sigismund

Né en 1769 à Nuremberg. Mort le 18 janvier 1847 à Munich. XVIIIe-XIXe siècles. Allemand.

Peintre, peintre verrier et peintre sur porcelaine.

Il travailla pour la cour de Bavière et le prince de Wallenstein. On cite de lui les vitraux de la cathédrale de Ratisbonne.

FRANK Peter

XVIe siècle. Polonais.

Graveur.

Il fut chevalier de Jelita. Géomètre du roi de Pologne Stephan Bathory, il publia en 1579 ses gravures représentant le siège de Polock et Sokol.

FRANK Raoul

Né le 1er mai 1867 à Linz. Mort en 1939. XIXe-XXe siècles. Autrichien.

Peintre de paysages, marines.

A travaillé successivement à Munich, Gratz, Berlin, Londres, Karlsruhe.

Raoul Frank

MUSÉES : MUNICH (Pina.) : *Nuages fuyant – Côtes de Corée.*

VENTES PUBLIQUES : LONDRES, 19 mars 1980 : *Barques sur le Danube* 1904, h/t (67x78) : **GBP 1 000** – VIENNE, 17 mars 1987 : *Scène de port,* h/t mar./cart. (43x54) : **ATS 13 000.**

FRANK Theresia

Née au XVIIIe siècle à Lucerne. Morte le 18 août 1810 à Lucerne. XVIIIe-XIXe siècles. Suisse.

Sculpteur.

Femme et aide du sculpteur Friedrich Schäfer, elle collabora aussi avec son fils (Schäfer junior). On cite *Guillaume Tell* et *Laitière,* exposés à Lucerne à l'Association artistique en 1889.

FRANK-BOGGS, pseudonyme de **Boggs Frank Myers**

Né le 6 décembre 1855 à Springfield (Ohio). Mort le 6 août 1926 à Meudon (Hauts-de-Seine). XIXe-XXe siècles. Actif et naturalisé en France. Américain.

Peintre de paysages urbains, marines, aquarelliste, graveur, dessinateur.

Il fut élève de Jean-Léon Gérome à l'École des Beaux-Arts de Paris. À Paris aussi, il exposa régulièrement jusqu'à la fin de sa vie au Salon des Artistes Français, où il reçut plusieurs distinctions, notamment placé hors-concours et médaille d'argent à l'occasion de l'Exposition Universelle de 1889. En 1885, il avait exposé à New York : *La Houle à Honfleur,* qui remporta un prix de 2.500 dollars.
Ses dessins, généralement de petites dimensions, sont spontanés et spirituels. En 1906-1907, il exécuta des eaux-fortes de ses sujets favoris. Ses aquarelles, très nombreuses, d'une touche précise et ferme, sont très nuancées, et forment la partie la plus importante de son œuvre. Amoureux de Paris, de ses quais et de ses monuments, attaché aux bords de la Seine au long de son cours, insatiable admirateur des ports français et étrangers, il a multiplié les vues de ces sites dans des peintures solidement bâties, aux ciels nuageux. Les marchés animés des petites villes, les ports normands, la Rochelle, la Hollande, la Belgique, Venise, ont été ses sources d'inspiration continuelles, lui ayant permis de se réaliser pleinement, dans un registre et sur des thèmes prisés du grand public, d'autant qu'il est resté fidèle à un faire, à une manière bien identifiable. ■ J. B.

Frank Boggs

Musées : Boston (Mus. des Beaux-Arts) : *La Houle à Honfleur* vers 1885 – Montréal (Art Assoc.) : *Marine, effet du matin* – Mulhouse : *Vue de Paris*, aquar. – Nantes : *Barque de pêche* – New York : *Sur la Tamise* 1883 – Niort : *Le Port d'Isigny*.

Ventes Publiques : Boston, 1883 : *Place Saint-Germain* : **FRF 1 500** – Paris, 1897 : *Isigny* : **FRF 200** ; *Le Marché* : **FRF 245** – Paris, 1900 : *La Tamise* : **FRF 620** – Paris, 13-14 mars 1900 : *La Tamise* : **FRF 620** – Paris, 1er-2 déc. 1902 : *Le Pont-Marie*, aquar. : **FRF 1 800** – Londres, 24 avr. 1909 : *Sur la rivière* : **GBP 5** – Londres, 14 mai 1909 : *Bateaux de pêche à l'ancre*, dess. : **GBP 8** ; *À Rotterdam*, dess. : **GBP 19** – Paris, 1er déc. 1920 : *Le pont Marie*, aquar. : **FRF 1 800** – Paris, 20 nov. 1922 : *La Seine, le pont des Arts, et l'Institut : vue prise du quai Voltaire* : **FRF 3 010** – Paris, 4 juin 1928 : *L'Écluse de la Monnaie* : **FRF 4 000** – Paris, 15 fév. 1929 : *Paris, Saint-Étienne-du-Mont*, aquar. : **FRF 1 000** – Paris, 28 juin 1929 : *Vue de Paris* : **FRF 3 000** – Paris, 16-17 mai 1939 : *La place Saint-Germain-des-Prés* : **FRF 1 700** – Paris, 5 nov. 1941 : *Barques échouées au pied des falaises*, aquar. : **FRF 700** – Paris, 24 nov. 1941 : *Coucher de soleil à marée basse*, aquar. : **FRF 2 000** – Paris, 4 déc. 1941 : *Village au bord de la mer* : **FRF 7 800** – Paris, 9 mars 1942 : *Dieppe, bateaux à marée basse* : **FRF 12 500** – Paris, 20-21 juil. 1942 : *La Tour Saint-Jacques* : **FRF 18 000** – Paris, 22 jan. 1943 : *La Place de la Concorde* : **FRF 26 200** – Dordrecht, 27 jan. 1943 : *La Route*, aquar. : **FRF 9 200** – Paris, 22 fév. 1943 : *Voiliers au port* : **FRF 27 100** – New York, 14 oct. 1943 : *Le Pont-Marie* 1905 : **USD 450** – New York, 1er oct. 1943 : *La Seine et l'Institut*, aquar. : **FRF 5 800** – New York, 14 oct. 1943 : *Le Pont-Marie* 1905 : **USD 450** – Paris, 20 mars 1944 : *Caudebec*, aquar. : **FRF 4 100** ; *Le Pont-Marie* : **FRF 10 500** – Paris, 10 mai 1950 : *Marine* : **FRF 31 000** – Paris, 28 juin 1951 : *La Seine au Pont-Marie* : **FRF 48 000** – Paris, 9 juin 1954 : *La Seine au pont Saint-Nicolas, quai du Louvre* : **FRF 72 000** – Paris, 26 juin 1957 : *Les quais de la Seine à Paris*, h/t : **FRF 155 000** – New York, 14 jan. 1959 : *Vue prise du pont des Arts* : **USD 800** – Londres, 27 nov. 1964 : *La Porte Saint-Denis, Paris*, past. et aquar. : **GNS 280** – Paris, 23 fév. 1965 : *La Seine au Louvre* : **FRF 20 000** – Paris, 3 mai 1967 : *Le Pont-Neuf*, aquar. : **FRF 4 300** – Versailles, 15 déc. 1968 : *Le port de Rouen* : **FRF 34 000** – Genève, 8 nov. 1969 : *Vue de Malines*, aquar. : **CHF 8 000** – Paris, 1er déc. 1969 : *La Seine à l'Institut* : **FRF 50 600** – Paris, 30 mars 1973 : *La Seine et Notre-Dame* : **FRF 38 000** – Paris, 30 mars 1973 : *La Seine et Notre-Dame* : **FRF 38 000** – Londres, 19 mars 1973 : *Marée basse à Grandcamp* : **GBP 2 000** – Paris, 13 juin 1974 : *La Seine à Paris* : **FRF 23 000** – Le Havre, 26 mars 1976 : *La Seine au Louvre*, h/t (60x73) : **FRF 20 500** – Paris, 22 nov. 1977 : *Eglise Saint-Wulfran à Abbeville* 1912, aquar. (55x46) : **FRF 6 000** – Londres, 6 déc. 1978 : *La Seine à Paris, pont Henri IV*, aquar. et fus. (26x40) : **GBP 850** – Versailles, 7 juin 1978 : *Donjon dominant le port*, h/t (89x131) : **FRF 33 000** – Enghien-les-Bains, 9 déc. 1979 : *La cathédrale de Reims* 1914, aquar. (44,5x36,5) : **FRF 11 500** – Brest, 12 nov. 1982 : *Notre-Dame par temps de neige*, aquar. (35x43) : **FRF 7 050** – Versailles, 18 mars 1984 : *Moulins près de Dordrecht* 1902, aquar. (26x40) : **FRF 16 000** – New York, 1er juin 1984 : *Vue de la Seine à Paris*, h/t (61x73,7) : **USD 7 000** – Londres, 25 juin 1985 : *Le quais des Grands-Augustins, Paris*, h/t (65,4x80,6) : **GBP 18 000** – Enghien-les-Bains, 24 nov. 1985 : *Le Port du Havre sous la neige*, aquar. (32x40) : **FRF 30 000** – Calais, 8 nov. 1987 : *Place du Marché* 1906, aquar. (49x29) : **FRF 21 000** ; *Vue de Notre-Dame et de l'Ile de la Cité*, h/t : **FRF 100 000** – Paris, 11 déc. 1987 : *Honfleur, voiliers sur le bassin*, h/t (54x65) : **FRF 25 000** – Paris, 17 fév. 1988 : *Le Moulin de la Galette* ; *Le Marché aux fleurs de la Conciergerie*, h/t, formant pendants (chaque 120x55) : **FRF 78 000** – Paris, 26 fév. 1988 : *Paysage et Église*, aquar. et fus. (25,5x39,5) : **FRF 7 000** – Calais, 28 fév. 1988 : *Le port de Rouen*, h/t (33x55) : **FRF 45 000** – Neuilly, 9 mars 1988 : *Voiliers par petite brise*, h/t (54x82) : **FRF 30 000** – Paris, 18 mars 1988 : *Paris, le Pont-Neuf*, h/t (60x73) : **FRF 165 000** – Paris, 15 avr. 1988 : *Marseille, l'entrée du port, avec la cathédrale de la Major et le fort Saint-Jean à droite*, h/t (72x91) : **FRF 140 000** – Londres, 18 mai 1988 : *Vue des Martigues* 1921, aquar. et fus. (26x39) : **GBP 2 860** – New York, 26 mai 1988 : *Le Louvre et l'Arc du Caroussel*, h/t (60,9x73,7) : **USD 11 000** – Versailles, 15 juin 1988 : *Paris, le Pont-Neuf et la Cité*, aquar. (50x80) : **FRF 57 000** – Calais, 3 juil. 1988 : *Vieille Rue à Lisieux*, h/t (47x56) : **FRF 52 000** – New York, 30 sep. 1988 : *Honfleur* 1898, h/t (31,8x45,5) : **USD 5 500** – Versailles, 23 oct. 1988 : *Voiliers à Dordrecht*, aquar. (30x40) : **FRF 25 200** – Calais, 13 nov. 1988 : *Voiliers en mer*, h/t (39x55) : **FRF 52 000** – Paris, 12 fév. 1989 : *Paris, la Seine et Notre-Dame*, h/t (54x73) : **FRF 150 000** – Paris, 15 fév. 1989 : *Paris, le pont de Notre-Dame*, aquar. et fus. (25,5x39,5) : **FRF 22 500** – Paris, 22 mars 1989 : *Amiens, la cathédrale et la rue Saint-Leu*, aquar. (40x32) : **FRF 25 000** – Paris, 7 avr. 1989 : *Retour de pêche*, h/t (50x65) : **FRF 95 000** – Lyon, 27 avr. 1989 : *Une église à Paris*, h/t (32x40) : **FRF 50 000** – New York, 3 mai 1989 : *Marée basse à Grandcamp* 1882, h/t (38,4x55,2) : **USD 33 300** – La Varenne-Saint-Hilaire, 21 mai 1989 : *Voiliers en mer à Grancamp* 1899, aquar. (40x58) : **FRF 19 500** – Paris, 11 oct. 1989 : *Beaumont-le-Roger* 1904, mine de pb et aquar. (41x25) : **FRF 15 000** – New York, 18 oct. 1989 : *Le Pont Saint-Michel* 1922, h/t (73,6x91,4) : **USD 49 500** – Paris, 9 déc. 1989 : *Le Port de Marseille*, h/t (48,5x65) : **FRF 120 000** – Calais, 4 mars 1990 : *Bord de Seine à Paris*, h/t (33x46) : **FRF 63 000** – Paris, 3 avr. 1990 : *Le Pont-Neuf*, aquar. (32x46) : **FRF 25 100** – Paris, 5 juil. 1990 : *La plage de Trouville*, aquar. (27x40) : **FRF 15 000** – New York, 27 sep. 1990 : *Le Pont Royal*, h/t (38,5x55) : **USD 7 700** – New York, 29 nov. 1990 : *Dieppe* 1881, h/t (58,4x81,3) : **USD 12 100** – Paris, 25 mars 1991 : *La Seine et l'Hôtel de Ville à Paris*, h/t (38x56) : **FRF 65 000** – Paris, 15 avr. 1991 : *Honfleur* 1921, aquar. (48x55) : **FRF 56 000** – Londres, 3 déc. 1991 : *Le Port de Marseille*, h/t (55x112) : **GBP 17 600** – Le Touquet, 8 nov. 1992 : *Paris, le Pont-Neuf*, aquar. (32x46) : **FRF 18 000** – New York, 27 mai 1993 : *Le long de la Seine*, h/t (64,8x81,3) : **USD 17 250** – Paris, 14 juin 1993 : *Voilier au large de Honfleur* 1884, h/t (81x53,5) : **FRF 50 000** – Paris, 29 avr. 1994 : *La Seine à Paris* 1915, aquar. (28x36,5) : **FRF 11 000** – New York, 25 mai 1994 : *Scène de rue de Paris* 1878, h/t (96,5x149,9) : **USD 37 375** – Royan, 16 juil. 1994 : *La Seine à l'Hôtel de Ville de Paris* 1884, h/t (134x185) : **FRF 470 000** – Calais, 24 mars 1996 : *Paris, la Seine et le Louvre*, aquar. (26x40) : **FRF 14 000** – New York, 23 mai 1996 : *Bateaux dans le port de Dordrecht avec la cathédrale au fond*, h/t (38,5x56) : **USD 19 550** – Paris, 5 juin 1996 : *Vue de Paris, les bouquinistes* 1904, h/t (54x81) : **FRF 47 000** – Paris, 16 oct. 1996 : *Paris, remorqueurs sur la Seine, le Pont-Royal et le pavillon de Flore*, aquar. (27,5x46) : **FRF 15 000** – Paris, 12 déc. 1996 : *Vue de la place de Bruges*, aquar. (32x40) : **FRF 6 800** – Londres, 23 oct. 1996 : *Scène de rue*, aquar. et fus./pap. (40x27) : **GBP 977** – New York, 26 sep. 1996 : *Vue de la Seine à Paris* 1898, h/t (55,9x81,3) : **USD 17 250** – Paris, 19 fév. 1996 : *Rotterdam*, aquar. et fus. (27x35) : **FRF 5 300** – Paris, 20 jan. 1997 : *Le Pont Saint-Benezet à Avignon*, lav. (22x34) : **FRF 3 500** ; *Trois-mâts au Havre*, h/t (81x54) : **FRF 120 000** – Paris, 26 mai 1997 : *La Seine à Conflans Ste-Honorine*, aquar./pap. (26x40) : **FRF 6 800** – Paris, 19 déc. 1997 : *Vue de la Seine au Pont-Neuf avec l'île de la Cité et le Louvre* 1898, h/t (50x64,5) : **FRF 55 000** – Paris, 17 oct. 1997 : *Retour de la pêche en Normandie*, h/t (45x65) : **FRF 20 100**.

FRANK-WILL, pseudonyme de **Boggs Frank William**
Né le 13 mars 1900 à Nanterre (Hauts-de-Seine). Mort le 29 décembre 1950. xxe siècle. Français.
Peintre de paysages urbains, marines, aquarelliste. Postimpressionniste.

Fils du peintre Frank Myers Boggs, dit Frank-Boggs, il en fut l'élève. Il abandonna des études d'architecture pour se consacrer à la peinture. Figure montmartroise typique, il était particulièrement lié avec Gen-Paul et Leprin. En 1922, il fit un premier voyage sur la côte normande. Autres voyages : 1926-1927 La Rochelle, 1929 Amiens, 1930 Barfleur. À partir de 1929, la galerie Georges Petit l'expose en permanence. Il exposa ensuite chez Hector Brame, le marchand de son père, puis sous contrat avec Henri Bureau. Avec Leprin, il visita Moret-sur-Loing, Auxerre, Avallon. En 1943, il participa à la fanfare créée par Gen-Paul : *La Chignole*. Très atteint par l'alcool, il ne supporta pas l'opération d'un abcès pulmonaire.

Il a signé successivement : en 1916 Frank, 1916 Franque,1918 William Frank, 1920 Franck-Will, enfin Frank-Will ; de 1936 à 1939, il a utilisé le pseudonyme : Naudin. Il est surtout connu pour ses aquarelles parisiennes. Il reprit très exactement, d'une manière intensive, les sujets, la technique et la manière de son père, qui connaissaient un vif succès auprès du grand public. L'œuvre, pléthorique, répétitif, est inégal. Il évolue entre un post-impressionnisme populiste, assez typiquement montmartrois, et des éclairs d'un expressionnisme violent, qui aurait pu tendre au tragique. ■ J. B.

Frank-Will

Bibliogr. : Denis Coisne : *Frank-Will, 1900-1950, sa vie, son œuvre, son époque*, ABC Décor, Paris, 1988.

Ventes Publiques : Paris, 23 déc. 1927 : *Le Petit Pont*, aquar. : **FRF 125** – Paris, 10 mai 1935 : *Le Port et les quais, La Rochelle*, aquar. : **FRF 190** – Paris, sep. 1942-juil. 1943 : *Reflets* : **FRF 7 500** ; *Les Manèges* : **FRF 1 500** – Paris, 28 jan. 1955 : *Rue Lepic* : **FRF 35 000** – Versailles, 26 nov. 1967 : *La Seine à Rouen* : **FRF 6 500** – Nice, 24 avr. 1974 : *Maisons sous la neige* : **FRF 10 000** – Paris, 23 mars 1976 : *Le Moulin de la Galette*, aquar. (44x54) : **FRF 4 500** – Versailles, 25 oct. 1976 : *Paris, rue animée*, h/t (50,5x61) : **FRF 6 000** – Versailles, 13 nov. 1977 : *Paris, remorqueurs sur la Seine* 1927, aquar. (46x61) : **FRF 4 400** – Saint-Brieuc, 13 nov. 1977 : *Paris, la Seine et les quais*, h/t (60x73) : **FRF 8 500** – Paris, 4 avr. 1978 : *Honfleur*, aquar. (46x60) : **FRF 3 000** – Grenoble, 20 nov. 1978 : *Notre-Dame de Paris et la Seine*, h/t (65x54) : **FRF 13 500** – Versailles, 18 fév. 1979 : *La Porte fortifiée à Chartres*, h/t (55x65) : **FRF 14 800** – Versailles, 18 mars 1979 : *Rue de Montmartre et le Sacré-Cœur sous la neige*, h/t (46x37,5) : **FRF 8 800** – Paris, 28 nov. 1979 : *Usine à Issy-Plaine*, aquar. (44x53) : **FRF 3 500** – Paris, 6 juin 1980 : *Le Port*, h/t (54x80) : **FRF 4 000** – Versailles, 30 nov. 1980 : *Paris, la Seine et l'île de la Cité*, aquar. (48.5x99) : **FRF 19 500** – Versailles, 10 oct. 1981 : *Autoportrait*, h/t (65x54) : **FRF 1 900** – Enghien-les-Bains, 13 déc. 1981 : *La rue de Montmartre*, aquar. (60x45) : **FRF 7 000** – Rouen, 28 nov. 1982 : *La Seine à Paris*, aquar. (25x38) : **FRF 2 400** – Brest, 12 déc. 1982 : *La porte Saint-Martin*, h/t (45x65) : **FRF 10 800** – Honfleur, 3 avr. 1983 : *La Seine à Paris* 1928, aquar. (49x63) : **FRF 9 000** – New York, 14 avr. 1983 : *Notre-Dame, Paris*, h/t (70,5x90) : **USD 1 600** – Paris, 22 nov. 1984 : *L'entrée de port de La Rochelle* 1926, h/t (54x65) : **FRF 32 000** – Paris, 14 déc. 1984 : *Paris, place du Tertre sous la neige*, aquar. (97x105) : **FRF 35 000** – Paris, 9 déc. 1985 : *Le Mont Saint-Michel*, aquar. (49x60) : **FRF 11 000** – Paris, 13 déc. 1985 : *Le Loing à Montargis*, h/t (65x54) : **FRF 16 000** – Paris, 16 juin 1986 : *Paris, La Seine devant la Conciergerie* 1923, aquar. (30x46) : **FRF 4 200** – Versailles, 18 juin 1986 : *Paris, Notre-Dame et la Seine sous la neige*, h/t (61x50) : **FRF 13 000** – Saint-Germain-en-Laye, 5 juil. 1987 : *La place du marché à Dieppe*, aquar. (56x42) : **FRF 25 500** – Calais, 8 nov. 1987 : *Vue du chœur de Notre-Dame*, h/t (54x65) : **FRF 33 000** – L'Isle-Adam, 20 déc. 1987 : *Vue de Paris avec les quais et les bateaux*, aquar. (44x52) : **FRF 17 000** – Paris, 10 fév. 1988 : *Rouen, le port*, aquar. (62,5x159) : **FRF 57 000** – Paris, 17 fév. 1988 : *Le port de Marseille*, h/t (60x91) : **FRF 36 000** – Paris, 7 mars 1988 : *Le port de La Rochelle*, aquar. (48x64) : **FRF 13 000** – Paris, 19 mars 1988 : *Le Sacré-cœur à Montmartre*, aquar. (32x45) : **FRF 11 500** – Paris, 4 mai 1988 : *Vue sur l'île de la Cité*, aquar. (45x50) : **FRF 45 000** – Versailles, 15 mai 1988 : *Rouen, le déchargement des bateaux* 1929, aquar. (44,5x59,5) : **FRF 17 000** – La Varenne-Saint-Hilaire, 29 mai 1988 : *Vue de Moret*, h/t (60x81) : **FRF 51 000** – Paris, 23 juin 1988 : *Paris, la place de la Concorde et la rue Royale*, aquar. (27x48) : **FRF 32 500** – Versailles, 6 nov. 1988 : *Remorqueur sur la Seine devant Notre-Dame*, h/t (73x100) : **FRF 31 500** – Calais, 13 nov. 1988 : *Honfleur, le marché*, aquar. (30x22) : **FRF 20 500** ; *Les quais de la Seine et Notre-Dame*, aquar. (45x60) : **FRF 31 100** – Paris, 9 déc. 1988 : *Chalutier rentrant au port*, aquar. (42x54) : **FRF 21 000** – Paris, 12 fév. 1989 : *La place Blanche* 1938, aquar. (24,5x32,5) : **FRF 26 000** – Paris, 1er fév. 1989 : *Le marché aux fleurs*, aquar. (35,4x24,5) : **FRF 14 000** – Paris, 19 mars 1989 : *Paris, remorqueurs sur la seine au Pont-Neuf*, h/t (60x73) : **FRF 50 500** – Paris, 9 juin 1989 : *Bateaux à quai*, h/t (60x81) : **FRF 100 000** – Paris, 22 oct. 1989 : *Marché à Louviers*, aquar. (29x39) : **FRF 27 000** – Le Touquet, 12 nov. 1989 : *Le port de Barfleur à marée basse*, aquar. (49x65) : **FRF 45 000** – Paris, 20 fév. 1990 : *Notre-Dame*, aquar. en camaïeu bleu (44x54) : **FRF 28 000** – New York, 21 fév. 1990 : *Vue de Notre-Dame*, aquar. et fus./pap. (44,8x54,6) : **USD 7 700** – Paris, 4 mars 1990 : *Voiliers dans la baie de Saint-Tropez*, h/t (44x60) : **FRF 900 000** – Paris, 27 mars 1990 : *Port de Rouen*, aquar. (31x45) : **FRF 23 000** – Paris, 3 avr. 1990 : *Notre-Dame et la Seine*, aquar. (49,5x66) : **FRF 35 000** – Paris, 10 avr. 1990 : *Le Pont du Carrousel*, aquar. (28x47) : **FRF 28 000** – Nanterre, 24 avr. 1990 : *Vieilles maisons à Montargis*, aquar. (42x28) : **FRF 15 000** – Calais, 8 juil. 1990 : *Le Pont-Neuf*, h/t (45x65) : **FRF 61 000** – Soissons, 4 nov. 1990 : *Coup de soleil sur Notre-Dame et l'île de la Cité*, h/t (73x100) : **FRF 135 100** – Paris, 7 juin 1991 : *La Mère Catherine sous la neige*, h/t (70x90) : **FRF 190 000** – New York, 5 nov. 1991 : *Vue de Honfleur*, h/t (38x45,7) : **USD 4 400** – Paris, 9 déc. 1991 : *La place du Tertre*, aquar. (45x54) : **FRF 30 000** – Paris, 19 juin 1992 : *Fécamp*, aquar. (43x53) : **FRF 8 000** – Paris, 15 mars 1993 : *La Seine*, aquar. (45x54) : **FRF 26 000** – Paris, 25 juin 1993 : *La Conciergerie à Paris*, aquar. (30,5x39) : **FRF 14 500** – New York, 2 nov. 1993 : *L'Opéra de Paris*, h/t (60x81) : **USD 4 600** – Paris, 6 fév. 1994 : *L'Opéra de Paris*, h/t (60x81) : **FRF 45 000** – Amsterdam, 19 avr. 1994 : *Le port de Honfleur en France* 1927, aquar. (36x51) : **NLG 3 335** – Paris, 12 juil. 1995 : *Notre-Dame de Paris*, aquar. gchée (45x54) : **FRF 12 000** – Calais, 24 mars 1996 : *Marché en Normandie*, h/t (61x51) : **FRF 36 000** – Calais, 7 juil. 1996 : *Paris, la Seine et Notre-Dame*, h/t (65x81) : **FRF 24 000** – Paris, 28 oct. 1996 : *Notre-Dame de Paris*, aquar. (29x38,5) : **FRF 7 000** – Paris, 24 nov. 1996 : *Combat de gallions*, aquar. (58x70) : **FRF 18 500** – Paris, 20 jan. 1997 : *Hiver, village sous la neige*, h/t (65x82) : **FRF 8 500** – Paris, 10 mars 1997 : *Cathédrale de Meaux*, dess. aquarellé (55x43) : **FRF 4 500** – Paris, 21 avr. 1997 : *Marché à Dreux*, pl. et aquar. (57x72,5) : **FRF 9 000** – Paris, 28 mai 1997 : *Fécamp*, aquar. (43x52) : **FRF 9 000** – Paris, 6 juin 1997 : *Marché à Rouen*, h/t (65x54) : **FRF 15 000** – Paris, 16 juin 1997 : *Semur* 1929, aquar. et fus. (50x65) : **FRF 15 000** – Paris, 25 juin 1997 : *La Seine au Vert-Galant*, fus. et aquar. (33x50) : **FRF 4 200** – Paris, 27 oct. 1997 : *Le Tréport*, aquar. (40x52) : **FRF 11 000**.

FRANKE. Voir aussi **FRANCK**

FRANKE Albert Joseph

Né en 1860 à Breslau. Mort en 1924. xixe-xxe siècles. Allemand.

Peintre de scènes de genre. Orientaliste.

Il fut élève aux Académies de Breslau et de Munich. Au cours de son voyage en Afrique du Nord en 1887, il peignit des compositions animées, où il rendit de manière méticuleuse les détails d'architecture, de vêtements et objets orientaux.

Musées : Bucarest (Mus. Simu) : *Albanais dans un café*.

Ventes Publiques : Londres, 10 nov. 1971 : *Les amateurs d'art* : **GBP 480** – Londres, 3 nov. 1977 : *Deux arabes en conversation* 1886, h/pan. (33x25,3) : **GBP 800** – Vienne, 15 sep. 1981 : *La visite*, h/pan. (32,8x25,5) : **ATS 75 000** – New York, 31 oct. 1985 : *Un garde nubien* 1889, h/t (64,1x51,5) : **USD 28 000** – New York, 25 fév. 1988 : *Les joueurs d'échecs*, h/pan. (24,1x18) : **USD 6 050** – New York, 23 fév. 1989 : *Conversation d'après diner*, h/pan. (31,1x20,6) : **USD 4 400** – Londres, 7 juin 1989 : *Une réunion avec le cardinal*, h/pan. (31x41) : **GBP 990** – Munich, 7 déc. 1993 : *Les experts en art*, h/pan. (31x40,5) : **DEM 12 650** – Londres, 17 nov. 1994 : *Le garde du palais* 1889, h/t (64x51) : **GBP 34 500** – Londres, 15 mars 1996 : *Marché arabe à la porte d'une ville*, h/pan. (24x36,2) : **GBP 18 400**.

FRANKE Chrétien J.

xixe siècle. Français.

Peintre et aquarelliste.

Il envoya au Salon de Paris en 1836 : *Le Telis, caracal de Barbarie*, et en 1839 : *Gazelles d'Afrique*.

FRANKE Heinrich

xixe siècle. Actif à Berlin. Allemand.

Peintre d'histoire, compositions religieuses, portraits.

Il figura aux expositions de l'Académie de Berlin, de 1820 à 1824 comme élève, puis en 1832, avec des tableaux d'histoire et des tableaux de saints, également des portraits.

FRANKE Tobias ou **Francke**

xviiie siècle. Actif à Militsch. Allemand.

Peintre.

FRANKEL Clemens

Né le 11 juin 1872 à Francfort-sur-le-Main (Allemagne). Mort en 1944 à Munich. xixe-xxe siècles. Allemand.

Peintre de paysages.

Il étudia à l'École privée de Knirr à Munich, puis fut élève de Löfftz, à l'Académie de la même ville. Après un séjour en Italie, il fonda en 1906 une école de peinture de paysages à Léoni sur le lac de Starnberg.

Ventes Publiques : Munich, 1er juin 1981 : *Orage* 1923, h/cart. (22,5x27) : **DEM 900** – Cologne, 23 mars 1990 : *L'automne dans la région de Amper*, h/t (50x60) : **DEM 1 100**.

FRÄNKEL Friedrich

Né le 6 avril 1832 à Nuremberg. Mort le 8 octobre 1891 à Nuremberg. xixe siècle. Allemand.

Graveur.
Il étudia à l'École des Beaux-Arts de Stuttgart, puis à celle de Nuremberg. Parmi ses gravures, on cite : *Femme âgée avec des giroflées*, d'après G. Dou, *Portrait du Prince évêque Dalberg*, *Erwin von Steinbach*, et des planches d'après Defregger, Grützner, Waldmüller.

FRANKEN. Voir aussi **FRANCK** et **FRANCKEN**

FRANKEN Hélène von, née **Köber**
Née le 19 mars 1825. XIXe siècle. Allemande.
Peintre.
Elle étudia à Mitau et à Dresde où elle fut élève de Paul v. Franken qu'elle épousa. Elle vécut avec lui à Mitau, Saint-Pétersbourg et Tiflis. Elle peignit des portraits et quelques tableaux de genre.

FRANKEN Paul von
Né en 1818 à Godesberg. Mort en 1884 à Düsseldorf. XIXe siècle. Allemand.
Peintre de genre, paysages.
Élève de l'Académie de Düsseldorf, il alla en 1852 à Mitau en Courlande, puis à Tiflis d'où il entreprit un voyage au Caucase, dont il fut le peintre. On cite une série de tableaux de cette contrée, par exemple *Kurdes à la chasse aux oiseaux*.
Musées : Brunswick – Gdansk, ancien. Dantzig – Hanovre.
Ventes Publiques : Lucerne, 15 mai 1986 : *Vue d'une ville de Russie* 1854, h/t (65x85) : **CHF 6 000** – Londres, 26 mars 1997 : *Scène villageoise turque près d'une rivière* 1864, h/t (51x68,5) : **GBP 11 500** ; *La Porte d'une ville orientale* 1860, h/t (85,5x68) : **GBP 11 500**.

FRANKEN Petrus Johannes Cornelis ou **Piet**
Né le 7 janvier 1866 à Tilbourg. Mort en 1911 à La Haye. XIXe-XXe siècles. Hollandais.
Peintre d'animaux, paysages.
Il travailla à La Haye. Ses œuvres furent exposées à La Haye, au Palais de Glace de Munich et au Salon de la Société Nationale à Paris.
Ventes Publiques : Amsterdam, 22 avr. 1992 : *Vaches sur un chemin de campagne*, h/t (36x49) : **NLG 1 035**.

FRANKEN Pierre Antoine
Né à Paris. Mort en 1928. XXe siècle. Français.
Peintre de paysages.
Il a exposé, à Paris, au Salon des Indépendants.
Ventes Publiques : Paris, 12 déc. 1990 : *La rue du Moulin de Beurre à Paris un soir de pluie* 1924, h/t (61x43) : **FRF 8 000**.

FRANKEN Theodore
Né en 1811 à Geilenkirchen (près d'Aix-la-Chapelle). Mort le 28 mars 1876 à Düsseldorf. XIXe siècle. Allemand.
Peintre de genre.
Élève de Schadow à l'Académie de Düsseldorf.

FRANKENBACH Carl Jacob
Né le 17 octobre 1861 à Idstein. XIXe siècle. Actif à Wiesbaden. Allemand.
Peintre de portraits.
Il fit ses études à Munich.

FRANKENBERG EN PROSCHLITZ Désiré Oscar Léopold Van
Né le 16 janvier 1822 à Gand. Mort en décembre 1907 à La Haye. XIXe siècle. Belge.
Peintre.
Élève de W.-H. Schmidt à Delft. Il a travaillé à La Haye. Le Musée d'Amsterdam conserve de lui : *Visite à l'atelier de Paul Potter*.
Ventes Publiques : Bonn, 19 mai 1971 : *Portrait de femme* : **DEM 2 600**.

FRANKENBERG LUDWIGSDORFF Margareta Sylvie von
Née le 14 janvier 1857 à Ratibor. XIXe siècle. Allemande.
Peintre de fleurs et de paysages.
Elle exposa à Berlin et à Munich.

FRANKENBERGER Johann
Né le 3 avril 1807 à Hadamar. Mort le 30 avril 1874 à Vienne. XIXe siècle. Allemand.
Portraitiste et peintre de genre.
Élève de l'Académie de Vienne. Peintre de la cour du prince de Braunfels. Le Musée de Mayence conserve de lui : *Portrait du duc Ferdinand de Wurtemberg, gouverneur de Mayence*.

FRANKENDAAL Nicolaas Van
XVIIIe siècle. Actif à Amsterdam en 1765. Hollandais.
Graveur.
Il fut élève et le collaborateur d'Hendrick de Peth.

FRANKENDORFER Konrad
XVe siècle. Travaillant à Nuremberg vers 1498. Allemand.
Enlumineur.
Il exécuta une copie de l'*Evangelia Anniversaria cum Epistolis festivalibus*, conservée à la Bibliothèque publique de Nuremberg. Cet ouvrage est superbement enluminé ; les initiales sont d'une beauté remarquable.

FRANKENSTEIN John
Mort le 16 avril 1881 à New York. XIXe siècle. Américain.
Peintre et sculpteur.
D'origine allemande, il vécut à Cincinnati, Philadelphie et New York.

FRANKENTHALER Helen
Née en 1928 à New York. XXe siècle. Américaine.
Peintre, lithographe. Abstrait.
Elle fut élève de Rufino Tamayo à la Dalton School de New York, de Paul Feeley au Bennington College. En 1949, elle participa aux cours de Meyer Schapiro à la Columbia University. En 1950, elle fut élève de l'École d'été de Hans Hofmann à Provincetown. En 1958, elle s'est mariée avec Motherwell. Elle participe à de nombreuses expositions collectives, dont : 1955, 1958, 1961 Carnegie International à Pittsburgh, 1958 *La nature dans l'abstraction* au Whitney Museum de New York, 1959 Documenta II à Kassel et Biennale des Jeunes Artistes à Paris, etc. ; elle expose aussi individuellement, notamment aux États-Unis et à New York depuis 1951, où le Musée d'Art Moderne organisa sa première exposition rétrospective en 1969, puis une autre en 1989, et où le Solomon Guggenheim Museum a montré son œuvre graphique en 1984, et encore : 1961 à Paris, 1962 Milan...
Tamayo lui enseigna la spontanéité contrôlée par la technique et lui communiqua le goût des belles couleurs. Puis Paul Feeley lui fit comprendre le cubisme, dont la leçon constitua le début de sa formation. Son passage à l'atelier de Hans Hofmann la mena jusqu'à l'élimination du sujet. Très jeune, et peut-être grâce à sa formation prolongée et diverse, elle fut sensible aux influences progressistes des Kandinsky, Pollock, Gorky, de celui-ci en particulier dans la série, encore empreinte d'expressionnisme, des *Montagnes et Mer* de 1952-1953. Toutefois, ce fut l'œuvre de Pollock qui détermina l'acte initial de son œuvre à venir. Un contact avec lui-même, en 1951, à son atelier de Long Island, l'a convaincue d'abandonner le matériel traditionnel et de travailler sur les toiles étendues au sol. En face du problème sans cesse remis en question de la place et du rôle du dessin et donc de la composition dans l'abstraction-lyrique, alors que résolu dans l'abstraction-géométrique, abandonnant le gestuel pour le tachage, elle imagina le procédé du *soaked* ou *stained canvas* (imbibé, taché), qui consiste à projeter ou verser des couleurs très liquéfiées et à les laisser courir sur la toile, où elles se répandent d'elles-mêmes naturellement selon les hasards d'origine physique, trajectoire de la projection, dilution du pigment, qualité de la toile. Ce « tachage » aléatoire libère les couleurs de leurs anciennes fonctions, leur confère l'autonomie de leur contour, d'ailleurs souvent flou, et en conséquence de leur forme, d'où résultaient « des formes libres se déroulant en floraison permanente », l'œuvre semblant naître d'elle-même et indépendamment de l'action concertée de l'artiste. En effet, alors, pour certains des artistes américains, la préméditation de l'œuvre, qu'ils disaient être une séquelle post-cubiste, leur semblait le comble de l'académisme.
Par ce procédé distinct, qui la reliait pourtant très directement à l'*action painting* et à Pollock en particulier, elle prit une place importante dans le développement de la peinture abstraite américaine au lendemain de la guerre, d'autant que des artistes, Moris Louis, Kenneth Noland, en adoptaient la pratique. Ce qui différenciait la technique d'Helen Frankenthaler de celle de Pollock était qu'elle utilisait des couleurs très liquides qu'elle appliquait sur de la toile blanche mais non préparée, qui en était ainsi profondément imprégnée, ce qui rendait impossible tout effet de perspective, tel qu'il peut encore s'en produire avec des couleurs projetées à la surface de toiles préalablement enduites, ce qui produit des effets de superposition et transparence. À ce sujet, Morris Louis disait d'Helen Frankenthaler qu'elle servait de pont « entre Pollock et ce qui est possible ». Après 1960, le principe du procédé étant bien établi sous l'appellation de « abstraction-chromatique », Helen Frankenthaler l'utilisa de façon plus maîtrisée, avec des couleurs acryliques, en hasard dirigé, produi-

sant des formes plus affirmées. Elle a aussi exploité des effets de dispersion d'une couleur monochrome par une fluidité accrue, qui repoussent les autres couleurs sur les franges du format, s'approchant parfois de la peinture de champs de Rothko. Cet effet de dispersion à partir du centre et vers les bords provenait aussi du fait que l'attaque de la toile étendue au sol et sur laquelle il faut marcher exigeait de commencer au milieu. En 1975, elle a créé des céramiques peintes. Elle poursuit son œuvre en la diversifiant selon les époques, ajoutant des éléments calligraphiques, des coulées fluides ou des empâtements, sur les plages de couleur ou bien s'inspirant parfois (très librement) d'œuvres célèbres : en 1980 le *Portrait de Marghareta Trip* d'après Rembrandt.

Le recul des années ayant estompé quelque peu le détail des différences dans les pratiques picturales assimilables au *dripping*, qu'André Masson avait montré à Pollock, Helen Frankenthaler, malgré son apport personnel quant à l'imprégnation profonde des couleurs dans la masse de la toile vierge, ne fait plus guère figure à part, encore que c'est à cette particularité de sa technique que J. D. Prown et B. Rose attribue et son importance particulière dans la peinture américaine de l'époque, et l'influence qu'elle exerça sur plusieurs de ses peintres, dont Morris Louis, Kenneth Noland, Jules Olitski. Elle apparaît bien comme un des protagonistes historiques importants de l'*action painting* américaine dans l'immédiat après-guerre, dont il ne faut pas méconnaître que la recherche de ces techniques nouvelles se référait, transférés en peinture, aux mécanismes de la création automatique expérimentés par les surréalistes. ■ Jacques Busse

Bibliogr. : In : *Peintres contemporains*, Mazenod, Paris, 1964 – J.D. Prown, B. Rose, in : *La Peinture américaine*, Skira, Genève, 1969 – in : *Diction. Univers. de la Peint.*, Le Robert, Paris, 1975 – E.A. Carmean Jr. : Catalogue de l'exposition *Helen Frankenthaler : a Painting Retrospective*, New York, 1989 – in : *Diction. de la peint. anglaise et américaine*, Larousse, 1991 – in : *Diction. de l'Art mod. et contemp.*, Hazan, Paris, 1992.

Musées : Buffalo (Albright Art Gal.) – Genève (Mus. d'Art et d'Hist.) : *Passport* 1953 – Los Angeles (County Mod. Art) – New York (Mus. of Mod. Art) : *Jacob's Ladder* 1957 – *Mauve District* 1966 – New York (Whitney Mus. of American Art) – Paris (Mus. Nat. d'Art Mod.) : *Spring Bank* 1974 – Pittsburgh (Carnegie Inst.) – Vienne (Mus. d'Art Mod.) : *Salomé* 1978 – Washington D. C. (Nat. Gal. of Art) : *Mountains and Sea* 1952 – Washington D. C. (Hirschorn Nouvelle Glyptoth.).

Ventes Publiques : New York, 26 oct. 1972 : *Jardin suspendu* : **USD 15 000** – Los Angeles, 22 jan. 1973 : *Yellow Canon* 1968 : **USD 6 500** – Londres, 3 avr. 1974 : *Carnival overture* : **GBP 7 800** – New York, 6 mai 1976 : *Yellow Span*, aquat. (35,5x47,3) : **USD 1 000** – New York, 27 mai 1976 : *Crête* 1973, acryl./t. (218x338) : **USD 14 000** – New York, 17 nov. 1977 : *Swan lake n°2* 1961, acryl./t. (236x237,5) : **USD 41 000** – New York, 31 mars 1978 : *Lot's wife* 1971, litho. en coul., triptyque (330,2x92,7) : **USD 3 300** – New York, 16 mai 1980 : *Sans titre* 1965, techn. mixte (45,7x60,3) : **USD 4 750** – New York, 8 nov. 1983 : *Arriving in Africa* 1970, acryl./t. (208,5x299) : **USD 60 000** – New York, 3 mai 1984 : *Essence Mulberry* 1977, grav./bois en coul. (100x47,5) : **USD 12 000** – New York, 2 mai 1985 : *Boulevard* 1973, acryl./t. (201,2x652,8) : **USD 65 000** – New York, 14 nov. 1987 : *White portal* 1967, litho. en coul. (48,5x37) : **USD 4 000** – New York, 3 mai 1988 : *Visage d'un paysage*, acryl./pap. (57,8x40) : **USD 20 900** ; *Chine*, acryl./t. (267,8x205,8) : **USD 187 000** – New York, 8 oct. 1988 : *Vert et au-delà* 1979, acryl./t. (130,8x156,2) : **USD 40 700** – New York, 9 nov. 1988 : *Réunion* 1969, acryl./t. (170,2x90,3) : **USD 99 000** – Londres, 1er déc. 1988 : *Couché dans un carré* 1961, h/t (91,5x122) : **GBP 57 200** – New York, 14 fév. 1989 : *Mars* 1963, acryl./t. (226,2x120,7) : **USD 71 500** – New York, 3 mai 1989 : *Cravat* 1973, acryl./t. (159,4x149,2) : **USD 220 000** – New York, 5 oct. 1989 : *Août profond* 1978, acryl. /t. (240x424,2) : **USD 60 500** – New York, 7 nov. 1989 : *Formes oranges dans un cadre*, acryl./t. (236,5x188,3) : **USD 649 000** – New York, 8 mai 1990 : *La chenille jaune*, h/t (237,5x304,8) : **USD 715 000** – New York, 4 oct. 1990 : *Aladin* 1979, acryl./t. (129x117,5) : **USD 82 500** – New York, 14 fév. 1991 : *Journée dorée* 1967, acryl./t. (236,2x207) : **USD 93 500** – New York, 25-26 fév. 1992 : *Cratère jaune*, h/t (205,1x174,6) : **USD 159 500** – New York, 6 oct. 1992 : *Avril I* 1963, h/pap. (43,2x35,6) : **USD 8 250** – New York, 19 nov. 1992 : *Emerson séries III* 1965, acryl./pap. (45,7x60,3) : **USD 7 150** – New York, 3 mai 1993 : *Éclaircie jaune* 1963, h/t (135,9x176,5) : **USD 200 500** – New York, 9 nov. 1993 : *Lac du cygne II* 1961, h/t (236,2x237,5) : **USD 244 500** – New York, 3 mai 1994 : *La chenille bleue*, h/t (297,5x174,9) : **USD 189 500** – Londres, 27 oct. 1994 : *Sans titre* 1976, acryl./pap. (71x60) : **GBP 5 750** – New York, 5 mai 1996 : *Nepenthe* 1972, eau-forte et aquat. (40x61,5) : **USD 2 300** – New York, 9 mai 1996 : *Angle droit bleu* 1969, acryl./t. (269,2x224,8) : **USD 104 250** – New York, 21 nov. 1996 : *Sans titre* 1973, acryl./t. (72,4x68,5) : **USD 28 750** – New York, 20 nov. 1996 : *Brume* 1984, acryl./t. (156,2x183,5) : **USD 46 000** – New York, 7 mai 1997 : *Haute Fréquence* 1970, acryl./t. (181x153) : **USD 46 000** – New York, 8 mai 1997 : *Cats green* 1967, acryl./t. (113,3x64,8) : **USD 34 500**.

FRANKFORT Eduard
Né le 21 juin 1864 à Meppel. XIXe siècle. Hollandais.
Peintre.
Médaille de bronze à l'Exposition Universelle de 1889 à Paris.
Ventes Publiques : Londres, 6 fév. 1925 : *Repas frugal* : **GBP 6**.

FRANKFURTER Max
XIXe siècle. Travaillant à Düsseldorf. Allemand.
Peintre.

FRANKHART P.
Né vers 1710 à Hambourg. Mort en 1743. XVIIIe siècle. Allemand.
Peintre de portraits.
Il fut élève de J. Rundt.

FRANK Junko
Née le 1er août 1930 à Wakayuma (Japon). XXe siècle. Depuis 1957 active en France. Japonaise.
Peintre de compositions d'imagination.
Après ses études aux Beaux-Arts de Tokyo, elle vient en France en 1957. Elle expose à Paris, au Salon d'Automne, dont elle devint sociétaire en 1961.
Dans sa peinture, elle crée un univers imaginaire aux résonances végétales.

FRANKL Gyulia
Né en 1840 à Csaca. XIXe siècle. Hongrois.
Peintre.
Il travailla à Munich et à Paris.

FRANKLIN D.
Né le 28 janvier 1888 à New York. XXe siècle. Américain.
Peintre et sculpteur.

FRANKLIN George
XIXe siècle. Britannique.
Peintre de sujets religieux.
Exposa fréquemment à Londres, entre 1825 et 1847, notamment à la Royal Academy et à la British Institution.

FRANKLIN John
Né vers 1800. XIXe siècle. Britannique.
Peintre d'histoire et d'architectures.
Il a exposé à la Royal Academy, à Suffolk Street et à la British Institution entre 1830-1868. Le Albert and Victoria Museum conserve de lui : *La salle de conseil, palais des doges à Venise*.

FRANKLIN Mary
Née à Athens (Ohio). XIXe siècle. Travaillant à Paris. Américaine.
Peintre et graveur.
Elle fut élève de Geoffroy et Louis Deschamps. Elle exposa principalement des portraits et des tableaux de genre : on cite notamment : *La Toilette* et *La Tartine*.

FRANKLIN-GROUT Caroline, Mme
XIXe siècle. Active à Antibes. Française.
Peintre.
Sociétaire des Artistes Français en 1889.

FRANKO François Caspar
XVIIIe siècle. Actif à Vienne en 1701. Autrichien.
Sculpteur.

FRANKOT Roel
Né en 1911 à Meppel (Hollande). XXe siècle. Hollandais.
Peintre, technique mixte. Abstrait.
Il ne reçut pas de formation artistique initiale. Il débuta comme photographe et ne se mit à peindre que vers 1935. Il a participé à de nombreuses expositions collectives réunissant les peintres

hollandais contemporains et a exposé individuellement pour la première fois en 1950, à Amsterdam.
Il se rattache à l'École de Paris, réorganisant les données immédiates de la nature selon quelques préceptes post-cubistes et quelques aspirations à l'abstraction de la forme, sinon du contenu. Ses œuvres, auxquelles il intègre des matériaux non signifiants à la pâte picturale, évoluent vers l'abstraction.
Bibliogr. : In : *Peintres Contemporains,* Mazenod, Paris, 1964.
Ventes Publiques : Amsterdam, 27-28 mai 1993 : *Sans titre* 1961, h/t (130x195) : **NLG 5 060**.

FRANKS Frederick
Mort en 1844. xixe siècle. Britannique.
Peintre amateur.
Le British Museum possède vingt-deux aquarelles de cet artiste.

FRANKY BOY Sevehon
xxe siècle. Français.
Peintre, sculpteur, technique mixte. Figuration libre.
En 1980, il fonde avec Tristam et Waty le groupe de peinture *Les Musulmans fumants,* qui a exposé en 1982-1983 au Palace à Paris, en 1984 à la FIAC (Foire Internationale d'Art contemporain). Outre leurs peintures, parfois exécutées en commun, ils ont réalisé des pochettes de disques, des vidéo-clips. Individuellement, il a exposé à Paris en 1986 et 1987 ; à Londres en 1988.
Ventes Publiques : Paris, 13 avr. 1988 : *Le départ à la mer,* techn. mixte (70x31x20) : **FRF 4 500** – Paris, 18 oct. 1990 : *Sans titre* 1987, acryl./t., diptyque (chaque panneau 64,5x46) : **FRF 20 000** – Paris, 4 oct. 1994 : *La mongolfière à la girafe* 1989, techn. mixte/t. (89x116) : **FRF 7 500** – Paris, 20 nov. 1994 : *Girafe dans l'automobile bleue,* sculpt. polyst. (H. 30) : **FRF 4 800**.

FRANOZ François Charles de
Né vers 1850 à Paris. Mort en 1908. xixe siècle. Français.
Sculpteur.
Il exposa au Salon des Artistes Français de 1889 à 1904.

FRANQUE Jean Pierre
Né en 1774 au Buis (Drôme). Mort en 1860 à Paris. xixe siècle. Français.
Peintre d'histoire, compositions mythologiques, sujets religieux, portraits.
Il fut élève de Jacques-Louis David. Il exposa au Salon de Paris, de 1806 à 1853, obtenant une médaille de deuxième classe, en 1812. Il fut promu chevalier de la Légion d'honneur, en 1836.
Il peignit principalement des portraits historiques et divers sujets mythologiques ou bibliques. Il exécuta, en 1828, pour l'église Saint-Jean-Saint-François d'Assise, à Paris, un tableau représentant : *Saint Jean Baptiste reprochant à Hérode son adultère.* L'Église de Moissac, dans le Tarn-et-Garonne, lui doit : *La Vierge écrasant la tête du serpent.* Parmi ses œuvres, on mentionne : *Bataille de Zurich – Hercule délivrant Alceste – l'Archange Saint Michel terrassant le démon – Une bergère effrayée par l'orage – La Nouvelle vie – La Sainte Vierge et l'Enfant Jésus – Portrait de Monseigneur de Quélen, archevêque de Paris, Songe d'amour causé par la puissance de l'harmonie,* au palais de l'Elysée.

JP franque.

Bibliogr. : Gérald Schurr, in : *Les Petits Maîtres de la peinture 1820-1920, valeur de demain,* Les Éditions de l'Amateur, t. III, Paris, 1976.
Musées : Angers : *Angélique et Médor* – Besançon : *Charles Nodier* – Dijon : *Conversion de Saint Paul* – Montauban : *Jupiter endormi dans les bras de Junon sur le Mont Ida* – Nîmes : *Josabeth dérobant Joas aux fureurs d'Athalie* – Valence : *Songe d'amour* – Valenciennes : *Mademoiselle de Condé* – Versailles : *Bataille de Lens – Marquise de Montespan – Éléonore d'Autriche, reine de Pologne – Princesse de Baden-Baden – Cardinal de Talleyrand-Périgord – Beigoum Somrou, princesse mongole – Villars – Charles Henri d'Estaing – Henri IV – Louis XVIII.*
Ventes Publiques : Monaco, 17 juin 1988 : *Portrait du duc de Berry,* h/t (123x96) : **FRF 88 800**.

FRANQUE Jérôme
xviie siècle.
Peintre.
Cité par de Marolles, cet artiste paraît devoir être un des Hieronimus Franck ou Francken.

FRANQUE Joseph
Né en 1774 au Buis (Drôme). Mort le 14 novembre 1833 à Naples. xviiie-xixe siècles. Français.
Peintre d'histoire, compositions mythologiques, sujets allégoriques, portraits.
Comme son frère jumeau Jean-Pierre, Franque fut élève de David. Vers la fin de l'Empire, il quitta la France et alla s'établir à Naples, où il fut nommé professeur de l'Académie.
Il envoya plusieurs œuvres au Salon, de 1806 à 1827, dont on cite : *Hercule arrachant Alceste des enfers, Daphnis montrant à jouer de la flûte à Chloé, Allégorie sur l'état de la France avant le retour d'Égypte, Portrait de Asker-Kan, ambassadeur de Perse.*
Musées : Versailles : *L'impératrice Marie-Louise contemplant le roi de Rome endormi.*
Ventes Publiques : Paris, 30 mars 1987 : *L'impératrice Marie-Louise contemplant le roi de Rome endormi,* h/t (55x46) : **FRF 52 000**.

FRANQUE Lucile, née **Messageot**
Née en 1780. Morte en 1802. xviiie siècle. Active à Lons-le-Saulnier. Française.
Peintre.
Femme de Jean-Pierre Franque.

FRANQUEBALME Henriette, née **Cousin**
xixe siècle. Française.
Peintre.
Elle exposa au Salon de Paris sous le nom de Mlle Henriette Cousin de 1842 à 1845 et sous celui de Mme Franquebalme de 1847 à 1849. On cite d'elle : *Une prise de voile, Jeune fille effeuillant une marguerite, Une odalisque, L'Enfant malade, Intérieur de garde-chasse.*

FRANQUELIN Ève
Née à Paris. xxe siècle. Française.
Peintre.
Elle exposa à Paris au Salon d'Automne en 1929, puis aux Indépendants.

FRANQUELIN Jean-Augustin
Né le 1er septembre 1798 à Paris. Mort le 4 janvier 1839 à Paris. xixe siècle. Français.
Peintre de compositions religieuses, scènes de genre, portraits, miniaturiste.
Il étudia à l'École des Beaux-Arts de Paris, en 1812, en suivant les cours de Jean-Baptiste Regnault. Il exposa au Salon de Paris, de 1819 à 1839, obtenant une médaille de deuxième classe en 1827. Des récompenses lui furent également attribuées par la ville de Douai : une médaille d'argent en 1821 et des médailles d'or en 1823 et 1827.
Il peignit, en alternance, des scènes de la vie du Christ, des portraits et des scènes de genre. Parmi ses œuvres, on cite : *Jésus sortant du Temple,* à la cathédrale de Tours ; *Mort de Malvina,* au Palais de Fontainebleau ; *Le baptême de Jésus-Christ,* à l'Église Saint-Philippe du Roule ; *Intérieur d'une prison – Scène de naufrage – La veuve du marin – La réponse à la lettre – Un jour de noce – La Catalane priant pour son fils malade – Les regrets – Le jaloux.*

franquelin.

Bibliogr. : Gérald Schurr, in : *Les Petits Maîtres de la peinture 1820-1920, valeur de demain,* Les Éditions de l'Amateur, t. IV, Paris, 1979.
Musées : Amiens : *Jésus-Christ ressuscite la fille de Jaïre* – Douai : *Jeune cuisinière apprenant la mort de son fiancé* – deux études – Dunkerque – Grenoble : *Une jeune femme tenant sa petite fille endormie et ayant un chien auprès d'elle* – Kaliningrad, ancien. Königsberg : *L'attente – La Romaine implorant la protection de la Madone pour son fils* – Leipzig : *Bragella* – Versailles : *Prise de Brisach.*
Ventes Publiques : Paris, 1863 : *Le gage d'amour* : **FRF 250** – Paris, 1873 : *Souvenir et regrets* : **FRF 2 000** – Paris, 11 mars 1925 : *Henri IV et le jeune Berger* : **FRF 1 210** – Paris, 6 déc. 1946 : *Le coffret aux souvenirs* : **FRF 56 000** – New York, 7 oct. 1977 : *Les lignes de la main,* h/t (55,5x46) : **USD 1 700** – Versailles, 16 nov. 1980 : *La leçon de lecture,* h/bois (50x39,5) : **FRF 10 500** – Londres, 21 mai 1982 : *Le petit ramoneur,* h/t (31x40) : **GBP 2 000** – Londres, 9 oct. 1985 : *Le chagrin d'amour,* h/t (73x62) : **GBP 3 000** – Berne, 26 oct. 1988 : *Famille de pêcheur sicilien,* h/t (48x37,5) : **CHF 2 600** – New York, 22 fév. 1989 : *Dans la chambrette,* h/t (45,7x38,1) : **USD 93 500** – Édimbourg, 22 nov. 1989 : *Sa poupée favorite,* h/t (22,3x18,4) : **GBP 4 620** – Paris, 9 avr. 1990 : *Avant le bal masqué,* h/t (45,5x39,5) : **FRF 190 000** – Paris, 11 déc. 1991 : *Jeune femme pensive accoudée à un rocher,* h/t (46,5x38,5) : **FRF 20 000** – Neuilly, 19 mars 1994 : *Le retour dans la vallée,* h/t (73x60) : **FRF 16 000**.

FRANQUESA Francesc
Né en 1899 à Barcelone (Catalogne). XXe siècle. Espagnol.
Peintre de paysages. Postimpressionniste.
Il arriva à Madrid dans sa jeunesse. Il y fut élève de l'École des Beaux-Arts de San-Fernando. Il a montré ses œuvres dans des expositions collectives et personnelles à Madrid et Barcelone, notamment au Salon d'Art Moderne de Madrid en 1925.
Bien que peignant dans d'autres genres que le paysage, il s'est surtout consacré aux vues du Val d'Aran.

FRANQUET José
XVIIe siècle. Actif à Cornudella, vers 1650. Espagnol.
Peintre.
Élève de Juan Juncosa, cité par Siret. Il collabora avec Joachim Juncosa, fils de son maître, pour les peintures de l'ermitage de N.-D. de la Miséricorde, près de Reus.

FRANQUETTE Jacques
XIVe siècle. Actif à Dijon. Français.
Sculpteur de monuments.
Il travailla au tombeau de Philippe le Hardi, en 1398 et 1399.

FRANQUEVILLE Jacques Adouldan de
XVIIIe siècle. Actif à Paris. Français.
Graveur.
On cite ses planches d'après Lemoine ou Rosalba Carriera.

FRANQUEVILLE Pierre de. Voir **FRANCHEVILLE**

FRANQUINET Willem Hendrik
Né le 25 décembre 1785 à Maëstricht. Mort le 12 décembre 1854 à New York. XIXe siècle. Hollandais.
Peintre d'histoire et lithographe.
Élève de Herreyns à Anvers. Il fut professeur à Maëstricht de 1804 à 1815. Il voyagea ensuite en Allemagne, en Hollande et en France et publia, de 1822 à 1834, à Paris : *La Galerie des Peintres*, en collaboration avec J. Chabert.

FRANS, meester ou **Franz**
XVe siècle. Hollandais.
Peintre verrier.
En 1436, il travaillait à Florence au dôme de la cathédrale.

FRANS Adriaen
Mort en 1706 à Bruges. XVIIe siècle. Éc. flamande.
Peintre.
Il existe une œuvre de cet artiste au Collège des Jésuites Anglais à Bruges.

FRANS Hans ou **Johannes**, faussement appelé **Frank**
XVIIe siècle. Actif au début du XVIIe siècle. Éc. flamande.
Peintre.
Fils de Gillis Frans ; probablement neveu d'Ambrosius Francken. C'est sans doute le même Hans Frans, qui fut élève de Lambrecht de Jode. En 1603, il était maître à Anvers. En 1606, il faisait partie dans cette ville de la gilde de Saint-Luc.

J. F. 1726

FRANS Maximilian. Voir **FRANCK**

FRANS Nicolaus
Né en 1539 à Malines. XVIe siècle. Éc. flamande.
Peintre d'histoire.
On ignore qui fut son maître. Il entra dans l'ordre des Franciscains. On connaît de lui *La Fuite en Égypte*, dans l'église Notre-Dame de Malines, et deux autres tableaux à l'église de Hanswyck, près Malines.

N. Frans.

VENTES PUBLIQUES : ANVERS, 1853 : *Intérieur de cabaret* : **FRF 150** ; *La diseuse de bonne aventure* : **FRF 32** – LONDRES, 18 mars 1932 : *Christ dans la maison de Simon* : **GBP 7** – LONDRES, 10 juin 1932 : *Christ dans la maison de Simon* : **GBP 5**.

FRANSE Jacques Jos.
XVIIIe siècle. Éc. flamande.
Peintre.
Élève de l'Académie d'Anvers en 1782.

FRANSEN Isaacq
XVIIe siècle. Actif à Amsterdam vers 1645. Hollandais.
Peintre.

FRANSEN Jan
Né vers 1605 à Amsterdam. Mort vers 1646. XVIIe siècle. Hollandais.
Peintre.
On lui doit surtout des paysages et des natures mortes.

FRANSIN François Alexis
XVIIe siècle. Français.
Sculpteur.
Il était sculpteur du roi à Paris. Le 12 janvier 1693, il épousa Eléonore Coustou. Assistaient à ce mariage Antoine Coysevox, sculpteur ordinaire du roi, de la Maison royale des Gobelins, Nicolas Coustou et Guillaume Hulot, également sculpteurs du roi.

FRANSKIN Louis
Né à Rochefort (Charente-Maritime). XVIIe-XVIIIe siècles. Français.
Sculpteur.
Il travailla pour l'abbaye de Saint-Rémi et l'église de Marche.

FRANSOLET-CARLIER Cécile
Morte en 1968. XXe siècle. Belge.
Peintre de paysages, marines.
Elle travaillait à Huy (province de Liège).

FRANSONIO Luigi
XVIIe siècle. Actif à Naples au début du XVIIe siècle. Italien.
Peintre.

FRANSSEN
XXe siècle. Britannique.
Peintre de portraits, de genre.
Il a travaillé à Londres.
VENTES PUBLIQUES : LONDRES, 25 juin 1930 : *Un repas* : **GBP 35**.

FRANSSIÈRES Jacques de
XVIIIe siècle. Actif à Beauvais. Français.
Graveur.
Il exécuta des planches pour un ouvrage sur les costumes turcs, paru à Paris en 1714.

FRANTA, pseudonyme de **Merte Frantisek**
Né le 16 mars 1930 à Trebic (Moravie). XXe siècle. Depuis 1959 actif et naturalisé en France. Tchécoslovaque.
Peintre de compositions à personnages, sculpteur, dessinateur. Expressionniste.
Il a d'abord étudié à l'école des beaux-arts de Prague, puis a vécu à Pérouse, en Italie, où il a poursuivi ses études avant de s'installer à Paris. Depuis 1959, il vit et travaille à Nice et à Vence. Il participe à de nombreuses expositions collectives et Salons, à Paris notamment : de la Jeune Peinture, Comparaisons, de Mai, Grands et Jeunes d'Aujourd'hui. Il a également été invité à la Biennale de Paris en 1963 et 1965. Sa première exposition personnelle a eu lieu à Paris en 1960, suivies de nombreuses autres en France mais aussi à l'étranger, notamment : 1984 musée Galliera à Paris, 1989 Bronx Museum of the Arts à New York, 1990 Kunstmuseum de Bochum, 1996 musée d'Art moderne et contemporain de Nice.
Franta, quelle que soit la technique abordée, poursuit la même recherche : saisir la condition humaine. Déjà, dans ses premières œuvres, s'affirme cette volonté, ainsi le portrait de sa femme *Jacqueline* (1965), dans lequel il s'attache, à partir de mouvements amples et impulsifs hérités de l'expressionnisme, à fouiller la figure humaine, à interroger le visage jusqu'à en saisir la subjectivité et les sentiments ambivalents. Dans les années soixante-dix, de nouvelles inquiétudes apparaissent. Franta met désormais en scène des corps, menacés dans leur intégrité, aux formes indéfinissables, des amas de chair meurtrie, se heurtant à un univers concentrationnaire, aux couleurs crues, composé de machines hostiles ou de formes géométriques menaçantes. Des dessins de la même époque, lavis ou encre de Chine, reprennent ces thèmes : ainsi la série des *Pièges*, qui montrent à nouveau l'homme mutilé confronté au monde moderne, mais aussi des sculptures. Cependant – conséquence sans doute des différents voyages en Afrique noire qu'a effectués Franta – à partir de 1980, sa peinture se fait plus sereine : les corps d'hommes et de femmes, à la peau noire, ne s'affrontent plus mais communient au sein d'une végétation exubérante et multicolore, la lumière se fait plus chaude, les couleurs plus vives. Franta semble s'abandonner à ces images pleines d'exotisme, pour renoncer un temps à sa vision tragique de l'existence. Une harmonie se profile, mais Franta n'est pas dupe : il en connaît la vulnérabilité. ■ Laurence Lehoux

BIBLIOGR. : Alice Von Richthofen, *Franta, musée de Bochum*, Opus international, n° 118, Paris, mars-avril 1990.

Musées : Épinal (Mus. départ. des Vosges) : *Métro* 1967.
Ventes Publiques : Paris, 20 mai 1989 : *Libres et égaux* 1989, acryl. et past./pap. (146x114) : **FRF 26 000** – Paris, 21 juin 1990 : *Femme accroupie 2* 1989, h/t (146x114) : **FRF 65 000**.

FRANTSOUSOV Youri
Né en 1946. xxe siècle. Russe.
Peintre de figures.
Ancien élève de l'Académie des Beaux Arts de Saint-Pétersbourg (Institut Répine) où il fut élève de E. Moisseinko.
Ventes Publiques : Paris, 9 déc. 1991 : *Les petits rats* 1969, h/t (33x62) : **FRF 6 500**.

FRANTZ
xvie siècle. Actif à Lucerne, vers 1590. Suisse.
Peintre verrier.
C'est peut-être le même artiste que Franz Fallenter.

FRANTZ F.
xixe siècle. Français.
Peintre de marines et aquarelliste.
Le Musée de Perpignan conserve une aquarelle de cet artiste : *Mer furieuse*.
Ventes Publiques : Londres, 4 juin 1908 : *Deux marines*, aquar. : **GBP 2** – Paris, 10 avr. 1924 : *Le grand Canal à Venise* ; *Marchands turcs à Constantinople*, deux aquarelles : **FRF 700** – Paris, 15 mai 1931 : *Paysage au bord de la mer*, aquar. : **FRF 20** – Paris, 13 juin 1934 : *Vue de Venise et Vue de Naples*, deux aquarelles : **FRF 280** – Paris, 27 déc. 1940 : *Vues d'Orient* ; *Marines*, aquar., deux pendants : **FRF 440** – Paris, 17 et 18 déc. 1941 : *Barques de pêche*, aquar. : **FRF 280** – Paris, 29 jan. 1945 : *Pêcheurs et barques échouées*, aquar. : **FRF 610** – Paris, 27 juin 1945 : *Barques échouées sur la grève*, aquar. : **FRF 400** – Paris, oct. 1945-Juillet 1946 : *Voiliers échoués*, aquar. : **FRF 4 100** – Paris, 2 déc. 1946 : *Barques échouées* ; *Marée basse*, deux aquarelles : **FRF 1 550**.

FRANTZ Johann Martin
xviiie siècle. Actif à Künersberg. Allemand.
Peintre sur faïence.
Il travailla aussi dans les régions d'Arnstadt et d'Eichstaat, à la décoration d'églises.

FRANTZ Johann Wentzel
xviiie siècle. Actif à Striegau. Allemand.
Sculpteur.
Il épousa la fille du sculpteur J.-B. Scholtz.

FRANTZ Marshall
Né le 26 décembre 1890 à Kiev. xxe siècle. Actif aux États-Unis. Russe.
Illustrateur.
Il a illustré de nombreux ouvrages et revues.

FRANTZEN Christian
Mort en 1630 à Naestved. xviie siècle. Danois.
Peintre de portraits.

FRANTZEN Conrad
xviie siècle. Actif à Copenhague. Danois.
Peintre de portraits.

FRANTZEN Franz
Mort le 25 juillet 1873 à Cologne. xixe siècle. Allemand.
Peintre.

FRANTZEN Gustave
Né en 1873 à Paris. xixe-xxe siècles. Français.
Peintre, graveur.
Il exécutait ses peintures et gravures sur bois d'après les grands maîtres. Il a reçu une médaille d'or au Salon des Artistes Français, à Paris.

FRANTZEN Heinrich
xviiie siècle. Actif à Marielberg. Suédois.
Peintre sur faïence.
Il fut le père de Johann Otto.

FRANTZEN Johann Carl
xviiie siècle. Actif à Augsbourg. Allemand.
Peintre.
On cite de lui le *Portrait de J. J. Holzapfel*.

FRANTZEN Johann Otto
xviiie siècle. Danois.
Peintre sur porcelaine.
Il était fils de Heinrich.

FRANTZEN Thomas
Né à Utrecht. Mort avant le 5 août 1597. xvie siècle. Hollandais.
Sculpteur.
Il travailla notamment à Dantzig.

FRANTZEN Tom
Né en 1954 à Watermael-Boitsfort. xxe siècle. Belge.
Sculpteur de monuments, figures, animalier.
Il fut élève de l'École d'Art de la Cambre, du Rijkhoger Kunstonderwijs d'Etterbeek, et de l'Académie des Beaux-Arts de Watermael-Boitsfort. Il participe à de nombreuses expositions collectives, dont : en 1982 Bruxelles, 1re Triennale de Sculpture, galerie Delta ; 1985 Biennale d'Anvers-Middelheim ; 1986 Munich *L'Automobile dans l'Art*, Haus der Kunst ; 1987 Gand *Lineart* ; etc. Il montre ses œuvres dans des expositions individuelles, dont : 1982 Charleroi, Palais des Beaux-Arts ; 1984 Bruxelles, Centre culturel Mutualiste ; 1987 Cologne, Maison de la Belgique ; etc. Il a été nommé professeur à l'Académie des Beaux-Arts d'Overijse. Il a reçu, en 1981, le prix Godecharle.
Spécialisé dans le bronze, en 1978 il a construit sa propre fonderie de bronze. Il a réalisé plusieurs monuments : *Ernest Claes* au Grote Markt de Zichem ; *André Demedts*, au Demedtshuis de Sint-Baafs-Vivje ; *Vaartkapoen*, au Saincteletteplein de Bruxelles.
Bibliogr. : In : *Diction. biogr. illustré des artistes en Belgique depuis 1830*, Arto, Bruxelles, 1987 – Catalogue de l'exposition *Piet Peere, Tom Frantzen*, gal. Amaryllis, Bruxelles, 1989.

FRANZ
Né à Wislica. xvie siècle. Actif à Cracovie. Polonais.
Peintre.
Il travailla pour le roi Sigismond Ier.

FRANZ Adam
xvie siècle. Actif à Linz. Autrichien.
Sculpteur.
Il travailla pour l'église Saint-Florian.

FRANZ Andreas
Né à Grün. Mort vers 1783. xviiie siècle. Allemand.
Sculpteur.
Il fut à Bamberg élève de Mutschelle.

FRANZ Bernhard
Né vers 1550 à Vienne. xvie siècle. Autrichien.
Sculpteur.
Il était le neveu et fut l'élève de Caspar Woller.

FRANZ Carl Joseph
Né le 9 septembre 1829 à Dresde. Mort le 8 décembre 1875 à Dresde. xixe siècle. Allemand.
Peintre d'histoire et de genre.
Élève de l'Académie de Dresde, puis du peintre Schwind à Munich. Il exposa assez régulièrement à Dresde, à partir de 1852.

FRANZ Ettore Roesler. Voir **ROESLER-FRANZ Ettore**

FRANZ Gottfried
Né en 1846 à Mayence. Mort le 14 juin 1905 à Munich Pullack. xixe siècle. Allemand.
Peintre et illustrateur.
Il fut à Munich élève de Diez.

FRANZ Johann Michael
xviiie siècle. Actif à Eichstätt. Allemand.
Peintre.
Originaire de Souabe il fut peintre du prince évêque d'Eischstätt et décora sa résidence. Il travailla aussi pour l'église de Kemnathen.

FRANZ Julius
Né en 1824 à Berlin. Mort le 16 décembre 1887 à Berlin. xixe siècle. Allemand.
Sculpteur.
Élève de l'Académie de Berlin sous Wichmann le Jeune, et Ferd. Aug. Fischer. Il compléta ses études dans l'atelier de Wredow et de Rauch. Le Musée de Leipzig conserve de lui : *Un berger attaqué par une panthère* et *Cléo*.

FRANZ Wilhelm
Né en 1863 à Cologne. xixe siècle. Allemand.
Peintre de portraits.
Il travailla surtout à Chemnitz. On lui doit un portrait du roi Albert de Saxe.

FRANZ d'Anvers. Voir **AMBERES Francisco de**

FRANZ-DREBER Heinrich. Voir **DREBER Heinrich**

FRANZ-NAMUR. Voir **NAMUR Paul Franz**

FRÄNZEL Wilhelm

Né en 1826 à Vienne. XIXe siècle. Autrichien.

Sculpteur sur ivoire.

Il étudia à l'école de modelage de Bongiovanni à Vienne, puis à l'Académie de cette ville. Il alla à Venise, Paris, en Angleterre, à Saint-Pétersbourg. Il fit surtout des portraits. On cite parmi ses œuvres : *Buste de l'empereur Nicolas de Russie*, un médaillon de *François Ier*, *Buste de Metternich*, un bas-relief avec *Ajax*.

MUSÉES : VIENNE : *Buste en ivoire du maréchal Radetzky – Buste de François Joseph II*.

FRANZEN August

Né en 1863 à Norrköping. XIXe-XXe siècles. Américain.

Peintre de genre.

Élève de Dagnan Bouveret. Vint s'établir en Amérique, où il travailla à New York.

Médaille à l'Exposition de Chicago 1893. Médaille de bronze Paris 1900, d'argent Buffalo 1901.

MUSÉES : BROOKLYN.

VENTES PUBLIQUES : VERSAILLES, 18 juin 1981 : *La charité*, h/t (71x91,5) : **FRF 26 500** – NEW YORK, 27 jan. 1984 : *A backyard*, h/pan. (40,5x29,9) : **USD 6 250**.

FRANZÉN John Erik

Né en 1942 à Stockholm. XXe siècle. Suédois.

Peintre. Tendance hyperréaliste.

Il a fait de nombreux voyages aux États-Unis. Il a participé, à Paris, en 1971, à une exposition réunissant huit jeunes artistes suédois.

Depuis 1962, il utilise des images préfabriquées du quotidien : photographies de magazines, étiquettes, publicités (...) pour établir un constat des mythes contemporains de notre société. Sa peinture, proche de l'hyperréalisme, dans son traitement, s'en éloigne pourtant dans l'esprit : il ne désire pas dresser un inventaire « neutre » de la civilisation post-industrielle mais il préfère utiliser les images qui s'imposent à lui, comme source d'inspiration et de poésie.

BIBLIOGR. : In : *Diction. univers. de la peinture*, t. III, Le Robert, Paris, 1975.

VENTES PUBLIQUES : STOCKHOLM, 26 avr. 1982 : *Autoportait assis dans un intérieur*, h/t (175x135) : **DKK 60 000** – STOCKHOLM, 16 mai 1984 : *Portrait d'hommme* 1979, aquar. (50x44) : **SEK 10 700** – STOCKHOLM, 13 avr. 1992 : *Ulrika – modèle nu debout* 1961, h/t (88x56) : **SEK 11 000**.

FRANZESE Gennaro

XVIIIe siècle. Actif à Monte-Cassino en 1750. Italien.

Sculpteur sur bois.

Il travailla pour l'abbaye du Mont Cassin.

FRANZESE Guglielmo

XVIIe siècle. Actif à Naples en 1603. Italien.

Sculpteur.

Il exécuta plusieurs statues pour l'église du Christ à Naples.

FRANZETTI A.

XVIIIe siècle. Italien.

Graveur.

On lui doit des vues de ruines antiques.

FRANZETTO G. B.

XVIIe siècle. Actif à Milan. Italien.

Peintre.

En 1671, il vivait à Rome.

FRANZHEIM Élizabeth

Née en 1923 à Chicago. Morte le 2 avril 1990 à Paris. XXe siècle. Depuis 1959 active en France. Américaine.

Peintre de portraits, peintre de collages, sculpteur, dessinateur, peintre de compositions murales. Polymorphe.

Très jeune, ses dessins sont remarqués par le portraitiste William Adam, qui l'invite à suivre ses cours pour adultes. En 1940, elle entre à l'école des beaux-arts de l'université de Yale, dont elle sort diplômée. Parallèlement à sa carrière de peintre, elle réalise des fresques murales à Houston et poursuit ses recherches dans le domaine du théâtre, réalisant, dès 1956, plusieurs scénographies qui utilisent la vidéo. Très vite, elle participe à de nombreuses expositions de groupe aux États-Unis, mais aussi en Europe et au Japon. Dès 1949, elle présente un grand nombre d'expositions personnelles. D'importantes rétrospectives de son œuvre ont été organisées, notamment à Paris, Milan et Chicago. Elle a reçu de nombreux prix et distinctions.

Figurative à ses débuts, elle parcourt, à Paris, des voies diverses : surréalisme, abstraction, hyperréalisme. Dans les années cinquante, elle évolue vers le signe abstrait, notamment dans de grands dessins à l'encre de Chine, vaste calligraphie en noir, blanc, gris, se rattachant à l'abstraction lyrique américaine. Elle réalise également de nombreux collages, aux couleurs minérales, intégrant papier buvard, cartons, radiographies médicales, algues, mais aussi des figures, des signes pour mettre en scène un monde baigné de mysticisme, qui évoque certaines peintures asiatiques. Elle recouvre généralement les fonds de plusieurs couches de peinture, afin de donner à ses œuvres une fluidité, une luminosité et une transparence, qui vise à dire l'ineffable. ■ L. L.

E Franzheim

BIBLIOGR. : Claude Bouyeure, *Élizabeth Franzheim, une façon de recevoir les signes*, Cimaise, n° 147, Paris, été 1980 – Catalogue de l'exposition : *Élizabeth Franzheim – L'Œuvre 1965-1985*, Art Center, Paris, 1985.

FRANZINI D'ISSONCOURT Charles Henri

Né en 1872 à Virieu (Isère). XIXe-XXe siècles. Français.

Peintre de portraits.

Il fut l'élève de Cabanel et de Cormon. Il fut déclaré hors-concours du Salon des Artistes Français, à Paris, dont il a reçu plusieurs médailles. Médaille d'argent à l'Exposition Universelle de Paris en 1900.

VENTES PUBLIQUES : BERNE, 30 avr. 1980 : *Troupeau de moutons dans un paysage*, h/t (54x65) : **CHF 1 400** – LONDRES, 25 nov. 1992 : *Portrait de deux enfants* 1896, h/t (145x97) : **GBP 4 620** – LONDRES, 7 avr. 1993 : *Portrait d'une lady* 1901, h/t (116x87) : **GBP 483**.

FRANZKO

XIVe siècle. Actif à Schweidnitz à la fin du XIVe siècle. Allemand.

Peintre.

FRANZONI Albert

Né le 25 décembre 1857 à Genève. XIXe siècle. Suisse.

Peintre et graveur sur bois.

Étudia à la Brera de Milan et sous la direction de B. Menn. Il exposa en Suisse et à Paris, où il obtint une médaille de bronze en 1900. On cite parmi ses œuvres, des toiles (*L'Angélus de midi à la montagne* et *Portrait d'une dame*), des aquarelles (*Les Blés à Ernen, Ernen au printemps, Haut-Valais*), etc. Le Musée Rath, à Genève, conserve de lui : *L'été en Valais*.

FRANZONI Bartolomeo

XVIIIe-XIXe siècles. Actif à Carrare. Italien.

Sculpteur.

On lui doit entre autres des copies d'après Chaudet et Canova.

FRANZONI Carlo

XVIIIe-XIXe siècles. Actif à Carrare. Italien.

Sculpteur.

Il fut l'élève de son père Bartolomeo.

FRANZONI Emanuele

Né le 15 juillet 1788 à Carrare. XIXe siècle. Italien.

Sculpteur.

Il travailla avec son frère Carlo à Bologne.

FRANZONI Enrico

Né à Carrare. Mort le 11 novembre 1852 à Port-au-Prince (Haïti). XIXe siècle. Italien.

Sculpteur.

Il fut longtemps soldat.

FRANZONI Filippo

Né en 1857 à Locarno (Tessin). Mort le 23 mars 1911 à Mendrisio. XIXe-XXe siècles. Actif en Italie. Suisse.

Peintre de portraits, paysages.

Il étudia la peinture à Milan, à Florence et à Rome. Il séjourna régulièrement en France. Il travailla en Autriche et dans les environs de Munich. Il prit part à diverses expositions parisiennes. Étant préoccupé par la lumière, il ne composait ses tableaux, qu'après avoir travaillé sur photographies et effectué diverses études élaborées.

Bibliogr. : Gérald Schurr, in : *Les Petits Maîtres de la peinture 1820-1920, valeur de demain*, Les Éditions de l'Amateur, t. V, Paris, 1981.
Musées : Neuchâtel : *Le Delta de la Maggia.*
Ventes Publiques : Berne, 8 mai 1987 : *Vue de Locarno*, h/pan. (31x17,5) : **CHF 11 500.**

FRANZONI Francesco Antonio
Né le 23 janvier 1734 à Carrare. Mort le 3 mars 1818 à Rome. XVIIIe-XIXe siècles. Italien.
Sculpteur.
Il fut un des sculpteurs favoris de Pie VI qui lui demanda entre autres de restaurer un grand nombre d'antiques.

FRANZONI Giuseppe
Né vers 1752 à Carrare. XVIIIe siècle. Italien.
Sculpteur.
Il était sans doute le frère de Francesco Antonio.

FRANZONI Giuseppe Antonio
Né vers 1778 à Carrare. Mort en 1814 à Washington. XIXe siècle. Italien.
Sculpteur.
Fils de Bartolomeo. Il s'établit en Amérique en 1806.

FRANZONI Thérèse Agnes, née **Patron**
Née le 8 mars 1856 à Genève. XIXe siècle. Suisse.
Peintre.
Elle était la femme d'Albert. Le Musée de Lugano possède d'elle un *Paysage.*

FRAPIER André
Né au XXe siècle. XXe siècle. Français.
Céramiste.

FRAPOLLI Giuseppe
XIXe siècle. Actif à Séville vers 1858. Italien.
Sculpteur.
Il travailla pour les cathédrales de Cadix, Cordoue et Malaga.

FRAPPA José ou **Frapa**
Né le 18 avril 1854 à Saint-Étienne (Loire). Mort le 16 février 1904 à Paris. XIXe siècle. Français.
Peintre de sujets religieux, scènes de genre, portraits.
Il étudia, à l'École des Beaux-Arts de Lyon, chez Pierre Charles Comte ; puis à celle de Paris, chez Isidore Pils. Il prit part à de nombreuses expositions parisiennes, figurant pour la première fois au Salon, en 1876.
Il peignit des portraits, mettant souvent en scène, des personnages ecclésiastiques, traités avec un soin méticuleux. Parmi ses œuvres, on cite : *La Chanson du vicaire – La Fête de Son Éminence.*

José FRAPPA

Bibliogr. : Gérald Schurr, in : *Les Petits Maîtres de la peinture 1820-1920, valeur de demain*, Les Éditions de l'Amateur, t. III, Paris, 1976.
Musées : Lyon : *Femme blonde* – Mulhouse : *Sommeil léger* – Paris (Mus. d'Orsay) – Saint-Étienne (Mus. d'Art et d'Industrie) : *Les derniers moments de Saint François d'Assise* – Strasbourg : *Un agneau parmi les loups.*
Ventes Publiques : Paris, 12 déc. 1877 : *En flagrant délit* : **FRF 950** – Paris, 6 mai 1895 : *L'obsession* : **FRF 2 000** – New York, 10 fév. 1903 : *Au musée de peinture* : **USD 700** – Paris, 21-22 nov. 1920 : *Jeune femme aux oranges* : **FRF 420** ; *La bonne bouteille* : **FRF 580** – Paris, 6 fév. 1930 : *Jour de fête* : **FRF 1 700** – Londres, 11 déc. 1936 : *La Conférence* : **GBP 14** – New York, 27-28 mai 1943 : *Petit déjeuner de prêtre* : **USD 170** – Paris, 11 juin 1945 : *Deux moines dans le jardin de leur monastère* : **FRF 200** – New York, 6 oct. 1966 : *Salut à son Éminence* : **USD 1 800** – Vienne, 18 sep. 1973 : *La prise* : **ATS 35 000** – New York, 10 oct. 1973 : *Danseuse* : **USD 1 400** – New York, 14 mai 1976 : *Le passe-temps de monseigneur*, h/pan. (61x50) : **USD 3 500** – Versailles, 19 juil. 1981 : *Portrait de jeune femme* 1882, past. (91x72) : **FRF 5 500** – New York, 26 fév. 1986 : *Cardinal jouant de la harpe*, h/pan. (46,3x35) : **USD 4 500** – New York, 29 oct. 1992 : *Jeune fille aux oranges*, h/t (83,2x53,3) : **USD 3 960** – Calais, 25 juin 1995 : *Conversation rue Sainte-Opportune*, h/pan. (35x26) : **FRF 13 000** – Paris, 10 déc. 1996 : *Saltimbanque à la mandoline*, h/t (81x66) : **FRF 7 000.**

FRAPPANTI Bartolomeo
XVe siècle. Actif à Bologne en 1474. Italien.
Peintre.

FRAPPART Félicie, Mme
XIXe siècle. Française.
Peintre.
De 1831 à 1836 elle figura au Salon de Paris. On cite d'elle : *Le duc, Les adieux de Louis XIV à Mme Henriette d'Angleterre, mourante, Louis XV et Mme du Barry, Marguerite d'Écosse et Alain Chartier.*

FRAPPART Jean
XIVe siècle. Travaillant à Dijon. Français.
Sculpteur.
Il travailla, sous la direction de Claus Sluter, en 1398, à la décoration du *Puits de Moïse*, dans le cloître de la Chartreuse de Champmol, à Dijon.

FRAPPAZ Jules Marc François
Né le 12 octobre 1813 à Dunkerque (Nord). XIXe siècle. Français.
Peintre.
Entré à l'École des Beaux-Arts, le 4 octobre 1834, il se forma sous la conduite d'Ingres et de P. Delaroche. Il figura au Salon de Paris de 1840 à 1855. Cet artiste fit surtout des portraits et des aquarelles. Parmi ses quelques sujets de genre, on cite : *Paysan des environs de Rome écoutant un moine capucin.*

FRAQUAIR-LANG Annie. Voir **LANG Annie Fraquair**

FRARI, il. Voir **BIANCHI-FERRARI Francesco de'**

FRARY Mathieu Florent, ou **Flament**
Enterré à Paris le 28 octobre 1697. XVIIe siècle. Français.
Sculpteur et peintre.
Il travaillait à Lyon vers 1685, à Paris en 1689.

FRASCÀ Nato
Né en 1931 à Rome. XXe siècle. Italien.
Peintre, sculpteur, graveur. Abstrait.
Après des études d'architecture en Italie, il est venu travailler à Paris dans l'*Atelier 17* de Hayter. Il a participé à de nombreuses expositions et a reçu différents prix et distinctions en Italie.
D'abord marquée par l'expressionnisme, son œuvre a évolué vers l'abstraction dans les années 1955-1956. Ayant sans doute subi l'influence de Hayter, la ligne s'est développée, acquérant une autonomie propre dans les toiles mais aussi dans les constructions en relief, que l'on peut rattacher, dans une certaine mesure, à l'art optique. Les couleurs utilisées sont très douces, fait rare dans cette forme d'abstraction.

FRASCARI Giuseppe
XVIIIe siècle. Actif à Rome dans la première moitié du XVIIIe siècle. Italien.
Peintre et sculpteur.
Il exécuta une statue monumentale de *Saint Grégoire Thaumaturge* pour la façade de la basilique Latran.

FRASCHERI Giuseppe
Né en 1808. Mort en 1886 à Gênes. XIXe siècle. Italien.
Peintre d'histoire, scènes de genre, portraits.
Actif à Savone en 1809.
Musées : Florence (Gal. Nat.) : *Autoportrait.*
Ventes Publiques : Milan, 11 déc. 1978 : *Francesca da Rimini*, h/t (57,5x36) : **ITL 1 900 000.**

FRASER Alec
XXe siècle. Britannique.
Peintre de paysages.
Il était actif entre 1903 et 1912.
Ventes Publiques : Glasgow, 22 nov. 1990 : *Village de pêcheurs en Écosse*, h/t (35,3x53,3) : **GBP 1 100.**

FRASER Alexander George, l'Ancien
Né le 7 avril 1786 à Édimbourg. Mort le 15 février 1865 à Wood Green (Hornsey). XIXe siècle. Britannique.
Peintre de compositions à personnages, scènes de genre, animaux, paysages, marines, illustrateur.
Il travailla d'abord à l'Académie Trustee de sa ville natale. En 1813, il se fixa à Londres et exposa jusqu'en 1848. En 1840, il devint associé de l'Académie Royale écossaise.
La plus grande partie de ses premières œuvres sont des marines. Plus tard il exécuta des peintures pour les *Waverley Novels* dont plusieurs furent gravées. On cite parmi ses principales œuvres : Scène tirée de *la Prison d'Edimbourg* de W. Scott ; Robinson Crusoé lisant la Bible ; Les derniers moments de Marie Stuart ; Le Tonneau *d'ale.*

Musées : Londres (Tate Gal.) : *Intérieur d'une maison de montagnards écossais.*
Ventes Publiques : Paris, 1859 : *Vue d'un village* : **FRF 4 940** – Paris, 1861 : *Le village de Lign-Painter*, aquar. : **FRF 3 700** – Paris, 20 mars 1874 : *Le repos du pêcheur* : **FRF 4 250** – Londres, 20 déc. 1922 : *Marchand de poissons*, dess. : **GBP 50** – Londres, 21 déc. 1923 : *Maison de bûcherons* : **GBP 10** – Londres, 30 mai 1924 : *Paysage des Highlands* : **GBP 39** – Londres, 14 juil. 1924 : *Glen Falloch* : **GBP 13** – Londres, 23 mars 1925 : *Soleil après la pluie* : **GBP 25** – Londres, 17 juin 1927 : *Changement de pâturages* : **GBP 19** – Londres, 2 déc. 1927 : *Tonte de moutons* : **GBP 9** – Londres, 23 mai 1928 : *Fille de Boglehill conduisant ses oies* : **GBP 10** – Édimbourg, 27 oct. 1928 : *A. Tarbert* : **GBP 9** – Édimbourg, 15 déc. 1928 : *La fin de la forêt* : **GBP 29** – Édimbourg, 26 mars 1929 : *Dalmally* : **GBP 22** – Édimbourg, 13 juil. 1929 : *Paysage* : **GBP 9** ; *Abbaye Lanercost* : **GBP 92** – Londres, 16 déc. 1929 : *Le retour du chasseur* : **GBP 27** – Londres, 4 avr. 1930 : *Le retour du troupeau* : **GBP 13** – Londres, 16 mai 1930 : *La porte du cottage* : **GBP 11** – Londres, 27 nov. 1930 : *Ben Lawers* : **GBP 8** – Édimbourg, 29 nov. 1930 : *Forêt Cadzow* : **GBP 16** – Édimbourg, 25 avr. 1931 : *Pont sur l'Inverstruan* : **GBP 7** – Londres, 18 juin 1931 : *Paysage* : **GBP 40** – Édimbourg, 7 mai 1932 : *Robinson Crusoé* : **GBP 4** – Glasgow, 2 nov. 1933 : *Automne dans le Surrey* : **GBP 220** ; *Sur le Falloch* : **GBP 135** ; *A Dalmally* : **GBP 75** ; *A Glenfalloch* : **GBP 30** ; *A Trossachs* : **GBP 13** ; *Vallée de Conway* : **GBP 14** – Édimbourg, 11 nov. 1933 : *Jour gris* : **GBP 8** – Londres, 8 juin 1934 : *Château de Kilchurn* : **GBP 11** – Londres, 3 mai 1935 : *L'étameur* : **GBP 17** – Édimbourg, 22 juin 1935 : *Paysage du Pertshire* : **GBP 19** – Édimbourg, 13 juil. 1935 : *Dunblane* : **GBP 4** – Glasgow, 4 juin 1936 : *Glen Falloch* : **GBP 10** – Londres, 2 avr. 1937 : *Festin de haggis* : **GBP 11** – Londres, 26 juil. 1937 : *Festin de haggis* : **GBP 13** – New York, 4 mars 1938 : *Halte au bord du chemin* : **USD 90** – Paris, 7 juin 1943 : *Le Welsch Cottage* : **FRF 3 900** – Glasgow, 14 déc. 1944 : *Paysage* : **GBP 23** – Londres, 22 fév. 1946 : *Trois générations* : **GBP 31** – Londres, 19 juin 1946 : *Château d'Ardconnall* : **GBP 37** – Londres, 14 juil. 1972 : *Bords de l'Avon* : **GNS 1 700** – Glasgow, 4 déc. 1991 : *La recherches de vieux cuivres*, h/cart. (25x20,5) : **GBP 935** – Glasgow, 1er fév. 1994 : *Canards au bord de la rivière*, h/t (47x65) : **GBP 1 265**.

FRASER Alexander, le Jeune
Né le 12 janvier 1828 à Woodcockdale près de Linlithgow. Mort le 24 mai 1899 à Musselburgh. XIXe siècle. Britannique.
Peintre de genre, paysages.
Son père l'envoya à Édimbourg pour ses études. Son premier envoi à l'Exposition de l'Académie royale écossaise fut un sujet de genre. Élu associé de l'Académie royale écossaise en 1858, il en devint membre en 1862. Parmi ses meilleures œuvres, il faut citer : *Parmi les monts du Surrey, Soleil de printemps, La Lisière de la forêt, Torrent dans les Highlands.*
Ses paysages les plus réussis furent exécutés dans le Surrey et la Cadzow Forest. Il sut rendre avec un charme tout particulier les changements de lumière sur les collines et sur la bruyère. Son coloris chaud et vibrant représente avec exactitude les tons des paysages d'été et d'automne. Son excellente composition et le bon choix de ses sujets lui font occuper une place honorable parmi les paysagistes.

Alec Fraser

Musées : Édimbourg : *A Barnelinth* – Glasgow : *Scène – Paysage – Sentier dans la campagne – Déménagement dans la Haute Écosse – Vue de la forêt de Cadzow – Forêt de Cadzow en automne – Forêt de Cadzow au printemps – Bûcherons dans la forêt de Cadzow – Scène dans la forêt de Cadzow en automne – Château Campbell au printemps – La Cascade – Montagnes dans la Haute Écosse – Effet de soleil dans le Nord Berwick – Le Rocher Bas vu de Canty Bay* – Londres (Victoria and Albert Mus.) : *Scène dans un bois – Petits pêcheurs sur un rocher – Berger jouant de la cornemuse – Le Favori – Le Fils d'un pêcheur – Parc de Barnelinth.*
Ventes Publiques : Londres, 25 jan. 1908 : *Robinson Crusoé* : **GBP 2** – Londres, 14 mars 1908 : *L'audience de Marie Stuart à Holyrood* : **GBP 18** – Londres, 10 juil. 1908 : *Le Styx* : **GBP 22** – Londres, 12 fév. 1910 : *Walter Scott jeune* : **GBP 98** – Londres, 19 mars 1910 : *Château de Bothwell* : **GBP 57** – Londres, 3 juin 1910 : *Ben Alan* ; *Ben Venue* : **GBP 110** ; *Paysage* : **GBP 68** – Perth, 13 avr. 1976 : *Les voleurs de bière*, h/t (72,5x90) : **GBP 320** – Londres, 21 oct. 1977 : *Kilchurn Castle, Argyllshire*, h/t (73,6x102,8) : **USD 800** – Londres, 28 avr. 1981 : *Cardington Mill. Bedford* 1886, aquar. reh. de gche (43x58) : **GBP 400** – Édimbourg, 12 avr. 1983 : *Cadzow forest, woodcutting*, h/t (120x127) : **GBP 5 000** – Londres, 30 jan. 1987 : *Les chasseurs de lièvres*, h/pan. (63,2x76) : **GBP 4 500** – Édimbourg, 30 août 1988 : *Le château de Craigneathan*, h/t (31x46) : **GBP 1 760** – Londres, 27 sep. 1989 : *La pêche du matin*, h/pan. (35,5x49,5) : **GBP 4 180** – South Queensferry (Écosse), 1er mai 1990 : *Une boisson chaude*, h/t (71x91,5) : **GBP 2 530** – South Queensferry (Écosse), 23 avr. 1991 : *L'automne dans les collines du Surrey* 1867, h/t (76x107) : **GBP 3 300** – Perth, 26 août 1991 : *Repos dans une prairie*, h/t (29,5x49,5) : **GBP 1 100** – Londres, 3 juin 1992 : *L'église de l'Hospice St-Nicholas de Harbledown datant de 1084*, h/cart. (33x47,5) : **GBP 1 045** – Perth, 1er sep. 1992 : *La grande découverte*, h/t (25,5x36) : **GBP 3 300** – New York, 29 oct. 1992 : *Le repas du soir*, h/t (50,2x61) : **USD 1 540** – Édimbourg, 23 mars 1993 : *Débarquement de la pêche* 1869, h/t (38x63) : **GBP 1 725** – Glasgow, 1er fév. 1994 : *Canards sur une mare*, h/t cartonnée (25x20) : **GBP 1 092** – Montréal, 21 juin 1994 : *Intérieur d'une maison de pêcheur à Newtonhill dans le Kincardineshire*, h/t (63,5x76,2) : **CAD 1 700** – Perth, 29 août 1995 : *Canards*, h/t (47x64,5) : **GBP 1 380** ; *Rue de village*, h/t (91,5x71) : **GBP 1 610** – Glasgow, 16 avr. 1996 : *Aperçu du Gareloch*, h/t (45,5x66,5) : **GBP 2 875** – Perth, 20 août 1996 : *Cottage ensoleillé*, h/t (48,5x73,5) : **GBP 2 185** – Londres, 6 juin 1997 : *Bac Uddingston sur la rivière Clyde, avec Bothwell Castle au loin* 1872, h/t (66x94) : **GBP 21 275**.

FRASER Andrea
XXe siècle. Américaine.
Artiste.
Elle a participé en 1993 à la Biennale de Venise, au pavillon autrichien ainsi qu'au Kunstverein de Munich.

FRASER Calum
Né en 1956 à Édimbourg. XXe siècle. Actif en France. Britannique.
Peintre de compositions animées, figures.
Il montre ses œuvres régulièrement dans des expositions personnelles à la galerie Lavignes-Bastille à Paris.
Ventes Publiques : Paris, 18 fév. 1990 : *Tokyo scene* 1985 (165x114) : **FRF 15 000** – Paris, 23 avr. 1990 : *Man with umbrella* 1986, acryl./t. (120x38) : **FRF 14 000**.

FRASER Charles
Né le 20 août 1782 à Charleston. Mort en 1860 à Charleston. XIXe siècle. Américain.
Peintre de genre, portraits, paysages, miniaturiste.
Après avoir fait ses études de droit, il se tourna vers l'art. En 1825, il fit le portrait de Lafayette. En 1857, on fit une exposition de ses œuvres dans sa ville natale : trois-cent-treize miniatures et cent-trente-neuf paysages et sujets divers y figurèrent.
Ventes Publiques : Londres, 11 avr. 1967 : *Vue de la rivière Hudson*, aquar. : **GBP 400** – Londres, 18 juin 1972 : *Collecting for the regiment* 1890 : **GNS 220** – New York, 14 nov. 1991 : *Les chutes de Trenton, West Canada Creek – état de New York*, h/t (58,4x78,7) : **USD 4 400**.

FRASER Claude Lovat
Né en 1890. Mort en 1921. XXe siècle. Britannique.
Peintre de portraits.
Ventes Publiques : Londres, 16 mars 1934 : *Morana alias Mac Heath* : **GBP 8** – Londres, 22 fév. 1980 : *Filch (Mr Alfred Heather) in the Beggar's opera* 1920, aquar. et pl. (41x25,3) : **GBP 300** – Londres, 3-4 mars 1988 : *Lieutenant Tom Boisling* 1737, aquar., encre noire (26,2x18,3) : **GBP 572** – Londres, 21 sep. 1989 : *Cavalière anglaise*, aquar. et encre (33,1x21,6) : **GBP 825**.

FRASER Donald Hamilton ou **Hamilton-Fraser**
Né en 1929 à Londres. XXe siècle. Britannique.
Peintre de paysages, marines, natures mortes, peintre de technique mixte.
Après des études à la St. Martin's School of Art de Londres, il se vit attribuer une bourse par le gouvernement français pour étudier à Paris de 1953 à 1954. Depuis 1965, il enseigne au Royal College of Art de Londres. Il a exposé au London Group et à l'Art Council.
Il fut cité par Pierre Courthion comme l'un des espoirs de la jeune peinture anglaise, dans son *Art Indépendant* de 1958. Dès ses premières toiles, Fraser met au point une technique qui

n'évoluera guère, organisant fortement la surface en larges aplats de couleurs – des jaunes, des rouges, des noirs, denses, accordés par quelques gris – étalées au couteau et jouant sur les effets de matière. Pratiquant la technique du collage de papiers aux tonalités vives, des bleus, des rouges et jaunes, accordés par quelques gris, qu'il intègre les uns aux autres par quelques interventions peintes en superposition, il a continué la dernière période de Nicolas de Staël dans la manière de traiter les sujets, notamment les paysages. Pourtant, ses peintures n'en possèdent pas la force.

Bibliogr. : In : *Diction. univer. de la peinture*, Le Robert, t. III, Paris, 1975.

Ventes Publiques : Londres, 3 déc. 1976 : *Paysage* 1967, polymer/t. (122x91,5) : **GBP 250** – Londres, 12 juin 1981 : *Blue sea coast with distress rocket* 1953, h/t (91,5x71,2) : **GBP 400** – Londres, 9 mars 1984 : *Jetty, Capernaum*, h/pap. (56x40,5) : **GBP 700** – New York, 2 mai 1985 : *La plage* 1957, h/t (122x91,5) : **USD 2 400** – Londres, 12 mai 1989 : *Fleurs et chaise*, h/t (71,2x49,4) : **GBP 1 980** – Londres, 2 mai 1991 : *Marine bleue*, h/pap./pan. (23x18) : **GBP 550** – Londres, 7 juin 1991 : *Paysage* 1967, h/t (121x89) : **GBP 4 070** – Londres, 14 mai 1992 : *Coupe de fruits* 1959, h/t (34,5x44,5) : **GBP 1 980** – Londres, 11 juin 1992 : *Paysage du soir* 1957, h/t (90,5x71) : **GBP 3 080** – Londres, 23 oct. 1996 : *Paysage jaune et vert* 1953, h/t (91,5x61) : **GBP 2 070**.

FRASER Douglass
Né en 1885 en Californie. xxe siècle. Américain.
Peintre.

FRASER Eric George
Né en 1902. xxe siècle. Britannique.
Peintre.

FRASER Francis Arthur
xixe siècle. Travaillant à Londres. Britannique.
Peintre de figures.
Exposa fréquemment à Londres entre 1867 et 1883.

FRASER Garden William. Voir **GARDEN William Fraser**

FRASER George Gordon
Né en 1859. Mort en 1895. xixe siècle. Britannique.
Peintre de portraits, paysages.
Exposa fréquemment à la Royal Academy de Londres, entre 1880 et 1893.

Ventes Publiques : Londres, 17 oct. 1984 : *Bords de rivière à la tombée du jour*, aquar. reh. de blanc (26,6x38) : **GBP 1 600** – Londres, 22 mai 1986 : *The house at Hemingford Grey*, aquar. reh. de gche (37x27) : **GBP 1 600** – Londres, 2 juin 1987 : *Portrait of a lady* 1899, h/t (213,3x145,5) : **GBP 2 800** – Londres, 19 déc. 1991 : *Paysage fluvial*, aquar. (16,5x15,9) : **USD 605** – Londres, 4 juin 1997 : *Hemingford Abbots from the Meadows*, aquar. reh. de gche (26,5x38) : **GBP 1 265**.

FRASER James Baillie
Né le 11 juin 1783 à Reelick. Mort en janvier 1856 à Reelick. xixe siècle. Britannique.
Paysagiste.
Exposa à Londres entre 1827 et 1831.

FRASER James Earle
Né le 4 novembre 1876 à Wimona (Minnesota). Mort en 1953 à New York. xxe siècle. Américain.
Sculpteur de sujets de sport, portraits, figures.
Il fut élève de Falguière, à Paris. Il fut membre de nombreuses sociétés artistiques américaines et obtint différentes distinctions honorifiques.

Musées : Oklahoma City (Nat. Cowboy Hall of Fame and Western Heritage Center) : *Théodore Roosevelt* 1920.

Ventes Publiques : New York, 27 oct. 1971 : *Cavalier*, bronze à patine verte : **USD 3 252** – New York, 29 avr. 1976 : *The end of the trail*, bronze, patine brune (H. 29,8) : **USD 4 000** – New York, 29 sep. 1977 : *The end of the trail* 1918, bronze, patine verte foncée (H. 85,1) : **USD 22 000** – New York, 25 avr. 1980 : *The end of the trail* 1918, bronze (H. 80,6) : **USD 47 000** – Los Angeles, 3 mai 1982 : *End of the trail* 1918, bronze (H. 114) : **USD 52 500** – New York, 9 déc. 1983 : *End of the trail* 1918, bronze (H. 85) : **USD 75 000** – San Francisco, 28 fév. 1985 : *End of the trail* 1918, bronze, patine dorée (H. 85) : **USD 45 000** – Bruxelles, 20 jan. 1986 : *Indien à cheval*, bronze (H. 82) : **BEF 380 000** – New York, 23 mai 1990 : *Au bout de la piste*, bronze (H. 29,8) : **USD 9 900** – New York, 14 nov. 1991 : *Portrait de Elihu Root en buste* 1926, bronze (H. 48,2) : **USD 1 100** – New York, 6 déc. 1991 : *Le bout de la piste*, groupe équestre en bronze (H. 31,9) : **USD 6 600** – New York, 25 sep. 1992 : *Bas relief du Dr. William Nye Swift au gouvernail*, bronze à patine brune (54x63,5) : **USD 1 430** – New York, 2 déc. 1993 : *Au bout de la piste* 1918, bronze (H. 87,6) : **USD 167 500** – New York, 23 mai 1996 : *Chevaux sous l'orage* 1918, bronze (H. 40) : **USD 25 300**.

FRASER James P.
xixe siècle. Actif à Londres. Britannique.
Peintre de figures.
Exposa fréquemment à Londres entre 1864 et 1884.

FRASER Jessie
xixe siècle. Actif en Angleterre. Britannique.
Peintre.
Citée par le *Art Prices Current*.

Ventes Publiques : Londres, 28 nov. 1908 : *Tête de jeune paysanne* : **GBP 1**.

FRASER John Arthur
Né en 1838 ou 1839 à Londres. Mort le 1er janvier 1898 à New York. xixe siècle. Britannique.
Peintre de figures, paysages, aquarelliste.
Cet artiste se fit surtout une place marquante au Canada et aux États-Unis. Il fut, avec le marquis de Lorn, un des fondateurs de la Royal Canadian Academy of Fine Arts.
Exposa avec succès une aquarelle au Salon de Paris en 1890. Mention honorable en 1893, médaille de troisième classe en 1897.

Ventes Publiques : Londres, 3 nov. 1993 : *Jeune lad avec une batte de cricket* 1868, aquar. et gche (48x40,5) : **GBP 1 380**.

FRASER John P.
xixe siècle. Britannique.
Peintre de genre.
Actif à Londres, il s'établit à Birmingham à partir de 1872.

Ventes Publiques : Londres, 31 juil. 1987 : *A peep at baby* 1871, h/t (35,5x30,5) : **GBP 3 600**.

FRASER John S.
Né en 1858. xixe siècle. Britannique.
Peintre d'histoire, marines, aquarelliste.
Membre de la Royal Society of British Artists, il exposa à Londres, à la Royal Academy, à Suffolk Street et à la New Water-Colours Society à partir de 1879.

Musées : Bristol : *Coup de vent en été* – *Le Yacht Royal Britannia* – *L'Amérique au large des Needles* – Le Cap : *Épisode du voyage de Vasco de Gama* – Liverpool : *Dans le détroit de Murray*.

Ventes Publiques : Londres, 22 fév. 1908 : *Le Canal de Bristol* 1890, aquar. : **GBP 3** – Londres, 18 juin 1909 : *Doublant le cap*, aquar. : **GBP 15** – Londres, 20 fév. 1931 : *Course de voiliers* : **GBP 4** – Torquay, 16 juin 1981 : *Hove-to for a pilot* 1885, h/isor. (44x90) : **GBP 1 100** – Londres, 6 mai 1983 : *Magellan in the Straits*, h/t (97,1x168,3) : **GBP 3 200** – Londres, 30 sep. 1987 : *Le port de Whitstable à marée basse* 1885, h/t (51x101,5) : **GBP 2 800** – Londres, 30 mai 1990 : *La frégate Amphion au large de Spithead*, aquar. (39,5x63) : **GBP 1 760** – Londres, 7 oct. 1992 : *Un cap rocheux*, aquar. (51x76) : **GBP 1 045** – Londres, 11 mai 1994 : *Magellan dans le détroit*, h/t (97x168) : **GBP 10 120** – Paris, 28 juin 1996 : *Canot de pêcheurs s'engageant dans une crique*, aquar. (54x78) : **FRF 5 000**.

FRASER Laura Gardin
Née le 14 septembre 1889 à Chicago. Morte en 1966. xxe siècle. Américaine.
Sculpteur de sujets de sport, portraits, médailleur.
Elle fut membre de la National Academy of Design en 1916. Elle obtint différents prix et fut désignée pour graver le médaillon commémoratif de George Washington.

Ventes Publiques : New York, 23 mai 1979 : *Cheval de course avec son jockey*, bronze (H. 42) : **USD 2 200** – New York, 15 avr. 1992 : *Cheval et jockey* 1930, bronze à patine brune (H. 42,5) : **USD 1 100**.

FRASER Malcolm
Né le 19 avril 1858 à Montréal (Canada). xixe siècle. Canadien.
Peintre animalier, paysages.
Vivant à New York, il fut élève de l'Art Students' League de New York avec Wyatt Eaton, et à Paris de Boulanger et J. Lefebvre.

Ventes Publiques : Écosse, 30 août 1983 : *Moutons dans un paysage de neige*, h/t (76x101,5) : **GBP 880** – Londres, 12 avr. 1985 : *Moutons dans un paysage hivernal au crépuscule*, h/t (74x99) :

GBP 2 200 – ÉDIMBOURG, 30 août 1988 : *Moutons dans la neige*, h/t (51x76) : **GBP 770**.

FRASER Patrick Allan
Mort le 17 septembre 1890 à Arbroath. XIXe siècle. Britannique.
Peintre.
Il débuta à Paris et exposa à Londres de 1841 à 1878.

FRASER Robert Winchester ou **Winter**
Né en 1848. Mort en 1906. XIXe-XXe siècles. Britannique.
Peintre de paysages, aquarelliste.
Cet artiste, actif à Bedford, prit part régulièrement aux expositions de la Royal Academy, à Suffolk Street et à la New Water-Colours Society, à Londres, à partir de 1874.
VENTES PUBLIQUES : LONDRES, 9 déc. 1907 : *Windsor*, aquar. : **GBP 2** – LONDRES, 27 avr. 1908 : *Sur le lac* 1899, aquar. : **GBP 3** ; *Près de Weybridge* 1893, aquar. : **GBP 3** – LONDRES, 14 mai 1923 : *Bell Wein* ; *Moulin d'Iffley*, les deux : **GBP 4** – NEW YORK, 27 fév. 1982 : *Paysage d'automne*, aquar. (44,2x73) : **USD 650** – LONDRES, 26 mai 1983 : *Bords de rivière* 1886, aquar. (42x73,5) : **GBP 520** – LONDRES, 30 mai 1985 : *Pêcheurs à la ligne au bord d'une rivière*, aquar. reh. de gche (24x34,5) : **GBP 1 050** – LONDRES, 25 jan. 1988 : *Les environs d'Ely* 1892, aquar. (25,5x54,5) : **GBP 880** ; *Au bord de la rivière* 1886, aquar. (41x71) : **GBP 2 750** – LONDRES, 25-26 avr. 1990 : *Le moulin de Hurley* 1887, aquar. (29x53,5) : **GBP 770** – LONDRES, 3 juin 1992 : *Biddenham* 1890, aquar. (25x48) : **GBP 660** – LONDRES, 11 juin 1993 : *Vaste paysage fluvial avec des figures sur un sentier*, cr. et aquar. (16,5x35,1) : **GBP 874**.

FRASER Thomas
Mort en 1851 à Edimbourg. XIXe siècle. Britannique.
Peintre.
Le Musée d'Edimbourg possède de lui *Le Portrait de Kirkpatrick*.

FRASER William
XIXe siècle. Britannique.
Peintre d'histoire, portraits.
Il exposa à la Royal Academy de Londres au début du XIXe siècle.
VENTES PUBLIQUES : PARIS, 19 juin 1992 : *Portrait d'un officier*, h/t (245x189) : **FRF 26 000**.

FRASER William Gardener. Voir **GARDEN William Fraser**

FRASER William Lewis
Né le 5 novembre 1841 à Londres. Mort le 23 octobre 1905 à New York. XIXe siècle. Américain.
Dessinateur, illustrateur et écrivain d'art.
Il vint s'établir en Amérique en 1856 et se fit un nom parmi les illustrateurs du Nouveau-Monde. Il dirigea le *Century Magazine* et consacra les dernières années de sa vie à des écrits et à des conférences sur l'art. Il appartint à de nombreux groupements artistiques américains.

FRASER William Miller. Voir **FRAZER**

FRASER COMFORT Charles. Voir **COMFORT Charles Fraser**

FRASEZ Gabrielle
Née le 6 septembre 1882 à Roubaix (Nord). Morte le 6 décembre 1970. XXe siècle. Française.
Peintre de paysages, compositions animées.
Elle fut l'élève de P. de Winter. Elle exposa, à Paris, au Salon des Artistes Français, dont elle devint sociétaire en 1908.
Elle affectionne particulièrement les sujets bretons.

FRASQUERO Luis
Né au XIXe siècle à Grenade. XIXe siècle. Espagnol.
Peintre de paysages et d'architectures.
Il débuta à Grenade en 1835.

FRASS Leo
Mort en 1502 à Augsbourg. XVe siècle. Allemand.
Peintre.
Il signe aussi parfois *Maurer*.
MUSÉES : AUGSBOURG : Une peinture.

FRASSATI Dominique
Né le 29 mars 1896 à Corte (Haute-Corse). Mort le 10 juillet 1947 à Corte (Haute-Corse). XXe siècle. Français.
Peintre de sujets religieux, compositions animées, paysages, marines, compositions murales, décorateur.
Son oncle voulait faire de lui un riche propriétaire terrien en Argentine. À cela, il préféra la peinture. En 1923, il partit en Algérie, où il commença à peindre. En 1929, il s'installa à Paris et fréquenta l'atelier du peintre Albert Laurens, mais jugea l'enseignement trop classique. Il s'inscrivit alors à l'Académie Julian, dont il suivit les cours pendant deux ans. En 1931, de nouveau en Corse, il exécuta pour subsister divers travaux, des devantures de boutiques, la bannière de procession de Saint Théophile, des peintures de logements particuliers ainsi que celles de l'Hôtel du Nord à Corte. En 1936, il fut nommé conservateur du Musée de l'Hôtel de Ville d'Ajaccio. En 1939, il réalisa les peintures de l'église Saint-Michel à Bastelica et la mairie d'Ajaccio lui commanda le plafond du Grand Salon Napoléonien.
Dès 1923, il participa à des expositions en Algérie, puis en 1937 exposa à Paris, à l'Exposition Internationale, où il obtint une médaille d'argent. Il exposa à Ajaccio, à Bastia, mais aussi sur la Côte d'Azur. En 1992, certaines de ses toiles ont été montrées à l'exposition du Musée Fesch d'Ajaccio : *Peintres d'Ajaccio et de la Corse*.
Peintre de chevalet ou décorateur, Frassati s'oublie devant le sujet : la lumière devant avant tout « tourner ». Par larges touches rapides et sûres, il appréhende la peinture de façon originale, « il semble rêver de mystérieuses fêtes à peine formulées, de gaieté, de bonheur, de fusionnements colorés et d'une autre manière ».
BIBLIOGR. : In : Catalogue de l'exposition *Peintres d'Ajaccio et de la Corse*, Musée Fesch, Ajaccio, 1992.

FRASSI Pietro
Né en 1706 à Crémone. Mort en 1778 à Rome. XVIIIe siècle. Italien.
Peintre.
Élève d'Angiolo Massarotti, il se rendit d'abord à Florence puis à Rome. Il fut élu membre de l'Académie de Saint-Luc pour son tableau : *Le Miracle de saint Vincent Ferrer*, peint pour les Dominicains de Crémone.

FRASSINELLI
XVIIe siècle. Actif à Pistoïa. Italien.
Peintre.
Il travailla pour le couvent San Domenico.

FRASSINELLI Guglielmo
XVIe siècle. Actif à Rome en 1579. Italien.
Sculpteur.
Il vivait encore en 1600.

FRASSO Michele
Né au XIVe siècle à Sassari. XIVe siècle. Italien.
Peintre.

FRATACCI Antonio
Né au début du XVIIIe siècle à Parme. XVIIIe siècle. Italien.
Peintre.
Son premier maître fut Ilario Spolverini. Puis il entra à Bologne dans l'école de Carlo Cignagni dont il imita le style. A Saint-Eustorgio de Milan se trouve une peinture de lui représentant *Saint Jean* et une *Épiphanie*.

FRATE Cecchino del
XVIe siècle. Travaillant en Italie.
Peintre.
Disciple de Fra Bartolommeo. On ne peut lui attribuer aucune œuvre avec certitude.

FRATE Domenico del
Né vers 1765 à Lucques. Mort le 12 novembre 1821 à Rome. XVIIIe-XIXe siècles. Italien.
Peintre et dessinateur.
Il fit ses études à Florence puis dans l'atelier de Nocchi à Rome. On lui doit de grandes fresques, des portraits et des tableaux d'histoire. On cite ses travaux pour le Palais du Vatican.

FRATE Giovambattista del
XVIIIe siècle. Actif à Milan. Italien.
Sculpteur sur bois.
Il travailla pour l'abbaye à San Spirito à Sulmona.

FRATE Mateo
Né en 1788 à Madrid. XIXe siècle. Espagnol.
Sculpteur.

FRATELLINI Giovanna, née **Marmochini Cortesi**
Née en 1666 à Florence. Morte le 18 avril 1731 à Florence. XVIIe-XVIIIe siècles. Italienne.
Peintre d'histoire, portraits, pastelliste.

Elle montra de bonne heure de grandes dispositions artistiques. Ippolito Galantini lui donna des leçons de miniature et elle termina ses études sous la direction d'Antonio-Domenico Gabbiani.
Elle peignit des sujets historiques et des portraits à l'huile, au pastel, sur émail et au crayon. Elle excella dans ce dernier genre où elle n'est en aucune façon inférieure à la célèbre Rosalba. Sa réputation se répandit à travers l'Italie. Elle fit le portrait de *Cosme III*, des grands personnages de la cour et des hommes célèbres du pays. La Galerie ducale de Florence possède une de ses meilleures œuvres ; elle y est représentée peignant le portrait de son fils.
Ventes Publiques : Rome, 28 mai 1985 : *Portrait d'enfant*, past. (40x32) : **ITL 3 000 000**.

FRATELLINI Lorenzo Maria
Né en 1690 à Florence. Mort en 1729. XVIIIe siècle. Italien.
Peintre.
Fils de Giovanna Fratellini, dont il reçut les premières notions d'art. Il étudia ensuite avec Antonio Domenico Gabbiani qui avait été aussi le maître de sa mère. Malheureusement, il mourut fort jeune.

FRATI Leonardo
Mort vers 1810. XIXe siècle. Actif à Florence. Italien.
Dessinateur.
Il vécut quelque temps en France et fut peut-être aussi peintre, sculpteur et graveur.

FRATIN Christophe
Né vers 1800 à Metz (Moselle). Mort le 16 août 1864 au Raincy (Seine-Saint-Denis). XIXe siècle. Français.
Sculpteur animalier.
Élève de Géricault, il exposa au Salon de Paris de 1831 à 1863. On cite de lui : *Cheval sauvage attaqué par un tigre* (groupe au square du Petit-Montrouge), *Cerf du Canada, forcé par des chiens* (groupe), *Panthère tenant une gazelle* (groupe), *Vautour dévorant une gazelle* (groupe en bronze), *Tigre terrassant un jeune chameau* (groupe en bronze), *Lion dévorant un zèbre* (groupe en bronze), *Éléphant tenant un tigre* (groupe en bronze), *Lionne apportant une proie à ses lionceaux* (groupe en bronze), *Cerf couché se léchant* (figure en bronze), *Cheval mort* (figure en bronze), *Lion entraînant une proie* (groupe en bronze), *Aigle et vautour se disputant une proie* (groupe en bronze), *Deux chiens* (bronze), *Un cheval* (bronze), *Un cerf aux abois* (bronze), *Deux aigles* (bronze).
Musées : Châlons-sur-Marne : *Chien* – Compiègne : *Lionne et ses lionceaux* – *Tony, cheval* – Metz : *Une scène de l'amphithéâtre*.
Ventes Publiques : Londres, 30 oct. 1970 : *Groupe équestre*, bronze patiné : **GBP 1 000** – Londres, 6 mai 1971 : *Pouliche et poulain*, bronze : **GNS 380** – Londres, 2 déc. 1976 : *Jument et poulain*, bronze (L. 42,5) : **GBP 600** – Enghien-les-Bains, 13 mars 1977 : *La jument et son poulain*, bronze patine brune : **FRF 10 500** – Enghien-les-Bains, 18 déc. 1978 : *Combat de chevaux*, bronze (34x36) : **FRF 9 000** – Enghien-les-Bains, 2 mars 1980 : *Jument et son poulain*, bronze (H. 28) : **FRF 12 200** – Enghien-les-Bains, 22 fév. 1981 : *Labrador courant*, bronze (L. 40) : **FRF 2 800** – Londres, 23 juin 1983 : *Jument et poulain* vers 1860, bronze (H. 37) : **GBP 3 100** – Londres, 5 juil. 1985 : *Cheval arabe* vers 1850, bronze patine brune (h. 27) : **GBP 3 500** – Paris, 24 avr. 1988 : *L'autoportrait*, bronze patine brune (H 19,5) : **FRF 38 000** – New York, 9 juin 1988 : *Eléphant attaquant un tigre* 1834, bronze argenté (H. 21,6) : **USD 3 300** – Paris, 24 juin 1988 : *Cerf attaqué par deux chiens* (H. 40) : **FRF 20 000** – New York, 24 mai 1989 : *Etalon et son entraineur*, bronze (H. 32,4) : **USD 7 150** – Paris, 6 juil. 1989 : *Deux chiens au repos*, bronze (L. 51) : **FRF 11 500** – Fontainebleau, 25 fév. 1990 : *Lionne nourrissant ses lionceaux*, bronze à patine brune (H.28) : **FRF 15 000** – New York, 1er mars 1990 : *Etalon*, bronze patine brune (H. 39,3, L. 45,8) : **USD 2 640** – Compiègne, 9 juin 1991 : *Rhinocéros attaqué par un serpent*, bronze à patine brune (H. 31, L. 44, prof. 22) : **FRF 75 000** – New York, 4 juin 1993 : *Rhinocéros attaqué par un serpent*, bronze (H. 31,8, L. 45,7) : **USD 16 100** – Paris, 23 juin 1993 : *Ours à la baignoire*, bronze (H. 16,5) : **FRF 38 000** – Lokeren, 28 mai 1994 : *Jument et son poulain*, bronze (H. 26, l. 37) : **BEF 85 000** – Perth, 30 août 1994 : *Lion et sa proie*, bronze (H. 21) : **GBP 2 185** – New York, 20 juil. 1995 : *Tigre et antilope*, bronze (H. 26,7, L. 41,3) : **USD 2 300** – Paris, 8 nov. 1995 : *Scène de haras*, bronze (H. 76) : **FRF 297 000** – New York, 18-19 juil. 1996 : *Ours assis lisant et fumant la pipe*, bronze (H. 17,1) : **USD 6 900** – Perth, 26 août 1996 : *Lion dévorant un zèbre* 1834, bronze (17x30,5) : **GBP 1 265** – Paris, 18 déc. 1996 : *Loup pris au piège*, bronze patiné (H.19,5. l.24) : **FRF 6 000** – New York, 9 jan. 1997 : *L'Ours dentiste*, bronze patine brune (H. 15,2) : **USD 6 037** – Paris, 13 mai 1997 : *Une jument et son poulain*, bronze patiné (H. 21) : **FRF 26 000** – Londres, 12 nov. 1997 : *Un étalon arabe*, bronze patine brun foncé (38x42,5) : **GBP 5 750**.

FRATINO Giovanni
Né vers 1510. Mort en 1570. XVIe siècle. Actif à Vicence. Italien.
Peintre et mosaïste.
Il semble qu'il travailla aussi à Pise, à Orvieto, à Padoue, à Rome et à Venise en 1560.
Ventes Publiques : Milan, 4 déc. 1980 : *Saint Jérôme*, cr. reh. de blanc (39,2x24,7) : **ITL 2 000 000**.

FRATREL Joseph, l'Ancien
Né en 1730 à Épinal (Vosges). Mort le 15 mai 1783 à Mannheim. XVIIIe siècle. Français.
Peintre et graveur.
Le 5 janvier 1759 il fut reçu licencié en droit, à Besançon, puis avocat ; abandonna sa carrière et embrassa celle des arts. Devenu professeur de peinture à l'Académie de Metz, il fut nommé, en 1754, peintre ordinaire du roi de Pologne, puis de l'électeur palatin, Charles-Théodore. Il fut en conséquence nommé professeur à l'Académie de Düsseldorf. En 1782, il exposa au Salon de la Correspondance : *Jésus et la femme adultère*. A la galerie de Munich on voit de lui une très belle toile : *Cornélie*. On cite encore de lui : *Cora* et *La vestale*.

FRATREL Joseph, le Jeune
Né à Mannheim. Mort au XIXe siècle à Heidelberg. XIXe siècle. Allemand.
Peintre.
Il était le fils de Joseph l'Ancien.

FRATTA Antonio Cola della
XVIe siècle. Actif au début du XVIe siècle. Italien.
Miniaturiste.
Vers 1509, il travailla à l'ornementation de livres du chœur pour l'abbaye du Mont-Cassin.

FRATTA Domenico Maria
Né le 18 mars 1696 à Bologne. Mort le 10 août 1763 à Bologne. XVIIIe siècle. Italien.
Peintre de sujets religieux, architectures, dessinateur.
Élève de Giovanni Viviani, de Carlo Rambaldi et de Donato Creti, il ne tarda pas à abandonner la peinture pour se consacrer entièrement au dessin à la plume, genre dans lequel il excella et se fit une renommée européenne.
Ventes Publiques : Paris, 6 déc. 1943 : *Ruines et personnages* 1732, deux pendants : **FRF 1 900** – Londres, 26 mars 1969 : *Tombeaux de la marquise de Wharton et du comte Dorset*, deux grisailles : **GBP 1 800** – Paris, 30 mars 1984 : *Le mariage mystique de sainte Catherine*, pl. (37,7x28) : **FRF 5 500** – New York, 14 jan. 1987 : *Paysage au lac animé de personnages*, pl. et encre brune (31x49,9) : **USD 2 750** – Paris, 15 avr. 1996 : *Tobie et l'ange*, encre brune (29x19) : **FRF 5 000**.

FRATTA Flori dell
XVIe siècle. Actif à Fratta.
Peintre.
On lui attribue une *Cène* à San Bernardino de Fratta. Tableau exécuté dans le style des bons maîtres.

FRATTINI Gaetano
XVIIIe siècle. Actif à Ravenne. Italien.
Peintre d'histoire.
Élève de M. A. Franceschini.

FRATZ Mary
Née à Philadelphie. XIXe-XXe siècles. Active à Philadelphie. Américaine.
Peintre.
Élève de Robert W. Vonnoh et de Cecilia Beaux. Obtint le premier prix Topan.

FRAU José
Né en 1898 à Vigo (Espagne). Mort le 24 mars 1976 à Madrid. XXe siècle. Espagnol.

Peintre de compositions animées, paysages.
Il fut élève de l'École des Beaux-Arts de San Fernando à Madrid. Il participa, en 1925, à la première Exposition des Artistes Ibériques, aux côtés notamment de Dali, Borès, Ferrant, Palencia. Depuis, il a participé à de nombreuses autres expositions à Madrid, Pittsburgh, Mexico, Montevideo... Il a obtenu de nombreux prix et distinctions et a reçu en 1943 une médaille de première classe pour son œuvre *Nature*. Après sa mort, une grande rétrospective a été organisée en Espagne.
Bibliogr. : In : *Cien anos de pintura en Espana y Portugal, 1830-1930*, Antiqvaria, t. II, Madrid, 1988.
Musées : Buenos Aires – Madrid – Moscou – New York – Paris – Pittsburgh – San Diego, Californie.
Ventes Publiques : Madrid, 15 juin 1976 : *Paysage* 1969, h/t (80x65) : **ESP 85 000** – Madrid, 23 mai 1984 : *Romance en el puerto*, h/t (44x55) : **ESP 110 000** – Madrid, 24 jan. 1985 : *Printemps*, h/t (81x65) : **ESP 180 000**.

FRAU Josep
Né en 1887 à Barcelone (Catalogne). xxe siècle. Espagnol.
Peintre de paysages.
Il fut élève de l'école des beaux-arts de sa ville natale, puis de l'école supérieure des beaux-arts San Fernando de Madrid. Il reçut une bourse du gouvernement espagnol pour étudier à l'École de paysage de Paular. Dès 1918, il a exposé, à Madrid et Barcelone, seul ou avec d'autres artistes. Il a participé à de nombreux concours artistiques, notamment celui de l'exposition des Beaux-Arts de Barcelone en 1921.
Bibliogr. : In : *Cien anos de pintura en Espana y Portugal, 1830-1930*, Antqvaria, t. II, Madrid, 1988.

FRAUEN A. Voir **TRAUEN Asmus**

FRAUENDORFER Johannes
Né à Dürrenstein. xve siècle. Allemand.
Miniaturiste.
On connaît de lui un manuscrit daté de 1454 et dédié au duc Albert de Bavière.

FRAUENDORFER-MÜHLTHALER Hélène von. Voir **MÜHLTHALER**

FRAUENFELDER Hans Konrad
Né le 26 novembre 1822 à Zurich. Mort le 20 décembre 1896 à Zurich. xixe siècle. Suisse.
Peintre de paysages.
Il fut élève des frères Kummer à Hofacker. Peignit à la gouache des paysages de Suisse.

FRAUENSTADT Caspar
xve siècle. Actif à Breslau dans la seconde moitié du xve siècle. Allemand.
Peintre.

FRAUGHTON Edward J.
Né en 1939. xxe siècle. Américain.
Sculpteur de figures.
Il évoque à travers ses sculptures l'Ouest américain. Il a participé à ce titre à l'exposition *À la découverte de l'Ouest américain* organisée par le Salon d'Automne, à Paris, en 1987, et le National Cowboy Hall of Fame and Western Heritage Center.
Musées : Oklahoma City (Nat. Cowboy Hall of Fame and Western Heritage Center) : *Au bout de la piste* 1973.

FRAUSTADT Friedrich Auguste
Né le 9 avril 1821 à Lauchstadt. xixe siècle. Allemand.
Peintre d'histoire, figures.
Il a exposé en Belgique, en Autriche et en Allemagne. Il avait été élève de Neher à Leipzig.
Ventes Publiques : Lokeren, 28 mai 1988 : *Jeune femme égyptienne*, h/pan. (49,5x25,5) : **BEF 33 000**.

FRAUTSCHOLD
Peintre.
Nom donné par erreur dans le dictionnaire de Siret au peintre Trautschold (Voir ce nom).

FRAUY Jacques
xviiie siècle. Actif à Paris en 1732. Français.
Peintre.
Son père était également peintre.

FRAVEGA Giovanni, dit **Giovanni da Nervi**
Né à Nervi. xive-xve siècles. Italien.
Peintre.
Il travailla à Gênes.

FRAYE André
Né le 18 octobre 1887 à Nantes (Loire-Atlantique). Mort en 1963 à Paris. xxe siècle. Français.
Peintre de sujets militaires, portraits, paysages, marines, natures mortes, aquarelliste, graveur, dessinateur, illustrateur.
Il s'installe à Paris, dès 1909, où il devient l'élève de M. Maufra. Il fréquente l'académie Julian et expose pour la première fois, en 1911, à Paris, au Salon d'Automne, dont il devient membre sociétaire. Il participe également, à Paris, aux Salons des Tuileries et des Indépendants et figure dans diverses expositions collectives, notamment aux États-Unis, en Europe, au Japon. Il a reçu, en 1921, le prix Blumenthal, le premier qui fut attribué à la peinture.
Ami d'Albert Gleizes, il n'en subit cependant que faiblement l'influence cubiste. Durant la Première Guerre mondiale, il exécute de nombreux dessins et aquarelles, proches parfois du cubisme, représentant avec émotion le spectacle quotidien de la vie sur le front. Peintre de plein-air avant tout, il est surtout connu pour ses marines réalisées avec une grande acuité visuelle. Il a en outre illustré de nombreux ouvrages, en particulier *La Vénus d'Ille* de Mérimée et *Les Croix de bois* de Dorgelès. Coloriste, vif et séduisant, s'attachant à faire vibrer les couleurs, il fut souvent comparé à Van Dongen, Bonnard ou Marquet, mais aussi au néo-réaliste Dunoyer de Ségonzac. Pourtant, il ne fit jamais partie d'aucune école. ■ L. L.

André Fraye

Bibliogr. : In : *Les Muses*, La Grange Batelière, t. VII, Paris, 1972.
Musées : Alger – Le Havre – Londres – Manchester – Paris (Mus. d'Art Mod.) : *Le Maillot noir* – Paris (Mus. de l'Armée).
Ventes Publiques : Paris, 30 mai 1923 : *Paysage* : **FRF 750** – Paris, 2 mars 1929 : *Honfleur, la voile rouge* : **FRF 2 000** – Paris, 1er juin 1933 : *Le port de Nice*, aquar. : **FRF 200** – Paris, 5 mai 1937 : *La corniche de Marseille*, aquar. : **FRF 85** – Paris, 6 mars 1940 : *Barques sur la Charente* : **FRF 160** – Paris, 9 mars 1942 : *Régates* : **FRF 2 600** – Paris, 10 mai 1944 : *Le port à marée basse* : **FRF 10 000** – Paris, 14 juin 1944 : *Voilier en mer*, aquar. : **FRF 380** – Paris, 24 jan. 1947 : *Bateaux de pêche à marée basse*, aquar. : **FRF 2 200** – Paris, 24 fév. 1950 : *Marine, l'île d'Yeu* : **FRF 30 000** – Paris, 20 juin 1973 : *Le pont* : **FRF 1 000** – Paris, 17 nov. 1980 : *Le petit port*, h/t (50x65) : **FRF 2 700** – Zurich, 13 mai 1983 : *Les barques*, h/t (60x73) : **CHF 1 800** – Paris, 25 nov. 1986 : *L'entrée du port de Honfleur*, h/t (65x81) : **FRF 5 000** – Paris, 30 mai 1988 : *La Seine à Triel* 1923, h/t (60x73) : **FRF 4 000** – Paris, 14 déc. 1988 : *Le Yacht à Goulphar, Belle-Île-en-Mer*, h/t (81x100) : **FRF 16 000** – Lyon, 21 mars 1990 : *Le port*, h/t (54x73) : **FRF 18 500** – Paris, 26 mars 1990 : *Sainte-Maxime* 1922, h/t (60x73) : **FRF 8 500** – New York, 12 juin 1992 : *Vue du port de Sanary-sur-Mer, côte d'Azur*, h/t (65,4x80,6) : **USD 1 650**.

FRAYER J. B. Jules
xixe-xxe siècles. Britannique.
Peintre.
Ventes Publiques : Londres, 10 déc. 1923 : *L'heure du petit déjeuner* : **GBP 18**.

FRAYSSE Michel
Né le 9 novembre 1947 à Agen (Lot-et-Garonne). xxe siècle. Français.
Peintre. Abstrait-lyrique.
Il a exposé en 1973 à Paris.
Sa peinture, à l'expression pure et libre, se rattache au courant de l'abstraction lyrique.

FRAYSSEIX-BONNIN Étienne de, marquis. Voir **BONNIN de Fraysseix**

FRAZEE John
Né le 18 juillet 1790 à Rahway. Mort en 1852 à New York. xixe siècle. Américain.
Sculpteur.
Cet autodidacte fut l'un des initiateurs d'une école de sculpture autonome aux États-Unis. On lui doit un grand nombre de bustes de marbre comme celui du *Juriste Wells* à New York et d'autres à l'Atlieneum de Boston.

FRAZER Alexander George. Voir **FRASER A.G.,** l'Aîné et le Jeune

FRAZER Alexandre R.
xixe-xxe siècles.
Sculpteur.

FRAZER Harland
xxe siècle. Américain.
Peintre de portraits.
Il exposa et reçut de nombreux prix dans les années vingt.

FRAZER Hugh
Né à Dromore. xixe siècle. Irlandais.
Peintre.
Il exposa à Dublin de 1826 à 1861 des paysages, des tableaux de genre et des portraits.

FRAZER Mabel Pearl
Née le 28 août 1887 dans l'Utah. xxe siècle. Américaine.
Peintre.
Parallèlement à sa carrière de peintre, elle enseigna. Elle fut membre de l'Art Student's League de New York.

FRAZER William Miller
Né en 1864 ou 1865 à Scone (Pethshire). Mort en 1961. xixe-xxe siècles. Britannique.
Peintre de paysages animés, paysages, paysages d'eau.
Il vécut à Édimbourg et exposa surtout à Londres.
Il peignit surtout les paysages typiques du nord des îles britanniques. Il s'attacha à traduire l'atmosphère particulière de la nature selon l'heure ou la saison.

W M Frazer

Ventes Publiques : Londres, 28 mai 1926 : *Tay près de Newburgh* : **GBP 7** – Londres, 29 nov. 1930 : *Au bord de la Tay* : **GBP 11** – Édimbourg, 18 mai 1935 : *Paysage* : **GBP 12** – Perth, 13 avr. 1976 : *Paysage d'été*, h/t (39x59,5) : **GBP 280** – Écosse, 1er sep. 1981 : *Troupeau dans une clairière* 1906, h/t (71x91,5) : **GBP 550** – Écosse, 30 août 1983 : *Womack Broad, Norfolk* 1916, h/t (30,5x51) : **GBP 780** – Perth, 26 août 1986 : *St-Ives, on the Ouse* 1909, h/t (71x91,5) : **GBP 4 800** – Édimbourg, 30 août 1988 : *Dans le val d'Ogle dans le Perthshire*, h/t (25,5x35,5) : **GBP 1 265** – Glasgow, 7 fév. 1989 : *Hollywell à St-Ives*, h/t/cart. (25x35) : **GBP 770** – Londres, 12 mai 1989 : *Moutons au pré au pied d'un moulin à vent*, h/t (62,5x75,6) : **GBP 1 760** – Perth, 28 août 1989 : *Le Sommet blanc : Ben Lawers* 1912, h/t (77x127) : **GBP 6 050** – Édimbourg, 22 nov. 1989 : *Une ferme dans la campagne de Fen*, h/t (51,4x61,6) : **GBP 1 760** – Glasgow, 6 fév. 1990 : *Une ferme dans l'Est Lothian*, h/t (36x46) : **GBP 2 200** – Édimbourg, 26 avr. 1990 : *Bétail dans une ruelle à East Lothian*, h/t (25,4x35,6) : **GBP 990** – Perth, 27 août 1990 : *Whitekirk*, h/t (62x75) : **GBP 1 760** – South Queensferry (Écosse), 23 avr. 1991 : *Enfants jouant sur une plage* 1933, h/t. cartonnée (25,5x35,5) : **GBP 1 870** – Perth, 26 août 1991 : *Les environs de East Linton dans le Haddingtonshire*, h/t (61x51) : **GBP 3 850** – Glasgow, 4 déc. 1991 : *Le soir à Struan*, h/t (62x75) : **GBP 1 870** – Édimbourg, 28 avr. 1992 : *Barques échouées sur la grève*, h/t (30,5x35,5) : **GBP 770** – Perth, 1er sep. 1992 : *La pêche dans les marais*, h/t (38,5x56) : **GBP 1 320** – Perth, 31 août 1993 : *Matin d'été à Sannox Bay, Arran ; Sur la côte d'Arran*, h/cart., une paire (chaque 25,5x35,5) : **GBP 2 990** – Perth, 30 août 1994 : *Paysage avec un moulin à vent*, h/t (36x51) : **GBP 3 910** – Perth, 29 août 1995 : *Septembre*, h/t (76x63,5) : **USD 6 210** – Glasgow, 16 avr. 1996 : *Sur la plage*, h/t (40x61) : **GBP 3 910** – Glasgow, 11 déc. 1996 : *Le Ruisseau*, h/t (46x36,5) : **GBP 437** – Édimbourg, 15 mai 1997 : *Le Dernier Bateau à charbon pour Tarbet à Blackwaterfoot, Arran*, h/t (45,7x61) : **GBP 4 830**.

FRAZIER
xviiie siècle. Actif à Norfolk (Virginie) en 1763. Américain.
Peintre.

FRAZIER John R.
Né le 29 juillet 1889 à Stonington (Connecticut). xxe siècle. Américain.
Peintre, aquarelliste.
Membre de nombreuses associations artistiques, il est sutout connu pour ses aquarelles. Il obtint différentes récompenses en 1921 et 1922.

FRAZIER Kenneth
Né le 14 juin 1867 à Paris, de parents américains. Mort en 1949. xixe-xxe siècles. Américain.
Peintre. Postimpressionniste.
Il vécut d'abord à Paris, où il fut élève de sir Hubert von Herkomer, Benjamin-Constant, Jules Lefebvre, Henri Lucien Doucet. Il exposa alors au Salon de la Société Nationale des Beaux-Arts. Puis, fixé à New York, il a figuré dans différentes expositions collectives : 1977, Centre d'Art d'Amarillo au Texas ; Musée d'Art du Comté de Westmorland à Greensburg en Pennsylvanie ; 1980-1981, Musée d'Art de Sans José en Californie. En 1979, le Musée d'Art Southern Alleghenies lui consacre une exposition *Kenneth Frazier (1867-1949) : un impressionniste américain*.
Ventes Publiques : New York, 5 déc. 1980 : *Portrait of the Parthema Passano*, h/t : **USD 9 000** – New York, 25 mai 1989 : *Les hautes terres dans l'Hudson*, h/t (63,5x76,3) : **USD 19 800** – New York, 14 sep. 1995 : *Souvenir des années 1890*, h/t (91,4x127) : **USD 8 050** – New York, 26 sep. 1996 : *Femme avec une rose* vers 1891-1892, h/t (129,5x96,5) : **USD 29 900**.

FRAZIOLE Laurent
xviie siècle. Actif à Paris. Français.
Sculpteur.
Le 19 juin 1664, il épousa Anne Bitouzé.

FREARSON John
xviiie-xixe siècles. Actif à Londres. Britannique.
Peintre de sujets religieux.
Exposa fréquemment à Londres, de 1797 à 1831.

FRECCIA Pietro
Né le 24 juillet 1814 à Castelnuovo di Magra. Mort le 22 juillet 1856 à Florence. xixe siècle. Italien.
Sculpteur.
Musées : Prato (Gal. antique et Mod.) : *Amour*.
Ventes Publiques : Londres, 16 juil. 1979 : *Putti* 1855, deux marbres blancs (H. 80) : **GBP 2 400** – Londres, 28 avr. 1982 : *Été ; Hiver* 1855, deux marbres de Carrare (H. avec socle 96) : **GBP 2 800**.

FRECH Hans
Mort en 1632. xviie siècle. Actif à Vienne. Autrichien.
Sculpteur et ébéniste.
Il était sans doute originaire du Tyrol et travailla pour l'empereur Mathias et l'empereur Ferdinand.

FRECHA Francisco
xvie siècle. Actif à Séville en 1503. Espagnol.
Sculpteur.
Sculpta des stalles, probablement pour un chœur.

FRECHER Daniel
xviie siècle. Actif à Cracovie. Polonais.
Peintre.
Le couvent franciscain de Varsovie possède encore des œuvres de cet artiste.

FRÉCHET André
Né le 14 janvier 1875 à Châlons-sur-Marne (Marne). xxe siècle. Français.
Peintre, dessinateur, décorateur, pastelliste.
Professeur de l'École des Beaux-Arts de Nantes de 1905 à 1911, il enseigna ensuite l'histoire de l'art, à Paris, à l'École Boulle, dont il fut directeur de 1919 à 1934. De 1935 à 1939, il fut professeur de dessin et d'histoire de l'art à l'Académie Julian, à Paris. Il a participé, à Paris, aux Salons de la Société des Artistes Décorateurs, aux expositions des Arts Décoratifs et aux Expositions Universelles de 1889 et 1900. Chevalier de la Légion d'honneur en 1924, promu Officier en 1937, il est Chevalier des Arts et Lettres.
Bien qu'il se soit surtout consacré à l'art décoratif, il a pratiqué également la peinture. Ses toiles, mais surtout ses dessins à l'encre de Chine et ses pastels, ont, par leur simplification et le choix des couleurs, une grande puissance d'évocation.

FRÉCHET Annie
Née le 27 octobre 1880 à Paris. Morte en 1973 à Saint-Thibault (?). xxe siècle. Française.
Peintre de paysages, fleurs, portraits.
Elle fut élève, à Paris, à l'École des Arts Décoratifs puis à l'École Supérieure des Beaux-Arts dans l'atelier Humbert. Elle enseigna le dessin à Toulouse puis à Paris. Mariée à l'artiste décorateur André Fréchet, elle a partagé les mêmes préoccupations artistiques que celui-ci. Elle a participé à de nombreuses expositions à Paris, Bourges, Cosne et Sancerre.

FRÉCHET-TRÉMENTIN Léa
Née à Lyon (Rhône). xxe siècle. Française.
Peintre de paysages, fleurs.
Elle expose, à Paris, au Salon des Artistes Indépendants depuis 1937.

FRECHEVILLE Raymond
Né à Carcassonne (Aude). XXe siècle. Français.
Peintre.
Il fut élève de J. P. Laurens, il expose au Salon des Artistes Français de Paris depuis 1922.

FRECHKOP Leonid ou **Frechkopf**
Né en 1897 à Moscou. Mort en 1982 à Bruxelles. XXe siècle. Depuis 1922 actif en France et en Belgique. Russe.
Peintre de paysages, figures, portraits et fleurs, dessinateur, graveur, peintre de décors de théâtre.
Après des études de dessin et de peinture à Moscou, il quitte son pays natal pour Paris et Bruxelles.
Son goût du mystère teinté de romantisme est perceptible dans ses figures, danseurs, fillettes et nus, pleines de tendresse.

L. Frechkopf

Bibliogr. : In : *Diction. biogr. illustré des artistes en Belgique depuis 1830*, Arto, Bruxelles, 1987.
Musées : Bruxelles (Bibl. roy.) – Dinant – Ixelles.
Ventes Publiques : Bruxelles, 16 déc. 1982 : *La vieille au châle bleu*, h/pan. (60x49) : **BEF 5 000** – Paris, 22 oct. 1986 : *Jeune femme au taupé noir*, h/t (75x50) : **FRF 23 000** – Amsterdam, 10 déc. 1992 : *Nu allongé dans un paysage* 1926, h/t (91x60) : **NLG 11 500** – Amsterdam, 8 déc. 1993 : *Nu assis* 1944, h/t (92x70) : **NLG 4 600** – Lokeren, 8 oct. 1994 : *Nu avec un lévrier* 1935, h/t (70x80) : **BEF 44 000** – Amsterdam, 7 déc. 1994 : *Trois nus dans un intérieur*, h/t (131x182) : **NLG 18 400**.

FRÉCHON Charles
Né en 1856 ou 1858 à Blangy-sur-Bresle (Seine-Maritime). Mort en 1929. XIXe-XXe siècles. Français.
Peintre de portraits, paysages, natures mortes. Impressionniste, tendance néo-impressionniste.
Il entra à l'Académie de Peinture et de Dessin de Rouen en 1879, fit la connaissance de Delattre et Angrand, puis s'en alla à Paris, où, en 1881, il s'inscrivit à l'Académie Colorossi. De retour à Rouen, il travailla essentiellement sur le motif.
En 1887, son envoi au Salon de Paris fut accepté, et dès 1894, il débuta au Salon des Indépendants, tandis qu'il participa au Salon d'Automne à partir de 1903. Il exposa régulièrement aussi en Normandie.
Sa première exposition personnelle fut organisée à Paris, par la galerie Durand-Ruel, en 1901.
Peintre de paysages dans la manière impressionniste, il est l'un des instigateurs de ce qu'on a appelé l'école de Rouen, en raison des recherches de certains peintres de cette région, en particulier, Joseph Delattre, Léon Jules Lemaître et Charles Angrand, qui ont travaillé en plein-air, s'opposant à l'esthétique officielle, et adoptant parfois la technique divisionniste. Ses bords de Seine, forêts, champs sous la neige, vergers en fleurs, prennent des tonalités claires, posées à petites touches.

Cha Frechon

Musées : Louviers : *Le Pré aux loups – Rampe beauvoisine – Boulevard Cauchoise – Coin de forêt à St-Aignan* – Rouen : *Paysage – Feuilles de printemps*.
Ventes Publiques : Paris, 25 avr. 1901 : *L'abreuvoir du pré au loup* : **FRF 400** – Rouen, 17 déc. 1972 : *Maison dans les arbres* : **FRF 6 800** – Londres, 4 mai 1973 : *Les moissonneurs autour d'une charrette* 1853 : **GNS 750** – Rouen, 7 juin 1973 : *Chemin sous bois* : **FRF 6 300** – Rouen, 22 mars 1981 : *La moisson*, h/t (60x73) : **FRF 15 000** – Rouen, 27 mars 1983 : *Vue du port et de la cathédrale de Rouen*, h/t (19x35) : **FRF 15 000** – Paris, 19 juin 1985 : *La cathédrale de Rouen et les quais*, h/t (54x65) : **FRF 138 000** – Grandville, 16-17 juil. 1988 : *Bord de rivière*, h/t (28,5x36,5) : **FRF 22 500** – New York, 3 mai 1989 : *Bord de rivière en sous-bois*, h/t (56x46) : **USD 42 180** – Paris, 19 juin 1989 : *Le clocher normand*, h/t (46,5x45.5) : **FRF 11 000** – Paris, 30 nov. 1992 : *Le jardin de l'artiste à Mont-Saint-Aignan*, h/t (65x81) : **FRF 255 000** – Le Touquet, 14 nov. 1993 : *Maison dans le parc enneigé*, h/t (60x73) : **FRF 80 000** – Paris, 19 nov. 1995 : *L'église sous la neige*, h/pan. (31x41) : **FRF 27 000**.

FRÉCON Jan
XVIe siècle. Français.
Peintre.
Il travailla, à Lyon, en 1548, pour l'entrée d'Henri II.

FRECOURT Maurice
Né en 1890 à Charenton (Val-de-Marne). XXe siècle. Français.
Sculpteur animalier.
Il eut pour professeurs Valton et Jean Boucher. Dès 1920, il a exposé, à Paris, au Salon des Artistes Français, dont il fut membre.

FRECSKAY Endre
Né le 15 juillet 1875 à Maramaqssziget (Hongrie). XXe siècle. Hongrois.
Peintre de paysages.
Il fit ses études à Munich et vécut surtout à Budapest.

FRECSKAY Laszlo von
Né le 25 juin 1844 à Budapest. Mort en 1916. XIXe-XXe siècles. Hongrois.
Peintre de genre, illustrateur.
Il fit ses études à Vienne où il collabora à différents journaux. Il ne retourna définitivement dans sa ville natale qu'en 1911.
Ventes Publiques : New York, 29 fév. 1984 : *La fin du diner* 1908, h/t (42,5x60,5) : **USD 2 800**.

FRED-MONEY
Né à Lassey (Loir-et-Cher). XXe siècle. Français.
Peintre.
Il fut élève de Rochegrosse. Il exposa, à Paris, au Salon des Artistes Français à partir de 1923. Il a obtenu deux médailles d'argent, l'une en 1937, l'autre en 1942.

FREDDIE Wilhelm, pseudonyme de **Carlsen Frederik Wilhelm**
Né en 1909 à Copenhague. XXe siècle. Danois.
Peintre de compositions animées, portraits, nus, paysages, peintre de collages. Surréaliste.
Autodidacte, il fait ses débuts en 1909, au Salon d'Automne de Copenhague. En 1929, il rencontre Dali et introduit le surréalisme au Danemark, ce qui provoque de vifs remous dans la presse. Dès lors, il ne cessera de choquer. En 1937, une de ses expositions est interdite par la police et trois de ses œuvres, jugées pornographiques, sont confisquées et conservées au musée de la Criminologie (elles ne lui seront restituées qu'en 1961). En outre, il sera condamné à dix jours de prison ferme. En 1944, s'étant opposé à l'occupation nazie, il doit se réfugier en Suède, où il restera jusqu'en 1950. En 1953, lors d'un séjour de quelques années en France, il se lie au groupe de la revue *Phases*, dont il devient un membre actif. En 1970, il obtient une commande de l'État danois pour un décor à l'école de Vallensbaek. En 1973, il est nommé professeur à l'école supérieure des beaux-arts de Copenhague.
Il participe à de nombreuses expositions collectives, et, ce, dans le monde entier, notamment à toutes celles organisées sur le surréalisme en Scandinavie, France, Suisse et Italie, ainsi qu'à toutes celles du groupe *Phases* : 1936 Londres ; 1936 musée d'Art moderne de New York ; 1938 Paris ; 1947 galerie Maeght à Paris ; 1957 Stedelijk Museum d'Amsterdam ; 1959 Milan ; 1960 New York ; 1964 New York et musée d'Art moderne de Rio de Janeiro (...). Il présente également son travail dans de nombreuses expositions personnelles, surtout au Danemark, qui lui a consacré une rétrospective en 1989, mais aussi à l'étranger, notamment à Paris, à la galerie 1900-2000. Il a reçu la médaille Thorvaldsen, en 1970, pour son œuvre.
Freddie occupe une place essentielle dans la peinture scandinave : créateur d'images défendues, il poursuit une démarche originale au-delà de toute convention pop, abstraite ou surréaliste. Âgé de dix-huit ans seulement, il aborde le monde de la création par des « reliefs abstraits », opposant textures et structures. Mais, dès 1929, il découvre l'univers surréaliste et, précurseur dans son pays, il intègre très tôt, outre les collages déjà pratiqués par les dadaïstes et les cubistes, des objets réels issus du quotidien. Ses toiles, collages (*Méditations sur l'amour antinazi* 1937) et sculptures-objets (*Sex-paralysappeal*) sont habitées par l'érotisme et suscitent des réactions fort violentes. Lors de son exil en Suède, une nouvelle phase apparaît dans son travail, il se réconcilie alors avec les techniques et thèmes traditionnels de la peinture pour exprimer des atmosphères crépusculaires empreintes d'angoisse, mais, très vite, il en ressent les limites. Dès son retour au Danemark, son travail évolue de nouveau. Il réintroduit des formes géométriques, triangles, disques, flèches (...) aux côtés de signes figuratifs, flammes, masques, miroirs (...),

mais aussi de photographies et d'objets manufacturés. Freddie crée un univers affolant, en totale rupture, un espace entièrement nouveau dans lequel intérieur et extérieur se superposent, où fleurs, femmes, machines infernales, escaliers sans fin, buildings en ruine, nuits étoilées cohabitent. Dans ses toiles plus récentes, aux titres évocateurs : *Les Femmes des grands boulevards que j'ai rendues aveugles – Femme nue sur une chaise – Le Couple après nous* dans lequel il intègre des photographies agrandies, l'érotisme en est encore le sujet, mais ces corps en transe, déformés à grands coups de pinceau, dévoilent, non sans un certain humour, ce qu'il y a au bout de la vie : un monde dominé par les passions. ■ Laurence Lehoux

Bibliogr. : Marcel Jean, in : *Hist. de la peinture surréaliste*, Seuil, Paris, 1962 – Édouard Jaguer : *Wilhelm Freddie*, Gal. de l'Université, Paris, déc. 1964 – José Pierre, in : *Le Surréalisme*, in : *Hist. Gén. de la peint.*, Rencontre, t. XXI, Lausanne, 1966 – Catalogue de l'exposition *L'Art danois 1945-1973*, Gal. nat. du Grand Palais, Paris, 1973 – in : *Diction. univer. de la peinture*, Le Robert, t. III, Paris, 1975 – in : *L'Art du xxe siècle*, Larousse, Paris, 1991 – in : *Diction. de l'art mod. et contemp.*, Hazan, Paris, 1992.

Musées : Alborg (Mus. du Jütland) – Copenhague (Statens Mus. for Kunst) – Göteborg (Kunstmus.) – Humlebaek (Louisiana Mus.) – New York (Mus. of Mod. Art) – Silkeborg – Stockholm (Mod. Mus.).

Ventes Publiques : Copenhague, 14 mars 1972 : *Portrait de C.W.T. junior dans un paysage* : **DKK 7 100** – Londres, 5 déc. 1974 : *Modèle couché* : **GBP 4 600** – Copenhague, 6 avr. 1976 : *Composition* 1934-1961, h/t (131x100) : **DKK 12 000** – Copenhague, 8 mars 1977 : *Composition cubiste* 1929-1937, h/t (100x125) : **DKK 16 000** – Copenhague, 31 mars 1981 : *Composition* 1953, h/t (12x27) : **DKK 3 000** – Londres, 23 fév. 1983 : *Tête de femme* 1940, cire et bois (H. 21) : **GBP 600** – Copenhague, 3 avr. 1984 : *Deux roses* 1975, techn. mixte (65x55) : **DKK 8 500** – New York, 12 nov. 1984 : *Mysteriedansen* 1945, cr. et craie noire (27,3x22) : **USD 950** – Stockholm, 26 mai 1987 : *Composition* 1943, h/t (68x95) : **SEK 145 000** – Copenhague, 2 mars 1988 : *Paysage près de Jaegerspis* (35x40) : **DKK 14 000** – Stockholm, 6 juin 1988 : *Femme, lion, roue et tasse de bouillon* 1954, h. (56x43) : **SEK 26 000** – Copenhague, 8 fév. 1989 : *Intérieur* 1946, h/t (33x41) : **DKK 69 000** – Copenhague, 22 nov. 1989 : *Composition surréaliste* 1940, past. (50x69) : **DKK 87 000** – Copenhague, 30 mai 1990 : *Autoportrait* 1939, h/t (29x29) : **DKK 280 000** – Stockholm, 14 juin 1990 : *Somnanbule, figure dans une composition surréaliste*, h/pan. (41x33) : **SEK 75 000** – Copenhague, 14-15 nov. 1990 : *Composition* 1981, collage et craies de coul. (62x49) : **DKK 25 000** – Copenhague, 13-14 fév. 1991 : *La mort de Trotsky* 1960, h/t (64x100) : **DKK 50 000** – Copenhague, 4 mars 1992 : *Madame Boucher au bain* 1974, collage (56x41) : **DKK 5 000** – Copenhague, 20 mai 1992 : *Tête* 1953, laiton (H. 36) : **DKK 30 000** – Amsterdam, 9 déc. 1993 : *Sans titre* 1947, h/cart. (64x53) : **NLG 13 800** – Copenhague, 6 sep. 1993 : *Composition surréaliste* 1943, peint./contre-plaqué (31x51) : **DKK 26 000** – Copenhague, 21 sep. 1994 : *Composition surréaliste* 1947, peint./rés. synth. (65x54) : **DKK 50 000** – Copenhague, 12 mars 1996 : *Composition surréaliste* 1941, collage (33x43) : **DKK 22 000** – Copenhague, 15 mars 1997 : *Composition* 1981, litho. coul. : **DKK 3 000** – Copenhague, 22-24 oct. 1997 : *My Beautiful Baby* 1958, h/t (81x65) : **DKK 28 000**.

FREDEAU Ambroise

Né en 1589 à Paris. Mort en 1673 à Toulouse (Haute-Garonne). xviie siècle. Français.

Peintre d'histoire, sujets religieux, sculpteur.

Religieux de l'ordre des ermites de Saint Augustin. Élève de Simon Vouet, ses œuvres se trouvent au Musée de Toulouse.

Musées : Toulouse.

Ventes Publiques : Paris, 18 nov. 1987 : *Eliezer et Rebecca*, h/t (113,5x133) : **FRF 70 000**.

FREDEAU Michel

xviie siècle. Français.

Peintre.

On voit, de lui, à l'église de Senlis, une *Descente de Croix*.

FREDER Frederick C.

Né le 4 juin 1895 à Monroë (New York). xxe siècle. Américain.

Peintre.

Il étudia aux États-Unis, en Allemagne et à Paris. Il fut membre du Salmagundi Club. Il reçut, en 1920, le Prix Pulitzer de l'Université de Colombia.

FRÉDÉRIC Georges

Né en 1900 à Bruxelles. Mort en 1981. xxe siècle. Belge.

Peintre de marines, paysages, décorateur.

Il fut élève à l'académie des beaux-arts de Bruxelles. Il a subi l'influence de son père, le peintre Léon Frédéric.

Il est connu pour les décorations des bateaux malle-postes *Ostende-Douvres, Prince Philippe* et *Reine Astrid*.

Bibliogr. : In : *Diction. biogr. illustré des artistes en Belgique depuis 1830*, Arto, Bruxelles, 1987.

Musées : Berlin – Ixelles – Mons – Schaerbeek.

Ventes Publiques : Bruxelles, 24 mars 1976 : *L'inondation*, h/pan. (40x54) : **BEF 36 000** – Bruxelles, 23 nov. 1977 : *Scène de foire sur la place du village*, h/t (68x90) : **BEF 75 000** – Anvers, 29 avr. 1981 : *Kermesse flamande* 1937, h/t (70x93) : **BEF 36 000** – Bruxelles, 27 fév. 1985 : *Le vieux moulin, Lisseweghe* 1944, h/pan., triptyque (46x92) : **BEF 36 000** – Bruxelles, 27 mars 1990 : *Notre-Dame des champs* 1946, triptyque (60x117) : **BEF 50 000** – Lokeren, 23 mai 1992 : *Nieuport* 1963, h/t (60x80) : **BEF 24 000** – Lokeren, 9 oct. 1993 : *Hiver* 1944, h/t (73x94) : **BEF 280 000** – Lokeren, 9 mars 1996 : *Hiver* 1944, h/t (73x94) : **BEF 180 000**.

FREDERIC Gérard

xve siècle. Actif à Louvain. Éc. flamande.

Miniaturiste.

Il travailla aux entremets de Bruges en 1468 ; il figura sous le nom de Vridric dans les comptes des ducs de Bourgogne.

FREDERIC Heynderic

xve-xvie siècles. Actif à Gand. Éc. flamande.

Sculpteur.

Il travailla pour l'église Notre-Dame à Saint-Peter près de Gand.

FRÉDÉRIC Léon Henri Marie, baron

Né le 26 août 1856 à Bruxelles (Brabant). Mort en 1940 à Bruxelles. xixe-xxe siècles. Belge.

Peintre de sujets divers. Symboliste.

Il fut élève de Jules Van Kersblick puis de Jean François Portaels à l'Académie des Beaux-Arts de Bruxelles. En 1876, il échoua au concours pour Rome mais partit néanmoins en Italie où il travailla deux années, à Venise, Florence, Rome et Naples. De retour en Belgique, il exposa, en 1878, au Salon de Bruxelles, puis au Cercle d'art l'Essor. Depuis, il a exposé à Bruxelles, Gand, Liège, Munich, Nice et Paris. Il a reçu la médaille de bronze et celle d'or, à Paris, aux Expositions universelles de 1889 et 1900, ainsi qu'une médaille à Berlin, en 1891. Il a été fait chevalier de l'Ordre de Léopold.

Lors de son voyage en Italie, il peint déjà des paysages et des vues de ville. Mais, c'est en 1883 qu'il découvre les Ardennes, qui deviennent sa source principale d'inspiration. À côté de ses grands tableaux de figures de caractère naturaliste, à côté aussi des nombreuses compositions religieuses et symboliques, les unes et les autres exécutées dans les années quatre-vingt, c'est vers 1890 que l'artiste entre en contact avec l'art idéaliste et en particulier le préraphaélisme anglais et le symbolisme. Dès lors, ses paysages baignent dans une atmosphère de communion panthéiste. Également peintre de fleurs, de paysages et de portraits, c'est surtout dans ses compositions religieuses qu'il tente d'unir mystique chrétienne et révolte sociale. Il aima la disposition en triptyque que l'on trouve dans de nombreuses œuvres, ainsi : *Les Marchands de craie – Le Clair de lune*.

Bibliogr. : In : *Diction. biogr. illustré des artistes en Belgique depuis 1830*, Arto, Bruxelles, 1987 – in : *Diction. de la peinture flamande et hollandaise*, Larousse, Paris, 1989.

Musées : Bruxelles (Mus. roy. des Beaux-Arts) : *Les Marchands de craie* – Gand – Liège – Paris (Mus. d'Orsay) : *L'Âge d'or – Les Âges de l'ouvrier*.

Ventes Publiques : Paris, 23 déc. 1935 : *La route conduisant au village* : **FRF 300** – Paris, 17 fév. 1937 : *Épisodes de la vie de saint François d'Assise*, triptyque : **FRF 850** – Anvers, 10 oct. 1972 : *Fille dans un paysage* : **BEF 30 000** – Anvers, 24 oct. 1973 : *Le Grand-père* 1883 : **BEF 80 000** – Anvers, 19 oct. 1976 : *Le convalescent* 1883, h/t (112x95) : **BEF 85 000** – Bruxelles, 25 oct. 1978 : *La Sainte Famille* 1922, triptyque (panneau central 92x70 ; les deux volets : 84x64) : **BEF 280 000** – Lokeren, 25 avr. 1981 : *Le tisserand* 1898, fus./pap. (98x65) : **BEF 36 000** – Bruxelles, 23 mars 1983 : *Le marchand de craie* 1887, h/t (81x55) : **BEF 130 000** – Anvers, 19 mai 1987 : *Le dîner*, h/t (99x130) : **BEF 400 000** – Lokeren, 28 mai 1988 : *L'Annonciation*, h/t (86x65) : **BEF 140 000** – Lokeren, 8 oct. 1988 : *La forêt* 1887, past. (52x35) : **BEF 40 000** – Lokeren, 23 mai 1992 : *Autoportrait*, past. (42,5x37) : **BEF 28 000** – Lokeren, 10 oct. 1992 : *La route du marché à La Roche* 1929, h/t (75x100) : **BEF 60 000** – Lokeren, 5 déc. 1992 : *Jardin fleuri*, h/t (30x38,5) : **BEF 26 000** – Lokeren, 9 oct. 1993 : *Autoportrait*, past. (42,5x37) : **BEF 48 000** – Lokeren, 10 déc. 1994 : *Solitude* 1921, h/pan., triptyque (chaque 29,5x44,5) : **BEF 100 000** – Lokeren, 9 déc. 1995 : *Le givre* 1896, h/t/pan. (39,7x112) : **BEF 110 000** – Lokeren, 8 mars 1997 : *De Mariamaand* 1913, h/t, triptyque (160x187,5 ; 160x94) : **BEF 500 000**.

FRÉDÉRIC-TOURTE Pierre Marc. Voir **TOURTE**

FREDERICH Eduard

Né le 2 mars 1811 à Hanovre. Mort le 5 février 1864 à Hanovre. xixe siècle. Allemand.

Peintre.

Peintre de la cour à Hanovre.

Musées : Hanovre : *Tirailleurs – Attaque – Marche de parade – Transport des prisonniers de guerre français*.

FREDERICH Johann

xve-xvie siècles. Actif à Barcelone. Allemand.

Sculpteur sur bois.

Cet artiste d'origine allemande est aussi connu sous le nom de Juan de Alemania.

FREDERICK Edmund

Né en 1870 à Philadelphie. xixe siècle. Américain.

Illustrateur.

FREDERICK Frank Forrest

Né le 21 octobre 1866 à Methuen (États-Unis). xixe-xxe siècles. Américain.

Peintre.

Il fut élève de la Massachusetts Normal Art School, à Londres du Royal College of Art, de Stanhope Forbes et Newlin, de T. Robertson à Venise. Il enseigna l'histoire de l'art et le dessin à l'Université de l'Illinois.

FREDERICK John L.

Mort vers 1880 à Philadelphie. xixe siècle. Américain.

Graveur.

On cite de lui des illustrations et des *Vues du palais présidentiel à Washington* et du *Capitole d'Harrisburgh*.

FREDERICK Loïs

xxe siècle. Britannique (?).

Peintre. Abstrait.

A figuré à plusieurs reprises au Salon des Réalités Nouvelles, à Paris, de 1956 à 1964.

FREDERICKSZ Glysbert

xvie siècle. Actif à Amsterdam en 1528. Hollandais.

Peintre.

FREDERIKSEN Stinius

Né en 1902 à Stavanger (Norvège). xxe siècle. Norvégien.

Sculpteur.

Il fut l'élève à Paris de Bourdelle et Despiau. Il a participé à plusieurs expositions internationales, dont la Biennale de Venise en 1952, et celle de São Paulo en 1953. Il a travaillé à la restauration de la cathédrale de Trondheim.

FREDET Denise Claudia

Née en 1888 à Paris. Morte en 1971. xxe siècle. Française.

Graveur.

Elle fut élève d'Édouard Léon. Elle exposa, à Paris, au Salon des Artistes Français, dont elle fut sociétaire. Elle y obtint la mention honorable, en 1910.

FREDET Pierre

xvie siècle. Actif à Pont-à-Mousson entre 1542 et 1545. Français.

Peintre.

Peut-être le même que le peintre de Fredet qui travaillait au couvent de Sainte-Claire, pour la duchesse de Gueldre, en 1541.

FREDI Bartolo di. Voir **BARTOLO di FREDI**

FREDIANI Alessandro

xviie siècle. Actif à Cagliari en 1648. Italien.

Peintre.

FREDIANI Pellegrino

Né à Carrare. xviiie siècle. Italien.

Sculpteur.

Il travailla pour l'impératrice Catherine à Saint-Pétersbourg.

FREDIANI Vincenzo. Voir **PEINTRE de PAOLO BUONVISI**

FRÉDIC S.

Née à Paris. xxe siècle. Française.

Sculpteur.

Elle figure au Salon de Paris depuis 1922.

FRÉDO-SIDÈS

Né à la fin du xixe siècle. Mort avant 1955. xixe-xxe siècles. Français.

Artiste ?

Il apparaît comme président-fondateur du Salon des Réalités Nouvelles, à Paris, en 1946. Il ne figura jamais au catalogue. Son nom n'est non plus mentionné dans aucun des ouvrages consultés concernant l'art abstrait. Il n'est pas certain qu'il fît lui-même œuvre d'artiste.

FRÉDOU Jean Martial

Né vers 1711 à Fontenay-le-Père. Mort en 1795 à Versailles. xviiie siècle. Français.

Peintre de portraits, pastelliste.

Le Musée de Versailles conserve de lui les portraits de Louis XVIII et du duc de Bourgogne, et de nombreuses copies. Frédou est un artiste en qui se retrouvent les qualités les plus aimables du xviiie siècle il mérite de retenir toute l'attention des amateurs. Il fut le premier peintre de Monsieur.

Musées : Versailles.

Ventes Publiques : Paris, 1885 : *Portrait de femme et naïade* : **FRF 2 800** – Paris, 5 et 6 mai 1898 : *Portrait de l'artiste*, dess. à la sanguine : **FRF 220** ; *Portrait de jeune femme*, dess. : **FRF 195** ; *Portrait de J. A. Portail*, past. : **FRF 195** – Paris, 10 mars 1899 : *Portrait de femme en Diane* : **FRF 280** – Paris, 22 fév. 1901 : *Portrait de Mme de Bragelonne* : **FRF 1 400** – Paris, 23 avr. 1910 : *Portrait allégorique d'une jeune femme*, past. : **FRF 340** – Paris, 22 et 23 mai 1919 : *Portrait de jeune femme* : **FRF 8 100** – Paris, 22-25 avr. 1921 : *L'heureuse famille* : **FRF 10 000** – Paris, 4 mai 1921 : *Portrait de femme*, past. : **FRF 4 000** – Paris, 13-15 nov. 1922 : *Jeune femme la tête appuyée*, sanguine : **FRF 360** – Paris, 16 juin 1923 : *Portrait d'homme en buste, habit gris, le tricorne sous le bras*, past. : **FRF 1 600** – Paris, 24 déc. 1924 : *Petit portrait de Marie Antoinette, jeune fille* : **FRF 800** – Londres, 13 avr. 1927 : *Duc de Berry enfant* : **GBP 17** – Londres, 27 juin 1930 : *Portrait de Jacqueline* : **GBP 546** – Paris, 22-23 mars 1933 : *Portrait d'un jeune garçon* : **FRF 3 700** – Paris, 14 déc. 1935 : *Portrait du duc de Bourgogne*, past. : **FRF 13 300** – Paris, 14 mai 1936 : *Portrait de jeune fille, une rose piquée dans la chevelure*, past. : **FRF 1 950** – Paris, 8 mai 1944 : *Portrait présumé de d'Alembert* 1762, pierre noire et sanguine : **FRF 6 100** – Paris, 23 fév. 1968 : *Portrait de Marie-Antoinette* : **FRF 10 200** – Versailles, 16 mai 1971 : *Le Grand Dauphin*, past. : **FRF 12 000** – Monte-Carlo, 8 fév. 1981 : *Portrait d'homme*, past. (68x50) : **FRF 12 000** – Paris, 22 oct. 1982 : *Portrait de jeune femme*, pierre noire (31,5x22) : **FRF 7 500** – Monte-Carlo, 22 fév. 1986 : *Portrait de jeune femme* 1760, past. (39,5x30,5) : **FRF 32 000** – Monaco, 20 fév. 1988 : *Portrait de Jean-François ; Marie Anne Julie Baucheron de Lavauverte*, cr., une paire (chaque 22,5x17) : **FRF 13 320** – Paris, 25 nov. 1993 : *Portrait d'homme* 1789, past. (39,5x31,5) : **FRF 4 000** – Paris, 22 mars 1995 : *Portrait de jeune homme en buste*, pierre noire, sanguine et past. (39x28) : **FRF 15 000** – Paris, 5 juil. 1996 : *Portrait présumé d'une fille du roi Louis XV* 1764, past. (44x36,8) : **USD 4 500**.

FRÉDOU Marie Catherine. Voir **FRANÇOIS Marie Catherine**

FRÉDOUILLE Félix Maurice

Né en 1896 à Oran (Algérie). xxe siècle. Français.

Peintre de sujets orientaux.

Il exposa, à Paris, au Salon des Artistes Français, dont il fut sociétaire. En 1925, il a obtenu la médaille d'argent ainsi que le prix Th. Ralli.

FREDRIKS Johannes Hendrik
Né en 1751 à Breda. Mort en 1822 à Breda. XIXe siècle. Hollandais.
Peintre de natures mortes, fleurs et fruits.
Il a travaillé à Breda, Haarlem et La Haye.
Ventes Publiques : Londres, 21 juin 1940 : *Fruits sur une dalle de marbre* : **GBP 16** – Londres, 3 juil. 1946 : *Fleurs* : **GBP 30** – Londres, 1er oct. 1980 : *Nature morte aux fruits* 1794, h/pan. (39,5x30) : **GBP 1 900** – Paris, 27 mars 1987 : *L'automne* 1786, h/t (108x104) : **FRF 55 000** – Paris, 17 mars 1989 : *Bouquet de fleurs sur entablement de pierre* 1774, h/pan. (58x45,8) : **FRF 440 000** – Londres, 5 juil. 1991 : *Importante composition avec des fleurs et des fruits mêlés avec une souris et des insectes sur un entablement de pierre*, h/pan. (70x59,5) : **GBP 46 200** – New York, 21 mai 1992 : *Importante composition florale avec des oisillons dans un nid sur un entablement de marbre* 1774, h/pan. (58x45,8) : **USD 88 000** – Londres, 27 oct. 1993 : *Nature morte de roses, tulipes, lilas, et autres avec des pêches, des prunes, des abricots sur un entablement de marbre* 1797, h/pan. (70x59) : **GBP 18 400** – Londres, 8 déc. 1993 : *Nature morte avec des fruits et une bécasse près d'une bassine de cuivre où rafraichissent des bouteilles avec du gibier suspendu au dessus d'un fusil* ; *Nature morte de fruits sur un entablement drapé avec un lièvre et un bocal de poissons rouges* 1788, h/t, une paire (chaque 101x82) : **GBP 25 300** – Paris, 31 jan. 1994 : *Nature morte avec fruits, rafraichissoir à vin, rohmer, gibier suspendu près d'un fusil devant une draperie verte* 1788, h/t (101x82) : **FRF 570 000** – Londres, 31 oct. 1997 : *Des roses, une tulipe, une pivoine, des soucis, des roses trémières, des anémones, des myosotis et autres fleurs dans une urne sculptée avec un nid d'oiseau et des pêches sur un piédestal en marbre* 1785, h/métal (74,3x59,7) : **GBP 32 200.**

FREDRIKSEN Raymond
Né à Bécon-les Bruyères (Seine). XXe siècle. Français.
Peintre.
Il fut élève d'A. Laurens ; il expose au Salon des Artistes Français de Paris depuis 1933.

FREDRIKSEN Stinius. Voir **FREDERIKSEN Stinius**

FREDRIKSON Lars
Né en 1926 à Stockholm. XXe siècle. Depuis 1965 actif en France. Suédois.
Sculpteur. Cinétique.
À partir de 1940, il est élève de l'École des Beaux-Arts de Stockholm. Il a fait de nombreux voyages, en Afrique, Nouvelle-Zélande, aux États-Unis. Il a participé à de nombreuses expositions et Salons, à Stockholm, Copenhague, Milan, Paris notamment au Salon Comparaisons. Sa première exposition personnelle a eu lieu, en 1964, à Stockholm. Depuis 1970, il enseigne à l'École Internationale d'Art de Nice.
Il fut tout d'abord influencé par les expressionnistes et les constructivistes mais aussi par Malevitch et Mondrian. Il poursuit des recherches électroacoustiques et visuelles. Ses œuvres, généralement constituées d'un cadre de bois et d'un mécanisme à moteur dissimulé par une feuille de plastique blanche, offrent à l'œil une surface immaculée que ne vient insensiblement troubler que l'effleurement, par dessous la feuille de papier, de deux ou trois pointes légères, dont les déplacements sont tantôt lents puis soudain saccadés, mais toujours imprévisibles ; provoquant une contemplation fascinante, comme les lents spectacles de moins en moins souvent observés de la croissance des végétaux.
■ J. B.
Bibliogr. : In : *L'Art moderne à Marseille – La collection du Musée Cantini, Marseille*, Musée Cantini, Marseille, 1988.
Musées : Marseille (Mus. Cantini) : *Structures dynamiques* 1968.

FREDRIKSSON Carl Einar Figge
Né en 1887. Mort en 1951. XXe siècle.
Peintre de natures mortes, fleurs.
Ventes Publiques : Göteborg, 18 oct. 1988 : *Nature morte de fleurs* 1945, h/t (33x25) : **SEK 2 500** – Stockholm, 28 oct. 1991 : *Nature morte d'un bouquet d'automne dans un vase* 1938, h/t (54x45) : **SEK 3 500.**

FREDSBERG Olof
Né en 1728. Mort le 24 mai 1795 à Stockholm. XVIIIe siècle. Suédois.
Peintre.
On lui doit une série de portraits des rois de Suède de saint Eric à la reine Christine.

FREDSLUNG ANDERSEN Age
Né au Danemark. XXe siècle. Danois.
Peintre. Surréaliste.

FREDUREAU Paul
Mort en 1927. XIXe-XXe siècles. Français.
Peintre.
Il a exposé au Salon des Indépendants, à Paris.

FREE Karl
Né dans l'Iowa (États-Unis). XXe siècle. Américain.
Peintre.
Il travailla en Europe en 1928.

FREEBAIRN Alfred Robert
Né en 1794 à Londres. Mort le 21 août 1846 à Londres. XIXe siècle. Britannique.
Graveur.
Il était fils de Robert et copia un grand nombre de paysages de son père.

FREEBAIRN R. G.
XIXe siècle. Britannique.
Sculpteur.
Il travailla à Londres, où il exposa fréquemment à la Royal Academy de 1818 à 1825.

FREEBAIRN Robert
Né en 1765. Mort le 23 janvier 1808 à Londres. XVIIIe siècle. Britannique.
Peintre de paysages, graveur.
Il étudia pendant quelque temps avec Richard Wilson, qui mourut avant que l'éducation de son élève fut terminée. Puis il se rendit en Italie où il résida pendant dix ans. Il publia environ quarante gravures de scènes italiennes et anglaises.
Ventes Publiques : Londres, 6 nov. 1959 : *Vue du château de Powis, comté de Montgomery* : **GBP 630** – New York, 21 avr. 1961 : *Le château de Ludlow, Shropshire* : **USD 300** – Londres, 13 déc. 1972 : *Paysage au lac* : **GBP 450** – Londres, 16 juil. 1981 : *Paysages d'Italie, de Suisse et d'Angleterre*, suite de 26 aquar. : **GBP 6 200.**

FREEBORNE Zara Malcolm
Née vers 1861 à Allentown (Pennsylvanie). Morte le 31 mai 1906 à Boston. XIXe siècle. Américaine.
Peintre de portraits, sculpteur.
Élève de William Rimmer, à Boston. Débuta comme peintre de portraits. Un long séjour en Italie notamment à Florence, l'amena à s'adonner à la sculpture. Elle s'y créa une notable réputation.
Ventes Publiques : New York, 21 sep. 1981 : *Faune saisissant la note de la cascade*, bronze (H. 73,6) : **USD 1 200.**

FREEDE
D'origine prussienne. Mort en 1871. XIXe siècle. Allemand.
Peintre animalier.
Il fut cité par Siret. Il se noya accidentellement.

FREEDLANDER Arthur B.
Né à New York. XXe siècle. Actif à New York. Américain.
Peintre.
Élève de Chase à New York et de Cormon à Paris.

FREEDLEY Durr
Né à Indianapolis. XXe siècle. Américain.
Peintre de portraits.
Il figura au Salon d'Automne dès 1924.

FREEDMAN Barnett
Né en 1901. Mort en 1958. XXe siècle. Britannique.
Peintre de portraits, sujets militaires, paysages.
Il fut peintre officiel de guerre en France.

FREELON Allan
Né le 2 septembre 1895 à Philadelphie. XXe siècle. Américain.
Peintre.
Parallèlement à sa carrière de peintre, il enseigna. Il fut membre de nombreuses sociétés artistiques.

FREEMAN Augusta
XIXe siècle. Active à Rome vers 1845. Britannique.
Sculpteur.
Elle était la femme de James Edward.

FREEMAN Edith Demogene
Née le 16 juin 1876 à Chicago. XXe siècle. Américaine.

Peintre.
Elle fut élève de Lorado Taft. Parallèlement à sa carrière de peintre, elle enseigna.

FREEMAN Florence
Née en 1836 à Boston. Morte vers 1876 à Rome. XIXe siècle. Américaine.
Sculpteur.
Elle était la nièce de James Edward et fut élève de Greenough et d'Hiram Power.

FREEMAN G.
XIXe siècle. Actif à Bath. Britannique.
Peintre de portraits.
Exposa à la Royal Academy de Londres, de 1828 à 1830.

FREEMAN Georges
Mort en février 1906 à Birmingham (États-Unis), tué mystérieusement d'un coup de feu. XIXe siècle. Vivant à Boston. Américain.
Peintre de miniatures.

FREEMAN James Edward
Né en 1808 à Grand Passage (Nouvelle-Écosse). Mort le 22 novembre 1884 à Rome. XIXe siècle. Américain.
Peintre.
Étudia à l'Académie de New York. Se fixa ensuite à Rome où il peignit des sujets de genre représentant pour la plupart des scènes italiennes.

FREEMAN Jane
Née le 11 février 1883. XXe siècle. Américaine.
Peintre, aquarelliste.
Elle fit des études artistiques très complètes. Elle fut membre de l'association des Femmes Peintres, où elle remporta en 1928, le prix d'aquarelle.

FREEMAN John
XVIIIe siècle. Actif à Londres. Britannique.
Peintre d'histoire.
Le Louvre possède cinq tableaux qu'on lui attribue. Il fut peintre de scène du théâtre de Covent Garden.

FREEMAN Lou Blackstone
Né en Amérique. Mort le 2 novembre 1906 à Paris. XIXe siècle. Américain.
Peintre.
Cet artiste vint s'établir à Paris et exposa fréquemment au Salon.

FREEMAN Mary Winifride
XIXe-XXe siècles. Britannique.
Peintre, aquarelliste.
Elle travailla, à Londres, où elle exposa, à la Royal Academy, des aquarelles de 1895 à 1912.

FREEMAN Samuel
Né en 1773. Mort le 27 février 1857. XVIIIe-XIXe siècles. Actif à Londres. Britannique.
Graveur.
Parmi ses œuvres figurent : *Une Sainte Famille*, d'après Correggio, *Une Madone*, d'après Raphaël, *Saint Ambroise refusant l'entrée de l'église à Théodore*, d'après Van Dyck.

FREEMAN T.
XVIIIe siècle. Actif à Londres à la fin du XVIIIe siècle. Britannique.
Peintre.
Il exposa à la Royal Academy des peintures inspirées par le *Paradis Perdu* de Milton.

FREEMAN William Henry
Né au XIXe siècle à Paris. XIXe siècle. Français.
Peintre de portraits.
Figura au Salon de Paris de 1839 à 1875 avec des portraits d'anonymes et en 1848 par une : *Vue générale du Parthénon* prise du nord-est.

FREER Cora F.
Née à Chicago. XIXe-XXe siècles. Vivant à New York. Américaine.
Peintre.
Fit ses études à Paris avec Courtois, Neerson et Colin.

FREER Frederick Warren
Né le 16 juin 1849 à Chicago. Mort le 7 mars 1908 à Chicago. XIXe siècle. Américain.
Peintre de genre, figures, fleurs, graveur.
Commença ses études dans sa ville natale, puis fut élève de l'Académie de Munich. De retour en Amérique en 1880, il s'établit à New York et y prit une part active au mouvement artistique. En 1890, il revint à Chicago et fut professeur à l'Art Institut de cette ville. Obtint de nombreuses médailles aux principales expositions américaines.
Ventes Publiques : New York, 31 janv.-2 fév. 1898 : *Le Matin* : **USD 350** – New York, 11 et 12 avr. 1907 : *Le modèle* : **USD 45** – New York, 23 et 24 nov. 1945 : *Fleurs printanières* : **USD 120** – New York, 26 et 27 fév. 1947 : *Bouquet* : **USD 260** – San Francisco, 28 fév. 1985 : *Jeune femme dans l'atelier de l'artiste*, h/t (110,5x66) : **USD 2 500** – New York, 10 mars 1993 : *La vieille lettre*, h/t (61,6x48,9) : **USD 5 175**.

FREER Harry
Britannique.
Peintre de genre.
Le Musée de Warrington conserve de lui : *Un examen privé*.

FREER John, Mrs. Voir **EDWARDS Mary Ellen**

FREESE Albertus I
Mort le 18 mars 1756 à La Haye. XVIIIe siècle. Hollandais.
Peintre d'histoire.
Il fut le père et le maître d'Albertus II.

FREESE Albertus II
Baptisé au temple luthérien en 1714 à La Haye. Mort avant 1788 à La Haye. XVIIIe siècle. Hollandais.
Peintre.
Membre de la « Pictura » en 1753, élève de son père Albertus Frese, d'Henrick Carré et de Theodorus Justinus. Le Musée communal de La Haye conserve de lui le portrait d'*Henri Nelse*. Il subsiste quelques œuvres de cet artiste. Un de ses portraits fut gravé par Coster.

FREESE Albertus III
XVIIIe siècle. Actif à La Haye en 1759. Hollandais.
Dessinateur.
Il était fils d'Albertus II et faisait alors ses études.

FREESE Anton Günter
XVIIe siècle. Actif à Broel en 1686. Allemand.
Sculpteur.
Il travailla pour les églises d'Ulderup et de Satrup.

FREESE Ernst
Né le 24 janvier 1865 à Nauen. XIXe siècle. Allemand.
Sculpteur.
Fit ses études à l'Académie de Berlin entre 1885-1894 sous Alb. Wolff, Fr. Schapper et E. Herter. Entre 1895-1896 il voyagea en Italie. Travaille à Berlin. Mention honorable à l'Exposition Universelle de 1900 à Paris.
Musées : Berlin : *Filles au bain – Buste du conseiller prof. Dr Hinzpeter*.

FREESE Hans
XVIIe-XVIIIe siècles. Actif à Lübeck. Allemand.
Sculpteur.
On lui doit en particulier des ouvrages pour l'église Sainte-Marie de Lübeck et des bustes pour la cathédrale de Schleswig.

FREESE Heinrich
Né à Dollrott. Mort le 8 mai 1837 à Hambourg. XIXe siècle. Allemand.
Peintre de paysages et de miniatures.
Le Musée de Kiel possède plusieurs miniatures de cet artiste.

FREESE J.
XVIIIe siècle. Actif à la fin du XVIIIe siècle. Britannique.
Portraitiste et miniaturiste.
Il exposa à la Royal Academy de Londres de 1794 à 1814.

FREESE Jakob
Né à Stralsund. XVIIIe siècle. Allemand.
Sculpteur sur bois.
Il travailla pour différentes églises à Greifswald.

FREESE Johann Carl
Mort le 14 novembre 1766 à Neukirchen. XVIIIe siècle. Allemand.
Peintre.
Il repeignit un retable Renaissance de l'église de Neukirchen.

FREESE Johann Georg von ou **Freezen**
Né le 15 mars 1701 à Palts (près de Heidelberg). Mort en 1775 à Kassel. XVIIIe siècle. Allemand.

Portraitiste.
Élève de Jan Van Nikkelen, puis de Philippe van Dyck. Protégé par le duc de Hesse il fut nommé peintre d'histoire et portraitiste à la cour de Kassel.

FREESE Johann Oscar Hermann
Né le 14 mai 1819 en Poméranie. Mort le 25 juillet 1871 à Hasenfelds. XIXe siècle. Allemand.
Peintre animalier, de scènes de chasse.
Ce ne fut qu'à l'âge de trente-quatre ans qu'il commença à s'adonner à l'art. Élève de Brucke, puis de Steffeck à Berlin. La Galerie Nationale de Berlin conserve de lui trois tableaux.

FREESE Theophilus Wilhelm
Mort en 1763 à Brême. XVIIIe siècle. Allemand.
Sculpteur.
Les Musées de Berlin, de Brême et de Brunschwick possèdent des œuvres de cet artiste qui travailla entre autres pour l'Hôtel de Ville de Brême.

FREESTONE Anthony
XXe siècle. Actif aussi en France. Britannique.
Peintre. Conceptuel.
Il est fils d'un père anglais et d'une mère française. Il a montré ses œuvres dans une exposition personnelle, en 1994, au musée des Beaux-Arts du Havre. « Mes tableaux s'apparentent au jeu de dominos quand des pions, dispersés en début de partie, se retrouvent petit à petit liés les uns aux autres au fil des combinaisons. » (Freestone). Il mêle les références historiques, quotidiennes ou privées, ne créant aucune des images utilisées, mais reproduisant avec le soin d'un copiste, dans un même polyptyque, miniatures médiévales, tableaux classiques, illustrations naïves, tartans écossais, logos publicitaires, photographies jaunies, cartes géographiques, tous documents mis en corrélation dans la mesure où ils peuvent jouer le rôle de pions jalonnant son histoire personnelle.
Bibliogr. : Françoise Cohen, Anthony Freestone : Catalogue de l'exposition *Anthony Freestone*, Mus. des Beaux-Arts André Malraux, Le Havre, 1994.

FREETH H. Andrew
Né le 29 décembre 1912. XXe siècle. Britannique.
Peintre de portraits, graveur.
Il a travaillé à la British School de Rome. Il figura à de nombreuses expositions du British Council à l'étranger.

FREEZOR George Augustus
XIXe siècle. Britannique.
Peintre de genre, figures.
Exposa à la Royal Academy de Londres entre 1861 et 1879.
Ventes Publiques : Londres, 22 mars 1946 : *Disant les Grâces* : **GBP 39** – Glasgow, 28 août 1985 : *Enfants jouant dans un intérieur* 1871, h/t (38x53) : **GBP 3 200** – Londres, 27 sep. 1989 : *Les bonnes amies* 1886, h/t (53x41) : **GBP 4 180** – Londres, 7 oct. 1992 : *Réunion familiale*, h/t (35x53,5) : **GBP 1 320.**

FREGERE Claude
Né en 1921. XXe siècle. Français.
Peintre de figures, natures mortes.
Il expose régulièrement à Paris, au Salon d'Automne.
Ventes Publiques : Saint-Dié, 10 fév. 1990 : *La violoncelliste*, h/t (73x60) : **FRF 5 600** – Neuilly, 3 fév. 1991 : *Guitare et trompette*, h/t (73x54) : **FRF 6 000.**

FRÉGEVIZE Edouard
Né en 1804 à Berlin. Mort vers 1860 à Londres. XIXe siècle. Suisse.
Peintre et lithographe.
Cet artiste qui était le fils de Frédéric vécut surtout à Genève. Il exposa dès 1826 un tableau d'histoire à Berlin. On lui doit surtout des portraits et des paysages.

FRÉGEVIZE Frédéric
Né en 1770 à Genève. Mort le 9 octobre 1849 à Genève. XVIIIe-XIXe siècles. Actif en Allemagne. Suisse.
Peintre de paysages animés, paysages, peintre sur émail.
Issu d'une famille de huguenots français fixés à Berlin, il y travailla de longues années. Il vint s'installer définitivement à Genève en 1829. Il fut nommé membre de l'Académie de Berlin, en 1820.
Il peignit de nombreux paysages idylliques, de la montagne, des lacs de son pays, de la vallée du Rhône, dont les détails rappellent la technique de précision de la peinture sur émail, activité qu'il exerça au début de sa carrière.
Bibliogr. : Gérald Schurr, in : *Les Petits Maîtres de la peinture 1820-1920, valeur de demain*, Les Éditions de l'Amateur, t. V, Paris, 1981.
Musées : Berlin (Gal. Nat.) : *Le lac de Genève – La vallée du Rhône.*
Ventes Publiques : Berlin, 7 juil. 1971 : *Paysage suisse* : **DEM 4 000** – Berne, 21 oct. 1977 : *Fête champêtre*, h/t (43x58) : **CHF 4 000** – Zurich, 27 mai 1982 : *Die Schiffbrüchigen* 1807, h/t (77x93) : **CHF 6 000** – Berne, 26 oct. 1984 : *La fête des vignerons*, h/t (82x102) : **CHF 7 000** – New York, 13 fév. 1985 : *La rivière Aare, près de Thoune* 1830, h/t (71x94,5) : **USD 14 000.**

FREGIER
XXe siècle. Français.
Peintre de natures mortes.
Ventes Publiques : Marseille, 5-6 déc. 1946 : *Les citrons* : **FRF 9 950.**

FRÉGONNIÈRE Jacques de la, dit **Frégo**. Voir **LA FRÉGONNIÈRE**

FRÉHAUT Jean
XIXe-XXe siècles. Français.
Peintre de marines.
Ventes Publiques : Paris, 23 mai 1923 : *Le Port* : **FRF 1 150.**

FREHEH M.
Né en 1565. Mort en 1614. XVIe-XVIIe siècles. Actif à Augsbourg. Allemand.
Peintre.
Il fut également historien.

FREI. Voir au prénom

FREI Emil
Né le 20 septembre 1882 à Andelfingen. XXe siècle. Suisse.
Peintre.
Il exposa régulièrement à Zurich, surtout des portraits.

FREI Hans
XVIIe siècle. Travaillant à Aarau vers 1606. Suisse.
Peintre verrier.

FREI Hans
Né le 30 avril 1868 à Bâle. XIXe siècle. Suisse.
Sculpteur et ciseleur.
Il est élève de l'École des arts industriels sous Jos. Hollubetz à Bâle, étudia à Vienne, Berlin, Cologne, Genève, et Paris. Médaille de bronze à l'Exposition Universelle de 1900 à Paris.

FREI Hans Friedrich
Né à Mellingen. XVIe siècle. Vivant à Bâle à partir de 1504. Suisse.
Peintre verrier.
Auteur d'un vitrail avec ses armoiries dont il fit don à sa ville natale.

FREI Konrad
XVIIe siècle. Vivant à Winterthur vers 1654. Suisse.
Sculpteur sur pierre.
En 1654, Frei exécuta une statue en pierre pour une fontaine de Winterthur.

FREI Urs
XXe siècle. Suisse.
Sculpteur, créateur d'assemblages.
Il a montré ses œuvres dans une exposition personnelle en 1994 à la Kunsthalle de Zurich.
À partir d'objets de récupération comme des bouteilles en plastique vides, il réalise des sculptures vivement colorées.

FREIBACH Carl. Voir **FABRICE Ilka Freiin von**

FREIBURG, von. Voir au prénom

FREIBURG Georg
Né vers 1557 à Schweidnitz. Mort le 3 septembre 1619. XVIe-XVIIe siècles. Allemand.
Peintre.
Il travailla surtout à Breslau, entre autres pour les églises Sainte-Marie-Madeleine et Saint-Martin.

FREIDA Raphaël
Né le 26 mai 1877 à Digne (Basses-Alpes). XXe siècle. Français.
Peintre de cartons de vitraux, illustrateur.
Il fut membre de la Société des Artistes Français, à Paris. Il a illustré d'eaux-fortes originales de nombreux ouvrages : *Les*

Poèmes barbares de Leconte de Lisle, *Thaïs* d'Anatole France, *Hérodias* de Flaubert, ainsi que *Le jardin des supplices* d'Octave Mirbeau. Il obtint une médaille d'argent en 1923, et d'or en 1928.

FREIDHOFF Johann Joseph
Né en 1768 à Heggen. Mort en 1818 à Berlin. XVIIIe-XIXe siècles. Allemand.
Graveur au burin.
A gravé principalement des sujets mythologiques et religieux. Il fut élève de J.-G. Huck et travailla en Hollande, en France et en Allemagne. En 1783 il était membre de la Gilde de Haarlem. On cite ses reproductions d'après Poussin ou Ruisdael et son *Portrait du prince Léopold de Dessau*, d'après Pesne.

FREIDING Jorg
XVIe siècle. Actif à Rattenberg en 1505. Allemand.
Peintre.

FREIESLEBEN Ernst
Mort en 1883 à Weimar. XIXe siècle. Allemand.
Peintre de genre.
Il a exposé à partir de 1869 à Dresde, Berlin, Munich et Hanovre.
Ventes Publiques : Londres, 26 nov. 1986 : *Un message d'amour*, h/t (58,5x44) : **GBP 1 500**.

FREIHARDT Wolf Christian
XVIIIe siècle. Actif en 1717 à Weiler Dettenroden. Allemand.
Peintre.
Il travailla pour l'église Saint-Sébastien de cette ville.

FREIHEIT Ludwig
Né le 4 février 1876 à Vienne. XXe siècle. Autrichien.
Peintre de portraits.
Il fut élève à l'Académie des Beaux-Arts de Vienne. On connaît ses portraits de la *Princesse Anna* et du *Prince héritier François Ferdinand d'Este*.

FREIHOFF. Voir **FREYHOFF**

FREILE de Guevara Pedro
Né vers 1582 à Guadix près de Grenade. XVIIe siècle. Espagnol.
Sculpteur.
Il travailla pour la cathédrale de Cordoue.

FREILES Antonio
XXe siècle. Italien.
Peintre. Abstrait.
Il est professeur à l'école des beaux-arts de Catane. Il participe à de nombreuses expositions collectives et salons internationaux. Il présente également ses œuvres dans des expositions personnelles.
Depuis les années quatre-vingt, il poursuit ses *Chartae*, selon d'anciennes techniques artisanales, préparant lui-même le papier. Il utilise ses propres couleurs végétales, souvent des couleurs primaires, pour teindre le papier mais aussi pour faire naître des images abstraites, éphémères, dans lesquelles chacun peut découvrir un paysage, une forme familière, un univers fantastique.
Bibliogr. : Rafael Pic : *Antonio Freiles*, Art Press, n° 173, Paris, oct. 1992.

FREILICHER Jane
Née en 1924 à Brooklyn. XXe siècle. Américaine.
Peintre de paysages.
Elle fut élève du Brooklyn College et de l'université de Columbia, où elle reçut les conseils du peintre Hans Hofmann. Elle participe à de nombreuses expositions collectives, notamment aux Whitney Annuals de New York et au Carnegie International de Pittsburgh. Depuis 1952, elle montre également ses œuvres dans de nombreuses expositions individuelles, à New York. Elle a exposé, en 1987, au Musée d'Art Marion Koogler McNay de San Antonio.
Bibliogr. : In : *Peintres contemporains*, Mazenod, Paris, 1964.
Musées : New York (Brooklyn Mus.) – Providence (Rhode Island Mus.).
Ventes Publiques : New York, 27 fév. 1992 : *L'horizon bleuissant* 1984, h/t (203,2x177,8) : **USD 15 400** – New York, 10 oct. 1996 : *Nature morte avec fleurs, tasse à thé et cuillère sur une table* 1954, past./pap. (59,7x47,3) : **USD 1 495**.

FREIMAN Lillian
Née à Guelph (Canada). XXe siècle. Canadienne.
Peintre.
Elle a figuré au Salon d'Automne, à Paris, en 1929 et 1930.

FREINDT Anton
Né en 1664 à Olmutz (Moravie). Mort le 9 janvier 1727. XVIIe-XVIIIe siècles. Autrichien.
Graveur.
Il illustra surtout des sujets de piété pour les Jésuites.

FREINDT Johann, l'Ancien
XVIIIe siècle. Actif à Olmütz. Autrichien.
Peintre sculpteur et graveur.
On cite de lui un *Saint Thomas d'Aquin*.

FREINDT Johann, le Jeune
Né en 1752 à Olmutz (Moravie). XVIIIe siècle. Autrichien.
Graveur et peintre.
Il s'établit à Vienne.

FREINDT Johann Anton
Mort vers 1778. XVIIIe siècle. Actif à Olmütz. Autrichien.
Graveur.

FREINDT Joseph
XVIIIe siècle. Actif à Olmütz. Autrichien.
Graveur.
Il était sans doute fils de Johann Anton.

FREIRE Ignacio Tiburcio
Né en 1699 à Noya. XVIIIe siècle. Espagnol.
Peintre.
En 1732 il travaillait à Saint-Jacques de Compostelle.

FREIRE Luciano
Né en 1864 à Lisbonne. Mort en janvier 1935. XIXe-XXe siècles. Portugais.
Peintre d'histoire, portraits, figures, paysages.
De 1878 à 1886, il fut élève à l'académie des beaux-arts de Lisbonne. En 1888, il est présenté à l'Exposition universelle de Lisbonne. À cette occasion, la ville lui achète deux toiles, dont le portrait de *Don Sebastiàn*. Il fut nommé, en 1896, professeur de l'école supérieure des beaux-arts de Lisbonne, où il se consacra à partir de 1933 à la restauration d'œuvres du XVe siècle. Il fut titulaire de la chaire de dessin d'après modèle vivant à l'académie des beaux-arts. En 1911, il fut nommé conservateur du musée des voitures anciennes de Lisbonne, qu'il réorganisa. Dès 1884, il a participé à de nombreux salons et a reçu de nombreux prix et distinctions, dont la légion d'honneur de France.
Outre ses tableaux d'histoire, il a peint de nombreux paysages, sujet auquel il s'est particulièrement intéressé au cours de son voyage en France et Angleterre. À la fin des années quatre-vingt-dix, on ressent, dans sa peinture, l'influence des courants symbolistes et modernes.
Bibliogr. : In : *Cien anos de pintura en Espana y Portugal, 1830-1930*, Antiqvaria, tome II, Madrid, 1988.

FREISINGER Lienhart
XVe siècle. Actif à Bozen en 1499. Allemand.
Peintre.

FREIST Greta
Née le 21 juillet 1904 à Vienne. XXe siècle. Depuis 1937 active en France. Autrichienne.
Peintre. Abstrait.
Elle a étudié à l'école supérieure des beaux-arts de Vienne, puis, dès son arrivée à Paris, elle participe au Salon des Artistes Indépendants à partir de 1938. De 1953 à 1956, elle expose au Salon des Réalités Nouvelles, à Paris. Elle a également appartenu au mouvement *Der Kreis*.
Ses premières œuvres, à tendance surréaliste parfois, sont figuratives. Mais, dès 1949, elle se tourne vers l'abstraction avec de grandes compositions aux tonalités assourdies.
Ventes Publiques : Boulogne-sur-Seine, 27 nov. 1994 : *Portrait de Madame Worms*, h/t (100x81) : **FRF 9 000**.

FREITAG Andreas
Mort en 1771. XVIIIe siècle. Actif à Zurich. Suisse.
Peintre.
Mentionné en 1716 comme membre de la confrérie du *Meise*.

FREITAG Benjamin
Mort en 1748 à Breslau. XVIIIe siècle. Allemand.
Peintre.
Il exécuta en 1731 une *Crucifixion*.

FREITAG Johann Conrad. Voir **FREYTAG Johann Konrad**

FREITAG Johann Jakob
Né à Rheinfelden. Mort en 1730 à Vienne. XVIIIe siècle. Autrichien.

Peintre.
Il fut le père d'Anton et de Mathias.

FREITAG Mathias
XVIIIe siècle. Actif à Vienne en 1738. Autrichien.
Peintre.
Il était fils de Johann Jakob.

FREITAG Rudolf
Né le 5 février 1805 à Breslau. Mort en mai 1890 à Dantzig. XIXe siècle. Allemand.
Sculpteur.
Il fut à Vienne élève de Schaller et Kasamann. Collaborateur de Thorwaldsen, il vécut longtemps à Rome. On cite ses bustes du *Prince Albert de Prusse*, de *Frédéric-Guillaume IV*, et du *roi Guillaume*.

FREITAG-LORINGHOVEN Mathilde von
Née le 30 octobre 1860. XIXe siècle. Allemande.
Paysagiste.
Le Musée de Weimar conserve d'elle : *Forêt de Sivland*. Peut-être identique avec M. Freytag (voir ce nom).

FREITAS Ignacio José de
Mort en 1817 à Lisbonne. XIXe siècle. Portugais.
Graveur.
Il fut élève de Carneiro da Silva.

FREIWIRTH-LUTZOW Oskar
Né le 12 mai 1862 à Moscou. XIXe siècle. Russe.
Peintre de genre.
Freiwirth étudia d'abord à Genève et à Düsseldorf, puis se perfectionna à Paris avec Tony Robert-Fleury et Bouguereau et à Munich chez Toby Edward Rosenthal. Membre de l'Association artistique de Munich et de Saint-Pétersbourg.

FREIXANES José
Né en 1953 à Pontevedras (Galicie). XXe siècle. Espagnol.
Peintre, technique mixte.
Il vit et travaille à Madrid, où il a exposé à la galerie Juana Mordo, ainsi qu'à Vigo et, à Paris, à la galerie Pierre Birtschansky.
Influencé à ses débuts par l'expressionnisme, J. Freixanes bien vite s'en dégage pour créer un univers, aux références multiples, qui lui est propre, cherchant à capter les choses de ce monde en établissant des relations fortuites. À partir de là, il met en scène des objets et les liens affectifs qu'il tisse avec eux, recherchant un équilibre avec les fonds, mais aussi des figures fusionnant avec le paysage. Passionné par l'ethnologie et l'anthropologie, il emprunte aux arts préhistoriques, une iconographie de signes et de totems, qu'il s'agit de décrypter. Il puise également son inspiration aux cartes anciennes, afin de donner, comme les cartographes d'autrefois, sa vision du monde, et, comme eux, d'en combler les lacunes, les zones inexplorées. Travaillant par séries, *Les Chasseurs – Les Nègres – Les Cartes – La Dame du château* (série où il fait référence à la guerre du Golfe de 1991), il explore l'inconnu, devenant tout à fait primitif, pour entrer en possession des images et construire un macrocosme. Sur des fonds dilués ou voués à disparaître par l'utilisation de matériaux instables, comme la craie ou le talc, il aborde la question du mystère, mais aussi celle du temps, l'œuvre n'étant plus conçue pour durer, mais vouer à se faire souvenir. ■ L. L.
Bibliogr. : Anton Castro : *José Freixanes*, interview, Artension, n° 30, Rouen, 1991-1992.
Ventes Publiques : Paris, 17 déc. 1989 : *Sacrolusitania* 1988, h/t (200x140) : **FRF 28 000** – Paris, 8 avr. 1990 : *Mareante* 1989, h/t (200x200) : **FRF 32 000** – Paris, 26 oct. 1990 : *Faro mareante*, h/t (140x140) : **FRF 15 000**.

FRÉLAUT Jean
Né le 17 juillet 1879 à Grenoble (Isère). Mort en décembre 1954 à Vannes (Morbihan). XXe siècle. Français.
Peintre de marines, paysages, graveur, illustrateur.
Il fut élève de l'atelier Cormon. Il exposa aux principaux Salons parisiens.
Il est surtout connu comme illustrateur : *Les Fables* de La Fontaine, *Monsieur des Lourdines* de Chateaubriand, *Le Grand Meaulnes* d'Alain-Fournier, *Le Roman de Renart*. Artiste délicat au métier sûr et précis, il évoqua à la perfection la vie profonde et mélancolique de la campagne du Morbihan, qu'il connaissait bien : villages, fermes, landes, processions, navires.

J Frelaut 1924

Bibliogr. : Jean Delteil : *Jean Frélaut*, Le peintre-graveur illustré, tome XXXI, Paris, 1926.
Ventes Publiques : Paris, 23 mai 1923 : *Le port* : **FRF 1 150** – Paris, 4 mars 1977 : *La Grenouillère* 1937, eau-forte : **FRF 4 000** – Paris, 6 déc. 1978 : *Noces de campagne* 1936, eau-forte et pointe-sèche : **FRF 6 800** – Londres, 27 fév. 1980 : *La cabine des douaniers* 1920, h/t (54x73,5) : **GBP 230** – Paris, 24 oct. 1984 : *La grenouillère* 1937, eau-forte et pointe sèche : **FRF 6 000** – Paris, 11 fév. 1987 : *Souvenir de Berehis* 1929, h/pan. (33x40) : **FRF 6 800**.

FRÉLAUT Monique
Née à Nice (Alpes-Maritimes). XXe siècle. Française.
Peintre, graveur.
Elle obtint, en 1938, au Salon des Artistes Français, à Paris, une bourse de voyage.

FRELENS Gui de
XVe siècle. Allemand.
Peintre.
Cité par Siret. Il était au service du duc de Bourgogne en 1419-1420.

FRELET Ferjeux
XVIIIe siècle. Actif à Pontarlier. Français.
Sculpteur sur bois.
En 1749 il travaillait pour l'église de La Cluse.

FRELEZEAU Jean
Né à Dijon (Côte-d'Or). XXe siècle. Français.
Peintre de compositions animées, paysages.
Il a exposé, à Paris, aux Salons d'Automne et des Artistes Indépendants, à partir de 1928.
Ventes Publiques : Paris, 15 jan. 1943 : *Fillette à la marguerite* : **FRF 1 000** – Paris, 7 avr. 1943 : *Saint-Cyr-sur-Morin* : **FRF 2 000**.

FRELIN Pierre
XVIIe siècle. Actif à Paris en 1615. Français.
Peintre et sculpteur.

FRELINGHUYSEN Suzy
Née en 1912 dans le New Jersey. XXe siècle. Américaine.
Peintre. Abstrait.
Elle se forma seule à la peinture et fut d'abord réaliste, ne peignant que durant les loisirs que lui laissait sa carrière de chanteuse d'opéra. Elle vécut à New York et eut pour mari le peintre L.K. Morris. Vers 1936, elle évolua vers l'abstraction et exposa avec les *American Abstract Artists*. Elle a participé à de nombreuses expositions collectives, aux États-Unis, à Rome, à Amsterdam, ainsi qu'à Paris, notamment aux Salons des Réalités Nouvelles, en 1949 et 1950.
Bibliogr. : Michel Seuphor in : *Diction. de la peinture abstraite*, Hazan, Paris, 1957.
Ventes Publiques : New York, 20 mars 1987 : *Variations de pourpre abstraites* 1942, h/cart. (41x31) : **USD 4 500**.

FRELON Joseph
XIXe siècle. Français.
Lithographe.
Exposa au Salon de Paris en 1850.

FREMANTLE Christopher
Né le 17 décembre 1906. XXe siècle. Actif en France, actif aussi et naturalisé aux États-Unis. Britannique.
Peintre.

FREMD Adolf
Né le 18 mai 1853 à Vaihingen. XIXe siècle. Allemand.
Sculpteur.
Il travailla surtout à Stuttgart dont l'Hôtel de Ville possède son *Uhland*.

FREMERS Folkhard
Mort le 3 septembre 1638. XVIIe siècle. Actif à Jever. Allemand.
Sculpteur sur bois.
Il travailla entre autres pour l'Hôtel de Ville de Jever.

FRÉMERY Martin
XVIIe siècle. Français.
Sculpteur sur bois.
Il travailla à la décoration des appartements du Dauphin aux Tuileries, de 1666 à 1678, et au château de Clagny, en 1678. Le Musée de Versailles conserve de lui des copies de statues antiques.

FRÉMIET C.
XIXe siècle. Actif à la fin du XIXe siècle. Français.

Graveur.
Le Musée de Dieppe conserve de lui une aquatinte datée de 1894.

FRÉMIET Emmanuel
Né le 6 décembre 1824 à Paris. Mort le 10 septembre 1910 à Paris. XIXe siècle. Français.
Sculpteur d'histoire, compositions mythologiques, scènes religieuses, sujets allégoriques, bustes, animaux, graveur, dessinateur.
Neveu de François Rude, il fut son élève. Apprenti lithographe, il débuta comme dessinateur naturaliste, à Paris, à la clinique de l'École de Médecine ; au Musée Orfila, où il réalisa les moulages des pièces anatomiques ; puis il travailla aux Études zoologiques et myologiques du Muséum d'histoire naturelle, avec le peintre Jacques Christophe Werner, exécutant pour lui des dessins d'ostéologie. Il fut nommé professeur de dessin au Muséum d'histoire naturelle, à la suite d'Antoine Barye, et membre de l'Institut de Paris, en 1892. Il fut promu chevalier de la Légion d'honneur, en 1860 ; officier, en 1878 ; commandeur, en 1896 ; grand officier, en 1900.
Il exposa, à Paris, au Salon, dès 1843, y obtenant de nombreuses récompenses : une médaille de troisième classe, en 1849, ainsi qu'à l'Exposition Universelle de 1855 ; une de deuxième classe, en 1851 et 1867, une médaille d'honneur, en 1887 ; un Grand Prix en 1900.
Emmanuel Frémiet fut surtout connu pour ses sculptures ; ses dessins étant généralement ignorés. Il réalisa, en plâtre ou en bronze, de nombreuses études d'animaux, des scènes inspirées par les travaux de Darwin, de la vie des premiers hominidés ou des animaux préhistoriques, dont : *Plésiosaurus* 1852, *Orang-Outang et Sauvage malais* 1895. Son *Gorille femelle emportant une négresse*, fut, par le caractère irrévérencieux de cette juxtaposition, un échec ; « mettre sur le même plan l'homme et l'animal constituait pourtant une démarche parallèle à celle du positivisme scientifique qui s'épanouit à l'époque ». Emmanuel Frémiet reçut diverses commandes : une collection de statuettes des différentes armes de l'armée française, par Napoléon III, d'entre lesquelles : *Voltigeur – Gendarme à cheval – Brigadier des guides – Cent-garde – Artilleur de la Garde – Zouave de la Garde – Sapeur – Cheval de troupe*. Parmi ses commandes, il convient de citer encore : *Napoléon Ier*, modèle de la statue érigée à Grenoble ; *Louis d'Orléans, frère de Charles VI*, pour le château de Pierrefonds ; *Saint Michel*, pour la flèche du Mont-Saint-Michel ; le *Monument de Ferdinand de Lesseps*, à Suez ; et pour Paris : *Dénicheurs d'oursons*, pour le Jardin des plantes ; *La Renommée des arts – La Renommée des sciences*, groupes composés de Pégases cabrés tenus par des Renommées, couronnant les pylônes du pont Alexandre III ; *Chevaux marins*, pour la fontaine de l'Observatoire ; *Jeanne d'Arc*, statue équestre érigée place des Pyramides, 1880 ; *Porte-falot à cheval*, pour l'Hôtel de Ville. Pratiquant à fond les mêmes méthodes qu'un « bon élève » de l'école des Beaux-Arts, « il mesurait les percherons quand d'autres étudiaient les proportions du cheval de Constantin ». Si les chevaux de ses statues équestres sont sculptés dans le détail de leur pelage, et s'ils ont de l'élan, les personnages, accompagnés de tous les harnachements de la culture, y restent traités de manière académique. Ses œuvres révèlent son sens acéré de l'observation, qui est le reflet de ses études scientifiques ; elles lui apprirent la vérité des corps, de l'intérieur. Il dresse en volume des nomenclatures de faits qui permettent de donner en quelque sorte l'espèce, le type d'un chevalier du Moyen Âge, d'un saint ou d'un grand primate. Emmanuel Frémiet hait le mouvement qui dérange les démonstrations, son style est calme, simple, même si l'exactitude et la précision lui valurent, parfois, le reproche de la froideur. ■ Sandrine Vézinat

Bibliogr. : Gérald Schurr, in : *Les Petits Maîtres de la peinture 1820-1920, valeur de demain*, Les Éditions de l'Amateur, t. V, Paris, 1981 – Catherine Chevillot, in : *Emmanuel Frémiet. La main et le multiple*, Musée des Beaux Arts, Dijon, 1989 – in : *Diction. de la Sculpture*, Larousse, Paris, 1992.

Musées : Bayonne : *Louis d'Orléans – Centaure terrassant un ours* – Bucarest : *Saint Michel – Chanteur espagnol – Saint Georges* – Dijon (Mus. des Beaux-Arts) : *Soldats – Gorille enlevant une négresse* – Gray : *Singe à l'escargot* – Hambourg : *Chien blessé – Saint Georges* – Limoges : *Cléopâtre* – Melbourne : *Gorille enlevant une femme – Jeanne d'Arc – Saint Georges et le dragon* – Montpellier (Mus. Fabre) : *Saint Georges terrassant le dragon* – Moulins : *Le grand Condé* – Nantes (Mus. des Beaux-Arts) : *Chevaux attelés pour le halage – Gorille enlevant une femme* – Niort : *Chien au repos – Chatte allaitant ses petits* – Paris (Mus. d'Orsay) : *Chien blessé – Pan et Oursons* – Paris (Mus. des Arts décoratifs) : *Étienne Marcel* – Paris (Muséum d'hist. naturelle) : *Plésiosaurus – Orang-Outang et sauvage malais* – Le Puy-en-Velay : *Saint Michel terrassant le dragon* – Rennes (Mus. des Beaux-Arts) : *Artilleur à cheval – Cuirassier à cheval – Carabinier à cheval* – Saint-Germain-en-Laye (Mus. des Antiquités Nationales) : *Chef gaulois* – Semur-en-Auxois : *Cheval au piquet – Zouave – Artilleur de la garde – Chat – Héron – Griffon*.

Ventes Publiques : Paris, 23 nov. 1894 : *Statue équestre de Jeanne d'Arc*, dess. : **FRF 155** – Paris, 27 mars 1931 : *Singe*, bronze : **FRF 230** – Paris, 4 déc. 1941 : *Chien de chasse*, mine de pb : **FRF 200** – Londres, 1er nov. 1972 : *Cheval de cirque*, bronze patiné : **GBP 560** – Londres, 21 avr. 1976 : *Deux chevaux de course montés*, bronze patine vert-brun (H. 45,5) : **GBP 3 000** – Paris, 14 juin 1977 : *Saint Georges terrassant le dragon*, bronze doré (H. 60) : **FRF 4 000** – Nancy, 22 oct. 1978 : *L'Aurige*, bronze doré : **FRF 16 000** – Paris, 8 déc. 1980 : *Dromadaire*, bronze (H. 31) : **FRF 21 000** – Enghien-les-Bains, 10 oct. 1982 : *Les deux bassets*, bronze (H. 15) : **FRF 5 950** – Monte-Carlo, 6 mars 1984 : *Singes aux bulles de savon* 1899-1900, bronze doré orné de six boules de verre (H. du bronze 95, H. totale 172) : **FRF 150 000** – Londres, 7 nov. 1985 : *Deux jockeys à cheval* vers 1860, bronze patine brune (H. 47) : **GBP 12 500** – Paris, 20 déc. 1987 : *Le cavalier*, bronze argenté : **FRF 15 000** – Paris, 24 avr. 1988 : *Couple de chiens attachés*, bronze patine brune (H. 25) : **FRF 7 800** ; *Homme attaqué par un ours*, bronze cire perdue, patine brun-vert (H. 28,5) : **FRF 7 500** – New York, 9 juin 1988 : *Cheval d'un régiment de cavalerie*, bronze (H. 30,5) : **USD 2 750** – Troyes, 16 oct. 1988 : *Saint Michel terrassant le dragon*, bronze patine brune (H. 60) : **FRF 8 500** – Paris, 24 oct. 1988 : *François 1er à cheval*, bronze patine doré (H. 49) : **FRF 24 000** – New York, 24 mai 1989 : *Pur-sang et son jockey*, bronze (H. 45) : **USD 6 600** – Paris, 19 juin 1989 : *Guerrier berbère sur son cheval*, bronze repatiné or : **FRF 10 000** – Paris, 6 juil. 1989 : *Couple de basset artésien*, bronze (H. 16, L. 18) : **FRF 9 500** – New York, 1er mars 1990 : *Chef gaulois à cheval*, bronze patine brune (H. 41,2) : **USD 1 540** – New York, 24 oct. 1990 : *Course de char romain*, bronze patine verte, groupe équestre (H. 40) : **USD 3 080** – Paris, 26 jan. 1991 : *Chevaux de halage*, bronze (H. 24) : **FRF 19 000** – Mayenne, 16 juin 1991 : *Les chiens de meute*, bronze patine brune (H. 25) : **FRF 53 000** – Mayenne, 13 juil. 1991 : *Gorille enlevant une femme* 1877, bronze patine brune (H. 44) : **FRF 150 000** – New York, 27 mai 1992 : *Cheval et son jockey*, bronze (H. 45,1) : **USD 6 050** – Joigny, 28 mars 1993 : *Ours*, bronze (H. 65) : **FRF 98 000** – Lokeren, 4 déc. 1993 : *Jeanne d'Arc*, bronze (H. 74, l. 45) : **BEF 48 000** – Perth, 30 août 1994 : *Saint Michel et le dragon*, bronze (H. 57) : **GBP 1 725** – New York, 12 oct. 1994 : *Muse couronnant Pierre Corneille* 1879, bronze (H. 66) : **USD 23 000** – Rambouillet, 22 oct. 1995 : *Jeanne d'Arc*, bronze (H. 73) : **FRF 56 000** – Lokeren, 9 mars 1996 : *Le Conducteur de char romain*, bronze : **BEF 65 000** – Paris, 3 juil. 1996 : *Saint Michel*, bronze doré (H. 31,5) : **FRF 4 000** – Calais, 15 déc. 1996 : *Le Singe assis* vers 1890, bronze patine brune (H.18, l. 29) : **FRF 12 000**.

FRÉMIET Marie
Née à Paris. XIXe siècle. Française.
Peintre d'animaux.
Fille et élève d'Emmanuel Frémiet ; elle exposa des dessins au Salon de Paris en 1876 et 1877.

FRÉMIET Sophie. Voir **RUDE,** Mme

FRÉMIN René
Né le 1er octobre 1672 à Paris. Mort le 17 février 1744. XVIIe-XVIIIe siècles. Français.
Sculpteur.
Élève de Girardon et de Coysevox. Prix de Rome en 1694. Il entra à l'Académie en 1701, avec un bas-relief en marbre : *Le Temps découvrant la Vérité*. Il passa un certain temps en Espagne, où il dirigea l'Académie de Madrid. Nommé premier sculpteur de Philippe V, il fit les bustes du roi, de la reine, de leur fils Louis Ier et de son épouse. En France, il fit un bas-relief, dans la chapelle de Noailles, à Notre-Dame : *La Prudence* et *la Tempérance*. Les jardins de Versailles conservent de lui des copies de statues antiques.

Ventes Publiques : Argenteuil, 22 oct. 1991 : *Diane chasseresse* 1717, pierre recontituée (H. 182, L. 80) : **FRF 85 000**.

FREMIN de Revelle. Voir **REVELLE**

FRÉMINET. Voir **AILLET Jean**

FRÉMINET Louis
Né probablement à Paris. Mort vers 1651. XVIIe siècle. Français.

Peintre d'histoire.
Fils de Martin Fréminet. Suivant le *Supplément de Moreri*, c'était un assez bon peintre. Il dut bénéficier de la réputation de son père, car il jouissait d'une pension de 2 000 livres et avait le titre de gentilhomme suivant la cour. Sa mère étant devenue veuve de Martin Fréminet, épousa Ambroise Dubois, dont elle eut deux fils. L'un d'eux, Louis Dubois, obtint la survivance de la pension de son frère utérin. Les Fréminet et les Dubois paraissent avoir occupé une place marquante dans la domesticité royale.

FRÉMINET Martin ou **Fréminel**
Né le 29 septembre 1567 à Paris. Mort le 18 juin 1619 à Paris. XVIe-XVIIe siècles. Français.
Peintre et graveur à l'eau-forte.
Son père Médéric fut son premier maître. Il montra fort jeune des dispositions remarquables. Lorsqu'il partit pour l'Italie, vers 1592, il avait déjà produit plusieurs tableaux. A son arrivée à Rome, il trouva les peintres divisés en deux camps : les partisans de Michelangelo Merisi, dit le Caravage, et ceux du Cavaliere d'Arpino. Bien que Fréminet, par son esprit français, se sentît attiré par le puissant réalisme de Caravaggio, les circonstances le firent l'ami du Cavalier Josepin. Peut-être faut-il attribuer cette apparente contradiction au désir de réussir. Il convient de noter que le Caravage était assez mal vu par nombre d'employeurs, que son mépris de la tradition faisait refuser un chef-d'œuvre comme son tableau de *La Mort de la Vierge* par les religieux qui le lui avaient commandé. Fréminet demeura plusieurs années en Italie, étudia Michel-Ange et Parmegianino, travaillant surtout à Rome, et il revint en France, passant par Venise, la Lombardie, Turin, où le duc de Savoie lui fit peindre plusieurs compositions dans son palais. Fréminet fut fort bien accueilli à son retour en France et Henri IV, à la mort de Pierre du Moustier, en 1603, le nomma son premier peintre, l'autorisa à acheter une charge de valet de chambre du roi et le chargea de la décoration de la chapelle de la Sainte-Trinité à Fontainebleau. Ce travail, qui existe encore, commencé en 1608, fut achevé sous Louis XIII, en 1615, et valut à son auteur le cordon de chevalier de Saint-Michel. Il peignit plusieurs tableaux dans l'abbaye de Barbeaux, près de Fontainebleau, détruite en 1793, et où, suivant son désir, il fut enterré. Les ouvrages de Fréminet sont rares ; on en connaît un certain nombre par les gravures qu'en firent Philippe Thomassin et Crispin de Passe. Le Musée du Louvre conserve de lui quelques beaux dessins qui présentent des traces de maniérisme.

Musées : Orléans : *Saint Mathieu - Saint Marc - Saint Luc - Saint Jean - Saint Augustin - Saint Jérôme - Saint Grégoire - Saint Ambroise* - Paris (Louvre) : *Mercure ordonne à Énée d'abandonner Didon.*
Ventes Publiques : Paris, 1809 : *Vénus chassant un sanglier* : **FRF 51** ; *Judith* : **FRF 15** - Paris, 1859 : *Jésus-Christ présenté au temple*, dess. à la pl. lavé de bistre : **FRF 18** - Paris, 1894 : *Les Titans escaladant le ciel* : **FRF 22** - Paris, 19 juin 1925 : *L'Adoration des bergers* : **FRF 70** - Paris, 10 fév. 1943 : *Les Vendanges*, attr. : **FRF 35 500**.

FRÉMINET Médéric ou **Fréminel**
XVIe siècle. Actif à Paris à la fin du XVIe siècle. Français.
Peintre.
Père et professeur de Martin Fréminet. On le cite comme ayant surtout exécuté des modèles pour des tapisseries.

FRÉMINVILLE de
Français.
Aquarelliste.
Le Musée de Saint-Brieuc conserve de lui : *Pêcheuses* (aquarelle).

FRÉMIOT Joël
Né le 25 septembre 1947 à Paris. XXe siècle. Français.
Peintre. Abstrait, tendance minimaliste.
Il a étudié à l'école des beaux-arts de Bourges, où il vit et enseigne le dessin. Il a participé à de nombreuses expositions collectives, dont le Salon d'Art Sacré en 1966, le Salon Comparaisons en 1969, ainsi que diverses rencontres d'art d'avant-garde, à partir de 1970. En 1973, il a été invité à la Biennale de Paris. Sa première exposition personnelle a eu lieu en 1971, à Bourges.
Sa peinture se situe dans un renouveau de l'abstraction issu d'artistes américains, tels Newman, Reinhart ou Ryman. Comme eux, il considère la surface peinte comme surface à remplir et non comme lieu d'un langage. À partir d'éléments simples et répétitifs, mais où le passage de la main est sensible dans les modulations de la couleur, Frémiot fait « remonter » la peinture à la surface de la toile, sans prolongements psychologiques, narratifs ou métaphysiques.

FRÉMIOT Nicolas François
XVIIIe siècle. Actif à Paris en 1735. Français.
Peintre et sculpteur.

FREMLIN Arbogast
XVIIe siècle. Actif à Bâle. Suisse.
Peintre.
Il fut admis dans la corporation des peintres de Bâle en 1653. Cité par Brun.

FRÉMOND André ou **Frémont**
Né au Havre (Seine-Maritime). Mort en 1965 à Montreuil (Val-de-Marne). XXe siècle. Français.
Peintre de batailles, scènes de chasse.
Il fut élève de Luc-Olivier Merson. Il exposait à Paris, au Salon des Artistes Français depuis 1928.
Ventes Publiques : Paris, 19 jan. 1992 : *Traversée du village*, h/pan. (34,5x70) : **FRF 9 000** - Paris, 24 avr. 1992 : *Veneur à cheval*, h/t (81x100) : **FRF 10 500** - Paris, 5 juin 1996 : *Scène de chasse à courre*, h/t (81x100) : **FRF 12 000**.

FRÉMONT Caroline Céline Gabrielle
Née vers 1850 à Lille (Nord). XIXe siècle. Française.
Peintre.
Élève de Cassmann et Dessart. Après avoir exposé de nombreuses peintures sur faïence et sur porcelaine, elle exposa des miniatures sur ivoire au Salon à partir de 1881.

FRÉMONT Charles
Né vers 1655. XVIIe siècle. Actif à Paris. Français.
Peintre.

FRÉMONT L. Charles
XIXe siècle. Actif à Paris. Français.
Sculpteur.
Sociétaire des Artistes Français depuis 1895.

FRÉMONT P. R.
XVIIIe siècle. Actif à Londres. Britannique.
Dessinateur et graveur.
Cet artiste amateur était avocat au Parlement.

FREMONT Pierre
Né le 20 octobre 1886 à Paris. Mort le 12 mars 1974. XXe siècle. Français.
Peintre de paysages à la gouache, aquarelliste.
Il fut élève de l'école des arts décoratifs et de Jules Adler. Il exposa aux principaux salons parisiens. Ses vues de la Seine connurent un vif succès.
Ventes Publiques : Paris, 15 jan. 1943 : *Cour marocaine*, gche : **FRF 160** - Paris, 30 avr. 1945 : *La Seine à Triel* : **FRF 750** - Paris, 23 mai 1945 : *Paysage*, aquar. gouaché : **FRF 150** - Versailles, 5 nov. 1989 : *Vue de Beyrouth*, h/cart. (24x33,5) : **FRF 19 500** ; *Grande cascade dans les montagnes du Liban*, h/cart. (33,5x24) : **FRF 16 000** - Lyon, 13 nov. 1989 : *La panthère noire* 1923, past. (34x53) : **FRF 5 500** - Paris, 22 avr. 1994 : *Le pont de Galata à Constantinople*, h/cart. (24x33) : **FRF 5 200**.

FRÉMONT Suzanne Camille Désirée
Née le 10 avril 1876 à Chatillon-sous-Bagneux (Hauts-de-Seine). Morte le 12 mars 1962 à Bormes (Var). XXe siècle. Française.
Peintre à la gouache, de portraits, nus, paysages, sujets orientaux, aquarelliste.
Elle fit ses études dans les ateliers de Maximilien Luce, Eugène Carrière, G. Jeanniot et Rame. Pendant la guerre de 1914-1918, elle suspendit sa carrière de peintre pour se consacrer à un service public. En 1921, elle fonda l'école des beaux-arts de Tananarive, à Madagascar. Elle a exposé, à Paris, au Salon des Artistes Français, au Salon de la Société Nationale des Beaux-Arts, ainsi qu'au Salon d'Automne, dont elle devint sociétaire en 1907. Elle a montré ses œuvres dans de nombreuses expositions personnelles, à partir de 1913. Lors des salons et expositions coloniales, elle a reçu de nombreuses récompenses.
Formé par quelques maîtres impressionnistes, elle réalise de nombreux paysages empreints d'une atmosphère poétique et

sereine, s'attachant à restituer l'instant dans lequel fut conçu le tableau. Elle réalise également de vastes tableaux de figures. Après la première guerre, elle privilégie le soleil d'Orient et ses coloris se réchauffent, le dessin se faisant plus ferme.

J. Frémont

Musées : Marseille : *Flava-Vénus-Nu* – Paris (Mus. Carnavalet) – Rochefort.

Ventes Publiques : Saumur, 25 juin 1989 : *Nu féminin étendu*, h/t (27x35) : **FRF 9 000** ; *Le port*, h/t (81x100) : **FRF 18 000** ; *Femme de l'Aurès*, aquar. (47x31) : **FRF 3 500** ; *Djara* mars 1921, aquar. (29x42) : **FRF 1 500** ; *Ville blanche*, gche (14x21) : **FRF 2 100**.

FRÉMONT-CHERVIER Suzanne
Née le 16 mars 1895 à Lyon (Rhône). xxe siècle. Française.
Peintre.
Elle exposa à Paris au Salon d'Automne, dont elle devint sociétaire en 1934.

FRÉMONT-GEORGE Janine Sylvie
Née à Paris. xxe siècle. Française.
Peintre.
Elle fut élève de Fouqueray. Elle exposa au Salon des Artistes Français à Paris à partir de 1932.

FREMOUT Gilliam ou **Willem**. Voir **FERMOUT**

FRÉMY
xvie siècle. Lorrain, actif au xvie siècle. Français.
Sculpteur.
Il sculpta les armoiries du duc de Lorraine, sur la muraille du jardin du couvent de Sainte-Claire, à Pont-à-Mousson, en 1542.

FRÉMY, Mlle
xviiie siècle. Active à Paris. Française.
Peintre de miniatures, pastelliste.
Elle fut élève de Mme Labille-Guyard.

FRÉMY Antoine Alexandre Auguste
Né le 14 décembre 1816 à Toulon (Var). Mort le 28 novembre 1885 à Saint-Jean-de-Luz (Pyrénées-Atlantiques). xixe siècle. Actif au Brésil. Français.
Peintre de scènes de genre, paysages, marines, aquarelliste, dessinateur.
Il fut élève de Bernard Sénéquier et du marquis de Clinchamp, à l'atelier du port, à Toulon. Vers 1850, il partit avec une équipe d'explorateurs, le long des côtes de L'Amérique du Sud ; il travailla comme dessinateur, à Rio de Janeiro, pour l'empereur du Brésil. Il réembarqua à nouveau, en 1852, envoyé par le marquis de la Valette, il découvrit Constantinople, Smyrne et Athènes. De retour en France, il vécut dans la région toulonnaise, puis il s'installa définitivement à Saint-Jean-de-Luz, au Pays basque.
Il fit de nombreux paysages et marines, réalisés au fusain, à la mine de plomb rehaussée de gouache ou à l'aquarelle, toujours soucieux des effets d'éclairage et scrupuleux dans la description des détails.

Bibliogr. : Gérald Schurr, in : *Les Petits Maîtres de la peinture 1820-1920, valeur de demain*, Les Éditions de l'Amateur, t. VII, Paris, 1989.

Musées : Toulon : *Préparatifs à la pêche – dessins*.

FRÉMY Édouard Pierre Désiré
Né le 17 janvier 1829 à Paris. Mort le 15 juillet 1888. xixe siècle. Français.
Sculpteur.
De 1865 à 1879, cet artiste exposa au Salon. On cite de lui : *Pasquier*, médaillon en bronze, *Mme Frémy*, buste en plâtre, *Mme Gastat*, médaillon en bronze, *Irmond Libre Bardin*, médaillon en terre cuite, *Gruet*, médaillon en bronze, *Le docteur Dereins*, médaillon en terre cuite, *Mme Ricard*, médaille en bronze, *Babinet, de l'Institut*, médaille en bronze.

FRÉMY Jacques Noël Marie
Né le 25 décembre 1782 à Paris. Mort en 1867 à Paris. xixe siècle. Français.
Peintre d'histoire, compositions mythologiques, sujets allégoriques, scènes de genre, portraits, miniaturiste, graveur, illustrateur.
Il étudia la peinture avec Jean-Baptiste Régnault et Jacques-Louis David. Il fréquenta les salons de la Restauration, trouvant protection auprès de la comtesse de Neeserold, qu'il accompagna, vers 1830, à Saint-Pétersbourg. Dès son retour en France, il travailla comme peintre et restaurateur de Louis-Philippe, à Versailles. Il exposa au Salon de Paris, de 1808 à 1866, obtenant une médaille de deuxième classe en 1817.
Il peignit et grava de nombreuses scènes historiques sur l'épopée napoléonienne et le retour à la monarchie, ainsi que des compositions mythologiques et allégoriques, des sujets de genre et des portraits, collaborant comme graveur avec Jean-Dominique Ingres. Parmi ses œuvres, on mentionne : *La Pudeur et l'Amour – Portrait du duc d'Aumale – Portrait de l'artiste dans son atelier – Turenne endormi sur l'affût d'un canon – Le sommeil du grand Condé – La nymphe Écho pleurant Narcisse changé en fleur – Un garde national à cheval – Les faux-monnayeurs – Chevaliers prisonniers – L'anse du panier – Le sommeil d'Amphitrite – Le retour du bois.* Il illustra également les ouvrages de Jack London. La pratique qu'il eut de la miniature donna à son style une précision extrême dans les détails, surtout dans ses scènes de genre.

Bibliogr. : Gérald Schurr, in : *Les Petits Maîtres de la peinture 1820-1920, valeur de demain*, Les Éditions de l'Amateur, t. VII, Paris, 1989.

FRÉMY Zoé
xixe siècle. Française.
Peintre.
Elle exposa au Salon de Paris en 1848 le portrait de deux enfants ; en 1849 : *La prière*, en 1850 : *Récompense et punition*.

FRENA Abraham
xviiie siècle. Actif à Amsterdam en 1711. Hollandais.
Peintre.

FRENAIS D'ALBERT Jacques Nicolas. Voir **FRAINAIS d'ALBERT**

FRENC D. Chester
xxe siècle. Américain.
Sculpteur.
Il exposait au Salon de Paris, où il obtint un grand Prix lors de l'Exposition Universelle de 1900.

FRENCH Alice Helm
Née le 17 mars 1864 à Lake-Forest (Illinois). xixe-xxe siècles. Américaine.
Peintre.
Elle fut élève de l'Art Institute de Chicago et membre de l'American Federation of Arts.

FRENCH Annie
Née en 1879. Morte en 1965. xixe-xxe siècles. Britannique.
Peintre de genre, compositions animées, aquarelliste, dessinateur, illustrateur.
Elle fit ses études à la Glasgow School. À partir de 1906, elle exposa à la Royal Academy de Londres. Depuis lors, elle participa à de nombreuses autres expositions.
Avec grâce et élégance, elle transforme une simple ligne en paysages, en personnages délicats.

ANNIE FRENCH

Bibliogr. : In : *Diction. des illustrateurs 1800-1914*, Ides et Calendes, Neuchâtel, 1989.

Ventes Publiques : Écosse, 29 août 1978 : *Jeune femme en robe de bal* 1902, aquar. reh. de gche et d'or (24x15) : **GBP 550** – Perth, 13 avr. 1981 : *Moon-gazing*, encre noire/pap. (23x19) : **GBP 1 600** – Écosse, 31 août 1982 : *Greetings*, pl. et lav. (23x20,5) : **GBP 750** – Édimbourg, 27 mars 1984 : *Fairy abundance*, pl. et lav. de coul. reh. de gche et d'or (25,5x35,5) : **GBP 1 400** – Londres, 5 juin 1984 : *The toy vendor*, aquar. et pl. reh. de gche et or (20x30) : **GBP 2 400** – New York, 24 mai 1985 : *La rose*, aquar., gche, cr. pl. et or (20x29,4) : **USD 5 000** – Sissinghurst (Kent), 16 juil. 1985 : *At the Sign of the Spellbound Lodge*, cr. et pl. reh. d'aquar. gche et or (31,6x50) : **GBP 3 300** – Édimbourg, 30 août 1988 : *O Bessie Bell and Mary Gray (vieille ballade écossaise)*, encre et gche (31x24) : **GBP 2 090** – Glasgow, 6 fév. 1990 : *Allégorie de l'automne*, encre, aquar. avec reh. de gche (25x17) : **GBP 2 750** – South Queensferry (Écosse), 1er mai 1990 : *La cueillette des roses*, encre et aquar. avec reh. de gche (24x44) : **GBP 2 860** – Perth, 27 août 1990 : *Amour courtois*, encre et aquar. (25x28,5) : **GBP 4 180** – Perth, 30 août 1994 : *La princesse endormie*, aquar. et encre (29,5x40,5) : **GBP 2 760** – Glasgow, 14 fév. 1995 : *Conversation dans le jardin*, aquar. et encre (29x38,5) : **GBP 1 150** – Perth, 26 août 1996 : *La rose*, aquar. et encre (19x28,5) : **GBP 6 900** – Glasgow, 11 déc. 1996 : *Trois jeunes filles* *cueillant des fleurs* 1917, pl., encre, aquar., gche (24x36,5) : **GBP 2 300**.

FRENCH Daniel Chester
Né le 20 avril 1850 à Exeter (États-Unis). Mort en 1931. XIXe siècle. Vivant à New York. Américain.
Sculpteur de monuments, figures.
Élève de Thomas Ball. On lui doit plusieurs monuments publics érigés aux États-Unis. Troisième médaille, Salon de Paris 1892 ; Grand Prix Paris Exposition Universelle 1900, membre de la National Academy, 1901, de l'Académie de San Luca à Rome.
Ventes Publiques : New York, 29 sep. 1977 : *The Concord Minute Man of 1775*, bronze (H. 82) : **USD 26 000** – New York, 5 déc. 1980 : *Architecture* 1898, bronze (H. 31,1) : **USD 2 400** – New York, 30 mai 1984 : *The Concord Minute Man of 1775*, bronze (H. 82) : **USD 27 000** – Washington D. C., 3 mars 1985 : *Buste de Ralph Waldo Emerson*, bronze patine brune (H. 58,5) : **USD 1 900** – New York, 31 mai 1990 : *Lincoln assis* 1915, bronze (H. 24,8) : **USD 3 520** – New York, 14 mars 1991 : *Rip Van Winkle* 1925, bronze (H. 46,7) : **USD 4 950** – New York, 4 déc. 1996 : *Narcisse* 1901, bronze patine brune (H. 31,5) : **USD 5 750** – New York, 27 sep. 1996 : *George Washington* 1900, bronze patine brune (H. 81,9) : **USD 34 500**.

FRENCH David M.
Né vers 1827 à New Market. Mort le 19 avril 1910 à Newburyport. XIXe-XXe siècles. Américain.
Sculpteur.
Il travailla surtout à Boston.

FRENCH Edwin Davis
Né le 19 juin 1851 à North Ahleboro. Mort le 18 décembre 1906 à New York. XIXe siècle. Américain.
Graveur.
Il fut élève de Sartrain à New York. On lui doit surtout des illustrations de livres.

FRENCH Élizabeth
Née en 1878 en Pennsylvanie. XXe siècle. Américaine.
Peintre, sculpteur, décorateur.
Elle fut surtout connue pour ses décorations d'églises.

FRENCH Frank
Né en 1850 à Loudon (New Hampshire). XIXe siècle. Vivant à New York. Américain.
Peintre et graveur sur bois.
Élève de Henry Herrik. A obtenu de nombreuses médailles aux Expositions américaines, notamment pour ses gravures sur bois. Membre de la Société des graveurs sur bois américains.

FRENCH Henry
Né vers la fin du XVIIe siècle. Mort en 1726. XVIIe-XVIIIe siècles. Irlandais.
Peintre d'histoire.
Il étudia à Rome où il obtint une médaille à l'Académie de Saint-Luc. Il vint ensuite à Londres, mais n'y obtint pas de succès.

FRENCH Howard B.
Né en 1906 dans le Kentucky. XXe siècle. Américain.
Peintre.
Il fut membre du National Arts Club.

FRENCH Leonard
Né en 1928. XXe siècle. Australien.
Peintre technique mixte.
Ventes Publiques : Londres, 25 juin 1980 : *La rue* 1969, techn. mixte (133x118) : **GBP 2 200** – Sydney, 29 oct. 1987 : *The grand performance* vers 1957, émail/cart. (75,3x121,3) : **AUD 20 000** – Sydney, 16 oct. 1989 : *Double Cruicform*, vernis (26x21) : **AUD 1 600** – Sydney, 26 mars 1990 : *Pluie et feu*, techn. mixte (53x49) : **AUD 2 600** – Londres, 28 nov. 1991 : *Le manège*, vernis/cart. (135,9x120) : **GBP 11 000**.

FRENCH Nathanael
XVIIIe siècle. Actif en 1747. Britannique.
Peintre.
Le Musée de Sibiu (Roumanie) possède deux grands paysages de cet artiste.

FRENCH Percy William
Né en 1854 à Cloonyquin. Mort en 1920. XIXe siècle. Britannique.
Peintre de paysages, aquarelliste.
On lui doit des paysages à l'aquarelle. Il fut aussi humoriste.
Ventes Publiques : Meath (Comté de), 12 mai 1981 : *Paysage* 1904, aquar. et gche (25,5x35) : **GBP 600** – Londres, 28 avr. 1983 : *Paysage au crépuscule* 1916, aquar. (19,5x31) : **GBP 500** – Londres, 27 mai 1987 : *Windsor Castle* 1905, aquar. reh. de blanc (25,4x35,5) : **GBP 580** – Dublin, 24 oct. 1988 : *Coucher de soleil sur les marécages*, aquar. (16,2x24,2) : **IEP 770** – Belfast, 30 mai 1990 : *Crépuscule sur les prairies en Irlande de l'ouest*, aquar. (18,4x27) : **GBP 1 210** – Londres, 14 juin 1991 : *Connemara*, aquar. (17,5x25,3) : **GBP 825** – Dublin, 26 mai 1993 : *Marécage en Irlande*, aquar. et gche (23,5x36,2) : **IEP 2 420** – Londres, 2 juin 1995 : *Vue d'un lac*, aquar. (14x23,5) : **GBP 1 092**.

FRENCH Thomas
Mort en septembre 1803 à Bath. XVIIIe siècle. Britannique.
Dessinateur et peintre de décors.
Il travailla beaucoup pour le théâtre de Bath.

FRENCH Wallace
Né en 1940 à Bay Roberts (Canada). XXe siècle. Canadien.
Sculpteur. Abstrait.
De 1959 à 1963, il étudia à l'Ontario College, où il enseigne maintenant.
Ses sculptures sont abstraites, géométriques et polychromes. Il manie un certain purisme dans la forme, ce qui rend parfois ses œuvres proches de l'art minimal.

FRENCH William
Né vers 1815. Mort le 8 janvier 1898 à East Grinstead. XIXe siècle. Britannique.
Graveur.
Il reproduisit beaucoup de tableaux peints par ses contemporains.

FRENDER Helge
Née en 1906. Morte en 1976. XXe siècle. Suédoise.
Peintre de figures, nus, intérieurs, paysages, fleurs.
Ventes Publiques : Göteborg, 18 mai 1989 : *Paysage côtier*, h/t (50x62) : **SEK 4 600** – Stockholm, 22 mai 1989 : *Intérieur de chambre avec un nu féminin et une chaise rouge*, h/t (49x60) : **SEK 10 500** – Stockholm, 14 juin 1990 : *Fleurs dans un vase* 1946, h/t (55x46) : **SEK 11 500** – Stockholm, 28 oct. 1991 : *Verger au printemps avec des cerisiers en fleurs*, h/t (49x60) : **SEK 4 600**.

FRENER Johann Baptist
Né le 10 décembre 1821 à Lucerne. Mort le 1er mai 1892 au Guatemala. XIXe siècle. Suisse.
Graveur, modeleur, médailleur.
Étudia d'abord le dessin et la sculpture avec Franz Schlatt à Lucerne, puis à Paris avec Antoine Bovy, Pradier et à l'École des Beaux-Arts. Il fit surtout des médaillons ; on connaît aussi de lui des bustes de poètes dramatiques. On cite aussi un monument funéraire exécuté en 1841. Il voyagea en Allemagne, en Italie où il s'acquit la faveur du duc de Toscane et se lia d'amitié avec Giuseppe Verdi. Vers 1854, Frener partit pour le Guatemala. Il exposa à Paris en 1878 et obtint une médaille d'or.

FRÉNET Jean-Baptiste
Né le 31 janvier 1814 à Lyon (Rhône). Mort le 12 août 1889 à Charly (Rhône). XIXe siècle. Français.
Peintre d'histoire, compositions religieuses, sujets allégoriques, scènes de genre, portraits, paysages, compositions murales, sculpteur, graveur.
Il fut élève de Claude Bonnefond à l'École des Beaux-Arts de Lyon, de 1827 à 1833, puis il entra à l'École des Beaux-Arts de Paris, en 1834. Il fit le voyage de Rome et revint s'installer à Lyon. Il exposa, dès 1837, à Paris et à Lyon.
Il peignit des tableaux religieux et allégoriques, des sujets de genre, des portraits, des paysages, et sculpta quelques groupes ou statuettes. Parmi ses œuvres peintes, on mentionne : *L'homme à la recherche de la vérité* – *L'Espérance* – *L'Humanité* – *Scène maçonnique* – *Les suites de la chute originelle* – *Saint Jean de Dieu* – *Notre-Dame de Bon Conseil*, pour l'église de Fourvière, à Lyon – *La Vertu au ciel* – *La Vertu sur la terre aux prises avec les passions des hommes* – *La Muse de l'Odyssée* – *L'Âge d'or* – *Nuit romaine* – *Farandole de paysans à Valence*. Jean-Baptiste Frénet réalisa des compositions murales pour l'église de Charly ; ainsi que des cartons et des esquisses de fresques, pour l'église d'Ainay à Lyon, à partir desquels il grava quatorze planches. Il grava, également un *Portrait de Sœur Marguerite Deville*, supérieure des religieuses Saint-Charles de Brignais. Le tempérament mystique, exalté de Jean-Baptiste Frénet, tourmenté par des problèmes métaphysiques puis par une idéologie égalitaire, se reflète dans ses œuvres, qui s'avèrent être souvent étranges, de facture complexe, où il y mêle différentes techniques.

Bibliogr. : Gérald Schurr, in : *Les Petits Maîtres de la peinture 1820-1920, valeur de demain*, Les Éditions de l'Amateur, t. VII, Paris, 1989.
Musées : Berlin : *Troupeau dans les dunes – Taureau dans l'eau* – Kaliningrad, ancien. Königsberg : *La marche de l'Elbe* – Lyon (Mus. des Beaux-Arts) : *Autoportrait* – Munich : *La favorite*.

FRENGERL Franz
Né à Augsbourg. xviie siècle. Allemand.
Sculpteur.
Il travailla aussi à Vienne.

FRENGUELLI Giuseppe
xixe-xxe siècles. Actif à Pérouse. Italien.
Sculpteur.
Il fut élève, puis professeur à l'Académie de Pérouse. Il exécuta à Todi un monument à *Garibaldi*.

FRENGUELLI Pasquale
Né à Pérouse. xixe-xxe siècles. Italien.
Peintre.
Il exécuta un retable pour l'église Saint-Vivaldo à Castelfiorentino.

FRENKEL Alexandre
Né à Odessa. xxe siècle. Russe.
Peintre de scènes typiques.
Il exposa à Paris en 1925.
Sa carrière présente des ressemblances avec celle de Chagall, le succès en moins. Comme lui, Frenkel a d'abord été sensible au contexte constructiviste de l'époque. Comme lui, il a évolué, traitant un folklore propre au petit peuple juif, nourri de traditions et de fictions merveilleuses.

FRENKEL Boris Borvine
Né vers 1900 près de Kalish. Mort le 1er mai 1984 près d'Évreux (Eure). xxe siècle. Depuis 1929 actif en France. Polonais.
Peintre de compositions animées. Traditionaliste.
Il quitta la Pologne au début des années vingt, après avoir été emprisonné pour ses idées révolutionnaires. Il se disait anarcho-socialiste. Il séjourna à Berlin et Paris, fit le tour du monde comme matelot. Après avoir été expulsé de Belgique et du Luxembourg, il se fixa à Paris en 1929. Il fit aussi du théâtre, du cinéma, de la critique théâtrale et littéraire. Une rétrospective de son œuvre pictural eut lieu à la Maison de la Culture de Grenoble en 1981.
En peinture, il se qualifia lui-même de « peintre yiddish non croyant ». Il peignit les rites et cérémonies du petit monde juif-polonais de ses nostalgies, les thèmes familiers de Chagall et de Mané-Katz.
Ventes Publiques : Paris, 8 avr. 1990 : *Le Chemin*, h/t (38x46) : **FRF 10 000** – Paris, 14 avr. 1991 : *L'allumage des bougies*, h/cart. (35x24) : **FRF 6 000** – Paris, 17 juin 1991 : *L'Étude*, h/bois (35x26) : **FRF 6 000** – Paris, 17 mai 1992 : *Juif au coq*, h/t (46x38,5) : **FRF 5 500** – Paris, 27 mars 1994 : *Jérusalem*, h/cart. (28,5x41) : **FRF 4 000**.

FRENKEL Yitzhak
Né en 1900. Mort en 1981. xxe siècle. Israélien.
Peintre de figures, figures typiques, nus, intérieurs, paysages animés, paysages, natures mortes, peintre à la gouache.
Ventes Publiques : Tel-Aviv, 21 nov. 1981 : *Nu dans un intérieur*, h/t (29,5x24) : **ILS 9 000** – Zurich, 8 juin 1983 : *Nature morte au faisan*, h/t (73x92) : **CHF 4 500** – Tel-Aviv, 4 juin 1984 : *Nathalia*, h/t (38x45,5) : **USD 1 400** – Paris, 20 mars 1988 : *Paysage*, h/t (60x100) : **FRF 5 500** – Tel-Aviv, 25 mai 1988 : *Paysage et personnages*, gche (48x61,5) : **USD 990** – Tel-Aviv, 2 jan. 1989 : *Musiciens juifs*, h/t (19x47,5) : **USD 880** – Tel-Aviv, 3 jan. 1990 : *Nature morte au violon*, h/cart./t. (53,5x42) : **USD 2 530** – Tel-Aviv, 19 juin 1990 : *Chemin à Safed*, h/t (41x33) : **USD 1 320** – Tel-Aviv, 6 jan. 1992 : *Jérusalem* 1935, h/rés. synth. (34,5x50) : **USD 1 210**.

FRENKEN Jaak
Né en 1929 à Hertogenbosch (Hollande). xxe siècle. Hollandais.
Sculpteur d'assemblages.
Il fit ses études à Amsterdam. Il participe à de nombreuses expositions collectives, notamment au Stedelijk Museum d'Amsterdam. Il a également montré ses œuvres dans des expositions personnelles à Amsterdam et Eindhoven.
Son travail se rattache assez directement aux recherches du Pop'art et des nouveaux réalistes. Il assemble des ustensiles puis les dématérialise en les recouvrant d'une couche de peinture blanche.

FRENSCH Jakob
Né le 25 juillet 1832 à Hesselbach. Mort en 1864 à Berlin. xixe siècle. Allemand.
Sculpteur.
Il fut à Francfort-sur-le-Main élève de Launitz. Il exécuta une *Vierge* pour l'église de Wied.

FRENTZ Rudolf
Né le 2 octobre 1831 à Berlin. xixe siècle. Allemand.
Peintre de genre.
Membre de l'Académie de Saint-Pétersbourg. Il obtint une médaille d'or à Berlin en 1886. Il travailla surtout en Russie.

FRENTZEL Christian
Mort le 23 décembre 1721 à Breslau. xviiie siècle. Allemand.
Peintre.
Il exécuta, entre autres, une *Crucifixion*.

FRENTZEL Georg Friedrich Jonas
Né en 1754 à Leipzig. Mort le 22 avril 1799 à Leipzig. xviiie siècle. Allemand.
Graveur.
Il fut élève d'Œser. Le Musée de Leipzig possède de ses œuvres.

FRENTZEL Johann
xviie siècle. Actif en Saxe. Allemand.
Dessinateur.

FRENZ Alexander
Né le 13 octobre 1861 à Rheydt. xixe siècle. Allemand.
Peintre de sujets mythologiques, scènes de genre, intérieurs, portraits, paysages, graveur.
Il vécut surtout à Bonn et à Düsseldorf après avoir voyagé quelque temps en Italie.
Ventes Publiques : Saint-Brieuc, 8 mai 1983 : *La dame à la licorne*, h/pan. (66x53,5) : **FRF 12 500**.

FRENZEL Friedrich August
Né le 10 septembre 1814 à Dresde. Mort sans doute en 1898. xixe siècle. Allemand.
Peintre d'histoire et lithographe.
Il était le fils de Johann Gottfried Abraham. Il choisit surtout des sujets de théâtre ou des revues militaires.

FRENZEL Georg ou **Frenthel**
xvie-xviie siècles. Travaillant à Nuremberg entre 1595 et 1650. Allemand.
Graveur.

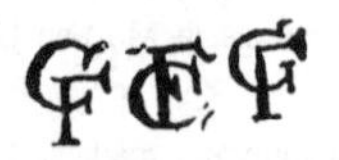

FRENZEL Johann Gottfried Abraham
Né le 1er janvier 1782 à Dresde. Mort le 6 novembre 1855 à Dresde. xixe siècle. Allemand.
Graveur.
Élève de Darnstedt. Il gravait surtout des paysages. Il fut conservateur de la collection de gravures de Dresde.

FRENZEL Oskar
Né le 12 novembre 1855 à Berlin. xixe siècle. Allemand.
Peintre de genre et de paysages.
Élève de l'École naturaliste de l'Académie de Berlin, de Megerheim et de E. Bracht. Il obtint des médailles à Berlin en 1891, à Paris en 1900 (Exposition Universelle). Il a également exposé à Munich.

FRENZEL Paul
Né le 8 juin 1824 à Dresde. Mort le 3 juillet 1872 à Dresde. xixe siècle. Allemand.
Peintre animalier et de paysages.
Il était fils de Johann Gottfried Abraham. Le Musée de Berlin possède une de ses œuvres.

FREOUR Jean
Sculpteur.
Ventes Publiques : Londres, 4 déc. 1984 : *Nu debout*, bronze (H. 58,4) : **GBP 650**.

FREQUENEZ Paul Léon
Né le 18 août 1876 à Mouzon (Ardennes). xxe siècle. Français.
Peintre de paysages, graveur, aquarelliste.

Il exposait au Salon des Artistes Français, à Paris, où il obtint diverses récompenses, dont une médaille d'or en 1924.
Ventes Publiques : New York, 25 oct. 1989 : *Parc de Saint Cloud sous la neige*, h/t (154,3x200) : **USD 22 000**.

FRERARTS Gillis
Né en 1607. Mort en 1664. XVIIe siècle. Hollandais.
Peintre.
Il vécut sans doute à Amsterdam.

FRÈRE Charles Édouard
Né le 10 juillet 1837 à Paris. Mort le 3 novembre 1894 à Paris. XIXe siècle. Français.
Peintre de scènes de genre, paysages animés, paysages, animaux.
Fils de Pierre-Édouard Frère et neveu de Théodore Frère, il étudia d'abord avec son père, puis eut pour maîtres Thomas Couture et Alexandre Defaux. Il figura au Salon de Paris, de 1861 à 1893.
Il s'orienta, au début de sa carrière, vers le paysage, qui ne fut qu'un prétexte à peindre le cheval sous différentes attitudes. Parmi ses œuvres, on mentionne : *Atelier de tondeurs de chevaux – Atelier de maréchal – Démolitions dans Paris – La conduite – Muletier des Alpes-Maritimes – Course en char – Les marchands de chevaux.*
Bibliogr. : Gérald Schurr, in : *Les Petits Maîtres de la peinture 1820-1920, valeur de demain*, Les Éditions de l'Amateur, t. III, Paris, 1976.
Musées : Bordeaux : *Plâtrière à Saint-Brice* – Louviers : *Chevaux à l'écurie* – Rochefort – Sheffield : *Forge de maréchal-ferrand.*
Ventes Publiques : Londres, 10 juin 1910 : *Étendant ses vêtements dehors* : **GBP 8** – Paris, 19 nov. 1924 : *Enfant au cheval de bois* : **FRF 200** ; *Jeune garçon plaçant des images sur un mur* : **FRF 250** – Paris, 2 mars 1925 : *Coin de village* : **FRF 110** – Paris, 26 avr. 1944 : *Environs de Pontoise* 1880 : **FRF 650** – Londres, 12 mai 1972 : *Jeunesse et Vieillesse* : **GNS 1 300** – Londres, 19 oct. 1978 : *Les ramasseurs de tourbe* 1874, h/t (68,5x130,2) : **GBP 1 600** – Londres, 16-17 mars 1983 : *Jeune paysanne épluchant des carottes*, h/pan. (41x32,5) : **GBP 1 800** ; *Sortie de l'École communale* 1877, aquar. et craie noire reh. de blanc (57,2x45,7) : **GBP 1 400** – Detroit, 31 jan. 1985 : *La parade des enfants* vers 1882, h/t (66x81,5) : **USD 27 500** – Paris, 1er mars 1989 : *Paysanne et ânesses à l'écurie* 1881, h/t (126x192) : **FRF 32 000** – New York, 1er mars 1990 : *Enfants de troupe* 1889, h/pan. (61x81,3) : **USD 23 100** – Montréal, 30 avr. 1990 : *Jeune Musicien*, h/pan. (42x32) : **CAD 3 300** – Londres, 22 nov. 1990 : *Jeune Marchande de poisson* 1872, h/pan. (34,3x44,5) : **GBP 1 210** – Londres, 25 nov. 1992 : *La Première Communion* 1867, h/pan. (58x72) : **GBP 7 150** – Londres, 31 oct. 1996 : *Enfants avec un petit voilier*, h/pan. (41,5x32,5) : **GBP 2 875**.

FRÈRE Charles Théodore
Né le 21 juin 1814 à Paris. Mort le 24 mars 1888 à Paris. XIXe siècle. Français.
Peintre d'histoire, sujets de genre, scènes typiques, paysages animés, paysages, marines, aquarelliste, dessinateur. Orientaliste.
Il fut formé par Camille Roqueplan et Léon Cogniet. Il visita en France, la Normandie, l'Alsace, l'Auvergne. Puis il fit un premier séjour en Algérie, en 1837, date à laquelle il fut le témoin de la prise de Constantinople. Lors d'un second séjour, il fit des arrêts à Malte, en Grèce, à Smyrne. Il séjourna également en Égypte, aux alentours de 1853, ayant un atelier au Caire, ce qui lui valut le titre de « bey » du gouvernement égyptien, puis il poursuivit son voyage par la Syrie, la Palestine et la Nubie. Il rentra en France muni de multiples croquis pour de nouvelles œuvres et chargé d'objets d'art orientaux.
Il exposa à Paris, au Salon, de 1834 à 1881, participant aux Expositions Universelles de Paris de 1855, 1867 et 1878, puis au Salon des Artistes Français, jusqu'en 1887. Il obtint une médaille en 1848, une autre en 1865.
Il peignit presque exclusivement des tableaux orientalistes, étant l'un des rares artistes français à avoir peint Beyrouth, Jérusalem, Damas et Palmyre. Il fit également treize aquarelles, à l'occasion de l'inauguration du canal de Suez, en 1869, répétant certaines œuvres à l'huile. On mentionne de lui : *Vue de la mosquée Sidi-Abdel-Akmann, près d'Alger – Vue prise au faubourg Bab a-Zounn – Jardin dans l'intérieur de la Casbah à Alger – Plaine de la Mitidja aux environs d'Alger.* Il fut habile à créer une atmosphère dans ses paysages, les peignant soit sous une lumière douce au coucher de soleil, soit sous la pâle lumière jaune de l'aube ; au loin, des tentes de bédouins et des minarets sont représentés dans une brume de chaleur. Il ne s'embarrasse généralement pas de détails pittoresques, dans ses œuvres, usant de teintes plates, aux contours assez nets. Ses paysages de France, moins connus, évoquent par leurs touches grasses, les peintres hollandais du XVIIe siècle.

TH.FREHE BEY

TH.FRÈRE

Bibliogr. : In : Catalogue de l'exposition : *L'Orient en question*, Musée Cantini, Marseille, 1975 – Gérald Schurr, in : *Les Petits Maîtres de la peinture 1820-1920, valeur de demain*, Les Éditions de l'Amateur, t. II, Paris, 1982 – Lynne Thornton, in : *Les Orientalistes, peintres voyageurs*, ACR Édition, Paris, 1993.
Musées : Autun (Mus. Rolin) : *Le Simoun – Ruines de Palmyre* – Bagnères-de-Bigorre : *La Caravane* – Bourges : *Le soir sur les bords du Nil* – Chicago – Laval : *Vue de Karnak – Ruines de Louxor* – Minneapolis – Mulhouse : *Chameliers au Caire – Rue au Caire* – Nancy : *Arabes au repos* – New York (Metropolitan Mus.) – Paris (Mus. de la Marine) : treize aquarelles – Perpignan : *Le Musée à Rome* – Reims : *Caravane traversant le désert d'Arabie – Arabes au repos* – Rochefort : *Lavage de la gramigna à Naples* – Soissons : *L'abreuvoir* – Strasbourg : *Un âne.*
Ventes Publiques : Paris, 1872 : *Soleil couchant au Caire* : **FRF 420** – Paris, 1886 : *La Prière* : **FRF 12 750** – New York, 15-16 mars 1906 : *Campement persan près de la Mecque* : **USD 110** – Paris, 31 jan. 1929 : *Une rue au Caire* : **FRF 1 400** – Paris, 30 juin-1er juil. 1941 : *Cour de maison algérienne*, aquar./pap. : **FRF 200** – Paris, 23 déc. 1942 : *Bords de mer en Orient* : **FRF 6 200** – Paris, 29-30 mars 1943 : *Un café à Baléasse* : **FRF 7 000** ; *Paysage du Haut-Nil*, aquar. : **FRF 900** – Paris, 24 avr. 1944 : *Une rue d'Orient*, dess. reh. : **FRF 750** – Paris, 17 mai 1945 : *Halte dans le désert* : **FRF 8 000** – Paris, 26 fév. 1947 : *Caravane aux environs de Minieh* : **FRF 10 800** – New York, 8 mars 1947 : *Halte dans le désert* : **USD 175** – Londres, 8 nov. 1972 : *Scène de rue par temps de neige* : **GBP 450** – New York, 15 oct. 1976 : *Alexandrette*, h/t (32x62) : **USD 1 600** – New York, 15 déc. 1978 : *Vue de Jérusalem, prise de la vallée de Josaphat*, h/t (40x62) : **USD 6 600** – New York, 7 jan. 1981 : *Le marché aux charbons à Constantinople*, cr. et craie noire/pap. (22,8x39,5) : **USD 1 100** – Enghien-les-Bains, 21 oct. 1984 : *Caravane dans le désert*, cr. et fus./pap. (58x100) : **FRF 35 000** – Londres, 30 nov. 1984 : *Arabes devant la porte de la ville de Damas*, h/t (65x54) : **GBP 15 000** – Londres, 25 nov. 1987 : *Le Nil au coucher du soleil* 1877, h/t (110x179,5) : **GBP 16 000** – Londres, 26 fév. 1988 : *Sur le Nil*, h/pan. (20,3x42) : **GBP 3 520** – Paris, 26 fév. 1988 : *Paysage oriental*, aquar. (20,5x38) : **FRF 6 800** – Paris, 7 mars 1988 : *Fellah près du pont au vieux Caire*, h/t (15x18,5) : **FRF 7 000** – Paris, 6 mai 1988 : *Village arabe*, h/pan. (17x12,5) : **FRF 9 500** – New York, 25 mai 1988 : *Caravane au crépuscule*, h/pan. (24,8x40,7) : **USD 7 150** – Paris, 17 juin 1988 : *La caravane au bord du Nil*, aquar. (12x17) : **FRF 3 800** – Paris, 7 juil. 1988 : *Fontaine à Bab-el-Oued*, h/pan. (36x54) : **FRF 46 000** – Paris, 16 déc. 1988 : *Rue de Damas*, h/pan. (41x25,5) : **FRF 28 000** – New York, 23 mai 1989 : *Halte à l'oasis*, h/t (44x72) : **USD 29 700** – New York, 24 oct. 1989 : *Caravane en route pour Jérusalem*, h/t (35x61) : **USD 33 000** – Versailles, 19 nov. 1989 : *À Balta Liman sur la Bosphore*, dess. (29x46,5) : **FRF 5 000** – Compiègne, 28 jan. 1990 : *Le Caire*, h/t/pan. (90x71) : **FRF 102 000** – Londres, 14 fév. 1990 : *Arabes faisant halte dans une oasis*, h/pan. (25,5x43) : **GBP 2 200** – Troyes, 20 mai 1990 : *Rue en Afrique du Nord*, h/pan. (22x15) : **FRF 13 200** – New York, 24 oct. 1990 : *Caravane approchant d'une rivière* 1857, h/t (30,5x57,2) : **USD 11 000** – Paris, 20 nov. 1990 : *Caravane à Minieh*, h/pan. (32x50) : **FRF 150 000** – Londres, 4 oct. 1991 : *Rue de Beyrouth*, h/t (61x49,2) : **GBP 6 160** – New York, 17 oct. 1991 : *Coucher de solail sur l'oasis*, h/pan. (24,1x34,9) : **USD 6 600** – Paris, 3 avr. 1992 : *Vue d'Yport* 1873, aquar. (8,3x16) : **FRF 8 200** – Paris, 2 juin 1992 : *La Grande Caravane en Haute-Égypte*, h/pan. (16,5x29) : **FRF 58 000** – New York, 29 oct. 1992 : *Aux abords de la ville*, h/pan. (31,8x47,6) : **USD 8 800** – Paris, 5 avr. 1993 : *Porteuses d'eau à Boulak au Caire*, fus. (23,5x46,5) : **FRF 6 000** – Tel-Aviv, 14 avr. 1993 : *Jérusalem*, h/t (46x60) : **USD 29 900** – Paris, 22 avr. 1994 : *Bords du Nil à Manfalout, Haute-Égypte*, h/pan. (41x32) : **FRF 50 000** –

New York, 26 mai 1994 : *La Caravane* 1871, h/t (40,6x61) : **USD 10 925** – Londres, 17 nov. 1994 : *Pélerins se prosternant à la vue de Jérusalem*, h/t (142,2x203,8) : **GBP 133 500** – New York, 1er nov. 1995 : *Le long du Nil à Gizeh*, h/t (96,5x129,5) : **USD 57 500** – Paris, 6 nov. 1995 : *La grande caravane arrivant à Baalbeck par le Sud-Est*, h/pan. (23,5x38) : **FRF 180 000** – Paris, 5-7 nov. 1996 : *Caravane de pélerins allant à La Mecque*, h/t (54x65) : **FRF 130 000** – Paris, 9 déc. 1996 : *Campement au coucher de soleil*, h/t (24x34) : **FRF 30 000** – Londres, 11 oct. 1996 : *Aux abords du Bosphore*, h/pan. (21,5x16) : **GBP 8 970** – Paris, 14 mars 1997 : *Les Pyramides de Giza*, h/pan. (17x36) : **FRF 29 000** – Londres, 21 mars 1997 : *L'Oasis* 1855, h/pan. (26,5x41,2) : **GBP 4 600** – Londres, 13 juin 1997 : *Khan aux environs de Beyrouth*, h/t (31,7x63,2) : **GBP 37 800** – New York, 26 fév. 1997 : *Caravane dans une oasis au coucher de soleil*, h/pan. (14x22,2) : **USD 4 600** – Londres, 21 nov. 1997 : *Arabes devant une ville*, h/pan. (20,6x32,4) : **GBP 9 775**.

FRÈRE Élisabeth F. T.
Née à Londres. xxe siècle. Française.
Aquafortiste.
Elle fut élève de Miss C. Smilt. Elle expose en France, au Salon des Artistes Français de Paris, depuis 1925.

FRÈRE Jean Jules
Né le 1er octobre 1851 à Cambrai. Mort en 1906 à Paris. xixe siècle. Français.
Sculpteur.
Élève de Cavelier et de Cordier. Il figura au Salon de Paris de 1874 à 1880. On cite de lui : *Buste du général d'Aigremont* ; *Cendrillon* ; *Chanteur oriental*, statue (au Musée de Cambrai). Médailles de troisième classe en 1878, de deuxième classe en 1883, de bronze en 1889 et 1900 à l'Exposition Universelle de Paris.

FRÈRE Marcel
Né en 1931 à Jumet (Belgique). xxe siècle. Belge.
Peintre. Symboliste.
Il fut élève de l'Académie des Beaux-Arts de Charleroi.
Il a peint de nombreuses compositions avec des fleurs ou des squelettes. Sa peinture, spiritualiste et symboliste, révèle ses convictions religieuses.
Bibliogr. : In : *Diction. biogr. illustré des artistes en Belgique depuis 1830*, Arto, Bruxelles, 1987.

FRÈRE Michel
Né en 1961 à Bruxelles. xxe siècle. Belge.
Peintre de paysages animés. Expressionniste.
Il vit et travaille à Bruxelles, où il a participé à de nombreuses expositions collectives depuis 1984. Il a également exposé au Salon de Montrouge en 1988. Il présente son travail dans diverses expositions personnelles en Belgique, notamment en 1988 à Bruxelles galerie Baronian, en 1995 au Palais des Beaux-Arts de Charleroi, mais aussi à Amsterdam, Munich, New York...
Son travail s'inscrit dans la tradition, s'inspirant notamment de la peinture belge de la fin du xixe s. Il renforce cet effet en encadrant ses tableaux et en les recouvrant d'une vitre dont il aime la brillance. Il s'attache à faire vibrer la couleur, n'excluant pas pour autant le motif, en appliquant plusieurs couches de peinture successives de différentes couleurs et d'intensités variées, le plus souvent en empâtements sommairement triturés.
Bibliogr. : L. Busine : *Catalogue de l'exposition Michel Frère*, Gal. A. Baronian, Bruxelles, 1988.

FRÈRE Pierre
xviie siècle. Actif à Paris en 1684. Français.
Peintre et sculpteur.
Sans doute identique au suivant.

FRÈRE Pierre
xviiie siècle. Actif à Paris. Français.
Sculpteur.
Il est cité comme ayant assisté au mariage d'Alexandre Gremont et de Marguerite Aveline, célébré le 9 septembre 1723.

FRÈRE Pierre Édouard
Né le 10 janvier 1819 à Paris. Mort en 1886 à Écouen (Val d'Oise). xixe siècle. Français.
Peintre de scènes de genre, paysages animés, lithographe.
Frère cadet du peintre orientaliste Charles Théodore Frère, il entra à l'École des Beaux-Arts de Paris, dès 1836, se formant sous la direction de Paul Delaroche. Il exposa, à Paris, au Salon, puis au Salon des Artistes Français, de 1842 à 1886 ; à Londres, à la Royal Académy, de 1868 à 1885. Il obtint plusieurs médailles et fut fait chevalier de la Légion d'honneur, en 1855.
Il peignit principalement des sujets de genre, des scènes de la vie quotidienne au village : lavandières, ménagères, jeux d'enfants, avec de jolis effets d'éclairage sur la campagne ensoleillée. Parmi ses œuvres, on mentionne : *La lessive* – *La poule aux œufs d'or* – *Le graveur sur bois* – *Jeune femme peignant* – *Intérieur : femmes et enfants écossant des pois* – *Enfants se battant avec des boules de neige* – *Lully enfant* – *Le Vendredi-Saint* – *Vieille femme cousant* – *Mendiants de Dunkerque* – *La Dînette* – *Mère et enfant*. Il réalisa lui-même des lithographies de ses œuvres.

E. Frère

Bibliogr. : Janine Bailly-Herzberg, in : *L'eau-forte de peintre au xixe siècle*, Laget, Paris, 1972 – Gérald Schurr, in : *Les Petits Maîtres de la peinture 1820-1920, valeur de demain*, Les Éditions de l'Amateur, t. III, Paris, 1976.
Musées : Bernay : *Arrivée à l'oasis* – Cardiff : *Enfant dans un champ* – Chartres : *Intérieur de cuisine* – *La Blanchisseuse* – *La leçon de lecture* – Glasgow : *Mère et enfants* – Hambourg : *Le marchand d'estampes* – *Le crucifix* – Melbourne : *Intérieur d'une chaumière* – Paris (BN, Cab. des Estampes) : *Ensemble de l'œuvre gravée* – Sheffield : *En face de l'école*.
Ventes Publiques : Paris, 1er-2 juin 1865 : *Le Déjeuner* : **FRF 4 150** – Paris, 25 avr. 1891 : *La Bouillie* : **FRF 3 940** – New York, 18-20 avr. 1906 : *Jeunes garçons après l'école* : **USD 1 000** – Londres, 29 juin 1908 : *Le Bénédicité* : **GBP 451** ; *La leçon de couture* 1868 : **GBP 241** – Londres, 3 juin 1910 : *La Couturière* : **GBP 68** ; *L'Oiseleur*, l'hiver : **GBP 120** – Londres, 11 mai 1923 : *À l'abri de la pluie* : **GBP 48** – Londres, 2 déc. 1927 : *Prière du soir* : **GBP 63** – Paris, 18 juin 1930 : *La petite cuisinière* : **FRF 1 600** – Londres, 19 fév. 1937 : *Le Bénédicité* : **GBP 94** – New York, 5 nov. 1943 : *La Laveuse* : **USD 90** – New York, 18-19 avr. 1945 : *La Jeune Laveuse* : **USD 225** – Paris, 16 fév. 1950 : *Intimité familiale* : **FRF 32 700** – Londres, 14 nov. 1969 : *La soupe* : **GNS 460** – Londres, 19 oct. 1976 : *La sortie de l'école* 1869, aquar. et reh. de blanc (91,5x69,5) : **GBP 500** – Londres, 29 oct. 1976 : *La danse de la moisson* 1850, h/t (25x32,5) : **GBP 300** – Berne, 6 mai 1977 : *L'asile des vieillards* 1851, h/t (52x73) : **CHF 3 300** – Londres, 18 oct. 1978 : *L'attaque aux boules de neige* 1866, h/pan. (40,5x32) : **GBP 3 400** – New York, 28 mai 1981 : *La cuisine de campagne* 1886, h/pan. (40,5x32) : **USD 3 250** – New York, 27 mai 1983 : *Le petit tambour* 1858, h/pan. (28,5x22,8) : **USD 14 000** – Londres, 18 juin 1986 : *Enfants faisant leurs leçons* 1881, h/pan. (40x33) : **GBP 11 500** – Paris, 18 juin 1989 : *Intérieur de chaumière*, h/t (22x32) : **FRF 15 000** – Londres, 28 nov. 1990 : *Enfants ramassant des fagots sur un sentier forestier enneigé* 1883, h/pan. (32x24) : **GBP 4 180** – Londres, 19 juin 1991 : *Décoration d'un chapeau de paille avec des fleurs sauvages*, h/t (54x44) : **GBP 4 180** – Londres, 4 oct. 1991 : *Chez Grand'mère*, h/t (65,5x54) : **GBP 3 960** – Londres, 22 mai 1992 : *Usé jusqu'à la corde* 1882, h/pan. (47x38) : **GBP 6 820** – Londres, 17 mars 1993 : *Scène familiale dans un intérieur* 1880, h/pan. (56x45) : **GBP 9 430** – Le Touquet, 14 nov. 1993 : *Repos dans la prairie*, h/t (24x32) : **FRF 12 500** – Londres, 16 mars 1994 : *Jeux d'enfants* 1864, h/pan. (33x41) : **GBP 16 675** – Paris, 7 avr. 1995 : *La remontée de la mine après le coup de grisou*, h/t (21,5x41,5) : **FRF 5 000** – New York, 17 jan. 1996 : *L'heure de la prière* 1878, h/pan. (37,5x29,5) : **USD 8 625** – New York, 23 mai 1997 : *La Leçon de tricot* 1883, h/pan. (55,9x46,4) : **USD 26 450** – New York, 23 oct. 1997 : *Jouant à la maman* 1965, h/pan. (24,8x19,7) : **USD 9 775**.

FRÈRE Samuel
xixe-xxe siècles. Français.
Peintre de paysages.
Actif à Rouen, il fut sociétaire des Artistes Français depuis 1909.
Musées : Rouen : *Le cap Hernu*.
Ventes Publiques : Paris, 28 mars 1985 : *Village breton* 1905, h/t (81x115) : **FRF 15 600**.

FRÈRE Théodore. Voir **FRÈRE Charles Théodore**

FRÈRE DE MONTIZON Flore
Née en 1794 à Paris. xixe siècle. Française.
Peintre.
Elle fut, comme sa sœur Thérèse, peintre de genre, d'histoire et paysagiste.

FRÈRE DE MONTIZON Thérèse Justine
Née en 1792 à Paris. XIXe siècle. Française.
Peintre.
Elle était directrice de l'École royale et gratuite de dessin pour les jeunes personnes et professeur. Parmi les dessins qu'elle a exécutés, on cite : *Les portraits des enfants de France*, pour la duchesse de Berry ; *Sainte Thérèse* ; *Abraham priant avant d'immoler son fils* ; *Saint André en croix*.

FRÈREBEAU Maurice Georges
Né en 1879 à Paris. XXe siècle. Français.
Peintre de paysages, graveur.
Il fut élève de Gérome. Il reçut une médaille de bronze à l'Exposition universelle de Paris, en 1900.

FRÈREDOUX André
XIVe siècle. Actif à Tours. Français.
Sculpteur et architecte.
Il fit, vers 1385, dans la cathédrale de Tours, la tombe de Jean Gervaise chanoine, et l'autel de la chapelle que cet ecclésiastique avait fondée par testament. André Frèredoux vivait encore en 1398. On trouve à Tours, au XVe siècle, deux architectes de la cathédrale : Aimery et Olivier Frèredoux ; ce sont, sans doute, les fils d'André.

FRÈRES Théodorus ou **Dirk** ou **Ferraris**
Né en 1643 à Enkhiusen. Mort en 1693 à Enkhiusen. XVIIe siècle. Hollandais.
Peintre d'histoire.
Il fit à Rome ses études artistiques. Revenu en Hollande il y connut une grande popularité et beaucoup de ses tableaux et de ses dessins furent acquis par le prince d'Orange. Invité par sir Peter Lely à venir en Angleterre, il n'y resta que peu de temps et revint en Hollande. Son dessin est correct et assez artistique.

FRÉRET Alexandre
XVe siècle. Éc. flamande.
Peintre.
Était dans la confrérie de Saint-Luc à Bruges en 1450. Cité par Siret.

FRÉRET Armand
XVIIIe siècle. Actif à Cherbourg. Français.
Sculpteur.
Il était le frère de Pierre.

FRÉRET Armand Auguste
Né au XIXe siècle à Cherbourg (Manche). XIXe siècle. Français.
Peintre.
Élève de Yvon, il figura au Salon de Paris de 1865 à 1874. On cite de lui : *Plage aux environs de Cherbourg* ; *Le coucher du soleil sur la baie de Vauville* ; *à marée basse, Côte aux environs de Cherbourg*. Le Musée de Cherbourg conserve de lui : *Pose de la première pierre de l'Hôtel-Dieu de Cherbourg*, le Musée de Saint-Lô : *Plage de Hollande*.

FRÉRET Louis
XIXe siècle. Actif vers 1800. Français.
Dessinateur de marines.
Aubertin grava d'après cet artiste.

FRÉRET Pierre
Mort avant 1787. XVIIIe siècle. Actif à Cherbourg. Français.
Sculpteur.
Il travailla pour l'église de la Trinité à Cherbourg. Sans doute fut-il aussi dessinateur.

FRERICHS William ou **Wilhelm Charles Anthony**
Né en 1829 à Gand (Belgique). Mort le 16 mars 1905 à Tottenville (États-Unis). XIXe siècle. Belge.
Peintre de portraits, paysages animés, paysages.
Après avoir fait ses études en Belgique avec Van Hove, il vint en Amérique où il se fit surtout connaître comme professeur.
VENTES PUBLIQUES : HYANNIS (Massachusetts), 7 août 1973 : *Paysage d'automne* : **USD 1 600** – NEW YORK, 30 sep. 1982 : *Torrent de montagne*, h/t (91,7x152,8) : **USD 1 900** – WASHINGTON D. C., 9 déc. 1984 : *Patineurs sur une rivière gelée*, h/t (76,2x117) : **USD 4 100** – RALEIGH (North Carolina), 5 nov. 1985 : *Montain falls*, h/t (134,5x175,2) : **USD 20 000** – NEW YORK, 26 mai 1988 : *L'accostage*, h/t (91x152,1) : **USD 6 600** – NEW YORK, 30 sep. 1988 : *Lac en automne*, h/t (56x91,5) : **USD 8 800** – NEW YORK, 31 mai 1990 : *Pêcheurs au bord d'un ruisseau*, h/t (55,8x88,9) : **USD 2 200** – NEW YORK, 28 mai 1992 : *Portrait d'un officier de marine*, h/t (90,3x73,2) : **USD 9 900** – NEW YORK, 4 déc. 1992 : *Patinage en hiver*, h/t (76,2x116,9) : **USD 15 400** – NEW YORK, 27 mai 1993 : *Chasseurs d'oiseaux au bord d'un ruisseau au fond d'une gorge* 1878, h/t (74,9x126,4) : **USD 13 800** – NEW YORK, 31 mars 1994 : *Ours traversant un ruisseau près d'une cascade*, h/t (63,5x83,8) : **USD 2 875** – NEW YORK, 14 mars 1996 : *Patineurs*, h/t (76,2x116,8) : **USD 21 850**.

FRERING Élisabeth
Née le 25 décembre 1955 à Argenteuil (Val-d'Oise). XXe siècle. Française.
Peintre.
Elle fut élève de l'école des arts décoratifs et de l'école supérieure des beaux-arts de Valence, en Espagne, où elle a vécu plusieurs années et enseigné le dessin de 1979 à 1981. Elle s'est ensuite installée en Alsace, non loin de Strasbourg, où elle poursuit ses activités artistiques. Depuis 1977, elle montre ses œuvres dans des expositions personnelles dans diverses galeries, en Espagne et en France.
Elle a subi l'influence de l'Espagne, de Tapiès, mais aussi de Clavé et Goya. Elle réalise des paysages intérieurs, qui ressemblent à ces vieilles photos virées sépia, à ces feuilles d'automne délavées par la pluie et le vent. Sur du papier cartonné marouflé sur toile qu'elle a travaillé auparavant par détrempage, ponçage ou une autre technique, elle crée de larges plages de couleurs aux teintes minérales, sur lesquelles viennent se greffer des signes énigmatiques : une croix, une brindille, une canne... Sa peinture, aux subtiles irisations, atteint un état d'équilibre très précaire, suspendant le temps pour fixer l'image éphémère.
■ L. L.
BIBLIOGR. : Pierre Souchaud, *Élizabeth Frering*, Artension, n° 31, Rouen, fév.-mars 1992.

FRÉROT Marie, Mme
Née au XIXe siècle à Paris. XIXe siècle. Française.
Peintre.
Elle eut pour maître Joseph G. Tourny. Au Salon elle figura de 1874 à 1882, par quelques aquarelles, d'après Veronèse, Le Titien, Rubens.

FRESCHI Andrea
Né en 1774 à Bassano. XVIIIe-XIXe siècles. Italien.
Graveur.
Élève de Schiavonetti, il grava de nombreux portraits comme celui du roi *George III d'Angleterre*. Il vécut longtemps à Londres.

FRESCHI Paolo di Cristoforo dei
Mort au début du XVIIe siècle à Venise. XVIe siècle. Actif à Venise en 1578. Italien.
Peintre.
On sait qu'il travailla pour le Séminaire Santa Maria della Salute à Venise.

FRESE Albert ou **Freese**. Voir **FREESE**

FRESE Daniel
Né en 1540 à Dithmarschen. Mort en 1611 à Lüneburg. XVIe-XVIIe siècles. Allemand.
Peintre.
Il travailla et vécut surtout à Hambourg. On lui doit également des œuvres pour les églises de Dithmarschen et de Lüneburg. On cite son *Jugement de Salomon* exécuté en 1568 pour l'église Sainte Catherine d'Hambourg.

FRESE Heinrich
Né le 27 mai 1794 à Brême. Mort le 20 juillet 1869 à Brême. XIXe siècle. Allemand.
Sculpteur.
Il fut élève d'Andreas Steinhäuser.

FRESE Samuel
Mort le 4 février 1620 à Hambourg. XVIIe siècle. Allemand.
Peintre.
Il était parent de Daniel.

FRESEN Jean Baptiste
Né en 1800. Mort en 1867. XIXe siècle. Actif à Longwy. Français.
Peintre de portraits.
Élève de Pierre Maisonnet et de l'Académie de Bruxelles.

FRESENIUS Hermann Julius Richard
Né le 18 juin 1844 à Francfort-sur-le-Main (Hesse). Mort le 7 janvier 1903 à Monaco. XIXe siècle. Allemand.
Peintre de marines.
Élève de l'Académie de Munich et de Gude à Karlsruhe. Il voya-

gea en Allemagne et en Norvège. Il a exposé à Vienne et Munich à partir de 1869.
Ventes Publiques : Cologne, 18 mars 1989 : *Coucher de soleil sur la côte*, h/t (22x38,5) : **DEM 2 000.**

FRESET Georges Eugène
Né le 22 juillet 1894 à Luxeuil (Haute-Saône). Mort le 25 juillet 1975 à Bourbonne-les-Bains (Haute-Marne). xxe siècle. Français.
Peintre de paysages, fleurs, graveur, dessinateur, illustrateur. Postimpressionniste.
Il fut élève de Jules Adler. Devenu instituteur en 1919, il sut concilier l'art et l'enseignement, allant peindre sur le motif dès qu'il en avait le temps. De 1923 à 1939, il participa à de nombreux Salons, notamment, à Paris, à partir de 1928, au Salon des Artistes Français, dont il devint sociétaire en 1930. Depuis, il a participé à différentes expositions collectives, mais aussi individuelles. En 1984, on a pu voir au musée de Vesoul, la première rétrospective de son œuvre. En 1935, il obtint la médaille d'or de la Société Artistique de la Haute-Marne.
Sa peinture, pleine de minutie, de générosité et de fraîcheur, est une véritable leçon de choses. Vers 1940, alors qu'il peut enfin se consacrer totalement à la peinture, il abandonne les grands paysages, afin de développer un point de vue original : il se met à peindre les choses telles qu'il les voyait enfant, au ras du sol, se spécialisant dans le premier plan. Avec une sensibilité extrême et une observation rigoureuse, il construit un univers, à partir de quelques brindilles, d'une fleur, d'un peu de mousse.
Bibliogr. : Catalogue de l'exposition *Georges Freset*, Vesoul, 1984.
Musées : Belfort – Besançon – Bourbonne-les-Bains – Épinal – Luxeuil-les-Bains – Paris (Mus. Nat.) – Paris (Mus. d'Art Mod. de la Ville).

FRESEZ ou **Fressez**
xixe siècle. Actif à Luxembourg. Luxembourgeois.
Peintre et dessinateur.
Cet artiste luxembourgeois travaillait vers 1828 et était décoré de l'ordre de la Couronne du Chêne.

FRESLON Gobert
xvie siècle. Actif à Paris. Français.
Peintre.

FRESLON Jean
xvie siècle. Actif à Paris en 1528. Français.
Peintre.

FRESLON Martin
xvie siècle. Actif à Paris vers 1550. Français.
Peintre.

FRESNAYE Marie Alphonsine
Née au xixe siècle à Marenta. xixe siècle. Française.
Sculpteur.
De 1874 à 1882, elle exposa au Salon de Paris quelques médaillons et quelques sujets de genre. Parmi ces derniers on cite : *Le sommeil* ; (haut relief en plâtre) ; *La fille d'Apollodore* (statuette) ; *Sibylle* (statue) ; *Le petit possesseur* (groupe) ; *Le petit voleur* (statuette en marbre) ; *Le Sommeil de l'Enfant Jésus* ; *Chérubins* (au Musée d'Arras). Mention honorable en 1884, médaille de bronze en 1900 à l'Exposition Universelle de Paris.

FRESNAYE Roger de. Voir **LA FRESNAYE Roger de**

FRESNEY-TOUVENAINT Marie, Mme
xixe siècle. Active à Paris. Française.
Peintre.
Sociétaire des Artistes Français depuis 1883.

FRESNIEL Jean
Né au Mans. xive siècle. Français.
Sculpteur.
Il travailla au château d'Escaudœuvres, près de Cambrai, en 1356 et 1357.

FRESON Florence
Née en 1951 à Liège. xxe siècle. Belge.
Sculpteur. Abstrait.
Elle étudia l'histoire de l'art mais aussi la sculpture à l'Académie des Beaux-Arts de Bruxelles, où elle eut pour professeurs J. Moeschal et M. Guyaux.
Elle soumet la pierre, son matériau de prédilection, à de nombreuses recherches structurelles. Sa démarche est avant tout synthétique.
Bibliogr. : In : *Diction. biogr. illustré des artistes en Belgique depuis 1830*, Arto, Bruxelles, 1987.

FRESQUES de SAINT-NICOLAS, Maître des. Voir **MAÎTRES ANONYMES**

FRESSEL Pietrequin
xve siècle. Parisien, vivant au xve siècle. Français.
Sculpteur sur bois.
Il fut appelé à Rouen, en 1461, par Philippot Viart, et y collabora, sous sa direction, à l'ornementation des stalles du chœur de la cathédrale.

FRESSINIAT Jules de
Né en 1820 à Limoges (Haute-Vienne). xixe siècle. Français.
Peintre de portraits.
Il se déclarait élève de Michel M. Drolling. En 1847, 1848 et 1969, il exposait des portraits au Salon de Paris. On dispose de témoignages attestant qu'il en peignait encore en 1876.

FRESSON François Charles
xviiie siècle. Actif à Paris en 1749. Français.
Peintre et sculpteur.

FRESTEL Charles
Né à Saint-Lô (Manche). xxe siècle. Français.
Sculpteur.
Il fut élève de Navellier. Il a exposé, à Paris, au Salon des Artistes Français, à partir de 1923, ainsi qu'au Salon d'Automne.

FRETAY De. Voir **DUFRETAY**

FRETEAU
Graveur.
Le Musée de Douai conserve de lui une estampe : *Portrait d'homme.*

FRETON Jeannie
xxe siècle.
Peintre.
Elle montre ses œuvres dans des expositions personnelles, dont : 1996, galerie Le Navire, Brest.
Dans ses peintures, l'artiste emprunte certains motifs aux grands maîtres de l'histoire de l'art (Velasquez, Piero della Francesca...) et qu'elle retravaille à sa manière.

FRETTE Auguste A.
Né à la fin du xixe siècle à Grenoble (Isère). xixe-xxe siècles. Français.
Sculpteur.

FRETZ Rudolf
Né le 17 avril 1863 à Zurich. xixe siècle. Suisse.
Graveur sur bois.
Élève du graveur H. Bachmann, il compléta ses études à Munich et à Fribourg en Brisgau. Il travailla pour une maison de Zurich et se servit d'un procédé qui lui permit d'imiter parfaitement la gravure à l'eau-forte.

FRETZER Klaus
xve siècle. Actif à Bâle en 1473. Suisse.
Peintre.

FREUD Lucian
Né en 1922 à Berlin. xxe siècle. Depuis 1933 actif et depuis 1939 naturalisé en Angleterre. Allemand.
Peintre de portraits, nus, paysages, natures mortes, sculpteur, dessinateur, graveur.
Petit-fils du fondateur de la psychanalyse Sigmund Freud, il vit en Angleterre depuis l'âge de onze ans. Il étudie, à l'école des arts et métiers de Londres, la sculpture, mode d'expression qu'il abandonnera par la suite. De 1939 à 1942, il suit également des cours de peinture à l'East Anglican School of Painting and Drawing de Dedham dirigé par C. Morris, paysagiste inventif, puis, à mi-temps au Goldsmiths' College de Londres. Il poursuit sa formation seul et ne commence à peindre qu'au début de la Seconde Guerre mondiale. En 1946, il fait un séjour à Paris, où il découvre la peinture française, notamment Ingres, dont il subira l'influence, puis, en 1947, il voyage en Grèce. En 1953-1954, il enseigne à la Slade School of Art de Londres.
Il figure dans de nombreuses expositions collectives de la jeune peinture anglaise, mais il a également exposé à l'étranger notamment à Tokyo, New York, ainsi qu'à la Biennale de Venise en 1954. Depuis 1944, il montre ses peintures dans des expositions personnelles. Bien représenté dans les collections britanniques, le British Museum a organisé, en 1988, à la Hayward Gallery, une rétrospective de son œuvre, qui a circulé dans de

nombreux pays : États-Unis (Hirshhorn Museum, Washington), France (musée national d'Art moderne, Paris), Allemagne (Neue Nationalgalerie, Berlin). En 1993 de nouveau, une exposition rétrospective de son œuvre a circulé depuis la Whitechapel Art Gallery de Londres, au Museum of Modern Art de New York et au Museo nacional Reina Sofia de Madrid. En 1995, la Fondation Maeght de Saint-Paul-de-Vence, a organisé une exposition conjointe *Francis Bacon-Lucian Freud*. Il est décoré de l'Ordre des Compagnons d'honneur. En 1951, il a reçu le prix de l'Arts Council au Festival de Grande-Bretagne.

Ses premières œuvres subissent l'influence du surréalisme, très présent à Londres dans ces années-là – et d'autant que le surréalisme se réclame avant tout de Sigmund Freud –, mais bientôt surtout de la *Nouvelle Objectivité* animée par Otto Dix et Georg Grosz. Figurative, sa peinture constituée dès ses débuts presque uniquement de figures, isolées ou en groupe, s'inscrit aussi dans la tradition du portrait anglais. Adoptant un style classique, « ingresque », Freud crée des portraits dépouillés de toute emphase, tant dans la couleur volontairement pâlie, que dans la facture anguleuse, à dominante linéaire. Ainsi, dans la série clair-obscur des jeunes filles aux yeux saillants, au front écrasé, qui évoque l'expressionnisme mais exclut tout sentiment, toute séduction, porte-t-il un regard impassible sur le modèle s'attachant à mettre sur le même plan tous les éléments du visage et du décor. Aux tons gris et froids des portraits et intérieurs au réalisme minutieux, succède, dans les années soixante, une atmosphère plus chaude, aux couleurs ocres, oranges, jaunes et rouges. En même temps, la matière pigmentaire s'épaissit pour devenir substance tactile et ne plus être réduite qu'à un simple effet de voile contribuant à l'homogénéité de l'ensemble ; et, progressivement, les figures habillées se dénudent marquant la volonté de restituer à l'homme contemporain son être de chair. Freud désire donner au corps toute l'expression que le visage aurait pu accaparer et reproduit, dès lors, le moindre pore, le moindre poil, le moindre nœud musculaire. Dans le *Portrait nu au reflet* (1980), aux volumes nets et vigoureux, une femme nue, aux formes opulentes, allongée sur un canapé brunasse est offerte, de face, à nos regards (mais aussi sans doute à ceux de l'homme habillé, dont on voit le pied, qui passe à l'arrière-plan du tableau). Le propos de cette toile, et il en est de même pour toutes les autres œuvres, n'est pas de dire le Beau, ni d'exhaler le nu, mais plutôt de saisir, avec l'intensité maximum, un instant d'humanité ; et ce, seule la chair meurtrie, blanche, orangée, rose marbrée, violacée, surexposée, aux multiples imperfections restituées, peut l'atteindre. Cette volonté de faire ressortir le grain de la peau, de montrer la chair dans ce qu'elle a peut-être de moins séduisant, se trouve renforcée par l'utilisation du blanc de Krems, à la consistance grumeleuse, qu'il utilise exclusivement pour peindre les corps. Dans les années quatre-vingt-dix, poussant plus loin la volonté de réalisme, tout en retrouvant l'une des constantes de la *Nouvelle objectivité*, il recherche délibérément des modèles monstrueux.

Son œuvre, acceptant l'aspect d'un certain académisme, se situe à l'écart de tout mouvement artistique contemporain, bien que parallèle à celle de son ami Francis Bacon. Il propose l'univers clos de son atelier et ses modèles, le plus souvent – outre l'exercice de l'introspection manifesté dans de très nombreux autoportraits-, des proches (sa femme, sa mère Lucie dont il décrit le vieillissement implacable, ses amis peintres...), afin de fixer toutes les postures, afin de narrer, au travers des corps mis à nu, les fragments d'une vie psychique, dont nous ne saurons rien. Il poursuit une quête inlassable, poussant très loin l'observation psychologique au point de déranger. Toujours avec la même ardeur, sans études préparatoires, il peint ces corps maigres et ingrats, puis ultérieurement au contraire ballonnés, abîmés dans la passivité, l'inertie, qu'il nous livre brutalement : « Je veux que ma peinture fonctionne comme la chair... Pour moi la peinture *est* la personne. Je veux qu'elle fasse sur moi le même effet que la chair. » ■ Laurence Lehoux, J. B.

Bibliogr. : Bernard Dorival, sous la direction de... : *Peintres contemporains*, Mazenod, Paris, 1964 – in : *Dict. univer. de la peinture*, Le Robert, t. III, Paris, 1975 – Lawrence Gowing : *Lucian Freud*, Londres, 1982 – Jean Clair : *Lucian Freud : restoring the paint-flesh ritual*, Art International, n° 1, Paris, aut. 1987 – Robert Hughes : *Les Peintures de Lucian Freud*, Londres, 1987 – Robert Hugues : *Lucian Freud – peintures*, Thames & Hudson, Paris, 1987 – in : *L'Art du xxe s.*, Larousse, Paris, 1991 – in : *Dict. de l'art mod. et contemp.*, Hazan, Paris, 1992 – Catalogue de l'exposition : *Francis Bacon – Lucian Freud*, Fondation Maeght, Saint-Paul-de-Vence, 1995.

Musées : Liverpool (Nat. Mus. and Art Gal. on Meyrseyside) : *Intérieur près de Paddington* 1951 – Londres (Tate Gal.) : *Portrait de Francis Bacon* 1952 – Londres (British Council) : *La Jeune Femme aux roses* 1947-1948 – New York (Mus. of Mod. Art) – Paris (FNAC) : *Homme posant* – Washington D. C. (Hirshhorn Mus. and Sculpture Garden) : *Portrait de nuit* 1985-1986.

Ventes Publiques : Londres, 12 avr. 1967 : *Nu aux cheveux noirs* : **GBP 800** – Londres, 4 juin 1971 : *Tête endormie* : **GNS 1 200** – Londres, 26 avr. 1972 : *Portrait de l'artiste*, aquar. : **GBP 800** – Londres, 22 nov. 1972 : *Autoportrait* : **GBP 4 400** – Londres, 13 juil. 1973 : *Femme souriant* 1958-1960 : **GNS 4 800** – Londres, 14 déc. 1973 : *Portrait de jeune fille* 1967 : **GNS 12 000** – Londres, 10 mai 1974 : *Portrait de Billy* : **GNS 16 000** – Londres, 7 juin 1978 : *Nu assis*, aquar. et cr. (32,5x23,5) : **GBP 1 200** – Londres, 10 juin 1981 : *Tête de jeune fille*, pl./pap. (44,5x37) : **GBP 850** – Londres, 25 mai 1983 : *Nude with dark hair, or Pregnant Girl* 1960-61, h/t (87,5x70) : **GBP 40 000** – Londres, 4 nov. 1983 : *Boy posing*, aquar. et pl. (37x24) : **GBP 750** – Londres, 23 mai 1984 : *Startled man*, cr. (22x14) : **GBP 6 800** – Londres, 7 juin 1985 : *Fish head*, aquar. (16,2x22) : **GBP 1 700** – Londres, 8 nov. 1985 : *Singe mort (illustration pour « La Ruine et le Soleil »)* 1944, pl. (20,3x33) : **GBP 7 000** – Londres, 2 juil. 1987 : *Adventure Playground* 1974, h/t (22x33) : **GBP 58 000** – Londres, 22 juil. 1987 : *A Peculiar Gull*, pl. et encre de Chine (12,5x18) : **GBP 4 000** – Londres, 9 juin 1988 : *Modèle se reposant*, encre (36,3x23,8) : **GBP 5 280** – Londres, 30 juin 1988 : *Tête d'homme* 1966, h/t (46,5x39) : **GBP 275 000** – Londres, 23 fév. 1989 : *Homme dans le train*, cr./pap. (18x12) : **GBP 7 700** – Londres, 29 juin 1989 : *Jeune Fille en robe blanche* 1947, cr. et past./pap. kraft (57x48) : **GBP 308 000** – Londres, 10 nov. 1989 : *Portrait de Lincoln Kirstein* 1950, h/t (50,8x40,7) : **GBP 143 000** – Londres, 5 avr. 1990 : *Nu féminin assis*, h/t (35x22,3) : **GBP 357 500** – Londres, 28 juin 1990 : *Homme fumant*, h/t (58x58) : **GBP 660 000** – Londres, 18 oct. 1990 : *Lapin sur une chaise* 1944, cr./pap. (45x29) : **GBP 93 500** – Paris, 28 mars 1991 : *Portrait de Christian Bérard* 1948, cr. et reh. de blanc sur pap. gris (41x31) : **FRF 200 000** – Londres, 27 juin 1991 : *Jardin au bord de la mer*, cr. et cr. coul./pap. (12,7x17,7) : **GBP 15 400** ; *Femme au sein nu*, h/t (63,5x49,5) : **GBP 374 000** – Monaco, 11 oct. 1991 : *Portrait de Christian Bérard* 1948, cr. noir et blanc/pap. gris (40,5x42,5) : **FRF 1 831 500** – Londres, 8 nov. 1991 : *Portrait d'un homme*, h/t (24x19) : **GBP 126 500** – Londres, 26 mars 1992 : *Autoportrait* 1952, h/cart. (11,5x8,8) : **GBP 88 000** – Londres, 2 juil. 1992 : *Homme en chemisette de sport*, h/t (50,9x40,7) : **GBP 275 000** ; *Le Loch Ness depuis Drumnadrochit* 1943, encre/pap. (37,5x45) : **GBP 55 000** – Londres, 3 déc. 1992 : *Annabel* 1990, h/t (24,5x16,2) : **GBP 126 500** – Londres, 29 juin 1994 : *The painter's room* 1943, h/t (62x76) : **GBP 416 000** – Milan, 21 juin 1994 : *Tête de femme*, cr. (22x16,5) : **ITL 1 955 000** – Londres, 29 nov. 1995 : *Portrait d'homme avec une moustache*, h/t (24x19) : **GBP 155 500** – Londres, 30 nov. 1995 : *Rose et petit pois*, h/t (30,5x20) : **GBP 52 100** – New York, 1er mai 1996 : *Modèle masculin posant* 1985, eau-forte (89x73,7) : **USD 13 800** – Londres, 26 juin 1996 : *Jeune Fille en robe blanche*, cr. Conté et past./pap. chamois (57x48) : **GBP 364 500** – Londres, 24 oct. 1996 : *Autoportrait* 1943, encre et cr./pap. (25,1x21,3) : **GBP 17 250** – New York, 9 nov. 1996 : *IB (Hartley 22)* 1984, aquat. (29,5x29,5) : **GBP 5 175** – Londres, 25 juin 1997 : *John Deakin* 1963-1964, h/t (30,2x24,8) : **GBP 892 500**.

FREUDEBERG Sigmund. Voir **FREUDENBERGER**

FREUDEMANN Victor

Né le 25 février 1857 à Berlin. xixe siècle. Allemand.

Peintre de paysages.

Il débuta à Berlin vers 1881. Il obtint une médaille à Berlin en 1891 et une mention honorable à Paris en 1900 à l'Exposition Universelle.

Ventes Publiques : Cologne, 21 mai 1981 : *Matinée de novembre* 1894, h/t (83x133) : **DEM 2 400**.

FREUDENBERG Eduard

Né en 1808 à Neuwied. Mort en 1855. xixe siècle. Allemand.

Peintre de genre.

Élève de l'Académie de Dresde. Il débuta vers 1831 à Munich.

Ventes Publiques : Vienne, 14 mars 1984 : *Joie maternelle* 1843, h/t (84x64) : **ATS 220 000**.

FREUDENBERG Jacobus

Né en 1818. Mort en 1873. xixe siècle. Hollandais.

Peintre de paysages animés.

Comme de nombreux peintres hollandais, il a traité les aspects pittoresques typiques de son pays.

Ventes Publiques : Londres, 6 mai 1977 : *Paysage d'hiver avec patineurs*, h/t (56x72,5) : **GBP 2 200** – Cologne, 21 mai 1981 : *Matinée de novembre* 1894, h/t (83x133) : **DEM 2 400** – Amsterdam, 3 mai 1988 : *Paysages de rivière avec des paysans dans des barques, un bateau à voiles, près d'un moulin à vent*, h/t (33,5x49) : **NLG 7 475** – Londres, 24 juin 1988 : *Paysage de rivière hivernal avec des patineurs*, h/pan. (56x80) : **GBP 11 000**.

FREUDENBERGER Franz Friedrich

Né le 8 novembre 1804 à Berne. Mort le 1er mars 1862 à Berne. xixe siècle. Suisse.

Peintre et dessinateur.

F. Freudenberger fut élève de Nicolas König et étudia aussi à Zurich et à Munich. Il travailla à Genève et à Lyon, voyagea beaucoup en Italie et se fixa quelque temps à Constantinople. Exposa à Berne en 1824.

FREUDENBERGER Sigmund ou **Freudeberg**

Né le 16 juin 1745 à Berne. Mort le 15 novembre 1801 à Berne. xviiie siècle. Suisse.

Peintre de genre, portraits, aquarelliste, dessinateur, graveur.

Après avoir travaillé avec Emmanuel Handmann à Bâle, Freudenberger vint à Paris où il passa huit ans, étudiant les mœurs et les types de la vie parisienne et suivant les conseils du graveur allemand J.-G. Wille, de Greuze, Boucher et Roslin. À la suite des événements politiques de la fin du xviiie siècle, Freudenberger retourna en Suisse en 1773.

Il se spécialisa dans la représentation de scènes intimes, de genre dans la manière de Lancret, Boucher, ainsi que des types de paysans suisses, à l'huile et au pastel. On cite de lui une suite d'estampes pour servir à l'histoire des mœurs et coutumes des Français dans le xviiie siècle. *Le bon père* ; *La jeune fille à la fontaine* ; *La gaieté conjugale* ; *Les adieux du laboureur* ; *Lison dormait*. Le Musée Ariana de Genève conserve de lui : *Fêtes galantes* et le Musée de Neuchâtel des sépias et des dessins.

Musées : Berne : *Portrait de Louis XVIII – Horoscope réalisé*.

Ventes Publiques : Paris, 26 avr. 1873 : *Jeune femme dans un parc* : **FRF 6 000** – Paris, 1881 : *La visite inattendue*, dess. à la sépia reh. de blanc : **FRF 4 550** ; *La soirée d'hiver*, dess. à la sépia reh. de blanc : **FRF 2 220** – Paris, 1894 : *Le bain*, dess. à la sépia : **FRF 5 400** ; *L'occupation*, dess. au bistre, trait à la pl. : **FRF 5 100** – Paris, 1899 : *Les époux curieux* : **FRF 4 300** ; *Le coucher*, dess. ou bistre sur trait de pl. : **FRF 8 200** ; *L'heureux ménage*, aquar. : **FRF 2 700** – New York, 26-28 fév. 1902 : *Interruption*, sépia : **USD 100** – Paris, 17 mars 1910 : *La Cabaretière caressée*, dess. : **FRF 77** – Paris, 16-19 juin 1919 : *Le marchand de chansons* ; *L'heureuse famille*, lav. d'aquar., deux dessins : **FRF 14 350** – Paris, 10 et 11 mai 1920 : *La Toilette*, aquar. gchée : **FRF 36 100** – Paris, 23 et 24 mai 1921 : *Le Boudoir*, attr. : **FRF 1 100** – Paris, 8 déc. 1922 : *La Propreté villageoise* ; *La Toilette champêtre*, aquar., une paire : **FRF 9 500** – Paris, 7-8 mai 1923 : *Le Malin*, aquar. : **FRF 10 000** – Paris, 18 mai 1923 : *Zémire et Azor, ou l'Heureuse Union*, aquar. : **FRF 16 200** – Paris, 2 juin 1923 : *L'Heureuse famille* : **FRF 1 600** – Paris, 6 déc. 1923 : *Le Cabaret suisse* : **FRF 2 700** – Paris, 19 mars 1924 : *La Toilette*, lav. et aquar. : **FRF 1 500** – Paris, 25 mars 1925 : *Paysan debout*, sanguine : **FRF 2 400** – Paris, 10 et 11 mai 1926 : *Hangar de ferme* : **FRF 3 700** – Paris, 3 et 4 juin 1926 : *Le retour du fermier*, aquar./trait de pl., attr. : **FRF 3 000** – Londres, 17 déc. 1926 : *Dans un parc* ; *Forêt de Deer*, les deux : **GBP 110** – Paris, 12 juin 1931 : *La Toilette*, attr. : **FRF 4 110** – Paris, 10 juin 1932 : *Le Repentir* ; *La Toilette*, pl. et lav. d'aquar., deux dessins : **FRF 6 800** – Paris, 23 avr. 1937 : *Scène familiale dans une chaumière*, pl. et lav. d'aquar. : **FRF 8 600** – Londres, 22 juil. 1937 : *Le soldat en Semestre* : **GBP 85** – Londres, 4 mai 1938 : *Le marché* : **GBP 25** – Paris, 18-19 déc. 1940 : *L'heureux ménage*, pl. et lav. d'aquarelle. attr. : **FRF 1 850** – Paris, 19 mars 1947 : *L'Occupation*, pl. et lav. d'encre de Chine : **FRF 25 000** – Paris, 11 et 12 juin 1947 : *La lecture*, aquar. : **FRF 11 200** – Londres, 20 nov. 1957 : *La lettre interrompue*, past. : **GBP 600** – Londres, 21 jan. 1959 : *Le retour du chasseur* : **GBP 500** – Lucerne, 25 juin 1960 : *Le retour du soldat* : **CHF 6 000** – Lucerne, 7 déc. 1965 : *Jeunes filles et fillettes jouant devant une chaumière*, aquar. : **CHF 4 800** – Paris, 18 déc. 1967 : *L'heureuse fermière*, aquar. : **FRF 7 500** – Berne, 11 juin 1976 : *Retour du soldat suisse dans le pays* 1780, eau-forte (28,4x31) : **CHF 5 600** – New York, 2 déc. 1976 : *Scène familiale dans un intérieur* 1771, aquar. et encre (21x28) : **USD 8 000** – Londres, 27 avr. 1977 : *Le départ du soldat suisse* ; *Le retour du soldat suisse*, deux eaux-fortes coul. (chaque 28,5x31) : **GBP 3 300** – Berne, 27 nov. 1979 : *La leçon de guitare* ; *La leçon de clavecin*, deux grav. coul. (22,8x18,1) : **CHF 18 000** – Londres, 11 déc. 1980 : *La complaisance maternelle*, aquar. et pl. (24,5x18,4) : **GBP 5 000** – Londres, 5 juil. 1983 : *Ne cherche point à calmer mes alarmes...*, pierre noire, pl. et aquar. (18,8x22,4) : **GBP 2 400** – Londres, 8 mars 1984 : *Le retour du faucheur* ; *La balançoire*, 2 eaux-fortes coloriées (21,3x15,6) : **GBP 4 000** – Paris, 13 nov. 1985 : *L'heureux ménage*, dess. aquar. (32x24) : **FRF 46 000** – Lucerne, 13 nov. 1986 : *Départ du soldat suisse* ; *Retour du soldat suisse*, deux grav. (22,5x27) : **CHF 9 000** – Paris, 6 mai 1987 : *La confiance enfantine* 1771, aquar. et pl. (23x17,5) : **FRF 60 000** – Londres, 4 déc. 1987 : *Départ du soldat suisse* ; *Retour du soldat suisse*, deux eaux-fortes coloriées (22,5x27) : **USD 2 800** – Londres, 28 mars 1990 : *Souhaits de bienvenue à la porte de la ville*, encre et aquar. (19x26) : **GBP 5 500** – Zurich, 4 juin 1992 : *Le bon père* ; *La balançoire*, eau-forte coul., une paire (chaque 19x14,5) : **CHF 7 910** – Zurich, 24 nov. 1993 : *Paysan assis*, cr./pap. (15x11) : **CHF 920** – Zurich, 12 juin 1995 : *Les soins maternels* ; *Le villageois content*, grav. coul., une paire (chaque 17x22,5) : **CHF 1 725** – New York, 9 jan. 1996 : *Tête de jeune femme* 1773, sanguine (31,4x24,3) : **USD 1 725**.

FREUDENREICH Marie Pierrette Amélie von, née **de Mestral d'Aruffens**

Née en 1786. Morte le 1er octobre 1831 à Freudheim au Gerzensee. xixe siècle. Suisse.

Peintre amateur.

Elle exposa des dessins aquarellés et fusains à Berne en 1804 et 1810.

FREUDENTHAL Peter

Né en 1938. xxe siècle. Suédois.

Peintre. Abstrait-géométrique.

Sa peinture abstraite est assez proche du mouvement américain Hard Edge Painting.

Ventes Publiques : Stockholm, 21 nov. 1988 : *Composition* 1967, gche (19x9) : **SEK 3 500** – Stockholm, 14 juin 1990 : *Carré à midi* 1985, acryl./t. (100x50) : **SEK 25 000** – Stockholm, 5-6 déc. 1990 : *Perspective* 1966, acryl./t. (55x67) : **SEK 7 500** – Stockholm, 21 mai 1992 : *Souvenir de Neuchatel*, h/t (45x65) : **SEK 6 200** – Stockholm, 30 nov. 1993 : *Carré vide II*, h/t (65x100) : **SEK 20 000**.

FREUDWEILER Daniel Albert

Né le 18 décembre 1793 à Felsberg près de Chur. Mort le 30 avril 1827 à Zurich. xixe siècle. Suisse.

Peintre de genre, lithographe.

Élève de Johann Pfenninger à Zurich, il passa cinq ans en Italie, copia les vieux maîtres et se perfectionna dans le dessin. De retour en Suisse, il déploya une activité considérable comme professeur et portraitiste à l'aquarelle et en miniature et forma des élèves tels que Hitz Gonzenbach et Balder. L'Association artistique de Zurich conserve son portrait par lui-même.

Ventes Publiques : Zurich, 16 mai 1981 : *Mère et enfant dans un intérieur* 1812, temp. (51x42) : **CHF 3 200**.

FREUDWEILER Heinrich

Né le 16 octobre 1755 à Zurich. Mort le 1er décembre 1795 à Zurich. xviiie siècle. Suisse.

Peintre d'histoire, scènes de genre, paysages, aquarelliste, décorateur.

Il fut élève de H. Wuest, étudia à Düsseldorf, Dresde et Berlin, et se lia d'amitié avec Chodowiecky. Se spécialisant dans le genre, il peignit des scènes de la vie sociale contemporaine. On cite aussi des tableaux d'histoire dans la collection de l'Association artistique, de Zurich, dont il fut un des membres fondateurs.

Ventes Publiques : Londres, 20 nov. 1931 : *Cour remplie de soldats* : **GBP 6** – Paris, 3 juin 1935 : *Femme suisse tenant un livre et des fleurs*, aquar. : **FRF 310** – Berne, 24 juin 1983 : *Vue de la ville et du lac de Zoug* vers 1785, eau-forte coloriée (24x35,2) : **CHF 6 000** – Zurich, 12 juin 1995 : *Vue de la ville et des environs de Zurich*, eau-forte en coul. (21x34,5) : **CHF 3 450**.

FREULER Bernhard

Né le 23 août 1796, originaire de Schaffhaus. Mort le 18 mars 1858 à Schaffhouse. xixe siècle. Suisse.

Peintre de paysages.

Il étudia dans sa ville natale et à Vienne, voyagea en Autriche, peignit à la sépia et à l'aquarelle, et remplit les fonctions de maître de dessin à l'École allemande de Schaffhouse.

FREULER Fridolin

Né le 24 mai 1842 à Glarus. Mort le 9 mai 1868. xixe siècle. Suisse.

Dessinateur.
Freuler étudia à Glarus et à Paris et mourut à vingt-six ans.

FREULER Kaspar
Né en 1837 à Glarus. Mort en 1899 sur la montagne Bachistock. XIXe siècle. Suisse.
Peintre et dessinateur.
Étudia à Paris et à Lyon où il résida pendant dix ans. La Collection de peintures de Glarus contient des tableaux de fleurs de cet artiste.

FREUND Anton
Né vers 1773 à Eschenbach. Mort le 6 novembre 1808 à Vienne. XVIIIe siècle. Autrichien.
Sculpteur.
Il épousa la fille du sculpteur lyonnais Privet.

FREUND Anton
Né le 17 janvier 1827 à Langwalde. Mort le 22 mai 1856 à Berlin. XIXe siècle. Allemand.
Sculpteur et peintre.
Après avoir été élève de l'Académie de Königsberg, il vécut à Dresde et à Berlin.

FREUND Chr.
XIXe-XXe siècles. Danois.
Sculpteur.
Le Musée de Copenhague conserve de lui : *Cueilleuse de fleurs – Le joueur de boccia – Cheval buvant.*

FREUND Christoph
XVIIIe siècle. Actif à Dessau. Allemand.
Peintre.
On lui doit surtout des portraits dont certains sont exécutés à la miniature.

FREUND Ernst
XVIIIe siècle. Actif à Berlin en 1701. Allemand.
Sculpteur.
Il travailla aux décorations faites à l'occasion du couronnement de Frédéric Ier de Prusse.

FREUND Franz
Originaire de Bernkastel. XVIIIe siècle. Allemand.
Peintre.

FREUND Fritz
Né le 13 avril 1859 à Darmstadt. Mort en 1942. XIXe-XXe siècles. Allemand.
Peintre de genre, paysages.
Il fut élève à l'Académie de Munich.
Ventes Publiques : Paris, 18 mai 1897 : *Pâtre bavarois* : **FRF 625** – Munich, 26 nov. 1981 : *Enfants cueillant des fleurs*, h/t (73x59,5) : **DEM 4 600** – New York, 26 oct. 1983 : *Clairière ensoleillée*, h/t (94x150) : **USD 4 250** – Brême, 19 avr. 1986 : *Le banc de la forêt* 1896, h/t (95x79) : **DEM 7 500** – Londres, 22 mai 1992 : *Une belle vue*, h/t (80x59,7) : **GBP 2 200** – New York, 23 oct. 1997 : *La Bataille de boules de neige*, h/t (100,3x160) : **USD 57 500**.

FREUND Georg Christian
Né le 7 février 1821 à Altona. Mort le 6 avril 1900 à Copenhague. XIXe siècle. Danois.
Sculpteur.
Neveu d'Hermann Ernst il fut son élève, puis celui de Bissen à l'Académie de Copenhague. Le Musée de Copenhague possède plusieurs œuvres de cet artiste.

FREUND H. Louis
Né le 16 septembre 1905 à Clinton. XXe siècle. Américain.
Peintre et illustrateur.

FREUND Hermann Ernst
Né le 15 octobre 1786 à Uthlede. Mort le 13 juin 1840 à Copenhague. XIXe siècle. Danois.
Sculpteur.
Le Musée de Copenhague conserve plusieurs œuvres de lui. Il travailla pour plusieurs églises de Copenhague et grava un grand nombre de médailles à l'effigie des souverains danois.

FREUND Johann
XVIIIe siècle. Actif à Vienne dans la première moitié du XVIIIe siècle. Autrichien.
Sculpteur.

FREUND Johann Nikolaus
Né à la fin du XVIIe siècle à Römhild. XVIIe-XVIIIe siècles. Allemand.
Sculpteur et architecte.
Après avoir achevé ses études à Rome et à Venise, il revint s'établir à Augsbourg.

FREUND Josef
Né vers 1708 à Vienne. Mort le 2 janvier 1746. XVIIIe siècle. Autrichien.
Sculpteur.
Il était frère de Johann.

FREUND Karl
Né vers 1720 à Vienne. Mort le 31 mars 1773 à Vienne. XVIIIe siècle. Autrichien.
Peintre sur porcelaine.

FREUND N.
XIXe siècle. Actif vers 1800. Allemand.
Peintre de miniatures.
On connaît de cet artiste un portrait de Louis XVIII.

FREUND Philipp
XIXe siècle. Actif à Paris en 1803. Allemand.
Peintre de paysages et de marines.

FREUND Theodor
Originaire de Waldsassen. XVIIe siècle. Allemand.
Peintre.
L'église de Waldsassen possède une œuvre de cet artiste.

FREUND Wilhelm
Né le 23 juin 1860 à Schönbach. XIXe siècle. Allemand.
Peintre.
Il s'établit à Berlin vers 1883 et peignit surtout des paysages.

FREUNDECKE Brunck de. Voir **BRUNCK-FREUNDECKE**

FREUNDLICH Otto
Né le 10 juillet 1878 à Stolp (Poméranie). Mort le 9 mars 1943 à Lublin-Maidaneck (Pologne). XXe siècle. Depuis 1909 à 1914 et depuis 1924 actif en France. Allemand.
Peintre, sculpteur, graveur, dessinateur, pastelliste. Abstrait.
Même si son œuvre n'est pas destiné à le placer au niveau des grands artistes de la première moitié du XXe siècle, il en fut l'un des héros, non pas tant parce que capturé à Paris comme un renégat par les Allemands, qui l'avaient auparavant classé parmi les artistes « dégénérés » – ce fut en fin de compte un peu la peinture qui le mena jusqu'au camp de Maidanek – mais surtout parce qu'il appartint à cette troupe cosmopolite et admirable qui, crevant de faim, continua de confesser et de pratiquer l'abstraction nouvelle dans sa rigueur des premiers âges. D'abord employé de commerce, il fit ensuite des études d'histoire de l'art à Berlin, à Munich avec Wölfflin, en 1903, puis à Florence (1904-1905). Il ne commença à peindre qu'à l'âge de vingt-sept ans. Très vite, il assimila les principaux mouvements artistiques de l'époque, du Jugenstil munichois à l'expressionnisme de la Nouvelle Sécession et de Die Brücke (Le Pont), et enfin à l'abstraction naissante à partir du Blaue Reiter. En 1909, il s'installe à Paris, 13 rue Ravignan, au Bateau-Lavoir, où il se lie avec l'avant-garde artistique : Picasso, Braque, Gris, Kandinsky, Delaunay, Herbin... C'est de cette époque que datent ses premières sculptures. Il figure dans des groupes cubistes à Paris, Amsterdam et Cologne, sans pour autant s'approprier les caractéristiques formelles du mouvement. Mobilisé à la veille de la Première Guerre mondiale, il retourne en Allemagne. Il collabore à la revue *Die Aktion* et devient membre du Novembergruppe (Association des artistes Berlinois) en 1918. En 1919, il réalise sa première œuvre véritablement abstraite. À Cologne, il participe au Dadaïsme. Durant ce séjour, il reçoit plusieurs commandes qui lui permettent d'expérimenter de nouvelles techniques, comme le vitrail ou la mosaïque. De retour à Paris, en 1924, il adhère au groupe Cercle et Carré fondé à l'instigation de Michel Seuphor, puis devient membre actif, l'année suivante, du nouveau groupe Abstraction-Création que lui substitua Vantongerloo. Dès 1937, en Allemagne, ses œuvres sont détruites, et, en 1939, une de ses sculptures figure en couverture du catalogue de l'exposition *L'Art dégénéré* organisée par les nazis. Il est plusieurs fois interné, dès 1939. En 1943, il est arrêté puis déporté en Pologne où il mourra, probablement le jour de son arrivée.
En 1911, il participe à la première exposition de la Nouvelle Sécession à Berlin. À Paris, il a exposé aux Salons des Artistes Indépendants, puis des Surindépendants. En 1947, le Salon des Réalités Nouvelles, lors de sa fondation, lui rend hommage. Dès

1924, il montre ses œuvres dans des expositions personnelles en France, en Allemagne mais aussi en Israël, et en Belgique. En 1938, la galerie Jeanne Bucher organise une exposition pour son soixantième anniversaire. En 1954, une rétrospective de son œuvre est montrée à Paris. En 1967, la donation Freundlich est léguée au musée de Pontoise.
À partir de 1911, ses tableaux, encore marqués par l'expressionnisme, se tournent vers l'abstraction. Mais, c'est, en 1924, qu'il élabore un langage personnel pour animer la surface du tableau : il établit un système de formes géométriques irrégulières (triangles, quadrilatères) qui se plient à la courbe. Influencé par Cézanne et Van Gogh, il emprunte au premier la dimension architectonique et au second la force des couleurs. Il bâtit sa toile, avant de commencer à peindre, sur un cahier comme pour une mosaïque ou un vitrail – techniques qu'il a par ailleurs déjà expérimentées, notamment lorsqu'il a participé à la restauration des vitraux de Chartres avant la guerre. Ensuite, il assemble dans le plan, comme le maître-verrier, des fragments de lumière, qui se décomposent en de subtils dégradés. Il abolit dès lors la tridimensionnalité pour mettre en place une construction chromatique précise. Les couleurs, généralement vives, qu'il décline des tons purs aux tons dégradés, donnent au tableau son équilibre, elles sont comme les cellules d'un organisme. Dans *Composition n°6*, les plans établissent entre eux des rapports de force, tandis qu'ils se fractionnent, composant des unités plus petites. Chaque zone du tableau reçoit une couleur dominante, dont les dégradés modulent la surface. À partir de 1937, une nouvelle forme, déjà en germe dans les œuvres antérieures, et qui donnera au tableau toute sa structure originale, apparaît : une sorte de demi-ogive, constituée d'une droite et d'une courbe. Cet élément deviendra une constante : ainsi une des dernières œuvres *Rosace II* 1941, dans laquelle la demi-ogive a subi une évolution due à la fragmentation des différents plans.
Parallèlement à sa carrière de peintre, il poursuit le même type de recherche dans ses sculptures, qui deviennent abstraites dès 1929, et met l'accent sur les surfaces, à l'aspect généralement granuleux. Il a exécuté deux sculptures monumentales sur le thème du cosmos, en 1929 et 1933 ; puis en 1934 un haut-relief et surtout une sculpture-montagne, qu'il aurait rêvé de voir réaliser en dimension gigantesque et intégrée dans un paysage réel. Il a également exécuté des gravures sur bois, linoléum ou zinc, où dominent les contrastes entre les noirs et les blancs, mais aussi des dessins à l'encre de Chine.
Freundlich considère ses tableaux mais aussi ses sculptures comme des symboles des lois cosmiques, qui ne sont que le signe d'une puissance de l'Être, qu'il désire rendre visible afin d'abolir les frontières entre le cosmos et l'homme. L'œuvre d'art doit devenir le lieu d'une expérience pour l'homme.

■ Laurence Lehoux, J. B.

Bibliogr. : Michel Seuphor, in : *L'Art abstrait, ses origines, ses premiers maîtres*, Maeght, Paris, 1949 – Michel Seuphor, *Dict. de la peinture abstraite*, Hazan, Paris, 1957 – Raoul Jean Moulin, in : *Dict. de l'art et des artistes*, Hazan, Paris, 1967 – Herta Wescher, in : *Nouv. Dict. de la sculpt. mod.*, Hazan, Paris, 1970 – in : *Les Muses*, t. VIII, La Grange Batelière, Paris, 1972 – in : *Dict. univer. de la peinture*, t. III, Le Robert, Paris, 1975 – in : *Aspects historiques du constructivisme et de l'art concret*, Mus. d'Art mod. de la Ville, Paris, 1977 – in : *Abstraction création 1931-1936*, Mus. d'Art mod. de la Ville, Paris, 1978 – in : *La Collection*, Mus. nat. d'Art mod., Paris, 1986 – Catalogue de l'exposition *Otto Freundlich*, Galerie Franka Berndt Bastille, Paris, 1990 – in : *L'Art du xxe s*, Larousse, Paris, 1991 – in : *Dict. de l'art mod. et contemp.*, Hazan, Paris, 1992 – Joël Mettay : *Le Pas perdu, à la recherche d'Otto Freundlich*, L'Aphélie, Céret, 1993.

Musées : Paris (Mus. Nat. d'Art Mod.) : *Ascension* 1929 – *Mon Ciel est rouge* 1933 – Pontoise (Mus. Tavet) : importante donation – Saint-Étienne (Mus. d'Art et d'Industrie).

Ventes Publiques : Londres, 6 déc. 1961 : *La Mère* : **GBP 800** – New York, 12 juin 1968 : *Composition abstraite* : **CHF 12 400** – Paris, 15 nov. 1972 : *La Mère* : **FRF 58 000** – Genève, 1er juin 1973 : *Composition* 1936 : **CHF 29 600** – Paris, 17 mars 1974 : *Printemps* : **FRF 18 100** – Hambourg, 6 juin 1974 : *Composition*, gche : **DEM 17 000** – Paris, 22 juin 1981 : *Personnage*, encre de Chine/pap. (14,5x13,5) : **FRF 16 500** – Versailles, 20 mars 1983 : *Composition* 1942, mosaïque monogrammée (29x23) : **FRF 17 000** – Paris, 31 mai 1983 : *Sans titre* 1928, past./t. (40,5x33) : **FRF 170 000** – Paris, 8 déc. 1986 : *Composition géométrique*, past. (37x29) : **FRF 85 000** – Londres, 6 déc. 1990 : *Composition* 1932, h/t (65x50,5) : **GBP 110 000** – Berlin, 27 nov. 1992 : *Composition* 1930, h/t (116,5x88,5) : **DEM 361 600** – Londres, 20 mai 1993 : *Composition*, past./pap. (53,2x37,5) : **GBP 18 400** – Amsterdam, 7 déc. 1994 : *Sans titre*, h/t (16,5x18) : **NLG 16 100** – Paris, 16 oct. 1996 : *Composition* 1938, émaux/mortier de ciment (35x25) : **FRF 19 500** – Amsterdam, 10 déc. 1996 : *Sans titre* vers 1928, h/t (16,5x18) : **NLG 10 378**.

FREUNDT Johann Christian
Mort le 5 avril 1822 à Hambourg. xixe siècle. Allemand.
Peintre de portraits et miniaturiste.

FRÉVILLE Félix
xixe siècle. Actif à Paris vers 1870. Français.
Caricaturiste.

FRÉVILLE Jacques François
xviiie siècle. Actif à Paris en 1749. Français.
Peintre et sculpteur.

FREW Alexander
Mort en 1908. xixe siècle. Actif à Glasgow. Britannique.
Peintre de paysages.
Il exposa à la Royal Academy de Londres à partir de 1898.

FREY Adam ou **Fry** ou **Frei**
Né à Willisau. xviie siècle. Suisse.
Peintre verrier.
Il fut reçu membre de la confrérie de Saint-Luc à Lucerne en 1641.

FREY Adam
Né en 1794 à Pulawy. xixe siècle. Polonais.
Peintre d'histoire.
Il fut de 1815 à 1824 élève de l'Académie de Vienne.

FREY Albert
Né le 13 juillet 1870 à Zurich. xixe-xxe siècles. Suisse.
Peintre de paysages, lithographe.
Il fut élève à l'Ecole Technique de Winterthur. Il étudia également la lithographie, dans l'atelier de son père, et se perfectionna dans plusieurs écoles d'art à Paris. Il exposa, en 1902, au Turnus suisse une de ses toiles : *Chalets alpins à Saint-Antonien*.
Ventes Publiques : Zurich, 14 mai 1982 : *Nature morte aux fleurs et aux fruits*, h/isor. (53x42) : **CHF 950**.

FREY Alice
Née le 25 juin 1895 à Anvers. Morte en 1981. xxe siècle. Belge.
Peintre de compositions à personnages, figures, nus, portraits, intérieurs, scènes typiques.
Elle fut élève de l'académie des beaux-arts d'Anvers, où elle eut pour professeurs F. Gogo ainsi que J. De Vriendt. Elle fut membre-fondateur du groupe *Lumière* mais aussi du groupe *Ça ira*. Elle reçut, en 1949, le Prix de la ville d'Ostende.
Ses premières œuvres furent influencées par son ami, le peintre James Ensor. Expressionniste à ses débuts, elle peint désormais de nombreuses scènes de cirque, de bals, de plage, de famille (...), ainsi que des compositions mythologiques, dans un style plein de fraîcheur, presque naïf.

Bibliogr. : In : *Diction. biogr. illustré des artistes en Belgique depuis 1830*, Arto, Bruxelles, 1987.

Musées : Anvers – Bruges – Bruxelles – Ostende.

Ventes Publiques : Lokeren, 13 mars 1976 : *Jeune femme avec son chat*, h/t (60x50) : **BEF 90 000** – Lokeren, 5 nov. 1977 : *Jeune fille avec chiot*, h/t (30x24) : **BEF 55 000** – Lokeren, 11 mars 1978 : *Nymphes*, aquar. (47x62) : **BEF 40 000** – Lokeren, 14 oct. 1978 : *Peindre avec son cœur*, h/t (100x80) : **BEF 300 000** – Lokeren, 17 oct. 1981 : *Jeunes filles*, aquar. (36x52) : **BEF 50 000** – Anvers, 3 avr. 1984 : *Mer agitée*, h/t (62x73) : **BEF 75 000** – Lokeren, 21 fév. 1987 : *Les cueilleuses de fleurs* 1940, h/t (55x66) : **BEF 130 000** – Lokeren, 28 mai 1988 : *Hommage à Boticelli, Naissance de Vénus* 1938, h/t (80x100) : **BEF 140 000** – Lokeren, 23 mai 1992 : *Dan-*

seuses, h/t (50x61) : **BEF 44 000** – Lokeren, 15 mai 1993 : *Autoportrait* 1937, h/t (45,5x38,5) : **BEF 36 000** – Lokeren, 9 oct. 1993 : *La jolie extravagante* 1956, h/t (66x54) : **BEF 190 000** – Lokeren, 4 déc. 1993 : *Nu assis*, h/t (45x38) : **BEF 44 000** ; *Le jardin d'amour*, h/t (100x200) : **BEF 120 000** – Lokeren, 12 mars 1994 : *Jeune fille en robe blanche*, h/t (46x38) : **BEF 44 000** – Lokeren, 11 mars 1995 : *Enfant jouant dans un parc*, h/t (50x61) : **BEF 85 000**.

FREY Anna de
Née à Amsterdam. Morte en 1808 à Mannheim. xviiie siècle. Hollandaise.
Peintre et dessinateur.
Sœur de Johannes de Frey. Elle fut élève de son beau-frère Johannes Jacobus Lauwers. Elle a surtout copié les anciens maîtres.
Ventes Publiques : Londres, 30 jan. 1909 : *Portrait de femme*, past. : **GBP 7**.

FREY Anton Melchior
Né en 1732 à Vienne. Mort en 1764 à Ludwigsburg. xviiie siècle. Autrichien.
Peintre sur porcelaine.

FREY Christian
Né à Augsbourg. xviiie siècle. Allemand.
Peintre.
Il s'établit à Vienne, peut-être vers 1720 et travailla entre autres pour des Manufactures de porcelaine.

FREY Eduard
Né le 27 août 1821 à Côme, originaire de Olten. Mort le 28 juin 1873 à Munich. xixe siècle. Suisse.
Paysagiste.
S'établit à Munich et s'adonna surtout au paysage. Il voyagea en Italie, et exposa des vues de Vérone et de Venise, etc., au Turnus à Zurich et à Bâle.

FREY Erwin F.
Né le 21 avril 1892 à Lima (Ohio). xxe siècle. Américain.
Sculpteur.
Il fut élève de Landowsky à Paris. Il fut membre de la National Sculpture Society.

FREY Eugène H.
Né le 16 octobre 1864 à Bruxelles. Mort en 1930. xixe-xxe siècles. Belge.
Peintre de paysages, fleurs, peintre de décors de théâtre.
À sa majorité, il délaissa de solides études scientifiques pour se consacrer à ses activités artistiques. Il ne suivit aucune école d'art, mais retint les conseils qu'on lui prodiguait. Il exposa régulièrement au Salon de la Société Nationale d'Horticulture.
Il fut connu pour ses décors lumineux, expérimentant à l'Opéra de Paris, un procédé qui consiste à projeter un tableau peint sur verre sur une toile de fond. Ce n'est qu'après 1918, qu'il réalisa des paysages, ses œuvres peintes n'échappant pas à ses recherches luministes.

Eug Frey

Bibliogr. : Gérald Schurr, in : *Les Petits Maîtres de la peinture 1820-1920, valeur de demain*, Les Éditions de l'Amateur, t. V, Paris, 1981.
Ventes Publiques : Barbizon, 22 avr. 1979 : *Péniches sur la rivière* 1894, h/t (67x91) : **FRF 1 500** – Grenoble, 18 fév. 1980 : *Les chaumières*, h/t (33x41) : **FRF 1 800** ; *Bord de rivière*, h/t (38x50) : **FRF 2 700** – Grenoble, 13 oct. 1980 : *La chaumière*, h/t (33x40) : **FRF 2 500** – Bruxelles, 7 oct. 1991 : *Paysage*, h/t (50x65) : **BEF 30 000**.

FREY Franz Bernhard
Né en 1716 à Gebweiler. Mort en 1806 à Gebweiler. xviiie siècle. Allemand.
Portraitiste.
Le Musée de Strasbourg conserve de lui les portraits de *Andreas Silbermann et d'Anna-Salomea Silbermann*.

FREY Frederike
xixe siècle. Actif à Fribourg-en-Brisgau à la fin du xixe siècle. Suisse.
Peintre de natures mortes.

FREY Hans Heinrich
Né à Hochdorf. xviie siècle. Actif à Lucerne de 1650 à 1680. Suisse.
Graveur sur bois.

FREY Hans Konrad
Né le 14 août 1877 à Ward (Suisse). xxe siècle. Suisse.
Sculpteur.
Il fut élève de l'Académie de Berlin, puis voyagea en Italie, avant de s'installer à Zurich.

FREY Heinrich Johann ou **Hans**
xviiie siècle. Actif à Lucerne à la fin du xviiie siècle. Suisse.
Sculpteur sur bois ou sur pierre.

FREY Hugo
Né le 30 décembre 1878 à Zurich. xxe siècle. Suisse.
Peintre.
Il fit ses études à Stuttgart, à Paris, puis en Angleterre.

FREY Ignatz
Né en 1727 à Iglau. Mort en 1790 à Brünn. xviiie siècle. Allemand.
Graveur et peintre.
Il semble que cet artiste travailla à Prague.

FREY Ignatz Alois
Né en 1752 à Eichstadt. Mort en 1835. xviiie-xixe siècles. Allemand.
Peintre.
Cet artiste travailla à Freising et à Munich et exécuta entre autres des peintures pour la cathédrale de la première ville.

FREY Jakob, Jacobus, Johann, l'Ancien
Né le 17 février 1681 à Hochdorf. Mort le 11 janvier 1752 à Rome. xviiie siècle. Suisse.
Dessinateur, graveur.
Fils du sculpteur sur bois Hans-Heinrich Frey, il partit vers 1702 pour Rome où il reçut des leçons de Arnold Van Westerhout et de Carlo Maratti, et ce fut dans cette ville qu'il atteignit l'apogée de son talent et de sa renommée. En 1726, Frey retourna en Suisse, mais ne tarda pas à rentrer à Rome qu'il ne quitta plus. On cite parmi ses nombreuses œuvres, un *Portrait de la marquise du Châtelet*, au pastel.

FREY Jakob, le Jeune
Né le 25 janvier 1757 à Rome. Mort sans doute vers 1806 à Paris. xviiie siècle. Suisse.
Graveur.
Il était fils de Philipp et le petit-fils de Jakob l'Ancien.

FREY Johann Daniel
xviiie siècle. Actif à Francfort-sur-le-Main à la fin du xviiie siècle. Allemand.
Dessinateur et graveur.
On cite de lui une gravure représentant le couronnement de l'empereur François II.

FREY Johann Evangelist
Né le 17 octobre 1840 à Hundham. Mort le 8 mars 1909 à Munich. xixe siècle. Allemand.
Sculpteur.
Il travailla surtout à Munich.

FREY Johann Jakob
Né le 27 janvier 1813 à Bâle. Mort le 30 septembre 1865 à Frascati. xixe siècle. Suisse.
Peintre de paysages animés, paysages.
Fils et élève de son père Samuel Frey, il continua ses études sous la direction de H. Hess à Bâle, puis à Paris, Munich, Rome et Naples. Après avoir visité la Sicile et l'Espagne, Frey se joignit à l'expédition archéologique égyptienne sous la direction de R. Lepsius, puis se fixa définitivement à Rome, se maria et eut deux filles. Frey jouit de la faveur de personnages de marque tels que le roi Louis Ier de Bavière et le roi de Prusse pour lequel il peignit des paysages d'Italie aujourd'hui à Potsdam.
Musées : Bâle : *Paysage italien – Fourches caudines – Caravane surprise par le simoun – Paysage près du Montreale, Sicile – Vue des environs de Rome – Paysage près de Grenade – Paysage dans les montagnes romaines*, inachevé – Gdansk, ancien. Dantzig : *Paysage sicilien – Coucher du soleil à Rome – Pyramides près de Giza* – Leipzig : *Colonnes de Memnon près de Thèbes – Sphinx près de Memphis pendant le simoun* – Munich (Nouvelle Pina.) : *Colonnes de Memnon, près de Thèbes – Orage dans le désert*.
Ventes Publiques : Zurich, 12 nov. 1976 : *Les porteuses d'eau* 1846, h/t (63x45) : **CHF 3 000** – Berne, 21 oct. 1977 : *Paysage de Sicile* 1862, h/t (104x127) : **CHF 6 000** – Cologne, 21 mai 1981 : *Le forum Romanum* 1859, h/t (59x80) : **DEM 23 000** – Lucerne, 8

nov. 1984 : *Tempête de sable dans le désert* 1845, h/t (100x137) : **CHF 13 000** – Zurich, 5 juin 1986 : *Vue de Capri*, h/t (74,5x99) : **CHF 20 000** – Rome, 25 mai 1988 : *Vue d'un village*, h/t (47x67) : **ITL 4 000 000** – Londres, 19 juin 1991 : *Paysage montagneux avec des ruines et des personnages ; Paysage boisé animé* 1859, h/t, une paire (chaque 96,5x134,5) : **GBP 26 400** – New York, 17 oct. 1991 : *Sur les bords du Nil* 1856, h/t (63,5x82,6) : **USD 24 200** – Londres, 17 nov. 1993 : *Les ruines de Philae en Égypte*, h/t (75x112) : **GBP 10 350** – Rome, 29-30 nov. 1993 : *Vue de Castel dell'Ovo avec la colline de Piazza Falcone* 1861, h/t (25x37) : **ITL 18 856 000** – Rome, 5 déc. 1995 : *Paysage d'Ariccia* 1852, h/cart. (28x42) : **ITL 2 828 000** – Londres, 13 mars 1996 : *Personnages dans un paysage d'Andalousie*, h/t (99x137) : **GBP 15 525** – Londres, 26 mars 1997 : *Vue de Grenade* 1859, h/t (97x135) : **GBP 16 675**.

FREY Johann Michael
Né le 30 avril 1750 à Biberach. Mort en 1813 à Augsbourg. XVIIIe-XIXe siècles. Allemand.
Graveur et peintre d'animaux, de paysages, de batailles.
Travailla à Augsbourg entre 1768 et 1789. Il a exécuté des gravures à la manière de Bega.

FREY Johann Wilhelm
Né le 24 décembre 1830 à Rastatt. XIXe siècle. Autrichien.
Peintre de paysages, aquarelliste.
Après avoir fait ses études à Amsterdam, il vécut à Vienne.
Ventes Publiques : New York, 16 fév. 1993 : *Vue de Vienne*, aquar. et encre avec des traces de cr./pap. (21x27,4) : **USD 1 100**.

FREY Johann Zacharias
Né le 3 juin 1769 à Vienne. Mort en août 1829 à Varsovie. XVIIIe-XIXe siècles. Polonais.
Peintre aquarelliste et graveur.
Il fit ses études à l'Académie des Beaux-Arts de Vienne, ensuite il se rendit à Londres où il travailla avec le peintre West. En 1804, il vint en Pologne et il travailla à la cour du duc Czartoryski, puis il s'établit à Varsovie comme professeur de gravure et de peinture.

FREY Johannes
XVIIIe siècle. Actif à Braunsberg. Allemand.
Sculpteur sur bois.
Il travailla pour l'église Sainte-Marie de cette ville dont le Musée possède des œuvres de lui.

FREY Johannes Pieter de
Né le 1er février 1770 à Amsterdam. Mort en 1834 à Paris. XVIIIe-XIXe siècles. Hollandais.
Graveur.
Élève de son beau-frère Jacobus Johannes Lauwers. Un accident lui ayant enlevé l'usage de sa main droite, il apprit à graver de la main gauche. Il a fait avec une grande habileté des estampes d'après Rembrandt, G. Dou et Finck. A partir de 1806, il vécut à Paris.

Cachet de vente

Ventes Publiques : Paris, 1880 : *Deux vues de châteaux royaux du temps de Louis XIV* : **FRF 830** – Paris, 1892 : *Portrait présumé de Madame la marquise du Châtelet*, past. : **FRF 580**.

FREY Konrad
XVIIe siècle. Actif à Winterthur en 1654. Suisse.
Sculpteur.

FREY Marguerite, épouse **Surbeck**
Née le 23 février 1886 à Delsberg. XXe siècle. Suisse.
Peintre.
Elle fut élève de Paul Klee. Elle exposa en Suisse, aux États-Unis, et à Paris, notamment aux Salons d'Automne et des Artistes Indépendants.
Ventes Publiques : Paris, 2 déc. 1976 : *Femme lisant dans un jardin*, h/pan. (65,5x55) : **CHF 2 000** – Berne, 6 mai 1981 : *Paysage de Tunisie*, h/t (80x115) : **CHF 5 300** – Berne, 17 nov. 1983 : *Paysage de printemps*, h/t (61x38) : **CHF 1 500** – Berne, 11 mai 1984 : *Fenêtre fleurie*, h/t (50x61) : **CHF 2 800**.

FREY Martin
Né le 11 novembre 1769 à Wurzach. Mort le 7 avril 1831 à Vienne. XVIIIe-XIXe siècles. Autrichien.
Peintre et graveur.
Élève de John-Gottfr. Muller ; il travailla à Vienne.

FREY Max
Né le 16 avril 1874 à Karlsruhe. XIXe-XXe siècles. Allemand.
Peintre, peintre de décors de théâtre.
Il se spécialisa dans les décors de théâtre et travailla à Mannheim ainsi qu'à Berlin.

FREY Melchior
XVIIe siècle. Suisse.
Sculpteur sur bois.
Il vivait à Bade, Eschenbach et Hochdorf, et sculpta, entre autres, des figures d'anges pour les autels de Hochdorf, Rotenburg, etc.

FREY Michael
XVIIIe siècle. Travaillant à Rome en 1743.
Graveur au burin.

FREY Nikolaus
XVe siècle. Actif à Nuremberg en 1407. Allemand.
Peintre.

FREY Philipp
Né le 25 mars 1729 à Rome, originaire de Lucerne. Mort le 15 octobre 1793 à Rome. XVIIIe siècle. Suisse.
Graveur.
Cet artiste aida son père dans son atelier de gravure, retoucha ses planches et exécuta lui-même entre autres un *Sacrifice de Myriel*.

FREY Samuel
Né en 1785 à Sissach. Mort en 1836 à Bâle. XIXe siècle. Suisse.
Peintre d'animaux, paysages, aquarelliste, dessinateur, graveur, lithographe.
Il étudia à Bâle et à Constance sous la direction de J.-J. Biedermann et Gabriel Lory l'Ancien. Après ses voyages aux Pays-Bas, et à Paris, il se fixa à Bâle et travailla comme professeur de dessin à l'école d'art fondée par l'association d'utilité publique, où il resta cinq ans.
Parmi ses gravures coloriées et ses lithographies, Brun cite : *L'Entrée du grand-duc Jean dans la forteresse d'Huningue* (1815), une *Vue de Bonnefontaine*, et une série de dessins d'animaux d'après Ridinger. Il a produit un grand nombre de paysages et d'aquarelles.
Ventes Publiques : Londres, 27 fév. 1979 : *La vallée de Chamonix* vers 1810, eau-forte coloriée (40,5x61) : **GBP 1 500** – Berne, 24 juin 1983 : *Vue de la ville de Soleure sur la rivière Aar* vers 1810, eau-forte coloriée (23,8x36,2) : **CHF 1 900**.

FREY Sebastian
XVIIe siècle. Suisse.
Sculpteur sur bois.

FREY Stephan Joseph
XVIIIe siècle. Actif à Francfort-sur-le-Main en 1744. Allemand.
Peintre.

FREY Wilhelm Frederick
Né le 24 juin 1826 à Karlsruhe. Mort le 4 février 1911 à Mannheim. XIXe-XXe siècles. Allemand.
Peintre animalier, paysages, marines.
Après avoir été l'élève de Koopmann, il termina ses études à Munich sous la direction d'Heinlein. Il exposa régulièrement des paysages et des marines à Munich et à Berlin et devint directeur du Musée de Mannheim.
Ventes Publiques : Munich, 13 mars 1974 : *Troupeau dans un paysage* : **DEM 10 000** – Berne, 25 nov. 1976 : *Paysage d'été* 1898, h/t (31x52) : **CHF 1 200** – San Francisco, 3 oct. 1981 : *Troupeau à l'abreuvoir*, h/t (41x58,5) : **USD 1 500** – Heidelberg, 15-16 oct. 1993 : *Jeune paysan trayant une vache noire* 1868, h/t (36,5x47) : **DEM 3 400** – Londres, 22 fév. 1995 : *Chevaux paissant dans une prairie* 1887, h/t (41x57) : **GBP 1 265**.

FREY-SURBECK Marguerite. Voir **FREY Marguerite**

FREYBECHKE Johann
XVe siècle. Allemand.

Miniaturiste.
Moine du couvent de Konigsbruck (Alsace). Il florissait vers 1428.

FREYBERG Conrad
Né le 14 mars 1842 à Stettin. XIXe siècle. Allemand.
Peintre d'histoire, batailles, scènes de genre, portraits, animaux, sculpteur.
Élève à Steffeck. Il fut nommé professeur de la cour à Berlin. Il a exposé à Berlin à partir de 1866.
VENTES PUBLIQUES : NEW YORK, 28 oct. 1982 : *La reddition de Metz* 1876, h/t (123x265,5) : **USD 18 500** – NEW YORK, 15 fév. 1985 : *La reddition de Metz* 1876, h/t (123x265,5) : **USD 12 000** – NEW YORK, 1er mars 1990 : *Fillette avec un panier de fleurs* 1884, h/t (104,8x80) : **USD 12 100** – NEW YORK, 3 juin 1994 : *Jeux anciens* 1861, h/t (43,2x58,4) : **USD 7 475**.

FREYBERG Maria Electrina von, née **Stuntz**
Née le 14 mars 1797 à Strasbourg. Morte le 1er janvier 1847 à Munich. XIXe siècle. Allemande.
Peintre d'histoire et de genre.
Travailla en France, en Italie et à Munich. Élève de son père, du peintre et lithographe Joh.-Bapt. Stuntz. Elle fit des voyages en France et en Italie. En 1821-1822 elle est à Rome, où elle devint membre de l'Académie de Saint-Luc. En 1822, elle s'établit à Munich.

E geb. S.

MUSÉES : MUNICH : *La Madone et l'Enfant – Baptême de saint Jean – Étude de portrait – Garçon jouant de la flûte.*

FREYBERG-EISENBERG Charlotte
XIXe siècle. Active à Karlsruhe. Allemande.
Peintre de paysages.
Elle a exposé à Berlin, Dresde, Düsseldorf et Munich.

FREYBERGER Johann
Né en 1571 à Wolfsberg. Mort en 1631 à Augsbourg. XVIe-XVIIe siècles. Allemand.
Peintre.
Il existe des peintures de cet artiste à l'Hôtel de Ville d'Augsbourg.

Joan Freyb.

FREYBURG Karl Bogislaw
Né à Stralsund. XIXe siècle. Allemand.
Peintre.
Cet artiste s'établit à Rome vers 1822.

FREYDENFUSS Wolfgang
XVIe siècle. Actif à Salzbourg vers 1500. Autrichien.
Peintre.

FREYDER G.
XVIIe siècle. Actif à Strasbourg. Français.
Peintre.
On connaît une gravure de P. Aubry d'après cet artiste.

FREYE Georg Hermann
Né le 14 octobre 1844 à Dresde. XIXe siècle. Allemand.
Peintre d'histoire.
Élève de l'Académie de Dresde et du peintre F. Gonne. Il a exposé à Dresde à partir de 1866.

FREYENFELD Ignaz Maximilian von
Né vers 1762 à Vienne. XVIIIe siècle. Autrichien.
Peintre.
Il fut élève de l'Académie de Vienne.

FREYER Achim
XXe siècle. Allemand.
Artiste.
Il a montré ses œuvres dans une exposition personnelle en 1994 à l'académie des beaux-arts de Berlin.
BIBLIOGR. : Catalogue de l'exposition : *Achim Freyer Taggespinste Nachtgesichte*, Académie des beaux-arts, Berlin, 1994.

FREYHART Matthys
XVIe siècle. Actif à Nördlingen au début du XVIe siècle. Allemand.
Peintre et peintre verrier.

FREYHAUSER
XVIIIe siècle. Actif à Mahr-Schönberg. Allemand.
Peintre.
Il travailla pour différentes églises.

FREYHOFF Eduard
Né vers 1810 à Potsdam. Mort vers 1843. XIXe siècle. Allemand.
Peintre.
Il exposa à Berlin entre 1832 et 1842 des vues de Potsdam.

FREYHOLD Karl von
Né le 8 juillet 1878 à Fribourg-en-Brisgau. XXe siècle. Suisse.
Peintre et illustrateur.
Il fut élève de l'Académie de Karlsruhe, puis se rendit en France et en Angleterre.

FREYMANN Ivan Petrovitch
XIXe siècle. Actif à Saint-Pétersbourg. Russe.
Peintre.
Il fut élève de l'Académie de Saint-Pétersbourg et remporta une médaille en 1870.

FREYMANN Joseph Anton
Né en 1810 à Weilder Stadt. XIXe siècle. Allemand.
Peintre et dessinateur.
Il vécut à Munich où il se fit tout d'abord connaître comme lithographe.

FREYMUTH Alfons ou **Freijmuth**
Né en 1940. XXe siècle. Hollandais.
Peintre de scènes animées, figures, nus, portraits, intérieurs, peintre à la gouache, aquarelliste, pastelliste.
VENTES PUBLIQUES : AMSTERDAM, 16 juin 1980 : *Portrait du peintre Hubert Van Hille* 1973, h/t (80x100) : **NLG 4 500** – AMSTERDAM, 24 oct. 1983 : *Mariska* 1976-1978, acryl./t. (202x152) : **NLG 8 600** – AMSTERDAM, 8 déc. 1987 : *Nu couché* 1972, calyl./t. (140x176) : **NLG 4 000** – AMSTERDAM, 9 déc. 1988 : *Trois nuages en forme de personnages* 1987, h/t (58x67,5) : **NLG 2 990** – AMSTERDAM, 22 mai 1990 : *Femme portant un petit chien noir* 1974, acryl./t. (40x110) : **NLG 5 720** – AMSTERDAM, 11 déc. 1991 : *Une jeune fille* 1976, past./pap. (45,5x42) : **NLG 1 840** – AMSTERDAM, 21 mai 1992 : *Mariage* 1979, acryl./t. (120x120) : **NLG 5 750** – AMSTERDAM, 27-28 mai 1993 : *Nature morte avec P.M.II* 1979, craies de coul./pap. (64,5x52,5) : **USD 1 725** – AMSTERDAM, 31 mai 1994 : *Trois personnages* 1985, gche et aquar./pap. (56x74) : **NLG 1 495** – AMSTERDAM, 5 juin 1996 : *Trois figures*, h/t (140x80) : **NLG 6 900** – AMSTERDAM, 2-3 juin 1997 : *Jeune Fille devant un miroir* 1974, h/t (120x80) : **NLG 6 136**.

FREYSE Albert
Né au XVIIe siècle à Behringen (Thuringe). XVIIe siècle. Allemand.
Peintre et dessinateur.
On connaît surtout de cet artiste des portraits dont certains ont été gravés.

FREYSE Johann Friedrich, l'Ancien
Né le 18 avril 1753 à Hambourg. Mort le 18 novembre 1808 à Hambourg. XVIIIe siècle. Allemand.
Peintre de portraits.
On cite de lui des peintures à l'huile et des miniatures.

FREYSE Johann Friedrich, le Jeune
Né le 23 avril 1788. XIXe siècle. Allemand.
Peintre et lithographe.
Il était le fils de Johann Friedrich l'Ancien.

FREYSINGER F. J.
XVIIIe siècle. Actif à Hall au début du XVIIIe siècle. Allemand.
Sculpteur.

FREYSINGER Johann
Né au début du XVIIIe siècle à Albertshausen (Bavière). XVIIIe siècle. Allemand.
Peintre de miniatures.
Il travailla surtout à Vienne vers 1730.

FREYSS Simone
Née à Strasbourg (Bas-Rhin). XXe siècle. Française.
Sculpteur.
Elle a exposé, à Paris, au Salon des Artistes Français.

FREYSTEIN Johanna Mariane
Née le 1er mai 1760 à Leipzig. Morte le 21 juin 1807 à Leipzig. XVIIIe siècle. Allemande.
Peintre.
Le Musée de Christiania (Oslo) conserve d'elle un *Paysage allemand.*

FREYTAG Albert
Né le 12 janvier 1851 à Nuremberg. XIXe siècle. Allemand.
Peintre.
Professeur à l'école des arts industriels à Zurich, à partir de 1882. Il étudia dans sa ville natale et exposa en Suisse, notamment à Zurich en 1883, où il envoya une *Amphitrite*.

FREYTAG Heinrich
Né le 13 juin 1876 à Duisbourg. XXe siècle. Allemand.
Peintre, graveur.
Il fit ses études à l'académie des beaux-arts de Karlsruhe et s'établit dans cette ville.

FREYTAG Johann
XVIIIe siècle. Actif à Rheinfelden en 1721. Allemand.
Sculpteur.

FREYTAG Johann Heinrich
Né en 1702 à Hombrechtikon. Mort le 3 mai 1781 à Zurich. XVIIIe siècle. Suisse.
Graveur paysagiste, cartographe.
On cite de lui quelques paysages et des illustrations d'Almanachs.

FREYTAG Johann Konrad, l'Ancien ou **Freitag**
Né le 19 novembre 1770 à Riesbach-Zurich. Mort le 2 mai 1837 à Riesbach-Zurich. XVIIIe-XIXe siècles. Suisse.
Peintre de paysages, graveur.
D'après Nagler, il travaillait encore en 1822. Quelques paysages suisses de Freytag furent gravés par Stegi et Billwiller en aquatinte. Le Musée de Soleure possède plusieurs œuvres de cet artiste.

FREYTAG Johann Konrad, le Jeune ou **Freitag**
Né le 15 juin 1802 à Riesbach-Zurich. Mort le 20 décembre 1834 à Riesbach-Zurich. XIXe siècle. Suisse.
Peintre de genre, paysages, aquarelliste, graveur.
Il était le fils de Johann Konrad l'Ancien. Il se spécialisa comme son père dans la peinture de paysages.
Ventes Publiques : New York, 30 sep. 1982 : *Les ramasseurs de goémon*, h/t (61x91,2) : **USD 850**.

FREYTAG Mathilde
XIXe siècle. Active à Munich. Allemande.
Peintre de paysages.
Elle a exposé à Munich, Dresde et Magdebourg à partir de 1880.

FREYTAG Richard
Né le 16 février 1820 à Gotha. Mort le 22 mai 1894 à Gotha. XIXe siècle. Allemand.
Peintre.
Il fit ses études à Düsseldorf, Munich, Anvers et Paris. Il séjourna longtemps en Italie avant de retourner dans sa ville natale où il s'adonna surtout à la peinture de paysages. On lui doit aussi des portraits. Le Musée de Gotha possède des œuvres de cet artiste.

FREYTAG Viktor
Né le 18 novembre 1870 à Berlin. XIXe-XXe siècles. Allemand.
Peintre de portraits.
Il fit ses études à Paris et à Karlsruhe. À partir de 1906, il exposa surtout à Munich et à Berlin.

FREYTAG-LORINGHOVEN Mathilde von
Née le 30 octobre 1860 à Copenhague. XIXe siècle. Danoise.
Peintre de paysages et graveur.
Elle fit ses études à Dantzig et à Weimar et exposa régulièrement en particulier à Berlin à partir de 1887.

FREYTAS Francisco Pereira
XIXe siècle. Actif vers 1843. Espagnol.
Peintre de paysages.

FRÉZALS Maurice
Né à Figeac (Lot). XXe siècle. Français.
Peintre de paysages.
Il exposa à Paris au Salon des Indépendants à partir de 1939.

FREZANO Claire
XXe siècle. Américaine.
Sculpteur de compositions religieuses.
Elle vécut et travailla à New York. Elle se spécialisa dans la sculpture religieuse traditionnelle.

FREZEL
Né au XIXe siècle. XIXe siècle. Français.
Graveur.
Le Musée de Rouen conserve de lui le portrait gravé de Louis XVIII, d'après le tableau de Gros.

FREZIER Amédée François
Né en 1682 à Chambéry. Mort en 1773 en Bretagne. XVIIIe siècle. Français.
Architecte et peintre.
Il décora sans doute l'église Saint-Louis à Brest.

FREZIN Julia
Née en 1870 à Lessines (Belgique). Morte en 1950. XIXe-XXe siècles. Belge.
Peintre, sculpteur.
Elle fut l'élève de Portaels à l'académie des beaux-arts de Bruxelles.
Bibliogr. : In : *Diction. biogr. illustré des artistes en Belgique depuis 1830*, Arto, Bruxelles, 1987.

FRÉZIN Roger
Né le 5 juin 1927 à Lille (Nord). XXe siècle. Français.
Peintre, dessinateur.
Il fut élève des Beaux-Arts de Lille. En 1958, il fonda l'*Atelier de la Monnaie*, centre d'activités diverses et d'expositions. Outre les œuvres qu'il montra dans cet « Atelier », il collabora à de nombreuses expositions collectives : Salon des Réalités Nouvelles, à Paris, (1963 à 1965) ; Musée de Melbourne (1968), de Lille (1970), Festival de Honfleur (1972) ; Salon de Mai (1980)... En outre, il a participé, depuis 1967, aux activités du groupe *Phases* d'É. Jaguer. Il a présenté son travail dans de nombreuses expositions personnelles : 1960, Ostende ; 1967, Paris ; 1971, Musée de Calais...
Jusqu'en 1965, il pratiquait une abstraction libre et savoureuse, à base de collages, ne s'interdisant pas l'allusion au réel. Entre 1965 et 1970, il abandonne les collages, pour une facture plus stricte, à l'huile, au fusain, au pastel ou à l'encre, et représente d'impressionnantes et complexes machineries, dignes de Tinguely. Tout en continuant à pratiquer la peinture à l'huile, il utilise de plus en plus des techniques purement graphiques, dans des dessins de formats inusités, souvent plus de deux mètres de côté. Ses dessins semblent pouvoir être répartis en deux catégories : la première consiste en des éléments hétéroclites, peu identifiables, d'où surgissent parfois des parties du corps humain ; la deuxième procède par l'accumulation de petits détails, de sortes de petites pièces détachées destinées à la réparation de créatures, entre hommes et machines. Dans son langage en évolution, Frézin s'est prononcé pour la minutie descriptive, caractéristique des processus surréalistes, qui doivent donner forme à l'informulé. ■ J. B.
Bibliogr. : Catalogue de l'exposition *Roger Frézin*, Nouveau Musée de Calais, 1971.
Musées : Gassin – Ostende : *Peinture* 1960 – Paris (Mus. d'Art Mod. de la ville) : *Peinture* 1965.
Ventes Publiques : Paris, 14 avr. 1991 : *Bottines de Chaplin*, techn. mixte/pap./t. (150x140) : **FRF 13 000** – Paris, 24 avr. 1991 : *Hommage à Carpeaux* 1991, h. et acryl./t. (65x50) : **FRF 7 000**.

FRÉZOULS Frédéric
XIXe siècle. Français.
Peintre.
Figura au Salon de Paris de 1834 à 1848 avec quelques portraits et des natures mortes.

FREZZA Giovanni Girolamo
Né en 1659 à Canemorto. Mort vers 1741. XVIIe-XVIIIe siècles. Italien.
Graveur.
Il apprit son art à Rome sous la direction d'Arnold Van Westerhout. Ses œuvres sont exécutées avec soin et on cite : *La Vierge allaitant l'enfant*, de Ludovico Carracci ; *Les douze mois*, d'après Carlo Maratti ; *Le jugement de Pâris* d'après le même ; *Vénus*, d'après une peinture antique ; *Pallas*, d'après une peinture antique.

FREZZA Isodoro
XVIIIe siècle. Actif à Naples vers 1775. Italien.
Peintre et graveur.

FREZZA Orazio
Né au XVIIe siècle à Naples. XVIIe siècle. Italien.
Peintre.
Élève de G.-B. Banaschi il étudia les œuvres de Lanfranco et de Domenichino, qu'il imita avec quelque succès.

FRIANI Giacomo
XVIIe siècle. Actif à Bologne. Italien.
Peintre d'histoire et de décorations.
Élève de A. Metelli. Il travailla surtout à Parme et à Bologne.

FRIANT Émile
Né le 16 avril 1863 à Dieuze (Moselle). Mort en 1932 à Nancy (Meurthe-et-Moselle), à Paris selon d'autres sources. XIXe-XXe siècles. Français.
Peintre de scènes de genre, sujets typiques, portraits, paysages, natures mortes, compositions murales, sculpteur, dessinateur. Orientaliste. École de Nancy.
Il vint à Paris très jeune et entra à l'École des Beaux-Arts, dans l'atelier de Cabanel. Il exposa, dès 1882, au Salon des Artistes Français, obtenant une mention honorable en 1882, un second Grand Prix de Rome, en 1883 ; une troisième médaille, en 1884 ; une deuxième médaille, en 1885 ; une bourse de voyage, en 1886 ; le prix du Salon, en 1889 ; et une médaille d'or à l'Exposition Universelle de Paris, en 1900. Il fut décoré de la Légion d'honneur, élu membre de l'Institut.
Il peignit quelques sujets orientaux, dont : *Une rue à Tunis – Le souk des Arabes à Tunis*, mais surtout des scènes de genre, très appréciées du grand public, telles que : *La Messe du condamné – L'Orphelin – La Fièvre – Le Vieux Cheval*. Parmi ses autres œuvres, on mentionne : *L'Enfant prodigue – L'Atelier du peintre – Un Coin d'atelier – La Toussaint*, dont la foule des parents en deuil qui se presse à l'entrée du cimetière sous la neige, fut longtemps et souvent reproduite, notamment dans les calendriers des Postes. Il réalisa également un plafond pour la préfecture de Meurthe-et-Moselle, de nombreuses sculptures et quelques dessins.

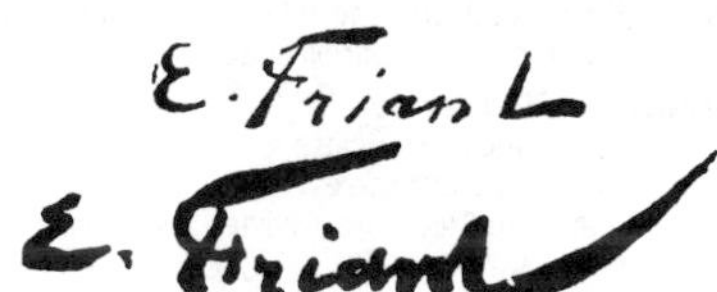

BIBLIOGR. : Gérald Schurr, in : *Les Petits Maîtres de la peinture 1820-1920, valeur de demain*, Les Éditions de l'Amateur, t. II, Paris, 1982.
MUSÉES : ÉPINAL (Mus. départemental des Vosges) : *Nature morte* – MONTPELLIER (Mus. Fabre) : *La lutte* – NANCY (Mus. des Beaux-Arts) : *La douleur – La peine capitale – Le bain des femmes au crépuscule – Idylle sur la passerelle – Sculpteur dans son atelier – L'auteur – Vue d'un port – La Foi*, plâtre – PARIS (Mus. d'Art Mod. de la Ville) : *La Toussaint* – TOUL : *Le pain*.
VENTES PUBLIQUES : PARIS, 1893 : *La discussion politique* : **FRF 10 600** ; *Les lutteurs* : **FRF 4 000** ; *Monaco* : **FRF 9 000** ; *Une rue à Tunis* : **FRF 3 000** ; *Le sommeil*, past. : **FRF 620** ; *Un quai*, aquar. : **FRF 600** – PARIS, 1899 : *Espérance*, fus. : **FRF 190** – PARIS, 13 juin 1906 : *Le souk des Arabes à Tunis* : **FRF 2 100** – NEW YORK, 2 avr. 1909 : *Paysage* : **USD 270** – PARIS, 12 mai 1923 : *Le mauvais œil*, mine de pb : **FRF 1 220** – PARIS, 16 déc. 1927 : *Méditation* : **FRF 4 000** ; *Leçon de mandoline* : **FRF 4 100** ; *Tendresse maternelle* : **FRF 5 200** – PARIS, 20 avr. 1928 : *Un peu de repos*, encre : **FRF 420** – PARIS, 30 nov. 1942 : *Concarneau* : **FRF 1 800** – PARIS, 19 jan. 1945 : *Portrait du peintre Lhermitte*, mine de pb : **FRF 1 500** – PARIS, 2 déc. 1976 : *La peine capitale ou l'expiation* 1908, h/t (165x175) : **FRF 20 500** – VERSAILLES, 21 mars 1982 : *Don Quichotte et Sancho* 1889, h/t (40,5x54,5) : **FRF 3 900** – LONDRES, 26 juin 1987 : *L'atelier de l'artiste* 1885, h/pan. (26,5x21) : **GBP 5 200** – PARIS, 26 jan. 1990 : *Tête d'homme*, h/pan. (28x20) : **FRF 6 200** – PARIS, 22 mars 1990 : *Jeune fille à la fontaine*, h/pan. (45x50) : **FRF 42 000** – LONDRES, 6 juin 1990 : *Déchargement de la pêche sur la rive* 1893, h/pan. (29x45,5) : **GBP 5 500** – NANCY, 24 juin 1990 : *Portrait de jeune fille au lys blanc* 1911, h/t (diam. 67) : **FRF 34 000** – PARIS, 25 mars 1993 : *Portrait présumé de Gambetta*, h/pan. (24x18,5) : **FRF 5 000** – PARIS, 24 jan. 1996 : *Séance de modèle nu*, h/t (46x34) : **FRF 6 500** – PARIS, 19 oct. 1997 : *Portrait du sculpteur Eugène Gatlet* 1924, cr./pap. (51x34) : **FRF 3 700**.

FRIAS Antonio de
XVIe siècle. Actif à Tolède vers 1500. Hollandais.
Sculpteur sur bois.
Il travailla à la cathédrale de Tolède.

FRIAS Eugenio de
XVIIe siècle. Actif à Lisbonne en 1609. Portugais.
Peintre.
On cite de lui plusieurs miniatures.

FRIAS Oscar
Né en 1920 à Monterrey (Nuevo Leon). XXe siècle. Mexicain.
Lithographe.

FRIAS Y ESCALANTE Juan Antonio de. Voir **ESCALANTE**

FRIBERT Charles Wilhelm
Né le 15 avril 1868 à Malmö. XIXe siècle. Vivant à Philadelphie. Suédois.
Sculpteur.
Élève de l'Académie de Stockholm et de Falguière à l'École des Beaux-Arts de Paris. On cite de lui une statuette d'argent offerte au roi Oscar II.

FRIBORG Jorgen
Mort vers 1620. XVIIe siècle. Danois.
Sculpteur et architecte.
Il travailla pour le roi Christian IV.

FRIBOULET Jef E.
Né en 1919 à Fécamp (Seine-Maritime). XXe siècle. Français.
Peintre de natures mortes, compositions animées, paysages. Expressionniste.
Sa première exposition personnelle eut lieu à Paris, en 1955. Depuis, il expose à Munich, Francfort, New York, Moscou, Londres, Tokyo, 1994 galerie Katia Granoff d'Honfleur...
Après avoir cédé un temps aux conceptions impressionnistes, sa peinture évolue vers un expressionnisme figuratif assez traditionnel. Le dessin est hardi, la couleur vigoureuse et rustique. Les formes, emprisonnées par des traits noirs, semblent mises à plat et n'existent que par le regard que Friboulet pose sur elles.

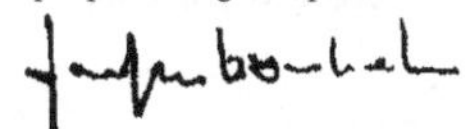

VENTES PUBLIQUES : ROUEN, 6 nov. 1976 : *Les faucheurs*, h/t (43x33) : **FRF 1 700** – CALAIS, 13 nov. 1988 : *Les musiciens*, h/t (60x74) : **FRF 7 000** – CALAIS, 4 mars 1990 : *Nature morte aux pommes*, h/t (33x41) : **FRF 7 500** – SCEAUX, 11 mars 1990 : *L'homme à la veste rouge*, h/t (41x33) : **FRF 7 200** – VERSAILLES, 8 juil. 1990 : *Composition au miroir*, h/t (100,5x73) : **FRF 11 000** – SCEAUX, 13 déc. 1992 : *Jeune fille à l'éventail*, h/t (55x46) : **FRF 9 000** – PARIS, 5 juil. 1993 : *Le jardinier*, h/t (73x54) : **FRF 5 800** – PARIS, 25 mai 1994 : *Composition* 1959, h/t (100x100) : **FRF 8 000** – CALAIS, 11 déc. 1994 : *Nature morte au siphon*, h/t (55x65) : **FRF 12 000**.

FRIBOURG
Né au XIXe siècle à Paris. XIXe siècle. Français.
Peintre.
Élève de Suvée. Il envoya au Salon en 1799 un portrait (dessin) et un autre portrait en miniature.

FRIBOURG, de. Voir au prénom

FRIBOURG Broquart de. Voir **BROQUART de FRIBOURG**

FRICANT Luce
Née en 1889. XXe siècle. Française.
Peintre, aquarelliste.
Elle exposa, à partir de 1924, à Paris, au Salon des Artistes Français, et y obtint la médaille d'argent en 1934.

FRICERO Joseph
Né à Nice. XIXe siècle. Français.
Peintre et aquarelliste.
Il travailla de 1830 à 1865. Le Musée de Nice conserve de lui des aquarelles et des sépias.

FRICK Adolf
Né le 25 décembre 1870 à Weilbourg. XIXe siècle. Allemand.
Sculpteur.
Élève de S. Eberle à Munich. Il travailla dans cette ville. Le Musée de Leipzig conserve de lui : *L'Écho*.

FRICK Christian Georg
Mort le 4 juillet 1848 à Berlin. XIXe siècle. Allemand.
Peintre verrier.
Il travailla beaucoup pour la Manufacture royale de porcelaine de Prusse.

FRICK Ferdinand
XIXe siècle. Actif à Berlin. Allemand.
Peintre.
Il fut élève de Ternite.

FRICK Frigk Ulrich
XVIe siècle. Actif à Zurich dans la seconde moitié du XVIe siècle. Suisse.

Peintre verrier.
Frick exécuta entre autres travaux un vitrail qui fut envoyé à Adlischwil (1566) et des ouvrages datés 1577. Il est mentionné encore en 1601, à Zurich.

FRICK Gottlieb
Né le 16 juillet 1877 à Obfelden (Suisse). XXe siècle. Suisse.
Peintre de portraits, paysages.
Il fut élève de l'École des Arts industriels de Zurich, puis de l'École des Arts Décoratifs de Paris. Il fréquenta également l'École Supérieure des Beaux-Arts de Paris et eut pour professeurs Benjamin-Constant et J.-P. Laurens. En 1902, il exposa un portrait de son père. On connaît aussi ses nombreuses vues de Berne.

FRICK Henri Émile
Né à Paris. XIXe siècle. Français.
Graveur.
Élève de J. Jacquet. Mentions honorables en 1900 à l'Exposition Universelle de Paris et en 1901.

FRICK Jacques François
Né vers 1720 à Besançon. XVIIIe siècle. Français.
Peintre.
Il travaillait encore en 1782.

FRICK Johann Friedrich
Né le 31 octobre 1774 à Berlin. Mort le 21 septembre 1850 à Kreuznach. XVIIIe-XIXe siècles. Allemand.
Graveur.
Son œuvre principale est sans doute la série de 19 aquatintes représentant *le Château de Marienburg.*

FRICK Paul de
Né en 1864 à Paris. Mort en 1935 à Paris. XIXe-XXe siècles. Français.
Peintre de scènes de genre, paysages urbains, paysages, natures mortes.
Il fut élève de Gustave Boulanger, puis de Luc Olivier-Merson. Il exposa, à Paris, au Salon des Artistes Français, obtenant une mention honorable en 1914.
Il idéalisa souvent ses thèmes et les portraits qu'on lui commanda, en témoigne sa toile intitulée : *Jésus chez les Bretons.*
Bibliogr. : Gérald Schurr, in : *Les Petits Maîtres de la peinture 1820-1920, valeur de demain,* Les Éditions de l'Amateur, t. V, Paris, 1981.
Ventes Publiques : Chartres, 27 jan. 1980 : *Intérieur de parc,* h/pan. (16x22) : **FRF 2 300** – Vienne, 16 fév. 1982 : *Venise au soir couchant,* h/pan. (25x34) : **ATS 11 000** – New York, 25 oct. 1984 : *Jeunes femmes et colombes dans un parc* 1895, h/t (146,6x89,5) : **USD 3 000** – Douarnenez, 25 juil. 1987 : *Promenade sur la grève au soleil couchant,* h/cart. (30x50) : **FRF 4 000** – Paris, 9 déc. 1988 : *Bord de mer,* h/cart. (19x23,5) : **FRF 4 800** – Paris, 5 juin 1989 : *Le Pont des Arts,* h/t (54x81) : **FRF 12 000** – Paris, 13 déc. 1989 : *Fleuve,* h/t (26x37) : **FRF 3 500** – Paris, 12 oct. 1990 : *Vignes au puits,* h/t (10x100) : **FRF 12 500** – Le Touquet, 8 nov. 1992 : *Paris – scène de rue animée,* h/t (41x27) : **FRF 8 500** – Paris, 23 avr. 1993 : *Nature morte aux fruits,* h/t (46x55) : **FRF 4 200.**

FRICKE August
Né le 24 mars 1829 à Brunswick. Mort le 27 juin 1894 à Berlin. XIXe siècle. Allemand.
Peintre de paysages.
Membre de l'Académie de Berlin et peintre de la cour.

FRICKE August
Né le 16 janvier 1875 à Grüningfeld (Allemagne). XXe siècle. Allemand.
Peintre de marines, paysages.
Il travailla à Munich, à partir de 1906.

A-FRICKE

Ventes Publiques : Munich, 29 mai 1980 : *Paysage au lac* 1871, h/t (26,5x42) : **DEM 1 300** – Amsterdam, 22 avr. 1992 : *Un bateau à aubes au large d'Hambourg,* h/t (83x135) : **NLG 36 800.**

FRICKE Friedrich August
Mort en 1858 à Leipzig. XIXe siècle. Allemand.
Peintre de portraits, lithographe et dessinateur.
Il fut professeur de peinture et se spécialisa dans les dessins de paysages, de monuments et d'ornements.

FRICKE Longin Christianovitch
Né en 1816 à Saint-Pétersbourg. Mort en 1893 à Saint-Pétersbourg. XIXe siècle. Russe.
Peintre de paysages.
Il fut élève de Worobieff et se spécialisa plus tard dans la peinture des paysages alpestres.
Ventes Publiques : New York, 12 mai 1978 : *La maison de campagne* 1850, h/t, à vue de forme ovale (45,5x66) : **USD 2 300.**

FRICKEL Peter
XVIIIe siècle. Actif à Hanau en 1706. Allemand.
Peintre sur faïence.
Il travailla pour la Manufacture de faïence d'Hanau.

FRICKER Bernhard
XVIIIe siècle. Travaillant à Bâle vers 1751. Suisse.
Sculpteur sur pierre.
Travailla à la restauration de la cathédrale de Bâle.

FRICKER Henri
Né le 20 mai 1881 à Besançon (Doubs). Mort le 18 juin 1952 à La Planée (Doubs). XXe siècle. Français.
Peintre.
Il a exposé au Salon des Artistes Indépendants, à Paris.

FRICOTEAU
Né à Reims. Mort en 1859. XIXe siècle. Français.
Peintre.
Le Musée de Reims conserve de lui : *Quatre-vingts vues des anciens remparts, tours, fortifications et des églises de Reims.*

FRICQUEGNON Suzanne
Née en 1897. XXe siècle. Française.
Peintre, peintre de miniatures.
Elle a exposé à Paris, au Salon des Artistes Français, à partir de 1923.

FRID Ludwig
Né le 26 janvier 1855 à Skede. Mort le 29 janvier 1909. XIXe siècle. Français.
Peintre.
Après avoir été élève de l'Académie de Stockholm, il peignit surtout des tableaux de genre et des paysages.

FRIDEL Christof
XVIIe siècle. Actif à Brisach en 1600. Allemand.
Dessinateur.
On ne connaît qu'un seul dessin signé de cet artiste qui fut sans doute un imitateur de Stimmer.

FRIDEMANN David
Mort en 1607. XVIe siècle. Actif à Erfurt. Allemand.
Peintre.

FRIDEMANN Hans, l'Ancien
Mort vers 1600. XVIe siècle. Actif à Erfurt. Allemand.
Sculpteur et architecte.
Il était le frère de David.

FRIDEMANN Hans, le Jeune
Mort vers 1628 à Erfurt. XVIIe siècle. Allemand.
Sculpteur et architecte.
Il était le fils de Hans l'Ancien.

FRIDEMANN Heinrich
Né le 10 octobre 1601 à Erfurt. Mort en 1668 à Erfurt. XVIIe siècle. Allemand.
Sculpteur.
Il était le fils de Hans le Jeune.

FRIDEMANN Paul
Mort en 1632 à Erfurt. XVIIe siècle. Allemand.
Sculpteur et architecte.
Il était le frère de Hans le Jeune.

FRIDERICH Jacob Andreas. Voir **FRIDRICH**

FRIDERICI Julius
Né à Trèves. Mort en 1833 à Trèves. XIXe siècle. Allemand.
Peintre d'histoire.
Élève de l'Académie de Düsseldorf, où l'on conserve de lui : *Adam et Ève* et *La fuite en Égypte.*

FRIDERICI Walter
Né le 26 septembre 1874 à Chemnitz (Allemagne). XIXe-XXe siècles. Allemand.
Peintre de genre, d'intérieurs.
Il vécut à Dresde, où il exposa régulièrement, à partir de 1897, ainsi qu'à Berlin et Munich.

FRIDERICUS
XIIIe siècle. Actif à Mayence vers 1200. Allemand.
Miniaturiste.
La Bibliothèque Nationale possède un manuscrit illustré par cet artiste.

FRIDLI Martin
XVIIe siècle. Suisse.
Peintre décorateur.
Entreprit d'orner des autels à l'église de Giswi en 1641.

FRIDLIN ou **Fridolin de Zug**
Mort vers 1730. XVIIIe siècle. Suisse.
Peintre.
Peut-être le même artiste que le frère Fridolin, de Mariastein.

FRIDLIN, maître
XVe siècle. Actif à Bâle au milieu du XVe siècle. Suisse.
Peintre.
Il fut reçu dans la corporation des peintres de Bâle en 1450.

FRIDMAN Léonid
Né en 1908 à Ismaïl. Mort le 5 janvier 1979 à Paris. XXe siècle. Actif et naturalisé en France. Russe.
Peintre, sculpteur. Abstrait.
Il commença sa carrière en Belgique, où sa famille s'était réfugiée. Il se consacra entièrement à la peinture à partir de 1936. Il se fixa à Paris peu après 1950 et y exposa aux Salons d'Automne et des Artistes Indépendants.

FRIDOLIN
Mort en 1393 à Méran. XIVe siècle. Allemand.
Peintre, fresquiste.
Il exécuta à Méran de 1369 à 1371 plusieurs fresques.

FRIDRICH Bernhard Gottlieb ou **Fridrich**
Né en 1710 à Augsbourg. XVIIIe siècle. Allemand.
Peintre de portraits, graveur.
Il était fils de Jacob Andreas l'ancien. On cite de lui un portrait de *Charles Albert de Bavière en empereur d'Allemagne*.
Ventes Publiques : Stockholm, 15 nov. 1989 : *Portraits d'homme et de femme*, h/t, une paire (chaque 91x70) : **SEK 26 000**.

FRIDRICH Jacob Andreas, l'Ancien
Né le 19 février 1684 à Nuremberg. Mort en 1751 à Augsbourg. XVIIIe siècle. Allemand.
Graveur.
Élève de Christoph Weigel. Il fut le père de Bernhard Gottlieb et de Jacob Andreas le Jeune.
Il a gravé des sujets militaires, d'après Rugendas.

FRIDRICH Jacob Andreas, le Jeune
Né en 1714 à Nuremberg. Mort en 1779 à Nuremberg. XVIIIe siècle. Allemand.
Graveur.
Il était le fils de Jacob Andreas l'Ancien et fut graveur de la cour à Stuttgart.

FRIDRITZ Ivan Pavlovitch
Né vers 1803 à Saint-Pétersbourg. Mort vers 1860. XIXe siècle. Russe.
Graveur, dessinateur, peintre.
Il fut, en 1815 élève d'Utkin à l'Académie de Saint-Pétersbourg. Il se spécialisa par la suite dans le portrait.

FRIECH Joachim
Né le 24 juillet 1810 à Bergen. Mort le 29 janvier 1858 à Christiania (Oslo). XIXe siècle. Norvégien.
Peintre.
A fait ses premières études à l'Académie de Copenhague, mais l'a bientôt laissée pour se rendre à Dresde et y suivre Dahl. De là, il se rendit à Munich où il continua ses études avec Carl Rottmann, puis revint de bonne heure au pays. Aussi y possède-t-on la plus grande partie de ses tableaux. Quand le château d'Oscarhal, dans les environs de Christiania (Oslo), fut construit, ce fut Friech qui fut chargé de la décoration de la salle à manger.

FRIED Georg
Actif à Hanau. Allemand.
Peintre sur faïence.
Il travailla à la Manufacture de faïence de cette ville. Le Musée de Kassel possède une œuvre de lui.

FRIED Heinrich Jacob
Né le 11 mars 1802 à Queichheim. Mort le 2 novembre 1870 à Munich. XIXe siècle. Allemand.
Peintre d'histoire, paysagiste et lithographe.
Fit ses études d'art à Augsbourg et à l'Académie de Munich sous Langer et Cornelius. Il visita Rome et Naples et s'établit ensuite à Munich, où il devint en 1845 conservateur du cercle d'art. Le Musée de Munich conserve de lui : *La Grotte d'Azur à Capri*.

FRIED Otto
Né le 13 décembre 1922 à Coblence. XXe siècle. Depuis 1936 actif aux États-Unis et depuis 1962 actif aussi en France. Allemand.
Peintre, technique mixte. Abstrait.
Après avoir été diplômé de l'université de Portland, en art et architecture, il obtient une bourse d'études en 1949 et vient en France pour travailler avec Fernand Léger. En 1951, il retourne à Portland. En 1962, il s'installe définitivement à Paris, où il vit et travaille. Il a participé à de nombreuses expositions collectives aux États-Unis et en France, notamment à Paris, aux Salons d'Automne (1950) et de Mai (1951). Depuis 1955, il présente ses œuvres dans des expositions personnelles à New York, Tübingen, Paris, Tokyo, Washington...
Ses premières compositions abstraites reposent sur l'utilisation spécifique d'une forme : le cercle qu'il décline en disques, sphères, globes, éclipses, évoluant dans l'espace de la toile. Chaque forme circulaire est emplie de vagues de couleurs, de bosses et de creux, aux multiples modulations, qui évoquent l'océan ou des paysages vus d'avion : vastes forêts, cratères de volcans éteints, chaînes de montagnes. Les couleurs aussi disent l'infini : des gris froids aux gris chauds, des ocres d'or, des roses de corail que traversent ça et là un bleu, digne des plus beaux ciels. Otto Fried crée, alors, un univers régi par un ordre spécifique, dans lequel se meuvent les planètes, d'où peut jaillir l'ivresse cosmique. Depuis, il a évolué. Il abandonne le cercle, le disque, la sphère comme forme structurale déterminante pour diviser sa toile en petits carrés égaux, continus, aux chromatismes alternés, sur une toile enduite de pigment noir, puis marouflée de petits tissus de papier. La texture du support, froissé, boursouflé, engendre des effets d'instabilité, elle brise la rigidité des droites composant le damier, mais absorbe aussi la peinture, donnant aux couleurs, des bruns, bleus, oranges, une profondeur un peu évanescente. C'est maintenant à l'intérieur de chaque case que le cercle, emprisonné, a sa place mais il n'est pas seul. Signes, ratures, courbes, caractères, viennent le soutenir dans sa lutte contre le cadre, pour faire voler en mille éclats la structure. Chaque tableau empreint de mystères, sorte d'abécédaire d'une langue inconnue – dont les titres disent le même désir, celui d'évoquer le thème de la communication, du langage (*Communication mystérieuse, Conversation métaphysique, Langues hérétiques*) –, établit un nouveau dialogue, au cœur de la toile, entre cercle et carré, entre le fini et l'infini.
■ Laurence Lehoux
Bibliogr. : Claude Bouyeure : *Otto Fried – Les Iliades du cercle*, Cimaise, Paris, été 1990.
Musées : Eugene, Oregon – Koblenz (Mittelrheinmus.) – New York (Metropolitan Mus. of Art) – Paris (Mus. Nat. d'Art Mod.) – Portland (Art Mus.).

FRIED Pal
Né en 1893. XXe siècle. Hongrois.
Peintre de figures, portraits, pastelliste.
Il ne peignait que des figures féminines, et principalement des ballerines au repos.
Ventes Publiques : Lindau, 6 mai 1981 : *Deux nus de dos*, fus./pap. (52x44) : **DEM 1 600** – Lyon, 21 oct. 1987 : *Jeune femme à la poitrine découverte*, h/t (65x48) : **FRF 11 000** – Amsterdam, 19 sep. 1989 : *Jeune fille en tutu rose dénouant ses chaussons*, past./pap. (80x59) : **NLG 1 035** – Londres, 4 oct. 1989 : *Trois ballerines*, h/t (75,5x60) : **GBP 1 320** – Londres, 14 fév. 1990 : *Portrait de Monique*, h/t (59x75) : **GBP 2 420** – Londres, 6 juin 1990 : *Pendant l'intermède*, h/t (75x60) : **GBP 2 420** – Londres, 28 oct. 1992 : *La ballerine*, h/t (77x58) : **GBP 1 650** – Londres, 7 avr. 1993 : *Lizette*, h/t (74x59) : **GBP 1 840** – Montréal, 23-24 nov. 1993 : *Mona*, h/t (76,1x61) : **CAD 850** – Londres, 22 fév. 1995 : *Nu*, past. (68x48) : **USD 690**.

FRIED Théodore
Né à Budapest. XXe siècle. Hongrois.
Peintre.
Il a exposé à Paris, au Salon d'Automne dès 1925, puis au Salon des Artistes Indépendants, à partir de 1928.
Ventes Publiques : Paris, 28 nov. 1985 : *Le manège* 1928, h/t (74x90) : **FRF 13 000**.

FRIEDBICHLER
Né en Écosse. XXe siècle. Britannique.
Peintre de scènes typiques.
VENTES PUBLIQUES : ÉDIMBOURG, 15 déc. 1928 : *Une foire campagnarde* : **GBP 12**.

FRIEDEL P.
Né à Wetzlar. Mort vers 1814 à Berlin. XIXe siècle. Allemand.
Peintre.
Il exposa à l'Académie de Berlin de 1800 à 1814 des portraits et des compositions.

FRIEDEMANN L.
Mort en septembre 1802 à Saint-Pétersbourg. XVIIIe siècle. Allemand.
Sculpteur.
Il fit ses études à Berlin et à Vienne avant de s'établir en Russie. On lui doit les bustes du tzar Alexandre Ier et de son épouse.

FRIEDENBERG Wilhelm
Né le 30 juin 1845 à Francfort-sur-le-Main. Mort en 1911 à Cronberg. XIXe-XXe siècles. Allemand.
Peintre.
Élève de Lindenschmidt. On lui doit surtout des tableaux de genre, et des portraits.

FRIEDENSON Arthur A.
Né en 1872. Mort en 1955. XIXe-XXe siècles. Britannique.
Peintre de paysages, marines.
Il fit ses études à Leeds, Paris et Anvers. Il exposa à la Royal Academy, à partir de 1889.
MUSÉES : LEEDS : *Lever du soleil en octobre – La marée montante.*
VENTES PUBLIQUES : LONDRES, 23 mai 1910 : *Brise d'été* : **GBP 18** – LONDRES, 27 nov. 1922 : *Après-midi d'octobre* : **GBP 9** – LONDRES, 16 fév. 1923 : *Gravel Pit* : **GBP 8** – LONDRES, 2 mai 1924 : *Coucher de soleil après l'orage* : **GBP 44** – PARIS, 1er mars 1926 : *Ramasseurs de bois mort* : **FRF 190** – LONDRES, 19 et 20 mai 1926 : *Soirée* : **GBP 13** – LONDRES, 23 mars 1928 : *L'orage s'éclaircit* : **GBP 9** – CHESTER, 17 mars 1983 : *Brunswick Bay, Yorkshire*, h/t (44x58) : **GBP 1 000** – LONDRES, 5 mars 1987 : *Scène de bord de mer*, h/t (34,5x52) : **GBP 2 500** – LONDRES, 12 mai 1989 : *La carrière de graviers* 1918, h/t (70x90) : **GBP 3 520** – LONDRES, 11 oct. 1991 : *Les admiratrices de l'artiste* 1881, h/t (56x40,7) : **GBP 3 080**.

FRIEDERICHSEN Stephan Dietrich
Né le 4 août 1784 à Lübeck. Mort le 19 août 1805 à Lübeck. XVIIIe siècle. Allemand.
Peintre de miniatures.
Élève de Groger. Le Musée de Lübeck possède six portraits de cet artiste.

FRIEDERSDORFF Gertrud
Née le 3 décembre 1882 à Wirsitz (Allemagne). XXe siècle. Allemande.
Peintre.
Elle vécut surtout à Düsseldorf.

FRIEDERSDORFF Robert
Né le 1er août 1885 à Wirsitz (Allemagne). XXe siècle. Allemand.
Peintre de portraits, paysages.
Il fut élève de Spatz et Claus Meyer. Il vécut à Düsseldorf.

FRIEDGES Georges
Né à Paris. XXe siècle. Français.
Peintre de paysages urbains.
Il a exposé, à Paris, à partir de 1923, à la Société Nationale des Beaux-Arts, et au Salon d'Automne, des vues de Paris.

FRIEDHEIM Christian Ludwig
Né en 1781 à Taubenheim. Mort le 16 mai 1810 à Leipzig. XIXe siècle. Allemand.
Peintre d'histoire et de portraits.
Il fut élève de Schenau à l'Académie de Dresde et vécut surtout dans cette ville ainsi qu'à Leipzig.

FRIEDL Maximilian Joseph
Né le 11 septembre 1815 à Munich. Mort le 23 décembre 1838 à Munich. XIXe siècle. Allemand.
Peintre.
Il fut élève de Quaglio et se spécialisa dans la peinture de paysages et de monuments.

FRIEDL Theodor
Né le 13 février 1842 à Vienne. Mort en 1899 à Vienne. XIXe siècle. Autrichien.
Sculpteur.
Il exécuta un grand nombre de sculptures monumentales et décoratives à Hambourg, à Budapest, à Augsbourg et à Vienne.

FRIEDLAENDER Adolph ou **Friedlander**
XIXe siècle. Allemand.
Peintre de genre, lithographe.
Actif à Hambourg.
VENTES PUBLIQUES : LONDRES, 27 fév. 1985 : *Le repos de midi*, h/pan. (20,5x31) : **GBP 1 000**.

FRIEDLAENDER August M. ou **Friedlander**
Né en 1856. Mort le 25 avril 1897 à Colorado Springs (U.S.A.). XIXe siècle. Allemand.
Peintre de genre, portraits.
Cet artiste travailla surtout en Amérique.
VENTES PUBLIQUES : NEW YORK, 21 mai 1991 : *Campement*, h/pan. (20,3x31,7) : **USD 660**.

FRIEDLAENDER Hedwig. Voir **FRIEDLAENDER von MALHEIM Hedwig**

FRIEDLAENDER Johnny
Né le 21 juin 1912 à Pless (Haute-Silésie). Mort le 18 juin 1992 à Paris. XXe siècle. Depuis 1937 actif et depuis 1952 naturalisé en France. Allemand.
Peintre, graveur, illustrateur, aquarelliste. Abstrait.
Il fit ses études à l'école des beaux-arts de Breslau, où il eut pour professeurs Otto Mueller, ancien membre de « Die Brücke », et Carlo Mense. De 1930 à 1933, il s'expatrie à Dresde, faisant de brefs séjours à Berlin et Paris. En 1933, il est interné dans le premier camp de concentration nazi. Amnistié, il se réfugie en Tchécoslovaquie en 1935, puis gagne la Hollande. En 1937, il arrive à Paris et commence à collaborer à différents journaux, afin d'assurer sa subsistance. À la déclaration de la guerre, il est arrêté à Paris avec tous les réfugiés étrangers. Puis il s'engage dans l'armée anglaise et est fait prisonnier mais, une nouvelle fois, il parvient à s'évader. En 1945, il s'installe définitivement à Paris, et, en 1949, il fonde un atelier de gravure, l'*Atelier de l'Ermitage*, avec le graveur Albert Flocon, lui aussi réfugié d'origine allemande. Cette même année, il se lie d'amitié avec Jacques Villon. En 1959, il ouvre l'atelier de gravure du musée d'Art moderne de Rio. En 1966-1967, il est nommé professeur à l'académie d'été de Salzbourg. C'est alors qu'il revient à la peinture qu'il avait abandonnée dans les années quarante.
Dès 1930, il expose avec d'autres artistes, notamment à Dresde. Depuis, il a participé à de nombreuses autres manifestations collectives : 1946 Salon de Mai à Paris ; 1951 musée d'Art moderne de Tokyo ; 1955 première Biennale de gravure de Ljubljana, où il reçoit le prix Jakopic ; 1957 Biennale de Tokyo, où il reçoit le prix Kamakura ; 1958 et 1991 Biennale de Venise, où il est invité pour représenter la gravure française ; 1984 VIIe Biennale Internationale de Norvège, où il reçoit la médaille d'or.
En 1949 a lieu sa première exposition personnelle à Paris, à la galerie La Hune, où il exposera ensuite régulièrement, jusqu'à sa mort. Cette manifestation lui valut un article enthousiaste de Christian Zervos, dans la revue *Les Cahiers d'art.* Depuis, il expose dans le monde entier : 1951 musée Rath de Genève, Kunstmuseum de Lucerne et musée de Neuchâtel ; 1953 et 1959 musée d'Art moderne de Sao Paolo ; 1954 musée d'Art et d'Histoire de Genève ; 1957 Staatliches Museum de Berlin ; 1959 musée d'Art moderne de Rio de Janeiro ; 1961 musée d'Art de Cincinnati ; 1965 musée d'Art de Jérusalem ; 1973 Memorial Art Gallery de l'université de Rochester ; 1974 bibliothèques municipales de Strasbourg, Mulhouse, Colmar ; 1976 musée d'Art moderne de Tel-Aviv ; 1978 musée d'Art moderne de la Ville de Paris ; 1980 première rétrospective de son œuvre à Dresde (alors Allemagne de l'Est) ; 1983 exposition itinérante dans six musées de Finlande ; 1984 musée de Luxembourg ; 1987 Kunsthalle de Brême ; 1992 Chancellerie de Bonn ; 1994 couvent des Cordeliers et Goethe Institute à Paris.
Il reçoit la Croix du Mérite de la République Fédérale d'Allemagne en 1969, il est promu officier des Arts et des Lettres de France en 1978, et est élu membre de l'académie royale de Belgique en 1990. En 1974, la télévision française réalise un film : *Le Graveur Friedlaender.* Il a également participé à deux émissions radiophoniques : *Le Réel entre chien et loup : J. Friedlaender* (1987) et *Mémoires du siècle, Friedlaender* (1991).
Dès 1928, il aborde la gravure avec des œuvres figuratives, en noir et blanc, proche de l'expressionnisme. Au fil des années, mariant le trait de l'eau-forte et l'aquatinte, il évolue en apparence vers une abstraction colorée, créant un nouvel espace,

peuplé de signes nouveaux : « Finement déliés, ponctués, les signes peu à peu se substituent aux choses, et cet alphabet reste le secret, le magique dialogue de l'artiste avec le cosmos » (Bernard Gheerbrant). Il fixe sur des fonds constellés de points, de taches ou de traces, des formes mystérieuses, dépouillées et complexes à la fois, qui évoquent la nature : *Oiseaux blancs – Paysage le soir – Givre*. Émergeant de ce lent et méticuleux processus de création, les paysages, qui semblent suspendus dans l'air, ont le pouvoir de recréer un instant de vie, une parcelle d'humanité. Ses gravures, aux multiples harmonies, comme une fugue musicale, prennent possession de l'espace, mêlant les formes et les voix, faisant jaillir un monde de transmutation.
Parallèlement à son œuvre de graveur et de peintre, il illustre des textes poétiques : 1947 *Un Royaume de Dieu* de Jerôme et Jean Tharaud ; 1949 *La Saison des amours* de Paul Éluard, réunissant treize eaux-fortes ; 1963 *Petit Bestiaire* de Jean Cassou ; 1968 *Stèles* de Victor Segalen ; 1979 *Les Illuminations* d'Arthur Rimbaud ; ainsi que *Douze Rêves cosmiques* de Paul Éluard.
Un des maîtres contemporains incontestés de la gravure, Friedlaender poursuit dans chaque œuvre une quête poétique, au cœur des êtres et des choses. D'un trait, d'une courbe, il laisse naître son émotion, réinvente le pouvoir de suggestion. Dans le monde clos des graveurs, face au purisme du burin de Flocon, à l'encrage multiple caractéristique de la technique de Hayter, au parti pris de la morsure profonde monochrome des tirages uniques de Courtin, sa technique se distingue par le baroquisme de sa complexité que décrit Nesto Jacometti : « morsures, grattages, tamponnages, essuyages, résine, sucre, aquatinte, manière noire... Il retrouve, il réinvente les trésors mordorés des vieilles alchimies oubliées ». ■ Laurence Lehoux, J. B.

Friedlaender

Bibliogr. : Rölf Schmücking : *Catalogue de l'œuvre gravé*, Braunschweig Museum, 1962 – Bernard Gheerbrant, in : *Dict. des artistes contemp.*, Libraires associés, Paris, 1964 – Max-Pol Fouchet : *Johnny Friedlaender – Œuvre 1961-1965*, Roland Hänssel, New York, 1965 – in : *Dict. univers. de la peinture*, Le Robert, t. III, Paris, 1975 – in : *L'Art du XXe siècle*, Larousse, Paris, 1991 – Christophe Dorny : *Friedlaender*, Art et Métiers du livre, Paris, 1991 – Luc Monod, in : *Manuel de l'amateur de Livres Illustrés Modernes 1875-1975*, Ides et Calendes, Neuchâtel, 1992 – Catalogue de l'exposition : *Johnny Friedlander – De Dresde à Paris – Du noir à la couleur*, Couvent de Cordeliers et Goethe Institut/Galerie de Condé, Paris, 1994.
Musées : Dresde : donation – Mayence : donation.
Ventes Publiques : Milan, 13 mai 1971 : *Composition*, temp. : **ITL 600 000** – Munich, 23 mai 1977 : *Composition* 1959, aquar. (32x24) : **DEM 4 200** – Hambourg, 2 juin 1978 : *Composition* 1961, gche (47,8x33,9) : **DEM 7 000** – Cologne, 3 déc. 1980 : *Oiseaux* 1973, h/t (60x92) : **DEM 20 000** – Londres, 30 nov. 1982 : *Sans titre* 1977, aquar. (67,5x47) : **GBP 2 200** – Cologne, 6 déc. 1983 : *Formes II* 1977, h/t (92x73) : **DEM 24 000** – Cologne, 7 déc. 1984 : *Novembre d'or* 1967, eau-forte et aquat. en coul. (77,7x57) : **DEM 1 800** – Cologne, 3 déc. 1985 : *Oiseaux*, bronze relief (39,2x32) : **DEM 4 800** – Londres, 29 juin 1989 : *Sans titre* 1980, h/t (83,5x65) : **GBP 14 850** – Montréal, 30 avr. 1990 : *Sans titre*, aquat. en coul. (53x42) : **CAD 770** – Rome, 9 avr. 1991 : *Sans titre*, aquat. (58x40) : **ITL 850 000** – Paris, 4 déc. 1991 : *Solaire*, eau-forte en coul. (76x56) : **FRF 3 700** – Munich, 26 mai 1992 : *Composition*, aquat. en coul. (76x55) : **DEM 3 105** – Heidelberg, 9 oct. 1992 : *Madrigal*, eau-forte en coul. (53x38) : **DEM 1 100** – Heidelberg, 3 avr. 1993 : *Composition 4-85* 1985, aquar. (20,5x18,8) : **DEM 8 200** – Amsterdam, 8 déc. 1993 : *Composition* 1958, aquar./pap. (27,5x22) : **NLG 3 680** – Paris, 28 jan. 1994 : *Couple, eau-forte*, aquat. et pointe sèche (58,5x78,4) : **FRF 4 700** – Heidelberg, 15 oct. 1994 : *Paysage le soir* 1964, eau-forte en coul. (57,5x40,5) : **DEM 1 400**.

FRIEDLAENDER Julius ou **Friedlander**
Né le 29 janvier 1810 à Copenhague. Mort le 18 septembre 1861 à Copenhague. XIXe siècle. Danois.
Peintre de genre.
Il entra en 1824 à l'Académie de sa ville natale. De 1843 à 1844, il visita Paris et l'Italie. Parmi ses tableaux il convient de citer : *Le docteur près d'un malade ; Jeunes garçons jouant à Capri ; Scène dans une chambre d'enfants*.
Ventes Publiques : Copenhague, 19 août 1980 : *La chasse à la souris* 1852, h/t (63x80) : **DKK 13 000** – Copenhague, 23 avr. 1982 : *Soldat russe achetant des fruits* 1851, h/t (39x36) : **DKK 11 000** – Stockholm, 25 avr. 1984 : *Jeux d'enfants* 1858, h/t (57x75) : **SEK 60 000** – Copenhague, 12 août 1985 : *Jeune garçon aux paniers de fruits* 1856, h/t (34x24) : **DKK 17 000** – Londres, 17 nov. 1993 : *L'enfant malade* 1852, h/t (54x51) : **GBP 12 075**.

FRIEDLAENDER Léo
Né en 1889 à New York City. XXe siècle. Américain.
Sculpteur.
Il fit ses études artistiques à Paris, New York et Bruxelles. Il fut membre de nombreuses sociétés artistiques et reçut diverses récompenses.

FRIEDLAENDER R. J.
XIXe siècle. Actif à Hambourg vers 1850. Allemand.
Lithographe.

FRIEDLAENDER von Malheim Alfred ou **Friedlander**, appelé aussi **Chevalier von Malheim**
Né le 21 septembre 1860 à Vienne. Mort en 1927. XIXe-XXe siècles. Autrichien.
Peintre de genre.
Il était le frère de Friedrich. Élève de l'Académie de Vienne et du professeur W. Diez à Munich. Vécut à Vienne.
Musées : Graz : *Le Dégustateur de vin*.
Ventes Publiques : Vienne, 16 jan. 1973 : *L'attaque des voyageurs* : **ATS 13 000** – Londres, 12 oct. 1977 : *Camp militaire*, h/pan. (37x57) : **GBP 2 400** – Vienne, 7 avr. 1981 : *Le Repos des cavaliers*, h/t (21x32) : **ATS 11 000** – New York, 27 oct. 1983 : *Le Galant Entretien*, h/pan. (29,8x20,3) : **USD 2 800** – Vienne, 10 déc. 1987 : *Le Départ des cavaliers*, h/t (37,5x48) : **DEM 3 500** – Amsterdam, 9 nov. 1994 : *Champ de bataille*, h/pan. (20,5x32) : **NLG 2 070** – Vienne, 29-30 oct. 1996 : *Arrivée de la cavalerie* (55x90) : **ATS 161 000**.

FRIEDLAENDER von Malheim Camilla ou **Friedlander**
Née le 10 décembre 1856 à Vienne. Morte en 1928. XIXe-XXe siècles. Autrichienne.
Peintre de natures mortes.
Élève de son père Friedrich Friedlaender. Elle débuta à Vienne vers 1864.
Ventes Publiques : Londres, 17 oct. 1973 : *Nature morte* : **GBP 360** – New York, 25 oct. 1977 : *Roses dans un vase*, h/pan. (16,5x23) : **USD 2 100** – New York, 27 mai 1982 : *Nature morte orientaliste*, h/pan. (16,5x23) : **USD 2 200** – Angers, 8 déc. 1984 : *Nature morte aux objets orientaux*, h/pan. (17x23) : **FRF 23 500** – Berne, 2 mai 1986 : *Nature morte*, h/pan. (16,6x23) : **CHF 14 000** – New York, 15 oct. 1993 : *Nature morte avec une pièce d'orfèvrerie, un livre et une rose sur une table*, h/pan. (18,4x12,5) : **USD 863**.

FRIEDLAENDER von MALHEIM Friedrich, chevalier ou **Friedlander**
Né le 10 janvier 1825 à Kohljanowitz. Mort le 13 juin 1901 à Vienne. XIXe siècle. Autrichien.
Peintre de genre.
Le Musée de Vienne conserve de lui : *Invalides à la cantine*. Il fut élève de Waldmuller à l'Académie de Vienne. Après avoir visité Paris et l'Italie, il revint se fixer, en 1866, à Vienne et fut élu membre de l'Académie en 1889.
Ventes Publiques : Munich, 26 juin 1907 : *Intérieur paysan* : **FRF 800** – Cologne, 26 nov. 1970 : *Retour du marché* : **DEM 8 200** – Vienne, 21 mars 1972 : *Les fils prodigues* : **ATS 65 000** – Vienne, 17 sep. 1974 : *Les deux invalides* : **ATS 60 000** – Cologne, 25 nov. 1976 : *Vieux soldats à l'auberge*, h/pan. (32x45) : **DEM 12 000** – Vienne, 29 nov. 1977 : *Les préparatifs de la fête*, h/t (54,5x68,5) : **ATS 80 000** – Vienne, 17 nov. 1981 : *La famille du moissonneur* 1860, h/pan. (55x45) : **ATS 100 000** – Munich, 24 nov. 1983 : *Die vier Temperamente* vers 1889, h/pan. (25x30) : **DEM 26 000** – Vienne, 20 mars 1986 : *Paysans attablés*, aquar. (19x13) : **ATS 25 000** – Vienne, 10 déc. 1987 : *Le billet de logement* 1871, h/t (83x106) : **ATS 320 000** – Londres, 5 mai 1989 : *Deux hommes agés attablés à la taverne* 1879, h/pan. (18,5x15,2) : **GBP 1 540** – Paris, 26 mars 1990 : *Chez le ferronnier*, h/pan. (35x27) : **FRF 15 500** – Londres, 4 oct. 1991 : *Une bonne cuvée*, h/pan. (39,5x31,6) : **GBP 3 740** – Stockholm, 30 nov. 1993 : *Nombreux clients dans le jardin d'une auberge le soir* 1881, h/t (56x69) : **SEK 67 000** – Londres, 22 fév. 1995 : *Deux amis réunis autour d'une bouteille*, h/pan. (23x19) : **GBP 2 070**.

FRIEDLAENDER von MALHEIM Hedwig
Née le 13 février 1863 à Vienne. XIXe siècle. Autrichienne.

Peintre de genre, fleurs.
Elle était la fille de Friedrich Friedlaender von Malheim. Élève de Laufberger et de Jul. Berger, elle débuta à Vienne, en 1888.
Ventes Publiques : Londres, 20 mars 1985 : *La jeune tricoteuse*, h/t (58x46) : **GBP 6 000** – Copenhague, 16 nov. 1994 : *Deux enfants allongés*, peint./acajou (19x22) : **DKK 5 500**.

FRIEDLANDER Adolph. Voir **FRIEDLAENDER Adolph**

FRIEDLANDER Alfred. Voir **FRIEDLAENDER von Malheim Alfred**

FRIEDLANDER August M. Voir **FRIEDLAENDER August M.**

FRIEDLANDER Johnny. Voir **FRIEDLAENDER Johnny**

FRIEDLANDER Julius. Voir **FRIEDLAENDER Julius**

FRIEDLANDER von MALHEIM. Voir **FRIEDLAENDER von MALHEIM**

FRIEDLEIN Johann
xviie siècle. Actif à Hambourg vers 1685. Allemand.
Graveur.
Il travailla aussi à la fin du xviie siècle à Kiel et à Copenhague.

FRIEDMAN Arnold
Né en 1879. Mort en 1946. xxe siècle. Américain.
Peintre de figures, nus, portraits, paysages.
Ventes Publiques : New York, 3 juin 1983 : *Dutchess country landscape*, h/t (50,8x61) : **USD 7 500** – New York, 20 juin 1985 : *Paysage*, h/t (76,2x63,5) : **USD 5 500** – New York, 7 avr. 1988 : *Portrait de son fils*, h/t (53,8x39,4) : **USD 4 180** – New York, 30 mai 1990 : *Nu dans un paysage*, h/pan. (15,5x23,2) : **USD 2 310** – New York, 27 mai 1992 : *Abstraction*, h/t (43,2x53,3) : **USD 18 700**.

FRIEDMAN Mark
Né à New York. xxe siècle. Américain.
Sculpteur.
Il fut élève de Niclausse. Il exposa au Salon des Artistes Français de Paris en 1932.

FRIEDMAN Terri
xxe siècle. Américaine.
Artiste, créateur d'installations.
Elle a réalisé une exposition personnelle au Special K Exhibitions de Los Angeles en 1997.
L'eau, à la base de son travail, met en évidence le côté mécanique et cinétique de ses installations. Incolore ou coloré en jaune, rose ou rouge, le liquide circule dans des tubes et se déverse dans des vasques. L'humour n'est pas absent de ses réalisations.

FRIEDMANN Gloria
Née en 1950 à Kronach (Allemagne). xxe siècle. Depuis 1977 active en France. Allemande.
Sculpteur, auteur d'assemblages, créateur d'environnements, technique mixte. Tendance arte povera.
Autodidacte, elle s'installe en Bourgogne, en 1977, à Aignay-le-Duc, où elle vit et travaille. Depuis 1980, elle participe à de nombreuses expositions collectives, en France : Villeurbanne, Strasbourg, Dijon, et surtout Paris : 1980 xie Biennale, 1981 musée national d'Art moderne, 1985 Salon de la Jeune Sculpture, et à l'étranger : 1986 Berlin, Rome ; 1987 Zagreb, Documenta 8 de Kassel ; 1988 Hambourg, New York ; 1991 Essen, Padoue, Los Angeles...
Elle montre également ses œuvres dans des expositions personnelles, à Paris : 1980 musée d'Art moderne de la Ville ; 1986, 1988, 1991, galerie Montenay ; ainsi que : 1987 musée de Grenoble, 1992 Museum Moderner Kunst à Vienne et Kunstmuseum d'Ittigen ; 1993 Le Consortium de Dijon et Kunsthaus de Nuremberg, 1994 Centre d'art contemporain à Vassivière-en-Limousin, 1995 *Pour qui ? Contre qui ?* à la Villa Arson Nice, 1998 galerie Cent 8 à Paris. Outre les musées et galeries, elle expose dans des lieux plus originaux, comme l'église des Jésuites de Sion, celle de Val-de-Vesle, la cour xviie du palais Liechenstein à Vienne, mais aussi dans la nature, ainsi dans la forêt de Bar-Le-Duc.
Elle commence à aborder la photographie au début des années quatre-vingt, se mettant en scène dans des lieux désaffectés. À partir de 1982, elle travaille sur le paysage, dans des sortes de tableaux reliefs, dans lesquels elle s'attache à recréer la nature avec les produits du quotidien, de l'industrie, qui ne valent presque rien, tels que tuyaux, pare-brise, plaques de fer rouillées. Ainsi, utilise-t-elle des sacs poubelle, mettant en avant leurs qualités plastiques, dans son œuvre *Ciel orageux sur Westschleswig* dont le titre pourrait évoquer certains paysages romantiques. Puis, elle se tourne vers la sculpture, privilégiant, désormais, les formes minimales et les matériaux naturels, bois, os, crin, granit, terre (...), afin de donner une vision de la vie originelle mais aussi de sa destruction. En effet, grand nombre des matériaux présents dans ses œuvres sont morts. Ils ont subi des transformations, comme le charbon, qui résulte de la lente décomposition de matières organiques ou les animaux empaillés : ainsi le cerf blanc aux superbes bois sur un tas de feuilles mortes face à une sphère en mousse monumentale et un cône en écorce dans l'œuvre de 1992 *Les Représentants* ou le coq aux couleurs rutilantes juché sur une pile de bois calciné, parfaitement agencée. Parallèlement à ces environnements, presque baroques, elle réalise des œuvres à rapprocher de l'arte-povera : ainsi ce rondin en chêne nommé *Satellite*, de même ces deux grands rectangles de granit et de peau, le premier posé contre le mur, le second fixé au mur dans *Lascaux*, mais aussi ce mémorial à la nature, *Du Terroir*, composé d'une caisse de bois évidée en son centre, qui se dresse, haute de trois mètres, sur un monticule de terre fraîchement retournée, et dans laquelle on peut voir, à travers une grille, des feuilles, des crânes, des morceaux de bois, des plumes, tous ces fragments de nature sélectionnés par l'artiste.
Gloria Friedmann ne prône pas un retour à la nature de type Rousseauiste, elle s'attache plutôt à mettre en scène la décomposition d'un monde irrémédiablement marqué. Elle puise, dans l'univers, sans jamais le plagier, les forces mais aussi la matière de ses œuvres. Elle montre ainsi qu'en empruntant à la nature, elle ne peut que représenter une nature morte : « Je n'imite pas la nature, je la recrée en l'évoquant, en la contrariant. » Son œuvre, reflet de certaines préoccupations actuelles, en particulier la mort de la planète, est lieu d'interrogations. L'artiste en propose une interprétation originale, chargée d'émotions, bâtit une ode aux phénomènes naturels, fruit de son expérience, de ses souvenirs, qui saisit par son évidente simplicité.

■ Laurence Lehoux

Bibliogr. : Xavier Douroux, Frank Gautherot : *Gloria Friedmann*, Le Coin du miroir, Dijon, 1983 – Mo Gourmelon : *Gloria Friedmann, des évidences telles...*, La Criée, Rennes, 1986 – Daniel Soutif : Catalogue *Gloria Friedmann, un hommage au beau naturel*, Bar-le-Duc, 1986 – Catherine Millet : *L'Art contemporain en France*, Flammarion, Paris, 1987 – Bernard Marcadé : Catalogue de l'exposition *Gloria Friedmann*, Église des Jésuites, Sion, 1987 – in : *L'Art du xxe s*, Larousse, Paris, 1991 – Catalogue de l'exposition : *Gloria Friedmann*, Mus. Mod. Kunst, Stiftung Ludwig, Vienne, 1992 – *Gloria Friedmann*, Art Press, Paris, fév. 1992 – Elisabeth Lebovici, P. Cuvelier : *Gloria Friedmann*, Centre d'Art contemporain de Vassivière-en-Limousin, Annely Juda Fine Art, Londres, 1994 – Maïten Bouisset : *Gloria Friedmann – De la Nature des êtres et des choses*, Art Press, n° 200, Paris, mars 95.

FRIEDMANN Nicolaï
Né en 1842 à Mannheim. Mort à Francfort-sur-le-Main. xixe siècle. Allemand.
Peintre de portraits.
Il existe à Francfort un grand nombre de portraits de cet artiste.

FRIEDRICH
xiiie-xive siècles. Allemand.
Peintre verrier.
Il travaillait à Klosterneuburg vers 1280, et encore au début du xive siècle aidé de son fils Walther.

FRIEDRICH
xve siècle. Allemand.
Peintre.
Il était actif à Villach en 1415. Il décora l'église du Millstadt.

FRIEDRICH
xve siècle. Allemand.
Peintre.
Il semble que le même artiste travailla à Ansbach en 1438 et à Nuremberg vingt ans plus tard.

FRIEDRICH II der Grosse, roi de Prusse ou **Frédéric le Grand**
Né le 24 janvier 1712. Mort le 17 août 1786. xviiie siècle. Allemand.
Peintre amateur.
Frédéric le Grand s'intéressa en dilettante à la peinture et au dessin.

FRIEDRICH A. C.
Né vers 1815 à Brême. Mort en 1855 à Brême. XIXe siècle. Allemand.
Peintre animalier.
De nombreuses œuvres de cet artiste furent exposées à Vienne en 1854.

FRIEDRICH Adolph, duc d'Ostregothie
Né le 18 juillet 1750 à Drottningholm. Mort le 12 décembre 1803 à Montpellier. XVIIIe siècle. Suédois.
Peintre amateur, graveur.
Fils du roi de Suède Adolph Friedrich et maréchal, il travailla sous la direction du graveur J. E. Rehn à Stockholm.

FRIEDRICH Alexander
Né le 27 mars 1744 à Friedrichstadt (Holstein). Mort le 14 mai 1793 à Dresde. XVIIIe siècle. Allemand.
Peintre d'histoire.
Fils du peintre David Friedrich, on cite de lui entre autres, *Méléagre et Atalante*.

FRIEDRICH André
Né le 17 janvier 1798 à Rappoltsweiler. Mort le 9 mars 1877 à Strasbourg. XIXe siècle. Français.
Sculpteur, dessinateur et lithographe.
Après avoir fait ses études à Stuttgart, à Munich et à Vienne, il séjourna longtemps à Paris, puis travailla tantôt en France, tantôt en Allemagne.

FRIEDRICH Andres
Né vers 1560 à Leipzig. Mort vers 1617. XVIe-XVIIe siècles. Allemand.
Peintre et graveur.
On lui doit près d'une centaine de gravures.

FRIEDRICH August, duc de Brunschwick
Né le 29 octobre 1740. Mort le 8 octobre 1805. XVIIIe siècle. Allemand.
Graveur amateur.
On connaît de lui deux caricatures : *Le Mésentendu* et *les effets merveilleux de la musique*.

FRIEDRICH Bernhard
XVIe siècle. Actif dans la région de Kissingen entre 1525 et 1550. Allemand.
Sculpteur.
Il travailla pour l'église de Münnerstadt.

FRIEDRICH Bernhard Gottlieb. Voir **FRIDRICH**

FRIEDRICH Carl
Né le 3 octobre 1787 à Dresde. Mort le 19 mars 1840 à Dresde. XIXe siècle. Allemand.
Peintre de fleurs et miniaturiste.
Il était fils de Jacob Friedrich et reprit à la mort de son père les fonctions de peintre botaniste du roi qu'avait celui-ci à la cour du roi de Saxe, Frédéric-Auguste II.

FRIEDRICH Caroline
Née le 20 octobre 1828 à Dresde. Morte le 29 juillet 1914 à Dresde. XIXe-XXe siècles. Allemande.
Peintre de natures mortes et de fleurs.
Elle était femme de Gustave-Adolf Friedrich et mère de Harald Friedrich.

FRIEDRICH Caroline Friederike
Née le 4 mars 1749 à Dresde. Morte le 20 janvier 1815 à Dresde. XVIIIe-XIXe siècles. Allemande.
Peintre de natures mortes, fleurs.
Fille et élève du peintre David Friedrich. En 1774, elle fut reçue membre de l'Académie de Dresde. Elle fut un peintre de fleurs assez remarquable.
Ventes Publiques : Munich, 29 nov. 1989 : *Une rose mousse et une branche de mauve* 1807, gche, deux études de fleurs, une paire (25x20 et 27x18) : **DEM 6 600**.

FRIEDRICH Caspar David
Né le 5 septembre 1774 à Greifswald. Mort le 7 mai 1840 à Dresde. XVIIIe-XIXe siècles. Allemand.
Peintre de compositions à personnages, paysages, graveur, dessinateur. Romantique.
Friedrich est né dans une petite ville de Poméranie, sur la Mer du Nord, où se famille, protestante, était venue se réfugier lors des partages compliqués, au cours du XVIIIe siècle, entre Prusse, Autriche et Pologne catholique, de la Silésie, d'où elle était originaire. Friedrich y fut élevé dans une atmosphère de sévère piété. Après avoir été initié au dessin par Gottfried Quistorp à Greifswald, il entra à vingt ans, en 1794, à l'Académie de Copenhague, à l'enseignement traditionnel de laquelle s'ajouta pour le jeune homme la découverte de la poésie nordique, celle d'Ossian, de Klopstock et de Kosegarten.
En 1798, il s'établit à Dresde, qui non seulement possédait un fascinant musée, mais qui était aussi à cette époque un centre intellectuel et artistique plein de vie, qui permit à Friedrich de connaître l'esprit romantique à travers ses plus hauts représentants, Novalis, Tieck, Schelling, Fichte, Kleist. Il y rencontra le peintre romantique Philipp Otto Runge, duquel la carrière fut si brève, qui semble avoir été le premier peintre avec lequel il se lia à partir de 1801, ou peut-être dès son séjour à Copenhague. Toutefois, Friedrich fut, dès sa plus tendre jeunesse (une précoce tentative de suicide en témoigne), un être déchiré et peu communicatif.
Friedrich partagea sa vie entre Dresde et son pays natal. Il allait des rives de la Baltique aux Riesengebirge (Massif des Géants) et dans le Hartz. Un de ses thèmes de prédilection fut toujours les paysages désolés de l'île de Rügen et des rivages de Poméranie, les vastes espaces de la mer et du ciel où l'imagination va se fondre et se perdre.
Son inspiration romantique s'appuiera toujours sur une observation minutieuse des éléments dû réel, que la connaissance parfaite qu'il en avait acquise lui permettait de transgresser plus aisément. Les dessins et les aquarelles où il notait ses observations représentent la part de son activité consacrée à la contemplation, à l'approfondissement de son émotion, qui préparait l'éclosion de l'œuvre à venir. Si son art s'appuie sur une observation minutieuse et passionnée du réel, sous laquelle on peut retrouver l'esprit de la peinture flamande et celle de Dürer (l'ensemble de l'œuvre graphique du peintre de Greifswald est remarquable), il s'est très vite dégagé des influences éventuelles pour imposer une vision personnelle et originale, qui apportait aux problèmes de forme et de contenu dans lesquels se débattait la peinture allemande à la fin du XVIIIe siècle, une proposition nouvelle, et même révolutionnaire si l'on en juge par l'accueil mouvementé que reçurent certaines de ses peintures, en particulier *L'Autel de Tetschen* et *Le Moine au bord de la mer*, qui suscitèrent de vives polémiques.
À ce sujet, bien que les deux mouvements aient été contemporains et allemands, il est nécessaire de distinguer les Nazaréens et les créateurs du paysage romantique. Les Nazaréens, groupés dans le *Lukasbund*, au couvent de Sant'Isidoro à Rome par les soins de Johann Friedrich Overbeck, réunissaient Cornelius, Ramboux, Schnorr von Carolsfeld, Schadow, entre autres, dans le culte de l'idéal esthétique des peintres italiens de la Renaissance, lié aux sentiments religieux du catholicisme romain. Les créateurs du paysage romantique n'avaient d'autre source esthétique que l'observation directe de la nature, et leurs sentiments religieux étaient nettement panthéistes et animistes. Il serait toutefois artificiel de vouloir séparer radicalement les deux courants ; de simples causes d'époque et de lieu leur imposaient des points communs. Carl Philipp Fohr, les frères Olivier, Joseph Anton Koch surtout, bien que partis des idéaux nazaréens, furent aussi des précurseurs actifs du paysage romantique allemand, tandis que, si l'œuvre de Friedrich eut une influence déterminante sur les frères Olivier, Georg-Friedrich Kersting, Gerhard von Kügelgen, Ferdinand Hartmann, les frères Riepenhausen, Ernst Ferdinand Oehme, Carl Gustav Carus, et sur des peintres qui évolueront vers une technique plus réaliste, dépourvue de toute allégorie, tels Christian Friedrich Gille et surtout Johan Christian Clausen Dahl, il semble que Friedrich lui-même ait mené une vie tout à fait retirée du monde, et on l'imagine facilement tel que Kersting l'a représenté dans son atelier froid et vide.
De ses longues promenades dans la nature, Friedrich rapportait des croquis très exacts, pour lui une sorte de répertoire, qui lui servaient ensuite, dans le silence et l'austérité de son atelier (et parfois des années plus tard), à composer des paysages exprimant de façon allégorique sa vision intérieure. Le peintre doit peindre ce qu'il voit en lui : « Clos ton œil physique, afin de voir ton tableau avec l'œil de l'esprit. Puis amène au jour ce que tu as vu dans ta nuit », a écrit Friedrich, pour qui « la loi de l'artiste, c'est son sentiment. La sensibilité pure ne peut jamais être en contradiction avec la nature, elle est toujours en conformité avec elle. » Par la subjectivité, point de départ absolu, l'artiste, hanté par une secrète et mystérieuse nostalgie, peut espérer retrouver, outrepassant la dualité tragique, l'unité perdue de la Nature et de l'Esprit.

En cela, Friedrich est sans nul doute le plus romantique de tous les peintres allemands. On comprend dès lors qu'il ne faille pas juger la peinture de Friedrich d'après les mêmes critères qui serviraient à mesurer le talent d'un Delacroix par exemple, ou de quelque autre romantique français ou anglais. Il y a un romantisme des attitudes et un romantisme des profondeurs. Friedrich n'est pas un romantique du côté de chez Hugo ; on ne trouve pas chez lui de véhémence, de charge dans l'expression des sentiments, de sanglots ni de sang. On trouve chez Maurice Raynal une analyse de « l'âme romantique » (pour parler comme Albert Béguin) allemande qu'il donne très clairement comme une critique des limites de l'artiste romantique allemand, alors que l'on peut curieusement reprendre son analyse dans les mêmes termes, mais pour y fonder, cette fois, l'éloge de la pensée romantique allemande à partir d'une critique du sensualisme occidental : « Le principe sensoriel chez le romantique allemand est limité. L'inspiration obéit d'abord au culte de l'âme. Ce qu'on recherche est plutôt l'identité entre l'âme du monde et l'âme humaine. Cette conception repousse les données des sens... La peinture n'est pas un but mais un moyen d'exprimer des tourments spirituels... On regarde la nature avec les yeux de l'esprit. Toutes considérations plastiques sont hors de cause... Ainsi la conception de *l'art pour l'art* est repoussée... » Dans une pétition de principes caractérisée, Maurice Raynal ne s'est pas aperçu qu'il jugeait le romantisme allemand en fonction de prémisses rationalistes et matérialistes dont il présuppose indûment l'universalité, quand justement le romantisme allemand s'est en partie érigé comme l'antithèse de cette conception matérialiste du monde. Dans les tableaux de Friedrich, peintre religieux, mystique, fenêtres ouvertes sur un autre monde, l'activité de peinture n'est que le support visible d'une réalité invisible, l'angoisse métaphysique du destin de l'homme particulièrement ressentie devant les plus grandioses spectacles de la nature et des éléments. L'espace en peinture, à la lecture duquel s'est tant appliqué Pierre Francastel, l'espace, fluide comme la géométrie chez les Italiens, concret comme la matière chez les Flamands, a, chez Friedrich, les dimensions mêmes du spirituel. Sous son œil et son pinceau, aucune matière ne résiste, tout devient esprit, ou mieux : âme.

Si variés que puissent être les paysages de Friedrich, on y retrouve dans la majorité un même climat de mélancolie, d'immobilité pensive, le même silence et la même angoisse face à l'appel de l'illimité, qui vient soit de la mer, soit de hautes et fantastiques montagnes, le même recueillement face à la fragilité des choses temporelles et la certitude en une vie dans l'éternité. Ses tableaux, généralement de petites dimensions, sont peints consciencieusement, d'un réalisme apparemment photographique, et achevés par des glacis uniformisants, impersonnels, comme si l'artiste s'effaçait devant le spectacle de la nature, avec cette modestie qui faisait que Friedrich ne signait ni ne datait ses tableaux qu'à de très rares exceptions près.

Dans les peintures de Friedrich, la nature est prise en compte telle qu'elle est, et non idéalisée dans un système de références mythologiques ou de critères esthétiques. En contrepoint à son thème majeur de l'espace sans fin, Friedrich, hanté par l'idée de la mort, adjoint diverses variations dont la tonalité affective n'est pas différente : le souvenir, transposé en des tons plus sombres encore que dans la réalité, du monastère en ruines d'Eldena, tout près de son village natal de Greifswald ; un crucifix surplombant les escarpements sauvages de la haute montagne où s'entassent les rocs dans un chaos indescriptible et menaçant ; un jardin funèbre à travers la tonnelle duquel on aperçoit de l'autre côté du fleuve, baignée par la clarté lunaire, la ville céleste aux flèches gothiques de cathédrales en ruines ; les forêts impénétrables où s'est perdu un soldat de la Grande Armée ; le naufrage d'un navire, nommé *L'Espérance*, dans les glaces de l'Arctique ; plus rarement des personnages qui se sont arrêtés dans une forêt aux arbres tourmentés pour contempler le lever de la lune à travers les nuages ; ou d'autres assis sur un rocher et perdus dans le spectacle de l'immensité marine où deux grands voiliers rentrent au port ou peut-être s'en éloignent pour toujours. On retrouve ce vertige avec le *Moine au bord de la mer*, dont Kleist disait qu'à le regarder « dans son uniformité et sa profondeur illimitée... tel l'Apocalypse », on avait l'impression qu'on vous avait « coupé les paupières. » Le brouillard, les états crépusculaires, le clair-obscur, le flou qui donne de la grandeur aux choses simples, un sens sublime au quotidien, établissent son climat de prédilection, suivant en cela la pensée de Novalis : « Tout devient poésie dans l'éloignement : des montagnes lointaines, des hommes lointains, des événements lointains... Tout devient romantique. De là notre nature primitivement poétique. Poésie de la nuit et du crépuscule. »

Le caractère mystérieux de l'œuvre de Friedrich a ému, mais également contribué à son incompréhension. La dimension allégorique de son œuvre n'a souvent pas été perçue : le peintre, avec des moyens simples, a tenté d'exprimer sa vision religieuse et patriotique d'un monde où se trace le chemin de la vie : les pins et sapins sont les représentants des chrétiens dont la foi ne faiblit jamais, alors que le chêne, qu'il représente mort, déraciné, avec ses branches tordues dans une sorte de souffrance indicible, représente le paganisme, l'époque ignorante de l'espoir de résurrection. Cependant certains des tableaux de Friedrich expriment une confiance plus sereine, la paix de l'âme et la foi en l'immortalité, comme cette *Femme au soleil couchant* qui semble communier avec la nature, où la direction de l'éclairage participe au symbolisme de l'ensemble.

Tout comme les assez rares figures humaines qui apparaissent dans ses paysages et que l'on voit invariablement de dos, le sujet n'est pas ceux qui regardent mais ce qu'ils regardent, immobiles et solitaires, Friedrich a lui aussi dans sa vie été un être seul, qui malgré de tardives récompenses honorifiques, son élection en 1816 à l'Académie des Beaux-Arts de Dresde, en 1817 il semble y avoir été nommé professeur, s'enfonça de plus en plus dans l'incompréhension de ses contemporains, ce qui ne fit que précipiter le crépuscule de ses facultés mentales qui gagna ses dernières années. Lorsqu'il mourut en 1840 à Dresde, Friedrich était presque redevenu un inconnu, qui depuis vingt ans n'exerçait pratiquement plus d'influence sur la peinture de son époque.

Il fallut attendre le XXe siècle pour qu'on le redécouvre. L'œuvre que nous connaissons de Friedrich, de même que pour tous les peintres romantiques allemands, est tronqué de certaines pièces capitales, à un degré moindre toutefois qu'en ce qui concerne Carl Blechen, détruites dans le terrible incendie qui ravagea en 1931 le *Glaspalast* de Munich. C'était pendant l'exposition qui rendait enfin justice à la peinture romantique allemande, après une longue période de méconnaissance et d'éclipse au profit de la peinture française du XIXe siècle, alors que le courant du romantisme allemand ne se plaçait pas sur le plan des valeurs plastiques, caractéristique des expressions méditerranéennes. Dans les années quatre-vingt-dix, une très importante exposition d'ensemble, grâce aux prêts des musées russes, *The Romantic Vision of Caspar David Friedrich*, a été présentée à l'Art Institute de Chicago et au Metropolitan Museum de New York, mais sans venir en Europe. En 1996, le Van Gogh Museum d'Amsterdam a confronté des œuvres de Caspar David Friedrich à celles de Philipp Otto Runge. Avant la caution des expressionnistes d'Europe centrale, de l'Est et du Nord, d'Edvard Munch en particulier, avant celle des surréalistes, de Max Ernst surtout, un Français avait cependant reconnu le haut talent de Friedrich, alors méconnu de tous : David d'Angers, en 1833, s'étant rendu à Dresde, eut à cœur de le rencontrer. Il sculpta une médaille de son visage et en nota ce portrait : « Sa manière d'exécuter est d'une naïveté remarquable. Il est comme les grands génies qui disent des choses sublimes, avec des expressions très simples. Les ouvrages de cet homme forcent à rêver ; ils sont tellement poétiques ; ils donnent admirablement bien la tragédie du paysage. » À s'être avancé toujours plus loin, dans cette « tragédie du paysage », sur les chemins de l'immatériel, comme Robert Schumann, comme Hölderlin, Friedrich a franchi les frontières du non-retour et son esprit termina la course de ses jours terrestres dans l'exil de son corps.

■ Jacques Busse, Alain Montandon

Bibliogr. : M. Landsberg : *Caspar-David Friedrich, peintre de l'angoisse romantique*, in : Le Minotaure, n° 12-13, Paris, 1938 – Charlotte M. De Prybram-Gladona : *Caspar-David Friedrich*, Thèse, Paris, 1942 – Pierre Moisy, in : *Paysagistes romantiques allemands*, in : *Le Romantisme allemand*, Cahiers du Sud, Marseille, 1949 – Marcel Brion, in : *La peinture allemande*, Tisné, Paris, 1959 – Marcel Brion, in : *La peinture romantique*, Albin Michel, Paris, 1967 – Pierre Du Colombier, in : *Diction. de l'Art et des Artistes*, Hazan, Paris, 1967 – Werner Sumowski : *Caspar-David Friedrich – Studien*, Wiesbaden, 1970 – Helmut Börsch-Supan, Karl Wilhelm Jähnig : *Caspar-David Friedrich, Gemälde, Druckgraphik und bildmässige Zeichnungen*, Munich, 1974 – H. Hofstätter : *Caspar-David Friedrich, Das gesamte graphische Werk*, Munich, 1974 – Alain Montandon : *L'Autel de Tetschen de C. D. Friedrich, manifeste de la peinture romantique de paysage*, in : *Romantisme*, no 11, Paris, 1976 – Catherine Lépront : *Caspar*

David Friedrich – Des pays les yeux fermés, Gallimard, Paris, 1995.

Musées : Berlin (Gal. Nat.) : *Clair de lune sur la mer – Femme à la fenêtre – Chêne dans la neige – Le Watzmann* – Berlin (Château de Charlottenburg) : *Moine au bord de la mer – Abbaye dans la forêt de chênes – Matin dans le Riesengebirge – Croix sur la Baltique* – Brême : *Le tombeau d'Ammonius* – Cologne (Wallraf-Richartz Mus.) : *Croix sur les bords de la Baltique* – Dresde : *L'Autel de Tetschen – Deux hommes regardant la lune – Bateaux au port le soir – Tombeaux de Huns en Automne* – Essen (Folkwang Mus.) : *Paysage de montagnes avec arc-en-ciel – Femme au soleil couchant* – Gotha : *Jeunes filles appelant un bateau* – Hambourg (Kunsthalle) : *Naufrage de L'Espérance dans les glaces – Premières neiges – Lever de soleil sur Neubrandenburg – Prairies près de Greifswald – Course des nuages – Tombeaux des héros de la guerre de libération* – Kaliningrad, ancien. Königsberg : *Paysage des montagnes de Bohême* – Leipzig (Mus. des Beaux-Arts) : *Les Âges de la vie* 1830-32 – Munich (Nouvelle Pina.) : *L'été – Paysage du Riesengebirge avec brume – Ruine d'église en forêt* – Nuremberg (Mus. Germanique) – Oslo : *Au clair de lune* – Prague (Gal. Nat.) : *La Mer du Nord au clair de lune* – Riga : *Au bord de la mer* – Stralsund : *Paysage* – Vienne (Mus. d'Hist. de l'Art) : *Bord de mer avec pêcheur – Brume – Gorge escarpée* – Weimar : *Tombeau de Hutten*.

Ventes Publiques : Londres, 22 juin 1925 : *Vase de fleurs* : **GBP 28** – Londres, 1er août 1935 : *Nature morte* : **GBP 11** – Munich, 3 nov. 1958 : *Rue de village*, aquar. : **DEM 6 200** – Londres, 4 mai 1973 : *Trois femmes vues de dos, sur une route à l'aube* : **GNS 55 000** – Düsseldorf, 20 juin 1973 : *La nuit* : **DEM 35 000** – Berne, 8 juin 1977 : *La ville de Neudorf en feu* 1802, eau-forte : **CHF 7 200** – Cologne, 23 nov. 1978 : *Lac alpestre à l'aube*, h/t (73x94) : **DEM 2 300** – Munich, 30 mai 1979 : *Jeune garçon endormi sur une tombe* vers 1802-1803, grav./bois : **DEM 5 200** – Munich, 27 nov. 1980 : *Projet de tombe et trois urnes*, pl./pap. (14x13) : **DEM 6 200** – Londres, 25 nov. 1981 : *Pic de montagne entouré de nuages* vers 1835, h/t (23,5x29,5) : **GBP 170 000** – Berlin, 5 déc. 1986 : *Die Ruine des Klosters Heiligenkreuz bei Meissen* 1880, pl. et lav. brun (10,2x11,7) : **DEM 38 000** – Hambourg, 10 juin 1987 : *Couple dans un paysage boisé* 1799, eau-forte (9x11,5) : **DEM 2 800** – Monte-Carlo, 7 déc. 1987 : *Paysage d'hiver avec église*, h/t (33x44) : **FRF 14 000 000** – Munich, 18 mai 1988 : *Kleine Gaus* 1826, aquar. (26,5x22,5) : **DEM 371 000** – Munich, 10 mai 1989 : *Sapin* 1898, cr. (26,5x21,5) : **DEM 115 500** – Munich, 29 nov. 1989 : *Priessnitz sur Elbe* 1800, cr. et encre brune (23,5x38) : **DEM 77 000** – Munich, 31 mai 1990 : *Étude de barques, de filets de pêche et d'un buisson* 1884, cr. (18,5x14,5) : **DEM 74 800** – Londres, 20 mai 1993 : *Promenade à la nuit tombante*, h/t (33x43) : **GBP 2 311 500** – Londres, 13 oct. 1994 : *Voilier s'engageant entre deux rochers sur la côte est*, h/t (22x31,2) : **GBP 639 500** – Londres, 9 oct. 1996 : *Caroline en haut de l'escalier*, h/t : **GBP 375 500**.

FRIEDRICH Christian
Né en 1770 à Greifswald. XVIIIe siècle. Allemand.
Sculpteur sur bois.
Il était fils de Caspar-David Friedrich et travailla en particulier pour l'église Saint-Nicolas à Greifswald.

FRIEDRICH David
Né le 8 janvier 1637 à Saint-Gall. Mort le 18 décembre 1695 à Saint-Gall. XVIIe siècle. Suisse.
Sculpteur sur bois.
Il fut le père de Johannes Friedrich.

FRIEDRICH David
Né le 2 octobre 1719 à Grosschönau. Mort le 21 mai 1766 à Dresde. XVIIIe siècle. Allemand.
Peintre et graveur.
Il fut le père d'Alexander, Caroline Fr. et Johann C. J. Friedrich Il s'était fait une spécialité du papier peint.

FRIEDRICH Eustach
Né en 1768 à Ebermannstadt. XVIIIe siècle. Allemand.
Graveur.
Il vivait à Bamberg en 1843.

FRIEDRICH Franz
XVIe siècle. Travaillant à Francfort-sur-Oder entre 1550 et 1580. Allemand.
Dessinateur, graveur sur bois et graveur au burin.
Il a gravé des portraits. Il travailla pour le peintre Eichhorn.

FRIEDRICH Gustav Adolf
Né le 23 décembre 1824 à Dresde. Mort le 4 janvier 1889 à Dresde. XIXe siècle. Allemand.
Peintre de genre, animalier.
Fils de Caspar-David Friedrich. Élève de l'Académie de Dresde. Il exposa à Dresde à partir de 1856.

Ventes Publiques : Hambourg, 6 juin 1969 : *Le battage* : **DEM 6 500** – Lucerne, 25 mai 1982 : *Forge dans un paysage montagneux*, h/t (46,5x56,5) : **CHF 10 000** – Londres, 20 mars 1985 : *Scène de cour de ferme* 1872, h/t (77x11,5) : **GBP 6 500** – Munich, 18 mai 1988 : *Rue de village au XIXe s* 1956, h/t (42x52,5) : **DEM 19 800** – Amsterdam, 14-15 avr. 1992 : *Le marché aux chevaux* 1863, h/t (66,5x109,5) : **NLG 25 300** – Londres, 20 mai 1993 : *La foire aux chevaux* 1863, h/t (68x112,1) : **GBP 23 000**.

FRIEDRICH Hans Konrad Heinrich
XVIIe siècle. Actif à la fin du XVIIe siècle. Suisse.
Peintre.
Parmi ses ouvrages, on cite des peintures dans la cathédrale et à l'Hôtel de Ville de Berne. Il fournit aussi des décorations pour la maison de Daniel Engele à Schaffis sur le Bielersee.

FRIEDRICH Harald
Né le 14 avril 1858 à Dresde. XIXe siècle. Allemand.
Peintre de genre, portraits, natures mortes.
Fils de Gustav-Adolf Friedrich et de Caroline Friedrich. Élève de Pohle et de Pauwel à Dresde. Il devint professeur à l'Académie de Hanovre. Il a débuté vers 1880 et a surtout exposé à Dresde.

Ventes Publiques : Munich, 29 juin 1982 : *Berchtesgaden*, h/t (94x74) : **DEM 6 700**.

FRIEDRICH Jacob Andreas. Voir **FRIDRICH**

FRIEDRICH Johann Christian Jacob, dit **Jacob**
Né le 13 octobre 1746 à Friedrichstadt (Holstein). Mort le 3 juin 1813. XVIIIe-XIXe siècles. Allemand.
Peintre de genre, paysages, fleurs, aquarelliste, peintre à la gouache, graveur.
Il était le second fils du peintre David Friedrich.

Ventes Publiques : Londres, 15 juil. 1980 : *Fleurs*, quatre aquar. et gches (34,6x15,4) : **GBP 650** – New York, 25 mai 1984 : *Fleurs*, 3 gches/pap. brun (34,6x17,2 ; 29,2x20 ; 37,2x21) : **USD 6 500** – Stockholm, 29 mai 1991 : *Le mât de cocagne*, h/t (44x60) : **SEK 58 000**.

FRIEDRICH Johann Gottlieb
Né en 1742 à Nuremberg. Mort le 13 novembre 1809 à Copenhague. XVIIIe siècle. Allemand.
Graveur.
Fils de Bernhardt Gottlieb Friedrich, il travailla d'abord à Regensburg où il exécuta un grand nombre de portraits.

FRIEDRICH Johann Heinrich August
Né le 1er juillet 1789 à Dresde. Mort le 2 juin 1843 à Dresde. XIXe siècle. Allemand.
Peintre de fleurs et fruits.
Il était fils de Johann C. J. Friedrich et fut élève de sa tante Caroline Friederike Friedrich.

Ventes Publiques : New York, 30 oct. 1985 : *Une tulipe et une autre fleur* 1817, gche (28x21,3) : **USD 1 200**.

FRIEDRICH Johann Josef
XVIIIe siècle. Actif à Liebenthal. Allemand.
Sculpteur.
Il travailla vers 1730 pour l'église cistercienne de Liebenthal.

FRIEDRICH Johann Josef
XVIIIe siècle. Actif à Plan en Bohême. Tchécoslovaque.
Peintre.
Il était élève de l'Académie de Vienne en 1737. C'est peut-être le même artiste qui était inscrit sous le même nom, mais avec le prénom de Joseph à l'Académie de Vienne.

FRIEDRICH Johann Nepomuk
Né le 24 avril 1817 à Mahr Neustadt. Mort le 24 septembre 1895 à Vienne. XIXe siècle. Autrichien.
Peintre.
Il fut élève de Gsellhofer à l'Académie de Vienne et se spécialisa dans le portrait et la peinture d'histoire.

FRIEDRICH Johannes
Né le 6 mai 1663 à Saint-Gall. Mort le 15 octobre 1731 à Saint-Gall. XVIIe-XVIIIe siècles. Suisse.
Sculpteur sur bois et sur pierre.
Élève de son père le sculpteur David Friedrich, il exécuta, entre

autres, des figures en grès pour des fontaines publiques et il travailla aussi pour la cathédrale de Berne en 1717.

FRIEDRICH Ludwig

Né le 22 juin 1827 à Dresde. Mort le 1er juin 1916 à Dresde. XIXe-XXe siècles. Allemand.

Paysagiste et graveur.

Fils de Johann-Heinrich-August Friedrich. Élève de L. Richter à Dresde. Il a gravé d'après Calame, Meissonier, Schwind, A. Richter, et d'autres maîtres modernes. Il mit lui-même fin à ses jours.

FRIEDRICH Nicolaus

Né le 17 juillet 1865 à Cologne. XIXe siècle. Allemand.

Sculpteur.

Élève de l'Académie de Berlin de 1893-1897 et élève de Karl Begas de 1897 à 1901. De 1891 à 1893, il travailla pour l'Exposition Universelle à Chicago. Ensuite il fit des voyages en Italie, en Angleterre, en Belgique et en France. En 1896, il obtint le prix de Rome. Travaille à Berlin. Mention honorable en 1900 à l'Exposition universelle de Paris.

Musées : Berlin : *Homme attachant sa sandale – Le tendeur d'arc.*

FRIEDRICH Otto

Né le 2 juillet 1862 à Raab. Mort en 1937. XIXe-XXe siècles. Hongrois.

Peintre d'histoire, scènes de genre, nus, portraits.

Il a obtenu en 1887, une médaille d'or à Berlin. Fixé à Munich, il a surtout exposé dans cette ville.

Ventes Publiques : Vienne, 16 mars 1982 : *Andante* 1913, h/t (199x199) : **ATS 300 000** – Vienne, 19 mai 1987 : *Portrait d'une violoniste*, h/cart. (40x28) : **ATS 38 000** – Londres, 10 fév. 1988 : *Le nu vert*, h/t (147,5x107) : **GBP 3 300.**

FRIEDRICH Peter

Mort le 26 septembre 1616 à Görlitz. XVIIe siècle. Allemand.

Peintre.

FRIEDRICH Thalia

Née le 13 mai 1815 à Dresde. Morte le 19 septembre 1840 à Dresde. XIXe siècle. Allemande.

Peintre.

Elle était la fille et fut l'élève de Carl. On lui doit surtout des tableaux de fleurs, souvent peints à l'aquarelle.

FRIEDRICH Theodor

Né le 16 février 1820 à Dresde. Mort le 7 novembre 1840 à Dresde. XIXe siècle. Allemand.

Peintre de portraits.

Fils de Carl Friedrich. Il fut élève de Vogel à l'Académie de Dresde.

FRIEDRICH Waldemar

Né le 20 août 1846 à Gnadau. Mort le 16 octobre 1910 à Berlin. XIXe-XXe siècles. Allemand.

Peintre d'histoire et de genre, de natures mortes et aquarelliste.

Élève de Steffeck à l'Académie de Berlin et de Ramberg à Weimar, il devint plus tard professeur dans ces mêmes villes. Médaillé à Berlin en 1886, membre de l'Académie en 1889. Il se rendit aux Indes en compagnie du grand-duc de Schleswig-Holstein.

FRIEDRICH Wilhelm I, roi de Prusse

Né le 14 août 1688. Mort le 31 mai 1740. XVIIIe siècle. Allemand.

Peintre amateur.

Il peignit et dessina quelques scènes militaires.

FRIEDRICH Wilhelm IV, roi de Prusse

Né le 15 octobre 1795. Mort le 2 janvier 1861. XIXe siècle. Allemand.

Peintre amateur.

C'est lui qui pratiqua parmi les artistes amateurs de la dynastie prussienne la peinture avec le plus d'assiduité. Il peignit et dessina dans un style très classique.

FRIEDRICH Ier d'Anhalt, duc

Né le 29 avril 1831 à Dessau. Mort le 24 janvier 1904 à Ballenstedt. XIXe siècle. Allemand.

Graveur amateur.

Ce prince exécuta dans sa jeunesse quelques gravures sous la direction du paysagiste Wilhelm Krause.

FRIEDRICH von Aschaffenburg

XVe siècle. Actif à Francfort-sur-le-Main en 1448. Allemand.

Peintre.

Il reçut de la confrérie de Saint-Sébastien la commande d'un autel pour l'église dominicaine de Francfort.

FRIEDRICHS

XVIIIe siècle. Actif vers 1700. Allemand.

Peintre.

Il décora une église à Erfurt.

FRIEDRICHS Fritz

Né le 17 mai 1882 à Hambourg. XXe siècle. Allemand.

Peintre de portraits, paysages, graveur.

Il fut élève de Siebelist.

FRIEDRICHSEN Ernestine

Née le 29 juin 1824 à Dantzig. Morte le 21 juillet 1892 à Düsseldorf. XIXe siècle. Allemande.

Peintre de genre.

Élève de Marie Wiegmann et de Sohn à Düsseldorf. Elle voyagea en Allemagne, en Hollande, en Belgique, en Angleterre et en Italie. Elle a surtout exposé à Dresde.

Ventes Publiques : New York, 13 fév. 1985 : *La prière devant le Calvaire* 1869, h/t (94x110,5) : **USD 3 000.**

FRIEDRICK André

Né le 15 janvier 1798 à Ribeauvillé. Mort en 1877 à Strasbourg. XIXe siècle. Français.

Sculpteur.

Entré à l'École des Beaux-Arts le 2 janvier 1821, il eut pour maître Bosio et Schadow. Il se rendit à Berlin puis à Strasbourg. Il figura au Salon de Paris de 1835 à 1842. Ses principaux ouvrages sont : *Jeune femme pleurant* (bas-relief en marbre) ; *La nuit* ; (groupe en marbre) ; *Le poète Pfeffel* ; statue inaugurée à Colmar, le 5 juin 1859 ; *L'évêque Wernerr* (statue pour la cathédrale de Strasbourg) ; *L'architecte Erwin* (statue érigée le 29 août 1844, à Strasbourg) ; *L'archevêque Boll* (statue pour la cathédrale de Fribourg) ; *Le monument de l'archevêque de Posen* ; *Francis Drake* (statue) ; *Le fossoyeur* (statue au cimetière de Bade) ; *Le monument de Turenne*, à Sasvach ; *Le monument du grand-duc Léopold*. Le Musée de Colmar possède de lui : *La statuette du statuaire*, et le Musée de Strasbourg : *Le Sommeil*.

FRIEMAN J.

XVIIIe siècle. Actif à Londres en 1799. Britannique.

Peintre de miniatures.

FRIEND Donald Stuart Leslie

Né en 1915 à Sydney. Mort en 1989. XXe siècle. Australien.

Peintre à la gouache, de compositions animées, nus, portraits, aquarelliste.

Il fit ses études à l'École Royale d'Art de Sydney. Il vécut plusieurs années à Londres. En 1940, il retourne vivre en Australie. C'est pendant la guerre qu'il séjourna pour la première fois en Indonésie, il y retourna en 1966 et s'installa à Sanur jusqu'en 1980. Il exposa pour la première fois à Londres, en 1936 et a participé à de nombreuses expositions collectives, notamment en 1988 *Art à Bali* à Honolulu. La même année, l'Université de Sydney lui décerna un prix pour l'ensemble de son œuvre.

Il est connu pour ses scènes pittoresques de la vie militaire ainsi que ses tableaux inspirés par la musique noire.

Musées : Londres (British Mus.).

Ventes Publiques : Londres, 5 juil. 1972 : *Guitariste*, aquar. et pl. : **GBP 850** – Londres, 17 mars 1976 : *L'apparition*, aquar. et pl. (70x103,5) : **GBP 500** – Rosebery (Australie), 29 juin 1976 : *Jazz*, collage (49,5x63,5) : **AUD 700** – Londres, 31 mars 1978 : *Girl : Woolloomooloo* 1950, h/t (49,5x59) : **GBP 1 400** – Melbourne, 19 juin 1978 : *Le sculpteur* 1945, techn. mixte/pap. (60,4x49,5) : **AUD 1 500** – Londres, 12 juin 1981 : *Nu debout* 1948, h/t (37,5x27,5) : **GBP 300** – Londres, 1er mars 1984 : *Jeune Noire sur un canapé*, aquar. : **GNS 900** – Londres, 9 nov. 1984 : *Sant'Angelo* 1952, craies de coul., pl. et lav. (32,5x47) : **GBP 650** – Melbourne, 30 juil. 1986 : *Autoportrait avec un guitariste*, h/cart. (39x48,5) : **AUD 7 000** – Sydney, 29 oct. 1987 : *The celestial music*, techn. mixte (57x78) : **AUD 8 000** – Londres, 1er déc. 1988 : *Un marché de Ceylan*, encres et gche (33,3x50,2) : **GBP 4 950** – Sydney, 20 mars 1989 : *Trois nus timides*, encre (76x56) : **AUD 7 500** – Sydney, 3 juil. 1989 : *Mr Cosmic et Miss Rocket*, h/cart. (30x40) : **AUD 6 000** – Londres, 30 nov. 1989 : *Le sofa sur la véranda*, encre aquar. et craies coul. (71,7x105,4) : **GBP 9 900** – Sydney, 15 oct. 1990 : *Le jeune indigène*, gche (33x41) : **AUD 3 000** – Singapour, 5 oct. 1996 : *Deux jeunes garçons*, aquar./pap./cart. (76x55) : **SGD 43 700** – New York, 10 oct. 1996 : *Modèles assis* 1952, encre de Chine et lav. encre/pap. (31,8x48,3) : **USD 6 325** – Melbourne, 20-21 août 1996 : *Hill End* 1956, h/t (75x100) : **AUD 36 800.**

FRIEND J. S.
XIXe siècle. Actif à Londres. Britannique.
Peintre de figures.
Exposa à la Royal Academy de 1839 à 1841.

FRIEND Washington
Né en 1820. Mort en 1886. XIXe siècle. Canadien.
Peintre de paysages, aquarelliste, dessinateur.
Sans doute identique à un Friend W. F., connu pour deux ventes publiques à Londres en 1923 et 1934.
VENTES PUBLIQUES : LONDRES, 23 avr. 1923 : *Vue de Québec, Montréal, Pont Victoria*, 3 dess. : **GBP 84** – LONDRES, 30 nov. 1934 : *Les chutes du Niagara*, dess. : **GBP 4** – TORONTO, 2 nov. 1982 : *Les torrents*, aquar. (26,3x37,5) : **CAD 600** – LONDRES, 19 nov. 1985 : *Québec, vue du pont Levi*, aquar. reh. de blanc, à vue de forme ovale (35x55,5) : **GBP 3 600** – MONTRÉAL, 4 juin 1991 : *Panorama vers l'île d'Orléans*, aquar. (25,5x52) : **CAD 2 400**.

FRIES
XVIIIe siècle. Russe.
Dessinateur amateur.
On cite un *Portrait du général Souvarof* par cet artiste, qui était officier dans l'armée russe et actif à la fin du XVIIIe siècle.

FRIES Adam Philipp
Né en 1768 à Bamberg. XVIIIe siècle. Allemand.
Sculpteur.
Il était fils de Pankraz Fries.

FRIES Adolf
Né à Hanau (Hesse). XIXe siècle. Allemand.
Graveur et lithographe.
Il travailla vers 1830 à Genève et vers 1840 à Paris.

FRIES Aloys
Né le 18 décembre 1831 à Giesing. XIXe siècle. Allemand.
Peintre et dessinateur.
Le Musée de Munich possède un dessin de cet artiste.

FRIES Andreas
XVIIIe siècle. Actif à Nuremberg. Allemand.
Sculpteur.
Il était fils de Pankraz Friez.

FRIES Anna Susanna
Née le 30 janvier 1827 à Zurich. Morte le 11 juillet 1901 à Sestri. XIXe siècle. Suisse.
Peintre de portraits, paysages.
Élève des écoles d'art à Paris et à Munich, cette artiste compléta ses études sous la direction de J.-C. Zeller à Zurich. Elle visita l'Italie, la Hollande et l'Orient qui inspira nombre de ses paysages. S'adonna surtout au portrait et travailla pour la cour de Hollande. Anna Fries dirigea aussi une école de dessin pour dames à Florence, où elle s'était fixée. Elle participa aux Expositions suisses, notamment à Zurich, en 1883, avec deux toiles : *Le Caire* et *Paestum*. Elle fit don au Musée de Saint-Gall d'un paysage d'elle : *Marine Orientale*.
MUSÉES : BERLIN : *Paysage – Ville d'Heidelberg* – FRANCFORT-SUR-LE-MAIN : *Paysage de montagnes* – HAMBOURG : *Montagnes* – LEIPZIG : *Paysage romain* – MUNICH : *Chute d'eau*.
VENTES PUBLIQUES : ZURICH, 26 avr. 1973 : *Les quatre saisons* : **CHF 8 000** – ZURICH, 20 sep. 1985 : *Portrait d'une jeune Italienne* 1850, h/t (96x77,5) : **CHF 3 000**.

FRIES Anton
Né vers 1764 à Kronach. Mort en 1834 à Lippe Detmold. XVIIIe-XIXe siècles. Allemand.
Sculpteur.
Il était fils de Pankraz Fries et travailla surtout à Nuremberg.

FRIES Benedikt
XVe siècle. Actif à Nuremberg en 1469. Allemand.
Peintre.

FRIES Bernhardt
Né le 16 mai 1820 à Heidelberg. Mort le 21 mai 1879 à Munich. XIXe siècle. Allemand.
Peintre de paysages.
Frère cadet du paysagiste Ernst Fries. Élève du professeur Koopmann à Karlsruhe et de l'Académie de Munich où il travailla avec Rottmann. De 1838 à 1845, il est à Rome et à Genève. En 1848, à Heidelberg, et en 1850, à Munich.
MUSÉES : MUNICH : *Environs du Tibre près de Rome* – STUTTGART : *Paysage à Mont-Serone*.
VENTES PUBLIQUES : MUNICH, 27 mai 1977 : *Paysage montagneux*, h/pan. (25x34) : **DEM 4 000** – ZURICH, 15 mai 1981 : *Promenade sous bois*, h/t (27x36) : **CHF 2 400** – HEIDELBERG, 20 avr. 1985 : *Bords de la Neckar avec vue du château de Heidelberg*, h/t (71x94) : **DEM 16 500** – MUNICH, 28 nov. 1985 : *Paysage de Palerme* vers 1850, aquar. (27,5x36) : **DEM 3 500** – MUNICH, 26 mai 1992 : *Deux chasseurs sur un sentier forestier*, h/t (34x43) : **DEM 16 100** – HEIDELBERG, 15 oct. 1994 : *Bois sacré près de Rome*, h/t (35x46,5) : **DEM 7 000**.

FRIES Charles Arthur
Né le 14 août 1854 à Hillsboro (Ohio). Mort en 1940. XIXe siècle. Américain.
Peintre de paysages, illustrateur.
MUSÉES : LA NOUVELLE ORLÉANS : *Paysage*.
VENTES PUBLIQUES : SAN FRANCISCO, 19 mars 1981 : *Afternoon light in Laguna Hills*, h/t (48x68,5) : **USD 600**.

FRIES Christoph
Mort vers 1810 à Stuttgart. XIXe siècle. Allemand.
Sculpteur.
Il était fils de Pankraz Fries.

FRIES Emmanuel
Né le 17 juillet 1778 à Mulhouse. Mort le 21 janvier 1852 à Mulhouse. XIXe siècle. Français.
Peintre de natures mortes, fleurs et fruits.
Peintre de fleurs et de fruits, il fit aussi un peu de dessin industriel. Il étudia à Paris dans l'atelier de Jean-Baptiste Regnault.
VENTES PUBLIQUES : PARIS, 9 juin 1954 : *Panier de fruits et de fleurs sur un fond de paysage* : **FRF 50 000** – VERSAILLES, 16 mai 1971 : *Nature morte aux raisins* : **FRF 6 200** – PARIS, 27 avr. 1976 : *Corbeille de fruits dans un paysage* 1829, h/t (144x113) : **FRF 20 000** – LONDRES, 17 nov. 1993 : *Nature morte avec du raisin et des pêches sur un relief de marbre dans un paysage italien* 1839, h/t (143x111) : **GBP 23 000**.

FRIES Ernst
Né le 22 juin 1801 à Heidelberg. Mort le 12 octobre 1833 à Karlsruhe. XIXe siècle. Allemand.
Peintre de portraits, paysages, graveur.
Frère de Bernhard Fries. Élève de Kuntz à Karlsruhe. Il fut un disciple du peintre anglais Wallis qu'il rencontra à Heidelberg. Il fut ensuite élève de Moller à Darmstadt. En 1821, il revint à Munich. De 1823 à 1827, il travailla en Italie, puis retourna en Allemagne où il habita successivement Munich et Karlsruhe.
Il mourut jeune, avant d'avoir pu réaliser les espérances que son talent faisait concevoir, et qui laissaient penser qu'il serait devenu, avec Reinhold, Rottmann, Wöchter, Wässmann, Heinrich-Maria von Hess et Franz Horny, l'un des bons continuateurs de Josef Anton Koch, qui, venu des Nazaréens de Rome, fut, sinon le meilleur, du moins le créateur du paysage romantique allemand, auquel Caspar David Friedrich allait donner tout son éclat.

VENTES PUBLIQUES : LUCERNE, 18 nov. 1978 : *Paysage d'Italie*, h/t (24x19) : **CHF 4 500** – WASHINGTON D. C., 23 fév. 1979 : *Paysage de Sicile*, aquar. sépia /trait de cr. (30x47,5) : **DEM 12 500** – MUNICH, 27 nov. 1980 : *Le Forum Romanum* 1824, cr./pap. (24x51,5) : **DEM 8 200** – VIENNE, 22 mai 1982 : *Vue de Salzbourg ; Vue du Königsee*, deux dess. (17,5x27) : **ATS 70 000** – COLOGNE, 21 nov. 1985 : *Paysage d'Italie*, h/t (29x42,5) : **DEM 35 000** – HEIDELBERG, 14 oct. 1988 : *Le couvent de Neuburg près de Heidelberg* 1825, litho. (14,2x19,6) : **DEM 3 200** – MUNICH, 10 déc. 1992 : *Louisa la sœur de l'artiste* 1828, cr./pap. (23,8x18,4) : **DEM 10 735** – HEIDELBERG, 15 oct. 1994 : *Le château de Heidelberg* 1820, litho. : **DEM 1 550**.

FRIES Franz
Né vers 1764 à Bamberg. Mort vers 1821. XVIIIe-XIXe siècles. Allemand.
Peintre.
Il était fils de Pankraz Fries.

FRIES Friedrich
Mort vers 1810 à Furth. XIXe siècle. Allemand.
Sculpteur.
Il était fils de Pankraz Fries.

FRIES Georg ou **Friess**
XVIIIe siècle. Actif à Salzbourg. Autrichien.

Sculpteur.
Il travailla pour l'église Saint-Sébastien de cette ville.

FRIES Georg Fritz
XVIIe siècle. Actif à Mayence vers 1670. Allemand.
Sculpteur.
Peut-être était-ce le fils de Johann Fries.

FRIES Hans
Né le 8 avril 1872 à Heidelberg. XIXe-XXe siècles. Allemand.
Sculpteur de compositions religieuses.
Il fut élève de l'Académie des Beaux-Arts de Berlin. Après ses études, il revint dans sa ville natale, où il reçut de nombreuses commandes de sculptures, notamment pour des églises.

FRIES Hans
Né entre 1460 et 1465 à Fribourg. Mort vers 1520. XVe-XVIe siècles. Suisse.
Peintre d'histoire.
Élève de Heinrich Bichler de Berne, mais subit plus tard l'influence de l'école d'Augsburg et de Hans Burckmair. Il travailla à Bâle et à Berne, peignit des tableaux imprégnés de sincérité et de sentiments religieux. Citons parmi ceux-ci : *Jean-Baptiste prêchant devant Hérode et sa cour ; Saint Jean l'Évangéliste ; Saint Joachim et Sainte Anne choisissant des agneaux de sacrifice ; Saint Joachim avec Sainte Anne devant le Temple ; La naissance de Marie ; Marie visite Élisabeth ; Le Retour d'Égypte* (Musée de Bâle). Il avait été membre de la corporation des peintres, en 1488, à Bâle. Membre du Grand Conseil de Fribourg, il est peintre de la ville, entre 1501 et 1510. On le retrouve à Berne en 1517, où il apporte six tableaux sur *La Vie de la Vierge*. A ses débuts, il semble avoir fait une peinture plus surchargée de détails dont la violence était plus originale. C'est le cas d'une *Sainte Barbe*, d'un *Saint Christophe* et de deux panneaux sur *L'Apocalypse*.
BIBLIOGR. : M. Brion : *La peinture allemande*, Tisné, Paris, 1959 – P. du Colombier, in : *Dictionnaire des Arts et des Artistes*, Hazan, 1967.
MUSÉES : BÂLE : *Jésus au Temple à douze ans* – MUNICH (Ancienne Pina.) : *Saint François reçoit les stigmates* – ZURICH : *Vision de Saint Jean l'Évangéliste – Saint Jean devant Domitien*.

FRIES Hans Rudolf
Mort en 1661 à Schaffhouse. XVIIe siècle. Actif à Schaffhouse au milieu du XVIIe siècle. Suisse.
Peintre, peintre verrier et décorateur.
Fut reçu bourgeois de Schaffhouse en 1633.

FRIES J. D.
XVIIe siècle. Actif à Groningue. Hollandais.
Graveur.
On connaît seulement de lui un *Portrait du professeur Eyssonius*.

FRIES Johann ou **Friess**
XVIIe siècle. Actif à Mayence au début du XVIIe siècle. Allemand.
Sculpteur.

FRIES Johann Balthasar ou **Fries**
XVIIe siècle. Actif à Mayence au milieu du XVIIe siècle. Allemand.
Sculpteur.
Il était fils de Johann Fries.

FRIES Johann Conrad ou **Friess**
Né en 1617 à Zurich. Mort le 31 mars 1693 à Zurich. XVIIe siècle. Suisse.
Peintre de portraits.
Il fut élève de Samuel Hoffmann vers 1631 et remplit des différentes fonctions pour la corporation des artistes de sa ville natale. Parmi ses portraits, plusieurs furent gravés par Johannes Meyer, J. Schweizer et Konrad Meyer.

FRIES Johann Georg
Né vers 1764 à Bamberg. Mort en 1784. XVIIIe siècle. Allemand.
Sculpteur.
Il était fils de Pankraz Fries.

FRIES Johann Georg
Né vers 1786 à Nuremberg. XIXe siècle. Allemand.
Peintre.
Il était fils d'Anton Fries.

FRIES Johann Georg Christoph
Né en 1787 à Nuremberg. Mort vers 1860. XIXe siècle. Allemand.
Peintre de monuments et miniaturiste.
Il était fils d'Anton Fries. Il se signala également comme chanteur et acteur.

FRIES Karl Friedrich
Né le 20 novembre 1831 à Winnweiler. Mort le 23 décembre 1871 à Saint-Gall. XIXe siècle. Allemand.
Peintre.
Élève de l'Académie de Munich, puis de Berdellé. Il travailla aussi à Vienne sous la direction de Rahl. Il visita ensuite Venise, Florence et la Calabre. Son style rappelle assez celui des maîtres vénitiens.

FRIES Mathes
XVIIe siècle. Actif à Augsbourg en 1639. Allemand.
Peintre.

FRIES Pankraz
Né à Baunach. Mort vers 1781 à Bamberg. XVIIIe siècle. Allemand.
Sculpteur.
Il travailla en 1758 pour le château de Birkenfeld.

FRIES Samuel
Mort en 1696 ou en 1596 (d'après Leu) à Mahren (d'après Nagler). XVIIe siècle. Actif à Zurich. Suisse.
Peintre et sculpteur.

FRIES Simon
XVIIe-XVIIIe siècles. Actif à Salzbourg. Autrichien.
Sculpteur sur bois.
Il travailla pour les églises de Salzbourg.

FRIES Wilhelm
Né en 1819 à Heidelberg. Mort le 29 mars 1878 à Constance. XIXe siècle. Allemand.
Peintre de paysages.
Frère de Bernhard et de Ernst Fries. Il fut conservateur du Musée de Wessenberg.
VENTES PUBLIQUES : HEIDELBERG, 15 oct. 1994 : *Le château de Schoenberg* 1870, h/t (31x46) : **DEM 1 350**.

FRIES Willy
Né le 25 février 1881 à Zürich. Mort en 1965 à Zürich. XXe siècle. Suisse.
Peintre de paysages.
Il eut pour professeur Loefftz, à Munich. Ses œuvres furent influencées par Leibl et Welti.
VENTES PUBLIQUES : ZURICH, 8 nov. 1980 : *Le pont de la gare à Zurich* 1916, h/t (60x80) : **CHF 2 000** – ZURICH, 8 nov. 1985 : *La chambre d'enfant*, h/pan. (80x63) : **CHF 28 000** – ZURICH, 30 nov. 1995 : *Terrasse de l'hôtel Waldhaus Dolder*, h/cart. (40x55) : **CHF 4 370**.

FRIESE Leopold August
Né le 27 janvier 1793 à Neu Ehrenberg. Mort en 1842. XIXe siècle. Tchécoslovaque.
Peintre.
Il fit ses études à Prague et travailla à une importante série de dessins retraçant l'histoire de la Bohême.

FRIESE Richard Bernhardt Louis
Né le 15 décembre 1854 à Gumbinnen. Mort en 1918. XIXe-XXe siècles. Allemand.
Peintre de batailles, animaux, paysages, aquarelliste, dessinateur.
Élève de l'Académie de Berlin jusqu'en 1880. Il fit ensuite des voyages médaillé d'études en Syrie et en Norvège, puis se fixa à Berlin où il fut médaillé en 1886.
Médaille de troisième classe 1885, mention honorable en 1900, à Paris à l'Exposition Universelle.
MUSÉES : BERLIN : *Sur le champ de bataille* – BRÊME : *Lions et zèbres* – KALININGRAD, ancien. Königsberg : *Elche sous la neige – Bresdzuller Moor*.
VENTES PUBLIQUES : LONDRES, 8-18 juil. 1940 : *Brigands* : **GBP 10** – COLOGNE, 26 mars 1976 : *Renne dans un paysage* 1886, aquar. (61x98) : **DEM 3 500** – COLOGNE, 11 mai 1977 : *Cerf dans un paysage*, h/t (91x162,5) : **DEM 14 000** – COLOGNE, 21 mars 1980 : *Renne dans un paysage au coucher du soleil*, h/t (75,5x108) : **DEM 6 000** – LONDRES, 22 juin 1990 : *Lion et lionne guettant une proie* 1886, h/t (49,5x79,4) : **GBP 23 100** – LONDRES, 21 juin 1991 : *Ours polaire dans un paysage arctique* 1899, h/t (89x162,5) : **GBP 6 600** – AMSTERDAM, 21 avr. 1993 : *Cerf dans une forêt enneigée* 1893, h/pan. (28,5x21) : **NLG 3 220** – LONDRES, 17 juin 1994 : *Tête de lion* 1910, cr., aquar. et gche/pap. (36,9x39,4) : **GBP 8 280**.

FRIESEKE Frederick Carl ou **Friesecke**

Né en 1874 à Owosso (Michigan). Mort en 1939 au Mesnil-sur-Blangy (Calvados). XIXe-XXe siècles. Depuis 1898 à 1939 actif en France. Américain.

Peintre de scènes de genre, figures, nus, portraits, intérieurs, paysages animés, natures mortes, fleurs, peintre à la gouache, pastelliste, aquarelliste, dessinateur. Impressionniste.

Peu après 1880, il fut élève de l'École des Beaux-Arts de Chicago, puis de l'Art Students' League de New York. À Paris, à l'Académie Julian, il suivit les cours de Benjamin Constant et de Jean-Paul Laurens, recevant aussi les conseils de Whistler. Surtout, il s'informait des œuvres contemporaines des artistes du moment, très attiré par Fantin-Latour et Renoir. En 1906, il s'installa dans l'ancienne maison de Théodore Robinson à Giverny, mitoyenne de celle de Claude Monet. En 1937, il retourna pour la première fois aux États-Unis, mais n'y resta pas.

Il figura dans de nombreuses expositions collectives, à Paris, au Salon des Artistes Français, ainsi qu'à la Société Nationale des Beaux-Arts, dont il devint membre associé en 1901 et membre permanent en 1907. Il fut aussi, à Paris, membre de l'American Art Association et de la Société Internationale. En 1909, il eut une exposition personnelle à la Biennale de Venise ; en 1911 une autre à Rome ; en 1912 sa première exposition personnelle à New York. Il obtint diverses distinctions : en 1904, le Musée du Luxembourg de Paris fut acquéreur d'une de ses peintures ; une médaille d'or à l'exposition internationale de Munich, en 1909 ; la Pennsylvania Academy of the Fine Arts de Philadelphie lui décerna le Temple Prize, en 1913 ; le Grand Prix de la Panama-Pacific International Exposition de San Francisco, en 1915 ; une médaille d'or, au Philadelphia Art Club, en 1922. Il fut promu chevalier de la Légion d'honneur. En 1982 à Paris, il était représenté à l'exposition *Impressionnistes Américains*, au Musée du Petit Palais.

Il peignit, à l'huile ou à l'aquarelle, différents genres : peu de portraits, quelques paysages animés, des fleurs, privilégeant la figure féminine et le nu : *Femme au miroir – Jeune fille au piano – Jeune fille en rose – Jeune fille dans un bateau – La jeune femme aux fruits – La lecture près de la fenêtre – Portrait de femme – Nu couché – Le Modèle devant le paravent.* Il se désintéressa progressivement du paysage et du portrait, plus attiré par l'intimité féminine de scènes d'intérieur confortable, et surtout, comme Renoir, par des nus opulents. Il les faisait poser dans la nature, à l'ombre des arbres, les beaux corps recevant du haut la lumière du soleil, filtrée et tremblante à travers le feuillage, procédé également cher à Renoir. Dans les années dix, il appliquait à la lettre la touche divisée impressionniste, parfois presque divisionniste : *Le Jardin de Mrs Whitman* vers 1912, parfois plus large et floue : *Dames dans une barque à Giverny* vers 1910. À ce moment, dépassant presque l'impressionnisme vers un possible fauvisme, il rehaussait les tons, les mauves, bleus et roses, afin, disait-il, « d'exagérer l'impression ».

Toutefois, bien qu'influencé par les impressionnistes et Monet, Frederick C. Frieseke n'a pas voulu se limiter à la transcription des jeux de la lumière, variant au gré du temps sur les aspects éphémères d'une réalité fuyante. Attaché à la restitution de la globalité de ses sujets, rejoignant en cela Degas, dans la suite de son évolution, les touches se resserrent et s'unifient dans la représentation plus précise et plus conventionnelles des figures, même quand l'encadrement paysagé reste impressionniste : *Les Roses trémières* de 1912-13. Ce retour à un certain réalisme, qui se veut plus objectif que subjectif, s'accentua progressivement : *Paix* de 1917. L'intérêt du monde artistique s'étant porté sur les grandes mutations du début du siècle, fauvisme, cubisme, abstraction, l'œuvre de Frieseke, techniquement dépendant d'un impressionnisme tardif et dont d'ailleurs il s'était même détaché, représentatif d'une société insouciante révolue, fut négligé pendant ses dernières années, jusqu'à ce que l'histoire lui restitue sa place parmi les impressionnistes américains. ■ Jacques Busse

F.C-Frieseke

Bibliogr. : Catalogue de l'exposition *Frederick Frieseke*, Telfair Academy of Arts and Sciences, Savannah, Georgie, 1974 – divers, in : Catalogue de l'exposition *Impressionnistes Américains*, Mus. du Petit Palais, Paris, 1982 – Gérald Schurr, in : *Les Petits Maîtres de la peinture 1820-1920, valeur de demain*, Les Éditions de l'Amateur, t. II, Paris, 1982 – William H. Gerdts, D. Scott Atkinson, Carole L. Shelby, Jochen Wierich : *Impressions de toujours – Les peintres américains en France 1865-1915*, Mus. Américain de Giverny, Terra Foundation for the Arts, Evanston, 1992 – Margaret F. Mac – Donald : *James McNeill Whistler : Drawings, Pastels and Watercolours, a Catalogue raisonné*, New Haven and London, 1995.

Musées : Giverny (Mus. Américain Terra Foundation for the Arts) : *La ceinture verte* 1904 – *Femme dans un jardin* vers 1912 – *Les Lys* s.d. – *L'heure du thé à Giverny* – *L'écheveau de soie* vers 1915 – Lugano (coll. Thyssen-Bornemisza) : *Les Roses trémières* 1912-13 – Washington D. C. (Corcoran Gal. of Art) : *Paix* 1917 – Youngstown-Ohio (Butler Inst. of American Art) : *Bonjour* vers 1910.

Ventes Publiques : Paris, 14 mai 1925 : *Jeune Femme aux fruits* : **FRF 2 020** – New York, 29 oct. 1926 : *Panier de fleurs* : **USD 800** – New York, 4-5 fév. 1932 : *Au jardin* : **USD 180** – Paris, 23 déc. 1942 : *Portrait de femme* : **FRF 1 050** – New York, 2 mars 1944 : *Jeune Fille en rose* : **USD 125** – Palm Beach, 3 fév. 1970 : *Jeune Femme à son miroir* : **USD 6 400** – New York, 21 mars 1974 : *Jeune Fille au piano* : **USD 4 000** – New York, 28 oct. 1976 : *Jeune Femme sur la plage*, h/pan. (37x45,7) : **USD 3 900** – New York, 21 avr. 1977 : *Le Modèle devant le paravent*, h/t (61x50) : **USD 3 600** – Los Angeles, 12 mars 1979 : *Le Repos du modèle* 1929, aquar. et fus. (22,8x30) : **USD 900** – New York, 19 juin 1981 : *Nature morte aux fleurs*, gche (22,9x29,2) : **USD 3 250** – New York, 1er juin 1984 : *Femme cousant dans un jardin* vers 1920, h/t (72x91,7) : **USD 85 000** – New York, 29 mai 1987 : *The open window*, h/t (130,9x102,9) : **USD 750 000** – New York, 3 déc. 1987 : *The pink parasol*, h/t (81,3x66) : **USD 400 000** – Fontainebleau, 28 fév. 1988 : *Jeune Femme au châle assise* 1902, h/pan. (46x36) : **FRF 530 000** – New York, 26 mai 1988 : *Femme cousant dans un jardin*, h/t (81,2x81,2) : **USD 88 000** – New York, 24 juin 1988 : *Coupe de fleurs* 1928, aquar./pap. (29,7x40,6) : **USD 4 400** – New York, 1er déc. 1988 : *L'Arbre de Judée*, h/t (81,2x64,7) : **USD 407 000** – Paris, 14 déc. 1988 : *Jeune Femme au bouquet*, h/pan. (35x27) : **FRF 480 000** – New York, 24 mai 1989 : *Les Fleurs du jardin*, h/t (82x82) : **USD 440 000** – New York, 30 nov. 1989 : *Femme devant un miroir*, h/t (81,3x65,4) : **USD 82 500** – New York, 14 fév. 1990 : *Maison au bord de mer*, aquar./pap. (25,8x35) : **USD 6 050** – New York, 24 mai 1990 : *Nu dans un intérieur bleu* 1925, h/t (92x73) : **USD 85 250** – New York, 23 mai 1991 : *Le Miroir* 1912, h/t (81,3x81,3) : **USD 181 500** – New York, 27 mai 1992 : *Femme essayant des chaussures*, h/pan. (34,9x26,7) : **USD 44 000** – New York, 4 déc. 1992 : *Sur la plage*, h/t (82,2x82,2) : **USD 396 000** – New York, 22 sep. 1993 : *La Tasse de thé*, aquar. et fus./pap. (39,5x50,5) : **USD 16 100** – New York, 1er déc. 1994 : *Sur la rivière*, h/t (69,9x86,4) : **USD 470 000** – Lyon, 4 déc. 1994 : *Sur la rivière*, h/t (64x80) : **FRF 2 100 000** – New York, 25 mai 1995 : *Fin octobre*, h/t (65,4x81,3) : **USD 299 500** – New York, 29 nov. 1995 : *Dans le jardin de Giverny*, h/t (81,3x81,3) : **USD 1 020 000** – New York, 22 mai 1996 : *A la table dressée* 1918, h/t (81,3x81,3) : **USD 162 000** – New York, 4 déc. 1996 : *Rideaux bleus* 1924, h/t (92x92) : **USD 85 000**.

FRIESELHEM P.

XVIIIe siècle. Allemand.

Peintre et graveur.

On cite de lui le *Portrait du comte d'Estaing*, et celui du *Duc de Sully*, d'après Pourbus.

FRIESENBERG Marx

Mort avant 1607. XVIe siècle. Actif à Soleure. Suisse.

Peintre.

Il fut reçu bourgeois de Soleure en 1570 et membre de la confrérie de Saint-Luc en 1587.

FRIESNER Karoline

Morte en 1830. XIXe siècle. Active à Breslau. Allemande.

Peintre.

On lui doit surtout des tableaux de fleurs et de fruits à l'huile ou à l'aquarelle.

FRIESS Franz Heinrich

XVIIe siècle. Actif à Cologne vers 1680. Allemand.

Peintre.

FRIESS Johann de

XVIIe siècle. Actif à Cologne vers 1625. Allemand.

Peintre.

FRIESS Ludwig

XVe siècle. Actif à Ulm à la fin du XVe siècle. Allemand.

Peintre.

On l'a quelquefois confondu à tort avec Ludwig Schongauer.

FRIESZ Achille Émile Othon
Né le 6 février 1879 au Havre. Mort le 10 janvier 1949 à Paris. XXe siècle. Français.
Peintre de compositions à personnages, portraits, figures, paysages, fleurs, natures mortes, aquarelliste, graveur, illustrateur. Fauve.

D'une famille de navigateurs havrais, il allait cependant souvent à Marseille, depuis 1885, chez ses oncles maternels. Lui aussi rêva, enfant, du grand large. Toutefois, il dessinait avec passion depuis l'âge de douze ans, et, après le lycée, ce fut à l'École des Beaux-Arts du Havre qu'il entra. Il y eut pour maître, de 1896 à 1898, Charles-Marie Lhullier, qui avait été l'ami de Jongkind, et duquel, ainsi que Dufy et Braque, il garda toute sa vie un souvenir chaleureux. Il faisait connaître l'œuvre de Chardin, Corot, Géricault et Delacroix à ses élèves. Puis, ayant obtenu une bourse départementale en 1898, Friesz vint à Paris et, tandis que ses amis Matisse, Rouault et Marquet étaient élèves de Gustave Moreau, s'inscrivit à l'École des Beaux-Arts, dans l'atelier de Léon Bonnat, où Dufy le rejoignit, mais qu'il ne fréquenta guère, préférant, au Louvre, faire des copies des œuvres de Clouet, Véronèse, Rubens, Claude Lorrain, Delacroix. Son service militaire accompli en 1902 à Paris ne l'avait qu'à peine écarté de la peinture. Vers cette époque, il rencontra Camille Pissarro, de qui il sollicita les conseils. Il commença jeune à faire de fréquents voyages, pas forcément lointains, à la recherche de motifs, en général de paysages, par exemple dans la Creuse vers 1903, à Anvers en 1905, et où il retourna en 1906 avec Braque, à La Ciotat, Cassis et à l'Estaque en 1906-1907 encore avec Braque. À Paris, il a souvent changé de domiciles, jusqu'en 1914. Il s'installa avec Henri Matisse au Couvent des Oiseaux, de 1905 à 1910, c'est-à-dire en pleine période du fauvisme. En 1908, il vint se retremper à ses sources personnelles dans sa Normandie natale, où il est toujours retourné. En 1909, il fit un voyage à Munich avec Dufy, en 1911-12 un séjour au Portugal, en 1912 en Belgique. En 1914, il fut mobilisé, puis muté dans des services techniques, et ne fut démobilisé qu'en mars 1919, ayant toutefois réussi à garder une certaine autonomie. De 1914 à sa mort, il habita au 73 de la rue Notre-Dame des Champs, où il occupait aussi l'ancien atelier de Bouguereau. Il faisait de fréquents séjours au Cap-Brun près de Toulon, où il eut, après 1923, une propriété *Les Jarres*, et de nombreux retours en Normandie et au Havre.

De 1901 à 1903, il exposa au Salon des Artistes Français, ensuite à celui des Artistes Indépendants. À partir de 1906, il exposa annuellement au Salon d'Automne, dont il est devenu ensuite membre du comité et du jury. En 1923, il participa à la fondation du Salon des Tuileries, dont il présida une des deux sections. Il a participé à d'innombrables expositions collectives à travers le monde. Il fit de nombreuses expositions personnelles à Paris, depuis la première : 1904 Paris galerie des Collectionneurs, même année à la Société des peintres du Paris moderne, 1905 Paris galerie Berthe Weill, en contrat avec la galerie Druet à partir de 1907, avec la galerie Katia Granoff à partir de 1924, enfin de décembre 1939 à sa mort avec la galerie Pétridès. Il a exposé à Paris, dans d'autres galeries que celles de ses contrats. En 1949 le Salon d'Automne lui a rendu un Hommage. En 1950, la galerie Charpentier lui organisa une rétrospective solennelle. Outre Paris, il a aussi exposé individuellement : 1913 Berlin galerie Cassirer ; 1921, 1928, 1936, 1958 Londres ; 1921, 1950 Le Havre ; 1925, 1929 Bruxelles ; 1929, 1938 New York ; 1930 Chicago ; 1938 Zurich ; 1948 Lucerne et Genève. À titre posthume, des expositions rétrospectives ont été présentées : en 1950 de nouveau Genève et, encore en 1953, au Musée d'Art et d'Histoire ; 1950 Musée de Toulon ; 1950 Marseille ; 1951 Musée d'Alger ; 1951 Musée d'Honfleur ; 1956 Musée de Dieppe ; 1979 Musées de La Rochelle et La Roche-sur-Yon ; 1989 Paris *E. Othon Friesz, rétrospective*, galerie Katia Granoff ; 1995 Paris *Émile Othon Friesz. Périodes fauve et cézannienne (1906-1920)*, galerie Larock-Granoff.

En 1925, il reçut la première mention au Prix Carnegie de Pittsburgh pour le *Portrait du décorateur Paul Paquereau*. En 1925 aussi, il fut fait, en même temps que Matisse, chevalier de la Légion d'Honneur, en 1933 officier, en 1937 commandeur. Il fut aussi fait commandeur de l'ordre suédois de Vasa, en 1934. Au long de sa vie, il a enseigné : depuis 1913 à l'Académie Moderne, depuis 1929 à l'Académie Scandinave, de 1941 à sa mort à l'Académie de la Grande-Chaumière.

Parallèlement à son œuvre proprement pictural, Friesz a illustré quelques ouvrages littéraires, dont les principaux : 1920 *Le pacte de l'écolier Juan* de Jules Tellier, 1924 *Échelles de soie* de Jean Pédron, 1926 *Le jardin sur l'Oronte* de Maurice Barrès, 1926 *En suivant la Seine* de Gustave Coquiot, 1929 *Rouen* d'André Maurois, 1931 *Le cantique des cantiques*, 1934 *Poésies* de Pierre de Ronsard, 1945 *Le bouquet de la mariée* de Gabriel-Joseph Gros, 1947 *Paul et Virginie* de Bernardin de Saint-Pierre, 1949 *Le Livre de Job* de Pierre Poussard, 1949 *Le Satiricon* de Pétrone, 1949 un cahier de douze lithographies, non édité *Le Désert de l'Amour* de François Mauriac. Il a aussi réalisé quelques travaux de décoration : de 1906 à 1909 des céramiques exécutées par Metthey, entre autres : façade pour une villa du Havre, service « tête-à-tête » pour l'écrivain havrais J.-G. Aubry, des vases, plats, assiettes, 1912 quatre décors pour *La lumière* de Georges Duhamel représenté à l'Odéon, 1916 paravent pour le collectionneur havrais Léon Pédron, 1918 des panneaux pour la salle-à-manger du même Léon Pédron, 1920 *Enfants dansant* ensemble mural, 1920 *Les volières* pour l'appartement du vicomte Amédée de Flers, 1935 *La Paix* tapisserie des Gobelins offerte par la France pour le Palais des Nations à Genève, 1937 *La Seine* en collaboration avec Dufy pour le Palais de Chaillot, chacun ayant traité la moitié du parcours du fleuve, *De la source à Paris* par Friesz, *De Paris à l'estuaire* par Dufy.

Ses premières peintures datent de 1895, il était âgé de seize ans. Il montrait déjà dans ces paysages de Normandie, *Maisons à Falaise*, une singulière maîtrise technique et la robustesse de sa vision. De la période des Beaux-Arts du Havre, datent des nus, des paysages de Bretagne, une série de portraits, dont un premier de sa mère, les paysages de la Creuse à Crozant où l'on décèle l'influence de Guillaumin, un autoportrait, le portrait de Charles Lhullier, *La partie de cartes* entre son père et sa mère. Puis de ses premières années parisiennes : des études de nus, le « grand » portrait de sa mère, de 1901, impressionnant de sûreté de main et d'acuité psychologique, des vues de Paris avec la série du Pont-Neuf, des vues du Havre, *Le Vieux Bassin* de 1903, les paysages de ses déplacements et voyages : *Marchés à Falaise, Foires aux chevaux*, la série du Val d'Ante, les paysages de la Creuse à Crozant où l'on décèle l'influence de Guillaumin. Avec le *Paysage de la Tour-Eiffel*, de 1903 environ, il avait atteint tout ce que l'impressionnisme, et peut-être les conseils de Pissarro, pouvaient lui apporter en fait de vibration de la lumière. Il y atteignait même à un emploi des couleurs pures les plus stridentes, ce qui pouvait venir de l'exemple de Guillaumin, en même temps que parfaitement accordées, qui annonçait le fauvisme et en éclaire la genèse.

Les « fauves » faisaient de la peinture fauve avant que de le savoir, puisque ce fut en voyant leurs peintures au Salon des Indépendants de 1905 que le critique Louis Vauxcelles prononça le mot de fauves pour la première fois, et par dérision. On sait que Vlaminck et Derain œuvraient ensemble et formaient à eux deux toute l'École de Chatou. Friesz habitait en compagnie de Matisse. Après son premier voyage à Anvers en 1905, il y retourna en 1906 en compagnie de Braque. En 1906-1907, Friesz et Braque allèrent peindre à La Ciotat, où ils retrouvèrent Matisse. Les peintures de Friesz à Anvers sont fauves, en ce qu'elles sont peintes de couleurs pures et à peu près libérées de la touche divisée impressionniste, le dessin sinon ne présentant pas encore de particularités : *Le port, L'Escaut, Les canaux, Le Bassin aux voiliers, La cale rouge*. Celles de Braque l'année suivante, en particulier celles de *La terrasse sur l'Escaut*, présentent de grandes similitudes avec celles de Friesz sur le même motif. Déjà Friesz évite la dureté des aplats de couleurs pures en les modulant en minces glacis laissant jouer par transparence la blancheur du support, ce qui caractérise en propre toute son époque fauve. À La Ciotat, les styles fauves de Friesz et de Braque se différencièrent totalement, Braque composant ses peintures sur des orthogonales horizontales et verticales et peignant par petites touches régulières espacées, tandis que Friesz développait cette écriture cadencée en larges arabesques de couleurs si personnelle : *Le Bec-de-l'Aigle, Baigneuses, L'Estaque*. Une grande part des œuvres fauves de Friesz a été produite dans le Midi, de cette époque date aussi le *Portrait de Fernand Fleuret*. Avec ces aplats de couleurs contenus dans les entrelacs d'un ample dessin tracé avec les couleurs pures, rythmé et dynamique, Van Gogh était compris de l'intérieur, hors toute anecdote et tout destin tragique. Cependant, à chaque pas dans ce Midi provençal se rencontrait encore l'empreinte de Cézanne, et, à travers lui, Poussin et les frères Le Nain. Friesz prenait conscience des limitations qu'imposaient les principes du fauvisme trop strictement appliqués. Homme très concret, il avait besoin de retrouver la matière-même des formes et non plus leurs équivalents métaphoriques. Lors de son retour en Normandie, en 1908, commença de se manifester ce qu'il a appelé lui-même son « retour à la forme », en fait un retour à Cézanne, avec des peintures de compromis : *Entrée du port d'Honfleur, Paysage de la Côte de Grâce, Les « Bains Marie-Christine » au Havre*, et les grandes compositions caractéristiques de ce moment : *Le travail à l'Automne, Le Printemps, Le pêcheur sur la roche, Les baigneuses*. Le dessin en garde quelque chose des rythmes de la période fauve : les figures épousent les lignes du paysage, la couleur reste claire et sonore. En 1909, il peint la série du Cirque Médrano : *La trapéziste, Le clown, L'écuyère*. Il peint aussi dans le Midi la série des *Oliviers*. Il fait un voyage à Munich avec Raoul Dufy : *L'hiver à Munich, Les patineurs*. Ce fut aussi l'année de son premier voyage en Italie. En 1910 précisément, le *Navire dans la calanque* est une des œuvres-charnières entre le dessin encore totalement rythmé en courbes sensuelles de l'époque fauve, et une palette assourdie d'ocres, de bruns et de bleus diminués.

À partir de 1910 se sont atténuées de plus en plus dans ses peintures les dernières traces du fauvisme. Le dessin restera toujours brillant, virtuose, mais par rapport à la réalité traitée et non plus par rapport à une nécessité interne de rythme et de dynamisme. La couleur suivra la même évolution vers la transcription de celles de la réalité, avec des tons rompus, des ocres et des bruns. Après sa démobilisation, outre l'atelier de Paris, ses séjours dans la demeure de Toulon, ses retours en Normandie et au Havre, il ne cessa cependant de faire de fréquents voyages peu éloignés en quête de sujets nouveaux : 1919 Jura : série des *Forêts, Sapins, Route dans la neige, L'invitation au patinage*, 1920 Italie : *Village du Piémont, Vendangeurs à Florence*, 1921 séjour au Havre : *Les falaises d'Étretat, Baigneurs à Étretat*, 1923 séjour dans sa demeure de Toulon : *Vue du Coudon, Baigneuses, Les vendanges, Les jarres*, 1924 il a peint le *Grand Nu* exposé au Salon d'Automne la même année, et des paysages de Toulon, 1928 voyage à Alger : *La casbah d'Alger et ses fantômes*, 1931 Annecy : *Baigneuses au bord du lac*, 1934-35 Dinan et Saint-Malo : *Le grand viaduc de Dinan, Le bassin aux Terre-Neuvas, Après le bain*, 19636 Honfleur, 1941-1944 maintenu par la guerre à Paris où il a surtout peint des natures mortes : *Le coin d'atelier, Les faïences*, 1946 retour à Honfleur, 1947 La Rochelle : *La Tour du Port, Les thonniers, La voile rouge*. Les paysages ont dominé en nombre dans son œuvre, ce qui ne doit occulter qu'il fut au long de son œuvre un peintre de compositions ambitieuses, qu'il traitait d'ailleurs avec une apparente facilité : depuis *Le navire dans la calanque* de 1910 où batifolent les baigneuses, *L'Allégorie de la Guerre* de 1915 exécutée en vingt-quatre heures, *L'invitation au patinage* de 1919, de nombreuses *Baigneuses* dans plusieurs périodes, et jusque, tardivement, aux *Femmes au bord de l'étang* de 1944, où se manifeste avec évidence son attachement à Cézanne.

Du point de vue de l'histoire de la peinture, Friesz y doit sa place à sa brève période fauve, 1905-1910, et à ses prolongements dans le retour à la forme, 1910-1914. Tandis que *Le navire dans la calanque* de 1910 marque le début du compromis entre le dessin ample en arabesques et rondeurs de l'époque fauve, dont il restera toujours quelque chose au long de l'œuvre, et une gamme de couleurs désaturée, *La femme au hamac* de 1913 est une peinture encore totalement fauve, dessin et couleur. Cette élégance synthétique du dessin enveloppant se retrouve encore éloquente dans les peintures du Jura en 1919, paysages et surtout les versions de l'*Invitation au patinage*. Ensuite, les éléments fondamentaux de son style fauve se raréfient et disparaissent. Dans le fauvisme, par un dessin en arabesques souples et élégantes, par certaines astuces, de la technique picturale « lavée », d'une gamme de couleurs vives et gaies, il s'était tenu bien à l'écart du dessin heurté et des violences chromatiques de Vlaminck et parfois de Matisse, des accords acides de Derain et de Van Dongen. Ses peintures fauves restaient de bonne compagnie. Après le fauvisme, il a toujours conservé un dessin tout en rondeurs, mais seulement dans le geste de la main et non plus dans la charpente de la composition. Il a suivi son penchant naturel opposé à l'outrance. Les *Ports de Toulon* des années 1925-1927 sont étourdissants de virtuosité, à rendre, sans petitesse dans le détail, mais au contraire à larges touches franches, certes les ciels, l'eau et tout ce qui tient à la terre ferme et aux quais, mais surtout la lumière, dans toutes ses justesses des lieux et des moments. Il lui en a été voulu d'avoir renoncé au fauvisme, il ne fut pas le seul. N'eût-il jamais été fauve, il serait considéré comme le représentant le plus talentueux de l'École de Paris de l'entre-deux-guerres.

■ Jacques Busse

Bibliogr. : F. Fleuret, Ch. Vildrac, A. Salmon : *Friesz, œuvres 1901-1927*, Éd. des Chroniques du Jour, Paris, 1927 – Waldemar-George, Ch. de Richter : Catalogue de l'exposition rétrospective *Friesz*, Galerie Motte, Genève, 1950 – Charles Vildrac, Bersier, Max. Gauthier : Catalogue de l'exposition rétrospective *Friesz*, Galerie Charpentier, Paris, 1950 – M. Gauthier : *Othon Friesz*, P. Cailler, Genève, 1957 – J. Busse : *Othon Friesz, notices diverses*, P. Cailler, Genève, 1958, important appareil documentaire – Marc Larock et divers : Catalogue de l'exposition *E. Othon Friesz, rétrospective*, Galerie Katia Granoff, Paris, 1989 – Odile Aittouares, Robert Martin : *Émile Othon Friesz, l'œuvre peint. Catalogue raisonné*, Paris, 1995.

Musées : Albi : dessins – Anvers – Arles : dessins – Arras – Baltimore : *Baigneuses* 1926 – Belgrade – Bergen – Berlin – Brême – Bruxelles – Buenos Aires – Chicago – Copenhague : *Maternité – Mme et Jacqueline F.* – Detroit – Elberfeld – Genève (Mus. d'Art et d'Hist.) : *Saint-Cirq-Lapopie* 1946 – Genève (Mus. du Petit-Palais) : *Entrée d'une corvette dans le port* 1906 – *Baigneuses* 1907 – Grenoble : *Allégorie sur la Guerre* 1915 – *Vendanges* 1923 – *Le Coudon* 1923 – Halle – Le Havre : *Paysage* – Lausanne – Leeds – Lille (Mus. de Picardie) – Limoges – Los Angeles – Lyon – Moscou : *La cathédrale de Rouen* 1908 – New York (Mus. of Mod. Art) – Oslo : *Le travail à l'Automne* 1908 – *La calle rouge* 1905 – Paris (Mus. Nat. d'Art Mod.) : *La Ciotat* 1906 – *L'Estaque* 1906 – *Portrait de Fernand Fleuret* 1906 – *Portrait de Madame Andrée Othon Friesz* 1923 – *Paysage de Méounes, Var* 1925 – *Port de Dieppe* 1930 – Paris (Mus. de la Guerre) : *Entrée des Français à Strasbourg* 1918 – *Le maréchal Joffre à cheval* – dessins – Paris (Mus. de l'Aviation) : *Les camps d'aviation pendant la guerre 1914-1918*, études – Poitiers : dessins et lithographies – Rouen – Saint-Malo : *Baigneuses devant la mer* – *La Vieille Cité de Saint-Malo avant les destructions de la guerre 1939-1945*, dessins – Saint-Pétersbourg – Saint-Sébastien – Saint-Tropez – Stockholm : *Port d'Honfleur* – Toulon : *La maison de l'artiste à Toulon* 1919 – *Nu* – dessins – Troyes (Mus. d'Art Mod., coll. P. Lévy) : *L'Estaque* 1906 – Vienne – Washington D. C. – Zurich : *Paysage de Cassis* 1909.

Ventes Publiques : Paris, 28 mars 1919 : *Le port d'Anvers* : **FRF 1 830** – Paris, 9 juin 1920 : *L'Escaut à Anvers* : **FRF 1 900** ; *Canal en Hollande* : **FRF 4 200** – Paris, 3 mars 1924 : *Les femmes à la fontaine* : **FRF 2 000** – Paris, 18 juin 1925 : *Les patineurs* : **FRF 2 005** ; *Effet de neige* : **FRF 5 100** – Paris, 26 avr. 1926 : *Nu couché au divan bleu* : **FRF 11 000** – Paris, 2 juin 1926 : *La table de fruits* : **FRF 17 000** ; *Paysage de Méounes* : **FRF 15 000** ; *Les baigneuses* : **FRF 30 000** – Paris, 16 fév. 1927 : *Baigneuses* : **FRF 7 200** ; *La grande jarre* : **FRF 9 000** ; *Paysage fauve* : **FRF 1 400** – Paris, 2 avr. 1928 : *Fleurs* : **FRF 13 100** ; *Femmes à la fontaine* : **FRF 25 000** – Paris, 11 oct. 1928 : *Quai de Toulon* : **FRF 16 500** – Paris, 16 fév. 1929 : *Les baigneuses*, aquar. : **FRF 36 000** ; *Entrée du port du Havre* : **FRF 16 000** – Paris, 6 juin 1929 : *Nu assis vu de dos* : **FRF 8 720** – Paris, 14 juin 1929 : *Femmes sur la terrasse* : **FRF 8 000** ; *Cap-Brun* : **FRF 10 010** – Paris, 20 juin 1941 : *Coin de parc* : **FRF 3 000** – Paris, 24 nov. 1941 : *Port* 1927 : **FRF 14 000** ; *Honfleur* 1939 : **FRF 13 500** – Paris, 14 oct. 1942 : *Entrée de jardin* : **FRF 6 200** ; *Maison de l'artiste* 1924 : **FRF 12 500** ; *Fruits* : **FRF 43 000** ; *Les canaux à Anvers* 1906 : **FRF 28 000** ; *Port du Havre* 1921 : **FRF 40 000** ; *Fontaine et jardinier* 1922 : **FRF 23 500** – Paris, 25-26 jan. 1943 : *Nu dans un paysage* : **FRF 25 000** ; *La cueillette* 1929 : **FRF 40 000** ; *Les vendanges* 1920 : **FRF 23 000** – Paris, 31 jan. 1944 : *Nu à la chaise longue* 1927 : **FRF 20 200** – Paris, 23 fév. 1945 : *Nu couché* 1933, dess. : **FRF 3 100** – Paris, 26 fév. 1945 : *Terre-neuvas prenant le large, Saint-Malo* 1935 : **FRF 35 000** –

PARIS, 12 nov. 1946 : *Marine* : **FRF 51 000** – PARIS, 14 fév. 1947 : *Paysage aux avions* 1917 : **FRF 20 000** ; *La Seine à l'Institut* : **FRF 31 000** – PARIS, 31 jan. 1949 : *Jardin à Toulon* : **FRF 80 000** – PARIS, 10 mai 1950 : *Les baigneuses* : **FRF 130 000** – PARIS, 20 déc. 1950 : *Les jardins de Rodin* : **FRF 150 000** – PARIS, 3 juin 1954 : *Le port d'Anvers* : **FRF 1 000 000** – NEW YORK, 8 nov. 1957 : *Paris, pont sur la Seine* : **USD 2 400** – LONDRES, 11 déc. 1957 : *Une table avec une bouilloire de cuivre* : **GBP 140** – PARIS, 11 juin 1958 : *Le port de Toulon* : **FRF 1 000 000** – LONDRES, 23 nov. 1960 : *Honfleur* : **GBP 850** – PARIS, 10 juin 1963 : *Le port* : **FRF 80 000** – NEW YORK, 10 oct. 1968 : *Péniches, port d'Anvers* : **USD 33 000** – GENÈVE, 14 juin 1970 : *Cassis*, gche : **CHF 20 500** – GENÈVE, 2 juil. 1971 : *La Côte de Grâce* : **CHF 130 000** – LONDRES, 29 nov. 1972 : *Les régates à Anvers* : **GBP 26 000** – GENÈVE, 7 déc. 1973 : *Le port* 1906 : **CHF 245 000** – PARIS, 21 mars 1974 : *Les péniches à Anvers* : **FRF 200 000** – GENÈVE, 6 juin 1974 : *Paysage à Cassis* : **CHF 450 000** – NEW YORK, 28 mai 1976 : *Le pavois, Honfleur* 1945, h/t (65x81) : **USD 4 300** – ZURICH, 12 nov. 1976 : *Les voiliers* 1921, aquar. (44,4x64) : **CHF 4 200** – ZURICH, 20 mai 1977 : *Aups* 1925, h/t (50x61) : **CHF 13 000** – LOS ANGELES, 9 nov. 1977 : *Port de Toulon*, aquar./pap. (50,2x63,5) : **USD 2 500** – PARIS, 16 mai 1979 : *Le port de Saint-Tropez* 1930, aquar. (47x59) : **FRF 10 800** – ENGHIEN-LES-BAINS, 10 juil. 1980 : *Nu au drapé auprès du lac*, fus. et reh. de past./pap. (63x48,5) : **FRF 20 000** – PARIS, 19 mars 1984 : *Vase ovoïde*, céramique émaillée polychrome à décors de médaillons (H. 28) : **FRF 7 500** – LONDRES, 28 mars 1984 : *Paysage à La Ciotat* vers 1905-1907, aquar./trait de cr. (39x31) : **GBP 2 500** – NEW YORK, 16 mai 1984 : *Arbres, automne* 1907, h/t (107x70) : **USD 105 000** – PARIS, 22 nov. 1984 : *Le Port de Toulon*, lav. aquarellé/pap. calque mar./t. (35x47) : **FRF 15 000** – LONDRES, 23 juin 1986 : *La route de La Ciotat* 1905-07, h/t (65x81) : **GBP 100 000** – LYON, 3 déc. 1986 : *Paysage fauve*, aquar. gche et cr. (26x42) : **GBP 7 500** – PARIS, 22 juin 1987 : *La sieste*, h/t (89x116) : **FRF 120 000** – VERSAILLES, 13 déc. 1987 : *Paysage du Jura* 1919, h/t (93x126) : **FRF 84 000** – VERSAILLES, 7 fév. 1988 : *New York, matinée dans le parc*, aquar. (29,5x29,5) : **FRF 6 000** – CALAIS, 28 fév. 1988 : *Bord de plage* 1919, h/t (73x92) : **FRF 125 000** – PARIS, 18 mars 1988 : *Le port de La Rochelle*, h/t (54x65) : **FRF 150 000** – PARIS, 19 mars 1988 : *Paysage à Niermont*, aquar. (23x31) : **FRF 15 000** – PARIS, 15 avr. 1988 : *Le port* 1905-1906, aquar. (31x45) : **FRF 18 000** – TROYES, 24 avr. 1988 : *Vue de village* 1942, h/t (65x81,5) : **FRF 61 000** – VERSAILLES, 15 mai 1988 : *Femme nue dans un paysage*, h/pan. (30x23,5) : **FRF 19 000** – PARIS, 6 juin 1988 : *Modèle assis* 1928, h/t (46x27) : **FRF 10 000** – PARIS, 12 juin 1988 : *Vase d'anémones* 1921, h/t (46x55) : **FRF 75 000** – PARIS, 23 juin 1988 : *Intérieur*, h/t (46x38) : **FRF 25 000** – LONDRES, 29 juin 1988 : *Les canaux d'Anvers*, h/t (61x50) : **GBP 49 500** – GRANDVILLE, 16-17 juil. 1988 : *Paysage*, dess. cr. (31x44) : **FRF 27 100** – LONDRES, 21 oct. 1988 : *Paysage provençal*, h/t (32,2x42,2) : **GBP 7 150** – LA VARENNE-SAINT-HILAIRE, 23 oct. 1988 : *Le bain*, h/t (65,5x81,5) : **FRF 120 000** – VERSAILLES, 6 nov. 1988 : *La route du Val d'Ante à Falaise* 1897, h/t (30x39,5) : **FRF 30 000** – PARIS, 20 nov. 1988 : *La côte rocheuse* 1914, h/t (28x46) : **FRF 150 000** – PARIS, 22 nov. 1988 : *L'entrée du port d'Honfleur*, h/t (50x61) : **FRF 132 000** – LUCERNE, 3 déc. 1988 : *Nature morte aux fruits avec un chat*, h/t (100x70) : **CHF 32 000** – PARIS, 16 déc. 1988 : *Le port de Honfleur*, h/t (50,5x61) : **FRF 191 000** – LONDRES, 22 fév. 1989 : *Le port du Havre* 1921, h/t (81x100) : **GBP 26 400** – PARIS, 22 mars 1989 : *Paysages à la maison foritfiée* 1926, h/t : **FRF 120 000** – PARIS, 7 avr. 1989 : *Le repas dans les îles*, h/t (65x80,5) : **FRF 130 000** – NEW YORK, 3 mai 1989 : *Le port de Honfleur*, h/t (59,7x73) : **USD 277 500** – NEW YORK, 10 mai 1989 : *Arbres en automne* 1907, h/t (107x70) : **USD 440 000** – STOCKHOLM, 22 mai 1989 : *La volière*, h/pap./t. (45x31) : **SEK 45 000** – LONDRES, 27 juin 1989 : *Paysage* 1905, h/t (73x60) : **GBP 68 200** – PARIS, 29 sep. 1989 : *Étude de toits*, aquar. et cr. (24x31) : **FRF 3 500** – PARIS, 11 oct. 1989 : *Rue de village*, h/t (80x60) : **FRF 356 000** – PARIS, 22 nov. 1989 : *Le port de Toulon, matinée de soleil*, h/t (60,5x73) : **FRF 320 000** – PARIS, 23 nov. 1989 : *Village*, h/t (20x25) : **FRF 100 000** – NEW YORK, 21 fév. 1990 : *Le port d'Anvers* 1906, h/t (30,5x45,2) : **USD 96 250** – NEW YORK, 26 fév. 1990 : *Paysage*, h/t (50,3x64,7) : **USD 418 000** – PARIS, 14 mars 1990 : *Nature morte* 1943, h/t (38x46,5) : **FRF 115 000** – PARIS, 2 avr. 1990 : *Voiliers sortant du port de Honfleur* 1907, h/t (46x60) : **FRF 4 350 000** – PARIS, 30 mai 1990 : *Rue ensoleillée* 1904, h/t (47x39) : **FRF 330 000** – PARIS, 16 juin 1990 : *Sur la plage*, h/t (73x92) : **FRF 340 000** – PARIS, 19 juin 1990 : *Village dans la vallée* 1942, h/t (65x82) : **FRF 141 000** – LONDRES, 17 oct. 1990 : *Le port de Toulon*, h/t (54x66) : **GBP 11 000** – PARIS, 23 nov. 1990 : *Le port d'Anvers* 1906, h/t (60x80) : **FRF 1 620 000** – NEW YORK, 15 fév. 1991 : *Alger, la place du gouvernement* 1928, h/t (54x65) : **USD 33 000** – BOURG-EN-BRESSE, 14 avr. 1991 : *Paysage du midi*, aquar. gchée (41x31) : **FRF 525 000** – PARIS, 17 avr. 1991 : *Les environs de l'Estaque* 1907, h/t (82x60) : **FRF 1 200 000** – AMSTERDAM, 23 mai 1991 : *Nu assis*, h/t (54x37) : **NLG 13 800** – BOURG-EN-BRESSE, 9 juin 1991 : *Paysage méditerranéen* 1907, h/t (92,5x60,5) : **FRF 1 470 000** – LONDRES, 16 oct. 1991 : *Paysage* 1911, h/t (48x38) : **GBP 11 770** – NEW YORK, 14 mai 1992 : *Le port de Toulon* 1927, h/t (60,3x73) : **USD 28 600** – MUNICH, 26 mai 1992 : *Nu féminin debout*, h/cart. (46x21,5) : **DEM 3 680** – PARIS, 14 déc. 1992 : *Le bassin du Havre* 1906, h/t (63x81) : **FRF 500 000** – NEW YORK, 12 mai 1993 : *La calanque de Figuerolles* 1907, h/t (65x81) : **USD 244 500** – LONDRES, 21 juin 1993 : *Belle-Isle-en-Mer*, h/t (59,5x72,5) : **GBP 45 500** – PARIS, 21 oct. 1993 : *Voiliers sortant du port de Honfleur* 1907, h/t (46x60) : **FRF 1 300 000** – STOCKHOLM, 30 nov. 1993 : *Forêt*, h/t (59x73) : **SEK 72 000** – PARIS, 10 mars 1994 : *Voiliers dans le port de Toulon* 1936, h/t (72,5x91,5) : **FRF 200 000** – LONDRES, 23-24 mars 1994 : *Le Port de Toulon*, aquar. (31x43,5) : **GBP 2 530** – LE TOUQUET, 13 nov. 1994 : *Femme à la fontaine à Guardia* 1911, h/t (81x65) : **FRF 93 000** – PARIS, 21 juin 1995 : *Anvers, le port* 1905, h/t (60x73) : **FRF 1 000 000** – LONDRES, 28 juin 1995 : *Le Port d'Anvers* 1906, h/t (50,2x61) : **GBP 78 500** – PARIS, 13 déc. 1995 : *Le Bassin du Havre* 1906, h/t (63x81) : **FRF 650 000** – PARIS, 1er avr. 1996 : *Bec de l'Aigle, paysage fauve* 1907, h/t (46x55) : **FRF 610 000** – PARIS, 15 mai 1996 : *Baigneuse*, h/t (46x38) : **FRF 25 000** – CALAIS, 7 juil. 1996 : *Portrait de femme* 1910, h/t (42x34) : **FRF 13 500** – NEW YORK, 12 nov. 1996 : *Le Port* 1935, h/t (50x65) : **USD 10 925** – CALAIS, 24 nov. 1996 : *La Mappemonde*, h/t (124x96) : **FRF 29 000** – LONDRES, 4 déc. 1996 : *Après-midi d'été*, h/t (73x60) : **GBP 11 500** – PARIS, 8 déc. 1996 : *Le Marché aux chevaux à Falaise* 1904, h/t (38x46) : **FRF 60 000** – PARIS, 12 déc. 1996 : *Saint-Malo* (33x41) : **FRF 19 500** – TEL-AVIV, 30 sep. 1996 : *Le bouquet de fleurs* vers 1930, h/pan. (55x37,8) : **USD 9 200** – NEW YORK, 9 oct. 1996 : *Femme assise*, fus., cr. et aquar./pap. (42,5x26,4) : **USD 2 875** – LONDRES, 25 juin 1996 : *Automne à Honfleur* 1939, h/t (60x73) : **GBP 10 350** – PARIS, 23 mai 1997 : *Baigneuses*, monotype (33x29) : **FRF 10 000** ; *Bouquet d'anémones et bouteille* 1942, h/t (65,5x80,5) : **FRF 36 000** – PARIS, 20 juin 1997 : *La Clairière* 1919, h/t (73x93) : **FRF 60 000** – PARIS, 4 nov. 1997 : *Vue de Poitiers* 1940, aquar./pap. (50x65) : **FRF 21 000** – PARIS, 21 nov. 1997 : *Femmes au bain* 1930, h/t (65x81) : **FRF 30 000**.

FRIG Hélias
Né en 1565 à Zurich. Mort le 3 juin 1608 à Zurich. XVIe siècle. Suisse.
Graveur sur bois et peintre.
Il était fils de Ludwig Frig l'Ancien.

FRIG Ludwig, l'Ancien ou **Fryg**
XVIe siècle. Suisse.
Graveur.
Il travaillait sur bois à la fin du XVIe siècle.

FRIG Ludwig, le Jeune
XVIe-XVIIe siècles. Actif à Zurich. Suisse.
Graveur sur bois.
Il était le fils de Ludwig l'Ancien.

FRIGARA Bernard
Né en 1948 à Paris. XXe siècle. Actif en Belgique. Français.
Peintre, sculpteur, dessinateur, aquarelliste.

FRIGERO Joseph
Né en 1807. Mort en 1870. XIXe siècle. Français.
Peintre.
Après un passage dans l'atelier d'Ingres, ce peintre niçois fit de nombreux voyages, au cours desquels il exécuta des peintures de paysages, aquarelles et portraits.
BIBLIOGR. : G. Schurr : *Les petits maîtres, valeur de demain*, 1969, Paris.

FRIGIMELICA Francesco
Né à Padoue. Mort sans doute en 1621 à Belluno. XVIIe siècle. Italien.
Peintre.
Il exécuta un grand nombre de tableaux religieux dans le Frioul.

FRIGIMELICA Pompeo
XVIIe siècle. Actif à Belluno. Italien.
Peintre.
Il était fils de Francesco Frigimelica.

FRIGINISCO Bartolomeo
XVe siècle. Actif à San Severino. Italien.
Peintre.
Il existe une fresque signée de cet artiste et datée de 1466 à la petite église Santa Maria della Vergini à San Severino.

FRIGIOLINI Carlo
Né en 1814 à Varallo. Mort le 12 juillet 1880 à Varallo. XIXe siècle. Italien.
Peintre.
Il fut élève d'Avondo et Geniani.

FRIGIOTTI Filippo
XVIIIe siècle. Actif à Rome. Italien.
Peintre d'histoire.
Il exécuta de grandes peintures pour plusieurs églises romaines.

FRIGOLA Louis Jean Jacques
Né au XIXe siècle à Saint-Laurent-de-la-Salanque (Pyrénées-Orientales). XIXe siècle. Français.
Peintre.
Formé par Cabanel. Il envoya au Salon de Paris, en 1878, son propre portrait.

FRIIS Achton
Né en 1871. Mort en 1939. XXe siècle. Danois.
Peintre.
Il travailla à Copenhague. Il exposa, pour la première fois, en 1908.

FRIIS Frederick Trap
Né en 1865 en Suède. Mort en 1909. XIXe-XXe siècles. Depuis 1890 actif aux États-Unis. Suédois.
Peintre de scènes animées, intérieurs, paysages, architectures.
Il émigra en 1890 à New York, puis deux années plus tard à New Bedford dans le Massachusetts. En 1906, accompagné de sa famille, il entreprit un voyage en Italie et séjourna deux années dans les environs de Florence.
Ventes Publiques : New York, 14 mars 1991 : *Dans la cour de la maison*, h/t (74x73,5) : **USD 14 300** – New York, 26 sep. 1991 : *Santa Croce à Florence*, h/t (53x53) : **USD 6 050** – New York, 12 mars 1992 : *Atelier d'académie masculine à la Ligue des étudiants en Art* 1890, h/t (45,1x43,8) : **USD 5 500** – New York, 23 sep. 1992 : *La place San Lorenzo à Florence*, h/t (65x60) : **USD 4 400**.

FRIIS Hans Gabriel
Né le 7 septembre 1838 à Habro. Mort le 20 juillet 1892 à Roskilde. XIXe siècle. Danois.
Peintre d'animaux, paysages animés, paysages.
Musées : Copenhague : trois œuvres.
Ventes Publiques : Londres, 27 nov. 1981 : *Biches dans un paysage boisé* 1877, h/t (95x142) : **GBP 3 800** – New York, 29 fév. 1984 : *Biche dans un paysage boisé, printemps* 1877, h/t (96x145) : **USD 7 500** – Londres, 23 juin 1987 : *Enfants cueillant des fleurs dans une forêt au printemps* 1875, h/t (105x82) : **GBP 12 000** – Copenhague, 25 oct. 1989 : *Fils de pêcheur l'été à Sorup* 1874, h/t (30x38) : **DKK 8 000** – Copenhague, 21 fév. 1990 : *Lever du jour à Kjaerstrup près de Lolland* 1868, h/t (62x80) : **DKK 17 800**.

FRIKKE Ch. L.
Né en 1820. Mort en 1893. XIXe siècle. Russe.
Peintre de paysages.
On voit de lui dans les établissements artistiques russes : au Musée Alexandre III : *Vue du domaine de Fall, près de Revel* ; au Musée Roumiantzieff : même sujet ; à la Galerie Tretiakoff : *Vue de Suisse*.

FRILAY Pierre
Né le 11 janvier 1946 à Paris. XXe siècle. Français.
Peintre. Abstrait.
Il fut élève d'Arpad Szénès. Il peint dans une manière abstraite proche des « nuagistes », Laubiès ou Benrath.

FRILET de CHATEAUNEUF Marie Augustine
Née le 2 juillet 1807 à Cadia. Morte le 27 septembre 1874 à Angers. XIXe siècle. Française.
Peintre.
De 1835 à 1839, elle exposa au Salon de Paris quelques portraits et des études. On a d'elle au Musée d'Angers : *Un aveugle et une jeune fille Odalisque*.

FRILING Hermann
Né le 23 août 1867 à Cologne. XIXe-XXe siècles. Allemand.
Peintre.
Outre la peinture, il s'intéressa aux techniques les plus diverses. Il exposa à Berlin.

FRILLEY Jean Jacques
Né le 18 juillet 1797 à Paris. XIXe siècle. Français.
Graveur et dessinateur.
Le 13 février 1815, il entra à l'École des Beaux-Arts où il fut l'élève de Pauquet. Il figura au Salon de 1824 à 1850.
Ventes Publiques : Paris, 1879 : *Portrait de Béranger représenté assis dans un jardin*, dess. au fus. : **FRF 180**.

FRILLIÉ Félix Nicolas
Né le 26 janvier 1821 à Dijon (Côte-d'Or). Mort le 6 septembre 1863 à Is-sur-Tille. XIXe siècle. Français.
Peintre.
De 1841 à 1859, il exposa au Salon de Paris. On cite de lui : *La Folie chassant l'Inspiration* ; *Enfants bohémiens* ; *Les artistes* ; *Bergers chaldéens observant les astres* ; *La grappe* ; *La toilette de l'enfant*. Au Musée d'Aix on a de lui : *Le baiser de la Muse*, et à celui de Dijon : *René racontant sa vie*.

FRIMBERGER Marianne
Née le 14 juin 1877 à Mahr Ostrau (Autriche). XXe siècle. Autrichienne.
Peintre, dessinateur, lithographe.
Elle vécut à Vienne, où elle fit ses études et travailla la plus grande partie de sa vie.

FRIMODT Charlotte
Née le 23 juin 1862 à Copenhague. XIXe siècle. Danoise.
Peintre.
Elle fut élève de Ch. Sode et exposa surtout des tableaux de fleurs et des paysages.

FRIMODT Johanne Nicoline Louise
Née en 1861. Morte en 1920. XIXe-XXe siècles. Danoise.
Peintre de portraits, paysages, marines, natures mortes.
Elle fut élève de Stevens à Paris et peignit à Copenhague, surtout des paysages, des marines et des portraits d'enfants.
Ventes Publiques : Londres, 25 mars 1987 : *Champ de fleurs au bord de la mer* 1902, h/t (84,5x121,5) : **GBP 4 800** – Copenhague, 28 août 1991 : *Nature morte*, h/t (54x72) : **DKK 11 000**.

FRIMOUT Cyr César Clovis
Né en 1938 à Properinge (Belgique). XXe siècle. Belge.
Peintre de figures, nus, dessinateur.
Il est professeur d'arts plastiques. Il a reçu le prix Berthe Art, en 1971, ainsi que le prix Flandres Occidentales, en 1972.
Il a subi l'influence cubiste. Il utilise l'image la fragmentant en plans curieusement découpées pour mieux la détourner. Ses personnages paraissent quelque peu pathétiques, cette impression est renforcée par l'utilisation de couleurs vertes, jaunes, légèrement ombrées.
Bibliogr. : In : *Diction. biogr. illustré des artistes en Belgique depuis 1830*, Arto, Bruxelles, 1987.
Ventes Publiques : Bruxelles, 27 oct. 1976 : *Nu et lumière rouge*, h/t (69x59) : **BEF 14 000** – Lokeren, 23 mai 1992 : *Nu allongé* 1970, h/t (99x127) : **BEF 40 000**.

FRIND August
Né le 21 novembre 1852 à Schönlinde. XIXe siècle. Autrichien.
Peintre d'histoire et de genre.
Élève de Pauwels à l'Académie de Dresde. En 1886, il obtint dans cette ville la grande médaille d'or. Il a exposé à Dresde et à Munich.

FRINK Elizabeth, dame
Née en 1930 à Thurlow (Suffolk). Morte en 1993. XXe siècle. Britannique.
Sculpteur d'animaux, figures, dessinateur.
Elle fut élève de la Guilford School of Art, de 1947 à 1949, et de la Chelsea School de Londres, de 1949 à 1953, tandis qu'elle exposait, pour la première fois, à Londres, en 1952.
Elle a d'abord travaillé avec le plâtre, puis le ciment et la fonte en bronze. Elle affectionne les sujets animaliers, qu'elle traite avec vigueur, sans mièvrerie aucune. Elle saisit, au contraire, les animaux, sangliers ou étalons, dans des poses agressives. Ella a également sculpté des sujets humains, notamment des guerriers casqués. Elle évolue actuellement vers la création de formes-

symboles, dans lesquelles l'homme et l'animal se conjuguent, ainsi *Oiseau-guerrier* ; *Figure ailée* ; *Homme-oiseau*.

Frink

Bibliogr. : In : *Nouv. dictionn. de la sculpture mod.*, Hazan, Paris, 1970.

Ventes Publiques : Londres, 23 avr. 1969 : *La sentinelle*, bronze : **GBP 900** – New York, 29 oct. 1970 : *Chien*, bronze : **USD 2 200** ; *Guerrier*, bronze : **USD 1 100** – Londres, 11 juin 1976 : *Cheval couché* 1974, or (l. 23,5) : **GBP 5 000** – Londres, 16 nov. 1977 : *Sanglier* 1966, bronze (H. 16) : **GBP 650** – Londres, 8 mars 1978 : *New Bird I* 1965, bronze (H. 54,6) : **GBP 680** – Londres, 13 mars 1981 : *Crucifixion* 1951, aquar. et pl. (74x55) : **GBP 260** – Londres, 18 avr. 1984 : *Sanglier* 1969, aquar./traits de cr. (76x101,5) : **GBP 400** – Londres, 23 mai 1984 : *Tête de soldat*, bronze (H. 40,5) : **GBP 2 900** – Londres, 18 juil. 1984 : *Cheval et cavalier* 1974, cr. (84x58,5) : **GBP 380** – Londres, 26 sep. 1985 : *Horse with seated rider* 1969, cr. et lav. de coul. (76x102) : **GBP 1 000** – Londres, 14 nov. 1986 : *Judas* 1963, bronze (H. 190,5) : **GBP 18 000** – Londres, 22 juil. 1987 : *Cheval couché* 1973, aquar. (58x82,5) : **GBP 1 700** – Londres, 13 nov. 1987 : *Horse in the rain III* 1981, bronze, patine brune (Long. 32) : **GBP 8 000** – Londres, 3-4 mars 1988 : *Personnage ailé*, bronze (H. 51,2) : **GBP 4 400** – Londres, 9 juin 1988 : *Mouette*, aquar. (57,5x75) : **GBP 1 430** – Londres, 29 juil. 1988 : *Homme oiseau* 1960, lav. et aquar. (75x55) : **GBP 550** – Londres, 9 juin 1989 : *Torse* 1958, bronze (L. 96,3) : **GBP 11 000** – Londres, 21 sep. 1989 : *Personnage et oiseau*, encre et lav. (74,3x53,3) : **GBP 770** – Londres, 10 nov. 1989 : *Aigle fondant sur sa proie* 1969, aquar. et cr. (67,4x91,6) : **GBP 880** – Londres, 9 mars 1990 : *Homme marchant*, bronze à patine brune (H. 38,2) : **GBP 8 250** – Londres, 24 mai 1990 : *Le premier homme*, bronze (H. 203) : **GBP 44 000** ; *Cheval*, bronze (H. 220, L. 257) : **GBP 110 000** – Londres, 8 juin 1990 : *Homme marchant les yeux bandés*, bronze (H. 48) : **GBP 12 650** – Londres, 9 nov. 1990 : *Tête de Christ*, bronze à patine noire (H. 79) : **GBP 28 600** – Londres, 8 mars 1991 : *Cheval endormi* 1972, bronze à patine gris sombre (L. 203,5) : **GBP 110 000** – Londres, 2 mai 1991 : *Deux aigles* 1956, aquar., gche et encre (73,5x49,5) : **GBP 2 200** – Londres, 7 juin 1991 : *Renard* 1968, cr. et aquar. (67,5x100,5) : **GBP 5 060** – Londres, 8 nov. 1991 : *Buffle d'eau*, bronze à patine verte (L. 33) : **GBP 8 800** – Londres, 11 juin 1992 : *Cheval chinois I*, bronze (L. 48,3) : **GBP 10 450** – Londres, 2 juil. 1992 : *Tête aux yeux saillants* 1969, bronze (H. 64,8) : **GBP 14 300** – New York, 22 fév. 1993 : *Nu masculin* 1962, aquar./pap. (76,2x56) : **USD 1 100** – Londres, 26 mars 1993 : *Le coureur de face*, bronze à patine gris-bleu (H. 191) : **GBP 31 050** – Londres, 25 nov. 1993 : *Cheval couché*, bronze (L. 38) : **GBP 17 250** ; *Cheval couché* 1980, cr. et aquar. (56,5x75,6) : **GBP 4 600** – Londres, 25 mai 1994 : *Chien aboyant*, bronze (L. 102) : **GBP 23 000** – Londres, 25 oct. 1995 : *Cheval* 1978, bronze (L. 249) : **GBP 144 500** – Londres, 23 oct. 1996 : *Cheval* 1980, bronze à patine brun vert (229x252) : **GBP 155 500** ; *Cheval assis* 1977, cr. et aquar. (78,1x55,9) : **GBP 7 130** – Londres, 30 mai 1997 : *Goggled Head II (Teeth)* 1969, bronze patine brun doré (H. 65,5) : **GBP 28 750** – Londres, 12 nov. 1997 : *Cheval*, bronze (L. 33) : **GBP 14 950**.

FRIOLI Liguorio
XIXe siècle. Actif à Rimini vers 1850. Italien.
Sculpteur.

L'Hôtel de Ville de Rimini possède de lui les bustes de Cavour et de Luigi Pani.

FRION Louis
Né en 1644. Enterré à Paris le 26 décembre 1699. XVIIe siècle. Français.
Sculpteur.

FRIONNET Charles
XXe siècle. Français.
Aquafortiste.

Il exposa à Paris au Salon des Artistes Français à partir de 1922.

FRIPP Alfred Downing
Né en 1822 à Bristol. Mort le 13 mars 1895 à Londres. XIXe siècle. Britannique.
Peintre de genre, paysages, aquarelliste, dessinateur.

Il subit dans son jeune âge l'influence de W.-J. Muller. En 1840, il suivit son frère à Londres et y étudia dans les galeries de sculpture du Musée britannique et de l'Académie royale. Puis il s'adonna à l'aquarelle et commença sa carrière en 1842 en envoyant trois dessins à la galerie des artistes britanniques. Élu associé de la société royale des aquarellistes en 1844, il en devint membre deux ans après et dès lors sa réputation ne fit que grandir.

Il visita trois fois l'Irlande, où il puisa plusieurs sujets charmants. Il exécuta aussi différentes scènes de la vie italienne parmi lesquelles : *Pompéi, la cité de la mort* (1853) est la plus importante. Rentré dans sa patrie, il se consacra de nouveau aux sujets anglais. *La jeune Angleterre* et *La mère Irlandaise* ont été populaires.

Musées : Bristol : *Paysage irlandais* – Dublin : *Cloumarnoise* – Liverpool : *Le moment du dîner* – Manchester : *Le Printemps à Sulworth Dorset* – Sydney : *Le Communal*.

Ventes Publiques : Londres, 6 mai 1899 : *Le Chemin de la carrière*, aquar. : **FRF 1 595** – Paris, 17 fév. 1908 : *Les enfants du pêcheur* : **FRF 184** – Londres, 28 jan. 1924 : *Berger* : **GBP 4** – Londres, 25 juin 1926 : *Grand Canal* ; *Palais vénitien*, dess., les deux : **GBP 14** ; *Saint Rocco*, dess. : **GBP 7** ; *Dans une ville étrangère* : **GBP 7** – Londres, 28 nov. 1930 : *Sur la falaise* : **GBP 4** – Londres, 14 déc. 1979 : *The Hedgehogs* 1865, aquar. et reh. de blanc (52,5x63,5) : **GBP 1 300** – Reims, 23 oct. 1983 : *Scène maternelle*, h/t (30,5x30,5) : **FRF 6 000** – Londres, 22 mai 1986 : *The gleaners*, aquar. reh. de gche (41x51) : **GBP 4 000** – Londres, 25 jan. 1988 : *Une famille à la campagne*, aquar. (39,4x29,2) : **GBP 1 320** – Londres, 14 juin 1991 : *Durdle Door dans le Dorset* 1890, cr. et aquar. avec reh. de blanc (48,8x75,3) : **GBP 2 090**.

FRIPP Charles Edwin
Né en 1854 à Londres. Mort en 1906 à Montréal. XIXe siècle. Britannique.
Aquarelliste.

Il était fils de George Arthur et travailla à Munich et à Londres.

FRIPP Constance L.
XIXe siècle. Actif à Southampton à la fin du XIXe siècle. Britannique.
Peintre de paysages.

FRIPP George Arthur
Né en 1813 à Bristol. Mort le 17 octobre 1896 à Londres. XIXe siècle. Britannique.
Peintre de portraits, scènes de genre, paysages animés, paysages, aquarelliste.

Fut élève de J.-B. Pyne et de Samuel Jackson ; après avoir peint pendant plusieurs années quelques portraits à l'huile dans sa ville natale, il se fixa en 1841 à Londres. Son paysage à l'huile représentant le *Mont Blanc pris de Cormayeur (Val d'Aoste)* fut très apprécié. Dès lors, il se consacra entièrement à l'aquarelle. En 1872 ou 1873, il fut élu membre de la Société des aquarellistes belges. Il fut un des plus zélés exposants et envoya en cinquante ans près de 600 peintures aux expositions de Londres.

Paysagiste remarquable, il traita surtout des sujets anglais. Son coloris est léger et transparent.

Musées : Blackburn : *Le Pont de Caversham sur la Tamise* – Dublin : *Vallée de Leith Surrey* – *Abbaye Fountains*, aquar. – Édimbourg : *Scène de rivière* – Liverpool : *Mont Blanc* – Londres (Victoria and Albert) : *Église de campagne* – *Paysage* – *Rochers de Douvres* – *Paysage* – *Abbaye de Bolton Yorkshire* – *La Tamise à Cookham* – *Paysage* – *Vieux moulin à vent* – *Enfants du brouillard* – *Troupeau de daims dans un paysage* – *Château de Dunstaffuxge* – *Abbaye de Bolton Yorkshire*.

Ventes Publiques : Londres, 26 fév. 1894 : *Braehmer*, aquar. : **FRF 790** – New York, 23 jan. 1903 : *Sur la rivière*, aquar. : **USD 300** – Londres, 7 déc. 1907 : *Sur la Tamise à Marlow*, aquar. : **GBP 6** – Londres, 15 fév. 1908 : *Paysage d'Écosse*, aquar. : **GBP 14** ; *La Ferme* 1866, aquar. : **GBP 12** – Londres, 13 avr. 1908 : *Beachy Head* 1860, aquar. : **GBP 18** – Londres, 13 fév. 1909 : *Ruisseau dans le Devonshire* : **GBP 6** – Londres, 23 mai 1910 : *Lochnagar*, aquar. : **GBP 47** – Londres, 27 nov. 1922 : *Glen Rosa*, dess. : **GBP 22** ; *La moisson* ; *La fenaison de E. Duncan*, deux dessins : **GBP 9** – Londres, 16 fév. 1923 : *Temps de la fenaison*, dess. : **GBP 7** – Londres, 9 mars 1923 : *Durham*, dess. : **GBP 21** – Londres, 28 jan. 1924 : *Près de Ullswater*, dess. : **GBP 6** – Londres, 7 mars 1924 : *Tintagel*, dess. : **GBP 6** ; *Murk Sœ*, dess. : **GBP 3** – Londres, 14 avr. 1924 : *La fin du jour*, dess. : **GBP 4** – Londres, 3 mai 1924 : *A l'épreuve*, dess. : **GBP 7** – Londres, 28 nov. 1924 : *Près de Dolgelly*, dess. : **GBP 4** – Londres, 29 jan. 1926 : *Automne dans les Highlands*, dess. : **GBP 8** – Londres, 28 mai 1926 : *Ullswater* : **GBP 35** – Londres, 21 nov. 1927 : *Fenai-*

sons : **GBP 5** – Londres, 8 juin 1928 : *A Pangbourne*, aquar. : **GBP 13** – Londres, 3 déc. 1928 : *Château de Kilchurn* : **GBP 4** – Londres, 17 déc. 1928 : *Crépuscule d'octobre* : **GBP 7** ; *Étang de Burton* : **GBP 4** – Londres, 25 fév. 1929 : *Château de Kilchurn* : **GBP 5** – Londres, 26 juin 1931 : *Jour de vent*, dess. : **GBP 7** ; *Une vue sur la Tamise* : **GBP 7** – Londres, 18 mai 1932 : *Château de Caerphilly* : **GBP 6** – Londres, 6 déc. 1935 : *Près de Leamington*, dess. : **GBP 5** – Londres, 30 octobre-2 nov. 1936 : *Mapledurham* : **GBP 11** – Londres, 30 avr. 1937 : *Rivière* : **GBP 13** – Leeds, 15 et 16 avr. 1942 : *Paysage* : **GBP 12** – Londres, 8 oct. 1943 : *Château de Saltwood*, dess. : **GBP 28** – Londres, 21 nov. 1945 : *Kinlochaline* : **GBP 17** – Londres, 8 mars 1946 : *Rivière* : **GBP 18** – Londres, 21 déc. 1982 : *Rome : la place du marché*, aquar. et gche (27,3x45,5) : **GBP 800** – Londres, 10 juil. 1984 : *Durham cathedral* 1846, aquar. et cr. avec touches de gche (33,5x61,5) : **GBP 1 900** – Londres, 26 avr. 1985 : *Vue du lac Majeur*, h/pan. (54,6x96,5) : **GBP 6 500** – Londres, 12 mars 1987 : *Goring-on-Thames, Oxfordshire*, aquar. et cr. reh. de gche (31x49,5) : **GBP 1 800** – Londres, 2 nov. 1989 : *Personnages près d'une écluse* 1837, h/t (50,8x76,2) : **GBP 2 860** – Londres, 31 jan. 1990 : *Paysage animé*, aquar. et cr. (23x36) : **GBP 1 375** – Londres, 25-26 avr. 1990 : *Berger avec son troupeau longeant une rivière* 1858, aquar. encre et gche (24x34) : **GBP 1 045** – Glasgow, 22 nov. 1990 : *Ben Sligachan dans l'île de Skye*, aquar. (35x55,8) : **GBP 935** – Londres, 10 avr. 1992 : *Le pont Lucano à Tivoli* 1835, h/t (36,8x57,2) : **GBP 2 860** – Amsterdam, 20 avr. 1993 : *Paysage fluvial* 1861, aquar. (33x48) : **NLG 1 150** – Londres, 11 juin 1993 : *Les ragots avec les laitières*, h/t (23,7x31,5) : **GBP 1 265** – Londres, 3 juin 1994 : *Richmond dans le Yorkshire depuis le sud* 1882, cr. et aquar. (17,2x25,2) : **GBP 805**.

FRIQUET Louise
xixe siècle. Française.
Peintre d'architectures, paysages animés.
Active en France au début du xixe siècle.
Ventes Publiques : Paris, 13 déc. 1996 : *Berger et son troupeau de chèvres dans des ruines antiques* 1824, h/t (24,5x33) : **FRF 12 500**.

FRIQUET Paul-Henri
Né le 11 décembre 1933 à Nice (Alpes-Maritimes). xxe siècle. Français.
Sculpteur. Abstrait.
Il fut élève, entre autres, de Henri Georges Adam, de 1954 à 1956 au cours de la Ville de Paris, et de l'École des Beaux-Arts de Paris, de 1957 à 1961. Il reçut un Prix de la Fondation de la Vocation en 1961, et le Prix Fénéon en 1968. Il a participé ou participe à plusieurs Salons annuels parisiens, dont : de 1963 à 1967 Jeune Sculpture, 1965 Comparaisons, de 1982 à 1987 Salon de Mai, 1981 Salon du Petit Bronze, et surtout régulièrement Réalités Nouvelles dont il devint membre du comité en 1976. En outre, il participe à de nombreuses expositions collectives, notamment à Gravelines en 1964, à la Fondation du Mécénat au Musée des Arts Décoratifs de Paris en 1969, à Luxembourg en 1973, à la première Biennale de Sculpture Européenne au Centre national d'Art contemporain de Jouy-sur-Eure en 1982, à *Matières et Lumières – trois peintres, trois sculpteurs* Galerie Saint-Rémy à Meaux en 1991, etc. Il a montré un ensemble de ses sculptures dans une exposition personnelle, Galerie AA, à Paris en 1990. Ses sculptures ont fait l'objet d'achats des Affaires Culturelles, notamment un marbre en 1976 *Cité flottante*, et la Ville de Paris lui a commandé une médaille.
De ses sculptures, Robert Planet relève la « rigueur, une rigueur qui ne gomme en rien l'émotion », et il constate qu'« elles s'insèrent naturellement dans le milieu comme ayant toujours été là. » Friquet ne s'est pas cantonné à une formule qui l'eût identifié en l'uniformisant. Son œuvre vit au cours du temps, ses propositions plastiques témoignent du cheminement de sa pensée maîtrisant l'instinct. Toutefois une caractéristique au moins en relie les phases : ses sculptures toujours sont architecturées, comme dans une attente monumentale que confirme l'implacable exigence du marbre. ■ J. B.
Ventes Publiques : Paris, 22 mai 1989 : *Fenêtre urbaine* 1988, marbre blanc de Carrare (21x18x9) : **FRF 6 200**.

FRIQUET de VAUROZE Jacques Antoine
Né en 1648 à Troyes. Mort le 25 juin 1716 à Paris. xviie-xviiie siècles. Français.
Peintre.
Il fut l'élève de Bourdon. Le 16 octobre 1670, il fut reçu académicien. Nommé professeur d'anatomie le 5 juillet 1670, il figura aux expositions du Louvre de 1673 à 1704. On cite de lui : *Moïse apporté par deux hommes à la fille de Pharaon ; Les filles de Jéthro ; Marthe et Madeleine aux pieds de Jésus ; Triomphe de Thétis sur les eaux*. Le Musée du Louvre possède de cet artiste : *Le roi donnant la paix à l'Europe*.

FRIS Jacques
Né en 1774 à Grammont. Mort en 1852 à Malines. xviiie-xixe siècles. Belge.
Peintre d'histoire.
Il fut, de 1812 à 1834, professeur à l'Académie de Malines.

FRIS Jan ou **Johannes**
Né vers 1627 à Amsterdam. Mort vers 1672. xviie siècle. Hollandais.
Peintre de natures mortes.
En 1651, il fut reçu bourgeois d'Amsterdam. Il s'y était marié en 1649.
Ventes Publiques : Paris, 1888 : *Nature morte* : **FRF 537** – Paris, 3 déc. 1959 : *Nature morte au pot de grès* : **FRF 1 000 000** – Londres, 17 fév. 1960 : *Nature morte* : **GBP 400** – Londres, 29 juin 1966 : *Nature morte au verre de vin* : **GBP 2 000** – Londres, 30 nov. 1973 : *Nature morte* : **GNS 2 000** – Cologne, 14 nov. 1974 : *Nature morte* : **DEM 38 000** – Londres, 15 avr. 1983 : *Nature morte* 1665, h/pan. (49x42) : **GBP 22 000** – New York, 20 mai 1993 : *Nature morte avec un cruchon de pierre renversé, une assiette de métal avec une pipe et des coquilles d'œufs, un verre brisé et du pain sur une table*, h/pan. (47x62,9) : **USD 21 850**.

FRIS Pieter ou **Frits, Fritz**
Né vers 1620 à Amsterdam. Mort avant 1708 à Delft. xviie siècle. Hollandais.
Peintre.
Successivement membre de la Gilde de Saint-Luc à Haarlem et à Rotterdam entre 1660 et 1682. Le Musée communal de La Haye conserve de lui : *Meurtre des frères de Witt*, et le Musée du Prado, à Madrid : *Descente d'Orphée aux enfers*.

FRISA Pedro
xvie siècle. Actif à Valladolid. Espagnol.
Peintre.
Cet artiste sans célébrité participa à la fois de l'école florentine et de la manière de Martens qu'il chercha parfois à imiter et avec lequel il travailla souvent.

FRISCH F.
xixe siècle. Actif à Augsbourg au début du xixe siècle. Allemand.
Graveur à l'aquatinte.
Il exécuta surtout des paysages.

FRISCH Ferdinand Helfreich
Né le 7 février 1707 à Berlin. Mort en 1758 à Berlin. xviiie siècle. Allemand.
Graveur.
Fils de Johann Leonhard. Il fut élève de Hanrich et de Busch. On cite surtout ses portraits.

FRISCH Friedrich
Né le 13 février 1813 à Darmstadt. Mort le 9 décembre 1886 à Darmstadt. xixe siècle. Allemand.
Peintre et lithographe.
Il fut à Munich élève d'Adam et de von Hess avant de travailler pour le roi de Wurtemberg et la cour de Bade.

FRISCH Heinrich
Né en 1644 à Hambourg. Mort en 1693 à Méran. xviie siècle. Allemand.
Peintre.
Après avoir été retenu prisonnier des barbaresques à Tripoli, il séjourna à Rome, puis travailla au Tyrol où il décora des églises.

FRISCH Johann Christoph
Né le 9 février 1738 à Berlin. Mort le 28 février 1815 à Berlin. xviiie-xixe siècles. Allemand.
Peintre d'histoire, compositions mythologiques, sujets typiques, graveur.
Élève de Bernhard Rode à Berlin.
Le palais de Sans-Souci renferme de ses œuvres. Il peignit des fausses grottes dans le jardin d'hiver du château de Paretz.

Musées : Berlin : *Génies jouant.*
Ventes Publiques : New York, 25 fév. 1983 : *Au bord du Nil*, h/t (45,7x76,2) : **USD 3 500** – Monaco, 17 juin 1988 : *Daphné et Apollon*, h/t (46,5x36,5) : **FRF 16 650** – New York, 16 fév. 1993 : *Une caravane arabe*, h/t (45,5x76,2) : **USD 1 540**.

FRISCH Johann Gottfried
xviie-xviiie siècles. Actif à Straubing. Allemand.
Sculpteur.

FRISCH Johann Leonhard
Né le 19 mars 1666 à Sulzbach. Mort le 21 mars 1743 à Berlin. xviie-xviiie siècles. Allemand.
Dessinateur.
Plus connu comme zoologiste il dessina surtout pour l'illustration de ses ouvrages.

FRISCH John Didrik
Né le 4 mai 1835 à Charlottedal. Mort le 23 novembre 1867 à Florence. xixe siècle. Norvégien.
Peintre de portraits, scènes de genre, paysages.
Il étudia à l'Académie de Soro avec Harder, puis se rendit à Copenhague, afin de se perfectionner. Il partit pour l'Italie en 1867, mais y mourut la même année.
Ventes Publiques : Copenhague, 3 juin 1980 : *Deux voisins en conversation* 1866, h/t (94x81) : **DKK 9 000** – Copenhague, 8 juin 1982 : *Autoportrait* 1859, h/t, de forme ovale (60x50) : **DKK 2 200** – Copenhague, 27 mars 1985 : *La lessive dans la cour de la ferme* 1865, h/t (40x40) : **DKK 37 000**.

FRISCH Philipp Jacob
Né en 1702 à Berlin. Mort le 4 décembre 1753 à Grünberg en Silésie. xviiie siècle. Allemand.
Peintre et graveur.
Fils de Johann Leonhard il fut élève de Hanrich et de Buschs.

FRISCHAUFF Gottlieb Theodor
xviiie siècle. Actif à Oschatz (Saxe). Allemand.
Peintre.
Il décora le château de Stösitz près d'Oschatz.

FRISCHBIER Balthasar
xve siècle. Actif à Schweidnitz à la fin du xve siècle. Allemand.
Peintre.

FRISCHE Arnold
Né le 18 décembre 1869 à Düsseldorf. xixe-xxe siècles. Allemand.
Sculpteur.
Il était fils du peintre Heinrich Ludwig et travailla en Rhénanie, en Westphalie, en Alsace et à Brême.

FRISCHE Émil
Né le 6 février 1872 à Düsseldorf. xixe-xxe siècles. Allemand.
Peintre.
Il était fils du peintre Heinrich Ludwig. Il fut l'élève de Claus Meyer. Il séjourna longtemps à Florence.

FRISCHE Heinrich Ludwig
Né le 9 janvier 1831 à Altenbruch. Mort le 5 décembre 1901 à Düsseldorf. xixe siècle.
Peintre de paysages.
Il fit ses études à Düsseldorf entre 1858-1862 sous la direction de Gude. Après des voyages d'études il s'établit à Düsseldorf.
Musées : Cologne : *Pays de résine* – Hanovre : *Partie de la vallée de l'Oder.*
Ventes Publiques : Londres, 2 nov. 1973 : *Paysage marécageux* : **GNS 650**.

FRISCHE Rudolf
Né à Osnabruck (Hanovre). xixe-xxe siècles. Allemand.
Peintre.
Étudia à l'Académie royale Bavaroise de Monaco. Exposa pour la première fois à l'Exposition Internationale de Monaco en 1890 et y figura l'année suivante. Eut un prix également à Londres à l'Exposition de 1894 pour son tableau : *Un Matin.* Prit part en 1900 au concours Alinari avec : *Madone de l'Iris.*

FRISCHER
xixe siècle. Actif vers 1837. Allemand.
Peintre sur verre.
Il est cité par Siret.

FRISCHHEINTZ Hans
xvie siècle. Actif à Dresde, à la fin du xvie siècle. Allemand.
Peintre.
Il travailla à la décoration du château de Moritzburg.

FRISCHHEINZ Barthel
xvie-xviie siècles. Actif à Königsberg. Allemand.
Peintre.
On sait qu'il exécuta un *Portrait équestre du margrave Joachim Ernst de Brandebourg-Ansbach.*

FRISCHHERZ David ou **Frischhertz**
xvie siècle. Actif à Schlettsdodt. Suisse.
Sculpteur.
Bourgeois de Zurich en 1519 et membre de la Confrérie « Lux et Loyen » dans cette ville. Il serait le même que D. Frichherz mentionné dans les archives de Bâle en 1517 et 1518.

FRISCHING Friedrich Rudolf von
Né le 26 mars 1833 à Berne. Mort le 26 octobre 1906 à Berne. xixe siècle. Suisse.
Peintre de paysages.
Travailla à Berne et à Genève. Il compléta ses études à Düsseldorf où il reçut les conseils de K. Jungheim. Frisching participa aux expositions de Berne, Genève et Saint-Gall entre 1859 et 1876. Le Musée de Berne possède son paysage : *Iseltwald sur le lac de Brienz* (effet du matin).

FRISCHKE Arthur
Né le 25 juin 1893 à New York City. xxe siècle. Américain.
Peintre.

FRISE Laurent
xviiie siècle. Actif à Paris en 1759. Français.
Peintre.

FRISENDAHL Carl
Né le 14 août 1886 à Adalsliden. Mort le 18 mars 1948 en France. xxe siècle. Depuis 1907 actif en France. Suédois.
Peintre, sculpteur animalier, nus, figures, dessinateur.
Il fut élève d'Antoine Bourdelle, à Paris, où il se fixa, dès 1907. Il exposa, à Paris, au Salon d'Automne, dont il fut membre sociétaire, au Salon de la Société Nationale des Beaux-Arts et à celui des Tuileries. Il participa aux Expositions de Rome, Edimbourg, Helsinki...
Il exposa pour la première fois en Suède en 1929, en compagnie du peintre Lennart. Ses œuvres furent présentées dans des expositions personnelles à Göteborg, Lund et Paris. L'académie des beaux-arts de Suède lui décerna le prix Jenny Lind, pendant la guerre 1914-1918. En 1940, il reçut une commande importante de son pays : une fontaine pour la cour intérieure du musée historique de Stockholm.
Sa peinture a les mêmes motifs que sa sculpture, transposant en couleurs les formes plastiques de ses animaux préférés : ours, bisons et chevaux.
Bibliogr. : Catalogue de l'exposition *Trois Artistes Suédois contemporains*, Musée Galliera, Paris, 1957.
Musées : Göteborg – Malmö – Paris – Stockholm (Mus).
Ventes Publiques : Stockholm, 15 nov. 1988 : *Sanglier assis*, terre cuite (H. 61) : **SEK 17 500**.

FRISERI Bastien ou **Fuseri**
Né à la fin du xve siècle à Fossano (Piémont). xve-xvie siècles. Italien.
Peintre.
A peint le retable de N.-D. des Neiges pour l'église de La Brigue (Alpes-Marimes), pour Pierre Lascaris « le magnifique ».

FRISHMUTH Harriet Whitney ou **Frismuth**
Née le 17 septembre 1880 à Philadelphie (Pennsylvanie). Morte en 1980 à Waterbury (Connecticut). xxe siècle. Américaine.
Sculpteur de figures, nus, sujets allégoriques, dessinateur, médailleur.
Elle étudia d'abord à New York, puis à Paris, où elle eut pour professeur Rodin et Injalbert, et enfin à Berlin. Elle participa à de nombreuses expositions collectives et personnelles, notamment aux États-Unis, mais aussi, en 1906, à Paris, au Salon des Artistes Français. Membre des principales Sociétés artistiques américaines, National Arts Club, American Federation of Arts, etc. Elle obtint au cours de sa carrière de nombreux prix et distinctions, notamment à Philadelphie.
Ventes Publiques : New York, 29 avr. 1976 : *La Crête de la vague* 1925, bronze, patine brune et verte (H. 53) : **USD 2 750** – New York, 21 avr. 1977 : *Water nymph* 1925, bronze (H. 136) : **USD 10 000** – New York, 21 avr. 1978 : *Playdays*, bronze (H. 133,4) : **USD 10 500** – New York, 25 avr. 1980 : *The dance*, bronze (H. 41,9) : **USD 9 500** – New York, 3 déc. 1982 : *Joy of the waters*

1920, bronze (H. 100,3) : **USD 17 000** – NEW YORK, 2 juin 1983 : *Joy of the water* 1920, bronze (H. 109,9) : **USD 16 000** – NEW YORK, 4 déc. 1987 : *Joy of the waters* 1920, bronze patine brun-vert (H. 46,3) : **USD 210 000** – NEW YORK, 17 mars 1988 : *La crête de la vague* 1925, bronze (H. 52,2) : **USD 14 300** – LOS ANGELES, 9 juin 1988 : *Plaisir de l'eau* 1920, bronze (H. 110) : **USD 33 000** – NEW YORK, 24 juin 1988 : *L'étoile* 1918, bronze (H. 50) : **USD 9 900** – PARIS, 22 mai 1989 : *Exultation* 1920, bronze à patine brun vert (H. 42) : **FRF 35 000** – NEW YORK, 24 mai 1989 : *Globe solaire* 1921, bronze (H. 109,2) : **USD 19 800** – NEW YORK, 28 sep. 1989 : *Nymphe debout sur la crête de la vague*, bronze (H. 53,3) : **USD 13 200** – NEW YORK, 30 nov. 1989 : *La danse épanouie* 1923, bronze à patine brune (H. 49,5) : **USD 36 300** – NEW YORK, 1er déc. 1989 : *Désir*, bronze à patine vert sombre sur socle de marbre (H. 66,3) : **USD 44 000** – NEW YORK, 24 mai 1990 : *Jeux*, bronze patine brun-vert (H. 134,6) : **USD 143 000** – NEW YORK, 14 mars 1991 : *Le Vin, allégorie de la Vigne*, bronze à patine brun-vert (H. 29,9) : **USD 6 050** – NEW YORK, 12 avr. 1991 : *La Crête de la vague* 1925, bronze patine brune (H. 54,6) : **USD 8 800** – NEW YORK, 22 mai 1991 : *L'allégresse des eaux*, fontaine de bronze (h. 157,5) : **USD 77 000** – NEW YORK, 23 mai 1991 : *Jeux*, bronze patine verte (H. 130,8) : **USD 88 000** – NEW YORK, 25 sep. 1991 : *La Crête de la vague*, bronze (H. 170,2) : **USD 82 500** – NEW YORK, 26 sep. 1991 : *Pas de deux*, bronze, groupe de deux danseurs (H. 38, L. 69,8) : **USD 15 400** – NEW YORK, 6 déc. 1991 : *Méditation* 1930, bronze, fontaine (H. 146,1) : **USD 49 500** – NEW YORK, 4 déc. 1992 : *Amusements ou Nymphe aux grenouilles*, bronze (H. 127,5) : **USD 71 500** – NEW YORK, 23 sep. 1993 : *L'Allégresse des eaux* 1920, bronze (H. 161,3) : **USD 63 000** – NEW YORK, 17 mars 1994 : *La vigne* 1921, bronze/socle de marbre noir (H. 30,5) : **USD 5 750** – NEW YORK, 21 sep. 1994 : *La Crête de la vague*, bronze (H. 163,8) : **USD 107 000** – NEW YORK, 20 mars 1996 : *La Vigne*, bronze (H. 29,8) : **USD 7 475** – NEW YORK, 22 mai 1996 : *La Joie de l'eau* 1912, bronze patine verte (H. 156,2) : **USD 173 000** – NEW YORK, 27 sep. 1996 : *L'Étoile, nymphe* 1918, bronze patine brun vert (H. 47,3) : **USD 6 900** – NEW YORK, 3 déc. 1996 : *Femme à la grenouille*, bronze, cendrier (H. 12) : **USD 7 130** – NEW YORK, 23 avr. 1997 : *Tête de bouffon* 1910, bronze patine brun rouge (H. 15,2) : **USD 1 150** – NEW YORK, 5 juin 1997 : *Pas de deux*, bronze patine brune, groupe (H. 43,1) : **USD 25 300** – NEW YORK, 6 juin 1997 : *Aigle Ruppert* 1912, bronze patine verte (H. 106,7) : **USD 54 625**.

FRISIA Donato
Né en 1883 à Merate. Mort en 1953. XXe siècle. Italien.
Peintre de paysages, paysages urbains, paysages d'eau.
Il a parfois traité les vues de Venise.
VENTES PUBLIQUES : MILAN, 21 avr. 1983 : *Paysage de neige*, h/cart. (33x43) : **ITL 950 000** – MILAN, 16 oct. 1986 : *Canale a Venezia* 1938, h/t (65x80) : **ITL 3 600 000** – MILAN, 6 juin 1991 : *Pont en construction à Paris*, h/t/cart. (34x47) : **ITL 3 400 000** – MILAN, 25 oct. 1994 : *Venise : le canal de Cannareggio, le ponte delle Guglie et l'église S. Jérémie* 1936, h/t (80,5x125) : **ITL 18 400 000** – MILAN, 26 oct. 1995 : *Village* 1953, h/t (27,5x35,5) : **ITL 1 725 000**.

FRISING Marc
Né le 15 janvier 1960 à Luxembourg. XXe siècle. Luxembourgeois.
Graveur.
Il s'est formé à la gravure à l'École des Arts Décoratifs de Strasbourg dans l'atelier de M. Alfred Edel. Il a effectué un séjour d'études à la Cité internationale des Arts à Paris en 1986. Il enseigne régulièrement à l'Académie d'été du Weinviertel. Il vit et travaille à Sandweiler.
Il participe à des expositions collectives, dont : 1984, 1986, 1988, 1991, Biennale internationale de gravure, Cracovie ; 1988, Biennale internationale de la gravure, Menton, où il reçoit un prix ; 1991, Biennale internationale de gravure « Mezzotinta 91 », Sopot, où il remporte le Premier Prix. Il montre ses œuvres dans des expositions personnelles, parmi lesquelles : 1988, galerie du Luxembourg, Luxembourg ; 1991, galerie Le Carré des Arts, Stavelot ; 1993, galerie Schweitzer, Mondorf-les-Bains.
Les natures mortes gravées de Marc Frising se singularisent par leur rigoureuse composition. Nœuds de cordage, morceaux de tissu, violon, branches d'arbre, croix et aile sont soigneusement distribués dans l'espace de la planche, suggérant différents plans de perception soutenus par un jeu de lumière et de couleurs.

FRISIUS ou **le Frison**. Voir **EILLARTS Joannes**

FRISIUS Simon Weynouts, dit **Simon de Vries**
Né vers 1580 probablement à Louvain. Mort avant 1628 à La Haye. XVIIe siècle. Éc. flamande.
Graveur.
Sans aucun doute parent de Joannes Eillart Frisius. Dès 1614, il était établi à La Haye. En 1620, on le trouve à Prague.

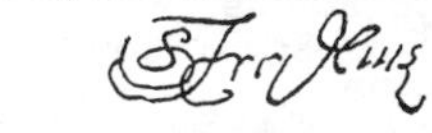

FRISMUTH Harriet. Voir **FRISHMUTH Harriet Whitney**

FRISON Barthélemy
Né le 21 septembre 1816 à Tournai (Belgique). Mort le 3 mai 1877 à Paris. XIXe siècle. Naturalisé en France. Belge.
Sculpteur.
Le 19 septembre 1842, il entra à l'école des Beaux-Arts, devint l'élève de Ramey et de A. Dumont, et le 5 juin 1848, il se fit naturaliser français. En 1851 et 1863, il fut médaillé de deuxième classe. De 1847 à 1877, il figura au Salon, notamment avec des bustes. Parmi ses œuvres, on mentionne : *Un joueur de billes* (statue) ; *Buste en marbre de Braquenié, père* ; *Buste en bronze de M. Dépré* ; *L'art et la science pleurant sur un tombeau*, granit ; *William Makensie*, buste en marbre ; *Un souvenir* (groupe en marbre). Pour le beffroi de Tournai, il exécuta deux statues en pierre : *Le serment des canonniers* et *Le joueur de glaives*. A l'église Saint-Eustache de Paris, on voit de lui quelques bas-reliefs.
MUSÉES : BRUXELLES : *Naïs*, statue en marbre – CHÂLONS-SUR-MARNE : *Bacchante* – CHARTRES : *Libation à Bacchus* – COMPIÈGNE : *Vénus Génitrix*, marbre, statue – TOURNAI : *Innocence* – VERSAILLES : *Le Général Breton*, Buste en marbre.

FRISON Gualbert
Né à Nantua (Ain). XIXe-XXe siècles. Français.
Peintre.
Il exposa à Paris, au Salon des Artistes Français, dont il devint sociétaire en 1906.

FRISON Gustave
Né le 21 mars 1850 à Valenciennes. XIXe siècle. Français.
Dessinateur et caricaturiste.
Après avoir été élève de l'École des Beaux-Arts de Paris, il collabora aux principaux périodiques satiriques de la seconde moitié du XIXe siècle.

FRISON Jehan
Né en 1882 à Bruxelles. Mort en 1961. XXe siècle. Belge.
Peintre de compositions à personnages, paysages animés, paysages, marines, natures mortes, fleurs, sculpteur sur bois, graveur.
Il fut élève d'Auguste Oleffe. Il exposa à diverses reprises parmi les Fauves brabançons qui se réunissaient dans la demeure du Rouge-Cloître d'Auguste Oleffe, mouvement plus proche du postimpressionnisme que du fauvisme français.
Il peignit des paysages, des marines et des natures mortes, traités avec des couleurs claires et pures appliquées par couches épaisses, évoquant des masses rugueuses qui laissent deviner les autres activités du peintre : la xylographie et la sculpture sur bois. On cite de lui : *Les patineurs* – *Pont de Malines* – *Jeune fille à l'ombrelle* – *Paysage à Linkebeek*.

JFRISON.

BIBLIOGR. : Gérald Schurr, in : *Les Petits Maîtres de la peinture 1820-1920, valeur de demain*, Les Éditions de l'Amateur, t. VII, Paris, 1989.
MUSÉES : IXELLES – SAINT-JOSSE-TEN-NOODE.
VENTES PUBLIQUES : LOKEREN, 10 oct. 1987 : *Jeune femme au parasol* 1916, h/t (120x100) : **BEF 260 000** – LOKEREN, 5 fév. 1988 : *Jeune fille à l'ombrelle*, h/t (60x60) : **BEF 140 000** – LOKEREN, 8 oct. 1988 : *Nature morte aux tournesols*, h/t (99,5x80) : **BEF 90 000** – BRUXELLES, 19 déc. 1989 : *Intérieur*, h/t (60x50) : **BEF 100 000** – BRUXELLES, 27 mars 1990 : *Pont de Malines*, h/t (50x60) : **BEF 120 000** – LOKEREN, 10 oct. 1992 : *Nature morte* 1942, h/t (60x60) : **BEF 110 000** – NEW YORK, 10 nov. 1992 : *Les pavots et le luminaire* 1941, h/t (71x61) : **USD 2 750** – LOKEREN, 4 déc. 1993 : *Nature morte avec des fleurs et un éventail* 1935, h/t (100x80) : **BEF 140 000** – PARIS, 5 juil. 1994 : *Bouquets de fleurs* 1941, h/t (71x61) : **FRF 5 600** – LOKEREN, 20 mai 1995 : *Paysage à Linkebeek* 1927, h/t (60x60) : **BEF 74 000** – LOKEREN, 8 mars 1997 :

Nature morte, h/t (60x80) : **BEF 44 000** – LOKEREN, 6 déc. 1997 : *Le Jambon* 1959, h/t (60x70) : **BEF 120 000**.

FRISON Pelegrin
XVIe siècle. Actif à Toulouse en 1504. Français.
Peintre.

FRISON-FABRICE Lucienne
Née en 1889 à Paris. XXe siècle. Française.
Peintre de miniatures.
Elle fut élève de Mme Oudin-Petit. Elle exposa à Paris, au Salon des Artistes Français, dont elle devint sociétaire en 1914.

FRISONI Luigi
Né en 1760 à Vérone. Mort le 10 janvier 1811 à Vérone. XVIIIe-XIXe siècles. Italien.
Peintre.
Il fut élève d'A. Pacheco. On lui doit plusieurs fresques de l'église Santa Maria Rocca Maggiore à Vérone.

FRISONI Pasquino
XVIIe siècle. Actif à Urbin au début du XVIIe siècle. Italien.
Peintre.

FRISQUET Jean
XVe siècle. Actif à Bar en 1473. Français.
Peintre.

FRISSA Pedro de
XVIe siècle. Actif à Valladolid. Hollandais.
Peintre.
Ce peintre d'origine hollandaise qui s'appelait peut-être Vries travailla en Espagne.

FRISSON Madeleine
Née en 1884 à Paris. XXe siècle. Française.
Peintre.
Elle exposa au Salon des Artistes Français, à Paris.

FRISTER Christian
Né en 1700 à Zwickau. Mort le 25 janvier 1772 à Vienne. XVIIIe siècle. Allemand.
Peintre.
Il épousa la fille du peintre J. B. Marsch et s'établit à Vienne. Ses quatre fils se consacrèrent aux arts.

FRISTER Eduard
XVIIIe-XIXe siècles. Actif à Vienne. Autrichien.
Peintre.

FRISTER Johann Christian
Né le 10 janvier 1749 à Vienne. Mort le 8 mars 1831 à Vienne. XVIIIe-XIXe siècles. Autrichien.
Peintre de portraits et graveur.
Fils de Christian il succéda à son père et à son frère Karl en 1783 dans les fonctions d'« Instructeur » de l'Académie de Vienne.

FRISTER Johann Michael
Né le 24 mars 1764 à Vienne. Mort le 15 mars 1819 à Rabb. XVIIIe-XIXe siècles. Autrichien.
Sans doute peintre.
Il était fils de Christian Frister et pratiqua sans doute la peinture.

FRISTER Josef
Né le 19 juillet 1758 à Vienne. Mort après 1822. XVIIIe-XIXe siècles. Autrichien.
Graveur.
Il était fils de Christian. Il devint à la fin de sa vie marchand d'estampes.

FRISTER Karl
Né le 7 mai 1742 à Vienne. Mort le 27 juillet 1783 à Vienne. XVIIIe siècle. Autrichien.
Peintre.
Il était fils de Christian. On cite ses fresques à l'église de Wieselburg.

FRISTON David Henry
XIXe siècle. Britannique.
Peintre de genre, figures.
Exposa à la Royal Academy à Londres, de 1853 à 1869.
VENTES PUBLIQUES : LONDRES, 1er oct. 1986 : *Le nouveau-né*, h/t (35,5x46) : **GBP 1 400**.

FRISTRUP Niklaus ou **Niels**
Né le 24 septembre 1837. Mort le 15 juin 1909 à Copenhague. XIXe siècle. Danois.
Peintre d'animaux, paysages, paysages urbains.
Il fit ses études à l'Académie de Copenhague et après un séjour en Italie se spécialisa dans la peinture de paysages et d'animaux.
VENTES PUBLIQUES : COPENHAGUE, 24 août 1982 : *Oiseaux dans un paysage*, h/t (63x93) : **DKK 17 000** – LONDRES, 28 nov. 1984 : *Venise, la cour du constructeur de bateaux avec vue sur Santa Maria della Salute à l'arrière-plan* 1875, h/t (30x31) : **GBP 4 500** – COPENHAGUE, 2 oct. 1985 : *Les tournesols*, h/t (66x49) : **DKK 24 000** – LONDRES, 4 oct. 1989 : *Une cour derrière San Gregorio à Venise*, h/t (30,5x31) : **GBP 6 600** – NEW YORK, 28 fév. 1990 : *La Piazzetta à Venise*, h/t (38,1x61,6) : **USD 13 750**.

FRISWELL Harry P. Hain
Né en 1857 à Londres. XIXe siècle. Britannique.
Peintre et critique d'art.
Exposa à Londres entre 1882 et 1892. Il était fils de l'essayiste James Hain.

FRITEL Paul Honoré
Né à Evreux. XIXe siècle. Français.
Graveur au burin.
Mention honorable en 1897.

FRITEL Pierre
Né le 5 juillet 1853 à Paris. XIXe siècle. Français.
Peintre, sculpteur et graveur.
Élève de Millet et de Cabanel. Il figura au Salon de 1876 à 1879. On cite de lui : *Saint Jean-Baptiste, Désespoir d'Œdipe, Électre, Mater Dolorosa* (à l'église des Batignolles). Le Musée de Lucerne conserve de lui : *Les Conquérants*. Médaille de deuxième classe en 1879, bourse de voyage en 1885, médaille de bronze en 1889 (Exposition Universelle). Prix Belin-Dollet en 1909 pour la gravure. Médaille d'or en 1920.

FRITH F.
XIXe siècle. Actif en Écosse et en Irlande vers 1835. Britannique.
Caricaturiste.
On cite de lui une lithographie représentant le *Duc de Wellington*.

FRITH William Powell
Né le 9 janvier 1819 à Studley (Yorkshire). Mort le 2 novembre 1909 à Londres. XIXe siècle. Britannique.
Peintre d'histoire, compositions à personnages, scènes de genre, aquarelliste.
Une des figures marquantes de l'école anglaise moderne. Il étudia d'abord à Bloomsbury, puis aux écoles de la Royal Academy. Il prit part à ses expositions à partir de 1838. Son succès fut considérable. Associé à la Royal Academy en 1845, il en devint membre en 1853. Talent facile et agréable, Frith savait à merveille tirer tout l'intérêt des sujets choisis par lui. Ce fut du reste un exposant assidu aux principales manifestations artistiques londoniennes, aussi bien à la Royal Academy, à la British Institution qu'à Suffolk Street. Il exposa également avec non moins de succès aux Académies de Bruxelles et de Vienne, mais ce furent surtout les expositions de Paris qui, à l'étranger, l'attirèrent davantage. Médaillé en 1855, il fut fait chevalier de la Légion d'honneur en 1878 et obtint une médaille de deuxième classe à l'Exposition de 1889.
On cite notamment parmi ses tableaux qui obtinrent le plus de succès : *Le jour du Derby*, que le graveur Auguste Blanchard reproduisit en France. Ses œuvres exécutées avec une touche fine et précise, furent très prisées aux environs de 1900, et ses toiles atteignaient des prix élevés.
MUSÉES : BRUXELLES : *Le Derby d'Epsom* – LEICESTER : *La station du chemin de fer* – LONDRES (Tate Gal.) : *The Derby Day* – LONDRES (Victoria and Albert Mus.) : *La Fête du village – Scène du Vicaire de Wakefield de Goldsmith – Sancho Pança contant une histoire – La Fiancée – Scène du Bourgeois gentilhomme* – deux œuvres – *Scène du Voyage sentimental de Sterne – Esquisse pour le « Jour du Derby » – Charles Dickens dans son cabinet – Scène de Barnaby Rudge de Dickens* – SHEFFIELD : *John Knox blâme Mary reine d'Écosse*.
VENTES PUBLIQUES : LONDRES, 1855 : *Monsieur Jourdain et la marquise* : **FRF 23 000** – LONDRES, 24 avr. 1875 : *Stern's Maria* : **FRF 23 625** ; *Before Durner at Bowell's Lodgings in Bond street* : **FRF 114 237** ; *Avant dîner* : **FRF 43 000** ; *Le Vicaire de Wakefield* : **FRF 11 025** ; *Devant le palais du Doge à Venise* : **FRF 6 550** – LONDRES, juin 1888 : *Dolly Varden* : **FRF 19 420** – LONDRES, juil. 1890 : *Dolly Varden* : **FRF 26 250** – LONDRES, juin 1892 : *Comment on s'amusait dans le bon vieux temps* : **FRF 11 290** – LONDRES, 1898 : *La halte ou la fille du garde* : **FRF 4 575** ; *Dans la forêt* :

FRF 2 750 – LONDRES, 1899 : *Mesure de la taille des jeunes gens* : **FRF 6 025** – PARIS, 1899 : *Nell Gwyne* : **FRF 2 750** – LONDRES, 30 nov. 1907 : *Le Ramoneur* : **GBP 13** – LONDRES, 7 déc. 1907 : *La veuve Wadman offre un siège à l'oncle Toby* : **GBP 17** – LONDRES, fév. 1908 : *Scène du Vicaire de Wakefield* : **GBP 178** – LONDRES, fév. 1908 : *Sterne et la grisette* : **GBP 35** – LONDRES, 12 juin 1908 : *Sterne et la fille de l'aubergiste français* : **GBP 110** ; *Charles II et lady Castlemaine*, aquar. : **GBP 30** – LONDRES, 19 juin 1908 : *Le Faucon favori* : **GBP 152** ; *Claude Duval* 1886 : **GBP 110** – NEW YORK, 7 mai 1909 : *Le nouveau modèle* : **USD 110** – LONDRES, 24 juin 1909 : *Dolly Verren* : **GBP 99** – LONDRES, 6 mai 1910 : *Scène du Voyage sentimental* : **GBP 89** – LONDRES, 27 mai 1910 : *Claude Duval* : **GBP 651** – LONDRES, 17 juin 1910 : *Amy Robsart* : **GBP 81** – LONDRES, 30 avril-3 mai 1926 : *Sir Roger de Coverley* : **GBP 33** – LONDRES, 16 juil. 1926 : *Le baiser maternel* : **GBP 35** – LONDRES, 29 mars 1927 : *La lettre interceptée* : **GBP 10** – LONDRES, 12 mai 1927 : *A ma fenêtre* : **GBP 15** – LONDRES, 24 juin 1927 : *La Sorcière*, dess. : **GBP 14** – LONDRES, 4 juil. 1928 : *Un nouveau modèle* : **GBP 25** – LONDRES, 23 juil. 1928 : *Sketch pour le « Jour du Derby »* : **GBP 105** – LONDRES, 15 fév. 1929 : *Charles II et lady Castlemaine* : **GBP 11** – LONDRES, 28 fév. et 3 mars 1930 : *Charles II et lady Castlemaine* : **GBP 29** – LONDRES, 25 juil. 1930 : *Charles II et lady Castlemaine* : **GBP 11** – LONDRES, 13 fév. 1931 : *La demande* : **GBP 22** – LONDRES, 24 mars 1931 : *Reine Elisabeth et Amy Robsart* : **GBP 7** – LONDRES, 22 déc. 1931 : *Le Glaneur* : **GBP 8** – LONDRES, 4 mars 1932 : *Katherine* ; *Bianca*, les deux : **GBP 12** – LONDRES, 17 juin 1932 : *L'adieu de Marie-Stuart* : **GBP 6** – LONDRES, 17 nov. 1933 : *Le Glaneur*, dess. : **GBP 25** – LONDRES, 1er déc. 1933 : *Flirt*, dess. : **GBP 8** – LONDRES, 2 juil. 1934 : *L'archer* : **GBP 8** – LONDRES, 17 déc. 1934 : *Henry VIII et Anne Boleyn* : **GBP 23** ; *Alexandre Pope rejeté par Lady Montague* : **GBP 30** – LONDRES, 21-24 fév. 1936 : *Pope et Lady Montague* : **GBP 28** – LONDRES, 24 avr. 1936 : *Partie de cartes* : **GBP 15** – LONDRES, 1er mai 1936 : *Charles II et Lady Castlemaine* : **GBP 48** – LONDRES, 8 mars 1937 : *Réjouissances villageoises* : **GBP 77** – LONDRES, 24 mai 1937 : *Sir Roger de Coverley* : **GBP 24** – LONDRES, 26 juil. 1937 : *Foire* : **GBP 11** – LONDRES, 17 déc. 1937 : *Malvolid* : **GBP 22** – LONDRES, 22 déc. 1937 : *Glaneur* ; *Bourgeois gentilhomme*, les deux : **GBP 11** – LONDRES, 18 juil. 1938 : *Juliette et la bonne d'enfant* : **GBP 9** – LONDRES, 10 juin 1942 : *Les sœurs* : **GBP 19** – LONDRES, 16 avr. 1943 : *La belle Gabrielle* : **GBP 89** – LONDRES, 23 déc. 1943 : *Diseur de fortune* : **GBP 48** – LONDRES, 23 juin 1944 : *Le glaneur* : **GBP 31** – PARIS, 19 mars 1945 : *Les deux jeunes femmes* 1864 : **FRF 20 000** – LONDRES, 17 avr. 1946 : *Claude Duval* : **GBP 160** – LONDRES, 26 avr. 1946 : *Femme* : **GBP 54** ; *Amoureux* : **GBP 189** ; *Sables de Ramsgate* : **GBP 336** – LONDRES, 29 nov. 1946 : *Mère et fille* : **GBP 31** – LONDRES, 24 jan. 1947 : *Monsieur Jourdain* : **GBP 42** – LONDRES, 11 juil. 1947 : *Mr Honeywood* : **GBP 63** – LONDRES, 14 nov. 1962 : *Les chemins de la ruine : College, Ascot, Arrest, Struggles, The End* : **GBP 7 200** – LONDRES, 22 nov. 1967 : *Le roi Charles II à Whitehall* : **GBP 1 600** – NEW YORK, 23 fév. 1968 : *Le départ des jeunes mariés* : **USD 5 250** – NEW YORK, 3 juin 1971 : *Cour de château animé de nombreux personnages* : **USD 6 750** – LONDRES, 20 juin 1972 : *La poupée malade* : **GBP 1 400** – LONDRES, 5 oct. 1973 : *Comming of age in a olden days* : **GNS 5 500** – LONDRES, 18 oct. 1974 : *Milady, ou la première cigarette* : **GNS 3 400** – LONDRES, 16 juil. 1976 : *La Marchande de poissons* 1880, h/t (81,5x58,5) : **GBP 1 300** – LONDRES, 14 juin 1977 : *Claude Duval* 1860, h/t (76x101,5) : **GBP 6 200** – LONDRES, 19 mai 1978 : *Le Pasteur du village*, h/t (56x80) : **GBP 5 500** – LONDRES, 10 nov. 1981 : *A stage incident in 1750* ; *Scene Bagshot heath* vers 1890, h/t (36x32) : **GBP 7 000** – LONDRES, 19 juin 1984 : *Gabrielle d'Estrée* 1869, h/t (76,2x64) : **GBP 15 000** – LONDRES, 16 fév. 1984 : *The Village Pastor*, cr. et craie noire reh. de blanc (63,5x86,5) : **GBP 950** – NEW YORK, 30 oct. 1985 : *Coming of age in the olden time* 1849, h/t (127x200,7) : **USD 110 000** – LONDRES, 3 juin 1988 : *Espoir et Crainte* 1869, h/t, deux pendants (39,5x35,6) : **GBP 5 720** – LONDRES, 30 mars 1990 : *Portrait de Mary Freer assise sous les arbres dans un fauteuil de jardin*, h/t (79x63,5) : **GBP 7 150** – LONDRES, 15 juin 1990 : *Dos à dos* 1867, h/t (34x25) : **GBP 4 950** – NEW YORK, 24 oct. 1990 : *À ma fenêtre à Boulogne* 1872, h/t (91,4x71,1) : **USD 24 200** – LONDRES, 8 fév. 1991 : *Croquis pour Et beaucoup d'autres à venir*, h/cart. (40,3x75,5) : **GBP 13 200** – LONDRES, 5 juin 1991 : *Une réponse difficile* 1891, h/t (34x26,5) : **GBP 3 520** – LONDRES, 14 juin 1991 : *Norah Creina* 1846, h/t (33x26) : **GBP 3 850** – LONDRES, 3 juin 1992 : *Le jeune balayeur de rues* 1858, h/t (23x19) : **GBP 10 450** – NEW YORK, 29 oct. 1992 : *Hogarth devant le Gouverneur de Calais* 1850, h/t (31,8x41,3) : **USD 6 600** – LONDRES, 3 nov. 1993 : *La prière du soir (When we devote our youth to God...)* 1852, h/t (93x73) : **GBP 23 000** – NEW YORK, 16 fév. 1994 : *Le lieu de rendez-vous* 1875, h/t (69,9x55,2) : **USD 4 140** – LONDRES, 2 nov. 1994 : *La rencontre du jeune balayeur* 1858, h/t (23x19) : **GBP 16 675** – LONDRES, 6 nov. 1995 : *Un incident dans la vie de Lady Mary Wortley Montague* 1872, h/t (115x145,5) : **GBP 14 375** – LONDRES, 8 nov. 1996 : *Petit Dorrit* 1859, h/t (58,4x48,2) : **GBP 4 500** – LONDRES, 12 mars 1997 : *Les Amoureux* 1855, h/pan. (38x31) : **GBP 38 900** – NEW YORK, 12 fév. 1997 : *Une scène de L'Avare de Molière* 1876, h/t (88,9x139,7) : **USD 68 500** – LONDRES, 6 juin 1997 : *John Knox réprimandant Mary Queen of Scots* 1861, h/t (57,5x77) : **GBP 10 350** – LONDRES, 7 nov. 1997 : *Le Balayeur de rues* 1858, h/t (43,1x35,5) : **GBP 34 500**.

FRITH William S.

Né vers 1850. XIXe siècle. Actif à Londres. Britannique.

Sculpteur.

Il exposa à la Royal Academy de 1884 à 1892. Après avoir été élève de la Lambeth Art School, il travailla pour les églises Saint-Andrew et Saint-Bartholomew à Kensington.

FRITSCH

Né à la fin du XVe siècle à Zeinheim. XVe-XVIe siècles. Français.

Sculpteur.

Après avoir travaillé en Alsace, il alla aussi en Rhénanie allemande et à Bâle.

FRITSCH C. C.

XXe siècle. Danois.

Peintre de fleurs.

MUSÉES : COPENHAGUE.

FRITSCH Daniel

XVIe siècle. Actif à Torgau dans la seconde moitié du XVIe siècle. Allemand.

Peintre.

Il fut imitateur et copiste de Lucas Cranach.

FRITSCH Émile

Né à Brunstatt (Haut-Rhin). XXe siècle. Français.

Peintre de paysages.

Il expose à Paris, depuis 1928, des vues de la capitale, au Salon des Artistes Indépendants.

FRITSCH Ernst

Né en 1892 à Berlin. Mort en 1962 ou 1965 à Berlin. XXe siècle. Allemand.

Peintre de scènes de genre, portraits, paysages animés, dessinateur.

En 1918, il fut membre du groupe de Novembre. De 1928 à 1929, il a vécu à Paris et à Rome. De retour en Allemagne, il a subi la montée du nazisme et fut déclaré « artiste dégénéré ». Après la guerre, il a enseigné à l'académie des beaux-arts de Berlin.

VENTES PUBLIQUES : MUNICH, 27 mai 1974 : *Femme endormie* : **DEM 9 000** – HAMBOURG, 8 juin 1979 : *Maison dans la montagne* 1922, aquar./trait de cr. (39x30,7) : **DEM 3 200** – HAMBOURG, 5 juin 1980 : *Nu debout* 1926, h/t (78x47,5) : **DEM 8 000** – MUNICH, 28 nov. 1983 : *Homme attablé* 1920, h/t (120x97) : **DEM 28 000** – MUNICH, 26 nov. 1984 : *Rue de village* 1920, aquar. et gche/trait de cr. reh. de blanc (33,9x25,7) : **DEM 3 600** – LONDRES, 20 mai 1993 : *Le fils des Schumachers* 1922, h/t (117x79) : **GBP 23 000**.

FRITSCH Hans

Né le 2 mai 1870 à Dresde. Mort en 1945. XIXe-XXe siècles. Allemand.

Peintre.

Il fut élève de Kuehl. Il exposa à Dresde, Berlin, Munich et Leipzig.

FRITSCH Johann Kaspar

Né à Freudenthal. XVIIIe-XIXe siècles. Allemand.

Peintre.

FRITSCH Josef

Né en 1840 à Setzdorf. XIXe siècle. Autrichien.

Sculpteur.

Il fit ses études à Vienne et travailla surtout à Ulm.

FRITSCH Josef Anton

Né en 1714 à Holleschau. Mort en 1770 à Tobitschau. XVIIIe siècle. Allemand.

Sculpteur.

Il fut élève de Donner à l'Académie de Vienne. Il voyagea assez longtemps avant de revenir se fixer dans sa province natale la Moravie.

FRITSCH Katharina
Née en 1956 à Essen (Rhénanie-Westphalie). xxe siècle. Allemande.
Auteur d'assemblages, créatrice d'installations, auteur de performances.
De 1977 à 1981, elle étudie à l'école des beaux-arts de Düsseldorf, dont elle sort diplômée. Elle vit et travaille à Düsseldorf. Depuis 1982, elle participe à des expositions collectives : 1982 Museum für Kunst und Gewerbe d'Hambourg, 1986 nouveau musée d'Art moderne de New York, 1988 CAPC musée d'Art contemporain de Bordeaux, 1992 Hayward Gallery de Londres ; 1995 Biennale de Venise où elle a été sélectionnée pour représenter l'Allemagne ; 1997 Biennale d'Art contemporain de Lyon. Elle montre son œuvre dans des expositions individuelles en Allemagne, notamment à la galerie Rüdiger Schöttle, ainsi qu'à l'étranger.
Dès ses débuts, Katharina Fritsch élabore des « sculptures » en trois dimensions, mais aussi des installations et des performances : ainsi l'acte de peindre directement sur les murs d'un lieu d'exposition (1991, Berlin) et de placer dans le même temps une bande sonore. Puisant son inspiration et ses matériaux dans la société de consommation et la mémoire collective, elle s'attache, en 1984, à une figure, religieuse : une reproduction standardisée de la Madone de Lourdes, qu'elle peint en jaune et expose dans une vitrine, comme chez un particulier. Poursuivant cette « désacralisation », elle la présente de nouveau en 1987, cette fois-ci grandeur nature, dans la rue, entre une église et un supermarché. Parallèlement, elle réalise une tour haute de deux mètres soixante-dix avec 240 exemplaires de cette même madone, chaque niveau étant séparé par des plaques d'aluminium qui reflétant les figures, soulignent le sentiment d'infini.
Ses sculptures-assemblages s'apparentent pour certains à des ready-mades. Pourtant les objets, les matériaux présentés n'ont pas été pris au hasard : ils font sens dans l'expérience et la mémoire de l'artiste, qui s'attache à leur créer un nouveau contexte, une nouvelle structure pour les rendre intelligibles.
■ L. L.
Bibliogr. : Catalogue de l'exposition *Katharina Fritsch*, Bâle, 1988 – Ami Barak : *Katharina Fritsch*, Art Press, n° 159, Paris, juin 1991 – in : Catalogue de l'exposition *Doubletake*, Hayward Gallery, Londres, 1992.
Ventes Publiques : Paris, 18 mars 1992 : *Séquences*, acryl./t. (73x100) : **FRF 12 000** – New York, 10 nov. 1993 : *Déballage* 1989, 60 écharpes de soie imprimées et acryl. sur acier (91,5x90x90) : **USD 18 400** – Francfort-sur-le-Main., 14 juin 1994 : *Multiples : Chat, Cerveau, Madone*, rés. synth., plâtre, vase, chiffon, pièces de monnaie (17x17x6 et 30x8x6) : **DEM 5 200**.

FRITSCH Melchior
Né le 2 janvier 1825 à Vienne. Mort le 5 mai 1889 à Vienne. xixe siècle. Autrichien.
Peintre de scènes de chasse, paysages.
Étudia à l'Académie des Beaux-Arts à Vienne. Il fit des voyages d'étude en Bavière, à Dresde, à Paris et à Constantinople.
Musées : Mulhouse : *Paysage après la pluie* – Vienne : *Le Dachstein et le lac Gosau.*
Ventes Publiques : Cologne, 26 mars 1971 : *Paysage montagneux au pont de bois* : **DEM 2 600** – Vienne, 10 juin 1980 : *Scène de chasse* 1866, h/t (100,5x142,5) : **ATS 35 000** – Vienne, 26 juin 1986 : *Scène de chasse* 1866, h/t (100,5x142,5) : **ATS 100 000** – Londres, 12 juin 1997 : *Paysage montagneux avec un vacher et ses bêtes devant un châlet* 1873, h/t (113x152) : **GBP 3 450**.

FRITSCH Norbert
Né le 20 février 1952 à Riesa. xxe siècle. Allemand.
Peintre de paysages, compositions animées, aquarelliste. Tendance expressionniste.
De 1974 à 1980, il fait ses études à l'Académie des Beaux-Arts de Berlin. En 1979, il travaille auprès du professeur Opperman. En 1983, il reçoit un encouragement pour son travail du Fonds d'entraide de l'industrie fédérale allemande (B.D.I). Il vit et travaille à Berlin et à Montvicq (Allier). Depuis 1980, il participe à de nombreuses expositions collectives à Berlin, Munich, ainsi qu'en France, notamment, en 1980, à Billom (Puy-de-Dôme) avec Hans Hartung. Il présente également ses œuvres dans des expositions individuelles, en Allemagne et en France.
Avec violence et sensualité, il peint des paysages aux atmosphères lourdes.

FRITSCH Sigmund Anton
Né vers 1693. Mort le 5 novembre 1749. xviiie siècle. Actif à Vienne. Autrichien.
Peintre.

FRITSCH Willibald
Né le 16 mai 1876 à Berlin. xxe siècle. Allemand.
Sculpteur de bustes.
Il fut élève de Manzel.
Ventes Publiques : Londres, 10 nov. 1983 : *Cheval de course* vers 1930, bronze (H. 51) : **GBP 2 700**.

FRITSCHE Adolphe
xviiie siècle. Actif à Paris en 1772. Français.
Peintre et sculpteur.

FRITSCHE Bartolomaus
xvie-xviie siècles. Actif à Königsberg. Allemand.
Peintre de portraits.
Il travailla pour le compte des ducs de Prusse.

FRITSCHE George Christian
xviie siècle. Actif à Dresde à la fin du xviie siècle. Allemand.
Peintre.

FRITSCHÉ Jean Jules Charles
Né le 11 décembre 1839 à Lausanne. xixe siècle. Suisse.
Peintre de paysages.
Cet artiste amateur exposa à Genève à plusieurs reprises.

FRITSCHE Pierre
xviiie siècle. Français.
Peintre.
En 1774, il envoya à l'Exposition de l'Académie Saint-Luc deux miniatures : *L'Intérieur d'une chambre de paysans, où se voient deux femmes et un enfant, Une femme occupée à filer et deux enfants jouant avec un chat.*

FRITSCHMANN
Né à Ulm. Mort vers 1429 à Bâle. xve siècle. Allemand.
Peintre et architecte.

FRITTE Dieudonné
Né vers 1722 à Nancy. xviiie siècle. Français.
Sculpteur sur bois.

FRITTELLI Gino
Né en 1879 à Florence. xxe siècle. Italien.
Peintre de paysages.
Il étudia à l'Académie de Florence. En 1900, il prit part au concours Alinari, où il présenta un tableau *Vue prise sur une colline de Florence.*

FRITZ
xve siècle. Suisse.
Sculpteur.
Il est mentionné aux archives de Bâle en 1485.

FRITZ Andreas
Né le 2 novembre 1828 à Mou (près d'Aalborg). Mort le 22 février 1906. xixe siècle. Danois.
Peintre de portraits, paysages.
Il fut à Copenhague élève de Marstrand. Il exposa régulièrement à Copenhague et à Lübeck des paysages du Jutland et des portraits.
Ventes Publiques : Londres, 5 mai 1989 : *Paysage côtier boisé avec un mouton* 1877, h/t (106x89,5) : **GBP 1 320** – Londres, 14 fév. 1990 : *Paysage lacustre* 1881, h/t (93x84) : **GBP 2 090**.

FRITZ Anton
xviiie siècle. Actif à Rome dans la première moitié du xviiie siècle. Allemand.
Graveur.
On connaît des gravures de cet artiste d'après Berettini et Rosalba Salvioni.

FRITZ August
Né en 1843 à Oberamstadt. xixe siècle. Allemand.
Paysagiste et aquarelliste.
Élève de Segers à Darmstadt et des Académies de Karlsruhe et de Munich.

FRITZ Georg
xviiie siècle. Actif à Prague vers 1711. Tchécoslovaque.
Peintre.

FRITZ Georges. Voir **FITZ**

FRITZ Heinz
Né le 12 juin 1873 à Cologne. xixe-xxe siècles. Allemand.
Sculpteur.
Il fut élève de Karl Janssen à l'Académie de Dresde.

FRITZ Henry E.
Né le 12 octobre 1875 en Allemagne. XIXe-XXe siècles. Actif aux États-Unis. Allemand.
Peintre.
Parallèlement à sa carrière de peintre, il enseigna.

FRITZ Hermann
Né le 13 juillet 1873 à Neuhaus (Allemagne). XIXe-XXe siècles. Allemand.
Sculpteur de sujets religieux.
Il exécuta de nombreuses sculptures pour l'église d'Hartau et un nombre important de monuments pour la ville de Dresde.

FRITZ Johann
Né vers 1736 à Vienne. Mort le 26 février 1789 à Vienne. XVIIIe siècle. Autrichien.
Peintre de portraits.
Il fut élève de l'Académie de Vienne.

FRITZ Johann Friedrich
Né le 31 juillet 1798 à Wandsbeck. Mort le 1er mars 1870 à Altona. XIXe siècle. Allemand.
Peintre et lithographe.
Cet artiste qui fit ses études à Hambourg se spécialisa dans la peinture de genre.

FRITZ Johann Ludwig
Né le 28 avril 1811 à Riga. Mort le 26 mai 1848 à Rome. XIXe siècle. Russe.
Peintre.
Il fut élève de Roessler à l'Académie de Dresde et vécut surtout à Rome. Le Musée de Riga possède des peintures de cet artiste.

FRITZ Marcus Beck
Né le 22 mai 1868 à Aarhus (Danemark). XIXe-XXe siècles. Danois.
Peintre de paysages.
Il était le fils du peintre Andreas Fritz. Il fut élève de l'Académie de Dresde. Il affectionnait les paysages de forêts.

FRITZ Max
Né le 14 juillet 1849 à Berlin. XIXe siècle. Allemand.
Peintre de paysages, aquarelliste.
Élève d'Alexius Geyer à Berlin. Il se forma surtout par l'étude de la nature. Il débuta assez tard, vers 1881. Il a exposé à Dresde, Berlin, Munich, Vienne et à Paris où il obtint une mention honorable en 1900 (Exposition Universelle).
Ventes Publiques : Zurich, 12 nov. 1982 : *Bord de fleuve* 1889, aquar. (60x98,5) : **CHF 2 000**.

FRITZ Otto
Mort en 1903. XIXe siècle. Allemand.
Peintre de paysages.
Il a exposé à Vienne et Munich.
Ventes Publiques : Brême, 31 mars 1984 : *Le jeu de dames* 1890, h/t (93x71) : **DEM 10 500**.

FRITZE Margarete Augusta
Née le 28 octobre 1845 à Dreileben. XIXe siècle. Allemande.
Portraitiste.
Élève de Grutzner à Munich, puis de Canon à Vienne. Fixée à Berlin, elle a exposé dans cette ville et à Brême.

FRITZEL Wilhelm
Né le 16 octobre 1870 à Hambourg. Mort en 1943 à Orense. XIXe-XXe siècles. Allemand.
Peintre de paysages.
Il vécut dans la région de Düsseldorf, qu'il représenta dans son œuvre.
Ventes Publiques : Cologne, 26 mars 1976 : *Scène de moisson*, h/t (70x100) : **DEM 3 300** – Cologne, 28 oct. 1983 : *Bord de lac en été*, h/t (88x115,5) : **DEM 15 000** – Cologne, 21 nov. 1985 : *Paysage d'automne*, h/t mar./pan. (22x29,5) : **DEM 3 000** – Cologne, 20 oct. 1989 : *Été à Niederrhein*, h/t (98x135) : **DEM 4 000** – New York, 17 jan. 1990 : *Côte rocheuse*, h/t (87,8x114,3) : **USD 4 400** – Cologne, 23 mars 1990 : *La moisson*, h/t (80x120) : **DEM 2 500**.

FRITZIUS
XVIIIe siècle. Hollandais.
Dessinateur et graveur.
Il illustra une édition du *Théâtre complet* de Mercier.

FRITZSCH Christian F.
Né le 3 avril 1695 en Saxe. Mort en 1747 à Schifbeck près d'Hambourg. XVIIIe siècle. Hollandais.
Graveur.
Il travailla également à Amsterdam.

FRITZSCH Christian Friedrich
Né vers 1719 à Hambourg. Mort avant 1774. XVIIIe siècle. Allemand.
Dessinateur et graveur.
Il était fils et fut l'élève de Christian dont il imita la manière.

FRITZSCH Claudius Ditlev
Né en 1763 à Kiel. Mort le 27 novembre 1841 à Copenhague. XVIIIe-XIXe siècles. Danois.
Peintre de natures mortes, fleurs.
La Galerie de Copenhague possède quelques œuvres de cet artiste.
Musées : Oslo : *Tableau de fleurs*.
Ventes Publiques : Copenhague, 2 oct. 1984 : *Nature morte au vase de fleurs* 1797, gche (58x45) : **DKK 15 000**.

FRITZSCH Johann Christian Gottfried
Né vers 1720 à Hambourg. Mort en 1802 à Hambourg. XVIIIe siècle. Allemand.
Graveur.
Il était le frère de Christian Friedrich et fils de Christian. Son père fut son maître.

FRITZSCHE F. G.
XVIIe-XVIIIe siècles. Actif en Saxe. Allemand.
Peintre de portraits.
On cite de lui un *Portrait du comte de Bunau*.

FRITZSCHE Hans
XVIIe siècle. Actif à Freiberg au début du XVIIe siècle. Allemand.
Sculpteur.
Il travailla à la cathédrale de Freiberg.

FRITZSCHE Julius Otto
Né le 28 mars 1872 à Dresde. XIXe-XXe siècles. Allemand.
Peintre.
Il fut élève de Prell à Dresde. Il séjourna à Paris, où il exposa au Salon de la Nationale, puis à Rome avant de revenir s'établir dans sa ville natale.

FRITZSCHE Theobald Otto Wilhelm
Né le 1er mars 1832 à Altenburg. Mort le 9 septembre 1899 à Dresde. XIXe siècle. Allemand.
Sculpteur.
Il fit ses études à Dresde. Son œuvre la plus significative est *Le Monument aux Morts de la ville d'Altenburg*.

FRIZE Bernard
Né en 1949 à Saint-Mandé (Val-de-Marne). XXe siècle. Français.
Peintre de technique mixte, collages, graveur. Polymorphe.
Il a participé à de nombreuses expositions collectives : 1977 musée d'Art moderne de la Ville de Paris ; 1981 musée national d'Art moderne à Paris ; 1986 Villa Arson à Nice. Il a également présenté ses œuvres dans des expositions individuelles en France, notamment à la galerie Lucien Durand à Paris, au musée d'Art moderne de la Ville de Paris, au musée du Havre en 1988, de Rochechouart en 1991, au Centre culturel Pomel à Issoire en 1997, et à l'étranger Rome, Madrid...
En 1976, il se fait connaître par sa démarche subversive. Il exécute une série de tableaux *All over* réalisés au « traînard » (petit pinceau utilisé traditionnellement pour peindre les cordages dans les peintures de marines), puis au roulor et enfin avec de larges brosses. Désirant parler de peinture, et seulement de peinture, il met en scène toutes les procédures qui s'imposent à lui, exposant la matière et les techniques qui la constituent. Ainsi, dispose-t-il sur la toile, la couleur elle-même : des disques de peinture, qui se sont formés à la surface des pots laissés ouverts, ainsi suspend-t-il des lacs de couleurs acryliques à plus de 200 mètres du sol (musée d'Art moderne de la Ville de Paris, 1988). Il s'attache aussi à réaliser des œuvres en usant de techniques qui en théorie ne leur sont pas destinées : il utilise le vernis craqueleur des céramistes pour représenter des vases, des récipients, comme dans *Article japonais* (1986) qui montre un bol. Il détourne également les tableaux d'autres artistes, les prenant comme point de départ pour une nouvelle œuvre. Dans *Nature morte avec scène de chasse n°3* (1984), il répartit des zones de couleurs vives sur la surface d'une nature morte, sans tenir compte de la composition originale.
Dans chaque série réalisée, abstraite ou figurative, Bernard

Frize semble donner un indice supplémentaire pour appréhender son travail. Pourtant, il n'en est rien, celui-ci ne prend son véritable sens que dans la totalité, dans la diversité. De techniques en techniques, de styles en styles, l'artiste s'efface, les œuvres s'accumulent, pour créer un monde d'images infinies, mais aussi parler du seul sujet qui subsiste, alors qu'on considère que tout a déjà été tenté : la peinture. ■ L. L.

Bibliogr. : In : *Entretien avec Bernard Lamarche-Vadel*, Artistes, n° 6, Paris, oct-nov 1980 – J. H. Martin, Y. Aupetitallot : *Bernard Frize*, Saint-Étienne, 1986 – F. Cohen, J. Sans : Catalogue de l'exposition *Bernard Frize*, Musée des Beaux-Arts, Le Havre, 1988 – Catalogue de l'exposition : *Bernard Frize : tableaux d'une exposition*, Musée départemental, Rochechouart, 1991 – Ami Barak : *Bernard Frize*, Art Press, n° 159, Paris, juin 1991 – in : *Dict. de l'art mod. et contemp.*, Hazan, Paris, 1992.

Musées : Châteaugiron (FRAC Bretagne) : *Vony* 1993 – Rochechouart (Mus. départ. d'Art Contemp.) : *La Pile* 1980 – *Sans Titre* 1984 – *Le Grand Vase* 1985 – Saint-Étienne (Mus. d'Art Mod.).

Ventes Publiques : Paris, 20 mars 1988 : *Campo Formio* 1983, h/t (80x100) : **FRF 22 000** – Paris, 15 juin 1988 : *Peinture* 1980, h/t (50x66) : **FRF 15 000** – Paris, 23 jan. 1989 : *Cercles* 1981, acryl./t. (130x193) : **FRF 29 500** – Paris, 13 déc. 1989 : *Les Exploits martiaux*, collage : **FRF 10 500** – Paris, 5 fév. 1991 : *Nature morte aux pots cassés*, acryl./t. (160x200) : **FRF 16 000** – Paris, 3 juil. 1991 : *Sans titre*, acryl./t. (146x114) : **FRF 39 000** – Paris, 24 mars 1996 : *Volontaires* 1982, acryl./t. (173x260) : **FRF 50 000** – Paris, 29 nov. 1996 : *Bien-aimée* 1986, acryl. et rés./t. (140x160) : **FRF 19 000** – Paris, 8 avr. 1997 : *Sans titre B* 1990, peint. à la laque/t. (90x94) : **FRF 12 000**.

FRIZERI Bastiano
Né à Fossano. xve-xvie siècles. Italien.
Peintre.
L'église de Briga possède une *Vierge* de cet artiste qui vécut à Nice.

FRIZON Auguste Joseph Xavier
Né le 12 novembre 1839 à Crest (Drôme). xixe siècle. Français.
Sculpteur.
Le 8 octobre 1857, il entra à l'École des Beaux-Arts. Il figura au Salon avec des bustes de 1859 à 1882 et quelques sujets de genre : *La colombe et la fourmi – Le fifre – La veuve – Le remords*. Mention honorable en 1881.
Musées : Ajaccio : *Hercule et Antée* – Louviers : *Louis Delahaye*.

FRIZZI Federigo
Né en 1470 à Florence. xve siècle. Italien.
Sculpteur.
Il séjourna à Rome vers 1520.

FRIZZLE O.
xviiie siècle. Actif à Londres en 1773. Hollandais.
Graveur.
On cite de lui : *The Content Dutchman*, d'après Jan Steen.

FRIZZONI Thomas
Né en 1760 à Ceterina (Haute-Engadine). Mort en 1845 à Bergame. xviiie-xixe siècles. Suisse.
Peintre.
Frizzoni naquit sourd-muet, mais grâce à la persévérance et l'encouragement de son père, développa un goût marqué pour le dessin. Il suivit les cours à l'Académie de Florence et étudia la peinture à Rome. On cite parmi ses œuvres des paysages, des marines, des portraits (dont deux de lui-même) conservés chez des particuliers à Zurich, Winterthur, Bergame, etc.

FRÖBE Johann
xviie siècle. Français.
Peintre de sujets religieux.
Actif à Strasbourg au début du xviie siècle. On cite de lui une *Crucifixion*.

FROBEL Balthasar
Né à Königsberg. Mort le 18 janvier 1688 à Brünn. xviie siècle. Allemand.
Sculpteur.

FROBEL Hans
Né à Königsberg. Mort le 17 février 1695 à Brünn. xviie siècle. Allemand.
Sculpteur.

FRÖBEL Johann
xviie siècle. Allemand.
Sculpteur.
Actif à Schömberg en Silésie.

FROBENIUS B.
xvie siècle. Actif à Crailsheim vers 1590. Allemand.
Sculpteur.

FROBENIUS Hermann
Né le 30 avril 1871 à Erfurt (Allemagne). Mort à Bad Reichenhall. xixe-xxe siècles. Allemand.
Peintre d'histoire, sujets mythologiques, paysages.
Il vécut à Dresde et Berlin, mais aussi en Italie.
Ventes Publiques : Munich, 12 déc. 1990 : *Ariane abandonnée* 1934, h/t (102,5x94,5) : **DEM 16 500**.

FROBISCHER Marguerite
xxe siècle. Française.
Peintre.
Membre du Royal College of Art, elle expose à Paris au Salon depuis 1923.

FROBÖSE Georg
Né à Hornburg. xviiie siècle. Allemand.
Sculpteur sur bois.
Il travailla pour différentes églises de la région d'Halberstadt.

FROC-ROBERT Désiré
xixe siècle. Français.
Sculpteur.
Il travailla pour l'église Saint-Samson à Clermont (Oise).

FROCOURT Lucien
Né à Paris. xxe siècle. Français.
Peintre de genre, nus.
Il a exposé au Salon des Artistes Indépendants, à Paris, à partir de 1935.

FRODMAN-CLUZEL Boris
Né à Saint-Pétersbourg. xxe siècle. Russe.
Sculpteur.
Il a exposé au Salon des Artistes Indépendants, à Paris, à partir de 1927.
Ventes Publiques : Monte-Carlo, 26 juin 1976 : *La danseuse Gorschkowa* 1910, bronze, cire perdue (H. 28) : **FRF 5 500** – Londres, 23 oct. 1980 : *Anna Pavlova* vers 1907-1908, bronze (H. 21) : **GBP 900** – Paris, 30 jan. 1995 : *Jeanne Schwarz* 1910, bronze cire perdue (H. 28) : **FRF 44 000** – Paris, 9 oct. 1997 : *Danseuse* 1909, bronze patiné, épreuve (H. 25) : **FRF 6 800**.

FROEBE Ludovika, née **Stohl**
Née le 27 janvier 1847 à Vienne. xixe siècle. Autrichienne.
Peintre de genre.
Elle fut élève de Tina Blau.

FROEHLICH. Voir **FRÖHLICH**

FROER Veit
Né le 1er juillet 1828 à Nuremberg. xixe siècle. Allemand.
Graveur.
Il fut élève de Petersen et plus tard de Dertinger à Stuttgart.

FROEY Jean de La. Voir **LA FROEY Jean de**

FROGER Albert
Né au xixe siècle à Paris. xixe siècle. Français.
Sculpteur.
En 1881, il débuta au Salon et obtint une mention honorable en 1889.

FROGET Pierre Marie
Né le 4 février 1814 à Panissières (Loire). xixe siècle. Français.
Sculpteur.
Entré à l'École des Beaux-Arts le 9 octobre 1839, il se forma sous la direction de Ramey et de A. Dumont. De 1847 à 1855, il exposa au Salon de Paris. Il travailla beaucoup pour les églises. Ainsi on lui doit, à l'église Saint-Eustache, une statue de *Sainte Cécile*, à la Tour Saint-Jacques, la statue de *Saint Michel* ; à l'église des Missions Étrangères, une statue de *la Vierge* et une autre à la cathédrale de Beauvais ; à l'église Saint-Maur, à Lunéville, une statue de *Saint Joseph*.

FROGHERI Gino
Né en 1937 à Nuoro (Italie). xxe siècle. Italien.
Peintre. Figuratif, puis abstrait.
Il a exposé pour la première fois dans sa ville natale en 1955. La même année, il participe à une exposition d'art figuratif à Palerme. Il expose surtout en Italie, en particulier à Milan.
Sa peinture, qui a rapidement évolué vers l'abstraction, laisse

une place importante au grain du papier, à la texture du dessin qui se détache sur des fonds colorés.

FRÖHLICH Anton
Né en 1776 à Tölz. Mort en 1841 à Tölz. XIXe siècle. Allemand.
Sculpteur et peintre.
Travaillait à Munich où il fut élève de Schwanthaler. On lui doit surtout des sujets religieux.

FRÖHLICH Bernhard ou **Frohlich**
Né en 1823 à Munich (Bavière). Mort le 7 mars 1885 à Munich. XIXe siècle. Allemand.
Peintre de genre, graveur.
Élève de Sagstatter à l'Académie de Munich.

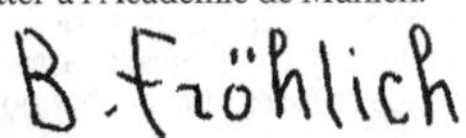

Ventes Publiques : New York, 12 oct. 1994 : *Sortie de l'école* 1884, h/t (55,9x88,9) : **USD 5 750**.

FRÖHLICH Betty, née **Bogner**
Née en 1798 à Vienne. Morte le 30 juin 1878 à Vienne. XIXe siècle. Autrichienne.
Peintre.
Elle fut élève de Daffinger et exposa à l'Académie de Vienne à partir de 1822.

FRÖHLICH Caspar
XVIIIe siècle. Actif à Neustadt a. D. Allemand.
Peintre.
Il exécuta deux retables pour l'église d'Engelbrechtsmünster.

FRÖHLICH Christoph
XVIIIe siècle. Actif à Mühldorf. Allemand.
Sculpteur.

FRÖHLICH Emil
Né le 3 mai 1862 à Leipzig. XIXe siècle. Allemand.
Peintre de paysages.
Il fut élève de H. et W. Van Diez à l'Académie de Munich et exposa surtout à Berlin.

FRÖHLICH Ernst
Né en 1810 à Kempten. Mort le 19 février 1882 à Munich. XIXe siècle. Allemand.
Peintre de genre, graveur.
Élève de l'Académie de Munich. Il a exposé à Dresde et Munich. Il a collaboré au *Fliegende Blatter.*
Ventes Publiques : Hambourg, 4 juin 1980 : *Le ravaudage des filets*, h/pan. (22,3x29,3) : **DEM 10 000**.

FRÖHLICH Ernst
Né en 1808 à Cobourg. Mort le 30 septembre 1869 à Erlangen. XIXe siècle. Allemand.
Peintre, illustrateur.
Il travailla entre 1830 et 1840 à Munich.

FRÖHLICH Franz
XVIIIe siècle. Actif à Tölz au début du XVIIIe siècle. Allemand.
Sculpteur.
C'est sans doute le même artiste qui travailla à Innsbruck à la même époque.

FRÖHLICH Fritz
Né en 1910 à Lintz (Autriche). XXe siècle. Autrichien.
Peintre. Abstrait.
De 1929 à 1937, il a étudié à l'École des Beaux-Arts de Vienne. Depuis 1952, il participe à de nombreuses expositions collectives, en Autriche.
Ventes Publiques : Vienne, 25 juin 1986 : *Personnage attablé dans une auberge* 1958, h/t (98x112) : **ATS 30 000**.

FRÖHLICH Hans ou **Frollich**
XVe siècle. Suisse.
Peintre de sujets religieux.
Il est mentionné à Bâle vers 1480.

FRÖHLICH Nicolaus
XIVe siècle. Actif à Breslau à la fin du XIVe siècle. Allemand.
Peintre.

FRÖHLICH Otto
Né le 15 mars 1869 à Schleiz. XIXe siècle. Allemand.
Peintre de portraits, graveur.
Il vécut à Weimar où il exécuta surtout un grand nombre de portraits.
Musées : Weimar : *Portrait de l'artiste.*

FRÖHLICH Wolfgang
XVIe siècle. Actif à Olmütz. Allemand.
Peintre de miniatures.
Il orna le livre du budget de la ville de Znaïm.

FRÖHLICHER Otto. Voir **FRÖLICHER Otto**

FRÖHLICHER Wolfgang
XVIe siècle. Suisse.
Peintre.
Son nom fut enregistré avec ses armoiries dans le livre de la confrérie Saint-Luc à Soleure en 1587. Il est reçu bourgeois de cette ville en 1559.

FROHNER Adolf
Né en 1937 à Gross-Inzersdorf (Autriche). XXe siècle. Autrichien.
Peintre de compositions animées.
Il a étudié, de 1954 à 1958, à l'École des Beaux-Arts de Vienne. Il a participé à de nombreuses expositions collectives, notamment à la Biennale de Paris en 1967, et, à deux reprises, à celle de Ljubljana. Sa première exposition personnelle eut lieu à Vienne, en 1961.
Sa peinture est figurative ou plutôt allusive. Il joue des déformations et d'une mise en page qui évoquent parfois les dessins d'enfants, pour créer l'univers souvent tragique d'une humanité angoissée.
Ventes Publiques : Vienne, 4 déc. 1984 : *Untersicht* 1966-1967, temp. et mine de pb (140x63) : **ATS 28 000** – Vienne, 7 avr. 1987 : *Figur und der Mauer* 1966, techn. mixte (60x55,5) : **ATS 35 000**.

FROIDE-MONTAGNE. Voir **KOUVENBERG Willem de**

FROIDEVAUX Georges
Né le 27 novembre 1911 à La Chaux-de-Fonds (Suisse). XXe siècle. Suisse.
Peintre de paysages. Figuratif, puis abstrait.
Il a été invité à la Biennale de São Paulo. Il a surtout peint sa terre natale. Même dans ses toiles les plus abstraites, on perçoit nettement la rudesse de la terre jurassienne.

FROIDEVAUX Paul
Né à Genève. XXe siècle. Suisse.
Peintre de paysages.
Il exposa ses paysages au Salon des Artistes Indépendants, à Paris, à partir de 1935.
Ventes Publiques : Paris, 27 juin 1945 : *Paris effet de neige* : **FRF 200**.

FROIDURE Jaquemart
XVe siècle. Français.
Peintre.
Actif à Tournai. Il fut élève de Jacques Le Fèvre.

FROIDURE de PELLEPORT Ernestine, Mme
Née au XIXe siècle à Paris. XIXe siècle. Française.
Peintre de figures, portraits.
Élève de J. Gigoux. Elle envoya au Salon de Paris, de 1945 à 1868, notamment : en 1966 *Paysanne portant des fruits*, et en 1868 un portrait de femme et une tête de jeune fille.

FROISSART Philippe
XVIe siècle. Français.
Sculpteur.
Il sculpta, à la porte de la Hotoie, à Amiens, deux salamandres, six « F » couronnés, six fleurs de lys couronnées et un écusson aux armes de la ville.

FROISSÉ Élisabeth
XVIIIe siècle. Active à Paris en 1781. Française.
Peintre ou sculpteur.

FROISSÉ Raoul Toussaint
XVIIIe siècle. Actif à Paris vers 1773. Français.
Peintre.

FROITZHEIM Heinrich
Né le 21 décembre 1866 à Cologne. Mort le 29 février 1904 à Munich. XIXe-XXe siècles. Allemand.
Peintre.
Il exposa à Cologne à partir de 1902.

FROLICH Charles
XXe siècle. Suisse.

Peintre de paysages, fleurs.
Il exposa à Paris, au Salon de la Société Nationale des Beaux-Arts, en 1922, puis, à partir de cette date, au Salon des Artistes Indépendants.
VENTES PUBLIQUES : PARIS, 14 fév. 1990 : *Chaumière* 1927, h/pan. (21,5x27,5) : **FRF 46 000**.

FRÖLICH Edma Vilhelmine Cornelia
Née le 14 août 1859 à Fontainebleau. XIXe siècle. Danoise.
Peintre de portraits, intérieurs, natures mortes, pastelliste.
Elle était fille de Lorens Frölich et fut son élève. On lui doit surtout des portraits au pastel.
VENTES PUBLIQUES : COPENHAGUE, 15 nov. 1993 : *Intérieur avec une rose et des livres sur une table*, h/t (49x41) : **DKK 6 500**.

FROLICH Finn Haekon
Né le 13 mai 1869 à Oslo. XIXe siècle. Vivant à New York. Américain.
Sculpteur.
Élève de D. C. French, à New York et Barrias à Paris. Médaille d'argent, Paris, Exposition Universelle 1900.

FRÖLICH Johann
Né à Anvers. XVIIe siècle. Éc. flamande.
Sculpteur.
Il travailla à Salzbourg.

FRÖLICH Lorens ou **Lorenz**
Né le 25 octobre 1820 à Copenhague. Mort le 25 octobre 1908 à Copenhague. XIXe siècle. Danois.
Peintre de sujets mythologiques, scènes de genre, animaux, paysages animés, graveur, illustrateur.
Il reçut des leçons de dessin de W. Bissen, étudia sous la direction de Körbye, Hetch et Eckersberg en Danemark, se perfectionna à Munich, à Dresde, visita Rome et Paris. Depuis 1877, Fröhlich remplit les fonctions de professeur à l'Académie des Beaux-Arts de Copenhague. Il obtint une médaille en 1873 pour ses gravures. Mention honorable à Paris en 1900 (Exposition Universelle).
Parmi ses œuvres, on cite : *L'Amour et la Naïade* (au Musée de Leipzig), *Capture des Naïades* (au Musée de Dresde) ; neuf planches illustrations pour les *Zwei Kirchtusme* de Oehlenschlager ; illustrations pour contes anglais d'enfants ; *Idylles de Théocrite* ; illustrations pour *Légendes danoises* ; neuf planches pour les *Götter des Nordens* ; Neuf planches pour le *Vater Unser*.
MUSÉES : COPENHAGUE – DRESDE : *Capture des Naïades* – LEIPZIG : *L'Amour et la Naïade*.
VENTES PUBLIQUES : COPENHAGUE, 30 avr. 1981 : *Enfants dans un paysage de neige* 1880, h/pan. (20x26) : **DKK 7 000** – LONDRES, 23 mars 1988 : *Horde de cerfs dans un parc*, h/t (88x105) : **GBP 3 300** – LONDRES, 29 mars 1990 : *La conteuse d'histoire* 1843, h/t (54,9x73,7) : **GBP 8 800** – COPENHAGUE, 18 nov. 1992 : *Diane tuant un centaure*, h/t (21x31) : **DKK 5 500** – COPENHAGUE, 10 fév. 1993 : *Nymphe et putti*, h/t (15x21) : **DKK 5 800** – COPENHAGUE, 15 nov. 1993 : *Pan chantant pour Guderne*, h/t (37x62) : **DKK 13 000** – COPENHAGUE, 16 nov. 1994 : *Enfant jouant avec un chien*, h/pap./pan. (11x15) : **DKK 8 800** – COPENHAGUE, 8 fév. 1995 : *Thor avec Hymer*, h/t (36x55) : **DKK 10 500**.

FRÖLICH Lucas
XVe siècle. Allemand.
Peintre.
Cité à Augsbourg le 24 septembre 1490, il y travaillait encore en 1511.

FRÖLICHER Johann Joseph
Né le 26 septembre 1772 à Soleure. Mort le 3 août 1841 à Kriegstetten. XVIIIe-XIXe siècles. Suisse.
Peintre.
Il était prêtre. Il se fixa à Egerkingen et à Aeschi, en Suisse, et peignit pour la chapelle de Saint-Michel à Hüniken (Paroisse Aeschi) un *Couronnement de la Vierge*. Peut-être est-il aussi l'auteur de deux tableaux d'histoire du chœur de l'église de Aeschi.

FRÖLICHER Johann Peter
Né le 11 novembre 1662 probablement à Soleure. Mort le 26 août 1725. XVIIe-XVIIIe siècles. Suisse.
Sculpteur sur bois.
Il était frère de Wolfgang.

FRÖLICHER Otto ou **Fröhlicher**
Né le 5 juin 1840 à Soleure (Berne). Mort le 2 novembre 1890 à Munich. XIXe siècle. Actif en Allemagne. Suisse.
Peintre de paysages animés, paysages, graveur.
Petit-fils et élève de Joseph Anton Koch, il commença ses études à l'école cantonale de Soleure, entra à l'Académie de Munich en 1859 et travailla sous la direction de Steffan en 1860. En 1863, on le trouve à Düsseldorf, où Oswald Achenbach compléta son éducation artistique. Il visita Paris, en 1876 ; Barbizon, l'année suivante. Puis il ne quitta plus jamais Munich.
Il exposa à Soleure, Berne, Zurich, Bâle, Munich, Dresde, Vienne, Brême, Hanovre, etc.
Il débuta sa carrière, en peignant des vues des Alpes, puis il préféra se consacrer au paysage intimiste, se justifiant ainsi : « L'art doit chercher l'intérêt dans le beau pictural, et non chercher le beau dans l'intérêt du sujet. » Parmi ses toiles, on cite : *Haute vallée en Suisse – Paysage au clair de lune – Haslital – Paysage boisé – Les Alentours de Barbizon*.
L'école de Barbizon eut une influence des plus importantes sur le développement de ce peintre qui a su s'affranchir de la tradition pour se créer un style original. Il fournit aussi des gravures sur bois pour des ouvrages suisses, notamment pour le *Schweizerhaus* (1879).
BIBLIOGR. : Gérald Schurr, in : *Les Petits Maîtres de la peinture 1820-1920, valeur de demain*, Les Éditions de l'Amateur, t. V, Paris, 1981.
MUSÉES : BÂLE : *Paysage d'automne aux environs de Munich – Paysage estival avec orage au lointain* – BERNE : *Paysage de Haute-Bavière – Environs de la Handeck – Temps orageux en Bavière – Étude de paysage* – MUNICH : *Paysage* – SOLEURE : *Paysage alpin* – ZURICH : *Forêt dans la Haute-Bavière*.
VENTES PUBLIQUES : LONDRES, 25 mars 1942 : *Paysage* : **GBP 5** – PARIS, 12 mai 1947 : *Paysage suisse avec pêcheurs* : **FRF 2 800** – LUCERNE, 21 juin 1963 : *Paysage alpestre* : **CHF 6 000** – LUCERNE, 3 déc. 1966 : *Paysage par temps d'orage* : **CHF 15 000** – BERNE, 18 nov. 1972 : *Paysage de Barbizon* : **CHF 30 000** – BERNE, 27 nov. 1974 : *Paysage orageux* : **CHF 13 500** – BERNE, 7 mai 1976 : *Troupeau dans un paysage* 1865, h/t (44x70) : **CHF 5 500** – BERNE, 21 oct. 1977 : *Paysage alpestre*, h/t (46,5x59) : **CHF 7 000** – ZURICH, 29 nov. 1978 : *Paysage orageux*, h/t (71x111) : **CHF 18 500** – BERNE, 6 mai 1981 : *Paysage orageux sur le lac de Starnberg*, h/t (30,5x45,5) : **CHF 10 000** – LUCERNE, 7 juin 1984 : *Lever de lune*, h/t (39x58) : **CHF 11 000** – BERNE, 25 oct. 1985 : *Paysage alpestre au lac*, h/t en grisaille (42x59) : **CHF 3 600** – BERNE, 30 avr. 1988 : *Les Alentours de Barbizon*, h/t (88x116) : **CHF 4 800** – ZURICH, 4 juin 1992 : *Paysage des alentours de Sitten* 1861, h/t/cart. (27x45) : **CHF 7 345** – ZURICH, 9 juin 1993 : *Paysage de marais*, h/t (44,5x63,5) : **CHF 8 050** – ZURICH, 2 juin 1994 : *Vue de Solothurn*, h/t (59x88) : **CHF 32 200** – ZURICH, 10 déc. 1996 : *Moutons paissant dans un paysage boisé* vers 1879 (60x90) : **CHF 23 000**.

FRÖLICHER Wolfgang
Né le 24 juin 1652 à Soleure. Mort le 26 juin 1700 à Trèves. XVIIe siècle. Suisse.
Sculpteur.
Peut-être bourgeois de Francfort-sur-le-Main, il travailla dans cette ville et à Trèves. On conserve de lui des statues de l'*Empereur Constantin* et de *Sainte Hélène* à Trèves. Il exécuta aussi quelques œuvres pour l'église Sainte-Catherine, au cimetière de Saint-Pierre à Francfort, ainsi que dans l'église allemande des Cordeliers, à Sachsenhausen.

FRÖLING J. G.
XVIIIe siècle. Allemand.
Peintre.
On connaît un portrait gravé d'après lui.

FROLING M. W.
XVIIIe siècle. Actif à Helmstedt vers 1720. Allemand.
Peintre.
Un grand nombre de portraits furent gravés d'après cet artiste.

FROLKA Anton
Né en 1877 à Knezdub (Tchécoslovaquie). XXe siècle. Tchécoslovaque.
Peintre.
Il fut élève d'Uprka, avant d'étudier à Munich et à Vienne.

FROLOFF. Voir aussi **FLOROFF**

FROLOFF Alexander P.
XIXe siècle. Actif à Munich. Allemand.
Paysagiste.
Il a exposé à Vienne, Munich et Dresde.

FROLOFF Jakob
XIXe siècle. Actif à Moscou puis à Saint-Pétersbourg. Russe.
Sculpteur.

FROLOV Sergueï
Né en 1924 à Leningrad. XXe siècle. Russe.
Peintre de compositions à personnages, paysages.
Il fit ses études artistiques à l'académie des beaux-arts de Leningrad (Institut Répine) sous la direction de Sergueï Guerasimov et de Ostroumova Lebedeva. Il est membre de l'Association des peintres de Leningrad. Depuis 1955 il participe à des expositions nationales, et à partir de 1975 à l'étranger : de 1975 à 1984 à Tokyo il participe huit fois à *L'Art Soviétique*, Prague (1978), Osaka (1982), Madrid, Bruxelles et Helsinki (1990). Deux expositions personnelles lui furent consacrées : à Ouglitch en 1976 et une rétrospective à Leningrad en 1986.
Dans la neutralisation du contexte artistique pendant l'ère stalinienne, réduit à peindre des sujets divers, du moment qu'insignifiants, Frolov s'est acquitté de sa tâche vaine dans une technique parfaitement anodine.
Bibliogr. : In : Catalogue de la vente *L'École de Léningrad*, Drouot, Paris, 19 nov. 1990.
Musées : Moscou (Gal. Trétiakov) – Moscou (min. de la Culture) – Osaka (Gal. d'Art Russe Contemp.) – Saint-Pétersbourg (Mus. Russe) – Saint-Pétersbourg (Mus. des Beaux-Arts de V. I. Moukhina).
Ventes Publiques : Paris, 19 nov. 1990 : *Soir d'été*, h/cart. (50x79) : **FRF 9 800** – Paris, 18 fév. 1991 : *Le port de plaisance*, h/cart. (50x70) : **FRF 4 500** – Paris, 25 mars 1991 : *La place Saint-Isaac à Leningrad* 1986, h/t (65x89) : **FRF 7 500** – Paris, 6 déc. 1991 : *Les enfants de Tchoukotka* 1969, temp./t. (150x250) : **FRF 49 000** – Paris, 27 jan. 1992 : *La campagne de Kostroma*, h/cart. (40,5x50,5) : **FRF 4 000** – Paris, 5 avr. 1992 : *Le parc de Oranienbaum*, aquar. (47x64) : **FRF 4 100** – Paris, 20 mai 1992 : *L'heure du thé* 1946, h/t (70x100) : **FRF 5 000** – Paris, 23 nov. 1992 : *La ville de Pskov*, h/cart. (49,8x79) : **FRF 4 500**.

FROM Henrik Christian
Né le 6 septembre 1811 à Copenhague. Mort le 18 juillet 1879 à Copenhague. XIXe siècle. Danois.
Peintre et architecte.
On lui doit surtout des paysages et des décorations.

FROMAGE Jean Baptiste Pierre
XVIIIe siècle. Actif à Paris en 1756. Français.
Peintre et sculpteur.

FROMAGER Martin
XVIIe siècle. Actif à Paris en 1682. Français.
Peintre et sculpteur.

FROMAIGE Jean
XVIe siècle. Français.
Sculpteur sur bois.
Il collabora aux préparatifs des fêtes données, en 1577, par la ville de Tours, en l'honneur de l'entrée solennelle du duc d'Anjou et de Touraine.

FROMAN Ann
XXe siècle. Américaine.
Sculpteur de monuments, groupes, figures, nus, dessinatrice.
Elle fut élève de l'École des Beaux-Arts de New York, de celle de Fontainebleau, en France ; de Henri Goetz pour la peinture et de Le Corbusier pour l'architecture. Membre du Salmagundi Club, elle y obtint un premier prix de sculpture en 1980. Elle montre ses œuvres dans de nombreuses expositions collectives et personnelles.
Ses principales sources d'inspiration sont soit bibliques, soit liées au monde de la danse. Elle réalise également des sculptures qui, remarquables par l'observation de la culture populaire américaine, se caractérisent par l'humour et la fantaisie.
Bibliogr. : P. Poroner : *Sculpture and poetry unite in Ann Froman's Art*, Art Speaks, Feb. 1994.
Musées : New York (Metropolitan Mus. of Art) – Norwich, Connecticut – Phœnix, Arizona – Springfield, Massachusetts (Mus. of Fine Art).

FROMANGER Alexis Hippolyte
Né le 20 juin 1805 à Paris. Mort en 1892 à Paris. XIXe siècle. Français.
Sculpteur.
Le 1er octobre 1828, il entra à l'École des Beaux-Arts et eut pour maître Lemaire. Il figura au Salon de 1835 à 1870. On cite de cet artiste : *Saint Dominique*, *Persée délivrant Andromède* (groupe), *La Religion*, marbre pour la chapelle du duc de Luynes, à Dampierre, *Saint Étienne*, statue à l'église Saint-Étienne-du-Mont, *Saint Maur* et *Saint Rémy*, statues en pierre, exécutées pour l'église Sainte-Clotilde.

FROMANGER Gérard
Né le 6 septembre 1939 à Pontchartrain (Yvelines). XXe siècle. Actif aussi en Italie. Français.
Peintre, lithographe, peintre de collages, sculpteur d'environnements. Figuration narrative et polymorphe.
Il ne fit que de brèves études artistiques, dans l'atelier de Busse et Gillet à l'Académie de la Grande Chaumière à Paris, et au cours du soir de la ville. Il passa dix-huit jours à l'École des Beaux-Arts. Il expose à Paris, au Salon de Mai depuis 1964, au Salon de la Jeune Peinture depuis 1965 et jusqu'en 1976, au Salon Grands et Jeunes d'Aujourd'hui en 1972, 1973, 1974, dans de nombreux groupements, dont : 1966 *Climat 66* au Musée de Grenoble, 1968 *Art vivant 1965-68* à la Fondation Maeght, 1969 *Police et culture I* au Musée d'Art Moderne de la Ville de Paris, 1971 *Kunst und Politik* à Karlsruhe, Wuppertal, Francfort, 1991, *Rencontres – Cinquante ans de collages*, exposition organisée par Françoise Monin, galerie Claudine Lustman, Paris.
Il montre des ensembles de ses peintures, en général par séries, dans de nombreuses expositions personnelles, d'entre lesquelles : 1966 Grenoble ; 1971 *Boulevard des Italiens* à l'ARC (Art, Recherche, Confrontation) du Musée d'Art Moderne de la Ville de Paris ; 1973 *Le Peintre et le Modèle* Galerie 9 à Paris et Bruxelles ; *Annoncez la couleur* Galerie Jeanne Bucher à Paris ; 1974 Maison de la Culture de Namur ; 1975 Musée d'Art Moderne d'Hertogenbosch ; 1979 Centre Pompidou de Paris ; 1983 Musée des Beaux-Arts de Caen et Palazzo Pubblico de Sienne ; 1984 Centre culturel français de Pékin ; 1986 Galerie Isy Brachot de Bruxelles ; 1990 New York et Maison de la Culture de Bourges, 1991 de Paris ; 1993 FIAC (Foire Internationale d'Art Contemporain) à Paris présenté par la galerie Claudine Lustman... En 1964, il a obtenu le premier Grand Prix du Festival d'Avignon, en 1970 le Prix du Gouverneur à la VIIe Biennale Internationale de la Gravure à Tokyo.
En marge de la peinture, il a créé en 1970 les décors et costumes pour le ballet *Hymnen* de Stockhausen à Grenoble, en 1971 le rideau de scène pour *La Farce de Burgos* au Théâtre éclaté d'Annecy.
Il eut d'abord, en commun avec l'esprit général du travail de ses camarades de l'atelier de la Grande Chaumière, une première période de compositions figuratives, peintes dans une gamme de gris et de terre en clair-obscur, de dessins et lithographies dont le graphisme s'apparentait à celui de Giacometti. À l'inverse, il pratiqua ensuite une peinture en aplats contrastés : *Le prince de Hambourg*. Procédant par séries, il s'interrogeait ensuite sur le pourquoi et le comment de la peinture avec *Le Tableau en question* en 1966 : *Mon tableau fuit*, et les tableaux-relief des *Paysages découpés* en 1967 : *Paysage découpé en dix*, panneaux de bois découpés, peints, assemblés. En 1968, évoluant avec d'une part les événements sociaux et politiques, d'autre part l'actualité artistique ambiante, il réalisa des sculptures « environnementielles », constituées de « bulles », les *Souffles* ou *Sculptures soufflées*, demi-sphères transparentes de couleur rouge où venait se piéger, par reflet, la réalité de la rue, où il les disposait, par l'effet de concavité réduite à l'échelle de la bulle. Le parti figuratif de sa toute première période et ensuite le parti de piéger la réalité quotidienne dans ses bulles, ont constitué son choix initial, du point de vue éthique et stratégique, et ont conditionné une part de ses actions ultérieures et, en tout cas, l'importante période qui s'ensuivit. Dans des sérigraphies de 1970, puis dans les peintures de 1971 et ensuite, il reproduisait fidèlement, dans une technique de photo-report monochrome, donc inspirée de Jacques Monory, des vues de rues de Paris, surtout du boulevard des Italiens, animées de personnages en silhouettes peintes en rouge sans autre explication, communiquant symboliquement la sensation d'oppression exercée par le décor de la société de consommation sur ses victimes consentantes et déshumanisées. C'était d'une philosophie qui peut paraître ensuite puérile, mais qui était alors bien portée à partir d'une contestation sociale issue de la génération étudiante. Suivirent d'autres séries, dont en premier, en 1972, *Vie et mort d'un mineur*. Dans la série de peintures exposées en 1973-74, sous le titre de *Annoncez la couleur*, ainsi que dans les lithographies *Le peintre et le modèle* de 1972-73, il a diversifié les colorations des silhouettes des personnages, dont la sienne propre en retrait d'observation, à la façon des codes différen-

ciant les régions sur les cartes de géographie, géologique, humaine ou économique, qui indiquent une production de céréales ou de minerais ou bien le taux d'alcoolisme de la population, en général par des striures d'orientations et de colorations différentes. Par ce moyen froidement statistique, discrètement complété par quelques rares accessoires signifiants, par exemple par quelque journal fraîchement acheté et glissé sous la manche, Fromanger implique la diversification relative des comportements à l'intérieur d'une même population. Il créait ainsi une sémiologie socio-politique de la couleur, qu'il a pu appliquer, ensuite, à des thèmes divers : souvenirs d'un voyage en Chine (Mao alors était aussi bien porté), documents d'actualité sur les révoltes dans les prisons, coups d'œil condescendants sur les dérisoires loisirs bourgeois, etc. À cette époque, il a pu être dit qu'il était l'un des principaux représentants de la « Figuration narrative », qui constituait la tendance française du pop art. On peut, à ce propos, remarquer au moins qu'il n'a pas fait partie de l'exposition organisée sous ce titre par Gérald Gassiot-Talabot. Dans la même perspective d'analyse des phénomènes sociologiques par le constat de type photographique et l'identification par les codes chromatiques, ont suivi les séries : *Le désir est partout* en 1975, *Questions et Hommage à Topino-Lebrun* de 1976-77. Lorsqu'en 1978, il peignit le tableau-poème *Je suis dans l'atelier en train de peindre...*, peinture-écriture dans laquelle le texte écrit linéairement constitue la presque totalité de la picturalité, il fut évident qu'il se produisait en lui un questionnement sur d'une part l'acte de peindre et d'autre part l'action de la peinture. En 1979, il peignit pour son exposition au Centre Pompidou la série *Tout est allumé*, dont l'ultime peinture s'intitulait *À mon seul désir*, dans laquelle il accumulait en bric-à-brac taches et signes de couleurs, mais désormais dans le seul ordre ou plutôt désordre, d'un « principe de plaisir ».
À partir de son installation près de Sienne, il a écarté le propos sociologique qui avait motivé longtemps son activité picturale, au profit d'une création spécifiquement plastique ou voulue telle. D'une activité picturale naguère collective et militante, il passe alors à une conception de la peinture individuelle et hédoniste, fondée sur le plaisir des traces, des formes, des couleurs, pour elles-mêmes, dans les séries successives : en 1982 *Allegro*, en 1984 *Trente et une peintures*, en 1985 *Chimères, 105 petits formats*, en 1986 *Cythère ville nouvelle*. À l'inverse de la motivation socio-politique qui avait conduit toute la première partie de son travail, il a ensuite pu déclarer : « La nécessité de l'Art n'a jamais obéi ni à une croyance, ni à un ordre, ni à un décret, ni à une opinion. » Dans cette deuxième partie de sa production, il se veut seul avec la peinture, hors toute autre motivation d'ordre mental. Sa production est alors considérable, issue d'une sorte d'automatisme inépuisable. Les thèmes se succèdent sans discontinuer, thèmes non plus d'intentions mais d'images, peu explicitées d'ailleurs, frôlant souvent la non-figuration, tout juste allusives mais répétitives : dans la série des *Chimères* deux yeux schématisés se répètent sur la centaine de peintures, dans celles de la série de *Cythère ville nouvelle* des centaines de silhouettes sommaires de corps humains. L'étendue chromatique demeure inchangée d'une série à l'autre, comprenant toutes les couleurs à la fois, fortement saturées et non hiérarchisées. Telles images et telles couleurs donnent un produit brut, non dégrossi. Ce productivisme insatiable s'alimente donc du seul principe de son propre plaisir à peindre, dont on voit bien la fonction peindre pour soi, mais moins la fonction peindre pour l'autre. Son bagage strictement pictural, rejetées les motivations sémiologiques qui le fondaient, peut-il se suffire à lui seul ?

■ Jacques Busse

Bibliogr. : Jacques Prévert et Alain Jouffroy : *Fromanger, Boulevard des Italiens*, Bibli-Opus, Paris, 1971 – Gilles Deleuze : *Le Froid et le chaud*, présentation de l'exposition *Fromanger, le peintre et le modèle*, Galerie 9, Paris, 1973 – Anne Tronche et Hervé Cloagen, in : *L'Art actuel en France*, Balland, Paris, 1973 – Michel Foucault : *La Peinture photogénique*, catalogue de l'exposition *Fromanger, le désir est partout*, Gal. Jeanne Bucher, Paris, 1975 – in : *Diction. univers. de la peinture*, Le Robert, Paris, 1975 – Catalogue de l'exposition *Gérard Fromanger 1978-79*, Mus. Nat. d'Art Mod., Paris, 1979 – Catalogue de l'exposition *Gérard Fromanger : Chimères*, Gal. Isy Brachot, Paris, 1985, important appareil documentaire – Félix Guattari : *Nouvelle Donne*, in Catalogue de l'exposition *Fromanger, Cythère ville nouvelle*, Gal. Isy Brachot à la FIAC, Paris, 1986, important appareil documentaire – in : *L'art du XXe siècle*, Larousse, Paris, 1991 – in : *Diction. de L'Art Mod. Contemp.*, Hazan, Paris, 1992.

Musées : Rotterdam (Boymans-Van Beuningen Mus.) : *À l'Opéra de Versailles*. *Portrait de Michel Bulteau, le plus grand poète du monde* 1975.

Ventes Publiques : Paris, 27 nov. 1973 : *Le distrait* 1971 : **FRF 5 000** – Paris, 28 avr. 1981 : *Boulevard des Italiens* 1971, acr. (100x100) : **FRF 5 500** – Versailles, 19 juin 1983 : *Le fric* 1971, h/t (100x100) : **FRF 9 500** – Paris, 6 déc. 1986 : *Boulevard des Italiens, « L'île des Amours perdues »* 1971, h/t (100x100) : **FRF 17 000** – Paris, 3 déc. 1987 : *Couleurs* 1982, h/t (130x97) : **FRF 29 000** – Paris, 23 juin 1988 : *Il campo* 1988, past. (102x72) : **FRF 7 500** – Paris, 6 avr. 1989 : *La vie quotidienne, minuit* 1984, h/t (150x100) : **FRF 38 000** – Paris, 13 oct. 1989 : *Boulevard des Italiens* 1939, h/t (100x100) : **FRF 44 000** – Paris, 13 déc. 1989 : *Paysage déchiré et calme* 1967, techn. mixte (122x60) : **FRF 28 000** – Paris, 23 avr. 1990 : *Les promeneurs* 1987, past./t. (71x100) : **FRF 33 000** – Paris, 3 mai 1990 : *La vie quotidienne* 1984, h/t (100x150) : **FRF 65 000** – Paris, 20 nov. 1991 : *Violet de Bayeux, le peintre et son modèle* 1972, h/t (150x200) : **FRF 60 000** – Paris, 26 juin 1992 : *Boulevard des Italiens, le rouge* 1971, h/t (100x100) : **FRF 26 000** – Paris, 22 déc. 1992 : *Existe, série des Questions* 1976, h/t (130x195) : **FRF 41 000** – Paris, 10 juin 1993 : *Le triomphe de Belle-Ile en mer* 1964, collage (23,6x29,7) : **FRF 4 000** – Paris, 10 fév. 1994 : *Salto di gatto, série Allegro* 1982, h/t (200x150) : **FRF 27 000** – Paris, 19 juin 1995 : *Rencontre, série Allegro* 1982, h/t (200x150) : **FRF 23 000** – Paris, 24 nov. 1995 : *Midi* 1984, h/t (220x150) : **FRF 18 000** – Paris, 29 avr. 1997 : *Unique instantané*, h/t (73x60) : **FRF 15 000**.

FROMANT Marin

XVIIIe siècle. Actif à Paris en 1752. Français.

Peintre.

FROMANTIOU Hendrik de, pseudonyme : **Fernandeau**

Né vers 1633 à Maestricht. Mort vers 1694 à Berlin. XVIIe siècle. Hollandais.

Peintre d'animaux, natures mortes, fleurs.

Si l'on en croit Kramm, il fut élève de Rembrandt. En 1670 il est appelé à Berlin par le comte Friedrich Wilhelm : il ne sera pas seulement peintre de la cour, mais aussi restaurateur, et il conseillera cette noble famille pour la décoration de ses châteaux. De retour à Amsterdam en 1672, il épouse Ludovica Wouwerman, sœur du peintre Philip Wouwerman. 1682 le voit à Londres, et en 1683 il est cité dans la société Pictura à la Haye. Les tonalités argentées de ses natures mortes témoignent de l'influence sur son œuvre des peintures de Willem Van Aelst.

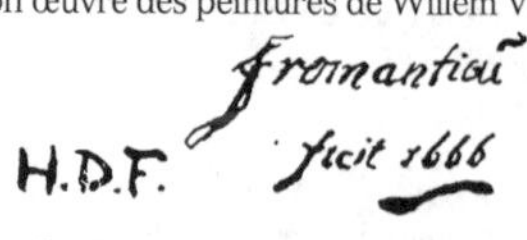

Bibliogr. : In : Catalogue de la vente *Tableaux anciens*, Sotheby's, Londres, 11 décembre 1996.

Musées : Brunschweig (Anton-Ulrich Mus.) : *Nature morte de fleurs dans un vase sur un socle de marbre*.

Ventes Publiques : New York, 18 jan. 1984 : *Gibier mort et trophées de chasse sur un entablement* 1665, h/t (98x84) : **USD 13 000** – Paris, 14 avr. 1989 : *Bouquet de fleurs dans un vase en verre*, h/cuivre (27x19) : **FRF 3 450 000** – New York, 31 mai 1989 : *Gibier et équipements de chasse sur un entablement*, h/t (59,5x47) : **USD 22 000** – Amsterdam, 14 nov. 1991 : *Perdrix, faucon, martin pêcheurs et autres passereaux suspendus dans une niche au-dessus d'un cornet à poudre et d'une carnassière sur un entablement de marbre*, h/t (65,4x57,2) : **NLG 55 200** – Londres, 11 déc. 1996 : *Nature morte de fleurs dans un vase sur un socle de marbre* 1667, h/t (73,5x58) : **GBP 62 000**.

FROMBECK Carl F.

Né le 6 décembre 1821 à Mahr-Weisskirchen. Mort le 20 octobre 1851 à Vienne. XIXe siècle. Autrichien.

Graveur.

Il fut à Vienne élève de Rahl. On lui doit des copies d'après des maîtres anciens aussi bien que des portraits et des sujets d'actualité.

FROMBOLUTI Sideo

Né le 3 octobre 1920 à Hersey (Pennsylvanie). XXe siècle. Américain.

Peintre. Postimpressionniste.

Il fut diplômé en 1943 du Tyler School of Art de Philadelphie. Il vit et travaille à New York. Il participe à de nombreuses expositions collectives, d'entre lesquelles : 1954 et ensuite annuelle-

ment Stable Annuals, 1958 Whitney Annual à New York, etc., sinon il n'appartient à aucun groupement. Il montre son travail dans des expositions personnelles : à New York en 1950, 1951, 1953, 1955, 1960, 1962, 1965, etc., ainsi qu'à Paris en 1969, et en 1992, à la Galerie Darthea Speyer.
Figuratif, il part de la nature, d'une fleur, d'une chaise de jardin oubliée sous les arbres, d'un corps de femme dans les postures de la danse. Il procède volontiers par séries de toiles consacrées à un même motif, puis en change, sans souci de s'aliéner dans une manière. À l'égard du sujet, il y a chez lui quelque chose de l'indifférence de Monet, n'a-t-il d'ailleurs pas peint des nénuphars ? La lumière est son véritable sujet. Chaque toile est pratiquement monochrome, avec une prédilection pour le rose, l'orangé, le mauve. Le pigment se fait pâte épaisse, enveloppante, sensuelle, la couleur seulement animée par le jeu des valeurs opposées de lumière et d'ombre. ■ J. B.
Musées : Cincinatti.

FROMEL Marx
xvie siècle. Allemand.
Peintre de miniatures.
Il peignit des enluminures à la cour de Bavière vers 1587.

FROMELL Johann Tobias
xviie siècle. Actif à Amsterdam au milieu du xviie siècle. Hollandais.
Peintre.

FROMEN Agnès Valborg
Née le 27 décembre 1868 en Suède. xixe siècle. Américaine.
Sculpteur.
Membre de la Chicago Society of Artists, où elle remporta diverses récompenses.

FROMENT Augustin
xviiie siècle. Actif à Genève en 1789. Suisse.
Émailleur.

FROMENT Émile Alphonse
Né à Paris. xixe siècle. Français.
Graveur sur bois.
Mention honorable en 1892.

FROMENT Eugène
Né le 2 décembre 1844 à Sens (Yonne). Mort en 1900 à Paris. xixe siècle. Français.
Peintre de scènes de genre, paysages, graveur, illustrateur.
Il fut élève d'Alphonse Tauxier et de l'École des Arts décoratifs. Il exposa, à Paris, dès 1866, au Salon, puis au Salon des Artistes Français, obtenant une médaille de troisième classe, en 1875 ; une de deuxième classe, en 1884 ; une médaille d'or, à l'Exposition Universelle de 1900.
Il peignit quelques scènes de genre et paysages, mais il eut surtout une activité de graveur sur bois, réalisant entre autre une *Scène de la guerre de l'Indépendance américaine*, qui fut appréciée à l'époque. Il illustra également divers poèmes, en particulier ceux d'Alphonse de Lamartine et de Victor Hugo.
Bibliogr. : Gérald Schurr, in : *Les Petits Maîtres de la peinture 1820-1920, valeur de demain*, Les Éditions de l'Amateur, t. III, Paris, 1976.
Ventes Publiques : Paris, 31 oct. 1975 : *Sur la plage*, h/t (54x70) : **FRF 4 100**.

FROMENT Ferdinand Florentin
xixe siècle. Actif à Paris. Français.
Graveur sur bois.
Élève de Linton. Sociétaire des Artistes Français depuis 1887. Mention honorable en 1889.

FROMENT François
xviie siècle. Actif à Paris en 1690. Français.
Peintre et sculpteur.

FROMENT Georges
xviiie siècle. Actif à Paris en 1753. Français.
Peintre et sculpteur.

FROMENT Jeanne
xxe siècle. Française.
Peintre de paysages animés.
Elle exposait à Paris, au Salon des Artistes Indépendants depuis 1925.

FROMENT Joël
Né en 1938 à Versailles (Yvelines). xxe siècle. Français.
Sculpteur, peintre. Néo-constructiviste.
Il expose à Paris, où il vit et travaille, notamment dans les années quatre-vingt, quatre-vingt-dix au Salon des Réalités Nouvelles, et notamment, en 1997, à *Abstraction-Intégration*, exposition itinérante en Essonne.

FROMENT Louis Pierre
xixe siècle. Actif à Paris vers 1830. Français.
Peintre d'histoire et de portraits.
Élève de Regnault.

FROMENT Marie Émilie
Née en 1891 dans l'Oise. xxe siècle. Française.
Peintre et dessinatrice.
Elle exposa à Paris au Salon des Artistes Français à partir de 1922.

FROMENT Nicolas
Né vers 1425 à Uzès. Mort entre 1483 et 1486 à Avignon. xve siècle. Français.
Peintre.
Ce grand artiste fut peintre du roi René d'Anjou vers 1461. On le connaissait surtout pour les deux admirables portraits du roi René et de sa femme, conservés au Louvre. Les œuvres de lui qui parurent au Petit Palais, à l'Exposition de 1900, et mieux encore celles figurant à l'Exposition des Primitifs, firent mieux apprécier ses extraordinaires qualités de réalisme et sa puissance d'expression. On voyait de lui, à cette dernière exposition : *Portrait de Saint Siffrein, évêque de Carpentras*, que possède le Musée d'Avignon, tableau peint à l'œuf, qui pendant longtemps servit de couvercle à un coffre de l'église de Mazan, *Le Triptyque du Buisson ardent, Le Diptyque de Marteron, La Résurrection de Lazare*.
Nicolas Froment est une des grandes figures de cette école de beaux peintres primitifs français dont l'engouement du public pour l'art italien fit si malheureusement dédaigner les ouvrages, provoquant aussi la destruction d'un grand nombre d'admirables tableaux. A propos de cet engouement pour l'art italien, il faut préciser que c'est justement Nicolas Froment et Enguerrand Quarton ou Charonton, qui introduisirent alors dans ce centre artistique qu'avait formé la cour des papes à Avignon, avec les riches fortunes mercantiles qu'elle suscitait, le nouveau style flamand, tout de réalisme cru, en réaction contre l'amollissement italien. Il est utile de rappeler que les papes quittèrent Avignon en 1417, et que jusqu'alors la seule école française, toute à la dépendance de l'école siennoise, travaillait en Provence, à Avignon, Marseille et Nice, cette dernière ville appartenant au duc de Savoie. On sait très peu de choses de sa vie. Il est signalé en 1461 à Florence, où il aurait peint la *La Résurrection de Lazare*, restée aux Offices. A partir de 1468, il est locataire d'une maison en Avignon et il semble n'en plus avoir bougé. Le triptyque du *Buisson ardent* lui fut commandé pour l'église des Carmes d'Aix, par le roi René d'Anjou, en 1476, et les comptes semblent indiquer qu'il réalisa aussi les cartons des vitraux de l'église. Dans le triptyque du *Buisson ardent*, il faudrait se livrer à un décriptage minutieux des symboles recélés dans chaque détail. Par exemple, c'est la Vierge et non le Seigneur, qui apparaît à Moïse, le buisson qui flambe sans se consumer étant considéré comme le symbole de la virginité de la Vierge. Les personnages y sont traités comme des portraits, le paysage s'individualise aussi avec un sens nouveau de la vraie nature, ici toute de douceur méditerranéenne. Autour de 1450, Quarton et Froment formèrent de nombreux disciples qui constituèrent le courant réaliste de notre école provençale primitive. Ces œuvres, recherchées à l'époque, furent négligées ensuite et presque jusqu'à nos jours. Quarton fut épargné par ce qui lui restait du sens décoratif siennois, mais Nicolas Froment fut considéré comme un artiste grossier, au dessin maladroit et dénué de toute sensibilité colorée. Les amateurs de l'époque, riches marchands et prélats, avaient compris, et c'est le plus étonnant, l'énorme révolution que Froment imposait à l'art de son temps. A l'amabilité siennoise, il substitua le macabre flamand, à l'édénisme le plus désincarné, un réalisme sordide. Cette prétendue grossièreté de Froment, on la retrouve dans l'admirable *Pietà* d'Avignon, comme plus tard, chez Fouquet. Il apparaît évident que pour peindre sa *Résurrection de Lazare*, Froment n'a pas hésité à peindre un cadavre sur nature. Cette face tragique, qui a fermé les yeux sur la vision précise des enfers, ne s'invente pas. Les historiens d'art qui ont longtemps déclaré médiocres, tant de dessin que par la couleur, les quelques œuvres connues de Nicolas Froment, jugent d'après les cri-

tères hérités de l'académisme le plus obtus, que scandalisera toujours le génie, même du XVe siècle. Certes, ces figures ne sourient plus et ces draperies, autrefois éclatantes, sont d'ombres et blafardes, mais s'imagine-t-on Lazare autrement que terreux et halluciné ? Cette maladresse de dessin et cette pauvreté de couleur de Nicolas Froment, ce fut peut-être la première manifestation de ce que sera désormais et aujourd'hui encore, le style français, profondément attaché à la réalité et anxieux de la condition humaine. ■ J. B.

Musées : Aix (Cathédrale Saint-Sauveur) : *Triptyque du Buisson ardent* – Avignon : *Portrait de saint Siffrein, évêque de Carpentras* – Florence (Mus. des Offices) : *La Résurrection de Lazare* – Paris (Mus. du Louvre) : *Portrait du Roi René d'Anjou – Portrait de la Reine Jeanne de Laval.*

Ventes Publiques : Paris, 1er juil. 1942 : *Christ bénissant*, attr. : **FRF 60 000** – Londres, 21 avr. 1967 : *Portrait d'un homme et de sa femme* : **GNS 7 000.**

FROMENT Simone Suzanne Marie
Née en 1904 à Granville (Manche). Morte en 1986. XXe siècle. Française.
Peintre de sujets religieux, peintre de décorations murales, lithographe.
Elle fut élève des Écoles des Beaux-Arts d'Angers et de Paris. Elle fut élève de Maurice Denis et de Georges Desvallières, sans doute à leur Atelier d'Art Sacré. Elle obtint le Prix Blumenthal en 1930.
Elle a exécuté des décorations murales en France, à la chapelle de l'Hôpital Broussais (déposées au Musée de l'Assistance Publique), en Suisse, Grande-Bretagne, Allemagne, Papouasie.
Musées : Angers – Saint-Germain-en-Laye.

FROMENT-DELORMEL Jacques Victor Eugène
Né le 17 juin 1820 à Paris. Mort le 1er mars 1900 à Paris. XIXe siècle. Français.
Peintre de compositions mythologiques, sujets religieux et allégoriques, scènes de genre, dessinateur, illustrateur.
Il eut pour maîtres Pierre Jules Jollivet, Paul Lecomte et Amaury-Duval. Il se fixa à Autun, en 1846. Puis, revenu vivre en région parisienne, il installa son atelier, boulevard Montparnasse, le partageant avec Alfred Gobert et Philibert Mariller. Il collabora à la Manufacture de Sèvres, de 1855 à 1886. Il figura au Salon de Paris, de 1842 à 1880. Il fut promu chevalier de la Légion d'honneur, en 1883.
Il peignit de nombreuses allégories mythologiques, dont : *L'Amour désarmé – L'Amour captif – Les Grâces – Les Saisons – Aumône à l'Amour – Danse des Muses – Le chagrin suit les plaisirs – L'Art console.* Il resta donc fidèle aux thèmes du néoclassicisme, mais il évita, par un traitement léger et vif, de tomber dans le piège de la sensiblerie. Parmi ses autres toiles, on mentionne : *Marguerite – Le nid – L'adieu – L'ange intercesseur – Saint Pierre guérissant un boiteux à la porte du Temple – Peaux-Rouges allant surprendre un campement d'une tribu ennemie – Indiens pawnies campés sur le bord de la rivière Platte.* Eugène Froment-Delormel illustra également des livres pour Hetzel, de même qu'Eugène Froment, graveur, avec lequel il est parfois confondu.
Bibliogr. : Gérald Schurr, in : *Les Petits Maîtres de la peinture 1820-1920, valeur de demain*, Les Éditions de l'Amateur, t. VI, Paris, 1985.
Musées : Autun (Mus. Rolin) : *L'ange intercesseur – L'Amour nourri par la Muse* – Bourges : *La jeune fille au puits*, d'après Goethe – Dieppe : *Amicitia – L'amour captif* – Lyon (Mus. des Beaux-Arts) : *Omphale.*
Ventes Publiques : New York, 23 jan. 1903 : *Amours* : **USD 250** – New York, 12 oct. 1994 : *Jeunes enfants indiens s'amusant au bord de Platte River*, h/t (41,9x154,9) : **USD 33 350.**

FROMENT-MEURICE Jacques Charles François Marie
Né en 1864. Mort en janvier 1948. XIXe-XXe siècles. Français.
Sculpteur de monuments, bustes, sculptures, animaux.
Issu d'une famille d'orfèvres, il se tourna vers la sculpture, devint élève de Chapu, voyagea en Europe et en Afrique et exposa régulièrement au Salon, obtenant une mention honorable en 1892.
Il est reconnu comme sculpteur animalier et comme artiste créateur d'Art nouveau. Il a réalisé une série de sculptures d'ânes : *Les Gestes des ânes.* Son œuvre passe des études pour des monuments, à des bustes, des médaillons, des animaux... Il fit don de ses œuvres à plusieurs musées dont : Poitiers, Rouen, Chantilly. La fonderie Hébrard édite *La Courbette* et *La Ruade*, de la série Les *Gestes des ânes.*
Musées : Bayonne : *Le chien de Montargis – Meissonier sur son cheval Rivoli* – Chantilly – Poitiers – Rouen.
Ventes Publiques : Lyon, 7 mars 1983 : *Amphitrite, reine de la mer*, sculpt. en argent massif (H. 60) : **FRF 28 000** – Paris, 27 mars 1987 : *Vierge au lys*, or et argent (H. 28,5) : **FRF 128 000** – Perth, 30 août 1994 : *Un âne se cabrant*, bronze (H. 15,2) : **GBP 1 035.**

FROMENTAL Benoît
XIXe siècle. Actif à Paris. Français.
Peintre.
Sociétaire des Artistes Français depuis 1883.

FROMENTAL Maximilien
Né à Paris. XIXe siècle. Français.
Sculpteur.
Mention honorable en 1899.

FROMENTAN Jean
XVIIe siècle. Français.
Sculpteur.
Sous la direction de Gilles Guérin, il travailla à l'ornementation du château de Fontainebleau, en 1640.

FROMENTEAU Jacqueline
XXe siècle. Suissesse.
Peintre. Surréaliste.
Patrick Waldberg, ce qui constitue une caution, la fit figurer à l'exposition *Signes d'un renouveau surréaliste*, organisée par lui à Bruxelles en 1969.

FROMENTI
Né vers 1886 à Fontvieille (Bouches-du-Rhône). Mort en janvier 1970. XXe siècle. Français.
Peintre, céramiste.

FROMENTIN Eugène ou **Fromentin-Dupeux**
Né le 24 octobre 1820 à La Rochelle (Charente-Maritime). Mort le 27 août 1876 à La Rochelle, accidentellement. XIXe siècle. Français.
Peintre de scènes typiques, dessinateur.
La première jeunesse de Fromentin se passa à La Rochelle. Son grand-père avait été avocat au Parlement ; son père médecin, avait cultivé la peinture et, en particulier, le paysage. Il avait un frère qui se destinait à la médecine, tandis que lui-même se préparait au barreau. Au cours de ses études au lycée, il publia des vers dans les feuilles locales. Fromentin alla faire son droit à Paris ; il avait alors vingt ans à peine. Il accomplit sa licence et fit même un stage de clerc amateur chez un avoué, Me Denormandie. Toujours très épris de littérature, il publiait des articles qu'il envoyait aux revues de La Rochelle, en particulier sur la poésie ; il donna également une critique sur le Salon de 1845. Le goût de la peinture s'était éveillé entre temps avec assez de vivacité pour qu'il en vint à former le dessein de s'y consacrer, en renonçant résolument à poursuivre le doctorat. Il obtint le consentement familial ; son père exigea seulement que les choses se fissent en règle. C'est ainsi que le futur artiste entra chez le paysagiste Rémond, qui paraissait offrir les garanties désirables. Un an ne s'était pas écoulé que l'élève quittait Rémond pour l'atelier de Cabat, maître dont il ne semble pas qu'il ait retiré grand-chose, mais envers lequel il fut reconnaissant toute sa vie. En 1844, il ressentit une profonde impression à l'Exposition des tableaux d'Orient de Prosper Marilhat. Peut-être conçut-il là le projet du voyage, bref d'ailleurs, qu'il accomplit en Algérie, après avoir hésité un moment entre celui-ci et un séjour en Italie. Mais le charme avait opéré et en 1848, Fromentin retournait en Algérie, en compagnie de son ami Armand du Mesnil, dont il devait un peu plus tard épouser la nièce. C'était l'époque de la poussée orientaliste, avec Belly, Dehodencq, Ziem, Tournemine, Guillaumet. Fromentin devait débuter au Salon avec le Second Empire, en pleine période de renouvellement social. Sa fortune s'amorce au rebours de celle de Decamps, peintre des princes d'Orléans, durement frappé par les événements de 1848. En 1852, il partait pour son troisième voyage, avec sa jeune femme, résidant successivement à Mustapha, à Biskra, poussant même une pointe jusqu'à Laghouat.
En 1847, entre ses deux voyages en Algérie, il avait alors vingt-sept ans, il exposait à son premier Salon un *Paysage aux environs de La Rochelle* et deux études algériennes : *Une mosquée près d'Alger* et *Les gorges de la Chiffa.* Après avoir obtenu, deux ans après, une médaille de deuxième classe, il exposait au Salon

de 1850 onze tableaux des environs de Biskra. De son troisième voyage, qui dura près de deux ans, Fromentin rapporta, non seulement de nombreux dessins et projets de tableaux qu'il devait exécuter plus tard, mais encore ses deux chefs-d'œuvre : *Un été dans le Sahara* et *Une année dans le Sahel*, qui parurent respectivement en 1856 et 1858. *Dominique* les suivit de quelques années. Titulaire d'une médaille de première classe et chevalier de la Légion d'honneur en 1859, il obtenait une autre médaille de première classe à l'Exposition Universelle de 1867, pour être promu officier de la Légion d'honneur en 1869. Au Salon de 1873 figurait la célèbre *Chasse au faucon*, actuellement au Louvre.
Du point de vue de la formation, Fromentin, élève de Rémond et de Cabat, paysagistes classiques attardés, peut être rapproché de Corot, qui, né en 1796, plus âgé par conséquent de vingt-quatre ans, avait, lui aussi, commencé très tard ses études de peinture, lorsqu'il entra chez Bertin, maître comparable à Rémond, celui de Fromentin. Par la suite, cependant, Corot a peint la figure, le portrait, s'aventurant même dans l'histoire, pour s'affirmer surtout paysagiste ; donc plus aucune analogie en cela avec Fromentin. En tant qu'orientaliste, Fromentin arrive après Decamps et Delacroix et il a nettement emprunté à tous les deux. En réalité, à l'origine, il a pris contact avec l'Orient par l'intermédiaire de l'exposition de Marilhat. Fromentin a trouvé dans ces peintures la révélation du soleil de l'Orient et conçu le désir de s'initier en personne aux séductions de cette atmosphère entièrement nouvelle pour lui. Rochellois devenu parisien, il est bien sans doute attiré vers le soleil, ce « soleil en permanence », ainsi qu'il le qualifie lui-même, mais l'expression plastique qu'il va s'efforcer de réaliser, évitant les effets de contrastes, s'accordera avec la vision modérée qui lui est naturelle. Les raisons personnelles qui règlent sa manière de peindre sont au surplus les mêmes que celles qui assureront son succès auprès d'un public bourgeois.
Fromentin, qui pourtant a peint en réalité un seul tableau, qu'il a recommencé perpétuellement, sait toujours varier et agrémenter. L'intention est de ne pas dérouter : aussi, les sujets sont-ils toujours très clairement exposés. Le dessin est agréable, sans outrance, se gardant pourtant d'un froid classicisme. La peinture est claire, mince, sans brutalité et témoigne de son habileté à conserver aux tons une extrême fraîcheur. Bien que la facture soit assez poussée, l'œuvre n'est cependant pas « léchée » et reste savoureuse. Technicien habile, il a su prendre un peu partout, sans doute a-t-il emprunté avant tout aux Hollandais, plus particulièrement à Wouwerman et beaucoup aussi à Van der Meulen, dans le brillant de la peinture, les proportions des figures dans le paysage, la touche et même le coloris général, tout cela un peu revu par Delacroix.
Ce que Fromentin est surtout allé chercher en Algérie, et qu'il y a certainement trouvé, c'est la matière littéraire de ses deux livres. Il n'enregistre pas les formes pour leur raison plastique, c'est plutôt comme une vision narrative et littéraire qui lui reste. A-t-il voulu se conformer trop à la lettre à cette opinion qu'il a formulée lui-même : « J'en conclus avec la plus vive satisfaction que j'avais en main deux instruments distincts. Il y avait lieu de partager ce qui convenait à l'un, ce qui convenait à l'autre. Je le fis. Le lot du peintre était forcément si réduit que celui de l'écrivain me parut immense. » Par la suite, Fromentin peindra de souvenir, et cela pendant vingt ans. Il deviendra, pourrait-on dire, son propre illustrateur.
■ E. C. Bénézit, J. B.

Cachet de vente

Bibliogr. : James Thompson : *Eugène Fromentin, painter and writer*, thèse de doctorat, Université de Caroline du Nord, 1985 – J. Thompson et B. Wright : *La vie et l'œuvre d'Eugène Fromentin*, A.C.R. Édit., Paris, 1987.

Musées : Bayeux : *Le Nil* – Bruxelles : *Au pays de la soif* – Chantilly : *Arabes chassant au faucon* – Douai : *Vue d'El Laghouat* – Genève (Mus. Rath) : *La prière du soir* – Graz : *Deux Combats nocturnes* – Montpellier : *La Smala de Si Hamed Ben-Hadj* – Moscou (Gal. Tretiakov) : *Bords du Nil* – Nantes : *Chasse à la gazelle* – Paris (Mus. du Louvre) : *Chasse aux faucons en Algérie* – *Campement arabe* – *Femmes arabes au bord du Nil* – *Chasse au faucon* – *Halte de cavaliers* – *Enterrement maure* – *Fantasia* – *Halte de cavaliers arabes* – Reims : *Chasse au faucon* – La Rochelle : *Cavaliers arabes* – *Passage d'un gué* – *Chasse aux gazelles* – *Attaque d'une caravane* – Rouen : *Trois Arabes assis* – *Oiseau* – *Femme tenant une serpette* – *Trois Personnages de dos* – *Jeune Homme assis* – *Homme battant du tambour* – *Jeune Fille arabe* – *Arabe assis* – *La Moisson en Provence* – *Arabe debout*.

Ventes Publiques : Paris, 13 fév. 1891 : *L'Alerte* : **FRF 30 000** – Paris, 6 mai 1891 : *Cavaliers arabes* : **FRF 13 000** – Paris, 28 jan. 1892 : *Chasse au lion* : **FRF 15 000** – Paris, 8-13 mai 1892 : *Centaures et Centauresses* : **FRF 17 500** – Paris, 16-17 juin 1892 : *Combat dans une gorge de montagne* : **FRF 26 000** – Paris, 2 mai 1894 : *Arabes à la fontaine* : **FRF 10 500** – Paris, 4 mai 1896 : *Cavaliers arabes* : **FRF 8 900** – Paris, 18-19 mai 1897 : *Les Gorges de la Chiffa* : **FRF 56 000** – New York, 10 avr. 1900 : *Alger* : **USD 500** – Paris, 8 mai 1900 : *La Halte* : **FRF 3 500** – Paris, 11 juin 1900 : *La Chasse* : **FRF 23 000** – Paris, 26-27 mai 1902 : *Caravane* : **FRF 31 000** – New York, 9-11 mars 1904 : *Centaures et centauresses* : **USD 4 500** – New York, 27 jan. 1905 : *Arabes en marche* : **USD 3 500** – New York, 22-23 fév. 1907 : *Campement de la caravane* : **USD 8 500** – Londres, 21 mai 1909 : *Retour de la chasse* : **GBP 651** – Paris, 4-5 déc. 1918 : *Le Retour des blessés* : **FRF 2 800** – Paris, 18 déc. 1918 : *Campement arabe*, cr. : **FRF 105** – Paris, 3 fév. 1919 : *Pâturage auprès de la mosquée* : **FRF 3 300** – Paris, 22 mai 1919 : *Halte de cavaliers* : **FRF 5 100** ; *Cavaliers arabes approchant d'une ville* : **FRF 3 600** – Paris, 16-19 juin 1919 : *Les fumeurs* : **FRF 13 050** ; *Arabes à la fontaine* : **FRF 6 000** – Paris, 8-9 déc. 1919 : *Le Douar* : **FRF 200** – Paris, 16-17 déc. 1919 : *Nuit claire* : **FRF 7 400** – Paris, 4-5 mars 1920 : *Étude de chameaux couchés* : **FRF 310** – Paris, 14 mai 1920 : *Palais au bord d'un canal, Venise* : **FRF 7 350** – Paris, 27 mai 1920 : *Le marchand de chevaux* : **FRF 16 100** ; *Halte de caravane* : **FRF 42 200** ; *Nymphes et faune* : **FRF 5 300** – Paris, 3-4 juin 1920 : *Oued-el-Akounn*, fusain : **FRF 125** – Paris, 20-30 nov. 1920 : *Plage rocheuse et falaise*, aquar. : **FRF 470** – Paris, 12 fév. 1921 : *Scène de famille sur une terrasse dominant la mer* : **FRF 1 380** – Paris, 7 avr. 1921 : *Chameaux au repos* : **FRF 220** – Paris, 3 et 4 déc. 1923 : *Arabes en voyage* : **FRF 15 600** – Paris, 7-9 avr. 1924 : *Personnages au bord de la mer* : **FRF 6 200** – Paris, 19 mai 1924 : *Le Passage du gué* : **FRF 20 100** – Paris, 22 mai 1924 : *La chasse au faucon* : **FRF 25 000** – Paris, 11 juin 1924 : *Étude d'Arabes debout et assis*, mine de pb, reh. d'aquar. : **FRF 320** – Londres, 11 juil. 1924 : *Campement arabe* : **GBP 5** – Paris, 17 déc. 1924 : *Campement arabe*, cr. : **FRF 175** – Paris, 6 mars 1925 : *Chevaux à l'abreuvoir* : **FRF 4 000** – Paris, 5 nov. 1926 : *Palais au bord d'un canal à Venise* : **FRF 2 000** – Paris, 29-30 nov. 1926 : *Feuille de deux études de femmes couchées sur le sol*, cr. : **FRF 650** – Paris, 9 fév. 1927 : *Les fauconniers* : **FRF 410** – Paris, 3 fév. 1928 : *Au camp du Rocher de Sel*, dess. reh. : **FRF 120** – Paris, 16 fév. 1928 : *Le vieux berger* : **FRF 260** – Paris, 26 juin 1928 : *L'Arabe à la fontaine* : **FRF 18 500** – Paris, 16 nov. 1928 : *Études de types arabes*, dess. : **FRF 410** – Paris, 5 déc. 1928 : *Les Palmiers à Laghouat* : **FRF 430** – Londres, 21 juin 1929 : *Halte au bord du Nil* : **GBP 131** – Paris, 2-3 juil. 1929 : *Cavalier arabe arrêté* : **FRF 6 000** – New York, 1er mai 1930 : *Arabes donnant à boire aux chevaux* : **USD 250** – Paris, 17 mai 1930 : *Souvenir d'Algérie : la présentation des chevaux au Caïd* : **FRF 10 100** – New York, 1er mai 1930 : *Arabes donnant à boire aux chevaux* : **USD 250** – Paris, 20 avr. 1932 : *Une odalisque*, mine de pb : **FRF 105** – New York, 5 mai 1932 : *Campement arabe* : **USD 375** – Paris, 3 avr. 1933 : *Une halte de cavaliers arabes* : **FRF 8 800** – New York, 7-8 déc. 1933 : *Une alerte* : **USD 500** – Paris, 26-27 fév. 1934 : *Le ruisseau dans le vallon : étude de paysage au coucher du soleil* : **FRF 660** – Paris, 18 mai 1934 : *Le Grand Canal à Venise* : **FRF 900** – New York, 23 nov. 1934 : *La chasse au faucon* : **USD 1 125** ; *Cavalcade dans le désert* : **USD 650** – New York, 4 jan. 1935 : *La chasse* : **USD 700** – Paris, 28 mai 1935 : *L'abreuvoir* : **FRF 7 600** – Londres, 6 mars 1936 : *Une oasis* : **GBP 40** – Paris, 14 avr. 1937 : *Étude d'un personnage oriental* : **FRF 600** – Londres, 23 juin 1937 : *Paysage* : **GBP 28** – Londres, 20 fév. 1942 : *Cavalier Arabe*, mine de pb : **FRF 380** – Londres, 15-16 juin 1942 : *Étude de cheval*, mine de pb : **FRF 200** – Londres, 29 juil. 1942 : *Paysage* : **GBP 34** – Paris, 3 fév. 1943 : *Turco à cheval*, pl. et mine de pb : **FRF 810** – Paris, 12 mars 1943 : *Le Caïd 1874* : **FRF 12 500** ; *Le Bain des chevaux* :

FRF 73 000; *Types arabes* 1874 : **FRF 28 000** – PARIS, 12 avr. 1943 : *Les Chameliers ; L'Oasis*, deux pendants : **FRF 3 000** – PARIS, 2 juin 1943 : *Cavaliers, chevaux et chiens*, six aq. et des. : **FRF 8 100** – PARIS, 5 juil. 1943 : *Arabe tenant deux lévriers* : **FRF 2 000** – PARIS, 26 nov. 1943 : *Paysage au minaret*, cr. noir : **FRF 550** ; *La Gardeuse de moutons*, cr. noir : **FRF 500** ; *Arabe assis*, fusain : **FRF 350** – NEW YORK, 2 mars 1944 : *Jeunes garçons arabes jouant* : **USD 300** – PARIS, 20 mars 1944 : *Le Cheval arabe*, mine de pb : **FRF 750** – NEW YORK, 4 mai 1944 : *Combat arabe* : **USD 425** – PARIS, 12 mai 1944 : *Blidah, le bois sacré*, mine de pb : **FRF 250** – PARIS, 17 mai 1944 : *L'Embuscade* 1860 : **FRF 113 000** – PARIS, 6 mars 1945 : *Un faisan*, attr. : **FRF 650** – NEW YORK, 18-19 avr. 1945 : *Arabes abreuvant leurs chevaux* : **USD 7 700** – PARIS, 16-17 mai 1945 : *Kabyles conduisant des ânes*, fusain, rehauts de blanc : **FRF 1 050** – PARIS, 24 mai 1945 : *Bergère et son troupeau*, cr. noir : **FRF 800** ; *La vallée des arcades* 1840, lav. : **FRF 420** – PARIS, oct. 1945-juil. 1946 : *Personnages et dromadaires devant une tente en Algérie* : **FRF 37 500** ; *L'attaque de la caravane* : **FRF 3 600** ; *Chevaux arabes allant boire* : **FRF 37 100** – NEW YORK, 20-21 fév. 1946 : *Arabes* : **USD 375** – PARIS, 4 nov. 1946 : *Palmiers*, attr. : **FRF 1 500** – PARIS, 7 nov. 1946 : *L'Arabe assis*, cr. noir, reh. de craie : **FRF 1 050** – PARIS, 20 juin 1947 : *Caravane au repos dans les sables* : **FRF 90 000** – PARIS, 4 juil. 1947 : *Tête d'indigène africain*, cr. : **FRF 1 400** – PARIS, 9 juil. 1947 : *La chasse au lion* : **FRF 68 000** – PARIS, 30 mai 1949 : *Les esclaves* : **FRF 85 000** – PARIS, 15 juin 1954 : *Pays d'Égypte* : **FRF 220 000** – LONDRES, 5 juil. 1961 : *Arabes attaqués par une lionne* : **GBP 450** – VERSAILLES, 2 juin 1965 : *Scène arabe* : **FRF 7 000** – PARIS, 2 juin 1971 : *Halte de cavaliers arabes* : **FRF 12 500** – VERSAILLES, 17 déc. 1972 : *Rencontre de chefs de tribus arabes* : **FRF 21 200** – LONDRES, 29 mars 1973 : *Cavaliers arabes attaqués par un lion* : **GBP 2 500** – LOS ANGELES, 9 avr. 1973 : *La tente de l'artiste en Algérie* : **USD 5 500** – LONDRES, 6 mars 1974 : *Guerriers arabes au repos* : **GBP 1 600** – ENGHIEN-LES-BAINS, 25 avr. 1976 : *La halte des arabes*, h/pan. (63x50) : **FRF 20 000** – LONDRES, 3 nov. 1977 : *Les voleurs de chevaux, la nuit* 1865, h/t (131,5x203,5) : **GBP 13 000** – LONDRES, 31 mars 1978 : *Cavalier arabe dans un paysage*, aquar. (34x24) : **GBP 1 800** – SAINT-BRIEUC, 29 mars 1981 : *Le cavalier arabe* 1845, h/pan. (36x27) : **FRF 20 000** – PARIS, 27 avr. 1983 : *Étude de cheval*, pierre noire et reh. de blanc/pap. bleu (28x39) : **FRF 7 800** – MONTE-CARLO, 5 mars 1984 : *L'Afrique*, aquar. et lav., coins arrondis (20,5x20,5) : **FRF 7 000** – NEW YORK, 25 oct. 1984 : *Cavaliers arabes attaqués par un lion* 1872, h/pan. (60,3x49,5) : **USD 24 000** – NEW YORK, 22 mai 1985 : *Coup de vent dans les plaines d'Alfa, Sahara* 1864, h/t (116,8x162,8) : **USD 115 000** – PARIS, 10 déc. 1987 : *Bergère et son troupeau à l'ombre d'un mur* 1857, aquar. (10,5x13,5) : **FRF 5 800** – PARIS, 11 mars 1988 : *Deux Jeunes Arabes vus de dos*, aquar./trait de cr. (17,5x9,7) : **FRF 7 500** – NEW YORK, 25 mai 1988 : *Centaures et centauresses s'exerçant au tir à l'arc*, h/t (200,8x137,2) : **USD 15 400** – PARIS, 12 mai 1989 : *Oriental*, dess. mine de pb (20x11) : **FRF 4 000** – NEW YORK, 24 mai 1989 : *Le simoun*, h/t (55,2 x 65,4) : **USD 99 000** – NEW YORK, 24 oct. 1989 : *Caravane escortée de cavaliers arabes en marche* 1875, h/pan. (33x40,7) : **USD 55 000** – NEW YORK, 28 fév. 1990 : *Arabes menant leurs chevaux à l'abreuvoir* 1873, h/pan. (40x31,1) : **USD 22 000** – PARIS, 21 mars 1990 : *Étude d'un Arabe*, cr. noir/pap. (20,5x11,5) : **FRF 12 000** – NEW YORK, 22 mai 1990 : *Cavaliers arabes*, h/pan. (36,2x45) : **USD 22 000** – PARIS, 15 juin 1990 : *Étude pour une chasse au faucon*, cr. noir et estompe sur traits de sanguine (39x29) : **FRF 14 500** – NEW YORK, 24 oct. 1990 : *Cavaliers arabes à la chasse au faucon*, h/pan. (40,6x26) : **USD 16 500** – PARIS, 7 nov. 1990 : *L'embuscade* 1868, h/pan. (65x46) : **FRF 160 000** – NEW YORK, 22 mai 1991 : *Cavaliers arabes dans un coup de vent* 1857, h/pan. (23,2x38,7) : **USD 35 750** – MONACO, 21 juin 1991 : *Deux cavaliers et un bédouin et son troupeau dans un paysage* 1873, h/t (45,5x65,5) : **FRF 66 600** – NEW YORK, 17 oct. 1991 : *Audience chez un Khalifat au Sahara*, h/pan. (34,3x52,7) : **USD 27 500** – PARIS, 15 mai 1992 : *Étude de femme*, pierre noire (26,9x37,6) : **FRF 24 000** – NEW YORK, 28 mai 1992 : *Cavalier au bord du Nil*, h/pan. (27,3x38,1) : **USD 20 900** – MONACO, 20 juin 1992 : *Un cavalier arabe*, craie noire et blanche/pap. beige (22,5x15,5) : **FRF 19 980** – PARIS, 25 mars 1993 : *Arabe assis*, fus. et craie blanche (27,5x23) : **FRF 10 000** – LONDRES, 16 juin 1993 : *Caravane arabe dans une palmeraie* 1857, h/pan. (50x100) : **GBP 27 600** – NEW YORK, 16 fév. 1994 : *La Chasse au faucon* 1872, h/pan. (59,7x73,7) : **USD 107 000** – LONDRES, 18 mars 1994 : *Halte de caravaniers devant El-Aghouat, Sahara* 1857, h/pan. (70x100) : **GBP 67 500** – PARIS, 22 avr. 1994 : *Lisière d'oasis pendant le sirocco*, h/t (72x109) : **FRF 400 000** – NEW YORK, 16 fév. 1995 : *Voleurs de nuit, Sahara algérien* 1865, h/t (131,8x203,8) : **USD 277 500** – PARIS, 12 mai 1995 : *Château de Lavardin* 1864, h/pan. (27x39) : **FRF 35 500** – NEW YORK, 23-24 mai 1996 : *Arabes attaqués par une lionne* 1968, h/t (142,2x102,9) : **USD 167 500** – LONDRES, 13 juin 1997 : *Chasse au faucon en Algérie, la curée* 1863, h/t (81,6x58,6) : **GBP 53 200**.

FROMENTIN Gustave Achille
Né en 1818. Mort en 1878. XIXe siècle. Français.
Peintre.

VENTES PUBLIQUES : PARIS, 10 déc. 1919 : *Cour derrière de vieilles maisons*, aquar. : **FRF 32** – PARIS, 2-4 juin 1921 : *La Halte des chameaux à Aïn Mahdy*, dess. : **FRF 900**.

FROMENTIN-DUPEUX Pierre Samuel Toussaint
Né le 3 juin 1786 à Mauzé. Mort le 19 décembre 1867 à la Rochelle. XIXe siècle. Français.
Peintre.

Élève de Bertin. Le Musée de la Rochelle conserve de lui un *Paysage*. Il fut le père d'Eugène Fromentin.

FROMILLER Benedikt
Mort le 4 avril 1726 à Klagenfurt. XVIIIe siècle. Allemand.
Peintre.

Il fut le père de Josef Ferdinand.

FROMILLER Johann Benedikt
Né en 1696. Mort en 1762. XVIIIe siècle. Actif à Klagenfurt. Allemand.
Peintre.

Il était frère de Josef Ferdinand.

FROMILLER Josef Ferdinand
Né en 1693. Mort le 9 décembre 1760 à Klagenfurt. XVIIIe siècle. Allemand.
Peintre et graveur.

Cet artiste à qui on doit un grand nombre de portraits et de tableaux religieux exécuta d'importantes fresques dans un style baroque imité des Carrache. Il eut de son temps une très grande notoriété qui paraît aujourd'hui quelque peu usurpée. Le Musée de Klagenfurt possède des œuvres de lui.

FROMKNEHGT Gottlieb Christian
Né à Breslau. XVIIe-XVIIIe siècles. Allemand.
Peintre.

Il travailla la plus grande partie de sa vie à Prague.

FROMM Friedrich Gustav Johann
Né à Breslau. XIXe siècle. Allemand.
Peintre de paysages.

Il vécut longtemps en Italie et en France.

FROMM Friedrich Joseph
Né le 17 juin 1795 à Cologne. Mort le 4 août 1840 à Cologne. XIXe siècle. Allemand.
Peintre.

Cet artiste qui fit ses études à Cologne et à Berlin est surtout connu comme collectionneur.

FROMM Kaspar
XIXe siècle. Actif à Wiesentheid. Allemand.
Sculpteur.

Il travailla en 1821 pour l'église de Grosslangheim.

FROMMANN Alwine
Née le 16 mars 1800 à Iéna. Morte le 2 août 1875 à Iéna. XIXe siècle. Allemande.
Peintre.

Lectrice de l'impératrice Augusta. On lui doit surtout des tableaux de fleurs et des illustrations de livres.

FROMMANN Johanna Charlotte, née **Wesselhoeft**
Née le 17 juin 1765 à Hambourg. Morte le 9 septembre 1831 à Iéna. XVIIIe-XIXe siècles. Allemande.
Dessinatrice et miniaturiste.

Le Musée Goethe à Weimar possède une miniature de cette artiste. Elle fut la mère d'Alwine.

FROMMEL Carl Ludwig
Né le 29 avril 1789 à Birkenfeld. Mort le 6 février 1863 à Ispringen. XIXe siècle. Allemand.
Peintre de paysages, graveur.

Il apprit la peinture avec Philipp Jacob Becker et la gravure avec Haldenwang. Après avoir visité Paris et l'Italie, il se fixa en Allemagne et devint professeur de peinture et de gravure à Karlsruhe. En 1824, il alla en Angleterre et fonda avec H. Winckles un atelier de gravure sur acier. En 1829, il fut élu directeur de la galerie de Karlsruhe.
Ses paysages sont agréables et pleins de goût. Citons : *L'éruption du Vésuve, Le cimetière de Salzbourg, Une vue de Rome, La maison du Tasse à Sorente*. Parmi ses gravures : *Une vue du Vésuve, Vue du Mont Etna*.

VENTES PUBLIQUES : LONDRES, 20 juin 1980 : *La Villa Maecenas, Tivoli*, h/pan. (33x43,2) : **GBP 500**.

FRÖMMEL Johann Georg
Né à Fulnek. XVIIIe-XIXe siècles. Allemand.

Peintre.
Il fut à Olmütz élève de Sattler. On cite de lui un retable pour l'église de Mankendorf.

FROMMEL Otto
Né le 9 janvier 1835 à Karlsruhe. Mort le 21 juillet 1861 à Lichtenthal. XIXe siècle. Allemand.
Peintre de paysages et lithographe.
Fils et élève de Carl Ludwig, il termina ses études à Düsseldorf, en France et en Hollande.

FROMMER Esther Maria
XVIIe-XVIIIe siècles. Allemande.
Peintre de miniatures et aquarelliste.
Elle était fille de Wilhelm et épousa le graveur W. Ph. Kilian.

FROMMER Wilhelm
XVIIe siècle. Actif à Augsbourg. Allemand.
Dessinateur, graveur et miniaturiste.
On connaît de lui seulement quelques gravures.

FROMONT Claude
XVIIIe siècle. Actif à Paris en 1759. Français.
Peintre et sculpteur.

FROMONT Jean Baptiste Michel
XVIIIe siècle. Actif à Paris en 1785. Français.
Peintre et sculpteur.

FROMONT Pierre De. Voir **DEFROMONT Pierre**

FROMUND
Xe siècle. Allemand.
Dessinateur et miniaturiste.
Ce calligraphe qui travaillait à Tegeensee illustra certains manuscrits de dessins ou de miniatures d'inspiration byzantine.

FROMUTH Charles-Henry
Né en 1866 à Philadelphie (Pennsylvanie). Mort en 1937 à Concarneau (Finistère). XIXe-XXe siècles. Depuis 1889 actif en France. Américain.
Peintre de scènes de genre, paysages, marines, pastelliste, dessinateur.
Il était fils d'immigrés allemands. Il étudia à l'École des Beaux-Arts de Philadelphie, chez Thomas Eakins. Dès 1889, il vint s'établir à Paris, brièvement élève de Tony Robert-Fleury et William Bouguereau à l'Académie Julian. En 1890, il s'installa définitivement à Concarneau. Il exposa, à Munich, en 1897, obtenant une deuxième médaille ; ainsi qu'à Paris, à l'Exposition Universelle de 1900, où il reçut une médaille d'argent. Il fut membre, de la Société des Pastellistes, à Londres ; de la Sécession de Berlin ; de la Société des Peintres de marine, à Paris.
Il réalisa de nombreuses scènes de genre et marines, abandonnant l'huile pour adopter le fusain rehaussé de couleurs, puis le pastel. Cette dernière technique s'imposant à lui pour traduire l'agitation du port de Concarneau, qui fut la principale source d'inspiration pour ses œuvres. En 1930, il s'exprima ainsi : « Le mouvement est la clef de voûte de mon travail, mais sans structure ni force, le mouvement n'est rien. Vous ne pouvez pas l'obtenir par la technique ni en peignant simplement ce que vous voyez : vous devez l'introduire dans votre travail par la contemplation incessante et l'application ; en fait, en le vivant : il n'y a pas d'autre méthode. »
BIBLIOGR. : Gérald Schurr, in : *Les Petits Maîtres de la peinture 1820-1920, valeur de demain*, Les Éditions de l'Amateur, t. VI, Paris, 1985 – William H. Gerdts, D. Scott Atkinson, Carole L. Shelby, Jochen Wierich : *Impressions de toujours – Les peintres américains en France 1865-1915*, Mus. Américain de Giverny, Terra Foundation for the Arts, Evanston, 1992.
MUSÉES : GIVERNY (Mus. Américain Terra Foundation for the Arts) : *Brume matinale d'hiver à Concarneau* 1892 – QUIMPER (Mus. des Beaux-Arts) : *Un décor de neige, bateaux désarmés* 1897.
VENTES PUBLIQUES : BREST, 13 déc. 1981 : *Concarneau sous la neige*, past. gchée (75x68) : **FRF 5 000** – BREST, 18 déc. 1983 : *Thoniers à Concarneau* oct. 1919, past. (40x35) : **FRF 4 000** – BREST, 17 mai 1987 : *Barques sous la neige* 1909, past. reh. de gche (45x34) : **FRF 26 500** – PARIS, 14 déc. 1988 : *Thonnier à Concarneau* oct. 1919, past. (49x45) : **FRF 22 000.**

FRONDAT Napoléon Charles Louis
Né en février 1846 à Paris. XIXe siècle. Français.
Caricaturiste.
Il fonda *La Puce en colère* et collabora au *Grelot* et au *Sifflet*.

FRONDAT Th. de
XIXe siècle. Français.
Peintre.
En 1835 et 1837, il figura au Salon de Paris. On cite de lui notamment : *La visite du curé à la ferme*.

FRONEN Abraham
XVIIe siècle. Actif à Anvers en 1610. Éc. flamande.
Aquarelliste.

FRONHAUSEN Lorenz
XVIe siècle. Actif à Nordhausen. Allemand.
Sculpteur sur bois.
Il travailla aussi à Bleicherode.

FRONHOFER Ludwig
Né le 24 août 1746 à Ingolstadt. Mort le 9 novembre 1800 à Munich. XVIIIe siècle. Allemand.
Graveur amateur.
On lui doit une Dissertation sur l'étude de la gravure.

FRONIUS Hans
Né en 1903. XXe siècle. Autrichien.
Dessinateur, graveur, illustrateur.
Il a illustré ou raconté en images, des fabulations de sa propre invention, généralement empreintes d'un humour noir, qui peut évoquer le monde de Kafka.
VENTES PUBLIQUES : VIENNE, 16 mars 1982 : *Scène de port* 1950, fus. et craie (29,5x21) : **ATS 8 000** – VIENNE, 13 sep. 1983 : *Les chevaux de cirque* 1967-1968, h/t (71x48) : **ATS 50 000** – VIENNE, 3 déc. 1986 : *Istanbul* 1985, h/isor. (52x57) : **ATS 80 000.**

FRONT Henri
Né le 8 juin 1940 à Châteaudun (Eure-et-Loir). XXe siècle. Français.
Peintre. Tendance abstraite.
Sa peinture se rapproche de l'abstraction-lyrique.
VENTES PUBLIQUES : PARIS, 23 mars 1988 : *Le tapis Kassapiau* 1987, h/pap. (50x65) : **FRF 2 000.**

FRONTEAU François
XVIIIe siècle. Actif à Paris en 1750. Français.
Peintre et sculpteur.

FRONTI Michel
Né le 1er novembre 1862 à Marseille (Bouches-du-Rhône). XIXe-XXe siècles. Français.
Peintre, pastelliste.
Il fut élève de Benjamin-Constant et de Jules Lefebvre, après avoir étudié à l'École des Beaux-Arts de Marseille. Il exposa au Salon des Artistes Français, dont il fut sociétaire, obtenant une médaille d'argent, en 1922.
BIBLIOGR. : Gérald Schurr, in : *Les Petits Maîtres de la peinture 1820-1920, valeur de demain*, Les Éditions de l'Amateur, t. V, Paris, 1981.

FRONTIER Jean Charles
Né le 22 août 1701 à Paris. Mort le 2 septembre 1763 à Lyon. XVIIIe siècle. Français.
Peintre.
Élève de Claude-Guy Hallé, il peignit des sujets religieux mythologiques, exposa à Paris, de 1743 à 1750, notamment *Moïse et le serpent d'airain* (1743 ; pour Sainte-Croix de Lyon, aujourd'hui à Saint-Pierre de Lyon), *Nativité de Jésus-Christ* (1745 ; au Musée de Grenoble), *Prédication de saint Jean au désert*. Il fut reçu académicien le 30 juillet 1744, sur un *Prométhée attaché au Caucase* (aujourd'hui au Louvre). Il s'établit à Lyon en 1756 et y fut professeur de dessin, puis professeur de peinture à l'École gratuite de dessin. Il peignit, à Lyon, *Rébecca donnant à boire au serviteur d'Abraham* (pour l'église des Chartreux) et *David jouant de la harpe* (pour l'église Saint-Antoine). Il s'intitulait peintre ordinaire du roi.

Froutier.

FRÖR Ch.
Né vers 1770 à Nuremberg. Mort en 1832. XVIIIe-XIXe siècles. Allemand.
Peintre de paysages et aquarelliste.

FRORIEP Berta
Née le 16 mai 1833 à Berlin. XIXe siècle. Allemande.
Portraitiste et peintre de genre.
Elle a exposé, à partir de 1870, à Dresde et Berlin. Elle vécut beaucoup à Weimar.

FROSCH Carl
Né en 1771 à Halle. XVIIIe-XIXe siècles. Allemand.

Graveur.
Il vécut surtout à Leipzig et fut surtout illustrateur de livres et dessinateur de vignettes.

FROSCH Moritz
XVIe siècle. Actif à Feldkirch vers 1550. Allemand.
Peintre.
Il était sans doute le fils de Sebastian et exécuta des tableaux religieux pour les églises de sa région. Il travailla même à Innsbruck.

FROSCH Sebastian
XVIe siècle. Actif à Feldkirch vers 1510. Allemand.
Peintre.
Il exécuta des peintures pour la maison paroissiale de Hall.

FROSCHI Giovanni de
XVIe siècle. Italien.
Peintre.
Il fut peut-être actif à Brescia, vers 1500.

FRÖSCHL Carl
Né le 23 août 1848 à Vienne. Mort en 1934. XIXe siècle. Autrichien.
Peintre de genre, portraits, pastelliste.
Élève de l'Académie de Vienne et de W. Diez à Munich. Il obtint deux médailles à Vienne en 1887 et 1889, et une médaille de bronze à Paris en 1900 (Exposition Universelle).
Ventes Publiques : Vienne, 16 sep. 1969 : *La sieste* : **ATS 30 000** – Londres, 29 nov. 1984 : *Groupe de quatre enfants*, past. (140,5x104,5) : **GBP 5 300** – Londres, 18 mars 1992 : *Petite fille au bouquet de fleurs*, past. (75x59) : **GBP 9 900** – Munich, 7 déc. 1993 : *Petite fille avec un lapin* 1883, past. et gche/pap. (61,5x47,5) : **DEM 14 950**.

FRÖSCHL Daniel
Né avant 1572. Mort le 15 octobre 1613 à Prague. XVIe-XVIIe siècles. Allemand.
Miniaturiste.
Il travailla comme miniaturiste au service de l'empereur Rodolph II, moyennant un salaire de 15 florins par mois, à dater de l'année 1603. Il devint ensuite « Gardien des Antiquités de Sa Majesté » (d'après Doppelmayer).

FRÖSCHLE Jakob
Né le 20 février 1742 à Krumbach (Souabe). Mort le 26 avril 1782 à Krumbach. XVIIIe siècle. Allemand.
Peintre de fresques.
Il a exécuté des plafonds pour plusieurs églises en Souabe, comme, par exemple : Bad Wörishofen, Haupeltshofen, Tussenhausen, Ursberg.

FROSINO Battista di. Voir **GIOVANNI BATTISTA di Frosino**

FROSNE Jean
Né vers 1630 à Paris. Mort après 1676. XVIIe siècle. Français.
Graveur.
Il a gravé des portraits, des planches d'ornements et des paysages. Ses estampes ne portant pas d'autre nom que le sien, il est présumable qu'il les a exécutées d'après ses propres dessins.

FROSSARD Émilien
Né en 1802. Mort en 1881. XIXe siècle. Français.
Peintre de paysages, aquarelliste, dessinateur.
Pasteur à Bagnères-de-Bigorre, dans les Hautes-Pyrénées, il s'y installa, dès 1848. Il quittera le pays, en 1855, chargé d'organiser, lors de la guerre de Crimée, l'aumônerie protestante en Orient. Il prit part à l'exposition *Les Pyrénées romantiques* en 1879.
Étant passionné de géologie et curieux des accidents naturels du relief montagneux, Émilien Frossard réalisa de nombreuses vues des Pyrénées, au crayon ou à l'aquarelle, en les reproduisant avec exactitude.
Bibliogr. : Gérald Schurr, in : *Les Petits Maîtres de la peinture 1820-1920, valeur de demain*, Les Éditions de l'Amateur, t. VII, Paris, 1989.

FROSSARD G.
Né à Marseille (Bouches-du-Rhône). XIXe siècle. Français.
Peintre de portraits.
Musées : Sète : *Portrait de Carlotta Patti*.

FROST Anna
Née à Brooklyn. XXe siècle. Américaine.
Peintre et professeur.
Elle fut membre de plusieurs Sociétés.

FROST Arthur
Né probablement entre 1880 et 1885. XXe siècle. Actif aussi en France. Américain.
Peintre. Orphiste.
Tout écarte d'identifier ce Arthur Frost au Arthur Burdett Frost né en 1851. Les traces concernant ce Arthur Frost sont déjà presque effacées. René Huyghe, dans *Les Contemporains*, rappelle que Frost figurait à Paris, au Salon des Artistes Indépendants de 1913, avec Patrick Henry Bruce, Kupka, parmi les « Orphistes » réunis autour de Delaunay. Michel Seuphor, dans *Le Style et le Cri*, se souvient de ce camarade et disciple de Bruce, qui serait mort prématurément, et n'aurait pratiquement laissé que la reproduction, dans la revue *Montjoie* en 1914, d'une œuvre proche d'aspect des *Disques simultanés* des Delaunay. Seuphor donne Bruce et Frost, dans les années qui précédèrent la Première Guerre mondiale, pour les familiers les plus proches des Delaunay. Ils firent donc partie, avec Macdonald-Wright, Morgan Russell et peu d'autres, de cette première génération de peintres américains à tendance abstraite, alors totalement négligés, qui ne furent reconnus qu'après la Seconde Guerre mondiale.
Ventes Publiques : New York, 10 juin 1976 : *Étude pour Sorcery*, aquar. (29,5x42) : **USD 650**.

FROST Arthur Burdett
Né le 17 janvier 1851 à Philadelphie. Mort en 1928. XIXe-XXe siècles. Américain.
Peintre de sujets de sport, peintre à la gouache, aquarelliste, dessinateur, illustrateur.
Il fut surtout peintre de sujets de chasse, et aussi dessinateur humoristique, illustrateur.
Ventes Publiques : New York, 7-8 jan. 1947 : *En brisant la glace*, aquar./pap. : **USD 1 550** – New York, 28 jan. 1970 : *Nature morte* : **USD 1 100** – New York, 28 avr. 1978 : *Le cirque*, gche (37x51) : **USD 2 200** – New York, 19 juin 1981 : *Vue d'un village* 1880, cr. et gche/pap. (25,4x33) : **USD 750** – New York, 8 juin 1984 : *La chasse à l'ours*, aquar. reh. de blanc (28x35,5) : **USD 17 000** – New York, 1er nov. 1984 : *Point of Honor*, cr. et fus. (40,8x52) : **USD 850** – New York, 30 sep. 1985 : *Words of wisdom*, pl. et lav./pap. mar./cart. (50x35,5) : **USD 5 500** – New York, 30 mai 1986 : *The rural pest*, aquar. et gche en grisaille/cart. (48x65,2) : **USD 8 000** – New York, 18 oct. 1989 : *La chasse aux cailles*, lav. et gche/pap. (29,2x36,8) : **USD 60 500** ; *La chute d'une bécasse touchée*, aquar. et gche/pap. (34,2x54,6) : **USD 85 250** – New York, 23 mai 1990 : *Chasse à la caille*, aquar., gche et cr. en grisaille/pap. teinté (39,2x48,2) : **USD 19 800** – New York, 10 mars 1993 : *Chasse au faisan* 1901, aquar. et gche en grisaille/cart. (65,4x43,2) : **USD 17 250** – New York, 26 mai 1993 : *Débat politique*, aquar., gche et cr. en grisaille/pap./cart. (46,3x65,3) : **USD 7 475** – New York, 22 sep. 1993 : *Tire ! Tire ! Pourquoi ne tires-tu pas ?*, encre et gche en grisaille/cart. (48,7x54,7) : **USD 15 525** – New York, 31 mars 1994 : *Repli stratégique !*, encre et cr./pap. (51,8x41,6) : **USD 1 380** – New York, 25 mai 1995 : *Un cirque dans la ville*, gche/pap. (44,5x67,3) : **USD 5 750** – New York, 14 sep. 1995 : *Partie de chasse avec un chien flairant une proie*, gche/pap. (40,6x62,2) : **USD 36 800**.

FROST Cyril James
Britannique.
Peintre de portraits.
Élève de l'École de Croydon, il expose dans différentes Sociétés.

FROST George
Né vers 1754 à Barrow dans le Suffolk. Mort le 28 juin 1821 à Ipswich. XVIIIe-XIXe siècles. Britannique.
Paysagiste.
Artiste amateur imita Gainsborough et était intimement lié avec Constable. La Galerie de Glasgow possède de lui une esquisse.
Ventes Publiques : New York, 1er mai 1930 : *Près de Ipswich* : **USD 225** – Londres, 29 juin 1972 : *Le laboureur sur son champ* : **GNS 420**.

FROST George Albert
Né le 27 décembre 1843 à Boston. XIXe siècle. Américain.
Peintre de paysages.
Élève de R. de Keyser à l'Académie royale de Belgique.
Ventes Publiques : New York, 25 jan. 1980 : *Vue de Novgorod*, h/t (51x76) : **USD 2 200** – Londres, 16 oct. 1987 : *A view of the Cornhill, Ipswich*, h/t (43,2x61) : **GBP 2 600**.

FROST H.
XXe siècle. Travaillant à Londres. Britannique.
Peintre.
Ventes Publiques : Londres, 21 nov. 1930 : « *Speedwell* » *prenant en chasse* « *Theaquila* » : **GBP 5**.

FROST James
XVIIIe siècle. Britannique.
Paysagiste.
Exposa 37 fois à la Free Society, de 1766 à 1783.

FRÖST Johann
XVIIIe siècle. Allemand.
Sculpteur.
Il décora l'église de Uderwangen.

FROST John
Né le 14 mai 1890 à Philadelphie. Mort en 1937. XXe siècle. Américain.
Peintre de paysages.
Il obtint plusieurs distinctions dans des associations artistiques californiennes.

John Frost

Ventes Publiques : New York, 11 mars 1981 : *Wester summer* 1919, h/t (60,5x71) : **USD 1 100** – Los Angeles-San Francisco, 7 fév. 1990 : *Désert en fleurs* 1922, h/t (68,5x81) : **USD 44 000**.

FROST Joseph
XXe siècle. Australien.
Peintre de paysages animés, peintre à la gouache.
Ventes Publiques : Sydney, 2 déc. 1991 : *Le quai circulaire*, gche (17x22) : **AUD 1 400** ; *Balmoral Beach*, gche (16x22) : **AUD 1 400** – Sydney, 29-30 mars 1992 : *La traversée de la rivière*, gche (18x18) : **AUD 1 500**.

FROST Julius-H.
Né le 11 juillet 1867 dans le New Jersey. XIXe siècle. Américain.
Peintre et sculpteur.
Autodidacte, membre de la Society of Independants Artists et de l'American Federation of Arts.

FROST Terry
Né en 1915 à Leamington-Spa (Warwickshire). XXe siècle. Britannique.
Peintre. Tendance abstraite, polymorphe.
Il travailla d'abord à la radio. Prisonnier pendant la Deuxième Guerre mondiale, il se trouva dans le même camp que Adrian Heath, qui l'initia à la peinture en 1943. Libéré et démobilisé en 1945, il poursuivit sa formation picturale avec le groupe de St.-Ives, dans lequel il rencontra et se lia avec le peintre disciple de Mondrian, Ben Nicholson, et sa femme, le sculpteur abstrait Barbara Hepworth, devenant leur assistant. À la même époque, il connut également Victor Pasmore, qui exerça sur lui une influence déterminante. Il a participé à des expositions collectives, dont : 1958 au Guggenheim Museum de New York, 1955, 1958 aux Expositions de la Fondation Carnegie de Pittsburgh, etc. Il montre aussi ses œuvres dans des expositions personnelles : à Londres depuis 1952, à New York depuis 1960.
Les amitiés rencontrées, les influences reçues, le poussaient à l'abstraction. Cependant, il ne se départit presque jamais d'un dernier lien avec les apparences de la réalité, suggérée par des formes tantôt anguleuses, tantôt courbes, paysages, forme humaine, animaux, chevaux. Il peignait par touches de pigments épaisses ou lavées conférant à la surface peinte un aspect inégal et rugueux, à partir des couleurs « fondamentales » (les six couleurs du spectre de la lumière), et des brun et gris neutre, exploitant les sensations liées à la perception des couleurs : sensations spatiales, synesthésiques : par exemple associatives, tactiles. Cette peinture, approchant souvent l'abstraction, préservait cependant une fraîcheur spontanée. ■ J. B.
Bibliogr. : In : *Peintres contemporains*, Mazenod, Paris, 1964 – *Diction. Univers. de la Peint.*, Le Robert, Paris, 1975.
Musées : Londres (Tate Gal.).
Ventes Publiques : Londres, 14 juin 1971 : *Peinture* 1964 : **GBP 150** – Londres, 5 mars 1980 : *Orange et jaune* 1960, aquar. et reh. de gche (39,5x53,5) : **GBP 230** – Londres, 30 nov. 1982 : *Décembre* 1968, acryl./t. (152x101,5) : **GBP 300** – Londres, 5 déc. 1985 : *Ochre and grey* 1962, h/t (153,5x152,5) : **GBP 5 000** – Londres, 25 fév. 1988 : *Composition* 1961, aquar./pap. (58x39) : **GBP 418** – Londres, 9 juin 1988 : *Verticales* 1959, h/t (90x60) : **GBP 1 540** – Londres, 29 juil. 1988 : *Femme assise* 1975, cr. et lav. (67,5x26,3) : **GBP 858** – Londres, 9 juin 1989 : *Jaune de Mars* 1959, h/t (63,5x76,3) : **GBP 4 950** – Londres, 9 mars 1990 : *Tourbillon* 1958, h/cart. (45,5x83,9) : **GBP 6 600** – Londres, 24 mai 1990 : *Les trois Grâces* 1960, h/t (193x124) : **GBP 15 400** – Londres, 9 nov. 1990 : *Peinture noire et blanche* 1959, h/t (152x102) : **GBP 13 200** – Londres, 25 jan. 1991 : *Croisement de cyclistes sur Albert Bridge Road* 1948, h/pan. (24x18) : **GBP 1 430** – Londres, 8 mars 1991 : *Forme noire avec du bleu et du rouge*, h/cart. (124,5x124,5) : **GBP 9 020** – Londres, 7 juin 1991 : *Ombre et ocre* 1961, h/t (62x76) : **GBP 3 300** – Londres, 8 nov. 1991 : *Ombre et forme grise* 1957, h/cart. (88,5x43) : **GBP 2 750** – Londres, 11 juin 1992 : *Bleu, noir et blanc mai 59*, h/t (152,5x91,5) : **GBP 6 050** – Londres, 26 mars 1993 : *Collage de cœurs* 1987, h. et collage/pap. (104x120) : **GBP 2 530** – Londres, 25 nov. 1993 : *Rouge et jaune* 1973, acryl./t. (213,6x152,6) : **GBP 6 325** – Londres, 25 oct. 1995 : *Personnage* 1957, h/cart. (88,4x43,8) : **GBP 2 645** – Londres, 23 oct. 1996 : *Verticales bleues et noires* 1957, h/cart. (213,5x160) : **GBP 6 325**.

FROST William Edward
Né en 1810 à Wandsworth. Mort le 4 juin 1877 à Londres. XIXe siècle. Britannique.
Peintre d'histoire, figures.
Il travailla à l'Académie Sass et à l'Académie Royale où il entra en 1829 et où il obtint en 1839 une médaille d'or avec son *Prométhée enchaîné*. Etty eut énormément d'influence sur l'orientation de cet artiste, car ce dernier, après avoir fait des portraits pendant quatorze ans, abandonna ce genre pour suivre les traces d'Etty qui lui donnait des conseils depuis fort longtemps. Au concours du Wesminster Hall, il remporta en 1843 un prix de 100 livres sterling avec *Nymphe surprise par les Faunes*. Élu associé de l'Académie Royale en 1846, il n'en devint membre qu'en 1871 lorsqu'il présenta son tableau : *Une nymphe et Cupidon*. Parmi ses chefs-d'œuvre figurent : *Sabrina* (1843), *Nymphes des bois* (1847), *Une danse* (1861), *Puck* (1869).
Musées : Dublin : *Nymphes dansant* – Londres (Victoria and Albert Mus.) : *Étude d'homme* – *Étude de femme* – *Contemplation*, tête de femme.
Ventes Publiques : Paris, 1859 : *Diane et Actéon* : **FRF 17 550** – Londres, mars 1861 : *Nymphes des bois surprises au bain* : **FRF 9 415** – Londres, avr. 1863 : *Euphrosine* : **FRF 20 510** ; *Les Sirènes* : **FRF 7 350** – Londres, mars 1875 : *Aurore et Zéphir* : **FRF 9 970** – Londres, 11 avr. 1908 : *Bacchanale* : **GBP 14** – Londres, 4 avr. 1910 : *Marine* : **GBP 23** – Londres, 10 juin 1910 : *Panope* 1862 : **GBP 48** – Londres, 1er juin 1923 : *Désarmement de Cupidon* : **GBP 15** – Londres, 17 déc. 1928 : *Les Sirènes* : **GBP 8** – Londres, 13 juin 1929 : *Les Jeux de Cupidon* : **GBP 21** – Londres, 12 mai 1932 : *Désarmement de Cupidon* : **GBP 15** – Londres, 21-24 fév. 1936 : *Scène du Comus de Milton* : **GBP 5** – Londres, 30-31 juil. 1936 : *Diane et ses soupirants* : **GBP 13** – Londres, 17 déc. 1937 : *Chasteté* : **GBP 5** – Londres, 20 déc. 1940 : *Baigneuses* : **GBP 25** – Londres, 23 déc. 1943 : *Baigneur* : **GBP 31** – Londres, 20 juil. 1945 : *Nu* : **GBP 63** – Londres, 12 déc. 1972 : *Les Sirènes* : **GBP 520** – Londres, 27 mars 1973 : *Les sirènes* 1849 : **GBP 2 400** – Londres, 13 oct. 1978 : *Sabrina* 1845, h/t (112x181,6) : **GBP 10 000** – Londres, 26 nov. 1982 : *Chastity*, h/t (122x182,8) : **GBP 4 500** – Londres, 15 mars 1983 : *Panope* 1862, h/t (71x91,5) : **GBP 2 800** – Londres, 12 avr. 1985 : *Panope* 1862, h/t (70x90) : **GBP 5 000** – Londres, 15 juin 1988 : *Nymphe au bain*, h/pan. (40,5x29) : **GBP 2 420** – Londres, 26 mai 1989 : *Portrait d'un jeune garçon assis, portant un habit vert et un pantalon blanc et tenant un livre* 1840, h/t (71,8x57,2) : **GBP 4 400** – Londres, 26 sep. 1990 : *Vendanges*, h/cart. (20x15) : **GBP 1 540** – New York, 26 mai 1992 : *Les Sirènes*, h/pan. (12,8x19) : **USD 1 760** – Londres, 5 sep. 1996 : *Naïade*, h/t (86,4x53,3) : **GBP 6 900** – Londres, 7 nov. 1996 : *Le Rapt d'Hylas*, h/t (33x26) : **GBP 2 875** – New York, 26 fév. 1997 : *Nu posant dans un paysage boisé* 1853, h/pan. (41,8x29,8) : **USD 5 750** – Londres, 13 mars 1997 : *Nymphe*, h/pap./pan., de forme ovale (14,8x12) : **GBP 5 500**.

FROSTÉ Nicolas Sébastien
Né le 21 août 1790 à Paris. Mort en 1856 à Odessa. XIXe siècle. Français.
Peintre.
Élève de Regnault, à l'École des Beaux-Arts où il entra le 17 août 1810. En 1824, il fut médaillé. De 1812 à 1831, il exposa au Salon des portraits et quelques autres sujets. On mentionne de lui : *Veillée funèbre près d'Atala* ; *Saint Étienne, premier martyr* (au Ministère de l'Intérieur) ; *Jésus guérissant un épileptique* (à l'église des Blancs-Manteaux) ; *Saint Charles Borromée* (pour l'église Saint-Louis, à Versailles) ; *Vue de la Piazetta à Venise*. On a de lui au Musée d'Orléans : *Le bon Samaritain* ; au petit Trianon : *Le duc d'Angoulême visitant l'hôpital militaire de Chiclana,*

en *Espagne* et au Musée de Troyes : *Odalisque fumant, Le sommeil.*

FROSTERUS-SALTIN Alexandra Theodora
Née le 6 décembre 1837 à Inga. XIXe siècle. Finlandaise.
Peintre.
Le Musée d'Helsinki conserve d'elle : *Musicien aveugle, Voyage en bateau jusqu'au cimetière, Une mère près de son enfant malade, Petits chagrins, Le conseiller H. Rosenberg.*

FROSTERUS-SEGERSTRALE Johanna Wilhelmina
Née le 23 octobre 1867 à Helsingfors (Helsinki). XIXe siècle. Finlandaise.
Peintre portraitiste.
Elle vécut et travailla à Vasa. Mention honorable en 1900. Le Musée d'Helsinki conserve d'elle : *Tête de jeune fille* (pastel).

FROTHINGHAM James
Né en 1786 à Charlestown. Mort en 1864 à New York. XIXe siècle. Américain.
Peintre de portraits.
Il fut élève de Gilbert Stuart. Membre de la National Academy, il peignit surtout des portraits.
Ventes Publiques : New York, 18 et 19 avr. 1934 : *George Washington*, d'après Gilbert Stuart : **USD 150** – New York, 28 sep. 1983 : *Portrait d'un gentilhomme*, h/pan. (23,5x17,8) : **USD 750.**

FROUART Jean
XVIIe siècle. Français.
Peintre.
Il était abbé à Ethival en 1627.

FROUCHAUD Auguste
XIXe siècle. Travaillant vers 1836. Français.
Sculpteur.
Le Musée d'Aix conserve de lui : *Jeune fille couronnée de plantes.*

FROUIN Jean-Michel
Né en 1960. XXe siècle. Français.
Peintre. Abstrait.
Il fit ses études à l'École Nationale Supérieure des Beaux-Arts. De 1979 à 1991, il participe au Salon de la Jeune Peinture de Paris, et au Salon d'Automne de Castre. D'entre ses expositions personnelles : Centre Georges Pompidou et galeries privées.
Des peintures d'apparence abstraites, comportant des connotations conceptuelles.
Ventes Publiques : Paris, 5 mars 1990 : *Incertitude*, h/t (120x130) : **FRF 4 000** – Paris, 14 avr. 1991 : *Sans titre* 1991, acryl./pap./t., diptyque (80x80) : **FRF 5 000.**

FROUIN Nicolas Alexis
XVIIIe siècle. Actif à Paris en 1768. Français.
Peintre et sculpteur.

FROULLE Auguste Adolphe, dit **Varnier**
Né le 15 juillet 1821 à Paris. XIXe siècle. Français.
Sculpteur en camées.
De 1848 à 1878, il figura au Salon. On cite de lui : *Diogène, Mars et Vénus, La mort d'Hyrnétho, Apollon chez Téthys, Alcide vainqueur de l'envie.*

FROUMENTIN Michel
Français.
Peintre verrier.
Fils d'un Pierre Froumentin. On cite de lui un vitrail : *Sacrifice d'Abraham*, dans l'église Notre-Dame, à Alençon.

FROWD Thomas T. J.
XIXe siècle. Britannique.
Peintre de paysages.
Actif à Windsor, il exposa fréquemment à Londres, de 1847 à 1864.
Ventes Publiques : Londres, 23 sep. 1980 : *Eton College ; Windsor Castle* 1849, deux h/t (30,5x38) : **GBP 480.**

FROWIN
Mort le 23 mars 1178. XIIe siècle. Allemand.
Enlumineur.
Il était abbé du couvent d'Engelbert où il fonda une école de peinture. Il orna les livres de la Bibliothèque du couvent.

FROWIS Martin
Né à Rheinfelden. Allemand.
Stucateur et sculpteur.
Auteur d'ornements dans l'église de Beromünster.

FROY Martin
Né en 1926 à Londres. XXe siècle. Britannique.
Peintre.
Il fut élève de la Slade School of Art de Londres jusqu'en 1951. Il fit sa première exposition personnelle en 1952.

FROYMONS Jan
Mort avant 1616 à Amsterdam peu. XVIIe siècle. Hollandais.
Peintre.

FRUCHARD Amélie, Mme, née **Four**
XIXe siècle. Française.
Peintre de fleurs et de figures, pastelliste et aquarelliste.
Le Musée de Tulle conserve d'elle : *Tête* (pastel), *Fleurs* (aquarelle).

FRUCTUOSO ou **Frictosus**
XIe siècle. Espagnol.
Miniaturiste.
Il exécuta à la bibliothèque de l'Université de Saint-Jacques-de-Compostelle un livre de prières illustré par lui.

FRUCTUS Joseph
XVIIIe-XIXe siècles. Français.
Peintre et dessinateur.
Cet artiste, qui paraît avoir été un amateur, a dessiné et lithographié à Lyon, depuis les dernières années du XVIIIe siècle jusqu'en 1825, des vues de Lyon et des environs, des monuments, des événements contemporains. Il exposait à Lyon, en 1827, une peinture : *Soleil couchant.* Une de ses lithographies représente *Le château de Saint-Chamond, dessiné d'après nature en 1787.* Il a gravé à l'eau-forte une *Vue de Pierre Encize*, signée du monogramme *JFR.*

FRUCTUS Joseph Benezet
Né vers 1743 à Avignon. Mort le 14 mai 1831 à Lyon. XVIIIe-XIXe siècles. Français.
Peintre ?

FRUEAUF Rueland, l'Ancien
Né vers 1440. Mort en 1507 à Passau. XVe siècle. Autrichien.
Peintre de compositions religieuses, portraits, fresquiste.
Au début de sa vie, il travailla beaucoup à Salzbourg et en particulier pour les moines bénédictins de cette ville. Il fut aussi, sans doute, l'aide de Konrad Laib. Bourgeois de Salzbourg en 1478, il fut bourgeois de Passau en 1480. Il voyagea aux Pays-Bas.
Il semble avoir débuté avec un retable représentant douze scènes de la *Passion*, peint pour Ratisbonne vers 1475. Lors de son séjour à Passau, en 1480, il termine les fresques de l'Hôtel de Ville. À Nuremberg, en 1487, il peint des scènes du retable du maître-autel de l'église des Augustins. Quatre importantes peintures appartenant au musée de Vienne et représentant des scènes de la Passion : *Le Jardin des Oliviers – Flagellation – Portement de Croix – Calvaire* 1491, sont très vraisemblablement de cet artiste ; elles faisaient partie d'une retable exécuté pour Salzbourg, et au revers duquel se trouvaient des scènes de la *Vie de la Vierge.* Il est également l'auteur d'un *Portrait de jeune homme*, peint vers 1500.
Il peut atteindre une puissance dramatique à travers des expressions très poussées de certains de ses personnages. Des visages de comparses, notamment, dans la *Crucifixion – La mort de la Vierge – La prédication de saint Jean Baptiste* ne sont pas sans rappeler Pieter Brueghel. Il fait soit jouer des couleurs saturées sur un fond or, soit des couleurs plus sobres sur un ciel naturel, soit un ensemble de couleurs profondes donnant l'impression d'un fond abstrait, comme pour *L'Homme de douleurs*, de Munich.
Bibliogr. : In : *Diction. de la peint. allemande et d'Europe centrale*, coll. Essentiels, Larousse, Paris, 1990.
Musées : Budapest : *Annonciation* – Cambridge, Massachusetts (Fogg Art Mus.) : *Visitation* – Freising – Herzogenburg : *Présentation de la Vierge au Temple* – Munich : *L'Homme de douleurs* – Prague – Saint-Florian : *Mort de la Vierge* – Venise (Mus. Correr) : *Nativité – Présentation au Temple* – Vienne (Österr. Gal.) : *Jardin des Oliviers – Flagellation – Portement de Croix – Calvaire* 1491 – *Portrait d'un jeune homme.*
Ventes Publiques : Berlin, 20 sep. 1930 : *Saint Hieronymus* : **DEM 10 500** – Londres, 28 juin 1935 : *Portrait d'un cardinal* : **GBP 18.**

FRUEAUF Rueland, le Jeune
Né à Passau (Bavière). XVe-XVIe siècles. Autrichien.
Peintre de compositions religieuses.
Il était le fils de Rueland l'Ancien et il est relativement malaisé de distinguer son œuvre de celle de son père.
On croit pouvoir lui attribuer plusieurs retables conservés à l'abbaye de Klosterneuburg, près de Vienne, notamment les panneaux représentant : *Le Jardin des Oliviers – Arrestation du Christ – Couronnement d'épines – Calvaire* ; puis, datant de 1505 : *La légende de saint Léopold*, comprenant : *Le départ de saint Léopold – La chasse au sanglier – L'apparition du voile – La construction de Klosterneuburg*.
Son art est plus narratif, comme le prouvent son *Saint Jean Baptiste* et la *Fondation de l'abbaye par Léopold le Glorieux*. Il laisse une place très importante au paysage et à l'architecture. Certains personnages de la *Décapitation de saint Jean Baptiste* rappellent les gondoliers à silhouettes de sauterelles des scènes vénitiennes de Gentile Bellini et de Carpaccio.
Bibliogr. : E. H. Buschbeck : *Primitifs autrichiens*, édit. d'hist. de l'art, Paris, 1937 – in : *Diction. de la peint. allemande et d'Europe centrale*, coll. Essentiels, Larousse, Paris, 1990.
Musées : Nuremberg : *Crucifixion* – Vienne (Kunstmus.) : *Sainte Anne, la Vierge et l'Enfant avec un donateur présenté par ses saints patrons*.

FRUEHAUF Johann
Né le 26 février 1791 à Bamberg. Mort vers 1843. XIXe siècle. Allemand.
Lithographe.
On lui doit entre autres des *Vues de Bamberg*.

FRUGERY Niccolo
XVIIIe siècle. Actif à Rome. Allemand.
Graveur.
On cite de lui une Sainte Thérèse d'après Mancini.

FRÜH Eugen
Né en 1914 à Saint-Gall. Mort en 1975 à Zurich. XXe siècle. Suisse.
Peintre de paysages.

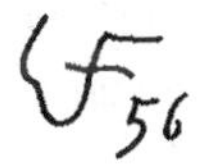

Ventes Publiques : Zurich, 30 mai 1981 : *Bord de mer* 1967, techn. mixte (46,5x64) : **CHF 1 300** – Zurich, 14 mai 1982 : *Branson au ciel vert* 1970, h/t (40x45) : **CHF 4 000** – Zurich, 9 nov. 1984 : *Vue de Venise au crépuscule* 1963, h/t (40x60) : **CHF 2 800** – Zurich, 7 juin 1985 : *Joshida* 1940, h/cart. (63x47) : **CHF 3 000** – Zurich, 24 nov. 1993 : *Près de La Sage*, h/t (47x73) : **CHF 4 600**.

FRUH Oscar
Né le 25 mai 1891 à Teufen. XXe siècle. Suisse.
Peintre animalier.
Il exposait régulièrement à Paris, aux Salons des Artistes Indépendants et d'Automne.
Il fut surtout un peintre des chevaux.

FRÜHBECK Franz
XIXe siècle. Actif au début du XIXe siècle. Américain.
Dessinateur et peintre.
Connu pour son journal dessiné et peint du voyage qu'il fit, en 1817 et 1818, à travers le Brésil, conservé par la Société Hispanique d'Amérique, à Philadelphie, et reproduit, en 1960, par les soins de R. C. Smith et G. Ferrez.

FRUHMANN Johan
Né en 1928 à Weissenstein (Drau). XXe siècle. Autrichien.
Peintre, graveur. Abstrait, tendance Lettres et Signes.
Il a étudié à Graz et à Vienne. Il participe à de nombreuses expositions collectives, dont : 1954 Biennale de Venise. Il expose à titre individuel depuis 1952, surtout à Vienne.
Il expose aussi des monotypes et peintures de petits formats. Il pratique une abstraction de signes, qui évoquent parfois des graffitis et des griffonnages.
Ventes Publiques : Vienne, 7 avr. 1987 : *Sans titre* 1962, h/pan. (36x44) : **ATS 12 000**.

FRÜHOLZ Jacob
Né le 2 mars 1769 à Geisslingen. Mort en 1846 à Geisslingen. XVIIIe-XIXe siècles. Allemand.
Peintre.
Dessinateur et miniaturiste, il exécuta aussi un retable représentant une *Cène* pour l'église d'Amstetten.

FRÜHSORG Heinrich
XVIe siècle. Actif à Fribourg-en-Brisgau au début du XVIe siècle. Suisse.
Peintre et peintre verrier.

FRUHTRUNK Günther
Né en 1923 à Munich. Mort en 1982 à Munich. XXe siècle. Depuis 1954 actif aussi en France. Allemand.
Peintre. Abstrait-géométrique.
Après des études d'architecture, en 1940-41, il fut mobilisé pour la durée de la guerre. En 1945, il entra à l'Académie privée de William Straube, où il resta jusqu'en 1950. En 1952, il vint recevoir les conseils de Fernand Léger dans son Académie de Paris, où il revint, grâce à une bourse, en 1954. Depuis ce moment, il a partagé son temps entre la France et l'Allemagne. En 1955, il reçut aussi les conseils de Jean Arp. Il rencontra alors les peintres de la Galerie Denise René. Il a participé à de très nombreuses expositions collectives, surtout à celles consacrées aux courants néoconstructivistes, notamment, à Paris entre 1955 et 1961, aux Salons des Réalités Nouvelles, de Mai, Comparaisons. Il a participé à la Biennale de Venise en 1968. Il a montré son travail dans de nombreuses expositions personnelles, depuis la première en 1947 à Fribourg-en-Brisgau : notamment à Paris en 1960, Milan en 1962, 1964, 1966, Marseille 1963, 1965, Düsseldorf 1964, Munich 1964, 1965, 1966, Cologne 1965, Vienne et Francfort-sur-le-Main 1968, etc. Il a eu les occasions de réaliser un relief de béton pour la ville de Leverkusen en 1965, une grande mosaïque en extérieur pour l'auditorium de l'École d'Ingénieurs de Düsseldorf en 1966. En 1967, il a été nommé professeur à l'Académie des Beaux-Arts de Munich.
Ses premières peintures abstraites sont composées de surfaces géométriques, surtout des carrés, rectangles et cercles, disposées sur le plan du support, sans effet de profondeur. À partir de 1960, il réduisit les surfaces à des raies, de couleurs et de largeurs différentes, disposées parallèlement, dans le sens horizontal, vertical ou bientôt en obliques, créant, à la faveur d'effets optiques de contrastes, de moirage, rythmes et dynamisme. Toutefois, il ambitionne plus la pureté constructiviste que l'instabilité de l'art optique. Dans ses strictes compositions, le plus souvent fondées à partir de diagonales, ce qui est devenu un peu sa marque, il affirme fortement sa filiation avec la seule esthétique de l'abstraction géométrique. ■ J. B.
Bibliogr. : In : *Peintres contemporains*, Mazenod, Paris, 1964 – in : *Diction. Univers. de la Peint.*, Le Robert, Paris, 1975 – in : *L'art du XXe siècle*, Larousse, Paris, 1991.
Musées : Cologne – Dortmund – Grenoble (Mus. de Peinture et de Sculpture) : *Point critique* – Krefeld – Leverkusen – Marseille (Mus. Cantini) : *Intervalles violets* 1965 – Montréal – Munich – Münster (Westfälisches Landesmus.) : *Cantus firmus III* 1964-65 – Paris (Mus. Nat. d'Art Mod.).
Ventes Publiques : Rome, 18 mai 1976 : *Jardin de monastère* 1962, temp./t. (121x129) : **ITL 1 900 000** – Zurich, 17 nov. 1976 : *Rouge sur noir et jaune* 1970, h/t (80x79) : **CHF 6 000** – Munich, 26 mai 1978 : *Composition* 1963-1968, h/t (100x100) : **DEM 9 000** – Milan, 15 mars 1983 : *Jardin de monastère* 1962, temp./bois (121x129) : **ITL 1 700 000** – Cologne, 6 déc. 1983 : *Composition* 1962, vinyl./pan. (78x88) : **DEM 12 000** – Cologne, 9 déc. 1986 : *Composition au cercle blanc* 1955, h./jute (130x162) : **DEM 34 000** – Lokeren, 28 mai 1988 : *Champs dynamiques* 1962, h/pan. (39,5x41) : **BEF 110 000** – Londres, 29 juin 1989 : *Sans titre* 1966, acryl./pan. (76,5x78,8) : **GBP 15 400** – Londres, 17 oct. 1991 : *Fluctuation entre le rouge et le bleu*, h/cart. (71,5x71) : **GBP 9 350** – Munich, 26 mai 1992 : *Épitaphe pour Arp* 1974, sérig. en coul. (69,5x71) : **DEM 1 265** – Paris, 19 mars 1993 : *Cercles bleus*, peint./pan. (74x82) : **FRF 55 000** – Londres, 1er déc. 1994 : *Constantes jaunes* 1968, acryl./t. (40x57,5) : **GBP 5 520** – Paris, 16 mars 1997 : *Sans titre* 1954, h/t (81x100) : **FRF 57 000**.

FRUHTRUNK Wolf
Né en 1935 à Hambourg. XXe siècle. Allemand.
Graveur.
En 1970, il a participé à la Biennale de Gravure de Tokyo.

FRÜHWIRTH Johann
Né en 1640 à Vienne. Mort le 13 novembre 1701 à Vienne. XVIIe siècle. Autrichien.
Sculpteur.
Sculpteur de la cour, dont il fut en même temps en quelque sorte l'architecte décorateur, il exécuta plusieurs monuments à Hofburg et à Klosterneuburg dans un style encore baroque.

FRÜHWIRTH Johann Gabriel
Né le 23 mars 1668. Mort après 1734. XVIIe-XVIIIe siècles. Allemand.
Sculpteur.
Il était fils de Johann et travailla en particulier pour l'empereur Joseph Ier.

FRÜHWIRTH Karl Josef
Né le 2 juin 1675 à Vienne. Mort le 17 février 1714 à Vienne. XVIIIe siècle. Autrichien.
Sculpteur.
Il était fils de Johann et frère de Johann Gabriel dont il fut le collaborateur.

FRUIT Paul
XVe siècle. Français.
Enlumineur.
Vers 1467, il enlumina le *Roman de Guérin*, pour le compte du duc de Bourgogne.

FRULLI Gioacchino
XVIIIe siècle. Actif à Bologne. Italien.
Sculpteur.
Il fut élève de Scandellari.

FRULLI Giovanni Battista
Mort vers 1826. XIXe siècle. Actif à Bologne. Italien.
Peintre et graveur.
Élève de Toselli et Gandolfi, il imita la manière des Carrache. Il fut longtemps professeur à l'Académie de Bologne.

FRULLINI Luigi
Né le 25 mars 1839 à Florence. Mort en juillet 1897 à Florence. XIXe siècle. Italien.
Sculpteur.
Il exposa pour la première fois à Florence en 1861 ; puis, plus tard, à Paris, à Londres et à Vienne. On lui doit beaucoup de portraits tels ceux de *Garibaldi* et de *Mazzini*.

FRULLINI Nicotera
Né à Rome. XIXe-XXe siècles. Italien.
Peintre.
Prit part en 1900 au concours Alinari avec son tableau : *Surprise*.

FRÜMANN. Voir **FRÜHMANN**

FRUMENTI Niccolo
XVe siècle. Actif vers 1460. Italien.
Peintre.
Il est l'auteur d'un triptyque daté de 1461 qui représente la résurrection de Lazare et se trouve à Florence.

FRUMERIE Agnès de, née **Kjellberg**
Née le 20 novembre 1869 à Sköfde. XIXe-XXe siècles. Suédoise.
Sculpteur.
Elle fit ses études à Stockholm et voyagea longuement en Allemagne et en Italie. Elle exposait à Paris, depuis 1903 au Salon de la Société Nationale des Beaux-Arts, dont elle était associée. Voir aussi Agnès Kiellberg.

FRUNZ Kaspar
XVIIe siècle. Actif à Sarnen en 1614. Suisse.
Sculpteur.

FRUOSINA Bartolommeo de. Voir **BARTOLOMMEO di Fruosino**

FRUSSOTTE C.
XVIIIe siècle. Actif à la fin du XVIIIe siècle. Français.
Graveur.
On cite entre autres, parmi ses œuvres : *Les Quatre Saisons*, d'après Quéverdo.

FRUSTIER François
XVIIe siècle. Actif à Paris en 1614. Français.
Peintre et sculpteur.

FRUTET Frans
XVIe siècle. Actif à Séville vers 1548. Hollandais.
Peintre d'histoire.
On ne connaît pas exactement le lieu et la date de sa naissance et de sa mort ; ses œuvres se ressentent de l'influence de Raphaël et de Michel-Ange, bien qu'on y retrouve le coloris flamand.
MUSÉES : SÉVILLE : *Jésus tombe sur le chemin du calvaire – Descente de croix – Jésus entre deux larrons – La Cène* triptyque – TROYES : *Un bal à la cour de Flandre*.

FRUTIER Jean Jacques
Né au XIXe siècle à Paris. XIXe siècle. Français.
Peintre.
Élève d'Ary Scheffer. Il figura au Salon, de 1835 à 1844, avec des portraits. On cite de lui : *Gilbert à l'Hôtel-Dieu quelques jours avant sa mort, André Chénier à Saint-Lazare*.

FRUTOS Diego
Né vers 1700 près de Ségovie. Mort le 30 décembre 1754 à Valladolid. XVIIIe siècle. Espagnol.
Peintre.
Moine au couvent franciscain de Valladolid, il décora de peintures cet établissement. La plupart de ces tableaux se trouvent aujourd'hui au Musée de Valladolid.

FRUWIRTH Carl
Né le 24 janvier 1810 à Vienne. Mort le 17 janvier 1878 à Vienne. XIXe siècle. Autrichien.
Peintre de genre, paysages, natures mortes.
Élève de l'Académie de Vienne. Il voyagea en Italie et séjourna notamment à Venise et à Naples.
VENTES PUBLIQUES : MUNICH, 30 juin 1983 : *Scène de bord de mer, Capri*, h/pan. (40,5x67,5) : **DEM 6 000**.

FRUYTIERS Lodewyk Joseph
Né le 21 février 1713 à Malines. Mort le 22 février 1782 à Anvers. XVIIIe siècle. Éc. flamande.
Graveur.
Il grava d'après Joffroy les illustrations d'un ouvrage de Siré.

FRUYTIERS Philip
Né le 10 janvier 1610 à Anvers. Mort le 19 juin 1666 à Anvers. XVIIe siècle. Éc. flamande.
Peintre d'histoire, portraits, miniaturiste.
Les biographes ne sont pas d'accord sur les dates de sa naissance et de sa mort ; ils le font naître entre 1607 et 1625 et mourir en 1660 ou 1665. Franc-maître vers 1631.
Il a gravé un grand nombre de portraits recherchés des amateurs.

PF.

MUSÉES : ANVERS : *Une famille*.
VENTES PUBLIQUES : PARIS, 1857 : *Une dame avec ses enfants*, miniat. : **FRF 570** – BRUXELLES, 24 mars 1976 : *Enfants jouant avec un chien*, h/t (165x142) : **BEF 550 000**.

FRY Adam. Voir **FREY**

FRY Anthony
Né en 1927 à Theydon-Bois (Essex). XXe siècle. Britannique.
Peintre de figures.
Il fit ses études artistiques à Édimbourg et à Londres. De 1950 à 1952, une bourse lui permit un séjour à Rome. À son retour, il enseigna à l'Académie des Beaux-Arts de Bath. Il obtint une nouvelle bourse pour les États-Unis. Depuis ce voyage, il enseigne au Chelsea College of Art.
On connait surtout de lui une série de grandes compositions sur le thème des danseuses. Il peint de préférence des personnages dont il cerne vigoureusement le dessin, leur conférant souvent un caractère tragique.

FRY Arthur Malcolm
Né le 20 mai 1909. XXe siècle. Britannique.
Peintre, aquarelliste.
Il est membre de la Royal Scottish Academy. Il exposa régulièrement à Londres. Il fut directeur du Central Institute of Art and Design.

FRY George
Britannique.
Peintre d'architectures.
Le Musée de Cardiff conserve de lui : *Marble Hall Twickenham*.

FRY Georgia, née **Timken**
Née le 3 février 1864 à Saint Louis. XIXe siècle. Travaillant à New York. Américaine.
Peintre de paysages et d'animaux.
Femme de John H. Fry. Élève de Sebnenek, A. Morot et Cazin, à Paris. A peint particulièrement des paysages avec des moutons.

FRY Gladys Windsor
XXe siècle. Britannique.
Peintre et aquarelliste.
Elle fut élève de la London Art School ; elle expose dans plusieurs Salons anglais.

FRY Hans
XVIIe siècle. Suisse.

Peintre verrier.
Il travailla vers 1606 à Aarau.

FRY John Hemming
Né vers 1860 à Indiana. XIXe siècle. Américain.
Peintre.
Il acheva ses études à Paris sous la direction de Boulanger et de Cormon. On cite de lui : *Automne, Paolo et Francesca.*

FRY Laura
Née vers 1835 à Eltham. XIXe siècle. Britannique.
Peintre sur porcelaine.
Elle exposa à Londres à partir de 1855.

FRY Marshal
Né le 9 août 1878 à Syracuse (New York). XXe siècle. Américain.
Peintre, céramiste.
À New York, il fut élève de William Chase, (Arthur ?) Dow, (Henry ?) Snell. En Angleterre ensuite, il fut élève de Whistler.

FRY Roger Eliot
Né en 1866 à Londres. Mort en 1934 à Londres. XIXe-XXe siècles. Britannique.
Peintre de portraits, natures mortes, paysages, fleurs. Postcézannien. Groupe de Bloomsbury.
Il fit d'abord des études scientifiques à Cambridge, puis il étudia l'art et son histoire à Paris et en Italie. En 1899, il publia un essai sur Giovanni Bellini, en 1900-1901 un *Giotto*, en 1920 *Vision and Design*, en 1926 un *Seurat*. À partir de 1903 il fut rédacteur au *Burlington Magazine*, de 1905 à 1910 il fut conservateur du Metropolitan Museum, en 1933 il fut nommé professeur à Oxford. Il fut un familier du Bloomsbury Group, animé par Virginia Woolf. En 1910 et de nouveau en 1912, avec le concours du New English Art Club, il organisa à Londres deux expositions à vocation internationale sur *Manet et les postimpressionnistes*, qui contribuèrent à faire connaître en Angleterre la peinture moderne, particulièrement française (il est tout de même à remarquer que, pour 1910 et 1912, le propos n'était pas d'une audace folle). Il fut aussi à l'origine de la création, en 1913-1919, des *Omaga Workshops*, ateliers de recherches en décoration pour l'ameublement et le cadre de vie. À partir de 1913, Wyndham Lewis, le théoricien du Vorticisme, s'opposa ouvertement à ses idées. Il voyagea fréquemment en Italie et en France. Le legs de sa collection à l'Institut Courtauld de Londres, comprend des œuvres de Seurat, Bonnard, Rouault, Derain.
En peinture, qu'il pratiquait depuis 1888, il peignit des sujets divers et les paysages vus à l'occasion de ses voyages en Italie et en Provence. Il s'y montre influencé par Cézanne à travers l'époque du « retour à la forme » d'Othon Friesz. ■ J. B.
Bibliogr. : In : *Diction. de la peint. anglaise et américaine*, Larousse, Paris, 1991.
Musées : Londres (Tate Gal.) : fragments de la décoration de la salle à manger de la Borough Polytechnic.
Ventes Publiques : Londres, 12 déc. 1927 : *Fleurs dans un vase* : **GBP 17** – Londres, 25 juil. 1928 : *Cassis* : **GBP 20** – Londres, 23 juil. 1931 : *Nature morte* : **GBP 5** ; *André Gide* : **GBP 10** – Londres, 3 mai 1939 : *Gladioli* : **GBP 14** – Londres, 12 oct. 1973 : *Cour de ferme* : **GNS 360** – Londres, 22 juin 1977 : *Pontigny, le pont* vers 1925, h/t (52x63,5) : **GBP 500** – Londres, 10 juin 1981 : *Nature morte aux fruits* 1919, h/t (34x44) : **GBP 1 100** – Londres, 27 juin 1984 : *Rome, le Forum de Constantin*, h/cart. (30,5x40,5) : **GBP 2 400** – Londres, 13 mars 1987 : *Portrait of Zoum Vanden Eeckhout* 1915, h/t (71x91,5) : **GBP 9 500** – Londres, 3-4 mars 1988 : *Cours d'eau de montagne, en France* 1926, h/t (50x72,50) : **GBP 2 640** – Londres, 9 juin 1988 : *La vallée de la Seine*, h/t (77,5x107,5) : **GBP 2 640** – Londres, 9 juin 1989 : *Lytton Strachey écrivant dans le jardin* 1917, past. et cr. (30,5x46,8) : **GBP 4 400**.

FRY Samuel
XIXe siècle. Actif à Londres. Britannique.
Peintre et sculpteur.
Exposa dix-huit fois à la Royal Academy entre 1877 et 1890.

FRY Sherry Edmondson
Né le 29 septembre 1879. Mort en 1966. XXe siècle. Américain.
Sculpteur de figures, animalier.
Il fut élève de l'Art Institute de Chicago. Il étudia aussi à Paris. Il était membre de la National Sculpture Society. Il obtint de nombreuses distinctions, dont certaines au Salon de Paris.
Ventes Publiques : New York, 3 mai 1972 : *La mère spartiate*, bronze patiné : **USD 1 500** – New York, 12 avr. 1991 : *Le dauphin*, bronze, groupe pour une fontaine (H. 86,3) : **USD 13 750** – New York, 3 déc. 1996 : *Jeune Fille assise sur une bassine*, bronze (H. 44,5) : **USD 5 750**.

FRY William Thomas
Né en 1789. Mort en 1843. XIXe siècle. Actif à Londres. Britannique.
Graveur.
Exposa à Suffolk Street de 1824 à 1830.

FRYCZ Karol
Né en 1877 à Cieszkowa. XXe siècle. Polonais.
Peintre.
Pour ses études, il travailla à Vienne, Paris et Londres. Ensuite, il fut actif à Varsovie et Cracovie.

FRYDAG Bernhard
Né le 18 juin 1879 à Münster. Mort en avril 1916. XXe siècle. Allemand.
Sculpteur de monuments.
Il a sculpté le *Monument aux morts de Münster.*

FRYDMAN Maurice
Né en 1928 à Paris. XXe siècle. Depuis 1955 actif en Belgique. Français.
Sculpteur, peintre, décorateur.
Il fut élève de l'Académie de la Grande Chaumière à Paris. En 1995, il a montré un ensemble de ses travaux à la galerie du Théâtre du Vieux-Colombier à Paris.
Ses sculptures fondent leurs volumes sensuels sur un rapport anthropomorphique. Il intègre ses créations, en hauts-reliefs de polyester, dans des contextes architecturaux, sous forme de portes, balustrades, plafonds.
Bibliogr. : In : *Diction. biogr. illustré des artistes en Belgique depuis 1830*, Arto, Bruxelles, 1987.

FRYDMAN Monique
Née en 1943 à Nages (Tarn). XXe siècle. Française.
Peintre, pastelliste, technique mixte. Expressionniste-abstrait.
Elle fut élève de l'École des Beaux-Arts de Toulouse, puis, en 1964, de celle de Paris. Elle cessa de peindre pendant plusieurs années. En 1978, elle a participé à la création d'un atelier collectif. Elle participe à des expositions collectives ou expose seule, en 1981 au musée de l'Abbaye Sainte-Croix des Sables-d'Olonne, en 1981, 1983, 1985, 1988, 1991 à la galerie Baudoin-Lebon de Paris, en 1985 à *La Voie abstraite* salle Saint-Jean de la mairie de Paris, en 1986 à Nice, en 1987 à Toulouse, Melbourne et Bordeaux, en 1989 au Centre régional d'art contemporain de Toulouse, Centre d'art de Flaine, galerie Gill Favre de Lyon, 1990 Lausanne, 1995 au Musée des Beaux-Arts de Caen, 1996 Paris : *L'Absinthe 1989* galerie Jacques Elbaz, *Les Dames de nage 1992-1995* galerie Laage-Salomon et au Musée des Beaux-Arts de Caen, en 1997 à Paris, présentée à la FIAC (Foire Internationale d'Art Contemporain) par la galerie Jacques Elbaz.
Après le temps de sa formation initiale et technique, elle éprouva le besoin d'arrêter complètement de peindre. Lorsqu'elle recommença, elle peignit des formes inspirées de la représentation du corps, devenue elle-même le sujet narcissique de ses propres tableaux. S'étant libérée de cette emprise relative, elle aspire ensuite à matérialiser dans sa peinture et à communiquer une certaine sensation d'absolu : « Le peintre, toutefois, n'est pas en permanence en relation avec cette vie qui lui arrive sous forme d'intuition d'un absolu. D'autre part, le geste pictural est toujours menacé de ne pas être adéquat à cette information sur la perfection qui le bouleverse. » Elle travaille sur les toiles posées au sol, autant pour des raisons matérielles de commodité que pour abolir d'emblée le sens de la profondeur de l'espace. Partant de ce qu'elle poursuit dans toutes les périodes de sa peinture, c'est toujours la lumière, une certaine lumière selon les moments, particulièrement attentive aux qualités « tactiles, gustatives » des couleurs, qui pour elle sont lumière ; elle mixte les techniques, utilisant les pigments en poudre, le pastel, mêlés d'un liant et frottés sur les toiles humidifiées, anxieuse de retrouver tel jaune du Titien ou tel autre référent culturel. Elle se décrit en action : « Dans la façon de travailler ces tableaux sur des toiles humides, imprégnées avec des lavis de pigments plus ou moins saturés, et dans la rapidité-même de l'exécution, j'ai essayé de geler la couleur comme une substance, de mesurer le poids de sa matière, de prendre la mesure de sa lumière. » Dans ses peintures de la fin des années quatre-vingt, à partir de l'établissement du climat chromatique général, selon l'affect qui passe, elle

agresse, griffe ou en caresse la surface, comme de légers voilages différemment teintés, de traces pulsionnelles, d'inscriptions cryptées. Françoise Bataillon évoque « des gribouillis fébriles et autonomes (qui) semblent tantôt flotter avec désinvolture, tantôt émerger par bribes d'une illusoire profondeur ». Vers 1990, usant des mêmes pratiques techniques, Monique Frydman réduit considérablement, écarte presque totalement, les éléments griffés sporadiques, pour une stratégie autre. Après la série de *L'ombre du rouge*, sur les fonds préparés avec une pigmentation à peu près homogène monochrome, elle impose, tracé, frotté d'une tout autre coloration, un quadrilatère couvrant la plus grande partie centrale de la peinture, la référence à Rothko et à la peinture de champs étant évidente. Catherine Francblin décrit : « Les tableaux de cette série (*Senantes*) comportent une image centrale plus ou moins rectangulaire qui semble être une représentation de l'espace même du tableau. » La peinture de Monique Frydman est, dans ses phases diverses, nourrie de la référence américaine, et particulièrement du minimalisme. À l'intérieur de la nébuleuse minimaliste, elle ne se situe pas du côté géométrisant, mais, par rapport à l'abstraction en général, c'est un minimalisme peu orthodoxe, en ce qu'il ne se limite pas du tout aux formes primaires et aux sensations a-psychiques, mais se compromet fortement au contraire du côté du lyrisme, du gestuel, de l'informel matiériste et de l'expressionnisme. Une fois située approximativement dans son contexte d'époque et d'option, la peinture de Monique Frydman se singularise par l'origine du surgissement où elle s'impose, qu'elle situe dans l'ineffable, l'éblouissement quasi mystique lié à une évidence indicible de l'absolu. Non que cet anéantissement de l'égo dans l'envahissement possessif par l'émotion soit particulièrement féminin, il y a pourtant de la sainte Thérèse en extase dans Monique Frydman en peinture. ■ Jacques Busse

Bibliogr. : D. Davvetas, C. Francblin, M. Frydman : Catalogue de l'exposition *Monique Frydman*, Gal. Beaudoin-Lebon, Paris, 1988 – Françoise Bataillon : *Monique Frydman*, Beaux-Arts, Paris, oct. 1988 – Catherine Francblin, interview par : *Monique Frydman, cette perfection-là*, Art Press, n° 169, mai 1992 – divers : *Dossier Monique Frydman*, in : Verso, n° 3, Paris, juil. 1996.

Ventes Publiques : Paris, 6 avr. 1994 : *Jaune majeur I* 1988, techn. mixte/t. (196x193) : **FRF 34 000**.

FRYDRYCHOWICZ Tomasz
XVIIe siècle. Actif à Cracovie. Polonais.
Peintre.

FRYE Johann George Christian
Né vers 1750 à Osnabrück. Mort le 24 novembre 1824 à Tivoli. XVIIIe-XIXe siècles. Allemand.
Peintre de paysages.
Il passa la fin de son existence en Italie en compagnie du peintre Karl Gottlieb Lenz.

FRYE Thomas
Né en 1710 à Dublin. Mort le 2 avril 1762. XVIIIe siècle. Irlandais.
Peintre de portraits, miniaturiste, pastelliste, graveur.
Il s'établit d'abord à Londres, puis monta en 1749, à Row, une manufacture de porcelaine.
Il exécuta avec succès des miniatures et des portraits à l'huile. Il grava à la manière noire des portraits, la plupart de grandeur naturelle. Parmi ses gravures, on voit les effigies de : *George III*, *la reine Charlotte*, son propre portrait, le portrait de sa femme, *Miss Pond*.

Musées : Londres (Gal. Nat. des Portraits) : *Portrait de Jeremy Bentham*.

Ventes Publiques : Londres, 26 mars 1928 : *Robert Webb* : **GBP 25** – Londres, 18 juil. 1928 : *Gentilhomme* : **GBP 16** – Londres, 2 déc. 1929 : *Portrait de Suzanne Walker* : **GBP 25** – Londres, 5 juin 1930 : *Portrait de Thomas Wharton* : **GBP 105** – Londres, 4 juil. 1930 : *Portrait de la duchesse de Bedford* : **GBP 21** – Londres, 19 mai 1939 : *Sir Charles Towneley* : **GBP 35** – Londres, 27 oct. 1943 : *Portrait de femme*, past. : **GBP 10** – Londres, 17 mars 1967 : *Portrait de Richard Leveridge* : **GNS 400** – Londres, 19 Nov. 1982 : *Portrait of a gentleman of the Crispe family* 1746, h/t (124,3x101,6) : **GBP 15 000** – Londres, 15 mars 1983 : *Autoportrait*, mezzotinte (50,3x35,2) : **GBP 850** – Londres, 11 juil. 1984 : *Portrait of Mrs. Wardle*, h/t (123x99) : **GBP 11 000** – Londres, 15 mars 1985 : *Vue de Montrésor*, h/pan. (33,6x35) : **GBP 1 600** – Londres, 12 mars 1986 : *Portrait of two young girls*, h/t (152x117) : **GBP 17 000** – Londres, 14 juil. 1993 : *Portrait de Edward Goldney en buste et vêtu d'un habit de velours brun* 1739, h/t (74x62) : **GBP 4 600** – Londres, 10 juil. 1996 : *Portrait d'un gentilhomme de la famille Lloyd, en buste, vêtu d'un habit brun avecjabot et manchettes de dentelle*, h/t (91,5x71) : **GBP 4 600** – New York, 4 oct. 1996 : *Portrait de James Hanson, en buste, portant un manteau bleu*, h/t (91,3x71,1) : **USD 4 600**.

FRYER Edward H.
XIXe siècle. Britannique.
Paysagiste.
Exposa fréquemment à Londres de 1834 à 1843.

FRYER Gaetano
Né en 1746 à Vérone. Mort en 1776 à Vérone. XVIIIe siècle. Italien.
Peintre.
Cet artiste, d'origine anglaise, fut élève de Cignaroli et travailla à Vérone et à Parme.

FRYER Leonard
XVIIe siècle. Actif à Londres vers 1600. Britannique.
Peintre.
Il fut « sergeant painter » de la reine Élisabeth.

FRYG Ludwig. Voir **FRIG**

FRYON Georges
Né à Cambrai. XVIe siècle. Français.
Sculpteur sur bois.
Il travailla à la sculpture des boiseries de la cathédrale de Valenciennes, en 1550.

FRYS F.
XIXe siècle. Éc. flamande.
Peintre d'histoire.
Cité par Siret. Élève de Jos Paelinck, à Gand, il peignait à Bruxelles en 1830.

FRYSOU Pieter Frans
XVIIIe siècle. Actif à Bruges au milieu du XVIIIe siècle. Éc. flamande.
Peintre.

FRYTOM Frederik Van ou **Frutom, Freytom**
Né à Delft. Mort en 1658. XVIIe siècle. Hollandais.
Paysagiste et peintre sur porcelaine.
Il est surtout connu comme peintre sur porcelaine.

FRYTOM Joanna Van
XVIIe siècle. Hollandaise.
Peintre.
Sans doute parente de Frederik Van Frytom ; elle était peut-être même sa fille.

FUAREZ Anne. Voir **FAURE**

FU BAOSHI ou **Fou Pao-Che,** ou **Fu Pao-Shih**
Né en 1904 dans la province du Jiangxi. Mort en 1965 à Nankin. XXe siècle. Chinois.
Peintre de compositions à personnages, paysages animés. Traditionnel.
Après un séjour d'études au Japon, à l'École Impériale des Beaux-Arts de Tokyo, il fut nommé, en 1935, professeur à la Section des Beaux-Arts de l'Université Centrale à Nankin, et fit partie de diverses commissions artistiques du Ministère de l'Éducation. Il passa la guerre dans la province du Sichuan, puis reprit son enseignement artistique à Nankin en 1946. En 1949, après la Libération de l'occupation japonaise, il fut nommé directeur de l'Académie provinciale de peinture traditionnelle de la province du Jiangsu à Nankin, puis vice-président de l'Association Chinoise des Artistes, et président de la branche provinciale du Jiangsu de cette même Association. Vers 1950, Fu Baoshi, avec un groupe d'artistes, parcourut toute la Chine, en peignant sur le motif. En 1957, il visita la Tchécoslovaquie et la Roumanie.
Comme pour d'autres peintres chinois contemporains, l'expérience japonaise comme étudiant de Fu Baoshi lui permit de prendre une certaine distance d'avec la tradition picturale chinoise, de l'assimiler puis de l'assumer de façon autonome. Il pratique surtout la peinture de paysage et de personnages. Pour les personnages, il se veut l'héritier des grands maîtres de la dynastie Tang (618-906), ainsi que adeptes du bouddhisme chan

(zen) tels que Liang Kai (actif mi-XIIIe siècle), le peintre des personnages « à l'encre éclaboussée » ; mais en outre, Fu Baoshi s'est avéré très influencé par l'excentricité noble et subtile de Chan Hongshou (1598-1652). Pour le paysage, il se référa à l'enseignement de Shitao (1641-1720).
Outre son activité de peintre, Fu Baoshi a pratiqué aussi la gravure de sceaux. De plus, il a laissé quelques ouvrages théoriques et historiques sur la peinture, dont une étude sur la chronologie du peintre Shitao, qui reste un ouvrage de référence. Bien que travaillant dans un style traditionnel, avec parfois quelques emprunts à la peinture occidentale, son œuvre est très personnelle, à la fois par la délicatesse de son toucher de pinceau, bien que sa technique ne soit pas des plus fermes, et dans son sens des couleurs, bien qu'un peu décoratif, d'harmonies subtiles de gris et de verts, de bleu pâle et de bruns chauds. Avec un pinceau en éventail, il trace des feuillages denses par dessus des horizons panoramiques qui sont souvent des étendues liquides. Il aime recouvrir de grandes parties de son espace pictural avec des coups de pinceau très fins, et insérer à un endroit critique de la composition un groupe de personnages, aperçus entre les nuages ou baignant dans une brume ensoleillée. Si sa technique se rattache encore à la tradition, il introduit la modernité dans l'image par des lignes électriques à haute-tension, des cheminées d'usines, des navires à vapeur. Fu Baoshi est considéré comme étant parfois inégal, mais ses réussites comptent parmi les plus évidentes de la première moitié du XXe siècle. En tant que peintre-lettré de la tradition, mais dans l'époque moderne, le métier de cette tradition importait moins pour lui que la qualité spirituelle de l'inspiration. ■ Marie Mathelin, J. B.

Bibliogr. : P. Ryckmans, in : *Encyclopaedia Universalis*, vol. 4 et 16 - in : *Diction. de l'Art Mod. et Contemp.*, Hazan, Paris, 1992.

Musées : Paris (Mus. Cernuschi) : *Le rêveur* – Pékin (Assemblée Nat.) : *La Tombe de Zhongshan (tombe de Sun Yat-sen, près de Canton)*, en collaboration avec le peintre Guan Shanyue.

Ventes Publiques : Hong Kong, 11 mai 1983 : *Scholar playing the Qin*, encre et coul. (88x59) : **HKD 110 000** – Hong Kong, 12 jan. 1986 : *Listening to the waterfall on a bridge* 1945, encre et coul./rouleau de pap. (117x39,5) : **HKD 200 000** – Hong Kong, 12 jan. 1987 : *Boating on an autumn river*, encre et coul./rouleau de pap. (132x38) : **HKD 140 000** – Hong Kong, 17 nov. 1988 : *Cascades* 1964, encre et pigments/pap., kakémono (68,5x45,4) : **HKD 176 000** ; *Kiosque dans la colline* 1945, encre et pigments/pap., kakémono (85x51) : **HKD 209 000** – Hong Kong, 16 jan. 1989 : *Jeu de go sous un kiosque*, encre et pigments/pap., kakémono (127x32,5) : **HKD 154 000** ; *Album des neuf tisserands*, encre et pigments/pap., onze feuilles (chacune 26,5x32) : **HKD 3 410 000** – Hong Kong, 18 mai 1989 : *D'après un poème de Shitao*, encre et pigments dilués/pap., kakémono (86,8x57,8) : **HKD 715 000** ; *Paysage avec une cascade* 1944, encre et pigments/pap., kakémono (91,4x61) : **HKD 1 320 000** – New York, 31 mai 1989 : *Personnage dans un paysage*, encre et pigments/pap., kakémono (103,5x61) : **USD 8 800** – Hong Kong, 15 nov. 1989 : *Deux jeunes femmes avec un instrument de musique* 1945, encre et pigments/pap., kakémono (68,5x45,8) : **HKD 1 100 000** – New York, 4 déc. 1989 : *Contemplation d'une chute d'eau*, encre et pigments/pap., kakémono (73x40) : **USD 17 600** – New York, 31 mai 1990 : *Paysage*, encre et pigments/pap., kakémono (96,5x54) : **USD 14 300** – Hong Kong, 15 nov. 1990 : *Paysage enneigé* 1945, encre et pigments dilués/pap., kakémono (89x56) : **HKD 484 000** – New York, 26 nov. 1990 : *Paysage animé*, encre et pigments/pap., kakémono (137,3x40) : **USD 30 800** – Hong Kong, 31 oct. 1991 : *Chants d'automne* 1946, encre et pigments dilués/pap., kakémono (64,2x39,7) : **HKD 308 000** – New York, 25 nov. 1991 : *Observant la cascade*, encre et pigments/pap., kakémono (68,3x46,3) : **USD 17 600** – Hong Kong, 30 mars 1992 : *Peintures des thèmes des poètes anciens, album de 12 feuilles*, encre et pigments/pap. (chaque 25x30,4) : **HKD 1 320 000** ; *Paysage qui inspira le poème de Du Mu*, encre et pigments/pap., kakémono (203x125,5) : **HKD 2 090 000** – Hong Kong, 28 sep. 1992 : *Sept sages dans une plantation de bambous*, encre et pigments/pap. (34,2x215,8) : **HKD 825 000** – Hong Kong, 22 mars 1993 : *Assemblée au chalet des orchidées*, encre et pigments/pap., kakémono (218,1x62,3) : **HKD 570 000** – Hong Kong, 29 avr. 1993 : *Jeune femme dans un jardin*, encre et pigments/pap., kakémono (138,1x34,3) : **HKD 680 000** – New York, 16 juin 1993 : *Jeu de go dans le kiosque sur pilotis au bord de l'étang*, encre et pigments/pap., kakémono (134,500) : **USD 134 500** – Hong Kong, 5 mai 1994 : *Paysage enneigé*, encre et pigments/pap. (109,5x34) : **HKD 526 000** – Hong Kong, 3 nov. 1994 : *Portrait de Tao Yunming* 1957, encre et pigments/pap., kakémono (72x49,5) : **HKD 548 000** – Hong Kong, 28 avr. 1997 : *Ruisseau d'une montagne enneigée* 1944, encre et pigments/pap., kakémono (135,5x48,5) : **HKD 345 000**.

FUCCIO
XIIIe siècle. Italien.
Sculpteur et architecte.
Il sculpta à Assise le *Tombeau de la Reine de Chypre*, et travailla aussi à Rome et à Naples.

FUCCIO Cola di. Voir **COLA di Fuccio**

FUCHÉ G.
XIXe siècle. Français.
Lithographe.
Le Musée de Rochefort conserve de lui : *Glaneuses*, d'après Millet.

FUCHS
XIXe siècle. Actif en France. Allemand.
Peintre de décorations.
A travaillé pour l'Opéra de Paris.

FUCHS Adam
XVIe siècle. Actif de 1542 à 1580. Allemand.
Graveur sur cuivre et sur bois.
Il a gravé des portraits et des paysages.

FUCHS Alois
Né en 1838 à Berwang. XIXe siècle. Autrichien.
Sculpteur.
Il fut élève de Renner.

FUCHS Anton
Né le 27 juin 1807 à Innichen. Mort le 10 février 1886 à Innichen. XIXe siècle. Autrichien.
Peintre.

FUCHS Auguste
Né vers 1800 à Heilbronn (Bade-Wurtemberg). XIXe siècle. Allemand.
Peintre.
Il séjourna à Rome, puis s'établit à Stuttgart.

FUCHS C. C.
Mort vers 1850 à Amsterdam. XIXe siècle. Hollandais.
Graveur.
Il copia les maîtres anciens.

FUCHS Carl
Né le 26 novembre 1842 à Innichen. Mort le 27 juin 1883 à Innichen. XIXe siècle. Autrichien.
Sculpteur.
Le Musée de Méran possède des statues de lui.

FUCHS Caspar
Mort le 14 février 1741. XVIIIe siècle. Allemand.
Peintre.
Il exécuta des peintures pour l'église de Saulgau.

FUCHS Charles
Né le 28 octobre 1803 à Prague. Mort le 5 mars 1874 à Hambourg. XIXe siècle. Allemand.
Lithographe.
Il apprit son art à Strasbourg et exécuta surtout des portraits et des paysages.

FUCHS Danièle
Née le 16 mai 1931. XXe siècle. Française.
Peintre, aquarelliste, graveur, illustrateur, décorateur.
Elle fut élève d'Édouard Goerg et de Robert Cami à l'École des Beaux-Arts de Paris, où elle vit et travaille. Elle participe à de nombreuses expositions collectives, dont : à Paris, les Salons d'Automne, des Artistes Indépendants, de la Société Nationale des Beaux-Arts, ainsi qu'à la Galerie Charpentier, au Musée Galliéra, à la Bibliothèque Nationale. Elle montre ses œuvres dans des expositions personnelles, régulièrement à Paris depuis 1961, à Versailles, en 1966 à l'Institut Français de Hambourg, en 1968 à Nassau, et encore à Chambéry, Strasbourg, etc. Elle a obtenu quelques distinctions dans des expositions de la périphérie parisienne. Elle est membre de l'*École de Versailles* créée en 1974.
Outre sa peinture, elle a illustré quelques ouvrages et réalisé, en

cuivre gravé et pierre, le chemin de croix de Notre-Dame-du-Chêne à Viroflay.

Musées : Amiens – Angers – Bayeux – Dijon – Strasbourg – Tours.

Ventes Publiques : New York, 13 mai 1981 : *The trance* 1973, h/cart. (87,5x68) : **USD 2 000** – Le Touquet, 12 nov. 1989 : *Moisson en Touraine* 1969, h/t (65x81) : **FRF 12 500** – Calais, 4 mars 1990 : *Les bords du Loir*, h/t (81x100) : **FRF 11 000** – Le Touquet, 11 nov. 1990 : *La bartavelle des Lefebvre à Chantemerle les Grignans* 1975, h/t (65x100) : **FRF 8 000**.

FUCHS Émile

Né le 9 août 1866 à Vienne. xixe-xxe siècles. Autrichien.

Sculpteur de bustes.

Il fut élève de Victor Tigner à Vienne et de Ernst Herter à Berlin. Il a aussi exposé à Paris, obtenant une mention honorable au Salon des Artistes Français de 1907.

FUCHS Ernst

Né en 1930 à Vienne. xxe siècle. Autrichien.

Peintre de compositions animées, figures, dessinateur, graveur, illustrateur, sculpteur, peintre de collages, de décors de théâtre, décorateur. Réaliste-fantastique.

Dès 1945, il s'inscrivit à l'Académie des Beaux-Arts de Vienne, où il fut, de 1946 à 1950, élève de Gütersloh, en qui Salvador Dali reconnaissait le peintre le plus important de notre temps... après lui-même. Autour de 1950, il fut l'un des fondateurs du groupe viennois du *Hundsgruppe* (Groupe du chien), représentant le « réalisme fantastique », avec Ernst Bauer, Hausner, Hutter, Anton Lehmden, Arnulf Rainer. De 1954 à 1956, il voyagea aux États-Unis. Entre 1950 et 1959, il séjourna souvent en France. Très lié avec Dali, Ernst Fuchs a connu également Magritte, Max Ernst, Victor Brauner, Félix Labisse, Léonor Fini. Depuis 1956, il s'était converti au catholicisme et les thèmes religieux ont ensuite été très présents à travers la diversité de son œuvre. Il n'a exposé qu'à partir de 1958. Opposé au fonctionnalisme, au Bauhaus, ses goûts le portent vers la poésie des symbolisme et surréalisme, et, dans le passé, vers William Blake, Gustave Moreau, Redon. Du point de vue de l'expression, il admira d'abord Klimt et Schiele, Campendonk, Munch. Ensuite, dès 1946 et surtout depuis 1961, il a étudié ce qu'il appelle « le style disparu », la technique minutieuse des Grünewald, Altdorfer, Schongauer, Dürer, on cite aussi les maniéristes du passé, dont Jacques Bellange et Antoine Caron. Il retrouvait l'écho tantôt de ces techniques anciennes et tantôt de l'expression forte des peintres germaniques du xvie siècle dans les œuvres d'Otto Dix et Georg Grosz, qui eurent aussi un moment quelque influence sur lui. Ses gravures et ses illustrations font aussi penser aux préciosités ornementales « nouveau style » de Aubrey Beardsley et Gustav Klimt. On constate que, parallèlement au foisonnement protéiforme de son œuvre, il est difficile de suivre logiquement et chronologiquement la multiplicité de ses admirations, et donc des influences assumées par lui selon ses propres besoins conjoncturels, d'autant qu'à celles à peu près situées s'ajoutent des intérêts pour les arts de Babylone, hittite, assyrien, indiens d'Amérique, etc.

Dans le cas de Ernst Fuchs, ses activités annexes ont été tellement importantes que dans leur totalité elles auront autant occupé sa carrière que son œuvre de peintre, animateur du « réalisme fantastique ». Homme Protée, il est compositeur de musique, réalisateur de télévision, créateur de meubles, sculpteur, etc. Il a créé les décors et costumes pour *Lohengrin, Parsifal, La flûte enchantée, Les contes d'Hoffmann, Le Golem, La légende de Joseph*. Il a réalisé d'importants cycles de gravures, dont : 1960-1964 *Samson*, 1964-1967 *Esther*, 1966-1967 *Sphinx*. En 1961, il a enfin pu acquérir la demeure de campagne de l'architecte Otto Wagner, qu'il a entièrement réhabilitée pour son propre usage.

Très jeune, il montrait une grande habileté maîtrisée dans ses imaginations de villes bibliques. Témoignant de l'influence de la « Nouvelle Objectivité » de Dix et Grosz, est cité un *Christ devant Pilate* de 1955-1956. En 1956-1957, il peignit le *Moïse au buisson ardent*, et, de 1958 à 1961, il réalisa les trois grands *Rosaires* pour l'église du Rosaire de Hetzendorf-Meidling, travaux qui caractérisent ces années. Il appartient à la descendance actuelle du courant de l'art fantastique, venu se régénérer au mouvement surréaliste. Il emprunte d'ailleurs encore certains de ses thèmes aux domaines de l'ésotérisme et de l'alchimie, à la mythologie wagnérienne, mais surtout puise ses sujets désormais dans la Bible. En 1977-78, il peignit la grande décoration murale du *Signe de Moïse*. Ensuite, dans un registre plus coloré, il situe des personnages mythiques dans des paysages : *Arcadie* de 1982-84, qui reprend le thème traité par Poussin.

Ernst Fuchs, dans ses idées, sa croyance, et dans sa pratique, investit l'artiste d'une charge mystique, d'une mission prophétique. Son œuvre dans son foisonnement échappe à la préhension, à la définition. Les influences s'y entrecroisent, les thèmes se superposent. Au travers des sujets bibliques, ce qui ne signifie pas forcément religieux, s'exprime aussi le monde contemporain de l'homme sur la terre aujourd'hui. Du point de vue de l'usage du symbole, comme du point de vue stylistique en général, son œuvre apparaît comme un prolongement dans le siècle de l'époque charnière du Symbolisme, de la Sécession, du Nouveau Style, prolongement qui aurait perverti quelque peu ses thèmes traditionnels et sa spiritualité d'origine au contact sulfureux du surréalisme. ■ Jacques Busse

Ernst Fuchs

Bibliogr. : Marcel Brion, in : *La peint. allemande*, Tisné, Paris, 1959 – Marcel Brion : Catalogue de l'exposition *Ernst Fuchs*, Paris, 1974 – in : *Diction. de la Peint. allemande et d'Europe centrale*, Larousse, Paris, 1990.

Musées : Vienne (Österr. Gal.) : *Moïse au buisson ardent* 1956-57.

Ventes Publiques : Munich, 26 nov. 1973 : *Tête de Chérubin* : **DEM 20 000** – Munich, 25 nov. 1974 : *Les deux amies (recto)*, past. ; *Nu (verso)*, fus. : **DEM 12 500** – Vienne, 25 juin 1976 : *La Reine mère* 1961, eau-forte : **ATS 5 000** – Vienne, 25 juin 1976 : *Le signe de Moïse* 1964, cr. et pl./pap. (30,5x47,5) : **ATS 40 000** – Vienne, 18 mars 1977 : *Nu debout* 1970, past./pap. bleu (65x50) : **ATS 25 000** – Londres, 7 déc. 1977 : *La Méduse* 1968, acryl. et craies de coul. (53,5x42) : **GBP 1 500** – Londres, 3 avr. 1979 : *Femme et animal sauvage*, aquar. (49,5x31) : **GBP 4 800** – Paris, 23 oct. 1981 : *Nu assis*, fus./pap. (63x47,5) : **FRF 5 000** – Vienne, 11 oct. 1983 : *Le Baiser de Pan*, eau-forte en argent, bordure à la feuille d'or (23,5x17,5) : **ATS 12 000** – Heidelberg, 14 avr. 1984 : *Fleurs dans un vase rouge* 1983, past. et temp. (72,5x45,5) : **DEM 13 000** – Vienne, 15 mai 1984 : *La ville* 1946, cr. (90x63) : **ATS 180 000** – Zurich, 7 juin 1985 : *Die beiden Erdteile* 1967-69, temp. (57,4x76) : **CHF 90 000** – Zurich, 7 juin 1985 : *Das Licht der Thora* 1961, fus. et cr. de coul. (107x151) : **CHF 38 000** – Paris, 24 nov. 1987 : *Portrait à l'oiseau* 1962, dess. et collage/pap. (26x22,5) : **FRF 18 000** – Zurich, 4 déc. 1987 : *Sphinx* 1977, bronze (H. 19,5, Long. 36) : **CHF 6 000** – Vienne, 17 mars 1987 : *Portrait de Hannelore Elsner* 1977-78, cr. noir et de coul. et craie (34x24,5) : **ATS 45 000** – Paris, 21 mars 1988 : *Daphné*, sculpt. bronze patiné (H 37) : **FRF 6 000** – Londres, 22 fév. 1989 : *Janus* 1954, h./parchemin (34,7x22,1) : **GBP 10 450** – Paris, 4 avr. 1989 : *Histoire du monde* 1949, eau-forte (90x42) : **FRF 6 000** – Paris, 27 oct. 1990 : *Composition*, encre et aquar./pap. (46x33,5) : **FRF 39 000** – Heidelberg, 12 oct. 1991 : *Au royaume des morts* 1950, eau-forte (21,5x9,7) : **DEM 3 000** – Paris, 15 avr. 1992 : *Les escaliers de pierre* 1991, fus./pap. (26x35) : **FRF 4 000** – Heidelberg, 3 avr. 1993 : *Masques*, grav./vernis mou (53x41,5) : **DEM 1 450** – Paris, 23 avr. 1993 : *Apparition dans la crypte*, fus./pap. (26x35) : **FRF 4 500** – Heidelberg, 5-13 avr. 1994 : *Barcarolle* 1977, eau-forte aquarellée (25,5x29,2) : **DEM 1 350** – Zurich, 13 oct. 1994 : *Salomée* 1970, sculpt. de métal : **CHF 1 100**.

FUCHS Félix Cajetan Christoph

Né en 1749 à Rapperswil. Mort le 14 mars 1814 à Saint-Gall. xviiie-xixe siècles. Suisse.

Peintre, sculpteur et dessinateur.

Il fit des études à Augsbourg et les compléta à Rome. On cite de lui des illustrations pour *Hamlet* et *Macbeth* de Shakespeare.

FUCHS Georg

Né vers 1835. Mort le 30 janvier 1885. xixe siècle. Actif à Cologne. Allemand.

Peintre.

Il fut surtout un copiste.

FUCHS Georg Friedrich

xviiie siècle. Actif à Abtsbessingen. Allemand.

Peintre sur faïence.

FUCHS Georg Mathias

Né vers 1719 à Vienne. Mort le 5 avril 1797 à Copenhague. xviiie siècle. Autrichien.

Peintre de genre, portraits, paysages, compositions décoratives, graveur.

Il fut en Italie élève d'Amigoni, par la suite il vécut à Copenhague où il exécuta d'importantes décorations.
Ventes Publiques : Copenhague, 23 avr. 1987 : *Paysage au pont avec paysans et chiens au bord de la rivière* 1758, h/t (54x69) : **DKK 28 000** – Londres, 9 déc. 1992 : *Le piège à oiseaux ; Amour champêtre* 1766, h/t/cart., une paire (chaque 90x128) : **GBP 7 700** – Copenhague, 6 sep. 1993 : *Portrait du professeur Ove Malling*, h/t (80x62) : **DKK 18 000** – Copenhague, 15 nov. 1993 : *Portrait d'une dame portant une cape rouge à col de fourrure et un collier et des bouches d'oreilles de perles*, h/t (77x60) : **DKK 6 000**.

FUCHS Gustave
Mort le 10 novembre 1905 à New York, par suicide. XIXe siècle.
Peintre et sculpteur.

FUCHS Hans
Né vers 1404 à Lucerne. Mort le 5 décembre 1458 à Lucerne. XVe siècle. Suisse.
Peintre verrier.
Il travailla surtout entre 1424-1445, à Lucerne.

FUCHS Hans
Mort en 1561 à Nördlingen. XVIe siècle. Allemand.
Sculpteur sur bois.
Il fut le père de Michel.

FUCHS Hans
XVIe siècle. Actif à Prösel en 1541. Autrichien (?).
Sculpteur sur bois.
Probablement identique au précédent.

FUCHS Hermann
Né en 1871 à Hochdahl. XIXe-XXe siècles. Allemand.
Sculpteur.
Il travaillait à Berlin.

FUCHS Hieronymus Franz
XVIIe siècle. Actif à Nuremberg. Allemand.
Peintre.
Sans doute faut-il l'identifier avec Hans Franz. Le Musée de Munich possède de lui une miniature.

FUCHS J. G.
XVIIIe siècle. Actif à Augsbourg dans la seconde moitié du XVIIIe siècle. Allemand.
Peintre de portraits.
Nilson grava son *Portrait de la princesse Sophie Frederike de Hohenlohe-Waldenbourg*.

FUCHS J. G. H.
XVIIIe siècle. Allemand.
Peintre de portraits.
Le Musée de Gotha possède une œuvre de cet artiste. Probablement identique au précédent.

FUCHS Jacques
Né le 27 août 1922 à Lausanne. Mort le 25 novembre 1980 à Cully. XXe siècle. Suisse.
Peintre de paysages, sculpteur de figures, animalier.
Son père était forgeron-serrurier, et il apprit les rudiments du métier. Il fut élève de l'École des Beaux-Arts de Lausanne, reçut plusieurs Prix et une bourse fédérale en 1959. Il a participé à des groupes à Lausanne, dans de nombreuses villes de Suisse. Il fit sa première exposition à Lausanne en 1944, en organisa lui-même une autre en 1959. Il voyagea en Afrique du Nord et en Afrique noire. Il travailla considérablement aux États-Unis et au Mexique. Il peignit sur les côtes de Bretagne, de Normandie, du Cotentin, dans les campagnes anglaises et irlandaises, en Hollande et Belgique, en Espagne et au Portugal. Enfin, il voyagea à la Martinique et en Guadeloupe. Il arriva en 1946 à Paris et fréquenta l'Atelier André Lhote. Ses paysages font un peu penser à la période classique de Derain.
Ventes Publiques : Zurich, 12 nov. 1976 : *Paysage en Provence*, h/t (32,5x46) : **CHF 2 400** – Zurich, 16 déc. 1981 : *New York, les Docks* 1973, h/t (27x50) : **CHF 4 200** – Zurich, 25 jan. 1984 : *Algériennes*, h/t (130x162) : **CHF 13 000** – Zurich, 28 oct. 1987 : *Priscott* 1973, h/t (61x72) : **CHF 7 000**.

FUCHS Johann
Né le 7 octobre 1812 à Hopfgarten. Mort en 1895. XIXe siècle. Autrichien.
Sculpteur.
Il fit ses études à Munich. On cite de lui *Marie au pied de la Croix* (à l'église de Hopfgarten).

FUCHS Joseph
Né à Bräunlingen. XIXe siècle. Français.
Peintre d'histoire.
Élève de Dulfer. Exposa au Salon de Paris, de 1865 à 1877, des dessins à la plume. On cite de lui : *Ruth et Noemi* (1839) et les importantes fresques de l'église de Sulzen.

FUCHS Karl
Né le 6 décembre 1836 à Meiningen. Mort le 10 mars 1886 à Berne. XIXe siècle. Allemand.
Peintre de paysages.
Il fit des études à Thoune sous la direction de Bühlmann.
Ventes Publiques : Berne, 6 mai 1981 : *Paysage alpestre*, h/t (47x61) : **CHF 1 200** – Berne, 11 mai 1984 : *Vue du lac de Thoune* 1864, h/cart. (22x30) : **CHF 1 200**.

FUCHS Konrad
XVIIe siècle. Actif à Kulmbach. Allemand.
Peintre.
Il peignit un retable pour l'église de Gesees.

FUCHS Lodewijk Juliaan ou **Louis Julien**
Né en 1814 à Lille (Nord). Mort le 23 avril 1873 à Anvers. XIXe siècle. Depuis 1846 actif en Belgique. Français.
Peintre de paysages, graveur, lithographe.
Il servit dans la marine française, mais était d'origine flamande, cas fréquent dans sa région de naissance. Il vécut surtout à Anvers, où il se fixa en 1846 et fut élève de l'Académie des Beaux-Arts.
Il a peint les sites pittoresques de l'Escaut, les paysages de la Campine, des vues de villes.

Bibliogr. : In : *Diction. Biogra. Illust. des Artistes en Belgique depuis 1830*, Arto, Bruxelles, 1987.
Musées : Anvers : *Paysage*.
Ventes Publiques : Portland, 5 nov. 1983 : *Vue de Bruges* 1863, h/pan. (16x22) : **USD 1 300**.

FUCHS Lorenz
Mort en 1863 à Vienne. XIXe siècle. Autrichien.
Peintre sur porcelaine.

FUCHS Louis Joseph Gustave
Né à Paris. XIXe siècle. Français.
Graveur et lithographe.
Élève d'E. Aucourt. Médailles de troisième classe en 1890, de deuxième classe en 1892, de bronze 1900 (Expostion Universelle).

FUCHS Martin
XVIIIe siècle. Actif à Innsbruck. Autrichien.
Peintre.
Il fut élève de Martin Knoller. On lui doit surtout des intérieurs et des scènes de genre inspirées de l'école hollandaise.

FUCHS Martin
XVIIIe siècle. Allemand.
Peintre.
L'église Saint-Pierre de Cologne possède de lui une *Adoration des Bergers*, réalisée en 1726.

FUCHS Matthaeus
Né vers 1670. Mort en 1699 à Breslau. XVIIe siècle. Allemand.
Peintre ?

FUCHS Maurus Christoph
XIXe siècle. Actif à Griesbach en 1801. Allemand.
Peintre.
Il était fils de Vitus et travaillait encore en 1843 à Staab en Bohême.

FUCHS Maximilian Heinrich
Né vers 1767 à Cologne. Mort le 17 mai 1846 à Cologne. XVIIIe-XIXe siècles. Allemand.
Peintre et dessinateur.
Il exécuta des dessins pour la cathédrale de Cologne et pour diverses autres églises de cette ville.

FUCHS Michel
XVIe siècle. Allemand.
Sculpteur sur bois.
Il obtint en 1544 le titre de bourgeois de Nuremberg.

FUCHS Peter
Né le 27 septembre 1829 à Mülheim. Mort le 31 juillet 1898. xixe siècle. Allemand.
Sculpteur.
Il travailla surtout à Cologne, Hambourg et Francfort-sur-le-Main et se spécialisa dans la sculpture religieuse.

FUCHS Richard
Né le 7 mars 1852 à Berlin. xixe siècle. Allemand.
Peintre de sujets typiques. Orientaliste.
Il vécut longtemps en Italie et en Afrique du Nord.
VENTES PUBLIQUES : NEW YORK, 24 nov. 1987 : *Arabes dans un paysage du sud tunisien* 1906-07, h/t (40,2x27,8) : **USD 2 100**.

FUCHS Robert
Né le 20 février 1874 à Sarrebrück. xxe siècle. Allemand.
Peintre.
Il fit ses études, puis exposa régulièrement à Francfort-sur-le-Main.

FUCHS Vitus
xviiie siècle. Actif à Tischenreuth. Allemand.
Peintre.
Il travailla entre autres pour les églises de Münchenreuth et de Schwarzenbach.

FÜCHSEL Hermann ou **Fuechsel, Fueschel**
Né le 8 août 1833 à Brunswick. Mort le 30 septembre 1915 à New York. xixe-xxe siècles. Actif aux États-Unis. Allemand.
Peintre de paysages.
Après avoir été élève de Brandes et Lessing à Düsseldorf, il s'établit à New York en 1858 ou 1868.

H. Fuechsel

VENTES PUBLIQUES : COLOGNE, 22 nov. 1973 : *Église dans un paysage* 1878 : **DEM 4 600** – NEW YORK, 24 avr. 1981 : *Chemin de montagne* 1874, h/t (30,7x50,8) : **USD 5 500** – NEW YORK, 23 mars 1984 : *Farmyard on the upper Hudson*, h/t (41x76,9) : **USD 4 200** – NEW YORK, 20 juin 1985 : *La cascade* 1861, h/t, haut arrondi (132,1x63,5) : **USD 10 500** – NEW YORK, 24 juin 1988 : *Paysage de rivière* 1869, h/t (30x50) : **USD 14 850** – NEW YORK, 24 mai 1989 : *Rêve de la Nouvelle-Angleterre*, h/t (88,9x117,4) : **USD 40 700** – NEW YORK, 30 mai 1990 : *Une église dans l'île* 1866, h/t (45,5x76,3) : **USD 2 750** – NEW YORK, 25 sep. 1991 : *Les montagnes blanches*, h/t (61x101,6) : **USD 8 800** – NEW YORK, 2 déc. 1992 : *Sur le lac*, h/t (27,9x50,8) : **USD 1 870** – NEW YORK, 11 mars 1993 : *La pêche dans le lac*, h/t (38,2x76,4) : **USD 8 050**.

FUCHSHUBER Hans
xviie siècle. Actif à Stettin à partir de 1616. Allemand.
Sculpteur sur bois.

FUCHSLI Jakob ou **Fuchssli**
Mort en 1559. xvie siècle. Actif à Bremgarten. Suisse.
Peintre verrier.

FÜCHSLI Karl
xviiie siècle. Actif vers 1700. Suisse.
Graveur.
On lui doit des illustrations et des vignettes.

FUCHSLIN Johann Friedrich
Né le 22 novembre 1801 à Brugg. Mort le 2 février 1857 à Hofstetten. xixe siècle. Suisse.
Portraitiste.
Il vécut surtout à Berne.

FUCHSLOCH Johann
xviie siècle. Actif à Obermachtat en 1698. Allemand.
Sculpteur.

FUCHSTHALLER Alajos
Né vers 1815 à Budapest. Mort en 1863. xixe siècle. Hongrois.
Graveur.
Il fut élève de Kohlmann et collabora à différents périodiques.

FUCIGNA
Né à Carrare. xviie siècle. Italien.
Sculpteur.
Il travailla aussi à Pise.

FUCIGNA Ceccardo
Né à Carrare. xixe siècle. Italien.
Sculpteur.
Exposa dix fois à la Royal Academy, à Londres, de 1863 à 1879.

FUCINI Giovanni Battista
Mort en 1630. xviie siècle. Actif à Bologne. Italien.
Peintre.
Il fut élève de Garbieri.

FUCIUS
Britannique.
Graveur.
Cité par le *Art Prices Current*.

FUCKER Andras
xviiie siècle. Actif à Eperjes à la fin du xviiie siècle. Hongrois.
Graveur.

FÜCKER Florian
Né vers 1676. Mort le 3 mars 1758. xviiie siècle. Actif à Glatz. Allemand.
Peintre.
Il travailla beaucoup pour l'église d'Albendorf.

FUCKERAD Bernard
Né en 1601 en Thuringe. Mort le 21 avril 1662 à Cologne. xviie siècle. Allemand.
Peintre.
Moine de la Compagnie de Jésus, il exécuta diverses peintures pour l'église des Jésuites et pour l'église Saint-André de Cologne.

FU DAOKUN ou **Fou Tao-K'ouen** ou **Fu Tao-K'un**
Originaire de Kuaiji, province du Zhejiang. xviie siècle. Active dans la première moitié du xviie siècle. Chinoise.
Peintre.
Épouse d'un lettré du nom de Fan, elle fait des paysages dans le style des Maîtres des dynasties Tang et Song (viie-xiiie siècles).
MUSÉES : PÉKIN (Mus. du Palais) : *Deux arbres morts et quelques bambous près d'un rocher* signé et daté 1621.

FUDGE J.
xixe siècle. Britannique.
Paysagiste.
Exposa vingt-cinq fois à la Royal Academy, de 1815 à 1846.

FÜDRER Rupprecht
xve siècle. Actif à Passau et à Wasserburg au milieu du xve siècle. Allemand.
Peintre verrier.

FUECHSEL. Voir **FÜCHSEL**

FUEG Ursus ou **Fieg**
Né vers 1680. Mort le 12 novembre 1750. xviiie siècle. Actif à Pruntrut. Suisse.
Sculpteur.
Il travailla pour les églises de Rheinau et de Saint-Urban.

FUENTES Francisco Antonio
Né en 1827 à Santa Marina del Obre. xixe siècle. Italien.
Sculpteur.
Il vécut et travailla dans la région de Noya.

FUENTES Giorgio
Né en 1756 à Milan. Mort en 1821 à Milan. xviiie-xixe siècles. Italien.
Peintre.
Élève de Gonzagua, il est l'auteur des décorations de la Scala de Milan, du Théâtre de Francfort (1796-1805), et de l'Opéra de Paris.

FUERRAS Dionisio
Né au xixe siècle à Vallota (Asturies). xixe siècle. Espagnol.
Portraitiste, peintre d'histoire et de genre.
Élève de F. de Madrazo et de l'Académie de San Fernando, il s'est attaqué à tous les genres de peinture. Il a exposé entre 1860 et 1866 à Madrid, à Paris et à Londres. On cite parmi ses meilleures toiles : *La fête à Santiago, Atelier d'artiste, Sortie de messe en Galicie*.

FUERTES Louis Agassiz
Né le 7 février 1874 à Ithaca. Mort en 1927. xxe siècle. Américain.
Peintre d'animaux, peintre à la gouache, aquarelliste.
Il fit ses études artistiques à Boston.
Il a exclusivement peint des oiseaux.
VENTES PUBLIQUES : NEW YORK, 17 nov. 1978 : *Oiseaux du Massachusetts*, gche (49,5x37) : **USD 1 900** – NEW YORK, 6 déc. 1984 : *Eagle on Catalina Island* 1921, aquar. (73,6x49,5) : **USD 14 000** –

NEW YORK, 20 juin 1985 : *Tête d'oiseau*, aquar. et encre (19x23,5) : **USD 4 000** – NEW YORK, 24 jan. 1989 : *Flamands roses*, gche/cart. (35,6x59,7) : **USD 17 600** – NEW YORK, 24 mai 1989 : *Le retour des canards sauvages* 1919, aquar. et gche/pap. (54,5x72,3) : **USD 14 300** – NEW YORK, 24 mai 1990 : *Tamarin à houppe blanche*, aquar. et gche/pap. (33x23,5) : **USD 18 700** – NEW YORK, 15 mai 1991 : *Trois aigles*, aquar./pap. (48,9x39,4) : **USD 5 500** – NEW YORK, 30 oct. 1996 : *Faucon Saker*, gche/pap. (46,4x33,7) : **USD 4 312**.

FUES Christian Friedrich

Né en 1772. Mort le 19 septembre 1836 à Nuremberg. XVIIIe-XIXe siècles. Allemand.

Peintre de genre, portraits, paysages animés, graveur.

Actif à Tubingue, il fut élève de Harper et de Hetsch à Stuttgart et professeur à l'Académie de Nuremberg.

Il a gravé des paysages et des portraits. On lui doit aussi des lithographies.

VENTES PUBLIQUES : NEW YORK, 17 jan. 1990 : *Paysage animé de personnages et d'animaux*, h/t (89,6x116,2) : **USD 2 200**.

FUESCHEL Hermann. Voir **FÜCHSEL Hermann**

FUETER Andreas

Né en 1660 à Berne. Mort le 16 mars 1742 à Berne. XVIIe-XVIIIe siècles. Suisse.

Peintre verrier.

Il travailla pour les églises de Gryon, Murten, Muri, etc.

FUETER Charlotte, Mme **Rytz Fueter**

Née le 23 août 1804 à Berne. Morte le 4 novembre 1880 à Berne. XIXe siècle. Suisse.

Peintre.

Elle prit part à des expositions d'art en 1824 et 1835.

FUETSCH Karl

Né le 3 novembre 1823 à Mitteldorf. Mort le 23 novembre 1902 à Patriasdorf. XIXe siècle. Autrichien.

Sculpteur.

Il fut élève de B. Gasser, puis de son fils Joseph. Il travailla surtout pour un grand nombre d'églises du Tyrol autrichien comme celles de Dölsach ou de Nikolsdorf. Le Musée de Linz possède de lui un *Joseph et l'Enfant*.

FUETSCHER Christian Johann

XVIIIe-XIXe siècles. Allemand.

Peintre de compositions religieuses.

Actif à Ludesch. Il était frère de Michael Anton et travailla avec son autre frère, Johannes, pour l'église de Nüziders.

FUETSCHER Johannes

XVIIIe-XIXe siècles. Allemand.

Sculpteur de sujets religieux.

Actif à Ludesch. Frère de Michael Anton et de Christian Johann, il travailla avec ce dernier pour l'église de Nüziders.

FUETSCHER Michael Anton

Né le 21 juillet 1774 à Ludesch. Mort le 11 novembre 1827 à Francfort-sur-le-Main. XVIIIe-XIXe siècles. Allemand.

Peintre de paysages et graveur.

Il fut un brillant élève de l'Académie de Vienne et s'établit à Francfort vers 1807.

FUGAI

Né en 1779. Mort en 1847. XIXe siècle. Japonais.

Peintre. École Nanga (peinture de lettré).

Il était prêtre zen au temple Kôjakuin de Mikawa (province d'Aichi).

FUGE James

Mort en 1838 à Londres. XIXe siècle. Britannique.

Aquarelliste.

Il exposa à partir de 1832.

FUGE W. H.

XIXe siècle. Actif à Bocking (Essex). Britannique.

Peintre.

Il exposa des tableaux de genre et des portraits à la Royal Academy de 1849 à 1866.

FUGEL Gebhard

Né le 14 août 1863 à Oberklöcken près de Ravensburg. XIXe siècle. Allemand.

Peintre d'histoire.

Élève de Grunenwald à l'École des Beaux-Arts de Stuttgart, puis de Cl. Schraudolph. Fixé à Stuttgart, il a débuté vers 1885.

FUGELSCHAUG Elias

XVIIe siècle. Actif à Bergen. Norvégien.

Peintre.

On lui doit surtout des peintures religieuses, mais aussi quelques portraits. Le Musée de Bergen possède des œuvres de cet artiste.

FÜGER Friedrich Heinrich

Né le 5 novembre 1751 à Heilbronn (Bade-Wurtemberg). Mort le 8 décembre 1818 à Vienne. XVIIIe-XIXe siècles. Autrichien.

Peintre d'histoire, sujets mythologiques, compositions religieuses, sujets allégoriques, portraits, miniaturiste, fresquiste, dessinateur, graveur. Néoclassique.

Son premier maître fut Nicolas Guibal à Stuttgart, puis il travailla la jurisprudence à Halle en 1768. En 1770, il reprit le pinceau et travailla sous la direction de Adam Friedrich Oeser à Leipzig. Il se rendit ensuite à Dresde où il exécuta plusieurs portraits. La reine Marie-Thérèse, auprès de laquelle il se rendit à Vienne, en 1774, le protégea beaucoup et lui donna les moyens d'aller en 1776 à Rome, où il étudia l'antiquité et les grands maîtres. En 1782, il termina au palais Caserta de Naples plusieurs fresques représentant des *Allégories sur l'origine des Sciences*. En 1783, il fut nommé vice-directeur de l'Académie de Vienne, dont il devint le directeur en 1795. En 1806, il fut nommé directeur de la Galerie impériale autrichienne.

À ses débuts, il fut surtout l'auteur de portraits en miniature, dont celui de *Marie-Thérèse entourée de sa famille*, et de peintures historiques. Il fut célèbre pour avoir illustré le *Messie* de Klopstock de vingt dessins qui furent gravés par Lexbold. Perdant peu à peu la vue, il abandonna l'art de la miniature et se consacra davantage à celui du portrait.

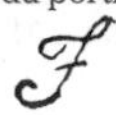

BIBLIOGR. : In : *Diction. de la peint. allemande et d'Europe centrale*, coll. Essentiels, Larousse, Paris, 1990.

MUSÉES : BERLIN : *Princesse Varvara Vassiliewna Galitzin* – BUDAPEST : *Bethsabé* – GRAZ (Alte Gal.) : *Scène mythologique* – *Portrait du comte de Sauram* – LONDRES (Nat. Portraits Gal.) : *Horatio Vicomte Nelson* – LONDRES (Wallace coll.) : *Portrait*, étude – *Deux sœurs*, miniature – MUNICH : *La Madeleine repentante* – STUTTGART : *Mort de Virginie* – VIENNE (Mus. Albertina) : *Marie-Thérèse entourée de sa famille*, miniature – VIENNE (Mus. Czernin) : *Coriolan prend congé de sa mère Véturia* – *Sainte Madeleine reposant* – VIENNE (Österr. Gal.) : *Allégorie sur la Paix* – *Adieux d'Hector à Andromaque* – *Saint Jean Baptiste* – *Sainte Madeleine* – *Adam et Ève pleurant Abel mort* – *Mlle Thérèse Saal* – *Portrait de la baronne Dupont* – *Autoportrait*.

VENTES PUBLIQUES : PARIS, 1864 : *Antigone* : **FRF 210** – PARIS, 27 mai 1932 : *Élisabeth de Wurtemberg* : **FRF 42 000** – LONDRES, 23 mars 1934 : *La nuit nuptiale* : **GBP 31** – NEW YORK, 5 fév. 1942 : *Portrait de la comtesse de Bellegarde* : **USD 225** – PARIS, 8 avr. 1954 : *Portrait de jeune femme en robe blanche et châle orange* : **FRF 42 000** – COLOGNE, 15 avr. 1964 : *Portrait du duc Friedrich von Erthal, archevêque de Mayence* : **DEM 9 500** – LONDRES, 27 nov. 1970 : *Portrait d'une dame de qualité* : **GNS 850** – VIENNE, 21 mars 1972 : *Portrait du pianiste Gottlieb Christian Füger, frère de l'artiste* : **ATS 120 000** – MUNICH, 1er juin 1973 : *Portrait de la comtesse Marie Karoline* : **DEM 4 500** – VIENNE, 11 nov. 1980 : *Les trois Grâces ramenant Cupidon à ses parents* 1816, h/t (47,5x59) : **ATS 160 000** – MONTE-CARLO, 14 fév. 1983 : *Portrait d'une jeune femme* 1796, h/t (76x64) : **FRF 34 000** – LONDRES, 17 juin 1986 : *Scène mythologique*, h/t (141x204) : **GBP 7 500** – NEW YORK, 11 jan. 1989 : *Poséidon*, h/t (147,3x100,5) : **USD 22 000** – MUNICH, 10 déc. 1992 : *Théthis demandant à Zeus les armes d'Achille*, h/t (186x155) : **DEM 20 340** – LONDRES, 11 mars 1993 : *Adam et Eve pleurant la mort d'Abel*, h/t (72,5x91,5) : **GBP 2 070** – NEW YORK, 19 mai 1994 : *Saint Jean Baptiste dans le désert* 1809, h/t (54x67,9) : **USD 4 600** – MUNICH, 21 juin 1994 : *Les fresques de la coupole de Saint-Paul de Parme*, eau-forte aquarellée (44,5x55,5) : **DEM 1 725** – NEW YORK, 19 jan. 1995 : *Sainte Catherine*, fus. et lav. d'encre/pap. bleu-gris (72,4x52,1) : **USD 5 175** – LONDRES, 1er nov. 1996 : *La Madelaine pénitente*, h/t (53,4x68,6) : **GBP 5 980**.

FÜGER Wolfgang

XVIIe siècle. Allemand.

Peintre.
Il fut peintre de la cour épiscopale de Bamberg au début du XVIIe siècle.

FUGÈRE Claudia. Voir **DAVID-FUGÈRE**

FUGÈRE Henry
Né le 7 septembre 1872 à Saint-Mandé (Val-de-Marne). XIXe-XXe siècles. Français.
Sculpteur.
Il fut élève de Pierre Jules Cavelier. Il exposait à Paris, au Salon des Artistes Français, dont il était sociétaire, mention honorable en 1927.
Ventes Publiques : Londres, 8 mars 1976 : *Danseuse*, bronze et ivoire (H. 43) : **GBP 480** – Londres, 29 nov. 1978 : *Ça brûle ; La botte à papa*, deux bronzes (H. 21,5) : **GBP 550** – New York, 29 sep. 1983 : *Salomé*, bronze doré (H. 40,5) : **USD 1 800** – Londres, 5 nov. 1987 : *Jeune femme debout* vers 1900, bronze patine brun rouge (H. 73) : **GBP 1 500**.

FUGÈRE Jean Marie, dit **Joanny**
Né le 28 avril 1818 à Lyon (Rhône). Mort le 1er janvier 1882 à Lyon. XIXe siècle. Français.
Dessinateur et graveur.
Fils d'un graveur lyonnais dont la famille eut, à Lyon, jusque vers la fin du XIXe siècle, un atelier d'imprimerie et de gravure en taille-douce, il fut élève de l'École des Beaux-Arts de Lyon de 1833 à 1839 et y eut Vibert pour professeur. Après un séjour à Paris, il revint à Lyon en 1845 et entra comme graveur chez Louis Perrin, où il demeura trente ans. Il a travaillé, chez Perrin, à la *Généalogie de la maison de Savoie* et à de nombreux ouvrages illustrés ; il a gravé, entre autres, les *Portraits de Louis Perrin, A.-J.-B. d'Aigueperse, A. de Terrehasse, J. Spon, Ropin Thoyras* ; puis deux séries de 50 et de 25 portraits à l'eau-forte ou au burin, d'acteurs du Vaudeville et de la Comédie-Française, séries dont les meilleures planches représentent *Fréd. Lemaître, Beauvallet, Rachel, Mlle Georges*. Il signait *J. M. Fugère*.

FUGG Max von
XIXe siècle. Actif à Munich. Allemand.
Dessinateur et lithographe.

FUGLEM Karilee
XXe siècle. Canadienne.
Auteur d'installations.
Elle vit et travaille à Montréal. Elle présente ses œuvres dans des expositions personnelles : 1996 Montréal.
Elle a réalisé l'installation *Nothing Between* (Rien entre), mur de plâtre constellé de protubérances rondes à la douce chaleur (ampoules fixées derrière la paroi), qui évoque le corps humain. Elle avait déjà abordé cette thématique associant habitacle et corps avec un mur de latex respirant.
Bibliogr. : Jennifer Couëlle : *Jayce Salloum – Karilee Fuglem – Karin Trenkel*, Artpress, no 222, Paris, mars 1997.

FÜGLISTER Wilhelm
Né le 27 mai 1861 à Vienne. XIXe siècle. Autrichien.
Sculpteur.
On lui doit la décoration intérieure du palais du grand duc à Karlsruhe.

FUGO Johann Georg
Né le 1er juin 1618 à Vienne. XVIIe siècle. Autrichien.
Peintre.
Fils de Martin, il se maria en 1653.

FUGO Martin
Né vers 1580. XVIIe siècle. Actif à Vienne. Autrichien.
Peintre.
Il fut le père de Johann Georg.

FUHR Charles Jérémie
Né en 1832 à Bayonne (Basses-Pyrénées). XIXe siècle. Français.
Lithographe.
De 1861 à 1874, il se fit représenter au Salon de Paris. Il était l'élève de Feillet-Fuhr, et il travailla pour le *Panthéon des illustrations françaises*.

FUHR Franz Xaver
Né en 1898 à Neckarau (près de Mannheim). Mort en 1973 à Regensburg. XXe siècle. Allemand.
Peintre de paysages urbains, portuaires. Réaliste-expressionniste.
Autodidacte de formation, il adopta à peu près les principes esthétiques du groupe de la « Neue Sachlichkeit » (Nouvelle Objectivité), qui, après 1918 autour de Otto Dix et Georg Grosz, entendait réagir contre les déformations de l'expressionnisme, sans pour autant ne s'attacher qu'à la stricte reproduction du réel. Après 1933 et l'arrivée au pouvoir des nazis, Fuhr fut, lui aussi, catalogué comme « artiste dégénéré », et interdit de peinture et d'exposition. Après la guerre, l'Académie des Beaux-Arts de Munich lui offrit un poste. Depuis 1945, il a exposé régulièrement à Munich. Il figura à la Biennale de Venise en 1953, à Documenta de Kassel en 1955, etc.
Cependant, au lendemain de la Première Guerre mondiale, les artistes de la Neue Sachlichkeit restaient plus proches de l'expressionnisme accusateur que d'un réalisme seulement critique, et comme le remarque Marcel Brion : « Même lorsque les artistes de la Neue Sachlichkeit vont en quête du banal, c'est presque toujours le fantastique qu'ils rencontrent. » Pour sa part, Fuhr était plus proche de l'art naïf. Marcel Brion en dit encore : « Il a le dessin précis, le coloris vif et contrasté, les tons crayeux des *peintres du dimanche* ; il possède leur sympathie pour les coins tristes et pauvres de la grande ville. » Ses motifs urbains, souvent portuaires, précis, grues, ponts, bateaux, s'allient souvent à des premiers plans flous, dans une perspective subjective. Il imagine aussi parfois des scènes de rues de l'Extrême-Orient. ■ J. B.
Bibliogr. : Marcel Brion, in : *La peinture allemande*, Tisné, Paris, 1959 – in : *Peintres Contemporains*, Mazenod, Paris, 1964.
Ventes Publiques : Berne, 20 juin 1973 : *Maison de banlieue* vers 1930 : **CHF 1 800** – Munich, 26 mai 1977 : *Scène de marché* (100x75) : **DEM 5 500** – Cologne, 6 mai 1978 : *Arbres en automne*, aquar. (30x61) : **DEM 2 200** – Cologne, 2 déc. 1978 : *Le bateau rouge*, h/t (76x103) : **DEM 14 000** – Munich, 5 juin 1981 : *Ruines dans un paysage montagneux*, aquar. (54x69,5) : **DEM 3 700** – Munich, 28 mai 1984 : *Les écolières*, aquar. et reh. de blanc (62x42) : **DEM 4 800** – Munich, 6 juin 1986 : *Automne* vers 1946, h/t (58x70) : **DEM 3 000** – Cologne, 9 déc. 1986 : *Reflets dans l'eau* 1970, aquar. (57x38,5) : **DEM 6 000** – Heidelberg, 5-13 avr. 1994 : *Bouquet de fleurs devant les rideaux rouges*, h/cart. (59,5x59,5) : **DEM 12 500** – New York, 14 juin 1995 : *Bateaux dans un port*, h/t (111,1x76,8) : **USD 9 200**.

FUHR Karl Friedrich von der
Né en Saxe. XVIIIe-XIXe siècles. Allemand.
Graveur.
Il s'établit en Russie vers 1809 et y grava des portraits et des illustrations de livres.

FÜHRER Johann Jakob
Mort le 30 avril 1745. XVIIIe siècle. Actif à Heidelberg. Allemand.
Sculpteur.
Il fut élève de Van den Branden.

FUHRER Maurice
Né le 27 février 1892 à Déville-lès-Rouen (Seine-Maritime). XXe siècle. Français.
Peintre.
Il exposait à Paris, depuis 1923 au Salon des Artistes Français, médaille d'argent 1927.

FÜHRER Richard
Né le 18 juillet 1873 à Budapest. XIXe-XXe siècles. Hongrois.
Sculpteur.
Il fut élève de Antal Loranfi. Il voyagea beaucoup en Italie et en France, où il exposa en 1900, à l'occasion de l'Exposition Universelle, obtenant une médaille de bronze.

FÜHRICH Josef von, ritter
Né le 9 février 1800 à Kratzau, en Bohême. Mort le 13 mars 1876 à Vienne. XIXe siècle. Autrichien.
Peintre d'histoire, compositions religieuses, fresquiste, graveur, dessinateur, illustrateur.
Après avoir travaillé à Prague sous Bergler, il étudia à Vienne en 1827, y dessina et peignit plusieurs scènes romantiques.
Il se rendit à Rome en 1827 et y exécuta, dans la Villa Massime, trois fresques représentant des scènes de la *Jérusalem délivrée* du Tasse. À partir de cette époque il devint imitateur d'Overbeck et, en 1854, commença ses grands travaux dans l'église Altlenchenfelder de Vienne, représentant : *La résurrection de Lazare* et le *Jugement dernier*. Parmi ses œuvres, il faut citer des illustrations pour le *Roi des Aulnes*, de Goethe ; *Jésus entrant au Jardin des Oliviers* ; *La Vierge montant au Calvaire* (Galerie de Vienne) ;

Huit scènes de la vie de l'enfant prodigue ; Quinze scènes de la Résurrection.

Musées : Vienne (Gal.) : *La Vierge montant au Calvaire.*

Ventes Publiques : Londres, 9 déc. 1980 : *Le roi David avec Virgile et Horace*, cr. et encre noire/pap. (25,5x29,4) : **GBP 650** – Vienne, 5 déc. 1984 : *Scène biblique* vers 1839, h/t (31,5x40) : **ATS 50 000** – Heidelberg, 14 oct. 1988 : *L'archange Michel renversant dans l'abîme Satan avec son trône* 1860, cr. (29,8x24,8) : **DEM 1 800** – Munich, 6 déc. 1994 : *Naissance de la légende du cloître de Neuburg près de Vienne*, encre noire/pap. (30x23,5) : **DEM 7 130** – Munich, 23 juin 1997 : *L'Entrée du Christ à Jérusalem* 1849, cr./pap. (34,5x44,5) : **DEM 6 240.**

FUHRLAGH ou **Fuhrlogh**
XVIIIe siècle. Britannique.
Sculpteur.
Exposa à la Society of Artists en 1773 et 1774.

FUHRMAN Ludwig
Né le 12 mars 1783 à Breslau. Mort le 13 janvier 1829 à Posen. XIXe siècle. Allemand.
Portraitiste et peintre d'histoire.
Il fit ses études à l'Académie des Beaux-Arts de Prague, ensuite il travailla à Rome, où il fit quelques tableaux de valeur. En rentrant à Posen, il fit un grand voyage en Turquie, avec le comte Antoine Raczynski. En 1821, il exposa à Varsovie : *Saint Marcel ; La famille du comte Raczynski ; Ignace, comte Raczynski, ancien évêque de Posen, archevêque de Dantzig ; Sainte Famille.*

FUHRMANN
XVIIIe siècle. Actif vers 1729. Allemand.
Peintre de portraits.
Il travailla sans doute à Lichtenberg.

FUHRMANN C. G.
XIXe siècle. Actif à Hambourg vers 1850. Allemand.
Lithographe.
Il se fit une spécialité des vues de ruines et d'incendies.

FUHRMANN Max
Né en 1860 à Munich. Mort le 31 mai 1908. XIXe siècle. Allemand.
Peintre de paysages animés, natures mortes.
Il vécut surtout à Pasing et fit entre autres des modèles de vitraux.
Ventes Publiques : New York, 29 mai 1980 : *Nature morte aux fleurs*, h/t (70,5x60,5) : **USD 3 500** – Heidelberg, 12 avr. 1986 : *Troupeau dans un paysage*, h/t (50x70) : **DEM 3 000.**

FUHRMANN Peter Romanovitch
Né le 8 octobre 1816 à Livlan. Mort le 8 janvier 1856 à Saint-Pétersbourg. XIXe siècle. Russe.
Peintre et écrivain.
Il fut élève de Worobieff à l'Académie de Saint-Pétersbourg. Après avoir vécu longtemps en Prusse, il se fit remarquer à son retour en Russie surtout comme critique d'art.

FUJIHATA Masaki
XXe siècle. Japonais.
Artiste.
Il a participé au festival de l'art électronique de Linz (AEC) en 1996 avec une œuvre intitulée *Global Interior Project n° 2.* Elle est composée de « salles » virtuelles, chacune associée à un objet ou un concept, et une installation faite de boîtes contenant des sculptures en correspondance avec les objets cités.

FUJIKAWA Yûzô
Né en 1883 à Takamatsu (île de Shikoku). Mort vers 1935. XXe siècle. Japonais.
Sculpteur.
Il est sorti de l'École des Beaux-Arts de Tokyo en 1908. Ayant obtenu une bourse du Ministère Japonais du Commerce et de l'Agriculture, il partit pour la France. Il fut alors élève de l'Académie Julian, où il fit du dessin. Rodin le remarqua et le fit venir comme assistant. Il rentra au Japon en 1916. En 1919, il participa à la création de la section de sculpture de l'Association Nikka, dont il devint membre. Il fut aussi membre de l'Académie Impériale des Beaux-Arts. Il eut un rôle important dans l'orientation des jeunes artistes.
Parlant de son propre style, il le qualifie de calme et de sérieux, en harmonie avec ses sentiments les plus nobles, d'honnête et de sincère.
Musées : Tokyo (Mus. Nat. d'Art Mod.).

FUJIMAKI Yoshio
Né en 1909 dans la préfecture de Gumma. Mort en 1935. XXe siècle. Japonais.
Peintre, graveur, illustrateur. Tendance abstraite.
En 1931, il présenta son travail à la revue de gravure *Kitsutsuki.* En 1931 et 1932, il participa aux manifestations de l'Association Japonaise de Gravure. En 1935, il commença les illustrations d'un ouvrage sur la Sumidagawa, la rivière qui traverse Tokyo, mais il disparut avant de les avoir achevées.
Son style oscillait dans ses débuts entre expressionnisme et cubisme. Il évoluait vers une certaine abstraction.
Musées : Tokyo (Mus. Nat. d'Art Mod.).

FUJISHIMA Takeji
Né en 1867 à Kagoshima (île de Kyushu). Mort en 1943. XIXe-XXe siècles. Japonais.
Peintre. Style occidental.
Issu d'une famille de peintres, il étudia, très jeune dans sa ville natale, la peinture avec Hirayama Togaku, de l'école Shijo. Puis, à Tokyo, il devint l'élève de Kawabata Gyokusho. Dès l'âge de vingt ans lui fut décerné le Premier Prix de Peinture Japonaise dans une exposition officielle. Toutefois, il se décida pour la peinture occidentale, qu'il étudia sous la direction de Soyama Yukihiko et de Yamamoto Hôsei. En 1906, il partit pour l'Europe avec une bourse du Ministère Japonais des Affaires Culturelles, et passa deux ans à Paris et deux ans à Rome, pendant lesquels il se perfectionna dans la technique de la peinture à l'huile. Rentré au Japon en 1910, il fut nommé professeur à l'Académie des Beaux-Arts de Tokyo, et devint membre de cette Académie, et membre du Jury de l'Exposition de l'Empire (Bunten), organisée annuellement par le Ministère Japonais de l'Éducation. En 1937, il reçut la Première Médaille de la Culture.
Ses œuvres sont assez colorées et sensuelles. Très influencé par Odilon Redon, il fut considéré, dans les années 1910-1920, comme l'un des initiateurs d'un style encore teinté de romantisme.
Musées : Tokyo (Mus. Nat. d'Art Mod.) : *Rêverie* 1913.
Ventes Publiques : New York, 30 avr. 1996 : *Profil de femme*, h/pan. (45,5x38) : **USD 684 500** – New York, 14 nov. 1996 : *Jour de l'An dans le port de Taipei* 1935, h/t (45,7x60,6) : **USD 90 500.**

FUJITA Kenzi
Né en 1955. XXe siècle. Actif aux États-Unis. Japonais.
Sculpteur d'assemblages.
À partir de matériaux hétéroclytes, il constitue des assemblages monumentaux se référant à une réalité tout aussi bien qu'abstraits.
Ventes Publiques : New York, 2 mai 1991 : *Oreille d'éléphant* 1988, sculpt. murale, acryl./bois, étain galvanisé, plastique moulé et boyau de caoutchouc (50,8x81,2x57,2) : **USD 6 600** – New York, 17 nov. 1992 : *Sans titre* 1988, acryl./bois avec des objets galvanisés et des filins métalliques (45,7x43,1x54,6) : **USD 2 200** – New York, 7 mai 1993 : *Les murs de Jéricho* 1988, acryl./bois, plastique moulé, gomme, fil métallique et vis, sculpt. suspendue (86,5x84x46) : **USD 1 150** – New York, 10 oct. 1996 : *The wrong doctor* 1987, bois et métal (61x53,3x48,3) : **USD 690.**

FUJIWARA GÔSHUN
XIVe siècle. Actif dans la seconde moitié du XIVe siècle. Japonais.
Peintre.
Fils du courtisan Tamenobu, il est descendant du peintre Fujiwara Nobuzane. Il se fait moine.
Musées : Kyoto (Chôfuku-ji) : *Portrait de l'empereur Hanazono (règne 1308-1318).*

FUJIWARA Kazumichi
Né en 1943 à Kurashiki. XXe siècle. Japonais.
Sculpteur.
En 1963, il fit un début de carrière de compositeur de musique. En 1966, il décida de se retirer dans montagne de Oku-yoshino et d'y vivre comme bûcheron. Ce fut là qu'il expérimenta les curieuses et énormes machines à musique, qu'il présenta quelques années plus tard, notamment à la Biennale de Paris en 1975.
Faits d'énormes troncs d'arbres, de pièces de bois, de câbles, de rochers ou de béton, ces « instruments de musique », les « échos-location », réclament, en plus de la participation des spectateurs, un réel effort physique pour fonctionner.

FUJIWARA KORENOBU
XIIIe siècle. Actif à Kyoto. Japonais.

Peintre. Yamato-e (peinture à la japonaise).
C'est le petit-fils du peintre Fujiwara Nobuzane.

FUJIWARA NAGATAKA, nom de prêtre : **Kaishin** ou **Kaikan**
XIIIe siècle. Actif à Kyoto dans la seconde moitié du XIIIe siècle. Japonais.
Peintre. Yamato-e (peinture à la japonaise).

FUJIWARA NOBUZANE, nom de pinceau : **Jakusai**
Né avant 1185. Mort après 1265. XIIIe siècle. Japonais.
Peintre.
Fils du peintre Fujiwara Takanobu, courtisan de grade moyen et poète comme son père, Nobuzane perpétue le style réaliste de ce dernier. Il jouit d'une grande réputation de portraitiste, représentant des personnages vivants ou disparus, seuls ou en groupe. Son art est caractérisé par le mot *nise-e* (portrait qui ressemble à la réalité). Ses descendants formeront une école spécialisée dans les portraits et active jusqu'à la fin du XIIIe siècle.
Bibliogr. : Terukazu Akiyama : *La peinture japonaise*, Genève, 1961.

FUJIWARA TAKACHIKA
XIIe siècle. Japonais.
Peintre. Yamato-e (peinture à la japonaise).

FUJIWARA TAKANOBU
Né en 1142. Mort en 1205 à Kyoto. XIIe siècle. Japonais.
Peintre de portraits.
Une nouvelle tendance dans l'art du portrait apparaît au Japon dans la seconde moitié du XIIe siècle, et Takanobu est considéré comme le rénovateur de cet art particulier. Membre de la famille noble des Fujiwara, courtisan, il est aussi apprécié pour son talent poétique comme auteur de *waka* (poème de 36 syllabes). Il y a lieu de penser qu'en 1173, Takanobu collabore avec le peintre de cour Tokiwa Mitsunaga (actif vers 1158-1179) pour les peintures murales du palais annexe au temple Saishôkô-in (Kyoto) dédiées à l'ex-empereur Goshirakawa et à son épouse. Elles représentent les visites solennelles de l'ex-empereur et de l'ex-impératrice au monastère bouddhique du Koyâ-san et aux sanctuaires shinto de Hiyoshi et de Hirano. Takanobu serait l'auteur des visages ; mais les portraits sont si réalistes que les courtisans s'en trouvent choqués et font replier les portes à glissière sur lesquelles ils se trouvent. On comprend donc que l'art réaliste de Takanobu enfreint la tradition portraiturale japonaise qui restait purement religieuse ou rituelle. Trois portraits de cet artiste nous sont parvenus ; ils sont conservés au temple Jingo-ji de Kyoto. Un document de ce temple révèle que Takanobu est l'auteur du portrait de l'ex-empereur et de quatre de ses courtisans ; les trois portraits survivants sont ceux de Minamoto-no-Yoritomo, Taira-no-Shigemori et Fujiwara Mitsuyoshi. Ces trois courtisans sont représentés assis en robe de cérémonie, avec à la main l'insigne de leur fonction. La présentation est analogue pour les trois, Yoritomo regardant à droite et les deux autres à gauche. L'effet des couleurs est simple et puissant ; le traitement anguleux et géométrique des robes noires s'oppose au réalisme des visages dont les contours fins, en noir, sont rehaussés par un léger modelé rose. La dignité spirituelle domine ces trois compositions.
Bibliogr. : Terukazu Akiyama : *La peinture japonaise*, Genève, 1961.
Musées : Kyoto (Jingo-ji) : *Portrait du ministre Taira-no Shigemori*, rouleau en hauteur, coul. sur soie – *Portrait du ministre Minamoto-no-Yoritomo*, rouleau en hauteur, coul. sur soie – *Portrait du ministre Fujiwara Mitsuyoshi*, rouleau en hauteur, coul. sur soie.

FUJIWARA TAKASUKE
XIVe siècle. Japonais.
Peintre. Yamato-e (peinture à la japonaise).
Élève de son père : Fujiwara Nagataka.

FUJIWARA TAKAYOSHI
XIIe siècle. Actif au milieu du XIIe siècle. Japonais.
Peintre.
Peintre de Cour, il fait surtout des peintures sur les portes à glissière de temples et de sanctuaires ; il serait l'auteur d'un portrait de l'ex-empereur Toba. On lui attribue aussi une série d'illustrations du célèbre *Genji Monogatari* (Roman du Prince Genji).

FUJIWARA TAMENOBU ou **Hôshôji Tamenobu**, nom de prêtre : **Jakuyû**
XIIIe-XIVe siècles. Actif entre 1261 et 1304. Japonais.
Peintre. Yamato-e (peinture à la japonaise).
Courtisan et peintre, il est l'auteur d'un rouleau sur la *Fête du sanctuaire Kamo*. On lui attribue le rouleau *Sekkan Daijin Ei* (portraits de courtisans).

FUJIWARA TAMETSUGU
Mort en 1266. XIIIe siècle. Japonais.
Peintre.
Courtisan, poète et peintre, il est le fils de Fujiwara Nobuzane.

FUJIWARA TSUNETAKA
XIIe siècle. Actif dans la seconde moitié du XIIe siècle. Japonais.
Peintre. Yamato-e (peinture à la japonaise).
Petit-fils du peintre Fujiwara Takayoshi, il semble avoir été peintre de cour avec un rang à l'Académie Impériale.

FUJIWARA YUKIMITSU
XIVe siècle. Actif vers 1360-1371. Japonais.
Peintre. Yamato-e (peinture à la japonaise).
L'un des principaux artistes du Bureau de Peinture de la cour impériale, il est appointé au service du seigneur d'Echizen. En 1362, en tant que spécialiste d'images bouddhiques, il exécute les illustrations de six volumes intitulés *Jizô Reikenki* (Les miracles de Jizô, c'est-à-dire du bodhisattva Ksitigarbha).

FUJIWARA YUKINAGA
XIIIe siècle. Actif au début du XIIIe siècle. Japonais.
Peintre. Yamato-e (peinture à la japonaise).

FU JUANFU
Né en 1910 à Chejiang. XXe siècle. Chinois.
Peintre. Traditionnel.
Très jeune, son père lui enseigna la calligraphie et la gravure des sceaux. Il entra à 17 ans à l'Académie d'Art de Hangzhou. Ses œuvres figurent dans des expositions au Japon, en Corée et aux États-Unis.
Ventes Publiques : Taipei, 18 oct. 1992 : *Lettrés observant une cascade*, encre et pigments/pap., kakémono (93x54) : **TWD 198 000**.

FUKITA Fumiaki
Né en 1926 dans la préfecture de Tokushima (île de Shikoku). XXe siècle. Japonais.
Graveur.
Il fit des études de pédagogie, puis entra au Collège d'Art de Tokyo. Depuis 1955, il participe aux manifestations de l'Association Japonaise d'Art Moderne, dont il est membre. En 1958, il reçut le Prix Onchi de l'Association Japonaise de Graveurs, dont il est aussi membre. En 1958 également, il remporta le Prix de la première Triennale Internationale de Gravures en Couleurs de Grenchen (Suisse). Depuis 1960, il expose régulièrement à la Biennale Internationale de l'Estampe de Tokyo. En 1965, il fut lauréat du Prix de l'Exposition Internationale de Gravure du Nord-Ouest des États-Unis. En 1967, il reçut un Prix à la Biennale de São Paulo.
Il pratique la technique de la gravure sur bois. Ses images fluctuent entre quelque naïveté et une tendance abstraite.

FŪKO, de son vrai nom : **Matsumoto Takadata**
Né en 1840. Mort en 1923. XIXe-XXe siècles. Japonais.
Peintre. Traditionnel.
Il vit à Tokyo où il est l'élève de Eikai Satake (1802-1874) et de Yôsai Kikuchi (1788-1878). Il se spécialisera dans les sujets historiques. Il est membre de l'Académie Impériale.

FUKS Alexander
Né le 7 juin 1863 à Nicolaiev. XIXe siècle. Russe.
Peintre de portraits.
Il fut à Munich l'élève de Raupp et de Raab et, voyageant à travers les pays germaniques, il peignit surtout des portraits.

FUKUDA Heihachiro
Né en 1892 dans la préfecture de Oita (île de Kyushu). XXe siècle. Japonais.
Peintre de paysages. Tendance abstraite.
Il fut élève de l'École des Beaux-Arts de Kyoto jusqu'en 1918. Très jeune, il participa à l'Exposition de l'Empire (Teiten) organisée annuellement par le Ministère de l'Éducation, et il en devint membre du jury. En 1930, il fonda le groupe *Rokucho* (La sixième marée). En 1949, il reçut le Prix des Beaux-Arts du journal *Mainichi*, et en 1961 la Médaille de la Culture. Il est devenu membre de l'Académie des Beaux-Arts.
Quand il était étudiant, il travaillait dans un style figuratif. Il évolua dans la suite à une expression plus personnelle, portant un

regard très attentif envers la nature, pour aboutir à une simplification rationalisée, parfois symboliste, confinant à une abstraction construite. Toutefois, ses œuvres n'en restent pas moins vivantes, quelque peu décoratives.
Musées : Tokyo (Mus. Nat. des Beaux-Arts) : *Pluie*.

FUKUDA Toyoshiro
Né en 1904 dans la préfecture d'Akita. xxe siècle. Japonais.
Peintre. Traditionnel.
Il fut élève de Kawabata Ryuko et de Tsuchida Hosen et termina l'École des Beaux-Arts de Kyoto en 1928. Il exposa tôt à l'Exposition de l'Empire (Teiten). En 1934, il fonda un atelier d'étude pour une nouvelle peinture japonaise. Après la Seconde Guerre mondiale, il fonda l'Association de Création Nouvelle.
Ce qui le distingue d'entre les peintres traditionnels, est qu'il a su, dans une discipline très codifiée, préserver une certaine coloration régionaliste.

FUKUI Ryonosuke
Né en 1922 à Tokyo. xxe siècle. Japonais.
Graveur de sujets divers, natures mortes.
Il fut diplômé en 1944 du département d'art appliqué de l'Université des Beaux-Arts de Tokyo. Depuis 1962, il figure à la Biennale Internationale de l'Estampe de Tokyo. En 1963 et 1965, il a figuré à la Biennale de Ljubljana. Depuis 1959, il montre son travail dans une exposition personnelle annuelle à Tokyo.
Ses œuvres sont essentiellement figuratives, mais très stylisées, notamment ses natures mortes.
Ventes Publiques : New York, 29 nov. 1984 : *Deux nus*, h/t (130x161,5) : **USD 9 500** – New York, 12 fév. 1987 : *jeune fille assise*, h/t (91,5x65,7) : **USD 8 000**.

FUKUZAWA Ichirô
Né en 1898 à Tomioka (préfecture de Gumma). xxe siècle. Japonais.
Peintre, peintre de collages, sculpteur. Surréaliste.
En 1918, il commença des études de lettres, esthétique et histoire de l'art, à l'Université de Tokyo. En 1918-19, il fut élève en sculpture de Asukura Fumio. En 1922, il figura à l'Exposition Impériale (Teiten). Parti pour Paris, il y resta de 1924 à 1931. Il y exposa une aquarelle au Salon d'Automne en 1928, et, à partir de ce moment, se destina uniquement à la peinture. Il voyagea à travers l'Europe. En 1929, débutant sa période surréaliste, il fut sélectionné, avec dix œuvres, pour le Salon *Nika*, dont il devint membre en 1930. Il revint au Japon en 1931, où il fonda ou participa à la fondation de, l'*Association Indépendante des Arts*, qui eut un rôle important. En 1939, il fonda l'*Association Culturelle d'Art*, qui fédéra les artistes japonais liés au surréalisme, qui exposèrent en groupe en 1940, et dont l'existence et l'activité contribuèrent à la promulgation du surréalisme au Japon. En 1941, au début de la guerre et de l'axe Berlin-Rome-Tokyo, les surréalistes furent assimilés aux communistes, Fukuzawa fut emprisonné. Après la guerre, il s'employa à démocratiser les activités artistiques et leurs abords, créa la *Société d'Art Japonais*, prit part à la fondation d'un *Club de Peintres Japonais d'Avant-garde*. En 1951, il fut le premier peintre japonais depuis la guerre à participer à la Biennale de São Paulo. De 1952 à 1954, il revint à Paris, passa par l'Espagne, et alla séjourner au Brésil, à São Paulo, et au Mexique, dans le scrupule d'élargir ses compétences picturales. En 1952 et 1955, il figura à la Biennale de Venise, et, depuis 1955, à l'Exposition Internationale d'Art de Tokyo. En 1957, lui fut attribué le Grand Prix de la Biennale de Tokyo. En 1958, il voyagea en Inde. En 1964, à l'occasion des Jeux Olympiques, il figurait à l'Exposition des *Chefs-d'Œuvre de l'Art Japonais Contemporain*, organisée au Musée National d'Art Moderne de Tokyo. En 1965, il était aux États-Unis, peignant les noirs de Harlem.
Après ses années d'apprentissage et de recherches, ayant délaissé la sculpture, s'informant à Paris et en Europe de l'art occidental, à partir de 1929 il entreprit des peintures d'intentions surréalistes, influencées de Chirico et Max Ernst. Dans cette optique surréaliste, il exposa trente-sept collages, directement issus de Ernst, lors de la création de l'Association Indépendante d'Art, qui provoquèrent l'étonnement d'un public alors non préparé. Après son retour au Japon, il continua à produire des œuvres dans l'eprit du surréalisme, mais en leur conférant un contenu satirique ou directement polémique. Après son emprisonnement pendant la guerre, il privilégia la critique sociale dans ses œuvres, s'attaquant métaphoriquement aux désordres divers consécutifs à la défaite d'une société de castes, et à l'apparition d'une volonté de démocratisation et de modernisation dans les classes moyennes. À partir de 1971, il a travaillé sur le thème de l'enfer, thème dans lequel il a amalgamé celui de la Divine Comédie du Dante et ce qui est comparable à l'enfer dans mythologies nippones, mythologies auxquelles il emprunta ensuite les sujets de grandes compositions, tirant aussi certains de ses thèmes d'inspiration de l'histoire du Japon.
Fukuzawa reste le principal représentant de l'avant-garde dans la peinture japonaise de la première moitié du siècle. Dans les années trente, il fut le principal introducteur du surréalisme au Japon. Il a su, à son propre usage, concilier dans ses compositions une part de l'esprit surréaliste et sa volonté de jouer un rôle dans l'émancipation de l'âme japonaise : « Mon désir de peindre vient de l'envie de créer quelque chose à partir de rien. Mon approche et mes thèmes sont liés aux conditions socio-politiques actuelles. » ■ Jacques Busse
Bibliogr. : Marie Mathelin, in : *Dictionnaire Bénézit*, Gründ, Paris, 1976 – in : *Diction. de l'Art Mod. et Contemp.*, Hazan, Paris, 1992.

FUKUZAWA Shiro
Né en 1907 dans la préfecture de Tochigi. xxe siècle. Japonais.
Graveur. Abstrait-géométrique.
Il fut élève de l'Académie d'Art Kawabata. En 1966 et 1968, il a participé à la Biennale Internationale de l'Estampe de Tokyo, en 1968 et 1969 aux huitième et neuvième Expositions d'Art Japonais Contemporain, en 1969 à la Biennale Internationale de Gravure de Ljubljana.

FUKUZAWA Yukio
Né en 1924 dans la préfecture de Yamagata. xxe siècle. Japonais.
Graveur technique mixte. Tendance surréaliste.
En 1957, il fut diplômé du département de serrurerie d'art de l'Université des Beaux-Arts de Tokyo. Depuis cette date, il figure aux expositions de l'Association Japonaise de Graveurs, ainsi qu'aux Biennales Internationales de l'Estampe de Tokyo, dont il reçut le Premier Prix en 1957. En 1959, lui fut décerné le Prix Shell, en 1962 le Prix d'Excellence de l'Exposition d'Art Japonais Contemporain. Il a également participé plusieurs fois à la Biennale Internationale de l'Estampe de Lugano, et à la Biennale de São Paulo.
Techniquement, il aime employer concurremment plusieurs procédés. Il se livre volontiers à de subtiles explorations de textures diverses. Son style peut être qualifié de surréalisant dans ses sujets.

FULCARO Sebastiano
xvie-xviie siècles. Actif à Rome. Italien.
Graveur.
On cite de lui *Le Jugement dernier*, d'après Michel-Ange. Certainement identique à Sebastian Fulcarus.

FULCARUS Sebastian ou **Furch**
Né en 1589 à Goslar ou à Alterkulz. Mort en 1666 à Francfort. xviie siècle. Allemand.
Dessinateur et graveur au burin.
A gravé des vues, des portraits, des emblèmes. Il travailla d'abord à Rome, puis revint en Allemagne et s'établit à Francfort en 1620.

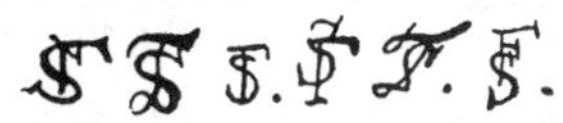

FULCHIRON, Mme
xixe siècle. Française.
Peintre de portraits, figures, paysages animés.
Musées : Le Havre : *Portrait de Jean Baptiste Eyries*.
Ventes Publiques : Paris, 27 juin 1991 : *Bergers antiques près d'un aqueduc*, h/t (54,5x45,5) : **FRF 20 000**.

FÜLCK Johann David
xviiie siècle. Actif à Wiesentheid. Allemand.
Dessinateur.
Il dessina des projets de jardins et d'ornements pour ces jardins, qui furent publiés.

FULCO Giovanni ou **Fulcho**
Né en 1605 à Messine. Mort vers 1680. xviie siècle. Italien.
Peintre.
Après avoir appris les premières notions de dessin dans sa ville natale, il se rendit à Naples où il entra à l'école du chevalier Massimo Stanzione. Ses œuvres ont disparu dans des tremblements

de terre. Habert, dans son *Memorie de Pittore Messinese*, parle de lui comme d'un dessinateur correct et habile qui excella surtout dans la représentation des enfants. Chez les Nunziata de Teatine, de Messine, on voit de cet artiste une peinture à l'huile dans la chapelle du crucifiement : *La Naissance de la Vierge*.
Ventes Publiques : Paris, 19 mars 1982 : *Saint François et les stigmates*, pl., encre brune et lav. brun (27,6x19) : **FRF 2 700.**

FULCONIS Louis Guillaume
Né vers 1817 à Avignon. Mort le 11 mai 1873 à Avignon. XIXe siècle. Français.
Sculpteur.
Formé à l'École des Beaux-Arts d'Avignon, il figura au Salon de Paris de 1857 à 1872. De ses œuvres on cite : *Les sculptures de l'église de la Délivrande* près de Caen, les statues en pierre de *Saint Barthelémy* et de *Saint Jacques le Mineur* au portail de l'église Saint-Laurent, *Actéon*, statue en marbre pour le ministère de l'État, *Le docteur Camille Raspail*, buste en bronze, *Le comte Guyot*, buste en marbre, *Ouled-Naïlet, bayadère* (au Musée de Gray).

FULCONIS Victor Louis Pierre
Né en 1851 à Alger. Mort en octobre 1913 à Oran. XIXe-XXe siècles. Français.
Sculpteur et peintre.
Fils de Louis Guillaume Fulconis, il étudia d'abord avec son père, puis il fréquenta les ateliers de Jouffroy et de Bonassieux. De 1873 à 1880, il figura au Salon de Paris. Cet artiste exécuta, pour l'église Saint-Ouen de Rouen, une statue de *Saint Marc*, et pour celle de Caudebec-lez-Elbeuf une statue de *Saint Jean*. Sociétaire des Artistes Français depuis 1888. Mention honorable la même année. On voit de lui, au Musée de Rouen : le *Buste de Jouvenet*, et à celui de la Roche-sur-Yon, *La Gloire*. Ce même Musée renferme encore : *Entrée du faubourg d'Equebonille, à la Roche-sur-Yon* : nous ne savons pas si c'est l'œuvre du père ou du fils.

FULCRAND Pierre
Né le 10 décembre 1914 à Montpellier (Hérault). XXe siècle. Français.
Peintre. Figuratif, puis expressionniste-abstrait.
Il fut élève de l'École des Beaux-Arts (Montpellier ou Paris ?). Dans les années cinquante, il a participé, surtout à Paris, à des expositions collectives qui réunissaient des peintres d'inspiration postcubiste, et au Salon de Mai.
Jusqu'autour de 1960, il peignait des figures, des nus, des natures mortes, très construits d'après les préceptes élaborés au cours des années cubistes. Puis, son écriture s'est assouplie, et la ressemblance à un modèle s'est simplifiée, limitée à quelques lignes de force, jusqu'à la disparition totale. Depuis lors, il peint dans une abstraction radicale, caractérisée par une gestualité violente et des couleurs agressives.

FULDA Albert
Né vers 1820 à Halle. XIXe siècle. Allemand.
Miniaturiste, dessinateur et lithographe.
Il travailla aussi à Leipzig. Ce fut surtout un portraitiste.

FULDE Edward B.
Né à Saint Louis (Missouri). XIXe-XXe siècles. Américain.
Peintre de genre, paysages.
Il fut élève, à Paris, de Joseph et Franck Bail. Confirmant un séjour important, il y exposa de 1896 à 1912, au Salon des Artistes Français.
Ventes Publiques : Paris, 4 déc. 1944 : *Yport, Le Chicard* : **FRF 280** – Paris, 30 oct. 1987 : *La séance de pose dans l'atelier du peintre* 1906, h/t (73x92) : **FRF 40 000** – Paris, 13 juin 1990 : *Jeune femme dans un paysage*, h/t (73x91) : **FRF 15 000.**

FULFORD Patricia
Née en 1935 à Toronto. XXe siècle. Canadienne.
Sculpteur. Abstrait.
Elle fut élève, de 1954 à 1957, de l'Ontario College of Art, où elle revint, en 1960 et jusqu'en 1963, comme enseignante.
Dans sa jeunesse, elle avait été influencée par l'art gothique et roman. Son œuvre, alors figurative, s'est beaucoup inspirée des formes de ces architectures. Après 1966, elle a recherché de nouvelles formes, plus expressives. Puis, à l'inverse, ses sculptures ont évolué à l'abstraction, faites d'éléments géométriques peints, et toujours très architecturés.

FULGHUM Caroline Mercer
Née en 1875 à Goldsborough. XXe siècle. Américaine.
Peintre, illustratrice.
Elle travaillait dans sa ville natale. Elle fut élève à New York, de Phoebe Bunker, Albert Wenzell, Elliot Daingerfield.

FULIGNATE Nicolas
XIVe siècle. Actif à Milan. Italien.
Peintre d'histoire.
Il signait *Nicolaus Fulginas*.

FULIGNY-DAMAS. Voir **GROLLIER de,** marquise

FULINCKX Louis
Éc. flamande.
Peintre de paysages.
Le Musée de Liverpool conserve deux œuvres de cet artiste : *Le chemin dans la forêt* et *Environs d'Anvers*.

FULLA Ludovit
Né le 27 février 1902 à Ruzomberok (Slovaquie). Mort le 21 avril 1980. XXe siècle. Tchécoslovaque.
Peintre de compositions animées, paysages animés, peintre de cartons de mosaïques, de tapisseries. Cubo-expressionniste.
Il fut élève de l'École des Arts et Métiers de Prague, de 1922 à 1927, et, dès 1929, fut lui-même professeur à l'École des Métiers d'Art de Bratislava, où il resta jusqu'en 1939. De 1940 à presque 1960, il a vécu à Martin et Zilina. De 1949 à 1952, il fut professeur à l'École Supérieure d'Arts Plastiques de Bratislava. Il a participé à de nombreuses expositions collectives nationales et internationales, dont : Biennale de Venise 1934, 1942, 1956, 1962, 1966, Biennale de São Paulo 1957, Biennale de Lausanne 1965, Expositions Internationales de Bruxelles 1935 et celle de 1958 où il reçut une médaille d'or, Exposition Internationale de Paris 1937, Exposition *50 ans de Peinture Tchécoslovaque* circulant dans les musées tchécoslovaques en 1968 pour le cinquantenaire de la République et où il était bien représenté, Exposition d'Art Slovaque au Musée d'Art Moderne de la Ville de Paris 1974, etc. En 1963, il fut nommé artiste national, en 1966 a reçu le Prix de l'État Tchécoslovaque, en 1972 a été décoré de l'Ordre de la République.
De 1930 à 1932, il a publié les carnets *Lettres privées*, en collaboration avec son ami Mikulas Galanda, qui constituèrent alors la définition de ce que devrait être un art moderne slovaque. L'activité de Fulla s'est exercée dans toutes les disciplines : arts graphiques, illustrations, scénographie, tapisserie dont le tissage a en général été exécuté dans les ateliers de Jindrichuv Hradec, mosaïques dont celle de l'Exposition Internationale de Montréal en 1967. D'ailleurs, ses peintures rappellent souvent les techniques de la mosaïque ou des collages par une sorte de divisionnisme systématiques des surfaces. Tout au long de son œuvre, on remarque un même enchaînement homogène. Il est considéré comme ayant été un des plus importants représentants de la peinture tchécoslovaque entre la brillante génération des Kupka, Sima, Filla, etc. et la plus jeune des Médek, Vozniak, Sklenar, Kolar, etc. Il s'exprimait encore dans un langage plastique issu de l'expressionnisme des années dix, touché quelque peu, à travers Cézanne, par le cubisme qui fut très à l'honneur dans la Tchécoslovaquie d'après la Première Guerre mondiale. Soucieux de consentir la part de la modernité tout en préservant la tradition populaire slovaque, il a partagé son œuvre entre des peinture consacrées aux villages de la campagne slovaque et à leurs habitants, et une partie moins réaliste, dont les héros sont les personnages mythiques des légendes populaires, qu'il fait d'ailleurs évoluer en dehors de toute loi de la gravitation, comme c'est souvent le cas aussi des personnages de Chagall qui ne s'embarrassent pas de voler par-dessus les clochers. On peut aussi rapprocher de l'art de Paul Klee sa manière de communiquer un message poétique permanent par le biais d'un langage plastique d'époque. ■ J. B.
Bibliogr. : In : Catalogue de l'exposition *50 ans de Peinture Tchécoslovaque*, Musées Nationaux, Prague, etc., 1968 – in : *Diction. Univers. de la Peint.*, Le Robert, Paris, 1975.
Musées : Prague (Gal. Nat.) – Ruzomberok (Gal.) : une partie importante de l'œuvre.

FULLARD Georges
Né en 1924 à Sheffield. XXe siècle. Britannique.
Sculpteur d'assemblages.
Il expose à Londres depuis 1958.
À partir d'objets hétéroclites, il crée des machines diaboliques, non sans rapports avec celles de Tinguely. Ces sortes de machines de guerre en réduction, semblent surtout destinées à en inspirer l'horreur.

FULLBROOK Samuel Sydney, dit **Sam**
Né en 1922. XXe siècle. Australien.
Peintre. Tendance abstraite.
Sa peinture est totalement influencée par la peinture européenne. Haute en couleurs claires, allusive quant aux figures, elle prend sa source du côté du *Blaue Reiter* de 1910.
Ventes Publiques : Sydney, 6 oct. 1976 : *Jeune fille*, h/cart. (45,8x50,5) : **AUD 1 500** – Sydney, 2 mars 1981 : *Le mineur*, h/t (35x25,5) : **AUD 1 600** – Sydney, 24 nov. 1986 : *Storm coming*, h/t (39x41) : **AUD 4 500** – Londres, 1er déc. 1988 : *Nature morte avec une morue sur un éventaire*, h/t (39,4x55,8) : **GBP 5 280**.

FULLER Augustus
XIXe siècle. Américain.
Peintre de miniatures.
Il était le demi-frère et fut le premier maître de George Fuller.

FULLER Charles Francis
Né en 1830. Mort le 10 mars 1875 à Florence. XIXe siècle. Britannique.
Sculpteur.
Exposa vingt-huit fois à la Royal Academy, de 1859 à 1875. On lui doit surtout des bustes.

FULLER Cynthia
XXe siècle. Britannique.
Peintre de figures, paysages. Tendance symboliste.
Autodidacte. Ses peintures témoignent d'une inspiration poétique prolongeant plus ou moins un préraphaélisme, qu'un emploi hardi de la couleur relève de modernisme. On cite : *La Géante rêveuse, Paysage de rêve*, et, de 1940, *Abri*.

FULLER Denise
Née à Paris. XXe siècle. Française.
Peintre.
Elle fut élève de Jules Adler, Joseph Bergès. Elle exposait à Paris, au Salon des Artistes Français depuis 1927.

FULLER Edmund G.
Mort après 1930. XIXe-XXe siècles. Britannique.
Peintre de genre, paysages.
Actif à Saint-Ives (Cornouailles) à la fin du XIXe siècle.
Ventes Publiques : New York, 31 janv.2 fév. 1900 : *Ramenant la vache au logis* : **USD 1 550** ; *Lorette* : **USD 3 600** – New York, 8-9 jan. 1903 : *The Quadroon* : **USD 5 500** – New York, 9-10 fév. 1905 : *La Route du Baudet* : **USD 480** – Londres, 28-29 juil. 1927 : *Côte rocheuse* ; *Silence*, les deux : **GBP 23** – Chester, 24 juin 1981 : *La vente du poisson, Saint-Ives* 1894, h/t (107x79) : **GBP 850** – Londres, 12 juin 1987 : *Samedi après-midi*, h/pan. (38,6x30,5) : **GBP 1 000**.

FULLER George
Né en 1822 à Deerfield. Mort le 21 mars 1884 à Boston. XIXe siècle. Américain.
Peintre de genre, portraits, paysages.
On lui doit des portraits et des paysages inspirés de Millet. Il fut l'un des artistes qui firent connaître les peintres français du XIXe siècle aux États-Unis.
Ventes Publiques : New York, 14 nov. 1934 : *Portrait de jeune fille* : **USD 25** – New York, 15 jan. 1937 : *Champ fraîchement labouré* : **USD 145** – New York, 11-13 jan. 1945 : *Fille à la poupée* : **USD 150** – New York, 4 mai 1945 : *La Lettre* : **USD 120** – Bolton, 20 mai 1980 : *Rêverie*, h/t (61x46) : **USD 800** – New York, 21 oct. 1983 : *Jeune femme à l'orée du bois*, h/t (61x45,7) : **USD 900** – New York, 24 juin 1988 : *Portrait de Miss Wynne*, h/t (62,5x51,4) : **USD 990** – New York, 14 nov. 1991 : *Portrait de John Quincy Adams Ward* 1868, h/t (40,6x35,5) : **USD 1 760**.

FULLER Henry Brown
Né le 3 octobre 1867 à Deerfield. Mort en 1934. XIXe-XXe siècles. Américain.
Peintre de figures.
Élève de Cowles Art School à Boston et Collin à Paris. Il vivait à Windsor (États-Unis). Médaille de bronze à Buffalo en 1901.
S'est fait remarquer par ses figures idéales.
Ventes Publiques : New York, 1er avr. 1981 : *The maenad*, h/t (61x50,8) : **USD 2 000**.

FULLER Horace
XIXe siècle. Britannique.
Paysagiste.
Exposa à Londres entre 1874 et 1884.

FULLER Isaac
Né en 1606. Mort le 17 juillet 1672 à Londres. XVIIe siècle. Britannique.
Peintre d'histoire, compositions religieuses, portraits, compositions murales, graveur.
Il travailla à Paris, entre 1645 et 1650, avec François Perrier et fit en Angleterre, à Oxford, des peintures murales. Dans la chapelle du collège Wandham, il peignit : *Les enfants d'Israël recueillant la manne* et au collège Magdalen, un tableau d'autel. Il exécuta aussi cinq tableaux sur *La fuite de Charles II après la bataille de Worcester*, qui furent présentés au parlement irlandais. Établi à Londres, il fut un portraitiste réputé. Il grava également quelques planches pour le *Libro da disegnare*.
Musées : Londres (Tate Gal.) : *Portrait* – Londres (Nat. Portrait Gal.) : *La fuite de Charles II après la bataille de Worcester*.
Ventes Publiques : Londres, 20 juin 1947 : *Sir Thomas Baines* : **GBP 42** – Londres, 13 avr. 1994 : *Portrait de l'artiste en habit brun et toque rouge les bras posés sur des statuettes avec son fils à sa droite*, h/t (114x105,5) : **GBP 25 300** – Londres, 9 avr. 1997 : *Portrait de l'artiste et de son fils* vers 1670, h/t (133x107,5) : **GBP 52 100**.

FULLER Léonard John
Né en 1891 à Londres. Mort en 1973. XXe siècle. Britannique.
Peintre.
Il fut élève de la Royal Academy de Londres. Il exposa aussi à Paris, depuis 1927 au Salon des Artistes Français, où il obtint une médaille d'argent.
Ventes Publiques : Londres, 16 sep. 1981 : *Shops across the way*, h/t (59,5x49,5) : **GBP 360** – Londres, 9 nov. 1984 : *The interior of Woolworths : threepence-sixpence*, h/t (101,6x127) : **GBP 2 000** – Londres, 24 juil. 1985 : *Nu couché* 1939, h/t (56x101,5) : **GBP 500** – Londres, 5 mars 1987 : *The people's store, the interior of Woolworth*, h/t (101,5x127) : **GBP 7 500**.

FULLER Lucia, Mrs **Henry B. Fuller**, née **Fairchild**
Née le 6 décembre 1872 à Boston. XIXe-XXe siècles. Américaine.
Peintre.
Elle vivait et travaillait à New York. Elle fut élève de Dennis M. Bunker à Boston, de Henry Siddons Mowbray et William Chase à l'Art Student's League de New York. Elle a figuré au Salon de Paris pour l'Exposition Universelle de 1900, obtenant une médaille de bronze, à l'Exposition de Buffalo en 1901, obtenant une médaille d'argent.

FULLER Ralph
Né en 1890 dans le Michigan. XXe siècle. Américain.
Peintre, dessinateur, illustrateur.
Il était membre du Salmagundi Club. Il était connu pour ses dessins humoristiques.

FULLER Richard Henry
Né en 1822 à Bradford. Mort en 1871 à Chelsea (près de Boston). XIXe siècle. Américain.
Peintre de paysages.
De 1852 à 1866, il s'efforça dans ses heures de loisir de cultiver les arts. A partir de 1867 jusqu'à sa mort, il se consacra à la peinture et sut rendre avec un sentiment de poésie divers genres de paysages américains. Il occupa un des premiers rangs parmi les paysagistes de son pays. Il légua à sa mort quatre-vingt-dix de ses œuvres au Club d'Art.
Ventes Publiques : New York, 30 avr. 1969 : *Barque de pêche dans un estuaire* : **USD 1 300** – New York, 25 sep. 1992 : *Cottage dans un paysage*, h/pan. (20,3x30,5) : **USD 1 540**.

FULLER S. E. W., Mrs
Née en Amérique. Morte le 6 juillet 1907. XIXe siècle. Américaine.
Dessinateur, graveur sur bois et lithographe.
Étudia à New York la gravure sur bois et la lithographie et s'y créa une notable réputation. Après la guerre de Sécession, elle s'établit à Washington et s'adonna au professorat.

FULLER S. et **H.**
XIXe siècle. Français.
Peintres.
Ils signèrent en 1847 un retable à l'église Saint-Médard à Paris, représentant *Saint Vincent de Paul*.

FULLER Sarah E.
Née en 1829. Morte le 14 décembre 1901 à Lynbrook (États-Unis). XIXe siècle. Américaine.
Graveur sur bois et sur acier.
Compte parmi les artistes qui, les premiers, gravèrent en Amérique sur bois et sur acier. Elle fut longtemps la collaboratrice de

la Maison Harper et travailla aussi pour les plus importants éditeurs de New York.

FULLER Spencer

Né le 25 février 1863 à Deerfield. Mort le 9 mai 1911 à Deerfield. XIXe-XXe siècles. Américain.

Peintre de paysages.

Il était le fils de George et le frère d'Henry Brown.

FULLERTON C. A.

XIXe siècle. Britannique.

Peintre de paysages, aquarelliste.

MUSÉES : LONDRES (Victoria and Albert Mus.) : *Vue d'Édimbourg.*

FULLEYLOVE John

Né le 18 août 1845 à Leicester. Mort le 22 mai 1908 à Londres. XIXe siècle. Britannique.

Peintre de paysages, aquarelliste.

Membre de l'Institut Royal des aquarellistes. Il exposa très fréquemment à Londres de 1871 à 1893. Médaille de bronze à Paris en 1889 (Exposition Universelle) et mention honorable en 1900 (Exposition Universelle).

MUSÉES : CARDIFF : *Versailles – Cottages – Villefranche* – LEICESTER : *L'Acropole d'Athènes – Hampton Court* – LIVERPOOL : *Le temple de Jupiter et l'Acropole d'Athènes* – LONDRES (Victoria and Albert Mus.) : *Magdelen – Collège Oxford, ou du Cloître – Entrée de Queen's college Oxford – Ruines des Arènes d'Arles – Saint-Germain l'Auxerrois à Paris.*

VENTES PUBLIQUES : LONDRES, 1er fév. 1908 : *Ludgate Hill* 1885, aquar. : **GBP 7** – LONDRES, 1908 : *Hampton Court* 1885, aquar. : **GBP 11** – LONDRES, 20 déc. 1922 : *Paysage boisé*, dess. : **GBP 33** – LONDRES, 27 avr. 1923 : *Tenby* : **GBP 6** – LONDRES, 26 nov. 1923 : *Parthénon*, dess. : **GBP 4** ; *Golfe de Spezia*, dess. : **GBP 6** ; *Port de Gênes*, dess. : **GBP 6** ; *Port de Gênes*, dess. : **GBP 3** ; *Jardins Médicis* ; *Lac de Galilée*, dess., les deux : **GBP 8** ; *Façade du British Museum*, dess. : **GBP 4** ; *Jérusalem au coucher du soleil*, dess. : **GBP 6** ; *Intérieur de Saint-Paul*, dess. : **GBP 6** ; *Clumber*, dess. : **GBP 6** ; *Jardins de Versailles*, dess. : **GBP 5** ; *Palais des Papes, Avignon*, dess. : **GBP 3** ; *Parc Monceau, Paris*, dess. : **GBP 3** ; *Nice*, dess. : **GBP 8** ; *Place des Vosges* ; *Château de Saint-Germain*, dess., les deux : **GBP 5** – LONDRES, 26 nov. 1923 : *Intérieur de la Mosquée Omar* : **GBP 4** ; *Jérusalem à l'aurore* : **GBP 3** – LONDRES, 8 mai 1925 : *Bruxelles* : **GBP 5** ; *Torcello* ; *Sur le Rialto* ; *Collège Emmanuel* ; *Prieuré d'Ingarsby*, quatre dessins : **GBP 15** – LONDRES, 25 fév. 1929 : *La fin de la lune de miel*, dess. : **GBP 5** – LONDRES, 19 avr. 1929 : *Les colonnes du temple de Zeus à Athènes*, dess. : **GBP 11** ; *Collège Magdalen*, dess. : **GBP 5** ; *Florence*, dess. : **GBP 9** – LONDRES, 2 juil. 1971 : *Le parc de Versailles* 1883 : **GNS 180** – LONDRES, 24 juil. 1973 : *Hampton Court* : **GBP 220** – LONDRES, 14 mai 1976 : *La piazzeta, Venise*, h/pan. (29x24) : **GBP 320** – LONDRES, 12 oct. 1977 : *Vue de Jérusalem au coucher du soleil* 1903, h/t (81x137) : **GBP 5 000** – LONDRES, 23 juil. 1981 : *Jerusalem*, aquar. (25x17) : **GBP 300** – LONDRES, 17 nov. 1983 : *Barges on the canal at Leicester* 1868, aquar./trait de cr. reh. de gche (18x26,5) : **GBP 850** – PARIS, 12 mars 1984 : *Le jardin au printemps*, h/t (31,5x45,5) : **FRF 16 500** – LONDRES, 28 nov. 1986 : *The garden of love*, h/t (31,5x46) : **GBP 2 600** – LONDRES, 27 oct. 1987 : *Hampton Court Palace* 1885-86, aquar. et cr. (59x88,7) : **GBP 3 000** – LONDRES, 19 déc. 1991 : *Isola Tiberina à Rome* ; *Florence depuis le Belvédère de Michel-Ange*, h/pan., une paire (12,7x37,5 et 12,7x35,5) : **GBP 1 540** – LONDRES, 20 jan. 1993 : *Bataille navale au large de Spezia* 1888, aquar. (20,5x35,5) : **GBP 517** – LONDRES, 13 juil. 1993 : *Scraptoft dans le Leicestershire*, cr. et aquar. (17,5x25,1) : **GBP 460** – LONDRES, 17 nov. 1994 : *Intérieur du Dôme de la Chaine à Jérusalem*, cr. et aquar./pap. (25,7x37,8) : **GBP 7 475** – LONDRES, 29 mars 1996 : *Le cimetière de St Paul* 1884, cr. et aquar. avec touches de blanc (12,7x17,8) : **GBP 977.**

FÜLLMAURER Heinrich

XVIe siècle. Actif à Bâle vers 1542. Suisse.

Dessinateur et peintre.

Quelques-unes de ses œuvres furent gravées par Specklin.

FÜLLMAURER Josias

XVIe siècle. Actif dans le Wurtemberg vers 1562. Allemand.

Peintre.

Il travailla pour le duc Christoph de Wurtemberg.

FULLSCHENK Detloff

XVIIe siècle. Actif vers 1600. Allemand.

Sculpteur sur bois.

Le Musée de Kiel possède une œuvre de lui.

FULLWOOD Albert Henry

Né en 1863 ou 1864 à Birmingham. Mort en 1930. XIXe-XXe siècles. Britannique.

Peintre de paysages, aquarelliste.

Il fut élève de l'École d'Art de Birmingham. Il séjourna ensuite en Australie jusqu'en 1900, et en peignit les paysages caractéristiques. Il voyagea en Amérique et revint à Londres, où il a participé à des expositions collectives, dont celles de la Royal Academy.

H Fullwood

BIBLIOGR. : In : *The Art Bulletin of Tasmania*, Anne Gray, Tasmanian Museum of Art Gallery, Hobart, 1983 – Hendrik et Juliana Kolenberg : *Tasmanian Vision, The Art of 19th Century Tasmania*, Tasmanian Museum and Art Gallery, Hobart, 1988.

MUSÉES : SYDNEY : *La frontière – Jervis Bay – Shoalhaven River – Les rochers de la cathédrale, près Kiama – Vallée des kangourous.*

VENTES PUBLIQUES : ROSEBERY (Australie), 29 juin 1976 : *Peel Valley* 1922, h/t (68x85) : **AUD 2 000** – SYDNEY, 4 oct. 1977 : *Paysage* 1930, h/t (60,5x91) : **AUD 750** – SYDNEY, 10 sep. 1979 : *Portland*, gche (29x57) : **AUD 1 400** – SYDNEY, 20 oct. 1980 : *Vue d'un port*, h/cart. (13,5x17,5) : **AUD 900** – SYDNEY, 29 juin 1981 : *The conversation* 1897, aquar. (50x33) : **AUD 2 200** – SYDNEY, 17 oct. 1984 : *The store and bridge, Mosman Bay* 1890, h./couvercle de boîte de cigares (14,5x22,3) : **AUD 13 500** ; *Sydney from Mosman* 1880, aquar. (27x41) : **AUD 8 000** – SYDNEY, 23 sep. 1985 : *La conversation ou Jeune femme et le perroquet* 1897, aquar. (50x32) : **AUD 7 500** – MELBOURNE, 30 juil. 1986 : *The Hawkesbury*, h/cart. (31x60,5) : **AUD 80 000** – SYDNEY, 4 juil. 1988 : *Paysage côtier*, aquar. (59x86) : **AUD 2 500** – SYDNEY, 3 juil. 1989 : *Le Lac Wakatipiu*, aquar. (15x27) : **AUD 1 800** – HOBART, 26 août 1996 : *Le Ferry de Hobart*, h/pan. (15,2x25,4) : **AUD 27 600.**

FULLWOOD John

Mort en 1931. XIXe-XXe siècles. Britannique.

Peintre de paysages, graveur.

Vivant à Twickenham, il fut membre de la Royal Society of British Artists, exposa fréquemment à Londres, de 1881 à 1890.

VENTES PUBLIQUES : LONDRES, 5 déc. 1907 : *Vallée dans les Monts Mendifs* : **GBP 5** – LONDRES, 7 juil. 1981 : *L'église du village*, aquar. (25,5x36) : **GBP 240.**

FULPIUS Élisabeth Caroline

Née le 16 janvier 1878 à Genève. XXe siècle. Suissesse.

Sculpteur de bustes, graveur.

Elle fut élève de l'École des Beaux-Arts de Genève. Elle vint se perfectionner à Paris, où elle exposa au Salon des Artistes Français, y obtenant une mention honorable en 1906.

MUSÉES : GENÈVE (Mus. Rath) : *Buste de femme.*

FULPIUS Mireille

Née le 2 février 1951 à Genève. XXe siècle. Suissesse.

Sculpteur. Abstrait.

Elle fut élève de l'École Spérieure d'Art Visuel de Genève. Elle vit et travaille à Genève et à Marchissy dans le Canton de Vaud. Elle expose depuis 1977, surtout en Suisse, mais aussi à Paris, aux Salons Grands et Jeunes d'Aujourd'hui depuis 1985 et des Femmes Peintres et Sculpteurs depuis 1986. À Thonon-les-Bains, elle est représentée par la galerie Galise Petersen. Elle a montré ses travaux dans des expositions personnelles à Genève en 1981, 1983, 1986, à Thonon-les-Bains en 1987.

Elle utilise des éléments préfabriqués métalliques, qu'elle assemble dans un esprit de géométrie très libre.

FULTON David

Né en 1848 en Écosse. Mort en 1930. XIXe-XXe siècles. Britannique.

Peintre de genre, figures, animaux, paysages, aquarelliste.

Il exposa à Londres, Berlin, Munich et Venise. Il vécut surtout à Glasgow.

D FULTON

DAVID FULTON

VENTES PUBLIQUES : ÉCOSSE, 25 août 1972 : *Jeune fille* : **GBP 320** – ÉCOSSE, 1er sep. 1981 : *Fillette cueillant des fleurs*, h/t (51x39) : **GBP 1 600** – EDIMBOURG, 12 avr. 1983 : *On the river Ayr, Catrine*, h/t (51x61) : **GBP 1 350** – Londres, 13 nov. 1986 : *La cueilleuse de coquelicots*, h/t (53,5x35,5) : **GBP 13 000** – Londres, 26 avr. 1988 : *La reine de la prairie*, h/t (41x36) : **GBP 1 540** – Londres, 3 juin 1988 : *Femme ramassant du bois d'épave* 1883, h/t (50,8x76,2) : **GBP 2 860** – Glasgow, 7 fév. 1989 : *Jeunes filles au bord de la rivière*, h/t (25,5x46) : **GBP 2 090** – Perth, 29 août 1989 : *Le passeur de Saddell un matin*, h/t (71x91,5) : **GBP 4 620** – Glasgow, 6 fév. 1990 : *Au large d'Arran*, h/t (36x54) : **GBP 1 760** – Perth, 27 août 1990 : *Allongé dans un champ de blé* 1882, h/t (30,5x51) : **GBP 2 860** – South Queensferry (Écosse), 23 avr. 1991 : *Automne dans le Kintyre*, aquar. (39x49,5) : **GBP 1 320** – Édimbourg, 2 mai 1991 : *La couturière*, h/t (35,6x30,5) : **GBP 528** – New York, 21 mai 1991 : *Distribution de grains aux poulets*, h/t (35,5x40,6) : **USD 1 760** – Perth, 26 août 1991 : *Rêverie*, h/t (51x76) : **GBP 10 450** – Édimbourg, 23 mars 1993 : *Épagneul*, h/t (52x39) : **GBP 3 450** – Perth, 31 août 1993 : *Journée de rêve* 1889, h/t (61x91,5) : **GBP 5 290** – Glasgow, 14 fév. 1995 : *Les monts de Ayr*, h/t (46x61) : **GBP 1 035** – Perth, 29 août 1995 : *Dans les champs par un automne heureux* 1926, h/t (76x63,5) : **GBP 8 625** – Glasgow, 16 avr. 1996 : *L'attente* 1883, h/t (25,5x46) : **GBP 977** – Auchterarder (Écosse), 26 août 1997 : *Rêverie* 1889, h/t (61x91,5) : **GBP 9 660.**

FULTON Dorothy
Née en 1897 en Pennsylvanie. xxe siècle. Américaine.
Peintre.
Fit de sérieuses études artistiques.

FULTON Hamish
Né en 1946 à Londres. xxe siècle. Britannique.
Peintre, technique mixte. Conceptuel, land art.
Après des études à Londres, à la Martin School of Art de 1966 à 1968, il étudie la photographie (1969). Il participe à de nombreuses expositions collectives dans son pays, ainsi qu'à l'étranger, dont Documenta V à Kassel en 1972, qui accordait une place importante à l'art conceptuel. Il montre également son travail dans des expositions personnelles, à Londres, ainsi que : 1981 musée national d'Art moderne de Paris, 1983 CAPC, Centre d'art de Bordeaux, 1985 Van Abbemuseum d'Eindhoven, 1992 Réfectoire de l'Abbaye de Saint-Savin.
S'intéressant au paysage, il se rapproche des artistes du land art, bien que sa démarche soit différente. Contrairement à Richard Long notamment, avec qui il a d'ailleurs voyagé en Amérique du Sud, il n'intervient pas sur les sites traversés. Il bâtit son œuvre autour de l'empreinte physique que laisse l'espace sur le corps, lors de la marche, tout d'abord, avec des photographies, brièvement légendées, qu'il veut intemporelles, puis, à partir de 1981, avec des peintures. Dans le même temps, il se met à commenter plus longuement ses photographies, élaborant un espace poétique, choisissant avec soin une belle typographie. Dans une série inspirée d'un long périple à travers la France en 1991-1992, aux titres descriptifs : *Comptant 5000 premiers points pour les 5000 premiers pas* ou *Comptant 5040 points, nulle pensée*, il peint de longs rectangles gris constellés de petits cercles colorés, « plaidant ici pour un rapport à la nature à trouver moins du côté du tellurisme qu'en lisière d'un panthéisme étreint de sensibilité » (Paul Ardenne). Le travail de Fulton se rattache à l'art conceptuel, qui propose une analyse de l'œuvre ou de ses composantes. Fulton, pour sa part, exploite l'ambiguïté de l'image, de sa portée psychologique et émotionnelle, de sa non-objectivité. Travaillant à partir de photos de paysages, il décrit ce que pourrait être le souvenir de lieux ou de climats, sans qu'on perçoive une volonté narrative. ■ L. L., P. F.

Bibliogr. : D. Reason, M. Auping : *Hamish Fulton, Camp fire*, Le Nouveau Musée, Villeurbanne, 1985 – in : *L'Art du xxe s*, Larousse, Paris, 1991 – in : *Diction. de l'art mod. et contemp.*, Hazan, Paris, 1992 – Paul Ardenne : *Hamish Fulton*, Art Press, no 173, Paris, oct. 1992 – Dominique Boudou : *Fulton : l'invitation au voyage*, Beaux-Arts, no 119, Paris, janv. 1994.

Musées : Amsterdam (Stedelijk Mus.) – Bordeaux (CAPC, Mus. d'Art Mod.) – Eindhoven (Van Abbemuseum Mus.) – Londres (Art Council of Great Britain) – Paris (Mus. Nat. d'Art Mod.) – Rochechouart (Mus. départ. d'Art Contemp.) : *Sans Titre* 1986.

Ventes Publiques : Londres, 22 fév. 1990 : *Rigdom Gompa* 1978, montage d'une photo. en noir et blanc/cart. (46x58) : **GBP 4 400** – Paris, 20 jan. 1991 : *The York, river Maine* 1972, photos texte (50x60) : **FRF 28 000** – New York, 19 nov. 1992 : *Pour atteindre le sommet* 1985, montage de trois photos en noir et blanc/cart. dans un cadre de l'artiste (91,5x242) : **USD 24 200** – New York, 24 fév. 1993 : *Soleil levant* 1982, montage de quatre photos en noir et blanc dans un cadre de l'artiste (77,5x242,6) : **USD 11 000** – Londres, 25 mars 1993 : *Bird Rock* 1987, photo. et texte imprimé/cart. (132x103,4) : **GBP 3 680** – New York, 10 nov. 1993 : *Lac au clair de lune* 1985, photo. en noir et blanc encadrée par l'artiste (141,8x111) : **USD 14 950** – Londres, 30 nov. 1995 : *Sans titre*, photos en noir et blanc et en coul./cart. (73x60,5) : **GBP 6 900** – New York, 21 nov. 1996 : *Horizons silencieux...* 1987, photo. noir et blanc et mine de pb/pap. (76x225) : **USD 20 700.**

FULTON Robert
Né en 1765 à Little Britain (aujourd'hui Fulton). Mort le 23 février 1815 à New York. xviiie-xixe siècles. Américain.
Peintre.
Cet ingénieur de génie qui mit au point la réalisation du bateau à vapeur fut tout d'abord peintre. On lui doit des portraits et des peintures historiques.

FULTON Samuel
Né en 1855. Mort en 1941. xixe siècle. Britannique.
Peintre animalier.
Il s'est spécialisé dans les chiens, peignant éventuellement leurs portraits reconnaissables.

SAM FULTON
SAM-FULTON

Ventes Publiques : Glasgow, 15 juin 1932 : *Fox* : **GBP 7** – Perth, 27 août 1985 : *A King Charles*, h/t (50x60) : **GBP 3 600** – Édimbourg, 30 août 1988 : *Un épagneul*, h/t (40,5x50,5) : **GBP 825** – Glasgow, 7 fév. 1989 : *Un terrier des Highlands*, h/cart. (41x30,5) : **GBP 660** – Perth, 29 août 1989 : *Le terrier Jack Russel*, h/t (38x28) : **GBP 3 740** – Édimbourg, 23 mars 1993 : *Un terrier*, h/t (45,5x35,5) : **GBP 1 495** – Londres, 25 mars 1994 : *La sentinelle attentive*, h/t (61x50,8) : **GBP 8 970** – Perth, 29 août 1995 : *Les grands amis*, h/t (61,5x51) : **GBP 3 450** – Perth, 26 août 1996 : *Terrier des Highland*, h/t (51x41) : **GBP 5 980.**

FULUTTI Leonardo
Né à Tolmezzo. xve-xvie siècles. Italien.
Peintre.
En 1550 il travailla pour l'église de Tolmezzo.

FULUTTI Pietro
Né à Tolmezzo. xvie siècle. Italien.
Peintre.
Vers 1515 il travaillait à Udine.

FUMADELLES Augustin
Né en 1844 à Agen (Lot-et-Garonne). xixe siècle. Français.
Sculpteur.
Mention honorable en 1884.

FUMAGALLI Alvise
xvie siècle. Actif à Legnano en 1517. Italien.
Peintre.

FUMAGALLI Ambrogio
xixe siècle. Actif à Milan. Italien.
Aquarelliste.
Il exposa en 1830 une aquarelle.

FUMAGALLI Christian
Né le 8 décembre 1946 à Gray (Haute-Saône). xxe siècle. Français.
Peintre animalier.
Il fit ses études à l'École des Beaux-Arts de Besançon. Il expose en France et à l'étranger, notamment en Suisse et en Espagne. Il donne une vision originale du monde qui l'entoure, déformant comme dans un tourbillon la réalité.

Musées : Paris (Mus. d'Art Mod. de la Ville) – Taïwan (Mus. d'Art Mod. de la Ville).

FUMAGALLI Ignazio
Né en 1778 à Milan. Mort en 1842. xixe siècle. Italien.
Peintre d'histoire et graveur.
Denelli sculpta d'après ses dessins un *Saint Barthélemy* en 1810 pour la cathédrale de Milan.

FUMÉE Jean et **Jesson**
xve siècle. Actifs à Reims. Français.
Peintre verriers.
Ils travaillèrent peut-être pour l'église Saint-Pierre-le-Vieil.

FU MEI ou **Fou Mei**, surnoms : **Shoumao** et **Xunan,** noms de pinceau : **Zhuling** et **Mi Daoren**

Né en 1628. Mort en 1682. XVIIe siècle. Chinois.
Peintre.
Fils du peintre Fu Shan (1605-1684), comme son père, il est poète et calligraphe ainsi que graveur de sceaux. Il est surtout paysagiste, connu pour ses évocations d'atmosphère.
Musées : Tientsin (Chine) : *Paysage*, feuille d'album, coul. sur soie.

FUMERAN
XIXe siècle. Français.
Peintre.
De 1831 à 1833, il figura au Salon de Paris. On cite de lui : *Vue de la papeterie de la Gare, Vue de la sortie de Royat, Une porte de Royat.*

FUMERON René
Né en 1921 à Peyroux (Vienne). XXe siècle. Français.
Peintre de cartons de tapisseries, décorateur.
Il fit ses études à l'École des Arts Appliqués, puis à l'École Nationale Supérieure des Beaux-Arts de Paris. Il se consacre d'abord à la décoration murale, papiers peints, tissus, affiches, etc., et, à partir de 1949, crée de nombreux cartons de tapisseries. Il travaille pour l'État et des sociétés privées.
Ventes Publiques : Versailles, 29 oct. 1989 : *Mer Rouge*, tapisserie (108x232) : **FRF 10 000** – Paris, 14 déc. 1992 : *Rive d'or*, tapisserie (90x166) : **FRF 12 000.**

FUMIANI Giacomo
Né en 1680. Mort en 1709. XVIIe siècle. Actif à Parme. Italien.
Peintre.
Il est cité par Zani.

FUMIANI Giovanni Antonio
Né en 1643 à Venise. Mort le 8 avril 1710 à Venise. XVIIe siècle. Italien.
Peintre de compositions à personnages, compositions murales. Baroque.
Il a travaillé à Bologne et surtout Venise.
À l'église de La Carita de Bologne, il a peint *Le Christ discutant avec les docteurs*, considéré par Lanzi comme sa meilleure œuvre. À San Pantaleone de Venise, il a peint, de 1680 à 1704, l'immense peinture de la coupole et de la voûte, dédiée au patron de l'église, très remarquable aussi par les savants effets de perspective appliqués aux architectures complexes animées de nombreux personnages. Sur place, cette peinture est donnée comme étant la plus grande peinture sur toile (?) au monde. À San Rocco, de Venise aussi, il a peint *Le Christ chassant les marchands du temple.*
Ventes Publiques : New York, 25 mars 1983 : *Paysages et figures allégoriques*, 2 h/pan. (66,5x57) : **USD 8 000** – Paris, 17 mars 1987 : *Le roi Salomon et la reine de Saba*, h/t (87,5x121) : **FRF 55 000** – Londres, 26 oct. 1994 : *Le Christ et la veuve de Naïn*, h/t (79x97) : **GBP 6 325.**

FUMICELLI Lodovico ou **Fiumicelli**
Né à Trévise. XVIe siècle. Italien.
Peintre.
On ne sait s'il fut ou non élève du Titien. Lanzi le considère comme un de ses plus habiles imitateurs. En 1536, il exécuta le principal tableau d'autel de l'église des Padri Eremitani de Padoue, représentant : *La Vierge et l'Enfant assis dans les nuages avec saint Augustin, saint Jacques et saint Maurice.* Cette œuvre est, d'après Rodolfi, digne des plus grands maîtres. Dans l'église Padri Serviti de Trévise, il exécuta une peinture de *Saint Liberat et sainte Catherine* avec deux à-côtés : *Saint Sébastien et saint Philippe.*

L Fumicelli.

FUMIERE Adolphe
XIXe siècle. Belge.
Sculpteur.
Actif à Tournai. Mention honorable en 1859.
Ventes Publiques : Paris, 28 oct. 1985 : *Segond-Weber*, bronze (H. 75) : **FRF 12 500.**

FUMO Antonio
XVIIIe siècle. Actif à Naples. Italien.
Peintre.
On lui doit une *Ascension de saint Benoit.*

FUMO Basilio
Mort le 20 juin 1797 à Madrid. XVIIIe siècle. Italien.
Sculpteur et céramiste.
Il était sans doute né à Naples.

FUMO Matteo
XVIIe siècle. Italien.
Sculpteur sur bois.
Il travailla pour l'église S. Giuseppe Maggiore à Naples en 1696.

FUMO Niccolo
Mort le 2 juillet 1725 à Naples. XVIIIe siècle. Italien.
Sculpteur.
Il exécuta de très nombreuses sculptures religieuses en marbre, en bois ou en plâtre.

FUNAJOLI L. A.
XIXe siècle. Britannique.
Sculpteur.
Exposa à la Royal Academy en 1860.

FUNAKOSHI Yasutake
Né en 1912. XXe siècle. Japonais.
Sculpteur. Réaliste.
Ventes Publiques : Paris, 14 mai 1982 : *Tête de jeune fille*, marbre blanc (H. 42) : **FRF 7 200.**

FUNARO Giuseppe
XVIIIe siècle. Italien.
Peintre.
Il travaillait à la décoration de l'église Santa Croce di Lucca à Naples en 1763.

FUNASAKA Yoshisuke
Né le 1er janvier 1939 à Gifu. XXe siècle. Japonais.
Peintre, graveur.
Il fut élève de l'Université de Tokyo. Il a participé aux Ve et VIIe Biennales de Gravure de Tokyo, ainsi qu'à celle de Ljubljana.

FUNCH Edgar
Né en 1915 sur l'île de Bornholm. XXe siècle. Danois.
Sculpteur. Abstrait.
Il est autodidacte en art. Il a fait partie du groupe des *Décembristes* de 1957 à 1966, du groupe *Grönningen* depuis 1966. Il a exposé dans les expositions intitutionnelles du Danemark : 1948 Salon de Pâques à Aarhus, 1951-57 Salon d'Automne à Copenhague. Il expose aussi à Stockholm, en 1958 au Riverside Museum de New York, à Amsterdam, Oslo, etc. À Paris, il figurait au Musée Rodin en 1966, à l'exposition *Art Danois 1945-1973*, qui fut présentée aux Galeries Nationales du Grand Palais, en 1973.
Il exécute un grand nombre de sculptures décoratives pour des institutions publiques, écoles, etc. Ses sculptures sont abstraites, souvent en granit, et aussi en bronze. Il se souvient, dans ses formes, des civilisations vikings, et exploite les motifs qu'on trouve sur les armes et les bateaux de ses ancêtres. Il s'inspire aussi de formes organiques, dont il observe les cycles dans la nature.
Musées : Aalborg (Mus. d'Art du Nord-Jutland) – Aarhus – Copenhague (Mus. Nat. d'Art) – Odense.

FUNCH Hermann Frederik
Né le 4 novembre 1841 à Rendsburg. XIXe siècle. Danois.
Peintre et sculpteur.
Il fut à Copenhague l'élève de Bisser. Il marqua une prédilection pour la sculpture et la peinture d'animaux. On lui doit cependant aussi des portraits et des paysages.

FUNCK Adam
Mort vers 1852 à Marburg. XIXe siècle. Allemand.
Peintre et lithographe.
On connaît de lui des *Vues de Marburg.*

FUNCK Joseph Charles
Né à Luxembourg. XXe siècle. Français.
Peintre.
Il fut élève de J.-P. Laurens ; il expose au Salon des Artistes Français de Paris depuis 1928.

FUNCK Theodor
Né le 10 mars 1867 à Elberfeld. XIXe-XXe siècles. Allemand.
Peintre de genre.
Il participait aux expositions collectives de Düsseldorf, où il fut médaillé en 1902.
Musées : Düsseldorf : *Chez la veuve Prins.*

FUNCK-HELLET Madeleine Lucie
Née à Clichy (Haut-de-Seine). XXe siècle. Française.
Peintre et pastelliste.
Elle exposa à la Nationale depuis 1926 et aux Indépendants.

FUNCKE Johann Heinrich
XIXe siècle. Actif à Berlin au début du XIXe siècle. Allemand.
Graveur.
Il exposa en 1818 une série de sépias d'après les maîtres de la Renaissance Italienne.

FUNCKEN Armand
Né en 1875 à Verviers. Mort en 1940 à La Louvière. XXe siècle. Belge.
Peintre ornemaniste. Naïf.
Il était fils de François Funcken, peintre ambulant, qui travaillait pour les cirques et les foires.
Il peignait des enseignes populaires, des charrettes de glaciers, etc.
Bibliogr. : In : *Diction. Biogra. Illust. des Artistes en Belgique depuis 1830*, Arto, Bruxelles, 1987.

FUNDI John
Né en 1939 à Mueda. XXe siècle. Mozambicain.
Sculpteur de groupes, figures. Tendance fantastique.
La situation politique et les conditions économiques lui firent quitter les hauts plateaux du Mozambique, où il était agriculteur, pour la brousse de Tanzanie, où il peut sculpter dans de meilleures conditions.
Fundi dit que, pendant qu'il dort, son esprit s'en va assister à des cérémonies magiques, et qu'à son réveil, il transcrit ce qu'il a vu, d'abord par le dessin, puis en le sculptant dans le bois d'ébène. En fait, ses thèmes sont issus des histoires de la tradition orale, auxquelles il mêle ses propres fantasmes. Il en résulte un monde étrange d'êtres un peu monstrueux en proie à quelque obsession sexuelle.
Bibliogr. : In : *Diction. de l'Art Mod. et Contemp.*, Hazan, Paris, 1992.

FUNDULLI Giovanni Paolo. Voir **FONDULO**

FUNEL Vincent
Né vers 1648. Mort le 15 avril 1694. XVIIe siècle. Actif à Saint-Maximin. Français.
Sculpteur sur bois.
Il était dominicain.

FUNES Juan
Né en 1508. Mort en 1572 à Séville. XVIe siècle. Éc. flamande.
Peintre.
Il s'était sans doute établi très jeune en Espagne.

FUNGAI Bernardino
Né vers 1460 à Sienne. Mort en 1516. XVe-XVIe siècles. Italien.
Peintre de compositions religieuses.
Élève de Benvenuto del Guasta, son style a quelque chose de sec et de raide qui caractérisait aussi ses prédécesseurs. Parmi ses œuvres exécutées souvent avec l'aide de Pacchiarotti, il faut citer : dans la cathédrale de Chiusi : *La Nativité du Christ* ; à l'Académie de Sienne : *L'Ascension, Le Christ entre saint François et saint Jérôme, Une Madone.*
Musées : Chambéry (Mus. des Beaux-Arts) : *Vierge à l'enfant* – Londres (Nat. Gal.) : *La Vierge et l'Enfant Jésus.*
Ventes Publiques : Londres, 1886 : *Vierge et Enfant avec Chérubins ; Paysage* : **FRF 10 765** – Londres, 4 et 7 mai 1923 : *La Madone et l'Enfant* : **GBP 68** – Londres, 4 juil. 1924 : *La Nativité* : **GBP 50** – Londres, 2 juil. 1928 : *La Nativité* : **GBP 33** – Londres, 17 juil. 1929 : *Christ mort* : **GBP 65** – Londres, 12 juin 1931 : *La Madone et l'Enfant* : **GBP 567** – New York, 17 et 18 mai 1934 : *Madone et l'Enfant* : **USD 2 100** – Londres, 6 mars 1936 : *Ange de l'Annonciation* : **GBP 11** – Londres, 18 mai 1938 : *Adoration de l'Enfant* : **GBP 500** – Londres, 30 juil. 1947 : *Pietà* : **GBP 120** – Londres, 14 déc. 1962 : *La Vierge, l'Enfant et Saint Jean dans un paysage boisé* : **GNS 1 200** – Londres, 4 déc. 1964 : *La Charité* : **GNS 1 000** – New York, 29 avr. 1965 : *Une sibylle* : **USD 2 250** – New York, 22 oct. 1970 : *La Vierge agenouillée devant l'Enfant-Jésus* : **USD 7 000** – Londres, 8 déc. 1971 : *La Sainte Famille* : **GBP 3 400** – New York, 20 jan. 1983 : *La Vierge adorant l'Enfant Jésus, avec deux anges/p*, temp. sur fond or (59,4x41,9) : **USD 24 000** – Milan, 17 déc. 1987 : *Saint Antoine de Padoue*, h/pan. (63x53) : **ITL 30 000 000** – Londres, 14 déc. 1990 : *Vierge à l'Enfant*, temp./pan. à fond d'or (42,8x29) : **GBP 132 000** – New York, 11 jan. 1991 : *Le Christ soutenu par deux anges*, prédelle, h/pan. (43,5x65) : **USD 77 000** – Paris, 28 juin 1993 : *Vierge à l'Enfant entre deux Saints*, h/pan. de peuplier à fond d'or (63x50,5) : **FRF 950 000**.

FUNHOF Hinrich ou **Hinrik**
Mort vers 1485 à Hambourg. XVe siècle. Allemand.
Peintre de compositions religieuses.
Il apparait à plusieurs reprises dans les documents d'archives de la ville de Hambourg, où il travailla pour différentes églises. Son œuvre est si proche de celle de Dirck Bouts, qu'il semble avoir été son élève et peut avoir achevé certaines de ses tableaux. Lorsqu'il s'installe à Hambourg, il prend la suite du peintre Hans Bornemann dont il épouse la veuve. On le trouve aussi présent à Lüneburg.
Il fut, semble-t-il imitateur de Dirck Bouts. Comme celui-ci, il actualise les personnages de l'Histoire Sainte par des costumes contemporains et le cadre de la vie quotidienne.
Bibliogr. : In : *Diction. de la peint. allemande et d'Europe centrale*, coll. Essentiels, Larousse, Paris, 1990.
Musées : Hambourg (Kunsthalle) : *La Vierge dans le Temple.*
Ventes Publiques : Londres, 29 mai 1959 : *Le repas des cinq mille* : **GBP 3 360** – New York, 24 oct. 1962 : *Le repas des cinq mille* : **USD 22 000**.

FUNI Virgile, dit **Achille**
Né en 1890 à Ferrare. Mort en 1972 à Appiano Gentile. XXe siècle. Italien.
Peintre de compositions murales. Réaliste. Groupe du Novecento.
Il fut élève de l'Académie Dosso Dossi de Ferrare, puis de l'Académie des Beaux-Arts de Bréra à Milan, de 1906 à 1910. En 1912, il adhéra au groupe périfuturiste de *Nouvelle Tendance*, et, après avoir été mobilisé de 1915 à 1918, en 1919 il adhéra au mouvement futuriste proprement dit, de Carra et Boccioni, présentant de ses peintures à la grande exposition futuriste. Dès 1922, il fut l'un des fondateurs du *Groupe 1900 Italien*, et rejoignit Sironi, jusqu'en 1930, dans le militantisme pour le « Novecento », le XIXe siècle et l'académisme. À partir des années trente, il créa surtout des compositions murales. En 1933, il signa le *Manifeste de la peinture murale* avec Sironi. En 1933, il participa, avec Campigli, Carra, Chirico, Severini, Sironi, à la décoration de la Ve Triennale de Milan. De 1934 jusqu'à la guerre, le parti fasciste lui commanda de nombreux travaux. De 1934 à 1937, il décora le Palais Communal de Ferrare, en 1946 le Théâtre Manzoni, en 1951 la Banque de Rome, en 1955 et 1962 il réalisa des mosaïques à Saint-Pierre de Rome.
Après son bref passage par le futurisme : *Sensation rythmique et chromatique d'une danse, Le motocycliste*, il se forma à une figuration traditionnelle, bien que bénéficiant de la leçon cézannienne de simplification des volumes : *Vénus énamourée* de 1928, période qui peut être rapprochée du retour au classicisme de Derain. Dès la fin des années vingt, il manifesta son attirance pour la Renaissance, la mise en perspective, le dessin évident, les couleurs et l'éclairage d'atelier, mais une Renaissance qu'il alourdissait de quelque grandiloquence. En 1934, il acheva la fresque murale de l'église du Christ-Roi à Rome. À cette date, il commença, en collaboration avec Orei, le cycle du *Mythe de Ferrare*, dont les différentes parties s'inspirent du Tasse, de l'Arioste, et de mythes locaux. À partir de 1936, son style retrouva de la simplicité, se rapprochant de la poésie des peintures ferraraises du XVe siècle. ■ J. B.

A Funi

Bibliogr. : In : *Diction. Univers. de la Peint.*, Le Robert, Paris, 1975 – in : Catalogue de l'exposition *Les Réalismes*, Centre Pompidou, Paris, 1980 – in : *Diction. de l'Art Mod. et Contemp.*, Hazan, Paris, 1992.
Musées : Milan (Gal. d'Art Mod.) : *Homme descendant du tram* 1914 – *Vénus énamourée* 1928.
Ventes Publiques : Milan, 4 juin 1974 : *Nu assis* : **ITL 2 800 000** – Milan, 9 nov. 1976 : *Le réveil de Vénus* 1928, h/t (120x150) : **ITL 5 500 000** – Milan, 13 déc. 1979 : *Nu à mi-corps*, h/isor. (100x80) : **ITL 1 900 000** – Milan, 26 fév. 1981 : *Soldats dans la tranchée* 1917, aquar. (34,3x50,8) : **ITL 5 700 000** – Milan, 15 mars 1983 : *Nu endormi* 1930, techn. mixte/cart. entoilé (136x107) : **ITL 5 000 000** – Milan, 4-5 avr. 1984 : *Portrait de jeune fille*, cr. (53x43) : **ITL 2 000 000** ; *La tentation*, h/t (180x120) : **ITL 7 500 000** – Milan, 10 avr. 1986 : *Portrait*, techn. mixte/pap. mar./isor. (105x70) : **ITL 6 500 000** – Milan, 9 déc. 1986 : *La bersagliera* 1920, h/t (60x40) : **ITL 19 000 000** – Rome, 7 avr. 1988 : *L'architecte*, h/pan. (52x45) : **ITL 14 000 000** – Milan,

14 mai 1988 : *Femme allongée*, cr. et encre aquarellé (40,5x53,5) : **ITL 1 000 000** – MILAN, 8 juin 1988 : *Atelier*, techn.mixte (40x56) : **ITL 3 800 000** ; *Femme assise devant un fond d'architecture* 1922, détrempe/pap. (50x36) : **ITL 15 000 000** – MILAN, 14 déc. 1988 : *Sénateur romain*, cr. gras et fus./pap. (165x80) : **ITL 5 000 000** – ROME, 17 avr. 1989 : *Saint Antoine de Padoue* 1936, esq. pour une fresque techn. mixte/t. (239x118) : **ITL 6 200 000** – MILAN, 7 juin 1989 : *Buste de femme* 1937, h/pan. (64x58) : **ITL 16 500 000** – MILAN, 27 mars 1990 : *Villa Borghese* 1929, h/pan. (65x61,5) : **ITL 21 000 000** – MILAN, 12 juin 1990 : *Allégorie de Zeus et Junon*, past., craies et fus./pap. entoilé (170x151,5) : **ITL 26 500 000** – ROME, 9 déc. 1991 : *Suzanne au bain* 1960, h/t (145x105) : **ITL 25 300 000** – MILAN, 23 juin 1992 : *Paysage toscan*, techn. mixte/cart. (70x50) : **ITL 5 000 000** – MILAN, 9 nov. 1992 : *Femme assise* 1930, h/t (120x108) : **ITL 24 000 000** – ROME, 27 mai 1993 : *Nature morte* 1930, h/t/cart. (31,5x47) : **ITL 8 000 000** – MILAN, 16 nov. 1993 : *Proserpine* 1965, temp./rés. synth. (71,5x52) : **ITL 5 175 000** – MILAN, 22 nov. 1993 : *Figures nues*, h/t (78x97) : **ITL 9 428 000** – MILAN, 5 déc. 1994 : *Adolescent* 1930, h/t (160x161) : **ITL 40 250 000** – MILAN, 22 juin 1995 : *Étude pour buste et tête*, techn. mixte/pap. entoilé (180x120) : **ITL 13 800 000** – MILAN, 10 déc. 1996 : *Portrait*, cr./pap. (52,5x42) : **ITL 2 097 000** – MILAN, 24 nov. 1997 : *Nature morte* 1923, h/t (58x77) : **ITL 24 150 000**.

FUNK Adolf
Né en 1903 à Nidau. Mort en 1996 à Zurich. XXe siècle. Suisse.
Peintre.
VENTES PUBLIQUES : ZURICH, 5 juin 1996 : *Vert Rouge* 1977, h/t (41x33) : **CHF 2 070**.

FUNK Emil
XIXe siècle. Actif à Königsberg. Allemand.
Peintre de genre.
Il exposa à Berlin de 1854 à 1864.

FUNK Friedrich
Né le 11 août 1804 à Leipzig. Mort le 15 décembre 1882 à Leipzig. XIXe siècle. Allemand.
Sculpteur.
Il fut à Dresde élève de Franz Pettrichs. A Leipzig il exécuta un grand nombre de monuments comme celui de J. A. Hiller ou celui de la chanteuse Thekla Podleska.

FUNK Hans, l'Ancien
Né vers 1470 à Zurich. Mort en 1539 à Berne. XVe-XVIe siècles. Suisse.
Peintre verrier.
Il a peint des vitraux pour une église et pour les hôtels de ville de Berne, Fribourg et Aarau. Ce fut un des peintres de vitraux les plus remarquables du commencement du XVIe siècle. Le Musée de Bâle conserve de lui un *Portrait de jeune homme*.

FUNK Hans, le Jeune
Mort en 1562. XVIe siècle. Actif à Zurich. Suisse.
Peintre verrier.

FUNK Heinrich
Né le 12 décembre 1807 à Herford. Mort le 22 novembre 1877 à Stuttgart. XIXe siècle. Allemand.
Peintre de paysages.
Il débuta en 1829 à l'Académie de Düsseldorf où il fut élève de J.-W. Schirmer, puis il travailla avec Lazinsky, Pose, Rethel, Rustige, Teicho et Zwecker. Il commença à exposer à Düsseldorf en 1833. En 1854, il fut nommé professeur à l'École des Beaux-Arts de Stuttgart.
MUSÉES : COLOGNE : *Paysage* – FRANCFORT-SUR-LE-MAIN : *Paysage* – MAYENCE : *Moulin au Schwarbach* – STUTTGART : Deux paysages.
VENTES PUBLIQUES : LONDRES, 14 nov. 1973 : *Lac de montagne au crépuscule* 1843 : **GBP 4 900** – NEW YORK, 13 oct. 1978 : *Lac de Montagne* 1851, h/t (40,5x56) : **USD 2 500** – COLOGNE, 19 nov. 1987 : *Paysage d'Italie*, h/pan. (32x28) : **DEM 3 600** – MUNICH, 29 nov. 1989 : *Le lac de Chiem avec l'île de Herrenchiemsee* 1846, h/t (78,5x113,5) : **DEM 35 200** – MUNICH, 10 déc. 1991 : *Vue de l'Isartal*, h/t (72x119) : **DEM 12 650**.

FUNK Jakob, l'Ancien
XVIe siècle. Suisse.
Peintre verrier.
Il travailla à Saint-Urban.

FUNK Jakob, le Jeune
Mort en 1564 à Zurich. XVIe siècle. Suisse.
Peintre verrier.
Il était le frère de Hans l'Ancien.

FUNK Johann Friedrich, l'Ancien
Né en 1706 à Marten. Mort le 1er avril 1775 à Berne. XVIIIe siècle. Suisse.
Sculpteur.
Il fut le père de Johann Friedrich le Jeune.

FUNK Johann Friedrich, le Jeune
Né le 26 octobre 1745 à Berne. Mort le 4 décembre 1811 à Berne. XVIIIe-XIXe siècles. Suisse.
Sculpteur.
Il fit ses études à Paris sous la direction de Vallé. Il se fit connaître par un monument mortuaire du roi Stanislas, à Nancy.

FUNK Jonas Paulus
XVIIIe siècle. Actif à Nuremberg. Allemand.
Dessinateur et graveur.
On lui doit un portrait de *J. J. Kühn*.

FUNK Josef Anton
Mort vers 1740 à Wilten. XVIIIe siècle. Allemand.
Peintre.
Il fut élève de Waldmann.

FUNK Karl
XVIIIe-XIXe siècles. Actif à Prague. Tchécoslovaque.
Dessinateur et graveur.
On lui doit un portrait dessiné et gravé de l'architecte *W. Chelm Florentin*.

FUNK Ludwig
Né avant 1470 à Zurich. Mort avant 1532. XVe-XVIe siècles. Suisse.
Peintre verrier.
Il fit les vitraux de l'église Saint-Martin à Zurich.

FUNK Philipp
Né en 1750 à Vienne. XVIIIe siècle. Autrichien.
Peintre.
Il se spécialisa dans la peinture sur boîtes.

FUNK Sigmund Emmanuel
Mort en 1781. XVIIIe siècle. Suisse.
Sculpteur.

FUNK Ulrich, l'Ancien
Mort vers 1512 à Zurich. XVIe siècle. Suisse.
Peintre verrier.
Il était le frère de Ludwig.

FUNK Ulrich, le Jeune
XVIe siècle. Actif à Zurich. Suisse.
Peintre verrier.
Il était le frère de Hans l'Ancien et de Jakob le Jeune et le fils d'Ulrich l'Ancien.

FUNK Valerian
Né à Nymphenburg. XVIIIe siècle. Allemand.
Graveur et architecte.
Il travailla à Munich.

FUNK Wilhelm Heinrich
Né le 14 janvier 1886 à Hanovre. XXe siècle. Actif aussi aux États-Unis. Allemand.
Peintre de portraits.
Il fit ses études à Munich, après quoi il se fixa à New York. Il exposait à New York, à Munich et à Paris.

FUNKE Bernhard Dietrich
Né en 1799 à Varel. Mort le 29 décembre 1837 à Brême. XIXe siècle. Allemand.
Peintre et lithographe.
Il exécuta les portraits de plusieurs hauts personnages de la cour d'Oldenburg.

FUNKE Carl
XIXe siècle. Actif à Berlin. Allemand.
Graveur et lithographe.
Il exposa entre 1826 et 1832.

FUNKE Wilhelm
XIXe siècle. Actif à Berlin. Allemand.
Peintre.
Il exposa entre 1839 et 1860.

FUNKE-KÜPPER Bernhard Anton
Né en 1869. Mort en 1955. XXe siècle. Hollandais.
Peintre.

Ventes Publiques : Amsterdam, 5-6 nov. 1991 : *Femme tricotant dans un intérieur* 1921, h/t (55x44) : **NLG 2 760** – Amsterdam, 24 sep. 1992 : *Nature morte avec des marguerites dans une cruche, des pommes et un coquillage*, h/t/cart. (40x50,5) : **NLG 1 150** – Amsterdam, 20 avr. 1993 : *Nature morte de fruits*, h/t (44x64) : **NLG 5 520** – Amsterdam, 19 avr. 1994 : *Nature morte de fleurs et de pommes*, h/t/pan. (38,5x49,5) : **NLG 4 370**.

FUNNO Michele
Né avant 1837. Mort après 1851. xixe siècle. Italien.
Peintre de marines, peintre à la gouache, aquarelliste.
Comme c'est souvent le cas, il s'agit bien plus d'un peintre de « portraits » de bateaux, que de marines.
Ventes Publiques : Londres, 6 juin 1984 : *The brig « Racer »*, aquar. et gche (48x71) : **GBP 600** – Londres, 30 mars 1990 : *La baie de Naples*, gche (49x75) : **GBP 2 090** – Londres, 16 juil. 1993 : *Le « Pembrokeshire Lass » abordant et repartant de Naples* 1842, gche, une paire (44,5x63,5 et 47,5x65) : **GBP 2 530** – Londres, 11 mai 1994 : *Le deux-mâts « Catherine Boland » dans la baie de Naples* 1851, gche (50x72,5) : **GBP 977**.

FUNRUP von
Né en 1800. Mort en 1876. xixe siècle. Actif à Vienne. Autrichien.
Peintre d'histoire.
Conservateur du Musée de Vienne et l'un des fondateurs de l'école néo-chrétienne en Autriche.

FUNTUSOFF Condratu
xixe siècle. Russe.
Peintre.
Travailla au château d'Ostankino près de Moscou vers 1800.

FU PAO-SHIH. Voir **FU BAOSHI**

FURBY Charles Jean
Né à Aix-en-Provence (Bouches-du-Rhône). xxe siècle. Français.
Peintre de paysages.
Il exposa à Paris au Salon des Indépendants à partir de 1927.

FURCH Sebastian. Voir **FULCARUS**

FÜRCHTER Johann Georg
xviiie siècle. Allemand.
Peintre.
Il exécuta avec la collaboration de ses fils, Franz Caspar Johann et Michall, un *Chemin de Croix* pour l'église de Aussee en 1727.

FURCK Heinrich
Mort le 3 octobre 1685 à Francfort-sur-le-Main. xviie siècle. Allemand.
Peintre.
Fils de Sebastian, il travaillait en 1680 pour l'église Sainte-Catherine.

FURCK Sebastian
Né à Alterkülz. Mort en 1655 à Francfort-sur-le-Main. xviie siècle. Allemand.
Peintre de portraits, graveur.
Père de Heinrich. Il grava surtout un très grand nombre de portraits.
Ventes Publiques : Paris, 11 avr. 1992 : *Portrait d'un gentilhomme au chien*, h/pan. (14x10,5) : **FRF 18 000**.

FURCY DE LAVAULT Albert Tibule
Né en 1847 à Saint-Genis (Charente). Mort en 1915. xixe siècle. Français.
Peintre de paysages portuaires, natures mortes, fleurs et fruits.
Conservateur du Musée de la Rochelle. Mention honorable en 1888.

Furcy de Lavault

Musées : Cambrai : *Fleurs et fruits* – Rochefort : *Chemin sous bois – Nature morte* – La Rochelle : *Fleurs*, deux œuvres – *Un coin de jardin* – Saintes : *Roses trémières – Chrysanthèmes*.
Ventes Publiques : Paris, 23 déc. 1918 : *Le Port de La Rochelle* : **FRF 95** – Lindau, 6 mai 1981 : *Vase de fleurs*, h/t (82x43) : **DEM 4 200** – Paris, 27 nov. 1987 : *Vase et corbeille de pivoines et de roses*, h/t (102x73) : **FRF 32 000** – Reims, 22 oct. 1989 : *Paysage au moulin*, h/t (23x35) : **FRF 4 000** – Calais, 5 juil. 1992 : *Panier de dahlias* 1892, h/t (54x73) : **FRF 18 000** – Paris, 4 avr. 1997 : *Nature morte de fleurs et de fruits* 1881, h/t (90,5x150,5) : **FRF 57 000** – New York, 23 oct. 1997 : *Roses* ; *Dahlias*, h/t, une paire (chaque 81,3x60,3) : **USD 16 100**.

FÜRENSCHILT Hännslein
Né à Regensburg. xvie siècle. Allemand.
Peintre.
Il fut élève de Peter Seyger à Nuremberg.

FURET
xixe siècle. Français.
Peintre et aquarelliste.
En 1822 et 1824 il exposa au Salon de Paris, des intérieurs d'églises.

FURET Claude, dit le **Maçon**
xviie siècle. Provençal. Français.
Sculpteur.
Il sculpta des armoiries sur une porte de Villeneuve-lès-Arles, en 1600, et orna, en 1612, la porte Marcat-Nou, à Arles, des armes de France et de Pologne.

FURET François
Né le 24 janvier 1842 à Genève. Mort en 1919 à Genève. xixe-xxe siècles. Suisse.
Peintre d'histoire, scènes de genre, paysages animés, paysages, dessinateur.
Il fit ses études d'art à l'École des Beaux-Arts de Genève.
Ses paysages se distinguent par un coloris clair et délicat. On cite de lui : *Le comte de Gruyère prêchant les croisades, Paysage et figures, Scène d'incendie*. Médaille de bronze en 1889 (Exposition Universelle).
Musées : Genève (Mus. Rath) : *Les hérons – Les foins sur l'Aesehi-Almend* – Genève (Mus. Ariana) : *Vue du lac de Thoune*.
Ventes Publiques : Berne, 7 mai 1976 : *Le lac des Quatre Cantons*, h/t (30x46) : **CHF 900** – Genève, 12 juin 1981 : *Paysage*, h/t (34x28) : **CHF 3 700** – Berne, 11 mai 1984 : *Vue de la Dent de Morgon au printemps*, h/t (55x65) : **CHF 2 400** – Berne, 2 mai 1986 : *Paysage du Valais avec vue de la Dent-Blanche*, h/t (54x65) : **CHF 2 800** – Berne, 26 oct. 1988 : *Paysage du Valais dans les environs de Saas Fee*, h/t (61x43) : **CHF 1 900** – Zurich, 8 déc. 1994 : *Le lac de Bienne avec l'île Saint-Pierre*, fus. et aquar./pap. (30x46) : **CHF 1 265**.

FURET Jan
Né à La Haye. xviiie siècle. Hollandais.
Peintre.
Il fit ses études à l'Académie de La Haye.

FUREZ DE MUNIZ Jerôme, don
xviie siècle. Espagnol.
Peintre d'histoire et de genre.
Chevalier de Saint-Jacques et gentilhomme de Philippe IV, cet amateur est cité par Siret.

FURIA Eugenio
Né en 1855 à Parme. xixe siècle. Italien.
Peintre.
On lui doit des vues de monuments.

FURICH Johann Philipp
Né en 1655 à Strasbourg. Mort après 1735. xviie-xviiie siècles. Allemand.
Peintre et graveur.
Élève de Johann-Heinrick Roes à Francfort. Il imita un peu servilement la manière de ce maître.

FURICH Remigius
Né en 1688 à Francfort-sur-le-Main (Hesse). Mort le 8 février 1724 à Francfort. xviiie siècle. Allemand.
Peintre.
Peut être était-il le fils de Johann Philipp.

FURINACCIO
xviiie siècle. Italien.
Peintre de genre.
Imitateur de Watteau. Le Musée de Nancy conserve de lui : *Personnages de la comédie italienne*.

FURINI Filippo, dit **Pippo Sciamerone**
xvie-xviie siècles. Actif à Florence. Italien.
Peintre d'histoire et de portraits.
Il était le père et fut le maître de Francesco Furini.

FURINI Francesco
Né en 1604 à Florence. Mort le 19 août 1646 à Florence. xviie siècle. Italien.

Peintre de compositions religieuses, portraits.
Fils et élève de Filippo Furini, bon portraitiste florentin, il reçut plus tard des leçons du Passignano et de Roselli. Puis il visita Rome et Venise, où il trouva un sens nouveau de la couleur. En 1644, il fut nommé curé de Mugello près de Borgo San Lorenzo, et y exécuta une partie de ses meilleures œuvres. Au Palais Stozze, on voit de cet artiste : *Les Trois Grâces*. Et à la Casa Galli : *Nymphes enlevées par des satyres*.
Il dessinait avec élégance et finesse, excellant à reproduire des figures de femmes et d'enfants dont les formes éclairées en contraste, surgissent de la pénombre. Il avait une prédilection marquée pour le style d'Albani et sut le copier fort heureusement.

furini.

Musées : Budapest : *La Libéralité – Vénus et Adonis – Tancrède et Herminie* – Chambéry (Mus. des Beaux-Arts) : *Tête de jeune homme* – Cherbourg : *Judith saisissant l'épée d'Holopherne* – Copenhague : *Madeleine repentante* – Darmstadt : *Une Sainte* – Dresde : *Martyr ayant une plaie au cou* – Dublin : *Charité* – Édimbourg : *Une femme poète – Saint Sébastien* – Florence (Gal. Nat.) : *Portrait de l'auteur* – Florence (Palais Pitti) : *Adam et Ève dans le Paradis terrestre* – Madrid (Prado) : *Loth et ses filles* – Munich : *Renaud dans la forêt enchantée* – Nancy : *Proserpine surprise par Pluton* – Vienne : *La Magdeleine pénitente – La Magdeleine repentante*.
Ventes Publiques : Paris, 1843 : *La Madeleine* : **FRF 305** – Paris, 1870 : *Saint Sébastien, martyr* : **FRF 1 750** ; *Sainte Agathe martyre* : **FRF 4 800** – Paris, 1881 : *Saint Sébastien et sainte Irène* : **FRF 800** – Londres, 25 fév. 1924 : *Madeleine* : **GBP 6** – Londres, 16 déc. 1927 : *Trois sibylles* : **GBP 13** – Londres, 21 déc. 1928 : *Justice* : **GBP 9** – Londres, 22 nov. 1929 : *Judith avec la tête d'Holopherne* : **GBP 23** – Londres, 2 juil. 1937 : *Andromède* : **GBP 6** – Londres, 11 fév. 1938 : *Un ecclésiastique* : **GBP 13** – Londres, 16 juin 1938 : *Madeleine priant* : **GBP 5** – Londres, 31 mars 1939 : *Sigismonde* : **GBP 23** – Londres, 2 oct. 1942 : *Portrait d'artiste* : **GBP 63** – Paris, 23 mars 1942 : *Saint Sébastien*, attr. : **FRF 25 000** – Londres, 7 juil. 1978 : *Sophonisbe et la coupe de poison*, h/t (70x57,3) : **GBP 4 200** – Londres, 23 juin 1982 : *Générosité*, h/t (120x90) : **GBP 9 000** – New York, 10 juin 1983 : *Les sirènes*, h/t (119,5x101,5) : **USD 10 000** – Londres, 10 avr. 1987 : *Saint Sébastien soigné par sainte Irène*, h/t, de forme octogonale (101,5x102,2) : **GBP 30 000** – Stockholm, 19 avr. 1989 : *Saint Sébastien*, h/t (76x62) : **SEK 7 700** – New York, 12 jan. 1995 : *Saint Sébastien tenant une flèche*, h/t (117,5x90,2) : **USD 46 000**.

FURINI Niccolo
xviiie siècle. Italien.
Peintre.
Il travailla pour l'église Santa Maria Alberighi de Florence vers 1700.

FURLANELLI Francesco
Né en 1615 à Tesero. Mort en 1685 à Cavalsee. xviie siècle. Italien.
Peintre.
On lui doit en particulier d'importantes fresques à l'église de Cavalsee.

FURLANETTO Matteo
xviiie siècle. Italien.
Peintre.
Il exécuta pour la cathédrale d'Aquilée une *Ascension de la Vierge* en 1793.

FURLANI Andrea
xvie siècle. Actif à Milan. Italien.
Sculpteur d'ornements.
Il était sans doute fils de Gaspare. Peut-être faut-il l'identifier avec Andrea da Lucca, le collaborateur de Luca Cambiaso.

FURLANI Bonaventura
xviiie siècle. Actif à Bologne. Italien.
Sculpteur d'ornements.
Il fut élève de Scandellari.

FURLANI Gaspare
Né à Lucques. Mort en mars 1602 à Gênes. xvie siècle. Italien.
Sculpteur sur bois.
Frère de Giuseppe. On signale surtout les importants travaux qu'il exécuta pour la cathédrale de Gênes.

FURLANI Giuseppe
Né à Lucques. Mort en avril 1593 à Gênes. xvie siècle. Italien.
Sculpteur d'ornements.
Il était le frère de Gaspare.

FURLANI Paolo
Né à Vérone. xvie siècle. Italien.
Graveur.
On lui doit des gravures de paysages.

FÜRLER Mathias
Né le 30 décembre 1702 à Méran. xviiie siècle. Allemand.
Peintre.
Le Musée de Méran possède deux peintures de cet artiste.

FURLONG Charles Wellington
Né le 13 décembre 1874 à Cambridge (États-Unis). xixe-xxe siècles. Américain.
Peintre de sujets orientaux.
Il commença ses études à Boston, puis, à Paris, fut élève de l'École des Beaux-Arts, de Jean-Paul Laurens, William Bouguereau, Mucha.
Il s'est spécialisé dans les sujets d'Afrique du Nord.
Ventes Publiques : New York, 22 oct. 1982 : *Among the litters* 1910, h/t (61,5x41,2) : **USD 6 000**.

FURLONG Thomas
Né à Saint Louis (Missouri). xxe siècle. Américain.
Peintre de décorations murales, illustrateur.
Il fut élève de l'Art Student's League de New York, dont il devint membre. Il a décoré des églises.

FURLONGER Stephen
Né en 1939. xxe siècle. Néo-Zélandais.
Sculpteur.
En 1962, il a reçu le Prix de l'Art Council en Nouvelle-Zélande.

FURLONI Pietro
Mort le 16 novembre 1740 à Rome. xviiie siècle. Italien.
Peintre.
On lui doit les portraits du roi et de la reine de Pologne, ainsi que celui de leur fils.

FURMENT Pedro
Né vers 1488. Mort en 1540 à Barcelone. xvie siècle. Espagnol.
Sculpteur.
Il exécuta pour la cathédrale de Barcelone quatre bas-reliefs en marbre retraçant le *Martyre de sainte Eulalie*.

FURNASS John Mason
xviiie siècle. Actif à Boston en 1785. Américain.
Peintre et graveur.
On lui doit surtout des portraits.

FURNELL C., Miss
xixe siècle. Active à Norwood. Britannique.
Miniaturiste.
Exposa à la Royal Academy en 1860.

FURNERIUS Abraham ou **Farnerius**
Né vers 1628. xviie siècle. Hollandais.
Paysagiste et dessinateur.
Élève de Rembrandt. Ses peintures sont restées inconnues. On pense qu'il pourrait être fils d'un docteur nommé Johannes Furnerius, qui avait épousé la sœur du peintre Philippe de Coninck en 1641.

AF.

Ventes Publiques : Londres, 11 avr. 1935 : *Paysage*, dess. : **GBP 15** – Londres, 10-14 juil. 1936 : *Paysage* : **GBP 99**.

FURNESS William H.
Né en 1827 à Philadelphie. Mort en 1867. xixe siècle. Américain.
Peintre de portraits et dessinateur.
Il fit ses études à Dresde et à Paris.

FURNIO
xvie siècle. Actif dans le Frioul. Italien.
Peintre.

FURNISS Harry
Né le 26 mars 1854 à Wexford. Mort en 1925. xixe-xxe siècles. Britannique.
Caricaturiste et illustrateur.

Cet artiste d'origine irlandaise collabora à de nombreux journaux londoniens.

Ventes Publiques : Londres, 23 juil. 1985 : *Our famous pictures-The Cry is still they go !*, pl. et lav. (27x20,6) : **GBP 1 300**.

FURNIUS B. C.
XIXe siècle. Actif à Londres. Britannique.
Sculpteur.
Exposa à la Royal Academy de 1829 à 1833.

FURNIUS Pieter Jalhea ou **Pieter de Four** ou **Foere**, dit **de Salzes**
Né vers 1540 à Liège. Mort vers 1625. XVIe-XVIIe siècles. Éc. flamande.
Dessinateur et graveur.
Élève de Lambertus Lombard. Il a travaillé entre 1578 et 1610 à l'église Saint-Bartholomé à Liège. On cite comme un de ses chefs-d'œuvre le tombeau de l'évêque Gérard de Groesbeck, à Liège. Pieter Furnius mourut portier de l'hôpital Saint-Jacques à Liège. Il eut pour élève Jean de Bologne.

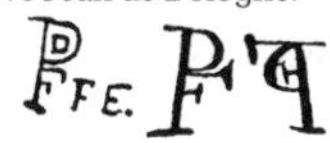

FURNIVAL John
XXe siècle. Britannique.
Peintre. Lettres et Signes.
Son art se rattache à l'important courant connu sous le nom de poésie visuelle ou poésie concrète. Il utilise des éléments typographiques pour créer une écriture destinée à être vue avant d'être lue. Ainsi recompose-t-il des monuments réels ou imaginaires, qu'évoque le texte même.
Ventes Publiques : New York, 24 nov. 1981 : *Thomas Meyer, Blind date*, onze eaux-fortes et gaufrages (32,8x31,1) : **USD 1 200**.

FURNO Jean de
XIVe siècle. Français.
Sculpteur.
Il collabora à la construction de la cathédrale de Sens, en 1320.

FURNO Stefano. Voir **DUFOUR Étienne**

FURNO Stefano del, dit **Gallo,** ou **Francese**
Originaire de Besançon. XVIe siècle. Français.
Peintre et mosaïste.
Cet artiste travailla en Italie et en particulier pour la cathédrale d'Orvieto. Sans doute est-ce le même artiste qui est signalé sous le nom d'Étienne Du Four.

FURNO Y ABAD Joaquim
Né à Barcelone. XIXe siècle. Espagnol.
Graveur.
Il illustra l'*Histoire de la Catalogne* de Balaguer.

FÜRNSCHILT Endres
Mort en 1531. XVIe siècle. Actif à Regensburg. Allemand.
Peintre.

FURON Aimé Joseph, dit **Furoni**
Né le 10 février 1687 à Épinal. Mort le 17 mai 1729 à Épinal. XVIIIe siècle. Français.
Peintre.
Il vécut douze ans à Rome et y travailla dans le style italien.

FURSE Charles Wellington
Né le 13 janvier 1868 à Staines. Mort le 16 octobre 1904 à Londres. XIXe siècle. Britannique.
Peintre d'histoire, portraits.
Associé de la Royal Academy en 1904. Il avait exposé fréquemment à Londres, de 1885 à 1892.
Ventes Publiques : Londres, 8-18 juil. 1940 : *Field Marechal Earl Roberts* : **GBP 273** – Londres, 15 fév. 1973 : *Scène de la guerre des Boers* 1896 : **GNS 700** – Londres, 30 juil. 1981 : *Une beauté marocaine*, h/t (183x122) : **GBP 420** – Londres, 14 nov. 1984 : *Portrait de femme* 1889, h/t (82x56) : **GBP 3 800** – Londres, 24 avr. 1985 : *Portrait of a lady*, h/t (72x61) : **GBP 1 200** – Londres, 8-9 juin 1993 : *Portrait de Mary Cane*, h/t (155x81,5) : **GBP 8 280** – New York, 14 oct. 1993 : *Femme marocaine en rouge*, h/pan. (34,3x25,4) : **USD 1 725**.

FURSE John Henry Mensell ou **Monsell**
Né le 6 mars 1860 à Londres. XIXe siècle. Britannique.
Sculpteur animalier.
Après avoir été élève de Tritiny College à Oxford, il exposa à Londres à partir de 1891.
Ventes Publiques : Londres, 7 juin 1984 : *Lévrier couché*, bronze (L. 42) : **GBP 800**.

FURSE W. H.
XIXe siècle. Actif à Rome. Britannique.
Peintre de figures.
Exposa à Londres entre 1831 et 1850.

FURSINICUS de Lacu Lugani
XVIe siècle. Actif à Bellinzona. Italien.
Peintre de sujets religieux.
Auteur d'un tableau représentant *La Vierge assise sur un trône entre saint Jérôme et saint Blaise*, conservé dans une église de Bellinzona, et daté de 1520.

FURSMAN Frederick
Né en 1874 dans l'Illinois. XIXe-XXe siècles. Américain.
Peintre.
Il vint à Paris, parfaire la formation à l'Académie Julian. Il a obtenu de nombreuses distincions.

FURST Albert
Né le 20 avril 1920 à Hambourg. XXe siècle. Allemand.
Sculpteur. Abstrait.
Il a acquis sa formation à Düsseldorf, puis à Cologne. Il a participé à des expositions collectives, et exposé individuellement en 1954 à Düsseldorf, en 1956 à Paris.
Sa sculpture est devenue abstraite vers 1954, proposant des formes lyriques.

FÜRST Edmund
Né en 1874 à Berlin. XIXe-XXe siècles. Allemand.
Peintre de paysages, graveur, illustrateur.
Il a commencé à exposer en 1904, à Munich et Berlin.
Ventes Publiques : Londres, 20 oct. 1989 : *Le pont*, h/t (35,5x48,2) : **GBP 770**.

FÜRST Else
Née le 25 juin 1873 à Leipzig. XIXe-XXe siècles. Allemande.
Sculpteur.
Elle fit ses études à Berlin, et à Paris dans l'atelier de Denys Puech.
Ventes Publiques : Londres, 18 avr. 1986 : *Le rêve de l'aviateur* vers 1925, bronze (H. 62) : **GBP 1 700**.

FÜRST Florence Wilkins
Né dans le Wisconsin. XXe siècle. Actif en France. Américain.
Peintre.
Travaille à Paris. Membre de plusieurs sociétés artistiques.

FÜRST Gustav
Né le 2 octobre 1840 à Berlin. XIXe siècle. Allemand.
Peintre de figures.
Il fut à Paris l'élève d'Hugot, Vaucquier et Delfosse. Il exposa de 1870 à 1892 à l'Académie de Berlin.
Ventes Publiques : Copenhague, 25-26 avr. 1990 : *Jeune fille après le bain* 1890, h/t (70x48) : **DKK 9 000**.

FÜRST J.
XIXe siècle. Actif vers 1835. Allemand.
Peintre de miniatures.
On connaît de lui un portrait de jeune fille signé.

FÜRST Johann Heinrich
XVIIe siècle. Actif vers 1635. Allemand.
Graveur.
On lui doit une série de planches d'après J. H. Nicolaï.

FÜRST Josef
XVIIIe siècle. Actif à Albrechtsberg en 1798. Allemand.
Peintre.
Il travailla pour l'église de cette ville.

FÜRST Julius
Né le 4 avril 1861 à Dänischenhagen. XIXe siècle. Danois.
Peintre et illustrateur.
Il fut élève de Pfeiffer à Hambourg, puis de Seidtz à Munich.

FÜRST Magdelena
Née en 1652 à Nuremberg. Morte en 1717 à Vienne. XVIIe-XVIIIe siècles. Allemande.
Peintre de fleurs et fruits.
Elle était sœur de Rosina Helena Fürst.

FÜRST Max
Né le 15 octobre 1846 à Traunstein. XIXe siècle. Allemand.
Peintre d'histoire.
Il a exposé à Munich et Vienne. Il fut l'élève de Schraudolph.

FÜRST Paul
Né vers 1605 à Nuremberg. Mort en 1666 à Nuremberg. XVIIe siècle. Allemand.
Graveur.
Il fut le père de Magdelena et de Rosina Helena.

FÜRST Rosina Helena
XVIIe siècle. Active à Nuremberg. Allemande.
Graveur.
Elle était la fille de Paul.

FÜRST Thomas
XVIIIe siècle. Autrichien.
Peintre.
Il travailla à la sculpture du grand autel de l'église de Marbach en 1747.

FÜRSTE
XIXe siècle. Actif à Magdebourg au début du XIXe siècle. Allemand.
Peintre et dessinateur.

FÜRSTENBERG Caspar von
XVIe siècle. Actif probablement au milieu du XVIe siècle. Allemand.
Graveur sur bois.

FURSTENBERG Michel
Né à Varsovie. XXe siècle. Polonais.
Sculpteur.
Il exposa à Paris au Salon des Artistes Français à partir de 1913.

FÜRSTENBERG Solly
Né en 1810 à Berlin. XIXe siècle. Allemand.
Peintre de genre et portraitiste.
Il fut élève de Wach à Berlin, puis, après avoir terminé ses études à Düsseldorf, il fut professeur de dessin à Trèves.

FÜRSTENBERG Theodor Caspar von, baron
Mort le 21 septembre 1675 à Mayence. XVIIe siècle. Allemand.
Graveur et peintre portraitiste.
Élève de Ludwig von Siegen. Il a gravé des portraits et des sujets d'histoire.

FURSTENBERGER Isaak
Né en 1799 à Bâle. Mort en 1828 à Gsteig. XIXe siècle. Suisse.
Peintre amateur.
Il fit des études sous la direction de Peter Birmann.

FÜRSTIN Madeleine
Née en 1652. Morte en 1717. XVIIe-XVIIIe siècles. Active à Nuremberg. Allemande.
Miniaturiste et peintre de fleurs.
Élève de Jean Fischer et de Marie Sibylle Merian ; elle travailla à Vienne.

FURT Henri
Né au XIXe siècle à Bordeaux. XIXe siècle. Français.
Peintre.
Envoya trois paysages au Salon en 1878.

FURT Pierre Léonce ou **Léon**
Né à Bordeaux (Gironde). XIXe-XXe siècles. Français.
Peintre de genre, paysages, aquarelliste.
Il exposait à Paris, au Salon des Artistes Français, mention honorable 1904, sociétaire 1905.
Ventes Publiques : Paris, 1899 : *Vue dans le Midi* : **FRF 36** – Paris, 23 mai 1986 : *Promeneurs à la fête foraine*, h/t (47x65) : **FRF 25 000** – Calais, 3 juil. 1988 : *Le port de Rouen* 1920, h/t (38x47) : **FRF 7 300** – Paris, 24 mars 1996 : *Paris – les bords de Seine* 1905, h/t (32x40) : **FRF 7 000.**

FURTCHTEGOTT Thessel
Né en 1830. Mort en 1873 à Dresde. XIXe siècle. Allemand.
Paysagiste.
Il fut cité par Siret.

FURTENAGEL Jorg, l'Ancien
XVe-XVIe siècles. Actif à Augsbourg. Allemand.
Peintre.
Il fut le père de Lucas.

FURTENAGEL Jorg, le Jeune
XVIe siècle. Actif à Augsbourg. Allemand.
Peintre.
Il était le frère de Lucas.

FURTENAGEL Lucas
Né en 1505 à Augsbourg. XVIe siècle. Allemand.
Peintre.
On cite parmi les œuvres principales de cet artiste une illustration de la *Bible* de Luther et un *Portrait de Luther*. L'étrange tableau du Musée de Vienne, représentant Hans Burgkmair et sa femme Anna Allerlahn, se regardant dans un miroir bombé qui leur renvoie leur image sous l'aspect de deux têtes de morts, et qui fut longtemps attribué à Burgkmair lui-même, a été, après restauration, rendu à un Furtenagel, qui le peignit en 1529, sans doute Lucas, mais on peut penser qu'il ne fut exécuté que sur les indications précises de Burgkmair. On lit sur ce memento mori : « Voici ce que nous étions tous les deux, mais dans le miroir, c'était bien autre chose. »
Bibliogr. : Marcel Brion : *La peinture allemande*, Tisné, Paris, 1959.

FURTER Brandolf Wolf
XVIe siècle. Suisse.
Peintre verrier.

FURTER Hans
XVIe siècle. Actif à Berne. Suisse.
Peintre.

FURTER Wolfgang
XVIe siècle. Actif à Berne. Suisse.
Peintre verrier.

FURTH Johann Van der
Né à Ypres. XVIIe siècle. Éc. flamande.
Sculpteur.
Il travailla pour la chapelle de l'Hôtel de Ville d'Ypres.

FURTH Michael Van
XVIIIe siècle. Hollandais.
Sculpteur.
Il travailla entre autres à Francfort-sur-le-Main et à Mayence.

FURTHNER Balthasar
XVIe-XVIIe siècles. Actif à Frauenchiemsee. Allemand.
Peintre.
Il fut peintre du duc de Bavière Guillaume V.

FURTMAYER Berthold ou **Furtmayr**
XVe siècle. Actif à Regensburg à la fin du XVe siècle. Allemand.
Miniaturiste.
On lui doit les miniatures des deux volumes de la *Weltchronik*, qui se trouvent dans la Bibliothèque du prince de Wellerstein, à Meiringen.

FURTMEIR Wilhelm
XVe siècle. Actif à Nuremberg à la fin du XVe siècle. Allemand.
Enlumineur.

FURTNAGEL. Voir **FURTENAGEL**

FURTO, pseudonyme de **Björklund Nils**
Né le 22 octobre 1912 à Roltogsjo. XXe siècle. Suédois.
Peintre, graveur. Abstrait.
Il a séjourné en France à partir de 1947. Il expose en France et en Suède.

FURTTENBACH Josef
Né le 7 novembre 1632 à Ulm. Mort en 1655 à Ulm. XVIIe siècle. Allemand.
Peintre, architecte et graveur.
Il fut élève de Jonas Arnold ; il est mieux connu comme architecte et comme écrivain d'art.

FURUDOÏ Koji
Né en 1947 à Kobé. XXe siècle. Depuis 1974 actif en France. Japonais.
Peintre, dessinateur. Abstrait.
Il a commencé à exposer à Tokyo, où il fit sa première exposition personnelle en 1972. Depuis, il participe à des expositions en Europe et aux États-Unis. Une exposition personnelle a été consacrée à ses *Peintures et Dessins 1970-1990*, à la Galerie d'Art International de Paris, en 1990.
Dans une technique très précise et lissée de camaïeux monochromes, il développe le thème de volumes sculpturaux anthropomorphiques. Il semble aussi avoir pratiqué un tachisme nuagiste qui se sourçait dans les années cinquante.

Ventes Publiques : Paris, 7 oct. 1991 : *G. 1-2* 1980, acryl./t. (116x81) : **FRF 3 500**.

FURUHJELM Dagmar
Née en 1868 à Kyrkslätt. Morte en 1918. xixe-xxe siècles. Finlandaise.
Peintre de genre.
Musées : Helsinki : *Affliction d'une mère*.
Ventes Publiques : Bruxelles, 13 déc. 1984 : *L'atelier de tissage*, h/cart. (150x217) : **BEF 180 000** – Londres, 18 juin 1986 : *Les tisseuses*, h/t (152x220) : **GBP 4 000** – Stockholm, 10 déc. 1986 : *L'atelier de tissage*, h/t (150x220) : **SEK 62 000**.

FURUKAWA Ryusei
Né en 1894 dans la préfecture de Tochigi. xxe siècle. Japonais.
Graveur. Figuratif.
En 1924, il fut diplômé du département de peinture traditionnelle de l'Université des Beaux-Arts de Tokyo. Il étudia seul la gravure. À partir de 1924, il commença de participer aux activités de l'Association Japonaise de Gravure. En 1927, il fut sélectionné pour l'exposition Shunyôkai. Il s'est converti au christianisme et devint prêtre. Il interrompit son travail de graveur pendant la guerre, et le reprit ensuite.
Il est graveur sur bois. Généralement, il utilise directement le ciseau rond, sans esquisse préalable, ce qui confère une grande spontanéité une certaine puissance d'évocation à ses œuvres.

FURUSHASHI Teiji
Né en 1960. Mort en 1995. xxe siècle. Japonais.
Auteur d'installations, multimédia, vidéaste.
Il fut le fondateur du groupe d'artistes japonais Dumb Type. Il a participé en 1995 à la Biennale de Lyon, avec l'œuvre *Lovers*.

FURUTA An
Né en 1915 dans la préfecture d'Oita (île de Kyûshu). xxe siècle. Japonais.
Peintre. Néotraditionnel.
À Kyoto, il étudia la peinture traditionnelle japonaise, avec différents maîtres, dont Shiho Sakakibara, de 1937 à 1943. Il fut mobilisé en Chine de 1943 à 1947. De 1954 à 1957, il joua un rôle actif dans l'art d'après-guerre de la région Kyoto-Osaka. En 1962 et 1964, il a participé à l'Exposition d'Art Japonais Contemporain organisée par le journal *Mainichi*. En 1966, il a participé à la viiie Biennale de Tokyo. La même année, il a montré son travail dans une exposition personnelle à Mexico.
En 1958, il fonda le groupe Tekkei-kai, pour la promotion d'un esprit indépendant dans le domaine de la peinture. Toutefois, il s'insurgeait contre l'internationalisme qui sévissait dans l'art japonais des années cinquante et contre la méconnaissance qu'ont les peintres nippons de leur propre monde pictural. Son propre style a une coloration surréaliste, mais il tente de tenir compte des moyens techniques traditionnels.

FURUTRÄD Carl Christian
Né en 1766. Mort le 8 juin 1808. xviiie siècle. Suédois.
Peintre de miniatures.
Il fit ses études à l'Académie de Stockholm.

FURY Dominique
Née le 20 juin 1953 à Paris. xxe siècle. Française.
Peintre technique mixte, sérigraphe. Tendance pop art.
Elle participe à des expositions collectives : en 1984 et en 1986 au Salon de Montrouge, en 1985 à *10 jeunes pour demain* à Amiens, et la même année à Berlin à : *Aspect de la situation artistique française*, en 1987 à un groupe au Grand Palais, en 1988 à un groupe à la Galerie du Jour Agnès B., galerie où elle avait exposé seule en 1985. En 1994, la galerie Thorigny Patricia Heuilliet de Paris a présenté une nouvelle exposition d'un ensemble de ses travaux, et en 1995 de nouveau sous le titre *Fury dans ses éléments*.
Elle reconnait être influencée par le pop art, dont elle utilise les procédés, reports sérigraphiques sur toile et images empruntées aux médias, qu'elle détourne de leur sens originel.
Ventes Publiques : Paris, 13 avr. 1988 : *Imus nocte*, techn. mixte/t. (100x81) : **FRF 3 000** ; *Ché, Ché, Ché*, encre sérig. et techn. mixte/t. (135x162) : **FRF 5 000** – Paris, 12 fév. 1989 : *Module* 1989, encre et acryl./t. (150x150) : **FRF 10 000** – Paris, 11 oct. 1989 : *Composition n° 9* 1989, techn. mixte (150x150) : **FRF 13 500**.

FUS
xixe siècle. Allemand.
Peintre d'histoire.
Cité par Siret.

FUSARO Jean
Né le 19 mai 1925 à Marseille (Bouches-du-Rhône). xxe siècle. Français.
Peintre de figures, paysages animés, paysages d'eau, aquarelliste.
Il vit et travaille à Lyon, où il fut élève de l'École des Beaux-Arts pendant trois années, et dans laquelle il fut ensuite professeur jusque vers 1970. Il figure dans de nombreuses expositions collectives, et notamment à Paris, aux Salons d'Automne et des Peintres Témoins de leur Temps. Il participa à la Biennale de Menton en 1951, reçut le Prix Fénéon en 1953, le Prix de la Ville de Marseille en 1957. Sa première exposition personnelle eut lieu à Lyon en 1947, et fut suivie de nombreuses autres, surtout à Lyon et Paris.
Il a pris une place importante dans ce qu'on a pu appeler l'École de Lyon, avec Cottavoz, Couty, etc. Son dessin, alerte et non dénué d'une naïveté voulue, se souvient de l'écriture de Dufy. Narratif, il situe des scènes très diverses dans des paysages traités en matière, dans une gamme de couleurs particulièrement fraîches. Cette technique en matière est assez caractéristique des peintres contemporains de Lyon, parmi lesquels Fusaro représente un parti-pris de vision heureuse. ■ J. B.
Bibliogr. : In : *Les peintres contemp.*, Mazenod, Paris, 1964.
Musées : Lyon (Mus. des Beaux-Arts).
Ventes Publiques : Paris, 23 mai 1981 : *Corniche plage*, h/t (89x116) : **FRF 4 500** – Versailles, 18 mars 1984 : *Nature morte au faisan*, h/t (73x125) : **FRF 15 000** – Lyon, 23 oct. 1985 : *Foule un dimanche*, h/t (96x145) : **FRF 30 000** – Cannes, 28 jan. 1986 : *Canal du Midi*, h/t (51x33) : **FRF 5 500** – Paris, 23 juin 1988 : *Portrait de Madame Fusaro*, h/t (115x82) : **FRF 10 000** – Paris, 27 oct. 1988 : *Canal à Dementer* 1966, h/t (66x82) : **FRF 16 000** – Versailles, 6 nov. 1988 : *Animation sur le port*, aquar. (38x55,5) : **FRF 5 000** – Paris, 14 déc. 1988 : *Marseillais*, h/t (27x41) : **FRF 9 200** – Paris, 18 juin 1989 : *La table blanche* 1957, h/t (34x43) : **FRF 12 000** – Paris, 8 nov. 1989 : *Le Cirque*, h/t (33x51) : **FRF 28 000** – Calais, 10 déc. 1989 : *Vue de Venise*, h/t (38x55) : **FRF 32 000** – Paris, 26 avr. 1990 : *Vignes d'automne* 1962, h/t (54x81) : **FRF 76 000** – Paris, 6 fév. 1991 : *Fête nautique*, h/cart. (18x24,5) : **FRF 17 000** – Paris, 17 mars 1991 : *Venise – la lagune*, h/t (65x100) : **FRF 112 000** – Le Touquet, 19 mai 1991 : *Arc-en-ciel à Saint-Paul-de-Léon* 1976, h/t (50x72) : **FRF 70 500** – Paris, 23 mars 1992 : *Campagne portugaise*, h/t (81x100) : **FRF 75 000** – New York, 9 mai 1992 : *Régate au drapeau*, h/t (38,1x45,7) : **USD 2 860** – Le Touquet, 30 mai 1993 : *Bord de plage animé* 1953, h/t (30x48) : **FRF 16 000** – New York, 2 nov. 1993 : *Nature morte au ciel bleu*, h/t (54x73) : **USD 4 025** – Paris, 25 mars 1994 : *Sète* 1963, h/t (65x81) : **FRF 94 000** – New York, 8 nov. 1994 : *Bateaux à voiles* 1955, h/t (73x116) : **USD 4 370** – New York, 7 nov. 1995 : *Fleurs blanches* 1955, h/t (99,3x75,5) : **USD 5 175** – Calais, 24 mars 1996 : *Paysage*, aquar. (41x54) : **FRF 4 000** – Calais, 7 juil. 1996 : *Canal dans la ville* 1958, h/t (65x81) : **FRF 28 200** – Paris, 20 mars 1997 : *Bateaux sur le Rhône*, h/t (33x50) : **FRF 17 000** – Paris, 4 nov. 1997 : *Les Moissons*, h/t (73x100) : **FRF 30 000**.

FUSCH Hans
Mort en 1813. xixe siècle. Allemand.
Portraitiste.
Il fut cité par Siret.

FUSCO Cristofaro. Voir **FASTO Cristofaro**

FUSCO Giovanni Tommaso di
xvie siècle. Actif à Naples à la fin du xvie siècle. Italien.
Peintre.

FÜSELI Johann Heinrich. Voir **FÜSSLI Johann** ou **Hans Heinrich**

FUSELLA Giovanni
xixe siècle. Actif à Florence. Italien.
Graveur.
On cite de lui une gravure d'après Raphaël.

FU SHAN ou **Fou Chan**, surnoms : **Dingchen** et **Qingzhu**, noms de pinceau : **Renzhong, Liuchi Suili, Silu, Zhuyi, Gongzhita, Shi Daoren,** selon les périodes de sa vie
Né en 1602 ou 1605, originaire de Yangquan ou de Taiyuan, province du Shanxi. Mort en 1683 ou 1684, parfois 1690. xviie siècle. Chinois.

Peintre.
Physicien, grand calligraphe et peintre, il est surtout connu pour sa brillante carrière de haut fonctionnaire. A la chute de la dynastie Ming, en 1644, il se retire dans la campagne pour s'occuper de sa mère, et même après le retour de la paix, continue de vivre comme un paysan isolé. Néanmoins, en 1678, sous le règne de l'empereur Qing Kangxi, il est nommé « Lettré au vaste savoir » et secrétaire au Grand Secrétariat ; il n'honorera jamais véritablement cette haute fonction et se retirera dans sa province natale près de Taiyuan. A sa mort un temple commémoratif lui est élevé à Taiyuan, le Fugoug-ci. Les histoires fabuleuses sur son très estimable talent de calligraphe et de peintre sont encore courantes aujourd'hui chez les paysans de la Chine du nord-ouest. Une grande partie de ses écrits ont été groupés et publiés, une première fois en 1747, puis en 1853 et en 1911, sous le titre de *Shuanghongkan ji* puis de *Selu zazhu*. Comme peintre, il est dans la lignée des excentriques du début de la dynastie Qing et de Dong Qichang (1555-1636) ; c'est un peintre de paysages et de bambous. Ses paysages sont d'une exécution très libre et d'une ordonnance spatiale curieuse : séquences de formes géométriques simplifiées et séquences presque pointillistes, texture des montagnes peu détaillée mais grand sens de la structure interne. Ses bambous sont loués pour le rythme vital qui les anime.
Bibliogr. : A. Hummel : *Eminent Chinese of the Ch'ing Period*, Washington, 1943.
Musées : Hong Kong (Ho Kuan-Wu) : *Moine assis avec un spectre et un bol à aumônes devant lui*, longue inscription signée – Osaka (Mus. mun.) : *La falaise*, encre sur soie – Pékin (Mus. du Palais) : *Ponts et un pavillon sur pilotis au-dessus d'un ruisseau au pied d'une montagne*, inscription datée 1666 – Tientsin (Chine) : *Paysage*, coul. sur soie, feuille d'album.
Ventes Publiques : New York, 4 déc. 1989 : *Paysage*, kakémono, encre/pap. doré (195x55,5) : **USD 9 900** – New York, 31 mai 1990 : *La pêche*, encre/pap. doré, éventail peint (15,3x43,8) : **USD 3 575** – New York, 26 nov. 1990 : *Calligraphie en écriture cursive*, kakémono (193x56,2) : **USD 11 000** – Taipei, 10 avr. 1994 : *Album de lettres*, encre/pap., 36 feuilles de formats différents : **TWD 977 500** – New York, 31 mai 1994 : *Calligraphie en Cao shu*, encre/pap., kakémono (168,9x54,3) : **USD 5 750** – New York, 21 mars 1995 : *Poéme par Du Mu*, kakémono, encre/satin (190,5x43,2) : **USD 18 400**.

FUSI Francesco
xviiie siècle. Actif à Milan. Italien.
Peintre.
Il travailla, entre autres, pour la cathédrale de Modène.

FU SIDA ou **Fou Sseu-Ta** ou **Fu Ssu-Ta**
xxe siècle. Chinois.
Peintre, dessinateur, illustrateur. Style occidental.
Il fit d'abord des études de peinture traditionnelle à Pékin. En 1937, il partit pour les États-Unis, puis en Inde et en Malaisie. Pendant la Seconde Guerre mondiale, il enseigna à l'Institut Provincial du Guikin, puis à Shanghaï.
Il fait partie de la génération qui accéda à la peinture occidentale pendant la guerre. Son dessin est sobre et efficace. Au sujet d'une série d'études qu'il réalisa sur le théâtre traditionnel chinois, il est rapproché, plus d'intention que de style, de Guan Liang et de Lin Fengmian, tous deux nés en 1901.
Bibliogr. : M. Sullivan : *Chinese Art in the XXth century*, Londres, 1959.

FUSILIER
xixe siècle. Actif à Amiens. Français.
Peintre de genre, de portraits et de paysages.
On cite de lui le *Portrait de l'abbé Bertin*.

FUSINA Andrea da, l'Ancien
Né à Fusina. Mort en 1526 à Milan. xvie siècle. Italien.
Sculpteur et architecte.
On cite de lui une *Madeleine* à la façade de la cathédrale de Milan.

FUSINA Andrea da, le Jeune
xviiie siècle. Italien.
Sculpteur.
Il vécut sous le pontificat de Clément XI à Rome.

FUSINATI Giuseppe
Né en 1803 à Arsie. xixe siècle. Italien.
Graveur.
Travaille en Italie. A gravé une *Madeleine* d'après Le Titien.

FUSS Heinrich
Né le 6 juillet 1845 à Guntramsdorf. Mort le 10 décembre 1913 à Innsbruck. xixe-xxe siècles. Autrichien.
Sculpteur.
Fils d'un architecte du même nom, il fit ses études à l'Académie de Vienne. Il marqua toujours une prédilection pour les sujets mythologiques et historiques. On lui doit aussi un grand nombre de portraits.

FUSS-AMORE Élisabeth
Née à Paris. xxe siècle. Française.
Peintre de portraits, scènes de genre, paysages.
Elle exposait à Paris, aux Salons d'Automne depuis 1921, des Artistes Indépendants, de la Société Nationale des Beaux-Arts, des Tuileries.
Elle a peint des scènes du cirque, et fut surtout connue pour ses portraits d'enfants.
Ventes Publiques : Paris, 27 déc. 1926 : *Le chien* : **FRF 350** ; *L'enfant à la rose* : **FRF 350** – Paris, 7 fév. 1927 : *Paysage* : **FRF 1 500** – Paris, 10 nov. 1943 : *Paysage* : **FRF 190** – Paris, 15 juin 1994 : *Bal musette* 1920, h/t (80x80) : **FRF 4 000**.

FUSSBENDER Joseph
Né en 1903. xxe siècle. Allemand.
Peintre.
Cité par Herbert Read.
Bibliogr. : H. Read : *Histoire de la Peint. Mod.*, Somogy, Paris, 1960.

FÜSSEL Carl Christian August
Né le 4 mai 1811 à Copenhague. Mort le 1er mai 1849 à Middelfort. xixe siècle. Danois.
Peintre.
Il fut élève de l'Académie de Copenhague. On lui doit surtout des tableaux de genre.

FUSSEL Michael. Voir **FUSSELL**

FUSSELL Alexander
xixe siècle. Actif à Londres. Britannique.
Peintre d'histoire.
Exposa fréquemment entre 1838 et 1881.

FUSSELL Charles Louis ou **Lewis**
Né le 25 octobre 1840 à Philadelphie. Mort en 1909. xixe siècle. Américain.
Peintre de genre, portraits, paysages, marines, aquarelliste.
Il fut élève de Rothermel. Il résidait à Saint-Media (États-Unis).
Ventes Publiques : New York, 18 et 19 avr. 1934 : *Abraham Lincoln* : **USD 1 600** – New York, 20 mars 1980 : *Pennsylvanie memorabilia* 1900, h/cart. (56x75,8) : **USD 800** – New York, 26 oct. 1984 : *Quarry workers* 1903, gche et aquar. (50,8x80,3) : **USD 11 000** – Raleigh (North Carolina), 5 nov. 1985 : *Pennsylvania memorabilia* 1900, h/cart. (56x76,2) : **USD 3 200** – New York, 3 déc. 1987 : *La carrière de pierres* 1903, aquar. (48,2x58,2) : **USD 10 000** – New York, 24 jan. 1989 : *Notre vieille maison coloniale* 1901, h/t/cart. (21x29,5) : **USD 2 200** – New York, 27 mai 1993 : *Arbres en fleur* 1902, aquar. et gche/pap. (50,8x61) : **USD 11 500** – New York, 20 mars 1996 : *Enfants pataugeant dans un ruisseau* 1905, aquar. et gche/pap. (59,7x50,8) : **USD 2 530**.

FUSSELL Joseph
Né en 1818 à Birmingham. Mort le 6 mai 1912 à Point Loma (Californie). xixe-xxe siècles. Britannique.
Paysagiste et graveur.
Fit ses études aux écoles de la Royal Academy. Il fit de la gravure et c'est lui surtout qui a illustré *Kittos, Encyclopedia* et des œuvres semblables. Il devint professeur à l'École d'Art à Nottingham. Le Musée de cette ville conserve de lui : *Printemps, midi*. Fussell exposa fréquemment à Londres, de 1821 à 1845.

FUSSELL Michael ou **Fussel**
Né en 1927 à Southampton. xxe siècle. Britannique.
Peintre de paysages, natures mortes.
Il fut élève de l'École d'Art de Saint-Martin et du Collège Royal d'Art, à Londres. Il participe à de nombreuses expositions collectives, dont le Carnegie International de Pittsburgh en 1961. Il fait des expositions personnelles à Londres, dont les premières en 1956, 1958, 1962.
Il a d'abord peint des paysages et des natures mortes dans une gamme très sombre. Depuis 1961, il réalise des sortes de bas-reliefs blancs ou parfois argent, avec un mélange de papier froissé et de médium, qui évoquent comme le jeu de la lumière sur des paysages de mer ou de grèves.

Bibliogr. : In : *Peintres Contemp.*, Mazenod, Paris, 1964.
Musées : Londres (Tate Gal.).

FUSSIN Nicolas Henri Joseph de
xxe siècle. Français.
Peintre de paysages animés.
Ventes Publiques : Paris, 12 juin 1929 : *Famille villageoise et son troupeau dans un paysage d'Italie* ; *Troupeaux au pâturage dans un paysage montagneux*, ensemble : **FRF 4 000**.

FÜSSLI Anna
Née le 16 septembre 1749 à Zurich. Morte le 24 février 1772 à Zurich. xviiie siècle. Suisse.
Peintre de fleurs et d'insectes.
Elle était la fille de Johann Caspar.

FÜSSLI Elisabeth
Née le 15 avril 1744 à Zurich. Morte en 1780 à Zurich. xviiie siècle. Suisse.
Peintre de fleurs et d'insectes.
Elle était la fille de Johann Caspar. Elle est mentionnée dans les annales du Musée Suisse.

FÜSSLI Friedrich Salomon
Né le 31 décembre 1802 à Zurich. Mort en 1847 à Zurich. xixe siècle. Suisse.
Dessinateur.
Il était le frère de Rudolf Hendrich.

FÜSSLI Hans Caspar
Né en 1743 à Zurich. Mort le 4 mai 1786 à Winterthur. xviiie siècle. Suisse.
Peintre de fleurs et d'insectes.
Il était le fils de Johann Caspar.

FÜSSLI Hans Rudolf, l'Ancien
Né en 1645 à Zurich. Mort en 1711 à Zurich. xviie-xviiie siècles. Suisse.
Peintre.
Son père se prénommait David.

FÜSSLI Hans Rudolf, le Jeune
Né le 12 février 1680 à Zurich. Mort en 1761 à Horgen. xviiie siècle. Suisse.
Peintre.
Il fut le père de Johann Caspar.

FÜSSLI Heinrich, l'Ancien
Né le 17 mars 1720 à Horgen. Mort le 10 janvier 1802 à Horgen. xviiie siècle. Suisse.
Peintre et dessinateur.
Il était le fils de Rudolf l'Ancien et peignit surtout des paysages.

FÜSSLI Heinrich, le Jeune ou **Füssly**
Né le 14 avril 1755 à Horgen. Mort le 1er mai 1829 à Zurich. xviiie-xixe siècles. Suisse.
Paysagiste, dessinateur et graveur.
Il fit des voyages en Suisse et y fit des dessins. Il les publia sous le titre : *Sites merveilleux de la Suisse*. Élève de son oncle Johann Caspar Füssli.

FÜSSLI Johann
Né en 1784 à Zurich. Mort en 1844 à Paris. xixe siècle. Suisse.
Dessinateur amateur.
Il s'établit à Paris en 1812.

FUSSLI Johann Caspar
Né en 1707 à Zurich. Mort le 6 mai 1782 à Zurich. xviiie siècle. Suisse.
Peintre de sujets mythologiques, portraitiste, dessinateur.
Il fut à Vienne élève de Gran et de Meytens. Voyageant beaucoup en France, en Italie et en Allemagne, il séjourna entre autres à Nuremberg et à Ludwigsburg. Il fut aussi écrivain d'art.
Ventes Publiques : Londres, 7 juil. 1983 : *Médée (recto)* ; *Fuite d'un assassin (verso)* 1771 et 1774, pinceau et lav./trait de cr. (44,5x64) : **GBP 38 000** – Zurich, 12 juin 1995 : *Portraits de l'historien et conseiller Johann Heinrich Fussli et de son épouse Maria Barbara Fussli-Schulthess*, h/bois, une paire (chaque 17x12,5) : **CHF 4 600**.

FÜSSLI Johann Melchior
Né en 1677 à Zurich. Mort en 1736 à Zurich. xviiie siècle. Suisse.
Peintre et graveur.
Quelques-unes de ses gravures se trouvent dans la collection de la Société d'Art à Zurich. Élève de Joh. Meyer, de Zurich, et de C.-F. Blesendorf, de Berlin.

FÜSSLI Johann ou **Hans Heinrich** ou **Henri** ou **Fuessli, Fussli,** nommé **Fuseli** par les Anglais
Né en 1741 à Zurich. Mort le 16 avril 1825 à Putney-Heath. xviiie-xixe siècles. Suisse.
Peintre d'histoire, compositions mythologiques, sujets religieux, compositions à personnages, figures, portraits, illustrateur. Fantastique, romantique.
Second fils de Johann Caspar, peintre de portraits et écrivain d'art. Son père l'orienta vers la carrière ecclésiastique, bien qu'il préférât celle des beaux-arts, il se soumit à la volonté paternelle. Il fit ses études théologiques à l'Université de Zurich. À l'étude de la théologie, il joignit celle de l'anglais. C'est là qu'il fit la connaissance de Lavater. Tous deux lisaient ensemble Shakespeare, tous deux causaient poésie, physiologie et beaux-arts. Réunis par la conformité de leurs goûts, comme par la différence de leurs aptitudes et de leurs études, ils se lièrent d'une amitié qui dura autant que leur vie. Ayant appris qu'un magistrat de Zurich, le bailli Grebel, se rendait continuellement coupable d'actes d'injustice, ils lui écrivirent et le sommèrent de réparer ses torts sous peine d'être dénoncé par eux au public. Le magistrat ne tenant pas compte de leur lettre, ils publièrent une brochure intitulée : *L'injuste juge, ou Plaintes d'un patriote*. Le public fut en leur faveur, mais pour ne pas s'exposer aux ressentiments de la famille, ils quittèrent Zurich pour se rendre d'abord à Vienne, puis à Berlin, où ils étudièrent avec Sulzer, auteur d'un dictionnaire des beaux-arts. Fuessli se mit à dessiner sous les auspices de Sulzer des sujets tirés de livres anglais. Deux de ces ouvrages, *Macbeth, Le Roi Lear et Cornélie*, furent achetés par Sir Robert Smith, ambassadeur en Prusse. Ce fut lui qui lui conseilla de visiter l'Angleterre, et lui donna des lettres de recommandation. Il se consacra d'abord à la littérature, puis il devint précepteur dans une famille noble. Il accompagna son élève à Paris. Cette nouvelle situation fut l'origine de sa fortune. Ayant à lui la meilleure partie de son temps, libre des soucis de la vie matérielle, il put se livrer à ses études de peinture. Il rencontra Reynolds, qui, après avoir examiné plusieurs de ses dessins, lui conseilla d'aller en Italie. Il embarqua pour Rome avec son ami Armstrong. Il étudia avec ardeur les chefs-d'œuvre classiques, il se lia avec Mengs et Winckelmann. Il visita aussi les autres villes d'Italie. C'est Michel-Ange qui eut ses préférences, c'est lui qu'il étudiait le plus. L'habitude de lutter avec ce géant de la peinture fut, peut-être, ce qui contribua le plus à donner à sa manière tant de fermeté, de naturel et de grandeur. Il retourna à Londres en 1779.
Il fut reçu membre associé de l'Académie en 1788 et académicien en 1790. En 1799, il fut nommé professeur de peinture, il occupa la chaire jusqu'en 1804 des manœuvres ennemies l'obligèrent à résigner ses fonctions, mais en 1810, il fut réélu professeur et continua d'enseigner jusqu'à la fin de sa vie. Il était très aimé des élèves et eut sur eux une influence considérable. En 1817, il reçut le diplôme de membre de l'Académie Saint-Luc de Rome. Fuessli est mort pendant qu'il faisait une visite à la comtesse de Guildford, à Putney-Heath. Il est enterré à la cathédrale Saint-Paul.
Il exposa à l'Académie Royale son tableau *Night mare* qui, à cause de son étrangeté, attira l'attention du public qui reconnut ses talents. Une jeune femme, drapée à l'antique, est étendue sur un lit, livide et renversée par on ne sait quelles convulsions. Sur son ventre, accroupi : un gnome velu regarde vers le spectateur. Autour : la pénombre de sombres rideaux que soulève une tête chevaline aux yeux ardents, indiquant le jeu de mots inclus dans le titre : *Mare* signifiant Jument, et *Nightmare* cauchemar. Cette peinture marquait le départ de tout un œuvre où allaient se manifester les obsessions et fantasmes d'un Fuessli dont les tendances inconscientes constituaient un lieu privilégié pour l'analyse psychanalytique. Cet œuvre n'a pas fini de fasciner par la façon dont il relie une technique néoclassique à une inspiration préromantique et, au-delà, aux hallucinations surréalistes. Il y a deux hommes à considérer en Fuessli : le peintre et le professeur de peinture. Comme peintre il eut une grande renommée ; car il fut plus qu'un chef d'école, il ouvrit l'ère de la peinture romantique. Il étudiait non la structure de la tête, mais le jeu vivant et mobile du visage, endroit privilégié où l'âme entière se reflète, selon l'expression de son ami Lavater. Si son coloris laisse parfois à désirer, son dessin a presque toujours une hardiesse, une vérité, une variété qui laissent à l'esprit une profonde impression, mais c'est l'idée, la composition qui est son triomphe. Son imagination est vive, inépuisable, féconde. Il est hardi, original, il est bien vrai qu'à force de l'être, il aborde le fantastique. Fuessli

s'attache aussi à rendre la douleur physique et il la nuance admirablement, mais elle n'est pour lui qu'un moyen de faire sentir la plaie morale. Parmi les chefs-d'œuvre en ce genre, il faut citer les figures d'aliénés. Il excelle aussi à peindre la joie, l'amour, les sentiments les plus doux. Fuessli se ressentait des idées de Lavater comme Lavater s'est ressenti des siennes. Le physiologiste avait du peintre, on le sait, mais le peintre avait du physiologiste et ces sensations de physiologiste ajoutèrent beaucoup à son talent, c'est grâce à elles que l'expression physique si exquise, si nuancée est si parlante, et accuse toutes les particularités de l'état de l'âme. Fuessli en vint à comprendre la sainteté de l'hallucination et du rêve. Au réel et au vrai il joignit le fantastique, le tout en partant des instincts lavateriens. Les deux ouvrages qui ont fait sa réputation sont une suite de séries de peintures et d'illustrations, l'un sur Shakespeare et l'autre sur *Le Paradis perdu* de Milton. À ces deux noms on reconnaît toutes les tendances de son génie, tous les éléments aptes à satisfaire ces tendances, excentricités, idées grandioses ou terribles ou gracieuses, fantasmagories. C'est dans un dîner chez Boydell que cinq ou six beaux esprits (Well, Hoole, Rommey, Hayley, Nicol, Paul Sandby) eurent l'idée de la galerie Shakespearienne. Fuessli a fait, pour cette collection, huit magnifiques peintures qui se rapportent aux pièces suivantes : *la Tempête, le Songe d'une nuit d'été, Macbeth, la seconde partie de Henri IV, Henri V, le roi Lear, Hamlet.* La collection de Milton se compose de 47 tableaux. C'est là que l'artiste a déployé dans tout son luxe ce déluge d'imagination, cette effervescence que les timides n'ont pas hésité alors à nommer dévergondage. Le morceau capital de cette collection est *l'Hôpital.* Fuessli s'est aussi inspiré de l'Histoire Sainte (scène du déluge), de la mythologie grecque, des Allemands : la légende des Niebelungen, l'*Obéron* de Wieland, l'*Ondine* de La Motte-Fouqué, et des classiques.

Comme professeur de peinture, ses cours étaient remarquables par la hauteur de la critique, par la science et l'élégance du style. On a de lui : *Réflexions sur la peinture et la sculpture grecques*, etc., *Leçons faites à l'Académie de peinture*, 1801 et une édition du *Dictionnaire des peintres* de Pilkington, avec additions et corrections. Il a laissé inachevée une histoire de l'Art moderne.

Maurice Raynal, peu porté au fantastique, dit de son œuvre : « C'est l'interprète des cauchemars. Mais son art est inauthentique dans ce sens que ses visions semblent moins inspirées que préméditées. C'est un aprioriste qui garde la marque indélébile d'une formation académique. Sa peinture n'est pas si terrifiante qu'il le voudrait, elle demeure assez enfantine, elle raconte des histoires, elle décrit, le style en reste froid et compassé. » Marcel Brion fait preuve de plus de compréhension à son égard, dans son ouvrage *La peinture allemande* (Tisné, Paris, 1959) : « Ses meilleures œuvres sont celles où, dans un clair-obscur fauve et roux, il fait surgir des personnages inexplicables, le cheval du *Cauchemar* du Musée de Zurich, la *Petite Fée* de Bâle, les héros colossaux d'Arioste et de Milton. Il laisse le surnaturel affluer à la surface des figures réelles, avec une franchise ingénue de voyant qui le fait se mouvoir sans effort dans l'irréel, qui était sa propre réalité. » Ensuite, Marcel Brion insiste sur l'influence qu'il exerça sur ceux qui allaient créer la peinture romantique allemande : « Josef Anton Koch et Peter von Cornelius le connaissaient bien. Les *Sorcières de Macbeth* du premier, la *Mort de Kriemhild* du second, n'auraient pas été ce qu'ils furent sans Füssli et Carstens, de même que la *Mise au tombeau* d'Eberhard Wächter, ou le *Macbeth chez les sorcières* de Franz Pforr ». Le grand reproche formulé contre Füssli, et contre sa descendance, contre tous les peintres romantiques est qu'ils auraient fait de la peinture littéraire. C'est un reproche mal venu en ce qui concerne justement une peinture qui se voulait littéraire, et qui considérait que de l'être n'était pas incompatible avec la qualité picturale. Il existe cinq portraits de Fuessli, le plus beau est dû au pinceau de son ami Sir Thomas Lawrence. Son buste en marbre a été exécuté par E. H. Baily.

A·F

Bibliogr. : Catalogue de l'exposition *Füssli*, Mus. du Petit Palais, Paris, 1975 – Bernard Teyssèdre : *Un Suisse en folie*, Nouvel Observateur, Paris, 5 mai 1975.

Musées : Bâle : *Le Chercheur de trésors – La petite fée* – Liverpool : *Œdipe et ses filles* – Londres (Victoria and Albert Mus.) : *Tête de femme – Fragment du tableau « Le rêve de la reine Catherine » – Croquis d'une dame en costume du XVIIe siècle – L'Esprit sous la forme d'une jeune fille s'élevant devant un vieux pair* – Nottingham : *Étude de figures – Étude de trois figures de femmes* – Etude – Zurich (Kunsthaus) : *Le Silence* 1799-1902 – *Le Cauchemar.*

Ventes Publiques : Londres, sep. 1848 : *Le Songe d'une nuit d'été* : **FRF 1 700** – New York, 29 jan. 1902 : *Portrait de Miss Johnson* : **USD 300** – Londres, 8 avr. 1910 : *Portrait de dame* : **GBP 10** – Londres, 6 juil. 1925 : *Scènes de Beaucoup de bruit pour rien* : **GBP 54** – Londres, 25 mars 1927 : *Illustrations pour Milton* : **GBP 162** – Londres, 27 juin 1927 : *Les Joyeuses Commères de Windsor* : **GBP 168** – Londres, 26 mars 1928 : *Thésée recevant le fil d'Ariane* : **GBP 36** – Londres, 5 déc. 1928 : *Milton enfant* : **GBP 34** – Londres, 13 nov. 1934 : *Naissance de Shakespeare* : **GBP 26** – Londres, 26 juin 1936 : *Mrs Pritchard* : **GBP 22** – Londres, 12 mars 1937 : *Scène au tombeau*, dess. : **GBP 26** ; *Femme*, dess. : **GBP 29** – Paris, 29 et 30 mars 1943 : *Un archer*, pl. : **FRF 3 200** – Paris, 30 juin 1943 : *Scène de l'histoire romaine*, pl., attr. : **FRF 1 250** – Londres, 10 et 12 fév. 1947 : *Femme nue sur un trône ; Femme nue assise*, deux dessins : **GBP 37** – Paris, 17 mars 1947 : *Tête d'Erinnye*, pierre noire, reh. de blanc, attr. : **FRF 550** – Londres, 9 mai 1947 : *Richard Nevill* : **GBP 31** – Londres, 18 nov. 1960 : *Cupidon et Psyché* : **GBP 336** – Londres, 10 mars 1965 : *Mrs Siddons and Lady Macbeth* : **GBP 3 800** – Zurich, 21 oct. 1969 : *Le couple* : **CHF 30 000** – Londres, 18 mars 1970 : *Béatrice dans Beaucoup de bruit pour rien* : **GBP 6 500** – Londres, 13 déc. 1972 : *Scène de l'Illiade* : **GBP 9 000** – Londres, 4 avr. 1973 : *Lady Constance, Arthur and Slisbury* : **GBP 5 800** – Berne, 11 juin 1976 : *Jeune fille debout* 1797, dess. (21,8x15,6) : **CHF 6 400** – Zurich, 12 nov. 1976 : *Le silence* vers 1799-1801, h/t (63,5x51,5) : **CHF 80 000** – Zurich, 25 nov. 1977 : *Euphrosyne...* vers 1820, h/t (91,5x70,5) : **CHF 44 000** – Londres, 30 nov. 1978 : *Dr. James paying a bill*, aquar. et pl. (29x21) : **GBP 3 400** – Londres, 19 mars 1981 : *Themistocle à la cour d'Admetus* vers 1805, pl. et lav./pap. (30x40) : **GBP 7 500** – Londres, 23 nov. 1984 : *Tête de Caractacus*, h/cart. (22,9x17,8) : **GBP 5 000** – Amsterdam, 12 sep. 1985 : *Vue des environs du lac de Zurich* vers 1795, eau-forte coul. (42,8x62,1) : **NLG 28 000** – Londres, 22 nov. 1985 : *La création d'Ève*, h/t (126,9x101,6) : **GBP 70 000** – Londres, 9 juil. 1985 : *Etude de portrait de femme, probablement Mrs Fuseli (recto) ; Etudes de jambes au crayon (verso)* vers 1790-1800, craie noire reh. de blanc (32x30,8) : **GBP 105 000** – Londres, 16 juil. 1987 : *Une femme enchaînée (recto) ; Un personnage (verso)*, pl., encre brune et cr. (47,5x28) : **GBP 11 000** – Londres, 14 mars 1990 : *Lysander avec Helena et Hermia dans le Songe d'une nuit d'été*, h/t (90,5x69,5) : **GBP 41 800** – Londres, 12 avr. 1991 : *Les trois sorcières apparaissant à Macbeth et à Banquo*, h/t (87x112) : **GBP 71 500** – Londres, 2 juil. 1991 : *Le Roi David mis en garde par le prophète Nathan (recto) ; Nu debout (verso)*, craie noire et lav. gris (61,6x91,8) : **GBP 30 800** – Monaco, 5-6 déc. 1991 : *La Vision du déluge*, h/t (247x206) : **FRF 777 000** – New York, 13 jan. 1993 : *Cavalier tombé attaqué par un énorme serpent (recto) ; Satan tentant Job et son épouse (verso)*, craie, encre et lav. : **USD 22 000** – Londres, 13 juil. 1993 : *La lapidation de saint Étienne* 1777, encre et lav. (19,9x31,8) : **GBP 2 990** – Paris, 8 juin 1994 : *Persée tenant la tête de Méduse* 1816, pl. (22,5x18,4) : **FRF 52 000** – Londres, 9 nov. 1994 : *Portrait de la femme de l'artiste, tête et épaules*, h/pap., à vue de forme ovale (22x18,5) : **GBP 7 820** – Londres, 12 avr. 1995 : *Romeo and Juliet*, h/t (141x111) : **GBP 41 100** – Zurich, 12 nov. 1996 : *Shakespeare enfant entre la Tragédie et la Comédie* 1805-1810, h/t (183x153) : **CHF 110 000** – Londres, 12 nov. 1997 : *Le Chandelier à sept branches vu par saint Jean* 1796, h/t (132x101) : **GBP 137 900**.

FÜSSLI Johann Rudolf, l'Ancien

Né le 5 septembre 1709 à Zurich. Mort le 12 septembre 1793 à Zurich. XVIIIe siècle. Suisse.

Peintre.

Il étudia à Zurich sous la direction du peintre et graveur Johann Melchior Füssli. A Paris, il fit de la miniature sous la direction de Loutherbourg.

FÜSSLI Johann Rudolf, le Jeune

Né en 1737 à Zurich. Mort en avril 1806 à Vienne. XVIIIe siècle. Suisse.

Peintre.

Fit ses études sous la direction de son père Johann Caspar et les termina à Vienne.

FÜSSLI Konrad

Né en 1675 à Zurich. Mort en 1743 à Zurich. XVIIIe siècle. Suisse.

Peintre de miniatures.
Il était le fils de Mathias III.

FÜSSLI Mathias I
Né en 1598 à Zurich. Mort le 20 octobre 1665 à Zurich. XVIIe siècle. Suisse.
Peintre et graveur.
Il fit des études sous la direction de Gotthard Ringgli et les compléta dans des voyages en Italie. Il a fait des paysages, des scènes de guerre et des fresques.

FÜSSLI Mathias II
Né en 1639 à Zurich. Mort le 27 octobre 1708. XVIIe siècle. Suisse.
Portraitiste.
Il est le fils du peintre Mathias I.

FÜSSLI Mathias III
Né le 3 mars 1671 à Zurich. Mort le 11 septembre 1739 à Zurich. XVIIe-XVIIIe siècles. Suisse.
Portraitiste.
Il est le fils du peintre Mathias Füssli II. Il étudia en Italie avec B. Luti.

M Fuessli

FÜSSLI Rudolf Heinrich
Né en 1791 à Zurich. Mort en 1828 à Zurich. XIXe siècle. Suisse.
Dessinateur.
Il dessina les illustrations de l'ouvrage *Les Costumes suisses les plus originaux.*

FÜSSLI Wilhelm Heinrich
Né le 16 janvier 1830 à Zurich. Mort le 11 janvier 1916 à Baden-Baden. XIXe-XXe siècles. Suisse.
Peintre de figures, portraits.
Il fit des études à Munich, à Venise, où il se dégoûta de la peinture moderne. A Paris, l'influence de Couture et des trésors artistiques du Louvre l'affirmèrent dans ses idées. Il exposa ses œuvres à Zurich.
Ventes Publiques : Lucerne, 21 mai 1980 : *Portrait de jeune femme* 1871, h/t (142x103) : **CHF 2 200** – Hanovre, 25 sep. 1982 : *Portrait d'enfant* 1860, h/t (50x39,5) : **DEM 4 000** – Zurich, 5 juin 1996 : *L'Étudiant* 1887, h/t (56x46,5) : **CHF 1 725** – Zurich, 10 déc. 1996 : *La Famille Julius Meyer* 1867, h/t (200x250) : **CHF 10 925**.

FUSSMANN Klaus
Né en 1938. XXe siècle. Allemand.
Peintre de portraits, intérieurs, paysages, natures mortes, peintre à la gouache, aquarelliste, dessinateur.
Ventes Publiques : Munich, 2 juin 1980 : *Vue de l'atelier*, aquar. (71,5x71) : **DEM 2 100** – Munich, 1er juin 1981 : *Intérieur* 1977, pl./pap. (71x72) : **DEM 2 100** – Munich, 30 mai 1983 : *Paysage d'hiver* 1977, gche (66,5x71,5) : **DEM 3 200** – Hambourg, 9 juin 1983 : *Barbara F. und Gregor F. vor Beveroe* 1978, h/t (160x170) : **DEM 18 000** – Cologne, 4 juin 1985 : *Lit rose devant un miroir* 1979, h/t (155x171) : **DEM 11 000** – Amsterdam, 31 mai 1994 : *Nature morte* 1978, h/t (30,5x36,5) : **NLG 3 220** – Amsterdam, 4 juin 1996 : *Atelier* 1978, aquar./pap. (71,5x72) : **NLG 7 080** – Amsterdam, 2-3 juin 1997 : *Portrait de Georg Fussmann* 1981, aquar./pap. (65x75) : **NLG 4 956**.

FU SSU-TA. Voir **FU SIDA**

FUST Willi
Né en 1926 à Winterthur. XXe siècle. Suisse.
Peintre. Art optique.
Il fut élevé à Bâle. Il fut élève en serrurerie pendant deux ans, puis en dessin d'architecture. Depuis 1953, il est architecte à Olten. Il a mené parallèlement son activité de peintre, participant à de nombreuses expositions collectives en Suisse et à l'étranger, faisant des expositions personnelles depuis 1963, dans les grandes villes suisses, notamment régulièrement depuis le début à la galerie Suzanne Bollag de Zurich, Olten, etc.
Ses peintures sont constituées soit de larges bandes horizontales, soit de carrés divisés par les deux médianes ou par les deux diagonales ou par le carré inscrit par les quatre milieux des côtés, etc., dont une couleur monochrome est modulée en camaïeu ou dont les couleurs sont accordées en fonction d'une dominante dont la teinte donne son titre à chaque peinture. Une telle peinture ressortit sans doute plus à l'art optique qu'au minimalisme. ■ J. B.

FUSTER Alberto
Né à Tlacotulpan. XIXe siècle. Mexicain.
Peintre.
Mention honorable en 1900 (Exposition Universelle).

FUSTERO Elvira
Née en 1949 à Saragosse. XXe siècle. Espagnole.
Peintre technique mixte. Abstrait.
Elle vit et travaille à Barcelone. Elle participe à de nombreuses expositions collectives depuis 1986, à Madrid, dans plusieurs villes d'Espagne et à l'étranger. Elle montre aussi ses peintures dans des expositions personnelles depuis 1976, surtout à Barcelone.
Bibliogr. : In : *Catalogue Nat. d'Art Contemp.*, Iberico 2 – Mil, Barcelone, 1991.

FUSTINI Giuseppe
Né en 1766 à Fidenza. Mort en 1816 à Parme. XVIIIe-XIXe siècles. Italien.
Peintre de miniatures.

FÜSTLER Heinrich
XIXe siècle. Actif à Vienne vers 1832. Autrichien.
Peintre de miniatures.

FU TAO-K'UN. Voir **FU DAOKUN**

FÜTERER Ulrich
Né à Landshut. Mort vers 1498 à Munich. XVe siècle. Allemand.
Peintre et poète.
Il travailla à Landshut et à Munich. Ses œuvres principales sont les importantes décorations qu'il exécuta à la fresque pour l'Hôtel de Ville de Munich. Il fut aussi peintre verrier.

FUTTERER Josef
Né en 1871. Mort en 1930. XIXe-XXe siècles. Allemand.
Peintre de genre, scènes animées, figures, portraits, fleurs, peintre à la gouache.
Ventes Publiques : Munich, 26 mai 1978 : *Couple avec chien dans un jardin* vers 1905, h/cart. (26x17,5) : **DEM 4 800** ; *Jeune femme épluchant une pomme*, gche (24x18,5) : **DEM 2 400** – Munich, 30 mai 1980 : *Scène rustique* vers 1905, h/cart. (79x56) : **DEM 3 800** – Munich, 13 sep. 1984 : *Bouquet de fleurs dans un vase*, h/cart. (80x65) : **DEM 3 800** – Lucerne, 15 mai 1986 : *Max Pallenberg en Zawadil* 1914, h/t (101x85) : **CHF 3 600**.

FU WEN ou **Fu Wên** ou **Fou Wen**, surnom : **Zilai,** nom de pinceau : **Kaiting**
Originaire de Guanging (Mandchourie). XVIIIe siècle. Chinois.
Peintre.
Il travaille dans le style de Gao Qipei (vers 1672-vers 1734) et fait de la peinture au doigt.
Musées : Cologne (Mus. für Ostasiatische Kunst) : *Vieil homme contemplant une cascade*, peinture au doigt, signée – Paris (Mus. Guimet) : *Vieil homme devant une pierre musicale*, peinture au doigt, signée.

FUX Demenik
Né vers 1752. Mort le 21 janvier 1788. XVIIIe siècle. Actif à Vienne. Autrichien.
Peintre.
Il était frère de Franz.

FUX Franz
Né en 1745 à Vienne. XVIIIe siècle. Autrichien.
Peintre de portraits.
On connaît deux portraits signés de cet artiste qui fut élève de l'Académie de Vienne.

FUX Franz Xaver
XVIIIe siècle. Actif vers 1745. Allemand.
Dessinateur.
On connaît une *Vue* de cet artiste gravée par Gleich.

FUX J.-G.
XVIIIe siècle. Allemand.
Peintre.
On cite une œuvre signée de ce nom à la chapelle de Schallenkamp près d'Ambach.

FUX Johann Adam
XVIIIe siècle. Actif à Griesstetten vers 1750. Allemand.
Peintre.
On connaît une fresque signée de ce nom dans l'église de cette petite ville de Bavière.

FUX Johann Georg
Né en 1755 à Vienne. XVIIIe siècle. Autrichien.

Peintre de portraits.
Il était frère de Franz.

FUX Josef
Né le 2 décembre 1841 à Steinhof. Mort le 30 mars 1904 à Vienne. XIXe siècle. Autrichien.
Peintre d'histoire, de genre et portraitiste.
Élève de l'Académie des Beaux-Arts à Vienne sous Christian Rubens. Il compléta ses études en contact avec Makart et Matejko. Travailla à Vienne. Le Musée de Vienne conserve de lui : *A la Chasse*.

FUX Wilhelm
Né vers 1808. XIXe siècle. Autrichien.
Peintre de miniatures.
Il fut élève de l'Académie de Vienne vers 1820.

FUXA Y LEAL Manuel
Né vers 1850 à Barcelone. XIXe siècle. Espagnol.
Peintre.
Élève de l'École des Beaux-Arts de Barcelone. Médaille de troisième classe à Madrid en 1871. Médaille de deuxième classe en 1881. Médaille d'argent en 1900 (Exposition Universelle).

FUXEDER Adam Josef
Né le 5 novembre 1763 à Vienne. XVIIIe siècle. Autrichien.
Peintre.

FUXEDER Franz, l'Ancien
Né le 17 janvier 1725 à Vienne. Mort en 1797. XVIIIe siècle. Autrichien.
Peintre.
Il fut peintre de la Cour Impériale ; il exécuta surtout des tableaux de genre.

FUXEDER Franz II, le Jeune
Né le 16 mai 1752 à Vienne. XVIIIe siècle. Autrichien.
Peintre.

FUXEDER Jacob
XIXe siècle. Actif à Vienne. Autrichien.
Peintre de paysages.

FUXEDER Johann, l'Ancien
Né vers 1691. Mort le 17 mai 1743. XVIIIe siècle. Actif à Vienne. Autrichien.
Peintre.
Il fut le père de Josef l'Ancien, Johann le jeune et Karl.

FUXEDER Johann, le Jeune
Né le 6 mars 1716 à Vienne. XVIIIe siècle. Autrichien.
Peintre.
Il était fils de Johann l'Ancien.

FUXEDER Josef, l'Ancien
Né en 1710 à Vienne. XVIIIe siècle. Autrichien.
Peintre.
Il était fils de Johann l'Ancien et fut le père de Josef Andreas et de Michael.

FUXEDER Josef, le Jeune
Né vers 1734. Mort le 6 janvier 1789. XVIIIe siècle. Actif à Vienne. Autrichien.
Peintre de miniatures.

FUXEDER Josef Andreas
Né le 16 juillet 1747 à Vienne. XVIIIe siècle. Autrichien.
Peintre.
Il était fils de Josef l'Ancien.

FUXEDER Karl
Né le 19 février 1721 à Vienne. XVIIIe siècle. Autrichien.
Peintre.
Il était fils de Johann l'Ancien.

FUXEDER Martin
XVIIIe siècle. Actif à Vienne. Autrichien.
Peintre.
Il fut le père de Josef le jeune et Franz l'Ancien.

FUXEDER Michael
Né le 6 septembre 1744 à Vienne. XVIIIe siècle. Autrichien.
Peintre.
Il était le fils de Josef l'Ancien.

FUXHOFFER Josef
Né en 1709 à Vienne. Mort le 5 juillet 1785 à Vienne. XVIIIe siècle. Autrichien.
Peintre.
Il fut élève de Vasal et vécut peut-être aussi à Mariahilf.

FUXHOFFER Matthias
XVIIIe siècle. Actif à Vienne en 1768. Autrichien.
Graveur.
Il était sans doute fils de Josef Fuxhoffer.

FU XI. Voir **MA YUAN-YU**

FU-YANG. Voir **ZHANGFU**

FUYÔ, de son vrai nom : **Ôshima Môhyu**, surnom : **Juhi**, noms familiers : **Ikki** et **Kondô Itsuki**, noms de pinceau : **Fuyô**, **Chûgakugashi**, **Hyôgakusanjin**, **Kantan-No-Kyo** et **Kô Fuyô**
Né en 1722. Mort en 1784 à Tokyo. XVIIIe siècle. Japonais.
Peintre. École Nanga (peinture de lettré).
Paysagiste vivant à Kyoto, il est connu aussi comme graveur de sceau. C'est un ami des peintres Ike-no-Taiga (1723-1776) et Dainen Tenju (mort en 1795).

FUYÔ, de son vrai nom **Suzuki Yô,** surnom : **Bunki,** nom familier : **Shimbê,** noms de pinceau : **Fuyô** et **Rôren**
Né en 1749. Mort en 1816. XVIIIe-XIXe siècles. Japonais.
Peintre. École Nanga (peinture de lettré).
Doué pour la prose et pour la poésie, il est paysagiste et portraitiste. C'est un élève de Bunchô (1725-1794) à Edo (actuelle Tokyo). Il rentre plus tard au service du seigneur d'Awa.

FUYTER Jacob de
Né en 1618. Mort en 1686 à Amsterdam. XVIIe siècle. Hollandais.
Peintre.
Il était frère de Louis et de Léon.

FUYTER Léon ou **Lyon de**
Mort en 1658 à Amsterdam. XVIIe siècle. Hollandais.
Peintre.

FUYTER Louis de
Né en 1613 à La Haye. Mort vers 1669 à Amsterdam. XVIIe siècle. Hollandais.
Peintre.

FUZER P.
XIXe siècle. Français.
Graveur.
Le Musée du Puy conserve de lui une gravure coloriée : *Général de la Fayette*, d'après Adam.

FUZIER François
VIIIe siècle. Travaillant à Grenoble. Français.
Sculpteur.

FYFE William Baxter Collier
Né vers 1836 à Dundee. Mort le 15 septembre 1882 à Londres. XIXe siècle. Britannique.
Peintre d'histoire, scènes de genre, portraits, paysages.
Élève de l'Académie Royale Écossaise, il exposa son premier tableau important à l'Exposition de 1861 : *La reine Marie abdiquant la couronne au château de Loc Leven*. Il se fixa à Londres en 1863.
À partir de cette époque, il s'occupa surtout de portraits, tout en produisant des paysages et des sujets de genre intéressants.
VENTES PUBLIQUES : LONDRES, 10 déc. 1923 : *Jour de repos* : **GBP 23** – LONDRES, 23 mars 1927 : *La montre de grand-père* : **GBP 9** – PERTH, 7 avr. 1980 : *Jeune fille accrochant le linge* 1875, h/t (81x56) : **GBP 520** – LONDRES, 23 nov. 1982 : *Jeune femme travaillant dans un intérieur de cuisine* 1870, h/t (101,5x81) : **GBP 1 200** – AUCHTERARDER (Écosse), 1er sep. 1987 : *Retour du marché* 1864, h/t (63x76) : **GBP 10 500**.

FYHN Jens Jorgen
Né le 9 février 1788 à Kolding. Mort le 25 février 1866 à Copenhague. XIXe siècle. Danois.
Peintre.
Cet autodidacte exécuta un retable pour une église de Copenhague.

FYLL Robert
XVIe siècle. Actif à Londres en 1502. Britannique.
Peintre.

FYNIAN
XIVe siècle. Actif à Brunschwig. Allemand.
Sculpteur.

FYNSON Jacques et **Louis**. Voir **FINSON**

FYODOROV Vyacheslav Andreyevitch
Né en 1918 à Ivanovo-Voznesensk. Mort en 1985. XXe siècle.
Peintre de paysages.
Il commença ses études à l'école d'art d'Ivanovo puis fréquenta l'institut d'art Repin à Saint-Pétersbourg dont il obtint le diplôme en 1951. Il fut Membre Émérite de l'Union des Artistes. Beaucoup de ses œuvres figurent dans des musées russes et dans des collections privées.
Ventes Publiques : Londres, 2 mai 1996 : *La jetée* 1947, h/t/cart. (34x58) : **GBP 632**.

FYOL Hans
Né vers 1450. Mort en 1530. XVe-XVIe siècles. Actif à Francfort-sur-le-Main. Allemand.
Peintre.
Il était fils de Konrad.

FYOL Konrad
Mort vers 1500. XVe siècle. Actif à Francfort-sur-le-Main. Allemand.
Peintre.
Fils de Sebald et père de Hans. On cite les travaux qu'il exécuta à l'église de Rödelheim et au Cloître de Seebold.
Musées : Anvers : *L'Adoration des Mages – Nativité – Circoncision*, triptyque.

FYOL Sebald
Mort en 1463 à Francfort-sur-le-Main. XVe siècle. Allemand.
Peintre.
Cet artiste était peut-être originaire de Nuremberg. Le Musée de Francfort possède une peinture qui lui est attribuée représentant *La Vierge Marie dans les jardins du Paradis*.

FYSSEL Gottlieb
XVIIIe siècle. Tchécoslovaque.
Peintre.
Il exécuta un *Saint Candide* pour la ville de Tepl en 1766.

FYT Jacob ou **Vyt**
XVIIe siècle. Éc. flamande.
Peintre.
En 1619, il était élève de Hans Van den Berch à Anvers. En 1644, il fut reçu maître à Anvers.
Ventes Publiques : Paris, 4 mai 1943 : *Fleurs et nature morte*, attr. : **FRF 9 100**.

FYT Jan
Né en 1611 à Anvers. Mort le 11 septembre 1661 à Anvers. XVIIe siècle. Éc. flamande.
Peintre de scènes de chasse, animalier, natures mortes, dessinateur, graveur.
En 1621, c'est-à-dire à 12 ans, il entre dans l'atelier du peintre Jan Van Berch, puis devient élève de Snyders. A 20 ans, en 1629, il est admis au nombre des maîtres de la corporation Saint-Luc. Un peu plus tard, il part pour l'Italie ; ce voyage, dont on ne connaît ni la date, ni la durée, est cependant certain, puisque Jan Fyt fut reçu en 1650 au nombre des membres de la gilde des Romanistes, composée exclusivement d'artistes qui étaient allés en Italie. En outre, son premier recueil d'eaux-fortes porte un titre et une dédicace en italien avec la date de 1640 sous deux lévriers attachés ensemble ; les autres pièces sont de 1642. Il était certainement de retour en 1645, puisqu'il peignit à cette date, avec la collaboration de Jordaens pour les figures, un tableau pour la confrérie des Archers. On l'a parfois donné comme collaborateur de Rubens pour les animaux ; on voit que c'est impossible, Rubens étant mort en 1640 et Jan Fyt étant certainement alors en Italie. Mais il travailla avec des élèves de Rubens ; Jordaens entre autres et surtout Thomas Willeborts avec qui il peignit en 1650 *Le repos de Diane* qui se trouve au Musée de Vienne. En 1652 il était doyen de la corporation des Romanistes. Il se maria en 1654.
Il semble bien n'avoir peint que des animaux : à peu près exclusivement du gibier et des chiens. Ses tableaux sont très nombreux, on en trouve dans presque tous les musées. Il a renouvelé le type des natures mortes baroques en variant les procédés de compositions sobres ou chargées, claires ou sombres, lisses ou grumeleuses. Il sait rendre la douceur tiède du poil du gibier qui vient d'être tué.

Musées : Amiens : *Gibiers sur une pierre – Gibier et attributs de chasse* – Anvers : *Aigles – Deux lévriers* – Bayonne : *Chat prêt à se jeter sur un faisan mort* – Berlin : Trois natures mortes – *Diane à la chasse* – Béziers : *Chat sauvage flairant du gibier* – Bordeaux : *Nature morte* – Brême : *Scène de cuisine* – Bruxelles : *Chariot chargé de gibier traîné par des chiens – Fleurs et fruits dans un paysage – Nature morte* – Budapest : *Le chien de chasse – Nature morte* – deux œuvres – Cherbourg : *Arme et gibier gardés par des chiens* – Dublin : *Étude de sanglier* – Dunkerque : Deux natures mortes – Édimbourg : *Un loup – Loup mort* – La Fère : Trois natures mortes – Florence (Gal. Nat.) : *Volaille épouvantée à la vue d'un faucon* – Francfort-sur-le-Main : *Nature morte* – Genève (Ariana) : *Une chasse au sanglier* – Graz : *Canards turcs saisis par des chiens – Nature morte* – Hambourg : *Nature morte* – Kassel : *Gibier mort* – deux œuvres – *Gibier gardé par un chien – Chiens près d'une proie abattue* – Liège : *Fruits* – Lille : *Animaux divers* – Londres (Gal. Nat.) : *Oiseaux morts – Paysage avec des chiens et du gibier* – Londres (coll. Wallace) : *Nature morte et jeune garçon* – Madrid (Prado) : *Marchand de volailles – Gibier mort – Cabaret – Lièvre poursuivi par des chiens – Chien attaquant un oiseau de proie – Concert d'oiseaux* – Mayence : *Animaux* – Metz : *Une tête de chien et des perdrix mortes* – Milan (Gal. Brera) : *Gibier mort* – deux œuvres – Munich : *Chevreuils poursuivis par des chiens – Ours poursuivis – Sanglier poursuivi – Cygne mort sur une table à côté des fruits – Deux chiens se disputant une tête de veau dans un panier* – Nantes : *Chien de chasse poursuivant un lièvre – Chasse aux sangliers* – deux œuvres – *Chat convoitant du gibier* – Narbonne : *La cuisinière* – Oslo : *Lutte entre des chiens et des loups* – Paris (Mus. du Louvre) : *Gibier et fruits – Gibier dans un garde-manger – Chien dévorant du gibier – Gibier* – Porto : *Gibier mort* – Rotterdam : *Paon mort* – Saint-Pétersbourg (Mus. de l'Ermitage) : *Nature morte – Fruits* – Stockholm : *Gibier mort* – trois œuvres – *Bécasses tuées – Des cailles et une perdrix tuées – Nature morte* – Venise (Mus. des Beaux-Arts) : *Nature morte* – Vienne : *Animaux et fruits – Butin de chasse* – deux œuvres – *Fruits et volailles – Diane à la chasse* – Vienne (Gal. Harrach) : *Chien de garde – Couronne de fruits*.
Ventes Publiques : Paris, 1838 : *Le marché aux poissons* : **FRF 370** ; *Corbeille de fruits et de gibier* ; *Chat et Chien* : **FRF 470** – Paris, 1852 : *Gibier gardé par des chiens* : **FRF 2 050** – Paris, 1864 : *Gibier, fruits et fleurs* : **FRF 2 550** – Paris, 1869 : *Les oiseaux jaloux du paon* : **FRF 16 100** – Paris, 1870 : *Fruits, gibier* : **FRF 18 000** – Paris, 1882 : *Gibier et fruits* : **FRF 22 500** – Paris, 1890 : *Fruits et gibier* : **FRF 4 200** ; *Fruits* : **FRF 2 700** – Paris, 1894 : *Chiens au repos* : **FRF 3 200** – Paris, 4 mars 1895 : *La chasse au lion* : **FRF 3 400** – Paris, 1898 : *Oiseaux* : **FRF 920** ; *Gibier* : **FRF 740** – Paris, 1898 : *Nature morte* : **FRF 3 950** – Paris, 1899 : *Oiseaux morts* : **FRF 500** – Munich, 5 juin 1899 : *Nature morte* : **FRF 350** – Paris, 1899 : *Chasse au lièvre* : **FRF 2 875** – Paris, 31 mars 1900 : *Gibier* : **FRF 600** – Paris, 22 mai 1919 : *La chasse au lièvre* : **FRF 3 500** – Paris, 18 déc. 1920 : *Les chiens de chasse* : **FRF 15 500** – Paris, 11 et 12 fév. 1921 : *Nature morte* : **FRF 1 550** – Paris, 21 avr. 1921 : *Nature morte* : **FRF 7 500** – Paris, 13 jan. 1923 : *Nature morte* : **FRF 5 100** – Paris, 15 fév. 1923 : *Retour de chasse* : **FRF 580** – Paris, 26 et 27 mars 1923 : *Chien auprès d'une corbeille avec gibier mort, poule et poussin* : **FRF 980** – Londres, 8 juin 1923 : *Chien et gibier dans un paysage* ; *Paysage*, les deux : **GBP 21** – Londres, 1er fév. 1924 : *Chiens et gibiers dans un paysage* : **GBP 94** ; *Oiseaux morts* : **GBP 10** – Paris, 5 juin 1924 : *Chien gardant du gibier* : **FRF 5 800** – Paris, 17 et 18 juin 1924 : *Querelle d'oiseaux* : **FRF 20 000** ; *Gibier et corbeille de fruits* : **FRF 8 600** – Londres, 27 juin 1924 : *Fleurs dans un vase de verre* : **GBP 151** – Londres, 1er mai 1925 : *Gibier mort et chiens* : **GBP 120** – Paris, 8 mai 1925 : *Gibier et pichet de grès sur une table de pierre* : **FRF 4 000** – Londres, 11 mai 1925 : *Combat de coqs* : **GBP 168** – Londres, 17 juil. 1925 : *Chiens et gibier mort* : **GBP 294** – Londres, 12 fév. 1925 : *Perroquet, chien, lièvre mort*, dess. : **GBP 252** – Londres, 6 déc. 1926 : *Gibier mort sur une table* : **GBP 63** – Londres, 6 mai 1927 : *Panier de fruits et gibier mort* : **GBP 33** – Paris, 8 nov. 1928 : *Oiseaux morts* : **FRF 1 000** – Londres, 18 juil. 1928 : *Nature morte* : **GBP 52** – Londres, 7 déc. 1928 : *Lièvre mort* : **GBP 283** – Paris, 24 avr. 1929 : *Nature morte* : **FRF 3 700** – Londres, 27 juin 1930 : *Chien et gibier mort* : **GBP 44** – Londres, 18 juil. 1930 : *Fruits et gibier mort* : **GBP 120** – Paris, 26 fév. 1931 : *Trophée de chasse*, attr. : **FRF 2 950** – Londres, 8 juil. 1932 : *Chien et gibier mort* : **GBP 15** – Paris, 8 déc. 1933 : *Oiseaux morts* : **FRF 2 100** – Londres, 2 mars 1934 : *Paysage* : **GBP 16** – Londres, 26 juin 1934 : *Nature morte* : **GBP 28** – Paris, 23 oct. 1935 : *Lièvre mort* : **FRF 380** – Paris, 5 mars 1936 : *Trophée de chasse*, attr. : **FRF 2 320** – Londres, 24

juil. 1936 : *Chien et gibier mort* : **GBP 31** – Paris, 29 oct. 1936 : *Nature morte*, attr. : **FRF 5 450** – Londres, 24 fév. 1937 : *Chiens et gibier mort* : **GBP 145** – Londres, 12 mars 1937 : *Chien et gibier mort*, dess. : **GBP 39** – Londres, 22 déc. 1938 : *Perroquets et fruits* : **GBP 26** – Londres, 23 juin 1939 : *Gibier mort*, dess. : **GBP 23** – Londres, 16 fév. 1940 : *Oiseaux morts* : **GBP 78** – Londres, 12 sep. 1941 : *Gibier mort* : **GBP 25** – Paris, 15 juin 1942 : *Oiseaux morts*, attr. : **FRF 11 000** – Glasgow, 20 oct. 1942 : *Oiseaux* : **GBP 16** – Paris, 23 nov. 1942 : *Nature morte* : **FRF 95 000** – Londres, 24 sep. 1943 : *Gibier mort* : **GBP 42** – Londres, 18 fév. 1944 : *Volaille* : **GBP 73** – Paris, 6 et 7 déc. 1944 : *Chiens gardant du gibier*, attr. : **FRF 1 600** – New York, 15 mars 1945 : *Nature morte* : **USD 300** – Paris, 18 avr. 1945 : *Gibier à plumes*, attr. : **FRF 15 300** – Londres, 17 oct. 1945 : *Fruit et gibier mort* : **GBP 320** – Paris, oct. 1945-juil. 1946 : *Chat, chien, gibier à plumes et poissons* : **FRF 15 500** – Paris, 21 oct. 1946 : *La chasse au lynx*, attr. : **FRF 6 000** – Londres, 31 jan. 1947 : *Gibier mort* : **GBP 47** – Paris, 17 fév. 1947 : *Les faucons* : **FRF 26 000** – Londres, 25 juin 1947 : *Fruit et gibier* : **GBP 50** – Paris, 5 déc. 1951 : *Le vase de fleurs* : **FRF 520 000** – Lucerne, 3 déc. 1955 : *Nature morte au vase de fleurs* : **CHF 7 100** – Vienne, 10 juin 1958 : *Neuf lièvres* : **ATS 18 000** – Berne, 16 juin 1960 : *Trophées de chasse et un lièvre* : **CHF 1 350** – Londres, 28 nov. 1962 : *Nature morte* : **GBP 1 300** – Londres, 20 mars 1964 : *Gentilhomme à la chasse au faucon* : **GNS 950** – Londres, 3 mars 1965 : *Nature morte au gibier* : **GBP 2 500** – New York, 3 nov. 1967 : *Volatiles et lapins dans un parc ; Gibier mort dans un intérieur*, deux pendants : **USD 7 000** – Cologne, 27 nov. 1969 : *Nature morte* : **DEM 26 000** – Londres, 24 mars 1971 : *Vase de fleurs* : **GBP 7 400** – New York, 17 mai 1972 : *Nature morte* : **USD 10 500** – Versailles, 20 juin 1974 : *Nature morte* : **FRF 110 000** – Amsterdam, 3 mai 1976 : *Chien grognant*, dess. (16,5x19,4) : **NLG 1 500** – Londres, 1er juil. 1980 : *Chiens*, suite de huit eaux-fortes (16,8x21,7) : **GBP 280** – Londres, 15 avr. 1983 : *Nature morte au gibier* 1645, h/t (73x94) : **GBP 18 000** – Amsterdam, 25 avr. 1983 : *Chiens dans un paysage*, sanguine (17x24,4) : **NLG 3 800** – Londres, 4 juil. 1986 : *Panier de fruits et volatiles morts sur un entablement drapé*, h/pan. (56x71) : **GBP 75 000** – Monaco, 19 juin 1988 : *Lièvre et autre gibier avec fusil et chiens de chasse et Oiseaux morts avec un panier* 1655, h/t, deux pendants (chaque 61,5x96) : **FRF 444 000** – New York, 3 juin 1988 : *Nature morte avec des chiens gardant le gibier tué dans un paysage* 1649, h/t (137x200) : **USD 132 000** – Amsterdam, 14 nov. 1988 : *Nature morte avec un lièvre et du gibier posés sur des accessoires de chasse*, h/t (80x100) : **NLG 17 250** – Rome, 13 déc. 1988 : *Nature morte avec un lièvre et des fruits dans un plat sur un piedestal et Nature morte de fruits avec un lièvre et un chien*, h/t, deux pendants (chaque 84,5x120) : **ITL 140 000 000** – Rome, 23 mai 1989 : *Concert d'oiseaux*, h/t (114x163) : **ITL 28 000 000** – Rome, 27 nov. 1989 : *Nature morte de fruits, gibier et ustensile de cuivre*, h/t (77x90) : **ITL 27 600 000** – Paris, 8 déc. 1989 : *Trophée de chasse au lièvre*, h/t (57,5x72,5) : **FRF 89 000** – New York, 11 jan. 1990 : *Trois lièvres mangeant des mûres dans un paysage rocheux*, h/t (98x123) : **USD 60 500** – Londres, 11 avr. 1990 : *Nature morte de fruits et légumes dans un paysage avec un cacatoes à crête jaune, une belette et un cochon d'Inde*, h/t (134,5x199,5) : **GBP 253 000** – New York, 16 jan. 1992 : *Tableau de chasse avec un lièvre, une perdrix et des oiseaux à côté d'une gibecière*, h/t (57,8x73,7) : **USD 24 200** – Londres, 9 déc. 1992 : *Nature morte de gibier à plumes*, h/pan. (53,7x86,2) : **NLG 22 000** – New York, 11 jan. 1995 : *Poisson, huitres, crustacés avec des chats, un baquet, un plateau de cuivre au pied d'une colonne sur un quai avec un château au bord de la mer au fond*, h/t (153x269) : **USD 134 500** – New York, 12 jan. 1996 : *Roses roses et blanches dans un vase de verre*, h/t (47,3x36,2) : **USD 365 500** – New York, 15 mai 1996 : *Chien enchaîné mangeant dans une écuelle*, h/t (56,5x65) : **USD 9 775** – Amsterdam, 12 nov. 1996 : *Deux Chiens devant une nature morte, chasseur en arrière-plan*, craie noire et lav. brun reh. de blanc (29,2x42,3) : **NLG 9 440**.

Maîtres anonymes connus par un monogramme ou des initiales commençant par F

F... I. H.
XVIIIe siècle. Français.
Peintre de genre.
Le Musée de Nancy possède un tableau d'origine inconnue signé *D. J. D. F.* ou *J. H. F. F.* Ce tableau intitulé *Conversation galante dans un parc*, peut être attribué soit à Jean du Faget (voir ce nom), soit à Jean-Honoré Fragonard.

F. A.
XVIe siècle. Allemand.
Monogramme d'un graveur.
On connaît de lui une estampe : *Le bal paré de l'empereur Maximilien II*, datée de 1561.

F. B.
XVIe siècle. Italien.
Monogramme d'un graveur sur bois.
On cite de lui une allégorie représentant *La Fortune, la Mort et le Temps.*

F. B.
XVIe siècle. Allemand.
Monogramme d'un graveur de sujets religieux, mythologiques, militaires.
Un grand nombre de pièces porte la date de 1559 et 1560.

F. B.
XVIIe siècle. Sans doute d'origine Allemande.
Monogramme d'un graveur au burin.
Actif vers 1600. Cité par Brulliot qui mentionne un ornement sur lequel est posé un oiseau.

F. B.
XVIIe siècle. Espagnol.
Monogramme d'un graveur à l'eau-forte.
Actif au XVIIe siècle. Cité par Brulliot qui mentionne une estampe de lui : *B. Ceccadot Martire Vescovo.*

F. C.
XIVe siècle. Britannique.
Monogramme d'un graveur.
C'est le monogramme de Craig, de la fin du XIVe siècle.

F. C.
XVIe siècle. Allemand.
Monogramme d'un graveur.
On connaît de lui un *Saint Jérome*, daté de 1552.

F. C. I.
XVIe siècle. Allemand.
Monogramme d'un graveur sur bois.

F. H. B.
XVIe siècle. Hollandais.
Monogramme d'un graveur à l'eau-forte.
Actif dans la seconde moitié du XVIe siècle. Il est cité par Brulliot qui mentionne des caricatures de lui.

F. I. B.

F. I. B.
XVIIe-XVIIIe siècles (?). Allemand.
Monogramme d'un peintre de scènes de genre.
Le Musée de Breslau possède de lui deux *Natures mortes*, considérées autrefois comme l'ouvrage du peintre Franz Karl Palcko, à Breslau 1724-1767. Peut-être cet artiste F. I. B. est-il identique avec le peintre de genre et peintre animalier Francis Barlow 1626-1702.

F. M.
XVIe siècle. Allemand.
Monogramme d'un graveur.
Actif à Cologne vers 1525.

F. M.
XVIIe siècle (?). Hollandais.
Monogramme d'un peintre.
L'auteur du *Catalogue de Bruxelles* suppose que ce monogramme pouvait être celui de Frans Franken (1607-1667).

F. R.
XVIIe siècle.
Monogramme d'un graveur.
On trouve cette marque sur des estampes imprimées à Naples en 1607.

F. R.
XVIe siècle.
Monogramme d'un sculpteur sur ivoire.

F. T.
XVe siècle. Allemand.
Monogramme d'un graveur.
On cite de lui une estampe : *Résurrection de Jésus-Christ,* datée de 1473.

F. V. B., maître aux initiales
XVe siècle. Éc. flamande.
Graveur.
Originaire de Bruges de la fin du XVe siècle, ce maître a été identifié avec Franz von Bocholt (voir ce nom), mais cette assertion est contestée par certains auteurs. On cite de lui plus de cinquante planches, qui révèlent l'influence de Rogier Van der Weyden.
Ventes Publiques : Londres, 5 déc. 1985 : *Saint Georges,* grav./cuivre (18,5x13,1) : **GBP 30 000.**

F. W. P.
Monogramme d'un graveur.

GAAB

XVIIIe siècle. Actif à Londres. Britannique.

Sculpteur.

Cet artiste exposa trois œuvres à la Free Society en 1783.

GAADI Donald da

XXe siècle. Travaillant à Los Angeles (Californie). Américain.

Peintre.

A exposé à l'Exposition Internationale d'aquarelles à l'Art Institute of Chicago en 1937 et 1938.

GAAG Lotti Van der

Née en 1923. XXe siècle. Active aussi en France. Hollandaise.

Peintre de figures, intérieurs, dessinateur, sculpteur. Expressionniste. Groupe COBRA, apparenté.

Depuis les années cinquante, elle a toujours conservé son atelier de Paris. Au début, elle y travaillait aux côtés de Appel, Corneille et quelques autres artistes hollandais. Elle partagea ensuite son temps entre La Haye et Paris. L'Institut Néerlandais de Paris a montré un ensemble de ses œuvres en 1992.

Dans les années cinquante, elle a produit surtout des dessins, dans les années soixante des sculptures, qui la firent considérer comme le sculpteur de COBRA. Ensuite elle a surtout réalisé des peintures sur papier, dont les thèmes sont souvent autobiographiques. Elle représente des personnages, souvent ses amis, des musiciens de jazz, des aperçus de ses ateliers de La Haye et de Paris. Ses figures sont extrêmement déformées, de façon sauvage, primitive, par un dessin heurté, tout en épines et arêtes, brutalité exacerbée par la couleur.

Bibliogr. : Bert Schierbeek : *Lotti Van der Gaag*, 1992.

Musées : Rotterdam (Mus. Boymans Van Beuningen) : Importante donation de dessins.

Ventes Publiques : Amsterdam, 24 mai 1989 : *Composition abstraite* 1961, h/t (40,3x50,3) : **NLG 2 070** – Paris, 11 mars 1990 : *Voyage en Orient*, techn. mixte (65x50) : **FRF 15 000** – Amsterdam, 11 déc. 1991 : *Couple* 1952, cr. noir et à l'eau/pap. (64x48) : **NLG 2 875** – Amsterdam, 19 mai 1992 : *Figures avec un oiseau* 1953, relief de bronze (45x30,5) : **NLG 2 530** – Amsterdam, 8 déc. 1994 : *Composition* 1961, h/t (40x50) : **NLG 4 600**.

GAAL Abraham

XVIIe-XVIIIe siècles. Actif à Delft. Hollandais.

Peintre sur faïence.

Il était le frère de Johannes Gaal.

GAAL Adriaen, l'Ancien ou **Gael**

Né vers 1590 à Haarlem. Mort le 8 mars 1660. XVIIe siècle. Hollandais.

Peintre de paysages.

Élève de Barent Gaal et de Jacob de Wet. En 1642, il fut reçu maître à Haarlem. Le Musée de Mayence conserve de lui : *Paysage en forêt*.

GAAL Adriaen, le Jeune ou **Gael**

Né à Haarlem. Mort en mai 1665 à Haarlem. XVIIe siècle. Hollandais.

Peintre.

Fils d'Adrien l'Ancien, il fut probablement son élève. Inscrit franc-maître de Saint-Luc à Haarlem en 1660.

GAAL Barend ou **Gael**

Né vers 1620 ou 1635 à Haarlem. Mort vers 1687 ou 1703, probablement à Amsterdam. XVIIe siècle. Hollandais.

Peintre de sujets de genre, paysages animés, paysages.

Il fut élève de Wouwerman. En 1660, il travailla à Haarlem. On le trouve ensuite à Amsterdam. Il fut le maître à Haarlem de Cornelis Adriaensz Gaal.

On lui doit surtout des scènes villageoises, où il imite Adrien et Isaac Van Ostade.

B.GAAL.

Musées : La Fère : *Marché de bestiaux* – Glasgow : *Groupe rustique* – Leyde : *Marché aux oiseaux avec de nombreux personnages* – *Devant l'auberge du village* – Mayence : *Cavalier au cabaret* – *Cavalier devant une ferme* – Orléans : *Choc de cavalerie* – Rotterdam : *La Pâtissière* – *L'auberge du village* – Saint-Pétersbourg : *Une auberge*.

Ventes Publiques : Paris, 9 déc. 1811 : *Paysage avec cabaret et cavaliers* : **FRF 260** – Paris, 1838 : *Cavaliers chasseurs* : **FRF 779** – Paris, 1840 : *Cavalier traversant un village* : **FRF 680** – Paris, 1843 : *Paysage* : **FRF 230** – Paris, 1847 : *Charrette à la porte d'une auberge* : **FRF 315** – Paris, 1865 : *Deux chevaux dans une écurie*, avec son pendant, ensemble : **FRF 290** ; *Halte de cavaliers* : **FRF 250** – Paris, 1897 : *Paysage avec cavaliers* : **FRF 111** – Paris, 27 juin 1900 : *Halte devant une auberge* : **FRF 115** – Londres, 17 fév. 1908 : *Attaque d'un convoi* : **GBP 4** – Londres, 28 fév. 1910 : *Halte de chasseurs au faucon* : **GBP 6** – Londres, 10 déc. 1910 : *Cavaliers à l'auberge* : **GBP 5** – Londres, 25 fév. 1911 : *Trompette à cheval* : **GBP 5** – Londres, 11 mars 1911 : *Foire aux chevaux dans un village hollandais* : **GBP 8** – Londres, 16 juin 1911 : *Assemblée dans un village hollandais* : **GBP 24** – Londres, 2 mars 1921 : *La halte à l'auberge* : **FRF 350** – Londres, 11 avr. 1924 : *La halte à l'auberge* : **FRF 950** – Londres, 11 avr. 1924 : *Cavaliers et personnages devant une taverne* : **GBP 12** ; *Scène de village* : **GBP 52** – Londres, 24 nov. 1924 : *Chevaux et personnage devant une taverne* : **GBP 13** – Paris, 17 et 18 juin 1925 : *La charrette de foin* : **FRF 6 900** – Londres, 12 mars 1926 : *Paysage* : **GBP 8** – Paris, 2 et 3 juin 1926 : *Le campement* : **FRF 2 000** – Londres, 18 fév. 1927 : *Village en fête* : **GBP 9** – Londres, 9 mai 1927 : *Cavaliers et autres personnages devant une taverne* : **GBP 23** – Londres, 28 et 29 juil. 1927 : *Cavalier buvant devant une taverne* : **GBP 37** – Londres, 1er fév. 1928 : *Femme, chien et cheval devant une auberge* : **GBP 9** – Londres, 20 fév. 1930 : *Extérieur d'auberge* ; *Extérieur d'auberge*, les deux : **GBP 15** – Londres, 17 avr. 1931 : *Cavaliers se reposant* : **GBP 10** – Londres, 2 mars 1934 : *Scène villageoise* : **GBP 8** – Londres, 19 déc. 1934 : *Deux scènes d'auberge* : **GBP 22** – Londres, 22 nov. 1935 : *Rue de village* : **GBP 7** – Londres, 4 déc. 1936 : *Ville au bord de la rivière* : **GBP 18** – Londres, 9 déc. 1938 : *Village* : **GBP 5** – Londres, 24 sep. 1943 : *Cavaliers* : **GBP 29** – Paris, 14 juin 1945 : *Paysage* : **FRF 9 800** – Paris, oct. 1945-Juillet 1946 : *La charrette de foin* : **FRF 34 000** – Londres, 26 juin 1946 : *Paysans allant au marché* : **GBP 42** – Paris, 29 juin 1951 : *Le maréchal-ferrant* : **FRF 46 000** – Paris, le 14 juin 1954 : *La danse devant l'auberge* ; *Le marché aux volailles* : **FRF 120 000** – Londres, 24 oct. 1958 : *Scène de village* : **GBP 504** – Londres, 25 juil. 1969 : *Scène de marché* : **GNS 1 400** – Lindau, 14 mai 1971 : *Paysans devant une auberge* : **DEM 12 000** – Londres, 24 mars 1976 : *Le marché aux chevaux*, h/pan. (48x64) : **GBP 4 800** – Vienne, 20 sep. 1977 : *La chasse au faucon*, h/cart. (9x15) : **ATS 90 000** – Copenhague, 9 nov. 1977 : *La halte des voyageurs*, h/t (22,5x27) : **DKK 17 000** – Berne, 20 juin 1980 : *Voyageurs et paysans devant une auberge* vers 1660-1670, craie noire et reh. de pl./pap. (19,5x31) : **CHF 3 200** – Vienne, 19 mai 1981 : *Scène villageoise*, h/t (67x83,5) : **ATS 220 000** – Nice, 26 mai 1982 : *Devant l'auberge*, h/t (49x57) : **FRF 19 000** – Vienne, 23 mars 1983 : *Cavaliers et chevaux devant une forge*, h/t (26x34) : **ATS 250 000** – PARIS, 5 mars 1986 : *Cavaliers à l'orée d'un village*, h/pan. (24x29,5) : **FRF 30 000** – MONACO, 17 juin 1988 : *Bergers et leur troupeau*, h/pan. (40x53) : **FRF 16 650** – AMSTERDAM, 14 nov. 1988 : *Personnages sur un rivage en Italie*, craie et lav. (19,6x31,7) : **NLG 3 910** – TORONTO, 30 nov. 1988 : *Départ pour la chasse*, h/pan. (diam. 15) : **CAD 3 800** – PARIS, 9 déc. 1988 : *Le vieux Louvre vu du Pont Neuf*, peint./t. (71x125,5) : **FRF 172 000** – NEW YORK, 12 jan. 1989 : *Paysans dans la cour de la taverne*, h/t (38x46) : **USD 13 200** – MILAN, 4 avr. 1989 : *Vue d'un village des Flandres avec des personnages*, h/t (26x46) : **ITL 28 000 000** – AMSTERDAM, 20 juin 1989 : *Scènes de chasse*, h/t/pan., deux pendants (chaque 18,3x24,2) : **NLG 32 200** – LONDRES, 27 oct. 1989 : *Voyageurs préparant leur départ sous les remparts de la ville*, h/pan. (22,2x28,2) : **GBP 3 740** – AMSTERDAM, 28 nov. 1989 : *Paysans nourrissant leurs chevaux dans une rue de village*, h/t (56x51,2) : **NLG 39 100** – LONDRES, 15 déc. 1989 : *Voyageurs et chevaux devant une auberge*, h/pan. (40x55,3) : **GBP 4 400** – MILAN, 27 mars 1990 : *Paysage avec des personnages près d'une fontaine*, h/pan. (23x29) : **ITL 11 500 000** – NEW YORK, 4 avr. 1990 : *Partie de chasse*, h/pan. (diam. 14,8) : **USD 7 700** – LONDRES, 30 oct. 1991 : *Marché aux moutons ; Marché aux volailles*, h/t (24x23) : **GBP 14 300** – LONDRES, 15 avr. 1992 : *Fête villageoise avec des paysans buvant et regardant des jeux équestres devant l'auberge*, h/t (64,8x82) : **GBP 10 500** – LONDRES, 23 avr. 1993 : *Voyageurs faisant halte devant une auberge*, h/t (62,2x88,5) : **GBP 6 670** – STOCKHOLM, 30 nov. 1993 : *Scène de village avec des paysans et des chevaux*, h/pan. (57x72) : **SEK 26 000** – AMSTERDAM, 10 mai 1994 : *Voyageurs faisant boire leurs chevaux devant une auberge*, encre et lav. sur craie noire (18,3x28,4) : **NLG 7 820** – NEW YORK, 6 oct. 1994 : *Voyageurs sur un chemin dans un paysage boisé*, h/pan. (41,2x54,6) : **USD 3 450** – PARIS, 28 oct. 1994 : *Scène de marché dans un village*, cr. noir et lav. gris (13,5x26,5) : **FRF 25 000** – AMSTERDAM, 15 nov. 1995 : *Voyageurs devant une auberge de village*, craie noire et lav. (19,6x31) : **NLG 4 248** – LONDRES, 16 avr. 1997 : *Cheval et chariot avec des personnages faisant halte dans une auberge*, h/pan. (36,1x29,8) : **GBP 5 980** – NEW YORK, 16 oct. 1997 : *Paysans vendant des cochons à l'extérieur d'un village, un paysage montagneux dans le lointain*, h/pan. (25,4x34) : **USD 14 950** – LONDRES, 3 déc. 1997 : *Voyageurs à l'extérieur de la forge d'un maréchal-ferrant ; Paysans festoyant à l'extérieur d'une auberge*, h/pan., une paire (26x32,7 et 26x32) : **GBP 16 675**.

GAAL Cornelis Adriaensz, l'Ancien ou **Gael**
XVIIe siècle. Actif à Haarlem. Hollandais.
Peintre.
Il était frère d'Adriaen l'Ancien et travailla aussi à Amsterdam.

GAAL Cornelis Adriaensz, le Jeune ou **Gael**
Né vers 1620 à Haarlem. XVIIe siècle. Hollandais.
Peintre.
Il était fils d'Adriaen l'Ancien. Le Musée de Mayence possède une peinture qui lui est attribuée.

GAAL Cornelis Jacob ou **Gael**
Mort avant 1635. XVIIe siècle. Actif à Haarlem. Hollandais.
Peintre.

GAAL Gustav
XIXe siècle. Actif à Vienne. Autrichien.
Peintre.
On lui doit surtout des paysages.

GAAL Ignacz
Né vers 1820 à Szatmar. XIXe siècle. Autrichien.
Peintre.
On lui doit surtout des natures mortes. Il travailla à Vienne et à Budapest.

GAAL Istvan
Né le 6 juin 1883 à Korostadany. XXe siècle. Hongrois.
Peintre, médailleur.
Il fit ses études à Budapest, Munich, et avec Jean-Paul Laurens à Paris.

GAAL Jacobus Cornelis
Né le 5 septembre 1796 à Oost-Zoubourg. Mort vers 1858. XIXe siècle. Hollandais.
Portraitiste, miniaturiste et graveur.
Fils de Pieter Gaal. Il fut élève de J.-P. Bourjès et directeur de l'Académie de Middelbourg.

GAAL Johannes
Mort en 1725. XVIIe-XVIIIe siècles. Actif à Delft. Hollandais.
Peintre sur faïence.
Il existe des œuvres signées de cet artiste.

GAAL Miklos
Né en 1799 à Szegvar. Mort le 30 novembre 1854 à Budapest. XIXe siècle. Hongrois.
Peintre et ingénieur.
Il travailla dans le génie militaire et en rapporta des scènes de batailles. Le Musée d'Arad possède des œuvres de cet artiste.

GAAL Nandor
Né vers 1885. Mort le 2 novembre 1915. XXe siècle. Hongrois.
Sculpteur de statues.
On cite sa statue de *Kossuth*, le premier artisan de l'indépendance de la Hongrie.

GAAL Pieter
Né vers 1785 à Middelbourg. Mort le 12 janvier 1819 à Middelbourg. XIXe siècle. Hollandais.
Portraitiste, peintre de genre, d'histoire, de paysages et de natures mortes.
Élève de Schweickhardt à La Haye, de J. Perkais et de son père Thomas Gaal. Il résida à Paris, à Londres, en Suisse, en Allemagne et visita une partie de l'Italie ; il se fixa ensuite et définitivement dans sa ville natale.

GAAL Thomas
Né le 9 juillet 1739 à Dendermonde. Mort le 16 juillet 1817 à Middelbourg. XVIIIe-XIXe siècles. Hollandais.
Portraitiste, animalier et peintre de fleurs.
En 1764, il entra dans la gilde de Middelbourg. En 1778, il fonda l'Académie de cette ville et en fut directeur. Il eut pour élève J. Perkais, Karel Maertens, J.-H. Koekkoek, S. de Koster.

GAAL Willem
XVIIe-XVIIIe siècles. Actif à Delft. Hollandais.
Peintre sur faïence.
Il était fils de Johannes Gaal.

GAALON Jacques de
Né aux Moutiers-en-Singlais. XIXe-XXe siècles. Vivant à Caen. Français.
Sculpteur.
Élève de l'École des Beaux-Arts de Caen. Débuta au Salon de 1876. Sociétaire des Artistes Français depuis 1883.

GAART Josephus Van
XVIIIe siècle. Actif à Middelbourg en 1713. Hollandais.
Peintre.

GABAIN Éthel Léontine
Née en 1883 au Havre (Seine-Maritime). Morte en 1950. XXe siècle. Française.
Peintre de natures mortes, graveur.
Elle exposait à Paris, au Salon de la Société Nationale des Beaux-Arts depuis 1925.
VENTES PUBLIQUES : LONDRES, 8 mars 1990 : *Plumes et gants verts*, h/t (49,4x59) : **GBP 4 620**.

GABANI Giuseppe
Né en 1846 à Senigallia. Mort en 1899 ou 1900 à Rome. XIXe siècle. Italien.
Peintre de sujets de genre, animaux, aquarelliste, dessinateur.
Il a exposé notamment à Rome, à Venise et à Melbourne.

G. Gabani

VENTES PUBLIQUES : PARIS, 16-17 juil. 1892 : *Les Cavaliers* : **FRF 180** ; *En hiver* : **FRF 240** ; *Abreuvoir* : **FRF 180** – NEW YORK, 27 fév. 1982 : *Les animaux de la ferme*, aquar. (53x76,5) : **USD 1 100** – LONDRES, 26 jan. 1984 : *Cavalier arabe dans le désert*, aquar./trait de cr. (53,5x35,5) : **GBP 850** – NEW YORK, 29 fév. 1984 : *Elégants cavaliers et coche tiré par quatre chevaux*, h/t (83,8x155) : **USD 8 000** – CHESTER, 4 oct. 1985 : *Le charmeur de serpents*, h/cart. (29,5x49) : **GBP 5 800** – NEW YORK, 25 fév. 1988 : *Cavaliers arabes*, aquar. (53,3x74,3) : **USD 6 050** – NEW YORK, 16 fév. 1993 : *Fantazia*, aquar. et gche/pap. (53,3x76,2) : **USD 1 760** – ROME, 27 avr. 1993 : *Chevaux et gardiens dans la campagne romaine*, aquar./pap. (35,3x50,5) : **ITL 4 504 200** – LONDRES, 17 nov. 1994 : *Guerriers arabes*, cr. et aquar./pap. (88x121) : **GBP 16 100** – LONDRES, 15 mars 1996 : *Le charmeur de serpents*, h/pan. (28,5x45,5) : **GBP 8 280** – PARIS, 17 nov. 1997 : *Cavaliers devant la boutique du brocanteur*, h/pan. (32x49,5) : **FRF 31 000**.

GABANO Jacopo
XVIIIe siècle. Actif à Padoue. Italien.
Sculpteur.
Il exécuta plusieurs travaux pour la cathédrale de Padoue.

GABARDI Giacomo
Né en 1774 à Venise. Mort le 6 août 1850 à Venise. XVIIIe-XIXe siècles. Italien.
Sculpteur.
Élève de Giovanni Ferrari. Il travailla en particulier pour la cathédrale de Mestre.

GABARRON Cristobal
Né en 1945 à Murcia. XXe siècle. Espagnol.
Peintre, sculpteur.
En 1986, la Fédération Mondiale des Associations des Nations Unies a publié la reproduction d'une de ses œuvres à l'occasion de l'Année Internationale de la Paix. En 1990, il a reçu le Prix National des Arts Plastiques. En 1991, fut inauguré le mur de cent mètres de long, *Histoire de l'Olympisme*, qu'il a conçu pour les Jeux Olympiques de Barcelone de 1992. Une exposition particulière des travaux préparatoires de cette réalisation a circulé à Leningrad, Moscou, Atlanta, Vienne. Un choix des travaux a été montré en Belgique.

GABAY Esperanza
Née à New York. XXe siècle. Américaine.
Peintre.

GABBIANI Antonio Domenico
Né le 13 février 1652 à Florence (Toscane). Mort le 22 novembre 1726 à Florence. XVIIe-XVIIIe siècles. Italien.
Peintre d'histoire, scènes mythologiques, compositions religieuses, sujets de genre, portraits, graveur, dessinateur.
Il étudia d'abord avec Justus Sustermans et Vincenzo Dandini, puis, par la protection du grand-duc Côme III, il alla à l'Académie Florentine de Rome, où il fréquenta l'école de Ciro Ferri. Après avoir passé quelque temps à la cour de Vienne où il exécuta le portrait de l'empereur et quelques sujets historiques pour la galerie impériale, il retourna dans sa patrie et peignit plusieurs tableaux d'autel, entre autres : *Une Assomption, Le Repos en Égypte* et son fameux *Saint Philippe*. Il se tua en tombant d'un échafaudage.

MUSÉES : CHAMBÉRY (Mus. des Beaux-Arts) : *Diane chasseresse* – CHERBOURG : *La Vierge apparaissant à saint Urbido et à saint Bernard* – DRESDE : *Le repas chez Simon* – FLORENCE (Gal. Nat.) : *La Vierge – Autoportrait – Ganymède enlevé par Jupiter* – LILLE : Dessins – MONTPELLIER : *L'expulsion des marchands du temple*, dess. – SCHLEISSHEIM : *Saint Pierre d'Alcantara – Saint François d'Assise aux Stigmates – Sainte Famille.*
VENTES PUBLIQUES : LONDRES, 20 mars 1964 : *La Peinture* : **GNS 1 200** – MILAN, 20 mai 1982 : *Portrait d'un gentilhomme*, h/t (75x68) : **ITL 2 800 000** – ROME, 15 mars 1983 : *Tarquin et Lucrèce*, h/t (130x169) : **ITL 5 000 000** – PARIS, 4 mars 1988 : *90 études de détails*, cr. noir et sanguine : **FRF 5 000** – LONDRES, 5 juil. 1993 : *Prisonniers devant un dignitaire romain (recto) ; Études pour le dessin précédent (verso)*, encre, lav. et craie rouge (33,8x46) : **GBP 2 530** – LONDRES, 3 juil. 1995 : *Feuille d'études d'un personnage agenouillé, d'une tête et de mains*, craie noire et sanguine (26,1x39,4) : **GBP 920** – LONDRES, 16-17 avr. 1997 : *Tête de profil*, sanguine, deux études (18,5x16,9 et 21x17) : **GBP 517** ; *Mains et drapés*, sanguine/pap. beige, étude (23,7x41,4) : **GBP 575.**

GABBIANI Gaetano
Né à Florence. Mort vers 1750. XVIIIe siècle. Italien.
Peintre et pastelliste.
Neveu et élève d'Antonio Gabbiani.

GABBIANI Giacomo
Né le 18 septembre 1900 à Milan. XXe siècle. Italien.
Peintre de portraits, nus, compositions à personnages, compositions religieuses, scènes de genre, paysages, natures mortes.
Il fut élève d'un Riccardo Brambilla et de Giuseppe Amisani. Il a commencé à exposer en 1925, à Milan, où il a toujours vécu. Il a participé à des expositions collectives et surtout montré ses peintures dans des expositions personnelles, pratiquement toujours à Milan. Il a obtenu diverses distinctions. En 1948, il a créé une académie libre dont il fut le maître.
Diversifiée dans ses thèmes, sa pratique picturale est traditionnelle. Il a abordé les grands sujets, notamment avec un *Chemin de croix*.
BIBLIOGR. : Giorgio Nicodemi : *Giacomo Gabbiani*, 1966.
MUSÉES : MILAN (Gal. d'Art Mod.).

GABBIANI Giuseppe
Né le 6 janvier 1862 à Barletta. XIXe siècle. Italien.
Peintre.
Élève de Calo. Il exposa à Turin, Rome, Londres et même Saint Louis. Il vécut surtout à Naples.

GABBRIELLI Cammillo
Né vers 1660 à Pise. XVIIe siècle. Italien.
Peintre.
Il fut élève de Ciro Ferri à Rome. Il subsiste à l'église Santa Maria del Carmine à Pise des œuvres de cet artiste.

GABBUGIANI Baldassare
XVIIIe siècle. Italien.
Graveur.
Il exécuta quelques planches pour le *Museo Fiorentino*, publié à Florence entre 1747 et 1766.

GABÉ Nicolas Edward
Né en 1814 à Paris. Mort le 4 janvier 1865 à Paris. XIXe siècle. Français.
Peintre de scènes de genre, portraits, paysages, marines, natures mortes, miniaturiste.
Il exposa au Salon de Paris, de 1835 à 1864. Il réalisa d'abord des portraits en miniature, puis il aborda la peinture de genre, les scènes de chasse et d'animaux, la nature morte, le paysage, les marines. Parmi ses œuvres, on mentionne : *Chasse au sanglier – Renard pris au piège – Tête de loup – Le goûter champêtre – À l'abordage – Construction du fort en bois de Boulogne-sur-Mer, en 1803 – Les parasites.*
BIBLIOGR. : Gérald Schurr, in : *Les Petits Maîtres de la peinture 1820-1920, valeur de demain*, Les Éditions de l'Amateur, t. V, Paris, 1981 – in : Catalogue de l'exposition *1815-1850. Les années romantiques*, Éditions de la Réunion des Musées Nationaux, Paris, 1995.
MUSÉES : DIJON (Mus. Magnin) : *Paysage avec moulin et pêcheur à la ligne* – LAVAL : *La pêche au saumon* – LONDRES (Wallace coll.) : *Jeune femme en déshabillé*, miniat. – MULHOUSE : *Marine – Bateau de pêche – Le labour.*
VENTES PUBLIQUES : LONDRES, 4 fév. 1911 : *L'offrande des enfants* : **GBP 6** – PARIS, 21 fév. 1924 : *Marine, vue d'Orient* : **FRF 300** – PARIS, 1er juil. 1942 : *Scène du Barbier de Séville* : **FRF 4 400** – PARIS, 13 juil. 1942 : *La Porte fortifiée* 1844 : **FRF 550** – PARIS, 19 mars 1945 : *La baie de Naples* 1847 : **FRF 24 000** – BERNE, 26 août 1978 : *La souricière*, h/t (32x39) : **CHF 2 400** – LOS ANGELES, 5 oct. 1981 : *Nombreux personnages au bord de la baie de Naples* 1847, h/t (81x119,5) : **USD 5 750** – VERSAILLES, 25 nov. 1990 : *Marine* 1854, h/t (57x96,5) : **FRF 10 000** – LONDRES, 28 oct. 1992 : *Jeux d'enfants* 1858, h/pan. (31x41) : **GBP 1 430** – REIMS, 13 mars 1994 : *Scène napolitaine*, h/pan. (33x24) : **FRF 4 000.**

GABEL Johann Georg
Né à Hildburgshausen. XVIIIe-XIXe siècles. Allemand.
Peintre.
On lui doit entre autres, des peintures sur porcelaine.

GABEL P. E.
XXe siècle. Actif à Elbing. Allemand.
Peintre.
A exposé à Berlin, en 1909 : *Femme faisant des filets.*

GABELLA Giuseppe
XVIIIe siècle. Actif à Milan en 1732. Italien.
Peintre.
Il exécuta une *Sainte Julienne* pour l'église Santa Maria della Consolazione.

GABELLE Giovanni dalle
XVe siècle. Actif à Ferrare. Italien.
Peintre.
Il était au service de la duchesse Parisina Malatesta.

GABEO Luis
XVIe-XVIIe siècles. Espagnol.
Sculpteur et architecte.
Cet artiste castillan travailla presque toujours avec Domingo de Albitiz (voir la notice), sculpteur et architecte comme lui, si bien que leurs œuvres sont en quelque sorte confondues et qu'on ne peut vraiment les différencier l'un de l'autre. Ils résidèrent long-

temps à Burgos, où ils furent chargés, en 1592, par le chapitre, de la restauration du chœur, en même temps que de l'achèvement de certaines parties de l'édifice. Dans ce double travail, d'une nature très délicate, ils se montrèrent des artistes aussi habiles que consciencieux.

GABER Aimée, née **Richter**
Née le 27 mai 1834 à Dresde. Morte le 12 octobre 1863 à Dresde. XIXe siècle. Allemande.
Graveur.
Elle était la fille de Ludwig Richter et fut l'épouse et l'élève d'August Gaber.

GABER August
Né le 14 novembre 1823 à Köppernig. Mort en septembre 1894 à Berlin. XIXe siècle. Allemand.
Graveur, illustrateur.
On lui doit, entre autres, des illustrations d'après Ludwig Richter.

GABER Ibrahim
Né à Alexandrie. XXe siècle. Égyptien.
Sculpteur.
Il fut élève de Paul Landowski. Il exposait à Paris, régulièrement au Salon des Artistes Français.

GABEREL Abraham
Né le 28 février 1641 à Ligerz. Mort en 1719. XVIIe-XVIIIe siècles. Suisse.
Sculpteur sur bois.
Le Musée de Berne possède des œuvres de cet artiste.

GABET Charles Henry Joseph
Né le 31 mars 1793 à Courbevoie. Mort le 27 décembre 1860 à Paris. XIXe siècle. Français.
Peintre de miniatures, portraits, aquarelliste et écrivain.
Ses opinions libérales le forcèrent à quitter son emploi de chef du bureau de rédaction au ministère de l'Intérieur et, en 1830, il fut nommé commissaire de la Ville de Paris. Gabet était un miniaturiste distingué. On cite de lui les portraits de : *M. Desfeuchère*, du *Prince Narischkin*, de la *Princesse Galitzin*, du *Lieutenant-colonel Bobillier*, de *M. Barbosa*, chargé d'affaires du Portugal. Gabet est l'auteur du *Dictionnaire des Artistes de l'École Française du XIXe siècle*, publié en 1831, ouvrage très consciencieusement fait et renfermant des renseignements fort utiles.

GABET Franz
Né le 20 janvier 1765 à Vienne. Mort en 1847 à Vienne. XVIIIe-XIXe siècles. Autrichien.
Dessinateur et graveur à l'eau-forte.
Il a gravé des paysages.

GABILLOT François-Amédée, dit **Francisque**
Né le 23 septembre 1818 à Lyon (Rhône). Mort le 4 novembre 1876 à Belley (Ain). XIXe siècle. Français.
Peintre de paysages urbains, paysages, aquarelliste, dessinateur, graveur.
Il vécut à Paris, puis, il s'établit à Lyon, travaillant dans ses environs, dans le Bugey, dans le sud du Jura et dans la région de l'Ain. Établi à Lyon, il figura au Salon, de 1839 à 1870, année où il cessa de travailler.
Il reproduisit, avec une minutie documentaire, des paysages et des vues de Lyon, exécutés à la mine de plomb, au fusain, à la plume, à l'encre de Chine ; rehaussés parfois à l'aquarelle. Il grava également à l'eau-forte une vingtaine de planches.

GABILLOT Van PARYS Louise, Mme. Voir **PARYS**

GABIN Jean
XVIIIe siècle. Actif à Paris en 1760. Français.
Peintre.

GABINI Romolo
Né en 1429 à Parme. Mort en 1476 à Parme. XVe siècle. Italien.
Peintre.

GABINO Amadéo
Né en 1922 à Valence. XXe siècle. Espagnol.
Sculpteur. Abstrait-constructiviste.
Il fut élève de l'École des Beaux-Arts de Valence jusqu'en 1944. Il a par la suite voyagé en Europe, fait un séjour à Rome en 1949-1950, vécu à Hambourg de 1957 à 1959. Il participe à des expositions collectives internationales de sculpture, notamment en 1959 à la Biennale de São Paulo, en 1961 au Musée Rodin de Paris, etc.
Sa sculpture se rattache au constructivisme-abstrait.
Musées : Genève (Mus. Rath) – Hambourg – Madrid (Mus. d'Art Contemp.) – Mannheim – New York (Brooklyn Mus.).

GABION Andrée
Née à Paris. XXe siècle. Française.
Peintre.
Elle figura au Salon d'Automne depuis 1928.

GABIROUX Robert
XXe siècle. Français.
Peintre.
Il figurait en 1950 au Salon des Indépendants, avec une toile intéressante par sa construction en plans de tons stridents.

GABL Aloïs
Né le 24 septembre 1845 à Wies. Mort le 27 février 1893 à Munich. XIXe siècle. Suisse.
Peintre de sujets de genre.
Il fit ses études à l'Académie des Beaux-Arts de Munich, où il travailla avec Schraudolph, Ramberg et K. von Piloty. Il suivit plus tard la direction de Defregger. En 1874, il obtint une médaille d'or à Berlin, et une médaille de deuxième classe à Munich en 1879.
Musées : Munich : *Vaccine* – Stuttgart : *Savoyarde dans une famille tyrolienne.*
Ventes Publiques : New York, 3 fév. 1904 : *Avant le bain* : **USD 400** – Munich, 17 nov. 1971 : *Tyroliens dansant* : **DEM 6 600** – New York, 24 fév. 1983 : *Scène de taverne* 1876, h/t (64x48) : **USD 1 300** – Londres, 12 fév. 1986 : *La Bénédiction*, h/t (78x106) : **GBP 5 500** – Amsterdam, 24 avr. 1991 : *Paysanne faisant manger son enfant dans une cuisine*, h/t (47,5x37,5) : **NLG 32 200**.

GABLER Ambrosius
Né le 13 décembre 1762 à Nuremberg. Mort le 20 mars 1834 à Nuremberg. XVIIIe-XIXe siècles. Allemand.
Peintre, miniaturiste et graveur.
Cité par Siret.
Ventes Publiques : Amsterdam, 1886 : *Intérieur de bergerie* : **FRF 2 467**.

GABLER Johann Jakob
Né à Augsbourg. XVIIe siècle. Allemand.
Graveur.

GABLER Nikolaus
XVIIIe siècle. Allemand.
Peintre et graveur.
Père d'Ambrosius Gabler.

GABO Naum, pseudonyme de **Pevsner Nathanael Neemia**
Né en 1890 à Briansk. Mort le 23 août 1977 à Waterbury (Connecticut). XXe siècle. De 1922 à 1932 actif en Allemagne, de 1933 à 1935 en France, de 1936 à 1946 en Angleterre, depuis 1946 actif et naturalisé aux États-Unis. Russe.
Sculpteur, peintre, graveur. Abstrait-constructiviste.
Tandis qu'Antoine Pevsner, de quelques années plus âgé que son frère Naum, s'était d'emblée destiné à une carrière artistique et avait suivi les études appropriées, le futur Gabo faisait des études médicales, qui l'amenèrent, en 1909, à l'Université de Munich, puis à l'École Polytechnique d'Ingénieurs, où il étudia la physique et le génie civil. Pourtant, il s'intéressait aussi aux arts, assistait à des cours de Heinrich Wölfflin, lisait W. Worringer, allait visiter l'exposition cubiste de 1910, faisait la connaissance de Kandinsky, duquel il lisait *Du spirituel dans l'art*, paru en cette même année 1910. Il eut des contacts avec le *Blaue Reiter*. Sa vocation ayant conduit Antoine Pevsner à Paris, Naum, après une randonnée à pied à Florence et Venise, alla l'y retrouver en 1913, y faisant la connaissance de leur compatriote Archipenko en 1914. À Paris, il s'intéressa aux œuvres et aux écrits de Gleizes, de Metzinger, de tout le groupe de la Section d'Or. Revenu à Munich, il s'essaya à sa première sculpture, une *Tête de noir* figurative. La Première Guerre mondiale étant déclarée, Naum et un autre frère Alexeï se replièrent à Copenhague, puis Oslo. Ce fut là qu'il jeta les bases de ce qui allait devenir le *Constructivisme*. On ne connaît pas d'œuvres d'Antoine Pevsner de ces années-là, tandis que Naum, qui prit le pseudonyme de Gabo pour se distinguer de son frère, réalisa en 1916 un *Buste* et une *Tête de femme*. La révolution de 1917 attira les trois frères à Moscou. Lunatcharski, qui dirigeait alors les affaires culturelles,

nomma Naum Gabo et Antoine Pevsner professeurs à l'École des Beaux-Arts, où Kandinsky et Malevitch enseignaient déjà. Ils rencontrèrent Tatlin. Les rares œuvres de Gabo de cette époque-là sont d'inspiration cubiste et influencées par Archipenko, telle le *Constructed Torso* de 1917, réalisées en bois, en métal et en feuilles de celluloïd. En 1920, les deux frères rédigèrent le *Manifeste Réaliste*, en fait manifeste du Constructivisme, rendu public le 5 août par placardage dans les rues de Moscou, Antoine apportant sa connaissance des pratiques artistiques, Naum ses connaissances scientifiques, concernant notamment la représentation tridimensionnelle de formules mathématiques. Ils y affirmaient se séparer du cubisme et du futurisme. Pourtant, là où les futuristes déclaraient : « Des plans transparents de verre ou de celluloïd, des lames de métal, des fils, des lumières électriques, intérieures ou extérieures, pourront indiquer les plans, les tendances, les tons et les demi-tons d'une nouvelle réalité », leur manifeste : « Nous renions le volume en tant que forme plastique de l'espace... Considérez notre espace réel : qu'est-ce, sinon une profondeur continue ? Nous proclamons la profondeur comme unique forme plastique de l'espace. Nous renions, dans la sculpture, la masse en tant qu'élément sculptural... Par ce moyen, nous restituons à la sculpture la ligne en tant que direction... Par ce moyen, nous affirmons en elle la profondeur, unique forme de l'espace ». Dans les deux cas : mise à l'écart du volume plein au profit de l'espace transparent, du « vide actif ». Il est encore à noter que c'est dans ce manifeste qu'on trouve pour la première fois le terme de « cinétique », employé dans l'expression « rythmes cinétiques », mais à noter aussi que leur « cinétique » ne différait guère du « dynamique » des futuristes.

De 1917 à 1922, les discussions esthétiques, en matière d'arts plastiques, s'étaient essentiellement cristallisées autour de trois groupes : le Suprématisme de Malevitch, dont il avait formulé les principes dès 1913, et dont le sensualisme, radicalement non-figuratif, aboutissait à des solutions non éloignées de celles que développera plus lentement Mondrian ; le Fonctionnalisme ou Productivisme de Tatlin, qui récusait tout point de vue esthétique, résultant de la culture bourgeoise périmée, pour s'impliquer totalement dans la conception des objets utilitaires de la vie quotidienne, point de vue qui ne sera pas absent des préoccupations du Bauhaus ; le Constructivisme, défini par les deux frères Pevsner dans leur manifeste de 1920. En 1922, Gabo partit pour organiser à Berlin à la galerie Van Diemen, une exposition d'art russe, encore sous la tutelle du gouvernement. Comme plusieurs autres, il en profita pour ne plus rentrer à Moscou. L'année suivante, son frère Pevsner le rejoignit, tandis que Kandinsky partait retrouver Gropius au Bauhaus de Weimar. Parmi les nombreux autres qui restèrent, la plupart ont sombré dans l'oubli total ou pire. Tatlin dut devenir dessinateur industriel, on ne sut presque plus rien de Malevitch, malgré la place définitive qu'il s'était acquise dans l'histoire de la pensée créatrice plastique. En 1922, Gabo se fixa à Berlin, où il resta dix ans, y propageant, avec Lissitzky et Moholy-Nagy, les principes du constructivisme, se partageant toutefois entre Berlin et Paris, participant aux avant-gardes des deux villes, appartenant à la direction du *Novembergruppe* en 1925 à Berlin. En 1925 aussi, une exposition de ses créations fut organisée à la galerie Percier à Paris, sans grand écho, sinon que Diaghilev lui commanda les décors et costumes de *La chatte*, qu'en 1927, avec Antoine Pevsner, ils conçurent en métal et matériaux transparents. Vers les *Ballets russes* de Diaghilev, convergeaient les artistes novateurs russes que n'avait pas su retenir le gouvernement soviétique. Entre 1925 et 1930, Gabo fit des conférences au Bauhaus et publia des articles dans la revue. En 1930 eut lieu une nouvelle exposition de ses œuvres à la Kestnergesellschaft de Hanovre. En 1931, il participa au concours d'architecture pour le Palais des Soviets à Moscou. En 1933, Gabo vint à Paris, où il resta trois ans, adhérant à ou tout au moins participant aux activités du groupe *Abstraction-Création*, issu du groupe *Cercle et Carré* créé par Michel Seuphor. Ensuite, en 1935, il se rendit en Angleterre, où il séjourna, notamment pendant la seconde guerre mondiale, écrivant un article retentissant dans *Circle* en 1937, y participant au mouvement abstrait, devenant en 1944 membre du *Design Research Unit*, jusqu'à son départ pour les États-Unis en 1946, où il fut un professeur influent à Harvard. L'année 1965 a vu deux rétrospectives de son œuvre, au Kunsthaus de Zurich et à la Tate Gallery de Londres. Après sa mort, le Museum of Art de Dallas organisa, en 1985, l'exposition « Soixante ans de Constructivisme », en 1987-88, le Musée d'Art Moderne d'Oxford : *Naum Gabo, l'idée constructiviste*, en 1989-90 la Galerie de France à Paris montra un ensemble d'œuvres.

Entre 1920 et 1922, Gabo en sculpture, Antoine Pevsner en peinture à ce moment-là, fondèrent leur œuvre sur une abstraction radicale, à l'exception des réalités mathématiques et géométriques, en partie sous l'influence de Malevitch. Gabo réalisait ses premières constructions abstraites en bois, métal et matériaux plastiques, et, surtout, une *Construction cinétique* constituée d'une baguette de métal mise en vibration par un moteur. Il ne poussa pas plus avant ses recherches de sculptures en mouvement, n'étant pas satisfait du fonctionnement réel, du bruit et de l'encombrement des moteurs dont il pouvait disposer à l'époque. À Berlin, en 1923, Gabo réalisa la *Colonne*, construction purement géométrique en verre, métal et matière plastique, en 1924 le *Monument pour un aérodrome*. En 1925, il conçut un projet de *Monument pour un Institut de Physique et Mathématiques*, en verre et en bronze, et qui comportait encore des éléments cinétiques, dont le mouvement définissait des volumes virtuels dans l'espace. D'une façon générale, les matériaux transparents qu'il utilise, permettent également une multiplication ambiguë de l'espace. Après 1932, en Angleterre, il réalisa des œuvres où les éléments courbes supplantent les plans et les angles précédents, les matérialisant par des tubes minces ou des fils en plastique, créant des trames, aux interférences variables selon l'angle de vision du spectateur en mouvement, dont les objets cinétiques de Soto, entre autres, ne seront qu'une reprise. Puis il réalisa des constructions spatiales, avec de l'aluminium, du bronze, de l'acier, des fils d'or, en général calculées à partir du dièdre plan, sortes de ruban sans fin, apparenté à l'anneau de Mœbius, se nouant et se renouant sur soi-même et enclos dans l'espace d'un cube transparent. À partir de 1946, aux États-Unis, il a pu réaliser des œuvres monumentales, entre autres un monument de matières plastiques et de fils de fer pour le Rockfeller Center de New York, constitué de spirales s'enroulant autour d'une colonne lumineuse. De 1954 à 1957, il a conçu le grand monument en acier des magasins De Bijenkorf à Rotterdam. Dans ses réalisations postérieures, restant en cela fidèle aux principes du manifeste de 1920, il recourt de plus en plus au mouvement du spectateur autour de l'œuvre, pour engendrer ou plutôt suggérer, un cinétisme inhérent à la forme dans l'espace, lui conférant ainsi un prolongement dans la dimension du temps.

Il apparaît ultérieurement très clairement que Gabo, duquel l'œuvre est inséparable de celui de Pevsner, est à l'origine, et très précocement, de bien des surgissements qui ont fleuri dans le cercle de l'art des années soixante, avant que de se survivre dans les curiosités optiques et la physique amusante : interférence de trames chez Soto, effets optiques autour de Vasarely, cinétisme autour de Nicolas Schoeffer, simulations de l'espace avec Kowalski, etc. Il est pleinement à l'origine du courant qui a posé le principe que l'œuvre devait rompre radicalement avec la sensibilité et l'expression, et se fonder uniquement sur la raison et la science, d'où depuis pléthore de théorisations. De telles œuvres se révèlent facilement en accord avec le cadre de vie architecturé. Cette forme d'art, comme ses tenants le laisseraient entendre, condamne-t-elle les actes artistiques liés encore aux pulsions, à l'inconscient, qui font déjà dessiner l'enfant ? L'activité créatrice s'est scindée en deux courants : d'une part la création d'objets techniquement parfaits, qui peuvent éventuellement recéler le symbole de connaissances scientifiques, qui s'adressent à la raison et dont la valeur esthétique est fondée sur elle, d'autre part la création de figures ou d'assemblages de signes qui s'adressent, à travers la sensation, à l'ensemble des instincts, des sentiments et des idées qui n'appartiennent pas aux sciences exactes, qui ne dépendent pas obligatoirement d'un système esthétique, mais plus souvent de critères relatifs, mouvants avec la vie, changeants avec le monde. Au long de son histoire balance la définition de l'art entre les deux pôles soit d'un dualisme inconciliable ou une d'une dialectique échangiste : objet ou langage ? ■ Jacques Busse

Bibliogr. : Michel Seuphor, in : *L'art abstrait, ses origines, ses premiers maîtres*, Maeght, Paris, 1949 – Herbert Read, L. Martin : *Naum Gabo. Constructions, sculptures, peintures, dessins, gravures*, Neuchâtel, 1957 – Michel Seuphor, in : *La sculpt. de ce siècle*, Neuchâtel, 1959 – Herbert Read, in : *Hist. de la Peint. Mod.*, Somogy, Paris, 1960 – Michel Seuphor, in : *Le style et le cri*, Seuil, Paris, 1965 – Antoine Pevsner : *Naum Gabo et Antoine Pevsner*, Zwanendurg, 1968 – Antoine Pevsner, in : *Abstraction, création, art non-figuratif*, New York, 1968 – Pierre Cabanne,

Pierre Restany, in : *L'avant-garde au xxe siècle*, Balland, Paris, 1969 – Herta Wescher, in : *Nouveau diction. de la sculpt. mod.*, Hazan, Paris, 1970 – Catalogue de l'exposition *Naum Gabo*, Kunstverein, Hanovre, 1971 – Catalogue de l'exposition *N. Gabo, sculptures, peintures, dessins*, Galerie Nat. des Musées d'État de l'Organisme Culturel de Prusse, Berlin, 1971 – T. Newman : *N. Gabo, The Constructive Process*, Londres, 1976 – Steven A. Nash et Jörn Merker : *Naum Gabo, 60 ans de Constructivisme*, Munich, 1985 – Nathan Cabot Hale : *Théorie et pensée artistique de Gabo*, Artworld, avril 1986 – B. Gibson : *Naum Gabo au musée Guggenheim*, The New Criterion, New York, juin 1986 – A. Bwness, N. Gabo, A. Pevsner : *Naum Gabo, sixty years of constructivism*, Tate Gallery, Londres, 1987.

Musées : Grenoble (Mus. de Peinture et de Sculpture) : *Construction linéaire dans l'espace N°2* – New Haven (Yale University Art Gal.) : *Construction* 1924 – New York (Mus. of Mod. Art) : *Tête de femme dans une niche* 1916-17 – *Colonne* 1923 – New York (Solomon R. Guggenheim Mus.) : *Construction linéaire* 1942 – *Variation transparente sur le thème de la sphère* 1951 – Paris (Mus. Nat. d'Art Mod.).

Ventes Publiques : New York, 2 mai 1974 : *Construction verticale N°1*, phosphore et fil d'acier inox., bronze : **USD 95 000** – New York, 6 nov. 1981 : *Suspendu* vers 1957-1964, métal, plastique transparent, Nylon (L. 29,2) : **USD 71 000** – Londres, 26 mars 1984 : *Construction linéaire, N°1* 1942-1943, plastique et fils de nylon (21x21x5,5) : **GBP 16 000** – Rome, 20 nov. 1984 : *La Chatte, projet de costume*, cr./pap. quadrillé (27,2x22,2) : **GBP 9 500** – Londres, 25 juin 1985 : *Model for a sculpture in Rotterdam*, partiellement peint en noir, bronze (H. 153,5) : **GBP 100 000** – Londres, 30 mars 1987 : *Linear construction in space N° 2* 1957/1958, perpex avec fils de nylon sur socle en bois (H. 38) : **GBP 130 000** – New York, 16 mai 1990 : *Construction linéaire dans l'espace n° 2* 1950, Plexiglas et fils de nylon (H. totale 43,2) : **USD 473 000** – Londres, 25 mars 1992 : *Esquisse* 1940, fus. et cr. de coul. (41x47,8) : **GBP 3 300** – Amsterdam, 26 mai 1993 : *Maquette pour la construction du Bijenkorf*, construction de bois et Plexiglas (24x6,5) : **NLG 20 700** – New York, 4 nov. 1993 : *Construction linéaire dans l'espace n° 2* 1961, Plexiglas avec fil de nylon sur base de Plexiglas (H. 81,9) : **USD 134 500** – New York, 28 sep. 1994 : *Construction suspendue dans l'espace*, fils de Nylon dans un demi-cercle de bronze sur un base d'alu. (L. 31,1) : **USD 25 300**.

GABOR Aron
Né en 1954 à Budapest. xxe siècle. Hongrois.
Peintre de compositions animées, technique mixte. Nouvelles figurations.
Il a bénéficié de la bourse d'Études Derkovits et obtenu le diplôme de l'École des Beaux-Arts de Budapest. Il s'exprime dans des domaines variés (installations, vidéos, films...). Dès 1983 il expose à l'étranger : 1983 Helsinki, 1984 Rome, 1985 Université de Californie, 1987 Documenta de Kassel, 1989 San Francisco, exposition *New Art in Hungary* en compagnie de Geza Samu, Imre Bukta et Janos Szirtes. Il est représenté dans les Collections Ludwig en Allemagne.
Bien que figuratif, voire narratif, il s'exprime dans des techniques gestuelles, inspirées de l'abstraction lyrique.
Ventes Publiques : Paris, 14 oct. 1991 : *Noé*, techn. mixte (125x105) : **FRF 13 000**.

GABOR Jeno
Né en 1893 à Pècs. Mort en 1968. xxe siècle. Hongrois.
Peintre de compositions animées.
Il fut élève de l'Académie des Beaux-Arts de Budapest de 1911 à 1915. En 1919, à Pecs, il fut en relation avec des artistes proches des avant-gardes abstraites, Forbat, Molnar, et d'autres. Une exposition commémorative de l'ensemble de son œuvre fut organisée à Pècs en 1971.
Lui-même fut un peintre figuratif, traitant des sujets idylliques.
Bibliogr. : In : Catalogue de l'exposition *L'art en Hongrie 1905-1930, art et révolution*, Musée d'art et d'industrie, Saint-Étienne, 1980.

GABOR Marianne, puis Mme **Ronay Andras Mihaly**
Née le 26 avril 1917. xxe siècle. Hongroise.
Peintre de portraits, paysages.
Elle fut élève de l'École de Peinture d'Istvan Szönyi de 1931 à 1933, puis de l'École Supérieure des Beaux-Arts de Budapest de 1935 à 1940. Elle commença à exposer en 1938. En 1941 lui fut attribué le Prix Hatvany. Elle expose fréquemment en Hongrie, mais aussi en Italie : 1964 Rome et Palerme, 1966 Venise, Grosseto et de nouveau Rome, 1967 Grosseto, et en France en 1974.
Musées : Budapest (Gal. Nat. Hongroise).

GABORIAUD Josué
Né en 1883. Mort en 1955. xxe siècle. Français.
Peintre de figures, nus, paysages, natures mortes, fleurs, illustrateur.
Il fit partie des très nombreux peintres qui constituèrent le gros de ce qu'on appela l'École de Paris de l'entre-deux-guerres, adeptes d'un réalisme détaché des principaux mouvements contemporains.
Ventes Publiques : Paris, 16 déc. 1920 : *Pommes et fleurs* : **FRF 240** – Paris, 14 mai 1925 : *Le Pont et le Restaurant de l'Esturgeon à Poissy* : **FRF 550** – Paris, 11 juin 1927 : *Paysage* : **FRF 700** – Paris, 19 fév. 1943 : *Nature morte* : **FRF 5 800** – Paris, 12 nov. 1946 : *Nu* : **FRF 1 200** ; *Fleurs* : **FRF 3 200** – Paris, 18 avr. 1947 : *Danseuse dans sa loge* 1931, past. : **FRF 3 300** – Versailles, 9 déc. 1973 : *Femme en maillot de bain* : **FRF 1 800** – Versailles, 24 oct. 1976 : *Jeune femme lisant au canapé vert*, h/t (110x90) : **FRF 8 500** – Douarnenez, 12 août 1983 : *Lavandière à Pont-Aven*, h/pan. (22x27) : **FRF 9 500** – Zurich, 18 mai 1984 : *Nature morte au vase de fleurs et à la théière*, h/t (159x90) : **CHF 4 800** – Zurich, 8 nov. 1985 : *Marine, Marseille*, h/pap. mar./t. (100,5x81,4) : **CHF 6 500** – Versailles, 17 avr. 1988 : *Nature morte au vase de fleurs* 1918, h/t (81x100) : **FRF 5 000** – Versailles, 18 déc. 1988 : *Péniches et bateaux amarrés près du pont* 1924, h/t (60x81) : **FRF 18 500** – Reims, 23 avr. 1989 : *Nature morte aux huîtres*, h/pan. (44x69) : **FRF 5 000** – Versailles, 9 déc. 1990 : *Nature morte aux huîtres*, h/isor. (43,5x69) : **FRF 5 000** – Paris, 7 juin 1991 : *Nature morte au vase de tulipes*, gche/cart. (30,5x25,5) : **FRF 3 500** – Boulogne-sur-Seine, 12 mars 1995 : *Vase de tulipes*, h/t (46x55) : **FRF 5 000**.

GABORIT Jean Hugues Léon Hippolyte
Né le 16 juillet 1874 à Lyon (Rhône). xixe-xxe siècles. Français.
Peintre de figures, portraits, paysages.
Il fut élève de Nicolas Sicard à l'École des Beaux-Arts de Lyon, puis de Fernand Cormon à Paris. Il a exposé à Lyon depuis 1903. En 1910, il obtint une troisième médaille. En 1909, il remporta le premier prix du concours organisé pour la décoration de la Salle Rameau à Lyon.

GABOURD Irma
xixe siècle. Française.
Peintre.
De 1843 à 1849, elle exposa au Salon quelques portraits.

GABOWITCH Joseph
Né au xixe siècle à Colno. xixe siècle. Russe.
Sculpteur.
Élève de Thomas. Figura au Salon des Artistes Français. Mention honorable, 1898 : médaille de bronze, 1900 (Exposition Universelle, Paris).
Ventes Publiques : New York, 9 jan. 1997 : *Mère et enfant*, marbre (H. 74,9) : **USD 7 475**.

GABRIÉ Marie, pseudonyme de **Marie Maurel**
Née en 1867 à Rouen (Seine-Maritime). xixe siècle. Française.
Graveur sur bois.
Elle exposa régulièrement à Paris au Salon.

GABRIEL
xve siècle. Actif à Cambrai en 1482. Français.
Peintre.

GABRIEL
Né à la fin du xve siècle à Wasserburg. xve-xvie siècles. Allemand.
Peintre.

GABRIEL, vicomte
Né au xixe siècle à Limoges. xixe siècle. Français.
Peintre et pastelliste.
Il eut pour maître A. Loyer. En 1868, il envoya au Salon de Paris : *Voltigeurs de la garde, combattant* et en 1869 : *Seule !*

GABRIEL
Né à Neuss. xixe siècle. Actif vers 1838. Allemand.
Peintre.
Élève de Hildebrandt. Cité par Siret.

GABRIEL A.
Peintre de paysages.
Le Musée de Liège conserve deux tableaux signés : A. Gabriel : *Vue d'Amiens* et *La mer à Étaples*. Voir *Gabriel (F.)*.

GABRIEL C.
xviiie siècle. Actif vers 1760. Français.

Graveur amateur.
Il a gravé cinq petites planches d'après H.-C. Gravelot.

GABRIEL Claus
Né à Flensburg. XVIIe siècle. Allemand.
Sculpteur.
Il était fils du peintre Hans Petersen et fit ses études à Copenhague. Il mourut entre 1651 et 1655.

GABRIEL E.
XIXe siècle. Actif à Paris vers 1840. Français.
Lithographe.
On cite ses illustrations pour *Les Enfants trouvés* d'Eugène Sue.

GABRIEL Édith Mabel
Née à Londres. XXe siècle. Britannique.
Sculpteur.
Elle a exposé à Paris depuis 1925, régulièrement au Salon des Artistes Français.

GABRIEL Else
Née en 1962 à Halberstadt (près de Harzrand). XXe siècle. Allemande.
Créateur d'installations.
Originaire d'Allemagne de l'Est, elle travaille à Berlin et Los Angeles. Depuis 1990, elle travaille avec Ute Wrede.
Elle participe à de nombreuses expositions collectives en Allemagne, à Berlin, Nuremberg, ainsi qu'à l'étranger Boston, Rome, New York, Washington, Paris (1992 *Qui, quoi, où ?* Musée d'Art Moderne de la Ville de Paris). Elle montre ses œuvres dans des expositions personnelles, en Allemagne.
Elle utilise l'informatique, et ses capacités de combinaisons infinies, pour établir des liaisons entre langages, signes et objets, mais aussi pour souligner les limites de l'être humain et de sa perception.

GABRIEL F.
XIXe-XXe siècles (?). Français (?).
Peintre de paysages.
Cité par Miss Florence Levy. Peut-être le même artiste que le peintre A. Gabriel, dont le musée de Liège possède deux paysages.
Ventes Publiques : New York, 15 et 16 fév. 1906 : *Paysage* : **USD 50.**

GABRIEL François
Né en 1893. Mort en 1993. XXe siècle. Américain (?).
Peintre de natures mortes, fleurs et fruits.
Les œuvres de ce peintre ne sont apparues que tardivement dans les ventes publiques et uniquement à New York. Il a repris la grande tradition des natures mortes de fleurs et fruits, qui a connu une vogue constante depuis le XVIIIe siècle surtout hollandais. Ces peintures qui arborent leur destination décorative n'en exigent pas moins une technique maîtrisée.
Ventes Publiques : New York, 17 jan. 1990 : *Nature morte avec des fleurs et des papillons*, h/pan. (39,7x29,5) : **USD 2 750** – New York, 16 juil. 1992 : *Nature morte de fleurs dans un vase*, h/pan. (49,5x39,4) : **USD 2 750** – New York, 16 fév. 1993 : *Composition florale sur un entablement de marbre*, h/pan. (50,5x40,6) : **USD 2 420** – New York, 20 jan. 1993 : *Nature morte de raisin, pêches et prunes près d'un verre de vin sur un entablement*, h/pan. (50,8x40,6) : **USD 5 175** – New York, 22-23 juil. 1993 : *Nature morte de fleurs dans une coupe de verre*, h/pan. (50,8x40,6) : **USD 7 763** – New York, 19 jan. 1994 : *Nature morte avec des fruits*, h/pan. (50,8x40,6) : **USD 5 175** – New York, 19 jan. 1995 : *Nature morte de fleurs*, h/t (127x101,6) : **USD 5 750** – New York, 20 juil. 1995 : *Nature morte de fleurs*, h/t (121,9x91,1) : **USD 6 670** – New York, 18-19 juil. 1996 : *Nature morte de fleurs dans un vase*, h/t (121,9x91,4) : **USD 3 737** – New York, 9 jan. 1997 : *Nature morte de fleurs et de fruits sur un entablement*, h/t (121,9x91,4) : **USD 7 475** ; *Nature morte de fleurs dans une urne sur un entablement*, h/t (101,6x76,2) : **USD 6 612**.

GABRIEL Gabrielle
Née en 1904 en Pennsylvanie. XXe siècle. Américaine.
Peintre.

GABRIEL Georges François Marie
Né en 1775 à Paris. XVIIIe-XIXe siècles. Français.
Peintre de portraits, peintre de miniatures, aquarelliste, dessinateur et lithographe.
Élève de Naigeon et de Regnault. Il fit ses dessins pour un important ouvrage de l'Institut d'Égypte.

GABRIEL Henri, pseudonyme de **Brouwers Henri Jean**
Né en 1918 à Anderlecht. XXe siècle. Belge.
Sculpteur, peintre, graphiste. Optico-cinétique.
Il expose depuis 1959 à Bruxelles, Anvers, Gand, Paris, etc.
À partir de 1960, donc relativement tôt dans cette orientation, il a créé des tableaux, puis rapidement des mobiles suspendus, dans des matériaux successivement différents : papier, Plexiglas et aluminium, papier métallisé, etc. À partir de 1976, il a créé des « poly-sculptures » composées de plusieurs éléments interchangeables, puis des « mobilo-sculptures » dont certaines parties portantes sont fixes et les autres suspendues et mobiles.
Bibliogr. : In : *Diction. biogra. illust. des Artistes en Belgique depuis 1830*, Arto, Bruxelles, 1987.

GABRIEL Jacques Ange
Né au début du XVIIIe siècle à Paris. Mort en 1782. XVIIIe siècle. Français.
Dessinateur et architecte.
Ventes Publiques : Paris, 31 mai 1920 : *Bibliothèque du Roy à Versailles*, trois plumes : **FRF 5 600** ; *Projet de façade pour le château du Petit Trianon*, pl. : **FRF 180** – Paris, le 12 juin 1953 : *Projet pour une fête dans un parc*, dess. : **FRF 32 000**.

GABRIEL Jean
Né le 28 juillet 1669 à Mulhouse. Mort le 26 juillet 1718 à Mulhouse. XVIIe-XVIIIe siècles. Français.
Peintre.
Il travailla pour l'Hôtel de Ville et l'église Saint-Étienne, à Mulhouse.

GABRIEL Jean
Né en 1919 à Ligneuville. XXe siècle. Belge.
Peintre. Naïf.
Il est maçon. Il a appris à peindre dans une technique réaliste, tendant à la ressemblance photographique.
Bibliogr. : In : *Diction. biogr. illust. des Artistes en Belgique depuis 1830*, Arto, Bruxelles, 1987.

GABRIEL Justin J.
Né en 1838 à Brignolles (Var). XIXe siècle. Français.
Peintre de paysages, paysages d'eau, paysages de montagne, fleurs, graveur.
Il fut élève de Ziem et de Gleyre. Il figura au Salon de Paris, à partir de 1865, puis Salon des Artistes Français, obtenant une mention honorable en 1900 (Exposition Universelle).
Il a beaucoup voyagé en France, peignant tour à tour les pâturages de Normandie et les impressionnantes solitudes des Alpes.
Ventes Publiques : Paris, 12 fév. 1920 : *Moulin en Hollande* : **FRF 300** – Paris, 26 oct. 1922 : *Une ruelle à Venise* : **FRF 320** – Paris, 16 déc. 1926 : *Venise : grand canal* : **FRF 1 000** – Paris, 11 et 12 juin 1928 : *Le lac de Zurich* : **FRF 500** – Versailles, 27 jan. 1980 : *Bouquet de roses*, h/pan. (46,5x33) : **FRF 2 100** – Amsterdam, 16 nov. 1988 : *Le Grand Canal à Venise avec des gondoliers et Santa Maria della Salute à l'arrière-plan* 1898, h/t (46,5x55,5) : **NLG 2 760**.

GABRIEL Louis
Né au XIXe siècle à Paris. XIXe siècle. Français.
Graveur en taille-douce et au pointillé.
On lui doit entre autres une série de reproduction des peintures de la *Vie de Marie de Médicis* par Rubens.

GABRIEL Matthaus Joseph
Né en 1692 à Planowitz. Mort en 1745. XVIIIe siècle. Autrichien.
Peintre sur porcelaine.
Il travailla surtout à Vienne.

GABRIEL Paul Joseph Constantin
Né le 5 juillet 1828 à Amsterdam. Mort le 23 août 1903 à Scheveningen. XIXe siècle. De 1860 à 1884 actif en Belgique. Hollandais.
Peintre de scènes de genre, paysages animés, paysages d'eau, paysages, fleurs.
Il commença à travailler comme apprenti chez un menuisier, puis il se mit à la peinture. Il étudia à l'École des Beaux-Arts d'Amsterdam, puis de Clèves, où il suivit les cours de Barend Cornelis Koekkoek. Puis il s'établit à Harlem, il y fit la connaissance d'Anton Mauve, qui eut une heureuse influence sur sa carrière. Il alla travailler à Oosterbeek, où il resta trois ans ; puis il séjourna, de 1860 à 1884, à Bruxelles, où il fut appelé par un amateur d'art. Il ne rentra dans son pays qu'à un âge avancé, pour s'installer définitivement à Scheveningen.

Il peignit de nombreux paysages de marais, de canaux sous le ciel bas et le climat humide de Hollande. Ses compositions font preuve de subtilités chromatiques, de délicatesse dans la touche, et enfin d'une ordonnance rigoureuse qui frappa Piet Mondrian. Ce dernier copia, en 1895, *En juillet* que Paul Gabriel avait peint vers 1888.

Bibliogr. : Gérald Schurr, in : *Les Petits Maîtres de la peinture 1820-1920, valeur de demain,* Les Éditions de l'Amateur, t. VII, Paris, 1989.

Musées : Amsterdam (Rijksmuseum) : *En juillet – Vue de village – Le moulin au bord de l'eau – Vue prise d'Abcoude au mois de juillet* – Amsterdam (Mus. mun.) : *Paysage – Dans la boutique à Abcoude* – Anvers : Aquarelle – Groningen : Quatre paysages – La Haye : *Dans la tourbière de Kampen – Fleurs* – Liège : *Un coin de ferme en Gueldre* – Rotterdam : *Paysage.*

Ventes Publiques : Amsterdam, 1898 : *Au plein jour* : **FRF 1 410** – Paris, 1899 : *Après la pluie* : **FRF 1 880** – New York, 25 oct. 1904 : *La ferme* : **USD 250** – New York, 15 mars 1907 : *Dans le champ de blé* : **USD 500** – Londres, 16 juil. 1909 : *Moulin à vent dans un paysage* : **GBP 110** – Londres, 11 juil. 1924 : *Bateau voile au vent* : **GBP 86** – New York, 7 nov. 1935 : *Automne en Hollande* : **USD 140** – La Haye, 5-7 nov. 1946 : *Paysage* : **NLG 2 600** ; *Crépuscule sur les polders* : **NLG 3 600** – Amsterdam, 8 fév. 1966 : *La ferme* : **NLG 12 800** – Amsterdam, 22 oct. 1974 : *Paysage* : **NLG 15 000** – Amsterdam, 15 nov. 1976 : *Paysage à la rivière,* h/t (38x54) : **BEF 4 000** – Amsterdam, 26 avr. 1977 : *Paysage à la rivière avec barque* 1879, h/t (19,5x35) : **NLG 7 800** – Amsterdam, 12 fév. 1980 : *Chaumières au bord d'une rivière,* h/t (44,5x59) : **NLG 4 800** – Amsterdam, 1er oct. 1981 : *Paysage des environs d'Abcoude,* aquar. (38x47) : **NLG 7 000** – Vienne, 17 nov. 1982 : *Paysage de polders,* h/t (40x63) : **ATS 70 000** – Amsterdam, 15 mars 1983 : *Paysanne aux champs près d'une ferme,* h/t (44x74,5) : **NLG 8 200** – Amsterdam, 28 mai 1986 : *Paysage à la rivière avec un moulin,* h/t (70,5x101) : **NLG 36 000** – Amsterdam, 3 mai 1988 : *Paysage avec un pêcheur sur le bord de la rivière, une paysanne et au fond un moulin à vent* 1850, h/t (26,5x37) : **NLG 19 550** – Amsterdam, 16 nov. 1988 : *Ferme dans un paysage boisé avec une mare en premier plan,* h/t/pan. (31x47) : **NLG 5 175** ; *Pivoines et roses dans un vase posé sur le sol,* h/t (45,5x36) : **NLG 6 900** – Amsterdam, 28 fév. 1989 : *Le Zandweg – une allée de parc le long d'une douve,* h/t/pan. (31,5x42) : **NLG 4 370** ; *Vue des polders de Hollande,* h/t (29,5x46,5) : **NLG 23 000** – Amsterdam, 5 juin 1990 : *Moulin à vent dans les polders,* h/t (29,5x47) : **NLG 21 850** – Amsterdam, 11 sep. 1990 : *Paysage fluvial boisé,* h/t/pan. (20,5x30) : **NLG 1 725** – Amsterdam, 6 nov. 1990 : *Cour de ferme ensoleillée* 1886, h/t/pan. (33x44) : **NLG 4 600** – Amsterdam, 30 oct. 1991 : *Vaste paysage de polder avec un clocher au lointain,* h/t (36x59,5) : **NLG 15 525** – Amsterdam, 5-6 nov. 1991 : *Un village dans les dunes* 1872, h/t (26x41,5) : **NLG 10 120** – Amsterdam, 18 fév. 1992 : *Le petit moulin rouge* 1866, h/t/pan. (19x37) : **NLG 5 520** – Amsterdam, 14-15 avr. 1992 : *Paysage de polder avec des moulins,* aquar. (34x56) : **NLG 21 275** – Amsterdam, 22 avr. 1992 : *Navigation d'un voilier sur un canal,* h/t (39x24) : **NLG 18 400** – Amsterdam, 21 avr. 1993 : *Cottages près d'un moulin à vent dans un paysage de polder,* h/pap./cart. (19,5x28) : **NLG 1 610** – Amsterdam, 19 oct. 1993 : *Paysage fluvial avec un pêcheur près d'un petit pont de bois,* h/t (39,5x56) : **NLG 16 100** – Amsterdam, 21 avr. 1994 : *Paysage d'été avec un paysan déchargeant sa barque* 1875, h/pan. (18x32) : **NLG 25 300** – Amsterdam, 16 avr. 1996 : *Après-midi,* h/t/pan. (20,5x34) : **NLG 9 204** – Amsterdam, 19-20 fév. 1997 : *Paysage de polder avec une ferme,* h/t/bois (16x25) : **NLG 2 306** – Amsterdam, 22 avr. 1997 : *Patineurs sur une rivière gelée près d'un moulin,* h/pan. (25x33,5) : **NLG 10 856** – Amsterdam, 22 avr. 1997 : *De Winkel, le moulin près d'Abcoude,* h/t (65x102) : **NLG 76 700** – Amsterdam, 27 oct. 1997 : *Un village et son église,* aquar. (31,5x50) : **NLG 7 080.**

GABRIEL Paulus Joseph
Né en 1785 à Amsterdam. Mort le 31 décembre 1833 à Amsterdam. xixe siècle. Hollandais.
Peintre, miniaturiste et sculpteur.
Kramm prétend à tort qu'il mourut le 2 juillet 1853. Il fut élève de son père qui était sculpteur, puis, à Paris, de P. Cartelier et enfin, à Rome de Canova. En 1820, il fut nommé directeur de l'Académie d'Amsterdam. Il fut protégé par Lucien Bonaparte.

GABRIEL Pierre
xviie siècle. Français.
Peintre.
Il était, à Lyon, maître de métier pour les peintres, en 1680.

GABRIEL R.
xviiie siècle. Français.
Dessinateur de portraits amateur.
Ventes Publiques : Paris, 1er juil. 1992 : *Portrait de la Princesse de Lamballe,* cr. noir (13,5x10) : **FRF 15 000.**

GABRIEL-BELOT. Voir **BELOT Gabriel**

GABRIEL BORBA FILHO José
Né en 1942 à São Paulo. xxe siècle. Brésilien.
Peintre.
Il a vécu en Europe en 1962-1963, principalement à Florence, où il a étudié à l'Académie de Dessin. En 1964, il est reparti pour le Brésil, où il entra à la Faculté d'Architecture de São Paulo. En 1965, il alla s'initier à la mosaïque à l'École des Beaux-Arts de Lima. Depuis 1971, il enseigne à la Faculté des Beaux-Arts de São Paulo. Il a eu de nombreuses expositions individuelles au Brésil.
Une grande partie de sa production est d'inspiration politique, exprimée avec des moyens figuratifs-narratifs proches du pop'art. Dans son évolution, il semble être devenu plus expérimental.

GABRIEL-FOURNIER. Voir **FOURNIER Gabriel**

GABRIEL-ROUSSEAU
xxe siècle. Français.
Peintre de paysages urbains.
Il exposait à Paris, au Salon de la Société Nationale des Beaux-Arts, et surtout à celui des Artistes Indépendants, où lui fut consacrée, en 1943, une exposition d'ensemble.

GABRIELE di Battista
Mort le 13 mars 1505 à Palerme. xve siècle. Italien.
Sculpteur.
Il fut le collaborateur d'Andrea Mancino.

GABRIELE de Cipelli. Voir **CIPELLI Gabriele di**

GABRIELE dagli OCCHIALI. Voir **FERRANTINI Gabriele**

GABRIELE da Piacenza
xive siècle. Actif à Trévise vers 1373. Italien.
Sculpteur sur bois.
Il travailla pour la cathédrale de cette ville.

GABRIELE da Rho
xve siècle. Actif à Milan vers 1470. Italien.
Sculpteur.
Il exécuta un *Saint Joseph* pour la cathédrale de Milan.

GABRIELE di Roma
xve-xvie siècles. Actif à la fin du xve et au début du xvie siècle. Italien.
Sculpteur.
Il a travaillé à la façade et aux arcades de l'église S. Annunziata de Palerme.

GABRIELE della Sella. Voir **SELLA Gabriele de**

GABRIELI Antonio
Né le 29 juillet 1694 à Belluno. xviiie siècle. Italien.
Peintre.

GABRIELI Francesco
Mort le 24 janvier 1730 à Belluno. xviiie siècle. Italien.
Peintre.
Il travailla à Bassano.

GABRIELLE, pseudonyme de **Vignesoult Gabrielle**
Née le 10 juillet 1925. xxe siècle. Française.
Peintre de portraits, sujets divers.
Elle expose à Paris, aux Salons des Artistes Français dont elle a obtenu une mention honorable, d'Automne.
Elle peut camper ses portraits avec une verve qui rappelle la malice de Van Dongen.

GABRIELLE-DUMONTET, Mme. Voir **DUMONTET Gabriel,** Mme

GABRIELLI Amedeo
Mort en 1817 à Bassano. xixe siècle. Italien.
Graveur.
Il grava un grand nombre de portraits et reproduisit des tableaux célèbres.

GABRIELLI Antonio
Né vers 1625 à Citta di Castello. xviie siècle. Italien.

Architecte et peintre de décorations.
On lui doit des peintures décoratives pour un théâtre.

GABRIELLI Camillo
Né à Pise. Mort en 1730. XVIIIe siècle. Italien.
Peintre d'histoire.
Élève de Ciro Ferri. Se fit surtout remarquer par ses fresques, notamment celles du grand Salon du Palazzo Allicata. Il exécuta aussi quelques peintures à l'huile pour les Carmélites.
Ventes Publiques : Londres, 16 nov. 1960 : *La communion de sainte Marie Madeleine* : **GBP 780**.

GABRIELLI Francesco dei. Voir **FRANCESCO dei Gabrielli**

GABRIELLI Gaspare
Né en 1770 à Rome. Mort en 1828. XIXe siècle. Actif à Dublin au début du XIXe siècle. Italien.
Peintre de paysages, architectures, intérieurs.
Gabrielli paraît avoir fait ses études à Rome. Il vint à Dublin avant 1811 et y résida jusqu'en 1819. Il exposa deux fois à la Royal Academy de Londres aux dates ci-dessus. Il retourna à Rome après 1819. *La vue du Forum romain* que possède le Musée de Glasgow est datée de Rome, 1824.
Musées : Glasgow : *Vue du Forum* – Saint-Omer : *Paysage italien*, deux toiles.
Ventes Publiques : Londres, 10 avr. 1930 : *Intérieur de la National Gallery* : **GBP 7** – Londres, 13 juil. 1939 : *Dans un parc* : **GBP 9** – Vienne, 20 sep. 1977 : *Forum Romanum*, h/t (49x86,5) : **ATS 25 000**.

GABRIELLI Gioseffo
Né en 1686. Mort en 1767. XVIIIe siècle. Italien.
Peintre.
Il travailla surtout à Bologne.

GABRIELLI Giuseppe
XIXe siècle. Actif à Londres. Italien.
Sculpteur.
Cet artiste prit une part active aux Expositions de la Royal Academy, à Londres, de 1863 à 1880.

GABRIELLI Ignazio
Né au début du XIXe siècle à Camajore. XIXe siècle. Italien.
Peintre.
Il travailla pour l'église de Viareggio.

GABRIELLI Louis
Né en 1901 à Corte (Corse). XXe siècle. Français.
Peintre. Abstrait-informel.
Il fit des études de droit à Aix-en-Provence. Il vint à Paris en 1928 et commença à peindre et à modeler en 1930. Toutefois, il ne commença à exposer qu'après la guerre de 1939-1945. En 1950, il a figuré au Salon des Réalités Nouvelles. Il a montré des ensembles de ses peintures dans des expositions personnelles, à Paris en 1949, 1952, 1955.
Il s'est rallié à l'abstraction qu'on a dite informelle, dans laquelle n'interviennent que couleur et matière, à l'exclusion de toute forme définie.
Bibliogr. : Michel Seuphor, in : *Diction. de la Peint. abstraite*, Hazan, Paris, 1957.

GABRIELLO Onofrio, appelé aussi **Onofrio da Messina**
Né en 1611 à Messine. Mort en 1706. XVIIe siècle. Italien.
Peintre d'histoire et de portraits.
Élève d'Antonio Ricci, puis de Pietro de Cortone, à Rome. Il visita Venise. De retour dans sa patrie, il travailla beaucoup pour les églises et les collections privées et exécuta de nombreux portraits. La révolution de 1672 l'obligea à quitter sa ville natale, il se fixa à Padoue. L'église Saint-François de Paule de Messine possède ses meilleurs tableaux.

GABRINI Pietro
Né en 1856 à Rome. Mort en 1926. XIXe-XXe siècles. Italien.
Peintre de genre, de paysages, aquarelliste.
Il exposait à Paris, au Québec, à Chicago. D'après l'abondance de ses œuvres sur le marché anglais, on peut y supposer au moins un séjour.
Il peignit aussi quelques compositions religieuses et historiques : *Sainte Catherine et sainte Élisabeth*. Sa production consiste surtout en scènes de genre familières : *Promenade en barque*, et en paysages et vues de villes, notamment de Venise.
Ventes Publiques : Londres, 29 juin 1908 : *Un incroyable*, aquar. : **GBP 56** – Londres, 6 mars 1936 : *Sainte Catherine et sainte Élisabeth* : **GBP 60** – Londres, 8 nov. 1946 : *Lagunes, Venise* : **GBP 33** – Londres, 15 mars 1974 : *La baie de Naples* : **GNS 1 500** – Vienne, 20 sep. 1977 : *Le retour des pêcheurs*, h/t (68,5x122) : **ATS 30 000** – New York, 9 juin 1981 : *Harem*, aquar. et cr. (58,5x44,5) : **USD 1 600** – New York, 25 fév. 1983 : *Le récital*, h/t (72,5x129,5) : **USD 2 000** – New York, 31 oct. 1985 : *La partie de cartes*, aquar. (53,3x75) : **USD 3 300** – Londres, 9 oct. 1987 : *Le Retour des moissonneurs dans la campagne romaine*, h/t (66x131) : **GBP 5 000** – New York, 25 fév. 1988 : *La place Barbarini et le temple de Vesta*, h/t (78,7x124,5) : **USD 16 500** – Londres, 17 mars 1989 : *Promenade en barque* 1913, aquar. (65x98) : **GBP 4 400** – New York, 24 mai 1989 : *Le Grand Canal*, h/t/cart. (65,4x102,8) : **USD 17 600** – Londres, 6 juin 1990 : *La déclaration*, h/t (51,5x36) : **GBP 1 100** – Londres, 15 fév. 1991 : *Retour à la maison, Tivoli*, aquar./pap. (97,8x62,2) : **GBP 3 300** – Paris, 24 mai 1991 : *La conversation au bord de l'eau*, h/t (54x84) : **FRF 24 000** – Londres, 4 oct. 1991 : *Retour à Naples d'une promenade en mer* 1907, h/t (64,1x111,1) : **GBP 7 920** – Rome, 24 mars 1992 : *Amoureux dans une barque*, aquar. (54x74) : **ITL 3 680 000** – Bologne, 8-9 juin 1992 : *Vente publique dans la Rome Antique*, h/t (65x110) : **ITL 4 600 000** – Londres, 2 oct. 1992 : *La gardeuse de chèvres*, cr. et aquar./pap. (72,5x54) : **GBP 1 540** – New York, 29 oct. 1992 : *Pêcheurs à l'aube*, h/t/rés. synth. (102,4x66) : **USD 5 500** – Milan, 17 déc. 1992 : *Une chapelle près de la lagune*, h/t (101,5x65) : **ITL 5 000 000** – Rome, 16 déc. 1993 : *En barque au coucher du soleil*, h/t (72x132) : **ITL 11 500 000** – Amsterdam, 19 avr. 1994 : *Le prétendant* 1878, aquar. (46,5x39,5) : **NLG 3 450** – Rome, 31 mai 1994 : *Fête campagnarde*, h/t (71x131) : **ITL 44 783 000** – Londres, 18 nov. 1994 : *La vendangeuse*, h/t (160,3x113) : **GBP 9 200** – Londres, 10 fév. 1995 : *L'arrivée* 1882, h/t (150,4x84) : **GBP 12 075**.

GABRINO da Parma
Né en 1419 à Parme. Mort vers 1470 à Reggio. XVe siècle. Italien.
Peintre.
Cet artiste était moine.

GABRIO da Cremona
XIIIe siècle. Actif vers 1288. Italien.
Peintre.
Il peignit un *Christ en croix* pour l'église Saint-Eustorgio à Milan.

GABRITSCHEVSKY Eugen
Né en 1893 à Moscou. XXe siècle. Russe.
Peintre, aquarelliste. Surréaliste.
En réalité, il était médecin, un généticien réputé. Pendant une maladie qui le tint écarté du monde, il entreprit de s'exprimer par l'image. Il représenta ses rêves éveillés dans des aquarelles, tantôt tendres, tantôt violentes. Une fois guéri, il cessa toute activité picturale.
Ventes Publiques : Paris, 27 mai 1991 : *Personnages sur fond rose*, aquar. (27x27) : **FRF 4 200**.

GABRON Antoon
Né le 1er janvier 1622 à Anvers. XVIIe siècle. Éc. flamande.
Peintre.
Maître à Anvers en 1641. Il était frère de Guilliam Gabron.

GABRON Guilliam ou **William** ou **Willem**
Né le 28 octobre 1619 à Anvers. Mort le 2 août 1678 à Anvers. XVIIe siècle. Éc. flamande.
Peintre de natures mortes, fleurs et fruits.
De 1640 à 1641, il était membre de la gilde de Saint-Luc. Il travailla en Italie et à Anvers. Il était apparenté à la famille du peintre Cassiers et sa sœur épousa le sculpteur Arthur Quellinus.

Guil- Gabron fc A 1652

Musées : Hanovre : *Nature morte* – Munich : *Nature morte* – Nantes : *Fleurs*.
Ventes Publiques : New York, 27 nov. 1968 : *Nature morte* : **USD 2 600** – Londres, 29 nov. 1974 : *Nature morte* : **GNS 7 000** – Londres, 18 juil. 1986 : *Nature morte au gibier*, h/t (93x123,9) : **GBP 4 000** – Paris, 18 avr. 1991 : *Nature morte : trophées de chasse*, h/t (59x73) : **FRF 70 000** – Paris, 17 nov. 1995 : *Nature morte à la bougie et aux pièces d'étain*, h/t (43,5x55) : **FRF 98 000** – New York, 11 jan. 1996 : *Nature morte avec un pichet d'étain avec un citron pelé et un verre renversé sur une table drapée de vert*, h/t (52,1x68,6) : **USD 54 625** – New York, 16 mai 1996 :

Nature morte avec des fruits, de la vaisselle d'or et d'argent et un écureuil sur une table recouverte d'un tapis d'orient, h/t (155,6x120,7) : **USD 85 000** – New York, 31 jan. 1997 : *Gibier mort à la base d'un arbre, avec un faucon, un chien de meute et un équipement de chasse,* h/t (85,5x113) : **USD 19 550**.

GABRUS Zakarias

Né le 18 août 1794 à Szamosuivar. Mort le 27 avril 1870 à Szamosuivar. XIXe siècle. Hongrois.

Peintre.

Il travailla pour la cathédrale de Szamosuivar.

GABUGGIANI Baldassare. Voir **GABBUGIANI**

GABUTI Lorenzo

XVIIe-XVIIIe siècles. Actif à Pise vers 1705. Italien.

Graveur.

Il illustra quelques sujets religieux.

GABY Charlot

XVIe siècle. Actif à Tours. Français.

Sculpteur.

Il collabora aux préparatifs des fêtes données en l'honneur de l'entrée, à Tours, de la reine Anne de Bretagne, en 1500.

GACAUD J.

XVIIIe siècle. Actif vers 1793. Hollandais.

Peintre de miniatures.

On connaît seulement un portrait de cet artiste. Il vivait peut-être à Bréda.

GACH George

Né vers 1920. XXe siècle. Depuis 1952 actif aux États-Unis. Hongrois.

Sculpteur animalier, de figures, groupes, portraits, peintre de paysages, portraits, natures mortes.

Il était fils de Stephen Gach (Istvan Gach). Il fut élève de l'Académie des Beaux-Arts de Budapest. En 1942, il obtint une bourse d'étude d'un an à Rome. Il fut professeur de sculpture à l'Académie des Beaux-Arts de Beyrouth, de 1947 à 1952. Il a beaucoup voyagé et travaillé à travers l'Europe, les Amériques, l'Australie, avant de se fixer à New York. Il a obtenu des distinctions diverses au Liban et surtout aux États-Unis. Il est membre de l'Allied Artists of America, de la National Sculpture Society et d'autres associations. Il participe à des expositions collectives et montre surtout sa production dans des expositions personnelles dans les principales villes des États-Unis.

Il travaille le bois, la terre cuite, le plastique, mais sa technique préférée est d'obtenir des pièces uniques en bronze par la cire perdue. Son thème principal est le cheval, le plus souvent monté. Il sculpte aussi d'autres animaux, des oiseaux, etc. Il a souvent traité la danse, toutes sortes de sports. Une des caractéristiques de son œuvre est la fréquence des groupes : plusieurs chevaux sautant un obstacle, plusieurs joueurs de polo aux prises, des joueurs de football américain en pleine action violente, un défilé d'ecclésiastiques en grand apparat, un groupe de danseuses, le sculpteur et son modèle, etc. Ses statuettes et ses groupes sont sans prétention, d'autant qu'assumant volontiers une pointe d'humour, et traduisent habilement des attitudes particulièrement dynamiques et vivantes.

GACH Istvan ou **Stephen**

Né le 31 mars 1880. XXe siècle. Hongrois.

Sculpteur de monuments.

Il fut élève de György Zala à Budapest. Il vint parachever sa formation à Paris. Comme son maître Zala, il fut sculpteur de monuments. Entre autres, il a réalisé à Budapest le *Monument de la lutte pour l'indépendance de la Hongrie.* Il était le père de George Gach.

GACHET Étienne

XVIIe siècle. Français.

Sculpteur.

GACHET Jules

Né le 18 mars 1859 à Echallens. XIXe siècle. Suisse.

Peintre.

Il étudia la peinture à Genève. On cite de lui des paysages des bords du lac Léman et du Tessin.

GACHET Paul, Dr, pseudonyme : **Paul Van Ryssel**

Né en 1828 à Lille (Nord). Mort en 1909 à Auvers-sur-Oise. XIXe siècle. Français.

Peintre, graveur.

Il signa ses œuvres du pseudonyme : Paul Van Ryssel (Ryssel, qui est le nom flamand de Lille). Étudiant en médecine à Paris, il fréquentait la Brasserie des Martyrs, où il rencontra Baudelaire, Courbet, Théodore de Banville et Champfleury. Ses études terminées, il se lia d'abord avec Guillaumin et Pissarro. Peintre amateur, il exposa au Salon de 1872. Collectionneur de gravures, il réunissait des gravures de Bresdin et de Meryon. Il devint le familier de Monet et de Degas, commença à acheter des peintures de Cézanne, dont il fut peut-être le premier acheteur. Il connut encore Manet et Renoir, et naturellement Van Gogh. Cette vocation d'être l'ami des artistes les moins compris de son temps, lui fit les attirer, souvent pour leur procurer avec discrétion un refuge, dans sa maison d'Auvers. Ce fut parfois lui qui initia ces grands artistes à la gravure, comme dans le cas de Cézanne. Cézanne demeura là pendant deux années, de 1872 à 1874. C'est là qu'il abandonna sa première manière noire et baroque, pour sa recherche d'un moderne classicisme. Il y peignit, entre autres, *La maison du pendu.* Renoir lui confia, pour tenter de la guérir d'une tuberculose, sa jeune amie et modèle, la petite Marie. Ce fut sur le conseil de Pissarro qu'à sa sortie de l'asile de Saint-Rémy, Vincent Van Gogh, fin mai 1890, vint se confier au docteur, qui, malgré sa compréhension et ses soins, ne put l'empêcher de se suicider, le 27 juillet. Dans ces deux mois, il avait eu le temps de peindre une cinquantaine de toiles, parmi lesquelles : *Mademoiselle Gachet au piano, Portrait du Dr. Gachet à la casquette blanche,* et des grands chefs-d'œuvre comme : *La cathédrale d'Auvers, Le champ aux corbeaux.* Son fils fit don au Musée de l'Orangerie (Louvre), en 1952, d'une grande partie de cette collection célèbre.

Bibliogr. : Maurice Raynal, in : *Dictionnaire de la peinture moderne,* Hazan, Paris, 1954.

GACHNANG Johannes

Né en 1939 à Zurich. XXe siècle. Suisse.

Graveur.

Il a étudié l'architecture à Zurich, puis à Paris et Berlin. En tant que graveur, il expose depuis 1966.

Cette affinité avec l'architecture se ressent dans ses gravures, dans lesquelles des milliers de petites facettes de mosaïque s'interfèrent, se superposent, en arabesques étranges. Cette écriture évoque un certain réalisme obsessionnel et angoissant, référé à l'art byzantin.

GACHON Pol

Né en 1943 à Aubusson (Creuse). XXe siècle. Français.

Peintre. Abstrait-géométrique, puis nouvelle figuration.

Depuis 1967, Il expose à Paris, notamment au Salon Grands et Jeunes d'Aujourd'hui. Il a participé à de nombreuses expositions collectives, entre autres, à Bâle 1972, Lille 1973, Nantes 1979, Düsseldorf 1985, Anvers 1986, Paris 1988, 1989, 1990, 1992, 1993, Grenoble 1991, Pau 1993, Montargis 1995, Strasbourg 1996, Portugal 1997. Il a personnellement présenté ses œuvres à Paris, mais aussi à Lisbonne, Nantes, Saint-Tropez, Porto...

Sa peinture évoque le monde de la machine et de l'automation. Dans son évolution, il semble avoir adhéré à des options minimalistes. Ses thèmes picturaux tournent autour d'éléments industriels : essieux, culbuteurs, vis, ressorts, etc., placés dans un espace abstrait, peints à l'acrylique dans des couleurs inhabituelles, posées selon une pellicule tendue et lisse sur un dessin à caractère industriel.

GACI Lodovico

XVe siècle. Actif à Crémone vers 1489. Italien.

Miniaturiste.

La Bibliothèque de Wernigerode possède un manuscrit écrit et illustré par cet artiste.

GACI Rutilio

Né à Castiglione (Toscane). Mort vers 1635 à Madrid. XVIIe siècle. Italien.

Sculpteur et médailleur.

En 1600, il travaillait déjà en Espagne. Il exécuta quelques bustes de cire, et quelques monuments, en même temps qu'un grand nombre de médailles.

GACON Anne

Née le 15 septembre 1913 à Écrouves (Meurthe-et-Moselle). XXe siècle. Française.

Peintre.

Elle fut élève de l'École des Beaux-Arts de Nancy. Elle expose à Paris, au Salon des Artistes Indépendants, dont elle est sociétaire.

Sa peinture est figurative, avec quelques accents modernistes.

GACON J.
XVIIe siècle. Actif à Paris. Français.
Graveur.
On lui doit un *Portrait de C. P. Richelet.*

GACS Gabor
Né en 1930. XXe siècle. Hongrois.
Graveur, illustrateur.
De 1951 à 1955, il fut élève de l'École Supérieure des Beaux-Arts, puis de la Faculté d'Arts Graphiques, à Budapest. Le Musée Ernst a exposé ses œuvres en 1956 et 1965. Il a remporté des Prix à Vienne, Lugano, etc.
Bibliogr. : In : *Hongrie 68*, Pannonia, Budapest, 1968.

GAD Hans
XVIe siècle. Actif vers 1530. Suédois.
Peintre.
Il peignit des fresques pour les églises de Delsbo, Forssa, Järfsö et Hassela.

GADALA Paul C.
XIXe siècle. Actif à Paris. Français.
Peintre.
Sociétaire des Artistes Français depuis 1897 ; il figura aux Salons de cette société.

GADAN Antoine
Né en 1854. Mort en 1934. XIXe-XXe siècles. Français.
Peintre de sujets typiques, figures, paysages animés, natures mortes. Orientaliste.
Il convient de remarquer que les œuvres de cet orientaliste ne sont apparues que tardivement dans les ventes publiques, uniquement à Paris, plus tardivement à New York. De toute évidence, ce peintre a réalisé la totalité de son œuvre en Algérie, où il a sans doute passé une grande partie de sa vie. Il en a peint des aspects et des scènes pittoresques, des figures typiques. Ses quelques natures mortes comportent aussi des produits exotiques.
Ventes Publiques : Paris, 2 déc. 1985 : *Le Ruisseau d'or*, h/t (60x100) : **FRF 28 000** – Paris, 6 avr. 1990 : *La Jeune Bergère*, h/t (54x100) : **FRF 19 000** – Paris, 8 avr. 1991 : *Cueillette des fruits en Algérie*, h/t (60x98) : **FRF 14 000** – Paris, 13 avr. 1992 : *La Jeune Bergère*, h/t (54x100) : **FRF 22 000** – Paris, 22 juin 1992 : *Oued dans le Sud-algérien*, h/t (72,5x130) : **FRF 78 000** – Paris, 5 avr. 1993 : *Les Petits Bergers*, h/t (56x101) : **FRF 16 000** – Paris, 22 avr. 1994 : *Bergère au bord de la mer aux environs de Bône*, h/t (57x100) : **FRF 23 000** – Paris, 7 nov. 1994 : *Porteuses d'eau au bord de l'oued*, h/t (180x130) : **FRF 40 000** – Paris, 12 juin 1995 : *Caravane traversant un oued*, h/t (41x72,5) : **FRF 10 000** – Paris, 21 avr. 1996 : *Porteuse d'eau* 1883, h/t (61x95) : **FRF 24 000** – Paris, 9 déc. 1996 : *Berger dans la campagne bônoise*, h/t (50x81) : **FRF 16 000** – Paris, 17 nov. 1997 : *Campement à Biskra* 1889, h/t (70,5x110,5) : **FRF 12 000** – New York, 9 jan. 1997 : *Nature morte à la bouteille de champagne, à la grenade et aux quartiers d'orange*, h/t (65,1x83,2) : **USD 13 800.**

GADANYI Jenö
Né en 1896. Mort en 1960. XXe siècle. Hongrois.
Peintre technique mixte, peintre à la gouache, pastelliste. Polymorphe.
Il faisait partie de cet important groupe artistique hongrois qu'on nommait l'École Européenne, et qui prit la suite de l'École de Nagy-banya, si fortement ancrée sur le fonds national. L'École Européenne, comme son nom l'indique, se tourna résolument vers les mouvements artistiques qui agitaient l'Europe, de Munich et Berlin, où œuvraient la plupart des Russes, jusqu'en Hollande et à Paris.
La partie la plus importante de l'œuvre de Gadanyi se situe entre 1945 et sa mort en 1960. Comme beaucoup de Russes de ce moment, il eut tendance à ne pas différencier fauvisme, expressionnisme, cubisme, abstraction et surréalisme, ce qui les amena, c'est le cas de Gadanyi qui conserve toutefois une écriture et un chromatisme volontaires et puissants, à passer facilement de l'une à l'autre manière, tout en essayant de conserver l'accent singulier de la tradition populaire de leur pays.
Bibliogr. : Lajos Nemeth, in : *Moderne ungarische Kunst*, Corvina, Budapest, 1969.
Ventes Publiques : Paris, 12 mai 1993 : *Ciel d'orage* 1927, gche et past./pap. (59x85) : **FRF 50 000.**

GADBOIS Louis
Mort en 1826. XVIIIe-XIXe siècles. Français.
Peintre de sujets de genre, paysages animés, paysages, peintre à la gouache, aquarelliste.
Il fut actif à Paris. Il figura aux Expositions du Louvre de 1791 à 1812.
Ventes Publiques : Paris, 26-27 jan. 1923 : *L'Étang et le troupeau*, gche : **FRF 750** ; *Départ pour la chasse*, aquar. : **FRF 1 000** – Paris, 19 avr. 1929 : *Paysage boisé avec sacrifice à une divinité* ; *Paysage accidenté, boisé avec rivière, cascade*, deux dessins : **FRF 3 300** – Paris, 29 jan. 1943 : *Parc, pièce d'eau et personnages* ; *Ferme, paysans et animaux*, deux aquarelles gchées formant pendants : **FRF 75 000** – Paris, 24 et 25 fév. 1943 : *La rencontre au bord du lac* 1794 : **FRF 3 600** – Paris, 4 juin 1947 : *La promenade dans le parc*, gche : **FRF 5 500** – Paris, 9 déc. 1952 : *Le parc* : **FRF 100 000** – Paris, 21 nov. 1966 : *Personnages près d'un escalier dans le parc d'un château* ; *Le retour de la chasse*, deux gouaches formant pendants : **FRF 11 500** – New York, 13 jan. 1993 : *Deux dames se promenant dans les allées d'un parc*, aquar. avec reh. de blanc, de forme ovale (25,5x34,4) : **USD 1 320** – Paris, 30 oct. 1996 : *Vue du château de Dieppe* ; *Couple de personnages près d'un kiosque dans un parc*, encre, lav. et craie rouge, une paire (chaque 43x56) : **FRF 77 000** – Paris, 22 oct. 1997 : *Paysage avec jeunes musiciennes, berger et son troupeau*, gche (37x50) : **FRF 9 000.**

GADBURY Harry Lee
Né en 1890 à Greenfield (Ohio). XXe siècle. Américain.
Peintre et illustrateur.

GADDI Angelo di Taddeo, ou **Agnolo**
Né vers 1345 à Florence (Toscane). Mort en 1396 à Florence. XIVe siècle. Actif à Florence entre 1369 et 1396. Italien.
Peintre de compositions religieuses, fresquiste, peintre de compositions murales.
Il est fils de Taddeo Gaddi, dont il fut élève. Il travailla dans son propre atelier à Florence, de 1369 à 1396. On dit qu'il résida pendant quelques temps à Venise. Il fut enterré dans l'église Santa Croce à Florence.
Au début de sa carrière, il peignit *La Résurrection de Lazare*, dans l'église San Jacopo tro Fosse de Florence. Il fut chargé de la décoration de l'église Santa Croce de Florence, entre 1380 et 1390, réalisant huit fresques sur la *Légende de la Croix* dans le chœur ; le *Christ, saint François* à la voûte. À Santa Croce, on cite encore : les *Évangélistes, Décapitation de Cosroe et entrée d'Héraclius à Jérusalem*, et des *Saints*. Il fournit le dessin des *Vertus* de la Loggia dei Priori. Il décora, à Prato, la chapelle della Cintola, entre 1394 et 1396, qui illustre la vie de la Vierge Marie et la légende de la ceinture de saint Thomas. On lui doit également le retable de San Miniato al Monte, datant de 1394-1396.
Bien qu'il ait connu la leçon de Giotto, il s'orienta plutôt vers les Siennois, et c'est sans doute pour cette raison que son style a été qualifié de « gothique attardé ».
Bibliogr. : In : *Diction. de la peinture italienne*, coll. Essentiels, Larousse, Paris, 1989.
Musées : Berlin : *La Vierge et l'Enfant Jésus* – Florence (Gal. des Mus. des Offices) : *Annonciation de la Sainte Vierge* – Florence (Acad. des Beaux-Arts) : *Évangélistes, docteurs et l'Église – Scène de la vie de saint Jean l'Évangéliste – Saint Jean-Baptiste – Saint Nicolas et saint Antoine* – Munich : *Saint Nicolas de Bari – Saint Julien* – Paris (Mus. du Louvre) : *L'Annonciation* – Parme (Gal. Nat.) : *Vierge et Saints.*
Ventes Publiques : Londres, 8 juil. 1925 : *La Vierge et l'Enfant* : **GBP 94** – Londres, 20 nov. 1936 : *Madone et l'Enfant* : **GBP 220** – Londres, 19 juin 1942 : *Sainte Élizabeth de Hongrie et sainte Catherine d'Alexandrie* : **GBP 47** – Londres, 26 juin 1970 : *Vierge à l'Enfant* : **GNS 4 500** – Londres, 23 mars 1973 : *La Vierge et l'Enfant entourés de quatre saints personnages* : **GNS 7 500** – Londres, 6 avr. 1977 : *Saint Dominique*, h/pan. (22x15) : **GBP 3 500** – New York, 9 juin 1978 : *La Découverte de la vraie Croix*, h/pan., fond or (30,5x67) : **USD 50 000** – Londres, 21 avr. 1982 : *La Vierge adorée par Saint Antoine, saint Jean-Baptiste et saint François* (100x58) : **GBP 18 000** – Londres, 5 juil. 1989 : *Vierge à l'Enfant en majesté entourée d'anges musiciens priée par les saints Antoine, Jea-Baptiste, Catherine et Luce*, h. et temp./pan. à fond d'or (59x40) : **GBP 660 000** – Londres, 6 juil. 1990 : *La Vierge de l'Humilité avec l'Annonciation représentée dans deux cercles dans les écoinçons*, temp./pan. à fond or (32x22) : **GBP 99 000** – Londres, 6 juil. 1994 : *Vierge à l'Enfant en gloire entourés d'anges musiciens avec saint Antoine, saint Jean-Baptiste, sainte Catherine et saint Luce prosternés*, h. et temp./pan. à fond or (59x40) : **GBP 177 500** – Londres, 11 déc. 1996 : *La Madone et l'Enfant*, temp./pan. (55x30) : **GBP 51 000.**

GADDI Gaddo di Zanobi
Né vers 1260 à Florence (Toscane). Mort probablement en 1333. XIIIe-XIVe siècles. Italien.

Peintre de compositions religieuses, portraits, mosaïste.
Il fut l'ami de Cimabue et de Giotto. Il visita peut-être Rome. Il fut enterré dans le cloître de l'église Santa Croce à Florence. Il est le père de Taddeo Gaddi.
On cite de lui une mosaïque, sous les fenêtres du baptistère à Florence, qui représente des scènes de la vie de Jésus et de Saint-Jean ; ainsi qu'un *Couronnement de la Vierge*, au dôme de cette même ville. On pense qu'il fut employé à des travaux de mosaïque à Sainte-Marie Maggiore et dans le chœur de Saint-Pierre, à Rome. On voit aussi de ses peintures dans l'église Saint-François d'Assise et des mosaïques au vieux dôme près d'Arezzo. Dans le Sposalizio de la chapelle Baroncelli, à l'église Santa Croce, est conservé son portrait, exécuté par son fils.

GGaddi

Bibliogr. : In : *Diction. de la peinture italienne*, coll. Essentiels, Larousse, Paris, 1989.

GADDI Giovanni di Taddeo
Mort en 1383 à Florence. XIVe siècle. Italien.
Peintre.
Il était fils de Taddeo Gaddi et élève de son frère Angelo. Il peignit, dans l'église San Spirito à Florence : *Le Christ dans le Temple* et d'autres œuvres similaires qui furent détruites lors de la reconstruction de l'église.

GADDI Niccolo
XIVe siècle. Actif à Florence. Italien.
Peintre.
Il était fils de Taddeo.

GADDI Taddeo di Gaddo
Né vers 1300 à Florence (Toscane). Mort en 1366 à Florence. XIVe siècle. Italien.
Peintre de sujets religieux, compositions murales, fresquiste.
D'abord élève de son père Gaddo di Zanobi Gaddi, il fut ensuite, pendant vingt-quatre ans, entre 1313 et 1337, l'assistant de Giotto. Parmi ses élèves, on cite Giovanni da Milano et Jacopo del Casentino. En 1989, une exposition lui fut consacrée à Poppi.
Participant aux œuvres collectives de l'atelier de Giotto, il collabora au *Polyptyque de Stefaneschi* au Vatican. Comme œuvre de jeunesse, on lui attribue la *Madone* de San Francesco, à Pise ; ou les fresques de la chapelle du château de Poppi, représentant des scènes de la *Vie de la Sainte Vierge*, de *Saint Jean-Baptiste*, et de *Saint Jean Évangéliste*. Il exécuta différentes peintures murales dans l'église Santa Croce à Florence (chapelles, sacristie, ancien réfectoire), on cite notamment : le portrait de son père et celui d'*Andrea Tafi*, dans la chapelle Baroncelli ; une *Déposition de croix*, dans la chapelle Bardi di Vernio.
Taddeo Gaddi fut un artiste très fécond, malheureusement, peu de ses ouvrages ont survécu. Ses fresques à San Spirito, et à l'église des Servites, ses tableaux d'autel à San Stefano del Ponte Vecchio, et les allégories du tribunal de Mercanzia ont disparu. Par chance, une partie de l'œuvre exécutée par lui au Camposanto de Pise existe encore, on y mentionne six vastes *Épisodes de la vie de Job*, réalisés vers 1340-1342 ; dans le *Pacte de Satan avec Dieu*, l'influence de Fiorentino Stefano (autre disciple de Giotto) est indéniable, en particulier dans les six anges qui, proportionnés dans l'espace, se serrent autour de la figure majestueuse du Christ. On mentionne encore de lui : un tableau d'autel dans la sacristie de San Pietro à Megognano, et un retable sur lequel se trouve l'inscription : *Anno Dni MCCCXXXIIII mensis septembris Tadeus me fecit*. Il se fit remarquer également comme architecte et fut membre de la commission pour la construction de la cathédrale de Florence, entre 1359 et 1366.
L'originalité de Taddeo Gaddi s'exprime dans son œuvre par une gamme chromatique, tout à fait singulière par sa vivacité, et par les impressionnants effets chatoyants des vêtements. L'artiste développe les recherches spatiales et luministes de Giotto, montrant un nouvel intérêt pour les effets de lumière nocturne, mais sa peinture n'a pas l'ampleur de celle de Giotto, elle est plus anecdotique. ■ Sandrine Vézinat

Bibliogr. : A. Caleca, in : *Pisa. Museo delle Sinopie del Camposanto Monumentale*, Pise, 1979 – in : *Diction. de la peinture italienne*, coll. Essentiels, Larousse, Paris, 1989 – A. Brezzi : catalogue de l'exposition *Gli affreschi di Taddeo Gaddi nel castello dei conti Guidi di Poppi*, Poppi, 1991 – in : *Peinture murale en Italie. De la fin du treizième siècle au début du quinzième siècle*, Gruppo Sān-Paolo et Éditions Bolis, Bergame, 1995.

Musées : Bagnères-de-Bigorre : *Saint Éloi* – Berlin : *Descente du Saint-Esprit – La Vierge à l'Enfant avec deux donateurs – Anno Dni MCCCXXXIIII mensis septembris Tadeus me fecit*, retable – Berne : *Triptyque sur fond doré* – Fiesole (Mus. Bandini) : *L'Annonciation* – Florence (Acad. des Beaux-Arts) – Florence (Gal. des Mus. des Offices) : *Madone avec des anges* – Genève : *Adoration de la Vierge entourée de saints* – Munich (Alte Pina.) – Paris (Mus. du Louvre) : *Décollation de Saint-Jean – Le Calvaire – Martyre d'un saint.*

Ventes Publiques : Paris, 1845 : *Saints* : **FRF 770** – Paris, 1897 : *La Nativité* : **FRF 1 520** ; *Sainte Anne et Saint Zacharie* : **FRF 1 400** – Paris, 1900 : *L'Annonciation* : **FRF 2 100** ; *Le Calvaire* : **FRF 470** – Londres, 25-26 mai 1911 : *La Vierge et l'Enfant Jésus sur un trône* : **GBP 1** – Londres, 16 jan. 1925 : *Le Christ sortant du tombeau* : **GBP 78** – Londres, 6 fév. 1931 : *Crucifixion* : **GBP 28** – Londres, 24 fév. 1939 : *Agonie au jardin ; Lavement des mains*, les deux : **GBP 75** – Londres, 6 mars 1942 : *Madone et l'Enfant et des saints au centre*, triptyque : **GBP 27** – Londres, 14 déc. 1945 : *Couronnement de la Vierge* : **GBP 325** – Londres, 9 déc. 1959 : *La crucifixion* : **GBP 4 000** – Londres, 24 mai 1991 : *Maître-autel de Bromley Davenport, au centre le Christ des Douleurs, de part et d'autre les saints Pierre, François, Paul et André avec les prophètes dans la partie supérieure des panneaux*, temp./pan. à fond or, polyptyque, ensemble de cinq panneaux (Le Christ : 107,8x58,5 ; St Pierre : 90,5x46,5 ; Sts François et Paul : 90,5x49,5 ; St André : 90,5x48,3) : **GBP 1 980 000** – Paris, 26 juin 1992 : *Saint Léonard et un donateur*, temp./pan. de peuplier à fond d'or (58x20,5) : **FRF 400 000.**

GADE Hari Ambadas
Né en 1917 à Talegaon Dashasar (Maharashtra). XXe siècle. Indien.
Peintre de figures, paysages. Postcubiste.
Il fut élève de l'Université de Nagpur, puis de l'École d'Art de la même ville. Il alla terminer son diplôme dans une école de Bombay. Il participe à de nombreuses expositions collectives, en Inde et à l'étranger, représentatives de l'art indien moderne. En 1956, il fit partie d'une délégation d'artistes indiens qui se rendit en URSS et dans les pays de l'Europe de l'Est.
Il construit ses figures et paysages dans la tradition postcubiste, avec une gamme colorée sensible.
Bibliogr. : In : *Peintres contemporains*, Mazenod, Paris, 1964.

GADEGAARD Poul ou **Paul**
XXe siècle. Danois.
Peintre. Abstrait-constructiviste.
Il a figuré à Paris, au Salon des Réalités Nouvelles en 1950.
Il se rattache à l'esthétique néo-constructiviste, fortement représentée au Danemark par le peintre Richard Mortensen et le sculpteur Robert Jacobsen.
Ventes Publiques : Copenhague, 4 mars 1992 : *Composition* 1949, h/t (38x55) : **DKK 10 000** – Copenhague, 2-3 déc. 1992 : *Composition* 1952, h/t (130x195) : **DKK 22 000** – Copenhague, 3 juin 1993 : *Composition* 1952, h/t (46x65) : **DKK 7 000** – Copenhague, 8-9 mars 1995 : *Composition* 1955, h/t (60x73) : **DKK 7 800** – Copenhague, 12 mars 1996 : *Composition* 1952, h/t (46x55) : **DKK 4 000** – Copenhague, 29 jan. 1997 : *Composition* 1954, h/t (55x46) : **DKK 6 000.**

GADENNE Bertrand
Né en 1951 à Proverville (Aube). XXe siècle. Français.
Artiste d'installations. Conceptuel.
Il vit et travaille à Paris. Il participe à des expositions collectives, dont : 1980 Biennale de Paris, 1983 *Itinéraires* à la direction régionale des Affaires Culturelles à Metz, 1984 et 1992 Maison des expositions à Genas, 1988 musée d'Art et d'Histoire à Metz, 1991 *Feuilles* au musée national d'Art Moderne à Paris. Il montre son travail dans des expositions personnelles depuis 1982, à Paris, notamment en 1994 et 1996 galerie Aline Vidal, et dans plusieurs villes de province, ainsi qu'à l'étranger, à l'Institut français de Tel-Aviv notamment en 1991.
Par des installations lumineuses, à rapprocher de celles de Michel Verjux, il met « en lumière » dans l'obscurité totale certains aspects du lieu ou du matériel même de l'installation.
Bibliogr. : Mona Thomas : *Gadenne, le faiseur de rêves*, Beaux-Arts, n° 130, Paris, janv. 1995.
Musées : Lille (FRAC) – Metz (FRAC) – Sélestat (FRAC).

GADENNE Charles
Né le 30 juillet 1925 à Roubaix (Nord). XXe siècle. Français.
Sculpteur.
Il fut élève de Marcel Gimond, à l'École des Beaux-Arts de Paris

jusqu'en 1952. Il expose à Paris, aux Salons de la Société Nationale des Beaux-Arts et d'Automne, dont il est sociétaire.

GADI Camillo
XVIIIe siècle. Actif à Bologne à la fin du XVIIIe siècle. Italien.
Peintre.
Il était fils de Francesco.

GADI Francesco
Mort en 1784 à Bologne. XVIIIe siècle. Italien.
Peintre.
Il fut l'élève de V. M. Bigari.

GADIO Giovanni
XVe siècle. Actif à Crémone. Italien.
Miniaturiste.
Il écrivit et illustra des manuscrits en collaboration avec son frère Giovanni Pietro.

GADIO Giovanni Gazzo
XVe siècle. Actif à Gênes en 1461. Italien.
Peintre.

GADIO Giovanni Pietro
XVe siècle. Actif à Crémone à la fin du XVe siècle. Italien.
Miniaturiste.
Il travaillait avec son frère Giovanni.

GADOR Istvan
Né en 1891. XXe siècle. Hongrois.
Sculpteur, céramiste. Abstrait.
Il exposait depuis 1914. Ses principales expositions furent : 1921 au Musée du Belvédère, 1922, 1961, 1966 au Musée Ernst. En 1962, il a figuré à la Biennale de Venise. De 1945 à 1957, il fut professeur à l'École Supérieure des Arts Décoratifs de Budapest. Artiste reconnu officiellement, il a reçu le titre d'artiste émérite et le Prix Kossuth.
Il a réalisé des décorations murales en relief et des céramiques non-figuratives.
BIBLIOGR. : In : *Hongrie 68*, Pannonia, Budapest, 1968.

GADOU-ROYER Jeanne
Née au XIXe siècle à Bordeaux (Gironde). Morte en 1907. XIXe siècle. Française.
Peintre, miniaturiste.
Élève de Alaux et de A. Gibert. Elle envoya au Salon de Paris quelques œuvres en 1874 et 1875. On cite d'elle : *Portrait de M. Lalanne ; Le sommeil ; Derniers moments du P. Lacordaire.*

GADOWSKY Valery
Né en 1833 à Cracovie. XIXe siècle. Polonais.
Sculpteur.
Il fit ses études de dessin à Cracovie avec Stisler, et de sculpture avec Kossovsky. Il passa ensuite deux ans à l'Académie des Beaux-Arts de Vienne. En 1877, il devint professeur de sculpture à l'Académie des Beaux-Arts de Cracovie. Le Musée de Cracovie conserve de lui : *Portrait de Comtesse Arthur Potocki* et *Hérodiade*.

GADSBY William Hippon
Né en 1844. Mort en 1924. XIXe-XXe siècles. Actif à Londres. Britannique.
Peintre de sujets de genre.
Ce peintre, membre de la Society of British Artists, fut un fidèle exposant à Suffolk Street, à Londres, à partir de 1869. On le trouve aussi dans les expositions de la Royal Academy.
VENTES PUBLIQUES : LONDRES, 30 nov. 1907 : *Fatigué* : **GBP 3** ; *Un conte de fée* : **GBP 1** – PARIS, 23 fév. 1945 : *Fatiguée* : **FRF 3 300** – LONDRES, 21 juil. 1978 : *Deux jeunes filles arrangeant des fleurs*, h/t (89x69) : **GBP 1 200** – LONDRES, 30 mars 1982 : *Le château de cartes*, h/t (71x91,5) : **GBP 850** – LONDRES, 23 sep. 1988 : *Des formes dans les flammes*, h/t (50,5x76,5) : **GBP 3 520** – LONDRES, 3 fév. 1993 : *Dimanche soir*, h/t (68,5x55) : **GBP 747**.

GAEBERT Johann Gottlieb
Mort le 27 décembre 1799 à Wildenfels. XVIIIe siècle. Allemand.
Sculpteur.
Il travailla pour le couvent d'Altzelle près de Wessen. Frère de Karl Heinrich.

GAEBERT Karl Heinrich
XVIIIe siècle. Actif à Wildenfels. Allemand.
Sculpteur.
Il était frère de Johann Gottlieb.

GAECKLE Albert ou **Gackle**
Né le 25 août 1853 à Stuttgart. XIXe siècle. Allemand.
Sculpteur.
Il fit ses études à Vienne, Munich et Paris avant de revenir s'établir à Stuttgart. Il travailla pour différentes églises de cette ville et des environs.

GAEDE Heinrich ou **Gade**
XIXe siècle. Actif à Berlin au début du XIXe siècle. Allemand.
Peintre.
Il exposa à l'Académie de Berlin entre 1814 et 1816.

GAEDE Lilla Pauline Emilie ou **Gade**
Née le 8 septembre 1852 près de Kiel. XIXe siècle. Allemande.
Peintre.
Elle fit ses études à Karlsruhe, puis vécut à Hambourg et à Kiel. On lui doit surtout des tableaux de fleurs.

GAEDE Philip Friedrich ou **Gade**
Né vers 1782 à Berlin. Mort le 2 mai 1840 à Berlin. XIXe siècle. Allemand.
Sculpteur sur bois.
Il exposa à l'Académie de Berlin en 1800 et 1832.

GAEL. Voir aussi **GAAL**

GAËL Anna, pseudonyme de **Rouanet Yvonne**
Née le 13 avril 1936 à Mazamet (Tarn). XXe siècle. Française.
Peintre de fleurs et sujets divers.
Elle fut initiée à la peinture dans un atelier privé de Toulouse. Depuis 1977, elle participe à des expositions collectives dans de nombreuses villes de province, et d'entre lesquelles à Paris : le Salon d'Automne depuis 1990, le Salon de la Société Nationale des Beaux-Arts, le Salon des Artistes Français depuis 1991. Elle montre des ensembles de ses peintures dans des expositions personnelles à la galerie Ror Volmar de Paris, en 1984, 1985, 1986, 1989, 1991...
Si elle traite des sujets divers, figures, scènes de genre, animaux, paysages, elle s'est surtout spécialisée dans les bouquets de fleurs, qu'elle détaille avec une grande fidélité.

GAEL Barend. Voir **GAAL Barend**

GAEL Jacob François
XVIIIe siècle. Hollandais.
Graveur.
On lui doit des caricatures.

GAELEN Alexandre Van ou **Goelen**
Né le 28 avril 1670 à Amsterdam. Mort en 1728. XVIIe-XVIIIe siècles. Hollandais.
Peintre de scènes de chasse et de batailles.
Élève de Johann Van Huchtenburgh. En 1694, il vint en Allemagne, où il fut peintre de la cour à Cologne. Après être revenu en Hollande, il partit pour l'Angleterre où il fit le portrait de la *Reine Anne* et exécuta plusieurs tableaux de batailles.
VENTES PUBLIQUES : LONDRES, 1er juil. 1931 : *Scène de chasse* : **GBP 8** – LONDRES, 17 fév. 1936 : *Paysage* : **GBP 6** – PARIS, 21 oct. 1946 : *Choc de cavalerie*, attr. : **FRF 4 400**.

GAELMAN Arnould
XIVe siècle. Actif à Louvain. Éc. flamande.
Peintre sur verre.
C'est le plus ancien des peintres de Louvain connu. Il travaillait entre 1311 et 1324. Peut-être le même artiste que Armand Gaelmann.

GAELMANN Armand
Mort vers 1323. XIVe siècle.
Miniaturiste.

GAENSSLEIN Otto Robert ou **Gaensslen**
Né le 6 juin 1876 à Chicago. Mort en 1915. XXe siècle. Actif aussi en France. Américain.
Peintre.
Il fut élève de Karl von Marr à l'Académie des Beaux-Arts de Munich. Il vint ensuite à Paris, où il fut élève de Jean-Paul Laurens, puis où il se fixa. Il y exposait au Salon des Artistes Français, obtenant une mention honorable en 1906. Il était également membre de la Society of Artists de Chicago.
VENTES PUBLIQUES : SAN FRANCISCO, 21 jan. 1981 : *Crépuscule*, h/t (40,5x51) : **USD 475**.

GAER-FAY
Né le 7 avril 1899 à Londres. XXe siècle. Britannique.
Sculpteur.

GAEREMYN Jan Anton. Voir **GAREMYN**

GÆRTNER Alfred ou **Gärtner**
Né le 4 mars 1868 à Stuttgart. XIXe siècle. Allemand.

Peintre et lithographe.
Il fut élève de Grünenwald à Stuttgart et de Robert Fleury à Paris. On lui doit surtout des paysages et des scènes de genre.

GAERTNER Carl Frederick
Né le 18 avril 1898 à Cleveland (Ohio). Mort en 1952. XXe siècle. Américain.
Peintre, illustrateur.
Il accomplit toute sa carrière à Cleveland, où il fut également professeur.
VENTES PUBLIQUES : NEW YORK, 9 sep. 1993 : *Route du bout du monde* 1948, h/rés. synth. (71,1x121,9) : **USD 690**.

GÆRTNER Christian ou **Gärtner**
Mort le 27 février 1712 à Freiberg. XVIIIe siècle. Allemand.
Peintre.
Il travailla dans cette ville ainsi qu'à Bilberstein.

GÆRTNER Christian Salomon ou **Gärtner**
Né le 18 novembre 1672 à Freiberg. XVIIe-XVIIIe siècles. Allemand.
Peintre.
Il était fils de Christian.

GÆRTNER Christoph
Né à Arnstadt. XVIIe siècle. Allemand.
Peintre et sculpteur sur bois.
Il travailla à Arnstadt, puis à Brunschwick pour le compte des princes régnants. Il subsiste une œuvre de lui à l'église de Wobeck près de Schöningen.

GAERTNER Eduard. Voir **GAERTNER Johann Philipp Eduard**

GÆRTNER Friedrich ou **Gärtner**
Né le 11 janvier 1824 à Munich. Mort le 9 octobre 1905 à Munich. XIXe siècle. Allemand.
Peintre d'architectures.
Fils de l'architecte Friedrich von Gärtner. Élève de l'Académie de Munich et du peintre de marines Simonsen. Il continua ses études à Paris dans l'atelier du peintre de genre Cl. Jacquand. En 1870, il alla en Algérie. Il a exposé à Munich et à Vienne entre 1858 et 1873. On cite de lui : *Cuisine de couvent.* Le Musée de Munich conserve de lui : *Intérieur d'une maison mauresque* et *Cour de cloître au clair de lune.*
VENTES PUBLIQUES : MUNICH, 5 nov. 1986 : *Intérieur d'église*, h/t (66x56) : **DEM 5 000**.

GAERTNER Fritz. Voir **GÄRTNER**

GÆRTNER Georg, l'Ancien ou **Gärtner**
Mort en 1640. XVIIe siècle. Actif à Nuremberg. Allemand.
Portraitiste et aquarelliste.
Il fut le père de Georg l'Ancien.

GÆRTNER Georg, le Jeune ou **Gärtner**
Mort en 1654. XVIIe siècle. Actif à Nuremberg. Allemand.
Peintre.
Il copia et imita Dürer.

GÆRTNER Georg Paulus ou **Gärtner**
XVIIIe siècle. Actif à Nuremberg vers 1700. Allemand.
Peintre.

GÆRTNER Heinrich ou **Gärtner**
Né le 22 février 1828 à Neu-Stretitz. Mort le 19 février 1909 à Dresde. XIXe siècle. Allemand.
Paysagiste.
Travailla le dessin avec Ruscheweyh. En 1845, il étudia le paysage avec F. W. Schirmer à Berlin et en 1847 sous la direction de Ludw. Richter à Dresde. Il continua ses études à Rome ; puis, prit part à une exposition de Leipzig où il obtint un deuxième prix. En 1889, il exécuta deux grands tableaux pour le lycée d'Elbing. Membre honoraire de l'Académie de Dresde. On cite de lui : *Soirée d'été.* Exposa à Munich et à Dresde entre 1854 et 1888. Le Musée de Leipzig conserve de lui : *Paysage d'Italie* et *Le lac Nemi.*
VENTES PUBLIQUES : MUNICH, 28 nov 1979 : *La procession dans un paysage boisé* 1847, pl. (34x30) : **DEM 9 400**.

GÆRTNER Johann ou **Gärtner**
XVIIe siècle. Actif à Nuremberg vers 1600. Allemand.
Peintre.
On connaît un paysage et un portrait gravés d'après cet artiste.

GÆRTNER Johann Christoph ou **Gärtner**
XVIIe siècle. Actif à Mayence. Allemand.
Peintre.

GÆRTNER Johann Jacob ou **Gärtner**
Né le 10 octobre 1697 à Hanau (Hesse). Mort en décembre 1750 à Francfort-sur-le-Main. XVIIIe siècle. Allemand.
Peintre.
Il travailla surtout à Francfort.

GÆRTNER Johann Philipp Eduard ou **Gärtner**
Né le 2 juin 1801 à Berlin. Mort le 22 février 1877 à Berlin. XIXe siècle. Allemand.
Peintre d'architectures.
Élève de Karl Gropius à Berlin. Il continua ses études à Paris. De 1837 à 1839, il travailla pour l'empereur Nicolas à Saint-Pétersbourg et à Moscou. En 1833, il devint membre de l'Académie de Berlin. Il a exposé à Berlin entre 1822 et 1872. Vedutiste aux ciels bien observés avec des effets de lumière intéressants, il a notamment exécuté un *Panorama de Berlin*, en six parties.
MUSÉES : BERLIN : *Les anciennes ruelles de Bretagne – Pont royal à Berlin – La nouvelle garde.*
VENTES PUBLIQUES : MUNICH, 18 mai 1988 : *Berlin, vue de la Place de l'Opéra, l'Opéra et Unter den Linden (l'allée des Tilleuls) au crépuscule* 1845, h/t (42x78) : **DEM 1 012 000** – LONDRES, 18 juin 1993 : *Le « Schlossfreiheit » vue du pont du château à Berlin* 1855, h/t (56x96) : **GBP 936 500** – MUNICH, 21 juin 1994 : *Arrière-cour à Colmar*, aquar./pap. (28x22) : **DEM 20 700** – LONDRES, 13 oct. 1994 : *« Unter den Linden » à Berlin* 1836, h/t (21,5x40,5) : **GBP 243 500**.

GÆRTNER Melchior ou **Gärtner**
Né à Eichstädt. XVIIe siècle. Allemand.
Peintre.
Il travailla surtout à Vienne où il fut le collaborateur de Frans Luycx.

GAESBEECK Adriaen Van
Né en 1621 à Leyde. Mort au début de 1650 à Leyde. XVIIe siècle. Hollandais.
Peintre de compositions religieuses, sujets de genre, portraits.
On le croit généralement élève de Gérard Dou. En 1649, il faisait partie de la gilde de Leyde. Il paraît être le même que A. Van Gaebseeck, cité par *Bryan's Dictionary* avec une différence de vingt ans.

A. van Gaesbeeck fecit

MUSÉES : AMSTERDAM : *Jeune homme dans une salle d'étude* – DOUAI : *Intérieur d'atelier* – LEYDE (Mus. Lakenhal) : *Sainte Famille – Portrait d'homme.*
VENTES PUBLIQUES : PARIS, 5 oct. 1892 : *Le repos de la Sainte Famille* : **FRF 380** – LONDRES, 10 et 11 mars 1911 : *Philosophe* : **GBP 7** – AMSTERDAM, 13 nov. 1995 : *Servante travaillant dans une cuisine et un gamin lui offrant une pomme avec un canard mort et des légumes sur une table* 1648, h/pan. (70,8x57,8) : **NLG 92 000**.

GAETA Enrico
Né en novembre 1840 à Castellamare di Stabia. Mort en juillet 1887 à Castellamare. XIXe siècle. Italien.
Peintre de sujets de genre, paysages, architectures.
Il fut élève de l'Académie des Beaux-Arts de Naples. Il débuta vers 1873. Il a exposé à Vienne, Naples, Turin, Milan et Venise.
VENTES PUBLIQUES : ROME, 14 déc. 1989 : *Paysage côtier à Sorrente avec le Vésuve au fond*, h/t (38x59) : **ITL 3 450 000**.

GAETA Francesco
XVIIe siècle. Actif à Pise. Italien.
Sculpteur et graveur.
Il travailla pour la cathédrale de Pise. On lui doit aussi des paysages gravés.

GAETAN Pedro
XVIIe-XVIIIe siècles. Actif à Séville à la fin du XVIIe siècle et au commencement du XVIIIe siècle. Espagnol.
Sculpteur.
Cet artiste travailla en différents genres. On cite de lui, un cartel de style baroque qui dut servir d'écu à quelque corporation du Saint-Sacrement, car il porte un ostensoir à son centre, et sous la même signature, plusieurs statues de Bergers à la naissance du Christ.

GAETANO Antonio
Né vers 1630 à Messine. Mort vers 1700 à Messine. XVIIe siècle. Italien.
Peintre et graveur.
Élève de Barbalonga. Il travailla pour la cathédrale de Messine.

GAETANO Carlo
XVIIe siècle. Actif à Naples en 1683. Italien.
Peintre.

GAETANO Francesco
XVIIe siècle. Actif à Naples. Italien.
Peintre.
Il était élève de Massino Stanzione et travailla pour l'église Saint-Nicolas à Naples.

GAETANO Giovanni Battista
XVIIe siècle. Actif dans la seconde moitié du XVIIe siècle. Italien.
Dessinateur.
Il travailla sans doute pour la reine d'Espagne Marie-Louise de Bourbon et fut peut-être également graveur ainsi que peintre. Nagler pense qu'il faut le rapprocher d'Urbinas Cajetanus.

GAETANO MARIA da Mantova, fra
XVIe siècle. Actif à Ascoli Piceno. Italien.
Peintre.

GAETKE Heinrich
Né vers 1814. Mort vers 1879. XIXe siècle. Allemand.
Peintre de paysages, marines.
Il a exposé à Berlin, à Dresde et à Vienne entre 1842 et 1878. On cite de lui : *Paysage* ; *La Tempête*.

GAFA Melchior
Né en 1635 à Malte. Mort en 1680. XVIIe siècle. Italien.
Peintre d'histoire.
Cité par Siret.

GAFFER Bernardo
XVe siècle. Espagnol.
Peintre.
Cet artiste, peut-être d'origine allemande, exécuta des retables pour l'église Santa Maria del Mon à Barcelone dans la seconde moitié du XVe siècle.

GAFFURI Giuseppe
XVIe siècle. Actif à Côme. Italien.
Sculpteur sur bois.
Il exécuta plusieurs tableaux pour la cathédrale de Côme. C'est peut-être le même artiste qui travailla à Florence et Milan.

GÄFGEN Wolfgang
Né le 12 septembre 1936 à Hambourg. XXe siècle. Depuis 1961 actif en France. Allemand.
Peintre, aquarelliste, dessinateur, graveur. Hyperréaliste.
Il étudia à Hambourg et fut élève de l'École Supérieure des Beaux-Arts et de l'Académie des Beaux-Arts de Stuttgart de 1957 à 1961. En 1960-1961, il fit un séjour de travail chez Otto Dix, le peintre de la Nouvelle Objectivité. Aussitôt après, il se fixa à Paris.
Il participe à des expositions collectives, dont : 1963 à la librairie-galerie La Hune de Paris, exposition des élèves de l'atelier du graveur Friedlaender ; et Biennale des Jeunes Artistes à Paris : 1966 Paris, Salon Grands et Jeunes d'Aujourd'hui ; 1968 Salon de Mai ; 1968 *L'art vivant 1965-1968* à la Fondation Maeght de Saint-Paul-de-Vence ; 1970 Paris *Images-dessins*, au Musée d'Art Moderne de la Ville ; 1971 7e Biennale de Paris ; 1972 Paris, surtout l'exposition du Grand Palais *72/72*, qui a marqué le début d'une audience qui s'accrut rapidement dans un premier temps ; 1972, ce fut en tant que graveur qu'il participa à la Biennale de Cracovie ; 1977 Documenta VI de Kassel ; etc.
En outre, il a montré ses rares, parce que lentes, réalisations dans des expositions personnelles, dont : 1966 la première à Paris, galerie Jacob ; 1968 à Lübeck ; 1970 Goethe Institut de Marseille ; 1971 Kunsthalle de Bielefeld ; 1972 galerie AAA de Paris ; la première à la galerie Karl Flinker de Paris en 1973, suivie de celles de 1976, 1979, 1984 ; 1976, la Collection Graphique d'État de Munich et Kunsthalle de Hambourg ; 1977 Lübeck et Munich ; 1982 Kunsthalle de Hambourg et celle de Nuremberg ; puis à Paris, plusieurs fois, galerie Baudoin-Lebon.
Le succès rapide, presque brutal, que connut Gäfgen dans les années soixante-dix et début quatre-vingt, après qu'il eut en 1967 abandonné la peinture pour le dessin, est lié au succès (de mode ?) que connut à ce moment la vague hyperréaliste, dont il a été une des vedettes internationales et sans doute le plus en vue pour l'Europe. Le succès de l'hyperréalisme ne fut alors pas étranger à un renouveau généralisé du réalisme en général. La vogue que connut l'hyperréalisme, à la faveur d'une carence de définition claire, a d'ailleurs permis nombre de confusions, dont la plus fréquente concerna les peintres de trompe-l'œil, trop heureux de s'entendre, depuis le Salon des Artistes Français, soudain projetés dans l'actualité et l'avant-garde. On a pu voir dans une revue un article abondamment illustré dont aucune image ne ressortissait à l'hyperréalisme, et toutes au trompe-l'œil, tant la frontière entre les deux est floue. Chez les vrais hyperréalistes, et chez Gäfgen en particulier, le réalisme n'est qu'apparent et ne concerne que la perfection du rendu, ce rendu qui, chez certains Américains, n'est pas ce qu'on appelle photographique quand justement il s'applique à imiter le mauvais rendu d'une photographie reproduite en offset, cas précis d'un réalisme au deuxième ou troisième degré. Quant à la séparation entre hyperréalisme et trompe-l'œil ou tout ce qui s'en rapproche et tous les réalismes, le cas de Gäfgen est assez éclairant. Son réalisme extrême n'est jamais qu'un concept de réalisme, ce ne peut être qu'un réalisme du bien imité, la chose imitée n'est pas la chose et aucun trompe-l'œil n'a jamais trompé personne bien longtemps. Son réalisme est d'autant plus éloigné de la réalité que, dans sa période hyperréaliste, il n'a utilisé que le crayon noir et la gravure en noir, dont en 1972 une série d'estampes à la manière noire, il a placé les objets qu'il dessinait, isolés d'un contexte plausible, sur l'abstraction de feuilles de papier blanc et les représente comme posés sur le vide, et ce n'était pas la nature de ces objets qui l'intéressait mais leur texture (cordes, bois), leur position (draps chiffonnés, morceaux de tissus posés sur des coins de cubes), leurs matériaux (cuir, pierres, chaînes, brindilles). Pourtant l'illusion fonctionne : dans les plis et les replis, on sent le satin, on touche le cuir lisse et brillant, on est captivé par les reflets. En dépit de son assertion : « Dessiner c'est saisir, je ne fais rien d'autre », son réalisme lui permet de projeter ses visions ou fantasmes, dans la réalité du dessin, c'est-à-dire hors de sa réalité : « J'ai commencé par dessiner des coussins puis des manteaux. Les choses font une sorte de cercle autour de nous, dans lequel nous nous tenons avec notre enfance, nos souvenirs, notre univers personnel. » Son regard sur la réalité n'est pas un regard froid ou bien alors il est glacial : de matelas juste quittés à des sièges de coiffeur ou de dentiste en attente de patients, de vêtements de cuir bardés de chaînes, défroques d'on ne sait quel personnage, à des trous, dans le sol ou plutôt dans des bacs de terre, creusés et étayés ou des boîtes bâchées, il décrit un univers de l'absence, du manque et du malaise : « une présence palpable de l'absence », écrit Heinz Wismann. L'humain n'y est perçu que dans ses traces, ses abandons, de façon très évidente dans ses premiers dessins d'oreillers, de vêtements, conservant l'empreinte d'une tête, d'un corps, de façon moins directe ensuite quand il dessine des lieux marqués par une intervention, une entaille sur un objet ou sur rien, un fossé creusé dans la terre ou dans le vide. Gäfgen dérange parce qu'il transcrit avec attention des visions irréelles, refoulées mais latentes, où il ne s'agit que d'une description en apparence anodine d'objets quasi quotidiens, d'événements banals, dont toutefois la mise en place (en scène) sollicite l'imagination : « Ces objets, tous humbles et banals, me servent d'une certaine manière à tourner en dérision les objets plus *sophistiqués* auxquels l'homme tend de plus en plus aujourd'hui à déléguer ses pouvoirs ». L'odeur sulfureuse des dessins de Gäfgen vient de ce que, étant très en retrait de leur signification possible, mais non dévoilée, ils obligent à une interprétation, évoquant, selon, des sensations dérisoires ou traumatisantes. L'hyperréalisme, en tout cas celui de Gäfgen, se tient dans cet affrontement de la réalité, non pas avec son image (réalisme simple), mais avec les fantasmes dont elle est gravide. À moins que telle interprétation n'ait d'autre origine que dans l'esprit du « regardeur » (voyeur), et que chez Gäfgen n'opérerait que le plaisir simple de dessiner, capter un moment de la réalité, auquel cas l'hyperréalisme de Gäfgen ne serait qu'un avatar du réalisme, tel que décrété par Claude Rossignol dans le dictionnaire d'Hazan : « Si l'œuvre de Gäfgen a bénéficié de l'engouement qui s'est manifesté pour l'Hyperréalisme, son travail paraît plutôt s'inscrire dans la longue tradition de graphistes et de graveurs germaniques. » Pourtant, ce qui frappe le plus dans son réalisme, c'est que, par l'excès même du détail de l'objet, isolé comme pièce à conviction d'on ne sait quel forfait, sur la feuille immaculée, jamais autant perçu dans la réalité, il est ressenti comme irréel et, en tant que tel, ramène à l'enchaînement d'angoisses, dont fut un moment supposé le non-fondement.
Et puis, la surprise, environ 1990, de voir une exposition Gäfgen, Galerie Baudoin-Lebon à Paris, qui l'a renouvelée à la FIAC 1992 (Foire Internationale d'Art Contemporain), dont les peintures,

plastiquement prégnantes, constituées de formes synthétiques amples, nettement découpées et franchement colorées, comportant quelques éléments figuratifs, n'ont absolument plus rien de commun avec les dessins et l'hyperréalisme de naguère. Dans une nouvelle exposition, en 1995, même galerie Boudoin-Lebon, les travaux présentés sont de trois ordres : bois gravés, découpages et dessins au trait. Les bois gravés, mesurant plus de deux mètres de haut, représentent l'œuvre la plus aboutie de Wolfgang Gäfgen, les formes utilisées prennent un caractère végétal, organique, un univers peuplé de guirlandes et de serpentins, où le noir est omniprésent aux côtés de couleurs éclatantes. À cela s'opposent les découpages, de petit format, qui fonctionnent comme des ombres chinoises, des silhouettes découpées au cutter dans du papier noir qui se détachent sur un fond blanc. Les « gravures et les découpages », dit Wolfgang Gäfgen, « sont entrepris sous le mode du jeu ». Dans les gravures, le jeu consiste à répéter et à recycler les mêmes formes d'une œuvre à l'autre ; dans les découpages, les morceaux de papier ne sont que des résidus, des chutes de papier prélevées parmi celles qui s'accumulent sur le sol de l'atelier. Le dessin au trait, inspiré des vases ornés antiques, réclame une concentration beaucoup plus grande, car, selon l'artiste, « rien n'est là au départ, tout est à faire ». Que penser de ces œuvres récentes, sinon qu'il y a eu du courage à abandonner un filon, peut-être formellement épuisé, mais publiquement encore fructueux, tandis que ce qu'il propose désormais, ressortissant à du déjà tant vu, ne bénéficie plus que du support de son nom, tant que non encore oublié ?
■ Jacques Busse, Sandrine Vézinat

Bibliogr. : In : Catalogue de l'exposition *Hyperréalistes américains, réalistes européens*, Centre Nat. d'Art Contemp., Paris, 1974 – in : *Diction. Universel de la Peint.*, Le Robert, Paris, 1975 – Pierre Faveton, in : *Diction. Bénézit*, Gründ, Paris, 1976 – Pierre Léonard : *Zeichnungen-Dessins 1970-1976*, Édit. du Chêne, Paris, 1978 – Heinz Wismann : présentation du catalogue de l'exposition *Gäfgen*, Gal. Karl Flinker, Paris, 1979 – in : *Diction. de l'Art Mod. et Contemp.*, Hazan, Paris, 1992 – Emmanuel Pernoud : *Wolfgang Gäfgen, les loques du merveilleux*, in : Art press, N°210, Paris, fév. 1996.

Musées : Marseille (Mus. Cantini) : *Grand nid N°II* 1982, lav.

Ventes Publiques : Paris, 13 oct. 1989 : *Composition*, mine de pb (56x76) : **FRF 6 000** – Londres, 21 mars 1991 : *Le canapé de Charlie* 1972, cr./pap. (100x130) : **GBP 825**.

GAFIERO Salvador
XIXe siècle. Actif au début du XIXe siècle. Espagnol.
Peintre d'histoire.

GAFORI Damiano
Né à Novare. Mort en 1538. XVIe siècle. Italien.
Peintre de miniatures.
Il copia et illustra plusieurs ouvrages liturgiques pour la cathédrale de Carpi.

GAGARIN Grigori ou **Grigorievitch**, prince
Né le 29 avril 1810 à Saint-Pétersbourg. Mort le 18 janvier 1893 à Châtellerault. XIXe siècle. Russe.
Peintre d'histoire, sujets de genre, paysages, peintre à la gouache, aquarelliste.
Cet artiste a retracé un grand nombre d'épisodes de l'histoire militaire russe.

Musées : Moscou (Gal. Tretiakoff) : *L'Entrevue du général Klukketon-Kluguenaou avec Schamyl* – Moscou (Mus. Alexandre III) : *Scène de l'assujettissement du Caucase – Bataille entre les troupes russes et les Circassiens – Passage de troupe.*

Ventes Publiques : Londres, 15 juin 1995 : *Le lac de Gokchk ou Sevang en Arménie*, gche et cr./pap. chamois (28x36) : **GBP 1 150** – Londres, 14 déc. 1995 : *Nature morte avec prunes*, aquar. (20,7x15,3) : **GBP 2 530** – Londres, 19 déc. 1996 : *Nature morte avec prunes*, aquar. (20,7x15,3) : **GBP 1 725**.

GAGARINE-STOURDZA Carmina, princesse
Née au XIXe siècle à Odessa. XIXe-XXe siècles. Russe.
Peintre de portraits.
Elle fut élève de Saintpierre, Henner et Paul Chabas. Elle exposa, à Paris, au Salon des Artistes Français, dont elle devint sociétaire en 1909, date où elle obtint aussi une mention honorable. Elle fut ensuite récompensée par une médaille de troisième classe en 1910.

GAGE Joachim
XVIIIe siècle. Actif à Würzburg vers 1702. Allemand.
Sculpteur.
Il travailla pour l'église de l'Université.

GAGE Louis Léon
Mort en 1902. XIXe siècle. Français.
Peintre.
Sociétaire des Artistes Français, il figura au Salon de cette société.

GAGE Merrell
Née en 1892 dans le Kansas. XXe siècle. Américaine.
Peintre.
Elle fut élève de l'Art Students' League de New York et membre du California Art Club. Elle obtint une médaille d'or du Kansas City Institute en 1921. Elle fut également professeur.

GAGE Paul
Né le 10 novembre 1902 à Paris. Mort le 6 décembre 1983 à Paris. XXe siècle. Français.
Peintre de paysages, paysages urbains, dessinateur, aquarelliste. Postimpressionniste.
Peintre autodidacte, il fit ses études d'architecture à l'École Nationale des Arts Décoratifs d'où, en 1922, il sort avec un Premier Prix.
De 1932 à 1979, il participe à de nombreuses expositions, dont à Paris : les Salons des Artistes Français (mention en 1949), de la Société des Beaux-Arts d'Outre-mer, d'Hiver, des Paysagistes Français. Il réalise des expositions particulières à Paris et en province.
Il a surtout peint les paysages de la Bretagne, de l'Allier, du Centre, du Midi, de l'Italie, d'Espagne, du Hoggar, de même que de nombreuses vues de Paris.

Musées : Hérisson.

Ventes Publiques : Paris, 1er déc. 1989 : *Les Halles*, h/pap. (41x33) : **FRF 6 200** – Paris, 28 mai 1990 : *Le marché aux fleurs*, h/t (36x44) : **FRF 9 000** – Paris, 7 déc. 1992 : *Rue animée à Alger*, h/t (55x46) : **FRF 3 500** – Paris, 22 avr. 1994 : *La visite à El Kettar*, h/t (46x55) : **FRF 4 000**.

GAGEL Karl August
Né le 9 février 1861 à Heidelberg. Mort le 21 avril 1916 à Karlsruhe. XIXe-XXe siècles. Allemand.
Peintre.
Il s'intéressa surtout aux questions de tissages et exécuta des cartons.

GAGELIN François
XVIIIe siècle. Actif à Pontarlier vers 1750. Français.
Sculpteur sur bois.
Il travailla pour l'église de Saint-Bénigne.

GAGEN Robert Ford
Né en 1847 ou 1848 à Londres. Mort en 1926. XIXe-XXe siècles. Actif au Canada. Britannique.
Peintre de paysages, paysages de montagne, paysages d'eau, marines, aquarelliste.
Établi à Toronto au Canada, il participa à de nombreuses expositions surtout à Ottawa.

Ventes Publiques : Toronto, 17 mai 1976 : *Paysage escarpé, Canada* 1904, aquar. (48x32) : **CAD 1 000** – Toronto, 19 oct. 1976 : *Paysage montagneux avec torrent* 1910, h/t (38x51) : **CAD 1 000** – Toronto, 26 mai 1981 : *Rocky mountain stream* 1900, aquar. (33,8x23,8) : **CAD 2 300** – Toronto, 18 nov. 1986 : *Scène maritime*, h/t (71,3x98,8) : **CAD 7 000**.

GAGET Paul
Né en 1500 à Bar-le-Duc. XVIe siècle. Français.
Sculpteur.
Élève de Ligier Richier, il fit, vers 1555, deux retables, l'un dans la chapelle Sainte-Anne, à l'abbaye de Sainte-Vanne, à Verdun, l'autre représentant la *Nativité* et l'*Adoration des Bergers*, dans la chapelle des Princes, à Bar-le-Duc.

GAGEY Adolphe
Né le 26 mars 1809 à Paris. XIXe siècle. Français.
Peintre de portraits, paysages.
Exposa au Salon de 1842 à 1857. Élève de Monvoisin.

GAGEY André
Né à Châteaudun (Eure-et-Loir). XXe siècle. Français.
Peintre.
Il fut exposant, à Paris, du Salon des Artistes Français depuis 1921. Il obtint une médaille d'or en 1930.

Ventes Publiques : Paris, 16 fév. 1983 : *Pardon en Bretagne*, h/t (131x200) : **FRF 11 000**.

GAGEY Auguste
Né au XIXe siècle à Paris. XIXe siècle. Français.

Peintre de paysages.
En 1877, il envoya au Salon : *Sous-bois, à Vincennes* (aquarelle), *Château de Lubersac* (aquarelle), et en 1880 : *Le soir, bois de la Tuilerie, près Ferrières* (aquarelle).

GAGG Gebhard
Né en 1838 à Lucerne. XIXe siècle. Suisse.
Peintre.
Il fit des voyages d'études en Allemagne et en Suisse et en 1869 il est professeur de dessin au gymnase à Constance.

GAGG-LÖWENBERG Friedrich von
Né en 1799 à Wertheim-sur-le-Main. Mort le 14 juin 1874 à Karlsruhe. XIXe siècle. Allemand.
Peintre de paysages.
Il vécut surtout à Fribourg-en-Brisgau et à Karlsruhe.

GAGGIA Leonardo
Né en 1821 à Cusiano. XIXe siècle. Italien.
Sculpteur sur bois.
On cite ses travaux pour les églises de Cles, de Predazzo, de Ligoretto et de Nomi, dans les environs de Milan.

GAGGINI Antonello ou **Gagini**, dit **Antonio da Carrara**
Né en 1478 à Palerme. Mort en 1536 à Palerme. XVIe siècle. Italien.
Sculpteur.
Fils d'un sculpteur, il était père de Antonio, Fazio et Vincenzo Gaggini, ainsi que de Carlo, Filippo et Giacomo da Bissone. Résida principalement en Sicile, à Messine, Palerme et Nicosie. Il travailla pendant quinze ans au chœur de la cathédrale de Palerme. Il se servit de la polychromie. Vasari fait l'éloge de cet artiste. Parmi ses œuvres, on compte six statues de marbre (au Dôme de Montelione di Casa Pignatelli, Calabre), représentant la *Madone, Saint Jean l'évangéliste, Marie-Madeleine, la Vierge et l'Enfant, Saint Luc*, et une *Madone della Neve*. Trois autres statues de la Madone, sculptées par lui, furent transportées, de Palerme, à la cathédrale de Montelione.

GAGGINI Antonio I
XVIe siècle. Actif à Palerme. Italien.
Sculpteur.
Il était le fils d'Antonello Gaggini.

GAGGINI Antonio II
Mort vers 1530 à Carrare. XVIe siècle. Actif à Gênes. Italien.
Sculpteur.
Il était frère de Giovanni I Gaggini et de Pace Gaggini. Sans doute faut-il l'identifier avec Antonio da Bissone qui travaillait à Venise au début du XVIe siècle et à Gênes en 1526.

GAGGINI Antonuzzo
Mort le 21 juillet 1627 à Caltagirone. XVIIe siècle. Italien.
Sculpteur.
Sans doute fils de Giovanni Domenico I Gaggini et père de Giovanni Domenico II Gaggini. C'est sans doute lui qui travaillait à Ferrare en 1589 sous le nom d'Antonio Gazini.

GAGGINI Bernardino
XVIe siècle. Actif en Espagne. Italien.
Sculpteur.
Fils d'Antonio II Gaggini. Il travailla surtout à Séville et à Tolède.

GAGGINI Bernardo I
XVIIIe-XIXe siècles. Actif à Gênes. Italien.
Sculpteur.
Il fut le père de Giuseppe III Gaggini.

GAGGINI Bernardo II
XIXe siècle. Actif à Gênes. Italien.
Sculpteur.
Il était le neveu et fut l'élève de Giuseppe III Gaggini.

GAGGINI Domenico
Mort en septembre 1492 à Palerme. XVe siècle. Italien.
Sculpteur sur marbre.
On cite de lui les ornements de la façade de la chapelle Saint-Jean-Baptiste dans la cathédrale de Gênes.
Ventes Publiques : Milan, 25 oct. 1988 : *Vierge à l'Enfant*, marbre (H. 90) : **ITL 30 000 000**.

GAGGINI Elia
Mort avant 1611 à Gênes. XVIe-XVIIe siècles. Italien.
Sculpteur.
Il exécuta plusieurs travaux de sculpture pour la chapelle Saint-Jean-Baptiste de la cathédrale de Gênes.

GAGGINI Fazio
Né en 1520 à Palerme. Mort le 27 mai 1567 à Palerme. XVIe siècle. Italien.
Sculpteur.
Fils d'Antonello Gaggini. Il travailla surtout à la cathédrale de Palerme.

GAGGINI Francesco
Né en juin 1610 à Caltagirone (Sicile). Mort le 3 décembre 1643 à Caltagirone. XVIIe siècle. Italien.
Sculpteur.
Il était fils de Giovanni Domenico II Gaggini.

GAGGINI Giacomo I. Voir **GIACOMO da Bissone**

GAGGINI Giacomo II
Né vers 1699 à Gênes. Mort en 1763. XVIIIe siècle. Italien.
Sculpteur.
Il imita le style du Bernin.

GAGGINI Giovanni I
Né à Bissone. Mort en 1517 à Mendrisio. XVIe siècle. Italien.
Sculpteur.
Il travailla surtout à Gênes.

GAGGINI Giovanni II
Né vers 1470 à Palerme. XVe siècle. Italien.
Sculpteur.
On cite son *Tombeau de Gaspare de Marino* à la cathédrale de Girgenti.

GAGGINI Giovanni Domenico I
Né vers 1503. Mort avant 1567. XVIe siècle. Italien.
Sculpteur.
Fils d'Antonello Gaggini. Il travailla avec son père à la cathédrale de Marsala. Il vécut surtout à Messine et à Palerme.

GAGGINI Giovanni Domenico II
XVIe-XVIIe siècles. Actif à Caltagirone. Italien.
Sculpteur.
Il travailla à Palerme et à Caltagirone.

GAGGINI Giovanni Francesco
Né à Bissone. XVIIIe siècle. Italien.
Peintre.
Il travailla surtout à Brescia dans la seconde moitié du siècle.

GAGGINI Giuseppe I
Mort le 13 septembre 1579. XVIe siècle. Actif à Palerme. Italien.
Sculpteur.
On cite de lui une *Vierge* à l'église de Mirto. Il était sans doute fils de Giacomo I Gaggini.

GAGGINI Giuseppe II
XVIIIe siècle. Actif à Gênes. Italien.
Sculpteur.
Imitateur du Bernin. Il était le frère de Giacomo II Gaggini. Il travailla pour le Palazzo Doria à Sestri Levante.

GAGGINI Giuseppe III
Né le 25 avril 1791 à Gênes. Mort le 2 mai 1867 à Gênes. XIXe siècle. Italien.
Sculpteur.
Élève de Canova. Après avoir séjourné à Milan et à Rome, il se fixa à Turin où il exécuta un grand nombre de monuments pour les rois de Piémont.

GAGGINI Pace
Né à Bissone. XVIe siècle. Italien.
Sculpteur.
Il travailla pour différentes églises, surtout à Gênes et à Pavie.

GAGGINI Stefano
XVe siècle. Actif à Palerme. Italien.
Sculpteur.
Il fut le collaborateur de Domenico Gaggini.

GAGGINI Vincenzo
Né le 8 août 1527 à Palerme. Mort le 15 mars 1595 à Palerme. XVIe siècle. Italien.
Sculpteur.
Il était fils d'Antonello Gaggini et travailla surtout pour la cathédrale de Palerme.

GAGGIOTTI-RICHARDS Emma
Née en 1825 à Rome. Morte en juin 1912 à Velletri. XIXe-XXe siècles. Italienne.
Portraitiste et peintre d'histoire.
Elle vivait en Italie. On cite d'elle : *Alexander von Humboldt* (1854) ; *Portrait de l'artiste*.

GAGINI Antonello. Voir **GAGGINI**

GAGLIARDELLI Giovan Francesco
Né à Citta San Angelo. XVIe siècle. Italien.
Peintre et sculpteur.
Il travailla en particulier à Ripatransone.

GAGLIARDELLI Girolamo
Né à Macerata. XVIe siècle. Italien.
Peintre.
Il travailla surtout pour la cathédrale d'Osimo.

GAGLIARDELLO
XVIe siècle. Actif à la fin du XVIe siècle. Italien.
Miniaturiste.

GAGLIARDI Bartolommeo ou **Gagliardo**, dit **il Spagnoletto**
Né en 1555 à Gênes. Mort vers 1620. XVIe-XVIIe siècles. Italien.
Peintre d'histoire et graveur, peintre à fresque.
Il séjourna longtemps en Espagne et en Inde occidentale, d'où lui vint le surnom de « il Spagnoletto ». À la fin de sa vie, il fut paralysé à la suite de la chute d'un échafaudage où il peignait. Il décora la façade d'une demeure près du dôme de Gênes, avec des représentations allégoriques des quatre éléments. Il a pu être dit, dans ses travaux de peinture, un imitateur de Michel-Ange. Quant à ceux de gravure, sa manière peut se comparer à celle de Cherubino Alberti. On possède de lui plusieurs planches, dont la prestigieuse page de titre des *Conclusioni Filisofiche* de Gaspero Oliva.

B Gagliardo.

BIBLIOGR. : In : *Allgemeines Künstler-Lexikon*, Seemann, Leipzig.
VENTES PUBLIQUES : NEW YORK, 13 jan. 1993 : *Saint François priant devant un crucifix au recto ; Évangeliste écrivant devant un pupitre au verso*, encre et lav. (18x16,6) : **USD 2 200**.

GAGLIARDI Bernardino
Né en 1609 à Citta di Castello. Mort le 18 février 1660 à Pérouse. XVIIe siècle. Italien.
Peintre d'histoire.
Élève de Avanzino Nucci. Il peignit dans la cathédrale de sa ville natale : *Le martyre de saint Crescentianus*. Dans l'église San Marcello de Rome, se trouve son chef d'œuvre : *Saint Pellegrino*.

GAGLIARDI Filippo
Né à Rome. Mort en 1659. XVIIe siècle. Italien.
Peintre et architecte.
On sait qu'il exécuta des peintures d'architectures vers 1610. La Galerie de Madrid possède de lui : *Intérieur d'église*.

GAGLIARDI Giovanni
XIXe siècle. Italien.
Portraitiste.
Romain, actif au XIXe siècle. Le Musée d'Avignon conserve de lui deux portraits de jésuites avignonnais du XVIIe siècle (Tableaux commandés par l'Administration du Musée en 1865).

GAGLIARDI Pietro
XVIe siècle. Actif à Rome en 1564. Italien.
Sculpteur.

GAGLIARDI Pietro
Né en 1809 à Rome. Mort en 1890 à Frascati. XIXe siècle. Italien.
Peintre.
Il exécuta un grand nombre de décorations pour des églises romaines.

GAGLIARDINI Bernardino
Né vers 1760. XVIIIe siècle. Italien.
Sculpteur.
Il travailla à Turin, puis s'établit à Lisbonne.

GAGLIARDINI Julien Gustave
Né le 1er mars 1846 ou 1848 à Mulhouse (Haut-Rhin). Mort en 1927 à Paris. XIXe-XXe siècles. Français.
Peintre d'histoire, scènes de genre, portraits, paysages animés, paysages, paysages d'eau, marines, graveur.
Il eut pour maîtres Soulary et L. Cogniet. De 1869 à 1880, il envoya au Salon de Paris des portraits et quelques sujets de genre. Il obtint comme récompenses : Mention honorable 1883, médailles : troisième classe 1884, deuxième classe 1886, médaille d'argent 1889 (Exposition Universelle). Chevalier de la Légion d'honneur, 1893, médaille d' or 1900 (Exposition Universelle). Sociétaire des Artistes Français depuis 1883.
On cite de lui : *Le Palais archiépiscopal de Salzbourg ; Le Bord de la mer à Grandchamp ; Pêcheuses de crevettes à Grandchamp*.
Il abandonna le genre historique pour se consacrer au paysage, se spécialisant dans la peinture des sites pittoresques du Midi de la France.

Gagliardini

MUSÉES : AMIENS : *Marine* – ARRAS : *Une route à Gordes* – CAMBRAI : *Une rue à Gordes* – MONTPELLIER : *Plein midi en Auvergne* – MULHOUSE : *Au hameau de Serret* – PARIS (Mus. du Louvre) : *Paysage ensoleillé* – REIMS : *Village perdu, Basses-Alpes* – ROCHEFORT : *Le port de Cassis* – TOURCOING : *Midi sonnant, vieille Provence* – *Le séchage des voiles, Italie*.
VENTES PUBLIQUES : PARIS, 27 mars 1897 : *Les Martigues* : **FRF 375** ; *Route aux environs de Toulon* : **FRF 225** ; *Pêcheurs* : **FRF 210** – PARIS, 2 jan. 1898 : *Rue de village* : **FRF 330** – PARIS, 8 mai 1900 : *Au bord de la Méditerranée* : **FRF 280** – PARIS, 11 avr. 1910 : *Laguepie* : **FRF 350** ; *Le Village au soleil* : **FRF 245** – PARIS, 13 nov. 1918 : *Jour de fête en Provence* : **FRF 340** – PARIS, 13 avr. 1921 : *Le Canal des Martigues* : **FRF 905** ; *Rue à Salernes* : **FRF 1 210** – PARIS, 28 juin 1923 : *Rue de Village au soleil* : **FRF 505** – PARIS, 21 fév. 1924 : *Voiles au séchage* : **FRF 1 000** ; *Un quai à Venise* : **FRF 2 000** – PARIS, 30 nov. 1925 : *Souvenir du Midi* : **FRF 1 800** – PARIS, 15 fév. 1926 : *Les Martigues* : **FRF 1 320** – PARIS, 10 mai 1926 : *Barques et Pêcheurs sur la plage à marée basse* : **FRF 1 400** – PARIS, 23 juin 1928 : *Rue au soleil, Provence* : **FRF 3 000** – PARIS, 24-26 avr. 1929 : *Bords de la Méditerranée* : **FRF 580** – PARIS, 28 avr. 1937 : *Au port* : **FRF 250** – PARIS, 16-17 mai 1939 : *Les Martigues* : **FRF 1 000** ; *La route de la Corniche* : **FRF 900** ; *Cassis-sur-Mer* : **FRF 1 880** ; *Port de pêche au matin* : **FRF 620** – PARIS, 29 juin 1939 : *Les Martigues* : **FRF 500** – PARIS, 12 mars 1941 : *Barques échouées* : **FRF 880** – PARIS, 23 mai 1941 : *Une route en Provence* : **FRF 1 000** ; *Le Lac de Lugano* : **FRF 1 700** – PARIS, 20 fév. 1942 : *Le Tri du poisson* : **FRF 7 000** – PARIS, 11 mai 1942 : *Port de pêche : effet du matin* : **FRF 4 800** – PARIS, 22 juin 1942 : *La lessive* : **FRF 4 200** – PARIS, 29 juin 1942 : *La Mort de Tarquin*, cr. coul. : **FRF 900** – PARIS, 12 avr. 1943 : *Nice : la Promenade des Anglais* : **FRF 8 200** – PARIS, 23 juin 1943 : *Cour de ferme* : **FRF 5 000** – PARIS, 2 juil. 1943 : *Port du Midi* 1892 : **FRF 1 800** – PARIS, 13 oct. 1943 : *Rue ensoleillée en Provence* : **FRF 5 100** – PARIS, 3 mai 1944 : *Le Départ du vapeur* : **FRF 2 500** – PARIS, 10 mai 1944 : *Port du Midi* : **FRF 6 100** – PARIS, 15 mai 1944 : *Les vendanges* : **FRF 4 350** – PARIS, 23 fév. 1945 : *Triage du poisson* : **FRF 6 000** – PARIS, oct. 1945-juillet 1946 : *Quai dans un port* : **FRF 1 600** ; *Route dans un village en Provence* : **FRF 7 900** ; *Marine* : **FRF 15 000** ; *Rue ensoleillée* : **FRF 15 000** – PARIS, 18 nov. 1946 : *Jeune Paysanne sur un sentier* : **FRF 3 000** ; *La Procession* : **FRF 2 700** ; *Chaumières* : **FRF 8 000** ; *La Paysanne* : **FRF 10 100** ; *Les voiliers* : **FRF 8 100** – LILLE, 16-20 déc. 1946 : *Les Martigues* : **FRF 9 100** – PARIS, 24 mars 1947 : *Vendanges en Provence* : **FRF 14 500** ; *Troupeau de moutons et bergère près d'un village* 1883 : **FRF 4 600** – PARIS, 13 juin 1947 : *Port du Midi* : **FRF 15 000** – VERSAILLES, 27 juin 1976 : *La Rive ensoleillée*, h/t (46,5x61,5) : **FRF 2 500** – PARIS, 13 fév. 1978 : *Au bord de la mer*, h/pan. (22x32) : **FRF 5 000** – MILAN, 6 nov. 1980 : *Le Port de Cassis*, h/t (53x38) : **ITL 900 000** – PARIS, 28 juin 1982 : *Rue de village ensoleillée*, h/pan. (27x41) : **FRF 3 000** – LILLE, 11 déc. 1983 : *Le Lac de Côme*, h/pan. (24x32,5) : **FRF 12 000** – VERSAILLES, 25 mai 1986 : *Le Vieux Pont sur la rivière dans le village*, h/t (78,5x100) : **FRF 15 000** – PARIS, 30 nov. 1987 : *Lavandières* (16,5x24,5) : **FRF 5 200** – PARIS, 7 mars 1988 : *Marine*, h/pan. (37,5x55) : **FRF 4 300** – PARIS, 27 avr. 1988 : *Village de Roussillon*, h/t (38,5x55,8) : **FRF 30 000** – VERSAILLES, 23 oct. 1988 : *Port dans le Midi*, h/pan. (38x54,5) : **FRF 6 100** – AMSTERDAM, 19 sep. 1989 : *Jeune garçon coupant des tranches de pain* 1887, h/t (35,5x28,5) : **NLG 1 840** – PARIS, 24 jan. 1990 : *Le Village au bord de la mer*, h/t (34x16) : **FRF 15 000** – PARIS, 29 nov. 1990 : *Bord de mer*, h/pan. (36,5x54) : **FRF 39 000** – PARIS, 17 nov. 1991 : *Les Pêcheurs*, h/pan. (40x34) : **FRF 14 000** – NEW YORK, 16 juil. 1992 : *Femmes réparant des filets de pêche*, h/pan. (24,1x35,6) : **USD 1 650** – PARIS, 25 nov. 1992 : *Les Ramasseurs de goémon*, h/pan. (45x55) : **FRF 10 500** – LONDRES, 7 avr. 1993 : *Lavandières sur une plage*, h/pan. (24x35) : **GBP 805** – AMSTERDAM, 31 mai 1994 : *Château de Galifet à Salernes dans le Var*, h/t (46x65) : **NLG 8 050** – PARIS, 17 juin 1994 : *Paysage*, h/t (38x55) :

FRF 11 000 – CALAIS, 3 juil. 1994 : *Jeune Femme en crinoline sur la plage*, h/pan. (41x32) : **FRF 13 000** – CALAIS, 10 mars 1997 : *Bord de rivière*, h/t (27x40) : **FRF 4 200**.

GAGLIARDO di Riccardo da Napoli
Mort en 1348 à Naples. XIVe siècle. Italien.
Sculpteur et architecte.
Il construisit et décora plusieurs églises dans la région de Naples.

GAGNAIRE Aline
Née le 11 septembre 1911 à Paris. Morte le 11 février 1997 à Paris. XXe siècle. Française.
Peintre de figures, technique mixte, illustratrice. Néodadaïste.
Elle peignait depuis l'enfance, mais se tint longtemps à l'écart du milieu artistique. En 1938, elle prit part aux activités du groupe des *Réverbères*, proche des surréalistes, puis, pendant l'occupation allemande, à celles de *La Main à Plume*, illustrant de nombreux ouvrages, notamment des poésies de Noël Arnaud. Peu soucieuse de sa propre promotion, d'autant qu'assez insaisissable dans la dispersion de ses intérêts et de sa production, elle exposait peu. En 1974, elle a présenté une sculpture au Salon de Mai, sculpture dépouillée qui avait valeur de signe. En 1993, une mini-rétrospective de son œuvre a été présentée à New York, à la galerie Elga Wimmer.
Elle fut d'abord influencée par le surréalisme, fréquentant dans les années trente et quarante les cercles surréalistes à Paris, Breton et Picabia ; puis par l'Art brut, rencontrant Dubuffet ; et s'intéressa à l'art référé au Bouddhisme Zen, qu'elle étudia. Elle créa ensuite des reliefs avec des matériaux divers, comme les chiffons dans les « tableaux-chiffons », dans la manière parfois de Enrico Baj, mais aussi des « tableaux-matières », « tableaux-clous », etc. Elle travailla également avec Maurice Lemaître et réalisa des pictogrammes selon les préceptes lettristes. Presque toujours vouée à la figure humaine, la traitant selon avec tendresse ou vindicte, elle l'a encore évoquée comme avec recul dans d'étranges reliefs de plâtre blanc.
Son œuvre est varié, plein d'humour, en perpétuel renouveau par l'exploration de techniques matérielles diverses et surtout de techniques de création. Aline Gagnaire était en effet, comme Baj, membre de « L'OuPeinPo » (Ouvroir de Peinture Potentielle). À l'exemple de « L'OuLiPo » (Ouvroir de Littérature Potentielle) de Raymond Queneau, que suivirent à certains moments Georges Pérec, Italo Calvino, Günter Grass, les plasticiens de « L'OuPeinPo » se consacraient à des réflexions et expérimentations autour d'une possible méthodologie de la création artistique. Les activités de « L'OuLiPo » comme de « L'OuPeinPo » étaient coiffées par l'autorité supérieure du « Collège de Pataphysique », dont la référence à Jarry renvoyait aussi à celle de Dada. Dans cette continuité, Aline Gagnaire, qui a pu être qualifiée de « femme surréaliste », non dans le sens d'adepte du, mais dans celui de surréaliste en elle-même, a consacré une de ses séries de têtes à celle d'Ubu.

■ Jacques Busse

BIBLIOGR. : Geneviève Breerette : *Aline Gagnaire, une artiste pataphysicienne*, in : Le Monde, Paris, 18 fév. 1997.
VENTES PUBLIQUES : PARIS, 3 juin 1996 : *L'Homme solaire ou le Silence* 1980, pb/pan., tableau relief (160x80) : **FRF 5 500**.

GAGNAIRE Charles Joseph
Né à Callas (Var). XXe siècle. Français.
Peintre de portraits.
Il exposa à Paris au Salon à partir de 1930.

GAGNANT Jean Nicolas Victor
Né en 1767 à Paris. Mort le 10 octobre 1796. XVIIIe siècle. Français.
Peintre.
Cet artiste se mêla aux événements politiques de la Révolution. Il fut nommé, le 31 août 1793, adjoint de la police de la Commune, mais quelques mois après il fut destitué de ses fonctions. Le comité de salut public décréta son arrestation et la saisie de tous ses papiers le 29 mars 1794. Il réussit à se faire mettre en liberté. Devenu secrétaire de Drouot en 1796, il l'aida à s'évader de l'Abbaye. Dans la nuit du 9 au 10 septembre, il se rendit au camp de Grenelle dans le but de soulever les soldats contre le Directoire. Arrêté et incarcéré au Temple, il fut condamné à mort et s'étant échappé tandis qu'on le menait à l'échafaud il fut tué à coups de sabre par un gendarme à cheval.

GAGNE Alphonse
XIXe siècle. Français.
Peintre de paysages.
VENTES PUBLIQUES : PARIS, 12 au 15 avr. 1899 : *Le Petit bras de la Seine et le quai des Orfèvres* : **FRF 50**.

GAGNÉ Jacques, pseudonyme **Jules Gagniet**
Né le 31 août 1820 à Saint-Priest-la-Feuille (Creuse). Mort en 1864 à Paris. XIXe siècle. Français.
Pastelliste, aquarelliste, lithographe et graveur.
Le 31 mars 1836, il entra à l'École des Beaux-Arts. Il fut l'élève de Naudet et de Pauquet.

GAGNÉ Paul Auguste
Né au XIXe siècle à Paris. XIXe siècle. Français.
Peintre et sculpteur.
Fils de Jacques Gagné, il fut son élève ainsi que celui de Roger. En 1861, il envoya au Salon une aquarelle, et en 1865 un bas-relief en plâtre : *Les Titans foudroyés*.

GAGNEAU Paul Léon
Né à Paris. Mort en 1910 à Harcourt. XIXe-XXe siècles. Français.
Peintre de sujets de genre.
Il fut formé par Pils, Lehmann et Laugée. À partir de 1879, il figura au Salon de Paris, puis Salon des Artistes Français dont il devint sociétaire en 1884. Il obtint une mention honorable en 1890, une médaille de troisième classe en 1892, une de deuxième classe en 1898, une médaille de bronze en 1900, pour l'Exposition Universelle.

L. Gagneau

VENTES PUBLIQUES : PARIS, 28 jan. 1924 : *La bergère assise auprès du ruisseau* : **FRF 155** – PARIS, 14 mars 1947 : *La mare* 1899 : **FRF 1 300** ; *Marais* 1900 : **FRF 3 600** ; *Le passeur* : **FRF 3 100** ; *Les laveuses* : **FRF 3 000** ; *Sous-bois* : **FRF 300** ; *Jeune marchande de poules* : **FRF 3 000** – PARIS, 8 déc. 1980 : *Ferme près d'une mare animée* 1899, h/t (150x226) : **FRF 15 000** – PARIS, 18 mars 1985 : *La gardeuse de dindons* 1907, h/t (38,5x55,5) : **FRF 10 500**.

GAGNÉE Pierre Eustache
XVIIIe siècle. Actif à Paris en 1787. Français.
Peintre ou sculpteur.

GAGNEREAUX Baptiste
Né le 1er juin 1765 à Dijon. Mort le 9 octobre 1846 à Dijon. XVIIIe-XIXe siècles. Français.
Peintre et graveur.
Élève de Devosges à Dijon et frère de Bénigne Gagnereaux, il se fit surtout connaître comme portraitiste mais n'atteignit jamais la notoriété de son frère.

GAGNEREAUX Bénigne ou **Gagneraux**
Né le 24 septembre 1756 à Dijon (Côte-d'Or). Mort le 18 août 1795 à Florence (Toscane). XVIIIe siècle. Actif aussi en Italie. Français.
Peintre d'histoire, compositions mythologiques, sujets allégoriques, scènes de genre, portraits, animaux, paysages, dessinateur.
Élève de François III Devosges à Dijon, il fut envoyé à Rome, en 1776, aux frais de la province de Bourgogne. Il fut nommé peintre d'histoire du roi Gustave III de Suède, et professeur à l'Académie des Beaux-Arts de Florence, en 1793.
Il exécuta, en 1784, au fusain et à la craie, sur les murs du cloître de la Chartreuse de Rome, quatre grands sujets de bacchanales, qui attirèrent l'attention sur lui. Ses tableaux, *Œdipe aveugle* et *Entrevue du roi de Suède avec le pape Pie VI, au Vatican*, furent achetés par le roi de Suède. Il fit encore pour le roi, en 1787 : *Éducation d'Achille*, et pour la princesse de Suède : *Vénus blessée par Diomède est transportée dans l'Olympe par Iris et le Génie de la Paix*. Il réalisa pour le baron Taube, premier ministre du roi Gustave III : *Ariane et Bacchus* ; *L'Amour domptant la Force* ; *Hébé versant à boire à l'aigle*. Pendant son séjour à Rome, il peignit à la Villa Borghèse, sur la voûte de la troisième salle : *Jupiter et Antiope*, et au Palais Altieri : *Psyché et l'Amour*. S'étant rendu à Florence en 1793, il y peignit pour le duc régent Charles de Suède : *Psyché portée par les Zéphirs*, qui valut à l'artiste son brevet de peintre du roi de Suède. Ses œuvres évoquent, par leur graphisme, les peintures des vases antiques grecs.

B. Gagneraux

Bibliogr. : In : *Diction. de la peinture française*, coll. Essentiels, Larousse, Paris, 1989.
Musées : Chambéry (Mus. des Beaux-Arts) : *Portrait d'homme* – Dijon (Mus. des Beaux-Arts) : *Soranus et Servilie – La bataille de Sénef – Le passage du Rhin – Une bacchanale – Le triomphe de Neptune* – Florence (Mus. des Offices) : *Combat de chevaliers – Autoportrait – Une chasse au lion* – Genève : *Le Génie de la Paix arrêtant les chevaux de Mars* 1794 – Milan : *Un enchanteur* – Montpellier (Mus. Fabre) : *Choc de Cavalerie – Paysage* – Stockholm : *Œdipe entouré des siens – Le pape Pie VI montre à Gustave III la galerie de sculptures du Vatican* 1785.
Ventes Publiques : Dijon, 12 fév. 1900 : *Cheval effrayé* : **FRF 206** – Paris, 26 jan. 1911 : *Portrait de Coffinet*, dess. : **FRF 11** – Dijon, 21 fév. 1919 : *Coffinet*, cr. : **FRF 30** – Londres, 20 oct. 1982 : *La Chasse aux lions* 1775, h/t (91,5x111,5) : **GBP 1 500** – Stockholm, 11 avr. 1984 : *Faune et Cupidon endormis*, h/t, forme ovale (21x32) : **SEK 22 000** – Paris, 28 jan. 1985 : *Portrait d'homme au caniche blanc* 1789, h/t (62x75) : **FRF 180 000** – Monte-Carlo, 20 juin 1987 : *Portrait de M. Caze* 1789, h/t (74x61) : **FRF 300 000** – Dijon, 5 juin 1994 : *Le génie des arts* 1789, h/t (108x82) : **FRF 200 000** – Paris, 25 juin 1996 : *L'Éducation d'Achille* 1785, h/t (96x125,5) : **FRF 450 000**.

GAGNERY Jean-Auguste
Né le 21 mai 1778 à Paris. XIXe siècle. Français.
Peintre d'histoire, sujets religieux, scènes de genre, portraits, paysages, marines, animaux.
Il étudia à l'École des Beaux-Arts de Paris, dès 1817, dans l'atelier de François Joseph Heim. Il exposa au Salon de Paris, de 1822 à 1845.
Il peignit principalement des tableaux historiques, des scènes de genre et des paysages. Parmi ses œuvres, on mentionne : *Bethsabée – Entrée du duc d'Angoulême à Madrid – Vue prise aux environs de Honfleur – Arrivée de la diligence – Marine – Une vache – Vue du bassin de la Vilette – Le retour du marché – Le retour au village – Vue du château d'Edimbourg, prise de Grasse-Market*.
Bibliogr. : Gérald Schurr, in : *Les Petits Maîtres de la peinture 1820-1920, valeur de demain*, Les Éditions de l'Amateur, t. II, Paris, 1982 – in : Catalogue de l'exposition *1815-1850. Les années romantiques*, Éditions de la Réunion des Musées Nationaux, Paris, 1995.
Musées : Douai : *Arrivée d'une voiture de messageries à Honfleur* – Versailles : *Vue de Paris*.

GAGNEUR Étienne
XVIIe siècle. Actif à Paris en 1668. Français.
Graveur.

GAGNEUR de PATORNAY Ange Marie Maurice
Né au XIXe siècle à Paris. XIXe siècle. Français.
Sculpteur.
Élève de Peynot. Sociétaire des Artistes Français depuis 1892 ; il figura au Salon de cette société.

GAGNEUX Paul
Mort en 1892. XIXe siècle. Français.
Peintre de natures mortes.
Sociétaire des Artistes Français ; il figura au Salon de cette Société.
Ventes Publiques : Londres, 7 avr. 1993 : *Pivoines et pichet de cuivre sur un entablement*, h/t (79x96) : **GBP 4 830**.

GAGNEY Pierre Étienne
XVIIIe siècle. Actif à Paris en 1787. Français.
Peintre ou sculpteur.

GAGNIÈRE Jean. Voir **GANIÈRE**

GAGNIET Jules. Voir **GAGNÉ Jacques**

GAGNON Charles
Né en 1934 à Montréal. XXe siècle. Canadien.
Artiste, peintre, multimédia.
Gagnon s'est formé au cours d'un séjour à New York, de 1956 à 1960, alors que l'expressionnisme abstrait était à son apogée. Il est donc naturel que cet expressionnisme l'ait fortement influencé à ses débuts et, lors de sa première exposition à Montréal, sa peinture fut considérée comme débridée et échevelée. L'emploi des couleurs vives avec un mépris total de l'unité, la violence du geste et la place laissée aux éclaboussures en faisaient une peinture plus expressive que décorative. Gagnon est pourtant passé de la spontanéité de l'expressionnisme abstrait à une peinture de réflexion sur l'acte de peindre : il divise la peinture en surfaces carrées superposées et, lorsqu'il s'est agi de pénétrer la surface pour en saisir les modulations de couleurs, il a intégré des plaques d'acier dans ses tableaux. Sa peinture a tendu vers une certaine épuration en 1966, et *Tampon* se présente comme la simple juxtaposition d'un carré poli et d'un rectangle brun. Parallèlement à son œuvre peint, Gagnon poursuit son travail sur la photographie. Il réalise également des boîtes rassemblant des objets épars. ■ J. B.
Bibliogr. : P. Fry : *Charles Gagnon*, Musée des Beaux-Arts, Montréal, 1978.
Musées : Montréal (Mus. d'Art Contemp.) : *Cassation d'un jour nouveau – Coast* 1958-59 – *Field* 1961 – *Espace écran-gris* 1966, acier inox. et émail à l'h/bois – *Enquête n°2* 1968 – Montréal (Mus. des Beaux-Arts) : *Sabs titre* 1965 – *Steps* décembre 1968-69 – Toronto (Art Gal. of Ontario) : *Cassation/Dark/Sombre* 1976.

GAGNON Clarence Alphonse
Né en 1881 ou 1882 à Montréal. Mort en 1942. XXe siècle. Canadien.
Peintre de paysages, graveur.
Il fit ses études sous la direction de William Brymner, à l'Art Association de Montréal, de 1897 à 1900. Il fit ensuite le rituel voyage en France et en Italie, étudiant à l'Académie Julian. À Montréal en 1909, il retourna à Paris plusieurs fois : en 1912-1914, puis 1917-1919 et vécut à Paris de 1924 à 1936.
Il obtient une mention honorable en 1906, à Paris, au Salon des Artistes Français.
Il commença par peindre des scènes rurales des environs de la Baie-Saint-Paul, comme le montre son *Oxen ploughing* de 1903. De retour à Montréal en 1909, après son voyage en Europe, il montra l'influence de l'école de Barbizon, puis s'attacha à rendre l'atmosphère des villages dans la brume, tel : *La Croix du chemin, l'automne*, vers 1915. En France, il fut surtout connu par ses illustrations, notamment pour le *Grand Silence blanc* de L. F. Rouquette et pour *Maria Chapdelaine* de L. Hémon. Vers 1926, il abandonna le côté atmosphérique de ses premiers paysages pour peindre dans des coloris vifs, des vues où les détails anecdotiques prennent toute leur importance. Dans ce style, citons : *Village dans les Laurentides*, vers 1926. ■ A. P
Bibliogr. : Dennis Reid : *A concise history of canadian painting*, Oxford University Press, Toronto, 1988.
Musées : Fredericton (Beaverbrook Art Gal.) : *Les deux plages : Paramé et Saint-Malo* vers 1908 – Montréal (Mus. des Beaux-Arts) : *Oxen ploughing* 1903 – *Automne, Baie Saint-Paul* 1909 – Ottawa (Nat. Gal. of Canada) : *La Croix du chemin, automne* vers 1915 – *Le village dans les Laurentides* vers 1926.
Ventes Publiques : Montréal, 3 mai 1974 : *Scène de plage* : **CAD 7 500** – Toronto, 19 oct. 1976 : *Étude mi-achevée, Charlevoix*, h/cart. (11,3x16,3) : **CAD 1 900** – Toronto, 5 nov 1979 : *Cabane de chasseur*, cr. de coul. (19,5x29,5) : **CAD 1 400** – Toronto, 2 nov. 1982 : *Winter in the Larentians*, h/t (53,1x71,3) : **CAD 75 000** – Toronto, 14 mai 1984 : *Paysage de neige, Charlevoix*, h/pan. (16,3x23,1) : **CAD 18 000** – Toronto, 27 nov. 1986 : *Kiki de Montparnasse*, gche (13,4x12) : **CAD 2 200** – Montréal, 20 oct. 1987 : *Hiver à Charlevoix* 1909, h/pan. (28x39) : **CAD 39 000** – Montréal, 25 avr. 1988 : *Le village en hiver*, h/t (60x81) : **CAD 75 000** – Montréal, 30 oct. 1989 : *Navire*, gche (10x13) : **CAD 2 860** – Montréal, 19 nov. 1991 : *Été indien dans la baie de St Paul*, h/pan. (16,5x23,5) : **CAD 5 250** – Montréal, 21 juin 1994 : *Tour de l'horloge à Dinan*, eau-forte (21,5x14) : **CAD 1 700** – Montréal, 3 déc. 1996 : *Le Canal San Pietro, Venise* 1906, eau-forte (15,2x21,5) : **CAD 1 900**.

GAGOINE
XVIe siècle. Français.
Sculpteur sur bois.
En même temps que Noël Biard, Noël Millon et Gilles Bauge, il travailla au château de Fontainebleau, de 1568 à 1570.

GAGONE Anton
Né le 23 mars 1743 à Marbourg. Mort le 11 février 1811 à Graz. XVIIIe-XIXe siècles. Autrichien.
Sculpteur.
Il travailla pour l'Hôtel de ville de Graz. Le Musée de cette ville possède des œuvres de lui.

GAHAGAN C.
XIXe siècle. Actif à Londres. Britannique.
Sculpteur.
Exposa quelquefois à la Royal Academy et à Suffolk Street, de 1824 à 1836.

GAHAGAN Edwin
XIXe siècle. Actif à Londres. Britannique.
Sculpteur.
Prit part à diverses Expositions de Londres, notamment à la Royal Academy, à la British Institution et à Suffolk Street, de 1830 à 1857.

GAHAGAN L., Jr.
XIXe siècle. Actif à Londres. Britannique.
Sculpteur.
Prit part, en 1817, à l'Exposition de la Royal Academy. Il était fils de Laurence le Jeune.

GAHAGAN Laurence, l'Ancien
XVIIIe-XIXe siècles. Actif à Londres.
Sculpteur.
Paraît être le chef de la famille de sculpteurs de ce nom. Il exposa fréquemment à la Royal Academy et une fois à la British Institution, de 1798 à 1817.

GAHAGAN Laurence, le Jeune
XIXe siècle. Actif à Londres. Britannique.
Sculpteur.
On cite des bustes de *William P. H. du roi George III* et de la *Reine Charlotte Sophie*.
VENTES PUBLIQUES : LONDRES, 1er fév. 1972 : *George III*, bronze : **GNS 400**.

GAHAGAN Sally
XVIIIe-XIXe siècles. Active à Londres. Britannique.
Sculpteur.
Exposa à la Royal Academy de 1802 à 1835.

GAHAGAN Sebastian
XIXe siècle. Actif à Londres. Britannique.
Sculpteur.
Prit part aux Expositions de Londres, particulièrement à celles de la Royal Academy et de la British Institution, de 1817 à 1853.

GAHAGAN V.
XVIIIe-XIXe siècles. Actif à Londres. Britannique.
Sculpteur.
Exposa à Londres, à la Royal Academy, de 1804 à 1823.

GAHÉRY-ULRIC Angèle, Mme
Née au XIXe siècle à Paris. XIXe siècle. Française.
Peintre.
Élève de Mlle Thévenin, elle exposa aux Salons de 1878 et 1882. On cite d'elle : *Le miroir aux amours* ; *La Gloire* ; *En prière* ; *Un enfant de chœur*.

GAHÔ Hashimoto, de son vrai nom : **Hashimoto Masakuni,** noms de pinceau : **Gahô** et **Shôen**
Né le 20 août 1835 à Édo (aujourd'hui Tokyo). Mort le 13 janvier 1908 à Tokyo. XIXe siècle. Japonais.
Peintre.
Peintre de *yamato-e* (peinture à la japonaise), il fait ses études à Tokyo avec Kanô Shôsen-in. Il donnera un caractère un peu nouveau à l'école Kanô ; il est connu pour son traitement de l'espace et de la perspective. Professeur à l'Université des Beaux-Arts de Tokyo et membre du Comité Impérial de Peinture. Ses œuvres figurent dans des expositions à Paris, Chicago et Saint Louis.

GAHRLIEB von der MÜHLEN Gustaf Casimir
Né le 24 décembre 1630 à Gripsholm près de Stockholm. Mort en 1717 à Alt Lansberg (près de Berlin). XVIIe-XVIIIe siècles. Suédois.
Poète et miniaturiste.
Médecin ordinaire du prince Frédéric Guillaume à Berlin, il peignit quelques portraits à la miniature.

GAI Antonio
Né le 3 mai 1686 à Venise. Mort le 4 juin 1769 à Venise. XVIIIe siècle. Italien.
Sculpteur.
On cite son *Monument du doge N. Sagredo et du patriarche A. Sagredo* à San Francesco della Vigna, ses *Statues de la Foi et de la Puissance* à l'église San Vitale : son *Saint Marc* à l'église Santa Maria della Pietà à Venise. Il travailla aussi pour la cathédrale de Rovigo.
VENTES PUBLIQUES : LONDRES, 22 avr. 1986 : *Meleagre* 1735, marbre blanc (H. 143) : **GBP 65 000**.

GAI Domenico
XVIIIe siècle. Actif à Venise. Italien.
Sculpteur.
Fils de Giovanni Maria Gai il poursuivit l'œuvre de son père.

GAI Francesco
XVIIe-XVIIIe siècles. Actif à Venise. Italien.
Sculpteur sur bois.
Il fut le père d'Antonio Gai.

GAI Giovanni Maria
XVIIIe siècle. Actif à Venise. Italien.
Sculpteur.
Il travailla à un *Saint Jean-Baptiste* (marbre). Sans doute était-il le fils d'Antonio Gai.

GAÏ Stano
XXe siècle. Polonais.
Peintre.
Il figura, à Paris, au Salon de la Société Nationale des Beaux-Arts depuis 1924, et aux Indépendants depuis 1932.

GAI Zuane
XVIIIe siècle. Actif à Venise. Italien.
Sculpteur.
Il était fils de Giovanni Maria Gai et frère de Domenico Gai avec qui il travailla.

GAIA Giovanni Antonio della
XVIe siècle. Actif à Ascona. Italien.
Peintre.
Il peignit un retable en 1519 pour l'église Sainte-Marie à Ascona.

GAIA Pietro
XVIe siècle. Actif à Pérouse et Ascoli. Italien.
Peintre.
C'est un imitateur de Giac. Bassano.

GAIANI
Né au XIXe siècle à Ancône. XIXe siècle. Italien.
Peintre.
Il travailla vers 1825 pour le château de Rosenstein près de Stuttgart.

GAIANI Antonio
Né à Bologne. Mort en 1821. XIXe siècle. Italien.
Graveur, illustrateur.
Élève de Longhi. Il exécuta des portraits, des reproductions de tableaux anciens et un grand nombre d'illustrations de livres.

GAIANI Egisto
Né le 16 août 1832 à Florence. Mort vers 1890. XIXe siècle. Italien.
Sculpteur.
Élève de Barbetti et de Morini. Les Musées de Vienne et de Zurich conservent des œuvres de cet artiste.

GAIANI Gaspare
XVIIIe-XIXe siècles. Actif à Bologne. Italien.
Graveur de portraits.
Il travailla aussi à Modène. On lui doit surtout des portraits.

GAIARINI Francesco
Né à Contea. XIXe siècle. Italien.
Sculpteur.
Il travailla surtout à Florence et fut élève d'Ulisse Cambi et de Lorenzo Bartolini.

GAIASSI Vincenzo
Né en 1801 à Rome. Mort en 1861 à Rome. XIXe siècle. Italien.
Sculpteur et graveur.
On cite surtout sa *Statue de Palladio* sur la Piazza Maggiore à Vicence.

GAIBANO Giovanni
XIIIe siècle. Italien.
Miniaturiste.
Il était prêtre à Trisigola près de Ferrare.

GAIBAZZI Giovanni
Né le 15 novembre 1808 à Parme. Mort le 24 mai 1888. XIXe siècle. Italien.
Peintre de sujets religieux.
Il fut élève de Giovanni Tebaldi et illustra surtout des sujets religieux.

GAIBLER Alois
XVIIIe siècle. Actif en Bavière. Allemand.
Peintre.
Il travailla vers 1790 pour les églises de Gutenberg et de Jachenau.

GAIDAN Louis
Né en 1847 à Nîmes (Gard). Mort en 1925. XIXe-XXe siècles. Français.
Peintre de paysages.
Il fut élève de Charles François Jalabert et de Paulin André Bertrand. Il exposa, de 1887 à 1903, au Salon des Artistes Français, dont il fut sociétaire, dès 1889, ainsi qu'aux Salons de Nîmes, de Toulon, d'Hyères et de Monaco.
Il peignit essentiellement des rivages et des criques de la côte méditerranéenne, adoptant le divisionnisme des tons de Cézanne, avec qui il se lia d'amitié.
Bibliogr. : Gérald Schurr, in : *Les Petits Maîtres de la peinture 1820-1920, valeur de demain*, Les Éditions de l'Amateur, t. VII, Paris, 1989.
Musées : Sète : *Vue de Carqueiranne* – Toulon : *Le soir dans les pins.*
Ventes Publiques : Londres, 29 juin 1977 : *Chapelle antique de Bormes-les-Mimosas, Var*, h/t (49x71,5) : **GBP 1 100** – Londres, 3 mars 1982 : *Coucher de soleil en Méditerranée*, h/t (49,5x72) : **GBP 600** – Vougeot, 24 nov. 1984 : *Sous les pins à Carqueiranne*, h/t (110x170) : **FRF 82 000** – Paris, 17 fév. 1988 : *Le cap Brun*, h/t (54x73) : **FRF 140 000** – Londres, 21 oct. 1988 : *Sous les pins de Carqueiranne*, h/t (110,5x150,8) : **GBP 18 700** – Paris, 20 nov. 1988 : *Les Salettes, début de la jetée*, h/t (54x73) : **FRF 90 000** – Versailles, 5 mars 1989 : *Village sur la colline*, h/t (38x55) : **FRF 11 100** – Neuilly, 5 déc. 1989 : *Rivage de Toulon*, h/bois (27x42) : **FRF 17 500** – Paris, 6 juil. 1993 : *Village au bord d'un fleuve*, h/pan. (50x73) : **FRF 20 000** – Paris, 27 juin 1997 : *Paysage provençal*, h/t (50x70) : **FRF 38 000.**

GAIDANO Paolo
Né le 28 décembre 1861 à Poirino. Mort en 1917 à Turin. XIXe-XXe siècles. Italien.
Peintre de genre et portraitiste.
Il fit ses études à Turin et débuta dans cette ville vers 1884. Il a également exposé à Venise.

GAIDON Antonio
Né en 1738 à Castiglione di Brentonico. Mort le 2 novembre 1829 à Bassano. XVIIIe-XIXe siècles. Italien.
Sculpteur et architecte.
Il travailla surtout à Bassano.

GAIGH Joseph
XVIIIe-XIXe siècles. Actif à Vienne. Autrichien.
Peintre.
Le Musée Municipal de Vienne possède de lui un dessin représentant *Les environs de l'église Saint-Charles à Vienne.*

GAIGHER Horazio
Né le 20 avril 1870 à Levico. XXe siècle. Autrichien.
Peintre, graveur.
Il travailla surtout à Salzbourg et à Innsbruck. Au cours d'un séjour à Paris il fut élève de Lefebvre et de Robert-Fleury.
Ventes Publiques : New York, 20 juil. 1995 : *Rêverie*, h/cart. (47x66,7) : **USD 1 725.**

GAIGNERON Jean de
Né le 22 février 1890 à Paris. Mort en 1976. XXe siècle. Français.
Peintre de scènes typiques, figures, portraits, graveur. Orientaliste.
Avant 1922, il se fixa à Taza. Il fut exposant, à Paris, des Salons des Indépendants, d'Automne et des Tuileries.

Jean Gaigneron

Bibliogr. : Lybbe Thornton, in : *Palettes exotiques*, Muséart, Paris, 1993.
Ventes Publiques : Enghien-les-Bains, 17 avr. 1983 : *Arabes devant la Casbah*, h/t (65x81) : **FRF 12 500** – Paris, 25 mars 1993 : *Arabes devant la casbah*, h/t (65x81) : **FRF 25 000** – Paris, 13 mars 1995 : *Halte devant la Casbah*, h/t (65x81) : **FRF 80 000** – Paris, 22 avr. 1996 : *Campement dans le Sud marocain*, h/cart. (27x35) : **FRF 6 000** – Paris, 9 déc. 1996 : *Vieux Marocain*, h/cart. (35x27) : **FRF 3 500.**

GAIGNON Paule
Née en 1916 à Caen (Calvados). XXe siècle. Française.
Peintre de compositions animées. Naïf.
Autodidacte, elle participe, à Paris, au Salon International d'Art Naïf dans les années quatre-vingt.
Elle représente des scènes de la vie quotidienne et des fêtes familières.

GAIL Françoise de
Née en 1951 à Hennebont (Morbihan). XXe siècle. Française.
Peintre de compositions animées. Naïf.
Elle expose depuis 1979, notamment à Paris au Salon International d'Art Naïf. Elle aime prendre ses sujets dans « la belle époque » ou bien fait courir et sauter des chevaux, montés par des jockeys à ailes de papillons, dans la jungle du douanier Rousseau.

GAIL Mathias Joseph
Né en 1796 à Vienne. Mort le 15 janvier 1866 à Vienne. XIXe siècle. Autrichien.
Peintre.

GAIL Wilhelm
Né le 7 mars 1804 à Munich. Mort le 26 février 1890 à Munich. XIXe siècle. Allemand.
Peintre d'animaux, paysages, architectures, graveur, dessinateur, lithographe.
Il fut élève de l'Académie des Beaux-Arts de Munich et de Peter Hess. En 1825, il accompagna le baron Malsen à Turin, où il dessina treize sujets pour *Monuments romains dans les États Sardes.* Il fit des voyages en Italie et publia, en 1829, ses impressions dans trente lithographies. En 1830, il vint à Paris, puis visita la Normandie. À Venise, il peignit *Le corridor du Palais des Doges*, en 1831. Après un voyage en Espagne, où il étudia spécialement les monuments du temps des Maures, il publia une série d'esquisses avec ses impressions sur l'Espagne. Il exposa à Munich et à Dresde de 1829 à 1854.
Musées : Munich (Pina.) : *Intérieur de la cathédrale de Cordoue – Palais des Doges à Venise – San Lazaro degli Armeni à Venise.*
Ventes Publiques : Cologne, 21 nov. 1985 : *Chevaux à l'abreuvoir*, h/pan. (36,5x47,5) : **DEM 6 000.**

GAILDE Jean ou **Gaide, Gualde, Gailda, Guailda**, dit **Grand-Jean**
Mort en 1519 à Troyes. XVe-XVIe siècles. Vivait à Troyes. Français.
Sculpteur et architecte.
Nommé, en 1495, maître de l'œuvre de Sainte Madeleine de Troyes, il y fit son chef-d'œuvre : le jubé. Il en commença l'exécution en 1508, avec ses élèves François Matray, Hugues Bailly, Martin de Vaux, Nicolas Mauvoisin et Jean Brisset et la termina en 1517. Il reconstruisit, en 1506, le chœur, l'abside et le deambulatorium de cette église. Il fut enterré sous ce jubé.

GAILDRAU Charles Valentin
Né au XIXe siècle à Paris. XIXe siècle. Français.
Peintre.
Il eut pour maître L. Cogniet. Il envoya au Salon, de 1849 à 1859, des portraits au pastel et des dessins.

GAILDRAU Jules
Né le 18 septembre 1816 à Paris. Mort en janvier 1898. XIXe siècle. Français.
Peintre.
De 1848 à 1857, il exposa au Salon des dessins et une aquarelle : *Campement de pèlerins revenant de la Mecque, dans la cour de la Douane, à Alger.* Ce fut un des bons collaborateurs de l'*Illustration.*

GAILHARD Pedro
XIXe-XXe siècles. Français.
Peintre.
Figure très parisienne, d'abord chanteur, il toucha à tous les arts et fut longtemps directeur de l'Opéra de Paris.
Ventes Publiques : Paris, 15 juin 1924 : *Entrée d'un village sous la neige*, lav. : **FRF 40.**

GAILIS Werner
Né en 1925 à Berlin. XXe siècle. Allemand.
Sculpteur de bustes, statues, figures, compositions religieuses.
Il fait ses études à l'Université libre de Berlin, puis à l'École Supérieure des Beaux-Arts de cette même ville, dans la section de « pédagogie artistique », où il étudie les arts plastiques avec le professeur Schrieber. Depuis 1955, il est chef de l'atelier des métaux dans la section de « pédagogie artistique » de l'École Supérieure des Beaux-Arts de Berlin. Il effectue de nombreux voyages d'étude.
Il participe à des expositions collectives. Il réalise des expositions

personnelles, dont : la première en France à Sèvres ; 1977, à l'Orangerie des Jardins du Luxembourg, à Paris ; 1981-82 au Musée National de Varsovie.
Loin de toute préoccupation « moderniste » Gailis s'attache à modeler les lignes de la nature. À structurer, par exemple, l'espace intérieur et extérieur de ces corps de femmes qu'il exécute grandeur nature. Le plus souvent nues, debout, couchées, accroupies, les bras dans les cheveux ou autour de la taille, elles semblent vivre au rythme des reflets des surfaces lisses et polies. Gailis réalise également des bustes, des portraits, et des figures religieuses sur commande (*Pietà*, église Saint-Bernard, Berlin-Tegel, 1977), domaine dans lequel il est largement sollicité.
Bibliogr. : Catalogue de l'exposition *Werner Gailis*, Orangerie des Jardins du Luxembourg, Paris, 1977.

GAILL Franz von Paula
Né le 7 août 1754 à Aibling. Mort en 1810 à Munich. XVIIIe-XIXe siècles. Allemand.
Peintre.
Il était le fils et fut l'élève de Johann Georg. Il travailla entre autres pour l'église Saint-Sébastien d'Aibling.

GAILL Johann Georg
XVIIIe siècle. Actif à Aibling. Allemand.
Peintre fresquiste.
Il travailla pour l'église Saint-Léonard à Reichersdorf.

GAILLAN Eugénie
XIXe siècle. Française.
Peintre de genre.
Le musée de Toulouse conserve de cette artiste : *Mendiants espagnols*.

GAILLARD, Mme. Voir **GAILLARD Louise**

GAILLARD
XIIIe siècle. Actif à Grenoble en 1251. Français.
Peintre.

GAILLARD
XVIIe siècle. Actif à Grasse en 1643. Français.
Peintre.
Peut-être faut-il l'identifier avec Gaspard qui vivait à Rome en 1645.

GAILLARD
XVIIIe siècle. Actif à Paris en 1723. Français.
Sculpteur.
Il travailla pour l'église des Petits-Augustins.

GAILLARD Antoine
XVIe siècle. Français.
Peintre.
Il vivait à Lyon, en 1516, et travailla, en 1516, pour une entrée.

GAILLARD Arthur
Né au XIXe siècle à Chaumont. XIXe siècle. Français.
Peintre.
Élève de Gérome et de Becker, il exposa au Salon de Paris de 1878 à 1882. En 1880, il envoya son tableau : *Enlèvement de la neige sur le pont au Change*.

GAILLARD Bernardino. Voir **GAGLIARDI**

GAILLARD Claude Ferdinand
Né le 7 janvier 1834 à Paris. Mort le 20 janvier 1887 à Paris. XIXe siècle. Français.
Peintre d'histoire, portraits, graveur.
Il fut élève de Léon Cogniet à l'École des Beaux-Arts de Paris, où il étudia à la fois la peinture et la gravure. Il remporta le deuxième Grand Prix de Rome pour la gravure, en 1852 ; le Grand Prix de Rome, en 1856 : il fit le voyage de Rome, mais sa vision personnelle, et la conception de son art lui suscitèrent des difficultés à la Villa Médicis. Non seulement les commandes officielles lui firent défaut, mais son portrait gravé de *Jean Bellin*, fut refusé au Salon de 1863. Cependant, exposant au Salon de Paris, il obtint, tout au long de sa carrière, de nombreuses récompenses : des médailles pour la gravure, en 1867, 1869 ; une médaille de première classe en 1872, ainsi qu'à l'Exposition Universelle de 1878 ; pour la peinture, une médaille de deuxième classe en 1872. Il fut promu chevalier de la Légion d'honneur.
Il travailla, au début de sa carrière, à des gravures de mode chez James Hopwood et Le Couturier. Puis, il fut graveur à la *Gazette des Beaux-Arts*. L'État lui commanda la gravure de *La Cène* de Léonard de Vinci et de la *Joconde*, qu'il n'eut pas le temps d'entreprendre, étant atteint d'une grave maladie. Parmi ses œuvres gravées, on mentionne : *Homme à l'œillet*, d'après Van Eyck ; *Œdipe*, d'après Ingres ; *Le crépuscule*, de Michel-Ange ; *La Vierge de la maison d'Orléans – Tête de cire du Musée de Lille* ; les portraits de *Pie IX – Léon XIII – Dom Gueranger – Sœur Rosalie*.

F J

Bibliogr. : Gérald Schurr, in : *Les Petits Maîtres de la peinture 1820-1920, valeur de demain*, Les Éditions de l'Amateur, t. VII, Paris, 1989.
Musées : Paris (Mus. d'Orsay) : *Saint-Sébastien – L'homme à l'œillet*.
Ventes Publiques : Paris, 1896 : *Portrait d'homme* : **FRF 30** – Paris, 1897 : *Portrait de femme, à mi-corps, d'après David*, cr. noir/pap. : **FRF 104** – Paris, 1er mai 1900 : *Portrait de Mr Susse Gérard* : **FRF 400** – Paris, 2-4 juin 1920 : *Les Pèlerins d'Emmaüs*, aquar. : **FRF 2 160** – Paris, 30 nov.-2 déc. 1920 : *Enfant endormi*, mine de pb : **FRF 115** – Paris, 13 fév. 1924 : *Portrait de l'artiste* : **FRF 580** – Paris, 31 mai 1928 : *Tête de Prélat* ; *Étude de main*, cr./pap. : **FRF 350** – Cologne, 18 mars 1989 : *La nymphe*, h/cart. (35x27) : **DEM 1 200**.

GAILLARD Corneille
XVIIe siècle. Actif à Bruges. Éc. flamande.
Sculpteur.
Il exécuta le *Tableau en marbre de Maximilien Van Praet* à l'église Saint-Sauveur à Bruges.

GAILLARD Denis
XVIIe-XVIIIe siècles. Actif à Paris. Français.
Sculpteur.
Il travailla au château de Versailles et à l'abbaye de Cluny.

GAILLARD François
XVIIIe siècle. Actif à Paris en 1766. Français.
Peintre et sculpteur.

GAILLARD François. Voir aussi **GAILLIARD Franz**

GAILLARD Gabriel
XVIIe siècle. Français.
Peintre.
Il était, à Lyon, maître de métier pour les peintres, en 1650 et 1658.

GAILLARD Georges
Né en 1924 à la Roche Vineuse (Mâconnais). XXe siècle. Français.
Peintre, lithographe, céramiste.
Il fit ses études artistiques à l'École des Beaux-Arts de Mâcon puis à celle de Paris jusqu'en 1945. Il expose régulièrement depuis 1948, tant en province qu'à Paris. Il a exécuté pour le lycée de Tournus une composition en lave émaillée (1970-71).
Il s'attache surtout à rendre, à travers ses toiles, des effets d'atmosphère soutenus par une harmonie couleur-lumière.

GAILLARD Jean Marie
Né le 19 janvier 1929 à Saint-Hilaire-les-Places (Haute-Vienne). XXe siècle. Français.
Dessinateur, peintre, céramiste.
De 1943 à 1946, il fait ses études à l'École des Arts Décoratifs de Limoges. À partir de 1950, il devient l'élève de Vikke Van der Bergh et de Marie Floirat-Bourbon.
Depuis 1969, il participe régulièrement, à Paris, aux Salons des Artistes Français et des Indépendants. Il est nommé « un des meilleurs ouvriers de France » comme architecturier maquettiste (1958), puis chevalier du Mérite M.O.F. (1960). Il reçoit pour ses émaux, la médaille d'argent d'Arts Sciences et Lettres. Médaille de bronze de l'Académie européenne des Arts en 1970.

GAILLARD Jeannin
Mort en 1538. XVIe siècle. Actif à Salins. Français.
Peintre verrier.

GAILLARD Léon Jacques
Né à Preignac (Gironde). Mort pour la France durant la Première Guerre mondiale (1914-1918). XXe siècle. Français.
Sculpteur.
Fut élève de Falguière et exposait aux Artistes Français.

GAILLARD Louis
Né à Modane (Savoie). XXe siècle. Français.
Peintre.
Il exposa à Paris au Salon des Indépendants à partir de 1940.

GAILLARD Louise, née **Chaceré de Beaurepaire**
Née au XVIIIe siècle. XVIIIe siècle. Française.
Peintre de portraits, en miniatures et graveur au burin.
Élève d'Augustin, elle exposa sous son nom de jeune fille, de 1798 à 1827, des portraits en miniature, et en 1833 sous le nom de Mme Gaillard. Femme de René Gaillard.
Ventes Publiques : Paris, 1900 : *Portrait d'un camérier du pape*, miniat. : **FRF 149**.

GAILLARD Marcel ou **Marcel-Gaillard**
Né le 17 juin 1886 à Abbeville (Somme). Mort le 8 juillet 1947 à Liesville (Manche). XXe siècle. Français.
Peintre de paysages.
Il exposait dans les principaux Salons parisiens. Il fut lauréat du prix de l'Afrique équatoriale.
Ventes Publiques : Paris, 11 avr. 1927 : *Paysage* : **FRF 115** – Paris, 24 nov. 1928 : *Paysage* : **FRF 650** – Paris, 2 mars 1934 : *Au bord de la baie à Concarneau* : **FRF 100**.

GAILLARD Marie Marguerite Héloïse
Née à Montagne-Saint-Émilion. XIXe siècle. Française.
Graveur sur bois.
Figura au Salon des Artistes Français. Mention honorable en 1900, médaille de troisième classe en 1901.

GAILLARD Marthe, née **Mary**
Née au XIXe siècle à Paris. XIXe siècle. Française.
Peintre.
En 1879 et 1880, elle figura au Salon avec des portraits à l'aquarelle et quelques sujets de genre également à l'aquarelle : *Propos joyeux ; La perle ; La rieuse*.

GAILLARD Nicolas
XVIe siècle. Actif à Salins. Français.
Peintre verrier.
Fils et élève de Jeannin Gaillard.

GAILLARD Nicolas
XVIIe siècle. Actif à Paris en 1674. Français.
Peintre, sculpteur, graveur et enlumineur.

GAILLARD Paul Benoît
Né à Langres (Haute-Marne). XXe siècle. Français.
Peintre.
Il exposa régulièrement à Paris au Salon des Indépendants à partir de 1925.

GAILLARD Pierre
XVIIIe siècle. Actif à Paris en 1740. Français.
Peintre.

GAILLARD René
Né vers 1719. Mort le 11 avril 1790 à Paris. XVIIIe siècle. Français.
Graveur.
A gravé d'après Greuze *(La Malédiction paternelle)*, F. Boucher, H. Rigaud.

GAILLARD Robert
Né en 1722 à Paris. Mort en 1785. XVIIIe siècle. Français.
Graveur au burin.
Il a gravé des sujets religieux, des sujets de genre et d'histoire. Peut être faut-il l'identifier avec René Gaillard.

GAILLARD de LONJUMEAU Pierre Joseph, Laurent, baron
XVIIIe siècle. Actif au milieu du XVIIIe siècle. Français.
Dessinateur et graveur amateur.
Il a gravé des sujets de genre.

GAILLARD-DESCHAMPS Alexandre
Né vers 1903 à Saint-Saturnin (Mayenne). Mort en septembre 1984. XXe siècle. Français.
Peintre de paysages, marines.
Il figura, à Paris, au Salon de la Société Nationale des Beaux-Arts depuis 1930, au Salon des Indépendants à partir de 1935.

GAILLARDIN Jean ou **Gallardon**
XVIe siècle. Français.
Sculpteur.
Il collabora à la décoration du château de Fontainebleau, de 1537 à 1550.

GAILLARDOT Pierre
Né le 2 août 1910 à Saint-Florent (Yonne). XXe siècle. Français.
Peintre de sujets divers, aquarelliste.
Il figure dans de nombreux Salons annuels parisiens, dont il est sociétaire : Salon d'Automne, Salon des Indépendants, Salon de la Société Nationale des Beaux-Arts, Terres latines, Salon Comparaisons et Salon des Peintres Témoins de leur Temps. Il est commissaire général au Salon du Dessin et de la Peinture à l'Eau. Il réalise des expositions personnelles à Paris et en province (Cannes, Antibes, Nantes, Dijon, Nice...) Il est titulaire de nombreuses récompenses, prix, et médailles d'or.
Autodidacte, il peint des sujets divers, bateaux, courses cyclistes, joueurs de polo, par plans vivement colorés, sommairement brossés.

P. Gaillardot
P. Gaillardot

Ventes Publiques : Los Angeles, 21 sep. 1976 : *Le pesage*, h/t (80x108) : **USD 550** – Paris, 25 mai 1988 : *Le bassin à Deauville* 1959, h/t (46x61) : **FRF 4 500** – Calais, 13 nov. 1988 : *Le match de polo*, h/t (60x73) : **FRF 10 000** – Paris, 22 nov. 1988 : *Le tennis*, aquar. (45x59) : **FRF 4 500** – Paris, 30 oct. 1990 : *Course de haies*, h/t (27x35) : **FRF 7 800** – Le Touquet, 30 mai 1993 : *Port et plage de Sainte-Maxime* 1958, h/t (46x55) : **FRF 9 000** – Paris, 22 mars 1994 : *Paddock*, h/t (60x73) : **FRF 12 000** – Deauville, 19 août 1994 : *Le Pesage à Deauville*, aquar. (50x65) : **FRF 15 500** – Paris, 16 oct. 1996 : *Concours hippique*, h/t (60x81) : **FRF 10 000**.

GAILLET Lily
Née en 1867 à Biel. XIXe siècle. Suisse.
Peintre de fleurs.
Étudia à l'École des Beaux-Arts de Genève.

GAILLIARD Franz, pour **François Désiré Antoine,** par erreur **Bernard**
Né le 30 novembre 1861 à Bruxelles. Mort le 17 février 1932 à Forest-les-Bruxelles. XIXe-XXe siècles. Belge.
Peintre de scènes de genre, portraits, paysages animés, paysages, paysages urbains, pastelliste, graveur, dessinateur, illustrateur.
Il fut élève de l'Académie des Beaux-Arts de Bruxelles. Il voyagea en Italie, en Algérie et en Grèce. Il semble, d'après certains textes, s'être lié avec Émile Claus et James Ensor. Il fut directeur de l'Académie de Saint-Gilles. Il exposa au Salon de Bruxelles, dès 1882 ; au Salon des Artistes Français de Paris, de 1882 à 1891 ; ainsi qu'à Venise et Düsseldorf. Il était le père de Jean-Jacques Gailliard.
Il exécuta des dessins d'actualité pour des hebdomadaires français, anglais et belges, dont *Le Patriote illustré – Le Petit bleu* et le *London Illustrated News*. Il réalisa quelques grandes toiles de scènes de genre, de portraits et de paysages. Après avoir été un réaliste traditionaliste, il subit l'influence de l'école impressionniste française, pour se diriger, dans sa dernière période, vers la technique « luministe-divisionniste ».

Fr Gaillard

Bibliogr. : Gérald Schurr, in : *Les Petits Maîtres de la peinture 1820-1920, valeur de demain*, Les Éditions de l'Amateur, t. V, Paris, 1981 – in : *Diction. biogra. illustré des artistes en Belgique depuis 1830*, Arto, Bruxelles, 1987.
Musées : Bruxelles – Liège – Saint-Josse-Ten-Nood – Turnhout.
Ventes Publiques : Anvers, 29 avr. 1981 : *À la mer*, h/t (38x46) : **BEF 40 000** – Londres, 23 mars 1984 : *Rue Fossé-aux-loups, Bruxelles* 1884, h/t (90x66) : **GBP 7 000** – Bruxelles, 30 sep. 1987 : *Sous les platanes*, h/t (170x124) : **BEF 2 000 000** – Lokeren, 28 mai 1988 : *La nouvelle acquisition*, h/t (114x108) : **BEF 1 600 000** – Londres, 29 juin 1988 : *Sous les platanes du parc royal de Bruxelles*, h/t (170,5x125) : **GBP 5 500** – Londres, 19 oct. 1988 : *La promenade*, h/pan. (36,6x45,8) : **GBP 12 650** – Londres, 19 oct. 1989 : *La Kermesse*, past./pap./t. (38,1x45,7) : **GBP 4 400** – Londres, 16 fév. 1990 : *Les boulevards à Bruxelles*, h/t (125,7x170,3) : **GBP 4 950** – Liège, 11 déc. 1991 : *Scène animée dans le parc du Cinquantenaire*, lav. d'aquar./pap. (27,5x41,5) : **BEF 100 000** – Lokeren, 23 mai 1992 : *Notes blanches sur la mer*, h/t (125x172) : **BEF 2 400 000** – Lokeren, 10 oct. 1992 : *Jeux d'en-*

fants sur une plage, h. et gche/cart. (100x80) : **BEF 1 500 000** – Amsterdam, 26 mai 1993 : *Quatre ours en peluche*, h/cart. (44x59,5) : **NLG 6 900** – Lokeren, 12 mars 1994 : *Les lilas*, h/t (70x55) : **BEF 190 000** – Lokeren, 11 mars 1995 : *Dame se regardant dans un miroir*, h/cart. (67,5x53) : **BEF 900 000** – Calais, 25 juin 1995 : *Rue animée à Paris*, h/pan. (33x24) : **FRF 20 000** – Londres, 28 juin 1995 : *Sous les platanes au parc royal de Bruxelles*, h/t (170,5x125) : **GBP 36 700**.

GAILLIARD Jean, dit **Jean-Jacques**
Né le 22 novembre 1890 à Bruxelles. Mort le 17 avril 1976 à Saint-Gilles-les-Bruxelles. xxe siècle. Belge.
Peintre de portraits, paysages, natures mortes, dessinateur, graveur, lithographe, fresquiste. Abstrait, puis tendance fantastique.
Il a étudié au conservatoire de Bruxelles jusqu'en 1914. Puis, il fut l'élève de son père Franz Gailliard et de Jean Delville à l'Académie des Beaux-Arts de Bruxelles, où il découvrit l'œuvre de Swedenborg. Il fut un ami de James Ensor, sans doute par son père, et de Michel de Ghelderode. Il fut membre de l'Académie Royale de Belgique.
À Paris de 1920 à 1924, puis en Belgique par la suite, il réalise une série de toiles abstraites, plus libres que le constructivisme, sorte de tachisme, où les touches rendent les impressions de nature ou de l'imagination. C'est ce qu'il appelait le « surimpressionnisme ». Il s'est ensuite dégagé de l'abstraction pour fouiller un monde onirique et fantaisiste. Pour explorer les domaines négligés par le surréalisme, il veut un art fantastique et magnifique. Il fut donc l'un des fondateurs, avec Serge Hutin, du mouvement « Fantasmagie » qui, sans se séparer radicalement du surréalisme, se préférait comme source la longue veine de la peinture fantastique flamande, de Bosch à Ensor. Féru de Swedenborg, il tenta d'inclure dans ses peintures, le prolongement d'une réalité transcendante.

Jean Jacques Gailliard

Bibliogr. : In : *Diction. biogra. illustré des artistes en Belgique depuis 1830*, Arto, Bruxelles, 1987.
Musées : Bruxelles : *Familiarité d'objets – Rue des Trois Têtes* – Bruxelles (Conservatoire) – Dinant – Ixelles – Natal, Afrique-du-Sud (Centre Swedenborgue) – Saint-Josse-Ten-Noode – Tournai.
Ventes Publiques : Anvers, 25 oct. 1977 : *Promenade Albert Ier*, h/pan. (38x61) : **BEF 50 000** – Londres, 4 juil. 1980 : *Château à Ballybrack*, h/t (35,5x50,7) : **GBP 380** – Bruxelles, 16 déc. 1982 : *La cour de la rue de Thy à Saint-Gilles*, h/t (93x74) : **BEF 80 000** – Anvers, 26 avr. 1983 : *« Villas défuntes » Ostende*, h/pan. (47x63) : **BEF 65 000** – Bruxelles, 22 avr. 1985 : *Piazza della Signoria, Florence* 1918, aquar. (60x42) : **BEF 40 000** – Bruxelles, 16 sep. 1985 : *L'abside de Saint-Gudule à Bruxelles*, h/t (130x105) : **BEF 260 000** – Amsterdam, 24 mai 1989 : *Nature morte avec des fleurs d'été et des groseilles dans un compotier*, h/t/cart. (37x29,5) : **NLG 10 950** – Lokeren, 9 oct. 1993 : *Vision de l'Atlantique vu du Connemara*, h/pan. (33,5x44) : **BEF 38 000** ; *L'étoile de mer chez elle* 1961, h/pan. (38,5x57) : **BEF 180 000** – Lokeren, 12 mars 1994 : *La chapelle Saint-Hubert*, h/pan. (55x38) : **BEF 100 000**.

GAILLIOT Geneviève Élisabeth
Née en 1896 à Paris. xxe siècle. Française.
Sculpteur.
Exposante du Salon depuis 1924, dont elle fut sociétaire, après avoir travaillé à l'École des Beaux-Arts.

GAILLOIS Marie Anne
xviiie siècle. Active à Paris en 1764. Française.
Peintre.

GAILLON Jean Baptiste
xviiie siècle. Actif à Paris en 1738. Français.
Peintre.

GAILLOT Bernard
Né le 17 février 1780 à Versailles (Yvelines). Mort le 17 juin 1847 à Paris. xixe siècle. Français.
Peintre de compositions religieuses, portraits.
Il fut élève de David. Il figura au Salon de Paris, entre 1817 et 1831, obtenant une seconde médaille la première année. Il mourut subitement, frappé d'apoplexie.
On cite de lui : *Cornélie, mère des Gracques* ; *Laissez venir à moi les petits enfants*. Il peignit pour diverses églises : *La conversion de saint Augustin* (à l'église de Notre-Dames-des-Victoires) ; *La vision de sainte Monique* (à la même église) ; *Saint Louis portant la couronne d'épines* (à la cathédrale de Sens) ; *Le songe de Joseph* (à l'église Saint-Vincent-de-Paul) ; *Saint François d'Assise devant le pape Innocent III* (à l'église Saint-François d'Assise).
Musées : Versailles : *Portrait du seigneur de Crillon, lieutenant-colonel – Charles, connétable de Bourbon*.
Ventes Publiques : Paris, 29 nov. 1976 : *Portrait d'homme*, h/t ovale (27x20,5) : **FRF 2 200**.

GAILLOT Édouard
Né le 17 octobre 1877 à Objat (Corèze). xxe siècle. Français.
Graveur.
Il fut élève de Baschet et Royer. À partir de 1912, il exposa, à Paris, au Salon des Artistes Français.

GAINCA Martin
xvie siècle. Actif à Séville vers 1527. Espagnol.
Sculpteur.
On croit que cet artiste est celui qui remplaça l'architecte maestro Rano, directeur des travaux de la cathédrale, lorsque celui-ci mourut.

GAINDRAND Antoine. Voir **GUINDRAND**

GAINEAU Jean Louis, l'Ancien
Mort le 7 février 1766 à Paris. xviiie siècle. Français.
Peintre.

GAINEAU Jean Louis, le Jeune
xviiie siècle. Actif à Paris. Français.
Peintre.
Il était fils de Jean Louis l'Ancien.

GAINEAU Louis Claude
Mort le 9 juin 1772 à Paris. xviiie siècle. Français.
Peintre.
Il était le fils de Jean-Louis l'Ancien.

GAINER J.
xviiie siècle. Actif à Dublin. Irlandais.
Graveur.
Il fut à Londres élève de J. Dixon.

GAINES G.
xviiie siècle. Actif à Londres. Britannique.
Peintre de paysages.
Exposa à Londres, à la Royal Academy et à la Free Society, de 1770 à 1787.

GAINSBOROUGH Thomas
Né en 1727 à Sudbury (comté de Suffolk), où il fut baptisé le 14 mai. Mort le 2 août 1788 à Londres. xviiie siècle. Britannique.
Peintre de scènes de genre, portraits, paysages animés, animalier, paysages, paysages d'eau, aquarelliste, graveur, dessinateur.
Son père était tailleur et chargé d'une famille nombreuse. Gainborough marqua tout enfant ses goûts artistiques en dessinant les sites pittoresques des environs ; on le mit à l'école chez un oncle, mais il montra beaucoup plus de dispositions pour le dessin que pour l'étude. Vers 1742, il vint à Londres et, recommandé à Gravelot, devint son élève. Le graveur français le fit entrer à la Saint-Martin's League Academy. Gainsborough travailla aussi avec Frank Hayman, puis à Hatton Garden où il fit quelques modelages et des paysages. Ayant acquis des connaissances techniques suffisantes, Gainsborough revint dans sa ville natale et s'y établit comme peintre de portraits et paysagiste. Son mariage, à 19 ans, avec miss Margaret Burr, jeune personne jouissant d'une jolie fortune, lui permit d'exercer son art en toute liberté. Vers 1746, il alla habiter Ipswich et, quelques années plus tard, vers 1758, il se fixait à Bath. Gainsborough comptait trop de fervents admirateurs pour qu'on ne le réclamât pas à Londres ; il se fixa, en 1774, dans la métropole anglaise et sa réussite ne fit que s'accroître. Certains biographes ont accusé Gainsborough d'être un esprit quelque peu bizarre, de n'avoir pas su profiter de l'amitié de Sir Joshua Reynolds. On rapporte qu'à un dîner d'académiciens, Sir Joshua porta le toast suivant : « À la santé de M. Gainsborough, le plus grand paysagiste de notre époque. » À quoi Richard Wilson s'empressa d'ajouter : « Et aussi le plus grand peintre de portraits. » Il est permis de supposer que la grande réussite de son confrère portait ombrage à Reynolds. D'autre part, des contemporains, tels que

Northcote ont fait le plus grand éloge de sa simplicité, de son affabilité, de sa bienveillance, de son esprit. En 1787, une grosseur jugée d'abord sans importance se forma sur son cou, et dégénéra en un cancer qui rendit bientôt sa situation désespérée. Gainsborough attendit la mort avec beaucoup de calme. Sir Joshua Reynolds vint le voir ; Gainsborough chercha par son accueil à effacer tout souvenir de la froideur qui avait existé entre eux. On rapporte qu'il lui dit : « Nous nous retrouverons au ciel et Van Dyck sera de la compagnie. »
En 1766, il devint membre de la Society of Artists et commença à exposer à Londres. En 1769, il fut un des fondateurs de la Royal Academy. À l'exposition de la Royal Academy, en 1783, un heurt fâcheux se produisit entre Gainsborough et Reynolds. Gainsborough y avait envoyé dix-huit tableaux comportant le portrait du roi, de la reine et de leurs enfants. Une discussion s'éleva pour le placement d'une des œuvres : un groupe de trois princesses (actuellement au château de Windsor) ; Gainsborough ne pouvant obtenir satisfaction, retira l'ensemble de son exposition et cessa dès lors d'exposer et d'avoir aucun rapport avec l'Académie.
Autour de 1750, Gainsborough peignait des portraits trois quarts nature pour cinq guinées. Son succès lui fit bientôt porter ce prix à 8 guinées et à 100 guinées les portraits en pied. Gainsborough produisait en même temps les paysages qui le placent à l'égal des meilleurs hollandais, mais le public d'alors ne recherchait que ses portraits. Gainsborough était le peintre favori du roi Georges III qui posa huit fois devant lui. Il n'était pas moins apprécié par la reine, par les grands seigneurs et les personnalités marquantes de son époque.
Dans l'étude consacrée à Gainsborough, Fulcher donne la liste de 300 peintures dont 200 portraits. Pour avoir moins produit dans ce genre, Gainsborough n'en est pas moins intéressant comme graveur ; on cite de lui dix-huit eaux-fortes de paysages et de sujets de genre et trois aquatintes. Se distinguant du caractère plus marqué de celles de Reynolds, les œuvres de Gainsborough célèbrent avec grâce le charme poétique et quelque peu sentimental de la femme anglaise. ■ E. Bénézit, J. B.

Bibliogr. : Arthur Bell : *Gainsborough, a record of his life and works*, Bell, London, 1897 – Sir Walter Amstrong : *Gainsborough et sa place dans l'École Anglaise*, Hachette, Paris, 1899 – Ellis Waterhouse : *Gainsborough*, Londres, 1958.

Musées : Berlin : *J. Wilkinson* – Birmingham : *Sir Charles Holte Aston Hall* – Bologne (Liceo Musicale) : *J. S. Bach* 1776 – Budapest : *Charles Hotchkiss* – Dublin : *Vue de Suffolk* – *Hugh, duc de Northumberland* – *James Quinan* – Édimbourg : *Mrs. Graham* – *Le labourage* – *Chirurgien Middleton* – Leeds : *William Pitt* – Leicester : *Miss Adney* – Londres (Victoria and Albert) : *Les Filles du roi Georges III* – *La Reine Charlotte* – *Chevaux buvant* – *John Joshua Kirby* – *Les deux filles de l'artiste* – *Paysage* – Londres (Nat. Portrait Gal.) : *John Henderson* – *Jeffrey, 1er baron Amherst* – *Stringer Lawrence* – *John Joshua Kirby et sa femme Sarah Bull* – *Edward Vernon* – *John Russel, duc de Bedford* – *Charles, marquis Cornwallis* – *George Colman* – *L'Artiste* – Londres (Nat. Gal.) : *La Charrette et les légumes* – *L'abreuvoir*, deux fois – *Paysage* – *Le Pont* – *Musidora baignant son pied* – *Coucher de soleil* – *Enfants de la campagne* – *Abel Moysey* – *Mrs Siddons* – *Ralph Schomberg* – *Orpin, clerc de la paroisse de Bradford on Avon* – *La famille de James Baillie* – *Scène forestière* – *Sir Henry Bate Dudley* – *L'Abreuvoir* – *Jeune homme* – *Vue de Dedham* – *Miss Margaret Gainsborough* – *Les Chiens Tristram et Fox* – Étude – *Paysage*, deux fois – *Paysan avec des ânes* – *Les Filles de l'artiste* – *Mr et Mrs Andrews* – Londres (coll. Wallace) : *Mrs Robinson* – *Miss Haverfield* – Manchester : Aquarelle – Melbourne (Nat. Gal.) : *L'Embouchure de la Tamise* 1783 – *Un Officier* 1770 – Montréal (Learmont) – Montréal (Mus. des Beaux-Arts) : *Portrait de Madame George Drummond* – New York (Metrop. Mus.) : *Charles Rousseau Burney* 1770 – *Nathaniel Burrough* – *La Reine Charlotte* 1782 – *Le Mont Hamleth* 1783 – *Les Enfants de la ferme* 1787 – Paris (Mus. du Louvre) : *Lady Alston vers 1770* – *Paysage* – *Mac Molyn* – *Le Faucheur* – *Richard Owen Cambridge* – *Homme et femme dans un paysage* 1746 – *Conversation dans un parc* – Reading : *L'Orage* – Salford : *Laurence Sterne* – Stuttgart : *Reine Charlotte d'Angleterre* – *Octavius d'Angleterre*.

Ventes Publiques : Londres, mai 1829 : *La Voiture du marché* : **FRF 27 550** – Londres, avr. 1863 : *Repos* : **FRF 20 510** ; *Paysage avec moutons* : **FRF 9 970** – Paris, 1872 : *Portrait en pied de Sheridan* : **FRF 80 000** – Londres, mai 1878 : *Portraits des filles de l'artiste* : **FRF 18 237** – Londres, 1887 : *Les sœurs* : **FRF 272 630** – Londres, 1890 : *Portrait de lord Hamilton, en habit bleu* : **FRF 110 240** ; *Portrait d'Alexandre, duc d'Hamilton, en habit noir* : **FRF 39 370** – Londres, juin 1893 : *Lady Rodney* : **FRF 60 360** ; *Mme Drummond of Stammore* : **FRF 175 040** – Londres, 23 mars 1895 : *Une vue dans le Surrey* : **FRF 15 780** – Londres, 1896 : *Mr. et Mme Dehamrey et leurs filles* : **FRF 55 125** ; *Dorothée, lady Eden* : **FRF 131 200** ; *Paysage à Schochervireck* : **FRF 81 320** ; *Portrait de lady Rowley* : **FRF 38 000** – Paris, 1897 : *Portrait de Ch. Fred. Abel* : **FRF 31 500** ; *Portrait de Madame Puget, née Hawkins* : **FRF 126 000** ; *Anne Elisabeth, lady Mulgrave* : **FRF 26 750** – Paris, 1898 : *Lady Clarges* : **FRF 48 550** – New York, 25 fév. 1898 : *La Bordure de la lande* : **USD 2 700** ; *Allant au marché* : **USD 3 800** ; *Portrait de la comtesse de Buckinghamshire* : **USD 5 000** – Londres, nov. 1898 : *Trois petits paysages* : **FRF 17 850** – Londres, 1898 : *M. Hamilton en mauve et blanc* : **FRF 19 675** – Paris, 17 déc. 1900 : *Portrait d'un amiral anglais en buste*, dess. : **FRF 450** – New York, 20 mars 1902 : *Portrait de Mrs Owen* : **USD 5 400** – New York, 22 et 23 fév. 1907 : *Portrait de William Pettin* : **USD 2 600** – Londres, 14 mars 1908 : *Portrait de William Jones* : **GBP 52** – Londres, 16 mars 1908 : *Scène près d'une rivière boisée* : **GBP 126** – Londres, 28 mars 1908 : *Portrait du comte de Shaftesbury*, past. : **GBP 52** ; *Portrait de la comtesse Spencer* : **GBP 73** – Londres, 22 mai 1908 : *Vue dans le Suffolk* : **GBP 861** – Londres, mai 1908 : *Portrait de l'honorable Cambell Skenner* : **GBP 294** – Londres, 29 mai 1908 : *Portrait de la fille du peintre, Mary, depuis Mrs Fischer* : **GBP 4 777** ; *Portrait de la femme de l'artiste* : **GBP 2 782** – Londres, 25 juin 1908 : *La voiture des moissonneurs* : **GBP 735** – Londres, 3 juil. 1908 : *Portrait du général Wolfe* : **GBP 1 890** ; *Chevaux buvant à une auge* : **GBP 420** – Londres, 5 avr. 1909 : *Portrait de Miss Valander enfant* : **GBP 37** – Londres, 7 mai 1909 : *Jeune fille assise dans un paysage* : **GBP 409** – Londres, 21 mai 1909 : *Figures dans un bois* : **GBP 52** – Londres, 16 juil. 1909 : *La fille de l'artiste en glaneuse* : **GBP 357** – Londres, 26 fév. 1910 : *Tête de jeune femme* : **GBP 75** – Londres, 6 mai 1910 : *Paysage avec bestiaux* : **GBP 4 200** ; *Chien poméranien et jeune chien* : **GBP 945** – Londres, 3 juin 1910 : *Portrait de J. Tompion* : **GBP 840** – Londres, 19 mai 1911 : *Portrait de Mrs. Bell* : **GBP 3 054** ; *Portrait de M. Bell* : **GBP 1 608** ; *La porte du cottage* : **GBP 1 050** – Londres, 1er juin 1911 : *Portrait d'un gentilhomme et d'une lady*, deux pendants : **GBP 199** ; *Portrait de Garrick* : **GBP 110** ; *Portrait de Mrs Woodward* : **GBP 273** – Londres, 16 juin 1911 : *Portrait de Lady Ines* : **GBP 3 780** ; *Portrait de Thomas Meolycott* : **GBP 4 410** – Londres, 19 juin 1911 : *Portrait d'un gentilhomme* : **GBP 945** – Londres, 14 juil. 1911 : *Portrait du comte de Derby* : **GBP 262** ; *Portrait de R. Hurd, évêque de Worcester* : **GBP 357** ; *Portrait de Anne Ponsonby* : **GBP 8 715** – Paris, 22 mai 1919 : *Portrait de l'artiste* : **FRF 9 500** – Londres, 19 mai 1920 : *Portrait of Mr and Mrs William Carter of Ballington House, Bulmer, Essex*, h/t (90,1x69,2) : **GBP 105** – Paris, 8-10 juin 1920 : *La Charrette*, dess. : **FRF 8 100** – Paris, 21-22 juin 1920 : *Portrait d'un jeune homme*, sanguine : **FRF 3 100** – Paris, 6-8 déc. 1920 : *Le Liseur* : **FRF 24 000** – Paris, 21-22 nov. 1922 : *Portrait d'un jeune homme*, sanguine : **FRF 3 500** – Londres, 1er déc. 1922 : *Le Marquis Townshend* : **GBP 25** ; *Route forestière* : **GBP 21** – Londres, 23 mars 1923 : *Portrait de Mark Beaufoy* : **GBP 9** ; *Portrait de Mrs Damer* : **GBP 16** – Londres, 11 mai 1923 : *Paysage forestier*, pierre noire et reh. de blanc : **GBP 33** ; *Un berger et son troupeau*, encre de Chine avec reh. de blanc : **GBP 54** ; *Margaret et Mary Gainsborough jeunes filles* : **GBP 3 045** ; *L'Artiste, sa femme et son enfant* : **GBP 3 150** ; *Le Duc d'Arenberg* : **GBP 903** ; *Miss Susan Gardiner, enfant* : **GBP 1 785** – Londres, 13 juil. 1923 : *En revenant du marché* : **GBP 5 040** – Londres, 1er mai 1925 : *Miss Theodosia Magill* : **GBP 3 045** ; *Mrs William Monck* : **GBP 5 040** ; *Lord John et Lord Bernard Stuart d'après Van Dyck* : **GBP 3 255** – Paris, 23 nov. 1927 : *Portrait de M. Hammond* : **FRF 195 000** – Londres, 16 déc. 1927 : *Paysage boisé* : **GBP 231** – Londres, 1er juin 1928 : *Portrait de femme (noir et blanc)* : **GBP 9** ; *Paysage* : **GBP 47** – Londres, 8 juin 1928 : *Ruelle*, fusain : **GBP 23** ; *Portrait de femme*, cr. : **GBP 199** ; *J. Henderson, l'acteur* : **GBP 54** – Londres, 8 juin 1928 : *Portrait de femme* : **GBP 6 090** – Londres, 28 juin 1929 : *Général Meyrick* : **GBP 4 620** – Londres, 24 juil. 1929 : *Lady Napter* : **GBP 390** – Londres, 13 déc. 1929 : *Dr Hill* : **GBP 273** – New York, 20 fév. 1930 : *Capitaine Bragge* : **USD 4 550** – Londres, 7 mars 1930 : *David Middleton* : **GBP 1 365** – Londres, 23 mai 1930 : *Paysage accidenté*, dess. : **GBP 12** ; *Paysage boisé*, dess. : **GBP 42** ; *Mrs Bond*, dess. : **GBP 29** ; *Paysage*, dess. : **GBP 78** ; *Homme à cheval*, dess. : **GBP 52** ; *Repos*, dess. : **GBP 173** – Londres, 20 juin 1930 :

Charles Rousseau Burney : **GBP 4 620** – LONDRES, 18 juil. 1930 : *Lady Impey* : **GBP 4 200** – NEW YORK, 26 mai 1932 : *Paysage* : **USD 6 700** – LONDRES, 24 juin 1932 : *Samuel Campbell* : **GBP 336** – LONDRES, 24 nov. 1933 : *Colonel Thomas Fletcher* : **GBP 420** – PARIS, 2 avr. 1936 : *Portrait de Mrs Charles Tudway, née Hannah Moore, épouse de Charles Tudway, Esq. M. P. of the Cedars, Wels, Somerset* : **FRF 40 000** – LONDRES, 9 juil. 1937 : *Matin* : **GBP 2 100** – NEW YORK, 4-5 déc. 1941 : *William Pitti* : **USD 26 000** ; *William Gelverton Davenport* : **USD 16 000** ; *Jack Hill* : **USD 16 500** – LONDRES, 15 mai 1942 : *Vachère*, dess. : **GBP 11** – LONDRES, 16 et 17 juil. 1942 : *Labour et Paysage boisé*, deux dessins : **GBP 57** – LONDRES, 7 août 1942 : *Paul Pechell* : **GBP 157** – LONDRES, 18 sep. 1942 : *Trois paysans à dos d'âne*, dess. : **GBP 32** – NEW YORK, 2 avr. 1943 : *Route de campagne*, aquar. : **USD 175** – LONDRES, 5 mai 1943 : *Paysage*, dess. : **GBP 125** ; *Paysage*, dess. : **GBP 320** ; *Paysage*, dess. : **GBP 270** ; *Vers le marché*, dess. : **GBP 280** – LONDRES, 22 oct. 1943 : *David Garrick* : **GBP 47** – NEW YORK, 18-20 nov. 1943 : *Deux jeunes femmes au jardin*, dess. : **USD 800** – NEW YORK, 5 avr. 1944 : *Après la tempête* : **USD 325** ; *Karl Friedrich Abel* : **USD 800** – NEW YORK, 24 mai 1944 : *John Coltman* : **USD 300** – LONDRES, 9 juin 1944 : *William Pitt* : **GBP 2 940** – LONDRES, 1er déc.1944 : *Au bord du lac*, dess. : **GBP 78** – PARIS, 25 mai 1945 : *Le vallon*, pierre noire, légers reh. de blanc. École de Th. Gainsborough : **FRF 18 500** – LONDRES, 1er juin 1945 : *Au bord de la mer* : **GBP 5 040** – LONDRES, 13 juil. 1945 : *Paysan conduisant des vaches*, dess. : **GBP 115** ; *Famille de paysans*, dess. : **GBP 199** – NEW YORK, 15 nov. 1945 : *John Gisborne* : **USD 800** – PARIS, oct. 1945-juil. 1946 : *Portrait de Sir Hammond* : **FRF 180 000** – LONDRES, 19-20 mars 1946 : *Revenant de l'église*, dess. : **GBP 32** ; *Ruisseau ombragé*, dess. : **GBP 24** ; *Paysage*, dess. : **GBP 135** ; *Nuage d'orage* : **GBP 280** ; *Paysage* : **GBP 30** ; *Paysage* : **GBP 34** – NEW YORK, 28 mars 1946 : *John Shrimpton* : **USD 1 500** – LONDRES, 3 mai 1946 : *Lady Draper* : **GBP 483** – LONDRES, 12 juil. 1946 : *William Mc Call* : **GBP 115** ; *Miss Edgar* : **GBP 525** – NEW YORK, 18-19 oct. 1946 : *Paysage*, dess. : **USD 275** – LONDRES, 6 déc. 1946 : *Portrait de femme* : **GBP 252** – LONDRES, 10-12 fév. 1947 : *Paysage accidenté*, dess. : **GBP 32** – LONDRES, 19 mars 1947 : *Vaches* : **GBP 520** ; *Paysage le soir* : **GBP 380** ; *A la porte du cottage* : **GBP 900** – LONDRES, 11 juin 1947 : *Embouchure de la Tamise* : **GBP 4 000** – LONDRES, 25 juin 1947 : *Descente de la croix d'après Rubens* : **GBP 160** – NEW YORK, 17 oct. 1956 : *Paysage boisé* : **USD 20 500** – NEW YORK, 16 juin 1957 : *Miss Tryon* : **USD 11 000** – LONDRES, 25 oct. 1957 : *Portrait de John Nigh, Esquire* : **GBP 1 470** – LONDRES, 27 juin 1958 : *Portrait de Miss Kildebec* : **GBP 3 675** ; *Portrait de William Henry, duc de Gloucester* : **GBP 22 050** – LONDRES, 18 nov. 1959 : *Portrait d'Anne, comtesse de Chesterfield* : **GBP 34 000** – LONDRES, 23 mars 1960 : *Portrait de Mr et Mrs Robert Andrews* : **GBP 130 000** – LONDRES, 30 nov. 1960 : *Portrait du Dr William Blake Marsh* : **GBP 3 000** – NEW YORK, 8 avr. 1961 : *Paysage du Suffolk* : **USD 13 500** – LONDRES, 14 juin 1961 : *Portrait de Mrs George Scott Chad* : **GBP 4 000** – NEW YORK, le 15 nov. 1961 : *Dorothea, Lady Eden, vers 1770-1775* : **USD 35 000** – LONDRES, 3 juil. 1963 : *Portrait de Maria, Lady Gedeon* : **GBP 54 000** – LONDRES, 7 juil. 1965 : *Hagar et Ismaël dans un paysage boisé* : **GBP 10 000** – LONDRES, 18 nov. 1966 : *Paysage boisé avec berger et son troupeau* : **GNS 19 000** – LONDRES, 7 juil. 1967 : *Les Deux Petits Mendiants* : **GNS 13 000** – LONDRES, 26 juin 1968 : *Paysage montagneux avec un berger au bord d'une rivière* : **GBP 36 000** – NEW YORK, 20 mai 1971 : *Portrait de Mary et Henrietta Maria, vicomtesses Dillon* : **USD 100 000** – LONDRES, 19 juil. 1972 : *Portrait de Mr et Mrs John Gravenor avec leurs deux filles* : **GBP 280 000** – LONDRES, 27 juin 1973 : *Les sœurs Elisabeth et Sarah Cruttenden* : **GBP 110 000** ; *Portrait de Theodosia Magill, comtesse Clanwilliam 1765* : **GBP 24 000** – LONDRES, 21 juin 1974 : *Paysage romantique* : **GNS 10 000** – LONDRES, 31 mars 1976 : *Paysage boisé avec un chariot*, h/t (61x73,5) : **GBP 17 000** – LONDRES, 9 nov. 1976 : *Paysage escarpé*, encre et lav. (28,5x37) : **GBP 3 200** – LONDRES, 24 nov. 1977 : *Paysage boisé avec scène villageoise*, aquar. encre noire et h/pap. brun-rouge (41x53) : **GBP 17 000** – LONDRES, 25 nov. 1977 : *Paysage boisé avec bergers et troupeau au bord d'une mare*, h/t (118,1x148,6) : **GBP 180 000** – LONDRES, 22 mars 1979 : *Carriole et paysans dans un paysage boisé*, aquar., cr. et craie noire (23,5x31) : **GBP 13 000** – LONDRES, 28 juin 1979 : *Paysage boisé avec deux carrioles et figures*, eau-forte (32,4x39,2) : **GBP 700** – LONDRES, 19 juil 1979 : *Étude d'une rue de village*, cr., craies noire et blanche (15x21) : **GBP 900** – LONDRES, 17 nov. 1981 : *A carriage passing through Park Gates*, pl. et lav./pap. (25,5x37) : **GBP 5 500** – LONDRES, 22 avr. 1983 : *Portrait de Mr and Mrs William Carter de Ballington House*, h/t (90,1x69,2) : **GBP 130 000** – LONDRES, 15 mars 1984 : *Wooded upland landscape, with herdsman, cow and dog* 1780, craie noire, gche et lav. de gris (28x37) : **GBP 25 000** – LONDRES, 5 mars 1985 : *Wooded landscape with two country carts and figures* 1779, eau-forte/pap. (29,7x39) : **GBP 10 500** – NEW YORK, 9 mai 1985 : *Portrait of Miss Theodosia Magill, comtesse Clanwilliam 1765*, h/t (127x101,6) : **USD 300 000** – LONDRES, 21 nov. 1985 : *Voyageurs et troupeau dans un paysage boisé*, craies noire et blanche et estompe (24x31) : **GBP 38 000** – LONDRES, 30 juin 1986 : *Étude d'une dame assise portant un chapeau de paille (recto)*, craie noire et estompe reh. de blanc/pap. bleu ; *Jeune fille assise (verso)*, craie noire (31,7x23,8) : **GBP 200 000** – LONDRES, 16 juil. 1987 : *Ferme et manoir dans un paysage boisé*, aquar. et craie noire reh. de blanc et de peint. blanche et grise (21,5x29,5) : **GBP 75 000** – LONDRES, 24 avr. 1987 : *Portrait du lieutenant-colonel Jonathan Bullock of Faulkbourn Hall*, h/t (227,3x152,4) : **GBP 1 000 000** – LONDRES, 25 jan. 1988 : *Un bouvier et une vache sur un sentier de montagne*, encre/pan. (20,5x26) : **GBP 935** – NEW YORK, 3 juin 1988 : *Portrait d'un gentilhomme en vêtement rouge*, h/t (75x62) : **USD 34 100** – LONDRES, 18 nov. 1988 : *Portrait de Anna, Lady Mendip, en buste, portant une robe noire et les cheveux couverts d'une mante blanche*, h/t (73,6x60,9) : **GBP 99 000** – NEW YORK, 12 jan. 1989 : *Portrait de J. Banks, Esquire*, h/t (127x101,5) : **USD 33 000** – LONDRES, 12 juil. 1989 : *Portrait de Louis-Edmond Quentin de Richebourg, chevalier de Champcenetz, en buste, vêtu d'un habit bleu sombre*, h/t (68x55) : **GBP 77 000** – LONDRES, 15 nov. 1989 : *Paysan avec deux chevaux et un chien se désaltérant à une chute d'eau dans un paysage rocheux avec un village à distance*, h/t (123x99) : **GBP 715 000** – LONDRES, 6 déc. 1989 : *Jeune page en bleu*, h/t (165,5x113) : **GBP 1 100 000** – NEW YORK, 10 jan. 1990 : *Vaste paysage avec un berger et ses bêtes descendant de la colline*, h/t (54,6x74,9) : **USD 176 000** – LONDRES, 11 juil. 1990 : *Portrait du Dr Richard Warren, accoudé à une table et portant une redingote verte*, h/t (127x101,5) : **GBP 159 500** – NEW YORK, 11 oct. 1990 : *Portrait de Anne Furye*, h/t (75x62) : **USD 18 700** – LONDRES, 14 nov. 1990 : *Portrait de Constantine John, 2e Baron Mulgrave, assis en buste près d'une fenêtre et portant l'uniforme d'officier de marine*, h/t (126x150) : **GBP 50 600** ; *Labours dans le Suffolk*, h/t (50x60,5) : **GBP 55 000** – LONDRES, 10 avr. 1991 : *Portrait de Lady Margaret Fordyce en buste portant une robe sombre garnie de dentelle et de perles*, h/t (76x62) : **GBP 85 800** – LONDRES, 10 juil. 1991 : *Paysage boisé avec des personnages, des ânes, un pont et un village et une montagne à distance*, h/t (35,5x44,5) : **GBP 231 000** – LONDRES, 13 déc. 1991 : *Paysage boisé avec un couple d'amoureux et un berger avec son troupeau au bord d'une mare*, h/t (118x148,6) : **GBP 836 000** – LONDRES, 20 nov. 1992 : *Portrait d'un gentilhomme, présumé le général Thomas Meyrick*, h/t, de forme ovale (76,5x64) : **GBP 55 000** – LONDRES, 13 juil. 1993 : *Personnages se reposant au bord d'un chemin près d'une construction dans un paysage boisé*, craies et aquar. (22,1x31,8) : **GBP 36 700** – LONDRES, 14 juil. 1993 : *Portrait de Peter Darnal Muilman, Charles Crockatt et William Keeble dans un paysage boisé*, h/t (75x62) : **GBP 1 079 500** – LONDRES, 12 avr. 1995 : *Portrait de maître John Truman-Villebois et de son frère Henry, vêtus d'habits bruns, assis sur le piedestal d'une colonne*, h/t (155x129,5) : **GBP 661 500** – LONDRES, 3 avr. 1996 : *Portrait de Elizabeth Cochrane, vêtue d'une robe bleue et d'un châle de dentelle blanche, en buste*, h/t (74,5x62) : **GBP 54 300** – NEW YORK, 31 jan. 1997 : *Paysage d'eau avec des voyageurs se reposant à la lisière d'un bois*, h/t (77,5x128,3) : **USD 442 500** – LONDRES, 12 nov. 1997 : *Portrait de Philip Dupont* vers 1775, h/t, de forme ovale (70x61) : **GBP 47 700** – NEW YORK, 30 jan. 1997 : *Portrait de Frances, Mrs Alexander Champion*, h/t (74,9x62,9) : **USD 305 000** – LONDRES, 9 avr. 1997 : *Paysage avec des agneaux, une clôture et un début de colline* vers 1741-1745, h/t (21,5x25) : **GBP 60 900**.

GAINSBOROUGH-DUPONT. Voir **DUPONT-GAINSBOROUGH**

GAINSFORD F. F. G.

XVIIIe-XIXe siècles. Actif à Londres. Britannique.

Peintre de portraits.

Cet artiste exposa à la Royal Academy, de 1805 à 1816. La National Gallery of Portraits conserve de lui le portrait de John William Polidori.

GAINU Pierre ou **Gainy,** ou **Gaing**

Mort vers 1602. XVIe siècle. Actif à Grenoble. Français.

Graveur.

GAINZA Juan
XVIe siècle. Actif à Séville. Espagnol.
Sculpteur.
Sculpta une partie des nervures de la voûte de la cathédrale de Séville.

GAIOS de Lystra
Ier ou IIe siècle. Antiquité romaine.
Sculpteur.
Il ne subsiste aucune œuvre connue de cet artiste dont le frère fut également sculpteur.

GAI QI ou **Kai Ch'i** ou **Kai K'i**, surnom : **Boyun,** noms de pinceau : **Xiangbo, Qixiang, Yuhu waishi,** etc.
Né en 1774 à Songjiang (province du Jiangsu). Mort en 1829. XVIIIe-XIXe siècles. Chinois.
Peintre de compositions à personnages, portraits, paysages, fleurs, dessinateur.
Ses ancêtres, venus du Xinjiang, s'étaient installés à Songjiang. Il est connu comme poète et comme peintre de personnages, de paysages, de fleurs et de bambous. Il travaille dans les styles de Li Longmian, de Zhao Mengfu (1254-1322), de Tang Yin (1470-1523) et de Chen Hongshou (1599-1652). On connaît de lui plusieurs œuvres signées.
Ventes Publiques : New York, 2 juin 1988 : *Les immortels*, encre/pap., kakémono (121,5x73) : **USD 3 080** – New York, 4 déc. 1989 : *Beauté*, encre et pigments/pap., kakémono (98x33) : **USD 2 200** – New York, 6 déc. 1989 : *Portrait de Lu Zhu*, encre et pigments/pap. (128,3x43,8) : **USD 16 500** – New York, 29 mai 1991 : *Personnages d'après Chen Hongshou*, encre et pigments/soie, kakémono (89,5x45,8) : **USD 11 000** – New York, 1er juin 1993 : *Lotus*, encre et pigments/pap., éventail (18,1x51,4) : **USD 1 840** – New York, 29 nov. 1993 : *Fleurs*, encre/soie, album de 8 feuilles (chaque 23,5x30,5) : **USD 2 300** – New York, 21 mars 1995 : *Lettré et son serviteur dans un jardin*, encre et pigments/soie, kakémono (209,2x50,8) : **USD 2 300** – Hong Kong, 4 mai 1995 : *Immortels*, encre/soie et encre et pigments/soie, ensemble de 4 kakémonos (chaque 39,4x19,1) : **HKD 80 500** – Hong Kong, 28 avr. 1997 : *Enterrement floral* 1817, encre et pigments/pap., kakémono (115x28,5) : **HKD 57 500.**

GAIR Gilles
XIXe siècle. Actif à Londres. Britannique.
Peintre de portraits.
Exposa à Londres, à la Royal Academy et à Suffolk Street, de 1872 à 1874.

GAIRAD Paul
XIXe siècle. Actif en Espagne.
Sculpteur.
La Galerie moderne de Madrid conserve de cet artiste un marbre : *Groupe d'enfants*.

GAIRAL DE SEREZIN Eugène
Né en 1873 à Lyon (Rhône). XIXe-XXe siècles. Français.
Sculpteur, médailleur.
Il fut élève de Verlet. Il exposait à Paris, au Salon des Artistes Français depuis 1905.

GAIRINT Jean
XIXe siècle. Français.
Peintre.
De 1845 à 1848, il figura au Salon de Paris, avec des vues prises dans la forêt de Fontainebleau.

GAIROARD Eugenio
Né en Sicile. XIXe siècle. Italien.
Peintre de sujets de genre.
Il débuta vers 1883. Il a exposé à Turin, Milan, Venise.
Musées : Mayence : *Cavalier – Soubrette*.
Ventes Publiques : Milan, 22 avr. 1982 : *Bal Tabarin, Paris* 1860, h/pan. (17x27) : **ITL 3 000 000** – Milan, 1er juin 1988 : *Tabarin* 1860, h/pan. (19x27) : **ITL 8 500 000.**

GAIROUARD Barthélémy
XVIIe-XVIIIe siècles. Actif à Toulon. Français.
Peintre.
En 1715 il travaillait pour la cathédrale.

GAISSER Jakob Emmanuel
Né le 21 novembre 1825 à Augsbourg. Mort le 21 janvier 1899 à Munich. XIXe siècle. Allemand.
Peintre de sujets de genre.
Il visita l'Académie des Beaux-Arts de Munich avec Gartner, Zimmermann et Jul. Schnorr ; après avoir été élève de Joh. Geyer à Augsbourg, il revint à Munich et s'y établit. Il exposa à Munich, à Vienne, à Brême, à Londres de 1867 à 1890. On cite de lui : *Farce d'amour*.

Ventes Publiques : Cologne, 27 mai 1971 : *Les joueurs de cartes* : **DEM 7 000** – Londres, 26 juil. 1973 : *Moines et cavaliers* : **GNS 20 300** – Londres, 12 juin 1974 : *Le concert au cabaret – Le concert chez le cardinal*, deux pendants : **GBP 1 900** – Vienne, 30 nov. 1976 : *La partie de cartes*, h/pan. (40x31) : **ATS 130 000** – Londres, 20 juil. 1977 : *La partie de cartes*, h/pan. (39,5x29,5) : **GBP 1 000** – Munich, 21 sep. 1978 : *L'heure de musique* 1869, h/pan. (37x29) : **DEM 12 000** – Cologne, 12 juin 1980 : *Les commères*, h/pan. (27,5x20) : **DEM 5 000** – New York, 26 fév. 1982 : *La partie d'échecs*, h/pan. (28x39) : **USD 1 800** – Cologne, 21 mai 1984 : *La partie de cartes* 1873, h/pan. (38x31) : **DEM 6 500** – Vienne, 4 déc. 1986 : *Joyeuse compagnie dans un intérieur*, h/pan. (41x52) : **ATS 120 000** – Berne, 30 avr. 1988 : *Le marchand d'étoffes*, h/pan. (21x20) : **CHF 3 500** – Londres, 4 oct. 1989 : *Le bénédicité avant le déjeuner*, h/t (94x118) : **GBP 13 200** – New York, 23 oct. 1990 : *Une bonne plaisanterie ; La lettre*, h/t, une paire (64,8x76,2) : **USD 9 900** – Paris, 24 mai 1991 : *La partie de cartes*, h/pan. (33,5x44) : **FRF 25 000** – Londres, 19 juin 1991 : *Jeu de cartes*, h/pan. (31x38) : **GBP 4 950** – Londres, 7 avr. 1993 : *Un brin de badinage*, h/pan. (35x45) : **GBP 2 990** – New York, 12 oct. 1993 : *Élégante réception autour d'une table*, h/pan., une paire (chaque 30,2x39,3) : **USD 8 625** – New York, 16 fév. 1994 : *Un invité inattendu ; Le prétendant*, h/pan., une paire (chaque 29,8x40) : **USD 10 350** – New York, 20 juil. 1995 : *Concert dans les appartements du cardinal*, h/pan. (41,9x53,3) : **USD 3 105** – Londres, 17 nov. 1995 : *Les excuses*, h/t (94x117,5) : **GBP 17 250.**

GAISSER Max
Né le 22 juin 1857 à Munich. Mort en 1922. XIXe-XXe siècles. Allemand.
Peintre de sujets de genre.
Fils de Jakob Emmanuel Gaisser, il fit ses études à l'Académie des Beaux-Arts de Munich. Il exposa dans cette ville, à Brême et à Dresde, à partir de 1883 ; ainsi qu'au Salon des Artistes Français de Paris, obtenant une médaille de troisième classe en 1910.
Musées : Brême : *Le récit du trompette – À déjeuner* – Bucarest (Mus. Simu) : *Paroles d'amour* – Munich : *Chez l'avocat*.
Ventes Publiques : New York, 1899 : *Les Politiciens de village* : **FRF 1 800** – New York, 19 et 20 mars 1903 : *Histoires de guerre* : **USD 625** – New York, 12 mars 1908 : *Cavaliers chantant une chanson nouvelle* : **USD 200** – Londres, 29 mai 1929 : *Les Politiciens* : **GBP 11** – New York, 17 et 18 mai 1934 : *La tasse qui réconforte* : **USD 80** ; *Problème ardu* : **USD 300** – Paris, 15 juin 1934 : *Le Scribe* : **FRF 800** – Londres, 6 nov. 1936 : *Voyage de découvertes* : **GBP 189** – New York, 21 oct. 1937 : *À la fenêtre* : **USD 80** – New York, 16 jan. 1942 : *Intérieur hollandais* : **USD 75** – New York, 21 fév. 1945 : *Triptyque* : **USD 600** – New York, 26 et 27 fév. 1947 : *Connaisseur* : **USD 260** ; *Intérieur avec personnages* : **USD 225** – Cologne, 25 oct. 1968 : *Scène de cabaret* : **DEM 15 000** – Cologne, 24 nov. 1971 : *Chez l'antiquaire* : **DEM 17 000** – Lucerne, 22 juin 1974 : *Cavalier dans un intérieur* : **CHF 23 000** – Zurich, 28 mai 1976 : *La demande en mariage* 1886, h/t (76x110) : **CHF 24 000** – New York, 7 oct. 1977 : *Une lecture intéressante*, h/t (55x70,5) : **USD 4 000** – Vienne, 17 nov. 1981 : *La demande en mariage* 1886, h/t (76x110) : **ATS 250 000** – Londres, 22 juin 1984 : *Les antiquaires*, h/t (97,8x115) : **GBP 4 000** – Vienne, 11 déc. 1985 : *Discussion à la bibliothèque*, h/pan. (50x61) : **ATS 130 000** – New York, 19 juil. 1990 : *Les armateurs*, h/pan. (48,7x61) : **USD 8 800** – New York, 16 fév. 1994 : *Conversation pendant le dîner*, h/pan. (60,6x49,5) : **USD 17 250** – Amsterdam, 19 avr. 1994 : *La pipe neuve*, h/pan. (37x48) : **NLG 10 350** – New York, 23 mai 1997 : *La Proposition*, h/pan. (61x49,5) : **USD 39 100.**

GAITAN Pedro
XVIIIe siècle. Actif à Séville vers 1700. Espagnol.

Sculpteur.
On lui doit des terres cuites.

GAITET Louis Alphonse
Né le 26 mars 1836 à Marsannay-la-Côte (Côte-d'Or). Mort le 13 décembre 1919 à Marsannay-la-Côte. XIXe-XXe siècles. Français.
Peintre de sujets de genre, portraits, paysages animés, graveur.
Le 9 octobre 1856, il entra à l'École des Beaux-Arts de Paris et devint élève de Picot. Il exposa au Salon de Paris, de 1859 à 1879. On mentionne de lui des portraits et quelques sujets de genre, dont : *Un satyre enchaîné par les nymphes* ; *Le vieux Ménétrier* ; *L'enfance de Prud'hon* ; *L'Angelus* ; *Le repos de l'enfant.*
Ventes Publiques : Londres, 11 oct. 1995 : *Déesse dévoilée dans un jardin* 1882, h/t (208x114) : **GBP 3 450.**

GAÏTIS Yannis
Né le 4 mars 1923 à Athènes. XXe siècle. Depuis 1954 actif en France. Grec.
Peintre, sculpteur, lithographe.
Il fut élève de l'École des Beaux-Arts d'Athènes, pendant l'Occupation, tout en participant à la résistance. Il s'installe à Paris en 1954.
Il expose souvent, d'abord à Athènes puis à Bruxelles, Florence, Naples, Londres, etc. À Paris, on voit de ses œuvres au Salon des Réalités Nouvelles de 1956, puis il figure dans des groupes organisés par G. Gassiot-Talabot : *Mythologies Quotidiennes*, au Musée d'Art Moderne de la Ville de Paris, en 1964, *Figuration Narrative* en 1965.
Il réalise d'abord des peintures abstraites et gestuelles. Il évolue rapidement vers un expressionnisme progressivement figuratif, bientôt influencé par le fort courant narratif qui résulta de l'apparition du pop art dans les années soixante.
Il use d'une écriture qui ramène les personnages à leur simple expression, non sans rappeler les débuts du dessin animé. Les titres de ses sculptures : *Huit-Clos – Cocons et Chrysalides – Les lois de Mandel*, dénotent un univers bouché, une hérédité inéluctable, une fatalité plus qu'une destinée. Dans ses alignements d'hommes-robots, aux mêmes vestons à carreaux et aux chapeaux semblables, insignes de leur aliénation, circule pourtant encore le tendre sourire de l'humour. ■ J. B.
Bibliogr. : G. Scrafini : *Yannis Gaïtis*, Éditions Medusa, s.l., s.d – in : *Dictionnaire universel de la peinture*, Le Robert, Paris, 1975 – in : *Dictionnaire de l'art moderne et contemporain*, Éditions Hazan, Paris, 1992.
Ventes Publiques : Paris, 16 mai 1990 : *Personnage*, h/t (100x65) : **FRF 24 000** – Paris, 28 oct. 1991 : *Trois profils et leur ombre* 1971, assemblage en bois découpé (42x55,5x14) : **FRF 6 500** – Paris, 29 nov. 1991 : *Lever du jour* 1958, h/t (60x80) : **FRF 4 000** – Paris, 8 juil. 1993 : *Composition*, h/t (100x72,5) : **FRF 4 000** – Paris, 16 nov. 1995 : *Composition*, h/t (46x55) : **FRF 4 800** – New York, 19 nov. 1996 : *Bleu*, acryl./t. (54x64,8) : **USD 4 370.**

GAITONDE V. S.
Né en 1924 à Nagpur. XXe siècle. Indien.
Peintre. Abstrait.
Il fut élève d'une École d'Art à Bombay, où il enseigna par la suite.
Il a participé à de nombreuses expositions en Inde et dans plusieurs pays étrangers. Il a obtenu un prix à l'exposition des jeunes peintres des pays asiatiques, à Tokyo, en 1951.
Il trouve ses sources dans l'art traditionnel de l'Inde, et les peintres surréalistes européens tels que Klee et Miro.
Bibliogr. : In : *Peintres contemporains*, Mazenod, Paris, 1964 – in : *Dictionnaire de l'art moderne et contemporain*, Hazan, Paris, 1992.
Musées : New Delhi (Gal. Nat. d'Art Mod.).

GAITTE Antoine Joseph
Né en 1753 à Paris. XVIIIe-XIXe siècles. Français.
Graveur de monuments.
Figura au Salon de Paris en 1835. On lui doit d'intéressantes vues de Paris.

GAJARINI Francesco
Né à Contea. XIXe siècle. Hollandais.
Sculpteur.
Élève à Florence de Ulisse Cambi, puis de Lorenzo Bartolini. Il débuta vers 1864.

GAJDOS Janos
Né en 1912. XXe siècle. Actif dans le département de Szabolcs. Hongrois.
Peintre. Naïf.
Peintre instinctif doué et apprécié dans son contexte régional. L'institution de l'enseignement gratuit après la libération de la Hongrie, lui ouvrit, à l'âge de trente-huit ans, les portes de l'École Supérieure des Beaux-Arts de Budapest, où il perdit sa fraîcheur première, sans contrepartie.

GAJEWSKI
XVIIIe siècle. Actif vers 1790. Polonais.
Peintre.
Le Musée de Cracovie possède plusieurs portraits de cet artiste. Peut-être identique à Michael Cajewski.

GAJEWSKI Anton
XVIIIe siècle. Actif à Korzec à la fin du XVIIIe siècle. Polonais.
Peintre sur porcelaine.

GAJEWSKI Louise
XVIIIe-XIXe siècles. Polonais.
Peintre.
Le Musée de Lwow possède une miniature signée de ce nom et datée de 1812.

GAJEWSKI Michael
XIXe siècle. Polonais.
Graveur et dessinateur.
On cite plusieurs portraits de cet artiste.

GAJONI Antonio Luigi
Né le 4 mai 1889 à Milan. XXe siècle. Italien.
Peintre.
Il fut élève de l'École d'Arts Appliqués de Milan, ainsi que du cours de nu de l'Académie Brera. Il vécut à Paris, de 1928 à 1940, où il exposa notamment au Salons des Indépendants et des Surindépendants, et obtint une médaille d'or à l'Exposition internationale de 1937 (pavillon pontifical). En Italie, il a participé à de nombreuses expositions, notamment à l'exposition nationale de Brera, de 1918 à 1959. Il a réalisé de nombreuses décorations dans les églises d'Italie.
Musées : Florence (Gal. d'Art Mod.) – Milan (Gal. d'Art Mod.).

GAKOKEN. Voir **TOREI**

GAKUÔ, nom de pinceau **Zôkyû**
XVe siècle. Actif dans la seconde moitié du XVe siècle. Japonais.
Peintre.
Cette époque connaît, au Japon, l'introduction de la peinture à l'encre qui se développe tout d'abord dans les milieux bouddhiques de la secte Zen, pour étendre, par la suite, son influence à la peinture laïque. Inspiré par l'œuvre de son maître Shûbun (actif 1425-1450), Gakuô, prêtre zen lui aussi, tout en restant fidèle au style traditionnel, s'adonne à la peinture au lavis et révèle dans quelques paysages signés une assez nette personnalité.
Bibliogr. : Terukazu Akiyama : *La peinture japonaise*, Genève, 1961.

GAKUTEI, noms personnels : **Maruya Onokichi** et **Hôkyô**, premiers noms : **Harunobu** et **Sadaoka** ; noms de pinceau : **Gogaku, Kyûzan, Ichirô, Nanzan, Yôtei, Kôen, Shinkadô, Shingakudô, Horikawa Tarô** et **Ryôsa**
Né vers 1786. Mort en 1868. XIXe siècle. Actif vers 1815-1830. Japonais.
Peintre d'animaux, paysages, graveur.
Peintre d'Edo (actuelle Tokyo) qui fait un séjour à Osaka de la fin des années 1820 au milieu des années 1830 ; il y fait de nombreux portraits d'acteurs, des surimono (estampe à tirage limité) et des paysages qui sont tous tirés à Osaka. Il s'inspire de Hokusai.
Ventes Publiques : Londres, 9 nov. 1988 : *Une carpe dans des plantes aquatiques*, estampe (21,2x19,7) : **GBP 2 090** – New York, 21 mars 1989 : *Carpe nageant au milieu de plantes aquatiques*, estampe kakuban (21,6x18,9) : **USD 7 700** – Paris, 3 juin 1992 : *Vue de la tempête à Tempozan, Osaka* 1838, estampe oban (24,6x36,7) : **FRF 35 000.**

GAL
XIXe siècle. Actif à Tata en 1825. Hongrois.
Peintre.
On lui doit un *Portrait du prince G. Rakoczy.*

GALACHOFF L.
XVIIIe siècle. Actif en 1783. Russe.
Graveur.
On ne connaît qu'une planche signée de cet artiste.

GALACHOWSKY Daniel
XVIIe-XVIIIe siècles. Actif à Kiev. Russe.
Graveur.
Il illustra des sujets religieux.

GALAIZE
XVIIIe siècle. Actif à La Rochelle en 1787. Français.
Peintre de paysages, de marines et de genre.

GALAKHOV Nikolaï
Né en 1928. XXe siècle. Russe.
Peintre de paysages, de sujets divers.
Ancien élève de l'Académie des Beaux-Arts de Leningrad (Institut Répine). Il est membre de l'Association des Peintres de l'ex-Leningrad, aujourd'hui Saint-Pétersbourg. Il a participé à des expositions collectives, vitrines de l'art officiel, entre autres : 1952 Salon d'Automne, Leningrad ; 1958 *Quarante ans de la Jeunesse Communiste*, Moscou ; 1966 *L'Art soviétique contemporain*, Paris ; 1983 *60 ans de l'URSS*, Leningrad, où il obtient le Premier prix ; 1985 *Les Peintres pour le peuple*, Moscou ; 1990 Salon du Printemps, Leningrad.
C'est un peintre de la joie de vivre et des eaux calmes.
Bibliogr. : In : Catalogue de la vente *L'École de Leningrad*, Drouot, Paris, 19 nov. 1990.
Musées : Briansk (Mus. de l'Art Russe) – Irkoutsk (Mus. des Beaux-Arts) – Kiev (Mus. de l'Art Russe) – Moscou (Mus. Central de la Révolution de l'URSS) – Saint-Pétersbourg (Mus. Russe) – Saint-Pétersbourg (Mus. de l'Acad. des Beaux-Arts) – Tokyo (Gal. d'Art Guekosso).
Ventes Publiques : Paris, 13 avr. 1992 : *L'orée du bois*, h/cart. (32x40) : **FRF 5 800** – Paris, 20 mai 1992 : *Jour d'été*, h/isor. (62x72) : **FRF 5 200** – Paris, 17 juin 1992 : *Embarcadère sur la Néva*, h/t (119x84) : **FRF 11 000** – Paris, 12 oct. 1992 : *Les nénuphars*, h/isor. (82x67) : **FRF 5 000**.

GALAKTINOFF Afanassii
Né à Kostrowa. XVIIe siècle. Russe.
Peintre d'icônes.
En 1670 il travaillait à Moscou.

GALAKTINOFF Stefan Filippovitch
Né vers 1779 à Saint-Pétersbourg. Mort en 1854 à Saint-Pétersbourg. XIXe siècle. Russe.
Peintre de portraits, paysages, graveur.
Il fut élève de M. M. Ivanoff à l'Académie des Beaux-Arts de Saint-Pétersbourg. Il peignit, et surtout grava, un grand nombre de paysages. On lui doit aussi des portraits de la famille impériale russe.
Ventes Publiques : Londres, 5 mars 1981 : *Un monastère près de Moscou*, aquar. (15x 25,5) : **GBP 230**.

GALAN Julio
Né en 1958 ou 1959 à Muzquiz Coahuila (Mexique). XXe siècle. Actif aussi aux États-Unis. Mexicain.
Peintre. Surréaliste.
Jeune, il s'installa à Monterrey (Mexique septentrional). Il étudia, de 1978 à 1982, l'architecture. Il participe à des expositions collectives : pour les plus récentes : 1991 *Art in Intercultural Limbo*, Rooseum, Malmoe ; *Mythe et Magie en Amérique : les années quatre-vingt*, New Museum of Contemporary Art, Monterrey ; *Magiciens de la Terre*, Musée National d'Art Moderne, Centre Georges Pompidou et Grande Halle de la Vilette, Paris. En 1997 à Paris, il a participé à l'exposition *Artistes Latino-Américains*, à la galerie Daniel Templon. Il montre ses œuvres dans des expositions personnelles : 1980, 1982, 1983, à Monterrey, galerie d'Art actuel mexicain ; 1984, à Guadalajara, galerie Clave ; 1985, à New York, Consulat du Mexique ; 1986, à Amsterdam, galerie Barbara Farber ; 1987, au Musée de Monterrey ; 1990, à Rome, à la galerie Sperone ; 1990, à Rotterdam, Witte de With Center for Contemporary art.
Sa peinture est à rapprocher de celle de Frida Kahlo dont il est un des admirateurs. S'il reprend certain des thèmes de l'imagerie populaire et catholique mexicaine, c'est toujours avec une ironie surréaliste, les mêlant à d'autres images, évocations intimes, illustrations pour enfants, icônes précolombiennes... Difficile parfois de trouver un sens commun à ses œuvres tant la tentation de la simple narration est contrecarrée par un évident jeu d'associations plus ou moins ténébreuses.
Bibliogr. : Catalogue de l'Exposition : *Magiciens de la terre*, Centre Georges Pompidou et la Grande Halle La Villette, Paris, 1989 – Francesco Pellizi : *Julio Galan*, catalogue de l'exposition, Annina Nosei Gallery, New York, 1990.
Ventes Publiques : New York, 18 nov. 1987 : *Les Complices* 1987, h/t (190x230) : **USD 7 500** – New York, 19-20 nov. 1990 : *Clown* 1980, h/t (162x119,2) : **USD 19 800** – New York, 25 nov. 1992 : *Le jouet* 1984, h. et collage/t. (51x66) : **USD 7 150** – New York, 18 mai 1994 : *Le bal des 9*, h. et past. avec collage de mica/t. (80x60) : **USD 10 925** – New York, 29-30 mai 1997 : *Nino elefante tomando elerat 7 (De la série des Médicaments)* 1985, h. et acryl./t. (117x188) : **USD 43 125**.

GALAN N.
Né au XIXe siècle. XIXe siècle. Espagnol.
Graveur.
A collaboré à de nombreux journaux et revues.

GALAN Y SANCHEZ Rafael
Né à Madrid. XIXe siècle. Espagnol.
Sculpteur.
La Galerie moderne de Madrid conserve un groupe plâtre de cet artiste : *A l'École*.

GALAND Jules
Né en 1869. Mort en 1924 à Saïgon. XIXe-XXe siècles. Français.
Peintre, pastelliste.
Sous-lieutenant en Indochine, un voyage au Japon lui fait découvrir estampes et laques. De retour en France, il travaille sous la direction du peintre et graveur Henri Paillard. Devenu colonel, il est à la fin de la Première Guerre mondiale nommé à Marrakech puis à Rabat. Il repart pour Saïgon en 1923. Une rétrospective de ses œuvres eut lieu à la galerie Charpentier à Paris en 1927.
Ses œuvres, puissamment colorées, équilibrées, dénotent une touche fine et vive.
Bibliogr. : In : Catalogue de l'exposition *Paris-Hanoï-Saigon, l'aventure de l'art au Viêt Nam*, Pavillon des Arts, Paris, 1998.

GALAND Léon Laurent
Né le 18 avril 1872 à Montpellier (Hérault). Mort le 14 novembre 1960 à Clichy-la-Garenne (Hauts-de-Seine). XXe siècle. Français.
Peintre, illustrateur de portraits, nus, figures, compositions à personnages.
Il fut boursier de la ville de Montpellier, et élève de E. Michel, Delauney, G. Moreau, Cormon et Blanc. Il exposa régulièrement, à Paris, au Salon des Artistes Français, dont il devint sociétaire à partir de 1904. Entre autres récompenses, il obtint : le deuxième prix de Rome, une mention honorable en 1903 aux Artistes Français, une médaille de troisième classe en 1909, une médaille d'or. Il fut décoré de la Légion d'honneur.
Il est connu pour ses portraits et ses nus. Il a illustré : *Aline, reine de Golconde*.

L." GALAND

Musées : Montpellier : *Le Supplice de Marsyas – Vulcain, aidé par la Force et la Violence, enchaîne Prométhée*.
Ventes Publiques : Paris, 24-26 avr. 1929 : *le Bar des Folies-Bergères* : **FRF 270** – Paris, 24 sep. 1946 : *Jeune fille nue assise devant l'âtre* : **FRF 700** – Lucerne, 20 mai 1980 : *Nu couché, vu de dos* 1929, h/t (73x101) : **CHF 1 500** – Reims, 24 oct. 1987 : *Nu féminin allongé*, h/t (46x55) : **FRF 2 800** – Lyon, 18 mars 1987 : *La Pastorale* ; *Danse champêtre* 1910, h/t, une paire (275x325) : **FRF 275 000** – Paris, 19 juin 1989 : *Jeune femme nue couchée*, h/t (24x41) : **FRF 6 000** – Paris, 26 jan. 1990 : *Le Bois de Boulogne*, h/t (47x53) : **FRF 4 800**.

GALAND Madeleine
Née à Laval (Mayenne). XXe siècle. Française.
Peintre.
Elle exposa à Paris au Salon des Indépendants à partir de 1935.

GALANDA Mikulas
Né le 4 mai 1895 à Turcianské Teplice (Slovaquie). Mort le 5 juin 1938 à Bratislava. XXe siècle. Tchécoslovaque.
Peintre.
Il a étudié, de 1914 à 1946, à l'Académie des Beaux-Arts de Budapest, puis, en 1922, à l'École des Arts et Métiers de Prague avec V. H. Brunner. Ensuite jusqu'en 1927, il fréquente les ateliers de Brömse et Thiele à l'Académie des Beaux-Arts de Prague. C'est à cette époque, entre 1924 et 1926, qu'il s'occupe de la composition de la revue *Dav*, organe de l'intelligentsia de gauche. En 1930, il effectue un voyage à Paris, puis, de retour dans son pays, il enseigne à l'École des Arts et Métiers de Bratislava, de 1930 à sa mort. De 1930 à 1932, il rédige et publie avec Fulla les *Lettres*

privées, premier manifeste de l'art moderne en Slovaquie. Il a également travaillé dans le domaine de l'art scénique et de l'art graphique.
Il a participé dans les années trente, aux expositions d'art slovaque et, en 1937, à l'Exposition universelle de Paris, où il a reçu une médaille d'argent d'art graphique. En 1939, on a fait une exposition posthume de son œuvre.
Sa peinture, dans toutes ses étapes, porte la marque de son contenu humanitaire. Sa forme, qui est le résultat de simplifications et de déformations audacieuses, garde un accent lyrique et mélancolique, mélancolie dans laquelle Galanda voyait le reflet de l'âme slovaque qu'il essayait de rendre en peinture, voulant dépasser le simple folklore. ■ J. B.

GALANINI, il. Voir **ALOISI Baldassare**

GALANIS Démétrius Emmanuel

Né le 22 mai 1882 à Athènes. Mort en 1966. XXe siècle. Actif et naturalisé en 1916 en France. Grec.

Graveur, de paysages, natures mortes, compositions animées, portraits, peintre, illustrateur.

C'est en 1900 qu'il entra à l'École des Beaux-Arts de Paris, dans l'atelier de Cormon. Il s'engage lors de la déclaration de guerre en 1914 et c'est sous les armes, à Corfou, que cet Athénien acquit la nationalité française. Il fut professeur à l'École Nationale des Beaux-Arts. Membre de l'Institut.
Il exposa pour la première fois, à Paris, en 1904, au Salon de la Société Nationale des Beaux-Arts. On le retrouva au Salon d'Automne, de même qu'au Salon des Humoristes. Une exposition posthume fut organisée en 1976.
Dans ses premières années, Galanis se fit surtout connaître comme peintre de paysages. Il dut assurer sa subsistance en collaborant aux journaux comiques de l'époque : *L'Assiette au Beurre – Gil Blas – Le Rire*, etc. Nullement caricaturiste, incapable de peser sur le caractère galant des périodiques auxquels il lui fallut collaborer, Galanis a laissé des croquis pris sur le vif dont l'ensemble compose un panorama véridique des lieux de plaisir du commencement de ce siècle. Mais Galanis ne songeait qu'à s'affranchir de ces servitudes. Il était lié aux meilleurs peintres et écrivains de son temps (Jean Moréas). Il allait devenir le graveur éminent recherché par les éditeurs de publications de grand luxe.
Galanis a illustré de ses gravures une centaine d'ouvrages, dont : *Le Deuil des Primevères* de F. Jammes ; *Voyage musical au pays du passé* de R. Rolland ; *La Gageure* de Brébeuf ; *Les Nuits d'octobre* de G. de Nerval ; *Bouclier du Zodiaque* de A. Suarès ; *Cœurs à prendre* de G. Gabory ; *La Nuit de Saint Barnabé* de A. Arnoux ; *Amoureuse* de G. de Porto-Riche ; *Laurette ou le cachet rouge* de A. de Vigny ; *La Célestine* de F. de Rojas ; *La Bohême de mon cœur* de F. Carco ; *Poésies pour dames seules* de G. Gabory ; *Inscriptions pour les sept péchés capitaux* de R. Allard ; *Terres étrangères* de M. Arland ; *Tentations d'Alec Souffi, Akrivie Phrangopoulo* du comte de Gobineau ; *Les grandes orgues* de H. Bachelin ; *Rien que la terre* de P. Morand ; *La Mort d'Hippolyte* de J. de Lacretelle ; *Polyphème* de A. Samain ; *Le Grand Meaulnes* de A. Fournier ; *Monique* de M. Arland ; *Odes* de P. Valéry ; *Nourritures terrestres* de A. Gide ; *Deux dialogues* de Crébillon fils ; *Le Paradis perdu et regagné* de Milton, etc.
Parmi les toiles de Galanis, on citera particulièrement ses paysages du Midi et *L'Enfant au cheval mécanique*, beau portrait du fils de l'artiste qui, devenu officier de marine, mourut en héros à son bord, au service de la France libre. G. Gabory et A. Malraux ont consacré des monographies à l'œuvre de Galanis. A. Malraux s'est spécialement attaché au peintre dont il écrit : « On peut rapprocher Galanis de beaucoup de maîtres anciens ; on ne peut le soumettre à aucun. Toujours il se différencie par quelque point essentiel ; car son art tient à la vie artistique d'aujourd'hui, est profondément moderne. »

Bibliogr. : G. Gabory : *Galanis*, Nouvelle Revue Française, Paris, 1926 – A. Beucler : *Portrait de D. Galanis*, orné de gravures originales, s.l., Manuel Buker, 1954.

Ventes Publiques : Paris, 25 mars 1921 : *Nature morte* : **FRF 300** – Paris, 18 juin 1925 : *La femme au panier* : **FRF 385** – Paris, 12 et 13 oct. 1942 : *Nature morte aux fruits* : **FRF 520** – Paris, 20 juin 1944 : *Nature morte aux faisans* : **FRF 9 500** – Paris, oct. 1945-jul. 1946 : *Libération*, camaïeu : **FRF 1 500** – Paris, 8 déc. 1980 : *Orientale*, aquar. (23x14) : **FRF 2 000** – Paris, 9 juil. 1980 : *Nu debout, bras levés*, eau-forte reh. de cr. de coul. : **FRF 1 100** – Versailles, 1er mars 1981 : *La déveine*, aquar. (27,5x25) : **FRF 5 100** – Londres, 8 mai 1985 : *Nature morte aux figues*, h/cart. (18,5x37,7) : **GBP 1 400** – Paris, 8 déc. 1987 : *La rue Cortot*, h/t (41x33) : **FRF 7 000** – Paris, 17 fév. 1988 : *Paysage provençal*, h/t (60x76) : **FRF 70 000** – Londres, 24 fév. 1988 : *Deux nus à la plage*, past. (49,5x41) : **GBP 2 640** – Paris, 6 mai 1988 : *Paysage au rocher* 1918, h/t (92x73) : **FRF 40 000** – Paris, 5 juil. 1988 : *Les animaux chéris* vers 1905, cr. noir, encre de Chine, rehauts de gche blanche (33x25) : **FRF 6 000** – Paris, 12 oct. 1988 : *Comme vous avez les doigts sales ! (scène de cabinet particulier)*, fus., lav. d'encre de Chine et cr. bleu (34,5x27,5) : **FRF 2 500** – Paris, 30 mars 1995 : *Portrait de femme*, mine de pb (63x48) : **FRF 350 0.**

GALANO Orazio

XIXe siècle. Actif à Naples en 1858. Italien.

Peintre.

GALANT René

Né en 1914 en Dordogne. Mort le 26 janvier 1997. XXe siècle. Français.

Peintre, peintre de cartons de tapisseries.

Après avoir voyagé, il fréquenta les Académies Julian et de la Grande-Chaumière à Paris. Il expose individuellement à Paris, Saint-Tropez, Genève, Bruxelles.

Ventes Publiques : Zurich, 8 nov. 1985 : *Au café*, h/t (59,5x73) : **CHF 3 800** – La Varenne-Saint-Hilaire, 16 juin 1990 : *Au café* 1974, h/t (54x64) : **FRF 7 000** – Paris, 14 déc. 1992 : *La danse*, tapisserie (180x240) : **FRF 40 000.**

GALANTE Francesco

Né en 1884. Mort en 1972 à Naples. XXe siècle.

Peintre de genre, vues.

Ventes Publiques : Milan, 10 juin 1981 : *Rues de Paris*, deux h/pan. (26x38) : **ITL 2 000 000** – Rome, 1er juin 1983 : *La Leçon de danse*, h/pan. (30x50) : **ITL 1 400 000** – Rome, 19 nov. 1992 : *Vers la baie*, h./contre-plaqué (29x47,5) : **ITL 4 600 000** – Milan, 22 mars 1994 : *Posillipo depuis Villa Cappella*, h/pan. (15x20) : **ITL 1 380 000** – Rome, 13 déc. 1994 : *Le Racommodeur de faïences*, h/t (39x36) : **ITL 4 025 000** – Rome, 23 mai 1996 : *Maternité*, h/t (40x50) : **ITL 2 760 000.**

GALANTE Severino

Né vers 1750 à Civitella Casanova. Mort en 1827. XVIIIe-XIXe siècles. Italien.

Peintre.

Élève de Mengs et de Batoni, il fut à Naples le collaborateur de Bonito.

GALANTE da Bologna

Né au XIVe siècle à Bologne. XIVe siècle. Italien.

Peintre d'histoire et de portraits.

Élève de Lippo di Dalmasio ; on dit qu'il dépassa son maître pour le dessin.

GALANTINI Ippolito, dit **Il Cappucino,** appelé aussi **il prete Genevese**

Né en 1627 à Florence. Mort en 1706 au monastère de Montughie. XVIIe siècle. Italien.

Peintre d'histoire.

Élève de Padre Stefaneschi, sous l'influence duquel il se fit moine de l'ordre des Capucins. De là ses deux noms. Envoyé comme missionnaire aux Indes, il y passa plusieurs années et à son retour en Europe exécuta plusieurs peintures pour les églises de son ordre. Aux Offices de Florence se trouve son portrait par lui-même.

GALARD

Né en 1846 à Marseille (Bouches-du-Rhône). XIXe siècle. Français.

Sculpteur.

Il s'agit peut-être d'un membre de la famille de Galard. On lui doit quelques bustes.

GALARD Georges de

Né à Bordeaux. Mort en 1834 à Bordeaux. XIXe siècle. Français.

Peintre.
Il était fils du comte Gustave de Galard et mourut fort jeune. Au Salon de Paris, il figura avec des portraits de femmes.
Musées : Bordeaux : *Étude d'après un ramoneur.*

GALARD Gustave de, comte
Né en 1779 au château de Lille (Nord). Mort en 1841 à Bordeaux (Gironde). XIXe siècle. Français.
Peintre de portraits, paysages animés, paysages, fleurs, dessinateur, caricaturiste.
Il exposa au Salon de Paris, en 1838. Il fit quelques mois de prison pour avoir fait des caricatures qui déplaisaient à Louis-Philippe.
On mentionne de lui : *Vue des Landes de Bordeaux.*

G Galard 1804.

Bibliogr. : G. Labat : *Gustave de Galard, sa vie, son œuvre*, Féret, Bordeaux, 1896 – in : Catalogue de l'exposition *1815-1850. Les années romantiques*, Éditions de la Réunion des Musées Nationaux, Paris, 1995.
Musées : Bordeaux (Mus. des Beaux-Arts) : *Portrait de Jean Armand de Mareilhac – Portrait de Joseph Desforges – Vue prise à la Teste – Portraits de M. et Madame Marandon de Montyel* – Montpellier : *Portrait d'une jeune femme* – Quimper (Mus. des Beaux-Arts) : *Bergers des landes – Paysage avec animaux.*
Ventes Publiques : Paris, 25 juin 1990 : *Bouquet de fleurs*, h/t (34,5x27) : **FRF 25 000** – Monaco, 7 déc. 1990 : *Bouquet de fleurs*, h/t (33x24,5) : **FRF 33 300**.

GALASSI G.
XVIIIe-XIXe siècles. Actif en Sardaigne. Italien.
Sculpteur.
On lui doit le tombeau de la reine Josepha Marie Louise, épouse de Louis XVIII, morte en 1810, à la cathédrale de Cagliari.

GALASSI Luigi
XVIIIe siècle. Actif à Bologne. Italien.
Peintre et musicien.
Il travailla aussi en Sardaigne.

GALASSI Vincenzo
XIXe siècle. Actif à Rome. Italien.
Sculpteur et graveur.
Il illustra un livre d'A. M. Ricci sur saint Benoît.

GALASSI-GALASSO, appelé aussi **Galasso di Matteo Piva**
Né vers 1423 à Ferrare. Mort vers 1473. XVe siècle. Italien.
Peintre d'histoire et de portraits.
Ses premières œuvres se trouvent au Musée de Ferrare ; dans cette ville on peut voir : *La Trinité* (à la Galerie Castabili), *L'Ensevelissement* et *Une Vierge avec l'Enfant.* On sait, d'après les comptes de la maison d'Este, qu'il fut employé aux décorations du Palais de Belreguardo entre 1450 et 1453. En 1455, il peignit une *Annonciation* et termina le *Portrait du cardinal Bessarton* à Santa Maria in Monte de Bologne. Le marquis Strozzi possède de cet artiste un *Crucifiement*, et le professeur Saroli : *Le Christ au Mont des Oliviers.*

GALASSINI Giovanni Angelo
Né à Lugano. XVIIe siècle. Suisse.
Sculpteur.
Travailla à l'église Saint-Pierre de Rome.

GALATA José
Né au XIXe siècle à Albalata del Arzobispo. XIXe siècle. Espagnol.
Peintre de portraits.
On cite de lui un portrait du roi Alphonse XIII.

GALATERI Filiberto, appelé aussi **Carle di Genola**
Né en 1846 à Cheprasco. XIXe siècle. Italien.
Peintre de paysages.
Élève de Perotti, puis de Calame. Il a peint surtout des paysages du Piémont. Il a exposé à Turin, à Milan et à Venise.

GALATERI di Genola Annibale, comte
Né en 1864 à Savigliano. XIXe siècle. Italien.
Sculpteur.
Il fit ses études à Rome et à Turin. On cite son *Monument du général Arimondi.*

GALATIN Hans
XVIe siècle. Actif vers 1550. Suisse.
Dessinateur et sculpteur sur bois.
Peut-être faut-il l'identifier avec H. C. Gallati, peintre verrier.

GALATON
IIe siècle avant J.-C. Antiquité grecque.
Peintre.
Il travailla sans doute à Alexandrie d'Égypte.

GALAUT ou **Galaud**
XVIIIe siècle. Français.
Sculpteur.
Membre de l'Académie de Saint-Luc, il figura à l'Exposition en 1753, avec un bas-relief : *Apollon après la défaite du serpent Python, rencontre l'amour et le méprise.*

GALAY J.
XVIIe siècle. Hollandais.
Peintre de genre.
Cité par Siret.

GALBATI Giovanni
XVIe siècle. Actif en Sicile. Italien.
Sculpteur.
Il travailla pour la cathédrale de Troina.

GALBERG S. J.
Né en 1787. Mort en 1839. XIXe siècle. Russe.
Sculpteur.
On cite de cet artiste dans les musées russes : au Musée Alexandre III : *Projet du monument de Karamsin* (plâtre), *Bustes de Grigonée Alenin*, du *sculpteur J. P. Marlose*, de *P. A. Kunne* et du *comte Perovsky* ; à la Galerie Tretiakoff : *Buste du sculpteur Marlose.*
Ventes Publiques : Londres, 8 nov. 1971 : *Catherine de Russie assise*, bronze : **GBP 360** – Londres, 16 nov. 1972 : *Catherine de Russie*, bronze : **GBP 700**.

GALBESIO Giuseppe
XVIIe siècle. Actif à Brescia dans la première moitié du XVIIe siècle. Italien.
Peintre.
Il travailla aussi à Milan.

GALBICH J.
Né en 1814 en Russie. Mort en 1882. XIXe siècle.
Sculpteur.
Le Musée Alexandre III, à Pétersbourg, conserve de cet artiste un *Buste de la grande-duchesse Hélène Powlowna.*

GALBIENI Y MERSEGUER Antonio
Né au XIXe siècle à Valence. XIXe siècle. Espagnol.
Peintre d'histoire et portraitiste.
Élève de l'Académie de San Fernando à Valence. Il débuta vers 1864 et a exposé à Valence, Madrid et Malaga. Il fut nommé en 1876 professeur à l'École des Beaux-Arts de cette dernière ville.

GALBRAITH Thomas
XVIe siècle. Actif en Écosse vers 1500. Britannique.
Peintre.
Il travailla avec Charlmer aux châteaux royaux de Stirling et de Falkland.

GALBRAITH W. C.
XIXe siècle. Actif à Whilley. Britannique.
Peintre de paysages.
Cet artiste exposa fréquemment à Londres, particulièrement à Suffolk Street, de 1866 à 1870.

GALBRIS
Français.
Peintre de paysages.
Le Musée de Rouen conserve un paysage de cet artiste.

GALBRUND Alphonse Louis
Né le 30 juin 1810 à Paris. Mort le 3 juin 1885 à Neuilly (Hauts-de-Seine). XIXe siècle. Français.
Peintre de sujets allégoriques, portraits, animaux, pastelliste, dessinateur.
Entré à l'École des Beaux-Arts le 2 avril 1828, il devint élève de Regnault et de Gros. Il eut une médaille en 1865. En 1870, il fut nommé conservateur du Musée du Havre. Il figura au Salon de Paris, entre 1839 et 1880.
Il a surtout réalisé des portraits au pastel. En 1842, il a fait à Naples les *Portraits de la princesse Gagarine* et celui du *fils du prince Stroganoff.*
Musées : Le Havre : *L'Écolière – Portrait du curé de Saint-Eustache-la-Forêt – Quêteuse Ier Empire – Soubrette Louis XV* –

LOUVIERS (Gal. Roussel) : *Paysanne XVIIIe siècle – Figure allégorique* – PARIS (Mus. du Louvre) : *La jeune ménagère* – ROUEN : *La grand-mère.*
VENTES PUBLIQUES : PARIS, 17 mars 1910 : *Portrait de jeune homme* 1843, cr. noir, reh. de past. : **FRF 62** – MONTE-CARLO, 23 juin 1985 : *L'enfant au chien* 1870, past. (91x72) : **FRF 15 500.**

GALBRUND Marie Laurence
XIXe siècle. Active en France. Française.
Peintre pastelliste.
Figura au Salon de 1897 avec un pastel : *Pommes dans un plat,* conservé au Musée de Pontoise.

GALBRUNNER Louise C.
XIXe siècle. Française.
Peintre.
Sociétaire des Artistes Français depuis 1887, elle figura aux Salons de cette société.

GALBRUNNER Norbert Louis
XIXe siècle. Français.
Sculpteur.
Sociétaire des Artistes Français depuis 1894. A pris part à différentes expositions de cette société.

GALBRUNNER P. Charles
Mort en 1905. XIXe siècle. Français.
Graveur.
Sociétaire des Artistes Français.

GALBUSERA Gioachimo ou **Giovacchino**
Né le 2 avril 1870 ou 1871 à Milan (Lombardie). Mort en 1944 à Lugano. XIXe-XXe siècles. Italien.
Peintre de paysages, natures mortes, fleurs et fruits.
Il travailla surtout à Lugano.
VENTES PUBLIQUES : BERNE, 22 oct. 1982 : *Vue de l'Oberland bernois* 1912, h/pan. (43,5x34) : **CHF 1 800** – LUCERNE, 3 juin 1987 : *Bosco,* h/pan., de forme octogonale (64,5x64,5) : **CHF 7 000** – MONACO, 21 avr. 1990 : *Nature morte aux pêches et au raisin,* h/t (85,5x53,5) : **FRF 88 800** – LONDRES, 20 nov. 1996 : *Paysage alpin,* h/t (90x111) : **GBP 10 925** – ZURICH, 10 déc. 1996 : *Nature morte de roses,* h./pavatex (52x62) : **CHF 4 600.**

GALCEPTIANOFF S. F.
Né en 1809. Mort en 1854. XIXe siècle. Russe.
Peintre de sujets militaires.
On conserve de cet artiste à la Galerie Tretiakoff : *Manœuvres de troupes en 1804.*

GALCERAN Antonio
XVIe siècle. Espagnol.
Peintre de genre.
Élève d'Esquarte, il fut amené d'Italie à Saragosse en 1580. Il peignit au palais de l'évêque de Barbastro et dans la cathédrale de la même ville.

GALCERAN Balthasar
XVIe siècle. Actif à Valence en 1513. Espagnol.
Peintre.

GALCERAN Vicente
Né en 1726 à Valence. Mort le 9 juillet 1788 à Valence. XVIIIe siècle. Espagnol.
Graveur.
Élève de Ravanals et de Rovira. Il exécuta à l'âge de onze ans une gravure de *Saint Vincent Ferrer.* En 1750, il se rendit à Madrid, puis fut employé par le chapitre de Tolède peu de temps après pour retoucher diverses planches envoyées de Rome par le cardinal Portocarrero. Il travailla également pour des ouvrages d'histoire naturelle, grava les portraits des rois d'Espagne pour le *Titulos de la Castilla* de Berni (imprimé à Valence en 1769), celui de l'évêque Cervera de Cadiz et plusieurs autres. On dit qu'à sa mort il ne laissa pas moins de 700 planches.

GALDIKAS Adas
Né en 1893 en Lituanie. Mort en 1969. XXe siècle. Lituanien.
Peintre.
Il a peint tout d'abord des paysages et des thèmes folkloriques. S'inspirant des exemples français, il a tendu ensuite à davantage de plasticité, se libérant de ses premières intentions littéraires. C'est un coloriste qui a le sens du mouvement.

GALDOU Jean
Né le 28 février 1901 à Paris. XXe siècle. Français.
Peintre, graveur.
Il expose, à Paris, au Salon d'Automne et à celui des Indépendants. Il a illustré, de Bernanos, *Saint Dominique.*

GALE André
XVIe siècle. Actif à Rome à la fin du XVIe siècle. Italien.
Graveur sur bois.
Cité par Nagler.

GALE Ann
Née aux États-Unis. XXe siècle. Américaine.
Peintre de figures, portraits.
Elle a montré ses œuvres dans une exposition personnelle en 1995 à la galerie Dean Jensen à Milwaukee.
Les peintures d'Ann Gale nous montrent un univers de déréliction, où le temps suspendu ne parvient plus à combler la turpitude existentielle des personnages. Ceux-ci sont vus dans une impression de flou – elle utilise la technique de la touche impressionniste – un brouillage pictural, laissant en fait voir l'envers et par bien des côtés l'enfer du miroir.
BIBLIOGR. : James Scarborough : *Ann Gale,* in : *Art Press* n° 206, Paris, oct. 1995.

GALE George
Né le 16 novembre 1893 à Bristol. XXe siècle. Américain.
Peintre, illustrateur.
Il fut membre de nombreuses sociétés artistiques.

GALE R. L.
XIXe siècle. Actif à Liverpool. Britannique.
Peintre de paysages.
Membre de la Society of British Artists. Exposa à Londres, notamment à la Royal Academy et à Suffolk Street, de 1832 à 1841.

GALE Walter R.
Né le 17 janvier 1878 dans le Maryland. XXe siècle. Américain.
Peintre, illustrateur.
Il fit des études très poussées. Il fut membre de l'American Federation of Art.

GALE William
Né en 1823 à Londres. Mort en 1909. XIXe-XXe siècles. Britannique.
Peintre d'histoire, compositions religieuses, sujets typiques, scènes de genre, portraits, aquarelliste.
Cet artiste fécond prit une part très active aux expositions de Londres à partir de 1844, particulièrement à celles de la Royal Academy, de la British Institution et de Suffolk Street. Son nom paraît fréquemment dans les ventes anglaises.
MUSÉES : GLASGOW : *Danse des nymphes* 1855.
VENTES PUBLIQUES : LONDRES, 1861 : *Les Yeux de l'aveugle,* aquar. : **FRF 2 750** – LONDRES, 1870 : *La Tante de M. F.* : **FRF 1 575** – LONDRES, 1875 : *Jew's Place of Warling* : **FRF 7 700** – LONDRES, 1er fév. 1908 : *Paysans et prêtre* : **GBP 3** ; *Tête d'enfant* : **GBP 4** – LONDRES, 6 fév. 1909 : *M. F's Aunt* : **GBP 24** – LONDRES, 4 fév. 1911 : *Jeune Fille* : **GBP 9** – LONDRES, 7 fév. 1930 : *Le Chant de la prophétesse Myriam* : **GBP 5** – LONDRES, 28 mars 1930 : *Un petit cardinal* : **GBP 11** – LONDRES, 11 juil. 1934 : *Mur des Lamentations à Jérusalem* : **GBP 14** – LONDRES, 28 jan. 1972 : *L'Invasion des Danois* : **GNS 600** – LONDRES, 31 mars 1978 : *Les Porteurs d'eau algériens,* h/t (66x86,5) : **GBP 800** – NEW YORK, 5 mars 1981 : *Isabella and the pot of Basil,* h/pan. (28,5x41) : **USD 550** – CHESTER, 17 jan. 1986 : *Deux amoureux,* h/cart. (24,5x16,5) : **GBP 3 500** – LONDRES, 21 mars 1990 : *Rosalinde,* h/pan. (18x12,5) : **GBP 770** – LONDRES, 13 nov. 1992 : *Dans un jardin au Proche-Orient,* h/t (128,3x101,6) : **GBP 9 020** – LONDRES, 6 juin 1996 : *Jeune Beauté, tête et épaules* 1866, h/pan. (diam. 21,5) : **GBP 1 150** – NEW YORK, 18-19 juil. 1996 : *Apprenti dans un atelier,* h/t (100,3x127) : **USD 4 312** – LONDRES, 14 mars 1997 : *Marchande de figues à Nazareth,* h/t (64x32) : **GBP 2 760.**

GALEA Luigi Maria
Né en 1847. Mort en 1917. XIXe-XXe siècles. Maltais.
Peintre de paysages, marines.
Les œuvres de ce peintre ne sont apparues que tardivement dans les ventes publiques. Son nom indique une origine italienne, son œuvre laisse supposer une implantation maltaise. Il s'est spécialisé dans les vues de la ville et surtout du port de La Valette à Malte.
VENTES PUBLIQUES : LONDRES, 5 oct. 1990 : *Le port de La Valette ; La Médina à Malte* 1904, h/cart. (28,8x77) : **GBP 4 180** – LONDRES, 18 oct. 1990 : *Le « Furious » quittant le port de La Valette* 1904, h/t (28x53) : **GBP 1 100** – LONDRES, 17 mai 1991 : *La Valette au soleil levant ; La Valette au soleil couchant,* h/c, une paire (chaque 15x33,5) : **GBP 2 090** – LONDRES, 20 mai 1992 : *Le croiseur « Caesar » au large de La Valette* 1902, h/cart. (28x43) : **GBP 1 430** –

Londres, 17 juil. 1992 : *Le port de La Valette à Malte*, h/cart. (14x33) : **GBP 1 705** – Londres, 18 juin. 1993 : *Le port de La Valette* 1912, h/pan. (48,5x82) : **GBP 7 820** – New York, 17 fév. 1994 : *Un port*, h/cart. (22,9x54,6) : **USD 4 830** – Londres, 22 nov. 1996 : *Les Ruines du Temple du Soleil à Baalbec* 1929, h/pan. (40,6x66) : **GBP 2 760** – Londres, 26 mars 1997 : *À l'entrée du port de La Valette, Malte*, h/pan. (20x52) : **GBP 2 760** – Édimbourg, 15 mai 1997 : *Le Port de La Valette le matin ; Le Port de La Valette le soir*, h/pan., une paire (16x35,5) : **GBP 2 990**.

GALEANI Giovanni Battista
xvie-xviie siècles. Actif à Lodi. Italien.
Peintre.
En 1611 il travaillait à la cathédrale de Plaisance.

GALEANI Jean
Né à Montpellier (Hérault). xxe siècle. Français.
Peintre de genre.
Il exposa régulièrement à Paris au Salon des Indépendants depuis 1926.

GALEAS Francisco, padre
Né vers 1567 à Séville. Mort en 1614. xvie-xviie siècles. Espagnol.
Miniaturiste.
Il fut d'abord docteur en droit, puis il entra au monastère Carthusien de Santa Maria de las Cuevas en 1590. Le reliquaire de son monastère possède de lui deux miniatures représentant *La Mort* et *La Résurrection du Christ*.

GALEAZZA
Né peut-être à Urbino. xvie siècle. Italien.
Peintre d'histoire.
Élève de L. de Vinci. On ignore son nom de famille.

GALEAZZI Agostino
Né en 1523 à Brescia. xvie siècle. Italien.
Peintre.
Il fut élève de Moretto et travailla surtout à Brescia et Vicence.

GALEAZZI Domenico
Né le 20 mai 1647 à Bologne. Mort le 9 avril 1731 à Bologne. xviie-xviiie siècles. Italien.
Peintre.
Il fut élève de Cignani.

GALEAZZI Giovanni Battista
xvie siècle. Actif à Brescia. Italien.
Peintre.
Il était fils et fut élève d'Agostino Galeazzi.

GALEK Stanislav
Né en 1876 à Mokryzka. xxe siècle. Polonais.
Peintre de paysages.
Il travailla surtout à Cracovie.

GALEMBERT Louis Charles Marie de, comte
Né au xixe siècle à Vendôme. xixe siècle. Français.
Peintre.
Élève de Steuben, il figura au Salon de Paris en 1841, 1848 et 1861 avec des sujets religieux.

GALEN Nicolaes Van
Né vers 1620. xviie siècle. Hollandais.
Peintre.
Il vécut surtout, semble-t-il, à Kampen, mais travailla également à Amsterdam et à Hasselt dont il décora l'hôtel de ville.

GALEN Thyman Van
Né en 1590 à Utrecht. xviie siècle. Hollandais.
Peintre d'architectures et de perspectives.
Il visita l'Italie et revint, en 1615, traversant la Suisse, s'établir dans sa ville natale. Il y fut reçu maître en 1616. Il offrit à l'hôpital de Saint-Job un tableau représentant un temple.

GALEOTA Leopoldo ou **Galeota-Russo**
Né le 13 mars 1868 à Naples (Campanie). Mort en 1938. xixe-xxe siècles. Italien.
Peintre de genre, paysages.
Il fut élève de Gioacchino Toma et de Rubens Santoro.
Ventes Publiques : Milan, 25 mai 1978 : *La côte à Amalfi*, h/t (53,5x86,5) : **ITL 1 600 000** – Milan, 24 mars 1982 : *Posillipo*, h/t (54x103,5) : **ITL 3 600 000** – Milan, 27 mars 1984 : *Paysage aux roches, Quinto*, h/t (50x94) : **ITL 2 200 000** – Rome, 16 avr. 1991 : *Etude de paysage*, h/t (35,5x51) : **ITL 2 185 000**.

GALEOTTI Giovanni Battista
xviiie siècle. Italien.
Peintre.
Fils de Sebastiano, il était frère de Giuseppe dont il fut le collaborateur.

GALEOTTI Giuseppe
Né en 1708 à Florence. Mort le 11 mars 1778 à Gênes. xviiie siècle. Italien.
Peintre.
Il était fils de Sebastiano. On a de lui des peintures religieuses et des sujets mythologiques. On cite ses peintures à la cathédrale de Chiavari.

GALEOTTI Sebastiano
Né en 1676 à Florence (Toscane). Mort en 1746 à Vico (près de Mondovi). xviiie siècle. Italien.
Peintre de scènes mythologiques, sujets religieux, fresques, dessinateur.
Après avoir été élève d'Alessandro Gherardini, il se rendit à Bologne où il travailla avec Giovanni Gioseffo dal Sole. On trouve peu de ses œuvres à Florence, elles sont surtout conservées à Piacenza et à Parme et surtout à Turin, où il fut nommé directeur de l'Académie des Beaux-Arts. Ses deux fils Giuseppe et Giovanni Battista furent aussi des peintres.
D'après Ratti, il exécuta des travaux importants dans l'église de la Maddalena de Gênes. Il fut surtout un habile peintre de fresques.
Ventes Publiques : Paris, 1775 : *Un vieillard reçu dans l'Olympe*, pl. ; *La Samaritaine*, encre de Chine, deux dessins : **FRF 48** – Londres, 29 et 30 mars 1911 : *Justin*, vendu avec trois autres dessins de différents artistes : **GBP 4** – Londres, 24 avr. 1981 : *Glorification de sainte Cécile*, h/t (69,8x47) : **GBP 2 800** – Paris, 7 avr. 1995 : *Le rapt de Perséphone*, encre et pierre noire (19x14,5) : **FRF 5 000**.

GALEPPINI Giuseppe Maria
Né vers 1625. xviie siècle. Italien.
Peintre.
Il travailla surtout à Bologne où il décora plusieurs églises.

GALER Thomas
xvie siècle. Actif à Marburg. Allemand.
Sculpteur.
On cite son *Tombeau d'Anna de Mecklembourg* à l'église Sainte-Elisabeth à Marburg.

GALERA
Né en 1926 à São Paulo. xxe siècle. Depuis 1968 actif au Japon. Brésilien.
Peintre. Tendance abstrait-lyrique.
Il se consacre à la peinture depuis 1964. Ses nombreux voyages lui ont permis d'exposer dans les pays les plus variés. En 1974, le Musée d'État de São Paulo lui a consacré une exposition personnelle.
Sa peinture est abstraite, et proche de l'abstraction lyrique et gestuelle.

GALERNE Prosper
Né le 28 avril 1836 à Patay (Loiret). xixe siècle. Français.
Peintre de paysages.
Il eut pour maîtres Eugène Le Poittevin et Jean-Baptiste Henri Durand-Brager. Il vécut à la Ferté-Alais, dans l'Essonne. Dès 1870, il exposa au Salon de Paris, puis au Salon des Artistes Français, dont il fut sociétaire, depuis 1889. Il obtint une mention honorable, en 1883 ; une médaille de troisième classe, en 1887, une mention honorable à l'Exposition Universelle de 1889.
Il peignit principalement des vues de l'Île-de-France et des bords de la Loire.
Bibliogr. : Gérald Schurr, in : *Les Petits Maîtres de la peinture 1820-1920, valeur de demain*, Les Éditions de l'Amateur, t. II, Paris, 1982.
Musées : Châteaudun – Coutances : *L'Anse Saint-Martin* – Orléans – Poitiers.
Ventes Publiques : Paris, 22 fév. 1900 : *Les Bords de la Seine* : **FRF 105** – Berne, 26 oct. 1978 : *Bords de Seine* 1872, h/t (27x40) : **CHF 3 600**.

GALERY Charles
xvie siècle. Français.
Peintre.
Filleul grava son *Portrait de Pierre Faber, président du Parlement de Toulouse*.

GALESTRUZZI Giovanni Battista
Né en 1615 à Florence. Mort vers 1669. xviie siècle. Italien.

Peintre et graveur.
D'abord élève de Francesco Furini, il se rendit à Rome où il fut admis en 1652 à l'Académie de Saint-Luc. Giacomo Rossi a fait un catalogue de ses nombreuses gravures. Il était l'ami de Stefano della Bella dont il imita le style et qui, d'après Huber, termina plusieurs planches laissées inachevées à la mort de Galestruzzi.

GALESTRUZZI Lorenzo
XVIIe siècle. Italien.
Peintre et graveur.
Il travailla à Florence.

GALETTI Carlo Andrea
Né à San Fedele d'Intelvi. Mort le 7 juin 1806 à Altdorf. XVIIIe siècle. Suisse.
Sculpteur sur marbre.
Il travailla avec ses fils Carlo Giuseppe et Antonio pour l'église d'Altdorf.

GALEY Gaston Pierre
Né le 19 mai 1880 à Toulouse (Haute-Garonne). Mort le 10 août 1959 à Collonge-sous-Salève (Haute-Savoie). XXe siècle. Français.
Peintre de compositions à personnages, scènes de genre, figures, paysages animés, paysages urbains, compositions murales, aquarelliste, dessinateur, décorateur. Postimpressionniste.
Il est le frère de Jean Fabien Galey. Il s'installa à Paris en 1901 pour suivre d'abord des études d'architecture, qu'il interrompit pour apprendre la peinture. Il fréquenta l'École des Beaux-Arts, suivant les cours de Léon Bonnat, puis de Luc-Olivier Merson et Octave Guillonnet. Il effectua, en 1907, un long séjour à Venise. Il fut mobilisé en 1914, rapportant du front des dessins et des aquarelles. En 1918, il retrouva Paris après quelques mois de repos au Pays Basque. En 1936, il s'établit à Collonge-sous-Salève, en Haute-Savoie.
Il prit part pour la première fois, à Paris, au Salon d'Automne, en 1911, puis au Salon des Artistes Français, à dix-neuf reprises entre 1911 et 1939 ; à l'Exposition des artistes toulousains au Musée Galliera, en 1932, à Paris. Des rétrospectives de son œuvre eurent lieu, à Londres, dans des galeries privées en 1972, 1973, 1978, 1980.
Gaston Pierre Galey réalisa de nombreuses compositions animées, des portraits, des paysages urbains et des scènes de genre. Parmi ses œuvres, on mentionne : *Portrait de Madame Galey* 1906 ; *Venise* 1907 ; *Le Concert*, 1915 ; *Pierrot, Arlequin et Colombine*, 1916 ; *Le Perron rouge* 1923 ; *Pierrot à la Lune* 1927 ; *La Pièce d'eau* 1933 ; *Les Chevaliers et les Nymphes*. Gaston Pierre Galey décora la chapelle des Capucins de Challes-les-Eaux, en Savoie. Solitaire dans sa pratique artistique, et à l'écart des grands courants artistiques dominants de l'époque, fauvisme, cubisme, surréalisme, on rattacha néanmoins l'œuvre de Galey à un certain symbolisme coloré.

Gaston Pierre Galey

BIBLIOGR. : J.J. Luthi : *G. P. Galey*, 1972, Genève – Gérald Schurr, in : *Les Petits Maîtres de la peinture 1820-1920, valeur de demain*, Les Éditions de l'Amateur, t. VI, Paris, 1985.
MUSÉES : ALBI – BAYONNE – BIARRITZ – TOULOUSE (Mus. Toulouse Lautrec) : *Fantaisie*.
VENTES PUBLIQUES : LUCERNE, 26 juin 1976 : *Mère et enfants dans un parc*, h/cart. (34x35) : **CHF 4 300** – ZURICH, 17 nov. 1976 : *Femme au chapeau*, gche (30x17,5) : **CHF 2 100** – ZURICH, 23 nov. 1978 : *Coin de parc* 1933, gche (29x42) : **CHF 3 200** – ZURICH, 7 nov. 1981 : *Le repos sous les arbres*, aquar. (37x26,5) : **CHF 750** – LONDRES, 26 juin 1984 : *Panier de fleurs*, aquar. (10x14) : **GBP 1 000** – LONDRES, 26 juin 1984 : *Arlequin sur une terrasse, appuyé à une colonne, Venise* 1907, h/t (80,6x59,7) : **GBP 8 000** – LONDRES, 19 juin 1985 : *Table dans un jardin ensoleillé*, h/t (71x90,5) : **GBP 3 200**.

GALEY Jean Fabien
Né le 6 juillet 1877 à Toulouse (Haute-Garonne). Mort le 11 mars 1966 à Biarritz (Pyrénées-Atlantiques). XXe siècle. Français.
Peintre de compositions animées, compositions religieuses.
Il fut élève de J. P. Laurens. Sociétaire, à Paris, du Salon des Artistes Français, il commence à y exposer en 1911. Il fut professeur à l'École des Beaux-Arts de Toulouse. Il a exécuté une décoration pour la mairie de Muret (Haute-Garonne). Parmi ses œuvres : *Chemin de Croix*, église des Chartrons, Bordeaux ; *Une vie de sainte Marie-Madeleine*, église de Lalande, Toulouse.
BIBLIOGR. : In : *Dictionnaire biographique français*, 1980, Paris.

GALEZOWSKA Marie Iza
Née en 1880 à Paris. XXe siècle. Française.
Peintre, pastelliste de paysages.
Elle fut élève de Baschet et Royer. Sociétaire du Salon des Artistes Français, où elle exposa régulièrement des paysages.

GALGAN C.
XVe siècle. Actif à Saint-Gal (près de Muret). Français.
Sculpteur.
Il travailla pour l'église de Saint-Gal.

GALGANO di Duccio
XVe siècle. Actif à Sienne. Italien.
Peintre.
Il était fils de Duccio di Buoninsegna.

GALGANO di Giovanni Senese
XIVe siècle. Actif à Sienne. Italien.
Architecte et sculpteur.
Il travailla surtout pour la cathédrale et différentes églises de Sienne ainsi que pour le Palazzo Communale de Pérouse.

GALGANO di Minuccio
Mort le 9 mars 1387 à Sienne. XIVe siècle. Italien.
Peintre d'histoire.
Sans doute fils de Minuccio. Il fut le collaborateur de Paolo di Neri et travailla avec lui pour la cathédrale de Sienne.

GALGARIO, fra. Voir **GHISLANDI Vittore** ou **Giuseppe**

GALGON Yves
Né en 1948 à Dessau (Halle). XXe siècle. Actif aussi en Espagne. Allemand.
Peintre. Abstrait.
Il fit ses études à l'École des Beaux-Arts de Hanovre, puis de 1970 à 1977, à l'École supérieure des Beaux-Arts de Hambourg avec le professeur Almir Mavignier. Depuis 1977, il est membre du « Bund bildender Künstler ».
Il réalise des expositions personnelles depuis 1973 (Musée Leopold Hoesch, Düren) principalement en Allemagne, mais aussi en Espagne.
Une peinture composée de signes, traduction de l'abstrait.

GALI Istvan
XVIIIe-XIXe siècles. Hongrois.
Peintre.
Il vécut longtemps en Italie.

GALI FABRA DE ASIS Francisco
Né en 1880 à Barcelone. Mort le 23 septembre 1965 à Barcelone. XXe siècle. Espagnol.
Peintre, décorateur.
Il commença des études d'architecture qu'il abandonna bien vite pour étudier la peinture et la gravure à l'École des Beaux-Arts de La Lonja. Il enseigna ensuite le dessin et mit au point une méthode pédagogique qui fut appliquée dans les écoles catalanes. Il séjourna quelque temps en Angleterre.
Il participa à de nombreuses expositions et concours artistiques. Sa première exposition eut lieu en 1998.
Parallèlement à la peinture, il réalisa la décoration de nombreux plafonds et coupoles de bâtiments privés et publics.
BIBLIOGR. : In : *Cien anos de pintura en Espana y Portugal, 1830-1930*, t. III, Antiqvaria, Madrid, 1989.
MUSÉES : BARCELONE (Mus. d'Art Contemp.) – MADRID (Mus. d'Art Mod.).

GALI-KEL, pseudonyme de **Keltchewsky Gali**
Née le 6 mars 1921 à Pétrograd. XXe siècle. Russe.
Peintre de nus, paysages, natures mortes, fleurs. Postimpressionniste.
Elle fut élève de l'École des arts appliqués Duperré à Paris. Elle fut d'abord dessinatrice de mode, de costumes de théâtre pour le Casino de Paris. Parallèlement, elle fut danseuse classique pendant dix ans, puis traductrice trilingue dans un service ministériel. En 1971, elle quitta Paris, pour s'installer à Agde (Hérault) et se consacrer entièrement à la peinture.

Elle participe à de nombreuses expositions collectives, notamment à Paris au Salon d'Automne depuis 1980 et dans divers groupements, au Cap d'Agde, Deauville, Monte-Carlo, Béziers, Marseille, ainsi qu'à New York, Genève, etc. Elle montre aussi ses peintures au cours d'expositions personnelles, à Paris (galerie Marceau en 1994), Agde, Béziers, Marseille, Nice, etc. Elle a obtenu de nombreuses distinctions régionales.
Ses nus sont louangés par les critiques. Ses natures mortes et fleurs résultent d'une observation fidèle. C'est dans ses paysages, paysages de mer et de ports, qu'elle montre le plus de sensibilité personnelle. Une technique héritée de l'impressionnisme lui permet de traduire les remous de l'eau et la course des nuages, les changements de la lumière selon l'heure, la saison et le temps.

GALIACHOWSKY Damian
XVIIIe siècle. Actif à Kiev. Russe.
Dessinateur.
Peut être était-il le fils de Daniel Galachowsky.

GALIANI
XIXe siècle. Actif à Madrid. Espagnol.
Peintre.
On trouve de cet artiste, au Musée de Louviers (collection Roussel) deux toiles : *Lorient, effet de matin* et *Lorient, coucher de soleil*. Le Musée du Prado possède de cet artiste des œuvres dans le style de David.
Ventes Publiques : Paris, 1883 : *Le marchand maure* : **FRF 340**.

GALIANO
XVIIe siècle. Italien.
Peintre d'intérieurs d'églises.
Siret cite de lui un intérieur d'église qui se trouve à Rome.

GALIANY Eugène. Voir **GALIEN-LALOUE Eugène**

GALIBERT Pierre
Né au XIXe siècle à Marseille (Bouches-du-Rhône). XIXe siècle. Français.
Peintre.
Élève de A. Aubert, il figura au Salon de 1870 à 1876 avec des natures mortes.

GALICE Louis
XIXe siècle. Français.
Dessinateur.
On cite ses illustrations pour un ouvrage intitulé *Fleurs du Persil*.

GALIE
XIXe siècle.
Peintre de marines.
Ventes Publiques : Paris, 28 juin 1897 : *Revue Navale* : **FRF 60** – Paris, 19 déc. 1997 : *Barques et voiliers dans la baie*, t. (51x77) : **FRF 23 500**.

GALIE Gaston
Mort en novembre 1911. XXe siècle. Français.
Sculpteur.

GALIEN-LALOUE Eugène ou **Gallien-Laloue**, pseudonymes : **Liévin, J. Liévin, Eugène Dupuy, L. Dupuy, Galiany, M. Lenoir**
Né en décembre 1854 à Paris. Mort le 18 avril 1941 à Chérence (Val-d'Oise). XIXe-XXe siècles. Français.
Peintre de scènes de genre, sujets militaires, paysages animés, paysages urbains, peintre à la gouache, aquarelliste.
Le peintre Jacques Liévin, auquel sont attribuées des peintures sur les mêmes thèmes que ceux de Eugène Galien-Laloue, correspond certainement à l'un des nombreux pseudonymes de celui-ci. En tant que Jacques Liévin, il a été donné, au début du siècle, comme ayant été élève de Léon Germain Pelouse. Les musées de La Rochelle, Mulhouse, la Galerie Roussel du Musée des Beaux-Arts de Louviers lui attribuent sous ce nom : *Place de la République à Paris ; Bords de la Seine, Quai Voltaire à Paris ; Le Pont-Royal ; Place de la Concorde, le soir ; Les Avoines à Angerville ; Les Blés en Beauce*, qui s'avèrent de la main de Eugène Galien-Laloue. Pourtant, avec cette attribution : Jacques Liévin ou J. Liévin, de très nombreuses œuvres passent encore en ventes publiques. J. Liévin et Liévin ayant été des nombreux pseudonymes dont usa Eugène Galien-Laloue, mais apparemment pas Jacques Liévin, et pourtant les thèmes traités étant très semblables, il est licite de s'interroger sur l'identité et l'existence de ce Jacques Liévin, dont le nom est très proche de deux des pseudonymes de Galien-Laloue. Toutefois celui-ci, Eugène Galien-Laloue, aurait été élève d'un certain Charles Laloue, dont on ne retrouve pas trace, tandis que ce Jacques Liévin est donné comme ayant été élève du très réel Pelouse. D'autre part, Galien-Laloue était surtout aquarelliste et peintre de gouaches, tandis que pour Jacques Liévin les peintures à l'huile sont en grande majorité. Il est envisageable que Galien-Laloue aurait précisément usé de ce pseudonyme pour ses œuvres à l'huile. À partir de 1877, en tant que Galien-Laloue, il a exposé à Paris, au Salon des Artistes Français.
Doué d'une grande facilité, il a eu une très abondante production, surtout à la gouache et dans des œuvres de petits formats. Il représentait presque exclusivement les points les plus pittoresques de Paris, notamment les Grands-Boulevards. Il bénéficia d'une réputation certaine au début du siècle, à l'époque, dite « heureuse », des omnibus et des fiacres, en évoquant exactement l'atmosphère du Paris de 1900. L'œuvre de cet artiste a conservé au moins une valeur documentaire. Il a peint aussi des paysages de Normandie, de Seine-et-Marne, de Marseille, d'Italie et de Venise et, en 1914, des représentations de vues militaires.

Bibliogr. : David Klein : *Édouard Cortès et Eugène Galien-Laloue*, Los Angeles, 1993.
Musées : Louviers (Mus. des Beaux-Arts) – Mulhouse – La Rochelle (Mus. des Beaux-Arts) : *Place de la République à Paris*, gche signée Liévin – *Bords de la Seine, Quai Voltaire à Paris*, gche signée Liévin.
Ventes Publiques : Paris, 8 fév. 1898 : *Le Quai du Louvre* : **FRF 80** – Paris, 11 fév. 1919 : *La Fête de la place de la Nation*, gche : **FRF 205** – Paris, 29 juin 1927 : *La Porte Saint-Martin, en hiver, au crépuscule*, aquar. gchée : **FRF 850** – Paris, 12 mai 1941 : *Le Louvre vu des quais* : **FRF 1 750** ; *La Foire aux puces* : **FRF 2 100** – Paris, 15 mars 1943 : *Quai Malaquais*, aquar. gchée : **FRF 7 800** – Paris, 11 déc. 1944 : *Place de la Concorde*, gche : **FRF 5 500** – Paris, 24 avr. 1947 : *La Place Saint-Denis* : **FRF 18 000** – Paris, 5 fév. 1951 : *La Place Clichy ; L'Avenue de la Grande-Armée*, gches, une paire : **FRF 24 500** – Paris, 26 fév. 1951 : *Les Trois Quartiers ; La Place de la République*, aquar. gchées, ensemble : **FRF 52 000** – Paris, 23 juin 1954 : *Le Marché aux fleurs de la Place de la Madeleine* : **FRF 115 000** – Paris, 20 jan. 1969 : *Place de la Madeleine et Rue Royale, effet de neige*, aquar. gchée : **FRF 9 000** – Londres, 1er déc. 1970 : *La Porte Saint-Martin* : **GNS 1 250** – Versailles, 31 mai 1972 : *Le Port de Marseille* : **FRF 19 300** – Paris, 11 juin 1974 : *La Porte Saint-Denis*, gche : **FRF 15 000** – Rouen, 3 mars 1975 : *Les Lavandières*, h/t (45x37) : **FRF 7 000** – Paris, 8 déc. 1976 : *La Porte Saint-Martin en hiver*, gche (32x19) : **FRF 9 500** – Enghien-les-Bains, 11 déc. 1977 : *Le Port de Marseille*, h/t (44x62) : **FRF 10 000** – Enghien-les-Bains, 9 déc. 1979 : *Fête foraine sur les Grands Boulevards*, gche et aquar. (19x31) : **FRF 24 000** – Versailles, 25 oct. 1981 : *Paris, la place Clichy*, aquar. (19x31,5) : **FRF 38 200** – Londres, 21 juin 1984 : *Place Clichy*, gche et pl./trait de cr. (61x93,5) : **GBP 16 000** – Versailles, 27 mai 1984 : *Scène de marché sur les boulevards*, h/t (28x36) : **FRF 34 500** – New York, 23 mai 1985 : *Le Boulevard Saint-Denis et la Porte Saint-Denis en hiver*, gche/pap. (53x77) : **USD 26 000** – Paris, 25 nov. 1987 : *Grand-boulevard sous la neige vers la République*, gche (19x31,5) : **FRF 52 000** – Paris, 11 déc. 1987 : *Paris, les boulevards*, gche (19x32) : **FRF 41 000** – Londres, 26 juin 1987 : *Paris, place du Théâtre-Français* 1902, h/t (89x137) : **GBP 30 000** – New York, 25 fév. 1988 : *Personnages dans une rue de Paris*, gche et encre (19,7x31,4) : **USD 14 300** – Londres, 24 mars 1988 : *Marché aux fleurs, sous la neige, à la Madeleine*, h/t (64x91) : **GBP 24 200** – Paris, 21 avr. 1988 : *Village au bord de la rivière*, h/t (33x46) : **FRF 10 000** – Versailles, 15 mai 1988 : *Paris, la place de la Bastille animée sous la neige*, gche (18x29) : **FRF 47 000** – Paris, 15 juin 1988 : *Marché aux fleurs à Paris*, h/t (46,5x34,5) : **FRF 105 000** – Calais, 3 juil. 1988 : *Place du Châtelet sous la neige*, h/t (38x55) : **FRF 42 000** – Paris, 7 oct. 1988 : *Marché aux fleurs de la Madeleine*, aquar. (19x31) : **FRF 64 000** ; *Promenade sur les quais de la Seine*, aquar. (28x45,5) : **FRF 80 000** – Versailles, 6 nov. 1988 : *Paysannes près du village*, gche (30x38) : **FRF 16 000** – Paris, 22

nov. 1988 : *Les Grands-Boulevards sous la neige*, aquar. (23x33) : **FRF 61 000** – Versailles, 18 déc. 1988 : *Venise, bateaux à quai et San Giorgio* 1881, h/t (65x92) : **FRF 46 000** – Paris, 12 fév. 1989 : *Notre-Dame sous la neige*, aquar. (26x34) : **FRF 140 000** – Londres, 17 mars 1989 : *Le boulevard Haussmann à Paris*, aquar. (17,8x30,5) : **GBP 9 350** – Paris, 22 mars 1989 : *La Seine à Bercy vers Notre-Dame*, cr. noir et gche blanche/pap. chamois (34,5x57) : **FRF 28 500** – New York, 3 mai 1989 : *Les Grands-Boulevards*, gche/pap. (15x23,5) : **USD 38 850** – Londres, 21 juin 1989 : *Scène de rue près de la Place de la République à Paris*, h/pan. (32x46) : **GBP 6 050** – Londres, 6 oct. 1989 : *Les quais de la Seine à Paris*, h/pan. (32x46) : **GBP 7 700** – Paris, 23 nov. 1989 : *Les Quais enneigés*, aquar. (40x60) : **FRF 152 000** – Paris, 24 jan. 1990 : *Maison au bord de l'étang* 1891, h/t (65,5x100) : **FRF 33 000** – New York, 1er mars 1990 : *Déjeuner sur la terrasse avec vue sur la baie de Naples*, h/t (47x65,4) : **USD 9 900** – Paris, 21 mars 1990 : *Village au bord de l'eau*, h/pan. (33x24) : **FRF 30 000** – Bruxelles, 27 mars 1990 : *Paris : boulevard Bonne-Nouvelle*, gche (23x31) : **BEF 280 000** – Londres, 30 mars 1990 : *La porte Saint-Denis à Paris*, gche (190x310) : **GBP 11 550** – Amsterdam, 10 avr. 1990 : *Village méditerranéen*, cr., aquar. et gche/pap. (49,5x69) : **NLG 5 175** – Monaco, 15 juin 1990 : *Les quais de la Seine et Notre-Dame*, gche (37x54) : **FRF 183 150** – Paris, 19 juin 1990 : *Paris, l'Arc de Triomphe*, gche (21x30,6) : **FRF 41 000** – Paris, 12 oct. 1990 : *Criée au crépuscule à Dieppe*, h/t (47x65,5) : **FRF 60 000** – New York, 23 oct. 1990 : *La Madeleine en hiver*, aquar./pap. (33x21) : **USD 12 100** – Montréal, 5 nov. 1990 : *Scène de rue à Paris*, gche (19x31) : **CAD 15 400** – Stockholm, 14 nov. 1990 : *Place du Châtelet*, aquar. (19x31) : **SEK 36 000** – Paris, 7 déc. 1990 : *Maisons au bord de l'étang* 1891, h/t (65,5x100) : **FRF 18 000** – Londres, 19 juin 1991 : *Personnages près d'un éventaire de fleurs dans une rue de Paris*, encre et gche (39x58) : **GBP 13 750** – New York, 16 oct. 1991 : *Le Boulevard Montmartre en hiver*, gche/pap. (32,4x49,8) : **USD 18 700** – Paris, 5 avr. 1992 : *Paysage à l'étang* 1891, h/t (65x100) : **FRF 56 000** – Paris, 22 juin 1992 : *Paris, place Clichy*, gche (18,5x30,5) : **FRF 20 000** – Paris, 22 mars 1993 : *Paris, le Marché aux fleurs de la place de la Madeleine*, gche (18,5x31) : **FRF 58 000** – Amsterdam, 9 nov. 1993 : *La Porte Saint-Demis à Paris*, gche (19x31) : **NLG 23 000** – Le Touquet, 14 nov. 1993 : *Paris, les quais et le Pont des Arts*, gche (18x30) : **FRF 50 000** – New York, 15 fév. 1994 : *Scène de rue à Paris*, gche et fus./pap. (26,8x40,6) : **USD 20 700** – Paris, 22 juin 1994 : *Paris, la place de la Bastille sous la neige*, aquar. et gche (39,5x52,5) : **FRF 75 000** – Calais, 3 juil. 1994 : *Bord de rivière*, h/t (46x65) : **FRF 17 000** – Londres, 18 nov. 1994 : *Matinée au Moulin Rouge à Paris*, cr., gche et craie noire/pap. (36,9x54) : **GBP 21 275** – Paris, 24 mars 1995 : *Paris, le marché aux fleurs sur le quai de l'Horloge*, gche (29x32) : **FRF 52 000** – Lokeren, 20 mai 1995 : *Boulevard de Paris sous la neige*, gche (27x26,5) : **BEF 240 000** – New York, 1er nov. 1995 : *Paris, place de la République*, gche (36,8x54) : **USD 21 850** – Lyon, 4 déc. 1995 : *Le Bazar de l'Est*, gche (31,5x39,5) : **FRF 49 000** – Londres, 13 mars 1996 : *Place du Châtelet sous la neige*, h/t (64x92) : **GBP 54 300** – New York, 23 mai 1996 : *Un coin du boulevard Saint-Michel ; La Place de la République*, gche/t., une paire (chaque 30,5x19,1) : **USD 20 700** – Calais, 7 juil. 1996 : *Chevaux attelés à la herse*, h/pan. (22x41) : **FRF 7 500** – Londres, 31 oct. 1996 : *Notre-Dame, les quais*, gche (18x31) : **GBP 7 475** – Paris, 22 nov. 1996 : *Bouquinistes sur le quai de la Tournelle à Paris*, aquar. (55x98) : **FRF 295 000** – Calais, 15 déc. 1996 : *Paris, les bouquinistes et le théâtre du Châtelet*, gche (19x31) : **FRF 36 000** – Calais, 23 mars 1997 : *Paris à la tombée du jour*, gche et aquar. (24x15) : **FRF 23 000** – New York, 12 fév. 1997 : *Les Grands Boulevards de Paris, crépuscule*, h/t (63,5x114,3) : **USD 65 750** – New York, 26 fév. 1997 : *L'Arc de Triomphe*, gche et traces cr./pap. (19,6x31,7) : **USD 14 950** – Londres, 13 mars 1997 : *L'Ancien Trocadéro de l'Exposition Universelle de 1900, Paris*, gche (44,5x31,7) : **GBP 4 025** – Londres, 26 mars 1997 : *Le Marché aux fleurs de La Madeleine, Paris*, gche reh. de fus. (26x23) : **GBP 9 200** – New York, 23 mai 1997 : *Les Boulevards de Paris*, aquar./traces cr./cart., série de quatre (chaque 19,1x31,1) : **USD 57 500** – Londres, 11 juin 1997 : *Le Théâtre du Gymnase*, gche (32x45) : **GBP 17 825** – Paris, 16 juin 1997 : *Animation devant la Gare de l'Est*, gche (19,5x30,5) : **FRF 51 000** – Paris, 18 juin 1997 : *Paris, le Théâtre du Gymnase*, gche/pap. mar./t. (38x55) : **FRF 142 000** – Paris, 19 oct. 1997 : *Les Bouquinistes de Notre-Dame*, gche (19x31,5) : **FRF 56 000** – New York, 22 oct. 1997 : *Paris, la Place de la Madeleine*, gche/pap. (19,7x31,8) : **USD 17 250**.

GALIETTO Giuseppe

xviie siècle. Actif à Naples. Italien.

Sculpteur sur bois.

GALIMARD Claude Olivier ou **Gallimard**

Né en 1719 à Paris. Mort le 2 mars 1774 à Paris. xviiie siècle. Français.

Graveur, dessinateur.

Certains biographes le font naître à Troyes. Il fut agréé à l'Académie en 1752, mais il ne fut pas reçu académicien. Son œuvre gravé est important et comporte des sujets de genre, des sujets religieux, des allégories. Galimard travailla à Rome.

Ventes Publiques : Paris, 5 et 6 mai 1898 : *Vue perspective du jardin de M. de Saint-James* : **FRF 200**.

GALIMARD Nicolas Auguste

Né le 25 mars 1813 à Paris. Mort le 16 janvier 1880 à Montigny-les-Cormeilles (Val d'Oise). xixe siècle. Français.

Peintre de sujets religieux et allégoriques, natures mortes, cartons de vitraux, dessinateur, lithographe.

Élève de son oncle Auguste Hesse, il se perfectionna dans les ateliers de Jean Auguste Dominique Ingres et de Denis Foyatier. Il exposa au Salon de Paris, de 1835 à 1880, obtenant une médaille de troisième classe, en 1835 ; une de deuxième classe, en 1846.

Il fut essentiellement dessinateur et lithographe. Il réalisa aussi des cartons de vitraux destinés au chœur de l'église de la Celle-Saint-Cloud et à des chapelles d'églises parisiennes, Saint-Laurent, Saint-Germain-l'Auxerrois, Saint-Philippe-du-Roule. Sa toile intitulée *Léda et le cygne*, dont il fit une réplique au pastel, fut refusée au Salon de 1855, pour cause d'indécence, œuvre qui sera acquise par Napoléon III pour son cabinet privé. Le graphisme de Nicolas Auguste Galimard s'inspire de celui de ses maîtres ; à ce sujet, Nadar fit une caricature, parue dans *Les Artistes*, où l'on voit deux personnages s'interrogeant devant une toile : « Monsieur Ingres ? », se demande le premier, « Un Galimard réussi », répond l'autre. Également critique d'art, Nicolas Auguste Galimard publia une quinzaine d'ouvrages, dont un traité sur l'art du vitrail ; il écrivit aussi, sous différents pseudonymes, divers articles et comptes rendus de Salons, dans la *Revue des Beaux-Arts – La Patrie – L'Artiste*.

Bibliogr. : Gérald Schurr, in : *Les Petits Maîtres de la peinture 1820-1920, valeur de demain*, Les Éditions de l'Amateur, t. VII, Paris, 1989 – in : Catalogue de l'exposition *1815-1850. Les années romantiques*, Éditions de la Réunion des Musées Nationaux, Paris, 1995.

Musées : Cholet : *Les Trois Marie au sépulcre* – Narbonne : *Junon jalouse*.

Ventes Publiques : Paris, 20 nov. 1922 : *Une statue*, dess. à la mine de pb : **FRF 110** – Monaco, 29 nov. 1986 : *Léda et le cygne* 1863, past. (50x75) : **FRF 30 000** – Monte-Carlo, 29 nov. 1986 : *Léda et le cygne* 1863, past. (50x75) : **FRF 30 000**.

GALIMBERTI Francesco

Né en 1755 à Venise. Mort en 1803 à Vienne. xviiie siècle. Italien.

Peintre et graveur.

Le Musée de Grenoble possède un dessin de cet artiste qui reproduisit en gravure nombre d'œuvres de Carpaccio et Véronèse.

GALIMBERTI Giuseppe

xviiie siècle. Actif à Vérone. Italien.

Peintre.

Le Musée des Offices à Florence possède un dessin de cet artiste.

GALIMBERTI Sandor

Né en 1883 à Kaposvar. Mort le 20 juillet 1915 à Budapest. xxe siècle. Hongrois.

Peintre. Cubiste.

D'origine italienne. Il commence ses études chez Jozsef Rippl-Ronai, puis à Nagybanya et Munich, où il est élève d'Hollosy, puis termine ses études à l'Académie Julian à Paris. En 1914, il passe quelques mois en Hollande. Il rentre en Hongrie au moment de la guerre. Se suicide peu après la mort de sa femme. Il expose, dès 1908, à Paris, au Salon d'Automne et au Salon des Indépendants. Il expose, en 1914, avec sa femme Valeria Dénes, au Salon National de Budapest. En 1918, est organisée une rétrospective de ses œuvres. Il est présent à l'exposition *L'Art en Hongrie – 1905-1930 – Art et révolution*, au Musée d'Art Moderne de la Ville de Paris.

Il fut un des représentants importants du cubisme en Hongrie.

GALIMBERTI Silvio
XIXe-XXe siècles. Actif à Rome. Italien.
Peintre.
On lui doit surtout des paysages et des fresques.

GALIMBERTI Valéria ou **Valy**. Voir **DÉNES Valéria**

GALIMSKY Vladislav Michailovitch
Né en 1860 à Kiev. XIXe siècle. Russe.
Peintre.
Le Musée Russe conserve une œuvre de cet artiste. Il fut élève de l'Académie de Saint-Pétersbourg.

GALINDEZ Martin
Né en 1547 à Haro. Mort en 1627 à la Chartreuse de Paular. XVIe-XVIIe siècles. Espagnol.
Peintre et sculpteur sur bois.
En 1584, il entra à la Chartreuse de Paular et y consacra ses loisirs à l'art et aux recherches de la mécanique. Il exécuta un grand nombre de tableaux religieux et quelques sculptures sur bois.

GALINDO Benito
Né en Estremadure. XVIe siècle. Espagnol.
Peintre.
Il travailla surtout à Barcelone.

GALINIER Nicolas
Né vers 1790 à Marseille. XIXe siècle. Français.
Sculpteur.
Il fut élève de Bosio. Il exécuta un buste de Louis XIV pour la façade de l'hôtel de ville de Marseille.

GALIOT Désirée Charlotte, Mme **Sauvageot**
XIXe siècle. Française.
Peintre.
Élève de Bouchet. Elle débuta au Salon en 1819. Le Musée de Soissons conserve d'elle un *Portrait d'enfant*.

GALIPOT Guy, appelé aussi **Lacroix**
XVIIIe siècle. Actif à Paris en 1770. Français.
Peintre et sculpteur.

GALITCHANIN Grigorii
XVIIe siècle. Actif à Moscou. Russe.
Peintre.

GALITCHANIN Kosma
XVIIe siècle. Actif à Moscou vers 1675. Russe.
Peintre.

GALITCHANIN Ssemjon
XVIIe siècle. Actif à Moscou. Russe.
Peintre.

GALITSKY Rostislav Nicolaevitch
Né en 1920 à Rostov. XXe siècle. Russe.
Peintre.
Diplômé de l'Institut Sourikov à Moscou en 1956.
Musées : Saint-Pétersbourg (Mus. Russe).
Ventes Publiques : Versailles, 9 déc. 1990 : *Repos dans la palmeraie* 1945, h/t/cart. (125x92) : **FRF 3 500**.

GALITZINE Marc Augustin
Né à Paris. XXe siècle. Français.
Peintre de paysages.
Il figure à la Nationale depuis 1923.

GALITZYN Leo
XIXe siècle. Actif à Moscou. Russe.
Sculpteur.
Il fut élève de Ramasanoff.

GALIZIA Annunzio
Né à Trente. XVIe siècle. Italien.
Miniaturiste.
Certainement identique à Annunzio Fede (voir la notice). Père de Fede Galizia. Il travailla surtout à Milan.

GALIZIA Fede ou **Gallizi**
Née vers 1578 à Milan (Lombardie). Morte après 1630. XVIIe siècle. Italienne.
Peintre de scènes mythologiques, sujets religieux, portraits, paysages, natures mortes, fleurs et fruits.
Elle fut élève de son père Annunzio Galizia, miniaturiste habitant Milan. Elle excella surtout dans la peinture des petits portraits. On mentionne le *Portrait du chroniqueur Paolo Morigia*, peint par l'artiste à l'âge de dix-huit ans.
Musées : Milan (Gal. Brera) : *Le Christ apparaissant à Marie-Madeleine* – Milan (Gal. Ambrosiana) : *Portrait du chroniqueur Paolo Morigia*.
Ventes Publiques : Milan, 20 nov. 1963 : *Nature morte aux fruits* : **ITL 1 500 000** – Londres, 20 mars 1964 : *Nature morte aux fleurs et aux fruits* : **GNS 1 000** – Amsterdam, 17 mai 1983 : *Nature morte*, h/pan. (37x45,5) : **NLG 19 000** – Milan, 24 avr. 1988 : *Judith et Holopherne*, h/t (120x90) : **ITL 35 000 000** – Rome, 13 déc. 1988 : *Nature morte de pêches sur un plat d'étain et deux poires*, h/t (36,5x48,5) : **ITL 22 000 000** – Paris, 9 avr. 1990 : *Nature morte aux pêches*, h/pan. de chêne, surface totale (30,5x39,5) : **FRF 600 000**.

GALIZZI Battista
Né en 1824 à Bergame. XIXe siècle. Italien.
Peintre de compositions religieuses.
Musées : Bergame (Acad. Carrara) : *Saint-Georges*.

GALIZZI Francesco Bernardo de, Giovanni de. Voir **SANTACROCE**

GALIZZI Giovan Battista
Né en 1882 à Bergame. Mort en 1963. XXe siècle. Italien.
Peintre de genre.
Ventes Publiques : Milan, 10 juin 1981 : *La forge*, h/t (89x110) : **ITL 700 000** – Rome, 21 mars 1985 : *Chiens sur la plage*, h/t (226x163) : **ITL 1 700 000** – Milan, 21 déc. 1993 : *Caravane des cadeaux de mariage dans un village*, h/cart. (63,5x50,5) : **ITL 2 070 000**.

GALIZZI Giovanni. Voir **SANTACROCE Giovanni** ou **Zuanne**

GALIZZI Girolamo da. Voir **SANTACROCE Girolamo da**

GALKIN Volodja
Né dans la deuxième moitié du XXe siècle. XXe siècle. Russe.
Sculpteur. Cinétique.
Il fait partie du groupe *Dvizjenie*, avec Francisco Infante, Stepanov, etc., dans lequel Lev Nusberg a réuni des techniciens de diverses disciplines, avec lesquels il réalise d'importantes œuvres cinétiques et luministes.
Bibliogr. : Frank Popper : *Naissance de l'art cinétique*, Gauthier-Villars, Paris, 1967.

GALKINE Ilia Savitch ou **Ilya Savvich** ou **Galkin**
Né en 1860 en Russie. Mort en 1915. XIXe-XXe siècles. Russe.
Peintre de genre, compositions à personnages.
Le Musée Russe conserve de cet artiste : *La Lecture*. Il travailla surtout à Saint-Pétersbourg.
Ventes Publiques : Londres, 11-12 juin 1997 : *Fillette avec des fleurs*, h/t (92,5x64) : **GBP 5 175**.

GALL
XVe siècle. Autrichien.
Sculpteur sur bois.
Il était actif à Innsbruck vers 1472. Il travailla pour l'église de Seefeld.

GALL Biserka
Née le 23 juillet 1942 à Zagreb. XXe siècle. Active depuis 1965 en France. Yougoslave.
Peintre, graveur, peintre de cartons de tapisseries, pastelliste.
Elle fait ses études à l'École des Beaux-Arts de Zagreb, de 1960 à 1965. Elle participe à des expositions collectives, dont : 1965, 1966 Salon de Mai à Paris ; 1972 2e Biennale internationale de gravure à Séoul ; 1973 Bibliothèque nationale à Paris ; Salon de Banja Luka en Yougoslavie ; 1974 Salon des Réalités Nouvelles à Paris ; 1974 Bibliothèque nationale à Lausanne ; 1975 Musée d'Art Moderne de la Ville de Paris ; 1re Biennale internationale de gravure, Givet. Elle réalise des expositions personnelles depuis 1965, à Zagreb en 1966 et 1978 ; à Paris de 1965 à 1967, 1971, de 1975 à 1977, 1980, 1981, 1983 ; à Bruxelles en 1968, 1973 ; Belgrade en 1975, 1979.
Elle mêle dans ses peintures et gravures, aux tons sourds, l'influence constructiviste avec une figuration lyrique. Les formes, cube, rectangle, parallélogramme, les plans en projection, planent au cœur de l'espace, entre ciel et terre. Architectures magiques, villes interstellaires semblent aspirer vers l'infini.
Bibliogr. : Catalogue de l'exposition : *Gall et Kemal*, Gal. d'Art contemporain, Chamalières, 1986.

GALL Ferenç, puis **François**
Né le 22 mars 1912 à Kolozvar (Transylvanie), de parents

hongrois. Mort le 9 décembre 1987 à Paris. xxe siècle. Depuis 1936 actif, en 1945 naturalisé en France. Hongrois.

Peintre compositions à personnages, figures, paysages animés, paysages urbains, marines, aquarelliste. Post-impressionniste.

Il fait ses études à Rome à l'Académie Royale des Beaux-Arts, tout en exerçant des métiers manuels. En 1930, il est boursier du gouvernement hongrois. Fixé à Paris en 1936, il reçoit alors les leçons de Devambez à l'École Nationale des Beaux-Arts. Il a obtenu le prix Francis Smith en 1963.

Depuis 1936, il participe à de nombreuses expositions collectives, dont, à Paris, les Salons des Artistes Français, où il a obtenu mentions et médailles, des Indépendants, d'Automne, des Peintres Témoins de leur Temps, du Dessin et de Peinture à l'eau, Comparaisons, etc., ainsi que très nombreuses en province et à l'étranger. Il a souvent montré des ensembles de ses peintures dans des expositions personnelles, d'entre lesquelles : 1949 Paris, galerie Durand-Ruel, et Londres, Marlborough Gallery ; 1953 New York, Touraine Art Gallery ; et nombreuses à travers le monde.

Il a subi l'influence des impressionnistes français. Il s'est totalement spécialisé dans la peinture des jeunes et jolies Parisiennes, qu'il guette dans toutes les circonstances de leur journée affairée, dès leur intimité, à travers les paysages typiques parisiens, dans l'agitation des cafés ou du monde du spectacle et de la danse et jusque sur les plages et les champs de courses à la mode.

Bibliogr. : André Flament : *F. Gall*, Vision sur les Arts, Paris, s.d., abondante documentation.

Ventes Publiques : New York, 8 nov. 1957 : *Paysage à la Fauve* : **USD 1 500** – New York, 22 jan. 1960 : *Jardin des Tuileries*, Paris : **USD 350** – Zurich, 5 mai 1972 : *Le Pont-Neuf* : **CHF 3 700** – Paris, 27 fév. 1976 : *Plage de Trouville*, h/t (27x46) : **FRF 3 200** – Versailles, 8 juin 1977 : *Jeune fille à la robe rouge et aux marguerites ou La Jeune Quercynoise*, h/t (60x73) : **FRF 10 800** – Versailles, 30 nov. 1980 : *Devant la coiffeuse*, h/t (81x65) : **FRF 22 000** – Versailles, 6 mars 1983 : *Femme à sa toilette*, h. et gche (53x36) : **FRF 6 000** – Versailles, 17 nov. 1985 : *À la terrasse du café*, h/t (60x73) : **FRF 48 000** – Paris, 27 nov. 1987 : *Jeune femme en robe bleue à Paris*, h/t (71x60) : **FRF 24 000** – Versailles, 13 déc. 1987 : *Jeune fille à la table d'un café*, h/t (61x46) : **FRF 29 500** – La Varenne-Saint-Hilaire, 6 mars 1988 : *La lecture*, h/t (27x22) : **FRF 24 000** – Paris, 11 avr. 1988 : *Le pont de Grenelle et la Tour Eiffel*, h/cart. (21x21,5) : **FRF 12 500** – Versailles, 25 sep. 1988 : *Paris, terrasse d'un café*, h/t (46x61) : **FRF 30 000** – Versailles, 15 juin 1988 : *Jeune femme au Luxembourg* 1947, h/t (54x65) : **FRF 60 000** – Paris, 12 juil. 1988 : *Paysage*, h/t (61x80) : **FRF 10 100** – Montréal, 17 oct. 1988 : *Jeune fille au piano*, h/t (36x27) : **CAD 3 800** – Paris, 27 oct. 1988 : *Dimanche après-midi au parc*, h/t (22x27) : **FRF 30 000** – Toronto, 30 nov. 1988 : *Au café*, h/t (39,5x29) : **CAD 4 000** – Paris, 16 déc. 1988 : *Le ponton*, h/pap. (20x28) : **FRF 11 000** – Londres, 21 fév. 1989 : *Jeune femme sur la plage*, h/cart. (22,3x27) : **GBP 3 080** – Paris, 27 avr. 1989 : *La place du Tertre à Montmartre*, h/pan. (32x41) : **FRF 23 000** – Montréal, 1er mai 1989 : *Etude du piano*, h/t (46x38) : **CAD 7 500** – New York, 9 mai 1989 : *Déjeuner sur l'herbe*, h/t (49,2x60) : **USD 7 150** – Stockholm, 22 mai 1989 : *Passants sur le Pont-Neuf à Paris*, h/pan. (72x91) : **SEK 62 000** – Paris, 22 oct. 1989 : *Promenade sur les quais à Paris*, h/t (74x60) : **FRF 58 000** – Paris, 23 nov. 1989 : *Danseuses*, h/t (27,5x22,5) : **FRF 35 000** – La Varenne-Saint-Hilaire, 3 déc. 1989 : *Les cavaliers en forêt* 1943, h/t (60x81) : **FRF 72 000** – Saint-Dié, 11 fév. 1990 : *La Place du Tertre*, h/pan. (32x41) : **FRF 28 000** – New York, 21 fév. 1990 : *Sur la jetée à Trouville*, h/t (65x80,6) : **USD 22 000** – Berne, 12 mai 1990 : *La pause du déjeuner*, h/t (60x50) : **CHF 22 000** – Stockholm, 14 juin 1990 : *Vue de Paris* 1946, h/t (33x41) : **SEK 30 000** – Calais, 8 juil. 1990 : *La plage de Trouville*, h/t (27x46) : **FRF 75 000** – Le Touquet, 11 nov. 1990 : *Manège en bois de Martel-en-Quercy*, aquar. (17x20) : **FRF 5 800** – Calais, 9 déc. 1990 : *Jeune fille au canotier*, h/t (61x50) : **FRF 58 500** – New York, 13 fév. 1991 : *Jeune fille en rose*, h/t (61,2x50,7) : **USD 8 800** – Amsterdam, 23 avr. 1991 : *La tétée du bébé*, h/pan. (27x35) : **NLG 13 800** – Honfleur, 18 août 1991 : *Le déjeuner au jardin*, h/t (35x27) : **FRF 70 000** – New York, 12 juin 1991 : *Deauville*, h/t (27,3x45,7) : **USD 7 700** – New York, 5 nov. 1991 : *Dans les coulisses*, h/t (46,3x38,4) : **USD 10 450** – Montréal, 19 nov. 1991 : *Dans la coulisse*, h/t (26,6x21,5) : **CAD 3 000** – Munich, 26-27 nov. 1991 : *Paysage estival avec un buisson fleuri*, h/t (31,5x43) : **DEM 1 265** – New York, 9 mai 1992 : *A la plage*, h/t (27,3x45,7) : **USD 7 700** – Stockholm, 21 mai 1992 : *Scène de Paris*, h/pan. (70x90) : **SEK 18 000** – New York, 10 nov. 1992 : *Aux Deux Magots*, h/t (27x22) : **USD 6 600** – Sceaux, 13 déc. 1992 : *La plage de Dieppe*, h/t (26x45,5) : **FRF 13 000** – Paris, 18 déc. 1992 : *La jetée à Trouville*, h/t (61x50) : **FRF 24 100** – New York, 29 sep. 1993 : *Marie-Lise au café*, h/t (59,7x73,7) : **USD 12 075** – Paris, 14 mars 1994 : *La jeune Quercynoise*, h/t (60x74) : **FRF 60 000** – Londres, 15 juin 1994 : *Scène de rue à Rome*, h/cart. (48x33) : **GBP 2 185** – Paris, 26 mars 1995 : *Jeune femme dans les prés*, h/t (27,2x22) : **FRF 15 000** – Amsterdam, 6 déc. 1995 : *Vue de Notre-Dame de Paris*, h/t (60x50) : **NLG 4 025** – New York, 30 avr. 1996 : *Le Pont-Neuf*, h/t (50x61) : **USD 2 875** – New York, 12 nov. 1996 : *Femme au miroir* vers 1970, h/t (61x46) : **USD 5 750** – New York, 10 oct. 1996 : *Eugénie à la robe rouge*, h/pan. (46,4x32,1) : **USD 2 415** – Paris, 5 juin 1997 : *Arcachon, personnage sur la plage*, h/t (22x27) : **FRF 11 000** – Paris, 23 juin 1997 : *Montmartre, le Sacré-Cœur*, h/t (38x46) : **FRF 8 000**.

GALL G.

xixe siècle. Français.

Peintre de paysages.

Le Musée de Saint-Lô conserve de lui : *Le brouillard dans la montagne d'Aubrac*.

GALL Joseph

Né en 1807 à Nevers (Nièvre). xixe siècle. Français.

Peintre de paysages.

De 1842 à 1876, figura au Salon de Paris avec des paysages, quelques sujets champêtres et quelques tableaux religieux. On mentionne de lui : *La croix de pierre, Jésus-Christ instituant saint Pierre chef de l'Église, Bénédictin en méditation, Les bûcherons, Massacre des protestants dans les Cévennes, Pâturage*.

Ventes Publiques : New York, 28 oct. 1987 : *Personnages dans une église*, h/t (48,2x36,8) : **USD 16 000**.

GALLACINI Giuseppe

xviiie siècle. Actif à Leyde en 1778. Italien.

Peintre.

GALLAGHER Ella Sheppard. Voir **SHEPPARD**

GALLAGHER Geneviève

Née le 19 janvier 1899 à Baltimore (Maryland). xxe siècle. Américaine.

Peintre.

Elle obtint le prix de la Baltimore Art Society, en 1921. Elle fut également professeur.

GALLAGHER John

Né à Dublin. xixe siècle. Britannique.

Sculpteur.

Exposa à Londres, à la Royal Academy, de 1832 à 1844.

GALLAGHER Sears

Né le 30 avril 1869 à Boston (Massachusetts). Mort en 1955. xxe siècle. Américain.

Peintre, graveur.

Il fut élève de Laurens et Constant à Paris. Membre de nombreuses sociétés artistiques américaines. Il a reçu des récompenses et distinctions, surtout destinées à consacrer son talent de graveur, entre autres : médaille d'argent pour l'eau-forte en Californie en 1929, et à Boston en 1930.

Ventes Publiques : San Francisco, 27 fév. 1986 : *Enfants jouant sur la plage*, aquar. (33x49,5) : **USD 2 500**.

GALLAIT Louis

Né le 10 mars 1810 à Tournai. Mort le 20 novembre 1887 à Schaerbeck (près de Bruxelles). xixe siècle. Belge.

Peintre d'histoire, compositions mythologiques, sujets religieux, scènes de genre, portraits, dessinateur.

Il fut élève de l'Académie des Beaux-Arts de Tournai, dans l'atelier de Philippe Auguste Hennequin. Il poursuivit ses études à l'Académie d'Anvers, et en 1834 à Paris, dans l'atelier d'Ary Scheffer, où il se lia avec Paul Delaroche. Puis, il s'établit à Bruxelles. Il exposa en France, en Allemagne, en Autriche ; à

Londres, de 1836 à 1872, où il fut, en 1862, l'objet d'une grande manifestation. Quatorze de ses études, figurèrent à l'exposition intitulée *Le Clair et l'Obscur*, à Bruxelles, en 1970, qui regroupait près de deux cents dessins d'artistes belges. Il fut membre des Académies de Belgique et de Berlin en 1843, de Dresde et de Munich en 1844, et de Vienne en 1853. En 1844, il fut médaillé à Bruxelles. Il fut fait chevalier de la Légion d'honneur et commandeur de l'Ordre de Léopold. Plusieurs de ses dessins et esquisses ont été exposés au Musée de Tournai en 1971.
Son thème de prédilection : les Flandres au temps de l'occupation espagnole, sujet romantique par excellence, qu'il traite de manière classique et dans un souci d'exactitude historique. Possédant un certain renom en France, il reçut des commandes de Versailles, dont le *Couronnement de Baudouin Ier, comte de Flandre*. Parmi ses œuvres, on cite encore : *La Prise d'Antioche – Christophe Colomb en prison* et *Derniers honneurs rendus aux comtes d'Egmont et de Horn*, dont il fit plusieurs répliques.

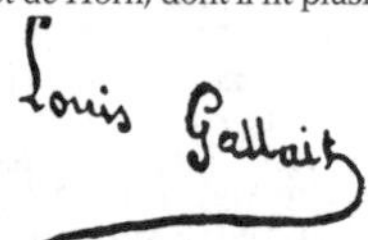

Bibliogr. : Gérald Schurr, in : *Les Petits Maîtres de la peinture 1820-1920, valeur de demain*, Les Éditions de l'Amateur, t. II, Paris, 1982 – in : *Diction. de la peinture flamande et hollandaise*, coll. Essentiels, Larousse, Paris, 1989.
Musées : Amsterdam (Mus. mun.) : *Le soir – Délaissée* – Anvers : *Les derniers honneurs rendus aux comtes d'Egmont et de Horn* – Berlin : *Dernières heures d'Egmont* – Bruxelles (Mus. des Beaux-Arts) : *Abdication de Charles Quint – La peste à Tournai – Prise d'Antioche par les croisés – Jeanne la Folle – Léopold II – Art et Liberté – Champion de Villeneuve – La reine Marie-Henriette – M. Barthélémy de Mortier – Mme Dick, belle-mère du peintre – Mme Louis Gallait et sa fille – Souvenir de Blankenberghe – La Bohémienne et ses enfants – La chute des feuilles – La robe de noces* – Cologne : *Portrait de femme* – Francfort-sur-le-Main : *Abdication de Charles Quint* – Gand : *Une famille juive accusée de recel d'objets religieux – Denier de César* – Hambourg : *Consolation* – Liège : *Le vieux mendiant* – Lille : *Job – Ch. Cousin en arabe* – Londres (Wallace coll.) : *Le duc d'Albe faisant prêter serment* – Munich : *Un moine faisant manger des pauvres* – Tournai : *Lepez – Louis Haghé – Les têtes coupées – Le colonel Hallart – La mère et la sœur de l'artiste – Luis et Charles Hague – H. Campan de Nice* – Versailles : *Prise d'Antioche – Louis Brancas – Charles de Gontaut-Biron – Bataille de Cassel* – Ypres : *L'archet brisé*.
Ventes Publiques : Paris, 1850 : *L'abdication de Charles Quint* : **FRF 8 190** – Paris, 1870 : *Art et Liberté* : **FRF 25 500** – New York, 8-9 jan. 1903 : *Jeune mère* : **USD 550** – Londres, 30 jan. 1909 : *Le Fracas ; Joueurs de cartes* : **GBP 7** – New York, 18 avr. 1945 : *Le prisonnier* : **USD 300** ; *Couronnement de Baudouin Ier, comte de Flandre*, aquar. : **USD 150** – Bruxelles, 5 oct. 1976 : *Réunion historique avec le prince de Condé*, h/t (118x172) : **BEF 120 000** – New York, 12 mai 1978 : *Le prisonnier de Rome* 1862, h/pan. (53x42,5) : **USD 3 750** – Vienne, 17 mars 1981 : *Art et Liberté*, aquar. (71x54) : **ATS 11 000** – New York, 25 oct. 1984 : *Le jeune ménestrel* 1885, h/t (132,1x104,2) : **USD 6 500** – Paris, 21 déc. 1987 : *Prise d'Antioche*, h/t (24x33) : **FRF 3 500** – Amsterdam, 14 sep. 1993 : *Christ* 1845, h/t (100,5x82,5) : **NLG 3 450** – Amsterdam, 19 avr. 1994 : *La mort du Roi*, h/pan. (26,5x21) : **NLG 5 060** – New York, 19 jan. 1995 : *Dalilah*, h/pan. (53,3x41,3) : **USD 2 875**.

GALLAIX Louis de. Voir **DEGALLAIX**

GALLAND André
Né le 27 juillet 1886 à Sedan (Ardennes). Mort le 12 septembre 1965 à Paris. xxe siècle. Français.
Dessinateur, illustrateur, affichiste.
Il fut élève à Paris, de Paul Renouard à l'École des Arts Décoratifs, de Gabriel Ferrié à l'École des Beaux-Arts. Il exposait à Paris, au Salon des Humoristes, au Salon des Artistes Français, médaillé en 1946. Il était officier de la Légion d'honneur.
Dessinateur, illustrateur, il travailla avec de nombreux journaux, traitant de l'actualité, de politique, procès d'assises, théâtre, sport. Succédant à Paul Renouard, il fut, pendant vingt ans, collaborateur de *L'Illustration*. Il a illustré des livres pour la jeunesse.

GALLAND François
Né vers 1670. Mort le 9 août 1694 à Paris. xviie siècle. Français.
Graveur.

GALLAND Gilbert
Né en 1870 à Lyon (Rhône). Mort en 1956 à Alger. xixe-xxe siècles. Français.
Peintre de scènes de genre, sujets typiques, paysages animés, paysages, marines, compositions murales, aquarelliste, décorateur.
Il fut élève d'Hippolyte Dubois. Il exposa au Salon des Artistes Français de Paris.
Il réalisa de nombreuses aquarelles, de la ville de Marseille et de son vieux port, des vues de la Bretagne, de l'Algérie et de l'Extrême-Orient. Des compagnies transatlantiques, françaises et étrangères, lui commandèrent des peintures murales pour orner des salons, salles à manger ou des cabines de paquebots. Parmi ses œuvres, on cite : *Alger, la darse de l'Amirauté – Le paquebot allemand Fürst-Bismarck quittant le port d'Alger*.
Bibliogr. : Gérald Schurr, in : *Les Petits Maîtres de la peinture 1820-1920, valeur de demain*, Les Éditions de l'Amateur, t. VI, Paris, 1985.
Ventes Publiques : Paris, 11 fév. 1919 : *Côtes bretonnes*, aquar. : **FRF 40** – Paris, 14 et 15 déc. 1927 : *Barques de pêche, dans le port*, aquar. : **FRF 250** – Paris, 27 jan. 1943 : *Sanary, la baie* : **FRF 1 100** – Paris, 23 avr. 1945 : *Bords de mer*, aquar. : **FRF 260** – Paris, 18 avr. 1988 : *Paysage du Sud*, h/t (31x65) : **FRF 4 500** – Berne, 26 oct. 1988 : *Paysage de Bou-Saada*, h/t, une paire (chaque 40x68) : **CHF 1 700** – Paris, 19 nov. 1991 : *Les ports d'Alger*, trois aquar. (dont deux : 48x31 et une 26x36) : **FRF 8 000** – Paris, 13 avr. 1992 : *Les pêcheurs du Bosphore*, h/t (79x165) : **FRF 57 000** – Saint-Brieuc, 25 juin 1995 : *Vue de Jérusalem, l'esplanade du Temple et la coupole du Rocher*, h/t (81x130) : **FRF 35 000** – Paris, 3 avr. 1996 : *Voilier et pêcheurs en barque dans le port d'Alger*, aquar. (43,5x56,5) : **FRF 4 200** – Paris, 5-7 nov. 1996 : *Les Ramasseurs de sable*, h/t (44x100) : **FRF 8 000** – Paris, 9 déc. 1996 : *Bateaux devant la Corne d'Or*, h/t (100x61,5) : **FRF 25 000**.

GALLAND J. R.
xixe siècle. Actif à Londres au début du xixe siècle. Français.
Peintre de miniatures.
Il exposa à la Royal Academy en 1818.

GALLAND Jacques
xixe-xxe siècles. Actif à Paris. Français.
Peintre verrier.
Il était fils de Pierre Victor Galland et décora plusieurs églises.

GALLAND Jean
Né en 1880 à Vienne (Isère). xxe siècle. Français.
Peintre.
Élève de Lespinasse. Sociétaire des Artistes Français, où il expose régulièrement des paysages.

GALLAND Jean Pierre
xviiie siècle. Vivant au Puy-en-Velay en 1726-1759. Français.
Peintre.

GALLAND John
xixe siècle. Actif à Philadelphie vers 1800. Américain.
Graveur.
Il collabora à l'illustration de l'*History of France* de James Stewart.

GALLAND Joséphine, Mme
Née à Lyon. xixe-xxe siècles. Française.
Peintre.
Elle exposa à Lyon, à partir de 1892, des natures mortes, des fleurs et des paysages.

GALLAND Laurent
Né en 1959. xxe siècle. Français.
Créateur d'installations.
Il participe à des expositions collectives depuis 1982 : à Paris, Caen, Marseille, Hambourg. Il montre ses œuvres dans des expositions personnelles : à Montpellier, Saint-Étienne.

GALLAND Marie
Née au xxe siècle à Paris. xxe siècle. Française.
Sculpteur.
Elle a exposé, à Paris, au Salon des Artistes Français. Également écrivain.
Musées : Avallon – Calais.

GALLAND Pierre Victor
Né le 15 juillet 1822 à Genève, de parents français. Mort le 30 novembre 1892 à Paris. xixe siècle. Français.

Peintre de figures, compositions murales, décorateur.
Il fut élève de Michel Martin Drolling à l'École des Beaux-Arts de Paris. Puis, il étudia avec Henri Labrouste et Pierre Luc Charles Cicéri. Il figura au Palais de l'Industrie, en mars 1892. Il fut nommé, à Paris, professeur d'art décoratif, à l'École des Beaux-Arts, et directeur d'art à la manufacture des Gobelins.
Il débuta sa carrière en exécutant des figures pour de grands peintres décorateurs. Puis, il reçut de nombreuses commandes de décorations officielles, pour le Panthéon, l'Hôtel de Ville, l'église Saint-Eustache, l'Hôtel Continental, le palais d'un prince arménien, en 1851, à Constantinople. Il réalisa également de nombreux plafonds d'habitations aristocratiques, en France et à l'étranger. Inspiré par les fleurs et arbustes qu'il conservait dans les herbiers de son atelier, Pierre Victor Galland fit de nombreux dessins de plantes et végétaux qu'il transforma en éléments décoratifs. Le Musée des Arts Décoratifs exposa, en 1980, une partie des esquisses et des dessins achetés à l'artiste, en 1884. Il rassembla, dans ses compositions, des figures de femmes et d'enfants flottant sur des nuées ou animant des architectures ornées de motifs floraux, un peu dans l'esprit du XVIIIe siècle. Ses œuvres eurent une certaine influence sur les mouvements décoratifs, des années postérieures, en particulier chez les ornemanistes de l'Art nouveau.

Cachet de vente

Bibliogr. : Gérald Schurr, in : *Les Petits Maîtres de la peinture 1820-1920, valeur de demain*, Les Éditions de l'Amateur, t. V, Paris, 1981.
Musées : Limoges – Nancy – Paris (Mus. des Arts Décoratifs) : *Colonnettes d'après des branches de lilas* – nombreux dessins – Roubaix.
Ventes Publiques : Paris, 27 fév. 1896 : *Pâturage* : **FRF 125** – Paris, 30 juin 1900 : *Le Printemps* : **FRF 200** – Paris, 13 juin 1923 : *Étude pour un écoinçon de plafond* : **FRF 100** – Paris, 4 juin 1923 : *L'Automne* : **FRF 120** – Paris, 19-20 mai 1926 : *Portrait d'Arago* : **FRF 220** – Paris, 2 juin 1980 : *Le marché*, h/t (81x65) : **FRF 2 400** – Aix-en-Provence, 21 juil. 1980 : *Environs de la Sainte-Victoire*, gche : **FRF 1 000** – Paris, 11 déc. 1987 : *Timbre de l'atelier*, h/t (115x92) : **FRF 7 000** – New York, 26 oct. 1990 : *Esquisse d'une nymphe pour un plafond du Louvre*, h/t (47x58,4) : **USD 4 400** – Paris, 28 oct. 1990 : *Les trophées*, h/t (310x195) : **FRF 145 000** – Paris, 15 déc. 1993 : *Amour jouant de la flûte de Pan dans une architecture ornée de fruits et d'instruments de musique*, h/t (171x165) : **FRF 83 000** – Paris, 12 mai 1995 : *Figure de Diane*, h/cart. (66x78) : **FRF 10 000**.

GALLANT François
XVIe siècle. Actif à Paris. Français.
Sculpteur.
Sous la direction du Primatice, il prit part à la décoration du tombeau d'Henri II, de 1568 à 1570.

GALLANT Marcial
XVIe siècle. Actif à Paris en 1556. Français.
Enlumineur.
Il travailla pour la cour de France.

GALLARATI Francesco Maria
Né à Milan. XVIIIe siècle. Italien.
Peintre.
En 1786 il travaillait à Rome.

GALLARD Gabriel
Mort le 6 juillet 1749 à Palma de Majorque. XVIIIe siècle. Espagnol.
Sculpteur.

GALLARD Michel de
Né le 21 avril 1921 à Villefranche-d'Allier (Allier). XXe siècle. Français.
Peintre d'animaux, paysages, paysages urbains, fleurs, peintre de technique mixte. Réaliste.
Après des débuts d'études de médecine, il fréquenta les Académies libres de Paris, tout en exerçant divers métiers. Il fit partie de l'une des générations qui animèrent cette étrange pépinière d'artistes que l'on nomme *La Ruche*, ancien pavillon des machines de l'Exposition de 1889, transplanté à Vaugirard, et que commencèrent à hanter Soutine, Modigliani et bien d'autres.
Ses vrais débuts officiels se situent lors de l'exposition qui accompagnait la publication du manifeste de *L'Homme Témoin*, en 1948, avec Lorjou, Rebeyrolle, à la suite de quoi il participa aux Salons annuels parisiens, notamment au Salon de la Jeune Peinture pendant quelques années après qu'il en fut membre fondateur, au Salon de la Société Nationale des Beaux-Arts, au Salon des Peintres Témoins de leur Temps, au Salon Comparaisons, au Salon d'Automne, dont il est sociétaire depuis 1949, et qui lui consacra un hommage en 1987. Première exposition particulière à Paris en 1956, galerie Framond, suivie de très nombreuses autres ; et, outre Paris, dans plusieurs villes de province ; et à Toronto 1962 ; Londres 1964, 1968, 1971 ; Caracas 1967 ; Carmel (Californie) 1968, 1970, 1972, 1974, 1975, 1977, 1978, 1980, 1985 ; Tokyo 1970 ; 1974 Montréal ; 1977, 1983 Johannesburg ; 1984 Osaka, Tokyo, Nagoya ; 1988 Nagoya... Il a obtenu divers Prix et distinctions : 1949 une bourse nationale de la Ville de Paris ; 1951 un Prix au Salon de la Société Nationale des Beaux-Arts ; 1952 Prix Antral ; 1952 et 1953 un Prix de la Biennale de Menton ; 1960 un Prix au Salon Comparaisons ; etc.
Résolument réaliste, sa peinture minutieuse présente même des caractères de naïveté, à la façon de Jean Eve. Il aime à traduire la poésie douce-amère des paysages de banlieue ou des campagnes modestes. Lui-même s'est fixé dans le village de La Borde près de l'Yonne, dont il peint les aspects changeant avec les saisons. Le cinéaste Paul Paviot en mentionne : « ... l'utilisation du blanc comme valeur dominante, l'organisation des lignes, des volumes et des couleurs dans la surface de la toile, avec ses arbres isolés ou serrés, mais toujours dénudés de leurs feuilles pour... devenir ses griffures noires si personnelles, rehaussées toutefois de bruns, de verts, de bleus et de discrètes taches rouges ». ■ J. B.

M DE GALLARD

Ventes Publiques : Paris, 2 juin 1961 : *Paysage* : **FRF 1 700** – Paris, 19 nov. 1976 : *Le Village* 1958, h/t (73x92) : **FRF 3 200** – Brest, 21 mai 1978 : *La Cave*, h/t (131x195) : **FRF 9 000** – Versailles, 27 jan. 1980 : *L'Oie* 1957, h/t (73x60) : **FRF 4 000** – Versailles, 28 fév. 1982 : *Le Village*, h/t (81x100) : **FRF 12 500** – Versailles, 18 mars 1984 : *L'Atelier du peintre*, h/t (97x145,5) : **FRF 21 000** – Paris, 7 déc. 1987 : *Fleurs dans un vase*, h/t (73x60) : **FRF 25 500** – Paris, 7 déc. 1988 : *Fleurs dans un vase*, h/t (73x60) : **FRF 25 500** – Versailles, 17 avr. 1988 : *La Fermière* 1957, h/t (55x38) : **FRF 4 000** – Calais, 3 juil. 1988 : *Bord de route* 1942, h/t (73x100) : **FRF 13 000** – Versailles, 25 sep. 1988 : *Les Chardons*, h/t (100x50) : **FRF 14 500** – Versailles, 23 oct. 1988 : *Route à l'entrée du village* 1962, h/t (73x100) : **FRF 13 500** – Paris, 26 jan. 1990 : *Composition* 1988, techn. mixte (44x36,5) : **FRF 6 000** – Paris, 25 juin 1990 : *Paysage* 1963, h/t (73x92) : **FRF 18 000** – Paris, 21 nov. 1990 : *Étude pour un combat de coqs* 1957, h/t (64x100) : **FRF 31 000** – Paris, 7 déc. 1990 : *Village dans la campagne*, h/t (40x80) : **FRF 32 000** – Paris, 20 nov. 1991 : *Banlieue* 1955, h/pan. (60x81) : **FRF 21 000** – Paris, 11 mars 1992 : *Les Péniches*, h/t (97x130) : **FRF 32 000** – Paris, 16 juin 1993 : *Les Toits*, h/t (116x89) : **FRF 33 000** – Le Touquet, 22 mai 1994 : *Village sous la neige au travers des arbres*, h/t (97x131) : **FRF 49 000** – Paris, 18 nov. 1994 : *Femme à la lessive* 1958, h/t (97x130) : **FRF 22 000** – Calais, 24 mars 1996 : *L'Atelier du peintre*, h/t (97x131) : **FRF 26 000** – Paris, 16 sep. 1996 : *Jeune Fille à la chaise longue*, h/t (89x116) : **FRF 36 000** – Paris, 23 fév. 1997 : *La Paysanne au marché* 1953, h/t (55x33) : **FRF 7 000** – Calais, 23 mars 1997 : *Paris, les quais de Seine*, h/t (10x50) : **FRF 18 000**.

GALLARD-LEPINAY Paul Charles Emmanuel
Né le 23 mai 1842 à Aulnay (Charente-Maritime). Mort en mars 1885 à Paris. XIXe siècle. Français.
Peintre d'histoire, scènes de genre, paysages animés, paysages, marines.
Il fut élève de Claude Jacquand. Il fut nommé peintre du Ministère de la Marine, en 1864. Il exposa au Salon de Paris, dès 1864. Il se spécialisa dans les sujets de marine ; attentif à l'éclairage changeant de l'océan, il peignit de nombreuses vues de Venise, des bateaux en péril, des paysages animés par des pêcheurs de Normandie ou de La Rochelle.
Bibliogr. : Gérald Schurr, in : *Les Petits Maîtres de la peinture 1820-1920, valeur de demain*, Les Éditions de l'Amateur, t. II, Paris, 1982.

Musées : Amsterdam : *Vue de Venise* – Cherbourg : *Visite de Grévy, Say et Gambetta à l'escadre française à Cherbourg.*
Ventes Publiques : Paris, 1883 : *Marine, vue de Venise* : **FRF 355** ; *Paysage, effet du matin* : **FRF 100** – Paris, 15 nov. 1900 : *Vue de Venise* : **FRF 220** – Paris, 18 mars 1920 : *Goélette et barques de pêche au mouillage* : **FRF 400** – Paris, 15 juin 1931 : *Vue de Venise* : **FRF 400** – Paris, 11 juin 1942 : *Les Canotiers* : **FRF 600** – Paris, 5 mars 1943 : *Vue de Venise* : **FRF 1 450** – Paris, 1er déc. 1943 : *Frégate et gondoles sur le Grand Canal devant le Palais des Doges à Venise* : **FRF 4 100** – New York, 23-24 mai 1945 : *Venise* : **USD 400** – Paris, 16 oct. 1946 : *Vaisseaux désemparés dans la tempête* : **FRF 5 200** – Versailles, 23 mars 1980 : *Gondoles sur le Grand Canal de Venise*, h/t (46x73) : **FRF 12 000** – Honfleur, 1er jan. 1982 : *Sortie du port de Honfleur*, h/t (46x65) : **FRF 15 000** – Paris, 14 oct. 1983 : *Voiliers à Venise*, h/t, deux pendants (46x73) : **FRF 18 000** – Berne, 2 mai 1986 : *Vue du Bosphore*, h/t (38x56) : **CHF 7 500** – Calais, 8 nov. 1987 : *Vue de Venise*, h/t (67x101) : **FRF 51 000** – New York, 26 mai 1992 : *Le Grand Canal à Venise*, h/t (53,3x91,4) : **USD 4 400** – Londres, 11 mai 1994 : *Le Havre* 1876, h/t (81x132) : **GBP 3 910** – Lyon, 18 mai 1994 : *Marine*, h/t (34x57) : **FRF 11 500** – Paris, 12 déc. 1996 : *Sauvetage en mer*, h/t (40x60) : **FRF 11 000** – Paris, 20 oct. 1997 : *Voilier à l'entrée du Grand Canal à Venise*, h/t (46,5x73,5) : **FRF 43 000**.

GALLARDO Antonio
XVIIIe siècle. Actif à Cadix en 1720. Espagnol.
Peintre.
Il existe une peinture signée et datée par cet artiste, à l'église Saint-Antonio de Cadix, représentant *Le Christ au Mont des Oliviers*.

GALLARDO Mario
Né en 1937 à La Havane. XXe siècle. Cubain.
Peintre.
Il fait ses études à l'École des Arts Plastiques, San Alejandro, à partir de 1966. Il obtient une médaille d'or de peinture à la 2e Triennale internationale d'art contemporain, aux Indes, en 1971. Premier prix de peinture et d'illustration graphique avec mention au 1er Salon des Jeunes en 1971.
Bibliogr. : In : *Cuba, Peintres d'aujourd'hui*, Musée d'Art Moderne de la Ville, Paris, 1977-1978.

GALLARDO Mateo
XVIIe siècle. Vivait à Madrid en 1657. Espagnol.
Peintre.
On possède de lui une tête de Christ et plusieurs têtes de Vierge.

GALLARDO RUIZ Gustavo
Né le 3 juin 1891 à Séville (Andalousie). Mort en 1971. XXe siècle. Espagnol.
Peintre de scènes de genre, portraits, paysages.
Il étudie à l'École des Beaux-Arts de Séville. Il fut élève de Virgilo Mattoni et de Gonzalo Bilbao. En 1913, il voyage au Maroc et au Portugal. En 1917, il est pensionnaire à Rome et Paris. En 1919, il obtient une bourse de sa ville natale. Il devient par la suite professeur à l'École des Beaux-Arts de Séville pendant trois ans, puis professeur à l'École des Arts et Métiers. Il expose, en 1910, à Madrid, à l'Exposition Nationale des Beaux-Arts. En 1924, où il obtient une troisième médaille.
Bibliogr. : In : *Cien anos de pintura en Espana y Portugal, 1830-1930*, t. III, Antiqvaria, Madrid, 1989.

GALLARDON Jean. Voir **GAILLARDIN**

GALLARZA Marcos
XVIIe siècle. Actif à Barbastro (Aragon) en 1622. Espagnol.
Sculpteur.
Il travailla pour la cathédrale.

GALLAS Josef
XVIIIe siècle. Actif à Weisskirchen vers 1770. Allemand.
Sculpteur.
Il travailla aussi à Blansko Jedowitz, Liebau, Rosenau.

GALLATI Hans Caspar
XVIIe siècle. Actif à Will dans la seconde moitié du XVIIe siècle. Suisse.
Peintre verrier.
Les musées de Saint-Gall et de Nuremberg possèdent des œuvres de cet artiste.

GALLATIN Albert Eugène
Né en 1882 à Villanova (Pennsylvanie). Mort en 1952 à New York. XXe siècle. Américain.
Peintre. Abstrait-constructiviste.
Il a étudié le droit à la New York Law School. De 1921 à 1938, il fit de fréquents séjours à Paris, où il connut le monde de l'art d'avant-garde, formant une collection célèbre sous le nom de *Gallery of Living Art*, aujourd'hui partie intégrante du Musée de Philadelphie, et qui réunissait des œuvres des cubistes Picasso, Braque, Gris, Delaunay, celles de Miro, Arp, Mondrian, Vantongerloo, Hélion, Klee, Lissitsky, Schwitters, Domela, celles d'artistes américains tels que Demuth, Sheeler, Hartley. En 1936, il fut membre fondateur des American Abstract Artists (A. A. A.). Il aida à la parution de la revue *Plastique* de 1937 à 1938, fondée, à Paris, par Sophie Taueber-Arp et César Domela.
Il fut fréquemment invité à des expositions de groupe, notamment à Paris, au Salon des Réalités Nouvelles, ainsi que dans les grandes villes des États-Unis et d'Europe. À ce titre, il exposera dans le cadre de l'A. A. A. jusqu'en 1952. Il réalisa de nombreuses expositions particulières, à New York, à partir de 1938.
Autodidacte en peinture, il débuta en 1926 sous l'influence du cubisme, ses œuvres se rattachant d'abord à Fernand Léger. Il évolua ensuite dans le sens de l'abstraction constructiviste.
■ J. B., C. D.
Bibliogr. : Michel Seuphor : *Dictionnaire de la peinture abstraite*, Hazan, Paris, 1957 – in : *Dictionnaire de la peinture anglaise et américaine*, coll. Essentiels, Larousse, 1991.
Musées : Philadelphie (Mus. of Art) : toute la collection.
Ventes Publiques : Los Angeles, 6 nov. 1978 : *Composition abstraite* 1937, h/t (41x30,8) : **USD 2 100** – New York, 16 fév. 1982 : *Abstraction*, h/t (30,5x22,9) : **USD 1 300** – New York, 1er juin 1984 : *Abstraction* 1943, h/t (40,6x51,1) : **USD 7 500** – New York, 4 déc. 1987 : *Abstraction* 1939, h/t (61,6x43,8) : **USD 19 000** – New York, 25 mai 1989 : *Triangles reliés les uns aux autres* 1951, h/t (60,9x50,8) : **USD 16 500** – New York, 28 mai 1992 : *Abstraction classique* 1940, h/t (35,7x30,5) : **USD 5 500** – New York, 23 sep. 1992 : *Composition* 1938, h/t (41x30,5) : **USD 7 700**.

GALLAUD Édouard Charles
Né en 1873 à Paris. XXe siècle. Français.
Peintre, graveur.
Il fut sociétaire, à Paris, du Salon des Artistes Français. Il obtint une médaille de bronze en 1928.

GALLAUD Marie
Née en 1867 à Paris. XXe siècle. Française.
Sculpteur, médailleur.
Elle expose, à Paris, au Salon des Artistes Français.

GALLAUDET Edward
XVIIIe-XIXe siècles. Actif à New York. Américain.
Graveur d'ex-libris.
Il était sans doute apparenté à Elisha.

GALLAUDET Elisha
Né vers 1730. XVIIIe siècle. Actif à New York. Américain.
Graveur.
On cite son *Portrait du Révérend George Whitefield*.

GALLAY-CHARBONNEL Nina, Mme
Née au XIXe siècle à Paris. XIXe siècle. Française.
Peintre de paysages.
Associée au Salon de la Nationale des Beaux-Arts depuis 1899.

GALLAYS Pierre
XVIIIe siècle. Actif à Paris en 1713. Français.
Graveur.
On cite ses portraits de *Louis XV* et de *Jean Bart*.

GALLAZZI Beltramo
XVe siècle. Actif à Milan. Italien.
Sculpteur sur bois.

GALLE
XIXe siècle. Français.
Lithographe.
Figura au Salon de 1834.

GALLE Ambroise
Mort le 27 janvier 1755. XVIIIe siècle. Actif à Anvers. Éc. flamande.
Sculpteur.
En 1714, il était maître à Anvers. Il mourut à l'hôpital Sainte-Elisabeth à Anvers.

GALLE Anthoine
Né vers 1622. Mort le 8 août 1667 à Paris. XVIIe siècle. Français.

Sculpteur.
Sculpteur ordinaire du roi.

GALLÉ Antonius
XVIIIe siècle. Éc. flamande.
Sculpteur.
En 1710 il était maître à Anvers.

GALLE Cornelis ou **Cornelius**, l'Ancien
Né en 1576 à Anvers. Mort le 29 mars 1650 à Anvers. XVIIe siècle. Éc. flamande.
Peintre de sujets religieux, graveur, dessinateur.
Élève de son père Philippe Galle, il était membre de la gilde à Anvers, en 1610. Il vécut longtemps à Rome. Il fut le plus connu des membres de la famille Galle.
On lui doit des gravures au burin.
Ventes Publiques : Madrid, 28 jan. 1992 : *La descente de Croix*, h/cuivre (48,5x36) : **ESP 448 000**.

GALLE Cornelis, le Jeune
Né en 1615 à Anvers. Mort le 18 octobre 1678 à Anvers. XVIIe siècle. Éc. flamande.
Graveur de compositions religieuses, sujets allégoriques, portraits.
Fils de Cornelis Galle l'Ancien. Il fut reçu maître à Anvers en 1638 et s'y maria en 1641.

GALLE Cornelis III
Baptisé le 12 novembre 1642 à Anvers. Mort à Anvers. XVIIe siècle. Éc. flamande.
Graveur.
Il est le fils de Cornelis Galle le Jeune. Il fut reçu maître à Anvers, en 1663, et s'y maria en 1670.

GALLÉ Émile
Né en 1846 à Nancy (Meurthe-et-Moselle). Mort en 1904 à Nancy. XIXe siècle. Français.
Peintre de figures, natures mortes, céramiste, décorateur, verrier. Art nouveau. École de Nancy.
Il fit des études artistiques à Weimar. Passionné très jeune par le décor sur verre, il ouvrit, en 1874, une verrerie à Nancy. Il fut l'un des fondateurs de la célèbre École de Nancy, une des origines de l'Art nouveau. Mondialement connu pour ses verres, presque tous des vases à fleurs, d'une invention inépuisablement élégante et d'une technique somptueuse inégalée, Émile Gallé laissa aussi des tableaux intéressants, principalement des natures mortes où s'épanouit son goût pour la botanique, qui se retrouve dans le style floral caractéristique de l'Art nouveau.
Bibliogr. : Gérald Schurr, in : *Les Petits Maîtres de la peinture 1820-1920, valeur de demain*, Les Éditions de l'Amateur, t. III, Paris, 1976.
Ventes Publiques : Paris, 24 mars 1982 : *Le dessert de monsieur l'ingénieur* 1894, h/t (60x90) : **FRF 5 200** – Londres, 19 juin 1991 : *Jeune modèle se costumant* 1892, h/t (54x35) : **GBP 2 860**.

GALLE Françoise
Née le 4 octobre 1940 à Paris. XXe siècle. Française.
Peintre, créateur de tapisseries. Polymorphe.
Ses études artistiques furent plutôt théoriques, jusqu'à un mémoire de maîtrise en Arts plastiques sur le sculpteur Charles Malfray, en 1972. En tant que praticienne, elle s'est formée au cours de voyages, séjours et de visites de musées nombreux : 1954 Londres ; 1959 Portugal ; 1961 Grèce et Italie ; 1963 Inde et Japon ; 1967 Mexique ; 1968 Rome, Sicile et Grèce ; 1969 Tassili ; 1973 Pérou, Bolivie ; 1974 Tchad, Cameroun ; 1975 New York ; 1979 et 1980 à 1984 Brésil, où elle a créé le premier atelier de recherches textiles à l'École des arts visuels de Rio de Janeiro, et un cours d'expérimentation picturale à São Paulo ; 1985 Espagne, Canada ; 1986 Martinique ; etc.
Elle participe à des expositions collectives, d'entre lesquelles : depuis 1978 Paris, Salon Comparaisons ; 1978 Paris, Salon d'Automne ; depuis 1992 Paris, Salon des Artistes Français ; très nombreuses participations dans les musées d'art moderne et galeries du Brésil. Elle montre des ensembles de ses travaux dans des expositions personnelles, dont : 1979, 1981 São Paulo ; 1983, 1985 Rio de Janeiro ; 1987 Paris, galerie Autre Regard ; 1989, 1991, 1995 Paris, Cité internationale des arts ; etc.
Elle a commencé à peindre sur nature en 1954, dans le Dauphiné, puis en Provence et au cours de ses voyages. En 1973, elle a évolué à l'abstraction. En 1976, elle a commencé à étudier les matériaux et textures textiles. En 1977, premières tapisseries tridimensionnelles en matériaux divers. Depuis son retour en France, en 1985, son travail porte sur la transparence de la couleur et de la matière. En 1987-88, elle est revenue à des peintures figuratives à Paris et en Dauphiné, où elle installe un atelier en 1990 et revient de nouveau à l'abstraction. En 1991-92, elle a produit des peintures gestuelles. Depuis 1993, ses recherches portent sur la dynamique de la lumière.

GALLE Hieronymus, l'Ancien
Né en 1625 à Anvers. Mort après 1679. XVIIe siècle. Éc. flamande.
Peintre de natures mortes, fleurs et fruits.
Il fut élève d'Abraham Sack. Il a travaillé à Anvers.
Musées : Florence (Mus. des Offices) : *Feston de fleurs* 1655 – Tourcoing : deux tableaux de fleurs.
Ventes Publiques : Londres, 27 juin 1930 : *Fleurs dans un vase* : **GBP 31** – Paris, 28 mai 1954 : *Vase de fleurs et gibier* : **FRF 150 000** – Copenhague, 27 avr. 1971 : *Nature morte* : **DKK 25 000** – Londres, 12 juil. 1972 : *Nature morte aux fleurs et aux fruits* : **GBP 4 500** – Londres, 12 déc. 1986 : *Nature morte aux fruits*, h/t (100,3x113) : **GBP 38 000** – Rome, 10 avr. 1988 : *Vase de fleurs*, h/t (59x42) : **ITL 12 000 000** – Édimbourg, 22 nov. 1988 : *Nature morte de fleurs d'été avec des insectes*, h/t, une paire (52,7x39,4) : **GBP 75 000** – Londres, 27 oct. 1993 : *Nature morte de fleurs, fruits avec des ustensiles de cuivre*, h/t (89x134) : **GBP 14 950** – Londres, 9 déc. 1994 : *Fleurs dans une urne sur un piédestal*, h/t (62,8x48,3) : **GBP 4 370** – Londres, 18 oct. 1995 : *Nature morte d'une importante composition florale* 1667, h/t (68x46) : **GBP 16 100** – Amsterdam, 7 mai 1996 : *Nature morte de fleurs : boules de neige, anémones, pivoines, pavots, œillets...*, h/t (62,5x77,8) : **NLG 86 250** – Monaco, 14 juin 1996 : *Fleurs dans un vase posé sur un rebord*, h/t (41x32) : **FRF 58 500**.

GALLE Hieronymus, le Jeune
Né le 13 septembre 1656 à Anvers. Mort en 1713. XVIIe-XVIIIe siècles. Éc. flamande.
Peintre.
Neveu de Hieronymus Galle l'Ancien, il fut élève de Jan Erasme Quellinus en 1674. Il fut père de treize enfants.

GALLE Hubert
XVIIe siècle. Éc. flamande.
Peintre.
Élève d'Obr. Sack en 1637.

GALLE Jean Joseph
Né en 1884 à Rennes (Ille-et-Vilaine). XXe siècle. Français.
Sculpteur de monuments, médailleur, graveur.
Il fut élève de Coutan. Il exposa au Salon des Artistes Français de Paris. On lui doit divers monuments, dont celui aux morts de Dinard.

GALLE Jérôme
XIXe siècle. Français.
Peintre.
Le Musée d'Orléans possède de cet artiste presque inconnu une nature morte : *Volaille, gibier et légumes sur une table de pierre.*

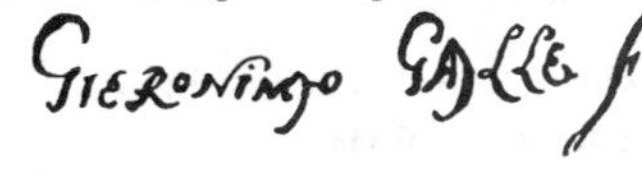

Ventes Publiques : Paris, 29 nov. 1900 : *Fleurs et oiseaux* : **FRF 100**.

GALLE Joan
Mort le 20 septembre 1676 à Anvers. XVIIe siècle. Éc. flamande.
Graveur.
Fils aîné de Theodor Galle. Baptisé le 27 septembre 1600 à Anvers. En 1627, il y fut reçu maître.

JG exc.

GALLE Louis Octave
XIXe siècle. Actif à Paris. Français.
Peintre de genre, d'histoire, paysages.
Débuta au Salon en 1841.
Ventes Publiques : Paris, 3 déc. 1937 : *Paysage* : **FRF 130**.

GALLE Marcel
Né à Paris. XXe siècle. Français.
Peintre de paysages.
Expose aux Indépendants des paysages pyrénéens.

GALLE Norbert
Né en 1648 à Anvers. Mort vers 1694. XVIIe siècle. Éc. flamande.
Peintre.
Il était fils de Joan. Fut reçu franc-maître de Saint-Luc à Anvers en 1667.

GALLE Oswald
Né le 26 avril 1868 à Dresde. XIXe siècle. Allemand.
Peintre et sculpteur.
Après avoir appris la sculpture sur bois il s'intéressa surtout à la peinture. Il voyagea en Italie, puis vécut surtout à Dresde et à Berlin. On cite ses importantes décorations pour le Realgymnasium de Blasewitz près de Dresde.

GALLE Philipp
Né en 1537. Mort le 12 ou 29 mars 1612 à Haarlem. XVIe-XVIIe siècles. Actif à Haarlem. Hollandais.
Dessinateur et graveur au burin.
Il a gravé des *Sujets d'histoire*, des *Portraits* et des *Sujets de genre*, et surtout des œuvres de Brueghel. En 1570, il devint membre de la gilde d'Anvers et en 1571 citoyen de cette ville. Il eut comme élève Barbe et Hendrick Goltzius.

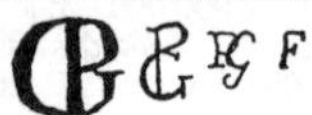

Ventes Publiques : Londres, 29 juin 1987 : *Rhinocéros* 1586, grav./cuivre (20,5x27,5) : **GBP 4 200**.

GALLE Pierre Vincent
Né le 8 février 1883 à Rennes (Ille-et-Vilaine). Mort le 11 novembre 1960 à Rennes (Ille-et-Vilaine). XXe siècle. Français.
Peintre de scènes de genre.
Peut-être frère de Jean Joseph Galle. Il exposa, à Paris, au Salon des Artistes Français après avoir étudié avec Cormon et Luc-Olivier Merson.

GALLE Theodor
Né en 1571 à Anvers. Mort le 18 décembre 1633. XVIe-XVIIe siècles. Éc. flamande.
Dessinateur et graveur au burin.
Élève de son père Philippe Galle. Il a gravé des *Sujets d'histoire*, des *Portraits et des Sujets de genre*.

GALLEAN E.
XIXe siècle. Actif en 1815. Allemand.
Sculpteur.
Il subsiste une œuvre signée de cet artiste.

GALLEANO Francesco
Né en 1636 à Gênes. Mort en 1735 à Cadix. XVIIe-XVIIIe siècles. Italien.
Sculpteur sur bois.
Il était frère de Pietro. Il travailla surtout en Espagne.

GALLEANO Pietro
Né en 1687 à Gênes. Mort en avril 1761 à Gênes. XVIIIe siècle. Italien.
Sculpteur sur bois.
Il fut élève de Maragliano et travailla aussi à Turin.

GALLEE Cornelis ou **Galle**
XVIIIe siècle. Actif à Bruges vers 1700. Éc. flamande.
Peintre.
Il travaillait déjà en 1695 et mourut sans doute en 1720.

GALLEGO
XVIe siècle. Espagnol.
Peintre.
Il était actif à Valladolid vers 1523. Son nom figure, en 1531, dans une liste d'artistes ayant travaillé à la cathédrale San Benito de la Calzada.

GALLEGO A.
XVIe siècle. Actif vers 1544. Espagnol.
Peintre et sculpteur.
Il fit plusieurs tableaux pour le monastère de Sainte-Marie de Nascera.

GALLEGO Antonio
XXe siècle. Actif en France. Yougoslave.
Peintre, technique mixte, artiste d'interventions. Nouvelles figurations. Groupe Banlieue-Banlieue.
De 1982 à 1987, il fut un des fondateurs et animateurs du groupe *Banlieue-Banlieue*. Le groupe se sépara en 1988 (Voir notice Banlieue-Banlieue, pour les ventes publiques collectives). En 1985, il réalisa les décors du film *I love you* de Marco Ferreri. En 1986, il exposa en Italie et au Centre Pompidou *Le Grand Paris*. En 1987, il réalisa un environnement pour un théâtre parisien. En réaction contre la guerre en Yougoslavie, il pratique des actions, recouvrant, depuis 1992, des panneaux de signalisation routière de l'inscription Sarajevo, usant de la même typographie que celle du panneau, pour souligner la proximité du conflit.
Ventes Publiques : Paris, 13 avr. 1988 : *Regarde Œdipe*, techn. mixte (73x92) : **FRF 4 000** – Paris, 8 oct. 1989 : *Sans titre*, techn. mixte (195x130) : **FRF 10 500**.

GALLEGO Cristobal
XVIe siècle. Actif à Séville vers 1530. Espagnol.
Peintre.
Il travailla pour l'Alcazar.

GALLEGO Fernando. Voir **GALLEGOS**

GALLEGO Francisco
XVIIe siècle. Actif à Salamanque en 1627. Espagnol.
Sculpteur.
Il travailla pour différentes églises et monastères.

GALLEGO Pedro
XVIe siècle. Actif à Séville en 1539. Espagnol.
Peintre.
Il travailla pour l'Alcazar. C'est sans doute le même artiste qui exécuta des sculptures d'ornements à Séville entre 1536 et 1539.

GALLEGO Y ALVAREZ Domingo
Né en 1817 à Tembleque. XIXe siècle. Espagnol.
Peintre d'histoire et de genre.
Élève de Antonio Bejarano. Il débuta à Madrid en 1840 avec : *La Mort de Charles Quint*. Il a exposé également à Paris et à Bordeaux. On cite de lui : *Simulacre de combat naval, Un armurier du XVIIe siècle* et des vues de ports de mer.

GALLEGOS Fernando ou **Gallego**
Né vers 1440 à Salamanque (Castille-Léon). Mort après 1507. XVe-XVIe siècles. Espagnol.
Peintre de compositions religieuses, paysages.
En Espagne, comme en Italie, devait s'implanter, au XVe siècle, l'influence de la peinture flamande. La reine Isabelle possédait, dans ses collections, un triptyque de Van der Weyden et une œuvre de Dieric Bouts. À l'époque où Gallegos peignait, les artistes avaient plus ou moins assimilé la manière flamande, étant souvent capables d'en dégager un style plus personnel. Dans ce sens, Gallegos marquait le plein épanouissement du style hispano-flamand. La célébrité de Gallegos devait être telle qu'il eut recours à des aides pour exécuter des commandes, dont beaucoup ont aujourd'hui disparu.
Avant 1467, il exécuta le retable de *Saint Ildefonse* à la cathédrale de Zamora. Le traitement anguleux et la rigidité des draperies font penser à D. Bouts. En 1475, pour la cathédrale de Coria, il devait exécuter six retables, tous perdus. Avec Pedro de Tolosa, en 1507, il peignit la tribune de la chapelle de l'université à Salamanque, où il devait faire des peintures pour la bibliothèque de l'université. Toujours à Salamanque, à la cathédrale nouvelle, il peignit le triptyque de *La Vierge à l'Enfant*, dont les rapports avec des gravures de Schongauer le font rapprocher de Conrad Witz. On lui doit encore une *Pietà*, qui évoque l'art de Rogier van der Weyden. Tous ces rapports ne doivent pas nous empêcher de regarder l'œuvre de Gallegos pour elle-même. Son style est sévère, rigide, il accuse les expressions douloureuses des visages, dont les traits déformés, donnant des yeux presque exorbités, des bouches tordues de douleur. Ses paysages désertiques, désolés, évoquent les plateaux de la Castille. Gallegos, ayant indéniablement assimilé l'art flamand, se présente comme un véritable peintre espagnol, dans sa façon de dramatiser les sujets.
Bibliogr. : J. Lassaigne : *La peinture espagnole, des fresques romanes au Greco*, Genève, 1952.
Musées : Madrid (Mus. du Prado) : *Pietà*.
Ventes Publiques : New York, 14 nov. 1934 : *Crucifixion* : **USD 160** – Londres, 30 juil. 1943 : *Christ sur la croix* : **GBP 47** – Genève, 21 juin 1976 : *Un apôtre*, volet de retable (60x52) : **CHF 180 000** – Londres, 8 déc. 1989 : *Pentecôte*, h/pan. (135,2x105) : **GBP 154 000**.

GALLEGOS Francesco ou **GALLEGO**
XVe-XVIe siècles. Espagnol.

Peintre de compositions religieuses.
Il était sans doute fils de Fernando avec qui il collabora. On le confond souvent avec son père. Il travailla à Salamanque.
On lui attribue le retable de *Sainte Catherine*, peint en 1500 à Salamanque.
Ventes Publiques : Londres, 25 mars 1977 : *Descente de croix*, h/pan. (84x56) : **GBP 9 000**.

GALLEGOS MARQUINA Jesus
Né le 5 février 1900 à Zamora. xxe siècle. Espagnol.
Peintre de portraits, scènes de genre, dessinateur.
Il étudie à l'École des Beaux-Arts de San Fernando, à Madrid. Il voyage dans plusieurs pays européens et obtient une pension de la Résidence Paular en 1926. Professeur de dessin. Il participe à des expositions collectives et réalise des expositions personnelles à Madrid et Zamora. Il obtient un premier prix à l'Académie San Fernando et la médaille Madrigal.
Bibliogr. : In : *Cien anos de pintura en Espana y Portugal, 1830-1930*, t. III, Antiqvaria, Madrid, 1989.
Musées : Madrid (Mus. d'Art Contemp.).

GALLEGOS Y ARNOSA José
Né le 3 mai 1859 à Jerez de la Fronteras. Mort en 1917 à Anzio. xixe-xxe siècles. Espagnol.
Peintre de genre, compositions décoratives, intérieurs d'églises. Orientaliste.
Il fit ses études, à Madrid, sous la direction de Federico de Madrazo. En 1881 il partit pour Rome où il fréquenta l'Académie Chigi et le Cercle International des Beaux-Arts. Il voyagea ensuite au Maroc.
À partir de 1881, il participa à l'Exposition nationale espagnole, aux expositions organisées par le Circulo de Bellas Artes 1880-81 et 1882, à l'Esposizione Artistica Internazionale de Rome en 1883, à Berlin où il obtint une médaille d'or en 1891, à Munich. On cite de lui : *Une esclave – Type Napolitain*. Il exécuta la décoration de l'autel de l'église de Santiago à Jerez, entre 1900 et 1906.
Ses peintures mettant en scène des cardinaux remportèrent un vif succès. Il fut aussi le peintre de sujets orientalistes, dans des décors très chargés, tel le *Garde fumant un narghilé*, 1884. Son œuvre se caractérise par une profusion et une richesse des détails rendus par une virtuosité irréprochable.

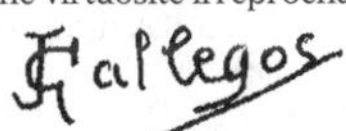

Bibliogr. : Carlos Gonzalez et Montse Marti : *Peintres espagnols à Rome de 1850 à 1900*, Barcelone, 1988 – Caroline Juler, in : *Les orientalistes de l'école italienne*, ACR Édition, Paris, 1994.
Musées : Bautzen (Mus. d'État) – Boston (Mus. of Fine Arts) – Madrid (Mus. de Arte Mod.) : *Mariage marocain*.
Ventes Publiques : Paris, 23 avr. 1897 : *L'enfant de chœur* : **FRF 800** – New York, 3 fév. 1905 : *Mariage* : **USD 1 300** – Londres, 12 fév. 1910 : *Fête de la Madone, cathédrale de Séville* : **GBP 304** – Londres, 18 juin 1928 : *Lecture du testament* : **GBP 65** – New York, 14-16 jan. 1943 : *Picador dans l'arène* : **USD 95** – Londres, 22 nov. 1961 : *Le baptême, Rome* 1888 : **GBP 1 850** – Munich, 29-30 sep. 1965 : *Communion espagnole* : **DEM 14 000** – Londres, 17 fév. 1971 : *La première communion* : **GBP 3 200** – Munich, 27 juin 1973 : *Chez le pharmacien* 1898 : **DEM 62 000** – Londres, 12 juin 1974 : *Arlequin au bal* : **GBP 3 600** – Londres, 11 fév. 1976 : *Matadors entrant à l'église* 1910, h/t (33x61) : **GBP 4 800** – Londres, 22 juil. 1977 : *Matador et sa belle* 1909, h/pan. (24x40,5) : **GBP 2 000** – Londres, 20 juin 1980 : *Un canal à Venise*, h/pan. (60,3x36,8) : **GBP 3 200** – Londres, 27 nov. 1985 : *La première communion* 1897, h/pan. (45,5x71) : **GBP 32 000** – Londres, 23 nov. 1988 : *Fête sur une terrasse à Séville* 1891, h/pan. (40x58) : **GBP 37 400** – Londres, 17 fév. 1989 : *La Sérénade*, h/pan. (24,7x14,6) : **GBP 14 300** – New York, 24 mai 1989 : *Les Géographes* 1902, h/pan. (22,9x30,5) : **USD 66 000** – Londres, 15 fév. 1990 : *La Chorale de l'église* 1886, h/pan. (36,7x53,4) : **GBP 132 000** – New York, 23 mai 1991 : *Carnaval à Venise*, h/pan. (31,4x51,1) : **USD 66 000** – New York, 20 fév. 1992 : *La Pharmacie*, h/pan. (34,3x53,3) : **USD 198 000** – New York, 26 mai 1993 : *Le Marché aux fleurs* 1893, h/pan. (38,1x61) : **USD 107 000** – Londres, 19 nov. 1993 : *Intérieur de la cathédrale de Séville*, h/pan. (29,5x22) : **GBP 18 400** – Londres, 16 mars 1994 : *Place Saint-Marc à Venise* 1882, h/pan. (40,5x25,5) : **GBP 21 850** – Londres, 15 nov. 1995 : *Cardinaux dans une bibliothèque*, h/pan. (34x51) : **GBP 16 100** – New York, 23-24 mai 1996 : *Chœur de garçons*, h/t (91,4x62,2) : **USD 57 500** – Londres, 21 nov. 1996 : *La Visite du cardinal* 1903, h/pan. (43,8x61) : **GBP 41 100** – Londres, 13 juin 1997 : *La Fête*, h/pan. (39,5x59,7) : **GBP 63 100** – Londres, 19 nov. 1997 : *L'Église de San Giovanni et Paolo et le Colleoni Equestrian Monument, Venise*, h/pan. (39x25) : **GBP 33 350**.

GALLEI Franz Nestor
Mort le 19 janvier 1694 à Munich. xviie siècle. Allemand.
Peintre.

GALLEL Y BELTRAN José
Né le 4 novembre 1825 à Valence. xixe siècle. Espagnol.
Peintre d'histoire, paysages.
Il débuta à Valence vers 1855. Il a également exposé à Saragosse en 1867.

GALLEL Y PRIZENETA Fernando
Né au xixe siècle à Valence. xixe siècle. Espagnol.
Peintre de genre.
Il débuta à Valence en 1875.

GALLELLI Massimiliano
Né le 17 décembre 1863 à Crémone (Piémont). xixe siècle. Italien.
Peintre de compositions religieuses, sujets de genre.
Il se fixa à Rome. Il prit part en 1900 au concours Alinari avec son tableau : *Mater Christi*.
Ventes Publiques : New York, 13 nov. 1909 : *Scène à Pompéi* : **USD 228** – New York, 17 et 18 mai 1934 : *Chanson d'amour* : **USD 100** – New York, 28 mai 1981 : *La terrasse*, h/t (80x46,5) : **USD 4 500** – New York, 19 jan. 1994 : *La terrasse*, h/t (80x45,7) : **USD 4 600** – New York, 17 jan. 1996 : *Le concert*, h/t (63,5x102,9) : **USD 8 050**.

GALLEN Harald. Voir **HARALD-GALLEN**

GALLEN-KALLELA Akseli Valdemar
Né le 26 ou 29 mai 1865 à Björneborg, une autre source indique le 26 avril à Pori. Mort le 7 mars 1931 à Stockholm. xixe-xxe siècles. Finlandais.
Peintre de scènes de genre, portraits, paysages, pastelliste, fresquiste, graveur, illustrateur. Tendance expressionniste, tendance symboliste.
Il commença ses études artistiques à la Finnish Fine Arts School d'Helsinki, à partir de 1881, puis à l'Académie privée de Adolf von Becker. À partir de 1884, il fut élève de William Bouguereau et de Tony Robert-Fleury à l'École des Beaux-Arts de Paris, et de Bastien-Lepage et Fernand Cormon à l'Académie Julian, qui eurent sur lui une forte influence. Il fut l'ami des scandinaves Edelfelt et Zorn et fréquenta à Paris August Strindberg. Influencé par certaines des idées de John Ruskin, il prend parti en faveur d'une idéologie nationaliste finlandaise et retourne en Finlande en 1890. Il fit encore des séjours à Paris, Londres, Berlin (1895), en Italie (1897-1898). Il changea officiellement son nom, en 1907, de Gallen en Gallen-Kallela. En 1909-1910, il effectua un voyage en Afrique orientale (Kenya). En 1920-1924, il voyagea aux États-Unis, à Taos (Nouveau Mexique). En France, il fut fait chevalier de la Légion d'honneur.
Il exposa des œuvres inspirées de celles de ses professeurs, au Salon de Paris, en 1888 et 1889. Il resta associé de la Société Nationale des Beaux-Arts, à partir de 1891, et obtint une médaille d'argent en 1889 lors de l'Exposition universelle, une autre lors de la même manifestation en 1900 pour une peinture célébrant *La Conquête du pôle*, il décora en outre le Pavillon finlandais à cette occasion. Ses peintures sont présentes à l'exposition *Lumières du Nord*, au Petit Palais, à Paris, en 1987.
Il a montré ses œuvres dans des expositions personnelles, dont la première, en 1889, au Musée de l'Ateneum à Helsinki. En 1908, fut présentée une rétrospective de son œuvre toujours à Helsinki. Il est, depuis quelques années, régulièrement célébré : 1992, Centre culturel finlandais, Paris ; 1998, important ensemble dans le cadre de l'exposition *Visions du Nord*, au Musée d'Art Moderne de la Ville de Paris.
À partir de 1890, il évolua vers un pré-expressionnisme, et peignit de grandes fresques inspirées du *Kalevala*, le cycle des légendes finnoises, d'un dessin très libéré et d'une gamme colorée très vive. Quand les artistes de Munich, autour, entre autres, de Kirchner et Schmidt-Rottluff, fondèrent le groupe de la *Brücke*, ils lui manifestèrent l'estime qu'ils lui vouaient en l'invitant à participer à leurs expositions. Il fut un interprète grandiose des poèmes populaires. On connaît également de lui des portraits d'un réalisme hardi, des scènes de la vie du peuple, des paysages typiques norvégiens enneigés, des forêts en feu inspi-

rées de son voyage en Afrique. Il a réalisé des fresques, entre 1901 et 1904, pour le mausolée Jusélius à Pori, elles furent détruites dans un incendie en 1931. Il eut également une grande influence sur la nouvelle architecture finlandaise. ■ J. B.

Bibliogr. : In : *Dictionnaire universel de la peinture*, Le Robert, Paris, 1975 – in : Catalogue de l'exposition *Visions du Nord*, Musée d'Art Moderne de la Ville, Paris, 1998.

Musées : Espoo (Gallen-Kallela Mus.) : *Collines de Hwandoni* 1909-1910 – Helsinki : *Mi-été* – *L'Espiègle* – *Aino* – *Portrait du docteur Autell* – *Smatra en robe d'hiver* – *Tête de jeune fille* – *Conquête du pôle*, esquisses de la fresque pour l'Expo. univ. de 1900 – *Sujet de la mythologie scandinave* – Helsinki (Ateneum) : *Sur la rivière* 1903 – *Printemps* 1903, étude pour les fresques du mausolée Jusélius – *La rivière dans la vallée* 1909 – *Mont Kenya* 1909 – *Mont Donia Sabuk* 1909 – *Arbre nain dans la steppe* 1909-1910 – Helsinki (Kansallimuseo) : *Le Mythe de Aino* – Helsinki (Fond. Sigrid Jusélius) : *Automne cinq croix* 1902, étude pour les fresques du mausolée Jusélius Syksy – *Paysage d'hiver de Kalela* 1903 – Helsinki (Didrichsenin Taidemuseo) : *Colonnes de nuages* 1904 – Mänttä (Fond. Gösta Serlachius) : *Automne* 1903, détrempe et h. sur t., étude – *Pin abattu* 1904 – *Tanière de lynx* 1906.

Ventes Publiques : Copenhague, 28 sep. 1976 : *Paysage au lac*, h/t (37x35) : **DKK 20 000** – Copenhague, 8 juin 1977 : *Aino Tavla*, triptyque (panneau central : 96x95 ; panneaux latéraux : 96x49) : **DKK 14 000** – Los Angeles, 16 mars 1981 : *The last spot of fig wine* 1924, cr. de coul./pap. (26x32) : **USD 900** – Londres, 29 nov. 1984 : *L'atelier du Comte Deheaulme de Vallombreuse, 36 rue Jouffroy, Paris* 1888, past. (58,4x42,5) : **GBP 6 500** – Stockholm, 28 oct. 1985 : *Intérieur*, past. (59x43) : **SEK 95 000** – Londres, 29 nov. 1985 : *Paysage d'automne, les cinq croix* 1902, h/t (76x145) : **GBP 70 000** – Londres, 24 mars 1988 : *Beauté italienne*, h/t (43x35) : **GBP 24 200** – Londres, 19 juin 1990 : *Reflets de lumières sur un lac* 1908, h/t (48x42,5) : **GBP 16 500**.

GALLENCAMP B.
XVIIe siècle. Actif vers 1660. Danois.
Peintre de portraits.
Il existe deux portraits de cet artiste à l'église de Saeby.

GALLENIUS Lars
Né vers 1665. Mort vers 1750. XVIIe-XVIIIe siècles. Finlandais.
Peintre.
Il travailla entre autres pour l'église de Hailuoto.

GALLENSTEIN. Voir **KURZ August**

GALLER Bernard de
XVIIe siècle. Allemand.
Peintre de paysages.
Un catalogue des œuvres de la galerie de Varsovie le mentionne comme étant évêque de Munster. On connaît de lui un tableau représentant une inondation en Hollande.

GALLES Bastien
XVIe siècle. Français.
Sculpteur.
Sous la direction de Pierre Bontemps et avec Pierre Bigoigne et Jean de Bourges, il travailla à l'ornementation du tombeau de François Ier, en 1555.

GALLET
XVIIe siècle. Actif à Paris en 1699. Français.
Sculpteur.

GALLET Alphonse
Mort en 1831. XIXe siècle. Français.
Peintre de paysages et de genre.
Le Musée de Rouen conserve de cet artiste : *Le Départ des Grecs de Porga pour Corfou.*

GALLET Antoine
XVIIe siècle. Vivant à Voroy (Haute-Loire). Français.
Sculpteur.

GALLET Hélène
Née le 16 février 1905 au Havre (Seine-Maritime). XXe siècle. Française.
Peintre de paysages.
On a vu de ses œuvres dans différents groupements, principalement les Salons parisiens.

GALLET Jean Baptiste
Né le 22 mai 1820 à Lyon (Guillotière). Mort le 15 décembre 1848 à Saint-Genis-Laval (Rhône). XIXe siècle. Français.
Peintre.
Élève de Thierriat à l'École des Beaux-Arts de Lyon, dont il suivit les cours de 1834 à 1840 et où il est inscrit sous le nom de « Gallay ». Il exposa, à Lyon depuis 1842-1843, à Paris en 1847 et 1848, des tableaux de fleurs et de fruits. Il est représenté au Musée de Lyon par *Bouquet de fleurs variées* (1848).

Ventes Publiques : Monte-Carlo, 7 déc. 1987 : *Nature morte aux fleurs dans une urne sculptée avec pêches, raisins et cassis sur une corniche*, h/t (100,5x81,5) : **FRF 150 000**.

GALLET Jean Charles
Né en 1872 à Bruxelles. XIXe-XXe siècles. Belge.
Peintre de marines.
Il fut élève de Portaels à l'Académie des Beaux-Arts de Bruxelles.

Bibliogr. : In : *Diction. biographique illustré des artistes en Belgique depuis 1830*, Arto, Bruxelles, 1987.

GALLET Laurent
XVIIe siècle. Actif à Cambrai. Français.
Sculpteur et architecte.
Il se chargea, en 1617, de continuer le jubé de l'église de l'abbaye de Saint-Waast d'Arras ; il fit aussi pour cette église un calvaire portant quatre personnages. Il exécuta, en 1631, une statue de Notre-Dame, pour la porte du Malle, à Cambrai, et fut nommé, en 1633, grand maïeur de sa corporation.

GALLET Louis
Né le 16 novembre 1873 à La Chaux-de-Fonds (Suisse). XXe siècle. Français.
Peintre, sculpteur.
Il est associé, à Paris, au Salon de la Société Nationale des Beaux-Arts depuis 1904, figurant naturellement au Salon de cette Société.

Musées : Lausanne (Mus. canton. des Beaux-Arts) : *Coq chantant* vers 1904.

GALLET Louis
XVIIIe siècle. Actif à Paris en 1786. Français.
Peintre, sculpteur.

GALLET-LEVADE, Mme **Louisa**
Née à Versailles (Yvelines). XXe siècle. Française.
Peintre de portraits, miniatures.
Elle fut élève de Jules Lefebvre, Tony Robert-Fleury et Henry Royer. Elle figura, à Paris, au Salon des Artistes Français, en devint par la suite sociétaire. Elle obtint une médaille de bronze en 1900, à l'Exposition universelle. Une mention honorable en 1903, et une médaille d'argent en 1922.
Elle exécute ses portraits volontiers sous forme de miniatures.

GALLETTA Peter Paul
Mort le 8 juillet 1708 à Neisse. XVIIe siècle. Allemand.
Peintre.

GALLETTE C.
Peintre de paysages.
Cité par Miss Florence Levy.

Ventes Publiques : New York, 9 et 10 fév. 1905 : *Sentier dans un bois* : **USD 110**.

GALLETTI Carlo Andrea
XVe-XVIe siècles. Actif à Sienne. Italien.
Sculpteur.
Il fut le père de Giovanni Andrea et de Giulio.

GALLETTI Filippo Maria, fra
Né en 1636 à Florence. Mort le 23 février 1714. XVIIe-XVIIIe siècles. Italien.
Peintre.
Son portrait est aux Uffizi. Il fut élève de Vincenzo Dandini.

GALLETTI Francesco
Né le 14 juillet 1833 à Cento. XIXe siècle. Italien.
Sculpteur.
Élève de Baruzzi à Bologne. Il débuta vers 1870. On cite de lui la *Statue de Saint Laurent* au Campo Varano à Rome.

GALLETTI Giacomo
XVIIe siècle. Actif à Trévise en 1696. Italien.
Peintre.

GALLETTI Giovanni Andrea
Né le 2 juin 1500 à Sienne. Mort vers 1539 à Sienne. XVIe siècle. Italien.
Sculpteur.
Élève de G. Cozzarelli et fils de Carlo Andrea, il exécuta avec son père d'importants travaux pour la cathédrale de Sienne.

GALLETTI Giulio
XVIe siècle. Actif à Sienne. Italien.
Sculpteur.
Il était frère de Giovanni Andrea.

GALLETTI Lia
Née en 1943 à La Havane. XXe siècle. Active aux États-Unis. Cubaine.
Peintre de figures, graveur, dessinateur. Expressionniste.
Née à La Havane, elle étudia au Queens College de New York et au Metropolitan Museum and Art Center de Coral Gables en Floride. Elle participe à de nombreuses exposition individuelles ou collectives aux États-Unis et aussi au Canada, en Espagne et en Israël.
Elle peint des personnages dans une technique expressionniste aux accents goyesques. Elle est plus connue pour ses dessins et gravures.
Ventes Publiques : New York, 16 nov. 1994 : *« Babalawo wow »* 1992, acryl./t. (180,3x127) : **USD 6 900.**

GALLETTI Niccolo
XVIIe siècle. Actif à Trévise en 1696. Italien.
Peintre.

GALLETTI Stefano
Né le 14 juin 1833 à Cento. Mort en 1905 à Rome. XIXe siècle. Italien.
Sculpteur.
Il travailla tout d'abord à Cento et à Ferrare. On cite à Rome son *Monument à Cavour*, édifié en 1895.

GALLEY Jean Baptiste
Né à Saint-Étienne (Loire). XIXe siècle. Français.
Peintre.
Il exposa, à Paris, des paysages, en 1879, 1880 et 1881.

GALLEZOT Jean Joseph
Mort en 1753. XVIIIe siècle. Actif à Besançon. Français.
Sculpteur.

GALLHOF Wilhelm
Né le 24 juillet 1878 à Iserlohn. Mort en juin 1918. XXe siècle. Allemand.
Peintre, sculpteur, graveur.
Il fut élève d'Herterich, dit le Vieux, à Munich. Il exposa à Berlin, Munich, Brême, Mannheim, etc.
Musées : Elberfeld – Weimar.
Ventes Publiques : Munich, 10 mai 1989 : *Cavalière en amazone* 1910, h/t (98,5x68) : **DEM 6 600.**

GALLI Alberto
Né en 1843 à Rome. XIXe siècle. Italien.
Sculpteur.
Il dirigea le Musée de sculpture du Vatican.

GALLI Aldo
Né en 1906 à Côme (Lombardie). Mort en 1981 à Lugano (Tessin). XXe siècle. Italien.
Peintre, dessinateur, sculpteur, graveur. Abstrait, tendance géométrique.
En 1919 et 1920, il étudie seul la peinture, le dessin et la gravure, avant de suivre des cours à Côme et Milan. En 1932, il est de retour à Côme, se lie à nouveau avec les peintres Rho, Radice et Badiali. Il a exposé, à Paris, au Salon des Réalités Nouvelles de 1947 à 1950.
Il exécuta des compositions d'une stricte abstraction classique à tendance géométrique. Il met en œuvre de subtils dégradés de lumière. À partir de 1934, il exécute des dessins et des sculptures abstraites. En 1940, il renoue avec la peinture. Il travaille également la gravure.
Bibliogr. : A. Bortone : *Aldo Galli*, Côme, 1964 – L. Caramel : *Avant-Garde Art, Como 1910-1940*, New York, 1978 – in : *Dictionnaire de l'art moderne et contemporain*, Hazan, Paris, 1992.
Ventes Publiques : Milan, 16 oct. 1986 : *Composition* 1956, temp./cart. (45,5x34) : **ITL 9 000 000** – Milan, 10 mars 1986 : *Composition* 1941, cart. entoilé (37x48,5) : **ITL 15 000 000** – Milan, 6 juin 1989 : *Composition* 1972, h/pan. (35x56,5) : **ITL 25 000 000.**

GALLI Alessandro, Antonio, Carlo, Ferdinando, Francesco, Giovanni Carlo, Giovanni Maria l'Ancien et le Jeune**, Giuseppe, Maria Oriana**. Voir **BIBIENA**

GALLI Angelo
XVIIe siècle. Actif à Milan. Italien.
Peintre.
Il fut élève de Ladriani dit Duchino.

GALLI Antonio
Mort en 1862 à Milan. XIXe siècle. Italien.
Sculpteur.
Il fut élève de Somaini et de Thorwaldsen. On lui doit un grand nombre de sculptures mythologiques ou allégoriques et des bustes.

GALLI Cristofano Paolo
XVIIe siècle. Actif vers 1600. Italien.
Graveur.
On connaît de lui deux paysages signés.

GALLI Eduardo
Né le 20 novembre 1854 à Naples (Campanie). XIXe siècle. Italien.
Peintre de sujets de genre, portraits.
Il a exposé à Rome (1883) et à Venise (1887).
Ventes Publiques : Milan, 18 oct. 1990 : *Jeune paysanne et sa chèvre sur un sentier forestier*, h/t (107x170) : **ITL 16 000 000.**

GALLI Elias, l'Ancien
XVIIe siècle. Allemand.
Peintre d'histoire, portraits, natures mortes.
Il travailla pour différentes églises, comme l'église Saint-Georges à Hambourg ou l'église d'Horsen dans le Jutland. La *Nature Morte* du Musée de Leipzig est signée et datée.
Musées : Leipzig : *Nature morte*.

GALLI Elias, le Jeune
XVIIIe siècle. Actif au début du XVIIIe siècle. Allemand.
Peintre.
Sans doute fils d'Elias l'Ancien. Il fut toute sa vie au service des ducs d'Holstein-Gottorff. On cite ses travaux pour les châteaux de Gottorff et d'Husum.

GALLI Emira
Née au XIXe siècle. XIXe siècle. Italienne.
Peintre de genre et de portraits.
Elle a exposé vers 1880 à Turin et à Milan.

GALLI Ferdinando
Né le 18 juin 1814 à Milan. XIXe siècle. Italien.
Peintre de genre.
Il était le frère de Luigi.

GALLI Fortunato
Né à Livourne. Mort le 19 avril 1918 à Florence. XXe siècle. Italien.
Sculpteur.
Il exécuta une statue de *Grégoire VII* pour la cathédrale de Florence.
Ventes Publiques : Londres, 20 mars 1986 : *La Jeune Musicienne* vers 1880, marbre (H. 112) : **GBP 10 500.**

GALLI Giacomo
XVIIIe siècle. Actif à Ferrare (Emilie-Romagne). Italien.
Peintre de compositions religieuses, sujets de genre.
Il aurait exécuté un retable pour l'église Santa Maria della Roga.
Ventes Publiques : Londres, 13 juil. 1977 : *Santa Francesca Romana avec un Ange*, h/t (47x69) : **GBP 3 600** – New York, 9 oct. 1980 : *La discussion*, h/t (96x135,5) : **USD 52 500.**

GALLI Gino
Né en 1893 à Rome. Mort en 1954 à Florence (Toscane). XXe siècle. Italien.
Peintre.
Il fut l'ami intime et l'élève de Balla, et participa aux activités du groupe futuriste, en 1919 et 1920, sans qu'il en reste beaucoup de traces.
Ventes Publiques : Milan, 18 déc. 1984 : *Nocturne*, gche (32,5x22,5) : **ITL 2 800 000.**

GALLI Giovanni
Né à Bergame. XVIe siècle. Italien.
Peintre.
Il fut à Venise élève du Tintoret. Une *Tête de vieillard*, du Musée de Budapest, traditionnellement donnée au Tintoret, lui est attribuée par Berenson.

GALLI Giovanni Antonio, dit **Lo Spadarino**
Né en 1585 à Rome. Mort en 1653. XVIIe siècle. Actif à Rome. Italien.
Peintre d'histoire, compositions religieuses, scènes de genre, portraits, animaux, natures mortes, ornements.

Galli fut un artiste qui plagia la manière du Caravage.

Musées : Rome (Gal. Doria Pamphili) : *Jeune homme jouant du luth.*
Ventes Publiques : Paris, 10 juin 1988 : *Nature morte à la pastèque*, h/t (47x62) : **FRF 70 000** – Rome, 14 nov. 1995 : *Saint Jean-Baptiste*, h/t (66,5x51,5) : **ITL 3 450 000**.

GALLI Giovanni Battista
xviie siècle. Actif à Naples et à Venise. Italien.
Sculpteur.
On cite de cet artiste, à Venise, dans l'église San Niccolo, les sculptures du maître-autel, qu'il exécuta en collaboration de Giannandrea Lazzari.

GALLI Giovanni Battista
xviiie siècle. Actif à Ferrare à la fin du xviiie siècle. Italien.
Graveur au burin.
Il a gravé des planches pour *Raccolta delle piu belle Vedute*. Il travailla également à Florence.

GALLI Louis Octave
xixe siècle. Français.
Peintre.
De 1841 à 1850, il exposa au Salon de Paris des sujets de genre. On cite de lui : *Chasse au héron, Bénédiction de la grand-mère, L'Amour sous les marronniers, Les lierres, Le frère du Cellier.*

GALLI Luigi Mauro
Né en 1820 à Milan (Lombardie). Mort en 1900 ou 1906. xixe siècle. Italien.
Peintre de compositions religieuses, figures, nus.
Il eut pour maîtres Sabatelli, Hayez et Brulot. Il prit part en 1900 au concours Alinari avec son tableau : *Madone avec l'Enfant.*
Ventes Publiques : Monte-Carlo, 9 fév. 1981 : *Nu couché*, h/cart. (32x19) : **FRF 2 000** – Milan, 21 avr. 1983 : *Scène bachique*, h/t (132x185) : **ITL 13 000 000**.

GALLI Pietro
xviie siècle. Actif à Plaisance. Italien.
Peintre.
Il travaillait en 1656 pour l'église San Fiorenzo à Firenzuola d'Arda.

GALLI Pietro
Né en 1804 à Rome. Mort en 1877 à Rome. xixe siècle. Italien.
Sculpteur.
Élève et collaborateur de Thorwaldsen, il termina après la mort de son maître plusieurs monuments que celui-ci n'avait pas pu achever.

GALLI Riccardo
Né en 1839 à Nice. xixe siècle. Italien.
Sculpteur et peintre.
Il débuta à Naples vers 1877. Il a été actif à Milan. Il a également exposé à Rome et à Turin.
Musées : Amsterdam (Stedelijk Mus.) : *Tête de femme.*

GALLI Riccardo
Né en 1869 à Milan. Mort en 1944 à Barzio. xixe-xxe siècles. Italien.
Peintre de genre, figures, portraits, paysages animés, vues urbaines, pastelliste.
Ventes Publiques : Milan, 14 déc. 1976 : *Le kimono rouge*, h/cart. (66x60) : **ITL 600 000** – Milan, 15 mars 1977 : *Fillette s'habillant*, past./cart. (85x70) : **ITL 750 000** – Milan, 10 déc. 1980 : *La cathédrale de Francfort* (50x60) : **ITL 750 000** – Rome, 1er juin 1983 : *Portrait de femme* 1909, past./t. (77x57) : **ITL 850 000** – Londres, 27 mars 1987 : *Lac de Lecco, les lavandières*, h/pan. (16,5x29,5) : **GBP 1 700** – Rome, 14 déc. 1988 : *Buste de femme*, past./pap. (34,5x25,8) : **ITL 1 500 000** ; *La lecture*, h/t (23x17,5) : **ITL 1 700 000** – Milan, 14 juin 1989 : *Buste de femme*, past./pap. (35x25) : **ITL 1 900 000** – Milan, 6 juin 1991 : *Porteuses sur le chemin de la mine*, h/pan. (34,5x49,5) : **ITL 3 000 000** – Rome, 10 déc. 1991 : *Portrait de femme*, past./pap./t. (77x57) : **ITL 1 000 000** – Milan, 12 déc. 1991 : *Paysage de montagne*, h/t/cart. (40x50) : **ITL 1 500 000** – Lugano, 1er déc. 1992 : *Lavandière*, h/t (55x76) : **CHF 9 500** – Milan, 17 déc. 1992 : *Le retour des champs*, h/t (50x70) : **ITL 2 400 000** – Milan, 9 nov. 1993 : *La Seine à Paris*, h/pan. (40x50) : **ITL 5 405 000**.

GALLI DELLA LOGGIA Ettore, comte
Né au xixe siècle à Turin. xixe siècle. Italien.
Peintre de paysages.
Il a exposé à Turin vers 1880. On cite de lui des paysages de France et d'Italie.

GALLI-BIBIENA. Voir **BIBIENA**

GALLIAC Louis
Né le 25 août 1849 à Dijon (Côte-d'or). Mort en 1934 à Paris. xixe-xxe siècles. Français.
Peintre de scènes de genre.
Il fut élève d'Adolphe Yvon, d'Alexandre Cabanel et de Léon Bonnat. Il exposa, de 1879 à 1923, au Salon de Paris, puis au Salon des Artistes Français, dont il fut sociétaire, dès 1889. Il obtint une mention honorable en 1889, une médaille de troisième classe, en 1892 ; une de deuxième classe, en 1894 ; une de bronze, en 1900. Il fut fait chevalier de la Légion d'honneur, en 1902.
Bibliogr. : Gérald Schurr, in : *Les Petits Maîtres de la peinture 1820-1920, valeur de demain*, Les Éditions de l'Amateur, t. V, Paris, 1981.
Ventes Publiques : Londres, 2 avr. 1910 : *Contemplation* : **GBP 2** – Zurich, 29 nov. 1978 : *La repasseuse*, h/pan. (35x26,5) : **CHF 3 500** – Berne, 23 oct. 1980 : *Jeune paysanne au repos*, h/t (65x54) : **CHF 3 200** – New York, 15 fév. 1985 : *Le goûter du modèle*, h/t (73x64) : **USD 4 500** – Gien, 26 juin 1988 : *Femme à la lecture*, h/t (65x53) : **FRF 25 000**.

GALLIADI Giambattista
Né en 1749 à San-Archangelo. Mort en 1811. xviiie-xixe siècles. Italien.
Peintre de genre et de portraits.
Élève de Lazzarini.

GALLIAN Octave Lazare George Victor
Né le 21 juillet 1855 à Toulon (Var). xixe-xxe siècles. Français.
Peintre de compositions murales, scènes de genre, portraits, paysages, marines.
Il étudia à l'École des Beaux-Arts de Paris, ayant pour maîtres Jules Lefebvre, Gustave Boulanger et Charles Ginoux. Il figura, à Paris, au Salon, puis au Salon des Artistes Français, de 1878 à 1904, obtenant une mention honorable, en 1884.
Il peignit des marines, des scènes de pêche, des paysages de Provence et des vues de Toulon, et surtout des portraits ; ses personnages étant traités avec souplesse. Il fut également l'auteur de peintures murales qui décorent le Musée de Toulon.
Bibliogr. : Gérald Schurr, in : *Les Petits Maîtres de la peinture 1820-1920, valeur de demain*, Les Éditions de l'Amateur, t. V, Paris, 1981.
Musées : Toulon : *La Pêche – La Moisson – Portrait de femme appuyée à un banc, sur une terrasse au-dessus de la mer.*
Ventes Publiques : Paris, 7 mai 1945 : *Environs de Toulon* : **FRF 2 900** – Versailles, 14 oct. 1979 : *La côte rocheuse*, h/t (26x35) : **FRF 2 300** ; *Jeune femme près d'un ruisseau*, h/t (26x35) : **FRF 2 600** – Versailles, 17 mai 1981 : *La Calanque*, h/t (46x61) : **FRF 3 500** – Paris, 2 juil. 1987 : *Portrait d'un garçon en costume sombre et d'une fillette en robe bleue* 1881, h/t (142x108) : **FRF 36 000**.

GALLIANI Omar
Né en 1954 à Montecchio (Emilie). xxe siècle. Italien.
Peintre de compositions mythologiques, technique mixte, illustrateur. Tendance figuration onirique.
Il commence à exposer vers la fin des années soixante-dix. Il a participé, en 1987, à l'Exposition internationale d'art contre la faim dans le monde au Musée de Minnesota.
Une peinture très dessinée qui puise dans le répertoire de la tradition du classicisme mythologique.
Bibliogr. : In : *Dictionnaire de l'art moderne et contemporain*, Hazan, Paris, 1992.
Ventes Publiques : Rome, 3 déc. 1985 : *Persée et la Chimère*, techn. mixte et collage/t. (200x240) : **ITL 3 200 000** ; *Il suono dell'unicorno* 1983, h/t (20x150) : **ITL 9 000 000** – Milan, 25 mai 1987 : *Fendente*, h/t (80x100) : **ITL 4 200 000** – Milan, 13 déc. 1990 : *Sans titre* 1980, collage et techn. mixte/pap. (98x128,5) : **ITL 4 200 000** – New York, 12 juin 1991 : *Par transparence* 1985, h/t (40,6x40,6) : **USD 2 750** – Milan, 23 juin 1992 : *Tigre* 1982, h/t (59x80) : **ITL 1 300 000**.

GALLIARD Sansonetti
Né en 1865 à Nancy (Meurthe-et-Moselle). xixe siècle. Français.
Sculpteur.
Il fut élève de Raphaël Collin et de Geoffroy. On cite de lui :

Chienne bouledogue, plâtre (1894), *Mort de Brunehaut*, groupe plâtre (1895), *Chienne bouledogue*, bronze (1896), *Lévriers* (1897), groupe plâtre (Musée de Pau), *Orphée* (1894), plâtre, *Héro et Léandre* (1894), bas-reliefs marbre, première médaille, acquis par l'État, *Médée*, groupe marbre (1896), par l'État ainsi que deux bustes en marbre (1897).

GALLIARDI Antonio
XVIIe siècle. Autrichien.
Peintre à la fresque.
Il décora plusieurs églises, entre autres à Garsten et à Kremsmünster.

GALLIARDI Gottlieb Antonio
XVIIIe siècle. Autrichien.
Peintre à la fresque.
Il décora, entre autres, la cathédrale de Neutra en Hongrie.

GALLIARI Bernardino
Né le 3 novembre 1707 à Andorno. Mort le 31 mars 1794 à Andorno. XVIIIe siècle. Italien.
Peintre de compositions religieuses, architectures, dessinateur, décorateur.
Il est le fils de Giovanni l'Ancien.
Musées : Milan (Gal. Brera) : *Adoration des Bergers*.
Ventes Publiques : Londres, 11 juin 1981 : *Étude de décor*, pl. et lav./pap. (36,3x26,8) : **GBP 1 150** – New York, 12 jan. 1994 : *Dessin architectural*, encre et lav./pap. (36x45,2) : **USD 1 150**.

GALLIARI Fabrizio
Né en 1709 à Andorno. Mort en 1790 à Treviglio. XVIIIe siècle. Italien.
Peintre de théâtre et de monuments.
Fils de Giovanni l'Ancien et frère de Bernardino. Il fut élève de l'architecte Mariani. Son œuvre principale est la peinture de la coupole de la cathédrale de Bergame. Il fit également, en collaboration avec son frère Bernardino, des albums d'inventions théâtrales.

GALLIARI Gasparo
Né vers 1760 à Treviglio. Mort en 1818 ou 1823 à Milan (Lombardie). XVIIIe-XIXe siècles. Italien.
Peintre de paysages, paysages d'eau, dessinateur.
Il est le fils de Giovanni Antonio.
Musées : Milan (Gal. Brera) : *Vue de Venise*.
Ventes Publiques : New York, 15 jan. 1992 : *Vue sur un port depuis les arcades d'une ville italienne*, craie, encre et lav. (21x30,2) : **USD 3 520** – Paris, 15 avr. 1996 : *Études de kiosques dans des jardins*, aquar. et encre brune sur esq. au cr., une paire (chaque 26,5x31) : **FRF 12 500**.

GALLIARI Giovanni, l'Ancien
Né vers 1680. Mort en 1720 à Andorno. XVIIIe siècle. Italien.
Peintre de figures.
Il fut le frère de Fabrizio, Giovanni Antonio et Bernardino.

GALLIARI Giovanni, le Jeune
Né en 1746. Mort en 1818. XVIIIe-XIXe siècles. Italien.
Peintre.
Il était fils de Fabrizio et travailla à Berlin avec son oncle Bernardino.

GALLIARI Giovanni Antonio
Né en 1718 à Andorno. Mort en 1783 à Milan. XVIIIe siècle. Italien.
Peintre de fleurs.
Il travailla à Milan avec ses frères Bernardino et Fabrizio.

GALLIARI Giuseppe
Né en 1760. Mort en 1817 à Milan. XIXe siècle. Italien.
Peintre de figures et architecte.
Il travailla entre autres, à Turin.
Ventes Publiques : Londres, 16-17 avr. 1997 : *Projet de décor*, pl. et encre brune, lav. brun et gris (19,9x29,3) : **GBP 460**.

GALLIBERT Geneviève Marie
Née le 9 février 1888 à Paris. XXe siècle. Française.
Peintre, graveur, illustrateur, aquarelliste.
Elle a régulièrement exposé, à Paris, au Salon d'Automne, dont elle devint sociétaire à partir de 1922 et fut exposant du Salon des Tuileries. Peintre du Ministère de l'air. Elle a participé à de nombreuses expositions officielles, en France et à l'étranger : *Artistes de ce Temps*, au Petit Palais, à Paris, 1938 ; Exposition d'art français contemporain, au Musée de l'Orangerie, 1940 ; New York, 1936, etc. Chevalier de la Légion d'honneur. Elle a illustré : *Les Provinciales* de Giraudoux ; *Demi-Dieu* de J. de Lacretelle ; *Vent de sable* de J. Kessel.
Son œuvre laisse un témoignage de Paris des années vingt et trente tout à fait direct et souvent séduisant.
Musées : Antibes (Mus. Grimaldi) – Grenoble – Jérusalem – Londres – Nice (Mus. Chéret) – Paris (Mus. d'Art Mod. de la Ville) – Paris (Mus. Nat. d'Art Mod.) – Rabat – San Francisco – Tel-Aviv.
Ventes Publiques : Paris, 4 juin 1925 : *Arc de Triomphe du Carrousel*, aquar. : **FRF 1 350** – Paris, 14 nov. 1927 : *La fenêtre* : **FRF 300** – Paris, 3 mai 1928 : *Cannes, la plage*, aquar. : **FRF 125** – Paris, 29 avr. 1933 : *Meknès : Panorama*, aquar. : **FRF 1 000** – Paris, 6 nov. 1942 : *Pont-Neuf*, aquar. : **FRF 50** – Londres, 4 juin 1947 : *Paysage* : **GBP 24** – Calais, 5 avr. 1992 : *Vue du massif de l'Estérel*, h/t (60x72) : **FRF 5 500**.

GALLICE André
XVIIe siècle. Français.
Sculpteur.
Il fit, en 1640, une petite châsse pour l'église collégiale d'Avallon.

GALLICE Odette
Née le 18 décembre 1916 ou 1926 à Paris. XXe siècle. Française.
Peintre de sujets divers. Réaliste.
Elle est une ancienne élève de l'École des Arts Décoratifs de Paris. Elle a aussi suivi les cours de l'Académie de la Grande Chaumière. Elle participe à divers Salons, en province et à Paris, dont ceux d'Automne, des Artistes Français, et des Indépendants.
Ventes Publiques : Calais, 10 mars 1991 : *Bouquet de dahlias blancs*, h/t (55x66) : **FRF 4 000**.

GALLICUS. Voir aux prénoms qui précèdent

GALLIEN Louise
Née le 25 juin 1870 à Paris. XXe siècle. Française.
Peintre de miniatures.
Elle fut élève de Lefebvre. Elle exposa, à Paris, au Salon des Artistes Français à partir de 1892. Médaille d'argent en 1931.

GALLIEN Pierre Antoine
Né le 14 décembre 1896. Mort le 3 mai 1963. XXe siècle. Français.
Peintre de paysages urbains, portraits, peintre à la gouache, graveur.
Il fut élève des Écoles des Beaux-Arts, des Arts Décoratifs, et du Louvre, à Paris. Il fut professeur et inspecteur de l'enseignement du dessin. Des informations font état de ce qu'il connut Kandinsky, Villon et Kupka. Il a figuré dans différents groupements, notamment au Salon des Indépendants à Paris.
Il grava de nombreuses planches consacrées au quartier Montparnasse. Il a fait également le portrait de nombreuses personnalités artistiques et littéraires : S. Valadon, Utrillo, Le Fauconnier, Chabanian, A. Nakache, Raymond Queneau, Pierre Mac Orlan...
Ventes Publiques : Londres, 6 déc. 1973 : *Peinture à la ligne noire* : **GBP 800** – Enghien-les-Bains, 8 juin 1980 : *Verticales*, h/t (75x75) : **FRF 101 000** – Saumur, 29 juin 1986 : *Sans titre* 1923, h/t (73x116) : **FRF 790 000** – Saumur, 26 avr. 1987 : *Liseuse en rouge* 1919, gche/pap. (35,5x38) : **FRF 18 000**.

GALLIEN Raymonde. Voir **BOUQUET-GALLIEN**

GALLIEN-BERTHON Marie Clotilde
Née le 25 septembre 1870 à Constantine (Algérie). XXe siècle. Française.
Peintre de sujets orientaux, aquarelliste.
Elle fut élève de J. Lefebvre et Baschet. Elle fut sociétaire, à Paris, du Salon des Artistes Français, où elle figura régulièrement avec des aquarelles ou des peintures d'inspiration orientaliste.
Ventes Publiques : Paris, 20 nov. 1990 : *L'Algérienne* 1921, aquar. (121x96) : **FRF 15 000** – Paris, 8 avr. 1991 : *Lavandières*, h/t (65x81) : **FRF 13 500**.

GALLIEN-LALOUE. Voir **GALIEN-LALOUE**

GALLIER Achille Gratien
Né le 6 juin 1814 à Bayonne. Mort le 26 septembre 1871 à Paris. XIXe siècle. Français.
Peintre.
Élève de Gros et de d'Aligny, il figura au Salon de Paris de 1834 à 1870, avec des sujets champêtres. On cite de lui : *Une métairie aux environs de Bayonne*, *Habitation d'un laboureur aux environs de Bayonne*.

Musées : Moulins : *Paysage.*
Ventes Publiques : Paris, 2 déc. 1946 : *Le Tibre dans la campagne romaine* 1850, aquar., légers reh. de gche : **FRF 500** – Berne, 8 mai 1987 : *La Cour de ferme*, h/t (44x70) : **CHF 4 300.**

GALLIER Claude
XVIIIe siècle. Actif à Paris au début du XVIIIe siècle. Français.
Sculpteur.

GALLIER Jean Claude
XVIIIe siècle. Actif à Paris en 1751. Français.
Peintre et sculpteur.
Peut-être identique à Claude Gallier.

GALLIMARD Claude Olivier. Voir **GALIMARD**

GALLIMORE Samuel
XIXe siècle. Actif à Hiddersfield. Britannique.
Peintre de genre.
Exposa à Londres, notamment à la Royal Academy, à partir de 1861. Il était frère du céramiste William Wood.

GALLINA Eugène
Né le 15 janvier 1879 à Paris. Mort le 17 février 1955 à Saint-Michel-sur-Orge (Essonne). XXe siècle. Français.
Peintre, lithographe.
Il s'est formé dans les Académies de Montparnasse. Il figura, à Paris, avec ses lithographies au Salon des Indépendants à partir de 1922, de même qu'au Salon des Artistes Français. Plusieurs fois récompensé.
Il a beaucoup peint la Bretagne.
Musées : Saint-Dié.

GALLINA Gallo
Né le 15 octobre 1796 à Crémone. Mort le 14 décembre 1874 à Milan. XIXe siècle. Italien.
Peintre, graveur et lithographe.
Élève de Beltrami, puis de l'Académie de Milan. Il travailla surtout à Milan, Crémone et Brescia. On cite son *Baptême du Christ* à la cathédrale de Brescia.
Ventes Publiques : Milan, 17 déc. 1987 : *Méléagre à la chasse*, craie noire et blanche (57x65) : **ITL 1 600 000.**

GALLINA Giovanni
XVIIe siècle. Italien.
Sculpteur.
On cite ses travaux pour l'église de Castrogiovanni.

GALLINA Lodovico
Né le 25 août 1752 à Brescia. Mort le 4 janvier 1787 à Venise. XVIIIe siècle. Italien.
Peintre.
Il fut élève de Zucchi, de Dusi et de Maggiotto. On cite ses travaux pour les églises d'Artogone et de Bedizzole, ainsi que pour l'église San Lio à Venise.

GALLINA Luigi
Né en 1865 à Castrogiovanni. XIXe siècle. Italien.
Peintre de portraits.
Il fut élève de Morelli et de Prosperi.

GALLINA Pio
XVIIe siècle. Actif à Tortona en 1639. Italien.
Peintre.

GALLINARI Giacomo
Né probablement à Bologne. XVIIe siècle. Italien.
Graveur.
Il travaillait à Bologne en 1676 et à Padoue en 1685. On connaît de lui deux gravures : *Une Dame* et *Vénus et Cupidon.*

GALLINARI Giovanni Battista
Mort en 1608 à Bologne. XVIe-XVIIe siècles. Italien.
Peintre.
En 1593 il vivait à Ferrare.

GALLINARI Pietro, dit **Pietro del signor Guido**
Né à Bologne. Mort en 1664 à Modène. XVIIe siècle. Italien.
Peintre d'histoire.
Élève favori de Guido Reni, il exécuta un petit nombre de tableaux d'histoire, qui furent, dit-on, retouchés par Guido.

GALLINER Edith
Née en 1914 à Londres. XXe siècle. Britannique.
Peintre, peintre de collages. Abstrait.
De 1933 à 1939, elle se forma à Londres et à Paris, à la suite de quoi elle poursuivit ses études, tout en ayant une activité d'enseignement à Londres. De 1961 à 1965, elle fit un séjour prolongé à Berlin, puis se fixa de nouveau à Londres.
Elle a participé à de nombreuses expositions de groupe, en Allemagne et en Angleterre, notamment au Hampstead Artists Council de Londres en 1967. Elle réalise des expositions particulières : 1963 Berlin ; 1964 Munich ; 1965 Cologne ; 1967 Londres.
Ses œuvres, abstraites, sont d'une facture très libre, lyrique, avec une grande richesse de la gamme colorée aux bleus profonds, et peuvent évoquer les mondes et paysages sous-marins.
Musées : Berlin : un collage.

GALLINGER Martin
XVIe siècle. Actif à Munich. Allemand.
Peintre.
Il travaillait à Rome vers 1542.

GALLINI Antonio
Né à Padoue. XVIe siècle. Italien.
Sculpteur.
Il travailla au Palais des Doges de Venise en 1566.

GALLINO Gaetano
XIXe siècle. Actif à Gênes. Italien.
Peintre de portraits.
Élève de Tagliafichi. Il vécut longtemps à Montevideo.

GALLINONE Orazio
Né à Treviglio d'Adda. XVIe siècle. Italien.
Peintre.
On lui doit quelques fresques.

GALLIOT Antoine Louis
XVIIIe siècle. Actif à Paris en 1759. Français.
Peintre.

GALLIOT Jacques
Né vers 1640 à Péronne. XVIIe siècle. Français.
Peintre et sculpteur.
Il travailla à Paris en 1672, mais il vécut et travailla également, semble-t-il, à Amiens.

GALLIOT Jean
Né à Bruxelles. XVe siècle. Belge.
Peintre.
Il fut « peintre du prince d'Orange », mais travailla également, semble-t-il, à la cour des princes de Savoie.

GALLIOT Pierre
XVe siècle. Français.
Peintre de décorations.
Il était le fils de Jean.

GALLIS Pieter
Né en 1633. Mort en 1697 à Hoorn ou au Havre. XVIIe siècle. Hollandais.
Peintre de paysages, natures mortes, fleurs et fruits.
D'après Nagler, il serait mort au Havre. Il a travaillé à Enkhuyzen et à Hoorn de 1661 à 1683.

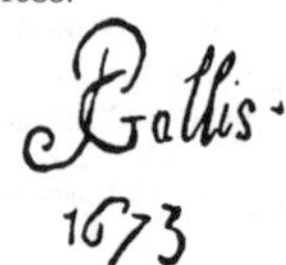

Musées : Amsterdam : *Nature morte – Fruits* – Glasgow : *Nature morte.*
Ventes Publiques : Londres, 11-12 mai 1911 : *Huîtres et nature morte* : **GBP 23** – Londres, 22 mars 1929 : *Nature morte* : **GBP 194** – Londres, 1er nov. 1972 : *Nature morte aux fruits* : **GBP 3 200** – Amsterdam, 18 mai 1976 : *Nature morte aux fleurs*, h/t (36x28) : **NLG 32 000** – Londres, 17 nov. 1982 : *Nature morte aux coquillages*, h/t (35x54) : **GBP 5 800** – Londres, 22 juil. 1983 : *Nature morte aux fleurs dans un vase sur un entablement*, h/t (45,7x38,1) : **GBP 7 000** – New York, 17 jan. 1985 : *Nature morte aux fruits* 1668, h/t (53x47) : **USD 17 000** – New York, 9 oct. 1991 : *Compositions de fruits avec une branche de vigne, des pêches, des prunes, un melon, des nèfles, etc.*, h/t (64,8x54,3) : **USD 18 700** – Londres, 22 avr. 1994 : *Nature morte de fruits avec un œillet, une noix et un papillon sur un entablement*, h/t (37,8x33) : **GBP 21 850** – Londres, 13 déc. 1996 : *Huîtres sur un plat d'argent, orange et citron dans une coupe en porcelaine et verre vénitien sur une table*, h/t (65,2x59,8) : **GBP 8 625.**

GALLISON Henry Hammond
Né le 20 mai 1850 à Boston. Mort le 12 octobre 1910 à Boston. XIXe-XXe siècles. Américain.

Peintre de paysages.
Il fut élève de Bonnefoy à Paris. Il obtint une mention spéciale à Turin en 1897 ; une mention honorable au Salon des Artistes Français de Paris en 1900, pour l'Exposition Universelle de 1900 ; une médaille de bronze à Saint Louis en 1904.
Ventes Publiques : New York, 1er juil. 1982 : *Paysage verdoyant*, h/t (101,5x136,5) : **USD 400** – New York, 31 mars 1994 : *Un jour gris*, h/t (88,9x114,3) : **USD 3 738**.

GALLIZI Fede. Voir **GALIZIA**

GALLMANN Rita
Née le 2 septembre 1924 à Madrid. xxe siècle. Suisse.
Peintre de portraits, paysages, natures mortes, nus, dessinateur, aquarelliste, pastelliste, peintre à la gouache, compositions murales, cartons de mosaïques. Expressionniste.
Ses parents, d'origine suisse, quittent l'Espagne en 1931 pour revenir en Suisse. Elle est élève de l'École des Beaux-Arts de Genève, de 1939 à 1944, avec comme professeurs Alexandre Blanchet et Herbert Theurillat. Elle fait de nombreux séjours d'étude en Europe à partir de 1949. Elle s'établit, en 1954, à Zurich. Elle obtient plusieurs bourses (bourse Holzer) et des prix, entre autres : Premier Prix de l'École des Beaux-Arts de Genève, en 1943.
Elle participe à des expositions collectives : 1946 Exposition Nationale des Beaux-Arts, Musée d'Art et d'Histoire, Genève ; 1947 Société des Femmes Peintres, Musée Rath, Genève ; 1978 *Autoportrait*, Musée Rath, Genève ; 1990 Salon d'Automne, Paris. Elle réalise des expositions personnelles en Suisse en 1977, 1978, 1982, 1983, 1988. Acquisitions par des institutions para-publiques suisses.
Elle exécute une peinture en larges coups brossés dans une gamme de tons, généralement ocre jaune et bruns.
Bibliogr. : R.G., série : *Petite monographie du Monde des Arts*, Éditions Arti Grafiche Il Torchio, Florence, 1976.

GALLMETZER Valentin
Né le 9 février 1870 à Hintereggenthal. xixe siècle. Autrichien.
Sculpteur.
Il travailla pour les églises de Klausen, Troppau, Kaltern, au Tyrol.

GALLNER Bonifacius
Mort en 1727. xviiie siècle. Actif à Melk. Autrichien.
Peintre.
Il fut élève d'Andrea Pozzo et travailla également à Dürnstein.

GALLO. Voir **FURNO Stefano del**

GALLO Francesco, dit **Ciccio**
xviiie siècle. Actif à Naples. Italien.
Sculpteur.
Il travailla entre autres pour des manufactures de porcelaine.

GALLO Frank
Né en 1933. xxe siècle. Américain.
Sculpteur de statues, figures, nus.
Techniquement, il utilise souvent des résines synthétiques. Il crée le plus souvent ses figures à l'échelle humaine.
Ventes Publiques : New York, 16 mai 1980 : *Trophy figure* 1971, plastique (H. 56) : **USD 3 200** – New York, 9 nov. 1983 : *Chair* vers 1970, bois et fibre de verre (157,5x73x73,5) : **USD 6 500** – New York, 10 oct. 1990 : *Nu assis*, rés. époxy (H. 83,9) : **USD 4 125** – New York, 6 nov. 1990 : *Jeune fille debout* 1966, rés. de polyester/base de bois (H. 167,7) : **USD 16 500** – New York, 7 mai 1991 : *La baigneuse* 1970, rés. de polyester/une base de bois (151,5x87) : **USD 7 700** – New York, 12 nov. 1991 : *Figure ailée*, bronze poli/base de plexiglas (H. 194,3) : **USD 6 600**.

GALLO Giovanni
xvie siècle. Actif en Lombardie. Italien.
Sculpteur sur bois.
Certains l'identifient, à tort semble-t-il, avec le Lyonnais Jean Salomon.

GALLO Giovanni Battista
Né au xixe siècle à Osimo. xixe siècle. Italien.
Peintre de genre et portraitiste.
Il a exposé à Turin, Milan et Rome.

GALLO Giuseppe
xviie siècle. Italien.
Sculpteur.
Il travailla pour la cathédrale et différentes églises à Naples, ainsi que pour une église de Gaète.

GALLO Giuseppe
Né en 1954. xxe siècle. Italien.
Peintre, sculpteur.
Il participe à des expositions collectives, telles que : 1979, galerie Yvon Lambert, Paris ; 1985, Nouvelle Biennale de Paris ; 1986, Claudine Bréguet ; 1990, Biennale de Venise. Il réalise également des expositions personnelles en Italie et en France : 1985, galerie Claudine Bréguet ; 1991, galerie Gutharc-Ballin, Paris ; 1998 Paris, *Croisements amoureux*, galerie Vidal-Saint-Phalle.
Gallo tente de mettre en évidence les relations qu'entretiennent les objets entre eux. Relations formelles, de tension et de liaisons qui n'échappent pas au problème de la dualité métaphysique de l'être et de la substance, de l'idée et de la forme, dans une ordonnance qui rappelle la « psychologie métaphysique » des choses de De Chirico. Dans ses œuvres sur papier, exposées en 1991, à Paris, il montrait une présence discrète de figures, éléments de silhouettes, signes cabalistiques qui parcouraient l'espace, en attente et à la recherche d'un référent qui pourrait émerger, entre autres, des représentations picturales du passé ou de manifestations psychiques inconscientes. ■ C. D.
Bibliogr. : In : Catalogue de l'exposition *Nouvelle Biennale de Paris*, Electa Moniteur, Paris, 1985 – Régis Durand : *Giuseppe Gallo*, in : *Art Press*, no 158, Paris, mai 1991.
Ventes Publiques : Paris, 26 oct. 1988 : *Tauromachie* 1983, fus. et craies (43,5x35) : **FRF 8 000** ; *Sensa fine* 1984, h/t (280x190) : **FRF 35 000** – New York, 27 fév. 1990 : *Sans titre* 1986, encaustique/pan. (109,3x32,5) : **USD 6 325** – Paris, 15 oct. 1990 : *Agora* 1984, h/t (150x200) : **FRF 56 000** – New York, 12 juin 1992 : *Narcisse*, h. et cr./bois en deux pan. (en tout 8,9x48,3) : **USD 1 210** – New York, 23 fév. 1994 : *Sans titre*, h/t (30,5x30,2) : **USD 1 035** – Londres, 6 déc. 1996 : *Sans titre* 1990, h/t (63x50) : **GBP 2 530**.

GALLO Ignacio
Né à Valladolid. xxe siècle. Espagnol.
Sculpteur.
Il exposa, à Paris, au Salon des Indépendants des baigneuses ou danseuses, des déesses païennes, dont le bronze conserve tout le mouvement.

GALLO Jacopo
xviie siècle. Actif à Naples. Italien.
Sculpteur.
Il travailla pour l'église de l'Annunziata vers 1660.

GALLO Marco
xve siècle. Actif à Naples. Italien.
Peintre.
Il travaillait en 1465 pour l'église de l'Annunziata à Marcianisi.

GALLO Vincent
Né en 1961. xxe siècle. Américain.
Peintre, technique mixte.
Il peint ou du moins travaille, avec des matériaux inusités, souvent sur des surfaces métalliques.
Ventes Publiques : Paris, 15 juin 1988 : *Listening* 1987, peint./métal (53x105) : **FRF 16 000** – New York, 4 oct. 1989 : *The first last supper* 1986, h., ciment et graphite/acier (122x145) : **USD 11 000** – New York, 23 fév. 1990 : *Certaines choses n'entrent pas dans une bouteille* 1986, h., cr., ciment et sable/feuille d'alu./contreplaqué (96,5x110,8) : **USD 9 900** – New York, 12 nov. 1991 : *Oui je suis isolé* 1985, h. et graphite/acier (122x76,2x3,9) : **USD 2 200**.

GALLOC François
xviiie siècle. Actif à Paris en 1753. Français.
Peintre et sculpteur.

GALLOCHE Louis
Né le 24 août 1670 à Paris. Mort le 21 juillet 1761 à Paris. xviie-xviiie siècles. Français.
Peintre de scènes mythologiques, sujets religieux, paysages.
Il entra dans l'atelier de Louis de Boulogne, et montra pour la peinture d'excellentes dispositions. En 1695, il remporta le premier grand prix de Rome avec : *Les frères de Joseph apportant à Jacob, leur père, la robe ensanglantée de son fils*. Cependant la pension ne lui fut pas accordée. Sans se décourager, il fit à ses frais le voyage de Rome, où il séjourna deux ans. De retour à Paris, il ouvrit un atelier. Le 3 mars 1703, Galloche fut agréé à l'Académie. Désormais apprécié autant qu'il le méritait, il obtint

une pension du roi et un logement au Louvre. Il devint académicien le 30 janvier 1711, recteur le 26 mars 1746, et chancelier le 6 juillet 1754. Galloche prit part aux expositions du Louvre de 1737 à 1751.
Le chef-d'œuvre de cet artiste : *La Translation des reliques de saint Augustin*, fut exécuté pour l'église des Petits-Pères. En 1705, il peignit, pour la confrérie des orfèvres, le tableau de Notre-Dame : *Saint Paul recevant les adieux des prêtres éphésiens lors de son départ de la ville de Milet*. Il fit en outre, pour la chapelle de la Charité : *La résurrection de Lazare*, pour l'ancienne église Saint-Lazare : *L'Institution des Enfants Trouvés*, pour l'église Saint-Martin-des-Champs : *La Samaritaine* et *La guérison du possédé*. Il fut également musicien.

Galloche.

Musées : Caen : *Roland apprenant les amours d'Angélique et de Médor* – Compiègne : *Énée débarquant à Carthage* – *Repas d'Énée et de Didon* – Fontainebleau : *Vénus et Adonis* – Nancy : *Saint Martin ressuscitant un enfant* – Orléans : *Coriolan dans le camp des Volsques, supplié par sa famille de reprendre le commandement de l'armée romaine* – Paris (Mus. du Louvre) : *Hercule rendant Alceste à Admète* – Reims : *La Madeleine pénitente* – Rennes : *Saint Pierre emmené en captivité* – Versailles (Trianon) : deux paysages.
Ventes Publiques : Paris, 1777 : *Diane découvrant la grossesse de Callisto* : **FRF 1 401** – Paris, 27 mai 1988 : *Sainte Scholastique implorant du ciel un orage pour retenir saint Benoît*, pierre noire et reh. de blanc/pap. bleu (21,7x45,5) : **FRF 15 000** – Londres, 5 juil. 1989 : *Enée reçu par Didon*, h/t (99x145) : **GBP 19 250** – Paris, 10 avr. 1992 : *Diane et Actéon*, h/t (98x130,5) : **FRF 280 000**.

GALLOIS ou **Galoys, Gallays**
xvie siècle. Français.
Peintres.
Denis et Louis, vivaient à Lyon en 1521 et 1523.

GALLOIS
xixe siècle. Actif à Paris vers 1850. Français.
Sculpteur.
Il exécuta plusieurs statuettes pour l'église Saint-Gervais.

GALLOIS Émile
Né le 16 octobre 1882 à Ligny-en-Barrois (Meuse). Mort le 28 février 1965 à Clichy-la-Garenne (Seine-Saint-Denis). xxe siècle. Français.
Peintre, illustrateur. Néo-impressionniste.
Il exposa régulièrement ses paysages et ses cathédrales, à Paris, au Salon des Indépendants et à l'étranger.
Ventes Publiques : Paris, 13 avr. 1988 : *Lavandières au bord du Loing*, h/t (61x46) : **FRF 2 000** – Amsterdam, 13 déc. 1989 : *Vue de Villeneuve-les-Avignon*, h/t (60x40) : **NLG 4 600**.

GALLOIS François
xviie siècle. Actif à Avignon. Français.
Sculpteur sur bois.
Il travailla pour l'église Saint-Pierre.

GALLOIS Marcelle, puis Mère **Geneviève Gallois**
Née le 22 septembre 1888 à Montbéliard (Doubs). Morte le 19 octobre 1962. xxe siècle. Française.
Peintre, graveur, peintre de cartons de vitraux.
Elle s'installa à Paris où elle fut l'élève de Cormon à l'École Nationale des Beaux-Arts. En 1917, elle entra au couvent de Bénédictines de la rue Monsieur, à Paris. C'est lors d'une exposition d'ornements et de dessins, organisée au monastère en 1936, qu'un amateur remarque son travail et lui fournit le matériel nécessaire pour graver. Après la guerre, elle exposa et montra son travail dans des rencontres d'art sacré, et fit en 1953 une exposition particulière à Paris qui attira l'attention.
Avant son entrée dans les ordres, son art est directement influencé par son Jura natal avec les rudes têtes de paysans, les scènes de marché ou de bal populaire. Mais de Paris aussi elle décrit avec une bonne verve satirique les encombrements, les cyclistes, l'autobus, la noce ou l'enterrement. L'humour de cet art restera le même après son entrée en religion. Elle décrit alors la vie du couvent en traits tourbillonnants et hachés. Avec la guerre viennent les scènes d'hôpital. Vers 1953, elle commence à exécuter des vitraux hauts en couleur et d'esprit expressionniste pour une petite église, au Petit-Appeville près de Dieppe, en 1955, et pour les abbayes de Limon et de Jouques de 1956 à sa mort. Quelque deux cents dessins, de 1914 à 1917, totalement inconnus, ont été vendus en février 1975. ■ J. B.
Bibliogr. : *Les Vitraux de l'église du Petit-Appeville et Limon*, Éditions du Cloître, 1955 – *Les Dessins de la Mère Geneviève*, in : *L'Œil*, Paris, avr. 1975.
Musées : Jouques (Abbaye) : musée entièrement consacré à l'œuvre de Mère Geneviève Gallois.

GALLOIS N.
xvie siècle. Actif en Bourgogne. Français.
Peintre.
Il peignit un retable pour l'église de Saint-Trivier de Courtes (Saône-et-Loire).

GALLON Robert
Né en 1845. Mort en 1925. xixe-xxe siècles. Actif à Londres. Britannique.
Peintre de portraits, paysages animés, paysages, paysages d'eau, aquarelliste, dessinateur.
Cet artiste, très justement apprécié par le public anglais, s'est plu à reproduire les sites pittoresques de la Grande-Bretagne. Ce fut un exposant fidèle à la Royal Academy de Londres et à Suffolk Street à partir de 1868.
Musées : Sunderland : *Un tributaire du quai du Yorkshire*.
Ventes Publiques : Londres, 9 déc. 1907 : *God's Acre* : **GBP 6** ; *Les feux du soir* : **GBP 7** – Londres, 25 avr. 1908 : *Le vieux moulin* : **GBP 11** – Londres, 4 déc. 1909 : *Paysage gallois* : **GBP 9** ; *Deepdale, près de Barnard Castle* 1883 : **GBP 11** ; *Rivière du pays de Galles* 1884 : **GBP 12** – Londres, 22 avr. 1911 : *Église dans le comté d'Essex* : **GBP 6** – Londres, 28 avr. 1924 : *Éclaboussures*, dess. : **GBP 4** – Londres, 5 juin 1924 : *Moutons au pâturage* ; *Village de pêcheurs*, les deux : **GBP 8** – Londres, 23 déc. 1925 : *Rivière*, dess. : **GBP 8** – Londres, 5 mars 1926 : *Le calme du soir* : **GBP 10** – Londres, 17 déc. 1928 : *La Llugwy* : **GBP 5** – Londres, 1er juil. 1932 : *Église de Strensham* : **GBP 6** – Londres, 22 oct. 1971 : *Paysage fluvial* : **GNS 380** – Londres, 28 nov. 1972 : *Paysage d'été* : **GBP 500** – Londres, 16 mars 1973 : *Paysage* : **GNS 1 200** – Londres, 9 mars 1976 : *Coucher de soleil*, h/t (61x102) : **GBP 950** – Londres, 6 déc. 1977 : *Knaresborough Castle* 1879, h/t (60x100,5) : **GBP 1 200** – Londres, 18 mars 1980 : *A welsh river scene*, h/t (59x99) : **GBP 3 200** – Londres, 27 avr. 1982 : *A canal barge*, aquar. (49,5x68,5) : **GBP 650** – Londres, 27 juil. 1984 : *Femme et enfant sur un pont de bois*, h/t (111,7x151,7) : **GBP 2 800** – Chester, 9 avr. 1987 : *The Church Pool, Bettwys-Y-Cœd*, h/t (58,5x99) : **GBP 7 200** – Londres, 15 juin 1988 : *Près de Goring sur Tamise*, h/t (61x91,5) : **GBP 6 050** – Toronto, 30 nov. 1988 : *Le passage du gué*, h/t (70x54) : **CAD 3 600** – Londres, 2 juin 1989 : *Sur le débarcadère*, h/cart. (20x31,5) : **GBP 825** – Chester, 20 juil. 1989 : *Estuaire à marée basse avec un paysage montagneux à l'arrière-plan* 1879, h/t (76x127) : **GBP 2 200** – Londres, 9 fév. 1990 : *Chaumière dans un paysage*, h/t (61x101,6) : **GBP 14 850** – Londres, 25-26 avr. 1990 : *Le château de Windsor*, aquar. (20x36) : **GBP 1 210** – Londres, 1er nov. 1990 : *Paysage fluvial avec des moissonneurs* 1894, h/t (61x102) : **GBP 6 050** – Londres, 14 juin 1991 : *Enfants jouant au bord de la rivière* 1882, h/t (61x101,5) : **GBP 6 050** – Londres, 13 mars 1992 : *Un lac dans les Highlands*, h/t (91,4x71,2) : **GBP 2 640** – Londres, 3 mars 1993 : *Soirée*, h/t (51x76) : **GBP 2 760** – New York, 13 oct. 1993 : *Cottage au bord d'une rivière*, h/t (61x101,6) : **USD 10 350** – Londres, 25 mars 1994 : *Le château de Richmond dans le Yorkshire*, h/t (61x101,6) : **GBP 3 220** – Londres, 2 nov. 1994 : *Chargement de roseaux au bord de la rivière*, h/t (46,5x81,5) : **GBP 5 980** – Londres, 10 mars 1995 : *Autoportrait* 1913, h/t (50,8x40,6) : **GBP 690** – Londres, 29 mars 1996 : *Hambledon Weir* 1879, h/t (35,6x54) : **GBP 5 060** – Londres, 8 nov. 1996 : *Moel Siabod from the Lledr Valley, North Wales* ; *Snowden*, h/t, une paire (50,8x76,7) : **GBP 12 500** – Londres, 14 mars 1997 : *Little Chart Mill, Kent*, h/t (50,8x76,2) : **GBP 4 379** – New York, 26 fév. 1997 : *Sur la rivière Yare*, h/t (61x102) : **USD 8 050** – Londres, 13 mars 1997 : *Trou d'eau sur la Lledr, Galles du Nord*, h/t (50,8x76,4) : **GBP 3 000** – Londres, 5 juin 1997 : *Été, Surrey*, h/t (60,9x101,8) : **GBP 11 270**.

GALLON Robert Samuel Ennis
xixe siècle. Actif à Greenwich. Britannique.
Peintre de figures, lithographe.
Il prit part aux expositions de Londres, notamment à celles de la Royal Academy, de la British Institution et de Suffolk Street, de 1830 à 1868. Il fut le père de Robert.

GALLOPIE Maurice
xvie siècle. Actif à Tours en 1551. Français.
Peintre.

GALLORI Emilio
Né le 3 avril 1846 à Florence. XIXe siècle. Italien.
Sculpteur.
Élève de l'Académie des Beaux-Arts de Florence. Il travailla également à Naples. Il a exposé à Turin, Milan, Rome. Figura aussi à la Royal Academy, à Londres, de 1875 à 1878. Médaille d'or à Paris 1900 (Exposition Universelle). Ce fut un artiste très remarquable.

GALLOS Carlos François
Né dans le Nord. XXe siècle. Français.
Peintre.
Il exposa des paysages au Salon des Artistes Français à Paris à partir de 1930.

GALLOT. Voir **GALOT**

GALLOT-PERRELET Samuel Ferdinand
Né en 1774 à Neuchâtel. Mort en 1854 à Bâle. XVIIIe-XIXe siècles. Suisse.
Graveur et lithographe.
Il a lithographié de nombreuses vues de la Suisse, notamment la Cascade de Saint-Beat et des environs de la Chaux-de-Fonds. On lui doit l'invention d'un procédé lithographique.

GALLOTTI Alessandro
Né en 1879 à Pavie (Lombardie). Mort en 1961 à Milan (Lombardie). XXe siècle. Actif à Milan. Italien.
Peintre de sujets de genre, paysages, paysages de montagne.
On lui doit des vues des Alpes ou des scènes de la vie alpestre.
Ventes Publiques : Milan, 17 juin 1981 : *Paysage montagneux*, h/t (40,7x60,4) : **ITL 600 000** – Milan, 22 mars 1994 : *Portrait du peintre Vincenzo Irolli avec sa palette*, h/cart. (34x22,5) : **ITL 1 725 000** – Milan, 14 juin 1995 : *Paysage de Serina ; Maison rustique de Serina*, h/cart., une paire (chaque 17x29) : **ITL 2 070 000**.

GALLOWAY A.
XIXe siècle. Actif au début du XIXe siècle. Britannique.
Peintre de miniatures.

GALLOWAY S., Jr.
XIXe siècle. Actif à Londres vers 1832. Britannique.
Peintre de portraits.
Un artiste exposa sous ce nom à la Society of British Artists, sans doute était-il parent de Samuel.

GALLOWAY Samuel
XIXe siècle. Actif à Londres. Britannique.
Peintre de fleurs.
Exposa à la Royal Academy et à Suffolk Street, de 1827 à 1855.

GALLOWAY Vincent
Né le 30 janvier 1894. XXe siècle. Britannique.
Peintre de portraits.
Il fut élève du Hull College of Art. Il exposa à la Royal Society of Portrait Painters.

GALLUCCI Giovanni
Né le 1er décembre 1815 à Ancône. XIXe siècle. Italien.
Peintre.
Il fut élève de Tom Minardi à Rome et travailla par la suite à Florence, Venise, Imola et Castel Nuovo.

GALLUCCI Nicola. Voir **NICCOLO da Guardiagrele**

GALLUCCI Paolo
XVIIe siècle. Actif à Pise vers 1650. Italien.
Peintre.
Il exécuta un retable pour l'église San Michele.

GALLUCCI Sandro
XXe siècle. Italien.
Peintre.
La Galerie d'Art Moderne à Florence conserve de cet artiste *Il Fratellino*.

GALLUCCIO Giovan Antonio
XVIIe siècle. Actif à Naples au début du XVIIe siècle. Italien.
Sculpteur.
Frère de Scipione, il sculpta plusieurs monuments funéraires.

GALLUCCIO Pasquale
XVIIIe siècle. Actif à Naples à la fin du XVIIIe siècle. Italien.
Peintre.
Il travailla pour la Manufacture Royale de Porcelaines de Naples.

GALLUCCIO Scipione
XVIe-XVIIe siècles. Actif à Naples. Italien.
Sculpteur.
Élève de Federico Vetorale. Il travailla surtout avec son frère Giovan Antonio.

GALLUS
XVIe-XVIIe siècles. Actif à Prague en 1587 et 1612. Tchécoslovaque.
Peintre.
Il exécuta plusieurs peintures historiques de circonstance.

GALLUS. Voir **BELLY Jacques**

GALLUZZI Andrea
Né vers 1700 à Plaisance. XVIIIe siècle. Italien.
Peintre et architecte.
Il travailla surtout à Plaisance et à Modène qu'il fut chargé de décorer à l'occasion du mariage de François d'Este et de Charlotte Aglaé d'Orléans.

GALLUZZI Giovanni Battista
Né à Plaisance. XVIIIe siècle. Italien.
Peintre et architecte.
Il travailla surtout à Madrid.

GALLUZZI Pietro
Né à Urbin. XVIIe siècle. Italien.
Peintre.
Il fut élève de Jean Boulanger et travailla surtout à Modène.

GALLWEY Antoinette Célestine
Née au XIXe siècle au Havre (Seine-Maritime). XIXe siècle. Française.
Sculpteur.
Elle fut l'élève de Barye. De 1867 à 1870, elle exposa au Salon de Paris des groupes d'animaux en cire.

GALLWEY Emmeline Henriette
Née au XIXe siècle à Paris. XIXe siècle. Française.
Sculpteur.
De 1864 à 1877, elle envoya au Salon des groupes d'animaux en cire. La dernière année, elle envoya une chèvre en bronze.

GALLY Félix C.
XIXe siècle. Actif à Argenteuil. Français.
Graveur.
Sociétaire des Artistes Français depuis 1894. Figura au Salon de cette Société.

GALLY Gilles
Né le 12 janvier 1961 à Semur-en-Auxois (Côte-d'Or). XXe siècle. Français.
Sculpteur d'assemblages. Abstrait.
Il fut élève de l'École des Beaux-Arts de Dijon à partir de 1981, se considérant avoir été, bien que sculpteur, surtout élève du peintre Busse. Il obtint brillamment son diplôme en 1986. Il participe à quelques expositions collectives : en 1987 au Musée de La Charité-sur-Loire, à Stuttgart, Dijon, et à Paris au Salon des Réalités Nouvelles ; 1988 à Cluny et Joigny ; 1989 à l'Espace des Arts de Chalon-sur-Saône ; 1990 Joigny et Pouilly (Oise) ; 1991 au Fonds Régional d'Art Contemporain (FRAC) de Dijon, *L'œuvre et le sacré* à Annemasse et Clamecy, jusqu'à l'exposition *Question de forme*, à deux participants, Claude Viallat et lui, en 1993 à l'Atelier Cantoisel de Joigny, en 1994 au Musée de Clamecy, en 1995 au Musée de La Charité-sur-Loire. Il a montré un ensemble d'œuvres dans une exposition personnelle *Deux poids, deux mesures* au Théâtre Granit de Belfort en 1993.
De son village de l'Auxois, auquel il est resté attaché, il garde une allure de terrien, de paysan, qu'il revendique, et l'obligation consentie de participer à ses servitudes civiques ; de son père forgeron, il garde le goût des matériaux vrais, le bois et le fer, le sens de l'ouvrage bien fait, et l'usage ou le mésusage immodéré de l'atelier paternel, même si celui-ci ne se reconnaît guère dans les productions filiales, dont il attribue l'incongruité au statut de l'artiste. Avec les outils vrais, marteau, tenaille, enclume, chalumeau, perceuse, il assemble, comme par un lien communautaire, des pièces de bois, régulièrement façonnées parallélépipédiques, à des tiges de fer courbées en arc-de-cercle parfait, dans des réalisations symétriques fermées sur elles-mêmes ou au contraire en volutes spiraloïdes erratiques qui s'ouvrent alors au monde. Gally ne fait pas dans la miniature, habitué des libres étendues de la campagne, toutes les pièces qu'il ouvrage sont de dimensions imposantes, plus souvent envahissantes dans les trois dimensions de l'espace, regrettant de ne pouvoir investir la quatrième. L'ensemble de chaque assemblage tient debout, mais dans un équilibre précaire, et sans revendiquer aucune apparte-

nance au cinétisme, tremble de tous ses membres pourtant solidairement bien fixés, se secoue comme un ressort, se cabre comme un animal ; ce sont des sculptures à dompter. À l'inverse, si elles sont munies de roues, elles ne roulent pas ; ce sont alors des sculptures bourriques. On aura compris que l'art de Gally est ludique, à son image de gosse préservé, mais à la poigne robuste. Ce sont des sculptures heureuses, blagueuses ; elles ne revendiquent aucun sens métaphorique, ne racontent rien qu'elles-mêmes, leurs intitulés le confirment, comme par exemple : *Chêne et fer*, et pourtant elles racontent la bonne saveur du bois, la docilité rétive du fer ; ce sont les éléments naturels qui déclinent d'eux-mêmes leur identité, lorsque Gally les interroge et oblige à s'exprimer. Il n'est pas sculpteur du bois et du fer, il en est l'accoucheur socratique. ■ J. B.

Bibliogr. : Marie-France Vô-Thi-Anh Cheylus : *Gilles Gally, Pierre-Yves Magerand, Pierre Mathey*, in Art Press, N°118, Paris, 1987 – in : Catalogue du FRAC Bourgogne, Dijon, 1989 – Christian Bonnefoi : *La mesure de la distance*, Atelier Cantoisel, Joigny, 1990 – Pascal Commère : *Comme les traces de marelles perdues*, sans l. ni d – Daniel Dobbels : Catalogue de l'exposition *Question de forme : Viallat, Gally*, Atelier Cantoisel de Joigny, Mus. de La Charité-sur-Loire, Mus. de Clamecy, 1993-94 – Jérôme Le Panse : *Exposition Claude Viallat, Gilles Gally*, in : L'Yonne Républicaine, 3 jul. 1993.

Musées : Dijon (FRAC) : *Le Pont*.

GALLYS

XXe siècle. Français.

Peintre de genre.

Ventes Publiques : Le Touquet, 8 nov. 1992 : *Au cabaret du violon bleu*, h/t (46x38) : **FRF 5 000**.

GALMACHE José

Né en 1914 à Mons (Hainaut). XXe siècle. Belge.

Peintre, dessinateur. Postcubiste.

Bibliogr. : In : *Diction. biographique illustré des artistes en Belgique depuis 1830*, Arto, Bruxelles, 1987.

GALMÈS Guillermo

XIXe siècle. Actif à Palma de Majorque. Espagnol.

Sculpteur.

Il travailla pour la cathédrale de Palma.

GALMÈS Y BLANQUER Manuel

Né vers 1852 à Valence. Mort le 3 mars 1873 à Valence. XIXe siècle. Espagnol.

Peintre.

Il travailla surtout à Madrid et Valence et exécuta des paysages et des peintures religieuses.

GALMIER-BLAY

XIXe siècle. Français.

Peintre.

Figura au Salon de Paris avec des portraits, de 1833 à 1845.

GALMUZZI

XIXe siècle. Actif en Italie. Italien.

Sculpteur.

Mention honorable à Paris en 1889 (Exposition Universelle).

GALOFRE Y COMA José

Né en 1819 à Barcelone. Mort le 10 janvier 1877 à Barcelone. XIXe siècle. Espagnol.

Peintre.

Il fit ses études en Italie et ne revint en Espagne que vers 1850. Il a exposé à Madrid, à Paris en 1855. On cite de lui : *Couronnement d'Alphonse V d'Aragon, Zobaïde au bain, Épisode de la guerre de Grenade*, et de nombreux portraits. Il s'est fait également un nom comme critique d'art. Les Galeries de Versailles conservent de lui le *Portrait du pape Pie IX*.

Ventes Publiques : Paris, 18 mai 1897 : *Course en Andalousie* : **FRF 3 000** – New York, 13 et 14 fév. 1900 : *Le Charmeur d'oiseaux* : **USD 425** – New York, 12 et 13 mars 1903 : *Sur la lagune*, aquar. : **USD 310** – New York, 27 jan. 1905 : *La baie de Naples* : **USD 200** – Londres, 11 avr. 1908 : *Le Musicien errant* 1872 : **GBP 14** – Londres, 2 avr. 1910 : *Le Roi s'amuse* : **GBP 65** – Londres, 6 mars 1911 : *Marché à la poterie, à Naples* : **GBP 22**.

GALOFRE Y GIMENEZ Baldomero

Né le 24 mai 1849 à Reus, près de Tarragone (Catalogne). Mort le 26 juillet 1902 à Barcelone (Catalogne). XIXe siècle. Espagnol.

Peintre de sujets de genre, paysages, paysages d'eau, marines, peintre à la gouache, aquarelliste, pastelliste, dessinateur.

Après avoir fait ses études artistiques, il voyagea en Italie, où il développa sa puissante individualité. Rentré dans sa patrie, il la parcourut dans tous les sens à la recherche du pittoresque, recueillant grande quantité d'études et d'esquisses pour un ouvrage monumental qu'il projetait de publier sous le titre d'*España*. Il se plaisait à peindre des processions, des assemblées populaires et mille autres scènes auxquelles il pouvait donner du mouvement, de la gaîté, de la vie. On possède de lui des aquarelles et des tableaux à la gouache.

Musées : Nancy : *Barques de pêche à Civita-Vecchia*.

Ventes Publiques : Paris, 5 déc. 1923 : *Scène espagnole* : **FRF 780** – Paris, 21 jan. 1924 : *La pêche aux crevettes*, aquar. : **FRF 680** – Paris, 26 et 27 mai 1924 : *Barques au bord de la mer*, past. : **FRF 180** – Londres, 13 mai 1927 : *Retour de la foire* : **GBP 28** ; *Jour de fête* : **GBP 35** – Paris, 21 avr. 1943 : *Pêche au clair de lune*, fusain : **FRF 50** – Paris, 9 fév. 1944 : *Barque échouée*, aquar. : **FRF 600** – Cologne, 27 nov. 1969 : *Marché en Andalousie* : **DEM 7 000** – Milan, 10 nov. 1970 : *Dimanche à la campagne* : **ITL 2 600 000** – Buenos Aires, 14 nov. 1973 : *Scène d'Andalousie* : **ARS 14 000** – Madrid, 17 mai 1976 : *Marine*, h/t (24x41,5) : **ESP 270 000** – Madrid, 11 nov. 1976 : *Barques sur la plage*, aquar. (46,5x63,5) : **ESP 75 000** – New York, 14 jan. 1977 : *Scène de marché, Andalousie*, h/pan. (20x32) : **USD 2 300** – New York, 29 mai 1980 : *Le char à bœufs*, h/t (77x128) : **USD 9 500** – Barcelone, 21 déc. 1982 : *Le pêcheur*, aquar. (64x97) : **ESP 370 000** – Milan, 29 mai 1984 : *Gitans à cheval dans un paysage*, h/pan. (34x50) : **ITL 6 700 000** – Barcelone, 29 oct. 1985 : *Paysanne*, cr. (60x45) : **ESP 230 000** – New York, 24 nov. 1987 : *Fête gitane* 1890, gche et pl. (22x27,5) : **USD 4 600** – Madrid, 20 oct. 1987 : *Caravanes en fête* 1889, h/pan. (42,5x66,5) : **ESP 4 750 000** – Londres, 23 nov. 1988 : *Marché de village*, h/pan. (21x36) : **GBP 9 900** – Londres, 17 fév. 1989 : *Les dresseurs de chevaux* 1893, h/pan. (67x43) : **GBP 49 500** – Londres, 22 nov. 1989 : *Réparation des filets sur la plage*, aquar. (66x100) : **GBP 13 200** – Rome, 12 déc. 1989 : *Sur le chemin du marché*, cr., aquar. et céruse/pap. beige (25,5x34,5) : **ITL 1 300 000** – Londres, 14 fév. 1990 : *Jour de marché*, h/pan. (19x33) : **GBP 18 700** – New York, 23 mai 1990 : *Chars à bœufs quittant le village*, h/pan. (22,9x38,7) : **USD 8 250** – New York, 28 fév. 1991 : *Campement de gitans*, h/pan. (23,5x38,7) : **USD 35 200** – New York, 26 mai 1992 : *Barques échouées*, aquar./pap./cart. (45,5x69,2) : **USD 1 430** – Londres, 29 mai 1992 : *Campement de gitans hors des murailles de la ville*, h/pan. (33x47,5) : **GBP 12 100** – Madrid, 25 mai 1993 : *Gitane et son âne*, h/cart. (24x17) : **ESP 80 500** – New York, 9 mars 1996 : *Pêcheurs sur une plage*, aquar./pap. (44,5x59,7) : **USD 2 300** – Londres, 31 oct. 1996 : *Vue de la baie de Naples*, aquar. (52x69) : **GBP 2 760**.

GALOFRE Y OLLER Francisco

Né en 1865 à Valls (Tarragone). Mort le 8 janvier 1942 à Barcelone (Catalogne). XIXe-XXe siècles. Espagnol.

Peintre d'histoire, de compositions religieuses, de portraits, de scènes de genre. Tendance naturaliste.

Il s'est formé à l'Académie des Beaux-Arts de Barcelone où il fut élève de Antonio Caba et à l'Académie de San Fernando de Madrid.

Il participe à toutes les grandes expositions nationales de peinture à Madrid et Barcelone. Il obtient une mention honorifique lors de l'Exposition universelle de 1888. Il peint pour des églises : chapelle de l'église de Valls, un *Couronnement de la Vierge* pour la Basilique de l'Ordre à Barcelone.

Une peinture d'un style naturaliste, influencée par celles de Dionisio Baixeras et Joaquin Sorolla. Son œuvre la plus connue est *Boria aval*, 1892, représentant une punition par le fouet dans une ville au milieu du XVIIe siècle.

Bibliogr. : In : *Cien anos de pintura en Espana y Portugal, 1830-1930*, t. III, Antiqvaria, Madrid, 1989.

Musées : Barcelone (Mus. d'Art Mod.).

Ventes Publiques : Madrid, 11 nov. 1976 : *Boria avall* 1894, h/t (94x150) : **ESP 500 000** – Madrid, 24 oct. 1983 : *Boria avall* 1894, h/t (94x150) : **ESP 1 100 000**.

GALON José

Né au XIXe siècle. XIXe siècle. Espagnol.

Peintre.

Élève de l'Académie de San Fernando.

GALONI Melchiorre de

XVIe siècle. Actif en 1550. Italien.

Peintre.

GALOPIN Ancelot

XVe siècle. Français.

Peintre.
Travailla au banquet de Lille en 1453.

GALOPINI Giacomo
XVe siècle. Actif à Mantoue. Italien.
Miniaturiste.
Il était prêtre et travailla surtout de 1416 à 1437.

GALOS Victor
Né en 1828 à Pau (Pyrénées-Atlantiques). Mort en 1879. XIXe siècle. Français.
Peintre de paysages, paysages de montagne.
Il fut élève d'Eugène Devéria. Hormis quelques mois passés à Paris, il travailla toujours dans sa région natale. Il semble qu'il ait connu les peintres de Barbizon, dont Diaz, lorsqu'ils venaient peindre dans le Béarn. Le Musée de Pau lui a consacré une rétrospective, en 1967, ce qui a permis de le découvrir après un siècle de silence.
Il fut très inspiré par la chaîne des Pyrénées et il en peignit plusieurs séries ; il resta classique dans les premiers temps, en leur donnant un visage rigoureusement équilibré. Puis il se rapprocha de l'Impressionnisme naissant, il reprit alors le même thème mais varia l'éclairage selon les heures de la journée et les saisons.
Bibliogr. : Gérald Schurr, in : *Les Petits Maîtres de la peinture 1820-1920, valeur de demain,* Les Éditions de l'Amateur, t. III, Paris, 1976.
Ventes Publiques : Paris, 16 fév. 1983 : *Paysage des Pyrénées*, h/t (92x61) : **FRF 16 000**.

GALOT ou **Gallot**
XVIIIe-XIXe siècles. Français.
Miniaturiste.
Professeur de dessin à l'École Centrale de Chartres et père de Théodore Alphonse Galot. Le Musée de Chartres conserve de lui : *Jeanne d'Arc*.

GALOT Jean Joseph ou **Gallot** ou **Galot-Blot**
XIXe siècle. Actif à Chartres au début du XIXe siècle. Français.
Aquarelliste.
Parent de Théodore Alphonse Gallot. Le Musée de Chartres conserve de lui un grand nombre d'aquarelles et de dessins représentant des vues de la ville et des environs.

GALOT Théodore Alphonse ou **Gallot**
Né le 16 avril 1806 à Chartres. Mort à Rio de Janeiro. XIXe siècle. Français.
Peintre.
Directeur du Musée de Rio de Janeiro. Il figura au Salon de Paris, de 1833 à 1842, par des vues diverses prises au Puy-de-Dôme, dans les environs de Chartres et près de la Seine. On a de lui au Musée de Chartres : *Vue de Chartres prise des hauteurs des Filles-Dieu*.

GALOTOLON ou **Galotelon**
XIVe siècle. Français.
Enlumineur.
Il était, à Lyon, *illuminator librorum*, en 1346 et 1352.

GALOUKHINA Élena
Née en 1957. XXe siècle. Russe.
Peintre de natures mortes, paysages urbains.
Elle est ancienne élève de l'École des Beaux-Arts de Saint-Pétersbourg (ex-Leningrad), à l'Institut Répine. Elle fut membre de l'Association des Jeunes Peintres de Leningrad.
Elle réalise une peinture dans la tradition de celle de Maclet et de Marquet.

GALOYER Raymond
Né le 28 juin 1896 à Paris. XXe siècle. Français.
Peintre de paysages, lithographe.
Il fut élève de Desvergnes. Il exposa régulièrement des paysages lithographiques, à Paris, au Salon des Artistes Français. Il figura au Salon des Tuileries de 1930, avec trois paysages.

GALRAPP Michael
XVIIIe siècle. Actif à Munich. Allemand.
Peintre.
On lui doit surtout des fresques. En 1754 il travaillait à Donauwërth.

GALSTER Henrik Ludvig
Né le 22 janvier 1826 à Norre Sundby près d'Aalborg. Mort le 24 juin 1901 à Copenhague. XIXe siècle. Danois.
Peintre de portraits, paysages d'eau.
Élève de Moller et d'Hansen, il fit ses études à Copenhague puis à Londres. On cite son *Portrait de la reine mère de Danemark, Caroline Amalie*.
Ventes Publiques : Copenhague, 2 mars 1983 : *Le port de Copenhague* 1879, h/t (96x190) : **DKK 23 000**.

GALSWORTHY Gordon C.
XIXe siècle. Actif à Londres. Britannique.
Peintre de genre.
Exposa à la Royal Academy à partir de 1893.

GALSWORTHY W. H.
XIXe siècle. Actif à Londres. Britannique.
Peintre de paysages.
Il exposa à Londres : à la Royal Academy, à la British Institution, à Suffolk Street, de 1847 à 1856.
Ventes Publiques : Londres, 3 juin 1988 : *Sentier au travers d'un taillis*, h/t (65x76) : **GBP 1 100**.

GALT Alexander
Né en 1827 à Norfolk (Virginie). Mort en mars 1863 à Richmond. XIXe siècle. Américain.
Sculpteur.
On cite son *Portrait de Thomas Jefferson*.

GALT Charles Franklin
Né en 1884 à Saint Louis (Missouri). XXe siècle. Américain.
Peintre.
Il fut élève de R. E. Miller et exposa, à Paris, au Salon de la Société Nationale des Beaux-Arts.

GALTEAUX P.
Français.
Peintre de fruits.
Le Musée de Rochefort possède une œuvre de lui.

GALTER Pietro
Né au XIXe siècle à Venise. XIXe siècle. Italien.
Peintre de paysages.
Élève de l'École des Beaux-Arts de Venise. Il a exposé à Milan, Rome, Venise, des paysages et des marines.

GALTIÉ André Léon
Né à Toulouse (Haute-Garonne). Mort le 4 août 1983 à Briançon (Hautes-Alpes). XXe siècle. Français.
Médailleur.
Il fut médaillé d'argent, à Paris, au Salon des Artistes Français en 1944.

GALTIER-BOISSIÈRE Élisabeth Marie Victorine Zoé, plus tard Mme **Renaud**
Née au XIXe siècle à Paris. XIXe siècle. Française.
Graveur.
Élève de Bléry. Figura au Salon de 1869 à 1880. Exposa aussi à la Société Nationale et au Salon d'Automne.

GALTIER-BOISSIÈRE Jean
Né en janvier 1891. Mort en 1966. XXe siècle. Français.
Peintre de natures mortes, fleurs, dessinateur, illustrateur.
Il exposa dans des galeries parisiennes, en 1917 et 1919. La carrière graphique de cet artiste fut brève ; le plus souvent ses dessins ont été l'accompagnement de textes sur la vie de plaisir et ensuite la guerre qu'il commenta cruellement, réalisant divers croquis pris sur le front.
Il continua à peindre, pour son seul délassement, des toiles de fleurs. Puis, il décida d'une carrière d'écrivain. En 1916, il fonda le *Crapouillot*, journal des tranchées qui paraît encore après la Deuxième Guerre mondiale ; Galtier-Boissière a réuni là de nombreux artistes de talent.
Bibliogr. : Gérald Schurr, in : *Les Petits Maîtres de la peinture 1820-1920, valeur de demain,* Les Éditions de l'Amateur, t. VI, Paris, 1985.
Ventes Publiques : Paris, 1er avr. 1920 : *Finale de Revue*, aquar. : **FRF 410** – Paris, 24 nov. 1928 : *Théâtre de quartier* : **FRF 200** – Paris, 1er juil. 1943 : *Les Hortensias* ; *Nature morte*, deux h/t : **FRF 550**.

GALTIER-BOISSIÈRE Louise
Née au XIXe siècle à Paris. XXe siècle. Française.
Peintre de scènes de genre, natures mortes.
Elle est la mère du dessinateur et pamphlétaire Jean Galtier-Boissière et la sœur du peintre René Ménard. Elle fut associée, à Paris, au Salon de la Société Nationale des Beaux-Arts à partir de 1906.
Elle a aussi exécuté des panneaux décoratifs de fleurs.

GALVAGNI Giovanni
Né à Isera. XVIIIe siècle. Italien.
Graveur.
Il travailla à Rovereto.

GALVAN Antonio
XVIIe siècle. Actif à Saragosse. Espagnol.
Peintre.
On cite de lui un *Saint Bartholomé*.

GALVAN José
Né le 19 juin 1705 en Castille. Mort le 21 février 1766 à Calatayud (Aragon). XVIIIe siècle. Espagnol.
Sculpteur et architecte.
Il fut élève de Juan Ron à Madrid et travailla aussi à Huesca, Teruel et Manresa.

GALVAN Juan Pérez
Né vers 1586 à Lucena. Mort en 1658 à Saragosse. XVIIe siècle. Espagnol.
Peintre.
D'après Palomino, cet artiste résida quelque temps à Rome. De retour en Espagne, il habita souvent Saragosse, où il fut membre de la corporation et où il peignit, entre autres œuvres, pour la cathédrale : *La Nativité*, *Saint Just* et *Saint Rufin* et d'autres tableaux dont Cean Bermudez loue le coloris. Son œuvre principale représente : *La Naissance de la Vierge*. Il peignit également la coupole de Santa Justa y Ruffina et un tableau de la *Trinité* pour les Carmes déchaussés.

DJ Galvan.

Ventes Publiques : Londres, 19 avr. 1909 : *Un pèlerin*, lav. ; *Étude de mendiant*, par Murillo ; *Saint Jean dans le désert*, par Ribera, ensemble : **GBP 13**.

GALVAN Y CANDELA José Maria
Né au XIXe siècle à Madrid. XIXe siècle. Espagnol.
Peintre et graveur.
Élève de Luis Fagundiez et de l'Académie de San Fernando. Il débuta à la Nationale des Beaux-Arts de Madrid en 1864 comme graveur. Il est surtout connu à ce titre. Il a gravé d'après Velasquez, Goya, Murillo, Zurbaran.

GALVANI Carlo
XIXe siècle. Actif à Venise vers 1830. Italien.
Miniaturiste et lithographe.
Le Musée Revoltella, à Trieste, conserve de lui le *Portrait de Canova*.

GALVANO. Voir aussi **CALVANO**

GALVANO Albino
Né en 1917 à Turin (Piémont). XXe siècle. Italien.
Peintre. Abstrait.
De 1928 à 1931, il fut élève de l'École de Felice Casorati. En 1953, il signa le manifeste *Urbain*, avec Biglione, Parisot, Scroppo. Il fut critique d'art et professeur d'histoire et de philosophie.
Il a figuré dans de très nombreuses expositions de groupe, et notamment : la Biennale de Venise, en 1930, 1936, 1948, 1950, 1952, 1954, 1956. À la Quadriennale de Rome, en 1931, 1935, 1948.
Il fit une peinture figurative jusqu'aux années 1950. Il devint l'un des promoteurs du mouvement « concrétiste » qui considérait que le véritable concret en matière d'art était l'ensemble des formes et des couleurs, libéré de sa fonction de représentation d'une réalité extérieure à la nature propre de l'œuvre.
Bibliogr. : In : *Peintres contemporains*, Mazenod, Paris, 1964.
Musées : Bergame – Milan – Rome – La Spezia – Turin.

GALVANO Alessandro
XVIIIe siècle. Actif à Padoue. Italien.
Peintre.
Il travailla pour la cathédrale.

GALVANO Sebastiano
XVIe siècle. Actif à Padoue à la fin du XVIe siècle. Italien.
Peintre.
On cite ses travaux pour l'église San Benedetto Novello.

GALVEZ Alejandro Miguel de
Né au XIXe siècle à Saragosse. XIXe siècle. Espagnol.
Peintre de genre.
Élève de l'École des Beaux-Arts de Saragosse. Il débuta à Madrid en 1876. Il avait exposé à Saragosse l'année précédente.

GALVEZ Bernabé
XIXe siècle. Actif à Tolède en 1807. Espagnol.
Peintre.
Il exécuta des peintures pour l'église Santa Maria Magdalena à Tolède.

GALVEZ Juan
Né en 1774 à Mora. Mort en 1847 à Madrid. XVIIIe-XIXe siècles. Espagnol.
Peintre de genre et décorateur.
Élève de l'Académie de San Fernando. Il a exécuté, entre autres décorations, les fresques du palais des Infants à l'Escurial, et celles de l'escalier du Prado. On cite de lui de nombreux tableaux religieux et des tableaux de genre.

GALVEZ Marina de
XVIIIe siècle. Espagnole.
Peintre.
Le Musée de Saragosse possède de cette artiste : *Pyrame et Thisbé*.

GALVEZ Y PARDO Ramon
Né au XIXe siècle à Saragosse. XIXe siècle. Espagnol.
Peintre d'architectures.
Élève de l'École des Beaux-Arts de Saragosse. Il débuta à Madrid en 1876.

GALWEY Y GARCIA Enrique
Né en 1864 à Barcelone (Catalogne). Mort le 10 février 1931 à Barcelone (Catalogne). XIXe-XXe siècles. Espagnol.
Peintre de paysages.
Il fait ses études à l'École des Beaux-Arts de la Ville de Condal. Vers 1885, il est élève de Joaquin Vayreda. Il séjourne à Paris.
Il participe à diverses expositions collectives de peinture : 1885, 1890 à Barcelone ; 1895 à l'École des Beaux-Arts de Madrid ; 1896 à Berlin. Il participe aux expositions Nationales, à Madrid, de 1912, 1915, 1917, 1924, 1926, 1929 et 1930. Il présente également son travail à Düsseldorf, Paris, Londres, Buenos Aires et Venise. Il réalise une exposition individuelle à Barcelone en 1922, puis sont présentées dans cette même ville des rétrospectives de son travail en 1943 et 1970. Il obtient une deuxième médaille en 1897 avec *Preludio de la noche*, de même qu'en 1906. Lors de l'Exposition internationale des Arts, à Barcelone, en 1907, il obtient la première médaille, une deuxième à l'Exposition internationale de Bruxelles, en 1909.
Une peinture de paysages ayant incorporé les acquis esthétiques de l'école de Barbizon tout en possédant certaines des résonances dramatiques des paysagistes anglais, et qui cherche avant tout à traduire librement sentiments et inquiétude devant la nature.
Bibliogr. : In : *Cien anos de pintura en Espana y Portugal, 1830-1930*, T. III, Antiqvaria, Madrid, 1989.
Ventes Publiques : Barcelone, 19 juin 1980 : *Le mas* 1885, h/t (68x115) : **ESP 125 000** – Barcelone, 24 mars 1983 : *Paysage*, h/pan. (48x70) : **ESP 97 000** – Madrid, 27 mars 1985 : *Paysage*, h/t (74x122) : **ESP 440 000**.

GALY Hippolyte Marius
Né au XIXe siècle à Alger. XIXe siècle. Français.
Sculpteur.
Élève de Dumont et de Cormon. Sociétaire des Artistes Français depuis 1891, il figura au Salon de cette société et obtint une mention honorable en 1898. Chevalier de la Légion d'honneur en 1900.

GALY Suzanne. Voir **COURBET Suzanne,** Mme

GAMACHES Pierre
XVe siècle. Actif à Rouen. Français.
Sculpteur sur bois.
Sous la direction de Philippot Viart, il travailla, en 1467, aux stalles du chœur de la cathédrale de Rouen.

GAMAIN Louis Honoré Frédéric
Né le 22 avril 1803 au Crotoy. Mort le 1er mars 1871 au Havre. XIXe siècle. Français.
Peintre de marines.
Élève de Gudin, il exposa au Salon de Paris, de 1833 à 1843.
Musées : Le Havre : *Le Humboldt dans le bassin de la Floride*.
Ventes Publiques : Paris, 24 jan. 1927 : *Deux voiliers*, deux pendants : **FRF 1 680** – Fécamp, 7 nov. 1982 : *Le trois-mâts Elizabeth*, h/t (60x72) : **FRF 16 500** – Monte-Carlo, 26 juin 1983 : *Vue de Saint-Pierre de la Martinique*, h/t (42x58,5) : **FRF 30 000** – Paris, 28 oct. 1990 : *Marine*, h/t (43x60) : **FRF 15 000**.

GAMALIEL DE HERDE R. J.
XVIIe siècle. Actif à Paris en 1600. Français.
Peintre.

GAMARD Jean
XVIIIe siècle. Actif à Paris en 1744. Français.
Peintre et sculpteur.

GAMARRA José
Né en 1934 à Tacuarembo. XXe siècle. Depuis 1963 ou 1965 actif en France. Uruguayen.
Peintre de paysages animés, lithographe. Abstrait informel, puis figuration onirique.
Il fut élève de l'École des Beaux-Arts de Montevideo. En 1959, il quitte son pays pour aller dans le sud du Brésil. En 1963, il s'installe à Paris. Il participe à de nombreuses expositions collectives, notamment à la Biennale de Venise en 1964. Il est présent à l'exposition itinérante *Art of the Fantastic, Latin-America 1920-1970*, organisée par le Musée d'Indianapolis, en 1987. Il réalise plusieurs expositions personnelles dans différents pays d'Amérique du Sud ainsi qu'en France.
Il fut d'abord un des représentants de l'art informel en Amérique latine. Puis, il fut très influencé, non par les motivations profondes, esthétiques et sociologiques, mais par le style du pop art. Il raconte dans une imagerie narrative naïve, colorée et apparemment charmante, d'invraisemblables histoires d'écrevisses et homards volants, motorisés, rayés et bigarrés, s'attaquant à des forteresses de parcs d'attractions. Ses œuvres que l'on peut parfois rapprocher de celles de Jan Voss, amènent à se poser la question : peut-il y avoir des naïfs « pop artistes » ? Sous ses dehors séduisants, la peinture de Gamarra pose quand-même les interrogations qui concernent l'existence au présent de l'Amérique latine. La forêt, omniprésente dans ses peintures, y symbolise le paradis perdu que hantent encore les animaux et les hommes des origines, mais que menacent les représentations emblématiques de la prétendue civilisation qu'apporta la conquête. ■ J. B.
Bibliogr. : In : Catalogue de l'exposition *Peintres et sculpteurs d'Amérique Latine*, Institut Italo-Latino-Américain, Rome, 1970 – Damian Bayon et Roberto Pontual : *La Peinture de l'Amérique latine au XXe s.*, Mengès, Paris, 1990 – in : *Diction. de l'art mod. et contemp.*, Hazan, Paris, 1992.
Ventes Publiques : New York, 25 nov. 1986 : *Chasse mystique* 1984, h/t (139x139) : **USD 6 000** – New York, 17 avr. 1988 : *Peinture P. 64105* 1964 (129,3x162) : **USD 4 400** – Londres, 6 avr. 1989 : *La vengeance du dragon vert*, acryl./t. (81,3x100,3) : **GBP 3 080** – New York, 17 mai 1989 : *Ancêtres* 1980, h/t (116x89) : **USD 17 600** – New York, 19-20 mai 1992 : *« La risa del Chaja »* 1986, h/t (149,9x200) : **USD 29 700** – New York, 18-19 mai 1993 : *Les missionnaires de l'impossible* 1962, h/t (89,2x116) : **USD 11 500** – New York, 18 mai 1994 : *Peinture P.64114* 1964, h/t (201,8x201,2) : **USD 13 800**.

GAMBA Antonio
XVIIIe siècle. Actif à Naples. Italien.
Peintre.
Il fut élève de Solimena.

GAMBA Crescenzo. Voir **LA GAMBA**

GAMBA Enrico
Né le 3 janvier 1831 à Turin (Piémont). Mort le 19 octobre 1883 à Turin. XIXe siècle. Italien.
Peintre d'histoire, sujets de genre, portraits, paysages, aquarelliste, dessinateur.
En 1850, il vint à Francfort-sur-le-Main, où il étudia avec Steinle. Il vécut en Italie. Il a exposé à Vienne et à Francfort entre 1873 et 1881.
On cite de lui : *Paysage, Le Baiser.*
Ventes Publiques : Londres, 25 avr. 1924 : *Retour à la ville* : **GBP 24** – Rome, 6 juin 1984 : *Personnages devant un château* 1871, h/t (192x151) : **ITL 8 000 000** – Milan, 7 nov. 1985 : *Barque de pêche par forte mer* 1855, h/t (91x132) : **ITL 9 500 000** – Madrid, 21 oct. 1986 : *Le Galant Entretien*, aquar. (58x35) : **ESP 350 000** – Londres, 15 déc. 1988 : *Une belle jeune fille*, cr. et aquar. (50,6x37,9) : **GBP 462** – Milan, 8 mars 1990 : *À la fontaine*, h/t (41x60) : **ITL 11 000 000**.

GAMBA Francesco
Né en 1818 à Turin (Piémont). Mort le 10 mai 1887 à Turin. XIXe siècle. Italien.
Peintre de sujets de genre, paysages d'eau, marines.
Il est le frère d'Enrico. Il a surtout exposé à Milan et Turin.
Musées : Gênes : *Marine* – Trieste : *Motif de Rouen.*
Ventes Publiques : Milan, 17 déc. 1992 : *Une bonne pêche* 1850, h/t (95,5x100) : **ITL 4 800 000**.

GAMBA Giovani Battista
Né en 1846 à Binago. XIXe siècle. Italien.
Sculpteur.
Élève de l'Académie de la Brera à Milan et du sculpteur Vela. Il décora plusieurs palais à Bergame, Rome, Nice. Il a exposé à Naples, Milan, Rome. C'est un des meilleurs sculpteurs de l'art italien au XIXe siècle.

GAMBA Paolo
Né le 30 octobre 1712 à Ripabottoni. Mort le 26 décembre 1782 à Ripabottoni. XVIIIe siècle. Italien.
Peintre.
Il fut élève de Solimena et travailla dans différentes villes de la région des Abruzzes.

GAMBA DE PREYDOUR Jules Alexandre
Né en 1846 à Paris. XIXe siècle. Français.
Peintre de genre, figures, paysages, natures mortes.
Il fut l'élève de Gérôme. A partir de 1869, il figura au Salon avec des portraits, des natures mortes et quelques sujets de genre. Sociétaire des Artistes Français depuis 1886.
Musées : Chartres : *Le Parnasse*, d'après Raphaël.
Ventes Publiques : Paris, 2-3 juil. 1929 : *Peira-Fourniga, environs de Nice* : **FRF 1 800** – Paris, 12 déc. 1996 : *Élégante au parapluie*, h/t (35x21,5) : **FRF 4 800**.

GAMBACCIANI Francesco ou **Ganbaccini**
Né en 1701 à Florence. XVIIIe siècle. Italien.
Peintre d'histoire et de portraits.
Élève de l'école florentine. On trouve de ses œuvres à Sienne et à Florence. La Galerie Nationale conserve son portrait.

GAMBAGUOLA Bartolommeo
Enlumineur.
Enlumina plusieurs livres dans le style de Mantegna, Antonio da Monza, qui ont une très grande valeur.

GAMBALINI
XVIIIe siècle. Italien.
Peintre ou dessinateur.
Brookshaw grava un portrait de cet artiste.

GAMBARATO Girolamo
Mort en 1628. XVIIe siècle. Actif à Venise. Italien.
Peintre d'histoire.
On cite de cet artiste, dans la salle du Grand Conseil, au Palais ducal, à Venise, un tableau : *Traité de paix entre le doge, Frédéric Barberousse et le Pape.*

GAMBARD Henri-Auguste
Né le 30 octobre 1819 à Sceaux (Hauts-de-Seine). Mort en 1882. XIXe siècle. Français.
Peintre d'histoire, compositions mythologiques.
Il étudia à l'École des Beaux-Arts de Paris, dès 1839, dans l'atelier d'Émile Signol, puis dans celui de Paul Delaroche. Il fut, à six reprises, admis au concours définitif du Prix de Rome. Il exposa au Salon de Paris, de 1845 à 1869.
Il resta fidèle à la peinture d'histoire, respectueux de ses thèmes et de ses canons. Parmi ses toiles, on mentionne : *Œdipe à Colonne, Œdipe exilé de Thèbes, La mort d'Alexandre.* Le critique du *Journal des Artistes* résuma assez bien l'esprit qui marqua l'œuvre d'Henri-Auguste Gambard : « s'il procède en ligne directe de Girodet, il n'a pas la sécheresse de ce maître mais les bonnes qualités » et « s'il n'est pas instinctif, il est arrivé à maîtriser son pinceau, il a produit des tons fins, une pureté de contours, une suavité du modelé ».
Bibliogr. : Gérald Schurr, in : *Les Petits Maîtres de la peinture 1820-1920, valeur de demain*, Les Éditions de l'Amateur, t. VII, Paris, 1989.
Ventes Publiques : New York, 21 mai 1987 : *La Maladie d'Alexandre* 1846, h/t (114,2x147,3) : **USD 25 000**.

GAMBARDELLA Michele
XVIIe siècle. Italien.
Peintre.
Il fut élève de Vaccaro. Il travaillait à Naples.

GAMBARDELLA S. ou **Gambardella**
XIXe siècle. Actif en Angleterre. Britannique.
Peintre de portraits.
On trouve au Musée d'Arras, sous le nom de Gambandella, le

Portrait de M. Ledru, avocat ; et au Musée de Liverpool, les portraits de *James Pownall*, de *Charles Sylvestre*, de *Joseph Sanders* et *George Stephenson*. Ces différentes effigies nous paraissent provenir du même artiste. Il exposa à la Royal Academy et à la British Institution, de 1842 à 1852. Ne serait-ce pas le même que le portraitiste Gambadella ?

GAMBARELLI Crescenzio
Né au XVIe siècle à Sienne. XVIe siècle. Italien.
Peintre d'histoire.
Élève de Nasini. C'est sans doute lui qui peignit un retable pour l'église Santa Maria del Carmine à Pise.

GAMBARINI Giuseppe
Né en 1680 à Bologne (Emilie-Romagne). Mort le 11 septembre 1725 à Bologne. XVIIIe siècle. Italien.
Peintre de scènes mythologiques, compositions religieuses, sujets de genre, portraits, paysages.
Il fut élève de Pasinelli jusqu'à la mort de ce maître, époque à laquelle il entra à l'école de Cesare Gennari dont il adopta la manière et dont il copia quelques œuvres. Ayant jugé lui-même qu'il n'avait pas assez de talent pour exécuter des sujets historiques, il s'appliqua à représenter des scènes de la vie ordinaire et y obtint quelques succès. Par la suite, ses œuvres incitèrent curieusement Pietro Longhi à la même conversion, qui abandonna la grande peinture religieuse pour la représentation de scènes de la vie quotidienne. Ses œuvres se trouvent surtout dans les églises de Bologne, à Santa Maria Egiziaca, un tableau de cette sainte et aux Osservanti : *L'Entrée de Sainte Catherine Vigri à Bologne*.
VENTES PUBLIQUES : PARIS, 1816 : *Œuvres de charité*, deux pendants : **FRF 271** – LONDRES, 19 avr. 1909 : *Moines distribuant des vivres à des mendiants* : **GBP 4** – NEW YORK, 23-25 jan. 1947 : *Portrait de l'artiste* : **USD 160** – MILAN, 9 nov. 1971 : *Scènes d'intérieur*, deux pendants : **ITL 3 800 000** – LONDRES, 12 déc. 1973 : *Paysage animé* : **GBP 4 000** – LONDRES, 10 avr. 1981 : *Brodeuses sur une terrasse*, h/t (60,2x74,2) : **GBP 16 000** – NEW YORK, 18 jan. 1984 : *Une famille de paysans ; Les lavandières*, h/t, une paire (64x51) : **USD 26 000** – LONDRES, 2 juil. 1986 : *Le Marchand de vin ; La Marchande de fruits*, h/t, une paire (97x74 et 97x66,5) : **GBP 115 000** – LONDRES, 6 juil. 1987 : *Études de personnages*, lav. bleu reh. de blanc/pap. gris (32,6x40,6) : **GBP 1 450** – MILAN, 10 juin 1988 : *Paysage avec des paysannes se querellant ; Paysage avec des chasseurs et des paysans*, h/t, une paire (chaque : 70x91) : **ITL 30 000 000** – PARIS, 27 juin 1989 : *Bacchus et Ariane à Naxos*, t. en forme de demi-lune (167x184) : **FRF 160 000** – PARIS, 30 nov. 1990 : *Réjouissances paysannes*, h/t, une paire (chaque 137x124) : **FRF 265 000** – MONACO, 7 déc. 1990 : *Musiciens dans un paysage*, h/t (47x65) : **FRF 255 300** – MONACO, 5-6 déc. 1991 : *Rebecca au puits*, h/t, de forme ovale (95x71,5) : **FRF 77 700**.

GAMBARO Lattanzio ou **Gambara**
Né vers 1530 à Brescia. Mort vers 1574. XVIe siècle. Italien.
Peintre d'histoire et de portraits.
Son père le destinait au métier de tailleur et lui fit subir souvent de sévères châtiments lorsqu'il employait au dessin ses instants de loisirs. Antonio Campi ayant examiné les dessins, y reconnut des dispositions remarquables et persuada le père de laisser entrer l'enfant à son école. Gambara y resta dix ans, puis, à l'âge de dix-huit ans, fut placé sous la direction de Girolamo Romanino, qui lui donna plus tard sa fille en mariage. La Strada del Gambaro de Brescia possède de lui plusieurs jolies peintures à fresque représentant des sujets mythologiques et classiques. On cite surtout les travaux exécutés dans le cloître des Pères Bénédictins de Sainte-Euphrémie à Brescia. Le Castello de Brescia possède également des fresques : *Triomphe de Bacchus*. Dans la cathédrale de Parme, on peut voir douze fresques représentant des sujets tirés de la vie du Christ. Parmi ses peintures à l'huile, on admire surtout : *La Naissance de la Vierge*, dans l'église San Faustino Maggiore, à Brescia, et une *Pietà*, à San Pietro de Crémone. Il se tua en tombant d'une échelle.

VENTES PUBLIQUES : PARIS, 1858 : *Étude de femme drapée*, dess. au bistre : **FRF 10** – LONDRES, 27-29 mai 1935 : *Décoration de plafond*, dess. : **GBP 6** ; *Madone et l'Enfant*, dess. : **GBP 9** – LYON, 21 mai 1987 : *Étude de femme drapée*, pl. et lav. de brun (27x16) : **FRF 48 000** – LONDRES, 2 juil. 1990 : *Croquis pour un plafond hexagonal représentant Jupiter couronnant la Justice et des putti lui apportant ses attributs*, encre avec reh. de blanc/pap. gris-vert (28,7x32,5) : **GBP 2 860**.

GAMBART Jean Hector Henri
Né en 1854 à Péronne. Mort en 1891. XIXe siècle. Français.
Peintre.
Exposa au Salon de Paris en 1881 : *Petite mendiante*, et en 1882 : *Une famille pauvre, Souvenir de Menton*. Le Musée d'Amiens possède de lui : *Pèlerinage au tombeau de saint Valéry, Une famille pauvre à Bagnères-de-Luchon*.

GAMBARTES Leonidas
Né en 1909 à Rosario de Santa Fe. Mort en 1963 à Rosario de Santa Fe. XXe siècle. Argentin.
Peintre de paysages, figures, illustrateur.
Il fit ses études à Rosario. Il a fondé le *Groupe du Littoral*. Il participa aux expositions du groupe dans de nombreuses villes d'Argentine. Il figura à la Biennale de Venise en 1956, à celle de San Pablo en 1957, à l'Exposition de Bruxelles en 1958, à la Biennale de Mexico, à l'exposition *150 Ans d'Art Argentin*. Il fit sa première exposition personnelle à Buenos Aires en 1947. Il obtint les Prix des Salons de Parana, Cordoba et Tucuman.
BIBLIOGR. : In : *Peintre contemporains*, Mazenod, Paris, 1964 – Damian Bayon et Roberto Pontual : *La Peinture de l'Amérique latine au XXe siècle*, Mengès, Paris, 1990.
VENTES PUBLIQUES : NEW YORK, 17 mai 1989 : *Yuyera*, gesso/cart. (80x60) : **USD 9 350** – NEW YORK, 20-21 nov. 1990 : *Paye*, gesso/pan. (55x37) : **USD 5 500** – NEW YORK, 18-19 mai 1992 : *Littoral*, chromogesso/cart. enduit de gesso (40x60,4) : **USD 8 800** – NEW YORK, 18 mai 1994 : *Les Guérisseuses* 1951, gche/cart. enduit au gesso (45x32) : **USD 3 680** – NEW YORK, 28 mai 1997 : *Ambito y Figuras* vers 1959, plâtre et chrome/t. (61x87) : **USD 19 550**.

GAMBASSI Giovanni de. Voir **GONNELLI**

GAMBAU Antonio
Né à Barcelone. XVe siècle. Espagnol.
Sculpteur.
Il travaillait en 1426 à la cathédrale de Palerme.

GAMBEL
XVIIIe siècle. Actif en Angleterre. Britannique.
Miniaturiste.
Cet artiste exposa à la Free Society, à Londres, en 1773.

GAMBELLO Vittore
Né vers 1460 à Venise. Mort en 1537 à Venise. XVe-XVIe siècles. Italien.
Sculpteur et médailleur.
Il fut élève de Giovanni Bellini et imita dans ses dessins la technique de son maître. Il vécut aussi à Rome et se fit surtout connaître comme médailleur.

GAMBERAI Felica
XVIIe siècle. Actif à Mantoue vers 1620. Italien.
Sculpteur sur bois.
Il travailla aussi à Florence.

GAMBERATI Jérôme
Mort en 1628. XVIIe siècle. Italien.
Peintre d'histoire.
Élève de J. Porta et de Palma le Jeune.

GAMBERINI Giovacchino
Né en 1859 à Ravenne (Emilie-Romagne). XIXe siècle. Italien.
Peintre de genre.
Il fut élève de Lanfredini à l'Académie des Beaux-Arts de Pise. Il a débuté vers 1886 à Florence et en 1889 à Turin.
VENTES PUBLIQUES : ROME, 22 mars 1988 : *Les indiscrets*, h/t (20x15) : **ITL 600 000** – AMSTERDAM, 30 oct. 1991 : *Jongleur et acrobate faisant leur numéro devant une assemblée élégante dans une rue*, h/t (54,5x65,5) : **NLG 9 200** – NEW YORK, 19 jan. 1995 : *Bavardages autour du puits*, h/t (80x105,4) : **USD 2 875** – LONDRES, 20 nov. 1996 : *Santa Maria Novella, Florence*, h/t (75x58) : **GBP 4 025**.

GAMBERRUCI Cosimo
Né à Florence. XVIIe siècle. Actif au début du XVIIe siècle. Italien.
Peintre d'histoire.
Élève de Battista Naldini, il n'obtint pas beaucoup de succès. Cependant certaines de ses œuvres ont de la valeur. Parmi elles, se trouve, à San Pietro Maggiore de Florence : *Saint Pierre guérissant le paralytique*. Il peignit aussi des tableaux de chevalet qui sont dans les collections florentines.

GAMBETELLO Girolamo
Né à Fano. XVIe siècle. Italien.
Peintre.
Il vécut à Rome et exécuta différentes peintures pour le Palais du Vatican.

GAMBEY André
Né au XIXe siècle à Louhans (Saône-et-Loire). XIXe siècle. Français.
Peintre.
Élève de l'Académie de Dijon. Il envoya au Salon de Paris en 1874 : *Vue des établissements et de la ville du Creusot*, et en 1879 : *Gibier*.

GAMBEY Léon
Né en 1883 à Chalon-sur-Saône (Saône-et-Loire). Mort le 1er décembre 1914, au combat du Bois d'Ailly. XXe siècle. Français.
Peintre de sujets militaires.
Il s'inspira surtout des guerres napoléoniennes.

GAMBIER Léon
Né le 25 novembre 1917 à Dieppe (Seine-Maritime). XXe siècle. Francais.
Peintre de paysages, marines, illustrateur, décorateur.
Il fut élève de l'École des Beaux-Arts de Rouen, puis de l'École des Arts Décoratifs de Paris, notamment en atelier de fresque. Il fut l'un des créateurs de l'Atelier de Ville-d'Avray. Il fut exposant, à Paris, du Salon des Artistes Français, où ses œuvres furent remarquées. Il obtint une médaille d'argent en 1939, le prix Cyrille Besset en 1943. Il a participé à des expositions collectives en France et à l'étranger. Il obtint diverses distinctions, dont le Prix du Salon de Boulogne en 1981. Depuis 1959, il est peintre titulaire de la Marine.
Musées : Belfast – Boulogne – Dieppe – Francfort-sur-le-Main.
Ventes Publiques : Nice, 29 juin 1977 : *Jeune femme et son enfant*, h/t (72x54) : **FRF 11 800**.

GAMBIER Louis
Belge.
Peintre d'histoire.
Le Musée de Liège conserve de lui : *Le Saint-Sépulcre à Jérusalem*.

GAMBIER D'HURIGNY Maurice
Né au XXe siècle à Paris. XXe siècle. Français.
Sculpteur.
Il fut élève de Henri Bouchard. Il fut exposant, à Paris, du Salon des Artistes Français, où il remporta récompenses et distinctions.

GAMBINO José
Né au début du XVIIIe siècle en Galice. Mort le 24 août 1775 à Saint-Jacques-de-Compostelle. XVIIIe siècle. Espagnol.
Sculpteur.
Son père était Génois. Il travailla d'abord au Portugal, puis revint en Galice. On cite de lui des statues à Orense et à Santiago.

GAMBINO Manuel
XVIIIe siècle. Actif à Santiago. Espagnol.
Sculpteur.
Il était fils de José.

GAMBINO Tomas
XVIIIe siècle. Actif à Santiago. Espagnol.
Sculpteur.
Il était fils de José.

GAMBLE
XIXe siècle. Actifs à Paris. Français.
Graveurs.
Cités par le *Art Prices Current*. Ces artistes reproduisirent des œuvres les plus variées.

GAMBLE Edwin
Né le 1er octobre 1876 à Chicago (Illinois). XXe siècle. Actif aussi en France. Américain.
Peintre.
Il travaillait à Paris et à Evanston (États-Unis).

GAMBLE James
XIXe siècle. Actif à Londres à la fin du XIXe siècle. Britannique.
Sculpteur.
Il exposa à la Royal Academy.

GAMBLE John Marshall
Né le 25 novembre 1863 dans le New Jersey. Mort en 1934 ou 1957. XIXe-XXe siècles. Américain.
Peintre de paysages.
Il fut élève de la San Francisco School of Design, et de l'Académie Julian à Paris. Membre de l'American Federation of Art.
Ventes Publiques : Los Angeles, 23 juin 1981 : *California coastline*, h/t (51x76) : **USD 2 600** – Bolton, 17 nov. 1983 : *Paysage boisé*, h/t (45,7x61) : **USD 1 600** – Los Angeles-San Francisco, 12 juil. 1990 : *Lupins et coquelicots le long de la côte californienne*, h/t (35,5x25,5) : **USD 7 700** – Los Angeles-San Francisco, 10 oct. 1990 : *Fleurs sauvages de Californie*, h/t (76x102) : **USD 22 000** – New York, 12 avr. 1991 : *Joyeux printemps*, h/t (66x50,8) : **USD 16 500** – New York, 14 sep. 1995 : *Le lever de la lune*, h/t (76,2x101,6) : **USD 28 750** – New York, 26 sep. 1996 : *Héliotrope sauvage*, h/t (63,5x76,2) : **USD 40 250**.

GAMBLE Roy C.
Né en 1887. XXe siècle. Américain.
Peintre.
Il étudia à Detroit, New York et Paris. Membre du Scarab Club, où il obtint diverses récompenses. On voit ses œuvres principalement en Pennsylvanie.

GAMBOA Martin de
Né en 1525 dans le pays basque. Mort le 22 février 1587 près de Madrid. XVIe siècle. Espagnol.
Sculpteur.
Il fut chargé par Philippe II de l'ornementation des stalles du chœur de l'Escurial. Il mourut avant l'achèvement de ce travail qui fut continué par son fils Juan Gamboa.

GAMBOGI Émile
Né à Naples (Campanie), de parents français. XIXe siècle. Français.
Peintre de portraits.
Il figura au Salon de Paris en 1868, 1870 et 1878.
Ventes Publiques : Londres, 24 juin 1981 : *Jeune femme à son piano* 1861, h/t (77x62) : **GBP 800**.

GAMBOGI Fanny, née **Taillefer**
Née au XIXe siècle à Toulouse (Haute-Garonne). XIXe siècle. Française.
Peintre.
Figura au Salon de Paris de 1850 à 1879. On cite d'elle : *La charité, Avant l'école, Les rameaux, La sérénade*.
Ventes Publiques : Paris, 15 mai 1931 : *L'impératrice Eugénie à Saint-Cloud* : **FRF 150**.

GAMBOGI Raffaello
Né en 1874 à Livourne (Toscane). Mort en 1943. XXe siècle. Italien.
Peintre de genre.
Musées : Helsinki : *Fatigué*.
Ventes Publiques : Milan, 30 oct. 1984 : *Paysanne sur une route ensoleillée*, h/pan. (37x37) : **ITL 2 600 000** – Milan, 30 mai 1990 : *La place Nibbiaia à Livourne*, h/t/cart. (26,5x35) : **ITL 2 200 000** – Londres, 20 nov. 1996 : *Repos pendant la moisson* 1896, h/t (120x240) : **GBP 47 700**.

GAMBOMÉ
XIXe siècle. Actif dans la seconde moitié du XIXe siècle. Français.
Peintre de portraits.
Il travaillait à Marseille.
Ventes Publiques : Paris, 1894 : *Napolitaine* : **FRF 67** ; *Un philosophe* : **FRF 58**.

GAMBONE Bruno
Né en 1936 à Viehisul-Mare. XXe siècle. Italien.
Peintre.
Il a vécu à New York de 1963 à 1968, et c'est à New York qu'il fit sa première exposition. Revenu en Italie, il expose depuis peu dans son pays.
Sa peinture est avant tout une recherche sur l'espace. Les toiles sont monochromes et en relief. Il joue sur l'espace perçu en utilisant les superpositions de toiles de formats différents ou en jouant avec des angles en relief.

GAMBORG Knud Frederik
Né le 30 juin 1828 à Tikob. Mort le 3 janvier 1900 à Copenhague. XIXe siècle. Danois.
Peintre et illustrateur.
Il séjourna en Italie et s'intéressa particulièrement à la caricature.
Ventes Publiques : Copenhague, 21 mai 1997 : *Fantassins au Colisée* (98x157) : **DKK 22 000**.

GAMBORINO Miguel
Né en 1760 à Valence. Mort vers 1828 à Madrid. XVIIIe-XIXe siècles. Espagnol.
Peintre et graveur.
Élève de l'Académie de San Carlos à Valence. Il s'est surtout fait connaître comme graveur.

GAMBS J.
Né à Fribourg-en-Brisgau. Mort en 1751. XVIIIe siècle. Allemand.
Peintre.
Il travailla pour le château d'Ebnet et pour les églises de Sölden et de Riegel.

GAMBS Philippe Charles
XVIIIe siècle. Actif à Paris en 1774. Français.
Peintre.
Membre de l'Académie de Saint-Luc, il figura à l'exposition de cette société en 1774 avec plusieurs portraits en miniature.

GAMBUT P.
Né en 1871 à Tournus (Saône-et-Loire). Mort en 1937 à Paris. XXe siècle. Français.
Peintre de paysages.
Il exposait, à Paris, au Salon des Indépendants.

GAMEIRO Roque. Voir **ROQUE GAMEIRO**

GAMEL François
XVIIIe siècle. Actif à Paris en 1738. Français.
Peintre et sculpteur.

GAMELIN Jacques
Né le 3 octobre 1738 à Carcassonne (Aude). Mort le 12 octobre 1803 à Carcassonne. XVIIIe siècle. Français.
Peintre d'histoire, scènes mythologiques, compositions religieuses, sujets de genre, portraits, aquarelliste, dessinateur.
Jacques Gamelin est, avec raison, considéré comme un des meilleurs artistes du Midi. Protégé par le marquis de Puymaurin, il étudia d'abord à Toulouse avec Rival, vint à Paris, où il remporta le grand prix de peinture et enfin se rendit à Rome, achevant son éducation artistique avec David et Vien. Gamelin se maria à Rome, fut nommé peintre du pape Clément XIV et professeur à l'Académie de Saint-Luc. En 1774, on l'appelait à Toulouse pour être professeur à l'Académie et, deux années plus tard, la direction de l'école de Montpellier lui était confiée. La Révolution fournit à notre artiste l'occasion de devenir peintre militaire. Attaché au général Dugommier à l'armée des Pyrénées-Orientales avec le grade et la solde d'un capitaine du Génie, il produisit, notamment, quatre toiles conservées à la Préfecture des Pyrénées-Orientales, qui offrent, indépendamment de leur valeur artistique, un sérieux intérêt local : *Le camp de l'Union*, *La Bataille de Peyrestortes*, les portraits des généraux Dagobert et Dugommier. Gamelin exécuta à Perpignan, de 1784 à 1785, des peintures dans la cathédrale et dans la chapelle de la Conception. Il mourut professeur à l'École Centrale de l'Aude. Les œuvres de ce maître ne sont pas rares à Perpignan.

MUSÉES : BÉZIERS : *Titus accordant la liberté à des prisonniers – Tête d'enfant – Épisode de l'armée des Pyrénées en 1794* – autre épisode du même genre – *Deux femmes assises* – BORDEAUX : *Socrate buvant la ciguë – Départ d'Abradate pour le combat – Mort d'Abradate* – MONTPELLIER : *Le buveur et sa famille* – NARBONNE : trois tableaux de batailles – *Portraits de J. Gamelin* – trois compositions – PERPIGNAN : *Saint Yves, patron des avocats – Le Christ expirant – Naissance de Jésus – Tête de la Madeleine – Le Christ expirant – Portrait en pied de Frion* – TOULOUSE : *Achille traînant le corps d'Hector autour des remparts de Troie – Ulysse massacrant les prétendants de sa femme*, sépias – *La mort de Priam – Le retour d'Idoménée – Orgie.*

VENTES PUBLIQUES : PARIS, 1881 : *Lecture de la gazette* : **FRF 200** ; *Brigands espagnols attaquant des voyageurs* : **FRF 180** – PARIS, 1899 : *Il Berdomire*, étude : **FRF 125** ; *Fête de Bacchus*, dess. : **FRF 82** ; *Le Chien savant*, encre de Chine et aquar. : **FRF 130** – PARIS, 8-10 juin 1920 : *Combat antique*, dess. : **FRF 430** – PARIS, 13 nov. 1922 : *Les Musiciens ambulants* : **FRF 2 500** ; *Combat de cavalerie* : **FRF 1 700** – PARIS, 8 nov. 1924 : *Offrande à la déesse Junon*, pl. et lav., reh. de gche : **FRF 1 350** – PARIS, 17-18 mars 1927 : *Le Chien savant*, aquar. : **FRF 2 000** – PARIS, 24 avr. 1929 : *Paysans et paysannes dansant*, deux toiles : **FRF 1 250** – PARIS, 20 et 21 avr. 1932 : *Agenistrata et Archidami suppliant Ampharès en faveur d'Agis*, pl. et lav. d'aquar. : **FRF 260** ; *Épisode des guerres de Sparte*, pl. et lav. d'aquar. : **FRF 220** – PARIS, 30 mars 1942 : *Sophonisbe recevant le poison* ; *Bython traînant le char de Cydippe*, deux aquar./trait de pl. : **FRF 2 000** ; *La Continence de Scipion* ; *L'Adoration des Mages*, deux aquar./trait de pl. : **FRF 2 000** – PARIS, 25 mai 1945 : *Bacchanale*, pl. et lav. d'encre de Chine : **FRF 4 600** – PARIS, 27 mars 1953 : *Les Musiciens ambulants* : **FRF 150 000** – PARIS, 24 nov. 1972 : *Combat de cavalerie* ; *Officier de cavalerie donnant des ordres*, deux pendants : **FRF 12 000** – VERSAILLES, 8 mars 1981 : *Portrait d'un jeune homme de la Révolution*, h/t (36x31) : **FRF 17 000** – TOULOUSE, 1er mars 1983 : *Adoration des bergers* 1788, h/t (59x98) : **FRF 26 000** – BERNE, 22 juin 1984 : *Scène de bataille* 1793, aquar., gche et encre de Chine (53,4x70,5) : **CHF 4 400** – LONDRES, 3 avr. 1985 : *Horace tuant sa sœur Camille*, h/t (32,5x41) : **GBP 2 400** – PARIS, 18 déc. 1987 : *Offrande à la déesse Junon*, pl., lav. de bistre et reh. de gche blanche (38x49) : **FRF 28 000** – PARIS, 18 déc. 1987 : *Offrande à la déesse Junon*, pl., lav. de bistre et reh. de gche (38x49,5) : **FRF 28 000** – PARIS, 11 mars 1988 : *Scylla s'avançant à pied vers l'ennemi* 1792, cr., pl. et aquar. (diam. : 15,5) : **FRF 9 000** – MONACO, 15 juin 1990 : *Marcus Curius refuse les présents des Samnites*, encre brune sur pierre noire (24,7x32,8) : **FRF 11 100** – PARIS, 18 avr. 1991 : *La mort de Darius*, h/t, camaïeu bleu (63,5x97) : **FRF 48 000** – LONDRES, 23 avr. 1993 : *La défaite de Sennacherib*, h/cart., en grisaille (25,3x32,5) : **GBP 2 530** – MONACO, 2 juil. 1993 : *Combat aux portes d'une ville assiégée*, craie noire et lav. (47x60,5) : **FRF 53 280** – LONDRES, 9 déc. 1994 : *Cavaliers attaqués de nuit dans un bois* 1783, h/t (59,6x97,5) : **GBP 5 175** – PARIS, 6 nov. 1995 : *Scène de l'histoire antique*, h/t (32x48) : **FRF 7 000** – PARIS, 13 mars 1995 : *Scène de bataille*, encre de Chine et gche blanche (34,3x67,8) : **FRF 9 000** – PARIS, 1er avr. 1996 : *Théophane prédisant l'avenir d'Idoménée*, gche et encre noire (25x45,5) : **FRF 15 000** – PARIS, 28 juin 1996 : *Combat de cavalerie près d'un pont*, h/t (97,5x135) : **FRF 48 000** – PARIS, 27 juin 1997 : *Scène de bataille* 1792, pl., aquar., de forme ronde (diam. 15,5) : **FRF 7 100**.

GAMEN-DUPASQUIER Auguste Claude François
Né le 16 juillet 1811 à Chambéry. Mort le 16 mai 1858 à Paris. XIXe siècle. Français.
Peintre d'histoire.
Il entra à l'École des Beaux-Arts le 6 octobre 1832. De 1840 à 1849, il figura au Salon de Paris avec des portraits, entre autres avec celui de Mme Gamen-Dupasquier, née de Saint-Yon. Cet artiste fut naturalisé Français le 6 mai 1848. Il peignit un *Portrait du prince Lucien Murat*, qui fut gravé par Al. Fr. Girard.

GAMET Pierre
XXe siècle. Français.
Peintre. Abstrait.
De 1949 à 1955, il figura régulièrement au Salon des Réalités Nouvelles, à Paris, avec des compositions abstraites d'une exécution très soignée, aux formes en arabesques nettes et peintes en subtils dégradés de valeurs.

GAMIZ Pedro de. Voir **LOPEZ de Gamiz**

GAML Vital
Né le 18 août 1759 à Salzbourg. Mort en mai 1911 à Salzbourg. XIXe-XXe siècles. Autrichien.
Peintre.
Élève à l'Académie de Vienne. On lui doit surtout des tableaux de fleurs. Le Musée de Salzbourg possède des dessins de cet artiste.

GAMLEY Henry Snell
Né en 1865 à Logie Pert. XIXe siècle. Britannique.
Sculpteur.
Élève de W. D. Stevenson. Il travailla surtout à Édimbourg.

GAMMA Francesco
Mort en 1767. XVIIIe siècle. Italien.
Peintre.
Fils de Gaspare. Il fut surtout portraitiste.

GAMMA Gaspare
Né en 1670 en Suisse. Mort en 1753 à Bologne. XVIIe-XVIIIe siècles. Italien.
Peintre.
Il fut élève de Cignani.

GAMMA Sebastiano
Né en 1711. Mort en 1768. XVIIIe siècle. Actif à Bologne. Italien.

Peintre.
Fils de Gaspare. Il travailla pour les églises de Bologne.

GAMMAGE Emma, Miss
XIXe siècle. Active à Liverpool. Britannique.
Peintre de figures.
Exposa à la British Institution et à Suffolk Street, de 1865 à 1868.

GAMMELGAARD Albert
Né au Danemark. XXe siècle. Danois.
Peintre.

GAMMELL Robert Hale Ives
Né en 1893. Mort en 1981. XXe siècle. Américain.
Peintre.
Il fut membre de l'American Federation of Art, et autres sociétés artistiques.
VENTES PUBLIQUES : NEW YORK, 22 sep. 1993 : *La fin d'une ère* 1967, h/rés. synth. (46,5x31,8) : **USD 6 900**.

GAMMIUS Hélène
Née en 1854 à Hambourg. XIXe siècle. Allemande.
Peintre de portraits et de paysages.
Elle vécut surtout à Dresde.

GAMMON James
XVIIe siècle. Actif à Londres vers 1660. Britannique.
Graveur de portraits.
On lui doit nombre de portraits.

GAMNIOU James
XVIIe siècle. Actif à Londres vers 1660. Britannique.
Graveur.
Cet artiste exécuta quelques portraits dans un style raide et conventionnel. Parmi ceux-ci se trouvent ceux de la *reine Catherine de Bragance*, d'*Henry, duc de Gloucester*, de *Richard Cromwell* et d'*Edward Mascall*. Sans doute peut-on l'identifier avec le précédent.

GAMOND Elisa de
XIXe siècle. Active à Bruxelles, vers 1837. Éc. flamande.
Peintre de genre.
Élève de Jos Paelinck.

GAMOT
Né en 1771. XVIIIe-XIXe siècles. Français.
Peintre d'histoire.
Élève de l'École de dessin de Lille. Exposa au Salon de cette ville dès 1784.

GAMOT Joseph
XVIIIe siècle. Actif à Lille au début du XVIIIe siècle. Français.
Dessinateur de portraits.
Sans doute doit-on l'identifier avec le médailleur du même nom.

GAMOT Y LLURIA José
Né à Barcelone. Mort en 1890 à Barcelone. XIXe siècle. Espagnol.
Sculpteur.
Élève de Novas et de l'École des Beaux-Arts de Barcelone. Il débuta à Madrid en 1876.

GAMP Ludwig
Né en 1855 en Allemagne. Mort le 23 mai 1910 à Munich. XIXe-XXe siècles. Allemand.
Sculpteur.
Il fut élève de Widnmann.

GAMPENRIEDER Karl
Né le 1er février 1860 à Munich. XIXe siècle. Allemand.
Peintre d'histoire, sujets de genre, portraits.
Il fut élève à l'Académie de Munich, de J. Benczur, Alex. Wagner et W. Lindenschmit. Il continua ses études à Paris avec Bouguereau et Robert-Fleury. On cite de lui : *La princesse Elvira de Bavière*.
VENTES PUBLIQUES : RETFORD, 30-31 mai 1946 : *L'Introduction* : **GBP 44** – LONDRES, 24 juin 1987 : *Élégante devant un miroir* 1883, h/t (110x71) : **GBP 3 400** – LONDRES, 23 mars 1988 : *L'Heure du thé*, h/t (144x98) : **GBP 8 250**.

GAMPER Gustav Adolf
Né le 10 septembre 1873 à Troyen. Mort en 1948 à Zurich. XXe siècle. Suisse.
Peintre, dessinateur, graveur.
Il fut élève des Académies de Carlsruhe et de Stuttgart. Il débuta en 1897.

GAMPER Johann
Né vers 1655. Mort le 1er janvier 1738. XVIIe-XVIIIe siècles. Actif à Jauer. Suisse.
Peintre.

GAMPERT Jean-Louis
Né en 1884 à Genève. Mort en 1943. XXe siècle. Actif en France. Suisse.
Peintre de paysages, natures mortes, cartons de tapisseries, décorateur.
Il étudia à l'École des Beaux-Arts de Munich, puis dans l'atelier de Paul Sérusier, à Paris. Il exposa dans différents Salons parisiens.
Il peignit des compositions, en particulier des paysages, claires et calmes, étant manifestement influencé par la peinture de son ami Roger de La Fresnay, lui-même inspiré par le cubisme synthétique. Il eut une importante activité de décorateur, réalisant des projets de modèles de meubles et sièges, et des cartons de tapisseries.
BIBLIOGR. : Gérald Schurr, in : *Les Petits Maîtres de la peinture 1820-1920, valeur de demain*, Les Éditions de l'Amateur, t. IV, Paris, 1979.

GAMPERT Otto
Né le 27 octobre 1842 à Ottenbach. Mort en 1924 à Zurich. XIXe-XXe siècles. Suisse.
Peintre de paysages animés, paysages, paysages de montagne, paysages d'eau, graveur.
Il a pris part aux expositions de Munich, notamment en 1888 et 1889.
MUSÉES : MUNICH (Pina.) : *L'Inn à Mühldorf*.
VENTES PUBLIQUES : LUCERNE, 25 juin 1976 : *Paysage à l'étang*, h/t (90x140) : **CHF 2 200** – ZURICH, 7 nov. 1981 : *Vue du Gothard*, h/t (41,5x34,5) : **CHF 750** – BERNE, 6 mai 1983 : *Paysage orageux, Munich*, h/t (59x73) : **CHF 4 000** – BERNE, 28 mai 1985 : *Nature morte dans une cuisine*, h/t (47x68) : **CHF 2 200** – BERNE, 26 oct. 1988 : *Le Stilserjoch*, h/t (45x34,5) : **CHF 700** – COLOGNE, 18 mars 1989 : *Moutons près d'un ruisseau*, h/t (58x90) : **DEM 5 500** – ZURICH, 3 avr. 1996 : *Printemps*, h/t (32,5x47,7) : **CHF 1 200**.

GAMROTH Johannes
Mort en 1733 à Oppeln. XVIIIe siècle. Allemand.
Peintre.

GAMSARAGAN Daria
Née en 1907 à Alexandrie. Morte le 1er mars 1986. XXe siècle. Active depuis 1925 en France. Égyptienne.
Sculpteur, médailleur.
Venue en France pour étudier la sculpture, elle s'y fixe en 1925. Elle entre alors à l'Académie de la Grande Chaumière et devient l'élève de Bourdelle. Elle travaille également avec Csaky et avec l'animalier Constant. De 1927 à 1939, elle expose, à Paris, au Salon des Tuileries et au Salon d'Automne. Elle participe à la Biennale de Venise et à l'Exposition universelle de Paris. Après la guerre, à Paris, elle participe au Salon de la Jeune Sculpture, au Salon Comparaisons et au Salon d'Automne, ainsi qu'aux expositions de sculpture organisées par les musées Rodin et Bourdelle.
Elle s'est fait une spécialité de la petite sculpture et a ainsi travaillé pour des joailliers ou des maisons de haute-couture. Elle est également portraitiste et a réalisé de nombreuses médailles. Sous le pseudonyme d'Anna Sarag, elle a publié : *Voyage avec une ombre* et *L'Anneau de feu*.
MUSÉES : ALEXANDRIE – LE CAIRE – ERIVAN – PARIS (Mus. d'Art Mod. de la Ville).

GAMSER Joseph
XVIIIe siècle. Suisse.
Peintre verrier.

GAN. Voir **ADRIAN-NILSSON Gösta**

GANA Antonio
Né en 1822. Mort en 1847. XIXe siècle. Chilien.
Peintre.
Il travailla à Santiago du Chili et voyagea en Europe.

GANAHL Rainer
Né en 1961 à Bindenz. XXe siècle. Actif aux États-Unis. Autrichien.
Artiste. Conceptuel.
Il vit et travaille à New York. Il participe à diverses manifestations artistiques et montre son travail dans des expositions personnelles : 1989, Museum Folkwang, Essen ; 1991, New York ; 1992, galerie Roger Pailhas, Paris ; 1992, Dallas Museum of Art, Dallas ; 1993, galerie Roger Pailhas, Marseille.
Son travail, par séries, se présente sans séduction à titre infor-

matif. Objets (paillasson, disque...), projections de diapositives, peintures murales reproduisant le langage informatique agrandi, sur les divers murs du lieu d'exposition, sont là comme « la métaphore qui permettrait de conceptualiser la conceptualisation ».

Bibliogr. : Barry Schwabsky : *À propos de l'art de Rainer Ganahl*, Art Press, n°179, Paris, avr. 1993.

GANAL
XVIIIe siècle. Actif à Paris en 1770. Français.
Peintre et sculpteur.
Peut-être identique à Ferdinand GANAL.

GANAL Ferdinand
XVIIIe siècle. Actif à Sarrelouis. Allemand.
Sculpteur.
Il travailla également à Sarrebruck.

GANASSINI Marzio
XVIIe siècle. Actif à Rome. Italien.
Peintre d'histoire.
Il travailla pour des églises.

GANAY Isabelle de
Née en 1960. XXe siècle. Française.
Peintre de paysages. Postimpressionniste.
Elle fut élève de l'École des Beaux-Arts de Rouen, de l'Académie Julian à Paris ainsi que de l'École des Beaux-Arts. Elle participe à Paris au Salon des Artistes Français, dont elle est sociétaire. Elle montre des ensembles de ses paysages dans des expositions personnelles, notamment à la galerie Katia Granoff de Paris en 1993. Elle a obtenu de nombreuses distinctions.
Elle trouve ses motifs dans de nombreuses régions de France ou au cours de voyages.

I de Ganay

I de Ganay

Ventes Publiques : Paris, 20 nov. 1991 : *Neige en bord de Seine*, h/t (73x60) : **FRF 10 000** – Paris, 2 juin 1993 : *La maison de Monet*, h/t (38x46) : **FRF 16 000** – Calais, 4 juil. 1993 : *Le verger en fleur*, h/t (81x100) : **FRF 12 000**.

GANAY Sébastien de
XXe siècle. Français.
Peintre. Abstrait.
Il a exposé pour la première fois à Paris dans une exposition personnelle à la galerie Jacqueline Moussion.
Ses œuvres qui évoquent l'expressionnisme abstrait naissent d'un procédé original. Il recouvre le châssis de films plastiques contenant de la peinture et attend plusieurs semaines avant que la couleur se fige.

Bibliogr. : Thierry Davila : *Sébastien de Ganay*, Art Press, n° 198, Paris, janv. 1995.

GANBARDELLA S. Voir **GAMBARDELLA**

GANCHON Pierre ou **Gauchon**
XVIe-XVIIe siècles. Français.
Peintre.
Adopté par l'Aumône générale de Lyon, il demanda, en 1587 ou 1588, à faire son apprentissage à Mâcon, chez un peintre verrier. Il était établi à Toulouse dans les premières années du XVIIe siècle.

GAND, de. Voir aux prénoms qui précèdent

GAND Henri. Voir **GOUDT Hendrick**

GANDARA de La. Voir **LA GANDARA**

GANDARIAS Justo de
Né au XIXe siècle à Barcelone. XIXe siècle. Espagnol.
Sculpteur.
Il débuta à Madrid en 1881 et exposa assez souvent aux Salons de Paris. Le Musée de Madrid conserve de lui : *Enfant et canard* et *L'amour et l'intérêt*. Mention honorable 1878 (Exposition Universelle).

GANDAT
Mort en 1797 à Ermenonville (près de Paris). XVIIIe siècle. Français.
Peintre.
Il exposa au Salon de la Jeunesse en 1779 et peignit un paysage représentant le tombeau de Rousseau.

GANDI Bonaventura
XVIIe-XVIIIe siècles. Actif à Florence. Italien.
Peintre.

GANDI Giacomo
Né en 1846 ou 1850 à Saviglione. XIXe siècle. Italien.
Peintre de sujets de genre.
Élève de Castaldi à Turin, il vint finir ses études artistiques à Rome. Il a exposé à Turin, Milan, Rome. Il fut promu chevalier de l'ordre de la Couronne.

Ventes Publiques : Milan, 12 déc. 1985 : *Le petit cordonnier*, h/t (45x44) : **ITL 7 000 000**.

GANDIA Juan Fernandez de
XVIIIe siècle. Actif vers 1720. Espagnol.
Peintre d'architectures et de perspectives.

Ventes Publiques : Paris, 1822 : *Paysage, fabriques, tourelle, mare* : **FRF 190**.

GANDIER Pierre Antoine
XVIIIe siècle. Actif à Paris en 1765. Français.
Peintre et sculpteur.

GANDINI Antonio
Né à Brescia. Mort le 17 juillet 1630 à Ronchi. XVIIe siècle. Italien.
Peintre d'histoire et de portraits.
Élève de Paolo Veronèse. Son œuvre principale : *Un Crucifiement*, se trouve dans la vieille cathédrale de Brescia.

GANDINI Bernardino
Né en 1587. Mort en 1651. XVIIe siècle. Actif à Brescia. Italien.
Peintre.
Fils d'Antonio Gandini. Il illustra surtout des sujets religieux.

GANDINI Carlo Antonio
XVIIe siècle. Actif à Brescia. Italien.
Peintre.
Il était fils de Bernardino.

GANDINI Domenico
XIXe siècle. Actif à Milan. Italien.
Graveur.
On cite ses pièces d'après Bassano et Pérugin.

GANDINI Francesco
Né le 4 octobre 1723 à Crémone. Mort vers 1778 à Saint-Pétersbourg. XVIIIe siècle. Italien.
Peintre et graveur.
Élève de Subleyras, il devint à la mort de son maître, peintre de portraits et parcourut les principales cours d'Europe.

GANDINI Giorgio, appelé aussi **Gandini del Grano**
Né vers 1489 à Parme. Mort en 1538 à Parme. XVIe siècle. Italien.
Peintre d'histoire.
Orlandi affirme qu'il fut l'élève du Corrège et que ses œuvres furent souvent retouchées par ce maître. Le père Zapata lui attribue le grand tableau d'autel de San Michele attribué faussement à Lelio Orsi par Ruta. On voit, de Gandini, dans la Galerie d'Oldenbourg : *La Madeleine Pénitente* et *Une Sainte Famille*, et au Musée de Constance : *Tableau avec figures entières*.

Ventes Publiques : Londres, 16-17 avr. 1997 : *La Madone et l'Enfant avec saint Jean Baptiste et deux saints évêques*, sanguine reh. de blanc (15,2x14,3) : **GBP 1 610**.

GANDINI Marcolini
Né en 1937 à Turin. XXe siècle. Italien.
Peintre.

Ventes Publiques : Rome, 3 déc. 1985 : *Dipinto n° 1* 1965, h/t moulée (120x130) : **ITL 1 200 000**.

GANDINI Mardino
Né le 6 mars 1937 à Turin (Piémont). XXe siècle. Italien.
Peintre. Abstrait.
Ses tableaux sont abstraits et les éléments géométriques sont découpés et assemblés comme des puzzles très larges.

GANDINI Saverio
Né vers 1729 à Crémone. Mort le 9 mars 1796 à Brescia. XVIIIe siècle. Italien.
Peintre d'architectures.
Il fut élève de Bibiena.

GANDOLFI Antonio
Né en 1821 à Bologne. XIXe siècle. Italien.
Peintre.
Il travailla pour la cathédrale de Forli.

GANDOLFI Camilla, née **Guiscardi**
Née à Gênes. XIXe siècle. Italienne.
Peintre et lithographe.
On cite son *Portrait de la reine Marie Adélaïde de Piémont avec sa fille Clotilde.*

GANDOLFI Democrito
Né en 1797 à Bologne. Mort en 1874 à Bologne. XIXe siècle. Italien.
Sculpteur.
Fils de Mauro. Il fit ses études à Milan et exécuta plusieurs monuments importants.
MUSÉES : AMIENS : *La mendiante – Femme qui pleure.*
VENTES PUBLIQUES : MONTE-CARLO, 14 juin 1982 : *Buste de femme* 1825, marbre blanc (H. 56) : **FRF 12 000**.

GANDOLFI Francesco
Né en 1824 à Chiavari. Mort en 1873 à Chiavari. XIXe siècle. Italien.
Peintre.
Il fut élève de Baratta et de Bezzuoli.

GANDOLFI Gaetano
Né le 30 août 1734 à San Matteo Della Decima. Mort le 30 juin 1802 à Bologne (Émilie-Romagne). XVIIIe siècle. Italien.
Peintre de compositions religieuses, scènes mythologiques, sujets allégoriques, nus, portraits, sculpteur, graveur, dessinateur.
Son frère aîné Ubaldo fut son premier maître. Il fut également élève de Stefano Torelli, d'Ercole Graziani le Jeune et d'Ercole Lelli à l'Académie des Beaux-Arts de Bologne. Après avoir séjourné et étudié durant un an à Venise, il se fixa définitivement à Bologne, où il fut élu membre de l'Accademia Clementina en 1760.
À Bologne, il peignit entre autres ouvrages : au plafond de Santa Maria della Vita : une *Assomption*, et dans l'église Santissimo Salvatore : *Les Noces de Cana*. Il exécuta, à Naples, dans l'église de Girolimini : *Le martyre de saint Pantaléon* et son propre portrait. Comme graveur, il fit une *Adoration des bergers*, d'après Niccolo dell' Abbate (au Palais Leoni à Bologne) et *Saint Pierre* et *Saint Paul*, d'après Guido Reni.

BIBLIOGR. : In : *Diction. de la peinture italienne*, coll. Essentiels, Larousse, Paris, 1989.
MUSÉES : BALTIMORE (Walters Art Gal.) : *Noces de Cana*, esq. – BOLOGNE (Mus. Civique) – BOLOGNE (Pina.) : *Noces de Cana* – NAPLES (Pina.) : *Autoportrait* – PISE (Mus. Civique) : *La Fondation des enfants trouvés.*
VENTES PUBLIQUES : LONDRES, 7-8 nov. 1910 : *Adoration des bergers*, sépia : **GBP 6** ; *Charité*, dess. : **GBP 6** – PARIS, 29 oct. 1937 : *Vénus demande à Vulcain des armes pour Énée* : **FRF 1 850** – LONDRES, 14 juin 1961 : *Le Christ et la femme adultère* : **GBP 1 800** – LONDRES, 10 avr. 1970 : *Tête de jeune fille* : **GNS 4 200** – LONDRES, 30 mars 1976 : *Portrait d'un jeune garçon*, dess. (33x24,7) : **GBP 1 700** – VIENNE, 13 juin 1978 : *La libération de saint Pierre*, h/t (95,5x70) : **ATS 280 000** – LONDRES, 22 juin 1978 : *Jeune homme endormi* 1762, terre cuite (29x50) : **GBP 4 000** – NEW YORK, 5 juin 1979 : *Saint. Roch devant des personnages agenouillés*, pl. et lav./traces de pierre noire (28x19) : **USD 2 600** – LONDRES, 9 déc. 1980 : *Nu couché vu de dos*, sanguine/pap. (26,5x44) : **GBP 2 200** – MILAN, 24 nov. 1983 : *Enfants lisant*, fus. et past. (33,5x23) : **ITL 16 000 000** – NEW YORK, 19 jan. 1984 : *Jésus et la femme adultère*, h/t (94x112) : **USD 23 000** – LONDRES, 13 déc. 1985 : *Allégorie : jeune cavalier tirant un coup de revolver sur une statue représentant un vieillard*, h/t (76,9x57,5) : **GBP 15 000** – PARIS, 20 mars 1985 : *Etude de jambes et de torses de femme*, cr. noir et estompe (42x30) : **FRF 80 000** – PARIS, 4 mars 1988 : *Étude académique d'homme assis*, sanguine (41x30) : **FRF 21 000** – MONACO, 16 juin 1989 : *La Sainte Famille*, h/t (87x69) : **FRF 488 400** – NEW YORK, 11 jan. 1990 : *La Sainte Famille*, h/t (65x75) : **USD 45 100** – ROME, 8 mars 1990 : *Portrait d'un adolescent* 1767, h/t (48x38) : **ITL 50 000 000** – NEW YORK, 5 avr. 1990 : *La Sainte Famille avec Dieu le Père et le Saint-Esprit*, h/t (43x33) : **USD 49 500** – LONDRES, 2 juil. 1990 : *Samson et Dalila*, encre et lav. avec reh. de blanc, une paire (chaque 15x17,2) : **GBP 12 100** – LONDRES, 6 juil. 1990 : *Tête d'homme âgé barbu de profil*, h/t (43,6x33,7) : **GBP 71 500** – NEW YORK, 8 jan. 1991 : *Le martyr de saint Eusèbe*, encre et lav. (30x20,9) : **USD 17 600** – NEW YORK, 11 jan. 1991 : *L'Assomption de la Vierge*, h/t (94,6x135,8) : **USD 495 000** – NEW YORK, 14 jan. 1992 : *Procession triomphale entrant dans une cité*, encre/craie noire (39x51) : **USD 27 500** – LONDRES, 6 juil. 1992 : *Études de têtes*, encre (28,7x20,6) : **GBP 3 410** – SCEAUX, 13 déc. 1992 : *Les quatre saisons*, série de quatre h/t. (chaque 44x35) : **FRF 1 800 000** – NEW YORK, 13 jan. 1993 : *Pluton et Proserpine voguant sur le Styx emmenés par Charon* 1798, craie noire (33,3x39,2) : **USD 26 400** – NEW YORK, 15 jan. 1993 : *Isaac recevant la bénédiction de Jacob*, h/t (160x120) : **USD 145 500** – NEW YORK, 12 jan. 1995 : *Tête de jeune homme regardant vers la gauche en haut*, craies rouge et blanche/pap. chamois (31,5x21,5) : **USD 21 850** – LONDRES, 3 juil. 1995 : *Une feuille d'études de têtes avec des coiffures de différents styles*, encre (29x20,3) : **GBP 24 150** – AVIGNON, 1er oct. 1995 : *Portrait d'homme barbu au turban*, h/t (65x54) : **FRF 150 000** – LONDRES, 3 juil. 1996 : *Projet de décoration d'un plafond : la Vierge en gloire avec les prophètes*, encre et lav. (22,1x29,9) : **GBP 5 750** – NEW YORK, 29 jan. 1997 : *Portrait d'un jeune garçon*, craies rouge et noire (15,6x11,8) : **USD 14 950** – NEW YORK, 30 jan. 1997 : *San Giacomo della Marca, sainte Marguerite et San Diego soignant un infirme*, h/t (50,2x31,8) : **USD 63 000** – LONDRES, 18 avr. 1997 : *Jeune fille, en buste, de profil, avec une rose dans les cheveux*, h/t (44x33,6) : **GBP 43 300** – LONDRES, 2 juil. 1997 : *Cinq jeunes femmes aux coiffures recherchées*, pl. et encre brune, étude (20x27,3) : **GBP 17 250**.

GANDOLFI Luigi
Né en 1810 à Turin. Mort le 12 novembre 1869 à Turin. XIXe siècle. Italien.
Peintre de miniatures.
Il fut, à l'Académie de Turin, élève de Biscarra.

GANDOLFI Mauro
Né le 18 septembre 1764 à Bologne (Émilie-Romagne). Mort le 4 janvier 1834 à Bologne. XVIIIe-XIXe siècles. Italien.
Peintre de compositions religieuses, scènes mythologiques, portraits, aquarelliste, graveur, dessinateur.
Il fut élève de son père Gaetano Gandolfi. Il entra fort jeune dans l'armée, suivit son régiment à Paris. Plus tard, il visita l'Angleterre où il travailla sous Sharp et Bartolozzi, passa par Rome et rentra dans sa patrie. Des critiques malveillantes lui étant venues aux oreilles, il quitta l'Europe pour voyager d'abord en Amérique, puis en Afrique. En 1821, nous le retrouvons à Bologne. Pendant quelque temps, il fit de la peinture à l'huile. C'est durant son séjour à Paris qu'il débuta son activité de graveur. Sa première grande œuvre de gravure représente *Diogène et Alexandre* (1802), d'après son père. À Bologne, il grava d'après le Corrège. Parmi ses œuvres, il faut encore citer : *L'Enfant Jésus dormant sur la croix* et *Judith tenant la tête d'Holopherne*.
MUSÉES : BOLOGNE (Pina.).
VENTES PUBLIQUES : MILAN, 29 mai 1979 : *La Sainte Famille*, pl. et lav. de coul., forme ovale (25x19) : **ITL 1 700 000** – MILAN, 18 juin 1981 : *Scène mythologique*, pl. et lav. de bistre/pap. (41x29) : **ITL 2 000 000** – LONDRES, 1er déc. 1983 : *Le rêve de l'artiste*, aquar./parchemin (70,5x52,3) : **GBP 14 000** – MILAN, 27 nov. 1984 : *Etude de têtes*, pl. et lav. (20,8x29) : **ITL 7 500 000** – MILAN, 4 nov. 1986 : *Portrait d'enfant*, h/t (43,5x33,5) : **ITL 10 500 000** – LONDRES, 6 juil. 1987 : *Trois jeunes femmes*, craies noire et rouge (18,5x23,5) : **GBP 6 800** – MILAN, 10 juin 1988 : *La Vierge*, h/t (44,5x34) : **ITL 6 500 000** – NEW YORK, 11 jan. 1989 : *Études de neuf têtes dont celle de saint François*, encre (19,7x26) : **USD 4 620** – MONACO, 16 juin 1989 : *Portrait de jeune fille*, h/t (42x33) : **FRF 310 800** – LONDRES, 2 juil. 1990 : *Étude de têtes*, encre (15,7x25) : **GBP 10 450** – NEW YORK, 8 jan. 1991 : *Portrait d'une jeune fille lisant un livre avec le menton appuyé dans la main*, craies rouge et noire (45x34) : **USD 6 600** – NEW YORK, 13 jan. 1993 : *Trois jeunes filles en buste*, craies noire et rouge (18,4x23,3) : **USD 39 600**.

GANDOLFI Ubaldo
Né en 1728 à San Matteo della Decima. Mort le 25 juillet 1781 à Ravenne (Émilie-Romagne). XVIIIe siècle. Italien.
Peintre de compositions religieuses, sujets mythologiques, figures, portraits, sculpteur, graveur, dessinateur.
Il est le frère aîné de Gaetano Gandolfi. Il fut élève de Stefano Torelli, d'Ercole Graziani le jeune et d'Ercole Lelli à l'Académie des Beaux-Arts de Bologne. On le nomma membre de cette même Académie en 1760.

Il décora des églises et des palais de Bologne, ses œuvres principales étant : deux statues de *Prophètes*, à l'église San Giuliano de Bologne. Puis, sa réputation s'élargissant, il reçut des commandes de diverses régions d'Italie, ainsi que de Vienne et de Moscou. On lui doit également des dessins anatomiques.
Bibliogr. : In : *Diction. de la peinture italienne*, coll. Essentiels, Larousse, Paris, 1989.
Musées : Bologne (Pina.) : *Tête de fillette* – *Résurrection du Christ* – *Saint Évêque*.
Ventes Publiques : Londres, 2 oct. 1942 : *Le Christ et la Femme adultère* : **GBP 63** – Milan, 16 déc. 1971 : *Portrait de femme* : **ITL 1 900 000** – Londres, 14 avr. 1978 : *La découverte de la vraie Croix*, h/t, fronton arrondi, esquisse (75,5x42) : **GBP 2 400** – Londres, 28 juin 1979 : *Étude de tête d'enfant*, craies noire et rouge/mine de pb (29,1x20,1) : **GBP 3 200** – New York, 21 nov. 1980 : *Un homme et une femme*, pl. et lav./pap. (16,5x12,5) : **USD 1 600** – New York, 11 juin 1981 : *Étude de vieillards*, h/t (33x40,5) : **USD 18 000** – Milan, 18 mars 1982 : *Étude de têtes*, pl. (23,6x17,5) : **ITL 4 200 000** – Londres, 12 avr. 1983 : *Têtes de jeune fille regardant vers la droite*, craies rouge et blanche (33,6x27,3) : **GBP 7 000** – Milan, 4 déc. 1986 : *Hercule*, sanguine (43,3x27,6) : **ITL 15 500 000** – Londres, 2 juil. 1986 : *Portrait de vieille femme*, h/t (48,5x38) : **GBP 10 000** – Londres, 1er avr. 1987 : *Dieu le Père apparaissant à la Sainte Famille*, pl. et lav. (19,8x14,7) : **GBP 3 500** – Monaco, 17 juin 1988 : *La Sainte Famille*, h/t (31,5x38,5) : **FRF 277 500** – Heidelberg, 14 oct. 1988 : *Joseph explique les songes de Pharaon*, encre brune (19,7x29,7) : **DEM 2 600** – Paris, 27 fév. 1989 : *Diane et Endymion*, pl. et aquar. (14,5x20,5) : **FRF 13 000** – Milan, 4 avr. 1989 : *Mars et Vénus ; Vénus et Cupidon*, h/t, deux pendants (chaque 52,5x38) : **ITL 130 000 000** – New York, 12 jan. 1990 : *Projet de monument avec un cartouche encadré de deux personnages masculin et féminin et surmonté de trois putti tenant une guirlande*, encre et lav./craie rouge (30x21) : **USD 15 400** – Rome, 8 mars 1990 : *Portrait de jeune fille*, h/t (48x38) : **ITL 64 000 000** – Monaco, 15 juin 1990 : *Sainte Hélène découvrant la vraie croix*, encre et lav. (29x17) : **FRF 57 720** – Londres, 2 juil. 1990 : *La flagellation*, encre et lav./craie noire (26,7x19,3) : **GBP 4 950** – Paris, 9 avr. 1991 : *Hercule et le chien Cerbère*, h/t (217,5x118) : **FRF 700 000** – Rome, 23 avr. 1991 : *Saint Camille de Lellis*, h/t (106x74) : **ITL 27 000 000** – Senlis, 23 juin 1991 : *Portrait d'enfant*, h/t (48x39) : **FRF 500 000** – Londres, 15 avr. 1992 : *Le repentir de saint Pierre*, h/t (45x37,3) : **GBP 38 000** – Paris, 31 mars 1993 : *Saint Paul*, encre et lav. (27,5x18,5) : **FRF 12 000** – Paris, 11 mars 1994 : *L'Annonciation*, pl. et lav. brun (27x19) : **FRF 29 000** – Monaco, 20 juin 1994 : *Le Christ et la Cananéenne*, craie noire, encre et lav. (21,2x29,5) : **FRF 277 500** – Paris, 7 juin 1995 : *Études de putti*, encre brune et lav. (28,7x19,7) : **FRF 14 000** – New York, 10 jan. 1996 : *Tête de jeune homme de profil gauche*, craies rouge et blanche (33,5x26) : **USD 11 500** – New York, 29 jan. 1997 : *Projet pour une fontaine avec deux satyres et nymphes et des putti jouant avec des dauphins*, pl. et encre brune et lav. (29,5x20,9) : **USD 25 300**.

GANDOLFINO d'Asti
xve siècle. Travaillant en Piémont vers 1493. Italien.
Peintre d'histoire.
Il est cité par Siret. Le Musée de Turin possède une œuvre de cet artiste qu'il faut peut-être identifier avec le peintre Giovanni de Roreto.
Ventes Publiques : Londres, 14 déc. 1923 : *La Vierge et l'Enfant* : **GBP 39**.

GANDOLFO Antonino
Mort le 21 mars 1910 à Catane. xxe siècle. Italien.
Peintre.
Il fut à Florence élève de Stefano Ussi.

GANDOLFO Francesco
xixe siècle. Italien.
Peintre.
Il vécut et travailla à Gênes. Le Musée de Gênes, conserve une esquisse de lui.

GANDON Adolphe
Né le 28 juillet 1828 à Nîmes (Gard). Mort le 27 mars 1889 à Courgenay (Yonne). xixe siècle. Français.
Peintre d'histoire, batailles, sujets de genre.
Il fut élève de Diday à Genève. Il s'établit en Suisse et y passa sa vie ; il occupe une place marquante dans l'Art suisse. Gandon prit part au Salon de Paris en 1857 et 1859.
On cite de lui : *Une tranchée devant Sébastopol, Une chasse aux rats, Dragons suisses*.
Musées : Berne : *Charge de cuirassiers à Waterloo* – Genève : *Un combat* – *Marche en colonne serrée* – *Forge de campagne* – *Conduite d'un convoi de vagabonds par des gendarmes à cheval* – *L'embuscade* – *Détachement de guides au repos* – *Passage à gué* – *L'affût* – *Reconnaissance d'une ronde* – *Souvenir des fossés de Genève* – *Poste prenant les armes* – *Le mot de passe* – *Halte d'artillerie* – *La consigne aux sentinelles* – *Déploiement des artilleurs* – *Avant-garde de dragons* – *Bataille de Morat* – *Bataille en Crimée*.
Ventes Publiques : Toronto, 30 nov. 1988 : *Devant le miroir*, h/t (122x78) : **CAD 4 000**.

GANDON André
xxe siècle. Français.
Peintre. Tendance abstrait-constructiviste.
De 1949 à 1956, il figura au Salon des Réalités Nouvelles, à Paris, avec des compositions abstraites, qui s'orientèrent rapidement vers un néo-constructivisme très proche de l'œuvre d'Auguste Herbin.

GANDON Pierre
Né le 20 juillet 1899 à l'Hay-les-Roses (Val-de-Marne). xxe siècle. Français.
Peintre, graveur, illustrateur.
Il fut élève de Cormon. Il expose, à Paris, au Salon des Artistes Français, où il remporte quelques récompenses. Il exécuta une grande composition pour le Pavillon du Tourisme à l'Exposition internationale de 1937. En 1922, il est titulaire d'une bourse de voyage, et du Prix de la Ville de Paris en 1935. Chevalier de la Légion d'honneur. Parmi de nombreuses œuvres littéraires, il a illustré, entre autres, *De Goupil à Margot*, de L. Pergaud, et le *Grand Meaulnes*, d'Alain Fournier.
Il fut aussi un spécialiste de la patine du timbre-poste, il en a exécuté de nombreux types pour la France, les colonies et l'étranger.

GANDON Yves
xxe siècle. Français.
Illustrateur.
Il a illustré les *Mémoires d'un touriste*, de Stendhal, en 1927.

GANDOZ Benoît
xvie siècle. Actif à Grenoble. Français.
Peintre.

GANDRI Simon François
Né au xixe siècle à Saint-Jean-les-deux-Jumeaux. xixe siècle. Français.
Sculpteur.
Élève de Hardouin et de Perrault. Il exposa au Salon en 1875 et 1879 un médaillon et un buste.

GANDTNER Christoph
xvie siècle. Actif à Innsbruck. Autrichien.
Sculpteur.
Il travailla pour l'archiduc Ferdinand de Tyrol.

GANDTNER Johann Georg
xviiie siècle. Actif à Innsbruck vers 1700. Autrichien.
Peintre.

GANDULFINUS
xie siècle. Actif à Bologne vers 1090. Italien.
Peintre.

GANDULFO
xixe siècle. Actif à Cadix vers 1800. Espagnol.
Sculpteur.
On lui doit des sculptures religieuses.

GANDY
xviiie siècle. Actif à Liverpool. Britannique.
Peintre de marines.
Il exposa deux marines à la Free Society, à Londres, en 1778.

GANDY Celia, plus tard Mrs **Spencer**
xixe siècle. Active à Londres au début du xixe siècle. Britannique.
Peintre de fleurs et fruits.
Elle était la sœur d'Hannah.

GANDY F.
xixe siècle. Actif à Londres. Britannique.
Peintre de portraits.
On le signale exposant à Londres, à la Royal Academy, de 1848 à 1859.

GANDY Hannah, Miss
xixe siècle. Active à Londres. Britannique.

Peintre de fleurs.
Elle exposa à la Royal Academy, à Londres, en 1829 et en 1853.

GANDY Herbert
XIXe-XXe siècles. Actif à Londres. Britannique.
Peintre d'histoire, compositions religieuses, sujets de genre, paysages, peintre à la gouache, aquarelliste.
Il exposa pour la première fois à Londres en 1879 et continua à faire des envois aux expositions, notamment à la Royal Academy, particulièrement des paysages.
VENTES PUBLIQUES : LONDRES, 29 jan. 1910 : *Pro Patria* 1904 : **GBP 31** – LONDRES, 17 déc. 1910 : *Pro Patria* 1904 : **GBP 18** – NEW YORK, 25 fév. 1983 : *La lettre d'amour* 1895, h/t (63,5x114,4) : **USD 6 000** – LONDRES, 20 juin 1986 : *L'Épée de Damoclès*, h/t (165x165) : **GBP 12 000** – LONDRES, 26 sep. 1990 : *La fille de Jephta* 1931, h/t (122x213,5) : **GBP 17 600** – LONDRES, 9 mai 1996 : *La passerelle* 1875, aquar. et gche (23x45) : **GBP 598**.

GANDY James
Né en 1619 à Exeter. Mort en 1689 en Irlande. XVIIe siècle. Britannique.
Portraitiste.
Van Dyck fut, dit-on, son maître. Grâce à la protection du duc d'Ormond, il passa en Irlande où il se fit une fort belle clientèle dans la noblesse.

GANDY Joseph Michall
Né en 1771. Mort en 1843. XVIIIe-XIXe siècles. Britannique.
Peintre de compositions religieuses, paysages, architectures, dessinateur.
Il fut associé de la Royal Academy de Londres en 1803. Il a eu une activité d'architecte.
VENTES PUBLIQUES : LONDRES, 24 avr. 1925 : *Tombeau de Merlin* : **GBP 11** – LONDRES, 14 mars 1978 : *La chute de Babylone*, aquar., gche et pl. (71,5x124) : **GBP 6 500** – LONDRES, 19 juin 1979 : *Vue imaginaire d'un port*, aquar. et pl. reh. de blanc (52,5x67,5) : **GBP 700** – LONDRES, 24 mars 1981 : *Atina in Abruzzo, Italy* vers 1794, aquar. et cr. (35x50) : **GBP 900** – LONDRES, 17 mai 1984 : *Interior with a tomb*, aquar. et pl./trait de cr. (70x107) : **GBP 14 000** – LONDRES, 13 juil. 1993 : *Capriccio d'un port romain pendant une tempête*, cr. et aquar. (36,8x53,2) : **GBP 3 220**.

GANDY Peter, pseudonyme : **Deering**
Né en 1787. Mort le 2 mars 1850 à Lee. XIXe siècle. Britannique.
Architecte et illustrateur.
Cet artiste n'exécuta que très occasionnellement des illustrations surtout pour Sir William Gell.

GANDY Walton
XIXe-XXe siècles. Actif à Londres. Britannique.
Peintre de paysages.
Exposa pour la première fois à Suffolk Street en 1893.

GANDY William
Né vers 1660 à Kilkenny (Irlande). Mort en 1729 à Exeter. XVIIe-XVIIIe siècles. Britannique.
Peintre de portraits.
Il est le fils de James Gandy. On croit qu'il travailla avec Gaspar Smitz. Il vécut surtout à Exeter et la plupart de ses œuvres se trouvent dans le Devon et le Cornwall.
VENTES PUBLIQUES : LONDRES, 16 avr. 1923 : *William Yonge* : **GBP 3** – LONDRES, 22 juil. 1925 : *Mc Ivie* : **GBP 10** – LONDRES, 14 déc. 1928 : *Maître Willcocks* : **GBP 241** – LONDRES, 20 déc. 1929 : *Maître Willcocks* : **GBP 50** – LONDRES, 18 oct. 1985 : *Portrait of sir Francis Warre ; Portrait of his second wife, Margaret*, deux h/t à vues ovales (34,3x29,2) : **GBP 1 400**.

GANEN-GANGULY
Né aux Indes. XXe siècle. Indien.
Dessinateur.

GANERE Théodore Van
XVe siècle. Éc. flamande.
Enlumineur.
Entre en 1470 dans la gilde de Bruges.

GANESCO Alexandre
Né à Bruxelles. Mort après 1944. XXe siècle. Actif en France. Roumain.
Peintre.
Il est le fils du sculpteur et peintre C. Ganesco, qui fut son maître. Il exposa, à Paris, au Salon d'Automne et fut invité au Salon des Tuileries.
Il a peint des paysages du Bourbonnais, des tableaux de la vie paysanne et des scènes du « maquis » de 1940-1944.
VENTES PUBLIQUES : PARIS, 7 mars 1988 : *Patinage général* 1933, h/t (97x130) : **FRF 5 000**.

GANESCO Constantin
Né en 1864 à Bucarest. XIXe-XXe siècles. Actif en France. Roumain.
Sculpteur, peintre.
Il est établi en France depuis de longues années. G. Cohen précise qu'en 1896 il connut, à Nice, Ziem qui lui donna les premiers conseils. Il commença à exposer à partir de 1922.
Sculpteur avant d'aborder la peinture, il pratiqua beaucoup la cire. Son art est fantasque, parfois caricatural. C'est en 1914 qu'il devient peintre. Ses thèmes sont romanesques.
VENTES PUBLIQUES : LOKEREN, 19 avr. 1986 : *La Tentation de saint Antoine*, bronze patine brune (H. 24) : **BEF 44 000**.

GANGA-MIRO José
XVIIIe siècle. Actif à Murcie vers 1750. Espagnol.
Sculpteur.
Il travailla dans la province de Grenade.

GANGAIEFF Pancrat Stepanovitch
XVIIIe siècle. Actif à Nijni-Novgorod vers 1750. Russe.
Peintre d'icônes.

GANGAND Arthur
XIXe-XXe siècles. Actif à Paris. Français.
Sculpteur.
Sociétaire des Artistes Français depuis 1901, figura au Salon de cette société.

GANGERI Lio
Né en 1844 à Messine. Mort le 4 février 1913 à Salerne. XIXe-XXe siècles. Italien.
Sculpteur.
Il a exposé à Rome, Turin, Milan à partir de 1880. Il a fait de nombreux bustes des rois et reines d'Italie de la fin du XIXe siècle. Mention honorable à l'Exposition Universelle de 1889.

GANGLOFF Carl Wilhelm
Né le 17 mai 1790 à Leutkirch. Mort le 16 mai 1814 à Merklingen. XIXe siècle. Allemand.
Dessinateur de compositions religieuses.
Cet autodidacte illustra surtout des sujets bibliques.

GANGLOFF Georges
Né au XIXe siècle à Phalsbourg. XIXe siècle. Français.
Peintre.
De 1866 à 1870, il figura au Salon de Paris, avec des portraits et deux sujets de genre : *La toilette de bal* et *Les apprêts de la promenade*. On a de lui au Musée de la Roche-sur-Yon : *Portrait de Chevreul*.

GANGLOFF Maria
Née le 11 août 1877 à Lyon (Rhône). XXe siècle. Française.
Peintre.
Elle fut élève de J. P. Laurens. Elle exposa, à Paris, au Salon des Artistes Français.

GANGOITI Juan de
Né le 12 juillet 1816 à Madrid. Mort le 8 février 1878 à Madrid. XIXe siècle. Espagnol.
Graveur.

GANGOITI Nicolas de
Né le 30 septembre 1804 à Madrid. Mort le 6 janvier 1857 à Madrid. XIXe siècle. Espagnol.
Peintre.
Élève de Vicente Lopez. Frère de Juan de Gangoiti.

GANGOITI Pedro Manuel
Né le 16 février 1779 à Bilbao. Mort le 15 août 1830 à Madrid. XIXe siècle. Espagnol.
Peintre d'histoire.
Père de Juan et de Nicolas de Gangoiti.

GANGOLF Paul
XXe siècle. Français.
Peintre, graveur de scènes de genre.
Il a exposé, à Paris, au Salon des Tuileries à partir de 1927 de nombreux tableaux de genre.
VENTES PUBLIQUES : COLOGNE, 1er juin 1984 : *Cathédrale*, litho. aquarellée (23x26,7) : **DEM 2 000**.

GANGOLF Serge
Né en 1943 à Wegnez (Verviers). XXe siècle. Belge.
Sculpteur, sculpteur de monuments. Abstrait.

Il a fait ses études à l'Académie de Saint-Luc à Liège. Il obtient, en 1969, le prix Louis Schmidt, et en 1974 le Prix de Rome.
Il participe à des expositions de groupe en Belgique et à l'étranger. Il réalise des expositions personnelles à Verviers, Düren, Liège, Bruxelles. Il est l'auteur, en 1968, du monument aux morts de Visé et de plusieurs autres sculptures monumentales pour des bâtiments administratifs.
Serge Gangolf réalise une sculpture très construite à base d'aluminium ou de bronze.
Bibliogr. : In : *Diction. biogra. illustré des artistes en Belgique depuis 1830*, Arto, Bruxelles, 1987.
Musées : Liège (Mus. des Beaux-Arts) – Liège (Province).

GANGYNER Georg Anton
Né en 1807 à Lachem. Mort le 17 décembre 1876 à Lachem. xixe siècle. Suisse.
Portraitiste.
Élève de l'Académie de Munich.

GANIER Jacques Denis
xviiie siècle. Actif à Paris en 1772. Français.
Peintre et sculpteur.

GANIÈRE Étienne
xviie-xviiie siècles. Actif à Paris. Français.
Graveur et éditeur.
Fils de Jean, il fut le père de Pierre.

GANIÈRE George Etienne
Né le 26 avril 1865 à Chicago. xixe siècle. Américain.
Sculpteur.
Élève de l'Art Institute de Chicago et membre de la Société artistique de cette ville.

GANIÈRE Jean ou **Gagnière**
Mort en juin 1666 à Paris, il fut inhumé dans la paroisse de Saint-Séverin. xviie siècle. Actif à Paris. Français.
Graveur au burin.
Il a gravé des sujets religieux, des sujets d'histoire et des sujets de genre. Il était probablement fils de graveur et « marchand de taille douce ». Il fut également éditeur.

GANIÈRE Pierre
Né vers 1663. Mort le 15 juin 1721. xviie-xviiie siècles. Actif à Paris. Français.
Graveur.
Il était petit-fils de Jean. Il est aussi connu comme géographe.

GANIS Anselmo de
xvie siècle. Actif à Mantoue. Italien.
Peintre.

GANIUCHKIN Ivan
Né en 1742. xviiie siècle. Russe.
Peintre et graveur.
Il fut élève de l'Académie de Saint-Pétersbourg.

GANKEVICH Alexandre
xxe siècle. Russe.
Peintre de natures mortes, fleurs.
Il fut élève de l'Académie des Beaux-Arts de Saint-Pétersbourg et travailla sous la direction de Brodsky. Il fut nommé Artiste du Peuple et membre de l'Union des Artistes d'U.R.S.S.
Sa technique très minutieuse se réfère aux grandes époques des natures mortes florales.
Musées : Moscou (Gal. Tretiakov) – Moscou (Mus. des Beaux-Arts Pouchkine) – Saint-Pétersbourg (Mus. Russe) – Saint-Pétersbourg (Mus. de l'Acad. des Beaux-Arts).
Ventes Publiques : Paris, 18 mars 1991 : *Nature morte aux fleurs* 1931, h/t (25x19) : **FRF 5 000.**

GANKU, de son vrai nom **Kishiku** ou **Saeki Masaaki**, surnom : **Funzen**, noms de pinceau : **Kayô, Dôkôkan, Kakandô, Kotôkan** et **Tenkaikutsu**
Né en 1756 à Kanazawa (préfecture d'Ichikawa). Mort en 1838. xviiie-xixe siècles. Japonais.
Peintre.
Parallèlement aux nouvelles tendances « réaliste » et « idéaliste », nées dans le Japon du xviiie siècle, il faut noter l'existence de certains artistes indépendants dont le style est plus ou moins marqué par l'esprit positif de l'époque. Dans le style vigoureux de Ganku, peintre animalier, on retrouve un mélange des préceptes de l'école Kanô et des enseignements de Maruyama Okyo (1733-1795). On sait qu'après avoir beaucoup voyagé au Japon, il s'installe à Kyoto, au service tout d'abord du prince Arisugawa puis au service de la cour. Il sera nommé seigneur d'Echizen. Il est réputé pour ses représentations de tigres.

GANNA Aquiline von Aquila
Né en 1800 à Aquila. Mort en 1845 à Aquila. xixe siècle. Italien.
Peintre.
Il fit ses études à Milan. On cite de lui : *Le Martyre de sainte Agathe*.

GANNE Pierre Christian
Né en Algérie. xxe siècle. Français.
Peintre de scènes de genre, portraits.
Il fut élève de Rochegrosse, et exposant, à Paris, au Salon des Tuileries. Il obtint le prix James Bertrand en 1931.

GANNE Yves
Né en 1931. xxe siècle. Français.
Peintre de paysages animés, natures mortes.
En 1994, la galerie F. Barlier a montré un ensemble de ses paysages de plages. Sa peinture discrète manifeste un sens harmonieux de la composition.
Ventes Publiques : Paris, 5 fév. 1992 : *La jarre* 1954, h/t (81x60) : **FRF 4 000** – New York, 10 nov. 1992 : *Nature morte* 1967, h/t (54,5x65,4) : **USD 1 430** – Calais, 14 mars 1993 : *Nature morte au pichet* 1961, h/t (55x65) : **FRF 5 000.**

GANNET Jehan
xve siècle. Actif à Lille. Français.
Peintre.
En 1468 il travaillait à Bruges.

GANNET Pierart
xve siècle. Actif à Lille. Français.
Peintre.
Il travaillait avec Jehan.

GANOUCHEFF Nicolas
Né à Rozgrad. xxe siècle. Bulgare.
Peintre.
Il expose, à Paris, au Salon des Artistes Français et au Salon des Tuileries. Connu pour ses nus.

GANS Carl
xviie siècle. Actif à Bayreuth vers 1672. Allemand.
Peintre.

GANS Johann
xviie siècle. Actif à Mayence en 1661. Allemand.
Peintre.

GANSAUGE Hans
xvie siècle. Actif à Breslau en 1548. Allemand.
Peintre.
Il fut peut-être le frère de Hans Ganssog.

GANSEL Jean
xve siècle. Actif à Paris. Français.
Sculpteur et architecte.
Il reconstruisit le portail de l'église Saint-Germain-l'Auxerrois, tel qu'il est aujourd'hui, et y sculpta six statues : saint Vincent, saint Marcel, un ange, sainte Geneviève, le roi Childebert et la reine Ultrogothe.

GANSER Anton
Né en 1811 à Munich. xixe siècle. Allemand.
Sculpteur.
Il fut élève de Schwanthaler. Le Musée de Munich possède une œuvre de cet artiste.

GANSES Paul
xviiie siècle. Hollandais.
Peintre de marines.
En 1700, il travaillait à Naples, mais n'était pas Napolitain comme le dit le Bryan's Dictionary.

GANSKY Peter
xixe-xxe siècles. Actif à Paris. Russe.
Peintre.
Il exposa aux Artistes Français et aux Indépendants.

GANSO Emil
Né en 1895 en Allemagne. Mort en 1941. xxe siècle. Américain.
Peintre, graveur.
Il fut membre de l'American Society of Painters.

G-Ganso

Ventes Publiques : New York, 20 et 21 oct. 1943 : *Port en France* : **USD 90** – New York, 6 fév. 1947 : *Deux nus* : **USD 210** – New York, 20 mai 1981 : *Femme nue endormie*, gche (41x56) : **USD 650** – New York, 23 jan. 1985 : *Le bain de soleil*, h/t (40,6x63,5) : **USD 1 000** – New York, 26 sep. 1986 : *Paysage cubiste* 1925, gche (30,8x43,5) : **USD 1 200** – New York, 7 avr. 1988 : *Deux femmes*, lav./pap. (32,5x45) : **USD 827** – New York, 24 jan. 1990 : *Nu endormi*, fus. et sanguine/pap. (40,8x52,8) : **USD 1 320** – New York, 14 fév. 1990 : *Nu assis*, h/rés. synth. (56x45) : **USD 1 650** – New York, 15 avr. 1992 : *Scène de port*, h/t (66x101,6) : **USD 1 760** – New York, 23 sep. 1992 : *Nu allongé* 1929, fus. et past./pap. écru (48,5x33) : **USD 1 045** – New York, 25 sep. 1992 : *Nu endormi avec ses bas*, h/t (35,6x53,3) : **USD 5 225** – Paris, 8 juin 1994 : *Nu allongé*, cr. noir et estompe (46,3x35,3) : **FRF 5 000**.

GANSS Asmus
XVIe siècle. Actif à Leipzig en 1535. Allemand.
Peintre verrier.

GANSS Egbert. Voir **JANSZ Egbert**

GANSSER Matthaüs
XVIe siècle. Suisse.
Peintre.

GANSSOG Johannes
Né vers 1555 à Breslau. XVIe siècle. Allemand.
Sculpteur.
Peut-être frère de Hans Gansauge. Il travailla beaucoup à Breslau, mais également à Lund en Suède et au château de Kronborg.

GANSWEIG Wilhelm von
Né vers 1615. Mort en 1665 à Vienne. XVIIe siècle. Autrichien.
Peintre.

GANT James Y.
XIXe siècle. Actif à Londres. Britannique.
Peintre de paysages animés, paysages.
Il exposa des paysages de 1827 à 1841.
Ventes Publiques : Londres, 12 mars 1980 : *Les ramasseurs de fagots ; Bergers et troupeaux dans un paysage*, deux h/t (26x35) : **GBP 1 500**.

GANTAI, de son vrai nom : **Saeki Tai,** surnoms : **Kunchin** et **Chikuzen-nosuke,** noms de pinceau : **Takudô** et **Dôkôkan**
Né en 1782. Mort en 1865. XIXe siècle. Actif à Kyoto. Japonais.
Peintre.
Élève de son père Ganku.

GANTE, de. Voir au prénom

GANTER Dionys
XIXe siècle. Actif à Vienne. Autrichien.
Peintre de portraits.
Il exposa une miniature à l'Académie de Vienne en 1824.

GANTER Hans
XVIe siècle. Allemand.
Peintre verrier.

GANTHOIS Jean
XVIIe siècle. Actif près de Valenciennes en 1613. Français.
Sculpteur sur bois.
Il travailla pour l'église de Sebourg.

GANTNER Albert Henri
Né en 1866 à Genève. XIXe-XXe siècles. Suisse.
Peintre.

GANTNER Bernard
Né le 16 août 1928 à Belfort. XXe siècle. Français.
Peintre de paysages, paysages portuaires, natures mortes, peintre à la gouache, aquarelliste, graveur, illustrateur.
Il expose depuis 1950 à Paris, mais aussi à Zurich, Genève et Tokyo. En 1960, il a reçu le prix de la Critique. Il a illustré les contes de Maupassant, et les poésies d'E. Verhaeren.
Il est surtout paysagiste, très classique. Il peint essentiellement les Vosges dans des toiles où le noir et blanc domine. Il use de constructions en larges plans.

Bernard Gantner

Musées : Belfort – Colmar – Épinal – Strasbourg.

Ventes Publiques : Paris, 28 juin 1976 : *Le chemin embourbé*, h/t (146x114) : **FRF 3 000** – Enghien-les-Bains, 27 mai 1979 : *Le village à la croisée des chemins* 1971, gche (31x27) : **FRF 4 000** – Paris, 23 juin 1981 : *Le village dans la plaine* 1964, gche (29x20) : **FRF 2 200** – Versailles, 16 oct. 1983 : *Maisons dans l'Est*, h/t (72,5x60) : **FRF 8 200** – Versailles, 15 juin 1988 : *Ferme au crépuscule* 1978, h/t (81x117) : **FRF 60 500** – Paris, 23 juin 1988 : *Le torrent givré* 1972 (61x46) : **FRF 26 000** – Calais, 3 juil. 1988 : *Le village*, h/t (73x100) : **FRF 45 000** – Versailles, 23 oct. 1988 : *Le cirque du fer à cheval* 1978, h/t (73,5x92) : **FRF 36 500** – Versailles, 6 nov. 1988 : *Venise*, h/t (60x81) : **FRF 31 000** – Saint-Dié, 23 juil. 1989 : *Nature morte au paysage d'hiver* (102x44,5) : **FRF 19 000** – Paris, 23 oct. 1989 : *Le jardin sous la neige* 1961, h/t (24x32,8) : **FRF 5 500** – Calais, 10 déc. 1989 : *Paysage sous la neige* 1961, h/t (24x33) : **FRF 13 000** – Paris, 26 jan. 1990 : *Rue de village*, h/t (73x60) : **FRF 13 500** – Calais, 4 mars 1990 : *Maisons à colombages*, h/t (73x60) : **FRF 48 000** – Versailles, 8 juil. 1990 : *L'Étang au crépuscule*, gche (25,5x23,25) : **FRF 17 000** – New York, 10 oct. 1990 : *Orée de forêt sous la neige* 1978, h/t (73,7x91,6) : **USD 12 100** – Fontainebleau, 18 nov. 1990 : *Les Bateaux au port*, h/t (60x81) : **FRF 35 000** – Calais, 9 déc. 1990 : *Vue de Paris sous la neige*, gche (21x20) : **FRF 10 000** – Paris, 20 mars 1991 : *Forêt en automne* 1969, h/t (65x81) : **FRF 21 000** – Le Touquet, 8 juin 1992 : *Ferme à l'automne* 1965, gche et aquar. (20x25) : **FRF 6 000** – New York, 12 juin 1992 : *Ciel à la tombée du soir*, gche et encre/pap. (22,9x24,1) : **USD 1 650** – New York, 10 nov. 1992 : *Maisons de Haute Saône* 1972, h/t (81x100,5) : **USD 6 600** – Paris, 4 déc. 1992 : *Paysage normand* 1969, h/t (97x130) : **FRF 12 500** – Paris, 22 déc. 1993 : *Maison de Haute-Loire*, h/t (81x100) : **FRF 22 000** – New York, 24 fév. 1995 : *Le Port de Bâle en Suisse* 1965, h/t (81,3x99,1) : **USD 2 875** – Paris, 21 mars 1995 : *La neige tombe* 1970, h/t (131x98) : **FRF 16 000** – Paris, 18 nov. 1996 : *Les Toits rouges* 1962, h/t (73x100) : **FRF 10 000** – Paris, 24 nov. 1996 : *Sapin du Ballon d'Alsace* 1974, gche/pap. (33,5x26) : **FRF 4 000** – Paris, 16 mars 1997 : *Paysage de neige*, h/t (54x72,5) : **FRF 7 000**.

GANTNER Hans
Né en 1853 à Feldkirchen. Mort le 4 mai 1914 à Steinhof. XIXe-XXe siècles. Autrichien.
Peintre.
Il travailla surtout à Vienne et Munich et exposa à Prague.

GANTNER Josef
XVIIIe siècle. Actif vers 1700. Suisse.
Sculpteur sur bois.

GANTNER Simon
XVIIIe siècle. Actif à Kleinkinzighofen au milieu du XVIIIe siècle.
Sculpteur sur bois.

GANTOKU, de son vrai nom **Aoki Toku,** surnom : **Shidô,** noms de pinceau : **Gantoku, Shishin** et **Renzan**
Né en 1805. Mort en 1859. XIXe siècle. Actif à Kyoto. Japonais.
Peintre.
Tout d'abord élève de son père d'adoption : Ganku, il évolue par la suite vers la tendance « réaliste » de l'école Shijô de Goshun.

GANTON Camille Marie
Née en 1872 à Verviers (Liège). Morte en 1946 à Gand (Flandre-Orientale). XXe siècle. Belge.
Peintre, peintre sur verre, céramiste.
Elle fut élève de l'Académie des Beaux-Arts de Saint-Luc à Gand. Elle travailla presque uniquement pour les églises en Belgique, aux Pays-Bas, en Angleterre, en Suisse et en Chine.
Bibliogr. : In : *Diction. biogra. illustré des artistes en Belgique depuis 1830*, Arto, Bruxelles, 1987.

GANTREL Estienne
Né en 1646 à Metz. Mort le 1er novembre 1706. XVIIe siècle. Actif à Paris. Français.
Graveur.
Graveur ordinaire du roi. Il grava des sujets religieux, d'histoire, de genre.

GANTREL Marius
Né à Pantin (Seine-Saint-Denis). XXe siècle. Français.
Peintre.
Il a exposé, à Paris, au Salon d'Automne, au Salon de la Société Nationale des Beaux-Arts, et au Salon des Indépendants.

GANTZ John
XVIIIe-XIXe siècles. Britannique.
Peintre, aquarelliste.
Le British Museum possède quatre paysages de cet artiste.

GANUCHAUD Paul
Né en 1881 à Paris. XXe siècle. Français.
Sculpteur.
Expose dans les principaux Salons parisiens.

GANZ Andreas
Mort en 1656 à Berlin. XVIIe siècle. Allemand.
Peintre de portraits.

GANZ Edwin
Né en 1871 à Zurich. Mort en 1957 à Bruxelles. XIXe-XXe siècles. Actif en Belgique. Suisse.
Peintre animalier, paysages, figures, dessinateur.
Il fut élève de Blanc-Garin et de Portaels à Bruxelles. À Paris, sous la direction du peintre Édouard Detaille. En 1893, il exposa au Salon Triennal à Bruxelles.
Il est connu pour ses représentations de chevaux. Une de ses toiles porte le titre : *L'Assaut du plateau de Montaigu par les grenadiers*.
Bibliogr. : In : *Diction. biogra. illustré des artistes en Belgique depuis 1830*, Arto, Bruxelles, 1987.
Ventes Publiques : Anvers, 29 oct. 1980 : *Chevaux*, h/t (72x103) : **BEF 24 000** – Bruxelles, 19 déc. 1989 : *Cheval et personnage*, h/t (25x32) : **BEF 38 000**.

GANZ Hans
Né en 1890 à Zurich. Mort en 1957 à Berne. XXe siècle. Suisse.
Peintre.
Ventes Publiques : Berne, 26 oct. 1988 : *Paysage de la région d'Avignon* 1929, h/cart. (33x41) : **CHF 750**.

GANZ Henry F. W.
XIXe-XXe siècles. Actif à Londres. Britannique.
Peintre et graveur.
Élève de Legros. Il exposa à Venise, Dresde, Paris et Londres.

GANZ Johann Philipp
Né en 1746 à Eisenach. XVIIIe siècle. Allemand.
Graveur.
Il fit ses études à Vienne et travailla surtout à Hanovre et Göttingen.

GANZ Johannes
Né le 26 février 1821 à Bülach. Mort le 16 avril 1886 à Zurich. XIXe siècle. Suisse.
Peintre de marines.
Il fit ses études à Zurich et à Munich. Élève d'Ulrich.

GANZ Joseph
XIXe siècle. Actif à Schönthal en 1824. Allemand.
Sculpteur.

GANZ Julian Johann
Né le 9 janvier 1844 à Zurich. Mort le 31 janvier 1892 à Bruxelles. XIXe siècle. Suisse.
Peintre de portraits, paysages.
Il était fils de Johannes.

GANZAGA ou **Gansago**
XVIIIe-XIXe siècles. Actif à la fin du XVIIIe siècle et au début du XIXe siècle. Russe.
Peintre de paysages.
Il travailla d'abord pour des théâtres italiens, puis à Saint-Pétersbourg de 1794 à 1804. Il vivait encore en 1821.

GANZAUGE Georg Paul
XVIIIe siècle. Actif à Leipzig. Allemand.
Peintre.

GANZER
XVIIIe siècle. Actif à Besançon en 1785. Français.
Sculpteur.
Il travailla à la décoration du château d'Étupes.

GANZEVOORT Wybrand
Né en 1930 à Gand (Flandre-Orientale). XXe siècle. Belge.
Peintre, sculpteur. Cinétique.
Il fut élève de l'Institut Supérieur d'Anvers et de l'Académie de la Grande Chaumière à Paris. Il vit à Anvers.
Son art est cinétique et joue de reflets optiques.
Bibliogr. : In : *Diction. Biogra. illustré des artistes en Belgique depuis 1830*, Arto, Bruxelles, 1987.

GAO BIN ou **Kao Pin**
XVIIIe siècle. Actif dans la première moitié du XVIIIe siècle. Chinois.
Peintre.
Peintre qui n'est pas mentionné dans les biographies de peintres. Il est sans doute parent du peintre Gao Qipei (1672 ?-1734) ; il a laissé une peinture au doigt : *Cinq poissons dans l'eau*, datée 1739.

GAO BING ou **Kao Ping**
XVIIIe siècle. Actif dans la première moitié du XVIIIe siècle. Chinois.
Peintre.
Grand théoricien, il consigne dans son traité *Zhitou Huashuo* (vers 1705) les expériences techniques de la peinture au doigt et les conceptions esthétiques de son grand-oncle : Gao Qipei (1672 ?-1734) dont il a reçu les enseignements. Bien que la peinture au doigt soit une pratique particulière, les idées de Gao Qipei sont d'une portée plus vaste et s'appliquent à la peinture en général ; l'ouvrage a donc un grand intérêt.
Bibliogr. : P. Ryckmans : *Les « Propos sur la Peinture » de Shitao*, Bruxelles, 1970.

GAO CEN ou **Kao Ts'en**, surnom : **Weishang,** nom de pinceau : **Shanchang**
Originaire de Hangzhou, province du Zejhiang. XVIIe siècle. Actif de 1643 à 1679. Chinois.
Peintre de paysages, fleurs, dessinateur.
Il réside pendant longtemps à Nankin et on le considère comme l'un des « Huit Maîtres de Nankin » (sur ce point, voir : Cheng Zhengkui). Il est habile à peindre les fleurs et les paysages.
Musées : Berlin : Peintures de paysages datées 1672, encre et coul. sur pap., douze feuilles d'album d'après les maîtres Song et Yuan, inscription du peintre sur la dernière feuille.
Ventes Publiques : New York, 31 mai 1990 : *Paysage, d'après Wu Zhen*, encre/soie, kakémono (162x85,7) : **USD 27 500**.

GAO CENGYUN ou **Kao Ts'eng-yun**, surnom : **Erbao,** nom de pinceau : **Suyuan**
Né en 1634 à Huating (province du Jiangsu). Mort en 1690. XVIIe siècle. Chinois.
Peintre.
Lettré, connaisseur et calligraphe, il fait des paysages dans le style de Dong Qichang (1555-1636).

GAO CHENGMO ou **Kao Ch'êng-mo** ou **Kao Tch'eng-mo**
XVIIIe siècle. Actif à la fin du XVIIIe siècle. Chinois.
Peintre.
Il n'est pas mentionné dans les biographies de peintres.
Musées : Boston (Mus. of Fine Arts) : *Chat observant un papillon* signé et daté probablement 1770.

GAO Eryi
Né en 1946 à Shanghai. XXe siècle. Chinois.
Peintre, aquarelliste.
Diplômé, en 1969, de l'Académie de Peinture de Zhejiang, il en est devenu vice-président et professeur associé.
Ventes Publiques : Hong Kong, 30 oct. 1995 : *La ville de Wine* 1994, aquar./pap. (74,9x55,9) : **HKD 18 400**.

GAO FENGHAN ou **Kao Feng-han**, surnom : **Xiyuan,** noms de pinceau : **Nancun, Nanfu laoren, Guiyun laoren,** etc.
Né en 1683 à Jiaozhou (province du Shandong). Mort vers 1748 ou 1749. XVIIIe siècle. Chinois.
Peintre de paysages, fleurs, dessinateur.
Peintre de paysages et de fleurs, il tend à s'écarter des techniques traditionnelles et ses peintures de fleurs peuvent être d'une grande beauté. Il doit sa célébrité à sa manière libre, faite d'improvisation et qui date surtout de l'époque où son bras droit étant immobilisé par les rhumatismes il se met à peindre et à écrire avec son bras gauche (il se fait alors appeler Hou Shangzuosheng). Certaines de ses compositions sont bouillonnantes, toutes de lignes rapides et fluides et de lavis clairs d'encre et de couleurs fraîches qui impartissent un certain volume à ses rochers. On le range parfois dans les « Huit Excentriques de Yangzhou », mais il n'est pas né dans cette ville et n'y a jamais habité.
Bibliogr. : J. Cahill : *La peinture chinoise*, Genève, 1960.
Musées : Berlin : Album de six paysages signés et datés 1736 – Londres (British Mus.) : *Études de paysages, de rochers, de pins et de fleurs*, douze peintures sur éventails dont certaines portent

des inscriptions du peintre, et dont les dates s'étalent entre 1722 et 1725 – *Fleurs, fruits et légumes*, encre et coul. sur soie, grand album horizontal de dix feuilles – *Roses et jasmin*, d'après Yun Shouping, signé – OSAKA (mun. Art Mus.) : *Chrysanthème près d'une chaumière*, encre et coul. légères sur pap. – *Pivoines et rochers* daté 1734, encre et coul. légères sur pap., feuille d'album – PÉKIN (Mus. du Palais) : *Massifs rocheux dans une rivière de montagne avec un homme assis sur la rive* daté 1727, encre sur soie – *Lotus et fleurs Mudan dans des vases* daté 1741, large facture à l'encre – *Études de rochers, de vieux arbres et de bambou*, encre et coul. sur pap., six feuilles d'album – SHANGHAI : Album de paysages peints de la main gauche, couleurs sur papier, inscriptions de Zheng Xie – STOCKHOLM (Nat. Mus.) : *Corbeaux dans les arbres dénudés*, signé.
VENTES PUBLIQUES : NEW YORK, 31 mai 1989 : *Calligraphie en écriture courante*, encre/pap., kakémono (150,5x54) : **USD 9 350**.

GAO JIAN ou **Kao Chien** ou **Kao Kien**, surnom : **Danyu,** nom de pinceau : **Luyun shanren**
Né en 1634 à Suzhou (province du Jiangsu). Mort en 1708. XVIIe siècle. Chinois.
Peintre.
Connu comme paysagiste.
MUSÉES : LONDRES (British Mus.) : *Paysage sous la pluie d'automne* signé et daté 1694 – PÉKIN (Mus. du Palais) : *Paysage de rivière avec collines boisées*, coul.

GAO JIANFU ou **Gao Lun,** ou **Kao Kien-fou (Kao Louen),** ou **Kao Chien-fu (Kao Lun)**
Né en 1881 à Canton. Mort en 1951 à Canton. XXe siècle. Chinois.
Peintre.
Très jeune, il part à Tokyo où il compte parmi les premiers membres du parti politique fondé par Sun Yat-sen : le *Tong ming hui* (d'où sortira plus tard le *Guo min dang*). Il fait ses études à l'Académie de Peinture de Tokyo, dans le département de peinture occidentale. Après la révolution de 1911 en Chine, il abandonne la politique et, en 1912, fonde, à Canton, l'École d'Art *Qunxue* pour enseigner ses principes d'esthétique révolutionnaire, convaincu que la peinture chinoise traditionnelle doit s'adapter aux exigences d'un monde moderne. Il s'agit donc de créer un nouvel art de peindre à la chinoise en gardant toutes les qualités essentielles des maîtres anciens et en assimilant les meilleurs côtés de la peinture occidentale. Cela aboutira à la formation d'un mouvement : le *Xin Guo Hua* (*Nouvelle Peinture Nationale*) et, dans les années vingt, aux mouvements tels que *Xin Song Yuan Pai* (*Nouvelle École Song et Huan*) et *Xin Weren Hua* (*Nouvelle Peinture de Lettré*), ainsi qu'à la revue *Zhenxiang Huabao* (*Revue artistique de la réalité*). Il voyage beaucoup en Inde et en Asie du Sud-Est et enseigne dans plusieurs écoles dont l'Université Nationale Sun Yatsen et l'Université Centrale de Nankin. On lui doit aussi divers ouvrages sur l'art chinois, l'art indien et la réforme du bouddhisme.
Le nom de Gao Lun et celui de son frère, Gao Qifeng sont restés liés à celui de l'école *Lingnanpai* dont la tendance représente justement cette tentative de synthèse entre deux techniques chinoise et occidentale.
Les œuvres de Gao Lun sont caractéristiques : réalisme dans la perspective, la lumière et l'ombre, le modelage, lié avec un travail du pinceau très chinois et avec des concessions à certains effets décoratifs du Japon de l'époque (texture douce et huileuse). La volonté d'être moderne à tout prix, et notamment dans le choix des sujets (trains, avions, ponts, villes en ruine), ne confère pas à Gao Lun le statut de véritable artiste contemporain. Son attitude mentale, purement technique et théorique, semble chasser de ses réalisations tous sentiments. Il n'est pas surprenant que ce nouvel art national ait fait long feu tant il est vrai que la renaissance de l'art chinois ne tient pas à de nouvelles méthodes mais à une nouvelle vision. ■ Marie Mathelin
BIBLIOGR. : M. Sullivan, in : *Chinese Art in the XXth century*, Londres, 1959.
VENTES PUBLIQUES : HONG KONG, 12 jan. 1986 : *Aigle dans un orage de neige* 1948, encre et coul./rouleau de pap. (172x94) : **HKD 370 000** – HONG KONG, 19 mai 1988 : *Aigle*, kakémono, encre noire et coul./pap. (146,2x73,5) : **HKD 253 000** – HONG KONG, 17 nov. 1988 : *Saules pleureurs dans la brise printanière*, kakémono, encres (130, 9x60,4) : **HKD 220 000** ; *Oiseau perché sur une branche*, kakémono, encres/pap. (130x63) : **HKD 115 000** – HONG KONG, 16 jan. 1989 : *Aigrette sur une branche de pin* 1923, encre et pigments/pap. (118,7x59,7) : **HKD 39 600** – HONG KONG, 18 mai 1989 : *Branches de bananier* 1930, kakémono, encre et pigments/pap. (96x37) : **HKD 55 000** – HONG KONG, 15 nov. 1989 : *Hibou*, kakémono, encre et pigments/pap. (131,5x37) : **HKD 110 000** – NEW YORK, 31 mai 1990 : *Chrysanthèmes*, encre/pap. (104x34,3) : **USD 2 200** – HONG KONG, 15 nov. 1990 : *Dame en blanc*, kakémono, encre et pigments/pap. (119x47,2) : **HKD 154 000** – HONG KONG, 2 mai 1991 : *Tronc et branche de pin* 1923, kakémono, encre/pap. (130x63,2) : **HKD 88 000** – HONG KONG, 28 sep. 1992 : *Fleur d'hydrangea et rocher*, kakémono, encre et pigments/pap. (128x56) : **HKD 143 000** – HONG KONG, 22 mars 1993 : *Les monts de l'Himalaya*, encre et pigments/pap. (96x43,5) : **HKD 133 000** – HONG KONG, 29 avr. 1993 : *Souris dans un panier de raisin* 1946, kakémono, encre et pigments/pap. (86,8x43,2) : **HKD 218 500** – NEW YORK, 16 juin 1993 : *Neuf carpes*, kakémono, encre et pigments/pap. (134,6x67,3) : **USD 11 500** – HONG KONG, 4 mai 1995 : *Un orage la nuit*, kakémono, encre et pigments légers/pap. (130,2x62,5) : **HKD 69 000** – NEW YORK, 18 mars 1997 : *Poissons* 1935, encre et pigments/pap., kakémono (118,1x63,5) : **USD 13 800** ; *Lys*, encre et pigments/pap., kakémono (50,8x53,3) : **USD 6 325** – HONG KONG, 28 avr. 1997 : *Orchidée d'encre*, encre/pap., kakémono (136,3x32,7) : **HKD 97 750**.

GAO JIANSHENG ou **Gao Jianseng**
Né en 1894. Mort en 1916. XXe siècle. Chinois.
Peintre de paysages animés. Traditionnel.
VENTES PUBLIQUES : HONG KONG, 19 mai 1988 : *Femme dans un paysage d'hiver* 1910, kakémono, encre noire et coul./soie (94x38,5) : **HKD 82 500** – HONG KONG, 16 jan. 1989 : *Personnage sur un pont enjambant un ruisseau de montagne*, kakémono, encre et pigments/pap. (85,1x40,6) : **HKD 55 000** – HONG KONG, 28 sep. 1992 : *Trois aigrettes blanches*, kakémono, encre et pigments/pap. (134x65) : **HKD 98 000** – HONG KONG, 29 avr. 1993 : *Renard emportant sa proie au clair de lune* 1914, encre et pigments/pap. (133x63) : **HKD 241 500** – HONG KONG, 5 mai 1994 : *Aigle sur une branche de pin* 1910, kakémono, encre et pigments/pap. (114,5x48,8) : **HKD 23 000**.

GAO KEKONG ou **Kao K'o-kong** ou **Kao K'o-kung**, son vrai nom serait **Shian,** surnom : **Yenjing,** nom de pinceau : **Fangshan**
Né en 1248 à Datong (province du Shanxi). Mort sans doute après 1310. XIIIe-XIVe siècles. Chinois.
Peintre.
Sa famille était originaire du Turkestan Oriental, donc ouighoure. Son père est un lettré de Datong, mais lui-même ira vivre à Wulin. Il commence sa carrière officielle de haut-fonctionnaire en 1275 comme président du Ministère de la Justice et gouverneur de deux provinces. Peintre amateur faisant partie de l'administration des Yuan à Pékin, il est révéré par ses contemporains et plus encore par la génération suivante comme le plus ancien des grands paysagistes de cette époque. Il peint d'ailleurs difficilement et le plus souvent quand il est « juste à point » après avoir bu. Il excelle dans les peintures de bambous et de paysages, exécutés avec une encre légèrement colorée. Malheureusement ses paysages ont presque tous disparu. Ses premières œuvres sont dans le style de Mi Fu (1051-1107) et de Mi Youren (1086-1165) ; plus tard il se met à l'école de Dong Yuan (mort en 962) et de Juran (actif vers 960-980). En fait il essaye de parvenir à une synthèse des styles anciens et de sa propre originalité pour satisfaire à la fois les goûts archaïsants de son époque et ses besoins expressifs. Lui, et plusieurs de ses contemporains ouvrent une ère nouvelle dans l'histoire de la peinture chinoise en essayant de renouer avec la grande tradition paysagiste des Song du Nord et en négligeant l'acquis des deux siècles précédents. Même s'ils ne trouvent pas les solutions immédiates, ce sont des innovateurs brillants.
BIBLIOGR. : J. Cahill : *La peinture chinoise*, Genève, 1960.
MUSÉES : PÉKIN (Mus. du Palais) : *Montagnes dans les nuages*, colophon de Wang Jian, attribution – SHANGHAI : *Montagne avant la pluie*, coul. sur soie – TAIPEI (Mus. du Palais) : *Collines sous la pluie* – *Collines et cascade dans les nuages* – *Collines vertes et nuages blancs* 1245-1320, rouleau en longueur, encre et coul. sur soie, attribution – *Pics verdoyants émergeant des nuages*, rouleau en hauteur, encre et coul. sur soie, non signé mais deux inscriptions contemporaines dont une datée 1309 du peintre Li Kan.

GAO KEMING ou **Kao K'o-ming**
Originaire de Jiangzhou, province du Shanxi. XIe siècle. Chinois.

Peintre.
Peintre de paysages et de personnages, c'est un ami de Yen Wengui. Il fut membre de l'Académie Impériale de Peinture depuis environ 1008 jusqu'à 1053. Comme les autres artistes de l'Académie qui lui sont contemporains, il est sans doute influencé par le style de Guo Xi (vers 1020-1100) et sous l'emprise d'un esprit nouveau et plus intimiste dans le paysage. L'un de ses rouleaux, signé et daté 1035, *Première neige sur le fleuve*, est un voyage imaginaire le long du fleuve avec les lettrés dans leur retraite, les pêcheurs dans leur barque, les bois de bambous et de pins. La rive, érodée, est dessinée à grands traits d'encre diluée.

GAO LUN. Voir **GAO JIANFU**

GAONA Gabriel Vicente
Né en 1828 à Mérida (Yucatan). Mort en 1899 à Mérida (Yucatan). XIXe siècle. Mexicain.
Peintre, graveur et illustrateur.

GAONA DE LOS REYES José
Né au XIXe siècle. XIXe siècle. Espagnol.
Peintre de fleurs et de fruits.
Il exposa à Cadix entre 1856 et 1862.

GAO QIFENG Ou Kao K'i-feng ou **Kao Ch'i-feng**
Né en 1889 à Canton. Mort en 1933. XXe siècle. Chinois.
Peintre.
Frère cadet de Gao Lun, il appartient au mouvement *Lingnanpai*.
Ventes Publiques : Hong Kong, 12 jan. 1986 : *Tigre rugissant à la lune*, encre et coul./rouleau de pap. (172x94) : **HKD 320 000** – Hong Kong, 17 nov. 1988 : *Oiseau perché sur une branche avec une tige de bambou*, encre/pap., kakémono (124x40) : **HKD 74 800** ; *Corneilles dans des saules*, encre/pap. (40,8x48,2) : **HKD 187 000** – Hong Kong, 16 jan. 1989 : *Faucon prenant son envol* 1909, encre et pigments/pap., kakémono (177x94) : **HKD 286 000** – Hong Kong, 15 nov. 1989 : *Prunus au clair de lune* 1924, encre et pigments/pap., kakémono (132,5x47,3) : **HKD 704 000** – Hong Kong, 15 nov. 1990 : *Cigale*, encre et pigments/soie (22,5x32,6) : **HKD 26 400** – Hong Kong, 2 mai 1991 : *Coq et poule dans un paysage* 1944, encre et pigments/pap., kakémono (133x47) : **HKD 148 500** – Hong Kong, 28 sep. 1992 : *Bodhidharma*, encre et pigments/pap., kakémono (86x31) : **HKD 440 000** – Hong Kong, 29 oct. 1992 : *Oiseaux et fleurs*, encre et pigments/pap., album de 12 feuilles (chaque 26x35,5) : **HKD 1 650 000** – Hong Kong, 29 avr. 1993 : *Le printemps est arrivé*, encre et pigments/pap. (131,5x46,8) : **HKD 548 000** – New York, 16 juin 1993 : *Four à briques à Canton*, encre et pigments/pap., kakémono (116,8x40) : **USD 18 400** – Hong Kong, 5 mai 1994 : *Oiseau dans les bois en hiver*, encre/pap., kakémono (130,2x29,2) : **HKD 80 500** – Hong Kong, 4 mai 1995 : *Les piverts*, encre et pigments/pap., kakémono (133x46,3) : **HKD 264 500** – Hong Kong, 29 avr. 1996 : *Pivoine* 1928, encre et pigments/pap., kakémono (80x34) : **HKD 368 000** – Hong Kong, 4 nov. 1996 : *Paysages*, encre, série de huit (chaque 25,8x35,5) : **HKD 900 000** – Hong Kong, 28 avr. 1997 : *Village gelé*, encre et pigments/pap., kakémono (76,8x36,2) : **HKD 210 000**.

GAO QIPEI ou **Kao Ch'i-p'ei** ou **Kao K'i-p'ei**, surnom : **Weizhi,** noms de pinceau : **Qieyuan, Nancun, Changbo shanren,** etc.
Né entre 1600 et 1672 à Liaoyang (Mandchourie). Mort vers 1734. XVIIe-XVIIIe siècles. Chinois.
Peintre de portraits, animaux, paysages, dessinateur.
Parallèlement aux grands individualistes de la fin du XVIIe siècle et du début du XVIIIe siècle, tels que Shitao (1641-vers 1720) ou Bada Shanren (1625-vers 1705), certains artistes chinois se voient contraints de créer un style nouveau pour marquer leur originalité. Gao Qipei est l'exemple type de cette originalité forcée. Très bon peintre dès l'âge de huit ans, il a une bonne réputation à la cour où il occupe un poste important. Mais à vingt ans il est déjà anxieux de n'avoir pas forgé son propre style et, le pinceau traditionnel ne lui suffisant pas, il invente une technique de « peinture au doigt » et applique l'encre et les couleurs avec le bout des doigts et le côté de la main pour les lavis et les gros traits et trace ses lignes avec un ongle long soigneusement taillé en son extrémité. Cette méthode, qui n'est d'ailleurs pas entièrement neuve, impartit aux œuvres une apparence de nouveauté ce qui explique son extrême popularité. Beaucoup de ces œuvres ne sont pourtant que des performances de virtuoses, plus vigoureuses que raffinées, choquantes parfois par la grossièreté de leur facture. Gao aurait même engagé des aides pour étaler les couleurs sur les tableaux. C'est la feuille d'album qui lui convient le mieux : thèmes et motifs y prolifèrent sans retenue, et le graphisme rugueux se mêle aux lavis imprécis où s'incorporent en toute quiétude des touches de couleurs légères. Mais malgré tout son abandon, le doigt de Gao transmet peu de ferveur expressionniste. Les conceptions esthétiques de Gao Qipei seront recueillies et consignées par son petit-neveu Gao Bing dans un traité intitulé *Zhitou Huashuo*. Ces enseignements vont plus loin que la peinture au doigt proprement dite et sont d'un grand intérêt.
Bibliogr. : J. Cahill : *Fantastics and Eccentrics in Chinese Painting*, New York, 1967.
Musées : Amsterdam (Rijksmuseum) : *Album de douze études de paysages*, encre et coul. légères sur pap., chacune étant inscrite et signée – Berlin : *Zhong Kui et une chauve-souris*, signé – Boston (Mus. of Fine Arts) : *Album de dix peintures au doigt* daté 1698, encre et coul. sur pap. – Cologne (Mus. für Ostasiatische Kunst) : *Jeunes filles et fleurs*, encre et coul. légères sur pap., signé – *Li Taipo à Lushan*, encre et coul. légères sur pap., signé – Londres (British Mus.) : *Homme avec une ombrelle*, signé – Seattle (Art Mus.) : *Homme avec un cheval près d'un arbre*, poème du peintre – Shanghai : *Album de dessins au doigt*, encre sur pap.
Ventes Publiques : New York, 2 juin 1988 : *Poissons*, encre, kakémono (137x75) : **USD 4 400** – New York, 31 mai 1989 : *Guan Gong* 1714, encre et pigments/pap., kakémono (198,1x83,9) : **USD 8 800** – New York, 4 déc. 1989 : *Album d'oiseaux variés*, encre et pigments/soie, huit feuilles (chaque 14,5x17) : **USD 60 500** – New York, 29 mai 1991 : *Colonie de poissons*, encre/pap., kakémono (61x32) : **USD 8 800** – New York, 25 nov. 1991 : *Grenouille*, encre et pigments dilués/pap., kakémono (75,6x38,3) : **USD 3 190** – New York, 2 déc. 1992 : *Tigres*, encre et pigments/pap., kakémono : **USD 5 500** – New York, 21 mars 1995 : *Album de six feuilles de sujets variés*, encre et pigments/pap. (chaque 23,5x32,7) : **USD 4 025** – New York, 22 sep. 1997 : *Paysages*, encre et pigments, album de douze feuilles (27,9x46,4) : **USD 87 750**.

GAO RANHUI ou **Kao Jan-houei** ou **Kao Jan-hui**
XIIIe-XIVe siècles. Chinois.
Peintre.
Ce peintre, de la période Yuan (1279-1366), n'est pas mentionné dans les biographies de peintres chinois mais dans un catalogue japonais, le Kundaikan Sayuchôki, nr. 71. On le confond parfois à tort avec Gao Kegong. Peut-être est-il coréen. On connaît plusieurs paysages de lui.

GAO SHIQI ou **Kao Che-k'i** ou **Kao Shih-ch'i**, surnom : **Danren,** nom de pinceau : **Jiangcun**
Né en 1645. Mort en 1704. XVIIe siècle. Actif à Qiantang (province du Zhejiang). Chinois.
Peintre.
Connaisseur, collectionneur, il est aussi vice-président du Bureau des Rites. C'est l'auteur de deux traités : le *Jiangcun xiaoxia lu* et le *Kangzi xiaoxia lu*.

GAO SHUCHENG ou **Kao Chou-tch'eng** ou **Kao Shu-ch'êng**, surnom **Jinyu,** nom de pinceau : **Maian**
Originaire de Qiantang, province du Zhejiang. XVIIIe siècle. Actif dans la seconde moitié du XVIIIe siècle. Chinois.
Peintre.
On sait qu'en 1770, il passe les examens triennaux à la capitale provinciale et devient *juren*. Il fait des paysages dans le style des maîtres Yuan.

GAO TINGLI ou **Kao T'ing-li**, de son vrai nom : **Bing,** surnom : **Yanhui,** nom de pinceau : **Manshi**
Né en 1350 à Changluo. Mort en 1423. XIVe-XVe siècles. Chinois.
Peintre.
Il est membre de l'Académie Hanlin pendant le règne de l'empereur Ming Yongle (1403-1425). Il fait des paysages dans le style de Mi Fu (1051-1107).

GAO XIANG ou **Kao Hiang** ou **Kao Hsiang**, surnom : **Fenggang,** noms de pinceau : **Xitang, Shanlin waichen,** etc.
Né en 1688, originaire de Yang-zhou, province du Jiangsu. Mort en 1754. XVIIIe siècle. Actif vers 1700-1730. Chinois.
Peintre de paysages, fleurs.
Peintre de paysages et de fleurs de prunier en particulier, il fait partie des « Huit Excentriques de Yangzhou ». La clarté et la

douceur de son pinceau, en quelques larges traits, confèrent un air plaisant à ses œuvres.
Musées : Pékin (Mus. du Palais) : *Douces collines s'élevant au-dessus d'une rivière dans la brume* daté 1724, d'après un maître Yuan – Shanghai : *Petit album d'études de paysages*, encre sur pap., poème signé.
Ventes Publiques : New York, 29 nov. 1993 : *Prunus*, kakémono, encre et pigments/pap. (81,3x36,2) : **USD 4 600.**

GAO XIAOHUA
Né en 1955. xxe siècle. Chinois.
Peintre de scènes animées, figures.
Il commença ses études à l'Académie des Beaux-Arts du Sichuan et obtint le diplôme en 1982 ; aussitôt après il fréquenta la faculté dans la section peinture à l'huile. Après un an il fut admis à l'Académie centrale des Beaux-Arts. Il remporta la médaille d'argent à la Célébration du 30 ème anniversaire de la fondation de l'Exposition PRC des Beaux-Arts.
Ventes Publiques : Hong Kong, 4 mai 1995 : *Femme Yi jouant de l'harmonica*, h/t (61x51) : **HKD 46 000.**

GAO YAN ou **Kao Yen**, surnom : **Wanggong**
Né en 1616, originaire de Xinhui, province du Guangdong. Mort vers 1687. xviie siècle. Actif dans la seconde moitié du xviie siècle. Chinois.
Peintre de paysages, calligraphe.
Poète, calligraphe et peintre, spécialement actif comme peintre à la fin de sa vie, il peint volontiers au clair de lune. On a de lui un paysage signé et daté vraisemblablement 1666.
Ventes Publiques : New York, 2 juin 1988 : *Paysage de début de printemps*, encre/pap., kakémono (40,7x26,5) : **USD 9 350.**

GAO YANG ou **Kao Yang**, surnom : **Qiufu**
Originaire de Siming, province du Zhejiang. xviie siècle. Actif vers 1623-1631. Chinois.
Peintre d'oiseaux, paysages, fleurs, dessinateur.
Gendre de Zhao Bei, il peint surtout des fleurs, des oiseaux et des rochers, mais aussi, vers la fin de sa carrière, des paysages.
Musées : Cologne (Mus. für Ostasiatische Kunst) : *Temple dans une gorge de montagne* signé et daté 1623, encre et coul. légères sur pap. tacheté d'or, peinture sur éventail – Stockholm (Nat. Mus.) : *Jardin de rocailles*, encre et coul. sur pap., grande feuille d'album signée, deux sceaux du peintre.

GAO YU ou **Kao Yü**, surnom : **Yuji**
xviie siècle. Actif à la fin du xviie siècle. Chinois.
Peintre.
Neveu du peintre Gao Cen, il fait des paysages à la manière de son oncle, mais ne fait pas partie des « Huit maîtres de Nankin ».

GAO ZIMING. Voir **HUXIAN,** peintres paysans du

GAO ZIMING ou **Kau Tse-ming**
xxe siècle. Chinois.
Peintre de compositions animées.
De formation classique, son implication dans le surgissement de la peinture des paysans du Huxian, sut préserver à son propre compte la fraîcheur de sa vision (Voir HUXIAN, peintres paysans du).

GAOZONG ou **Kao-tsong** ou **Kao-tsung**
Né en 1107. Mort en 1187. xiie siècle. Chinois.
Peintre.
Fils de l'empereur Huizong et premier empereur des Song du Sud, il règne de 1127 à 1162. Il est connaisseur en peinture et fait lui-même des paysages, des fleurs et des personnages.
Musées : Pékin (Mus. du Palais) : *Paysage de rivière avec un bateau de pêcheur*, feuille d'album, poème de l'empereur.

GAOZONG ou **Kao-tsong** ou **Kao-tsung**. Voir **QIANLONG**

GAPP Alois
Né le 21 juin 1838 à Telfs (Tyrol). Mort le 10 avril 1906 à Gratz. xixe siècle. Autrichien.
Sculpteur.
Il fut élève de Renn avant de terminer ses études à Munich où il s'établit.

GAPPNIG Valentin
xviiie siècle. Actif à Oberwölz vers 1700. Allemand.
Peintre.
On cite ses vues d'Oberwölz et de Rottenfels.

GARA Arnold
Né le 25 février 1882 à Budapest. xxe siècle. Hongrois.
Peintre.
On lui doit, entre autres, des paysages et des portraits.

GARABETIAN Cricor
Né le 7 novembre 1908 à Bucarest. xxe siècle. Roumain.
Peintre de compositions religieuses, paysages.
Il a étudié à l'École des Beaux-Arts de Bucarest, avant de venir se fixer en France en 1930. Depuis 1947, il vit à Lyon, où il expose. Il participe également à quelques Salons à Paris.
Sa peinture est figurative et d'inspiration essentiellement religieuse. Il est également paysagiste.
Musées : Annecy – Bucarest – Lyon.

GARABITO
xvie siècle. Actif à Séville. Espagnol.
Sculpteur.

GARACCI Carlo
Né en 1818 à Nice. Mort en 1895. xixe siècle. Français.
Peintre de genre.
Ancien directeur de l'École de dessin, très estimé de ses concitoyens. Il peignit un grand nombre d'intérieurs, des scènes de la vie monastique. Le Musée de Nice conserve de lui un *Portrait de la princesse de Solms*.

GARACHE Claude
Né en 1930 à Paris. xxe siècle. Français.
Peintre de nus, graveur, illustrateur.
À partir de 1950, il a réalisé ses premiers travaux de peinture et de sculpture. Entre 1950 et 1959, il a effectué de nombreux voyages à travers le monde. Il s'est fait d'abord remarquer comme graveur. À ce titre, il fut appelé au Comité du Salon de Mai (Paris), à partir de 1968, d'où il démissionna en 1970.
Il a figuré aux expositions de ce Salon, en gravure et en peinture. À Paris, la galerie Maeght, puis la galerie Daniel Lelong ont montré, depuis 1965, de nombreuses expositions personnelles de ses peintures. D'autres ont eu lieu en Europe et aux États-Unis et, en 1983, au Musée Grobet-Labadié de Marseille.
Dans la continuité de son œuvre, il prend pour support, aussi bien de ses gravures que de ses peintures, l'évocation de corps féminins, réduits à une très sommaire indication de la forme générale et quelques volumes spécifiques, dénués de visages. La finesse de la lumière, souvent traduite en des roses discrets, et la carnation d'une matière picturale délicate, caractérisent sa vision et sa manière très personnelle d'évoquer non tant la femme en tant que personne, mais la saveur du corps féminin en tant que potentialité d'éveil du désir. Cette peinture obsessionnelle, la permanence du désir dans la suggestion gustative de son objet non décrit, ont appâté nombre d'écrivains, d'entre lesquels il a illustré plusieurs recueils de poésie, dont *L'Ordalie* de Yves Bonnefoy. ■ J. B.
Bibliogr. : Jean Starobinski, Philippe Jacottet : *Garache*, Repères, galerie Daniel Lelong, Paris, 1984 – Marc Fumaroli : *Garache*, galerie Daniel Lelong, Paris, 1988 – Jean Starobinski : *Garache*, Flammarion / galerie Daniel Lelong, Paris, 1988.
Musées : Marseille (Mus. Cantini) : *Avocette* 1973.
Ventes Publiques : Paris, 24 mars 1984 : *Epiaire* 1974, h/t (114x146) : **FRF 34 500** – Paris, 3 déc. 1987 : *Vaucienne*, h/t (114x146) : **FRF 11 000** – Paris, 26 oct. 1988 : *La verte* vers 1966, h/t (77x57) : **FRF 11 000** – Paris, 28 oct. 1988 : *Vaumoise* 1975, h/t (114x146) : **FRF 6 000** – Paris, 26 nov. 1989 : *Composition rose*, h/t (146x114) : **FRF 25 000** – Paris, 10 juin 1990 : *Accroupie rouge* 1971, h/t (114x146) : **FRF 30 000** – Paris, 29-30 juin 1995 : *Bapaume* 1972, h/t (115x145,5) : **FRF 26 000** – Paris, 10 déc. 1995 : *Gesse* 1974, h/t (146x114) : **FRF 10 000.**

GARAFULIC Lily
Née en 1914 à Siantago. xxe siècle. Chilienne.
Sculpteur de figures, de compositions religieuses. Tendance expressionniste, puis tendance abstraite.
Elle entra, en 1934, à l'École des Beaux-Arts de Siantago. Elle avait été l'élève de Lorenzo Dominguez qui, avec Julio Antonio Vasquez et Samuel Roman, avait contribué à donner un éclat tout particulier à la statuaire chilienne. En 1944, elle obtint une bourse Guggenheim, qui lui permit d'aller travailler aux États-Unis. À partir de 1951, elle fut nommée professeur à l'École des Beaux-Arts de Santiago.
Elle participe à des expositions collectives. Ses expositions personnelles de 1944, 1947 et 1949, à Santiago, incitèrent les pouvoirs publics à lui confier d'importantes commandes, notamment seize figures grandioses représentant des prophètes, des chapiteaux et des mosaïques pour la basilique chilienne de Lourdes, des reliefs importants dans la ville de Valparaiso, etc.

Jusqu'en 1957, sa sculpture resta dans les limites d'une figuration expressionniste, non sans racines dans l'art primitif du Chili. Depuis cette date, elle a évolué dans le sens d'un plus grand dépouillement avec des tentations vers l'abstraction. ■ J. B.

Bibliogr. : In : *Nouveau dictionnaire de la sculpture moderne*, Hazan, Paris, 1970.

GARAICAO Carlos
XXe siècle. Congolais.
Auteur d'installations.

Il a participé en 1995 à la Biennale *Africus* de Johannesburg.

GARAL Marcos
XVIIe siècle. Espagnol.
Sculpteur.

GARAMENDI Bernabé de
Né vers 1840 à Bilbao. XIXe siècle. Espagnol.
Sculpteur.

Il exposa à Madrid à la Nationale des Beaux-Arts à partir de 1865. Il obtint une médaille d'or à Bilbao en 1882.

GARAND Edme
XVIIIe siècle. Actif à Paris en 1752. Français.
Peintre et sculpteur.

GARAND Jean Baptiste ou **Garant**
Mort vers 1780 à Paris. XVIIIe siècle. Français.
Peintre de portraits, miniatures, graveur, dessinateur.

Membre de l'Académie de Saint-Luc, il prit part aux Expositions de cette société de 1762 à 1774. On mentionne de lui des portraits en miniature et des eaux-fortes.

Ventes Publiques : Paris, 12 et 13 mars 1926 : *Portrait de Jean-Pierre de Joly*, pl. et lav. : **FRF 250** – Paris, 10 déc. 1990 : *La bouquetière*, pierre noire et cr. de coul. (27,2x22,2) : **FRF 4 500**.

GARANJOUD Claude
Né le 18 mars 1926 à La Tronche (Isère). XXe siècle. Français.
Peintre, peintre à la gouache, peintre de collages, graveur, dessinateur, illustrateur. Abstrait-lyrique.

Il a étudié à l'École des Arts Décoratifs de Grenoble. À partir de 1949, il poursuivit ses études à Paris. Il vit et travaille à Paris et Villeneuve-lès-Avignon. En 1958, il a reçu le prix de la Jeune Peinture et, en 1964, celui de la Biennale de Menton.

Il participe à des expositions collectives, dont : Salon de la Jeune Peinture, Paris, dont il a été sociétaire ; Salon d'Automne, Paris ; Biennale de Paris ; 1963, *20 Jeunes Peintres de l'école de Paris*, Musée National d'Art Moderne ; 1968, Musée de Tous-les-Saints, Schaffhouse ; 1973, Maison de la culture, Grenoble ; 1983, *10 années d'acquisitions*, Musée de Grenoble ; 1983, *150 livres d'artistes*, Palais Synodal, Sens ; 1987, *Carte blanche à Kenneth White*, Maison de la Poésie, Paris ; 1988, *l'Atelier Lacourière Frélaut, trois générations de graveurs et d'éditeurs*, Centre d'art le Grand Huit, Rennes ; 1991, SAGA (Salon d'Art Graphique), Paris, présenté par l'Atelier Lacourière Frélaut. Il réalise de nombreuses expositions personnelles, entre autres : 1954, galerie Repellin-Perriot, Grenoble ; 1957, 1958, 1960, 1961, 1970, galerie Guilmin, Grenoble ; 1982, 1984, Foire internationale d'art contemporain, Paris, présenté par la galerie Cupillard de Grenoble ; 1989, Musée Hébert (Fondation Hébert-d'Uckermann), La Tronche, pour ses peintures ; 1989, Bibliothèque Municipale d'Étude, Grenoble, pour ses livres ; 1991, galerie Lacourière Frélaut, Paris ; 1994, galerie Askéo, Paris ; 1995, Librairie Lettres et Images, Paris.

Garanjoud illustre, depuis 1968, de nombreux livres, entre autres, des textes de Saint-John Perse (*Neiges*, 1975), René Char (*Le Nu perdu*, 1974 ; *La Truite*, 1984 ; *Toute vie*, 1986 ; *L'Alouette*, 1986 ; *La Fauvette des roseaux*, 1987 ; *Le Martinet*, 1989), et Kenneth White (*The White Mistral*, 1980 ; *Les Portes de l'Ouest*, 1981 ; *Signes du Mont Blanc*, 1984).

De 1955 à 1965, immergé dans le grand courant de l'abstraction, il pratique une peinture que l'on peut qualifier de « paysagisme-abstrait », subissant les influences du travail d'artistes tels que Zao Wou-ki et Nicolas de Staël. De 1966 à 1970, il évolue vers une abstraction plus lyrique, où la gestualité se fait ouverte, plus ample dans des larges plans horizontaux et verticaux. À partir de 1971, son travail tend logiquement vers un dépouillement formel, une économie de moyens chromatiques : du noir au blanc en passant par les gris et les bleus, avec des teintes de rouge. Héritier du lyrisme historique de Kandinsky, Garanjoud s'intéresse également à l'art de l'Extrême-Orient, en particulier à la calligraphie, à la philosophie religieuse qui l'induit, au rapport de l'individu au monde. Il cherche à dématérialiser, au sens figuré et au sens propre (moins d'empâtement) sa peinture, et à la voir comme une transcription de signes, d'idéogrammes, à la lire comme une écriture, à éprouver une expérience spirituelle intérieure. ■ C. D.

Bibliogr. : Catalogue : *Garanjoud*, Musée Hébert, La Tronche et Bibliothèque Nationale d'Étude, Grenoble, 1989 – divers : *Garanjoud*, s.l., 1997.

Musées : Aix-en-Provence – Annecy – Birmingham – Grenoble – Grenoble (Maison de la Culture) – Grenoble (Bibl. mun. d'Étude) – Lyon – Melbourne – Paris (BN).

GARANTA Nicolo
XVIe siècle. Actif à Ferrare. Italien.
Peintre et miniaturiste.

Il travailla pour le cardinal Louis d'Este.

GARAT Francis
Né vers 1870. XIXe-XXe siècles. Actif à Paris. Français.
Peintre de sujets de genre, figures, paysages, paysages urbains, aquarelliste, dessinateur.

Il fut sociétaire du Salon des Artistes Français de Paris, à partir de 1898. Il peignit de nombreuses vues de Paris dans un métier large et solide.

FRANCIS GARAT

Ventes Publiques : Paris, 15 nov. 1898 : *La Place des Victoires*, aquar. : **FRF 72** ; *La Place de la République*, aquar. : **FRF 42** – Paris, 21 nov. 1899 : *Panorama du Trocadéro*, aquar. : **FRF 220** ; *Place Clichy et Boulevard des Batignolles*, aquar. : **FRF 220** – Paris, 8 nov. 1918 : *Le Luxembourg et le Panthéon*, aquar. : **FRF 95** – Paris, 26-28 déc. 1922 : *Échafaudage de la Madeleine*, aquar. : **FRF 140** – Paris, 30 nov. 1925 : *Effet de neige*, aquar. : **FRF 100** ; *Le Boulevard*, aquar. : **FRF 210** ; *La mer*, aquar. : **FRF 130** – Paris, 10 mai 1926 : *La foire aux jambons*, aquar. : **FRF 150** ; *Les affiches*, dess. reh. : **FRF 210** ; *Vue de Paris : l'omnibus*, aquar. : **FRF 250** – Paris, 14 et 15 déc. 1927 : *Dimanche d'hiver sur les fortifs*, aquar. : **FRF 140** – Paris, 31 jan. 1929 : *La Porte Pouchet*, aquar. : **FRF 210** – Paris, 24-26 avr. 1929 : *Le pont Saint-Michel, effet de neige*, aquar. : **FRF 270** – Paris, 7 déc. 1931 : *Le Boulevard* : **FRF 125** – Paris, 5-7 nov. 1941 : *Les Quais et le Pont des Arts*, aquar. : **FRF 480** – Paris, 13 mars 1942 : *Le Pont des Arts*, aquar. : **FRF 600** – Paris, 25 sep. 1942 : *La Place de la Concorde* 1890, aquar. : **FRF 850** – Paris, 2 juin 1943 : *La Seine en hiver*, aquar. : **FRF 220** – Paris, 16 et 17 mai 1945 : *Le Carrousel*, aquar. : **FRF 700** ; *La Cité*, aquar. : **FRF 1 800** ; *La Madeleine* ; *Vue de Paris*, deux aquarelles : **FRF 4 200** – Paris, oct. 1945-Juillet 1946 : *La Place des Victoires*, aquar. : **FRF 1 700** ; *La Seine à Paris*, aquar. : **FRF 800** – Paris, 20 nov. 1946 : *La Place de la Concorde*, aquar. : **FRF 2 000** – Paris, 26 fév. 1947 : *Le Pont Alexandre sous la pluie*, aquar. : **FRF 1 950** – Paris, 20 déc. 1976 : *Place de la Concorde*, aquar. (44x34,5) : **FRF 3 000** – Lille, 24 avr. 1983 : *Nu dans l'atelier du peintre* 1883, h/t (50x61) : **FRF 23 000** – Neuilly, 13 déc. 1983 : *Élégantes sur la place de la Concorde*, aquar. (27x35) : **FRF 8 100** – New York, 25 avr. 1988 : *En traversant la place* 1890, h/t (33x23,5) : **USD 3 300** – Versailles, 5 mars 1989 : *Élégantes et calèche sur le grand boulevard*, aquar. (27,5x48) : **FRF 7 800** – Paris, 19 juin 1989 : *Place du châtelet*, aquar. (29x35) : **FRF 35 000** – Versailles, 18 mars 1990 : *Chantier sur les bords de Seine*, aquar. (45,5x74,5) : **FRF 5 200** – Paris, 12 juil. 1990 : *Vue de Paris*, aquar. (17,5x27,5) : **FRF 13 000** – Paris, 2 déc. 1991 : *Place de la République à Paris animée*, aquar. (71x99) : **FRF 16 000** – Paris, 2 déc. 1992 : *Place de l'Hôtel de Ville sous la pluie*, aquar. (25x18,5) : **FRF 3 200** – Paris, 22 mars 1994 : *Gardien de harem* 1872, aquar. (37x28) : **FRF 3 500** – Calais, 3 juil. 1994 : *Omnibus et fiacres à Auteuil* 1895, aquar. (33x25) : **FRF 4 000** – Paris, 27 fév. 1996 : *Le marché aux fleurs à Noël*, aquar. (32x21,5) : **FRF 4 000**.

GARATE Y CLAVERO Juan José
Né le 12 juillet 1870 à Arbalate del Arzobispo (Teruel). Mort en 1939 à Madrid. XXe siècle. Espagnol.
Peintre de scènes de genre, portraits, compositions à personnages.

Il fit ses études à l'École des Beaux-Arts de la Province d'Aragon, puis vécut à Madrid grâce à une pension, fit ensuite un séjour d'étude à Rome. Il fut professeur à l'École des Beaux-Arts de Saragosse, à partir de 1897 jusqu'en 1911, date à laquelle il s'installa à Madrid.

Il participa à l'Exposition Nationale des Beaux-Arts, à Madrid, en 1895 (troisième médaille), à l'Exposition de Paris en 1899 (troisième médaille), à l'Exposition Nationale de Madrid en 1904 (deuxième médaille), à l'Exposition de la région de Saragosse en 1905 (première médaille), à l'Exposition des Arts Décoratifs de Madrid en 1911 (deuxième médaille), à l'Exposition internationale de Panama en 1916 (médaille d'or). Il participa à d'autres expositions collectives, en 1924 et 1925, à Saragosse, à Madrid en 1924 et réalisa des expositions particulières.
Dans un style traditionnel, avec une maîtrise technique certaine du dessin et de la couleur Garate y Clavero s'employa le plus souvent à faire vivre durablement des instants délicats de la vie journalière.
Bibliogr. : In : *Cien anos de pintura en Espana y Portugal, 1830-1930*, Antiqvaria, Madrid, 1989.
Musées : Saragosse (Mus. des Beaux-Arts) – Teruel.
Ventes Publiques : New York, avr. 1903 : *Le repos des amoureux* : **USD 360** ; *Le porteur d'eau* : **USD 400** – Madrid, 24 mars 1981 : *Al fondo Zaragoza*, h/t (40x65) : **ESP 100 000** – New York, 16 déc. 1987 : *Scène villageoise*, h/t (35x51) : **ESP 1 100 000** – Londres, 14 fév. 1990 : *Le banquet interrompu*, h/t (49x78) : **GBP 19 800** – Paris, 1er juil. 1992 : *Mariés au salon* 1908, h/cart. (27x35) : **FRF 3 500** – New York, 16 fév. 1995 : *Vue de Venise*, h/pan. (27x52,4) : **USD 17 825**.

GARATOLI Gherardo de
xixe siècle. Actif à Plaisance. Italien.
Peintre.

GARAU Juan
xviie siècle. Actif à Barcelone en 1696. Espagnol.
Peintre.

GARAUD Gustave Césaire
Né le 25 juillet 1847 à Toulon (Var). Mort le 23 juin 1914 à Nice (Alpes-Maritimes). xixe-xxe siècles. Français.
Peintre de compositions murales, paysages animés, paysages d'eau, paysages, décorateur.
Il eut pour maître François Louis Français. Il travailla en Provence, ainsi qu'à Paris, installant son atelier rue Notre-Dame des Champs. Il voyagea en Indochine. Il figura, à Paris, au Salon, puis Salon des Artistes Français, de 1878 à 1914. Il obtint une mention honorable, en 1881 ; une médaille de troisième classe, en 1889 ; une de deuxième classe, en 1893 ; une médaille de bronze, pour l'Exposition Universelle de 1900.
Il peignit de nombreux paysages, étant inspiré par la Provence, la Corse, l'Île-de-France et la Bretagne. Il eut également une activité de décorateur, répondant à des commandes de peintures murales pour des hôtels particuliers.
Bibliogr. : Gérald Schurr, in : *Les Petits Maîtres de la peinture 1820-1920, valeur de demain*, Les Éditions de l'Amateur, t. III, Paris, 1976.
Musées : Ajaccio : *Bords du Gapeau* – Draguignan : *Douarnenez* – Nice : *La plage de Nice* – Le Puy-en-Velay : *Bords de la Viosne – Matinée au Valmondor* – La Roche-sur-Yon : *Le vieux pont sur la Rance* – Toulon : *Les pins de Notre-Dame sous Fenouillet*.
Ventes Publiques : Paris, 10 avr. 1894 : *La passerelle à Guenrod* : **FRF 1 680** ; *Environs de Dampierre, matinée d'automne* : **FRF 780** – Paris, 5 mai 1928 : *Le sentier dans la clairière* : **FRF 280** – Paris, 11 juin 1942 : *La Moisson* : **FRF 1 050** – Reims, 11 juin 1989 : *Paysage d'automne animé de personnages*, h/t (91x66) : **FRF 20 000** – Rome, 24 mars 1992 : *Retour des champs*, h/t (27x39) : **ITL 2 070 000** – New York, 27 mai 1993 : *Lecture au bord de la rivière*, h/pan. (24x33) : **NLG 6 900**.

GARAUDEAUX Suzanne
Née à Saint-Morel (Ardennes). xxe siècle. Française.
Peintre et aquarelliste.
Elle figure au Salon depuis 1933.

GARAVAGLIA Giovita
Né le 18 mars 1790 à Pavie. Mort le 27 avril 1835 à Florence. xixe siècle. Italien.
Graveur.
Après avoir été l'élève d'Anderloni, il entra à l'Académie de Milan en 1803. En 1813, il remporta un prix avec son *Hérode*, d'après Luini, et en 1817 un autre prix pour sa *Sainte Famille dans un paysage*, d'après Raphaël. En 1833, il fut nommé professeur de gravure à Florence.
Ventes Publiques : Paris, 28 fév. 1945 : *Vœ Victis !*, pl. et lav., reh. de blanc : **FRF 300**.

GARAVENTA Giambattista
Né en 1777 à Marassi. Mort en 1840 à Gênes. xixe siècle. Italien.
Sculpteur.
Il fut élève de Niccolo Traverso et peignit surtout des sujets religieux.

GARAY Akos
Né en 1866 à Apathi. xixe siècle. Hongrois.
Peintre.
Il fit ses études à Budapest et à Munich.

GARAY Camilla
xixe siècle. Active à Budapest. Hongroise.
Peintre.
On doit surtout à cette artiste des paysages.

GARAY MACUA Eloy
Né en 1879 à Labastida (Alava). Mort en 1974 à Bilbao (Pays Basque). xxe siècle. Espagnol.
Peintre de paysages, compositions murales.
Il a surtout peint la campagne de sa région natale.

GARAY Marie
Née au xixe siècle à Bayonne (Basses-Pyrénées). xixe siècle. Française.
Peintre de paysages.
Sociétaire des Artistes Français depuis 1898.
Ventes Publiques : Paris, 1er mars 1936 : *La jolie marchande de gâteaux*, aquar. : **FRF 150**.

GARAY Pedro de
xviie siècle. Actif à Tolède. Espagnol.
Sculpteur.

GARAY Y AREVALO Manuel
Né au xixe siècle à Madrid. xixe siècle. Espagnol.
Peintre de sujets de genre.
Il fut élève de Carlos Luis de Rivera, de l'Académie des Beaux-Arts de Madrid et de l'École des Beaux-Arts à Paris.
Musées : Sheffield : *La Souris – Toilette avant le bal*.
Ventes Publiques : New York, 13 déc. 1985 : *Une main secourable*, h/pan. (43x52,3) : **USD 3 500** – New York, 23 mai 1990 : *En dévidant l'écheveau*, h/cart. (43,2x52,7) : **USD 22 000**.

GARAY Y LORENZO Octavio
Né au xixe siècle à Madrid. xixe siècle. Espagnol.
Peintre de genre.
Élève de Manuel Garcia Martinez.

GARBAN André
Né à Saint-Amand (Cher). xxe siècle. Français.
Peintre de paysages.
Il a figuré au Salon des Indépendants à Paris, à partir de 1921.
Ventes Publiques : Paris, 20 nov. 1985 : *Paysage à l'arbre rouge*, h/t (46x55) : **FRF 5 800**.

GARBANELLI Alberto
xvie siècle. Actif à Ferrare à la fin du xvie siècle. Italien.
Peintre.
Il était fils d'Ilario.

GARBANELLI Antonio
xve siècle. Actif à Ferrare dans la première moitié du xve siècle. Italien.
Peintre.

GARBANELLI Ilario
xve siècle. Actif à Ferrare. Italien.
Peintre.
Il était fils d'Antonio.

GARBANELLI Isopo
xvie siècle. Actif à Ferrare à la fin du xvie siècle. Italien.
Peintre.
Il était fils d'Ilario.

GARBARI Tullio
Né en 1892 à Pergine (Trentin). Mort en 1931 à Paris. xxe siècle. Italien.
Peintre.
Il s'inscrit à l'Académie des Beaux-Arts de Venise, en 1908 et y expose plus de trente œuvres à la Fondation de la Ca' Pesaro. Il y expose de nouveau en 1909, aux côtés de Boccioni. À cette époque, il collabore à des journaux. Il expose après la guerre, à Milan, avec Carra. Après avoir abandonné la peinture pour se consacrer à l'étude de la philosophie et de la littérature, il expose de nouveau, en 1927, à Milan, puis à Amsterdam et Hambourg. En 1931, il expose à la Galerie Del Milione, à Milan, et se lie avec Séverini rencontré à Paris, où il vient souvent. La Galerie Del

Milione lui a consacré une grande exposition rétrospective, après sa mort prématurée en 1931.
Garbari, au sujet duquel on peut s'étonner de ses nombreuses amitiés avec les anciens futuristes, a traité des scènes bucoliques, populaires ou d'inspiration religieuse, s'inspirant du talent narratif des primitifs avec un sens particulièrement constructif et robuste de la composition d'ensemble et du modelé dans le détail des volumes. ■ J. B.
Bibliogr. : In : *Dictionnaire de l'art moderne et contemporain*, Hazan, Paris, 1992.
Ventes Publiques : Milan, 25 nov. 1965 : *La corte delle colombe* : **ITL 1 400** 000 – Milan, 21 déc. 1982 : *Le Berger* 1930, h/cart. (50x34,5) : **ITL 7 800 000** – Milan, 15 nov. 1983 : *La Bergère*, cr. (29,5x22,5) : **ITL 3 000 000** – Milan, 8 nov. 1984 : *Paysages* 1912-1913, h/cart., trois pièces (15x14 et 22x7) : **ITL 7 000 000** – Milan, 27 nov. 1986 : *Paysage*, aquar. (11x14,5) : **ITL 2 200 000** – Milan, 19 juin 1986 : *Maisons*, h/pan. (30,5x40) : **ITL 11 000 000** – Milan, 14 nov. 1991 : *La muse paysanne* 1928, h/cart. entoilé (49,5x39,5) : **ITL 42 000 000**.

GARBAYE Georges Louis
Né en 1892 à Paris. xxe siècle. Français.
Peintre.
Exposa à la Nationale des Beaux-Arts.

GARBE Herbert
xixe-xxe siècles. Allemand.
Sculpteur.
Mari de Emy RŒDER-GARBE.

GARBELL Alexandre
Né en mai 1903 à Riga (Lettonie). Mort le 31 décembre 1970. xxe siècle. Depuis 1923 actif en France. Russe-Letton.
Peintre de figures, paysages animés, paysages, paysages urbains.
Après avoir travaillé avec Bissière à l'Académie Ranson, il peint seul, très tôt, préservant dès ses premières années une indépendance jamais démentie. Il a très vite participé, à Paris, à différents Salons : Salon des Surindépendants, Salon des Tuileries, d'Automne, puis, plus tard, Salon de Mai, Salon des Réalités Nouvelles et Salon des Grands et Jeunes d'Aujourd'hui. Il a également eu de nombreuses expositions particulières, à Paris, de 1928 à 1970, mais aussi à l'étranger : Copenhague (1950-1951), Milan, Lausanne, Turin, Londres (1955), New York (1956-1961-1965), Bâle et Amsterdam (1967). Les Musées de Zurich et de Lausanne lui ont également consacré une exposition particulière en 1952. Après sa mort, de nombreux hommages lui ont été rendus, notamment celui du Salon des Réalités Nouvelles en 1972.
Sa peinture a évolué vers l'abstraction, où il a continué d'utiliser les ressources d'une palette particulièrement lumineuse. Néanmoins, certains, dont Pierre Courthion, ont regretté cette tournure non-figurative. Et Pierre Courthion écrit : « Des pièces de viande (comme on en voit dans des boucheries) dont la fine tonalité entre le jaune doré et les rouges a des éclats inoubliables où le peintre parvient à animer jusqu'à la féerie la réalité la plus alimentaire ». Mettant en relief cet aspect sensuel de la peinture de Garbell, René Berger en a écrit : « Les couleurs ont un toucher, une saveur, une physiologie, un tempérament... Il s'agit bien plutôt chez Garbell d'une disposition profonde de l'être qui tend à restituer à nos sens leur place et leur dignité, surtout leur pouvoir de fécondation ». Parmi ses thèmes préférés, les plages de Normandie et les rues étroites de Naples. ■ J. B.
Bibliogr. : In : *Dictionnaire universel de la peinture*, Le Robert, Paris, 1975.
Musées : Grenoble – Haïfa – Jérusalem – Luxembourg – Milwaukee – Paris (Mus. d'Art Mod. de la Ville) – Rio de Janeiro – Tel-Aviv – Tokyo.
Ventes Publiques : Paris, 12 déc. 1946 : *Paysage* : **FRF 6 500** – Paris, 21 déc. 1972 : *Sur la jetée* : **FRF 5 100** – Versailles, 18 juin 1974 : *Jeune fille, enfant et chien près du village* : **FRF 9 100** – Paris, 15 déc. 1976 : *En Bretagne* 1969, h/t (48x68) : **FRF 3 500** – Paris, 2 déc. 1980 : *Jour de marché*, h/pan. (34x30) : **FRF 2 700** – Paris, 5 juil. 1982 : *Femme dans un intérieur* 1967, h/t (160x178) : **FRF 5 000** – Paris, 24 avr. 1983 : *Élan* 1956, h/t (102x81) : **FRF 9 000** – Paris, 15 fév. 1985 : *Rue de Naples* 1965, h/t (195x97) : **FRF 12 000** – Paris, 6 juin 1988 : *Baigneuses*, h/t (24x33) : **FRF 3 800** – Paris, 16 avr. 1989 : *Le port*, h/t (65x100) : **FRF 50 000** – Paris, 19 jan. 1990 : *Parc en hiver*, h/t (61x65) : **FRF 6 200** – Paris, 14 mars 1990 : *Marché aux poissons*, h/t (55x54) : **FRF 13 000** – Paris, 27 mars 1990 : *Les Veaux*, h/t (800x100) : **FRF 35 000** – Paris, 8 avr. 1990 : *Port de pêcheurs*, h/t (46x61) : **FRF 38 000** – Paris, 6 oct. 1990 : *La plage à marée basse* 1964, h/t (80x160) : **FRF 40 000** – Paris, 5 déc. 1990 : *Sur la table* 1946, h/t (24x41) : **FRF 12 000** – New York, 13 fév. 1991 : *Au café* 1954, h/t (73x66) : **USD 2 750** – Paris, 14 avr. 1991 : *Le port*, h/t (65x100) : **FRF 35 500** – New York, 7 mai 1991 : *Vue de Londres* 1962, h/t (89x117) : **USD 4 400** – Paris, 13 avr. 1992 : *L'atelier* 1957, h/t (146x114) : **FRF 18 000** – Paris, 10 fév. 1993 : *Maternité*, h/t (100x89,5) : **FRF 25 000** – Paris, 6 déc. 1993 : *Maternité*, h/t (100x89,5) : **FRF 10 500** – Paris, 16 oct. 1994 : *Les quais à Paris*, h/t (73x100) : **FRF 7 500** – Paris, 6 nov. 1995 : *Paysage* 1966, h/t (150x150) : **FRF 40 000** – Paris, 24 mars 1996 : *Les murs d'Ischia*, h/t (120x120) : **FRF 16 000** – Paris, 19 juin 1996 : *Scène de marché* 1953, h/t (54x65) : **FRF 6 000** – Paris, 28 avr. 1997 : *Composition* 1960, h/t (80x80) : **FRF 7 000** ; *Composition* 1956, h/t (80x100) : **FRF 5 000** – Paris, 25 mai 1997 : *Rue de Naples* 1960, h/cart. (65x35) : **FRF 7 000**.

GARBELL Camille
Né le 15 juillet 1945. xxe siècle. Français.
Sculpteur.
Il a participé, à Paris, au Salon d'Automne, au Salon de la Jeune Sculpture et au Salon des Réalités Nouvelles. Il a exposé personnellement à Londres, et à Paris en 1973 et 1975.
Proche du surréalisme, il emploie une gamme de matériaux très étendue : métaux, résines synthétiques, plastiques. Il fait également des recherches pour des sculptures électro-acoustiques.
Ventes Publiques : Paris, 4 fév. 1991 : *Genèse I* 1990, bronze (33x23) : **FRF 15 000** – Paris, 3 juin 1991 : *Osiris* 1988, bronze (35x17) : **FRF 8 000**.

GARBER Daniel
Né le 11 avril 1880 à New Manchester (New Hampshire). Mort en 1958. xixe-xxe siècles. Américain.
Peintre de paysages.
Il fut élève de l'Art Academy de Cincinnati dans l'atelier de V. Nowottny, puis de Anschutz à Philadelphie. Il obtint de nombreuses récompenses durant ses études notamment le premier prix Hallgarten, à la National Academy de New York, en 1909. Il fut associé de la National Academy en 1910.
La Tohicken Vallée fut une de ses sources principales d'inspiration.
Bibliogr. : *Impressions tardives – Peintres américains en France, 1865-1915*, Musée d'Art Américain de Giverny, 1992.
Ventes Publiques : New York, 21 nov. 1945 : *Ô toi, vieux pommier* : **USD 300** – New York, 27 oct. 1978 : *Tanis*, h/t (152,4x117,5) : **USD 55 000** – New York, 30 avr. 1980 : *Le poirier*, h/t (44,5x54,6) : **USD 7 000** – New York, 4 juin 1982 : *Summer fantasy*, h/t (76,2x76,2) : **USD 25 000** – New York, 23 mars 1984 : *The Jersey shore*, h/t (64,5x77,5) : **USD 22 000** – Washington D. C., 6 déc. 1985 : *Summer fantasy* 1916, h/t (77x76,4) : **USD 45 000** – New York, 1er déc. 1988 : *Fin d'automne*, h/t (76,5x71,1) : **USD 23 100** – New York, 24 mai 1989 : *Château de verdure* 1934, h/t (133,4x143,5) : **USD 154 000** – New York, 28 sep. 1989 : *Tohickon Bridge* 1923, h/cart. (46x51) : **USD 23 100** – New York, 30 nov. 1989 : *Le Vieux Moulin*, h/t (45,7x54,5) : **USD 20 900** – New York, 6 déc. 1991 : *Jour gris en avril*, h/pan. (46x56) : **USD 39 600** – New York, 4 déc. 1992 : *Sur les bords du Delaware*, h/t (71,8x76,5) : **USD 71 500** – New York, 23 sep. 1993 : *30 Avril* 1952, h/cart. (45,7x61) : **USD 25 300** – New York, 25 mai 1994 : *Raccommodage* 1918, h/t (116,8x106,7) : **USD 398 500** – New York, 25 mai 1995 : *Juin*, h/t (92,1x112,4) : **USD 162 000** – New York, 22 mai 1996 : *L'Église de Stockton*, h/t (101,6x91,4) : **USD 151 000** – New York, 6 juin 1997 : *Un samedi après-midi, port de Cold Spring* vers 1922, h/pan. (45,7x50,8) : **USD 54 625**.

GARBERS Karl
Né le 11 mai 1864 à Hambourg. xixe siècle. Allemand.
Sculpteur.
Il fut élève, à l'Académie de Dresde, de Häknel. Il vécut et travailla entre autres à Hambourg.

GARBET Félix Émile
Mort vers 1846. xixe siècle. Actif à Paris. Français.
Peintre de genre.
De 1831 à 1846, il figura au salon de Paris. On mentionne de lui : *Départ pour la pêche* et *Des enfants construisant une maisonnette*.
Ventes Publiques : Paris, 23 déc. 1861 : *La leçon de musique* : **FRF 615**.

GARBI Anton Maria
Né en 1718 à Tuoro. Mort le 21 mai 1797 à Pérouse. xviiie siècle. Italien.

Peintre.
Il fut élève de Placido Constanzi à Rome et travailla par la suite à Pérouse et dans ses environs où il décora un grand nombre d'églises.

GARBI Domenico
XVIIIe-XIXe siècles. Actif à Pérouse. Italien.
Peintre et miniaturiste.
Il était fils et fut élève d'Anton Maria.

GARBIERI Carlo
XVIIe siècle. Italien.
Peintre d'histoire.
Élève et fils de Lorenzo Garbieri. L'église de San Giovanni in Monte, à Bologne, possède de lui une peinture : *La Mort de sainte Marie l'Égyptienne*.

GARBIERI Lorenzo, dit **Il Nepote**
Né en 1580 à Bologne (Emilie-Romagne). Mort le 8 avril 1654 à Bologne. XVIIe siècle. Italien.
Peintre de scènes mythologiques, compositions religieuses, dessinateur.
Il fut un des meilleurs imitateurs de Ludovico Carracci, à l'école duquel il fut élève.
Dans l'église Sant'Antonio de Milan, se trouvent plusieurs tableaux de cet artiste, que Sant'Agostino attribua par erreur au Carracci. Il peignit à San Paolo de Barnabiti à Bologne : *La Peste de Milan* et *Une Procession de Pénitents*. Son *Saint Paul ressuscitant Eutychus*, aux Philippins de Fano, excite à la fois la terreur et la dévotion par la puissance de l'expression. L'église San Maurizio à Mantoue possède le *Martyre de sainte Félicité et de sept autres Vierges* ; San Ludovico de Bologne : *La mort de saint Joseph* ; l'église des Capucins : *Le Crucifiement* ; Saint Michele de Bosco : *Des scènes de la vie de saint Bénédict et de sainte Cécile* ; enfin la Pinacothèque : *Circé*.

L. Garbieri.

VENTES PUBLIQUES : PARIS, 1775 : *Les quatre éléments*, dess. au bistre reh. de blanc : **FRF 41** ; *Deux dessins*, à la plume : **FRF 23** – PARIS, 9 et 10 mars 1927 : *La fuite en Égypte*, pl. et lav. : **FRF 150** – LONDRES, 9 déc. 1980 : *Déesse attaquant les Vents*, pl. et lav. et h/pap. ocre, de forme ovale (51,3x37,8) : **GBP 1 000** – NEW YORK, 12 jan. 1995 : *La Vierge se lamentant sur le corps du Christ en compagnie de trois anges*, h/cuivre (58,4x43,2) : **USD 10 350** – LONDRES, 3 juil. 1995 : *Étude d'un homme allongé*, craie noire sur pap. gris (13,6x17,1) : **GBP 1 380**.

GARBINI R.
XIXe siècle.
Peintre de genre.
Cité par Florence Levy.
VENTES PUBLIQUES : NEW YORK, 30 jan. 1902 : *Dans la cave* : **USD 375**.

GARBINO Domenico
XVe siècle. Actif à Venise en 1490. Italien.
Peintre.

GARBO Raffaelo ou **Raffaellino del**. Voir **CAPPONI**

GARBOSSETTI Denis
XVe siècle. Actif à Avignon en 1495. Français.
Peintre.

GARBRAND Caleb J.
XVIIIe siècle. Actif à Londres. Britannique.
Portraitiste.
Il exposa à Londres, de 1773 à 1780, à la Society of Artists, à la Free Society et à la Royal Academy.
VENTES PUBLIQUES : LONDRES, 2 juil. 1928 : *Femme en bleu* : **GBP 44** – LONDRES, 1er fév. 1929 : *Lieutenant Kecling Radford* : **GBP 126** – LONDRES, 20 nov. 1931 : *Thomas Master* : **GBP 3** – LONDRES, 17 avr. 1936 : *Garçon en vert* : **GBP 18**.

GARBRANTZ Jean
XVIIe siècle. Actif vers 1610. Hollandais.
Peintre.
Il fut un des chefs de la corporation de Saint-Luc à Delft, en 1610.

GARBUZ Yair
Né en 1945. XXe siècle. Israélien.
Peintre, technique mixte. Nouvelles figurations.
Il est né à Givatayim près de Tel-Aviv. De 1962 à 1969, il eut pour professeur Raffi Lavie. Entre 1965 et 1970, il a participé aux expositions du « Groupe 10+ ». En 1972, il a également participé aux expositions : *Image et Figure*, au Pavillon des Artistes de Tel-Aviv. En 1973, eut lieu sa première exposition personnelle au Musée de Tel-Aviv.
Il use d'une figuration libre et expressionniste, associée à des collages intégrés, et constitue ainsi des ensembles ou juxtapositions narratives.
VENTES PUBLIQUES : TEL-AVIV, 3 mai 1980 : *Figures* 1968, techn. mixte (53,5x81) : **ILS 12 000** – TEL-AVIV, 17 juin 1985 : *Figures* 1972, techn. mixte/cart. (80x120) : **ILS 9 000 000** – TEL-AVIV, 2 jan. 1989 : *Répétition de lignes* 1971, techn. mixte (80x120) : **USD 990** – TEL-AVIV, 1er jan. 1991 : *Figures* 1972, techn. mixte/cart. (140x120) : **USD 1 760** – TEL-AVIV, 6 jan. 1992 : *Figures* 1972, techn. mixte/cart. (79,5x120) : **USD 1 320** – TEL-AVIV, 27 sep. 1994 : *Sans titre* 1972, h/collage de pap. et techn. mixte/pan. (79,5x120) : **USD 3 450**.

GARCELON Adrien Jacques
XXe siècle. Français.
Peintre.
Élève de l'École des Beaux-Arts, il exposa aux Artistes Français dès 1934.

GARCEMENT Alfred
Né au XIXe siècle à Varzy (Nièvre). XIXe siècle. Français.
Peintre de sujets de genre, paysages animés, paysages.
Il fut élève de Pils et de Hanoteau. Il figura au Salon de Paris, à partir de 1868, puis au Salon des Artistes Français, dont il devint sociétaire en 1883, obtenant une mention honorable en 1896.
On cite de lui : *Un verger dans la Nièvre, La rentrée des oies, Le coucher des oies, Un vieux berger*.
MUSÉES : CLAMECY : *Le perthuis de la forêt – Paysages*.
VENTES PUBLIQUES : PARIS, 24 sep. 1946 : *Vaches dans un pâturage ombragé* : **FRF 2 500** – BERNE, 6 nov. 1981 : *Scène champêtre*, h/t (33x46) : **CHF 2 500** – COLOGNE, 18 mars 1989 : *Soleil couchant sur une prairie fleurie*, h/t (46,5x33) : **DEM 1 600** – NEW YORK, 1er nov. 1995 : *Un village en hiver*, h/t (86,4x121,9) : **USD 9 200**.

GARCES Francisco
Né aux Baléares. XXe siècle. Espagnol.
Peintre.
A exposé au Salon de la Nationale. On cite de cet artiste : *Marché de Nice, Casa d'Azul à Majorque*.

GARCÈS José
Mort en 1802. XVIIIe siècle. Espagnol.
Peintre de fleurs.
Il fut reçu membre de l'Académie de San Fernando le 5 mai 1772.

GARCÈS Pedro
XVe siècle. Actif à Saragosse en 1445. Espagnol.
Sculpteur.

GARCÈS Salvador Domingo
Né à Gadès. Mort en 1857. XIXe siècle. Espagnol.
Sculpteur.
Il fut professeur de modelage à l'Académie des Beaux-Arts de la Corogne.

GARCIA Alfonso
XVe siècle. Actif à Séville. Espagnol.
Peintre.
Cet artiste peignit des cierges pour la Fête-Dieu, par ordre de la ville, en 1430.

GARCIA Andres
XVIe siècle. Actif à Séville. Espagnol.
Peintre.
Peut-être identique au sculpteur homonyme.

GARCIA Andrés
XVIe siècle. Actif à Séville. Espagnol.
Sculpteur.
Cet artiste fit des sculptures décoratives pour les édifices publics.

GARCIA Angel
Né à Madrid. XIXe-XXe siècles. Espagnol.
Sculpteur.
Il fut élève de Francisco Bellver.

GARCIA ANGUERA Saturnino. Voir **GARCIANGUERA**

GARCIA Antonio
XIXe siècle. Espagnol.

Peintre.
Élève de Matias Lavina. Il débuta à Madrid en 1858. Artiste remarquable de l'École espagnole moderne.
Ventes Publiques : Londres, 30 nov. 1907 : *Florinde et ses nymphes* ; *Fête champêtre*, deux pendants : **GBP 36.**

GARCIA Baltasar
XVIe siècle. Actif à Séville. Espagnol.
Peintre.
Le 3 mai 1552, Burgos Joan fut parrain, à Séville de la fille de Garcia.

GARCIA Bernabé
Né en 1679 à Madrid. Mort en 1731 à Madrid. XVIIIe siècle. Espagnol.
Peintre d'histoire.
Élève de Juan Delgado. Il travailla pour une église à Alcala de Henares.

GARCIA Bernardo
XIXe siècle. Actif à Saragosse. Espagnol.
Peintre.
Le Musée provincial de Saragosse conserve de lui : *Caïn et Abel.*

GARCIA Carlos
Né en 1959 à Cuba. XXe siècle. Actif en France. Cubain.
Peintre, technique mixte.
Il fait ses études, à La Havane, à l'Académie des Arts Plastiques et à l'École supérieure des Beaux-Arts, puis à l'Université d'Art du Massachusetts. Il travaille à Paris.
Il participe à des expositions collectives : 1980 au Musée des Beaux-Arts à La Havane ; 1983 *Peinture Cubaine*, à Bogota, en Colombie ; Maison des Amériques, à La Havane ; 1984 Festival international de Peinture, à Cagnes-sur-Mer ; 1987 Biennale de São Paulo, Brésil ; 1988 Musée Mocha, New York. Il réalise des expositions individuelles à La Havane en 1983 ; à Buenos Aires en 1987 ; au Musée des Beaux-Arts de La Havane en 1989 ; la même année à la galerie Artuel, Paris.
Une peinture qui, sur une surface aux couleurs sourdes, voire froides, mêle l'abstraction à une certaine figuration par associations.
Bibliogr. : Catalogue : *Carlos Garcia*, Galerie Artuel, Paris.
Ventes Publiques : Paris, 9 avr. 1989 : *Sans titre*, acryl./pap. (52x73,5) : **FRF 6 800.**

GARCIA Carolina
Née au XIXe siècle à Bilbao. XIXe siècle. Espagnole.
Peintre de portraits, paysages.
Élève de Juan Conrate y Garcia. Elle exposa à Madrid en 1856 et 1864 et à Bayonne.

GARCIA Diego
XVIIe siècle. Travaillant à Séville en 1650. Espagnol.
Peintre.
Polanco (Francisco) peintre, lui servit de caution à cette date.

GARCIA Elias
Né au XIXe siècle à Alcoy. XIXe siècle. Espagnol.
Peintre.
Il débuta en 1878 et obtint une médaille à l'Exposition d'Alicante.

GARCIA Elizena
Née au XXe siècle. XXe siècle. Brésilienne.
Peintre.
Elle a exposé à São Paulo des peintures d'inspiration psychédéliques.

GARCIA Federico
Né au XIXe siècle à Madrid. XIXe siècle. Espagnol.
Peintre.
Élève de l'École supérieure de peinture, sculpture et gravure.

GARCIA Feliciano
Né au XIXe siècle. XXe siècle. Actif en France. Espagnol.
Peintre, sculpteur.
Il a exposé, à Paris, au premier Salon d'Automne, en 1905. Il est connu surtout pour ses portraits et ses bustes.

GARCIA Fernandes ou **Garcia Fernandes**
XVIe siècle. Actif entre 1514 et 1565. Portugais.
Peintre de compositions religieuses.
En 1514, il a travaillé dans l'atelier de Jorge Afonso. Il épousa en 1518 une des filles du peintre Francesco Henriquez, mort de la peste, à Lisbonne, en 1519, alors qu'il achevait la décoration pour la cour de justice. Garcia fut chargé de terminer ces travaux. Il a sans doute peint le transept de San Francisco d'Évora, vers 1531-1533. Il serait également l'auteur du triptyque du *Christ apparaissant à la Vierge* 1531 ; du triptyque de la *Passion*, de la Vila Viçosa ; et d'une *Présentation au Temple*.
Son art s'oriente vers un certain maniérisme.
Bibliogr. : In : *Dictionnaire de la peinture espagnole et portugaise du Moyen-Âge à nos jours*, coll. Essentiels, Larousse, Paris, 1989.
Musées : Lisbonne : *Présentation au Temple* 1538.

GARCIA FERNANDES. Voir **GARCIA Fernandes**

GARCIA Fernando
XVe siècle. Actif à Tolède. Espagnol.
Sculpteur.
En 1459, il travaillait pour la cathédrale de Tolède.

GARCIA Fernando
Né à Gérone. Mort en 1877. XIXe siècle. Espagnol.
Peintre.
Cet artiste peignit surtout des portraits.

GARCIA Francisco
XVIe siècle. Actif à Séville. Espagnol.
Sculpteur.

GARCIA Gabino
Né au XIXe siècle à Bilbao. XIXe siècle. Espagnol.
Peintre de genre.
Élève de Juan José Martinez Espinosa et de l'École des Beaux-Arts de Paris. Il exposa en 1862 à la Nationale des Beaux-Arts de Madrid.

GARCIA Gaetano
Né à Palerme. XVIIIe siècle. Italien.
Peintre.
Il fut élève de Solimena à Naples.

GARCIA Geronimo
Né à Zasmora. XVIe-XVIIe siècles. Espagnol.
Sculpteur.
Cet artiste était le frère jumeau de Miguel. Il fut à Madrid élève de Morales. Il fut chanoine de l'église de San Salvador à Grenade. Il suivit le style d'Alonso Cano et peut-être profita de son enseignement.

GARCIA Gilbert
Né en 1926 à Messanges (Landes). XXe siècle. Français.
Peintre.
Il expose aux Salons des Arts du Languedoc (Narbonne 1949, 1950), de la Jeune Peinture méditerranéenne (Nice 1959), de l'Éducation nationale. Il participe à l'exposition *Vingt-cinq ans d'acquisitions (1959-1984)* au Musée d'Art et d'Histoire de Narbonne, en 1984. Il est co-fondateur de l'Atelier narbonnais, en 1960.
Musées : Narbonne (Mus. d'Art et d'Hist.) : *La Rue.*

GARCIA Gregorio
XVIIe siècle. Actif à Saint-Jacques-de-Compostelle. Espagnol.
Sculpteur sur bois.

GARCIA Gregorio
XVIIe siècle. Actif vers 1690. Espagnol.
Peintre d'histoire.
Il travailla à Cueca près de Tolède.

GARCIA Hernan
Né vers 1501. XVIe siècle. Actif à Valladolid. Espagnol.
Peintre.
Cet artiste figura comme expert dans un procès soutenu par Berruguete, en 1523.

GARCIA Honorio. Voir **CONDOY Honorio**

GARCIA Ignacio
Né à la fin du XVIIIe siècle à Valence. XVIIIe-XIXe siècles. Espagnol.
Sculpteur.
En 1817, il fut reçu membre de l'Académie de San Carlo. Ce fut un artiste assez remarquable.

GARCIA José
Né au XIXe siècle à Madrid. XIXe siècle. Espagnol.
Sculpteur.
Élève de l'École des Beaux-Arts. Il débuta en 1881 à Madrid.

GARCIA Josefa
Née au XIXe siècle à Bilbao. XIXe siècle. Espagnole.
Peintre.

Élève de Juan Conrotte. Elle exposa de 1856 à 1864 à Madrid des portraits et des tableaux d'histoire.

GARCIA Juan
XVIIe siècle. Actif à Séville vers 1650. Espagnol.
Sculpteur sur bois.
Il fut élève de Juan Martinez il Montanes.

GARCIA Juan
Né au XIXe siècle. XIXe siècle. Espagnol.
Peintre d'histoire.
Il exposa de 1849 à 1850 à l'Académie de San Fernando.

GARCIA Juan
XIXe siècle. Espagnol.
Peintre de genre.
Entre 1879 et 1882, il participa aux Expositions de Séville et de Cadix.

GARCIA Juan Gil
Né en 1879 à Madrid. XXe siècle. Depuis 1899 actif à Cuba. Espagnol.
Peintre de paysages, natures mortes, lithographe.
Originaire de Madrid, il arriva à Cuba en 1899. Lithographe, il limita ses tirages devenus très rares. Ses peintures décrivent la vie courante des premiers temps de la République cubaine. Il peignait des natures mortes et des paysages dont les reproductions figuraient dans beaucoup de foyers cubains.
VENTES PUBLIQUES : NEW YORK, 22-23 nov. 1993 : *Ananas, corossol et fruits de la passion* 1918, h/t (33,7x69,9) : **USD 3 450**.

GARCIA Juana
Née au XIXe siècle à Bilbao. XIXe siècle. Espagnole.
Peintre de genre.
Sœur de Carolina et de Josefa Garcia et comme elles élève de Juan Conrotte. Elle exposa à partir de 1860 à Madrid.

GARCIA Justo
XIXe siècle. Espagnol.
Sculpteur.
Élève de Baratta.

GARCIA Lino
Né au XIXe siècle à Madrid. XIXe siècle. Espagnol.
Peintre d'histoire.
Élève de l'Académie de San Fernando et de Vicente Lopez. Il débuta en 1856 à Madrid.

GARCIA Marcos
XVIIe siècle. Actif à Valladolid. Espagnol.
Sculpteur.
Le 9 septembre 1613, cet artiste se chargea, avec Fancisco Ruez, d'exécuter un retable destiné à l'église de San Pedro de Olmos de Esgueve.

GARCIA Miguel
XVIIe siècle. Actif à Grenade. Espagnol.
Sculpteur.
Il était frère de Geronimo.

GARCIA Milo
XXe siècle.
Auteur d'installations, sculpteur.
Il a présenté en 1996 une exposition personnelle de ses œuvres à Londres, où il présentait *The Door, the toilet and a man* (La Porte, les toilettes et un homme), lieu réalisé en bouleau.

GARCIA Nuno
XVIe siècle. Actif à Séville vers 1500. Espagnol.
Peintre de miniatures.

GARCIA Pedro
XVe siècle. Actif entre 1456 et 1496. Espagnol.
Peintre de compositions religieuses.
À la mort de Bernardo Martorell, il lui succèda dans son atelier à Barcelone, de 1455 à 1461. Il travailla ensuite à Lérida, avant de s'installer à Barbastro, où il resta de 1481 à 1496. D'autres sources mentionnent qu'il travaillait à Benabarre (Aragon), pendant le dernier quart du XVe siècle au point d'être désigné Pedro Garcia de Benabarre. Pedro Espalargues fut l'un de ses collaborateurs.
Parmi ses œuvres : *Retable de sainte Claire et sainte Catherine* à la cathédrale de Barcelone ; une *Vierge à l'Enfant*, aujourd'hui au Musée de Barcelone, de même que le *Retable de saint Jean Baptiste*, situé, à l'origine à S. Juan del Mercado de Lérida.
Ses retables montrent un goût du pittoresque et des couleurs intenses en harmonie avec des fonds or. Son art reste assez archaïsant par rapport à celui de Jaime Huguet, à la même époque.
BIBLIOGR. : In : *Dictionnaire de la peinture espagnole et portugaise du Moyen-Âge à nos jours*, coll. Essentiels, Larousse, Paris, 1989.
MUSÉES : BARCELONE (Mus. de Bellas Artes de Catal.) : *Vierge et l'Enfant – Retable de saint Jean Baptiste* – BARCELONE (Mus. diocésain) : *Saint Quirce et sainte Julita* – CASTRES : *L'Adoration des Rois* – PARIS (Mus. des Arts déco.) : *La Vierge et saint Vincent Ferrier*.
VENTES PUBLIQUES : NEW YORK, 12 jan. 1996 : *L'Annonciation à saint Joachim*, h/pan. (108x60) : **USD 43 700**.

GARCIA Pedro
XVIe siècle. Espagnol.
Sculpteur.
Il était actif à Séville (Andalousie).

GARCIA Pedro
XVIe-XVIIe siècles. Espagnol.
Sculpteur.
Il travaillait à Valence vers 1600. À rapprocher du précédent.

GARCIA Rafael
Espagnol.
Peintre d'histoire.
Le Musée de Séville contient de cet artiste, sur lequel nous ne trouvons aucun détail : *Saint Sébastien, Saint Évêque, Saint Laurent, Saint Pontife*.

GARCIA Rupert
Né en Californie. XXe siècle. Américain.
Peintre, pastelliste, sérigraphe.
Il participe à des expositions collectives et individuelles aux États-Unis et en Europe, entre autres : 1978, 1984 San Francisco Museum of Modern Arts ; 1978, 1980, 1981, 1986 The Mexican Museum, San Francisco ; 1988 Museum of Modern Art, New York ; 1990 The Fine Art Museum of San Francisco. Il expose individuellement, à Paris, en 1987, 1989 et 1990 à la galerie Claude Samuel.
Artiste « Chicano », il s'est fait le porte-parole de cette minorité constituée de mexicains ayant émigré aux États-Unis. Il mène dans les années soixante, une lutte ouverte contre la culture et les valeurs « Yankee » créant des posters, des affiches et réalisant des sérigraphies. Moins radical le travail de ses dernières années donne à voir des œuvres intimistes.

GARCIA Santos
XVIe siècle. Actif à Valladolid. Espagnol.
Sculpteur.

GARCIA Stephanus
XIe siècle. Espagnol.
Enlumineur.
Illustra l'Apocalypse de Saint-Sever.

GARCIA Torrès. Voir **TORRÈS-GARCIA**

GARCIA del Barco. Voir **BARCO Garcia del**

GARCIA DE CANEDO Miguel
Né en 1728 à Saint-Jacques-de-Compostelle. XVIIIe siècle. Espagnol.
Sculpteur sur bois.
Il travailla en Galicie.

GARCIA DE CORDOBA José
Né à Ecija près de Cordoue. Mort vers 1875. XIXe siècle. Espagnol.
Peintre.
Il travailla à Cordoue.

GARCIA DEL CORRAL Federico
XIXe siècle. Actif à Séville. Espagnol.
Peintre de genre.
Il exposa à Séville en 1878, et à Vienne en 1882. On cite de lui : *Jardin de l'Alcazar*.
VENTES PUBLIQUES : NEW YORK, 23 oct. 1997 : *Prêtes pour la fête*, h/t (81,9x54,6) : **USD 32 200**.

GARCIA DE LA CAL Francisco
Né au XIXe siècle à Avila. XIXe siècle. Espagnol.
Peintre de genre.
Élève de l'École des Beaux-Arts de Madrid. Il fut pensionné pour Rome par sa ville natale. Il débuta à Madrid en 1881.

GARCIA DE LA ROSA Teofilo
XIXe siècle. Actif à Valence. Espagnol.

Peintre de genre.
Il débuta à Valence vers 1879.

GARCIA DE LOS ALAMOS Bartolomé
XVIe siècle. Actif à Séville en 1545. Espagnol.
Peintre.
Maldonado (Alonso de), peintre, lui loua une maison le 26 avril 1542.

GARCIA DE MIRANDA Juan, l'Ancien
Né le 12 septembre 1677 à Madrid. Mort le 8 mai 1749 à Madrid. XVIIe-XVIIIe siècles. Espagnol.
Peintre d'histoire.
De parents Asturiens, il apprit la peinture avec Juan Delgado et exécuta surtout des tableaux religieux, entre autres plusieurs *Immaculée Conception* pour des commandes privées. Né sans main droite, il se servait du bout du bras pour tenir ses pinceaux. Il fut nommé peintre de Philippe V en 1735. Son fils Juan promettait de devenir un artiste de grand talent lorsqu'il mourut à l'âge de vingt et un ans. Garcia restaura habilement les tableaux détériorés par l'incendie de l'Alcazar en 1734.
Musées : Madrid (Prado) : *Naissance et Mariage de la Vierge.*

GARCIA DE MIRANDA Juan, le Jeune
XVIIe-XVIIIe siècles. Actif à Valladolid. Espagnol.
Peintre.
Cet artiste peignit divers tableaux représentant des scènes de la vie de la Sainte Vierge, pour l'église de San Lorenzo.

GARCIA DE MIRANDA Nicolas
Né en 1698. Mort en 1738. XVIIIe siècle. Espagnol.
Peintre de paysages.
Il exécuta des paysages dans lesquels il plaçait des personnages religieux. Frère et élève de Juan Garcia de Mirande.

GARCIA DE PADILLA Pedro
XVIe siècle. Actif à Séville. Espagnol.
Peintre.
Des documents divers permettent de suivre cet artiste de 1540 à 1573. Peut-être identique à PADILLA, enlumineur à Séville.

GARCIA DE PRADAS Juan
XVIe siècle. Actif à Grenade vers 1525. Espagnol.
Sculpteur et architecte.
On cite ses travaux à la cathédrale de Grenade.

GARCIA DE SANTIAGO Bartolomé
Né vers 1680 à Séville. Mort en 1740. XVIIIe siècle. Espagnol.
Sculpteur.
Un document le montre dans un procès qu'il perdit. La vente judiciaire de ses meubles témoigne que sa situation était modeste et une déclaration, datée de 1727, qu'il avait alors trente ans.

GARCIA DE SANTIAGO Manuel
Né en 1711 à Séville. XVIIIe siècle. Espagnol.
Sculpteur.
Il était le fils et fut élève de Bartolomé.

GARCIA Y AGUIRRE Pedro
XVIIe siècle. Actif à Valence vers 1600. Espagnol.
Sculpteur sur bois.
Il travailla à la construction d'une église de Valence.

GARCIA Y ALCAZAR Lino
Né au XIXe siècle à Madrid. XIXe siècle. Espagnol.
Peintre de genre.
Élève de l'Académie de San Fernando. Il débuta à Madrid en 1887.

GARCIA Y ALONSO Celestino
Né au XIXe siècle à Siguenza. XIXe siècle. Espagnol.
Sculpteur.
Élève de l'École des Beaux-Arts de Madrid. Il débuta en 1871 au Salon de Madrid.

GARCIA ASARTA Inocencio
Né en 1862 à Gastiain (Navarre). Mort en 1921 à Bilbao (Pays Basque). XIXe-XXe siècles. Espagnol.
Peintre de sujets divers.
Il fit ses premières études artistiques à Vittoria, en Sicile. Il vécut à Rome, grâce à une pension de la Province de Navarre.
Il obtint une mention honorifique lors de l'Exposition Nationale des Beaux-Arts à Madrid, en 1897. En 1900, il devient artiste officiel de la ville de Bilbao.

GARCIA Y BARCELO Joaquin
Né à Valence. Mort le 30 mars 1879 à Valence. XIXe siècle. Espagnol.
Peintre d'histoire.
Il débuta en 1845 à Madrid et fut nommé professeur au Conservatoire des Arts dans cette ville. On cite de lui des tableaux religieux parmi lesquels une très grande toile : *La Vierge du Carmel délivrant les âmes du Purgatoire*, et des portraits, dont ceux qu'il a faits de la reine Isabelle II.

GARCIA Y BARCIA Manuel
Né au XIXe siècle. XIXe siècle. Espagnol.
Peintre d'histoire, sujets de genre, dessinateur.
Il débuta à Cadix en 1858. En 1877, il fut nommé professeur à l'Académie des Beaux-Arts de Cadix. Il a peint surtout des tableaux d'histoire avec une indiscutable autorité.
Ventes Publiques : Londres, 20 fév. 1976 : *La fiesta* 1859 ; *Danse champêtre* 1859, deux h/t (61x81,5) : **GBP 1 400** – Paris, 27 mai 1987 : *Couple*, pl. et lav. d'encre de Chine (25,5x15) : **FRF 2 000.**

GARCIA Y BAS Mariano
Né au XIXe siècle à Valence. XIXe siècle. Espagnol.
Sculpteur.
En 1822, il fut pensionné à Rome par le gouvernement provincial de Valence. On cite de lui : *Buste du pape Calixte III.*

GARCIA BENITO Eduardo
Né en 1891 à Valladolid (Castille-Léon). Mort en 1981 à Valladolid (Castille-Léon). XXe siècle. Espagnol.
Peintre de portraits, compositions à personnages, paysages urbains, graveur, illustrateur, affichiste. Cubiste.
Il fut élève de l'École Supérieure des Beaux-Arts de San-Fernando de Madrid. Il obtint une bourse d'études de sa ville natale, qui lui permit de venir à Paris en 1911. Il y passa environ dix années. Il fut membre associé de la Société Nationale des Beaux-Arts et continua d'y figurer jusqu'en 1934, participant aussi au Salon des Tuileries de 1923. Il est donné comme ayant été secrétaire du Salon d'Automne et de la Société Nationale des Beaux-Arts en 1919. Il partit vers 1921 pour les États-Unis, où il resta jusqu'en 1958, après quoi il retourna à Valladolid.
En France, il fit de nombreux portraits dont celui de *M. et Mme Paul Poiret*. Il a illustré, entre autres : *Le testament* de P. Bourget, *24 sonnets* de Gongora, et réalisé les estampes en couleurs de *La grande guerre, 1914-1918.* Son talent fut divers, dans telle *Femme jouant de la guitare* de 1920-23, la référence au cubisme est très marquée, et d'ailleurs bien assimilée, dans son double portrait des Poiret, comme dans d'autres peintures telles *Mes belles Parisiennes* de 1927, la marque de Van Dongen est évidente. Il peignit alors aussi des paysages de Paris. Son activité fut multiple. Aux États-Unis, il collabora aux parutions les plus mondaines de l'époque : *Vogue, Vanity Fair*, souvent chargé de la couverture. Dans ces travaux, il se souvint d'avoir pratiqué la discipline cubiste, ce qui l'apparente alors aux stylisations de type « Arts Déco 1930 ». Décorateur, il eut la charge de la demeure de l'actrice célèbre Gloria Swanson. Aussi bien quant aux techniques que quant aux styles, il a touché à tout, à retardement et hors génie, mais avec un vrai talent de praticien, qui mérite mieux que l'oubli total où il est tombé. ■ J. B.
Bibliogr. : In : *Cien anos de pintura en Espana y Portugal, 1830 – 1930*, Antiqvaria, Madrid, 1989.
Ventes Publiques : Paris, 18 nov. 1925 : *Conversation* : **FRF 300** – Paris, 9 mai 1955 : *La Place de la Concorde* : **FRF 11 000** – New York, 13 juin 1980 : *Hommage à Beardsley* 1919, aquar. et encre de Chine (28,8x19,3) : **USD 500** – Monte-Carlo, 17 mars 1985 : *Femme à l'éventail bleu* vers 1925, gche, encre de Chine et aquar. (26x38,5) : **FRF 4 500** – Versailles, 25 mars 1990 : *Aux courses*, h/cart. (65x50) : **FRF 16 500** – Paris, 24 mars 1995 : *Homme au livre* 1945, h/t (100x82) : **FRF 5 000.**

GARCIA BUSTO Arturo
Né en 1926 à Mexico. XXe siècle. Mexicain.
Peintre, graveur.

GARCIA CADMIO Pedro
Né le 17 juillet 1897 à Madrid. Mort le 1er avril 1963. XXe siècle. Espagnol.
Peintre de portraits.
Il a étudié à l'École Supérieure des Beaux-Arts de San Fernando de Madrid. Il continua ses études à Paris et à Londres grâce à une bourse, de même qu'en 1927 en Belgique, Hollande et Italie. Il fut secrétaire de l'Association des Peintres et Sculpteurs et directeur de la *Gazette des Beaux-Arts.* Il a réalisé plusieurs expositions à Madrid, Barcelone et Bilbao. Sociétaire d'honneur du Salon d'Automne, où il obtint une médaille d'or en 1933, une troisième médaille en 1924, une deuxième médaille en 1926, un

Premier Prix en 1956. Il participa également aux Expositions Nationales des Beaux-Arts, à Madrid.
Bibliogr. : In : *Cien anos de pintura en Espana y Portugal, 1830-1930*, Antiqvaria, Madrid, 1989.

GARCIA Y CHICANO José
Mort en 1858 à Cadix. XIXe siècle. Espagnol.
Peintre d'histoire.
Élève de l'Académie de Cadix. Il fut professeur de dessin à l'Académie des Beaux-Arts de Cadix et Malaga.

GARCIA CONDOY Julio
Né en 1889 à Saragosse (Aragon). Mort en 1977 à Aranjuez. XXe siècle. Espagnol.
Peintre, décorateur.
Il débuta sa formation auprès de son père à l'École élémentaire des Arts et de l'Industrie de Saragosse. Il poursuivit ses études à Paris à partir de 1908 ainsi qu'à Rome en 1913. Il fut conservateur du Musée Naval, à partir de 1930. Il fut le frère du sculpteur Honorio Garcia Condoy.
Il participa aux Expositions Nationales des Beaux-Arts, à Madrid, en 1915, 1917 (troisième médaille) et 1920. Il fut présent à l'Exposition Franco-espagnole de Saragosse, en 1919. Premier Prix au Salon des Artistes Aragonais de 1943.
Bibliogr. : In : *Cien anos de pintura en Espana y Portugal, 1830-1930*, t. III, Antiqvaria, Madrid, 1989.

GARCIA-CORDERO José
Né en 1951. XXe siècle. Dominicain.
Peintre.
Il commença ses études à Saint Domingue, puis les poursuivit à l'Université de Paris VIII, finallement travailla dans l'atelier du peintre Hernandez Ortega. Il vécut à Paris jusqu'en 1977, faisant de fréquents voyages dans son pays. Il a participé à de nombreuses expositions aux États Unis, en France et en Amérique centrale. Il était également philosophe, critique et architecte.
Le sens de la fantaisie et de l'humour percent au travers de son travail.

GARCIA EL HIDALGO Josef
Né vers 1650 probablement à Muriedro. Mort le 28 juin 1717 à Madrid. XVIIe-XVIIIe siècles. Espagnol.
Peintre d'histoire et graveur à l'eau-forte.
Élève de Mateo Gilarte, de Nicolas de Villacis à Murcie et de Giacinto Brandi à Rome, Pietro da Cortona, Salvator Rosa et Carlo Maratti l'aidèrent de leurs conseils. Malheureusement, il ne put supporter pendant longtemps le climat italien et fut obligé de rentrer dans sa patrie. Là il s'attacha à Carreno. De 1674 à 1711, il fut, à Madrid, au service de Charles II et de Philippe V. Pour le premier, il exécuta, entre autres travaux, une série de vingt-quatre tableaux représentant des scènes de la vie de saint Augustin, pour le cloître de San Felipe et Real. Le deuxième le nomma son peintre principal en 1703. Il publia plusieurs ouvrages sur l'art. Les villes de Madrid, Valence, Siguenza, San Jago et Guadalajara possèdent de ses œuvres.

GARCIA Y ESCUCHA Ignacio
Né en 1580 près de Gijon (Asturies). Mort le 10 octobre 1628 à Santa Fe de Bogota. XVIIe siècle. Espagnol.
Sculpteur.
Élève d'Alonso Sanchez Cotan à Tolède. Il collabora aux travaux de son maître dont il épousa la sœur en 1612. Il quitta sa femme pour partir pour l'Amérique du Sud et se fixa à Santa Fe, où il travailla au couvent des franciscains.

GARCIA Y FERRER Mosen
XVIIe siècle. Actif à Valence. Espagnol.
Peintre.
Le Musée de Valence possède une œuvre de cet artiste.

GARCIA Y FERRER Pedro, dit **el Licenciado**
Mort en 1659 à Tolède. XVIIe siècle. Espagnol.
Peintre et sculpteur.
Quoique prêtre, il exerça la profession de peintre à Valence et à Madrid. Il exécuta plusieurs *Crucifiements* (dont un est daté de 1632) et d'autres sujets religieux. Il se fit une fort belle réputation.

GARCIA FLOREZ Juan
XIXe siècle. Espagnol.
Peintre de genre, paysages.
Il débuta en 1882 à Madrid. Il a fait surtout des aquarelles.

GARCIA FONS Pierre
Né le 29 juillet 1928 à Badalona (province de Barcelone). XXe siècle. Depuis 1938 actif en France. Espagnol.
Peintre de portraits, nus, paysages, natures mortes, aquarelliste, lithographe, illustrateur.
Né de parents espagnols, sa mère, sa famille, puis son père se réfugient à Perpignan avant la fin de la guerre civile, en 1938. En 1946, il entre à l'École des Beaux-Arts de Perpignan et, en 1950, à l'Académie de la Grande Chaumière à Paris. Il obtient, de l'État Français, une Bourse de voyage en 1956 qui lui permet de peindre dans toute la France. En 1960, il voyage en Hollande, puis en Italie, où il retourne en 1964. La même année, il commence à faire de la lithographie chez Mourlot. En 1968, il voyage en Espagne. Il a illustré : *Marguerite de la nuit, Le bal du Pont du Nord* de Pierre Mac Orlan (1969) ; *Le Faucon maltais* de Dashiell Hammet (1969) ; *Midi-Minuit* de Jean Cayrol (1972) ; *L'Envers du Music-Hall, L'Entrave, Mistsou* de Colette (1974) ; *Les Adaptations théâtrales* d'Albert Camus (1979). Il obtient en 1956 le prix Antral, en 1958 le prix Fénéon, en 1962 le prix de la Ville de Chartres, en 1967 le prix des Onze.
Il participe à des expositions de groupe, en France (Paris, Besançon, Cahors, Chartres, Lille...) et à l'étranger (Berlin, Bruxelles, Chicago, Djakarta, Montréal...). À Paris, il est également présent dans les Salons de la Jeune Peinture (en 1950, avec *Le Bœuf Écorché*), de Mai, d'Automne, des Grands et Jeunes d'Aujourd'hui, du Dessin et de la Peinture à l'eau, Comparaisons, des Peintres Témoins de leur Temps.
Il réalise des expositions personnelles : 1949, Perpignan ; 1957, galerie Saint-Placide, Paris ; 1963, Musée de Chartres ; 1965, 1981, galerie de la Main de Fer, Perpignan ; 1968, galerie Boissière, Paris ; 1971, galerie Tamenaga, Tokyo ; 1970, 1977, 1980, 1983, galerie Guiot, Paris ; 1980, Palais des Rois de Majorque, Musée Hyacinthe Rigaud, Perpignan ; 1983, galerie Guiot et galerie Bernheim, Paris.
Garcia Fons est résolument figuratif. Soutine et Bonnard sont ses phares et, dit-il, en 1960 : « Je peins la jubilation selon une conception bonnardienne ». Au fil des années cette conception de la peinture a toutefois varié. En 1980, il déclarait : « Je ne peins plus d'après nature, mais d'après les désirs, les sensations, les idées et les fragments de culture accumulés. » Lors de son exposition en 1983, à Paris, les peintures de Garcia-Fons, par le jeu des aplats de couleur, insistaient sur les qualités de transparence et de réflexion de la matière (fruits, statues) à l'intérieur d'espaces architecturés de manière à pouvoir dessiner et percevoir les reflets des reflets. ■ C. D.
Bibliogr. : Pierre Cabanne : *Entretien avec cinq peintres*, in : *Arts*, 1965 – Marius Rey, préface d'exposition, galerie de la Main de Fer, Perpignan, 1968 – R. de Olbadia, préface d'exposition, galerie Guiot, Paris, 1977 – Marie Claude Valaison, préface d'exposition, Palais des Rois de Majorque, Musée Hyacinthe Rigaud, Perpignan, 1980 – Jean-Louis Ferrier, préface d'exposition, Galerie Guiot, Paris, 1983.
Musées : Bagnols-sur-Cèze – Barcelone – Besançon – Chartres – Djakarta – Mulhouse – Paris (Mus. Nat. d'Art Mod.) – Les Sables d'Olonne – Saint-Denis – Saint-Maur-des-Fossés.
Ventes Publiques : Paris, 26 avr. 1982 : *Paysage*, h/t (46x55) : **FRF 2 700** – Paris, 21 nov. 1989 : *Le bouquet de pâquerettes*, h/t (50x61) : **FRF 5 500** – Paris, 23 fév. 1990 : *Paysage*, h/t (73x60) : **FRF 4 800** – Paris, 10 oct. 1990 : *La côte sauvage au Croisic*, h/t (60x73) : **FRF 4 500** – Paris, 25 mars 1991 : *Trois poules* 1960, h/t (92x65) : **FRF 7 100** – Paris, 15 juin 1994 : *Basse-cour* 1960, h/t (93x65) : **FRF 4 000**.

GARCIA Y GARCIA Rafael
Né au XIXe siècle. XIXe siècle. Espagnol.
Peintre d'histoire et de genre.
Élève de l'École des Beaux-Arts de Cadix. Il exposa à Séville en 1867. Le Musée provincial de Cadix conserve de lui une académie.

GARCIA Y GONZALEZ Luis
Né vers 1839 à Murcie. Mort en 1885 à Madrid. XIXe siècle. Espagnol.
Peintre de genre et portraitiste.
Élève de Pascual Ventosa et de l'École des Beaux-Arts de Madrid. Il a débuté vers 1870. On cite de lui un *Portrait du roi Alphonse XII*. Il fut chevalier de l'ordre de Carlos III.

GARCIA Y GUERRA Antonio
Né au XIXe siècle à Madrid. XIXe siècle. Espagnol.
Peintre de genre.
Élève de Vicente Palmaroli. Il a exposé à Madrid et à Paris.

GARCIA Y GUERRA Eduardo
Né en 1827 à Grenade. XIXe siècle. Espagnol.

Peintre d'histoire.
Élève de l'Académie de San Fernando à Madrid et de Gleyre à Paris. Il débuta à Madrid en 1856.

GARCIA Y HISPALETO Manuel
Né le 22 novembre 1836 à Séville (Andalousie). Mort le 26 décembre 1898 à Madrid. XIXe siècle. Espagnol.
Peintre de compositions religieuses, sujets de genre, portraits.
Frère de Rafael Garcia y Hispaleto, il fit ses études artistiques à Séville. Il alla à Rome, pensionné par Ignacia Munoz de Baena, frappé de son jeune talent, puis il revint en Espagne. Il exposa très régulièrement au Salon de la Société Nationale des Beaux-Arts de Madrid à partir de 1862.
De cette époque date : *La douleur de l'Orpheline*, l'*Apparition de sainte Inès*. On cite encore de lui : *Un atelier de modistes*, *Une danseuse* et des portraits. Manuel Garcia est un peintre des plus remarquables de l'école impressionniste espagnole.
Ventes Publiques : Londres, 24 nov. 1976 : *Chez la couturière*, h/t (66x89) : **GBP 3 300**.

GARCIA Y HISPALETO Rafael
Né en 1833 à Séville. Mort en 1854 à Paris. XIXe siècle. Espagnol.
Peintre d'histoire et de genre.
Ce très remarquable artiste, mort à vingt et un ans, promettait d'être un grand peintre. Ses œuvres exposées pour la plupart après sa mort ont été appréciées par tous les critiques. On cite de lui : *Un Moissonneur* et *Un Mendiant*.

GARCIA Y IBANEZ Francisco
Né le 8 novembre 1825 à Madrid. XIXe siècle. Espagnol.
Peintre d'histoire.
Élève de Juan Ribera. Il fut successivement chargé de restaurer les toiles abîmées du Musée du Prado, puis celles de l'Académie de San Fernando.

GARCIA JUNCEDA SUPERVIA Juan
Né en 1881 à Barcelone (Catalogne). Mort en 1948 à Blanes (Catalogne). XXe siècle. Espagnol.
Peintre, dessinateur, illustrateur.
Il a participé à de nombreuses expositions collectives. Il réalisa un grand nombre de dessins d'humour, de mœurs, mais aussi politiques et satiriques. Il illustra plusieurs ouvrages littéraires, notamment *Don Quichotte de la Manche* de Cervantès, *Les Voyages de Gulliver* de Swift, *L'Île au trésor* de Stevenson.
Bibliogr. : In : *Cien anos de pintura en Espana y Portugal, 1830 – 1930*, t. III, Antiqvaria, Madrid, 1989.

GARCIA LABRADOR Juan
Mort avant 1548. XVIe siècle. Actif à Séville. Espagnol.
Peintre.
Morales (Francisco), peintre, Pedro de Villegas, Gutierre de Alcaraz réclamèrent en justice avec Garcia Labrador, le 5 avril 1541. Probablement père de Juan LABRADOR.

GARCIA LESME Aurelio
Né en 1884 à Valladolid (Castille-Léon). Mort le 12 mars 1942 à Mexico. XXe siècle. Espagnol.
Peintre de paysages, portraits, dessinateur.
Il étudia à l'École des Arts et Métiers de Valladolid. Il fut élève du peintre Luciano Sanchez Santaren. Il obtint une bourse en 1903 pour étudier à l'École spéciale de Peinture de Madrid, où il eut comme maître Munoz Degrain. Il fut professeur de dessin. Il s'exila à Mexico en 1939.
Il participa aux Expositions Nationales des Beaux-Arts de Madrid, en 1906, 1907, 1910, 1912, et en 1914, où il obtint une bourse. En 1915, il exposa au Salon d'Art Moderne de Madrid. Il présenta son travail, en 1916, au Cercle des Beaux-Arts de Madrid, en 1919 à l'Hôtel de Ville de Valladolid, en 1920 et 1921 à Londres. Un hommage lui fut rendu en 1926 et une exposition très importante fut organisée au Musée d'Art Moderne, en 1931, à Madrid. Il obtint de nombreuses récompenses : 1917 troisième médaille, 1922 deuxième médaille, 1926 première médaille...
Il fut le peintre de la campagne castillane, aux couleurs saturées, à la lumière drue.
Bibliogr. : In : *Cien anos de pintura en Espana y Portugal, 1830-1930*, Antiqvaria, t. III, Madrid, 1989.
Musées : Salamenque (Mus. des Beaux-Arts) : *Campos de Zaratan* – Valladolid (Casa de Cervantes).

GARCIA-LLORT Josep Maria
Né le 8 novembre 1921 à Barcelone. XXe siècle. Espagnol.
Peintre de figures, compositions à personnages, animaux, natures mortes. Tendance expressionniste.
Ses études à Barcelone furent rendues quelque peu chaotiques par la Guerre Civile et la tuberculose qu'il contracta en 1940. Il suivit des cours de dessin, bien qu'il fût pratiquement autodidacte, et eut sa première exposition personnelle dans sa ville natale en 1948. En 1950, il partit vivre à Paris avec une bourse de l'État français. Après son mariage avec Martha Crockett en 1953, il vécut aux États-Unis, avant de se fixer définitivement à Barcelone en 1960. Depuis lors, il a continué à voyager et à exposer dans de nombreuses galeries, à Barcelone surtout, mais aussi à Madrid, Paris, Bordeaux, et aux États-Unis.
Garcia-Llort rechigne à parler de sa peinture, arguant que si elle ne parle pas d'elle-même, les mots ne le feront pas mieux. Il ne se fixe pas d'autre but que celui de regarder le monde et de le transcrire, sans analyse intellectuelle, et peut-être est-ce pour cela que ses toiles ont parfois les accents de l'art brut. Les deux artistes qui marquèrent le plus ses années de jeunesse furent Chagall et Rouault ; c'est surtout avec ce dernier que sa peinture a des affinités, par ses couleurs flamboyantes et profondes cernées de noir, par cette manière de remplir tout l'espace du tableau de façon à ne laisser aucun espace « neutre », si bien que chaque détail est une œuvre à part entière. Cette minutie dans l'exécution, et la répétition de certains motifs iconographiques sans doute symboliques (l'oiseau par exemple), ne sont pas non plus sans rappeler l'esprit des miniatures mozarabes, ce que le peintre considère comme une simple coïncidence. Il faut souligner enfin l'ironie qui anime la plupart des compositions de Garcia-Llort, ironie souvent renforcée par les titres qu'il leur donne. ■ A. G.
Bibliogr. : Jordi Benet : catalogue *Garcia-Llort*, Sala Dalmau, Barcelone, 1993.

GARCIA LORCA Federico
Né en 1898 à Fuente Vaqueros (Grenade). Mort en 1936 à Fuente Vaqueros (Grenade). XXe siècle. Espagnol.
Peintre, dessinateur.
Le très grand poète et dramaturge espagnol du début du siècle, dessinait des figures, des portraits et peignait aussi. Il a ébauché des décors. Il fut membre du groupe *La Barraca* créé dans une intention pédagogique, où se retrouveront Benjamin Palencia et José Caballero.
Il fut l'ami de Dali. Ils échangèrent une abondante correspondance.
Garcia Lorca fut influencé par Picasso et Juan Gris. Ses dessins révèlent un trait ingénu et gracieux.
Ventes Publiques : Londres, 4 avr. 1974 : *Barques sur la plage* : **GBP 900** – Paris, 28 avr. 1981 : *Composition*, encre/pap. (20x13,5) : **FRF 5 200**.

GARCIA Y MARCO Francisco
Né au XIXe siècle à Valence. XIXe siècle. Espagnol.
Peintre d'histoire.
Il débuta à Valence vers 1875.

GARCIA MARTINEZ Emilio
Né le 15 septembre 1875. Mort en 1950. XXe siècle. Espagnol.
Peintre de paysages.
Il a séjourné à l'Académie espagnole de Rome. De 1895 à 1901, il participe aux expositions de l'École des Beaux-Arts de Madrid. À partir de l'année 1904, il participe régulièrement aux concours organisés par l'École des Beaux-Arts, dont il reçoit plusieurs médailles. En 1924, il est nommé membre d'honneur du Salon d'Automne de Madrid. En 1933, une rétrospective de son œuvre est présentée à Madrid.
Bibliogr. : In : *Cien anos de pintura en Espana y Portugal, 1830 – 1930*, t. III, Antiqvaria, Madrid, 1989.

GARCIA Y MARTINEZ Juan
Né en 1829 à Calatayud. Mort en 1890 à Madrid. XIXe siècle. Espagnol.
Peintre d'histoire.
Élève de Frederico de Madrazzo et de Léon Cogniet. Il débuta vers 1856 à la Nationale des Beaux-Arts de Madrid. Il a peint également quelques tableaux de genre. Ce fut un très remarquable artiste au coloris éclatant et qui possédait de grandes qualités de composition.
Musées : Barcelone : *La mort de Macias* – Madrid : *La Résurrection de Lazare* – *Les Amants de Teruel* – *La mort de Don Sanche à Zimora* – *Le marchand d'eau* – Murcie : *François Ier à la Bidassoa* – Saragosse : *La déroute de Fraga*.

GARCIA Y MENCIA Antonio
Né vers 1853 à Madrid. Mort en 1915. XIXe-XXe siècles. Espagnol.
Peintre de sujets allégoriques, scènes de genre, aquarelliste.
Il fut élève de l'Académie des Beaux-Arts de Madrid. Il débuta au Salon de la Société Nationale des Beaux-Arts de Madrid en 1871 ; il exposa également à Paris à plusieurs reprises à partir de 1876.
Ventes Publiques : Paris, 1899 : *El pelel* 1871 : **FRF 1 700** – Paris, 14 et 15 déc. 1925 : *Le galant toréador* : **FRF 1 000** – Paris, 8 déc. 1941 : *Le Déjeuner sur l'herbe ; La Partie de canotage*, deux pendants : **FRF 8 000** – New York, 12 mai 1978 : *Jeune femme aux jumelles*, h/t (40,5x33) : **USD 5 250** – New York, 24 fév. 1983 : *Le pique-nique* 1874, h/t (38x46) : **USD 14 000** – Londres, 27 nov. 1987 : *Élégante regardant au loin avec des jumelles*, h/t (40,5x33) : **GBP 5 000** – Londres, 23 nov. 1988 : *Le violoniste*, aquar. (66x99) : **GBP 3 850** – New York, 24 mai 1989 : *La favorite*, aquar./cr. (68,4x48,7) : **USD 6 050** – Londres, 14 fév. 1990 : *Allégorie du Temps*, aquar. (56x79) : **GBP 5 280** – New York, 17 fév. 1993 : *La réunion musicale* 1874, h/t (73,7x59,1) : **USD 29 900** – New York, 26 mai 1994 : *La Marchande d'oranges* 1880, h/t (125,1x90,2) : **USD 28 750**.

GARCIA MESA
XXe siècle. Bolivien.
Peintre.

GARCIA MULET Antonio
Né en 1932 à Barcelone (Catalogne). XXe siècle. Actif en France. Espagnol.
Peintre.
Il participe à des expositions de groupe, en France, Italie, Espagne et réalise des expositions personnelles : 1970, 1972, 1974 galerie Le Soleil dans la Tête, Paris ; 1973, 1975, 1977, 1985, 1988 galerie Ynguanzo, Madrid ; 1985 Abbaye de Saint-Savin, Vienne.
Garcia-Mullet définit ainsi son travail : « Ma démarche peut déconcerter par la diversité des sujets que je traite sur mes toiles mais un dénominateur commun apparaît inlassablement sur elles : une sorte de texture qui est l'inspiration à travers une vision qui ne peut pas se détourner des graffiti, affiches déchirées, écritures et raturages ».
Musées : Cuauhteloc – Paris (CNAC) – Turin (Centre d'Esthétique).

GARCIA NUNEZ Armando. Voir **NUÑEZ Armando Garcia**

GARCIA Y PARAMO Ventura
Né à Madrid. Mort en janvier 1881 à Madrid. XIXe siècle. Espagnol.
Peintre d'histoire, de genre et portraitiste.
Élève de l'Académie de San Fernando. Il débuta vers 1860 avec *Un Épisode de la guerre d'Afrique*. Il a fait de nombreux portraits et beaucoup d'illustrations pour des revues.

GARCIA Y PARRENO Joaquin
Né à Barcelone. Mort le 1er août 1876 à Barcelone. XIXe siècle. Espagnol.
Peintre.

GARCIA Y PELAYO José
XVIIIe-XIXe siècles. Espagnol.
Peintre d'histoire.

GARCIA Y PERATE Carlos
Né au XIXe siècle à Madrid. XIXe siècle. Espagnol.
Peintre de genre.
Élève d'Antonio Perez Rubio. Il débuta vers 1871.

GARCIA Y PRIETO Andres
Né à Peral de Arlanza (près de Burgos). XIXe siècle. Espagnol.
Portraitiste et peintre de genre.
Il fit ses études artistiques à Madrid.

GARCIA Y RAMOS Dolores
Née à Madrid. Morte le 5 novembre 1871 à Madrid. XIXe siècle. Espagnole.
Peintre.
Élève de Federico de Madrazo.
Ventes Publiques : New York, 12 et 13 mars 1903 : *Joueur de guitare* : **USD 100**.

GARCIA Y RAMOS José
Né en 1852 à Séville (Andalousie). Mort en 1912 à Séville. XIXe-XXe siècles. Espagnol.
Peintre de sujets de genre, portraits.
Il fut élève de José Jimenez Aranda. En 1872, il alla terminer ses études à Rome, puis vint à Paris et retourna à Rome où il resta jusqu'en 1881. Revenu en Espagne, il fut nommé en 1882 directeur de l'École libre des Beaux-Arts. Il exposa au Salon des Artistes Français de Paris, obtenant une médaille de bronze en 1900, pour l'Exposition Universelle.
On cite de lui : *Un musicien italien, L'aurore.*

Garcia y Ramos

Musées : Madrid (Gal. Mod.) : *Ô mon Christ.*
Ventes Publiques : Madrid, 8 déc. 1973 : *La Foire de Séville* : **ESP 90 000** – New York, 15 oct. 1976 : *Un mariage à Séville*, h/t (68,5x110) : **USD 11 000** – Londres, 5 juil. 1978 : *Le mariage, Séville*, h/t (69x111) : **GBP 14 000** – New York, 28 mai 1980 : *Un hidalgo et sa belle*, h/pan. (29,2x17,2) : **USD 1 600** – New York, 26 fév. 1982 : *L'entretien*, h/t (44x34,5) : **USD 9 000** – Monte-Carlo, 9 déc. 1984 : *L'Atelier*, h/t (60x38) : **FRF 36 000** – Madrid, 24 fév. 1987 : *L'Atelier*, h/t (60x38) : **ESP 950 000** – Londres, 22 juin 1988 : *Un patio à Séville*, h/t (73x85) : **GBP 35 200** – Londres, 23 nov. 1988 : *Interlude musical*, h/t (69x44) : **GBP 30 800** – Londres, 17 fév. 1989 : *Conversation intime*, h/t (46,3x28,3) : **GBP 6 600** – New York, 24 mai 1989 : *Un cabaret espagnol*, h/pan. (27,3x16,5) : **USD 28 600** – Londres, 15 fév. 1990 : *Semaine Sainte à Séville*, h/t (145x83) : **GBP 35 200** – Londres, 16 juin 1993 : *Jeune fille au chat*, h/t (60x40) : **GBP 5 520** – Londres, 1er oct. 1993 : *Arabe assis*, h/t (43,2x33) : **GBP 3 220** – New York, 23 mai 1997 : *Sortie du théâtre* 1905, h/t (70,5x104,1) : **USD 211 500**.

GARCIA Y REYNOSO Antonio
Né vers 1623 à Cabra. Mort le 12 juillet 1677 à Cordoue. XVIIe siècle. Espagnol.
Peintre d'histoire et de paysages.
Il travailla à Jaen avec Sebastian Martinez. Les églises et collections privées de Cordoue possèdent plusieurs œuvres de lui. Palomino parle d'un tableau d'autel représentant : *La Trinité et plusieurs saints*, dans l'église des Capucins à Andujar.

GARCIA Y RODRIGUEZ Manuel
Né en 1863 à Séville (Andalousie). Mort le 6 mai 1925 à Séville. XIXe-XXe siècles. Espagnol.
Peintre de genre, scènes typiques, paysages animés, paysages.
Il fut élève de l'École des Beaux-Arts de Séville. Il a participé à diverses expositions à cette même école et reçu des récompenses, puis à des expositions collectives, notamment en 1888 à l'Exposition universelle de Barcelone, y obtenant une médaille de bronze.
Il a surtout représenté des scènes pittoresques, typiques de sa région natale.
Bibliogr. : In : *Cent ans de peinture en Espagne et Portugal, 1830-1930*, Antiquaria, Madrid, 1989.
Ventes Publiques : Londres, 29 oct. 1976 : *Vue de Zanlucar* 1905, h/pan. (35,5x58,5) : **GBP 2 200** – Londres, 20 juil. 1977 : *Un patio* 1913, h/t (61,5x44,5) : **GBP 1 500** – Madrid, 14 mars 1978 : *Les Jardins de Séville* 1921, h/t (68x123) : **ESP 420 000** – Madrid, 20 mai 1981 : *Jardins de Séville* 1906, aquar. (19x30) : **ESP 50 000** – New York, 25 fév. 1983 : *Paysage au ruisseau animé de personnages* 1911, h/t (35,1x59,6) : **USD 1 600** – Madrid, 22 oct. 1984 : *Le patio d'une maison d'Alcala*, h/t (55,5x26,5) : **ESP 375 000** – Londres, 21 mars 1986 : *La Promenade en barque* 1904, gche (29,7x40,6) : **GBP 5 500** – Londres, 21 mars 1986 : *Séville*, h/t (71,1x125,1) : **GBP 16 000** – Londres, 23 mars 1988 : *Sur les rives du Guadalquivir*, h/t (54x80) : **GBP 11 550** – New York, 25 mai 1988 : *Personnages autour d'une fontaine de Séville*, h/t (75x89,5) : **USD 6 600** – Londres, 22 juin 1988 : *Le long du Guadalquivir* 1897, h/t (55,5x121) : **GBP 20 900** – Londres, 23 nov. 1988 : *Trois jeunes femmes sur une terrasse surplombant le Guadalquivir* 1910, aquar. et gche (56,5x39) : **GBP 16 500** ; *Personnage sur une mule*, h/t (46x26) : **GBP 4 400** – Londres, 17 fév. 1989 : *Le Chemin de la maison* 1904, h/t (34,3x25,3) : **GBP 7 700** – New York, 23 fév. 1989 : *Personnages dans un patio* 1919, h/cart. (26,6x34,8) : **USD 8 800** – Londres, 21 juin 1989 : *Personnages au bord du Guadalquivir à Séville* 1921, h/t (94x66) : **GBP 61 600** – New York, 17 jan. 1990 : *Vue d'un village*, h/pan. (19,7x32,4) : **USD 3 410** – Londres, 15 fév. 1990 : *Dans le patio* 1888, h/t (39,8x59,7) : **GBP 19 800** – New York, 28 fév. 1990 : *Propos*

galants depuis le jardin 1896, h/t (24,1x38,1) : **USD 19 800** – New York, 23 oct. 1990 : *Dans le patio* 1906, h/pan. (29,2x45,7) : **USD 22 000** – New York, 24 oct. 1990 : *Mère et fille cousant dans le patio*, h/pan. (24,8x31,8) : **USD 11 000** – New York, 22 mai 1991 : *Le puits* 1920, h/t (50,5x70,2) : **USD 20 900** – Londres, 19 juin 1991 : *Un jardin de Séville* 1919, h/t (49x71) : **GBP 19 800** – Londres, 29 mai 1992 : *La porte de Marchena dans les jardins de l'Alcazar de Séville* 1924, h/t (71x110,5) : **GBP 17 600** – New York, 29 oct. 1992 : *La Place du marché avec la Giralda au fond* 1919, h/cart. (27,3x35,6) : **USD 13 750** – New York, 13 oct. 1993 : *Dans le patio* 1907, h/t (59,7x82,6) : **USD 23 000** – New York, 24 mai 1995 : *Jardin ensoleillé à Séville*, h/t (73,7x97,8) : **USD 34 500** – Londres, 13 mars 1996 : *Jardin intérieur à Séville* 1905, h/pan. (28x43) : **GBP 24 150** – New York, 23-24 mai 1996 : *Deux hommes cheminant sur des ânes le long d'un sentier* 1902, h/pan. (42,5x23,5) : **USD 9 200** – Londres, 12 juin 1996 : *Promenade matinale au bord du canal* 1904, h/t (26x37) : **GBP 1 725**.

GARCIA-ROSSI Horacio

Né en 1929 à Buenos Aires. xxe siècle. Actif en France. Argentin.

Peintre, peintre à la gouache, sculpteur, décorateur. Abstrait-géométrique, cinétique. Groupe de recherche d'art visuel (GRAV).

Il fait ses études à l'École Nationale des Beaux-Arts, à Buenos Aires, entre 1950 et 1957. Il fut l'un des co-fondateurs, en 1960, du *Groupe de Recherche d'Art Visuel* (GRAV), à Paris.

Il participe à toutes les manifestations du groupe jusqu'à sa dissolution en 1968, de même qu'à de nombreuses autres expositions collectives, dont : 1959 Biennale de Paris, Musée d'Art Moderne ; 1964 *Mouvement II*, galerie Denise René, Paris ; Documenta III, Kassel ; 1965 *The Responsive Eye*, Musée d'Art Moderne, New York ; 1967 *Dix ans d'art vivant*, Fondation Maeght, Saint-Paul de Vence ; *Lumière et Mouvement*, Musée d'Art Moderne, Paris ; *De Mondrian au cinétisme*, galerie Denise René, Paris ; 1984 *Première Biennale de la Havane*, Cuba ; 1986 Biennale de Venise. Il réalise des expositions personnelles : 1967 galerie Rubbers, Buenos Aires ; 1973 galerie Zen, Milan, puis à Parme, Neuchâtel, Zurich, Padoue, Rome, Paris, de nouveau à Buenos Aires..., 1991 Espace Latino-américain, Paris ; 1992 présenté individuellement au Salon *Découvertes 92* par la galerie Alexandre de la Salle, 1993 de nouveau à Paris à la galerie Saint-Charles de Rose, 1994, 1996 Paris galerie Lélia Mordoch. Récompensé à plusieurs reprises, il reçoit un prix, notamment lors de la première Biennale de la Havane, en 1984.

Réalisant des objets mettant en œuvre des trames, des écrans, et avant tout des sources lumineuses colorées et variables, il joue sur la confusion qu'il provoque entre espace réel et espace suggéré, ce qu'il tente de définir par les mots de « réalisme immatériel ». Depuis 1959, il fait des recherches sur la forme, la lumière et le mouvement.

Bibliogr. : In : *Nouveau dictionnaire de la sculpture moderne*, Hazan, Paris, 1970.

Musées : Buenos Aires (Mus. des Beaux-Arts) – Chollet (Mus. des Arts) – La Havane (Casa de Las Americas) – Paris (Mus. d'Art Mod. de la Ville) – Paris (FNAC) – Washington D. C. (Hirschorm Mus.).

GARCIA Y SALMERON Cristobal

Né vers 1603 à Cuenca. Mort en 1666 à Madrid. xviie siècle. Espagnol.

Peintre d'histoire et peintre animalier.

Élève de Pedro Orrente. L'église San Francisco de Cuenca possède une de ses meilleurs œuvres : *La Nativité*. Il exécuta plusieurs travaux pour la Cathédrale de sa ville natale et pour le couvent des Carmes déchaussés. Philippe IV le chargea de peindre un : *Combat de taureaux* à l'occasion de l'anniversaire de Charles II d'Espagne.

GARCIA Y SALMERON Francisco

xviie siècle. Actif à Murcie. Espagnol.

Peintre.

Il était frère de Cristobal.

GARCIA SEVERO J. L.

Né le 7 novembre 1936 à Barcelone (Catalogne). xxe siècle. Actif en France. Espagnol.

Peintre. Tendance symboliste.

Il a participé à la xxxe Biennale de Venise, en 1960 ; à la iie Biennale des Jeunes Artistes, à Paris, en 1961 ; à une exposition de groupe, à Seattle (États-Unis), en 1963 ; à la xxxiiie Biennale de Venise, en 1966 ; à la ve Biennale de Paris, en 1967 ; au ve Festival des Arts Plastiques de Nice-Antibes, en 1968.

Il met en œuvre des formes froides, d'une exécution impersonnelle, et d'un symbolisme ésotérique.

GARCIA SEVILLA Ferran

Né le 22 octobre 1949 à Palma de Majorque (Baléares). xxe siècle. Espagnol.

Artiste, créateur d'installations, multimédia, peintre, technique mixte. Conceptuel, puis figuration libre.

Il étudie les lettres, la philosophie et l'histoire à Barcelone. À partir de 1981, Garcia Sevilla enseigne la peinture à la Faculté des Beaux-Arts. Il vit à Barcelone.

Il participe à la *Première exposition d'art jeune*, à Granollers, en 1971, qui est la première manifestation publique de l'art conceptuel en Catalogne. En 1978, une toile intitulée *Pintura* de Garcia Sevilla fut primée au iie Prix de la iie Biennale de Peinture Contemporaine de Barcelone. Il sera présent dans de nombreuses autres expositions collectives, notamment à la Biennale de Venise en 1986. Il réalise des expositions personnelles, depuis la première en 1970, à la Maison de la culture de Majorque, puis : 1972, 1973, 1976, La Caixa, Barcelone ; 1974, Institut allemand, Barcelone ; 1978, galerie Temps, Valence ; 1981, galerie Central, Madrid ; 1981, galerie Maeght, Barcelone ; 1982, galerie Ciento, Barcelone ; 1984, galerie Brinkman, Amsterdam ; 1985, galerie Yvon Lambert, Paris ; 1987, *Peintures 1980-86*, Musée d'Art Contemporain, Nîmes ; 1988, galerie Lelong, Paris ; 1989, exposition double, Maison de la Charité et Centre d'art de Santa Monica, Barcelone.

D'abord conceptuel – c'est vers 1970 que débute le mouvement conceptuel en Catalogne – il privilégie, comme beaucoup d'autres, l'idée sur le matériau, l'objet sur le faire. En 1974, il participe à une exposition de groupe intitulée *Que faire ?* à la Sala Vinçon, manifestant dans la préface le désir collectif de « détruire une conception idéaliste du travail de l'artiste ». Maniant les concepts de sémiologie et de philosophie analytique, il crée des installations et lance des actions. Dans une de ses premières installations, il place au ras du sol un morceau de toile retenu par un fil. À cette occasion, il écrit aussi un pamphlet : *À tous les artistes révolutionnaires*. Par la suite, Son travail devient plus élaboré et de nature théorique. Imprégné de phénoménologie, il formule, en 1973, 131 propositions destinées à « embrasser la totalité du monde à travers un point de vue – non sans beaucoup de doutes – artistiques ». Dans une Espagne marquée par la culture franquiste, ses travaux prennent également en compte tout un matériel psychanalytique et de réflexions critiques à caractère politique. Garcia Sevilla n'hésite pas, dans diverses installations conçues aussi pour provoquer, à s'attaquer au tabou de la sexualité (*El Far/Lo del Poder*, jeu de mots sur les mots phare et phallus, Musée de Mataro, 1976) mais aussi à la répression socio-politique. Si les œuvres de cette époque intègrent l'héritage de Kosuth et Vito Acconci, elles ont comme particularités, que l'on retrouvera dans ses peintures, de capter la force de la représentation, mettre en relief le rôle de l'objet iconique et d'insister sur la permanence du corps humain.

C'est en 1977, en fin de vogue de l'art conceptuel, que s'annonce pour Garcia Sevilla la transition vers la peinture. Vers 1980, il adopte un style que Victoria Combalia qualifie de « primitiviste » : un contenu de tension, voire de raideur au sens propre (avec sa série de pénétrations sexuelles démesurées) déployé dans une certaine violence désorganisée, non canalisée. Une peinture qui cherche à atteindre un « automatisme » mêlant l'impulsion des images populaires de l'art brut avec celles de la figuration libre expressionniste européenne. Ses compositions aux traits simples et sans finesse, rassemblent des éléments disparates : arbres, insectes, toile d'araignée, têtes aux oreilles pointues, empreintes de mains, signes linguistiques (quelques titres de ses œuvres : *Dure surprise ou il se peut que j'exagère ou je vais rester avec toi toute la nuit* ; *Je suis la distraction du cochon* ; *Regarde-moi, achète et oublie*) des signes ésotériques ou religieux (des croix) ou simplement des figures d'hommes et de femmes. Des sources d'énergie que l'artiste réunit tel un kaléidoscope dans l'espace peint et qu'il s'agit pour le spectateur d'interpréter dans leurs tissus de relations possibles.

■ Christophe Dorny

Bibliogr. : *Garcia-Sevilla*, Repères, galerie Daniel Lelong, Paris, 1988 – Victoria Combalia : *L'Outrage et l'exorcisme : Garcia Sevilla*, in : *Artstudio*, n° 14, Paris, Automne 1989 – in : *Dictionnaire de la peinture espagnole et portugaise*, Coll. Essentiels, Larousse, Paris, 1989.

Musées : Barcelone (Fond. Caixa de Pensions) : *Tot I* 1987.

Ventes Publiques : Paris, 15 juin 1988 : *Halte* 1983, h/t

(195x240) : **FRF 62 000** – New York, 6 nov. 1990 : *Sans titre* 1985, acryl./t. (161,2x129,5) : **USD 5 500** – Stockholm, 5-6 déc. 1990 : *Composition*, h/t (163x130) : **SEK 62 000** – Paris, 24 avr. 1992 : *Série noire = 17* 1990, peint./pap. cartonné (50x70) : **FRF 14 000** – New York, 9 mai 1992 : *Pariso 22*, h/t (195x170,2) : **USD 7 150** – Paris, 24 juin 1994 : *Sans titre* 1984, gche/pap. (73x90,5) : **FRF 4 500** – Paris, 12 oct. 1994 : *Nu aux allumettes*, acryl./t. (130x162,5) : **FRF 30 000** – Paris, 24 nov. 1995 : *Sans titre*, h/pap. (73x81) : **FRF 8 000** – Paris, 19 juin 1996 : *Polygone 35* 1988, techn. mixte/t. (250x250) : **FRF 35 000**.

GARCIA TELLA. Voir **TELLA José Garcia**

GARCIA Y TORREBESANO Petronila
Née à Cordoue. xixe siècle. Espagnole.
Sculpteur.
Elle débuta vers 1839.

GARCIA Y VALDEAVELLANO Agapito
Né au xixe siècle à Montenegro de Cameros (province de Soria). xixe siècle. Espagnol.
Peintre de genre et d'histoire.
Élève de Antonio Maria Esquivel. Il débuta à Madrid en 1860.

GARCIA Y VALDEMORO Juan
Né au xixe siècle à Castillo près de Burgos. xixe siècle. Espagnol.
Peintre de paysages.
Élève des cours de l'Académie de San Fernando. Il débuta vers 1860 à la Nationale des Beaux-Arts à Madrid. Il fut nommé chevalier de l'ordre de Charles III.

J. Garcia

GARCIA Y VILLAMALA Justo
Né au xixe siècle à Barcelone. xixe siècle. Espagnol.
Peintre d'histoire.
Élève de l'École des Beaux-Arts de Barcelone et de José Serra. Il débuta à la Nationale des Beaux-Arts vers 1864. Il a exposé à Madrid et à Barcelone.

GARCIA YORK Roberto
Né le 10 janvier 1929 à La Havane. xxe siècle. Actif en France. Cubain.
Peintre. Tendance surréaliste.
Il a exposé à La Havane, à Madrid, à Mexico et à Paris où il vit depuis 1964.

GARCIANGUERA, pseudonyme de **Garcia Anguera Saturnino**
Né le 2 octobre 1912 à Gérone. Mort le 8 septembre 1963 à Tarragone. xxe siècle. Espagnol.
Peintre, dessinateur de figures, paysages.
Il participa à de nombreuses expositions en Espagne, en France, entre autres : galerie du Casino de l'Amirauté de Cherbourg, en 1962 ; invité d'honneur à la Biennale de Cherbourg en 1960 et 1962. Il exposa aussi en Allemagne, en Angleterre, en Italie et aux États-Unis. Il fut professeur à l'École des Beaux-Arts de Tarragone.
Il a peint des compositions de nature réaliste dans la tradition des grands classiques espagnols. Passant à un autre style, il s'est tourné vers une peinture à tendance informelle.

GARCIN Antoine
Né à Marseille. xviie siècle. Français.
Sculpteur.
Il fut chargé, en 1628, de la décoration d'une galère royale, qui fut construite à Toulon.

GARCIN B.
xviiie siècle. Actif à Saint-Maximin (Vaucluse). Français.
Peintre.

GARCIN Germaine Marie
Née à Marseille (Bouches-du-Rhône). xxe siècle. Française.
Peintre de paysages.
Elle exposa, à Paris, au Salon des Artistes Français.

GARCIN Jeanne, Mme **Boudènes-Garcin** depuis 1907
Née à Lyon. xixe-xxe siècles. Française.
Peintre.
Élève de L. Guy et de l'Académie de peinture, elle expose, à Lyon, depuis 1887, des portraits à l'huile et au pastel. Elle a obtenu, en 1894, une première médaille.

GARCIN Jenny Laure
Née le 20 juin 1896 à Paris. Morte le 19 septembre 1978 à Paris. xxe siècle. Française.
Peintre. Groupe Abstraction-Création.
Elle interrompit momentanément son activité picturale pour préparer une thèse sur l'influence du rêve dans les arts plastiques. À partir de 1948, elle réalise de nombreux courtmétrages cinématographiques qui, accompagnant les mots de poèmes de Rimbaud, Apollinaire, Saint-John Perse, etc., concrétisent en fait une synthèse du mouvement et de l'expression graphique et plastique. De 1950 à 1960, elle eut une activité de conférencière dans les Musées nationaux. Elle a fait paraître, en 1970, un très important ouvrage sur *Grandville*.
Elle participa, de 1927 à 1929, au Salon d'Automne, à Paris, et elle fut membre du Comité de l'Association des Surindépendants dès ses débuts. Elle exposa ensuite avec le groupe *Abstraction-Création*, de 1935 à 1937. Elle a montré une première exposition personnelle de ses œuvres, à Paris, en 1933, à la Galerie Vignon, puis la même année à la Galerie Jeanne Bucher. Elle fit d'autres expositions personnelles, à Paris, notamment en 1957, préfacée par Gaston Bachelard puis une autre en 1963.
De 1937 à 1939, elle s'employa à faire découler chez elle la création artistique de l'activité onirique, orientation qui allait être déterminante pour la suite de l'évolution de son œuvre et de sa pensée. Ses créations plastiques, à partir de 1948, utilisèrent les ressources allusives des techniques automatiques et informelles, pour donner des équivalences aux remuements secrets des imaginations inconscientes. ■ J. B., C. D.
Bibliogr. : Gaston Bachelard : *Cosmos et Matière*, Paris, 1957 – Catalogue de l'exposition *Laure Garcin*, Paris, 1963 – Catalogue de l'exposition *Laure Garcin* : Peintures récentes, Paris, 1972 – in : catalogue de l'exposition *Abstraction-Création 1931-1936*, Musée d'Art Moderne de la Ville de Paris, 1978.

GARCIN Louis Marius
Né le 25 août 1821 à Hyères (Var). Mort le 20 février 1898 à Hyères (Var). xixe siècle. Français.
Peintre d'histoire, compositions à personnages, scènes de genre, portraits, paysages animés, paysages d'eau, animaux.
Il s'établit jeune à Paris. Il étudia dans l'atelier de Michel Drolling, puis dans celui d'Ary Scheffer. Puis, il visita l'Italie. Il exposa au Salon de Paris, de 1848 à 1864.
Louis Garcin peignit quelques compositions historiques, des portraits, mais surtout des paysages qui lui furent inspirés par les vues pittoresques de sa ville natale et par les souvenirs de son voyage en Italie. Ses paysages sont toujours animés de nombreux personnages, chaque thème étant un prétexte pour peindre la figure humaine. Parmi ses toiles, on cite : *Départ de la Société du Décaméron de la place Sainte-Marie-Nouvelle, pendant la peste de Florence de 1348 – Giotto et Cimabué dans la vallée de Vespignano – Vue prise aux Îles d'Hyères – Paysans toscans passant la Siève – Souvenir de Venise – La chèvre indocile – Pêcheuses de prairies dans les marais salins d'Hyères – Glaneuses vanant leurs grains – Les Bœufs.*
Bibliogr. : Gérald Schurr, in : *Les Petits Maîtres de la peinture 1820-1920, valeur de demain*, Les Éditions de l'Amateur, t. V, Paris, 1981.
Musées : Hyères : *Récolte du sel aux Vieux-Salins d'Hyères – Les bords du Roubeau à Hyères – La Gondole – La provende des poules – Les lapins – Portrait d'Alexis Riodet – Portrait de l'artiste* – Toulon : *Le Décaméron – Portrait du peintre Vincent Courdouan.*
Ventes Publiques : Copenhague, 7 nov. 1984 : *La promenade en gondole* 1852, h/t (81x125) : **DKK 19 000**.

GARCIN Louis ou **Gilles**
xviiie siècle. Actif à Aix-en-Provence vers 1700. Français.
Peintre.
Élève de Pierre Mignard. Il peignit en Provence des tableaux religieux dans le goût de son maître.

GARCIN Philippe
xvie siècle. Actif à Avignon en 1512. Français.
Peintre.
Il travailla pour l'église Saint-Pierre d'Avignon.

GARD Léon
Né le 12 juillet 1901 à Tulle (Corrèze). Mort en 1979. xxe siècle. Français.
Peintre de figures, paysages, natures mortes, fleurs.
Il fut élève d'Ernest Laurent à l'École des Beaux-Arts de Paris.

En 1918, il exposa pour la première fois, à Paris, au Salon d'Automne. Il participa également au Salon de la Société Nationale des Beaux-Arts, dont il devint sociétaire.
Parallèlement à ses portraits, notamment ceux de Sacha Guitry, il peint de larges tableaux très simples, dépouillés, s'attachant à reproduire les grands thèmes de toujours : la nature, les saisons, souvent représentés métaphoriquement dans les éléments de nombreuses natures mortes.
Ventes Publiques : Paris, 2 mars 1934 : *Nature morte* : **FRF 180** – Paris, 2 juil. 1936 : *Nature morte : piments*, tomates et verreries : **FRF 400** – Nice, 11 mars 1943 : *Nature morte aux verreries, céramiques et tomates* : **FRF 3 300** – Paris, oct. 1945 : *Vase de fleurs* : **FRF 10 000** – Paris, juil. 1946 : *Voiliers en mer* : **FRF 4 500** – Paris, 24 jan. 1990 : *Parc des Bonshommes, Barbizon*, h/cart. (38x46) : **FRF 10 000** – Paris, 11 mars 1991 : *Jeannine Andrade au violon*, h/t (54x65) : **FRF 22 000**.

GARDAIR Christian
Né en 1938 à Brest (Finistère). XXe siècle. Français.
Peintre. Abstrait.
Durant son enfance, il séjourne au Maroc. Il commence à peindre sur le motif dès l'âge de quinze ans. En 1962, il travaille dans l'atelier de madame Calcagni, une intime de Bissière, qui lui fait découvrir Vieira da Silva, Tal Coat, Bazaine...
Il participe à de nombreuses expositions collectives, notamment à Paris : de 1971 à 1976 Salon des Réalités Nouvelles ; de 1977 à 1978 galerie Jacob ; 1982 Salon des Artistes Français ; 1986 FIAC (Foire internationale d'Art contemporain) ; 1986 galerie Olivier Nouvellet... Dès 1965, il montre ses œuvres dans des expositions personnelles : 1981 musée Léon Bonnat de Bayonne ; 1988 musée des Beaux-Arts de Libourne ; 1992 galerie Le Troisième Œil à Bordeaux.
Dans ses premières œuvres, les motifs géométriques, les signes emblématiques, juxtaposés en bandes linéaires, évoquaient des tissages colorés, réminiscence sans doute des tapis nord-africains de son enfance. Bientôt, il renonce à cette structure et interroge désormais la surface en établissant un réseau de traits légers, de touches fugaces habilement exécutées. Après avoir parcouru la ville et la campagne, il anime la toile, dans un jeu subtil de droites entrelacées, de formes géométriques et de couleurs, pour façonner des paysages intimes et dire le sensible. Il tente à partir de gestes inlassablement répétés d'ouvrir un nouvel espace, dans lequel souffles et énergies circulent librement.
■ L. L.

Christian GARDAIR

Bibliogr. : Jean Michel Maulpoix : *Christian Gardair – La Naissance des souffles*, Cimaise, n° 198, Paris, janv.-fév. 1989.
Musées : Paris (Mus. d'Art Mod. de la Ville) – Paris (FNAC) – Perpignan (Mus. Hyacinthe Rigaud).

GARDAIRE Claude Damien
XVIIIe siècle. Actif à Besançon entre 1740 et 1747. Français.
Sculpteur.

GARDANNE Auguste
Né à Ancône, de parents français. XIXe siècle. Français.
Peintre.
Élève de Cogniet et d'Yvon. Il exposa au Salon de Paris, de 1864 à 1879, des sujets militaires. On a de lui au Musée de Pontoise : *Souvenir des grandes manœuvres*, et à celui de Rochefort : *Un soldat d'infanterie de marine*.
Ventes Publiques : Paris, 27 et 28 déc. 1927 : *Cuirassier traversant un village* : **FRF 130** ; *Les Meules* : **FRF 375**.

GARDAVSKA Marie
Née le 14 mars 1871. XIXe-XXe siècles. Tchécoslovaque.
Peintre de paysages.
Elle travailla surtout à Prague et à Munich.

GARDE Ferdinand
Né à Saint-Étienne (Loire). XXe siècle. Français.
Peintre.
Élève de Désiré Lucas. Expose aux Artistes Français.

GARDEL Jean Baptiste
Né le 5 mai 1818 à Limoges (Haute-Vienne). Mort en 1874. XIXe siècle. Français.
Peintre.
Entré à l'École des Beaux-Arts le 5 avril 1843. Il figura au Salon de Paris par des paysages, de 1836 à 1857. Médaillé à l'Exposition de Limoges en 1858. Le Musée de Limoges conserve de lui : *Cincinnatus, Portrait du Dr Chastaing, Portrait du général Lugnot.*

GARDEL Louis
XIXe siècle. Français.
Sculpteur.
Exposa au Salon de Paris en 1837 et 1849, particulièrement des médaillons.

GARDEL-LEISER Emma
Née le 11 octobre 1911 à Saverne (Bas-Rhin). Morte le 4 août 1964 à Garches (Hauts-de-Seine). XXe siècle. Française.
Peintre.
Elle fut élève de l'École des Beaux-Arts de Paris. À partir de 1921, elle exposa à Paris, au Salon des Artistes Français.

GARDELL Anna Maria. Voir **GARDELL-ERICSON**

GARDELL-ERICSON Anna Maria, née **Gardell**
Née le 10 octobre 1853 à Visby. Morte en 1939. XIXe-XXe siècles. Suédoise.
Peintre de paysages animés, paysages, paysages d'eau, aquarelliste. Postimpressionniste.
Elle était la femme de Johan Erik Ericson. Elle étudia à Stockholm et Paris. On lui doit des paysages de Suède réalisés à l'aquarelle ; elle a aussi peint en Bretagne.
Musées : Stockholm : *Paysage de Scanie.*
Ventes Publiques : Göteborg, 24 mars 1976 : *Bord de mer* 1895, aquar. (31x44) : **SEK 4 600** – Stockholm, 13 avr. 1981 : *Pêcheurs dans une barque*, aquar. (34x49) : **SEK 7 100** – Stockholm, 20 avr. 1983 : *Voiliers au large de la côte*, aquar. (33x49) : **SEK 8 000** – Stockholm, 4 nov. 1986 : *Jeune femme au bord d'un lac, avec sa fille, pêchant à la ligne* 1912, aquar. et gche (38x55) : **SEK 43 500** – Stockholm, 14 nov. 1990 : *Jeune fille sur un sentier forestier au printemps à Concarneau*, aquar. (26x38) : **SEK 27 000** – Stockholm, 29 mai 1991 : *Village côtier et barques amarrées au clair de lune*, aquar. (14x51) : **SEK 13 500** – Stockholm, 13 avr. 1992 : *Jeune fille dans une cour* 1894, h/t (59x75) : **SEK 11 000** – Stockholm, 19 mai 1992 : *Jeune fille sur un chemin forestier longeant un étang à la tombée du soir*, aquar. (24,5x34,5) : **SEK 12 500** – Stockholm, 5 sep. 1992 : *Paysage estival*, aquar. (24x32,5) : **SEK 10 500** – Stockholm, 10-12 mai 1993 : *Jeune femme contemplant une inscription gravée dans un tronc d'arbre* 1882, aquar. (39x28) : **SEK 20 000** – Stockholm, 30 nov. 1993 : *Les chutes de Ronneby*, aquar. (65x48) : **SEK 33 000**.

GARDELLA Luigi
XIXe siècle. Actif à Gênes vers 1800. Italien.
Peintre.

GARDELLE Charlotte
Née le 31 janvier 1879 à Galatz (Roumanie). XXe siècle. Française.
Peintre de portraits, paysages, aquarelliste.
Elle fut élève de l'Académie Julian à Paris. Elle a participé à Paris, au Salon d'Automne, depuis sa fondation, en 1903, ainsi qu'au Salon des Tuileries. Elle a aussi exposé à l'étranger, notamment au Musée de Wiesbaden. Elle a travaillé dans le Midi.
Cette artiste, au talent incisif et sensible, réalise parallèlement à ses portraits (ainsi celui de la peintre Hermine David) des vues de Saint-Tropez et de Vence.

GARDELLE Daniel
Né le 2 octobre 1679 à Genève. Mort le 9 octobre 1753. XVIIIe siècle. Suisse.
Peintre.
Il appartient à une famille genevoise originaire de Lyon. On possède de lui deux albums dont l'un contient des miniatures, portraits de personnages connus. D'après Füssli, il possédait un talent réel comme miniaturiste.

GARDELLE Elie
Né en 1688 à Genève. Mort en 1748. XVIIIe siècle. Suisse.
Peintre émailleur.
Auteur d'un portrait en émail d'un patricien genevois.

GARDELLE Jacques André
Né le 11 août 1725 à Genève. XVIIIe siècle. Suisse.
Miniaturiste.
Il était neveu d'Elie.

GARDELLE Robert
Né le 6 avril 1682 à Genève. Mort le 7 mars 1766. XVIIIe siècle. Suisse.

Peintre de portraits, graveur.
Sa biographie a été écrite par Füssli. Il fit ses études d'art en Allemagne et fut, à Paris, élève de Largillière. Il a travaillé à Genève, à Berne, à Neuchâtel, dans le pays de Vaud.

R.G. R G.

Musées : Genève (Mus. Ariana) : *Portrait d'homme* – Genève (Mus. Rath) : *Portrait de J. A. Chanet* – *Portrait d'homme*.
Ventes Publiques : Londres, 21 déc. 1928 : *Portrait d'un noble* : **GBP 18** – Berne, 21 oct. 1977 : *Portrait d'Albrecht von Haller*, h/t (81,5x65,5) : **CHF 7 500**.

GARDELLE Théodore
Né le 30 novembre 1722 à Genève. Mort le 4 avril 1761 à Londres, exécuté pour meurtre. XVIIIe siècle. Suisse.
Miniaturiste.
Il travailla à Bruxelles, Paris, Londres. Il était fils d'Elie.

GARDEN Francis
Né à Londres. XVIIIe siècle. Britannique.
Graveur.
Il vécut et travailla surtout à Boston (U.S.A.).

GARDEN Joseph
Né le 26 décembre 1857 à Grenoble (Isère). Mort le 14 octobre 1937 à Grenoble (Isère). XIXe-XXe siècles. Français.
Peintre de paysages, aquarelliste, dessinateur.
Il fut l'élève de Ravanat et d'Apvril. Parallèlement à ses activités artistiques, il exerça la fonction de chargé de pouvoir dans une banque. Certains de ses dessins ont été publiés dans le journal *Actualité Dauphiné*.
Il s'est attaché à restituer l'atmosphère et la lumière de sa région natale.
Bibliogr. : Maurice Wantellet, in : *Deux siècles et plus de peinture dauphinoise*, Maurice Wantellet, Grenoble, 1987.

GARDEN William Fraser
Né en 1856 à Bedford. Mort en 1921. XIXe-XXe siècles. Britannique.
Peintre de paysages, aquarelliste.
Il exposa à la Royal Academy et à la New Watercolour Society de Londres, de 1882 à 1890.
Ventes Publiques : New York, 19 mai 1981 : *Chasseurs dans un paysage de neige* 1888, aquar. (18,5x37) : **GBP 1 700** – Londres, 20 oct. 1981 : *Buildings by the Ouse in winter* 1913, aquar. (37,5x27) : **GBP 280** – Londres, 15 déc. 1983 : *The Ouse at St-Ives* 1890, aquar. (18,5x27) : **GBP 700** – Londres, 5 juin 1984 : *A Fen village* 1886, aquar. et reh. de blanc (28x39,5) : **GBP 2 600** – Londres, 16 oct. 1986 : *Bords de rivière* 1890, aquar. reh. de gche (27x38) : **GBP 3 600** – Londres, 25 jan. 1989 : *L'Avon près de Stratford dans le Warwickshire* 1886, aquar. (19,5x28) : **GBP 1 760** – Londres, 31 jan. 1990 : *Maisons au bord d'un bras de mer* 1904, aquar. (27x18) : **GBP 1 045** – Londres, 25-26 avr. 1990 : *Au bord de la rivière* 1902, aquar. (28x39) : **GBP 3 080** – Londres, 29 oct. 1991 : *Dans les bois* ; *La forêt à l'aube*, aquar., une paire (27,3x38,2) : **GBP 11 000** – Londres, 13 nov. 1992 : *Souvenir de Stevington dans le Bedfordshire* 1882, aquar. (18,4x26) : **GBP 990** – Londres, 3 mars 1993 : *Le Pont de Saint-Neot à Saint-Ives* 1895, aquar. (46,5x57,5) : **GBP 8 280** – Londres, 25 mars 1994 : *L'église Saint-John à Saint-Ives* 1903, cr. et aquar. (19,7x28,2) : **GBP 2 185** – Londres, 10 mars 1995 : *Le gué du village* 1893, cr. et aquar. (20,3x29,2) : **GBP 2 415** – New York, 8 nov. 1995 : *Au bord de la rivière* 1888, aquar. (27x38) : **USD 2 990** – Londres, 6 nov. 1996 : *Scène de crépuscule en Finlande* ; *Aube en Finlande* 1894, aquar., une paire (15x26,5 et 14x28) : **GBP 1 207**.

GARDENIER Jean Jacques
Né le 7 septembre 1930 à Delft. XXe siècle. Hollandais.
Peintre de paysages, graveur.
Il expose à Paris, aux Salons d'Automne et des Grands et Jeunes d'Aujourd'hui.
S'inspirant de paysages et de scènes urbaines, notamment les Halles de Paris avant leur démolition, il crée un univers unique car allusif, parfois proche de l'abstraction. Plus soucieux de donner à voir une réalité intérieure que de décrire le monde des apparences, il écarte les règles classiques de la perspective et l'analyse naturaliste. Il décompose, métamorphose ses sujets pour redéfinir l'espace de la peinture.

GARDENTY Georges A.
XIXe siècle. Actif à Paris. Français.
Peintre.
Sociétaire des Artistes Français depuis 1887, il figura au Salon de cette Société.

GARDERA Francis
XIXe siècle.
Peintre.
Ventes Publiques : Paris, 19 avr. 1943 : *Le Monastère* ; *Le Pont sur le torrent*, deux toiles, l'une datée de 1847 : **FRF 800**.

GARDET
XIXe siècle. Français.
Peintre de paysages.
Le Musée de Montauban conserve de cet artiste un paysage : *Château en ruines sur les côtes de Catalogne*. Peut-être le même artiste que le peintre Gardet dont le Musée de Châlons-sur-Marne possède *Le sommeil de l'Enfant Jésus*.

GARDET Antoine
Né le 22 février 1861 à Paris. Mort le 24 février 1891 à Paris. XIXe siècle. Français.
Sculpteur.
Il était le fils de Joseph et le frère de Georges. Le Musée de Roanne possède une œuvre de cet artiste.

GARDET Georges
Né le 11 octobre 1863 à Paris. Mort en 1939. XIXe-XXe siècles. Français.
Sculpteur animalier.
Il fut élève d'Aimé Millet et de Frémiet. Ce puissant créateur de formes se révéla comme un maître dès ses débuts. Le beau groupe qu'on voit au Parc Montsouris de Paris, *Panthère et lion*, qui parut au Salon des Artistes Français de 1887, à Paris, marquait un digne successeur de Barye et de Mêne. Il convient aussi de citer les deux gros morceaux : un *Tigre* et un *Bison*, qui décorent l'entrée du Musée de Laval : l'Exposition Universelle de 1900 lui fournit l'occasion de mettre en lumière ses qualités de sculpteur monumental. Il obtint comme récompenses : Mention Honorable 1886, médaille de troisième classe 1887 ; de deuxième classe 1889, médaille à l'Exposition Universelle à Paris 1889 ; Bourse de voyage 1889, chevalier de la Légion d'honneur 1896 ; médaille d'honneur 1898, officier de la Légion d'honneur 1900 ; Grand Prix de l'Exposition Universelle à Paris 1900, avec un groupe de lions et un autre de tigres, destinés au château de Vaux-le-Vicomte. Il a exposé à Paris au Salon des Artistes Français, dont il est devenu membre sociétaire. En 1918, il a été nommé membre de l'Académie des Beaux-Arts.
Musées : Bucarest (Mus. Simu) : *Deux panthères* – Hambourg : *Le précurseur* – Limoges : *Lion et lionne* – *Les chiens de Chantilly* – Paris (Petit Palais) : *Chien danois* – Paris (Mus. d'Art Mod.) : *Panthères – perruches* – Paris (Mus. d'Orsay) : *Panthères combattant* – Roanne : *Mézenc brûlé*.
Ventes Publiques : Enghien-les-Bains, 2 mars 1980 : *Le combat de panthères*, bronze, patine brune (H. 46) : **FRF 8 000** – New York, 16 oct. 1984 : *Dogues danois*, bronze (L. 147,5) : **USD 20 000** – Enghien-les-Bains, 6 oct. 1985 : *Le grand cerf*, bronze (H. 110) : **FRF 60 500** – New York, 9 juin 1988 : *Grand chien danois couché*, bronze (H. 47) : **USD 2 090** – New York, 23 fév. 1989 : *Un setter*, bronze (H. 29,2) : **USD 2 860** – Paris, 20 mars 1991 : *Tigre et chien de Fô*, bronze (H. 32,5, L. 64, l. 20) : **FRF 14 000** – New York, 5 juin 1992 : *Panthère*, bronze à patine verte (H. 33, L. 44,5) : **USD 1 925** – Paris, 16 mars 1994 : *Tigre et chien de Fô*, bronze (H. 28) : **FRF 6 000** – Lokeren, 28 mai 1994 : *Lion et lionne*, bronze (H. 36, l. 50) : **BEF 60 000** – Lokeren, 11 mars 1995 : *Chien irlandais*, bronze (H. 28, l. 58) : **BEF 44 000**.

GARDET Joseph
Né vers 1830. Mort en avril 1914 à Paris. XIXe-XXe siècles. Français.
Sculpteur.
Il fut le père d'Antoine et de Georges.

GARDETH Johann Kaspar
Né à Buchloe. Mort en 1795. XVIIIe siècle. Allemand.
Peintre et sculpteur.
Il travailla pour l'église d'Unterostendorf.

GARDETTE. Voir **LA GARDETTE de**

GARDETTE Louis
Né à Paris. XIXe siècle. Français.
Peintre de genre.
Élève de Pils et de Lehmann. Figura au Salon des Artistes Français et obtint une mention honorable en 1886. Bourse de voyage, médaille de troisième classe 1899, mention honorable 1889

(Exposition Universelle). Le Musée de Gray conserve de lui : *Mort du général Marguerite* et *Dragon de l'empire*.
Ventes Publiques : Paris, 10 nov. 1944 : *Dragon* : **FRF 250** – Versailles, 15 nov. 1987 : *La Nubienne* 1888, h/t (95x95) : **FRF 30 000**.

GARDEUR Jean Nicolas
XVIIIe siècle. Actif à Paris en 1778. Français.
Peintre ou sculpteur.

GARDEY Germaine
Née le 21 août 1904 à Saint-Androny (Gironde). Morte le 2 mai 1995 à Paris. XXe siècle. Française.
Peintre de figures, paysages, marines, paysages d'eau, fleurs.
En 1922-23, elle fut élève de l'École des Beaux-Arts de Bordeaux ; de 1924 à 1927 de Lucien Simon à l'École des Beaux-Arts de Paris. De 1938 à 1951, elle participa à Paris à plusieurs Salons, notamment d'Automne, de l'École Française, de la Marine. Depuis 1922, elle a participé à quantité d'expositions collectives régionales, récoltant diverses distinctions et des achats. De 1932 à 1983, elle a montré des ensembles de ses peintures dans des expositions personnelles à Paris et en province.
Sa facture a varié selon les époques et les thèmes, d'un post-impressionnisme à un certain expressionnisme de la matière et du geste. Les années cinquante-soixante ont été dominées par les marines, les années soixante-quatre-vingt par les paysages allusifs et les paysages de marais, toutefois sans négliger l'homme au travail et dans l'effort physique.

GARDI Domenico
XVIIe siècle. Actif à Modène en 1694. Italien.
Dessinateur.

GARDIE, Mrs
XIXe siècle. Britannique.
Peintre de miniatures.
Cette artiste débuta à la Royal Academy en 1828. Elle vint à Paris et paraît y avoir obtenu du succès. Elle fit notamment le portrait en miniature de Mme Malibran, de son second mari le violoniste, de Bériot. Elle figura au Salon de Paris avec des miniatures et des porcelaines, de 1831 à 1837.

GARDIE A. N.
XIXe siècle. Actif à Londres. Britannique.
Peintre.

GARDIE S. L.
XIXe siècle. Actif à Londres. Britannique.
Sculpteur.
Exposa à Londres, à la Royal Academy, de 1850 à 1854.

GARDIES Michel
XVIIIe siècle. Actif à Paris. Français.
Sculpteur sur bois.
Il travailla également en Suède.

GARDIMIE Simon
XIXe siècle.
Peintre de fleurs.
Cité par Florence Lévy.
Ventes Publiques : New York, 16 et 17 fév. 1911 : *Fleurs* : **USD 80**.

GARDIN
XVIIIe siècle. Actif à Rouen en 1757. Français.
Peintre d'ornements.

GARDINER Anna
Née à Londres. XXe siècle. Britannique.
Peintre.
Elle exposa à Paris, au Salon de la Société Nationale des Beaux-Arts, à partir de 1923, ainsi qu'à celui des Artistes Indépendants.

GARDINER Clive
Né en 1891. Mort en mai 1960. XXe siècle. Américain.
Peintre, graveur.
Dans les années vingt, il fut très influencé par le fauvisme et une certaine manière de structurer la toile. Par la suite, il revint à la figuration.

GARDINER Eliza, Miss
XVIIIe siècle. Active en Angleterre. Britannique.
Peintre de figures.
Exposa à la Society of Artists de 1762 à 1770.
Ventes Publiques : Londres, 3 déc. 1926 : *Femme* : **GBP 81** – Londres, 31 juillet-1er août 1930 : *Portrait de l'artiste* : **GBP 33**.

GARDINER Eliza
Née en 1871 à Providence (Rhode Island). XIXe-XXe siècles. Américaine.
Peintre, graveur.

GARDINER Gerald
Né le 17 janvier 1902. XXe siècle. Britannique.
Peintre.
Il fut élève du Royal College of Art de Londres. Il a exposé à Londres, à la Royal Academy, et dans divers Salons anglais.

GARDINER William Nelson
Né le 11 juin 1766 à Dublin. Mort le 8 mai 1814 à Londres, par suicide. XVIIIe-XIXe siècles. Irlandais.
Graveur.
Après avoir étudié à l'Académie de Dublin, il se rendit à Londres, où il devint, après toutes sortes de vicissitudes, l'assistant de Bartolozzi. Il prépara avec lui des planches pour : *Le Shakespeare* de Harding, *Les mémoires de* De Grammont, et les illustrations de Lady Diana Beauclercle pour les *Fables de Dryden*. Il copia également des portraits. Il exposa à la Royal Academy, de 1781 à 1793. À la fin de sa vie, il devint libraire. On trouve de lui au Musée de Nottingham, deux dessins et à la National Portrait, à Londres, une aquarelle : *Philip Yorke, 1er comte de Hardwike*.

GARDINIER Frédéric
Né le 4 août 1955 à Paris. XXe siècle. Français.
Peintre.
Ventes Publiques : Paris, 13 avr. 1988 : *Série verte : L'Aurige de Delphes*, acryl. (202x195) : **FRF 19 000** – Paris, 18 juil. 1990 : *Composition*, acryl./t. (132x135) : **FRF 4 000**.

GARDNER Charles Reed
Né le 17 août 1901. XXe siècle. Américain.
Peintre, illustrateur.
Il fut membre de l'American Artists Professional League.

GARDNER Daniel
Né en 1750 à Kendal. Mort le 8 juillet 1805 à Londres. XVIIIe-XIXe siècles. Britannique.
Peintre de portraits, peintre à la gouache, pastelliste, dessinateur.
Il vint à Londres fort jeune et entra comme élève à la Royal Academy. Reynolds l'ayant remarqué, lui donna des conseils. Gardner fut bientôt à même de produire d'excellents petits portraits à l'huile, au pastel et au crayon et se fit, dans ce genre, une réputation bien établie. On ne le cite qu'une fois prenant part à une exposition, celle de la Royal Academy, en 1771. Ayant réalisé une petite fortune par ses travaux, il s'éloigna du milieu artistique et vécut fort retiré.
Il a su traduire le charme gracieux de la beauté anglaise. Lord Carlington possédait de cet artiste une remarquable collection de soixante-trois dessins, qui furent vendus chez Christie's le 11 juillet 1911. ■ E. B.
Ventes Publiques : Londres, 29 mai 1908 : *Portrait de Mrs Minchin, née Mary Willett Miller ; Portrait du capitaine Willett Miller*, deux pastels : **GBP 157** – Londres, 16 juil. 1909 : *Portrait d'Elisabeth Hall*, past. : **GBP 136** – Londres, 28 jan. 1911 : *Portrait de Mrs Adélaïde Penton*, past. : **GBP 189** – Londres, 11 fév. 1911 : *Major André*, past. : **GBP 52** – Londres, 19 mai 1911 : *Mrs Robinson dans le rôle de Perdila*, past. : **GBP 1 155** – Londres, 6-8 déc. 1920 : *Portrait de jeune femme*, past. : **FRF 9 800** – Londres, 1er déc. 1922 : *Charles Theobald* : **GBP 37** – Londres, 23 fév. 1923 : *Femme en mauve*, past. : **GBP 4** – Londres, 29 juin 1923 : *Femme en blanc*, past. : **GBP 44** ; *Miss Burgoyne*, past. : **GBP 33** – Londres, 21 déc. 1923 : *Miss Blunt* : **GBP 34** ; *Femme en noir* : **GBP 21** – Londres, 18 juil. 1924 : *Officier de marine* ; *Femme*, deux gouaches : **GBP 89** – Londres, 3 déc. 1925 : *Femme, supposée être mrs Forster*, past. : **GBP 105** – Londres, 13 fév. 1925 : *Jeune fille en blanc*, past. : **GBP 73** – Londres, 1er mai 1925 : *Theodosia, femme de J. G. Shaw*, gche : **GBP 189** – Londres, 12 fév. 1926 : *Musique* ; *Peinture*, les deux : **GBP 378** – Londres, 1er juil. 1927 : *Famille Drake*, gche : **GBP 110** ; *Mrs Charlotte Gwatkin*, past. : **GBP 126** – Londres, 28 nov. 1927 : *Mrs Siddons* : **GBP 220** – Londres, 27 jan. 1928 : *Femme en sainte Cécile*, past. : **GBP 60** – Londres, 8 fév. 1929 : *Tête de garçon* : **GBP 73** – Londres, 5 avr. 1929 : *Joe Pennington* : **GBP 94** – Londres, 19 fév. 1930 : *Lady Aylesford*, past. : **GBP 10** ; *Mrs Pournall*, past. : **GBP 10** – Londres, 21 fév. 1930 : *William Rowley* : **GBP 105** – Londres, 23 mai 1930 : *L'artiste et deux membres de la famille Pennington* : **GBP 99** – New York, 4 et 5 fév. 1931 : *Madame Labille-Guiard* :

USD 150 – NEW YORK, 22 juin 1931 : *Lady Mexborough*, gche : **GBP 178** ; *John Saville*, gche : **GBP 178** – NEW YORK, 26 juin 1931 : *Portrait de femme*, dess. : **GBP 16** – PARIS, 8 fév. 1934 : *Portrait d'un notable* : **FRF 180** – LONDRES, 27 avr. 1934 : *Miss Draper* : **GBP 22** – NEW YORK, 17 et 18 mai 1934 : *Portrait de garçon* : **USD 70** – LONDRES, 14 déc. 1934 : *Femme de la famille Chol Mondeley* : **GBP 52** – LONDRES, 4 déc. 1936 : *Deux jeunes filles* : **GBP 84** – LONDRES, 25 fév. 1938 : *Commandant André*, dess. : **GBP 16** – LONDRES, 27 mai 1938 : *Rév. W. Heathcote, commandant Vincent H. Gilbert et W. Heathcote* : **GBP 325** – PARIS, 15 juin 1938 : *Portrait présumé de Mrs Clarke*, gche : **FRF 7 100** – PARIS, 9 déc. 1938 : *Margaret Stanley* ; *John Thomas Stanley*, deux dessins : **GBP 162** – PARIS, 28 juil. 1939 : *Anthony, 3e Earl de Shaftesbury*, dess. : **GBP 27** – PARIS, 25 avr. 1940 : *Miss Marston*, dess. : **GBP 42** – PARIS, 28 juin 1940 : *Gentilhomme en bleu* : **GBP 6** – PARIS, 25 juin 1941 : *Mrs Hippisley* : **GBP 9** – PARIS, 25 sep. 1941 : *Amiral Sheriff*, past. : **GBP 25** – PARIS, 29 juil. 1942 : *Mrs S. Eliot et ses filles*, past. : **GBP 17** – PARIS, 19 juil. 1944 : *Elisabeth Templeton*, past. : **GBP 29** – PARIS, 15 nov. 1944 : *Bridget Pennington* : **GBP 160** ; *Trois enfants* : **GBP 62** ; *Enfant au faon* : **GBP 32** ; *Portrait de l'artiste et d'un membre de la famille Pennington* : **GBP 52** – PARIS, 18 jan. 1946 : *Femme*, gche : **GBP 25** – PARIS, 1er fév. 1946 : *Jeune homme* : **GBP 52** – NEW YORK, 28 mars 1946 : *L'épouse de W. Milburn* : **USD 300** – LONDRES, 13 déc. 1946 : *Vicomte Castlereagh*, gche : **GBP 42** – PARIS, 13 juin 1952 : *La lecture interrompue* : **FRF 250 000** – NEW YORK, 7 avr. 1961 : *Margaret, lady Walsh*, gche : **USD 500** – NEW YORK, 16 mars 1967 : *Le massacre du mont Meadows* : **USD 2 500** – LONDRES, 12 juil. 1967 : *Le marquis de Shafterbury et sa sœur*, past. : **GBP 800** – LONDRES, 19 mars 1968 : *Portrait de sir John Thomas*, past. et gche : **GNS 3 800** – LONDRES, 19 mars 1968 : *Portrait de Frances, fille de sir Thomas Rumod* 1783, past. et gche (97x70) : **GNS 120** – LONDRES, 2 mars 1976 : *Portrait d'un amateur de musique*, past. (diam. 50x39,5) : **GBP 350** – LONDRES, 14 juin 1977 : *Portrait de Sir John Taylor*, past., aquar. et gche (86,5x59,5) : **GBP 3 500** – LONDRES, 17 nov. 1981 : *Portrait de Frances, fille de sir Thomas Rumod* 1783, past. et gche (97x70) : **GBP 3 800** – LONDRES, 15 juin 1982 : *Portrait de miss Reay et de sa mère*, past. (45,7x58,5) : **GBP 500** – LONDRES, 20 nov. 1984 : *Portrait de Margaret, Lady Walsh* 1775, past. (45,7x37) : **GBP 4 800** – LONDRES, 13 mars 1985 : *Portraits de Lewis Thomas, baron Sondes, et de sa femme Mary*, deux h/t de formes ovales (61x56) : **GBP 5 500** – LONDRES, 19 nov. 1987 : *Portraits d'une dame de qualité assise à une table* 1779, gche/traits de cr., une paire de forme ovale (chaque 84x63) : **GBP 8 500** – LONDRES, 5 juin 1997 : *Portrait de Lewis, baron Sondes* ; *Portrait de Mary, femme du baron Sondes*, h/t, une paire de forme ovale (63,5x53,4) : **GBP 7 475**.

GARDNER Derek George Montague
Né en 1914. XXe siècle. Britannique.
Peintre d'histoire navale.
VENTES PUBLIQUES : LONDRES, 11 juin 1976 : *Bataille navale* 1961, h/t (46x61) : **GBP 680** – LONDRES, 18 jan. 1984 : *Le trois-mâts « Spindrift »*, h/t (71x107) : **GBP 1 500** – BRUXELLES, 15 sep. 1986 : *Marine*, h/t (82x122) : **BEF 440 000** – LONDRES, 22 sep. 1988 : *Marée haute à Greenwich*, h/t (59,7x90,2) : **GBP 1 980** – LONDRES, 20 jan. 1993 : *Le clipper « Spindrift »*, h/t (71x106,5) : **GBP 6 900** – LONDRES, 16 juil. 1993 : *Le transport de thé « Sir Lancelot » en pleine vitesse sur la route de l'Inde*, h/t (35x46) : **GBP 1 265** – NEW YORK, 3 juin 1994 : *La flotte de Nelson au large de Toulon le 30 juillet 1803*, h/t (50,8x91,4) : **USD 10 925**.

GARDNER E. M., Mrs
Née à Colchester (Connecticut). Morte en 1916 à Pitman (près de New York). XXe siècle. Américaine.
Peintre.
Elle vécut aussi à Philadelphie.

GARDNER Edwin C.
XIXe siècle. Actif à Londres. Britannique.
Peintre de genre.
Cet artiste exposa à Londres, de 1867 à 1888, notamment à la Royal Academy.

GARDNER Elisabeth Jeanne. Voir **BOUGUEREAU W.-A.**, Mme

GARDNER Gertrude
Née dans l'Iowa. XXe siècle. Américaine.
Peintre.
Membre de l'American Federation of Arts.

GARDNER J. L.
XIXe siècle. Actif à Londres. Britannique.
Peintre de genre.
Exposa à la Royal Academy et à Suffolk Street, de 1880 à 1888.

GARDNER Lisa
Née en 1956 à New York. XXe siècle. Américaine.
Peintre technique mixte, peintre de collages. Abstrait.
Elle a étudié dans les Universités américaines et obtenu le diplôme d'Arts Plastiques. Grâce à une bourse elle réside de 1987 à 1989 à la Cité Internationale des Arts de Paris, où elle a exposé. Elle participe à des expositions collectives aux États-Unis.
Elle pratique une peinture abstraite, de dessin et de tonalités délicates.
VENTES PUBLIQUES : PARIS, 14 oct. 1991 : *Sans titre* 1991, acryl. et collage/t. (80x80) : **FRF 4 000**.

GARDNER Mabel
Née à Providence (Rhode Island). XXe siècle. Active depuis 1922 en France. Américaine.
Sculpteur.
Elle a exposé dans les principaux Salons français.

GARDNER Thomas
XVIIIe siècle. Britannique.
Graveur.
Il grava une série de planches pour le *Recueil de Prières paraphrasé* par James Harris (1735).

GARDNER William Biscombe
Né vers 1847. Mort en 1919. XIXe-XXe siècles. Britannique.
Peintre de sujets de genre, paysages, aquarelliste, graveur, dessinateur.
Dès 1874, cet artiste prit une place distinguée dans les expositions de la Royal Academy, à Londres, où il vécut et travailla. Il figura au Salon des Artistes Français de Paris, obtenant une médaille d'argent en 1900, pour l'Exposition Universelle. On lui doit des eaux-fortes.
VENTES PUBLIQUES : LONDRES, 25 jan. 1924 : *Chez le forgeron* : **GBP 2** – LONDRES, 24 mai 1984 : *Enfants nourrissant des chats devant une chaumière*, aquar. reh. de blanc (17,5x25,5) : **GBP 800** – LONDRES, 14 juin 1991 : *Moutons près d'une clôture dans un paysage boisé* 1868, cr. et aquar. avec reh. de blanc (15,5x23,8) : **GBP 715** – LONDRES, 3 juin 1992 : *La chasse au furet*, h/t (86,5x112) : **GBP 880** – LONDRES, 6 nov. 1996 : *Soleil levant sur la crique*, aquar. (19,5x35,5) : **GBP 690**.

GARDNER-SOPER James Hamlin
Né le 17 juillet 1877 à Flint (Michigan). XXe siècle. Américain.
Peintre, illustrateur.
Il vécut et travailla à New York. Il reçut une médaille d'or à l'Exposition Universelle de 1900 à Paris, ainsi qu'une médaille de bronze à Saint-Louis en 1904.
VENTES PUBLIQUES : NEW YORK, 3 déc. 1996 : *Soirée de gala*, h/t (72,5x49,5) : **USD 4 370**.

GARDNOR John, Révérend Père
Né en 1729. Mort le 6 janvier 1808 à Battersea. XVIIIe siècle. Britannique.
Peintre de paysages.
Cet artiste, qui était prêtre, obtint, en 1767, une récompense de la Société des Arts. Ses œuvres figurèrent à l'Académie Royale de 1782 à 1786. Il fit des illustrations pour *L'Histoire du Monmouthshire* de Williams et publia, en 1788, des : *Vues du Rhin*.

GARDNOR Richard
XVIIIe siècle. Britannique.
Peintre.
Il exposa à la Free Society et à la Royal Academy, de 1786 à 1793.

GARDOM Barbara
Née à Longford. XIXe siècle. Travaille à Paris. Britannique.
Miniaturiste.
Élève de Bouguereau.

GARDON Félix J.
Né à Choisy-le-Roi (Val-de-Marne). XIXe-XXe siècles. Vivant à Écouen. Français.
Peintre de paysages.
Élève de Bellet et Lequien. Sociétaire des Artistes Français depuis 1892, il figura au Salon de cette Société.
VENTES PUBLIQUES : PARIS, 20 fév. 1931 : *Gerbe de fleurs*, aquar. : **FRF 75**.

GARDON Gaspard
XVIIe-XVIIIe siècles. Français.

Peintre.
Il travaillait à Lyon où il fut trois fois maître de métier pour les peintres entre 1701 et 1715.

GARDON Marius Jean
Né le 27 juin 1914 à Lyon (Rhône). xxᵉ siècle. Français.
Peintre de genre, paysages, natures mortes.
De famille marseillaise, il vécut Marseille jusqu'à l'âge de huit ans, puis se fixa à Cannes. Autodidacte en peinture, il ne put s'y consacrer entièrement qu'à partir de 1952, faisant sa première exposition personnelle à Paris, en 1954. La Ville de Paris et l'État ont acquis certaines de ses œuvres.
Ventes Publiques : Paris, 25 mai 1956 : *Arlequin et danseuse* : **FRF 28 000** ; *La neige*, gche : **FRF 18 000**.

GARDONA Battista
xviᵉ siècle. Italien.
Sculpteur.
Travailla avec Francesco Casella à la cathédrale de Santa Maria delle Consolazio à Fodi.

GARDOS Aladar
Né le 12 avril 1878 à Budapest. xxᵉ siècle. Hongrois.
Sculpteur.
Après des études prolongées à Munich et Paris, il s'installa définitivement dans sa ville natale.

GARDOT Jules
Né au xixᵉ siècle à Toulouse (Haute-Garonne). xixᵉ siècle. Français.
Peintre.
Élève des Écoles des Beaux-Arts de Toulouse et de Paris, il figura au Salon de cette dernière ville de 1861 à 1880, avec des portraits et des natures mortes.

GARDOT René
Né en 1908 en Charente-Maritime. xxᵉ siècle. Français.
Peintre de paysages, figures, natures mortes, aquarelliste.
Il ne se consacra exclusivement à la peinture qu'à partir de 1972. Il a exposé à Paris, au Salon des Artistes Français, dont il était sociétaire. Il a reçu de nombreux Prix et distinctions pour son œuvre.
Il a surtout peint des paysages du Marais Poitevin, des îles d'Oléron et de Ré.
Ventes Publiques : Paris, 21 sep. 1988 : *Les Tourettes, île de Ré* 1972, h/pan. (38x55) : **FRF 2 500** ; *Au temps des Thoniers* 1972, h/pan. (65x81) : **FRF 4 500** ; *Les écluses à la Sotterie* 1968, h/pan. (38x46) : **FRF 3 400**.

GARDY Eugène Benoist
Né le 23 avril 1856 à Paris. xixᵉ siècle. Français.
Peintre de décors.
Il fut élève de Lequien et de Robecchi. Il travailla beaucoup en Amérique.

GARDY Gauderic
xixᵉ siècle. Actif à Bagnères-de-Bigorre (Hautes-Pyrénées). Français.
Sculpteur.
Sociétaire des Artistes Français depuis 1899, il figura au Salon de cette société.

GARDY Michel
xviiiᵉ siècle. Actif à Paris en 1738. Français.
Peintre et sculpteur.

GARDY-ARTIGAS Joan
Né en 1938 à Boulogne-Billancourt (Hauts-de-Seine). xxᵉ siècle. Actif aussi en Espagne. Français.
Sculpteur, dessinateur, illustrateur.
Jusqu'à l'âge de vingt ans, il vit en Espagne. Après des études à l'École du Louvre à Paris, il installe un atelier de céramique dans la capitale française, où il travaille avec Georges Braque et Marc Chagall. Il vit et travaille à Paris et Gallifa (Espagne).
Il participe à de nombreuses expositions collectives, notamment depuis 1976 régulièrement à Paris, aux Salons de Mai et de la Jeune sculpture. Il montre ses œuvres dans des expositions personnelles en Espagne, en France notamment à la galerie Maeght à Paris, au Japon...
En 1960, il réalise ses premières sculptures et rencontre Alberto Giacometti. En 1962, il exécute de grandes sculptures en plastique époxide. En 1965, il aborde la lithographie et, en 1970, illustre *Les Bœufs meurent aussi* aux éditions Maeght. En 1970-1972, il réalise une fontaine à Vitry-sur-Seine, et en 1976 une sculpture pour l'autoroute Barcelone-Paris. Procédant par synecdoque, il propose des portions de volume que le spectateur doit recomposer tel le paléontologue. Pourtant ses œuvres trouvent leur plénitude dans leur fragmentation, car on peut lire en elles l'histoire d'une gestation, d'un cataclysme plus essentiels que la reconstitution. ■ L. L.
Bibliogr. : In : *L'Univers d'Aimé et Marguerite Maeght*, Fondation Maeght, Saint-Paul, 1992.
Ventes Publiques : Paris, 7 oct. 1995 : *Sans titre*, mine de pb/pap. (148x180) : **FRF 7 500**.

GARE Domenico, dit **Franzosino**
xviᵉ siècle. Actif à Carrare. Italien.
Sculpteur.
Il était d'origine lorraine.

GARE G.
xviiiᵉ-xixᵉ siècles. Actif à Londres. Britannique.
Peintre miniaturiste.
Prit part aux expositions de la Royal Academy, de 1802 à 1818.

GAREIS Anton, l'Ancien
Né le 29 mars 1793 à Klosterfreiheit. Mort le 23 juillet 1863 à Prague. xixᵉ siècle. Tchécoslovaque.
Peintre lithographe et graveur.
Il fit ses études à Dresde, Berlin et Breslau. On cite surtout ses copies d'après les maîtres, ses tableaux de genre et ses caricatures.

GAREIS Anton, le Jeune
Né le 20 novembre 1837 à Prague. xixᵉ siècle. Tchécoslovaque.
Peintre de genre et portraitiste.
Élève à l'Académie de Prague, de Engerth. Il a exposé à Dresde en 1870-1871. On cite de lui : *Le soir de Noël*. Il était fils d'Anton l'Ancien.

GAREIS Johann Franz Peter Paul
Né le 28 juin 1775 à Klosterfreiheit. Mort le 31 mai 1803 à Rome. xviiiᵉ siècle. Allemand.
Peintre et dessinateur.
Élève de l'Académie de Dresde, sous Casanova. Il vint à Paris et à Rome. Il a exposé à Dresde en 1803. On cite de lui : *Orphée*.

GAREIS Josef Hieronymus Ferdinand
Né le 30 septembre 1773 à Klosterfreiheit. xviiiᵉ-xixᵉ siècles. Allemand.
Sculpteur.
Il était le frère de Franz.

GAREIS Pius
Né en 1804 à Sulzbach. xixᵉ siècle. Allemand.
Peintre d'histoire et de portraits.
Élève de Cornelius.

GAREL Philippe
Né en 1945 à Trébeurden (Côtes d'Armor). xxᵉ siècle. Français.
Peintre de compositions à personnages, figures, natures mortes, sculpteur de statues, bustes, dessinateur.
De 1961 à 1969, il étudie aux écoles des beaux-arts de Quimper, Rennes, puis Paris. Depuis 1977, il est professeur à l'école des beaux-arts de Rouen. Il vit et travaille à Paris. Dès 1974, il montre ses œuvres dans des expositions collectives et individuelles : 1974 Maison de la culture de Rennes ; 1977 Bruxelles et Paris ; 1980, 1985 et 1993 FIAC (Foire internationale d'Art contemporain) à Paris présenté par la galerie bruxelloise Lauzenberg ; 1990 Bologne et SAGA (Salon d'Art Graphique) à Paris présenté par la galerie Flora J. ; 1992 galerie Trigano à Paris...
De ses premières œuvres abstraites, vivement colorées, aux formes séduisantes, que reste-t-il ? Rien ou si peu, peut-être les fonds, vastes aplats monochromatiques... En effet, très vite, Garel, à l'encontre des avant-gardes historiques ou contemporaines, opère un retour à la figuration, pour peindre, à l'huile, un univers troublant composé de natures mortes et de personnages, en pied le plus souvent, au cœur de la pénombre. Dans un espace fermé sans profondeur, il met en scène, avec minutie, des objets, qui se répètent d'une toile à l'autre. Certains sont faux, il les a fabriqués préalablement lui-même en trois dimensions, cependant ils s'avèrent difficiles à distinguer dans les tableaux,

car ils possèdent une apparence des plus plausibles. Aux côtés d'objets résolument classiques, mais qui, souvent, ont perdu leur prestige : pâles bouquets de fleurs des champs, citrons, bouteilles, assiettes émaillées remplies de graines et légumes secs (...), Garel intègre des éléments résolument contemporains : boîtes de conserve, seaux en plastique, haricots (récipients utilisés en chirurgie) contenant des graines (haricots secs ?). Il peint aussi un cintre (*Objet caché* 1982) ou des gants en caoutchouc (*Les Gants* 1982) en haut de la toile, comme pour clore ou estampiller ces deux natures mortes. Un arrière-plan formé d'un mur écran, d'une draperie, d'un carton ondulé, d'une toile de fond, ferme la perspective et favorise tout un jeu d'ombres et de lumières. Certains éléments de la composition jouent comme formes géométriques abstraites structurantes : ainsi les baguettes de bois (porte-mine ? crayon ? scalpel ?), dont l'ombre, sur les plans vertical et horizontal, fait naître un triangle évidé, épuré qui semble flotter dans l'espace. De l'immobilité, de l'intemporalité des natures mortes découlent ses portraits, personnages sans identité, en particulier la série des hommes et femmes noirs (1984), qui semblent naître de l'obscurité des toiles. Vêtus de leurs plus beaux atours, fruits de l'imagination de l'artiste, ils sont saisis dans un moment de pose, sur fond neutre, comme derrière une vitre, et portent sur leurs genoux des pots de fleurs ou se tiennent les bras croisés. Des objets, empruntés aux natures mortes, surprenant dans ce type de scène, les entourent : oiseaux, assiettes, seaux (...). On retient de ces figures la droiture, la noblesse, mais aussi un sentiment d'inquiétude : D'où viennent ces êtres ? Existent-ils ? Pourquoi cette tension ? Pourquoi ces costumes aux plis somptueux qui reprennent les motifs du fond ? Pourquoi ces graines, ces maigres plantes ? En 1991, dans la série *Offrandes à Rembrandt*, il célèbre le maître du clair-obscur, dans de très grandes toiles ou au contraire sur de petits cartons préformés. Sur des fonds mordorés, riches en matière et reliefs, il recrée l'univers du peintre hollandais mais bouleverse la composition, mélange différentes échelles au sein du même tableau.
Parallèlement à sa peinture, il réalise des sculptures (bronze, pierre, terre ou polystyrène) qui rendent hommage aux figures du passé, notamment à ces artistes qui l'ont influencé et inspiré : Dürer, Géricault, Vélasquez et surtout Rembrandt. Sur les bustes, fronts, joues et cous de ces personnages, il inscrit leurs noms, dates, lieux de naissance et activités artistiques : il les marque de leur sceau, en creux ou en relief. Ces œuvres portent encore les traces de doigts, expression du rapport intime et presque sensuel que Garel entretient avec ses maîtres. Il construit aussi des natures mortes en trois dimensions, mais surtout des figurines tout en hauteur, qu'il compose avec d'autres éléments (miroirs, chaînes...), dans lesquels il intègre de nouveau l'écriture, qui court le long des figures, sculptant lettre à lettre le nom de l'artiste et la nature de l'œuvre *Autoportrait – Clair-obscur*.
Séduit par la puissance de l'obscurité, lieu de l'interdit, de l'indicible, Garel célèbre la peinture et surtout la lumière qui constitue un élément à part entière : elle devient objet de la représentation, au même titre que les figures, récipients, fleurs... Par subtiles modulations, avec un savoir-faire certain, il bouleverse les règles de la Tradition : adoptant la manière des Anciens, s'appropriant des genres oh combien traditionnels, il détourne la nature morte et le portrait pour créer un monde original, mais troublant car en perpétuel décalage avec la réalité. L'accumulation d'éléments ordinaires, leur manipulation, l'abolition du temps renouvellent le genre et nous entraînent dans un rêve baroque.

■ Laurence Lehoux

Bibliogr. : Catalogue de l'exposition *Philippe Garel*, Galerie Loeb, Paris, 1984 – Celide Masini : Catalogue de l'exposition *Philippe Garel*, Galerie Forni Tendenze, Bologne, 1990 – Catalogue de l'exposition : *Offrandes à Rembrandt, Philippe Garel*, Galerie Patrice Trigano, Paris, 1992.
Musées : Caen (FRAC de Basse-Normandie) – Paris (Mus. Nat. d'Art Mod.) – Rennes (FRAC de Bretagne).
Ventes Publiques : Paris, 4 juin 1987 : *Portrait à la coiffe rouge* 1984, h/t (199x122) : **FRF 30 000** – Paris, 29 jan. 1988 : *Portrait* 1984, h/pan. (91x65) : **FRF 4 000** – Paris, 18 mai 1992 : *Le Miroir* 1989, bronze (88,5x27) : **FRF 6 000** ; *La Boîte de peinture* 1988, bronze (41x54) : **FRF 7 000**.

GARELLA Antonio
Né à Bologne. XIXe-XXe siècles. Italien.
Sculpteur.
Il travailla surtout à Florence.

GARELLI
XVIIIe siècle. Actif à Frain vers 1727. Allemand.
Peintre.

GARELLI Franco
Né en 1909 à Diano d'Alba (Piémont). XXe siècle. Italien.
Sculpteur.
Après des études de médecine, il se consacra uniquement à la sculpture. Il a participé à de nombreuses expositions collectives : à partir de 1948 Biennale de Venise ; Quadriennale de Rome ; 1958 Festival d'Osaka. Il a exposé individuellement pour la première fois en 1936 à Turin, puis en 1957-1958 à Paris, et à Milan en 1963. En 1958, il a obtenu le Prix Carnegie de Pittsburgh.
Il s'est particulièrement attaché au problème de l'intégration véritable de la sculpture et de l'espace environnant, jouant habilement du rapport des vides à l'intérieur de ses sculptures avec les vides extérieurs. Il travaille surtout le métal, et a réalisé d'importantes sculptures monumentales, dont l'une s'intègre à un monument moderne de Turin.
Bibliogr. : In : *Nouveau Diction. de la sculp. mod.*, Hazan, Paris, 1970.
Ventes Publiques : Rome, 22 mai 1984 : *L'Amica* 1960, bronze (H. 30) : **ITL 3 000 000** – Rome, 20 mai 1986 : *Figure au miroir* 1962, fer, relief (45x49) : **ITL 3 000 000** – Milan, 20 mai 1996 : *Sans titre* 1957, sculpt. en fer (87,5x34x14,5) : **ITL 5 750 000**.

GARELLI Sonia
Née le 29 février 1956 à Paris. XXe siècle. Française.
Sculpteur. Abstrait.
Elle fut élève de Jacques Delahaye à l'École des Beaux-Arts de Paris, puis elle reçut les conseils de Stanislas Lélio. Elle expose à Paris, annuellement au Salon des Réalités Nouvelles, depuis 1980.
Elle a élaboré à son usage propre une méthode de travail et les matériaux appropriés. D'une part, elle réalise des sculptures de très petites dimensions (de 30 à 50 centimètres), qu'elle considère comme des œuvres à part entière, et qui lui permettent une grande liberté d'investigations diverses, sculptures monumentales en miniatures dont elle conserve et augmente l'ensemble de la collection au titre de musée intime. D'autre part, pour la réalisation des œuvres de grande dimension (en général 1 mètre 50), elle en élabore les formes en une sorte de stuc : à partir de feuilles de bois déroulé, qu'elle découpe, assemble, tisse et tresse, elle entoile l'ensemble, lorsqu'elle a atteint le résultat voulu, enduit l'entoilage afin d'en unifier les volumes et les peint de sortes de patines discrètes, phase finale de la création d'une sculpture extrêmement maniable, puisque faite de matériaux légers et creuse à l'intérieur. Dans sa première phase de mise en place de la structure en bois déroulé, cette méthode de travail par strates lui offre une grande disponibilité des solutions qui se proposent au cours de la conception. Chacune de ses sculptures, abstraites et pourtant évocatrices comme de silhouettes déjà rencontrées, élégantes toujours, lui est reflet métaphorique d'autre chose, un moment vécu, et chacune s'inscrit dans une suite de matérialisations de ces moments, ainsi en 1988-1989 : la série des six pièces *Les coloquintes*, en 1990-1991 : la série des treize pièces des *Girame*. ■ J. B.

GARELLI Tommaso d'Alberto, appelé aussi **Masacodo**
XVe siècle. Actif à Bologne. Italien.
Peintre.

GAREMYN Jan Anton ou **Gaeremyn**
Baptisé le 15 avril 1712 à Bruges. Mort le 23 juin 1799. XVIIIe siècle. Éc. flamande.
Peintre de compositions religieuses, sujets allégoriques, scènes de genre, paysages, graveur, dessinateur.
Il eut pour maîtres R. Aerts, L. Roons, J. Beernaert, Ypres et Mathias de Visch. En 1756, il fut nommé professeur à l'Académie des Beaux-Arts de Bruges. Il est probablement le même que le peintre Jean-Baptiste Garemyn qui exposa au Salon de Lille, en 1779 et en 1786, une *Marine* et un *Paysage*, les deux avec personnages.
Il a exécuté de nombreux tableaux pour des églises, notamment un tableau d'autel à Saint-Martin de Courtrai. Peintre dans le goût du XVIIIe siècle, il faisait des chinoiseries et turqueries ainsi que des images folkloriques dans un coloris frais et brillant et une touche rapide.
Musées : Bruges : deux paysages – Lille : deux paysages – *Portrait d'ecclésiastique*.
Ventes Publiques : Paris, 5 déc. 1891 : *Promenade au château* : **FRF 775** – Paris, 20 mars 1924 : *Le joueur de luth*, sanguine,

études : **FRF 3 900** ; *Le joueur de vielle*, sanguine, études : **FRF 4 800** – PARIS, 23 nov. 1927 : *Le joueur de biniou ; Le joueur de viole*, deux sanguines : **FRF 4 300** – PARIS, 15 mars 1935 : *Suite de cinq compositions : enfants allégoriques* : **FRF 5 100** – PARIS, 6 déc. 1935 : *Suite de cinq compositions décoratives : Enfants dans des paysages fleuris* : **FRF 2 500** – PARIS, oct. 1945-Juillet 1946 : *Scène de Sabbat* 1750 : **FRF 9 600** – BRUGES, 5 nov. 1966 : *Groupe d'angelots jouant près d'une fontaine* : **BEF 80 000** – GARGRAVE, 26 oct. 1982 : *Kermesse villageoise*, h/pan. (27x36) : **GBP 5 500** – PARIS, 25 nov. 1985 : *La marchande de gâteaux*, h/t (94x117) : **FRF 60 000** – LONDRES, 5 juil. 1989 : *Putti jouant avec des guirlandes de fleurs dans un paysage*, h/t (58x138) : **GBP 4 620** – LONDRES, 12 déc. 1990 : *Fête villageoise à Dudzele près de Bruges avec un château au fond* 1773, h/t (250x480) : **GBP 49 500** – PARIS, 26 avr. 1991 : *Allégorie du goût*, h/t (74x181,5) : **FRF 26 000** – PARIS, 19 nov. 1992 : *Trois études de main*, sanguine (18x29) : **FRF 5 200** – PARIS, 27 mars 1996 : *Conversation villageoise au bord du lac*, h/t (46,5x55,5) : **FRF 17 500** – AMSTERDAM, 6 mai 1996 : *Pêcheurs vendant leur prise devant une maison près de la plage*, h/t (97x135) : **NLG 20 060** – AMSTERDAM, 12 nov. 1996 : *Lion à la patte levée* 1742, craies noire et blanche/pap. bleu, étude (27,3x19) : **NLG 1 298**.

GAREN Georges Félix

Né le 24 février 1854 à Paris. XIXe siècle. Français.

Graveur.

Élève de Boussard, de E. Yon et Guignolet. Sociétaire des Artistes Français depuis 1891. Mention honorable en 1883 ; médaille de troisième classe 1902, deuxième classe 1906.

GARET Jedd

Né en 1955. XXe siècle. Américain.

Peintre de sujets divers.

VENTES PUBLIQUES : NEW YORK, 1er nov. 1984 : *Sans titre* 1979, acryl./t. (182,8x137) : **USD 17 000** – NEW YORK, 1er mai 1985 : *Vase blanc* 1983, acryl./t. (266,5x213,5) : **USD 15 000** – NEW YORK, 3 mai 1985 : *Another party* 1980, cr. coul. (73,6x58,5) : **USD 1 500** – NEW YORK, 13 nov. 1986 : *Fire Toga* 1981, acryl./bronze (117,5x80x17,8) : **USD 10 000** – NEW YORK, 5 mai 1987 : *Portrait NP II* 1979, techn. mixte/pap. (127x96,5) : **USD 3 500** – NEW YORK, 5 oct. 1989 : *« Mom and Dad »* 1983, acryl./t. (185,5x144,7) : **USD 3 850** – NEW YORK, 21 fév. 1990 : *Végétation grimpante* 1981, acryl./t. (115,6x43,9) : **USD 1 100** – NEW YORK, 23 fév. 1990 : *Bain solitaire* 1985, h/t (61x91,5) : **USD 3 300** – LONDRES, 22 fév. 1990 : *Gemmes empoisonnées* 1985, h/t (185x145) : **GBP 4 400** – NEW YORK, 6 nov. 1990 : *Sculpture moderne* 1979, acryl./rés. synth. (137,1x106,7x8,9) : **USD 2 640** – NEW YORK, 27 fév. 1992 : *La pièce suivante* 1980, h/t (diam. 106,7) : **USD 825** – NEW YORK, 9 mai 1992 : *Le vase noir* 1985, acryl./t. découpée (185,1x144,5) : **USD 1 980** – NEW YORK, 30 juin 1993 : *Elle* 1987, acryl./t. (185,4x144,1) : **USD 4 600** – NEW YORK, 24 fév. 1994 : *Glissement* 1981, acryl./t. (185,7x144,8) : **USD 5 750**.

GARF Salomon

Né le 6 décembre 1879 à Amsterdam. Mort en 1943. XXe siècle. Hollandais.

Peintre de scènes de genre, natures mortes.

MUSÉES : BUCAREST (Mus. Simu) : *Paysanne de Laren*.

VENTES PUBLIQUES : AMSTERDAM, 30 oct. 1991 : *Nature morte aux livres, tournesols dans un vase de terre cuite, bougie et statuette sur une table*, h/t (48x63,5) : **NLG 1 495** – AMSTERDAM, 28 oct. 1992 : *Paysanne près de la cheminée dans une ferme* 1925, h/t (59x49) : **NLG 1 725** – AMSTERDAM, 9 nov. 1993 : *Bébé écoutant sa mère jouer du piano*, h/t (57x49) : **NLG 5 520** – PARIS, 25 avr. 1996 : *Nature morte à la pipe*, h/pan. (34x44) : **FRF 4 000** – AMSTERDAM, 5 nov. 1996 : *Nature morte aux raisins, pêches et cruchon sur une table*, h/t (31,5x46) : **NLG 3 540**.

GARFBEECK A. Van

XIXe siècle. Hollandais.

Peintre de genre.

Le Musée de Cape-Town conserve de lui : *Famille Hollandaise*.

GARFINKIEL David

Né le 31 juillet 1902 en Pologne. Mort en 1970. XXe siècle. Actif et depuis 1932 naturalisé en France. Polonais.

Peintre de sujets de genre, natures mortes.

Il a étudié à Varsovie et Cracovie avant de venir en France dont il prend la nationalité en 1932. Il a exposé au Salon d'Automne et au Salon des Indépendants, à Paris.

Ses toiles figuratives décrivent une réalité poétisée teintée d'expressionnisme.

VENTES PUBLIQUES : VERSAILLES, 8 fév. 1981 : *Le rabbin et sa chèvre*, h/t (55x46) : **FRF 2 500** – PARIS, 20 mars 1988 : *L'orchestre juif*, h/t (55x46) : **FRF 5 500** – PARIS, 20 mars 1988 : *L'orchestre juif*, h/t (55x46) : **FRF 5 500** – PARIS, 8 avr. 1990 : *Nature morte aux fleurs et aux fruits*, h/t (60x73) : **FRF 10 500** – PARIS, 27 mars 1994 : *Le 14-Juillet au Sacré-Cœur*, h/t (81x65) : **FRF 5 800** – PARIS, 16 oct. 1996 : *Les Jeunes Filles à l'oiseau rouge*, h/t (60x73) : **FRF 13 800** – PARIS, 24 nov. 1996 : *Bouquet de fleurs*, h/t (55x46) : **FRF 4 100** – PARIS, 10 mars 1997 : *Paysage*, h/pan. (45x53) : **FRF 7 600**.

GARGALLI Filippo

XVIIIe siècle. Actif à Bologne. Italien.

Peintre.

Il fut élève de Pedretti et de Crescimbeni.

GARGALLO Luis

Né au XIXe siècle à Valence. XIXe siècle. Espagnol.

Sculpteur.

GARGALLO Pablo

Né en 1881 à Maella (Aragon). Mort en 1934 ou 1939 à Reus (région de Tarragone). XXe siècle. Depuis 1925 actif en France. Espagnol.

Sculpteur.

À partir de 1898, il est élève de l'École des Beaux-Arts de Barcelone. À cette époque, il fréquente le cabaret Quatre Gats, où se retrouve la bohème intellectuelle, et y rencontre Picasso. Une bourse de voyage obtenue en 1902 lui permet de prendre contact avec Paris, dont la vie artistique le fascine. Il doit cependant regagner l'Espagne où il vivra, à Madrid, dans la fréquentation des chefs-d'œuvre du Prado jusqu'en 1915, à l'exception d'un second séjour à Paris, en 1911, au cours duquel il reçoit le choc des premières œuvres cubistes de Picasso (dont il fait le portrait), et voit aussi des sculptures nègres. En 1917, il est nommé professeur de Bells Officis. C'est en 1925 qu'il vient se fixer définitivement à Paris.

Il a exposé à Paris, au Salon d'Automne, dont il fut sociétaire, au Salon des Tuileries et au Salon d'Automne. Il a souvent exposé à l'étranger, particulièrement à Bruxelles, Darmstadt, Stockholm et Venise. Des expositions personnelles lui ont été consacrées, notamment : 1981 Madrid, Paris, Musée d'Art Moderne de la Ville ; 1986 Saragosse ; 1989, 1993 Paris, Galerie Marwam Hoss. En 1995, le Centre culturel de l'Isle-sur-la-Sorgue a montré une exposition d'ensemble de son œuvre.

L'art très personnel de Gargallo a pu être influencé par les recherches transcendentales de ses amis français et espagnols installés avant lui à Paris, qui représentent alors l'avant-garde. Mais il est à considérer que si loin qu'ait porté la curiosité intellectuelle de cet artiste cultivé, jamais il n'a rompu avec la réalité, du moins pas assez pour prévoir même cet art dit abstrait dont il n'eut pas le temps de voir l'épanouissement. À ses débuts, il réalisa de très nombreuses sculptures, de sujets religieux ou allégoriques, pour des bâtiments publics de Barcelone, dans un style classique ou 1900. Une passion d'humanité persiste dans ses figures aussi peu rationnelles que cette *Étude pour un prophète* qui fut si souvent reproduite. Gargallo qui s'attaqua aux matières les plus dures fut un des plus émouvants tailleurs de pierre. Il n'a pas plu à Gargallo de mener une carrière parallèle d'esthéticien. Il a cependant écrit et l'on pourrait tirer de ces rares pages de curieuses citations, telles que ceci, adressé aux peintres : « Vous manquez de noir ? Prenez du blanc. » Si dans ses sculptures en pierre, il demeura naturaliste, assez près de Maillol, moins massif et plus sinueux, c'est toutefois par l'invention qu'il montra dans ses réalisations en métal qu'il se place parmi les grands créateurs de l'art moderne. Dans ces techniques où il utilisa de minces rubans de métal, fer, plomb, cuivre, il commença, vers 1911-1913, à exécuter des masques, inspirés d'assez près des masques nègres qu'il avait pu voir. Ayant fabriqué préalablement des « patrons » en carton de chacune de ses pièces, il reportait les formes sur des feuilles de métal qu'il découpait ensuite puis soudait. Dans ces premières œuvres, on trouve déjà cette élégante virtuosité des découpes, plus démonstrative que profonde, et qui fait que, malgré leurs immenses qualités, ces masques parfois paraissent « datés ». De sa seconde époque parisienne, à partir de 1923, on cite des œuvres plus complètes, mais qui obéissent aux mêmes structures : *Le Christ en croix* de 1923, *Danseuse* de 1924, *Arlequin à la flûte* de 1927-1932, *Bacchante et Antinoüs* de 1932, *Le Prophète* de 1933. N'ayant pu ou plus voulu simplement voulu se détacher d'une conception classique de la forme dans son essence, les virtuosités techniques qu'il déploie, quand il ne travaille plus la pierre ou le marbre, mais le métal, restent au niveau de l'ajouté et du décoratif. On ne peut ignorer cependant qu'à l'intérieur de la technique du métal, il a innové quantité de trouvailles qui ont préparé la voie à Julio Gonzales et aux futurs créateurs de la sculpture métallique moderne. Joseph-Émile Muller en dit : « Il remplace le volume tantôt par un creux ou une surface plane, tantôt par un vide que circonscrit une ligne, il traduit volontiers le convexe par le concave, la forme fermée par une forme ouverte, ce qui est palpable par ce qui n'est que suggéré... »

■ J. B.

P-Gargallo

Bibliogr. : Pierre Courthion : *Gargallo*, Skira, Genève, 1937 – Joseph-Émile Muller, in : *Nouveau Diction. de la sculpture moderne*, Hazan, Paris, 1970 – Catalogue de l'exposition *Pablo Gargallo*, Palacio de Cristal, Madrid, 1981 – in : *L'art du xxe s*, Larousse, Paris, 1991 – in : *Diction. de l'art moderne et contemporain*, Hazan, Paris, 1992.

Musées : Anvers – Baltimore – Barcelone (Mus. d'Art Mod.) : *Bacchante* 1932 – Madrid – Paris (Mus. d'Art Mod.) : *Arlequin à la flûte* 1927-1932 – *Prophète* 1933 – Saragosse (Mus. Gargallo).

Ventes Publiques : Paris, 24 fév. 1934 : *Masque*, bronze : **FRF 700** – Paris, 24 nov. 1967 : *Masque aux cheveux* : **FRF 9 000** – New York, 4 avr. 1968 : *Tête de jeune fille* : **USD 4 250** – Londres, 4 avr. 1974 : *Picador*, cuivre : **GBP 4 800** – Londres, 1er juil. 1980 : *Nu debout* 1908, bronze (H. 24,3) : **GBP 2 200** – New York, 4 nov. 1982 : *Masque de Kiki de Montparnasse* 1928, bronze ciselé, patine or (H. 20,5) : **USD 13 000** – Londres, 6 déc. 1983 : *L'Homme à la fleur* 1907, bronze (H. totale 62) : **GBP 5 000** – Paris, 19 mars 1985 : *Espagnole à la mantille* 1930, cuivre, patine noire (H. 46) : **FRF 460 000** – Paris, 22 nov. 1988 : *Maternité* 1922, bronze à patine brune nuancée verte (H. 32) : **FRF 510 000** – Londres, 29 nov. 1988 : *Tête d'homme* 1927, fer soudé (H. 25,1) : **GBP 93 500** – Paris, 1er fév. 1989 : *Mère et enfant* 1924, encre (25x21) : **FRF 19 000** – Londres, 26 juin 1989 : *Danseuse* 1934, cuivre soudé (h. 78) : **GBP 264 000** – Londres, 26 juin 1990 : *Hommage à Marc Chagall*, bronze (H. 38) : **GBP 55 000** – New York, 14 nov. 1990 : *Masque de Greta Garbo aux cils* 1930, fer (27,4) : **USD 297 000** – Londres, 2 déc. 1991 : *La tragédie* 1915, feuille de fer (H. 35) : **GBP 77 000** – New York, 11 nov. 1992 : *Picador*, fer battu (H. 24,1) : **USD 154 000** – New York, 10 mai 1993 : *L'éternelle Méditerranée*, encre/pap./cart. (13,4x21,3) : **USD 1 380** – New York, 4 nov. 1993 : *Petite danseuse* 1925, fer soudé (H. 34,9) : **USD 233 500** – Paris, 24 nov. 1993 : *Masque d'homme*, cuivre découpé (H. 11,4, l. 8,2) : **FRF 230 000** – New York, 12 mai 1994 : *L'homme à la fleur*, bronze (H. 62,2) : **USD 31 050** – Paris, 13 juin 1994 : *Dormeuse* 1924, pierre, pièce unique (H. 30, L. 59, prof. 42) : **FRF 220 000** – New York, 8 mai 1995 : *David jouant de la lyre*, bronze (H. 52,1) : **USD 68 500** – Londres, 29 nov. 1995 : *David*, bronze (H. 52,7) : **GBP 32 000** – Paris, 7 déc. 1995 : *Espagnole à la mantille* 1930, cuivre à patine vert foncé (46x42x19,5) : **FRF 790 000** – New York, 14 nov. 1996 : *Petite danseuse* vers 1925, cuivre soudé (H. 36,2) : **USD 178 500** – Paris, 23 nov. 1997 : *La Petite Faunesse* 1908, bronze patiné (H. 25) : **FRF 112 000**.

GARGAULT Antoine ou **Garnault**

xviie siècle. Actif à Bourges. Français.

Sculpteur.

Il fit : les armoiries de Bourges et celles du maire sur les remparts (1610), le portail de l'église des Pères Minimes (1619), les armes du roi, celles de M. le Prince, celle de la ville, du maire et des échevins sur le portail nouvellement rebâti de Saint-Privé (1622), une galerie à l'ancien Hôtel de Ville (aujourd'hui petit collège), avec son confrère Lejuge (1622-1623), la surélévation de la tour de ce monument, un perron de pierre et un clocher de bois au couvent des Carmes, et une figure de pierre à l'Hôtel de Ville (1625), enfin une *Notre Dame* et deux armoiries au portail d'Auron (1630-1631).

GARGAULT François ou **Garnault**

xvie-xviie siècles. Français.

Sculpteur.

La ville de Bourges chargea cet architecte, en 1599, de faire une croix en pierre, avec un crucifix et les armes de Bourges ; ce monument, fut placé à Moult-Joye, lieu où les habitants de Bourges avaient vaincu les Anglais, au xve siècle. En 1613, il répara, dans le faubourg de Saint-Privé, la fontaine de Saint-Firmin et exécuta, en 1620, une croix sur l'emplacement des arènes, avec Antoine Gargault, sans doute son frère.

GARGIOLI Clemente

xviie siècle. Actif à Rome. Italien.

Sculpteur.

Il exécuta en 1623 le tombeau du cardinal Sfondrato.

GARGIOLI Francesco

Né à Settignano. xvie siècle. Italien.

Sculpteur.

Il travailla surtout à Florence.

GARGIOLI Giovanni

xvie siècle. Actif à Florence. Italien.

Sculpteur sur bois.

Il travailla dans plusieurs couvents et églises florentins. C'est probablement le même que l'on trouve à Pise, en 1592.

GARGIULIO Domenico, appelé aussi **Micco Spadaro**

Né entre 1609 et 1612 à Naples (Campanie). Mort en 1675 ou 1679. xviie siècle. Italien.

Peintre de compositions religieuses, figures, paysages.

À l'exception d'un court voyage à Rome vers 1630, il vécut et travailla exclusivement à Naples. Élève d'Aniello Falcone, il rencontra dans son atelier Salvador Rosa qui l'influença à la fois dans les paysages et les personnages. Plus tard Filippo Napoletano et Johann Heinrich Schönfeld jouèrent un rôle important dans l'évolution de son style. On retrouve également l'influence de la composition des gravures de Jacques Callot dans certaines scènes de la Passion du Christ. Il orna aussi des vues d'architecture de son ami Viviani Codagora et réalisa de petits personnages dans le style de Della Bella.

Musées : Genève (Fol) : *Le port d'Ostie* – Naples : *Moïse faisant jaillir l'eau du rocher* – *Adoration des bergers* – *Martyre de saint Sébastien* – *Mort d'Absalon* – *Saint Onofrio au désert* – *Saint Paul et saint Antoine* – *Bataille entre Juifs et Amalécites* – Paris (Mus. du Louvre) : *Combat* – Rome (Borghèse) : *Buveur napolitain* – Vienne : *Deux combats romains*.

Ventes Publiques : Milan, 23 nov. 1972 : *Cavalier* : **ITL 7 500 000** – Londres, 29 juin 1974 : *Paysage boisé* : **GNS 2 500** – Milan, 25 nov. 1976 : *Martyre de Saint Bartholomé*, h/t (126x179) : **ITL 8 000 000** – Londres, 27 mai 1977 : *Agar et Ismaël*, h/t (54,6x71) : **GBP 1 400** – Rome, 27 mars 1980 : *Saint Paul à Malte*, h/t (48x74) : **ITL 2 800 000** – Londres, 10 déc. 1986 : *L'Immaculée Conception*, h./améthyste/ardoise, de forme octogonale (15,5x12,5) : **GBP 11 500** – Monte-Carlo, 3 avr. 1987 : *La Conversion de saint Paul ; L'Appel de saint Pierre et saint André*, h/t, une paire (87,5x118,5) : **FRF 380 000** – Milan, 4 avr. 1989 : *Le martyre de saint Laurent*, h/t (50x72) : **ITL 9 500 000** – Londres, 5 juil. 1989 : *Le sacrifice d'Elie sur le Mont Carmel*, h/t (131x183) : **GBP 63 800** – Rome, 8 mars 1990 : *Le déluge universel*, h/t (50x76) : **ITL 16 000 000** – Londres, 11 avr. 1990 : *La récolte de la manne*, h/t (104x125) : **GBP 143 000** – Milan, 5 juin 1990 : *Capriccio avec vue d'un port imaginaire avec des ruines et des personnages*, h/t (76,5x111) : **ITL 110 000 000** – New York, 30 mai 1991 : *Le chemin de Croix*, h/t (124,5x178) : **USD 23 000** – Londres, 8 juil. 1992 : *David avec la tête de Goliath (portrait de Salvator Rosa)*, h/t (110,5x78,7) : **GBP 22 000** – New York, 14 jan. 1993 : *Abraham et les trois anges*, h/t (64,4x50,4) : **USD 18 700** – Milan, 19 oct. 1993 : *Cour et jardins d'un palais avec des personnages*, h/t (74x63) : **ITL 52 900 000** – Milan, 31 mai 1994 : *Paysage avec un port et des ruines*, h/t (75x126) : **ITL 63 250 000** – Rome, 22 nov. 1994 : *Abraham et les trois anges*, h/t (125x207) : **ITL 92 000 000** – Londres, 19 avr. 1996 : *Le sacrifice de Noah*, h/t (105,4x137,5) : **GBP 14 950** – Londres, 18 avr. 1997 : *Le Martyre de sainte Laurence*, h/t (104x131,7) : **GBP 41 100**.

GARGIULLO Antonio

xixe siècle. Italien.

Peintre de genre, aquarelliste. Orientaliste.

Il a profité de l'engouement pour la culture islamique à la fin du xixe siècle, pour peindre, souvent à l'aquarelle, des scènes typiques orientalisantes.

Bibliogr. : Caroline Juler, in : *Les orientalistes de l'école italienne*, ACR Édition, Paris, 1994.

GARGIULO Francesco

Né en 1601 à Nocera. xviie siècle. Italien.

Peintre.

GARGIULO Oronzio

Né en 1869 à Lecce. Mort en 1906. xixe-xxe siècles. Actif à Naples. Italien.

Sculpteur de portraits.
Il exposa à Paris, Bruxelles, Berlin et Barcelone.
Ventes Publiques : Milan, 14 juin 1995 : *Tête de jeune garçon*, bronze (H. 30) : **ITL 2 530 000**.

GARGOT Jean
XVIIe siècle. Actif à Poitiers. Français.
Sculpteur sur bois.
Le Musée de Poitiers possède une œuvre de cet artiste.

GARGOUROMIN-VERONA Arthur
Né au XIXe siècle en Roumanie. XIXe siècle. Roumain.
Peintre de portraits et de genre.
Il obtint une médaille de bronze 1900 (E. U.).

GARGURICH-OHMULEVICH Pietro. Voir **OHMUCEVIC-GRGURIC Peter**

GARIAZZO Pier Antonio
Né en 1879 à Turin. Mort en 1935. XXe siècle. Italien.
Peintre, graveur.
Il eut pour professeurs Bruschi et Vitalini à l'Académie des Beaux-Arts de Rome.
Ventes Publiques : Amsterdam, 5 juin 1990 : *Monique la danseuse* 1935, h/cart. (64x59) : **NLG 1 092** – Lokeren, 9 déc. 1995 : *Deux nus* 1935, h/pan. (89x110) : **BEF 30 000** – Paris, 25 juin 1996 : *Danseuses balinaises*, h/pan. (49x75) : **FRF 35 000**.

GARIBALDI Domenico
Né en 1676 à Gênes. Mort le 10 septembre 1756. XVIIIe siècle. Italien.
Sculpteur.
Il fut élève de Parodi.

GARIBALDI Guilliam
XVIIe siècle. Actif à Anvers au début du XVIIe siècle. Éc. flamande.
Peintre.

GARIBALDI Joseph
Né le 12 mai 1863 à Marseille (Bouches-du-Rhône). XIXe-XXe siècles. Français.
Peintre de paysages animés, paysages d'eau, paysages, marines.
Il étudia dans l'atelier de Jacques Antoine Vollon, à Paris. Puis, il s'établit dans sa ville natale. Dès 1884, il exposa au Salon des Artistes Français. Il obtint une mention honorable, en 1887 ; une médaille de deuxième classe, en 1897, année où il devint sociétaire.
Peintre essentiellement méridional, il réalisa des vues pittoresques de villes et de ports de Provence, des paysages de la campagne au-dessus de Cassis ou de Bandol, ainsi que des marines. Parmi ses œuvres, on cite : *Entrée du port de Marseille – Ancienne paroisse à Cassis – Un village de Provence – Bord de mer*.
Bibliogr. : Gérald Schurr, in : *Les Petits Maîtres de la peinture 1820-1920, valeur de demain*, Les Éditions de l'Amateur, t. III, Paris, 1976.
Musées : Aix-en-Provence (Mus. Granet) : *Port d'Aude* – Arras : *La cathédrale d'Albi* – Avignon : *Deux vues de Marseille* – Béziers : *Vieille maison à Brest* – Compiègne : *Vue de Cassis* – Tourcoing : *Vue de Bandol – Ancienne paroisse à Cassis*.
Ventes Publiques : Paris, 23 mai 1900 : *Le vieux port de Marseille* : **FRF 340** – Paris, 2 juil. 1980 : *Le vieux port de Marseille*, h/t (81x59) : **FRF 14 100** – Versailles, 7 nov. 1982 : *L'église et son village* 1890, h/t (110x75) : **FRF 8 000** – Paris, 23 mars 1988 : *Port de pêche du midi*, h/t (130x194) : **FRF 90 000** – New York, 24 oct. 1989 : *Un village de Provence*, h/t (104x70) : **USD 6 050** – Versailles, 19 nov. 1989 : *Le village* 1891, h/t (38x46) : **FRF 9 000** – Londres, 28 mars 1990 : *Vue de Marseille*, h/t (55x65) : **GBP 9 900** – Paris, 25 nov. 1990 : *Promeneurs aux abords du village*, h/t (46x55) : **FRF 8 200** – Neuilly, 11 juin 1991 : *Bord de mer*, h/t (21x32) : **FRF 10 600** – Paris, 22 juin 1992 : *Entrée du port de Marseille*, h/t (46x61) : **FRF 25 000** – Paris, 10 fév. 1993 : *Paysage méditerranéen*, h/t : **FRF 50 000** – New York, 12 oct. 1994 : *Vue de la cathédrale d'Auxerre*, h/t (120x161,4) : **USD 26 450**.

GARIBALDO Marco Antonio
Né le 21 juin 1620 à Anvers. Mort avant le 19 octobre 1678. XVIIe siècle. Éc. flamande.
Peintre d'histoire.
Il appartenait à une famille d'origine italienne qui s'était fixée à Anvers au XVIe siècle. Franc-maître en 1652. Il a travaillé en Italie. Le Musée d'Anvers conserve de lui : *La Fuite en Égypte*.

Marc.Antoin Gri...

GARIBBO Luigi
Né en 1784 à Gênes. Mort en janvier 1869 à Florence. XIXe siècle. Italien.
Peintre.
Il fut à partir de 1859 membre d'honneur de l'Académie de Gênes.

GARIBOLDI Gaetano
Né le 8 novembre 1815 à Milan. Mort le 11 juillet 1857 à Milan. XIXe siècle. Italien.
Peintre de paysages.
Il fut élève de Bisi et de Sabatelli.

GARIGUE
XVIIe siècle. Français.
Portraitiste.
Le Musée d'Avignon conserve de lui le *Portrait de Charles de Siffredy de Mirnas*.

GARIN
XIVe siècle. Actif à Troyes en 1367. Français.
Peintre de miniatures.

GARIN Alexei
Né en 1961 à Nijni-Novgorod. XXe siècle. Russe.
Peintre de compositions animées.
Il fréquenta l'École Sourikov de Moscou où il travailla sous la direction de Perednin.
Musées : Krasnodar (Mus. d' Art Contemp.) – Moscou (min. de la Culture) – Pskov (Mus. des Beaux-Arts).
Ventes Publiques : Paris, 26 avr. 1991 : *La chasse à l'ours*, h/t (71,2x100) : **FRF 6 900** – Paris, 27 jan. 1992 : *Scène de la vie villageoise*, h/t (60x80) : **FRF 5 100**.

GARIN Jean Baptiste Joseph Léon
Né le 2 mars 1822 à Paris. XIXe siècle. Français.
Peintre d'histoire et de genre.
Il entra à l'École des Beaux-Arts le 6 octobre 1847 et devint l'élève de Picot et d'Yvon. Au Salon, il figura de 1849 à 1859. Le Musée de Nice possède de cet artiste : *Le lac de Garde* et *Entrée du port de Nice*, et le Musée de Vire : *Assassinat de Thomas Becket*.

GARIN Louis
Né le 23 juin 1888 à Rennes (Ille-et-Vilaine). Mort le 13 octobre 1959 au Val d'Iré (Ille-et-Vilaine). XXe siècle. Français.
Peintre de paysages, sujets typiques, illustrateur.
Exposant à la Société Nationale des Beaux-Arts, à Paris, cet artiste, aussi bien dans son œuvre peint que dans les ouvrages folkloriques qu'il a illustrés, est uniquement un chantre de la Bretagne.
Ventes Publiques : Saint-Brieuc, 7 avr. 1980 : *La ronde devant la mer*, h/t (81x116) : **FRF 2 800** – Brest, 15 mai 1983 : *Ravaudage des filets, Golfe du Morbihan*, h/t (77x205) : **FRF 5 800** – Paris, 19 juin 1989 : *La vie rurale en Bretagne*, h/t (90x190) : **FRF 15 000**.

GARINE Viatcheslave
Né à Nikolaïeff (Russie). XXe siècle. Actif en France. Russe.
Sculpteur.
À partir de 1925, il a exposé ses sculptures sur bois, à Paris, au Salon des Artistes Indépendants.

GARINEI Giovanni
Né en 1846 à Florence (Toscane). XIXe siècle. Italien.
Peintre de sujets de genre.
Il étudia d'abord avec le professeur Henri Andreotti, et ensuite entra à l'Académie des Beaux-Arts. Il prit part en 1900 au concours Alinari avec son tableau : *Beatam me dicent omnes generationes*.
Ventes Publiques : Chester, 22 juil. 1983 : *La danse au tambourin*, h/t (59,5x90) : **GBP 820** – Londres, 21 nov. 1997 : *Dans l'atelier de Raphaël*, h/t (78x133) : **GBP 4 600**.

GARINO Angelo
Né le 27 août 1860 à Turin (Piémont). Mort en 1945 à Nice (Alpes-Maritimes). XIXe siècle. Italien.
Peintre de sujets religieux, scènes de genre, portraits, paysages, fleurs, pastelliste.
Il fut élève de l'Académie Albertina à Vienne. Il débuta vers 1884.

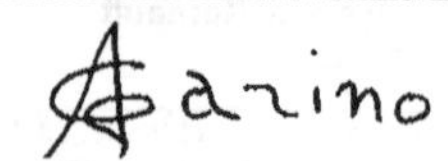

Ventes Publiques : Londres, 29 nov. 1984 : *Fillette avec son*

chien, past. (140x94) : **GBP 5 000** – LONDRES, 25 mars 1987 : *Portrait de jeune fille* 1898, past. (135x91) : **GBP 5 000** – NEW YORK, 19 mai 1987 : *Cygnes dans un paysage au lac*, h/t (93x115,5) : **USD 6 500** – MONACO, 17 juin 1988 : *Hortensias* 1914, h/t (65x81) : **FRF 19 980** ; *Vue de l'arrière pays niçois* 1900, aquar. (63,5x91) : **FRF 9 990** – MILAN, 19 oct. 1989 : *Portrait d'une jeune orientale avec un éventail* 1883, h/t (119x69) : **ITL 17 500 000** – LONDRES, 30 nov. 1990 : *Cueillette de fleurs à Nice* 1905, h/t (64,8x81) : **GBP 11 550** – MONACO, 21 juin 1991 : *Vue des Alpes*, h/t (60x81) : **FRF 49 950** – LONDRES, 17 mars 1993 : *Port méditerranéen* 1908, h/pan. (48,5x64,5) : **GBP 3 450** – MILAN, 29 mars 1995 : *La très Sainte Vierge* 1902, h/t (146,5x89,5) : **ITL 10 350 000** – MILAN, 14 juin 1995 : *Port de pêche en Ligurie* 1908, h/t (50x66,5) : **ITL 14 950 000**.

GARINO Carlo
Né en 1864 à Turin (Piémont). Mort à Nice (Alpes-Maritimes). XIXe siècle. Italien.
Peintre de portraits, paysages.
Il fut élève de l'Académie Albertina. Il séjourna à Naples, où il fut marqué par l'œuvre de Domenico Morelli. Il vint s'établir définitivement à Nice à la fin du siècle dernier. Il exposa dès 1884, à Turin et à Venise.
Il peignit principalement des portraits, dénotant un certain goût pour le drame et la mise en scène. Sa palette limitée au noir, au gris et au rouge sombre confère à ses personnages un caractère austère, en témoignent son *Méphisto* et son *Autoportrait*.
BIBLIOGR. : Gérald Schurr, in : *Les Petits Maîtres de la peinture 1820-1920, valeur de demain*, Les Éditions de l'Amateur, t. V, Paris, 1981.
MUSÉES : TURIN : *Méphisto*.

GARION Charles Louis, appelé aussi **Dumont**
XVIIIe siècle. Actif à Paris en 1784. Français.
Peintre ou sculpteur.

GARIOT Paul Césaire
Né en 1811 à Toulouse (Haute-Garonne). XIXe siècle. Français.
Peintre de portraits, paysages.
Il étudia à l'Académie des Beaux-Arts de Madrid. Revenu en France, il exposa au Salon de Paris, de 1843 à 1880, généralement des sujets religieux. Il obtint une troisième médaille en 1843.
VENTES PUBLIQUES : LONDRES, 14 jan. 1981 : *Paysan au panier de fleurs* 1870, h/t : **GBP 550** – NEW YORK, 23 oct. 1990 : *La boîte à Pandore* 1877, h/pan. (81,3x56,5) : **USD 15 400** – PARIS, 27 nov. 1992 : *Paysage au soleil couchant*, h/pan. (19x27) : **FRF 10 000**.

GARIPUY Jules
Né en 1817 à Toulouse (Haute-Garonne). Mort le 24 janvier 1893 à Toulouse. XIXe siècle. Français.
Peintre d'histoire, scènes de genre, portraits.
Il fut nommé directeur du musée de Toulouse. De 1855 à 1869, il figura au Salon de Paris avec divers sujets.
MUSÉES : TOULOUSE : *Départ d'Attila après le sac d'Aquilée – Invasion des Cimbres – La mort d'Ariane – Le Pantin de bébé – Halte de paysans italiens*.
VENTES PUBLIQUES : NICE, 18 fév. 1981 : *Portrait d'enfant* 1861, h/t (145x102) : **FRF 13 800**.

GARISON François
Né à Rennes. XVIe siècle. Actif vers 1565. Français.
Peintre verrier.
Cité par Siret.

GARLAND Charles Trevor
Né en 1855. Mort en 1906. XIXe siècle. Actif à Londres. Britannique.
Peintre de sujets de genre, paysages, aquarelliste.
Il exposa à Londres, régulièrement à la Royal Academy et à Suffolk Street à partir de 1874. Il prit part également aux Expositions de la New Water-Colours Society.
VENTES PUBLIQUES : LONDRES, 17 juin 1987 : *Drink to me only with thine eyes* 1885, h/t (56x41) : **GBP 4 800** – LONDRES, 15 juin 1990 : *Doddy et ses chiens familiers* 1885, h/t (41,5x29,5) : **GBP 8 250**.

GARLAND H.
XIXe siècle. Actif à Londres. Britannique.
Sculpteur.
Exposa à la Royal Academy de 1867 à 1878.

GARLAND Henry
Né à Winchester. XIXe siècle. Britannique.
Peintre de sujets de genre, animaux, paysages.
Cet artiste éminent exposa à Londres de 1854 à 1890, particulièrement à la Royal Academy, à Suffolk Street et à la British Institution.
MUSÉES : LEICESTER : *Un abri au frais* – SUNDERLAND : *Traversant le gué*.
VENTES PUBLIQUES : PARIS, 21 nov. 1900 : *En route pour le marché* : **FRF 1 500** – LONDRES, 25 jan. 1908 : *Course de bestiaux* 1871 : **GBP 25** – NEW YORK, 1er avr. 1909 : *Bestiaux écossais* : **USD 280** – LONDRES, 21 juil. 1911 : *Paysage d'Écosse* 1877 : **GBP 24** – LONDRES, 6 avr. 1923 : *Accueil douteux* : **GBP 6** – LONDRES, 21 mars 1924 : *Bétail dans les Highlands* : **GBP 14** – LONDRES, 22 juil. 1927 : *Paysage des Highlands* : **GBP 18** – LONDRES, 31 août 1973 : *Pêcheurs sur la plage* : **GBP 450** – LONDRES, 15 oct. 1976 : *Le retour du troupeau* 1877, h/t (49x74) : **GBP 380** – LONDRES, 25 oct. 1977 : *Un quatuor musical*, h/t (49x38,5) : **GBP 750** – LONDRES, 30 mars 1981 : *The rabbit's feast*, h/t (26,5x37) : **GBP 850** – LONDRES, 27 jan. 1986 : *The best of friends* 1892, h/t (50x74) : **GBP 3 200** – TORONTO, 30 nov. 1988 : *Souvenirs*, h/t (47x39) : **CAD 2 200** – SOUTH QUEENSFERRY (Écosse), 1er mai 1990 : *Bovins des Highlands dans un paysage montagneux et brumeux*, h/t (61x91,5) : **GBP 4 180** – LONDRES, 8 fév. 1991 : *Dans la vallée de Glencoe* 1902, h/t (125,5x99,1) : **GBP 3 520** – ÉDIMBOURG, 28 avr. 1992 : *La halte du troupeau* 1895, h/t (51x76) : **GBP 2 750** – NEW YORK, 22-23 juil. 1993 : *Troupeau à Glen Dochart* 1900, h/t (61,6x91,4) : **USD 3 450** – LONDRES, 4 nov. 1994 : *Attention à ses pinces, Jack !*, h/t (76,2x127,9) : **GBP 3 450** – GLASGOW, 16 avr. 1996 : *Troupeau de Highlanders à l'écart de la route* 1895, h/t (75x127) : **GBP 2 070** – NEW YORK, 26 fév. 1997 : *Regroupement de bovins dans les Highlands* 1899, h/t (61x91,4) : **USD 4 370**.

GARLAND Ida
XXe siècle. Française.
Peintre.
Elle figure aux Indépendants depuis 1919.

GARLAND Mollie
Née le 23 juillet 1920. XXe siècle. Britannique.
Peintre.
Elle fit de solides études artistiques en Angleterre. Elle a exposé à la Royal Academy à Londres, ainsi que dans d'autres sociétés artistiques.

GARLAND R.
XIXe siècle. Actif à Londres. Britannique.
Dessinateur de monuments.
On lui doit des vues de Londres et de ses environs.

GARLAND Valentine Thomas
XIXe-XXe siècles. Actif à Winchester. Britannique.
Peintre de scènes de chasse, sujets de genre, animaux, aquarelliste.
Cet artiste, dont les œuvres sont recherchées dans les ventes anglaises, exposa fréquemment à la Royal Academy et à Suffolk Street, à partir de 1884.

Valentine T Garland

VENTES PUBLIQUES : LONDRES, 9 déc. 1907 : *La meilleure viande est celle près des os* : **GBP 7** – LONDRES, 4 déc. 1909 : *Bestiaux des Highlands* : **GBP 2** ; *Paysage d'Écosse* : **GBP 24** – LONDRES, 21 mars 1910 : *Fjord dans les Highlands* : **GBP 15** – LONDRES, 15 juil. 1910 : *Bestiaux écossais* 1899 : **GBP 17** – LONDRES, 22 avr. 1911 : *Jeunes chiens* : **GBP 8** – NEW YORK, 8 juin 1984 : *Trois chiots*, h/t (50,8x40,6) : **USD 2 500** – ÉDIMBOURG, 30 avr. 1986 : *Sept couples de bassets dans un chenil* 1894, h/t (40,6x55,8) : **GBP 7 500** – LONDRES, 23 sep. 1988 : *Un terrier*, h/pan. (25,5x33) : **GBP 3 960** – LONDRES, 14 fév. 1990 : *Hors de portée*, h/t (31,2x24,2) : **GBP 1 430** – LONDRES, 21 mars 1990 : *Chien fatigué*, h/t (33x28) : **GBP 3 300** – LONDRES, 5 juin 1991 : *Partage* 1899, h/pan. (30,5x41) : **GBP 1 760** – LONDRES, 11 oct. 1991 : *Un jeune fox-terrier avec une balle* 1895, h/pan. (24,2x33) : **GBP 1 100** – LONDRES, 12 nov. 1992 : *Jeunes chiens de meute*, h/t (41x30,5) : **GBP 2 750** – PERTH, 31 août 1993 : *Un étranger parmi la meute* 1893, aquar. (24,5x34) : **GBP 2 070** – NEW YORK, 12 avr. 1996 : *Quatre jeunes terriers dans une grange*, aquar./pap. (25,4x19,1) : **USD 4 312** – LONDRES, 7 juin 1996 : *Les Jeunes Chiots*, h/pan. (25,3x20,2) : **GBP 5 800**.

GARLAND William
Mort le 30 août 1882. XIXe siècle. Actif à Winchester. Britannique.

Peintre d'animaux, paysages animés.
Il prit part aux expositions de Londres, de 1857 à 1874, notamment à Suffolk Street et à la Royal Academy.
Ventes Publiques : Londres, 20 juil. 1990 : *Groupe de chiens dans un paysage* 1865, h/t (50,5x60,3) : **GBP 4 620**.

GARLANDI
Italien.
Aquarelliste.
Le Musée de Sydney conserve de lui : *Ruines à Isola Farnèse*.

GARLENDE Raoul de
XVIe siècle. Actif à Rouen. Français.
Enlumineur.

GARLICK Harry G.
XIXe-XXe siècles. Australien.
Peintre de figures, animaux, aquarelliste.
Garlick appartient à l'intéressante et encore mal connue école de jeunes peintres qui, nés en Australie, ou y résidant, s'appliquent à traduire les curieux aspects de cette partie du monde. C'est un fidèle exposant de la Royal Art Society of New South Wales.
Musées : Sydney : *Darby et Joan – Pouliche de Shiels*, aquar.
Ventes Publiques : Sydney, 14 mars 1983 : *« Goldie at Shiels farm »* 1904, aquar. (22x28) : **AUD 650**.

GARLING Henry Bayly
Mort le 4 décembre 1909 à Folkestone. XIXe siècle. Actif à Londres. Britannique.
Peintre de paysages.
Il est surtout connu comme architecte.

GARLONN
Né en Bretagne. XXe siècle. Français.
Peintre de paysages, scènes typiques. Naïf.
Sa peinture décrit, avec un arrière-goût de surréalisme, la Bretagne et son folklore.

GARLUZZO
XIXe siècle. Actif au début du XIXe siècle.
Peintre et dessinateur.
Ventes Publiques : Paris, 13 et 14 déc. 1897 : *Diverses vues de Paris*, dess. : **FRF 27** – Paris, 6 déc. 1946 : *Vue des Galeries du Palais-Royal*, gche : **FRF 60 000**.

GARMEAU Simon
XIVe siècle. Actif à Poitiers. Français.
Sculpteur.
Le duc Jean de Berry le chargea, en 1383, de collaborer à la décoration du château de Poitiers.

GARMEIN
XIXe siècle. Actif à Copenhague vers 1820. Danois.
Peintre sur porcelaine.

GARMINANTI Bartolomeo
XVIe siècle. Actif à Faenza. Italien.
Peintre.

GARMONT Antoine
Né en 1657. Mort le 12 décembre 1687 à Paris. XVIIe siècle. Français.
Sculpteur.

GARNAAS Jorgen Christensen
Né en 1723 à Nes. Mort vers 1803 à Bergen. XVIIIe siècle. Norvégien.
Sculpteur sur bois.
Le Musée de Bergen conserve plusieurs des statuettes de bois ou d'ivoire représentant des paysans norvégiens, qu'exécuta cet artiste.

GARNAIZ
XVe-XVIe siècles. Actif à Paris. Français.
Sculpteur.
Maître-maçon, il fut appelé à Troyes et y fit différents ouvrages en 1503 et 1504.

GARNAUD Achille Charles
Né le 26 janvier 1830 à Paris. XIXe siècle. Français.
Sculpteur.
Élève de A. Toussaint. Il figura au Salon de 1861 à 1873. On cite de lui : *Le Réveil* (statuette en marbre), *L'Enfant et la Bacchante* (groupe en bronze), *L'Enfant au bateau* (statue en bronze).

GARNAUD Antoine Martin
Né le 30 novembre 1796 à Paris. Mort le 19 décembre 1861 à Paris. XIXe siècle. Français.
Architecte et lithographe.
Débuta au Salon en 1831.

GARNAULT Antoine et **François**. Voir **GARGAULT**

GARNELO Y ALDA José Ramon
Né le 25 juillet 1867 à Enguéra. XIXe-XXe siècles. Espagnol.
Peintre d'histoire.
Il obtint une mention honorable en 1896 au Salon des Artistes Français de Paris. A exposé à la Royal Academy de Londres, en 1909 : *Romains faisant des sacrifices dans un sanctuaire ibérien*.
Musées : Madrid (Gal. Mod.) : *Mort de Lucain*.
Ventes Publiques : Madrid, 13 déc. 1973 : *L'abreuvoir* 1897 : **ESP 120 000**.

GARNELO Y ALDA José Santiago
Né le 25 juillet 1866 à Valence. Mort le 28 octobre 1944 à Montilla. XIXe-XXe siècles. Espagnol.
Peintre de sujets divers.
Il est le fils du peintre José Ramon Garnelo y Gonzalvez. Après des études de Philosophie et de Lettres, il fréquenta l'École des Beaux-Arts de Séville, où il eut pour professeur Eduardo Cano de la Pena et Manuel Ussel de Guimbarda. Il étudia ensuite à l'École Supérieure des Beaux-Arts San Fernando de Madrid. En 1888, il est reçu à l'Académie de Rome comme pensionnaire, dans l'atelier de peinture d'histoire. Il a enseigné dans différentes Écoles des Beaux-Arts, notamment à Saragosse et à Séville. Il a participé à de nombreuses expositions en Europe. Il a montré ses œuvres dans des expositions personnelles à Barcelone, Madrid, Paris, Londres, Rome, Bruxelles... Il a reçu de nombreux prix et distinctions.
Il a peint des paysages, scènes de genre, portraits, tableaux d'histoire.
Bibliogr. : In : *Cien anos de pintura en Espana y Portugal, 1830-1930*, Tomo 3, Antiqvaria, Madrid, 1989.

GARNELO Y ALDA Manuel
Né à Montilla. XIXe-XXe siècles. Espagnol.
Sculpteur.
Originaire de la région de Cordoue, il vécut surtout à Madrid. Il exposa dans cette dernière ville et à Rome.

GARNELO Y FILLOL Jaime
XIXe siècle. Espagnol.
Peintre de genre.
La Galerie Moderne de Madrid conserve de cet artiste : *Amis inséparables* et *Si cela ne fait rien*.

GARNER Thomas
Né en 1789 à Birmingham. Mort le 14 juillet 1868 à Birmingham. XIXe siècle. Britannique.
Graveur.
Élève de M. Lines, il contribua, au début du XIXe siècle, à l'illustration d'un grand nombre de journaux qui florissaient alors. Parmi les planches qu'il exécuta pour le *Journal d'Art*, on cite celle de *L'Allegro*, d'après W. E. Frost R. A. Il passa presque toute sa vie dans sa ville natale et y fit un grand nombre de portraits des célébrités locales.

GARNERAY Auguste ou **Garnerey**
Né en 1785 à Paris. Mort en mars 1824 à Paris. XIXe siècle. Français.
Peintre d'histoire, compositions mythologiques, scènes de genre, portraits, paysages, fleurs, aquarelliste, miniaturiste, dessinateur.
Second fils de Jean-François Garneray, il étudia avec son père et le peintre Jean-Baptiste Isabey. Il figura au Salon de Paris, de 1808 à 1824, obtenant une médaille de deuxième classe, en 1812. Il fut nommé peintre du cabinet de la reine Hortense et professeur de dessin de la duchesse de Berry.
Auguste Garneray peignit des portraits et divers épisodes historiques, qui lui valurent les honneurs impériaux, puis royaux ; il est mentionné à plusieurs reprises dans les mémoires de la reine Hortense et ceux de Madame Cochelet. Il dessina également des costumes pour l'Opéra de Paris. Parmi ses œuvres, on mentionne : *Groupe familial dans un intérieur gothique – Napoléon à la tête de son état-major passant boulevard Saint-Martin et Saint-Denis – L'Impératrice Joséphine représentée devant la pièce d'eau d'un château et près d'un grand vase de fleurs*.
Bibliogr. : Gérald Schurr, in : *Les Petits Maîtres de la peinture 1820-1920, valeur de demain*, Les Éditions de l'Amateur, t. VI, Paris, 1985.
Musées : Malmaison (Mus. Nat. du château) : *La Serre chaude* 1814, aquar.

Ventes Publiques : Paris, 27-29 mai 1880 : *Onze portraits d'actrices*, aquar. : **FRF 145** – Paris, 30 mars 1925 : *Sujets mythologiques*, douze compositions pour vignettes au lav. de sépia : **FRF 1 100** – Paris, 2 déc. 1925 : *Portrait d'homme*, miniat. : **FRF 3 700** – Paris, 7 juil. 1927 : *Napoléon à la tête de son état-major passant boulevard Saint-Martin et Saint-Denis* : **FRF 1 650** – Paris, 31 mai-1er juin 1929 : *Projet de pendule*, aquar. : **FRF 1 100** – Paris, 21 oct. 1936 : *L'Impératrice Joséphine représentée devant la pièce d'eau d'un château et près d'un grand vase de fleurs*, aquar. : **FRF 16 500** – Londres, 26 mars 1981 : *Louis XIV mettant Françoise d'Aubigné en possession du marquisat de Maintenon en 1674* 1811, aquar. et cr. (40,5x57) : **GBP 600** – Paris, 30 sep. 1985 : *Intérieur gothique* 1821, aquar. (15x20) : **FRF 19 000** – Londres, 19 juin 1991 : *Dame près d'une balustrade ; Couple sur la tombe d'Abélard*, aquar., une paire (19x16 et 18x17) : **GBP 2 750** – Paris, 20 déc. 1996 : *L'Impératrice Joséphine représentée devant la pièce d'eau d'un château et près d'un grand vase de fleurs* 1813, aquar./velin (27,5x24) : **FRF 370 000**.

GARNERAY Hippolyte Jean-Baptiste

Né le 23 février 1787 à Paris. Mort le 7 janvier 1858 à Paris. xixe siècle. Français.

Peintre d'histoire, paysages, architectures, aquarelliste, graveur, dessinateur.

Il était le troisième fils de Jean-François Garneray et n'eut d'autre maître que lui. En 1819, il obtint une médaille. Le 27 janvier 1852, il fut décoré de la Légion d'honneur. De 1831 à 1858, il figura au Salon avec des sujets divers, mais plus particulièrement avec des paysages.

Bibliogr. : In : Catalogue de l'exposition *1815-1850. Les années romantiques*, Éditions de la Réunion des Musées Nationaux, Paris, 1995.

Musées : Besançon : une aquarelle – Douai : *Portail de l'église Saint-Jacques à Rouen* – Lisieux : *Auxerre : la porte et la tour de Charles le Téméraire* – La Rochelle : *Vue prise de Château-Giron* – Vire : *Paysage*.

Ventes Publiques : Paris, 21 fév. 1919 : *Vue du Vieil Honfleur* : **FRF 800** – Paris, 2-4 juin 1920 : *Église ogivale, Normandie*, aquar. : **FRF 340** – Paris, 19 mars 1924 : *Débarquement de Louis XVIII à Boulogne le 25 avril 1814*, encre de Chine et sépia : **FRF 2 800** – Paris, 11 juin 1924 : *Une ville de Normandie*, aquar. : **FRF 900** – Paris, 27 et 28 nov. 1924 : *L'Arrivée de la Diligence* : **FRF 3 200** – Paris, 23 juin 1925 : *La promenade autour de l'étang, sous Louis XIII, à Fontainebleau* : **FRF 5 500** – Paris, 10 mars 1926 : *La rencontre sous la terrasse du château* : **FRF 3 950** – Paris, 30 nov. 1927 : *Les berges de la Seine, le Pont Royal et le Louvre* : **FRF 1 900** – Paris, 13 déc. 1935 : *Marine* : **FRF 250** – Paris, 17 nov. 1948 : *Arrivée de la diligence* : **FRF 72 000** – Londres, 15 mars 1974 : *Les lavandières au bord de la rivière* : **GNS 1 100** – Paris, 29 avr. 1981 : *Saint-Valéry-en-Caux ; Fécamp*, deux aquar., formant pendants (17,5x28,5) : **FRF 6 500** – Londres, 1er mars 1983 : *Vue d'un port*, aquar. reh. de blanc (12x18,5) : **GBP 400** – Bordeaux, 14 fév. 1985 : *Scènes de rue*, deux aquar. gchées (10,5x13,8) : **FRF 10 000** – Neuilly, 3 fév. 1991 : *Porche d'une église gothique ; Maisons anciennes*, aquar., une paire (chaque 10,2x7,8) : **FRF 6 200** – Paris, 21 mars 1994 : *Port de Normandie*, aquar., une paire (chaque 12x18) : **FRF 5 000** – Paris, 13 juin 1994 : *Rue du Vieux Rouen*, h/t (27x21,5) : **FRF 20 000**.

GARNERAY Jean-François

Né en 1755 à Paris. Mort le 11 juin 1837 à Paris. xviiie-xixe siècles. Français.

Peintre d'histoire, compositions mythologiques, scènes de genre, portraits, intérieurs d'églises, paysages d'eau, paysages, graveur, dessinateur.

Il fut élève de Jacques-Louis David. Il exposa au Salon de Paris, de 1791 à 1835.

Il peignit principalement des intérieurs d'églises, des scènes intimistes et divers épisodes relatant le martyre de Louis XVI. Parmi ses œuvres, on cite : *Madame de Maintenon dans son oratoire – Louis XVI au Temple – Diane de Poitiers demandant à François Ier la grâce de son père – Le duc de Montausier conduisant le grand Dauphin dans une chaumière – Marie Stuart, reine d'Écosse – Portrait d'une femme accordant sa harpe – Portrait de la citoyenne Piersse – La petite gourmande – Maison de la reine Blanche – Retour d'un détenu dans sa famille*. De ses portraits de petits formats à la manière de Jean-Baptiste Isabey, on mentionne : *Charlotte Corday, pendant son interrogatoire – Bailly, maire de Paris, sous la Révolution*. Jean-François Garneray grava aussi de nombreuses compositions illustrant des coutumes et des fêtes dans la Grèce antique.

Bibliogr. : Gérald Schurr, in : *Les Petits Maîtres de la peinture 1820-1920, valeur de demain*, Les Éditions de l'Amateur, t. III, Paris, 1976 – in : Catalogue de l'exposition *1815-1850. Les années romantiques*, Éditions de la Réunion des Musées Nationaux, Paris, 1995.

Musées : Anvers : *Portrait de J.-E. Houssement* – Aurillac : *Roger Ducos* – Azay-le-Ferron : *Fleurs dans un vase et oiseau* – Paris (Mus. Carnavalet) : *Bailly* – Pontoise (Mus. Tavet) : *Portrait de M. Rombour*.

Ventes Publiques : Paris, 1852 : *Dame de la cour de Louis XIII* : **FRF 400** – Paris, 1899 : *Portrait de Madame de Saint-Aubin*, dess. : **FRF 400** ; *Le concert*, dess. : **FRF 1 250** – Paris, 28 juin 1926 : *Napoléon à la tête de son armée passant sur les grands boulevards* : **FRF 2 000** – Londres, 24 avr. 1931 : *Portrait de gentilhomme* : **GBP 12** – Paris, 13 fév. 1941 : *La Lecture abandonnée* : **FRF 66 000** – Paris, 16 avr. 1943 : *La Toilette du Matin* : **FRF 23 000** – Paris, 10 juin 1971 : *Louis XVI au Temple* : **FRF 7 500** – Paris, 26 mai 1972 : *Vue du port de Marseille* : **FRF 26 000**.

GARNERAY Jean Simon

xviiie siècle. Actif à Paris. Français.

Peintre.

Il était fils de François Jean.

GARNERAY Louis Ambroise

Né le 19 février 1783 à Paris. Mort le 11 septembre 1857 à Paris. xixe siècle. Français.

Peintre d'histoire, paysages, paysages d'eau, marines, architectures, peintre à la gouache, aquarelliste, graveur.

Fils aîné de Jean-François Garneray, il étudia la peinture avec son père et la gravure avec Debucourt. Il mena une vie aventureuse et l'on dit qu'il fut un authentique corsaire. Il fut peintre du duc d'Angoulême, devint conservateur du Musée de Rouen, et fut promu chevalier de la Légion d'honneur en 1852. Il figura au Salon de Paris, de 1817 à 1857, obtenant une médaille de deuxième classe en 1819.

Les œuvres de cet artiste sont nombreuses et pleines d'une expression vive. Ses plus importants tableaux sont : *La duchesse d'Angoulême à bord du yacht Royal Souverain, La pêche à la baleine, Pêche à l'esturgeon, La pêche au saumon, La pêche aux truites, Attaque d'une jonque chinoise par des pirates malais dans le détroit de la Sonde, La pêche à l'anguille, Pêche des chiens de mer, Pêche d'un diable de mer en vue du cap de Bonne-Espérance, Les falaises de Fécamp, Naufrage d'une galiote hollandaise dématée sur la côte de Norvège*. A. L. Garneray fut également écrivain.

L. Garneray.

Bibliogr. : Catalogue de l'exposition : *Louis Garneray, peintre écrivain, aventurier*, Musée Eugène Boudin, Honfleur, Musée portuaire, Dunkerque, Anthèse, Paris, 1997.

Musées : Arras : *Bombardement de Mogador* – Avignon : *Combat naval*, signé L. Garneray – Cambrai : *Plage* – Douai : *Vue de l'Escaut* – Le Havre : *Vaisseaux anglais au mouillage* – Nantes : *Combat de l'« Armide », épisode de Navarin* – Narbonne : *Combat de Navarin* – Nice : *Les Dardanelles* – Pontoise : *Étude d'un groupe pour un tableau* – Rochefort : *Combat de la frégate « La Virginie » le 17 juillet 1795* – La Rochelle : *Vue prise aux environs d'Amsterdam – Prise du « Kent » par le corsaire « La Confiance » dans le golfe du Bengale* – Rouen : *La pêche à la morue* – Versailles : *Scènes historiques*, trois œuvres.

Ventes Publiques : Paris, 1862 : *Naufrage du « Superbe »* : **FRF 94** – Paris, 1869 : *Marine*, dess. : **FRF 42** – Paris, 18 mars 1920 : *Combat naval* : **FRF 230** – Paris, 26 fév. 1923 : *L'embouchure de l'Adour, à Bayonne* : **FRF 300** – Londres, 25 nov. 1929 : *Ville au bord de la rivière* : **GBP 8** – Paris, 4 mars 1943 : *La Pêche au brulot* : **FRF 1 500** – Paris, 13 et 14 déc. 1943 (sans indication de prénom) : *Voiliers dans le port* 1831, aquar. : **FRF 700** – Paris, 16 et 17 mai 1945 : *Embouchure de rivière*, aquar. : **FRF 4 800** ; *Le Port*, aquar. : **FRF 4 600** – Paris, 18 oct. 1946 : *Saint-Germain-l'Auxerrois*, aquar. : **FRF 700** – Paris, 2 déc. 1946 : *Vaisseau mouillé dans une baie en Méditerranée*, aquar. reh. : **FRF 4 700** ; *Château-fort sur une côte*, aquar. reh. : **FRF 1 600** – Paris, 27 mars 1947 (sans indication de prénom) : *Le port d'Anvers* :

FRF 32 000 – Londres, 24 mai 1968 : *Le port d'Amsterdam* : GNS 720 – Versailles, 14 mai 1977 : *Pêcheurs par mer agitée* 1840, h/t (34,5x45) : FRF 7 200 – Paris, 5 avr. 1978 : *Combat naval au large d'une ville fortifiée*, aquar. gchée (23x42) : FRF 7 200 – Zurich, 16 mai 1980 : *Le retour des pêcheurs* 1838, h/t (46x54,5) : CHF 3 800 – Paris, 30 juin 1982 : *La pêche au filet*, h/t (37,5x46) : FRF 6 200 – New York, 1er fév. 1986 : *The Hornet and the Peacock* 1813, h/pan. (37,5x50,8) : USD 7 000 – Paris, 11 déc. 1987 : *Le naufrage*, h/t (81x100) : FRF 7 500 – Paris, 20 avr. 1988 : *Marine*, h/cart. (33x42) : FRF 27 000 – Londres, 14 juil. 1989 : *Les galères dans le port de Portsmouth*, h/t (53,4x105,5) : GBP 14 300 – Fontainebleau, 27 mai 1990 : *Scène de bataille navale*, h/t/cart. (34x51,5) : FRF 25 000 – Paris, 8 avr. 1991 : *Vue du port de Bayonne*, aquar. et pierre noire (15x23) : FRF 32 000 – Monaco, 4 déc. 1992 : *La pêche aux aloses*, h/t (127,5x175) : FRF 122 100 – Paris, 10 déc. 1992 : *Vue présumée d'une baie au Brésil ; Paysage de bord de mer*, gche, une paire (chaque 18x28) : FRF 28 000 – Paris, 12 juin 1995 : *Rues de Constantinople et de Smyrne*, h/pan., une paire (25x13) : FRF 30 000 – Londres, 3 avr. 1996 : *Bagne flottant dans le port de Portsmouth*, h/t (52,5x103) : GBP 9 775.

GARNERAY Pauline. Voir **CABANNE,** Mme

GARNEREY. Voir **GARNERAY**

GARNERY P.
XVIIIe siècle. Actif à Londres. Britannique.
Peintre de portraits.
Il exposa en 1785 à la Royal Academy.

GARNESSON Jean
XVIIe siècle. Actif à Paris en 1691. Français.
Peintre, sculpteur, graveur et enlumineur.

GARNET Christoffel
XVIIe siècle. Actif à La Haye vers 1647. Hollandais.
Portraitiste.
Travailla à la cour de Hollande pour le prince d'Orange.

GARNET Colard ou **Nicolas**
XIVe siècle. Hollandais.
Sculpteur.
Il travaillait pour les comtes de Brabant entre 1363 et 1367.

GARNETT, Miss
XXe siècle. Britannique.
Peintre.
Membre du Ridley Art Club.

GARNI Juan
XVIe siècle. Espagnol.
Sculpteur.
Apparaît comme témoin dans un acte public à Valladolid, en 1518.

GARNIE J. B.
XVIIe siècle. Actif à La Haye vers 1658. Hollandais.
Miniaturiste.

GARNIER
XIIIe-XIVe siècles. Français.
Peintre.
Garnier « lo peinturer » vivait à Lyon en 1306.

GARNIER Alfred Jean
Né au XIXe siècle à Puisseaux (Loiret). XIXe siècle. Français.
Peintre.
Élève de Cabanel. Il figura au Salon de Paris, de 1874 à 1878, avec des portraits. En outre, on cite de lui : *Assassinat de Henri III, La Solange, souvenir du Berry.*

GARNIER André
XIXe siècle. Français.
Peintre.
De 1831 à 1848, il figura au Salon de Paris, avec des vues prises le plus souvent dans les bois et les forêts.
Ventes Publiques : Paris, 17 déc. 1927 : *Vue de Paris prise de Montmartre* : FRF 500 – Paris, 12 mai 1937 : *Le bol de lait*, fusain, sanguine et gouache : FRF 450 – Paris, 17 et 18 déc. 1941 : *La Marchande de Fruits*, aquar. : FRF 50 – Paris, 29 déc. 1941 : *Le Joueur de Guitare* : FRF 240.

GARNIER Anne
Née en 1939 à Liège. XXe siècle. Belge.
Peintre, sculpteur, graveur.
Elle fut élève des Académies des Beaux-Arts de Liège, Bruxelles, Wantermael-Boitsfort ainsi que de la Cambre. Parallèlement à ses activités artistiques, elle dirigea l'École des Beaux-Arts de Wavre.
Bibliogr. : In : *Diction. biographique illustré des Artistes en Belgique depuis 1830*, Arto, Bruxelles, 1987.

GARNIER Antoine
XVIIe siècle. Actif à Paris entre 1625 et 1646. Français.
Graveur.
Grava d'après le Primatice, le Poussin, le Caravage. On lui doit aussi des sujets religieux.

GARNIER Antoine, dit **Tony**
Né le 13 août 1869 à Lyon (Rhône). Mort le 19 janvier 1948 à La Bédoule (Bouches-du-Rhône). XIXe-XXe siècles. Français.
Peintre de paysages, dessinateur, aquarelliste.
Il fut élève de l'École des Beaux-Arts de Lyon et de Paris. Il dirigea l'École des Beaux-Arts de Lyon. Il exposa ses peintures et dessins dès 1887 dans sa ville natale, puis à Paris à partir de 1896. Il reçut le Grand Prix de Rome en Architecture en 1899.
Parallèlement à ses activités de peintre, il fut l'un des premiers urbanistes : c'est lui notamment qui réalisa à Lyon, le quartier des États-Unis, les abattoirs de la Mouche, le stade municipal.

GARNIER Auguste François
XIXe siècle. Actif à Paris. Français.
Graveur.
On lui doit surtout des illustrations de livres.

GARNIER Auguste Léopold
Mort en 1867 à Paris. XIXe siècle. Français.
Peintre.
Il figura au Salon, de 1834 à 1850, avec des paysages et des natures mortes.

GARNIER Augustin
Né en 1579. XVIIe siècle. Français.
Peintre.
Il travailla dans les ateliers du château de Fontainebleau.

GARNIER Benoît Joseph Gustave, pseudonyme : **Girrane**
Né le 13 mai 1865 à Lyon. XIXe siècle. Français.
Dessinateur.
Élève de l'École des Beaux-Arts de Lyon où il entra en 1886. Il a donné de nombreux dessins (vues de Lyon, monuments, scènes de la rue), dans *Le Croquis Lyonnais* qu'il publia et illustra (1890), dans *Le Progrès illustré* (depuis 1892), dans *L'Enseigne, son histoire, sa philosophie*, de Grand-Carteret (1902), etc.

GARNIER Charles François
XVIIIe siècle. Actif à Paris en 1782. Français.
Peintre et sculpteur.

GARNIER Christophe
Né en 1960 à Amiens (Somme). XXe siècle. Français.
Peintre.
Il vit et travaille à Nantes. Il a participé au Salon de Mai, à Paris, en 1989.
Ses toiles révèlent l'influence de Francis Bacon.
Ventes Publiques : Paris, 23 avr. 1990 : *L'encapé* 1989, acryl./t. (116x81) : FRF 7 500.

GARNIER Claude
Né au XIXe siècle à Aunez-le-Grand. XIXe siècle. Français.
Sculpteur.
Élève de Barre. Il exposa au Salon de Paris, de 1857 à 1870, des plâtres représentant quelques sujets de genre : *La morale des baguettes, L'urne du suffrage universel.*

GARNIER Claude Charles
Né en 1707 à Salins. Mort le 4 septembre 1752 à Besançon. XVIIIe siècle. Français.
Sculpteur.

GARNIER Clément Firmin
Né le 27 avril 1800 à Paris. XIXe siècle. Français.
Peintre.
Entré à l'École des Beaux-Arts le 10 novembre 1823, il eut pour maître Guillon-Lethière. Il exposa au Salon de 1831 à 1879.

GARNIER Émilie
XXe siècle. Française.
Peintre de miniatures.
Elle figura au Salon dès 1901.

GARNIER Étienne Barthélémy
Né le 24 août 1759 à Paris. Mort le 16 novembre 1849 à Paris. XVIIIe-XIXe siècles. Français.

Peintre d'histoire, scènes mythologiques, sujets de genre, portraits, dessinateur.
Ses maîtres furent Durameau, Doyen et Vien. En 1787, il obtint le deuxième grand prix de Rome avec : *Nabuchodonosor fait tuer les enfants de Sédécias en présence de leur père*, et le premier en 1788 avec : *Tatius assassiné au milieu d'un sacrifice à Lavinium, en présence de Romulus*. Il devint membre de l'Institut en 1816. Au Salon de Paris, il figura de 1793 à 1846, généralement par des sujets d'histoire.

Musées : Angers : *Éponine et Sabinus* – Angoulême : *Consternation de la famille de Priam* – Avignon : *Portrait du cardinal Maury* – Chartres : *Entrevue du duc et de la duchesse d'Angoulême à Chartres en 1823* – Haarlem : *Portrait de M. Andriaan Cornelis Fabricius* – *Portrait de Haasje Van Notten* – Montauban : *Phèdre et Hippolyte* – Paris (Mus. du Louvre) : *Hercule obtenant de Diane la biche aux cornes d'or* – Troyes : *Ajax assailli par la tempête* – Versailles : *Henri IV fait construire les galeries du Louvre*.
Ventes Publiques : Paris, 1859 : *Le départ de l'officier* : **FRF 840** – Paris, 1891 : *Portrait de Napoléon Ier* : **FRF 590** – Paris, 4 oct. 1994 : *Académie d'homme* 1791, pierre noire et reh. de blanc (59x45) : **FRF 7 500**.

GARNIER Étienne Claude
XVIIIe siècle. Actif à Paris en 1783. Français.
Peintre et sculpteur.

GARNIER Félix Louis
XIXe siècle. Français.
Peintre.
En 1822 et 1824, il envoya au Salon de Paris des miniatures.

GARNIER François
Né vers 1600 à Paris. Mort le 17 avril 1672 à Paris. XVIIe siècle. Français.
Peintre de natures mortes, fleurs et fruits.
Il travailla à la cour de Louis XIII et de Louis XIV. On a des traces de son activité de 1627 à 1658. Il fut également marchand de tableaux. Louise Moillon fut sa bru. On peut penser qu'il lui donna des conseils et, si elle resta fidèle au genre de la nature morte de fleurs et de fruits, elle y déploya plus de somptueuse virtuosité.
De lui, on ne connaît dans l'état actuel, que deux natures mortes, dont : *Groseilles à maquereaux et cerises*, de 1644, conservée au Louvre. Avec moins de profondeur de pensée que Baugin, moins de brillant que Jacques Linard, il prend toutefois, à la même époque, place parmi les continuateurs français de la nature morte flamande, qui y apportèrent la gravité de vision héritée du Caravage.
Musées : Paris (Mus. du Louvre) : *Groseilles à maquereaux et cerises* 1644.
Ventes Publiques : Monte-Carlo, 8 déc. 1984 : *Nature morte aux fruits sur un entablement de pierre*, h/t (71,5x114,5) : **FRF 65 000** – Enghien-les-Bains, 29 mars 1987 : *Panier de cerises et coupe de groseilles* ; *Panier de prunes*, h/pan., une paire (49x64) : **FRF 466 000** – Paris, 11 déc. 1992 : *Nature morte de cerises, fraises des bois, artichauts et deux bouvreuils*, h/t (70,5x92) : **FRF 135 000** – Londres, 11 déc. 1996 : *Assiette de fraises*, h/pan. (18,6x30) : **GBP 20 700**.

GARNIER François
Né le 1er septembre 1812 à Gouesnon, près de Brest (Finistère). XIXe siècle. Français.
Peintre, graveur.
Il fut élève de Guérin et de Bervic. Il figura au Salon de Paris de 1824 à 1850, obtenant une médaille de deuxième classe pour la gravure en 1824 et une de première classe en 1831.

GARNIER François Auguste
XIXe siècle. Français.
Graveur.
De 1836 à 1848, il figura au Salon de Paris.

GARNIER Gaston
XIXe siècle. Actif à Paris. Français.
Peintre.
Sociétaire des Artistes Français depuis 1886, il figura au Salon de cette société.

GARNIER Guillaume
XVIIe siècle. Français.
Peintre.
Il était fils d'Augustin. Travailla au château de Fontainebleau.

GARNIER Gustave Alexandre
Né le 15 août 1834 dans la Sarthe. XIXe siècle. Français.
Sculpteur de figures, portraits.
Entré à l'École des Beaux-Arts le 6 avril 1854, il devint élève de Duret et d'Yvon. À partir de 1859, il exposa au Salon de Paris.
On cite de lui : *Captive de l'Amour*, *La première éducation*, groupe, *David vainqueur de Goliath*, *Buste en marbre de Léon Foucault*, *Le printemps*, statue en bronze. La préfecture de Grenoble lui confia l'exécution du *Buste en pierre du général Marchand*.
Musées : Dieppe : *Le pêcheur endormi*.
Ventes Publiques : Paris, 20 nov. 1990 : *Buste du sultan Abdulaziz*, marbre blanc (76x58) : **FRF 130 000**.

GARNIER Hélène Henriette
Née à Paris. XIXe-XXe siècles. Française.
Miniaturiste.
Elle exposa régulièrement à Paris au Salon.

GARNIER Henri Adolphe
Né en 1803 à Paris. XIXe siècle. Français.
Sculpteur.
De 1831 à 1835, il figura au Salon de Paris, avec des bustes, des médaillons et quelques sujets de genre. On cite de lui : *Ajax frappé de la foudre*, *Mucius Scævola devant Porsenna*, *Buste de Mlle Elisabeth Taylor*, *Charondas* (statue), *La nymphe Écho* (statue colossale).

GARNIER Hippolyte Louis
Né le 12 juillet 1802 à Paris. Mort le 12 juin 1855 à Paris. XIXe siècle. Français.
Peintre, miniaturiste, lithographe et graveur.
Le 6 septembre 1819, il entra à l'École des Beaux-Arts et eut pour maître Hersent. De 1822 à 1853, il figura au Salon avec des gravures, des peintures et des lithographies. Parmi ses tableaux, on cite : *Vue d'un château gothique*, *L'ombre d'Argyl apparaît à Ferragus*.

GARNIER Jacques
Né au Piémont. XIIIe-XIVe siècles. Italien.
Peintre.
En 1306 il travaillait à Lyon.

GARNIER Jacques
Mort en 1748 à Paris. XVIIIe siècle. Français.
Peintre.
Il fut le père de Jean Baptiste.

GARNIER Jean
XIIe siècle. Français.
Peintre sur émail.
Il était actif à Limoges.

GARNIER Jean
XVe siècle. Actif à Troyes. Français.
Sculpteur.
De 1417 à 1445, il fournit, à Troyes, un grand nombre d'œuvres ; il fut chargé, notamment, de l'ornementation de l'église Saint-Jean.

GARNIER Jean
Né en 1632 à Meaux (Seine-et-Marne). Mort le 23 octobre 1705 à Paris. XVIIe siècle. Français.
Peintre de portraits, natures mortes.
Le 30 janvier 1672, il fut reçu académicien. Il figura au Salon de Paris, de 1693 à 1704.
Musées : Versailles : *Portrait de Louis XIV*.
Ventes Publiques : Paris, 10 juin 1980 : *Nature morte à la sphère zodiacale*, h/t (129x188) : **FRF 40 000**.

GARNIER Jean Baptiste
Mort en 1759 à Paris. XVIIIe siècle. Français.
Peintre.
Il se spécialisa dans les chinoiseries.

GARNIER Jean François Marie
Né en 1820 à Lyon. Mort en 1895 à Paris. XIXe siècle. Français.
Sculpteur.
Il figura au Salon des Artistes Français de Paris, où il obtint une mention honorable en 1892.
Musées : Lyon (Mus. des Beaux-Arts) : *L'enfer des luxurieux, de Dante*.
Ventes Publiques : Paris, 25 mai 1984 : *L'enfer des luxurieux*, plat en bronze, décor en semi-relief (diam. 58,5) : **FRF 5 500**.

GARNIER Jean Gabriel
XVIIIe siècle. Actif à Paris en 1743. Français.
Peintre et sculpteur.

GARNIER Jean Nicolas
XVIIe siècle. Français.
Peintre.
Fut reçu académicien le 28 juin 1680.

GARNIER Jules Arsène
Né le 22 janvier 1847 à Paris. Mort le 25 décembre 1889 à Paris. XIXe siècle. Français.
Peintre de compositions animées, scènes de genre, paysages, aquarelliste.
Il étudia à l'École des Beaux-Arts de Toulouse, puis à celle de Paris, dans l'atelier de Gérome. Il parcourut la Belgique, la Hollande et l'Espagne. Il exposa à Paris, de 1869 à 1889, au Salon, puis Salon des Artistes Français. Certaines de ses œuvres furent exposées à l'exposition *Équivoques*, qui eut lieu au Musée des Arts Décoratifs de Paris, en 1973.
Il peignit de nombreux paysages, à l'occasion de ses différents voyages, mais ce sont ses peintures d'anecdotes, souvent inspirées par les récits de Rabelais, qui lui valurent du succès auprès du grand public, en particulier son tableau intitulé : *Le Libérateur du territoire*. Parmi ses autres toiles, on cite : *Galanterie après boire – Bacchanale – Ne réveillez pas bébé ! – Vivez joyeux – La bavarde – Le Roi s'amuse – Pantagruel*.

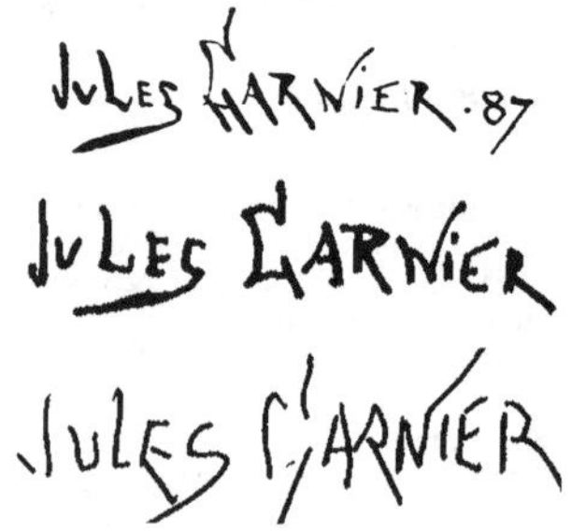

BIBLIOGR. : Gérald Schurr, in : *Les Petits Maîtres de la peinture 1820-1920, valeur de demain*, Les Éditions de l'Amateur, t. III, Paris, 1976.
MUSÉES : ANGERS : *Paysage* – DIJON (Mus. des Beaux-Arts) : *L'Épave*.
VENTES PUBLIQUES : PARIS, 18 fév. 1895 : *Le Roi s'amuse* : **FRF 2 100** – PARIS, 1899 : *Le passage du ruisseau* : **FRF 7 500** – PARIS, 21 juin 1900 : *Galanterie après boire* : **FRF 310** – PARIS, 12 juin 1920 : *Vivez joyeux* : **FRF 3 350** – PARIS, 26-27 mai 1941 : *Joueur de mandoline*, aquar. : **FRF 70** – PARIS, 28 mars 1945 : *Deux paysannes dans la campagne* : **FRF 2 200** – PARIS, 25 mai 1945 : *Pantagruel* : **FRF 1 300** – LONDRES, 14 juin 1974 : *Ne réveillez pas bébé !* : **GNS 1 400** – PARIS, 4 nov. 1980 : *Le droit du seigneur* 1872, h/t (70x126) : **FRF 20 000** – MILAN, 24 mars 1982 : *Scène d'intérieur*, h/t (62x39) : **ITL 1 000 000** – BARBIZON, 27 fév. 1983 : *Le galant mousquetaire* 1872, h/pan. (41x32,5) : **FRF 18 000** – LONDRES, 19 mars 1986 : *Le Réveil* 1882, h/t (120x200) : **GBP 16 000** – NEW YORK, 25 mai 1988 : *Couple badinant sous un arbre* 1880, h/t (78,7x47) : **USD 7 700** – NEW YORK, 24 oct. 1989 : *Le droit du seigneur* 1872, h/t (69,5x125) : **USD 19 800** – NEW YORK, 17 jan. 1990 : *Flagrant délit*, h/pan. (27x36,6) : **USD 5 775** – LONDRES, 28 mars 1990 : *Constat d'adultère*, h/t (268x358) : **GBP 24 200** – LONDRES, 17 mai 1991 : *Roméo et Juliette*, h/t (41,2x27,2) : **GBP 2 750** – NEW YORK, 23 mai 1991 : *Propos galants* 1880, h/t (78,7x47,3) : **USD 9 900** – CALAIS, 14 mars 1993 : *Bois tout, debout*, h/pan. (25x15) : **FRF 10 000** – NEW YORK, 17 fév. 1994 : *Ville au bord d'un fleuve en France*, h/cart. (29,2x53,4) : **USD 2 300** – NEW YORK, 16 fév. 1995 : *Repos dans un hamac*, h/pan. (27,9x21,9) : **USD 11 500**.

GARNIER Julien J.
XIXe siècle. Actif à Paris. Français.
Peintre.
Sociétaire des Artistes Français depuis 1900, il figura au Salon de cette société.

GARNIER Louis
Né vers 1639 à Paris. Mort le 21 septembre 1728. XVIIe-XVIIIe siècles. Français.
Sculpteur.
Il travailla surtout pour Versailles et pour les Invalides.

GARNIER Louis Joseph
Né en 1822 à Valenciennes. XIXe siècle. Français.
Peintre d'histoire.
Élève de Picot. Cité par Siret.

GARNIER Marie, Mme
XIXe siècle. Active à Paris. Française.
Miniaturiste.

GARNIER Maurice
Mort en 1945 à Vaux-sur-Mer (Charentes-Maritimes). XXe siècle. Français.
Peintre, sculpteur, décorateur.
Il a laissé des œuvres décoratives curieuses ; il fut l'un des animateurs du Musée des Arts et Tradition Populaires, à Paris.

GARNIER Michel
Né en 1753 à Saint-Cloud (Hauts-de-Seine). Mort en 1819. XVIIIe siècle. Français.
Peintre de sujets de genre, portraits.
Entre 1793 et 1814, il exposa au Salon de Paris quelques œuvres dans le style à la mode du moment.
VENTES PUBLIQUES : PARIS, 17 et 18 déc. 1918 : *Le portrait chéri* : **FRF 6 500** – PARIS, 8 et 9 déc. 1919 : *Jeune fille jouant de la guitare* : **FRF 430** – PARIS, 22 nov. 1923 : *Une mère posant une couronne sur la tête de son enfant* : **FRF 6 000** – PARIS, 4 mai 1927 : *Portrait du comte de H.* : **FRF 4 600** – PARIS, 14 déc. 1936 : *La Dame au manchon, figure de mode*, aquarelle : **FRF 600** – PARIS, 22 jan. 1941 : *La douce résistance* 1793 : **FRF 48 000** ; *La Jeune musicienne* : **FRF 23 600** – PARIS, 9 mars 1951 : *La rose mal défendue* ; *La lettre*, deux pendants : **FRF 1 000 000** – PARIS, 29 mars 1960 : *La jeune artiste* : **FRF 2 000** – PARIS, 9 déc. 1967 : *La partie de musique* : **FRF 11 500** – MONTE-CARLO, 20 juin 1987 : *Une Merveilleuse sous les arcades du Palais-Royal* 1787, h/t (45x37) : **FRF 1 900 000** – MONACO, 16 juin 1989 : *La jeune fille punie* 1794, h/t (44,5x54) : **FRF 1 554 000** – PARIS, 22 juin 1992 : *Ils sont d'accord* 1786, h/t (47x38) : **FRF 660 000** – PARIS, 22 mars 1995 : *Jeune femme dans un parc*, gche (18x14,5) : **FRF 15 500** – LONDRES, 5 avr. 1995 : *Jeune fille écoutant la conversation de deux amants* 1789, h/t (46,7x388,5) : **GBP 76 300** – PARIS, 12 déc. 1995 : *Jeune femme terminant sa toilette* 1796, h/t (46,5x38) : **FRF 280 000** – PARIS, 27 mai 1997 : *Portrait d'un notable de l'Empire* 1805, h/t (60x50) : **FRF 15 500** – NEW YORK, 21 oct. 1997 : *La Leçon de musique* ; *Cache-cache* 1789 et 1788, h/pan., une paire (14,6x11,4 et 14x11,1) : **USD 92 700**.

GARNIER Narcisse
XIXe siècle. Français.
Peintre.
Il fut l'élève de David. En 1822 et 1831, il envoya des portraits au Salon de Paris. Au Musée de Cambrai, on a de lui : *Portrait du cardinal d'Ailly, Portrait d'Enguerrand de Monstrelet*, au Musée d'Auxerre : *Portrait d'homme*.

GARNIER Noël
XVe siècle. Actif à Paris à la fin du XVe siècle. Français.
Graveur.
Il fut des premiers graveurs français d'ornements.

GARNIER Pierre, appelé aussi **Préfichault**
XVe siècle. Français.
Peintre, enlumineur.
Il travailla à la cour du roi René d'Anjou.

GARNIER Pierre
XVIIe siècle. Actif à Paris en 1686. Français.
Sculpteur.

GARNIER Pierre
Né le 10 mai 1847 à Lyon. XIXe siècle. Français.
Peintre.
Élève de Reignier à l'École des Beaux-Arts de Lyon où il entra en 1862. Il exposa, à Lyon depuis 1872, à Paris depuis 1896, des tableaux de fleurs et de fruits. Il signait *P. Garnier*.

GARNIER Thérèse
XXe siècle. Française.
Graveur.
Elle figure au Salon des Artistes Français de Paris depuis 1932.

GARNIER Thérèse. Voir aussi **LAUDIER**

GARNIER Tony. Voir **GARNIER Antoine**

GARNIER Victor Alexandre Humbert
Né à Nancy. XIXe siècle. Français.

Peintre de paysages.
Élève de J. Adler. Le Musée de Langres conserve de lui : *Fin de saison (Vosges)*.
Ventes Publiques : Paris, 28 mai 1945 : *La librairie de Saint-Victor* : **FRF 1 750**.

GARNIER-GEOFFROY Daniel
Né en 1923. xxe siècle. Français.
Peintre de paysages, marines, dessinateur de nus, aquarelliste, peintre à la gouache.
Dans ses sanguines, il renoue avec la tradition de la Renaissance italienne et des peintres français du xviie siècle, pour exalter le charme de ces jeunes filles nues qu'il peint avec délicatesse. Pour les paysages, les marines, il préfère l'encre, la gouache ou l'aquarelle qui lui permettent de fixer les instants fugitifs de la nature.

GARNIER-RAFAT Émilie
Née à Paris. xixe-xxe siècles. Française.
Peintre de miniatures.
Elle exposa à Paris, au Salon des Artistes Français, dont elle devint sociétaire en 1908.

GARNIER-SALBREUX Pierre Henri
Né en 1880 à Neuilly-sur-Seine (Hauts-de-Seine). xxe siècle. Français.
Peintre de portraits.
Il eut pour professeur Humbert. Il exposa à Paris, au Salon des Artistes Français, à partir de 1910.

GARNJOBST Hans
Né le 7 juillet 1863 à Bâle. xixe siècle. Suisse.
Peintre de paysages.
Élève de Gérome à l'École des Beaux-Arts. Il voyagea en Italie. On cite de lui : *L'Automne* et *Le Soir*. Mention honorable 1900 (Exposition Universelle).

GARNON François
Né en 1738 à Paris. Mort en 1769 à Paris. xviiie siècle. Français.
Peintre.
Il travailla pour la Manufacture de porcelaine de Sèvres.

GARNOT André Saint Fare
Né à Paris. xxe siècle. Français.
Peintre de paysages, dessinateur.
Parallèlement à ses paysages dignes d'intérêt, il réalisait des dessins d'humour. Il a figuré dans les principaux Salons parisiens, notamment à celui des Tuileries.

GARNOT Lucie
Née à Lyon (Rhône). xixe-xxe siècles. Française.
Graveur.
Elle eut pour professeur Lucien Gautier. Elle exposa au Salon des Artistes Français, à Paris, où elle obtint la Mention Honorable en 1910.

GARNOT-BEAUPÈRE Marguerite
Née au xixe siècle à Nevers. xixe-xxe siècles. Française.
Peintre de genre.
Sociétaire des Artistes Français depuis 1907, elle figura au Salon de cette société ; mention honorable en 1895.

GARNSEY Elmer Ellsworth
Né le 24 janvier 1862 à Holmdel (États-Unis). xixe siècle. Vivant à White Plains. Américain.
Peintre.
Élève de George Maynard et de Francis Lathrop à New York. Médaille de bronze, Chicago 1893, mention honorable à Paris 1900 (Exposition Universelle). Il s'occupa particulièrement de décorations murales.

GARNSEY Julian
Né en 1887 à New York. xxe siècle. Américain.
Peintre, décorateur.
Il eut pour professeur J.-P. Laurens, à Paris. Il s'est très vite intéressé aux problèmes de la grande décoration murale. Il fut membre de différentes sociétés artistiques américaines, dont il obtint plusieurs récompenses.

GAROFALINI Giacinto
Né en 1665 ou 1666 à Bologne (Emilie-Romagne). Mort le 7 septembre 1723. xviie-xviiie siècles. Italien.
Peintre de compositions religieuses.
Il fut élève de M. A. Franceschini, son parent. Il décora des églises à Bologne, Brescia, Modène et Rimini.
Ventes Publiques : Rome, 21 nov. 1989 : *L'Adoration des bergers*, h/t (ovale 107x82) : **ITL 5 500 000**.

GAROFALO. Voir **TISIO Benvenuto da Garofalo**

GAROFALO Giuseppe
xviiie siècle. Actif à Rome au début du xviiie siècle. Italien.
Graveur.

GAROFOLI Lorenzo
Né au début du xviiie siècle à Arcieva. xviiie siècle. Italien.
Peintre.
Il fut élève de Conca.

GAROFOLI Tommaso
Né à Pesaro. xvie siècle. Italien.
Peintre de miniatures.
Il transcrivit et illustra les statuts communaux de Sigillo d'Ombrie.

GAROFOLO Carlo
xviie siècle. Italien.
Peintre verrier de genre et ornemaniste.
Élève de L. Giordano.

GAROLI Pietro Francesco ou **Garola**
Né en 1638 à Turin (Piémont). Mort le 5 janvier 1716 à Rome. xviie-xviiie siècles. Italien.
Peintre de scènes mythologiques, portraits, paysages animés, architectures, intérieurs.
Après avoir été peintre restaurateur à la cour de Savoie, il étudia à Venise et à Bologne avant de partir pour Rome où il devint en 1679 professeur en perspectives à l'Académie Saint-Luc.
Il peignit surtout des intérieurs d'église et des vues architecturales.
Musées : Rome (Acad. Saint-Luc) : *Portrait*.
Ventes Publiques : Paris, 1862 : *Vue intérieure du Colisée à Rome* : **FRF 38** – Londres, 26 nov. 1976 : *Adonis regardant un tableau représentant l'enlèvement d'Europe*, h/t (95,3x132) : **GBP 4 000** – Milan, 26 nov. 1985 : *Personnages dans un paysage avec des ruines*, h/t (33x41) : **ITL 5 000 000** – Paris, 10 déc. 1993 : *Architecture Renaissance avec Didon et Énée* ; *Intérieur d'un temple avec Cléobis et Biton*, h/t, une paire (chaque 67x89) : **FRF 240 000** – Londres, 11 déc. 1996 : *Rome, capriccio du Colisée animé de personnages examinant les ruines*, h/t (83x104,6) : **GBP 6 900**.

GARON P.
xviiie siècle. Actif à Paris. Français.
Graveur au burin.
Il a gravé une suite de 11 planches d'animaux d'après J.-B. Oudry.

GARONNAIRE Jean
Né le 13 mars 1945 à Saint-Étienne (Loire). xxe siècle. Français.
Peintre de paysages animés. Tendance symboliste.
Il vit et travaille en Picardie depuis 1972. Il a participé à de nombreuses expositions collectives, à partir de 1972 tant en France, à Paris notamment (Salons d'Automne et de la Société Nationale des Beaux-Arts), qu'à l'étranger (Belgique, Japon, Maroc, États-Unis...). Il a montré ses œuvres dans des expositions individuelles : 1976, Galerie Bernheim à Paris ; 1983 Centre culturel Français à Casablanca... Il a reçu de nombreux Prix et distinctions.
Ses peintures, aux titres qui laissent songeur *Ilot de rêverie*, *À quoi rêvent les jeunes filles*, décrivent un monde poétique mystérieux peuplé de pâles figures énigmatiques qui prennent forme sur des fonds dégradés, aux teintes mornes et tristes.

GARONOT Jacques
xvie siècle. Actif à Troyes au début du xvie siècle. Français.
Peintre.

GAROPESANI Ferrucio
Né en 1914 à Milan. xxe siècle. Italien.
Peintre.
Il a étudié à l'Académie Brera de Milan et à la Grande Chaumière à Paris. Il a participé à la Biennale de Venise en 1946, à la Quadriennale de Rome en 1947. Plus récemment, il a exposé à Paris, au Salon des Artistes Français.
Ventes Publiques : Berne, 12 mai 1990 : *Banc de poissons*, h/t (75,5x116,3) : **CHF 2 500**.

GAROUSTE Gérard
Né le 10 mars 1946 à Paris. xxe siècle. Français.
Peintre de scènes mythologiques, sujets religieux, compositions à personnages, scènes de genre, portraits,

nus, paysages, natures mortes, peintre à la gouache, peintre de décorations murales, auteur d'installations, sculpteur, graveur, peintre de décors de théâtre, dessinateur, illustrateur.

Autodidacte, il fit un bref passage à l'école des beaux-arts de Paris, dans l'atelier de Gustave Singier, en 1970. À 22 ans, lors d'une exposition de Dubuffet au musée des Arts décoratifs de Paris, il renonce à la carrière à laquelle il se destinait, le dessin d'humour, et se tourne vers la peinture, parallèlement à ses activités théâtrales. Il connaît très vite un vif succès, et, comme le fait remarquer Georges Durozoi : « Il apparaît rapidement comme le chef de file d'un courant *post-moderne* qui, après avoir assimilé les vertus analytiques des différentes avant-gardes, entend revenir à la tradition de la *grande peinture* à sujets. » Depuis 1984, il vit et travaille à Marcilly-sur-Eure.

À partir de 1980, il participe à de nombreuses expositions collectives : 1980 musée d'Art et d'Industrie de Saint-Étienne, XIIe Biennale de Paris ; 1982 *Statement I* à New York ; 1980, 1984 musée national d'Art moderne de Paris ; 1980, 1984 Biennale de Venise ; 1983 *Sainte Thérèse d'Avila dans l'art contemporain* au musée du Luxembourg à Paris, musée d'Art moderne de Tokyo ; 1987 Biennale de São Paulo ; 1988 Biennale de Sydney... Il montre ses œuvres dans de nombreuses expositions personnelles : 1969 *Dessins monumentaux* à la galerie Zunini à Paris puis, après une interruption de dix années : 1979 galerie Travers à Paris et galerie Cannaviello à Milan ; depuis 1980 régulièrement à la galerie Durand-Dessert à Paris et à la galerie Castelli à New York ; 1988 manifestation organisée par le musée national d'Art moderne de Paris, le Stedelijk Museum d'Amsterdam et la Kunsthalle de Düsseldorf. Il a, en outre, réalisé plusieurs commandes d'État : 1983 un plafond pour les appartements privés de l'Élysée et une peinture *Sainte Thérèse d'Avila* commandée par le comité national d'Art sacré, 1988 *Le Défi du soleil* sculptures pour les jardins du Palais-Royal à Paris (non encore placées), 1990 rideau de scène du théâtre du Châtelet à Paris.

Il débuta avec des décors de théâtre en 1965 pour *Chez l'illustre écrivain* de Mirbeau, en 1969 *Le Lai de Barabas* d'Arrabal au studio des Champs-Élysées puis en 1970 *Les Fraises musclées* de Jean-Michel Ribes au théâtre La Bruyère. Parallèlement à ces activités, il réalise ses premières œuvres picturales, que Jacques Busse décrit ainsi : « Peu soucieux des conventions (...), Garouste, découpant et collant, sort du format, se passe de la couleur, accumule d'énormes morceaux de sportifs obtus, mêlés à d'épaisses tranches de matrones dans des accouplements au sens propre monstrueux. Puis, se référant à Goya, il campe d'énergiques gaillards sur leurs terres, avant d'évoluer encore, tenté cette fois par le courant réaliste des années soixante-dix ». En 1977, toujours attiré par le théâtre, il présente à Paris, au théâtre Le Palace, un spectacle *Le Classique et l'Indien*. Cette pièce, dont il est à la fois auteur, metteur en scène, décorateur et acteur, tient du happening, de la performance et de l'action conceptuelle, tout en usant de certains codes du théâtre à l'italienne. Garouste met alors en place, dans cette fable personnelle, constituée d'histoires-gigognes en perpétuel devenir, une structure dans laquelle l'œuvre picturale va pouvoir s'épanouir.

Après ce détour, il revient à la peinture, poursuivant son travail de « mise en scène », dans *Comédie policière*, un ensemble de onze toiles, qui présente des personnages évoluant dans un salon (unité de lieu), le soir (unité de temps). Le titre de cette série indique que l'histoire pourrait se lire comme une enquête policière (unité d'action) mais on ignore tout du crime, on assiste seulement à un jeu de ruptures, qui semblent se passer hors du tableau, dans un autre temps. Les œuvres de cette époque sont gouvernées par une volonté ludique : dans *La Règle du Je* (ou du Jeu) (1979), série régie par une combinatoire mathématique, Garouste reprend les indices de la *Comédie policière*, pour mettre au point les rouages de la narration, et, une fois de plus, n'en fournit pas le mode de fonctionnement. Mais avant que ce « système » de création ne s'épuise, il introduit une nouvelle instance : la mythologie gréco-romaine. Dans une installation constituée de sculptures (quatre pieux en bronze et terre cuite notamment), peintures, photographies, dessins, il met en scène quatre figures mythologiques : Atropos et Clotho (deux des divinités grecques correspondant aux Parques latines), Thanatos, le dieu de la mort, et Cerbère, le chien qui monte la garde devant les enfers, doublées de signes cabalistiques (réplique des pieux) se transformant, au sein du tableau ou dans une sculpture indépendante, en la forme stylisée d'une constellation *Canis Major*. Le jeu d'associations d'idées se poursuit donc, la mythologie n'étant qu'un fil conducteur, le déclencheur qui permet l'œuvre. Puis, Garouste renonce à ce jeu et utilise la mythologie exclusivement comme instrument de travail, pour réaliser de grands tableaux. Avec *La Constellation du chien* (1980), une nouvelle manière apparaît. Dans des tableaux clairs-obscurs, les effets picturaux du classicisme se multiplient et ce, avec virtuosité, pourtant un trouble les habite, la touche est désordonnée, les figures mythiques – Adhara, Orthos et Orion – semblent perdre l'équilibre et se dérober à nos regards, leurs vêtements ressemblent aux nôtres. Ensuite vient le cycle d'Orion, qui réconcilie la fable personnelle de l'artiste, *Le Classique et l'Indien* mis en scène quatre ans avant, et celle plus universelle que l'humanité s'est forgée au cours des temps. Il aborde également des grands thèmes de la peinture classique, notamment avec *Lucrèce* et *Sainte Thérèse d'Avila* (1983). Dans cette toile, s'il respecte l'iconographie traditionnelle, il bouleverse la structure de l'espace et mêle les procédés de la peinture hollandaise avec les techniques de la peinture italienne du XVIIe siècle ou celles de Philippe de Champaigne, exacerbant les effets de peinture mystique jusqu'au malaise. En effet, n'est-il pas impossible, comme le pense Garouste, pour le peintre d'aujourd'hui d'aborder un tel sujet sans parodie, ni dérision ?

Avec la nature morte et les scènes de genre de 1984, il renonce à la mythologie, mais surtout à la narration, et choisit d'établir un dialogue avec des textes littéraires : ainsi, les dessins illustrant *Débat du cœur et du corps* de François Villon (1986), et, dès 1987, *Hors du calme*, d'après *La Divine Comédie* de Dante, composé de dessins, gravures (technique qu'il aborde à cette époque) et peintures, mais aussi d'Indiennes, grandes toiles beiges inspirées de la tapisserie de Bayeux et des toiles peintes de Reims, datant du XVe siècle. Le texte littéraire, et surtout *L'Enfer*, lui permet de construire un langage pictural propre, mais aussi de renouer avec l'imaginaire. Sa peinture se fait plus colorée, moins figurative, l'atmosphère plus onirique. Les personnages s'effacent, pour laisser place à des êtres fluides, évanescents, presque des signes emblématiques, sur de longues pattes, égarés dans des fonds brumeux aux teintes sourdes, des mauves, roses, verts, en marche vers un ailleurs dont nous ignorons tout. Il n'y a plus ni premier plan, ni horizon. La peinture s'épure, les toiles n'ont plus de titre, plus de sujets et il est souvent difficile de reconnaître, avec exactitude, les références à Dante, le texte n'étant pas support mais plutôt espace de rêverie. Avec les *Indiennes*, conçues comme des décors, l'artiste réalise à l'acrylique de grands dessins, plus légers et spontanés que les peintures, laissant la toile visible par endroits. Après avoir mis en scène son imaginaire et celui transfiguré de Dante, Garouste se tourne vers l'Ancien Testament, et plus particulièrement le Livre d'Isaïe et l'Ecclésiaste et réalise des peintures aux figures éthérées se noyant dans des fonds rouges, des gouaches, des gravures qui le forcent à se confronter à son propre style, des petits reliefs en terre cuite, mais aussi des sculptures, tout en hauteur, qui reproduisent dans l'espace les silhouettes spectrales des toiles. Depuis peu, il opère, dans sa peinture, un retour aux sujets mythologiques, tout en poursuivant la manière des *Indiennes*. Garouste, lorsqu'il aborde la peinture, part d'un constat, celui que l'art est duperie : « La peinture est une mise en scène préparée pour tout à fait autre chose. Le tableau s'offre à nous comme un écran opaque qui détourne notre attention de l'essentiel. » Dès lors, la mystification peut commencer, soutenue par tout ce que l'artiste a accumulé dans sa mémoire : le fruit d'une mythologie personnelle et universelle, du Siècle d'or aux différentes avant-gardes, de l'Ancien Testament au Nouveau Roman. Mais, pour que la tromperie, le truquage soient d'autant plus réussis, Garouste prend plaisir, dès ses débuts, à brouiller les pistes, mélanger les signes. Chaque nouvelle source d'inspiration n'est qu'un prétexte pour échapper au piège de la répétition stérile, pour faire naître des images, qui renvoient à l'imaginaire du créateur. Ces étapes, loin des querelles partisanes modernes ou post-modernes, vécues comme des expériences, lui ont permis d'acquérir son propre langage, de se forger un style unique : « C'est comme si je m'étais débarrassé de toutes ces influences – j'ai pensé Tintoret, Beuys, je les ai vécus, je me les suis mis dans la peau – c'est ce que j'ai fait pendant des années, c'est-à-dire vivre et me situer par rapport à ce que pouvait être l'expérience de ces gens et aujourd'hui me démunir de tout, et aujourd'hui que reste-t-il ?... ce résidu, c'est le style. Ce qui est intéressant, c'est tout simplement le style de l'artiste. » Mais cette manière particulière, qu'est le style, d'exprimer sa pensée, ses sentiments, n'est-elle pas la tentative d'appréhender la peinture elle-même (non plus les images) et de la perpétuer ? N'est-ce pas aussi, pour Garouste, se placer résolument du côté de la transmission – « communiquer la culture de ses pères, pour devenir père à son tour » – pour toucher à l'intemporalité en perpétuant la mémoire à titre d'émotion et tendre vers le tableau idéal ?

■ Laurence Lehoux

Bibliogr. : Giovanni Joppolo : *L'Épos de Gérard Garouste*, Opus International, n° 95, Paris, aut. 1984 – in : *Nouvelle Biennale de Paris*, Electa Moniteur, Paris, 1985 – Gérard Georges Lemaire : *Le Triomphe de la peinture*, Opus International, n° 99, Paris, hiver 1986 – Catherine Millet : *L'Art contemporain en France*, Flammarion, Paris, 1987 – Catherine Millet : *L'Aventure personnelle de Gérard Garouste commence*, Art Press, n° 121, Paris, janv. 1988 – Catalogue de l'exposition *Garouste*, Mus. nat. d'Art mod., Paris, 1988 – *Dossier Gérard Garouste*, Opus International, n° 108, Paris, mai-juin 1988 – Alfred Pacquement : *Indienne – Gérard Garouste*, Acquisitions 1989, Fonds national d'Art contemporain, Paris, 1989 – in : *L'Art du xxe siècle*, Larousse, Paris, 1991 – Anne Dagbert : *Gérard Garouste*, Art Press, n° 165, Paris, 1992 – in : *Dict. de l'art mod. et contemp.*, Hazan, Paris, 1992 – Anne Dagbert : *Gérard Garouste*, Fall, Paris, 1996.

Musées : Marseille (Mus. Cantini) : *Orion et Cedalion* – Mexico (Mus. d'Art Mod.) – Montréal (Mus. d'Art Mod.) – Nîmes – Paris (Mus. Nat. d'Art Mod.) : *Orion le classique*, *Orion l'Indien*, h/t – *Orthos et le classique*, dess. – Paris (FNAC) : *Sans titre*, terre cuite – Rochechouart (Mus. départ. d'Art Contemp.) : *Nature morte* 1984 – Sydney (Mus. d'Art Mod.) – Tokyo (Mus. d'Art Mod.).

Ventes Publiques : Paris, 3 déc. 1987 : *La réflexion*, h/t (73,5x60) : **FRF 28 000** – Paris, 14 oct. 1987 : *Sans titre* 1972, past. (54,5x99,5) : **FRF 42 000** – Versailles, 28 juin 1987 : *Cerbère et le masque* 1980, h/t (81x65) : **FRF 59 000** – Paris, 13 oct. 1989 : *Chien étendu*, h/t (65x54) : **FRF 80 000** – Paris, 18 fév. 1990 : *Sans titre*, encre de Chine (25x22) : **FRF 15 000** – Paris, 28 mars 1990 : *Comédie policière : les Trois Objets, personnages masqués, enfant de dos* 1979, h/t (73x101) : **FRF 160 000** – Londres, 21 mars 1991 : *Goupil le Renard* 1982, fus. et cr./pap. (121x143) : **GBP 4 950** – Paris, 5 déc. 1991 : *À qui est le chien ?, série des Comédies policières*, h/t (128x168) : **FRF 160 000** – Paris, 21 mai 1992 : *Deux Personnages* 1971, h/t (73x60) : **FRF 38 000** – Paris, 29 nov. 1993 : *Sans titre* 1985, past./pap. peint (121x81) : **FRF 25 000** – Paris, 24 juin 1994 : *Comédie policière*, dess. (78,5x57,5) : **FRF 9 800** – Paris, 15 déc. 1994 : *Indienne* 1988, acryl./t. (197x210) : **FRF 120 000** – Paris, 13 déc. 1995 : *Sans titre*, h/t (200x180) : **FRF 150 000** – Paris, 10 juin 1996 : *Sans titre* 1987, dess. encre de Chine/pap. (33x41) : **FRF 5 000** – Paris, 19 juin 1996 : *La Constellation du Chien* 1982, h/t (250x295) : **FRF 180 000** – Paris, 28 avr. 1997 : *Le Nu rouge* 1982, h/t (130x161,5) : **FRF 174 000** – Londres, 27 juin 1997 : *Le Classique, le miroir et le chien* 1982, h/t (130x162) : **GBP 13 800**.

GAROVI Paolo ou **Garvi**

xvie siècle. Actif à Bissone. Italien.

Sculpteur.

Auteur des sculptures des fonts baptismaux d'Atril (Abruzzes).

GARP Bo Mattson

xvie siècle. Actif en Suède vers 1500. Suédois.

Peintre.

Il décora de fresques l'église de Skelleftea.

GARP Elon

Né en 1930 en Dalécarlie (Suède). xxe siècle. Suédois.

Peintre.

Il fut élève d'une Académie de peinture à Stockholm, de 1950 à 1952. Il voyagea en France, Espagne, Grèce, Turquie, Italie et Albanie. Il a montré ses œuvres dans plusieurs expositions personnelles à Stockholm, et dans diverses villes de Suède ainsi qu'à Paris, en 1969.

Après des œuvres de jeunesse, influencées par le post-cubisme qui aura été l'académisme du milieu du siècle, il a trouvé sa voie dans une violente figuration expressionniste, qui frôle souvent, dans son indifférence au sujet, l'abstraction. Sa démarche se situe dans la lignée des peintres du groupe Cobra.

Musées : Harnosand – Linkoping – Ostersund – Stockholm – Uddelholm – Umea.

GARRAND Marc ou **Marcus**. Voir **GERARDS Marcus,** le Jeune

GARRARD Charles

xixe siècle. Actif à Londres. Britannique.

Sculpteur.

Prit part aux expositions de Londres, de 1816 à 1829, à Suffolk Street, à la British Institution et surtout à la Royal Academy.

GARRARD E.

xviiie siècle. Actif à Londres. Britannique.

Peintre de paysages.

Exposa à la Royal Academy en 1793.

GARRARD George

Né le 31 mai 1760. Mort le 8 octobre 1826 à Brompton. xviiie-xixe siècles. Britannique.

Peintre de sujets de genre, portraits, animaux, paysages, sculpteur.

Après avoir travaillé sous Sawrey Gilpin, il étudia à la Royal Academy de Londres, où il exposa pour la première fois en 1781 et dont il fut nommé associé en 1800. Parmi ses œuvres figurent : *Un paysan attaqué par des loups* et *Woburn Abbey*.

Ventes Publiques : Londres, 17 juin 1966 : *Le pur-sang et le garçon d'écurie* : **GNS 2 400** – Londres, 24 nov. 1972 : *Portrait de l'artiste* : **GNS 2 400** – Londres, 31 mars 1976 : *Portrait of the Holderness Heifer*, h/t (102x132) : **GBP 5 500** – Londres, 18 mai 1977 : *Thomas Crib, le pugiliste* 1825, bronze (H. 26,5) : **GBP 600** – Mentmore, 25 mai 1977 : *Gentilhomme avec un cheval bai dans un paysage*, h/t (68x89) : **GBP 5 800** – Los Angeles, 9 nov. 1977 : *Nu agenouillé* 1921, bronze (H. 92,7) : **USD 1 900** – Londres, 27 mars 1981 : *Pur-sang et palefrenier dans un paysage*, h/t (94x125) : **GBP 19 000** – Londres, 18 oct. 1985 : *La forge*, h/cuivre (18,4x24,8) : **GBP 1 600** – Londres, 20 avr. 1990 : *La cour de la brasserie Whitbread dans Chiswell Street à Londres* 1783, h/t (71x91,5) : **GBP 35 200** – Londres, 13 nov. 1996 : *Jeune Étalon tenu par son propriétaire dans un paysage*, h/t (94x128,5) : **GBP 12 650** – New York, 26 fév. 1997 : *Divers portraits*, h/t/pan., série de six (44,5x36,2) : **USD 18 400**.

GARRARD H.

Britannique.

Peintre.

Cité par le *Art Prices Current*.

Ventes Publiques : Londres, 24 mars 1911 : *Chasse au renard* : **GBP 11**.

GARRATT Arthur Paine

Né au xixe siècle à Londres. xixe siècle. Britannique.

Peintre.

Médaille de deuxième classe au Salon des Artistes Français en 1903.

GARRATT William

xixe siècle. Actif à Londres. Britannique.

Peintre de paysages.

Exposa à Londres à la Royal Academy, à la British Institution et à Suffolk Street, de 1827 à 1831.

GARRAUD Gabriel Joseph

Né le 23 mars 1807 à Dijon (Côte-d'Or). Mort le 5 juin 1880 à Dijon. xixe siècle. Français.

Sculpteur.

Élève de l'École de Dijon et de Rude, il obtint en 1838 une médaille de troisième classe et une autre de deuxième classe en 1844. Nommé directeur des Beaux-Arts, à Paris, en 1848, puis inspecteur, mais en 1852 cette charge lui fut retirée. Il figura au Salon, de 1838 à 1875, avec des groupes. On lui doit la statue en marbre du marquis de Laplace, à l'Observatoire de Paris. Le Musée de Versailles possède de Gabriel Garraud : *Christophe de Thou, premier président au parlement de Paris*, et *Jean Werestanz, maréchal des camps et armées du roi*, et celui de Dijon : *Orphée*, quatre bas-reliefs, *Le secret de l'amour*, *James de Montry*.

GARRAUD Léon

Né le 19 janvier 1877 à Saint-Moreil (Creuse). Mort le 27 août 1961 à Lyon (Rhône). xxe siècle. Français.

Peintre de scènes de genre, figures, portraits, paysages urbains, paysages, natures mortes.

Il passa son enfance à Oullins, dans la région du Rhône. Puis, il s'établit à Lyon, où il fut élève de l'École des Beaux-Arts, dans l'atelier de Pierre Bonnaud et de Tony Tollet. Il fit un voyage en Italie, rapportant de nombreuses études sur Florence et Venise. Il exposa au Salon de Lyon, dès 1902, obtenant une troisième médaille, en 1905 ; un rappel de médaille, en 1907 ; au Salon des Artistes Français de Paris, de 1920 à 1938.

Il réalisa principalement des paysages de la banlieue lyonnaise, des portraits et des scènes de genre. Henry Béraud écrivait, à son sujet, en 1912 : « Un talent fait de force et de sérénité... Après ceux de Jacques Martin, ses portraits sont les plus solides et les plus vivants qu'un Salon lyonnais nous ait montrés depuis dix ans. Paysagiste, il s'égare dans la banlieue grise et navrée de notre ville et il en rapporte de grands paysages barrés d'arbres tordus, des matins et des crépuscules qui sont des apothéoses de crève-cœur et de désolation. » Parmi ses nombreuses œuvres, on cite : *Pont sur la Saône à Saint-Georges – La Saône au Pont du Change à Lyon – Nature morte aux fruits.*

Bibliogr. : Gérald Schurr, in : *Les Petits Maîtres de la peinture 1820-1920, valeur de demain,* Les Éditions de l'Amateur, t. VI, Paris, 1985.

Ventes Publiques : Lyon, 9 juin 1982 : *Pont sur la Saône à Saint-Georges,* h/pan. : **FRF 2 400** ; *Nature morte aux fruits* : **FRF 5 600** – Lyon, 24 oct. 1984 : *Nature morte aux raisins* : **FRF 3 000**.

GARRAUD Sylvie
xxe siècle.
Sculpteur.
Elle a participé en 1996 à l'exposition *Couleur et construction* au musée de Grenoble.

Bibliogr. : Eric Suchère : *Couleur et construction,* Art Press, n° 212, Paris, avr. 1996.

GARRAUX Florentin
Né le 2 octobre 1859 près de Soleure. xixe siècle. Suisse.
Peintre.
Il travailla et exposa à Berne, Bâle et Zurich.

GARRAWAY Edward
xixe siècle. Actif à Londres. Britannique.
Peintre de genre.
Exposa à Londres, notamment à Suffolk Street, de 1875 à 1878.

GARRAWAY George Hervey
xixe siècle. Actif à Liverpool. Britannique.
Peintre de genre et d'histoire.
Cet artiste exposa à Londres à partir de 1870, notamment à la Royal Academy et à Suffolk Street. Le Musée de Liverpool conserve de lui : *Le Poète florentin.*

Ventes Publiques : Londres, 7 juil. 1987 : *Whitby* 1878, h/t (100x152,5) : **GBP 1 100**.

GARREAU Alphonse
Né le 17 avril 1792 à Versailles (Yvelines). xixe siècle. Français.
Peintre d'histoire, compositions religieuses, portraits, paysages.
Entré à l'École des Beaux-Arts le 4 mars 1816, il devint élève de Gros. Il figura au Salon de Paris, de 1819 à 1827.
Il peignit des portraits et quelques autres sujets, tels que : *Othryadès, chef des Spartiates* ; *Saint Sébastien, martyr* ; *Une jeune nymphe.*

Ventes Publiques : Paris, 3 déc. 1987 : *Vue du jardin de Versailles,* h/t (74x100) : **FRF 9 500**.

GARREAU Georges Raoul
Né le 6 février 1885 à Paris. xxe siècle. Français.
Peintre-aquarelliste, sculpteur.
Il exposa au Salon des Artistes Français de Paris.

Ventes Publiques : Lokeren, 8 oct. 1994 : *Danseurs espagnols,* bronze (H. 44,5, l. 26,5) : **BEF 55 000**.

GARREAU Louis
xviiie siècle. Actif à Paris. Français.
Dessinateur et graveur au burin.
Il a gravé des sujets de genre.

Ventes Publiques : Paris, 4 et 5 juin 1928 : *Personnages et barque près d'une grotte,* aquar. : **FRF 1 100**.

GARREAU Marguerite
Née à Paris. xxe siècle. Française.
Aquarelliste et pastelliste.
Elle exposa à Paris au Salon des Artistes Français.

GARRELS Frédéric
Né en 1919 à Anvers. xxe siècle. Belge.
Peintre, illustrateur, décorateur.
Il fit ses études à l'Académie d'Anvers, où il eut pour professeur Opsomer.

Bibliogr. : In : *Diction. biographique Illustré des Artistes en Belgique depuis 1830,* Arto, Bruxelles, 1987.

GARRET G.
Britannique.
Peintre de paysages et animalier.
Cité par le *Art Prices Current.*

Ventes Publiques : Londres, 20 mars 1911 : *Deux paysages et Bestiaux,* trois pièces : **GBP 3**.

GARRET H.
xviie siècle. Actif à Londres vers 1650. Britannique.
Peintre.

GARRET Jedd. Voir **GARET**

GARRET William
xviiie siècle. Actif à Newcastle à la fin du xviiie siècle. Britannique.
Graveur sur bois.
Il publia une série de treize petits dessins dont le dernier représente : *La mort conduisant une femme à la tombe.*

GARRET Xavier
Né à Vesoul (Haute-Saône). xixe siècle. Français.
Peintre de natures mortes.
Débuta au Salon en 1880.

GARRETSON Della
Née au xixe siècle à Logan (Ohio). xixe siècle. Américaine.
Peintre.
Elle exposa au Salon des Artistes Français en 1902.

GARRETT Clara Maria, née **Pfeifer**
Née à Saint-Louis (Missouri). xxe siècle. Américaine.
Sculpteur.
Elle commença ses études dans sa ville natale, puis vint travailler à Paris, à l'École des Beaux-Arts, et avec Bourdelle et Marqueste. En 1904, elle obtint une médaille de bronze à Saint-Louis.

GARRETT Edmund Henri
Né le 19 octobre 1853 à Albany. Mort en 1929. xixe-xxe siècles. Actif à Boston. Américain.
Peintre de paysages, graveur, illustrateur.
Il fit ses études à Paris avec J.-P. Laurens, Boulanger, Lefebvre et Leroux. Il obtint une médaille d'argent à Boston.

Ventes Publiques : New York, 19 juin 1981 : *Twelfth night* 1914, h/t (73,6x47,6) : **USD 1 000** – New York, 31 jan. 1985 : *Paysage au coucher du soleil,* h/t (64,1x36,8) : **USD 1 600**.

GARRETT Thomas Balfour
Né en 1879. Mort en 1952. xxe siècle. Australien.
Peintre de genre, scènes et paysages animés, paysages, aquarelliste, peintre de monotypes.

Ventes Publiques : Melbourne, 11 mars 1977 : *La porte verte avec chat blanc,* techn. mixte/pap. mar./cart. (33,5x31,5) : **AUD 900** – Melbourne, 20 mars 1978 : *Fatigué,* monotype (32,5x27) : **AUD 800** – Sydney, 20 oct. 1980 : *La Porte bleue,* monotype (25x22,5) : **AUD 3 200** – Sydney, 29 juin 1981 : *Evening,* aquar. (12,5x17,5) : **AUD 700** – Sydney, 28 juin 1982 : *Le Chemin de campagne,* monotype (27x38) : **AUD 2 800** – Armadale (Australie), 11 avr. 1984 : *Scène de rue,* aquar. (24x19) : **AUD 900** – Melbourne, 7 nov. 1984 : *Middle harbour,* monotype (26x25,5) : **AUD 2 600** – Melbourne, 6 avr. 1987 : *Lepkins Castle,* aquar. (42x37) : **AUD 9 500** – Sydney, 17 avr. 1988 : *Le verger rouge Parramatta,* aquar. (59x30) : **AUD 3 000** – Sydney, 4 juil. 1988 : *Matinée pastorale,* aquar. (23x43) : **AUD 3 750** – Sydney, 2 juil. 1990 : *L'anse isolée,* aquar. (25x36) : **AUD 3 000**.

GARREZ René Joseph
Né en 1802 à Paris. Mort en 1852 à Paris. xixe siècle. Français.
Peintre et architecte.
Le Musée d'Avignon conserve de lui une *Vue de la ville.*

Ventes Publiques : Paris, 31 mars-1er avr. 1924 : *Chapelle supérieure de Saint-François à Assise,* aquar. : **FRF 115** – Paris, 27 mars 1926 : *Vue de Venise,* aquar. : **FRF 250**.

GARRI Colomba
xviiie siècle. Italienne.
Peintre de natures mortes, fleurs.
Active à Naples, elle épousa le peintre d'ornements Tommaso Castellano. Ses filles Francisca et Bibiena furent paysagistes, Ruffina, peintre de fleurs, Apollonia, peintre de figures et de vues.

GARRI Giorgio
Mort vers 1731 à Naples. xviiie siècle. Italien.
Peintre.
Il fut élève de Casissa et peignit des paysages et des marines.

Ventes Publiques : Londres, 28 nov. 1962 : *Nature morte aux fruits et aux fleurs, avec personnages* ; *Nature morte aux fruits et aux fleurs avec une femme* : **GBP 2 200**.

GARRICQ François
XVIIe siècle. Actif à Paris en 1675. Français.
Peintre, sculpteur, graveur et enlumineur.

GARRIDO Eduardo Leon
Né le 20 février 1856 à Madrid. Mort le 24 février 1949 à Caen (Calvados). XIXe-XXe siècles. Actif aussi en France. Espagnol.
Peintre d'histoire, scènes de genre, figures, portraits. Postimpressionniste.
Il fut élève du peintre Vicente Palmaroli y Gonzalez. Puis, il fit un bref séjour à Paris. Il fut nommé professeur à l'École des Arts et métiers de Varennes. Il exposa dans son pays, à Munich, à Londres et dans divers Salons de Paris.
C'est après un bref séjour parisien qu'il s'intéressa à la peinture galante : diverses scènes de la vie aristocratique : bals, réceptions dans des salons rococo, chaque sujet étant prétexte à célébrer la femme dans sa beauté juvénile. Parmi ses toiles, on mentionne : *Dame jouant du luth* – *Le bal masqué* – *Scène de danse* – *Portrait d'homme* – *Portrait de femme* – *La lettre* – *Le repos* – *Les grands boulevards de Paris* – *Le chemin* – *Retour de promenade*.

E L Garrido

Bibliogr. : Gérald Schurr, in : *Les Petits Maîtres de la peinture 1820-1920, valeur de demain*, Les Éditions de l'Amateur, t. III, Paris, 1976 – in : *Cien anos de pintura en Espana y Portugal, 1830-1930*, t. III, Antiqvaria, Madrid, 1989.
Ventes Publiques : Londres, 24 nov. 1976 : *Colombine*, h/pan. (46x37) : **GBP 1 100** – New York, 12 mai 1978 : *La promenade dans le parc*, h/pan. (40,5x31) : **USD 2 700** – Londres, 20 juin 1980 : *La lettre*, h/pan. (46x37) : **GBP 2 500** – Barcelone, 25 mai 1982 : *Portrait de femme*, h/t (75x116) : **ESP 310 000** – Madrid, 22 oct. 1984 : *Artiste et modèle*, h/pan. (49,5x61) : **ESP 900 000** – New York, 27 fév. 1986 : *Le Menuet*, h/pan. (54x65,5) : **USD 10 000** – Paris, 30 nov. 1987 : *Jeune femme*, h/pan. (24x19) : **FRF 215 000** – Paris, 9 avr. 1987 : *Jeune femme à la lettre*, h/t (100x81) : **FRF 210 000** – Paris, 16 oct. 1988 : *Jeune élégante*, h/pan. (35x27) : **FRF 26 000** – New York, 24 mai 1989 : *Elégante avec son chien*, h/pan. (40,6x31,1) : **USD 28 600** – Monaco, 17 juin 1989 : *Elégantes au café* 1884, h/pan. (55x45,5) : **FRF 488 400** – New York, 24 oct. 1989 : *La sérénade*, h/pan. (53x65) : **USD 39 600** – New York, 25 oct. 1989 : *Jeune élégante à la robe rouge*, h/t (85,6x115,6) : **USD 77 000** – Londres, 22 nov. 1989 : *Femme à l'éventail*, h/pan. (55,5x38) : **GBP 9 350** – Londres, 17 fév. 1989 : *Un bon livre*, h/pan. (20,5x25) : **GBP 6 820** – Londres, 15 fév. 1990 : *La belle musicienne*, h/pan. (23,5x32) : **GBP 4 400** – New York, 28 fév. 1990 : *Un petit tour dans le village*, h/pan. (26x34,9) : **USD 30 800** – New York, 23 mai 1990 : *Jeunes femmes sur la terrasse*, h/pan. (72,7x57,8) : **USD 38 500** – Londres, 28 nov. 1990 : *Dame avec un panier de fleurs*, h/t (114x83) : **GBP 19 800** – Londres, 22 nov. 1990 : *Jeune femme s'habillant devant son miroir*, h/cart. (33x24) : **GBP 2 860** – New York, 22 mai 1991 : *La femme à la mandoline*, h/pan. (61x50,2) : **USD 29 700** – New York, 17 oct. 1991 : *Le menuet*, h/pan. (72x92) : **USD 47 300** – New York, 28 mai 1992 : *Le secret*, h/pan. (52,7x64,8) : **USD 33 000** – New York, 20 fév. 1992 : *La farandole*, h/pan. (80x101) : **USD 71 500** – Paris, 1er juil. 1992 : *Le menuet*, h/pan. (64x80,5) : **FRF 160 000** – New York, 30 oct. 1992 : *Jeune femme lisant dans un salon*, h/pan. (20,6x27,2) : **USD 12 100** – New York, 17 fév. 1993 : *Le carnet de croquis*, h/pan. (54,9x40,3) : **USD 24 150** – Milan, 16 mars 1993 : *La collectionneuse*, h/t (33x24) : **ITL 6 500 000** – Londres, 18 juin 1993 : *Jeune femme admirant un tableau*, h/pan. (33x24) : **GBP 4 830** – Calais, 4 juil. 1993 : *Portrait d'homme assis fumant la pipe*, h/pan. (27x35) : **FRF 9 000** – Paris, 19 nov. 1993 : *Le concert*, h/pan. (61x73) : **FRF 150 000** – Paris, 22 mars 1994 : *La préparation au bal*, h/pan. (50x61) : **FRF 80 000** – New York, 15 fév. 1994 : *Élégante jeune femme tenant un éventail*, h/pan. (40,6x31,4) : **USD 9 775** – New York, 16 fév. 1995 : *La cueillette des fleurs sauvages* 1891, h/pan. (76,2x58,4) : **USD 28 750** – Londres, 15 nov. 1995 : *La joueuse de mandoline*, h/pan. (54x45) : **GBP 7 475** – Londres, 17 mars 1995 : *Sur la plage*, h/pan. (33x24) : **GBP 10 120** – New York, 24 mai 1995 : *La belle guitariste*, h/pan. (54,9x45,7) : **USD 9 200** – Carpentras, 28 jan. 1996 : *Élégante jouant du violon* ; *Élégante en déshabillé*, h/pan., une paire (61x48 et 61x44) : **FRF 205 000** – New York, 23-24 mai 1996 : *La Révérence*, h/pan. (76,2x55,2) : **USD 17 250** – New York, 23 oct. 1997 : *Fleurs du jardin*, h/pan. (54,6x45,7) : **USD 17 250**.

GARRIDO Juan
XVIIe siècle. Actif à Valladolid. Espagnol.
Sculpteur.
Cité comme sculpteur dans l'inventaire des biens délaissés par Juana Martinez, veuve d'Isaac de Juni, en 1602.

GARRIDO Leandro Ramon
Né le 27 septembre 1868 à Bayonne (Pyrénées-Atlantiques). Mort en 1909 à Bayonne. XIXe-XXe siècles. Depuis 1890 actif en France. Espagnol.
Peintre de scènes de genre, portraits, paysages animés.
De mère anglaise, il passa sa jeunesse à Paris, puis en Grande-Bretagne. Dès 1890, il s'établit à nouveau à Paris, pour suivre les cours de l'École des Beaux-Arts. Il exposa au Salon des Artistes Français de Paris, de 1893 à 1898.
Il peignit des scènes de genre, des paysages animés, des portraits à l'atmosphère romantique, entre lesquels : *Bain de minuit* – *En conseil de famille* – *Jeune fille prenant le thé* – *La dame aux gants*. Il évoque Zuloaga, par le choix de ses sujets refusant l'anecdote et par la simplification de la facture.
Bibliogr. : Gérald Schurr, in : *Les Petits Maîtres de la peinture 1820-1920, valeur de demain*, Les Éditions de l'Amateur, t. II, Paris, 1982 – in : *Cien anos de pintura en Espana y Portugal, 1830-1930*, t. III, Antiqvaria, Madrid, 1989.
Musées : Glasgow : *La dame aux gants* – Liverpool : *En conseil de famille*.
Ventes Publiques : Paris, 24 fév. 1928 : *La Comparaison* : **FRF 2 900** – Paris, 4 avr. 1928 : *Au seuil de l'alcôve* : **FRF 720** – Londres, 5 fév. 1982 : *Rêverie*, h/t (67,2x49,5) : **GBP 1 100** – Londres, 21 mars 1984 : *Rêverie* 1890, h/t (65x49) : **GBP 1 500** – Lokeren, 28 mai 1988 : *Rêverie* 1904, h/t (65x49) : **BEF 200 000** – Los Angeles, 9 juin 1988 : *Reflets dansants* 1891, h/t (66x44,5) : **USD 1 870** – Londres, 15 fév. 1990 : *La poupée* 1902, h/t (82x65) : **GBP 6 600** – Lokeren, 15 mai 1993 : *Le joueur de flûte* 1899, h/t (90x130) : **BEF 240 000** – Paris, 27 mai 1994 : *Élégante au bal masqué*, h/pan. (41x33) : **FRF 29 000**.

GARRIDO Louis Édouard
Né en 1856. Mort en 1906. XIXe siècle. Français (?).
Peintre de figures.
On peut craindre une confusion avec l'homonyme suivant, à moins qu'il ne s'agisse de son père qui, en effet, était peintre.
Ventes Publiques : Paris, 23 mai 1990 : *Autoportrait à la palette*, h/pan. (55x46) : **FRF 5 000**.

GARRIDO Louis Édouard
Né le 1er juillet 1893 à La Varenne Saint-Maur (Val-de-Marne). Mort le 13 mai 1982 à Caen (Calvados). XXe siècle. Français.
Peintre de paysages, marines, graveur.
Fils d'un immigré espagnol. Il se fixa à Caen en 1921, où il s'occupa d'activités sociales et culturelles. Après 1950, il s'installa à Saint-Vaast-La-Hougue. À partir de 1926, il participa à de nombreuses expositions collectives régionales, notamment régulièrement au Salon des Artistes Bas-Normands. En 1972, il exposa un ensemble de ses peintures à l'hôtel d'Escoville de Caen. En 1982, un hommage lui fut rendu au Grenier à Sel de Honfleur.
Parfois mentionné comme graveur animalier, il est surtout le peintre des paysages typiques de la Normandie et des marines de la Côte normande.

GARRIDO DE HERRERA Juan
Né au XIXe siècle. XIXe siècle. Espagnol.
Peintre de genre et aquarelliste.
Il a participé à partir de 1881 aux expositions de la Société des Aquarellistes à Madrid.

GARRIDO Y AGUDO Maria de la Soledad
Née au XIXe siècle à Salamanque. XIXe siècle. Espagnole.
Peintre de portraits et de genre.
Élève de Juan Peyro. Elle débuta à Madrid en 1876. Elle a exposé également cette même année à Philadelphie.
Ventes Publiques : Paris, 16 et 17 mai 1892 : *Coup de vent* : **FRF 360** – Paris, 6 mars 1893 : *Le repos du modèle* : **FRF 400** – Paris, 27 avr. 1897 : *Le Repos* : **FRF 115** – Paris, 21 mars 1898 : *Au bal* : **FRF 320** – New York, 18 et 19 fév. 1904 : *Diseuse de bonne aventure* : **USD 225** ; *La Pavane* : **USD 810** – Londres, 11 avr. 1908 : *Contemplation* : **GBP 2** – Paris, 30 et 31 mars 1910 : *Le menuet* : **FRF 780** – Paris, 30 oct. 1925 : *La pavane* : **FRF 2 300**.

GARRIGA Joseph Grau. Voir **GRAU-GARRIGA Joseph**

GARRIGUE François
XVIIe siècle. Français.
Peintre.
Il était membre de l'Académie Saint-Luc et est cité à Paris le 19 avril 1675.

GARRIGUE Honoré
XVIIe siècle. Actif à Marseille. Français.
Sculpteur sur bois.

GARRIGUES Arnaud
XVIIe siècle. Français.
Peintre.
Il travailla pour la cathédrale de Rodez en 1614.

GARRIGUES Bernard
Né à Pézenas. XVIe siècle. Français.
Peintre.
Ce peintre vivait à Lyon en 1508 et 1511 ; il peignit des guidons et des bannières.

GARRIOT
Né à Toulouse. XVIIIe siècle. Français.
Peintre de miniatures.

GARRISON Ève
Née à Boston. XXe siècle. Américaine.
Peintre.
Elle fut élève de l'Art Institute de Chicago. Elle a exposé plusieurs fois aux États-Unis.
Elle superpose sur des fonds issus de techniques abstraites géométriques, une figuration classique, laissant transparaître le fond à travers le sujet.

GARRO José
XVIIe siècle. Espagnol.
Sculpteur.
Il travailla pour la cathédrale de Huesca en 1610.

GARROD Violet
Née en 1898. XXe siècle. Britannique.
Peintre, aquarelliste.
Membre de nombreuses sociétés artistiques, elle a exposé à Londres, à la Royal Academy et dans différents Salons.

GARRON Jules Paul de
Né au XIXe siècle à Paris. XIXe siècle. Français.
Graveur.
Ses maîtres furent Bury et Pfnor. Il figura au Salon de 1861 à 1879.

GARRONE Joséphine
Morte en 1888 ou 1889 à Lyon. XIXe siècle. Française.
Peintre.
Fixée à Lyon, elle a exposé au Salon de cette ville, de 1868 à 1885, des portraits et des figures à l'huile et au pastel.

GARROTE Y RAMOS Damaso
Né au XIXe siècle à Madrid. XIXe siècle. Espagnol.
Peintre de genre.
Élève de Luis Ferrant. Il débuta à Madrid vers 1871.

GARROUSTE Henri
Né en 1890 à Paris. XXe siècle. Français.
Peintre de figures, portraits, décorateur.
Il exposa *Balinaise aux seins nus* au Salon des Artistes Indépendants à Paris, en 1926. Il participa ensuite à d'autres Salons : des Artistes Français, d'Hiver, de Mai en 1958...
Il a réalisé une décoration murale pour la Maison des Combattants Républicains à Paris.
MUSÉES : ORADOUR-SUR-GLANE : *Pieta*.
VENTES PUBLIQUES : CALAIS, 9 déc. 1990 : *Baignade au clair de lune*, h/t (60x50) : **FRF 11 000**.

GARRY Augustin Marie Joseph
XIXe-XXe siècles. Français.
Sculpteur.
Il travailla à Maisons-Laffite. Il exposa à Paris, au Salon des Artistes Français, dont il devint sociétaire en 1896.

GARRY Charley
Né en 1891 à Paris. XXe siècle. Français.
Peintre de nus, paysages.
Il fut élève de Jules Adler et de Gabriel Ferrier. À partir de 1912, il exposa régulièrement au Salon des Artistes Français, à Paris. Il participa également à Paris, aux Salons de la Société Nationale des Beaux-Arts et aux Indépendants.
Ses scènes légères connurent un certain succès.
VENTES PUBLIQUES : PARIS, 17 juil. 1942 : *Paysages*, deux pendants : **FRF 60** – PARIS, 21 fév. 1947 : *Paysage* : **FRF 5 500**.

GARSIA Stephanus
XIe siècle.
Enlumineur.
Il exécuta les miniatures et décorations d'un commentaire de Beatus sur l'Apocalypse.

GARSIDE Oswald
Né en 1879. Mort en 1942. XIXe-XXe siècles. Britannique.
Peintre de paysages, aquarelliste.

Oswald Garside

MUSÉES : WARRINGTON : *L'Écluse de Bewsey en hiver*, aquar. – *Old Slaithe, près de Whitby*, aquar.
VENTES PUBLIQUES : LONDRES, 25 jan. 1989 : *Calme soirée*, aquar. (29x43) : **GBP 660** – LONDRES, 12 mai 1993 : *Ackers Lane à Stockton Heath* 1925, aquar. et past. (29,5x26,5) : **GBP 575**.

GARSIDE Thomas Hilton
Né en 1906. Mort en 1980. XXe siècle. Canadien.
Peintre de paysages.
Il a peint des aspects très variés du paysage de la province du Québec.
VENTES PUBLIQUES : TORONTO, 9 mai 1977 : *Rouge River*, h/cart. (50x60) : **CAD 1 300** – NEW YORK, 26 juin 1985 : *Curling, Newfoundland*, h/t (38,3x50,8) : **USD 1 900** – MONTRÉAL, 1er mai 1989 : *Paysage de rivière de montagne en automne*, h/t (31x41) : **CAD 1 100** – MONTRÉAL, 30 oct. 1989 : *Rivière du nord en hiver*, past. (54x75) : **CAD 2 640** – MONTRÉAL, 3 0 avr. 1990 : *Paysage d'été*, h/t (21x28) : **CAD 2 640** – MONTRÉAL, 5 nov. 1990 : *Le bac de Levis traversant en hiver*, past. (48x64) : **CAD 2 200** – MONTRÉAL, 23-24 nov. 1993 : *La baie St-Paul*, h/t (21x28) : **CAD 750** – MONTRÉAL, 3 déc. 1996 : *Rivière du nord en hiver*, past. (54,5x75) : **CAD 2 000**.

GARSOÏAN Inna
XXe siècle. Arménienne.
Peintre.
Elle figura autour des années 1930 dans les principaux Salons parisiens.

GARSON Victor René
Né le 8 décembre 1796 à Ploermel. XIXe siècle. Français.
Peintre.
Le 19 février 1814, il entra à l'École des Beaux-Arts et eut pour maîtres Marsey et Abel de Pujol. De 1817 à 1833, il figura au Salon de Paris.

GARSTIN Elisabeth
Née en 1897. XXe siècle. Américaine.
Sculpteur.
Elle fut membre de l'American Federation of Art.

GARSTIN Norman
Né en 1847. Mort en 1926. XIXe-XXe siècles. Actif aussi en France. Britannique.
Peintre de sujets de genre, aquarelliste.
Cet artiste, bien que résidant à Paris au début de sa carrière, exposa fréquemment à Londres, notamment à la Royal Academy, à Suffolk Street, à la Grosvenor Gallery, à partir de 1882. Plus tard, il vint s'établir à Londres.

NORMAN GARSTIN

VENTES PUBLIQUES : PARIS, 9 fév. 1927 : *Les soins du ménage* : **FRF 300** – LONDRES, 11 nov. 1981 : *Chaumière normande*, aquar. (28,5x22) : **GBP 320** – LONDRES, 25 mai 1983 : *The morning lesson* 1882, h/t (42x48) : **GBP 8 500** – LONDRES, 12 juin 1987 : *The Butt and Oyster Inn, Pinn Mill, Suffolk*, aquar. (37,7x46) : **GBP 1 500** – LONDRES, 3-4 mars 1988 : *Spectacle de saltimbanques aux flambeaux*, h/t (54,3x45,6) : **GBP 3 520** – BELFAST, 28 oct. 1988 : *Une bretonne assise*, h/t (51x40,7) : **GBP 990** – LONDRES, 30 jan. 1991 : *En route pour l'école à Petit Andely*, aquar. (17x12) : **GBP 1 320** – LONDRES, 2 juin 1995 : *La carrière de craie*, h/t (91,5x71) : **GBP 4 370** – LONDRES, 9 mai 1996 : *La Tournée du matin*, h/t (55,8x40,6) : **GBP 4 600**.

GARTENSCHMIDT Wolf
Né au XVIIIe siècle dans la région de Munich. XVIIIe siècle. Allemand.

Peintre.
Il fut élève de Beintner et illustra des sujets religieux.

GARTH B.
XIXe siècle. Actif à Londres. Britannique.
Peintre de paysages.
Exposa à la Royal Academy, de 1796 à 1800.

GARTHMANN Albert
Né le 1er mai 1876 à Gransee (Allemagne). XXe siècle. Allemand.
Peintre, décorateur.
Il fut élève de Peter Jansen à l'Académie de Düsseldorf.

GARTHWAITE Josette
Née à Paris. Française.
Sculpteur.
Elle figure régulièrement au Salon de Paris.

GARTIER Pierre
Né en 1930 à Valence (Drôme). XXe siècle. Français.
Peintre de figures, paysages, natures mortes, aquarelliste, graveur.
Il fut élève de l'École des Beaux-Arts de Lyon, puis à Paris de l'École du Louvre et de l'École Estienne. Il eut pour professeurs Bissière, Swoboda et Pierre Dubreuil. En 1961-1962, il séjourna à Alger, dernier pensionnaire de la Villa Abd-El-Tif. À Paris, en 1961, il fut sélectionné pour le Prix de la Critique ; en 1964 pour le Prix Antral. En 1967, il fut pensionnaire de la Fondation de Lourmarin ; en 1968 de la Fondation Desnoyer. Il vit et travaille dans la région Montpellier-Sommières.
Depuis 1958, il participe à de nombreuses expositions collectives et Salons, notamment à Paris : Salons d'Automne, des Artistes Indépendants, Comparaisons, des Artistes Français, du Dessin et de la Peinture à l'eau, Panorama de la Jeune Peinture ; ainsi que souvent dans la région de Montpellier, Sommières, Toulouse, Béziers, Nîmes, etc. Il a reçu de nombreux Prix et distinctions.
Depuis 1960, il expose également individuellement dans différentes institutions et galeries parisiennes et régionales, dont : en 1961 Alger, galerie Romanet ; 1965, 1973 Paris, galerie Vendôme ; 1977 Montpellier, Musée Fabre ; 1978, 1982 Montpellier, galerie Kuentz ; 1990 Sommières, Centre Laurence Durell ; 1996 Bédarieux, Maison des Arts ; etc.
Dans une technique très franche, grassement sensuelle, il traite des thèmes divers, souvent des sortes de natures mortes peu usitées, par exemple le fouillis d'une penderie de vêtements, dont son approche par les rythmes et couleurs tend à des valeurs abstraites. ■ J. B.
Musées : Alger – Montpellier (Fonds région.) – Montpellier (Artothèque) – Paris (Mus. d'Art Mod. de la Ville) – Saint-Denis.

GÄRTNER. Voir aussi **GAERTNER**

GARTNER
Né à Anvers. XXe siècle. Belge.
Peintre. Abstrait.
Il a participé à de nombreuses expositions collectives en Belgique et aux États-Unis. Il a montré ses œuvres dans des expositions individuelles : 1991 New Jersey, 1992 Bruxelles...
Ses peintures sont des mises en abyme abstraites, des monochromes sur monochromes, aux multiples modulations. Reprenant la forme et la teinte du fond, surface sur laquelle le pinceau a fortement laissé sa marque, il peint un ou plusieurs rectangles, les superpose. Souvent, il trace un signe fin, noir, aux multiples courbes ou un cercle blanc qui évoquent une cordelette nouée. Ces motifs semblent danser dans l'espace. Ses compositions lumineuses ou plus sombres, pleines de subtilité, décrivent un monde intérieur riche en émotions.

GARTNER Franz
XIXe siècle. Actif à Vienne. Autrichien.
Peintre.
Il travailla pour des manufactures de porcelaine.

GÄRTNER Fritz ou **Gaertner**
Né en 1882 à Aussig. Mort en 1958 à Munich. XXe siècle. Allemand.
Peintre, graveur, sculpteur.
Il fit ses études artistiques à Munich.
Musées : Leipzig – Prague.
Ventes Publiques : Cologne, 5 juin 1982 : *Terre et fer*, h/pan. (61x81) : **DEM 1 000** – Cologne, 22 mars 1985 : *Champ de coquelicots* 1910, h/t (115x160) : **DEM 5 500** – Cologne, 18 mars 1989 : *Industrie* 1912, h/t (146x143) : **DEM 3 300**.

GARTNER Hermine
Née vers 1850. Morte le 24 avril 1905 près de Gênes. XIXe siècle. Italienne.
Peintre.
Elle fut à Vienne élève de Josef Hoffmann.

GARTNER Jorg
XVIe siècle. Actif à Passau vers 1505. Allemand.
Sculpteur.
On lui doit surtout des tombeaux et des monuments en marbre.

GÄRTNER Klaus
XXe siècle.
Artiste, créateur d'environnements.
Il montre ses œuvres dans des expositions personnelles, notamment en 1993 au Kunstverein de Freiburg.
Il aménage l'espace de la galerie, après avoir réalisé une maquette, y plaçant ses sculptures, puis photographie l'ensemble.

GARTNER Paul
XVIe siècle. Actif à Innsbruck. Autrichien.
Peintre.
Frère de Simon. Il travailla pour l'archiduc Ferdinand II.
Ventes Publiques : Londres, 10-14 juil. 1936 : *Portrait d'un ecclésiastique*, dess. : **GBP 65**.

GARTNER Simon
Mort en 1611 à Innsbruck. XVIIe siècle. Autrichien.
Peintre.
Il fut peintre de Ferdinand II, puis de Maximilien d'Autriche.

GÄRTNER de LA PEÑA José ou **Gaertner**
Né en 1866 à Malaga. Mort en janvier 1918 à Madrid. XIXe-XXe siècles. Espagnol.
Peintre de marines, paysages.
Il fut élève de Émilio Ocon Rivas. Il a participé à de nombreuses expositions collectives, dans son pays, notamment aux expositions de la Société Nationale des Beaux-Arts, ainsi qu'à Boston (1883), Hambourg (1886), Berlin (1887), Washington (1890), Chicago (1893), et Bruxelles (1899). Il a reçu de nombreux Prix et distinctions.
Il saisit une atmosphère, s'attachant à reproduire la lumière, les brumes, l'eau et ses reflets. On cite de lui : *Bord de la Méditerranée à Malaga*.
Bibliogr. : In : *Cien anos de pintura en Espana y Portugal, 1830-1930*, Tomo 3, Antiqvaria, Madrid, 1989.
Musées : Madrid (Gal. Mod.) : *L'Invincible*.

GARTZEN Peter
XIXe siècle. Actif à Cologne à la fin du XIXe siècle. Allemand.
Sculpteur.
On lui doit les sculptures de la façade principale de l'Hôtel de Ville de Cologne.

GARVENS Oskar
Né le 20 novembre 1874 à Hanovre. XXe siècle. Allemand.
Sculpteur.
Il exposa à Berlin en 1909.

GARVEY Edmund
Mort en 1813. XIXe siècle. Britannique.
Peintre de paysages, aquarelliste.
Il vécut à Bath de 1769 à 1777. Élu associé de l'Académie Royale en 1770, il en devint membre en 1783. Garvey, jusqu'en 1809, fut un fidèle exposant de la Royal Academy de Londres. Il prit part aussi, occasionnellement, aux expositions de la Free Society et de la British Institution.
Cet artiste peignit à l'huile et à l'aquarelle.
Ventes Publiques : Londres, 13 juil. 1984 : *Paysage boisé avec vue de Rome dans le lointain*, h/t (69,9x95,2) : **GBP 1 000** – Londres, 27 sep. 1994 : *Paysage avec une vue de Rome au lointain*, h/t (69,5x95) : **GBP 2 070**.

GARVEY DE SAN JUAN Maria
XIXe siècle. Active à Cadix vers 1862. Espagnole.
Peintre.
Elle a exposé à Cadix et à Séville.

GARVI Paolo. Voir **GAROVI**

GARVIE Thomas Bowman
Né en 1859. XIXe-XXe siècles. Britannique.
Peintre de portraits, paysages.
Il travailla à Rothbury et exposa à la Royal Academy de Londres.
Ventes Publiques : Toronto, 22 oct. 1981 : *The Lily Maid of Astolat*, h/t (49,5x39,4) : **CAD 800**.

GARVILLE de, Mme
XVIIIe siècle. Active à Paris en 1761. Française.
Dessinatrice et graveur amateur.
Elle a gravé des sujets de genre.

GARWOOD Eileen Lucy
Née en 1909. Morte en 1951. XXe siècle. Britannique.
Peintre de scènes typiques, paysages, graveur.
Elle est la femme de l'aquarelliste anglais Éric Ravilions.
Elle a peint les paysages de l'Essex, mais aussi de nombreuses scènes de rues, de marchés.

GARY Lucien
XIXe-XXe siècles. Français.
Peintre de paysages.
Il figura au Salon d'Automne et à la Société Nationale à Paris.

GARZA Alexandro P.
XXe siècle. Italien.
Peintre de genre.
Ventes Publiques : New York, 13 jan. 1911 : *Lancement d'un canot* : **USD 150**.

GARZA Y BANUELOS Ciriaco de La. Voir **LAGARZA Y BANUELOS**

GARZATORI Sebastiano del
Né à Schio près de Vicence. XVe-XVIe siècles. Italien.
Peintre.
Il travailla surtout à Venise où il décora plusieurs églises.

GARZI Luigi
Né en 1638 à Pistoia (Toscane). Mort le 2 avril 1721 à Rome. XVIIe-XVIIIe siècles. Italien.
Peintre de scènes mythologiques, sujets religieux, portraits, paysages, dessinateur.
Il étudia dans sa ville natale avec S. Boccali et à Rome avec Andrea Sacchi ; il fut le contemporain et rival de Carlo Maratta. Parmi ses œuvres principales à Rome figurent : La coupole de la chapelle Cibo à Santa Maria del Popolo, *Les Maries au tombeau du Christ*, à Santa Marta, et *Le Prophète Joël*, à San Giovanni in Laterano. Il travailla au Palais Royal de Naples et dans l'église Santa Caterina à Formelo. On considère comme son chef-d'œuvre un grand tableau de *L'Assomption* qui se trouve dans la cathédrale de Pescia. Dans le Musée d'Ajaccio, on voit de cet artiste : *L'Enfant Jésus contemplant les instruments de la Passion, Exaltation de la croix, Le prophète Joël.*
Ventes Publiques : Londres, 8 déc. 1981 : *La Sainte Famille*, craies noire et blanche/pap. gris-bleu (36x24,6) : **GBP 450** – New York, 7 nov. 1984 : *L'Apothéose de sainte Clare et saint François d'Assise*, h/t (137x52) : **USD 7 000** – Londres, 9 avr. 1986 : *Allégorie de l'Abondance*, h/t, de forme ovale (59,5x47) : **GBP 19 000** – Milan, 12 juin 1989 : *Bacchus*, h/t (102x130) : **ITL 8 500 000** – New York, 17 juil. 1991 : *Glorification de saint François*, craies noire et rouge/pap., étude pour l'église Saint-François aux stigmates à Rome (25x16,5) : **USD 1 300** – New York, 11 jan. 1996 : *Rebecca près du puits*, h/t (73,7x101) : **USD 21 850**.

GARZI Mario
XVIIIe siècle. Actif à Rome vers 1700. Italien.
Peintre.
Fils et élève de Luigi Garzi. Dans le *Guida di Roma* de Pascoli, on cite deux de ses tableaux.

GARZO Berthold
Né le 11 janvier 1882 à Ungvar. XXe siècle. Hongrois.
Peintre, graveur, aquarelliste.
Il fut élève de l'Académie de Budapest.

GARZOLI Francesco
XIXe siècle. Actif en Italie. Italien.
Graveur au burin.

GARZON Alfredo
Né le 23 août 1940 à Salta. XXe siècle. Depuis 1976 actif et naturalisé en France. Argentin.
Peintre, sculpteur, graveur, dessinateur.
Il fut professeur à l'école des beaux-arts de Salta, puis à l'université nationale de Cordoba, où il obtint en 1966 la médaille d'or de l'école des beaux-arts. Il vit et travaille à Villeneuve-Saint-Georges depuis 1983.
Dès 1965, il participe à de nombreuses expositions collectives en Argentine, Canada, États-Unis, France, Grèce, Mexique... Il a montré ses œuvres dans diverses expositions individuelles tant en France, à Paris, à la Galerie Petit, qu'à l'étranger. Lauréat d'une vingtaine de concours, il a reçu cinq premiers Prix.
Épris de liberté, il laisse vagabonder son imagination pour créer des bijoux, des sculptures baroques, des gravures-reliefs, des masques de papier marouflés sur toile. À partir des matériaux les plus divers : marbre, pierre, bois, métaux (...) qu'il peint de toutes les couleurs, il joue, compose, assemble, brise, poursuivant sans cesse le même désir : la recherche de l'équilibre.
Bibliogr. : Catalogue de l'exposition *Alfredo Garzon*, Galerie La Petite, Paris, 1990.
Ventes Publiques : Paris, 26 mai 1979 : *Sculpture* 1988, ébène peint et bronze (H. 39,5) : **FRF 4 500** – Paris, 15 avr. 1991 : *Personnage* 1983, marbre blanc et bronze patiné (44x14) : **FRF 6 500** – Paris, 23 nov. 1997 : *La Puissance*, laiton soudé et peint (66x45x32,5) : **FRF 10 000**.

GARZON Juan
Mort en 1729 à Madrid. XVIIIe siècle. Espagnol.
Peintre.
Pendant quelque temps cet artiste fut l'élève de Murillo. Il aida Osorio dans la plupart de ses œuvres. On ne connaît de lui aucun travail fait entièrement de sa main. Il travailla surtout à Séville.

J. Garzon.

Ventes Publiques : Paris, 1843 : *Vierge et Enfant Jésus* : **FRF 150**.

GARZONI Angelo
Né à Padoue. XVIIe siècle. Italien.
Peintre.
Il travailla à Venise et Vérone.

GARZONI Giovanna
Née en 1600 à Ascoli (Marches). Morte en 1670 à Rome. XVIIe siècle. Italienne.
Peintre de portraits, fleurs, peintre à la gouache, miniaturiste.
Cette artiste résida souvent à Rome où elle se fit remarquer par son talent. Elle exécuta à Florence les portraits de quelques Médicis et autres membres de la noblesse. En mourant, elle légua ses collections artistiques considérables à l'Académie Saint-Luc de Rome qui lui érigea un fort beau monument.
Ventes Publiques : Londres, 2 juil. 1985 : *Vase d'œillets et une pomme ; Vase d'œillets et une poire*, deux aquar. et gches/pap. bleu (38,2x46,2) : **GBP 7 000** – Monaco, 18-19 juin 1992 : *Nature morte d'une corbeille de fruits, coquillages et vase d'œillets*, gche/vélin (33x44) : **FRF 555 000** – New York, 12 jan. 1994 : *Nature morte de fleurs dans une coupe décorée*, temp./vélin (24,3x31,3) : **USD 25 300**.

GARZOTTI Francesco
XVIe siècle. Actif à Venise en 1549. Italien.
Sculpteur.

GARZOTTI Girolamo
XVIe siècle. Actif à Venise. Italien.
Sculpteur.
On cite ses travaux dans les églises San Marco, San Clemente et Santa Maria.

GASBARRA Giuseppe
Né en 1849 à Rome. XIXe siècle. Italien.
Sculpteur.
Il débuta vers 1877. Il a exposé à Naples, Turin, Rome et Venise.

GASC Anna Rosina de. Voir **LISZEWSKA Anna Rosina**

GASC Charles Jean
Né le 31 janvier 1822 à Paris. XIXe siècle. Français.
Peintre.
Élève de H. Garneray. Il figura au Salon, de 1864 à 1870, avec des éventails.

GASCARD Alexander
Né le 14 septembre 1807 à Hambourg. Mort le 22 septembre 1837. XIXe siècle. Allemand.
Architecte et lithographe.
Il grava des vues d'intérieurs d'églises.

GASCARD Henri ou **Gascar, Gascars**
Né vers 1635 à Paris. Mort le 18 janvier 1701 à Rome. XVIIe siècle. Éc. flamande.
Peintre de portraits.
Il travailla en Italie, puis à Londres, notamment pour la duchesse de Portsmouth. En 1679, il était en Hollande, d'où il revint en France. Le 26 octobre 1680, il fut reçu académicien.

Musées : Londres (Tate Gal.) : *Portrait de Catherine de Bragance en Cléopâtre* – Paris (Mus. du Louvre) : *Portrait du peintre Louis Elle* – *Ferdinand le Vieux* – *Pierre de Sève le Jeune*.
Ventes Publiques : New York, 9-10 mars 1900 : *Portrait de Mme d'Orville* : **USD 325** – Londres, 21 déc. 1907 : *Portrait de femme* : **GBP 19** – Londres, 29 fév. 1908 : *Portrait d'un jeune prince* : **GBP 11** – Londres, 17 juil. 1908 : *Portrait de Nall Gwynne* : **GBP 42** – Londres, 27 mai 1909 : *Portrait de jeune fille* : **GBP 32** – Londres, 13 déc. 1910 : *La Dame aux perles* : **GBP 2** – Londres, 16 mars 1923 : *Duchesse de Grafton* : **GBP 31** – Londres, 27 juil. 1923 : *Jeunes Filles* : **GBP 14** – Londres, 27 juin 1924 : *Femme en blanc* : **GBP 21** – Londres, 15 mai 1925 : *Femme en Diane* : **GBP 27** – Londres, 13 avr. 1927 : *Femme* : **GBP 54** – Londres, 17-18 mai 1928 : *Femme* : **GBP 157** – Londres, 18 juil. 1929 : *Comtesse du Shrewsbury* : **GBP 50** – Londres, 29 nov. 1929 : *Portrait d'Edith, femme de Edward Phelips* : **GBP 31** – Londres, 25 nov. 1938 : *Elisabeth Pierrepont* : **GBP 8** – Londres, 3 mai 1940 : *Henry Goodricke* : **GBP 7** – Londres, 17 déc. 1982 : *Portrait présumée de Madame de Sévigné*, h/t (111,7x63) : **GBP 3 800** – New York, 4 avr. 1990 : *Portrait d'une jeune dame vêtue d'une robe brodée jaune et blanche assise près d'une table dans un paysage* 1725, h/t (106,7x81,3) : **GBP 5 500** – New York, 10 oct. 1990 : *Portrait d'une dame vêtue d'une robe de brocard et assise de trois-quarts près d'un guéridon ; Portrait d'un gentilhomme en armure tenant un baton de commandement*, h/t, une paire (chaque 62,8x50,2) : **USD 9 900** – New York, 30 mai 1991 : *Portrait d'une dame*, h/t (114,5x90) : **USD 22 000** – Londres, 13 juil. 1994 : *Portrait de James II ; Portrait de son épouse Marie de Modène*, h/t, une paire (chaque 62x49,5) : **GBP 15 870** – Londres, 12 juil. 1995 : *Portrait de Barbara, duchesse de Cleveland et de sa fille Lady Charlotte Fitzroy, comtesse de Lichfield*, h/t, de forme ovale (98,5x119) : **GBP 7 475** – New York, 31 jan. 1997 : *Portrait d'une dame assise de trois-quarts avec son chien devant une fenêtre ouverte, un paysage italien en fond*, h/t (87,6x114,3) : **USD 12 650** – Londres, 9 juil. 1997 : *Portrait de Frances Jennings*, h/t, de forme ovale (61x51) : **GBP 11 500**.

GASCARD Léon
Né en 1861 dans la Somme. xixe siècle. Français.
Peintre.
A figuré longtemps au Salon.

GASCARD Pierre ou **Gascar, Gasquart**
Mort le 17 avril 1665. xviie siècle. Français.
Sculpteur et peintre.
Il fut sans doute le père d'Henri.

GASCH Antonio
xixe siècle. Actif à Valence à la fin du xixe siècle. Espagnol.
Sculpteur.

GASCH Augustin
xviiie siècle. Actif à Alcora près de Valence dans la première moitié du xviiie siècle. Espagnol.
Peintre.

GASCH Christoph
xviiie siècle. Actif à Alcora près de Valence en 1730 et 1750. Espagnol.
Peintre.

GASCH Joseph
xviiie siècle. Actif à Alcora près de Valence. Espagnol.
Peintre.

GASCH Luis
Né au xixe siècle à Valence. xixe siècle. Espagnol.
Peintre de sujets de genre.
Ventes Publiques : Rambouillet, 30 oct. 1985 : *La fête espagnole* 1892, h/pan. (27x38) : **FRF 22 500**.

GASCHEN Christoph
xviiie siècle. Allemand.
Sculpteur.
Il travailla pour la cathédrale de Trèves vers 1725.

GASCO Joan
xvie siècle. Actif en Navarre au début du xvie siècle. Espagnol.
Peintre.
Père de Pere. Il travailla à Barcelone.
Ventes Publiques : Barcelone, 19 déc. 1984 : *San Segismundu ; San Severo*, h/pan., une paire (110x24) : **ESP 2 600 000**.

GASCO Pere
xvie siècle. Actif à Barcelone. Espagnol.
Peintre de sujets religieux.
Fils de Joan, il fut élève de son père.

GASCOIGNE, de. Voir aux prénoms qui précèdent

GASCOIGNE Ethel G. ou **Gascoyne**
xixe-xxe siècles. Active à Londres. Britannique.
Peintre de genre.
Exposa à la Royal Academy en 1871. Membre du Ridley Art Club (1909). Elle était l'épouse de Georges.

GASCOIGNE Georges ou **Gascoyne**
xixe-xxe siècles. Britannique.
Peintre de sujets de genre, graveur.
Il vécut et travailla à Londres. Il exposa à la Royal Academy de Londres à partir de 1882. Il est membre de la société des peintres graveurs anglais.
Musées : Londres (Victoria and Albert Mus.) : *Le retour du travail*, eau-forte.
Ventes Publiques : Londres, 23 sep. 1988 : *La herse* 1887, h/t (101x152) : **GBP 8 800**.

GASCOIGNE Rosalie
Née en 1917. xxe siècle. Australienne.
Sculpteur d'installations.
Bibliogr. : In : Catalogue de l'exposition *Creating Australia-200 years of art*, The art gallery of South Australia, Adélaïde, 1988.

GASCON Antonio
xixe siècle. Actif à Saragosse vers 1860. Espagnol.
Peintre, peintre de miniatures.

GASCON DE GOTOR Anselmo
Né en 1865 à Saragosse. Mort en 1927 à Huesca. xixe-xxe siècles. Espagnol.
Peintre de scènes typiques, dessinateur.
Il fut élève de l'École des Beaux-Arts de Saragosse. Il participa à diverses expositions, notamment en 1885 et 1890 à l'Exposition Nationale. Il reçut de nombreux Prix et distinctions.
Sa peinture, réaliste, décrit des scènes de la vie de tous les jours, avec une certaine naïveté, dans une facture rigoureuse.
Bibliogr. : In : *Cien anos de pintura en Espana y Portugal, 1830-1930*, t. III, Antiqvaria, Madrid, 1989.
Musées : Saragosse (Mus. de la Province) : *L'attente* 1904.

GASIER Claude
xvie siècle. Français.
Peintre et émailleur.
En 1582 et 1592, il vivait à Lyon où il eut un fils en 1591.

GASINSKI Bolenaw
xxe siècle. Polonais.
Peintre, graveur.
Il fut l'élève de S. Szczepanski, E. Eibisch et S. Gierowski. Il obtint les diplômes de peinture et gravure de L'École des Beaux-Arts de Varsovie, avec la mention excellent, en 1966. Il participe tant en Pologne qu'à l'étranger à de nombreuses expositions.

GASIOROWSKI Gérard
Né le 30 mars 1930 à Paris. Mort le 19 août 1986 à Lyon (Rhône). xxe siècle. Français.
Peintre.
Il commence à peindre en 1951, après avoir étudier les arts appliqués. Puis, il renonce, de 1953 à 1964, à la peinture, interruption qu'il tient à voir figurer dans ses biographies. Il a participé à de nombreuses expositions collectives : 1965 *Indicateurs* à la galerie Mathias Fels à Paris ; 1972 *72/72, 12 ans d'art contemporain* galeries nationales du Grand Palais à Paris ; 1973 CNAC (Centre national d'Art contemporain) à Paris ; 1982 *Qu'est-ce que l'art français ?* au musée Sainte-Croix de Poitiers ; 1983 musée national d'Art moderne de Paris ; 1986 *Les Années-Mémoires* à Meymac, Bar-le-Duc, Nice... Sa première exposition personnelle a lieu en 1970 à Cologne puis à Essen, galerie Thelen. S'imposant rapidement, il présente de nombreuses expositions individuelles, notamment à Paris depuis 1982 régulièrement à la galerie Adrien Maeght et en 1983 au musée d'Art moderne de la Ville. Depuis sa mort, diverses manifestations rétrospectives ont été organisées, d'entre lesquelles : 1988 rétrospective au Musée d'Art Moderne de Villeneuve-d'Ascq ; 1991, galerie Maeght, Musée Saint-Pierre de Lyon, Centre de Création Contemporaine de Tours ; 1994 l'ensemble *L'A.W.K. Les Fleurs* à la galerie Adrien Maeght à Paris ; 1995 Centre Georges Pompidou, Musée National d'Art Moderne à Paris, pour l'ensemble de son œuvre.
Longtemps méconnu, le succès de l'hyperréalisme a curieuse-

ment attiré l'attention sur son travail, bien qu'en fait les rapports entretenus entre ce mouvement essentiellement américain et sa peinture soient extrêmement lointains pour ne pas dire nuls. En revanche, c'est avec l'arrivée du pop'art en France que Gasiorowski recommence à peindre, retrouvant une stimulation, après une interruption de dix années, dans l'évidence de l'image pop. N'utilisant exclusivement que la non-couleur, le noir et le blanc, il peint des scènes ; des portraits figés comme la mort, images qui peu à peu se dégradent, dégradation qui est le fait de la peinture elle-même, dégoulinante dans sa période dite « de Barbizon ». À la fin des années soixante, il produit comme par accident quatre « croûtes » avec empâtements et couleurs dans le style de Montmartre, où se dessine déjà la dérision qui se retrouvera dans la suite de son œuvre. Effrayé par l'orientation prise spontanément par sa peinture, sans doute parallèlement à cette dégradation de l'image, il en revient à une peinture mesurée et qui rencontre un vif succès : la série des *Albertine.* Cette évocation proustienne annonce déjà la signification de sa peinture : une broderie sur la mémoire, une « recherche du temps perdu », une évocation des souvenirs d'un univers disparu, reconstitué par bribes et fragments. Travaillant à partir de documents photographiques « rendus en peinture » sur toile (d'où cette association abusive à l'hyperréalisme), Gasiorowski retranscrit des souvenirs échappés de l'enfance ou peut-être arbitrairement reconstruits comme des « possibles » de toute enfance. L'atmosphère des tableaux en noir et blanc, les titres choisis, qui renforcent cette atmosphère, donnent incontestablement à l'œuvre un arrière-goût littéraire, un label culturel avec lequel Gasiorowski prend rapidement ses distances. Malgré le succès qu'il rencontre ou sans doute en fonction de celui-ci, l'image se « dégrade » de nouveau, n'occupant qu'une infime partie de la toile restée vierge par ailleurs, à la manière des anciennes vignettes de dictionnaire, auxquelles il emprunte également ses sujets et ses titres. À cette série des *Impuissances* succède rapidement une autre série *Régressions,* peintures de bouquets et de fleurs à la manière des peintures d'apprentissage. En réaction contre la peinture, son travail le conduit tout naturellement à la *Guerre* et aux *Catastrophes,* peintures de tanks, d'avions, de soldats et d'outillage guerrier, puis fabrication en carton de ce même appareillage, copieusement enduit de peinture vinylique. Utilisant également des jouets d'enfants, il les macule, les brûle, les casse, il les présente dans des cartons et simule des accidents ferroviaires, vaste bric-à-brac de cartons peints, de jouets abîmés, éventrés, de sacoches secrètes, de dessins cachés, jetés pêle-mêle, entassés comme pour un règlement de compte, qui ne veut provoquer que le malaise. Toujours avec la même dérision, et poussé peut-être par un certain masochisme de l'échec, Gasiorowski réalise et expose une série d'*Autoportraits,* dont la facture rappelle les « croûtes », mais où son habilité de peintre se trahit néanmoins. Exaspérant sa démarche, il propose, l'année suivante, un travail approchant mais encore plus apte à traduire une urgence névrotique, où il substitue, à la représentation de son visage, celle de son sexe. Entre 1973 et 1975, il commence *Amalgames* et *Les Fleurs,* deux séries qu'il achèvera dix ans plus tard. Dans la première, il met en scène, en un format unique (21x29,7, le format de la feuille de papier-machine), ses références artistiques, l'histoire de l'art, « copiant », côte à côte, des œuvres de Matisse, Picasso, Klee, Malevitch, etc. Dans la seconde série, il appose à la légèreté des fleurs, signes aériens dansant sur le papier, les surfaces lourdes des pots, pour parler du seul plaisir de peindre. Bientôt, nouvelle rupture, il ressent le besoin de disparaître, il efface son propre nom et crée une fiction qui a pour personnage principal son double : Worosis Kiga (anagramme-hétéronyme), directeur de l'académie du même nom, l'A.W.K., chargée de faire passer des examens aux élèves Beuys, Serra, Kosuth, Bertrand, Ben, Tapiès, etc. Il s'attache à peindre, à la manière de chaque artiste, un chapeau, réduisant, dans cette série de « citations », la peinture à une marque, une signature. À travers des légendes parfois pleines d'humour, l'artiste tente de se situer en tant qu'homme. Ayant disparu en tant que Gasiorowski, il fait appel à son corps et à ses fonctions naturelles, pour s'exprimer : avec le jus de ses excréments, il dessine les objets, des figures primitives dans la série *Les Jus,* il expose aussi des excréments qu'il mêle à de la terre, à de la paille dans la série des *Kiga, les tourtes,* dans laquelle de nouveau il précise, dans les sous-titres, ses références : Cézanne, Manet... Avec cette expérience, tentative réussie d'exorciser ses angoisses, notamment celle d'être réduit à un nom, une étiquette, il renoue avec la tradition gestuelle. D'autres séries voient le jour, dans lesquelles il affirme l'acte de peinture : une suite de tableaux est traversée d'une ligne qui dit la continuité de l'œuvre de Lascaux à l'aube du XXIe siècle. Dans ses dernières œuvres *Stance – Ex-voto – Fertilité,* il poursuit son ambition d'aller vers la lointaine lumière, de laisser une trace qui se confonde avec l'acte même de peindre.

Le peintre hanté par l'histoire de l'art, qui barre son nom, témoigne dans sa complexité de la singularité de sa position : souvent dérisoire, il a su construire une œuvre en perpétuel bouleversement, toujours grinçante, agressive, mais bien malgré elle de qualité, qualité finalement inhérente à l'artiste et contre laquelle il semble se battre, pour s'en défaire, comme d'un label trop encombrant. Loin de rechercher une représentation des apparences, il a poursuivi inlassablement la même quête : retrouver les aventures de la peinture, disparaître pour participer à l'Œuvre à venir. ■ L. Lehoux, P. Faveton, J. B.

Bibliogr. : In : *Dict. univ. de la peinture,* Le Robert, t. III, Paris, 1975 – Catalogue de l'exposition : *Gasiorowski – Peinture,* Musée d'Art moderne de la Ville, Paris, 1983 – M. Enrici : *Gasiorowski,* Maeght éditeur, Paris, 1984 – in : Catalogue de l'exposition *Écritures dans la peinture,* Villa Arson, Nice, 1984 – *Entretiens,* La Différence, Paris, 1986 – Philippe Dagen : *Gasiorowski – Un Hymne à l'invention,* Art Press, n° 107, Paris, oct. 1986 – Olivier Kaeppelin : *Gasiorowski : la peinture contre le nom,* Artstudio, Paris, été 1987 – in : *Dict. de l'art mod. et contemp.,* Hazan, Paris, 1992 – Olivier Kaeppelin, Jean Pierre Bordaz : *Gasiorowski – Les Amalgames,* coll. *Carnets de voyage,* Maeght éditeur, Paris, 1993 – Olivier Kaeppelin, Michel Enrici : *Gasiorowski – Les Fleurs,* coll. *Carnets de voyage,* Maeght éditeur, Paris, 1993 – Catalogue de l'exposition : *Gasiorowski,* coll. *Contemporaines/Monographies,* Centre Georges Pompidou, Paris, 1995 – Yoyo Maeght : *Catalogue raisonné,* vol. 1, Maeght, Paris, hiv. 1995, cinq volumes à paraître.

Musées : Nantes (Mus. des Beaux-Arts) – Paris (Mus. Nat. d'Art Mod.) – Paris (FNAC).

Ventes Publiques : Paris, 26 nov. 1984 : *Des limites de ma pensée* 1969, acryl./t. (195x130) : **FRF 10 000** – Paris, 27 nov. 1987 : *Vous savez, c'est à propos des vaches* 1978, h/pap. (70x30) : **FRF 20 000** – Versailles, 20 déc. 1987 : *Dieu existe, ou Portrait d'un homme tout à fait extraordinaire,* h/t (92x73) : **FRF 32 000** – Paris, 20 mars 1988 : *La Folle* 1971, acryl./t. (130x81) : **FRF 31 000** – Paris, 8 oct. 1989 : *Pots de fleurs* 1980, acryl./pap. (76x62,5) : **FRF 82 000** – Paris, 3 mai 1990 : *Et parfois comme une envie de pleurer,* h/pan. (36x26,5) : **FRF 40 000** – Paris, 3 juil. 1991 : *Exercice libre* 1980, acryl./pap. (36x158) : **FRF 50 000** – Paris, 16 avr. 1992 : *Ex-voto* 1986, acryl./pap./t. (50x50) : **FRF 22 000** – Paris, 17 oct. 1994 : *Gribouille au bain* 1972, acryl./t. (55x38) : **FRF 31 500** – Paris, 29-30 juin 1995 : *Fleurs,* acryl./pap., en quatre feuilles sous un encadrement (74x61) : **FRF 27 000** – Paris, 16 nov. 1995 : *Pots de fleurs,* h/pap. en 4 feuilles (74x60) : **FRF 23 000.**

GASKELL George Arthur

XIXe siècle. Actif à Londres. Britannique.

Peintre de figures, portraits, paysages.

Il exposa à Londres, à la Royal Academy et à Suffolk Street, de 1871 à 1879.

Ventes Publiques : Londres, 20 oct. 1981 : *Lady Godiva* 1875, aquar. et cr. (47x32) : **GBP 320** – New York, 28 mai 1992 : *L'avènement du printemps* 1897, h/t (128,3x86,4) : **USD 11 000.**

GASKELL George Percival

Né le 1er janvier 1868 à Shipley. XIXe-XXe siècles. Britannique.

Peintre et graveur.

Sociétaire de la Royal Society of British Artists et de la Société des graveurs. Exposa à la Royal Academy en 1909.

Percival Gaskell

GASKELL John

XVIIIe siècle. Actif à Londres. Britannique.

Peintre miniaturiste.

Cet artiste exposa à la Society of Artists et à la Royal Academy, de 1774 à 1778.

GASKIN Arthur Joseph

Né en 1862 à Birmingham. Mort le 4 juin 1928. XIXe-XXe siècles. Britannique.

Peintre de compositions religieuses, sujets allégoriques, figures, aquarelliste, dessinateur, illustrateur, créateur de bijoux.

Il fit ses études à l'École des Beaux-Arts de Birmingham ou il enseigna par la suite. Il se joignit au mouvement Arts and Crafts de William Morris, qui tendait à renouveler les formes de l'art décoratif. À partir de 1899, avec sa femme Georgina Cave France, il créa des bijoux en or et argent parfois rehaussés d'émail. Il remplaça, en 1902, R. Catterson Smith à la direction de l'école de joaillerie de Birmingham. Il exposa des peintures à la Royal Academy de Londres, en 1889 et 1890 ; et des bijoux à l'Exposition de 1900 à Paris.

AJG

Ventes Publiques : Londres, 12 nov. 1982 : *Portrait of Margaret Cary Gaskin* 1926, temp. (45,7x30) : **GBP 300** – Londres, 7 nov. 1985 : *La Nativité* 1925, temp., cr. et craies de coul./t. (39,5x47) : **GBP 3 200** – Londres, 29 juil. 1988 : *Portrait de Margaret Cary Gaskin (fille de l'artiste)* 1926 (48,8x33,2) : **GBP 550** – Londres, 1er déc. 1989 : *Les trois rois*, aquar. (34,2x69,2) : **GBP 2 420** – Londres, 30 mars 1990 : *Psyché* 1900, temp./pan. (52,4x38,5) : **GBP 17 600**.

GASNIER Charles François
Né en 1789 à Paris. Mort vers 1835 à Mannheim. XIXe siècle. Français.
Peintre de fleurs.
Il était fils de Pierre Guillaume.

GASNIER Pierre Guillaume
XIXe siècle. Français.
Peintre de décorations.
Il émigra en Allemagne au début du XIXe siècle. Il s'établit à Mannheim avec son fils Charles François.

GASŒNBERG Cornilles Van ou **Gassenberg**
XVe siècle.
Peintre.
Il travailla en 1467 pour la fête de la Toison d'or à Bruges.

GASPAR Jean
Né en 1864 à Arlon. XIXe siècle. Belge.
Sculpteur animalier.
Le Musée de Bruxelles conserve de lui un *Eléphant en marche*.

GASPAR Miklos
Né en 1885. XXe siècle. Actif aux États-Unis. Hongrois.
Peintre, décorateur, aquarelliste.
Il commença des études artistiques en Hongrie, avant de s'installer définitivement aux États-Unis. En 1920, il obtint un prix d'aquarelle à Budapest. Il est membre de plusieurs sociétés artistiques américaines.

GASPARD
XVIe siècle. Actif à Gand. Éc. flamande.
Sculpteur.

GASPARD. Voir aussi **JASPARD**

GASPARD Abraham
XVIIe siècle. Français.
Sculpteur.
Il sculpta un tabernacle pour l'église Saint-Jacques de Lunéville en 1611.

GASPARD Léon Schulman
Né en 1882. Mort en 1964. XXe siècle. Américain (?).
Peintre de scènes typiques, figures, portraits, paysages, natures mortes, fleurs, peintre à la gouache.
Les sujets de ses peintures indiquent qu'il a voyagé au Proche-Orient, dans les républiques russes et jusqu'en Chine.
Ventes Publiques : New York, 14 mai 1976 : *L'adieu aux soldats* 1914, h/t mar./cart. (26x45) : **USD 7 500** – Londres, 9 juin 1976 : *Le Roi Salomon* 1940, gche et feuille d'or (76,2x61) : **USD 11 000** – Los Angeles, 9 mars 1977 : *Cheval dans un paysage* 1919, h./soie (20,3x56) : **USD 4 750** – New York, 8 nov. 1979 : *Le marché russe* 1922, gche/t. mar./cart. (23,5x42,8) : **USD 12 000** – New York, 3 juin 1982 : *Nature morte aux fleurs* 1945, h/isor. (58,5x44,7) : **USD 10 000** – New York, 22 oct. 1982 : *Le festival des aigles*, techn. mixte (129,5x122) : **USD 38 000** – New York, 9 déc. 1983 : *Noël russe* 1914, h/t mar./cart. (81,3x120,6) : **USD 95 000** – New York, 5 déc. 1986 : *Moscou* 1959, past./pap. (31,9x23,2) : **USD 2 200** – New York, 29 mai 1986 : *Cortège de paysannes russes* 1911, h/t (61x73) : **USD 50 000** – New York, 26 mai 1988 : *Souks à Tunis* 1931, h/t (30,8x34,1) : **USD 15 400** – New York, 30 nov. 1989 : *Fêtes d'automne*, h/cart. (59,1x56,5) : **USD 52 250** – New York, 30 mai 1990 : *Portrait d'une petite fille* 1918, h/t (15,2x13,3) : **USD 3 080** – New York, 24 mai 1990 : *La fin de la kermesse* 1918, h/cart. (94x119,4) : **USD 275 000** – New York, 26 sep. 1990 : *Dans le désert sibérien* 1926, h/cart. (86,3x76,2) : **USD 55 000** – New York, 17 déc. 1990 : *Radeaux et caboteur sur la rivière Divina*, h/pan. (22,9x28) : **USD 5 500** – New York, 12 avr. 1991 : *Hiver précoce*, h/cart., esquisse (26,7x21,6) : **USD 6 600** – New York, 6 déc. 1991 : *Défilé de paysannes russes* 1911, cray.et h/t (60,3x72,3) : **USD 115 500** – New York, 15 avr. 1992 : *Rue de village*, h/cart. (21,6x33) : **USD 5 170** – New York, 4 déc. 1992 : *Contournant le canyon* 1954, h/cart. (123,2x82,6) : **USD 231 000** – New York, 27 mai 1992 : *Le palanquin de mariage à Pékin* 1921, h/t (53,3x75,6) : **USD 41 250** – New York, 2 déc. 1993 : *Paysage de neige en Russie* 1914, h/t (67,3x61) : **USD 255 500** – New York, 25 mai 1995 : *La kermesse en Sibérie en hiver* 1921, h/cart. (50,8x55,9) : **USD 79 500** – New York, 29 nov. 1995 : *Le vieux Moscou*, h/t (95,9x91,4) : **USD 189 500** – New York, 26 sep. 1996 : *Urga horses* 1921, h/t (21,6x25,4) : **USD 2 415**.

GASPARD-MAILLOL. Voir **MAILLOL Gaspard**

GASPARE Romano
XVIe siècle. Actif à Naples vers 1500. Italien.
Peintre de miniatures et architecte.

GASPARE d'Agostino
XVe siècle. Italien.
Peintre.
Il travailla pour la cathédrale de Sienne.

GASPARE di Benedetto da Pesaro
XVe siècle. Italien.
Peintre.
Père de Benedetto, cet artiste, actif à Pesaro, travailla à Palerme et à Monreale.

GASPARE da Carona
Né à Carona. XVe siècle. Actif à Carona. Suisse.
Sculpteur.
On cite de lui les sculptures des portails au palais de Gênes, notamment à celui des Sauli exécutées en 1494. À Carona on conserve aussi des fragments de sculptures tels qu'une statuette de la Madone.

GASPARE da Colle
XVe siècle. Actif en Toscane, vers 1434. Italien.
Sculpteur sur bois.

GASPARE di Giovanni da Volterra
Mort en 1474 à Sienne. XVe siècle. Italien.
Peintre verrier.
Il travailla surtout pour la cathédrale de Sienne.

GASPARE di Jacopo
Actif à Foligno. Italien.
Sculpteur sur bois.

GASPARE da Verona
XVIe siècle. Italien.
Peintre.
On lui attribue un retable de l'église de Riva réalisé en 1524.

GASPARI Angelo de ou **Gasparini**
Mort le 21 octobre 1855 à Padoue. XIXe siècle. Italien.
Peintre de décorations.
Il décora les palais et les églises de Padoue.

GASPARI Antonio
Né vers 1670 à Venise (Vénétie). Mort vers 1730 à Venise. XVIIe-XVIIIe siècles. Italien.
Peintre d'architectures, dessinateur.
Architecte, il peignit surtout des vues de ruines.
Ventes Publiques : Paris, 31 mars et 1er avr. 1924 : *Composition d'architecture*, cr. et bistre : **FRF 400** – New York, 13 oct. 1989 : *Capriccio avec des ruines classiques et des personnages dans un port*, h/t (124,5x177) : **USD 29 700**.

GASPARI Antonio
Né le 3 avril 1793 à Crémone (Piémont). XIXe siècle. Italien.
Peintre de décorations.
Il fut élève de Francesco Motta.

GASPARI Carlo
Mort vers 1800. XVIIIe siècle. Actif à Venise. Italien.
Peintre d'architectures et de décorations.
Il travailla à l'église des Saints-Apôtres à Venise.

Ventes Publiques : Paris, 31 mars 1924 : *Composition d'architecture*, cr. et bistre : **FRF 400** – Paris, 27 oct. 1926 : *Composition architecturale*, pl. et lav. : **FRF 155**.

GASPARI Giovanni Paolo
Né en 1714 à Venise. Mort en 1775 à Munich. XVIIIe siècle. Italien.
Peintre d'architectures et décorateur.
On trouve à Venise des œuvres de cet artiste.

GASPARI Pietro Giovanni
Né vers 1720 à Venise. Mort vers 1785 à Venise. XVIIIe siècle. Italien.
Peintre et architecte.
Il exécuta des décorations pour le théâtre royal de Munich et grava plusieurs planches d'architecture. En 1775, il prit part à la décoration du palais de la Galerie royale de Venise (actuellement salle XIV de Tiepolo) et y exécuta l'escalier et les portiques.

GASPARINI Andrea
XIXe siècle. Actif à Rome en 1844. Italien.
Dessinateur d'architectures et graveur.
Le Musée des Offices possède à Florence deux *Vues* de cet artiste.

GASPARINI Gaspare
Né à Macerata. Mort vers 1570 à Macerata. XVIe siècle. Italien.
Peintre d'histoire.
Élève de Girolamo da Sermoneta. Il peignit dans l'église San Venanzio à Fabriano : *Le Baptême du Christ, La dernière Cène* et *Saint Pierre et saint Jean guérissant le paralytique*. Enfin on voit dans l'église des Conventuali de Macereta une fort belle peinture de lui : *Saint François recevant les stigmates*.

GASPARINI Luigi
Né en 1765 ou 1779 à Zenson di Piave ou à Bologne. Mort à Venise. XIXe siècle. Italien.
Peintre de paysages, paysages d'eau.
Il fut élève de Vincenzo Martinelli.
Ventes Publiques : Rome, 26 mai 1993 : *Le gondolier (Un baiser au papa)*, h/t (108x145) : **ITL 25 000 000**.

GASPARINI Sebastiano
XVIe siècle. Italien.
Peintre.
Cet artiste travailla probablement dans l'église San Biagio d'Acoli.

GASPARO
XVIe siècle. Italien.
Miniaturiste.
Enlumina de miniatures, vers 1520, un codex de Pline.

GASPARO
XVIe siècle. Actif à Venise vers 1565. Italien.
Graveur au burin.
Il a gravé des sujets de genre.

GASPARO di FIORI. Voir **LOPEZ Gasparo**

GASPARO de Luca ou **Lucca**
XVIe siècle. Italien.
Sculpteur.
Il était actif à Lucques. Il fut appelé en Espagne par Philippe II en 1583 et collabora à la décoration de l'église de l'Escurial.

GASPAROLI
XIXe siècle. Autrichien.
Peintre de miniatures.
Il travaillait à Vienne au début du XIXe siècle.

GASPART Alfred
Né le 3 août 1900 à St-Nicolas-de-los-Arrayos (Argentine), d'un père français et d'une mère argentine. XXe siècle. Depuis 1903 actif en France. Argentin.
Peintre de figures, natures mortes, paysages, dessinateur.
Il a suivi les cours de l'École Germain Pilon avant de passer brièvement par l'atelier de Cormon, à l'École des Beaux-Arts de Paris. Il a exposé à Paris, au Salon d'Automne et de Indépendants. Le Prix de captivité offert par Genève lui fut décerné.
Peintre de la réalité, il traite avec magnificence les thèmes les plus modestes dans un dépouillement saisissant ; ses peintures et dessins exécutés en Bourgogne sont comme un poème plastique de la Vigne ; on compte parmi les plus émouvants les croquis que rapporta de captivité (1940-1945) ce soldat prisonnier deux fois évadé.

GASPARY Eugène de
XXe siècle. Actif à Paris. Français.
Sculpteur.
Mention honorable en 1894.

GASPARY Robert Fernand
Né à Tripoli. XIXe-XXe siècles. Français.
Peintre de genre.
Élève de Baschet, Gervais et Gourdault. Figura au Salon des Artistes Français où il obtint une mention honorable en 1909.

GASPE. Voir **GASPERINI Eugène**

GASPER Amandus
Mort le 19 février 1643 à Vienne. XVIIe siècle. Autrichien.
Peintre.
Il semble que cet artiste travaillait à Anvers en 1624.

GASPERI Cristofano
Né en 1716 à Magiorre. Mort le 13 février 1804 à Pérouse. XVIIIe siècle. Italien.
Peintre.
Élève de Giacento Boccanera puis d'Agostino Masucci, il connut de son temps les plus grands succès et fut chargé de la décoration de la plupart des églises de Pérouse.

GASPERI Raphaël
XIXe siècle. Actif à Brives (Corrèze). Français.
Peintre de paysages.
On trouve de cet artiste au Musée de Périgueux : *Soir d'hiver*, à celui de Tulle : *Soir d'orage en Corrèze*.

GASPERINI Eduard
XIXe siècle. Allemand.
Peintre de portraits et de genre.
Il fut élève de l'Académie de Berlin.
Ventes Publiques : Paris, 19 mars 1945 : *Scènes napolitaines*, deux pendants : **FRF 5 000**.

GASPERINI Eugène, pseudonyme : **Gaspe**
Né en 1873 à Parme, de parents français. XIXe-XXe siècles. Français.
Graveur.
Il fut élève de Charles Brabant. Il exposa à Paris, au Salon des Artistes Français, où il obtint une mention honorable en 1906 et une médaille de troisième classe en 1908.

GASPERINI-LILLAZ Germaine
XXe siècle. Française.
Graveur sur bois.
Elle exposa à Paris au Salon des Artistes Français à partir de 1920.

GASPERO d'Imola
Né à Imola. XVIe siècle. Italien.
Peintre d'histoire.

GASPERS Jan Baptist ou **Jaspers**
Né à Anvers. Mort en 1691 à Londres. XVIIe siècle. Éc. flamande.
Peintre de portraits.
Cet artiste fit ses études avec Thomas Willborts et peut-être avec Th. Van Bossaert. Il se rendit à Londres durant le Protectorat de Cromwell et fut protégé par le général Lambert. Après la Restauration de Charles II, il fut employé par Peter Lely et plus tard par Sir Godfrey Kneller. On cite de lui plusieurs portraits de Charles II, notamment celui de la grande salle de Saint-Bartholomew's Hospital. Gaspers était un excellent dessinateur et il fournit de nombreux modèles pour des tapisseries.

GASPIRINI Luigi
Né à Zenon de Pavie. XIXe siècle. Italien.
Sculpteur.
Exposa à Turin et Venise à partir de 1880.

GASQ Paul Jean-Baptiste
Né le 31 mai 1860 à Dijon (Côte-d'Or). Mort en 1944 à Paris. XIXe-XXe siècles. Français.
Sculpteur de monuments, figures, statues.
Il fut élève de l'École des Beaux-Arts de Dijon, puis de l'École des Beaux-Arts de Paris avec Jouffroy et de Hiolle. Il obtint le premier prix de Rome en 1890, une médaille d'honneur en 1911 pour son groupe : *Aux Volontaires de la Révolution* (1792), un Grand prix en 1900.

Il fut nommé membre de l'Institut en 1935. On cite de ce statuaire : *Bas-relief* (1893).

Musées : Dijon : sculptures – Paris (Mus. d'Art Mod.) : *Héro et Léandre* – Paris (Mus. du Louvre) : *Monument à Houdon – Médée.*

Ventes Publiques : Londres, 17 mars 1983 : *Allégorie de la Paix* vers 1890, bronze patine verte (H. 88) : **GBP 750** – Paris, 18 nov. 1985 : *La nymphe Flore,* bronze, patine médaille (H. 95) : **FRF 14 000.**

GASQUET Jean-Michel

Né en 1929 à Nîmes (Gard). xxe siècle. Français.

Peintre, sculpteur. Abstrait-géométrique.

Il expose à Paris, au Salon Grands et Jeunes d'Aujourd'hui. En 1998 à Paris, la galerie Lahumière a présenté une exposition d'ensemble de son travail.

Dans l'abstraction géométrique, il se situe du côté de la radicalité, ce que confirme l'intérêt qu'Aurélie Nemours porte à son travail.

Bibliogr. : Aurélie Nemours : Catalogue de l'exposition *Gasquet,* gal. Lahumière, Paris, 1998.

GASSEL Lucas Van. Voir **HELMONT**

GASSEL Mariette. Voir **SALBETH Mariette**

GASSELIN Noël

xviie siècle. Actif à Paris en 1667. Français.

Peintre.

Ventes Publiques : Paris, 3 déc. 1959 : *Scène de la comédie italienne,* signée N. Gasselin : **FRF 3 000 000.**

GASSELIN Pierre

Né en 1623 au Mans. xviie siècle. Français.

Peintre.

Il travailla à Angers à partir de 1647.

GASSELIN Pierre Jacques

xviiie siècle. Actif à Paris en 1760. Français.

Peintre.

GASSEN Francisco

Né en 1598 à Barcelone. Mort en 1658 à Barcelone. xviie siècle. Espagnol.

Peintre d'histoire.

Exécuta en collaboration avec Pedro Cuquet des tableaux sur la vie de saint François de Paule, pour le couvent des Minimes à Barcelone.

J Gaßen.

GASSEN Gottlieb

Né le 2 août 1805 à Ehrenbreitstein. Mort le 3 juin 1878 à Coblence. xixe siècle. Allemand.

Peintre d'histoire.

Élève de Cornelius. En 1827, il s'établit à Munich où l'on conserve des fresques de lui. On cite encore : *L'assaut de Godesberg par les Bavarois en 1583.*

GASSER Anton

xviie siècle. Actif à Augsbourg au début du xviie siècle. Allemand.

Peintre.

Il travailla également à Dresde.

GASSER Franz

Né à Eisentratten. Mort en 1838. xixe siècle. Autrichien.

Peintre de portraits.

Frère de Hanns. Il vécut à Vienne.

GASSER Georg

Né le 23 mai 1857 à Rentsch. xixe siècle. Allemand.

Peintre.

Élève de Johann Hintner. Il travailla à Munich et à Bozen.

GASSER Hanns

Né le 2 octobre 1817 à Eisentratten. Mort le 24 avril 1868 à Budapest. xixe siècle. Autrichien.

Peintre de portraits, sculpteur de figures, nus.

Il fut élève de Klieber et Kahssmann à l'Académie des Beaux-Arts de Vienne, et de Leitung von Schwanthaler à Munich. Il travailla surtout à Vienne, et fut quelque temps professeur à l'Académie. Quelques-unes de ses statues colossales, exécutées trop hâtivement, se sont écroulées.

Musées : Vienne : *Portrait de l'artiste,* peint. à l'h.

Ventes Publiques : Vienne, 4 déc. 1984 : *Nu debout* 1866, bronze (H. 28) : **ATS 35 000.**

GASSER Henry Martin

Né en 1909. Mort en 1981. xxe siècle. Américain.

Peintre de scènes de genre, scènes typiques, intérieurs, paysages urbains, peintre à la gouache.

Ventes Publiques : New York, 22 sep. 1987 : *Ville minière,* aquar. (54,5x73,5) : **USD 2 250** – New York, 24 juin 1987 : *Gloucester,* h/t (76,2x91,5) : **USD 3 500** – New York, 17 mars 1988 : *Le Harlem Palladium,* h/pap. (30x41) : **USD 7 150** – New York, 17 déc. 1990 : *Le maître amoureux d'un danseur,* gche/pap. (20,3x24,8) : **USD 5 775** – New York, 15 mai 1991 : *Retour de la mine,* h/t (76,2x91,4) : **USD 3 300** – New York, 21 mai 1991 : *Le restaurant chinois,* h/cart. (38,8x30,5) : **USD 3 300** – New York, 14 nov. 1991 : *Hoboken dans le New Jersey,* h/t/rés. synth. (58,5x92,8) : **USD 2 750** – New York, 10 juin 1992 : *Le Harlem Palladium,* h/t. cartonnée (30,5x43,1) : **USD 1 980** ; *L'épicerie Turner,* aquar./pap. (50,2x63,4) : **USD 3 080** – New York, 31 mars 1993 : *La maison des Hoffman,* aquar./pap. (39,4x57,2) : **USD 2 530** – New York, 31 mars 1994 : *Engelhorn's Bar and Grill, taverne de Newark,* aquar./cart. (55,9x76,2) : **USD 2 875.**

GASSER Johann

Mort en 1868. xixe siècle. Actif à Graz en 1803. Autrichien.

Sculpteur.

Le Musée de Klagenfurt possède des œuvres de cet artiste.

GASSER Leonardo

Né en 1831 à Florence (Toscane). xixe siècle. Italien.

Peintre de genre, portraits.

Il fut élève de Gordigiani.

Ventes Publiques : Toronto, 22 oct. 1982 : *Interlude musical,* h/t (38,8x28,6) : **CAD 1 600** – Cologne, 18 mars 1983 : *La Musique de chambre,* h/t mar./pan. (39,5x30,5) : **DEM 3 000** – Londres, 15 nov. 1995 : *Portrait d'une jeune fille,* h/t (63,5x48) : **GBP 8 050** – Londres, 21 nov. 1996 : *La Femme du chevalier,* h/t (96x72,5) : **GBP 12 075.**

GASSER DE VALHORN Josef

Né le 22 novembre 1816 à Praegratten. Mort le 28 octobre 1900 à Praegratten. xixe siècle. Autrichien.

Sculpteur.

Il a sculpté quatre grandes figures pour le portail de la cathédrale de Spire et les *Sept arts libéraux* pour le nouvel Opéra de Vienne.

GASSER-JACOB Jenny, Mme

Née au xixe siècle à Paris. xixe siècle. Française.

Peintre de miniatures.

Sociétaire des Artistes Français depuis 1890, elle figura au Salon de cette société.

GASSET-HOUSSET Hélène

Née en 1889 dans les Hautes-Pyrénées. Morte le 28 janvier 1966 à Toulouse (Haute-Garonne). xxe siècle. Française.

Peintre animalier, décorateur.

Elle a exposé à Paris, aux Salons des Artistes Indépendants, d'Automne, des Artistes décorateurs, des Femmes peintre et sculpteur.

Elle a crée des bijoux, des tapis, des tissus, des laques, des céramiques, des meubles, des reliures. Dans toutes ses créations, elle a surtout utilisé la richesse des matériaux mis en œuvre. Ses grandes décorations, souvent des laques, sont presque toujours composées sur des thèmes animaliers.

GASSETTE Grace

Née à Chicago (Illinois). xxe siècle. Active en France. Américaine.

Peintre, sculpteur.

Elle fut élève de Mary Cassatt.

GASSIER Henri Paul

Né en 1883 à Marseille (Bouches-du-Rhône). Mort en 1951. xxe siècle. Français.

Dessinateur, illustrateur.

Il vécut à la fois à Notre-Dame-de-la-Garde, dans les Bouches-du-Rhône, et à Montmartre, à Paris. Caricaturiste, il se fit, dès avant la guerre de 1914-1918, une forte réputation par sa collaboration à des journaux satiriques, parmi lesquels : *La Guerre sociale* et *L'Humanité,* en 1909-1922 ; *L'Internationale,* en 1921-1922 ; *Ce Soir,* en 1927 ; ainsi que *Le Canard enchaîné, Le Merle blanc.* Il se consacra à une interprétation narquoise de la vie politique, réalisant en quelque sorte comme un Parlement comique. « Polémiste, il n'aura pas été féroce à la façon partisane : il a préféré moqué l'hypocrisie, la fausse éloquence, la fausse dignité » estime André Salmon.

Bibliogr. : Gérald Schurr, in : *Les Petits Maîtres de la peinture 1820-1920, valeur de demain*, Les Éditions de l'Amateur, t. VII, Paris, 1989 - in : Catalogue de l'exposition *Paris-Moscou*, Musée Nationale d'Art Moderne, Paris, 1979.

GASSIES Jean Bruno
Né le 25 octobre 1786 à Bordeaux (Gironde). Mort le 12 octobre 1832 à Paris. XIXe siècle. Français.
Peintre de scènes mythologiques, sujets de genre, paysages d'eau, marines, graveur.
Entré à l'École des Beaux-Arts de Paris le 2 mars 1804, il eut pour maîtres Vincent et Lacour. Le 21 août 1822, il fut décoré de la Légion d'honneur. Gassies, servant dans la marine, fut un moment prisonnier des Anglais. Il figura au Salon de Paris, entre 1810 et 1833.

Musées : Douai : *Un laboureur découvrant des ossements* - *Homme assis* - Paris (Mus. du Louvre) - Semur-en-Auxois : *Régulus retournant à Carthage, fait ses adieux à sa famille*.
Ventes Publiques : Paris, 1861 : *Pendant la tempête* : **FRF 108** ; *Après la tempête* : **FRF 115** - Paris, 21 oct. 1992 : *Chaloupe par mer agitée* 1825, h/t (42x65) : **FRF 3 200** - Paris, 1er déc. 1997 : *Portrait d'un jeune architecte en habit dessinant un plan* 1831, h/t (75x60) : **FRF 10 000**.

GASSIES Jean-Baptiste Georges
Né en 1829 à Paris. Mort en 1919 à Montluçon (Allier). XIXe-XXe siècles. Français.
Peintre de scènes de genre, paysages animés, paysages, aquarelliste.
Il fut élève de Michel Drolling à Paris. En 1852, il quitta son atelier de Chailly-en-Bière, en Seine-et-Marne, pour rejoindre les peintres de l'École de Barbizon établis à l'auberge Ganne, toute proche. En 1863, il s'installa dans la dernière maison du village de Barbizon, aux abords mêmes de la forêt. Il fut l'une des figures centrales du groupe. Il exposa au Salon de Paris, de 1857 à 1881, obtenant une mention honorable en 1859.
Il réalisa principalement des sujets de genre et des paysages, à l'huile ou à l'aquarelle. Parmi ses œuvres, on mentionne : *Intérieur de forge* - *Forêt au commencement de l'été* - *Les premiers au rendez-vous* - *La mare des roches*. Il peignit, plus volontiers que ses compagnons, des personnages ou des animaux au cœur de ses forêts.
Bibliogr. : Gérald Schurr, in : *Les Petits Maîtres de la peinture 1820-1920, valeur de demain*, Les Éditions de l'Amateur, t. III, Paris, 1976.
Musées : Autun (Mus. Rolin) : *Paysage d'Écosse* - Semur-en-Auxois : *Régulus retournant à Carthage fait ses adieux à sa famille*.
Ventes Publiques : Paris, 12-15 avr. 1899 : *La moisson* : **FRF 40** - Paris, 27-28 jan. 1928 : *Jeunes femmes sous un arbre*, aquar. : **FRF 45** - Paris, 22 juil. 1942 : *Sous-bois*, aquar. : **FRF 290** - Paris, 17 fév. 1947 : *Paysage* : **FRF 550**.

GASSIOT de Cazes. Voir **CAZES Gassiot de**

GASSL Gottfried
Né vers 1708. XVIIIe siècle. Tchécoslovaque.
Sculpteur sur bois.
Il fut moine à Frauenzell près de Regensburg.

GASSLER Franz
Né à Telf au Tyrol. XVIIIe siècle. Autrichien.
Sculpteur.
Il fut élève de J. A. Renns et travailla à Vienne.

GASSMANN Beat Jakob
XVIIe siècle. Suisse.
Peintre.
Travailla au couvent de Saint-Urbain à Lucerne.

GASSMANN Christoffel
XVIIe siècle. Actif à Düsseldorf. Allemand.
Sculpteur.
Il travailla pour l'église d'Idstein.

GASSNER Franz Anton
Né à Altdorf. XVIIe siècle. Allemand.
Peintre.
Il travailla à Berg près de Ravensburg.

GASSNER Nicolaus
Né au XVIIe siècle à Francfort-sur-le-Main. XVIIe siècle. Allemand.
Peintre de paysages.
Il travailla à Dresde, Cassel et Copenhague.

GASSNER Simon
Né le 10 février 1755 à Steinberg. Mort en 1830. XVIIIe-XIXe siècles. Autrichien.
Peintre d'histoire, paysages, graveur.
Cet artiste fut, à Munich, l'élève de Gallrap et Deniel. Le marquis de Baden le chargea de décorer une chambre à Karlsruhe. Nous retrouvons cet artiste à Munich en 1790 ; il y vivait encore en 1825. Il grava à l'eau-forte et à la manière noire. On possède de lui une planche représentant *Un temple dans le jardin anglais de Munich*.

GASSO Y VIDAL Leopolda
Née au XIXe siècle à Quintanar de la Orden. XIXe siècle. Espagnole.
Peintre de paysages.
Élève de Manuel Martinez Ferrer et de Isidoro Lozano. Elle débuta vers 1875 à Madrid.

GASSON Jules
XIXe siècle. Actif à Paris. Français.
Peintre.
Figura au Salon de 1836 à 1881. On cite de lui : *Petits paysans romains* et *Halte de paysans bretons*.
Ventes Publiques : Londres, 12 fév. 1910 : *Rue à Alger* : **GBP 8** - Londres, 11 oct. 1996 : *La favorite du Pacha*, h/t (27x35,5) : **GBP 2 990**.

GASSOWSKI Alexandre de
Né le 10 février 1835 à Dôle (Jura). Mort vers 1900 à Grand-Fontaine (Doubs). XIXe siècle. Français.
Peintre de sujets de genre, portraits, natures mortes, fleurs, dessinateur.
Il fut élève de Tabar. Il exposa au Salon de Paris, en 1868 et 1869.
Ventes Publiques : Londres, 2 déc. 1907 : *Pensées* 1800 : **GBP 1** - Berne, 16 mai 1981 : *Ramasseuse de fagots*, h/pan. (26,5x41) : **CHF 1 500** - Paris, 21 juin 1990 : *Danse hongroise à la Closerie des lilas*, cr. noir et aquar. (16,5x19) : **FRF 6 500**.

GAST Bertram
XIXe siècle. Actif à Londres. Britannique.
Peintre de paysages.
Exposa à la Royal Academy et à Suffolk Street, à Londres, à partir de 1888.

GAST Frank
XIXe siècle. Actif à Londres. Britannique.
Peintre de sujets rustiques.
Exposa à la Royal Academy et à Suffolk Street, en 1891 et 1892.

GAST Michiel de
XVIe siècle. Actif aussi en Italie. Éc. flamande.
Peintre de paysages.
En 1558, il faisait partie de la gilde d'Anvers. Il travailla longtemps à Rome où il peignit des paysages avec figures et avec ruines qu'il signait d'un monogramme. On ne connaît pas de lui d'œuvres certaines.

GASTAGER Joseph
XVIIIe siècle. Yougoslave.
Peintre.
Il exécuta deux peintures pour l'église Saint-Marc de Zagreb, réalisées vers 1755.

GASTAL, Mme
XIXe siècle. Française.
Miniaturiste.
Exposa au Salon de Paris en 1849.

GASTALDI Andrea
Né le 16 avril 1810 à Turin (Piémont). Mort le 9 janvier 1889 à Turin. XIXe siècle. Italien.
Peintre d'histoire, portraits.
Il étudia à Paris et y devint très populaire. Pendant les dernières années de sa vie et jusqu'à sa mort, il occupa le poste de directeur de l'école d'art de Turin. Un de ses meilleurs tableaux représente *Frédéric Barberousse fuyant sur la route de Legnano*.

Musées : Alençon : *Ophélia*.
Ventes Publiques : Milan, 20 mars 1980 : *Portrait de femme*, h/t (76x80) : **ITL 750 000**.

GASTALDI Lorenzo
XVIIe siècle. Actif en Ligurie. Italien.
Peintre.

GASTALDI Y BO José
Né le 11 juillet 1842 à Valence. XIXe siècle. Espagnol.
Peintre de genre.
Élève de l'Académie de San Carlos à Valence, puis de l'Académie de San Fernando à Madrid et du peintre Placido Frances. Il travailla également dans l'atelier de Pablo Gonzalvo. Il débuta vers 1864. On cite de lui : *Le Viatique* et *Le capital perdu*.

GASTALDI-LESCUYER Léonie
Née à Paris. XIXe siècle. Française.
Peintre de miniatures.
Élève d'Andrea. Elle travailla à Turin à partir de 1860.

GASTALDY François
Né en 1706. Mort en 1773. XVIIIe siècle. Actif à Nancy. Français.
Peintre de décorations.
Il fut le père de Joseph.

GASTALDY Joseph, dit **Pinseau**
XVIIIe siècle. Actif à Nancy. Français.
Peintre.
Il était fils de François.

GASTAUD Pierre
Né en 1920 à Nice (Alpes-Maritimes). XXe siècle. Français.
Peintre, sculpteur. Abstrait-paysagiste.
Il se forma seul à la peinture obtenant en 1950, le prix de la Jeune Peinture de Nice, et celui de la Biennale de Menton en 1951, ce qui le décida à se consacrer uniquement à ses activités artistiques. Il a participé à de nombreuses expositions collectives notamment : Salon de Mai, en particulier en 1962 dans la sélection qui fut exposée au Japon ; 1968 Triennale de Venise ; 1969 Salon des Réalités Nouvelles... Il a montré ses œuvres dans diverses expositions personnelles : 1954 musée d'Antibes ; 1955 Turin ; 1957 Milan ; 1959 La-Chaux-de-Fonds ; 1960 et 1961 Paris ; 1963 Auvernier-Neuchâtel ; 1968 musée d'Art moderne de la Ville de Paris, avec Longobardi, sous le titre générique *Structurations* ; 1969 Cannes...
Après une période relativement figurative, il trouva sa voie dans un paysagisme abstrait à propos duquel Jean-Louis Ferrier évoque « des germinations, succions, jusqu'à devenir travail lancinant des racines, montées de la sève dans les canaux... au fond de certains lacs des dépôts sédimentaires qui, au cours des siècles se sont superposés par couches ».
Bibliogr. : Jean-Louis Ferrier, *Gastaud à la recherche des espaces perdus*, Temps Modernes, n° 230, Paris, jul. 1965.
Musées : Alger – Antibes – Beaulieu – Lausanne – Reykjaavik – Turin.
Ventes Publiques : Paris, 17 déc. 1985 : *Composition*, h/t (114x196) : **FRF 13 000** – Neuilly, 20 juin 1988 : *Composition* 1963-64, h/t (65x81) : **FRF 5 500** – Paris, 21 sep. 1989 : *Composition* 1959, h/t (81x100) : **FRF 5 000** – Le Touquet, 12 nov. 1989 : *Composition*, h/t (65x54) : **FRF 8 000** – Paris, 14 mars 1990 : *Composition*, h/t (100x81) : **FRF 15 000** – Paris, 2 juil. 1990 : *Varia*, techn. mixte (97x70) : **FRF 28 000** – Calais, 7 juil. 1991 : *Composition* 1961, aquar. et gche (56x51) : **FRF 5 000** – Paris, 19 mars 1993 : *Tropiques* 1988, h/t (100x81) : **FRF 5 000** – Le Touquet, 14 nov. 1993 : *Composition*, h/t (64x80) : **FRF 7 000**.

GASTAUER Anton
XVIIIe-XIXe siècles. Actif à Boppard. Allemand.
Dessinateur et lithographe.
Il travailla entre autres à Coblence.

GASTÉ Constant Georges
Né le 30 août 1869 à Paris. Mort le 1er octobre 1910 à Madura (Inde du Sud). XIXe-XXe siècles. Français.
Peintre de genre, sujets typiques, portraits, paysages animés. Orientaliste.
Il fut élève d'Alexandre Cabanel et de Raphaël Collin. Assoiffé d'inconnu, il commença par visiter le Maroc, en 1892, qui fut le point de départ de nombreux voyages. Il fit un long séjour en Algérie ; il explora la Tunisie, en 1898 ; l'Égypte, la Palestine, Le Caire, les Indes et les lieux sacrés du christianisme. Il figura au Salon des Artistes Français de Paris, où il obtint une mention honorable, en 1896 ; une médaille de troisième classe, en 1897. Trois ans après sa mort, en 1913, la Société des Peintres Orientalistes Français organisa une exposition rétrospective de son œuvre.
Georges Gasté peignit exclusivement des tableaux orientalistes : portraits, sujets intimistes ou scènes de la vie quotidienne, qui lui furent inspirés par ses nombreux voyages. Parmi ses toiles, on cite : *Jeune Hindou en turban* – *Deva Dassy, servante des dieux* – *Portrait de jeune fille de Bou-Saada*.
Bibliogr. : Gérald Schurr, in : *Les Petits Maîtres de la peinture 1820-1920, valeur de demain*, Les Éditions de l'Amateur, t. VI, Paris, 1985.
Musées : Alger : *La Famine aux Indes* – Villeneuve-sur-Lot (Mus. Gaston Rapin) : *Deva Dassy, servante des dieux*.
Ventes Publiques : Paris, 18 mars 1927 : *Vieillard égyptien* : **FRF 410** – Paris, 17-18 déc. 1941 : *L'Îlot sacré à Madura* : **FRF 110** ; *Jeune Hindou en turban* : **FRF 800** ; *Une partie du Temple de Madura* : **FRF 75** ; *La Sieste* : **FRF 600** – Versailles, 13 nov. 1983 : *Jeune fille berbère* 1896, h/pan. (40x30) : **FRF 17 100** – Londres, 20 juin 1985 : *Beauté égyptienne* 1902, h/t (60x47) : **GBP 1 600** – Paris, 8 nov. 1993 : *Trois portraits de jeunes filles de Bou-Saada* 1896, h/pan. (chaque 40,5x32) : **FRF 23 000** – Paris, 23 mars 1994 : *Portrait de jeune fille de Bou-Saada* 1896, h/pan. (40x32) : **FRF 23 000** – Paris, 7 nov. 1994 : *Jeune Algérienne au gilet vert* 1896, h/pan. (41x33) : **FRF 16 000** – Paris, 21 avr. 1996 : *Tunis, le souk des parfums* 1903, h/t (65x54) : **FRF 13 000** – Paris, 25 juin 1996 : *Portrait d'homme*, h/pan. (27x20,5) : **FRF 18 000** – Paris, 9 déc. 1996 : *La Fileuse* 1896, h/pan. (42x25,5) : **FRF 10 500**.

GASTE Pierre
Né le 30 octobre 1938 à Bouchemaine (Maine-et-Loire). XXe siècle. Français.
Peintre, dessinateur, graveur.
De 1959 à 1962, il est élève de l'école des beaux-arts d'Angers. Depuis 1984, il enseigne à l'école des beaux-arts d'Angoulême. Il participe, à partir de 1964, à de nombreux salons et expositions collectives : 1965, 1975 Nouvelle Figuration et Salon de Mai à Paris ; 1969, 1971 Biennale de Paris ; 1977, 1979, 1989 Salon de Montrouge, où il reçoit le premier prix de dessin en 1989 ; 1982 musée de la Seita à Paris et musée de Knoxville (Tennessee) aux États-Unis ; 1990 FIAC (Foire internationale d'Art contemporain) à Paris... Sa première exposition personnelle date de 1962. Depuis, il expose régulièrement, tant en France, notamment à Paris à la galerie Alain Oudin depuis 1989, qu'à l'étranger.
Dessinateur et graveur émérite, il n'est venu à la peinture qu'en 1988. Ses dessins et gravures, d'une habileté manuelle convaincante, mêlent les réalités minérales, végétales et animales dans un ensemble statique et déserté. On a parlé à son propos de description d'un imaginaire mythologique. De la gravure, il est venu aux monotypes, dans lesquels il intègre des objets après que le support a été passé sous presse. Ses peintures, entre figuration et abstraction, utilisent divers papiers, papier calque, papier photo, etc., comme support, sur lesquels il mêle les techniques, associant crayons et acrylique pour jouer des effets de transparence. Dans ses œuvres de 1991-1992, il établit une relation entre terre et cosmos, en collant de la terre sur un papier qui lui est cher : le papier polycarbonate. ■ L. L.

GASTEIGER Anna Sophie
Née le 26 février 1878. Morte en 1954. XXe siècle. Allemande.
Peintre de fleurs.
Elle fut l'élève de Dasio. Elle travailla à Munich et à Dresde.
Ventes Publiques : Amsterdam, 18 juin 1996 : *Nature morte de fleurs*, h/t (64,5x76) : **NLG 2 760**.

GASTEIGER Jakob
Né en 1953 à Salzbourg. XXe siècle. Autrichien.
Peintre. Abstrait.
Il participe à de nombreuses expositions collectives depuis 1984 à Vienne, Salzbourg, au Luxembourg, en Belgique et en France, notamment à Paris au Salon Découvertes 1992. Il montre ses œuvres dans des expositions personnelles en Autriche et aux Pays-Bas.
Il accumule sur la toile monochrome une lourde charge de peinture, qu'il dispose en traits parallèles. Il s'attache ainsi à rendre la toile impersonnelle.

GASTEIGER Matthias
Né le 24 juin 1871. XIXe-XXe siècles. Allemand.
Sculpteur de sujets religieux, allégoriques.
Il fut élève de S. Eberle à Munich. Il travailla à Dachau.
Musées : Leipzig : *Judith* – *Adam et Ève* – *Printemps*.

GASTEL François Van
XIXe siècle. Travaillant vers 1843. Éc. flamande.
Peintre de fleurs et de fruits, et aquarelliste.
Il exposa à Anvers et Bruxelles.

GASTEL P. H.
XVIIIe siècle. Allemand.
Peintre sur porcelaine.

GASTELL Franz
Né le 21 février 1840 près de Francfort-sur-le-Main. XIXe siècle. Allemand.
Sculpteur.
Il fut élève de l'Académie de Vienne.

GASTELLIER Emma
XIXe siècle. Française.
Peintre de paysages.
Prit part au Salon de Paris.

GASTELLIER Zoé Jeanne
Née en 1824 à Versailles (Yvelines). XIXe siècle. Française.
Peintre et aquarelliste.
Exposa des vues du Berry de 1857 à 1879.

GASTEMANS Émile
Né en 1883 à Borgerhout (près d'Anvers). Mort en 1956. XXe siècle. Belge.
Peintre de genre, portraits, paysages, lithographe.
Il fut élève de l'Académie des Beaux-Arts d'Anvers, mais apprit surtout dans les livres et les musées. Il anima le groupe *Als ik kan* (Comme je peux).
Il rapporta de ses nombreux voyages des scènes exotiques. Ses œuvres, tout en tons rompus, sont d'une harmonie sourde et d'un dessin monumental.
Bibliogr. : In : *Diction. illustré des Artistes en Belgique depuis 1830*, Arto, Bruxelles, 1987.
Musées : Anvers – Bruxelles – Gand.
Ventes Publiques : Anvers, 23 avr. 1985 : *À table*, h/t (80x93) : **BEF 55 000** – Lokeren, 21 mars 1992 : *Paysage estival avec un chemin campagnard*, h/t (76x120) : **BEF 90 000** – Lokeren, 8 oct. 1994 : *Femme assise*, h/t (41,5x32) : **BEF 26 000** – Lokeren, 7 oct. 1995 : *La demande en mariage*, h/t (80x93) : **BEF 26 000**.

GASTET Lambert ou **Gatet**
XVIIe siècle. Français.
Peintre.
Il vivait à Lyon en 1660 ; il y fut quatre fois maître de métier pour les peintres, de 1661 à 1678.

GASTETON Joseph
Né en 1865 à Vienne. XIXe siècle. Autrichien.
Peintre de paysages.
Élève à Vienne de Lichtenfels. Il obtint une médaille à Madrid pour un tableau : *Paysage d'Alcala*. La Galerie moderne de Madrid conserve de lui un *Paysage* au fusain.

GASTINE Camille Auguste
Né le 30 janvier 1819 à Paris. Mort le 3 avril 1867 à Paris. XIXe siècle. Français.
Peintre.
Il eut pour maîtres Delaroche, Hesse et Picot. De 1844 à 1867, il figura au Salon avec des portraits et quelques sujets religieux. Le Musée d'Orléans possède de lui : *Sainte Catherine d'Alexandrie, vierge et martyre*.

GASTINE Charles A.
XIXe siècle. Actif à Paris. Français.
Peintre.
Sociétaire des Artistes Français depuis 1899, il figura au Salon de cette Société.

GASTINEAU Henry
Né en 1791. Mort le 17 janvier 1876 à Camberwell. XIXe siècle. Britannique.
Peintre de sujets de genre, paysages, paysages d'eau, architectures, aquarelliste, graveur, dessinateur.
Après avoir étudié à la Royal Academy de Londres, il commença les travaux de graveur. Puis il se tourna vers la peinture à l'huile et finalement devint, en 1824, membre de la société des aquarellistes où il était intimement lié avec Turner, David Cox, Copley Fielding et d'autres. De 1812 à 1875, Gastineau prit part aux expositions de Londres : Royal Academy, British Institution, Old Water-Colours Society. Il n'envoya pas moins de treize cents ouvrages à cette dernière association.
Musées : Cardiff – Dublin – Londres (Victoria and Albert Mus.) : *Le Château de Peurhyn*, aquar. – *Cinq Vues d'Angleterre et d'Italie*, aquar.
Ventes Publiques : Londres, 14 mars 1909 : *Environs de Linton* : **GBP 5** – Londres, 26 nov. 1910 : *Vue du Pays de Galles*, dess. : **GBP 12** – Londres, 22 avr. 1911 : *Château de Dunluce, Irlande*, dess. : **GBP 39** – Londres, 27 nov. 1922 : *Paysage*, dess. : **GBP 6** – Londres, 16 fév. 1923 : *Chute d'eau*, dess. : **GBP 13** – Londres, 25 jan. 1924 : *Lecco*, dess. : **GBP 12** – Londres, 20 juin 1924 : *Hôpital*, dess. : **GBP 86** – Londres, 23 fév. 1925 : *Aberystwith*, dess. : **GBP 9** – Londres, 4 mai 1925 : *Au large des Hébrides*, dess. : **GBP 8** – Londres, 18 juil. 1927 : *Cowdray Park* : **GBP 8** – Londres, 22 juin 1928 : *Isola di San Guilio*, dess. : **GBP 22** ; *Lac Windermere*, dess. : **GBP 25** – Londres, 1er mars 1929 : *Folkestone* : **GBP 8** – Londres, 16 mai 1930 : *Derry* : **GBP 15** – Londres, 27 mars 1931 : *Méridienne* ; *Retour à la maison* : **GBP 12** – Londres, 10 nov. 1933 : *Château de Llandovery*, dess. : **GBP 13** – Londres, 16 jan. 1936 : *Salzbourg*, aquar. : **GBP 10** – Londres, 28 juin 1937 : *Cathédrale de Worcester*, dess. : **GBP 18** – Manchester, 12 et 13 mai 1939 : *Port* : **GBP 5** – Londres, 24 mars 1977 : *The Dochart river* 1860, aquar. (89x133) : **GBP 500** – Meath (Comté de), 12 mai 1981 : *Carlingford Abbey, county Louth* 1865, aquar. (62x92,5) : **GBP 760** – New York, 25 mai 1984 : *The Custom House, Dublin*, aquar. reh. de blanc et pl./trait de cr. (59,6x90,2) : **USD 3 000** – Londres, 25 jan. 1988 : *Lucerne en Suisse*, aquar. (41x63,5) : **GBP 440** – Paris, 20 déc. 1988 : *La douane à Dublin* 1853, aquar. (60,5x90) : **FRF 82 000** – Édimbourg, 26 avr. 1990 : *Navigation dans un estuaire avec un passeur débarquant devant les ruines d'un château*, aquar. et gche (78,7x132,8) : **GBP 3 080** – Londres, 13 juil. 1993 : *Salsbourg*, cr. et aquar. (76,2x132,1) : **GBP 6 325**.

GASTINEAU J. C.
XIXe siècle. Actif à Londres. Britannique.
Peintre de paysages.
Exposa en 1826 à la Royal Academy.

GASTINEAU Jean Baptiste
XVIIIe siècle. Actif à Paris vers 1740. Français.
Peintre ou sculpteur.

GASTINEAU Maria
XIXe siècle. Active à Londres. Britannique.
Peintre de paysages.
Membre de la Society of Lady Artists. Exposa à Londres de 1865 à 1867, notamment à Suffolk Street.

GASTINEAU Nicolas Claude
XVIIIe siècle. Actif à Paris en 1740. Français.
Sculpteur.

GASTINEL Jean Claude
XVIIIe siècle. Français.
Peintre.
Il remporta le deuxième prix de l'Académie Royale à Paris en 1758.

GASTINI Marco
Né en 1938 à Turin. XXe siècle. Italien.
Peintre. Tendance arte povera.
Il est resté fidèle à Turin. Il a commencé à exposer en 1963, puis en 1965, à Turin. Depuis, il participe à de nombreuses expositions collectives, tant en Italie, où il montre son travail aux côtés d'autres artistes avant-gardistes, qu'à l'étranger : Paris, Chicago, Bonn... Il a, en outre, exposé individuellement dans son pays, ainsi que dans des galeries étrangères, notamment à Francfort en 1993, galerie Appel et Fertsch et avec une rétrospective au Kunstverein, en 1996 à Paris, galerie Krief.
Son travail tend à faire de l'art une attitude et un comportement. Réduisant l'expression à un minimum d'expressivité violente, il a participé au mouvement de l'Arte povera qui a tenu le devant de la scène de l'avant-garde italienne en 1968. Il intégrait alors souvent des néons à ses œuvres, néon qu'il mettait en relation avec d'autres matériaux bruts. Il est revenu par la suite à la peinture, la réduisant à quelques signes parsemant une toile vierge ou quadrillée, toujours dans un esprit d'expresion minimum et d'extrême économie de moyens, voulant rendre perceptible un espace dans sa continuité. Il peint de grands formats, parfois ronds. Certaines de ses toiles sont une mise en abyme : il colle au centre de sa toile une feuille de papier et superpose sur l'ensemble de la surface des fragments de papiers. Dans la suite de son évolution, il a recours à des matériaux divers, plâtre, bois, fil de fer, pierre, bâche, mais aussi les translucidités du polycarbonate, l'irisation de la poudre de nacre, dont il constitue des sortes de bas-reliefs finalement très esthétiques.

Bibliogr. : Catalogue de l'exposition : *Marco Gastini*, Galerie Appel und Fertsch, Francfort, 1981.

GASTMAYR
XVIIIe siècle. Actif à Vienne. Autrichien.
Peintre.
Il travailla aussi à Salzbourg.

GASTO Francisco del
XVIe siècle. Actif à Valladolid. Espagnol.
Sculpteur.
Cet artiste reçoit, en 1597, le paiement de cadres et de moulures de bronze qu'il avait faits pour le monastère de l'Escurial.

GASTO Janos
XIXe siècle. Hongrois.
Graveur.
On cite son portrait de l'archiduc Ferdinand Charles Joseph.

GASTO VILANOVA Pedro
Né en 1908 à Barcelone (Catalogne). XXe siècle. Espagnol.
Peintre.
Il fut élève de l'École des Beaux-Arts de Barcelone. Il obtint le Prix de l'Hôtel de Ville de Barcelone, en 1944 et 1951.
Il commença son œuvre en 1932. Mais c'est surtout à partir de 1943 qu'il trouva son style, directement issu des périodes bleue et rose de Picasso, évoluant progressivement vers une désintégration de la forme, cependant toujours maintenue dans la figuration.
Bibliogr. : In : *Les peintres contemporains*, Mazenod, Paris, 1964.
Musées : Barcelone.
Ventes Publiques : Madrid, 20 déc. 1976 : *Pieta* 1974, h/t (73x92) : **ESP 80 000** – Madrid, 24 fév. 1977 : *Trois jeunes filles sur fond de rose* 1972, h/t (65x81) : **ESP 105 000** – Barcelone, 7 oct. 1980 : *Portrait de femme* 1965, pl./pap. (64,5x62) : **ESP 85 000** – Madrid, 27 oct. 1983 : *Trois figures* 1971, h/t (38x55) : **ESP 90 000.**

GASTON, appelé aussi le **Zoologue**
Né en 1920 dans le Pas-de-Calais. XXe siècle. Français.
Dessinateur. Surréaliste.
Cité par José Pierre dans *Le surréalisme* (Rencontre, Lausanne, 1966). Il fut interné le jour de son vingtième anniversaire.
À partir de 1946, il commença à produire des dessins oniriques.

GASTON Pedro
XVIe siècle. Espagnol.
Peintre.
Fut appelé à donner son avis dans un débat intervenu à Valladolid, au sujet d'une œuvre d'art, entre Giralte et Juni, le 19 mars 1548. Reçut, en 1555, le paiement de panneaux qu'il avait peints pour l'église de la Antigua à Valladolid, et travailla en même temps que Alejo de Encina au principal autel de la chapelle du monastère de San Pablo.

GASTON Pierre Marc Bassompierre
Né en 1786 à Paris. XIXe siècle. Français.
Peintre.
Il fut l'élève de David. En 1816, il devint professeur de dessin à l'École militaire de la Flèche. Il figura au Salon de 1812 à 1838 et obtint une médaille en 1824.

GASTON-BROQUET. Voir **BROQUET Gaston**

GASTON-GÉRARD. Voir **GÉRARD Gaston**

GASTON-GUITTON Victor Édouard Gustave. Voir **GUITTON Gaston**

GASTYNE Marco de
Né le 14 juillet 1889 à Paris. XXe siècle. Français.
Peintre de genre, portraits.
Il entra fort jeune à l'École Nationale des Beaux-Arts de Paris, où il eut pour professeur Cormon. Il exposa à Paris au Salon des Artistes Français et y obtint une médaille de troisième classe en 1910. En 1911, il reçut le Grand Prix de Rome. Il s'est également intéressé à l'art cinématographique.

GASULL Augustin
Né à Valence. XVIIIe siècle. Actif vers 1700. Espagnol.
Peintre.
Il fut élève à Rome de Carlo Maratta. L'église San Juan del Mercado de Valence possède de lui quatre tableaux de valeur : *Saint André, Saint Étienne, La Vierge de l'Espérance* et *Saint Joseph*.

GASVRE Pacquet de
XVe siècle. Français.
Sculpteur sur bois.
Il travailla à la sculpture des stalles du chœur de l'église Saint-Pierre de Saumur, en 1475.

GASZYNSKI Mathias
Né vers 1805. Mort vers 1868. XIXe siècle. Polonais.
Peintre et dessinateur.
Il vécut beaucoup en France.

GAT Eliahu
Né en 1919. Mort en 1987. XXe siècle. Israélien.
Peintre de paysages animés, paysages.
Ventes Publiques : Tel-Aviv, 16 mai 1983 : *Paysage*, h/cart. monté/t. (68x96,5) : **ILS 36 000** – Tel-Aviv, 3 jan. 1990 : *Paysage*, h/t (50x70) : **USD 2 200** – Tel-Aviv, 19 juin. 1990 : *Paysage montagneux* 1978, h/t (60,5x80,5) : **USD 2 200** – Tel-Aviv, 1er jan. 1991 : *Paysage*, h/t (80x100) : **USD 2 200** – Tel-Aviv, 12 juin 1991 : *Paysage*, h/t (49,5x69,5) : **USD 2 420** – Tel-Aviv, 6 jan. 1992 : *Paysage*, h/t (100x100) : **USD 3 080** – Tel-Aviv, 14 jan. 1996 : *Baigneurs au bord de la mer de Galilée*, h/pan. (70x100) : **USD 3 450.**

GATA José
Né en 1778 à Vizeu. Mort en 1831 à Vizeu. XIXe siècle. Portugais.
Peintre.
Il fut élève de Barros et travailla toute sa vie en Espagne et au Portugal.

GATARD Jeanne
Née en 1937. XXe siècle. Française.
Peintre, dessinatrice de figures, paysages, technique mixte.
Elle vit et travaille à Paris. Elle participe à diverses expositions collectives : entre 1960 et 1970 à Paris au Salon de la Jeune Peinture, ainsi qu'à la Biennale ; 1981 école des beaux-arts de Limoges et *Le Point à la ligne* au musée national d'Art moderne de Paris ; 1984 *L'Écriture dans la peinture* au CNAC (Centre national d'Art contemporain) de Nice ; 1987 Salon de Mai à Paris ; 1988 Isetan Museum de Tokyo... Elle montre ses œuvres régulièrement dans des expositions personnelles, à Paris, notamment depuis 1986 à la galerie Charles Sablon, mais aussi : 1976 Centre culturel d'Aix-en-Provence ; 1978 Maison de la culture d'Amiens ; 1979 musée Bellomo de Syracuse ; 1989 et 1991 galerie des Beaux-Arts de Bordeaux...
De 1977 à 1983, elle réalise *La Grande Sieste* (1 mx50 m), livre d'heures sur soie, assemblant des peintures cousues et parfois surbrodées, auxquelles se mêle l'écriture, pour donner à voir « tous les événements du monde » vécus à travers la poésie. Elle représente un univers de tendresse peuplé de temples, d'animaux, de palmiers, de volcans, de chaises, de figures, mais aussi d'objets réels, livres, jeux, cassettes, etc., glissés dans des poches entrouvertes – vaste épopée d'un temps oublié, légendé de textes écrits à la main ou à la machine. La première partie, composée de douze chapitres, s'accompagne d'un livre destiné à ponctuer les inflexions du discours plastique. La seconde partie est une variation autour du portrait de l'homme assis, qui « rame sa vie », ces mots-mêmes étant inscrits sur la toile. Elle poursuit son exploration, dans les séries *Anges et Rameurs* et *Les Barques*. À nouveau, les silhouettes fuselées des êtres et des choses cohabitent dans l'instant, images d'une vie « qui s'écoule entre merveilleux et désastre ». Depuis, l'exigence du dessin reprend le papier dans les séries des *Fauteuils – Anges – Barques sans retour – Pyramides* et, à partir de 1986, textes et dessins se répondent dans divers livres : *Vers l'oiseau* (1986) – *Les Anges du vide* (1988) – *Le Fragile* (1991) – *L'Homme de la ligne* (1993)...
■ L. L.
Bibliogr. : In : Catalogue de l'exposition : *Écritures dans la peinture*, Villa Arson, Nice, 1984 – in : Catalogue de l'exposition *Cinq Artistes en 89*, Galerie des Beaux-Arts, Bordeaux, 1989.

GATCH Lee
Né en 1902. Mort en 1968. XXe siècle. Américain.
Peintre de paysages, paysages animés, sujets divers, technique mixte.
Il a parfois mélangé les techniques, par exemple fusain et huile, pratiqué des collages, etc.
Ventes Publiques : New York, 29 avr. 1976 : *Tundra tapestry* 1961, h. et collage/t. (53,5x101,5) : **USD 2 300** – New York, 4 juin 1982 : *Les cyclistes* 1958, h/t (83,2x96,5) : **USD 3 500** – New York, 18 mars 1983 : *Le voleur de poules*, h/t (84x67) : **USD 5 500** – New York, 30 mai 1985 : *Chicken thief*, h/t (83,8x61) : **USD 10 500** – New York, 24 juin 1988 : *Matin à l'est* 1943, h/t (54,5x100) :

USD 6 600 – NEW YORK, 25 mai 1989 : *New York* 1955, h/t (35,5x67) : **USD 6 600** – NEW YORK, 28 sep. 1989 : *Montagne sacrée*, h/t (58x76) : **USD 4 620** – NEW YORK, 16 mars 1990 : *Le fermier récalcitrant* 1952, h/t (56x96,5) : **USD 3 300** – NEW YORK, 30 mai 1990 : *Attelage de course* 1956, h/t (53,3x101,6) : **USD 3 300** – NEW YORK, 31 mai 1990 : *Poêle à charbon*, h/t (60,9x26) : **USD 880** – NEW YORK, 15 mai 1991 : *Composition sans titre* 1960, techn. mixte et collage/cart. (76,2x61) : **USD 1 320** – NEW YORK, 12 mars 1992 : *Le matin de Pâques*, h. et fus./t. (56x102) : **USD 5 500** – NEW YORK, 31 mars 1993 : *Corridor* 1960, h. et collage/t. (98,4x63,8) : **USD 1 955** – NEW YORK, 31 mars 1994 : *Ferme en Pennsylvanie*, h/t (35,6x114,3) : **USD 3 450** – NEW YORK, 21 mai 1996 : *Night Court*, h/t (96,7x55,9) : **USD 4 025**.

GATCHEV Vassil
Né en Bulgarie. XXe siècle. Bulgare.
Sculpteur.

GATE Camille
Né en 1856 à Nogent-le-Rotrou (Eure-et-Loir). Mort le 21 août 1900. XIXe siècle. Français.
Sculpteur et écrivain.
Figura au Salon des Artistes Français où il obtint une mention honorable en 1887 et une médaille de bronze en 1889 (Exposition Universelle).

GATENBY John William
Né en 1903 en Illinois. XXe siècle. Américain.
Peintre et écrivain.

GATES Alice, Miss
XXe siècle. Britannique.
Peintre.

GATET André
XVIIe-XVIIIe siècles. Français.
Graveur.
Il vivait à Lyon en 1698 et 1713 et fut employé à la Monnaie de cette ville. En même temps que graveur de jetons, médailles et cachets, il était graveur en taille-douce.

GATET Lambert. Voir **GASTET**

GATHY Jean Henri
Né en 1752 à Liège. Mort le 12 août 1811 à Liège. XVIIIe-XIXe siècles. Éc. flamande.
Sculpteur.
Le Musée de Liège conserve de lui : *Enlèvement de Proserpine*.

GATIER Pierre Louis
Né le 12 janvier 1878 à Toulon (Var). Mort le 15 octobre 1944 à Joigny (Yonne). XXe siècle. Français.
Peintre de scènes de genre, portraits, paysages d'eau, paysages de montagne, marines, aquarelliste, peintre de compositions murales, graveur, dessinateur, décorateur.
Il fréquenta l'École des Beaux-Arts de Toulon, puis celle de Paris, où il étudia dans l'atelier de Fernand Cormon. Lionel Aristide Lecouteux l'initia à l'art de l'estampe et particulièrement de l'aquatinte. Il abandonna presque totalement la peinture, de 1930 à 1937, et il s'installa en Haute-Savoie. Il exposa au Salon de Paris, de 1903 à 1914. En 1907, il fut nommé peintre de la Marine. En 1975, le Musée Eugène Boudin à Honfleur lui a consacré une exposition rétrospective.
Il s'imposa rapidement comme aquarelliste, dessinateur, ensuite comme graveur, avec des estampes en couleurs, puis en noir et blanc, au burin ou à la pointe sèche. Il peignit diverses scènes de la vie parisienne, des scènes de cabarets, des portraits mondains. Il réalisa des paysages de montagne et des vues de ports, en particulier Toulon et sa rade. En 1913, il découvrit la Manche, la région de l'Isle-Adam et les ciels de la Normandie furent pour lui une révélation qui marqua le reste de son œuvre. Il a, en outre, réalisé plusieurs panneaux décoratifs pour la Marine de guerre, ainsi que des peintures murales pour l'église Saint-Georges à Toulon.
BIBLIOGR. : Gérald Schurr, in : *Les Petits Maîtres de la peinture 1820-1920, valeur de demain*, Les Éditions de l'Amateur, t. III, Paris, 1976.
VENTES PUBLIQUES : PARIS, 28 oct. 1990 : *Rochers à marée basse, les Sables d'Olonne* 1928, h/t (54x65) : **FRF 8 000** – PARIS, 25 nov. 1990 : *Le flot aux Sables d'Olonne* 1928, aquar. (20x29,5) : **FRF 3 700**.

GATINE Georges Jacques ou **Jean**
Né vers 1773 à Caen. Mort après 1824. XVIIIe-XIXe siècles. Français.
Graveur au burin.
Gatine appartient à la catégorie des petits artistes qui consacrèrent leur effort artistique au rôle modeste de peintre des mœurs et surtout des ridicules de leur époque. Gatine dessina ou grava des costumes, des scènes de genre. Ce fut un des iconographes des Incroyables, des bizarreries de la mode. Il est fort intéressant au point de vue documentaire et ses œuvres sont très recherchées.

GATINEAU Antoine Louis
XVIIIe siècle. Actif à Paris en 1738. Français.
Peintre et sculpteur.

GATINES René Charles Félix de
Né en 1853 à Paris. Mort en 1902. XIXe siècle. Français.
Peintre de paysages.
Débuta au Salon en 1879.

GATING J. Van
XVIIe siècle. Actif vers 1675. Hollandais.
Peintre de portraits.
Son portrait peint par lui se trouve au Musée d'Amsterdam.

GATLEY Alfred
Né en 1816 à Bollington (Angleterre). Mort le 28 juin 1863 à Rome. XIXe siècle. Britannique.
Sculpteur.
Exposa fréquemment à la Royal Academy, à Londres, de 1841 à 1852. Le Musée de Salford conserve de lui : *Héros grec et taureau* et *Echo*.

GATO DELERNA Nicolas
Né en 1820 à Madrid. Mort le 4 février 1883 à Madrid. XIXe siècle. Espagnol.
Peintre de paysages.
Élève de Vicente Lopez. Il exposa à Madrid et à Paris, notamment à l'Exposition Universelle de 1855. Il fut nommé, en 1859, membre de l'Académie de San Fernando.

GATOR Nicolas
XVIe siècle. Français.
Peintre.
C'était un moine franciscain.

GATORI Damiano
XVIe siècle. Italien.
Miniaturiste.
Il travailla pour la cathédrale de Carpi vers 1520.

GATSCHET John Rudolf von
Mort en 1856 à Berne. XIXe siècle. Suisse.
Peintre.

GATSCHET Niklaus
Né le 9 août 1736 à Berne. Mort le 11 mars 1817 à Rennes. XVIIIe-XIXe siècles. Suisse.
Peintre et graveur.
Il exposa à Berne et Zurich.

GATT Ferdinand
Né le 10 décembre 1847 à Innsbruck. Mort le 16 septembre 1909 à Brixen. XIXe siècle. Autrichien.
Peintre de paysages, paysages de montagne, aquarelliste.
VENTES PUBLIQUES : HAMBOURG, 5 juin 1985 : *Paysage de haute montagne avec glacier*, aquar. (30x24,5) : **DEM 2 800** – PARIS, 25 oct. 1994 : *Les abords du Bon Marché, rue de Sèvres en 1871, distribution de dons anglais*, aquar. (10,5x32) : **FRF 5 000**.

GATTA Bartolommeo della
Né en 1448 probablement à Florence. Mort vers 1502. XVe siècle. Italien.
Peintre et miniaturiste.
Frère du couvent de Calmaldolese de Florence, puis abbé à Arezzo, où il décora de fresques les murs du monastère. Entre 1479 et 1486, on le voit aidant Signorelli et Perugino à leurs peintures dans la chapelle Sixtine. Ses miniatures sur vélin sont très précieuses, alors que ses peintures, bien que très intéressantes et dénotant l'habileté dans les détails et dans le paysage, n'ont pas une grande valeur artistique.

GATTA José d'Ameida ou **d'Almeida**
Né à Vizeu. Mort en 1832. XIXe siècle. Espagnol.
Peintre de portraits.

GATTA Saverio Xavier della
Mort en 1829. XVIIIe siècle. Italien.
Peintre de scènes de chasse, sujets de genre, paysages, peintre à la gouache, aquarelliste, dessinateur.
Il fut élève de Cestaro. Il travailla à Naples en 1777.
Ventes Publiques : Londres, 21 mars 1974 : *La baie de Naples*, gche : **GBP 1 100** – Londres, 19 août 1978 : *Scène de chasse* 1783, gche (31x53,5) : **GBP 2 150** – Londres, 26 mars 1981 : *La rencontre* 1791, aquar. et gche (37x53,5) : **GBP 1 500** – Londres, 13 déc. 1984 : *Vue de Paestum* 1783-1784, gche (27,2x41,7) : **GBP 2 700** – Londres, 9 déc. 1986 : *Vue de Naples*, gche (52,6x76,9) : **GBP 18 000** – Paris, 9 déc. 1987 : *Le pêcheur à la pipe*, h/t (26,5x21) : **FRF 5 200** – Londres, 24 juin 1988 : *Femme de Gaeta* 1828, cr. et aquar. (22x15) : **GBP 1 700** – Londres, 30 mars 1990 : *La danse* 1815, aquar. (19x29) : **GBP 2 310** – Londres, 19 juin 1991 : *Musiciens ambulants à Naples* 1814, aquar. (15x23) : **GBP 3 520** – New York, 27 mai 1992 : *Chanson napolitaine* 1822, aquar. et encre (19,7x25,8) : **USD 6 050** – Londres, 17 juin 1992 : *Groupe de nonnes* 1803, aquar. (25x37) : **GBP 770** – New York, 13 jan. 1993 : *Vue depuis le Palais Donn'Anna avec Posillipo à distance et des pêcheurs au premier plan* 1780, temp. (31,5x56) : **USD 29 900** – Londres, 5 juil. 1993 : *La Porte Xapuana à Naples* 1780, gche (29x39,2) : **GBP 33 350** – Milan, 2 déc. 1993 : *Marchand de vin* 1829, aquar./pap. (21x28,5) : **ITL 4 025 000** – Paris, 1er juin 1994 : *Ruines d'un temple antique* 1800, gche, une paire (chaque 32x43,5) : **FRF 23 500** – Monaco, 20 juin 1994 : *Costumes d'Italie* 1809, aquar., une paire (chaque 30,2x43,6) : **FRF 99 900** – Paris, 22 mars 1995 : *Vue d'une crique en Italie* 1813, gche et encre (30,6x46,5) : **FRF 29 500** – New York, 20 juil. 1995 : *Le vendeur de sorbets ambulant* 1820, gche/pap. (22,2x26) : **USD 4 025** – Paris, 27 fév. 1996 : *Les mangeurs de pâtes* 1811, pierre noire et aquar. (26x37) : **FRF 12 500** – Milan, 3 avr. 1996 : *Le cheval de Puglia ; Le jeu de la morra* 1799, gche/pap., une paire (20,5x14,5) : **ITL 9 775 000** – Paris, 17 oct. 1997 : *Vue du Lac de Fusaro vers l'île d'Ischia près de Naples* 1813, gche (35x54) : **FRF 38 000**.

GATTEAUX Jacques Édouard
Né le 4 novembre 1788 à Paris. Mort le 8 février 1881 à Paris. XIXe siècle. Français.
Sculpteur et graveur en médailles.
De 1814 à 1855, il figura au Salon. Parmi ses ouvrages sculptés, on cite : *Une baigneuse*, bas-relief en marbre, *Minerve après le jugement de Pâris*, statue en bronze, *Pomone*, statue en marbre, *Sedaine*, buste en marbre, *Michel-Ange*, buste en bronze, *Le chevalier d'Assas*, statuette en bronze. On a de lui, à Versailles, le *Buste en marbre de F. Rabelais*. J.-E. Gatteaux, élève de Moitte, était officier de la Légion d'honneur et membre de l'Institut.

GATTEAUX Nicolas Marie
Né le 2 août 1751 à Paris. Mort le 21 juin 1832 à Paris. XVIIIe-XIXe siècles. Français.
Sculpteur et graveur de médailles.
Inventeur d'une machine employée par les sculpteurs pour la mise au point. Gatteaux a fait la gravure de billets de loterie, d'assignats, de timbres de la régie. Père de Jacques Édouard Gatteaux. Le Musée du Louvre conserve un bronze de lui : *Le Génie de l'Histoire*.

GATTEGNO-WEIL A. M.
XIXe-XXe siècles. Française.
Peintre.
Cette artiste travaillant à Marseille figura au Salon de la Société des Artistes Français, dont elle était sociétaire depuis 1903.

GATTERER Andreas
Né en 1810 à Linz. XIXe siècle. Autrichien.
Peintre de miniatures et lithographe.
On lui doit surtout des portraits.

GATTERI Giuseppe Lorenzo
Né en 1830 à Trieste. Mort en 1884 à Trieste. XIXe siècle. Allemand.
Peintre de genre.
Il a exposé à Dresde en 1883. On cite de lui : *Les débuts du carnaval*. Le Musée Revoltella, à Trieste, conserve de lui : *Costume de femme, XVIe siècle*, et *Lucrèce Borgia*.
Ventes Publiques : Venise, 1894 : *Catherine Cornaro remettant au doge Mocenigo les insignes de la royauté* : **FRF 206**.

GATTERSLEBEN G. J.
XVIIIe siècle. Actif à Marienthal en 1746. Allemand.
Sculpteur.

GATTERSTEDT Clara von
XIVe siècle. Allemande.
Peintre de portraits.
Religieuse à Kreuzburg en 1306, elle exécuta un portrait de l'abbé de Fulda.

GATTESCHI G.
Italien.
Graveur.
On cite de lui une gravure reconstituant Rome vers l'an 300 de l'ère chrétienne.

GATTI
XVIIIe siècle. Actif à Gênes. Italien.
Peintre de portraits.
C'est peut-être le même artiste qui travaillait à Rovigo.

GATTI
XIXe siècle. Actif en 1826. Français.
Sculpteur.
La bibliothèque municipale de Grenoble possède un buste de *Bailly*, signé de cet artiste.

GATTI Angelo
Né le 27 juillet 1939 à Novara (Italie). XXe siècle. Italien.
Peintre de paysages, aquarelliste.
Il a participé à de nombreuses expositions collectives et a reçu de nombreux Prix et distinctions. Il expose régulièrement en Italie. Désireux de comprendre, de pénétrer le monde qui l'entoure, il peint au rythme des saisons la nature, la mer.

GATTI Annibale
Né en septembre 1828 à Forli. Mort le 13 août 1909 à Florence (Toscane). XIXe siècle. Italien.
Peintre d'histoire, scènes mythologiques, sujets de genre, fresques.
Considéré comme l'un des peintres italiens les plus remarquables du XIXe siècle, il obtint une médaille d'or à Florence en 1872. Il exposa aussi à Boston : *Lafayette et Washington*. Il fut professeur de l'Académie des Beaux-Arts de Florence et chevalier de l'Ordre de la Couronne.
Il a peint beaucoup à fresques. On cite de lui : *Renaud et Armide*, au Palais Favard, à Florence.
Ventes Publiques : Londres, 8 nov. 1972 : *Galilée recevant John Milton* : **GBP 450** – Milan, 12 déc. 1983 : *Concert à la Cour de Russie*, h/t (48,5x75,5) : **ITL 3 600 000** – Londres, 9 oct. 1987 : *Leonardo recevant dans son atelier*, h/t (132x190,5) : **GBP 4 000** – Londres, 7 juin 1989 : *John Milton avec Galilée dans son observatoire*, h/t (80x117) : **GBP 4 180** – Londres, 18 mars 1992 : *John Milton avec Galilée dans son observatoire*, h/t (80x116,5) : **GBP 4 180**.

GATTI Antoine
Né à Marseille. XIXe siècle. Français.
Peintre de fleurs et de paysages.
Élève de du Motel, il débuta au Salon en 1880.

GATTI Antonio
XVIIe siècle. Actif à Bologne vers 1600. Italien.
Peintre.
Il travailla aussi à Modène.

GATTI Bernardino, dit **Il Sojaro**
Né vers 1495 à Pavie (Lombardie). Mort en 1575 ou 1576 à Crémone (Piémont). XVIe siècle. Italien.
Peintre de compositions religieuses, portraits, dessinateur.
Il fut l'un des élèves les plus habiles du Coreggio. Le réfectoire de l'église San Pietro de Crémone possède son grand tableau de : *La Multiplication des pains*, daté de 1552. En 1560, il peignit l'un de ses plus importants ouvrages : *L'Assomption*, dans la coupole de la Madonna della Steccata de Parme. Les villes de Parme, de Racenzo et de Crémone possèdent un grand nombre de ses œuvres. Dans l'église San Pietro de Crémone, on voit une *Nativité* et dans celle de la Madelena à Parme, une *Pietà*. Bordone étant mort avant d'avoir pu achever la décoration de la tribune de Santa Maria di Campagna à Piacenza, Gatti la termina.
Musées : Bergame (Acad. Carrara) : *La Vierge, l'Enfant Jésus et deux saints* – Florence (Mus. des Offices) : *Autoportrait* – Naples : *Ecce Homo* – *Christ en croix* – Turin : *Adoration des Bergers*.
Ventes Publiques : New York, 24 mars 1905 : *L'Adoration des Bergers* : **USD 500** – Londres, 3 juil. 1984 : *Etude d'un Apôtre regardant vers le haut à gauche*, craies noire et rouge pour la tête : pinceau et encre gris-noir, lav. de gris et reh. de blanc

(39,8x21,7) : **GBP 85 000** – MILAN, 13 mai 1993 : *Étude de tête d'homme*, sanguine et craie (10,7x9,8) : **ITL 1 100 000** – NEW YORK, 12 jan. 1994 : *Tête d'homme regardant vers le haut*, sanguine et reh. de blanc (10,5x9,6) : **USD 4 313** – MONACO, 20 juin 1994 : *Étude de draperie d'un moine agenouillé*, craie rouge, lav. rose et reh. de blanc (23,6x16) : **USD 288 600**.

GATTI Filippo
XIXe siècle. Actif à Rome. Italien.
Sculpteur.
Exposa à partir de 1877 à Naples, Rome et Turin.

GATTI Fortunato
Né en 1597 à Parme. Mort en 1651. XVIIe siècle. Italien.
Peintre d'histoire.
Le Musée de Parme possède de cet artiste une *Sainte Vierge entre saint Basile et saint Bernard*.

GATTI Geraldo
XIXe siècle. Actif à Paris à la fin du XIXe siècle. Français.
Sculpteur.
Il exposa au Salon de 1881 à 1887.

GATTI Gervasio, dit **Il Sojaro**
Né en 1549. Mort en 1631. XVIe-XVIIe siècles. Actif à Crémone. Italien.
Peintre d'histoire et de portraits.
Neveu et élève de Bernardino Gatti qui lui apprit à copier le Corrège, comme le prouvent ses premiers tableaux ; il se tourna plus tard vers la manière de Carracci. Il fut aussi excellent portraitiste. L'église San Pietro, dans sa ville natale, possède de lui : *La mort de sainte Cécile*.

GATTI Gesualdo
Né le 11 février 1855 à Naples (Campanie). Mort vers 1893. XIXe siècle. Italien.
Sculpteur de portraits, animaux.
Gatti travailla à Paris et figura au Salon entre 1881 et 1887. Il exposa également à Munich et à Vienne. Il réalisa des bustes et surtout des chiens.
VENTES PUBLIQUES : PERTH, 29 août 1995 : *Chiens au repos, l'un endormi, l'autre aux aguets*, bronze, une paire (10x20 et 14x20) : **GBP 1 380**.

GATTI Giacomo
Mort vers 1817. XIXe siècle. Actif à Mantoue. Italien.
Peintre.
Il fut élève de Cadioli.

GATTI Gioanbattista
XIXe siècle. Actif en Italie. Italien.
Dessinateur et graveur au burin.

GATTI Girolamo
Né en 1662 à Bologne. Mort le 11 mai 1726. XVIIe-XVIIIe siècles. Italien.
Peintre d'histoire et de portraits.
Élève de Marc-Antonio Franceschini. Il peignit le plus souvent des œuvres de petites dimensions ; cependant on trouve de lui de grandes compositions dans les palais et églises de Bologne. Citons, à Santa Maria Incoronata : *Saint Augustin, Saint Pétrone et saint Grégoire, intercédant pour les âmes du Purgatoire* ; dans l'église de la Nativité : *La Présentation au Temple*, et dans le Palazzo Publico : *Charles V couronné par le pape Clément VII*.

GATTI Giuseppe
Né le 15 août 1807 à Milan. Mort le 16 juin 1880 à Urbin. XIXe siècle. Italien.
Peintre.
Il fut élève de Durelli à l'Académie de Milan.

GATTI Jacques
Né en 1927 à Alger. XXe siècle. Français.
Peintre de paysages, aquarelliste.
Très jeune, il aborde la peinture, travaillant sur le motif, à l'aquarelle. Jusqu'à l'Indépendance de l'Algérie, il expose régulièrement à Oran et Alger. Rentré en métropole en 1965, il travaille dans la publicité tout en continuant la peinture. Il expose à Paris, ainsi que dans le Sud de la France. Il a reçu de nombreux Prix et distinctions.
En Provence et en Bretagne, il aime à dessiner le pittoresque : une rue de village, une petite chapelle, un olivier qui se tord, sans oublier les poteaux électriques, les panneaux routiers, les vieux bidons... Il saisit avec ferveur, la lumière, la chaleur, de la terre et du ciel.
BIBLIOGR. : In : *Les peintres de Saint-Tropez*, Sainte-Maxime, 1990.

GATTI Oliviero
Né à Plaisance. Mort après 1648. XVIIe siècle. Italien.
Peintre et graveur.
Élève de Giovanni Lodovico Valesio, il dut recevoir des leçons de gravures d'Agostino Carracci, car son style ressemble de loin à celui de ce maître. Il est peu connu comme peintre ; mais comme graveur, il exécuta un grand nombre de planches parmi lesquelles quelques-unes, d'après ses propres dessins, sont d'une grande valeur. En 1626, il fut reçu à l'Académie de Bologne et travaillait encore dans cette ville en 1648. Citons parmi ses gravures : *Saint François-Xavier recueillant un crucifix qui flotte sur la mer* (d'après lui-même), *Saint Jérôme*, 1602 (d'après Agostino Carracci), *Saint Roch*, 1605, enfin un livre de dessins d'après les dessins de Guercino.

GATTI Pietro
XIXe siècle. Actif en Italie. Italien.
Graveur au burin.

GATTI Saturnino de
Né en 1463 à San Vittorino. Mort vers 1521. XVe-XVIe siècles. Italien.
Peintre et sculpteur.
Il travailla surtout dans la région d'Aquilée.

GATTI Tommaso
Né en 1642 à Pavie. XVIIe siècle. Italien.
Peintre d'histoire.
Après avoir été l'élève de Carlo Sacchi, il se rendit à Venise où il étudia les grands maîtres. De retour dans sa ville natale, il y peignit pour plusieurs églises.

GATTI Uriele, dit **Il Sojaro**
Né vers 1560. Mort en 1629. XVIe-XVIIe siècles. Actif à Crémone. Italien.
Peintre d'histoire.
Lanzi suppose que ce peintre était frère de Gervasio Gatti. L'église San Sepolcro de Piacenza possède de lui un Crucifiement daté de 1601.

GATTIKER Hermann
Né le 12 mars 1865 à Enge. Mort en 1950. XIXe-XXe siècles. Suisse.
Peintre de paysages, graveur.
Il fit ses études à Dresde. De 1886 à 1892, on lui confia l'éducation du prince Georg de Sachse. On cite de lui : *Promenade du soir* ; et parmi ses gravures : *L'été* et *La maison mystérieuse*.
VENTES PUBLIQUES : ZURICH, 11 nov. 1981 : *Einsiedeli* 1889, h/t (38,5x60) : **CHF 9 000**.

GATTIN Ivo
Né en 1926 à Split. Mort en 1978 à Zagreb. XXe siècle. Yougoslave.
Peintre. Abstrait.
Durant ses études en 1953, à l'École des Beaux-Arts de Zagreb, il subit l'influence du surréalisme, dont il se détachera bientôt pour aborder une abstraction, proche de l'art informel. Ne se souciant pas de délimiter les formes, il explore de nouveaux matériaux : sable, cire, goudron, etc.
BIBLIOGR. : In : *Diction. de l'Art Mod. et Contemp.*, Hazan, Paris, 1992.

GATTINGER Wilhelm
Né le 16 juillet 1861 à Francfort-sur-le-Main. XIXe siècle. Allemand.
Peintre.
On lui doit surtout des paysages.

GATTO Carmelo
Mort en 1895 à Reggio de Calabre. XIXe siècle. Italien.
Sculpteur.

GATTO Saverio
Né le 15 août 1877 à Reggio de Calabre. XXe siècle. Italien.
Sculpteur.
Il eut pour professeur Achille d'Orsi. Il exposa à Paris, au Salon des Artistes Français.

GATTON Franciszek
Mort à Lemberg. XIXe siècle. Polonais.
Peintre.
En 1834, il fut nommé professeur de l'Académie des Beaux-Arts. Il fit des miniatures et des paysages.

GATTONI Battista
XVIe siècle. Actif à Pavie vers 1500. Italien.
Sculpteur.

GATTONI Pierre
Né en 1958 à La-Chaux-de-Fonds (Suisse). XXe siècle. Suisse.
Peintre, décorateur. Abstrait.
Dès 1981, il participe à des expositions de groupe en Suisse et en France : 1987 Biennale cantonnale des Beaux-Arts, La-Chaux-de-Fonds, où il obtint le Prix du meilleur envoi ; 1992 FIAC (Foire internationnale d'Art contemporain), Paris... Il a montré ses œuvres dans des expositions personnelles à Lausanne (1984), Genève (1988)...
Parallèlement à sa peinture, il a réalisé de nombreux décors de cinéma. Certaines de ses œuvres flirtent avec la figuration : ainsi cette toile carrée de 1990, au chromatisme réduit, du noir au blanc, évoque plus une cible qu'un réseau de cercles. Doit-on y voir une référence directe à Jaspers Johns ?

GATTOZUNI Paolo
XIXe siècle. Actif à Saint-Pétersbourg au début du XIXe siècle. Russe.
Sculpteur.
Il travaillait en 1826.

GATTY Margaret, née **Scott**
Née en 1809 à Burnham. Morte en 1873 à Ecclesfield. XIXe siècle. Britannique.
Graveur.
Elle était la fille du Dr Scott, chapelain de lord Nelson. Cette artiste est surtout connue comme l'auteur de livres pour la jeunesse. Entre 1837 et 1843, elle grava plusieurs paysages.

GAUBAULT Alfred Émile
Né à Paris. Mort en 1895. XIXe siècle. Français.
Peintre d'histoire, batailles, sujets de genre.
Il débuta au Salon de Paris en 1880.

A. Gaubault

Ventes Publiques : New York, 19 jan. 1906 : *Étude de la carte* : **USD 575** – New York, 12-13 et 14 mars 1907 : *Informations* : **USD 125** – Paris, 3 et 4 mai 1923 : *Qui vive !* : **FRF 50** – Londres, 13 avr. 1928 : *Incident de la guerre franco-prussienne* : **GBP 9** – Paris, 26 avr. 1942 : *Quatre scènes militaires* : **FRF 840** – New York, 14 mai 1976 : *La trompette, le tambour,* deux h/t (35x27) : **USD 700** – Londres, 24 mai 1978 : *Scène de la guerre de 1870,* h/t (65x80) : **GBP 1 000** – Vienne, 26 mai 1982 : *Scène de la guerre de 1870,* h/t (65x80) : **ATS 50 000** – New York, 18-19 juil. 1996 : *Les éclaireurs,* h/t (74,9x81,3) : **USD 4 025.**

GAUBERT Albin
Né à Saverdun (Ariège). Mort en octobre 1895. XIXe siècle. Français.
Peintre de compositions animés, aquarelliste, sculpteur.
Élève de Falguière, il exposa aux Artistes Français jusqu'à sa mort.
Ventes Publiques : Londres, 12 juin 1996 : *Hôtel des Princes* 1880, aquar. (39,5x38) : **GBP 920.**

GAUBERT George Frederick
XIXe siècle. Actif à Londres. Britannique.
Peintre de marines.
Exposa à la Royal Academy et à Suffolk Street, de 1829 à 1861.

GAUBERT Pierre
Né en 1659 à Fontainebleau. Mort en 1741 à Paris. XVIIe-XVIIIe siècles. Français.
Portraitiste.
Membre de l'Académie royale de Paris. Le Musée de Dresde conserve de lui un portrait de femme.

GAUBERT Roland
Né le 5 janvier 1914 à Dole (Jura). XXe siècle. Français.
Peintre de portraits, figures, natures mortes, paysages, sujets typiques, aquarelliste. Postcubiste.
Il a fréquenté les Écoles des Beaux-Arts de Tours, de Dijon, d'Alger, où il fit son service militaire, et en 1937 celle de Paris, dans l'atelier de Charles Guérin. Il travaille également à l'atelier de la Grande-Chaumière. À partir de 1937, il participe à des expositions collectives : 1937 Exposition Internationale à Paris ; 1946 Salon des Artistes Indépendants à Paris ; 1955 Biennale de Menton ; 1962 *Confrontation,* avec B. Buffet, Manessier, Picasso, Singier, Couty, à Dijon... En 1938, il montre sa première exposition personnelle, à Paris, à la Galerie L'Équipe, où il exposera ensuite avec Le Moal, Estève, Tal Coat, Gischia. En 1986, le Musée de Dole organise une rétrospective de son œuvre. Il a reçu de nombreux Prix et distinctions. En 1983, il a été promu Chevalier des Arts et des Lettres.
À sa manière, avec ses sentiments, il reconstitue dans un style cubiste classique le monde qui l'entoure : le chemin qui mène à sa maison, la veuve et l'orphelin, un couple... Il saisit des instants, des moments de vie, en fragmentant les formes.
Bibliogr. : Catalogue de l'exposition *Roland Gaubert,* Dole, 1986.
Musées : Besançon – Dole – Poitiers – Pontarlier.

GAUCHARD Félix Jean
Né le 12 mars 1825 à Paris. Mort en 1872 à Paris. XIXe siècle. Français.
Graveur.
Élève de Porret. Il exposa au Salon de 1851 à 1872.

GAUCHAT Jeannette
Née en 1871 à Berne. Morte le 27 mai 1915 à Leysin. XIXe-XXe siècles. Suissesse.
Peintre de paysages.
Musées : Berne : *Intérieur de forêt.*

GAUCHER Charles Étienne
Né en 1741 à Paris. Mort le 18 novembre 1804 à Paris. XVIIIe siècle. Français.
Graveur.
Il a gravé des sujets religieux et des portraits. Élève de Bazan et de Lebas.
Ventes Publiques : Paris, 1883 : *Portrait de J. Herivaux,* dess. à la mine de pb : **FRF 26** ; *Portrait de Denise Savari,* dess. à la mine de pb, reh. d'aquar. : **FRF 100** – Paris, 12 et 13 mars 1926 : *Portrait de Hubert Gravelot,* mine de pb : **FRF 450** ; *Portrait du prince Henri de Prusse,* mine de pb : **FRF 300** ; *Portrait de Pascal,* sanguine : **FRF 310** – Paris, 14 mai 1936 : *La Belle Denise,* médaillon à la mine de plomb : **FRF 1 200.**

GAUCHER Émile
Né en 1860 à Blois. Mort en 1909 à Challans. XIXe siècle. Français.
Sculpteur.
Figura au Salon des Artistes Français ; mention honorable en 1894.

GAUCHER Jacques
XVIe siècle. Actif à Orléans. Français.
Peintre de portraits.

GAUCHER Jacques
XVIIe siècle. Actif à Orléans. Français.
Peintre.

GAUCHER Jean
XVIe siècle. Actif à Orléans. Français.
Peintre d'histoire.

GAUCHER Louis Thomas
XVIIIe siècle. Actif à Paris en 1757. Français.
Peintre et sculpteur.

GAUCHER Luc Gabriel
Mort en 1759 à Langres. XVIIIe siècle. Français.
Peintre.
On lui doit des paysages.

GAUCHER Mathieu
XVe siècle. Actif à Orléans. Français.
Peintre.

GAUCHER Mathieu
XVIe siècle. Actif à Orléans. Français.
Peintre.

GAUCHER Yves
Né en 1934 à Montréal. XXe siècle. Canadien.
Peintre, graveur. Minimal art.
Après quatre années de formation à l'atelier de gravure de l'École des Beaux-Arts de Montréal, il cessa de peindre, de 1960 à 1964, pour se consacrer uniquement à la gravure. Il a participé à de nombreuses expositions, notamment en 1969 à Londres.
Il exprima de nouvelles techniques de gravure en relief et obtint des effets de textures dans un réalisme informel. Il introduisit progressivement la ligne en tant qu'élément simple. Stimulé par

la lecture de *Iridiation of color* d'Albers et par la musique de Webern, il a adopté un langage formel de recherches de rythmes visuels. Il fut également influencé par le courant américain du minimal art, et en 1969, il a montré un ensemble de grandes toiles peintes de toutes les tonalités de gris, à raison d'un seul monochrome pour chaque œuvre, dont le calme était juste mis en valeur par l'intervention discrète de quelques lignes brisées. Malgré, et peut-être en fonction de ce caractère minimal, les œuvres de Gaucher ont un caractère méditatif, calme et intimiste.

Bibliogr. : In : Catalogue de l'exposition : *Les vingt ans du Musée à travers sa collection*, Musée d'Art Contemporain, Montréal, 1985.

Musées : Montréal : *Brun, bleu, gris* 1972.

GAUCHER de Reims
XIIIe siècle. Actif entre 1244 et 1252. Français.
Architecte et sculpteur.

Son nom est l'un des quatre, avec Jean d'Orbais, Bernard de Soissons et Jean le Loup auquel il succéda, qui figurent sur le dessin de la cathédrale de Reims, qui nous est parvenu par une copie du XVIe siècle. On sait qu'il fut aussi sculpteur et qu'il « *ouvra aux voussures et portaux* » de la façade ouest. Il fut donc l'un des auteurs de la magnifique statuaire particulièrement célèbre de cette cathédrale.

GAUCHER-DUNOIS Jeanne
Née en 1891 à Paris. XXe siècle. Française.
Peintre de paysages.

Elle eut pour professeur Jules Adler. Elle exposa à Paris, au Salon des Artistes Français.
Elle préfère peindre les jardins et les sites fleuris.

GAUCHEREL Émile Lambert
Né le 13 février 1813 à Paris. Mort le 11 janvier 1885 à Saintes. XIXe siècle. Français.
Dessinateur.

Il était frère de Léon.

GAUCHEREL Lambert
XVIIIe siècle. Français.
Peintre de paysages.

Grand-père de Léon Gaucherel. Le Musée de Dijon conserve de lui une *Vue de Rome.*

GAUCHEREL Léon
Né le 21 mai 1816 à Paris. Mort le 7 janvier 1886. XIXe siècle. Français.
Graveur et peintre.

Obtint plusieurs médailles en 1855, en 1859, 1861 et 1863. Le 9 août 1864, il fut décoré de la Légion d'honneur. Il exposa au Salon de 1847 à 1879. Ses gravures figurent dans de nombreux musées, notamment dans ceux de Saintes, de Semur, Nice, Victoria and Albert, etc. On cite ses eaux-fortes pour l'*Excursion en Italie*, de A. Lance (1873).

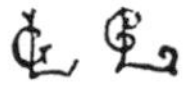

Ventes Publiques : Paris, 26 fév. 1943 : *Port Navalo ; Le Pêcheur à la ligne*, dess. au fus. : **FRF 450** – Londres, 24 juin 1987 : *Nature morte aux roses et nid*, h/t (38x46) : **GBP 1 300**.

GAUCHETTE Armand
XVIIIe siècle. Actif à Paris en 1748. Français.
Peintre et sculpteur.

GAUCHON Pierre. Voir **GANCHON**

GAUCI G.
XIXe siècle. Actif à Londres. Britannique.
Lithographe.

Exposa à la Royal Academy et à Suffolk Street, de 1810 à 1827.

GAUCI M.
XIXe siècle. Actif à Londres au début du XIXe siècle. Britannique.
Lithographe.

Il fut le père de W. et de Paul Gauci.

GAUCI Paul
XIXe siècle. Actif à Londres. Britannique.
Peintre de paysages.

Cet artiste, de 1834 à 1863, exposa plusieurs fois à la Royal Academy, à la British Institution et à Suffolk Street.

GAUCI W.
XIXe siècle. Actif à Londres. Britannique.
Lithographe.

Il était fils de M. et frère de Paul Gauci.

GAUD Émile
Né le 7 mai 1920 à Saint-Tropez (Var). XXe siècle. Français.
Peintre de compositions d'imagination. Tendance fantastique.

Autodidacte en peinture. Il expose à Paris au Salon d'Automne, et surtout, seul ou en groupe, à Saint-Tropez et dans les villes de la Côte.
Il peint avec les moyens du réalisme, précision du dessin, illusionnisme de la troisième dimension, matière lissée, émaillée, des sujets fantastiques, vues oniriques de Saint-Tropez, fruits et légumes dépaysés, racines d'arbres flottées se muant en être humain. Il a une prédilection pour les compositions dont les éléments ou les personnages, flottent dans l'air, souvent au-dessus de la mer dans le golfe reconnaissable de Saint-Tropez.

GAUD Jules
Né le 8 août 1848 à Genève. Mort le 7 mars 1912 à Genève. XIXe-XXe siècles. Suisse.
Peintre de paysages.

Frère de Léon Gaud, il fut élève de Barthélémy Menn. Il figura aux Expositions Universelles de 1889 et de 1900, obtenant une médaille de bronze la première année, puis une médaille d'argent.
Étant inspiré par les bords du Lac Léman, il peignit de nombreux paysages d'eau qu'il modela par de larges pans de lumière, parmi lesquels : *Villeneuve, Lac Léman – Bords du Lac près de Villeneuve.*

Bibliogr. : Gérald Schurr, in : *Les Petits Maîtres de la peinture 1820-1920, valeur de demain*, Les Éditions de l'Amateur, t. IV, Paris, 1979.

Musées : Genève (Mus. Rath).

Ventes Publiques : Berne, 22 oct. 1982 : *Les saules* 1900, h/t (35x27,5) : **CHF 1 800** – Berne, 3 mai 1985 : *La place à Auvernier, Neuenburgersee*, h/cart. (30,5x47) : **CHF 2 300**.

GAUD Léon
Né en 1844 à Genève. Mort en 1908 à Genève. XIXe siècle. Suisse.
Peintre de sujets de genre, paysages.

Il fut élève de Barthélemy Menn.

Musées : Genève (Rath) : *La rebatte – À la conquête du pain – L'artiste – À Lugardon – Le dernier char de la moisson* – Neuchâtel : *Brûlage d'herbes.*

Ventes Publiques : Berne, 22 oct. 1982 : *Vue du lac de Genève la nuit*, h/t (27x41) : **CHF 2 500** – Zurich, 12 juin 1995 : *Maison de village*, h/cart. (24x32) : **CHF 1 150**.

GAUD Michel
Né à Saint-Tropez (Var). XXe siècle. Français.
Peintre. Tendance art brut.

Fils de Michel Gaud, il ne subit pas son influence, mais adopta délibérément une autre voie. Il expose seul ou en groupe à Saint-Tropez et dans les villes de la Côte.
Il peint en aplat des compositions primitives sans arrière-plan, dans lesquels êtres humains et animaux se côtoient.

Bibliogr. : In : *Les peintres de Saint-Tropez*, Sainte-Maxime, 1990.

GAUDAEN Gérard
Né en 1927 à Saint-Nicolas-Waas (Belgique). XXe siècle. Belge.
Graveur de sujets allégoriques.

Il fut élève des Académies de Saint-Nicolas-Waas et de Gand, où il enseigna par la suite. Il reçut de nombreux Prix et distinctions. Ses œuvres, généralement en noir et blanc, témoignent d'une grande maîtrise de la gravure.

Bibliogr. : In : *Diction. biographique Illustré des Artistes en Belgique depuis 1830*, Arto, Bruxelles, 1987.

Musées : Bruxelles (Bibl. roy.).

GAUDAIRE-THOR Jean
Né le 16 octobre 1947 à Sens (Yonne). XXe siècle. Français.
Peintre.

Il a abordé la peinture en volume. En 1962, il a été lauréat du Salon des Artistes Français, à Paris. De 1973 à 1976, il a participé au Salon des Réalités Nouvelles à Paris, en 1994 et 1995 au Salon Grands et Jeunes d'Aujourd'hui. Ses nombreux voyages (Grèce, Turquie, Égypte, Espagne, Sicile, etc.) sont d'une influence considérable sur son œuvre.

Bibliogr. : Patrick-Gilles Persin : *Jean Gaudaire-Thor,* Il Patio, Ravenna ; Édit. de l'Orme, Paris, 1995, abondante documentation.

GAUDAR de LA VERDINE Auguste Alphonse

Né en 1780 à Bourges. Mort le 16 septembre 1804 à Sienne. XVIIIe siècle. Français.

Peintre d'histoire.

En 1799, il obtint le premier grand prix de peinture avec : *Manlius Torquatus condamnant son fils à mort.*

GAUDARD DE THAVANNES Charles Philippe

Né en 1753 à Lausanne. XVIIIe siècle. Suisse.

Dessinateur.

GAUDE-ROZA-BONNARDEL

Né le 23 septembre 1903 à Tiemcen (Algérie). XXe siècle. Français.

Peintre, illustrateur.

Il exposa dans différents Salons parisiens. Il est surtout connu pour ses illustrations notamment *Manon Lescaut, Les voyages de Gulliver, Les contes de Perrault.*

GAUDEAUX Léon

Né en 1893. Mort en 1947. XXe siècle. Français.

Peintre de paysages, natures mortes, portraits.

Il exposa en 1948, dans une galerie parisienne, notamment une suite de paysages, principalement de l'Île-de-France.

GAUDEFROY Alphonse

Né le 25 mars 1845 à Gentilly (Val-de-Marne). Mort en 1936 à Bréhat (Côtes-d'Armor). XIXe-XXe siècles. Français.

Peintre de compositions murales, compositions mythologiques, scènes de chasse, sujets de genre, paysages animés, animaux, cartons de tapisseries.

Fils du peintre Pierre Julien Gaudefroy, il fut élève de Léon Cogniet et d'Alexandre Cabanel à l'École des Beaux-Arts de Paris. En 1870, il fut gravement blessé au côté de son ami Henri Regnault, celui-ci étant frappé à mort. Il remporta le second Grand Prix de Rome, en 1874. Il exposa au Salon de Paris, obtenant une mention honorable en 1884. Il fut nommé restaurateur à la Manufacture de Beauvais, étant chargé de l'entretien des cartons de tapisseries.

Il se spécialisa dans les sujets de chasse et les paysages animés d'animaux ou de jeunes lavandières et bergères. Ses personnages, inscrits dans une nature majestueuse, témoignent de son talent décoratif ; ce qui lui valut d'ailleurs la commande de grandes compositions murales pour divers châteaux et demeures privées : de 1870 à 1873, il décora une grande partie de l'hôtel particulier de M. Menier au Parc Monceau. Il réalisa une toile d'importance : l'aspect de l'atelier de son ami et sculpteur Aimé Jules Dalou travaillant à son *Triomphe de la République.* Il composa également des cartons de tapisseries, dont *Neptune et Amphitrite.*

Bibliogr. : Gérald Schurr, in : *Les Petits Maîtres de la peinture 1820-1920, valeur de demain,* Les Éditions de l'Amateur, t. IV, Paris, 1979.

Musées : Reims – Tours.

Ventes Publiques : Paris, 1890 : *Le vin nouveau* : **FRF 28** – New York, 1er fév. 1906 : *Nymphe dans les bois* : **USD 340** – New York, 18-19-20 avr. 1906 : *Chasse à l'ours* : **USD 260** – Paris, 16 fév. 1927 : *L'Enfant à la pie* : **FRF 210** – New York, 12 mai 1978 : *chasseur et lavandière,* h/t (59x71) : **USD 2 800** – Londres, 27 nov. 1985 : *L'atelier du sculpteur Dalou* 1889, h/t (61x50) : **GBP 12 000** – Londres, 22 juin 1990 : *Dans l'atelier du sculpteur Dalou* 1889, h/t (61x50) : **GBP 12 650** – New York, 19 jan. 1995 : *Le flirt* 1899, h/t (62,9x76,8) : **USD 2 300.**

GAUDEFROY Louise, née **Martin**

Née en 1856 à Amiens (Somme). XIXe-XXe siècles. Française.

Peintre et sculpteur.

Sociétaire des Artistes Français depuis 1900. Figura au Salon de cette Société.

GAUDEFROY Maurice Henri

XXe siècle. Français.

Peintre.

Il exposa en 1928 au Salon des Tuileries à Paris.

GAUDEFROY Pierre Julien

Né le 1er février 1804 à Paris. XIXe siècle. Français.

Peintre.

Le 24 mars 1820, il entra à l'École des Beaux-Arts. Il se forma sous la direction de Gros. On doit à cet artiste des décorations au théâtre de Versailles et au Théâtre-Italien. Il figura au Salon, en 1824 avec un portrait, en 1831 avec *Leicester,* et en 1845 avec : *Jeux d'enfants.*

Ventes Publiques : Paris, 6 et 7 déc. 1944 : *Portrait de jeune femme* 1833 : **FRF 1 100.**

GAUDEMARIS Anatole Henry Pierre Théodore de, marquis

Né vers 1853 à Paris. Mort le 4 septembre 1908 à Massilan (près d'Orange, Vaucluse). XIXe siècle. Français.

Peintre amateur.

D'abord officier au Régiment étranger, il fut, à Lyon, élève de Dumas et de Scohy. Il exposa, à Paris depuis 1886, à Lyon depuis 1890, des tableaux d'histoire et de genre. Il a peint des décorations dans diverses églises : aux Saintes-Maries de la Mer *(Les Saintes Maries conduites par les Anges,* 1886) ; à Sainte-Croix, Ain (1891) ; à Fontaines-sur-Saône (1892 et 1895) ; à Beauregard, Ain (1892) ; à Denicé, Rhône (1893).

GAUDENFUCHS Jakob

XVe siècle. Actif au Tyrol en 1473. Autrichien.

Peintre.

Il travailla au château de Stenico.

GAUDENZI Pietro

Né en 1880 à Gênes. Mort en 1955 à Anticoli Corrado. XXe siècle. Italien.

Peintre de compositions à personnages, paysages animés, natures mortes, fleurs.

Ventes Publiques : Milan, 26 mai 1977 : *Il fiore della vita,* h/cart. (39,5x33) : **ITL 1 300 000** – Paris, 12 juin 1981 : *Vase de fleurs,* h/t (78x66) : **ITL 650 000** – Rome, 15 nov. 1988 : *Le battage du grain* 1940, techn. mixte, première idée (58x43) : **ITL 1 500 000** – Milan, 6 déc. 1989 : *La Sainte Maternité,* h/t (diam. 104) : **ITL 15 000 000** – Stockholm, 14 nov. 1990 : *Paysage avec un berger et ses moutons,* h/pan. (62x100) : **SEK 20 000** – Rome, 4 déc. 1990 : *Vase de fleurs sur un entablement,* h/t (73,5x60) : **ITL 3 000 000** – Stockholm, 29 mai 1991 : *Paysage avec un berger et ses moutons* 1903, h/pan. (62x100) : **SEK 10 000** – Bologne, 8-9 juin 1992 : *Berger et son troupeau près d'un embarcadère* 1903, h/pan. (60x97) : **ITL 5 175 000** – Milan, 20 déc. 1994 : *Vase de fleurs,* h/pan. (49,5x39) : **ITL 3 105 000.**

GAUDENZIO Milanese. Voir **FERRARI Gaudenzio**

GAUDET Étienne

XXe siècle. Français.

Graveur sur bois.

Il exposa au Salon des Artistes Français de Paris.

GAUDET Gabriel

Né en 1886. XXe siècle. Français.

Sculpteur.

Exposant du Salon.

GAUDET Raymond

Né à Grenoble (Isère). XXe siècle. Français.

Peintre de paysages.

Il a exposé à Paris, en 1925 au Salon d'Automne, ainsi qu'en 1927 et 1928, au Salon des Tuileries.

GAUDEZ Adrien Étienne

Né le 9 février 1845 à Lyon (Rhône). Mort le 23 janvier 1902 à Neuilly (Hauts-de-Seine). XIXe siècle. Français.

Sculpteur de monuments, groupes, bustes.

Il fut élève de Jouffroy. Il débuta au Salon de Paris en 1864, obtenant une médaille de troisième classe et une de première classe en 1881. Il est l'auteur du monument de *Florian* à Alais et du monument des *Enfants des Vosges morts pour la Patrie,* à Remiremont.

Ventes Publiques : Londres, 7 juin 1972 : *Portrait en buste d'une jeune fille,* bronze patiné : **GBP 460** – Paris, 22 nov. 1977 : *Duo champêtre,* patine médaille, bronze (H. 65) : **FRF 9 200** – Paris, 23 avr. 1980 : *Etoile du matin,* bronze, patine médaille (H. 92) : **FRF 8 650** – Londres, 7 juin 1984 : *Le jeune Molière* vers 1870, bronze (H. 71) : **GBP 3 400** – Lokeren, 22 fév. 1986 : *David* 1870, bronze patine brune (H. 74) : **BEF 190 000** – New York, 25 mai 1988 : *David,* bronze (H. 80,7) : **USD 2 420** – Paris, 6 juil. 1989 : *L'étoile du matin,* bronze (H. 70) : **FRF 5 000** – Paris, 5 juil. 1991 : *Mozart,* bronze (H. 34) : **FRF 4 100** – Paris, 13 déc. 1992 : *Espoir de la France,* bronze (H. 48) : **FRF 3 800** – New York, 16 fév.

1994 : *Buste d'une beauté orientale*, bronze (H. 75,6) : **USD 21 850** – Paris, 24 juin 1994 : *Le semeur*, bronze (H. 82) : **FRF 5 700** – Lokeren, 9 mars 1996 : *Marguerite*, bronze et ivoire (H. 40,5) : **BEF 36 000**.

GAUDEZ Cécile Delphine
Née le 21 décembre 1851 à Saint-Étienne (Loire). XIXe siècle. Française.
Peintre.
Élève de Carolus-Duran et de Henner. Elle exposa au Salon, de 1869 à 1880, des miniatures.

GAUDEZ Jean Marie
Né en 1808 à Tournus. XIXe siècle. Français.
Peintre de genre.
Élève de l'École de Lyon. Le Musée de Tournus conserve de lui : *Vieille femme assise*.

GAUDFROY Fernand
Né en 1885 à Tournai. Mort en 1964. XXe siècle. Belge.
Peintre de figures, portraits, nus, natures mortes, fleurs.
Il fut élève de Isodore Verheyden et de Hermann Richir.

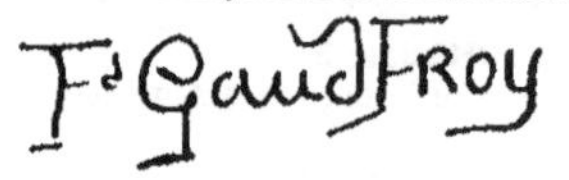

Bibliogr. : In : *Diction. biographique Illustré des Artistes en Belgique depuis 1830*, Arto, Bruxelles, 1987.
Ventes Publiques : New York, 15 nov. 1984 : *Fillette et son chien* 1911, h/t (90x100) : **USD 3 000** – New York, 13 fév. 1985 : *Les meilleurs amis* 1911, h/t (90,9x100,5) : **USD 6 000** – Paris, 9 déc. 1988 : *Jeune garçon*, h/t (91x50,5) : **FRF 14 000**.

GAUDI Y CORNET Antonio
Né le 25 juin 1852 à Reus (Espagne). Mort le 10 juin 1926 à Barcelone (Catalogne), des suites d'un accident. XIXe-XXe siècles. Espagnol.
Sculpteur, décorateur.
L'architecte halluciné de la Sagrada Familia de Barcelone – cathédrale inachevée –, de la Casa Calvet, de l'église de la Colonia Guëll, du Park Guëll, des Casas Milà et Vicens, conçut ses prodigieuses et uniques créations jusque dans leurs moindres détails. C'est dire que l'œuvre de Gaudi sculpteur a autant d'importance que son œuvre architecturale. Il n'hésita pas, lui homme de foi, à faire des moulages d'après des cadavres de nouveau-nés pour donner à ses Saints Innocents des attitudes cruellement exactes, à mettre en croix des squelettes, à demander à des modèles vivants de devenir les protagonistes temporaires de la Passion du Christ. Mis au service d'une pensée visionnaire, ce réalisme scrupuleux donna naissance à un monde de pierre fantastique et parfois inquiétant – plus près des sculptures et édifices religieux baroques d'Amérique du Sud que du gothique espagnol que Gaudi connaissait bien. La place du décorateur (meubles religieux et civils, dessins de verrières) doit être également signalée : là aussi Gaudi veillait à ce que le plus petit accessoire participât à l'ensemble de sa conception. Ce contemporain de Victor Horta et de Hector Guimard appartient à l'Art nouveau européen : seul véritable représentant catalan de ce courant esthétique. Il demeure le démiurge d'un univers végétal et minéral, fascinant et parfois hautement maléfique, évoquant quelquefois Jérôme Bosch (la façade polychrome de la nativité, à la Sagrada Familia) ou Max Ernst (les grilles décorées et les ouvertures de maisons et de parcs de Barcelone). Selon son désir, Gaudi repose dans la crypte de la Sagrada Familia.
■ Pierre-André Touttain

Bibliogr. : Catalogue de l'exposition *Gaudi, Pionniers du XXe siècle*, Musée des Arts Décoratifs, Paris, 1971 – François Loyer : *Gaudi, l'église de la Colonia Guëll*, Revue l'Œil, Paris, juin 1971.

GAUDIBERT Jean Raphaël Auguste
Né à Orange (Vaucluse). XXe siècle. Français.
Graveur, lithographe.
Il exposa à Paris, au Salon des Artistes Français, où il obtint, en 1907, une mention honorable.

GAUDICHAUD-BEAUPRÉ Charles
Né le 4 septembre 1780 à Angoulême (Charente). Mort le 16 janvier 1854. XIXe siècle. Français.
Dessinateur, illustrateur.
Botaniste, il exécuta de nombreux dessins de plantes qu'il a étudiées au cours de ses voyages maritimes autour du monde. Il illustra également ses nombreux ouvrages scientifiques.

GAUDICHIER Henriette, née **Jardin**
XIXe siècle. Active à Paris. Française.
Peintre.
Sociétaire des Artistes Français depuis 1883, elle figura au Salon de cette société.

GAUDIER-BRZESKA Henri, pseudonyme de **Gaudier Henri**
Né le 4 octobre 1891 à Saint-Jean-de-Braye (Loiret). Mort le 5 juin 1915 à Neuville-Saint-Vaast (Pas-de-Calais), tué sur le front. XXe siècle. Depuis 1911 actif en Angleterre. Français.
Sculpteur de figures, animalier, peintre, pastelliste, dessinateur. Groupe vorticiste.
D'origine modeste, son père était tailleur de pierre par tradition familiale, d'autres sources disent charpentier, il se forma seul. Après quelques études accomplies à Orléans, il fréquenta les Bibliothèques, notamment Sainte-Geneviève à Paris. Au cours de voyages en Angleterre, où il serait venu pour sa scolarité, en Hollande, Belgique et Allemagne, il accumula des milliers de dessins d'après nature et d'après des œuvres vues dans les musées, où il s'intéressait déjà aux arts primitifs, admirant au British Museum « l'art des noirs, des rouges et des jaunes ». À l'âge de dix-neuf ans, il lia sa vie à celle de Sophie Brzeska, Polonaise de vingt ans son aînée, de laquelle il ajouta le nom au sien, et qu'il faisait passer pour sa sœur. Ce fut en 1910 aussi qu'il décida de se consacrer totalement à la sculpture. Adhérant à des idées révolutionnaires utopistes, antimilitariste, il refusa d'accomplir son service national dans la guerre du Rif, ce qui constitua une des raisons de son exil en Angleterre. S'il en revint pour s'engager volontaire à la guerre, et s'y faire tuer, ce fut après qu'il eût appris le bombardement de la cathédrale de Reims. Mort à l'âge de vingt-quatre ans, il a pourtant laissé un œuvre qui est beaucoup plus qu'une promesse. Le roman et le romantisme de sa courte vie ont créé un climat de légende autour de lui.
En 1913, il fut un des membres fondateurs du *London Group*. Ses premières œuvres furent remarquées par le critique MacFall, par l'écrivain Katherine Mansfield et son entourage, ainsi que par Paul Morand, alors attaché à l'ambassade de France. Il se lia tôt au mouvement « vorticiste », qui, sous des préceptes larges et peu définis, regroupait en fait l'avant-garde littéraire et artistique anglaise, autour du peintre et écrivain Windham Lewis et du poète américain Ezra Pound. Se joignirent encore au mouvement les peintres Edward Wadsworth, William P. Roberts, Frederick Etchells et le sculpteur Jacob Epstein, duquel on dit qu'il ne se réjouit guère de l'arrivée dans le groupe d'un autre sculpteur. Le but du mouvement vorticiste était d'atteindre le summum de la force et de l'énergie dans l'expression, en assimilant les potentialités de toute représentation, quelle qu'elle soit, de quoi que ce soit, au dynamisme de la machine, et de parvenir à une expression aussi dépouillée que possible des détails non signifiants. Par les activités du groupe, le « Vorticisme », tout en niant ses évidents rapports avec le futurisme italien, constitua, au début du siècle, le point de départ de l'art moderne en Angleterre, auquel Gaudier-Brzeska prit une part active, notamment par ses textes dans la revue *Blast*, et par ses œuvres apparentées à l'évidence des formes industrielles. Reconnu après sa mort, le Musée d'Orléans lui consacre en permanence une salle. En 1993, le Musée d'Orléans a organisé une exposition rétrospective de l'ensemble de son œuvre, exposition reprise à l'automne par le Musée d'Art Moderne de Toulouse.
Ses très nombreux dessins du début, presque toujours traités au trait pur se développant en arabesques, semblent proposer une synthèse entre l'élégance matisséenne et l'expressionnisme de Picasso. Cependant, la ligne seule ne lui paraissant plus traduire suffisamment la plénitude formelle à laquelle il tendait, la sculpture lui sembla permettre d'atteindre à « la forme la plus palpable ». Il travailla d'abord la sculpture sous l'influence de l'œuvre de Rodin, ce dont témoigne encore la *Danseuse* de 1913, ainsi que marqué par Maillol : *Maternité* de 1913 aussi. Fixé à Londres depuis 1911, il obtint, en 1912, 1913, quelques commandes de bustes. Bien qu'il n'ait produit qu'entre 1912 et 1914, il a laissé un œuvre important : une centaine de sculptures en bronze, pierre et marbre, des peintures, une énorme quantité de dessins. De certaines de ses dernières œuvres, notamment *Maternité N°2*, on peut se demander si Henry Moore en avait remarqué le jeu des vides équilibrant les pleins. D'entre les jalons caractéristiques de son expression : 1912 *Les singes* ; 1913 *Maternité n° 1* ; *Torse de femme* ; 1914 *Maternité n° 2* ; *Hommes portant une jatte* ; *Ornement de jardin* ; *Le Lutin* ; *Chien* ; *Marteau*

de porte ; Oiseau avalant un poisson ; des œuvres comme : *Portrait de Horace Brosky ; Mademoiselle B.* précédaient les têtes néoclassiques de Picasso, et des sculptures comme : *Oiseaux debout ; Les Cerfs ; Danseuse rouge* peuvent être alors considérées comme des œuvres abstraites. Son adhésion au vorticisme le rapprochait du futurisme italien et donc du Français Raymond Duchamp-Villon, à la carrière duquel aussi la guerre mit fin. Les dons de ce très jeune sculpteur ne faisaient aucun doute, sa place en ce début de siècle eût été des plus déterminantes. Bien que souvent ses sculptures ressortissent encore à un processus de stylisation, il paraît certain que sa réflexion en cours le conduisait à la démarche d'une véritable abstraction, dont il aurait été un des tout premiers initiateurs. ■ Jacques Busse

Bibliogr. : Catalogue de l'exposition pour l'ouverture de la salle *Gaudier-Brzeska*, Mus. Nat. d'Art Mod., Paris, 1965 – Michael Middleton, in : *Nouveau Diction. de la Sculpt. Mod.*, Hazan, Paris, 1970 – R. Cole : *Burning to Speak, the Life and Art of Henri Gaudier-Brzeska*, Phaïdon, Oxford, 1978 – Roger Secrétain : *Un sculpteur maudit*, Paris, 1979 – Laurent Baude, Bernard Fauquembergue et les élèves du Lycée Professionnel de Saint-Jean-de-Braye : *Henri Gaudier-Brzeska, vu et raconté par les élèves du Lycée Professionnel de Saint-Jean-de-Braye*, Orléans, 1986, bonne bibliographie – Ezra Pound : *Henri Gaudier-Brzeska*, Tristram, 1992 – Catalogue de l'exposition *Henri Gaudier-Brzeska*, Mus. des Beaux-Arts d'Orléans, 1993 – Evelyn Silber : *Henri Gaudier-Brzeska : Vie et œuvre, avec un catalogue raisonné des sculptures*, Thames & Hudson, Londres, 1996.

Musées : Cambridge (Kettle's Yard) : *Hommes portant une jatte – Ornement de jardin n° 3 – Les Oiseaux dressés* – Chicago – Londres (Tate Gal.) : *Oiseau avalant un poisson – Le chien – La danseuse rouge – Poisson-torpille – Marteau de porte* – Londres (Victoria and Albert Mus.) : *Petite figure* – New Haven (Yale University Mus.) : *Totem – Portrait d'Ezra Pound* – New York (Mus. of Mod. Art) : *Oiseaux debouts* – Orléans (Mus. des Beaux-Arts) : Une salle de sculptures, peintures, dessins – Paris (Mus. Nat. d'Art Mod.) : *Femme assise* – Dessins.

Ventes Publiques : Londres, 12 juin 1940 : *Femme nue assise*, dess. : **GBP 5** – Londres, 15 avr. 1964 : *Bohm et Karsavina dans L'Oiseau de feu*, bronze : **GBP 820** – Londres, 14 juil. 1967 : *Nature morte*, past. : **GNS 620** – Londres, 26 nov. 1969 : *Oiseau et poisson*, bronze : **GNS 3 200** – Londres, 18 juil. 1972 : *Nature morte aux citrons*, past. : **GNS 2 200** – New York, 6 juin 1974 : *Adolf Bohm et Karsavina dans L'Oiseau de feu*, bronze : **USD 2 400** – Paris, 28 juin 1976 : *Portrait de Lord Fraser* 1911-1912, bronze (H. 70, l. 67) : **FRF 16 500** – Londres, 22 juin 1977 : *Faune endormi*, bronze (L. 25,5) : **GBP 1 800** – Londres, 8 mars 1978 : *Les lutteurs* vers 1913, marqueterie, de forme ronde (diam. 60) : **GBP 3 600** – Londres, 29 juin 1978 : *Les lutteurs* 1912, linograv. (22,8x28,1) : **GBP 380** – Londres, 5 mars 1980 : *Sirène*, bronze (long. 27,5) : **GBP 900** – Londres, 10 juin 1981 : *Homme nu debout*, cr./pap. (51x38,5) : **GBP 900** – Londres, 3 nov. 1982 : *Sleeping fawn*, bronze (L. 25,5) : **GBP 2 800** – Londres, 9 mars 1984 : *Masque ornemental*, bronze (H. 72,5) : **GBP 6 000** – Londres, 23 mai 1984 : *Étude d'homme nu*, aquar. et craie noire (53x40,5) : **GBP 5 200** – Londres, 8 nov. 1985 : *Amour* vers 1912-13, albâtre (H. 45,7) : **GBP 19 000** – Londres, 6 fév. 1985 : *Nus debout* 1913, pl. (38x48) : **GBP 1 600** – Londres, 2 déc. 1986 : *Maria Carmi as the Madonna in The Miracle* 1912, past., fus. et peint. or (73,8x54,7) : **GBP 10 000** – Londres, 29 juil. 1988 : *Femme en uniforme* 1914, encre (31,3x17,5) : **GBP 3 300** – Londres, 9 juin 1989 : *Autoportrait*, cr. (35,6x25,4) : **GBP 5 500** – Londres, 10 nov. 1989 : *Le faon couché* 1913, bronze à patine vert foncé (H. 24,4) : **GBP 20 900** – Londres, 9 mars 1990 : *Le faon endormi* 1913, bronze à patine brune (H. 11,4) : **GBP 20 900** – Londres, 3 mai 1990 : *Nu allongé*, encre (25x37) : **GBP 880** – Londres, 8 juin 1990 : *Ornement de jardin*, pb (H. 37) : **GBP 8 580** – Londres, 9 nov. 1990 : *Maternité*, bronze à patine verte (H. 28) : **GBP 17 600** – Londres, 7 mars 1991 : *Pastiche du Jour et la Nuit de Michel-Ange*, encre (70x54,5) : **GBP 4 620** – Londres, 14 mai 1992 : *Nu masculin debout de dos vers la droite*, encre (37x23) : **GBP 1 430** – Calais, 14 mars 1993 : *Le fils de Volmar*, mine de pb (27x21) : **FRF 4 500** ; *Nu accroupi*, fus. (31x25) : **FRF 10 000** – Paris, 20 mai 1994 : *Figure* 1913, bronze : **FRF 20 000**.

GAUDIN Adrien
Né en 1842 à Genève. XIXe siècle. Suisse.
Sculpteur sur bois.
Séjourna à Paris en 1882.

GAUDIN Auguste Jean
Né le 29 juillet 1914 à Argentré-du-Plessis (Ille-et-Vilaine). XXe siècle. Français.
Peintre et graveur.
Élève de Pierre Galle, aux cours du soir de l'École des Beaux-Arts de Rennes. Il a pratiqué tout à la fois l'eau-forte, la pointe sèche, le burin et la lithographie. Il a présenté à l'Exposition des *Peintres et Graveurs Français*, en 1947, et, la même année, à celle du Cercle de la Librairie : *Le livre que je voudrais illustrer*, des scènes populaires, des paysages de Paris, des figures dramatiques, ainsi que des interprétations littéraires.

GAUDIN Charles Théophile
Né en 1822 au Petit-Château. Mort en 1866 à Lausanne. XIXe siècle. Suisse.
Dessinateur et peintre.

GAUDIN Claude Hubert
Né vers 1800 à Champagnole (Jura). Mort le 2 février 1860 à Dôle (Jura). XIXe siècle. Français.
Sculpteur.
Musées : Dole.

GAUDIN Hélène
Née au XIXe siècle à Paris. XIXe siècle. Française.
Peintre.
Élève de Mme Thoret. Elle envoya des éventails au Salon en 1878 et 1880.

GAUDIN Léonard
Né en 1762 à Genève. XVIIIe siècle. Suisse.
Peintre émailleur.

GAUDIN Léonce Maurice
XXe siècle. Français.
Peintre. Abstrait.
Ce peintre assez peu connu a figuré, entre 1952 et 1955, au Salon des Réalités Nouvelles à Paris.
Ces solides compositions abstraites sont basées sur un équilibre très élaboré entre des formes simples noires, grises et blanches.

GAUDIN Luis Pascual
Né en 1556 à Villa-Franca. Mort en 1621 au monastère de Scala Dei. XVIe-XVIIe siècles. Espagnol.
Peintre d'histoire.
Chartreux de la Scala Dei où il entra en 1595. A peint, dans son couvent, un grand nombre de sujets religieux. Il parcourut toute l'Espagne et acquit une réputation assez grande pour que le pape Grégoire XV l'appelât à Rome pour lui confier des travaux à la basilique de Saint-Pierre. Cependant, Gaudin étant tombé malade, ne put obéir aux ordres du pontife et il mourut peu après.

L P Gaudin

GAUDIN Pierre
XVIIIe siècle. Actif à Paris en 1745. Français.
Peintre et sculpteur.

GAUDIN Simone
Née le 5 mai 1902 à Houilles (Yvelines). XXe siècle. Française.
Peintre de portraits, paysages.
Elle a exposé à Paris au Salon des Artistes Français, dont elle devint sociétaire en 1935.

GAUDINET Pierre
XVIIIe siècle. Actif à Paris en 1751. Français.
Peintre et sculpteur.
Peut-être diminutif de Pierre Gaudin, ou peut-être son fils.

GAUDION A.
XVIIe siècle. Actif à Aix-en-Provence en 1612. Français.
Peintre.
Il existe à l'église Saint-Jean une peinture signée de cet artiste.

GAUDION Georges
XXe siècle. Français.
Illustrateur, aquarelliste.
Il a illustré d'aquarelles un recueil de *Poèmes* de Paul Morand (Toulouse 1926), *À la manière de...* de Paul Reboux (Toulouse 1927).

GAUDIOSO Michele
XVIIe siècle. Actif à Naples. Italien.
Sculpteur.

GAUDIOSO Paolo, l'Ancien
XVIIe-XVIIIe siècles. Actif à Naples. Italien.
Peintre.

GAUDIOSO Paolo, le Jeune
XVIIe-XVIIIe siècles. Actif à Naples. Italien.
Peintre.

GAUDIOSO Pietro
XVIIe siècle. Actif à Naples. Italien.
Peintre.

GAUDISSARD Émile ou **Gaudissart**
Né en 1872 à Alger. XIXe-XXe siècles. Français.
Peintre de sujets typiques, figures, nus, portraits, fleurs, sculpteur, décorateur. Orientaliste.
Il exposa au Salon des Artistes Français de Paris, dès 1892. Il obtint une mention honorable, en 1896 ; ainsi qu'à l'Exposition Universelle de 1900 ; une médaille de troisième classe et une bourse de voyage, en 1904 ; une médaille de deuxième classe, en 1906, année où il devint sociétaire.
Il fit une série de tableaux orientalistes, de 1892 à 1900, en particulier des scènes de nomades, d'oasis et de bergers kabyles. Il sculpta également des bustes et des figures. Il orna le Théâtre de la Danse, à Alger, de sculptures, peintures et tissus.
Bibliogr. : Gérald Schurr, in : *Les Petits Maîtres de la peinture 1820-1920, valeur de demain*, Les Éditions de l'Amateur, t. II, Paris, 1982.
Musées : Alger : *La bonté – Édouard Cat – Commandant Lamy – Le pauvre Job sur son fumier* – Perpignan.
Ventes Publiques : Paris, 7 juin 1923 : *Petit bouquet de fleurs dans un verre à pied* : **FRF 85** – Paris, 2 mars 1929 : *Bouquet blanc dans un vase* : **FRF 650** – Paris, 24 fév. 1934 : *Fleurs* : **FRF 370** – Paris, 30 juin 1941 : *Odalisque assise* : **FRF 400** – Paris, 23 fév. 1945 : *Bain Maure* : **FRF 1 000** – Lindau, 7 oct. 1980 : *Composition florale*, h/t (200x257) : **FRF 4 700** – Paris, 17 mars 1989 : *Nu au Turban*, h/cart. (106x76) : **FRF 58 000** – Paris, 19 nov. 1991 : *Nu au turban*, h/cart. (106x76) : **FRF 55 000**.

GAUDISSART
XIXe siècle. Actif à Paris. Français.
Caricaturiste.

GAUDISSART Pierre Joseph
XVIIIe siècle. Actif à Paris en 1767. Français.
Peintre.

GAUDRAN Louis Gustave
Né en 1829 à Paris. XIXe siècle. Français.
Sculpteur et peintre.
Élève de A. Toussaint. Débuta au Salon de 1870. Gaudran, exécuta, pour la cathédrale d'Angoulême, la statue en pierre du comte Jean dit le Bon. Il obtint une mention honorable en 1887.

GAUDRAT Marie Laurence
Née en janvier 1952 à Paris. XXe siècle. Française.
Peintre de figures, intérieurs, paysages, natures mortes.
N'ayant suivi acune filière de formation définie, elle reçut toutefois les conseils de Maurice Mazo, qui avait pris la suite de l'enseignement d'Othon Friesz à l'Académie de la Grande Chaumière. Elle apprit aussi de sa collaboration aux chantiers de restauration de l'Assemblée Nationale en 1974, 1983, 1985. En 1994, elle participa aux décors du film *Jefferson in Paris* de James Ivory. Elle participe à des expositions collectives, dont le Salon d'Angers en 1987 et 1994, et à Paris le Salon d'Automne, dont elle est sociétaire et membre du Conseil d'Administration. Elle montre des ensembles d'œuvres dans des expositions personnelles à Paris, en 1983, 1985, et à la galerie Frégnac en 1989, 1991, 1994, 1996. Elle a obtenu divers Prix, dont le Prix Paul Louis Weiller en 1984.
Elle peint les êtres, la nature, les choses, tels que dans la vie, mais à travers sa sensibilité personnelle : des jeunes femmes reposant au jardin, telle autre attentive au piano dans l'ombre de la demeure, la nature ensommeillée sous la chape de neige ou les arbres s'éveillant au printemps. Ainsi dit-elle les choses de la vie, dans une technique apparemment simple tant elle est maîtrisée, et d'ailleurs diversifiée par la brosse ou le couteau à peindre selon les thèmes, les choses de la vie dans la vérité de leurs tons locaux mais subtilement réorchestrés, en majeur quand elle partage le plaisir de Bonnard, en mineur quand c'est la nostalgie de Balthus.

GAUDRIER Joseph Émile
XIXe siècle. Actif à Paris. Français.
Peintre.
Sociétaire des Artistes Français depuis 1883, il figura au Salon de cette société.

GAUDRILLET
XVIe siècle. Français.
Sculpteur et architecte.
C'était le gendre de Hugues Sambin ; il collabora avec lui aux travaux du portail de l'église Saint-Michel de Dijon.

GAUDRION Francine
Née en 1885 à Montrouge (Hauts-de-Seine). XXe siècle. Française.
Peintre de miniatures, aquarelliste.
Elle a régulièrement exposé à Paris, au Salon des Artistes Français.

GAUDRION Thérèse Marie
Née en 1883 à Paris. XXe siècle. Française.
Peintre de miniatures.
Elle a régulièrement exposé au Salon des Artistes Français, à Paris.

GAUDRY Louis Alexandre
Né en 1749. Mort en 1815. XVIIIe-XIXe siècles. Français.
Peintre sur porcelaine.
Élève de Louis Watteau. Il travailla à la Manufacture de Saint-Amand.

GAUDRY-ALLARD Julie
Née à Argenteuil (Seine-et-Oise). XXe siècle. Française.
Peintre de miniatures.
Elle eut pour professeurs Barrias, Bellay et Pelez. Elle vécut et travailla à Nevers. En 1906, elle obtint une mention honorable.

GAUDRY-CHARONAT Lucie
XIXe-XXe siècles. Active à Paris. Française.
Peintre.
Sociétaire des Artistes Français depuis 1905, elle figura au Salon de cette société.

GAUDUBOIS-FEUILLAS Andrée
Née en 1891. XXe siècle. Française.
Peintre, graveur.
Elle eut pour professeur J.-P. Laurens. Elle exposa régulièrement à Paris, au Salon des Artistes Français.

GAUDY Georges
Né le 6 octobre 1872 à Saint-Josse-ten-Noode (Belgique). XIXe-XXe siècles. Belge.
Peintre animalier, de figures, sujets de sport, paysages, dessinateur, aquarelliste, pastelliste, illustrateur, affichiste.
Il débuta comme illustrateur, dessinateur d'affiches et décorateur. Il travailla à Bruxelles et exposa en 1913 au Salon National des Aquarelliste des dessins en couleurs.

Bibliogr. : In : *Diction. biographique Illustré des Artistes en Belgique depuis 1830*, Arto, Bruxelles, 1987.
Musées : Berlin : *Puits en Tyrol – Forge près de Salzbourg* – Graz : *Loups – Retour par l'orage* – Six tableaux d'animaux – Leipzig : *Paysage avec troupeau* – Vienne : *La forge – Le repos aux champs – Le laboureur – L'abreuvoir – Vautour et cerf succombant* – Vienne (Mus. Czernin) : *Un cheval*.
Ventes Publiques : New York, 18 mai 1897 : *Paysage avec troupeau* : **FRF 1 149** – New York, 15 et 16 avr. 1909 : *Vétéran* : **USD 50** – Paris, 20 juin 1984 : *Pneus Jenatzy* 1912-1913, affiche en coul. (84x117) : **FRF 6 500**.

GAUERMANN Carl
Né en 1804. Mort en 1829 à Vienne. XIXe siècle. Autrichien.
Peintre.
Fils de Jacob, il fut élève de l'Académie de Vienne.

GAUERMANN Friedrich
Né le 20 septembre 1807 à Miesenbach. Mort le 7 juillet 1862 à Vienne. XIXe siècle. Autrichien.
Peintre de genre, animaux, paysages, aquarelliste, dessinateur.
Il fut élève de son père Jakob Gauermann et de l'Académie des Beaux-Arts de Vienne. En 1836, il devint membre de cette même Académie. Il a exposé à Vienne, à Berlin, à Dresde. Certaines de ses œuvres ont figuré, en 1994, à l'exposition *Chefs-d'œuvre du Belvédère de Vienne* au musée Marmottan à Paris.

Il appartient aux peintres Biedermeier viennois et se caractérise par une manière souple et pittoresque.

Cachet de vente

Musées : Vienne (Mus. du Belvédère).

Ventes Publiques : Vienne, 1878 : *Fontaine de village dans les Alpes* : **FRF 7 500** ; *Orage sur le lac de Zelle* : **FRF 7 750** – Paris, 1896 : *Étude de renard mort*, aquar. : **FRF 70** ; *Étude de cerf mourant*, dess. : **FRF 65** ; *Étude de cheval bai*, dess. : **FRF 80** ; *Étude de lapin*, dess. : **FRF 40** – Londres, 23 juin 1939 : *Paysans et animaux sur le chemin du marché* : **GBP 31** – Londres, 12 fév. 1942 : *Paysage* : **GBP 50** – Vienne, 1er sep. 1961 : *Der Dorfbrunnen zu Mittenwald* : **ATS 130 000** – Vienne, 14 juin 1966 : *Paysage avec bûcherons* : **ATS 180 000** – Vienne, 19 mars 1968 : *L'Attaque de la malle-poste* : **ATS 450 000** – Vienne, 16 mars 1971 : *Troupeau se désaltérant dans un paysage de montagne* : **ATS 180 000** – Vienne, 21 mars 1972 : *Troupeau se désaltérant* : **ATS 250 000** – Vienne, 20 mars 1973 : *La Chasse à courre* : **ATS 140 000** – Vienne, 3 déc. 1974 : *Berger et troupeau s'abritant sous un arbre* : **ATS 320 000** – Vienne, 22 juin 1976 : *La vieille scierie* 1826, h/t (58x79) : **ATS 200 000** – Vienne, 15 mars 1977 : *Aigles dans un paysage alpestre*, h/pap. (20,5x14) : **ATS 80 000** – Vienne, 12 déc. 1978 : *Paysans et animaux se protégeant de l'orage sous un arbre*, h/t (70x92) : **ATS 1 200 000** – Vienne, 15 sep. 1981 : *Le repos au pied de l'arbre*, pl. et lav./pap. (24x36) : **ATS 22 000** – New York, 24 fév. 1983 : *Cerf dans un sous-bois* 1832, h/pan. parqueté (28x38) : **USD 19 000** – Vienne, 23 mars 1983 : *Paysan et troupeau dans un paysage alpestre*, pl., aquar./traits de cr. (15,9x21,7) : **ATS 25 000** – Vienne, 20 mai 1987 : *Scène champêtre* 1849, h/pan. (15,3x21) : **ATS 1 000 000** – Vienne, 23 fév. 1989 : *Chevreuil, biche et daim dans un paysage montagneux*, h/t (45x35,8) : **ATS 451 000** – New York, 23 fév. 1989 : *Chasseur sur le chemin du retour*, h/t (32,4x38,7) : **USD 14 300** – New York, 24 oct. 1989 : *La Fontaine du village* 1836, h/pan. (74,3x95,9) : **USD 308 000** – Paris, 5 avr. 1990 : *La Famille du charbonnier*, h/t (48x63) : **FRF 70 000** – Munich, 12 juin 1991 : *Bétail se désaltérant*, encre et lav. (21x28,5) : **DEM 2 750** – New York, 20 fév. 1992 : *Bergère et son troupeau*, h/pan. (44,5x55,9) : **USD 104 500** – Munich, 10 déc. 1992 : *Chasse au sanglier dans un bois de chênes*, cray.et lav./pap. (16,7x21,3) : **DEM 2 938** – Munich, 7 déc. 1993 : *Deux Gamins avec des chevaux dans un pré* 1824, h/pan. (18x27,5) : **DEM 18 400** – Londres, 11 oct. 1995 : *Renarde apportant une poule à ses petits*, h/pan. (44,5x35,5) : **GBP 12 650** – Paris, 24 juin 1996 : *Le Pont sur la cascade*, h/t (65x79,5) : **FRF 12 000** – New York, 24 oct. 1996 : *Loups attaquant un cerf dans un paysage rocailleux* 1830, h/t (73,7x55,9) : **USD 46 000**.

GAUERMANN Jakob

Né le 3 septembre 1773 à Oeffingen. Mort le 27 mars 1843 à Miesenbach. XVIIIe-XIXe siècles. Allemand.

Peintre de sujets de genre, paysages, aquarelliste, dessinateur, graveur.

Il fut élève de la Karlsakademie de Stuttgart, puis il alla à l'Académie des Beaux-Arts de Vienne, en 1798. En 1818, il devint peintre de la cour du grand-duc. Il a voyagé et travaillé dans le Tyrol.

Ventes Publiques : Vienne, 17 nov. 1981 : *Paysage à la cascade*, aquar. (9,5x14) : **ATS 15 000** – Vienne, 20 mars 1986 : *Paysage alpestre*, aquar. (21x27) : **ATS 65 000**.

GAUFF Johannes

Né le 26 décembre 1804 à Francfort-sur-le-Main. Mort le 29 mars 1858 à Francfort-sur-le-Main. XIXe siècle. Allemand.

Peintre et lithographe.

On lui doit des portraits et des scènes de batailles.

GAUFFIER Louis

Né en 1761 à Poitiers ou à La Rochelle. Mort le 20 octobre 1801 à Livourne. XVIIIe siècle. Français.

Peintre d'histoire, compositions religieuses, sujets de genre, portraits, peintre à la gouache, dessinateur.

Il fut élève de Taraval. En 1784, il obtint le premier grand prix de peinture, avec : *La Samaritaine aux pieds de Jésus*. Il prit part aux Salons de Paris à partir de 1789 et fut agréé à l'Académie le 24 août de la même année. Il avait adopté la manière de Poussin.

Musées : Londres (Nat. Portrait Gal.) : *Henry Richard Vassall Fox* – Montpellier : *Étude d'un arbre au bord du Tibre* – *Un groupe d'arbres auprès d'un grand vivier de Vallombrosa* – *Herminie* – *La Sainte Famille* – *Un peintre* – *Vue du couvent de Vallombrosa, en Toscane* – *Vue du Val d'Arno et du couvent de Vallombrosa, près du Paradisino* – Paris (Mus. Marmottan) : *La famille Salnée* – *Vue de Vallombrosa* – Rochefort : *Retour de l'enfant prodigue* – Versailles : *Le général Dessolle et deux personnages* – *Trois groupes d'inconnus* – *La famille Miot*.

Ventes Publiques : Paris, 1844 : *Les Dames romaines faisant don à la patrie de leurs bijoux* : **FRF 321** – Paris, 1869 : *Portraits de l'artiste, de sa femme et de sa belle-mère* : **FRF 290** – Paris, 6 fév. 1925 : *Portrait présumé du peintre et de sa femme*, gche : **FRF 400** – Londres, 15 fév. 1929 : *Vanité* : **GBP 9** – Londres, 19 fév. 1931 : *Vanité* : **GBP 3** – Londres, 4 déc. 1936 : *L'impératrice de Russie* : **GBP 12** – Paris, 25 juin 1943 : *Générosité des dames romaines* 1790 : **FRF 12 000** – Stockholm, 30 oct.-1er nov. 1946 : *Général Michaud* : **SEK 1 060** – Londres, 16 nov. 1960 : *Portrait du duc de Sussex* : **GBP 1 150** – Londres, 4 avr. 1962 : *Portrait du Dr Penrose* : **GBP 1 200** – Paris, 1er avr. 1965 : *Portrait du marquis Aylesburg* : **FRF 16 500** – Londres, 16 mars 1966 : *Vue de Florence* : **GBP 1 200** – Cologne, 26 nov. 1970 : *Vue de la vallée de l'Arno* : **DEM 13 000** – Londres, 13 déc. 1974 : *Vues de Vallombrosa*, quatre toiles formant pendants : **GNS 19 000** – Londres, 2 déc. 1977 : *Une mère instruisant son fils des vertus de ses ancêtres* 1794, h/t : **GBP 2 000** – New York, 3 juin 1980 : *Académie d'homme*, sanguine/pap. (42,3x52) : **USD 2 700** – Milan, 8 mai 1984 : *Paysage escarpé animé de personnages*, h/t (45x56) : **ITL 4 500 000** – Londres, 11 juil. 1986 : *Portrait du Prince Augustus Frederick, plus tard Duc du Sussex, allongé sur une tombe romaine, un aqueduc en ruines et le Vatican dans le lointain* 1793, h/t (68,5x50) : **GBP 190 000** – Paris, 15 avr. 1988 : *Achille reconnu par Ulysse* ; *Vénus présentant Adonis et l'amour à Diane*, deux dess. (23,5x32,5) : **FRF 48 500** – New York, 13 oct. 1989 : *L'ange libérant saint Pierre de sa prison* 1788, h/pap./t. (19x12,5) : **USD 52 250** – Monaco, 18-19 juin 1992 : *Portrait d'homme avec le Vésuve au fond*, h/t/pan. (9,5x7) : **FRF 53 280** – Londres, 13 déc. 1996 : *Portrait d'Elizabeth, lady Webster, plus tard lady Holland* 1795, h/t (51x67,6) : **GBP 100 500**.

GAUFFIER Pauline, née Chatillon

Morte en 1801 à Florence (Toscane). XVIIIe siècle. Française.

Peintre de sujets de genre, portraits.

Elle fut élève de son mari et de Drouais ; Bartolozzi a gravé plusieurs de ses tableaux. Cette artiste figura au Salon de Paris en 1798.

Ventes Publiques : Paris, 20 et 21 avr. 1932 : *Le Serment* : **FRF 500** – Londres, 6 avr. 1973 : *Portrait du premier marquis de Allesbury* : **GNS 400** – Londres, 21 avr. 1989 : *Scène familiale dans la cour d'une villa avec une femme encourageant un épagneul à danser*, h/t (61x75) : **GBP 24 200**.

GAUFFRIDI Jean

XVe siècle. Actif à Avignon. Français.

Peintre et peintre verrier.

GAUGAIN Anne

XIXe siècle. Active à Londres vers 1840. Britannique.

Peintre.

Elle exposa à Londres, à la Royal Academy et à Suffolk Street, de 1838 à 1847.

GAUGAIN Henri

XIXe siècle. Actif à Paris. Français.

Éditeur et lithographe.

On cite surtout ses portraits.

GAUGAIN Philip A.

XVIIIe-XIXe siècles. Actif à Londres. Britannique.

Peintre de genre et de portraits.

Exposa à Londres, à la Free Society, à la Royal Academy, à la British Institution, de 1783 à 1847.

GAUGAIN Thomas

Né en 1748 à Abbeville. Mort vers 1805 à Londres. XVIIIe siècle. Français.

Peintre et graveur.

Il alla fort jeune en Angleterre et fut élève de Houston. Il a gravé d'après Reynolds, Morland, Cosway, Northcote. Son œuvre est considérable et aujourd'hui très recherché par les amateurs. Gaugain s'essaya aussi dans la peinture de genre et exposa à la Royal Academy, de 1778 à 1782. Cette tentative dut produire peu d'effet, car aucun biographe ne la mentionne. Il a surtout gravé au burin et au pointillé.

Ventes Publiques : Londres, 13 nov. 1997 : *Une promenade à Hyde Park ; Personnages au Royal Exchange ; Vue du grand camp à Cox Heath ; Vue de Londres ; Principaux bâtiments de Londres* 1796 et 1778 et 1792, grav. au point, eau-forte, aquat., huit pièces : **GBP 3 450**.

GAUGÉ Élisa

XIXe siècle. Française.

Peintre.

Exposa des portraits à l'aquarelle au Salon de Paris en 1838 et 1839.

GAUGENGIGL Ignaz Marcel

Né le 29 juillet 1855 à Passau (Bavière). Mort en 1932. XIXe-XXe siècles. Actif aussi aux États-Unis. Allemand.

Peintre de sujets de genre.

Il fit ses études à l'Académie des Beaux-Arts de Munich, puis il alla résider à Boston. Il obtint une médaille à la Nouvelle-Orléans, et fut nommé associé de la National Academy en 1906.

Ventes Publiques : New York, 10-11 avr. 1902 : *Le Fumeur* : **USD 250** – New York, 29 oct. 1931 : *Cantabile* : **USD 45** ; *L'Incroyable* : **USD 40** – New York, 10 et 11 jan. 1946 : *Son dada* : **USD 120** – Berne, 7 mai 1976 : *Le violoniste*, h/pan. (21x18) : **CHF 90 000** – New York, 20 mars 1982 : *Le chapeau*, h/pan. (25,5x18) : **USD 2 800** – New York, 28 mai 1987 : *Portrait d'un homme avec un chien* vers 1905, h/pan. (61x43,7) : **USD 70 000** – New York, 26 mai 1988 : *Le chapeau*, h/pan. (25,1x17,5) : **USD 13 200** – New York, 21 mai 1991 : *La bonne direction* 1876, h/pan. (18,4x24,2) : **USD 1 210** – New York, 28 mai 1992 : *Le peintre*, h/pan. (21x14,3) : **USD 14 300** – New York, 14 mars 1996 : *En route pour le bal* 1880, h/pan. (30,5x19,7) : **USD 4 600** – New York, 3 déc. 1996 : *Jour de brise sur les îles Shoals*, h/pan. (44x59) : **USD 3 680**.

GAUGER Emilia Karlovna

Née en 1836 à Saint-Pétersbourg. XIXe siècle. Russe.

Peintre.

Elle fut élève de Beidemann. On lui doit des scènes de genre et des portraits.

GAUGNEUR Guillaume le. Voir **LE GAUGNEUR**

GAUGSBURGER Conrad

Né à Sckönau (Tyrol). XVe siècle. Autrichien.

Peintre verrier.

Il travailla surtout à Meran.

GAUGUET Eugène

Né le 6 février 1872 à Quimper (Finistère). XIXe-XXe siècles. Français.

Graveur.

Il fut élève de Cormon. Il exposa régulièrement à Paris, au Salon des Artistes Français, où il obtint une médaille d'argent en 1922, d'or en 1926. Il fut fait chevalier de la Légion d'honneur en 1931.

GAUGUET-LAROUCHE Jean

Né en 1935 à La Mabaie (Québec). XXe siècle. Canadien.

Sculpteur.

Il a participé à une exposition de sculpture au Musée Rodin, à Paris, en 1966.

Écrivain, poète, il poursuit ses recherches plastiques dans des « sculptures musicales ». Il utilise surtout des formes linéaires qui peuvent exprimer un rythme.

GAUGUIN Jean René

Né le 12 avril 1881 à Paris. XXe siècle. Depuis 1884 actif et depuis 1909 naturalisé au Danemark. Français.

Sculpteur de figures, céramiste.

Il était le fils de Paul Gauguin.

Ventes Publiques : Copenhague, 1er juin 1983 : *Le Potier* 1937, céramique Roche (H. 137) : **DKK 9 000** – Lokeren, 8 oct. 1988 : *Génie du lac* 1941, céramique (H. 68) : **BEF 75 000** – Paris, 30 juin 1989 : *L'enlèvement d'Europe*, sculpt. en faïence stannifère polychrome (H. 70) : **FRF 21 500** – Copenhague, 22 nov. 1989 : *Joueur d'harmonica*, bronze (H. 31) : **DKK 8 800** – Copenhague, 1er avr. 1992 : *Buste de Einer Hollbol*, bronze (H. 36) : **DKK 3 200** – Copenhague, 26 avr. 1995 : *Joueur d'accordéon assis* 1917, bronze (H.32) : **DKK 5 000**.

GAUGUIN Paul

Né le 7 juin 1848 à Paris. Mort le 8 mai 1903 à Fatu-Iwa (îles Marquises). XIXe siècle. Français.

Peintre de compositions à personnages, figures typiques, portraits, intérieurs, paysages animés, paysages, natures mortes, aquarelliste, pastelliste, sculpteur, céramiste, graveur, illustrateur. Impressionniste-synthétiste.

Bien que né au 56 de la rue Notre-Dame-de-Lorette, il faut bien reconnaître que certaines conditions familiales pouvaient prédisposer Paul Gauguin à l'exotisme. Son père, journaliste progressiste, avait épousé la fille d'une militante socialiste, elle-même fille naturelle d'un colonel de dragons péruvien établi en France. En 1849, âgé d'à peine deux ans, d'être embarqué pour le Pérou dans un voyage que le père ne termina pas, mort pendant la traversée, et d'y avoir passé ses premières années chez l'oncle de sa mère, Don Pio de Tristan Moscoso, pouvait-il ne pas marquer le jeune Paul Gauguin ? Après la petite enfance de rêve à Lima, revenu en France, recueilli à Orléans dans la famille de son père, où il fut élève indocile et révolté du Petit Séminaire, puis transféré pensionnaire à Paris, on ne peut s'étonner qu'il s'engageât, âgé de dix-sept ans, comme pilotin vers Rio de Janeiro. Il navigua de 1865 à 1871 de façon ininterrompue, finalement requis comme marin militaire pendant la guerre franco-prussienne. Sa mère étant morte en 1867, au retour de la guerre, Paul Gauguin, âgé de vingt-trois ans, fut placé par le tuteur désigné par sa mère, Gustave Arosa, photographe spécialiste des monuments de l'antiquité gréco-romaine et également amateur d'art moderne, comme commis d'agent de change, rue Laffitte, où il réussissait fort bien. En 1873, il fit un mariage très bourgeois, épousant Mette Gad, une jeune Danoise de bonne famille, mariage d'où naquirent, de 1874 à 1883, cinq enfants. Quand, par son tuteur qui connaissait le photographe Nadar, chez qui les impressionnistes exposèrent pour la première fois en 1874, il fut entré en contact avec ceux-ci, alors en tant que collectionneur, achetant avec ses gains en Bourse des œuvres de Jongkind, Cézanne, Guillaumin, Pissarro, d'autant que les galeries d'art de l'époque étaient aussi rue Laffitte, Pissarro le jugeait « un redoutable marchand ».

En 1874, il avait commencé à peindre en amateur autodidacte, et à sculpter sous les conseils de l'obscur Jules Ernest Bouillot. Émile Schuffenecker, collègue à la même agence, mais aussi peintre, l'entraîna à l'Académie Colarossi. À partir de 1879, Pissarro l'initia à la technique des impressionnistes, plein air, couleurs pures, division de la touche ; il l'introduisit auprès des membres du groupe, le faisant inviter à participer à leur quatrième exposition. En 1883, il prit la décision de quitter son emploi et de consacrer tout son temps à la peinture, persuadé qu'il pourrait en vivre. Vite déçu quant à ce point, il partit avec femme et enfants s'installer à Rouen, où la vie est moins chère. Sa femme n'accepta pas ces nouvelles conditions de vie inconfortables et retourna dans sa famille à Copenhague. Fin 1884, Gauguin, ayant accepté un modeste poste de représentant en bâches imperméables, la rejoignit. Sa décision et la précarité qui en résultait étant très mal perçues par sa belle-famille, l'hiver suivant consacra la fatalité d'une séparation, qu'il ne subit pas à la légère. Jusqu'à ses dernières années, il entretint une correspondance suivie avec Mette et les enfants. Rentré en France, il n'en retrouva guère que les difficultés matérielles et décida de « fuir Paris qui est un désert pour l'homme pauvre ». Fut-ce si facile pour Gauguin de quitter son emploi lucratif pour le dénuement ? Devant la nécessité et l'urgence de peindre, l'attrait romantique des ailleurs servit-il aussi à occulter une peur des responsabilités quotidiennes ? La quête masquait-elle une fuite ?

Après la dernière exposition des impressionnistes, en 1886, le lien initial, usé, se défit ; chacun rechercha sa propre voie ; et surtout, certains éprouvèrent le besoin de réagir contre l'absence de structure interne cohérente, conséquence de la technique divisionniste. Le critique Félix Fénéon a défini les motivations de la crise : « ... sacrifier l'anecdote à l'arabesque, la nomenclature à la synthèse, le fugace au permanent », formule qui s'applique aussi bien à Seurat ou Van Gogh, Gauguin, Cézanne.

La Bretagne attira Gauguin, alors encore considérée comme une contrée demeurée dans un état de pureté primitive. Lors d'un premier séjour, il se familiarisa avec la région et les habitants, et s'initia à la céramique. D'avoir goûté à ce dépaysement raviva ses souvenirs d'enfance et de jeunesse et sa nostalgie des ailleurs. En 1887, il s'embarqua pour Panama, puis de là pour la

Martinique, qu'il dut quitter précipitamment, ayant contracté la malaria. Mais il avait été séduit par les paysages exotiques, la grâce des mouvements des femmes aux toilettes bariolées. En 1887, au retour de la Martinique, il se lia avec Van Gogh, déjà rencontré auparavant, qui, exactement au même moment, était aussi dans sa période impressionniste parisienne. Pendant l'hiver 1887-1888, il retourna en Bretagne, où il retrouva paysages et coutumes qui lui étaient déjà familiers. En 1888, il travailla de concert avec Émile Bernard, élaborant ensemble les concepts de « cloisonnisme » et de « synthétisme ». Désormais sûr de lui en peinture, comme il était accoutumé de l'être dans la vie, à l'automne il donna au jeune Sérusier la leçon de peinture historique qui aboutit au petit panneau, dit *Le Talisman*, que Sérusier rapporta à Paris auprès de ses compagnons qui, à partir de cette relique, allaient se constituer en groupe des Nabis.

Dans les deux derniers mois de 1888, Gauguin, cédant à ses injonctions, rejoignit Van Gogh en Arles. On sait à quel point ces deux mois furent conflictuels et dramatiques. Gauguin regagna précipitamment Paris, hébergé par Schuffenecker, où il peignit le portrait de groupe de la famille, créa quelques céramiques, s'essaya à la gravure sur zinc. Il se lia aussi avec Daniel de Monfreid, rencontré chez Schuffenecker, duquel Pola Gauguin devait dire plus tard : « Il avait une joie particulière à arranger les affaires des autres » ; en effet, il hébergea un temps Gauguin dans son atelier de la Cité des Artistes du boulevard Arago ; plus tard, il établit et entretint le lien, surtout par une correspondance ininterrompue, entre Gauguin à Tahiti et le monde et le marché de l'art parisiens. Au début de 1889, comme pour se resourcer, Gauguin retourna en Bretagne, à Pont-Aven, puis, après l'épisode sans suite d'une exposition au Café Volpini lors de l'Exposition Universelle, au petit port du Pouldu, où il passa l'année 1890.

Il y avait longtemps que Gauguin, après son enfance péruvienne, ses années de navigation, sa familiarité avec une Bretagne primitive, son aspiration à une pure spiritualité originelle, était hanté par l'exotisme. Bien sûr, il lisait Pierre Loti, que Van Gogh lui avait conseillé, mais s'il était sensible à l'image paradisiaque de Tahiti, c'était encore la conception colonialiste d'époque qui lui faisait envisager, plutôt qu'à Tahiti, un exil profitable à la Martinique, à Madagascar ou au Tonkin, où trouver un débouché pour sa peinture considérée comme une marchandise : « Je suis un peu de l'avis de Vincent, l'avenir est aux peintres des tropiques qui n'ont pas encore été peints et il faut du nouveau comme motifs pour le public, stupide acheteur. » Il est bien entendu que Gauguin ne se limita pas à cette conception alors parfaitement mercantile du « mythe » exotique et qu'il y vit bientôt autre chose, « plus de ressources comme types, religion, mysticisme, symbolisme ». Dans les mois qui suivirent son retour de Bretagne à Paris, il fréquenta surtout les milieux littéraires symbolistes, notamment autour de Mallarmé, où ses peintures de Bretagne l'avaient fait reconnaître comme des leurs, cherchant d'ailleurs des soutiens pour réaliser son projet de départ, qui prit bientôt l'aspect d'une célébration symboliste. Était-il symboliste ? Il voulait l'être ; il réalisa la lithographie *Tu seras symboliste* ; pourtant, au retour d'un banquet en son honneur et pour son départ, présidé par Mallarmé au Café Voltaire, il nota, non sans réticence à son affiliation : « Est-ce que les garçons aussi étaient symbolistes ? » Une vente de trente de ses tableaux fut organisée à l'Hôtel Drouot. Pourtant, il ne semble pas qu'il mît tout de suite beaucoup d'ardeur à partir. Alphonse Daudet évoque « Gauguin qui voudrait aller à Tahiti... et qui ne part jamais. Au point que ses amis les meilleurs finissent par lui dire, il faut vous en aller mon cher ami, il faut vous en aller. » Enfin, Ary Renan, fils d'Ernest, lui ayant obtenu un ordre de mission, en juin 1891, il arriva à Papeete, surtout occupé à nouer des contacts utiles. Après s'être installé dans un village du sud, loin de la capitale occidentalisée, il passa deux années dans l'île, peignant, sculptant, se familiarisant avec ses nouveaux thèmes et constituant les matériaux pour le témoignage qu'il projetait de porter sur son intégration d'occidental dans son nouveau milieu, sur son passage à l'état sauvage. Pourtant, dès 1892, il songea à se faire rapatrier, ce qu'il obtint à la fin août 1893. Ayant providentiellement hérité de son oncle et tuteur d'Orléans, il aménagea, rue Vercingétorix, un atelier ostensiblement exotique, lui-même posant à l'exentrique, flanqué d'une très voyante « Annah la Javanaise », pour recevoir relations utiles et privées. Une exposition personnelle à la galerie Durand-Ruel, ainsi préparée, ne rencontra guère qu'incompréhension. Pendant ce séjour parisien, peignant peu, il s'initia à la gravure sur bois, au monotype. Précurseur du livre d'artiste, il s'employait à la réalisation du texte et des illustrations de *Noa Noa* (qui ne sera publié qu'en 1901). Au cours de la tentative infructueuse d'un nouveau séjour en Bretagne, Annah la Javanaise lui valut une rixe à Concarneau, dont la blessure devait lui laisser des séquelles qui contribuèrent à la dégradation progressive de sa santé. Déçu sur tous les plans, il organisa encore une vente en vue de financer un nouveau départ, sans grand résultat.

En 1895, il repartit pour Tahiti, presque sans ressources, changeant souvent de domiciles, obligé par la maladie, sans doute la syphilis, à de fréquents séjours à l'hôpital de Papeete, se déployant pourtant en activités diverses, notamment journalistique où il se dressait contre l'administration, ce qui ne manqua pas de lui attirer quelques désagréments. En 1897, il apprit la mort de sa fille préférée, Aline, après quoi il cessa définitivement toute correspondance avec sa femme. C'est évidemment à la somme de ces événements que correspond, la même année, la réalisation de la grande composition *D'où venons-nous ? Que sommes-nous ? Où allons-nous ?* Suivit, en janvier 1898, une tentative de suicide. Pour se procurer quelques moyens de subsistance, il travailla comme employé au cadastre. Puis, en septembre 1901, comme pour une ultime fuite, il s'embarqua pour Hiva Oa, île à l'écart de toute trace de civilisation occidentale, dans le lointain archipel des îles Marquises, où il construisit sa demeure, la *Maison du Jouir*, dont le portail, ensemble de bas-reliefs, outre la célébration de l'intitulé, était flanqué de chaque côté des effigies de ses obsessions, l'évêque et le gendarme. Il y accueillait de nouvelles vahinés, fraternisait avec la population, la défendant contre les autorités coloniales, ce qui lui valut encore une condamnation à cinq mois de prison, que la mort lui épargna d'effectuer.

À Paris, Gauguin a participé à quelques expositions collectives : 1876, il expose un *Sous-bois* au Salon officiel, pas encore des Artistes Français ; 1879, il participe à la quatrième exposition des impressionnistes ; 1881, à la sixième ; 1882, à la septième, avec douze peintures et pastels et une sculpture ; enfin en 1886, à la huitième et dernière. En 1889, lors de l'Exposition Universelle, il participa, avec Schuffenecker, Émile Bernard, Anquetin, Daniel de Monfreid, Charles Laval, à l'exposition impromptue organisée, sous le titre de *Groupe impressionniste et synthétiste*, sur les murs du Café Volpini, installé à l'extérieur du Palais des Beaux-Arts, où les impressionnistes pactisaient avec l'académisme officiel. Il a exposé individuellement deux fois : en 1895, galerie Durand-Ruel ; en 1898, galerie Ambroise Vollard. Après sa mort, de nombreuses expositions rétrospectives lui ont été vouées, dont : 1906 Paris, au Salon d'Automne ; 1949 Paris, exposition commémorative de sa naissance ; 1984 New York, Museum of Modern Art ; 1989 Paris, Galeries Nationales du Grand Palais ; 1994-1995 Liège, au Musée d'Art moderne et d'Art contemporain.

Dans une première période, peu personnalisée, Gauguin a appris à peindre et à sculpter. Il s'initia ensuite à la gravure et surtout, à partir de 1895, à la gravure sur bois. Plus ou moins en marge de l'œuvre, la sculpture apparaît épisodiquement dès la Bretagne et devient constitutive à part entière de l'œuvre en Polynésie. Il n'a gravé qu'une seule eau-forte, le *Portrait de Mallarmé*, n'a réalisé qu'une seule lithographie, *Manao Tupapau*, et quelques zincographies en Bretagne et à la Martinique, tandis que les gravures sur bois, technique fruste, qui convenait à sa recherche du primitif, se sont multipliées depuis la Bretagne jusqu'à et surtout la Polynésie. Certains ouvrages littéraires ont été illustrés, peu avant et après la mort de Gauguin, par des reproductions des tirages originaux de ses bois ou des illustrations de ses manuscrits : 1901, 1926, 1947 : *Noa Noa* de Paul Gauguin ; 1925 : *Marehurehu, entre le jour et la nuit* de Marc Chadourne et Maurice Guierre ; 1951 : *Ancien culte mahori* de Paul Gauguin.

Les peintures occupent toute la vie de Gauguin et constituent l'essentiel de l'œuvre ; à ce titre elles seront analysées chronologiquement par périodes. Autour de 1875, Gauguin peignait ses premières peintures d'amateur doué et attentif, des paysages dans l'esprit de l'école de Barbizon et de Corot et quelques natures mortes, traités dans une pâte un peu lourde et des tons sourds. Il admirait les impressionnistes, au point d'en être un collectionneur, puis, devenu peintre lui-même, il en fut un adepte fervent. La première période de son œuvre fut donc impressionniste. Camille Pissarro, l'initia à la peinture sur le motif, à la clarté du plein air et aux ombres colorées, à la touche divisée. Gauguin se considéra comme son élève, au point d'imiter aussi sa composition orthogonale du paysage, sa touche en virgules obliques. Dans ces années quatre-vingt à quatre-vingt-cinq, Gauguin res-

tait attaché aux sujets privilégiés des impressionnistes, paysages, natures mortes, fleurs. Il peignait les environs de son pavillon du quartier de Vaugirard, des intérieurs avec ses enfants, dont la composition diagonale et le rejet des figures sur les marges marquent le début de son intérêt pour l'œuvre de Degas. Tôt pourtant, il prit progressivement conscience de sa propre déception devant l'intention et le caractère naturalistes de l'analyse des phénomènes visuels par l'impressionnisme, ce qui lui semblait un manque d'ambition. Cézanne, rencontré en 1881 à Pontoise chez Pissarro, lui fit prendre conscience d'un rapport de la peinture au motif plus distancié, de la nécessité du passage de la sensation à la construction. Jusqu'à la dernière exposition des impressionnistes en 1886 et bien qu'il en fît partie, les couleurs des peintures de Gauguin avaient gardé un aspect comme étouffé. En fait, et surtout durant la crise intime provoquée par le changement des conditions d'existence de sa famille, lisant l'essai de Baudelaire sur Delacroix, il orientait ses propres réflexions sur le pouvoir symbolique des formes et des couleurs, de plus en plus conscient de son ambition de restituer à la peinture le droit au sens.
En 1886, un premier séjour à Pont-Aven avait constitué une prise de contact avec un lieu alors encore très dépaysant. De retour de Panama et de la Martinique, à partir de l'hiver 1887-88, le nouveau séjour breton fut le lieu et le moment de la seconde période de son œuvre, celle de la rupture avec l'impressionnisme. Techniquement, il procédait encore par petites touches, dont il était redevable à l'impressionnisme, mais, chez lui, tantôt comme hachées systématiquement en virgules et orientées en biais à la manière de Pissarro, tantôt plus écrasées à la manière de Cézanne, et surtout qui commencent à être contenues dans des surfaces bien délimitées, aux contours bientôt cernés. Sous les influences, japonaise et de Degas, les figures ainsi découpées sont plaquées, à plat, sans volume, sur le décor de paysage, sans profondeur, composé en diagonale comme l'orientation des touches en virgules, sans ciel ou écrasé sous un horizon haut. Dans l'été 1888, la nouvelle rencontre d'Émile Bernard, qu'il n'avait qu'à peine aperçu lors de son premier séjour, contribua certainement, ne fût-ce que par leurs discussions, et surtout par la peinture *Bretonnes dans la prairie verte* qu'Émile Bernard peignit devant Gauguin, à la clarification et la radicalisation des idées de celui-ci. Il s'était aussi lié avec l'impressionniste breton Ernest de Chamaillard, qui l'initia au folklore armoricain et avec la collaboration de qui, détail souvent méconnu, il sculpta les bois datés de ce moment. Dès certaines peintures de Pont-Aven, *La Vision après le sermon* ou *Lutte de Jacob avec l'ange*, de 1888 ou *Le Christ jaune* de 1889, Gauguin était déterminé à restituer à la peinture le droit au sens. Pour ce faire, il n'eut pas recours aux vieilles recettes académiques de l'illustration primaire ou de l'allégorie scolaire, mais confia au symbole le soin de faire porter sens par l'image, dût cette image garder une part de mystère, d'autant que pour lui l'image n'est plus guère l'image narrative, mais la somme des éléments, formels, colorés, qui constitue le « fait plastique ». Il est très clair sur ce point capital, lorsqu'il préconise de « vêtir l'idée d'une forme sensible », et s'enthousiasme à l'idée de « quelles belles pensées on peut évoquer par la forme et les couleurs ». Lorsqu'il dit créer le « synthétisme » en peinture, il est clair qu'il oppose la synthèse à l'analyse impressionniste. Toutefois, il est trop souvent entendu que ce synthétisme ne concerne que la simplification « archaïque » des lignes, des formes cernées et des aplats colorés, ce qui concerne en effet l'élément du synthétisme défini par Émile Bernard en tant que « cloisonnisme » depuis sa peinture des *Bretonnes dans la prairie verte*, mais qui n'est qu'un moyen, position restrictive à laquelle se limitera Émile Bernard, tandis que ce synthétisme, pour Gauguin, concerne aussi, et peut-être surtout, la synthèse entre la forme et le sens. Au sujet de *La Vision après le sermon*, il peut expliquer l'adéquation synthétique entre la forme plastique et le sens non-dit de l'image : « Je crois avoir atteint dans les figures une grande simplicité rustique et superstitieuse », exprimant à sa façon la pulsion idéaliste et spiritualiste qui fonda en permanence sa pensée du monde, en accord avec le renouveau symboliste d'époque. Selon la formule d'Octave Mirbeau, il avait évolué « vers la complication de l'idée dans la simplification de la forme ».
Les œuvres de cette époque de Pont-Aven avaient fait reconnaître. Gauguin comme le promoteur du symbolisme en peinture. Il était parvenu au point de privilégier la vision du monde hallucinée de Van Gogh, alors solitaire en Arles, avec lequel il correspondait, en regard du naturalisme hédoniste des impressionnistes. Non sans appréhension pourtant, Gauguin céda à l'insistance de Van Gogh et alla passer les deux derniers mois de l'année 1888 en Arles. Malgré la tension qui s'instaura entre eux, Gauguin, sans qu'on puisse qualifier dans son œuvre une période d'Arles, y réalisa une série d'œuvres très individualisées par le caractère local, dans les jardins de l'hôpital, aux Alyscamps, dans les vignes, sans omettre le *Portrait de Van Gogh peignant des tournesols*. Après son retour précipité à Paris, Gauguin passa les années 1889 et 1890 de nouveau à Pont-Aven, puis au Pouldu. Les peintures de cette époque, sans présenter de rupture technique franche avec toute l'époque bretonne en général, et sans qu'il y ait donc lieu de discriminer une deuxième période bretonne, s'en distinguent pourtant par les thèmes, très souvent bibliques, transposés dans la quotidienneté du paysage breton, où il s'identifie parfois au Christ de la Passion, incompris, trahi, lui prêtant ses propres traits dans le *Christ au jardin des Oliviers*. Dans l'*Autoportrait au Christ jaune*, il s'est représenté entre un de ses pots-portraits grotesques en céramique et le Christ jaune peint à cette époque, la sculpture du pot témoignant du primitif en lui, le Christ de son élan spirituel. Il y a encore de l'introspection lorsqu'il peint les paysans à leurs rudes labeurs : « Je cherche à mettre dans ces figures désolées le sauvage que j'y vois et qui est en moi aussi. » Toute l'époque bretonne a tourné autour de l'ambition de donner forme incarnée à ce qui constituait son fonds de réflexion, partagé entre l'attrait du paganisme sauvage et l'aspiration quasi mystique. En 1891, Octave Mirbeau analysait ce fonds mental complexe comme un « ... mélange inquiétant et savoureux de splendeur barbare, de liturgie catholique, de rêverie indoue, d'imagerie gothique, de symbolisme obscur et subtil ». En 1891 aussi, le poète Albert Aurier, porte-parole du courant symboliste, s'appuyant sur les peintures bretonnes de Gauguin, édicta les cinq règles auxquelles devrait désormais se conformer toute œuvre : être « idéiste, symboliste, synthétique, subjective et décorative ».
À partir de son premier séjour à Tahiti et jusqu'au second compris, toute l'œuvre ultérieure de Gauguin peut être considérée comme constituant l'époque tahitienne, la dernière. Elle est organisée autour des thèmes tahitiens en tant qu'images, autour du développement de ses réflexions sur le désir, la mort et une aspiration spirituelle syncrétiste en tant que contenu symbolique, autour d'une radicalisation des principes du synthétisme en tant qu'affirmation picturale. Du premier séjour datent des dessins, peintures ou sculptures, aux lignes très épurées (synthétisées) auxquelles incitait la morphologie des femmes tahitiennes, au corps massif et puissant, même si majestueux, aux articulations peu déliées, à la carnation plate et sans modulation, due à sa sombre matité, aux paréos éclatants à larges motifs francs. Observés ou supposés, Gauguin leur prête à toutes une attitude indifférente, un regard absent, une sensualité latente, une expression comme de secret qu'il transfère au mystère. Il écrit à sa femme : « ... maintenant je connais le sol et son odeur, les Tahitiens que je fais d'une façon très énigmatique n'en sont pas moins des Maoris et non des Orientaux des Batignolles ». À des distances énormes en kilomètres, en us et coutumes, en décor, comme chez Gustav Klimt, le tableau se couvre entièrement de lignes, d'arabesques, d'aplats de couleurs, pour matérialiser des « correspondances » plastiques avec des états d'esprit qui, bien que très différents, se rejoignent pourtant dans une même célébration morbide du corps. Il sait matérialiser en mots ces correspondances, symboliques autant que synesthésiques ; décrivant un nu : « Harmonie générale, sombre, triste, effrayante, sonnant dans l'œil comme un glas funèbre. Le violet, le bleu sombre et le jaune orangé. Je fais le linge jaune verdâtre, premièrement parce que le linge de ce sauvage est un autre linge que le nôtre (écorce d'arbre battue) ; deuxièmement parce qu'il suscite, suggère la lumière factice, la femme canaque ne couche jamais dans l'obscurité et cependant je ne veux pas d'effet de lampe (c'est commun) ; troisièmement ce jaune reliant le jaune orangé et le bleu complète l'accord musical... » Après l'épisode parisien de 1893 à 1895, lors des séjours suivants à Tahiti puis aux Marquises, et malgré une santé toujours plus défaillante, il déploya une intense activité dans divers domaines, dont, quand la souffrance l'écartait de peindre, de nombreux écrits traitant de religion, de morale, d'art ou autobiographiques. Les nombreuses études, la plupart très abouties, issues du premier séjour, lui servirent alors à la mise en scène de compositions plus complexes, souvent de groupes, d'ambition monumentale, dans des décors de paysages ou d'intérieurs typiques, parfois liées à la célébration d'anciens cultes maoris, qui lui inspireront de plus

en plus de sculptures en bois de divinités hybrides, qu'on retrouvera parfois reproduites dans les tableaux. L'engagement conclu avec Vollard en 1900 l'obligeant à produire un certain nombre de peintures par an, sans renoncer aux compositions de figures, il repeignit quelques natures mortes et des tableaux de fleurs. Les dernières peintures, d'une ordonnance linéaire plus classique, renouent avec ses anciennes admirations, notamment pour Poussin ou Puvis de Chavannes. Ces dernières, dont la plus célèbre *D'où venons-nous ? Que sommes-nous ? Où allons-nous ?* sont le plus souvent motivées par ses préoccupations philosophiques. Il a alors écarté les titres en belles sonorités maories et les rédige désormais en français, comme pour manifester son détachement de tous les charmes qu'il avait attendus de l'exotisme et la nostalgie de sa culture d'origine.

Dans les cas d'artistes dont la vie échappa à la normalité, soit par choix, soit par fatalité, dans la conscience ou l'inconscience collective, le mythe a vite fait de supplanter l'œuvre. De même que c'est plus pour son errance et pour son silence que le public connaît Rimbaud, que pour sa poésie qu'il ignore le plus souvent, plus pour l'oreille coupée, l'asile de Saint-Rémy et la balle dans la tête qu'il sait qui était Van Gogh, c'est aussi, et dans une mesure pire encore du fait du fantasme exotique, le leurre de Tahiti, concrétisé il est vrai dans les images colorées qu'il en a exploitées et restituées, qui occulte pour le public la réalité picturale de l'œuvre de Gauguin. Lorsqu'en 1902, malade, près de mourir, Gauguin envisageait de revenir en Europe, Daniel de Monfreid, son dernier ami fidèle, crut devoir l'en empêcher par des arguments qui ne peuvent qu'apparaître cruels, le dissuadant, par son retour, sa présence physique, de trahir l'aura de sa légende : « Vous êtes actuellement cet artiste inouï, légendaire qui, du fond de l'Océanie, envoie ces œuvres déconcertantes, inimitables, œuvres définitives d'un grand homme pour ainsi dire disparu du monde. » Ainsi, même pour Monfreid, pour que l'œuvre existât, l'homme Gauguin devait à jamais disparaître, otage de son mythe. Si, dans la longue histoire de la peinture, Gauguin ne fut ni le premier, ni le seul, à avoir ressenti que, par le travers des savoirs symboliques innés et acquis propres à la condition humaine, les lignes, les formes, les couleurs qui constituent la structure formelle de l'image narrative portent sens, dans son époque il aura été celui qui en a pris une nette conscience et l'aura formulé et appliqué. Après lui, qui venait après Puvis de Chavannes en tant que symboliste dans la modernité, quant au synthétisme sensible de l'interprétation de la réalité : les Nabis, quant à l'envol décoratif de l'arabesque et à l'emprise de la couleur : les fauves et Matisse bien sûr, quant à la dynamique de la ligne : les cubistes dans la phase analytique, quant au primitivisme du dessin et à la sauvagerie de la couleur : les expressionnistes de la Brücke, quant à l'accord résolu entre ligne, forme et couleur : toute l'abstraction, tous les grands mouvements novateurs de la peinture en retiendront le principe fondamental d'un symbolisme structurel. ■ Jacques Busse

P.G.

Cachet de vente

Bibliogr. : Paul Gauguin, Charles Morice : *Noa Noa*, Paris, 1901 – Marcel Guérin : *L'œuvre gravé de Paul Gauguin*, Floury, Paris, 1927 – Arsène Alexandre : *Paul Gauguin, sa vie et le sens de son œuvre*, Bernheim, Paris, 1930 – Maurice Raynal, in : *Peinture moderne*, Skira, Genève, 1953 – Frank Elgar, in : *Diction. de la Peint. Mod.*, Hazan, Paris, 1954 – Charles Chassé : *Gauguin et son temps*, Biblioth. des Arts, Paris, 1955 – divers : *Gauguin, sa vie, son œuvre*, Wildenstein, Paris, 1958 – Charles Chassé : *Gauguin sans légende*, L'Œil du temps, Paris, s. d – John Russell : *Gauguin*, Biblioth. d'Art, UNESCO, Paris, 1968 – Françoise Cachin : *Gauguin*, Livre de Poche illustré, Paris, 1969 – Pierre Leprohon : *Paul Gauguin*, Diffusion Gründ, Paris, 1975 – in : *Diction. Univers. de la Peint.*, Le Robert, Paris, 1975 – C. S. Moffett, in : *La nouvelle peinture, Impressionisme 1874-1886*, San Francisco, 1986 – Catalogue de l'exposition *Gauguin*, Gal. Nat. du Grand Palais, Paris, 1989 – in : *Diction. de la Sculpt – La Sculpt. occident. du Moyen Âge à nos jours*, Larousse, Paris, 1992 – Luc Monod, in : *Manuel de l'amateur de Livres Illustrés Modernes 1875-1975*, Ides et Calendes, Neuchâtel, 1992 – J. Busse, in : *L'Impressionnisme : une dialectique du regard*, Ides et Calendes, Neuchâtel, 1996.

Musées : Amsterdam (Van Gogh Mus.) : *Van Gogh peignant des tournesols* 1888 – Bâle (Kunstmus.) : *Paysage de Bretagne – Autoportrait – Femme de Tahiti*, past. – *Ta Matete* 1892 – *Quand te maries-tu ?* 1892 – Baltimore (Mus. of Art) : *Femme à la mangue* 1892 – Boston (Mus. of Fine Arts) : *Femmes et cheval blanc – Soyez amoureuses et vous serez heureuses* 1890, bas-relief bois polychr. – *D'où venons-nous ? Que sommes-nous ? Où allons-nous ?* 1897 – Brooklyn : *Tahitienne* – Bruxelles (Mus. roy.) : *Le calvaire – Miss Bambridge* – Buenos Aires (Mus. Nat. des Beaux-Arts) : *Vahine no te miti* 1892 – Buffalo (Albright-Knox Art Gal.) : *Le Christ jaune* 1889 – *Manao tupapau (L'esprit des morts veille)* 1892 – Chicago (Art Inst.) : *Arlésiennes, Mistral* 1888 – *Tahitienne – Enfant tahitien – Tahitien buvant – Portrait de Marie Lagadu* 1890 – Cleveland (Mus. of Art) : *L'Appel* 1902 – Copenhague (Ny Carlsberg Glyptotek) : *La Chanteuse* 1880, médaillon sculpté, bois polychr. – *Jardin sous la neige* 1883 – Copenhague (Mus. of Decorative Art) : *Vase décoré d'une danseuse* 1886-87, céramique – Copenhague (Kunstindustrimus.) : *Pot en forme de tête* 1889, grès flammé – Dallas (Mus. of Art) : *Vase-portrait de Mme Schuffenecker* 1889, grès – Édimbourg (Nat. Gal. of Scotland) : *La vision après le sermon ou Lutte de Jacob avec l'ange* 1888 – Essen (Folkwang Mus.) : *Contes barbares* 1902 – Grenoble (Mus. des Beaux-Arts) : *Portrait de Madeleine Bernard* – Hartford : *Nirvana* – Kansas City : *Rêverie* – Liège : *À Tahiti* – Londres (Courtauld Inst.) : *Portrait de Mette* 1879, sculpt. marbre – *Moissons en Bretagne* 1889 – *Te Rerioa – Nevermore* 1897 – Lyon (Mus. des Beaux-Arts) : *Nave Nave Mahana* – Merion (Barnes Foundat.) : *Monsieur Loulou* 1890 – Minneapolis : *I Rara te oviri* – Moscou (Mus. Pouchkine) : *Nature morte de fruits* 1888 – *Matamoe (Paysage au paon) – Paysage* 1889 – *Es-tu jalouse ?* 1892 – *Te arii vahine (La femme du roi)* 1896 – *Le gué* 1901 – New York (Metropolitan Mus.) : *Ia orana Maria (Je vous salue Marie)* 1891-92 – *Les seins aux fleurs rouges* – New York (Mus. of Mod. Art) : *La lune et la terre* – Norfolk (Chrysler Art Mus.) : *La perte du pucelage* 1890-91 – Oslo : *Portrait de dame – Nature morte aux fruits exotiques* – Otterloo (Mus. Kröller-Müller) : *Portrait du petit prince Afiti* – Paris (Mus. d'Orsay) : *La Seine au pont d'Iéna – Les Alyscamps* 1888 – *La belle Angèle* 1889 – *Autoportrait-charge* 1889, sculpt. grès – *Autoportrait au Christ jaune* 1889-91 – *Femmes de Tahiti* 1891 – *Masque de Tehura* 1891-93, sculpt. bois polychr. – *Idole à la perle* 1891-93, sculpt. bois polychr. – *Idole à la coquille* 1893, sculpt. – *Oviri (Sauvage)* 1894, sculpt. grès émaillé – *Portail de la Maison du Jouir, dont : soyez amoureuses, soyez mystérieuses* 1890, ensemble pan. bois sculpté et polychr. – *Le cheval blanc* 1898 – *Et l'or de leur corps* 1901 – *Madame la Mort*, dess. – Paris (Mus. de l'Orangerie) : *Paysage* 1901 – Paris (Mus. du Petit Palais) : *L'homme à la canne* – Prague (Narodni Gal.) : *Bonjour Monsieur Gauguin* 1889 – Reims (Mus. des Beaux-Arts) : *Nature morte* – Rennes (Mus. des Beaux-Arts) : *Nature morte* – Rotterdam (Mus. Boymans-Van Beuningen) : *Paysage* 1885 – Saint-Pétersbourg (Mus. de l'Ermitage) : *Parau Parau* 1891 – *Pastorales tahitiennes* 1892 – *L'Idole* 1898 – *Tournesols* 1901 – Toledo : *Rue à Tahiti* – Toronto (Art Gal. of Ontario) : *Hina Tefatou* 1892-93, sculpt. bois – Washington D. C. (Nat. Gal. of Art) : *La Ronde des petites Bretonnes* 1888 – *Autoportrait à l'auréole* 1889 – Worcester : *Tête de femme – Te Faaturuma*.

Ventes Publiques : Paris, 1895 : *Te fare Maorie (la Maison maorie)* : **FRF 420** ; *Vahine no te vi (la Femme au mango)* : **FRF 450** ; *Manao tupapaü (l'esprit veille)* : **FRF 900** ; *Matamua (Autrefois)* : **FRF 500** ; *Arearea (Joyeusetés)* : **FRF 420** ; *I raro Oviri (Sous les pendanus)* : **FRF 380** ; *Nave nave femua (Terre délicieuse)* : **FRF 500** ; *Vahine no te miti (Femmes de la mer)* : **FRF 400** ; *Noa Noa (Odorant)* : **FRF 360** ; *Faturuma (La boudeuse)* : **FRF 400** ; *Dans les marais* : **FRF 460** ; *Te Fare (La Maison)* : **FRF 180** ; *Bonjour, M. Gauguin* : **FRF 410** ; *Paysage* : **FRF 120** ; *Les Batteuses* : **FRF 100** ; *Copie de l'Olympia* : **FRF 230** ; *Ève*, dess. : **FRF 60** ;

Femme au bain, dess. : **FRF 28** ; *Femmes dans les champs*, deux dess. : **FRF 32** ; *Magicienne*, past. : **FRF 80** ; *La Pêche*, dess. : **FRF 16** ; *Vierge et Enfant*, dess. : **FRF 25** – PARIS, 10 avr. 1897 : *Tahiti* : **FRF 160** ; *Bonsoir, Gauguin* : **FRF 152** ; *L'Ane au repos* : **FRF 80** – PARIS, déc. 1898 : *Chemin sous bois* : **FRF 170** – PARIS, 2 déc. 1899 : *Le Calvaire* : **FRF 100** – PARIS, 10 juin 1900 : *Vaches au bord de la rivière* : **FRF 580** ; *Bateaux* : **FRF 480** – PARIS, 30 juin 1900 : *Paysage* : **FRF 180** – PARIS, 24 fév. 1919 : *La Fille au chien*, fusain : **FRF 280** – PARIS, 27 fév. 1919 : *Le sculpteur Aubé et son fils*, past., diptyque : **FRF 3 100** – PARIS, 13-14 mars 1919 : *Ia Orana Maria* : **FRF 58 000** – PARIS, 28 mars 1919 : *Femme aux mangos*, dess. reh. : **FRF 1 550** – PARIS, 8-9 avr. 1919 : *Les Hélianthes* : **FRF 3 400** – PARIS, 21 juin 1919 : *La Mandoline* : **FRF 340** – PARIS, 22 mai 1919 : *Jardinière et Fleurs sur un tapis d'Orient* : **FRF 850** – PARIS, 1er-3 déc. 1919 : *Le Saule* : **FRF 7 200** – PARIS, 16-17 déc. 1919 : *La Maison rose près de l'enclos* : **FRF 1 050** – PARIS, 2-4 juin 1920 : *Femme nue assise*, past. : **FRF 2 750** – PARIS, 19 juin 1920 : *Portrait du peintre Stewinski* : **FRF 2 900** ; *Deux Petites Paysannes*, past. : **FRF 1 305** – PARIS, 21 juin 1920 : *Deux Bretonnes*, aquar. : **FRF 430** – PARIS, 16 mars 1921 : *Femmes cueillant des fleurs* : **FRF 11 650** – PARIS, 20 nov. 1922 : *La route qui tourne au long d'un bois* : **FRF 2 100** – PARIS, 24 nov. 1922 : *Carnet de croquis et de notes* : **FRF 1 000** – PARIS, 20 mars 1923 : *Les Laveuses à Pont-Aven* : **FRF 4 300** ; *Souvenir de Tahiti* : **FRF 4 300** ; *Deux têtes* : **FRF 1 250** ; *Breton* : **FRF 1 000** – PARIS, 14 avr. 1923 : *Portrait du peintre Roy*, fusain : **FRF 55** ; *Nature morte* : **FRF 6 600** ; *Nature morte* : **FRF 14 000** ; *La Bergère* : **FRF 2 250** ; *Tête de jeune asiatique* : **FRF 1 050** ; *Maisons sous la neige* : **FRF 1 300** ; *Nature morte : pêches* : **FRF 2 600** – PARIS, 5 juin 1923 : *Vache allant boire, le soir* : **FRF 1 880** ; *Coin de jardin, le soir* : **FRF 900** – LONDRES, 6 fév. 1924 : *Portrait du peintre* : **GBP 95** – PARIS, 7 avr. 1924 : *Vaches au pâturage* : **FRF 15 300** – PARIS, 23 avr. 1925 : *Tahitien*, past. : **FRF 2 100** – PARIS, 23 juin 1925 : *Un village de la Martinique* : **FRF 15 500** – PARIS, 2 juin 1926 : *Tahiti*, cinq dessins aquarellés : **FRF 5 000** ; *Portrait de Mme Kohler* : **FRF 15 000** ; *La cour de ferme* : **FRF 15 200** ; *Les maisons de Vaugirard* : **FRF 26 000** – PARIS, 20 oct. 1926 : *Le pont Saveur. Martinique* : **FRF 5 100** – PARIS, 20 et 21 déc. 1926 : *Effet de neige* : **FRF 6 600** – PARIS, 14 fév. 1927 : *Le violoncelliste, portrait de M. Sch.* : **FRF 60 200** – PARIS, 30 et 31 mai 1927 : *Paysage de Bretagne. Le Saule au bord de la rivière* : **FRF 25 100** ; *Paysage montagneux (Bretagne)* : **FRF 6 100** – PARIS, 29 oct. 1927 : *Tahitien*, past. : **FRF 5 100** – PARIS, 12 déc. 1927 : *L'Ondine* : **FRF 14 100** – PARIS, 15 déc. 1927 : *Tahitienne les deux mains sur la tête* : **FRF 3 200** – PARIS, 29 déc. 1927 : *Paysage d'Arles* : **FRF 2 400** – PARIS, 24-29 fév. 1928 : *Portrait de Moréas*, fusain rehaussé : **FRF 2 500** ; *Madame la Mort*, fusain : **FRF 690** – PARIS, 27 fév. 1928 : *Vaches à l'abreuvoir* : **FRF 1 900** – PARIS, 23 juin 1928 : *Le village. Vue prise en Bretagne* : **FRF 62 000** – LONDRES, 8 fév. 1929 : *Jeune fille aux cerises* : **GBP 14** – LONDRES, 9 mai 1929 : *Sous-bois à Tahiti*, aquar. : **GBP 17** ; *Deux Tahitiennes* : **GBP 6** – NEW YORK, 27 et 28 mars 1930 : *Rivière bretonne* : **USD 2 000** – PARIS, 12 avr. 1930 : *Martiniquaise accroupie sur l'herbe* : **FRF 14 500** – PARIS, 21 mai 1930 : *Femmes de Tahiti*, cr. noir : **FRF 4 100** ; *La Récolte des fruits. Tahiti*, sanguine : **FRF 1 420** – PARIS, 14 juin 1930 : *Tahitienne se coiffant* : **FRF 5 000** – PARIS, 22 nov. 1930 : *Nature morte : Les Oranges* : **FRF 14 000** – PARIS, 11 mars 1931 : *Le gardeur d'oies*, éventail gouaché : **FRF 5 300** – PARIS, 21 mai 1931 : *Danse bretonne* : **FRF 10 000** ; *Bretonne au pied de la falaise* : **FRF 3 600** ; *Tahitienne, Tahitiens*, aquar. et cr. noir, feuilles d'études, recto, verso : **FRF 4 500** ; *Femme de pêcheur sur la plage*, pl. : **FRF 480** ; *Portrait d'homme*, pl. : **FRF 400** – PARIS, 27 juin 1931 : *Étude de Tahiti*, dess. : **FRF 370** ; *Page d'album à Tahiti*, dess. : **FRF 800** – PARIS, 4 mars 1932 : *Paysage à Radepont*, gche : **FRF 1 450** – LONDRES, 18 mars 1932 : *Paysage breton* : **GBP 220** – PARIS, 15 déc. 1932 : *Personnages à Tahiti* : **FRF 50 100** – PARIS, 5 mai 1933 : *L'Abreuvoir* : **FRF 7 300** – PARIS, 24 mai 1933 : *Paysage des Antilles et études de Martiniquaises*, aquar. ; *Abside d'église ogivale*, dess. : **FRF 520** – PARIS, 1er juin 1933 : *La Récolte des fruits à Tahiti*, sanguine : **FRF 460** – PARIS, 21 mars 1934 : *Moulin à eau en Bretagne*, aquar. : **FRF 380** – PARIS, 26 juin 1934 : *Tahiti* : **FRF 95 500** – NEW YORK, 14 nov. 1934 : *Fleurs* : **USD 170** ; *Parc de Frederiksberg* : **USD 120** – PARIS, 20 juin 1935 : *Fleurs et fruits*, aquar./soie : **FRF 610** – PARIS, 24 fév. 1936 : *Les Hauts-Fourneaux la nuit*, past. : **FRF 870** – PARIS, 5 juin 1936 : *Un pacage à la Martinique* ; *Vue de la Martinique*, gches, ensemble en forme d'éventail : **FRF 16 000** – LONDRES, 10 juin 1936 : *Portrait d'un enfant*, past. : **GBP 15** – LONDRES, 9 juil. 1936 : *Bateau bleu* : **GBP 42** – PARIS, 28 avr. 1937 : *Étude de vaches et poule*, pierre noire : **FRF 45** – NEW YORK, 29 avr. 1937 : *Tahiti* : **USD 1 700** – PARIS, 5 mai 1937 : *Paysage au bord de la mer* : **FRF 4 600** – LONDRES, 13 déc. 1937 : *Étude de bébé* : **GBP 5** – PARIS, 31 jan. 1938 : *Tahiti*, dess. : **FRF 430** – PARIS, 23 mars 1938 : *Paysage au bord de la mer* : **FRF 4 200** – PARIS, 6 mars 1940 : *Feuille de croquis*, recto-verso : **FRF 350** – LONDRES, 12 juin 1940 : *Nature morte* : **GBP 170** – PARIS, 8 nov. 1940 : *Tahitiennes près de la mer*, aquar. : **FRF 5 000** ; *Paysage exotique*, aquar. : **FRF 3 000** – PARIS, 20 juin 1941 : *Études de personnages et profil*, dess. : **FRF 260** ; *Petits Bretons*, past. : **FRF 300** ; *Page d'étude*, past. : **FRF 3 000** ; *Bretonne*, aquar. : **FRF 8 000** ; *Hutte créole*, aquar. : **FRF 2 000** ; *Chez les Maories*, aquar. : **FRF 2 000** ; *Jeune Créole* 1891 : **FRF 31 000** – PARIS, 24 nov. 1941 : *En Bretagne* : **FRF 14 100** ; *Ramasseurs de goémon* : **FRF 60 000** – NEW YORK, 8-9 jan. 1942 : *Tahitienne*, aquar. : **USD 1 150** – PARIS, 19 mars 1942 : *Tahitienne nue couchée*, cr. et past. : **FRF 9 000** – PARIS, 1er-2 juin 1942 : *L'Eau mystérieuse*, bois sculpté et polychromé : **FRF 99 000** ; *Tahitiens et Tahitiennes* : **FRF 20 000** – PARIS, 20 nov.3 1942 : *Étude de vaches*, cr., double face : **FRF 2 000** – PARIS, 30 nov. 1942 : *Études diverses*, dess. : **FRF 1 800** – PARIS, 11 déc. 1942 : *Bretagne : Deux Figures sur la falaise* : **FRF 1 100 000** – PARIS, 24 déc. 1942 : *Paysage*, cr., décalque monotype au verso : **FRF 830** ; *Tête de fillette, au dos Étude de main*, cr., croquis : **FRF 1 000** ; *Femme assise*, mine de pb : **FRF 2 000** ; *Canards, au verso Étude de cochons*, mine de pb : **FRF 550** ; *Tête de chien*, mine de pb : **FRF 300** ; *Cochon*, mine de pb : **FRF 380** – PARIS, 12 mars 1943 : *Bretonne assise*, monotype : **FRF 51 500** – PARIS, 12 avr. 1943 : *Paysage* 1884 : **FRF 166 000** – PARIS, 21 mai 1943 : *Fleurs* 1881 : **FRF 122 000** – PARIS, 2 juin 1943 : *Feuilles d'études recto-verso*, mine de pb : **FRF 2 600** – PARIS, 22 oct. 1943 : *Le Lavoir de Plormagel*, aquar. : **FRF 27 000** – LONDRES, 10 déc. 1943 : *Portrait de Jean Gauguin*, past. : **GBP 126** – PARIS, 10 déc. 1943 : *Paysage maori*, gravure/bois : **FRF 2 400** ; *La Jeune Tahitienne* : **FRF 215 000** – PARIS, 3 fév. 1944 : *Vaches couchées au pied d'un arbre* : **FRF 100 000** – NEW YORK, 2 mars 1944 : *Incantation* : **USD 9 100** – PARIS, 10 mars 1944 : *Breton et Bretonne dans un verger* : **FRF 105 000** – NEW YORK, 20 avr. 1944 : *Tahiti* : **USD 3 800** – NEW YORK, 4 mai 1944 : *Paysage* : **USD 1 700** – PARIS, 8 mai 1944 : *Le Mur mitoyen* 1881 : **FRF 290 000** – PARIS, 10 mai 1944 : *Les Oies*, mine de pb, croquis : **FRF 600** – PARIS, 14 juin 1944 : *Profit de Marie Louarne* : **FRF 12 000** – NEW YORK, 17-18 jan. 1945 : *Le Mas*, dess. : **USD 5 000** – NEW YORK, 12 avr. 1945 : *Vénus* : **USD 700** ; *Village sous la neige* : **USD 4 500** – COPENHAGUE, 1er mars 1956 : *Paysage boisé* : **DKK 8 600** – PARIS, 14 juin 1957 : *Nature morte aux pommes* 1901 : **FRF 120 000 000** – PARIS, 14 juin 1957 : *Paysage à l'arbre rose, Pont-Aven* : **FRF 14 000 000** ; *Nature morte aux pommes* 1901 : **FRF 104 000 000** – NEW YORK, 7 nov. 1957 : *Mau Taporo (la Cueillette des citrons)* : **USD 180 000** – NEW YORK, 15 jan. 1958 : *Femmes de pêcheurs et jeunes filles près d'un lac*, fus. et aquar. : **USD 1 200** – NEW YORK, 19 mars 1958 : *Corbeille de fleurs* : **USD 54 000** – PARIS, 15 déc. 1958 : *Le Petit Ruisseau, Bretagne* 1883 : **FRF 6 500 000** – PARIS, 16 mars 1959 : *Décoration pour un dessous de plat*, aquar. : **FRF 1 700 000** ; *La Chapelle de saint Mandé au Pouldu*, aquar. : **FRF 3 600 000** ; *Mimi et son chat*, aquar. : **FRF 3 011 000** – PARIS, 16 mars 1959 : *La Chapelle de saint Mandé au Pouldu* 1890, gche/cart. : **FRF 3 600 000** – NEW YORK, 15 avr. 1959 : *La Seine à Paris* : **USD 9 000** – PARIS, 16 juin 1959 : *Les Maisons de Vaugirard* 1880 : **FRF 16 200 000** – LONDRES, 25 nov. 1959 : *Te Tiai Na ve Ite Rata* : **GBP 130 000** – NEW YORK, 9 déc. 1959 : *Tête de Tahitienne*, fusain : **USD 11 000** – NEW YORK, 16 mars 1960 : *Une jeune Bretonne* : **USD 22 000** – PARIS, 21 juin 1960 : *Paysage de Bretagne*, gche/soie : **FRF 20 000** – LONDRES, 6 juil. 1960 : *La Côte bretonne* : **GBP 9 000** – LONDRES, 23 nov. 1960 : *Femmes assises à l'ombre des palmiers* : **GBP 38 000** – HAMBOURG, 26 nov. 1960 : *Vue du port de la Martinique* : **DEM 90 000** – PARIS, 21 juin 1961 : *Ève exotique*, h/c : **FRF 140 000** – LONDRES, 28 juin 1961 : *Nature morte aux pommes et aux raisins* : **GBP 45 000** – LONDRES, 29 juin 1962 : *Enfance en Bretagne*, aquar. : **FRF 88 000** – NEW YORK, 31 oct. 1962 : *Paysage près de Rouen* : **USD 47 500** – LONDRES, 11 juin 1963 : *La Ronde des trois Bretonnes* : **GBP 75 000** – LONDRES, 19 juin 1964 : *Oviri le sauvage*, bronze, bas-relief : **GNS 7 500** – LONDRES, 24 nov. 1964 : *Tahitienne et Garçon* : **GBP 90 000** – NEW YORK, 14 oct. 1965 : *Hina Maruru (Fête de la lune)* : **USD 275 000** – NEW YORK, 8 déc. 1965 : *Tête de Tahitienne*, bronze doré : **USD 9 500** – LONDRES, 29 nov. 1967 : *Aline et Pola*, past. : **GBP 25 000** – GENÈVE, 6 nov. 1969 : *Bonjour Monsieur Gauguin* : **CHF 1 350 000** – NEW YORK,

5 mai 1971 : *Portrait de l'artiste avec sa palette* : **USD 420 000** – Genève, 2 juil. 1971 : *La Luxure*, bronze : **CHF 34 000** – Londres, 28 juin 1972 : *Tête de Tahitienne*, past. : **GBP 23 000** – Paris, 19 mars 1973 : *Environs de Rouen* : **FRF 500 000** – Londres, 29 mars 1973 : *Le Peintre Roy* 1889 : **GNS 48 000** – Genève, 29 juin 1973 : *Place d'Elseneur* : **CHF 202 000** – Londres, 2 avr. 1974 : *Jeune Fille nue assise au bord d'un lit*, past. : **GBP 55 000** – Londres, 4 avr. 1974 : *Vase breton* 1886, grès coloré : **GBP 5 500** – Paris, 13 juin 1974 : *Fruits exotiques et piments sur une assiette* : **FRF 1 250 000** – Londres, 5 déc. 1974 : *Oviri*, bronze : **GBP 11 000** – New York, 17 mars 1976 : *Nature morte à l'estampe japonaise* 1889, h/t (72,4x93,7) : **USD 1 400 000** – Berne, 9 juin 1976 : *Te-Atua-les Dieux*, grav./bois : **CHF 60 000** – Londres, 29 juin 1976 : *Oviri*, bronze cire perdue (H. 74) : **FRF 25 000** – Londres, 30 nov. 1976 : *Paysage* 1880, aquar. et gche (23x35) : **GBP 4 800** – Brest, 15 mai 1977 : *Hina et Fatou, le conteur parle*, bronze (H. 32) : **FRF 24 000** – Berne, 8 juin 1977 : *Te Atua. Les Dieux* 1893-1894, grav./bois coul. : **CHF 27 000** – Londres, 27 juin 1977 : *Le Jardin en hiver, rue Carcel* 1883, h/t (117x90) : **GBP 98 000** – New York, 20 oct. 1977 : *Tête de Tahitienne* vers 1895-1903, aquar. (31x18,8) : **USD 6 250** – Berne, 7 juin 1978 : *Te Faruru (Ici on fait l'amour)* 1893-94, grav./bois en 3 coul. : **CHF 25 000** – New York, 17 mai 1978 : *Paysage ensoleillé, environs de Pontoise* 1879, h/pan. (15,2x25) : **USD 27 500** – Paris, 8 déc. 1978 : *Ève*, bronze (H. 59) : **FRF 27 000** – New York, 9 juin 1979 : *Tête d'homme de profil – Tête de Mimi* vers 1888-1889, lav. d'encre de Chine et cr. noir (16,2x19,8) : **USD 7 500** – Londres, 26 nov. 1979 : *Manao Tupapau* 1894, grav./bois coul./pap. Japon (37,8x22,6) : **GBP 27 000** – Berne, 18 juin 1980 : *Thérèse* 1901, bois partiellement doré (H. 66) : **CHF 255 000** ; *Tête de jeune femme de Tahiti* vers 1892, fus./pap. (45x31,4) : **CHF 126 000** – New York, 19 mai 1983 : *Ondine III (recto) ; Joies de Bretagne (verso)*, gche et aquar., en forme d'éventail (12x37,6) : **USD 75 000** – Londres, 7 déc. 1983 : *Tahiti* 1892-1893, pinceau et encre de Chine et lav. (19,5x16,5) : **GBP 9 000** – Lyon, 18 déc. 1983 : *Double pot*, terre cuite vernissée avec décor peint. (H. 15,5) : **FRF 86 000** – New York, 15 mai 1984 : *Arbres en fleurs dans un jardin, Rouen* 1884, h/t (72,5x59,7) : **USD 400 000** – Paris, 21 juin 1984 : *Vase en forme d'amphore décoré de trois bas-reliefs : danseuse au voile, agneau sous un soleil rayonnant et femme au cerf*, polychromie, terre cuite : **FRF 190 000** – Londres, 6 déc. 1984 : *Noa Noa* 1894-1895, grav./bois coul. (35,7x20,5) : **GBP 28 000** – Paris, 26 juin 1986 : *La Mare aux canards* 1881, h/t (32x50) : **FRF 2 250 000** – New York, 15 mai 1985 : *Conversation, Tropiques ou Négresses causant* 1887, h/t (61,5x76) : **USD 1 700 000** – Paris, 8 déc. 1986 : *Pêcheurs et Baigneurs sur l'Aven* 1888, h/t (73x60) : **FRF 5 800 000** – Berne, 18 juin 1986 : *La Chanteuse*, bois d'acajou peint., haut-relief de forme ronde (54x51) : **CHF 370 000** – New York, 17 nov. 1986 : *Jeune fille et renard* vers 1890-1891, fus. reh. de craie blanche/pap. jaune (31,6x33,2) : **USD 310 000** – Enghien-les-Bains, 13 avr. 1986 : *Les enfants luttant, Pont-Aven* 1888, past. (57x38) : **FRF 2 450 000** – Londres, 30 nov. 1987 : *Les Trois Huttes, Tahiti* 1891-1892, h/t (41x66,8) : **GBP 2 200 000** – New York, 18 fév. 1988 : *Homme au chapeau haut-de-forme au recto et Étude de femme au verso*, craies coul./pap. (22x28) : **USD 8 800** – Versailles, 21 fév. 1988 : *L'Enlèvement d'Europe* 1922, grav./bois : **FRF 18 000** – Paris, 15 mars 1988 : *Deux études de chèvres au recto, Étude de personnages et de chats au verso*, cr., feuille de croquis (15x11) : **FRF 36 000** – Paris, 3 oct. 1988 : *Tahitienne*, dess. à l'encre (15x8,5) : **FRF 91 000** – New York, 12 nov. 1988 : *Oviri*, encre et aquar./pap. (29,3x21) : **USD 220 000** ; *Nativité au recto et Tête d'une indigène des Marquises au verso*, gche (31,5x27,4) : **USD 77 000** – New York, 13 déc. 1988 : *Femme vue de dos*, aquar. (16x10) : **FRF 40 000** – Rome, 21 mars 1989 : *Auti Te Pape (Les femmes à la rivière)* 1895, litho. coul. (20,5x35,5) : **ITL 45 000 000** – Londres, 4 avr. 1989 : *Torse de femme*, bronze (H. 29) : **GBP 22 000** – Paris, 8 avr. 1989 : *La Toilette* 1882, poirier sculpté (34x55) : **FRF 2 850 000** – Paris, 9 avr. 1989 : *Femmes tahitiennes et anges dans un atelier* 1902, monotype Grand in-4 en hauteur (53x48) : **FRF 1 100 000** – New York, 9 mai 1989 : *Mata Mua (autrefois)* 1892, h/t (87,5x65,5) : **USD 24 200 000** – New York, 10 mai 1989 : *Ferme en Bretagne II* 1894, h/t (92,8x73,7) : **USD 6 820 000** – Paris, 22 mai 1989 : *L'Après-midi d'un faune*, bronze à patine brun clair (34x10x13) : **FRF 300 000** – Londres, 27 juin 1989 : *Fruits exotiques et Fleurs rouges* 1887, h/t (32,4x46,8) : **GBP 2 310 000** – New York, 18 oct. 1989 : *Vaches au bord de mer* 1886, h/t (75x112) : **USD 3 960 000** – New York, 15 nov. 1989 : *Entre les lys* 1889, h/t (92x73) : **USD 11 000 000** – Londres, 28 nov. 1989 : *Petit Breton à l'oie* 1889, h/t (92x73) : **GBP 4 400 000** – Tel-Aviv, 3 jan. 1990 : *La femme aux figues* 1895, estampe (26,8x44,5) : **USD 1 650** – Paris, 3 avr. 1990 : *La Fiancée, femme devant une fenêtre ouverte* 1888, h/t (33x41) : **FRF 4 260 000** – Londres, 3 avr. 1990 : *Ja Orana Ritou*, aquar. et cr./pap. (31,7x21,4) : **GBP 264 000** ; *Petite Bretonnes devant la mer II* 1889, past. (74,5x51) : **GBP 616 000** – Paris, 3 avr. 1990 : *La Fiancée, femme devant une fenêtre ouverte* 1888, h/t (33x41) : **FRF 4 260 000** – New York, 17 mai 1990 : *Hina, d'un côté la déesse de la lune Hina, de l'autre une femme lui apportant une offrande*, bois des îles, statuette double face (H. 38,7) : **USD 1 485 000** – Londres, 17 oct. 1990 : *Aux abords de la ferme* 1874, h/t (35x27) : **GBP 99 000** – Paris, 7 nov. 1990 : *Le Verger ou le Mur mitoyen* 1881, h/t (31x47) : **FRF 950 000** – New York, 14 nov. 1990 : *Paysage d'hiver à Copenhague* 1885, h/t (46,5x32) : **USD 605 000** – Londres, 19 mars 1991 : *Portrait d'Émile Gauguin âgé de cinq mois* 1875, aquar./pap./cart. (5,2x4) : **GBP 15 400** – Paris, 15 juin 1991 : *Tahitienne accroupie*, monotype, dessin-empreinte (30,5x51) : **FRF 3 200 000** – Paris, 7 nov. 1991 : *Te Faré (la maison)* 1892, h/t (73x92) : **FRF 52 000 000** – New York, 8 mai 1991 : *Le Verger (le Mur mitoyen)* 1881, h/t (30,5x47) : **USD 352 000** – Londres, 26 juin 1991 : *Vase porte-bouquet*, grès peint. à la main (H. 23, L.29) : **GBP 104 500** – Heidelberg, 12 oct. 1991 : *Mahna no varua ino*, bois gravé (20,2x35,4) : **DEM 3 800** – Paris, 21 oct. 1991 : *Madame la Mort* 1891, dess. au fus. (33,5x23) : **FRF 380 000** – Londres, 2 déc. 1991 : *Tahitiennes*, fus. (44x31) : **GBP 473 000** – New York, 14 mai 1992 : *Tête de Bretonne* 1888, h/t (33x23,5) : **USD 198 000** – Paris, 12 juin 1992 : *Le Joueur de flageolet sur la falaise* 1889, h/t (73x92) : **FRF 16 500 000** ; *Autoportrait*, mine de pb (15x10) : **FRF 325 000** – Londres, 30 juin 1992 : *L'Après-midi d'un faune*, bronze cire perdue (H. 35) : **GBP 6 600** ; *Les Enfants au pâturage* 1884, h/t (65,5x46) : **GBP 440 000** – Londres, 2 déc. 1992 : *Femme nue debout*, bronze cire perdue (H. 68) : **GBP 28 600** – New York, 13 mai 1993 : *La Petite Parisienne II*, bronze (H. 27,3) : **USD 36 800** – Londres, 22 juin 1993 : *Paysans autour d'un feu au bord d'une rivière* 1886, h/t (116,3x89,2) : **GBP 1 651 500** – Paris, 17 nov. 1993 : *La Petite Parisienne*, bronze (H. 27,1) : **FRF 50 000** – Paris, 22 nov. 1993 : *Femme de Tahiti* 1892, gche/pap., en forme d'éventail (12x44) : **FRF 2 000 000** – New York, 9 mai 1994 : *L'Aven à travers Pont-Aven* 1888, h/t (72x93) : **USD 4 182 500** – New York, 10 mai 1994 : *La Neige rue Carcel* 1883, h/t (117x90) : **USD 2 532 500** – Copenhague, 16 mai 1994 : *Tête d'un homme et d'une femme de Tahiti*, encre (31x20) : **DKK 80 000** – Londres, 28 juin 1994 : *Je vous salue Marie*, encre et cr. (63,5x51,2) : **GBP 386 500** – New York, 8 mai 1995 : *Bouquet de fleurs* 1882, h/pan. (12,7x18,4) : **USD 156 500** – Paris, 20 juin 1995 : *Te Atua (les dieux)* 1902, sculpté et peint., bois de séquoia (20x58) : **FRF 300 000** – Londres, 27 juin 1995 : *Tahitiennes près d'un ruisseau*, h/t (73x92) : **GBP 5 501 500** – New York, 9 nov. 1995 : *Vase de fleurs (lilas)* 1885, h/t (34,9x27) : **USD 310 500** – Paris, 19 mars 1996 : *Course de chiens dans la prairie* 1888, h/t (92x72,5) : **FRF 2 280 000** – New York, 1er mai 1996 : *Nature morte* 1889, h/t (31,4x39,7) : **USD 398 500** – Berne, 21 juin 1996 : *Femme à la rivière* 1893-1894, grav./bois coul. (20,6x35,6) : **CHF 42 000** – New York, 12 nov. 1996 : *Tahitiennes* vers 1891-1893, fus./pap. (41x31,1) : **USD 992 000** – Paris, 9 déc. 1996 : *Christ en croix et motifs polynésiens* vers 1894, bronze patine brun clair (H. 50,5) : **FRF 80 000** – New York, 12 mai 1997 : *Nature morte aux coloquintes* 1889, h/t (40,6x52) : **USD 3 412 500** – New York, 14 mai 1997 : *Gauguin devant son chevalet* vers 1884-1885, h/t (65,2x54,3) : **USD 3 852 500** – Paris, 10 juin 1997 : *Nu assis (recto)*, monotype ; *Étude de jambe (verso)* vers 1901-1902, mine de pb (35,1x28) : **FRF 340 000** – Londres, 23 juin 1997 : *Vache accroupie* 1888, h/t (47,4x34) : **GBP 221 500**.

GAUGUIN Paul René

Né en 1911 à Copenhague, d'une mère norvégienne. Mort en février 1976 à Malaga (Espagne). XXe siècle. Actif en Norvège. Norvégien.

Peintre, sculpteur, graveur.

Petit-fils de Paul Gauguin, fils de Pola Gauguin, il prit la nationalité de sa mère. Il porta toute sa vie le handicap d'un nom trop lourd. Il avait fait ses études secondaires en France. Il fut pêcheur, journaliste, décorateur de théâtre. Il participa à la guerre civile d'Espagne dans les rangs des Brigades Internationales. Il montra une exposition personnelle de ses œuvres à Paris en 1975.

Ventes Publiques : Copenhague, 21 oct. 1992 : *Tigre*, sculpt. de pierre (H. 24, L. 55) : **DKK 4 200**.

GAUGUIN Pola
Né le 6 décembre 1883 à Paris. Mort en 1961. XXe siècle. Depuis 1884 actif au Danemark. Français.
Peintre de scènes typiques, paysages.
Il était le fils de Paul Gauguin.
MUSÉES : OSLO.
VENTES PUBLIQUES : MONTRÉAL, 19 nov. 1991 : *Vue d'un marché dans une ville*, h/t (57,8x76,2) : **CAD 2 000**.

GAUJARD Louis François
XVIIIe siècle. Actif à Paris en 1767. Français.
Peintre.

GAUJEAN Eugène
Né en 1850 à Pau (Basses-Pyrénées). Mort le 8 janvier 1900 à Andrésy. XIXe siècle. Français.
Graveur.
Il eut pour maîtres Pils et Martinet. Il figura au Salon de Paris, à partir de 1877, et prit une place intéressante parmi les graveurs modernes par sa collaboration assidue à la *Gazette des Beaux-Arts*. En 1889, une médaille d'or à l'Exposition Universelle consacra cette réputation.

GAUJON Jean
Né à Rouen. Mort en 1572 à Paris. XVIe siècle. Français.
Miniaturiste.

GAUKEL Hans
Né le 23 septembre 1872 près de Göppingen (Allemagne). Mort le 30 mai 1914 à Stuttgart. XIXe-XXe siècles. Allemand.
Peintre, lithographe.
D'abord lithographe, il travailla à Munich et Stuttgart.

GAUL August
Né le 22 octobre 1869 à Grand Anheim (près de Hanau). Mort en 1921. XIXe-XXe siècles. Allemand.
Sculpteur animalier.
Il était le fils d'un tailleur de pierres. De 1886 à 1888, il travailla en apprentissage chez un orfèvre, tout en suivant des cours de dessin à l'Académie de Hanau. Ensuite, il étudia à Berlin, à l'École des Arts et Métiers puis à l'École des Beaux-Arts. De 1894 à 1899, il travailla comme praticien dans l'atelier de Reinhold Begas, réalisant pour lui, en particulier, le modelage des lions du *Monument à Guillaume Ier*. Entre-temps, il remporta le Prix de Rome de l'Académie de Berlin, en 1897, et séjourna un an à Rome, où il rencontra Tuaillon, et les élèves de von Marées. En 1899, il montra les lions précédemment modelés, à l'Exposition de la Sécession de Berlin. En 1902, il fut nommé membre de la Sécession et, à partir de là, fut considéré comme le meilleur sculpteur animalier du moment.
Réaliste, il tranchait cependant de son époque, par le souci de synthétiser l'attitude et le volume caractéristiques de l'animal ou des animaux, représentés en général au repos, ce qui facilitait justement cette recherche de la permanence du volume, à la façon de Hildebrand en Allemagne ou de Pompon en France. Il exécuta une *Fontaine aux cygnes*, à Krefeld ; une *Fontaine aux bisons*, à Königsberg ; une *Fontaine aux pingouins*, pour le parc d'une propriété privée du Wannsee, près de Berlin.
BIBLIOGR. : Juliana Roh, in : *Diction. de la sculpture mod.*, Hazan, Paris, 1960.
MUSÉES : BERLIN : *Deux pélicans – Lion – Moutons au repos* – BRÊME : *Ours s'amusant – Autruche – Oies* – HAMBOURG : *Animaux*, onze bronzes.
VENTES PUBLIQUES : COLOGNE, 30 nov. 1971 : *Ours assis*, bronze : **DEM 3 800** – COLOGNE, 25 nov. 1972 : *Deux lionceaux*, bronze : **DEM 3 600** – LONDRES, 9 avr. 1976 : *Ours courant*, patine verte, bronze (H. 5,5) : **DEM 800** – COLOGNE, 21 mai 1977 : *Trois pingouins* 1912, bronze (17,2x21) : **DEM 6 500** – COLOGNE, 6 mai 1978 : *Trois pingouins* 1912, bronze (17,2x21) : **DEM 5 500** – BERLIN, 24 avr. 1980 : *Deux chèvres* 1898, bronze patiné (H. 26 et long. 42) : **DEM 7 000** – COLOGNE, 5 juin 1982 : *Jeune garçon sur un âne* 1912, bronze (H. 16,5) : **DEM 24 000** – COLOGNE, 6 déc. 1983 : *Deux pingouins*, bronze (H. 16,4) : **DEM 9 000** – COLOGNE, 3 déc. 1985 : *Autruche marchant* 1902, bronze patiné (H. 34) : **DEM 14 000** – BERLIN, 27 nov. 1992 : *Tapir assis*, argent (H. 5,5) : **DEM 4 746** – ZURICH, 2 déc. 1994 : *Canard*, bronze (H. 29,5) : **CHF 4 200**.

GAUL Franz
Né le 29 juillet 1837 à Vienne. Mort le 3 juillet 1906 à Vienne. XIXe siècle. Autrichien.
Peintre.
Frère de Gustav Gaul. Il se consacra surtout aux décorations de théâtre.

GAUL Gustav
Né le 6 février 1836 à Vienne. Mort le 7 septembre 1888 à Hinterbrühl. XIXe siècle. Autrichien.
Peintre d'histoire, de portraits et de genre.
Élève de l'Académie de Vienne et du professeur Karl Rahl. Il fit des voyages d'études en Allemagne, en Hollande, en France et en Italie. Il a exposé à Munich, à Vienne et à Dresde entre 1858 et 1888. On voit de lui, au Musée de Cologne : *Francesca et Paolo*, et à celui de Vienne, un portrait à l'aquarelle.

GAUL William Gilbert
Né le 31 mars 1855 à Jersey City. Mort en 1919. XIXe-XXe siècles. Américain.
Peintre d'histoire, sujets militaires, scènes de genre, paysages animés, aquarelliste, illustrateur.
Natif du New Jersey, il fut élevé à l'Académie Militaire de Claverack, puis il fut élève de l'Académie Nationale de Design de New York et de J. G. Brown. Il vécut à Ridgefield Park (États-Unis). Il reçut de nombreuses récompenses, notamment la médaille d'or de l'Association Américaine d'Art en 1881 pour *Hold the line at all hazards* ; une médaille de bronze à l'Exposition de 1889 à Paris pour *Charging the battery* ; une médaille à Chicago en 1893, une autre à Buffalo en 1901. En 1882, il devint membre de la National Academy de New York.
Il fut inspiré par des épisodes de la guerre civile et ses œuvres furent souvent publiées dans les années 1880.
VENTES PUBLIQUES : NEW YORK, 3 avr. 1903 : *Attaque d'une batterie* : **USD 200** – NEW YORK, 8 fév. 1903 : *Blessés à l'arrière-garde* : **USD 170** – NEW YORK, 6 fév. 1907 : *Les critiques* : **USD 100** – NEW YORK, 18 fév. 1909 : *Sur la ligne* : **USD 425** – NEW YORK, 27 oct. 1971 : *Cavalier et son cheval à la rivière* : **USD 1 250** – NEW YORK, 20 avr. 1972 : *Indien assis* : **USD 5 500** – NEW YORK, 11 avr. 1973 : *Camp indien* : **USD 13 000** – NEW YORK, 30 jan. 1980 : *Scène de la guerre civile*, gche (58,4x49,5) : **USD 2 800** – NEW YORK, 22 oct. 1982 : *Le cavalier blessé*, h/t (63,5x76,2) : **USD 20 000** – NEW YORK, 2 juin 1983 : *Tending the fire*, h/t (71,1x56) : **USD 9 000** – NEW YORK, 23 mars 1984 : *Jersey au crépuscule*, aquar. et encre noire (31x47) : **USD 950** – NEW YORK, 7 déc. 1984 : *Union soldier*, h/t (51,3x41,2) : **USD 28 000** – NEW YORK, 15 mars 1985 : *Femme assise au bord de la mer* 1877, h/t (51,3x76,8) : **USD 13 000** – NEW YORK, 24 mai 1989 : *« Molly Pitcher » à la bataille de Monmouth en 1778*, h/cart. (86,3x101,7) : **USD 9 900** – NEW YORK, 24 jan. 1990 : *La bataille du lac Monaco*, aquar./cart. (33,3x49,5) : **USD 2 200** – NEW YORK, 15 mai 1991 : *Jeune femme remplissant un seau à la source* 1885, h/t (45,7x35,6) : **USD 4 675** – NEW YORK, 27 mai 1992 : *Campement indien Mohawk*, h/t (50,8x63,5) : **USD 16 500** – NEW YORK, 2 déc. 1992 : *Blessé dans un avant-poste*, h/t (63,5x76,7) : **USD 27 500** – NEW YORK, 26 mai 1993 : *Le rassemblement des anciens*, h/t (46x61) : **USD 13 800** – NEW YORK, 3 déc. 1993 : *Le jeune chasseur*, h/t (63,5x76,5) : **USD 16 100** – NEW YORK, 21 sep. 1994 : *Le déserteur*, h/cart. en grisaille (47x62,2) : **USD 1 725** – NEW YORK, 14 mars 1996 : *Village du sud*, h/cart. (24,8x34,3) : **USD 4 600** – NEW YORK, 23 avr. 1997 : *Femme indienne assise*, h/t (25,5x20,4) : **USD 2 990**.

GAUL Winfred
Né en 1928 à Düsseldorf. XXe siècle. Allemand.
Peintre.
Étudiant en littérature allemande, ethnologie, histoire de l'art, il suivit, de 1950 à 1953, les cours de l'École des Beaux-Arts de Munich, où il eut notamment pour professeur le peintre Willi Baumeister. En 1961, il résida longuement à Rome. Il prit alors conscience des problèmes des grandes agglomérations urbaines. En 1965-1966, il séjourna comme lecteur, dans différents établissements d'enseignement, en Angleterre. Il commença à exposer en 1953. Il participe à de nombreuses expositions collectives : 1958 Carnegie International à Pittsburgh ; 1959 Documenta de Kassel ; 1960 *Antagonismes* au Musée des Arts Décoratifs de Paris ; 1965 *Pop art, Nouveau Réalisme...* au Palais des Beaux-Arts de Bruxelles ; 1967 Kunstverein de Stuttgart, Kunsthalle de Berne... Il montre ses œuvres dans des expositions individuelles : Amsterdam, Brême, Berlin, Düsseldorf, Bruxelles, Cologne, Milan, New York (pour la première fois en 1962, Londres, Paris, Rome, Rotterdam, Stuttgart, Vienne...).
Une première partie de son œuvre relevait d'un tachisme discret et contemplatif, qu'il qualifiait lui-même de « paysage de l'imagination ». Son travail atteignit, vers 1960, un maximum d'économie dans l'utilisation de la couleur et de la forme, avant les quelques peintures entièrement blanches de 1962, animées de rares

ombres. C'est à cette époque qu'il commença ses réflexions sur les panneaux de signalisation routière, et en inventa de purement imaginaires, qu'il exposa en plein air. Depuis, il s'est de plus en plus prononcé pour une forme d'art totalement intégré au cadre de vie, consistant en formes très simples et géométriques vivement colorées, prenant possession de tous les plans constitutifs de l'espace environnant.
Bibliogr. : In : *Peintres Contemporains*, Mazenod, Paris, 1964 – in : *Diction. universel de la peinture*, Le Robert, Paris, 1975 – J. Weichardt : Catalogue de l'exposition *Winfred Gaul : Malerei in 2.3.N Phasen*, Gal. Schüppenhauer, Cologne, 1988.
Musées : Belgrade (Mus. d'Art Mod.) – Bochum (Mus. d'Art de la Ville) – Brême (Mus. d'Art) – Düsseldorf (Mus. d'Art) – Heidelberg (Kurfälzisches) – Kaiserlautern (Pfalzgal.) – Krefeld (Kaiser Wilhelm Mus.) – Manheim – New York (Mus. d'Art Mod.) – Pittsburgh (Carnegie Inst.) – Recklinghausen – Stuttgart (Mus. de la Ville) – Wiesbaden (Mus. de la Ville) – Wolfsburg (Mus. de la Ville).
Ventes Publiques : Cologne, 5 déc. 1981 : *Composition* 1956, pl./pap. (28,8x41,7) : **DEM 2 200** – Cologne, 31 mai 1986 : *Composition* 1956, h/isor. (66x97) : **DEM 9 500**.

GAULA Y CORNEJO Antonio
xixe siècle. Travaillant en Espagne. Espagnol.
Peintre de marines.
La Galerie Moderne de Madrid conserve de cet artiste deux marines.

GAULARD Lucien
xxe siècle. Actif à Marseille. Français.
Sculpteur.
Sociétaire des Artistes Français depuis 1902.

GAULCHER Jean
Mort en 1607. xvie siècle. Actif à Orléans. Français.
Peintre d'histoire.

GAULD David
Né en 1866. Mort en 1936. xixe-xxe siècles. Britannique.
Peintre animalier, de paysages.
Il vécut et travailla à Glasgow. Il fut membre de l'International Society of Painters, Sculptors and Engravers. Il exposa au Royal Institute of Fine Arts en 1909.
Cet artiste fit partie de la brillante phalange de puissants réalistes dont se compose l'École de Glasgow. Outre ses paysages de la campagne anglaise, il réalisa, lors d'un séjour en France, plusieurs tableaux.
Musées : Glasgow : *Contentement*.
Ventes Publiques : Londres, 21 déc. 1923 : *Deux vaches au pré* : **GBP 9** – Londres, 10 juin 1927 : *Vaches près d'un ruisseau* : **GBP 11** – Édimbourg, 2 mars 1929 : *Vieux moulin* : **GBP 15** – Glasgow, 27 mars 1931 : *Veaux* : **GBP 30** – Édimbourg, 11 nov. 1933 : *Vieux moulin* : **GBP 21** – Glasgow, 7 oct. 1937 : *Veaux* : **GBP 19** – Glasgow, 14 juin 1938 : *Pastorale française* : **GBP 31** – Glasgow, 26 mars 1941 : *Veaux* : **GBP 26** – Glasgow, 9 oct. 1942 : *L'hiver à Montreuil* : **GBP 17** ; *Paysage de l'Ayrshire avec des vaches* : **GBP 10** – Glasgow, 7 avr. 1943 : *Trois veaux* : **GBP 26** – Glasgow, 21 jan. 1944 : *Moulin de Galloway* : **GBP 21** – Glasgow, 25 avr. 1945 : *Femme française* : **GBP 40** – Glasgow, 2 juil. 1947 : *Veaux* : **GBP 16** – Glasgow, 16 jan. 1973 : *Veaux à l'étable* : **GBP 220** – Écosse, 24 août 1976 : *Troupeau dans un paysage*, h/t (59,5x90) : **GBP 420** – Écosse, 29 août 1978 : *Deux veaux dans un paysage*, h/t (49x57) : **GBP 1 000** – Écosse, 26 août 1980 : *Veaux à l'étable*, h/t (61x91,5) : **GBP 1 500** – Glasgow, 1er déc. 1982 : *Troupeau dans un champ ensoleillé*, h/t (71x91,5) : **GBP 1 350** – Perth, 27 août 1985 : *Troupeau au bord de l'eau*, h/t (70x90) : **GBP 3 800** – Édimbourg, 29 juil. 1988 : *Portrait de femme avec un châle jaune*, h/t (50x40) : **GBP 352** – Édimbourg, 30 août 1988 : *Veaux dans une étable*, h/t (61x91,5) : **GBP 4 400** – Édimbourg, 22 nov. 1988 : *Le vieux moulin*, h/t (61x76,2) : **GBP 3 800** – Glasgow, 7 fév. 1989 : *Veaux près de la rivière*, h/t (51x76) : **GBP 4 620** – Perth, 29 août 1989 : *Veaux du Ayrshire*, h/t (102x128) : **GBP 8 250** – Édimbourg, 26 avr. 1990 : *Trois veaux du Ayrshire*, h/t (61x91,5) : **GBP 6 600** – Glasgow, 5 fév. 1991 : *Veaux*, h/t (56x76) : **GBP 1 980** – Perth, 26 août 1991 : *Paysage de Kirkcubright*, h/t (71,5x91,5) : **GBP 3 080** – Perth, 1er sep. 1992 : *Veaux du Ayrshire*, h/t (61x91,5) : **GBP 3 080** – Perth, 30 août 1994 : *Veaux à l'ombre des arbres*, h/t (50,5x61) : **GBP 3 450** – Glasgow, 14 fév. 1995 : *Veaux autour d'un baquet d'eau*, h/t (61x91) : **GBP 7 475** – Perth, 26 août 1996 : *Après-midi d'été en Bretagne*, h/t (48x82,5) : **GBP 6 900** – Londres, 15 avr. 1997 : *Deux Génisses*, h/t (51x76) : **GBP 7 360** – Auchterarder (Écosse), 26 août 1997 : *Veaux au bord d'une rivière*, h/t (72x91,5) : **GBP 7 360**.

GAULET Henry
Né le 4 décembre 1863 à Paris. xixe siècle. Français.
Peintre.
Exposait régulièrement dans tous les principaux Salons parisiens, jusqu'en 1936. Son habileté dissimule les principes qu'il a appris et donne des compositions claires.

GAULEY Robert David
Né le 12 mars 1875 à Carnaveigh (Irlande). xxe siècle. Actif aux États-Unis. Irlandais.
Peintre.
Il fut élève de W. Ross à Cambridge, de F. W. Benson et Edmond C. Tarbell à Boston ainsi que de Bouguereau et Ferrier à Paris. Il reçut en 1900 une médaille de bronze à l'Exposition Universelle de Paris, en 1901 une mention honorable à Buffalo, en 1907 une médaille de bronze à Saint-Louis ainsi que le Prix Isidor du Salmagundi Club, et en 1908 le Prix Clarke de la National Academy, dont il devint membre la même année.
Ventes Publiques : New York, 29 mai 1987 : *Intervale, New Hampshire* 1894, h/t (46x61) : **USD 3 200**.

GAULIER Nicole
Née en 1939. xxe siècle. Française.
Peintre, peintre de collages, pastelliste. Abstrait.
Elle a participé à diverses expositions collectives : 1980 Musée de la Poste, Paris ; 1986 Musée National d'Art Moderne, Paris ; 1988-1989 Musée Isetam, Japon ; 1991 *Rencontres – Cinquante ans de collages*, exposition organisée par Françoise Monin, galerie Claudine Lustman, Paris ; 1995 avec Saint-Cricq et Kichinevski *Assemblages-Collages*, galerie Claudine Lustman, Paris ;... Elle a également montré ses œuvres dans des expositions personnelles.
Entre 1970 et 1989, ses œuvres brodées eurent pour maquette des pastels puis des collages. Depuis, sa démarche a évolué : elle peint désormais des toiles qu'elle découpe pour recombiner les éléments et créer un nouvel espace. Ayant brisé la structure première, elle interroge la surface, établissant des tensions entre les formes et couleurs. L'organisation des formes n'est pas sans évoquer certaines œuvres de Kandinsky.
Bibliogr. : In : Catalogue de l'exposition *Rencontre, 50 années de collages*, Paris, 1991.

GAULIS Fernand
Né en 1860 à la Chablière, près de Lausanne. Mort en 1924. xixe-xxe siècles. Suisse.
Peintre de paysages animés, paysages, aquarelliste, pastelliste.
Il vint s'installer à Paris pour étudier à l'Académie Julian, dans l'atelier de Jules Lefebvre et de Gustave Boulanger. Puis il fut élève du célèbre paysagiste norvégien Hans Fredrik Gude, à l'École des Beaux-Arts de Karlsruhe, en Allemagne. Il séjourna à Venise et sur la Riviera italienne et française, en 1894. Vers trente cinq ans, son état de santé se dégrada, il fut atteint, par intermittence, de troubles de la vue, ce qui affecta la qualité de sa peinture. Il exposa au Salon de Paris en 1900.
Fernand Gaulis réalisa presque exclusivement des paysages, à l'huile, à l'aquarelle ou au pastel. Il se dégagea très tôt des canons académiques imposés par ses deux premiers maîtres, nuançant ses œuvres d'accents impressionnistes.
Bibliogr. : Gérald Schurr, in : *Les Petits Maîtres de la peinture 1820-1920, valeur de demain*, Les Éditions de l'Amateur, t. VI, Paris, 1985.
Ventes Publiques : Cologne, 18 mars 1989 : *Paysage lacustre en été*, h/t (54x102) : **DEM 5 500**.

GAULIS Louis Daniel Edouard
Né en 1835 à Cossonay. Mort le 10 février 1911 à Lausanne. xixe-xxe siècles. Suisse.
Peintre.
Il participa aux expositions de la Société Suisse des Beaux-Arts de Genève.

GAULLE Edmé
Né le 4 janvier 1762 à Langres. Mort en janvier 1841 à Paris. xviiie-xixe siècles. Français.
Sculpteur.
Élève de Dévosges à Dijon. En 1799, il obtint le deuxième grand prix, et en 1803 il remporta avec : *Ulysse reconnu par sa nourrice Euryclée*, le premier grand prix de Rome. Il figura au Salon de 1808 à 1827. On cite de lui : *L'étude de la nature*, bas-relief de la fontaine de la place de la Bastille, *Claude Perrault* (buste en marbre), *Louis XVI* (statue en marbre, au Ministère de l'Inté-

rieur). Gaulle travailla au fût de la colonne Vendôme. On a de lui, au Musée de Langres, un *Buste en marbre de Napoléon Ier*. Gaulle fut employé aussi pour la décoration de diverses fêtes de l'Empire et le poste de conservateur des marbres du gouvernement lui fut confié.

GAULLI Alessandro
Mort le 7 mai 1728 à Rome. XVIIIe siècle. Italien.
Peintre et architecte.
Il était fils de Giovanni Battista.

GAULLI Giovanni Battista, appelé aussi **Baciccia** ou **Baciccio,** dit également le **Bachiche**
Né le 8 mai 1639 à Gênes. Mort le 2 avril 1709 à Rome. XVIIe siècle. Italien.
Peintre de compositions religieuses, portraits, peintre de fresques, dessinateur.
Gaulli naquit à Gênes le 8 mai 1639, d'une famille d'origine vénitienne. Il reçut les leçons de l'un des meilleurs professeurs de l'École génoise de l'époque, Luciano Borzone. La peste de 1657 le laissa orphelin et seul de dix enfants : l'obligation de recourir à un métier manuel n'arrêta pas sa vocation. Tout en copiant les fresques de Pierino del Vaga, au Palais Doria, il faisait le projet de partir pour Rome. Le jeune Baciccio, ainsi qu'il était appelé familièrement par le diminutif de son prénom (dont Bachiche est la forme francisée), parvint à ses fins, en s'embarquant clandestinement sur la galère de l'Ambassadeur de la république génoise, ce qui lui valut un protecteur dans la personne de ce haut personnage. Après avoir été employé comme copiste chez un peintre français, après s'être attelé, pour sa propre formation, à copier les peintures de Raphaël, le génois eut la bonne fortune d'attirer l'attention du Bernin, qui le prit en affection et lui prodigua conseils, travaux et même des dessins et des modèles.
Gaulli exécuta *La Vierge à l'enfant avec sainte Anne*, qui fut insérée dans l'ensemble architectural du Bernin de la chapelle Altieri à l'église Saint-François-à-Ripa. À vingt ans, Gaulli fondait les bases de sa réputation en peignant, pour l'église de Saint-Roch-in-Rippetta, un *saint Roch implorant la Vierge pour les pestiférés*. Puis, ce furent *Les Vertus cardinales*, pour les pendentifs de la coupole de Sainte-Agnès in Agone (1668-1672). Présenté au pape Alexandre VII, le jeune peintre recevait du souverain pontife la commande de son portrait. Tels furent les débuts d'une carrière brillante. Il exécuta sans interruption une *Sainte Trinité* pour Sainte-Marie-sapra-Minerva, avec un tableau représentant *Saint Louis Bertrand en méditation devant un pistolet changé en crucifix* ; puis une *Prédication de saint Jean* pour Saint-Nicolas-de-Tolentino ; pour l'église des religieuses de Sainte-Marthe, trois épisodes de la vie de la sainte.
Ce fut alors que le P. Oliva, général des Jésuites, confia au Baciccio, sur l'avis du Bernin, la décoration de l'église de Gesu : tâche énorme, qui fut l'œuvre capitale de sa vie et à laquelle il travailla pendant treize ans, de 1672 à 1685. Le morceau principal en est *le Triomphe du nom de Jésus*, vaste composition qui occupe la grande voûte. Les hiérarchies d'anges et les saints sont en adoration devant le nom de Jésus, dans des attitudes exprimant avec grâce l'amour et l'humilité, tandis que les démons s'élancent désespérés dans l'abîme, semblant vouloir se détacher de la voûte. Lanzi loue l'intelligence de la perspective, l'unité, l'accord, la fuite des objets, l'éclat et la dégradation de la lumière. L'effet est saisissant : Stendhal a remarqué la chaleur et le beau désordre qui animent le groupe des Vices, renversés par le rayon émané du nom divin ; il s'étonne qu'un pareil travail ait pu être accompli par un artiste qu'il dit « médiocre ». La décoration comporte d'autres motifs : le Couronnement de la Vierge, dans la coupole ; les Évangélistes, dans les pendentifs ; l'Agneau mystique, dans la Tribune ; l'Apothéose, dans la chapelle de Saint-Ignace. Toutes ces peintures sont peut-être inférieures à celles de la voûte. Cette œuvre colossale valut au peintre douze mille écus et lui eut, dit-on rapporté davantage s'il n'avait mécontenté les pères Jésuites par la violence de son caractère.
Rien de ces démêlés n'amoindrit d'ailleurs sa vogue ni la poursuite de ses succès. En 1693, il se rendit à Gênes, appelé pour peindre la grande voûte du Palais des Doges ; mais le Sénat retira ses offres devant l'énormité du prix demandé par l'artiste. Plus tard, de retour à Rome, le Baciccio exécuta dans la voûte de l'église des Saints-Apôtres, en 1707, le *Triomphe de l'Ordre des Franciscains*. Le prix de l'ouvrage était fixé à 2 000 écus ; cette fois, sur un à-compte de 500 écus, Gaulli déclara généreusement faire au chapitre remise du reste. Cette œuvre importante fut achevée en cinquante jours ; les détails de la fresque se ressentent d'ailleurs de la rapidité de l'exécution, d'autant plus que l'artiste n'était plus en possession de cette touche délicate bien qu'énergique, ni même de la vivacité de conception qui avaient assuré ses premiers succès. Gaulli avait alors soixante-sept ans ; la fin tragique de son fils l'avait, de plus, éprouvé au point de l'inciter au suicide : ses proches furent contraints de l'enfermer pendant près d'un an. On a dit que Baciccio devait beaucoup au Bernin, et qu'il n'est pas surprenant, après la disparition de ce dernier, de constater un affaiblissement sensible dans sa manière. On oublie que la mort du Bernin remonte à 1680, alors que Gaulli, âgé de quarante-et-un ans seulement, travaillait encore aux fresques du Gesu. Gaulli mourut le 2 avril 1709, d'un coup de froid contracté en plaçant à Saint-Pierre les esquisses destinées à la décoration de la coupole, travail commandé par Clément XI.
Le Louvre conserve une trentaine de dessins, dont plusieurs proviennent des collections Crozat et Mariette. Gaulli, qui avait réussi brillamment dans le portrait, déclarait volontiers devoir au Bernin une méthode excellente de travail : une fois posés les contours principaux du visage, il laissait à son modèle toute liberté de remuer, causer et rire. Encore fallait-il être capable de saisir l'expression au vol. Il existe un assez grand nombre de ces portraits, ceux des sept papes sous le pontificat desquels il a vécu, entre autres, ainsi que de plusieurs grands personnages. Le Bachiche fut ce qu'on appelle un peintre officiel et de plus, un peintre de « grandes machines ». Son œuvre, qui consiste principalement en fresques, décore un certain nombre d'églises de Rome et différents palais. Ses portraits, qui ont concouru grandement à sa renommée, sont pour la plupart demeurés dans les collections de famille. ■ E. B., J. B.

Musées : Gênes : *Jésus enfant sauveur* – Paris (Mus. du Louvre) – Rome (Palais Corsini) : *Portrait du pape Clément IX* – *Le repos pendant la fuite en Égypte* – Rouen : *L'Assomption de la Vierge* – Versailles : *Portrait du cardinal de Bouillon* – Vienne (Czernin) : *Sainte Famille dans un paysage*.

Ventes Publiques : Paris, 1857 : *Première pensée* ; *Étude d'anges*, deux dessins pour un plafond : **FRF 99** – Paris, 1895 : *Étude pour une fresque : Saint Michel terrassant le démon*, dess. au lav. de bistre : **FRF 62** – Paris, 24 nov. 1924 : *Saint Michel terrassant le dragon*, pl. et aquar., reh. de blanc : **FRF 310** – Paris, 4 juil. 1929 : *Nativité*, dess. : **FRF 160** – Milan, 23 nov. 1972 : *Noé remerciant le ciel* ; *L'Adoration du Veau d'Or*, deux toiles : **ITL 110 000 000** – Londres, 23 mars 1973 : *Les trois Marie sur la tombe du Christ* : **GNS 6 500** – Londres, 5 déc. 1977 : *Groupe de Putti*, pl. et lav. (28.4x43) : **GBP 850** – New York, 3 juin 1981 : *Sainte Élisabeth et Saint Jean enfant*, craie noire, pl. et lav. (36,6x27,3) : **GBP 2 200** – Londres, 6 avr. 1984 : *Sainte Agnès avec la sainte Vierge et saint Jean Baptiste et la Sainte trinité*, h/t (46,5x55,2) : **GBP 4 600** – Milan, 27 nov. 1984 : *L'Adoration de l'Enfant Jésus*, pl. et lav. (20,4x24,8) : **ITL 7 000 000** – Londres, 2 juil. 1985 : *L'Adoration des bergers*, craie noire, pl. et lav. reh. de blanc (27,1x21,3) : **GBP 24 000** – Londres, 10 déc. 1986 : *Les Trois Marie au Sépulcre*, h/t (84x111,5) : **GBP 46 000** – Monte-Carlo, 20 juin 1987 : *Projet de décor de plafond : la Vérité et autres figures allégoriques*, pl., encre brune et lav. gris/pierre noire (27,5x40,9) : **FRF 200 000** – New York, 15 jan. 1988 : *Portrait d'un jeune prêtre*, h/t (71,1x57,2) : **USD 8 800** – Rome, 10 mai 1988 : *Renaud et Armide*, h/t (128,5x100,5) : **ITL 24 000 000** – Milan, 10 juin 1988 : *Portrait d'un cardinal*, h/t (72x58) : **ITL 5 000 000** – New York, 8 jan. 1991 : *Étude d'un esclave nu avec les mains attachées derrière son dos et la tête et les épaules d'un vieil homme barbu*, craie rouge avec reh. de blanc (28,2x37,1) : **USD 16 500** – Londres, 2 juil. 1991 : *Le sacrifice d'Isaac*, craie noire, encre et lav. gris et brun (31,7x23,2) : **GBP 110 000** – Monaco, 5-6 déc. 1991 : *Portrait d'homme*, h/t (69,5x55,5) : **FRF 111 000** – New York, 13 jan. 1993 : *Le martyre d'un Saint Roi devant le porche d'une église (Saint Edmond ?)*, craie noire, encre et lav. bruns avec reh. de blanc (26,2x20) : **USD 30 800** – Paris, 11 mars 1994 : *Allégorie*, pl. et lav. brun (18x23) : **FRF 10 000** – Monaco, 20 juin 1994 : *Vierge à l'Enfant près d'une vasque*, craie noire, encre et lav./pap. crème (37,2x26) : **FRF 188 700** – Paris, 9 juin 1995 : *L'apothéose du Christ*, h/t, de forme ovale (64,5x48) : **FRF 92 000** – Londres, 3 juil. 1995 : *La Vierge en gloire bénissant une foule de pénitents*, encre/traces de craie noire (22,8x167) : **GBP 5 520** – New York, 10 jan. 1996 : *Étude d'un homme barbu et de mains (recto)* ; *Tête de femme, torse et main (verso)*, sanguine/pap. brun (28x41) : **USD 3 795** – Londres, 3 juil. 1996 : *La Découverte de Moïse*, encre et lav./traces de craie noire (21,5x31) : **GBP 12 650** – Paris,

20 nov. 1996 : *Le Triomphe du nom de Jésus*, pl. et encre brune (42x27) : FRF 72 000.

GAULME Jacques
Né le 9 juillet 1915 à Bizeneville (Allier). xxe siècle. Français.
Peintre. Postimpressionniste.
Il a exposé à Paris, aux Salons d'Automne et des Artistes Indépendants.

GAULOIS Jules
Né au XIXe siècle à Sablé. XIXe siècle. Français.
Peintre.
Élève de Victor Bertin. Il envoya au Salon de Paris, en 1848 et 1853, des vues prises en Bretagne et en Dauphiné.

GAULRAP Erhard
Né vers 1550. Mort vers 1580 à Prague. XVIe siècle. Tchécoslovaque.
Peintre de portraits.
Il travailla surtout pour Rodolphe II et Maximilien II.

GAULT Henri
Né en 1920 dans l'Anjou. xxe siècle. Français.
Peintre de sujets militaires, portraits, natures mortes, fleurs.
Il a suivi les cours de l'École des Beaux-Arts. Il expose régulièrement à Paris, aux Salons des Artistes Français, des Artistes Indépendants, dont il est membre sociétaire. Il participe également au Salon de la Société Nationale des Beaux-Arts.

GAULT de SAINT-GERMAIN Anna. Voir **RAJECKA Anna**

GAULT de SAINT-GERMAIN Pierre Marie
Né le 9 février 1754 à Paris. Mort le 11 novembre 1842 à Paris. XVIIIe-XIXe siècles. Français.
Peintre.
Il fut l'élève de Durameau. De 1791 à 1801, il exposa au Salon de bons paysages : *Les bergers conduits par l'ange* ; *Saint Jérôme* (à l'Hôtel-Dieu de Paris) ; *L'Assomption de la Vierge* (à l'église de Saint-Julien, à Domfront) ; *Le satyre et le passant* (exécuté pour le roi de Pologne). Le Musée de Chartres possède de lui : *Cascade de la Dore*.

GAULTHIER. Voir aussi **GAULTIER, GAUTHIER** et **GAUTIER**

GAULTHIER Germain ou **Gautier**
Né en 1571 à Paris. XVIe-XVIIe siècles. Français.
Peintre et sculpteur.
Il était fils de Michel Gaultier et neveu de Germain Pilon. Il alla à Tours et y fit, de 1594 à 1596, pour la grande salle de l'Hôtel de Ville, les armoiries du premier échevin, le sieur de Lavallière, et celles du maire de Tours, le sire Victor Brodeau, sieur de Candé. Étant allé à Orléans, il y fut chargé, en 1599, d'une statue d'Henri IV, grandeur nature, qui fut placée au-dessus du grand portail de l'église Saint-Salomon de Pithiviers.

GAULTIER. Voir aussi **GAULTHIER, GAUTHIER** et **GAUTIER**

GAULTIER Antoine Charles
XVIIIe siècle. Actif à Paris en 1784. Français.
Peintre et sculpteur.

GAULTIER Augustin
XVIIIe siècle. Actif à Angers vers 1760. Français.
Peintre.
Il travailla pour l'église d'Erigné.

GAULTIER B. ou **Jean Baptiste** ou **Gautier**
XVIIe siècle. Vivant au milieu du XVIIe siècle. Français.
Graveur au burin et éditeur.
Il a gravé des sujets religieux. Il était frère de François Gaultier.

GAULTIER Daniel. Voir **CRANE de**, famille d'artistes

GAULTIER François
XVIIIe siècle. Actif à Paris. Français.
Graveur.

GAULTIER Gérard ou **Gauthier**
Né à Saint-Nicolas-de-Port. XVIe siècle. Actif à la fin du XVIe siècle. Français.
Peintre d'histoire.
Travaillait au Palais ducal de Nancy vers 1593.

GAULTIER J.
XVIIe siècle. Français.
Graveur.
Peut-être parent de Léonard Gaultier.

GAULTIER Jacques
XVIe siècle. Actif à Bordeaux en 1579. Français.
Peintre.
Il fut peintre de la Ville de Bordeaux.

GAULTIER Jean
XVIe-XVIIe siècles. Actif à Bordeaux. Français.
Peintre.
Fils de Jacques Gaultier, il succéda à son père dans sa charge.

GAULTIER Léonard ou **Golter**
Né en 1561 à Mayence. Mort en 1641 à Paris. XVIe-XVIIe siècles. Français.
Dessinateur et graveur au burin.
Bien que né en Allemagne, Léonard Gaultier est généralement considéré comme faisant partie de l'École Française. Il vint à Paris, probablement jeune, et paraît y avoir rapidement réussi. Son style rappelle celui de Wierix, mais avec plus de souplesse. Il travailla exclusivement au burin et produisit un œuvre considérable. L'abbé de Marolles possédait plus de 800 épreuves de lui, mais il est probable que sa collection comportait des pièces en double. Léonard Gaultier fut le graveur de Henri III, de Henri IV, de Marie de Médicis, Louis XIII, dont il grava les portraits. On lui doit aussi les effigies des grands seigneurs de l'époque. Il a gravé beaucoup d'après ses dessins et d'après les artistes italiens et français.

GAULTIER Michel
XVIe siècle. Actif à Paris entre 1585 et 1590. Français.
Peintre.

GAULTIER Michel
Né vers 1537. XVIe siècle. Actif à Paris. Français.
Sculpteur.
Il épousa Noémie Pilon, sœur de Germain Pilon, et prit part, en 1564 et 1565, à l'ornementation du tombeau de Henri II. On pense qu'il travailla, vers 1558, pour le compte de Catherine de Médicis, à la décoration du château de Montceaux-en-Brie.

GAULTIER Nicolas
Né en 1575 à Paris. XVIe-XVIIe siècles. Français.
Graveur au burin.
Il a gravé des planches représentant des épisodes de la vie d'Henri IV. Peut-être s'agit-il du même artiste que Léonard.

GAULTIER Pierre Jacques
Né à Paris. Mort à Parme. XVIIIe siècle. Travaillant à Naples. Français.
Graveur au burin.
Élève de G. Galimard. Il a gravé des sujets d'histoire.

GAULTRON Hippolyte Charles
Né au XIXe siècle à Saint-Denis. XIXe siècle. Français.
Peintre.
Élève de E. Delacroix. Il figura au Salon, de 1848 à 1861, avec des paysages et des natures mortes.

GAUMAIN Louis
Né en 1676. Mort le 14 avril 1720. XVIIIe siècle. Actif à Marseille. Français.
Sculpteur sur bois.
Il travailla pour l'église de Saint-Maximin.

GAUME Henri René
Né le 17 mai 1834 à Clamart (Seine). XIXe siècle. Français.
Peintre.
De 1866 à 1870, il figura au Salon de Paris avec des sujets de genre.
Ventes Publiques : Paris, 7 et 8 mars 1891 : *Jeune homme* : FRF 70.

GAUME Marie Madeleine
Née au XIXe siècle à Versailles. XIXe siècle. Française.
Peintre.
Élève de Collin et de Foulongne. Elle envoya au Salon, en 1879 et 1880, des natures mortes.

GAUME Mélanie
XIXe siècle. Active à Besançon en 1832. Française.
Peintre sur émail.

GAUMEL Jean Alexandre
Né au XIXe siècle à Paris. XIXe siècle. Français.

Peintre.
Il eut pour maître Flers et Brémond. De 1875 à 1882, il figura au Salon avec des aquarelles.
Musées : Pontoise : *Vue de Follenville – Mer calme à Honfleur* – Reims : *Vue de Reims*.

GAUMONT Marcel
Né le 27 janvier 1880 à Tours (Indre-et-Loire). xxe siècle. Français.
Sculpteur de monuments, compositions religieuses.
Il fut élève de Sicard et de Coutan. En 1908, il reçut le Prix de Rome, en 1935 une médaille d'or, et en 1937 un Grand Prix à l'Exposition Internationale à Paris. Il a obtenu la croix de guerre. En 1925, il fut fait Chevalier, puis en 1938, officier de la Légion d'honneur.
Il a exécuté plusieurs monuments aux morts, notamment au Lycée Saint-Louis à Paris, à Tours et à Laon. Il a, en outre, décoré de nombreux édifices : Chambre de Commerce de Cambrai, Messageries Maritimes, châteaux et églises.

GAUMONT Maria. Voir **GOMON**

GAUNES Barthélemy de
xvie siècle. Français.
Peintre.
Il travaillait à Lyon, en 1533, pour l'entrée de la reine Éléonore.

GAUNET Piérard
xve siècle. Travaillant à Lille en 1453 et à Bruges en 1468. Éc. flamande.
Peintre.

GAUNT Thomas Edward
xixe siècle. Actif à Tottenham. Britannique.
Peintre de figures.
Exposa à Londres, fréquemment à Suffolk Street et quelquefois à la Royal Academy, de 1876 à 1883.

GAUNT William
Né le 5 juillet 1900. xxe siècle. Britannique.
Peintre.
Il fut élève de la Westminster School of Art. Parallèlement à ses activités de peintre, il fut critique d'art.

GAUNTLETT Gertrude E., Miss
xixe siècle. Active à Londres. Britannique.
Peintre de genre.
Exposa assez régulièrement à Suffolk Street et une fois à la Royal Academy, de 1866 à 1880.

GAUPILLAT Henry
xixe siècle. Français.
Peintre.
Sociétaire des Artistes Français depuis 1883.

GAUPILLAT Jeanne, née **Boure**
xixe siècle. Active à Paris. Française.
Peintre et graveur.
Membre de la Société des Artistes Français depuis 1887.

GAUPILLAT Jenny, née **Cheilley**
Morte en 1892. xixe siècle. Française.
Sculpteur.
Elle exposa au Salon de 1884 à 1891.

GAUPMANN Rudolf
Né le 20 mars 1815 à Vienne. Mort le 1er novembre 1877 à Graz. xixe siècle. Autrichien.
Peintre de portraits et lithographe.
Il fut élève de l'Académie de Vienne et peignit surtout à l'aquarelle et en miniature.

GAUPP Gustav Adolf
Né le 19 septembre 1844 à Markgröningen. xixe siècle. Allemand.
Peintre d'histoire, sujets de genre, portraits, graveur.
Il fit ses études à l'École d'art de Stuttgart avec Gnauth. En 1870, il alla à l'Académie des Beaux-Arts de Munich. En 1873, il devint élève de K. Piloty et après 1876 il s'établit à Stuttgart. Il a exposé à Berlin, à Munich et à Brême de 1876 à 1890.
Musées : Strasbourg : *Scène dans un cloître* – Stuttgart : *Cardinal jouant aux échecs – Hans Richter*.
Ventes Publiques : Zurich, 9 nov. 1983 : *Scène galante* 1893, h/t (100x72) : **CHF 15 000**.

GAUQUIÉ Henri Désiré
Né le 16 janvier 1858 à Flers-les-Lille (Nord). Mort en 1927 à Paris. xixe-xxe siècles. Français.
Sculpteur de monuments, bustes, médailleur.
Il eut pour professeur Cavelier. En 1881, il exposa à Paris, au salon des Artistes Français, un buste et, en 1882, un médaillon. En 1895, il obtint la grande médaille de ce salon. Il a reçu une médaille de troisième classe et une bourse de voyage en 1886, une médaille de bronze à l'Exposition universelle de 1889 à Paris, une médaille de deuxième classe en 1890, une médaille d'argent en 1900. La même année, il fut fait chevalier de la Légion d'honneur. Il a réalisé, en 1900, une statue en bronze d'Alexandre le Grand, à la Bénédictine de Fécamp.
Ventes Publiques : Cologne, 18 mars 1983 : *La Lutte pour la Vie*, bronze (H. 65) : **DEM 3 500** – Lokeren, 18 oct. 1986 : *Nilvertuti Invium* 1900, bronze patine gris vert (H. 88) : **BEF 380 000** – New York, 18-19 juil. 1996 : *Vae Victis*, bronze (H. 38) : **USD 3 450**.

GAURET Adolphe
xxe siècle. Actif à Toulouse. Français.
Peintre.
Sociétaire des Artistes Français depuis 1902.

GAUSACHS ARMENGOL José
Né en 1891 à Barcelone. xxe siècle. Espagnol.
Peintre de paysages, marines.
Il étudia à l'Académie de Barcelone, où il eut pour professeur de composition décorative Felix Mestres. Il voyagea en France et aux États-Unis, et fut professeur des Beaux-Arts à Saint-Domingue. Il participa à de nombreuses expositions collectives, notamment à celles organisées par l'École des Beaux-Arts de Barcelone.
Bibliogr. : In : *Cien anos de pintura en Espana y Portugal, 1830-1930*, Tomo 3, Antiqvaria, Madrid, 1989.
Musées : Barcelone (Mus. d'Art Mod.).
Ventes Publiques : Torquay, 16 juin 1980 : *Marine*, h/t (51x41) : **ESP 38 000**.

GAUSE Wilhelm
Né le 27 mars 1853 à Krefeld (Rhénanie-Westphalie). Mort en 1916 à Stein/Donau. xixe-xxe siècles. Allemand.
Peintre de sujets de genre, dessinateur.
Il fut élève de l'Académie des Beaux-Arts de Düsseldorf. Il a exposé à Vienne en 1888. On cite de lui : *Course à Freudenau*.
Ventes Publiques : Vienne, 22 juin 1976 : *Bal à la cour*, h/t en grisaille (37x49) : **ATS 18 000** – Munich, 22 juin 1993 : *Le Kaiser François Joseph Ier à la chasse* 1910, h/t, une paire (chaque 63x89) : **DEM 11 500** – New York, 23 mai 1997 : *Au salon de 1881*, h/pap./t., en grisaille (21x31,1) : **USD 28 750**.

GAUSSEL
xviiie siècle. Actif à Montpellier en 1779. Français.
Peintre et dessinateur.
Il fut professeur à la Société des Beaux-Arts de Montpellier.

GAUSSEN Adolphe Louis
Né le 12 mai 1871 à Marseille (Bouches-du-Rhône). Mort en 1954. xixe-xxe siècles. Français.
Peintre de paysages urbains, paysages, paysages d'eau, marines.
Il étudia la peinture à l'École des Beaux-Arts de Marseille, puis dans l'atelier de Jean-Baptiste Olive. Il séjourna quelques temps à Paris. Il exposa, à Paris, dès 1893, au Salon des Artistes Français, dont il devint sociétaire, ainsi qu'au Salon de la Société coloniale de l'École des Beaux-Arts. Il fit de nombreuses expositions particulières. Il fut nommé peintre du département de la Marine et conservateur du Musée Cantini, à Marseille. Il fut promu officier de la Légion d'honneur.
Exclusivement paysagiste, il trouva son inspiration dans les ports méditerranéens, bords de mer et divers sites pittoresques de la région provençale, son œuvre étant fortement conduite par un amour de la nature terrestre ou marine. Parmi ses nombreuses toiles, on mentionne : *Porquerolles – La Falaise du Mont-Rose, près de Marseille – L'Entrée du Port de La Joliette à Marseille – L'Argade, golfe de Saint-Tropez*.

AL. Gaussen

Bibliogr. : Gérald Schurr, in : *Les Petits Maîtres de la peinture 1820-1920, valeur de demain*, Les Éditions de l'Amateur, t. III, Paris, 1976.
Musées : Aix-en-Provence (Mus. Granet) – Amsterdam – Arles – Beaune – Digne – Marseille – New York – Nîmes – Paris (Mus. du Petit-Palais) – Toulon – Troyes.

Ventes Publiques : Paris, 11 fév. 1921 : *L'entrée du port de La Joliette à Marseille* : **FRF 250** – Paris, 29 oct. 1921 : *Les Martigues : la cathédrale* : **FRF 950** – Paris, 24 nov. 1922 : *L'Argade, golfe de Saint-Tropez* : **FRF 580** – Paris, 30 déc. 1925 : *La falaise du Mont-Rose près de Marseille* : **FRF 430** – Paris, 13 mars 1926 : *Bords de la Méditerranée* : **FRF 200** – Paris, 24 mars 1930 : *Iles d'Hyères, Porquerolles* : **FRF 410** – Paris, 26 fév. 1934 : *Vue de la Corniche* : **FRF 210** – Paris, 9 oct. 1942 : *Paysage de la Côte d'Azur* : **FRF 920** – Paris, 28 jan. 1943 : *Bords de mer* : **FRF 1 900** – Paris, 4 déc. 1944 : *Porquerolles* : **FRF 4 100** – Versailles, 13 déc. 1987 : *Les rochers dominant la mer*, h/t (50x65) : **FRF 17 500** – Paris, 27 nov. 1989 : *Pêcheurs en bord de mer*, h/pan. (32x41) : **FRF 9 000** – Bruxelles, 19 déc. 1989 : *Vue du Bosphore*, h/t (37x47) : **BEF 75 000** – Montréal, 30 avr. 1990 : *La corniche à Marseille*, h/pan. (38x46) : **CAD 2 860** – Paris, 6 fév. 1991 : *Port de La Joliette, Marseille*, h/t (50x65) : **FRF 15 500** – Paris, 24 mai 1991 : *Tempête d'équinoxe en Provence*, h/t (50x65) : **FRF 10 000** – Paris, 26 juin 1995 : *Paysage du Midi*, h/t (81x100) : **FRF 27 500** – Paris, 29 nov. 1996 : *Port de Marseille*, h/t (50x65) : **FRF 13 000**.

GAUSSEN Louis
Né vers 1829. XIXe siècle. Suisse.
Peintre amateur.
Élève de Louis Mesmet. Il exposa à Genève en 1861.

GAUSSEN-SALMON Jacqueline
Morte en septembre 1948 à Nîmes (Gard). XXe siècle. Française.
Peintre.
Elle fut élève de l'école nationale des Beaux-Arts de Paris, où elle exposa au salon des Artistes Français, d'Hiver et des Indépendants.
Ventes Publiques : Paris, 9 juin 1988 : *Bord de mer*, h/pan. (32,5x41) : **FRF 3 600**.

GAUSSER Max
Né en 1857. XIXe siècle. Américain.
Peintre.
Ventes Publiques : New York, 25 oct. 1834 : *Plans de navire* : **USD 350** – New York, 25 jan. 1935 : *La coupe qui réconforte* : **USD 35**.

GAUSSON Léo Marie
Né le 14 février 1860 à Lagny (Seine-et-Marne). Mort le 27 octobre 1944 à Lagny. XIXe-XXe siècles. Français.
Peintre de paysages, aquarelliste, sculpteur, médailleur, graveur.
Il commença à étudier la sculpture sur bois puis fut formé à la gravure par Chauvel. Il se joignit au groupe néo-impressionniste aux côtés de Signac, Maximilien Luce et Pissarro. Il reçut, à cette époque, des conseils de Luce et Pissarro qui l'influencèrent. Plus tard, peut-être découragé, il entra dans l'administration et devint fonctionnaire au Soudan. De 1887 à 1893, il exposa au Salon des Indépendants à Paris ; en 1892, il fut l'un des invités, avec Luce, Pissarro et Toulouse-Lautrec, de l'exposition du *Groupe des Vingt* de Bruxelles. Une rétrospective de son œuvre fut organisée en 1899, au Théâtre Antoine, à Paris.
Il possédait de réelles qualités de coloriste et se montra graveur pittoresque de mérite dans les reproductions qu'il fit d'après Millet : *Les glaneuses* et *Les premiers pas*. On lui doit aussi un portrait en médaillon de Millet. ■ E. B.
Ventes Publiques : Paris, 7-8 déc. 1928 : *Bâtiments d'une ferme groupés en bordure d'un pré* : **FRF 450** – Paris, 21 avr. 1943 : *Chemin* : **FRF 150** – Paris, 12 juil. 1961 : *Structure rouge* : **FRF 4 100** – Versailles, 26 juin 1968 : *Triel-sur-Seine* : **FRF 13 000** – Paris, 21 mars 1974 : *Arbres dans un paysage* : **FRF 7 000** – Londres, 8 déc. 1977 : *Le clocher d'Eragny* 1891, h/t (35x27) : **GBP 1 200** – Paris, 3 déc. 1979 : *La maison triste* 1893, aquar., gche et fus. (25x32) : **FRF 6 500** – Munich, 30 mai 1980 : *Allée dans un parc* 1897, aquar. (32x24) : **DEM 1 370** – Londres, 30 mars 1982 : *Lisière des bois*, h/t (46x38) : **GBP 400** – Londres, 7 déc. 1983 : *Estuaire en Bretagne* vers 1890, h/t (75x74) : **GBP 13 000** – Enghien-les-Bains, 25 juin 1987 : *Paysage de Bretagne* 1891, h/t (55x46) : **FRF 155 000** – Paris, 10 fév. 1988 : *Sur la côte de Bretagne, à Perros-Guirec*, aquar. (23,5x31,5) : **FRF 2 600** – Paris, 20 nov. 1988 : *Le moulin* 1899, h/t (38x46) : **FRF 45 000** – Paris, 11 mars 1990 : *Route de campagne*, h/t/cart. (45x32) : **FRF 18 000** – Paris, 22 nov. 1990 : *Village au bord de la rivière*, h/t (28x40) : **FRF 100 000** – Paris, 6 avr. 1993 : *Le village* 1889, h/t (24x33) : **FRF 28 000** – Londres, 28 juin 1994 : *Maison au bord de la rivière*, h/t (60x100) : **GBP 17 250** – Paris, 7 déc. 1994 : *Arbres dans un paysage*, h/pan. (26,5x35) : **FRF 5 000** – Paris, 28 nov. 1995 : *Paysage aux meules* 1895, h/cart. (26,5x35) : **FRF 7 100** – Paris, 25 mai 1997 : *Paysage aux environs de Lagny* vers 1887-1889, h/t (23x29) : **FRF 77 000**.

GAUSSOT Geneviève Marie
Née à Belfort. XXe siècle. Française.
Sculpteur.
Elle figure au Salon depuis 1929.

GAUT Justin
Mort en 1880. XIXe siècle. Français.
Peintre.
On ne sait rien de sa vie. Le musée d'Aix-en-Provence conserve de lui une *Scène de troubadours*.
Bibliogr. : G. Schurr : *Les petits maîtres de la peinture, valeur de demain*, Paris, 1969.

GAUTERI Pierre, de son vrai nom : **Saint-Paulet**, marquis de
Né à Carpentras (Vaucluse). XIXe-XXe siècles. Français.
Peintre de genre.
Élève de Kuwasseg. Le Musée d'Avignon conserve de lui : *La maison du pêcheur, à Beaulieu*.

GAUTHERET Henri
Né en 1953. XXe siècle. Français.
Sculpteur. Abstrait.
Dans les années quatre-vingt, quatre-vingt-dix, il expose à Paris, au Salon des Réalités Nouvelles, des sculptures taillées dans le granit ou toute pierre dure, dont les formes simples, en volutes, aspirent au monumental.

GAUTHERIN Georgette
Née le 10 avril 1886 à Chablis (Yonne). Morte en octobre 1973 à Annay-sur-Serein (Yonne). XXe siècle. Française.
Peintre de paysages, natures mortes.
Elle fut élève de René His et Louis Willaume. Elle exposa à Paris, de 1921 à 1930, aux Salons des Artistes Français et de l'École Française.
Elle fut amie de Michel Kikoïne et côtoya Morgan Russell dans le village d'Annay-sur-Serein, où il s'était retiré de 1923 à 1946.

GAUTHERIN Jacques
Né en 1929. XXe siècle. Français.
Peintre de genre, figures, paysages, marines, peintre à la gouache. Postimpressionniste.
Ventes Publiques : Versailles, 18 déc. 1982 : *Le parterre aux pétunias*, h/t (73x60) : **FRF 3 700** – Rambouillet, 16 fév. 1986 : *Les Plaisirs de la voile à Vermouillet*, h/t (73x92) : **FRF 19 500** – Versailles, 15 mai 1988 : *Le gondolier* 1960, h/t (46x61) : **FRF 8 500** – Versailles, 6 nov. 1988 : *Champ de blé aux coquelicots* 1958, gche et peint. à l'essence/pap. mar./t. (46x61) : **FRF 8 000** – Versailles, 20 juin 1989 : *Antibes* 1959, h/cart. (46x55) : **FRF 11 000** – Versailles, 25 mars 1990 : *Les jockeys se mettent en selle* 1958, h/isor. (60x73) : **FRF 22 500** – Paris, 26 mars 1990 : *L'Esclade – canots et voiliers* 1959, h/t (54x65) : **FRF 27 000** – Calais, 8 juil. 1990 : *Vue du village*, h/t (46x59) : **FRF 19 500** – Paris, 16 oct. 1994 : *Antibes depuis le Cap* 1959, h/t (46x55) : **FRF 18 000**.

GAUTHERIN Jean
Né le 28 décembre 1840 à Ouroux (Rhône). Mort le 21 juillet 1890 à Paris. XIXe siècle. Français.
Sculpteur de monuments, bustes, statues.
Le 31 octobre 1864, il entra à l'École des Beaux-Arts de Paris et eut pour professeurs Gumery et A. Dumont. Figurant à partir de 1865 au Salon de Paris, il fut médaillé en 1868, 1870 et 1873. Il fut fait chevalier de la Légion d'honneur en 1878. On lui doit la *Statue de Diderot*, place Saint-Germain-des-Prés, à Paris.
Musées : Bordeaux : *Le Réveil* – Lyon : *Buste de Paul Chenevard* – Nancy : *Projet d'un monument à Claude Gellée* – Paris (Mus. d'Art Mod.) : *Buste de femme* – Paris (Petit Palais) : *Le Paradis Perdu* – Toulon : *La République française*.
Ventes Publiques : New York, 15 juin 1985 : *Jeune paysanne*, bronze, patine brun-vert (H. 87,6) : **USD 1 100**.

GAUTHERON Émile Xavier
Né le 29 octobre 1871 à Frangy (Saône-et-Loire). XIXe-XXe siècles. Français.
Peintre de paysages, aquarelliste.
Il fut élève à Lyon, où il eut pour professeur André Perrachon, puis au Puy. Il exposa à Lyon, à partir de 1895, ses peintures à l'huile, mais surtout ses aquarelles.

GAUTHEROT Claude
Né en 1729 à Paris. Mort en 1802 à Paris. XVIIIe siècle. Français.

Sculpteur, céramiste.
Il commença par travailler la sculpture et réussit dans le modelage des figures. Intendant de la duchesse de Lauraguais, pendant la révolution il fut affecté au bureau militaire. Dans les années 1770-1780, à la même époque que Jean-Baptiste Nini, il travailla dans la faïencerie fondée à Chaumont-sur-Loire par Le Ray. Il était le père de Pierre Gautherot.
Lorsqu'on lui attribue les bustes ou médaillons de *Voltaire, Jean-Jacques Rousseau, Turgot, Bailly, Gluck,* il y aurait probablement confusion avec les œuvres de Nini, à moins qu'il y ait eu copies de sa part.

GAUTHEROT Pierre, appelé faussement et confondu avec **Claude**
Né en 1765 ou 1769 à Paris. Mort en juillet 1825 à Paris. XVIIIe-XIXe siècles. Français.
Peintre d'histoire, scènes mythologiques, portraits. Romantique.
Il était le fils de Claude, avec lequel il y eut souvent confusion. Il entra dans l'atelier de David en 1787 et, sous le patronage du maître, qui était devenu son ami, il ouvrit une École, qui produisit d'excellents élèves. Il fut, en 1820, l'éditeur et un des collaborateurs de la *Galerie française – ou Collection des portraits des hommes et des femmes qui ont illustré la France dans les XVIe, XVIIe et XVIIIe siècles.* Sa fille Uranie épousa son élève Pierre Roch Vigneron.
Il prit part aux Expositions du Louvre de 1793 à 1824. Dès 1793, il obtint une première médaille. Il a surtout traité des sujets mythologiques, des épisodes de l'épopée napoléonienne et de nombreux portraits de personnages de l'époque, dont un grand nombre sont conservés dans les musées français.
Musées : Angers : *Vénus vaccinée par Esculape* 1824 – Auxerre : *Le baron Fourrier* – Bagnères-de-Bigorre : *Constantin exerçant son fils à la clémence* 1804 – *Héroïsme de Mlle Cazotte sauvant son père* 1817 – *Une femme nue* – Chambéry (Mus. des Beaux-Arts) : *Étude pour Apollon* – *Étude pour Orphée* – Melun : *Pyrame et Thisbé* 1799 – Versailles : *Napoléon harangue le corps de la Grande Armée sur le pont du Lech à Augsbourg* 1808 – *Portrait du comte Étienne Portalis* – *Napoléon blessé devant Ratisbonne* 1810 – *Portrait du maréchal Davout.*
Ventes Publiques : Londres, 26 mars 1928 : *Femme* : **GBP 94** – Londres, 3 juil. 1980 : *Le maréchal Davout sur fond de paysage,* h/t (205x130) : **FRF 17 000.**

GAUTHIER. Voir aussi **GAUTIER, GAULTIER, GAULTHIER**

GAUTHIER
XVIIIe siècle. Français.
Peintre.
Il peignait sur porcelaine à la Manufacture de Sèvres vers 1790.

GAUTHIER A.
Originaire du Périgord. XVIIe-XVIIIe siècles. Français.
Peintre.
Il travailla à Bordeaux, puis à Paris.

GAUTHIER Albert Jacques Edmond
Né en 1903 à Saumur (Maine-et-Loire). XXe siècle. Français.
Peintre.
Il exposa régulièrement à Paris au Salon de la Société Nationale des Beaux-Arts.

GAUTHIER Antoine
Né à Louhans (Saône-et-Loire). XIXe siècle. Français.
Sculpteur.
Mention honorable en 1896.

GAUTHIER Charles
Né le 7 décembre 1831 à Chauvirey-le-Châtel. Mort le 5 janvier 1891 à Paris. XIXe siècle. Français.
Sculpteur.
Le 6 avril 1854, il entra à l'École des Beaux-Arts et se forma sous la conduite de Jouffroy. En 1861, il obtint le deuxième prix de Rome. Médaille en 1865, 1866 et 1869. Chevalier de la Légion d'honneur en 1872. Il figura au Salon de 1859 à 1882. On cite de lui : *Charlemagne* (statue en bronze au maître-autel de la collégiale de Saint-Quentin), *Notre-Dame d'Humilité* (statue en plâtre pour l'église d'Argenteuil), *Saint Mathieu* (statue en pierre pour l'église de la Trinité), *La Modération* (statue pour le foyer de l'Opéra).
Musées : Besançon : *Claude de Jouffroy* – Limoges : *Le braconnier* – *Ange jouant de la trompette* – Saumur : *Épisode d'un naufrage* – Vire : *Saint Sébastien.*

GAUTHIER Charles Gabriel
Né le 29 avril 1802 à Tonnerre. Mort en 1858 à Paris. XIXe siècle. Français.
Peintre de genre et animalier.
Entré à l'École des Beaux-Arts le 7 mars 1818, il eut pour professeurs Callot et Abel de Pujol. De 1827 à 1848, il exposa au Salon de Paris des paysages animés, des sujets de genre, des animaux.

GAUTHIER Charles Michel
XVIIIe siècle. Actif à Paris en 1772. Français.
Peintre et sculpteur.

GAUTHIER Claude
Né le 19 juillet 1939 à Neuilly (Hauts-de-Seine). XXe siècle. Actif à Monaco. Français.
Peintre de paysages, scènes typiques. Naïf.
Fonctionnaire de police, il vit à Monaco depuis 1964. En peinture il est autodidacte. Il participe à des expositions collectives, présenté notamment par le Comité National Monégasque des Arts Plastiques, à Belgrade 1977, Nouvelle-Orléans 1984, Andorre 1985, Ostende 1986, Crespano-Italie 1988, etc. Depuis 1975, il expose au Salon annuel du Comité National Monégasque d'Arts Plastiques. De 1970 à 1984, il a figuré au Grand Prix International d'Art Contemporain de la Principauté. Depuis 1982, il participe aux expositions du Musée International d'Art Naïf de Nice. Depuis 1970, il fait de nombreuses expositions personnelles, surtout à Monaco et dans les villes de la Côte d'Azur, ainsi qu'à la Mairie du XIIIe arrondissement de Paris en 1994 en tant qu'invité d'honneur du Salon Interministériel.
Deux composantes surtout caractérisent la manière de Claude Gauthier : un dessin au sujet duquel lui-même dit qu'il « stylise » tout ce qu'il représente : édifices, végétation, personnages, et une palette de couleurs éclatantes et variées, qu'il n'hésite pas à prodiguer dans les juxtapositions les plus hardies. Quant aux thèmes, à peu d'exceptions près, ce sont des vues de la Côte, de la ville et des monuments de Monaco, des fêtes traditionnelles et en particulier du Festival annuel du Cirque. ■ J. B.
Bibliogr. : Jacques Sarcelles : *Claude Gauthier Peintre,* Artis Documenta, 1986.
Musées : Holstebro, Danemark : *Vue de Monaco* – Nice (Mus. Internat. d'Art Naïf Anatole Jakovsky) : *Festival du Cirque à Monaco* 1977 – Vicq-Montfort-L'Amaury (Mus. Internat. d'Art Naïf d'Ile-de-France) : *Vue du Rocher de Monaco.*

GAUTHIER Didier
XVIe siècle. Actif à Dôle vers 1550. Français.
Peintre verrier.

GAUTHIER Dominique
Né en 1953 à Paris. XXe siècle. Français.
Peintre.
Il étudia à l'école des beaux-arts de Paris et Marseille, où il prit contact notamment avec les peintres de *Support-Surface.* Il enseigne à l'école des beaux-arts de Montpellier, où il vit et travaille.
Dès 1975, il participe à de nombreuses expositions collectives : 1976 Salon de Mai à Paris ; 1978 *Impact III* au musée d'Art et d'Industrie de Saint-Étienne ; 1980 Biennale de Venise et CAPC musée d'Art contemporain de Bordeaux ; 1982 Biennale de New Delhi et fondation Miro à Barcelone ; 1984 *France, une nouvelle génération* à l'hôtel de ville de Paris ; 1987 fondation Cartier à Jouy-en-Josas... Il montre ses œuvres dans de nombreuses expositions personnelles : 1978 galerie-association A.D.D.A. à Marseille ; 1979 CAPC musée d'Art contemporain de Bordeaux ; 1982 musée national d'Art moderne de Paris ; 1984 galerie Daniel Templon à Paris ; 1990 galerie Interface à Nîmes ; 1993 CREDAC Centre d'art d'Ivry, musée d'Art moderne de Céret et musée Bossuet de Meaux ; 1996 musée d'Art moderne de Collioure...
Séduit par l'abstraction, à ses débuts, il assemble des fragments de formes, qu'il a travaillées indépendamment, élaborant une construction spontanée mais rigoureuse. Il renonce bientôt, dans les années quatre-vingt, à ce formalisme, pour introduire, dans la série des *Opéras,* des éléments figuratifs hétérogènes : scènes dramatiques (lutteurs, naufrage...), citations (homme nu posant, frises de chapiteaux...), formes végétales stylisées (pomme, peuplier..), têtes de mort... Cependant, il conserve pour les fonds, la structure d'assemblage, qui régissait auparavant ses

compositions, découpant par endroits l'espace en aplats vivement colorés, tumultueux, proches de Stella. Il procède par accumulation, créant une distorsion entre l'espace de la toile et la narration fragmentée. Quelques années plus tard, il se situe de nouveau résolument du côté de l'abstraction, renonçant aux figures, mais l'aspect baroque de ses œuvres demeurent. La matière coule, prend du relief, les formes géométriques, peintures mais aussi morceaux de bois, de fer, semblent naître du chaos, s'échapper de la toile. ■ L. L.

Bibliogr. : Yves Michaud : Catalogue de l'exposition *Dominique Gauthier*, Abbaye de Sénanque, 1981 – in : Catalogue de l'exposition *Une Nouvelle Génération*, Hôtel de Ville, Paris, 1984 – Lise Ott : *Dominique Gauthier*, Art Press, n° 153, Paris, déc. 1990 – Jean-Marc Huitorel *Dominique Gauthier*, Art Press, n° 223, Paris, avr. 1997.

Musées : Marseille (Mus. Cantini) : *Opéra, verbe et âme* 1985 – Paris (FNAC) : *Les Jardins après Auschwitz n° VI* 1988.

Ventes Publiques : Paris, 8 oct. 1989 : *Opus I* 1987, h/t (92x70) : **FRF 4 000.**

GAUTHIER Étienne
Originaire de Besançon. XVIe siècle. Français.
Sculpteur sur bois.

Avec Mathieu Vigneron, il acheva en 1585, un retable monumental pour l'église Saint-Pierre de Dôle ; ce retable, « en ordre Salomonique », est formé d'un tableau où est sculpté le crucifixion ; quatre niches renferment les statues de saint Pierre, saint Paul, saint Sébastien et saint Jérôme ; la corniche, supportée par quatre colonnes, porte un Dieu le père entouré d'anges et de feuillages. Il existe encore aujourd'hui.

GAUTHIER François Henri
Né le 4 janvier 1868 à Paris. XIXe siècle. Français.
Peintre et architecte.

On lui doit des *Portraits de femmes* et des *Vues de Belle-Isle.*

GAUTHIER Frédéric
Né le 14 janvier 1860 à Cherbourg (Manche). Mort à Valognes. XIXe siècle. Français.
Peintre sur porcelaine et miniaturiste.

Le Musée de Cherbourg conserve de cet artiste : *Portrait J.-F. Millet* (miniature sur porcelaine), *Portrait de Marie Rapenel* (miniature sur ivoire).

GAUTHIER Jean
XVe siècle. Actif à Lille en 1452. Éc. flamande.
Peintre.

GAUTHIER Jean
XVIe siècle. Français.
Sculpteur.

Il fut chargé avec Jacques Desfloques, autre sculpteur, de faire un crucifix destiné à être placé dans une église voisine de Pontoise.

GAUTHIER Jean
XVIIe siècle. Actif à Ornans vers 1657. Français.
Sculpteur.

GAUTHIER Jean
XVIIIe siècle. Actif à Dôle vers 1718. Français.
Sculpteur sur bois.

Il sculpta un retable pour l'église Notre-Dame à Parisot.

GAUTHIER Jean-Marc
Né le 28 juillet 1963 à Paris. XXe siècle. Français.
Peintre de figures. Expressionniste, figuration libre.

Il commence des études de peinture en 1976. En 1983, il travaille avec M. Journiac l'art corporel, et aborde la sculpture, en 1985-1986, avec A. Garzon. En 1984, 1985 et 1989, il participe au Salon de la Jeune Peinture à Paris. Depuis, il expose régulièrement en groupe tant en France qu'à l'étranger : 1990 Foire internationale d'Art contemporain de Barcelone, 1991 Salon d'Art contemporain à Rouen... Il montre ses œuvres dans des expositions personnelles depuis 1988, notamment à Paris, à la galerie L'Œil de bœuf.

Il pratique un primitivisme dans le sens de la figuration libre des années quatre-vingt. Irrespectueux du prétendu « bon goût », il livre ses figures brinquebalantes, hautes en couleurs, aux expériences les plus diverses : *Le charmeur de pinard, Un pied dans la tombe, La belle-famille...*

Ventes Publiques : Paris, 20 nov. 1988 : *Famille*, techn. mixte/bois (119,5x122,5) : **FRF 6 500** – Paris, 9 avr. 1989 : *Les patineurs* 1988, techn. mixte/pan. (120x90) : **FRF 5 000** – Paris, 18 juin 1989 : *La course des garçons de café ou curriculum vitæ* 1989, techn. mixte/pan. (100x150) : **FRF 7 000** – Les Andelys, 19 nov. 1989 : *Couple*, h/bois (83,5x122) : **FRF 5 000** – Paris, 26 avr. 1990 : *L'insoutenable légèreté de l'être*, h/pan. (101x76) : **FRF 5 500** – Paris, 10 juin 1990 : *La Crampe*, h/pan. (101x76) : **FRF 5 000.**

GAUTHIER Joseph
Né à Carcassonne (Aude). XXe siècle. Français.
Peintre et sculpteur.

Il exposa à Paris au Salon des Artistes Français à partir de 1925.

GAUTHIER Léon Ambroise
Né le 8 novembre 1822 à Paris. XIXe siècle. Français.
Peintre de sujets de genre, portraits, paysages.

Il fut élève de Picot à l'École des Beaux-Arts où il entra le 8 avril 1841. Il figura au Salon de Paris, de 1844 à 1879, obtenant une mention honorable en 1863.

Ventes Publiques : Versailles, 4 oct. 1982 : *Scène paysanne*, h/t (32x34,5) : **FRF 11 000.**

GAUTHIER Louis Joseph
XVIIIe siècle. Actif à Paris en 1772. Français.
Peintre et sculpteur.

GAUTHIER Marie
Née à Lyon (Rhône). XIXe-XXe siècles. Française.
Peintre.

Élève de Toller. Elle exposa, à Lyon, depuis 1889, des portraits, des figures, des tableaux de genre et de fleurs (huile, aquarelle et pastel).

GAUTHIER Oscar, pour **Jacques**
Né le 7 septembre 1921 à Fours (Nièvre). XXe siècle. Français.
Peintre, peintre à la gouache. Abstrait.

De 1941 à 1947, il fut élève de l'École des Beaux-Arts de Paris, fréquentant en même temps l'Atelier Othon Friesz à l'Académie de la Grande-Chaumière. Après un séjour aux États-Unis, il rencontra, en 1948, Sonia Delaunay, Albert Gleizes, Francis Picabia, Hans Hartung, ainsi que des artistes plus jeunes, Jean Atlan, Corneille...

Il commença à exposer en 1944, 1945, 1946, au Salon des Moins de trente ans, à Paris. Il figura ensuite dans de nombreux Salons parisiens et expositions collectives : 1952-1953, Salon d'Octobre ; 1955 *Jeune Peinture en France*, exposition itinérante en Allemagne ; à partir de 1955, régulièrement, Salon des Réalités Nouvelles, dont il devint membre du comité en 1956 et jusqu'à la fin des années soixante-dix ; 1957 *Cinquante ans de peinture abstraite* organisée par Michel Seuphor, à Paris ; 1957 Prix Lissone à Milan ; 1958 *Nouvelle École de Paris* à la Kunsthalle de Mannheim, présentée par Roger Van Gindertael ; 1961 6e Biennale de São Paulo ; depuis 1962 et très régulièrement Salon d'Automne, dont il est devenu membre du comité ; 1963 *L'art français contemporain* à Belgrade et Zagreb ; 1965 *La figuration narrative* organisée par G. Gassiot-Talabot, à Paris ; 1967 *L'âge du jazz* au Musée Galliera à Paris ; 1967-1968 dans divers musées de France *Une aventure de l'art abstrait* présentée par Michel Ragon... Depuis 1950, il montre ses œuvres dans des expositions personnelles dans des galeries parisiennes, mais aussi à l'étranger : 1956 Palais des Beaux-Arts de Bruxelles ; 1961 Francfort ; 1966 Musée de l'Athénée à Genève... Il a réalisé des travaux en extérieur : 1962 peinture murale *Paradis pour libellule*, pour le Lycée technique de Saint-Quentin ; 1964-1968 mosaïque au Lycée classique de Maubeuge ; 1970 mosaïque pour le Lycée technique de Vitry-le-François.

Privé de toute information pendant la période de sa formation qui correspondait à l'occupation allemande, au sortir de la guerre, il fut des premiers parmi les jeunes peintres de sa génération, à découvrir les ressources nouvelles de l'abstraction. Il réalisait alors des œuvres abstraites, à la fois gestuelles et structurées, les facettes de pâtes de couleurs vives, souvent appliquées au couteau, maintenues dans les mailles d'une composition en damier. Autour de 1960, il peignit une série de toiles dont l'abstraction gestuelle et généreusement chromatique, ne cherchait pas à dissimuler l'humour du motif floral. Ensuite, il traversa une période de remise en question, où on le vit adopter le style narratif des bandes-dessinées introduit en Europe par le pop'art américain. Depuis *La poupée de la classe* de 1962 jusqu'à *Allons dans la lune* de 1965, il s'est moqué gentiment de l'engouement des peintres pop pour la bande dessinée, raillant par là même son propre travail. De 1965 à 1969, dans la période qu'il a nommée « Meilleur des mondes », il a tiré ses sujets du music-hall, théâtre, cirque, prétextes à en figurer les mouvements par des interpénétrations de points et de cercles. Ensuite dans les *Botanographies*, il est revenu à une peinture à la fois gestuelle et recourant à des astuces techniques : empreintes de vrais feuillages ou au contraire leurs silhouettes obtenues en négatif à l'aérographe, pour développer de plaisants motifs végétaux. Environ 1985, la mode et le marché s'emparant de l'abstraction des années cinquante, d'une part réapparurent en très grand nombre ses peintures abstraites d'autrefois, d'autre part il renoua dans sa propre pratique avec l'abstraction, dans une longue série de peintures constituées de bandes de couleurs très vives et contrastées brossées parallèlement et obliquement du haut en bas de la toile et de gauche à droite. ■ J. B.

Bibliogr. : R. Van Gindertael : *Oscar Gauthier*, Cazenave, Paris, 1960 – Jean Grenier, in : *Entretiens avec dix-sept peintres non-figuratifs*, Calmann-Lévy, Paris, 1963 – Patrick-Gilles Persin : *Oscar Gauthier*, Cimaise, n°200, Paris, été 1989.

Musées : Paris (Mus. Nat. d'Art Mod.) – Paris (Mus. d'Art Mod. de la Ville).

Ventes Publiques : Paris, 24 avr. 1983 : *Composition* 1953, gche (32x50) : **FRF 5 000** – Paris, 14 oct. 1984 : *Gélinote* 1957, h/t (50x150) : **FRF 13 000** – Paris, 9 avr. 1987 : *Composition* 1954, h/t (116x72) : **FRF 70 100** – Paris, 22 avr. 1988 : *Composition* 1958, h/t (116x89) : **FRF 19 000** – Paris, 1er juin 1988 : *Composition* 1954, gche (45x32) : **FRF 5 600** – Paris, 15 juin 1988 : *Composition* 1952, aquar. et gche (34,5x47,5) : **FRF 7 000** – Neuilly, 20 juin 1988 : *Sans titre* 1948, pap. froissé (70x55) : **FRF 8 000** – Paris, 20-21 juin 1988 : *Composition*, h/t (81x130) : **FRF 38 000** – Paris, 16 oct. 1988 : *Composition abstraite* 1948, h/pap. kraft (48x31) : **FRF 12 000** – Neuilly, 22 nov. 1988 : *Composition* 1958, h/t (116x89) : **FRF 47 000** – Paris, 4 juin 1989 : *Composition colorée* 1958 : **FRF 122 000** – Neuilly, 6 juin 1989 : *Composition* 1953, h/t (61x50) : **FRF 71 000** – Paris, 23 juin 1989 : *Composition* 1948, gche (50x32) : **FRF 16 000** – Paris, 29 sep. 1989 : *Composition*, gche (32x50) : **FRF 14 000** – Paris, 8 oct. 1989 : *Abstraction*, h/t (81x65) : **FRF 120 000** – Paris, 9 oct. 1989 : *Composition* 1948, h/t (73x92) : **FRF 100 000** – Paris, 12 fév. 1990 : *Sans titre*, gche/pap. (49x31) : **FRF 10 000** – Paris, 25 avr. 1990 : *Composition* 1948, h/t (46x60) : **FRF 70 000** – Paris, 2 juil. 1990 : *Sans titre*, h/t (92x72) : **FRF 64 000** – Londres, 18 oct. 1990 : *Sans titre* 1953, h/t (73x92) : **GBP 3 850** – Paris, 12 déc. 1990 : *Composition* 1958, h/t (115,5x89) : **FRF 58 000** – Paris, 9 juil. 1992 : *Composition*, gche (49x31) : **FRF 7 500** – Paris, 24 oct. 1993 : *Composition* 1950, h/t (73x92) : **FRF 16 000** – Lokeren, 10 déc. 1994 : *Composition* 1961, h/pan. (73x54) : **BEF 28 000** – Paris, 10 fév. 1994 : *Composition* 1948, h/t (93x65) : **FRF 40 000** – Paris, 7 oct. 1995 : *Composition n° 34* 1954, h/t (72x54) : **FRF 11 000** – Paris, 24 mars 1996 : *Composition*, h/t (65x54) : **FRF 8 000** – Paris, 29 avr. 1997 : *Composition*, h/t (60x92) : **FRF 10 500** – Paris, 27 oct. 1997 : *Composition* 1948, gche (32x48) : **FRF 5 000**.

GAUTHIER Philippe Eugène

xviiie siècle. Actif à Paris en 1761. Français.

Peintre et sculpteur.

Sans doute identique à Philippe Gautier.

GAUTHIER Pierre. Voir **GAUTHIER-DUBÉDAT**

GAUTHIER Zina

Née à Kazan. Morte en 1930 à Paris. xxe siècle. Active et naturalisée en France. Russe.

Peintre de paysages urbains, graveur, créateur de cartons de tapisseries.

Elle fut élève d'une Académie de Moscou. Depuis 1923, jusqu'à sa mort, elle exposa régulièrement à Paris aux Salons des Artistes Indépendants et d'Automne, et fut invitée au Salon des Tuileries.

Elle a réalisé un carton de tapisserie commandé par la Manufacture Nationale de Beauvais. Elle peint avec émotion le pittoresque des faubourgs parisiens, dans de petites toiles.

GAUTHIER DE CAMPE. Voir **CAMPE Gauthier de**

GAUTHIER-CHARTRETTE Agnès

Née le 11 juillet 1955 à Paris. xxe siècle. Française.

Graveur, lithographe.

Elle fut élève de l'École des Beaux-Arts de Paris, diplômée en gravure en 1980. Depuis 1982, elle participe à des expositions collectives : d'abord par l'École des Beaux-Arts ; puis en 1990 à Créteil *Le Mois de l'Estampe* ; en 1992 en Pologne et à Nîmes ; depuis 1986 Paris, Salon d'Automne, depuis 1987 sociétaire ; de 1987 à 1991 Paris, Salon de la Jeune Gravure Contemporaine ; en 1993 à Lourmarin, Fondation Laurent-Vibert, dont elle fut pensionnaire en 1993 et 1994, et Paris, Salon des Arts Graphiques Actuels (SAGA) ; 1994 à Prague, et Paris, Salon Le Trait ; 1995 Rueil, Salon de l'Estampe, et Paris *Ateliers d'artistes du vie* ; 1996 Paris, Salon Le Trait, et Nancy, exposition du Salon d'Automne ; 1996, 1997 Paris *Journées Portes Ouvertes du xive* ; 1997 Le Caire, 2de Triennale Égyptienne d'Estampe Internationale, et Paris *Portes*, galerie Michèle Broutta ; etc.

Elle montre des ensembles de gravures dans des expositions personnelles, dont : 1987 Ville-d'Avray, Centre Culturel ; 1994 Paris *30 Eaux-fortes Égyptiennes*, Centre Culturel Égyptien ; 1998 Paris *Eaux-Fortes Égypte, Rome et de Natura*, Centre Culturel Égyptien ; etc. Depuis 1988, elle enseigne la gravure dans les ateliers Beaux-Arts de la Ville de Paris.

Jusqu'ici, cette jeune artiste travaille presque exclusivement à l'eau-forte sur cuivre, en noir et blanc, mais ce principe d'austérité qui est aussi principe de pureté originelle de la gravure selon Jean Signovert, semble être un parti fondamental de sa pratique. Une fois définis et mis en place au trait les quelques simples plans qui structurent chaque plaque, ces surfaces sont travaillées au vernis, aux outils et à l'acide, produisant au tirage des textures très différenciées, du très clair jusqu'au blanc au très sombre jusqu'au noir.

L'axe central de son travail résulte d'un voyage en Égypte en 1988. Pendant quatre ans, elle a réalisé la suite *Égypte*, constituée de trente gravures. À l'intérieur de ce cheminement entre figuratif et abstraction, plusieurs thèmes se sont dégagés : architecture, colonnes, le désert, l'eau. À la suite de ce travail délimité, Agnès Gauthier-Chartrette a constaté que les données extérieures des thèmes, architecture, colonnes, etc., si elles avaient un temps servi de prétextes à graver, s'étaient en fait effacées au seul profit d'un raisonnement purement plastique matérialisé par les techniques spécifiques de la gravure. Désormais, elle transfère ce parti plastique concret de thème-prétexte en d'autres thèmes-prétextes, n'en préservant que comme le flottement d'un souvenir visuel, mais peut-être aussi olfactif ou sonore, juste ce qu'il faut pour humaniser à titre personnel la rigueur d'une conception hautement abstraite. ■ J. B.

GAUTHIER-DUBÉDAT Pierre ou **Gauthier**

Né le 21 janvier 1938 à Bordeaux (Gironde). xxe siècle. Français.

Graveur, dessinateur, aquarelliste, peintre de paysages. Tendance abstraite-paysagiste.

Formé à l'École Nationale Supérieure des Beaux-Arts de Paris, avec Maurice Brianchon en peinture et Pierre-Eugène Clairin en lithographie, il expose ses œuvres depuis 1962 dans des expositions collectives et personnelles en France et en Europe (essentiellement en Espagne). Depuis 1995, il vit et travaille au Pays Basque.

Sa première manière, dans les années 50 et 60, est assez proche de l'expressionnisme, avec une gestuelle violente et une palette sombre. À partir des années 70, la thématique du paysage s'affirme avec force, dans une manière qu'on pourrait qualifier d'abstraction lyrique si les éléments de la nature ne demeuraient pas toujours reconnaissables. Les compositions sont fermement structurées et soutenues par des jeux de couleur, de ligne, d'ombres et de lumières.

Musées : Damas (Mus. Nat.) – Mâcon (Bibl. mun.) – Mâcon (Mus. des Ursulines) – Madrid (BN) – Madrid (Instituto Hispano-Americano de Cultura) – Paris (BN) – Paris (FNAC).

GAUTHON Pierre ou **Peyre**

xive siècle. Actif à Montpellier vers 1380. Français.

Peintre d'histoire et d'ornements.

Fut nommé six fois consul.

GAUTIER. Voir aussi **GAUTHIER, GAULTIER, GAULTHIER**

GAUTIER

xive siècle. Français.

Peintre.

Travailla pour la cathédrale de Troyes vers 1384.

GAUTIER ou **Gaultier**

Né à Paris. xve siècle. Français.

Sculpteur.

Il se rendit à Troyes et y travailla, de 1419 à 1435.

GAUTIER
XVIe siècle. Français.
Peintre de portraits.
Siret dit que le nom de ce peintre se trouve cité dans quatre vers placés au bas d'un vieux portrait peint vers 1499. Peut-être est-il question d'un des artistes mentionnés plus haut avec l'orthographe Gauthier.

GAUTIER et GEORGE
XVIe siècle. Éc. flamande.
Peintres sur verre.
Vécurent en Italie et travaillèrent pour Vasari.

GAUTIER
XVIIe siècle. Français.
Sculpteur sur bois.
Il sculpta en 1688 et 1689, deux figures destinées à l'ornementation des appartements de Trianon.

GAUTIER
XVIIIe siècle. Actif à Londres. Français.
Peintre de paysages.
Exposa à la Royal Academy en 1792.

GAUTIER Albert Clément Valéry
Mort en 1938. XIXe-XXe siècles. Français.
Peintre de scènes de genre, sujets typiques, portraits.
Il habitait Lille. Il débuta au Salon de Paris en 1878, y exposant des sujets orientaux.

ALBERT GAUTIER

Ventes Publiques : Paris, 8 déc. 1976 : *Le Départ de la smala*, h/pan. (26x35) : **FRF 4 300** – Rumbeke, 20-23 mai 1997 : *Vue d'une ville normande*, h/pan. (23,5x32,6) : **BEF 41 950**.

GAUTIER Armand Désiré, parfois **Aman**, dit le **peintre des Sœurs de charité**
Né le 19 juin 1825 à Lille (Nord). Mort le 29 janvier 1894 à Paris. XIXe siècle. Français.
Peintre d'histoire, compositions religieuses, sujets de genre, portraits, paysages, natures mortes, aquarelliste, pastelliste, lithographe.
Il entra le 8 avril 1852 à l'École des Beaux-Arts de Paris et se forma sous la direction de Léon Cogniet. Il figura au Salon de Paris à partir de 1853, obtenant une mention honorable en 1887. Il fut ami d'Eugène Boudin et plusieurs de ses toiles ont figuré dans la vente des collections de Camille Pissarro, ce qui laisse penser qu'il fut probablement lié au groupe impressionniste.
Arman Gauthier fut surtout le peintre des Sœurs de charité qu'il aima peindre dans un environnement strict et presque incolore.

A. Gautier

Bibliogr. : Gérald Schurr, in : *Les Petits Maîtres de la peinture 1820-1920, valeur de demain*, Les Éditions de l'Amateur, t. II, Paris, 1982.
Musées : Caen : *Nature morte – Repasseuse* – Lille : *La Garde Nationale défendant la constitution – Les Sœurs de charité – Portrait de l'artiste – Au bain – Musotte – La pêche à l'épervier* – Niort : *Pauvre mère !* – Paris (Mus. d'Art Moderne) : *Portrait de divette* – Niort (Petit Palais) : *La folle* – Reims : *Une sœur de charité arrosant des fleurs* – Rochefort : *La Raie* – Saint-Denis (Mus. d'Art et d'Hist.) : *Henri Rochefort dans une cellule de la prison de Mazas* – Tourcoing : *Loin de la ville*.
Ventes Publiques : Paris, 1883 : *La sœur cuisinière* : **FRF 920** – Paris, 1890 : *La promenade du matin*, aquar. : **FRF 25** – Paris, 1899 : *Nature morte : poires et pommes* : **FRF 150** ; *Le dessert* : **FRF 175** – Paris, 16 et 17 déc. 1919 : *Mère cocotte à Écouen* : **FRF 160** – Paris, 28 nov. 1928 : *Paysage avec rivière : effet d'orage*, past. : **FRF 1 600** – Paris, 7 et 8 déc. 1928 : *Étude pour le fond du tableau « Pauvre Mère », falaise au bord de la mer*, past. : **FRF 400** ; *Maison de paysan dans un paysage d'hiver*, past. : **FRF 650** – Londres, 8 juin 1983 : *Nature morte au poisson et aux légumes*, h/t (43x72) : **GBP 400** – Göteborg, 18 mai 1989 : *Un jardin* 1884, h/t (55x39) : **SEK 6 500**.

GAUTIER Charles Albert
Né le 20 mai 1846 à Paris. XIXe siècle. Français.
Peintre et architecte.
On lui doit des paysages et des vues à l'aquarelle.

GAUTIER Élisabeth
XVIIe-XVIIIe siècles. Française.
Peintre de portraits amateur.

GAUTIER Émile
Né le 27 septembre 1920 à Saint-Nazaire (Loire-Atlantique). XXe siècle. Français.
Peintre.
Il a exposé à Paris, au Salon des Artistes Français.
Figurative, sa peinture est teintée d'impressionnisme.

GAUTIER Étienne
Né vers 1732. Mort le 25 décembre 1789. XVIIIe siècle. Français.
Graveur.

GAUTIER Étienne
Né en mars 1842 à Marseille. Mort le 6 février 1903 à Paris. XIXe siècle. Français.
Peintre.
Élève à Lyon, de J. Chatigny, il se fixa à Paris vers 1860 et alla étudier les maîtres en Italie, en Allemagne et en Hollande. Il débuta à Paris, en 1867, avec *Un changeur* (au Musée de Roanne) et *L'Étude*, exposa ensuite, au même Salon, *Saint Sébastien* (1869), *Saint Georges* (1873, médaille de deuxième classe, au Musée de Lyon), un *Portrait d'homme* (1875), *Sainte Cécile* (1878, médaille de première classe, au Luxembourg). Il cessa alors d'exposer et s'occupa d'architecture et d'œuvres charitables. Il avait été décoré en 1871, pour sa conduite pendant la guerre. Il a peu produit ; avec *La Vierge au baldaquin* (1873, au Musée de Lyon), il a laissé quelques toiles ou esquisses qui sont conservées dans sa famille : *Saint Jérôme* ; deux compositions pour un *Miracle des roses* ; *Japonaises* ; *Saint Hubert* ; *La petite fille au perroquet* ; *Le jeune Tobie*. Il signait « E. Gautier ». « Et. Gautier ».

GAUTIER Eugénie
Née au XIXe siècle à Paris. XIXe siècle. Française.
Peintre.
Eut pour maître Belloc. Figura au Salon de Paris, avec des portraits, de 1834 à 1869. Elle obtint une médaille de troisième classe en 1839 et de deuxième classe en 1845.

GAUTIER Firmin
Né en 1838 à Grenoble (Isère). Mort en 1877. XIXe siècle. Français.
Peintre de compositions religieuses, sujets de genre, portraits.
Il fut élève d'Hébert et de Cabanel. Il figura au Salon de Paris de 1866 à 1877.
Musées : Chambéry (Mus. des Beaux-Arts) : *Tête de femme* – Grenoble : *La sainte Famille – Un intérieur d'atelier – Concert champêtre*.

GAUTIER François
Né au XIXe siècle à Marseille. XIXe siècle. Français.
Peintre.
De 1866 à 1870, il exposa au Salon de Paris des sujets empruntés aux environs de Marseille. On lui doit aussi des tableaux de genre.

GAUTIER Gabriel
XVIIIe siècle. Actif à Paris vers 1740. Français.
Sculpteur.

GAUTIER Gérard
Né le 14 janvier 1723 à Château-Porcien (Ardennes). Mort le 9 septembre 1795 à Château-Porcien. XVIIIe siècle. Français.
Sculpteur de figures, portraits.
Envoyé à Rome en 1746 comme tourneur, il fut remarqué par l'abbé Hachette-Desportes, évêque de Sidon, grand archidiacre de Reims, qui le fit entrer, à Paris, dans l'atelier de Falconet pour étudier la sculpture.
Musées : Troyes : *Pallas – L'abbé de Chauvelin*.
Ventes Publiques : Londres, 9 avr. 1979 : *Marie-Antoinette et le Dauphin* 1773, terre cuite (H. 33) : **GBP 1 400**.

GAUTIER J. B.
XIXe siècle. Actif à Paris au début du XIXe siècle. Français.
Graveur au burin.

GAUTIER Jacques
Né le 13 décembre 1831 à Paris. XIXe siècle. Français.
Sculpteur.
Élève de Rude. Il exposa au Salon de 1855 à 1868.

GAUTIER Jacques
Né au XIXe siècle au Châtelet. XIXe siècle. Français.
Sculpteur.
Il exposa au Salon de 1870 à 1874.

GAUTIER Jacques Joseph
XVIIIe siècle. Actif à Paris en 1785. Français.
Peintre ou sculpteur.

GAUTIER Jean François
XVIIIe siècle. Actif à Paris en 1751. Français.
Peintre et sculpteur.

GAUTIER Jean Rodolphe
Né le 20 janvier 1764 à Genève. Mort en 1820 à Paris. XVIIIe-XIXe siècles. Suisse.
Peintre et émailleur.
Il fut d'abord apprenti chez le peintre émailleur J.-F. Favre en 1784, mais il ne tarda pas à s'adonner à la peinture et partit pour l'Italie. Gautier, dès 1789, envoya de Rome trois paysages italiens à l'exposition de Genève. Gautier vint s'établir à Paris vers 1793 et y vécut jusqu'à sa mort. Il exposa des paysages au Salon à partir de 1793 et on le cite encore à celui de 1817. On lui doit aussi quelques tableaux militaires, de nombreux dessins au crayon, des sépias et des aquarelles. Le Musée de Versailles conserve de lui : *L'Armée des côtes réunies près de Boulogne ; Combat du Pont de la Chiusella ; Passage de l'artillerie française sous le fort de Bard*, et le Musée de Nantes, une *Marine*.
Ventes Publiques : Paris, le 15 mai 1950 : *Portrait de jeune garçon*, émail : **FRF 51 000**.

GAUTIER Jules Claude
XIXe-XXe siècles. Français.
Peintre de sujets de genre, portraits.
Il figura au Salon de la Société des Artistes Français de Paris, dont il devint sociétaire en 1885.
Ventes Publiques : Londres, 1er mai 1908 : *Le Contrat de mariage* : **GBP 23** – Paris, 10 nov. 1920 : *Chez l'artiste* : **FRF 125** – Berne, 12 mai 1990 : *Portrait de jeune femme*, h/t (50,5x29,5) : **CHF 2 200**.

GAUTIER Léon
XVIIIe siècle. Français.
Peintre, sculpteur.
Il travailla à Paris en 1738.

GAUTIER Léon
XIXe siècle. Français.
Peintre de scènes de genre, portraits, nus.
Ventes Publiques : Paris, 4 déc. 1991 : *Danseuse nue*, h/t (65x54) : **FRF 5 500** – New York, 16 fév. 1993 : *Élégante jeune femme assise*, h/t (80x64,1) : **USD 2 420**.

GAUTIER Louis
XVIIIe siècle. Actif à Paris en 1785. Français.
Peintre et sculpteur.

GAUTIER Louis Adolphe
Né au XIXe siècle à Paris. XIXe siècle. Français.
Graveur.
Élève de Jazet. Il exposa au Salon de 1847 à 1876.

GAUTIER Louis François Léon
Né le 10 octobre 1855 à Aix-en-Provence (Bouches-du-Rhône). Mort en 1947. XIXe-XXe siècles. Français.
Peintre de portraits, paysages, compositions murales, décorateur.
Obtenant une bourse d'études par sa ville natale, il s'établit à Paris, où il suivit les cours d'Alexandre Cabanel, de 1880 à 1884. Il prit part au Salon des Artistes Français de Paris ; au Salon de Marseille, aux diverses expositions collectives organisées à Montpellier, Avignon et Aix-en-Provence.
Il peignit quelques portraits, dont *Corot*, mais surtout des vues des régions du Vaucluse, du Languedoc et du Lubéron. Ses paysages d'une palette délicate, d'un trait précis et méticuleux lui valurent le surnom de « Meissonier du paysage ». Il réalisa également des peintures murales pour l'Hôtel de Ville et le Théâtre d'Aix-en-Provence.

Louis-Gautier

Bibliogr. : Gérald Schurr, in : *Les Petits Maîtres de la peinture 1820-1920, valeur de demain*, Les Éditions de l'Amateur, t. III, Paris, 1976.
Musées : Aix-en-Provence (Mus. Granet) : *Ingres – Paysage* – Montpellier (Mus. Fabre) : *Paysages*, trois fois.

GAUTIER Louis Joseph Antoine Désiré
Né en février 1789. Mort après 1824. XIXe siècle. Français.
Dessinateur et graveur au burin.
Il a gravé des sujets de genre et des vues.

GAUTIER Lucien Marcelin
Né le 8 janvier 1850 à Aix-en-Provence. XIXe siècle. Français.
Dessinateur et graveur à l'eau-forte.
Élève de Marius Reynaud, à Aix et de Gaucherel, à Paris. Se classa d'abord parmi les bons graveurs reproducteurs par quelques planches d'après Corot et Ch. Jacque, mais adopta très vite le genre dans lequel il devait faire sa réputation : celui de graveur de vues. Paris, Marseille, l'Écosse, Venise, les points plus pittoresques de Rome, de France, de Londres. Mention honorable en 1884 ; troisième médaille en 1894 ; deuxième médaille d'argent en 1900.

GAUTIER Marie, épouse **Antoni**
Née en 1870 à Paris. XIXe-XXe siècles. Française.
Peintre de fleurs, aquarelliste.
Elle exposa à Paris, Berlin, Dresde et Vienne.
Ventes Publiques : Paris, 15 déc. 1927 : *Branche de rose ; Branche d'hortensia*, 2 aquar. : **FRF 160**.

GAUTIER Paul Albert
Né le 19 septembre 1884 en Guyane. XXe siècle. Français.
Sculpteur de bustes.
Il fut élève de Coutant. Il exposa à Paris, régulièrement au Salon des Artistes Français. Il obtint de nombreuses récompenses pour ses bustes d'enfants, notamment une médaille d'argent en 1921, et une d'or en 1926.

GAUTIER Philippe
XVIIIe siècle. Actif à Paris en 1749. Français.
Peintre, sculpteur.
Sans doute identique à Philippe Eugène Gauthier.

GAUTIER Philippe
Né le 24 décembre 1928 à Fresnay-sur-Sarthe (Sarthe). XXe siècle. Français.
Peintre de scènes animées, figures, nus, portraits, paysages, natures mortes, fleurs.
Philippe Gautier fut élève de l'École des Beaux-Arts de Paris, admis en 1948, d'abord dans l'atelier Jean Dupas, puis, en 1952, élève de Legueult. En 1952, il fut admis logiste au concours du Prix de Rome.
Il participe à des expositions collectives, d'entre lesquelles : 1954, 1955 Paris, Prix de la Jeune Peinture ; depuis 1956 Paris, Salons Comparaisons et de la Société Nationale des Beaux-Arts ; depuis 1959 Paris et régulièrement jusqu'en 1971, Salon des Peintres Témoins de leur Temps ; depuis 1973 Saint-Émilion, Salon du Doyenné ; depuis 1975 Paris, groupes à la galerie Vendôme ; ainsi que divers groupes dans des villes de province et à l'étranger, surtout en Allemagne.
Depuis 1951, il montre des ensembles de ses peintures dans des expositions personnelles, dont quelques-unes : 1961 Paris, galerie Carlier ; 1973 Le Mans, Musée de Tessé ; depuis 1976 Paris, régulièrement galerie Vendôme, notamment en 1998 ; 1980 Solingen (Allemagne), au musée de la ville ; depuis 1981 Hilden (Allemagne), galerie Michels, et Le Havre, galerie Maïté Aubert ; ainsi que dans de nombreuses villes de province.
Ses premiers paysages de la Sarthe, en 1947, témoignaient de son admiration pour Corot, bientôt complétée par celle de Cézanne, ce qui amena très naturellement, en 1957, une très évidente construction postcubiste de ses compositions diverses, scènes animées, figures, paysages ou natures mortes. Cette discipline postcubiste a continué définitivement de structurer tout son œuvre, bien que moins systématique à partir des années soixante-dix. Après 1970, il a pratiquement abandonné le paysage. Jusqu'en 1980, les natures mortes sont assez nombreuses. Ensuite et pour la presque totalité, l'œuvre de Philippe Gautier est voué à la figure, pour elle-même ou dans des scènes animées, la figure essentiellement féminine, souvent nue ou tout près de l'être, dans un étincellement de lumières et de couleurs, où l'on peut voir, dans une vision actualisée, un écho de la peinture galante du XVIIIe siècle.
Bibliogr. : *Philippe Gautier*, Presse d'Argraphie, Paris, 1978 – *30 ans de recherche*, Édit. Mémoire vivante, Paris, 1981 – René Le

Capitaine : *Philippe Gautier*, Presse d'Argraphie, Paris, 1986, bonne documentation.

GAUTIER Pierre Gabriel
Né en 1755 à Genève. Mort à Paris. XVIIIe siècle. Suisse.
Émailleur.
Fils de l'orfèvre Jean Gautier, il fut élève de Roux. Peignit avec succès des émaux pour le commerce.

GAUTIER Pierre Jules Théophile
Né le 30 août 1811 à Tarbes (Hautes-Pyrénées). Mort le 23 octobre 1872 à Neuilly-sur-Seine (Hauts-de-Seine). XIXe siècle. Français.
Peintre de sujets typiques, scènes de genre, figures, portraits, aquarelliste, pastelliste, graveur, dessinateur, illustrateur, poète, écrivain, critique d'art. Orientaliste.
Il s'établit à Paris, dès 1828, pour étudier la peinture. En 1830, il étudia le modèle vivant dans l'atelier de Louis Édouard Rioult. En 1845, il effectua un voyage en Algérie. Il voulut, très jeune, satisfaire à sa double vocation de peintre et d'écrivain. Puis, vers 1830, il sacrifia le pinceau à la plume. Plusieurs de ses œuvres figurèrent dans l'exposition « Dessins d'écrivains français du XIXe siècle », organisée à la Maison de Balzac à Paris, en 1983-1984.
En tant que peintre et dessinateur, il toucha à différents genres : de la caricature au portrait, des sujets orientalistes aux scènes de genre ; réalisés à l'huile, à l'aquarelle, au pastel, à la plume et reproduits parfois en gravure. Il peignit de nombreuses effigies féminines, dont celle de sa fille Estelle. Son trait est fin, alerte et fouillé et ses croquis confirment son admiration, dévoilée dans tous ses écrits, pour Ingres et pour Delacroix. Écrivain et poète, son œuvre littéraire tout entier est empreint de ses aptitudes picturales. Il assura la critique des Salons dans *L'Artiste – La Presse – Le Moniteur*.
Bibliogr. : Gérald Schurr, in : *Les Petits Maîtres de la peinture 1820-1920, valeur de demain*, Les Éditions de l'Amateur, t. VI, Paris, 1985.

GAUTIER Pierre Louis Joseph
Né en 1796 à Arras. Mort en 1871 à Paris. XIXe siècle. Français.
Peintre de genre et portraitiste.
Élève de Leroy de Liancourt. Exposa au Salon de Paris en 1834 et 1835. Professeur à l'École des Beaux-Arts d'Arras. Le Musée de cette ville conserve de lui : *Douleur d'une mère* et le *Portrait de Mr Lambert*.

GAUTIER René Georges
Né le 20 janvier 1887 à Paris. XXe siècle. Français.
Peintre de sujets militaires.
Il exposa à Paris, au Salon des Artistes Français. Il obtint de nombreuses récompenses, notamment une médaille d'argent en 1924, et une en or en 1927.

GAUTIER Saint Elme
Né le 16 janvier 1849 à La Rochelle. XIXe siècle. Français.
Peintre de genre et graveur.
Élève de Gérome. Il exposa au Salon de Paris de 1870 à 1876.

GAUTIER Valérie
Née au XIXe siècle à Lille. XIXe siècle. Française.
Sculpteur.
Elle débuta au Salon de Paris en 1870.

GAUTIER d'AGOTY Arnauld ou **Arnault Éloi** ou **Gauthier**
Mort en 1771 à Florence (Toscane), en 1783 selon d'autres sources. XVIIIe siècle. Français.
Peintre de portraits, graveur, illustrateur.
Fils et élève de Jacques Gautier d'Agoty, qu'il aida dans ses travaux et dont il continua les entreprises. On mentionne de lui : *Observations périodiques sur l'histoire naturelle, la physique et les arts*, avec des planches en couleurs. Cet ouvrage, publié en 1771, fut achevé par l'abbé Rosier. On doit aussi à Arnauld Gautier d'Agoty un cours complet d'anatomie avec texte par Jadelot (1773).
Ventes Publiques : Paris, 22-23 fév. 1905 : *Portrait d'homme ; Portrait de femme* : **FRF 400** – Paris, 1er juin 1931 : *Portrait présumé de Maupéou à sa table de travail* : **FRF 620**.

GAUTIER d'AGOTY Édouard ou **Gauthier**
Mort en 1784 à Milan. XVIIIe siècle. Français.
Peintre de portraits, graveur.
Fils et élève de Jacques Gautier d'Agoty, il fut celui des membres de la famille qui paraît s'être le plus adonné à l'art. Il donna à la gravure en couleurs un développement considérable. On cite de lui douze grandes estampes, dont plusieurs d'après des tableaux faisant partie de la Galerie du duc d'Orléans, reproduisant Allegri, Tiziano Vecelli, Guido Reni, Turchi, Raphaël (*La Madonna della Sidonia*, 1783). Il fit aussi des portraits, notamment ceux de *Mme Du Barry*, de *Gilbert des Voisins*, du *Duc de Richelieu*, du *Président de Maupéou*, de *Charles-Emmanuel de Savoie*.

GAUTIER d'AGOTY Honoré Louis ou **Gauthier**
Né en 1746 à Paris. XVIIIe siècle. Français.
Peintre de paysages, graveur.
Il était le quatrième fils de Jacques et grava comme son frère Édouard des vues d'Italie.

GAUTIER D'AGOTY Jacques Fabien, l'Ancien ou **Gauthier**
Né en 1710 à Marseille (Bouches-du-Rhône). Mort en 1781 à Paris. XVIIIe siècle. Français.
Peintre d'histoire, scènes de genre, figures, portraits, peintre à la gouache, pastelliste, graveur.
Il vint à Paris en 1737 et fut l'aide de J.-C. Leblond, l'inventeur de la gravure en couleurs. Après la mort de celui-ci, il lui succéda dans l'exploitation de son privilège. Jacques Fabien Gautier prit part en 1779 à l'exposition du Salon de la Correspondance. Il y exposa le *Portrait de la reine Marie-Antoinette*. Il fit partie de l'Académie de Dijon avant d'en être exclu.
On cite parmi ses écrits : *Essais d'anatomie* (1745) ; *Lettre concernant le nouvel art d'imprimer les tableaux avec quatre couleurs* (1749) ; *Nouveau système de l'Univers* (1750) ; *Chromogénèse ou génération des couleurs, contre le système de Newton* ; *Observations sur les tableaux anciens et modernes et observations sur la physique, l'histoire naturelle et la peinture* (1752-1755), à la suite de la publication desquelles l'artiste fonda le *Journal de Physique*.
Musées : Berlin : *Louis XV présentant au Dauphin le portrait de Marie-Antoinette*.
Ventes Publiques : Paris, 28 fév. 1920 : *Portrait d'homme en habit rouge ; Portrait de femme en haute coiffure*, les deux : **FRF 500** – Paris, 17 déc. 1920 : *Personnages dans une salle d'un palais* : **FRF 15 500** – Paris, 8 juin 1928 : *Portrait d'un magistrat assis à sa table de travail* : **FRF 1 000** – Paris, 24 mai 1929 : *La Danse devant le colombier ; La Danse à la houlette*, deux gouaches, attr. : **FRF 10 300** – Paris, 28 mai 1931 : *Portrait présumé de M. de Montillet, commandant de la gendarmerie des Chasses du Roi*, past. : **FRF 920** – Paris, 30 nov.-1er déc. 1936 : *L'Appartement de la reine Marie-Antoinette au château de Versailles*, gche : **FRF 10 100** – Paris, 26 juin 1951 : *Portrait de Maria-Josèphe de Savoie ; Portrait de Marie-Thérèse de Savoie* : **FRF 620 000** – Versailles, 21 mars 1971 : *Portrait de Marie-Antoinette* : **FRF 7 500** – Rouen, 3 mars 1976 : *Portrait de femme* 1777, h/t, de forme ovale (80x64) : **FRF 2 500** – Monte-Carlo, 5 mars 1984 : *Scène d'intérieur*, h/t (44,5x60,5) : **FRF 36 000** – Paris, 16 mars 1993 : *Visage écorché (paru dans « Anatomie de la tête en tableaux imprimés »* 1748, mezzotinte en coul. (41,5x32) : **FRF 3 100**.

GAUTIER Jean Fabien, l'Aîné ou **Gauthier**
Né en 1747 à Paris. XVIIIe siècle. Français.
Peintre de portraits, graveur.
Fils aîné et élève de Jacques Gautier d'Agoty que, comme ses frères, il aida très probablement dans ses travaux. Sa personnalité ne se manifeste que dans quelques portraits, notamment ceux de Louis XV et du cardinal Fleury, et par des planches d'anatomie et d'histoire naturelle.

GAUTIER D'AGOTY Jean-Baptiste André ou **Gauthier**
Né en 1740. Mort en 1786. XVIIIe siècle. Français.
Peintre de sujets de genre, portraits, graveur.
Il fut le seul des cinq fils de Jacques Fabien Gautier à se consacrer à la peinture, ses frères étant plus particulièrement graveurs. Il fit carrière à Paris et bénéficia de la protection de Marie-Antoinette dont il réalisa plusieurs portraits. On ne cite de lui que des ouvrages inachevés, notamment : *Galerie des hommes et des femmes célèbres qui ont paru en France*, parue en 1770, et *La Monarchie française*, qui parut la même année.
Ventes Publiques : Paris, 7-8 déc. 1954 : *Portrait en pied de la reine Marie-Antoinette* : **FRF 2 160 000** – Paris, 3 fév. 1978 : *Madame la Comtesse du Barry et son nègre Zamore*, mezzotinto en coul. sans la pl. de blanc, d'après Drouais : **FRF 4 000** – Monaco, 3 juil. 1993 : *Le Contrat de mariage ou L'Attente nerveuse*, h/t (104x136) : **FRF 355 200**.

GAUTIER d'AGOTY Pierre Edouard ou **Gauthier**
Né le 12 septembre 1775 à Florence (Toscane). Mort le 29 janvier 1871 à Bordeaux (Gironde). XIXe siècle. Français.
Peintre de portraits, miniatures.
Il était fils d'Édouard Gautier d'Agoty, un portrait signé de cet artiste faisait partie de la collection de Mme Arman de Caillavet.
Ventes Publiques : New York, 21 oct. 1988 : *Portrait d'une petite fille s'amusant avec les fleurs d'une urne* 1802, h/t (30x21) : **USD 3 850** – New York, 31 jan. 1997 : *Portrait en buste d'une fillette portant un chapeau à plume et tenant un fouet*, h/t (43x53,5) : **USD 8 050**.

GAUTIER d'Anvers
XVIe siècle. Actif à Lyon vers 1548. Français.
Peintre.

GAUTIER-GALLET Gustave
Né vers 1880. Mort en 1950. XXe siècle. Français.
Peintre de paysages urbains, natures mortes.
Il fut également un acteur de théâtre. À partir de 1913, il a participé au Salon des Artistes Français à Paris.
Il a peint de nombreuses vues de Paris.
Ventes Publiques : Versailles, 18 mars 1990 : *Nature morte aux pommes*, aquar. (63x56) : **FRF 3 800**.

GAUTIEZ Pierre
Né le 2 février 1923 à Joigny (Yonne). XXe siècle. Français.
Peintre de paysages, marines.
Il a étudié à l'École des Beaux-Arts de Rouen. Il participe, depuis 1959, aux grands Salons parisiens : d'Automne ; des Artistes Français, dont il reçut une médaille d'or et fut déclaré hors-concours ; de la Société Nationale des Beaux-Arts, dont il reçut un Prix. Il a montré ses œuvres dans diverses expositions personnelles : 1962 Musée des Beaux-Arts de Rouen, 1986 Musée d'Art Moderne de Moscou, 1987 Chicago... Il a reçu de nombreux Prix et distinctions.
Musées : Hambourg – Los Angeles – Paris – Philadelphie – Rouen.

GAUTRONNEAU André
Né en 1920. XXe siècle. Français.
Peintre. Abstrait.
Dans les années quatre-vingt, quatre-vingt-dix, il expose à Paris, régulièrement au Salon des Réalités Nouvelles.

GAUTROT
XVIIIe siècle. Actif à Paris. Français.
Graveur au burin et éditeur.
Il a gravé des *Portraits*.

GAUTZKE Briccius
XVe siècle. Actif à Görlitz vers 1470. Allemand.
Peintre.
Il fut élève de Stephan Aldenberg.

GAUVAIN Jean
Originaire de Nancy. XVIe siècle. Français.
Sculpteur.
Fils de Mansuy Gauvain, il travailla, en 1531, avec son père, à la nouvelle fontaine construite dans le jardin du palais ducal et sculpta, dans la chapelle du couvent de Sainte-Claire de Pont-à-Mousson, un *Crucifiement*, en marbre (1542-1543).

GAUVAIN Louise de. Voir **GOUSSAINCOURT**

GAUVAIN Mansuy
Originaire de Nancy. XVIe siècle. Français.
Sculpteur.
Sculpteur du duc Antoine de Lorraine, il fournit une série d'œuvres au Palais ducal : la statue équestre du duc (1512), des ornementations à la fontaine du jardin (1528), une cheminée en marbre pour le cabinet de la duchesse (1530), une nouvelle fontaine dans le jardin en collaboration avec son fils Jean (1531), *L'Apparition*, bas-relief pour l'oratoire de la duchesse (1538). Il fit encore les portraits des enfants du duc, pour l'église des Cordeliers de Nancy, l'ornementation de la chapelle du couvent de Sainte-Claire, à Pont-à-Mousson, et les tombeaux des ducs Jean et Nicolas.

GAUVAIN-BARILLOT Jeanne
Née en 1887 dans le Calvados. XXe siècle. Française.
Aquarelliste.
Elle exposa au Salon des Artistes Français à Paris.

GAUVIGNARD Jean
XVIIIe siècle. Actif à Paris en 1752. Français.
Peintre et sculpteur.

GAUVIN Alain
Né en 1936 à Paris. XXe siècle. Français.
Peintre. Abstrait-lyrique.
Jusqu'en 1982, il est peintre-scénographe aux ateliers du théâtre national de l'Opéra de Paris. Depuis 1983, il enseigne à l'école des beaux-arts de Tours. Il vit et travaille à Paris et en Charentes-Maritimes.
Depuis 1974, il participe à de nombreuses expositions collectives : 1978 *Trois Peintres français contemporains autour de l'œuvre graphique de Bram Van Velde* ; 1988 SAGA à Paris ; 1989 Foire de Francfort... Il expose régulièrement dans les grands Salons parisiens : Comparaisons, Grands et Jeunes d'Aujourd'hui, Jeune Peinture, Réalités Nouvelles et de Mai. Il montre ses œuvres dans des expositions personnelles depuis 1973.
Après l'expérience du dessin automatique, il privilégie « la fluidité et l'émergence des signes » (A. Gauvin). De soubresauts en soubresauts, l'œuvre naît, pour être sans cesse reprise. Il inscrit de vastes signes sur la toile, puis superpose les couches, gratte les fonds, les couleurs, ajoute des papiers collés et morceaux de tissus, qu'il recouvre, racle, dans un élan remet de la matière, déconstruit de nouveau. Chaque fragment dit la genèse de la peinture, en perpétuel devenir.
Bibliogr. : E. Daniel : Catalogue de l'exposition *Alain Gauvin*, Galerie Charles Sablon, Paris, 1988.
Musées : Paris (FNAC).
Ventes Publiques : Copenhague, 14 juin 1994 : *« J'attends »* 1977, h/t (81x100) : **DKK 5 500**.

GAUVIN Albert
XIXe siècle. Français.
Sculpteur.
Le Musée de Rouen conserve de lui trois médaillons de bronze.

GAUVIN Alfred
Né le 5 mai 1830 à Héricourt-en-Caux (Seine-Maritime). Mort le 27 décembre 1892 à Paris. XIXe siècle. Français.
Sculpteur.
Le Musée de Rouen, le Musée de Versailles et le Musée Galliera possèdent des œuvres de cet artiste.

GAUVREAU Pierre
Né le 23 août 1922 à Montréal (Québec). XXe siècle. Canadien.
Peintre, dessinateur.
Il fut élève de l'école des beaux-arts de Montréal. En 1941, il est remarqué par le peintre Paul Émile Borduas, alors professeur à l'école du meuble. Dès lors, il fréquente avec assiduité son atelier. Vers 1950, il abandonne la peinture pour le cinéma et la télévision. Dans les années soixante, il refait quelques essais tachistes sans lendemain.
Il participe à de nombreuses expositions collectives : 1941 collège du Gesù à Montréal où il présente des œuvres à caractère fauve ; à partir de 1948 aux principales manifestations du groupe *Refus global* dont il cosigne le manifeste ; 1967 Exposition internationale au musée d'Art contemporain de Montréal ; 1971-1972 *Borduas et les Automatistes* aux Galeries nationales du Grand Palais à Paris et musée d'Art contemporain de Montréal ; 1978 Edmonton Art Gallery d'Alberta ; 1979 Winnipeg Art Gallery de Manitoba ; 1988 Bibliothèque nationale du Québec de Montréal ; 1994-1996 exposition itinérante organisée par le musée des Beaux-Arts du Canada d'Ottawa. Sa première exposition personnelle eut lieu en 1947 à Montréal, suivie de beaucoup d'autres en 1979 au musée d'Art contemporain de Montréal ; en 1979, 1981, 1984 à Toronto ; en 1981 au musée du Québec à Québec ; en 1994 à la Maison des Arts de Laval ; en 1996-1997 au Domaine Cataraqui à Québec.
Après une période influencée par le fauvisme aux alentours de 1941, il participe à l'aventure automatiste dès le début, élaborant des tableaux libérés de toute contrainte dans un registre assez sombre. Il dispose des masses les unes à côté des autres, établissant des tensions entre elles sans idées préconçues. Des images organiques naissent de cette spontanéité, retranscrivant l'état d'esprit de l'artiste, laissant apparaître une écriture unique, une individualité propre. Son œuvre se veut geste biographique.
■ L. L.
Bibliogr. : In : Catalogue de l'exposition *Les Vingt Ans du musée à travers sa collection*, Musée d'Art moderne contemporain, Montréal, 1985.
Musées : Montréal (Mus. d'Art Contemp.) : *L'Oblongue « étalène »* 1947.
Ventes Publiques : Montréal, 30 oct. 1989 : *Composition abstraite* 1947, encre (26x42) : **CAD 3 960**.

GAUW Gerrit Adriensz
Mort en 1638 à Haarlem. XVIIe siècle. Français.
Graveur au burin.
On lui doit un portrait de Persyn.

GAUZEFRED
XIIe siècle. Actif au Puy-en-Velay vers 1180. Français.
Sculpteur.
A exécuté les portes anciennes de la cathédrale du Puy.

GAUZI François ou **Gauzy**
Né en 1862 à Fronton (Haute-Garonne). Mort en 1933 à Toulouse (Haute-Garonne). XIXe-XXe siècles. Français.
Peintre de genre, figures, portraits, paysages animés, illustrateur, graveur.
Il reçut des encouragements de Puvis de Chavannes. Il fut élève de l'École des Beaux-Arts de Toulouse, puis, en 1885, de l'atelier de Fernand Cormon, où il se lia intimement avec Toulouse-Lautrec, qui fit des portraits de lui et le fit figurer dans plusieurs de ses compositions. Il reçut aussi les conseils d'Alfred Roll. À Paris, il exposa, en 1892 et 1893, au Salon des Indépendants. Revenu à Toulouse, il participa, en 1905, à la fondation de la Société des Artistes Méridionaux, dont il fut président de 1912 à 1919, et où il exposa régulièrement. À la fin de sa vie, il s'intéressa à la gravure sur bois et sur cuivre, illustrant quelques ouvrages.
Ses œuvres sont constituées essentiellement de portraits de famille, de paysages du Frontonnais et de Toulouse, et de quelques allégories. Il publia également quatre ouvrages illustrés, dont : *Images et boniments en Pays d'Oc* en 1925. Il rédigea aussi ses souvenirs sur Toulouse-Lautrec : *Lautrec et son temps*, qui parut après sa mort en 1954.
Musées : Toulouse (Mus. des Augustins) : *Jeune femme au piano* 1907 – *Bergère au milieu de son troupeau* – Toulouse (Mus. Dumay) : *Quai de la Daurade – Rue du Taur.*

GAUZY Jeanne L.
Née en 1886 à Paris. Morte le 30 septembre 1968 à Aix-en-Provence (Bouches-du-Rhône). XXe siècle. Française.
Peintre de portraits, fresquiste.
Elle exposait à Paris, au Salon des Artistes Français, où elle reçut une médaille d'or.
Outre ses portraits, elle a décoré une église syrienne à Paris.

GAVAGNIN Leonardo
Né en mars 1809. Mort en 1887 à Venise. XIXe siècle. Italien.
Peintre d'histoire.
Il fut élève de Politi.

GAVAGNIN Napoleone
Né en 1840 à Venise. XIXe siècle. Italien.
Peintre d'histoire.
Élève de l'Académie des Beaux-Arts de Venise. Il a fait quelques portraits.

GAVAGNIN Natale
Né en 1851 à Venise. XIXe siècle. Italien.
Peintre d'histoire, de paysages et de genre.
Élève de l'Académie des Beaux-Arts de Venise. Il débuta vers 1871. Il a surtout exposé à Venise et Milan.
Ventes Publiques : Londres, 17 avr. 1909 : *Sur la Lagune à Venise*, aquarelle vendue avec Le Grand Canal, aquarelle de G. Peruzzi : **GBP 5**.

GAVARD C.
XIXe siècle. Français.
Peintre.
Inventeur du diagraphe. Il exposa au Salon en 1833 et en 1834.

GAVARDIE Jean de
Né le 10 mai 1909 à La Roche-sur-Yon (Vendée). Mort en août 1961 à Dax (Landes). XXe siècle. Français.
Peintre de paysages, natures mortes, aquarelliste.
Autodidacte, il ne vint à la peinture que vers 1935, après avoir servi dans la marine, dans l'aviation et, devenu champion de course automobile, avoir remporté les « 24 heures du Mans » en 1933. Depuis 1937, il expose à Paris, au Salon des Artistes Indépendants. En 1938, il exposa aux Salons parisiens d'Automne et des Tuileries, et, en 1951, à Madrid avec Raoul Dufy.
En 1944, il « découvre » Braque qui semble l'influencer pour toutes ses œuvres ultérieures. L'élégance de composition et la mesure semblent caractériser son œuvre.
Ventes Publiques : Paris, 27 oct. 1988 : *La table de toilette*, h/t (93x60) : **FRF 20 000** – Le Havre, 7 avr. 1991 : *Barques et filets*, h/t (50x61) : **FRF 36 000** – Copenhague, 30 mai 1991 : *Violon*, gche (11x24) : **DKK 3 500** – Copenhague, 4 déc. 1991 : *Composition*, h/t (46x55) : **DKK 6 000** – Paris, 25 mars 1994 : *La tonnelle*, gche/pap. (50,5x37,5) : **FRF 4 500**.

GAVARDINI Carlo
XIXe siècle. Actif à Rome vers 1850. Italien.
Peintre.
Il fut élève de Consoni et décora de fresques plusieurs églises romaines.

GAVARDINI Cesare
Né en 1755 à Pesaro. Mort en 1782 à Pesaro. XVIIIe siècle. Italien.
Peintre.
Il travailla pour plusieurs églises de Pesaro.

GAVARDINO da Bologna
XVe-XVIe siècles. Actif à Bologne vers 1500. Italien.
Graveur sur bois et sculpteur.

GAVARNI Paul, pseudonyme de **Chevalier Sulpice Guillaume**
Né le 13 janvier 1804 à Paris. Mort le 24 novembre 1866 à Paris. XIXe siècle. Français.
Peintre de sujets de genre, peintre à la gouache, aquarelliste, graveur, dessinateur, illustrateur, caricaturiste.
Gavarni fut d'abord fonctionnaire. Employé au Cadastre, il résida à Tarbes et profita de son séjour dans les Pyrénées pour faire de nombreuses études, car il n'était rien moins que rond-de-cuir. Une aquarelle envoyée au Salon de 1829 ayant paru dans le catalogue sous le nom de Gavarnie, le rédacteur ayant confondu le nom du lieu représenté pour celui de l'artiste, fournit au jeune Chevalier le pseudonyme qu'il devait illustrer. L'esprit de son dessin – que ne soulignaient pas encore ses incomparables légendes – le firent bientôt remarquer. Malgré ses premiers succès, la fortune n'était pas encore venue au jeune artiste et il dut faire un séjour à Clichy, la prison pour dettes. En 1844, Gavarni épousait une musicienne très en vue, Mlle Jeanne Bonabry, mais l'union ne fut pas heureuse et, en 1847, il partait pour l'Angleterre. On le signale parmi les exposants à la Royal Academy en 1850.
Émile de Girardin, fondant *La Mode*, sut se l'attacher et Gavarni contribua puissamment à la réussite du journal. Gavarni travailla aussi à *L'Artiste*, et, en 1832, à *La Silhouette* ; son passage au *Charivari*, où il entra en 1832, fut beaucoup plus marquant ; il y commença, en 1837, avec les *Fourberies de femmes en matière de sentiment* et la publication de ses caricatures. Son séjour à la prison pour dettes, lui fournit les éléments de pages aussi amusantes que pittoresques. En Angleterre, il produisit de nombreux dessins. De retour à Paris, Gavarni prouva par de nouvelles publications qu'il n'avait rien perdu de son esprit parisien, avec : *Les Partageuses, Histoire de politique, Propos de Thomas Vireloque, Les Enfants terribles*, et bien d'autres séries.
L'œuvre de Gavarni est considérable et presque toutes les classes de la société lui ont servi de modèle. S'il n'a pas la puissance d'expression de Daumier, il a su particulièrement traduire la grâce féminine. ■ E. Bénézit, J. B.

Bibliogr. : J. Armelhault et E. Bocher : *L'œuvre de Gavarni, catalogue raisonné*, Paris, 1873 – E. et J. de Goncourt : *Gavarni, l'homme et l'œuvre*, Plon, Paris, 1873 – P.-A. Lemoisne : *Gavarni, peintre et lithographe*, 2 volumes, Floury, Paris, 1924-1928.
Ventes Publiques : Paris, 27-28 mai 1880 : *La cigale allant chez la fourmi*, aquar. : **FRF 870** ; *Je quitterai Paul et je prendrai Jules*, dess. : **FRF 860** ; *La Femme du porteur d'eau*, dess. : **FRF 1 000** ; *Bien : la colique*, dess. : **FRF 1 700** ; *Jeune débardeur*, aquar. : **FRF 1 020** ; *Débardeur et Pierrot après le bal*, aquar. : **FRF 630** – Paris, 1888 : *En route par un froid glacial* : **FRF 240** – Paris, 6 mai 1891 : *Les Lorettes* : **FRF 415** ; *Le Balayeur*, aquar. : **FRF 700** – Paris, 27 jan. 1897 : *L'Hercule de fête*, aquar. : **FRF 400** – Paris,

1897 : *Thomas Vireloque*, aquar. : **FRF 700** ; *Travestissement*, dess. à la mine de pb : **FRF 175** ; *Album de 75 dessins de Costumes de modes, coiffures, travestissement meubles, etc*, aquar., lav. d'encre de Chine, sépia, cr. : **FRF 1 900** – Paris, 1898 : *Non, Faisandet ! Non ! Les femmes ! Des bêtises !*, aquar. : **FRF 1 000** ; *Innocence*, aquar. : **FRF 680** ; *Petit commerce*, aquar. : **FRF 400** – New York, 3-4 fév. 1898 : *Conversation de la tribu des Badinguet*, aquar. : **FRF 1 000** – Paris, 26 fév. 1900 : *Il ne manque plus qu'un nez*, dess. : **FRF 305** – Paris, 1900 : *En temps de carnaval*, aquar. gchée : **FRF 325** ; *Idylle*, aquar. : **FRF 100** ; *Un grand mariage à la Madeleine*, dess. : **FRF 48** – Paris, 13 nov. 1918 : *La Femme à Hiroux, dite Fanfan*, aquar. : **FRF 410** – Paris, 7-8 mars 1919 : *Et les affaires, comment que ça va ?*, aquar. : **FRF 900** – Paris, 16-19 juin 1919 : *Ce que l'homme a de meilleur ? C'est l'homard*, aquar. : **FRF 3 100** – Paris, 20-22 mai 1920 : *Fleurs des champs*, aquar. : **FRF 600** ; *En Aragon*, aquar. : **FRF 480** – Paris, 2-4 juin 1920 : *A figuré dans les chœurs*, aquar. : **FRF 450** ; *A figuré dans les ballets*, aquar. : **FRF 1 000** ; *Le Jeune Ménage en promenade*, aquar. : **FRF 1 250** – Paris, 1er-2 déc. 1920 : *Le Roi des Drôles*, aquar. : **FRF 2 750** ; *Se ficherait-on de moi ?*, aquar. : **FRF 1 850** – Paris, 7 fév. 1921 : *De la maison de Framboisy*, aquar. : **FRF 1 250** – Paris, 26 oct. 1922 : *Sainte Sébastienne et moi, ça fait deux*, aquar. : **FRF 4 120** – Paris, 7 déc. 1922 : *Un lieutenant du Grand Chicard*, aquar. : **FRF 3 900** – Paris, 11-13 juin 1923 : *La Femme au châle*, pl., reh. de gche : **FRF 1 300** – Paris, 19 mars 1924 : *Duchesse de Choiseul-Praslin, fille du maréchal Sébastiani et de Mademoiselle de Coigny*, aquar. : **FRF 1 700** – Paris, 17-18 juin 1925 : *La Femme de chambre*, aquar. : **FRF 4 300** – Paris, 22 juin 1925 : *Femme couchée, dormant*, mine de pb et lav. : **FRF 2 020** – Paris, 3 déc. 1925 : *Un impresario*, pl., lav. et aquar. : **FRF 1 450** ; *Toutefois, et quand vous parlez au concierge, on ôte son chapeau*, aquar. : **FRF 3 100** – Paris, 30 déc. 1925 : *Le petit commerce*, aquar. : **FRF 1 320** – Paris, 16 juin 1926 : *L'Étrange Danseuse*, aquar. : **FRF 10 200** ; *Égalité et Fraternité* : **FRF 20 000** ; *La Maison d'or à huit heures du matin* : **FRF 15 500** – Paris, 2 juil. 1926 : *Ne parlez plus de Jupiter aux bourgeois*, pl. et aquar. : **FRF 1 450** ; *Un sieur de Framboisy*, aquar. : **FRF 13 600** ; *Le carré de l'hypoténuse ? Vous savez...*, aquar. : **FRF 5 200** ; *La Marchande d'œufs*, aquar. : **FRF 7 100** ; *La Toilette pour le bal travesti*, dess. et gche : **FRF 4 600** ; *Modestie*, aquar. : **FRF 4 100** ; *Monsieur est malade ?*, aquar. : **FRF 5 500** ; *Allié aux Framboisy par les femmes*, aquar. : **FRF 6 000** ; *Des femmes qui ont peur d'un petit verre ! C'est pas des femmes*, aquar. : **FRF 4 500** ; *De la tenue, messieurs, de la tenue*, aquar. : **FRF 4 200** ; *Le Guet*, aquar. : **FRF 17 800** ; *Ballon captif*, aquar. : **FRF 28 000** ; *Ce que j'aime au bal, moi, c'est qu'on y soupe*, aquar. : **FRF 5 600** ; *Cette année les drôlesses ne sont pas drôles* : **FRF 4 600** ; *Le Pêcheur*, aquar. : **FRF 20 500** ; *La Charité*, aquar. : **FRF 10 000** ; *La Pipe*, aquar. : **FRF 34 000** ; *Un cachemire*, aquar. : **FRF 20 000** ; *Je quitterai Paul et je prendrai Jules*, aquar. : **FRF 20 150** ; *Coquetterie*, aquar. : **FRF 35 000** ; *Douze degrés Réaumur*, aquar. : **FRF 10 000** ; *Taxus baccata*, aquar. : **FRF 29 000** ; *La Dame aux camélias*, 20 aquarelles : **FRF 87 400** – Paris, 2-3 déc. 1926 : *Où as-tu vu un gentilhomme fourrer ses doigts dans son nez sans retrousser ses manches*, aquar. gchée : **FRF 13 700** – Paris, 13 juin 1927 : *Attend sa bichette*, sanguine et aquar. : **FRF 5 250** – Paris, 9 fév. 1928 : *Scène du* XVIIIe *siècle*, aquar. : **FRF 2 250** – Paris, 15 nov. 1928 : *Le Compte d'apothicaire*, aquar. : **FRF 6 000** – Londres, 12 déc. 1928 : *Femme* ; *Groupe de personnages*, deux aq. : **GBP 36** – Paris, 25 jan. 1929 : *Déchéance*, dess. : **FRF 4 850** ; *Une lorette*, dess. : **FRF 4 950** ; *Rêverie*, dess. : **FRF 5 000** – Paris, 26 jan. 1929 : *Le maréchal Castellane* : **FRF 1 200** – Paris, 27 fév.1929 : *L'Homme orchestre* : **FRF 3 100** – Paris, 24 mai 1929 : *Ma parole d'honneur, les femmes sont étonnantes*, aquar. : **FRF 11 500** ; *Quand on travaille, on travaille, quand on s'amuse, on s'amuse*, aquar. : **FRF 10 200** ; *On m'a fait mon mouchoir*, aquar. : **FRF 9 200** – Paris, 17 mai 1930 : *Mon dernier va sur huit ans*, aquar. : **FRF 4 800** – Paris, 21 mai 1930 : *Marc Antoine ! finis... Tu m'excites à la débauche*, aquar. : **FRF 4 800** – Paris, 14 déc. 1931 : *L'Anglais*, aquar. : **FRF 900** – Paris, 25 mai 1932 : *Un coloriste en carnaval*, aquar. gchée : **FRF 1 250** – Paris, 10 mars 1933 : *Propos de chiffonniers*, aquar. gchée : **FRF 1 280** – Paris, 10 mai 1933 : *Un pierrot*, aquar. et gche : **FRF 610** – Paris, 9 juin 1933 : *Types de personnages pour les Français peints par eux-mêmes*, réunion de 20 dessins à l'encre de Chine, dont 11 aquarellés, 9 rehaussés de gche blanche : **FRF 4 600** – Paris, 7 déc. 1934 : *Cherche un bailleur de fonds*, aquar. : **FRF 3 000** ; *Le sentiment, c'est flatteur, mais j'aime mieux le gigot*, aquar. gchée : **FRF 5 100** ; *Ce que j'aime au bal, moi, c'est qu'on y soupe*, aquar. gchée : **FRF 5 100** – Londres, 3 nov. 1937 : *Trois personnages* : **GBP 6** – Paris, 9 mars 1939 : *Un Mexicain d'occasion*, aquar. : **FRF 1 900** ; *Les femmes me remarquent*, aquar. : **FRF 1 820** – Paris, 24 mars 1939 : *Les Masques*, éventail décoré à l'aquarelle, rehaussée de gouache : **FRF 4 150** – Paris, 16 et 17 mai 1939 : *A la recherche d'un point d'appui*, dess. au cr. : **FRF 220** – Paris, 2 avr. 1941 : *Aquarelle* : **FRF 1 800** – Paris, 30 avr. 1941 : *Buste de paysan*, dess. à la pl. : **FRF 1 000** – Paris, 27 juin 1941 : *Fantoches*, aquar. : **FRF 1 200** – Paris, 30 juin 1941 : *Le Contrebandier*, dess. gouaché : **FRF 600** – Paris, 5-7 nov. 1941 : *Ce qu'elle n'aime pas, c'est l'eau douce* : **FRF 6 800** ; *J'ai enfoncé Jalouret*, deux dess. aquarellés : **FRF 7 200** – Paris, 8 déc. 1941 : *Études de costumes*, dess. aquarellé : **FRF 1 320** – Paris, 17-18 déc. 1941 : *Portrait d'homme*, encre de Chine : **FRF 500** – Paris, 13 mars 1942 : *Un Pêcheur*, dess. reh. : **FRF 2 600** – Paris, 24 juin 1942 : *La Marchande de bouquets*, aquar. gchée : **FRF 8 800** – Paris, 28 déc. 1942 : *Souper ! That is the question*, aquar. : **FRF 6 500** – Paris, 19 mars 1943 : *Le Garde-Champêtre*, dess. à la pl., reh. de gche blanche : **FRF 2 500** – Paris, 12 avr. 1943 : *Deux paysannes italiennes*, aquar. : **FRF 2 100** – Paris, 14 avr. 1943 : *Le Philosophe Une Idée*, aquar. : **FRF 4 000** – Paris, 23 juin 1943 : *Sur le chemin de Toulon*, aquar. : **FRF 5 700** – Paris, 15 avr. 1944 : *J'étais bon danseur autrefois* : **FRF 1 500** – Paris, 24 jan. 1945 : *Un actionnaire qui veut toucher son dividende*, aquar. gchée : **FRF 12 800** ; *Un pierrot*, gche : **FRF 2 800** ; *Le Mendiant espagnol*, lav. de sépia et reh. de gche : **FRF 3 800** – Paris, 23 mars 1945 : *Illustrations*, aquar. gchée : **FRF 6 000** – Paris, 14 mai 1945 : *Épisode tiré de Robinson Crusoé*, aquar. gchée : **FRF 2 600** – Paris, 29 juin 1945 : *Le Pierrot*, fus. et lav., reh. de gche : **FRF 2 700** – Paris, oct. 1945-juil. 1946 : *Homme en costume des Pyrénées*, aquar. : **FRF 3 700** ; *Jeune femme en robe bleue* ; *Jeune femme*, deux aq. gouachées : **FRF 5 800** ; *Portraits d'hommes*, deux gches : **FRF 3 600** – Paris, 18 oct. 1945 : *Pierrot et Domino*, aquar. gchée sur trait de pl. : **FRF 3 600** – Paris, 7 nov. 1946 : *Feuille d'études de costumes*, aquar. : **FRF 580** – Paris, 18 déc. 1946 : *Pierrot buvant*, pl., reh. d'aquar. et de goche : **FRF 2 690** – Paris, 17 fév. 1947 : *Personnage de la comédie italienne*, dess. : **FRF 600** – Paris, 17 mars 1947 : *Le Gai Retour* : **FRF 2 600** – Paris, 10 mai 1950 : *La Faiseuse de modes*, aquar. gchée : **FRF 41 600** – Paris, 25 mai 1955 : *Mossieu Biblot*, aquar. gchée : **FRF 25 500** – Berne, 28 mai 1964 : *Un savant, la main droite sur un manuscrit*, aquar. : **CHF 1 000** – Paris, 23 nov. 1965 : *Un petit chaperon rouge*, aquar. : **FRF 1 400** – Paris, 4 mai 1966 : *Un petit chaperon rouge* ; *La boulangère a des écus*, deux aquar. : **FRF 3 000** – Paris, 5 oct. 1970 : *Le Cambrioleur*, aquar. : **FRF 1 500** – Paris, 3 déc. 1971 : *Rêves d'évasion*, aquar. gchée : **FRF 2 000** – Paris, 31 mai 1972 : *A été bien*, aquar. gchée : **FRF 1 500** – Londres, 4 juil. 1973 : *Le Couple bourgeois*, aquar. : **GBP 140** – New York, 7 juin 1979 : *Thalie*, aquar. et reh. de blanc (28x20,2) : **USD 2 000** – Londres, 26 mars 1981 : *Un jeune homme attentif*, aquar. et cr. (24x18) : **GBP 2 300** ; *Deux pierrots*, cr. et craie rouge reh. de gche blanche : **GBP 2 200** – Paris, 16 fév. 1983 : *La fête*, h/t (72x59) : **FRF 16 000** – New York, 23 fév. 1983 : *Portrait de Monsieur le sous-préfet*, aquar., cr. et gche (29,8x21) : **USD 1 600** – Paris, 10 déc. 1987 : *Le fêtard*, aquar. (26,5x19,5) : **FRF 12 500** – Paris, 27 mai 1987 : *Petit commerce*, aquar. (26,5x18) : **FRF 20 500** – Paris, 10 fév. 1988 : *Le pierrot*, dess. (27x20) : **FRF 16 000** – Monaco, 20 fév. 1988 : *La conversation*, aquar. et cr. (21,5x17,8) : **FRF 4 440** – New York, 17 jan. 1990 : *La blanchisseuse*, aquar./pap. (24,5x17,4) : **USD 2 750** – Monaco, 8 déc. 1990 : *Le Turc*, encre avec reh. de blanc sur pap. brun (20,3x14) : **FRF 5 328** – Paris, 12 déc. 1990 : *Autoportrait* 1835, cr. noir et lav. brun (16,5x11,5) : **FRF 105 000** – New York, 9 jan. 1991 : *Revint de guerre après sept ans et d'mi...*, aquar., gche et encre/pap. léger teinté (33,3x46,4) : **USD 4 400** – Paris, 28 juin 1991 : *Deux enfants*, aquar. (16x12) : **FRF 5 500** – Paris, 22 nov. 1991 : *Les hussardes*, aquar. gchée (15x20) : **FRF 19 000** – New York, 29 oct. 1992 : *Un charlatan*, cr./pap. crème (25,4x21,9) : **USD 550** – Heidelberg, 9 oct. 1992 : *Une marchande de fleurs et un couple dans un parc*, cr. (20,5x16,4) : **DEM 1 100** – Paris, 22 mars 1995 : *De Paris à Canton*, encre de Chine et aquar. (19,5x34,5) : **FRF 9 000** – Paris, 20 juin 1995 : *L'indien*, aquar. et gche (31x20) : **FRF 20 000** – Paris, 13 oct. 1995 : *La bohémienne captive*, gche (18x27,5) : **FRF 21 500** – Paris, 14 mai 1997 : *Le Mendiant*, pl. aquarellée (28,5x21) : **FRF 3 500**.

GAVARNI Pierre

Né en 1846 à Paris. Mort en 1932. XIXe-XXe siècles. Français.
Peintre de sujets de genre, paysages animés.

Fils de Paul Gavarni, il fut élève de Fromentin. Il figura au Salon de Paris à partir de 1870, obtenant une médaille de troisième classe en 1874, puis il fut membre de la Société des Artistes Français depuis 1883.
On cite de lui : *Femme couchée* ; *Mariage à la Madeleine* ; *Une partie de croquet* ; *Rendez-vous* ; *Dîner diplomatique* ; *La tribune d'un manège*.
VENTES PUBLIQUES : PARIS, 24 nov. 1950 : *Bord de plage* : **FRF 50 000** – LONDRES, 27 nov. 1986 : *Nombreux personnages sur les marches de l'église de la Madeleine* 1874, aquar., pl. et cr. (48x65,5) : **GBP 3 600** – BAYEUX, 10 mars 1991 : *L'allée du bois animée* vers 1880, h/t (120x195) : **FRF 770 000** – BAYEUX, 3-4 avr. 1994 : *Un cours de haute école de dames, la demi-volte* 1892, h/t (115x176) : **FRF 1 750 000** – NEW YORK, 19 jan. 1995 : *Étude de Parisiennes à la campagne*, h/t, une paire (51,4x65,1 et 49,5x65,1) : **USD 9 775**.

GAVAROTTI Giovanni Battista
Né à Rimini. XVIIe siècle. Italien.
Peintre de fleurs.
Il travailla à Venise.

GAVARRET Eudoxie
Née au XIXe siècle à Paris. XIXe siècle. Française.
Aquarelliste.
Elle exposa au Salon à partir de 1870.

GAVASETTI Camillo
Né à Modène (Emilie-Romagne). Mort en 1628 à Parme, jeune. XVIIe siècle. Italien.
Peintre de compositions religieuses, sujets allégoriques, fresques.
Fils et élève de Stefane Gavasetti, miniaturiste, mais il suivit plutôt le style des Carracci. Il fut engagé avec Piarini pour peindre des sujets tirés de l'Écriture. Au Presbiterio de Sant' Antonio, à Piacenza, on voit une fresque de lui représentant une scène de l'Apocalypse que Guercino estimait la plus belle œuvre d'art de la ville. C'est surtout à Plaisance beaucoup plus qu'à Modène ou à Parme que cet artiste fut connu et apprécié.
VENTES PUBLIQUES : MILAN, 29 nov. 1990 : *Allégorie de la géométrie*, h/t (56x47,5) : **ITL 2 000 000**.

GAVAZZENI Giovanni
Né en 1841 à Talamona. XIXe siècle. Italien.
Peintre.
Il étudia à l'Académie Carrara de Bergame avec le professeur Scuri. De retour dans sa patrie, il fit d'importants travaux pour le comte Paolo Paravicini di Morbegno. Il exécuta les fresques de la cathédrale de Sondrio. Celles-ci lui furent commandées par l'archiprêtre, qui devint plus tard évêque de Parme. En 1900, il prit part au concours Alinari avec ses tableaux : *Ecce Redemptor Mundi* et *Maria Mater Gratiæ*.

GAVAZZI Agostino
XVIe siècle. Italien.
Peintre.
Il était probablement le fils de Giovanni Giacomo Gavazzi. On connaît de cet artiste, dans l'église de Membro près de Bergame, un tableau d'autel en bois appelé *di Tutti Santi* ; à San Niccolo : *Saint Augustin entre saint Étienne et saint Laurent* ; à San Sebastiano : *La Vierge et l'Enfant* ; dans la cour de la Casa Longhi, une fresque : *La Vierge avec l'Enfant et des saints*. Tassi parle d'un tableau de Gavazzi, daté de 1527, représentant : *La Vierge, l'Enfant avec des saints* et qui se trouve dans l'église paroissiale de San Giacomo à Piazzatore.

GAVAZZI Giovanni Giacomo
Né à Pescante. Mort vers 1512. XVIe siècle. Italien.
Peintre d'histoire.
Dans la Galerie Carrara de Bergame, on voit des peintures de cet artiste et à Colonna (à Sant' Alessandro), se trouve un tableau : *La Vierge entourée d'anges* (1512). Il travailla surtout à Bergame.
MUSÉES : BERGAME (Acad. Carrara) : *Deux saints*, 3 fois – *Un saint apôtre*, 3 fois – *Un saint* – *Ex-voto* – *Adoration des mages*.

GAVAZZO-BUCHARDO Jean
Né en 1888. XXe siècle. Argentin.
Peintre.

GAVEL Charlotte von
Née le 16 février 1833 à Livland. XIXe siècle. Allemande.
Peintre de genre et de natures mortes.
Elle a exposé à Munich, à Brême et à Dresde entre 1879 et 1890. On cite d'elle. *Un savant* et *Nature morte*.

GAVELIN Margareta, née **Capius**
XVIIIe siècle. Finlandaise.
Peintre.
Le musée d'Helsinki possède une peinture religieuse de cette artiste.

GAVELLA Bartolomeo
XVe siècle. Actif à Modène en 1490. Italien.
Peintre.
Il travailla aussi à Ferrare.

GAVELLA Bartolomeo
XVIe siècle. Actif à Modène vers 1540. Italien.
Sculpteur.
Il exécuta sans doute des terres cuites.

GAVEN George
XVIIIe siècle. Britannique.
Peintre de portraits, dessinateur.
Il fut élève de Robert West. Il travailla à Dublin vers 1756.
VENTES PUBLIQUES : LONDRES, 2 juin 1995 : *Portrait du speaker John Ponsonby en habit rouge et debout près d'un bureau*, h/t (148x117) : **GBP 10 350**.

GAVENCKY Frank
Né en 1888 à Chicago. XXe siècle. Américain.
Peintre.
Il a reçu de nombreux Prix dans les cercles artistiques régionaux qu'il fréquente, selon la coutume américaine.

GAVERE Cornelis de
Né le 25 janvier 1877 à Batavia (aujourd'hui Jakarta). XXe siècle. Actif aux États-Unis. Hollandais.
Peintre.
Il eut pour professeurs Janssen et Guérin. Il a travaillé à Santa-Cruz en Californie.

GAVERE Theodore Van
XVe siècle. Actif à Bruges. Éc. flamande.
Enlumineur.

GAVET Charles
Né au XIXe siècle à Paris. XIXe siècle. Français.
Peintre.
Figura au Salon, de 1836 à 1852 avec des paysages, des sujets de genre, des marines et des portraits. On cite de lui au Musée de Lisieux : *Paysage* et *La famille du pêcheur*.

GAVEY R. E.
XIXe siècle. Actif à Londres. Britannique.
Peintre de figures.
Il exposa à Londres, à la British Institution et à Suffolk Street, de 1828 à 1839.

GAVIGNANI Giovanni
Né le 23 juin 1615. Mort en 1680. XVIIe siècle. Actif à Carpi. Italien.
Peintre de mosaïques.
Il fut élève de Fassi.

GAVIGNANI Pietro
XVIIe siècle. Actif à Carpi vers 1660. Italien.
Peintre.
Il était le frère et fut le collaborateur de Giovanni Gavignani.

GAVIN Hector
XIXe siècle. Actif à Edimbourg vers 1800. Britannique.
Graveur.
On lui doit un grand nombre d'ex-libris.

GAVIN Robert
Né en 1827 à Leith. Mort le 5 octobre 1883 à Newhaven. XIXe siècle. Britannique.
Peintre de compositions religieuses, scènes de genre, sujets typiques, portraits, paysages. Orientaliste.
Il étudia à l'école de dessin d'Édimbourg. Après plusieurs voyages, il séjourna à Tanger et y exécuta de nombreux sujets mauresques. Il visita aussi les États-Unis. En 1879, il devint membre de l'Académie royale écossaise. Il exposa à diverses reprises à partir de 1855.
Robert Gavin se plut à peindre la vie des nègres, mais ce fut surtout comme orientaliste qu'il établit véritablement sa réputation.
MUSÉES : ÉDIMBOURG : *Premier amour d'une jeune maure* – LIVERPOOL : *Rebecca au puits*.
VENTES PUBLIQUES : LONDRES, 4 juil. 1910 : *Jeune fille* : **GBP 5** – LONDRES, 25 jan. 1924 : *Le Glaneur* : **GBP 12** – LONDRES, 7 fév. 1930 : *Bébés dans le bois* : **GBP 24** – ÉDIMBOURG, 8 mars 1930 :

Jeune fille des Maures : **GBP 5** – Édimbourg, 3 avr. 1937 : *Paysage oriental* : **GBP 5** – Glasgow, 3 juil. 1980 : *Tanger*, h/t (82,5x108) : **GBP 2 300** – Londres, 27 oct. 1982 : *Trois têtes de nègres*, h/t (43x35) : **GBP 1 600** – Auchtearder, 1er sep. 1987 : *Sleeping harvest girl*, h/cart. (23x30,5) : **GBP 2 600** – Glasgow, 7 fév. 1989 : *L'abreuvoir*, h/t (93x59,5) : **GBP 3 850** – Perth, 27 août 1990 : *L'agneau*, h/t (69x46) : **GBP 4 950** – Londres, 7 juin 1995 : *Des fleurs pour la malade*, h/t (72x104,5) : **GBP 4 600**.

GAVIRATI Antonio
Né à Cesena. xviiie siècle. Italien.
Peintre.
Il travailla surtout à Ferrare.

GAVIRIA Bernarbé de
xviie siècle. Actif à Grenade vers 1600. Espagnol.
Sculpteur sur bois.
Il exécuta des statues pour les églises de cette ville.

GAVONI Tommaso
xviiie siècle. Actif à Ludwigsburg. Italien.
Sculpteur.
Cet artiste, né en Italie, travailla surtout en Allemagne.

GAVOTY Joseph
xviie siècle. Actif à Toulon à la fin du xviie siècle. Français.
Peintre.
Il travailla à la décoration des vaisseaux de guerre. C'est sans doute le même artiste qui est cité sous le nom de Jean Joseph.

GAVREL Geneviève
Née en 1909 en Tunisie. xxe siècle. Française.
Peintre de paysages, intérieurs, natures mortes, fleurs.
Elle a étudié à l'École des Beaux-Arts de Tunis, où elle a vécu, semble-t-il, jusqu'à l'Indépendance. Depuis 1957, elle expose à Paris au Salon d'Automne, à ceux des Artistes Indépendants, Comparaisons et de la Société Nationale des Beaux-Arts. Elle montre ses œuvres dans des expositions personnelles en France et à l'étranger.
Sa peinture est figurative, modérément expressioniste, et se rattache à ce que l'on a nommé l'École de Paris. Ses toiles, vivement colorées, s'imposent par l'équilibre de leurs compositions, l'organisation parfaite des plans.

GAVREL Pierre
xvie siècle. Actif à Roye (Somme) vers 1585. Français.
Peintre verrier.

GAVRIIL
xviiie siècle. Actif vers 1727. Russe.
Graveur.
Il était moine.

GAVRILIATCHENKO Sergueï
Né en 1956. xxe siècle. Russe.
Peintre, dessinateur.
Il fit ses études à l'École des Beaux-arts de Sourikov à Moscou. Le thème principal de son œuvre est l'histoire des Cosaques de Russie.
Ventes Publiques : Paris, 4 mai 1994 : *La fierté de la famille*, h/isor. (90x90) : **FRF 8 000**.

GAVRILOFF Alexandre Alexandrovitch
Né en 1839 à Saint-Pétersbourg. xixe siècle. Russe.
Sculpteur.
Il travailla dans sa ville natale et à Moscou.

GAVRILOFF Alexei
xviie siècle. Actif à Moscou en 1676. Russe.
Peintre.
On lui doit un grand nombre d'icônes.

GAVRILOFF Fiodor
xviie siècle. Actif à Moscou. Russe.
Peintre.
On lui doit des fresques et des icônes.

GAVRILOFF Vassili
xviie siècle. Actif à Moscou. Russe.
Peintre.
Il travailla à la décoration du Kremlin.

GAVRILOVIC Ivan
xixe siècle. Actif à Carlovitz vers 1800. Yougoslave.
Peintre de sujets religieux et graveur.

GAW R. M.
xixe siècle. Actif vers 1825. Américain.
Graveur.

GAWDIE John Bart, Sir
Né le 4 octobre 1639 à West Harling. Mort en 1699. xviie siècle. Britannique.
Portraitiste.
Cet artiste, sourd-muet, fut élève de Lely. Il ne cultiva les arts qu'en amateur. Cependant Evelyn parle de lui comme d'un peintre digne d'attention.

GAWEN Joseph
xixe siècle. Actif à Londres. Britannique.
Sculpteur.
Il exposa à la Royal Academy, de 1850 à 1882.

GAY Le. Voir **LE GAY**

GAY Abel
Né en 1877 à Pollien (Ain). Mort vers 1938. xxe siècle. Français.
Peintre de compositions murales, paysages, natures mortes, décorateur.
Il fut élève de Louis Jourdan. Fixé à Lyon, il exposa au Salon de cette ville, dès 1903, y obtenant une deuxième médaille en 1909. Très attaché à la terre de sa région et au paysage des Dombes, il en réalisa de nombreuses vues au fusain ou à l'huile, parmi lesquelles : *Lever de lune sur la lande, aux Bruyères – Matinée d'octobre – Avant l'orage*. Il peignit aussi une composition murale pour le café *La Taverne* de Lyon qui s'intitule : *Le Rhône, effet de brouillard*.
Bibliogr. : Gérald Schurr, in : *Les Petits Maîtres de la peinture 1820-1920, valeur de demain*, Les Éditions de l'Amateur, t. III, Paris, 1976.
Ventes Publiques : Paris, 20 jan. 1988 : *Nature morte aux cerises*, h/cart. (45x63) : **FRF 12 000**.

GAY Antoine
Né en 1668 au Puy-en-Velay. Mort le 2 mars 1709. xviie siècle. Français.
Peintre.
Il était fils de François Gay.

GAY Berthe
Née le 14 juin 1852 à Paris. xixe siècle. Française.
Peintre de paysages.
Elle exposa à Genève en 1885.

GAY Edward B.
Né le 27 avril 1837 à Dublin (Irlande). Mort en 1928. xixe-xxe siècles. Actif aux États-Unis. Américain.
Peintre de paysages animés, paysages, paysages d'eau, aquarelliste.
Il commença son éducation à New York avec J.-H. Hart et alla travailler ensuite à Karlsruhe avec J. Schirmer et Lessing. Il fut membre de la National Academy, en 1907, et du New York Water-Colours Club ; actif à Mont Vernon. En 1887, il obtint un prix de $ 2000 pour son paysage *Broard Acres* qui fut offert au Metropolitan Museum de New York en 1887. Il fut également médaillé à San Francisco, à La Nouvelle-Orléans et à Buffalo en 1901.
Musées : New York (Metropolitan Mus.).
Ventes Publiques : New York, 23-24 jan. 1901 : *Ruisseau dans un bois* : **USD 115** – New York, 8 fév. 1901 : *Au mois de mai* : **USD 205** – New York, 20 fév. 1903 : *L'été* : **USD 130** – New York, 8 déc. 1904 : *Bouleaux* : **USD 250** – New York, 9 déc. 1904 : *Le soir au bord d'une rivière* : **USD 225** – New York, 7 mars 1906 : *A l'ombre d'un saule* : **USD 105** – New York, 12 nov. 1909 : *Sur la rivière* : **USD 85** – New York, 27 avr. 1911 : *Le soir* : **USD 55** – New York, 25 et 26 mars 1931 : *Lueurs crépusculaires* : **USD 100** – New York, 15-18 juin 1943 : *Rivière et pêcheurs* : **USD 120** – Los Angeles, 22 mai 1973 : *Après-midi d'été* 1886 : **USD 1 250** – New York, 10 juin 1976 : *Paysage* 1916, h/t (61x91,5) : **USD 500** – New York, 1er juil. 1982 : *Paysage champêtre*, h/t (51x91,5) : **USD 2 300** – New York, 5 oct. 1983 : *Misty morning* 1903, h/t (66,5x80,5) : **USD 2 800** – New York, 28 mai 1987 : *Cragsmoor*, h/t (68,6x95,2) : **USD 17 000** – New York, 17 mars 1988 : *Barques dans les marécages* 1910, h/t (82,5x107,5) : **USD 2 200** – New York, 24 juin 1988 : *Le chemin de campagne*, h/cart. (40x30) : **USD 2 640** – New York, 24 jan. 1989 : *Pêcheurs au bord de la grève* 1885, h/t (118,8x179,5) : **USD 18 700** – New York, 14 fév. 1990 : *Moissonneurs dans un champ en automne* 1897, aquar. et cr./pap./cart. (23,2x33) : **USD 3 080** – New York, 17 déc. 1990 : *Traversée de la rivière par le passeur*, h/t (50,8x91,6) : **USD 3 300**

– New York, 21 mai 1991 : *Demi-jour à East Chester Creek*, h/pan. (19,7x33) : **USD 2 420** – New York, 12 mars 1992 : *Le camp au bord du lac* 1875, h/t (46x91,5) : **USD 11 000** – New York, 2 déc. 1992 : *Un étang* 1906, h/t cartonnée (25,4x35,2) : **USD 1 430** – New York, 31 mars 1993 : *Scène d'hiver* 1879, h/t (50,8x40,6) : **USD 2 990** – New York, 15 nov. 1993 : *La pose des hameçons*, h/t (51x91,5) : **USD 10 350** – New York, 28 nov. 1995 : *Moutons paissant sous des pommiers*, h/t/rés. synth. (43,1x68,5) : **USD 2 875** – New York, 21 mai 1996 : *Très loin dans les collines*, h/pan. (43x68,6) : **USD 6 325**.

GAY Elisabeth
XXe siècle. Française.
Peintre.
Membre de la Société des Artistes Français depuis 1907.

GAY François
Né au Puy-en-Velay. XVIIe siècle. Vivant en 1642-1682. Français.
Peintre.

GAY George Howell
Né en 1858 à Milwaukee dans le Wisconsin. Mort en 1931. XIXe-XXe siècles. Américain.
Peintre de paysages, marines.
Il étudia la peinture de marines avec Paul Brown et de paysages avec Henry Arthur Elkins à l'Académie de Design de Chicago. En 1889 il partit pour New York. Il participa à l'Exposition de l'Académie Nationale de Design de 1890.
Il peignait méticuleusement des paysages côtiers de Nouvelle Angleterre et de l'État de New York.

Howell Gay

Ventes Publiques : New York, 18 nov. 1977 : *Bords de mer*, deux aquar./pap. (33,5x72 et 41x63,5) : **USD 1 700** – New York, 11 avr. 1981 : *The geese fly home*, aquar. (43x69) : **USD 650** – New York, 21 sep. 1984 : *Paysage orageux*, aquar. et gche (35x78) : **USD 750** – New York, 3 déc. 1992 : *Les rouleaux à Northampton, Long Island*, aquar./pap. (40,6x99,7) : **USD 3 850** – New York, 28 nov. 1995 : *La côte du New Jersey*, aquar./pap. (36,4x68,6) : **USD 1 380**.

GAY Girard, appelé aussi **Girard de Han**
XIVe siècle. Actif à Troyes au XIVe siècle. Français.
Sculpteur.
Il sculpta pour la cathédrale de Troyes, de 1383 à 1385, deux statues de *Saint Paul*, dont l'une fut placée à l'entrée du jubé.

GAY Guillaume
Né en 1667 à Toulon. XVIIe siècle. Français.
Sculpteur.
Il travailla à la décoration des navires.

GAY Jacques
Né vers 1511 à Genève. XVIe siècle. Suisse.
Peintre.

GAY Jacques Louis
Né le 22 février 1851 à Voreppe (Isère). Mort le 6 mai 1925 à Grenoble (Isère). XIXe-XXe siècles. Français.
Peintre de compositions murales, scènes de genre, portraits, paysages, dessinateur, décorateur.
D'un milieu modeste, il débuta dans l'imprimerie comme typographe, puis correcteur d'épreuves. En 1878, il fut admis à l'École des Beaux-Arts de Paris, dans l'atelier de Léon Gérome. Puis, il s'établit à Grenoble.
De 1878 à 1902, il exposa à Paris, au Salon, puis au Salon des Artistes Français, où il obtint, en 1881, une médaille pour son œuvre *Méditation*. Il figura également à diverses reprises au Salon de Grenoble. Il était représenté à l'exposition : *Le portrait en Dauphiné au XIXe siècle*, à la Fondation Hébert d'Uckermann à La Tronche, en 1981.
Ce sont surtout ses portraits et scènes de genre qui retiennent l'attention. Il aima saisir le quotidien de la vie, exalter les vertus artisanales de sa province : le maréchal-ferrant dans sa forge, le cordonnier dans son échoppe, l'horloger dans son atelier, dans des œuvres à la facture classique, bien équilibrées et réalisées avec minutie. Il souligne avec réalisme les instruments qui définissent le métier de chacun, en éclairant les points essentiels de sa toile. Il collabora aussi à la décoration de la coupole du Panthéon, à Paris, sous la direction du peintre et professeur Antoine Auguste Ernest Hébert.

Bibliogr. : Maurice Wantellet, in : *Deux siècles et plus de peinture dauphinoise*, Grenoble, 1987 – Gérald Schurr, in : *Les Petits Maîtres de la peinture 1820-1920, valeur de demain*, Les Éditions de l'Amateur, t. VII, Paris, 1989.
Musées : Grenoble (Mus. des Beaux-Arts) : *Portrait de M. Debelle, ancien conservateur* 1881 – *Portrait de M. Henri Second*.
Ventes Publiques : Paris, 21-22 mars 1927 : *Portrait de femme*, dess. : **FRF 1 020** – Versailles, 17 oct. 1982 : *Jeune élégante assise au bord du lac*, h/t (54,5x43,5) : **FRF 2 600**.

GAY Jean Joseph Pascal
Né le 14 avril 1775 à Lyon. Mort le 10 mai 1832 à Lyon. XIXe siècle. Français.
Architecte et aquarelliste.
Élève de Grognard à l'École de dessin de Lyon, puis de l'architecte Donat Cochet, il fut, à Lyon, professeur d'architecture à l'École des Beaux-Arts et architecte de la Ville. Il a laissé des dessins et des aquarelles (fêtes de l'époque révolutionnaire ; dessins pour des médailles, pour le plafond du Grand-Théâtre, de Lyon, etc.).

GAY Jean Maurice
XXe siècle. Français.
Peintre. Abstrait.
De 1947, c'est à dire au premier, à 1957, il exposa au Salon des Réalités Nouvelles, à Paris. Il vit à Bordeaux.
Ses compositions abstraites, d'une exécution très minutieuse, donnent souvent l'impression de plans de machineries compliquées et gratuites, qui auraient gagné à être réalisées en trois dimensions, où elle auraient constitué d'excellents objets spaciaux cinétiques.

GAY Lydia, plus tard Mrs **Gay-Guillet**
XIXe siècle. Active à Paris. Française.
Sculpteur.
Elle fut élève de Legros.

GAY Mathieu
XVIIe siècle. Actif à Toulouse en 1655. Français.
Sculpteur.

GAY Michel
XVIe siècle. Actif à Pontarlier vers 1594. Français.
Sculpteur.
Il fit, en 1594, plusieurs statues pour la chapelle Saint-Roch à Pontarlier.

GAY Nicolai Nicolaievitch
Né le 15 février 1831 à Voronej. Mort le 1er juin 1894 à Moscou. XIXe siècle. Russe.
Peintre d'histoire et sculpteur.
Il fit des études de mathématiques avant d'être l'élève de P. Bassine à l'Académie des Beaux-Arts, de 1850 à 1857. Il bénéficia d'une bourse pour aller en Italie, où il devint professeur en 1864. Revenu en Russie en 1870, il quitta Pétersbourg pour l'Ukraine. Après avoir été influencé par Ivanov, il fut intéressé par les Nazaréens allemands, puis se fit l'interprète de la pensée de Tolstoï, en peignant *La Cène* (1863) et *La Crucifixion*. Il fut célèbre pour son tableau d'histoire : *Pierre Ier interrogeant le tsarévitch Alexis à Peterhof* (1871).
Musées : Moscou (Roumiantzeff) : *La Cène – Le Christ au jardin des Oliviers – Biélinsky*, buste bronze – Moscou (Tvietkoff) : *Pouchkine lisant* – Moscou (Tretiakoff) : *La résurrection – Le Christ marchant vers le Gethsémani – Le Christ au Gethsémani – Le Christ et la sœur de Lazare – La Cène – Tête de Christ – Le Christ chez saint Jean – Jésus avec ses disciples – Jésus et Nicodème – Judas – Golgotha – Sanhedrin – Qu'est-ce que la vérité ? – Pierre le Grand et le tsarévitch – Catherine II et Elisabeth Pétrovna – Tolstoï à son bureau – N. Ikonisky – A. N. Pypine – Kostomaroff – Alexandre Hertzène* – Paris (Art Mod.) : *Golgotha* – Saint-Pétersbourg (Mus. Russe) : *La Cène – Merkouloff – N. A. Nekrassoff – M. I. Saltykoff – Pierre le Grand et le tsarévitch* – Saint-Pétersbourg (Acad.) : *Saül et la sorcière d'Endor*.

GAY P.
XVIIIe siècle. Actif en 1792.
Peintre de miniatures.
Peut-être était-il de nationalité anglaise et travaillait-il à Londres vers 1810.

GAY Rita Marguerite
Née le 27 mars 1865 à Aigle. XIXe siècle. Française.
Peintre de paysages, fleurs.
Obtint une médaille à l'exposition municipale de Rouen en 1889.

Le Musée de Rouen conserve d'elle : *Rue de village en Bretagne* et *Un ruisseau à la Roque*.

GAY Rosalie

Née le 26 juillet 1852 à Lausanne. XIXe siècle. Suisse.

Peintre de fleurs.

Débuta au Salon de 1878.

GAY Walter

Né le 22 janvier 1856 à Boston (Massachusetts). Mort en 1937. XIXe-XXe siècles. Actif en France. Américain.

Peintre de scènes de genre, portraits, intérieurs, paysages animés, pastelliste, aquarelliste, dessinateur.

Il fut élève de Léon Bonnat, à Paris. Il fit partie, sous l'égide de Jacques-Émile Blanche, du groupe des *33*, qui réunissait face aux révolutionnaires du moment, de bons peintres plus proches du public. Suivant la coutume américaine, il fut membre de nombreuses Sociétés artistiques tant aux États-Unis qu'en Belgique ou en France, notamment du groupe de la « Bande noire » réunissant des peintres postimpressionnistes, tels que Charles Cottet, René Ménard et Lucien Simon.

Il exposa dans de nombreux Salons, remportant des médailles d'or à Vienne, en 1893 ; à Anvers, en 1894 ; à Munich, en 1895 ; à Paris, en 1900. Il fut fait chevalier, puis nommé officier, et enfin commandeur de la Légion d'honneur en 1927.

Il peignit des intérieurs richement décorés, des salons provinciaux, des salles à manger, parés de commodes signées, de toiles de maîtres et de porcelaines montées en bronze ; puisant son inspiration dans les salles du château de Versailles, celles du Musée Carnavalet et celles du château de Bréau qui lui appartenait. Si les intérieurs de Walter Gay montrent un calme digne de Chardin dans la précision et la subtilité des arrangements, cette opulence ébranla la fidélité de son public. Vers 1935, il retourna à des intérieurs moins fastueux, décrivant des appartements privés, en témoigne son œuvre intitulée *La chambre blanche*.

Bibliogr. : Gérald Schurr, in : *Les Petits Maîtres de la peinture 1820-1920, valeur de demain*, Les Éditions de l'Amateur, t. VI, Paris, 1985.

Ventes Publiques : New York, 1895 : *En Hollande* : **FRF 700** – Paris, 1899 : *Intérieur*, past. : **FRF 120** – New York, 27 jan. 1905 : *Asile de province* : **USD 850** – Paris, 6 juin 1906 : *La salle à manger* : **FRF 1 000** – Paris, 3 fév. 1919 : *La cheminée* : **FRF 1 350** – Paris, 20-22 mai 1920 : *Alcove Louis XV*, aquar. : **FRF 2 190** – Paris, 13 mars 1924 : *Intérieur* : **FRF 2 000** – Paris, 15 déc. 1927 : *Le cabinet des dessins* : **FRF 7 100** – Paris, 26 juin 1929 : *Intérieur* : **FRF 1 000** – Londres, 28 nov. 1930 : *Le salon* : **GBP 11** – Paris, 10 fév. 1932 : *Intérieur*, past. : **FRF 820** – New York, 28 oct. 1936 : *Les pigeons savants* : **USD 650** – Paris, 24 juin 1938 : *Hall et escalier* : **FRF 550** – Paris, 17-18 déc. 1941 : *Intérieur de Carnavalet* : **FRF 5 000** – New York, 7-9 oct. 1943 : *Apothicaire* : **USD 350** – New York, 19-20 jan. 1945 : *Les ennuis du célibat* : **USD 300** – New York, 11-13 avr. 1946 : *Intérieur du palais de Fontainebleau* : **USD 475** – New York, 26-27 fév. 1947 : *Asile de province* : **USD 175** – New York, 6 déc. 1958 : *Salon du château Fortroiseau* : **USD 1 200** – New York, 19 avr. 1968 : *Le boudoir, château de Chalis* : **USD 2 200** – Los Angeles, 22 mai 1973 : *Intérieur* : **USD 2 000** – New York, 28 oct. 1976 : *L'encadreur*, h/pan. (38,5x28,5) : **USD 3 200** – New York, 18 nov. 1977 : *Intérieur*, h/t (55,5x45,7) : **USD 2 100** – New York, 19 jan. 1978 : *Intérieur au vase chinois ; Paysage de neige*, gche et aquar. double face (35,5x27) : **USD 650** – New York, 27 mars 1981 : *Intérieur* 1914, aquar. et cr. (78,1x55,2) : **USD 1 700** – New York, 3 juin 1983 : *« Japonisme »*, h/pan. (41,3x33) : **USD 5 500** ; *La bibliothèque du Château Bréau*, aquar. (38,5x28,1) : **USD 2 400** – New York, 14 mars 1986 : *Le Vase (antichambre du château de Bréau)*, aquar./pap. mar./cart. (54x44,3) : **USD 3 800** – New York, 3 déc. 1987 : *Les Brodeuses* 1895, h/t (69,9x91,4) : **USD 64 000** – New York, mai 1989 : *Dans le jardin* 1878, h/t (46x38,5) : **USD 13 200** – New York, 28 sep. 1989 : *Leçon d'escrime dans le parc*, h/t (68,6x108,5) : **USD 8 800** – New York, 24 jan. 1990 : *Le foyer et la montée d'escalier dans la « maison de l'artiste » à Fontainebleau*, aquar./cart. (50,2x37,8) : **USD 2 860** – New York, 30 mai 1990 : *Le salon du château de Bréau*, gche et encre/pap. (27,3x35,6) : **USD 2 200** – New York, 31 mai 1990 : *La salle du trône de Napoléon à Fontainebleau*, h/t (61x73) : **USD 3 850** – Paris, 13 juin 1990 : *Brodeuse à sa fenêtre* 1987, dess. à la mine de pb (45x26) : **FRF 4 500** – New York, 21 mai 1991 : *Les rideaux jaunes au château de Bréau*, h/t (55,9x46,3) : **USD 5 280** – New York, 22 mai 1991 : *Le sculpteur de cadres*, h/pan. (39x28,5) : **USD 16 500** – New York, 6 déc. 1991 : *Le salon*, h/t (46x56,5) : **USD 16 500** – New York, 25 sep. 1992 : *Le manteau*, aquar. et gche/pap. (36,8x27,9) : **USD 7 975** – Paris, 1er déc. 1992 : *Jeune fille au géranium* 1890, dess. (36x29) : **FRF 10 000** – New York, 27 mai 1993 : *Charité* 1889, h/t (243,8x221) : **USD 27 600** – Londres, 17 nov. 1994 : *L'atelier de l'artiste*, h/t (39,4x31,7) : **GBP 5 175** – New York, 28 sep. 1995 : *Promeneurs admirant une sculpture dans un parc* 1879, h/t (65,4x50,8) : **USD 4 312** – New York, 9 mars 1996 : *Jeune Femme près de sa harpe*, h/pan. (22,8x15,9) : **USD 8 625** – New York, 3 déc. 1996 : *Le Buste chez Hellen*, h/cart. (55,2x45,7) : **USD 23 000**.

GAY Winkworth Allen ou **Alban**

Né le 18 août 1821 à Hingham (Massachusetts). Mort le 23 février 1910 à Hingham. XIXe-XXe siècles. Américain.

Peintre de paysages animés, paysages.

Il fut élève de Troyon à Paris.

Ventes Publiques : Londres, 28 mai 1981 : *Pêcheurs chinois sur un lac* 1879, h/t (40,5x76) : **GBP 460** – New York, 21 sep. 1984 : *Homoko, Japon*, h/t (41,4x56,5) : **USD 1 500** – New York, 21 mai 1991 : *Tokyo avec le mont Fujiyama à distance* 1884, h/t (73,7x59,8) : **USD 6 050** – Londres, 7 avr. 1993 : *Berger et ses moutons près d'une ferme*, h/pan. (17,5x22) : **GBP 632** – New York, 9 sep. 1993 : *Paysage des environs de Inoshino*, h/t. cartonnée (27,9x43,2) : **USD 2 760**.

GAY-GUILLET, Mrs. Voir **GAY Lydia**

GAY-VULLIEN Georges Jean Baptiste

Né au XIXe siècle à Paris. XIXe siècle. Français.

Peintre de portraits.

Élève d'Yvon et de Henner. Exposa au Salon entre 1876 et 1880.

GAYARD Michel

Né le 10 mai 1948 à Saint-Étienne (Loire). XXe siècle. Français.

Peintre, dessinateur. Paysagiste-onirique.

Il étudia à l'École des Beaux-Arts de Mâcon, puis à celle de Marseille et enfin à l'École Nationale Supérieure des Arts Décoratifs de Paris. Depuis 1977, il enseigne les Arts Plastiques.

Dès 1976, il participe à de nombreuses expositions collectives, notamment à Paris : 1976 Salon des Surindépendants ; 1980 Salon du dessin et de la peinture à l'eau, au Grand Palais ; 1984 Salon Révélations... Depuis 1977, il montre ses œuvres dans des expositions personnelles.

Ses dessins révèlent des formes hasardeuses, tumultueuses. De la couleur jaillit un paysage silencieux où la pierre domine : falaises, montagnes, failles... La ligne, entre les vides et les pleins, est maître : elle se tend, se brise, se perd dans cet univers presque abstrait, où les couleurs, chaudes, froides, se répondent avec une grande liberté, dans un jeu de transparence.

GAYE Joseph

Né le 10 mai 1803 à Tarbes. Mort en 1862 à Paris. XIXe siècle. Français.

Peintre miniaturiste.

Élève d'Aubry. Exposa au Salon de 1831 à 1861. Fut médaillé en 1837. On trouve des miniatures de lui, à Londres, dans la Collection Wallace, le *Portrait de Napoléon III* et de l'*Impératrice Eugénie*.

GAYET Antoine Juste Ernest

XIXe siècle. Français.

Peintre.

Fixé à Lyon et élève de Fonville, il a exposé, à Lyon, de 1845-46 à 1851-52, des paysages pris le plus souvent en Savoie, en Suisse et en Bugey.

GAYET Claude

XVIIIe siècle. Actif à Paris en 1740. Français.

Peintre et sculpteur.

GAYEZ Jean Baptiste Julien

XVIIIe siècle. Actif à Paris en 1759. Français.

Peintre et sculpteur.

GAYFERE Thomas

Mort en 1828. XVIIIe-XIXe siècles. Actif en Angleterre. Britannique.

Architecte et peintre.

Exposa à la Society of Artists et à la Royal Academy, de 1777 à 1780.

GAYLE Marsha

XXe siècle. Américaine.

Peintre de paysages, portraits.

Sa première exposition eut lieu en France en 1960, et l'année sui-

vante, elle participa au Salon des Artistes Indépendants. Elle exposa ensuite en Italie, en Espagne et aux États-Unis.
Sa peinture, figurative, est vivement colorée et construite en légères touches, fractionnées de couleurs en aplats.

GAYLEARD Sophia, Miss
XIXe siècle. Active à Londres. Britannique.
Peintre de portraits.
Exposa à la Royal Academy et à Suffolk Street.

GAYON Pierre
XVe-XVIe siècles. Français.
Peintre.
Il vivait à Lyon, en 1485 et 1515 et y fit, pour une entrée, en 1499, des écussons avec armes et devises, dont J. Perréal avait donné le « patron ».

GAYOR Tibor
Né en 1929 à Budapest. XXe siècle. Hongrois.
Artiste, créateur de performances.
Courant en Occident dans les années soixante-dix, son travail, à partir d'actions et de constats photographiques, fut sans doute assez exceptionnel par son « avant-gardisme » en Hongrie. Ses actions ou attitudes, chargées symboliquement, tendent à définir la position de l'homme, sa relativité par rapport aux choses et aux éléments naturels.

GAYOT René
Né le 3 juillet 1925 à Rouen (Seine-Maritime). XXe siècle. Français.
Peintre de paysages, graveur, dessinateur.
Il s'installa très tôt en Provence, dans la région aixoise, à Cabries. N'étant pas originaire du pays qu'il s'est plu à peindre, c'est donc une découverte personnelle qu'il lui a fallu accomplir pour extérioriser, dans ses œuvres, une vision qui lui appartient en propre : ainsi l'artiste est placé presque malgré lui dans la nécessité d'être original. Du moment qu'il est sincère, il échappe sans effort au déjà-vu, il n'adopte pas telle ou telle manière, il suit tout simplement l'impression vivement ressentie. Pour cela, il prend sur la nature des dessins rapides et les interprète à l'atelier. Nous devons à Jongkind et Signac d'admirables aquarelles exécutées dans ce but. Il se trouve par ce moyen que le peintre ne simplifie pas arbitrairement mais ne retient que l'essentiel.

GAYOU Bastien
Né à Paris. XVIIe siècle. Français.
Sculpteur.
En 1603, avec un autre sculpteur, Pierre de France, il fit des armoiries au pilier de justice nouvellement érigé sur la place de la ville d'Albi.

GAYRAL Jean Philippe
Né en 1872 à Donnazac (Tarn). XIXe-XXe siècles. Français.
Peintre de paysages, intérieurs.
Il exposa à Paris, au Salon des Artistes Français, où il obtint une médaille d'argent en 1932.
Peintre surtout de paysages, il aime aussi à décrire les intérieurs d'artistes, ateliers ou Académies.

GAYRARD Paul Joseph Raymond
Né le 3 septembre 1807 à Clermont. Mort le 22 juillet 1855 à Enghien-les-Bains. XIXe siècle. Français.
Sculpteur de figures, bustes, animaux.
Cet artiste eut pour maître son père, Raymond Gayrard. Il fut très apprécié par la haute société. Il exposa, de 1831 à 1855, au Salon de Paris, obtenant une médaille de deuxième classe en 1834 et une de première classe en 1846.
On cite de lui de nombreux bustes de personnages célèbres. Paul Gayrard exécuta les statues des quatre évangélistes, que l'on voit à l'église Sainte-Clotilde.
Musées : Caen : *Daphnis et Chloé* – Le Havre : *Madeleine repentante – Ancelot* – Paris (Comédie Française) : *Monrose père – Casimir Bonjour* – Rodez : *Pêcheur au trident* – Tours : *Docteur Bretonneau*, buste en marbre – *Docteur Trousseau*, buste en marbre.
Ventes Publiques : Londres, 8 nov. 1984 : *Course de chevaux montés par des singes*, bronze (H. 23) : **GBP 1 450** – Londres, 21 mars 1985 : *Chien de chasse* vers 1850, bronze patiné (H. 12,5) : **GBP 1 100** – New York, 9 juin 1988 : *Le steeple-chase des singes* 1846, bronze (H. 22,6) : **USD 5 280** – New York, 23 fév. 1989 : *Lévrier d'Écosse allongé* 1848, bronze (H. 31,8) : **USD 2 420** – Paris, 8 nov. 1995 : *Cheval d'attelage harnaché et bridé*, bronze (H. 33) : **FRF 40 000**.

GAYRARD Raymond
Né le 25 octobre 1777 à Rodez. Mort le 4 mai 1858 à Paris. XIXe siècle. Français.
Sculpteur.
Élève de Boizot, Taunay et Geoffroy. De 1814 à 1871, il exposa au Salon des médaillons et des bustes de personnages célèbres ainsi que des groupes et des statues. Chevalier de la Légion d'honneur. Il fut le père de Paul.
Musées : Dijon : *Michel-Ange* – Montpellier : *Enfant jouant avec une levrette* – Rodez : *L'évêque saint Germain prophétisant les destinées de sainte Geneviève*, bas-relief – *Baptême de Jésus-Christ – Une lionne endormie – Le vicomte François de Gissac – L'abbé Raynal – Monseigneur Frayssinous – Le Bon – Le général Bételle – Louis-Philippe – Napoléon III – Le comte de Chambord et Henri IV – Eugène de Barreau – Une baigneuse – L'Amour assis essayant ses flèches – Modèle d'un monument à élever à la mémoire de Mgr Affre dans le département de l'Aveyron – La Justice protégeant l'Innocence et punissant le Crime* – Rouen : *Buste du général Le Breton* – Versailles : *Charles IV, roi de France* – Buste en marbre – *Jeanne d'Évreux*.

GAYRIN Louis Albert
Né le 29 septembre 1911 à Bordeaux (Gironde). Mort le 22 mai 1971 à Paris. XXe siècle. Depuis 1945 actif aux États-Unis. Français.
Peintre de natures mortes, paysages. Postcubiste.
Avant de s'installer définitivement aux États-Unis, à Hollywood, où il mène, semble-t-il une vie très mondaine, il a voyagé, avant la guerre, dans le monde entier.
Toute son œuvre porte la marque de l'influence de Braque. Sa peinture postcubiste est vivement colorée, et il a touché l'abstraction avec de larges arabesques.
Ventes Publiques : Paris, 6 déc. 1973 : *Saint-Tropez* : **FRF 4 900** – Paris, 10 oct. 1974 : *Composition cubiste et la guitare* : **FRF 10 000** – Paris, 12 déc. 1977 : *Composition exotique*, h/t (130x161) : **FRF 10 000** ; *Santa-Barbara* 1963, aquar. et gche (150x214) : **FRF 8 000**.

GAYS Eugenio
Né en 1861 à Rivara Canavese. Mort en 1938. XIXe-XXe siècles. Italien.
Peintre de paysages, natures mortes.
Il débuta à Turin vers 1884. Il a également exposé à Milan et à Venise.
Ventes Publiques : Berne, 23 oct. 1980 : *Nature morte aux fruits* 1934, aquar. (57x78) : **CHF 1 000**.

GAYWOOD Robert
Né vers 1650. Mort vers 1711. XVIIe-XVIIIe siècles. Britannique.
Graveur.
Élève de Hollar, il imita le style de son maître. Parmi ses meilleures œuvres, citons : *Marie, reine d'Écosse, tenant un crucifix* ; *La reine Marie-Henriette* ; *Olivier Cromwell* ; *La comtesse de Portland* ; *Hans Holbein* ; *Sir Anthony Van Dyck* ; *La comtesse de Carlisle*.
Ventes Publiques : Londres, 11 juil. 1928 : *Jeune joueur de flûte*, dess. : **GBP 6**.

GAZA N.
XIXe siècle.
Peintre animalier.
Cité par Florence Levy.
Ventes Publiques : New York, 7 fév. 1907 : *Lionne et ses petits* : **USD 225**.

GAZAGNE Marguerite Marie
Née à Montreuil-sous-Bois (Seine). XXe siècle. Française.
Peintre.
Elle exposa à Paris au Salon des Artistes Français à partir de 1928.

GAZALIS Bartolommeo
Né à Gênes. XVIIIe siècle. Italien.
Dessinateur et graveur.
Il travailla surtout à Milan.

GAZAN Francisco
XVIIe siècle. Espagnol.
Graveur.
Il grava vers 1650 le portrait de Quevedo, d'après Salva Jordan.

GAZAN Henry
Né en 1887 à Paris. XXe siècle. Français.
Dessinateur, illustrateur.

Il a collaboré à de nombreux journaux satiriques et a illustré plusieurs ouvrages littéraires. On lui doit aussi quelques paysages.

GAZARD François Valentin
Né à Toulouse. Mort en 1817 à Versailles. XVIIIe-XIXe siècles. Français.
Peintre de genre, figures, marines.
Il exposa au Salon, de 1796 à 1814. Il devint conservateur du musée de Versailles en 1802.
Musées : Arras : *Le calme après la tempête* – Toulouse : *Une attaque des brigands* – *Une tempête*.
Ventes Publiques : Paris, 11 avr. 1909 : *Pêcheurs à l'entrée d'un port* : **FRF 125** – Paris, 14-15 juin 1923 : *Buste d'homme, le cou noué d'un foulard* : **FRF 220** – Paris, 17 juin 1927 : *Le pêcheur au carrelet* : **FRF 2 600**.

GAZE Harold
Né en 1885 en Nouvelle-Zélande. Mort en 1962. XXe siècle. Depuis 1927 actif aux États-Unis. Britannique.
Aquarelliste, dessinateur, illustrateur.
Il étudia à Londres et en 1927 partit s'installer à Pasadena en Californie.
Illustrateur de livres d'enfants. Ses illustrations sont caractérisées par ses teintes opalescentes et un joyeux sens du grotesque. Il donne souvent forme humaine aux rochers, vagues ou arbres.
Ventes Publiques : New York, 22 juin 1983 : *A Romance of two wordls* 1920, aquar., encre de Chine et cr. (31x22,8) : **USD 1 000** – New York, 25 juin 1986 : *The baby-stealer* 1931, aquar., encre et cr./pap. mar./cart. (35,5x26) : **USD 1 500** – New York, 25 fév. 1988 : *Jardin féerique*, aquar. et encre (33x25,3) : **USD 3 850** – New York, 20 mars 1996 : *Solitaire* 1926, aquar. et encre/pap. (33x23,5) : **USD 4 025** – New York, 25 mars 1997 : *Lier connaissance* 1952, encre coul., gche et traces cr./pap. (11,1x28,9) : **USD 3 737**.

GAZEAU Antoine Xavier Gabriel de, comte de La Bouère, dit **Tancrède de la Bouère**
Né en 1801 à Jallais (Maine-et-Loire). Mort en 1881. XIXe siècle. Français.
Peintre de paysages.
Il fit partie, en 1830, de l'expédition d'Alger, comme capitaine d'état-major.
On lui doit des paysages d'Algérie, d'Égypte et d'Espagne.
Bibliogr. : In : Catalogue de l'exposition : *Les années romantiques, la peinture française de 1815 à 1850*, Musée des Beaux-Arts de Nantes, 1995-1996 et Galeries nationales du Grand Palais, Paris, 1996.
Musées : Angers (Mus. des Beaux-Arts) : *Campagne d'Alger* – *Le désert de Suez* – *La fabrique de Poussin* – Troyes (Mus. des Beaux-Arts) : *Campagne de Rome, la moisson*.

GAZET Louis Bernard
XVIIIe siècle. Actif à Paris en 1761. Français.
Peintre et sculpteur.

GAZET-CHANABAS
XXe siècle. Français.
Peintre de paysages, marines, nus, natures mortes.
Dès l'âge de seize ans, il suivit les cours de l'École des Beaux-Arts de Marseille. Il étudia également avec Louis Cloquet, Chevreul et Édouard Fer. Parallèlement à la peinture, il apprit le dessin industriel et réalisa des brochures et des catalogues. Il écrit également des contes et nouvelles, dont il s'inspire parfois dans ses peintures.
Il peint généralement sur le vif, désireux de saisir toutes les nuances de la lumière. Dans ses toiles toujours lumineuses, il s'attache à donner l'illusion de la troisième dimension, sans doute fidèle à ses recherches photographiques.

GAZI Dragan
Né en 1930 à Hlebine (Croatie). XXe siècle. Yougoslave.
Peintre de paysages, portraits, scènes typiques. Naïf.
Il est né dans le village de Generalic, dont l'exemple et la gloire l'ont fortement motivé. Paysan authentique, il ne peint que pendant ses loisirs. Dès son enfance, il dessinait et Generalic lui montra les rudiments de la peinture fixée sous verre. Il exposa avec les peintres de Hlebine, aux expositions de Zagreb et de Koprivnica. En 1957, il montra ses œuvres dans une exposition personnelle à Belgrade.
Dans une manière très particulière d'aplats, il peint les paysages de sa région, les paysans de son village, auxquels il donne beaucoup d'expression, à la manière des primitifs allemands. Il peint souvent des groupes réunis à l'occasion d'une fête, d'un mariage.
Bibliogr. : Oto Bihalji-Merin : *Les peintres naïfs*, Delpire, Paris.
Ventes Publiques : Zurich, 20 mai 1980 : *Grand-père et petit-fils sur une route enneigée* 1964, h/pan. (46,5x55,5) : **GBP 380** – Grenoble, 15 déc. 1980 : *Coucher de soleil en hiver*, h/t (56x46) : **FRF 3 800**.

GAZIER Jean
XXe siècle. Actif à Paris. Français.
Peintre.
De 1947 à 1954, exposa au Salon des Réalités Nouvelles, des compositions abstraites.

GAZOUKINE Valéry
Né en 1951 à Orenbourg. XXe siècle. Russe.
Peintre de figures, de portraits. Naïf.
Il fit ses études à l'Institut Pédagogique de Leningrad (Institut Guertsen) et à la Faculté d'Art Graphique de Leningrad, dont il sortit diplômé en 1974. Membre de l'Union des Peintres d'URSS depuis 1980. Il figure dans des expositions nationales et internationales. Les villes de Orenbourg et de Tallin lui ont consacré des rétrospectives.
Ventes Publiques : Paris, 11 déc. 1991 : *Portrait en avril* 1988, h/cart. (81x77) : **FRF 4 500** – Paris, 16 fév. 1992 : *Dans le village*, h/t (90x90) : **FRF 5 800** ; *L'apôtre Paul*, h/t (150x200) : **FRF 10 000**.

GAZOUX, pseudonyme de **Rouxel Gilles**
Né en 1951 à Tours (Indre-et-Loire). XXe siècle. Français.
Peintre, dessinateur, écrivain. Figuratif, puis abstrait.
Il commence par faire des dessins humoristiques pour les journaux, et devient élève à l'École des Arts Appliqués et Métiers d'Art de Paris, de 1973 à 1975. Il entre dans la vie active entre 1975 et 1981, puis se consacre, à temps plein, à son activité de peintre-graphiste. Grand voyageur, il a travaillé en France métropolitaine, mais aussi à la Martinique, au Brésil. Il a exposé à partir de 1983 à São Paulo, Paris, Cassis, à la Martinique, Tours, Lyon, Villeneuve-les-Avignons, Blois, Aubagne, Sens, etc.
Dans un premier temps, lorsqu'il était au Brésil, sa peinture figurative jouait sur les couleurs, ensuite le trait a pris un caractère primordial, puis il s'est appliqué à rendre le mouvement, avec ses *Vagues*, enfin, il a fait des recherches sur le rendu des matières. Il lui arrive de mêler abstraction et objet traité en hyperréalisme. Il est aussi l'auteur d'un livre : *À mes regrettés voisins*, qu'il a illustré.

GAZYMALA Maria
XXe siècle. Française.
Peintre.
Elle assemble de menus objets dans ses tableaux avec une évidente nostalgie des temps passés.

GAZZANIGA Silvio
XXe siècle. Italien.
Sculpteur.
Cet artiste est surtout connu pour avoir réalisé la coupe de la Fédération Internationale de Football Association (FIFA). Elle représente un globe terrestre soutenu par deux athlètes.

GAZZARINI Tommaso
Né le 16 février 1790 à Livourne. Mort le 7 février 1853 à Florence. XIXe siècle. Italien.
Peintre d'histoire, sujets religieux.
Il fut élève de Benvenuti et, après un séjour à Rome, se fixa à Florence. Il exécuta surtout des tableaux religieux.

GAZZERA Romano
Né le 18 août 1906 à Cirié. Mort le 24 mai 1985 à Turin. XXe siècle. Italien.
Peintre de portraits, paysages, natures mortes, fleurs.
Il commença à peindre très jeune, bien qu'obligé par son père à passer ses licences de lettres et de droit. Après avoir exercé quelques années la profession d'avocat, il renonça à cette carrière pour se consacrer à la peinture.
Sa première exposition eut lieu à Milan, en 1941. Depuis, il participe à de nombreuses manifestations artistiques. Il montre aussi ses œuvres dans des expositions individuelles tant en Italie qu'à l'étranger : France, notamment à l'Hôtel de Ville de Paris, Allemagne, Suisse, Canada, États-Unis... Il a reçu de nombreux Prix et distinctions pour son œuvre.
À partir de 1950, sa peinture devint lumineuse, ses couleurs très vives. C'est cette même année qu'il créa les « fleurs géantes », motif qui sera repris dans la publicité et la mode. Ses toiles

représentent soit de petits personnages placés dans des paysages aux grands ciels remplis de fleurs géantes, soit des personnages dont les têtes sont remplacées par des fleurs. D'autre part, ses œuvres sont des références à des peintres connus tels Raphaël, Vinci, Goya.
Bibliogr. : Divers : *Gazzera*, Fabbri, Milan, 1987 – Romano Gazzera : *La Rosa di Clarissa*, Mediolanum Edit. Associati, Milan, 1990 – Catalogue de la double exposition *Romano Gazzera*, Mus. de la chasse et de la nature, Mairie du VIe arrondissement, Paris, 1997.
Ventes Publiques : Saint-Vincent (Italie), 6 mai 1984 : *Le cavallette e la strelitzia* 1965, h/cart. (90x69) : **ITL 6 500 000** – Vienne, 9 avr. 1987 : *Dalie della Valdinievole* 1965, h/t (90x70) : **ITL 7 200 000** – Milan, 7 juin 1989 : *Tulipes et narcisses* 1975, h/t (65x51) : **ITL 6 000 000** – Rome, 14 nov. 1995 : *Le gentilhomme*, h/pan. (24x20) : **ITL 1 150 000** – Milan, 12 déc. 1995 : *L'Épouvantail*, h/t (90x70) : **ITL 7 245 000** – Milan, 10 déc. 1996 : *Fleurs*, h/t (90x70) : **ITL 7 572 000**.

GAZZETTA Francesco
Né vers 1735 à Este. XVIIIe siècle. Italien.
Sculpteur.
Il travailla aussi à Rovigo.

GAZZOTTI Lotus. Voir **PAÏNI Lotus de**, baronne

GAZZOTTO Vincenzo
Né le 10 août 1807 à Padoue. XIXe siècle. Italien.
Peintre d'histoire.
Élève de J. Demin. Il existe des dessins de cet artiste au Musée des Offices de Florence et au Museo Civico de Padoue.

GEA Juan de
XVIIIe siècle. Actif en Murcie. Espagnol.
Sculpteur et architecte.
Il travailla pour la cathédrale de cette ville.

GÉA-PANTER, pseudonyme de **Dellove Geneviève**
Née en octobre 1909 à Caudry (Nord). XXe siècle. Française.
Peintre. Abstrait.
Autodidacte, elle a néanmoins travaillé quelques mois avec Léger en 1950. Elle a exposé à partir de 1955, surtout en Hollande. Elle a participé aux Salons de Mai et des Artistes Indépendants, à Paris.
Sa peinture est abstraite, colorée, vive et lyrique.
Musées : Amsterdam – Jérusalem.

GEANTEAU Charles Antoine
XVIIIe siècle. Actif à Paris en 1774. Français.
Peintre.

GEAR J. W.
XIXe siècle. Actif à Londres. Britannique.
Peintre de portraits et graveur.
Exposa à la Royal Academy et à Suffolk Street, de 1821 à 1852.

GEAR Mabel
Née en 1900. XXe siècle. Britannique.
Peintre animalier, aquarelliste, peintre à la gouache.
Elle était spécialisée dans la représentation de chiens de races.
Ventes Publiques : Londres, 14 fév. 1990 : *Un jeune King Charles tricolore*, cr., aquar. et gche (30,4x24,6) : **GBP 440** – Londres, 20 sep. 1990 : *Vanité des vanités*, h/t (62x75) : **GBP 1 100** – Londres, 15 jan. 1991 : *Trois jeunes terriers écossais*, aquar. et gche avec reh. de blanc (30,4x45,7) : **GBP 1 100** – Londres, 28 mars 1996 : *Cockers dans un escalier*, aquar. avec reh. de blanc (21,6x27,8) : **GBP 1 092**.

GEAR William
Né en 1915 à Fife (Écosse). Mort en 1975. XXe siècle. Britannique.
Peintre. Abstrait.
De 1932 à 1937, il fit ses études à Édimbourg, au College of Art et à l'Université, puis à Paris auprès de Léger (1937-1938). Mobilisé pendant la guerre, il revint à Paris de 1947 à 1950, et de 1958 à 1964, il dirigea la section des Beaux-Arts au Birmingham Art College. En 1958, il est nommé conservateur de la Galerie d'Art Towner, à Eastbourne.
Depuis 1940, il participe à de nombreuses expositions collectives en Angleterre, surtout à Londres (Tate gallery, Royal Academy...), mais aussi à l'étranger, notamment à Paris, à l'exposition *La Rose des vents*, aux côtés de Bryen, Boumeester, Sauer (...), où s'affirma le courant de l'abstraction lyrique, ainsi qu'au Salon des Réalités Nouvelles de 1948 à 1950, et à celui des Surindépendants en 1948, où il rencontra Jorn. À partir de 1944, il montre ses œuvres dans des expositions individuelles à Londres, ainsi qu'à Paris, New York, Hambourg, Florence...
Dans ses débuts, il fut très attentif aux jeux de la lumière. Entre 1948 et 1951, il suivit avec intérêt les activités du groupe Cobra. Dans sa période plus radicalement abstraite, il confie à un graphisme noir, épais, en noir positif sur blanc ou inversement, le soin d'occuper par ses entrelacs, l'espace de la toile, soit par un trait aigu et anguleux très construit, soit par des sinuosités plus hasardeuses. Depuis 1951, sa manière s'est assagie, il structure rigoureusement l'espace, agençant les formes géométriques, aplats aux couleurs vives ou terreuses, pour reproduire le rythme de la nature. L'œil se doit de parcourir un labyrinthe aux formes mouvantes.
De l'abstraction de sa peinture, il déclare : « Je ne regarde pas mon œuvre comme une négation de la nature, mais plutôt comme une extension. »

Bibliogr. : Michel Seuphor, in : *Diction. de la peinture abstraite*, Hazan, Paris, 1957 – in : *Peintres Contemporains*, Mazenod, Paris, 1964 – in : *Diction. universel de la peinture*, Le Robert, Paris, 1975 – Catalogue de l'exposition *William Gear*, Galerie 1900-2000, Paris, 1983 – Ed. Jaguer, Jean-Cl. Lambert : Catalogue de l'exposition *William Gear : Cobrabstractions 1946-1949*, Gal. 1900-2000, Paris, 1988 – in : *Diction. de la peinture mod. et contemp.*, Hazan, Paris, 1992.
Musées : Belfast (Arts council of Northern Ireland) – Canberra (The Nat. Gal. of Australia) – Caracas (Sammlung Karel Van Stuijvenberg) – Lima (Mus. d'Art Contemp.) – Londres (Tate Gal.) – Londres (Victoria & Albert Mus.) – Manchester (City Art Gal.) – New York (Mus. d'Art Mod.) – Ottawa (Mus. Nat. d'Art) – Sydney (Nat. Gal.) – Tel-Aviv (Mus. d'Art).
Ventes Publiques : Londres, 30 nov. 1987 : *Composition, deux figures* 1947, gche, pl. et cr. (47x28,5) : **GBP 1 200** – Londres, 20 mai 1987 : *Intérieur* 1949, h/t (60,4x81,3) : **GBP 3 200** – Londres, 9 juin 1988 : *Paris 1948*, gche et aquar. (46,3x61,5) : **GBP 1 045** – Copenhague, 8 nov. 1988 : *Paysage* 1947, gche (30x50) : **DKK 30 000** – Londres, 25 mai 1989 : *Structure* 1949, gche et h/cart. (50x61) : **GBP 2 420** – Amsterdam, 22 mai 1990 : *L'arbre blanc* 1950, h/t (65x65) : **NLG 23 000** – Londres, 8 juin 1990 : *Paysage avec deux troncs d'arbres* 1962, h/t (82x56) : **GBP 3 080** – Paris, 31 oct. 1990 : *Composition* 1952, aquar. et encre (35x25) : **FRF 4 500** – Londres, 8 mars 1991 : *Paysage gris* 1951, h/t (38x61) : **GBP 1 980** – Londres, 21 mars 1991 : *Paysage avec du bleu* 1959, h/t (98,5x70) : **GBP 4 620** – New York, 5 nov. 1991 : *Jardin* 1963, encres de coul./pap. (55,3x78,4) : **USD 1 100** – Amsterdam, 12 déc. 1991 : *Paysage d'été* 1948, aquar. et gche/pap. (49x63) : **NLG 4 025** – Paris, 20 mai 1992 : *Composition* 1949, h/pap./t. (53x76) : **FRF 4 300** – Amsterdam, 21 mai 1992 : *Sans titre* 1948, gche/pap. (47x56,5) : **NLG 3 795** – Londres, 11 juin 1992 : *Paysage en avril* 1951, h/t (91,5x61) : **GBP 2 420** – Londres, 3 déc. 1993 : *Paysage d'octobre* 1960, h/t (122x81) : **GBP 3 450** – Paris, 26 mars 1995 : *Hiver, Hedgerow* 1951, h/t (100x81) : **FRF 14 500**.

GEBAUER Christian David
Né le 15 octobre 1777 à Neusalz. Mort le 15 septembre 1831 à Aarhus. XIXe siècle. Allemand.
Peintre de scènes de chasse, animaux, paysages, graveur.
Il fut élève de Lorentzen à l'Académie des Beaux-Arts de Copenhague. Il se fixa à Dresde en 1813 et fut admis à l'Académie de cette ville en 1815. Il alla ensuite fonder une école de dessin à Aarhus.
Musées : Copenhague : *Bœuf et vache* – *Course de traîneaux* – *Chasseurs à cheval*.
Ventes Publiques : Copenhague, 4 oct. 1972 : *Scène de chasse* : **DKK 6 600** – Copenhague, 10 fév. 1976 : *Paysage*, h/t (31,5x35) : **DKK 4 200** – Copenhague, 7 oct. 1981 : *Cosaques aux environs de Dresde* 1813, h/t (36x42) : **DKK 11 800** – Copenhague, 13 juin 1984 : *Trois cheveaux dans un paysage*, h/t (69x87) : **DKK 22 000** – Copenhague, 27 fév. 1985 : *Troupeau dans un paysage* 1816, h/t (39x46) : **DKK 20 000** – Copenhague, 5 mai 1993 : *Foire aux chevaux* 1809, h/t (33x44) : **DKK 14 000** – Londres, 11 fév. 1994 : *Pas-*

sage de la haie ; Repos après la chasse, h/t, une paire (chaque 18,4x23,5) : **GBP 4 600**.

GEBAUER Paul Ernst

Né le 23 mai 1782 à Lietzen. Mort le 7 juillet 1865 à Berlin. XIXe siècle. Allemand.

Portraitiste.

Exposa à Berlin de 1812 à 1826. On cite de lui : *Portrait du prince Karl* (troisième fils de Frédéric-Guillaume III).

GEBB

Née le 14 avril 1908 à Paris. XXe siècle. Française.

Peintre.

Elle fit tout d'abord des études de dessin et décoration. Sociétaire des Artistes Français, des Artistes Indépendants, elle expose au Salon des Femmes Peintres et au Salon des Artistes Bas Normands. Elle reçut le Grand Prix de peinture à Amsterdam en 1973.

GEBEL Gérard

Né en 1937 à Lauw (Haut-Rhin). XXe siècle. Français.

Peintre de nus, paysages, fleurs. Postimpressionniste.

Il expose surtout à Paris, aux Salons des Artistes Français, des Indépendants. Il montre des ensembles de ses peintures à Lauw, Mulhouse, Bâle, Bruxelles, etc.

GEBEL Johannes

XVIIIe siècle. Actif à Brasso vers 1760. Hongrois.

Sculpteur.

On lui doit des statues de *Saint Étienne* et de *Saint Laurent*.

GEBEL Mathes

XVIe siècle. Actif à Nuremberg. Allemand.

Sculpteur et médailleur.

On cite un grand nombre de médailles dues au ciseau de cet artiste.

GEBENS Adolf

D'origine suédoise. XIXe siècle. Actif à Saint-Pétersbourg en 1861. Russe.

Peintre.

On lui doit surtout des tableaux de genre.

GEBHARD Albert

XIXe siècle. Actif à Berlin vers 1830. Allemand.

Peintre.

Il exposa des paysages à l'Académie de Berlin.

GEBHARD Albert

Né le 29 avril 1869 à Toholamp. XIXe siècle. Vivant à Helsingfors. Finlandais.

Peintre de genre.

Le Musée d'Helsingfors conserve de lui : *Abandonnée*. Gebhard obtint à Paris une médaille d'argent en 1900 (E. U.).

GEBHARD Andreas

XVIIIe siècle. Actif à Prüfening. Allemand.

Peintre.

Il travailla aussi à Reichenbach.

GEBHARD August

Né le 15 décembre 1880 à Geberschweir (Allemagne). XXe siècle. Allemand.

Peintre, lithographe.

Il fut élève de l'Académie de Carlsruhe.

GEBHARD Benedikt Albert

XVIIIe siècle. Actif à Prüfening. Allemand.

Peintre.

On lui doit des décorations d'églises dans la région de Regensburg. Il mourut très jeune.

GEBHARD Franz Xaver

Né en 1775 à Munich. XIXe siècle. Allemand.

Graveur au burin et au pointillé.

Élève de Kress. Il a gravé des portraits et des sujets mythologiques.

GEBHARD Johann

Né vers 1675. Mort le 13 février 1756. XVIIIe siècle. Actif à Prüfening. Allemand.

Peintre.

GEBHARD Johann Andreas

Né le 1er février 1656. Mort le 23 août 1725. XVIIe-XVIIIe siècles. Actif à Nuremberg. Allemand.

Peintre d'histoire.

Élève de Johann Muncken.

GEBHARD Johann Nepomuk

Né à Brünn. XIXe siècle. Autrichien.

Peintre.

Il fit ses études à Vienne. Le Musée de Brünn conserve de lui des portraits.

GEBHARD Julius

Mort en 1844 à Berlin. XIXe siècle. Allemand.

Sculpteur.

Il fut élève de Wichmann et exposa à l'Académie de Berlin de 1830 à 1844.

GEBHARDT Friedrich Wilhelm

Né le 30 novembre 1827 à Meissen (Saxe-Anhalt). Mort le 16 mai 1893 à Dresde. XIXe siècle. Allemand.

Paysagiste et peintre de genre.

Élève de l'Académie de Dresde et de Ludwig Richter. En 1874, il devint professeur de dessin au lycée de Neustadt-Dresden. Il a exposé à Dresde de 1874 à 1877.

GEBHARDT Jacob C. W.

XVIIIe siècle. Actif à Bamberg en 1711. Allemand.

Peintre de fresques.

GEBHARDT Karl

Né le 23 mars 1860 à Munich. Mort en mai 1917. XIXe-XXe siècles. Allemand.

Peintre d'histoire, scènes de genre.

Exposa à Munich, à Dresde et à Berlin entre 1880 et 1883. On cite de lui : *Héro et Léandre* et *Le Fratricide*.

Ventes Publiques : New York, 20 mai 1987 : *La Visite du moine*, h/t (60x74,3) : **USD 4 000**.

GEBHARDT Karl Franz Eduard von

Né le 13 juin 1838 à Saint-Johannis (Estonie). Mort en 1925. XIXe-XXe siècles. Russe.

Peintre d'histoire, compositions religieuses, sujets de genre.

Élève de l'Académie de Saint-Pétersbourg de 1855 à 1858, ensuite de l'école d'art de Strasbourg. En 1860, il étudia dans l'atelier de Wilh. Sohn à Düsseldorf. En 1875, il fut nommé professeur de l'Académie, membre des Académies de Berlin, de Munich et de Vienne. Il obtint des médailles à Berlin en 1872, à Vienne en 1873, à Munich en 1879 ; une médaille d'or à Paris en 1900, pour l'Exposition Universelle.

On cite de lui : *Le Crucifiement*, pour la cathédrale de Revel.

Musées : Berlin : *La dernière Cène – L'Ascension du Christ* – Breslau, nom all. de Wroclaw : *La guérison du paralytique* – Bucarest : *Paysan – Dame* – Düsseldorf : *Thomas l'incrédule – Le Christ devant Pilate – Le riche disciple Nicodème chez le Christ* – Hambourg : *Le crucifiement – Les écoliers au couvent* – Leipzig : *Au temps de la Réforme* – Munich : *Mise en croix du Christ*.

Ventes Publiques : Cologne, 12 nov. 1976 : *Jésus prêchant* 1911, h/pan. (75x61) : **DEM 4 400** – Munich, 4 juin 1981 : *L'homme en colère*, h/pan. (53x35) : **DEM 1 000** – Londres, 14 juin 1996 : *Le client suspicieux*, h/t (73,5x98,5) : **GBP 10 350**.

GEBHARDT Konrad

Né le 17 juin 1868 à Dresde. XIXe siècle. Allemand.

Peintre et dessinateur.

Fils de Friedrich Wilhelm. Il fut élève de l'Académie de Dresde.

GEBHARDT Ludwig

Né le 20 juillet 1830 à Munich. Mort le 6 octobre 1908 à Munich. XIXe siècle. Allemand.

Peintre de paysages animés, paysages.

Élève de l'Académie de Munich. Exposa à Munich, Brême, Vienne et Dresde de 1866 à 1888.

Ventes Publiques : Vienne, 5 déc. 1984 : *Köngsee* 1869, h/t (88,5x117,5) : **ATS 60 000** – Vienne, 29-30 oct. 1996 : *La Moisson*, h/t (85x117,5) : **ATS 63 250**.

GEBHARDT Max

Né le 13 septembre 1864 à Meisen. XIXe siècle. Allemand.

Paysagiste et peintre de genre.

Élève de l'Académie de Dresde dans l'atelier de Mohn. S'établit à Dresde. Il a exposé dans cette ville à partir de 1887 et jusqu'en 1890.

GEBHARDT Otto

Né vers 1700. Mort le 8 mars 1773. XVIIIe siècle. Actif à Regensburg. Allemand.

Peintre.

Peintre de la cour épiscopale il fut chargé de la décoration des églises.

GEBHARDT Wilhelmina Fedorovna. Voir **GUEBHARDT**

GEBHARDT Wolfgang Magnus ou **Gebhard**

XVIIIe siècle. Actif à Nuremberg entre 1730 et 1750. Allemand.

Graveur de sujets de genre, paysages.

Ventes Publiques : New York, 10 oct. 1990 : *Personnages près d'une fontaine surmontée de la statue de Poséidon dans un paysage de ruines classiques*, h/t (78,8x99,1) : **USD 8 250**.

GEBLER Josef

XVIIIe siècle. Actif à Graz. Autrichien.

Peintre.

Il travailla aussi à Marburg.

GEBLER Otto Friedrich

Né le 18 septembre 1838 à Dresde. Mort en février 1917 à Munich. XIXe-XXe siècles. Allemand.

Peintre animalier.

Élève de l'Académie de Dresde, puis de celle de Munich sous K. von Piloty. Médaillé dans cette ville en 1874 et 1883 et à Londres en 1878. On cite de lui : *Le repos du berger* et *Fin tragique du renard*.

Musées : Kaliningrad, ancien. Königsberg : *Troupeau de moutons* – Leipzig : *Vie pastorale* – Mayence : *Animaux* – Munich : *La fin du renard*.

Ventes Publiques : New York, 8-10 avr. 1908 : *Dans la Galerie d'art de Hollande* : **GBP 370** – Munich, 24 et 26 juin 1964 : *Jeune berger se reposant* : **DEM 18 000** – Munich, 19-20 mars 1969 : *L'étable* : **DEM 28 000** – Berlin, 15 avr. 1977 : *Troupeau dans un paysage*, h/t (77,5x119) : **DEM 34 000** – Cologne, 20 mars 1981 : *Veau et volatiles dans un paysage boisé*, h/t (39x49) : **DEM 38 000** – Washington D. C., 9 déc. 1984 : *Jeune berger et troupeau de moutons*, h/pan. (23,5x38,6) : **USD 17 000** – Cologne, 20 mai 1985 : *Troupeau de moutons à la porte de l'étable* 1870, h/t (79x119) : **DEM 46 000** – Amsterdam, 30 oct. 1991 : *Moutons et poulets dans une grange*, h/pan. (36,5x49) : **NLG 50 600** – Londres, 29 nov. 1991 : *Bergère et son bétail près d'une mare* 1882, h/pan. (55x68) : **GBP 16 500** – Munich, 7 déc. 1993 : *Berger et ses moutons près de deux chevaux attelés à une charrue*, h/pan. (19x32) : **DEM 18 400** – Munich, 21 juin 1994 : *Bovins devant une étable*, h/t (27,5x34,5) : **DEM 17 250** – Londres, 13 oct. 1994 : *Le chasseur pris au piège*, h/t (75,6x103,3) : **GBP 28 750** – Londres, 11 juin 1997 : *Un bon repos* 1868, h/t (76,5x101,5) : **GBP 23 000**.

GEBOERS Jos

Né en 1913 à Lommel (Belgique). Mort en 1983. XXe siècle. Belge.

Peintre. Abstrait-lyrique.

Il reçut le Prix Kaiser Lothar de la ville de Prum (République Fédérale Allemande) en 1970.

Il exprime dans ses toiles son émotion, recréant la vie cosmique à l'aide de la couleur et du geste.

Bibliogr. : In : *Diction. biographique illustré des Artistes en Belgique depuis 1830*, Arto, Bruxelles, 1987.

GECELLI Johannes ou **Geccelli**

Né en 1925 à Königsberg (Prusse Orientale). XXe siècle. Allemand.

Peintre. Abstrait.

Après la guerre, il étudia à l'École des Beaux-Arts de Düsseldorf. En 1952, il devint professeur dans l'enseignement secondaire. Depuis 1961, il est membre du *Deutscher Künstlerbund*. En 1965, il enseigna à l'École des Beaux-Arts de Berlin. Depuis 1957, il participe à différentes expositions collectives en Allemagne et à l'étranger : Paris, Bruxelles, Florence, Tokyo. En 1957, il fait sa première exposition personnelle à Düsseldorf, qui sera suivie de nombreuses autres, notamment à Wuppertal (1960), Berlin (1961), Ulm (1961), Stuttgart (1962)... Il a reçu en 1958, le Prix de l'État de Nordheim-Westphalie, en 1959 le Prix d'Art de la Jeunesse et, en 1960, le Prix Villa Romana. En 1960-1961, il prit part au Prix Marzotto.

Parti de la construction cézannienne de l'espace, il a abouti, dans des œuvres presque monochromes blanches, à une matérialisation pratiquement abstraite de cet espace. Dans les années soixante-dix, il réintroduit la couleur : des rouges, des bleus, des jaunes, presque fluorescents. Dans des œuvres lumineuses, il appose minutieusement une succession de bandes, constituées de petites lignes de couleurs aux riches contrastes, créant des effets proches de l'art cinétique.

Bibliogr. : In : *Peintres contemporains*, Mazenod, Paris, 1964 – Catalogue de l'exposition *Johannes Gecelli*, Galerie Appel und Fertsch, Francfort, 1975.

Ventes Publiques : Londres, 30 juin 1988 : *La table ovale* 1960, h/t (60,4x80,3) : **GBP 4 620** – Heidelberg, 5-13 avr. 1994 : *Déclic II* 1970, acryl./pap. (100x70) : **DEM 5 200**.

GECHTER Jean François Théodore

Né en 1796 à Paris. Mort le 11 décembre 1844 à Paris. XIXe siècle. Français.

Sculpteur de statues, groupes, monuments.

Élève de Bosio et de Gros, exposa au Salon de 1827 à 1844. Médaille de deuxième classe en 1839. Chevalier de la Légion d'honneur en 1837.

On cite de lui : *La bataille d'Aboukir*, bas-relief à l'arc de triomphe de l'Étoile, *Le Rhin et le Rhône*, statues pour la place de la Concorde, *Saint Jean Chrysostome*, statue en marbre pour la salle du Conseil d'État.

Musées : Versailles : *Buste du maréchal de Saint André*.

Ventes Publiques : Londres, 6 mai 1971 : *Cavalier arabe*, bronze : **GBP 150** – Paris, 17 mars 1976 : *Levrette et lièvre* 1843, bronze patiné (H. 41) : **FRF 2 950** – Londres, 19 déc. 1977 : *Guerrier arabe à cheval*, bronze (larg. 34) : **GBP 900** – Paris, 14 déc. 1984 : *Combat de cavaliers*, bronze (48x43x24) : **FRF 15 000** – Paris, 1er juil. 1986 : *Combat de cavaliers* 1838, bronze patine brune (H. 75) : **FRF 42 000** – New York, 9 juin 1988 : *Cheval de labour*, bronze (H. 40) : **USD 1 870** – New York, 23 mai 1991 : *Charles Martel combattant le roi des Sarrasins Abderame* 1839, bronze à patine noir-vert (H. 60,4) : **USD 7 700** – New York, 30 oct. 1992 : *Cheval de labour*, bronze (H. 41,9, L. 43,7) : **USD 1 540** – New York, 27 mai 1993 : *François Ier chassant le sanglier*, bronze (H. 47) : **USD 5 750** – New York, 14 oct. 1993 : *Chasseur arabe tirant sur un tigre*, groupe équestre de bronze (H. 34,3) : **USD 2 185** – Paris, 8 nov. 1995 : *Cheval surpris au pré*, bronze (H. 34,5) : **FRF 19 000** – Lokeren, 8 mars 1997 : *François I chassant le sanglier* 1843, bronze (58x55) : **BEF 170 000**.

GECIN

Né en 1907 à Montréal (Canada). XXe siècle. Canadien.

Peintre, dessinateur.

Instituteur pendant trente-cinq ans, il ne commença à peindre qu'à l'âge de quarante-sept ans. Il a exposé à Paris, en 1973.

Autodidacte, ses dessins sont très imaginatifs, fouillés, et les traits se développent en volutes arachnéennes. Tantôt abstraites, tantôt figuratives, les formes s'entremêlent avec un certain raffinement.

GECIN Matthaeus

XVIIe siècle. Actif à Bautzen en 1641. Allemand.

Peintre.

Il existe une peinture signée de cet artiste à la cathédrale de Bautzen.

GEDAM

XVIIe siècle.

Peintre.

Le Musée de Bordeaux possède un *Saint Jérôme* signé de ce nom et daté de 1613.

GEDDES Andrew

Né le 5 avril 1783 à Édimbourg. Mort le 5 mai 1844 à Londres. XIXe siècle. Britannique.

Peintre de compositions religieuses, portraits, graveur.

Il fit ses études à la High School et à l'Université d'Édimbourg. Il entra aux Écoles de l'Académie Royale en 1807 et fut le condisciple de Haydon, de Jackson et de Willkie. Il voyagea sur le continent et visita la Hollande, la France et l'Allemagne. Geddes résida tour à tour à Édimbourg et à Londres. Il fut associé de la Royal Academy et exposa à Londres de 1806 à 1844.

En 1821, il peignit les portraits de *Sir David Willkie*, d'*Henry Mackensie*, du *Dr Chalmers* et d'autres personnalités ; en 1821, un grand tableau dans lequel il représenta plusieurs Écossais célèbres, entre autres : *Sir Walter Scott*.

Ce fut surtout un peintre de portraits et, dans ce genre, il fit preuve de qualités fort intéressantes. On lui doit cependant des morceaux de grande peinture, notamment un tableau d'autel à l'église de Saint-James, Garlick Hill. Ce fut aussi un admirable aquafortiste et les 40 eaux-fortes que l'on connaît de lui sont justement recherchées par les amateurs.

Musées : Édimbourg : *Miss Charlotte Nasmyth personnifiant l'été – Portrait d'André Plimer – La mère de l'artiste – Agar – Portrait de George Saudners – Portrait de Mrs Douglas Dickson – Portrait de Daniel Terry et de sa femme.*
Ventes Publiques : Londres, 5 déc. 1908 : *Portrait de Lady Belhaven* 1817 : **GBP 22** – Londres, 10 juin 1909 : *Portrait de femme* : **GBP 136** – Londres, 19 mars 1910 : *Scène de rivière* : **GBP 3** – Londres, 20 fév. 1911 : *Portrait de James Wardrop* : **GBP 7** – Londres, 27 juil. 1923 : *Camuccini* : **GBP 10** – Londres, 15 mai 1929 : *Margaret Wardrop* : **GBP 24** – Édimbourg, 8 fév. 1930 : *Portrait de petite fille* : **GBP 35** – Londres, 28 mars 1934 : *Mère de l'artiste* : **GBP 8** – Londres, 5 avr. 1935 : *Le jeune fauconnier* : **GBP 230** – Londres, 6 mars 1936 : *Portrait de vieille femme* : **GBP 22** – Glasgow, 7 oct. 1937 : *Nature morte* : **GBP 5** – Londres, 31 juil. 1939 : *James Wardrop* : **GBP 21** – Londres, 14 mai 1976 : *Portrait of George Cumming*, h/pan. (63,5x53) : **GBP 600** – Glasgow, 10 déc. 1981 : *Miss Amelia Penrose Cumming of Altyre*, h/pan. (71x50) : **GBP 2 200** – Londres, 22 nov. 1985 : *Portrait des six filles de George Arbuthnot of Elderslie* 1839, h/t (182x239) : **GBP 14 000** – Londres, 12 juil. 1991 : *Portrait d'un gentilhomme, présumé David Wilkie, en buste, vêtu de noir avec une chaîne de montre d'or attachée à son gilet* 1834, h/t (76x63,5) : **GBP 3 300** – Édimbourg, 23 mars 1993 : *Jeune fille au châle rouge* 1840, h/t (76,5x64) : **GBP 2 070**.

GEDDES Ewan
XIXe siècle. Actif à Édimbourg. Britannique.
Peintre de paysages.
Cet artiste, qui tient une place marquante parmi les paysagistes anglais, a exposé à la Royal Academy à Londres depuis 1891.
Ventes Publiques : New York, 29 et 30 mars 1905 : *Enfant dans un paysage* : **USD 750** – New York, 12 au 14 mars 1906 : *Dans les bois* : **USD 726** – Édimbourg, 25 avr. 1931 : *Jock Howieson's Hoose ; Sur l'Almond*, deux aquarelles : **GBP 6**.

GEDDES Margaret
Née le 7 novembre 1914. XXe siècle. Britannique.
Peintre de paysages.
Elle a étudié à la Westminster School of Art. Elle a exposé dans les principaux Salons anglais.

GEDELER Elias
Né le 27 septembre 1620 au château d'Elgenberg. Mort le 30 juillet 1693 à Hildburghausen. XVIIe siècle. Allemand.
Architecte, peintre d'histoire et de portraits.
Il voyagea après ses études en Italie et séjourna longtemps à Nuremberg.

GEDÉON Baril, dit
Né en 1832 à Amiens. XIXe siècle. Français.
Caricaturiste.
Il collabora aux journaux satiriques parisiens de la fin du XIXe siècle.

Gédéon

Ventes Publiques : Paris, 27 mars 1926 : *La coiffure du chien ; Le Portrait*, deux aquarelles : **FRF 270**.

GEDLEK Ludwig
Né le 30 juin 1847 à Cracovie. XIXe siècle. Autrichien.
Peintre animalier.
Exposa à Dresde de 1882 à 1890.
Ventes Publiques : Paris, 4 fév. 1925 : *Cavaliers tartares* : **FRF 315** – Londres, 17 juil. 1930 : *L'attaque* : **GBP 5** – Londres, 4 fév. 1972 : *Scène de bataille* : **GNS 340** – Perth, 13 avr. 1976 : *Nature morte aux saumons*, h/t (39x64) : **GBP 220** – Londres, 9 juin 1981 : *Le forgeron* 1878, h/t (25,5x36) : **GBP 240** – Vienne, 14 sep. 1983 : *Le Rendez-vous de chasse* 1882, h/t (68x121) : **ATS 180 000** – Vienne, 4 déc. 1986 : *Cortège de mariage en Galicie*, h/pan. (16x21) : **ATS 80 000** – Édimbourg, 22 nov. 1988 : *Le colporteur et ses clients* 1869, h/t (45,7x62,3) : **GBP 4 800** – Londres, 21 mars 1990 : *En robes du dimanche* 1871, h/t (61x86,5) : **GBP 990** – Perth, 1er sep. 1992 : *Le premier prix de concours de pêche de l'île* 1879, h/t (51x76,5) : **GBP 7 150** – Perth, 31 août 1993 : *Saumons sur le rivage*, h/t (71x109) : **GBP 7 820**.

GEDON Friedrich
XVIIIe siècle. Actif à Vienne. Autrichien.
Peintre.
Il remporte en 1732 le premier prix de l'Académie de Vienne.

GEDON Lorenz
Né le 12 novembre 1843 à Munich. Mort le 27 décembre 1883. XIXe siècle. Allemand.
Sculpteur et architecte.
Il travailla surtout pour le duc Louis II de Bavières.

GEDON Thomas
Mort en 1734 à Vienne. XVIIIe siècle. Autrichien.
Peintre de portraits.
Il fut le père de Friedrich.

GEE Yun
Né en Chine. XXe siècle. Actif en France, depuis 1939 actif aussi aux États-Unis. Chinois.
Peintre de portraits.
Il travailla à Paris, avant 1939, avant de s'installer aux États-Unis.
Il a exposé à Paris, au Salon d'Automne, notamment un *Portrait du poète André Salmon*.
Il ajoute à ses compositions influencées par l'École de Paris, des détails, sortes de « remarques », d'esprit traditionnel chinois.

GEEDTS Josse Pierre
Né le 5 janvier 1770 à Louvain. Mort le 17 décembre 1834 à Louvain. XVIIIe-XIXe siècles. Belge.
Peintre d'histoire.
Élève d'Herreyns à l'Académie d'Anvers. Nommé professeur à l'Académie de Louvain en 1800, il fut, dit-on, injustement destitué en 1835.

GEEDTS Pieter Pauwels
Né le 1er avril 1793 à Louvain. Mort le 6 mars 1856 à Louvain. XIXe siècle. Belge.
Peintre d'histoire et portraitiste.
Fils de Pierre Joseph Geedts. Élève de son père et de l'Académie de Louvain, où il obtint plusieurs prix. Il fut professeur à la même Académie, mais abandonna ce poste en partageant la disgrâce de son père. Il a fait des peintures pour l'église Saint-Jacques en 1824.

GEEFS Alexandre
Né le 1er janvier 1829 à Anvers. Mort le 27 août 1866 à Schaerbeek. XIXe siècle. Éc. flamande.
Sculpteur.
Il fut élève de Braent. Il était frère de Willem Geefs.

GEEFS Aloysius ou **Geeffs**
Né en 1817 à Anvers. Mort le 31 août 1841 à Auteuil. XIXe siècle. Belge.
Sculpteur et peintre d'histoire.
Frère et élève de Willem Geefs.
Ventes Publiques : Paris, 1850 : *Geneviève de Brabant, dépouillée de vêtements, presse son enfant sur son sein*, dess. : **FRF 4 620** ; *Enfant nu jouant avec un chien*, dess. : **FRF 5 092** ; *L'Ange du mal tenant un sceptre brisé*, dess. : **FRF 7 560** ; *La fille du pêcheur couchée tenant des fleurs*, dess. : **FRF 7 650**.

GEEFS Charles
XIXe siècle. Vivant à Bruxelles. Belge.
Sculpteur.
Exposa à la Royal Academy à Londres en 1858.

GEEFS Fanny, née **Corr**
Née en 1807 à Bruxelles. Morte le 23 janvier 1883 à Schaerbeek. XIXe siècle. Belge.
Peintre de genre.
Elle fut élève de Navez. C'était la femme de Willem Geefs.
Ventes Publiques : Gand, 1856 : *Jeune fille passant une rivière à gué* : **FRF 40** – Copenhague, 7 déc. 1976 : *Le dessin*, h/t (108x88) : **DKK 9 500** – New York, 22-23 juil. 1993 : *L'arbre des amoureux* 1859, h/t (106,7x88,3) : **USD 1 725**.

GEEFS Jan
Né le 25 avril 1825 à Anvers. Mort le 4 mai 1860 à Bruxelles. XIXe siècle. Belge.
Sculpteur.
Il était frère de Willem Geefs et montra une prédilection pour les sujets mythologiques et allégoriques.

GEEFS Joris ou **Georges**
Né en 1850 à Anvers. Mort en 1933. XIXe-XXe siècles. Belge.
Sculpteur de bustes, groupes, monuments.
Fils de Josef Geefs et neveu de Guillaume ou Willem Geefs, il collabora à leurs travaux. Il fut élève de l'Académie des Beaux-Arts d'Anvers, dont il devint professeur. Membre actif du Conseil académique depuis le 16 août 1892. Médailles à Anvers en 1876, à Bruxelles en 1878, à Paris en 1879.
Il a réalisé le monument *La furie française* à Anvers.

Bibliogr. : In : *Diction. biographique illustré des Artistes en Belgique depuis 1830*, Arto, Bruxelles, 1987.
Musées : Anvers : *Buste de son père – Léandre jeté mourant sur les bords de l'Hellespont*.
Ventes Publiques : Londres, 20 juin 1985 : *Femme et lion*, bronze patine brune (H. 43) : **GBP 1 400**.

GEEFS Josef
Né le 23 décembre 1808 à Anvers. Mort le 19 octobre 1885 à Bruxelles. XIXe siècle. Belge.
Sculpteur.
Frère et élève de Willem Geefs. Prix de Rome en 1836, professeur à l'Académie d'Anvers en 1841, membre de l'Académie royale en 1842. Chevalier, officier, puis commandeur de l'ordre de Léopold, membre effectif du Conseil académique en 1852.
Musées : Anvers : *Floris Van Erthorn – Nicaise de Keyser – Frans Josef Stoof – Le jeune pêcheur attiré par la Sirène*.

GEEFS Théodore
Né le 15 février 1827 à Anvers. Mort le 1er janvier 1867 à Londres. XIXe siècle. Belge.
Sculpteur.
Frère de Willem Geefs. Il traita nombre de thèmes religieux.

GEEFS Willem ou **Guillaume**
Né le 10 septembre 1805 à Anvers. Mort le 24 janvier 1883 à Bruxelles. XIXe siècle. Belge.
Sculpteur.
Willem fut le plus célèbre avec Joseph, des quatre frères sculpteurs Geefs. Il fut élève de l'Académie d'Anvers, où il remporta le grand prix en 1828. Il travailla aussi, ensuite avec Ramey à Paris. Il enseignera quelque temps à l'Académie d'Anvers. En 1852, il fut membre effectif du Conseil académique. Avec son frère Joseph, il collabora à la décoration de la colonne du Congrès, avec Simonis et Fraikin. Il représente bien la sculpture belge de cette époque, sans trait marquant, un peu mièvre. Il était très en faveur auprès de la bourgeoisie du temps, qu'il n'effarouchait évidemment en rien. Sculpteur du roi, il fit cependant montre de qualités simples, dans le monument funèbre du comte de Mérode à Sainte Gudule.
Musées : Anvers : *Autoportrait – Geneviève de Brabant* – Douai : *Louis-Philippe* – Liège : *Geneviève de Brabant – Hygie*.
Ventes Publiques : Stockholm, 22 avr. 1986 : *Le Réveil de l'Amour*, marbre blanc (H. 213) : **SEK 105 000**.

GEEL Daniel Van
XVIIe siècle. Actif vers 1660. Hollandais.
Paysagiste.
Le Musée de Rotterdam conserve de lui un paysage.

GEEL Jacob Jacobsz Van
Né vers 1585 à Middleburg. Mort après 1638 à Dordrecht. XVIIe siècle. Hollandais.
Peintre de compositions religieuses, paysages animés, paysages, paysages de montagne.
Il travailla à Middelburg, Delft et Dordrecht, de 1615 à 1633.
Il peignit principalement des paysages étranges et tourmentés.

Musées : Amsterdam (Rijksmuseum) : *Groupe d'arbres* – Detroit (Inst. of Arts) : *Paysage* – Lierre, Belgique.
Ventes Publiques : Paris, 23 mars 1968 : *La Tentation du Christ* : **FRF 16 000** – Londres, 5 déc. 1969 : *Paysage boisé* : **GNS 3 500** – Versailles, 13 nov. 1977 : *Paysage à la cascade*, h/bois (37,5x50,5) : **FRF 12 500** – Amsterdam, 29 mai 1986 : *Voyageurs dans un paysage fluvial boisé*, h/pan. (14,3x20,6) : **NLG 26 000** – Londres, 27 oct. 1993 : *Vaste paysage avec des passants sur un pont*, h/pan. (65x109) : **GBP 10 350** – Amsterdam, 16 nov. 1993 : *Paysage rocheux*, h/pan. (16x20) : **NLG 17 250** – Paris, 13 déc. 1996 : *Voyageur attaqué par des brigands ; Promeneurs au bord d'un cours d'eau*, h/pan., une paire (49x64,5) : **FRF 210 000** – New York, 23 mai 1997 : *Vaste paysage avec un château entouré de fossés et des personnages sur un chemin* 1637, h/t (33,7x52,2) : **USD 27 600** – Amsterdam, 11 nov. 1997 : *Voyageurs et paysans sur un sentier sablonneux à la lisière d'un bois, une vallée dans le lointain*, h/pan. (18,4x31,9) : **NLG 14 991**.

GEEL Johannes Franciscus Van
Né le 17 septembre 1756 à Malines. Mort le 20 janvier 1830 à Anvers. XVIIIe-XIXe siècles. Belge.
Sculpteur.
Élève de Pieter Valk. En 1874, il était professeur à l'Académie de Malines et, en 1817, professeur à Anvers.

GEEL Johannes Ludovicus Van
Né le 28 septembre 1787 à Malines. Mort le 10 avril 1852 à Bruxelles. XIXe siècle. Belge.
Sculpteur.
Fils et élève du sculpteur Johannes Franciscus Geel. En 1809, il vint à Paris où il fut élève de David et de Roland. Premier prix de sculpture en 1811. De retour à Bruxelles, Geel fut nommé sculpteur du prince d'Orange. Il est l'auteur des lions du monument érigé sur le champ de bataille de Waterloo.

GEEL Joost Van, dit aussi **Jan Van**
Né le 20 octobre 1631 à Rotterdam. Mort le 31 décembre 1698 à Rotterdam. XVIIe siècle. Hollandais.
Peintre de genre, portraits, marines.
Probablement élève de Gabriel Metzu. Il voyagea en Allemagne, en France et en Angleterre. Il a peint des scènes de genre et des marines. Il fut également marchand.

Musées : Amsterdam : *Autoportraits* – Lyon : *Marine* – Rotterdam : *La mère, la nourrice et l'enfant* – Saint-Pétersbourg (Mus. de l'Ermitage) : *Un concert*.
Ventes Publiques : Paris, 1808 : *Portrait du peintre* : **FRF 556** – Londres, 24 mai 1937 : *Bateaux de pêche* : **GBP 12** – Londres, 14 fév. 1938 : *Paysage boisé* : **GBP 24** – New York, 12 jan. 1995 : *Barque de pêche amenant ses voiles pendant que les pêcheurs déchargent leur prise*, h/t (50,2x63,5) : **USD 11 500**.

GEELEN Christian Van, l'Ancien
Né le 19 août 1755 à Utrecht. Mort en 1826. XVIIIe-XIXe siècles. Hollandais.
Portraitiste et peintre de genre.
Élève de Jacob Maurer. En 1794, il était directeur du collège d'Utrecht. Il eut pour élèves J. J. Van Straater et A.-J.-W. van Deeler.

GEELEN Christian Van, le Jeune
Né le 16 septembre 1794 à Utrecht. Mort le 13 mai 1826 à Utrecht. XIXe siècle. Belge.
Peintre de genre, portraits, paysages, aquarelliste.
Fils et élève de Christian Van Geelen.
Musées : Utrecht : *Autoportrait – Vue de ville – Le joueur d'orgue*.
Ventes Publiques : Paris, 16 nov. 1993 : *Casoar (Casuarius novae Hollandiae)*, aquar. pl. et cr. noir (22x25,5) : **FRF 4 000** – Londres, 24 fév. 1995 : *Portrait du Baron van Tuyll en buste portant une armure* 1802, h/t, de forme ovale (68,9x56) : **USD 805**.

GEENE Henri Gysbert
Né en 1865 à Roermond. XIXe siècle. Actif à Saint-Gall. Hollandais.
Sculpteur.
Ce sculpteur, avant de séjourner en Suisse, fit ses études à Düsseldorf.

GEENEN Pauline Van
Née à Strasbourg. XIXe siècle. Française.
Peintre de miniatures.
On lui doit des portraits.

GEENENS Robert Hector
Né en 1896 à Gand. Mort en 1976 à Anvers. XXe siècle. Belge.
Peintre.
Il fut élève de l'Académie des Beaux-Arts de Rotterdam et Gand. En 1928, il renonça à sa carrière de lieutenant de marine, pour se consacrer à la peinture. Il fut membre du groupe *Fantasmagie* groupant, autour de Aubin Pasque, les artistes se référant plus à la tradition flamande de l'art fantastique qu'au surréalisme.
Proche du réalisme magique, il évolua vers l'abstraction lyrique et magique, sans toutefois renoncer à la figuration.
Bibliogr. : K. Hooremans : *Robert Geenens*, Anvers, 1943 – in : *Diction. biographique illustré des Artistes en Belgique depuis 1830*, Arto, Bruxelles, 1987.
Musées : Anvers – Ostende.
Ventes Publiques : Lokeren, 16 fév. 1985 : *Paysage ensoleillé* 1942, h/t (60x80) : **BEF 40 000**.

GEENS H. J.
XVIIIe siècle. Éc. flamande.
Peintre.

Artiste de Bruges, il fut couronné à l'Académie d'Anvers en 1773.

GEENS Jean Joseph
XIXe siècle. Actif à Gand. Éc. flamande.
Peintre d'histoire.
Il fut élève de Paelinck.

GEENS Louis
XIXe siècle. Actif à Gand. Belge.
Peintre.

GEER Cyrill
XVIIe siècle.
Dessinateur.
On connaît une gravure du siège de Prague par les Suédois gravée d'après un dessin de cet artiste.

GEER Franz Ferdinand von
Né en 1673. Mort le 11 juillet 1722 à Vienne. XVIIe-XVIIIe siècles. Autrichien.
Peintre.
On cite de lui une *Mort de saint Joseph*.

GEER Grace Woodbridge
Né en 1854 à Boston (États-Unis). XIXe siècle. Américain.
Peintre de portraits et miniaturiste.
Il fut élève de F.-H. Tompkins, Trescott, Tarbell Volnnoh, à Boston où il travailla.

GEER M. J.
XIXe siècle. Actif vers 1800.
Peintre.
On connaît un portrait à la miniature signé de ce nom.

GEER-BERGENSTRAHLE Marie-Louise Ekman de
Née en 1944 à Stockholm. XXe siècle. Suédoise.
Peintre, dessinateur.
Elle participe à de nombreuses expositions collectives et individuelles depuis 1967.
Musées : Helsinki (Athenaeum) – Stockholm (Mus. d'Art Mod.) – Stockholm (Mus. Nat. d'Art).
Ventes Publiques : Stockholm, 5-6 déc. 1990 : *Femme pleurant*, aquar./soie (23x17) : **SEK 31 000** – Copenhague, 4 déc. 1991 : *Composition* 1973, h/t (60x73) : **DKK 19 000**.

GEERAERTS Jan
Né en 1818. Mort en 1890. XIXe siècle. Actif à Anvers. Éc. flamande.
Peintre.
Musées : Anvers : *Intérieur de l'église des Dominicains à Anvers*.
Ventes Publiques : New York, 17 fév. 1994 : *Intérieur d'église avec le tombeau de Guillaume le Silencieux en Hollande*, h/pan. (82,5x67,5) : **USD 5 175**.

GEERAERTS Marcus. Voir **GERARDS**

GEERAERTS Marten
XVIe siècle. Actif à Bruges en 1546. Éc. flamande.
Peintre.

GEERAERTS Marten Jozef
Né en 1707. Mort le 16 février 1791 à Anvers. XVIIIe siècle. Éc. flamande.
Peintre d'histoire, compositions religieuses, compositions mythologiques, sujets allégoriques, portraits.
Baptisé à Anvers le 7 avril 1707. Élève d'Abraham Godyn. En 1731, il était maître à Anvers et en 1741, il fut nommé directeur et professeur de l'Académie. Il a peint des grisailles. Il fut parmi les six professeurs qui donnèrent leurs leçons gratuitement à l'Académie, lorsque, en 1741, celle-ci allait sombrer, faute de fonds.
Musées : Anvers : *Les Beaux-Arts* – Bruxelles : *Sept scènes de l'Ancien et du Nouveau Testaments* – La Haye : *Allégorie* – Lille : *Jeux d'enfants*, grisailles – Vienne : *Imitation d'un bas-relief*.
Ventes Publiques : Londres, 7 mai 1909 : *Portrait d'un gentilhomme* : **GBP 31** – Londres, 28 nov. 1969 : *Portrait of Lady Tanfield* : **GNS 1 900** – Londres, 11 avr. 1990 : *Hercule enfant entouré de putti lui apportant des instruments de musique, un carquois et une couronne de laurier ; Hercule enfant entouré de putti lui apportant un casque, une massue, un masque antique et des flèches*, h/t en grisaille, une paire (chaque 135x156) : **GBP 66 000** – New York, 8 oct. 1993 : *Jeux de putti*, h/t en grisaille (89,5x152,4) : **USD 5 750** – New York, 7 oct. 1994 : *Putti jouant aux bulles de savon*, h/t (89,5x152,4) : **USD 12 075**.

GEERARDS Jasper ou **Geeraerts**
Né vers 1620. Mort en 1649 ou 1654. XVIIe siècle. Hollandais.
Peintre de natures mortes.
Ventes Publiques : New York, 17 jan. 1986 : *Nature morte aux fruits et à la langouste*, h/t (75x97) : **USD 33 000** – Londres, 8 déc. 1995 : *Coupe de pêches et de raisin avec un roemer et des citrons dans un plat en étain sur une table drapée* 1648, h/pan. (74x57,8) : **GBP 36 700** – Londres, 4 juil. 1997 : *Un nautile et un citron sur un plat en étain, un jambon sur un tazza en argent, un roemer, une grappe de raisin et un citron pelé sur une table partiellement drapée*, h/pan. (74,3x58,7) : **GBP 34 500** – Amsterdam, 11 nov. 1997 : *Des raisins, un nautile, une flûte, un gobelet en argent sur un plat, un citron pelé et un homard sur une table drapée*, h/pan. (65x50,4) : **NLG 98 022**.

GEERARDS Marcus. Voir **GERARDS**

GEERE J.
XIXe siècle. Actif à Londres. Britannique.
Peintre de paysages.
Exposa à la British Institution à Londres de 1858 à 1888.

GEERNAERT Jan Hermansz
Né en 1714. Mort en 1777. XVIIIe siècle. Éc. flamande.
Sculpteur.
Cet artiste originaire de Gand travailla en Italie. Il vécut surtout à Plaisance.

GEERS Kendell
Né en 1967 à Johannesburg. XXe siècle. Sud-Africain.
Artiste.
Il a participé en 1994 à l'exposition *Un Art contemporain d'Afrique du Sud* à la galerie de l'Esplanade, à la Défense à Paris.

GEERT ou **Geertgen tot** ou **Van** ou **Sint Jans**, dit **Gerard Van Haarlem**. Voir **GÉRARD de SAINT-JEAN**

GEERTS Edouard
Né le 10 janvier 1846 à Bruxelles. Mort le 24 novembre 1889 à Ixelles. XIXe siècle. Belge.
Sculpteur.
Mention honorable en 1889 (Exposition Universelle à Paris).

GEERTS François
XIXe siècle. Actif à Anvers vers 1850. Belge.
Peintre de genre.
Musées : Gotha.
Ventes Publiques : Bruxelles, 23 mars 1977 : *Joueurs de cartes dans un intérieur rustique* 1854, h/t (38x49) : **BEF 65 000**.

GEERTS Joseph de
XVIIIe siècle. Actif à Tamise. Éc. flamande.
Peintre.
Élève de l'Académie d'Anvers en 1797.

GEERTS Karel Hendrik
Né le 10 août 1807 à Anvers. Mort le 16 juin 1885 à Louvain. XIXe siècle. Belge.
Sculpteur, graveur.
Élève de J.-B. Van Hool et de J.-A. Van der Ven. Il fut professeur à l'Académie de Louvain. On lui doit les statues des stalles à la cathédrale d'Anvers. Les Musées de Bruxelles et Bruges conservent les œuvres de cet artiste.

GEERTS Wilfried
Né en 1952. XXe siècle. Belge.
Peintre, graveur.
Il fut élève de l'Académie de Malines et de l'Institut supérieur d'Anvers.
Bibliogr. : In : *Diction. biographique illustré des Artistes en Belgique depuis 1830*, Arto, Bruxelles, 1987.

GEERTSEN Ib
Né en 1919 à Copenhague. XXe siècle. Danois.
Peintre, sculpteur.
Autodidacte, il a participé à de nombreuses expositions collectives au Danemark, notamment à Copenhague, au Salon d'Automne (1940, 1942-1948, 1956-1957...), et à l'étranger : 1953 Milan, Bucarest ; 1965 New York... Il montre, en outre, ses œuvres dans des expositions personnelles depuis 1940.
Il construit avec rigueur ses peintures et sculptures, faisant régner les formes géométriques, et plus particulièrement la combinaison du cercle et du carré, qu'il affectionne tout particulièrement. Il est aussi attentif aux tensions entre les couleurs, chaudes ou froides (vert-bleu-orange, jaune-bleu-orange, jaune-vert-orange), qu'il veut rendre sensibles. Ses compositions tournoient dans l'air, pour former des *Espaces* de couleurs. Depuis quelques années, il poursuit ses recherches en créant des espaces coloristes dans les hôpitaux. ■ L. L.

Bibliogr. : In : *Art danois*, Grand Palais, Paris, 1979.
Ventes Publiques : Copenhague, 22 nov. 1989 : *Composition* 1960, h/t (65x50) : **DKK 5 000** – Copenhague, 30 mai 1990 : *Composition* 1955, h/t (130x80) : **DKK 10 000** – Copenhague, 14-15 nov. 1990 : *Composition* 1952, h/t (97x130) : **DKK 4 500** – Copenhague, 30 mai 1991 : *Composition* 1946, h/t (126x91) : **DKK 12 000** – Copenhague, 4 déc. 1991 : *Composition* 1955, h/t (130x80) : **DKK 13 000** – Copenhague, 2-3 déc. 1992 : *Composition* 1960, h/t (65x54) : **DKK 6 000** ; *Spirale bleue* 1953, fer peint/socle de pierre (H. 75, L. 260) : **DKK 32 000** – Copenhague, 10 mars 1993 : *Série des salles oranges* 1968, h/t (65x50) : **DKK 3 800** – Copenhague, 22-24 oct. 1997 : *Composition* 1958, h/t (93x74) : **DKK 4 000**.

GEERTZ Henry Ludwig
Né le 19 juillet 1872 à Düsseldorf. XIXe-XXe siècles. Allemand.
Peintre.
Il était le fils du peintre de genre Julius Geertz.

GEERTZ Julius
Né le 21 avril 1837 à Hambourg. Mort le 21 octobre 1902 à Brunschwick. XIXe siècle. Allemand.
Peintre de genre, portraits.
Élève des frères Martin et de Gunther Gensler, à Hambourg, de Descoudre à Karlsruhe et de Jordan à Düsseldorf. En 1873, il obtint une médaille à Vienne.

Jul. Geertz

Ventes Publiques : Londres, 19 juin 1981 : *Der Letzte Schmuck*, h/t (146x132) : **GBP 1 400** – Amsterdam, 2 mai 1990 : *Le petit mendiant avec son cochon d'Inde*, h/pan. (35x26) : **NLG 7 475** – New York, 20 jan. 1993 : *Petite fille et sa poupée* 1884, h/t (25,4x20,3) : **USD 6 325** – Londres, 11 avr. 1995 : *Punitions dans la classe* 1880, h/t (71x63,5) : **GBP 4 140** – Munich, 3 déc. 1996 : *Arrêts de rigueur en classe*, h/bois (95x70) : **DEM 10 200**.

GEEST Arthur
Né en 1894 à Lokeren (Belgique). XXe siècle. Belge.
Peintre de figures, paysages. Impressionniste.
Bibliogr. : In : *Diction. biographique illustré des Artistes en Belgique depuis 1830*, Arto, Bruxelles, 1987.
Ventes Publiques : Lokeren, 28 mai 1988 : *Maisons au bord d'un canal à Gand*, h/t (45x37) : **BEF 36 000**.

GEEST Cornelis Van der
Né en 1577 à Anvers. Mort le 10 mars 1638 à Anvers. XVIIe siècle. Éc. flamande.
Graveur.
Il grava des portraits.

GEEST Gillis de
XVIIe siècle. Hollandais.
Peintre sur verre.
Peut-être frère de Wybrand de Geest. Il fut reçu bourgeois d'Utrecht en 1604 ou 1605.

GEEST Jacobus De ou **Ghest**
Né en 1570 à Anvers. Mort en 1612 à Anvers. XVIe-XVIIe siècles. Éc. flamande.
Peintre d'histoire.
Pilkington cite un De Gheest, peintre d'histoire à Anvers, mort en 1672. Selon Siret, c'est peut-être le même que Jacobus De Geest.

GEEST Juliaan Franciscus De
Mort le 25 mai 1699 à Anvers. XVIIe siècle. Éc. flamande.
Peintre de portraits, natures mortes.
Élève d'Erasmus Quellinus, et, en 1657, de Mytens.
Ventes Publiques : New York, 13 oct. 1989 : *Vanité : portrait d'une gentilhomme tenant un crâne* 1662, h/pan. (43x35,5) : **USD 5 500**.

GEEST Wybrand Simonsz De, l'Ancien, dit **l'Aigle de Frise**
Né le 16 août 1592 à Leuwarden. Mort en 1659 à Leuwarden, le Bryan's Dictionary indique 1643. XVIIe siècle. Hollandais.
Peintre de portraits.
Il était fils et élève d'un peintre de Louvain nommé Symon De Geest, lequel habita également à Anvers. En 1613, Wybrand-Simonsz De Geest travaillait à Utrecht, avec Bloemaert. Il voyagea ensuite en Belgique, en France et visita Rome où il demeura quatre ans. Revenu à Utrecht, il y épousa Hendrikje Ulenburgh, sœur de Saskia Ulenburgh, qui était la femme de Rembrandt. Il travailla alors à Amsterdam, puis à Louvain. Il eut un fils nommé Julian qui fut également peintre. Il eut parmi ses élèves Jacobus Potma.

W de Geest
1659

Musées : Amsterdam : *Autoportrait – La femme de l'artiste – Ernest Casimir de Nassau* – Le même – *Henri-Casimir Ier de Nassau* – Le même – *Guillaume-Frédéric de Nassau – Johann-Conrad Wilder Ryngranf – Sophie-Hedwige de Brunswick, comtesse de Nassau – Dame de qualité – Officier supérieur – Les frères de Guillaume le Taciturne : Jean, Henri, Louis et Adolphe* – Haarlem (Mus. mun.) : *Alef Van Beyma – His Van Popma – Johan Bœsms – Geerbruyt Van der Dussen* – Lille : *Un prince d'Orange – Famille hollandaise* – Stuttgart : *Portrait de famille*.
Ventes Publiques : Paris, 1850 : *La fille au papillon*, dess. : **FRF 4 252** – Paris, 16 fév. 1923 : *Portrait d'homme à collerette* : **FRF 2 000** – Londres, 23 mars 1923 : *Portrait d'homme* : **GBP 294** ; *Madame de Wint* : **GBP 430** – Londres, 17 et 18 mai 1928 : *Gentilhomme espagnol* : **GBP 220** – Paris, 30 oct. 1946 : *Portrait d'homme* : **FRF 19 100** – Paris, 20 mars 1953 : *La dame à la bague* ; *L'homme au gant* : **FRF 75 000** – New York, 17 mai 1972 : *Portrait de jeune fille* : **USD 3 000** – Londres, 28 oct. 1987 : *Portrait d'un jeune garçon*, h/t (175x110) : **GBP 13 800** – Paris, 14 déc. 1989 : *Portrait d'un enfant en pied tenant une fleur et une pomme*, h/t (90x70) : **FRF 80 000** – Amsterdam, 6 mai 1993 : *Portrait d'une jeune femme vêtue d'une robe noire à collet de dentelle blanche avec un sautoir à six rangs et une ceinture rouge*, h/pan. (70,8x59,8) : **NLG 59 800** – New York, 12 jan. 1995 : *Portrait d'Henry, 4e Lord de la Warr* 1627, h/pan. (43,8x32,4) : **USD 11 500**.

GEEST Wybrand De, le Jeune
XVIIe siècle. Actif à Anvers vers 1690. Éc. flamande.
Peintre d'histoire.
Fils de Juliaan De Geest, élève de son père et de Jan Michiel Coxcie, à qui il dédia un ouvrage sur la statuaire antique. Il était petit-fils de Wybrand l'Ancien.

GEETERE Frans de
XXe siècle. Belge (?).
Aquarelliste, dessinateur, illustrateur.
Il a illustré *Lettres d'un satyre*, et *La toison d'or* de Rémy de Gourmont.
Ventes Publiques : Paris, 20 nov. 1984 : *Suzy Solidor étendue*, aquar. (61x84) : **FRF 4 500** – Paris, 4 mars 1991 : *Carnaval* 1917, encre de Chine et gche/cart. (70x54) : **FRF 7 800**.

GEETERE Georges François de
XIXe siècle. Actif à Namur vers 1890. Belge.
Peintre de sujets typiques, portraits.
Il fut élève de Portaels.
Ventes Publiques : Paris, 25 nov. 1985 : *Portrait de femme*, h/t (60x80) : **FRF 48 000** – New York, 25 mai 1988 : *Le garde du harem* 1885, h/t (203,2x119,4) : **USD 17 600** – New York, 14 oct. 1993 : *Le garde du harem*, h/t (203,2x119,4) : **USD 16 100**.

GEETS Willem
Né le 20 janvier 1838 à Malines. Mort en 1919. XIXe-XXe siècles. Belge.
Peintre d'histoire, compositions religieuses, scènes de genre, portraits, aquarelliste, pastelliste.
Élève de l'Académie de Malines et de l'Académie d'Anvers. Il continua ses études notamment avec N. de Keyser. Il fut nommé directeur de l'Académie de Malines. En 1877, il obtint une médaille à Gand ; en 1893, mention honorable à Paris.

Willem Geets

Musées : Anvers : *Exorcisme de Jeanne de Castille, dite la Folle* – Birmingham : *Un martyr du XVIe siècle, Jeanne de Santhova enterrée vivante* – Liverpool : *En attendant une audience*.
Ventes Publiques : New York, 13-14 fév. 1900 : *Le Berceau vide* : **USD 170** – Londres, 19 déc. 1908 : *Portrait de jeune fille* : **GBP 10** – Newcastle (Angleterre), 18 avr. 1932 : *Le baiser des amants* :

GBP 26 – LONDRES, 8 mars 1937 : *Baptême* : **GBP 13** – BRUXELLES, 11 déc. 1937 : *Le Cantique de Noël* : **BEF 10 000** – BRUXELLES, 27 oct. 1976 : *Personnages dans un intérieur Renaissance*, h/t (113x172) : **BEF 200 000** – CHESTER, 31 juil. 1981 : *Femme écrivant une lettre*, h/pan. (47x39,5) : **GBP 850** – BRUXELLES, 18 fév. 1982 : *Soubrette rêvant au pays natal*, aquar. (35x24) : **BEF 24 000** – BRUXELLES, 27 fév. 1985 : *Fillette dans la neige* 1891, past. (90x55) : **BEF 40 000** – NEW YORK, 24 mai 1989 : *L'Astiquage des cuivres*, h/t (91,5x137,2) : **USD 13 200** – LONDRES, 17 avr. 1996 : *La Dot en bijoux* 1907, h/t (112x172) : **GBP 12 650** – LONDRES, 13 juin 1997 : *Soldats pillant une maison* 1915, h/t (151x226) : **GBP 31 050**.

GEFFCKEN Walter

Né le 4 avril 1872 à Hambourg. Mort en 1950. XIXe-XXe siècles. Allemand.

Peintre de scènes typiques.

Il travailla à Munich, puis fut, à Paris, l'élève de J.P. Laurens et de Benjamin Constant.

VENTES PUBLIQUES : PARIS, 5 mars 1942 : *Le petit-déjeuner* : **FRF 300** – COLOGNE, 17 mars 1978 : *L'audience* 1919, h/cart. (66x85) : **DEM 3 000** – COLOGNE, 21 mars 1980 : *Intérieur* (50x63) : **DEM 2 600**.

GEFFELS Frans De

XVIIe siècle. Éc. flamande.

Peintre, graveur à l'eau-forte et architecte.

De 1666 à 1671, il travailla à la cour de Mantoue. On cite notamment de lui : *Architecturen, Ruinen, mit landschaftlichen Hintergrunden und Figuren*, suite de 7 planches en hauteur ; *Catafalque de Charles II duc de Mantoue, à l'église de Sainte-Barbe*, 1666. Cette dernière pièce est recherchée.

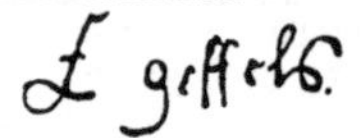

VENTES PUBLIQUES : CANNES, 7 août 1997 : *Le Banquet galant*, t. (55x85) : **FRF 60 000**.

GEFFROY Edmond Aimé Florentin

Né le 29 juillet 1804 à Maignelay (Oise). Mort le 8 février 1895 à Saint-Pierre-les-Nemours (Seine-et-Marne). XIXe siècle. Français.

Peintre d'histoire, sujets religieux, portraits.

Il partagea sa vie entre la peinture et le théâtre. Acteur connu, il fut sociétaire du Théâtre de la Comédie Française jusqu'en 1865. Il étudia la peinture dans l'atelier d'Amaury Duval. Il exposa au Salon de Paris, de 1829 à 1868 ; obtenant une troisième médaille et une deuxième médaille, en 1841.

Il consacra la majorité de son œuvre picturale au portrait de groupe ou individuel. Il peignit, de 1851 à 1863, tous les visages de ses confrères comédiens, en civil ou dans le costume de leur rôle favori, parmi lesquels : *Augustine Brohan* – *Bonval* – *Madeleine Brohan* – *Régner* – *Provost* – *Leroux* – *Favart* – *Coquelin* – *Delaunay* – *Maillart* – *Victoria Lafontaine* – *Jouassin*. Il réalisa également des sujets historiques et des compositions religieuses, dont une *Vierge à l'Enfant*, qui témoigne de son observation du style de Raphaël et de sa manière de composer.

BIBLIOGR. : Gérald Schurr, in : *Les Petits Maîtres de la peinture 1820-1920, valeur de demain*, Les Éditions de l'Amateur, t. VII, Paris, 1989 – in : Catalogue de l'exposition *1815-1850. Les années romantiques*, Éditions de la Réunion des Musées Nationaux, Paris, 1995.

MUSÉES : BOURG-EN-BRESSE : *La Vierge et l'Enfant* – ROUEN (Mus. des Beaux-Arts) : *Vierge à l'Enfant*.

GEFLOWSKI E. Edward

XIXe siècle. Actif à Londres. Britannique.

Sculpteur.

Cet artiste exposa fréquemment à la Royal Academy et à Suffolk Street à partir de 1867. On cite de lui dans les Musées anglais : à Liverpool : *Bustes de Garibaldi* et *d'Edwing Wangh*, et à Salford un buste de ce dernier.

GEGAN J. J.

XIXe siècle. Actif à Maidstone. Britannique.

Peintre de paysages.

Exposa à Londres, à la Royal Academy et à Suffolk Street, de 1844 à 1860.

GEGENBAUER Joseph Anton von

Né le 6 mars 1800 à Wangen. Mort le 31 janvier 1876 à Rome. XIXe siècle. Allemand.

Peintre d'histoire et d'architectures.

Élève de l'Académie de Munich et de R. von Langer. Il fit de nombreux séjours à Rome, puis à Stuttgart, appelé par le roi de Wurtemberg pour orner son château de tableaux relatifs à l'histoire de Wurtemberg. Ces travaux l'occupèrent pendant dix-huit ans. En 1836, il fut nommé peintre de la cour.

MUSÉES : CONSTANCE : *Madone* – STUTTGART : *Le père de l'artiste* – *La mère de l'artiste* – *Hercule et Omphale* – Même sujet – Esquisses.

GEGER Christoph Daniel

XVIIe siècle. Actif à Jeszenova en 1661. Hongrois.

Peintre.

GEGERFELT Charlotta von

Née le 14 juin 1834. Morte le 22 mai 1915 à Göteborg. XIXe-XXe siècles. Suédoise.

Peintre.

GEGERFELT Wilhelm von

Né en 1844 à Göteborg. Mort en 1920. XIXe-XXe siècles. Actif en France entre 1872 à 1888. Suédois.

Peintre d'intérieurs, scènes de genre, paysages animés, paysages d'eau, paysages, marines, aquarelliste.

Il étudia à l'École des Beaux-Arts de Stockholm, puis, de 1867 à 1872, à celle de Düsseldorf. Il vécut à Paris, de 1872 à 1888. Puis, il revint dans sa ville natale avant de se fixer définitivement à Väderö. Il visita Venise à plusieurs reprises. Il exposa à Paris, au Salon, puis Salon des Artistes Français, de 1876 à 1888 ; à Vienne, à partir de 1888, année où il obtint une médaille d'argent ; ainsi qu'à Munich.

Il peignit de multiples paysages de natures très diverses. Étant inspiré, en France, par la Normandie et la Côte de Grâce ; en Italie par la lagune : il réalisa de nombreux bords de mer, à marée haute ou basse, des ports, des canaux, des quais, des marines, sous des couchers de soleil et des effets de clair de lune. Il fit aussi des paysages de sa région, des bois, des hameaux, sous le soleil ou sous la neige.

BIBLIOGR. : Gérald Schurr, in : *Les Petits Maîtres de la peinture 1820-1920, valeur de demain*, Les Éditions de l'Amateur, t. V, Paris, 1981.

MUSÉES : LEIPZIG : *Canal, coucher de soleil* – LIMOGES : *Paysage suédois* – REIMS : *L'hiver en Hollande* – STOCKHOLM : *La côte de Vadero* – Une aquarelle.

VENTES PUBLIQUES : PARIS, 1882 : *Les patineurs* : **FRF 1 000** ; *Jetée à Venise* : **FRF 1 510** – NEW YORK, 20 mars 1909 : *Scène en Hollande* : **USD 200** – PARIS, 20 nov. 1925 : *Le dégel, effet de soleil* : **FRF 3 000** – PARIS, 23 juin 1943 : *Moulin* : **FRF 8 100** – PARIS, oct. 1945-juil. 1946 : *Port au soleil couchant* : **FRF 35 000** ; *Paysage d'hiver*, aquar. : **FRF 7 000** – PARIS, 25 mars 1949 : *Scène de port* : **FRF 91 000** – GÖTEBORG, 8 nov. 1973 : *Bord de mer* : **SEK 13 000** – VERSAILLES, 8 fév. 1976 : *La cour de ferme*, h/bois (43x28) : **FRF 3 500** – GÖTEBORG, 31 mars 1977 : *Barques de pêche*, h/t (65x92) : **SEK 19 000** – STOCKHOLM, 26 avr. 1982 : *Paysage d'Italie*, aquar. et gche (47x25) : **SEK 6 000** – STOCKHOLM, 30 oct. 1984 : *Bord de mer*, aquar. (41x64) : **SEK 11 500** – GÖTEBORG, 7 nov. 1984 : *Village d'Italie*, h/t (116x81) : **SEK 42 000** – STOCKHOLM, 4 nov. 1986 : *Vue de Venise* 1882, h/t (76x45) : **SEK 190 000** – STOCKHOLM, 20 oct. 1987 : *Vue de Venise*, aquar. et gche (46x52) : **SEK 28 000** – STOCKHOLM, 20 oct. 1987 : *Scène de canal, Venise*, h/t (100x76) : **SEK 210 000** – STOCKHOLM, 27 avr. 1988 : *Chemin à l'entrée du village sous la neige* 1874, h/t (45x73) : **SEK 26 000** – STOCKHOLM, 15 nov. 1988 : *Littoral avec des falaises et des personnages*, h. (35x45) : **SEK 30 000** – LONDRES, 16 mars 1989 : *Barques échouées*, h/t (35x46,2) : **GBP 11 000** – STOCKHOLM, 19 avr. 1989 : *Paysage avec un hangar près d'un torrent*, h/t (38x51) : **SEK 50 000** – GÖTEBORG, 18 mai 1989 : *Les quais et les entrepôts de Venise le soir*, h/t (76x121) : **SEK 280 000** – STOCKHOLM, 15 nov. 1989 : *Activités sur les berges d'un canal de Venise au soleil levant*, h. (64x91) : **SEK 150 000** – PARIS, 21 nov. 1989 : *Voiliers à marée basse* ; *Sous-bois en hiver*, deux h/pan., faisant pendants (chacune 41x32) : **FRF 80 000** – CALAIS, 4 mars 1990 : *Bois de Boulogne sous la neige* 1873, h/pan. (41x32) : **FRF 42 000** – NEW YORK, 23 oct. 1990 : *Un canal vénitien*, h/t (165,1x100,3) : **USD 44 000** – STOCKHOLM, 14 nov. 1990 : *Vénitiens guettant le retour des bateaux par temps de brouillard*, h/t (74x100) :

SEK 65 000 – Stockholm, 29 mai 1991 : *Activités portuaires et chantiers de réparations*, h/pan. (60x97) : **SEK 42 000** – Stockholm, 13 avr. 1992 : *Maison rustique près d'un ruisseau en hiver*, h/t (59x94) : **SEK 13 500** – Stockholm, 19 mai 1992 : *Plage avec un enfant jouant dans les flaques en Bretagne*, h/t (61x91) : **SEK 45 000** – Stockholm, 5 sep. 1992 : *Scène de canal à Venise*, h/t (94x66) : **SEK 60 000** – New York, 30 oct. 1992 : *La pêche dans la lagune* 1883, h/t (67,3x95,2) : **USD 12 100** – Londres, 16 juin 1993 : *Vue de Venise*, h/t (74x126) : **GBP 10 925** – Stockholm, 30 nov. 1993 : *Le canal du Ponte Longo à Venise*, h/t (29x43) : **SEK 17 500**.

GEH Peter
Né le 25 juin 1865 à Offenbach. XIXe siècle. Allemand.
Graveur et illustrateur.
Il travailla à Berlin.

GEHART Johann
XIVe siècle. Actif à Erfurt vers 1370. Allemand.
Sculpteur.

GEHBE Eduard
Né le 30 mars 1845 à Meiningen. XIXe siècle. Allemand.
Peintre.
Il fut à Weimar élève de Preller.

GÉHIN Thierry
XXe siècle. Français.
Artiste, multimédia.
Il fut élève de l'école des beaux-arts de Lyon. Il participe en 1994 au IXe festival Vidéoformes.
Il pratique la vidéo.

GEHLER
XVIIIe siècle. Actif à Leipzig. Allemand.
Peintre.
Il exécuta des portraits à la miniature.

GEHR Andreas
Né en 1942 à Appenzell. XXe siècle. Suisse.
Sculpteur d'environnements.
Il fut élève de l'École des Arts Appliqués de Lucerne. Il participe à quelques expositions collectives en Suisse, notamment au Musée de Lucerne en 1975, ainsi qu'à la 9e Biennale de Paris également en 1975, et a exposé à titre personnel en 1973 à Lucerne, en 1974 à Olten.
Bibliogr. : In : Catalogue de la 9e Biennale de Paris, 1975.
Musées : Lucerne.

GEHR Johann Ferdinand
Né en 1896 à Niederglatt (Suisse). XXe siècle. Suisse.
Peintre, dessinateur de cartons de vitraux, compositions murales.
Ventes Publiques : Lucerne, 21 nov. 1992 : *Composition aux fleurs* 1970, cr. gras/pap. (26,5x19) : **CHF 1 200**.

GEHREN Cord von
XVIe siècle. Actif à Lübeck en 1594. Allemand.
Peintre.

GEHREN Gregor von
Mort en 1590. XVIe siècle. Actif à Lübeck. Allemand.
Peintre.

GEHREN Moritz
XVIe siècle. Actif à Lübeck vers 1595. Allemand.
Peintre.
Il était fils de Gregor.

GEHRI Christian Schnitzler
Né en août 1808 à Riggis. Mort en 1882. XIXe siècle. Suisse.
Graveur sur bois.

GEHRI Franz
Né le 15 avril 1882 à Seedorf. XXe siècle. Suisse.
Peintre et graveur.
Il était fils de Karl. On lui doit des portraits, des paysages et des scènes de genre.

GEHRI Karl
Né le 25 juin 1850 à Seedorf. Mort après 1913. XIXe-XXe siècles. Allemand.
Peintre de genre, paysages.
Élève de Drether et de Valech à Berne et de Defregger et Grob à Munich.
Musées : Berne : *Jeune romaine (peinte en deux heures)* – *Les noces d'or* – *Le fusil à pierre* – *Paysage*.

Ventes Publiques : Berne, 6 mai 1981 : *Le musicien ambulant*, h/cart. (54,5x41) : **CHF 2 500** – Zurich, 13 juin 1986 : *Paysanne jouant de la guitare* 1896, h/t (69x58) : **CHF 5 000**.

GEHRI Max
Né le 11 novembre 1847 à Innsbruck. Mort en 1909 à Muhlau. XIXe siècle. Autrichien.
Peintre d'églises.
Il fut élève de Plattner.

GEHRIG Charles
Né en 1932. XXe siècle. Suisse.
Peintre.
Ventes Publiques : Lucerne, 24 nov. 1990 : *Sans titre* 1969, h. sur relief de bois (160x60) : **CHF 2 000**.

GEHRIG Jacob
Né en 1846 à Flawil. XIXe siècle. Actif à Munich. Allemand.
Peintre de paysages.
On lui doit des vues de Venise.

GEHRKE Fritz
Né le 16 juillet 1855 à Woisenthin. Mort en 1916 à Berlin. XIXe-XXe siècles. Allemand.
Peintre et illustrateur.
Il fut élève de Guslow.

GEHRKEN Karl
XIXe siècle. Actif à Saint-Pétersbourg au début du XIXe siècle. Russe.
Peintre.

GEHRMANN Franz Octavio
Né le 9 juin 1728 à Hambourg. Mort le 10 mai 1787 à Hambourg. XVIIIe siècle. Allemand.
Peintre.
Il était le fils et fut l'élève de Johann Michael Gehrmann.

GEHRMANN Johann Michael
Mort le 27 juillet 1770 à Hambourg. XVIIIe siècle. Allemand.
Peintre.
Il fut l'élève de Johann Rundt.

GEHRTS Anna, née **Kottgen**
Morte le 8 juin 1901 à Düsseldorf. XIXe siècle. Allemande.
Peintre de paysages.
Elle était l'épouse de Karl Gehrts.

GEHRTS Franz
Né le 18 mai 1860 à Hambourg. Mort le 5 octobre 1894 à Halle. XIXe siècle. Allemand.
Peintre.
Il était le frère de Johannes et de Karl Gehrts.

GEHRTS Johannes
Né le 26 février 1855 à Hambourg. XIXe siècle. Allemand.
Dessinateur, peintre de genre et d'histoire.
Frère cadet de Karl Gehrts. Il fit ses études à Weimar et à Düsseldorf. En 1873, il travailla avec son frère à la décoration de la Villa Meyer, près d'Altona. Il a exposé à Berlin, à Munich et à Dresde entre 1878 et 1887. On cite de lui : *Chef de tribu germanique avec suite*.

GEHRTS Karl
Né le 11 mai 1853 à Saint-Pauli (Hambourg). Mort le 17 juillet 1898 à Endenich. XIXe siècle. Allemand.
Peintre d'histoire, sujets allégoriques, scènes de genre, dessinateur.
En 1871, il étudia à l'école d'art de Weimar avec Gussow et Alb. Baur. Il obtint une mention honorable à Berlin, en 1886 et à Dresde en 1887, en 1890, une médaille d'or.
On cite de lui : *L'impératrice Gisèle devant le corps de son fils* et *Demetrius*.

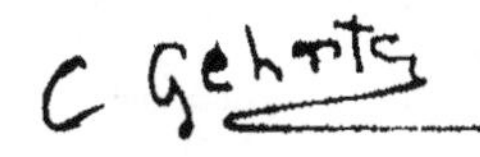

Ventes Publiques : Heidelberg, 18 oct. 1980 : *Allégorie des Arts* 1873, pl. et lav./pap. (32,5x50) : **DEM 3 000** – Lucerne, 15 mai 1986 : *Ermite faisant la lecture à des nains*, peint. (46,5x60,5) : **CHF 26 000**.

GEHRY Frank
Né en 1929 à Toronto (Ontario). XXe siècle. Canadien.
Sculpteur. Pop art.
Ventes Publiques : New York, 8 nov. 1989 : *Lampe-poisson*

1984, formica et montage électrique (200,6x91,5x61) : **USD 53 900.**

GEI-AMI, de son vrai nom : **Shin-gei,** nom familier : **Gei-ami,** nom de pinceau : **Gakusô**
Né en 1431. Mort en 1485. xve siècle. Japonais.
Peintre.
Dans la seconde moitié du xve siècle, la peinture monochrome, qui se développait jusque-là dans les milieux bouddhistes de la secte zen, étend sa sphère d'influence à la société laïque. A Kyoto, une famille, que l'on traite souvent comme une école, excelle dans la peinture au lavis : la famille Ami, dont les membres sont de façon héréditaire conseillers artistiques auprès des shôguns Ashikaga. Gei-ami est l'un des membres importants de cette famille. C'est le fils de Nô-ami (1397-1471), et le père de Sô-ami (?-1525). Le style de cette famille, caractérisé par la technique du lavis, se libère progressivement des empreintes chinoises. Bien que de croyance amidiste (comme l'indique le suffixe de Ami dans leur nom), ces artistes travaillent aussi pour des monastères zen. A leur talent de connaisseurs d'art, on doit la rédaction de *Kundai-kan sôchô-ki* (Carnet du secrétaire d'art du Shôgun) qui donne la liste des noms des peintres chinois illustres dont les œuvres figurent dans les collections shôgunales, ainsi que des calligraphies et autres pièces, classées selon le goût de l'époque.
Bibliogr. : Terukazu Akiyama : *La peinture japonaise,* Genève, 1961 – Ichima tsu Tanaka : *Japanese ink painting : Shubun to Sesshu,* Tokyo 1969.
Musées : Tokyo (Nezu Mus.) : *Le spectacle de la cascade* daté 1480, rouleau en hauteur, encre et coul. sur pap., inscriptions de Osen Keisan et de deux autres prêtres.

GEIBEL Carl
Né à Halle. xviiie-xixe siècles. Allemand.
Peintre et lithographe.
On cite ses miniatures et ses aquarelles.

GEIBEL Casimir
Né le 12 janvier 1839 à Kreuznach. Mort le 22 mai 1896 à Weimar. xixe siècle. Allemand.
Peintre d'histoire, scènes de genre, portraits.
Élève de Pauwel. Il a exposé surtout à Berlin, Dresde et Vienne, entre 1866 et 1887.
On lui doit des portraits et des peintures historiques. On cite de lui : *Le mauvais chemin* et *Paysage d'été.*
Ventes Publiques : Berlin, 30 oct. 1969 : *Les vendanges* : **DEM 7 300** – New York, 17 jan. 1990 : *Le jeu de carte,* h/t (61,6x51,4) : **USD 4 675** – New York, 29 oct. 1992 : *Le labourage,* h/t (66,7x100,4) : **USD 6 050.**

GEIBEL Hermann
Né le 14 mai 1889 à Fribourg-en-Brisgau. xxe siècle. Allemand.
Sculpteur.
Il fit ses études à Dresde, puis s'établit à Munich.

GEIBEL Margarete
Née le 5 juin 1876 à Weimar. xxe siècle. Allemande.
Graveur.
Elle était la fille de Casimir Geibel.

GEIBEL Stephan
Né à Bamberg. xviiie siècle. Allemand.
Peintre.
Il exécuta à Francfort-sur-le-Main plusieurs tableaux religieux.

GEIGENBERGER August
Né le 16 juin 1875 à Wasserburg. Mort le 5 mars 1909 à Munich. xxe siècle. Allemand.
Peintre, illustrateur.
On cite ses illustrations et ses caricatures.

GEIGER Adam
xviie siècle. Actif à Landshut. Allemand.
Peintre.

GEIGER Andreas
Né le 27 juillet 1765 à Vienne. Mort le 31 octobre 1856 à Vienne. xviiie-xixe siècles. Autrichien.
Graveur à la manière noire.
Parmi ses meilleures œuvres figurent : *La mort de Caton,* d'après Caravage, *La mise au tombeau du Christ,* d'après Van der Werff.

GEIGER Andreas, le Jeune
xixe siècle. Actif à Vienne. Autrichien.
Graveur.
Il était fils d'Andreas.

GEIGER Carl Joseph
Né le 14 décembre 1822 à Vienne. Mort le 19 octobre 1905 à Vienne. xixe siècle. Autrichien.
Peintre et illustrateur.
Il était le petit-fils d'Andreas. Élève, à l'Académie de Vienne, de Fuhrich avec lequel il travailla à la décoration de l'église Saint-Jean à Vienne. Il a peint également de nombreuses décorations pour divers palais de Vienne et des décors de théâtre. Il a exposé à Vienne à partir de 1869. Le Musée de Vienne conserve de lui : *Roméo et Juliette.*

GEIGER Carl Van
Né en 1806 à Munich. xixe siècle. Allemand.
Peintre.
On lui doit des paysages et des tableaux de genre.

GEIGER Caspar Augustin
Né le 28 août 1847 à Laningen. Mort en 1924. xixe-xxe siècles. Allemand.
Peintre d'histoire, scènes de genre, portraits, intérieurs.
Élève de l'Académie de Munich dans l'atelier Stahuber, puis de Raab et de Diez. Il fit un long séjour à Venise. En 1889, il s'établit à Munich. Il a exposé à Vienne et à Munich à partir de 1881.

Ventes Publiques : Munich, 27 mai 1977 : *Scène d'intérieur* 1882, h/pan. (33,5x26,5) : **DEM 7 200** – Stuttgart, 9 mai 1981 : *Le violoniste* 1876, h/pan. (39x31,5) : **DEM 8 000** – Londres, 18 nov. 1994 : *La visite du marchand de mode* 1878, h/t/cart. (57,5x35) : **GBP 11 500.**

GEIGER Christoph
xvie siècle. Actif à Innsbruck au début du xvie siècle. Autrichien.
Sculpteur.
On lui doit un nombre important de monuments funéraires.

GEIGER Conrad
Né le 18 février 1751 à Erlangen. Mort le 4 septembre 1808 à Schweinfurt. xviiie siècle. Allemand.
Peintre de genre.
Il travailla à Bamberg, Nuremberg et Munich.
Ventes Publiques : New York, 24 mars 1983 : *Unvermutende Betrachtung* 1790, h/t (65x80,5) : **USD 2 600.**

GEIGER Ernst Samuel
Né le 1er février 1876 à Turgi. Mort en 1965 à Neuenstadt. xxe siècle. Allemand.
Peintre de paysages.
Il fit ses études à Zurich, Munich, puis Paris.
Musées : Berne : *Clair de lune.*
Ventes Publiques : Berne, 11 mai 1984 : *Bielersee und Jolimont* 1916, h/cart. entoilé (33x50) : **CHF 3 800** – Berne, 3 mai 1985 : *Vue de Bielersee,* h/t (46x38) : **CHF 5 000** – Berne, 30 avr. 1988 : *Vue sur Bielersee et l'île Peters, un matin d'été,* h/t (56x66) : **CHF 3 600** – Berne, 26 oct. 1988 : *L'été sur le lac de Bieler* 1926, h/t (80x110) : **CHF 5 200.**

GEIGER Franz Josef
Né à Landshut. Mort vers 1716 à Landshut. xviiie siècle. Allemand.
Peintre d'histoire et graveur.
Il travailla à la cour des rois de Bavière.

GEIGER Georg ou **Giger, Cyger**
Mort en 1639. xviie siècle. Suisse.
Peintre verrier.
Élève de Nuscheler. Il était actif à Zurich.

GEIGER Hans Konrad
Né le 27 juillet 1599 à Zurich. Mort le 25 septembre 1674 à Zurich. xviie siècle. Suisse.
Peintre verrier.
Il était fils de Georg.

GEIGER Henny ou **Spiegel**
xixe siècle. Active à Berlin. Allemande.
Sculpteur.
Épouse de Nicolaus Geiger. Elle exposa à Paris, Munich et Berlin.

GEIGER Jakob
XVIIe siècle. Actif à Ulm. Allemand.
Dessinateur.

GEIGER Johann
Mort en 1870. XIXe siècle. Actif à Vienne. Autrichien.
Graveur.
Il était fils d'Andreas.

GEIGER Johann Conrad. Voir **GEIGER Hans Konrad**

GEIGER Jorg
XVIIe siècle. Actif à Admond en 1637. Allemand.
Peintre.

GEIGER Joseph
Né en 1781 à Vienne. Mort en 1814 à Vienne. XIXe siècle. Autrichien.
Sculpteur.
Il fut le père de Peter Johann.

GEIGER Karl
Né en 1823 à Schwabmünchen. XIXe siècle. Allemand.
Graveur amateur.

GEIGER Margarete
Née le 24 mai 1783 à Schweinfurt. Morte le 4 septembre 1809 à Vienne. XVIIIe siècle. Allemande.
Peintre, aquarelliste.
Fille de Conrad. Elle fut élève de Ch. Fesel.
Ventes Publiques : Munich, 3 nov. 1983 : *Schweinfurter Tracht*, aquar. et gche (33,9x25) : **DEM 2 400**.

GEIGER Maurice Raphaël
Né à Nantes (Loire-Atlantique). XXe siècle. Français.
Sculpteur.
Il figure jusqu'en 1931 à la Société Nationale des Beaux-Arts.

GEIGER Nicolaus
Né le 6 décembre 1849 à Laningen. Mort le 27 novembre 1897 à Berlin. XIXe siècle. Allemand.
Sculpteur et peintre.
Élève de l'Académie de Munich, puis de Knabl ; il s'établit à Berlin. Il a exposé à Munich et à Berlin entre 1884 et 1888. On cite de lui : *L'Accord*. Ses meilleures œuvres sont de vastes décorations d'édifices publics et d'églises.
Musées : Berlin : *Après la chute – Têtes de petite fille et de femme – Centaure avec nymphe.*

GEIGER Paul
XVIIe siècle. Actif à Landshut en 1699. Allemand.
Peintre.

GEIGER Peter Johann Nepomuk
Né le 11 janvier 1805 à Vienne. Mort le 29 octobre 1880 à Vienne. XIXe siècle. Autrichien.
Peintre d'histoire compositions religieuses, sujets allégoriques, scènes de genre, sujets typiques, aquarelliste, graveur.
Élève de l'Académie de Vienne, où il devint professeur de dessin en 1844. Il accompagna, en 1850, le grand-duc Ferdinand-Max dans ses voyages en Orient.
En 1850, il orna le plafond de la citadelle Ofen de trois tableaux. On cite de lui : *Le Marché d'esclaves à Smyrne. – L'Ancien et le Nouveau Testament.*

Cachet de vente

Musées : Vienne : *Idylle.*
Ventes Publiques : New York, 13 déc. 1985 : *La Peinture – La Musique*, deux aquar. et encre de Chine, de forme ovale (31,5x37,5) : **USD 2 600**.

GEIGER Richard
Né le 29 juin 1870 ou 1872 à Vienne. Mort en 1945. XIXe-XXe siècles. Autrichien.
Peintre de genre, figures, nus, portraits.
Il traite avec prédilection les scènes de fête costumée et de carnaval, ainsi que des mises en scène orientales.
Ventes Publiques : Vienne, 17 mars 1981 : *Arlequin et Colombine*, h/t (100,5x74,5) : **ATS 10 000** – Vienne, 12 sep. 1984 : *Rêverie* 1935, h/t (50x60) : **ATS 60 000** – Vienne, 11 sep. 1985 : *Une jeune beauté*, h/t (47x44) : **ATS 20 000** – Stockholm, 15 nov. 1988 : *Portrait d'une jeune fille en costume oriental*, h/t (86x75) : **SEK 11 000** – Amsterdam, 23 avr. 1991 : *Carnaval*, h/t (58x78) : **NLG 2 875** – New York, 15 oct. 1991 : *Marché aux esclaves*, h/t (58,4x76,8) : **USD 2 860** – Amsterdam, 5-6 nov. 1991 : *Nu debout*, h/t (78,5x58) : **NLG 3 450** – Amsterdam, 14-15 avr. 1992 : *Vénus et les satyres*, h/t (59x78) : **NLG 2 300** – Amsterdam, 20 avr. 1993 : *Flirt*, h/t (59x80) : **NLG 1 380** – New York, 22-23 juil. 1993 : *Portrait d'une dame costumée en Pierrette* 1917, h/pan. (79,4x30,5) : **USD 1 150** – Londres, 27 oct. 1993 : *Présentation d'une esclave au pacha*, h/t (58,5x78,5) : **GBP 7 130** – Amsterdam, 9 nov. 1994 : *Centre d'intérêt*, h/t (60x80) : **NLG 2 530**.

GEIGER Robert
Né le 25 décembre 1859. Mort le 4 décembre 1903. XIXe siècle. Allemand.
Peintre de genre.
Il a exposé à Munich, Dresde, Berlin et Brême de 1886 à 1890.

GEIGER Rupprecht
Né le 26 janvier 1908 à Munich (Bavière). XXe siècle. Allemand.
Peintre. Abstrait.
Après des études d'architecture, il se forme seul à la peinture. Il voyage à cette époque en Espagne et en Grèce. Il travaille tout d'abord comme architecte et ne vient à la peinture qu'en 1945. Il est l'un des membres fondateurs du groupe Zen, en 1949, avec Baumeister et Bissier. Depuis 1965, il enseigne à la Kunstakademie de Düsseldorf.
Il commence à exposer en 1950. Il a participé à de nombreuses expositions de groupe, notamment en 1955, à l'exposition des peintres abstraits à Paris, en 1959 à la Dokumenta II de Kassel... Il a montré, pour la première fois, ses œuvres dans des expositions personnelles en 1953, à Munich et Cologne.
Ses grandes toiles ressortent à la fois de l'intégration architecturale et des philosophies extrême-orientales. De grandes surfaces sombres ou au contraire claires sur fond sombre, quasiment monochromes, incitent à la méditation, excitée et attirée par une légère modulation en camaïeu de la surface monochrome ou par une traînée de lumière rouge ou bleue.
Bibliogr. : Michel Seuphor : *Dict. de la peinture abstraite*, Hazan, Paris, 1957 – in : *Dict. univ. de la peinture*, Le Robert, t. III, Paris, 1975.
Ventes Publiques : Cologne, 28 avr. 1971 : *Composition* : **DEM 5 000** – Cologne, 21 mai 1977 : *Composition*, cr. (51x72,5) : **DEM 900** – Munich, 30 mai 1983 : *Composition* 1960, gche (55,2x39,5) : **DEM 2 400** – Cologne, 9 déc. 1986 : *Composition abstraite*, acryl./pan. (66x75) : **DEM 9 000** – Amsterdam, 21 mai 1992 : *366/62*, h/t (100x120) : **NLG 41 400**.

GEIGER Willy
Né le 17 août 1878 à Schönbrunn. Mort en 1971 à Munich (Bavière). XXe siècle. Allemand.
Peintre, aquarelliste, graveur.
Il fut élève de l'académie des beaux-arts de Munich. Il figura en 1929 à Paris, à l'importante exposition *Peintres et graveurs allemands*. On cite ses ex-libris.

Ventes Publiques : Munich, 26 nov. 1976 : *Saint Sébastien* 1914, h/t (121x100) : **DEM 1 500** – Munich, 28 nov. 1980 : *Vue de Chiemsee* 1945, aquar. (50x70) : **DEM 2 800** – Munich, 6 déc. 1982 : *Vue de Chiemsee* 1938, aquar. (50x70) : **DEM 1 550** – Munich, 30 nov. 1984 : *Paysage de Chiemgau* 1934, aquar. (50x70,5) : **DEM 5 000** – New York, 26 juin 1985 : *Le Chiemsee au crépuscule* 1940, aquar. (35,5x51) : **DEM 2 500** – Munich, 3 juin 1987 : *Saint Sébastien* 1914, h/t (192x110) : **DEM 15 000** – Heidelberg, 9 oct. 1992 : *Corrida* 1907, encre (26x44,3) : **DEM 1 000** – Londres, 25 oct. 1995 : *La Fin de toutes choses* 1902, encre et lav. (17,8x17,8) : **GBP 862**.

GEIGER-THURING August
Né en 1861. Mort le 28 décembre 1896 à Munich. XIXe siècle. Allemand.
Peintre de paysages.
Il exposa régulièrement à l'Académie de Berlin.

GEIGER-WEISHAUPT Fanny von
XIXe-XXe siècles. Active à Munich. Allemande.
Peintre.

Épouse de Victor Weishaupt. Elle peignit surtout des animaux et des paysages.

GEIGES Fritz
Né le 2 décembre 1853 à Offenburg. XIXe siècle. Allemand.
Peintre verrier.
Il fut à Stuttgart élève de Neher et travailla entre autres à Fribourg, Berlin, Mayence et Magdebourg.

GEIJP Adriaan Marinus. Voir **GEYP**

GEIKIE Walter
Né le 9 novembre 1795 à Edimbourg. Mort le 1er août 1837 à Edimbourg. XIXe siècle. Britannique.
Peintre de genre, dessinateur et graveur.
Cet artiste devint sourd-muet ; élève de Patrick Gibson, puis de l'Académie. Ses premiers ouvrages parurent en 1815. La Galerie nationale d'Écosse possède de lui : *Une scène de cottage*. Il fut membre de l'Académie royale d'Écosse en 1837. Malgré son infirmité, il se plaisait à traduire avec humour les côtés drôles de la vie quotidienne. Le Musée d'Edimbourg conserve deux dessins de lui.

GEILER Hans, ou **Jean de Fribourg**
XVIe siècle. Actif à Fribourg. Allemand.
Sculpteur.
Il collabora avec le peintre Manuel de Berne à un travail considérable, un autel sculpté. En 1523, il sculpta une statue qui fut placée sur le pont de Berne. On cite encore de lui une série de fontaines monumentales à Fribourg. Il exécutait, de 1544 à 1546, une de ses plus belles productions : la table qui orne encore la salle du Grand Conseil.

GEILING Christian Friedrich Julius
Né le 31 octobre 1831 à Dresde. XIXe siècle. Allemand.
Graveur sur bois.
Il fut élève de Burkner.

GEILINGER Johann Hans Jacob, l'Ancien ou **Gerliger**
XVIIe siècle. Suisse.
Peintre verrier.

GEILINGER Johann Jacob, le Jeune
Né le 10 septembre 1642 à Lucerne. Mort vers 1702. XVIIe siècle. Suisse.
Peintre verrier.

GEILLE Amédée Félix Barthélémy
Né en 1802 à La Ciotat. Mort en 1843 à Paris. XIXe siècle. Français.
Graveur.
On cite ses gravures d'après Raphaël et les maîtres français des XVIIe et XVIIIe siècles.

GEILLE DE SAINT-LÉGER Léon
Né le 6 décembre 1864 à Alger. XIXe siècle. Français.
Peintre de portraits, paysages, marines, illustrateur. Orientaliste.
Envoyé, par la ville d'Alger, à l'École des Beaux-Arts de Paris. Élève de Hébert, L. O. Merson, J. Lefebvre et Ad. Demont. Parmi ses œuvres, on peut relever : *Barque de pêche à Honfleur*, 1893 ; *Jour d'été en Bretagne* ; *Barques*, 1895 ; *Ville saharienne*, 1896 ; *Vieux Bateaux dans les dunes*, 1897. Il a collaboré à divers journaux illustrés d'Algérie.
Musées : Alger : *Portrait de jeune femme* 1883 – Alger (Mairie) : *Tête de Christ* – Alger (Salle du Conseil général) : *Naissance de Samson*.
Ventes Publiques : Paris, 25 juin 1996 : *Les Gorges d'El Kantara*, h/t (49x64,5) : **FRF 5 600**.

GEILSDORF Joachim Friedrich
Né vers 1695. Mort le 25 décembre 1759 à Freiberg (Sarre). XVIIIe siècle. Allemand.
Sculpteur.

GEINING Gérard
Peintre d'histoire et portraitiste.
Cité par Hoet le jeune.

GEIRNAERT Jozef Theodore Lodewyk
Né le 27 août 1791 à Eecloo. Mort le 20 mars 1859. XIXe siècle. Belge.
Peintre d'histoire, scènes de genre, portraits, intérieurs.
Élève d'Herreyns et Paelinck.
Musées : Gand.
Ventes Publiques : Paris, 1856 : *Marie-Thérèse, suivie de deux demoiselles d'honneur, visite une vieille femme malade* : **FRF 11 500** ; *Marché de gibier* : **FRF 300** – Paris, 1898 : *Le médecin hongrois* : **FRF 1 350** – Paris, 20 mai 1925 : *La visite au curé* : **FRF 720** – Londres, 11 déc. 1942 : *Chez le notaire* : **GBP 115** – Amsterdam, 19 mai 1981 : *La visite du docteur* 1840, h/pan. (73x53) : **NLG 8 000** – Londres, 3 juin 1983 : *Jeune femme à sa toilette* 1825, h/pan. (50x38) : **GBP 1 500** – Versailles, 19 nov. 1989 : *Les petits chapardeurs* 1825, h/pan. (37x32) : **FRF 30 000**.

GEIRNAERT W.
XIXe siècle. Belge.
Peintre de genre.
Cité par le *Art Prices Current*.
Ventes Publiques : Londres, 19 juil. 1909 : *Le jour du terme* : **GBP 16** – Londres, 14 avr. 1924 : *Jour du loyer* : **GBP 21**.

GEISELER Peter
Né le 15 mai 1782 à Sackstadt. XIXe siècle. Allemand.
Sculpteur.
Il fit ses études à Francfort et travailla également à Vienne.

GEISENHOFER Chrisostomus
XVIIIe siècle. Actif à Wasserburg en 1785. Allemand.
Sculpteur.

GEISENHOFER Thomas
XVIIIe siècle. Actif à Roding à la fin du XVIIIe siècle. Allemand.
Peintre.

GEISER Jakob
XIXe siècle. Actif à Munich. Allemand.
Peintre de miniatures.
Peut-être est-ce le même artiste qui était également lithographe.

GEISER Karl
Né en 1898 à Berne. Mort en 1957 à Zurich. XXe siècle. Suisse.
Sculpteur de figures, nus, graveur.
Il se forma à la sculpture en autodidacte. Il fit un séjour à Berlin, puis se fixa à Zurich en 1922. En 1926, il remporta le concours de la ville de Berne pour deux groupes monumentaux destinés au Lycée. Il mit une dizaine d'années à réaliser ces deux groupes, ce qui en motiva peut-être une certaine froideur. En 1941 fut organisée une exposition d'ensemble de son œuvre à Winterthur. Dans ses dernières années, il reçut plusieurs commandes, parmi lesquelles en 1944 un *David* pour la ville de Soleure, ainsi qu'un *Monument à la gloire du Travail*, auquel il travailla de 1952 à 1957, ces deux derniers monuments étant restés inachevés. Après sa mort, eut lieu, en 1958, une exposition rétrospective à Bâle.
Il se fit d'abord connaître par des figures de jeunes garçons, qu'il représentait tantôt en buste, tantôt en pied, parfois polychromés, surtout en ce qui concerne les yeux auxquels il conférait une inquiétante présence vivante, ce qui fit rapprocher ces œuvres des masques du Fayoum. Plus sensuelle apparaît la série des *Figures de femmes*, poursuivie d'après un seul et même modèle, de 1943 jusqu'à sa mort, où l'on retrouve dans l'ampleur des formes féminines l'écho de l'œuvre de Maillol. ■ J. B.
Bibliogr. : Waldemar-George : *Karl Geiser*, Quatre Chemins, Paris, 1932 – in : *Diction. Univers. de l'Art et des Artistes*, Hazan, Paris, 1967.
Ventes Publiques : Zurich, 23 nov. 1977 : *David* 1945-46, bronze (H. 77) : **CHF 5 500** – Berne, 10 juin 1978 : *Buste de Nelly Bär* 1944, bronze (H. 46,5) : **CHF 6 000** – Zurich, 24 oct. 1979 : *Doris* 1943, bronze (H. 175) : **CHF 17 000** – Berne, 19 juin 1985 : *Nu assis* vers 1925, bronze (H. 40) : **CHF 8 400** – Zurich, 9 juin 1993 : *Mère et enfants*, bronze cire perdue (H. 24) : **CHF 6 900** – Zurich, 13 oct. 1993 : *Adolescent debout*, bronze (H. 52) : **CHF 15 000** – Zurich, 24 nov. 1993 : *Tête de Hermann Burte*, bronze cire perdue (H. 31) : **CHF 4 600**.

GEISER Leonhard
Né le 8 février 1776 à Nuremberg. Mort le 12 avril 1830. XIXe siècle. Allemand.
Peintre sur porcelaine.

GEISIUS Johann
Mort le 10 novembre 1676. XVIIe siècle. Allemand.
Peintre.
Il subsiste à Görlitz des peintures signées de cet artiste.

GEISS Caspar
Mort en 1640. XVIIe siècle. Allemand.
Dessinateur amateur.
Il vécut en Saxe et en Hesse, à Darmstadt.

GEISSBUHLER Arnold
XXe siècle. Suisse.

Sculpteur de bustes.
Il exposait à Paris, régulièrement au Salon des Tuileries. Il a produit de nombreux bustes.

GEISSELBRUNN Jeremias
XVIIe siècle. Actif à Cologne en 1624. Allemand.
Sculpteur.
On lui doit des sculptures religieuses en bois et en pierre.

GEISSER Balthasar
XVIe siècle. Actif à Schwyz. Suisse.
Graveur sur bois.

GEISSER Johann Joseph
Né le 29 mars 1824 à Alstatten. Mort le 10 octobre 1894 à Lausanne. XIXe siècle. Suisse.
Peintre de genre, paysages.
De 1842 à 1886, il participa aux Expositions de la Société des Beaux-Arts. Il a fondé la section vaudoise de la Société des peintres et sculpteurs suisses, en 1866.
Ventes Publiques : Zurich, 5 mai 1976 : *Paysage alpestre*, h/t (70x116) : **CHF 2 200** – New York, 30 mai 1980 : *Lac alpestre avec personnages*, h/t (52,7x83,3) : **USD 2 500** – Zurich, 7 nov. 1981 : *Vieille femme et enfant dans la cuisine*, h/cart. (35x45) : **CHF 3 200** – Zurich, 9 nov. 1984 : *Vaches au bord d'un ruisseau dans un paysage alpestre* 1885, h/t (55x65) : **CHF 4 000** – Lucerne, 15 mai 1986 : *Lac de montagne*, h/t (53x83) : **CHF 7 500** – Berne, 26 oct. 1988 : *Village du sud de l'Italie construit à flanc de colline*, h/t (46x35) : **CHF 1 500** – New York, 19 jan. 1994 : *Paysage de montagne*, h/t (47x65,4) : **USD 1 150** – Londres, 18 mars 1994 : *Le Mont Blanc*, h/t (83,8x61,6) : **GBP 4 600**.

GEISSHUSLER Johann
Né en 1828 à Romersivil. XIXe siècle. Suisse.
Peintre de sujets religieux et dessinateur.

GEISSLEHNER Johann Peter
Né à Amberg. XVIIe-XVIIIe siècles. Allemand.
Sculpteur.
Il travailla à Freystadt.

GEISSLER Alois
Né le 20 juillet 1777 à Iglau. Mort le 11 juin 1832 à Iglau. XIXe siècle. Allemand.
Peintre.
Élève de J. N. Steiner. Il décora les églises d'Iglau, de portraits et de peintures religieuses.

GEISSLER Christian
XIXe siècle. Actif à Nuremberg. Allemand.
Graveur.
Il était le fils de Friedrich.

GEISSLER Christian Gottfried Heinrich
Né le 26 juin 1770 à Leipzig. Mort le 27 avril 1844 à Leipzig. XVIIIe-XIXe siècles. Allemand.
Dessinateur et graveur au burin.
Il a gravé des costumes et des paysages animés de figures et travailla en Russie.

GEISSLER Christian Gottlieb
Né en 1729 à Augsbourg. Mort le 2 novembre 1814 à Genève. XVIIIe-XIXe siècles. Allemand.
Peintre miniaturiste et graveur au burin.
Élève de Baumeister, peintre en miniature. Il s'appliqua à ce genre de peinture et spécialement aux sujets d'histoire naturelle ; peignit aussi des tableaux religieux. Il a gravé des vues.

GEISSLER Heinrich Christian
Né en 1782 à Leipzig. Mort en 1839. XIXe siècle. Allemand.
Peintre et illustrateur.
On cite ses nombreux modèles d'illustration à l'aquarelle.

GEISSLER J. G.
XVIIIe siècle. Actif à Breslau à la fin du XVIIIe siècle. Allemand.
Peintre.
On lui doit des portraits.

GEISSLER Joh. Martin Friedrich
Né le 31 mars 1778 à Nuremberg. Mort le 9 janvier 1853 à Nuremberg. XIXe siècle. Allemand.
Peintre et graveur.
Fit ses études d'abord sous la direction de Henrich Guttemberg, ensuite à Paris. Il a gravé principalement des paysages et des sujets d'architecture d'après Berchem, Ruysdael, Wynants, etc.

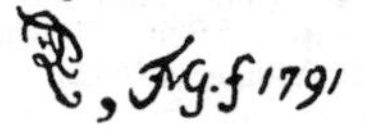

GEISSLER Johann Ulrich
XVIIe siècle. Actif à Lucerne. Suisse.
Graveur.

GEISSLER Julius
Né le 30 avril 1822 à Göttingen. Mort le 10 octobre 1904, par suicide. XIXe siècle. Allemand.
Peintre et lithographe.
Élève de Grape et de Erhard à Dresde, il s'établit plus tard à Hambourg où il eut la renommée d'un peintre de portraits.

GEISSLER Klaus
Né en 1933 à Leipzig. Mort vers 1980. XXe siècle. Actif en France. Allemand.
Sculpteur. Tendance fantastique-surréaliste.
Il fut élève, en peinture, de l'École des Beaux-Arts de Genève, puis il poursuivit sa formation à Karlsruhe et Berlin. Ayant décidé de se consacrer à la sculpture, il se fixa à Paris. Il y figure dans de nombreuses expositions collectives, notamment la Biennale des Jeunes Artistes, le Salon de Mai, les groupes organisés par Gérald Gassiot-Talabot : 1964 *Mythologies Quotidiennes*, 1965 *La Figuration narrative*, etc. Il montrait ses créations dans des expositions personnelles, à Paris, Londres, Amsterdam. Il fut professeur à l'École Nationale des Beaux-Arts de Bourges.
Ayant commencé par exécuter ses constructions en métal, il y adjoignait bientôt des résines transparentes ou translucides. Ses œuvres se présentent généralement comme des sortes de grosses boules à l'intérieur desquelles on peut regarder par des hublots, munis parfois de lentilles grossissantes ou réductrices. Dans les entrailles de ces œufs échappés des peintures de Jérôme Bosch, on épie d'étranges poupées, des créatures inquiétantes, des organes indéterminés, inaccessibles témoignages de célébrations noires. Le jeu de ressorts dissimulés, peut-être de champs magnétiques, des éclairages de mise en scène funèbre, donnent apparence de vie spasmodique à ces succubes. La chimie moderne du polyester stratifié a permis à Geissler une grande perfection dans la réalisation de ses machinations compliquées. Dans les années soixante-dix, il a repris la peinture, figurant des architectures oniriques, relevant avec évidence de l'imagerie surréaliste. ■ J. B.
Bibliogr. : In : *Nouveau diction. de la sculpt. mod.*, Hazan, Paris, 1970.
Ventes Publiques : Paris, 26 juin 1995 : *Boule* 1965, sculpt. lumineuse en Plexiglas avec moteur électrique (H. 90) : **FRF 8 000**.

GEISSLER Ludwig
XVIIIe siècle. Actif à Zwittau en 1742. Allemand.
Peintre.

GEISSLER Michael
XVIIIe siècle. Allemand.
Peintre.
Il enseigna la peinture de portraits à l'Académie de Berlin au début du XVIIIe siècle.

GEISSLER Niklaus
Né au XVIIe siècle à Schweinfurt. XVIIe siècle. Allemand.
Sculpteur et dessinateur.
Il s'établit très jeune à Lucerne où ses sculptures religieuses remportèrent de vifs succès.

GEISSLER Paul
Né le 25 juin 1881 à Erfurt. XXe siècle. Allemand.
Peintre de paysages, graveur, illustrateur.
Il fut élève de Marc Thedy, sans doute à Weimar. Il a produit un grand nombre d'illustrations.

GEISSLER Peter Carl
Né le 2 janvier 1802 à Leipzig. Mort le 27 février 1872 à Leipzig. XIXe siècle. Allemand.
Aquarelliste et graveur.
Fils de Christian Gottfried Heinrich, il fut le père de Rudolf.

GEISSLER Robert
Né le 7 février 1819 à Göttingen. Mort le 7 octobre 1893 près de Göttingen. XIXe siècle. Allemand.
Peintre graveur et écrivain.
Élève de Wedemeyer. Il se fit surtout connaître comme lithographe.

GEISSLER Rudolf Carl Gottfried
Né le 15 janvier 1834 à Nuremberg. Mort le 15 septembre 1906 à Nuremberg. XIXe siècle. Allemand.

Peintre de genre dessinateur et graveur.
Élève de Reindel et de Kreling. Il continua ses études à Leipzig et Dresde. En 1861, il retourna à Nuremberg. Il a exposé à Düsseldorf et à Dresde entre 1880 et 1881. On cite de lui : *La fée des Alpes.*

GEISSLER Wilhelm
Né vers 1803 à Berlin. XIXe siècle. Allemand.
Peintre.
On lui doit des portraits et des tableaux de fleurs.

GEISSLER Wilhelm
Né en 1848 à Hanovre. XIXe siècle. Allemand.
Peintre de genre et lithographe.
Médaillé à Berlin en 1879. On cite de lui : *Le retour de la colonie de vacances.* Il était fils de Robert.

GEISSMANN François
Né en 1948 à Paris. XXe siècle. Français.
Sculpteur-céramiste d'assemblages.
Il passa son enfance en Argentine. De 1971 à 1973, au cours de son premier séjour au Japon, il commença à étudier la poterie. De 1975 à 1979, il étudia la céramique à l'École des Beaux-Arts de Kyoto, grâce à une bourse du gouvernement français. En 1980, il s'installa à Barbuise (Aube). Depuis 1981, il enseigne à l'École des Beaux-Arts de Dijon. Il participe à des expositions collectives, dont : 1975 Kyoto, 1977 et 1978 Tokyo, 1981 à Paris Salon Grands et Jeunes d'Aujourd'hui, 1982 Salon de Montrouge, Centre culturel de Troyes, l'exposition *Terre* au Centre Pompidou, 1983 Salon de Montrouge, etc.
Il renonça au monastère zen pour apprendre la poterie, il renonça à la poterie pour la sculpture-céramique. Il a commencé par sculpter des mains qui sortent des pages d'un livre, puis des empilements et des explosions de pages d'écriture. Ensuite, il a choisi les tuyaux préfabriqués comme éléments de base, qu'il casse, qu'il recuit et qu'il assemble, évitant toute prouesse technique pour le seul souci d'une occupation d'un certain espace.

GEIST Andreas
Mort en 1860. XIXe siècle. Allemand.
Peintre de portraits, paysages, marines, aquarelliste.
Il était père d'August.

GEIST August Christian
Né le 15 octobre 1835 à Würzburg. Mort le 15 décembre 1868 à Munich. XIXe siècle. Allemand.
Paysagiste, aquarelliste et graveur.
Fils et élève d'Andreas Geist. En 1853, il fut élève de Fr. Bamberger à Munich. En 1856, il fonda dans cette ville un atelier. Il a voyagé en Suisse et sur les bords du Rhin. En 1865, il alla en Italie et habita Rome jusqu'en 1867. Il a peint des paysages inspirés par ses voyages. Il a exposé à Munich, Brême, Hambourg, Cologne et Augsbourg.

GEIST Karl Friedrich Wilhelm
Né le 9 décembre 1870 à Reichelsheim. XIXe-XXe siècles. Allemand.
Peintre.
Il fit ses études à Karlsruhe, puis travailla à Stuttgart.
Ventes Publiques : Vienne, 18 jan. 1980 : *Paysage d'automne*, h/t (95x122) : **ATS 8 000.**

GEIST Wilhelm
XVIIe siècle. Actif à Nuremberg le 14 novembre 1635. Allemand.
Peintre.

GEIT F. Van
XIXe siècle. Actif vers 1842. Éc. flamande.
Peintre de fleurs et de fruits.
Cité par Siret.
Ventes Publiques : Paris, 10 et 11 juin 1929 : *Vase de fleurs* : **FRF 8 200.**

GEITEL Ignatius
Né à Bochum. XXe siècle. Allemand.
Peintre. Abstrait-géométrique.
Il a figuré à Paris, au Salon des Réalités Nouvelles en 1954 et 1957.

GEITEL Johann Georg
Né en 1683 à Brunswick. Mort en 1771 à Abo. XVIIIe siècle. Allemand.
Peintre.
Il termina sa carrière comme professeur de dessin en Finlande.

GEITLINGER Ernst
Né le 13 février 1895 à Francfort-sur-le-Main. Mort le 28 mars 1972 à Seeshaupt (sur le lac de Starnberg). XXe siècle. Allemand.
Peintre, peintre à la gouache. Abstrait-constructiviste.
De 1913 à 1929, il vécut avec ses parents à New York, où il fut élève de l'Académie de Dessin, puis travailla comme décorateur de théâtre. En 1922, il s'inscrivit à l'Académie des Beaux-Arts de Munich, où il travailla, malgré les interruptions de séjours à New York, jusqu'en 1931. En 1932, il se fixa à Munich, où il exposa avec l'Association des Artistes Allemands et la Nouvelle Sécession. En 1936, il fut interdit d'exposition par les nazis. En 1942, il s'installa à Seeshaupt. Après la Seconde Guerre mondiale, en 1946, il fut l'un des co-fondateurs de la *Neue Gruppe* à Munich. De 1951 à 1965, il fut professeur à l'Académie des Arts Plastiques à Munich. En 1965, il créa son École de Peinture Ernst Geitlinger, toujours à Munich. Il eut parmi ses élèves Gerhard von Graevenitz, Dieter Hacker, Uli Pohl, Jan Voss, et d'autres. En 1974, la Galerie Municipale de la Maison Lenbach de Munich montra une exposition d'ensemble de l'œuvre. En 1989, le Musée Wilhelm Hack de Ludwigshafen lui consacra une exposition rétrospective.
Dans les années quarante, il fut influencé par Paul Klee et Marc Chagall. Il trouva sa voie propre dans l'abstraction, où il évolua progressivement vers une rigueur accrue. Dans les années soixante, il confectionna quelques montages à base d'objets trouvés, et, surtout, créa des peintures monochromes ou bichromes. L'essentiel de son œuvre consiste dans la production de ses dernières années et s'est développé dans l'abstraction néo-constructive, sans toutefois perdre le contact avec le concret, sauf dans quelques ultimes peintures proches du minimalisme international. ■ J. B.
Bibliogr. : Catalogue de l'exposition *Ernst Geitlinger 1895-1972*, Lenbachhaus, Munich, 1974 – in : *Diction. de l'Art, Peinture, Architecture, Sculpture*, Herder Freiburg, Bâle, Vienne, 1988.
Musées : Munich (coll. Nat. de Peintures) : *Deux bleus opposés* – Neu-Ulm : une donation très importante.
Ventes Publiques : Munich, 27 nov. 1981 : *Nature morte aux fleurs* 1946, gche (50x32) : **DEM 3 500** – Munich, 25 nov. 1985 : *Kanal in Munchen* 1936, h/t (64,3x90) : **DEM 3 200.**

GEITLINGER Johann Jacob
XVIIIe siècle. Actif à Bade en 1746. Allemand.
Peintre.

GEITNER Joseph
Allemand.
Sculpteur.
On lui doit la décoration extérieure d'une église dans la région d'Osnabrück.

GEKKEI. Voir **GÔSHUN Matsumura**

GEKKÔ, de son vrai nom : **Tai Masanosuke,** nom de pinceau : **Ogata Gekkô**
Né en 1859. Mort en 1920. XIXe-XXe siècles. Japonais.
Peintre.
Peintre autodidacte de Tokyo il étudie l'art de l'estampe par luimême. Il est connu comme illustrateur et peintre de genre.

GELANDIA Bernaldino. Voir **BERNALDINO de Gelandia**

GELANZE Giuseppe
Né le 19 janvier 1867 à Naples. XIXe siècle. Italien.
Peintre de genre.
Il fut élève de Domenico Morelli et travailla à Naples, Palerme et Monaco.

GELASIO di Niccolo
Né à Ferrare. XIIIe siècle. Italien.
Peintre.
Élève de Theophanes à Venise ou à Constantinople.

GELATI Girolamo
Né en 1796 à Parme. Mort en 1862. XIXe siècle. Italien.
Peintre.
On lui doit la décoration à la fresque de plusieurs églises.

GELATI Lorenzo
Né en janvier 1824 à Florence. Mort en 1893 à Florence. XIXe siècle. Italien.
Peintre de paysages, intérieurs.
Élève de Marko. Il a exposé à Rome, Florence et Bologne.
Musées : Prato (Gal. Antique et Mod.) : *Paysage avec personnages.*

Ventes Publiques : New York, 30 juin 1981 : *Paysage d'Italie*, h/t (38x76) : **USD 2 750** – Rome, 31 mai 1994 : *Vue de Rome depuis le Pincio*, h/t (45x74) : **ITL 11 785 000** – Rome, 23 mai 1996 : *Vicolo fiorentino con frate*, h/t (44x38) : **ITL 5 750 000**.

GELBERT Adolphos
Né en 1866 à Athènes. XIXe-XXe siècles. Grec.
Peintre et architecte.
Il s'établit à Paris en 1900 et fut élève de l'École des Beaux-Arts.

GELBERT Peter
Né vers 1860. Mort le 18 juillet 1915 à Ludwigshafen-am-Rhein. XIXe-XXe siècles. Allemand.
Sculpteur.
Il se fit une spécialité des portraits en médaillon.

GELBKE Georg Hermann
Né le 12 septembre 1882 à Rochlitz. XXe siècle. Allemand.
Peintre de paysages, graveur. Postimpressionniste.
Il fut élève de l'Académie des Beaux-Arts de Dresde.

GELD Emile de
Né en 1909 à Bruxelles. Mort en 1972 à Londres. XXe siècle. Belge.
Peintre de paysages.
Autodidacte, il décrit les paysages des forêts de Soignes et des Ardennes mais également les quartiers pittoresques de sa ville natale et de Londres.
Bibliogr. : In : *Diction. Biogr. illustré des Artistes en Belgique depuis 1830*, Arto, Bruxelles, 1987.
Musées : Ixelles.

GELDER Aart, Aert ou **Arent, Johansz de**
Né le 26 octobre 1645 à Dordrecht. Mort vers le 28 août 1727 à Dordrecht. XVIIe-XVIIIe siècles. Hollandais.
Peintre d'histoire, compositions religieuses, sujets mythologiques, scènes de genre, sujets typiques, portraits.
Élève de S. Van Hoogstraten et plus tard, vers 1660, de Rembrandt, à Amsterdam. Il alla en Angleterre avec Hoogstraten. Il vécut à Dordrecht.
Il travailla dans le style de Rembrandt. Il a peint des scènes religieuses et des tableaux de la vie en Orient. Artiste puissant, il compte parmi les disciples du grand Hollandais qui se sont le plus rapprochés de lui. Au XVIIe siècle, ainsi que Flinck, ses sujets anecdotiques plaisaient plus que la profondeur de Rembrandt.

Musées : Amiens : *Arthémise* – Amsterdam : *Johan Van der Burch et Ch. Elisabeth Van Blyenburgh sa femme – E. Van Beveren – Pierre le Grand – Jésus prisonnier – Jésus devant le Sanhedrin* – Berlin : *Paysage avec Ruth et Booz* – Bruxelles : *Le cadeau* – Budapest : *Esther et Mardochée* – Copenhague : *Un prince oriental – Mardochée honoré par Assuérus* – Dresde : *L'exposition du Christ – Un hallebardier – La charte* – Francfort-sur-le-Main : *L'artiste lui-même* – Hanovre : *Portrait* – La Haye : *Juda et Thamar – Herman Boerhave* – Moscou (Gal. Roumiantzeff) : *Loth et ses filles* – Munich : *La fiancée juive – Étude – La marche au Golgotha* – Saint-Pétersbourg (Mus. de l'Ermitage) : *Jeune militaire – Le peintre lui-même* – Vienne (Gal. Schonborn-Buchheim) : *La Vierge et l'Enfant Jésus*.
Ventes Publiques : Paris, 1868 : *David et Bethsabée* : **FRF 870** – Paris, 1897 : *Les adieux d'Armide et de Tancrède* : **FRF 500** – Paris, 1898 : *Le cadeau récompensé* : **FRF 9 750** – New York, 23-24 fév. 1906 : *La Leçon de mandoline* : **USD 310** – Londres, 12 déc. 1908 : *Intérieur d'un atelier* : **GBP 8** – Londres, 19 fév. 1910 : *Vieillard assis à une table et écrivant* : **GBP 157** – Londres, 24 juil. 1911 : *Vieillard* : **GBP 40** – Londres, 6 juil. 1923 : *Ponce Pilate* : **GBP 441** – Londres, 10 avr. 1929 : *Les philosophes* : **GBP 160** – Genève, 28 août 1934 : *Buste femme en prière* : **CHF 1 150** – Londres, 10-14 juil. 1936 : *David et Jonathan*, aquar. et encre de Chine : **GBP 94** – Londres, 16 avr. 1937 : *David et le prophète Nathan* signé 1683 : **GBP 462** – Londres, 15 déc. 1937 : *Joseph tenant la coupe* : **GBP 210** – New York, 4 mars 1938 : *Femme faisant des bulles de savon* : **USD 425** – Londres, 13 juin 1942 : *Abimelech présente l'épée de Goliath à David* : **GBP 577** – Londres, 8 et 9 avr. 1943 : *Ange apparaissant à Manoah* : **GBP 105** – Londres, 9 juil. 1943 : *Femme* : **GBP 30** – Paris, 1er déc. 1943 : *Le bon Samaritain*, attr. : **FRF 8 800** – Paris, 20 déc. 1943 : *Tête de vieille femme*, attr. : **FRF 11 000** – New York, 28 fév. 1945 : *Portrait de femme en Sibylle* : **USD 425** – Londres, 15 fév. 1946 : *David jouant de la harpe devant Saül* : **GBP 735** – Londres, 12 juil. 1946 : *Officier* : **GBP 357** – Stockholm, 3 nov. 1955 : *Rembrandt dessinant dans son atelier* : **SEK 7 300** – Londres, 9 déc. 1959 : *La présentation au temple* : **GBP 320** – Paris, 16 juin 1960 : *Portrait d'un jeune garçon* : **FRF 30 000** – Londres, 22 juin 1960 : *Groupe de famille* : **GBP 15 000** – Cologne, 11 nov. 1961 : *Hagar et Ismaël* : **DEM 10 000** – Londres, 13 juil. 1962 : *Le Christ prêchant dans le désert* : **GNS 750** – Londres, 2 juil. 1965 : *Esther et Assuérus* : **GNS 3 800** – Londres, 25 nov. 1966 : *L'agonie dans le jardin* : **GNS 4 800** – Londres, 10 avr. 1970 : *Joseph et la coupe d'or* : **GNS 3 500** – Paris, 22 nov. 1972 : *Le galant écrivain* : **FRF 12 000** – Londres, 29 juin 1973 : *Portrait d'un gentilhomme et d'une dame de qualité* : **GNS 15 000** – Amsterdam, 26 avr. 1976 : *Judas et Thamar*, h/t (64x86) : **NLG 21 000** – Amsterdam, 31 oct. 1977 : *Le roi David avec le prophète Nathan*, h/t (100,5x126) : **NLG 38 000** – Cologne, 19 nov. 1987 : *Judas devant Joseph*, h/t (99x113) : **DEM 76 000** – Londres, 22 avr. 1988 : *Action de grâce avant le repas*, h/t (90,5x78,5) : **GBP 93 500** – New York, 5 avr. 1990 : *Portrait d'un gentilhomme*, h/t, haut arrondi (92x73,5) : **USD 6 600** – New York, 31 mai 1990 : *Portrait d'un jeune homme au chapeau brun*, h/t (41,9x36,8) : **USD 28 600** – Londres, 22 avr. 1994 : *Esther*, h/t (81,2x62) : **GBP 20 700**.

GELDER Eugène Joseph Adolphe Van
Né le 24 juin 1856. XIXe siècle. Belge.
Peintre de genre, dessinateur.
Élève de Portaels. Il a exposé à Berlin en 1886. On cite de lui : *L'École buissonière*.

Ventes Publiques : Paris, 6 déc. 1993 : *Une répétition de l'Union instrumentale à Bruxelles* 1883, cr. (43x59) : **FRF 7 500**.

GELDER J. V. Van
XIXe siècle. Hollandais.
Sculpteur.
Le Musée Boymans, à Rotterdam, conserve de lui le *Buste de Kœkkoek*.

GELDER Jan Van
Né à Anvers. XVIIe siècle. Éc. flamande.
Peintre.
Cet artiste travailla en Italie et en particulier à Modène où il fut connu sous le nom de Giovanni Vingeldri.

GELDER Lucia Mathilde von
Née le 15 novembre 1865 à Wiesbaden. Morte le 18 avril 1899 à Munich. XIXe siècle. Allemande.
Peintre de genre.
Elle a exposé à Munich en 1883. On cite d'elle : *A l'église*.
Ventes Publiques : New York, 14 jan. 1977 : *Le trio dans la taverne*, h/t (75x63,5) : **USD 2 000** – Londres, 14 juin 1996 : *Les histoires de grand-père*, h/t (68,6x88,2) : **GBP 8 625**.

GELDER Nicolaes Van
Né en 1620 ou 1625 à Leyde. Mort vers 1677. XVIIe siècle. Éc. flamande.
Peintre de natures mortes.
En 1661, il travaillait à Stockholm ; dans la suite, il vécut à Amsterdam.

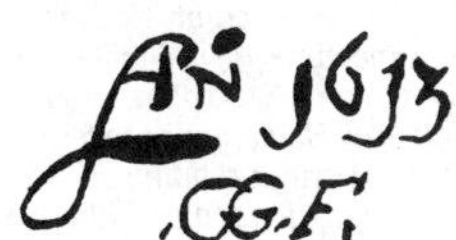

Musées : Amsterdam : Natures mortes – Berlin : Natures mortes – Copenhague : Natures mortes – Leyde : Natures mortes – Rotterdam : *Oiseaux morts* – Vienne : *Canards sauvages morts*.
Ventes Publiques : Londres, 11 avr. 1930 : *Fruits et nature*

morte : **GBP 44** – AMSTERDAM, 23 nov. 1971 : *Nature morte* : **NLG 11 500** – COPENHAGUE, 29 avr. 1980 : *Nature morte* 1667, h/t (110x87) : **DKK 320 000** – NEW YORK, 12 jan. 1995 : *Nature morte de fruits dans une coupe Wan-li, l'une avec un nautile sur pied d'orfèvrerie, l'autre avec un verre et une carafe*, h/t, une paire (59,7x49,5 et 59,7x48,9) : **USD 167 500** – LONDRES, 4 juil. 1997 : *Raisins, pêches, prunes et cerises avec un escargot suspendus dans une niche de pierre avec des abricots et une abeille sur un entablement* 1666, h/t (60,7x48) : **GBP 23 000**.

GELDER P. M. Van
XVIIIe siècle. Actif à Londres. Britannique.
Sculpteur.
Il fut élève de la Royal Academy.

GELDER Pieter
XVIIe siècle. Actif vers 1655. Hollandais.
Peintre.
Probablement élève de Rembrandt et parent de Aart de Gelder.

GELDERBLOM Laurens
Né en 1748 à Dordrecht. Mort vers 1778. XVIIIe siècle. Hollandais.
Peintre de fleurs.
Élève de Joris Ponsen.

GELDERSMAN Vincentius. Voir **SELLAER Vincent**

GELDMACHER
Né à Cassel. Mort en 1780 à Vérone. XVIIIe siècle. Allemand.
Peintre.
Il fut élève de J. H. Tischbein.

GELDORP Georg
Né vers 1610 à Cologne ou à Anvers. Mort vers 1658 à Londres. XVIe-XVIIe siècles. Éc. flamande.
Peintre de compositions religieuses, portraits.
Il fit ses études à Anvers et fut reçu maître en 1610. En 1613, il épousa la fille de Willem de Vos. En 1630, il se rendit en Angleterre, où il fut nommé gardien des tableaux de Charles Ier. Il eut pour hôtes Rubens, Van Dyck et Peter Lely. Il fut également marchand de tableaux.
MUSÉES : LONDRES (Nat. Portrait Gal.) : *Portrait du comte de Totness* – VIENNE : *Portrait d'homme*.
VENTES PUBLIQUES : LONDRES, 16 juil. 1909 : *Portrait de femme* : **GBP 25** – LONDRES, 7 juil. 1911 : *Deux volets d'un tableau d'autel avec portrait de quatre donateurs* : **GBP 33** – LONDRES, 12 déc. 1924 : *Femme* : **GBP 14** – LONDRES, 19 nov. 1986 : *Portrait d'un jeune garçon avec son chien*, h/t (144x114) : **GBP 26 000**.

GELDORP Gortzius ou **Gelsdorp** ou **Gualdorp**
Né en 1553 à Louvain. Mort vers 1618 à Cologne. XVIe-XVIIe siècles. Éc. flamande.
Peintre de scènes mythologiques, sujets religieux, portraits.
Il fut élève de Frans Franck à Anvers, puis de Frans Pourbus.
Il fut peintre du duc Carlos d'Aragona avec lequel il vint à Cologne en 1579. Il se fit un nom comme portraitiste. Il se rattache à l'École de Micreveldt.

MUSÉES : AMSTERDAM : *Gualtero del Prado et sa femme Lucretia Pellicorne* – *Hortensia del Prado*, deux œuvres – *Jean Fourmenois* – *Jeremias Bourdinos et sa femme Lucretia del Prado* – *Catherine Fourmenois enfant* – *Une sœur de Catherine Fourmenois* – BUDAPEST : *Bruyn Van Blankevort* – *Portrait de femme* – COLOGNE : *Elisabeth de Steinrodt* – *Hermann de Wedich* – Trois portraits d'hommes et un de femme – *Un bourgmestre* – *Un fondateur* – *Deux fondatrices* – HANOVRE : *Elisabeth von Kreps* – *Une patricienne* – *Un vieillard* – LA HAYE : *Sainte en extase* – LONDRES (Nat. Portrait Gal.) : *G. Carrew, comte de Totness* – MAYENCE : *Un jeune homme* – *Deux membres de la famille Schick* – MILAN (Mus. Brera) : *Portrait de femme* – SAINT-PÉTERSBOURG : *Lucrèce* – *Portrait d'homme* – *Godefroy Hautappel et sa femme Cornélie Boot* – VIENNE (Gal. Harrach) : *Portrait d'homme* – VIENNE (Gal. Schonborn-Buchheim) : *Portrait d'homme* – *Eberhard von Geilen* – WEIMAR : *Portrait d'homme*.
VENTES PUBLIQUES : COLOGNE, 1862 : *Portrait d'une dame* : **FRF 183** ; *Portrait d'une dame richement vêtue* : **FRF 112** ; *Portrait d'une jeune fille richement vêtue* : **FRF 525** ; *Portrait d'un homme assis* : **FRF 206** – BERLIN, 24 jan. 1899 : *Portrait* : **FRF 340** – BERLIN, 20 sep. 1930 : *Kinderbildnis* : **DEM 800** – LONDRES, 12 fév. 1932 : *Portrait d'une Hollandaise* : **GBP 7** – NEW YORK, 11 jan. 1989 : *Portrait d'un gentilhomme* 1612, h/pan. (80,8x63,6) : **USD 30 800** – LONDRES, 31 mars 1989 : *Portrait d'une fillette de onze ans, portant une robe noire à manches brodées, une fraise et une chaîne d'or* 1601, h/t (54,6x45,1) : **GBP 7 920** – COLOGNE, 29 juin 1990 : *Madeleine repentante*, h/t (77x55) : **DEM 1 100** – STOCKHOLM, 14 nov. 1990 : *Buste d'homme avec un collet de dentelle*, h/t (77x63) : **SEK 27 000** – STOCKHOLM, 29 mai 1991 : *Couple élégant et ses domestiques au marché aux poissons*, h/t (136x222) : **SEK 200 000** – LONDRES, 13 sep. 1991 : *Buste de Diane chasseresse*, h/t (ovale 61,5x55,9) : **GBP 2 200** – PARIS, 26 juin 1992 : *Vénus*, h/pan. (63,5x48) : **FRF 60 000** – PENRITH (Cumbria), 13 sep. 1994 : *Portrait de Susan Hoste* 1617, h/t (114x83,5) : **GBP 17 250** – LONDRES, 5 juil. 1996 : *Portrait en buste d'une jeune fille vêtue d'une robe noire avec une fraise de dentelle blanche et tenant une rose blanche*, h/pan. (58,2x48,2) : **GBP 53 000** – AMSTERDAM, 7 mai 1997 : *Portrait en buste d'une dame* 1602, h/pan. (68,6x52,5) : **NLG 8 072** – LONDRES, 3 déc. 1997 : *Madeleine pénitente*, h/pan. (67,6x52,8) : **GBP 17 250**.

GELDORP Melchior
XVIIe siècle. Éc. flamande.
Portraitiste.
Il était fils ou neveu de Gortzius Geldorp. De 1615 à 1637, il vécut à Cologne.

GELDTER Johann Maximilien
XVIIIe siècle. Actif à Vienne au début du XVIIIe siècle. Autrichien.
Peintre.

GELÉE Antoine François ou **Gellée**
Né le 13 mai 1796 à Paris. Mort le 27 février 1860 à Paris. XIXe siècle. Français.
Graveur et lithographe.
Élève de Girodet et de Pauquet, il eut, en 1820, le deuxième prix et en 1824 le premier grand prix pour Rome. Exposa au Salon de 1822 à 1853. Il a gravé des sujets de genre. Médaille de première classe en 1842 pour sa gravure : *La Justice poursuivant le crime*, d'après Prudhon.

GELÉE Claude, dit **Le Lorrain**. Voir **LORRAIN Claude Gellée**

GELENG Angelo
Né en Italie. XIXe-XXe siècles. Allemand.
Peintre.
Fils d'Otto, il exposa également des paysages.

GELENG Otto
Né à Berlin. XIXe siècle. Allemand.
Peintre de paysages.
Il exposa à Berlin des vues d'Italie.

GELENIUS Sigismund
Né en 1497 à Prague. Mort en 1554 à Bâle. XVIe siècle. Tchécoslovaque.
Graveur.
Il est probablement l'auteur de douze bonnes gravures représentant *Les Travaux d'Hercule*.

GELERT Johannes Sophus
Né le 19 décembre 1852 à Nybel (Danemark). XIXe siècle. Actif et naturalisé aux États-Unis. Danois.
Sculpteur.
Élève de l'Académie de Copenhague, il obtint une bourse de voyage du gouvernement danois pour aller étudier en Italie. Il vint plus tard s'établir à New York et fut citoyen américain. Obtint de nombreuses récompenses : Médaille d'or, Nashville, 1897 ; médaille d'or, 1899 ; mention honorable, Paris, Exposition 1900 ; Buffalo 1901.

GELEYN
XIXe siècle. Actif à Paris vers 1870. Belge.
Dessinateur.
Il représenta les plus célèbres maréchaux de France.

GELEYN Gaston
Né en 1892 à Bruxelles. Mort en 1946 à Grimbergen. XXe siècle. Belge.
Peintre de figures, portraits, paysages, marines, fleurs et fruits.
Il fut élève de l'Académie des Beaux-Arts de Bruxelles.
Sa production fut très importante. Ses paysages sont taxés d'étrangeté.

Bibliogr. : In : *Diction. biograph. illustré des Artistes en Belgique depuis 1830*, Arto, Bruxelles, 1987.
Musées : Bruxelles.

GELEYN Joseph Louis
Né en 1863 à Bruges. Mort en 1934 à Uccle. XIXe-XXe siècles. Belge.
Sculpteur de monuments.
Il fut élève de Thomas de Vinçotte. Il participa à l'Exposition Universelle de 1897. On voit de ses œuvres au Jardin Botanique de Bruxelles et à Moscou.
Bibliogr. : In : *Diction. biograph. illustré des Artistes en Belgique depuis 1830*, Arto, Bruxelles, 1987.
Musées : Tervuren.

GELHAAR Emil
Né en 1862 à Gefle. XIXe siècle. Suédois.
Peintre.
Il s'établit encore jeune aux États-Unis, où il participa à de nombreuses expositions.

GELHAAR Theodor
Né en 1805 à Lemsal. Mort en 1871 à Lemsal. XIXe siècle. Russe.
Lithographe.
On lui doit des vues de Reval.

GELHAY Édouard
Né en 1856 dans l'Aisne. XIXe-XXe siècles. Français.
Peintre de scènes de genre, portraits, paysages d'eau, paysages, pastelliste. Postimpressionniste.
Il fut élève d'Alexandre Cabanel, de William Bouguereau et de Tony Robert-Fleury. Il exposa, dès 1878, au Salon des Artistes Français de Paris, y remportant de nombreuses récompenses. Il fut fait chevalier de la Légion d'honneur, en 1908.
Il peignit des scènes de genre, des portraits et des paysages, traités à l'huile ou au pastel dans la manière impressionniste. Parmi ses œuvres, on mentionne : *Abandon aux Enfants assistés – Promenade matinale – Rue de village – La Noce à la campagne*.
Bibliogr. : Gérald Schurr, in : *Les Petits Maîtres de la peinture 1820-1920, valeur de demain*, Les Éditions de l'Amateur, t. IV, Paris, 1979.
Musées : Arras : *Chez le juge d'instruction – Le repos* – Lille : *Un bibliophile* – La Rochelle : *Solitude* – Tourcoing : *Promenade matinale*.
Ventes Publiques : Paris, 16 mai 1924 : *Le Ponceau*, past. : **FRF 320** ; *Canal du Loing*, past. : **FRF 550** – Paris, 24 mai 1945 : *La femme à la rose* : **FRF 650** – Paris, 21 mars 1977 : *La Noce à la campagne*, h/t (65x81) : **FRF 3 400** – Versailles, 26 juin 1977 : *Les Lavandières*, past. (52x65) : **FRF 3 200** – Versailles, 12 oct. 1980 : *Promenade de sous-bois*, h/pan. (33x41) : **FRF 4 200** – New York, 24 fév. 1987 : *L'Attente*, h/t (54,6x66) : **USD 8 500** – New York, 24 mai 1989 : *Reflet dans un miroir*, h/t (64,8x54) : **USD 9 350** – Paris, 9 nov. 1990 : *La jeune fermière dans la basse-cour*, h/t (38x56) : **FRF 14 100** – Paris, 7 déc. 1994 : *Les bords du Loing à Nemours*, past. (49,5x64) : **FRF 15 500**.

GÉLIBERT Gaston
Né en 1850 dans les Pyrénées. XIXe siècle. Français.
Peintre d'animaux.
Élève de son père Paul Gélibert. Prix Rosa Bonheur en 1921. Médaille d'argent en 1925. Il figura au Salon jusqu'en 1931.
Ventes Publiques : Paris, 28 fév. 1984 : *Setter en arrêt devant les colverts* 1887, h/t (146x98) : **FRF 6 000**.

GÉLIBERT Jules Bertrand
Né le 27 novembre 1834 à Bagnères-de-Bigorre (Hautes-Pyrénées). Mort en 1916. XIXe-XXe siècles. Français.
Peintre de compositions murales, sujets religieux, scènes de chasse, animaux, aquarelliste, dessinateur.
Il fut élève de son père Paul Gélibert. Il figura, à Paris, au Salon, puis Salon des Artistes Français, obtenant une médaille en 1869 ; une médaille de deuxième classe, en 1883 ; une médaille de bronze à l'Exposition Universelle de 1889 et à celle de 1900. Il exposa également à Bruxelles et à Berlin. Il fut promu chevalier de la Légion d'honneur.
Il peignit surtout des scènes de chasse et des animaux, à l'huile, à l'aquarelle ou dessinées au crayon, parmi lesquels : *La mort du chevreuil – Renard pendu – Épagneul rapportant un lapin – Druide, le chien de chasse du Prince Napoléon*. Jules Bertrand Gélibert mit plus volontiers l'accent sur le caractère anecdotique des chiens et de leurs proies en laissant le paysage à l'état d'esquisse. Il réalisa aussi la très vaste composition murale intitulée *Le Miracle de Saint-Hubert*, qui décore l'église de Cap-Breton dans les Landes.

Bibliogr. : Gérald Schurr, in : *Les Petits Maîtres de la peinture 1820-1920, valeur de demain*, Les Éditions de l'Amateur, t. IV, Paris, 1979.
Musées : Bagnères-de-Bigorre : *Étude de chiens* – Cambrai : *Encore un de pincé* – Gien : *La Quête du lièvre* – Nantes – Saint-Étienne (Mus. d'Art et d'Industrie) : *Moutons des Pyrénées*.
Ventes Publiques : New York, 12 avr. 1911 : *Chiens de chasse au rendez-vous*, aquar. : **USD 300** – Paris, 4 mars 1925 : *La mort du chevreuil* : **FRF 850** – Paris, 14 juin 1944 : *L'épagneul à la perdrix*, dess. reh. : **FRF 1 250** – Paris, oct. 1945-juil. 1946 : *Chiens de chasse*, deux pendants : **FRF 5 000** – New York, 15 oct. 1976 : *Chasseur et ses chiens* 1880, h/t (50,5x81) : **GBP 2 300** – Paris, 2 juin 1978 : *Griffon rapportant un lièvre* 1888, aquar. (42x34) : **FRF 2 600** – Paris, 17 oct. 1978 : *La Chasse au sanglier*, h/t (175x302) : **FRF 16 500** – Paris, 18 mai 1982 : *Chiens de chasse devant la cheminée*, aquar. gchée : **FRF 6 500** – New York, 26 fév. 1986 : *Le Chenil* 1880, aquar./traits cr. (38,6x47,2) : **USD 2 600** – New York, 24 fév. 1987 : *Piqueur et meute dans un sous-bois* 1885, h/t (50,2x61) : **USD 5 750** – Pau, 26 jan. 1991 : *Chiens de chasse* 1906, h/t (66x50) : **FRF 26 000** – New York, 5 juin 1992 : *Chiens attrapant un lièvre*, h/t (63,5x52,7) : **USD 6 325** – Libourne, 27 oct. 1992 : *Chiens de meute*, h/t (50,5x65,7) : **FRF 30 500** – New York, 4 juin 1993 : *Druide, le chien de chasse du Prince Napoléon*, bronze (H. 34,3, L. 27,9) : **USD 6 038** – New York, 15 oct. 1993 : *Sur une piste*, aquar./pap. (35,5x49,5) : **USD 1 093** – Paris, 9 déc. 1994 : *Chiens au repos après la chasse*, h/t (60x80) : **FRF 14 500** – Paris, 16 oct. 1996 : *Épagneuls et Cols-verts*, h/t (50x66) : **FRF 21 000**.

GÉLIBERT Paul Jean Pierre
Né le 29 avril 1802 à Laforce. Mort le 24 septembre 1882 à Barte-de-Nesle. XIXe siècle. Français.
Peintre de scènes de genre, paysages animés, paysages de montagne, animaux, aquarelliste.
Il exposa au Salon de Paris, de 1835 à 1880. Il obtint une médaille de troisième classe, en 1843.
Il peignit essentiellement les pâturages des Pyrénées, animant la plupart de ses paysages d'animaux et de fermières ou gardiennes de troupeaux.
Bibliogr. : Gérald Schurr, in : *Les Petits Maîtres de la peinture 1820-1920, valeur de demain*, Les Éditions de l'Amateur, t. II, Paris, 1982 – in : Catalogue de l'exposition *1815-1850. Les années romantiques*, Éditions de la Réunion des Musées Nationaux, Paris, 1995.
Musées : Bagnères-de-Bigorre : *Tête de loup* – La Fère : *Paysage et animaux – Moutons* – Narbonne : *Paysage avec figures et animaux* – Saint-Étienne (Mus. d'Art et d'Industrie) : *Étude de taureau* – Toulouse : *Descente des troupeaux de la montagne*.
Ventes Publiques : Paris, 20 avr. 1945 : *Cheval dans une prairie* : **FRF 150** – Paris, 29 juin 1945 : *Troupeau au pâturage* : **FRF 2 500** – Versailles, 5 mars 1989 : *La Gardienne du troupeau*, h/t (43x61,5) : **FRF 9 800** – Paris, 25 nov. 1991 : *Vaches gardées par la fermière*, h/t (44x61) : **FRF 15 000** – Reims, 21 avr. 1996 : *La Tonte du mouton* 1837, h/t (53x45) : **FRF 9 000**.

GELINECK Ferencz
XVIIIe siècle. Hongrois.
Peintre.
Il enseigna le dessin à Budapest à la fin du XVIIIe siècle.

GÉLINET Marcel
Né à Marseille (Bouches-du-Rhône). XXe siècle. Français.
Peintre de nus, sujets divers.
Il exposait à Paris, entre 1927 et 1931, dans les Salons annuels traditionnels.
Ventes Publiques : Enghien-les-Bains, 20 avr. 1980 : *Le Quai des Orfèvres à Paris*, h/t (54x65,5) : **FRF 2 000** – Paris, 15 fév. 1988 : *Nu assis dans un fauteuil*, h/t (93x78) : **FRF 5 200**.

GÉLIS Daniel
Né le 14 mars 1942 à Orléans (Loiret). XXe siècle. Français.
Peintre de compositions animées, intérieurs, figures, nus, paysages animés, dessinateur.
Il fut élève de l'École des Beaux-Arts (d'Orléans ?) pendant trois ans. Il fut professeur de dessin jusqu'en 1971. Il participe à des

expositions de groupe régionales, et à Paris aux Salons des Artistes Français dont il obtint la médaille d'or en 1982, d'Automne, du Dessin et de la Peinture à l'eau, étant sociétaire des trois, exposant aussi au Salon Comparaisons. Il montre ses œuvres dans de nombreuses expositions personnelles dans des villes de France et de l'étranger.
Il pratique tous les thèmes convenus, dans une manière brumeuse, sous leurs aspects les plus attractifs : nus très alanguis, intérieurs de fête, paysages méditerranéens, foules sur la plage, voiliers sous spinnaker, etc.
Bibliogr. : A. A. Fédorkow : *Gélis*, Imprimerie *Copie 45*, Chécy, 1989.
Musées : Cholet.
Ventes Publiques : Le Touquet, 12 nov. 1989 : *Jeune fille de profil*, h/t (81x65) : **FRF 10 000** – Versailles, 8 juil. 1990 : *D'eau et de vent*, h/t (70x70) : **FRF 4 000**.

GELIS Meinert
XVIIe siècle. Actif vers 1620. Hollandais.
Graveur.
On connaît des ornements et des grotesques de cet artiste.

GELISSEN Maximilien Lambert
Né le 27 février 1786 à Bruxelles. Mort le 19 mars 1867 à Bruxelles. XIXe siècle. Belge.
Peintre de genre, paysages animés.
Élève de H. Van Asche, de Crété et de Mortelèque.
Ventes Publiques : Londres, 6 mai 1977 : *Paysage fluvial boisé animé de personnages*, h/t (44,6x54,5) : **GBP 1 150** – Vienne, 6 nov. 1985 : *Rencontre à l'orée du bois*, h/pan. (37x47) : **ATS 40 000** – Amsterdam, 5-6 nov. 1991 : *Le montreur de singe*, h/t (37x48) : **NLG 4 600** – Amsterdam, 20 avr. 1993 : *Figures sur un chemin dans un paysage boisé*, h/t (70x96) : **NLG 9 430** – Londres, 13 mars 1996 : *Personnages sur un chemin dans un paysage boisé* 1823, h/pan. (64x81) : **USD 3 450**.

GELL Freenman, Mrs, née **Ada Eversbed**
XIXe siècle. Active à Brighton. Britannique.
Sculpteur.
Exposa à Londres, à partir de 1887, à la Royal Academy et à Suffolk Street.

GELL William, Sir
Né en 1774 à Hopton. Mort le 4 février 1836 à Naples. XVIIIe-XIXe siècles. Britannique.
Peintre, dessinateur, illustrateur.
Il étudia aux Écoles de l'Académie et exerça le métier d'architecte, mais il est surtout connu par les livres illustrés qu'il publia sur la topographie et les antiquités grecques et italiennes. Parmi ses œuvres figurent : *Géographie et antiquités d'Ithaque* (1807), *Itinéraire de la Morée* (1818), *Topographie de Rome* (1820).

GELLE André
Né à Arras. XVIIe siècle. Français.
Peintre.

GELLE Johann
Mort avant mars 1625. XVIIe siècle. Actif à Cologne. Éc. flamande.
Graveur.
Il se maria en 1624 et mourut peu après. Certains biographes indiquent que son ouvrage : *l'Académie de l'Espée* parut à Anvers en 1628, mais il est possible qu'il fût mort avant l'apparition de ce recueil.

GELLE Jules
Né au XIXe siècle à Anzin (Nord). XIXe siècle. Français.
Peintre et sculpteur.
Élève de l'École des Beaux-Arts de Valenciennes. Exposa au Salon de Paris de 1868 à 1880.

GELLE Paul
Mort en 1814 à Niort. XIXe siècle. Français.
Peintre de genre et graveur.
Il a tiré la plupart de ses sujets des mœurs de sa province. Le Musée de Niort conserve un dessin de lui.

GELLÉE A.
XVIIe siècle. Français.
Sculpteur.
Il sculpta en 1627 un triptyque qui se trouve actuellement à l'église Saint-Maurice à Épinal.

GELLÉE Claude. Voir **LORRAIN Claude Gellée**

GELLÉE Didier
Né à Blamont. XVIe siècle. Français.
Peintre.
Il se maria en 1600 à Nancy.

GELLÉE Jean
XVIIe siècle. Actif à Fribourg-en-Brisgau. Français.
Graveur sur bois.
Selon Baldinucci cet artiste était le propre frère de Claude, dit le Lorrain.

GELLEM B.
XVIIIe siècle.
Peintre de portraits.
Cité par le *Art Prices Current*.
Ventes Publiques : Londres, 29 fév. 1908 : *Portrait d'un jeune garçon* 1736 : **GBP 13**.

GELLENBECK Ann P.
Né à Minneapolis. XXe siècle. Américain.
Peintre.
Membre de la Fédération américaine des arts.

GELLENTIN Gottfried
XVIIIe siècle. Actif à Copenhague vers 1756. Danois.
Peintre de miniatures.

GELLEQUIN de Bruxelles
XIVe siècle. Éc. flamande.
Peintre.
Il travaillait vers 1345 pour le duc de Bourgogne.

GELLER
Peintre d'émaux.
Le Musée de Rochefort conserve de cet artiste : *Béatrix*.

GELLER Emil Oswald
Né le 3 novembre 1821 à Neusalza. XIXe siècle. Allemand.
Graveur sur bois.
Il fit ses études à Dresde.

GELLER Johann Nepomuk
Né le 21 mars 1860 à Vienne. Mort en 1954. XIXe-XXe siècles. Autrichien.
Peintre de genre, paysages urbains.
Élève de l'Académie de Vienne, médaille de bronze en 1900 (Exposition Universelle), il exposa également à Berlin, Munich, Düsseldorf et Paris.

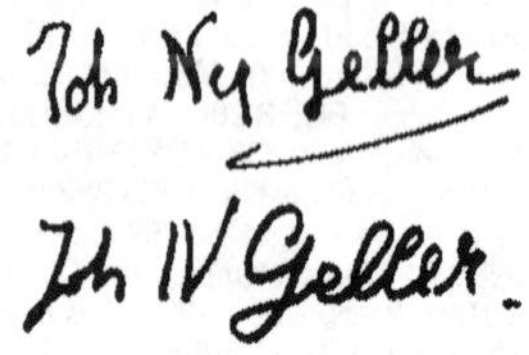

Ventes Publiques : Vienne, 22 sep. 1971 : *Vue de Nuremberg* : **ATS 30 000** – Vienne, 22 mars 1972 : *La grande place de Nuremberg* : **ATS 25 000** – Vienne, 29 nov. 1977 : *Scène de marché à Budweiss*, h/t (95x140) : **ATS 60 000** – Vienne, 12 déc. 1978 : *Marché à Cracovie*, h/t (70x100) : **ATS 40 000** – Vienne, 17 mars 1982 : *Le marché de Noël*, techn. mixte (37,5x50) : **ATS 60 000** – Vienne, 16 nov. 1983 : *Scène de marché, Budweiss*, h/t (95x140) : **ATS 150 000** – Vienne, 6 déc. 1984 : *Scène de marché*, techn. mixte/t. mar./cart. (9x15) : **ATS 20 000** – Vienne, 16 jan. 1985 : *La procession*, h/pap. mar./cart. (27x38) : **ATS 55 000** – Vienne, 15 oct. 1987 : *Vue de Weissenkirchen* 1936, aquar. (40x58) : **ATS 25 000** – New York, 18 fév. 1993 : *Place du marché à Misfrau*, h/t/cart. (57x76) : **USD 19 800**.

GELLER Peter Isaakovitch
Né en 1862 à Kertch. Mort en 1963. XIXe-XXe siècles. Russe.
Peintre d'histoire, sujets militaires.
Il exécuta, entre autres, des peintures militaires pour l'Académie de Saint-Pétersbourg.
Ventes Publiques : San Francisco, 4 mai 1980 : *Ivan le Terrible et l'ermite*, h/t (150x206) : **USD 3 000** – Londres, 15 fév. 1984 : *Après la noce* 1897, h/t (94x130) : **GBP 3 800**.

GELLER William Overend
XIXe siècle. Actif à Londres. Britannique.
Peintre et graveur.
Il exposa surtout à la British Institution de 1834 à 1846.

GELLERSTEDT Albert Theodor
Né le 6 octobre 1836 à Saterloo. Mort le 7 avril 1914. XIXe-XXe siècles. Suédois.
Peintre de paysages, marines, aquarelliste.
Il était aussi architecte.
Musées : Stockholm : Cinq aquarelles.
Ventes Publiques : Stockholm, 21 nov. 1988 : *Un archipel en été*, aquar. (17x12) : **SEK 4 200**.

GELLERT Émery
Né en 1889. XXe siècle. Actif aux États-Unis. Hongrois.
Peintre.
En 1925, il obtint le Prix du Musée de Cleveland.

GELLERT Hugo
Né en 1892. XXe siècle. Actif aux États-Unis. Hongrois.
Peintre de décorations murales.
Il a peint une composition murale au Centre des Travailleurs de New York.

GELLERT Johann
Né le 23 décembre 1821 à Prague. Mort en 1846. XIXe siècle. Tchécoslovaque.
Peintre de paysages.
Il exposa en 1844.
Ventes Publiques : Vienne, 16 jan. 1985 : *Paysage escarpé* 1843, h/t (70x54) : **ATS 22 000**.

GELLES Karl
Né à Vienne. XXe siècle. Autrichien.
Sculpteur.
Il a beaucoup exposé, notamment en Espagne, et en France au Salon des Artistes Français de Paris en 1913.

GELLI Odoardo ou **Edoardo**
Né le 5 septembre 1852 à Savone. Mort en 1933 à Florence. XIXe-XXe siècles. Italien.
Peintre d'histoire, genre, portraits, aquarelliste.
Élève de l'Académie des Beaux-Arts Saint-Luc et de Ciseri à Florence. Il débuta vers 1873. Gelli exposa avec succès à Munich en 1888 et 1890.
En 1886, il fut chargé d'exécuter le portrait de l'empereur d'Autriche. Il fut peu après nommé président du Cercle Artistique de Florence. Ce fut un peintre de beaucoup de talent, à la technique savante et au coloris vigoureux.
Ventes Publiques : Berlin, 1894 : *En été : moine en voyage* : **FRF 387** ; *Scène de cloître* : **FRF 912** ; *Le Chanteur* : **FRF 2 000** ; *Le tableau de l'autel* : **FRF 631** – New York, 5 avr. 1907 : *Le Garde* : **USD 100** – Paris, 18 juin 1930 : *Le Concert* : **FRF 2 550** – Londres, 8 juil. 1966 : *La danse du tambourin* : **GNS 1 600** – Londres, 7 oct. 1987 : *La Peau du lion féroce*, h/t (38,5x60,5) : **GBP 4 000** – Berne, 26 oct. 1988 : *Retour de chasse*, aquar. (53x42) : **CHF 1 000** – Amsterdam, 2 mai 1990 : *Le vieil homme ivre*, h/pan. (44,5x31) : **NLG 17 250** – Londres, 13 mars 1997 : *Le Toast*, h/pan. (30,5x21,6) : **GBP 3 220**.

GELLIG Jacob et **Michiel**. Voir **GILLIG**

GELLY Victor
Mort en 1899 à Chennevières-sur-Marne. XIXe siècle. Français.
Peintre.
Sociétaire des Artistes Français. Il exposa en 1892 et 1894.
Ventes Publiques : Paris, 1898 : *En flagrant délit* : **FRF 1 500**.

GELON Joseph
XIXe siècle. Français.
Peintre de sujets allégoriques, portraits.
Musées : Bourges : *Portrait du cardinal du Pont, archevêque de Bourges*.
Ventes Publiques : Paris, 19 juin 1994 : *Allégorie de la Danse* 1894, h/t (38x46) : **FRF 17 500**.

GELOT Raymonde
Née à Paris. XXe siècle. Française.
Peintre.
Elle figure aux Indépendants depuis 1924.
Ventes Publiques : Paris, 23 juin 1943 : *L'étang*, past. : **FRF 110**.

GELOT-MERCIER Germaine
Née à Alger. XXe siècle. Française.
Peintre de scènes et sujets typiques.
Elle exposait à Paris depuis 1930, au Salon des Artistes Français, avec des sujets algériens.

GELPI Antonio, l'Ancien
Né en 1740 à Côme. Mort en 1804 à Bergame. XVIIIe siècle. Italien.
Sculpteur.
Élève de Perovani. Il travailla surtout pour la cathédrale de Bergame.

GELPI Antonio, le Jeune
Mort vers 1825. XIXe siècle. Italien.
Sculpteur.
Neveu d'Antonio l'Ancien, il l'aida dans ses travaux à la cathédrale de Bergame.

GELTON Toussaint
Né vers 1630. Mort en 1680 probablement à Copenhague. XVIIe siècle. Hollandais.
Peintre d'histoire, compositions mythologiques, sujets allégoriques, scènes de genre, portraits.
En 1659, il était dans la gilde de La Haye. De 1655 à 1661, il vécut à Amsterdam. Après avoir travaillé, en 1666, à Stockholm, il revint, en 1668, à Amsterdam. En 1673, il fut nommé peintre de la cour de Christian V de Danemark. En 1674 et 1675, il travailla en Saxe et dans le duché de Heidelberg.
Il fut un des imitateurs de Gérard Dou et de Poelenborgh.

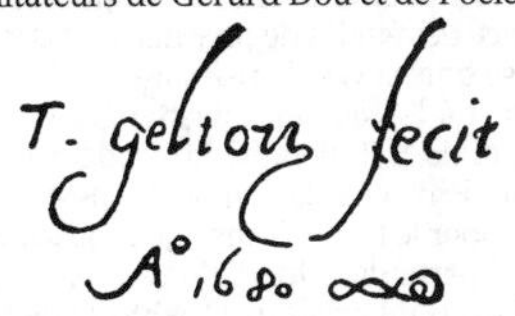

Musées : Copenhague : *Le savant et la Mort* – Stockholm : *Jeune homme écrivant* – *Portraits de Charles X de Suède et de sa sœur Marie-Euphrasine, de Georges, frère de Christian V, et de la reine Charlotte-Amélie*.
Ventes Publiques : Cologne, 24 mai. 1982 : *Moïse sauvé des eaux*, h/cuivre (32,5x26) : **DEM 7 500** – Copenhague, 12 nov. 1985 : *Diane et Actéon*, h/t (27x34) : **DKK 25 000** – Copenhague, 5 avr. 1989 : *Vénus et Amour*, h/t, de forme ovale (15x12) : **DKK 20 000** – Londres, 6 juil. 1994 : *Diane endormie*, h/pan. (13,5x17) : **GBP 1 610** – Copenhague, 8 fév. 1995 : *Diane et ses nymphes*, h/bois (27x34) : **DKK 18 000**.

GELUWE Ludovic Van
XIXe siècle. Actif à Paris en 1850. Belge.
Peintre de genre, de portraits et de miniatures.
Il exposa à Bruxelles en 1851 des tableaux de genre.

GELVEZON-TÉQUI Ofélia
Née le 4 juin 1942 à Guimbal (Iloilo). XXe siècle. Active depuis environ 1972 en France. Philippine.
Graveur de compositions à personnages, compositions religieuses, peintre de collages. Populiste.
En 1964, elle fut diplômée en Art, en 1966 en anglais, à l'Université des Philippines. En 1967, elle fut diplômée en peinture à l'Académie des Beaux-Arts de Rome. En 1968, elle entreprit des études spécialisées en arts graphiques au Pratt Institute de New York. Elle participe à de très nombreuses expositions collectives, depuis la première en 1968 à Manille, à Paris le Salon de la Figuration Critique, celui de l'Union des Femmes peintres et sculpteurs, et en 1987 celui des Réalités Nouvelles, les Biennales d'estampes de Tokyo et de São Paulo, en 1974 *Les Philippines : le Pays, l'Art et le Peuple* à la Salle des Pas perdus de l'UNESCO à Paris, etc. Elle a obtenu diverses distinctions, dont : des Prix de l'Association des Graveurs des Philippines, en 1982 une médaille d'or à Manille. Elle montre aussi ses gravures dans des expositions personnelles très nombreuses : 1970, 1971, 1980, 1982, 1983 Makati, 1972 Manille, 1979 au Musée Hallway de Manille, 1983 au Musée d'Art philippin de Manille, 1987 Paris, etc. Elle a exercé des activités d'enseignement, d'animation, dans divers organismes philippins.
Ses gravures, d'une riche technique polychrome, sur des sujets très variés, profanes ou sacrés, forcent l'attention par un charme évident, dont la nature complexe fuit la définition, semblant tantôt ressortir à l'art qu'on dit naïf, tantôt à une veine populiste, tandis que souvent s'affirme une connaissance pratique de certains mécanismes du pop art. ■ J. B.
Bibliogr. : Divers : *Les œuvres graphiques d'Ofélia Gelvezon-Tequi*, Centre culturel des Philippines, 1985.

GELZER Gilgian
XXe siècle.

Peintre. Abstrait.
Il a montré ses œuvres dans des expositions personnelles : 1994 Maison d'art contemporain Chaillou de Fresnes, galerie Bernard Jordan à Paris ; 1997 ESAD de Reims, galerie Jordan-Devarrieux à Paris.
Il construit, à partir de formes géométriques ou organiques, dans un rapport d'imbrications, de superpositions, de solides compositions, aux couleurs violentes, fortement constrastées. Pour lui : « La peinture permet de se glisser entre les apparences et les catégories, de développer des signes qui ne relèvent pas d'un code établi. »
Bibliogr. : Manuel Jover : *Gelzer : géométries organiques*, Beaux-Arts, n° 126, Paris, sept. 1994.

GELZER Wilhelm
Né le 19 septembre 1842. Mort le 20 décembre 1875 à Paris. XIXe siècle. Actif à Schaffhouse. Suisse.
Lithographe et dessinateur.
Il travailla également à Genève, Perpignan, Paris.

GEMAYEL César
Né en 1898 à Aïn el Touffaha (près de Bikfaya). Mort en 1958. XXe siècle. Libanais.
Peintre de compositions animées, figures, portraits.
Il avait commencé des études de pharmacie et sur les conseils de Khalil Saleeby se tourna vers la peinture. En 1927, il partit pour Paris et s'inscrivit à l'Académie Julian, où il fut élève de Jean-Pierre Laurens et de E.R. Pougheon pendant trois années. En 1930, il obtint un Prix à l'occasion de l'Exposition Coloniale de Paris et repartit pour le Liban. Il enseigna à l'Académie libanaise des Beaux-Arts à partir de sa fondation en 1937. Il exposait régulièrement aux Salons du Palais de l'UNESCO de Beyrouth, ainsi qu'à des expositions organisées, entre 1936 et 1942, au Parlement libanais. En 1965, le Musée Sursock lui consacra un Hommage lors du 5e Salon d'Automne. Il fut décoré de l'Ordre national du Cèdre.
Il a pratiqué une peinture volontiers haute en couleurs et prit souvent pour modèles des jeunes femmes dans des positions de repos. Il est considéré comme l'un des fondateurs de la peinture libanaise moderne.
Bibliogr. : In : Catalogue de l'exposition *Liban – Le regard des peintres – 200 ans de peinture libanaise*, Institut du monde arabe, Paris, 1989.
Musées : Aïn El Touffaha (Maison natale) : une grande partie de l'œuvre.

GEMBARZEVSKI
XIXe siècle. Actif au début du XIXe siècle. Polonais.
Peintre.
Le Musée de Rapperswil près de Zurich, possède des aquarelles de cet artiste.
Ventes Publiques : Paris, 11 avr. 1919 : *Deux cavaliers*, aquar. : **FRF 70.**

GEMBÊ. Voir **KATSUSHIGE**

GEMBERLING Grace
Née en 1903 à Philadelphie (Pennsylvanie). XXe siècle. Américaine.
Peintre.
En 1931, elle obtint une médaille d'or de l'Académie des Beaux-Arts de Philadelphie.

GEMEINERT G. G.
Né à Sorau. XIXe siècle. Allemand.
Peintre de paysages.
Il fut élève de Schirmer à Berlin.

GEMELICH Andreas
Né en 1602 à Francfort-sur-le-Main. XVIIe siècle. Allemand.
Sculpteur.
Il travailla aussi à Mayence.

GEMELICH Anton
XVIIe siècle. Actif à Landsberg en 1614. Allemand.
Sculpteur.

GEMELICH Georg
Mort le 24 août 1640 à Francfort-sur-le-Main. XVIIe siècle. Allemand.
Sculpteur.

GEMELICH Hans Leonhard
XVIe siècle. Actif à Augsbourg vers 1574. Allemand.
Sculpteur.
Il fut élève de Christoph Murmann l'Ancien.

GEMELIN Johann
Né à Aichstadt. XVIIe siècle. Tchécoslovaque.
Sculpteur.
Il travailla à Prague.

GEMELLI Bonaventura
Né en 1798. Mort en 1863. XIXe siècle. Allemand (?).
Peintre.
Nous n'avons trouvé trace de cet artiste que dans un ouvrage de Marcel Brion, qui le rapproche de Jacob Asmus Carstens, par sa manière de traiter romantiquement des thèmes classiques. Il fut lié au groupe des Nazaréens, réunis par Johann Friedrich Overbeck au couvent de Sant'Isidoro à Rome par le culte de la Renaissance italienne, et vécut un temps avec eux. Il peignit surtout des sujets mythologiques ou fabuleux, mais traita aussi quelques thèmes médiévaux, la vie d'une sorcière, la passion de l'artiste. On peut évoquer à son propos le romantisme de la nature traité sous une forme classique des peintres de l'École de Fontainebleau.
Bibliogr. : Marcel Brion : *La peinture allemande*, Tisné, Paris, 1959.

GEMERT Joos Lambrecht Van
Né le 23 janvier 1720. Mort le 8 décembre 1782. XVIIIe siècle. Éc. flamande.
Peintre d'intérieurs d'églises, puis orfèvre.
Doyen de la gilde Saint-Luc, à Anvers, entre 1758 et 1775.

GEMES-GINDERT Peter
Né le 23 mars 1876 à Tinnye. XXe siècle. Hongrois.
Sculpteur.
Il fit ses études sous la direction de Lajos Gyorgy Matraï, puis les termina à Munich. Il a surtout travaillé à Tinnye.

GEMIARI Giovanni Battista
Né à Cento. XVIIe siècle. Actif vers 1606. Italien.
Peintre d'histoire.
Lanzi le place parmi les maîtres de Guercino. On cite de cet artiste, dans la Guilde de Bologne, une : *Madone entourée de Saints*, qui se trouve dans l'église de la Trinité et porte la date de 1606.

GEMIGNANI Alessio, Giacinto, Lodovico. Voir **GIMIGNANI**

GÉMIGNANI Michel
Né le 27 août 1941 à Méricourt (Yvelines). XXe siècle. Français.
Peintre, sculpteur. Expressionniste.
Il est le fils du sculpteur Ulysse Gémignani et de la compositrice Yvonne Desportes-Gémignani, tous deux Prix de Rome. À Paris, après ses études secondaires, Michel Gémignani fut élève de l'École des Arts Appliqués de 1956 à 1959, puis de l'École des Beaux-Arts de 1960 à 1967, obtenant le deuxième Grand Prix de Rome en 1966. Encore à l'École des Beaux-Arts de Paris, de 1971 à 1974 il fut assistant de Chapelain-Midy, à partir de 1975 assistant de Louis Nallard, et en 1978 y créa l'Atelier Expérimental *Couleurs et Formes*.
Il participe depuis 1967 à un certain nombre d'expositions collectives, dont à Paris : les Salons, des Artistes Français de 1966 à 1975, d'Automne en 1970, Comparaisons en 1973, 1988 de Mai, depuis 1976 le Salon des Réalités Nouvelles, dont il a été nommé membre du comité, puis en 1992 vice-président. Depuis 1967, il montre aussi des ensembles de ses réalisations dans des expositions personnelles, dont : 1970 Académie Internationale de Nice, 1973 Musée de la Chasse et de la Nature, 1982 à *La Galerie* Paris, 1984 Maison des Arts d'Évreux, depuis 1987 régulièrement à la *Galerie Ariel* de Paris, en 1991 *Galerie Ariel Rive gauche*, en 1996 à l'église de la Madeleine et au château de Châteaudun, à la galerie Vie privée de Chambéry *Rétrospective Peintures, Dessins 1985-1995*, etc.
Depuis 1966, il réalise de très nombreuses œuvres monumentales, dans des techniques diversifiées, d'entre lesquelles : dalle de verre, mosaïque, en 1968 une décoration murale pour le palais royal de Casablanca, en 1970 un mur-relief polychrome de 40 mètres sur 2 mètres 40 à Neauphle-le-Vieux, relief en cuivre, sculpture en résine stratifiée, en 1974 une peinture murale de 350 mètres carrés pour le Lycée Albert Camus de Bois-Colombes, en 1978 un mur-relief polychrome en résine stratifiée de 10 mètres sur 1 mètre 80 pour le Collège d'Enseignement Secondaire de Conflans-Sainte-Honorine, une peinture murale

Les champs de 50 mètres sur 5 mètres pour le Collège d'Enseignement Technique de Mézières-Charleville, et deux tapisseries pour le palais royal de Marrakech, sans omettre en 1988 quarante et un moutons pour banaliser la Centrale nucléaire de Cattenom, etc.
À partir de 1980, il fut d'abord plus sculpteur que peintre. Travaillant le bois, il lui conférait des formes élancées et pleines, apparemment abstraites et participant de la spiritualité des Brancusi et Arp, jusqu'à ce qu'un regard plus insistant y déchiffre des notations phalliques, parfois très épanouies. Toutefois, dans le même temps, il peignait aussi, par séries, chacune sur un thème qu'il épuisait. L'identité du thème, bien que dépouillé de toute anecdote, s'y avouait plus immédiatement que dans les sculptures contemporaines. Des vaches auxquelles était consacrée une série, il ne gardait que la robe blasonnée, comme si vue d'avance en jeté de sol. Après 1985, et semble-t-il durablement, il a délaissé la sculpture, tandis que son œuvre de peintre le requiert totalement. Les réserves puristes des sculptures passées étant écartées, le peintre se reconnaît pour expressionniste, mais de la sorte qui a fait qualifier De Kooning d'expressionniste-abstrait. Qu'il peigne des dames en visite ou occupées à toute autre chose d'ailleurs, les poissons indifférents de son aquarium, tant que leur compagnie lui convient, la mémoire d'un être « en allé avec le soleil » ou tout ce qui est passé, passe et passera devant son regard qu'il s'amuse à faire soucieux, voire courroucé ; il ne peint pas tant l'apparence de ce qu'il voit, que les rythmes, les formes, les stridences qu'il y voulait trouver, et qui, d'un prétexte à l'autre, se prolongent dans un même registre, dans une même musique, un peu rauque et sauvage, celle qui désormais définit la tonalité de sa peinture, puisque ce qu'il peint c'est d'abord sa peinture, toujours presque hors sujet, ce qui en logique est une erreur, mais qui pour l'art en cautionne l'indépendance. ■ Jacques Busse

Bibliogr. : Robert Planet et divers : Catalogue de l'exposition *Michel Gémignani*, La Galerie, Paris, 1982 – Jean-Christophe Delpierre : Catalogue de l'exposition *Michel Gémignani*, Gal. Ariel, Paris, 1989 – Yves Michaud et divers : Catalogue de l'exposition *Michel Gémignani*, Gal. Ariel Rive-gauche, Paris, 1991.

Musées : Paris (FNAC) : *Fontaine* 1979, sculpt. bois – Paris (Mus. de la Chasse et de la Nature) : sept peintures.

GÉMIGNANI Ulysse Jean-Baptiste Antonin Marius
Né le 21 décembre 1906 à Paris. Mort le 20 janvier 1973. xxe siècle. Français.
Sculpteur de monuments, statues.

Il fut élève d'Antoine Injalbert à l'École des Beaux-Arts de Paris, jusqu'à son Premier Grand Prix de Rome en 1933. Il épousa la compositrice Yvonne Desportes, deuxième femme ayant obtenu le Prix de Rome de composition. Il exposait à Paris, au Salon des Artistes Français, y obtint plusieurs distinctions, notamment une médaille d'or et classé hors conncours en 1937, et en fut membre du comité et du jury. Il fut membre du jury de l'École des Beaux-Arts et membre du jury de sculpture au Concours de Rome. Il fut président de l'Association des Artistes Lauréats de la Ville de Paris. Il fut fait chevalier de la Légion d'Honneur.
Sa sculpture, figurative et humaniste, est d'inspiration classique. Il a surtout sculpté d'après le corps humain, avec des accents réalistes et des formes massives. Il fut, à partir des années quarante, l'un des sculpteurs en vue dans cette école de Paris de l'entre-deux-guerres, qui vivait quelque peu à l'écart des mouvements contemporains. Il a sculpté un très grand nombre de monuments et statues, d'entre lesquels : 1937 *Dyonisos* marbre de trois mètres à Parthenay (Deux-Sèvres), 1938 haut-relief de quatre-vingts mètres carrés pour la façade du Pavillon français de l'Exposition de New York, 1942 buste en pierre de Sylvestre de Sacy au Collège de France, 1943 une fontaine en pierre à Malakoff (Hauts-de-Seine), 1946 groupe de trois sirènes dans l'Île-aux-Ibis du Vésinet (Yvelines), 1948 statue d'une sportive au stade de Poitiers, 1949 deux des médaillons de la nouvelle École de Médecine de Paris, 1951 pierre de trois mètres du Monument aux Déportés de Bayeux, 1952 deux statues en pierre pour le Collège Technique de Vincennes (Val-de-Marne), pierre de quatre mètres de haut de la statue de Merlin de Thionville à Thionville (Moselle), 1954 haut-relief en pierre de neuf mètres de haut sur deux de large de Notre-Dame de l'Assomption à Thionville, 1955-1956 décorations en pierre pour trois écoles de Moselle à Mondelange, Florange, Montois-la-Montagne, 1956 ronde-bosse en pierre *La Mécanique* au Collège Technique de Malakoff, 1956 *Christ* en bois de cinq mètres de haut à Thionville, 1957 pierre de cinq mètres du Monument aux Déportés de Goussainville (Val-d'Oise), 1958 deux hauts-reliefs de trois mètres pour le Palais des Télécommunications d'Issy-les-Moulineaux (Hauts-de-Seine), 1959 haut-relief en bronze au Mémorial du Mont-Valérien, 1961 pierre de sept mètres sur trois de la décoration du Lycée de Drancy (Seine-Saint-Denis), 1962 *Les Flammes* bronze de quatre mètres sur trois à l'École de Fonderie de Bezons (Val-d'Oise), 1964 *Le Soleil et les Blés* tôle de cuivre de neuf mètres de haut à Lucé (Eure-et-Loir), 1966 *Les Blés* acier inoxydable de six mètres de haut à Thionville, 1969 *Les flamants* en maillechort (melchior) de cinq mètres de haut à Metz (Moselle), 1970 pierre de quatre mètres de haut *Le Commerce* à La-Celle-Saint-Cloud (Yvelines). ■ J. B.

Musées : Paris (Mus. du Petit-Palais) : *Jeunesse* 1952, bronze.

Ventes Publiques : Paris, 23 fév. 1997 : *Deux satyres jouant des cymbales* vers 1930, bronze (H. 56) : **FRF 16 000**.

GEMIGNANO Giacinto. Voir **GIMIGNANI**

GEMIN Aug., Mme. Voir **FAULCON Louise Adèle,** Mme

GEMINIANO da Modena
xvie siècle. Actif à Modène. Italien.
Peintre.

Il fut élève de Lorenza Costa.

GEMINUS Thomas
Mort vers 1570 à Londres. xvie siècle. Actif à Lille. Français.
Graveur et éditeur.

Il exécuta plusieurs planches pour illustrer ses publications. En 1545, il fit paraître une traduction de *L'Anatomie de Vesalius* qui fut imprimée à Padoue en 1542 avec des gravures sur bois. Geminus les ayant copiées sur cuivre, dédia le livre à Henri VIII sous le titre de : *Compendiosa totius Anatomie Delineatio, aere exarata.*

GEMITO Vincenzo
Né le 16 juillet 1852 à Naples. Mort en 1929 à Naples. xixe-xxe siècles. Italien.
Sculpteur de bustes, statues, groupes, peintre, peintre à la gouache, pastelliste, dessinateur.

Élève de Stanislas Lista.
Il a exposé à plusieurs reprises à Paris ; a obtenu des médailles de troisième classe en 1879, de deuxième classe en 1880, le grand prix en 1889 et 1900 (Exposition Universelle). Chevalier de la Légion d'honneur. Les bronzes suivants figurèrent à l'Exposition Universelle de Paris en 1900 : *L'Acquiolo, porteur d'eau ; Tête de philosophe ; Une Nourrice ; Tête de jeune femme ; Tête de vieillard ; Le Pêcheur ; Petit buste ; Narcisse ; Prestidigitateur japonais ; Femme assise ; Portrait de Meissonier ; Grand pêcheur ; Esquisse de Charles V*, plus des dessins, aquarelles et pastels.
On cite de lui : les bustes de Meissonier, de *Fortuny*, de *Verdi* et du *Duc d'Aoste*. Les œuvres de cet artiste sont justement estimées en Italie, où il est considéré comme un des meilleures sculpteurs de ce pays durant la fin du xixe siècle. Son art est plein de charme et de délicatesse ; il sait allier le naturel à un classicisme de bon aloi, sans jamais tomber dans la vulgarité. Ses dessins retiennent tout particulièrement l'attention des amateurs par leur grâce toute personnelle.

Musées : Paris (Mus. d'Orsay) : *Le baron Oscar de Mesnil à l'âge de quarante-neuf ans*, sculpt.

Ventes Publiques : Rome, 16 oct. 1970 : *Buste de Francesco Paolo Michetti*, bronze : **ITL 6 500 000** – Milan, 14 déc. 1976 : *Jeune pêcheur*, bronze n° III/V (H. 55,5) : **ITL 1 300 000** – Rome, 20 avr. 1977 : *Autoportrait*, argent (H. 31) : **ITL 1 000 000** – Milan, 5 avr 1979 : *Tête de jeune fille* 1919, encre de Chine (50x40) : **ITL 1 400 000** – Milan, 6 nov. 1980 : *Tête de jeune fille* 1919, encre de Chine/pap. (50x40) : **ITL 1 500 000** – Enghien-les-Bains, 27 avr. 1980 : *Le petit pêcheur au crabe*, bronze, patine brune (H. 86,5) : **FRF 16 700** – Milan, 24 mars 1982 : *Portrait d'une paysanne*, cr. (35x24) : **ITL 3 700 000** – New York, 14 déc. 1982 : *L'Acquiolo*, bronze, patine brune (H. 56) : **USD 7 000** – Rome, 15 mars 1983 : *Enfant endormi*, cr. reh. de blanc (62x47) :

ITL 2 400 000 – Rome, 1er juin 1983 : *Neptune enfant*, argent (Poids 4kg et H. 34) : **ITL 7 500 000** – Rome, 6 juin 1984 : *Jeune fille à la fontaine (recto) ; Tête de jeune fille (verso)* 1921, techn. mixte (50x40) : **ITL 14 000 000** – Rome, 17 oct. 1985 : *Tête de jeune homme*, bronze (H. 27) : **ITL 2 200 000** – Milan, 4 juin 1985 : *Le jeune pêcheur* 1911, cr. et tempra (46x37) : **ITL 3 700 000** – Milan, 28 oct. 1986 : *Autoportrait*, temp./pap. (50x40) : **ITL 9 500 000** – Milan, 13 oct. 1987 : *Portrait de A. M. Panicale* 1922, cr. et temp. (70x48) : **ITL 7 500 000** – Rome, 25 mai 1988 : *Atalante récoltant les pommes d'or*, bas-relief bronze (diam. 34,5) : **ITL 1 800 000** ; *Autoportrait* 1915, encre et gche/ pap. (40,5x28) : **ITL 6 800 000** – Milan, 1er juin 1988 : *Paysanne* 1925, past. (42x35) : **ITL 11 500 000** – Milan, 14 juin 1989 : *Tête de femme*, bronze (H. 53) : **ITL 3 000 000** – Rome, 14 déc. 1989 : *Le soir* 1915, encre (30x19,5) : **ITL 6 325 000** – Rome, 29 mai 1990 : *Adolescente* 1918, techn. mixte/t. (55x70) : **ITL 13 800 000** – Milan, 30 mai 1990 : *Autoportrait* 1920, temp./pap. (70,5x69) : **ITL 53 000 000** – Rome, 11 déc. 1990 : *Profil de jeune fille*, temp. (46x46) : **ITL 9 200 000** – Rome, 16 avr. 1991 : *Le porteur d'eau*, bronze (H. 54,5) : **ITL 3 450 000** – Rome, 28 mai 1991 : *Étude d'une gamine*, cr./pap. (27,6x42) : **ITL 3 500 000** – Milan, 6 juin 1991 : *Autoportrait* 1920, temp. et aquar./cart. (48x36) : **ITL 6 500 000** – New York, 17 oct. 1991 : *Le petit porteur d'eau*, fontaine de bronze (H. 55,9) : **USD 6 600** – Milan, 16 juin 1992 : *Porteur d'eau*, métal (H. 55) : **ITL 3 000 000** – Rome, 19 nov. 1992 : *Vénus porteuse d'eau*, bronze (H. 67) : **ITL 4 600 000** – New York, 13 oct. 1993 : *Jeune Napolitain avec une cruche*, bronze (H. 49,8) : **USD 14 375** – Paris, 25 mars 1994 : *Étude de mains* 1915, cr. noir et estompe (13x18) : **FRF 6 000** – Rome, 31 mai 1994 : *Tête d'adolescent*, plâtre patiné (H. 33) : **ITL 11 785 000** – Milan, 14 juin 1995 : *Portrait de femme avec une étole de renard*, fus./pap. (26x20) : **ITL 4 025 000** – Rome, 7 juin 1995 : *Jeune Pêcheur*, bronze (H. 134) : **ITL 11 500 000** – New York, 17 jan. 1996 : *Porteur d'eau*, bronze (H. 54,6) : **USD 4 312** – Rome, 23 mai 1996 : *Le Pêcheur*, bronze patiné (H. 136) : **ITL 13 800 000** – Rome, 27 mai 1997 : *Enfant sur une balançoire* 1910, techn. mixte/pap. (22x27) : **ITL 13 800 000**.

GEMMA Augusto
XIXe siècle. Actif à Spolète. Italien.
Portraitiste.
Il a exposé à Rome et à Turin.

GEMMEL Hermann
Né en 1813 à Barten. Mort le 22 mars 1868 à Königsberg. XIXe siècle. Allemand.
Peintre d'architectures.
Élève d'Ed. Biermann et de W. Schirmer à Berlin. Il voyagea en Italie. En 1855, il devint professeur de perspective et d'architecture à l'Académie de Königsberg. Il a exposé à Berlin et à Dresde, de 1844 à 1867. Le Musée de Königsberg conserve de lui : *Le baptistère de Constantin le Grand, près de Naples*.

GEMMEL Mary R. Marion, Miss
XIXe siècle. Active à Anerley. Britannique.
Peintre de fleurs.
Cette artiste exposa à Londres, notamment à la Royal Academy et à Suffolk Street, à partir de 1876.

GEMMEL Minna
XIXe siècle. Active à Marienwerder. Allemande.
Peintre.
Elle exposa vers 1850 à Lübeck et Berlin.

GEMMEL-HUTCHINSON Robert
Né à Edimbourg. XXe siècle. Britannique.
Peintre.

GEMMI Giacomo
Né le 4 janvier 1863 à Plaisance. XIXe siècle. Italien.
Peintre.
Il travailla à Parme, Vérone et Venise.

GEMOIS Ernest
XIXe siècle. Actif à Moulins (Allier). Français.
Peintre.
Le Musée Municipal de Moulins conserve de cet artiste un tableau : *Chiens griffon*, offert par l'auteur en 1869.

GEMPERLE Tobias
Né vers 1550 à Augsbourg. Mort vers 1601 à Copenhague. XVIe siècle. Allemand.
Peintre.
Au service de l'astronome Brahe, il vécut surtout au Danemark où il exécuta aussi bien des portraits à l'huile que des dessins scientifiques.

GEMPT Bernard de
Né le 25 avril 1826 à Wychen. Mort le 2 janvier 1879 à Amsterdam, par suicide. XIXe siècle. Hollandais.
Peintre animalier.
Élève de N. Pienemann.
Musées : Amsterdam (Mus. Nat.) : *Chien du Saint-Bernard* – Amsterdam (Mus. mun.) : *Le congrès de Paris – La requête des chiens – Les deux chiens – Après le repas*.
Ventes Publiques : Amsterdam, 1881 : *Chien de chasse couché dans une chambre* : **FRF 2 780** – Amsterdam, 13 déc. 1937 : *Cheval de profil à gauche* : **FRF 300** – Amsterdam, 16 nov. 1988 : *Un fox-terrier dans un intérieur* 1859, h/t (55x75) : **NLG 11 500** – New York, 21 mai 1991 : *La capture*, h/t (81,9x104,7) : **USD 4 400** – Amsterdam, 3 nov. 1992 : *Chien et chat dans un cellier*, h/pan. (28,5x37,5) : **NLG 3 450** – Amsterdam, 19 avr. 1994 : *Idées napoléoniennes*, h/pan. (34,5x45,5) : **NLG 5 520** – Amsterdam, 9 nov. 1994 : *Jeunes chiens dans une corbeille*, h/pan. (32x40) : **NLG 3 220** – Londres, 28 mars 1996 : *Petit chien avec les pantoufles de son maître* 1859, h. (54,6x75,5) : **GBP 3 680**.

GEMUEL François
XVIIIe siècle. Actif à Paris en 1785. Français.
Peintre ou sculpteur.

GEMUENDEN Caroline von
Née vers 1808 à Munich. XIXe siècle. Allemande.
Peintre de paysages.

GEMZOE Peter Henrik
Né le 6 février 1811 à Copenhague. Mort le 3 octobre 1879 à Copenhague. XIXe siècle. Danois.
Peintre de compositions religieuses, portraits, paysages, dessinateur.
Élève d'Eckersberger. Il exposa régulièrement des portraits. On cite le retable qu'il peignit pour l'église de Grönland.
Ventes Publiques : Copenhague, 25-26 avr. 1990 : *Eglise de campagne* 1839, h/t (28x37) : **DKK 11 000**.

GEN. Voir **KI-EN**

GEN-PAUL, pseudonyme de **Paul Eugène**
Né le 2 juillet 1895 à Paris. Mort le 30 avril 1975 à Paris. XXe siècle. Français.
Peintre de compositions animées, sujets de sport, figures, nus, portraits, intérieurs, paysages, paysages urbains, fleurs, peintre à la gouache, aquarelliste, graveur, dessinateur, illustrateur. Expressionniste.
De la vie de Gen-Paul, la rumeur ne met en relief que quelques traits : la Butte, la rue, le mutilé de guerre, l'anar, l'ami de Céline... Toutes affirmations justes, mais pourtant expéditives. Il est né rue Lepic, au cœur du folklore montmartrois. Sa mère était brodeuse, son père musicien de cabaret ; tout de suite après son certificat d'études, Gen-Paul commença à gagner sa vie. Mais c'est cependant très tôt qu'il s'essaya à la peinture, comme si celle-ci avait connu en lui une germination spontanée. Pierre Davaine, dans un livre qu'il consacre à l'œuvre du peintre, écrit très justement : « Gen-Paul, avec une extraordinaire intelligence, a su tirer parti de tout. Apprenti tapissier, il profitait de ses visites dans les appartements luxueux où on l'envoyait travailler, pour découvrir les collections particulières des amateurs. L'anatomie, il l'a aussi apprise ; mais en se liant d'amitié avec des médecins et en les suivant jusque dans la salle d'opération. Quant aux Beaux-Arts, il y est passé à sa façon : dans les ateliers ou dans les fêtes de l'École, il a connu des architectes, les a écoutés, les a regardés et a profité de leurs leçons comme aucun étudiant régulièrement inscrit. » Les boîtes de cigares trouvées dans les bureaux de tabac furent ses premiers supports, et les hors-texte en couleur d'un numéro de *L'Illustration* ses premiers modèles. C'était en 1913. L'année suivante, à la déclaration de guerre, il devance l'appel et s'engage. Première blessure. En 1915, une deuxième blessure nécessite l'amputation de sa jambe droite. Réformé, puis démobilisé, il revient à Paris en 1916. Il commence à peindre.
En 1920, il expose au Salon d'Automne. Il restera relativement fidèle aux Salons d'Automne et des Artistes Indépendants. Il a participé à des expositions collectives à Londres, Anvers, etc. Sa première exposition personnelle a lieu Galerie Bing en 1926. Il expose peu, n'a pas vraiment de marchand, mais voyage beaucoup, en France, puis en Espagne. En 1952, a lieu une exposition rétrospective de l'ensemble de son œuvre à la galerie Drouant-David de Paris.

Pour lui, un peintre, seul, est au-dessus de tous les autres : Goya. L'avoir découvert a, dit-il, bouleversé sa vie. Il part pour New York en passager clandestin. De ses voyages, il rapporte des croquis dont il se sert ensuite à l'atelier. Un tableau est annoncé par des dizaines de dessins. Avec acharnement, surmontant la douleur de ses blessures de guerre, assis sur son lit, il multiplie les croquis. Il remet en chantier ce qui, une heure plus tôt, l'avait satisfait. Ses blessures le font souffrir, et, peu à peu, il s'adonne à l'alcool, qui lui fait oublier ses tourments, mais le conduira à l'effondrement, quand, lors d'un séjour à Madrid, en 1929, il est atteint d'une crise de délirium. De retour à Paris, en 1930, affaibli par la maladie, il perd une grande partie de ses moyens. Convalescent, il recommence peu à peu à travailler, faisant la connaissance de nombreux artistes et écrivains : Francis Carco, Marcel Aymé, Fernand Ledoux, et Louis-Ferdinand Céline, dont il devint l'ami (amitié qui lui vaudra quelque réprobation), et de qui il illustre plusieurs ouvrages : en 1942 *Voyage au bout de la nuit, Mort à crédit*. Il a aussi produit des gravures, dont un recueil *Les vues de Montmartre*. À la fin de la Seconde Guerre, il s'embarque pour les États-Unis et fera, par la suite, de fréquents séjours à New York. En 1952, enfin sorti d'un long purgatoire, le succès le touche à l'occasion de l'exposition à la galerie Drouant-David.

De 1916 date sa première peinture à l'huile, un *Moulin de la Galette* vu de sa fenêtre. Les débuts sont incertains, il fait surtout des vues de Paris, puis, pour satisfaire une commande, des « à la manière de ». Il peint néanmoins aussi « pour lui » et signe, en 1918, sa première toile *Gen-Paul*. Il y a chez Gen-Paul une passion d'observer, passion est le mot juste : le visible l'arraisonne, il en est l'esclave. Lorsqu'il redevient le maître, maître des formes qu'il fait surgir, il utilise cette sensibilité exceptionnelle, la travaille, la refond. C'est dans des trésors d'observation qu'il a toujours puisé la facilité. Ses instantanés, ses esquisses au trait véloce et drôle, ses admirables études, tout à la fois révèlent son enthousiasme pour la vie dans ses manifestations les plus humbles et les plus inattendues, et témoignent d'une éducation obstinée de la vision. Le rythme fondamental de Gen-Paul, c'est l'impulsion. Le geste fuse. Lorsqu'il a, d'un tracé impeccable de lignes strictes, posé des repères qu'il sait seul déchiffrer, réparti quelques volumes, il prend sa palette et étale au pinceau des larges hachures vibrantes. Successives explosions de gestes : la couleur tombe, ses zigzags s'enchevêtrent, labyrinthe d'éclairs. Il y a des peintres qui figent une impression fugitive, Gen-Paul, lui, capture non pas un instant, mais plusieurs, et les fait jouer les uns avec les autres. Son thème privilégié, c'est le mouvement, d'où la fréquence dans l'ensemble de sa production des courses de chevaux, courses cyclistes, musiciens en action, animation de la foule dans les rues de Paris. L'art de Gen-Paul n'a rien de pacifique. Il n'est pas de ceux qui bénissent l'existence. Même lorsqu'il peint une jeune femme au repos, un vase de fleurs, il disloque les contours, fracture, torture les formes. Le feu qui brûle dans ses tableaux, loin d'anéantir le visible, le porte à l'incandescence.

■ Dr. Jean Miller, J. B.

Bibliogr. : In : *Les Muses*, Grange Batelière, Paris, 1972 – Catalogue de l'exposition *Gen Paul, « Le Centenaire »*, Musée de Montmartre, Paris, 1995.

Musées : Berne (Kunstmuseum) – Genève (Mus. du Petit Palais) – Grandville – Menton – Paris (Mus. Nat. d'Art Mod.).

Ventes Publiques : Paris, 18 mai 1928 : *Les Fortifications, porte de Clichy* : **FRF 1 180** – Paris, 3 mai 1929 : *Dancing* : **FRF 2 250** – Paris, 10 mai 1930 : *Bords du Loing* : **FRF 3 200** – Paris, 10 nov. 1933 : *Fleurs dans un pot à anse* : **FRF 590** – Paris, 30 juin 1941 : *Père Lampion* 1928 : **FRF 1 000** – Paris, 11 mai 1942 : *Fleurs* : **FRF 4 000** – Paris, 21 oct. 1943 : *Vue de Montmartre* : **FRF 4 000** – Paris, 9 avr. 1945 : *Intérieur* : **FRF 11 000** – Paris, 24 fév. 1947 : *Clowns musiciens*, gche : **FRF 10 000** – Paris, 17 mars 1950 : *Le Violoniste* : **FRF 50 000** – Paris, 24 juin 1957 : *Rue de Montfort-l'Amaury*, aquar. : **FRF 450 000** – Paris, 16 juin 1959 : *La Voie ferrée* : **FRF 480 000** – Paris, 2 mai 1961 : *Le Village aux cyclistes* : **FRF 7 400** – Genève, 5 déc. 1964 : *La Rue Lepic* : **CHF 16 500** – Genève, 8 nov. 1969 : *Joueurs de cartes* : **CHF 24 500** – Paris, 3 nov. 1971 : *Le Guitariste* : **FRF 36 500** – Versailles, 26 nov. 1972 : *Le Violoncelliste* : **FRF 68 000** – Paris, 19 mars 1973 : *Le Guitariste* vers 1927 : **FRF 83 000** – Paris, 13 mars 1974 : *Les Amoureux en bicyclette* : **FRF 126 000** – Paris, 11 juin 1974 : *Le Moulin de la Galette* : **FRF 32 500** ; *Le Clown* : **FRF 40 000** ; *L'Accordéoniste* : **FRF 100 000** – Paris, 16 déc. 1974 : *Le Picador*, aquar. : **FRF 39 500** – Versailles, 29 fév. 1976 : *Jumping*, gche (48x62) : **FRF 17 000** – Versailles, 5 déc. 1976 : *Le Vieil Homme assis* vers 1928-1930, h/t (92x60) : **FRF 41 000** – Paris, 23 mars 1977 : *Le Violoniste* 1923-1925, h/t (92x73) : **FRF 38 000** – Versailles, 5 juin 1977 : *Jumping*, gche (48x62) : **FRF 11 000** – Versailles, 1er juin 1980 : *Le Clown musicien*, encre de Chine (52x30) : **FRF 4 000** – Genève, 12 déc. 1983 : *Nogent-sur-Marne* 1927, aquar. gchée (50x65) : **CHF 8 000** – Anvers, 3 avr. 1984 : *L'Église du Sacré-cœur à Paris*, h/t (60x81) : **BEF 280 000** – Enghien-les-Bains, 9 mars 1986 : *Le Violoniste*, h/t (92x60) : **FRF 260 000** – Calais, 8 nov. 1987 : *Portrait du fils de l'artiste*, h/pan. (41x27) : **FRF 51 000** – Versailles, 13 déc. 1987 : *Le Village*, h/t (54x55) : **FRF 70 000** – Enghien-les-Bains, 15 mars 1987 : *En forêt de Fontainebleau* 1928, gche (48x63) : **FRF 63 000** – Enghien-les-Bains, 15 mars 1987 : *L'Accordéoniste* 1927, h/t (116x73) : **FRF 240 000** – Versailles, 21 fév. 1988 : *Cavaliers*, h/t (46x55) : **FRF 33 000** – Paris, 26 fév. 1988 : *Course de chevaux*, aquar. gchée/pap. (56x71,5) : **FRF 15 000** – Paris, 2 mars 1988 : *Le Moulin-Rouge* vers 1925-1926, aquar. gchée (36x47) : **FRF 17 000** – La Varenne-Saint-Hilaire, 6 mars 1988 : *Jeune Femme assise auprès d'un bouquet* 1926, h/t (81x65) : **FRF 110 000** – Paris, 18 mars 1988 : *Bébert la Jambe-de-bois*, h/cart. (54,5x45,5) : **FRF 45 000** – Versailles, 20 mars 1988 : *Le Flûtiste*, h/t (92x60) : **FRF 78 000** ; *Les Courses*, h/t (50x65) : **FRF 31 000** – Paris, 28 mars 1988 : *La Porte Saint-Martin*, aquar. gchée (52x67) : **FRF 21 000** – Paris, 24 avr. 1988 : *Cyclistes*, gche (49x61,5) : **FRF 15 000** ; *Place du Tertre*, gche (49x64) : **FRF 13 000** – Paris, 29 avr. 1988 : *Le Violoniste*, gche et encre de Chine (49x63) : **FRF 19 000** – Versailles, 15 mai 1988 : *Clown violoniste*, h/isor. (41x27) : **FRF 28 500** – Paris, 16 mai 1988 : *Sonate pour piano et violon*, aquar. (48x64) : **FRF 16 500** – Lokeren, 28 mai 1988 : *La Partie de cartes*, gche (64x48) : **BEF 190 000** – Paris, 15 juin 1988 : *Les Calèches* 1944, h/t (60x73) : **FRF 80 000** – Paris, 22 juin 1988 : *Bouquet aux anémones rouges* 1927, h/t : **FRF 212 000** – Calais, 3 juil. 1988 : *Vue de Moret-sur-Loing* 1925, h/t (65x81) : **FRF 100 000** – Versailles, 25 sep. 1988 : *Le Cavalier*, h/isor. (41x27) : **FRF 27 000** – Reims, 23 oct. 1988 : *Le Cirque*, gche (50x65) : **FRF 22 000** – Versailles, 6 nov. 1988 : *Homme en buste à la veste à carreaux (Portrait de Lucien Durand)*, h/t (46x27) : **FRF 26 000** – Paris, 10 nov. 1988 : *Portrait de Paulette* 1923, h/t (41x33) : **FRF 81 000** – Calais, 13 nov. 1988 : *Vieilles rues à Gonesse*, h/t (73x92) : **FRF 117 000** – Paris, 20 nov. 1988 : *Rue de Paris à Montfort-l'Amaury* vers 1924, h/t (24x32,5) : **FRF 48 000** – Paris, 24 nov. 1988 : *Le Violoniste*, h/t (92x60) : **FRF 270 000** – Paris, 9 déc. 1988 : *Pianiste*, gche/pap. (65x50) : **FRF 14 000** – Paris, 12 déc. 1988 : *Le Saut de la rivière*, aquar. (48x63) : **FRF 17 000** – Paris, 14 déc. 1988 : *Nu au fauteuil*, cr. coul. (63x48) : **FRF 9 500** – Paris, 16 déc. 1988 : *Accordéoniste*, cr. gras (37x26) : **FRF 7 000** – Paris, 25 jan. 1989 : *Portrait du fils de l'artiste* 1956, h/isor. (55x33) : **FRF 49 000** – Londres, 21 fév. 1989 : *Les Mesnuls*, h/t (81,8x65,4) : **GBP 14 300** – Calais, 26 fév. 1989 : *La Place du Tertre*, h/t (65x81) : **FRF 160 000** – Paris, 22 mars 1989 : *Le Clown accordéoniste*, cr. coul. (44,5x34,5) : **FRF 10 000** – New York, 3 mai 1989 : *Le Violoncelliste* 1929, h/t (116x73) : **USD 555 000** – Paris, 24 mai 1989 : *Corrida*, cr. gras/pap. (29,5x41) : **FRF 6 000** – Paris, 11 oct. 1989 : *Jeune Fille au bouquet*, h/pan. (54x65) : **FRF 140 000** – Paris, 22 oct. 1989 : *Le Joueur de cartes* vers 1948, h/t (79x40) : **FRF 48 000** – Versailles, 29 oct. 1989 : *Femme nue*, cr. (48,5x63) : **FRF 20 000** – Paris, 11 déc. 1989 : *Les Courses*, h/t (54x65) : **FRF 110 000** – Paris, 26 jan. 1990 : *Maison rouge*, cr. coul. (30,5x41) : **FRF 11 000** – Calais, 4 mars 1990 : *Vase de fleurs*, h/t (73x60) : **FRF 270 000** – Paris, 4 mai 1990 : *Les Deux Amies*, fus. et aquar. (65,5x50) : **FRF 40 000** – Paris, 28 mai 1990 : *Montmartre, rue Norvins, place du Tertre* 1924, h/t (65x81) : **FRF 500 000** – Paris, 30 mai 1990 : *Les Courses* vers 1935, gche (45,5x61) : **FRF 60 500** – Paris, 17 oct. 1990 : *Les Cavaliers*, h/t (50x65) : **FRF 115 000** – Le Touquet, 11 nov. 1990 : *La Course attelée*, aquar. et gche (47x62) : **FRF 35 000** – New York, 15 nov. 1990 : *Le Violoniste*, h/t (40,6x22,3) : **USD 27 500** – L'Isle-Adam, 17 fév. 1991 : *Le Tilbury*, h/t (73x92) : **FRF 215 000** – Paris, 17 avr. 1991 : *La Terrasse de Grelot* 1927, gche et aquar./t. (49x65) : **FRF 180 000** – Amsterdam, 12 déc. 1991 : *Musique de* *chambre*, h/t (74,5x92) : **NLG 43 700** – Neuilly, 15 déc. 1991 : *Bouquet de fleurs* 1923, h/t (55x46) : **FRF 157 000** – New York, 9 mai 1992 : *Le Pont-Neuf à Paris*, h/t (53,3x63,5) : **USD 8 800** – New York, 10 nov. 1992 : *Violoniste*, h/t (92x59) : **USD 9 900** – Paris, 14 mars 1993 : *Le Boulodrome chez la mère Paille à Montmartre* 1926, h/t (73x92) : **FRF 175 000** – Lyon, 17 oct. 1993 : *L'Homme au chapeau noir* 1924, h/t (55x47) : **FRF 100 000** – Le Touquet, 14 nov. 1993 : *La Gare de Ville-d'Avray*, h/t (73x92) : **FRF 75 000** – Lokeren, 4 déc. 1993 : *Combat de taureaux à Bilbao*, aquar. (41x52) : **BEF 140 000** – New York, 9 mai 1994 : *Aux courses*, aquar. et gche/pap. (49,5x63,5) : **USD 2 300** – Paris, 27 oct. 1994 : *L'Enfant à la poupée* 1926, h/t (81x65) : **FRF 150 000** – Paris, 30 nov. 1995 : *Le Jeu de boules*, h/t (72,5x92) : **FRF 92 000** – Amsterdam, 4 juin 1996 : *Promenade à cheval*, gche/pap. (48x64) : **NLG 5 900** – Paris, 28 oct. 1996 : *Portrait du peintre Creixams* 1929, h/t (92x65) : **FRF 114 000** – Paris, 8 déc. 1996 : *Les Courses*, h/t (50x65) : **FRF 30 000** – Calais, 15 déc. 1996 : *Vase de fleurs*, h/t (55x46) : **FRF 39 000** – Paris, 19 déc. 1996 : *Musiciens*, gche/pap. (62x48) : **FRF 17 000** – Londres, 23 oct. 1996 : *Le parc*, h/t (65x81) : **GBP 8 280** – New York, 10 oct. 1996 : *Nature morte florale*, h./masonite (44,8x31,4) : **USD 1 380** – Paris, 14 mars 1997 : *Bouquet au vase bleu*, h/pan. (65x50) : **FRF 17 500** – Calais, 23 mars 1997 : *Montmartre, la rue de l'Abreuvoir* 1919, h/pan. (37x46) : **FRF 30 000** – Paris, 5 juin 1997 : *Musicien*, h/t (92x60) : **FRF 40 000** – Cannes, 8 août 1997 : *Portrait de A. Navarre* vers 1955, h/pan. (55x33) : **FRF 40 000**.

GENAILLE Félix François Barthélémy
Né le 23 août 1826 à Montceau-les-Loups (Aisne). Mort en 1880. XIXe siècle. Français.
Peintre de scènes de genre, portraits, intérieurs, peintre à la gouache, aquarelliste, pastelliste, dessinateur, copiste.
Il étudia à l'École des Beaux-Arts de Paris, à partir de 1847, dans l'atelier d'Ary Scheffer. Il exposa au Salon de Paris, de 1846 à 1880.
Outre des copies de toiles d'artistes célèbres, il réalisa des scènes anecdotiques et surtout des portraits féminins, à l'huile, à l'aquarelle, au pastel ou au crayon. Les expressions, les attitudes et les études de vêtements sont proches, par leur sensibilité, du Romantisme. Il exécuta de nombreux croquis de costumes à l'aquarelle ou à la gouache ; ils sont, par l'absence de signature et de références, parfois difficiles à identifier.
Bibliogr. : Gérald Schurr, in : *Les Petits Maîtres de la peinture 1820-1920, valeur de demain*, Les Éditions de l'Amateur, t. III, Paris, 1976.
Ventes Publiques : Paris, 21 oct. 1936 : *Portrait de jeune fille*, mine de pb reh. de blanc : **FRF 100** ; *Portrait de fillette*, aquar. : **FRF 380** ; *Portraits de deux dames âgées*, aquar. : **FRF 500** – Paris, 31 mai 1991 : *La Belle Italienne* 1862, h/pan. (32,5x24,5) : **FRF 11 000** – New York, 13 oct. 1993 : *Jeune Romaine* 1858, h/t (81x65,1) : **USD 3 450** – Londres, 17 nov. 1994 : *Le salon de la Comtesse de Salverte, née Daru, à Paris* 1857, cr. et aquar. (31,3x41,5) : **GBP 20 700**.

GENAIN Antoine
Né au XVIIIe siècle. XVIIIe-XIXe siècles. Français.
Peintre de compositions mythologiques, paysages, aquarelliste, dessinateur.
Exposa des aquarelles au Salon de Paris de 1793 à 1808.
Musées : Perpignan : *Sacrifice à Priape*, sépia.
Ventes Publiques : Paris, 28 jan. 1985 : *Personnages à l'antique dans un décor d'architecture*, deux aquar., formant pendants (65x49) : **FRF 42 000**.

GENARD Louis François
XVIIIe siècle. Actif à Paris en 1770. Français.
Peintre et sculpteur.

GÉNARD Wilfried
Né en 1943. XXe siècle. Belge.
Peintre de compositions animées, aquarelliste, dessinateur.
Il fut élève de l'École Saint-Luc de Gand et de l'Institut Supérieur d'Art d'Anvers.
Il pratique des couleurs vives en accord avec une composition dynamique.
Bibliogr. : In : *Diction. biograph. illustré des Artistes en Belgique depuis 1830*, Arto, Bruxelles, 1987.

GENASI Alfred
XXe siècle. Français.
Peintre.
Il figure aux Indépendants depuis 1925.

GENAT E.
XXe siècle. Français.
Graveur.
Grand Prix de Rome pour la gravure en 1902.

GENAUT Clémence Isaure, Mme, née **Tuane**
XIXe siècle. Française.
Peintre.
Exposa au Salon 1849 et 1869.

GÉNAUX Ben
XXe siècle. Belge.
Peintre, dessinateur, graveur, illustrateur. Polymorphe.
Il est autodidacte, et s'exprime dans tous les styles.
Il a illustré Rimbaud, Allan Edgar Poe, Swift, Kipling, Gide, Malraux, etc. Dans une technique de glacis délicats, il peint des nus sensuels et des paysages du Maroc, où il revient souvent.
Bibliogr. : In : *Diction. biograph. illustré des Artistes en Belgique depuis 1830*, Arto, Bruxelles, 1987.

GENBERG Anton
Né le 20 juin 1862 à Ostersund. Mort en 1939. XIXe-XXe siècles. Suédois.
Peintre de paysages.
Il a peint les paysages typiques des différentes contrées de la Suède, attentif aux éclairages changeant selon les heures et les saisons, avec, semble-t-il, une prédilection pour l'hiver, la neige et la glace.

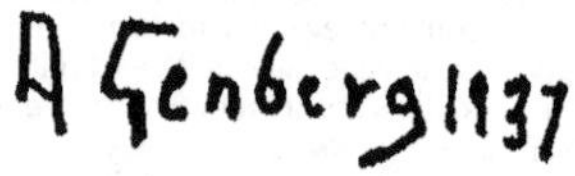

Musées : Stockholm : *Soir d'hiver*.
Ventes Publiques : Stockholm, 19 avr. 1972 : *Paysage d'été* : **SEK 4 100** – Stockholm, 22 avr. 1981 : *Paysage d'hiver* 1919, h/t (72x98) : **SEK 15 500** – Stockholm, 11 avr. 1984 : *Barque et enfant sur la plage*, h/t (51x92) : **SEK 34 500** – Stockholm, 20 oct. 1987 : *Paysage d'hiver* 1927, h/t (81x115) : **SEK 65 000** – Stockholm, 15 nov. 1988 : *Lars Hans à Gamla Are en hiver*, h/t (28x47) : **SEK 45 000** – Stockholm, 19 avr. 1989 : *Rives d'un étang boisé avec bateaux et ponton* 1892, h/t (44,5x61) : **SEK 90 000** – Göteborg, 18 mai 1989 : *Îles du nord* 1932, h/t (51x70) : **SEK 31 000** – Stockholm, 15 nov. 1989 : *Smastad avec le canal en été vu depuis Söderköping* 1932, h. (50x69) : **SEK 70 000** – Stockholm, 16 mai 1990 : *Paysage nordique avec des ruisseaux au soleil couchant*, h/t (97x142) : **SEK 43 000** – Stockholm, 14 nov. 1990 : *Paysage hivernal avec un ruisseau serpentant dans la campagne enneigée*, h/t (87x116) : **SEK 35 000** – Stockholm, 29 mai 1991 : *Paysage d'hiver avec des cabanes isolées et un ruisseau*, h/pan. (45x38) : **SEK 20 000** – Stockholm, 28 oct. 1991 : *Paysage nordique au coucher du soleil*, h/t (62x79) : **SEK 19 000** – Stockholm, 13 avr. 1992 : *Île du nord avec un massif aride* 1922, h/t (48x72) : **SEK 14 000** – Stockholm, 19 mai 1992 : *Paysage du Fjälland en hiver*, h/t (64x84) : **SEK 21 000** – Stockholm, 5 sep. 1992 : *Paysage enneigé avec des personnages près d'une ferme*, h/pan. (50x70) : **SEK 19 000** – Stockholm, 30 nov. 1993 : *Village au sud de Stockholm*, h/t (67x91) : **SEK 20 000**.

GENCE André
Né le 14 février 1918 à Marseille (Bouches-du-Rhône). XXe siècle. Français.
Peintre. Abstrait-géométrique.
Ses compositions sont fondées à partir de carrés qui s'articulent entre eux ou se superposent. Ses choix colorés sont discrets et les passages d'un ton à l'autre ne sont jamais heurtés.
Ventes Publiques : Paris, 26 sep. 1989 : *Attraction intérieure*, acryl./pap. (65x40) : **FRF 5 000**.

GENCE Robert
XVIIIe siècle. Actif à Paris au début du XVIIIe siècle. Français.
Peintre de portraits.
Les Galeries de Versailles renferment un *Portrait de Marie-Anne de Neubourg, reine d'Espagne*, fait par Gence à Bayonne le 27 août 1713.
Ventes Publiques : Paris, 14 avr. 1988 : *Portrait d'un gentilhomme dans un parc* 1713, h/t (197x146) : **FRF 220 000** – New York, 15 jan. 1993 : *Portrait d'un gentilhomme présumé Élie de Beaumont* 1713, h/t (199,4x146,7) : **USD 46 000**.